Dictionnaire historique de la langue française

tome 2

Sous la direction de
ALAIN REY

DICTIONNAIRE HISTORIQUE DE LA LANGUE FRANÇAISE

contenant

les MOTS français EN USAGE et quelques autres DÉLAISSÉS,
avec leur ORIGINE proche et lointaine;
leur APPARITION datée dans l'usage, depuis l'an 842 jusqu'à nos jours;
leur HISTOIRE convenablement détaillée, comprenant les SIGNIFICATIONS variées,
les EMPLOIS successifs, les EXPRESSIONS et LOCUTIONS les plus notables,
ainsi que
des considérations sur les IDÉES et les CHOSES désignées;
les ÉVOLUTIONS et les RÉVOLUTIONS des formes et des contenus;
les ÉCHANGES et PARENTÉS entre langues, européennes surtout;
et en outre
des ARTICLES ENCYCLOPÉDIQUES concernant les idiomes liés au français
et le français lui-même,
ainsi que les notions de linguistique utiles à la compréhension de l'ouvrage,
un GLOSSAIRE de même intention,
une CHRONOLOGIE des principaux textes en français
et enfin quelques FIGURES illustrant le voyage et les errances des signes et des idées.
Le tout recueilli et disposé pour l'utilité et l'agrément du lecteur

par
Alain REY,
Marianne TOMI, Tristan HORDÉ, Chantal TANET,

édition enrichie par
Alain REY et Tristan HORDÉ

DICTIONNAIRES LE ROBERT - PARIS

27, rue de la Glacière, 75013 PARIS.

ISBN 2-85036-532-7
ISBN 2-85036-564-5 *(tome 2)*

Tome 2
F-Pr

F

FA n. m. représente (v. 1223) la première syllabe du latin *famuli,* au second vers de l'hymne de saint Jean-Baptiste de Paul Diacre, syllabe retenue arbitrairement par Gui d'Arezzo (995-1050).

♦ Le mot désigne le sixième degré de l'échelle musicale (dans notre système, la quatrième des sept notes).

◈ voir **GAMME.**

◈ ✳ **FABLE** n. f. vient (v. 1155 par semi-emprunt) du latin *fabula* «récit, propos», d'où «récit mythologique, allégorique, conte, apologue», du verbe *fari* «parler», issu d'une racine indoeuropéenne °*bhā-* «énoncer» (→ faconde, fatal ; enfant).

♦ *Fable* apparaît au milieu du XIIe s. au sens de «récit imaginaire, histoire» et d'«allégation mensongère» (1160). Le sens de «petit récit moralisant qui met en scène des animaux» est lui aussi ancien (1180). Ce n'est qu'au début du XVIIe s. que le mot désigne la mythologie de l'antiquité païenne.

▸ Le diminutif **FABLIAU** n. m. est d'origine picarde (fin XIIe s.) et correspond à l'ancien français (d'Île-de-France) *fablel, fableau ;* il désigne un genre, celui du récit en octosyllabes, moral ou satirique, important aux XIIIe et XIVe siècles. ➛ Le dérivé **FABLIER** n. m. (1729) — mot utilisé par d'Olivet, puis Voltaire à propos de La Fontaine — a d'abord désigné un producteur de fables, avant de s'appliquer à un recueil de fables (1811).

FABULISTE n. m. traduit d'abord (1588) l'espagnol *fabulista* avec le sens de «conteur de mensonges» ; chez La Fontaine, où il signifie «auteur de fables» (1668), c'est un dérivé savant de *fabula.* ➛ **FABULER** v. intr. est emprunté (XVe s.) au latin *fabulari* «parler, causer» et «inventer des fables, des histoires», dérivé de *fabula ;* le verbe latin a abouti à l'espagnol *hablar* (→ hâbler). ◇ Il est introduit avec ce second sens (XVe s., intr. ; XVIe s., tr.). L'emploi didactique (1892) pour «raconter des choses incroyables» sous l'influence de *fabulation,* en psychologie, se répand au milieu du XXe siècle. ➛ **FABULATION** n. f. est emprunté au latin classique *fabulatio* (du supin de *fabulari*) «discours, conversation», qui signifiait en latin chrétien «bavardages, mensonges». Apparu avec le sens de «représentation imaginaire des faits» (1830), devenu archaïque, il désigne l'organisation des faits qui constitue la trame d'un rêve (1856) et une production imaginaire (fin XIXe s.). ➛ **FABULATEUR, TRICE** adj. et n. entre dans la langue (1541) avec le sens du latin *fabulator* «auteur de récits, conteur» et est aujourd'hui associé à *fabulation* (fin XIXe s.).

AFFABULATION n. f., emprunt au bas latin *affabulatio* (v. 500) «moralité d'une fable», composé de *fabulatio* ou de *fabula,* est attesté au sens du latin à la fin du XVIIIe s. (1798, Académie), sens archaïque. Le mot est repris au XIXe s. en littérature (1853) pour «trame d'un récit, narration», emploi didactique et critiqué par les puristes, puis (XXe s.) en psychologie, d'après la valeur prise par *fabulation* (ci-dessus). ➛ Le dérivé verbal de ce nom, **AFFABULER** v. tr., s'emploie d'abord pour «organiser (un récit, une narration)», en littérature (1925, Gide). Il est repris en psychologie comme variante de *fabuler* (mil. XXe s.).

FABULEUX, EUSE adj. est un emprunt (XIVe s.) au latin *fabulosus* «qui relève de la fable, du merveilleux», dérivé de *fabula.* ◇ L'adjectif conserve la valeur du latin ; il s'applique (av. 1715, Fénelon) à ce qui paraît incroyable, sens devenu courant au XIXe siècle. *Fabuleux* est devenu aussi (XXe s.) un intensif, équivalent d'«exceptionnel, énorme» et correspondant à peu près à *formidable**. ➛ En dérive **FABULEUSEMENT** adv. (1488).

FABRIQUER v. tr. est emprunté (XIIe s.) au latin classique *fabricare* «faire (un objet)», en bas latin «construire, bâtir» et «truquer» (→ forger), de *fabrica* «métier d'artisan», «action de travailler», «œuvre d'art», «atelier» et spécialement en latin médiéval «construction et entretien d'une église». *Fabrica* dérive de *faber* «ouvrier qui travaille les corps durs», sens général précisé par une épithète. *Faber* avait abouti à *fèvre* «forgeron» (→ orfèvre) et ne subsiste que dans le patronyme *Fèvre* ou *Lefèvre*, en occitan *Fabre, Faure*.

♦ Rare avant le XVIe s., *fabriquer* apparaît au sens propre de «faire (un objet)» et au sens figuré d'«élaborer de façon à tromper» *(fabriquer de faux papiers)*. Il prend le sens plus technique de «transformer des matières premières en objets manufacturés» probablement au milieu du XVIIe s. (attesté 1690) et, à partir du XIXe s., veut dire «faire par des procédés (une œuvre qui devrait être créée)» (1828). Le sens général de «faire» explique l'acception familière «avoir une occupation» (1879).

▶ Les dérivés **FABRICATION** n. f. (1488) et **FABRICANT, ANTE** n. (1604) ont le sens technique du verbe et s'emploient au figuré; l'un comme l'autre s'appliquent à l'artisanat, avant de suivre l'évolution de *fabrique*. *Fabricant* s'emploie surtout avec un complément pour «manufacturier», puis «industriel qui fabrique (un produit)» (1740). ➜ **FABRICABLE** adj. est d'usage technique (v. 1950) comme son dérivé **FABRICABILITÉ** n. f. (v. 1970). ➜ **FABRICOTER** v. tr. (XXe s.), suffixé d'après *fricoter*, est littéraire et plaisant. ➜ Le préfixé **PRÉFABRIQUÉ, ÉE** adj. se dit couramment d'une maison montée avec des éléments fabriqués au préalable (1932, adj.; 1963, n. m.) et s'emploie aussi au figuré (1959); **PRÉFABRIQUER** v. tr. (1949) est plus rare. **PRÉFABRICATION** n. f. est attesté en 1943.

FABRICATEUR, TRICE n., emprunt (1279, puis fin XVe s.) au dérivé latin *fabricator* «constructeur, artisan», est sorti d'usage pour désigner une personne qui fabrique qqch. et a pris une valeur péjorative (1648).

FABRIQUE n. f., emprunt au latin *fabrica* (→ forge), a désigné (1364) le travail du forgeron et, dans le vocabulaire religieux, la construction d'une église, le conseil chargé de gérer les revenus destinés à sa construction et à son entretien (1386-1387) et les revenus eux-mêmes (XIVe s.). *Fabrique* prend le sens plus large de «fabrication» (déb. XVIe s.), resté aujourd'hui dans ***marque de fabrique***. ◇ C'est dans la seconde moitié du XVIIe s. (1666) que la *fabrique* devient un «établissement où l'on fabrique»; *fabrique* implique que l'activité de l'établissement ne requiert pas un outillage important (cf. *manufacture*, opposé à *usine*). ◇ Le mot a eu le sens de «plantation (d'un jardin)» (1600) et s'était spécialisé pour désigner des édifices dont on ornait le fond d'un tableau (1690, n. f. pl.), une construction qui agrémentait un parc (1835).

FABRICIEN n. m., dérivé du latin médiéval *fabrica*, désignait (1569) un membre du conseil de fabrique d'une église; on disait aussi *fabricier* (1611).

FAÇADE n. f. est une réfection (1611) de *fassade* (1565), emprunté à l'italien *facciata* «un des côtés d'un bâtiment» (XIIIe s.), dérivé de *faccia*, mot issu d'un latin populaire °*facia* comme le français *face**.

♦ *Façade* conserve le sens de l'étymon, puis désigne par figure (mil. XIXe s.) une apparence qui abuse sur la réalité de qqch. ou de qqn. L'emploi familier au sens de «visage» (1872) provient d'un jeu de mots sur *face*; il ne se trouve que dans des locutions, comme ***se refaire la façade, démolir la façade à qqn*** (1881). Le mot a pris une acception technique en matière d'assurance (mil. XXe s.).

✳ **FACE** n. f. est issu (v. 1120) d'un latin populaire °*facia* «portrait», du latin classique *facies* «forme, aspect général» jusqu'à l'époque impériale, puis spécialement «visage»; *facies* se rattache à *facere* (→ faire).

♦ Le mot apparaît avec le sens de «visage»; il n'est conservé en ce sens que dans l'éloquence de la chaire, pour parler de Dieu ou de Jésus-Christ (XVIIe s., *la Sainte Face*). Dans les emplois courants, *face* est devenu un terme de raillerie, par exemple dans des locutions familières comme ***face de rat!, face d'œuf!*** — La locution adverbiale ***face à face*** (1172-1174) a fourni **FACE À FACE** n. m. inv., «situation de deux personnes l'une en face de l'autre» (1842), spécialement avec le développement de la civilisation de l'image «rencontre entre deux personnages importants» (v. 1965). ➜ Par figure, *face* désigne (1265) l'aspect sous lequel une chose se présente; le mot s'emploie couramment pour parler de chacun des côtés d'une chose (1370-1372), mais est abandonné au sens de «partie antérieure (d'un bâtiment)» (1552) au profit de *façade**. Il s'est spécialisé en géométrie (1752) et désigne (1819) le côté d'une médaille, d'une monnaie qui porte une figure. Dans certains emplois (religieux ou littéraire), il se dit encore pour «surface» (1611; → surface). ➜ De nombreuses locutions ont été formées à partir de *face*, comme ***en face*** loc. adv. (1534), ***faire face à***, spécialement *faire face à l'ennemi* (1657), *à une dépense* (1798) «pouvoir payer».

▶ Le diminutif **FACETTE** n. f. a signifié «petit visage» (XIIIe s., *facete*); il désigne une des faces d'un corps qui en a beaucoup (1582, *fasette*), s'est spécialisé en joaillerie (1671) et en sciences naturelles (1845, *yeux à facettes* des insectes), et s'emploie au figuré (1680). ➜ Son dérivé **FACETTER** v. tr. (1454) est un terme de diamanterie.

FACIAL, ALE, ALS ou **AUX** adj., dérivé savant du radical du latin *facies*, a signifié «de face» (1545) et s'applique à ce qui appartient à la face (1800).

Le mot *facies* lui-même passe en français (mil. XVIIIe s.) en sciences : **FACIÈS** n. m. reste un terme savant, sauf lorsqu'on parle du visage humain, récemment dans un contexte raciste, *un faciès (basané)* désignant parfois un immigré maghrébin.

Le composé **FACE-À-MAIN** n. m. (1872) désigne une sorte de binocle à manche.

◈ voir EFFACER, FAÇADE, SURFACE, VOLTE-FACE (art. VOLTE).

FACÉTIE n. f. est une réfection (1580) de *facecie* (fin XVe s.), emprunté au latin *facetia* «plaisanterie», surtout employé au pluriel *facetiae* «élégances», «traits d'esprit». Ce mot dérive de *facetus* «élégant, bien fait» et «spirituel», d'origine obscure, qui a été emprunté en moyen français sous la forme *facet* «gracieux» (XIVe s.).

♦ Le mot désigne une plaisanterie burlesque et spécialement (XVIIIe s.) un petit écrit plaisant. Comme ses dérivés, il appartient à l'usage soutenu.

▸ Le dérivé **FACÉTIEUX, EUSE** adj. qualifie ce qui est plaisant (fin XVe s., *facecieux*), puis une personne qui aime à dire ou faire des facéties (fin XVIe s.). ◆ Il a servi à former **FACÉTIEUSEMENT** adv. (fin XVe s.).

FÂCHER v. tr. (1442, *fachier, fascher*) représente probablement l'aboutissement d'un latin populaire °*fasticare,* forme issue par changement de suffixe de *fastidiare* «repousser dédaigneusement, faire le dédaigneux»; ce verbe, qui a donné par emprunt (XIVe s.) le verbe disparu *fastidier* «dégoûter, rebuter», est une transformation du latin classique *fastidire* «causer ou éprouver du dégoût», dérivé de *fastus* «dédain» (→ ① faste).

♦ En français, le sens de «dégoûter» (1442, *fachier à*) et la valeur atténuée d'«affliger» (1539) étaient vivants à l'époque classique. ◇ Le verbe signifie aujourd'hui (mil. XVe s.; 1480, pron.) «causer du déplaisir à (qqn), mettre en colère» et *se fâcher (avec qqn)* signifie couramment «interrompre une relation» (1865).

▸ Le dérivé **FÂCHERIE** n. f. a suivi l'évolution sémantique du verbe; désignant d'abord (1470) le dégoût pour qqch. et une peine profonde, il a signifié aussi «tracas, ennui» (1484) et «colère» (1504). Le sens moderne atténué de «désaccord, brouille» est plus tardif (1737). ◆ **FÂCHE** n. f., autrefois «contrariété» (v. 1510), s'emploie encore régionalement avec ce sens.

FÂCHEUX, EUSE adj. s'est appliqué aux choses pénibles à accomplir ou à supporter (1480), puis aux personnes difficiles à contenter (1528). Son emploi substantif (1544) était courant au XVIIe s. (*les Fâcheux* de Molière). C'est aujourd'hui un quasi-synonyme assez littéraire d'*ennuyeux.* ◆ Il a fourni **FÂCHEUSEMENT** adv. (1558).

FACILE adj. est emprunté (1441) au latin *facilis* «faisable», d'où «facile à faire» et «indulgent», qui se rattache à *facere* (→ faire).

♦ *Facile* qualifie une tâche dont l'exécution ne présente pas de difficultés (1441), avant de s'appliquer aux personnes (1559) au sens de «conciliant, d'humeur agréable et douce». De l'idée de complaisance, on passe au sens de «sans caractère, faible», encore employé à l'époque classique; c'est de là que vient l'emploi à propos d'une femme qui accepte aisément des relations sexuelles (1761). ◇ Vieilli en parlant d'une personne qui exécute sans peine qqch. (1613), l'adjectif s'applique ensuite (1680) à ce qui semble avoir été fait aisément. *Facile* ne s'oppose normalement à *difficile* qu'en parlant des choses.

▸ Il a pour dérivé **FACILEMENT** adv. (v. 1450).

FACILITÉ n. f. a été emprunté au dérivé latin *facilitas* et, comme lui, désigne la qualité de ce qui se fait aisément (1455) et la disposition à accomplir qqch. sans peine (1559). Le sens de «manque de fermeté» (1580) est vieux ou littéraire, celui d'«élégance aisée» (XVIIe s.) est péjoratif. ◇ Au pluriel, à l'époque classique, *facilités* signifie «concessions», en français moderne «commodités» et, en particulier, «délais accordés à un acheteur pour payer qqch.» (1901, *facilités de paiement*).

FACILITER v. tr. est emprunté (XVe s.) à l'italien *facilitare,* dérivé de *facilità* «facilité» (du latin *facilitas*). ◆ Il a fourni **FACILITATION** n. f. (1832) et **FACILITATEUR, TRICE** adj. (XXe s.), mots didactiques.

FAÇON n. f. est issu (v. 1121) du latin *factionem,* accusatif de *factio, -onis* «action et manière de faire» (→ faction), du supin de *facere* (→ faire). Ce sens général est conservé dans différents emplois.

♦ Le nom désigne la manière d'être extérieure d'un animal (v. 1121), d'une personne; ce sens est conservé à l'époque classique, entre autres avec une valeur méliorative puisque *façon* se dit pour *élégance;* il est maintenu aujourd'hui, mais uniquement dans l'emploi du mot au pluriel à comparer à *manières,* sauf dans **SANS-FAÇON** n. m. inv. «sans cérémonie» (1660) et «sans gêne» (1865). ◇ Du sens de «manière» (1276), on est passé à celui de «manière d'agir» (1578); à partir de cet emploi sont formées des locutions comme *en façon que* (1580), sortie d'usage, ***de façon que*** (1580), ***à la façon de*** (1580), ***de façon à ce que*** (1839) et ***c'est une façon de parler*** (1798). ◆ *Façon* a signifié par ailleurs «acte, action» (1260), d'où l'emploi pour «action de mettre en œuvre» (1377), en agriculture (1606), dans ***de la (ma...) façon*** (1668) ou pour parler du travail de l'artiste qui met en œuvre une matière.

▸ Le dérivé **FAÇONNER** v. tr. (1175) a le sens général de «travailler une matière pour lui donner une forme particulière». Le verbe s'emploie spécialement pour indiquer une action positive sur une personne : *façonner qqn,* c'est le former par l'habitude ou l'éducation (1462) ou, dans un usage littéraire (1580), l'accoutumer à qqch. (construction avec *à*). ◆ Le verbe a eu à l'époque classique (1671, intr.) le sens défavorable de «faire des façons» et, par extension, «dissimuler des sentiments». Il s'emploie comme le nom en agriculture (1751) et, par figure (XIXe s.), signifie «créer par un travail de l'esprit».

FAÇONNAGE n. m. «forme, apparence» (fin XIIe s., isolément) dérive de *façon,* comme **FAÇONNEMENT** n. m. de même sens (fin XIIe s.). En tant que dérivé de *façonner* (1552), il s'emploie surtout au figuré. ◇ *Façonnage* (et *façonner*) s'emploient spécialement dans la fabrication des livres pour les opérations succédant au pliage (massicotage, etc.) et précédant la reliure proprement dite. Dans ce sens, on emploie un autre dérivé, ② **FAÇONNIER** n. m. ◆ Le verbe a aussi produit **FAÇONNABLE** adj. (1898), technique, et **FAÇONNEUR, EUSE** n. (mil. XXe s.), rare.

Le composé **MALFAÇON** n. f. (v. 1260) est surtout employé à propos des métiers du bâtiment.

① **FAÇONNIER, IÈRE** n. et adj., dérivé peu usité de *façon,* s'est employé à l'époque classique (1549) pour «tisserand». Il désigne (1564, n.) un ouvrier qui travaille à façon et se dit (1639, adj.) d'une personne qui fait trop de cérémonies.

◈ voir CONTREFAÇON (art. FAIRE).

FACONDE n. f. est emprunté (v. 1150, *facunde*) au latin *facundia* «facilité d'élocution», «talent de la parole, éloquence», dérivé de *facundus* «disert», adjectif dérivé de *fari* «parler, dire», qui se rattache à une racine indoeuropéenne *°bhā-* «énoncer» (→ fable, fatal).

♦ Le mot, rare jusqu'au XVIIe s., désigne une élocution facile, abondante et, péjorativement (1829), une trop grande abondance de paroles.

FAC-SIMILÉ n. m. est emprunté (1808; écrit *fac simile* en 1796) à la locution du latin *fac simile* «fais une chose semblable», composée de *fac*, impératif du verbe *facere* «faire*» et de *simile* «chose semblable», substantivation de *similis* «semblable, ressemblant», qui se rattache à la racine indoeuropéenne *°sem-* «un» (→ ensemble).

♦ Le mot désigne la reproduction exacte d'un écrit, d'un dessin et, par analogie en informatique (v. 1970), un procédé de transmission des images par le réseau téléphonique.

▸ Il a fourni les dérivés d'emploi rare **FAC-SIMILER** v. tr. (1831) et **FAC-SIMILAIRE** adj. (1865). ◇ De là **FAX** n. m., emprunt à l'abréviation anglo-américaine pour *fac-simile*, qui a pour équivalent français *télécopie*, et le dérivé **FAXER** v. tr. *télécopier*.

FACTEUR, TRICE n. est un emprunt (1326) au latin classique *factor* «fabricant», employé en latin chrétien au sens de «créateur, auteur» pour traduire le grec *poiêtês*; *factor* dérive de *factum*, supin de *facere* (→ faire). L'évolution phonétique régulière a donné en ancien français *faitres, faitor* (XIIe s.).

♦ *Facteur* est d'abord un terme de négoce (1326), désignant une personne qui fait du commerce pour le compte d'une autre, sens encore courant au XVIe siècle. ◇ À partir du XVIIe s., le mot désigne qqn qui porte des lettres à leurs destinataires (1651, *facteur de lettres*), sens devenu usuel avec l'établissement de la «Petite Poste» en 1759. Le mot, toujours courant aujourd'hui et qui a reçu le féminin *factrice*, a été remplacé (mil. XXe s.) dans l'administration par *préposé*.
Parallèlement, *facteur* s'est employé pour désigner celui qui crée qqch. (1339, n. m.) et spécialement, au XVIe s., l'écrivain, l'artiste, comme synonyme de *créateur*, spécialement en parlant de Dieu. À partir du XVe s., il s'applique spécialement à une personne qui fabrique certains instruments de musique (1421, *facteur d'orgues*). ◇ Par extension, le mot désigne en mathématiques (1699) chaque élément constitutif d'un produit et (1805) chacun des éléments qui concourt à un résultat.

▸ Quelques termes de commerce ont été dérivés savamment du latin *factor*: **FACTORERIE** n. f. (1568), vieilli, a été en concurrence jusqu'au XVIIIe s. avec *factorie* (1414), et **FACTAGE** n. m. (1842) est un terme technique. ➛ **FACTORIEL, IELLE** adj. et n. f. (1845) est un terme didactique comme **FACTORISER** v. tr. (mil. XXe s.). Ces deux mots correspondent au sens mathématique de *facteur*.
① **FACTURE** n. f., formé à partir du radical de *facteur* «agent commercial», est une ellipse (1611) pour *lettre de facture* (1540) désignant une pièce comptable et, par métonymie, la note d'une somme à payer. Il est devenu très courant avec cette valeur. ➛ Le mot a produit **FACTURER** v. tr. (1829) dont dérivent **FACTURATION** n. f. (1934) et **FACTURIER, IÈRE** n. (1849).

FACTICE adj. est un emprunt (1534, Rabelais) au latin impérial *facticius* «artificiel», «imitatif», dérivé du latin classique *facere* (→ faire). *Facticius* avait abouti à l'ancien français *faitis, faitice* «façonné», «bien fait» (fin XIe s.) [→ fétiche].

♦ *Factice* s'applique couramment (1534) à ce qui est fait artificiellement, à l'imitation de la nature, et s'emploie spécialement dans la philosophie cartésienne, où *idées factices* «élaborées par l'esprit» s'oppose à *idées innées* (1647). ◇ Par figure et péjorativement, l'adjectif équivaut à «faux, affecté» (XVIIIe s.). Il est aussi substantivé depuis le XVIIIe s. (1776, *le factice*).

▸ En dérivent **FACTICEMENT** adv. (1842, Hugo), rare, et **FACTICITÉ** n. f. (1873), spécialisé en philosophie (1943, Sartre) au sens de «caractère d'un fait contingent»; c'est alors l'adaptation de l'allemand *Faktizität* «caractère existentiel», chez Husserl.

FACTION n. f. est emprunté (v. 1355, *faccion*) au latin *factio, -onis* «groupe de gens qui agissent ensemble», de *factum* «action de faire», supin de *facere* (→ faire); c'est le doublet savant de *façon*.

♦ *Faction* désigne un groupe se livrant à une activité séditieuse (v. 1355); le mot s'est employé pour «action de guerre» (v. 1540) et plus généralement pour «action de faire» (déb. XVIIe s.). Il signifie également «service de surveillance d'un soldat armé» (1616), peut-être par emprunt à l'italien *fazione;* par analogie de ce sens militaire, il désigne (XXe s.) chacune des tranches d'heures entre lesquelles sont réparties des équipes assurant un travail continu dans une entreprise.

▸ Le dérivé **FACTIONNAIRE** n. m. s'est employé d'abord comme adjectif (v. 1560) puis comme nom (1574) au sens de *factieux* et désigne (1671) un soldat en faction. ➛ **FACTIONNER** v. intr. (XXe s.) est rare.
FACTIEUX, EUSE adj. et n. est emprunté (av. 1468, n.; 1488, adj.) au latin *factiosus* «affilié à une coterie politique», dérivé de *factio*. Il est lié à *faction* et signifie «séditieux, subversif». Le mot s'est employé spécialement vers 1958 dans le contexte du conflit algérien à propos des militaires français partisans de l'Algérie française et révoltés contre le gouvernement. ➛ Le dérivé **FACTIEUSEMENT** adv. (1660) a vieilli.

FACTITIF, IVE adj. est un dérivé savant (1890) du latin *factitare* «faire souvent, habituellement», fréquentatif de *facere* (→ faire).

♦ Ce terme signifie en grammaire «qui exprime que le sujet est à la cause de l'action, sans agir lui-même».

▸ De là **FACTITIF** n. m. (1907) «verbe factitif».

FACTOTUM n. m. (1552), d'abord écrit *factoton* (1545), reprend une locution latine de la Renaissance, *fac totum* «fais tout», composée de l'impératif de *facere* (→ faire) et de l'accusatif de *totus*

(→ tout); la forme *factoton*, encore normale à la fin du XVIIIe s. (1798, Académie), transcrit la prononciation du latin au XVIe siècle.

♦ Le mot, d'usage littéraire, désigne un employé qui s'occupe de tout dans une maison et, par figure (fin XIXe s.), une personne qui se mêle de tout.

FACTUEL, ELLE adj. représente (v. 1950) la francisation de l'anglais *factual* adj. «relatif aux faits» (1834), dérivé de *fact* «fait», emprunté au latin *factum* (→ fait).

♦ Cet adjectif didactique est appliqué à ce qui est de l'ordre du fait.

▸ Il a fourni **FACTUELLEMENT** adv. (1951) et **FACTUALITÉ** n. f. (1957).

FACTUM n. m. est emprunté (1532, Rabelais) au latin *factum* signifiant «fait», supin de *facere* (→ faire.)

♦ Terme de droit sorti d'usage («exposé des faits d'un procès»), il désigne aujourd'hui dans l'usage littéraire (1601) un mémoire d'un ton polémique (les *Factums* de Furetière contre l'Académie).

① **FACTURE** n. f. → **FACTEUR**

② **FACTURE** n. f. est un emprunt (XIIIe s.) au latin classique *factura* «fabrication», en latin médiéval «créature», «bâtisse» et aussi «magie». *Factura*, dérivé du supin de *facere* (→ faire), avait abouti à l'ancien français *faiture* «trait, visage» (1080, d'où l'anglais *feature*) «production» et «sortilège» (XIVe s.).

♦ *Facture* a eu le sens de «trait du visage» (XIIIe s.) comme *faiture* (ci-dessus). Lié à l'idée de fabrication, le mot désigne (XIVe s.) la manière dont est faite une œuvre d'art; cet emploi didactique est resté vivant. ◆ Comme terme technique lié à *facteur**, il s'emploie (1548) à propos de la fabrication de certains instruments de musique.

FACULTÉ n. f. est un emprunt savant (v. 1210) au latin classique *facultas, -atis* «capacité, aptitude, possibilité», au pluriel «ressources» et, en latin médiéval, «genre d'étude, groupe de disciplines» (v. 1184) et «faculté universitaire» (1237). *Facultas* est formé sur l'adverbe archaïque *facul* «facilement», de *facere* (→ faire).

♦ Le sens général du latin est conservé dans une série d'emplois; le mot désigne (v. 1210) la connaissance, le savoir (ce qui peut être acquis), acception sortie d'usage, puis la possibilité naturelle, légale ou intellectuelle de faire qqch. (1370), d'où l'aptitude à qqch. (XVIe s.) et, par extension, les moyens financiers (1393); en ce sens, *faculté* est aujourd'hui un terme de droit, au pluriel. ◇ Parallèlement, *faculté* reprend le latin médiéval et désigne un lieu où se donne l'enseignement universitaire (1261), puis le corps de professeurs chargés de cet enseignement (1478); avec cette valeur, le mot passe aujourd'hui pour un anglicisme, l'anglais *faculty* l'ayant développé avant le français.

▸ Le dérivé **FACULTAIRE** adj., «relatif à une faculté» (1970), est un terme administratif. ◆ L'apocope **FAC** n. f. (1920) est d'autant plus usuel que le français de France n'a pas d'abrègement pour *université* (*uni* en français de Belgique).

FACULTATIF, IVE adj., dérivé savant de *facultas*, a été un terme religieux (1694) dans l'expression ***bref facultatif*** (par lequel le pape accordait une faculté, c'est-à-dire un pouvoir). ◇ L'adjectif s'applique à ce qu'on peut faire ou non (1836); il est usuel, opposé à *obligatoire*. ◆ L'adverbe **FACULTATIVEMENT** est attesté chez Proudhon (1840).

FADA adj. et n. m. s'est substitué (1611) à *fadas, fadasse, fadat*. Il est emprunté à l'ancien provençal *fadatz* (1343; provençal moderne *fadas*) «niais, sot», de *fat* (XIIe s.), du latin *fatuus* «insensé» (→ fat).

♦ Le mot, repris et diffusé en français central (1891), ensuite par l'œuvre de Pagnol (*Marius*, 1931), reste très régional, tout en étant connu dans toute la France.

◈ voir **FADAISE**.

FADAISE n. f. est emprunté (1541) à l'ancien provençal *fadeza* «sottise» (XIIIe s.), dérivé de *fat* «sot», du latin *fatuus* «insensé» (→ fada, fat).

♦ Il s'emploie plutôt au pluriel aujourd'hui, conservant le sens de «discours ou écrit sans intérêt» et désignant (1650) une chose insignifiante.

FADE adj. est issu (1170) d'un latin populaire °*fatidus* qui serait un croisement du latin classique *fatuus* «qui n'a pas de goût», puis «sot, idiot» (→ fat), avec *vapidus* «éventé» (à rapprocher de *vapor*) ou avec *sapidus*, son contraire, de *sapere* (→ saveur). *Fatuus* est d'origine obscure, et semble sans rapport avec *fatum* (→ fatal).

♦ *Fade* s'est dit (1170) d'une personne, avec le sens de «sans vivacité», d'où «faible» et, par extension (mil. XIIIe s., *amour fade*), s'applique à ce qui manque de piquant, est ennuyeux, spécialement dans *beauté fade* (1690). ◇ Employé à propos d'un aliment, l'adjectif conserve le sens du latin, «insipide» (1223; 1275, *viande fade*). Au sens d'«écœurant», en parlant d'une odeur, il est plus tardif (1803).

▸ **FADEUR** n. f., réfection (1376) de *fadur* (déb. XIIIe s.), a eu le sens de «dégoût»; il est repris au XVIIe s. (1611) avec ses valeurs modernes. *Une, des fadeurs* «discours, louange fade» (av. 1778) est vieilli.

FADEMENT adv. a d'abord eu (1548) le sens de «sottement» (sens tiré de *fatuus*), puis (1574) sa valeur moderne.

FADASSE adj. est construit avec le suffixe péjoratif *-asse*, pour parler familièrement d'une nourriture fade (1755), de ce qui manque d'éclat (XIXe s.) et, au figuré, de ce qui manque d'intérêt (1838). ◆ Il a pour dérivés **FADASSERIE** n. f. (1756) et **FADASSEMENT** adv. (1889), rare.

Le composé **AFFADIR** v. tr., sorti d'usage au sens de «causer du dégoût» (1226), signifie «rendre sans saveur» (XVIe s.). ◆ Il a fourni **AFFADISSEMENT** n. m. (1578) et **AFFADISSANT, ANTE** adj. (1611).

FADET → **FÉE**

FADING n. m. est emprunté (1924) à l'anglais *fading* «déclin, évanouissement» (XVIe s.), spécialisé en radio pour désigner un évanouissement momentané du son (déb. XXe s.). Le mot anglais est le participe présent de *to fade* «s'effacer, disparaître», lui-même tiré de l'ancien français *fade* (→ fade).

▸ Le français, qui a conservé le sens technique, emploie le mot en pathologie (1968, *fading mental*) et a formé le composé **ANTIFADING** n. m. (attesté 1929).

FADO n. m. est emprunté (1907) au portugais *fado* «destin funeste, malheur» (XVIe s.), désignant spécialement un chant populaire sur des poésies sentimentales et dramatiques (v. 1820); le mot portugais est issu du latin *fatum* «destin irrévocable» (→ fatal); il est peut-être en rapport avec l'espagnol *fandango**.

♦ En français, le mot ne désigne que le genre musical.

FAFIOT n. m. est très probablement formé à partir du radical onomatopéique *faf-* qui exprime l'idée de «peu de valeur»; on relève par exemple *faffée* «bagatelle» (XVe s.) et le morvandiau *fafions* «menus objets de toilette».

♦ Le mot est d'abord utilisé pour désigner une marque, un jeton (1624). On le trouve comme terme d'argot en 1821 au sens de «passeport» et de «papier»; Balzac l'emploie au sens de «billet de banque» (1847) qu'il a conservé dans la langue très familière.

▸ **FAFFE(S)** ou **FAF(S)** n. m. a le même sens (1846) que *fafiot*; au pluriel, il s'emploie aussi pour «papiers d'identité» (1829).

FAGNE → **FANGE** (étym.)

FAGOT n. m. apparaît au XIIe s. *(fagot de bûches)*. Une formation à partir d'un latin populaire °*facus*, construit sur *fax* «torche», est peu convaincante : l'évolution phonétique n'aboutirait pas à *fagot* et le sens fait problème. Bloch et Wartburg ont proposé un emprunt au provençal *fagot*, du grec *phakelos* refait en °*phakos*; mais il faudrait que le mot soit apparu d'abord dans le midi de la France, ce qui n'est pas le cas. On a supposé également une origine germanique en évoquant le norvégien *fagg* «tas, gerbe». P. Guiraud suggère de rattacher *fagot* au nom latin du hêtre, *fagus*; la reconstruction d'un doublet du latin *fageus* «de hêtre», °*fagicus*, permettrait de supposer un roman °*fagicottu*, qui en rendrait compte phonétiquement.

♦ Du sens de «faisceau de petit bois» (XIIe s.), on passe à l'emploi figuré de «choses assemblées et liées» (v. 1570). *Fagot* désignait au XVIIe s. (av. 1663) un ensemble de nouvelles de peu d'importance. Il est employé dans des locutions; ***sentir le fagot*** (1594), «être suspect d'hérésie», évoque le fait que l'on condamnait autrefois les hérétiques au bûcher; *conter des fagots* «raconter des balivernes» (XVIIe s.), jouait sur l'homonymie *conter-compter*; ***de derrière les fagots*** (XVIIIe s.) se dit du meilleur vin, qu'on a laissé vieillir en cave.

▸ Pour le dérivé **FAGOTER** v. tr., les sens de «mettre en fagots» (1260) et, au figuré, de «composer à la hâte» (1580) sont peu usités. Pour «habiller sans recherche», surtout (1585) au participe passé, le verbe est en revanche usuel. ◆ Le verbe a produit **FAGOTEUR, EUSE** n. (1215), archaïque, et **FAGOTAGE** n. m. (1571). ◆ Deux autres dérivés de *fagot* sont régionaux. **FAGOTIER** n. m., très rare au sens de «bûcheron qui fait des fagots» (déb. XIIIe s.), désigne aussi (déb. XXe s.) un endroit où l'on range les fagots. ◇ **FAGOTIN** n. m. «petit fagot pour allumer le feu» (1584) est plus connu en français central.

FAIBLE adj. et n. m. est une réfection graphique tardive (XVIIe s.) de *foible* (v. 1175), antérieurement *feble* (v. 1160), *fieble* (1080), aboutissement d'un latin populaire °*febilis*, issu par dissimilation des *l* du latin classique *flebilis* «affligeant, digne d'être pleuré», du verbe *flere* «pleurer» qui appartient à un groupe de mots indoeuropéens en *f-l* et *b-l*.

♦ C'est du premier sens apparu (1080), «qui manque de force» (à propos d'une personne), que procèdent tous les emplois — dans ce premier sens proche de la valeur première de *imbécile*, on dit par plaisanterie ***le sexe faible***. *Faible* se dit de ce qui a peu de valeur (1170), en particulier d'idées, d'arguments sans force (1742). ◇ Il s'est employé très tôt (1188) pour parler de ce qui manque d'intensité *(une lumière faible)*, d'où *monnaie faible* (1226), et en français classique à propos d'une quantité, d'une taille, etc. (1642). Il signifie aussi «qui n'est pas capable de résister» (XIIIe s.) — le nom correspondant à l'adjectif s'emploie aujourd'hui surtout au pluriel pour parler des personnes sans défense. ◇ Du manque physique on passe au manque de force morale (1180), de vigueur intellectuelle (1658), d'où l'emploi du nom ***(c'est un faible, un faible d'esprit)***. ◇ *Faible* n. m., «défaut», n'est que littéraire aujourd'hui; au sens de «penchant, goût», il s'emploie à partir du XVIIIe s. (1762).

▸ Le dérivé **FAIBLARD, ARDE** adj. (1878), familier, retient l'idée de manque de force; avec cette valeur, ◇ **FAIBLET, ETTE** adj. (XIIe s.) et **FAIBLOT, OTTE** adj. (1864) sont vieillis. ◆ **FAIBLEMENT** adv. (1080, *fieblement*; XIIe s., *foiblement*) signifie «avec peine» ou (1361) «sans force».

FAIBLESSE n. f. (v. 1050, *fieblece*; XIIe s., *foiblesse*) était en concurrence en ancien français avec un autre dérivé, *foibleté*, au sens de «manque de force physique». *Faiblesse* conserve le sémantisme de l'adjectif : «perte momentanée des forces physiques» (1485; cf. aujourd'hui *une faiblesse*), «manque de solidité (d'une chose)» (1314) ou «manque de valeur intellectuelle» (1666). Du sens de «manque de force morale» (1265) procède celui d'«inclination» (1674, ***avoir une faiblesse pour...***) et celui de «défaut, faute».

FAIBLIR v. intr. (1188, *flebir* par métathèse) est rare avant le XVIIe s. au sens propre de «devenir faible physiquement»; peu usité aujourd'hui, sauf au sens de «diminuer son effort», dans le domaine des sports (1858). **AFFAIBLIR**, v. tr. aussi *affeblier* en ancien français, est attesté au début du XIIe s. *(fusse affebli)* et signifie «rendre plus faible», aux sens concrets et abstraits de l'adjectif. Il est écrit *affoiblir* à l'époque classique. Le pronominal *s'affaiblir* tend à remplacer *faiblir*. ➛ Sur *s'affaiblir* a été dérivé **AFFAIBLISSEMENT** n. m. (1290), qui est demeuré courant.

FAÏENCE n. f., qui apparaît (1532) dans *terre de fayence*, est une adaptation de *Faenza*, nom d'une ville italienne proche de Ravenne, célèbre pour ses poteries émaillées; on relève les formes *faenze* (1589), *faiance* (1642) avant la graphie moderne (fin XVIIe s.). L'italien utilise *maiolica*, emprunté sous la forme *majolique*.

♦ *Faïence*, «poterie émaillée», s'emploie dans la locution familière ***se regarder en chiens de faïence*** (1690) «avec soupçon, hostilité».

▸ Le mot a deux dérivés courants: **FAÏENCIER, IÈRE** n. (1666, *fayencier*) et **FAÏENCERIE** n. f. (1691, *fayencerie*).

① **FAILLE** n. f. est un mot du Nord (2e moitié du XIIIe s.) d'origine obscure. P. Guiraud y voit le même mot que le wallon *faille*, déverbal de *faillir* «manquer» (→ faillir), soit «laisser un manque». Il rapproche *faille* du provençal *falho* «filet» et de *faio* «endroit d'un tissu moins serré que le reste»: *failles* désignerait donc les mailles, les trous ou lucarnes, dans *taffetas à failles*.

♦ *Faille* désignait dans la région flamande une pièce de tissu qu'utilisaient les femmes pour se couvrir la tête; on trouvait encore ce sens dans le nord-est de la France au début du XXe siècle. D'où l'expression *taffetas à failles* (1752) et le nom *faille* (1829).

② **FAILLE** → FAILLIR et ① FAILLE

✳ **FAILLIR** v. intr. est issu (v. 1040) d'un latin populaire °*fallire*, pour le classique *fallere* «tromper», «échapper à», d'où ensuite le développement des sens «faire défaut», «commettre une faute». Ce verbe (probablement d'abord °*faldere*) est d'étymologie incertaine, peut-être apparenté au germanique *fallan* (cf. l'anglais *to fall* «tomber»). Le radical *faill-*, régulier à la 3e personne du pluriel de l'indicatif présent (latin °*falliunt*) et à l'imparfait (latin °*falliebam*) a été étendu à l'infinitif et au participe passé; la réfection n'a pas été complète mais les formes construites sur le radical *fau-* (présent et futur de l'indicatif, par exemple) étaient déjà peu usitées au XIXe s.; le verbe s'est dédoublé en *faillir* et *falloir* (→ falloir) au XVe siècle.

♦ Les emplois anciens et modernes sont liés aux sens du verbe en latin. *Faillir à qqn* (1040) n'est plus que d'un usage littéraire (cf. ***le cœur me faut***), comme *faillir à qqch.* (1165) «manquer à un devoir» ou, par extension, *faillir* pour «commettre une faute» (XIIe s.). Le verbe s'est employé pour «se tromper» (XIIe s.) jusqu'à l'époque classique. ◇ Au sens de «manquer de peu» (1559), *faillir (à, de)* est archaïque; il est resté courant au passé composé suivi d'un infinitif *(j'ai failli oublier)* [1757].

▸ **FAILLIBLE** adj. est emprunté (v. 1265, variante *fallible, falible*) au latin médiéval *fallibilis* «trompeur» (d'après *fallere*) et «qui fait défaut» (d'après un sens tardif de *fallere*, qu'on a confondu avec °*fallire*). Il est rare avant le XVIIIe s. et, aujourd'hui didactique, beaucoup plus rare qu'*infaillible*. ➛ **FAILLIBILITÉ** n. f. (1316-1328, *falibilité*, puis 1693) reprend le latin médiéval *fallibilitas*.
INFAILLIBLE adj. (XIVe s., *infallible*), du latin médiéval *infallibilis*, a signifié «inaltérable» en parlant d'une matière, puis (1440-1475) «dont l'existence est nécessaire (à propos de Dieu)» et «qui ne peut manquer de se produire» (1580) — d'où son emploi en parlant de qqch. dont le succès est assuré (1669). Il s'appliquait à ce qui ne peut tromper (av. 1662); le sens courant «qui ne peut se tromper» est attesté en 1669. ➛ L'adjectif a fourni **INFAILLIBLEMENT** adv. (XVe s.) et **INFAILLIBILITÉ** n. f., d'abord (1558) dans un contexte religieux *(infaillibilité de l'Église)*.
Le composé **DÉFAILLIR** v. intr. a signifié (1080) «faire défaut» jusqu'au XVIIe s. et «mourir, disparaître» (XIIe s.). Il s'est employé (XIIIe s.) pour «manquer à son devoir» — d'où ***sans défaillir***; à partir du XVIe s., il s'emploie pour «s'affaiblir» dans l'ordre physique ou moral (1549), et plus couramment pour «s'évanouir» (mil. XVIe s.). ➛ Le dérivé **DÉFAILLANCE** n. f. (v. 1190) a la même évolution sémantique que le verbe (→ défaut).
Enfin le verbe *faillir* a un dérivé en français: ② **FAILLE** n. f. Ce mot, d'abord attesté au sens général de «lacune, manque» (***sans faille***, 1130-1140; v. 1160 en emploi libre), a pris une valeur spéciale en wallon, dans le langage des mineurs (1610). ◆ D'où son sens géologique de «fracture, coupure dans un terrain» (1771), dont vient **SE FAILLER** v. pron. (v. 1900), et une valeur métaphorique «point faible, rupture» (déb. XXe s.), générale mais différente du sens étymologique («ce qui fait défaut»). Voir aussi ① faille.

◈ voir FAILLITE.

FAILLITE n. f. est une adaptation (1566), d'après *faillir*, de l'italien *fallita* (XIIIe s., «faute»), de *fallire* «manquer (de l'argent nécessaire pour payer une dette)», de même origine que le français.

♦ Terme de droit commercial d'emploi courant, *faillite* a pris le sens figuré d'«échec» (XIXe s.).

▸ **FAILLI** n. et adj. est un emprunt (1606) à l'italien *fallito*. En ancien français, *failli*, participe passé de *faillir*, signifiait «traître, lâche» (d'un sens du verbe, «manquer à ce que l'on doit faire») et est encore attesté dialectalement au sens général de «mauvais».

✳ **FAIM** n. f. est issu (v. 1050) du latin *fames, famis* qui n'a pas de correspondant hors du latin; les noms de la faim et de la soif varient d'une langue indoeuropéenne à l'autre.

♦ *Faim* conserve les sens de l'étymon, désignant le besoin de manger et signifiant (v. 1200) «désir, envie de»; ce sens figuré a été concurrencé en ancien français par *talent*, usité encore dans les parlers languedociens (→ talent).

▸ L'adjectif **FAMÉLIQUE** (1457) emprunte le dérivé latin *famelicus* «qui ne mange pas à sa faim».
FAMINE n. f. (1155; v. 1130, *famire*), tiré du radical de *fames*, a eu aussi le sens propre de *faim* (du XVIe

au XVIIIe s.), que l'on retrouve encore, par exemple, dans ***crier famine, un salaire de famine.***
AFFAMER v. tr. (XIIe s.) est issu d'un latin populaire °*affamare*, dérivé de *fames* (cf. italien *affamare*, ancien provençal *afamar*); du premier sens de «réduire (qqn) à la faim», on est passé par figure à celui de «priver», «enlever qqch.», notamment dans le vocabulaire technique (1694; 1787, *affamer un arbre*). ➛ Le verbe a fourni **AFFAMÉ, ÉE** adj. (XIIe s.) et **AFFAMEUR, EUSE** n. et adj. (1791), qui s'est surtout employé dans un contexte politique.
Plusieurs composés sont construits à partir d'une forme verbale : **MATEFAIM** n. m. inv. (1540) est moins courant que **COUPE-FAIM** n. m. inv. (XXe s.); **ABAT-FAIM** n. m. inv. (1732) est sorti d'usage; **MEURT-DE-FAIM** n. m. inv. (1690; 1604, *mort-de-faim*) a pour équivalent familier **CRÈVE-LA-FAIM** n. m. inv. (1870).
FAIM-CALLE ou **FAIM-VALLE** n. f., «faim impérieuse, pathologique», est formé (v. 1150, *fainvale*) d'un élément d'origine obscure, peut-être du breton *gwall* «mauvais»; on relève la variante *faimgale*, n. f. (1316-1326).
◈ voir FRINGALE.

FAÎNE ou **FAINE** n. f. est issu, d'abord sous la forme *favine* (1165) puis *faïne* (1258), finalement réduite en *faine* (1600; 1762, *faîne*), du latin *fagina* «fruit du hêtre», féminin substantivé de l'adjectif *faginus*, dérivé de *fagus* «hêtre». *Fagus* avait abouti à l'ancien français *fou* (→ fouet) et à l'ancien provençal *fag, fau*, encore dans des noms de lieux (cf. *La Fage*). À *fagus*, nom d'arbre indoeuropéen, correspond le dorique *phagos* «sorte de chêne», le hêtre n'existant pas en Grèce.

♦ Le mot désigne le fruit du hêtre, qui correspond au gland du chêne et sert de nourriture à certains animaux.

FAINÉANT, ANTE adj. et n. est une altération (1306), d'après *fait* (forme verbale de *faire*) et *néant**, de *faignant, feignant* (fin XIIe s.); ces formes représentent le participe présent du verbe *feindre* (1080) au sens de «se dérober, rester inactif» et sont aujourd'hui considérées populaires.

♦ *Fainéant* a une valeur plus forte que *paresseux*.

▸ Il a produit **FAINÉANTISE** n. f. (1539; 1739, *fainiantise*) et **FAINÉANTER** v. intr. (1690, *faitnéanter*). ➛ L'équivalent familier **FEIGNASSE** adj. et n. a été formé (1890) avec le suffixe péjoratif *-asse;* c'est un mot argotique, puis familier (cf. *feignantasse*, 1927, Mauriac, mot régional).

✳ **FAIRE** v. tr., attesté pour la première fois à la 3e personne du singulier du subjonctif *fazet* (842), est l'aboutissement du latin *facere*. À l'origine, *facere* signifiait «placer, poser» puis a été employé de façon technique, par exemple en religion dans *sacrum facere* «placer un sacrifice (sur l'autel)», d'où «faire (un sacrifice)». Le sens de «placer» est pris par *ponere* (→ pondre) et *facere* signifie alors «causer», «exciter», «travailler», «faire artificiellement»; il s'emploie aussi en litote et comme substitut d'un autre verbe et entre, à l'époque impériale, dans des emplois impersonnels. *Facere*, représenté dans les langues romanes par l'italien *fare*, l'espagnol *hacer* (d'où *hacienda*), le portugais *facer* (d'où *fazenda*) et le roumain *face*, se rattache à une racine indoeuropéenne °*dhē-* «placer», comme le grec *tithenai* «poser» (→ thème, thèse).

♦ *Faire* est attesté dans ses premiers emplois comme suppléant d'un verbe d'action et, suivi d'un infinitif, signifiait «être cause que, attribuer à» (880). Il s'emploie au sens général de «réaliser (une manière d'être), être le sujet de (une activité)» (Xe s.). À partir du sens d'«accomplir» *(faire une bonne action)*, un grand nombre de locutions a été formé; parmi celles qui sont encore vivantes, certaines sont anciennes : ***faire tant, si bien que*** (mil. XIe s.), ***ne faire que de,*** suivi de l'infinitif (v. 1190), ***n'en faire qu'à sa tête,*** etc. ➛ *Faire* a aussi le sens de «déterminer (qqn, qqch.) dans sa manière d'être» (fin Xe s. pour les personnes; 1080 pour les choses) et de «donner un caractère à qqn» (fin Xe s., *faire un ministre*), d'où par extension (v. 1172) «représenter, remplir le rôle de» *(faire un personnage, faire le chien)*. ➛ Avec la valeur générale de «réaliser (qqch.)», on le trouve dans la *Chanson de Roland* (1080), en particulier au sens de «constituer». Il s'est spécialisé avec la valeur de «produire, donner la vie à, enfanter» (1372). Par extension, *faire* équivaut à «produire (qqch.) par l'industrie, la culture, etc.» (1606); et aussi à «obtenir» (1837, *faire de l'argent*), familièrement à «extorquer, voler» (1808). ➛ Le verbe est également utilisé avec un sujet impersonnel (1119) pour exprimer les conditions atmosphériques *(il fait soleil, beau, mauvais...)*.
FAIRE n. m. (mil. XIe s., *fare*) désigne l'action de faire, le fait d'agir (1713) et la manière de faire une œuvre (1752).

▸ De nombreux dérivés et composés ont été formés à partir de *faire* ou des dérivés latins de *facere*.
FAISEUR, EUSE n., réfection (XIVe s.) de *fesere* «artisan» (1260), désigne qqn qui agit, dans des expressions; ***faiseur de...*** remplace dans l'usage courant le terme technique *fabricant*. Sorti d'usage pour «créateur» (fin XIIIe s., *fesiere*), il s'emploie péjorativement pour désigner qqn qui se livre habituellement à une activité *(un faiseur de projets);* en emploi absolu (1789), il désigne celui qui cherche à se faire valoir. L'emploi au sens d'«homme d'affaires véreux» (1786, *faiseur d'affaires*) est littéraire (cf. Balzac, *Mercadet ou le Faiseur*); la locution ***faiseuse d'anges*** (1878) s'est employée pour «avorteuse».
FAISABLE adj., «réalisable» (1350; XIVe s., var. *faisible*), a pour contraire **INFAISABLE** adj. (1613). ➛ **FAISABILITÉ** n. f., terme technique, est une francisation (av. 1974) de l'anglais *feasibility* (1624, de *feasible*, 1460, lui-même de l'ancien français).
FAIT n. m. est issu (v. 1160) du latin *factum*, participe neutre substantivé de *facere;* son premier sens est «action humaine» et notamment «action remarquable» (1170), d'où ***fait d'armes, hauts faits;*** *(être) le fait de qqn* signifiait «(constituer) sa manière d'agir» (XIIIe s.); l'emploi en droit au sens de «part, bien» (1283) est sorti d'usage. *Fait* a une autre valeur générale, désignant ce qui est arrivé, ce qui existe réellement (v. 1160), d'où le sens d'«événement» (1268), qui donne lieu à plusieurs locutions

adverbiales : ***tout à fait*** (1200), ***en fait*** (1268), ***de fait*** (1283), etc. ; enfin, par extension, le *fait*, c'est «le sujet dont il est question» (1268). ➜ **FAIT DIVERS** n. m., a été formé au XIXe s. (1838) pour désigner une nouvelle ponctuelle concernant des faits non caractérisés par leur appartenance à un genre ; son dérivé **FAIT-DIVERSIER** n. m. (1892), terme technique critiqué, désigne un journaliste chargé des faits divers ; on relève la variante *fait-diversiste* n. m. (1916).

Quelques noms ont été composés à partir de *faire* : **FAIT-TOUT** n. m. inv. ou **FAITOUT** n. m. «ustensile de cuisine» (1790 en Picardie) ; **FAIRE-PART** n. m. inv. (1830 ; 1819, *billet, lettre de faire-part*) ; **FAIRE-VALOIR** n. m. inv. «exploitation d'un domaine agricole» (1877) et «personne qui en met en valeur une autre» (1902).

Le nom **AFFAIRE** n. f., formé de *à* et *faire* («ce qui est à faire»), est d'abord masculin (v. 1150), puis des deux genres aux XVIe et XVIIe s. avant de devenir féminin. ◇ Son emploi, dès l'origine, pour les questions sentimentales et galantes, est aujourd'hui archaïque ; il est très vivant pour les questions d'intérêt, d'où la valeur de «convention», «transaction». Les questions pouvant être compliquées, *affaire* désigne (XVIIe s.) un ensemble de faits créant une situation embrouillée ou constituant des embarras ; par extension, le mot signifie (1690) «procès», «litige». ◇ Au pluriel, *les affaires* désigne (1508) l'ensemble des questions d'intérêt public (1777, ***les Affaires étrangères***) ou l'ensemble des activités économiques (1788). Au niveau individuel, *les affaires* sont les objets personnels (1215, repris au XIXe s.) et, par euphémisme populaire, les règles d'une femme (v. 1793). ◇ *Affaire* s'utilise également dans les locutions avec les verbes *avoir* (1172, *avoir affaire de* «avoir besoin de») et *faire*. ➜ À partir d'*affaire* ont été construits récemment les dérivés (1926) **AFFAIRISME** n. m. et **AFFAIRISTE** n. et adj. ; ◇ **AFFAIRÉ, ÉE** est plus ancien (1584 au sens moderne ; avant 1573 «qui a besoin d'argent») ; de cet adjectif viennent **AFFAIREMENT** n. m. (1865 ; attestation isolée au XIIe s.) et **S'AFFAIRER** v. pron. (1876).

CONTREFAIRE v. tr. (av. 1155) vient, avec influence de *faire*, du bas latin *contrafacere* «imiter» (de *contra* «contre», et *facere*). Le sens de «simuler» (XIVe s.) est vieilli, celui de «déformer» est sorti d'usage mais est resté vivant dans **CONTREFAIT, AITE** adj. (XIe s., *contrefet*) «rendu difforme». Le verbe a aujourd'hui le sens de «reproduire par imitation», souvent pour se moquer (1549) ou, quand il s'agit de choses, dans une intention frauduleuse (déb. XIIIe s.). ➜ **CONTREFAÇON** n. f. (1268, d'après *façon*) a le sens général d'«imitation pour tromper».

DÉFAIRE v. tr. (1080, *desfaire*) a le sens général de «changer, supprimer (un ordre)», d'où «vaincre (qqn)». ➜ Le participe substantivé **DÉFAITE** n. f., sorti d'usage pour «action de se défaire de qqch.» (XIIIe s.), signifie «mise en déroute» (1475) ; **DÉFAITISME** n. m. et **DÉFAITISTE** adj. et n. (1915) ont été formés par l'écrivain russe Alexinsky pour traduire le mot qu'il avait forgé, *porajentchestvo*. ◇ *Défaire* a produit dès le XIIe s. **REDÉFAIRE** v. tr. (1174).

REFAIRE v. tr., «faire de nouveau» (v. 1155), «remettre en état» (v. 1160), a pris au XVIIe s. la valeur seconde de «faire autrement» (1611) ce qui est jugé mal fait. Familièrement, le verbe signifie «attraper (qqn)» (1846 ; 1700, «duper») ou «voler (qqch.)» (1800 ; → réfection).

FORFAIRE v., de *fors* (du latin *foris* «dehors*»), signifie «commettre (un délit)» (fin Xe s.), emploi littéraire et intransitif (v. 1120) ; il est archaïque pour «agir en dehors du devoir» (1080). En droit féodal, il voulait dire «perdre un bien en punition d'un forfait» (1283, tr.). ➜ Le dérivé ① **FORFAIT** n. m. désigne un crime détestable (fin Xe s., *forsfait*) ; l'idée d'une violation d'un devoir, attachée au moyen âge à **FORFAITURE** n. f. (1283, *forfeture*), demeure dans l'usage juridique du terme (1690).

MALFAIRE v. intr. (XIIe s.), «nuire», s'est maintenu jusqu'au XVIIIe s. ; reste vivant **MALFAISANT, ANTE** adj. au sens de «méchant» (XIIe s.) et appliqué à une chose dont les effets sont nuisibles (1686) — d'où **MALFAISANCE** n. f. (1738), littéraire. ➜ L'évolution est parallèle pour les emplois avec **MÉFAIRE** v. intr. (v. 1130, *mesfaire*) «faire une mauvaise action», sorti d'usage, et son participe passé substantivé **MÉFAIT** n. m., toujours utilisé aux sens d'«action mauvaise» (1273 ; v. 1120, *mesfait*) et de «résultat pernicieux de qqch.» (1902). Les verbes *malfaire* et *méfaire* ont disparu alors que le nom d'agent est resté vivant. ➜ **MALFAITEUR, TRICE** n. et adj. est la réfection savante (v. 1155) de l'ancien français *malfaiteur* d'après le latin *malefactor* «homme nuisible, qui commet des actes criminels», dérivé de *malefactum*, supin de *malefacere* «mal agir» d'où vient *malfaire*, encore vivant dans *malfaisant*. ◇ L'histoire du mot a distendu son rapport de contraire avec *bienfaiteur* : le sens de «personne qui commet des actes criminels, des délits» — avec lequel il a supplanté le type *malfaisour*, et *malfaisant, méfaisant* ainsi que *maléfique* — domine nettement le sens moral de «personne nuisible» (v. 1200). En français moderne, le nom est synonyme de *délinquant*, notamment de *voleur*.

SURFAIRE v. tr. (XIIe s. : *sorfeire* v. 1174), «estimer à un prix exagéré», s'emploie surtout au présent de l'indicatif et à l'infinitif ; il s'utilise aussi au figuré (1749), seul emploi moderne (1690) de **SURFAIT, AITE** adj. qui signifiait d'abord (1170) «excessif, immodéré».

ENTREFAITE n. f., participe passé substantivé de l'ancien français *entrefaire* «faire dans l'intervalle», n'est plus en usage au sens d'«intervalle de temps» (déb. XIIIe s.) ; il ne s'emploie que dans la locution ***sur ces entrefaites*** (XVIe s.).

BIENFAIT n. m. représente (1120) le participe passé substantivé (d'après le latin *benefactum* «bonne action») de l'ancien *bienfaire*, verbe intransitif, «être vaillant au combat» (XIIIe s.) et «faire du bien aux autres» dont reste, peu utilisé, le nom invariable *bien-faire* (1265), courant jusqu'au XVIIe siècle. Au sens de «donation d'argent», le mot est aujourd'hui rare ; il est plutôt employé dans le domaine moral et, au pluriel, pour «action heureuse» (1752). ➜ **BIENFAISANT, ANTE** adj. (1170), «qui fait du bien», appartient aujourd'hui à un style soutenu. ◇ **BIENFAISANCE** n. f. (XIVe s.), peu employé jusqu'au XVIIe s., a été repris (1725) par l'abbé de Saint-Pierre. ◆ **BIENFAITEUR, TRICE** n. (1181) a été concurrencé jusqu'à l'époque classique par *bienfacteur, bienfaicteur,* construits à partir du latin *benefactor.*

◈ voir FACTOTUM, ② FORFAIT, PARFAIRE.

FAIR-PLAY n. m. inv. est emprunté (1849, *fair play*) à l'anglais *fair play,* qui s'emploie à propos des jeux et de toute situation où des règles doivent être respectées, et est composé (XVIe s.) de *fair* «juste, loyal» et *play* «jeu».

♦ *Fair-play,* «franc-jeu» (équivalent officiel, 1973), s'est répandu comme adjectif (1938) — l'anglais ne le connaît que comme nom — sans doute à cause de l'incertitude sur la possibilité d'employer *franc-jeu* comme adjectif : *il, elle est très fair-play.*

FAISAN, ANE n. est l'aboutissement (v. 1170, *faisant*) du latin *phasianus,* emprunt au grec *phasianos ornis,* proprement «(oiseau) du Phase», rivière de la Colchide où les Argonautes sont censés l'avoir découvert.

♦ Le mot, qui a pris son orthographe moderne au XVIe s. (1552), garde le sens de l'étymon. *Faisane* (1732; 1552, *faisanne*) s'est substitué à *faisande* (1493) pour désigner la femelle de cet oiseau.

▸ On emploie les dérivés **FAISANDEAU** n. m. (1393; 1373, *faisanteau*) et **FAISANNEAU** n. m. (XVe s.) pour désigner le jeune faisan. Le mot a fourni les dérivés techniques **FAISANDERIE** n. f. (1694; 1669, *fézanderie*) et **FAISANDIER** n. m. (1700; 1552, *faisannier*).
FAISANDER v. tr. (1393) présente un *-d-* qui vient d'une analogie avec les dérivés des mots en *-and;* son participe passé a pris au XIXe s. un sens figuré, «malsain, corrompu», par allusion au début de corruption du gibier, qui n'est pas consommé frais. ◇ Il en va de même pour son dérivé **FAISANDAGE** n. m. (1852 au fig., Flaubert).

FAISCEAU n. m. représente (1549) une réfection de *faissel, fassel* (XIIe s.), issu d'un latin populaire °*fascellus,* dérivé du latin classique *fascis* «paquet lié par une corde», le plus souvent «fagot, botte» et «fardeau» (→ faix).

♦ *Faisceau* désigne un assemblage de choses liées ensemble; le mot s'est spécialisé avec cette valeur à partir du XVIIe siècle. C'est un terme didactique (antiquités romaines) employé au pluriel (1662) pour désigner l'assemblage de verges autour d'une hache, symbole de l'autorité d'un grand magistrat, le licteur* — d'où sa reprise pour l'emblème du fascisme italien, analogue au faisceau romain (→ fascisme). ◇ Il s'emploie pour un assemblage de fusils disposés en pyramide (1851), en physique (1865, puis XXe s. pour *faisceau hertzien, faisceau d'électrons*) et en mathématiques (1904). Il a le sens figuré d'«assemblage d'éléments abstraits» (cf. 1835, ***faisceau de preuves***).

FAISSELLE n. f. est la réfection (fin XIVe s.) de *fissele* (fin XIIe s.), *feiscelle, foisselle* (XIIIe s.), issu du latin *fiscella* «petite corbeille» et, en particulier, «forme d'osier pour égoutter les fromages», diminutif de *fiscus* «corbeille» (→ fisc).

♦ Conservé dans les dialectes avec le sens latin, le mot a été récemment remis à la mode.

FAÎTE n. m. est d'abord apparu (1135) sous les formes *fest,* n. m. et *feste,* n. f., issues du francique °*first* (cf. bas allemand *verst* «comble d'un édifice»; allemand *First*); il a été refait (1547) d'après le latin *fastigium,* proprement «toit à deux pentes».

♦ En dehors de son acception technique de «poutre formant l'arête supérieure d'un comble», *faîte* s'emploie pour désigner la partie la plus élevée de qqch. de haut (1636), spécialement d'un édifice (1680). Le sens figuré ***(au faîte de la gloire)*** est contemporain (1640).

▸ **FAÎTAGE** n. m., ancien terme de droit féodal (1233, *festage*), formé avec le suffixe collectif *-age,* s'emploie au sens technique de *faîte* (1676) et, littéraire, pour la toiture entière d'un bâtiment (1680). ◆ Un autre dérivé, **FAÎTIÈRE** n. f. (1287, *festière*) et adj. (1575), s'applique à ce qui appartient au faîte, d'où *lucarne faîtière* (1676) ou *faîtière* n. f. (1845). ◆ **FAÎTIER, IÈRE** adj. signifie «central» en Suisse, peut-être d'après l'alémanique *Dachorganisation* «organisation de contrôle» — qui coiffe, comme le toit (de *Dach* «toit» et *organisation*). ◆ **FAÎTEAU** n. m. a d'abord eu le sens de «tuile faîtière» (1521; 1329, *festel* «faîte», hapax), sorti d'usage. C'est le nom d'un ornement qui recouvre le faîtage (1824).

FAIX n. m. est la réfection (v. 1360) de *fais* (1080), issu du latin *fascis* au sens de «fardeau», dont la racine est dans toutes les langues romanes et est passée aux langues germaniques (→ faisceau).

♦ Il est vieilli ou littéraire au sens propre, conservé dans quelques expressions, comme ***plier sous le faix,*** et au sens figuré (XIIe s.) de «charge peu supportable».

▸ *Faix* a été introduit dans quelques composés. **PORTEFAIX** n. m. inv. désignait (1270, *portefays*) celui qui portait les fardeaux; c'est devenu un mot d'historien ou de description pittoresque. ◆ **SURFAIX** n. m., terme technique (1542), est le nom d'une pièce de harnais. ◆ **ARRIÈRE-FAIX** n. m. inv. (1539) est un terme d'obstétrique.

◈ voir AFFAISSER.

FAKIR n. m. est emprunté (1653; 1690, *faquir*) à l'arabe *faqîr* «pauvre»; l'ancien français connaissait *foqui* (XIIIe s.) «homme versé dans la connaissance de la loi divine», qui vient d'un autre mot arabe *faqīh,* mais dont le souvenir a pu interférer avec le nouvel emprunt.

♦ Du sens religieux, «ascète se livrant à des mortifications en public», on passe par extension et influence des pratiques de certains ascètes indiens à l'acception courante (XXe s.) de «personne qui exécute en public des exercices difficiles et des tours relevant de l'illusionnisme».

▸ Le dérivé **FAKIRISME** n. m. (1890) est rare.

FALAISE n. f. apparu au XIIe s. (1182), s'est aussi écrit *faleise* (v. 1130), *faloise* et *falise.* D'abord mot dialectal des côtes normandes et picardes, il pourrait venir d'un francique °*falisa,* correspondant à l'ancien haut allemand *felisa* (cf. l'allemand *Fels* «roche»). P. Guiraud rapproche *faloise* de l'ancien français *faloise* «tromperie», d'après *faillir* dont la variante normanno-picarde *falir* est issue du latin *fallere,* la falaise étant un rocher qui «fait défaut, se dérobe» (→ ② faille, à faillir).

♦ Le mot est usuel pour désigner un escarpement rocheux bordant la mer.

FALBALA n. m. est peut-être emprunté (1692) au provençal *farbella* «frange, dentelle» (cf. l'italien *fardella* «pli de vêtement») qui remonterait, comme l'ancien français *felpe* «guenilles», variante de *frepe* (→ ① fripe), à un groupe de mots contenant la suite *f-l-p,* désignant des choses de peu de valeur (cf. latin tardif *faluppa* «brin de paille», «pacotille», Xe s.). Pour P. Guiraud, *falbala* étant courant en Normandie, Picardie et Wallonie, pourrait être un composé de *baller,* au sens de «pendre», «être suspendu» en wallon et en normand, et de *far-,* qui indique l'idée de mouvement (→ farandole), le falbala désignant une bande de tissu qui se balance quand on marche.

♦ Quoi qu'il en soit, le mot ne s'emploie plus pour «bande d'étoffe ornant le bas d'une robe» (1692); il a pris un sens extensif au pluriel (1844), «ornement de toilette», puis le sens péjoratif d'«ornement prétentieux de mauvais goût» (1872).

FALDISTOIRE n. m. → FAUTEUIL

FALLACIEUX, EUSE adj. est un emprunt savant (v. 1450) au latin impérial *fallaciosus* «trompeur», dérivé de *fallacia* «ruse, tromperie», de *fallax, -acis,* adj., «trompeur, perfide», dérivé de *fallere* (→ faillir). *Fallacia* a été emprunté sous la forme *fallace* n. f. (1223) «tromperie», encore en usage à l'époque classique.

♦ *Fallacieux,* rare au XVIIe s. et repris au XVIIIe s., a gardé le sens du latin; par extension, il signifie aussi «illusoire» en parlant d'une chose. Il a eu à l'époque classique (1647) le sens de «fourbe».

▸ Il a fourni **FALLACIEUSEMENT** adv. (1544).

FALLOIR v. impers. apparaît (v. 1160) à l'indicatif présent sous la forme *falt.* Le latin populaire °*fallire* «manquer à», altération du latin classique *fallere* «tromper, manquer à, échapper à», a abouti à *fallir* (→ faillir) et *falloir;* les formes du verbe ont été construites au XVe s. et au XVIe s., d'après la 3e personne du singulier *il faut* (du latin °*fallit*), sur le modèle de *valoir.*

♦ On relève au XIIe s. le sens de «manquer» dans la construction ***peu s'en faut*** (v. 1160, *petit en faut que*), encore en usage à côté de ***il s'en faut de peu, de beaucoup*** ou de ***tant s'en faut.*** ◇ Parallèlement (1165), *falloir* est employé pour exprimer la nécessité, sens dominant ensuite. *Il faut (que)* au sens de «il est inévitable (que)» (mil. XVe s.) a éliminé deux autres verbes impersonnels de même sens, *estovoir* (XIe s.) et *estre metier* (XIIe s.). ◇ La locution adverbiale ***comme il faut*** «comme il convient», est d'abord à l'imparfait (1548); l'emploi de la locution adjective est plus tardif (1790, *des gens comme il faut*); elle est à peu près lexicalisée. À partir du XVIIe s. (v. 1657), ***il faut,*** suivi de l'infinitif, exprime une supposition propre à expliquer un fait, une situation. Avec l'omission de *il,* on relève les locutions familières ***faut voir, faut le faire !,*** usuelles dans la langue parlée.

① **FALOT** n. m. est emprunté (1371) à l'italien toscan *falò* «feu allumé pour fêter qqch.», issu de °*farò* (cf. l'ancien catalan *faro,* l'espagnol *faron,* le portugais *farol*) — le *r* passant à *l* sans doute en pisan, dialecte où ce phénomène est régulier; °*farò* représente une altération du grec *phanos* «torche, lanterne» (→ fanal), la transformation du *n* en *r* étant due au croisement avec *pharos* (→ phare).

♦ Le français *falot* signifie d'abord «torche, grosse lanterne», spécialement comme terme de marine (1616), et se dit en argot militaire (1890) pour «conseil de guerre» ***(passer au falot).***

② **FALOT, OTE** adj. est peut-être une adaptation du moyen anglais *fal(l)ow* «compagnon»; l'expression *gentil fallot* de la première attestation (v. 1450, n. m.) correspond à l'anglais *good fellow* «bon compagnon». Par ailleurs, un jeu de mots de Rabelais dans le *Tiers Livre* et la présence d'archers écossais dans la garde des rois de France rendent l'emprunt plausible. Cependant P. Guiraud note la rareté des emprunts à l'anglais au XVe s.; *falot* pourrait être mis en relation avec *falourde, faloise* «tromperie», l'assimilation du plaisant au trompeur étant régulière en français; le mot viendrait alors du latin *fallere* (→ faillir); le radical *fal-,* désignant des choses vaines et trompeuses, est d'ailleurs présent dans plusieurs dialectes (cf. *faloter* «faiblir», *faleu* «faible, médiocre» en Normandie, *fallot, fallet* «trompeur» en Saintonge et dans les Hautes-Alpes). On peut aussi évoquer *faffelu* (→ farfelu).

♦ *Falot* est employé comme substantif jusqu'à la fin du XVIIe s. au sens de «plaisant, drôle», avec une nuance souvent défavorable à l'époque classique. Comme adjectif, il était péjoratif au sens de «joyeux» et de «grotesque». Le sens moderne, «insignifiant et quelque peu ridicule», est relevé au début du XIXe s. (1811-1814, *œuvre falote*).

FALSIFIER v. tr. est emprunté (1330) au latin médiéval *falsificare* «fausser, falsifier» (1re moitié XIIe s.), construit à partir de *falsus* «faux» (→ faux), participe passé de *fallere* «tromper, échapper à» (→ faillir).

♦ *Falsifier,* pour «altérer dans l'intention de tromper» (1330), se dit au propre et au figuré. ◇ Au XXe s., depuis les travaux en allemand puis en anglais de Karl Popper, il est aussi employé en logique (v. 1960), symétriquement à *vérifier,* par emprunt de sens à l'anglais *to falsify* qui, en plus des sens français, signifie «prouver la fausseté de» (1449) en parlant d'un énoncé. Le verbe français convenable serait *infirmer.*

► **FALSIFIABLE** adj. (1580) est surtout utilisé de façon didactique (v. 1960, par emprunt de sens à l'anglais *falsifiable*), comme son contraire **INFALSIFIABLE** adj. (1867; de ① *in-*). ◇ **FALSIFIABILITÉ** n. f., terme de philosophie des sciences, emprunte (v. 1960) l'anglais *falsifiability* (1937).

FALSIFICATION n. f., emprunté au dérivé latin médiéval *falsificatio* (1205), désigne (1369) l'action de falsifier, au propre et au figuré. L'anglicisme, en sciences, est remplaçable par *infirmation*. ◆ **FALSIFICATEUR, TRICE** n. a été dérivé (1510) d'après le radical du latin *falsificatum*, supin de *falsificare*.

◈ **FALUN** n. m. reprend (1720) un mot dialectal d'origine inconnue. P. Guiraud propose d'y voir un composé de l'ancien français *lum, lun* «alluvion, limon», issu du latin *limus* «limon» et «sédiment», et de *fale* «pâle», *falo* «jaune clair», variante francoprovençale de *fauve**.

♦ L'hypothèse s'appuie sur le fait que le falun est un dépôt sédimentaire calcaire, de couleur jaune pâle.

► Le mot, technique ou d'usage régional, a fourni **FALUNER** v. tr. (1720), d'où **FALUNAGE** n. m. (XIXe s.), et **FALUNIÈRE** n. f. (1720), techniques et rares.

FAMÉ, ÉE adj. dérive (v. 1450) de l'ancien français *fame* (v. 1160), «bruit qui court, renommée, réputation», du latin *fama* (mêmes sens) qui se rattache comme le verbe *fari* «parler» à une racine indoeuropéenne °*bhā-* (→ fable).

♦ Utilisé avec les adverbes *bien* (XVe s.), *mal* (1690) ou des adverbes de sens équivalent, *famé* qualifiait autrefois des personnes.

► Seul **MAL FAMÉ, ÉE** ou **MALFAMÉ, ÉE** adj. est courant aujourd'hui, pour parler d'un lieu (1831).

FAMEUX, EUSE adj. est emprunté (déb. XIVe s., *famose*) au latin *famosus* «connu, renommé (en bien ou en mal)», dérivé de *fama*. Il a gardé le sens du latin et signifie aussi (1730) par extension «remarquable dans son genre» (la valeur positive ou négative dépendant du sens du nom). ◇ L'adjectif a fourni **FAMEUSEMENT** adv., peu usité pour «d'une manière remarquable» (1642) et familier (1834) avec une valeur intensive. ◆ **FAMOSITÉ** n. f., formation savante sur le latin *famosus* (1488), est archaïque.

FAMILIER, IÈRE adj. et n. est une réfection (v. 1240) de *famelier* (v. 1155), emprunt au latin *familiaris* «qui fait partie de la maison», d'où par extension «ami, intime», dérivé de *familia* (→ famille). Le mot a divergé par le sens de *famille* qui met l'accent sur la parenté biologique.

♦ Au premier sens du latin, l'adjectif (v. 1155) est aujourd'hui vieilli ou littéraire, et le substantif (XIIIe s.) n'est plus en usage. Il reste vivant au second sens (1240, adj.; 1370, n.) et, par extension, signifie «qui vit habituellement avec qqn» (1530), mais seulement quand on parle des rapports sociaux *(relations familières)* ou par métaphore. Par extension, *familier* signifie (v. 1265) «simple, sociable» — c'est-à-dire «libre dans ses rapports, comme dans une famille»; il en vient à signifier «qui est trop libre» (XVIIe s.). ◇ Ce qui est *familier* est «ce qui est bien connu» (1580), et *familier* a le sens figuré (XVIIe s.) d'«usage habituel». Le mot s'emploie également (1680, adj.; 1764, n. m.) en parlant de langage avec le sens de «qu'on dit ou écrit naturellement en dehors des relations hiérarchiques, officielles, etc.».

► L'adjectif a fourni **FAMILIÈREMENT** adv. (fin XIIe s.).

FAMILIARISER v. tr., dérivé (1551) du latin *familiaris*, ne s'emploie couramment qu'avec un complément de chose (1657); en dérive **FAMILIARISATION** n. f. (1855).

FAMILIARITÉ n. f., emprunt au latin *familiaritas* (de *familiaris*), est employé au singulier au sens d'«amitié, intimité» (XIIe s.) d'où, par extension, «liberté qu'on a avec qqn» (1318); de là il est utilisé, au pluriel surtout, de façon péjorative pour parler des façons trop libres qu'on a avec qqn (1690), spécialement avec une femme (1865).

FAMILLE n. f. est un emprunt assez tardif (1337) au latin classique *familia*, dérivé de *famulus* «serviteur», mot italique isolé dans l'ensemble indoeuropéen. La *familia* romaine est étymologiquement l'ensemble des *famuli*, esclaves attachés à la maison du maître, puis tous ceux qui vivent sous le même toit, maîtres et serviteurs, et sur qui règne l'autorité du *pater familias*, le chef de famille. Enfin, *familia* s'applique à la parenté et, en latin médiéval (VIIIe s.) désigne un ménage de serfs.

♦ *Famille* a mis du temps à s'imposer face aux autres termes usités en ancien français : *parenté, parentage* (→ parent), *lignée**, *mesnie* (dérivé du latin *mansio* qui a donné aussi *maison**), terme de féodalité : «ceux qu'unit le lien de vassalité à un seigneur». ◇ Le mot a eu le même développement sémantique que *familia*; avant le XVIe s., il désigne les personnes vivant sous le même toit et encore souvent les domestiques seuls. L'idée de proche parenté apparaît tard (1580) et ce n'est que récemment que le mot évoque à la fois la parenté et la corésidence. Aussi, la ***Sainte Famille***, en peinture, comprenait initialement sainte Anne et saint Jean avant de se restreindre à la triade formée par l'Enfant Jésus, la Vierge et saint Joseph. ◇ Par extension, *famille* désigne la succession des individus ayant une origine commune (1611), puis un ensemble de personnes qui présentent des caractères communs (1658); de là viennent l'emploi du mot en histoire naturelle (1676) — d'où **SOUS-FAMILLE** n. f. (1904) — et les sens figurés.

► C'est le sens moderne qui domine dans l'adjectif **FAMILIAL, ALE, AUX** (v. 1830) et son dérivé **FAMILIALEMENT** adv. (v. 1950). ◇ **FAMILIALISME** n. m. «tendance à exalter le rôle de la famille» et **FAMILIALISTE** adj. sont des dérivés récents (v. 1973).

De l'expression *sans famille*, diffusée par le roman d'Hector Malot (1878), vient **SANS-FAMILLE** n. (1953).

◈ voir FAMILIER.

FANAL, AUX n. m est emprunté (1554) à l'italien *fanale* «feu placé au sommet d'une tour», en marine (v. 1308), du grec byzantin *phanarion* «lanterne» (ou de l'arabe *fanār* qui en provient), du grec classique *phanos* «lanterne» (→ ① falot); le mot s'est écrit *phanars* (1369), *fanar* (1372) et *phanal* (1548, Rabelais). L'hésitation entre le *r* et le *l* finaux marque les deux sources.

♦ *Fanal* a repris le sens de l'italien, sorti d'usage (→ phare) comme celui de «lanterne pour éclairer les lieux publics» (1756); le mot désigne (déb. XXe s.) la lanterne servant de signal fixée sur un véhicule.

FANATIQUE adj. et n. est emprunté (1532, Rabelais) au latin *fanaticus* «serviteur du temple» puis «inspiré», en parlant des prêtres de Cybèle, d'Isis, etc., parce qu'ils se livraient à des manifestations d'enthousiasme; *fanaticus* dérive de *fanum* «temple» (d'où *profanus* → profane), qui se rattache à une racine italique à valeur religieuse °*fēs-*, *fās-*.

♦ *Fanatique* s'est appliqué à une personne qui se croyait inspirée de l'esprit divin. Par extension, le mot qualifie (1580) qqn qui est animé d'un zèle aveugle envers une religion, une doctrine, d'où l'emploi étendu (1764) pour «enthousiaste, passionné». ◇ L'abréviation familière **FANA** adj. (XXe s.) n'a que ce dernier sens, mais elle fut utilisée à la fin du XVIIIe s. (1793) pour désigner les royalistes.

▸ **FANATISME** n. m. (1688) a suivi l'évolution sémantique de *fanatique*. Au XVIIIe s., le mot est opposé à *philosophie*.
FANATISER v. tr., d'abord au sens de «faire l'inspirer» (1752, intr.), a son sens moderne depuis 1793, contemporain de la formation de **FANATIQUEMENT** adv. (1769).
FAN n. (1923; une première fois en 1909) est un emprunt à l'abréviation de l'anglais *fanatic;* le mot se répand vers 1950 pour «admirateur d'une vedette».

FANCHON n. f. est l'emploi (1828) comme nom commun de *Fanchon* (1680), diminutif de *Françoise*.

♦ Le mot désigne un fichu ou une dentelle que les femmes se mettaient sur la tête, les pointes en étant nouées sous le menton. Il reste d'usage régional.

▸ Le diminutif **FANCHONNETTE** n. f. (déb. XIXe s.) est sorti d'usage.

FANDANGO n. m. reprend (1756) un mot espagnol (1705) d'origine obscure. On y a vu une altération du portugais *fado* (→ fado), un dérivé de l'arabe *fandura* «luth à trois cordes», qui correspond au grec *pansoura* et, par l'espagnol du Pérou, un mot d'origine quichua.

♦ *Fandango,* comme en espagnol, est le nom d'une danse d'origine andalouse.

FANER → ① FOIN

FANFARE n. f. est sans doute d'origine onomatopéique.

♦ Outre son sens courant (1532, Rabelais) d'«orchestre composé d'instruments de cuivre», il désigne (1587) par analogie, dans un emploi littéraire, un ensemble de bruits éclatants, une démonstration bruyante (→ fanfaronnade). Par analogie visuelle, on parle (XIXe s.) de *reliure à la fanfare.*

FANFARON, ONNE adj. et n. est emprunté (1609) à l'espagnol *fanfarrón,* formation onomatopéique, comme l'arabe *farfâr* «bavard, léger» (cf. aussi l'italien *fanfarone* «hâbleur»).

♦ Le mot se dit d'une personne qui se vante de sa bravoure, réelle ou supposée.

▸ Le sémantisme «hâbleur» se retrouve dans les dérivés **FANFARONNADE** n. f. (1598), **FANFARONNERIE** n. f. (1598), sorti d'usage, et **FANFARONNER** v. (1642), littéraire.

FANFRELUCHE n. f., employé chez Rabelais (1534), s'est substitué à l'ancien français *fanfelue* (1174-1178), *fanfeluce* chez Christine de Pisan (1405). Le mot est issu d'un latin de basse époque *famfaluca* (IXe s.), forme conservée par l'italien, altération du grec *pompholux* «bulle d'air» (→ farfelu), que l'on rattache à un groupe de mots baltes exprimant l'idée de gonflement, ce qui implique une racine expressive indoeuropéenne.

♦ Du premier sens de «bagatelle», on passe (1541) à celui de «petite chose qu'emporte le vent», puis au sens moderne (1611) de «petit ornement qu'on utilise dans la toilette»; le mot aujourd'hui est le plus souvent employé au pluriel et à propos de la toilette féminine (1680), avec une valeur proche de celle de *falbala.*

FANGE n. f. est une réfection (v. 1170) de *fanc* n. m. «boue liquide» (fin XIe s.), par la forme masculine *le fange* (v. 1120). Le mot serait à rattacher à un type germanique °*fanga,* variante de °*fanja,* que l'on retrouve dans l'ancien gascon *fanha,* et qui représente le pluriel du gotique *fani* «boue»; une autre forme °*fannja,* qui a donné l'allemand *Fenn* «terrain marécageux», a abouti en wallon à *fagne,* mot usuel en Belgique et passé en français général (1838) comme terme de géologie. P. Guiraud remarque que *fange* existe avec le sens de «pourriture, pus» en franco-provençal et en franc-comtois, ce qui suggérerait un rapprochement avec le latin tardif *famix* «abcès, meurtrissure».

♦ *Fange,* «boue épaisse», est sorti d'usage au figuré pour «état de déchéance» (1500); le mot est d'emploi littéraire au sens de «souillure morale» : *couvrir qqn de fange* (1770).

▸ Le dérivé **FANGEUX, EUSE** adj. a le sens propre (XIIe s.; v. 1160, *fanjos*) et le sens figuré (v. 1770) de *fange.*

FANION → FANON

FANON n. m., réfection (1418) de *fanun* (v. 1170), est issu du francique °*fano* «morceau d'étoffe» (qui a abouti à l'allemand *Fahne* «drapeau»), par l'intermédiaire du bas latin *fano* «pièce d'étoffe» (v. 720) et «manipule d'un prêtre» (IXe s.).

♦ Il est d'abord employé comme terme de liturgie pour désigner le manipule du prêtre (v. 1170) et plus tard (1418) les deux pendants de la mitre de l'évêque. Le sens de «morceau d'étoffe» est conservé quand *fanon* désigne (1549) la pièce que l'on suspend au bout d'une lance; mais on emploie plutôt en ce sens **GONFALON** n. m. (XIIIe s.) ou *gon-*

fanon, d'un ancien haut allemand *gundfano* «étendard de combat» (de *gund* «bataille» et de °*fano*). ◇ C'est par une image que *fanon* a pris le sens de «repli de la peau qui pend sous le cou de certains animaux» (1538; 1310-1340 en parlant du coq) — une bannière étant faite d'une bandelette à pendants — puis de «lames cornées garnissant la bouche de certains cétacés» (1685). ◆ Il s'est opéré une répartition des sens entre *fanon* et **FANION** n. m. (1673; *feinion*, 1180), autre forme du mot (par changement de suffixe); aujourd'hui seul *fanion* désigne un petit drapeau servant ou non d'emblème; *gonfalon* s'emploie encore quand on parle du moyen âge.

FANTAISIE n. f., réfection graphique (v. 1450) de *fantasie* (v. 1200), forme courante jusqu'au XVIe s., est emprunté au latin classique *fantasia* ou *phantasia* «image, concept», et «vision» en bas latin, mot employé notamment dans les traductions latines des textes de Platon et d'Aristote. Le latin l'a repris du grec *phantasia* «apparition», d'où «imagination», «image qui s'offre à l'esprit», qui appartient à la famille de *phainein* «apparaître» (→ fantasme, fantastique ; phatique, phéno-).

♦ *Fantaisie* s'est employé (v. 1200) au sens de «vision», puis d'«imagination» (XIVe s.), jusqu'à l'époque classique. En moyen français (1370), le mot prend par métonymie le sens d'«objet que forme l'imagination», d'où *de fantaisie* «par l'imagination» (1718), emploi sorti d'usage. L'idée d'imagination s'opposant à celle de contrainte, *fantaisie* s'emploie pour nommer un goût passager, un caprice (fin XVe s.), valeur commune aux divers emplois du mot. ◇ Il désigne une pièce musicale de forme libre (1585), dite aussi *caprice*, une œuvre créée sans suivre de règles formelles (1636), un amour passager (XVIIe s.) et une chose peu utile mais originale, qui plaît (1690); de là vient *de fantaisie* au sens moderne (1798, *objets de fantaisie*). Le mot, d'abord mélioratif, en vient à désigner (XXe s.) la tendance à agir par caprice, qu'il soit ou non employé de façon favorable.

▸ Le dérivé **FANTAISISTE** n. a désigné (1845) un artiste, un écrivain n'obéissant qu'à sa fantaisie et s'applique à qqn qui agit sans suivre les usages, qui n'est pas sérieux (1850, adj.; 1855, n.). ◇ C'est le nom (mil. XXe s.) d'un artiste de music-hall qui se produit surtout dans des numéros comiques.

FANTASIA n. f. apparaît (1843) dans le titre d'un tableau de Delacroix, *Une fantasia au Maroc*, exposé en 1842; c'est une adaptation de l'arabe d'Afrique du Nord *fantaziya* «panache, ostentation», auquel Delacroix attribua le sens de «divertissement équestre de cavaliers arabes»; le mot est probablement emprunté à l'espagnol *fantasia* «imagination» et «vanité, arrogance», de même origine que *fantaisie*.

FANTASMAGORIE n. f. est, selon Bloch et Wartburg, un mot formé savamment (1797) du grec *phantasma* «apparition, fantôme» (→ fantasme) et de *(allé)gorie*, qui pouvait désigner des représentations plastiques. P. Guiraud penche pour une composition populaire à partir de *fantasme* «fantôme, hallucination visuelle» et *gourer*, *agourer* «tromper (en falsifiant la marchandise)»; une fantasmagorie serait une fausse et trompeuse apparition; mais la première hypothèse est sociologiquement plus vraisemblable.

♦ Les premières fantasmagories (1797) étaient des images lumineuses et mobiles créées à l'aide d'une lanterne magique, le *fantascope*. Le mot prend le sens de «spectacle surnaturel et fantastique» (1810) et (1835), désigne dans les arts l'abus des effets fantastiques.

▸ Le dérivé **FANTASMAGORIQUE** adj. est contemporain du nom (1798).

FANTASME n. m. est emprunté (fin XIIe s.) au latin impérial *phantasma* «fantôme, spectre», en bas latin «image, représentation par l'imagination», transcription du grec *phantasma* «apparition, vision, fantôme», de la famille de *phainein* «apparaître» (→ fantaisie). La graphie *phantasme* a été aussi usuelle; la tentative de distinguer deux sens selon la graphie, en psychanalyse, a échoué.

♦ Introduit avec le sens d'«illusion», *fantasme* a signifié aussi «fantôme» (XIVe s.) [→ fantôme]. Il devient un terme médical, avec le sens d'«image hallucinatoire» (1832); son emploi s'est restreint au sens de «production de l'imaginaire qui permet au moi d'échapper à la réalité» (1866, Amiel); le développement de la psychanalyse, où le mot marque l'opposition entre imagination et perception réelle, a rendu cette valeur courante au XXe s. (il traduit chez Freud l'allemand *Phantasie*).

▸ Le dérivé **FANTASMATIQUE** adj., attesté isolément au sens de «fantomatique» (1604), s'applique (1837) à ce qui est fantastique, irréel; c'est le sens didactique, «qui relève du fantasme» (mil. XXe s.), qui domine aujourd'hui. ◆ **FANTASMER** v. intr., «avoir des fantasmes» (v. 1960), s'emploie aussi transitivement.

◈ voir FANTASMAGORIE, FANTÔME.

FANTASQUE → FANTASTIQUE

FANTASSIN n. m. est emprunté (1567, Baïf) à l'italien *fantaccino* «soldat d'infanterie» (1541), dérivé de *fante*, qui signifie aussi «valet» et est une forme abrégée de *infante* «jeune guerrier» et «petit garçon», du latin *infans, -antis* (→ enfant; fantoche). La forme *fantachin* a été aussi utilisée (1578). Des resuffixations populaires ont produit *fantaboche* (1916) puis *fantabosse* (1918), sortis d'usage.

FANTASTIQUE adj. et n. m. est emprunté (mil. XIVe s.) au bas latin *fantasticus*, emprunt au grec *phantastikos* «capable de former des images, des représentations» ou «qui imagine des choses vaines, se crée des illusions», dérivé de *phantazesthai* «s'imaginer» (de *phainein* «apparaître», → fantaisie).

♦ *Fantastique* s'applique (mil. XIVe s., adj.; 1738, n. m.) à ce qui n'existe pas dans la réalité et a signifié «fou, insensé» (1536, n. m.). Ces valeurs viennent de ce que le produit de l'imagination est considéré comme un écart opposé à la raison. Par extension, le mot qualifie ce qui paraît imaginaire (1580), ce qui présente une apparence étrange. On en vient au XIXe s. au sens courant d'«étonnant, incroyable» (1833) et à l'emploi du mot comme intensif. ◇ C'est le développement d'un type particulier de nouvelles et de romans, jouant sur l'extraordinaire, la rupture avec l'ordre reconnu du monde, qui explique son emploi nominal (1821, Charles Nodier) pour caractériser un genre littéraire puis cinématographique, le *fantastique*.

▸ **FANTASTIQUEMENT** adv. (XVe s.) a suivi l'évolution de l'adjectif.
FANTASQUE adj. représente une réfection (XVe s., puis 1575) d'après *fantastique* de *fantaste*, forme abrégée de *fantastique*. L'adjectif s'applique à une chose qui surprend par son apparence bizarre et est employé chez Montaigne pour «fantastique» (1580); il qualifie couramment une personne sujette à des sautes d'humeur (1606). ◆ Son dérivé **FANTASQUEMENT** adv. (1602) est littéraire et rare.

FANTOCHE n. m. est un emprunt (1842) à l'italien *fantoccio* «poupée, marionnette» (1552) et «personnage inconsistant» (av. 1584), diminutif de *fante* «valet» (→ fantassin), de *infante* issu du latin *infans, -antis* (→ enfant).

♦ *Fantoche* désigne une marionnette articulée (couramment, on dit *marionnette*). Au XVIIIe s., on a employé dans ce sens technique *fantochin* (1769) et *fantochini* (1792) — de l'italien *fantoccino, -ini*, diminutif de *fantoccio*. Le sens figuré moderne de «personnage inconsistant» apparaît à la fin du XIXe siècle.

FANTÔME n. m. vient (v. 1130, *fantosme*) d'une forme méridionale °*fantauma*, issue du grec de Marseille (Phocée) par où le mot a pénétré, à partir du grec ionien °*phantagma*, correspondant à l'attique *phantasma* «apparition, vision» (→ fantasme) et «fantôme», repris par le latin impérial.

♦ *Fantôme* est introduit en français avec le sens d'«illusion trompeuse», qui existe déjà en latin, et désigne (1165) l'apparition surnaturelle d'une personne morte; par extension, le mot s'emploie pour «idée, être imaginaire» (1586) et à propos d'une personne ou d'un animal squelettique (1690). ◇ Il a pris des acceptions techniques, par exemple celle de «fiche pour matérialiser l'absence d'un livre sorti d'un rayon» (1906).

▸ **FANTOMATIQUE** adj., dérivé (1807) d'après le radical grec du génitif, a pris un sens extensif, rejoignant presque *fantastique*. ◆ **FANTOMAL, ALE, AUX** adj. (1883, Daudet) est un quasi-synonyme plus littéraire.

◈ voir FANTASMAGORIE, FANTASME.

FANZINE n. m. est un emprunt (1963) à un mot-valise américain (1949), formé de *fan*(atic) «amateur» et de (maga)*zine* «revue».

♦ *Fanzine*, «petite revue (de bandes dessinées, de science-fiction) éditée par des amateurs», s'oppose à **PROZINE** n. m. «revue éditée par des professionnels» (v. 1970), d'emploi très spécialisé en français, comme *zine*, qui recouvre les deux catégories.

FAON n. m. représente la réfection (1549) de *feün* (v. 1120), *foün* (v. 1170), aboutissement du latin populaire °*fetonem*, accusatif de °*feto*, dérivé du classique *fetus* «enfantement» et «portée (des animaux)» (→ fœtus). On trouve aussi la graphie *fan* au XVIe siècle.

♦ Le mot a désigné jusqu'à l'époque classique le petit de toute bête (*faon* pour *lionceau* est chez La Fontaine); il est spécialisé au sens de «petit d'un cervidé», ceci dès les premiers emplois (v. 1170).

▸ Le dérivé **FAONNER** v. intr. (1121-1134, *feüner*) signifie «faire ses petits» en parlant de la biche.

FAQUIN n. m. serait un dérivé (1534, Rabelais), selon Wartburg, de l'argot *facque* «poche, sac» que l'on trouve au XVe s. (les *compaignons de la facque*) et que Rabelais utilise encore; les deux formes viendraient du moyen néerlandais *fak* «poche» (cf. allemand *Fach* «compartiment, case»). Pour P. Guiraud, l'existence du provençal *fasco* «tas de gerbes», celle du moyen français *fasqué* «chargé» et de l'ancien français *sosfachier* «fléchir sous un fardeau», dirigent vers la racine *fasc-*, du latin *fascis* «faix» (→ faix), par le biais d'un verbe °*fascare* ou °*fascicare*, qui expliquerait le sens de *faquin*.

♦ *Faquin* a désigné un portefaix (1534), sens vivant en italien (1442, *facchino*). ◇ Le sens moderne, d'emploi littéraire, «homme méprisable» (1561), serait à rapprocher d'une autre acception du mot, «mannequin (de paille?) utilisé dans les joutes» (1606), qui supposerait aussi le latin *fascis*.

① **FAR** → ① FARCE

② **FAR** → FARINE

FARADIQUE adj. a été formé (1851) sur le nom du physicien et chimiste anglais Michael *Faraday* (1791-1867), qui énonça les lois quantitatives de l'électrolyse et montra la généralité des propriétés magnétiques de la matière.

♦ L'adjectif s'applique à un courant alternatif obtenu par induction et se dit de ce qui se rapporte aux théories de Faraday.

▸ Sur le nom du physicien ont été formés d'autres termes didactiques, **FARADISATION** n. f. (1858) en médecine, **FARAD** n. m. (1874; 1859, autre sens) «unité de capacité électrique», et **FARADAY** n. m. (1873), nom d'unité employé dans le domaine de l'électrolyse.

FARAMINEUX, EUSE adj. est dérivé (av. 1521) de *faramine* «bête nuisible» (XIVe s.), surtout employé dans la locution ***bête faramine***, dans l'Ouest et en Bourgogne, nom d'un animal fantastique et redoutable, analogue à la *Tarasque* provençale. *Faramine* est emprunté au bas latin *feramina*, pluriel neutre (pris pour un féminin singulier) de *feramen* (VIe s.), dérivé du latin classique *fera* «bête sauvage» (→ fier). *Feramen* avait abouti en ancien français à *ferain* (XIIe s.) et à l'ancien provençal *feram* dont dérive le méridional *faramio* «bête sauvage».

♦ Cet adjectif, attesté isolément avec un sens obscur au XVIe s., est repris et répandu au XIXe s. (1834, *pharamineux*). Il qualifie ce qui étonne par son étrangeté (1892, *faramineux*) et, par extension, se dit de ce qui est anormalement important (1865).

FARANDOLE n. f. est emprunté (1793; 1776, *farandoule*) au provençal *farandoulo* qui représenterait une altération du provençal *barandello*, dérivé du verbe *branda* «remuer», qui a le même radical que *brandir* (→ brandir); la transformation du *b-* en *fl-* pourrait venir de l'influence d'autres mots comme *flandrina* «flâner», *flandina* «cajoler». Pour P. Guiraud le verbe *barandela* serait plutôt un composé tautologique, de *bar-*, variante de *far-* indiquant l'idée de déplacement (peut-être du gotique *faran* «voyager»; cf. allemand *fahren* «aller»), et de *andela*, dérivé de *anda* «courir» (Languedoc), d'un latin populaire °*ambitare*, du classique *ambire* (cf. en Savoie *anda* «élan»). D'où *barandela* «courir de travers», ce qui définit bien l'allure de la farandole.

♦ Le mot désigne une danse populaire provençale et au figuré, un cortège dansant (fin XIXe s.).

▸ Le dérivé **FARANDOLER** v. intr. (1881, Daudet mais antérieur) correspond au verbe provençal *farandoula*. ◇ Ce verbe rare a fourni **FARANDOLEUR, EUSE** n. attesté plus tôt (1872).

FARAUD, AUDE n. et adj. est un emprunt (1740), précédé par un emploi argotique isolé de *faraude* (1725) pour «madame, mademoiselle», à l'espagnol *faraute* «messager de guerre, interprète» (1492). Ce mot espagnol a désigné ensuite celui qui récitait le prologue d'une comédie (1611), rôle considéré comme ennuyeux par le public, d'où le sens de «personne qui cherche à se faire valoir» (1620); il est emprunté au français *héraut**.

♦ Le français a repris le sens de «fanfaron, fat» (1740, n.; mil. XIXe s., adj.). Le mot est vieilli.

▸ Les dérivés **FARAUDER** v. intr. (1881, Richepin) et **FARAUDERIE** n. f. (1902, Colette) sont rares.

① **FARCE** n. f. représente (XIIIe s.) le féminin de l'ancien français *fars* (v. 1200), issu du latin impérial *farsus*, participe passé du latin classique *farcire*, terme d'élevage et de cuisine signifiant «engraisser (des animaux)» et «farcir», d'où «garnir, bourrer» au propre et au figuré.

♦ *Farce* désigne, comme en latin, un hachis d'aliments à mettre dans une préparation culinaire.

▸ **FARCIR** v. tr. représente le latin *farcire*, dont il reprend le sens propre (1174-1176), spécialement en cuisine (déb. XIIIe s.), et la valeur figurée de «surcharger de connaissances, d'idées» (v. 1210). ◇ Le sens familier du faux pronominal *se farcir qqch.*, «gagner (de l'argent)» (1932), vient d'une métaphorisation : d'«absorber» on passe à «obtenir». Par antiphrase, *se farcir* signifie aussi «supporter péniblement (qqn)»; le sens vulgaire de «posséder sexuellement» vient de l'acception «mettre dans».
① **FAR** n. m. (XIXe s.), d'emploi régional (Poitou) pour «farci de légumes», est une abréviation de *farci;* il est sans rapport avec le *far* breton, apparenté à *farine**.

② **FARCE** n. f. et adj. est un emploi particulier de ① *farce* pour «plaisanterie, mauvais tour» (1330; cf. *farser* «se moquer de» au XIIIe s.); il est repris au XIXe s.; *farce* employé comme adjectif (1784 Bachaumont) dans ce sens est à la mode tout au long du XIXe s. *(il est farce, une chose farce)*. Du sens de «plaisanterie» on passe à celui d'«objet utilisé pour faire une farce» — le mot étant alors le plus souvent au pluriel. ◇ Par ailleurs, le latin médiéval *farsa* ayant désigné au XIIIe s. les intermèdes en langue vulgaire introduits au cours de cérémonies religieuses, comme de la farce dans une viande, *farce* a pris (1370) le sens d'«histoire plaisante illustrant un propos», puis au XVe s. (1448) de «petites pièces comiques», les intermèdes «farcis», séparés de la liturgie latine, étant à l'origine de notre théâtre comique. Par extension, *farce* désigne (XVIe s.) une action qui se déroule comme une farce.
FARCEUR, EUSE n. (v. 1450; de *farce* ou du verbe *farser*) désigne une personne qui fait des farces ou qui manque de sérieux, d'où l'emploi sorti d'usage pour «débauché» (1865, n.); le mot a désigné (déb. XIXe s.) un acteur spécialisé dans les rôles comiques.

FARD → ② FARDER

FARDE n. f., attesté en 1812, vient probablement de l'ancien français *fardes* (XIIe s.), variante de *hardes**.

♦ L'évolution de sens, qui aboutit à «dossier formé d'une feuille de carton pliée», ressemble à celle de *chemise**. Le mot est usuel en français de Belgique.

FARDEAU n. m. (déb. XIIIe s.), d'abord *fardel* (1205), dérive de *farde* n. f. (v. 1150), «charge, bagage», emprunté à l'arabe *fărdăh* «demi-charge d'un chameau», d'où «balle, paquet».

♦ Le mot s'est d'abord employé pour «botte d'herbe», «ballot»; aujourd'hui il désigne (déb. XIIIe s.) une chose pesante et, par figure (1re moitié du XIIIe s.), ce qui est pénible à supporter.

▸ *Farde*, sorti d'usage dans son premier sens, et repris comme terme de commerce (1775), a fourni deux dérivés. ① **FARDER** v. intr. a signifié «charger» (v. 1350, tr.); de ce sens vient ① **FARDAGE** n. m. (XVe s.; 1392, *fardaige*), autrefois «bagage, fardeau», aujourd'hui terme technique de marine. ◇ *Farder* a ensuite signifié «s'affaisser, se tasser» (1704); le verbe s'est conservé en marine (1834) au sens de «se gonfler» en parlant d'une voile.
FARDIER n. m. (1776), nom d'un chariot servant à transporter les lourdes charges, est encore d'usage régional.

① **FARDER** → FARDEAU

② **FARDER** v. tr. pourrait être issu (v. 1165) du francique °*farwidon* «teindre, colorer», ce que confirmerait l'existence de l'ancien haut allemand de même sens *farwjan* (cf. l'allemand *färben* «colorer, teindre»). P. Guiraud, écartant cette origine germanique, propose un emploi particulier du verbe ① *farder* (de *farde* «charge»; → fardeau) au sens de «charger le visage».

♦ *Farder* s'emploie au sens propre de «maquiller» et, par figure (déb. XIVe s.), de «déguiser qqch. sous une apparence trompeuse».

▸ Le dérivé **FARD** n. m. apparaît (v. 1190, *fart*) au sens figuré de «ce qui constitue une apparence trompeuse», «parole trompeuse», qui n'est plus en usage que dans les locutions littéraires ***agir, parler sans fard.*** Le sens propre (1213) est demeuré courant et donne lieu à la locution familière ***piquer un fard*** «rougir brusquement» (1878).
② **FARDAGE** n. m. est un terme technique (1896) pour «maquillage (de marchandises)».

FARFADET → **FÉE**

FARFELU, UE adj. et n. vient peut-être (1545) du croisement de l'ancien français *fanfelue, fafellue* «bagatelle, futilité» (courant du XIIe s. au XVIe s.) avec le radical expressif *faff-* que l'on trouve dans des mots désignant des choses vaines ou trompeuses (→ fafiot); *fanfelue* est l'aboutissement du bas latin *fanfaluca,* altération du grec *pompholux* «bulle d'air» (→ fanfreluche). La forme *farfelu* viendrait de l'influence d'autres mots en *far- (farfouiller, faribole*).*

♦ Le mot, au sens de «dodu» chez Rabelais (1545), comme *faf(f)elu,* est rare au XVIIe s. puis disparaît. Il est repris en 1921 par Malraux dans *les Lunes de papier,* où le romancier imagine un univers de choses vaines, gonflées d'air, au sens de «fantaisiste, bizarre», et se répand à partir des années 1950.

FARFOUILLER → **FOUILLER**

FARIBOLE n. f., attesté chez Rabelais (1532, *fariboll*e), pourrait être mis en relation avec le moyen français *falibourde, fallebourde* «sottise» (1544) [cf. l'ancien provençal *falabourdo*]. Ce mot est composé de *bourde* «mensonge» et du radical de *faillir* au sens de «mentir». L'ancien français *falir* a eu le dérivé *falourde* «tromperie» (XIIe s.). On a aussi évoqué une altération du latin *frivolus* (→ frivole). P. Guiraud propose pour source du premier élément le latin *falla* «mensonge, tromperie», abréviation de *fallacia,* dérivé de *fallax* (→ fallacieux), le second étant l'ancien français *bole* «mensonge»; la comparaison avec l'ancien provençal expliquerait le *r* comme une assimilation du *l.*

♦ Aujourd'hui le mot, au sens de «propos frivole» ou d'«idées sans consistance», s'emploie plutôt au pluriel.

FARIDONDAINE n. f. est composé (XVIe s.) de l'onomatopée *dondaine* et d'un groupe initial *far-* d'origine obscure. Selon P. Guiraud, il pourrait être formé de la racine *far-,* qui exprime l'idée de déplacement (germanique *far* «voyager», gotique *faran* «aller»; cf. allemand *fahren* «aller»), et d'un dérivé de *redonder,* synonyme de *bondir.*

♦ *Faridondaine* est utilisé dans les refrains de chansons populaires; selon les besoins de la rime, on trouvera *faridondon* ou *faridondé.*

FARIGOULE n. f. apparaît isolément au XVIe s. (1528) sous la forme *ferigole,* puis est repris au XIXe s. (1838), aussi écrit *férigoule* (1866) chez A. Daudet. C'est un emprunt au provençal *ferigoulo, farigoulo,* de l'ancien provençal *ferigola* (1150), *ferrigola* (fin XIIIe s.), issu d'un latin populaire *°fericula* «(plante) sauvage», dérivé du latin classique *ferus* «sauvage» (→ fier). On a aussi proposé de faire remonter l'ancien provençal à un latin populaire *°ferricula* dérivé de *ferrum* (→ fer), sur le modèle d'autres noms botaniques comme *lenticula* «lentille»; le mot représenterait, comme le bas latin *ferraria* «sauge verveine», une traduction du grec *sidêritis,* désignation de plusieurs plantes dont quelques labiées comme le thym. On relève aussi la forme *frigole* (1548) puis *frigoule* (1600), empruntée à la variante provençale *frigoulo.*

♦ *Farigoule* est le nom provençal du thym.

▸ **FARIGOULETTE** n. f., «petit plant de thym» (1914, Claudel) et «lieu planté de thym» (1925), est un diminutif, d'après le provençal *ferigoulete.*

FARINE n. f. est issu (v. 1150, Eneas) du latin *farina* «farine» qui a donné l'italien *farina,* l'espagnol *harina,* le portugais *farinha.* C'est un dérivé de *far, farris* «blé, épeautre» et aussi «farine». *Far,* comme *faba* (→ fève), est bien représenté dans le groupe de civilisation indoeuropéenne du Nord de l'Europe; il a pour correspondant en germanique le vieil anglais *bere* «orge», le gotique *barizeins,* le russe *borosno* «farine de seigle».

♦ *Farine* désigne la mouture des céréales et par extension (1690) celle d'autres plantes que les céréales. Il se dit par analogie (1865) d'une poudre blanche que l'on met sur le visage. La locution familière ***rouler qqn dans la farine*** «le tromper» est construite à partir d'un jeu de mots sur *rouler; **être de pareille farine, être de la même farine*** (XVIe s.), calque du latin classique *ejusdem farinae,* se dit par dénigrement de choses ou de personnes qui ne valent pas mieux l'une que l'autre.

▸ **FARINIER, IÈRE** n. (1292, n. m.; 1453, n. f.) est dérivé du nom ou est emprunté au latin médiéval *farinarius* «meunier» (Xe s.). ◇ Le sens latin a disparu et le mot désigne régionalement depuis le XVe s. (1453, n. f.) un coffre à farine ou un champignon à odeur de farine (XXe s., n. m.).
Le dérivé **FARINER** v. a signifié (fin XVe s.) «prendre l'aspect de la farine», puis «couvrir de farine» (1542, tr.) ou «prendre un aspect farineux». ◆ Le composé **ENFARINER** v. tr. (XIVe s.) s'emploie spécialement au figuré et familièrement dans ***venir la bouche (la gueule) enfarinée*** (1675), «avec de naïves illusions», par référence au type de niais de l'ancien théâtre au visage couvert de farine.
FARINEUX, EUSE adj., emprunté au bas latin *farinosus,* conserve le sens latin de «qui a l'aspect de la farine» (1539) et s'applique (1550) à ce qui contient ou produit de la farine — d'où **FARINEUX** n. m. (1756). L'adjectif qualifie par extension (1690) ce qui est couvert de farine.
② **FAR** n. m. (1799), du latin *far,* mot régional de Bretagne, désigne une sorte de flan, le plus souvent nommé *far breton.* En français régional de Bretagne, le mot a d'autres emplois, plus larges.

FARNIENTE n. m. est introduit sous la forme italienne *far niente* (1676, Mme de Sévigné), littéralement «ne rien faire», de *fare* «faire» et *niente* «rien» (cf. le français *fainéant*).

♦ Le mot est employé en bonne part : l'oisiveté agréable s'oppose à la fainéantise.

▸ **FARNIENTER** v. intr., familier (1899), est sorti d'usage.

FAROUCHE adj. provient (v. 1200, *faroche*) de l'altération de l'ancien français *forasche* (XIIIe s.) par métathèse des voyelles. *Forasche* était l'aboutissement du bas latin *forasticus* «extérieur, étranger» (VIe s.), d'où «sauvage», opposé à *domesticus* et dérivé du latin classique *foras* «dehors», «au dehors». Cet adverbe se rattache, comme *foris*, (→ hors), à une racine indoeuropéenne °*dhwer-* «porte», la notion étant régulièrement exprimée par des formes signifiant «à la porte».

♦ *Farouche* se dit d'un animal non apprivoisé (v. 1200) et d'une personne qui craint les rapports humains (v. 1398), par extension, du comportement, des manières (XVe s.). Le mot s'applique à qqn de rude, qui peut agir avec violence (v. 1398), et à ce qui a un aspect hostile, est sauvage (mil. XVIe s.), notamment chez Hugo. Par extension, il qualifie ce qui se manifeste avec vigueur (1644; *haine farouche*).

▸ **FAROUCHEMENT** adv. apparaît au XIVe s. (av. 1380, *ferouchement*) mais, rare à l'époque classique, il n'entre dans les dictionnaires qu'au XXe siècle, après son usage fréquent dans la poésie de Hugo, dep. 1842. ◆ **FAROUCHERIE** n. f., littéraire, n'est attesté qu'au XXe siècle.
Le composé **EFFAROUCHER** v. tr., «effrayer de manière à faire fuir», s'utilise en parlant des animaux (1495), puis des humains (1585); il a voulu dire «déplaire à (qqn)» (XVIe s.) et, à l'époque classique, «irriter (qqn)» (1641; v. 1550, pron.).

FART n. m. est un emprunt (1904) au norvégien, mot peut-être identique à *fart* «voyage, vitesse», apparenté à l'allemand *Fahrt* «voyage, marche».

♦ Ce terme de ski est le nom d'une substance dont on enduit les skis pour améliorer le glissement.

▸ Il a fourni **FARTER** v. tr. (1908) dont dérive **FARTAGE** n. m. (1932).

FAR WEST n. m. est un emprunt (1849) à un mot anglo-américain attesté depuis 1830, composé de *far* «éloigné» et de *west* «Ouest».

♦ Il désigne les États de l'extrême ouest des États-Unis, d'abord les terres situées à l'ouest des Appalaches, ces limites reculant au fur et à mesure de la conquête. Le mot ne s'est répandu en France qu'au début du XXe s. quand la légende du Far West devint un des thèmes favoris du cinéma (avec les *westerns*).

FASCICULE n. m. est emprunté (XVe s.) au latin *fasciculus* «petit paquet», spécialement «petit ouvrage littéraire», diminutif de *fascis* (→ faix, fascisme).

♦ Il a été employé avec le premier sens du latin et a désigné (1532) un chapitre d'un ouvrage littéraire, d'où l'emploi (1793) à propos d'un petit paquet de feuilles, de cahiers formant une partie d'un ouvrage. ◇ Terme de pharmacie (1690), il désignait une quantité déterminée d'herbes.

FASCINER v. tr. est emprunté (XIVe s.) au latin *fascinare* «faire des charmes, des enchantements», de *fascinum* «charme, maléfice». Le latin avait abouti à l'ancien français *fesnier, faisnier*; on trouve encore dans l'ouest de la France le verbe *fainer* «porter malheur».

♦ Le premier sens d'«ensorceler par un charme» est vieilli; restent vivants celui de «maîtriser par la puissance du regard» (XIVe s.) et au figuré le sens atténué de «captiver par la beauté, le prestige, etc.» (fin XVIe s.).

▸ En dérive **FASCINANT, ANTE** adj. (1834, Balzac). ◆ Deux mots ont été empruntés à des dérivés latins du supin de *fascinare*. **FASCINATEUR, TRICE** adj. et n., attesté au XVIe s. (1550) au sens du bas latin *fascinator* «celui qui fascine», a été repris au XIXe s. et s'emploie seulement comme adjectif. ◇ **FASCINATION** n. f. (1488), emprunt au dérivé latin *fascinatio*, a des emplois analogues à ceux du verbe.

FASCISME n. m. est un emprunt (1921) à l'italien *fascismo*, mot dérivé de *fascio* «faisceau», utilisé comme symbole politique en Italie (→ faisceau), du latin *fascis* de même sens (→ faix).

♦ Le mot a servi à désigner d'abord le mouvement politique fondé en 1919 par B. Mussolini, établi en Italie d'octobre 1922 à juillet 1943. Il s'est employé pour tout système ou doctrine politique de totalitarisme étatique et nationaliste. ◇ *Fascisme* a pris, à partir des années 1960, des valeurs affectives dans le discours politique; il s'emploie aujourd'hui pour toute attitude politique conservatrice et autoritaire et, de façon polémique, pour toute doctrine ou comportement opposé à la «gauche»; plus largement encore, hors de tout contexte politique, il s'utilise pour parler d'une contrainte, d'une autorité imposée.

▸ **FASCISTE** adj. et n. (1921), emprunt à l'italien *fascista* «partisan du fascisme» (lui aussi dérivé de *fascio*), a suivi la même évolution sémantique. ◇ On trouve les formes familières **FACHO** (v. 1968, à partir de la prononciation à l'italienne [faʃist]) et l'altération **FAF**, où le second *f* est inexpliqué.
Du radical de *fascisme* a été dérivé **FASCISER** v. tr. (v. 1930) qui a fourni **FASCISATION** n. f. (1930, Eluard) et **FASCISANT, ANTE** adj. (1936).
ANTIFASCISTE adj. et n. (1924) et **ANTIFASCISME** n. m. (1933) sont d'abord attestés, le second chez Paul Morand, à propos de l'opposition au régime de Mussolini. ◇ **NÉO-FASCISTE** adj. et n. (1945) et **NÉO-FASCISME** n. m. s'appliquant aux mouvements politiques inspirés par le fascisme mussolinien.

FASÉOLE → FAYOT

FASHION n. f. est emprunté (1698) à l'anglais, lui-même emprunt au français *façon**, *fasoun*

(v. 1300), *faciun* qui avait pris les sens de «mode» (déb. XVIIe s.), «gens à la mode» (fin XVIIe s.).

♦ *Fashion*, attesté isolément pour désigner le ton et les manières du beau monde, a été repris dans un contexte anglais (1819) puis employé avec le sens de «société élégante» (1830). Il est sorti d'usage, comme ses dérivés.

▸ **FASHIONABLE** n. et adj. désigne une personne élégante (1793) puis s'est employé comme adjectif (1804) et répandu vers 1820 à l'époque du dandysme. Ce dérivé anglais (1607, au sens de «façonnable») était devenu un terme de mode au début du XVIIe siècle. ◆ On relève chez Th. Gautier le dérivé rare **FASHIONABLEMENT** adv. (1835).

① **FASTE** n. m. est un emprunt de la Renaissance (1540) au latin *fastus* «orgueil» et «air orgueilleux», mot de la langue écrite, d'origine inconnue.

♦ Le nom désigne le déploiement de magnificence, la pompe, et s'est employé (1554, *fast*) à l'époque classique au sens de «vaine ostentation». Il est normalement au singulier mais la forme pluriel *(les fastes)* est devenue fréquente par confusion avec *fastes* (→ ② faste).

▸ **FASTUEUX, EUSE** adj. reprend (1537) le dérivé latin impérial *fastosus*, en bas latin *fastuosus* «superbe, dédaigneux»; il s'applique à une personne qui aime le faste ou à ce qui évoque le luxe (1674). Il s'est employé à l'époque classique pour ce qui s'étale avec ostentation (fin XVIIe s.). ◆ Il a fourni **FASTUEUSEMENT** adv. (1558) et **FASTUOSITÉ** n. f. (1865), littéraire et rare.

② **FASTE** adj., attesté au XIVe s. (v. 1355, *fauste*) et au XVIe s. et repris au XIXe s. (1838), probablement sous l'influence de *fastes* (ci-dessous), est un emprunt au latin *fastus* dans *fastus dies* «jour où il est permis de rendre la justice». Cet adjectif latin dérive de *fas* désignant l'expression de la volonté divine, le droit divin (par opposition à *jus* «droit humain») et, par extension, ce qui est licite, juste. *Fas* se rattache peut-être à une racine °*fes-*, *fas-*, à valeur religieuse, que l'on a dans *fanum* (→ profane), *feriae* (→ férié, foire). La graphie *fauste* s'explique par une confusion avec le latin *faustus* «heureux, favorable», dérivé de *favere* «être favorable» (→ faveur); *fauste* est attesté chez Rabelais et Baïf au sens latin.

♦ L'adjectif est didactique dans *jour faste*, terme d'antiquité romaine; il s'emploie couramment (attesté 1893 Goncourt) pour «favorable».

▸ **FASTES** n. m. pl. conserve les sens du latin *fasti*. Il désigne les tables chronologiques des Romains, d'abord (1488; 1570, *fastes consulaires*) dans *le Livre des Fastes*, traduction d'un ouvrage d'Ovide intitulé *Fasti*, et équivaut à «annales» (1620).

◈ voir **NÉFASTE**.

FAST-FOOD n. m. et adj. est un emprunt récent (1972) à l'anglais des États-Unis; le mot, désignant une restauration rapide et à bon marché, et l'établissement offrant ce type de repas, est composé de *fast* «rapide» et de *food* «nourriture».

♦ On a proposé comme équivalents français *restauration rapide, restaurant rapide, prêt-à-manger*, mais on se sert plus souvent du nom des chaînes, marques déposées en anglais, souvent d'origine américaine. *Fast-food* s'emploie par figure et péjorativement (v. 1980) pour qualifier ce qui est conçu pour la consommation de masse.

FASTIDIEUX, EUSE adj. est un emprunt (v. 1380) au latin *fastidiosus* «qui éprouve ou cause du dégoût», dérivé de *fastidium* «dégoût» et «dédain, mépris», lui-même de *fastus* «orgueil, morgue» (→ ① faste). *Fastidium* a été repris en moyen français sous la forme *fastide* «dégoût» (du XIVe au XVIe s.).

♦ L'adjectif s'applique à ce qui rebute en provoquant l'ennui.

▸ Il a fourni **FASTIDIEUSEMENT** adv. (1762), littéraire.

FAT, FATE adj. et n. m. est un emprunt (1534, Rabelais) à l'ancien provençal *fat* «sot» (XIIe s., provençal moderne «fou»), issu du latin *fatuus* «qui n'a pas de goût» (→ fade), employé également à propos d'une personne, et par extension au sens de «sot, imbécile».

♦ L'adjectif équivalait à «sot», d'où son usage à l'époque classique (1661) comme terme de mépris. ◇ En français moderne, il s'applique (déb. XVIIe s., adj.; 1690, n. m.) à une personne qui a peu d'esprit mais beaucoup de prétention, et se dit spécialement (1834) d'un homme qui se croit irrésistible auprès des femmes. Il a vieilli et est devenu littéraire, sauf dans certains usages régionaux.

▸ **FATUITÉ** n. f. reprend (v. 1355) le latin *fatuitas* «sottise», dérivé de *fatuus*. Le mot conservait à l'époque classique le sens latin; il désigne la satisfaction de soi-même qui s'étale d'une manière ridicule (v. 1688). Il a vieilli pour parler de l'attitude prétentieuse du fat (1694); on relève avec ce sens **FATUISME** n. m. (fin XVIIe s.) qui a disparu.

◈ voir **INFATUER**.

FATAL, ALE, ALS adj. est emprunté (v. 1355) au latin *fatalis* «du destin», «prophétique», et «fixé par le destin», «funeste, mortel», dérivé de *fatum* «prédiction», «le destin», et spécialement «destin funeste», «temps fixé pour la vie». *Fatum* serait à l'origine une énonciation divine et se rattache, comme *fari* et le grec *phanai* «parler», à une racine indoeuropéenne °*bhā* «parler» (→ fable; faconde). Il avait abouti à l'ancien français *fé* «démon» (→ fée), à l'ancien provençal *fat* «destin», au portugais *fado* (→ fado).

♦ L'adjectif conserve le sémantisme du latin. Appliqué à ce qui concerne le destin (v. 1355) ou à ce qui est marqué par le destin (av. 1615), il est d'usage littéraire, et s'applique spécialement au moment fixé à l'avance où doit se produire un événement, le plus souvent malheureux. ◇ *Fatal à, pour* (1640) qualifie ce qui a des conséquences désastreuses et en particulier ce qui est signe de mort (XVIIe s.). ◇ Il s'emploie plus couramment pour «inévitable» (av. 1880).

▶ **FATALEMENT** adv. signifiait à l'époque classique «par le sort» (dep. 1549); il est littéraire au sens de «d'une manière désastreuse» (1852) et courant pour «inévitablement». ◆ **FATALISTE** n. et adj. désigne une personne qui pense que les événements dépendent du destin (1584); le mot, sorti d'usage, a été repris (v. 1730) au moment où apparaît **FATALISME** n. m. (1724) et a été répandu au XVIIIe s. (cf. *Jacques le Fataliste* de Diderot).
FATALITÉ n. f. est emprunté (XVe s.) au dérivé bas latin *fatalitas* «nécessité du destin» et «force naturelle ou surnaturelle par laquelle tout ce qui arrive est déterminé d'avance». Il désigne d'abord une suite de coïncidences inexpliquées qui semblent manifester une finalité supérieure à l'homme et reprend ensuite (av. 1559) les sens du latin.
FATIDIQUE adj. est emprunté (fin XVe s.) au latin *fatidicus* «qui prédit l'avenir» et «qui indique une intervention du destin», composé de *fatum* et de *dicere* (→ dire). L'adjectif est didactique au premier sens du latin et courant avec la valeur du second (v. 1850) et comme équivalent de *fatal*. ◆ Le dérivé **FATIDIQUEMENT** adv. (1874) est rare.
FATUM n. m. s'emploie (dep. 1584) avec le sens latin de «destin» dans le vocabulaire didactique ou littéraire.

FATIGUER v. est emprunté (déb. XIVe s.) au latin classique *fatigare* «faire crever (un animal)» et, par affaiblissements successifs, «accabler», «abattre par la dépense de force», en latin impérial «importuner», «vexer». Ce verbe dérive probablement de *fatis* «fente, crevasse», dans l'expression *ad fatim* dont les éléments se sont joints pour former l'adverbe *affatim* «jusqu'à crever, éclater» puis «à satiété».

♦ *Fatiguer* signifie d'abord «diminuer les forces de (un organisme)», «imposer un effort pénible à (un être vivant)», aussi en emploi intransitif (1549) où il signifie «s'épuiser». Le pronominal est usuel. ◇ Le verbe a repris aussi (av. 1660) le sens latin «rebuter par l'importunité» et, par figure, a signifié à l'époque classique «chercher à faire céder (la résistance, etc.)» (1669). ◇ Par analogie, il s'emploie en agriculture, par exemple dans *fatiguer un arbre* (1752) et par extension dans *fatiguer la terre* «la retourner à plusieurs reprises» (1773), d'où *fatiguer la salade* (1845). ◆ En technique, *fatiguer*, intransitif, se dit d'une poutre, d'un navire, etc. qui subit des déformations à la suite d'un effort excessif (1756) ou d'un mécanisme (1792) par la même métaphore que *peiner*.

▶ Le déverbal **FATIGUE** n. f. a suivi une évolution parallèle, désignant l'état qui résulte d'un effort excessif (XIVe s.), un travail pénible (1611), sens demeurés les plus usuels. Il a désigné spécialement le travail des forçats et, à l'époque classique, une source d'ennuis (1666). Il s'emploie également dans le vocabulaire technique (déb. XXe s.).
Le verbe a fourni également **FATIGANT, ANTE** adj. au propre (1668) et au figuré (1666) et le composé **DÉFATIGUER** v. tr. (1836). ◆ **FATIGABLE** adj. reprend (1486) le bas latin *fatigabilis* «qui fatigue»; ce sens est sorti d'usage. Lié au verbe, il s'applique (1504) à une personne sujette à la fatigue; de là vient, d'après *infatigabilité* (ci-dessous), **FATIGABILITÉ** n. f. (1924). ◆ L'adjectif a pour contraire **INFATIGABLE** adj., emprunté (1470) au latin classique *infatigabilis*, et qui est passé de l'idée de force inépuisable à celle d'activité soutenue, qui ne faiblit pas. ◇ Ses dérivés sont **INFATIGABLEMENT** adv. (1486) et **INFATIGABILITÉ** n. f. (1659), littéraire.

FATMA n. f. inv. reprend (1900) l'arabe *Fāṭima*, nom de la fille de Mahomet et prénom très répandu parmi les musulmanes.

♦ Dans le contexte colonial algérien, il désignait une femme du Maghreb et spécialement, dans le français d'Afrique du Nord colonisée, une employée de maison arabe (en français d'Algérie, on disait surtout *mauresque* dans ce sens). ◇ Ces valeurs ont disparu, mais l'argot français de France avait repris le mot, avec le même contenu xénophobe que *mousmé* ou *niakoué*, au sens général de «femme», qui a vieilli.

FATRAS n. m., attesté seulement au début du XIVe s. *(fastras)*, est un mot d'origine incertaine. On le donne traditionnellement (Wartburg) comme issu d'un latin populaire *°farsuraceus*, dérivé du bas latin *farsura*, variante de *fartura* «action de bourrer, de farcir», lui-même dérivé de *fartum*, supin de *farcire* (→ farcir). Mais il apparaît pour désigner une pièce de vers extravagante, comme *fatrasie* (v. 1220, *fastrasie*). *Fatrasie* pourrait être une variante de l'ancien français *fantasie* (→ fantaisie) et *fatras* un dérivé régressif. ◇ P. Guiraud associe le mot à *fastroillier* «bavarder» (XIIIe s.), de *fastroille* «niaiserie, bavardage» et «tromperie»; pour ce linguiste, on retrouve là un des sémantismes fondamentaux du français, la chose vaine — donc le mensonge — étant assimilée à un feu sans consistance, à un fagot, sens attesté pour *fastroille*, et il postule un latin populaire *°fascitum*, dérivé de *fascis* «fagot» (→ faix) qui aurait abouti à *°faste, fastre*, puis par suffixation à *fastras, fastroille*.

♦ *Fatras* désigne d'abord un ensemble confus d'idées ou de paroles et s'emploie avec la valeur concrète de *fouillis* (1580). À l'époque classique, il s'est dit (XVe s.) de choses de peu d'importance. ◆ Cette dernière valeur se réalise dans les dérivés sortis d'usage : **FATRASSER** v. intr. (XVIe s.) et **FATRASSIER, IÈRE** adj. et n. (1611) ou *fatrasseur* (1636).

▶ **FATRASIE** n. f., terme d'histoire littéraire médiévale (voir ci-dessus), désigne (XIIIe s.) une pièce poétique d'un caractère incohérent ou absurde, contenant des allusions satiriques. ◆ Le dérivé **FATRASIQUE** adj. (attesté mil. XXe s.) est didactique.

FATWA n. f., emprunt savant à l'arabe, connu des spécialistes du droit islamique, s'est répandu dans plusieurs langues (anglais, français...) en 1989, par la condamnation que prononcèrent des imams à l'encontre de l'écrivain Salman Rushdie.

♦ Le mot désigne didactiquement une consultation juridique religieuse islamique sur un point douteux. Son emploi en français concerne une condamnation.

FAUBER ou **FAUBERT** n. m. apparaît au XVIIe s., d'abord écrit *fouber* (1643), puis *fauber* (1678) et *faubert* (1687). Ce mot d'origine discutée pourrait être emprunté au néerlandais de même sens *zwabber*, mais le passage à la forme française n'est pas expliqué. Wartburg reprend l'hypothèse d'une reprise à l'ancien français *foubert* «sot, niais» (XIIe s.), emploi particulier du prénom *Fulbert*.

♦ Ce terme de marine désigne un balai fait de vieux cordages. Il s'est employé en argot (1905) au sens analogique de «favoris».

▸ Il a produit **FAUBERDER** V. TR. ou **FAUBERTER** (1694), «nettoyer avec le fauber».

FAUBOURG n. m., d'abord en syntagme *faulx bors* (av. 1404) puis soudé (1478), est une altération, par croisement avec *faux**, de l'ancien français *forborc* ou *forsborc* (v. 1200), *forbours* (v. 1260), composé de *fors* «hors de», issu du latin *foris* (→ dehors) et de *borc* (→ bourg), le *forsborc* étant ce qui est en dehors du bourg; l'altération par *faux* provient du fait que le faubourg semblait s'opposer au «vrai» bourg. On relève aussi en latin médiéval *falsus burgus* (1380).

♦ *Faubourg* désigne d'abord, et aujourd'hui en histoire, la partie d'une ville située hors de l'enceinte. Le sens moderne (1728) concerne le quartier qui correspond à cette partie, aussi dans des noms propres, par exemple *faubourg Saint-Antoine*, à Paris (av. 1850). ◇ Par métonymie, *la ville et les faubourgs* s'est dit pour «toute la population» (1718). Le mot s'est employé au pluriel (1838) pour parler de la population ouvrière des faubourgs. *Faubourg* est aujourd'hui marqué par rapport à *banlieue*.
Par métaphore, le faubourg étant ce qui prolonge la ville et la première partie occupée par l'ennemi, le mot s'utilise en argot pour «postérieur (d'une femme)» (1612, repris 1878).

▸ **FAUBOURIEN, IENNE** n. et adj. désigne une personne qui habite un faubourg (1801), notamment un quartier populaire, et s'emploie aussi comme adjectif avec cette dernière valeur (1838, *accent faubourien*).

FAUCHER, FAUCILLE → ② FAUX.

FAUCON n. m., réfection (XIIe s.) de *falcun* (1080), est emprunté au bas latin *falconem*, accusatif de *falco* (IVe s.). *Falco*, qui a donné l'italien *falco*, l'espagnol *halcón*, le portugais *falcão*, est peut-être dérivé de *falx, falcis* «faux» (→ ② faux), à cause de la courbure du bec ou des serres, ou bien représente un emprunt au germanique, mais l'ancien haut allemand *falcho* (allemand *Falke*) semble emprunté au latin.

♦ *Faucon* conserve le sens latin «rapace diurne au bec crochu». Son importance vient de l'utilisation de faucons dressés pour la chasse au vol, activité très vivante pendant tout le moyen âge et qui a eu de nombreuses implications sur le vocabulaire (par ex. le sens de *voler** «dérober»). Le mot a désigné par figure (1466) un petit canon en usage aux XVIe et XVIIe s. (cf. ci-dessous *fauconneau*). ◇ Il devient un terme de politique (1960), par calque de l'anglais des États-Unis *hawk*, opposé à *dove* «colombe*» pour désigner un partisan de la force dans le règlement d'un conflit.

▸ Le mot a fourni des termes de chasse : **FAUCONNIER** n. m. (v. 1160) qui correspond au latin médiéval *falconarius* (déb. IXe s.), **FAUCONNIÈRE** n. f. (XIIIe s.), **FAUCONNERIE** n. f. (v. 1354) «chasse au faucon» et par extension «aux oiseaux de proie». ◆ **FAUCONNEAU** n. m. (1498, *fauconnel*; 1534, *faulconneau*) correspond au sens de *faucon* en artillerie.
FALCONIDÉS n. m. pl., terme de zoologie (1868), est dérivé savamment du latin *falco* pour désigner la famille de rapaces à laquelle le faucon appartient.

FAUFILER → FIL

① **FAUNE** n. m. est un emprunt (1372) au latin *Faunus*, dieu de la fécondité, des champs et des troupeaux, très vite identifié au dieu grec Pan et représenté avec des pieds et une queue de bouc, un torse d'homme et une face barbue. Le pluriel *Fauni* désignait de petits génies champêtres. Le nom de ce dieu bienfaiteur se rattache à *favere* «être favorable» (→ faveur).

♦ *Faune*, d'abord terme didactique de mythologie latine, désigne aussi par extension (1839, Balzac) un homme dont le comportement érotique ou l'apparence évoque le dieu romain avec une valeur voisine de celle de *satyre*.

▸ Les dérivés **FAUNESSE** n. f. (1842, Banville) et **FAUNESQUE** adj. (1869) sont littéraires mais vivants; **FAUNIN, INE** adj. (1881) est rare; **FAUNIEN, IENNE** adj. et **FAUNIAQUE** adj. (1845) plus encore.
② **FAUNE** n. f. est un emprunt (1783, selon Bloch et Wartburg, puis 1802) au latin scientifique du XVIIIe s. *fauna*, attesté dans un titre d'ouvrage de Linné (1746) parallèlement à *flora* (→ flore); *fauna* est tiré du latin classique *Faunus* (→ ① faune). ◇ Le mot a désigné la description des animaux d'un pays et l'ouvrage qui recueille ces observations. Il se dit par métonymie de l'ensemble des animaux d'une région déterminée. Au figuré, il désigne (déb. XXe s.) de façon péjorative un ensemble de personnes très caractéristiques qui fréquentent un lieu.
Faune a fourni en zoologie **FAUNIQUE** adj. (1896), **FAUNULE** n. f. (1904) et le composé **MICROFAUNE** n. f. (XXe s.).

FAUTE n. f. est issu (v. 1174) par évolution phonétique d'un latin populaire °*fallita* «action de faillir, manque», féminin substantivé de °*fallitus*, altération du latin classique *falsus*, p.p. de *fallere* (→ faillir, défaut).

♦ *Faute* désigne d'abord le fait de manquer aux prescriptions d'une religion, d'où *la Faute* «le péché commis par Adam et Ève», ou à la règle morale. Il était spécialement employé pour parler des relations sexuelles en dehors du mariage ; ce sens a

vieilli avec l'évolution de la société quant à la morale sexuelle, comme l'emploi pour le fait de se laisser séduire, pour une femme (XIXe s.). ◇ Par extension, *faute* désigne en général le manquement à une règle, dans un art, une discipline intellectuelle, etc. (1538), d'où ***faute de goût*** «manière d'agir maladroite ou fâcheuse» (1665). Le mot entre dans des expressions, en particulier avec un possessif (mil. XVIe s., *c'est ma faute*).
Parallèlement, il a désigné comme le latin, et en concurrence avec *défaut*, le fait d'être en moins (v. 1275), utilisé dans des locutions comme *faire faute de* «omettre de» (1665), *avoir faute de* «manquer de», sorties d'usage. *Faute* s'emploie encore avec cette valeur dans la locution adverbiale ***sans faute*** «à coup sûr» (1306) et dans ***faute de*** loc. prép., «à défaut de» (1636), qui remplace *par faute de* (XVe s.), *à faute de* (1549), employés en français classique. Un ***sans faute,*** substantivé, vient de *parcours sans faute* (dans un concours hippique, attesté 1968).

▸ **FAUTIF, IVE** adj. signifie d'abord «sujet à faillir» (1440-1475), puis s'applique à une personne qui est en faute (av. 1589), sens où il est moins courant que *coupable*, et à ce qui renferme des défauts ou des erreurs (1676). ◇ Le dérivé **FAUTIVEMENT** adv. (1823) est littéraire.
FAUTER v. intr., «commettre une faute» (1568, repris déb. XIXe s.), est sorti d'usage. Le verbe ne s'emploie plus que par plaisanterie au sens de «se laisser séduire», en parlant d'une femme (1864).

FAUTEUIL n. m. est l'aboutissement du francique *°faldistôl* «siège pliant», reconstitué d'après l'ancien haut allemand *faldstuol* (d'où l'allemand *Faltstuhl*), l'anglais *faldstool* (1050), le latin médiéval *faldistolium* ou *faldistorium* (v. 1100). C'est un composé de *°fald* «plier» (cf. anglais *to fold*) et de *stôl* «siège». *Faldestoel* apparaît en français au XIe s. *(Chanson de Roland)*, d'où *faudesteuil* (XIIIe s.), *fauldetueil* (encore au déb. du XVIIe s. dans les dictionnaires) et enfin (1589), *fauteuil*.

♦ Le mot désigne d'abord un siège pliant, richement décoré, transporté en voyage par les grands personnages; en moyen français (XIVe-XVIe s.) le mot, souvent décomposé en *faux d'estueil* (1396), *faux deteil* (1428) — étymologie populaire (pour *faux*) qui montre l'oubli de l'origine — désigne un siège de parade, facile à transporter. C'est en effet un siège de cour, jusqu'au début du XVIIIe s. (il est alors emprunté par l'allemand [1713] et l'anglais [1744]), le sens moderne n'étant défini explicitement qu'en 1671. Le mot, devenu *fauteuil* au XVIe s., et la chose sont usuels sous Louis XIV : ils deviennent bourgeois (cf. les *commodités de la conversation* des Précieux) et le Roi en fournit l'Académie (les «quarante fauteuils»). ◇ Depuis le XVIIIe s. et surtout le XIXe s., le fauteuil devient un siège banal, mais confortable; cette idée de confort mène à la locution familière ***arriver comme dans un fauteuil*** (v. 1889) «avec une avance confortable», d'abord dans le contexte hippique. Le sens hiérarchique du XVIIe s. s'est, par ailleurs, conservé dans l'usage moderne, notamment en politique (***occuper le fauteuil, monter au fauteuil*** «à la présidence»). Enfin, le *fauteuil pliant* des metteurs en scène constitue un retour inconscient à l'étymologie du mot.

▸ **FALDISTOIRE** n. m., mot de liturgie et d'archéologie, est emprunté (1668) au latin ecclésiastique *faldistorium,* d'origine francique (ci-dessus), par l'italien, pour désigner le siège liturgique de certains prélats.

FAUTEUR, TRICE n. est emprunté, d'abord sous la forme *fateur* (1295), au latin classique *fautor, fautrix* «personne qui favorise», «soutien, partisan», du latin archaïque *favitor,* dérivé de *favere* «être favorable» (→ faveur).

♦ Le mot a désigné une personne qui protège et favorise qqn, sens vivant à l'époque classique. Sous l'influence de *faute,* il s'est spécialisé (1596) à propos d'une personne qui favorise une action blâmable; il est inusité au féminin. Détaché de son origine *(favorisateur),* senti comme dérivé de *faute**, il s'emploie surtout dans le domaine politique ***(fauteur de troubles),*** plus couramment dans l'expression ***fauteur de guerre.***

FAUVE adj. et n. m. est emprunté (1080) au bas latin *falvus* (IXe s.), *falbus* (VIIIe-IXe s.), latinisation du germanique *falwa* «d'un jaune tirant sur le roux» (cf. aussi l'ancien haut allemand *falo,* l'allemand moderne *falb* «fauve»). Comme pour d'autres noms germaniques de couleur *(blanc, bleu, blond, gris),* ce sont probablement des soldats qui ont introduit le mot en bas latin.

♦ *Fauve* a conservé le sens étymologique (1080; 1176, n. m. «cheval fauve», hapax). ◇ *Bêtes fauves* (1561; av. 1573, n. m.) désigne les animaux sauvages au pelage de cette couleur, cerf, lièvre, lion, etc., par opposition aux *bêtes noires* et aux *bêtes rousses.* Le mot s'emploie (1790, adj.; 1791, n. m., Volney) pour les animaux sauvages en général, enfin parmi eux pour les animaux féroces (1832, adj. et 1859, n. m. chez Hugo). L'adjectif a beaucoup été utilisé par les romantiques, en particulier par métaphore, pour qualifier ce qui a les caractères de la bête fauve avec une valeur voisine de *farouche.*

▸ Au début du XXe s., on a appliqué ce nom (1923, n. m. pl.) à des peintres français qui utilisaient des couleurs pures, violentes; de là viennent **FAUVISME** n. m. (1927) pour nommer le mouvement et **FAUVISTE** n. m. synonyme didactique de *fauve.*
FAUVETTE n. f. (1223, *fauvete*) est le nom d'un petit passereau, à cause de la couleur de son plumage.
FAUVERIE n. f. «endroit d'une ménagerie réservé aux fauves» (v. 1949) est un terme technique.

① **FAUX, FAUSSE** adj. et n. m. est une réfection graphique (XIVe s.) de *faus* (XIIe s.), aboutissement de *fals* (1080), du latin *falsus* «faux, falsifié, trompeur», participe passé de *fallere* «tromper» (→ faillir).

♦ L'adjectif apparaît dans la *Chanson de Roland,* appliqué à ce qui n'est pas vrai, d'où la substantivation *le faux* n. m. (XIIIe s.) et le sens de «qui ne correspond pas à une réalité profonde» (1273), opposé à *naturel,* spécialement dans une œuvre (1675, n. m.). ◇ Parallèlement, *faux* qualifie ce qui n'est pas exact (1080), notamment dans *raisonnement, calcul faux* (XIIe s.), par extension ce qui est fondé sur une illusion ou une erreur (1580, *fausse joie*) et ce qui n'est pas comme il devrait (1580, *faux mouvement*). *Faux* se dit aussi d'un esprit qui raisonne mal (av. 1662). ◇ Par la notion d'écart par rapport à une règle, l'adjectif s'applique ensuite à ce qui n'est pas conforme aux exigences de l'harmonie (mil. XVIIIe s., *voix fausse*) ou d'une loi (1865). ◇ Dès l'ancien français, l'adjectif qualifie ce qui est contrefait, destiné à tromper (1176), par exemple dans *fausse attaque* (v. 1265), et ce qui n'est pas réellement selon son apparence (XIIe s., *fausse perle*). De ces valeurs découlent divers emplois : «qui ne remplit pas les conditions nécessaires pour mériter son nom» (v. 1360, *faux plafond*), «qui est mal défini ou incomplet» (XVe s., *faux air*) ou «qui imite les apparences d'un objet naturel» (av. 1549, *fausse barbe*). ◇ *Faux,* n. m., se spécialise pour désigner une contrefaçon (1611), notamment en droit (1659) et en parlant d'une œuvre artistique. L'adjectif s'emploie en particulier dans *faux papiers, faux passeport,* etc., récemment dans le complexe ***vrai-faux*** qualifiant une pièce fausse, mais délivrée par un service parallèle (police secrète, etc.). ◇ ***À faux*** loc. adv., sorti d'usage au sens de «sans raison suffisante» (1629), s'emploie en architecture (1690, *porter à faux*), d'où ***en porte à faux*** loc. adj. (1865), employé au propre et au figuré.

► L'adjectif a de nombreux dérivés et quasi-dérivés. **FAUSSEMENT** adv. (1273), d'abord *falsement* (1190), a suivi l'évolution sémantique de l'adjectif.

① **FAUSSET** n. m. (v. 1175) est aujourd'hui démotivé ; la *voix de fausset,* voix de gorge, aiguë, donne l'impression d'une voix artificielle, «fausse», par opposition à la voix de poitrine.

FAUSSETÉ n. f. est dérivé de *fals* (v. 1120, *falseté*), *faux* d'après le dérivé bas latin *falsitas* dont il a eu les sens de «mensonge» (v. 1120) et de «tromperie» (1165). ◇ Les valeurs modernes, issues de l'évolution de l'adjectif en français, conservent l'idée de «ce qui est contraire à la franchise, à la vérité» (v. 1138, «caractère d'une personne hypocrite»).

FAUSSER v. tr. (XIIe s.), d'abord *falser* (1080), vient du bas latin *falsare* «falsifier, altérer» (de *falsus*). Il a signifié en droit féodal «démentir» (1080) et veut dire «falsifier» (1080), spécialement dans l'ordre abstrait (1580, *jugement faussé*). Il s'emploie au concret pour «endommager» (v. 1155 ; XVe s., *fausser une clé*) et à l'abstrait pour «déformer la réalité» (1273). ◇ *Fausser* a signifié dès l'ancien français «manquer à sa parole» (v. 1196), d'où à l'époque classique «être infidèle à ses engagements» (XVe s., *fausser sa foi*), sens qui survit dans la locution ***fausser compagnie*** (av. 1565).

De l'idée d'endommagement vient ② **FAUSSET** n. m. (1322), «cheville pour boucher le trou fait à un tonneau en vue de goûter le vin», mot technique aujourd'hui démotivé.

SE DÉFAUSSER v. pron. (1792), vient de *fausser* «tromper» et signifie «se débarrasser» (d'une carte ; au figuré, d'une responsabilité) ; il a fourni le déverbal **DÉFAUSSE** n. f. (1949 écrit *défosse* [sic]), terme de jeu.

FAUSSAIRE n., réfection (1283) de *falsaire* (fin XIIe s.), est emprunté au latin *falsarius ;* il a signifié «trompeur» avant de désigner une personne qui commet un faux juridique (1313), puis artistique.

Faux a produit le préfixé **ARCHIFAUX, FAUSSE** adj. (av. 1865) de *archi-*.

D'autres mots ont été composés à partir de *faux* parmi lesquels **FAUX-SEMBLANT** n. m. (1176, *faus sanblant*), **FAUX-MONNAYEUR** n. m. (1332), **FAUSSE(-)COUCHE** n. f. (1671), **FAUX-FILET** n. m. (XIXe s.). Voir l'autre élément.

◈ voir FAUX-FUYANT.

✳ ② **FAUX** n. f. représente la réfection graphique (1587) de *fauz* (v. 1175), *faulx* (v. 1360), forme enregistrée par le Dictionnaire de l'Académie jusqu'en 1932. Le mot est issu du latin *falx, falcis* «faux», «serpe» et «arme de guerre», probablement emprunté à une ancienne langue de l'Italie et qui a fourni l'italien *falce,* l'espagnol *hoz.*

♦ Le mot désigne un instrument agricole, et aussi (1690) une arme formée d'une lame arquée au bout d'un manche ; par métaphore, la faux est l'attribut du Temps et de la Mort (1638). ◇ L'usage du mot a perdu de l'importance avec la mutation de l'outillage agricole (fin XIXe s.-XXe s.), mais il garde ses valeurs évocatrices et symboliques. ◇ Par analogie de forme, c'est le nom d'un repli membraneux du cerveau (1690, *faux du cerveau*).

► **FAUCHER** v. est la réfection (XIVe s.) de *fauchier* (v. 1175), issu d'un latin populaire °*falcare,* dérivé de *falx ;* le latin classique utilisait *metere* (→ moisson) et *secare* «couper» (→ section), qui a donné l'ancien provençal *segar* et l'italien *segare* «faucher», régional. Dans le Sud-Ouest, une forme *dalhá,* dérivée de *dalh* «faux», représentait un latin populaire °*daculus, -a* (→ dague). ➜ Le verbe a signifié «couper (des végétaux) avec une faux» et par extension «à la machine», le verbe étant resté au XXe s. plus usuel que son étymon. Il prend très tôt une valeur figurée et veut dire «faire tomber et mourir en grand nombre» (fin XIIe s.), d'où *faucher* (une tête) «guillotiner» (1828) et, par affaiblissement de sens, «renverser» (XXe s.), spécialement en sport, au football (1904) ou au judo. Il s'emploie dans la locution figurée ***faucher l'herbe sous les pieds de qqn*** (av. 1615), moins courante que *couper*...* ; ***faucher le grand pré*** «ramer aux galères» (1715), est archaïque. ◇ Par figure, *faucher* a signifié «couper les cordons de (une bourse)», pour la dérober (1713, en argot), d'où familièrement «chaparder» (1834) et par extension «prendre» (XXe s.). ➜ Par métaphore, le participe passé **FAUCHÉ, ÉE** adj. signifie «sans argent» (1876), en particulier dans ***fauché comme les blés*** (1899), ***fauché à blanc*** (1890).

Par analogie avec le mouvement du faucheur, *faucher,* v. intr., signifie «marcher en décrivant un demi-cercle avec la jambe» (1678), surtout en parlant d'un cheval, et s'emploie pour le mouvement de va-et-vient donné à une pièce d'artillerie (déb. XXe s.).

Les dérivés de *faucher,* termes d'agriculture, s'emploient parfois avec les sens analogiques ou figurés du verbe :

FAUCHAISON n. f. (v. 1160, *falcheison*) désigne l'action de faucher et la période où l'on fauche. ➜ **FAUCHEUR, EUSE** n., réfection (XIVe s.) de *falcheor* (v. 1210), s'emploie par métaphore au féminin (*la Faucheuse*, pour «la Mort», 1745). *Faucheuse* n. f. (1859) désigne la machine agricole qui fauche. ➜ **FAUCHET** n. m. (1213), d'où **FAUCHETTE** n. f. (1811), ont vieilli, de même que **FAUCHÉE** n. f. (1231, *fauciee*). ➜ **FAUCHAGE** n. m. (1311, *faulchage*), aussi terme d'artillerie (1909), est familier au sens de «chapardage» (1916), vieilli au profit de *la fauche*. ➜ **FAUCHE** n. f. (1360), remplacé en agriculture par **FAUCHURE** n. f. (XVIIIe s.), s'emploie familièrement pour «vol» (1920). ➜ **FAUCHEUX** n. m., autrefois dialectal pour «faucheur» (1535), désigne une sorte d'araignée (1690), peut-être d'après le sens du verbe *faucher*, terme de manège; dans ce sens on dit aussi *faucheur* (1756).

FAUCHARD n. m. est une réfection d'après *faucher* (1352, *fauchar*) de *fausars, faussart* (fin XIIe s.), dérivé de *faux*, désignant une hallebarde à double tranchant en usage jusqu'au XVe s.; c'est aussi le nom d'une serpe (1752), aujourd'hui archaïque.

FAUCARD n. m. (XIVe s.; repris 1838), dérivé du verbe *fauquer*, forme normanno-picarde de *faucher*, désigne une grande faux pour couper les herbes des marais. ➜ En dérive **FAUCARDER** v. tr. (1838), d'où **FAUCARDEMENT** n. m. (1863), **FAUCARDAGE** n. m. (1907) et **FAUCARDEUR** n. m. (XXe s.).

FAUCILLE n. f., réfection (XIIe s.) de *falcille* (v. 1119), est issu du bas latin *falcicula* «faucille, serpe», diminutif de *falx, falcis*. Le nom de cet instrument agricole s'emploie en particulier dans ***la faucille et le marteau*** (v. 1920), ces outils symbolisant les classes paysanne et ouvrière et ayant été pris par les bolcheviks comme emblème des partis communistes. Le mot a fourni **FAUCILLER** v. tr. (fin XIIIe s., *faucilier*), et le diminutif **FAUCILLON** n. m. (XIIIe s.), sortis d'usage.

FALCIFORME adj. (1766), composé savant de *falx, falcis* et de *forme*, signifie «en forme de faux, de croissant», en sciences naturelles.

FAUX-FUYANT n. m. représente une altération (mil. XVIe s.), sous l'influence de *faux**, de *forsfuyant*, composé de *fors*, issu du latin *foris* «dehors*», et de *fuyant*, participe présent de *fuir* (→ fuir).

♦ Le *forsfuyant* était le serf qui devait payer un droit (la *forsfuyance*) pour passer dans un autre domaine. Le sens concret, en vénerie, de «chemin détourné que prend le gibier pour s'échapper» est sorti d'usage, mais le mot s'emploie toujours au figuré (1672).

FAVEUR n. f. est une réfection (fin XIIe s.) de *favor* (1150), emprunté au latin *favor* «marque de faveur», du verbe *favere* «favoriser», «marquer son approbation», d'abord terme de la langue religieuse, employé à propos de la bienveillance des dieux.

♦ Il reprend le sens du latin, d'où viennent les locutions prépositives ***en faveur de*** (XVe s.; 1315, *en la faveur de*), ***à la faveur de*** (1580), et désigne la disposition à accorder une préférence à qqn. Par extension, il s'emploie (v. 1355) pour parler du crédit qu'on a auprès de qqn ***(être en faveur)*** et a signifié «ressource» à l'époque classique (1669). ◇ ***Faveurs***, n. f. pl., s'est spécialisé pour désigner les marques de préférence qu'une femme donne à un homme (1631), d'où l'expression ***accorder les dernières faveurs***. ◇ *Faveur* était le nom d'une écharpe (1557), aujourd'hui d'un ruban étroit (1690), parce qu'une écharpe puis un ruban était donné à un chevalier par une dame, comme marque de préférence (1564).

▶ **FAVORISER** v. tr. (1330) a été formé sur l'ancienne forme *favor*, ou directement à partir du latin.

Sur le nom et le verbe ont été composés les contraires **DÉFAVEUR** n. f. (XVe s., *deffaveur*) et **DÉFAVORISER** v. tr. (1468), courant au participe passé.

FAVORABLE adj. est emprunté (v. 1150) au dérivé latin *favorabilis* «digne d'être favorisé, bien vu, populaire». ◇ Il a produit **FAVORABLEMENT** adv. (v. 1265) et le contraire **DÉFAVORABLE** adj. (av. 1475) — d'où **DÉFAVORABLEMENT** adv. (1752).

◈ voir FAVORI.

FAVORI, FAVORITE adj. et n. est emprunté (1541, *favorie*; 1546, *favorit*) à l'italien *favorito, -ita*, «qui est l'objet de la préférence de qqn, en particulier d'un roi, d'un prince» (XVe s.), participe passé de *favorire*, dérivé de *favore*, du latin *favor* (→ faveur).

♦ L'adjectif conserve la valeur de l'italien, d'où le sens du nom féminin «maîtresse préférée d'un roi, etc.» (1690). ◇ Les femmes bien en cour gouvernant la mode, la coiffure avec une touffe de cheveux tombant sur la joue a été dénommée *favorite* (1700); on trouve plus tard (1824) le masculin pluriel pour désigner les «pattes», poils sur les joues masculines. Par extension du premier sens, *favori* désigne le gagnant probable d'une épreuve, sportive ou non (1855, à propos d'un cheval).

▶ **FAVORITISME** n. m. (1819) est construit sur le modèle de *népotisme*.

FAX → FAC SIMILÉ

FAYARD n. m. est un mot d'origine franco-provençale. Il est relevé dans le dictionnaire de Trévoux au XVIIIe s. (1743) sous cette forme et il était auparavant écrit *faiard, failhard* (1373). C'est un dérivé d'une forme *fay* issue du latin *fagus* «hêtre» et à laquelle correspond l'ancien français *fou* (→ fouet).

♦ *Fayard*, nom régional du hêtre, est fréquent en toponymie; la variante *foyard* (1865) est courante en Suisse romande.

FAYOT n. m. est une altération (fin du XVIIIe s.) de *fayol(e)* (1721), emprunté au provençal *faiol, fayol* (1470), lui-même de l'ancien français *faisol* (fin XIe s.). Ce dernier est issu du bas latin *fasiolus*, altération du classique *faseolus* ou *phaseolus* «variété de haricot» qui reprend le grec *phasêolos*, variante de *phasêlos* «haricot à cosse allongée». *Faisol* est devenu *fasol* (v. 1480) qui se maintient encore au XVIIe s. ; par ailleurs *faseolus* a été emprunté sous la forme *fasole* (XIIIe s.) puis **FASÉOLE** n. f. (av. 1525), et désigne régionalement la fève ou le haricot (→ flageolet).

♦ *Fayot*, aujourd'hui familier, est introduit pour désigner le haricot sec. Le mot a signifié dans l'argot des marins (1833) «rengagé de la marine», le militaire revenant à l'armée comme les haricots au menu ; ce type de militaire en rajoutant sur ses obligations, *fayot* en vient à désigner familièrement celui qui fait du zèle (1881).

▸ **FAYOTER** v. intr. (1936) «faire du zèle» a fourni **FAYOTAGE** n. m. (mil. XXe s.).

FAZENDA → HACIENDA

◈ **FÉAL, ALE, AUX** adj. et n. m. vient (fin XIIe s., *feaus*), par substitution du suffixe *-al* à *-eil*, de *feeil* (1080), aboutissement du latin *fidelis* (→ fidèle).

♦ L'adjectif qui signifie «fidèle à la foi jurée», est aujourd'hui archaïque et le nom (fin XIIe s.) d'emploi littéraire (Rimbaud) ou plaisant, pour désigner un compagnon fidèle et soumis.

FÉBRIFUGE, FÉBRILE → FIÈVRE

FÈCES n. f. pl. est un emprunt (1515) au latin *faeces*, pluriel de *faex* «résidu, lie, rebut».

♦ Il est didactique au sens d'«excréments» (1515) et sorti d'usage en pharmacie pour «résidu» (1551).

▸ **FÉCAL, ALE, AUX** adj. (1478) est un mot savant construit à partir du radical du latin.

◈ voir **FÉCULE**.

FÉCOND, ONDE adj. est emprunté (fin XIIe s.) au latin *fecundus* «fertile, abondant», «capable de se reproduire» ; *fecundus*, qui se dit des femelles, de la terre, etc., est un dérivé en *-cundus* d'un radical *fe-* que l'on retrouve par exemple dans *fellare* «téter» (→ fellation), *femina* «femme*», *filius* «fils*». *Fe-* se rattache à une racine indoeuropéenne °*dhē-* «téter, sucer, traire» représentée dans l'ensemble du domaine indoeuropéen.

♦ C'est l'idée de production abondante qui est retenue (fin XIIe s.) en parlant d'un inanimé ; l'adjectif, d'emploi littéraire ou didactique, s'utilise plus tard pour qualifier des personnes, au propre et au figuré (1690).

▸ **FÉCONDITÉ** n. f. est emprunté au dérivé latin *fecunditas* «aptitude à se reproduire», dont le français reprend le sens au propre (1050, *feconditet*) et au figuré (av. 1690).

INFÉCOND, ONDE adj., emprunté au latin *infecundus*, est littéraire pour qualifier ce qui ne donne pas de résultat (1458), aussi employé avec une valeur abstraite (1682) ; il est didactique comme équivalent (1573) de *stérile*.

FÉCONDER v. tr. est emprunté au dérivé latin impérial *fecundare*. Il reprend le sens de «rendre capable de reproduction», rare avant le XVIIIe s., et celui de «fertiliser», au propre (av. 1650) et au figuré (1796). ➛ Sur *féconder* ont été formés plusieurs dérivés : **FÉCONDATION** n. f. (1488), rare avant 1729, **FÉCONDATEUR, TRICE** adj. et n. (1762), **FÉCONDANT, ANTE** adj. (1771) et **FÉCONDABLE** adj. (1805) — d'où **FÉCONDABILITÉ** n. f. (v. 1950). La biologie et la botanique ont construit des composés à partir des mots de cette série : **SUPERFÉCONDATION** n. f. (1883) et **SURFÉCONDATION** n. f. (1903), **AUTOFÉCONDATION** n. f. (1888) et **S'AUTOFÉCONDER** v. pron. (1931), enfin au XXe s., **INTERFÉCONDATION** n. f., **INTERFÉCOND, ONDE** adj., **S'INTERFÉCONDER** v. pron. et **INTERFÉCONDITÉ** n. f.

FÉCULE n. f. est emprunté (1679, écrit *foecule* en 1660) au latin *faecula* «tartre (de vin)» diminutif de *faex, faecis* «lie, dépôt» (→ fèces).

♦ *Fécule* désigne la substance qui provient du broyage des graines ou des organes souterrains de certaines plantes.

▸ **FÉCULENT, ENTE** adj. et n. m. reprend (1520) le latin impérial *faeculentus* «plein de lie, de boue», dérivé de *faecula*, pour parler d'un liquide qui dépose des sédiments. Il s'applique aujourd'hui à ce qui contient de la fécule (1823, adj. ; 1845, n. m.).

FÉCULER v. tr. est dérivé (1865) de *fécule*, aux sens de «extraire la fécule de (qqch.)» et «ajouter de la fécule», comme **FÉCULERIE** n. f. (XVIIIe s.) «usine où l'on extrait la fécule» et «industrie de la fécule», **FÉCULEUX, EUSE** adj. (1849) et **FÉCULIER, IÈRE** (1849). Ces dérivés sont techniques.

FÉCULENCE n. f. est un emprunt (XIVe s.) au dérivé latin *faeculentia* «quantité de boue, de lie», désignant d'abord l'état d'un liquide qui dépose puis (1845) d'un corps contenant de la fécule.

FEDAYIN n. m., parfois écrit *feddayin*, reprend (1956), avec le sens de «combattant palestinien», l'arabe *fedayin, feddayin*, pluriel de *fedaï, feddaï* «(celui) qui se sacrifie», dérivé de *fida* «rançon». On trouve aussi *fed(d)aï* en français, ce qui indique que le mot, qui se répand vers 1965, est mal assimilé. ➛ Il avait été précédé par *fédaïte* (1838), *fédavi* (1872), qui adaptaient l'arabe *fidāwī* «membre de la secte des 'assassins'» et «paladin».

FÉDÉRER v. tr. est emprunté pendant la Révolution (1792, pron.) au bas latin *foederare* «unir par alliance», du latin classique *foedus, foederis* «traité d'alliance», ou encore formé à partir de *fédéré*, adjectif attesté un peu avant (1790) et qu'on trouve isolément en 1521 («ami, allié»).

♦ D'abord terme de politique, *fédérer* (1815) s'emploie par analogie en parlant de collectivités qui poursuivent un but commun.

▸ **FÉDÉRÉ, ÉE** adj. et n. m. signifie «membre d'une fédération», et est formé à partir du participe passé latin *foederatus* ; c'est un mot de la Révolution française, qui sera repris pendant la Commune de Paris pour désigner le soldat insurgé (1871). ◇ Il désigne aussi d'après l'anglais un partisan du Sud pendant la guerre de Sécession aux États-Unis.

FÉDÉRATION n. f., emprunt au dérivé bas latin *foederatio* «alliance», a conservé (XIVe s.) le sens latin ; comme les autres mots de cette famille, il est repris à la fin du XVIIIe s. pour désigner le mouvement issu des provinces qui tendait à l'unité nationale en 1789 (*fête de la Fédération*, le 14 juillet 1790). C'est le nom donné (1871) au groupement des gardes nationaux de Paris. Il prend (XIXe s.) le sens général d'«association de sociétés, de syndicats, etc., groupés sous une autorité commune».

FÉDÉRAL, ALE, AUX adj. et n. m., dérivé savant formé sur le radical du latin *foedus* (cf. le latin tardif *foederalis* «relatif à un traité»), s'applique (1783) à ce qui est relatif à une fédération. ◇ Le nom, réemprunté à l'anglais, désigne les partisans du Nord, les Yankees, pendant la guerre de Sécession américaine (1883, les *fédéraux*), puis, par nouvel emprunt, les agents de la police fédérale des États-Unis. ➜ **FÉDÉRALISME** n. m. (av. 1755 chez Montesquieu; repris en 1789), **FÉDÉRALISTE** adj. et n. (1792), **FÉDÉRALISER** v. tr. (1793) sont formés sur *fédéral*. ➜ **FÉDÉRATIF, IVE** adj. (1748, Montesquieu; repris en 1789) est un dérivé savant du latin *foederatus*; comme les précédents, c'est un des mots clés au début de la Révolution française, de même que *fédération* (ci-dessus).

FÉDÉRATEUR, TRICE adj. et n., au sens de «qui tend à fédérer», est de formation récente (1914, n. m., sur *fédérer*) et témoigne d'une extension de sens, en politique, influencée par l'anglais (cf. *federator*, 1879).

CONFÉDÉRER v. tr. apparaît beaucoup plus tôt (v. 1355) que *fédérer;* emprunt au composé du bas latin *confoederare* «unir par traité» (du latin classique *con-* «avec»), il signifie «réunir plusieurs États qui conservent leur souveraineté». ➜ **CONFÉDÉRÉ, ÉE** adj. et n. m. a désigné des États qui s'unissent contre un adversaire (1475, n. m. pl.), notamment les cantons suisses réunis (XVe s.). Appliqué à une nation qui appartient à une confédération (1861), le mot s'emploie en histoire pour *fédéré*, en parlant des États-Unis (1866) et de la Commune (1885). ➜ Du verbe dérivent aussi **CONFÉDÉRATIF, IVE** adj. (1761) et **CONFÉDÉRATEUR, TRICE** adj. (1838).

CONFÉDÉRATION n. f., emprunt (1358) au bas latin *confoederatio* «alliance», désigne une alliance temporaire pour soutenir une cause. Il se dit d'une union durable d'États (1794), par exemple dans *Confédération helvétique* (1807). Par extension, le mot s'emploie pour parler d'un groupement de fédérations (1895, *Confédération générale du travail*). ➜ Le mot a produit **CONFÉDÉRAL, ALE, AUX** adj. (1598, en Suisse), qui correspond en Suisse à *fédéral* dans d'autres États fédéraux.

FÉE

FÉE n. f. est l'aboutissement (v. 1140) du latin *fata* «déesse des destinées», forme féminine de *fatum* «énonciation divine», «destin» (→ fatal) qui se rattache au verbe *fari* «parler» (→ fable).

♦ *Fée* désigne un être imaginaire, de forme féminine, auquel on attribue le pouvoir d'influer sur la destinée des humains. ***Conte de fées*** est employé par figure (XVIIIe s.) au sens d'«aventure extraordinaire et charmante». *Fée* entre dans des locutions pour qualifier une femme à qui l'on attribue des qualités hors du commun (***belle comme une fée, c'est la fée du logis,*** etc.).

▸ **FÉERIE** n. f. a signifié «pouvoir magique des fées» et désigne (1188, *faerie*), dans l'usage littéraire, le monde où s'exerce ce pouvoir puis, par extension (XIXe s.), tout monde irrationnel et, spécialement (1823), un spectacle qui met en scène des personnages surnaturels. ➜ **FÉERIQUE** adj. (1828) s'emploie surtout figurément au sens de «merveilleux».

FADET, FADETTE adj. et n., terme régional (Centre) pour «lutin, petite fée», est un diminutif (attesté 1843, n. m.) de *fade*, n. f. (attesté 1844, Sand), emprunté au provençal *fada* (Xe s.) qui correspond à *fée*. ◇ Le mot évoque surtout le roman de G. Sand, *la Petite Fadette* (1849). Son attestation écrite et littéraire est certainement très tardive par rapport à l'usage oral.

FARFADET n. m., «lutin», est repris (1542, Rabelais) à un mot provençal, formé de *fadet*, lui-même dérivé de *fada*, et d'une particule *far-* exprimant le renforcement.

FEED-BACK

FEED-BACK n. m. inv. reprend (v. 1950) un mot américain d'abord utilisé en électricité (déb. XXe s.) avant d'être employé en cybernétique; il est composé de *to feed* «nourrir» et de *back* «arrière».

♦ Il entre en français avec d'autres termes liés au fonctionnement des ordinateurs. Par extension du sens technique de «dispositif d'autocorrection», il signifie «modification de ce qui précède par ce qui suit» et équivaut au français *rétroaction*.

FEELING

FEELING n. m. est emprunté (1922, répandu v. 1946) à l'anglais (XIIe s., «sentiment»), participe présent substantivé de *to feel* «éprouver, ressentir» (fin IXe s.), d'origine germanique (cf. allemand *fühlen*).

♦ Il équivaut à *expressivité* dans un contexte de musique de jazz; par extension, ***avoir du feeling***, c'est «bien sentir les choses».

FEIGNANT → FAINÉANT

FEINDRE

FEINDRE v. tr. est issu (1080) du latin *fingere* «façonner, modeler», d'où «imaginer» puis «inventer faussement», qui se rattache à une racine indoeuropéenne °*dheig'h-* «façonner (de la terre)».

♦ *Feindre* a d'abord signifié (1080, pron.) «s'imaginer, se croire», encore à l'époque classique en emploi transitif (v. 1265). ◇ Le verbe correspond aussi à «faire semblant (dans le but ou non de tromper)» (1080; 1280 *feindre que*, rare) et spécialement à «donner pour réel (un sentiment que l'on n'a pas)» (v. 1462). À l'époque classique, *feindre à* signifie «hésiter» (fin XVe s.). ◇ Le mot s'est employé jusqu'au XVIIIe s. au sens latin de «former de toutes pièces» (v. 1176); l'acception «manquer de courage, être paresseux» (v. 1176) reste dans *fainéant**.

▸ **FEINTISE** n. f. «dissimulation» (v. 1190, du participe passé) est un archaïsme littéraire. ➜ **FEINTE** n. f., participe passé féminin substantivé, a désigné une invention poétique (1223) jusqu'au XVIIe s. et (avant 1544) le fait de donner une apparence contraire à la réalité. La valeur «action qui trompe» se spécialise en escrime (1680) et dans d'autres sports, puis *feinte* prend le sens général (déb. XXe s.)

de «ruse». ◆ **FEINTER** v., dérivé de *feinte*, s'emploie d'abord en sports (1859, intr.) puis familièrement pour «tromper» (1931, tr.); dans l'argot scolaire, *feinter* a repris un sens ancien de *feindre* «ne pas faire son travail». En dérive **FEINTEUR, EUSE** n. (1924).

◈ voir FICTION

FELDSPATH n. m. est un emprunt (1773, Bloch et Wartburg, puis 1780) à l'allemand *Feldspath*, proprement «spath des champs»; le mot est composé de *Feld* «champ» (cf. anglais *field*) et de *Spath*, nom générique des minéraux à texture en lamelles.

♦ Ce terme didactique désigne un minéral qui entre dans la composition de nombreuses roches cristallines et est employé dans l'industrie du verre et de la céramique.

▸ Il a fourni les dérivés **FELDSPATHIQUE** adj. (1802) et **FELDSPATHISATION** n. f. (1930).

FÊLER v. tr. est une contraction (1423, *fellé*; XVIIe s., à l'infinitif) de *faeler* (XIIIe s.), verbe issu selon Bloch et Wartburg d'un latin populaire °*fagellare*, forme altérée par dissimilation du latin classique *flagellare* «fouetter, battre», de *flagellum* «fouet» (→ flageller), les fêlures d'un vase ressemblant aux traces laissées sur la peau par des coups de fouet. P. Guiraud rapproche *fêler* de l'italien de même sens *sfracellare* et suppose une forme °*fragellare* «briser» dérivée de *frangere* (→ fraction) qui aboutirait à °*fraisler*, °*frêler*. Il y aurait ensuite syncope du *r* par dissimilation, ou bien *fr-* serait devenu *fl-* par assimilation (cf. la forme *fléler* en normand). Une autre hypothèse de P. Guiraud rattache *fêler* à *fêle* «sorte de sarbacane», mot qui vient du latin *fistula* «petit vaisseau, pore» (→ fistule). La question reste ouverte.

♦ Le verbe signifie «fendre (un objet cassant) sans que les parties se disjoignent» (XIIIe s., repris XVe s.) et s'emploie par figure au sens de «rendre brouillé (l'esprit)», surtout au participe passé adjectif, **FÊLÉ, ÉE** (1645), qui se dit de l'esprit, de la tête, d'une personne mentalement dérangée.

▸ Il a fourni **FÊLURE** n. f. (fin du XIIIe s., *faielure*, repris v. 1560).

FÉLIBRE n. m. et adj. reprend (1868, Mallarmé) un mot provençal signifiant «écrivain de langue d'oc» et tiré en 1854 d'une poésie populaire par un groupe d'écrivains qui sont à l'origine de la renaissance littéraire de la langue d'oc dans sa variante de Provence. F. Mistral rattachait *félibre* au bas latin *fellibris*, variante de *fellebris* «nourrisson», dérivé du latin classique *fellare* «sucer», «allaiter», qui se rattache à une racine indoeuropéenne °*dhē-* «têter» (→ fellation); il partait de l'image ancienne qui fait des poètes les nourrissons des muses. Une autre hypothèse (fantaisiste) propose de reconnaître dans *félibre* un calembour sur deux mots désignant le livre : l'hébreu *sefer* et le provençal *libre*.

▸ **FÉLIBRIGE** n. m. (1876) et **FÉLIBRÉE** n. f. (1901; de *felibrèio*) sont aussi des emprunts au provençal, diffusés par Mistral.

FÉLICITÉ n. f. est un emprunt (v. 1265) au latin *felicitas* «bonheur, chance», dérivé de *felix* «fécond» et «heureux», qui se rattache, comme *fellare* «sucer [le lait]», à une racine indoeuropéenne °*dhē-* «têter».

♦ Le mot est resté d'emploi littéraire, qu'il désigne (v. 1265) un état de contentement intense ou, au pluriel (1640), un bonheur lié à une circonstance particulière.

▸ **FÉLICITER** v. tr. est emprunté (1460) au bas latin *felicitare* «rendre heureux» dont procède le sens moderne de «faire des compliments à (qqn)» (1630; en 1611, *féliciter avec qqn*). Le pronominal est attesté à l'époque classique (1690). ◆ Le dérivé **FÉLICITATION** n. f., mot peut-être formé à Genève (1623, *foelicitation*, d'Aubigné), a signifié longtemps «action de féliciter» avant de prendre, employé au pluriel, le sens moderne de «expression orale ou écrite, souvent par formule convenue, de compliments».

INFÉLICITÉ n. f., mot de la langue classique emprunté (1376) au latin *infelicitas*, est devenu rare.

FÉLIN, INE adj. et n. m. est un emprunt (1792, in Bloch et Wartburg, puis 1824) au latin *felinus*, de *feles* «chat», nom générique des petits carnassiers, d'où «chat (sauvage)», à côté de *catus* «chat (domestique)» (→ chat).

♦ *Félin* désigne en zoologie (1824) un mammifère carnassier et qualifie (1833) ce qui concerne le chat. L'adjectif s'applique par figure (1845) aux personnes — surtout aux femmes — auxquelles on attribue des caractères prêtés au chat (grâce, charme mais aussi perfidie.)

▸ *Félin* a servi à former les termes littéraires **FÉLINITÉ** n. f. (1875) et **FÉLINEMENT** adv. (fin XIXe s.). ◆ **FÉLIDÉS** n. m. pl. est une formation savante (1838), de *-idés**, d'abord *félide* adj. Terme de zoologie désignant la famille des mammifères carnivores du type *chat* (1892), le mot s'emploie aussi au singulier (1873, *un félidé*).

FELLAGA ou **FELLAGHA** n. m. est un emprunt (1915) à l'arabe maghrébin *fellāga*, pluriel de *fellāg*, désignation des bandits de grand chemin (en Tunisie et dans le Sud algérien); *fellāg* vient de l'arabe classique *fallāq* «pourfendeur».

♦ Le mot est repris vers 1954 pour désigner les partisans de l'indépendance algérienne soulevés contre l'autorité coloniale française, en Tunisie (1954-1956) et en Algérie (1954-1962). Le mot, déjà péjoratif, a été déformé en *fellouze* par l'argot militaire français.

FELLAH n. est un emprunt par l'arabe maghrébin à l'arabe classique *fällāḥ* «laboureur»; on trouve les formes anciennes *félaque* (1735), *fellach* (1800), qui adaptent la finale de l'arabe, aujourd'hui amuïe.

♦ Le mot désigne un petit propriétaire agricole maghrébin ou un paysan égyptien.

FELLATION n. f. est un dérivé savant (av. 1945) de *fellatum*, supin du latin *fellare* «têter», d'où «sucer» dans le vocabulaire érotique, qui se rattache à une racine indoeuropéenne °*dhē-* «téter».

♦ Le mot a une valeur érotique; on emploie aussi fréquemment la forme latinisée *fellatio*, qui n'est pas attestée en latin.

▶ **FELLATEUR, TRICE** adj. et n. reprend (1829, Balzac) le latin impérial *fellator, -oris*, dérivé de *fellatum*.

FÉLON, ONNE adj. vient (v. 980, *fellon, felun*) du bas latin *fello, -onis* (*fellones* est attesté en latin médiéval en 858), dont l'origine pourrait être le francique °*fillo*, °*filljo* «qui maltraite les esclaves», d'où «méchant». Ce mot correspond au verbe francique °*filljan* «maltraiter, flageller»; on trouve en ancien haut allemand *fillen* «battre» et en moyen néerlandais *villen* «écorcher». Pour P. Guiraud, si *fel* (2ᵉ moitié du xᵉ s.) signifie «personne cruelle, déloyale, pleine de rancune», le bas latin *fello* pourrait avoir été construit sur *fellosus*, dérivé de *fel* «fiel»; l'existence de *félon* au sens de «vomissement de bile» (xviᵉ s.) renforcerait cette hypothèse.

♦ *Félon* signifie d'abord «méchant»; il désigne très tôt (1080), à la fois comme adjectif et comme nom, la personne qui agit contre la foi due à son seigneur et, d'une façon plus large, qui manque de fidélité (à Dieu, au roi, etc.), aujourd'hui par archaïsme sauf lorsqu'il s'agit de l'époque féodale.

▶ **FÉLONIE** n. f., réfection (1080) de *felunie* (1050), a suivi l'évolution sémantique de *félon*.

FELOUQUE n. f. est une altération (1600), à côté de *falouque* (1680), de *flouque* (1544). Le mot est emprunté à l'espagnol *faluca*, lui-même du catalan *faluca* ou *faluga* (xviᵉ s.). *Faluca* est une variante de *falua* (1371) — d'où aussi l'espagnol *falúa* — qui est un emprunt à l'arabe *falwa* «pouliche» et par analogie «petit navire de charge».

♦ *Felouque* désigne un petit navire de la Méditerranée orientale, notamment en Égypte.

FEMME n. f. est issu (déb. xᵉ s.) du latin *femina* qui, représentant un participe présent passif, signifiait à l'origine «qui est sucée, qui allaite» et se rattache à une racine indoeuropéenne °*dhē-* «téter» comme *fellare* «sucer» (→ fellation), *felix* «heureux» (→ félicité), etc.; *femina* a le sens de «femelle d'animal» puis de «femme» et «épouse»; il a concurrencé *mulier* «femme» qui a donné l'italien *moglie*, l'espagnol *mujer*, l'ancien français *moïllier* (jusqu'au xivᵉ s.) et *uxor* «épouse» qui a abouti en ancien français à *oissour*, attesté jusqu'à la première moitié du xiiiᵉ siècle.

♦ *Femme* est connu depuis la fin du xᵉ s. pour désigner un être humain de sexe féminin et s'est employé (1829) en parlant de la femelle d'un animal. Le mot entre au fil des siècles dans de très nombreux syntagmes plus ou moins figés, qui caractérisent le statut de la femme dans la société : ***bonne femme*** (1668), par exemple, désignait jusqu'au xixᵉ s. une femme pleine de bonté ou une femme un peu âgée; le syntagme est devenu (1926 en argot) un équivalent familier de *femme*. On relève au xixᵉ s. ***maîtresse femme*** (1865) et ***femme de lettres*** (1872); ***femme-objet*** (v. 1960) s'applique à une femme considérée comme un objet sexuel par les hommes. ◇ Le sens d'«épouse» est attesté dès 1080; il est continué par le sens argotique de «maîtresse; partenaire sexuelle». ◇ *Femme* entre dans plusieurs expressions pour désigner des professions liées aux activités ménagères : ***femme de chambre*** (1680), ***femme de charge*** (1680), ***femme de ménage*** (1835; régionalement «épouse» au xixᵉ s.), ***femme de service*** (xxᵉ s.); → ***sage*-femme.*** Voir aussi le schéma page ci-contre.

FEMMELETTE n. f., formé d'après *femelle*, s'est substitué (v. 1365; av. 1350, *femelette*) à *femmette* n. f. (xiiiᵉ s.), diminutif de *femme*. Le mot a d'abord caractérisé le physique («femme malingre») avant le comportement («femme craintive»); il s'emploie au figuré et familièrement (1680) à propos d'un homme.

FEMELLE n. f. et adj. est emprunté (v. 1120) au latin *femella* «petite femme», diminutif de *femina*. Il est introduit avec le sens d'«animal qui reproduit l'espèce» (xviᵉ s., adj.). ◇ C'est aussi un terme de droit féodal, avec le sens de «femme» (1265). Il est toujours utilisé, hors de ce contexte, dans un sens péjoratif (1530, Marot; fin xviiᵉ s., adj.). Par figure, il s'emploie dans le vocabulaire technique (1678), opposé à *mâle*.

FÉMININ, INE adj. est une réfection (xiiiᵉ s.) de *femenin* (v. 1165), du latin *femininus*, dérivé de *femina* «relatif à la femme», et indiquant un genre grammatical marqué. Il est introduit avec ces deux sens, respectivement vers 1165 et au xivᵉ siècle. Par extension, le mot s'emploie pour qualifier ce qui est considéré comme caractéristique de la femme, selon une image souvent stéréotypée; il s'applique également (xxᵉ s.) à ce qui relève de l'activité des femmes. ➜ **FÉMINISER** v. tr., tiré du radical latin *fémin-* s'emploie en grammaire (v. 1501) et signifie «donner un aspect féminin à» (1835). L'évolution de la société explique le sens récent (v. 1960) «faire accéder un plus grand nombre de femmes à une profession, une activité». ◇ Le dérivé **FÉMINISATION** n. f. (1845) a suivi la même évolution sémantique (1868 en grammaire). ➜ **FÉMINITÉ** n. f. (v. 1265; fin xiiiᵉ s., var. *feminage*), repris et diffusé seulement à la fin du xixᵉ s., s'emploie pour désigner l'ensemble des caractères propres à la femme; il a une valeur péjorative quand il s'utilise à propos d'un homme (av. 1880). ◇ **FÉMINILITÉ** n. f. (1855, Goncourt) et **FÉMINÉITÉ** n. f. (par ex. chez Baudelaire), de même sens, sont inusités.

FÉMINISME n. m. a été formé sur le radical du latin *femina* par Fourier (1837), pour désigner une doctrine qui propose d'étendre le rôle des femmes dans la société. Le mot est largement employé à partir des années 1960, ainsi que **FÉMINISTE** adj. et n. (1872) qui l'a emporté sur *femmiste*, formé à la fin du xixᵉ s. sur *femme*.

On relève aussi, formés sur le radical du latin, les termes didactiques **FÉMINOÏDE** adj. (1946, de *-oïde*) et **FÉMINITUDE** n. f. (v. 1960), sur le modèle de *négritude*, utilisé depuis 1970 par les féministes pour marquer le statut de la femme d'un point de vue social; en ce sens, on a aussi employé **FEMELLITUDE** n. f.

Autour du nom de la FEMME

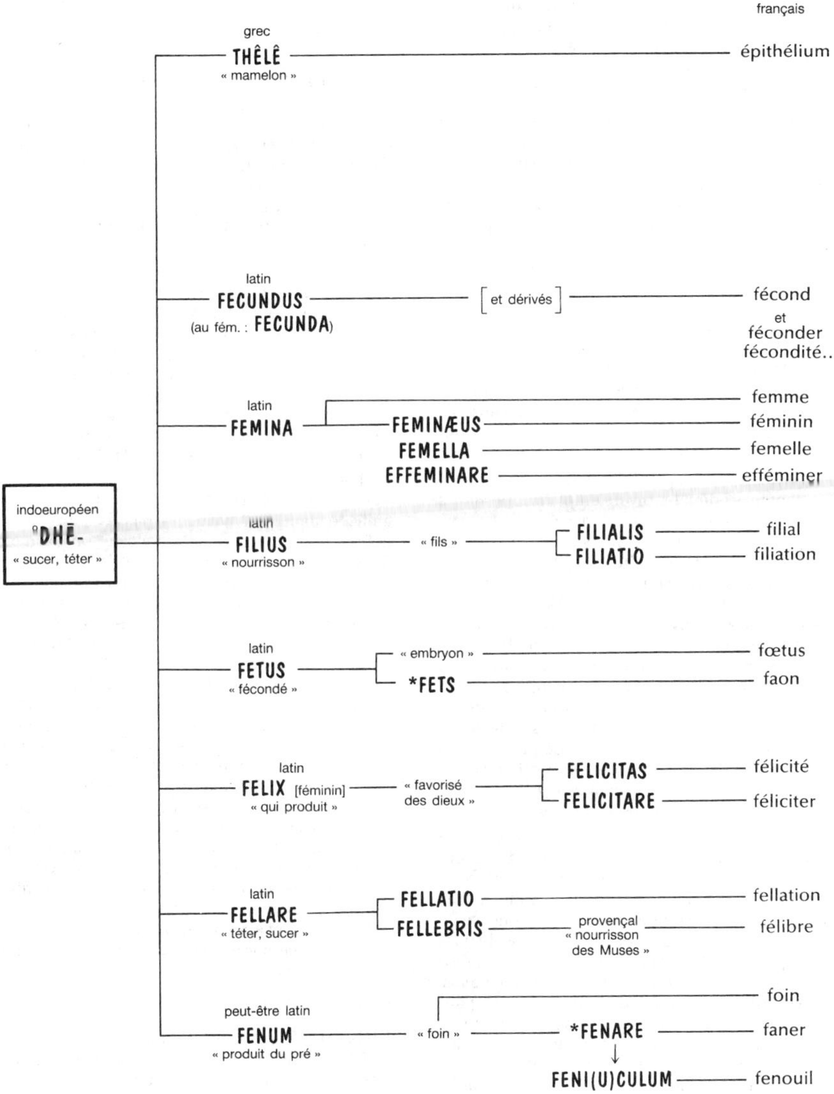

Le verlan de *femme*, **MEUF** n. f. (1981), est un des mots les plus diffusés de ce type de vocabulaire ; il correspond au familier *nana* et à *fille* plutôt qu'à *femme*.

◈ voir **EFFÉMINÉ**.

FÉMUR n. m. est un emprunt (1541) au latin *femur, -oris* «cuisse», mot «d'un type indoeuropéen archaïque» (Ernout-Meillet), qui, gêné par sa ressemblance avec *fimus* (→ fumier) a été remplacé par *coxa* (→ cuisse) dans les langues romanes.

♦ Il s'est spécialisé en français au sens d'«os de la cuisse».

▸ **FÉMORAL, ALE, AUX** adj. est emprunté (1790) au dérivé bas latin *femoralis* «de la cuisse». ◇ Le latin chrétien *femoralia* «haut de chausses», nom neutre pluriel de *femoralis*, avait été emprunté sous les formes altérées *famulaires* (du XIIe s. au XVIe s.), refait en *femoralles* (fin XVe s.), sorti d'usage au XVIIe siècle.

FENAISON → ① **FOIN**

◈ **FENDRE** v. tr. est l'aboutissement (v. 980) du latin *findere* «ouvrir, séparer, diviser», qui se rattache à une racine indoeuropéenne qu'attestent le sanskrit *bhinádmi* «je fends» et le germanique (cf. gotique *beita* «je mords»).

♦ *Fendre* signifie «couper (un corps solide)» (v. 980), sens dont procèdent les divers emplois et plusieurs locutions, comme ***geler à pierre fendre*** (XVIIe s. ; 1611, *à pierre fendant*) ou, vieillie, ***fendre la tête à qqn*** «faire un bruit qui le fatigue» (1694 ; cf. *casser*). Par analogie le verbe veut dire «s'ouvrir un chemin à travers un fluide» (v. 1306) ou «à travers une masse» (v. 1360 ; *fendre la foule*), d'où à l'époque classique *fendre le vent* «s'échapper» (déb. XVIIe s.). Par extension, il a le sens de «provoquer une fente dans (qqch.)» (1611). ◇ *Fendre*, intransitif, a signifié en ancien français «se diviser» (v. 1050). ◇ Le pronominal *se fendre* est attesté au XVIIe s. (1648), au propre. Il s'emploie aussi par métaphore *(mon cœur se fend...)* et, par analogie, en escrime (1835). Par figure, on dit familièrement *se fendre de qqch.* pour «se décider à donner» (1846).

▸ **FENDILLER** v. tr. est un diminutif (1580, pron. ; XIXe s., tr.) d'où vient **FENDILLEMENT** n. m. (1841). **FENDANT** n. m. a désigné (fin XVIe s.) un coup d'épée donné de haut en bas (comme pour *fendre*), d'où le sens de «fier-à-bras» (déb. XVIIe s.), encore en usage en français du Canada. ◇ C'est aussi le nom d'un cépage (1738, *raisins fendants* «à peau qui se fend») et, par extension, celui d'un vin du Valais. ◆ **FENDARD** n. m. (ou *fendart*), familier pour «pantalon» (1896), vient de *fendu*, à cause de la fente de la braguette. ◆ Le verbe a également fourni des termes techniques, par exemple **FENDEUR, EUSE** n. (1403), **FENDERIE** n. f. (1603), **FENDOIR** n. m. (1701) et **FENDAGE** n. m. (1845).
Sur *fendre* ont été construits deux préfixés : **POURFENDRE** v. tr. (XIIIe s. ; fin XIe s., *purfendre*) «fendre avec un sabre», d'où figurément (av. 1841) «mettre à mal», a pour dérivé **POURFENDEUR** n. m. (1798, «fanfaron»), peu usité. ◆ **REFENDRE** v. tr. est archaïque au sens de «fendre à nouveau» (v. 1268) ; il a pris des sens techniques (1600, «fendre dans le sens de la longueur», par exemple) ainsi que **REFEND** n. m. (1423, *refens* «cloison» ; ensuite *mur de refend*, 1690, *bois de refend*, 1713) et **REFENTE** n. f. (1600).
FENTE n. f. (1332) est issu du participe passé féminin °*findita*, forme populaire pour le participe classique de *findere, fissus, fissa*.

◈ voir **FESSE, FISSILE, FISSION**.

FENÊTRE n. f. est issu (1135, *fenestre*) du latin *fenestra* «ouverture (faite dans un mur)» et «châssis fermant cette ouverture». Le mot latin, d'origine inconnue, était considéré par les Anciens comme apparenté au grec *phainein* «venir à la lumière, apparaître» ; cette relation historiquement fictive a pu influencer la vie sémantique du mot. L'hypothèse d'une origine étrusque n'est pas suffisamment appuyée. ◈

♦ *Fenêtre* conserve les sens du latin. Le mot a désigné jusqu'au XVIe s. l'ouverture d'une boutique et la boutique elle-même et a connu le sens figuré de «passage» (1433). L'idée générale d'«ouverture» se retrouve dans les sens spéciaux du mot ; par exemple, la *fenêtre* est l'espace libre laissé dans un acte (1690) ; par figure, on passe de l'espace au temps (métaphore analogue de celle de *créneau*) et *fenêtre* (v. 1965) désigne en astronautique la durée pendant laquelle le lancement d'un engin spatial est possible.

▸ Le dérivé **FENÊTRER** v. tr. (ou **FENESTRER**) signifie d'abord, au participe passé, «garni de fenêtres» (av. 1188), puis par extension «où l'on a pratiqué des ouvertures» (v. 1200) ; à l'actif, *fenêtrer* a signifié «garnir de volets» (1403) et s'emploie en architecture pour «percer de fenêtres» (1584). ◆ **FENÊTRAGE** n. m. (XVIe s.) ou **FENESTRAGE** (v. 1225) s'est employé pour «fenêtre» ; ce mot technique désigne un ornement imitant des fenêtres (1380), l'ensemble des éléments composant une fenêtre (1387) et l'ensemble des fenêtres d'un bâtiment (1564).
FENESTRON n. m., mot régional du sud de la France pour «petite fenêtre», reprend (fin XIXe s.) un mot provençal (dérivé de *fenestra*, du latin) et s'emploie dans le vocabulaire technique (1975).
DÉFENESTRER v. tr., sorti d'usage pour «ôter les fenêtres» (1564), s'est spécialisé, d'après *défenestration*, au sens de «précipiter (qqn) par une fenêtre» (1863). ◇ Il a produit **DÉFENESTRATION** n. f. (1838), surtout employé à propos de l'épisode historique dit «défenestration de Prague».
Fenêtre a fourni aussi **PORTE-FENÊTRE** n. f. (1676) désignant une porte* dont la partie supérieure est vitrée.

FENIL → ① **FOIN**

FENOUIL n. m. est l'aboutissement (1176, *fenoil*) du bas latin *fenuclum* ou *fenuculum*, en latin classique *feniculum*, proprement «petit foin», dérivé de *fenum* (→ ① foin). ◈

♦ Comme en latin, le mot désigne une plante à goût anisé.

▸ Son parfum rappelant celui du fenouil, une pomme a été dénommée **FENOUILLET** n. m. (1628), puis **FENOUILLETTE** n. f. (1738).

FÉODAL, ALE, AUX adj. et n. m. est emprunté (1328) au latin médiéval *feodalis* (930, n. m.), de *feodum* «fief» (→ fief).

♦ *Féodal* est un des termes qui définissent l'ordre politique et social du moyen âge, qui repose sur l'institution du fief. L'adjectif s'applique (1328) à ce qui concerne ce régime, le nom désignant un grand seigneur (v. 1460). Par analogie, il est employé en parlant, en dehors d'un contexte médiéval, d'un possesseur de terres avec leurs paysans.

▶ Le dérivé **FÉODALITÉ** n. f., plus tardif (1515), correspond au dérivé latin médiévial *feodalitas* (v. 1280). Outre son emploi en histoire, il a pris (XXe s.) le sens figuré péjoratif de «puissance (économique, financière) qui tend à être autonome dans l'État».
Les dérivés **FÉODALISME** n. m. (1823), **FÉODALISER** v. tr. (1831) — d'où **FÉODALISATION** n. f. (1957) — sont d'emploi didactique. ➜ **FÉODALEMENT** adv. (1483) est rare.
Tous les mots de la série ont une valeur terminologique particulière dans le matérialisme historique de Marx et Engels, *féodalité* caractérisant une période de l'histoire succédant à l'esclavage et précédant le capitalisme, puis le socialisme.

✳ **FER** n. m. est issu (fin Xe s.) du latin *ferrum* désignant le métal et par métonymie l'objet, l'arme en métal. Le mot latin est d'origine inconnue, la métallurgie de ce métal, postérieure à celle du bronze, ne s'étant répandue dans l'aire indoeuropéenne que relativement tard («après la séparation des Celtes et des Italiotes», selon Ernout et Meillet) et les noms du métal différant d'une langue à l'autre. Certains supposent pour le mot latin un emprunt à l'étrusque.

♦ En français, *fer* désigne d'abord l'épée, puis (1080) le métal, non pas pur, mais tel que la métallurgie des minerais le produit à l'époque. Le mot s'applique rapidement à la partie en fer d'une arme (d'où ***fer de lance,*** etc.) et à divers objets en fer, comme (v. 1176) la bande de métal formant semelle sous les sabots des équidés, appelée plus tard ***fer à cheval.*** ◇ Puis, le mot sert à nommer des outils et instruments de métal (2e moitié XIIIe s.) et ses deux valeurs évoluent et s'enrichissent. Pour *le fer,* le concept se précise avec l'alchimie, puis la chimie moderne (XVIIIe-XIXe s.) avec une extension pour «sels de fer» *(les épinards contiennent du fer),* tandis que plusieurs figurés donnent lieu à des locutions : ***de fer*** équivaut à «très robuste» (1225-1230) puis à «inébranlable». Une vaste phraséologie utilise le mot : ***de fer, en fer*** se combine avec divers substantifs, par exemple dans *ligne, voie de fer,* seul ***chemin* de fer*** s'imposant (cf. ci-dessous *ferré* et *ferroviaire*).
Même enrichissement pour *un, des fers* au sens de «objet(s) en fer». D'abord *les fers* (v. 1174), d'après le latin, désignent les chaînes d'un prisonnier et au figuré (1552) l'esclavage, notamment avec la construction ***dans les fers.*** Le sens de «fer à cheval» donne lieu à la locution ***en fer à cheval,*** par analogie de forme et à divers figurés. L'instrument servant à repasser le linge à chaud reçoit aussi le nom de *fer* (1660) ou ***fer à repasser.*** En français moderne apparaissent *fer rouge* (brûlant), *fer à friser* (*in* Furetière, 1690). Par ailleurs ***fer de lance*** prend le sens figuré de «unité militaire placée en avant». Du sens d'«arme blanche» vient l'argot ***mauvais fer*** (attesté mil. XXe s.) «individu sournois et dangereux».

▶ L'importance du fer dans l'économie explique le grand nombre des dérivés.
FERRAILLE n. f. (1349) désigne de vieux fers qui, donc, ont perdu de leur valeur — d'où le sens (1878) de «menue monnaie» et récemment d'«objet quelconque en métal». ◇ Le mot a plusieurs dérivés : **FERRAILLER** v. intr., c'était «se battre à l'épée» (1654, tr. ; 1665, intr.) et par extension «faire la guerre» (1718) ; de là on passe par figure à «combattre en paroles» (1718) et à «faire un bruit de ferraille» (1861), sens que l'on retrouve dans **FERRAILLEMENT** n. m. «discussion animée» (1872), «bruit» (1885) et ① **FERRAILLEUR, EUSE** n. m. et adj. (av. 1692 ; 1765, au fig.). ◇ ② **FERRAILLEUR** n. m. désigne un marchand de ferraille (1630) et a supplanté *ferron* n. m. (1671), antérieurement «forgeron» (v. 1175). De *ferron* sont dérivés **FERRONNERIE** n. f. (fin XIIIe s.) et **FERRONNIER, IÈRE** n. (1332) dont le féminin, «femme de ferronnier», a pris (1832) le sens d'«ornement composé d'une chaînette qui porte un joyau», à cause de *La Belle Ferronnière,* portrait de la femme d'un ferronnier qui porte ce bijou, attribué à Léonard de Vinci.
FERRET n. m., diminutif de *fer* (déb. XIVe s.), désigne d'abord un petit objet de fer (ou d'un autre métal) puis (1586) l'extrémité métallique d'un lacet ; par extension on parle des *ferrets de diamants* (cf. *les ferrets de la reine* dans *Les Trois Mousquetaires*). Le mot est aussi un terme de verrerie (1704) et de minéralogie, en physique (→ magnétisme) (1704).
FERREUX, EUSE adj. a signifié «de fer» (1611, repris 1752) et est un terme de chimie (1838), comme **FERRIQUE** adj. (1789), **FERRATE** n. m. (1839) et **FERRITE** n. f. (1878).
Sur le composé **FER-BLANC** n. m. (1317) ont été dérivés **FERBLANTIER** n. m. (1704 ; 1671, *ferblannier,* hapax) et **FERBLANTERIE** n. f. qui a pris outre son sens propre (1831) le sens figuré de «chose sans valeur» (1868).
FERRUGINEUX, EUSE adj. est un emprunt savant (av. 1594) au latin *ferrugineus* «couleur de fer» et «qui contient du fer», dérivé de *ferrugo* «rouille» (de *ferrum*). ◇ Le mot a conservé le second sens du latin, notamment dans *eaux ferrugineuses.*
FERRI-, FERRO-, premiers éléments tirés de *ferrum,* entrent dans la composition de termes didactiques, en chimie (1868, *ferrocyanure,* n. m. ; 1890, *ferricyanure,* n. m.), en minéralogie, en physique (→ magnétisme) et en métallurgie (1889, *ferronickel,* n. m. ; 1890, *ferrochrome,* n. m.).
FERRER v. tr. est issu (v. 1140) du latin populaire °*ferrare,* du latin classique *ferratus* «garni de fer», «qui contient du fer», dérivé de *ferrum.* ◇ Le verbe est introduit avec les sens de «garnir de fer, de métal (spécialt les sabots d'un animal)» et «mettre (qqn) aux fers» (av. 1233), d'où au XIXe s. «mettre les fers à (un forçat)» (1828). Il s'est spécialisé dans ***ferrer le poisson*** «engager l'hameçon» (av. 1856). ➜ L'adjectif **FERRÉ, ÉE**, participe passé du verbe,

s'est employé pour qualifier un chemin empierré (v. 1175); c'est l'idée de dureté qui était retenue, mais dans ***voie ferrée*** c'est le matériau de métal qui est en cause (1851; cf. ci-dessous *ferroviaire*). On dit aussi par extension *réseau ferré.* ◇ *Ferré* s'est employé par métaphore au sens de «difficile» (cf. aujourd'hui *dur* dans le même emploi), d'où la valeur de «sage, habile» (v. 1450) et «instruit, fort» dans ***être ferré sur une question,*** l'acquisition des connaissances étant considérée comme difficile. ➡ **FERRURE** n. f. (v. 1150, *ferreüre*) désigne une garniture métallique (1687, en marine) et l'ensemble des fers d'un cheval (1530), ainsi que l'action de le ferrer (1581); dans ce sens actif, on dit plutôt **FERRAGE** n. m. (d'un cheval, 1338; d'un forçat, 1828; dans le vocabulaire de la pêche, 1926).
FERRADE n. f. est un emprunt (1624) au provençal *ferrado,* dérivé de *ferra* «marquer au fer rouge (le bétail)», du latin populaire °*ferrare.* ◇ L'action de marquer les bêtes étant l'occasion de fêtes, *ferrade* désigne par extension ces fêtes.
Le préfixé technique **DÉFERRER** v. tr. (v. 1130, *desferrer*) s'est employé au figuré à l'époque classique (1640) pour «déconcerter». ◇ **ENFERRER** v. tr., rare, veut dire «percer (qqn) avec le fer de son arme» (XIIe s.) et a signifié «mettre (qqn) aux fers» (XIIIe s.). ◇ Le pronominal *s'enferrer* est d'emploi courant au sens de «se prendre à ses propres mensonges» (1632) et de «s'enfoncer (dans une mauvaise situation)».
FERROVIAIRE adj. est emprunté (v. 1910) à l'italien *ferroviario* «relatif aux chemins de fer» (1877), de *ferrovia* «chemin de fer», composé de *ferro* «fer» et *via* «voie», de même origine que les mots français. Le mot est soutenu par la fréquence du syntagme ***chemin de fer*** et de l'adjectif *ferré.*

◈ voir **MÂCHEFER, MARÉCHAL-FERRANT; CHEMIN.**

-FÈRE est un second élément tiré du latin *-fer* «qui porte», de *ferre* «porter» qui entrait dans la composition de nombreux verbes (→ conférer, déférer, offrir, préférer, etc.).

♦ L'élément sert à former des termes didactiques, en particulier en botanique *(conifère),* en zoologie *(mammifère),* en géologie *(pétrolifère).* Quelques mots, comme *aurifère,* sont des emprunts directs au latin.

FÉRIE n. f. est un emprunt (v. 1119) au latin chrétien *feria* «jour de la semaine» (IIIe s.), dénomination introduite pour éviter l'usage des noms païens (cf. encore en portugais *segunda feria* «lundi», etc.). [→ férié, ① foire]

♦ Le mot subsiste dans la liturgie catholique, mais est sorti d'usage au sens de «jour férié chômé» (v. 1212). ➡ Il a été repris au XIXe s., désignant (1865) un jour pendant lequel le travail était interdit par la religion dans la Rome antique.

▸ **FÉRIAL, ALE, AUX** adj. est un terme de liturgie (XIIIe s.) emprunté au dérivé latin chrétien *ferialis* (VIIe-VIIIe s.).
FÉRIA n. f. est un emprunt récent à l'espagnol *feria* de même origine que *férie,* pour «fête», spécialement «fête taurine ; ensemble de corridas».

FÉRIÉ, ÉE adj. est une réfection (XIVe s.) de *feirié, foirié* (1170, n.; mil. XIIe s., *jour foirié*), issu du latin classique *feriatus* «oisif», «de loisir», en latin chrétien «(jour) de fête». *Feriatus* est le participe passé de *feriari* «être en fête, en repos», dérivé de *feriae* «jours consacrés au repos» (→ foire). Sur *feirié* avait été formé *feirier* v. intr. «chômer» (v. 1150).

♦ Le mot, rare jusqu'en 1690 (Furetière), se dit d'un jour chômé; son importance a crû au XXe s. avec le droit du travail, et il est entré dans le vocabulaire de l'emploi social du temps, avec *fête, pont, weekend,* etc.

FÉRIR v. tr. est issu (2e moitié Xe s.) du latin *ferire* «frapper», qui se rattache à une racine indoeuropéenne °*bher-* «percer».

♦ Usuel jusqu'au XVIe s., le verbe a été éliminé par *frapper;* il a signifié «se faire aimer de» (fin XIIe s.), littéralement «frapper au cœur». ◇ Il s'est pourtant conservé dans la locution ***sans coup férir*** (déb. XIIIe s., «sans combattre») s'employant aujourd'hui au sens de «sans difficulté».

▸ **FÉRU, UE** adj. (XIe s., «blessé») s'est utilisé par métaphore au sens d'«épris» (1433), d'où par extension (1651) «passionné pour qqch.».

① **FERME** adj. et adv. est issu (v. 1140) du latin *firmus* «solide, résistant» au propre et au figuré, mot d'origine obscure. La forme masculine *ferm* disparaît avant le XIVe siècle.

♦ L'adjectif reprend les sens latins, au propre (1140) et au figuré, «sûr, assuré» (1160).

▸ L'adverbe (XIVe s.), d'abord écrit *ferm* (1180), coexiste avec le dérivé **FERMEMENT** adv. (v. 1130), au sens d'«avec force», et signifie «beaucoup» (XXe s., ***travailler ferme***).
FERMETÉ n. f. est un emprunt au dérivé latin classique *firmitas* «solidité», puis «forteresse» en latin chrétien (776); il a repris ce sens (1165), comme **FERTÉ** n. f. (XIIe s.), forme issue du latin et conservée dans des noms de localités. *Fermeté* a ensuite le sens de «solidité» (1200, *fermeteit*) et au figuré (1265) d'«assurance», d'«autorité».
Les composés **AFFERMIR** v. tr. (1372) et **RAFFERMIR** v. tr. (1394, «consolider») s'emploient aux sens concret et abstrait pour «rendre (plus) ferme», ainsi que leurs dérivés **AFFERMISSEMENT** n. m. (1551) et **RAFFERMISSEMENT** n. m. (1669), ainsi que **AFFERMISSANT, ANTE** adj. et **RAFFERMISSANT, ANTE** adj. (1904 au figuré).

② **FERME** n. f. dérive (v. 1160) du verbe *fermer,* au sens figuré en ancien français d'«établir d'une manière solide, ferme» (→ fermer). On relève dans le domaine anglo-saxon le latin médiéval *firma* «bail à ferme» (1100).

♦ *Ferme* est d'abord un terme juridique qui désigne une convention par laquelle un fonds est donné à bail; ensuite, par métonymie (1539), le mot désigne le domaine rural ainsi loué et de là toute exploitation ou ses bâtiments. *Ferme* a eu le sens juridique abstrait de «convention d'exploitation d'un droit» (1481), important sous l'Ancien Régime puisque les impôts indirects étaient mis *à ferme* (cf. la *Ferme générale* établie par Colbert). ◇ Aujourd'hui, sauf en droit et en agriculture, le sens dominant et seul usuel est «maison d'habitation d'une exploitation agricole».

▸ **FERMIER, IÈRE** n. a suivi l'évolution de *ferme :* ce nom désigne au masculin celui qui tient à ferme un droit (1207; ensuite ***fermier général,*** 1690) ou une exploitation agricole (1282) puis, aux deux genres et couramment, la personne qui exploite des terres, qu'elle en soit ou non propriétaire (1679). Le mot s'emploie en apposition pour «relatif à la ferme» (1878; 1895, *beurre fermier*).
Le dérivé **FERMAGE** n. m. (1367) désigne le mode d'exploitation par ferme et, par métonymie, le loyer d'une ferme.
Le diminutif ① **FERMETTE** n. f. (1941) s'emploie plutôt pour un bâtiment aménageable en maison de campagne qu'au sens normal de «petite ferme» : le contexte est celui des loisirs bourgeois, non du monde rural.
Le composé **AFFERMER** v. tr. est aussi un terme juridique (v. 1170); dans l'ancienne législation, c'est concéder le droit de percevoir des impôts. C'est aussi donner à ferme, louer un domaine rural ou, couramment aujourd'hui, un espace publicitaire. ◆ **AFFERMAGE** n. m. (anciennt *afferme* n. f., 1313) en dérive (1794; 1489, «engagement d'un serviteur pour un temps déterminé»).

③ FERME n. f. → FERMER

FERMENT n. m. est un emprunt (XIVe s.) au latin *fermentum* «levain», de la famille de *fervere* «bouillir» (→ ferveur).

♦ Le mot apparaît (1380) au sens métaphorique de «levain», pour «ce qui détermine (un sentiment, une idée, un changement)», par exemple dans ***un ferment de discorde.*** Il n'est attesté qu'au XVIe s. (1575) au sens latin concret de «levain» puis de «principe qui modifie un corps en l'altérant, en le faisant gonfler». Avec la chimie et la biologie moderne, on parle (XIXe s.) de *ferments figurés* (micro-organismes) et de *ferments solubles* (leurs sécrétions), enfin de *ferment* pour tout agent de la fermentation (par exemple chez Pasteur, 1861 : «le ferment botyrique est un infusoire...»). Le mot a vieilli, *ferment soluble* étant remplacé par *diastase,* puis par *enzyme.*

▸ **FERMENTER** v. intr., emprunté au dérivé latin *fermentare,* s'emploie au propre (1270) et au figuré (1798), comme **FERMENTATION** n. f. (1539, «bouillonnement, effervescence») formé à partir du latin chrétien *fermentatio* (du supin de *fermentare*); le mot désigne l'action de faire fermenter d'où «effervescence» (1690) et au figuré l'altération, le mélange (déb. XVIIIe s.). Avec le sens concret il devient terme de chimie pour «altération de composition» (XVIIIe s.) puis «transformation moléculaire sous l'influence d'un ferment», au sens pris par *ferment* en biologie au XIXe s. : *fermentation vineuse, alcoolique, lactique,* étudiées par Pasteur en 1857.
Du verbe dérivent **FERMENTATIF, IVE** adj. (1691), sorti d'usage, et **FERMENTABLE** adj. (1824).

FERMENTESCIBLE adj. est un dérivé savant (1764) du latin *fermentescere* «entrer en fermentation», dérivé de *fermentum.*

✻ FERMER v. tr. et intr. est issu (1080) du latin classique *firmare* «rendre ferme, solide», d'où «fortifier» et «clore» en bas latin; *firmare,* qui dérive de *firmus* (→ ① ferme), s'emploie par figure pour «confirmer», «assurer».

♦ En ancien français, *fermer* (tr.) signifie «fixer, attacher» (1080), «construire (un château)» (1155), «fortifier (une place)» (v. 1160); de là un glissement s'effectue vers l'idée de «barricader», de «clore» (1175) et spécialement (1547) de «supprimer l'accès à qqch.», d'où vient le sens figuré «interrompre l'activité d'un commerce» et avec une valeur abstraite (1580) «mettre fin à...». ◇ De la notion de clôture procèdent une autre valeur figurée : «rendre infranchissable» (1606) et «être, rester fermé» (XVe s., intr.). ◇ Le participe passé adjectif s'emploie en phonétique dans *voyelle fermée* (1690), la distance entre la langue et le palais étant faible quand elle est prononcée.

▸ Les principaux dérivés de *fermer* sont **FERMOIR** n. m. (1260, *fermoir à livre*) et **FERMETURE** n. f., le *-t-* de ce dernier a été ajouté (déb. XIVe s.) par l'influence de *fermeté;* l'ancien français avait connu plusieurs formes, dont *fremedure* (fin XIe s.), *fermeüre* (v. 1180) «forteresse» et «dispositif pour fermer» (1190), sens conservé. ◇ Le mot désigne (XVIIe s.) l'action de fermer, d'abord en parlant des portes d'une ville gardées par une troupe.
③ **FERME** n. f. dérive de *fermer* «fixer»; ce terme technique désigne un assemblage de pièces qui portent le faîtage (1344), d'où ② **FERMETTE** n. f. (1690), et un décor de théâtre monté sur châssis (1752).
Sur *fermer* ont été préfixés plusieurs verbes. ◇ **ENFERMER** v. tr. (XIIe s.) implique la suppression d'une sortie, soit que l'on place dans un milieu clos une personne pour l'empêcher de sortir, une chose pour la ranger, soit qu'on entoure qqch. (1538) de haies, de murs, etc.; d'où le sens sorti d'usage d'«encercler» (1640); dans une course, *enfermer un concurrent* (1910), c'est «le serrer pour l'empêcher de se dégager». Le verbe est aussi utilisé au figuré (1851), également au pronominal (av. 1778; *s'enfermer dans le silence*). ◇ Il a fourni **ENFERMEMENT** n. m. (1549). ◆ **RENFERMER** v. tr. (v. 1130) a des développements parallèles au verbe simple; **ENFERMÉ, ÉE** adj. (1690), en parlant de l'odeur d'un lieu mal aéré, a été supplanté par **RENFERMÉ, ÉE** adj. (1818). Le dernier s'appliquait par figure à une personne qui ne montre pas ses sentiments (1747). **REFERMER** v. tr. a le sens de «rendre plus solide» (v. 1130; XVe s., pron. «se raffermir») avant le sens moderne «fermer ce qui a été ouvert» (v. 1175), par figure au XIXe s. (v. 1873).
◈ voir **FIRMAMENT.**

FÉROCE adj. est un emprunt (v. 1460) au latin classique *ferox, -ocis* «impétueux», «orgueilleux», et en latin chrétien «cruel», dérivé de *ferus* «sauvage» (→ fier). *Féroce* et *fier,* doublets étymologiques, sont aujourd'hui complètement séparés par le sens.

♦ L'adjectif a repris le sens d'«orgueilleux» (v. 1460), sorti d'usage (→ fier), et celui de «cruel, sauvage» (1611); par extension le mot signifie «violent, impitoyable» (1694); il est aussi utilisé familièrement comme intensif.

▶ En dérive **FÉROCEMENT** adv. (1530).
FÉROCITÉ n. f. reprend (XIIIe s.) le dérivé latin *ferocitas* «fougue, arrogance»; il est rare jusqu'à l'époque classique où il a parfois le sens de «fierté» (av. 1525) et d'«impolitesse brutale» (1675).

FERRAILLE, FERRER, FERROVIAIRE, FERRUGINEUX → FER

FERRY-BOAT n. m. est un emprunt du XVIIIe s. à l'anglais (1440), mot composé de *ferry* «endroit où l'on traverse une rivière», dérivé de *to ferry* «transporter» (Xe s.; d'origine germanique), et de *boat* «bateau».

♦ Le mot, attesté isolément au XVIIIe s. (1785) après *ferry* (1782), a été repris en 1848 de l'anglo-américain. Sous l'influence de *fer, ferré* (dans *chemin de fer, voie ferrée*), *ferry-boat*, d'abord pris au sens de «bac», terme proposé par l'administration (1973) pour le remplacer, désigne un navire qui transporte des trains d'une rive à l'autre (d'un fleuve, d'un lac, etc.). On dit *traversier* au Québec, et plus souvent par abrègement *ferry* en France.

▶ **CAR-FERRY** n. m., emprunt (1958) à un composé anglais, désigne un bateau qui transporte à la fois des passagers et des voitures.

FERTILE adj. est un emprunt (fin XIVe s., *fertil*) au latin *fertilis* «productif», «abondant», «qui fertilise», de *ferre* «porter» (ancient «porter dans son ventre») et, à propos des plantes, «produire» (→ -fère). *Ferre* se rattache à une racine indoeuropéenne *°bher-* «porter»; le suffixe *-tilis* est formé par analogie avec des mots comme *ductilis;* on attendrait *ferilis* (cf. *facilis* «facile»).

♦ *Fertile* est introduit avec le sens latin de «qui produit beaucoup» et s'emploie au figuré (av. 1455; 1558, *un esprit fertile*).

▶ **FERTILEMENT** adv. (XVe s.) est rare. ◇ **FERTILISER** v. tr. s'emploie (1558) au propre et au figuré; en dérivent, au sens propre, **FERTILISATION** n. f. (1764), **FERTILISANT, ANTE** adj. (1771), **FERTILISATEUR, TRICE** adj. (1854, Nerval), littéraire, et **FERTILISABLE** adj. (1865).
FERTILITÉ n. f. est un emprunt (1361; déb. XIVe s., *fertelité*) au latin *fertilitas* «qualité d'une terre fertile»; comme *fertile*, il s'emploie au figuré, en parlant de l'esprit (v. 1650).
INFERTILE adj., emprunt au dérivé bas latin *infertilis*, s'emploie au propre (1434) et au figuré (1594); il est didactique ou littéraire, comme **INFERTILITÉ** n. f. (1456), également emprunté au latin.

FÉRU → FÉRIR

FÉRULE n. f. est un emprunt (1372) au latin *ferula*, dont il reprend le sens en botanique.

♦ Le mot désigne une plante herbacée puis, d'après l'autre acception du latin, une petite palette (de bois ou de cuir) pour frapper la main d'un écolier en faute (1385), d'où ***tenir la férule*** «être régent de collège» (1865), sens sorti d'usage. Par extension *férule* correspond à «autorité» (v. 1666), dans la locution ***être sous la férule de qqn*** au propre et au figuré.

FERVENT → FERVEUR

FERVEUR n. f. est la réfection (XIVe s.) de *fervor* (fin XIIe s.), emprunt au latin *fervor* «bouillonnement, chaleur, ardeur», au propre et au figuré, du verbe *fervere* «bouillir» qui se rattache à une racine indoeuropéenne signifiant «bouillonner», proche par la forme de celle de *ferre* «porter» (cf. fertile).

♦ Le français conserve de *fervor* son sens figuré (fin XIIe s.), spécialement en parlant du zèle religieux; le mot s'était spécialisé à l'époque classique (1633) au sens de «passion amoureuse».

▶ **FERVENT, ENTE** adj. est emprunté (v. 1190) au latin *fervens* «bouillonnant de chaleur» et «impétueux», participe présent de *fervere;* il signifie «enthousiaste» et s'emploie spécialement dans le domaine religieux (fin XIIe s.). ◆ Le dérivé **FERVEMMENT** adv. (XIIIe s.) est d'emploi littéraire.

FESSE n. f. est l'aboutissement (v. 1200) du latin populaire *°fissa*, signifiant à la fois «anus» et «fesses» (comme *cul* en français), pluriel neutre, pris comme féminin, du classique *fissum* «fente», participe passé substantivé de *findere* (→ fendre). *Fesse* a éliminé l'ancien français *nache, nage*, utilisé du XIIe au XVIe s., et issu du latin populaire *°natica*, en latin classique *natis*, pluriel *nates* «fesses».

♦ *Fesse* s'utilise dans des locutions où il est en concurrence avec *derrière* et le plus souvent avec *cul*: ***avoir chaud aux fesses*** (1743), ***montrer ses fesses*** et *les fesses, la fesse* pour «l'amour physique». ◇ L'expression familière *coûter la peau des fesses* «coûter très cher» semble postérieure à *coûter la peau* (1897, A. Allais). *Prendre par la peau des fesses* est attesté en 1904. ◇ Par analogie, *fesse* désigne en marine (1736) la partie arrondie de la voûte d'un navire.

▶ Le mot a fourni **FESSU, UE** adj. (1230), «qui a de grosses fesses», ① **FESSIER** n. m. familier pour «les deux fesses» (av. 1538) et ② **FESSIER, IÈRE** adj. et n. m., terme d'anatomie désignant et qualifiant les muscles des fesses (1560).

FESSER v. tr. ne vient pas, malgré les apparences, de *fesse*. C'est un dérivé de l'ancien français *faisse, fece* «bande, lien», du latin *fascia* de même sens (→ faisceau).

♦ Le mot signifiait d'abord (1489) «battre avec des verges»; le rapprochement avec *fesse* a abouti au sens moderne.

▶ Il a produit **FESSÉE** n. f. (1526) et **FESSEUR, EUSE** n. (1549), rare. ◆ De même, **FESSE-MATHIEU** n. m. (1570), «usurier» ou «avare», aujourd'hui archaïque et utilisant une graphie ancienne (un seul *t*), signifie littéralement «(celui) qui bat saint Matthieu avec des verges (pour lui soutirer de l'argent)», et pas forcément sur les fesses! Saint Matthieu était le patron des changeurs.

FESTIN n. m. est probablement un emprunt (1382; repris en 1527) à l'italien *festino* «repas de fête», diminutif de l'italien *festa* «fête», de même origine que le français.

♦ Il conserve le sens de l'italien.

▸ **FESTINER** v. intr., d'abord «offrir un festin à qqn» (1350, intr. puis v. 1583, tr.) puis «faire un festin» (1649) est sorti d'usage.

FESTIVAL n. m. est un emprunt (1830) à l'anglais *festival,* adjectif, «de fête» (XIVe s.) et substantif «période de fête» (XVIe s.), en particulier «fête musicale», «série de manifestations musicales», sens repris en français. Le mot anglais vient de l'ancien français *festival* «de fête, joyeux», dérivé du latin *festivus* «où il y a une fête», de *festus* (→ fête).

♦ Par extension, *festival* s'emploie en français dans d'autres arts que la musique (1930) et, par figure, désigne une manifestation complète des aptitudes, du talent de qqn, notamment dans le domaine sportif (XXe s.).

▸ Le mot a fourni **FESTIVALESQUE** adj. rare (1859, Berlioz), **FESTIVALIER, IÈRE** adj. et n. (1955) et **FESTIVALIEN, IENNE** adj. (1957) qui ont rapport aux festivals organisés, de musique, cinéma, etc.

FESTIVITÉ n. f. est emprunté (XIIIe s.) au latin *festivitas* «gaieté», dérivé de *festivus* «de fête», de *festus* (→ fête).

♦ Du XIIIe au XVIe s., il signifie «fête, réjouissance»; peu employé ensuite, il n'est repris qu'en 1801; il garde ce sens mais est le plus souvent au pluriel (1895), avec une valeur ironique.

▸ **FESTIF, IVE** adj., emprunt (XVe s.) au latin *festivus,* s'est employé dans un contexte religieux jusqu'au XVIIe s. avant de disparaître. ◇ L'adjectif a été repris (v. 1970) à l'anglais *festive,* adj. (XVIIe s.), de même origine.

FESTON n. m. est emprunté (1533) à l'italien *festone* (déb. XVIe s.) «guirlande» et terme d'architecture, proprement «ornement de fête», dérivé de *festa,* de même origine que *fête**.

♦ Le mot reprend le sens de «guirlande suspendue en forme d'arc» (1533) et l'emploi en architecture (1550); par analogie, il s'utilise en couture pour une bordure dentelée et brodée (1798), puis en médecine (XXe s., *feston gingival*), en géologie, etc.

▸ **FESTONNER** v. «orner de festons» (1533; 1771, en couture) a eu le sens figuré de «tituber» (1843, intr.), sorti d'usage. ◇ Le verbe a produit les termes techniques **FESTONNEUR, EUSE** n. (1833), **FESTONNAGE** n. m. (1867) et **FESTONNEMENT** n. m. (1913).

FESTOYER → FÊTE

◈ **FÊTE** n. f. est issu (v. 1050, *feste*) du latin *festa* (ellipse de *festa dies* «jour de fête»), neutre pluriel substantivé de l'adjectif classique *festus* «de fête» et «qui célèbre la fête». Ce dernier, qui a donné l'italien *festa,* l'espagnol *fiesta,* se rattache comme *feriae* (→ férié) à une racine indoeuropéenne *°fēs-, fas-* à valeur religieuse et représentée seulement en italique.

♦ Le mot a d'abord (1050, *feste;* XVIIe s., *fête*) le sens de «célébration faite à un jour marqué» dans un contexte religieux. Par extension, il désigne une réjouissance qui rompt avec la vie quotidienne (fin XIIe s.), un ensemble de réjouissances organisées (1273), une cause de plaisir (XIIIe s.), une commémoration (fin XIVe s.) et spécialement le jour de la fête du saint dont on porte le nom (1668; mil. XIXe s., *fête patronale*). ◇ Il s'est employé pour «foire*» (XIIe s.), «tapage» (XIIIe s.); il désigne par extension toute occasion de débauche (1879), surtout dans ***faire la fête.*** Il entre dans plusieurs locutions comme ***en fête*** (fin XIIIe s.), ***faire fête à qqn*** (1680), et la formule de menace ironique ***ça va être ta fête*** (v. 1965).

▸ **FÊTER** v. tr. a signifié (1223, *fester,* intr.) «célébrer une fête» et prend le sens de «honorer (un saint) par une fête» (mil. XVIe s.), d'où *fêter qqn* (1728), et de «faire une fête à l'occasion de (qqch.)» (mil. XIXe s.), aussi dans **FÊTABLE** adj. (1884). ◆ Le dérivé **FÊTARD, ARDE** n. (1859), surtout au masculin, est familier.

FESTOYER v., réfection (v. 1175) de *festeer* «s'amuser» (1170), dérive de *feste* (mais Voltaire le modernise en *fêtoyer*); le verbe a signifié transitivement (fin XIIe s., *festoier*) «faire fête à qqn». En français moderne, il n'est qu'intransitif et signifie surtout (1864) «participer à une fête, à un festin».

Le composé **FÊTE-DIEU** n. f. (1521), «fête de Dieu», est construit selon la syntaxe de l'ancien français (cf. *Hôtel-Dieu*). Cette fête religieuse en l'honneur du saint sacrement a été instituée en 1264 par le pape Urbain IV et nommée *Corpus Domini* (en italien), *Corpus Christi* (en espagnol), d'où les noms de *Corpus* (en catalan) et de *Corps de Dieu* (dans le Sud-Ouest).

◈ voir FESTIN, FESTIVAL, FESTIVITÉ, FESTON, TROUBLE-FÊTE (art. TROUBLER).

FÉTICHE n. m. est une francisation (1669) de *fetisso* (1605), emprunté au portugais *feitiço* «artificiel» (adj.) et «sortilège, amulette» (XVe s.), du latin *facticius* (→ factice).

♦ C'est d'abord le nom que les Blancs ont donné aux objets du culte des peuples dits primitifs rencontrés au cours d'explorations à visée colonisatrice. Par analogie, le mot désigne (XIXe s.), ce qui a, selon une personne superstitieuse, un pouvoir magique et, au figuré (XIXe s.), ce qui est admiré sans discernement. Dans un sens technique en psychanalyse (XXe s.), le *fétiche* est l'objet libidinal du *fétichiste* (ci-dessous).

▸ **FÉTICHISME** n. m. a d'abord (1756; 1757, Diderot) le sens de «culte des fétiches» et (XIXe s.) celui d'«admiration excessive»; il désigne spécialement (1906) une perversion sexuelle par le biais d'un objet habituellement sans signification érotique et qui devient un «fétiche». ◆ **FÉTICHISTE** adj. et n. (1824) a suivi l'évolution sémantique de *fétichisme* (sens psychologique, déb. XXe s.). ◆ **FÉTICHIQUE** adj. (1852) et **FÉTICHISER** v. tr. (v. 1960) sont restés des termes didactiques.

FÉTICHEUR n. m., autre dérivé de *fétiche,* courant en français d'Afrique, désigne un sorcier qui utilise les envoûtements.

FÉTIDE adj. est un emprunt (1464) au latin *foetidus* «qui sent mauvais» et au figuré «dégoûtant», adjectif dérivé de *foetere* «puer» qu'on a rapproché de *fimus* (→ fumier).

♦ *Fétide* reprend les sens propre (1464) et figuré (1822) du latin.

▸ Il a fourni **FÉTIDITÉ** n. f. (1478), didactique ou littéraire.

FÉTU n. m. est issu (v. 1170) du bas latin *festucum*, variante du latin classique *festuca* «brin de paille» d'une graminée et, par antiphrase, «masse pour enfoncer les piquets».

♦ Le français reprend le premier sens et se dit aussi au figuré pour «chose légère» (un *fétu de paille*) et «chose de peu de valeur» (1170). ◇ *Fétu* a été au XVIIIe s. un terme de botanique, remplacé ensuite par **FÉTUQUE** n. f. ou m. (1775), réemprunt au latin.

✳ ① **FEU** n. m. est l'aboutissement (XIIe s.) par les formes *fou, foc* (v. 880) du latin classique *focus* qui signifie «foyer où brûle un feu», d'où «bûcher», «réchaud» et, par figure, «famille»; *focus* est employé à l'époque impériale comme synonyme d'*ignis* «feu» (→ igné) qui a de nombreux sens figurés: «éclat», «rougeur», «feu de la colère, de l'amour»; plus tard, les traducteurs de la Bible le prennent pour traduire le grec *pur, puros* (→ pyrite). Les Latins rapprochaient *focus* de *forere* «chauffer», de la racine indoeuropéenne d'où vient le sanskrit *dáhati* «il brûle», de forme causative.

♦ La plupart des sens de *feu* apparaissent en ancien français. Lié au sacré, le mot s'emploie pour «Esprit de la Pentecôte» (v. 880) et a signifié (1120-1150) «feux de l'enfer»; il désigne aussi le supplice du bûcher (v. 880), d'où vient la locution figurée ***à petit feu;*** de l'épreuve ancienne du feu (ordalie) subsiste la locution figurée (av. 1549) ***(en) mettre sa main au feu.***
Au sens de «dégagement d'énergie accompagnant la combustion» d'où les locutions ***en feu, prendre feu*** (XVIe s.), le mot désigne par métonymie l'étincelle (1080) et, par analogie, la foudre, «feu» du ciel (1200); on a nommé *feu central* (1690) le foyer qu'on supposait au centre de la Terre. ◇ Le feu est aussi l'ensemble des matières que l'on brûle (1080). ◇ De là viennent les sens de «source de chaleur pour transformer les aliments» (à l'origine un foyer enflammé) [1160], «chaleur» (1398) et la locution figurée (1843) ***sur le feu*** «en préparation». ◇ Par métonymie, *feu* désigne l'endroit où l'on fait du feu (1228) et, par extension, en concurrence avec *foyer**, l'endroit où l'on habite (1260); ce sens a disparu mais restent la locution (déb. XVIIe s.) ***n'avoir ni feu ni lieu*** et le sens de «famille» (dans un village) [1260]. Par extension ont été construits ***feu de joie*** (1414), ***feu de la Saint-Jean*** (1680) et ***feu de camp*** (XXe s.) autour duquel on se réunit, d'où par extension «veillée récréative». ◆ Par ailleurs, *feu* a pris le sens de «foyer destructeur, incendie» (1213), d'où ***au feu!*** (XVe s.), ***feu de cheminée*** (1690) et la locution familière ***avoir le feu au derrière (aux fesses, au cul)*** «fuir» (1690), qui fait allusion au danger que représente le feu, de même que ***jouer avec le feu*** (1828); ***il n'y a pas le feu*** (XXe s.) signifie de même «rien ne presse». L'idée de destruction rend compte de la locution figurée ***à feu et à sang*** (1530).
Un autre sémantisme est «source de lumière» (1188) d'où le composé *couvre-feu* (ci-dessous). *Feu* s'est spécialisé au sens de «signal lumineux» (1680) — *les feux d'une automobile* (1896) — puis au sens de «signal lumineux pour guider ou réglementer», d'où les locutions figurées (v. 1955-1960) ***feu rouge*** «décision d'interdire» et ***feu vert*** «autorisation». ◆ *Feu* désigne aussi une décharge de matières fulminantes (1572); de là les expressions, parfois figurées, ***faire long feu*** (1826), ***mettre le feu aux poudres*** (1690). Le mot concerne aussi (1680) le tir des *armes* dites *à feu*, par extension la guerre (1680, ***aller au feu***) et par métonymie populaire une arme à feu (1899). La combustion de poudre a introduit ***feu d'artifice*** (1671; → artifice) et ***feu de Bengale*** (1872), *feu grégeois* (→ grégeois).
Feu s'utilise, comme le latin *ignis* et le grec *pur*, pour parler de l'ardeur des sentiments; cet emploi, aujourd'hui littéraire, apparaît dès le IXe s. (v. 880, «ardeur du regard»; 1150, ***feu de la colère;*** v. 1174, ***le feu de l'amour***) et est très courant dans le vocabulaire galant du XVIIe s. (→ flamme), où *feu* désigne aussi l'inspiration poétique, l'enthousiasme; la langue moderne en a gardé la locution ***être tout feu tout flamme*** «enthousiaste». ◇ Toujours par figure, le mot désigne une sensation de chaleur intense, notamment dans ***en feu*** (v. 1174, *les joues en feu*), d'où spécialement des maladies, des inflammations: une maladie qui ronge le corps (v. 1223), des rougeurs sur la peau (XVIe s.), *feu Saint-Antoine* (1606) nommant l'ergotisme. Le mot est sorti d'usage pour parler de la saveur forte d'un alcool (mil. XIXe s.; 1851, *eau de feu* «eau-de-vie»).

▸ Les dérivés de *feu* sont construits sur la forme ancienne *fou*. Du sens de «famille» vient **FOUAGE** n. m. (XIIIe s.) qui correspond au latin médiéval *fuagium*: c'était, en droit féodal, un impôt qui se payait par foyer.
FOUAILLE n. f., sorti d'usage pour «bois de chauffage» (1200, *füaille*), est un terme de vénerie désignant les abats du sanglier cuits au feu et jetés aux chiens (1573; 1379, *fouail*).
AFFOUAGE n. m. (1256, *affoage*) dérive de l'ancien verbe *affouer* (1204) «faire du feu», «fournir du chauffage» (1264), terme juridique désignant le droit de ramasser du bois dans une forêt communale.
COUVRE-FEU n. m., de *couvrir* (v. 1260), désigne le signal d'éteindre les lumières et de rentrer chez soi, puis l'interdiction de sortir après une heure fixée. ◆ Le composé **CONTRE-FEU** n. m., technique, désigne la plaque qui garnit le fond d'une cheminée (1531) et un feu qu'on allume pour circonscrire un incendie de forêt (1845). ◆ **GARDE-FEU** n. m. inv., «grille placée devant une cheminée» (1680), s'emploie dans les vocabulaires techniques, notamment comme équivalent (1930) de **COUPE-FEU** n. m. inv. (1882), **PARE-FEU** n. m. inv. (1872).

◇ voir BOUTEFEU (art. BOUTER), FOCAL, FEU FOLLET (art. FOU), FOUACE, FOYER.

② **FEU, FEUE** adj. est l'aboutissement (v. 1050, *malfeüz*) du latin populaire °*fatutus* «qui a telle destinée», d'où «qui a accompli sa destinée», dérivé du classique *fatum* «destin» (→ fatal).

♦ Le mot a signifié «destinée» dans *malfeüz* «qui a une mauvaise destinée» (auparavant *fadude*, ensuite *faü*), puis (1172) «mort depuis peu de temps», aujourd'hui dans des emplois littéraires, juridiques ou plaisants, et seulement antéposé à un nom de personne.

FEUDATAIRE n. m. est emprunté (1387), d'abord sous la forme *pheudataire* (1282), au latin médiéval *feudatarius* ou *feodatarius* «possesseur d'un fief», dérivé de *feodum, feudum* (→ fief).

♦ Le mot, rare jusqu'au XVIIIe s., s'emploie pour parler du titulaire d'un fief, dans le système féodal; l'emploi adjectif (1611, «tenu en fief») est très rare.

▶ **FEUDISTE** n., mot didactique signifiant «spécialiste du droit féodal» (1586), est dérivé savamment de *feudum*.

✻ **FEUILLE** n. f. est une réfection (1273) de *fueille, foille* (v. 1130), issus du bas latin *folia*, pluriel neutre devenu féminin du classique *folium* «feuille d'arbre» — d'où «feuille d'acanthe (des chapiteaux corinthiens)» et, au figuré, «bagatelle» — et spécialement «feuille de palmier», où la Sybille écrivait ses oracles, d'où «feuille d'écriture, de papier». Le rapport avec le grec *phullon* «feuille» (→ -phylle) est discuté.

♦ Du sens botanique (v. 1130; XIIIe s., *feuille morte*) viennent des locutions figurées comme ***trembler comme une feuille*** (av. 1679), précédées en ancien français par des comparaisons (... *com feuille de lorier*, XIIIe s.). ◇ Par analogie, le mot désigne une plaque mince (1200, pour une plaque d'or) et un objet qui a cette forme (1680, *feuille d'un paravent*); c'est le sémantisme de l'anglais *film* (→ film). *Feuille de chêne* a eu à l'époque classique le sens de «chose de peu d'importance» (1690). Par extension, *feuille* s'emploie pour la représentation stylisée de certaines feuilles (av. 1850, *feuille de vigne*). *Feuille de chou*, par analogie d'aspect, s'est dit familièrement pour «oreille» (1867), d'où ***être dur de la feuille*** «sourd» (1928).
Feuille a aussi le sens très courant de «morceau de papier rectangulaire» (XIIe s., *fueil*; XVe s., *feuille de papier*), souvent écrit ou imprimé, d'où son emploi en imprimerie (1690), puis dans *feuilles volantes* (1751) «brochures, petits écrits», *bonnes feuilles* (1798). Par métonymie, *feuille* s'emploie pour «journal» (1789), d'où péjorativement ***feuille de chou*** «mauvais journal» (1858).

▶ À chacun des deux grands sens de *feuille* correspondent des dérivés et des composés. ➧ **1.** Au sens botanique. **FEUILLU, UE** adj. (déb. XIIe s., *foillu*), «qui a beaucoup de feuilles», signifie par extension «qui porte des feuilles» (1872); le mot s'est appliqué par figure (1760) à un style touffu, sens littéraire disparu. ➧ **FEUILLÉE** n. f., très littéraire aujourd'hui pour un abri formé par le feuillage des arbres, a d'abord désigné une branche feuillue (v. 1120, *foillee*). ◇ Le mot est encore en usage au pluriel pour désigner (attesté 1916) une tranchée, dissimulée par des feuillages, servant de latrines aux troupes en campagne (cf. ancien français *foillie* «cabane de feuillages» → ① folie). ➧ **FEUILLAGE** n. m., couramment «ensemble des feuilles» (1324, *fueillaige*), désigne aussi la représentation de feuilles (1549) et des rameaux coupés (1688). ➧ **FEUILLARD** n. m. qui a signifié «branchage» (XIVe s., *foillart*), désigne (1465, *feuillart*) la branche fendue en deux dont on fait les cerceaux de tonneaux et, par analogie, une plaque de métal large et mince. ➧ **FEUILLAISON** n. f. (1763) vient du verbe ① **FEUILLER** v. intr. (XIVe s.; v. 1120, *fueillier*) «se couvrir de feuilles», d'emploi rare, comme sa variante **FEUILLIR** v. intr. (XIIe s., *fueillir*).
DÉFEUILLER v. tr. (v. 1240), équivalent littéraire de *effeuiller*, a produit les termes didactiques **DÉFEUILLAISON** n. f. (1803) et **DÉFEUILLAGE** n. m. (1870). ➧ Le composé **EFFEUILLER** v. tr. signifie «dépouiller de ses feuilles» et par extension «épamprer (la vigne)» (1416), sens répandu en Suisse, puis «dépouiller (une fleur) de ses pétales» (1784). ◇ Il a fourni **EFFEUILLEUR, EUSE** n. (fin XIVe s., *effueilleur*), employé familièrement au féminin pour rendre l'anglicisme *strip-teaseuse* (1949), **EFFEUILLEMENT** n. m. (1546), **EFFEUILLAISON** n. f. (1763) et **EFFEUILLAGE** n. m. (1763), aussi pour «strip-tease» (1970).
2. Au sens analogique de *feuille*. ◇ Le diminutif **FEUILLET** n. m., réfection (v. 1360) de *foillet* «petite feuille de papier» (v. 1130), désigne chaque partie d'une feuille pliée sur elle-même et, par analogie de forme, la troisième poche de l'estomac des ruminants qui évoque une petite pile de feuillets (1690). Le mot a d'autres sens, scientifiques (1832, *feuillet embryonnaire*) ou techniques (apr. 1970, «mémoire auxiliaire d'ordinateur»). ➧ Sur *feuillet* est dérivé **FEUILLETER** v. tr. (1549) «tourner les pages» et, par extension, «lire rapidement» (1580). Un autre verbe *feuilleter* (XIIIe s.), du sens 1 de *feuille*, signifiait « pousser des feuilles ». ➧ **FEUILLETÉ, ÉE** adj., d'abord «constitué de feuilles» (1234), se spécialise en pâtisserie (1566, *gâteau feuilleté*), d'où *feuilleter de la pâte* (1680). L'adjectif a été substantivé pour désigner un gâteau à pâte feuilletée (1865). Il s'emploie aussi pour ce qui présente une structure en fines lames (mil. XVIIIe s., *verre feuilleté*). ➧ **FEUILLETAGE** n. m. s'est employé pour «feuillage» (XVIe s.), alors dérivé de l'ancien *feuilleter*. Le mot se rattache à *feuilleté* en pâtisserie (1680) et à *feuilleter* (un livre) [1882]; au même sens on trouve *feuillettement* (XIIIe s.).
FEUILLETON n. m. est aussi un dérivé de *feuillet*; d'abord au sens sorti d'usage de «petit cahier de feuillets in-12» (1790), il désigne (1811) un article de parution régulière au bas d'une page et, par extension, un fragment de roman paraissant régulièrement (av. 1869) — d'où ***roman-feuilleton***, type de roman populaire par épisodes. ◇ Il a produit **FEUILLETONISTE** n. (1814) et **FEUILLETONESQUE** adj. (1839) «digne du roman-feuilleton (par le style, l'intrigue compliquée et mélodramatique)».
FEUILLANT, ANTINE n., auparavant *feuillantin* (1605), vient (1611, n. m.; 1680, n. f.) du nom du mo-

nastère de Feuillants, où fut créé par Jean de La Barrière (1586) cette congrégation réformée de l'ordre de Cîteaux, disparue à la fin du XVIIIe siècle. *Feuillant* est repris en histoire, pour désigner un membre du parti royaliste constitutionnel dont le club siégeait (dep. 1790) dans un couvent de Feuillants, près des Tuileries. De cet emploi dérive **FEUILLANTISME** n. m. (1792), terme d'histoire. ➜ **FEUILLANTINE** n. f., «pâtisserie feuilletée», représente (1653, *fueillentine*) probablement une altération de *florentine*, nom donné au milieu du XVIIe s. à une rissole au sucre, d'après *feuillantine* «religieuse», devenu dans une chanson populaire le sobriquet d'une femme connue enfermée chez les feuillantines. ◇ Pour *millefeuille* → ① mille.

◈ voir EXFOLIER, FOLIÉ (et FOLIACÉ, DÉFOLIER, FOLIOLE), FOLIO, TRÈFLE.

② FEUILLER, FEUILLURE → FOUILLER

FEULER v. intr. est un mot d'origine incertaine (1843), peut-être onomatopéique ou altération de *feler*, du radical du latin *feles* ou *felis* «chat» (→ félin).

♦ Il est d'emploi didactique ou littéraire pour parler du soufflement du tigre ou du chat en colère.

▸ Il en va de même pour le dérivé **FEULEMENT** n. m. (fin XIXe s.).

FEUTRE n. m. est une réfection (v. 1130) de *feltre* (fin XIe s.), *fieltre*, issus du francique °*filtir* «étoffe obtenue à partir de poil ou de laine», qui a fourni le latin médiéval °*filtrum* (VIIIe s.) [→ filtre].

♦ Le mot conserve le sens de l'étymon; par métonymie, il désigne (1160) un objet de feutre, en particulier un chapeau et, par analogie, la matière employée pour rembourrer les selles (1611). ◇ C'est aussi le nom d'un type de stylo dont la plume est remplacée par une pointe feutre (1968).

▸ **FEUTRER** v. signifie «mettre en feutre» (1752; dès le XIe s., on a un emploi isolé de *laine feltred*) ou «garnir de feutre» (1309; v. 1175, *selle feutrée*). ◇ Par figure, le verbe signifie «étouffer un bruit», sens réalisé surtout au participe passé adjectif (1901, ***à pas feutrés***). ➜ Le verbe a pour dérivés **FEUTRAGE** n. m. (1723), **FEUTRABLE** adj. (1865) et son contraire **INFEUTRABLE** adj. (v. 1960), et le préfixé **DÉFEUTRER** v. tr. (1870).
Le nom a aussi fourni **FEUTRIER, IÈRE** n. (1274, *fauterier*) et adj. (1872), **FEUTRINE** n. f. (1951).

FÈVE n. f. est l'aboutissement (1170) du latin *faba;* la fève, qui jouait un grand rôle dans l'alimentation des Romains, appartient à la civilisation du nord-ouest de l'Europe (cf. slave °*bobŭ-*); le mot et ses correspondants supposent une forme initiale °*bhabo-*, qui n'est pas représentée dans le domaine germanique et dont on ne sait si elle est indoeuropéenne.

♦ *Fève* désigne la graine et la plante (v. 1398), et s'emploie dans ***trouver la fève*** (du gâteau des Rois) [1220]. ◇ Par analogie (1611), c'est le nom donné à des graines qui ont à peu près la même forme, par exemple *fève de cacao* pour la graine du cacoyer. Au Canada, *fève* se dit pour le haricot sec. L'expression ***fève de haricot*** (1690) est très probablement à l'origine du sens courant de *haricot**, légume importé d'Amérique et qui a largement remplacé la fève.

▸ Le diminutif **FÉVEROLE** n. f. (1680) ou **FAVEROLE** (XIVe s.) est régional. ➜ **FÉVETTE** n. f. (1835) s'emploie pour une variété de petite taille.

FÈVRE n. m. (ancien français) → ORFÈVRE

FÉVRIER n. m. est issu (1119) du bas latin *febrarius,* altération du latin classique *februarius (mensis)* «mois des purifications» (le dernier de l'ancienne année romaine), dérivé de *februus* «purificateur», adjectif à valeur religieuse. Un étymon °*feber*, proposé dans l'Antiquité (Lydus) est demeuré obscur. Le mot est peut-être apparenté à *febris* (→ fièvre), d'origine obscure, et qui peut avoir eu à l'origine une valeur religieuse.

♦ Second mois de l'année dans le calendrier grégorien, *février* était partagé entre *pluviôse** et *ventôse** dans le calendrier révolutionnaire.

FEZ n. m. est tiré du nom de *Fez* (arabe *Fās*), ville du Maroc où l'on fabriquait cette coiffure tronçonique, de laine rouge ou blanche (1677; 1672, *fes*). On a d'abord dit *bonnet de Fez* (1664).

FI interj. est d'origine onomatopéique (1178).

♦ Cette interjection exprimant le dédain ou le mépris est sortie d'usage aujourd'hui. Elle s'emploie encore dans la locution ***faire fi de*** «dédaigner» (1828), qui vient de *fi de* suivi d'un nom (déb. XIIIe s.).

FIABLE → ① FIER v. tr.

FIACRE n. m. est emprunté (1650) au nom de saint *Fiacre*, patron des jardiniers, dont l'effigie se trouvait sur l'enseigne d'une maison de la rue Saint-Antoine à Paris, devenue maison de louage de cette sorte de voiture.

♦ Comme son emploi métonymique pour «cocher de fiacre» (1700), le mot a disparu de l'usage, sauf en histoire, en même temps que les voitures à chevaux (cependant, en 1916, on a encore *fiacre électrique*).

FIANCER v. tr. → ① FIER v. tr.

FIASCO n. m., introduit (v. 1822) par Stendhal, est emprunté à la locution italienne *far fiasco* «essuyer un échec», qui s'était d'abord utilisée (1808) à propos d'une pièce de théâtre : *fiasco* (→ fiasque) était un calque en italien de *bouteille* «erreur», mot employé en français pour désigner les erreurs de langage des comédiens italiens qui jouaient au XVIIIe s. en France.

♦ Chez Stendhal, le mot est employé au sens de «défaillance d'ordre sexuel», et on peut penser à l'influence de *flasque*. Par extension, le mot, d'abord dans la locution ***faire fiasco*** (1840), se dit pour «échec complet» (1865).

FIASQUE n. f. est un emprunt (1580, Montaigne) à l'italien *fiasco* «bouteille à panse large garnie de paille» (av. 1342) [du bas latin *flasco*; → flacon] et «mesure de capacité» (1481) [du bas latin *flasca*; → ② flasque].

♦ Montaigne l'emploie au masculin au second sens de l'italien, sorti d'usage. ◇ Le mot a été repris au XIXe s. au premier sens, d'abord au masculin (1803), puis au féminin (1849).

FIBRE n. f. est un emprunt (1372) au latin *fibra* «formation d'aspect filamenteux» (végétale ou animale) et dans la langue augurale «division du foie», d'où par extension «entrailles» et par figure «sensibilité».

♦ *Fibre* conserve le premier sens du latin et est utilisé par analogie dans d'autres domaines (1930, *fibre de bois*; XXe s., *fibre optique, fibre de verre*). Par métaphore ou par latinisme (av. 1794), ou encore d'après *fibres nerveuses* (1580), il désigne au pluriel les organes de la sensibilité et, au singulier, s'emploie pour «sensibilité» *(la fibre patriotique)*.

▸ **FIBREUX, EUSE** adj. apparaît dans *racine fibreuse* (1545) puis qualifie ce qui est de la nature de la fibre et ce qui est formé de fibres (en physiologie, en cuisine, etc.).
Le diminutif **FIBRILLE** n. f. «petite fibre» (1674) est à la base de dérivés d'emploi didactique en botanique ou en médecine, comme **FIBRILLAIRE** adj. (1811), **FIBRILLEUX, EUSE** adj. (1845), **FIBRILLATION** n. f. (1907).
FIBRINE n. f. (1800), terme de physiologie, a donné **FIBRINEUX, EUSE** adj. (1837) et **FIBRINO-**, premier élément de mots didactiques comme **FIBRINOGÈNE** adj. (1858) ou **FIBRINOLYSE** n. f. (1937).
FIBRANNE n. f. (1941) est le nom d'un textile.
FIBRO-, élément tiré de *fibre*, entre dans la composition de mots techniques comme **FIBROCIMENT** n. m. (1907), nom de marque déposée (de *ciment*), et de termes de médecine et de biologie comme **FIBROME** n. m. (1856), **FIBROSE** n. f. (av. 1894), **FIBROSCOPE** n. m. et **FIBROSCOPIE** n. f. (v. 1970).

FIBULE n. f. est emprunté (1530) au latin *fibula* «agrafe» et «aiguille de chirurgien», sans doute pour °*fivibula* «ce qui sert à fixer», de *fivere*, variante de *figere* «ficher, fixer», «transpercer» (→ fixe).

♦ Le mot désigne une agrafe (le plus souvent, antique) qui retient les extrémités d'un vêtement.

▸ **INFIBULATION** n. f. (1578) et **INFIBULER** v. tr. (1798), qui désignent des opérations visant à empêcher les relations sexuelles, notamment chez la femme, sont des emprunts à des composés latins de *fibula* — le bas latin *infibulare* et son supin. Au XVIIIe s. l'art vétérinaire employait *boucler* avec le même sens.

◈ voir **AFFUBLER**.

FICAIRE n. f. est une adaptation (1786) du latin scientifique *ficaria* (1744, *Ranunculus ficaria*), dérivé du latin impérial *ficus* «verrue», en latin classique «figue*», qui avait donné l'ancien français *fi* (v. 1256), refait en *fic* (1492), terme de médecine vétérinaire.

♦ *Ficaire* est le nom d'un genre de renoncule dont les racines ressemblent à des verrues et qui passait pour soigner les hémorroïdes et les verrues, nommée aussi *herbe au fic, chélidoine*.

FICELLE n. f., réfection graphique (1564) de *fisselle* (1524), vient probablement d'un latin tardif °*filicella*, diminutif du latin classique *filum* (→ fil) ou d'une forme °*funicella* (d'où *fincelle*, v. 1350), du latin classique *funicula* (→ funiculaire), dérivé de *funis* «corde», avec influence de *fil*. On relève en ancien français *aficelés* (XIIe s.) et *afinceler* (v. 1180).

♦ *Ficelle* «corde mince» désigne spécialement, au pluriel, les cordelettes qui permettent de mouvoir des marionnettes d'où, au figuré, des moyens d'action dissimulés — avec la locution ***tirer les ficelles*** — et par extension (1833) — aussi au singulier — un artifice caché ou une ruse, d'où ***être ficelle*** «retors» (1792), d'emploi vieilli. ◇ Par référence à la minceur de la ficelle, le mot désigne familièrement un galon (1895; anciennt aussi une cravate) et une sorte de pain (XXe s.).

▸ **FICELER** v. tr. (1694) signifie «attacher avec de la ficelle», d'où **FICELAGE** n. m. (1765) et **FICELEUR, EUSE** n. (1838). Dans un emploi figuré et familier le verbe signifie «habiller» (1830, *être mal ficelé*). ◂ Il a fourni le composé **DÉFICELER** v. tr. (1705).
De *ficelle* dérivent aussi les mots techniques **FICELIER** n. m. (1723, *ficellier*) et **FICELLERIE** n. f. (1872).

✷ ① **FICHER** ou **FICHE** v. tr. est une réfection (v. 1265) de *fichier* (v. 1120), issu d'un latin populaire °*figicare*, puis °*ficcare*, du latin classique *figere* «enfoncer», «fixer», «transpercer» au propre et au figuré. P. Guiraud suppose une forme °*ficticare* d'après *fictus*, doublet de *fixus*, participe passé de *figere* (→ fixe). La forme *fiche* est tardive (1807).

♦ *Ficher* a signifié «percer (la chair)» (v. 1120) et est vieilli au sens de «faire pénétrer et fixer par la pointe» (v. 1196), plus courant au participe passé *fiché* et au pronominal *se ficher* (v. 1160, «se planter»). Par figure, *ficher l'entendement à* signifiait «fixer son attention sur» (XIIIe s.; cf. *fixer*). ◇ ***Ficher le camp*** «planter son camp» a pris (1752) la valeur plaisante de «s'en aller» (sans combattre, sans payer — cf. *planter un drapeau*) puis de «s'enfuir». ◇ Par métaphore, le verbe s'employait au sens de «pénétrer, au cours d'un rapport sexuel» (XVIe s., intr.), qui correspond à *foutre*. Une *ficheuse* est au moyen âge une femme de mauvaise vie; reste de ce sens, qui n'est plus connu aujourd'hui, la locution familière ***envoyer qqn se faire fiche*** (1808; → foutre). À l'époque classique, *ficher qqn* c'était «le laisser là» (1671). ◇ *Ficher* (XIIe s.), ou plus courant *fiche* (au participe passé *fichu*, 1611), s'emploient familièrement pour «jeter avec plus ou moins de force, mettre», au propre et au figuré *(ficher qqn dehors)*, et au sens de «donner» (1628); ce sémantisme se réalise dans des locutions comme ***ficher qqn dedans*** «l'induire en erreur» (1872). Dans ces emplois, c'est un euphémisme pour *foutre*. Comme ce dernier, le verbe a pris la valeur large de «faire» dans ***ne rien fiche***. Par ailleurs, ***se ficher de*** *qqn* ou *de qqch.* c'est «s'en moquer» (1691) — d'où *je m'en fiche* «ça m'est égal»

(1808) et *se contreficher de* (1839) — toujours remplaçable par *foutre.*

▶ **FICHE** n. f., déverbal de *ficher,* a d'abord désigné une pointe, une épine (v. 1190), un pic de fer pour planter la vigne (1413), d'où aujourd'hui une tige destinée à être enfoncée (1636), aussi en technique (1832, *fiche de piano;* XXe s., *fiche de courant*). *Fiche* désigne aussi un jeton utilisé comme marque dans certains jeux (1675) — de là *fiche de consolation* (1786). ◇ Le mot s'est dit pour «étiquette» (1865), d'où «feuille cartonnée qui porte des renseignements» en vue d'un classement. On a parlé en mécanographie de *fiches perforées.* ➜ De ce dernier sens viennent ② **FICHER** v. tr. (1934) «mettre sur une fiche classée» et par extension *ficher une personne;* d'où **FICHAGE** n. m. ◇ **FICHIER** n. m. (1922), qui a des emplois abstraits (liste de noms, de références, parfois informatisées), et **FICHISTE** n. désignant (mil. XXe s.) une personne qui gère un fichier. ◇ *Fiche* a produit par préfixation **MICROFICHE** n. f. (1953), «photographie d'un document en format très réduit», appelée couramment *microfilm* (→ film).

De *fiche,* «pointe», dérive le diminutif **FICHET** n. m. qui a désigné un arbre issu d'une bouture (1611), un morceau de papier en forme de pointe pour cacheter une lettre (1680) et une petite fiche mise dans les trous, au jeu du tric-trac, pour marquer les coups gagnés (1740); c'est aussi un terme technique de tissage (1832).

① **FICHU, UE** adj. (1611, du participe passé) signifie «détestable» et s'applique, précédé de *bien/mal,* à ce qui est dans tel ou tel état (1640), d'où *être* ***mal fichu*** «n'être pas bien fait» et «être un peu malade» (1679). Il s'emploie comme intensif (v. 1770, *fichu menteur*) et *fichu de...* (suivi de l'infinitif) a le sens de «capable de» (1872). ➜ ② **FICHU** n. m. vient (1669) du participe passé *fichu* au sens de «mis à la hâte» ou, selon P. Guiraud, de *fiche* «pointe», le fichu étant une pièce d'étoffe en pointe.

FICHTRE interj. est issu (1808) d'un croisement des verbes *fiche* et *foutre**. Le mot, familier et un peu vieilli, exprime l'étonnement, la contrariété, etc. et a fourni **FICHTREMENT** adv. «extrêmement» (1881, L. Michel).

◈ voir AFFICHER, COLIFICHET.

FICTION n. f. est un emprunt (1223) au latin impérial *fictio* «action de façonner, création» et par figure «action de feindre et son résultat», terme juridique en bas latin et «tromperie» en latin médiéval; *fictio* dérive de *fictum,* supin de *fingere* «inventer» (→ feindre).

♦ *Fiction* reprend d'abord le sens de «tromperie», bien vivant au XVIIe s., aujourd'hui sorti d'usage. Il désigne parallèlement (XIIIe s.) un fait imaginé, opposé à *réalité* — par extension le domaine de l'imaginaire (XVIIIe s.) — et s'emploie en droit pour nommer un fait qui résulte d'une convention (1690; *fiction de droit*). ◇ Le mot est entré au XXe s. comme second élément dans plusieurs composés qui désignent des genres littéraires ou cinématographiques, fondés sur l'imagination prospective; par exemple **SCIENCE-FICTION** n. f. (→ science) ou **POLITIQUE-FICTION** n. f. (1965).

▶ Le dérivé **FICTIONNEL, ELLE** adj., terme didactique, est récent (vers 1967) pour «relatif à une fiction».

FICTIF, IVE adj., attesté isolément au XVe s. au sens de «trompeur», et repris en 1609, est dérivé du radical de *fictus,* participe passé de *fingere.* Il s'applique à ce qui est créé par l'imagination (1734), par extension à ce qui n'existe qu'en apparence (fin XIXe s.). Il s'utilise aussi dans le domaine financier avec la valeur de «conventionnel» (1731, *monnaie fictive*). ➜ Il a produit **FICTIVEMENT** adv. (vers 1460).

FIDÉICOMMIS n. m. est emprunté (XIIIe s.) au latin impérial *fideicommissum,* participe passé substantivé de *fideicommittere,* proprement «remettre à la bonne foi de (qqn)»; cette locution verbale est formée de *fidei,* génitif de *fides* (→ foi) et de *committere* (→ commettre).

♦ Ce terme juridique désigne comme en latin une disposition par laquelle une personne transmet à une autre un bien pour qu'elle le remette à un tiers; il s'emploie aussi pour le bien transmis.

▶ **FIDÉICOMMISSAIRE** adj. et n. m. est emprunté (XIIIe s.) au dérivé bas latin *fideicommissarius.* ◇ Le mot a vieilli pour désigner (1690) une personne à qui un bien est remis en exécution d'un fidéicommis.

Par ailleurs, **FIDÉISME** n. m. est un dérivé savant (déb. XIXe s.) du latin *fides,* au génitif *fidei* (→ foi). ◇ Il désigne dans la théologie catholique la doctrine selon laquelle la vérité ne peut être fondée que sur la révélation et sur la foi. ➜ Il a produit **FIDÉISTE** adj. et n. (1810).

◈ voir FIDÈLE.

FIDÈLE adj. et n. est une réfection savante (1533) de *fidel* (vers 980), *fedel, fedeil* (1080), formes issues du latin classique *fidelis* «sûr, loyal», «solide» et n. m. «ami intime», puis en latin médiéval «digne de foi», «croyant» (→ féal); *fidelis* dérive de *fides* «foi» (→ foi).

♦ Le nom désigne une personne unie à une Église par la foi, spécialement une personne qui professe la religion considérée comme vraie. Plus largement, l'adjectif s'applique à ce qui traduit le loyauté (1080, adj. et n.) et qualifie une personne loyale, sincère (1119); il se dit de qqn dont les sentiments, notamment amoureux, ne changent pas (1651), qui n'altère pas la vérité (1670) et à l'époque classique d'un serviteur honnête (1673); de là vient ***être fidèle à qqch.*** (1690), ***à une promesse*** (1848), ***à ses habitudes.*** ◇ De l'idée de loyauté, on passe à celle d'exactitude (1584), d'où à l'époque classique les emplois pour «authentique» (1661) et «qui retient exactement» (1690, *mémoire fidèle*). *Fidèle* se dit aussi (déb. XXe s.) d'un instrument de mesure dont les résultats ne sont pas altérés.

▶ **FIDÉLITÉ** n. f. a repris (XIIIe s.) le dérivé latin classique *fidelitas* qui avait abouti en ancien français à *feelted* (vers 1155), *feulte, feute.* ◇ Le mot a suivi l'évolution sémantique de *fidèle:* «qualité d'une personne fidèle» (vers 1155), «constance dans les affections» (1670), «honnêteté» (1691), sorti d'usage aujourd'hui, et par ailleurs «justesse, vérité» (1690) et «exactitude», en parlant d'un instrument de mesure (déb. XXe s.), d'où ***haute fidélité*** (1934), calque de l'anglais *high fidelity*, abrégé en ***hi-fi*** (1956).

INFIDÈLE adj. et n. conserve les sens du composé latin classique *infidelis* «qui manque à sa parole» (1488, vieilli aujourd'hui) et «inconstant» (XVIIe s.). Il a aussi l'acception du latin ecclésiastique «infidèle à la loi de Dieu» (v. 1330) — les *infidèles*, au moyen âge, sont surtout les Musulmans. Il s'applique aussi, dans l'usage littéraire, à ce qui manque à la vérité (1651). ◇ L'emploi galant du nom, pour «femme inconstante», a donné lieu à une métaphore, *les belles infidèles*, appliquée aux traductions élégantes et très libres. Cette expression, enregistrée par Littré, vient de Ménage (*la belle infidèle*, à propos de la trad. de Lucien par Perrot d'Ablancourt, av. 1693). ➝ **INFIDÉLITÉ** n. f. (v. 1160, plur.), emprunt au latin *infidelitas*, a suivi l'évolution sémantique d'*infidèle*.

FIDÈLEMENT adv. a remplacé (1531) la forme plus populaire *fedeillement* (déb. XIIe s.). ➝ **INFIDÈLEMENT** adv. est attesté vers 1460.

FIDÉLISER v. tr. «rendre fidèle (un client)», terme de commerce récent (vers 1970), a fourni **FIDÉLISATION** n. f. (1974).

◈ voir **FÉAL**

FIDUCIAIRE adj. est emprunté (1593) au latin classique *fiduciarius* «confié (comme un dépôt)», «provisoire», d'où l'emploi juridique en bas latin ; le mot est dérivé de *fiducia* «confiance» et, en droit, de *fidus* «à quoi ou à qui on peut se fier», lui-même de *fidere* (→ ① fier).

♦ Le mot s'applique à ce qui concerne la fiducie (cf. ci-dessous), aujourd'hui dans *héritier fiduciaire* (1596) et est employé en économie (1865, *monnaie fiduciaire*) pour parler de valeurs fondées sur la confiance que l'on accorde à celui qui les émet.

▸ **FIDUCIE** n. f., emprunté (XVIe s.) au sens du latin *fiducia* «confiance», a été repris au XVIIIe s. pour désigner un contrat par lequel l'acquéreur apparent d'un bien s'engage à le restituer dans certaines conditions (1752). Ce mot didactique a été repris en philosophie par Valéry.

FIEF n. m. est une réfection graphique (XIIIe s. ; XIIe s., *fieffé*) des formes *fiet, feu* (1080), *fié* (v. 1131). Ce mot très important dans l'organisation sociale du moyen âge est d'origine discutée. Pour Bloch et Wartburg, il viendrait d'un francique °*fehu* «bétail» (cf. allemand *Vieh* «bétail») qui aurait évolué vers le sens de «bien, possession» ; désignant un bénéfice héréditaire, *feudum, feodum* (1010 ; VIIIe s., *feus, feum*) succède à *beneficium ;* l'évolution comparable du latin *pecunia*, de *pecus* «bétail», qui passe de «bétail, cheptel» à «argent» est contestée. P. Guiraud relève l'alternance en ancien français des formes en *-d-* (*fiet, fied*, avec pour dérivés *feude, feodal*) et en *-v-* (*fieu, fief*, et les dérivés *fiever, afevar* en ancien provençal), qui suggère un *-d-* étymologique, le passage de *-d-* à *-f-* ou à *-v-* étant régulier dans d'autres mots. *Fief* aurait alors pour origine *foedus* «contrat, convention», «lien». L'hypothèse est séduisante pour le sens, puisque le fief est un domaine reçu par un vassal qui s'engage par un pacte auprès de son suzerain, mais elle pose des difficultés pour l'évolution phonétique, que P. Guiraud lève en proposant un croisement de *foedus* avec le mot francique.

▸ Le dérivé **FIEFFER** v. tr. a signifié «pourvoir (qqn) d'un fief», «donner (qqch.) en fief» (v. 1138) ; il subsiste régionalement (1336) en Normandie au sens élargi de «vendre ou acquérir contre une rente». ➝ **FIEFFÉ, ÉE** adj. (v. 1140, *feffed*) s'est appliqué à celui qui est pourvu d'un fief. ◇ Il est employé très tôt au figuré (1245) pour renforcer l'idée donnée par le substantif, le fief conférant un droit et à son possesseur une grande force ; en retenant l'idée de degré élevé, *fieffé* signifie (1546, Rabelais) «qui a au plus haut degré (un défaut)».

◈ voir **FÉODAL** et ses dérivés ; **FEUDATAIRE**.

FIEL n. m. est l'aboutissement (v. 1155), par la forme *fel* (fin Xe s.), du latin *fel* «bile, fiel» et par figure «amertume accompagnée de mauvaise humeur». Le mot est peut-être lié à un groupe de termes indoeuropéens indiquant une couleur jaune.

♦ Le mot français reprend le sens propre du latin, restreint aujourd'hui aux animaux de boucherie. L'emploi figuré (v. 1155) pour «amerturme» est littéraire.

▸ **FIELLEUX, EUSE** adj., d'abord terme de médecine, ne s'emploie plus maintenant qu'au figuré (1552).

Le composé rare **ENFIELLER** v. tr. (v. 1220) ne s'emploie qu'au figuré.

FIENTE n. f. est l'aboutissement (vers 1170) du latin populaire °*femita*, °*fimita*, dérivé de *fimetum*, lui-même de *fimus* (→ fumier).

♦ *Fiente*, «excrément (de certains animaux)», désigne par métaphore une chose (1927) ou une personne méprisable (1932, Céline).

▸ **FIENTER** v. intr., «déféquer» en parlant de certains animaux (XIVe-XVe s.), a aussi signifié «fumer la terre» (1468). ➝ Il a fourni **FIENTEUX, EUSE** adj. (1611), littéraire.

✳ ① **FIER** v. tr. est l'aboutissement (1080, pron.) du latin populaire °*fidare*, altération du latin classique *fidere* «avoir confiance», qui se rattache à une racine indoeuropéenne °*bheidh-* «se fier, persuader» (→ foi).

♦ *Se fier* (1080, *se fier en*), construit aujourd'hui avec *à* (1316), demeure courant au sens latin et s'est employé avec *de* (v. 1360) et *sur* (1668). En emploi transitif (XIIe s.) au sens de «confier», le verbe était déjà vieux au XVIIe siècle.

▸ **FIANCER** v. tr. dérive de *fiance* «serment de fidélité» (1080, de *fier*), aujourd'hui d'emploi régional (1130) pour «confiance». ◇ *Fiancer*, c'était d'abord «engager sa parole» (1170, *fiancier*) d'où spécialement «s'engager à épouser qqn» (vers 1225 ; 1736, *se fiancer*) et par métaphore «allier de façon harmonieuse» (1833). ➝ Les dérivés du verbe suivent la même évolution : **FIANCÉ, ÉE** adj. et n. a signifié «engagé sur l'honneur» (1180, adj.) avant de prendre son sens moderne (1367) ; le nom est devenu (mil. XXe s.) un euphémisme pour *amant, maîtresse.* ➜ **FIANÇAILLES** n. f. pl., autrefois «vœu, promesse» (v. 1214, sing.) d'où «promesse de mariage» (1268), désigne aussi (1904) le temps qui s'écoule entre la promesse et le mariage.

FIABLE adj., réfection (XIIIe s.) de *feaule* (v. 1190), est dérivé de *se fier;* l'ancien français connaissait aussi *feable* «sûr, fidèle» (XIIe s.), dérivé de *fei* «foi». Rare depuis le XVIIe s., *fiable* est repris (v. 1968) pour qualifier un mécanisme dont la probabilité de tomber en panne est faible puis, couramment, pour «crédible»; **FIABILITÉ** n. f. (XIIIe s., *fiableté* «confiance») a été repris et répandu dans les années 1960.

Sur *fier* ont été formés deux préfixés. ➜ **DÉFIER** v. tr. signifie «aviser que l'on renonce à la foi jurée», aujourd'hui en histoire, d'où «provoquer» (1080) et *défier qqn de...* «le mettre en demeure de (faire qqch.)» (1661). ➜ **DÉFI** n. m. (fin XVe s.) a suivi l'évolution de *défier* dont il est le déverbal; au XXe s., il prend aussi le sens d'«obstacle que doit surmonter une civilisation dans son évolution» (v. 1965) pour traduire l'anglais *challenge.* Par ailleurs, *défier* a voulu dire «renier», «abandonner» (v. 1130, *desfier*), sans doute d'après le latin classique *diffidere* (cf. *difier,* XIIe s.). ◇ *Se défier* signifie littéralement «se méfier» (v. 1262). ➜ Les dérivés **DÉFIANCE** n. f. (1532; aussi 1170, «défi») et **DÉFIANT, ANTE** (XVIe s.) sont usuels mais d'usage plus soutenu que *méfiance* et *méfiant.*

SE MÉFIER v. pron. s'emploie avec un complément de personne (fin XVe s.) ou de chose (1690) et en construction absolue (1868) pour «être sur ses gardes». ➜ Il a fourni **MÉFIANCE** n. f. (XVe s.) et **MÉFIANT, ANTE** adj. (1642), rarement substantivé (1781). L'adjectif et le nom, usuels de même que le verbe, s'opposent à *confiant* et *confiance.*

◈ voir CONFIER.

◈ ② **FIER, FIÈRE** adj. est issu (v. 1050) du latin *ferus* «sauvage» (→ féroce) au propre — par opposition à *mansuetus* «apprivoisé» — et au figuré; *ferus* se rattache à une racine indoeuropéenne °*ghwer-* «sauvage».

♦ *Fier* s'est appliqué à une personne qui s'estime supérieure aux autres, sens vivant à l'époque classique et vieilli aujourd'hui, sauf dans les locutions ***fier comme Artaban*** (1829 dans Vidocq), ***comme un coq,*** etc, et ***il n'est pas fier;*** de là vient ***faire le fier*** «se montrer suffisant» (1692). ◇ Jusqu'au XVIIe s. *fier* signifie «farouche», «qui a du courage» (1080) et, seulement en parlant des animaux, «difficile à approcher» (v. 1190), qualifiant aussi ce qui est impétueux (v. 1190). ◇ L'idée de «satisfaction» demeure dans l'emploi courant (1080) de *fier de qqch.,* sans celle de supériorité. Cependant, l'idée de «grandeur» (vers 1160) est conservée dans l'emploi au sens de «fort, fameux» ***(une fière chandelle).***

▸ **FIÈREMENT** adv. (1080) «d'une manière sauvage» et «de façon hautaine» a suivi l'évolution de l'adjectif. ➜ **FIERTÉ** n. f. (1080, *fiertet* «hardiesse», d'après le latin *feritas* «mœurs sauvages») a lui aussi des développements de sens parallèles à *fier.* La *fierté,* vertu célébrée au début du XVIIe s., est en relation avec un idéal moral influencé par l'Espagne.

Le diminutif **FIÉROT, OTE** adj. et n. (1545, adj. «un peu fier»; 1780, n.), qui a remplacé l'ancien français *fieret* (XIIIe s.), est repris en 1808 au sens de «prétentieux, fat».

Le composé **FIER-À-BRAS** n. m. «fanfaron» (v. 1330) vient du nom propre donné à un géant sarrazin de chansons de geste (*Fierabras* est le titre de l'une d'elles, vers 1180); ce pourrait être la traduction du latin *fera bracchia* «bras redoutables»; pour P. Guiraud, *fier* représenterait l'impératif du verbe *férir* «frapper» et *fierabras* signifierait «frappe à (tour de) bras».

FIÈVRE n. f. est issu (v. 1155) du latin *febris,* d'origine obscure. ◈

♦ *Fièvre* «élévation anormale de la température» s'emploie par figure pour «vive agitation» (v. 1190), spécialement dans *fièvre de* «désir ardent de» (1793). De là, ***la fièvre de l'or*** (1865) .

▸ **FIÉVREUX, EUSE** adj. s'emploie au propre (1155, *fievros*) et au figuré (1580); **FIÉVREUSEMENT** adv. est surtout utilisé au figuré (1842).

À côté des mots issus de l'évolution phonétique, *febris* a fourni des formes empruntées. **FÉBRIFUGE** adj. et n. m. est emprunté (1666) au bas latin *febrifugia* (de *fugare;* → fuir).

FÉBRILE adj. est emprunté au bas latin *febrilis* «qui concerne la fièvre, est causé par la fièvre»; il s'emploie au propre (1503) et couramment au figuré (1831) pour «agité, un peu anxieux». ➜ En dérivent **FÉBRILITÉ** n. f. (1842), plus courant au figuré, et **FÉBRILEMENT** adv. (1845). ➜ **SUBFÉBRILE** adj. (mil. XXe s.) qualifie un état légèrement fébrile.

① **FIFRE** n. m. est emprunté (XVe s., puis 1507, *fiffre*) au suisse allemand *Pfifer* «joueur de flûte» (cf. allemand *Pfeifer*), introduit par les mercenaires suisses. Le mot vient du moyen haut allemand *pfife* «flûte», repris au latin *pipare* «pépier» (→ piper).

♦ Le mot désigne une petite flûte et (1531, *phiffre*) le joueur de flûte.

FIFRELIN ou **FIFERLIN** n. m. est emprunté (1821) à l'allemand *Pfifferling* «girolle» et «objet sans valeur» (au XVIe s., dans des locutions comme *das ist keinen Pfifferling wert* «cela ne vaut rien»).

♦ *Fifrelin* «petite chose», «menue monnaie» — surtout en phrase négative : *pas un fifrelin* «pas un sou» —, est peu en usage aujourd'hui mais il a donné le dérivé régressif ② **FIFRE** n. m. (1898), terme péjoratif désignant une personne sans valeur. Cet emploi a disparu, mais le composé dévalorisant **SOUS-FIFRE** n. m. (1904) est resté vivant pour «subalterne insignifiant». Il est aujourd'hui démotivé.

FIGER v. est la réfection (vers 1225) de *fegier* (XIIe s.) issu d'un latin populaire °*feticare* «prendre l'aspect du foie», de °*feticum* «foie», altération du latin classique *ficatum* (→ foie); pour P. Guiraud, c'est *foie* qui vient de *figer,* issu d'une forme populaire °*figicare,* d'après le classique *figere* (→ fixer). ◈

♦ Du sens de «coaguler (le sang)» (XIIe s.) et d'«épaissir (d'un liquide gras)» (v. 1225), on passe par extension à celui de «rendre immobile» (1592, *se figer;* 1858, tr.), au propre et au figuré pour le pronominal.

► Le verbe a fourni les dérivés **FIGEMENT** n. m. (1549) «action de figer» et **FIGISME** n. m. (v. 1970), didactiques et rares.

FIGNOLER → ② FIN

FIGUE n. f. est emprunté (v. 1175; 1170, *fige*) à l'ancien provençal *figa* (XIIe s.), issu d'un latin populaire °*fica*. Ce mot, qui avait abouti en ancien français à *fie* (v. 1170), représente l'altération, d'après de nombreux noms de fruits en *-a*, du latin classique *ficus* «figue» et «figuier» (l'italien *fico* a les deux sens). *Ficus* appartient comme le grec *sukon* à la famille d'un mot méditerranéen pré-indoeuropéen.

♦ Ce nom de fruit entre dans quelques locutions. ***Faire la figue à*** (qqn) (1210) «se moquer» est un calque de l'italien *far la fica,* geste obscène de dérision, la *fica* représentant le sexe de la femme, sens repris du grec et passé en français. ◇ Pour expliquer l'origine de ***mi-figue mi-raisin*** (1487, *moitié figue moitié raisin*), on a supposé, au XIXe s., que la locution évoquait la fraude d'importateurs de Corinthe qui mêlaient dans leurs expéditions à Venise de vulgaires figues aux raisins, mais l'anecdote est inconnue avant le XIXe siècle. Il faut plutôt se souvenir que *figues* et *raisins* sont les fruits secs du Carême. ◇ Par analogie de forme on nomme ***figue de Barbarie*** (mil. XVIIe s.) le fruit comestible d'une cactée nommée *figuier de Barbarie* (1625).

► **FIGUIER** n. m., réfection (v. 1200) de *figier* (v. 1170), a remplacé *fiier, fier* (v. 1120) construit sur *fie.* ◆ **FIGUERIE** n. f. (v. 1350) s'emploie encore, rarement, à côté de **FIGUERAIE** n. f. (1627), usuel en français du Maghreb.

FICUS n. m. est le nom botanique du figuier (v. 1850) et de plantes de la même famille, dont l'une est cultivée en appartement.

FIGURE n. f. est emprunté (v. 881) au latin *figura,* mot polysémique : «forme, aspect», d'où «représentation sculptée», «mode d'expression», «manière d'être». *Figura* est formé sur le radical de *fingere* «modeler (dans l'argile)» qui a abouti en français à *feindre**.

♦ Dans une première série d'emplois, *figure* a le sens général de «forme» et de «représentation d'une forme». Au sens de «forme extérieure (de qqn, qqch.), allure» (vers 881) il est aujourd'hui littéraire et parfois n'est plus compris, par exemple dans *le Chevalier à la triste figure,* calque de l'espagnol *Caballero de la trista figura,* pour désigner Don Quichotte; il a signifié (v. 1050) «comportement» jusqu'à l'époque classique, entrant dans plusieurs locutions figurées dont ***faire figure*** «se distinguer», courante dans la langue classique et littéraire aujourd'hui sauf dans ***faire bonne, mauvaise figure.*** ◆ À partir du XIIe s. (v. 1160) le mot se dit d'un dessin représentant qqch. et spécialement d'un portrait (v. 1269, «statue», comme en latin). ◆ *Figure* désigne aussi la représentation graphique d'un ensemble de signes (vers 1269, «chiffre»), une forme correspondant à une abstraction (1546 en géométrie, d'abord «surface ou volume») ou à une action programmée (1680, pour la danse) en équitation, en patinage, etc. ◆ Par spécialisation du sens de «forme extérieure», *figure* s'emploie (milieu XVIe s.) pour «forme de la face humaine», qu'il s'agisse de caractériser l'air, la mine (1662) ou de parler du visage; *figure* a remplacé, à partir du XVIIIe s., *visage* et *face* dans l'usage courant. ◆ Le mot avait aussi (v. 1375) le sens de «cas exemplaire, modèle»; de là procède le sens d'«individu célèbre, remarquable» (1595, Montaigne). ◆ Un des sens du latin *figura,* celui de «signe, symbole», est repris (v. 1121); dans cet emploi, *figure,* courant encore au XVIIe s., est aujourd'hui un terme didactique. De là vient l'emploi en théologie (XIIIe s.; 1170, «parabole») pour «allégorie», en rhétorique (1580), par exemple *figures de mots et de pensées* , et en logique (XIVe s.; *figures de syllogisme*). Voir l'encadré au verso.

► **FIGURER** v. est un emprunt (XIe s.) au latin *figurare* «représenter», «imaginer», «orner de figures (en rhétorique)», dérivé de *figura.* ◇ Le sens de «façonner, donner une forme» a eu cours en français jusqu'au XVIIe siècle. *Figurer,* c'est «représenter sous une forme visible» au moyen des arts (v. 1265), ou «représenter à l'imagination» (v. 1360); ce dernier emploi a disparu, mais le pronominal *se figurer* aux sens de «s'imaginer» (XVe s.) et de «croire à tort» (1650) est encore usuel, comme *figure-toi, figurez-vous (que)* (1690). ◇ Dans son emploi intransitif, *figurer* a signifié (1694) «jouer un certain rôle» (notamment à côté d'un grand); aujourd'hui, c'est au contraire «jouer un rôle sans importance» (cf. 1865; ci-dessous *figurant*) et «se trouver (dans un ensemble)» (1827; *figurer sur une liste*). ◆ **FIGURÉ, ÉE** adj. (v. 1050, «bien dessiné») a suivi une évolution sémantique parallèle à celle du verbe; il est encore très utilisé aujourd'hui pour parler de ce qui est exprimé par des figures (1200) notamment dans *langage, style figuré* (1572), *sens figuré* (1666). ◆ Il a produit **FIGURÉMENT** adv. (déb. XIVe s.), mot usuel.

FIGURATIF, IVE adj. (fin XIIe s.) a repris le sens du dérivé latin chrétien *figurativus* «symbolique»; il signifie aussi «qui représente la forme des objets» (1740) d'où, par extension, son emploi dans les arts : *poésie figurative* (1872, vieilli aujourd'hui), *peinture figurative* (1952) utilisé pour s'opposer à *peinture abstraite.* ◆ **FIGURATIVEMENT** adv. (1495) est littéraire et **INFIGURATIF, IVE** adj. est didactique (1975), à côté de **NON-FIGURATIF, IVE** adj. et n. m. (1936), synonyme de (art) *abstrait.*

FIGURANT, ANTE adj. et n. a signifié (av. 1662) «figuratif» et a désigné (1740, adj.; 1762, n.) des danseurs qui, dans les corps d'entrée d'un ballet, exécutaient des figures diverses; de là vient l'emploi moderne au théâtre (1800), puis au cinéma. Par extension le mot désigne une personne qui, étant présente, n'a pas de rôle actif (1907).

FIGURATION n. f. est emprunté (1314) au latin *figuratio,* du supin de *figurare.* Il signifie «forme» puis «fait de figurer qqch.» (1339, «image»), d'où par métonymie (1450) «figure qui représente». ◇ Le sens collectif correspondant à *figurant* (de théâtre) est plus tardif (1866).

FIGURE ET SENS FIGURÉ

La notion de figure est centrale dans toute conception de la rhétorique et du discours. Le terme *figure* concerne une relation sémantique et parfois formelle entre deux ou plusieurs types d'emploi d'un même signe de la langue, notamment un mot ou une locution, ou encore entre des signes simultanément en œuvre dans l'énoncé.

Cependant, les catalogues de la rhétorique vont au-delà de cette définition, certaines figures concernant d'autres unités linguistiques, par exemple les sons ou les lettres et, au-delà du lexique, les énoncés ou les phrases. Le niveau d'application de la figure peut lui aussi concerner les sons (l'*allitération*, par exemple) ou bien la syntaxe et le style, c'est-à-dire les relations entre unités présentes dans le même fragment de discours. C'est le cas de l'*antithèse*, qui rapproche des mots de sens opposé, de la *comparaison*, de l'*inversion*, du *chiasme* («il faut manger pour vivre et non pas vivre pour manger»), de l'*ellipse*, qui efface un élément normalement requis, de l'*hyperbole*, de l'*oxymoron*, qui réunit des termes normalement incompatibles («cette obscure clarté...»), de la *répétition*, etc.

On s'attachera ici, s'agissant des unités lexicales dans l'histoire, aux relations qui régissent les significations et emplois successifs (puis simultanés, après leur apparition) des mots. Les figures essentielles se réduisent alors à l'*hyperbole* et à la *litote* ou à l'*euphémisme*, à l'*ironie*, type d'emploi antonymique, à la *synecdoque*, emploi d'un mot désignant d'abord une partie à propos du tout, et surtout dans deux figures où certains théoriciens ont vu la clé de tout ce système, la *métaphore**, souvent issue d'une comparaison implicite — une comparaison condensée, plus brève, disait Quintilien —, et la *métonymie**. Si l'on analyse les procédés logiques de la figure, comme l'ont fait les auteurs du «groupe de Liège», adjonction, suppression, substitution (qui cumule les deux opérations précédentes) et permutation, procédés pouvant porter sur des éléments — ce qui nous intéresse ici — ou sur leur mise en œuvre dans l'énoncé, on s'aperçoit que le très grand nombre de figures répertorié par les rhétoriciens du passé peut être avantageusement réduit.

Pour ces théories classiques, dont l'ouvrage de Fontanier, *les Figures du discours*, représente l'élaboration maximale, les figures sont parfois distinguées des *tropes*, mot d'origine grecque utilisé par du Marsais au XVIIIe s., à propos des changements de sens. Ce sont les seules figures où le sens s'écarte d'une valeur de référence et qui fondent ce que l'on nomme *sens figuré*.

En effet, traditionnellement, la figure est définie comme un écart par rapport à une valeur *normale*, à ce qui est considéré comme un sens «propre» au signe, et qui la caractériserait originellement. (*sens propre* se dit depuis l'époque classique.) De cette «propriété» vers les figures le chemin est tout tracé, selon des lois omniprésentes. Mais l'idée d'écart suppose une orientation privilégiée, ce qui est très contestable pour la rhétorique, où une norme, point de départ reçu, «normal», est une idée préconçue.

Pour s'en tenir à ces figures qui supposent un changement de sens, c'est-à-dire aux tropes, on peut considérer seulement la co-présence ou la co-virtualité de deux sens, sans choisir lequel résulte d'une figure; la sémantique moderne voit souvent dans un signe tel que le mot un noyau sémantique potentiel, réalisé différemment selon les cas. La figure, le trope n'est alors qu'une façon de voir la pluralité des significations, la polysémie, et parfois même l'action des contextes sur une abstraction, une simple potentialité.

Mais ce point de vue fonctionnaliste concerne la mise en discours; il n'est pas valable en lexicographie et dans les dictionnaires, où les rapports entre les mots et leurs effets de sens, certes analysés d'après les réalisations observables en contexte, doivent donner lieu à des ensembles cohérents d'effets de sens, de significations, repérables au niveau de l'unité elle-même, mot ou locution, et pour toutes ses potentialités.

DÉFIGURER v. tr. (1119) signifie «rendre méconnaissable en altérant la forme», en particulier le visage, mais aussi les faits, la pensée, etc. ➛ Le dérivé **DÉFIGURATION** n. f. (fin XIIIe s., *deff-*) a signifié «état de ce qui est défiguré» avant d'être reformé (1866) peu avant **DÉFIGUREMENT** n. m. (1886) avec une valeur active.

FIGURINE n. f. est un emprunt (1578) à l'italien *figurina* (XVIe s.) «petite figure» en peinture et «petite statuette», diminutif de *figura*, du latin *figura* au sens de «statue». Le mot reprend le premier (1578) et le second sens (1829) de l'italien.

✳ **FIL** n. m. est issu (v. 1130) du latin *filum* «fil, filament» et «tranchant d'une lame», «fil d'un discours», «ligne, trait», mot d'origine inconnue.

♦ *Fil*, d'abord «brin ténu», se spécialise très tôt et désigne une matière étirée en longueur (v. 1170, *fils d'or*), et le brin long et fin d'une matière textile (v. 1176) servant à coudre ou à tisser. De cet emploi viennent des locutions figurées comme ***de fil en aiguille*** (1269), ***cousu de fil blanc*** (1594). Par extension, *fil* désigne un brin qui sert à tenir, à attacher (1382), d'où par figure ***ne tenir qu'à un fil, avoir un fil à la patte*** et dans l'usage technique (1824), ***fil à plomb*** servant à montrer la verticale. Le ***fil à couper le***

L'histoire des mots donne une fondation objective à un ordre des sens; la logique interne du lexique lui confère une régularité supposée qui peut être différente. Dans les deux cas, on définit un *ordre*, chronologique ou logique, que les dictionnaires le réalisent de manière ambiguë, certains plutôt «logiquement», selon des lois supposées, d'autres chronologiquement, selon une observation toujours imparfaite, mais de plus en plus riche.

Dans les deux cas, des points de départ, des passages et des points d'arrivée sont mis en relation. Le point de départ «logique» (supposé tel) est un sens considéré comme propre (on a dit aussi «littéral»), que les figures emmènent dans diverses directions, vers des sens qui sont donc «figurés». Le point de départ temporel est soit une valeur «étymologique», c'est-à-dire, dans la langue grecque qui en a fait la théorie, un sens vrai *(etumos)*, soit la première acception attestée dans la langue même. La position des Anciens était fondamentalement étymologique. Cette position, illustrée par Cratyle, l'interlocuteur de Socrate dans le dialogue de Platon qui porte son nom, est en effet dominante dans l'Antiquité et le moyen âge occidental, puis à la Renaissance et à l'époque classique. Ensuite, l'étymologie prend des contenus plus objectifs, surtout à partir des XVIIe et XVIIIe s. : elle concerne la source, l'origine et l'histoire des signes. (Voir : Étymologie.) À la différence des énoncés *figurés*, de la signification *figurée* dans le discours (par exemple dans les textes littéraires), qui suppose une véritable grammaire de la figure — et notamment de la métaphore —, les valeurs *figurées* des mots, les locutions et expressions *figurées* font partie intégrante du lexique, et donc de la langue. Les théoriciens des figures *dans le langage*, dans le code de la langue, distinguaient donc un sens de départ, qu'ils nommaient *primitif* ou *naturel* (car le «sens vrai», dans la théorie classique, est fondé en nature), ou bien, on l'a vu, sens *propre* ou *littéral*, et des sens *figurés*, obtenus «par figure».

Ainsi, déjà dans ce «monde clos» (Benveniste) des sens de la langue, une rhétorique interne est à l'oeuvre. Les historiens du sens dans les mots, classiques comme ceux de Port-Royal, comme du Marsais, ou comme les Anglais Hobbes, Locke, «sensualistes» comme Condillac, sont devenus au XIXe s. sémanticiens, tel Bréal ou avant lui J. S. Mill (qui est en principe logicien). Ils ont observé les figures, notamment la métaphore, et les changements de sens par «élargissement» et «restriction» (Bréal), plutôt appelés ici *extension* et *spécialisation*, soit dans une optique abstraite et logique, soit selon un ordre historique. Ces études, menées au XXe s. avec un soin extrême (G. Stern, S. Ullman), dégagent, sinon des lois rigoureuses, du moins des tendances qui semblent être universelles et qui mènent les signes d'une référence concrète à diverses valeurs abstraites (le cas est si frappant, de la «pesée» à la «pensée» par exemple, que *concret* et *abstrait* semblent souvent, et parfois à tort, synonymes de *propre* et *figuré*), ou bien d'une référence large, générale, à des significations plus étroites, spécifiques — ou l'inverse —, d'une valeur forte à des valeurs plus faibles (*étonner*, par exemple), avec des relations de ressemblance (métaphores) ou de contiguïté (métonymie).

Parmi les chemins de la prolifération des sens, la *figure* est une voie royale, mais multiple. Dans cet ouvrage, elle ne part pas d'un sens supposé premier ou naturel, mais d'un sens observé, plus ancien, «étymologique» comme on entend cet adjectif aujourd'hui — fruit du hasard de l'histoire et de la transmission —, ou encore originel, temporellement premier (selon nos connaissances). Alors agissent des figures, d'un genre très particulier, qui résultent de tendances internes du sens, mais aussi de facteurs sociaux variés : contextes, domaines d'emploi, fréquences — en un mot d'une pragmatique qui englobe toujours l'histoire sémantique des mots. *Figure, sens figuré* mettent alors en rapport deux situations comparables et différentes, unies par la communauté d'un signe du langage : un mot fictivement isolé que ces «figures», précisément, remettent dans le mouvement réel du langage.

◈ voir MÉTAPHORE et MÉTONYMIE.

A. Rey

beurre, outre son sens concret («fil métallique à poignées») symbolise l'invention dérisoire. ◇ Par analogie le mot s'emploie pour la sécrétion filiforme (dite *filandre*) produite par l'araignée (1690), spécialement dans ***fils de la Vierge*** (1755). Par allusion au fil donné par Ariane à Thésée pour s'orienter dans le labyrinthe, ***fil d'Ariane*** (1748) ou ***fil conducteur*** se dit de ce qui permet de se retrouver dans un ensemble complexe. Dans le même sens, on emploie ***fil rouge*** (calque de l'allem. *roter Faden* [Goethe] selon Bernet et Rézeau). ◇ C'est par référence aux fils dissimulés qui permettent de mouvoir les marionnettes (cf. *ficelle*) que *fil* désigne (av. 1848) un moyen secret d'action. ◇ Dans le domaine technique on relève *fil télégraphique* (1856), *fil téléphonique*, d'où ***coup de fil*** «coup de téléphone», et le sens de «conducteur électrique» (1890) dans *fil électrique*. De là, *sans fil* (ci-dessus), qui provient de *télégraphie* sans fil*, et *T.S.F.* (→ télégraphie). ◇ Dès la fin du XIIe s., *fil* s'emploie aussi au figuré au sens de «succession, enchaînement» (v. 1195, *fil des idées*) — d'où *au fil des heures* (XVIe s.) — et avec une valeur spatiale pour «sens d'un cours d'eau» (v. 1200), emploi restreint à des locutions comme ***au fil de l'eau***. ◇ Par analogie, *fil* s'emploie (milieu XVIIIe s.) pour parler de la direction suivie par les fibres du bois, des muscles et à propos d'une veine dans une pierre; de *droit fil* «sens des fils d'un tissu» vient par figure ***le droit fil*** «orientation» (1954). ◆ *Fil* «tranchant d'une lame» (1559) a fourni la locution figurée (XXe s.) ***sur le fil du rasoir.***

▶ **FILET** n. m., diminutif de *fil* (1180, «petit fil»), a plusieurs sens techniques, en anatomie (v. 1290, *filet de la langue*), en botanique (1865), en reliure (1690), et aussi dans *filet d'une vis* (1690), etc. Couramment il se dit d'un écoulement fin et continu, au propre (1306-1307; 1393, du sucre en fusion) et au figuré (1680, ***un filet de voix***). ◆ *Filet* a pris le sens particulier de «morceau de viande levé le long de l'épine dorsale (ou de part et d'autre de l'arête d'un poisson)» (1393, surtout dit du bœuf et du veau; 1718, *filet mignon*), allusion au caractère allongé, et peut-être parce que le morceau est souvent roulé et entouré d'un fil. ◆ Le mot *filet* représente aussi l'altération de *filé* n. m. «ouvrage fait de fils» (v. 1380), participe passé substantivé de *filer*, d'où le sens de «réseau de fil fait de mailles» (1461) spécialement pour capturer les animaux (XVIe s.); de là au figuré (1615) ***tendre un filet, attirer qqn dans ses filets.*** Ce réseau de fil est aussi employé pour envelopper ou tenir (1690; par ex. *un filet de ballon, un filet à provisions*) ou utilisé dans certains jeux de balle (1877, pour le tennis).
Sur *filet* ont été formés **FILETER** v. tr. (1857; 1235, *foilleté* «fait de fil fin»), terme technique dont dérive **FILETAGE** n. m. (1587), reformé (1857) pour «disposition des filets d'une vis ou d'un objet fileté».◆ Deux préfixés utilisent le sens de *filet* en boucherie et en typographie. ◇ **CONTREFILET** n. m. «morceau de viande» (XXe s.) et **ENTREFILET** n. m., d'abord terme d'imprimerie au sens de «paragraphe entre deux filets» (1831) et qui a pris par extension le sens usuel de «court article».
FILIÈRE n. f., dérivé de *fil,* a signifié en ancien français «pelote de fil» (1228) puis «fil» (1352). Outre des emplois spécialisés, il désigne (1382) un instrument pour réduire les métaux en fils et, par extension, pour fileter en vis (1755). Au figuré, *filière* désigne en commerce un titre à ordre qui représente une marchandise négociable (1243), rare avant le XVIIIe s., et par ailleurs (av. 1791) une succession d'opérations à accomplir avant de parvenir à un résultat. C'est aussi, en physique, une famille de réacteurs nucléaires qui ont des caractéristiques identiques (v. 1960).
De *fil* dérivent d'autres termes techniques, comme **FILARDEAU** n. m. «jeune brochet» (1392) et «jeune arbre élancé» (1771), ◆ **FILIN** n. m. (1611) est le nom générique des cordages en marine, mot usuel. ◆ **FILERIE** n. f. (1962) est un terme technique d'électricité.
FILOCHE n. f., régional, autrefois «filet» (1374, *filoiche;* cf. ancien lyonnais *filochi* «corde», XIVe s.), désigne (1743) un tissu à larges mailles, puis une épuisette pour la pêche. ◆ Il a fourni **FILOCHER** v. tr. (1869), terme technique et, antérieurement, **EFFILOCHER** v. tr. (1761; 1657, *effiloché*, n. m.), régionalement *effiloquer* (1798). Ce verbe signifie «effiler des tissus pour les réduire en charpie», d'où couramment *s'effilocher* (1851), en parlant d'un vêtement usagé. ◆ Les dérivés **EFFILOCHAGE** n. m. (1761), **EFFILOCHE** n. f. (1838), **EFFILOCHURE** n. f. (1870; 1776, *effilogeure*) sont techniques. ◆ ① **FILAIRE** adj. se dit d'une transmission par fil (v. 1950). ◇ **BIFILAIRE** adj. (1854), très antérieur à *filaire,* est formé de *bi-*, *fil* et suffixe.
Sur *fil* ont été composés des termes techniques, des noms comme **CONTREFIL** n. m. (1540), **SERRE-FILS** n. m. inv. (1869) ou **FIL-À-FIL** n. m. inv. (1930). ◇ Composé avec l'acception spéciale de «fil électrique», **SANS-FIL** s'est dit, d'abord au féminin (av. 1925, Claudel in T.L.F.) pour *télégraphie sans fil,* puis au masculin, pour «message ainsi transmis (1927, P. Morand). Le mot, qui a produit **SANS-FILISTE** n. (1912, écrit *sanfiliste*) est sorti d'usage, sauf pour évoquer le passé.
Par ailleurs, *fil* a servi à former des verbes préfixés. ◆ **ENFILER** v. tr. signifie «traverser d'un fil» (1187) et «traverser par une épée» (1595); par figure le verbe signifie «s'engager tout droit dans une voie» (1609) et, en gardant l'idée du fil qui passe, «débiter de façon continue des propos» puis, familièrement, «passer un vêtement» (1866). ◇ De l'idée de «traverser» vient le sens érotique (XVIIe s.) de «posséder sexuellement» (→ filou). ◆ Sur le verbe ont été formés des dérivés comme **ENFILADE** n. f. (1611) «disposition de pièces qui se suivent, **ENFILAGE** n. m. (1697), et les préfixés **RENFILER** v. tr. (1580), **RÉENFILER** v. tr. (XXe s.), **DÉSENFILER** v. tr. (1694), rares.
① **DÉFILER** v. tr., d'abord dans *soie défilée* «qui n'est pas filée» (1299), signifie (1408) «défaire (ce qui est enfilé)», comme *désenfiler.* ◇ Le sens familier du pronominal *se défiler* «se dérober» (1860) se rattache au sens militaire (1829) de *défiler* «soustraire les troupes à l'enfilade du feu ennemi». ◆ Ce verbe a produit **DÉFILAGE** n. m. (1784) et ① **DÉFILEMENT** n. m. (1785).
EFFILER v. tr., d'abord attesté dans *s'esfiler* «se défaire fil à fil» (fin XIe s., attestation isolée), est repris au XVIe s. (1526) au participe passé *effilé* «aiguisé». ◇ Le verbe est reformé pour «défaire fil à fil» (1611; 1606, pron.) et «rendre allongé et fin, ou pointu» (1781, pron.). ◆ Du verbe viennent **EFFILURE** n. f. (1685), **EFFILAGE** n. m. (1780), **EFFILEMENT** n. m. (1796) et **EFFILEUR, EUSE** n. (1870).
FAUFILER v. tr. est un terme de couture (1690; 1684, au participe passé), altération, par attraction de *faux,* de *forfiler, fourfiler* (1348), de *fors* «hors» (→ dehors), et *fil.* ◇ Au figuré, il a signifié «introduire adroitement» (1696, intr.), sorti d'usage, mais *se faufiler* est bien vivant aux sens de «s'insinuer (dans une société)» (1694), «se glisser à travers des obstacles» (1823). ◆ Il a fourni des termes techniques, dont **FAUFIL** n. m. (1865). ◆ **SURFILER** v. tr. (1873) est aussi un terme de couture, également employé dans le domaine du textile; en dérivent **SURFILAGE** n. m. (1877) et **SURFIL** n. m. (v. 1964).
FILAMENT n. m. est emprunté (1538) au bas latin *filamentum* «étoffe de fil», dérivé du latin classique *filum.* Il désigne une production organique longue et fine comme un fil, spécialement (1904) un fil conducteur très fin. ◆ Il a pour dérivé **FILAMENTEUX, EUSE** adj. (1571).

FILASSE n. f. est issu (v. 1130, *filace*) du latin populaire °*filacea*, du radical de *filum*. Il s'est employé pour le fil de l'araignée et désigne (XIIIe s.) une matière textile non encore tissée. Par analogie, il se dit de cheveux de couleur blond pâle (mil. XVIIIe s.).
② **FILAIRE** n. f., emprunt (1809) au latin scientifique *filaria* (1787 ; de *filum*), désigne en zoologie un ver long et fin comme un fil, parasite de l'homme et responsable d'une maladie nommée **FILARIOSE** n. f. (1901 ; de *filaria*) ; l'anglais a formé plus tôt *filariasis* (1879), puis *filariosis* (1888).
FILIFORME adj. composé savant du latin *filum* (1762), s'emploie pour «très mince, fin comme un fil». L'idée de fragilité est réalisée dans l'emploi figuré de ***pouls filiforme*** «très faible, 'filant'».
◈ voir FICELLE, FILER (et FILANDRE, FILATURE), FILIGRANE, FILON, FILOU.

FILATURE → FILER

FILER

FILER v. est issu (v. 1160) du bas latin *filare* «étirer en fils», «faire couler en fils», dérivé de *filum* (→ fil).

♦ *Filer* a signifié «couler, s'écouler», valeur qui demeure en parlant de qqch. qui prend la forme d'un fil (1690), mais disparue à propos de personnes pour «aller à la file». ◇ Parallèlement, *filer* reprend le sens de «transformer en fil (une matière textile)» (XIIIe s.) et par analogie (v. 1210) signifie «sécréter (un fil)», en parlant d'un insecte ; et plus tard «passer (un métal) à la filière» (1759). ◇ Par métaphore, on dit ***filer doux*** (fin XVe s.), allusion au fil que l'on déroule lentement pour ne pas le rompre, pour «se plier, accepter une contrainte, obéir». ◇ Par extension le verbe signifie «dérouler de façon continue», par exemple un câble (av. 1559 ; 1762, intr.), d'où par figure «réciter d'une manière continue» (1611), puis «développer progressivement» (1865, *filer une métaphore*), en musique *filer une note* (1811). ➔ De l'image du déroulement viennent les sens de «s'enfuir» (1754, intr.) d'abord en argot, d'où «disparaître rapidement» (1857, d'une chose) et «aller droit devant soi, à une allure rapide» (1783, intr.), d'abord terme de chasse ; par ailleurs le verbe signifie «suivre (qqn) sans être vu» (1813) [cf. *filature*]. ◇ Le verbe a en outre pris en argot le sens de «donner» (1835), probablement d'après *refiler* (ci-dessous).

▶ Plusieurs dérivés sont employés comme termes techniques, principalement dans le domaine du textile comme : **FILAGE** n. m. (XIIIe s.), **FILEUR, EUSE** n. (1376, *fillour* ; 1260, *filaresse*), **FILOIR** n. m. (XIVe s.). ➔ **FILÉ** n. m., outre des sens techniques (1265, «fil», puis 1865, «fil de métal entourant un fil de soie»), s'emploie comme terme de cinéma (XXe s.) pour un panoramique très rapide.
FILE n. f., déverbal de *filer*, désigne une suite dont les éléments sont placés l'un derrière l'autre (1464), spécialement (mil. XVIe s.) une ligne de soldats ; le mot s'emploie dans les locutions adverbiales ***à la file*** (av. 1527, *à la fille*), ***en file*** (av. 1695), notamment *en file indienne*, et à propos des automobiles ***en double file*** (v. 1950). ➔ Sur *file* a été composé ② **DÉFILER** v. intr. (cf. aussi *fil*) au sens de «marcher en file» (1648) et par extension «se succéder de façon ininterrompue» (1932). ➔ **DÉFILÉ** n. m., dérivé du verbe, désigne (1643) un passage encaissé (on n'y peut passer qu'à la file) et la manœuvre des troupes qui défilent (1669) ; par extension il s'emploie (1842) pour «succession» (concret et abstrait). ➔ ② **DÉFILEMENT** n. m., autrefois «défilé de troupes» (1832), est un terme technique (1927).
FILATURE n. f. désigne l'usine où l'on fabrique le fil (1724) et les opérations industrielles pour obtenir le fil (1801), remplaçant le moyen français *filerie* (XIVe s.), dérivé de *fil* ; le mot s'emploie aussi pour l'action de suivre qqn sans être vu (1829) notamment dans *prendre en filature*. ➔ **FILATEUR, TRICE** n. «personne qui exploite une filature» (1812) a un homonyme rare, dérivé de *filer* et désignant (1879) une personne qui en file une autre.
FILANDRE n. f. est une forme altérée (1392) de °*filande*, du bas latin *filanda* «ce qui est à filer», de *filare*. Le mot a désigné un filet de pêche, aujourd'hui (XVIe s.) une fibre longue et coriace (dans des viandes, des légumes) mais il est rare, contrairement à *filandreux*. Il sert aussi à nommer le «fil» de l'araignée. ➔ Le dérivé **FILANDREUX, EUSE** adj. (1603) «fibreux» est utilisé aussi au sens figuré (1831) de «touffu, embrouillé» (en parlant d'un discours). ➔ **FILANDIÈRE** n. f. (1292, *filandrier, -ière*) «femme qui file à la main», sens sorti d'usage, s'est employé pour désigner les Parques (1668, *les sœurs filandières*).
FILIPENDULE adj. est un composé savant, calqué du latin moderne, de *filum* «fil» et *pendulus* «suspendu», d'où «suspendu à un fil». Comme substantif féminin, le mot désigne une araignée et une plante, la spirée.
D'AFFILÉE loc. adv. «à la file» (1853) vient d'un ancien verbe *affiler* (1671) «planter en ligne», construit sur *file*.
REFILER v. tr., sorti d'usage au sens de «filer de nouveau (la laine)» (1564), a pris au XVIIIe s. la valeur figurée de «donner, rendre qqch. de défectueux» avec l'idée de tromperie ; d'abord écrit *rafiler* (1740) dans cet emploi familier, le verbe a produit **REFILE** ou **REFIL** n. m., employé dans la locution très familière ***aller au refile*** (ou ***refil***) «vomir» (1883) et équivalant en argot ancien à «marchandise refusée» (1902).
SURFILER v. tr. (1873, Daudet) correspond à «coudre à grands points, avec un fil qui passe au-dessus», et (1877) à «augmenter la torsion de [un fil]». ◇ **SURFILAGE** n. m. (1875) et **SURFIL** n. m. (déverbal, 1926) sont plus techniques.
◈ voir FIL, FILON, FILOU, PROFIL.

FILET → FIL

FILIAL, ALE, AUX

FILIAL, ALE, AUX adj. est un emprunt (1330) au bas latin *filialis*, dérivé de *filius* (→ fils). L'adjectif latin a le sens spécial de «qui concerne les relations de l'enfant à ses parents».

♦ *Filial* conserve le sens du latin ; il est courant dans un sens extensif «digne d'un fils».

▶ L'adjectif a servi a former **FILIALEMENT** adv. (v. 1460), **FILIALITÉ** n. f. (1845), didactiques ou littéraires. ➔ **FILIALE** n. f. désigne, par métaphore et influence du sens figuré de *filiation* (1844), une société à personnalité juridique distincte mais dont la moitié au moins du capital appartient à une autre société, dite *société mère.*

FILIATION n. f. est emprunté (XIIIe s.) au bas latin *filiatio,* terme de droit désignant le lien de parenté qui unit un enfant à ses parents, dérivé du latin classique *filius.* ◆ Le mot conserve le sens du latin ; par analogie il désigne (1302, *filiacion*) l'état d'une abbaye qui doit son origine à une autre et par extension (1720) un lien de descendance directe. Par figure (1752), il s'emploie pour «succession, enchaînement».

FILIGRANE n. m. est emprunté (1665) à l'italien *filigrana* (XVIIe s.), composé de *fili,* pluriel de *filo* (du latin *filum* ; → fil), et de *grana* «grains», du latin *granum* (→ grain), les filets du filigrane («ouvrage d'orfèvrerie») ayant d'abord été ornés de grains. Le mot a souvent été altéré en *filigramme,* première forme attestée (1664) et encore relevée au XIXe siècle.

♦ À cause du réseau de fils placé dans la forme, le mot désigne (1835 ; dès 1818 sous la forme altérée *filigramme*) un dessin imprimé dans la pâte du papier, qu'on peut voir par transparence ; de là vient, au figuré, la locution adverbiale (XXe s.) ***en filigrane*** «de façon implicite».

FILLE n. f. est issu (v. 1050, *filie*) du latin *filia* «enfant de sexe féminin, jeune personne», féminin de *filius* (→ fils).

♦ Le mot conserve le sens du latin et se définit dans un rapport de filiation *(la fille de qqn)* ; par extension il s'emploie au sens de «descendante» (XVe s.) et pour désigner (1640) une personne que l'on considère comme sa fille. Par analogie (2e moitié du XIIIe s.), c'est le nom donné à certaines religieuses (*Filles de la Charité, du Calvaire,* etc.) ou à une église qui dépend d'une autre (1690). Au figuré *fille,* comme *fils,* s'emploie (1601) pour une chose qui naît d'une autre. ◆ *Fille* s'oppose aussi à *garçon,* par exemple dans des syntagmes figés comme ***petite fille, vieille fille*** «femme célibataire» ; il est utilisé absolument (1528) pour *jeune fille* ***(une fille à marier),*** d'où autrefois *rester fille,* aujourd'hui ***rester vieille fille*** «célibataire» ; avec un qualificatif, *fille* s'emploie (XVe s.) pour *jeune femme.* ***Fille(-)mère*** (1797) est aujourd'hui vieilli (on emploie plutôt *mère célibataire*). ◆ Utilisé péjorativement, le mot a aussi valeur de «prostituée», en emploi absolu (1387) ou dans des locutions comme ***fille perdue*** (1606), ***fille de joie*** (XVIIe s. ; cf. aussi *fille de vie,* 1409). ◆ *Fille* désignait aussi une jeune fille de qualité au service d'une reine (1606 ; ***fille d'honneur,*** 1655), ou une jeune fille ou une femme employée à un travail (***fille de salle, de cuisine,*** etc.). Cf. les emplois analogues de *femme*.*

► Le dérivé ① **FILLETTE** n. f. (1200, *fillete*) désigne une petite fille (cf. *garçonnet*). ◆ **FIFILLE** n. f. (1783) est un terme enfantin, passé au XIXe s. dans le langage des adultes. ◆ **FILLASSE** n. f. est péjoratif au sens de «grosse fille sans grâce» (1587), archaïque pour «fille de mauvaise vie» (XVIe s.).

PETITE-FILLE n. f. est formé (XIIIe s.) sur le même modèle que *petit-fils,* d'où **ARRIÈRE-PETITE-FILLE** n. f. (1636). ◆ **BELLE-FILLE** n. f. (v. 1470 ; de *belle**) désigne soit la femme du fils, soit (1570) la fille qu'un conjoint a eue d'un précédent mariage.

② **FILLETTE** n. f. est d'origine obscure ; il représente peut-être une altération (1387) d'après *fille* de *feuillette* (1396) «petite mesure», attesté en Bourgogne et en franco-provençal (1370, *foliette*), de l'ancien *folheta* (1375), sans doute dérivé d'un latin populaire °*follia* (déb. IXe s., latin médiéval *folia* «mesure de liquide»), du latin classique *follis* «outre», de la même famille que *flare* (→ enfler, fou).

♦ *Fillette* désignait (1387) une sorte de tonneau ou de mesure variable de liquides. C'est aujourd'hui le nom familier d'une demi-bouteille, utilisée surtout pour les vins d'Anjou, et senti comme une métaphore de ① *fillette.*

FILLEUL, EULE n. est une réfection (XIIIe s.) de *filiol* (1121), *filluel* (XIIe s.), issu du latin classique *filiolus* «fils (en bas âge, ou chéri)», diminutif de *filius* (→ fils), et qui a pris en bas latin la valeur de «personne qui a été tenue sur les fonts baptismaux».

♦ *Filleul* conserve le sens du bas latin et est attesté (XVIe s.) dans l'emploi du latin classique, sorti d'usage.

FILM n. m. est un emprunt à l'anglais *film* «membrane» (XIe s.), de l'ancien anglais *filmen.* Ce mot trouve des correspondants dans de nombreuses langues indoeuropéennes (vieil allemand *fell,* vieil islandais *fjall,* lituanien *plenè,* latin *pellis* «peau», radical du grec *pelma* «semelle [en peau]», etc.). On rattache ces termes à une racine °*pel* «envelopper». En anglais, *film* a signifié «feuille très mince» à partir du XVIe s. et est attesté en photographie depuis 1845, pour «couche de gélatine étendue sur la plaque ou le papier», d'où «pellicule pour la photographie» (v. 1880).

♦ Ce dernier sens est repris en français (v. 1889). *Film* désigne ensuite une «pellicule pour le cinéma» (1896) et par métonymie (1896) une œuvre cinématographique puis l'art cinématographique. Au figuré, il signifie (1922) «déroulement d'événements». ◇ Dans un emploi technique réemprunté à l'anglais, *film* désigne (1931) une mince couche d'une matière *(film d'air ; film dentaire,* 1933) ; l'équivalent français proposé est *feuil.*

► Le français a produit des dérivés et des composés. ◆ **FILMER** v. tr. signifie «enregistrer par une prise de vues cinématographique» (1908) et, en technique, «recouvrir d'une pellicule, d'un film» (v. 1930). ◆ Du verbe dérivent **FILMAGE** n. m. (1912), **FILMEUR, EUSE** n. (1917), rare, et **FILMABLE** adj. (1925). ◆ **FILMIQUE** adj. «relatif au film, au cinéma» (1936) est didactique comme **FILMIQUEMENT** adv. (1952).

Plusieurs composés, où *film* a le sens de «œuvre ou art cinématographique», sont entrés dans l'usage courant. ◆ **FILMOGRAPHIE** n. f., composé avec *-graphie,* d'après *bibliographie,* a signifié (1922) «cinématographie» et désigne aujourd'hui (1947) la liste des films d'un auteur, d'un acteur, d'un genre, etc. ◆ **FILMOTHÈQUE** n. f. (1969 ; 1958, *fil-*

mathèque) désigne une collection de microfilms — et non pas de films — (cf. *cinémathèque*, plus courant). ◆ **FILMOLOGIE** n. f. (1946) «étude du cinéma» est un terme didactique, comme son dérivé **FILMOLOGIQUE** adj. (1946).

MICROFILM n. m. (1931) désigne une reproduction réduite de documents sur film; en dérive **MICROFILMER** v. tr. (1931).

FILON n. m. est un emprunt (1562) à l'italien *filone*, terme de minéralogie (av. 1537), augmentatif de *filo* «fil», du latin *filum* (→ fil).

♦ Le mot désigne d'abord une masse allongée de substances minérales, d'où son emploi figuré, comme *source, veine* (av. 1791). Il signifie «moyen de s'enrichir», d'abord en argot (1882, Goncourt, «affaire pour malfaiteurs»).

► Le dérivé **FILONIEN, IENNE** adj. (1877) est didactique.

FILOSELLE n. f., réfection (1564) de *filloisel* n. m. (1369), *filozelle* (1542), est un emprunt à l'italien dialectal *filosello* «bourre de soie» (à Sienne, v. 1301); on relève aussi la forme *follisello* (XIVe s., «cocon de ver à soie») que l'on peut comparer à l'italien *filugello*. Le mot est peut-être issu d'un latin populaire °*fillocellus* «petit sac», altération du classique *folliculus*, diminutif de *follis* «sac» (→ follicule et fou), avec attraction de *filo* «fil». Selon P. Guiraud, *filoselle* serait plutôt une forme apparentée à *filasse, filoche*, d'un latin populaire °*filocellus* «petit sac» d'où «enveloppe de la larve d'un insecte», mot qui correspondrait à une variante de °*funicella* (→ ficelle).

♦ *Filoselle* désigne de la bourre de soie mêlée à du coton, employée en bonneterie.

FILOU n. m., attesté au XVIe s. (1564), pourrait être une forme dialectale de *fileur*, dérivé de *filer* «étirer en fil» (→ filer) — *filer la carte* signifiait autrefois «tricher». Pour P. Guiraud, le *filou* est celui qui attire ses victimes dans ses filets; ce serait un dérivé d'*enfiler* au sens de «tromper» (encore dialectal, 1845), qui correspondrait au moyen français *enfilé* «pris dans un filet»; cette hypothèse semble inutilement complexe.

♦ *Filou* désigne d'abord une personne qui triche au jeu ou vole avec ruse et par extension, d'abord comme adjectif (1714) une personne malhonnête; le mot s'applique difficilement aux femmes. Il s'emploie familièrement (fin XIXe s.) en parlant d'un enfant espiègle, comme *gredin, coquin, bandit (petit filou!)*.

► Le dérivé **FILOUTER** v. tr., vieilli au sens de «voler adroitement (qqch. à qqn)» (1656), signifie aujourd'hui «voler (qqn)» (1688); sur *filouter* ont été construits **FILOUTAGE** n. m. (v. 1673-1676), rare, et **FILOUTERIE** n. f. (1644) vieilli.

FILS n. m. représente (v. 980) le cas sujet de l'ancien français (*fil* correspondant au cas régime de *filium*); *fieu* (XIIIe s.) est la forme picarde, encore utilisée dialectalement. Le mot est issu du latin classique *filius* «fils, enfant de sexe masculin» et en bas latin au pluriel «descendants», dont le féminin est *filia* (→ fille). Comme *fecundus* (→ fécond) *filius* se rattache à une racine indoeuropéenne °*dhē-* «têter, sucer»; il a d'abord signifié «enfant qu'on élève, nourrisson», avant de remplacer le nom indoeuropéen initial du fils, peut-être frappé d'interdit.

♦ *Fils* s'emploie dans *fils de Dieu* (v. 980, *fils Deu*), *fils de l'homme*, désignant Jésus-Christ. Hors d'un contexte religieux il s'applique (v. 1050) à tout être humain de sexe masculin considéré par rapport à son père et à sa mère; il figure avec cette valeur dans diverses locutions comme ***le fils de la maison.*** ◆ *Fils* reprend également le sens latin de «descendant» (v. 1120) et par figure le mot s'emploie au sens de «résultat, effet» en parlant de choses du genre masculin (fin XIXe s.), ainsi que dans des expressions comme *fils spirituel* «disciple», ***fils de ses œuvres*** «homme qui a réussi par lui-même et non par sa famille» qui s'oppose à ***fils de famille*** (1606) «enfant de famille aisée» et ***fils à papa***, locution péjorative récente. ◆ Par extension, *fils* s'est employé depuis le XIIe s. (v. 1196) pour «enfant du sexe masculin», sans se substituer au mot normal, *garçon*. Cet emploi ne subsiste que lorsque le garçon désigné est considéré comme un fils (1273), usage qui subsiste en appellatif *(mon fils !, fils !)*, notamment en français du Midi. ◇ La prononciation ancienne *fi*, évoquant l'exclamation péjorative *fi !*, a pu susciter des termes d'injures (*fils* [fi] *de pute*, etc.).

► Le dérivé **FISTON** n. m. (1585) s'utilise familièrement comme appellatif pour un jeune garçon ou pour désigner un garçon par rapport à ses parents. ◆ Le composé **BEAU-FILS** n. m. (1468), de *beau**, désigne celui dont on a épousé le père ou la mère; au sens d'«époux de la fille» (1557), il est moins courant que *gendre*. ◆ Pour la désignation des liens de parenté ont été aussi formés **PETIT-FILS** n. m. (XIIIe s.), **ARRIÈRE-PETIT-FILS** n. m. (1556) et, rare, **BEAU-PETIT-FILS** n. m. (1917).

◇ voir FILLE et aussi FILIAL, FILIATION, FILLEUL.

FILTRE n. m. est un emprunt (1560) au latin médiéval des alchimistes *filtrum* (1235), adaptation du francique °*filtir* (→ feutre).

♦ Le mot désigne un appareil qui permet de débarrasser un liquide de ses impuretés, d'où *filtre à café* (1885). Le mot a des emplois spécialisés en sciences (1904) et désigne couramment le dispositif adapté à une cigarette pour absorber une partie de la nicotine : *cigarette avec* ou *sans filtre*. Au figuré il signifie «ce qui retient en partie» (déb. XXe s.).

► Le dérivé **FILTRER** v. (1560, mais probablement antérieur) s'emploie transitivement, par exemple dans *filtrer un liquide* et, par analogie, *la lumière* (1836), etc.; au figuré (déb. XXe s.), il se dit à propos de personnes et de choses abstraites *(filtrer des informations)*. ◇ *Filtrer* se construit intransitivement au sens de «s'écouler en passant à travers un filtre» (av. 1714) et, par extension, de «passer en partie» (1838), le sujet désignant la lumière, etc. ◆ Du verbe dérivent **FILTRATION** n. f. (1578), didactique, **FILTRABLE** adj. (1754 en sciences naturelles), **FILTRANT, ANTE** adj. (1752), **FILTRAGE** n. m. (1842, en chimie) qui s'emploie au propre et au figuré, et **FILTRAT** n. m. (1891).

INFILTRER v. tr. et pron. est attesté avant *filtrer* (v. 1370) ce qui laisse supposer un latin populaire °*infiltrare* tiré de *filtrum*. ◇ Le verbe transitif est aujourd'hui vieilli ou littéraire, mais on emploie couramment *s'infiltrer* v. pron. «pénétrer dans un corps d'une manière lente et progressive» (1762), d'où vient le sens figuré de «passer insensiblement» (déb. XIXe s.) et, en parlant de personnes, «pénétrer sans se faire remarquer», spécialement en termes militaires. Un nouvel emploi transitif *(infiltrer une organisation)* en est résulté (att. 1965). ◆ Le dérivé **INFILTRATION** n. f. (v. 1370, en médecine) a suivi l'évolution sémantique du verbe (1762, «action, fait de s'infiltrer»; 1834 pour le sens figuré). ◆ *Infiltrer* a aussi fourni les mots didactiques **INFILTRABLE** adj. (1857) et **INFILTRAT** n. m. (v. 1925).

① **FIN** n. f. est issu (2e moitié du xe s.) du latin *finis*, mot d'origine inconnue signifiant «borne, limite d'un champ», «frontière» (au pluriel; → confins) et, au figuré, «terme, but» (*finis*, en ce sens, traduit le grec *telos* dans le vocabulaire philosophique) et «degré suprême de qqch.».

♦ *Fin* désigne l'arrêt d'un phénomène dans le temps, en particulier la cessation de la vie (2e moitié du xe s.) et par extension la dernière partie (de qqch.) [1080], le point auquel s'arrête qqch. (v. 1283), d'où spécialement *fins* n. f. pl. «frontières» (XIIIe s.) jusqu'à la fin du XVIIe siècle. Le mot s'emploie dans des locutions adverbiales : ***à la fin*** (1273), ***sans fin, toucher à sa fin, mener à bonne fin,*** par figure ***faire une fin*** «se marier» (fin XVIIe s.). *Fin* signifie aussi (v. 1300) «terme auquel on tend» ***(qui veut la fin veut les moyens)***; c'est un terme de droit (1462) au sens de «but juridiquement poursuivi» d'où ***fin de non-recevoir*** (1549). Les locutions ***en fin de compte, à la fin du compte*** ont pris le sens étendu de «enfin; pour conclure».

▶ Des dérivés du nom reste **FINAGE** n. m., sous l'Ancien Régime «étendue de territoire soumis à une juridiction» (1231, *fignaige*); le mot, d'usage régional (Bourgogne, Franche-Comté), a désigné aussi (XVIe s.) l'étendue d'une terre exploitée, en agriculture.

FINIR v. est une réfection (XIIIe s.), d'après *fin*, de la forme dissimilée du moyen âge *fenir* (1080; la variante *finer* est moins courante), qui était issue du latin classique *finire* (dérivé de *finis*) «limiter, achever», d'où *finiri* «mettre un terme (à la parole)» et, au passif, «se terminer, mourir». En bas latin, le verbe a pris le sens de «avoir un terme». P. Guiraud propose, pour aboutir à cette forme *fenir*, un latin populaire °*finiscere* à valeur progressive, qui expliquerait l'idée d'«amener à sa fin» d'où, celle d'«achever», puis de «parfaire». ◆ *Finir* conserve les sens du latin et a le sens général de «mener à sa fin» (1080, tr.) — d'où «à un point de perfection» (av. 1660). Comme intransitif, il signifie «arriver à sa fin, dans le temps ou dans l'espace» (v. 1130), plus tard «avoir telle issue» (1669). Par ailleurs, la forme *finer*, issue du latin classique *finire*, a signifié «mettre à son terme (une transaction)», d'où «payer» (XIIe s.), sens disparu qui est à l'origine de *finance**. ◇ Au sens général du verbe d'autres constructions apparaissent en français moderne : *finir en* (1671), *finir par* (et infinitif) [1805]. *Finir* prend aussi le sens (XIIIe s.) de «mettre fin à»; en particulier dans les constructions *finir de* (et infinitif) [1573], *en finir* (1798). ◆ Le verbe a servi à former des termes techniques, comme **FINISSEUR, EUSE** n., réfection de *fenisseor* (2e moitié du XIIIe s.), qui est employé au masculin (1756) puis au féminin (1828), et **FINISSAGE** n. m. (1786). ◆ **FINI, IE** p.p. adjectivé, a des emplois spéciaux, «mené à son terme» (1688), d'où *le fini* n. m. (1771), «parfait dans son genre» (av. 1850 : *un coquin fini*); «diminué, discrédité» (1835, *un homme fini*). En philosophie, il exprime l'idée de «limité» (1580) et s'oppose à *infini*. La notion de *nombre* (entier) *fini* (attesté 1872) est essentielle en mathématiques. ◇ Au sens de «terminé», l'adjectif donne lieu à l'expression familière ***n, i, ni, c'est fini!*** (1796). ◇ Quelques termes didactiques sont formés à partir du participe passé *fini* : **FINITUDE** n. f. (1920), d'après l'anglais *finitude* (1644), **FINITISME** n. m. et **FINITISTE** adj. (XXe s.), rares. ◇ Le composé **SEMI-FINI, IE** adj. (1927) se dit en économie, en commerce, de produits transformés incomplètement. ◆ **FINISSANT, ANTE** adj. tiré du participe présent, est lexicalisé au XIXe s. (*le mois d'août finissant*, Balzac, Le Lys dans la vallée, 1836).

FINITION n. f. (XIVe s., *finicion* «fin»), repris au XIXe s. (1820), est emprunté avec son sens au dérivé latin classique *finitio* «limite, achèvement» et désigne aussi l'action d'achever (1846).

IN FINE loc. adv. reprend (1899, Valéry) la locution latine *in fine* «à la fin» et s'emploie dans une référence au sens de «dans les dernières lignes (d'un ouvrage)».

À côté de *finis*, son dérivé *finalis* a fourni une série de formes. **FINAL, ALE, ALS** ou **AUX, ALES** adj. emprunte avec son sens (v. 1174) le dérivé bas latin *finalis* «qui est à la fin»; il s'applique aussi à ce qui correspond à un but en philosophie (v. 1361), valeur qui existait en latin médiéval (v. 1170; → ci-dessous finalité). ◆ **FINALEMENT** adv. (v. 1280, *finalment*) s'est substitué à *finablement* (v. 1185) et s'emploie couramment comme adverbe de phrase avec la valeur de «pour conclure, enfin». ◆ ① **FINALE** n. f., forme féminine de l'adjectif, est d'abord un terme de grammaire (1718, «élément en dernière position»), puis de danse, de musique (1721) [→ ② finale, ci-dessous] et de sport (1895) où il est devenu plus courant, ainsi que le composé **DEMI-FINALE** n. f. (1898) et que ***quart de finale***. De ce dernier emploi vient ① **FINALISTE** n. «personne qui dispute une finale» (1924). ◆ ② **FINALISTE** n. et adj. est aussi un terme de philosophie (1808, n.; 1919, adj.) tiré de *cause finale* (on disait *cause-finalier*, 1764), comme **FINALISME** n. m. plus récent (1890, Renan). ◆ **FINALITÉ** n. f. (1819) désigne en philosophie le caractère de ce qui tend à un but et spécialement, en biologie, l'adaptation (d'un organe, d'un être vivant) à une fin (1864, Renouvier). ◆ **FINALISÉ, ÉE** adj. (XXe s.), d'abord «à quoi on donne une fin», a pris aussi le sens de «mis au point de façon détaillée» par calque de l'anglais *finalized*, dérivé d'un verbe de même origine. Le dérivé **FINALISATION** n. f. est à la mode.

② **FINALE** n. m. est emprunté (1779) à l'italien *finale,* terme de musique (av. 1742), de *fine* «fin», lui-même du latin *finis.* C'est un terme de musique, désignant le dernier morceau d'un mouvement ou d'une composition. L'emploi féminin (1797, *une finale*) se confond avec la substantivation de l'adjectif *final;* on écrit aussi *un final* (1802).

◈ voir AFIN, CONFINS, DÉFINIR, ENFIN, ② FIN, FINANCE, INFINI.

◈ ✳ ② **FIN, FINE** adj. vient du même mot latin *finis* (→ ① fin) pris adjectivement, à partir de l'emploi figuré de «qui est le point extrême» et correspond au latin médiéval *finus* «raffiné».

♦ Appliqué à ce qui présente un caractère de perfection (1080), *fin* dans des emplois concrets se trouve dans des locutions comme ***argent fin,*** d'où par ellipse ***du fin*** (XIIe s.) «de l'argent» (cf. *finance**), ***or fin*** (1080, d'où *du fin* n. m. 1690), ***fine fleur,*** au propre et au figuré, ***fines herbes*** (1829), d'abord *herbes fines* (1690), c'est-à-dire «au parfum subtil», ***Eau-de-vie fine*** substantivé en ***fine*** n. f. (1877) ou encore ***le fin du fin*** n. m. «ce qu'il y a de mieux dans le genre», *huîtres fines* d'où **des fines de claire** n. f. pl. ◇ Dans un emploi abstrait, *fin* se dit (mil. XIIIe s.) de ce qui est d'une extrême acuité, au propre et au figuré; il qualifie une personne habile et rusée (v. 1320; ***un fin renard***) ou très adroite (1770; *un fin joueur*). ◇ *Fin* dans un emploi adverbial signifie «complètement» (XIIe s. : *être fin prêt*), précède à l'époque classique de *tout* pour renforcer un adjectif (XIIIe s.) : *tout fin.* ◇ *L'adjectif* s'est appliqué à ce qui est dans la partie la plus éloignée (fin XVe s.), emploi sorti d'usage sauf dans des locutions comme ***le fin fond*** (1507), ***le fin mot*** (*d'une histoire,* etc.) [1865]; on disait en moyen français (XIVe s.) *savoir le fin de qqch.* «en connaître les raisons et le détail».

Fin s'applique également à ce qui est très petit (1432) et, couramment, à ce qui est mince (1450), très aigu (1690; *pointe fine*). À cette valeur, correspond aussi un emploi adverbial, par exemple dans *écrire fin* (1890).

▸ L'adjectif a de nombreux dérivés. ➛ **FINEMENT** adv. est le premier attesté (v. 1176). ➛ L'évolution de **FINESSE** n. f. est parallèle à celle de l'adjectif. Le mot a signifié «ruse, tromperie» (déb. XIVe s.) et désigne la qualité de ce qui est fin (XVe s.), d'où par extension (1580), surtout au pluriel, une chose difficile à comprendre et la délicatesse de forme ou de matière (XVe s.). ➛ On est passé de *finesser* (1649) à **FINASSER** v. intr. (1680) par la suffixation péjorative en *-asser.* Ce verbe a pour dérivés **FINASSERIE** n. f. (1718), **FINASSIER, IÈRE** (1718) et **FINASSEUR, EUSE** adj. et n. (1740), qui ont vieilli.

FINETTE n. f. «sorte de vêtement de coton» représente la substantivation de *finet, ette* (fin XVe s., *satin finet*), diminutif de *fin, fine.*

FINAUD, AUDE adj. (av. 1762; XVe s., dialectal) est lui aussi dérivé de l'adjectif *fin.* ➛ Il en va de même pour **FIGNOLER** v. tr., d'abord (1743, intr.; variante *finioler*) «raffiner», aujourd'hui «exécuter avec un soin méticuleux» (1872). ◇ Ce verbe a servi à former **FIGNOLEUR, EUSE** adj. et n. (1845) et **FIGNOLAGE** n. m. (1874). ➛ **FINES** n. f. pl. (1865), substantivation du féminin de l'adjectif, et **FINERIE** n. f. (fin XIXe s.) sont des termes de métallurgie.

Sur *fin* ont été construits plusieurs préfixés : **EXTRAFIN, INE** adj. (1827), **SUPERFIN, INE** adj. (1688), **SURFIN, INE** adj. (1828), appliqués à des produits commerciaux très fins, et, pour *superfin,* à diverses choses (concrètes et abstraites).

AFFINER v. tr. «rendre plus délicat» (1223) et «purifier» (1285) a signifié «tromper en usant de finesse» (v. 1510) encore au XIXe siècle. De ce verbe dérivent **AFFINEUR, EUSE** adj. et n. (1302), **AFFINAGE** n. m. (1390) et **AFFINEMENT** n. m. (1576; 1532, «tromperie»). ➛ Le composé en *re-* de *affiner,* **RAFFINER** v. tr., est employé au sens concret (1468, *raffiner le sucre*) et abstrait (1650) et, comme verbe intransitif, au sens de «rechercher la finesse». ◇ Au sens concret correspondent les dérivés **RAFFINAGE** n. m. (1611), **RAFFINEUR, EUSE** n. (1611) et **RAFFINERIE** n. f. (1666), ce dernier récemment appliqué au pétrole; au sens abstrait, **RAFFINEMENT** n. m. (1600), et **RAFFINÉ, ÉE** adj. qui se dit (1690) d'une matière rendue plus pure et s'emploie aussi au sens abstrait (1642).

FINANCE n. f. dérive (v. 1280) de l'ancien français *finer* «mener à sa fin (une transaction)» (1080) d'où «payer» (XIIe s.), altération de *finir* sous l'influence de *fin* «argent» (XIIe s.) [→ finir, à ① fin]. Le latin médiéval *finare* (fin Xe s.), dérivé de *finis,* a d'abord signifié «mener à bout» puis «exiger de l'argent» (1212) et «donner de l'argent» (1234).

♦ En français, *finance* a signifié d'abord «versement, rançon», d'où «argent» (1377) — sens conservé dans la locution ***moyennant finance*** et dans l'emploi familier *la finance* (XIVe s.). ◇ Le mot désigne (1400) les ressources dont on dispose, sens encore en usage au pluriel *(l'état de ses finances).* ◇ Au pluriel (1314, *fineances*), *finances* se dit toujours des revenus de l'État (*Trésorier des Finances,* XVe s.), par métonymie des services qui gèrent les fonds publics (1832; 1690, «fisc»). Au singulier, le mot était sous l'Ancien Régime le nom de la régie des impôts (1549; cf. *ferme*); il désigne aujourd'hui l'activité bancaire (1678) et par métonymie l'ensemble des personnes qui ont de grosses affaires d'argent (1770, *la haute finance*). La graphie cocasse *phynance* est due à Jarry (*la pompe à phynances*).

▸ **FINANCER** v. ne s'utilise plus, sauf par plaisanterie, au sens de «fournir de l'argent» (1544; intr.) ni pour «payer une somme comptant» (1636; tr.). Le verbe signifie aujourd'hui (fin XIXe s.) «soutenir financièrement (un projet, une entreprise, etc.)», d'où le dérivé **FINANCEMENT** n. m. (1845, attestation isolée), diffusé au XXe s., et les composés **AUTOFINANCÉ, ÉE** adj. (1952), **S'AUTOFINANCER** v. pr. (1966) et **AUTOFINANCEMENT** n. m. (1943).

FINANCIER, IÈRE n. et adj. (v. 1420, *financhiere* «celui qui finance»; 1440, «propriétaire») désigne (fin du XVe s.) une personne qui manie des affaires d'argent et, par extension (1776), qui s'entend à la gestion de l'argent. Sous l'Ancien Régime, le mot désignait depuis le XVIe s. (1549) celui qui gérait des finances publiques, fermier général ou autre. C'est la deuxième moitié du XVIIIe s. et le XIXe s. qui ont vu le développement des activités financières capitalistes; le passage des affaires d'argent de l'État, dominantes du XIVe s. au XVIIe s., aux affaires privées, est sensible dans les datations du vocabulaire, notamment dans l'apparition de l'adjectif *financier* (1752), puis du dérivé **FINANCIÈREMENT** adv. (1829). ◆ **FINANCIÈRE** n. f. (1755) ou *sauce financière* (1778; autrefois aussi *à la financière*), nom d'une sauce garnie d'éléments coûteux (ris de veau, truffes, etc.), évoque la table riche des anciens fermiers généraux.

Les préfixés **PRÉFINANCER** v. tr. et **PRÉFINANCEMENT** n. m. (1963, dans les dictionnaires) concernent un crédit antérieur au financement proprement dit.

FINIR → ① FIN

FINISH n. m. est un emprunt (av. 1863) à l'anglais *finish* «fin» (XVIIIe s.), et spécialement «fin d'une course, d'une chasse, d'un combat» (XIXe s.), du verbe *to finish* «terminer», issu au moyen âge du français *finir* (→ ① fin).

♦ En français, le mot a désigné un établissement où l'on va finir une soirée, puis la fin d'une épreuve sportive (1887), surtout comme terme de turf. Il s'est particulièrement répandu en boxe et pour parler de l'aptitude à se surpasser à la fin d'une compétition (1934; ***gagner au finish***).

FIOLE n. f. est emprunté (v. 1180) au latin médiéval *fiola* «petite bouteille», forme altérée du latin classique *phiala* «coupe», emprunt au grec *phialê*.

♦ *Fiole* conserve le sens latin et s'emploie pour «tête» (1848; ***se payer la fiole de qqn***) par une métaphore usuelle (cf. *carafe, carafon*).

FION n. m. est un mot d'origine obscure, attesté (1744) au sens de «coup» (*ficher un fion*) puis de «dernière touche qu'on donne à un ouvrage» (1792), aujourd'hui familier et vieilli, sans doute plus ancien car le mot est passé en québécois. Il représente peut-être une altération d'un dérivé de *fignoler* (→ fin) ou est d'origine onomatopéique comme terme évoquant un coup; cette valeur est conservée en Suisse où *fion* s'emploie pour «remarque blessante, injure mordante» (dep. 1793). P. Guiraud propose de reconnaître plutôt dans *fion* le résultat, par dissimilation du premier *-n-*, de l'évolution d'un latin populaire °*finionem* (dérivé de *finis* → fin) qui aboutit à *fignon*.

♦ L'hypothèse expliquerait le sens de *fion* «derrière, postérieur», c'est-à-dire ce qui est à l'extrémité du corps (1880).

▶ De même, cette hypothèse éclaire le sens du composé **TROUFIGNON** n. m. ou **TROUFION** «anus» (v. 1610), compris au XVIIIe s. comme altération de *trou mignon*, et «chance» par figure (XXe s.; cf. *cul*). *Troufion* s'emploie (fin XIXe s.) pour «soldat», argotisme obtenu par substitution de finale de *troupier* (cf. par ailleurs *troubade*, 1859), sous l'influence de *troufion* «anus» et, par figure, comme pour *cul, con*, au sens de «homme sot» (1875, en argot).

FIORITURE n. f. est introduit au pluriel (1823) par Stendhal comme mot italien, avec le sens d'«ornement»; c'est le pluriel de l'italien *fioritura* «floraison» puis «ornements» dans le domaine musical (XVIIIe s.), dérivé avec un suffixe collectif de *fiorire* «fleurir», de même origine que le français.

♦ *Fioriture*, souvent au pluriel, est d'abord un terme de musique employé dans d'autres domaines (mil. XIXe s.), en particulier pour parler d'une ornementation excessive.

FIRMAMENT n. m. est emprunté (1119) au latin chrétien *firmamentum* désignant la voûte céleste auquel les astres semblaient fixés, en latin classique «soutien, appui», au propre et figuré. C'est un dérivé de *firmare* «rendre ferme, solide» (→ fermer).

♦ Le mot français, d'abord religieux, est resté d'emploi poétique et évocateur.

FIRME n. f. est emprunté (1844) à l'anglais *firm* «signature» (1574), puis «raison sociale» (1744) et «maison de commerce»; l'anglais est emprunté, comme l'allemand *Firm*, à l'espagnol *firma* «signature», issu du latin *firmus*, comme *farm* en anglais (→ ② ferme); cf. aussi le latin médiéval *firma* «convention avec garantie».

♦ *Firme* a signifié «raison sociale» (1844), d'abord en Belgique selon Littré. Il est utilisé aujourd'hui pour désigner une entreprise commerciale ou industrielle.

FISC n. m., réfection (fin XVe s.) de *fisque* (1278) en usage jusqu'au XVIIe s., est un emprunt au latin *fiscus* «panier pour recevoir l'argent», d'où au figuré «trésor public» (→ faisselle).

♦ Le mot a désigné le trésor de l'État, du souverain et est aujourd'hui, depuis le XVIIe s. (attesté 1690), le nom courant de l'ensemble des administrations chargées des impôts.

▶ **FISCAL, ALE, AUX** adj. (1461), rare avant le XVIIIe s., est emprunté au latin impérial *fiscalis* (de *fiscus*) et a donné **FISCALITÉ** n. f. (1749), «régime des impôts», **FISCALEMENT** adv. (1791), **FISCALISTE** n. (mil. XXe s.) et le verbe **FISCALISER** v. tr. (mil. XXe s.), d'où **FISCALISATION** n. f. et **DÉFISCALISER** v. tr., mots techniques.

FISSILE adj. est emprunté (1566) au latin *fissilis* «qui peut être fendu», dérivé de *fissum*, supin de *findere* (→ fendre).

♦ Le mot, isolé au XVIe s., est repris au XVIIIe s. en minéralogie au sens de «qui tend à se fendre». L'emploi du mot en physique (v. 1950), appliqué à des éléments chimiques susceptibles de subir la fission nucléaire, est emprunté à l'anglais.

▶ **FISSION** n. f. est aussi emprunté à l'anglais, pour désigner la rupture d'un noyau d'atome (1942; v. 1940 en anglais), sens répandu après 1945. L'anglais *fission* emprunte le latin *fissio, -onis* «action de fendre», de *findere*, et a été utilisé d'abord en biologie (1841) pour «division cellulaire par scissiparité», sens passé en français plus tard (attesté 1938). ➛ *Fission* a fourni en physique (v. 1950) **FISSIBLE** adj., synonyme de *fissile,* et **FISSIONNER** v.

FISSURE n. f. est une réfection (v. 1500) de *fixure* (1314), emprunt au latin *fissura,* de *fissus,* participe passé de *findere* «fendre», dont il garde le sens de «fente, crevasse»; rare avant le XVIIIe s., il s'emploie aussi au figuré (v. 1770), comme *brèche, rupture.*

▸ **FISSURER** v. tr. (1610), repris au XIXe s., s'utilise au propre et au figuré (fin XIXe s.) et a fourni **FISSURATION** n. f. (1834).
Le composé **MICROFISSURE** n. f. est un terme de géologie (v. 1968).

FISTULE n. f. est un emprunt (1314), d'abord sous la forme latine (XIIIe s.), au latin *fistula* «tuyau (d'eau), conduit», d'où «flûte de Pan», utilisé aussi comme terme de médecine pour désigner un canal anormal donnant passage à un produit physiologique.

♦ *Fistule* demeure un terme de médecine.

▸ Il a servi à former **FISTULISATION** n. f. (1896; 1878, *fistulation*). **FISTULEUX, EUSE** adj. est emprunté (1490) au latin classique *fistulosus,* **FISTULAIRE** adj. (XVe s.) au bas latin *fistularis,* et **FISTULAIRE** n. f. (1803) au latin classique *fistularia,* pour nommer un poisson très allongé au museau tubulaire, dit aussi *bouche en flûte.*

FIXE adj. est un emprunt (v. 1265, *fix*) au latin *fixus,* participe passé de *figere* «enfoncer» (→ ① ficher) et au figuré «attacher».

♦ *Fixe* a été utilisé en alchimie (v. 1265), appliqué à un gaz qu'on ne pouvait liquéfier. Il s'emploie pour qualifier ce qui ne change pas de position (XIVe s., des étoiles) et en parlant du regard (1680). De là, l'interjection *fixe!* (1845) comme commandement militaire et le sens «établi d'une manière durable dans un état déterminé» (1835), par exemple dans ***beau fixe,*** au propre et au figuré, ou dans la locution ***idée fixe*** «dont on ne peut se détacher» (XIXe s.). ◇ Par ailleurs, *fixe* s'applique (1690) à ce qui est réglé d'une façon définitive *(revenir à date fixe)* d'où le sens de «régulier», comme dans *revenu fixe* (1844, n. m.).

▸ **FIXER** v. tr., autrefois «taxer (qqn)» (1330), a eu une évolution sémantique parallèle à celle de *fixe. Fixer,* c'est «établir d'une manière durable dans une position déterminée», d'où *fixer les yeux (sur qqn, sur qqch.)* [XVe s.] et par extension *fixer qqn* (1760). ◇ Le verbe signifie aussi «déterminer qqch.» (1672; *fixer un rendez-vous*) et «établir d'une manière durable dans un état déterminé» (1690), d'où son utilisation en photographie (1895). Avec un complément nom de personne, *fixer* signifie «faire qu'une personne ne soit plus inconstante, qu'une chose ne soit plus changeante» (1878; 1680, *se fixer à*).
Fixer a une nombreuse dérivation. **FIXATION** n. f. (1432, en alchimie; repris au XVIIe s.) a le sens général d'«action de déterminer, de régler» (1669) et celui d'«action de fixer» (1862). De là le sens de «dispositif servant à fixer» (1879) spécialisé en ski et diverses acceptions didactiques (1923, en psychanalyse). ➛ **FIXEMENT** adv. (1503) ne s'utilise couramment qu'avec des verbes comme *regarder.* ➛ **FIXITÉ** n. f. (1603) s'emploie pour parler du regard ou de ce qui est constant. ➛ **FIXISME** n. m. (1922; 1894 en apiculture) et son dérivé **FIXISTE** adj. et n. (1931; 1878, en apiculture) sont des termes didactiques (histoire des sciences) concernant les théories qui défendaient, après Cuvier, la fixité des espèces vivantes, s'opposant au *transformisme,* à l'*évolutionnisme.*
Les autres dérivés du verbe sont des termes techniques : **FIXABLE** adj. (v. 1516, en alchimie, repris 1872), **FIXAGE** n. m. (1845), **FIXATEUR, TRICE** adj. et n. m. (1824, adj.) surtout employé comme nom (1865, en photographie; XXe s., en biologie) et **FIXATIF, IVE** adj. (1803) et n. m. (1853).

◈ voir CRUCIFIX

FJORD ou **FIORD** n. m. est emprunté (1795) au norvégien *fjord* «golfe s'enfonçant profondément dans les terres». Le mot est très ancien, comme le montre la forme archaïque *fjorör* (ancien islandais).

♦ Le mot s'emploie en géographie pour toute formation analogue mais l'usage courant ne l'applique qu'à la Scandinavie ou à l'Écosse.

FLA n. m. inv. est une onomatopée (1815, écrit *ffla*) désignant un double coup de baguette frappé sur un tambour et, par extension, évoque (1855, Goncourt) le bruit d'un choc (cf. *flac!*). Elle est sortie d'usage.

▸ **FLAFLA** ou **FLA-FLA** n. m., familièrement «recherche de l'effet» (1830), est considéré comme un redoublement de *fla* avec influence du radical de *flatter** «louer» (Wartburg).

FLAC interj. est une onomatopée (1464) imitant le bruit de l'eau qui tombe, d'un corps qui tombe dans l'eau ou à plat (1549, *faire un flac*). L'influence de la famille de *flaccus* (→ flaque) est probable.

▸ On emploie aussi ① **FLOC** interj. (v. 1480), d'où (XIXe s.) *faire floc,* et **FLIC FLAC** interj. (1646), qui suggère un clapotement.
Flac a fourni **FLAQUER** v. «jeter violemment (un liquide)» (v. 1560, tr.) et «clapoter» (1583, intr.), sens disparus. Le verbe demeure comme terme technique de pêche dans *flaquer la morue* «l'ouvrir et l'aplatir» (1872). ➛ En argot, *flaquer* signifie (1835) «déféquer», d'où *flaquader* (1876) resuffixé en **FLAGADA!** «merde!» (1917), passé de l'argot des Poilus à l'usage familier comme adjectif pour «mou, fatigué» (1936), alors avec influence de *flasque**.

FLACCIDE → **FLAQUE**

FLACON n. m. est issu (1260, *flascon*) du bas latin *flasco* «bouteille pour le vin», qui représente le germanique °*flaska* «bouteille clissée» (cf. allemand *Flasche*).

♦ Le mot a d'abord désigné une bouteille et désigne (1314) un récipient plus petit, de forme non cylindrique et par extension (1690) certains récipients de verre.

► Le mot a fourni des termes techniques, comme **FLACONNAGE** n. m. (1894), **FLACONNIER** n. m. (1907).

◈ voir ② FLASQUE.

FLAGADA → FLAC

FLAGELLER v. tr. est un emprunt (v. 1350), précédé par la forme latine *flagellar* (v. 980), au latin impérial *flagellare* «battre avec le fléau» et «fouetter», aussi «agiter», dérivé du classique *flagellum* «fouet», diminutif de *flagrum* (→ fléau). *Flagellare* avait abouti par voie orale à *flaeller* (XIe s.), encore en usage au XVe siècle.

♦ *Flageller* garde le sens latin de «fouetter», notamment dans le contexte des punitions religieuses, et signifie, au figuré et littéraire, «attaquer violemment» (1835), et «traiter durement» (mil. XIXe s.).

► En dérivent **FLAGELLATEUR, TRICE** n. et adj. (1587) et **FLAGELLANT, ANTE** adj. (1598, *frères flagellants*) et n. m. (1694) «membre d'une secte religieuse (XIIIe et XIVe s.) qui se flagellait en public». ◆ **FLAGELLATION** n. f. reprend le dérivé latin chrétien *flagellatio;* le mot a signifié «action de battre le grain» (1282); rare avant le XVIIe s., il désigne l'action de flageller (1382) et de se flageller (1770).

FLAGELLE n. f. (1910) ou **FLAGELLUM** n. m. (1873; 1868, en allemand), emprunt savant au latin, est un terme de biologie. ◆ De là **FLAGELLAIRE** adj. (1834) et **FLAGELLÉ, ÉE** adj. (1878) et n. m. pl. en zoologie.

◈ **FLAGEOLER** v. intr. apparaît au milieu du XVIIIe s. (1752), antérieurement (1604) sous la forme *flaioller.* Le mot, d'origine incertaine, pourrait être un dérivé de *flageolet* «flûte à bec» au sens ancien de «jambe grêle» (→ ① flageolet), mais cet emploi n'est attesté qu'au XIXe s.; un ancien verbe *flageoler* (XIIIe s.) «jouer de la flûte» (→ flagorner) a disparu. P. Guiraud propose de le rapprocher de l'ancien français *flaeller* «être agile, palpiter», du latin impérial *flagellare* «battre avec le fléau» (→ flageller), d'où «agiter».

♦ Du sens d'«avoir les jambes qui tremblent», on passe par figure à celui de «prendre peur» (XXe s.).

► De *flageoler* dérivent **FLAGEOLANT, ANTE** adj. (1833, G. Sand) et **FLAGEOLEMENT** n. m. (1894, Goncourt).

① **FLAGEOLET** n. m. est le diminutif (1230, *flajolet*) de l'ancien français *flajol, flageol* «flûte» (v. 1160), issu d'un latin populaire °*flabeolum,* dérivé du bas latin *flabrum,* du classique *flabra,* pluriel neutre signifiant «souffles (du vent)», de *flare, flabellare* «souffler». Ce verbe se rattache à la racine indoeuropéenne °*bhl-* «souffler» (→ enfler, souffler).

♦ *Flageolet* «flûte à bec» a eu par analogie de forme le sens de «jambe grêle», attesté seulement au XIXe s. (1813) mais qui serait plus ancien s'il a servi d'origine à *flageoler* (voir ce verbe).

② **FLAGEOLET** n. m., d'abord dans l'expression *haricot flajolet* (1813 en français général), est attesté régionalement depuis 1705 sous les formes *flajolet, flageolle.* Le mot vient peut-être d'un croisement entre *fagiuolo* (XIVe s.), emprunté à l'italien, et *flageolet* «flûte», par allusion aux propriétés flatulentes du haricot. Pour P. Guiraud, le recours à l'italien est inutile; le croisement serait entre le nom de l'instrument et une forme régionale, soit le picard *fageolet* (diminutif de *fageole*), issue d'un latin populaire °*fabeolus* (de *faba;* → fève), soit le franco-provençal *fageolle,* de °*fabeola* (cf. dans l'Ain *fajoula,* dans le Rhône *fiageola* «petite fève») [de *faba*]. On évoque aussi le latin *phaseolus,* variante de *phaselus* «haricot», emprunt au grec *phasêlos* (→ fayot), d'où l'ancien provençal *falzol,* l'italien *fagiuolo.*

♦ Le mot aurait donc désigné une variété de fève, avant d'être appliqué au légume d'origine américaine qui a progressivement remplacé la fève (→ haricot).

FLAGORNER v. tr. est un mot d'origine incertaine (1464). On l'a rapproché de l'ancien français *flageoler* (XIIIe s.) «jouer du flageolet» et «dire des sornettes», «tromper»; on y a vu un croisement entre *flatter** et *corner* «souffler dans un cor» mais aussi «répandre une nouvelle avec insistance». P. Guiraud suggère une composition à partir du moyen français *flaer* «souffler» (issu du latin *flare;* → ① flageolet) et «corner». ◈

♦ *Flagorner* a signifié «bavarder» (1464), «dire à l'oreille» (XVe s.). Il a pris la valeur spéciale de «flatter bassement» (1562) qu'il a conservée et a été utilisé dans la locution ***flagorner aux oreilles*** «rapporter des nouvelles avec malice».

► Du verbe dérivent **FLAGORNEUR, EUSE** adj. (v. 1440) et **FLAGORNERIE** n. f. (1582, «mensonge»).

FLAGRANT, ANTE adj. est un emprunt (av. 1413) au latin classique *flagrans* «brûlant, enflammé», du participe présent de *flagrare* «flamber», utilisé au figuré («visible et immédiat comme le feu») en bas latin juridique dans la locution *flagranti crimine* «en flagrant délit». *Flagrare* se rattache comme *fulgur* (→ foudre) à une racine indoeuropéenne °*bhleg-* «briller».

♦ L'adjectif s'applique à ce qui est commis sous les yeux de la personne qui le constate, en parlant d'un délit (av. 1413, *faict flagrant*), d'où ***flagrant délit*** (av. 1615) abrégé plus tard en argot (1935) en *flag, flague.* Par extension (av. 1850), l'adjectif qualifie ce qui n'est pas niable.

► **FLAGRANCE** n. f., terme de droit (1611) repris au XIXe s., est demeuré rare.

FLAIRER v. tr., réfection (XIIIe s.) de *flairier* (fin XIIe s.), est issu d'un latin populaire **flagrare* qui altère par dissimilation le classique *fragrare* «exhaler une odeur agréable» (cf. *fragrance*) et au contraire «puer». ◈

♦ *Flairer* a eu le double sens du latin (fin XIIe s.) et signifie aussi «découvrir par l'odeur» (1200), d'où «sentir pour découvrir qqch.» (1636), notamment en parlant des chiens de chasse. Au figuré (1538) il équivaut à «pressentir».

▸ Le déverbal **FLAIR** n. m., d'abord «odeur» (v. 1175) et désignant l'odorat (v. 1265, d'un homme), ne s'emploie plus qu'à propos du chien (1555) et généralement des animaux. Figurément, il se dit de l'aptitude instinctive à deviner (XIXe s., ***avoir du flair;*** cf. *avoir du nez*).

FLAIREUR, EUSE n. et adj. s'emploie (1539 ; adj. v. 1900) au propre et au figuré.

FLAMAND, ANDE adj. et n. est la réfection suffixale de *flameng* (1080), du germanique *flameng,* adjectif ethnique correspondant aux Flandres.

♦ Le mot qualifie et désigne les personnes et les choses des Flandres, aujourd'hui néerlandaises, belges ou françaises, notamment pour qualifier une école de peinture. ◇ Le *flamand* n. m. désigne (1842) l'ensemble des dialectes néerlandais parlés en Belgique.

FLAMANT n. m. est emprunté d'abord comme adjectif (1542, *oranges flammans,* Rabelais) au provençal *flamenc,* dérivé de *flamma* «flamme» (→ flamme) à cause de la couleur du plumage. Le mot correspond au grec *phoinikopteros* «aux ailes d'un rouge de pourpre» (→ phénix).

♦ Le nom désigne un grand échassier au plumage en général rose vif *(flamant rose).*

FLAMBER v. est dérivé (v. 1165) de *flambe* «feu clair» (1080 ; jusqu'au XVIIe s.), forme dissimilée de *flamble* «flamme», issu du latin *flammula,* diminutif de *flamma* «flamme*». Il a remplacé l'ancien verbe *flammer* (XIIIe s.) qui venait du latin *flammare.*

♦ *Flamber* en emploi intransitif a eu (v. 1165) le sens de «briller» (en parlant d'un métal). ◇ De l'acception concrète de «brûler» (XIIIe s.) vient celle de «produire une vive lumière» (1552) et, au figuré, «être animé d'une vive ardeur» (v. 1570), plus tard et sorti d'usage «attirer l'attention sur soi par son éclat» (1843). ◇ Par ailleurs, employé transitivement *flamber* signifie (1393) «passer (qqch.) à la flamme», d'où (1680) «arroser (un mets) d'un alcool que l'on brûle», emploi courant au participe passé (*crêpes flambées, omelette flambée,* etc.). ◇ Par figure, le verbe a signifié «ruiner (qqn) au jeu» (1676) puis, sans complément, «dépenser beaucoup» (1865, intr.) ; il reste aujourd'hui dans l'argot du jeu pour «jouer gros jeu» (1878, intr.). *Être flambé* «ruiné, perdu» s'est employé plus longtemps que l'adjectif. En ces sens, la métaphore n'est pas seule en cause, le verbe se rattache à un emploi de *flambe* n. m., forme abrégée de *flambeau* «jeu d'argent» (1845) : on plaçait autrefois les enjeux auprès d'un flambeau, en pleine lumière (cf. l'ancienne expression *mettre une somme au flambeau,* 1829).

▸ **FLAMBÉE** n. f., d'abord «embrasement» (fin XIIe s.), désigne un feu vif de peu de durée (1320) et, par figure, l'explosion d'un sentiment violent (1848) ou une brusque hausse des prix (XXe s.).

FLAMBANT, ANTE adj. s'applique à ce qui a l'éclat du feu (v. 1170) et au propre (XVIe s.) à ce qui flambe ; l'adjectif s'employait seul au figuré (1837) au sens de «superbe», valeur qui subsiste dans ***flambant neuf*** «tout neuf» (1808).

Le verbe a aussi fourni **FLAMBAGE** n. m. «action de flamber» (1771), **FLAMBEMENT** n. m. rare, aussi terme technique (1922). ◇ **FLAMBEUR, EUSE** n. «joueur qui joue gros jeu» (1885) est d'abord argotique puis familier.

FLAMBE n. f. «flamme» a été repris pour désigner une variété d'iris en forme de flamme (1314) et une épée à lame ondulée. ◆ **FLAMBOYER** v. tr. est une réfection (XIIe s., *flamboier*) de *flambeier* «étinceler» (1080), dérivé ancien de *flambe* «flamme» ; il signifie aussi (1690) «jeter des flammes» et, par extension, «une lumière éclatante». ◆ ① **FLAMBOYANT, ANTE** adj. et n. m., resuffixation de *flambeant* (XIIe s.), a des sens parallèles à ceux du verbe ; il s'utilise aussi en architecture (1830 ; mil. XIXe s., n. m.) pour qualifier le style gothique du XVe s., à cause de la forme ondulée de certains ornements. ◆ ② **FLAMBOYANT** n. m. (1895) est le nom d'un arbre tropical à fleurs rouge vif. ◆ **FLAMBOIEMENT** n. m. «éclat de ce qui flamboie» (XVe s., *flamboyement*) est repris au XIXe s. (1839) pour «couleur, aspect de ce qui flamboie».

FLAMBARD n. m. (XVIIIe s.) ou *flambart* (1285) désignait, comme l'ancien dérivé *flambat,* la graisse qui provient de la cuisson des viandes, et est le nom donné (1690) au charbon à demi-consumé. ◇ Par figure, il a signifié «gai luron» (1837), encore dans la locution ***faire le flambard*** «le fanfaron», et comme adjectif, «qui a belle allure» (1897) ou «prétentieux».

FLAMBEAU n. m., autre dérivé de *flambe* avec le suffixe *-eau* (1393), désignait une grosse torche de cire, d'où au figuré ***se passer, se transmettre le flambeau,*** par allusion à la course des flambeaux dans la Grèce antique ; par métonymie (fin XVIe s.) il se dit d'un candélabre. ◇ Au figuré et littéraire, le mot s'applique (1690) à ce qui éclaire intellectuellement (cf. *lumière*) ; il s'emploie aussi par métaphore (mil. XVIe s.) dans des locutions sorties d'usage ou littéraires : ***le flambeau de la guerre*** (1594), ***de la victoire, de la liberté.***

◈ voir FLAMBERGE, FLAMME.

FLAMBERGE n. f. est une altération (1581), par attraction de *flambe* «flamme» (→ flamber), de *Floberge* (v. 1180), nom de l'épée d'un héros de chansons de geste, Renaud de Montauban ; le mot reprend le germanique °*froberga,* attesté comme nom féminin.

♦ *Flamberge* a désigné jusqu'au XVIIIe s. une longue épée à lame fine et s'utilise encore dans la locution ***mettre flamberge au vent*** (1629) «tirer l'épée» et, au figuré, «partir en guerre» (1673).

FLAMENCO n. m. et adj. est un emprunt à l'espagnol *flamenco* adjectif signifiant autrefois «originaire des Flandres, flamand» (XVIe s.), emprunté au néerlandais *flaming* et attesté depuis 1870 pour désigner les Gitans d'Espagne qui étaient venus des Flandres.

♦ Le mot a d'abord désigné en français la langue des Gitans (1890) et les Gitans eux-mêmes (1899) ; c'est aujourd'hui le nom d'un genre musical andalou qui associe le chant dit *cante jondo* «chant profond» et la danse (1838, adj. ; 1927, n. m.) ; dans le contexte de cette musique, *flamenco* peut s'appliquer à des personnes (1926), à la guitare.

FLAMINGANT, ANTE adj. et n. est dérivé (1432, *flamengans*) de *flameng*, forme ancienne de *flamand*. Le verbe picard *flaminguer* «parler flamand» n'est relevé qu'à l'époque moderne.

♦ L'adjectif se dit d'une personne qui parle flamand. Il a pris au XVIIIe s. une valeur particulière, s'appliquant (1721) à une personne qui, défendant la culture flamande, s'oppose à l'influence de la France et au français en Belgique; de là *parti flamingant* (1901) et l'emploi comme nom (1902).

▸ Le dérivé **FLAMINGANTISME** n. m. désigne (déb. XXe s.) la doctrine des flamingants.

◈ voir FLAMENCO.

① **FLAMME** n. f. vient (fin Xe s.) du latin *flamma* «flamme, feu» au propre et au figuré, formation expressive issue de °*flags-ma*, qui se rattache à une racine indoeuropéenne °*bhleg-* «briller», comme *fulgur* (→ foudre), *flagrare* (→ flagrant).

♦ *Flamme*, par extension du sens propre «partie visible du feu» (fin Xe s.), s'emploie au pluriel pour «incendie» (1617) et spécialement «supplice du feu» (1690), par exemple dans *périr par les flammes* «sur le bûcher». ◇ Utilisé par métaphore pour «passion» en ancien français (v. 1176), le mot a le sens de «vive ardeur, enthousiasme» (1580), en particulier dans ***être tout feu tout flamme***, et à l'époque classique de «passion amoureuse» (déb. XVIIe s.). Il se dit également d'un éclat brillant (av. 1648). ➛ Parallèlement *flamme* prend des valeurs analogiques d'après la représentation ondoyante des flammes. C'est le nom d'un étendard de forme allongée (v. 1210), aujourd'hui encore en marine, d'un ornement long et ondé (1690), d'une sorte d'iris (1872; cf. *flambe* → flamber) et de la marque postale allongée apposée à côté du cachet sur une lettre (XXe s.). ② Flamme (voir ci-dessous) s'est rattaché à ce sémantisme.

▸ Le mot a fourni quelques dérivés techniques ou archaïques : **FLAMMETTE** n. f., autrefois «petite flamme» (1372); **FLAMMEROLE** n. f., sorti d'usage pour «feu follet» (XVe s.), aujourd'hui «banderole, petite flamme» en marine (1872); **FLAMMÉ, ÉE** adj. «en forme de flamme» (1780). ➛ **FLAMICHE** n. f. (1568) mot régional du nord de la France (*flamique*, XVe s.) désigne aujourd'hui une tourte aux poireaux (en français régional *flamique aux porions*).
Le composé **LANCE-FLAMMES** n. m. inv. (1916; de *lancer*) désigne un engin de combat projetant des liquides enflammés.

◈ voir ENFLAMMER, FLAMANT, FLAMBER, ② FLAMME, FLAMMÈCHE.

② **FLAMME** n. f. est la réfection, d'après ① *flamme* (déb. XIVe s., *flame*), de *flemie* (XIe s.), *flieme* (v. 1200), issu d'un latin populaire °*fletomus*, altération du bas latin *flebotomus, phlebotomus* «lancette de vétérinaire» (fin IVe s.); le latin reprend le grec *phlebotomos*, composé de *phleps, phlebos* «vaisseau sanguin» et de *temnein* «couper», qui se rattache à une racine indoeuropéenne °*tem-* «couper» (→ -tomie).

♦ Le mot conserve le sens de l'étymon, «lancette»; la confusion avec ① flamme s'explique par les emplois figurés.

FLAMMÈCHE n. f., réfection (v. 1280) de *flammesche* (XIIe s. au XVIe s.), représenterait un croisement entre le francique °*falawiska* (reconstruit d'après l'ancien haut allemand *falawisca* «cendre chaude», le moyen allemand *valwische* «flammèche») et le latin *flamma* (→ ① flamme). On trouve aussi en ancien français les formes *falemesche, faumes* (déb. XIIIe s.), et les formes dialectales *fallevache, falivoche* au XVIe s. (cf. aussi l'italien archaïque *falaveska*). Pour P. Guiraud, si ces formes dialectales sont peut-être issues du germanique, le mot *flammesche* «parcelle enflammée issue d'un foyer» et sa variante normanno-picarde *falemesche* (XIIIe s. et XIVe s.) seraient des composés de *flamma* et du moyen français *esche* «amadou», acception dérivée de *esche** «amorce pour le feu» (du latin *esca* «nourriture» puis «amorce, appât»).

FLAN n. m. est l'aboutissement (fin XIIIe s.) de *flaon* (v. 1180), lui-même de *fladon* (fin XIe s.), issu d'un francique °*flado* restitué d'après l'ancien haut allemand *flado* «galette, crêpe» (cf. allemand *Fladen*).

♦ Le mot a d'abord (fin XIe s.) le sens technique de «disque destiné à recevoir une empreinte par pression», d'où son emploi tardif en typographie (1872). ◇ Il est utilisé comme terme de cuisine, désignant une crème que l'on fait prendre au four dans un moule (XIIIe s.; 1180, *flaon*), comme le bas latin *flado* (VIe s.), emprunt au germanique. L'expression familière ***en être (en rester) comme deux ronds de flan*** (c'est-à-dire comme deux «sous») «être ébahi» (1892) vient peut-être de ce sens mais n'est pas expliquée. Les locutions familières *à la flan, au flan* «sans soin; au hasard» et l'exclamation *du flan!* (1843) ne sont pas plus claires.

✳ **FLANC** n. m. a probablement été refait (1080) sur l'ancien français *flanche* (XIe s.), issu d'un francique °*hlanka* «partie latérale du corps», sens analogue à celui de *côte, côté* et attesté par l'ancien haut allemand *lancha*, le moyen néerlandais *lanke*.

♦ Le mot français a gardé ce sens, employé dans ***flanc à flanc*** loc. adv. (1558) et diverses locutions figurées comme ***se battre les flancs*** (1764), familier, ***être sur le flanc*** (1865) «épuisé». Par extension (fin XIIe s.) il a pris celui de «partie du corps où la vie semble logée» car les organes vitaux (cœur, foie) sont latéraux, cependant que les *flancs* de la femme désignent (1273) l'utérus (comme, par une autre métonymie, le *sein*). ◇ Par analogie, *flanc* désigne la partie latérale de qqch. (fin XIIIe s., *flanc d'une montagne*). Une valeur spéciale (1559) concerne le côté droit ou gauche d'une troupe, par opposition au centre (cf. *aile*), d'où la locution ***prêter le flanc à...*** (1740), au propre et au figuré.

▸ Le mot a fourni plusieurs dérivés et composés, soit de *flanc*, soit de la forme ancienne *flanche*. ➛ Le diminutif **FLANCHET** n. m. (1376, «flanc») désigne un morceau du bœuf (1393).

On doit distinguer deux verbes transitifs **FLANQUER** ; le premier est attesté depuis le XVIe s. (1555, Ronsard) au sens général de «garnir les flancs, les côtés» ; il est utilisé dans le domaine militaire (1564) et architectural (1568) et signifie par extension «se trouver près de qqch.». ◆ Le second **FLANQUER** (1596, «attaquer de flanc») est probablement une réfection de l'ancien verbe *flaquer* (v. 1560, «lancer qqch. brusquement» ; → flac) sous l'influence de *flanc* au sens militaire. ◇ D'usage familier, il signifie (1680) «appliquer (un coup) brutalement ou brusquement» et par extension «jeter, lancer rudement» (1808 ; av. 1850, ***flanquer qqn à la porte***) et «donner» (un coup, la frousse, etc.), dans le même type d'emplois que *ficher* et *foutre*. Le pronominal réfléchi est attesté depuis 1690 *(se flanquer par terre)*.
En composition *flanc* a servi à former **BAT-FLANC** n. m. inv. (1881, *bas-flanc*, plus tôt en Anjou ; de *battre*) désignant la cloison qui sépare les chevaux dans une écurie puis un lit de planches. ◆ Un autre composé est **EFFLANQUÉ, ÉE** adj. (1573, *esflanqué ;* 1390, *efflanchée* «maigre», c'est-à-dire «dont les flancs sont creusés») ; *la rage efflanchée* (1390) est la rage qui épuise, fait maigrir l'animal.
Enfin **TIRE(-)AU(-)FLANC** n. m. inv. (1887) vient de l'expression ***tirer au flanc*** «tirer (s'en aller) sur le côté», c'est-à-dire «se dérober» (comme *tirer au cul* «en arrière») ; d'abord utilisé dans l'armée pour parler d'un soldat qui cherche à échapper aux corvées, le mot a le sens général de «paresseux».
◇ voir FLANCHER.

FLANCHER v. intr. est d'origine incertaine (1835). Il pourrait venir, par changement de conjugaison, de l'ancien français *flenchir* «faiblir» (XIIIe s.) ; ce verbe était issu du francique *°hlankjan* «plier, fléchir» devenu *°hlenkjan* (cf. moyen haut allemand *lenken*), mais l'écart chronologique fait difficulté et les sens argotiques antérieurs à 1850 semblent sans rapport. On a supposé aussi que *flancher* était une altération de *flacher* «mollir», construit sur *flache* (→ flaque). P. Guiraud suggère que *flancher* est un dérivé de *flanc ;* du sens de «tomber sur le flanc», on passerait à celui de «se détourner du combat», enfin à «céder» : évolution satisfaisante pour le sens (cf. *tirer au flanc*) mais hypothétique.

♦ Le verbe a signifié en argot «jouer» (1835) et «plaisanter» (1846), peut-être d'une autre origine, et s'emploie pour «céder, faiblir» (1862). Il est devenu courant et à peine familier.

▸ Le dérivé péjoratif **FLANCHARD, ARDE** adj. (1880, Verlaine) semble avoir précédé **FLANCHEUR, EUSE** adj. (1943).

FLANDRIN, INE adj. et n. dérive (2e moitié du XVe s.) de *Flandre*, nom géographique.

♦ Le mot désigne (XVe s., adj.), presque toujours dans *grand flandrin* (1640), une personne élancée et molle, qualification injurieuse venant de la réputation des valets flamands, souvent de grande taille, à comparer avec celle des Picards. L'adjectif a signifié au XVIe s. (av. 1525) «de Flandre» (→ flamand) sans valeur péjorative.

FLANELLE n. f. est emprunté (v. 1650) à l'anglais *flannel* attesté depuis 1503 pour désigner un tissu de laine. Le mot anglais représente le moyen anglais *flanen*, issu du gallois *gwlanen* «vêtement de laine», dérivé de *gwlan* «laine», mot rattaché à une racine indoeuropéenne *°wel* (→ laine), qui a donné *wool* en anglais.

♦ Le mot fait partie d'une série de noms de tissus empruntés à l'anglais, ce qui s'explique par l'importance de l'industrie textile en Angleterre. *Flanelle*, employé dans des syntagmes usuels *(gilet, ceinture de flanelle)*, est devenu par figure le symbole d'une vie douillette (v. 1850).

FLÂNER v. intr., attesté tardivement (1808) en français général, est un verbe d'origine dialectale (en Normandie, *flanner* «paresser», 1638) que l'on a rattaché à l'ancien scandinave *flana* «courir çà et là» (cf. norvégien *flana* «se promener»).

♦ *Flâner* signifie «se promener sans hâte» et «rester à ne rien faire».

▸ Il a servi à former plusieurs dérivés. ◆ **FLÂNEUR, EUSE** n. «personne qui flâne», attesté isolément au XVIe s. (1585), a été repris (1803) puis utilisé comme adjectif (1829). ◆ **FLÂNERIE** n. f. (1826) est d'abord dialectal (1622, en Normandie). ◆ Le déverbal **FLÂNE** n. f. (1866) est assez rare, comme les dérivés **FLÂNOCHER** v. intr. (1862), précédé par **FLÂNOTER** v. intr. (1839), archaïque.

FLAPI, IE adj. est peut-être dérivé (1890) d'un verbe franco-provençal *flapir* «amollir, abattre» (XVe s. ; cf. *flappye* «abattue», 1486), d'une racine *flap-* «flétri, mou» : (l'adjectif *flap* est attesté dans les parlers de la Suisse romande). Cette racine est formée à partir d'un latin populaire *°falappa*, altération du latin médiéval *faluppa* «brin de paille» (Xe s.) [→ envelopper].

♦ *Flapi* qualifie familièrement une personne très fatiguée et s'emploie surtout comme attribut.

FLAQUE n. f. est la réfection (1564) de *flasque* (fin XIIIe s.) qui représente la forme picarde de *flache* «lieu plein d'eau et de boue» (1341), substantivation de l'ancien adjectif *flache* «mou, creux». Il s'agit du féminin de *flac* (v. 1180), issu du latin *flaccus*, de même sens. Cet adjectif, probablement indoeuropéen, a un dérivé *flaccidus* qui est à l'origine de ① *flétrir* et a donné le mot didactique **FLACCIDE** adj. «flasque» (1611) d'où **FLACCIDITÉ** n. f. (1756). Dans le nord de la France, *flache* a pu être rapproché du moyen néerlandais *vlacke* «étang maritime».

♦ *Flaque* désigne une petite nappe de liquide stagnant. Dans le Centre, on emploie encore le mot pour «creux dans une route».

▸ **FLACHE** n. f. reste d'emploi régional (Rimbaud l'utilise) et a aussi des sens techniques.
De l'ancien *flache* «mou» dérive **FLACHERIE** n. f. (1870-1871), nom d'une maladie mortelle des vers à soie, qui les rend flasques.
◇ voir ① FLASQUE.

FLASH n. m. est emprunté (1923 ; 1918 comme mot anglais) à un nom anglais signifiant «éclair, lueur soudaine» (1566), du verbe *to flash* d'origine onomatopéique.

♦ Terme de cinéma (1923) d'après un emploi récent de l'anglais *flash* (1913), *flash* «éclair» est pris au sens temporel (cf. en français *une guerre éclair*), désignant une scène rapide d'un film. Par extension, il équivaut à «courte nouvelle transmise en priorité» (1939) et, spécialement, à «bref compte rendu» (à la radio, à la télévision). Dans le domaine photographique (v. 1950), il signifie «éclair lumineux» (l'anglais emploie *flashlight,* 1890). ◇ Par réemprunt à l'anglais, *flash* se dit (v. 1973) d'un état de plaisir provoqué par la drogue d'où **FLASHÉ, ÉE** adj.

▸ **FLASH-BACK** n. m. s'est introduit dans le vocabulaire du cinéma (1923) pour parler d'un retour en arrière dans un film — par extension dans un récit (1955). Le mot est composé en anglais de *flash* et *back* «en arrière».

① **FLASQUE** adj. serait selon Bloch et Wartburg une simple variante de *flaque** (1421), le *s* ayant été prononcé pour rendre le mot plus expressif. Pour rendre compte de ce *s,* P. Guiraud suggère l'existence de dérivés gallo-romains de *flaccere* «devenir mou» (dérivé de *flaccus* → flaque) sous les formes °*flaccitare,* °*flaccicare;* on connaît plusieurs variantes de *flasque : flac, flache, flaque, flacque* encore au XVIe siècle.

♦ *Flasque* est utilisé d'abord en parlant de l'eau, probablement au sens de «stagnant» (1421). Aujourd'hui il se dit (1540) d'une personne sans force morale, d'un style «mou» et qualifie (1592) ce qui manque de fermeté.

◈ voir FLAGADA (art. FLAC).

◈ ② **FLASQUE** n. f. réfection (XVIe s.) de *flaische* (v. 1200), *flaske* (1322), vient probablement, comme *flacon,* du bas latin *flasco* «bouteille pour le vin» (aussi *flasca,* VIIe s.), dérivé du germanique **flaska.*

♦ Il a désigné une bouteille (1322), aujourd'hui (1872) un petit flacon plat.
Le sens ancien de «poire à poudre» (1535) est un emprunt au catalan *flasco,* de même origine.

◈ **FLATTER** v. tr. vient (v. 1165, *flater*) d'un francique °*flatjan* «passer le plat de la main», de °*flat* «plat» (cf. l'ancien haut allemand *flaz,* l'anglais *flat*); l'ancien français avait aussi le verbe *flater, flatir* «jeter à plat» (v. 1155).

♦ *Flatter,* d'abord au figuré, a signifié «chercher à tromper en déguisant la vérité» d'où à l'époque classique *se flatter* «se bercer d'illusions» (av. 1559), aujourd'hui ***flatter qqn de qqch.*** «laisser qqn faussement espérer» (1669). Par extension *flatter* signifie «louer excessivement ou faussement (qqn) pour le séduire» (1200), d'où vient le sens de «faire paraître plus beau que la réalité» (1667) et *se flatter* «tirer orgueil de» (1661). ◆ *Flatter* signifie concrètement (XVe s.) «caresser avec le plat de la main» d'où, par extension et sorti d'usage, «manier (qqch.) avec douceur» (1532), spécialement à l'époque classique «apaiser une douleur morale» (1580) et «traiter (qqn) avec trop d'indulgence» (1580), aujourd'hui «encourager avec une complaisance blâmable» (XVIIe s.). ◇ Par extension, le verbe correspond à «affecter agréablement les sens» (1631) et «causer une vive satisfaction» (1643).

▸ Les dérivés **FLATTERIE** n. f. (1265), qui désigne la qualité de flatteur et *(une flatterie)* une parole flatteuse, et **FLATTEUR, EUSE** n. (1342), resuffixation de *flateour* (1220), aussi adjectif (1558; mil. XVe s., *flateresse*), ne s'utilisent pas à propos de caresses mais seulement en parlant de louanges. L'adjectif est souvent employé en négation *(ce n'est pas flatteur).* ◇ Il a servi à former **FLATTEUSEMENT** adv. (1552).

FLATULENT, ENTE adj. est un dérivé savant (1575), peut-être sur le modèle de *féculent,* du latin *flatus* «souffle, vent» et «gaz accumulés dans l'intestin», nom dérivé de *flare* «souffler» (→ enfler).

♦ L'adjectif est un terme de médecine, qualifiant les gaz intestinaux.

▸ Son dérivé **FLATULENCE** n. f. (1747) appartient au même usage. ◆ Avec d'autres suffixes, **FLATUEUX, EUSE** adj. (1538) qui correspond au latin médiéval *flatuosus* (XIVe s.) et **FLATUOSITÉ** n. f. (1552) sont plus rares.

FLÉAU n. m. est l'aboutissement (XIIIe s.) de *flaiel* (fin Xe s.), *flael* (XIIe s.), formes issues du latin classique *flagellum* «fouet» et au figuré «calamité» (diminutif de *flagrum* «fouet», sans origine connue); il se spécialise en bas latin (IVe s.) au sens d'«instrument à battre le blé», de «punition (venue de Dieu)» et de «peine» en latin chrétien. ◈

♦ *Fléau* a repris ces deux valeurs du latin. Il est d'abord attesté au figuré, au sens de «peine» (fin Xe s.) et désigne encore depuis le XVIe s. (1580) une personne ou une chose funeste qui semble être l'instrument de la colère de Dieu, d'après le latin *flagellum domini* «fléau de Dieu», notamment employé à propos d'Attila. ◇ Depuis l'ancien français, *fléau* désigne l'instrument servant à battre les grains de céréales (1178), ainsi qu'une arme de guerre de forme analogue, dite ***fléau d'armes*** (v. 1130). Le mot s'applique aussi (1549) au levier d'une balance.

① **FLÈCHE** n. f. est probablement issu (fin du XIe s.) d'un francique °*fliugika,* forme restituée d'après le moyen néerlandais *vlieke* «penne, arme de trait» et l'ancien bas allemand *fliuca* «arme de trait», du verbe °*fliugon* «voler». Le mot francique se serait appliqué à l'arme de trait, par une métaphore très naturelle. Pourtant P. Guiraud propose de voir dans *flèche* le déverbal de *fléchir**, d'un latin populaire °*flecticare,* issu du latin *flectere* «plier» parce que le verbe signifiait aussi «imprimer une direction», la flèche étant aussi ce à quoi on imprime une direction. Quoi qu'il en soit, le mot *flèche* a éliminé l'ancien français *saiete, saete* (mil. XIIe s.), issu du latin classique *sagitta* (cf. les mots savants *sagittaire, sagittal*). ◈

♦ *Flèche* «trait qu'on lance» (fin XIe s.) a pris dès le moyen âge le sens figuré de «ce qui avance en pointe» (1380, *flesche;* cf. *attelage en flèche*) et plus tard (XVIIe s.) celui de «pointe d'un clocher». ◇ Par métaphore de la flèche et de l'arc, *flèche* est employé en géométrie (1690 ;1553, attestation isolée) au sens de «perpendiculaire abaissée au milieu d'un arc de cercle sur la corde qui le sous-tend». ◇ L'idée de vitesse se retrouve dans ***partir comme une flèche*** et celle de projectile dans les locutions ***faire flèche*** (***faire flèche de tout bois,*** 1611, déjà v. 1300, *faire flèche du meillor fust*) et ***en flèche;*** l'emploi métaphorique (1690) dans ***les flèches de l'amour, de Cupidon,*** etc. est vieilli ; au figuré (1701), le mot désigne une attaque aiguisée, un trait que l'on lance à la fin d'une conversation (cf. aussi ***la flèche du Parthe***), par allusion aux Parthes qui tiraient en fuyant. ◇ Par analogie, le mot désigne un symbole représentant une flèche notamment pour indiquer une direction (1853), d'où les dérivés *flécher, fléchage* (ci-dessous).

▸ **FLÉCHETTE** n. f. diminutif de *flèche,* est employé au propre (1895) et au figuré (1896). Le mot au pluriel désigne aussi par métonymie le jeu qui comporte des fléchettes lancées sur une cible.
FLÉCHER v. tr. «atteindre d'une flèche» (1573), sens disparu, signifie aujourd'hui «garnir de flèches (un itinéraire)» (av. 1933) et a fourni **FLÉCHAGE** n. m. (mil. XXe s.) et le participe adjectivé **FLÉCHÉ, ÉE** adj. (1913, Proust), par exemple dans *parcours fléché.*

② **FLÈCHE** n. f. représente (2e moitié du XIVe s.) un croisement entre l'ancien picard *flec* «pièce de lard» (v. 1250), emprunté au moyen néerlandais *vlecke,* et l'ancien français *fliche* (v. 1175). Ce dernier mot est une réfection du normand *flique,* issu de l'ancien nordique *flikki* se rattachant à un type germanique °*flaiskoz,* comme l'anglais *flesh* et l'allemand *Fleisch* «chair». L'influence de ① *flèche,* s'agissant d'une pièce allongée, n'est pas exclue.

♦ Ce terme technique désigne une pièce de lard levée sur le côté du porc.

FLÉCHIR v. intr. est une variante (v. 1160), par substitution de désinence et avec changement de conjugaison, de l'ancien français *flechier* (v. 1130), issu d'un latin populaire °*flecticare,* fréquentatif du latin classique *flectere* «courber, ployer», «faire céder qqn» et aussi «infléchir, diriger» (→ flèche).

♦ Le verbe conserve les sens propre (v. 1175) et figuré (v. 1160) du latin, d'où les emplois pour «cesser de résister» (v. 1190) — aussi *fléchir à,* encore à l'époque classique — et «diminuer d'intensité, de valeur» (1580). ◇ Par extension il a signifié «modifier (une forme linguistique) par une flexion» (XXe s.), valeur conservée par **FLÉCHI, IE** adj. (1916).

▸ **FLÉCHISSEMENT** n. m. est aussi employé au propre (1314, *flecissement*) et au figuré. ➝ **FLÉCHISSEUR** adj. et n. m. (1575) est un terme d'anatomie, désignant un muscle qui «fait plier».

◈ voir FLEXIBLE (et FLEXION), INFLEXION (et INFLÉCHIR).

FLEGME n. m. représente (XIIIe s., en ancien liégeois ; 1538, *phlegme*) une réfection étymologique, par emprunt au latin, de l'ancien français *fleume* (1256) ou *fleugme* (1273), du bas latin *phlegma* «humeur, mucus», repris par la langue médicale au grec *phlegma* (→ phlegmon).

♦ Dans la médecine ancienne, *flegme* désignait l'une des quatre humeurs du corps (cf. *lymphe*) attachée à un type de comportement (cf. *humeur*) et, comme en latin, une mucosité (av. 1593 ; 1510, *fleume*). Le *flegme,* humeur froide, correspond à «comportement calme», sens devenu courant (1651, Scarron).

▸ **FLEGMATIQUE** adj., réfection (1495) de *fleumatique* (1210), est emprunté au bas latin *phlegmaticus,* lui-même pris au grec *phlegmatikos,* dérivé de *phlegma.* ◇ Le mot s'est employé en médecine et a suivi l'évolution de *flegme,* prenant (1674) le sens de «calme et froid». Aujourd'hui détaché de la physiologie des humeurs, *flegmatique* était autrefois lié à *bile (bilieux), atrabile (atrabilaire), sang (sanguin).* Culturellement, le flegme caractérisait à l'époque classique les Espagnols, ce caractère passant au XIXe s. aux Britanniques. ➝ Il a pour dérivé **FLEGMATIQUEMENT** adv. (1772). ➝ **FLEGMATISME** n. m. (1946, Mounier) est d'abord un mot didactique de caractérologie.

◈ voir FLEMME.

FLEMME n. f. est un emprunt (1821, *flème;* fin XVIIIe s., en apposition) à l'italien *flemma* «lenteur, placidité» (XVIe s.), désignant d'abord l'une des quatre humeurs du corps (XIIIe s.), lui-même emprunté au bas latin *phlegma* (→ flegme).

♦ En français moderne, le mot signifie familièrement «paresse».

▸ En dérivent **FLEMMARD, ARDE** adj. et n. (1874, *flémard*) sur lequel a été formé **FLEMMARDER** v. intr. (1905), qui a éliminé **FLEMMER** v. intr. (1894) dérivé direct de *flemme,* et **FLEMMARDISE** n. f. (v. 1950).
Le dérivé plaisant **FLÉMINGITE** n. f. est formé d'après *méningite* pour désigner familièrement une paresse «aiguë» comme une grave maladie.

FLÉTAN n. m. est d'origine incertaine (1554) ; il pourrait être emprunté au néerlandais °*vleting,* dérivé du moyen néerlandais *vlete* «sorte de raie» ; ce dernier a été emprunté en français sous la forme *flet* n. m. (XIIIe s.), nom d'un poisson plat comestible, dont pourrait dériver *flétan.*

♦ Le mot désigne un grand poisson plat comestible des mers froides, plus connu dans le nord de l'Europe qu'en France : de là l'emploi sporadique de l'anglais *halibut* pour le désigner.

① **FLÉTRIR** v. tr. est un dérivé (v. 1120, *fleistrir,* intr. ; v. 1160, *flestrir*) de l'ancien adjectif *flaistre, flestre* «flasque» (XIIe s.), aboutissement oral du latin *flaccidus,* de même sens, dérivé de *flaccus* (→ ① flasque).

♦ Il signifie «faire perdre sa forme, ses couleurs (en parlant d'une plante), sa fraîcheur (en parlant du corps)» ; il s'emploie dès l'origine au figuré, au sens de «faire perdre la pureté» (à un sentiment, etc.).

▸ Le dérivé ① **FLÉTRISSURE** n. f. (XVe s., *fletrisseure*) a des sens parallèles à ceux du verbe. ➝ **FLÉTRISSEMENT** n. m. (1912) s'emploie pour une plante qui flétrit à cause d'une maladie et, à propos de personnes, au sens de «vieillissement» (1935).

② **FLÉTRIR** v. tr. représente une altération (mil. XVe s., *flestrir*), d'après ① flétrir, de *flastrir* (1250), lui-même de l'ancien verbe *flatir* «tomber ou jeter par terre» (v. 1175), issu probablement d'un francique °*flatjan* «passer le plat de la main sur...» (→ flatter), de °*flat* «plat», radical qu'on retrouve dans plusieurs langues germaniques, notamment l'anglais.

♦ Le verbe signifie d'abord (1250, *flastrir*) «marquer d'un fer rouge en punition d'un crime», spécialisation liée au droit criminel médiéval. Par extension — et comme l'expression *marquer au fer rouge* — et par influence de *flétrir* pour la péjoration, il a pris le sens de «vouer à l'opprobre» (1611, *flétrir*).

► Le dérivé ② **FLÉTRISSURE** n. f. a suivi l'évolution sémantique du verbe : «marque au fer rouge» (1404, *flastrissure*), «grave atteinte à l'honneur» (1611, *flestrisseure*).

✷ **FLEUR** n. f. est l'aboutissement (XIIe s.) de *flor, flur* (1080) issu du latin *florem,* accusatif de *flos, floris* «fleur» et «partie la plus fine de qqch.» (par analogie, la fleur étant à la sommité de la tige) d'où «partie la meilleure», «partie supérieure» et «surface». Le radical de ce mot italique apparaît sous la forme **bhlo-* dans des dérivés germaniques et celtiques, par exemple le gotique *blōma* «fleur» (cf. allemand *Blume,* anglais *bloom*).

♦ *Fleur* reprend (1080) l'emploi initial du latin ; de là viennent le sens de «plante cultivée pour ses fleurs» (1680), *fleur artificielle* (1865) et de nombreuses locutions : ***dire qqch. avec des fleurs, couvrir qqn de fleurs, une vie semée de fleurs,*** etc., ***être fleur bleue*** «être sentimental» (dans le langage des fleurs, le bleu pâle exprime la tendresse) ; c'est aussi l'origine d'emplois figurés : ***comme une fleur*** «doucement», ***faire une fleur*** «accorder une faveur» d'où le sens argotique (1954) de *une fleur* «cadeau intéressé». ◇ ***Fleur de lis*** (XIIe s., écrit *fleur de lys*) désignait l'emblème de la royauté (d'où le dérivé **FLEURDELISÉ, ÉE** adj. [1502], «orné de fleurs de lis»). ◆ Par figure, *fleur* se dit d'une femme jeune et jolie (par plaisanterie ***fleur de macadam*** «prostituée») et équivaut aussi à «éclat, fraîcheur», valeur aujourd'hui vivante seulement dans ***en fleur*** «dans la fraîcheur de la jeunesse» (v. 1360) et ***dans (à) la fleur de*** (*l'âge, la jeunesse,* etc.) [XVe s.]. Par métaphore, *fleur* se dit en rhétorique d'un ornement poétique (1680). ◇ *Fleur* signifie aussi «élite» (1080). ◆ Au sens spécialisé de «fine farine», *fleur* est attesté (v. 1119) avant même que n'apparaisse le mot *farine.* ◆ Au sens général de «surface», le mot n'est usité que dans la locution prépositive ***à fleur de*** (v. 1354), par exemple dans ***à fleur d'eau*** (XIVe s., *à la fleur de l'eau*) et pour parler de la face tannée d'une peau (1611), opposé à *poil.* Cette acception se retrouve dans *affleurer* et *effleurer* (ci-dessous). ◆ Par analogie, le mot s'emploie (1611) pour désigner des champignons microscopiques (mycodermes) qui se développent à la surface du vin ou du vinaigre.

► Le dérivé **FLEURETTE** n. f., réfection (v. 1540) de *florete* (v. 1119), est sorti d'usage au sens de «petite fleur» ; au figuré, il se disait d'un propos galant (1633), sens encore vivant dans ***conter fleurette*** (XVIIe s.). ◇ **FLEURETER** v. intr. signifiait en moyen français (XVIe s.) «voler de fleurs en fleurs». Son emploi pour «faire la cour, conter fleurette» vient de l'anglicisme *flirter** — et non l'inverse, comme on le croit souvent.

FLEURIR v. est une réfection (XIIIe s.) de *florir* (XIIe s.), d'abord attesté au participe passé dans *barbe fleurie* (1080), attribut traditionnel de l'empereur Charlemagne dans les chansons de geste. Ce verbe est issu d'un latin populaire °*florire,* altération du classique *florere* «être en fleur», au propre et au figuré, dérivé de *flos.* ◆ Le verbe apparaît en emploi métaphorique et signifie «s'épanouir» au propre (v. 1160, intr.) et au figuré à propos des arts, des talents, etc. (v. 1160). Il veut dire également (v. 1180, tr.) «orner de fleurs», aussi au figuré surtout au participe passé (1680, *style fleuri*). ◆ Les dérivés **FLEURISSANT, ANTE** adj. (1539) et **FLEURISSEMENT** n. m. (1604 ; déb. XIVe s., *florissement*) sont littéraires. ◆ **FLORIR** v. intr., rare depuis la fin du XVIe s., ne subsiste au sens de «prospérer» (v. 1160) qu'à l'indicatif et à l'imparfait, dans un usage archaïsant, et surtout dans le dérivé **FLORISSANT, ANTE** adj. (1530), réfection de *flourissant* (XIIIe s.), appliqué par extension à ce qui est sain (1849, *mine florissante*). Le nom d'un orchestre baroque, *les Arts florissants,* reprenant une désignation du XVIIe s., a redonné au mot une vie culturelle. ◆ Le préfixé **DÉFLEURIR** v. (XIVe s.) s'emploie au propre et au figuré, opposé à **REFLEURIR** v. (v. 1120).

① **FLEURAGE** n. m. désigne (1552) un ensemble de fleurs décoratives sur un tapis ou une tenture. ◆ **FLEURISTE** n. et adj. a désigné dans la langue classique (1658) un amateur de fleurs ; c'est aujourd'hui la personne qui les vend (1680) et son magasin.

FLORAISON n. f. est une réfection d'après le latin (1731) de *fleuraison* (1669) qui avait été employé par Malherbe, lui-même modification d'après *fleur* de *florison* (1575), *floroison* (XIIIe s., *estre en floroison* «au comble du bonheur»). Le mot signifie «épanouissement» au propre et au figuré. ◇ Il a pour préfixé **PRÉFLORAISON** n. f. (1803 sous la forme *préfleuraison*) qui désigne la disposition des pièces du périanthe (calice, corolle) dans le bouton floral.

① **FLEURER** v. tr., terme technique (1832) dérivé de *fleur* (de farine), signifie «saupoudrer (le pain) de son fin» — d'où ② **FLEURAGE** n. m. (1832).

Deux mots apparentés sont formés d'après des dérivés de l'italien *fiore* «fleur», de même origine que le français. ◆ **FLEURON** n. m., réfection (1312) de *floron* (1302), reprend probablement le sens de l'italien *fiorone ;* il désigne un ornement en forme de fleur en architecture (1312), en typographie (1680) ; au figuré (1872) il se dit d'une acquisition de haut prix, à partir du sens de *fleur* «la partie la meilleure». ◇ Il a fourni **FLEURONNER** v. (v. 1440-1475). ◆ **FLEURET** n. m. (1608 ; 1580, *floret*) est l'adaptation de l'italien *fioretto* «petite fleur» (déb. XIVe s.) et terme d'escrime, à cause du bouton du fleuret comparé à celui d'une fleur. Le mot désigne l'arme blanche et le sport d'escrime qui l'uti-

lise. ◆ Il a pour dérivé **FLEURETTISTE** n. (1901) et **FLEURETTISME** n. m. (1911), plus rare.
Le composé **AFFLEURER** v., de l'expression *à fleur de* (ci-dessus), s'est employé (fin XIVe s.) pour «effleurer»; repris en technique, il signifie «mettre (deux choses) au même niveau» (1704, tr.) et couramment «être au niveau de qqch.» (1752, tr.) d'où, au figuré, «émerger, percer» (1845). ◇ Le dérivé **AFFLEUREMENT** n. m. (1593) s'emploie aussi au propre et au figuré.
EFFLEURER v. tr. (1549; *esflourée*, av. 1236) est sorti d'usage au sens de «dépouiller de ses fleurs»; il signifie «entamer légèrement la surface de» (1611), de *fleur* «surface», d'où au figuré «faire une légère atteinte à» (1693) et «toucher légèrement», dans un contexte concret (1578) ou abstrait (1611; ***effleurer un sujet***). ◆ Son dérivé **EFFLEUREMENT** n. m. «action d'effleurer; son résultat» (1578) est assez rare ou littéraire.

◈ voir FIORITURE, FLORAL (et FLORE, FLORILÈGE), FLORÈS, FLORIN; DÉFLORER, EFFLORESCENCE; CHOU (CHOU-FLEUR), MILLE (MILLEFLEURS).

② **FLEURER** v. tr. dérive (XIVe s.) de l'ancien français *fleur* «odeur» (mil. XIIIe s.; v. 1175, *flaör*), issu d'un latin populaire °*flator*, altération, peut-être sous l'influence de *foetor* «mauvaise odeur», du latin classique *flatus* «souffle, vent», dérivé de *flare* «souffler» (→ enfler).

♦ Le verbe, d'emploi littéraire, signifie «répandre une odeur agréable» (*fleurer bon*) et, rare, «sentir (ce qui a une odeur agréable)», valeurs probablement influencées par *fleur*, étymon populaire («sentir bon, comme une fleur»). *Fleurer* s'est employé au figuré comme *sentir*, pour «évoquer l'idée de» (1891), emploi littéraire et rare.

FLEUVE n. m. est une réfection (XVIe s.) de *flueve, fluive* (v. 1130), emprunté au latin *fluvius* «eau courante, rivière», de *fluere* «couler». *Fluere* a pour correspondants dans d'autres langues indoeuropéennes (sanskrit, grec) des mots qui se rattachent à une base °*sreu-* «couler»; il pourrait résulter d'un croisement entre cette base et la racine °*bhleu-* qui indique l'émission d'un liquide. ◆ L'ancien français emploie aussi les variantes évoluées phonétiquement *fluie* (v. 1160), *flue* (v. 1170).

♦ *Fleuve* s'emploie couramment pour désigner un cours d'eau important; cependant, la terminologie géographique lui donne une autre valeur, opposée à *rivière* par l'écoulement direct dans la mer, indépendamment de l'importance *(fleuve côtier)*. Dans la mythologie grecque, *Fleuve* est le nom (1690) de la divinité du fleuve, symbole de fécondité et de puissance et, par extension, de la figure allégorique qui la représente. ◇ L'image du ***long fleuve tranquille*** a été banalisée au figuré dans les années 1980. ◆ Par figure, *fleuve* se dit de ce qui coule en abondance (1640, par exemple dans ***un fleuve de larmes***); de là vient son emploi récent en composition pour désigner un récit très long : *roman-fleuve* (1930) et, sur ce modèle, *discours-fleuve, débat-fleuve*, etc. ◇ Le mot désigne aussi ce qui s'écoule régulièrement, concrètement (1872) ***un fleuve de boue, de lave*** et abstraitement (1680; par exemple dans *le fleuve de la vie*).

▸ **FLUVIAL, ALE, AUX** adj. correspondant à *fleuve*, a été emprunté (1314, en médecine) au dérivé du latin *fluvialis* «de fleuve»; l'ancienne langue avait aussi *fluel* (1268), dérivé de *flue*. ◆ **FLUVIATILE** adj. (1559) est un emprunt au dérivé latin classique *fluviatilis* «du fleuve». ◆ L'élément **FLUVIO-**, créé à partir de *fluvius*, entre dans la composition de termes didactiques comme **FLUVIOMÈTRE** n. m. (1865), **FLUVIOGLACIAIRE** adj. (1886), **FLUVIOMARIN, INE** adj. (1886), qui témoignent du développement de la science géographique et en particulier de l'hydrographie à cette époque.

◈ voir FLUCTUER, FLUER, FLUIDE, FLUOR, FLUX.

FLEXIBLE adj. est emprunté (1314) au latin *flexibilis* dont il reprend les sens et qui dérive de *flexum*, supin de *flectere* (→ fléchir).

♦ *Flexible* se dit de ce qui fléchit aisément, d'où au XXe s. *transmission flexible* (1930, n. m. *un flexible*); par analogie (1630), il s'emploie pour *souple* ***(une voix flexible)***. ◇ Au figuré, dans un contexte psychologique, il signifie (1509) «docile, souple» et, en parlant des phénomènes économiques (mil. XXe s.), «susceptible d'adaptation», valeur adoptée dans l'usage administratif (v. 1970, *horaire flexible*).

▸ **FLEXIBILITÉ** n. f. (1381 au figuré) a des sens parallèles à ceux de l'adjectif. Son emploi en économie s'applique à la souplesse d'application des règles sur les horaires, les salaires, l'emploi et correspond aux dogmes du libéralisme.
INFLEXIBLE adj., emprunté au latin *inflexibilis* (1314; de *in-* négatif), s'emploie rarement au sens concret; il signifie «que rien ne peut émouvoir» (déb. XVIe s.) et «que rien ne peut abattre, ébranler» (1601, *volonté inflexible*); comme l'adjectif, **INFLEXIBILITÉ** n. f. (1611; *inflectibilité*, 1314) s'emploie surtout au figuré (1718). ◆ **INFLEXIBLEMENT** adv. est attesté au début du XVIe siècle.
FLEXION n. f., emprunt (1411) au latin classique *flexio* (de *flexum*), désigne le mouvement par lequel une chose ou une partie du corps fléchit. Le mot s'emploie aussi en linguistique (1804; auparavant on disait *inflexion*) : ce sens, qui existait en bas latin, est attesté dès 1605 en anglais et concerne la modification d'un mot à l'aide d'éléments exprimant certains rapports grammaticaux (cf. *désinence*); de cet emploi dérive **FLEXIONNEL, ELLE** adj. (1864; *flexionel*, 1846). ◆ **FLEXURE** n. f., emprunt (1520) au latin *flexura* «action de courber» (de *flexum*) et à l'origine au sens de «repli», est un terme de géologie (1901) pour un mode de plissement, d'abord apparu en anglais et en allemand.
FLEXUEUX, EUSE adj. reprend (1549) le latin *flexuosus* «sinueux» (de *flexum*), didactique comme **FLEXUOSITÉ** n. f. (1541) emprunté au dérivé bas latin *flexuositas*.

FLIBUSTIER n. m. et adj. représente (1666; aussi *flibutier*) une adaptation de l'anglais *flibutor* (XVIe s.), lui-même emprunt au néerlandais *vrijbuiter* «pillard», littéralement «celui qui fait du butin librement» (cf. ancien liégeois *vribute, vributeur* «voleur de grand chemin»); ce mot se compose de *vrij* «libre» et *buiter* «butin», d'origine germanique. L'anglais a eu aussi la forme *frebetter*, devenue *free-*

booter — d'où en français la variante *fribustier* (1667) jusqu'au début du XVIIIe siècle.

♦ Introduit dans la région des Antilles, le mot désignait autrefois — et aujourd'hui en histoire — les pirates qui écumaient les côtes d'Amérique; il est aussi adjectif (1722, *barque flibustière*); par extension, il s'est dit pour «brigand» (1756) et par atténuation a désigné un «homme malhonnête» (1828).

▸ **FLIBUSTE** n. f. désigne en histoire la piraterie des flibustiers (v. 1642, *fribuste*) — on a dit aussi **FLIBUSTERIE** n. f. (1836) —, par métonymie l'ensemble des flibustiers (1689). Au figuré, il équivaut à «escroquerie» (fin XIXe s.; 1841, *flibusterie*), sens devenu archaïque. Le mot est rare, même en histoire, et littéraire (cf. *Graal flibuste* de R. Pinget). ⟡ **FLIBUSTER** v. (1701, intr.) ne s'emploie aujourd'hui qu'au sens familier et vieilli d'«escroquer» (1845, tr.).

FLIC n. m., d'origine obscure (1856), ne s'est répandu qu'au début du XXe s.; dès 1828 on observe la forme *flique* «commissaire». Il vient peut-être de l'argot allemand *Flick* «garçon» (dès 1510) ou de *Fliege* «mouche, mouchard» (cf. le français *mouche* «policier»). L'existence de *flic à dard* (1836, *fligue à dard*) pour désigner un sergent armé appuie la seconde hypothèse. Pour P. Guiraud, *flic* serait le déverbal de *flica* «claquer», variante de *flaquer* «donner des coups de fouet», d'origine onomatopéique ou qui se rattacherait soit au latin *fligere* «battre» (sous la forme populaire °*fligicare*) soit au germanique *flinke* «frapper», avec la même image que dans *cogne*.

♦ *Flic*, d'abord «agent de police», se dit par extension de tout policier, la valeur péjorative et populaire initiale s'effaçant jusqu'à l'emploi du mot par les policiers professionnels eux-mêmes (*Mémoires d'un flic*). Par extension et péjorativement, le mot s'applique à toute personne susceptible de jouer un rôle de répression et de surveillance.

▸ Le mot a fourni la variante péjorative **FLICARD** n. m. (1883) et **FLICAILLE** n. f. (1939) «police». ⟡ C'est l'idée de surveillance (par la police ou non) qui est conservée dans les dérivés **FLIQUER** v. tr. (v. 1970; 1915, *fliqué* «arrêté par les gendarmes») et **FLICAGE** n. m. (v. 1970), développement lié à l'attitude antirépressive du milieu étudiant français en 1968.
Le verlan modifié de *flic*, **KEUF** n. m. (att. par écrit en 1978) est répandu dans l'usage familier urbain.

FLINGUE n. m. représente une forme abrégée (1881) de *flingot* d'abord mot de l'argot militaire (1858, «fusil d'infanterie»). **FLINGOT** n. m. aujourd'hui vieilli, est emprunté à l'allemand dialectal (Bavière) *Flinke*, *Flingge*, variante de *Flint* «fusil», avec le suffixe populaire *-ot*; *flingue* a pu être francisé directement à la suite de l'occupation de Paris en 1871.

♦ Le mot désigne couramment toute arme à feu portative (revolver, etc.).

▸ Le dérivé **FLINGUER** v. tr. (1947) équivaut familièrement à «tirer sur qqn avec une arme à feu», *se flinguer* à «se suicider» ou à «se désespérer»; d'où les emplois figurés et récents de **FLINGUÉ, ÉE** adj. «déprimé, dégoûté». ⟡ Le verbe a lui-même pour dérivé **FLINGUEUR, EUSE** adj. et n. (v. 1950) appliqué à un personnage qui se sert de son arme.

① **FLIPPER** n. m. est un emprunt (v. 1960) à l'anglo-américain *flipper* «nageoire», puis «main» en argot (XIXe s.), employé pour désigner dans un billard électrique le dispositif qui permet de renvoyer la bille. Il est dérivé de *to flip* «heurter, frapper».

♦ Le français, qui disait *billard électrique*, emploie aussi *flipper* par métonymie pour l'appareil et le jeu (alors qu'on dit en anglo-américain *pinball machine*); il est souvent abrégé en *flip* (1975).

② **FLIPPER** v. intr. est une francisation (v. 1970) de l'anglais *to flip* «agiter, faire bouger» qui a pris par extension en anglo-américain le sens de «devenir enthousiaste, excité» (v. 1950), d'abord dans *to flip one's lid, one's whig* «faire sauter son couvercle, sa perruque».

♦ Le verbe a eu ce sens en français, en particulier en parlant des effets de la drogue, mais aujourd'hui il n'est guère utilisé qu'au sens à peu près opposé de «se sentir déprimé» (qui n'existe pas en anglais); le passage d'un sens à l'autre peut s'expliquer par la rupture de l'état d'excitation que provoque la drogue.

▸ Le participe présent **FLIPPANT, ANTE** adj. (v. 1970) est d'usage courant dans la langue parlée, pour *déprimant*.

FLIRTER v. intr. est une francisation (1855) de l'anglais *to flirt* «agiter, remuer vivement» (XVIe s.), «badiner, être inconstant» (XVIe s.), puis «faire la cour à» (XVIIIe s.) d'origine obscure, peut-être onomatopéique. On a longtemps rattaché le mot anglais au moyen français *fleureter* (XVIe s., «voler de fleur en fleur»), mais celui-ci n'a eu le sens de «faire la cour» qu'à la fin du XIXe s. et *conter fleurette* ne date que du XVIIe siècle (→ fleur).

♦ En français, *flirter* (avec qqn) «avoir des relations amoureuses plus ou moins chastes» a pris le sens figuré (1913, Péguy) de «se rapprocher d'un groupe».

▸ **FLIRT** n. m. et adj., emprunt (1866) à l'anglais *flirt* («chiquenaude» puis «femme débauchée» au XVIe s., «coquette» au XVIIIe s.), désigne la personne avec qui l'on flirte (*un flirt*); l'adjectif (1888 : *il, elle est flirt*) est vieilli. ⟡ Au sens de «relation amoureuse» pris par *flirt* (1879), le français avait emprunté **FLIRTATION** n. f. (1817, mot cité, puis 1833), encore en usage à la fin du XIXe s., et formé le dérivé **FLIRTAGE** n. m. (1855). ◇ Par figure *flirt* se dit d'un essai de rapprochement entre deux groupes (1889, Barrès, *flirt avec le divin*).

① **FLOC** → FLAC
② **FLOC** → FLOCON

FLOCON n. m. est un dérivé (1178) de l'ancien français *floc* n. m. «petite houppe de laine» (v. 1130), issu du latin *floccus* «flocon de laine», mot expressif.

♦ *Flocon* «petite toufffe (de laine, de soie)» désigne par extension une petite masse très peu dense, notamment de neige (1622).

▸ De *flocon* dérivent **FLOCONNEUX, EUSE** adj. (1802) et **FLOCONNER** v. intr. (1801); le verbe avait existé en moyen français (1410) au sens de «fabriquer un habit avec de la laine». ◇ De là **FLOCONNEMENT** n. m. (1874).

FLOCULER v. intr. est un dérivé savant (1911) du diminutif bas latin *flocculus* «petit flocon»; terme de chimie, il signifie «précipiter de sorte que les particules d'une solution colloïdale forment des masses floconneuses». ➜ Il a produit **FLOCULATION** n. f. (1908) et **FLOCULEUX, EUSE** adj. (1911).

FLOCAGE n. m. est dérivé (1938) du radical de *flocon* (plutôt que de l'ancien *floc*) d'après l'anglais *flock* «bourre de laine», lui-même emprunté au français. Ce nom technique a entraîné la création d'un verbe **FLOQUER**, d'où ② **FLOC** n. m. (1973) «ensemble de fibres textiles courtes collées sur un support», **DÉFLOQUER** v. tr. et **DÉFLOCAGE** n. m.

FLONFLON n. m. est d'origine onomatopéique (1680) par le procédé du redoublement.

♦ Onomatopée de certains refrains, il a signifié (1680) «air de chanson»; aujourd'hui, employé au pluriel, il désigne (1872) les accords souvent bruyants d'une musique populaire.

FLOP onomat. et n. m. vient (1952) de l'anglais *to flop* «se laisser tomber», d'origine onomatopéique; *flop* a pris (v. 1850) en anglais des États-Unis le sens figuré d'«échec».

♦ *Flop,* onomatopée pour un bruit de chute, signifie aussi dans l'argot du spectacle «échec» (1965), par exemple dans *faire un flop* «subir un échec» — équivalent de *four** au théâtre.

FLOPÉE n. f. est la substantivation (1843) du participe passé d'un verbe argotique *floper* «battre» (1816), mot construit sur le radical latin médiéval *faluppa* «balle de blé» par une forme populaire °*feluppa* (→ envelopper).

♦ *Flopée* apparaît au sens de «volée de coups», sorti d'usage, et prend par extension (1866) la valeur de «grande quantité», d'emploi familier et usuel.

FLORAISON → FLEUR

FLORAL, ALE, AUX adj. est emprunté comme terme d'antiquité romaine (1520) au latin *floralis* «relatif aux fleurs», dérivé de *flos, floris* (→ fleur).

♦ Terme d'histoire littéraire, ***jeux floraux*** (1549, Du Bellay) est le nom d'un concours littéraire occitan, toulousain (à partir du XIVe s.) où les lauréats recevaient en prix des fleurs d'or ou d'argent. ◇ *Floral* est repris en botanique (av. 1778) et s'applique à ce qui a rapport aux fleurs (1905, *art floral*).

▶ **FLORALIES** n. f. pl., du latin *floralia,* désigne (1546) comme en latin les fêtes célébrées dans l'Antiquité en l'honneur de la déesse Flore *(Flora).* Au sens d'«exposition de fleurs» (1875), le mot est repris du latin *floralia [loca]* «lieu garni de fleurs», pluriel neutre de *floralis.*

Plusieurs mots ont été empruntés à des dérivés de *flos, floris.* ➜ **FLORE** n. f. est un emprunt (1771) au latin *Flora* «déesse des fleurs»; le latin scientifique employait *flora* pour «herbier» (1656). *Flore* désigne la description des plantes d'une région, puis par métonymie le livre qui contient cette description. Par extension, il se dit de l'ensemble des plantes d'un pays (cf. *faune,* qui a connu le même développement sémantique). Par analogie, *flore* s'emploie en médecine (1893, *flore bronchique*). ➜ **FLORÉAL** n. m. a été formé par Fabre d'Églantine, créateur du calendrier républicain (1793), sur le latin classique *floreus* «fleuri» pour désigner le huitième mois de l'année (du 20 ou 21 mai au 20 ou 21 juin). ➜ **FLORILÈGE** n. m. est un emprunt (1697) au latin moderne *florilegium,* formé à partir de *flos, floris* et de *legere* «choisir» sur le modèle du latin classique *spicilegium* qui a donné *spicilège**. ◇ C'est un terme didactique désignant un recueil de pièces choisies et, au figuré (XXe s.), un choix de choses remarquables; il correspond à l'hellénisme *anthologie**.

FLORÈS (FAIRE) loc. verb. vient peut-être (1638, Richelieu) du provençal *faire flori* «être dans un état de prospérité», *flori* étant tiré du latin *floridus* «fleuri, couvert de fleurs» (de *flos, floris;* → fleur), et *faire* ayant le sens de «jouer le rôle de».

♦ *Faire florès* a signifié «faire une dépense d'éclat»; la locution, qui est d'usage littéraire, a aujourd'hui le sens d'«obtenir du succès» (mil. XVIIe s.).

FLORIN n. m. est adapté (1278), d'après *flor,* forme ancienne de *fleur**, de l'italien *fiorino,* dérivé de *fiore* «fleur».

♦ Le mot désignait l'ancienne monnaie florentine (1252), marquée d'un lis (fleur qui figure sur les armes de Florence), qui se répandit dans les États italiens et européens.

Florin est aujourd'hui (1748) le nom de l'unité monétaire des Pays-Bas.

FLOT n. m., d'abord attesté en Normandie (v. 1138), est issu, comme ① *flotter,* du radical francique °*flot-,* «action de couler à flots» (cf. le moyen néerlandais *vlot* «flot» et *vloten* «être emporté par les flots» et «nager») par l'ancien nordique *flód* «flux», pour le premier sens. On peut supposer, avec P. Guiraud, un croisement du latin *fluctuare* (→ fluctuer, flux) avec le radical germanique. L'ancien français a également eu *fluet* «fleuve» et «flot» (mil. XIIe s.), issu d'un francique °*fluod.*

♦ *Flot* désigne au singulier (v. 1138) le flux de la marée et, au pluriel (v. 1176), toutes les eaux en mouvement *(les flots de la mer).* Au figuré, il désigne ce qui est ondoyant (1552, à propos des cheveux). ◇ Par analogie, il s'emploie pour «grande quantité de personnes» (XIVe s.) ou «de choses» (1645) et, par métaphore, pour «écoulement abondant» (1662). ◇ *Flot* entre dans la locution adjectivale ***à flot*** «qui flotte» (de l'ancien français *flot* «surface de l'eau»). Au figuré, ***être à flot*** signifie «cesser d'être submergé par les difficultés» et ***mettre, remettre à flot qqn*** (av. 1636) «mettre, remettre en état d'agir».

▶ ① **FLOTTER** v. intr., formé (1080, *floter*) à partir du radical francique °*flot-,* influencé par le latin *fluctuare,* signifie «être porté sur un liquide». ◇ L'idée de mouvement propre au flot explique les

sens qu'a pris le verbe : «bouger, remuer au gré du vent» (v. 1200), «être instable» (1669), «ne pas être serré» en parlant d'un vêtement (XIXe s.). En parlant d'une monnaie, il signifie «fluctuer» (1971).
① **FLOTTE** n. f. s'est employé dans *a flote* (1260), *en flotte* (1415) «en le laissant flotter». Le mot désigne un corps flottant sur l'eau, synonyme de *flotteur* dans le vocabulaire de la pêche (1407) et régionalement un train de bois flottant (1551). Il s'emploie comme terme technique en charronnerie (1397, «rondelle métallique»), acception dont le lien avec le premier sens n'est pas clair.
Par ailleurs, de *flot* «grande quantité» vient ② **FLOTTER** v. tr. «irriguer» (1409), sorti d'usage; le verbe s'emploie dans un sens technique (1690 tr.; 1611 p. p.) : ***flotter du bois,*** c'est le lâcher sur l'eau pour le transporter. ◆ Ce sens vient de ① *flotte* (cf. ci-dessus) et plusieurs dérivés s'y rattachent : **FLOTTABLE** adj. (1572), d'où vient **FLOTTABILITÉ** n. f. (1856); **FLOTTAGE** n. m. (1611); **FLOTTAISON** n. f. (1752; 1691 comme terme de marine) surtout dans *ligne de flottaison* d'un navire. ◇ *Flottage* et *flottaison* avaient déjà été produits pour «irrigation» (*flotaige* et *flottaison*, 1446). ◆ *Flottage* s'emploie aussi (XXe s.) à propos d'un procédé d'enrichissement des minerais, mais on dit plus souvent **FLOTTATION** n. f. (1923), adaptation d'après *flotter* de l'anglais *floatation* (1908), dérivé de *to float*, verbe emprunté au français. ◆ **FLOTTEMENT** n. m., autrefois «mouvement des flots» (1320), désigne un mouvement d'ondulation (1556; fin XVIe s., «mouvement d'un objet qui flotte sur l'eau») et, au sens psychologique, un mouvement d'hésitation (1801). ◆ **FLOTTEUR** n. m. apparaît au sens de «ouvrier employé au flottage du bois» (1415, puis 1803), sens disparu. ◇ Il désigne aujourd'hui un objet flottant à la surface d'un liquide (1832, terme de pêche). ◆ **FLOTTANT, ANTE** adj. (XVIe s., du participe présent de *flotter*) a le sens général de «qui flotte» et s'emploie comme le verbe, au figuré, par exemple dans ***monnaie flottante*** «à cours non fixe».
③ **FLOTTER** v. impers. est d'origine incertaine (1886, mais antérieur, cf. ② *flotte*); probablement lié à son homonyme, et employé familièrement pour «pleuvoir», il vient peut-être (1886) de ① *flotter* au sens de «couler» (v. 1180), probablement par l'intermédiaire d'emplois dialectaux, ou d'un emploi argotique (1842) de *faire flotter* «noyer», de *flotter* «nager» (1836). ◆ ② **FLOTTE** n. f. apparaît au sens de «bain» (1883) puis s'emploie familièrement pour «eau» (substance ou étendue) [1886] et «pluie»; c'est probablement un dérivé (déverbal) du verbe, malgré son attestation un peu antérieure.

◈ voir **RENFLOUER.**

③ **FLOTTE** n. f. est emprunté (v. 1138, *flote*) à l'ancien scandinave *floti* «radeau». Le mot s'est croisé avec l'ancien français *flote* «multitude, foule» (v. 1181), du latin classique *fluctus* «flux» (→ flux), peut-être par l'italien *flotta* (attesté XIIIe s.) : dans ce sens il est aujourd'hui sorti d'usage.

♦ Il désigne une réunion de navires et, par extension (1835), les forces navales d'un pays; par analogie, il s'emploie pour une formation d'avions (1932) et, récemment (1974), pour un ensemble de véhicules.

▶ **FLOTTILLE** n. f., emprunt (1691) à l'espagnol *flotilla*, diminutif de *flota* (emprunt au français *flotte*), a désigné l'escadre que le roi d'Espagne envoyait dans certains ports d'Amérique; il est repris (1802) pour parler d'une réunion de petits bâtiments et, comme *flotte*, s'emploie pour une formation aérienne (1932).

FLOU, FLOUE adj. et n. m. est repris (1676) de l'ancien français *flo, flou,* qui signifiait «inculte, désert (lieu)» (1200), «fatigué, épuisé» (1274), «fané, flasque», et était issu par évolution phonétique du latin *flavus* «jaune» (cf. l'ancien français *floe* «jaune», XIIIe s.) et, par une métaphore agricole, «fané».

♦ *Flou* est d'abord repris comme terme d'art; Félibien écrit (1676) : «C'est un vieux mot dont autrefois on se servait pour exprimer en termes de peinture, la tendresse et la douceur d'un ouvrage.» Le mot se diffuse au XVIIIe s. aussi adverbialement (1771, *peindre flou* «d'une manière tendre, légère»). Par extension, il prend (adj., 1855, Goncourt) le sens d'«indécis, indistinct», sens où il est substantivé (*le flou*, 1904). *Flou* qualifie et désigne spécialement (XXe s.) en photographie, au cinéma, l'effet obtenu volontairement en diminuant la netteté des images. ◇ Son sens en mathématiques *(sous-ensemble flou)* correspond à la traduction (v. 1970) de l'anglais *fuzzy (set)*.

▶ **FLUET, ETTE** adj. représente une altération (1690) de *flouet* (v. 1450; encore dans les dictionnaires du XVIIIe s.), ancien dérivé de *flou;* mais il n'est plus rattaché à son origine dans la conscience des locuteurs. Il a d'abord le sens d'«apparence fragile» (en parlant du corps) et se dit aussi, par extension (1858), d'un son, d'une voix faible, grêle.

FLOUER v., mot d'origine incertaine, vient peut-être de *frouer* «tricher au jeu» (v. 1460, Villon), mais le sens de ce verbe dans les *Ballades en jargon* est incertain (*frouer aux arques* signifie peut-être «fracturer des coffres»). *Frouer* serait alors un emploi figuré de l'ancien français *froer* «se briser, rompre» (XIIe au XIVe s.), employé pour des armes qui se rompaient au combat et trompaient donc l'attente du combattant. *Froer* est issu du latin *fraudare* «tromper en fraudant» (→ fraude).

♦ *Flouer* s'emploie encore familièrement au sens de «tromper», mais il est sorti d'usage au sens de «tricher au jeu» (1827, intr.).

▶ Les dérivés **FLOUEUR, EUSE** n. (1771) et **FLOUERIE** n. f. (1840) sont peu usités.

FLOUSE n. m. apparaît (av. 1840) dans l'argot marseillais, écrit *felous;* on trouve ensuite les graphies *flouse, flousse* (1895), *flous, flouze.* C'est un emprunt à l'arabe maghrébin *flūs*, arabe classique *fuls* «l'argent», pluriel de *fals, fils,* nom d'une ancienne monnaie arabe. Le mot avait été cité comme mot arabe (1512, *flux*) ou adapté (1670, *felours*) dans des récits de voyage.

♦ D'abord argotique, il équivaut familièrement à «argent», avec de nombreux synonymes dont l'usage se répartit selon la mode.

FLUCTUER v. intr. est emprunté (v. 1364) au latin *fluctuare* «être agité» (en parlant de la mer) d'où, au figuré, «être irrésolu», dérivé de *fluctus* «flot», «agitation», «trouble», lui-même de *fluere* «couler» (→ fleuve).

♦ Il s'emploie rarement au sens concret (v. 1364, «être agité par le vent») mais plutôt au sens figuré (XIVe s.) pour «hésiter, être changeant», avec la même valeur que ① *flotter**.

▸ **FLUCTUATION** n. f. est un emprunt (v. 1120) au dérivé latin impérial *fluctuatio* «agitation» et «hésitation», du supin de *fluctuare.* ◇ Il s'emploie, surtout au pluriel, au sens figuré de «variations successives de sens contraire» (v. 1120) dans le domaine des sentiments comme en économie, où il est usuel (*fluctuation des monnaies, des cours*). C'est aussi un terme de physique (v. 1361) et de médecine (1690). ◆ **FLUCTUANT, ANTE** adj. reprend (v. 1355) le latin *fluctuans* «flottant, irrésolu» (participe présent adjectivé de *fluctuare*), avec des sens correspondant à ceux du nom.

FLUER v. intr. est emprunté (1281) au latin *fluere* «couler, s'écouler», «glisser», «se fondre, se relâcher» (→ fleuve).

♦ Le verbe conserve le sens latin de «couler, s'écouler»; devenu archaïque, il s'emploie spécialement en médecine (1370) à propos de liquides organiques.

▸ **FLUENT, ENTE** adj., tiré du participe présent, s'applique à ce qui est fluide (XIVe s.), seulement en médecine (1800); il se dit en philosophie (XVIe s.) de ce qui s'écoule et au figuré pour «changeant, versatile» (1767), emploi rare. ◆ **FLUAGE** n. m. est un terme technique (1922) comme **FLUÉ, ÉE** adj. (1922).

◈ voir **AFFLUER, CONFLUER, FLEUVE, FLUIDE, INFLUER, REFLUER.**

FLUET → FLOU

FLUIDE adj. et n. m. est un emprunt (1356, adj. et n.) au latin *fluidus* «qui coule», au figuré «mou», «éphémère», de *fluere* «couler» (→ fleuve).

♦ L'adjectif a signifié «liquide» et se dit aujourd'hui d'un liquide ou d'un gaz qui s'écoule aisément (1611, de l'eau); il s'emploie au figuré (1549, Du Bellay), à propos de la façon de parler et d'écrire, puis par extension se dit (déb. XVIIe s.) de ce qui est difficile à saisir et par analogie, de la circulation routière (v. 1964). ◇ *Fluide* n. m. désigne (1764) un corps qui épouse la forme de son contenant et s'écoule, par ex. dans *fluide parfait* (1883). On a parlé de *fluide électrique* (1767). Il est aussi employé (v. 1850) au sens de «force mystérieuse qui émanerait ('coulerait') des astres, des êtres ou des choses».

▸ **FLUIDITÉ** n. f. s'est d'abord utilisé au figuré (1548), puis au sens concret de «qualité de ce qui est fluide» (1649, *fluidité de l'onde*); d'autres sens figurés dépendent des emplois récents de l'adjectif (*fluidité de la circulation,* 1967). ◆ **FLUIDIFIER** v. tr. (1830, Balzac) s'emploie au propre et au figuré; il a produit **FLUIDIFICATION** n. f. (1832) et **FLUIDIFIANT, ANTE** adj. et n. (1856), didactiques. ◇ **FLUIDIQUE** adj. (1856) correspond à l'emploi de *fluide* en occultisme, en parapsychologie.

FLUOR n. m. est un emprunt (1723), antérieurement sous la forme *flueur* (1554), au latin *fluor* «écoulement», «diarrhée» et en particulier «flux menstruel» dans *menstrui fluores.* Ce dérivé de *fluere* «couler» (→ fleuve, fluer) est à l'origine de l'ancien français *flurs* (déb. XIIe s.), *flors* «menstrues».

♦ Il s'est d'abord employé pour désigner les acides restant fluides, puis les minéraux fusibles. Le mot a été repris (1823) pour désigner un corps simple, dont l'existence avait été signalée en 1812 par Ampère et qui ne sera isolé qu'en 1886 par Moissan, gaz verdâtre, très dangereux à respirer, et qui est le premier élément de la série des halogènes.

▸ Le mot a fourni des termes de chimie parmi lesquels : **FLUORURE** n. m. (1820), désignant un sel de l'acide fluorhydrique, **FLUORHYDRIQUE** adj. (1838) qualifiant un acide qui est une solution aqueuse de fluorure d'hydrogène. ◆ **FLUORINE** n. f. (1833) signifie «fluorure de calcium minéral». ◆ **FLUORÉ, ÉE** adj. (1838) a pour préfixés *bi-, trifluoré, ée.*

FLUORESCENCE n. f. est emprunté (1856) à l'anglais *fluorescence,* créé (1852) sur le latin *fluor* (d'après l'anglais *opalescence*); le mot désigne l'émission de radiations lumineuses par un corps qui reçoit des radiations non lumineuses. ◆ **FLUORESCENT, ENTE** adj. dérivé de *fluorescence* (1864) ou reprend l'anglais (1853). ◆ **FLUORESCÉINE** n. f. s'emploie en chimie (1878), **FLUORESCER** v. intr., en physique (1962).

FLUEURS n. f. pl., emprunt ancien et francisé au latin *fluor,* s'est employé pour «écoulement» (XVe s.) et spécialement pour «menstrues» (1552). Il est à peu près sorti d'usage.

FLUO-, FLUOR-, FLUORI-, FLUORO- sont des éléments tirés du latin *fluor* ou de *fluor* n. m. au sens chinique, qui entrent dans la formation de termes didactiques, spécialement en chimie et en physique : **FLUOROSCOPE** n. m. (1898), **FLUOROSCOPIE** n. f. (1897), **FLUOSILICATE** n. m. (1865).

FLUSH n. m. est un emprunt (1896) à l'anglais *flush* (XVIe s.), spécialisé comme terme de jeu pour «réunion de cinq cartes de même couleur au poker», peut-être emprunté lui-même au moyen français *flus* (*flux**), qui désignait (1490) une série de quatre cartes de même couleur au jeu de prime.

♦ Le mot a gardé le sens de l'étymon. Il s'emploie adjectivement dans *quinte flush.*

FLÛTE n. f. apparaît d'abord sous les formes *flaüte* (v. 1165), *flehute* (XIIe s.), puis sous la forme réduite *fleuste* (1220), *fluste* (XIVe s.), enfin *flûte* (XVIIe s.) [cf. aussi le provençal *flaüt,* d'où viennent l'italien *flauto* et l'espagnol *flauta*]. Le mot est probablement d'origine onomatopéique; la suite originelle des voyelles *a-u* est régulièrement employée pour restituer le bruit du vent qui passe dans un tuyau; *fl-* vient sans doute de mots groupés autour du latin *flare* «souffler» (→ enfler, souffler). P. Guiraud propose de voir dans ce nom le déverbal de *flahuter* «faire *hu* en soufflant», composé de *flaer* «souffler» (du latin *flare*) et de *huter* «appeler de loin» (en Normandie ; de *hue*) ; cette hypothèse est discutée mais rend compte de l'élément *-hute, -üte.*

♦ *Flûte* désigne (v. 1165) un instrument à vent et, par métonymie, la personne qui en joue (XIXe s.). L'instrument est allongé, percé de trous dont l'obturation module les sons. Il peut comporter plusieurs tubes de longueur inégale ***(flûte de Pan)*** et, pour le tube unique, être joué transversalement ***(flûte traversière).*** Mais la disposition en long (et le tube unique) commandent le sémantisme. ◇ Par analogie de forme, *flûte* s'emploie pour désigner un verre à pied, haut et étroit (1669, *fleuste*), familièrement et au pluriel les jambes (1756), un pain de forme allongée (1793 ; 1806, *pain en flûte*). ◇ L'interjection *flûte* (1858) marque la déception (cf. *zut*).

▸ Les dérivés **FLÛTEAU** n. m. (1600, *flusteau*), auparavant *flaihutel* (v. 1230, de *flehute*), et **FLÛTIAU** n. m. (1833) désignent une flûte sommaire, le second avec un suffixe senti comme rural, la forme centrale étant *-al* ou *-el.* ◆ **FLÛTER** v. (XIIIe s.), réfection de *flaüter* (v. 1160), est sorti d'usage au sens de «jouer de la flûte» et signifie «produire un son flûté» (XXe s.), valeur issue du participe adjectivé *flûté* dans *voix flutée* (1740). Il s'est dit familièrement pour «boire» (av. 1720), d'abord dans *fleuter pour le bourgeois* «boire beaucoup» (1640) ; cf. *siffler.* ◆ **FLÛTISTE** n. (1828, Nodier) s'est substitué à **FLÛTEUR, EUSE** n. (v. 1534), réfection de *fleütor* (1245).

FLUX n. m. est un emprunt (1306) au latin *fluxus* «écoulement», dérivé de *fluxum* (→ fluxion), supin du verbe *fluere* «couler» (→ fleuve, fluer, fluide).

♦ Il a le sens d'«écoulement» à propos d'un liquide organique (1306), de l'eau (1470), s'emploie spécialement dans *flux menstruel* (1552) et, au figuré, signifie «grande quantité» (1532) d'où (déb. XVIIe s.) l'expression sortie d'usage ***flux de bouche*** «bavardage» (cf. *flot*). *Flux* désigne aussi (1580) le mouvement de l'eau, pour une rivière, la marée montante et, au figuré, un mouvement comparable à celui de la marée (fin XVIIe s.). Par analogie, le mot s'emploie en physique *(flux lumineux* (1897), puis *flux de particules, d'électrons)* et en économie (XXe s.).

▸ Le composé **REFLUX** n. m., qui correspond à *refluer**, s'emploie au propre (1532 ; on a utilisé aussi *reflot*) pour désigner la marée descendante et au figuré (1573), pour «mouvement de retrait».

FLUXION n. f. est un emprunt (XIVe s.) au bas latin *fluxio* «écoulement», de *fluxum,* supin de *fluere* «couler» (→ fleuve, fluer, fluide, flux).

♦ Il désigne un *afflux* de sang, couramment dans la locution ***fluxion de poitrine*** «congestion pulmonaire» (1635), ou un gonflement inflammatoire dû à une infection dentaire (v. 1500). ◇ Le mot latin a été repris par Newton (déb. XVIIIe s.) en mathématiques pour désigner ce que l'on nomme aujourd'hui *dérivée.*

▸ **FLUXIONNEL, ELLE** adj. (1797), dans *calcul fluxionnel,* est un terme de mathématiques sorti d'usage remplacé par *différentiel.*

F. M. n. f. est une abréviation (mil. XXe s.) de l'anglais *frequency modulation* (1922), en français *modulation de fréquence,* dénomination également usuelle. L'abréviation normale en français, *M. F.,* est plutôt interprétée dans le domaine radiotechnique comme «moyenne fréquence».

♦ Un sigle homonyme mais masculin, d'usage courant dans l'armée, correspond à *fusil*-mitrailleur.*

FOC n. m. est une réfection du XVIIIe s. (1722) de *focke* (1463, hapax ; 1602, *focque mast ; foque,* 1702) ; c'est un emprunt au moyen néerlandais *focke* «misaine» (cf. aussi le bas allemand *vocke,* l'allemand *Fock*).

♦ Le mot désigne une voile triangulaire à l'avant d'un navire, par une métonymie entre le mât et sa voile (1771, *grand foc, petit foc*).

FOCAL, ALE, AUX adj. et n. f. est un dérivé savant (1761) du latin classique *focus* «foyer» (→ feu, foyer) ; on relève en latin médiéval le dérivé *focalis* «qui concerne le bois à brûler» (1320) et en moyen français *tenir focale résidence* «avoir feu et lieu» (XVe s., attestation isolée).

♦ *Focal* s'emploie en physique, sans qu'il y ait un souvenir d'un emploi ancien, et signifie «qui concerne le foyer d'un instrument optique». *Distance focale* (1761 au sens mod.) s'emploie aussi en photographie d'où *la focale* nom féminin pour «longueur focale». Au figuré, l'adjectif signifie «central» (mil. XXe s.).

▸ **FOCALISER** v. tr. (1929, sans doute antérieur : cf. *focalisation*) s'emploie en physique et au figuré (1967) pour «concentrer en un point». ◆ En dérivent **FOCALISATION** n. f. (1877), **FOCALISABLE** adj., **FOCALISATEUR, TRICE** adj. (XXe s.), **FOCALISEUR** n. m. (mil. XXe s.).

FOEHN n. m. est emprunté (1760, *foen ;* 1810, *feune*) au mot suisse allemand *föhn, foen,* issu du latin *favonius* «zéphir» (vent d'Ouest), dérivé de *favere* «être favorable» (→ faveur).

♦ Terme géographique ou régional, *foehn* désigne un vent soufflant dans les vallées du nord des Alpes.

▸ En Suisse, le dérivé **FOEHNER** v. intr. est usuel.

FŒTUS n. m. est une réfection étymologique (1541 ; 1478, *fetus*) de *fete* (v. 1370), emprunté au latin classique *fetus* (*foetus* en bas latin) «enfantement», «portée (des animaux)» d'où «nouveau-né» et «génération». *Fetus* est la substantivation de l'adjectif *fetus, feta* «fécondé», dont le radical *fe-* se rattache à une racine indoeuropéenne °*dhē-* «téter» (→ fécond, femme).

♦ *Fœtus,* mot savant, s'emploie au sens de «produit de la conception, chez les animaux vivipares, quand il commence à présenter les signes distinctifs de l'espèce». Il est synonyme partiel d'*embryon.*

▸ En dérive **FŒTAL, ALE, AUX** adj. «relatif au fœtus» (1813 ; 1890, *rythme fœtal*).

◈ voir FAON, SUPERFÉTATOIRE

FOI n. f. est l'aboutissement (XIIe s.) par une série de formes intermédiaires : *feid* (v. 1050), *feit, fei*

(XIIe s.), du latin classique *fides* «foi, confiance», «loyauté», «promesse, parole donnée»; le latin chrétien a spécialisé l'emploi du vocable au sens de «confiance en Dieu»; le mot se rattache à une racine indoeuropéenne °*bheidh-* «avoir confiance».

♦ Dès le XIe s., le mot français apparaît avec ses deux valeurs fondamentales, d'engagement et d'assentiment. Dans un sens objectif, *foi* contient l'idée d'engagement, de promesse (1080); la *foi* dans le système féodal, est le serment de fidélité (→ fidèle) prêté par le vassal et par extension la cérémonie symbolique qui liait le vassal à son seigneur; ce sens de «fidélité» vit encore dans ***foi conjugale*** (1636, *foi;* cf. aussi la locution ancienne [1273] *jurer sur sa foi*); reste aussi la formule d'assertion ***ma foi*** «certes» (fin XVIe s.), autrefois ***par ma foi*** (XIIe s.), ***sur ma foi,*** etc. ◇ Au sens de «garantie (résultant d'un engagement)», *foi* est encore employé dans des expressions comme ***sur la foi de (qqn, qqch.)*** [1273], ***sous la foi de, sous la foi du serment, faire foi*** (1283), ***en foi de quoi*** (attesté XVIIe s.) dans le domaine juridique; le mot survit aussi au sens de «loyauté» dans ***bonne foi*** (v. 1180) et ***mauvaise foi*** (XVIe s.; 1283, *male foi*).
Dans un sens subjectif, le mot *foi (la foi de qqn en, pour...)* signifie «fait de croire (qqn)» — d'où *homme de foi* (XIVe s.) et depuis l'époque classique ***ajouter foi à*** (1541) — cette acception se retrouvant aujourd'hui dans quelques emplois comme ***digne de foi,*** et «confiance absolue» (v. 1180), surtout avec le verbe *avoir* (*avoir foi en, dans,* mil. XVIIIe s.). ◇ Il s'emploie surtout couramment au sens de «croyance en une religion». Employé absolument, *foi* désigne dans le monde occidental les dogmes du christianisme. Par métonymie (1539), le mot désigne la religion elle-même (***article de foi,*** 1632) et s'emploie dans les locutions ***n'avoir ni foi ni loi*** (1667), ***la foi du charbonnier*** (1656) et, ironiquement, ***il n'y a que la foi qui sauve.*** ◇ ***Profession de foi*** signifie d'abord «déclaration de sa foi» (1593, Henri IV) puis l'expression se laïcise et correspond à «déclaration de principes». ◇ Par analogie, *foi* se dit (1817) de toute croyance fervente, hors d'un contexte religieux *(la foi dans la vie)*. Cependant, l'importance religieuse du mot qui désigne dans le christianisme l'une des trois vertus théologales est toujours sensible dans ses emplois.

◈ voir FÉAL, FIDÉICOMMIS, FIDÈLE.

FOIE n. m. est l'aboutissement (XIIIe s.) du bas latin *ficatum,* d'abord «foie gras», puis en général «foie», formé sur *ficus* «figue». *Ficatum* est un calque du grec *(hêpar) sukôton,* littéralement «(foie) de figues» (de *sukon* «figue»), c'est-à-dire «foie d'un animal engraissé avec des figues». Le mot grec est resté longtemps connu dans les pays de langue latine et sa prononciation selon les lieux explique la variété des formes romanes issues de *ficatum :* par exemple, déplacement de l'accent en espagnol d'où *higado;* la métathèse des consonnes *c* et *t* (°*feticum*) donne le catalan *fétge,* le wallon *féte.* En français, par changement d'accentuation, *ficatum* devient *ficitum,* d'où la forme *figido* (VIIIe s.), puis, par métathèse des consonnes, *fidicum,* à l'origine du picard *fie* et de la forme *firie,* avec changement du *-d-* en *-r-* (1080, *Chanson de Roland*); parallèlement, *ficatum* s'était altéré en °*fecatum* (*ī* s'ouvre en *ĕ*), à l'origine du français *feie* (XIIe s.) puis *foie* (XIIIe s.), avec l'évolution habituelle de la prononciation *oye - wé - wa.* Pour Bloch et Wartburg, l'ancien français *fieger* «coaguler (du sang)» — plus tard *figer,* sous l'influence du picard *fie* — viendrait du type °*fecatum, feticum.* Pour P. Guiraud, au contraire, *ficatum, figatum* aurait perdu tout lien avec *figue* — ce qui est très probable, l'engraissement des oies avec des figues n'étant que méditerranéen — et a été compris comme «sang figé», «sang moulé», par référence aux verbes latins *figere* «fixer» et *fingere* «modeler, façonner» (→ figer).

♦ *Foie* désigne d'abord un viscère humain puis (XVIe s.) celui de certains animaux (cf. la répartition de *rognon* et *rein*). Le mot est utilisé dans plusieurs locutions : le foie, organe vital, a été considéré dans de nombreuses cultures comme le symbole du courage et sa perte de couleur supposée comme un signe de peur; de là viennent ***avoir les foies blancs,*** d'où ***avoir les foies*** (1872; v. 1840, *foie blanc* «traitre») «avoir peur», ***donner (ficher,*** etc.) ***les foies*** à qqn. Cependant c'est *cœur,* dont *courage* est un dérivé, qui assume ce rôle de manière privilégiée en français. ◇ Au sens de «foie d'animal», le mot entre dans de nombreux syntagmes courants : *foie de veau, de génisse, de canard, d'oie, de volailles,* notamment dans ***foie gras*** (1690) qui s'applique surtout au foie d'oie et de canard, et dans *pâté de foie* qui a des emplois figurés, comme *avoir les jambes en pâté de foie* «molles». ➜ Le mot est resté isolé; on s'est servi de l'élément *hépat(o)-,* tiré du grec.

✳ ① **FOIN** n. m. reprend (fin XVe s.) une forme dialectale de l'Est (Bourgogne, Lorraine) issue, comme l'ancien français *fein* (1re moitié du XIIe s.) ou *foens* (fin XIIe s.), du latin *fenum* «foin»; le mot est peut-être lié (radical *fe-*) à *fetus* (→ fœtus), signifiant alors littéralement «produit (du pré)». La forme *fein, fain* a été utilisée jusqu'au XVe s.; l'adoption de *foin* a pu être facilitée par le fait qu'elle évitait l'homonymie avec *faim.*

♦ Du sens d'«herbe fauchée (ou destinée à l'être) pour servir de fourrage» viennent des emplois en locutions; c'est l'idée d'«élément de peu de valeur» qui est retenue dans ***bête à manger du foin*** (mil. XVIIIe s.) ou celle de «densité», de «tas important» par exemple dans ***chercher une aiguille dans une botte de foin*** (1690); *de foin* «de pacotille», courant au XVIe s., était vieilli au XVIIe siècle. ***Rhume des foins*** (1873, *fièvre des foins*) s'emploie couramment pour désigner un type d'asthme. ◇ ***Faire du foin*** «faire du tapage» (1903; fin XIXe s. «du scandale») reste inexpliqué.

▸ **FANER** v. tr. (v. 1360) est une altération de *fener* (v. 1200), issu d'un latin populaire °*fenare* (de *fenum*). ◇ Du sens de «retourner un végétal fauché pour le faire sécher» proprement agricole, on est passé à celui de «flétrir» (déb. XIIIe s.); l'emploi intransitif du verbe (XVIe s., *fanir, fener*) correspond pour le sens à *se faner* et à *fané,* plus courants dans cette valeur extensive.
Le déverbal **FANE** n. f. a désigné le foin (déb. XIIIe s.), une feuille sèche (1385); aujourd'hui,

fane signifie couramment, au pluriel, «tiges et feuilles (laissées après la récolte)» (1690) et «feuille sèche tombée d'un arbre» (1829).
Sur *faner* et *fener* ont été dérivés des termes techniques d'agriculture : **FANEUR, EUSE** n., réfection, d'abord sous la forme *fanour* (1402), de *feneor* (XIIe s.) sur *fener*, s'emploie aujourd'hui beaucoup moins que **FANEUSE** n. f. (1855) «machine à faner». ➛ **FANAGE** n. m. (1690 ; 1411, *fanaige*) reprend *fenage* (1312). ➛ **FENAISON** n. f. (1275, *fenoisons*) a pris le sens de «époque où l'on fait le foins» et reste le seul mot de la famille à conserver le *e* de *fener* et du latin : la variante normalisée *fanaison* (1762) n'a pas vécu.
FENIL n. m. (XIIe s.) «réserve à foin» est emprunté au latin *fenile* dérivé de *fenum*, et reste attaché à l'agriculture traditionnelle.
Le composé **ABAT-FOIN** n. m. (1803, en architecture ; de *abattre*) est un terme d'agriculture. ➛ **SAINFOIN** n. m. (1572 ; 1549, *sainct-foin*, par confusion de *sain* et *saint*) est le nom d'une plante herbacée utilisée comme fourrage.

◈ voir ② FOIN.

② **FOIN** interj. (XVIe s.) est d'origine incertaine ; il représente une altération de *fi** ou un emploi particulier de ① *foin* dans la locution ***bailler foin en corne*** (XVIe s.) «vendre une mauvaise bête» ou «tromper» ; l'expression vient de la coutume de signaler les taureaux dangereux par une touffe de foin liée aux cornes, habitude qu'avaient déjà les Romains : *habet fenum in cornu* «il a du foin aux cornes» se disait d'une personne dangereuse.

♦ Cette interjection, courante en français classique, marque le mépris ou le dédain ; elle se construit avec *de*...

① **FOIRE** n. f. est l'aboutissement (XIIIe s.) de *feire* (v. 1130), issu du bas latin *feria* «marché, foire», du latin classique *feriae* n. f. pl. «jours consacrés au repos» d'où «jours de fête», les foires ayant lieu les jours de fêtes religieuses. Le latin médiéval avait conservé *feria* pour désigner cette réalité sociale et commerciale (VIIIe s.-IXe s.). *Feriae* se rattache à une racine indoeuropéenne °*fes-*, °*fas-* à valeur religieuse, qu'on ne trouve qu'en italique (→ férie [et ferial, férié).

♦ *Foire* désigne d'abord un grand marché public en milieu rural, tenu à date et lieu fixes, où se vendent des marchandises diverses, des outils, des animaux, spécialement où l'on vend un certain genre d'articles (cf. *foire aux puces*, fin XIXe s.) puis, avec le développement de l'industrie, une grande réunion où l'on présente des marchandises, hors du contexte rural (déb. XXe s. on dit aussi *foire-exposition*). Alors que la foire rurale a de nombreux synonymes régionaux, cette extension est normalisée en français. ◇ On a retenu du premier emploi l'idée de «fête» et *foire* a pris aussi (fin XIXe s.) le sens de «fête locale», généralement annuelle et accompagnée d'attractions diverses, d'où des syntagmes comme *un Hercule de foire*, et la locution figurée ***faire la foire*** «faire la fête» à propos de laquelle on peut évoquer l'ancien français *mettre son corps en foire* «se prostituer», où *foire* fait allusion au commerce, à la vente. Dans ce sens et dans le précédent, *foire* est en relation sémantique avec *forain**, qu'il a probablement influencé. Par analogie avec l'animation, le désordre, etc., de la foire, le mot signifie (1922) «lieu bruyant», «tumulte, désordre» en concurrence avec *bordel* en français contemporain, et, par une métaphore plus voisine, avec *cirque, cinéma*.

▸ Le dérivé **FOIRAIL** ou **FOIRAL** n. m. (1864), altération du provençal *fieiral, fieral* attesté dès le moyen âge, désigne régionalement (limite sud du domaine d'oïl) le champ de foire.

② **FOIRE** n. f. est l'aboutissement (fin XIIe s.) par la forme *feire* (1165) du latin *foria* «diarrhée», d'origine obscure.

♦ Le mot n'est plus utilisé que dans la locution figurée et familière ***avoir la foire*** «avoir peur» (attesté 1865), qu'on rapprochera de *avoir la colique, faire dans sa culotte*.

▸ **FOIRER** v. intr. (1576), précédé par le composé intensif *tresfoirier* (fin XIIe s.), ne s'emploie plus qu'au figuré en parlant d'un explosif qui fait long feu (v. 1600), évolution de sens à comparer à celle de *péter**, et par extension dans d'autres domaines au sens de «mal fonctionner» (1865). Dans un contexte abstrait, il signifie «échouer» et, en parlant de personnes, «renoncer» (1886).
FOIREUX, EUSE adj. signifie d'abord «qui a la diarrhée» (fin XIIe s., *foiroux*), acception sortie d'usage ; il s'emploie au figuré pour «peureux» (1388 ; repris 1812), en relation avec *péteux*, et pour «sans valeur», «qui échoue» (1872 ; *un projet foireux*). ➛ **FOIRADE** n. f. au propre (1793) et au figuré (1920) a vieilli, comme **FOIRARD, ARDE** adj. (1534) ; **FOIRON** n. m. «derrière» (1837) est sorti d'usage.

◈ voir ENFOIRÉ.

FOIS n. f. est l'aboutissement (XIIe s.) par la forme *feiz* (v. 1050 ; fin Xe s., ancien provençal *vez* ; cf. l'espagnol *vez*) du latin classique *vices*, nominatif et accusatif pluriel de *vix* «place occupée par qqn, succession» (→ vice-), seulement utilisé à certains cas et dans des locutions adverbiales comme *(in)vicem* «à la place de» puis «au tour de» — d'où l'emploi du mot en latin impérial pour «tour, fois». *Vix* se rattache à une racine indoeuropéenne °*weik-* «céder» (cf. en germanique °*wikon* «céder la place, succéder»).

♦ Le mot, employé avec ou sans préposition, marque le degré de fréquence d'un fait (v. 1050, *une feiz, soventes feiz* ; 1080, *ceste feiz*). Il entre dans de nombreuses locutions : ***à cette fois*** (1080), sorti d'usage, ***une fois pour toutes*** (v. 1360), ***toutes les fois que*** (1230), ***à la fois*** «en même temps» (1530 ; «parfois» en ancien français). ***Une fois*** (v. 1170) a une valeur temporelle forte, par exemple dans ***il était une fois*** pour commencer les contes de fées (1697, Ch. Perrault) ; ***une fois que*** (XIXe s.) correspond à «à partir du moment où» ; ***des fois*** pour «certaines fois» (1853), familier, s'emploie dans des formules de protestation *(non, mais des fois...)*. ◇ *Fois* s'emploie aussi, précédé d'un numéral, pour marquer le degré de grandeur ; le mot sert d'élément multiplicateur (1487) ou équivaut à un superlatif (1661; *avoir cent fois, mille fois raison*).

▸ À partir de *fois* ont été formés plusieurs adverbes préfixés. ◆ **AUTREFOIS** adv. (1160, *autrefeiz*), de *autre*, signifie «dans un temps passé»; il est attesté comme nom au sens de «temps passé» (1848; on dit encore dans le Sud-Ouest *les autrefois* pour «autrefois»). ◆ **TOUTEFOIS** adv., formé avec *tout* (1456; *toutefois que*, 1370, est sorti d'usage), veut dire «en considérant toutes les raisons et malgré elles»; il a une valeur logique et non plus temporelle. ◆ **QUELQUEFOIS** adv. (1539; variante *quelquesfois*) s'écrit *quelque fois* (1490), *quelques fois* (XVIe s.); au sens de «une fois, un jour», il est sorti d'usage. En français moderne, *quelquefois* s'emploie pour «parfois».

◈ voir **PARFOIS**.

FOISON n. f. est issu (fin XIe s.) du latin *fusio* «écoulement, action de se répandre» (→ fusion), de *fusum*, supin de *fundere* «fondre».

♦ Le mot s'est complètement détaché de son origine. L'emploi de *foison* au sens de «grande quantité», c'est-à-dire «ce qui se répand», n'est aujourd'hui courant que dans la locution adverbiale ***à foison*** (v. 1140, *a fuison*).

▸ Le dérivé **FOISONNER** v. intr. (v. 1160-1170; v. 1155, *ne pooir fuisoner* «ne pouvoir suffire») s'emploie au sens d'«abonder» d'où *foisonner en, de* (v. 1360). Avec une valeur didactique, il signifie «augmenter de volume» (1691, 1771, en cuisine). ◆ En dérivent **FOISONNANT, ANTE** adj. (1551) et **FOISONNEMENT** n. m. «action de foisonner, son résultat» (1554).

① **FOLIE** n. f. représente (1185 dans des noms de lieux) une altération, d'après ② *folie* (→ fou), de *feuillée* «abri de feuillage» (→ feuille); on relève en picard des formes anciennes comme *foillie, fullie*.

♦ Le mot a désigné (1690) une riche maison de plaisance; le rattachement à ② *folie* a été justifié par l'idée de dépense extravagante liée à ces constructions.

② **FOLIE** → FOU

FOLIÉ, ÉE adj. est un emprunt du XVIIIe s. (1713) au latin *foliatus* «garni de feuilles», dérivé de *folium* (→ feuille).

♦ Il conserve le sens latin en botanique et s'applique aussi (1821) à ce qui a la forme, l'épaisseur d'une feuille.

▸ **FOLIACÉ, ÉE** adj. (1751) calque un autre dérivé de *folium, foliaceus*; l'adjectif est aussi un terme de minéralogie (1865, *roche foliacée*).
Sur *folium* ont été formés d'autres termes didactiques, comme **FOLIAIRE** adj. (1778) et **FOLIATION** n. f. en botanique (1757) et en minéralogie (XXe s.). ◆ Ce dernier a produit **DÉFOLIATION** n. f. (1801) «chute prématurée des feuilles d'un arbre»; le mot a pris au XXe s. un sens technique, «destruction artificielle des feuilles d'un arbre» (v. 1965), emprunt à l'anglais des États-Unis *defoliation*, de *to defoliate* (cf. latin *defoliare* «défeuiller»), en même temps que **DÉFOLIANT** adj. et n. m. (emprunté à l'anglais *defoliant*); le verbe correspondant **DÉFOLIER** v. tr. (v. 1965) reprend le latin d'après *to defoliate*.
FOLIOLE n. f., terme de botanique (1749), est une adaptation du latin scientifique *foliolum* (1744, Linné), emprunt au latin impérial *foliolum*, diminutif de *folium*.

FOLIO n. m. est un latinisme de la Renaissance (1571), mais l'abréviation *fol.* est déjà employée au milieu du XVe siècle. Le latin *folio* est l'ablatif de *folium* «feuille» (→ feuille).

♦ *Folio* désigne en français un feuillet de registre (spécialt, des manuscrits) et (1757) le chiffre numérotant chaque page d'un livre.

▸ Sur le dérivé **FOLIOTER** v. tr. «numéroter (un feuillet, une page)» (1832) ont été formés des termes techniques, **FOLIOTAGE** n. m. (1845), **FOLIOTEUR** n. m. (1892), **FOLIOTEUSE** n. f. (1872), plus courant, et **FOLIOTATION** n. f. (v. 1950).
IN-FOLIO adj. et n. m. (1560 comme adj.), formé avec le latin *in* «dans», est un terme d'imprimerie et signifie «dont la feuille d'impression est pliée en deux»; par métonymie, le mot qualifie un livre in-folio (1688) et est substantivé (1885), recevant dans la langue courante la valeur de «gros livre ancien». Ce format, le plus grand, est en effet plus répandu dans l'édition ancienne (XVIe-XVIIIe s.) que de nos jours.
INTERFOLIER v. tr. est composé (1798, selon Bloch et Wartburg) à partir du latin *inter-* (→ inter-) et *folium*; l'anglais *to interfoliate* est plus ancien (1696). ◇ D'emploi technique, le verbe signifie «intercaler des feuilles de papier blanc entre les feuillets (d'un livre, d'un manuscrit, etc. à brocher)». ◇ Il a produit **INTERFOLIAGE** n. m. (1873).

FOLKLORE n. m. est un emprunt (1877) précédé par *folk-lore* (1872; *folk lore*, 1871) à l'anglais *folk-lore* «science du peuple» (1846), de *folk* «peuple» (1000), d'un germanique °*folkom* (cf. allemand *Volk*) et de l'ancien mot *lore* «savoir, connaissance», d'un germanique °*laizā* (cf. allemand *Lehre*, anglais *to learn*).

♦ Le mot a désigné (1877) la science des traditions populaires d'une région, d'un pays; dans cet emploi, il est en relation avec l'ethnologie, l'histoire et l'étude des cultures et des traditions populaires. Couramment il se dit (1904) de l'ensemble de ces traditions et, par rejet de ce qui est considéré comme démodé, d'une chose pittoresque mais sans importance (1962; sens inconnu en anglais); de là vient la locution ***c'est du folklore*** «ce n'est pas sérieux».

▸ Le dérivé **FOLKLORIQUE** adj. (1884) «relatif au folklore, de folklore» a pris familièrement le sens de «peu sérieux» (1963); l'abréviation *folklo* (v. 1966) n'a que cette valeur figurée. ◆ **FOLKLORISTE** n. et adj. est resté un terme didactique (1882) au sens de «spécialiste des traditions populaires».
FOLK n. m. et adj. est une forme abrégée (1966) de *folksong* (1935, attestation isolée, repris en 1954), mot anglais pour «chanson populaire tradition-

nelle», de *folk* «peuple» (→ folklore) et *song* «chanson». *Folk* désigne en français, d'après l'anglo-américain, une musique traditionnelle modernisée qui s'est répandue aux États-Unis, puis en Europe, à partir des années 1960; elle est liée à un retour aux cultures régionales, conjuguée avec l'influence généralisée des États-Unis; cf. *rock*.

① **FOLLICULAIRE** n. m. a été tiré (1759) par Voltaire du latin *folliculus*, diminutif de *follis* «enveloppe, sac» (→ ② follicule), avec un jeu de mots sur *folium* (→ feuille).

♦ Il désigne un journaliste ou un écrivain médiocre, sans talent.

▸ ① **FOLLICULE** n. m. (1770) «œuvre d'un folliculaire», n'a pas eu le même succès.

② **FOLLICULE** n. m. est un emprunt (déb. XIVe s., *folicule*) au latin *folliculus* «petit sac» qui s'employait en botanique et en anatomie, diminutif de *follis* «enveloppe, outre» (→ fou).

♦ C'est un terme didactique utilisé comme en latin en parlant des plantes (déb. XIVe s.) et en anatomie (1560).

▸ En dérivent ② **FOLLICULAIRE** adj. (1814) après **FOLLICULEUX, EUSE** adj. (1770), **FOLLICULINE** n. f. (1932; 1827, «infusoire») désignant une hormone produite par le follicule ovarien, d'où **FOLLICULINIQUE** adj. (1951), **FOLLICULINOTHÉRAPIE** n. f. (1951), etc. ➛ **FOLLICULITE** n. f. (1836) concerne le follicule pilo-sébacé de la peau et en désigne l'inflammation.

FOMENTER v. tr. est une réfection (1314) de *foumenter* (v. 1220), emprunt au bas latin médical *fomentare*, du latin classique *fomentum* «calmant», au propre et au figuré, «cataplasme», dérivé de *fovere* «chauffer»; le mot a déjà le sens figuré de «soulagement» en latin classique. Le verbe latin a des correspondants dans d'autres langues indoeuropéennes.

♦ Au sens médical, «appliquer un médicament chaud», *fomenter* est vieilli. Il prend des valeurs figurées : «exciter» (v. 1350, *fomentir*), «faire durer (la paix, l'amitié)» (XVIe s.) à l'époque classique et signifie aujourd'hui (1595) «entretenir, provoquer un sentiment ou une action néfaste».

▸ **FOMENTATION** n. f. (1314), emprunt au bas latin *fomentatio* «ce qui sert à réchauffer, à soulager», du supin de *fomentare*, ne s'utilise qu'au figuré (1542), seulement de façon défavorable (1636), comme **FOMENTATEUR, TRICE** n. (1613) ou **FOMENTEUR, EUSE** n. (1864). ➛ Tous les mots de la série sont littéraires.

FONCER → FOND

FONCTION n. f. est emprunté, d'abord sous la forme simplifiée *funcion* (1370) puis par réemprunt *fonction* (1566) au latin classique *functio* «accomplissement, exécution», et en bas latin juridique «service public», «office»; *functio* dérive de *functum*, supin de *fungi* «s'acquitter de, accomplir».

♦ *Fonction* est repéré isolément (1370) pour «exécution» et repris au XVIe s.; il désigne l'exercice d'une charge (1566) et par une extension tardive (début du XIXe s.) la profession comme contribuant à la vie sociale. Le mot entre dans des locutions, comme ***faire fonction de*** «remplir une charge sans en être titulaire» (1835; 1671, *faire la fonction de*), des syntagmes, tel le terme de droit ***fonction publique*** (XXe s.). ◇ À propos des choses, *fonction* a depuis le français classique le sens général (1680) de «rôle actif caractéristique, dans un ensemble» (*les fonctions de nutrition, les fonctions de l'esprit*, etc.) et il est employé dans divers domaines scientifiques : en mécanique (1845), en chimie (1865), en grammaire (1803), etc. ◇ Le mot a aussi une spécialisation comme terme de mathématiques (1694) indiquant un type déterminé de relation entre deux quantités, d'où son emploi dans *fonction directe, inverse* et par extension le sens de «ce qui dépend de qqch.», dans des locutions comme ***en fonction de*** (mil. XIXe s.), ***être fonction de.***

▸ Les dérivés ont sélectionné certaines des valeurs du mot. ➛ **FONCTIONNAIRE** n. (1770, Turgot) se rattache au premier sens de *fonction*. Son succès est lié au développement du rôle de l'État dans l'administration civile et militaire et, au XIXe s., à celui de la *bureaucratie**. ➛ En dérivent, construits sur le radical, des termes didactiques : **FONCTIONNARISME** n. m. (v. 1850, au sens péjoratif de «prépondérance gênante des fonctionnaires dans un État»), **FONCTIONNARIAT** n. m. (1865), **FONCTIONNARISER** v. tr. (1931; 1933 au p. p.), probablement antérieur (d'après *fonctionnarisation*, 1912).

FONCTIONNEL, ELLE adj. (v. 1830) a un sens didactique (mathématiques, sciences), signifiant «relatif aux fonctions»; dans un emploi plus courant il qualifie ce qui remplit une fonction pratique *(mobilier fonctionnel)*. ➛ **FONCTIONNELLEMENT** adv., attesté plus tôt que *fonctionnel* (av. 1755) au sens de «relativement à une charge», qui a disparu, s'emploie en biologie (1858) et d'après le sens courant de l'adjectif. ➛ Le dérivé **FONCTIONNALISME** n. m. (1866) est didactique et correspond à l'aspect dynamique des processus étudiés par la science, notamment (depuis 1958) dans une perspective structurale (cf. *structure, structuralisme*), comme **FONCTIONNALISTE** adj. et n. (v. 1936). ➛ **FONCTIONNALITÉ** n. f. (av. 1966) signifie «caractère fonctionnel» et **FONCTIONNALISER** v. tr. (1965) «rendre (plus) fonctionnel».

FONCTIONNER v. intr. (1787; 1637, *functionner* «remplir une charge») a le sens général de «remplir sa fonction» en parlant d'un mécanisme, et dans le domaine abstrait (XIXe s.), à propos d'une personne, celui d'«exercer une fonction», «travailler», par analogie familière avec un mécanisme, et aussi employé ironiquement (1837). ➛ Le dérivé **FONCTIONNEMENT** n. m. (1838) «action de fonctionner» se dit d'un mécanisme et ne s'emploie que familièrement pour des personnes. ◇ Les deux mots, très courants, ont un vaste registre d'emplois, allant de l'action des instruments, outils et mécanismes aux processus des organisations humaines, des systèmes abstraits, voire des organismes vivants. Comme l'adjectif *fonctionnel*, le verbe *fonctionner* et son dérivé, mis à part leurs usages familiers, trouvent leur unité dans le concept de

«fonction», évolutif suivant l'état des connaissances dans différents domaines.
Enfin, de *fonction* au sens mathématiques vient **FONCTEUR** n. m. (1964) désignant un opérateur logique.

✳ **FOND** et **FONDS** n. m. est issu (1080, *funz;* ensuite *fonz, fons,* puis avec le *d* étymologique [1280]) d'un latin populaire *fundus, °fundoris,* en latin classique *fundus, fundi* «fond de tout objet» — d'où «limite, point extrême» et, par figure, «partie essentielle de qqch.» — «fonds de terre» et en droit «garant de qqch.». *Fundus* est apparenté à un groupe de mots dont les formes différentes ne permettent pas de poser une racine indoeuropéenne, par exemple l'ancien haut allemand *bodam* «sol», le sanskrit *budhnáḥ* «sol, base», le grec *puthmên* «fond, pied (d'une montagne)». *Fond* et *fonds* représentent en français deux variantes graphiques; c'est à partir du XVIIe s. que chaque forme a pris des sens particuliers, mais la confusion entre *fond* et *fonds,* surtout pour les sens figurés, subsiste encore.

♦ *Fond* désigne (1080, *funz*) la région basse d'une chose creuse, qu'il s'agisse d'un récipient, d'une dépression naturelle ou, spécialement, du sol où reposent les eaux d'un lac, d'une mer, etc., et de l'intérieur d'une exploitation minière (1872); par métaphore, le mot signifie «le point le plus bas» ***(le fond de la misère).*** ◇ Par extension, *fond* se dit de la partie la moins exposée au regard et au jour, en parlant d'un lieu (v. 1190); de là la locution ***le fin fond de*** «la partie la plus lointaine» (1580); ce sens a diverses spécialisations : en parlant d'un vêtement (1306, *le fond de ses braies*), de la scène d'un théâtre (1543). *Fond* se dit aussi de la partie opposée à l'ouverture *(le fond d'un tiroir)* ou à l'orifice (v. 1256; *le fond de la gorge*). Par métonymie, le mot désigne ce qu'il y a au fond de qqch. ***(vider ses fonds de tiroir).*** ➜ Par métaphore, *fond* s'applique à ce qui est considéré comme l'élément véritable, au-delà des apparences de l'aspect sensible, en parlant des sentiments (v. 1200) et de la réalité intellectuelle ***(voir le fond des choses);*** de ces emplois viennent les locutions adverbiales ***au fond*** (1585, «en réalité») ou familièrement ***dans le fond*** (1657), ***tout au fond*** (1539, «complètement»). ***À fond*** (1656), intensif, reprend métaphoriquement l'idée d'extrémité; ***à fond de train*** (1872; ellipt ***à fond***) «à toute allure» est probablement construit sur le modèle de locutions anciennes comme ***à fond de cave, à fond de cuve*** (1548, au figuré) en passant de l'idée de «profondeur maximale» à celle de «grande intensité» (cf. la locution récente ***à fond la caisse*** «à toute vitesse», d'une voiture ou «caisse»). ➜ *Fond* désigne aussi, spécifiquement (1280), ce qui sert d'appui, de base, en particulier ce qui supporte un édifice; de là vient la locution ***faire fond sur*** (1657), employée au figuré au sens d'«avoir confiance en» (proprement, «faire les fondations»). ◇ Les idées conjuguées de «ce qui sert d'appui» et de «ce qui est derrière» se retrouvent en arts décoratifs, où *fond* désigne le support sur lequel un décor est brodé, des motifs imprimés (1677); en peinture, c'est l'«arrière-plan» (1636; à propos d'un paysage, 1547). Par extension, *fond* se dit dans différents emplois de ce qui sert de base ou représente une base : ***bruit de fond*** (1885); ***fond musical;*** en cuisine, ***fond de sauce; le fond de l'air*** (1800); ***fond de teint*** (1910). ➜ *Fond,* par figure, désigne (1585, en droit) un élément essentiel qui apparaît derrière l'accidentel. Il s'emploie en ce sens à propos d'une personne (1656), par exemple dans la locution ***avoir un bon fond*** (XIXe s.), ou d'un fait humain ***(un fond de vérité).*** Spécialement, *fond* se dit (1657) de ce qui fait la matière d'une œuvre; la locution adjectivale ***de fond*** (1834, ***article de fond***) équivaut à «essentiel». ◇ Par extension, dans le domaine sportif (1757, à propos du cheval), le mot s'emploie pour «qualités physiques essentielles de résistance» (1863, ***course de fond;*** 1869, en cyclisme; 1909, en ski, en natation). Entré dans une terminologie sportive précise, celle des courses, le mot s'oppose au composé **DEMI-FOND** n. m. (1897) et à *vitesse.*

▸ **FONDS** n. m. ne correspond à l'origine qu'à un sens particulier de *fond,* anciennement *funz, fonz* (v. 1200), «terre qui est cultivée ou sur laquelle on bâtit». Il s'est spécialisé au sens d'«immeubles ou meubles incorporels», par exemple dans ***fonds de terre*** (XVe s.), ***fonds de commerce*** (1680). Par extension (1591), *fonds* désigne le capital dont on dispose, par exemple dans les locutions ***être en fonds*** «avoir de l'argent disponible» (1704), ***les fonds sont bas*** (1762). ➜ Couramment, le mot a pris le sens (1606) de «capital qui sert à financer une entreprise» d'où ***à fonds perdus*** (XVIIe s.), ***fonds publics*** (1757); par métonymie, il désigne (1924) l'organisme chargé de financer (au singulier seulement). ➜ Par figure *fonds* se dit de l'ensemble des qualités d'un individu (1662) et par extension de l'ensemble des ressources qu'on peut exploiter (1690), d'où ***le fonds d'un musée*** (1847), ***le fonds d'une bibliothèque*** (1854). ➜ **BIEN-FONDS** n. m. (av. 1794; de *bien* au sens matériel) «bien immeuble» est un terme de droit. ➜ **TRÉFONDS** n. m. (XIIIe s.; de *tres-,* du latin *trans-* «par-delà») est vieilli comme terme de droit au sens de «sous-sol possédé comme un fonds»; par attraction de *fond,* il désigne (1690) ce qu'il y a de plus profond, au propre et au figuré.
Sur *fond* ou l'ancienne forme *fons* ont été dérivés plusieurs mots et construits des composés. ➜ **FONCER** v. (1375 au participe passé, «muni d'un fond») s'emploie transitivement aux sens de «garnir d'un fond» spécialement en cuisine (1802; 1757, en pâtisserie), par ailleurs de «creuser» (1605), d'où, technique, «pousser au fond» (1752). ◇ Le verbe signifie aussi (1740) «charger en couleur pour rendre plus sombre», la teinte sombre paraissant comme enfoncée. Dans cette valeur, le participe passé **FONCÉ, ÉE,** devenu adjectif (1690), est très courant et s'oppose à *clair.* ◇ Dans un emploi intransitif *foncer* représente une altération de *fondre* et signifie «se jeter sur» (1680) d'où, par extension et familièrement, «aller devant soi, très vite» (1866); cette valeur est liée à l'emploi de *à fond* (voir plus haut); de là vient **FONCEUR, EUSE** n. et adj. (1914) «dynamique et audacieux». ➜ **FONÇAGE** n. m., terme technique, désigne l'action de garnir d'un fond (1840), celle de creuser un puits (1867), plus rarement d'enfoncer un pieu (1873), enfin l'opération

par laquelle on enduit le papier peint d'une couche qui sert de fond (1874). ◇ De cet emploi vient **FONCEUR** n. m. (1872) et **FONCEUSE** n. f. (1946). ➜ **FONCIER, IÈRE** adj. correspond à la fois à *fonds* et à *fond ;* d'une part il se dit (1370) de ce qui constitue un bien-fonds ou y est relatif, d'autre part il signifie (1470) «qui est au fond du caractère de qqn» ***(des qualités foncières),*** sens auquel se rattache aujourd'hui **FONCIÈREMENT** adv. «dans le fond, intimement» (av. 1755) ; cet adverbe existait comme terme de droit (1390) et a pris la valeur de «à fond, complètement» (av. 1475).

ENFONCER v. signifie en emploi transitif «faire aller vers le fond» (1278), d'où les locutions figurées ***enfoncer qqch. dans le crâne de qqn, enfoncer le clou*** «expliquer avec insistance», et le sens d'«entraîner (qqn) dans une situation comparable à un abîme». ◇ En emploi intransitif, *enfoncer* c'est «aller vers le fond» (1544). ◇ Par extension, le verbe s'emploie (1635) pour «briser en poussant» et, par analogie, aux sens de «culbuter (une troupe)» (1580) et de «surpasser qqn» (1820) avec le sémantisme de *battre.* ➜ Le dérivé **ENFONCEMENT** n. m. désigne une partie en retrait (XVe s.), la partie creuse de qqch. (1690) et l'action d'enfoncer, le fait de s'enfoncer (1690). ➜ Sur *enfoncer* a été construit **RENFONCER** v. tr. «regarnir d'un fond» (1335, une huche) et «enfoncer plus avant», au propre et au figuré (1549), d'où **RENFONCEMENT** n. m. (1611). ➜ Par ailleurs, *enfoncer* a servi à former **ENFONCEUR** n. m. (1585), surtout employé dans ***enfonceur de portes ouvertes,*** **ENFONÇOIR** n. m. (1839), nom d'outil, et **ENFONÇURE** n. f. réfection (v. 1580) de *enfossure* (v. 1365) «creux».

DÉFONCER v. tr. (XIVe s.), «briser par enfoncement» dans divers emplois techniques, a pris dans l'argot de la drogue (v. 1960) le sens de «provoquer un état hallucinatoire», en parlant d'un hallucinogène — de là vient **DÉFONCE** n. f. (1972) — et par extension, à la forme pronominale *se défoncer,* celui de «se donner à fond à une tâche, etc.». ➜ Le verbe a produit les dérivés techniques : **DÉFONCEMENT** n. m. (1653), **DÉFONÇAGE** n. m. (1797), **DÉFONCEUSE** n. f. (1855).

TIRE-FOND n. m., terme technique, de *tirer* (1549), désigne une longue vis dont la tête est un anneau et spécialement une grosse vis à bois qui sert à divers assemblages (1874). C'était aussi le nom d'un instrument chirurgical (1611). ➜ En dérive **TIREFONNER** v. tr. (déb. XXe s.).

BAS-FOND n. m. (1690 ; de *bas*) désigne la partie du fond (d'une masse liquide) où l'eau est peu profonde. Un *bas-fond* est aussi un terrain bas, enfoncé (1803), d'où son utilisation figurée au pluriel (1840, Balzac) pour désigner les couches les plus misérables d'une société. ➜ **HAUT-FOND** n. m. (1716 ; de *haut*), qui utilise une des spécifications de *fond,* a seulement le sens de «sommet sous-marin recouvert d'une eau peu profonde». ➜ **ARRIÈRE-FOND** n. m. (1842 ; de *arrière*) désigne la partie la plus secrète ou l'arrière-plan de qqch.

FONDRIÈRE n. f. est un dérivé savant (XIIe s., attestation isolée, repris en 1459) du latin médiéval *fundora* (VIIe s.), pluriel de *fundus, -oris.* ◇ Le mot désigne un affaissement de terrain souvent envahi d'eau (XIIe s.) et par analogie un trou bourbeux dans un chemin défoncé (1843).

◈ voir **EFFONDRER, PLAFOND, PROFOND.**

FONDATION, FONDATEUR → FONDER

FONDAMENTAL → FONDEMENT

FONDEMENT n. m. est emprunté (1119) au latin classique *fundamentum* «fondation, base» au propre et au figuré, «anus» en bas latin médical. Le mot est dérivé de *fundare* (→ fonder).

♦ Le sens figuré de «fesses, anus», devenu rare, constitue un euphémisme pour *cul* (comme *derrière*). ◇ L'emploi en architecture (1120) est aujourd'hui archaïque, le mot étant remplacé par *fondation(s).* Par extension, plutôt au singulier (v. 1175), *fondement* désigne ce sur quoi repose un ensemble de connaissances (cf. la locution ***sans fondement***). Il s'utilise par métaphore (v. 1265) le plus souvent au pluriel ***(les fondements de l'État).***

▸ **FONDAMENTAL, ALE, AUX** adj. est un emprunt (av. 1475) au dérivé bas latin *fundamentalis* «qui constitue la base de qqch.». Il conserve ce sens en français moderne, y compris dans des emplois particuliers : en musique, ***son fondamental*** (1701), ***note fondamentale*** (1721) «qui sert de base à un accord» ; en sciences, ***recherche fondamentale*** (1960) «orientée vers les domaines fondamentaux d'une discipline» s'oppose à *appliquée.* L'adjectif a servi à former plusieurs dérivés. ➜ **FONDAMENTALEMENT** adv. signifiait en architecture (av. 1475) «jusqu'aux fondations» et correspond à l'adjectif (mil. XVIe s.). ➜ **FONDAMENTALISME** n. m. désigne (v. 1920) un courant théologique qui s'en tient à une interprétation littéraire de l'Écriture (donc, aux fondements). Le mot s'est étendu (v. 1980) à d'autres religions, avec une valeur proche d'*intégrisme.* ➜ **FONDAMENTALISTE** adj. et n. (1966), outre son sens en religion, signifie «qui se livre à la recherche fondamentale».

FONDER v. tr. est emprunté (déb. XIIe s.) au latin *fundare* «fonder, bâtir» et «établir», de *fundus* (→ fond).

♦ Il s'emploie dès l'origine au sens matériel d'«établir sur des fondations», d'où vient l'emploi métaphorique et littéraire de ***fonder sur le roc, sur le sable,*** métaphore biblique (XVIIe s.) en concurrence avec *bâtir, construire. Fonder* signifie aussi (1160) au figuré et comme en latin «instituer, établir» en parlant d'une ville, d'une entreprise, etc. et dans le domaine abstrait «établir (qqch.) sur une base déterminée» (v. 1190 ; *fonder un raisonnement sur*). ◇ *Fonder* signifie par ailleurs (1478) «pourvoir d'un fondement rationnel», surtout dans *fonder en...,* et en droit (1690) «fournir les fonds nécessaires à la création de qqch.» À cette acception correspond un emploi du pronominal *se fonder* (1561).

▸ **FONDÉ, ÉE** adj. «versé dans» est attesté au XIIe s. (v. 1160) : en vient *fondé* n. m. (1297) puis *fondé en pouvoir* (1601), aujourd'hui **FONDÉ DE POUVOIR (S)** n. m. (1792).

▸ Deux mots ont été empruntés au supin de *fundare.* ➜ **FONDATEUR, TRICE** n. est une formation savante (1330) à partir du latin *fundator* «celui qui fonde ou a fondé». Il a éliminé en ce sens l'ancien français *fondeor, fondeur* (1150) issu par voie orale de *fundator*. ◆ **FONDATION** n. f. reprend (XIIIe s.) le latin chrétien *fundatio, -onis* «action de fonder» et «fermeté»; seulement pluriel en latin classique, *fundationes* était un terme d'architecture («fondement, base»). ◇ *Fondation* désigne l'action de fonder, d'établir au propre et au figuré; spécialement, il se dit (mil. XVIe s.) pour la création d'un établissement d'utilité publique par voie de donation et, par métonymie (1690), pour l'établissement lui-même. ◆ *Fondation* a également conservé (1391) le sens du latin classique et désigne l'ensemble des travaux et ouvrages qui assurent les fondements d'une construction, sens où il a supplanté *fondement*. Il est alors le plus souvent au pluriel et a des emplois métaphoriques et figurés.

REFONDATION n. f. (1991) et **REFONDATEUR, TRICE** adj. et n. (1989), s'emploient en politique à propos de la réforme en profondeur d'un parti, d'une organisation politique (d'abord du parti communiste, en France). Le verbe **REFONDER** (1993) est peu usité.

FONDRE v. est l'aboutissement (v. 1050, intr.) du latin *fundere* «répandre» et «fondre (un métal)», puis «disperser» et «abattre». *Fundere* vient d'une racine indoeuropéenne °*gheuw-* ou °*gheu-* exprimant l'idée d'un liquide versé abondamment et de façon continue, et représentée en grec par *khein* «verser, répandre» (→ chyle), ainsi que dans plusieurs langues germaniques (par ex. le vieil islandais *geysir* «geyser*», l'allemand *giessen* «verser», etc.).

♦ D'abord employé au sens de «s'effondrer, être détruit», relevé jusqu'au XVIIIe s., *fondre* prend au XIIe s. ses principales valeurs modernes : il signifie en emploi transitif «répandre, verser» (1112) et en emploi intransitif «couler» (v. 1160), d'où viennent la locution figurée ***fondre en larmes*** (v. 1223) et le sens de «s'épancher, se laisser attendrir» (déb. XIVe s.; cf. *faire fondre la glace*). ◇ Parallèlement, le verbe s'emploie transitivement avec une valeur technique (1174-1176) pour «fabriquer au moyen d'une matière en fusion», en particulier «rendre liquide en chauffant» (v. 1190), puis intransitivement pour «devenir liquide» (déb. XIIIe s.); il se spécialise plus tard en métallurgie (1708). ◇ Par ailleurs, abstraitement *fondre* v. tr. veut dire (XIIIe s.) «combiner en un tout», spécialement en peinture (1685, au p. p.; 1770, *se fondre*) et, attesté au XVIe s. mais probablement antérieur, «dissoudre dans un liquide» (1580). Par figure, *fondre* v. intr. signifie «diminuer rapidement» (1575) et, en parlant de personnes, «maigrir beaucoup» (fin XIVe s.). ◇ Enfin, *fondre sur* «s'abattre avec violence, se précipiter sur» (1195), d'abord terme de fauconnerie, s'est répandu à partir du XVIe s. mais est resté littéraire.

▶ **FONDU, UE** adj. et n. m. (1170, «détruit, effondré») se dit de ce qui est conduit à l'état liquide (XIIe s.) et par extension de ce qui est flou (1685), d'où en peinture *le fondu* (1851). ◇ *Fondu* n. m. désigne dans le domaine de l'audiovisuel (1908, cinéma) une apparition ou une disparition graduelle de l'image, du son, d'où (1922) *fondu(-)enchaîné*. ◆ **FONDUE** n. f., participe passé de *fondre*, a été substantivé au féminin au sens de «fonte» (1432). Il a désigné un mets composé d'œufs brouillés et de fromage fondu (1735; *fondue d'œufs* «fondue aux œufs», 1669) puis, avec un sens spécialisé propre au domaine franco-provençal (Savoie, Dauphiné, Suisse), un plat fait de fromage fondu dans lequel on trempe du pain (cf. *raclette*). De ce sens vient *fondue savoyarde* et *fondue bourguignonne* (d'abord en Suisse) où on cuit soi-même des morceaux de viande dans un corps gras bouillant, par analogie de préparation, puis *fondue chinoise*, etc.

FONDANT, ANTE adj. tiré du participe présent, d'abord attesté au sens de «où l'on enfonce» (1553) puis de «qui fond» (1611), a pris des valeurs figurées (1874, *tons fondants* «dégradés») et s'est spécialisé en confiserie, dans ***bonbons fondants*** «qui fondent dans la bouche» d'où, en français de Suisse, *des fondants*. ◇ En métallurgie (1732), le mot est aussi substantif, pour «substance ajoutée à une autre pour en faciliter la fusion».

Plusieurs dérivés sont liés au sens technique de *fondre* «fabriquer avec une matière fondue». ◆ **FONDERIE** n. f. désigne la technique et l'industrie de la fonte des métaux (1680) et l'usine où l'on fond le minerai (v. 1540). On trouve auparavant (1373) *fondrie* au sens de «action de fondre, fusion». ◆ **FONDEUR** n. m. (déb. XIVe s.), réfection de *fonderes* (1260), désigne celui qui fait des objets en métal fondu. ◆ **FONDEUSE** n. f. est un terme de métallurgie (1907).

① **FONTE** n. f. est probablement issu de °*fundita*, féminin substantivé du latin tardif °*funditus* (au lieu de *fusus*), ou bien est formé sur *fondre*. On relève au XVe s. l'expression *fer de fonte* «alliage obtenu par le traitement des minerais de fer» (1472), mais *fonte* est antérieur comme l'atteste le dérivé *fontaille* «fonte» (1227). ◇ *Fonte* désigne l'action de fondre ou de se fondre (1488, *la fonte des neiges*), spécialement des métaux et, par extension, la fabrication d'objets avec du métal fondu (1551; 1567, en typographie). ◆ Par métonymie, le mot se dit (1477) d'un alliage de fer et de carbone. Comme *fonderie, fonte* dans ce sens fait partie de la terminologie métallurgique; les spécialisations et la diffusion de ces mots sont liées à l'histoire des techniques, et à leur importance grandissante aux XVIIIe-XIXe siècles.

REFONDRE v. tr. s'emploie en métallurgie (v. 1130) et, par figure (1679), pour «refaire en fondant des parties les unes avec les autres»; en dérive **REFONTE** n. f. (1594). ◆ Le composé **PARFONDRE** v. tr. (XVIe s.; 1382, «fondre complètement») est un terme technique.

◈ voir MORFONDRE, FUSION.

FONDS → FOND

FONGUS n. m. est un emprunt, d'abord francisé en *fonge* (XIVe s.), puis sous la forme latine *fungus* (1560) écrite *fongus* (1752), au latin *fungus* «champignon» et par analogie de forme, en médecine «excroissance de chair»; *fungus* est sans doute emprunté à une langue méditerranéenne comme le grec *spongos* «éponge*».

♦ Le mot est conservé en botanique (XIVe s.) et en médecine (v. 1560, Paré).

▸ **FONGUEUX, EUSE** adj. (v. 1560), emprunt au bas latin *fungosus* «spongieux», et son dérivé **FONGOSITÉ** n. f. (1561) sont des termes de médecine. ◆ On a tiré de *fongus* les éléments **FONGI-**, **FONGO-** pour former des termes didactiques : ◆ **FONGICIDE** adj. (1867; de *-cide**), **FONGIFORME** adj. (1836; de *forme*), etc. ◆ Cependant, en botanique et à la différence de l'anglais, où les emplois de *fungus* (scientifique) et *mushroom* (usuel) sont nettement répartis, c'est *champignon* qui est utilisé, sauf exception, en français.

FONTAINE n. f. est issu (v. 1130) du bas latin *fontana* «source, fontaine», féminin substantivé de l'adjectif classique *fontanus* «de source», de *fons, fontis* «source», mot sans doute d'origine religieuse (cf. *fonts*). Les mots issus de *fontana* ont été utilisés au sens de «source» ou de «fontaine» dans toutes les langues romanes : ancien provençal *fontana,* vieil espagnol *hontana,* italien *fontana* «fontaine» et *fonte* «source» qui correspond à *fon, fons* dans le sud de la France (cf. en occitan *Font-Romeu*).

♦ Du sens initial d'«eau vive sortant d'une source», par exemple dans *fontaine de jouvence* (XVe s.), on passe par extension (fin XIVe s.) à celui de «construction aménagée pour l'écoulement de l'eau» et spécialement (1690) «construction monumentale avec un ou plusieurs bassins». De là *borne-fontaine* n. f. au XIXe s. (1835). ◇ *Fontaine,* par analogie, désigne aussi (1281) un récipient qui contient de l'eau pour les usages domestiques et en pâtisserie un creux ménagé dans de la farine (1845). ◇ Le mot s'est employé pour «fontanelle» (v. 1290) et comme désignation de la partie supérieure de la tête du cachalot (1872).

▸ **FONTAINIER** n. m. (XIVe s.) ou **FONTENIER** (1292), autrefois fabricant et vendeur de fontaines, a désigné celui qui s'occupe de fontaines publiques (1396) puis celui qui fait des sondages pour découvrir les eaux souterraines (1538).
FONTANELLE n. f. représente une réfection (1690), d'après le latin médical *fontanella* (XVIe s.), de l'ancien français *fontenel(l)e* (XIIe s.) «petite fontaine» et (1200) «haut du crâne», diminutif de *fonteyne* attesté dans ce sens au XIIIe siècle. ◇ Le mot désigne, par analogie avec la forme d'un bassin de fontaine, l'espace membraneux situé entre les os du crâne des nouveau-nés.

FONTANGE n. f., relevé chez Regnard (1688), est certainement antérieur : on le trouve dans un texte anglais publié entre 1681 et 1689. Le mot vient du nom de la duchesse de *Fontanges* qui fut la maîtresse de Louis XIV en 1679 et 1680 : au cours d'une partie de chasse elle noua ses cheveux d'un ruban au-dessus du front; la coiffure plut au roi et devint à la mode; elle était encore portée au XVIIIe siècle.

① **FONTE** → FONDRE

② **FONTE** n. f. est une adaptation (1733), par attraction de ① *fonte* (→ fondre), de l'italien *fonda* «bourse» (fin XIIIe s.) et «étui à pistolets» (1696), du bas latin *funda* «petite bourse», en latin classique «fronde» (cf. l'ancien provençal *fonda* «petite bourse où l'on met un projectile»).

♦ Le mot désigne, le plus souvent au pluriel, chacun des étuis de cuir attaché à l'arçon d'une selle pour y placer des pistolets.

FONTS n. m. pl. est une réfection (v. 1462) de *funz* (1080), *fons* (v. 1160), issu du latin ecclésiastique *fontes,* pluriel du latin classique *fons,* mot dont un dérivé a donné *fontaine**.

♦ C'est encore un terme de liturgie, presque toujours employé dans le syntagme ***les fonts baptismaux*** (1524).

FOOTBALL n. m. est un emprunt (1888; 1872 dans un contexte britannique) à l'anglais *foot-ball* (XVe s.), d'abord «ballon de pied» puis «jeu avec ce ballon», composé de *foot* «pied», d'une forme germanique de même racine que le latin *pes* (→ pied), et *ball* «ballon».

♦ Le mot, déjà signalé dans un texte français comme mot anglais (1698 puis 1728), désignait à la fois ce qu'on appelle en France *football* et le rugby (→ rugby), ceci jusque vers 1900; on distinguait le *football association* (familièrement, l'*assoce*) et le *football rugby;* seul le premier a continué à être appelé *football.* ◇ En français du Québec, *football* désigne au contraire ce qu'on appelle parfois en France *football américain* ou *rugby américain* et le jeu de pied se dit, comme en anglais, *soccer :* le premier de ces sports, typiquement nord-américain, n'est que rarement désigné en Europe, sauf sous le nom de *rugby américain.* ◇ Par analogie, *football* désigne un jeu de table, nommé couramment *baby-foot,* pseudo-anglicisme.

▸ **FOOTBALLEUR** n. m. (1892) et **FOOTBALLEUSE** n. f. (v. 1960) sont les seuls dérivés de *football* (cf. l'anglais *footballer,* 1880). ◆ L'abrégement **FOOT** n. m. (1924) est très courant en France pour «football».

FOOTING n. m. est peut-être un emprunt (1892) à la forme anglaise *footing,* qui n'existe pas dans cette langue au sens de «marche ou course à pied en terrain libre», mais signifie «position stable, fondement». Le mot anglais a pu être formé à partir de *foot* «pied», tiré de *foot-ball,* mais en français les composés en *-ing* ont pour racine un verbe. Le verbe *to foot* (XVIe s.), vu la date de l'emprunt, n'est pas en cause; on dit *to go on foot* «aller à pied», «marcher». Ce pseudo-anglicisme a été quelque peu évincé par *jogging.*

FOR n. m. est un emprunt (1611) au latin classique *forum* qui a sans doute désigné l'enclos autour de la maison, puis a pris le sens de «place publique, marché»; les affaires publiques ou privées se discutaient sur le forum, d'où la valeur de «convention», «tribunal, juridiction» puis, en latin ecclésiastique, «juridiction de l'Église». C'est de cette spécialisation religieuse que vient le sens figuré de «jugement de la conscience» (cf. aussi en ancien provençal *for* «juridiction, loi», et l'espagnol *fuera* «loi, statut»). *Forum* se rattache à une racine indoeuropéenne °*dhwer-* «porte» (où le *w* aboutit à *f*) [→ forum].

♦ En histoire, par emprunt à l'ancien provençal, *for* signifie «coutume, privilège» (XVIe s.), en parlant des régions françaises méridionales. Le mot a désigné une juridiction ecclésiastique (1694) et une cour de justice (1611). ◇ La locution figurée ***for intérieur*** (1635; aussi ***for de la conscience***) a signifié «tribunal intime de la conscience»; *for* ne s'emploie plus aujourd'hui que dans la locution ***dans (en) mon (ton, son) for intérieur*** «dans le secret de ma (ta, sa) pensée».

◈ voir FUR.

♦ **FORAIN, AINE** adj. et n. est issu (v. 1155) du bas latin *foranus* «qui dépasse à l'extérieur», d'où «étranger», du latin classique *foris* «dehors», avec attraction probable de *foire* (cf. la forme dialectale *foirain*). Du même mot latin vient l'ancien provençal *foran* «étranger» (→ dehors, fors).

♦ *Forain* s'est d'abord appliqué à ce qui est à l'extérieur (v. 1155, *de forain*), encore en ce sens au XVIIe s. dans *rue foraine* «écartée» (dep. XIIe s.) et aujourd'hui dans *rade foraine* «ouverte au large» (1770). Parallèlement, le mot a signifié (v. 1170) «qui vient de l'extérieur», éliminé au bénéfice d'*étranger*, aussi comme nom (1179). ◇ Il ne s'emploie aujourd'hui qu'au sens de «qui vend sur les foires, les marchés», les *marchands forains* étant à l'origine des marchands «venant d'ailleurs» (v. 1400-1417), puis parcourant les villages (1549), aujourd'hui qui installent leur étal sur les marchés et les foires (1757). Par extension, *le forain* n. m. est celui qui se produit dans une foire (1738, «bateleur»), d'où la spécialisation de l'adjectif dans *théâtre forain* «de foire» (1836) et dans *fête foraine* (déb. XXe s.).

FORBAN n. m. est dérivé (1247) de l'ancien français *forbannir* «bannir, reléguer» (XIIIe s.), d'un francique °*firbannjan* «bannir» (moyen néerlandais et allemand moderne *verbannen*). Le préfixe *fir-* (cf. allemand *ver-*) a été altéré sous l'influence de la préposition *fors* (→ fors). Le bas latin connaissait *forbannire* (VIe s.), de même sens.

♦ *Forban* signifiait «bannissement» en droit féodal. Par ailleurs, il désignait (v. 1273, *forsban*; 1505) un marin qui exerçait la piraterie pour son propre compte (sens voisin de *corsaire*); par extension, le mot sortant du domaine maritime a pris le sens d'«homme sans scrupule», par exemple dans ***forban littéraire*** (fin XVIIIe s.), puis de «bandit» (1831).

FORÇAT n. m. est un emprunt (1528) à l'italien *forzato* «galérien» (XVIe s.), participe passé substantivé de *forzare* «forcer*» au sens de «condamner»; *forzato* a été aussi adapté sous la forme *forcé* (1534, Rabelais) et l'on a employé *forsaire* (XVIe s., de l'italien *forzaro*).

♦ *Forçat* a désigné autrefois le criminel condamné aux galères, puis le condamné aux travaux forcés (XVIIe s.), en concurrence avec *bagnard*, d'où la locution ***travailler comme un forçat*** (1865). *Forçat* s'emploie aussi au figuré pour «homme réduit à un travail pénible» (apr. 1850).

✱ **FORCE** n. f. est issu (1080) du bas latin *fortia* «actes de force ou de courage», d'où «force» dans la langue de l'Église, pluriel neutre pris pour substantif féminin de l'adjectif *fortis* «fort, courageux» (→ fort). ♦

♦ *Force* désigne (1080) la puissance d'action physique d'un individu, un ensemble d'énergies particulières et, par extension à l'époque classique (1669), la capacité de l'esprit dans l'ordre intellectuel et moral. Ces emplois sont illustrés par de nombreuses locutions et expressions : ***à la force du (des) poignet(s),*** au figuré «sans aide», ***ne pas sentir sa force, être dans la force de l'âge*** (1764), etc., la locution adverbiale ***de force*** (1865, ***tour de force, travail de force***); *faire force à* «faire violence à» (XVIe s.) était déjà archaïque à l'époque classique. ◇ Par extension, *force* désigne «la puissance, le pouvoir d'un groupe» (par ex., dans ***être en force***) et, au pluriel (1176), un ensemble de troupes, d'où *forces politiques, forces conservatrices* (1797, au singulier), etc. ➛ En parlant des choses, *force* signifie «intensité, pouvoir d'action» (v. 1200, *la force d'un sentiment;* 1690, *la force du sang;* cf. aussi *force du style,* 1690, et la locution ***dans toute la force du terme***) et, par extension (1566), «efficacité», au concret *(la force d'un ressort)* comme à l'abstrait *(force d'un argument).* ➛ Dans le contexte des rapports sociaux, *force* s'emploie au singulier pour «pouvoir de contrainte» (1080), seul ou dans des expressions avec *de* (1176), par exemple ***coup de force*** ou ***camisole de force*** (1834); de cette acception dépendent les emplois ***la force publique, la force armée*** (distinct de *les forces,* ci-dessus) et récemment ***force de frappe*** (1959). Par extension, *force de (qqch.)* signifie «caractère irrésistible», par exemple dans ***cas de force majeure*** (1690). De ce sens viennent plusieurs locutions adverbiales, ***de force, par force, à toute force.*** ➛ Dans des spécialisations de plus en plus précises et scientifiques, *force,* qui désigne très tôt (XIIIe s.) le degré de puissance d'un agent physique, signifie aussi «principe d'action, physique ou morale», correspondant à une énergie ou à un travail (1580, ***force attractive,*** Montaigne). Ces notions se sont mises en place avec l'évolution de la physique et, aujourd'hui, *force* correspond à «cause qui déforme un corps, en modifie le mouvement, etc.», spécialement en dynamique (*force vive,* 1740; *force tangentielle,* 1806, Biot; *force centrifuge,* par exemple). ◇ Dans un sens général et non scientifique, le mot s'emploie au propre (1783, *les forces de la nature*) et au figuré par métonymie : ***c'est une force de la nature*** «une personne énergique, indomptable»; la valeur est alors proche de celle de *pouvoir, puissance.*

Enfin, *force* s'emploie comme adverbe de quantité (v. 1200); ***force moutons*** «beaucoup de» (XIIIe s.), ***à force*** «beaucoup» sont sortis d'usage; restent en français moderne la locution prépositive ***à force de*** (déb. XIVe s.) et la locution adverbiale ***à force*** «à la longue», qui a pris une valeur temporelle.

► **FORCER** v. vient (XIe s.) d'un latin populaire °*fortiare*, dérivé de *fortia*. Le verbe s'emploie d'abord dans ***forcer une femme*** «la violenter»; plus généralement, *forcer* signifie «faire céder (qqn, qqch.) par la force» (v. 1200), sens réalisé dans le domaine militaire (1230) et par les locutions figurées ***forcer le succès, le destin*** (1552), ***forcer la main à qqn*** (XVIIe s.). ◇ Par extension, *forcer* signifie «obtenir le passage», par exemple dans la locution ***forcer la porte de qqn*** (1573). ◇ De l'idée de «faire céder», on passe à celle de «soumettre à une pression» (mil. XVe s.) et à celle d'«obtenir par la contrainte ou par son ascendant» ***(forcer l'estime)***. Par extension, *forcer* signifie «passer au-delà de la limite normale» (1210) dans des emplois spécialisés variés : ***forcer un animal*** «le poursuivre en l'épuisant» (1573) et, abstraitement, ***forcer l'allure, forcer son talent*** (1668), ***son style*** (1690), ***forcer le sens d'un mot*** «le déformer» (cf. aussi ***forcer la vérité***). Une autre spécialisation concrète est ***forcer des plantes*** (1605) «les faire pousser plus vite» (→ ci-dessous forcerie). ◇ Dans un emploi intransitif, *forcer* s'utilise surtout aujourd'hui avec un sujet nom de personne, au sens de «faire un gros effort, physique ou moral» (1859).

Le dérivé **FORÇAGE** n. m. a signifié «violence» (v. 1174) jusqu'au XVe s.; il s'emploie dans ***forçage des plantes*** (1873) et pour l'action de forcer (XXe s.). ◆ **FORCÉMENT** adv. est construit (fin XIIIe s., *forcieement* «de force») à partir du participe passé *forcé* et s'emploie aujourd'hui (1792) au sens logique de «d'une manière nécessaire», d'après les emplois figurés de *forcé* : ***c'est forcé*** «c'est obligatoire, nécessaire» (et non plus «imposé par la force», sinon par celle du destin, des lois naturelles). ◆ **FORCEMENT** n. m. n'est plus utilisé aux sens de «viol» (1341) ou de «contrainte» (XVIe s.), mais seulement dans un sens concret (1611).

FORCERIE n. f., autrefois «violence» (v. 1233), est sorti d'usage. ◇ Le mot a été reformé à partir du sens spécial du verbe, désignant une serre chauffée pour «forcer» les plantes (1862). ◆ **FORCEUR, EUSE** n., autrefois «celui qui attaque par force» (1507, n. m.), désigne en français moderne une personne qui dirige une forcerie (1905) et un chasseur, un animal qui force le gibier (déb. XXe s.).

Le composé **S'EFFORCER** v. pron. (v. 1050, *se esforcer*) s'emploie au sens de «mettre toutes ses forces pour atteindre un but, vaincre une résistance», il est littéraire en emploi absolu (v. 1165) pour «faire effort sur soi-même». ◆ Le déverbal **EFFORT** n. m. (1547; 1080, *esforz*) désigne toute activité d'un être conscient qui utilise ses forces pour résister (ou vaincre une résistance), dans l'ordre psychique ou physique : *effort* au XVIIe s. pouvait signifier «atteinte, coup». Par extension le mot, depuis la Renaissance (1547), signifie «action énergique». Spécialement, dans la langue classique *se faire un effort* correspondait à «se faire violence»; aujourd'hui, ***faire un effort*** s'emploie dans de nombreux contextes; en matière d'argent, l'expression équivaut à «apporter une aide financière». ◇ Par métonymie, *effort* a le sens de «résultat de l'effort» (1559); il s'employait à l'époque classique pour «résultat important» d'où «haut fait» *(un bel effort)*, et *coup d'effort* valait pour «coup d'éclat». Il est vieilli au sens métonymique de «douleur musculaire due à un trop grand effort» (1678). *Effort* est aussi un terme de sciences correspondant à «force exercée par un corps».

RENFORCER v. tr. est composé (v. 1155, *renforcier*) de *re-** et de l'ancien verbe *enforcier* (v. 1130) ou *enforcir* (XIIe s.), lui-même construit à partir de *force*. Il signifie «rendre plus fort» au propre et au figuré, mais ne s'emploie plus en parlant de la force physique (cf. *fortifier*). ◆ Le déverbal **RENFORT** n. m. désigne ce qui sert à renforcer, à rendre plus fort, plus important. Le premier sens attesté (1340) est «enchères», l'acception générale étant un peu plus tardive (1409). Le mot s'emploie couramment dans la locution prépositive ***à grand renfort de*** (1534) et, par figure, au sens de «ce qui s'ajoute» (1665). ◆ Le verbe a aussi produit **RENFORCEMENT** n. m. (1388) et au XIXe s. **RENFORÇAGE** n. m. (1865) et **RENFORÇATEUR** n. m. et adj. m. (1898), mots techniques.

◈ voir FORT, FORCING, FORCIR (art. FORT).

FORCENÉ, ÉE adj. et n. représente la modification (v. 1175) de *forsenede* adj. (v. 1050), participe passé de l'ancien verbe *forsener* «être hors de sens, rendre fou» (attesté v. 1119), composé de la préposition *fors* (→ fors) et du substantif *sen* «raison, intelligence», du germanique °*sinno* «sens» et «direction dans laquelle on marche», emprunté par le latin de l'époque impériale (cf. ancien provençal *forsenar*, italien *forsennare*); le *-c-* vient (XVIe s.) d'un rapprochement erroné avec *force*.

♦ *Forcené*, au sens de «personne en proie à une crise de folie furieuse», ne s'emploie aujourd'hui que comme nom (v. 1175; v. 1050, adj.) et signifie par extension «personne qui semble folle» (fin XIIe s.). ◇ L'adjectif signifie par exagération «fou de colère» et, par extension, «emporté par une folle ardeur» (1580) et «passionné». Il équivaut aujourd'hui quasiment à *enragé* (→ rage) et a gardé une valeur très forte. Le nom est l'appellation conventionnelle de tout auteur de violences dont on ne comprend pas les motivations.

FORCEPS n. m. est emprunté (1692) au latin médical *forceps, -ipis* «tenailles (de forgeron)» et «pinces (de dentiste)». Ce mot semble apparenté à *forfex, -icis*, qui désigne un instrument analogue, et dont la racine a été rapprochée de celle du sanskrit *bardhakaḥ* «coupant», et du grec *peptein* «détruire», avec, pour le latin, des phénomènes de déformation; ainsi Festus le rapproche de *formus* «chaud», mot indoeuropéen apparenté au grec *thermos*.

♦ Le mot désigne un instrument en forme de pince à branches séparables, spécialisé en obstétrique.

FORCES n. f. pl. est issu (av. 1135; aussi au singulier en ancien français, 1176) du latin *forfices* «cisailles», pluriel de *forfex*, qui se rattache peut-être au sanskrit *bardhakaḥ* «coupant» (→ forceps).

♦ *Forces* désigne de grands ciseaux utilisés pour tondre les moutons, couper les étoffes, etc.

FORCING n. m. est un emprunt (1912) à l'anglais *forcing*, participe du verbe *to force* «forcer»; *forcing* n'est nominalisé qu'en français.

♦ Il s'emploie dans tous les sports au sens d'«action d'attaquer sans répit» (premier emploi en boxe) et par figure, hors du domaine sportif, (1968) pour «attaque à outrance». Il s'utilise aussi au figuré (1953) au sens d'«entraînement intensif».

FORCIR → FORT

FORCLORE → CLORE

FORER v. tr. est emprunté (fin XIIe s.), peut-être par l'intermédiaire de l'italien *forare* (ou du provençal *forar*), au latin *forare* «percer, trouer» qui se rattache à l'ancien haut allemand *borōn* «percer», au grec *paros* «terre labourée».

♦ *Forer* a gardé le sens de «percer (un trou, une excavation)».

▸ Les dérivés **FORAGE** n. m. (v. 1330) «action de forer», **FORET** n. m. (XIIIe s.) «instrument pour forer», **FOREUR** n. m. et adj. m. (1838), **FOREUSE** n. f. (1884, *foreuse électrique*) et **FORURE** n. f. (v. 1280; repris en 1676) «trou fait avec un foret», sont des termes techniques. ◇ Les quatre premiers se sont diffusés avec le développement de la prospection pétrolière (fin XIXe s.).

◈ voir **PERFORER**.

◈ **FORÊT** n. f. est probablement issu (v. 1121, *forest*) du bas latin *(silva) forestis* (encore attesté dans les capitulaires de Charlemagne) qui signifiait «forêt relevant de la cour de justice du roi». *Forestis* est en effet un dérivé de *forum* «tribunal» (→ for) et a désigné (648) le territoire dont le roi se réservait la jouissance. Cette valeur juridique des premiers emplois rend peu probable une origine francique, à partir de °*forhist* «futaie de sapins» (cf. allemand *Föhre* «pin sylvestre»). On a aussi rapproché *forestis silva* de l'italien et de l'ancien provençal *forestiero* «qui est en dehors (de la commune)», dérivé du latin *foris* (→ fors); la *silva forestis* aurait été un bois hors des limites, et donc de la juridiction, de la commune (opposé à *silva communalis*). La graphie actuelle n'apparaît qu'au XVIIe siècle.

♦ *Forêt*, en concurrence avec *bois*, a éliminé l'ancien français *selve*, du latin *silva* «forêt», qui ne subsiste que dans des noms de lieux (à partir de *silva* ont été construits plus récemment des termes techniques; → sylv-). Le mot désigne une vaste étendue couverte d'arbres (v. 1121) et, par analogie, *forêt de...* se dit (XIVe s.) d'une grande quantité d'objets longs et serrés (comme les arbres d'une forêt). Par métaphore, le mot signifie (1857) «ensemble complexe et inextricable».

▸ **FORESTIER, IÈRE** adj. et n. est dérivé (v. 1140) de l'ancienne forme *forest* ou vient du bas latin *forestarius* (667) «régisseur d'une forêt royale ou seigneuriale»; le nom désigne aujourd'hui celui qui exerce une charge dans une forêt, souvent en apposition dans ***garde forestier***; l'adjectif signifie «qui est couvert de forêt, qui est relatif à la forêt» (1538; cf. le *Code forestier*, 1887). ◂ **FORESTERIE** n. f., qui a signifié en moyen français (1467) «office du forestier», a été repris (1946), d'abord sous l'influence du français québécois où il est usuel, pour désigner les techniques et connaissances nécessaires à l'exploitation rationnelle des forêts, en concurrence avec *arboriculture forestière* et *sylviculture*.

DÉFORESTATION n. f. «action de détruire une partie de forêt» est formé (1874) à partir du bas latin *forestis*; par changement de préfixe. ◇ On a aussi en sylviculture le contraire **AFFORESTATION** n. f. (1908) ou, plus couramment, **REFORESTATION** n. f. (1932).

① **FORFAIT** → FAIRE

② **FORFAIT** n. m., réfection (1639) de *fayfort* (1580), est composé de *fait*, forme verbale de *faire*, et de *for*, altération de *fuer* (v. 1160), *fur** (XIVe s.) «taux», sous l'influence de ① *forfait*.

♦ Le mot désigne une convention par laquelle il est stipulé un prix fixé par avance pour l'exécution d'une prestation, d'où couramment ***à forfait, au forfait***, loc. adj. et adv., et l'emploi en droit fiscal.

▸ *Forfait* a produit **FORFAITAIRE** adj. (1910), dont dérive **FORFAITAIREMENT** adv. (1934), et **FORFAITISER** v. tr. (v. 1965), terme technique d'économie.

③ **FORFAIT** n. m. est une adaptation (1829) de l'anglais *forfeit*, emprunté lui-même (XIVe s.) à l'ancien français *forfet*, *forfait* «crime» (→ ① forfait).

♦ Il désigne, dans le vocabulaire des courses (XVIIe s. en anglais), une indemnité que doit payer le propriétaire s'il ne fait pas courir un cheval qu'il avait engagé dans une course. ◇ Par extension, la locution ***déclarer forfait*** (1892, cyclisme) signifie «abandonner une épreuve» et au figuré (XXe s.) «abandonner», en emploi général.

FORFANTERIE n. f. est un dérivé (1582; 1578, opposé à *poltronnerie*) de *forfant*, *forfante* «coquin» (1546) puis «fanfaron», emprunt à l'italien *forfante*, *furfante* (même sens), participe présent adjectivé de *furfare*, lui-même emprunté à l'ancien français *forfaire* au sens de «faire du mal, du tort» (1080; → faire).

♦ *Forfanterie* a signifié à l'époque classique «tromperie» (1582) et *une forfanterie* «un acte de violence» (1600); ces valeurs ont disparu quand le sens moderne s'est imposé. ◇ Le mot désigne une action de vantard (XVIe s.); sous l'influence sémantique de *fanfaron*, il s'emploie (1669) à propos du caractère d'une personne qui se montre impudemment vantarde; son sémantisme est très proche de celui de *vantardise*. Le passage a pu s'opérer dans le contexte de la comédie italienne, comme pour *matamore*.

FORGE n. f. est issu (v. 1160) du latin *fabrica* «atelier» et spécialement «atelier de forgeron» (→ fabrique); on relève aussi *faverge* (v. 1175). *Fabrica* est dérivé de *faber* «artisan qui travaille les corps durs»; la spécialisation a d'abord été préci- ◈

sée par un adjectif (*faber aerarius* «fondeur de bronze»), puis *faber* ne s'est employé que pour le travail des métaux (cf. *orfèvre*).

♦ Dès l'ancien français, *forge* désigne un atelier où l'on travaille les métaux puis, par métonymie, le fourneau de la forge (1690). Par extension, avec le développement des techniques, *forge* prend au XVIIe s. le sens de «grand fourneau où l'on fond le minerai», d'où (1770) celui d'«installation où l'on façonne les métaux». Cette acception a vieilli à partir du XIXe s. avec l'expansion progressive de la métallurgie lourde et de sa terminologie (*haut fourneau**, etc.); le sens d'«entreprise de fabrication du fer» (1690), lié à un état de l'industrie, est aujourd'hui sorti d'usage.

▸ **FORGER** v. tr. est une réfection (XIIIe s.) de *forgier* (v. 1120), issu du latin *fabricare* «façonner, fabriquer*»; les formes *favrechier, favargier* sont aussi attestées. ◇ Le verbe s'est spécialisé au sens de «travailler (un métal) à chaud», «façonner un objet de métal» (v. 1130). Au sens figuré de «créer» (v. 1120), *forger* n'est plus en usage; il reste littéraire pour «imaginer, inventer» (v. 1120), plutôt avec l'idée d'«effort» et souvent de «tromperie» (1580). ➝ Les principaux dérivés se rattachent au sens concret du verbe. **FORGEUR, EUSE** n. (XIIIe s., *forgeor*) s'emploie aussi au figuré (1559). ➝ **FORGERON** n. m. (1538; XIVe s., *forjeron*), aussi adj. au XVIe s., a éliminé l'ancien français *fèvre* (fin XIIe s.), du latin *faber*. Verbe et substantif dérivé ont servi à former un proverbe : ***c'est en forgeant qu'on devient forgeron*** (fin XVIe s., *à forger on devient forgeron*), traduction du bas latin *fabricando fit faber*. ◇ **FORGEABLE** adj. (1627) et **FORGEAGE** n. m. (1755) sont des mots techniques.
FORGERIE n. f. a signifié «machination» (1379) et «métier de la forge» (XVIe s.). Il conserve le sens de «ce qui est fabriqué, imaginé» (1870), peut-être sous l'influence de l'anglais *forgery* «contrefaçon».
Le composé **REFORGER** v. tr. (1416, *reforgier*) ne s'emploie qu'au propre.

FORMALISER, FORMALISME
→ FORMEL

FORMAT

FORMAT n. m. représente probablement un emprunt (1723) à l'italien *formato* «dimensions du papier» (XVIIIe s.), «mesure, dimension» (XIVe s.), participe passé du verbe *formare* «former», emprunt au latin *formare* (→ former, forme).

♦ Le mot désigne la dimension caractéristique d'un imprimé ou d'une feuille de papier (donnée alors souvent par son filigrane) et par extension les dimensions d'un livre (ex. : ***grand format, format de poche***). Par analogie (XXe s.), *format* s'utilise à propos d'un tableau, d'un disque, etc. ◇ Le mot équivaut (1872) à «dimension, taille» à propos d'une personne (***un homme de grand format*** et, par métonymie, ***un grand, un petit format***). ◇ *Format* s'emploie aussi en informatique (1955) par emprunt à l'anglais *format*, de même origine, au sens de «modèle définissant les règles à observer pour les dimensions des informations et leur disposition».

▸ De ce dernier emploi sont issus les dérivés **FORMATER** v. tr. (v. 1970, de l'anglais *to format*) et **FORMATAGE** n. m. (v. 1970, dérivé français d'après l'anglais *formating*), avec les préfixés **REFORMATER** v. tr. et **REFORMATAGE** n. m. (v. 1980).

FORME

FORME n. f. est emprunté (fin XIe s.) au latin *forma* «moule», «objet moulé» et «forme», qui semble lié au grec *morphê* par un rapport de métathèse et lui correspond pour le sens (→ morpho-); *forma* a peut-être été emprunté au grec par l'intermédiaire de l'étrusque.

♦ *Forme* a développé le sens général d'«apparence sensible» (v. 1119); de là le mot désigne l'ensemble des traits qui rendent l'identification possible (1155) et, par métonymie, ce qui est confusément perçu (1835). Le mot s'emploie pour désigner une réalisation concrète particulière — que l'apparence soit occasionnelle (par ex., dans *la forme d'une phrase* et les locutions ***en forme de*** [v. 1165], ***être en forme, prendre la forme de...***) ou non —; *forme* en ce sens s'emploie dans des contextes divers : «contour (d'un point de vue esthétique)» (1668) ou encore «organisation (d'une société)» (XVIe s.), et au pluriel pour «contours du corps humain» (mil. XVIIIe s.). ◇ Il se dit couramment de l'expression sensible d'une pensée par le langage (XIVe s.) — d'où, par extension, «arrangement de mots» et aussi (1835) «aspect sous lequel se présente un terme» *(la forme du masculin, du pluriel...)*. *Forme* désigne un type sur le modèle duquel on construit une œuvre d'art (1661; v. 1265, «modèle à imiter»), en particulier dans *poème à forme fixe* et, par métonymie, *forme fixe*. ◇ *Forme* désigne aussi comme en latin («moule») ce qui donne sa forme à d'autres objets, dans divers emplois techniques : en cordonnerie (fin XIe s.), en imprimerie (1549), en papeterie (1555), d'où, par exemple, l'expression *papier à la forme*, en chapellerie (1636; d'où le composé *haute-forme, haut de forme* qualifiant un chapeau d'homme). Par ailleurs, *forme* est par métonymie le nom d'objets qui possèdent une forme caractéristique : «banquette» (v. 1200) en archéologie, «gîte du lièvre» (v. 1300) autrefois en vénerie, «bassin» (1386) en marine. ➝ Du sens général vient celui d'«apparence, organisation conforme à une norme» et, spécialement «manière d'agir selon les règles établies» (XVIe s.) avec la spécialisation du pluriel *les formes* «manières courtoises» (XVe s.), déjà en 1280 au sens de «manière d'agir», d'où les locutions ***dans les formes*** (XVIe s.), ***pour la forme*** (1665). ◇ Dans le domaine juridique, *forme* (1549) désigne l'aspect extérieur d'un acte, d'où les locutions ***en bonne et due forme*** «dans les règles» (1700) et ***sans autre forme de procès*** (1585) «sans discussion», employée au figuré. C'est cette acception que satirise Beaumarchais dans *le Mariage de Figaro (la fo-o-o-rme)*.
Du latin médiéval *forma* (XIIIe s.) a été retenu le sens de «principe interne d'unité des êtres» en philosophie (1270) et en logique, sens qui se prolonge en psychologie et en biologie, où ***théorie de la forme*** (XXe s.) traduit l'allemand *Gestalttheorie*, cf. *La Psychologie de la forme*, Paul Guillaume, 1937. Dans de nombreuses valeurs, l'opposition *forme-fond* reste très active, malgré son caractère superficiel. ➝ Le sens de «bonne condition physique» (c'est-à-dire

FORME

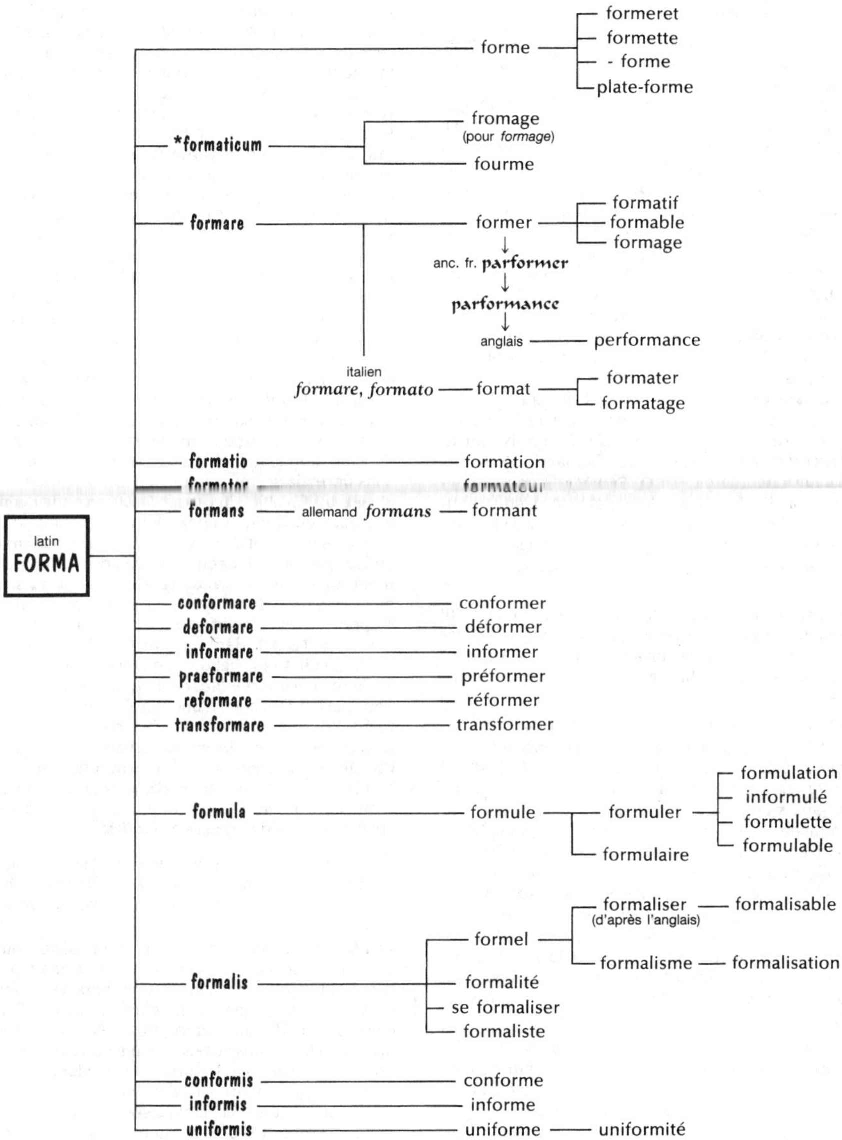
latin
FORMA
forme
formeret
formette
- forme
plate-forme
*formaticum
fromage
(pour formage)
fourme
formare
former
formatif
formable
formage
anc. fr. parformer
parformance
anglais
performance
italien
formare, formato
format
formater
formatage
formatio
formation
formator
formateur
formans
allemand formans
formant
conformare
conformer
deformare
déformer
informare
informer
praeformare
préformer
reformare
réformer
transformare
transformer
formula
formule
formuler
formulation
informulé
formulette
formulable
formulaire
formalis
formel
formaliser
(d'après l'anglais)
formalisable
formalisme
formalisation
formalité
se formaliser
formaliste
conformis
conforme
informis
informe
uniformis
uniforme
uniformité

«bonne apparence») a été emprunté (1858) à l'anglais *form* (1760) de même origine que le français *forme,* d'abord en parlant d'un cheval, puis d'un sportif (1884), d'où les locutions courantes ***être en forme*** (1933), ***en grande, en pleine forme,*** et par extension le sens d'«aptitude à agir». ◇ Dans cet emploi, le préfixé **SUPERFORME** n. f. (v. 1970) est usuel. Voir aussi le schéma au recto.

▸ À partir de *forme* ont été dérivés quelques termes techniques : **FORMERET** n. m. (1490), d'abord *fourmoyret* (1397), issu de *forme* au sens spécial (archaïque) de «fenêtre d'église», désigne en architecture un arc dans l'axe d'une voûte; **FORMETTE** n. f. s'emploie en imprimerie (XXe s.); **FORMIER** n. m. en cordonnerie (1220) et en chapellerie (1680). ➛ Le composé **PLATE-FORME** n. f. (XVe s., de *plat,* adj.) désigne une surface («une forme») plane, plus ou moins surélevée, spécialement la partie ouverte d'un véhicule public et, par extension, un wagon plat. ◇ Le sens d'«ensemble d'idées, de principes, etc. qui servent de base pour présenter une politique» (dans ***plate-forme électorale***) est emprunté (1855, rare av. 1950) à l'anglo-américain *platform* (1844 en ce sens), lui-même emprunté au français.

-FORME est un second élément tiré du latin *-formis,* de *forma* «forme», utilisé pour construire des mots savants (cf. *morpho-; -oïde*). Le préfixé **MULTIFORME** adj. se trouve dans Lamarck (1778).

L'expression latine **PRO FORMA** s'emploie en fonction d'adjectif (dep. 1603) pour une facture anticipée, établie dans les règles, mais «pour la forme», sans entraîner de conséquences juridiques.

◈ voir FORMEL, FORMER, FORMULE, FROMAGE.

FORMEL, ELLE adj. est un emprunt (v. 1270) au latin classique *formalis* «qui a telle forme», en latin médiéval «qui est suivant la forme» en droit, et terme de philosophie en latin scolastique, dérivé de *forma* (→ forme).

♦ Dans la scolastique (v. 1270, *cause formelle*), l'adjectif est appliqué à ce qui a une existence effective, repris chez Descartes dans *réalité formelle* (1647). Il reste comme terme de philosophie et de logique, lié aux valeurs spécifiques de *forme.* ◇ *Formel* se rattache à un autre sens de *forme* et signifie (1560) «qui est énoncé de façon déterminée» *(ordre formel).* ➛ Enfin, *formel* qualifie (XXe s.) ce qui concerne la forme, soit à propos de ce qui repose sur la forme et, couramment, de ce qui prend plus en compte la forme que le contenu *(un enseignement formel),* soit à propos de ce qui privilégie les formes sociales *(une politesse formelle),* de ce qui est fait pour respecter la forme *(accord formel)* ou de ce qui est fait dans les formes.

▸ **FORMELLEMENT** adv. (XIVe s., *fourmelement*) a remplacé *formeement* au sens de «clairement, certainement» (1478-1480) et dans un emploi didactique (XXe s., «en considérant la forme»).

Les dérivés du latin *formalis* ont servi, avec *formel* et le mot anglais de même origine *to formalize,* à produire une série de mots courants ou didactiques.

① **(SE) FORMALISER** v. pron. et tr., est construit à partir du latin *formalis* «relatif à la forme». Il signifie «se choquer d'un manquement aux formes, aux conventions» (1539). Le verbe a eu en moyen français un emploi transitif (XVIe s.), «offenser qqn».

② **FORMALISER** v. tr. est construit (av. 1944) à partir de *formel* (dans son emploi didactique), d'après l'anglais *to formalize* au sens de «donner une forme à» (attesté dès 1597 et courant à partir du XVIIe s.). Le sens didactique de «donner des caractères formels (à une théorie, etc.)» est apparu en anglais à la fin du XIXe siècle. ➛ À partir de *formaliser* ont été construits des termes didactiques : **FORMALISABLE** adj. (av. 1944), **FORMALISANT, ANTE** adj. (mil. XXe s.) et **FORMALISATION** n. f. «réduction aux structures formelles» (av. 1944; probablement d'après l'anglais *formalization* attesté dès 1682 en philosophie, et en 1875 en logique). Ce mot, comme le suivant, est lié au succès de la notion de *forme** en philosophie et en sciences humaines.

FORMALISTE adj. et n. (1585; du latin *formalis*) s'emploie à propos des relations sociales et, à partir du XIXe s., en philosophie (1845) et en sciences humaines. ➛ **FORMALISME** n. m., dérivé de *formel,* d'après le latin *formalis,* se rattache aussi à des emplois différents de *forme.* Il signifie «attachement aux formes» en tant que conventions (1831, Michelet) et, en esthétique, désigne la tendance à rechercher la beauté formelle en art. *Formalisme,* dans un emploi didactique, se dit de la tendance à considérer la forme comme principe d'unité des êtres dans un objet de pensée (1823, en philosophie à propos de Kant, et chez Maine de Biran). ◇ Le mot a été introduit d'après l'allemand *Formalismus* en logique mathématique, au sens de «développement de systèmes formels» (déb. XXe s.) et au sens de «structure formelle (d'une théorie)» (1928, d'après le mathématicien allemand Hilbert).

FORMALITÉ n. f., dérivé savant (1425) du latin *formalis,* se dit au pluriel de ce qui est prescrit par la loi, la règle *(les formalités de douane),* mais est rare pour parler d'un acte, d'une parole prescrits par le respect des conventions, des formes (1666). Par extension (déb. XXe s.), *formalité* désigne un acte qu'on doit accomplir mais auquel on n'accorde que peu d'importance : cette valeur correspond à celle de *forme* dans ***pour la forme,*** et appartient au même champ sémantique que *se formaliser.*

FORMER v. tr. est emprunté (v. 1135) au latin *formare* «donner une forme», d'où «façonner, former», «arranger», «instruire», «régler», dérivé de *forma* (→ forme).

♦ L'idée de création l'emporte dans une série d'emplois : le verbe signifie «créer» (v. 1150; *Dieu a formé l'homme*) et par extension «émettre hors de soi, formuler» (1172), sens sorti d'usage aujourd'hui comme ceux de «faire entendre» (1664) et «engendrer» (1647). ◇ Dans l'usage moderne, *former* se dit pour «concevoir par l'esprit» (1604), «donner une forme» en grammaire (1680) et «faire exister selon une forme» (1690). Le noyau sémantique semble s'être déplacé de «créer», «faire exister (par une forme)» à «organiser». Mais l'idée d'«être la cause de qqch.» domine encore dans certains sens du verbe : *former* signifie alors «prendre la forme de»

(1563; au p. p. *formé* «qui a pris sa forme» dès 1160) et «donner une forme à qqch.», dans un domaine concret (v. 1135; ex. : *former ses lettres*) ou quand on parle de l'esprit (1580, Montaigne); se rattache à cet emploi le pronominal *se former* «s'instruire, se cultiver» (1688). *Former* a aussi le sens d'«entrer dans un ensemble en tant qu'élément» (mil. XVIIe s.).

▸ Sur *former* ont été construits des termes techniques : **FORMABLE** adj. (1516), **FORMAGE** n. m. (1875; 1512, en ancien provençal «dessin»), **FORMATIF, IVE** adj. «qui sert à former» (1413, *vertu formative;* repris en 1808).
Plusieurs mots sont des emprunts à des dérivés de *formare* ou de son supin. ➝ **FORMATION** n. f. (v. 1170), emprunt au latin *formatio* «forme, confection» (l'évolution phonétique normale avait donné *formaison,* XIIe s.), désigne l'action de former qqch. ou, plus couramment, le fait de former, de se former, en géologie (1774, *formation d'une roche*) et en botanique (XXe s.). Il se dit spécialement (1898) en parlant de l'espèce humaine des processus qui aboutissent à l'état adulte. On parle depuis le XVIe s. (1550) de la *formation d'un mot,* ensuite *d'une langue.* ◇ Par métonymie, *formation* se dit de ce qui est formé *(une formation nuageuse)* et s'emploie spécialement pour désigner un groupement de personnes (1789, *une formation politique; formation militaire,* 1790). ◇ *Formation* s'emploie aussi à propos de l'éducation d'un être humain et, spécialement (v. 1930), pour désigner l'ensemble des connaissances dans un domaine. On parle depuis le milieu du XXe s. de la *formation des adultes* (1951) et de la ***formation permanente;*** à ces emplois se rattache *formateur* (→ ci-dessous) dans *formation des formateurs.* ➝ **FORMATEUR, TRICE** n. et adj. «qui forme» (1488, n. m., à propos de Dieu «créateur»; adj., 1578; latin *formator*) a remplacé les formes populaires de l'ancien français *formere, formeour* «créateur». ➝ **FORMANT** n. m. (mil. XXe s.; *formans* en 1933, repris de l'allemand *Formans,* 1894; du participe présent de *formare*) est un terme didactique en musique («fréquence de résonance») et en linguistique («élément de formation»).
REFORMER v. tr., préfixé en *re-,* d'abord écrit *refurmer* (1174) au sens de «rétablir» sorti d'usage (→ réformer), signifie «prendre une nouvelle forme» au pronominal *se reformer* (1269-1279) et «former de nouveau» (v. 1440). *Se reformer* s'emploie en particulier dans le domaine militaire (1787) en parlant de troupes dispersées qui se regroupent.

◈ voir FORMAT, DÉFORMER, INFORMER; FOURME, FROMAGE.

FORMIDABLE adj. et n. m. est un emprunt (1392) au latin *formidabilis* «qui inspire la crainte», de *formidare* «craindre, redouter», dérivé de *formido, -inis* «épouvantail» d'où «effroi, terreur», mot expressif.

♦ *Formidable* est devenu archaïque et littéraire au sens étymologique de «terrible, redoutable». Ce sens était le seul jusqu'au début du XIXe s. et les emplois dans les textes antérieurs sont souvent mal compris aujourd'hui. Vers 1830 apparaît en effet la valeur «dont la taille, la puissance, etc., est grande» d'où vient, par exagération, l'emploi pour «étonnant» et (1826) comme superlatif en général laudatif, sans application sémantique particulière (cf. pour la même évolution *sensationnel, extraordinaire,* etc.). *Formidable* est alors souvent abrégé par apocope en *formi* (1959), *formide* (1957), formid (v. 1960). ◇ *Formidable* n. m. (mil. XXe s.) désigne une chope de bière de grande contenance.

▸ **FORMIDABLEMENT** adv., autrefois «d'une manière qui fait peur» (1769), est surtout employé au sens extensif familier (1873). ➝ Malgré les critiques inlassables des puristes, *formidable* et son dérivé sont aujourd'hui complètement détachés de l'idée étymologique de «terrible», sauf dans des emplois littéraires.

FORMIQUE adj. est dérivé savamment (v. 1370) du latin *formica* «fourmi*».

♦ Au sens de «qui provient de la fourmi», le mot est rarement employé. Au contraire, il est normalement utilisé en chimie dans ***acide formique*** (1787).

▸ À partir du radical de *formique* ont été composés d'autres termes de chimie, comme **FORMOL** n. m. (1892) devenu usuel et dont l'usage pour conserver les préparations anatomiques entraîne des connotations déplaisantes, d'où **FORMOLER** v. tr. (1912). ➝ **FORMICA** n. m., marque déposée d'un matériau stratifié (1950), est tiré de *formique.*
Le latin *formica* est à l'origine de mots savants. ➝ **FORMICA-LEO** n. m. est le nom savant du fourmilion. ➝ **FORMICANT, ANTE** adj. (1560) qualifie ce qui procure une sensation de picotement, appelée **FORMICATION** n. f. (1560; repris XIXe s.) emprunt au dérivé latin *formicatio.*

FORMULE n. f. est emprunté (1372, *fourmulle*) au latin *formula* «cadre, règle, système», diminutif de *forma* (→ forme).

♦ C'est l'idée de règle qui domine pour le sens général : une formule, c'est une forme déterminée, suivie pour exprimer une idée, exposer un fait, etc. ; ce sens est spécialisé en droit (1690, ***formule de contrat***). La formule peut consister, notamment dans le domaine religieux, en paroles rituelles (XVIIIe s.). Dans le domaine des échanges sociaux, le mot désigne (fin XVIIe s.) une expression consacrée dont l'emploi est prescrit par les coutumes ***(formule de politesse);*** plus récemment (XXe s.), c'est aussi un imprimé type, pour certaines formalités administratives (***formule de mandat,*** etc.). *Formule* se dit par ailleurs d'une expression concise qui résume un ensemble de significations (1840), d'où ***formule publicitaire*** (XXe s.). Le mot s'emploie pour «expression concise, nette et frappante» (1752) et, par extension, se dit du mode d'expression considéré du point de vue stylistique, d'où l'emploi pour «cliché» (1848; ***des formules creuses***). ➝ Par spécialisation, le mot est entré dans la terminologie scientifique : mathématiques (1752, ***formule d'algèbre,*** Voltaire), chimie, biologie (1844, ***formule dentaire***). ◇ Par extension, il signifie «solution type d'une difficulté» (1838) et, spécialement (1952), «manière de concevoir un divertissement, etc.». Dans le domaine automobile (mil. XXe s.), il désigne une catégorie de voitures aux caractéristiques définies ***(Formule 1, Formule 2...).***

► Le dérivé **FORMULER** v. tr. (XIVe s., «exprimer avec ou sans précision», mais rare avant le XVIIIe s.) a le sens didactique de «mettre en formule, faire d'après une formule» (1740, en médecine); par extension (1845), il signifie couramment «exprimer de façon précise» et, plus largement, «exprimer». ◇ Du verbe dérivent **FORMULABLE** adj. (1866) — d'où **INFORMULABLE** adj. (1927) — et **FORMULATION** n. f. (v. 1840). ➛ Sur le participe passé a été construit **INFORMULÉ, ÉE** adj. (1855).
Le préfixé **REFORMULER** v. tr. (attesté 1954) et son dérivé **REFORMULATION** n. f. (1968) sont didactiques.
FORMULETTE n. f. (1954), autre dérivé de *formule,* désigne une brève formule récitée (comptine) ou chantée (refrain).
FORMULAIRE n. m. est dérivé de *formule,* d'après le dérivé latin impérial *formularis* adj., substantivé au sens de «juriste connaissant les formules». ◇ Il désigne en français un recueil de formules (XIVe s.) et, spécialement (1932), une formule comprenant des questions en face desquelles on doit inscrire des réponses (→ fortran).

FORNIQUER v. intr. est un emprunt du moyen français (XIVe s.) au latin ecclésiastique *fornicare* «s'adonner à la débauche» et par figure «à la corruption», du latin classique *fornix* «voûte» qui avait pris par métonymie le sens de «lieu de prostitution», «prostituée» : les prostituées, à Rome, se tenaient dans des chambres voûtées *(fornices)* creusées dans les murs des maisons. *Fornix* est peut-être de la même famille que *furnus* (→ four), un four étant en forme de voûte.

♦ *Forniquer* est un terme religieux (XIVe s.) relatif au péché de chair, c'est-à-dire aux relations charnelles des personnes non mariées; il s'emploie par extension, et souvent par plaisanterie, pour «avoir des relations charnelles» (1870, Mérimée).

► Deux mots ont été empruntés à des dérivés de *fornicatum,* supin de *fornicare :* **FORNICATION** n. f. (v. 1120, *fornicatiun*), emprunt au latin ecclésiastique *fornicatio* «péché de la chair» («cintrage» en latin classique), et **FORNICATEUR, TRICE** n. (XIVe s.; v. 1200, *fornicator*), emprunt au latin ecclésiastique *fornicator, -trix,* qui ont une évolution parallèle à celle du verbe.

FORS prép. (1080), d'abord dans *foers de* «hors de» (938-950), est issu du latin classique *foris* «dehors», employé comme préposition en latin impérial (→ hors, dehors).

♦ *Fors* «excepté, hormis», remplacé par *hors**, n'est plus qu'un archaïsme; seule reste connue la formule ***tout est perdu fors l'honneur*** qu'aurait prononcée François Ier après la défaite de Pavie. L'époque classique employait aussi *fors excepté* (1665); Vaugelas recommandait (1647) de bannir *fors* de la prose et, si Furetière (1690) retient le mot comme vivant, Richelet (1680) et l'Académie (1694) le donnent comme sorti d'usage. *Fors* s'est employé comme adverbe en ancien français (fin Xe s.) au sens de «dehors».
Par ailleurs *fors,* avec ce dernier sens, est devenu très tôt (XIe s.) un préfixe, entrant dans la formation de mots dont peu sont restés en usage (*forjeter, forligner, forlonger, fortrait*... ont disparu).
◈ voir FAUBOURG, FAUFILER, FAUX-FUYANT, FOR, FORAIN, FORBAN, FOURBU, FOURVOYER; CLORE (FORCLORE), VOIE (FOURVOYER).

FORSYTHIA n. m. est un terme du latin botanique (1803; 1823, *forsythie,* qui ne s'est pas imposé) construit sur le nom de l'horticulteur écossais *Forsyth* (1737-1804).

♦ Il désigne un arbuste ornemental, d'origine extrême-orientale.

FORT, FORTE adj., n. m. et adv. vient (fin Xe s.) du latin *fortis* «robuste, courageux», mot d'origine incertaine; *fort* a été la forme commune aux deux genres jusqu'au XIVe siècle.

♦ Dans le domaine abstrait, *fort* se dit d'une sensation, d'un sentiment qui est ressenti avec acuité (fin Xe s.), de ce qui est fondé, emporte l'adhésion (1306), sens utilisé dans la locution ***à plus forte raison*** (1580), ceci en particulier quand il s'agit des moyens d'expression (av. 1662; *un style fort, une œuvre forte*). L'adjectif a pris (fin XIVe s.) la valeur spéciale «exagéré, excessif» (ex. : *une plaisanterie un peu forte*), entre autres dans des locutions familières comme ***c'est un peu fort, c'est trop fort*** (1692, ***c'est fort***), etc. ➛ L'adjectif *fort* exprime aussi, dès le XIe s., un pouvoir d'action dans différents domaines. Il s'emploie à propos de la force physique d'un individu (1080) et entre alors dans des locutions (***être fort comme un Turc*** [1690], comme un bœuf [1865]) et dans des expressions plus ou moins lexicalisées (1762, ***le sexe fort*** «les hommes»); au figuré, ***la manière forte*** (XXe s.) se dit pour «la violence» ou «l'autorité sans contrôle» *(recourir à la manière forte).* ➛ *Fort* n. m. (v. 1186) se spécialise au sens de «portefaix, crocheteur» (1600), d'où ***fort des Halles*** (1732, *les forts de la Halle*). ◇ Par figure, il désigne ce en quoi quelqu'un excelle (XIVe s.), aujourd'hui dans ***ce n'est pas mon fort*** (1648). ◇ L'adjectif exprime plus tard (1659) un pouvoir d'ordre intellectuel; par dénigrement ***il n'est pas (très) fort*** signifie «il n'est pas très intelligent» (1865). ◇ L'idée de volume étant liée à celle de force, *fort* signifie aussi «de grande dimension» (1580; XVIe s., *nez fort*) d'où, par euphémisme, «gros, corpulent» (souvent en parlant d'une femme, emploi où *forte* est un euphémisme poli pour *grosse*).
L'idée de solidité se rattache aussi à celle de force, et l'adjectif s'utilise pour qualifier des choses (1080), d'où ***place forte*** (v. 1160-1174), ***château fort*** (→ ci-dessous forteresse) ou encore ***coffre-fort.*** Il s'applique à des personnes avec la valeur de «ferme», «courageux» (fin XIIe s.; 1835, n. m.) que connaissait le latin *fortis* (il peut s'agir d'un réemprunt). De cette acception vient ***esprit fort*** «athée» (déb. XVIIe s.) et à l'époque classique «personne non conformiste» (1690), puis par déviation péjorative «forte tête» (1861). ➛ L'adjectif s'emploie aussi en parlant de ce qui agit avec force et marque un haut degré d'intensité (1080, *un vent fort*) et, spécialement, se dit de ce qui agit sur les sens en produisant souvent une impression pénible (1080, *une odeur forte*); par métonymie, il s'applique à une

substance, notamment une boisson alcoolisée (1220, *vin fort*), un mets épicé (à noter que l'anglais emploie alors la notion plus sensible de «chaleur» : *hot*), une infusion (1890, *café fort*). ◇ L'idée d'efficacité étant souvent liée à celle de force, l'adjectif *fort* s'emploie au sens d'«influent, puissant» (v. 1160-1174) en parlant de personnes et dans des locutions : ***être fort de (l'aide de qqn), se faire fort de*** (XIVe s.). ◇ Par extension, il s'applique à celui (ou à ce) qui a la force ou qui emploie la force (*un État fort, une armée, une police forte*; cf. aussi au jeu *une carte forte*) et à ce qui agit efficacement (*un argument fort*). ◇ De cette acception viennent plusieurs emplois techniques, au sens de «qui est plus accentué que les autres» (en musique, *temps fort*; en versification, *syllabe forte*). Par extension, *fort* s'emploie pour qualifier ce qui dépasse la normale (mil. XVIe s.), par exemple dans les locutions ***prix fort, monnaie forte*** (XXe s.).

Le mot s'emploie comme adverbe de manière (XIIe s.), par exemple dans ***frapper fort*** et au figuré ***y aller fort*** (1916), et comme adverbe de quantité (XVe s.).

▸ Le dérivé **FORTEMENT** adv. (1245), refait sur *forte*, a remplacé *forment* (XIe s.), *fortment* (fin Xe s.). ◇ Comme *fort* adv., il exprime la quantité, l'intensité (fin Xe s.), la manière (v. 1050, «avec vigueur»; v. 1274, «solidement»).

FORCIR v. intr., dérivé d'après *force, forcer*, signifie «devenir plus fort» (1865) et familièrement «prendre de l'embonpoint». Le p. p. **FORCI, IE** est plus ou moins lexicalisé comme adj. (1857, Flaubert).

FORTERESSE n. f. est dérivé de l'adjectif *fort, forte* dans un emploi spécialisé ***(place forte)***. Il désigne (v. 1130) un lieu fortifié et métaphoriquement (depuis Calvin, 1541) un lieu de sûreté, un refuge. Une spécialisation de l'époque romantique (1810) correspond à «château fort servant de prison». ◆ La locution ***forteresse volante*** (v. 1943), désignant un avion bombardier, est une traduction de l'anglais *flying fortress* (mot de même origine). ◆ **FORT** n. m. est la substantivation (XIIIe s.) de l'adjectif dans des emplois comme ***château fort***, en concurrence avec *forteresse*. → Fortin.

FORTICHE adj. s'emploie familièrement pour «robuste» (1897) et «intelligent, malin» (1915).

Les différentes acceptions du composé **CONTREFORT** n. m. (XIIIe s.; de *contre*) retiennent l'idée de «renforcement» : le contrefort est un pilier qui renforce un mur ou une pièce de cuir qui renforce le derrière d'une chaussure (1572; v. 1268, «renfort en cuir»). Cette valeur technique est reprise au XXe s. *(contrefort d'un pneu)*. *Contrefort* se dit également (1835) d'une chaîne de montagnes qui semble être un appui pour une autre.

◈ voir FORTIFIER, FORTE, FORTIN; EAU-FORTE (art. EAU), MAIN-FORTE (art. MAIN).

FORTE adv. et n. m. inv. est emprunté (1705) à l'italien *forte* adv., «fort» en musique, pour indiquer la nuance d'un passage (du latin *fortis*; → fort).

♦ On employait auparavant en musique *fort*, adverbe.

▸ Le français a aussi emprunté **FORTE-PIANO** adv. et n. m. inv. (1829) à l'italien (de *forte* et *piano* «doucement»; → piano) pour «fort puis doucement» (avant un passage). **FORTE-PIANO** n. m. (1768) désignait aussi un instrument de musique à clavier, nommé également *piano et forte* (1766), puis *piano forte* (→ piano). ◆ **FORTISSIMO** adv. (1705) et n. m. (1845) reprend un mot italien, superlatif de *forte* et équivaut à «très fort».

FORTIFIER v. tr. est emprunté (1308) au bas latin *fortificare* «rendre plus fort», composé de *fortis* «fort*» et de *facere* «faire*».

♦ *Fortifier* signifie «rendre plus vigoureux» (1308). Par extension, le verbe signifie (v. 1560) «donner de la solidité à (qqch.)», «accroître les forces physiques de (qqn)» (1580) et, spécialement, «munir d'ouvrages de défense» (fin XIVe s.), sens renforcé par l'emploi correspondant de *fort* n. m., *forteresse, fortin* et *fortification* (cf. ci-dessous). ◇ Le verbe s'emploie aussi au figuré (1580, *fortifier l'amitié*; 1651, pron.).

▸ **FORTIFIANT, ANTE** adj. et n. m., du participe présent de *fortifier*, désignait celui qui fortifiait une ville (1543) et s'applique à ce qui fortifie (1690). Le nom s'emploie pour «aliment, médicament qui fortifie» (1833).

FORTIFICATION n. f. (1360), emprunt au latin *fortificatio*, dérivé du supin de *fortificare*, désigne l'action de fortifier un lieu et, par métonymie (v. 1460), souvent au pluriel, un ouvrage défensif. Le mot désigne en moyen français et à l'époque classique un des domaines les plus importants de la guerre. ◆ L'abréviation **FORTIFS** n. f. pl. (1920; 1881, *fortifes*) s'employait à propos des vestiges des anciennes fortifications de Paris, autour de la ville, devenus une zone mal famée.

FORTIN n. m. est un emprunt (1642) à l'italien *fortino* (1624), diminutif de *forte* n. m., «fort», du latin *fortis* (→ fort).

♦ Le mot désigne un petit fort militaire.

FORTRAN n. m. est la reprise (1959) d'un mot valise anglais *FOR(mula) TRAN(slation)* «traduction formulaire».

♦ Il est utilisé en informatique pour désigner un langage adapté aux calculatrices électroniques (cf. *algol, basic, cobol*, formations analogues).

FORTUIT adj. est emprunté (XIVe s.) au latin *fortuitus* «dû au hasard», de *fors* «sort, hasard», seulement utilisé au nominatif et à l'ablatif *forte* comme nom commun et à tous les cas comme nom propre, associé alors à *Fortuna* (→ fortune). *Fors* est traditionnellement rattaché à *ferre* «porter» (→ offrir, préférer), hypothèse discutée par Ernoult et Meillet.

♦ *Fortuit* s'emploie pour «de hasard», «aléatoire» (av. 1784, n. m.) dans un style soutenu.

▸ Le dérivé **FORTUITEMENT** adv. (1562) appartient aussi à l'usage soutenu.

FORTUNE n. f. est emprunté (v. 1130) au latin *fortuna* «divinité qui symbolise le sort» *(Fortuna)*, «bonne ou mauvaise chance», puis «bonne fortune», «condition, destin» et spécialement, au pluriel, «richesses». Le mot se rattache à *fors, fortis* «sort».

♦ En emploi didactique, le mot désigne (souvent avec *F* majuscule) la divinité qui présidait aux hasards de la vie, sa représentation (v. 1130), et dans un emploi aujourd'hui littéraire la puissance qui dispense au hasard les biens et les maux. Le sens de «ce qui advient d'heureux ou de malheureux» (v. 1265), qui équivaut au sens originel de *heur,* de *chance,* est repris du latin : d'où les locutions ***bonne (mauvaise) fortune*** (v. 1360), ***chercher fortune*** (fin XVIe s., *courir fortune de*) et la locution sortie d'usage *dire la bonne fortune* «la bonne aventure» (1636). À cette acception se rattache *courir la fortune du pot* «s'exposer à faire un mauvais repas en arrivant à l'improviste», locution qui a donné (1762) ***dîner à la fortune du pot*** «sans façon». ➛ *Fortune* a signifié «succès galant», sens resté vivant dans ***bonne fortune*** (av. 1648, *avoir de bonnes fortunes*). ◇ Le sens de «malchance», «malheur» (déb. XVe s.) existe dès le latin populaire et à partir du XIIIe s. (v. 1265) en français dans l'acception spéciale de «tempête» (cf. ancien provençal *fortuna de ven,* XIIIe s., et le roumain *furtună* «malheur sur mer»); cette acception subsiste dans ***faire contre (mauvaise) fortune bon cœur*** (1678) et dans ***fortune de mer*** «accident». La voile dite *de fortune* est ainsi nommée par une métonymie de cet emploi. ◇ Par extension, *fortune* équivaut à «ce qui arrive du fait du hasard». Le mot, quand le caractère heureux ou malheureux du fait n'est pas précisé (v. 1265, *fortune d'or* «or trouvé par hasard»), n'existe qu'en emploi littéraire (1688, ***la fortune d'une œuvre***), à l'époque classique dans ***de fortune*** (1580) ou ***par fortune*** (v. 1534) «par hasard». En ce sens, *fortune* désignait aussi (déb. XVIIe s.) la situation où se trouvait qqn et, spécialement, une situation élevée (1640), à l'époque classique dans *faire fortune* «réussir dans la vie» (1688), expression comprise aujourd'hui dans un autre sens (ci-dessous), et *perdre fortune.* Le mot s'emploie encore parfois par analogie au sens de «succès» (av. 1778); mais on préfère *succès, réussite,* ou de manière neutre, *carrière.* ◇ *Fortune* s'emploie couramment depuis le XVe s. pour «ensemble de richesses» et en particulier quand on parle de richesses importantes (***faire fortune,*** 1837); par extension *une, (des) fortune(s)* désigne des sommes d'argent importantes, d'où vient par métonymie l'emploi de *fortune* pour «situation de qui possède une fortune» (1704).

▸ **FORTUNÉ, ÉE** adj. est formé d'après le latin *fortunatus,* participe passé de *fortunare* «faire réussir» (de *fortuna*). ◇ Au sens de «favorisé par la fortune» (1319-1340), le mot n'existe plus aujourd'hui que dans un emploi littéraire (à propos des choses, 1654); en revanche, il s'applique couramment (1787) à qqn qui possède des biens, de l'argent (cf. *riche*).

◈ voir INFORTUNE.

FORUM n. m. est un latinisme, emprunté au XVIIIe s. (1757) au latin *forum,* qui a donné *for*.*

♦ D'abord mot d'antiquité, il désigne par figure (av. 1813) tout lieu où l'on discute des affaires publiques. Par extension, il a pris (1910, R. Roussel) le sens architectural et urbanistique de «place publique»; récemment le *Forum des Halles,* à Paris, a diffusé cet emploi, variante noble du *Centre* (d'achats, etc.). Il a reçu dans les années 1960 une valeur moderne, «réunion, colloque, débat public» (1955), sens relevé chez A. Maurois dès 1946 à propos de la vie publique américaine; il pourrait s'agir d'un américanisme, le mot ayant des valeurs figurées en anglais depuis le XVIIe siècle. ◇ Autre américanisme, le sens de «lieu d'échange de messages, sur un système télématique» (v. 1997).

FOSSE n. f. vient (1080) du latin classique *fossa* «excavation, trou» et «tombeau» en latin chrétien, participe passé féminin substantivé de *fodere* «creuser» (→ fouir). ◈

♦ *Fosse* a le sens général de «cavité naturelle ou artificielle». Désignant une cavité creusée pour servir de réceptacle (1080), le mot a des acceptions spécialisées; il désignait (XIIe s.) un cachot : on disait *basse-fosse* (XVe s.) pour un cachot profond d'où ***cul (fond) de basse-fosse;*** il s'emploie pour un trou constituant un piège (1690); ***la fosse aux ours, aux lions*** (1890) est l'emplacement creusé où l'on tient des ours, des lions en captivité; la ***fosse d'aisances*** (1694), ou *fosse,* est le trou qui reçoit les matières fécales; cette valeur très spécialisée est sémantiquement, sinon référentiellement, voisine de ***fosse d'orchestre*** (déb. XXe s.). Le mot désigne aussi (1802) l'ensemble d'une exploitation houillère. ➛ Par spécialisation, *fosse* se dit (1170) du trou creusé en terre pour l'inhumation des morts (1872, ***fosse commune***); de ce sens viennent les locutions figurées ***creuser sa fosse*** «préparer sa mort» (1829), ***être sur le bord de sa fosse*** et (1690) ***avoir un pied dans la fosse*** «être près de mourir»; *tombe* est plus courant dans ces emplois. ➛ *Fosse* désigne aussi une cavité naturelle en anatomie (1180-1190; par ex. ***fosses nasales***), en géologie (1932; ***fosse marine***).

▸ Le diminutif **FOSSETTE** n. f. (v. 1121) ne s'emploie plus au sens de «petite fosse»; par analogie il signifie (1245) «petit creux dans une partie charnue du visage ou du corps»; c'est aussi un terme d'anatomie (1611). Dans ces emplois modernes, il est sémantiquement détaché de *fosse.*

FOSSOYER v. tr. ne s'emploie aujourd'hui qu'au sens de «creuser une fosse» (XIIIe s.); au sens de «creuser un fossé», il est sorti d'usage. ➛ En dérive **FOSSOYEUR** n. m. (1328) «celui qui creuse les fosses dans les cimetières»; par métaphore, *la fossoyeuse* n. f. désigne la mort (av. 1834); par figure, *fossoyeur* s'emploie (av. 1872) pour «personne qui anéantit».

FOSSOIR n. m. est issu (fin XIe s.) du bas latin *fossorium* «instrument pour creuser ou bêcher», neutre substantivé du bas latin *fossorius* «qui sert à creuser», du supin de *fodere.* Ce mot technique désigne une houe employée en viticulture ou (XXe s.) une charrue vigneronne.

FOSSÉ n. m., réfection (XIIe s.) de *fosset* (1080), est issu du bas latin *fossatum* «fossé», participe passé substantivé de *fossare,* fréquentatif de *fodere.* ◇ *Fossé* s'emploie au sens concret de «fosse creusée en long dans le sol», pour faire circuler des eaux ou, spécialement (1629), pour servir de défense. Par figure, en retenant l'idée d'obstacle

— réalisé concrètement pour désigner les obstacles creusés sur un parcours hippique — *fossé* signifie (1916) «divergence de vues», «séparation» ***(le fossé des générations);*** il s'emploie aussi dans des locutions figurées, comme ***sauter le fossé*** «se décider» (1690).

◈ voir FOSSILE.

FOSSILE n. m. et adj. est un emprunt (1556) au latin *fossilis* «tiré de la terre», construit probablement sur *fossum,* supin de *fodere* «creuser» (→ fosse).

♦ L'emploi comme adjectif, au sens repris du latin, est sorti d'usage; *fossile* se dit aujourd'hui (1713, adj. et n. m.) des débris ou des empreintes d'organismes conservés dans des dépôts sédimentaires. C'est alors l'un des mots clés d'une science qui apparaît au XVIIIe s., en relation avec les théories du déluge et des révolutions de la Terre, et se développe au XIXe s., la paléontologie. La géologie tout entière est d'ailleurs tributaire des recherches sur les fossiles, connus sous d'autres noms avant le XVIIIe siècle. ◇ Au figuré, *fossile* signifie (1827) «démodé, suranné» (pour une personne; 1833, n. m.).

► **FOSSILISER** v. tr. s'emploie dans un contexte didactique (1832, pron.; 1867, tr.), souvent au participe passé (av. 1850) et aussi au figuré (1845, pron.); en dérivent des termes d'emploi didactique comme **FOSSILISATION** n. f. (1832). ◆ **FOSSILIFÈRE** adj., formé avec *-fère* du latin *ferre* «porter», signifie (1837) «qui contient des fossiles» (d'un terrain).

◈ ✳ **FOU** (et **FOL**), **FOLLE** n. et adj. est issu (1080, *fol*) du latin classique *follis* «soufflet pour le feu» et «outre gonflée, ballon» qui a pris par métaphore ironique le sens de «sot, idiot» en bas latin (cf. en français *ballot*); *follis* repose sur une forme indoeuropéenne °*bhol-*, d'une famille de mots avec °*bhl-* à l'initiale, que l'on suppose de formation onomatopéique — les bilabiales *b* et *f* exprimant et produisant le souffle — et qui exprime l'idée de «souffler», «gonfler».

♦ *Fol* s'est employé (XIIe s.) jusqu'au XVe s. au sens latin de «soufflet», mais depuis l'origine le sens dominant et courant (1080, n. et adj.) est «personne atteinte de troubles mentaux». *Fol* n. m., encore employé par archaïsme ou par plaisanterie, est considéré comme vieilli à partir du XVIIe s.; l'adjectif masculin s'écrit *fol* devant une voyelle ou un *h* aspiré, ou dans des locutions toutes faites ***(bien fol est qui s'y fie).*** C'est au XXe s. que *fou,* comme *folie,* a disparu de la terminologie médicale, où *dément* a par ailleurs une valeur spécifique, différente de l'emploi usuel et où l'on utilise *malade mental* et des termes spécifiques, tel *psychotique;* on disait autrefois ***maison de fous*** (1890; av. 1662, *hôpital de fous*) pour «asile d'aliénés» (*aliéné* étant devenu le terme administratif au XIXe s.); aujourd'hui, par exagération, *maison de fous* désigne un lieu où les habitants agissent hors des normes reçues (cf. aussi ***histoire de fous*** «histoire absurde» ou «incroyable»). ◆ Pour l'ensemble des emplois du nom ou de l'adjectif, c'est l'idée de «hors des normes», par l'opposition *raison-folie,* qui domine. Cette idée est très anciennement exprimée par l'adjectif pour «extrême» (déb. XIIe s., *fole pöur* «peur folle»). ***Comme un fou*** s'emploie pour «exagérément, extrêmement»; de même on retient l'idée d'excès dans ***fou de*** «plein de» (XVIIe s., *fou de joie, de colère;* 1669, *fou d'amour*) ou «qui a une passion pour» (1669; *il est fou de musique*). ◆ *Fou* désigne encore une personne dont le comportement est jugé extravagant, parfois sans idée de péjoration, et l'adjectif qualifie ce qui est estimé contraire à la raison, à la sagesse (1080), par exemple dans ***la folle du logis*** «l'imagination» ou dans ***tête folle*** (1690). ◇ *Fou* a signifié «dévergondé» (v. 1200), d'où en particulier *folle femme* «prostituée» (XIIIe s.), encore dans la locution ***femme folle de son corps*** (XIXe s.); aujourd'hui, **FOLLE** n. f. (XXe s.) se dit d'un homosexuel qui se comporte de façon très efféminée (comparer avec la métaphore de l'anglais *gay;* → gai). ◆ *Fou* s'emploie par extension pour désigner une personne d'une gaieté exubérante (1690; *faire le fou*), d'où le proverbe ***plus on est de fous plus on rit.*** ◆ Par exagération, l'adjectif équivaut (1793, *prix fou*) à «extraordinaire, énorme» (ex. *un monde fou* [1813], *passer un temps fou*). ◆ Par analogie, *fou* s'emploie pour qualifier un mécanisme dont le mouvement est irrégulier ou incontrôlable *(roue folle; aiguille folle d'une boussole)* et, par extension, dans d'autres domaines : ***folle avoine*** «qui bouge au vent» (1547), *folle farine* (1611), *folle brise* «dont la direction change sans arrêt» (1845), ***patte folle*** (familier) «jambe qui semble ne plus obéir aux ordres de la tête» (fin XIXe s.), ***herbes folles*** (av. 1891).

Autrefois le substantif masculin, dans *fou du roi* ou *fou de cour* (1580, Montaigne), désignait un bouffon* attaché à la personne d'un haut personnage dont il parodiait le comportement et celui de son entourage. Ce sens se rattache sans doute à des pratiques anciennes, comme la *Fête des fous,* fête bouffonne au moyen âge où étaient parodiés les offices religieux (cf. pour l'Antiquité, les *Saturnales*).

Au jeu d'échecs, *fol* (v. 1275), puis *fou* (1613), a remplacé *alfin, aufin* (du XIe s. au XVe s.), emprunté à l'arabe *al fil* (probablement par l'intermédiaire de l'espagnol *alfil;* cf. encore l'italien moderne *alfiere*), «l'éléphant», la pièce ayant été représentée à l'origine par un éléphant. La dénomination vient sans doute de la position de la pièce, auprès du roi et de la reine, et de son type de déplacement «irrégulier», en diagonale.

Par ailleurs, *fou* désigne (1725; av. 1677, *fol*; aussi *fou de Bassan*) un oiseau palmipède, par référence au fait qu'il se laisse approcher imprudemment par l'homme (cf. pour un comportement analogue, le *dodo*). Une autre explication du nom concerne le comportement imprévisible ou incompréhensible de l'oiseau, seul et en groupe.

► **FOUFOU, FOFOLLE** adj. et n. (XXe s. par redoublement) et **TOUTFOU** adj. m. et n. m. (XXe s., de *tout*) se disent de qqn d'un peu léger, **FOLINGUE** adj. (1935; formé avec le suffixe populaire *-ingue*) correspond à «un peu déséquilibré». ◆ **FOLDINGUE** adj. est plutôt un jeu sur *folingue* et *dingue* qu'un emploi de l'ancienne forme *fol.*

Plusieurs mots sont formés à partir de la forme *fol :*

② **FOLIE** n. f. (1080) a suivi une évolution sémantique parallèle à celle de *fou.* On l'emploie toujours couramment au sens de «trouble mental» (1080), par exemple dans la locution courante ***folie furieuse*** aujourd'hui aussi au figuré, mais il est sorti d'usage au XXᵉ s. en psychiatrie où par ailleurs *démence,* qui a pris une valeur spécifique, ne l'a pas remplacé; le terme le plus général est *psychose.* ◆ Par extension, *folie* désigne couramment (XIIIᵉ s.) le manque de jugement, de bon sens, d'où en interjection vieillie ***c'est folie !, folie !*** «c'est de la folie» et la locution adverbiale ***à la folie*** (av. 1704) «extrêmement» *(aimer à la folie).* ◆ Par extension, *une folie* s'emploie pour désigner toute idée ou action estimée extravagante (v. 1283), spécialement dans ***dire des folies*** (mil. XVIᵉ s.), ***faire une (des) folie(s)*** «une sottise» (XVIᵉ s.), en particulier «une dépense excessive» (1843, Balzac) [→ ① folie]. Par exagération, *folie* désigne dans l'usage courant un état d'exaltation où semble avoir disparu tout contrôle du comportement, ce qui correspond à peu près en psychiatrie à l'emploi de *manie.* ◇ Par extension, *folie* se dit (1690) de ce qui échappe ou semble échapper au contrôle de la raison (absolt, *la folie* «l'irrationnel»).

FOLLEMENT adv. (v. 1135) s'emploie aussi comme intensif (mil. XVIᵉ s.) : *il est follement doué.* ◆ **FOLLET, ETTE** adj. et n. (v. 1165, n. m. «lutin»), diminutif de *fol* et sorti d'usage au sens d'«un peu fou» (v. 1175), s'emploie encore dans ***esprit follet*** «lutin malicieux» (1677), d'abord *follet* n. m. (v. 1265), et s'applique à ce qui a quelque chose de capricieux (mil. XVIᵉ s.; 1530, n. m., «duvet d'un oiseau»). ◇ ***Feu follet*** (1611; 1549, *follet* n. m.), à cause de son mouvement agité, désigne une petite flamme née de la combustion de gaz issus de la décomposition de matières organiques; par figure, *feu follet* désigne une chose fugace, une personne insaisissable, instable.

FOLÂTRE adj. (1394, *folastre* «un peu fou») est vieilli pour qualifier une personne qui aime à plaisanter (1528), mais on dit encore ***une humeur folâtre.*** Le mot est formé avec le suffixe péjoratif et approximatif *-astre, -âtre.* ◆ En dérivent **FOLÂTREMENT** adv. (1539), vieilli, et **FOLÂTRER** v. intr. (XVᵉ s.), d'abord au sens de «divaguer», «sortir de ce qui est raisonnable», puis «jouer, s'agiter». ◇ Le dérivé **FOLÂTRERIE** n. f. «action folâtre» (v. 1540), vieilli ou littéraire, a remplacé *folastrie, folâtrie* et la variante *folâterie* (1534, Rabelais).

FOLICHON, ONNE adj. (1637; 1615, n. f., «petite fille folâtre»), avec le suffixe diminutif *-ichon,* signifie «léger, gai» et ne s'emploie aujourd'hui que dans un contexte négatif ***(ce n'est pas folichon).*** La paronymie avec *polisson* est probablement active. ◆ Le dérivé **FOLICHONNER** v. intr. (1786), analogue à *folâtrer,* est vieilli, comme **FOLICHONNERIE** n. f. (1858).

FOLASSE adj. d'abord régional et ancien, comme nom pluriel, pour «herbes folles» (1536), a été reformé, avec le suffixe péjoratif *-asse,* et s'applique à une femme un peu déséquilibrée, aussi comme nom.

Le composé **AFFOLER** v. tr. a d'abord eu les sens de «rendre fou», «commettre des folies», «devenir fou» (intr.) [1174] et l'ancien français a connu *foler* «devenir, être fou», «se conduire comme un fou» (XIIᵉ s.). *Affoler* s'emploie par affaiblissement de sens pour «faire perdre la tête à qqn par l'effet d'une émotion violente», spécialement et vieilli «rendre amoureux de qqn» (1845). ◆ C'est aussi un terme technique qui signifie «rendre libre (une partie d'un mécanisme)», d'où aussi *s'affoler* «se dérégler» ou «s'emballer»; dans ce sens, il s'emploie par exemple en physique (*affoler une boussole,* 1863; *boussole affolée,* 1690), cf. *déboussolé.* ◆ La variante **AFFOLIR** v. intr. «devenir fou» (1694; *afolir,* tr. «rendre fou», XIVᵉ s.) est sortie d'usage. ◇ *Affoler* a plusieurs dérivés. ◆ **AFFOLEMENT** n. m. (1217) «fait de s'affoler» signifie par extension «hâte, précipitation». ◆ **AFFOLANT, ANTE** adj. (fin XVIIᵉ s.) se dit de ce qui trouble beaucoup, d'où le sens particulier d'«excitant érotiquement» qui correspond à **AFFOLEUSE** n. f. (mil. XXᵉ s.) «femme qui cherche à susciter le désir». Dans un contexte négatif, ***ce n'est pas très affolant,*** il correspond à «passionnant». ◆ **AFFOLAGE** n. m. (1842; XVᵉ s., «folie», emploi isolé) est un terme de botanique désignant l'état d'une plante qui présente des anomalies génétiques.

Le composé **RAFFOLER** v. tr. ind. a signifié «être fou» (XIVᵉ s.), «rendre amoureux» (XVIᵉ s.); il s'emploie avec *de* au sens d'«aimer follement qqch. ou qqn» (1762; cf. *être fou de*).

② **FOU** n. m. «hêtre» → FOUET

FOUACE n. f. est issu (v. 1200) d'un latin populaire °*focacia,* de *focacium (panis)* «(pain) cuit sous la cendre», dérivé du latin classique *focus* «feu*».

♦ Le mot reste vivant régionalement à côté de *fouée* n. m. (1680).

▸ Son dérivé **FOUACIER** n. m. (1307) est sorti d'usage sauf par allusion à une anecdote de Rabelais.

FOUGASSE n. f., équivalent de *fouace* dans le midi de la France, est emprunté (1601) à l'ancien provençal *fogatza* (1135), *fogasa* (1182) de même origine.

FOUAILLER → FOUET

FOUCADE → FOUGUE

① **FOUDRE** n. f. et m. est l'aboutissement phonétique (fin XIIᵉ s.) de *fuldre* (1080) issu du latin populaire °*fulgura,* neutre pluriel pris pour un féminin, dérivé du latin classique *fulgur* «éclair», de *fulgere* «briller» (en parlant de l'éclair et des astres). Ce verbe appartient à une famille issue d'une racine indoeuropéenne °*bhel-,* °*bhleg-* «briller». *Fulgur* en bas latin élimine le latin classique *fulmen* «foudre» (→ fulminer), de même origine indoeuropéenne; son dérivé *fulgurare* a donné *fulgurant**.

♦ L'idée de décharge électrique qui se produit entre deux nuages, retenue dans le sens propre, explique diverses acceptions de *foudre :* par comparaison (au masculin, 1642) le mot désigne le faisceau enflammé attribut de Jupiter; par analogie avec la puissance destructrice, *foudre* s'est dit de la puissance de feu d'une arme. ◇ Au figuré, par allusion à la soudaineté de la foudre, ***coup de foudre*** (1642; déb. XVIIe s., *foudre* n. f.) a désigné un événement qui déconcerte; aujourd'hui (dep. 1813) l'expression s'emploie pour «amour subit et violent». ◇ Par allusion aux anciennes croyances, où la foudre représentait une manifestation de la colère divine, le mot signifie (1594) «condamnation, reproches», aujourd'hui au pluriel (1728); par extension, on dit ***les foudres de l'éloquence*** (1690) en parlant des arguments de l'orateur qui confondent l'adversaire. ➜ Par analogie avec la puissance de la foudre, le mot s'est employé au masculin (1559) au sens de «guerrier de génie», aujourd'hui ironiquement et seulement dans l'expression ***un foudre de guerre.***

▸ **FOUDROYER** v. tr., formé avec le suffixe verbal *-oyer,* s'emploie au sens propre de «frapper de la foudre» (1180-1190) et, par analogie, pour «anéantir avec soudaineté et violence» (1316-1328), par extension au sens de «tuer soudainement» et d'«anéantir moralement» (1651). Par métaphore du premier sens, *foudroyer* signifie (1838) «sembler lancer des éclairs (de haine, de colère)» — le sujet est alors *regard, yeux.* ◇ Un usage technique, au sens concret, correspond à «faire s'écraser par explosifs (une galerie de mines)». ➜ **FOUDROIEMENT** n. m. (XIIIe s.) est littéraire. ➜ **FOUDROYANT, ANTE** adj. (1552) s'emploie pour parler de ce qui a la soudaineté, la violence, etc. de la foudre. ➜ **FOUDROYAGE** n. m. est technique (1893).

◈ voir FULGURANT; FUSER, FUSION.

② **FOUDRE** n. m. est emprunté (1669) à l'allemand *Fuder* «voiture de charge» et «mesure de liquide» (cf. ancien haut allemand *fotar, fodar* «charrette», moyen haut allemand *vuoder* «charretée» et «mesure pour les liquides»). On relève en picard *voder* «sorte de mesure» (XIIIe s.) et aussi isolément *voudre* (XVe s.) «tonneau pour le vin du Rhin», issu du moyen néerlandais *voeder* «mesure pour le vin», lui-même emprunté à l'allemand.

♦ L'homonymie avec ① *foudre* n'a pas éliminé le mot, mais il est resté technique ou rare pour «grand tonneau» (de 50 à 300 hectolitres).

FOUDROYER → ① FOUDRE

◈ **FOUET** n. m. représente (2e moitié XIIIe s.) le diminutif de l'ancien français ② **FOU** «hêtre» (v. 1200) encore d'usage dialectal, aboutissement du latin *fagus;* éliminé par *hêtre,* d'origine germanique (→ hêtre), surtout quand ① *fou* se substitue à *fol,* il subsiste dans des toponymes *(fage, faye, faie).*

♦ Le mot est probablement passé du sens de «petit hêtre» à celui de «baguette de hêtre» puis de «fouet» (v. 1379; deuxième moitié du XIIIe s. au sens de «brigand», attestation isolée et mal expliquée). *Fouet,* nom de l'instrument fait d'une corde, d'une lanière attachée à un manche (pour conduire les animaux, frapper), désigne par métonymie une petite corde (1680 et, par analogie, un instrument destiné à battre des sauces (déb. XXe s.; aujourd'hui concurrencé par les batteurs et autres mixers). Par métonymie, *fouet* désigne (XVIe s.) un châtiment ancien infligé avec un fouet ***(donner le fouet)*** et, au figuré, une critique violente (XVIIIe s.; ***le fouet de la satire***), sens devenu archaïque. Le mot entre dans des locutions figurées : ***de plein fouet*** «horizontalement» (1835, en parlant d'un tir) et au figuré «carrément, violemment»; ***coup de fouet*** «ce qui stimule», utilisé également (1845) au sens de «vive douleur» (provenant par exemple d'une déchirure musculaire).

▸ **FOUETTER** v. s'emploie au sens général de «frapper à l'aide d'un fouet» (1514); de là viennent les locutions ***il n'y a pas de quoi fouetter un chat*** (1690), *fournir des verges pour se faire fouetter* (1865), aujourd'hui vieilli (à cause de *verge*) et remplacé par *des bâtons pour se faire battre.* L'expression ***fouette, cocher!,*** incitation à partir ou à aller plus vite, figure chez Marivaux (1734). Par métaphore, *fouetter* s'est employé (1580) pour «critiquer de façon acerbe»; par analogie quant au résultat de l'action, il se dit encore pour «stimuler» (1784; avec un complément abstrait, déb. XIXe s.). ◇ Par extension, *fouetter* s'emploie au sens de «battre vivement» (1690, en cuisine), parallèlement à l'acception spéciale de *fouet* et, par analogie de mouvement, pour «frapper de plein fouet» (1690). ➜ En emploi intransitif, *fouetter* signifie «frapper comme le fait le fouet» et, par métaphore très familière, «puer» (1878); il se dit aussi (1946, argot des lycéens) au sens d'«avoir peur», peut-être à partir de «sentir mauvais», la personne effrayée lançant de mauvaises odeurs (cf. *péteux*), ou par comparaison avec une pièce mécanique qui tremble quand elle fouette, c'est-à-dire tourne à vide. ➜ **FOUETTÉ, ÉE** adj., du participe passé, s'est appliqué à des fleurs ou à des fruits tachetés de raies (1690); il est courant dans ***crème fouettée*** (1690) et s'emploie en chorégraphie dans *pirouette fouettée,* nommée aussi **FOUETTÉ** n. m. (av. 1872). ➜ **FOUETTEMENT** n. m. a une valeur concrète (1564); il est rare pour «excitation» (av. 1896; cf. *coup de fouet*). ➜ **FOUETTAGE** n. m. (1781) est un terme technique.
Le dérivé avec le suffixe péjoratif *-ard,* **FOUETTARD** adj. m., ne s'emploie que dans une locution, comme pseudo-nom propre. ***Le père Fouettard, la mère Fouettard*** (XVIIIe s., *frère foëtard*) sont des personnages dont on menace les enfants (cf. *croquemitaine*). ◇ Substantivé, *fouettard* a pris le sens (1935) de «postérieur» (endroit fouetté ou qui fouette, sent mauvais).
Un verbe antérieur à *fouetter,* **FOUAILLER** v. tr., vient de *fou* «hêtre» et du suffixe à valeur itérative *-ailler.* Il a signifié (v. 1330, pron., *foueillier*) «se frapper les flancs de sa queue (d'un animal)»; le sens de «fouetter» (1680) a donné naissance à des métaphores : «animer, exciter» et «fustiger par des critiques» (1848, Hugo). Mot littéraire, démotivé, *fouailler* n'est plus compris; on le confond plus ou moins avec *fouiller* dans ses emplois figurés, le sens concret ayant à peu près disparu.

◈ voir FOUINE.

FOUGÈRE n. f. est une réfection (1600) de *fougiere* (v. 1175) ou *fouchiere, fulgiere* (v. 1140), issus du latin populaire °*filicaria* «fougeraie» (attesté en latin médiéval, 892), dérivé du latin classique *filix, filicis* «fougère», sans origine connue. ◈

♦ C'est un terme de botanique désignant aujourd'hui un concept classificatoire précis (filicinées ou filicophytes), incluant de nombreuses plantes fossiles. ➜ Par métonymie, la cendre de fougère entrant dans la composition du verre, *fougère* a désigné un verre à boire (1671 ; ***verre de fougère,*** 1690 ; *de feugière,* XIVe s.).

► Il a produit **FOUGERAIE** n. f. (1611, *-aye*) et **FOUGEROLE** n. f. (1817).

FOUGUE n. f. est traditionnellement tenu pour un emprunt (1580, Montaigne) à l'italien *foga* «fuite précipitée» et par extension «ardeur» (fin XIIIe s.), du latin *fuga* «fuite» (→ fugue) ; cependant, comme le souligne P. Guiraud, la *fougue* n'est pas une «fuite» mais un «feu» («ardeur», «enthousiasme»). Le mot pourrait alors être le déverbal du provençal *fouga* «s'emporter» qui suppose un latin populaire °*focare* «faire du feu», dérivé de *focus* «feu» (→ feu).

♦ *Fougue* s'emploie dans un style soutenu au sens d'«ardeur impétueuse» — d'où à l'époque classique «délire, transe» (1622) — et, par extension, au sens de «mouvement hardi qui anime un artiste ou une œuvre» (1835).

► Le dérivé **FOUGUEUX, EUSE** adj. (1615) et son propre dérivé **FOUGUEUSEMENT** adv. (1840) sont d'un style soutenu.
FOUCADE n. f. (1614, *mettre en foucade* «mettre en folie») «emportement passager» (1835), mot vieilli, est une altération de *fougade* (fin XVIe s. ; seulement régional aujourd'hui) dérivé de *fougue.*

① **FOUILLE** n. f. apparaît sous la forme *fueille* «bourse» au XVe s. (av. 1463 ; 1486, *foulle*). Il est peut-être issu par métonymie de *fueil* «doublure de bourse» (v. 1260), déverbal de *foillier* «mettre une doublure», dérivé de *fueille, feuille** ; on trouve parallèlement *feuillouze* «bourse» (1455), *follouse* (1527), devenu *fouillouse* (1546, Rabelais). On en fait traditionnellement le déverbal de *fouiller ;* ce verbe a certainement motivé les formes en *fouill-*, mais cela n'explique pas les formes du type *fueille* qui rend plausible l'origine par *feuille,* même si la proximité sémantique de *poche-fouiller* a pu jouer.

♦ Le mot est un équivalent argotique, puis très familier, de *poche,* par exemple dans *c'est dans la fouille,* au figuré.

② **FOUILLE** → FOUILLER

FOUILLER v., réfection (XVIe s.) de *fooillier* (v. 1250), est l'aboutissement d'un latin populaire °*fodiculare,* dérivé du latin classique *fodicare,* de *fodere* «percer, creuser» (→ fouir).

♦ *Fouiller* signifie «creuser (la terre)», spécialement «pour trouver qqch.» (v. 1250, d'un animal), d'où «explorer soigneusement en tous sens» (1559). Plus tard, *se fouiller* signifie «chercher dans ses poches» (av. 1709) ; au figuré, ***il peut se fouiller !*** (1872) correspond à «il n'aura pas ce qu'il pense obtenir» (et donc ne peut le trouver sur lui qu'en se fouillant). Quand la recherche est d'ordre intellectuel (*fouiller les bibliothèques, les archives,* etc.), le verbe correspond à «faire des recherches minutieuses dans» (1784). Par figure, *fouiller* veut dire «étudier à fond» (1580 ; *fouiller un problème*). Par analogie, le verbe s'emploie (1704) en sculpture au sens de «creuser pour accentuer le relief». Voir aussi le schéma page ci-contre.

► **FOUILLIS** n. m., d'abord (fin XIVe s.) «action de fouiller», s'emploie pour parler d'un entassement d'objets disparates, au propre (fin XVIIIe s.) et au figuré (av. 1803). ➜ **FOUILLEUR, EUSE** adj. et n. (1511) se dit de celui qui fouille, spécialement pour des recherches archéologiques (1854) et aussi au figuré (1862). ◇ **FOUILLEUSE** n. f. (1874) désigne une femme (services de Police, des Douanes) chargée de fouiller les femmes.
② **FOUILLE** n. f. (1578, *faire fouille* «fouiller»), déverbal de *fouiller,* a des sens parallèles à ceux du verbe : «action de fouiller la terre» (1655), «excavation pour mettre à jour ce qui est enfoui» (1704 ; au pluriel, 1811, en archéologie), «action d'explorer pour découvrir ce qui est caché» (av. 1825), d'abord «chercher sur (qqn) ce qu'on le soupçonne de cacher» (1794).
➜ À partir du verbe ont été composés **FOUILLE-MERDE** n. m. inv., synonyme familier de *bousier* (1542) et aujourd'hui, au figuré, «personne indiscrète qui recherche des histoires scandaleuses» (1690) ; **FOUILLE-AU-POT** n. m. inv., autrefois «petit marmiton» (fin XVIIe s.) et rare pour «mauvais cuisinier» (XXe s.).
Plusieurs verbes préfixés ont été formés. ➜ **FARFOUILLER** v. (v. 1546) avec l'élément initial *far* qui porte l'idée de mouvement, c'est «fouiller en bouleversant tout» et, au figuré, «s'occuper de façon embrouillée». En dérivent **FARFOUILLAGE** n. m. (XXe s.) ou **FARFOUILLEMENT** n. m. (1852) et **FARFOUILLEUR, EUSE** n. (1872) «qui aime à farfouiller». ➜ **TRIFOUILLER** v. (v. 1808) vient du croisement de *fouiller* et de *tripoter* (cf. *tripatouiller*) ; il signifie «mettre en désordre en remuant». ◇ Les dérivés **TRIFOUILLAGE** n. m. (1878) et **TRIFOUILLEUR, EUSE** n. et adj. (1904) sont peu employés ; **TRIFOUILLÉE** n. f. est sorti d'usage au sens de «suite de coups rapprochés» (1877) ; il s'emploie pour «grande quantité» (1964). ➜ **REFOUILLER** v. tr. «fouiller de nouveau» (XVIe s.) est aussi un terme de sculpture (1834). ➜ **AFFOUILLER** v. tr. (1835) est didactique ; il se dit, en parlant des eaux, pour «creuser par l'effet des courants (sur la rive, etc.)» ; en dérive **AFFOUILLEMENT** n. m. (1835).
② **FEUILLER** v., variante de *fouiller* (1357, *fueller*), est un terme technique signifiant «entailler par une rainure». ◇ Il a produit **FEUILLURE** n. f. (1334, *feuilleure*).

◇ voir BAFOUILLER, CAFOUILLER.

FOUINE n. f., antérieurement *foïne* (v. 1160), représente (XVIe s.) une altération de *faïne* (attesté 1260), d'après la forme *fou* «hêtre» (→ fouet) ; *faïne* est issu d'un latin populaire °*fagina [mustela]* «martre du hêtre» (la fouine est la «hêtrière»).

♦ Du sens de «petit mammifère carnassier», on passe (fin XIXe s.) par analogie, à cause du caractère qu'on prête à la fouine, à celui de «personne rusée» ou «indiscrète», souvent avec l'idée de nuire.

FOUILLER

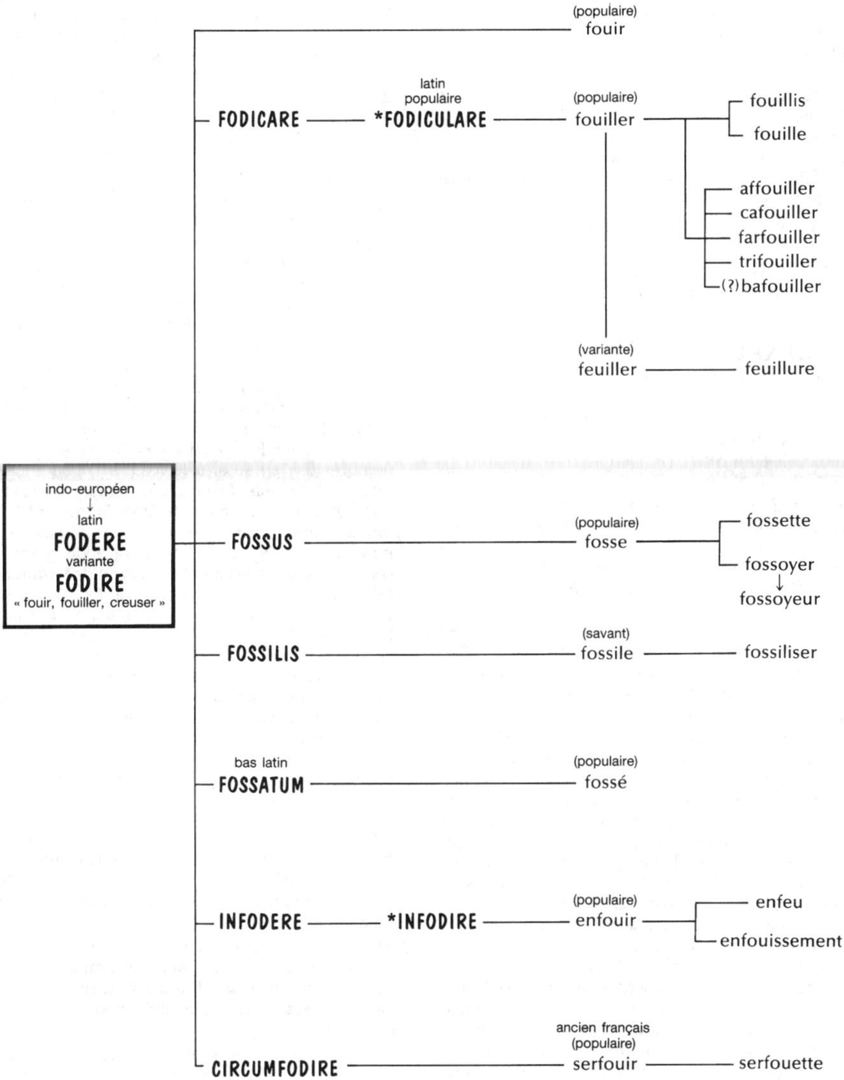
indo-européen
latin
FODERE
variante
FODIRE
« fouir, fouiller, creuser »
(populaire)
fouir
FODICARE
latin populaire
*FODICULARE
(populaire)
fouiller
fouillis
fouille
affouiller
cafouiller
farfouiller
trifouiller
(?) bafouiller
(variante)
feuiller
feuillure
FOSSUS
(populaire)
fosse
fossette
fossoyer
fossoyeur
FOSSILIS
(savant)
fossile
fossiliser
bas latin
FOSSATUM
(populaire)
fossé
INFODERE
*INFODIRE
(populaire)
enfouir
enfeu
enfouissement
CIRCUMFODIRE
ancien français (populaire)
serfouir
serfouette

▶ **FOUINER** v. intr., d'abord (1749) «fuir, se dérober», signifie «se livrer à des recherches méticuleuses» comme la fouine qui fourre partout son museau (1820), emploi péjoratif courant (cf. *fureter*). ◇ En dérivent **FOUINEUR, EUSE** adj. et n. (1866) et **FOUINARD, ARDE** adj. et n. (1867).
CHAFOUIN, INE n. et adj., composé de *chat* et de *fouin*, masculin disparu, s'est employé comme terme d'injure (1508) et pour «putois» (1611); il qualifie une personne sournoise (XVIIe s.), et il est sorti d'usage comme substantif.

FOUIR v. tr. est issu (XIIIe s.) par les formes *foïr* et *fuïr* (v. 1120) d'un latin populaire °*fodire,* altération du classique *fodere* «creuser», d'origine indoeuropéenne comme l'attestent des formes en baltique (cf. lette *bedù* «je creuse») et en slave (cf. vieux slave *bodǫ* «je pique»).

♦ Il conserve le sens latin, aujourd'hui en parlant d'animaux.

▶ En dérive **FOUISSEUR, EUSE** n. m. et adj. (v. 1250; n. m. pl. en zoologie, 1803).

◈ voir ENFOUIR.

FOULARD n. m. est un mot d'origine incertaine (1747); il se rattache peut-être à la famille de *fouler**, par l'intermédiaire du provençal *foulat* «foulé» et «drap léger d'été», participe passé du verbe correspondant à *fouler*. *Foulé,* participe passé substantivé, est attesté au sens de «drap léger» au XIXe siècle.

♦ *Foulard* désigne une étoffe (de soie, etc.) très légère et couramment (1832), par métonymie, une pièce d'étoffe servant d'écharpe. ➛ On a parlé (1989) de *foulard islamique* à propos du voile traditionnel des musulmanes *(le tchador).*

✱ **FOULER** v. tr. est l'aboutissement (fin XIIe s.) par *foler* (fin XIe s.) d'un latin populaire °*fullare* «fouler une étoffe», construit d'après le latin classique *fullo* «dégraisseur d'étoffes» (→ foulon).

♦ Le verbe a gardé le sens technique de «presser en appuyant à plusieurs reprises», d'où *fouler le raisin* (XIIIe s.), *fouler du drap* (1260) et un emploi en imprimerie (1845). ◇ Par figure (v. 1135), il a signifié «écraser (les mauvaises actions)», puis «opprimer» (v. 1160-1174; *fouler le peuple*), sens sorti d'usage, et «traiter avec mépris» (v. 1190). Le même sémantisme est réalisé par la locution métaphorique ***fouler aux pieds*** (1538), par la même image que *piétiner*. Du premier sens est issue par extension (1690) l'acception «presser le sol en marchant dessus», d'où vient un emploi en vénerie (1778).
Par analogie, on passe de l'idée de «presser» à celle d'«endommager en pressant» (1600) et, spécialement, au sens de «luxer» en parlant d'une articulation (1549) surtout au pronominal, d'où le dérivé *foulure* (ci-dessous). Au figuré, ***se fouler la rate*** (fin XIIIe s.) signifie «avoir un point de côté» (après un effort) d'où, par extension, «se donner du mal» presque toujours dans un contexte négatif (1838) : ***il ne s'est pas foulé la rate*** et ***il ne se (la) foule pas;*** l'expression continue l'ancien français *se foler* «se fatiguer» et *foulé* «fatigué» (1280).

▶ Plusieurs termes techniques dérivent de *fouler*. ➛ **FOULAGE** n. m. (1284, *folage*) a d'abord désigné un droit féodal, perçu sur la mouture (sur ce qui est foulé); c'est aujourd'hui l'«action de fouler», dans divers domaines techniques, fabrication du drap (XVIe s.), en imprimerie (1765). ➛ ① **FOULE** n. f., déverbal de *fouler*, est sorti d'usage au sens d'«action de fouler» (v. 1265), spécialement, les draps, le feutre (1690); c'est encore un terme technique en tissage (1930), historiquement précédé par des valeurs plus spéciales : «moulin à fouler les draps» (1304) et dans le domaine de la pêche (1829, *pêche à la foule*). ➛ **FOULANT, ANTE** adj. (1704) «qui foule» est un terme technique et, au figuré, d'après *se fouler*, un équivalent familier de «fatigant» (XXe s.).
On relève aussi **FOULEUR, EUSE** n. (XIIIe s., *fouleur de vendange*) d'où **FOULEUSE** n. f., nom de machine (1890), **FOULERIE** n. f. (1260, «métier de foulon»), **FOULOIR** n. m. (1274, *follour*). ➛ **FOULURE** n. f. était à l'origine un terme de vénerie (fin XIe s., *foledures*) pour parler des marques laissées par les pieds d'un cerf. D'abord employé au sens de «blessure» (apr. 1250), le mot désigne une légère entorse (1611). Il s'est aussi employé comme terme technique (1636), lié à *foulon**.
② **FOULE** n. f. vient d'une spécialisation à partir de *fouler* «presser» (cf. italien *folla*, ancien provençal *fola;* pour la même évolution, cf. *presse*); le mot désigne (1172) une multitude de personnes qui se pressent, d'où les locutions ***en foule*** «en grand nombre» (XVIe s.; aussi *à la foule* à l'époque classique) et ***une foule de*** «un grand nombre de» (1538). Par extension, *la foule* désigne la majorité, la masse humaine (1670), opposé alors à *élite*. ➛ Le mot familier **FOULTITUDE** n. f., «grande quantité» (1848), vient du croisement de *foule* et de *multitude*.
FOULÉE n. f. (v. 1290), réfection de *fouleie* «foule», désigne l'empreinte laissée par un animal qui foule la terre (v. 1375; au pluriel) ou (1835) l'appui pris à chaque pas par le cheval au galop (cf. *battue*) et la distance couverte à chaque temps du galop (1877). Par analogie, *foulée* s'emploie pour l'enjambée du coureur; de là vient la locution ***dans la foulée*** «derrière qqn» et, au figuré (XXe s.), «dans le prolongement (d'un événement)». ◇ En architecture, *foulée* équivaut (1752) à «dessus d'une marche», partie qui est foulée aux pieds.

◈ voir REFOULER.

FOULON n. m. vient (v. 1160-1174) du latin *fullonem*, accusatif de *fullo* «celui qui presse les étoffes pour les dégraisser», mot sans origine certaine, dont le dérivé a donné *fouler**.

♦ Le premier sens, «ouvrier qui foule les étoffes», est sorti d'usage, l'ouvrier ayant été remplacé par la machine dite *fouleuse*. *Foulon* ou (1360) *moulin à foulon* désigne une machine pour fouler les cuirs, etc.

▶ Le dérivé **FOULONNER** v. tr., ancien synonyme (1611) de *fouler* dans l'industrie textile, a fourni **FOULONNIER** n. m. (1723) et **FOULONNAGE** n. m. (1907).

FOULQUE n. f. ou m. est emprunté (1534), d'abord sous la forme altérée *fourque* (fin XIVe s.), au latin *fulica* n. f. (aussi *fulix,* n. m.), sans doute par l'intermédiaire de l'ancien provençal *folca* (fin XIIIe s.).

♦ Le mot désigne, comme l'étymon, un oiseau aquatique proche de la poule d'eau.

FOUR n. m. est l'aboutissement (XIIIe s.), par l'intermédiaire de *forn* (1080), du latin *furnus* «four (à pain)» qui se rattache comme le grec *thermos* «chaud» (→ thermo-), l'arménien *ǰerm,* le sanskrit *gharmáḥ-,* à une racine indoeuropéenne °*gwher-* «chaleur».

♦ Du sens premier, «ouvrage de maçonnerie où l'on fait cuire du pain, etc.» (ex. *four à ban, bannal, bannier* [1606], où l'on cuisait le pain en payant une redevance au seigneur), viennent plusieurs locutions figurées : ***il fait noir comme dans un four*** (XVe s.), ***être à la fois au four et au moulin*** «partout à la fois» (1685), ***il fait chaud comme dans un four*** (av. 1648), etc. ◆ Par métonymie de *pièces de petit four* (1803), *le petit four,* collectivement (1803) puis ***des petits fours*** (1864) se dit de petits gâteaux (cuits au four). ◆ Par analogie de fonction, *four* désigne (1833) la partie close d'une cuisinière, où l'on cuit certains aliments. ◇ Le mot s'emploie par analogie dans le domaine technique (v. 1560) pour un ouvrage servant à la transformation de diverses matières sous l'effet d'une grande chaleur (1564, ***four à chaux,*** nommé aussi *chaufour ;* 1311, *chauffour ;* 1248, *cauffor ;* de *chaux*) en particulier dans le contexte de la métallurgie (fin XIXe s. ; ***four Martin***), également (mil. XXe s.) dans ***four solaire.*** Par analogie, ***four à cristaux*** (1829) est le nom donné à une cavité tapissée de cristal de roche. ◆ Au figuré, ***faire un four*** (1690 ; 1656, *faire four*), en parlant d'un spectacle, signifie d'abord «renvoyer les spectateurs» puis «échouer» et par extension (1872) *four* équivaut à «échec» ; la locution vient probablement du fait qu'on éteignait les chandelles faute de spectateurs, et la salle devenait obscure comme un four ; Esnault suggère un lien avec le sens argotique d'*éclairer* «payer» : la salle sans spectateurs n'est pas «éclairée», ne rapporte pas d'argent.

▶ Les dérivés et les composés sont formés à partir de l'ancienne forme *forn, fourn.* ◆ **FOURNAGE** n. m., d'abord (v. 1175) «fournaise», se disait (1231) de la redevance perçue pour la cuisson du pain au four banal ou de la taxe payée au *fournier* (XIIIe s.) [ci-dessous]. ◆ **FOURNIER** n. m. est issu (1153, *forneirs*) du latin impérial *furnarius* «boulanger». Le mot a été remplacé par *boulanger* mais demeure comme nom patronymique. ◇ *Fournier* (av. 1773) désigne aussi un petit passereau d'Amérique du Sud qui construit un nid en forme de four.

FOURNIL n. m. désigne (XIIIe s. ; v. 1180, *fornil*) le lieu où se trouve le four du boulanger et où l'on pétrit la pâte avant d'enfourner. ◆ **FOURNÉE** n. f., réfection (v. 1283) de *forneie* (v. 1180), désigne la quantité de pain cuit en même temps dans un four et, par extension, un ensemble d'objets cuits dans un four (1680) d'où au figuré (XIIIe s., après 1250) un ensemble de personnes qui accomplissent ou subissent qqch. en même temps.

FOURNEAU n. m. représente le diminutif de *forn* (1165, *fournel*) et désigne un appareil où certaines substances sont fondues ; utilisé en alchimie et en chimie (1668), le mot a perdu sa valeur diminutive : pour le minerai de fer, ***haut fourneau*** (1783) a remplacé *forge* (mais son complémentaire *bas fourneau* n'a pas vécu) ; ces termes viennent d'emplois techniques du genre de ***fourneau à charbon*** (1636) où l'on fabriquait le charbon de bois. Couramment, *fourneau* se dit (1690) d'un appareil utilisé pour la cuisson des aliments et, par extension, d'un grand poêle ; par référence aux cuisinières équipées de plusieurs foyers, ***être aux fourneaux*** (av. 1880) signifie «faire la cuisine». ◇ Par analogie de forme ou de fonction, on parle d'un ***fourneau de mine*** «cavité qui contient une charge d'explosifs pour faire sauter un rocher, etc.» (1671) et d'un ***fourneau de pipe*** «partie évasée où brûle le tabac» (1808). ◆ *Fourneau* a été utilisé au XIXe s. comme terme d'injure (1881) : il désignait à l'origine un vagabond (1833) qui fréquentait les fourneaux de charité, ancêtres des «soupes populaires». ◆ **FOURNAISE** n. f. représente (vers 1121, *fornaise*) le féminin de l'ancien français *fornaiz* (1155), du latin *fornax,* augmentatif de *furnus.* ◇ Le premier sens de «grand four» est sorti d'usage. Par métonymie, *fournaise* s'emploie en particulier pour «feu de l'enfer» (vers 1190) et «foyer ardent» (1654, *la fournaise de l'Etna*). ◇ *Fournaise* se dit par analogie d'un endroit surchauffé (1823) et, par métaphore, d'un centre d'intense activité (vers 1830 ; cf. pour la même évolution *ébullition*).

ENFOURNER v. tr. (v. 1200) «mettre dans un four» s'emploie aussi par analogie au sens d'«avaler rapidement» (1849) et, par figure, pour «introduire rapidement (qqn)» et «fourrer (qqch.)» ; en dérivent **ENFOURNEMENT** n. m. (1559) et **ENFOURNAGE** n. m. (1763) «action d'enfourner», au sens propre. ◆ **DÉFOURNER** v. tr. (v. 1300, *desforner*) est un terme technique signifiant «tirer d'un four», d'où vient **DÉFOURNAGE** n. m. (1876) ou **DÉFOURNEMENT** n. m. (1845).

◈ voir FORNIQUER.

FOURBIR v. tr., réfection (XIIIe s.) de *furbir* (1080), *forbir* (XIIe s.), est issu d'un francique °*furbjan* «nettoyer» (cf. moyen haut allemand *vürben* «nettoyer») comme l'italien *forbire* ou l'ancien provençal *forbir.*

♦ Le verbe signifie «nettoyer en frottant (une arme)» (1080) et par métaphore «préparer soigneusement (ses armes)» d'où, au figuré, ***fourbir ses armes*** «s'armer, se préparer au combat», «se préparer à affronter une épreuve» (1850) ; par extension, *fourbir* s'emploie (XXe s.) pour «préparer soigneusement» *(fourbir ses arguments).*

Fourbir, en argot ancien (1223, *forbir*), a signifié «voler» (cf. italien *forbo,* ancien français *forbeter* «tromper», XIIIe s.) ; on relève un déplacement sémantique analogue avec *nettoyer, laver* et *polir.*

▶ Du verbe dérivent au sens propre **FOURBISSEMENT** n. m. (1270) rare, et **FOURBISSAGE** n. m. «action de fourbir» (1402). ◆ **FOURBISSEUR** n. m. (v. 1300), d'abord *forbisseor* (v. 1175), désignait l'artisan qui montait les armes blanches.

De *fourbir* «voler», vient le sens des déverbaux **FOURBE** n. «trompeur, rusé et malhonnête» (1643 ;

1455, n. m., «voleur» en argot), devenu adjectif (1638) et conservé en français moderne dans ce dernier emploi, et **FOURBE** n. f. «tromperie» (1460, *forbe*). ➛ Ces deux mots vieillis — le dérivé **FOURBER** v. tr. (1643) est sorti d'usage — ont été remplacés par **FOURBERIE** n. f. «tromperie» (1640) et «disposition à tromper» (1655), avec des valeurs psychologiques issues du sens de *fourbe*.

FOURBI n. m., du participe passé, se trouve chez Rabelais (1532, *fourby*, jeu de Gargantua) dans un sens non élucidé, rattaché à l'idée de «vol» ou à une métaphore obscène sur «fourbir» («frotter, masturber»). Le mot est repris en 1835 au sens de «jeu» puis de «jeu frauduleux» (1840) et en argot militaire (1861) de «trafic malhonnête», «choses volées», lié à l'emploi argotique ancien de *fourbir*. Dans l'argot de Saint-Cyr (1893), peut-être par croisement avec le radical de *fourniment* et par référence au sens de *fourbir* «astiquer», le mot désigne l'ensemble du matériel et des armes du soldat; par extension, il se dit des affaires de qqn ou (1883) d'objets en désordre, d'où son emploi comme substitut de ce que l'on ne peut pas nommer (1888), analogue à celui de *truc, machin, bidule*.

FOURBU, UE adj. représente (1546, Rabelais) le participe passé de l'ancien verbe *forboire* (1400) «boire à l'excès» d'où, par extension, «se fatiguer de trop boire», composé de *fors** et *boire**.

♦ Il qualifie une personne très fatiguée (1546) et s'applique à un cheval atteint d'une inflammation des tissus du pied (1563).

▸ Le dérivé **FOURBURE** n. f. (1611) désigne l'inflammation du cheval fourbu.

FOURCHE n. f., réfection (XIIIe s.) de *forches* (fin XIe s., au pluriel), *furche* (v. 1140), est l'aboutissement du latin *furca* «fourche à deux dents», employé pour tout instrument en forme de fourche, et spécialement «instrument de supplice». *Furca* n'a pas d'origine connue.

♦ Pour désigner le gibet, composé à l'origine de deux fourches fixées en terre, le mot est ancien (fin XIe s.) et remonte au latin, mais ***fourches patibulaires*** paraît plus tardif (1690). *Fourche* est aujourd'hui et depuis le XIIe s. (1160-1174 *forches*) le nom d'un instrument agricole à long manche muni de deux ou plusieurs dents et, par analogie de forme, d'une série d'objets à deux branches (***fourche d'une bicyclette***, 1897). ➛ Par analogie, *fourche* se dit (fin XIIe s.) de ce qui a une disposition en forme de fourche : *fourche d'un chemin* (XIIIe s., *forc*), *d'un arbre*, etc. Les ***Fourches Caudines*** (1690) désignent un défilé étroit en forme de fourche, situé près de *Caudium*, où les Romains battus par les Samnites (321 av. J.-C.) durent passer sous le joug; de là vient la locution figurée ***passer sous les fourches caudines*** «subir des conditions déshonorantes» (fin XVIIe s.).

▸ Le dérivé **FOURCHÉE** n. f. (1769) «ce qu'on peut prendre d'un coup de fourche», est demeuré rare. Le diminutif **FOURCHETTE** n. f. (XVe s.; 1302, *fourchete*) est le nom d'un instrument de table, d'abord à deux dents, dont l'usage ne s'est répandu en France qu'au XVIe s. sous l'influence de l'Italie; le mot est utilisé dans des locutions comme ***la fourchette du père Adam*** «les doigts» (1808), ***avoir un joli coup de fourchette*** (1865) et par métonymie ***être une belle fourchette*** (1890) «être un gros mangeur». ◇ Par analogie, comme *fourche, fourchette* s'emploie pour désigner des objets dont la forme évoque une fourchette à deux dents (1680, en ganterie; 1752, en horlogerie, etc.) et, abstraitement, un écart calculé en balistique (1930), en statistique (mil. XXe s.). ➛ Le dérivé **FOURCHERIE** n. f. (1829) est rare.

FOURCHER v. (XIVe s.; XIIe s., *forchier* v. intr.) ne s'emploie plus au sens de «se diviser en forme de fourche» mais seulement dans la locution figurée (1558) ***la langue lui a fourché;*** c'est aussi comme verbe transitif un terme d'agriculture (1800), d'où **FOURCHEUR** n. m. (1877), mot régional. ➛ **FOURCHU, UE** adj. «qui a la forme d'une fourche, fait une fourche» (XIIIe s., *forchu*) s'utilise surtout dans quelques emplois ***(pied fourchu, langue fourchue)*** où l'image du diable-serpent est souvent active. ➛ **FOURCHON** n. m., réfection (1530) de *forchon* (fin XIIe s.), désigne techniquement chaque dent de la fourche.

ENFOURCHER v. tr. (XVIe s.), sorti d'usage au sens propre de «percer d'une fourche», se dit par analogie, à cause de la forme des jambes, pour «monter à califourchon* (un cheval)» (1553) et, par extension, «une bicyclette, etc.». Au figuré et par référence à ***enfourcher un dada**** (fin XIXe s.), ***enfourcher une idée,*** c'est se complaire à la développer.

◈ voir CALIFOURCHON, CARREFOUR.

① **FOURGON** n. m. est une réfection (fin XIIIe s.) de *forgon* (av. 1105), mot issu d'un latin populaire °*furico* «instrument pour fouiller», dérivé d'un verbe °*furicare* «fouiller» qui a donné l'ancien français *forgier* «fouiller» (fin XIIe s.) et l'italien *frugare*, l'espagnol *hurgar*. °*Furicare* est dérivé du latin classique *furare* «voler», dérivé de *fur* «voleur» (→ furet).

♦ *Fourgon* désigne une barre métallique utilisée pour remuer les braises d'un four.

▸ En dérive **FOURGONNER** v. intr. (XIIIe s.) «remuer la braise» et familièrement par extension (1690) «fouiller dans qqch. en remuant tout».

② **FOURGON** n. m., attesté au XVIIe s. (v. 1640), est d'origine incertaine. On a proposé de le rattacher à ① *fourgon* qui aurait d'abord désigné le bâton de la ridelle, puis la ridelle et la voiture à ridelles; l'ancien provençal *fourgoun* a les deux derniers sens (cf. aussi l'évolution de *guimbarde*) mais cette évolution n'est pas attestée pour le français.

♦ Aux sens de «véhicule hippomobile couvert» (v. 1640) et de «véhicule de chemin de fer» (v. 1825), le mot n'est plus en usage : *fourgon* désigne (1826) dans un train de voyageurs le wagon où sont transportés les bagages, aussi dans ***fourgon à bagages.***

▸ Le dérivé **FOURGONNETTE** n. f. «petite camionnette automobile» (1949) est d'usage courant.

FOURGUER v. tr. vient probablement (1821), par métathèse du *-r-*, de l'italien *frugare* «fouiller»

(XIVe s.), issu d'un latin populaire °*furicare* «fouiller» (→ ① fourgon).

♦ *Fourguer* est d'abord un mot argotique et signifie «vendre les objets volés» (1835; 1821, «les acheter») d'où «dénoncer à la police» (1958; cf. *vendre qqn*). Il s'emploie par extension (1901) pour «vendre, placer (une marchandise)».

▸ **FOURGUE** n. m. est une variante (1835) de l'ancien dérivé **FOURGAT** n. m. (1821) signifiant «receleur», d'où *la fourgue* «trafic du receleur» (1866) et, par extension, «marchandises volées». Ces dérivés n'ont pas la fréquence du verbe et sont restés très argotiques.

FOURME n. f. représente la reprise (1845) d'une variante ancienne de *forme** au sens d'«objet qui a une forme caractéristique» (XVIe s., «forme à fromages»), d'où *forme* comme nom de ce fromage (1803).

♦ Le mot, d'abord régional (Centre), s'est diffusé dans toute la France, pour désigner plusieurs types de fromages (du Cantal, d'Ambert, à moisissures, etc.).

FOURMI n. f. est issu (vers 1121-1134, *formiz*) du latin classique *formica*, mot résultant probablement d'une dissimilation de °*mormi-*, attesté par le grec *murmêx*, lui-même apparenté à plusieurs formes indoeuropéennes. Le franco-provençal *formiga* a continué la forme latine tandis qu'en wallon, en picard, dans le Dauphiné et le Rouergue, les formes dialectales sont l'aboutissement d'un latin de basse époque °*formice;* une grande partie du territoire français restant a pour départ la forme °*formicus* avec changement de genre : *fourmi* (1550), *formi* est le plus souvent masculin jusqu'au XVIIe s. (face à *formie*, féminin, XIIIe s.).

♦ *Fourmi*, désignant un insecte dont le nom latin est déjà chargé de contenus métaphoriques, entre dans des locutions figurées : ***avoir des fourmis dans (les membres)*** [1831], par comparaison avec la sensation que provoqueraient des fourmis courant sur la peau (cf. latin *formicare* et ci-dessous *fourmiller*); ***se faire plus petit qu'une fourmi***, la fourmi étant, après et avec le *ciron*, le symbole de la petitesse; ***c'est une fourmi*** (av. 1664) «une personne laborieuse et économe», par allusion au travail obstiné des fourmis, comparaison popularisée par La Fontaine (cf. aussi ***un travail de fourmi***). Par métaphore, le mot s'emploie au pluriel en parlant d'une foule humaine.

▸ **FOURMILLER** v. intr. (1552) représente une réfection, avec le suffixe *-iller*, de l'ancien français *formïer* (XIIe s.), puis *fourmier*, du latin impérial *formicare* «démanger» (cf. *fromier* «s'agiter», fin XIe s.). ◇ Le verbe est utilisé (1552) comme en latin et aussi au sens de «s'agiter en grand nombre» (1587; XIIIe s., pour *formier*), par extension «proliférer» (sans idée de mouvement); avec *fourmiller de...* (1595), où les idées de nombre et d'agitation sont retenues (cf. *grouiller*). ◆ Du verbe dérivent **FOURMILLANT, ANTE** adj. (1608) et **FOURMILLEMENT** n. m. (1636), qui remplace *fourmiement* (1545) de la forme *fourmier*. ◆ **FOURMILIÈRE** n. f. (déb. XVIe s.) est une réfection de *formilliere* (v. 1195), *formiiere* (v. 1180, et encore au XVIe s.), *formiere* (fin XIVe s.). ◇ Le mot désigne l'habitation des fourmis et, par métonymie, une colonie de fourmis (1837). *Fourmilière* s'emploie au figuré, comme *ruche*, au sens de «multitude de personnes» (1587), d'où «lieu où habite cette multitude» (1762). ◆ **FOURMILIER** n. m. désigne le tamanoir (1756, aussi *fourmiller*) et un oiseau (1778), qui se nourrissent de fourmis. *Ours fourmier* (1575), «fourmilier», est une traduction de l'italien *orso formigaro*.

Le composé **FOURMI-LION** (ou **FOURMILION**) n. m. (1745; 1372, *fourmilleon*) continue l'ancien français *formicoleün* (v. 1121-1134), emprunt au bas latin *formicaleon* (VIe s.) composé altérant *myrmecoleôn*, hellénisme formant image : l'insecte, qui ressemble à la fourmi, est féroce comme le lion. ◇ *Formica-leo* (1704) est une variante savante employée aux XVIIIe et XIXe siècles.

◈ voir **FORMIQUE.**

FOURNAISE, FOURNEAU, FOURNIER, FOURNIL → **FOUR**

FOURNIR v. tr. est issu (XIIIe s.), par les formes *furnir* (1119), *fornir* (v. 1130), d'un francique °*frumjan* «exécuter, faire» (cf. ancien haut allemand *frumman*, allemand *frommen* «être utile, servir à qqn»). L'ancien provençal *formir* et le toscan *frummiare* représentent directement la forme germanique; le français comme l'italien *fornire* auraient substitué *-n-* à *-m-* sous l'influence de *garnir*, de sens très proche (cf. italien *garnire*) [Bloch et Wartburg]. Cependant, selon P. Guiraud, l'ancien français *formir* «exécuter, faire savoir, fournir» pourrait être issu d'une forme populaire °*forminare*, du latin classique *formare* au sens de «former, instruire» : *fornir, parfornir* «accomplir» sont à mettre en relation avec l'ancien français *parformer* de même sens et avec l'ancien provençal *formit* «achevé, parfait». *Formir* signifierait donc «compléter une forme» en y ajoutant les accessoires nécessaires (armement pour une place, provisions pour une armée, etc.), le sens étant voisin de *garnir*.

♦ *Fournir* a signifié «ajouter les éléments nécessaires pour qu'il ne manque rien» (1119), encore à l'époque classique, d'où «achever, exécuter» (v. 1130). ◇ Il a le sens général de «donner, procurer (ce qui est nécessaire)» (XIIe s., *fournir un effort*), également dans *fournir à qqch.* «y pourvoir» (v. 1373), littéraire, *fournir de qqch.* (à qqn) [1538] à l'époque classique. De là viennent différents emplois, par exemple au jeu (1865, *fournir une carte*), dans un contexte abstrait (1580, *fournir un prétexte*), et les sens de «présenter» (1690, *fournir la preuve*), «produire» par exemple en parlant d'un sol (XVIIe s.), «constituer la matière de» en parlant d'une chose (1635).

▸ **FOURNITURE** n. f., d'abord *fornesture* «provisions» (v. 1185), puis *fourniture* (fin XIVe s.), désigne l'action de fournir (1436, *fourneture*) et, par métonymie, ce qu'on fournit (1596; surtout au pluriel), ce qui complète qqch. (par ex., 1680, «fines herbes pour la salade») ou un matériel (fin XIXe s., *fournitures de bureau*).

FOURNISSEMENT n. m., autrefois «action de procurer» (XIIIe s., *fornissement*), s'est spécialisé comme terme de commerce, désignant (1723) les fonds que chaque associé met dans une société, et comme terme de droit (1835). Il a vieilli.
Le dérivé **FOURNIMENT** n. m. a signifié «garniture, doublure» (1260, *fournement*) et était le nom de l'étui à poudre des soldats (1557). Le mot désigne (1750) ce qui compose l'équipement du soldat et par extension (1841) le matériel propre à une profession, une activité. ➛ **FOURNISSEUR, EUSE** n. (1415, repris au XVIIIe s.) se dit de qui fournit des marchandises (1636, ***fournisseur militaire***) d'où l'emploi courant du mot au sens de «commerçant» (par rapport aux clients).
Le composé **PARFOURNIR** v. tr. (1690; 1598, «fournir pour compléter»; v. 1155, *parfurnir* «accomplir») signifie, en droit, «contribuer subsidiairement».

① **FOURRAGE** n. m., réfection (XIIIe s.) de *forrasge* (v. 1160), *fouraige* (fin XIIe s.), dérive, comme *feuillage* dérive de *feuille,* de l'ancien français *feurre* «paille» (v. 1165, *fuerre*), issu d'un francique °*fodr,* °*fodra* «paille». *Feurre* ou *fouarre* a aussi désigné (déb. XVIe s.) la paille longue employée pour empailler les chaises.

♦ *Fourrage* «nourriture pour le bétail» (v. 1160, *aller en forrasge*) s'est dit spécialement pour «pillage» (XVe s.), les soldats ayant l'habitude de voler les vivres nécessaires à leur entretien. Cette dernière acception a disparu.

▸ **FOURRAGER, ÈRE** adj. et n. signifie «qui fournit du fourrage» (1829) ou «qui a rapport au fourrage» (1872). ➛ ① **FOURRAGÈRE** n. f. désigne (1822) un champ produisant du fourrage, puis (1836) un cadre à claire-voie, une charrette pour le transport du fourrage. ➛ **FOURRAGER** v., d'abord *foragier,* a eu le sens (v. 1357) de «couper du fourrage» et s'emploie encore régionalement, en Suisse, pour «distribuer du fourrage». ◇ Par figure, il équivaut à «fouiller, fourgonner» (1684, tr.; 1691, intr.). Par ailleurs, *fourrager* v. tr. a signifié «ravager en s'approvisionnant en fourrage» (fin XIIe s., *foragier*) et par extension (1684) «dévaster, saccager», sens disparu, d'où aujourd'hui «mettre en désordre» (fin XVIIe s.). ➛ **FOURRAGEUR** n. m. a désigné un soldat qui allait aux vivres (fin XIVe s.) et par extension un pillard (1553); par figure il se dit d'une personne qui prend son bien çà et là (av. 1859). C'était aussi le nom (1841) d'un cavalier d'un peloton qui combattait en ordre dispersé.

② **FOURRAGE** n. m. → **FOURRER**

① **FOURRAGÈRE** n. f. → ① **FOURRAGE**

② **FOURRAGÈRE** n. f. vient peut-être (1850) d'un sens virtuel de *fourrager* adj., dans *corde fourragère* «pour serrer le fourrage» (→ ① fourrage).

♦ Le mot désigne un ornement en forme de cordon de l'uniforme militaire.

FOURREAU n. m., réfection (XVIe s.) de *fourrel* (XIIe s.), *forrel* (1174), *furrel* (1080), est un dérivé de l'ancien français *fuerre* «gaine de l'épée», issu d'un francique °*fodr* «fourreau» (qui serait alors un homonyme de °*fodr* «fourrage»; → fourrage), reconstitué d'après l'ancien haut allemand *fôtar* «étui» et le latin médiéval *fodorus* (v. 1100). Pour P. Guiraud, °*fodr* «paille» et °*fodr* «fourreau» représenteraient un seul mot, le *fourreau* ayant d'abord été un sac garni de paille.

♦ Le sens de «gaine» (1080) s'est d'abord utilisé pour les armes blanches puis, par analogie de forme, pour d'autres objets *(fourreau de parapluie).* Par analogie de forme, *fourreau* désigne ce qui recouvre qqch. d'allongé en en épousant la forme, en botanique et en zoologie (1554); il s'est employé (av. 1614) à propos d'un habit militaire étroit, aujourd'hui (v. 1780) pour une robe de femme qui moule le corps.

◈ voir **FOURRER**.

FOURRER v. tr. est une réfection (XIIIe s.) de *forrer* (v. 1165). On le considère habituellement comme le dérivé de l'ancien français *fuerre* «fourreau» avec le sens de «mettre dans le fourreau». Pour P. Guiraud, il y aurait eu, pour la formation du verbe, un croisement entre *fuerre* «fourreau» et *fuerre* «paille» (*fourrer* «bourrer de paille»; → fourrage); il faudrait supposer non pas deux *fuerre* homonymes mais un seul mot (→ fourreau).

♦ Le premier sens général bien attesté du verbe est «doubler (un vêtement) avec de la fourrure» (v. 1165), d'où *se fourrer* «s'habiller chaudement» (fin XIVe s.), sorti d'usage. ➛ Par analogie, *fourrer* signifie «garnir intérieurement (qqch.)», par exemple en cuisine (1228). Il se dit aussi pour «garnir extérieurement», par exemple en orfèvrerie (1464).
Un second ensemble d'emplois se rattache à l'idée de «faire entrer» (comme dans un fourreau), d'abord en parlant de personnes (1419, pron.), en particulier par figure dans ***ne pas savoir où se fourrer*** (1690). Par extension, il signifie «faire entrer avec peu de soin» (1580) d'où les locutions figurées ***fourrer son nez partout*** (1690), ***fourrer qqch. dans l'esprit*** (XVIIe s.), ***dans le crâne de qqn, se fourrer le doigt dans l'œil*** (1880), ***fourrer tout le monde dans le même sac*** (XXe s.) et, au propre et au figuré, ***s'en fourrer jusque-là*** (1932). *Fourrer* signifie aussi plus généralement (1690) «placer (sans soin)». ➛ Par analogie, *fourrer* se dit vulgairement (fin XVIIe s.) pour «posséder sexuellement» (cf. *foutre*). *Fourrer* au sens de «donner, flanquer» (1907), équivalant à *ficher, foutre,* est aujourd'hui vieilli.

▸ Le dérivé **FOURRURE** n. f. désigne une peau d'animal avec son poil (v. 1130, *forreüre*) utilisée comme doublure ou pour servir de vêtement et par métonymie le vêtement lui-même (ces deux acceptions apr. 1250); c'était le nom (1690) de la robe fourrée ou garnie de fourrure des magistrats et des docteurs, et par métonymie du magistrat lui-même (1689). *Fourrure* s'emploie (mil. XVIIIe s.) à propos d'un poil d'animal particulièrement beau et désigne en général tout vêtement de fourrure (dep. 1816). ◇ Par ailleurs, le mot désigne dans divers domaines techniques une garniture extérieure ou intérieure (1690, en marine).
FOURRÉ, ÉE adj. a le sens général de «doublé» (1228); le mot signifie «garni intérieurement» ou

«garni extérieurement» dans divers emplois, en particulier au figuré : ***paix fourrée*** «de pure forme» (fin XIIe s.), ***coup fourré,*** en escrime (fin XVIe s.) et par métaphore «coup, attaque où entre de la traîtrise» (1640). ◇ *Fourré,* sous l'influence de *fourrure,* s'emploie spécialement pour «doublé de qqch. de chaud», extérieurement, seulement aujourd'hui pour parler du poil d'un animal (1678, cf. *chat fourré*) ou intérieurement (XVIe s.). Par analogie, *fourré* signifie «épais» (comme une fourrure); en ce sens l'adjectif (1690, ***bois fourré***) a cédé la place au substantif **FOURRÉ** n. m. (1761, ***un fourré de broussailles***).

FOURREUR n. m. (1260) désigne la personne puis l'entreprise qui fabrique ou qui vend des vêtements de fourrure. ➛ ② **FOURRAGE** n. m. (1489, *fourage* «métier de fourreur») signifie «action de protéger un câble», en marine (1836), et «action de doubler de fourrure» (1930).

Le composé **FOURRE-TOUT** n. m. inv. (de *tout*) désigne une pièce, un meuble, etc., où l'on dépose en désordre des objets (1857, «cabinet de débarras») et spécialement un sac de voyage (1917).

FOURRIER

FOURRIER n. m., réfection (XIIe s.) de *forier* (v. 1135), pour *fuerrier,* est un dérivé de l'ancien français *fuerre* (→ fourrage).

♦ Le mot a d'abord désigné le soldat qui prélevait sur les paysans le fourrage, puis par spécialisation (v. 1280) l'officier chargé d'assurer le logement d'un prince et de sa suite, d'où vient le sens moderne (1452) de «sous officier chargé du cantonnement, de la distribution des vivres». ◇ Dans un emploi figuré et littéraire, ***fourrier de...*** désigne ce qui annonce, prépare (qqch.) [1268]; en ce sens, il était aussi employé au féminin à l'époque classique, et depuis le début du XVIe s. (av. 1514).

▸ **FOURRIÈRE** n. f., autre dérivé de *fuerre,* est attesté (v. 1225, *foriere*) au sens d'«écurie» puis de «grenier à fourrage» et, en général, «bâtiment où l'on garde des provisions» (1319, *fourrière*). ◇ La locution ***mettre en fourrière*** (1740; 1574, *mettre en fourrie*) a signifié «garder (un animal) jusqu'au paiement des dommages par son propriétaire»; de là vient le sens moderne de *fourrière* (1839), «lieu où sont retenus des animaux errants ou des véhicules saisis», aujourd'hui très employé à propos des automobiles et seul emploi vivant du mot.

FOURVOYER → VOIE

FOUTRE

FOUTRE v. tr. est issu (v. 1175-1180) du latin *futuere* «avoir des rapports avec (une femme)», en parlant d'un homme, mot d'origine inconnue.

♦ En ce sens resté usuel mais souvent tabou jusqu'à la fin du XIXe s., *foutre* est vieilli, ainsi que la locution ***se faire foutre*** «se faire pénétrer sexuellement» (1731; en parlant d'un homme ou d'une femme). *Foutre,* comme terme général, a été éliminé par *baiser* et *faire l'amour.* Au figuré (déb. XVIIIe s.) dans ***envoyer qqn se faire foutre*** «envoyer au diable», ***va te faire foutre,*** l'emploi du verbe est démotivé. ➛ *Foutre* s'emploie aujourd'hui familièrement aux sens généraux de *faire* et *mettre;* les premières attestations se trouvent au milieu du XVIIIe s. mais ce type d'emplois est certainement antérieur. Au sens de «faire», *foutre* s'emploie (1790) comme *ficher** (par exemple dans ***foutre le camp;*** → ficher), qui ne semble pas en être l'euphémisme : ***n'en avoir rien à foutre*** «se moquer de», *foutre qqch. à qqn* «intéresser» (dans quelques constructions : ***qu'est-ce que ça te fout ?***), etc. ◇ La valeur de «mettre» et spécialement celle de «donner un coup» (1789, ***foutre son pied quelque part***) vient du rapport établi entre l'acte sexuel de l'homme, considéré comme le prototype de toute action, et le fait de frapper. *Foutre,* avec la valeur de «mettre» (avec ou sans violence) et de «donner», entre dans de très nombreuses locutions : ***en foutre un coup, foutre (qqch.) en l'air*** «démolir» et, au figuré, «se débarrasser de», ***foutre son billet à qqn que...*** «lui assurer que», ***foutre la paix à qqn*** (1790), ***foutre la trouille, ça la fout mal*** «c'est fâcheux» ou «c'est inadmissible», etc. ➛ ***Se foutre de, s'en foutre*** «se moquer» et ***se foutre que...*** «ne pas s'intéresser à» apparaissent au début du XVIIe s.; il semble bien que *se foutre* ait d'abord été employé comme moyen de renforcer un blasphème; le terme, provocateur, ne semble pas avoir eu de connotation sexuelle. ➛ *Foutre* s'emploie comme interjection (1618, peut-être emploi exclamatif du verbe ou du substantif, vieilli aujourd'hui) et comme adverbe; le sens non sexuel est assuré à partir de la Révolution française, en particulier avec les textes d'Hébert (dans son journal *le Père Duchesne*). ➛ Le substantif **FOUTRE** n. m. (XVe s.) a gardé sa valeur sexuelle, désignant au moins jusqu'à la fin du XIXe s. le sperme ou les sécrétions vaginales, par ignorance quant aux causes de la génération.

▸ Les emplois de **FOUTU, UE** adj., participe passé de *foutre* (1416, «méchant»), correspondent partiellement à ceux du verbe, avec le sens de «fait» ***(bien/mal foutu)*** d'où par extension (1789) celui de «mauvais, désagréable» («mal fait»). ➛ *Foutu* s'emploie aussi aux sens de «perdu, très malade» (av. 1772) et de «capable» dans ***être foutu de*** et surtout ***n'être pas foutu de,*** suivi d'un infinitif (1888). ➛ Le préfixé **INFOUTU, UE** adj. «incapable (de)» est récent (mil. XXe s.) et familier.

Une partie des dérivés de *foutre* a perdu dans l'usage un lien fort avec la sexualité. ➛ C'est le cas de **FOUTREMENT** adv. (1891, de l'adverbe *foutre*) — précédé par **FOUTÛMENT** (XVIIIe s.) de *foutu* «beaucoup». ➛ **FOUTAISE** n. f., autre dérivé du verbe, d'abord pseudo-nom propre, avec une valeur érotique (1688), signifie aujourd'hui «chose sans intérêt» (1775). ➛ **FOUTRAL, ALE, ALS** adj., de l'adverbe (1938), d'abord dans l'argot des Grandes Écoles, correspond à «extraordinaire»; **FOUTRIQUET** n. m., du verbe (1791), à «personnage insignifiant».

Trois autres dérivés ont longtemps conservé la valeur érotique de *foutre.* **FOUTERIE** n. f. est à peu près sorti d'usage (1521, «chose obscène»; 1534, «action de foutre»; 1851, «sottise»). ➛ **FOUTOIR** n. m. (XVIe s., *foutouer* «engin de guerre»; cf. aussi *foutoire* n. f., «pénis» à l'époque classique) a eu des sens liés à l'activité sexuelle : «lit de repos, sofa, etc.» (déb. XVIIIe s.), «pièce réservée aux ébats érotiques» (1732), par ext., «petit appartement de célibataire», correspondant au moderne *garçonnière,* et «maison de tolérance» (XIXe s.). ◇ Le sens figuré (1857) vient d'un glissement de «lieu où l'on fout» à «lieu en désordre», parallèle à celui de *bordel.* ➛ **FOUTEUR** n. m. (XIIIe s., *fouteor*), de *foutre* ou du dérivé latin *futuor,* est sorti d'usage avec sa valeur érotique, encore usuelle à la fin du XVIIIe s. (Sade), puis a été remplacé par *baiseur;* il s'emploie familièrement avec un complément *(fouteur de désordre, de merde).*

On emploie aussi les composés **REFOUTRE** v. tr. «remettre» (1791 ; 1790, «envoyer» ; *se refoutre* «se remettre», 1790), **SE CONTREFOUTRE** v. pron. «se moquer» (1790). ➛ **JE-M'EN-FOUTISME** n. m. (1891), précédé par *je-m'en-fous* n. m. (1879), est familier, comme **JE-M'EN-FOUTISTE** n. et adj. (1884).

◈ voir JEAN (JEAN-FOUTRE).

FOX-TERRIER n. m. est emprunté d'abord par l'abréviation *fox* n. m. inv. (1839, Stendhal) à l'anglais *fox terrier* «chien pour débusquer le renard», de *fox* «renard» et *terrier,* emprunté à l'ancien français *chien terrier* (1375) «chien qui fait sortir les bêtes de leur terrier» (→ terrier, à terre).

♦ Le mot (1865 en français) désigne une race de chien terrier d'origine anglaise.

FOX-TROT n. m. est emprunté (v. 1919) à l'anglais *fox-trot,* de *fox* «renard» et *trot,* déverbal de *to trot* «trotter», lui-même emprunté à l'ancien français *troter* (→ trotter).

♦ Le mot avait désigné en anglais le trot du renard puis une sorte de trot du cheval. Il a été appliqué par plaisanterie à la danse, au début du XXe s. en américain et abrégé en *fox.* En français, *fox-trot* se dit aussi de la musique.

▸ **FOX-TROTTER** v. intr. et **FOX-TROTTEUR, EUSE** n. (1919) ont été à la mode en même temps que la danse mais sont sortis d'usage.

◈ **FOYER** n. m., réfection tardive (XVIe s.) de *foier* (v. 1135), est l'aboutissement d'un latin populaire °*focarium,* substantivation de l'adjectif bas latin *focarius* «du foyer», «qui concerne le foyer», et n. m. «cuisinier, marmiton», dérivé du latin classique *focus* «foyer» (→ feu).

♦ Au sens général, *foyer* désigne le lieu où l'on fait du feu, d'où par métonymie le feu lui-même et la dalle placée devant le foyer pour isoler le feu du sol, et par extension (1680) la partie d'un appareil de chauffage où brûle un combustible. ➛ *Foyer* se dit par ailleurs (1572) du lieu où habite une famille — par exemple, au pluriel, dans ***rentrer dans ses foyers*** (av. 1743), plus récemment, au singulier, ***être sans foyer*** (XXe s.) — et par métonymie (1673 ; ***fonder un foyer***) de la famille même, ***un jeune foyer*** équivalant à «un jeune ménage». ➛ Dans un théâtre, la salle où se réunissaient spectateurs et acteurs pour se réchauffer était nommée *foyer;* par extension, le mot a désigné la salle où se rassemblent les acteurs (1752, ***foyer des artistes***) et celle où vont les spectateurs pendant les entractes (av. 1709, ***foyer du public***). Avec le sens fondamental de «feu» qui produit de l'énergie, *foyer* signifie «lieu où le feu prend et se développe», en forêt, etc. *(foyer d'incendie),* et aussi (mil. XVIIIe s.) «lieu d'où rayonne la chaleur ou la lumière» (en optique, 1637, Descartes) ; par analogie, il est devenu un terme de géométrie (1690). *Foyer* se dit au figuré (av. 1704) pour «point central à partir duquel se développe un processus», généralisation d'un sens médical antérieur «siège d'une maladie» (1575). ◇ L'application en économie à «groupement géographique» est récente (XXe s.), par exemple dans *un foyer industriel.*

FRAC n. m., attesté chez Beaumarchais (1767), est emprunté à l'anglais *frock* (1719) dont le *-o-* très ouvert a été interprété comme un *-a-;* l'anglais *frock* avait été emprunté à l'ancien français *froc* (→ froc).

♦ Au XVIIIe s., le mot a désigné un vêtement d'homme serré à la taille, avec deux longues basques ; le *frac* est aujourd'hui une tenue de cérémonie, à basques dites en queue de morue.

FRACASSER v. tr. représente un emprunt (1475) à l'italien *fracassare* «briser avec violence» (attesté depuis la fin du XIIIe s.), construit sans doute par croisement du latin *frangere* «briser» (→ fraction) et du latin *quassare,* fréquentatif de *quatere* «agiter, secouer» (→ casser).

♦ Le verbe conserve le sens de l'étymon et s'emploie aussi au pronominal (1588).

▸ **FRACAS** n. m., emprunt à l'italien *fracasso* (dérivé de *fracassare*) ou déverbal de *fracasser,* apparaît (1475) au sens d'«action de fracasser», disparu comme la valeur extensive de «rixe» (apr. 1650), dont procède la locution moderne ***avec perte et fracas*** «brutalement». Le mot s'emploie aussi (1678) au sens de «bruit qui résulte de chocs ou d'une rupture violente», sens encore usuel, et au figuré (1661) pour «agitation», vieilli, et «effet retentissant produit par qqn ou qqch.» (1665), littéraire. ➛ **FRACASSEMENT** n. m. (1579) est rare. ➛ **FRACASSANT, ANTE** adj. (1871), du participe présent, s'emploie au propre et au figuré (déb. XXe s., ***une déclaration fracassante***).

FRACTION n. f. est un emprunt (v. 1187) au bas latin *fractio, -onis* «action de briser», terme de mathématiques en latin médiéval (1150), «division» ; ce mot dérive du supin du latin classique *frangere* «briser» qui se rattache, comme le gotique *brikan* «briser» (cf. anglais *to break,* allemand *brechen*), à une racine indoeuropéenne °*bhreg-* «briser».

♦ *Fraction* est encore un terme de liturgie, au sens d'«action de briser (le pain eucharistique)» (v. 1187) ; le sens général d'«action de briser» (v. 1400) est sorti d'usage, *fraction* ayant été remplacé par *fractionnement* ou par *brisure, cassure.* ➛ Le mot désigne couramment par réemprunt une partie d'un ensemble (1273), notamment en arithmétique (1538) ; ce sens a succédé à celui de «division» (2e moitié du XIIIe s.), disparu.

▸ L'idée de «division» est retenue dans les dérivés. ➛ **FRACTIONNAIRE** adj. (1725) «sous forme de fraction», en mathématiques. ➛ **FRACTIONNER**

v. tr. (1789; au pronominal, 1827) «diviser en parties, en fractions» d'où **FRACTIONNEMENT** n. m. (1838) «action de fractionner». ◆ **FRACTIONNEL, ELLE** adj. (1925) «qui tend à diviser», en politique (cf. également **FRACTIONNISME** n. m. (1925) et **FRACTIONNISTE** adj. et n., av. 1959).

FRACTAL, ALE, ALS adj. est un dérivé savant (B. Mandelbrot, 1975) du latin *fractus* «brisé», participe passé adjectif de *frangere*. Terme didactique, *fractal* se dit d'une figure dont la forme est irrégulière et fragmentée, la fragmentation étant quantifiable dans son irrégularité. ◆ En dérive **FRACTALE** n. f. (1975) «objet fractal».

◈ voir **FRACTURE, FRAGILE,** ② **FRAIS** (n. m. pl.).

FRACTURE n. f. est un emprunt savant (2e moitié XIIIe s.) au latin *fractura* «éclat, fragment» et «fracture d'un membre», du supin de *frangere* «briser» (→ fraction); l'évolution phonétique avait abouti en ancien français à *fraiture* (fin XIIe s.) — comme *fragilis* a donné *frêle* — de sens plus étendu et en concurrence avec *frainture,* de *fraindre* «briser», issu lui aussi du latin *frangere.*

♦ *Fracture,* comme en latin, désigne une lésion osseuse; il est sorti d'usage au sens général de «bris, rupture» (1391) remplacé par *effraction.* Le mot s'emploie pour désigner l'état de ce qui est rompu, spécialement en géologie pour «cassure de l'écorce terrestre» (1827). ◇ Par métaphore, on parle depuis les années 1990 de ***fracture sociale,*** expression à la mode en politique (J. Chirac), et qui a entraîné des emplois analogues.

▸ **FRACTURER** v. tr. (fin XVIIIe s.) apparaît dès le XVIe s. dans *os fracturés* (1560) et s'emploie pour «briser par violence ou avec effort» (1807; *fracturer un coffre-fort*). ◆ En dérivent **FRACTURATION** n. f., terme technique (mil. XXe s.) notamment utilisé dans l'industrie du pétrole, et **FRACTURABLE** adj. (XXe s.), rare. ◆ **FRACTO-** est un élément tiré de *fracture* pour composer des termes techniques, comme **FRACTOGRAPHIE** n. f. (1960; de *-graphie*) «étude scientifique des cassures des métaux».

◈ voir **FRACTION, FRAGILE.**

FRAGILE adj. est un emprunt (v. 1361) au latin *fragilis* «cassant, frêle» et «faible, périssable», de *frangere* «briser» (→ fraction, fracture); l'évolution phonétique régulière a abouti en français à *frêle**.

♦ L'adjectif a d'abord signifié «de peu d'importance». Le sens général de *fragile* est «qui se brise facilement» (1541) d'où vient par extension (1651) la valeur de «qui manque de solidité, est sujet à être détruit». L'adjectif s'emploie spécialement pour qualifier les personnes de constitution délicate ou un organe de fonctionnement délicat et par figure ce qui est facile à ébranler, n'étant pas sur des bases fermes, en parlant des sentiments. À l'époque classique, il a signifié «faillible» en religion (1651), aujourd'hui dans d'autres domaines *(une économie fragile).*

▸ **FRAGILEMENT** adv. (1580) est demeuré rare. ◆ **FRAGILISER** v. tr. (1956; suffixe *-iser*) «rendre fragile (qqch., qqn)» a pour dérivés **FRAGILISATION** n. f. et **FRAGILISANT, ANTE** adj. (v. 1965).

FRAGILITÉ n. f. (v. 1119), emprunt au latin classique *fragilitas* «fragilité (physique et morale)», de *fragilis,* a remplacé l'ancien français *fraileté* (XIIIe s.), dérivé de *frêle.* ◇ Le mot, sans rapport aujourd'hui avec *frêle,* a suivi une évolution parallèle à celle de l'adjectif, dans le domaine moral (XIIe s.) et aussi concret : «facilité à se briser» (1642), «à être détruit» (1890). *Fragilité* signifie aussi par extension «caractère éphémère» (1541).

FRAGMENT n. m. est une réfection savante (v. 1500) de la forme ancienne *frament* (v. 1250; fin XIIe s., *framente* n. f.), emprunt au latin *fragmentum* «morceau d'un objet brisé», dérivé de *fragmen* «éclat, débris», lui-même de *frangere* «briser» (→ fraction).

♦ *Fragment* désigne un morceau de ce qui a été brisé (*fragment d'os,* v. 1560). À propos d'une œuvre, le mot se dit de ce qui en subsiste quand l'essentiel a été perdu (1636), d'un extrait (1680) ou d'une pièce qui en a été isolée (1803, souvent au pluriel). *Fragment* s'emploie dans le domaine abstrait (1868, *fragment du passé*), en concurrence avec *morceau**.

FRAGMENTAIRE adj. s'applique à ce qui existe à l'état de fragments (1801) ou procède par fragments (1918); l'adjectif est péjoratif et suppose un caractère incomplet (cf. *lacunaire*). ◇ Il a fourni **FRAGMENTAIREMENT** adv. (1840). ◆ **FRAGMENTER** v. tr. (v. 1845; au p. p. dès 1808), c'est «partager en fragments». ◆ En dérivent **FRAGMENTATION** n. f. (1840), qui a pris des valeurs techniques différentes de celles de *fractionnement,* et **FRAGMENTABLE** adj. (v. 1969).

FRAGON n. m. est une réfection (1379) de *fregon* (XIIe s.), issu du bas latin *frisco* «houx», peut-être d'origine gauloise.

♦ Le mot désigne un arbrisseau vivace.

FRAGRANCE n. f. est un emprunt ancien (XIIIe s., *fraglance*), repris au XVIe s. sous sa forme moderne, au latin chrétien *fragrantia* «odeur suave», du latin classique *fragrare* «exhaler ou sentir une odeur» (→ flairer).

♦ Il a été repris (1825) au sens d'«odeur agréable», devenu archaïque.

▸ **FRAGRANT, ANTE** adj. (1516, *fragrantes fleurs;* repris 1836), emprunté au latin classique *fragrans,* participe présent de *fragrare,* est également archaïque et littéraire.

FRAI → **FRAYER**

FRAIRIE n. f. apparaît sous la forme *frarie* (v. 1165) issue du latin *fratria,* emprunt au grec *phratria* (→ phratrie). Il a pris aussi les formes *frerie* (1543), sous l'influence de *frère,* et *phrairie* (1534), sous l'influence du grec, et s'est écrit *-ai-* par réaction étymologique.

♦ Le mot a désigné une compagnie, une confrérie (v. 1165) puis une fête consacrée au divertissement (1543) et se dit régionalement (av. 1553) d'une fête patronale.

① **FRAIS, FRAÎCHE** adj. est une réfection (XIVe s., *frais, fraische*) de *freis, fresche,* attesté dans la *Chanson de Roland* (1080); il est issu d'un francique °*frisk* «frais» (en parlant de la température) d'où par figure «récent», «non flétri (d'un végétal)» (cf. allemand *frisch,* anglais *fresh* et dans les langues romanes l'espagnol *fresco,* l'ancien provençal *fresc*).

♦ En français, *frais* conserve les deux sens généraux. Il se dit (1080) de choses corruptibles en état d'être consommées (*œufs frais,* etc.) et, par extension, de ce qui est consommé sans être conservé (v. 1160-1174, *frois* «ni salé ni fumé», d'une viande), par exemple dans *légumes frais.* ◇ De là *frais* prend le sens général de «qui est d'origine ou d'apparition récente» (v. 1355) dans différents emplois; on parle de ***nouvelle fraîche,*** *mémoire fraîche, blessure encore fraîche.* En emploi adverbial, *frais* signifie «récemment» (1393), par exemple dans *être frais sorti, émoulu de l'école.* Le mot entre dans la locution adverbiale ***de frais*** (1552, *être rasé de frais*). ◇ Par extension, l'adjectif s'emploie pour ce qui vient d'être appliqué (1643, *peinture fraîche*) et ***argent frais*** équivaut (1563) à «fonds nouveaux». ➛ Dès les premiers emplois, *frais* s'applique figurément à des personnes ou à des choses qui gardent des qualités de vitalité, de jeunesse (1160; v. 1165, en parlant de fleurs), à ce qui donne une impression de jeunesse, de pureté (v. 1155; fin XIIe s., *un rire frais;* 1752, *frais coloris*); par ironie, il signifie «dans une mauvaise situation» (1808; ***nous voilà frais!,*** à rapprocher de *vous avez bonne mine!*).
Par ailleurs, l'adjectif signifie «légèrement froid» (v. 1200) — d'où substantivement *le frais* «l'air frais» (1549) avec la locution ***prendre le frais*** (1660), auparavant comme adverbe dans ***il fait frais*** (XIVe s.) — et «agréablement froid» *(eau fraîche).* ◇ De là vient, substantivement, ***au frais*** «dans un endroit frais» (XVIe s. *au frais de ce bocage,* Pasquier *in* Nicot) et, par plaisanterie, ***mettre (qqn) au frais*** «le mettre en prison» (1685), synonyme de *mettre à l'ombre.* ➛ Au figuré, *frais* signifie «sans cordialité» *(un accueil très frais).* ➛ Enfin, en parlant du vent, *frais* équivaut en marine à «qui souffle avec une certaine force favorable à la navigation» (1559), d'où *le frais* n. m. (1643).

► **FRAÎCHE** n. f., substantivation de l'adjectif au féminin (fin XVIIe s.), s'est employé dans une locution exclamative, ***à la fraîche!*** (1689), cri des marchands ambulants de produits frais. Aujourd'hui ***à la fraîche*** loc. adv. (1842) signifie «à l'heure (ou dans un endroit) où il fait frais». Terme de marine, le nom désigne un vent faible du matin ou du soir (1691). ➛ La *fraîche,* en argot, équivaut à «argent frais» (1948), emploi précédé par *fraîcheur* «remise d'argent» (1845). ➛ **FRAÎCHEMENT** adv. (v. 1150, *freschement* «immédiatement») a des sens parallèles à ceux de l'adjectif: «récemment» (v. 1225), «avec hostilité» (fin XVIIe s., repris fin XIXe s. : *être accueilli fraîchement).* ➛ **FRAÎCHEUR** n. f., rare jusqu'au XVIe s., est une réfection (XIVe s., *fraischeur*) de *fraiscor* (v. 1200) «endroit où il fait doux»; il se dit de la qualité de ce qui est frais (des fleurs : 1288; du poisson : 1379) et d'une température fraîche (av. 1528); il s'emploie au figuré, comme *frais :* par exemple *la fraîcheur d'une nouvelle* (1412), *la fraîcheur du teint* (1580), *la fraîcheur d'une impression* (1756). ➛ **FRAÎCHIN** n. m. est un mot d'origine dialectale (ouest de la France), altération (1573) de *freschume* (v. 1534; dérivé de *fresche*), pour désigner l'odeur du poisson frais. ➛ **FRAÎCHIR** v. intr. est la réfection d'après *frais, fraîche* (d'abord *freschir* v. tr., v. 1200, «redonner des forces à [qqn]») de l'ancien français *frescir* (v. 1120; de *fresc*). Le mot est rare avant le XVIIe siècle. Il s'emploie notamment en parlant du vent (1678; 1616, *afraischir*) et de la température (1626).
Le composé **RAFRAÎCHIR** v. tr. et intr. apparaît au XIIe s. (*rafreschir, refreschir*); il correspond à «rendre plus frais», l'adjectif étant pris dans ses différentes acceptions. ◇ Une première série d'emplois se rattache à l'idée de «froid» (en emploi intransitif, 1690, *le vent rafraîchit* renforce *fraîchit*); un second ensemble est lié à la notion de «nouveauté», de «renouvellement» d'où l'acception «redonner de la vitalité» (XIIe s.) ou, dans l'ordre psychologique, «de la vivacité» (XVIIe s., ***rafraîchir la mémoire***). Le sens de «remettre en état» est sorti d'usage en parlant de personnes, mais on a conservé ***rafraîchir les cheveux*** (1680) «couper légèrement». ➛ Le dérivé **RAFRAÎCHISSANT, ANTE** adj. (1579) «qui rafraîchit» et, spécialement, «qui désaltère», se dit aussi (mil. XXe s.) de ce qui plaît par sa simplicité. ➛ **RAFRAÎCHISSEMENT** n. m. s'est d'abord utilisé au sens d'«action de revigorer» (v. 1460) : par métonymie, il a désigné ce qui restaure les forces. Le mot est lié à l'idée de «refroidir» (XVIIe s.); il s'emploie au pluriel (1765) pour désigner des boissons fraîches, autrefois aussi des glaces, etc. ➛ **RAFRAÎCHISSEUR** n. m. (1842; terme technique, 1812) s'est substitué à *rafraîchissoir* (mil. XVIe s.) mais tend à être remplacé par *seau à glace.*
DÉFRAÎCHIR v. tr. (1856) s'emploie rarement au sens de «flétrir» mais plutôt comme verbe pronominal et au participe passé **DÉFRAÎCHI, IE** adj. pour «perdre sa fraîcheur», en parlant d'une couleur, d'une étoffe.

② **FRAIS** n. m. pl. représente (1260) le pluriel de l'ancien français *fret, frait* «dommage causé en brisant qqch.» (mil. XIIIe s.), d'où «dépense destinée à réparer le dommage» (v. 1276), par l'intermédiaire de la locution *payer le fret* «payer le dégât» (1216). *Fret, frait* est issu du latin médiéval *fractum* «dépense» (XIIIe s.), neutre substantivé du latin classique *fractus,* participe passé adjectivé de *frangere* «briser» (→ fraction, fragile). Mais P. Guiraud note que *frait* n'aurait pu aboutir en ancien français au verbe *frayer* «faire les frais» (cf. ci-dessous *défrayer*); il pose au singulier °*frai,* issu du latin *fragium* «bris, éclat» (cf. ancien provençal *fragar*) d'un verbe °*fragare;* les *frais* seraient alors les sommes réparties («fragmentées») aux différents postes d'un devis et non pas destinées à réparer des dégâts.

♦ *Frais* a le sens général de «dépenses occasionnées» (1260), d'où son emploi spécial à propos d'un acte juridique (1549) et du fonctionnement d'une entreprise, au XIXe s. (*frais de production, frais généraux,* etc.). ◇ Au figuré, il se dit d'une dépense, d'un effort notamment fait pour plaire (XVIIe s.) d'où la locution ***se mettre en frais*** (1668 au propre ; 1872 au figuré). ◇ *Frais* entre dans de nombreuses locutions (adverbiales, prépositives, verbales), employées au propre ou au figuré : ***à peu de frais*** (av. 1613), ***à frais communs*** (1666), ***faire les frais de qqch.*** (1666 ; 1802, *...de la conversation*), ***en être pour ses frais*** (1690), etc. Les *faux frais* sont «les dépenses occasionnées en dehors des frais légaux» (1690), d'où couramment «toute dépense hors de ce qui est prévu».

▸ Le préfixé **DÉFRAYER** v. tr. (1378, *deffroyer*), de l'ancien verbe *frayer* «faire les frais» (1260), s'emploie au sens de «décharger qqn de ses frais». Au figuré, *défrayer la conversation* correspond à «en faire les frais» (1640, *défrayer la compagnie de bons mots* «l'amuser»), *défrayer la chronique* «faire parler de soi». ➛ En dérive **DÉFRAIEMENT** n. m. (mil. XIVe s., *desffrayement*) «action de défrayer», qui a remplacé l'ancien déverbal *défrai* (1403).

① **FRAISE** n. f. serait une altération (v. 1174-1178, *freise*), d'après *frambeise* «framboise», d'une forme °*fraie* issue d'un latin populaire °*fraga*, pluriel neutre pris comme féminin singulier du latin classique *fragum* «fraise (des bois)» : on trouve des formes du type *fraga* en wallon, en gascon, en Suisse romande. P. Guiraud, qui doute de l'influence de *framboise* sur *fraise*, pose une parenté entre les différents mots *fraise* qui seraient tous dérivés de l'ancien français *fraiser* «broyer» (→ fraiser) ; toutes ces «fraises» ont la même caractéristique d'être des objets divisés en compartiments séparés (mais on peut objecter que «broyer» et «subdiviser» ont peu de rapport). La graphie moderne apparaît au XVIe siècle.

♦ L'évolution des cultures rend nécessaire l'opposition ***fraise des bois-fraise*** tout court, ce dernier désignant les gros fruits forcés. La locution ***aller aux fraises*** «aller cueillir des fraises des bois» s'est employée par plaisanterie pour «aller dans les bois en galante compagnie» (anciennt, *cueillir la fraise*). ***Sucrer les fraises*** (XXe s.), par analogie de mouvement, se dit pour «être agité d'un tremblement incontrôlable», d'où «être gâteux». ➛ Par analogie de forme, *fraise* s'emploie (1872) pour un type de lésion de la peau. ➛ En argot (métaphore assimilant la tête à un fruit ou légume), il signifie «visage» (1901) et par extension «personne» (***ramener sa fraise,*** 1921).

▸ De *fraise* «fruit» dérivent **FRAISIER** n. m., réfection (XVIe s.) de *frasier* (fin XIIe s.), **FRAISERAIE** n. f. (1914), qui a remplacé *fraisière* (1823), de *fraisier*, et quelques termes techniques.

FRAISER v. tr. apparaît au XIVe s. *(fraser)* mais on trouve le participe passé féminin dès 1200 (*fèves frasées* «écossées») ; le mot est issu du latin classique *(faba) fresa* «(fève) broyée», de *fresum* supin de *frendere* «broyer» ou d'un latin populaire °*fresare* «dépouiller de son enveloppe». *Frendere* est apparenté au germanique *grindan* (cf. anglais *to grind*).

♦ *Fraiser* a signifié «écosser, dépouiller de son enveloppe» puis (1572, *pain fraisé*) «mélanger de la pâte» en fragmentant les éléments, d'où vient le sens (1690) de «briser la pâte» ; le terme technique, en boulangerie, est *fraser* (1730 ; *fraiser*, 1680). ➛ Le sens de «percer» ou «évaser en tronc de cône» à l'aide de l'outil appelé *fraise* (ci-dessous), en général considéré comme dérivé de ce substantif, constitue peut-être une autre spécialisation (1676) ; *frase*, puis *fraise* «outil», serait alors le dérivé (déverbal).

▸ De *fraiser*, en ce sens technique, dérivent **FRAISAGE** n. m. (1842), **FRAISEUR** n. m. «ouvrier qui fraise» (1930), précédé par **FRAISEUSE** n. f. «machine à fraiser» (1873), **FRAISOIR** n. m. (1752) et **FRAISURE** n. f. (1792). ➛ Dans l'hypothèse adoptée ici, ② **FRAISE** n. f., «instrument pour fraiser» (1676), est aussi un dérivé du verbe. *Fraise* s'est appliqué plus tard à la chirurgie dentaire et aussi aux travaux publics (XXe s.).

③ **FRAISE** n. f., d'abord «tripes» (v. 1130) et désignant (1300) la membrane plissée enveloppant les intestins de veau, d'agneau, est en général considéré comme dérivé du verbe *fraiser ;* cependant ce dernier apparaît plus tard et n'a jamais signifié «envelopper», mais «dépouiller de son enveloppe» par spécialisation du sens général. ➛ *Fraise* n. f., «collerette tuyautée et plissée» (1585) portée au XVIe s. et au début du XVIIe s., est un emploi peu clair. Il peut s'agir d'une analogie de forme avec les tripes, ce qui supposerait un début d'emploi burlesque ou ironique. ◇ Le mot s'emploie aussi dans des sens techniques, par exemple pour une palissade hérissée, au sommet d'une escarpe (1628).

FRAMBOISE n. f. est peut-être issu par dissimilation (v. 1175) d'un francique °*brambasi* «mûre de ronce» (cf. ancien haut allemand *bramberi*, allemand *Brombere*) ; on trouve la forme *framboses* dans des glossaires latin-allemand du Xe s. ; le *f-* initial viendrait de l'influence analogique de *fraie*, ancêtre de *fraise**. P. Guiraud voit plutôt à l'origine de *framboise* une forme °*fimbritia*, dérivée de *fimbria* «frange», c'est-à-dire «dont les bords sont déchiquetés» (pour la métathèse du *r*, cf. l'ancien italien *frambe, frambao* «effrangé»).

♦ Les *fraises* et les *framboises* sont restées associées dans la culture. *Framboise* adj. inv., par référence à la couleur du fruit, se dit d'une couleur (1907, Colette).

▸ Du nom dérivent **FRAMBOISIER** n. m. (1306) désignant la plante qui porte le fruit, **FRAMBOISER** v. tr. (1651) «mêler de jus de framboise» et «parfumer à la framboise», d'où **FRAMBOISÉ, ÉE** adj. (1690). ➛ **FRAMBOISIÈRE** n. f. (1872), qui a eu en ancien français (1314) le sens de «framboise», est un synonyme vieilli de **FRAMBOISERAIE** n. f. (1922).

✳ ① **FRANC, FRANCHE** adj. vient (v. 1050) du nom ethnique *Franc** (→ ② Franc) ; le latin médiéval *francus* avait le sens général de «libre» (fin VIe s.), avec une spécialisation juridique (IXe s.) ; le mot est passé en espagnol, en italien *(franco)* et en ancien provençal *(franc)*.

♦ L'adjectif *franc* s'est appliqué à un homme libre, spécialement de naissance noble (1080, *Chanson de Roland*) et, par extension (v. 1460), a pris le sens de «moralement libre», courant à l'époque classique (*franc arbitre* «libre arbitre»). De cette première valeur, on est passé à celle de «sans entrave», toujours vivante dans la locution ***avoir ses coudées franches,*** et en sports dans ***coup franc*** (1900, au football; 1901, au rugby) «coup tiré sans opposition de l'adversaire». ◆ *Franc de* (v. 1170) signifie comme *francus* en latin médiéval «libéré de (certaines servitudes)», d'où en droit ***franc et quitte*** (v. 1175, *quitte et franc*); en commerce, ***franc de port*** (1723) se dit d'une marchandise dont le destinataire ne paie pas les frais de port; on dit aussi ① **FRANCO** adv. (1754; de l'italien *franco,* abréviation de *franco porto* «port franc»); *franc* employé seul signifie aussi «exempt de taxes», «exonéré» ***(zone franche).***

De l'idée de «liberté», on est passé à celles de «sincérité», «droiture», «absence d'artifice»; l'homme *franc* est celui qui parle ouvertement (1611; antérieurement, on disait surtout *vrai*); de là vient la locution ancienne *franc comme l'osier* (l'osier ne présente pas de nœuds) «très franc», remplacée beaucoup plus tard par ***franc comme l'or*** (1865; par jeu de mots avec la monnaie d'or). L'adjectif qualifie (mil. XVIe s.) les actes qui ne présentent aucune dissimulation, d'où ***jouer franc-jeu*** «en respectant les règles» (av. 1850; anciennt *y aller de franc jeu;* cf. *fair-play*). Par analogie, *franc* se dit des choses qui présentent des caractères de naturel (1269, *vin franc*) ou de ce qui est entier (1585, ***jour franc*** «jour complet»). Spécialement, en art, *franc* qualifie (1762) ce qui est hardi, sûr dans la manière. ◇ Par ironie et comme *vrai, franc* (devant un nom) s'emploie (av. 1630) pour «qui est véritablement tel» ***(une franche crapule).***

Franc s'utilise aussi comme adverbe (v. 1450), moins couramment que le dérivé **FRANCHEMENT** adv., employé autrefois pour «librement» (v. 1120) et «noblement» (v. 1165) et signifiant «nettement», «sans détour» (dans les rapports humains) [1536], «d'une manière hardie» (XIVe s.); dans cette acception, on emploie aussi l'abréviation ② **FRANCO** (1879).

▶ **FRANCHIR** v. tr. s'est d'abord employé (v. 1170) aux sens de «rendre franc», c'est-à-dire «affranchir» et «accorder en possession franche» (libre), puis de «libérer (qqn) d'une charge» (1245; cf. *affranchir*). ◇ Ce sont les emplois de droit commercial, «rendre libre, affranchir», qui ont produit le sens moderne de «rendre libre au passage, dégager» puis «passer par-dessus (un obstacle), traverser» (apr. 1350) : *franchir un col, une montagne,* c'est en disposer librement. Par extension, *franchir* signifie (1580) «aller au-delà d'une limite» et, au figuré, «surmonter (une difficulté)», d'où ***franchir le pas*** (av. 1615) «décider après avoir hésité». De l'idée de «traverser», on passe à celle d'«aller d'un bout à l'autre de», dans le temps (1580), par exemple dans *franchir les siècles,* et dans l'espace (av. 1841). ◆ **FRANCHISSEMENT** n. m., d'abord «affranchissement» (XIIIe s.), a signifié «dépassement» (XIVe s.) et «exemption» (1335), avant de se restreindre à son emploi moderne : «action de passer, de parcourir, de traverser» (1864). ◆ **FRANCHISSABLE** adj. (1831) est beaucoup plus rare que le composé **INFRANCHISSABLE** adj. (1792), au propre et au figuré.

FRANCHISE n. f. s'est employé à l'origine au sens de «condition libre» (v. 1130); en droit ancien (1215), le mot a désigné un droit qui limitait l'autorité du souverain au profit d'une ville, d'une corporation (notion alors aussi importante que celle de *bourgeoisie*), d'où *(lieu de) franchise* «lieu d'asile» (1538) à l'époque classique. Aujourd'hui, dans divers emplois, *franchise* signifie (v. 1138) encore «exemption» (d'une taxe), «exonération» (d'un droit) : ***franchise postale*** (1878), *franchise douanière.* ◇ En parlant de personnes, *franchise* se rattache aux valeurs psychologiques de *franc;* il signifie d'abord (v. 1150) «noblesse de cœur» puis (1559) «caractère d'une personne qui dit la vérité», par exemple dans ***en toute franchise.***

FRANQUETTE n. f. est employé dans la locution adverbiale ***à la bonne franquette*** (1741) qui succède à *à la franquette* (mil. XVIIe s.) à l'époque classique «franchement», aujourd'hui «sans cérémonie».

Une série d'emplois du préfixé **AFFRANCHIR** v. tr. (XIIIe s.; d'abord pron., fin XIIe s.) se rattache au premier sens de *franc;* c'est à l'origine «rendre (qqn) de condition libre», d'où «rendre indépendant» (un pays, etc.) et «délivrer de ce qui gêne psychologiquement» (XVIe s.). ◇ En argot, le verbe a le sens (1837) d'«apprendre à vivre en marge des lois», c'est-à-dire de s'en libérer, et par extension la valeur de «faire connaître, informer» (cf. ci-dessous *affranchi*). ◆ *Affranchir,* dans des emplois spéciaux, est lié à d'autres sens de *franc* «rendre exempt de taxe (un envoi) pour un destinataire» (1752) d'où, l'idée initiale n'étant plus sentie, «mettre un timbre à». *Affranchir une carte* «la rendre maîtresse» (1877) relève du même sémantisme. Au XVIe s., *affranchir* était en concurrence avec *franchir :* d'où, en équitation, *affranchir un fossé* «le franchir» (1583). ◆ On retrouve ce partage des sens dans les emplois du dérivé **AFFRANCHISSEMENT** n. m. : d'abord terme de droit pour «action de libérer (d'une taxe, d'un droit, etc.)» (1276), d'où vient *affranchissement d'une lettre* (1835), *affranchissement* désigne aussi l'action de rendre libre (qqn) [1611]. ◆ **AFFRANCHI, IE** adj.et n. (1640), hors son premier emploi («esclave qui a été affranchi»), permet d'opposer un *affranchissement* propre aux femmes, vis-à-vis de la morale sexuelle, et un autre, propre aux hommes, à l'égard de la morale juridique (n. m., «une personne qui mène une vie hors de la morale courante», d'où en argot [1821] «qui vit en marge des lois» puis «homme du milieu», opposé à *cave* n. m.).

Dans plusieurs composés, *franc* a le sens de «dépourvu de liens» : **FRANC-ALLEU** n. m. (v. 1125, *aloé;* 1258, *franc aluel*) [→ alleu] «terre de pleine propriété»; **FRANC-FIEF** n. m. (v. 1283; → fief) «fief non assujetti à l'hommage». ◆ **FRANC-PARLER** n. m. signifie (1765) «liberté de langage». ◆ **FRANC-TIREUR** n. m. (de *tireur;* → tirer) désigne d'abord (1792, répandu à partir de 1870) un soldat membre d'un *corps franc,* c'est-à-dire d'une unité de volontaires («qui s'engagent librement»); aujourd'hui *franc-tireur* se dit de celui qui n'appartient pas à une armée régulière (pendant l'occupation allemande de 1940-1944, les *F.T.P., francs-tireurs et par-*

tisans). Au figuré le mot s'emploie à propos d'une personne qui n'observe pas la discipline collective d'un groupe.
Dans d'autres composés, *franc* a le sens d'«exempt de redevances» : **FRANC-BOURGEOIS** n. m. (XIIIe s. ; → bourgeois) désignait l'habitant d'une ville exempt des charges municipales.

② **FRANC, FRANQUE** n. et adj. apparaît comme adjectif dans la *Vie de saint Léger* (2e moitié Xe s.) puis comme nom (1050), issu du bas latin *francus* adj., *Francus* n. m., emprunt au francique °*frank*, nom d'une peuplade germanique puis «homme libre» (→ ① franc).

♦ Le mot désigne le peuple germanique qui occupait les rives du Rhin et la partie maritime de la Belgique et de la Hollande. On a donné le nom de *Francs* aux Européens, dans les ports du Levant (attesté 1606 mais évidemment antérieur). *Langue franque* (1670) a désigné un mélange de langues romanes utilisé dans le Levant (terme remplacé ensuite par *lingua franca*).

▸ Le dérivé **FRANCIQUE** n. m., attesté comme surnom (1643) signifiant «vainqueur des Francs», a voulu dire «propre aux Francs» (1838; cf. bas latin *franciscus* «des Francs»). Il désigne aujourd'hui (1872) l'ensemble des dialectes du germanique occidental, langue reconstruite de façon hypothétique et dont de nombreux mots sont passés en français (on dit aussi *ancien bas francique* pour le distinguer des dialectes modernes de l'allemand). Voir l'encadré p. 1508.
FRANCISQUE n. f. est un emprunt (1599) au bas latin *francisca*, ellipse de *securis francisca* «hache franque» (*securis* dérive de *secare* «couper»; → scier). La francisque à deux fers a été prise (1940 à 1944) comme emblème par le gouvernement de Vichy, comme les faisceaux de licteurs étaient le symbole du fascisme.

③ **FRANC** n. m., au sens de «monnaie», apparaît pour la première fois en France dans une ordonnance du 5 décembre 1360. Le mot vient peut-être de la devise inscrite sur les premières pièces, *Francorum rex* «roi des Francs» (→ ① franc).

♦ Le *franc* correspondait alors à une livre* tournois (monnaie de compte non matérialisée); les *francs* furent frappés jusque sous Henri IV (cf. *louis*). Le *franc* devient l'unité monétaire légale de la France sous la Convention (1795; 18 germinal an III), sous la forme d'une pièce de 5 g d'argent; la loi du 26 mars 1803 en fait une monnaie de compte et institue le bimétallisme (or et argent), qui subsistera jusqu'en 1914. *Nouveau franc* (N.F.; familièrement *franc lourd*) [18 novembre 1959] se dit de la nouvelle unité qui vaut cent fois le franc précédent (dit alors *ancien franc*, familièrement *franc léger*). Après une longue période d'adaptation, *franc* employé seul désigne en général la nouvelle unité, mais on compte encore en *anciens francs*, en *centimes*, surtout pour les grosses sommes; le synonyme d'origine populaire *balle* accroît encore la confusion. On dit *franc français* dans le contexte international, dans la mesure où le *franc* désigne aussi (XIXe s.) l'unité monétaire d'autres pays *(franc belge, franc suisse, franc luxembourgeois)*, et dans le cadre colonial et post-colonial *franc CFA*, etc. *Franc* employé seul dépend du contexte national.

FRANÇAIS, AISE adj. et n., réfection tardive (XVIIIe s.) de *franceis* (1080, *Chanson de Roland*), *françois* (XIIe s.), est un dérivé suffixé de *France*, du bas latin *Francia* «pays des Francs», nom de la région de Gaule romanisée située au nord de la Loire et qui fut occupée par les Francs (cf. le latin médiéval *franciscus* «relatif à la France», VIIe s.); *Francia* dérive de *Francus* (→ ① franc).

♦ L'adjectif signifie «qui est relatif à la France, à ses habitants et à sa langue», l'entité juridique *France* englobant selon l'époque considérée des territoires non métropolitains. Le mot est utilisé en français, hors de France, dans des emplois qui seraient considérés comme pléonastiques en France (par ex. : *du vin français*); il peut avoir une valeur culturelle et linguistique, non pas nationale *(Canadien français)*. Dans *langue française*, l'adjectif s'applique à toutes les variantes parlées en France (usages régionaux) et hors de France. Dans une conception normative de la langue, *français* se dit pour «qui appartient au "bon" français» *(ce n'est pas français)*. ◇ La locution adverbiale ***à la française*** équivaut «à la mode française» (ex. : *jardin à la française*). ◆ Le nom (m. et f.) désigne une personne de nationalité française, surtout de la métropole (ou hexagone), les autres emplois étant plus ou moins naturels ou acceptés. ◆ **FRANÇAIS** n. m. (fin XIIe s. ; v. 1265, *parler français*) signifie «la langue française», qu'il s'agisse de la langue maternelle ou de la langue officielle. Le mot s'emploie dans des locutions : ***parler français*** «clairement» (1580), d'où ***vous ne comprenez donc pas le français?*** «vous n'avez pas compris ce que je viens de vous dire ?», et ***en bon français*** «pour parler plus clairement» (v. 1360). *Le français* désigne spécialement cette langue, considérée comme une matière d'enseignement *(classe de français)*. Voir l'encadré pp. 1484 à 1499.

▸ Plusieurs mots sont formés à partir de *France* ou de *français*. ◆ **FRANCIEN** n. m. et adj., mot créé par les romanistes (1889; de *France*), se dit du dialecte de langue d'oïl parlé au moyen âge en Île-de-France et en Orléanais, qui supplanta les autres dialectes d'oïl (normand, picard, lorrain, etc.) pour aboutir au français. (Voir l'encadré p. 1506 et aussi *Le francique* p. 1508.)
FRANCISER v. tr. (v. 1534; de *français*; cf. la variante *françaiser*, XVIe s.), c'est d'abord «donner une forme française à (un mot étranger)» et par extension (1698) «donner un caractère français à (qqch.)» *(franciser un usage)*; en dérive **FRANCISATION** n. f. (1796). ◆ **FRANCITÉ** n. f. (1943, mais répandu v. 1965; de *France*) est un terme didactique signifiant «caractères propres à la culture française ou à la communauté francophone».
FRANKAOUI n. (déb. XXe s., de *français*, avec un élément final arabe), utilisé péjorativement en Afrique du Nord avant l'indépendance par les autochtones d'origine européenne (ou *pieds-noirs*), désignait les Français de Métropole.

(Suite page 1499)

LE FRANÇAIS : ÉVOLUTION D'UNE LANGUE

Comme toute langue, le français est une abstraction qui recouvre une multitude de faits. À chaque époque, dans chaque milieu, selon chaque situation, un système de règles et un ensemble mouvant de signes que ces règles mettent en œuvre construisent une identité. Ce système et ces signes sont une réserve potentielle où la société puise ce qui lui est nécessaire pour assurer la communication entre ses membres et l'expression de chacun. Comme toute langue, le français est constitué par un système fonctionnel de sons, une «phonologie» inscrite dans une phonétique et qui peut se transcrire en marques graphiques, par exemple en lettres, et par un autre système appelé «grammaire». Ce dernier fait correspondre les formes du langage et les sens, ceux des mots (morphologie), ceux des énoncés (syntaxe) dans le discours. Ces systèmes s'exercent sur des éléments identifiables, éléments minimaux et leurs combinaisons codées : «mots», «syntagmes», «locutions». Le tout évolue sans cesse. Pour le français, mille ans d'activité, de nombreux milieux géographiques et sociaux, des fonctions de plus en plus complexes font que la multiplicité et le mouvement l'emportent sur l'homogénéité et la fixité par ailleurs nécessaires pour étudier la langue. Nécessaires aussi à la reconnaissance d'une loi unique du sens formé, d'un ensemble net de règles qui permettent l'apprentissage et la communication. C'est pourquoi les linguistes font mine d'explorer un état de langue fictif, instantané (une «synchronie») pour le décrire ; c'est pourquoi la société a besoin d'une référence unique, la norme. Pourtant, on sait bien que tout ceci recouvre la variété et l'évolution incessante : le lexique, mots et locutions, le montre clairement. Ce mouvement du lexique, ses origines, l'évolution des formes et des significations en français, sont l'objet de ce livre.

Les origines.

La langue française est pour l'essentiel sortie d'une forme tardive du latin, langue importée en Gaule et en Belgique par l'envahisseur, le colonisateur que fut l'Empire romain. Le français fait donc partie des langues **romanes***, naguère appelées néo-latines, avec par exemple l'italien, l'espagnol, le portugais, le roumain. Le passage du latin dit «vulgaire», que nous préférons appeler ici «populaire», latin parlé et écrit au moyen âge dans une bonne partie de l'Empire, aux idiomes qui en sont issus fut, on s'en doute, insensible. L'élimination des langues usitées en Gaule avant la romanisation, langues dont la plus importante est évidemment celle des Celtes (voir Gaulois), a été à peu près complète. Seules des traces de ce «substrat» subsistent en français ; elles sont beaucoup plus nombreuses dans les noms de lieux que dans les mots de la langue. Le *français* et la *France* même doivent leur nom aux Francs, envahisseurs germaniques venant des rives de la mer du Nord et qui apportèrent leur langue, le francique*. Mais ils en perdirent vite l'usage et apprirent les dialectes gallo-romans, cependant que cette langue, ancêtre du néerlandais, nous a laissé, le plus souvent par le latin parlé alors, des mots importants et assez nombreux. De même, les «hommes du Nord» venus du Danemark au IXe s. abandonnèrent rapidement leur idiome, le norrois, en se fixant en Normandie. Plusieurs siècles s'écoulèrent entre la colonisation romaine et l'arrivée des Germains (Ve-VIe s.), entre celle-ci et l'Empire carolingien, son partage et l'élection de Hugues Capet (987) ; ce sont, du point de vue du langage, des siècles obscurs. On parle alors en Gaule un latin très modifié, rompu par des usages géographiques variés puis, peu à peu, une langue «rustique et vulgaire» qui est l'embryon du français. Les sources écrites ne concernent guère que le latin, dont on observe difficilement l'évolution, car la langue quotidienne coexiste avec un latin plus archaïque, conservé par l'Église et plus volontiers écrit. L'absence de témoignages oraux est difficilement compensée par l'exploitation des lois assez rigoureuses de l'évolution phonétique, établies au XIXe siècle. En outre, la difficile notation d'une langue populaire en gestation, mouvante, variée, par une écriture traditionnellement consacrée à la transcription du latin d'Église, latin quasi classique, bien différent de la langue spontanée, pose des problèmes d'interprétation supplémentaires. Tout ceci fait que notre connaissance du plus ancien français, issu progressivement de ce «vulgaire roman» si mal connu, est attachée à de trop rares témoignages écrits, aussi précieux qu'insuffisants. Le premier en date est célèbre. En l'an 842, les héritiers de Charlemagne, Charles le Chauve et Louis le Germanique, s'accordent pour s'opposer aux entreprises de leur frère Lothaire, qui ne se contentait pas de sa part et qu'on sentait avide de conquêtes. À Strasbourg, le Rhin formant frontière naturelle, des serments réciproques d'assistance furent alors prononcés. Deux groupes, ethniques, politiques, militaires et linguistiques, étaient concernés, l'un germanique ou germanisé, l'autre romanisé, puis lui aussi germanisé ; deux langues modernes, distinctes du latin, furent utilisées et juxtaposées. Pour l'une d'elles, le «roman», c'est le premier document disponible, transmis par le témoignage de l'historien Nithard et dans une copie exécutée vers l'an 1000. Le fait qu'il s'agisse d'un texte juridique solennel et d'importance historique garantit une fidélité assez grande par rapport à l'usage du IXe s., mais limite la portée linguistique du message. Cet «acte de naissance» du français concerne une langue hybride, artificielle, officielle, qu'on peut bien appeler *roman*, et qui n'est évidemment plus du latin. Cette langue commençait à affleurer dans l'Histoire avec le concile de Tours (813) qui recommandait aux prédicateurs l'usage de l'idiome maternel, germanique ou «roman rustique», à côté du latin. Nous connaissons cet usage par les notes d'un prédicateur, pour un sermon en latin sur *Jonas*, autour de 950. Dès le début du Xe s. (v. 900), un court poème religieux attestait cet état de la langue de manière plus naturelle que les *Serments*; on le nomme *Séquence de sainte Eulalie*. Ces premiers textes du plus ancien français seront suivis par d'autres écrits religieux, une *Passion* (Clermont, v. 1000), la *Vie de saint Léger* transcrite à la même époque dans la même ville. Il ne faut pas négliger des Gloses antérieures (VIIe s., pour celles dites *de Reichenau*, rédigées dans la France du Nord) qui interprètent par un mot latin «vulgaire» les termes plus classiques de l'Écriture sainte qui paraissaient obscurs aux lecteurs du temps. On peut comparer cette langue nouvelle, populaire et mal connue, que l'on parlait en Gaule après le Ve s., à un créole latin, comme il existe à partir du XVIIIe s. des créoles français, anglais, portugais ou hollandais. En effet, non seulement les mots du latin évoluent, en s'usant et par des processus réguliers que décrivent les lois phonétiques, mais la grammaire même, ce cœur du système de la langue, s'écarte visiblement de celle du latin. Cette langue «romane» qui va devenir le français s'éloigne aussi des idiomes vernaculaires d'Italie, de ceux de la péninsule Ibérique et aussi en Gaule même de ceux que l'on parle au sud des territoires gallo-romans, regroupés sous le nom d'occitan (voir Occitan). On ne décrira pas ici le bouleversement du système des voyelles latines, la diphtongaison, l'apparition de nouvelles consonnes (notre *ch*, notre *j*, d'abord *tch* et *dj*, qui continuent le *k (c)* et le *d* latins, par exemple dans *cheval*, *jour*), ni les hésitations de l'écriture, avant une ortho-graphe, «écriture droite», quelque peu unifiée (XIIIe s.). On évoquera à peine les spectaculaires changements de la morphologie (du nom, de l'adjectif, du verbe) ou de la syntaxe. Ces évolutions relèvent trop étroitement de la technique linguistique (voir ci-dessous la bibliographie). Il faut cependant rappeler quelques traits caractéristiques des très grandes périodes, après celle qui voit la naissance du français. On parle commodément d'*ancien* et de *moyen français*, puis de *français classique* (et *post-classique*) enfin de *français moderne* et *contemporain*. Ces dénominations recouvrent chacune bien des complexités, mais elles restent utiles et parfois indispensables. En simplifiant beaucoup, on peut dire que l'ancien français (XIe-XIVe s.) est par rapport au français actuel une langue étrangère. On a ensuite affaire à des états de langue parfois assez éloignés du français d'aujourd'hui pour être peu compréhensibles, mais qui représentent clairement la même langue.

L'ANCIEN FRANÇAIS : DE LA FIN DU Xe SIÈCLE (IL Y A UN MILLÉNAIRE) AU MILIEU DU XIVe SIÈCLE.

Cette langue, moyen d'expression d'une société féodale qui va disparaître, occupe une partie du territoire de la France (le Nord), de la Belgique et, sous une forme un peu différente (voir Franco-provençal), de la Suisse. Au sud d'une ligne qui va de la Gironde à la Savoie, c'est l'espace d'oc dont les pratiques de langage influencent fortement le français. Aux six angles de l'«hexagone», d'autres langues sont pratiquées : le flamand, le breton, le basque, le catalan, l'italien, le germanique d'Alsace; elles ont toutes survécu, les romanes comme les germaniques, la celtique comme la plus étrange, non indoeuropéenne, l'euskara (basque).

Dialectes. À l'intérieur même de l'ancien français, des territoires dialectaux se perçoivent, avec des variantes phonétiques et morphologiques, et des originalités dans le lexique, mais sans que se dégagent de véritables langues différentes. Un groupe de l'Est (lorrain, bourguignon), un autre au Nord-Est (picard et wallon), un groupe de l'Ouest (normand, avec son extension en Angleterre — maladroitement nommée anglo-normand* —, angevin, poitevin) entourent un groupe central parfois appelé francien*. Mais, à part quelques traits indiscutables, les différences dialectales de l'ancien français (y compris ce francien) relèvent d'une illusion historique. Ce qui est devenu le français, ce n'est pas un dialecte, celui d'Ile-de-France, parmi d'autres dialectes, mais déjà une langue largement partagée, diffusée par le pouvoir royal : l'influence unificatrice de la région parisienne est très forte dès les XIIe et XIIIe siècles. Les personnes cultivées du domaine d'oïl s'expriment alors en *françois*, avec une coloration dialectale; le plus grand poète «français» du XIIe s., Chrétien de Troyes, est champenois; Adam de la Halle, qui est d'Arras, et Conon de Béthune laissent bien échapper quelques mots de leur terroir, mais ils s'expriment admirablement dans ce «françois» du roi.

Le système de l'ancien français. Cette langue, bien étudiée d'après un matériel abondant de textes à partir du XIe s. — dont ce dictionnaire porte la trace par toutes les datations* qui y correspondent, depuis 842 —, est bien différente du latin et du français actuel. Elle voit une forte évolution de sons : le *u* de *mur* et de *dur* succède à *ou*, des *o* en revanche passent au *ou* (dans *louer*, *cour*...). La nasalisation *(an, on)*, inconnue du latin classique, se répand. Ainsi le stock de voyelles s'est enrichi, et les diphtongues se réduisent (*ue* donne le son *e* écrit *œ; oi,* prononcé *oï,* devient *wé,* avant d'aboutir à *wa*). Des consonnes, comme un *th* «à l'anglaise», disparaissent au cours du XIe s.; des sifflantes encore écrites ne se disent plus : *teste, asne* se prononcent quasiment comme aujourd'hui, à la longueur près. D'une manière générale, voyelles et consonnes «pures» l'emportent sur les sons complexes (par exemple les diphtongues) de la période précédente. Les résultats de ces évolutions sur l'*orthographe,* qui bouge moins vite, sont un écart plus grand entre écriture et prononciation. Ainsi, le *l* latin (dans certaines positions) ayant produit la diphtongue *oou,* réduite à *ou,* ces deux lettres ne notent plus qu'une voyelle simple (que d'autres langues notent *u*); *ai,* ancienne diphtongue *(aï)* qui continue à s'écrire *ai,* se simplifie en *è*. En outre, de nombreuses lettres parasites sont ajoutées, pour diverses raisons, intellectuelles ou ornementales. Enfin, en l'absence d'une écriture unifiée (orthographe) et généralisée, les habitudes d'écriture sont très variées selon les régions, les ateliers de copistes : les formes anciennes de nos mots hérités du latin en portent la trace, on le voit souvent dans ce dictionnaire. — Quant à la *grammaire,* un ouvrage entier serait nécessaire pour la décrire. On se contentera de noter le maintien d'une *déclinaison* des noms et des adjectifs, appauvrie par rapport à celle du latin, mais bien vivante. Pour les noms, elle a deux grands types : le premier, au masculin est par exemple *li murs,* sujet; *le mur,* complément (ou cas régime); le féminin reste invariable au singulier, sans *s : la rose.* Au pluriel, ce type de noms donne *li mur* «les murs», sujet et *les murs,* comme aujourd'hui, en complément. Le pluriel du féminin est *les roses,* sujet ou complément. — Un autre type, plus complexe, connaît une variation de la forme du mot, qui affecte surtout les voyelles : *li cuens* «le comte», *li bers* «le baron» donnent comme compléments *le* ou *lo cunte* (ou *comte*), et *le baron.* Le français moderne n'a conservé, on le voit, que la forme du complément, mais il arrive que ces deux formes aient donné deux mots distincts en français moderne : *pâtre (pastre)* et *pasteur,* par exemple. Quant aux pluriels, ils sont, au cas sujet *li comte,* au cas régime *les comtes.* Ce sont là aussi les formes du complément ou régime qui ont fourni celles du français moderne. Elles provenaient de l'accusatif latin, *murum, rosam* pour *mur* et *rose.* — Ces déclinaisons, qui affectent aussi les adjectifs, permettent à l'ancien français une grande liberté dans l'ordre des mots, puisque leur fonction est parfois notée; cette liberté, cette souplesse est cependant bien moindre qu'en latin. La *conjugaison* évolue aussi, avec notamment l'importance plus grande prise par les temps composés, importante innovation par rapport au latin. Pour ces questions et pour la syntaxe de la phrase, on se reportera aux manuels signalés ci-dessous.

Le lexique de l'ancien français. Quant au *vocabulaire,* objet de cet ouvrage, on doit faire une première remarque. Les mots «grammaticaux», articles, pronoms, conjonctions, sont, pour l'essentiel, acquis au XIIe siècle. Ensuite, *le fonds du lexique* nous est progressivement révélé par le hasard des écrits conservés, entre les *Serments de Strasbourg* (qui attestent *deo* «dieu», *amor* «amour», *poblo* «peuple», etc.) et le XIIIe siècle. Ceci pour souligner l'arbitraire des datations*, de 842 à 1300 au moins, malgré la multiplication des textes au XIIe siècle. Ce fonds lexical français procède de deux sources. La première est le **bas latin**, puis **latin populaire des Gaules**, qui fournit par une lente évolution phonétique les principaux vocables de l'ancien français, souvent sous des formes assez éloignées de celles que ces mots ont pris en français moderne. L'homogénéité de ce fonds latin oral est totale avec la grammaire de la langue, avec sa morphologie. Signalées dans ce dictionnaire par la marque ◆L, les entrées concernées sont souvent des mots essentiels, polysémiques, dans la langue d'aujourd'hui. Leur forme, affectée par des siècles de prononciation et de circulation sociale, ne permet pas toujours de reconnaître spontanément l'étymon bas latin, qui peut lui-même conserver (ou non) la forme du latin classique. Ainsi *aqua,* à l'accusatif *aquam,* finira par être prononcé par une seule voyelle, *o,* seule l'écriture *(eau)* rappelant de loin l'évolution dont témoignent les formes intermédiaires *ewe* (prononcé *éwè, ewoe*). Ainsi *augustum,* par *agosto* puis *aosto,* aboutit à notre *août* prononcé *ou* et *out.* — Mais le latin n'est pas seul en cause. La **langue des Francs** (voir francique), envahisseurs germaniques qui se sont mis à parler roman, véhicule d'autres mots dont la pénétration suppose souvent un passage par une forme latine médiévale. La proximité de ce latin et du très ancien français (le «roman rustique») est telle, en tout cas dans le vocabulaire, qu'il est très difficile de montrer le cheminement de ces vocables, que certains considèrent comme des emprunts. Mais leur ancienneté, leur modification profonde, liée à la transmission orale, les apparentent sociologiquement aux mots du fonds latin : ainsi le *w* initial germanique a fourni un *g* écrit *gu* (*wisa*>*guise*). Des domaines entiers, comme la guerre, certains sentiments *(orgueil)*, des noms de couleur *(blanc, gris, bleu)* et même des suffixes (le *-ais,* d'abord *-ois,* de *français,* qui vient du germanique *-isk;* ou encore *-ard*) témoignent de l'importance de ce second fonds, noté dans ce dictionnaire par un ◆G (*G* pour germanique). Ces signes, qui marquent l'origine latine ou germanique ancienne et orale, soulignent que les deux stocks fournissent l'essentiel — et de loin — des mots de l'ancienne langue. L'importance de ce fonds germanique, passé par le latin populaire, a probablement été surestimée, notamment par von Wartburg; les étymologies ainsi critiquées, ramenées à d'hypothétiques sources latines, sont discutées par exemple dans un ouvrage récent de P. Guiraud. On pourra s'étonner de l'absence du **gaulois** de ce stock primordial. En effet, le fonds celtique, si l'on néglige les noms propres de lieux, ne fournit qu'un maigre contingent de mots qui désignent soit des réalités naturelles *(caillou),* soit de mots de civilisation concernant des réalités inconnues des Romains *(braies).* En outre, la nature gauloise de ces vocables, toujours passés par le latin médiéval, est encore plus difficile à établir que la nature germanique des mots d'origine contestée, dont il vient d'être question (voir *bec, tonneau*). Des étymologistes celtisants furent naguère victimes d'une illusion culturelle comparable à celle des humanistes du XVIe s. qui voulaient à tout prix évoquer le grec, voire l'hébreu biblique, alors que, la plupart du temps, c'est le latin tardif, oral, qui contient la réponse. Mais ce fonds lexical hérité (on dit dans les articles de ce dictionnaire «issu de», «hérité de», «aboutissement du latin X»), pour essentiel et profond qu'il soit, ne représente, on le constatera vite, qu'une minorité dans la nomenclature de l'ouvrage, qui concerne, rappelons-le, le français actuel et non pas les formes disparues de l'ancien et du moyen français. En effet, deux phénomènes ont modifié fortement le tableau, et ce, dès l'ancien français. Le premier de ces processus est négatif : de nombreux mots disparaissent ou vont disparaître, victimes d'évolutions, dont la plus évidente est l'usure phonétique, cause de confusion : ainsi, les mots latins *auis (avis)* «oiseau», à l'accusatif *avem,* et *apem* «abeille» avaient tous deux donné *ef* ou *e,* remplacés pour des raisons de clarté par les mots issus de dérivés latins (voir *oiseau, abeille, poisson...*). Le second est positif : c'est l'apparition de mots français d'une toute autre nature.

Les emprunts. À côté des mots hérités, parlés, travaillés par la communication sociale — mots populaires, si l'on veut, comme est «populaire» la grammaire entière — apparaissent dès le Xe s. des formes que l'on nomme des emprunts (voir *Emprunt*). Ce sont des mots pris tous vifs dans une langue étrangère, soit oralement, soit, plus souvent, par voie écrite. Ceci suffit à leur donner un statut social entièrement différent de celui des mots hérités, qui sont usés, patinés par l'usage social le plus spontané. L'emprunt se manifeste en outre dans la rapidité de transfert que permet l'écriture, alors que les mots hérités changent lentement. L'emprunt est plus figé, plus stable, alors même qu'il peut adopter plusieurs formes quand les voies d'emprunt sont multiples ou lorsqu'il est remanié. Pour l'ancien français, la première source d'emprunt est, encore et toujours, le *latin.* De là une situation étrange : le fonds hérité et les premières vagues de mots transférés semblent provenir de la même langue. Mais ce n'est qu'une apparence. Socialement, l'opposition est aussi grande entre ces deux types d'origine, dont l'un met en œuvre un latin parlé, populaire et transformé ou au contraire un latin écrit et conservé, que l'est pour la langue anglaise celle qui existe entre le fonds germanique hérité et la vague d'emprunts romans (français et latins) des XIe-XIIe siècles, après la victoire de Guillaume le Conquérant à Hastings (1066). Dès la *Séquence d'Eulalie,* des mots comme *diaule* (d'où *diable*) ou *figure,* où le *di* et le *g* sont conservés, témoignent, puisqu'ils échappent à l'érosion par laquelle *diurnum* a donné *jour* et *tegula tiule,* puis *tuile,* d'un phénomène d'emprunt. Dans ces emprunts, qui se multiplient dès le XIe et le XIIe s., la source n'est plus le latin parlé et populaire, mais celui des clercs d'Église, véritable conservatoire du latin appris et récité. Les autres emprunts de l'ancien français concernent les *dialectes romans,* qu'ils soient d'oïl (notamment picard et normand) ou d'oc. Dans le premier cas, il s'agit souvent de variantes phonétiques (*crevette* pour *chevrette*), à moins que le normand n'ait fait transiter des termes maritimes des Vikings *(équiper).* Dans le second, il s'agit d'emprunts à la langue d'un pays étranger : la Provence ne sera incluse dans le domaine royal qu'en 1481. — Les *langues germaniques* autres que le francique, donnent une contribution spécialisée : c'est le cas de la marine, avec les Vikings romanisés de Normandie, qui ont apporté des mots norrois *(étrave, quille, tillac...),* les Frisons de Hollande (*amasser,* le *saur* de *hareng saur*), les Anglo-Saxons : *nord, sud, est, ouest, bateau* (ce dernier, par dérivation) sont les premiers mots que le français a pris à l'anglais. Un autre champ d'emprunts est fourni par l'*arabe* avec des mots que relaye l'Espagne de la Reconquête, puis que vont chercher les croisés : termes savants (*alchimie, alcool, algèbre* — où l'on reconnaît l'article arabe *al* —, *zéro,* etc.), termes de civilisation *(jupe, matelas...).*

Un autre procédé d'enrichissement du vocabulaire est la *morphologie;* l'ancien français s'est aussi enrichi par dérivation avec des suffixes provenant du latin ou du francique; par préfixation, elle aussi latine *(contredire, déguerpir, trespasser)* ou germanique (*mesaventure, mescheant [méchant],* formé sur le verbe *cheoir...*); composition d'ailleurs beaucoup moins productive que dans les langues germaniques ou dans les langues slaves.

L'héritage. L'ancien français, à son apogée (XIIe-XIIIe s.), correspond à l'univers roman et gothique. Il en a la richesse et la beauté, avec des réussites littéraires très supérieures à leur notoriété. Seuls les contenus narratifs gardent aujourd'hui une vitalité culturelle : chansons de geste, romans du cycle arthurien, qui adaptent la légende celte, grands mythes, comme celui de *Tristan et Iseult*, et aussi thèmes poétiques ou verve populaire du *Roman de Renart*. La langue de ces œuvres, qui fait leur irremplaçable beauté, nous est trop proche pour rendre très supportable la traduction en français d'aujourd'hui, et trop lointaine pour rendre lisibles ces textes admirables. Lacune culturelle immense qui prive les francophones de Chrétien de Troyes, de Conon de Béthune, de Marie de France — trois parmi les plus grands poètes européens — et de ces auteurs souvent anonymes, de ces trouvères plus chanteurs, déclamateurs et musiciens qu'«écrivains». Cette littérature, à côté de celle de langue d'oc, tout aussi belle, a été redécouverte au XIXe s. et célébrée au XXe siècle. L'accès en est barré pour des raisons linguistiques, on le voit, mais aussi culturelles car la société qui y est évoquée nous est complètement étrangère. Du point de vue de l'histoire des mots, l'ancien français marque la constitution d'un vocabulaire fondamental, aujourd'hui souvent méconnaissable, appauvri de nombreux vocables, mais qui fournit au français actuel une bonne part de ses mots les plus usuels. L'étrangeté de la syntaxe, la disparition d'une partie du vocabulaire sont pourtant moins gênantes que l'extrême différence de prononciation par rapport à la notation par l'écriture. Celle-ci était beaucoup plus fidèle aux sons que l'orthographe moderne. Mais la musique de cette littérature semi-orale nous échappe largement. En outre, la sémantique, compte tenu des profondes différences culturelles dues au temps, est d'une redoutable difficulté. Les textes, avant le XIVe s., attestent des habitudes d'expression tout droit héritées de l'oralité, la précision de la pensée étant obtenue, non pas par cet emploi du «mot juste» que le français classique préconisera, mais par des procédés très souples, souvent allusifs, de mise en discours : groupes de mots de sens voisin dont les connotations aujourd'hui nous échappent, usages variés d'une même forme. On en conclut souvent, et à tort, que la valeur des mots en ancien français est vague et mouvante — ce qui est beaucoup plus vrai du moyen français —, alors que les ambiguïtés sont maîtrisées par tout un monde de références suggérées. De là toutes les difficultés d'interprétation, dans les textes mêmes et, plus encore pour définir abstraitement tel ou tel vocable. Aucun recueil d'ancien français n'est parvenu à transcender le statut du dictionnaire bilingue maladroit, où deux ou trois équivalents en français moderne cernent très mal la richesse de sens de ces anciens mots. Le présent dictionnaire ne peut contourner cet écueil ; mais, renonçant aux mots disparus, se bornant aux stades anciens de formes encore vivantes, il subit moins que d'autres le poids de cette immense difficulté de traduction.

LE MOYEN FRANÇAIS **(1350-1610).**

Le moyen français, que l'on fait commencer vers le milieu du XIVe s., correspond à une profonde évolution sociale : liquidation de la féodalité et établissement de l'administration royale en France ; apparition des valeurs précapitalistes et de la bourgeoisie parlementaire ; mutation des idéologies. Sur le plan du langage, c'est le recul du latin et des dialectes au détriment d'un français «central», c'est l'importance accrue de la langue écrite, surtout à partir d'une innovation majeure, l'imprimerie, qui aura de grandes conséquences sur la graphie du français. Culturellement, l'art, qui voit le raffinement de la fin du gothique, devenu international, et le début de la Renaissance à l'italienne, symbolise cette époque de transition sociale, politique, économique et idéologique qu'est l'«*Automne du moyen âge*» (Huizinga).
Quant au cœur de la langue, qui est sa grammaire, l'ancien français est atteint dès le milieu du XIIIe s. lorsque la déclinaison à deux cas se défait, puis disparaît. C'est à cette époque que Philippe le Bel organise un royaume français agrandi (1285-1304). Un peu plus tard, Philippe de Valois (1328) symbolise la fin d'une symbiose avec l'Angleterre ; c'est alors que le français de France s'affirme comme langue nationale, et que le français d'Angleterre (l'anglo-normand) est éliminé. Après la guerre de Cent Ans, Louis XI, roi de France en 1461, fait triompher l'unité politique, ce qui donne au français sa chance historique : le parler normalisé de Paris devient la langue d'un des plus grands pays d'Europe. À la même époque, les techniques prennent un essor considérable, entraînant de nouveaux besoins de désignation. Toutes les conditions sont réunies pour un bouleversement du lexique. Ce mouvement s'accélérera au XVIe s., période très originale quant à la langue et quant à la réflexion propre sur la langue.
Le système de la langue. La *phonétique* en moyen français change peu, en tout cas beaucoup moins qu'auparavant. En *grammaire*, la disparition de la déclinaison a de nombreuses conséquences : sur l'emploi des prépositions, sur l'ordre des mots, plus stable (sujet-verbe-complément), sur les déterminants, démonstratifs, possessifs, sur les pronoms personnels devenus indispensables. La conjugaison des verbes se modifie par disparition des changements vocaliques : alors que le passé simple d'*avoir* faisait alterner *eü* (tu *eüs*, vous *eüstes*) et *o* (j'*oi*, il *ot*), on conjugue aux XIVe-XVe s. comme aujourd'hui j'*eus*..., il *eut*, ... ils *eurent*. En outre, une importante redistribution de fonctions entre prono-

minal et passif aboutit à plus d'homogénéité. **Le lexique.** Ce sont surtout *les vocabulaires* qui évoluent avec l'expansion du français, «langue vulgaire» maintenant socialement unifiée, aux dépens du latin mais aussi des dialectes devenus dans le domaine d'oïl des patois. Le français doit alors assumer l'expression de domaines spéciaux jusqu'alors latins, comme le *droit*, la *religion*, la *médecine*. Ce transfert est d'inégale importance selon les disciplines. Ainsi, alors que les médecins parlent et écrivent latin, les chirurgiens, encore associés aux barbiers, ignorent souvent la langue de Cicéron. C'est pour eux que le traité de chirurgie de Mondeville est traduit du latin en français en 1314. Entre ce texte et ceux d'Ambroise Paré, au milieu du XVIe s., le vocabulaire anatomique et médical se francise. De même, la religion commence à s'exprimer en langue maternelle, en dehors des simples prêches, et les traductions philosophiques d'un évêque, Oresme (av. 1380), sont essentielles pour tout le vocabulaire intellectuel. Ces grandes traductions du latin deviennent abondantes à partir du milieu du XIVe s., notamment avec Bersuire (1352) : c'est une mine d'emprunts. Le besoin d'un vocabulaire savant en français incite à de nombreuses créations. La plupart se font donc par emprunt savant au latin, ce qui est très normal, puisqu'on en traduit tout un corps de connaissance. Dès lors, on peut dire avec Pierre Guiraud que «*le moyen français fournit plus de la moitié de notre dictionnaire actuel*» (*Le Moyen Français*, p. 51). L'influence du latin est alors immense, directement par ces emprunts qui, plus encore qu'en ancien français, fournissent des couples : mot hérité-mot emprunté (doublets), comme *nager-naviguer; grief-grave; frêle-fragile; entier-intègre; hostel-hospital...;* indirectement par la morphologie : suffixes et préfixes fonctionnent de plus en plus, produisant des adjectifs (par exemple en *-able, -ible*), des substantifs abstraits et concrets, des adverbes... Les mots anciens, hérités par voie orale, ne sont pas toujours épargnés : certains sont abandonnés (*esmer* cède la place à *estimer, aerdre* à *adhérer*), d'autres, surtout des emprunts jugés imparfaits, sont latinisés, parfois sans lendemain (*medicin* au lieu de *médecin*). Quant au sens des mots, l'influence de la «relatinisation» est aussi notable : il arrive — surtout au XVIe s. — qu'un sens classique du latin vienne s'adjoindre à celui du mot français qui en est issu, et qui reflète la valeur du bas latin : à *hostie*, pris au sens religieux, s'ajoute pour un temps, au XVIe s., la valeur de «victime» qu'avait *hostia* en latin classique.

LE XVIe SIÈCLE.

Le XVIe s., temps de la Renaissance, occupe une place à part, non pas dans l'évolution profonde de la langue, qui suit son cours normal — et en cela, ce siècle appartient entièrement au «moyen français» —, ni même dans celle du vocabulaire, encore que de nouvelles sources d'emprunts viennent s'ajouter aux autres, mais par un nouveau statut social et par une prise de conscience explicite quant à la langue. En outre, si l'imprimerie s'est diffusée entre 1438 et la fin du XVe s., c'est au XVIe s. qu'elle a en France tous ses effets. Les imprimeurs font en effet des tentatives multiples, et donc peu efficaces, pour aboutir à une norme graphique : le XVIe s. est une période de guerre de l'orthographe, avec des hardiesses qui rendent bien dérisoires les réactions apeurées d'aujourd'hui devant toute modification. Comme l'a souligné Marcel Cohen, les imprimeurs de la Renaissance continuent sur ce plan d'agir comme leurs prédécesseurs clercs et copistes; des lettres parasites compliquent la transcription : «orthographe pour l'esprit», par allusions étymologiques d'ailleurs souvent fautives; «orthographe pour l'œil», par goût ornemental (*Histoire d'une langue*, p. 164).

Cet intérêt créateur pour la langue se marque aussi dans la naissance d'une grammaire vraiment française (Meigret) et d'une lexicographie : le *Dictionnaire françois-latin* de Robert Estienne (1539) inaugure une tradition féconde, celle des «trésors des mots». Enfin, le français est défendu, décrit, célébré, comparé aux langues anciennes : Lemaire de Belges, Lefèvre d'Étaples, traducteur des textes sacrés, Geoffroy Tory, Pierre Saliat au début du siècle, puis Étienne Dolet, Peletier du Mans et, bien sûr, Du Bellay et Ronsard ont, à côté des érudits comme Pasquier, tenu pour le français un discours de combat qui a pesé dans son évolution.

Le XVIe s., on le sait, est l'époque d'une «renaissance» venue d'Italie et faisant référence à l'antiquité — on dit alors *restitution, restauration* —; c'est aussi le temps d'un humanisme à tendance individualiste (le mot *individuel* apparaît en 1490), mais qui promeut un savoir européen, fondé sur le latin (Érasme en est le symbole). C'est enfin l'époque d'un affrontement, au sein de la chrétienté omniprésente, entre Rome et la Réforme; celle-ci s'exprime certes en latin, mais aussi en français, en allemand, en anglais; sans jouer un rôle aussi essentiel que Luther pour l'allemand, Calvin est un protagoniste de la nouvelle prose française.

La littérature témoigne alors d'une maîtrise nouvelle du français, non seulement chez ceux qui sont nés dans cette langue, comme Ronsard, Du Bellay ou Rabelais, mais aussi chez des Occitans, comme Montaigne. On verra là un signe d'expansion, comparable littérairement à l'expression française d'un Beckett, d'un Ionesco de nos jours, mais sociologiquement différent.

Si la grammaire change peu, la prononciation évolue encore fortement : certaines consonnes finales (*s* du pluriel, *r* des infinitifs, *t* de *petit*) cessent de se prononcer, et la plupart des diphtongues qui subsistent encore disparaissent (*autant* passe de *aoutant* à la prononciation moderne).

Le vocabulaire au XVIe siècle. Le lexique s'enrichit de plus belle par emprunts au latin encore et, maintenant, aussi au *grec.* Cette langue avait déjà fourni de nombreux mots au français, mais par le latin, grand emprunteur et transmetteur de la sagesse hellénique; les nouveaux emprunts sont directs, par translittération *(phénomène, hygiène);* les hellénismes anciens, issus du latin, sont parfois repris par conformité. L'orthographe du français y gagne des groupes de lettres, comme *ph (f), th, ch (k), rh,* ainsi qu'un *y* voyelle («i grec»), qui signalent le mot «savant». Ainsi s'est instauré le matériel de ce que l'on appellera plus tard un «jargon des sciences». Autre source, on l'a dit, l'*italien.* Malgré de vives réactions, comparables à celles de la guerre perdue du franglais au XXe s., l'italien fournit alors un assez grand nombre de mots courants : *banque, colonel, soutane*... D'autres langues européennes sont concernées, tels l'espagnol, mais à peine, et l'allemand, qui avait déjà fourni quelques mots au XVe s. et suscite alors *bière, coche* (voiture), *halte* parmi quelques dizaines de termes. L'influence de ces langues sur le français restera limitée, et l'heure de l'anglais n'est pas encore venue. — Enfin, grâce aux voyageurs, les premiers emprunts «américains», par exemple ceux que rapporte du Brésil Jean de Léry, sont faits à des langues indiennes.

Cet état de la langue, fruit d'une évolution de deux siècles et demi, se prolonge au début du XVIIe s., avant que ne s'instaure l'esthétique du baroque, puis l'âge de la raison classique.

LE FRANÇAIS CLASSIQUE.

Cette désignation, aussi discutable que celles de «baroque» en art ou de «classicisme», concerne un moment privilégié de la culture et du pouvoir politique de la France, symbolisé par ce bref «siècle de Louis XIV», qui couvre les dernières décennies du XVIIe s. et le début du XVIIIe siècle. Cette période s'instaure bien avant la Royauté-Soleil, dans les années 1630; l'action de Malherbe et les premiers succès de Corneille en sont l'indice encore isolé.

Phonétique, écriture. L'évolution phonétique continue alors celle du XVIe s. : suppression des dernières diphtongues conservées, de consonnes finales : on dit *couri, mouchoi* (M. Cohen), mise en place des nasales et, vers la fin de la période, remplacement du *wé* de *roi* par *wa* dans l'usage le plus vulgaire auquel résiste la langue distinguée, qui finira par céder aussi à l'évolution. Le *l* «palatal» noté *ll* recule devant le son [j] *(caillou),* le *r* roulé est concurrencé en milieu urbain par le *r* «grasseyé». Plus notable est l'évolution de l'*orthographe* vers une norme reconnue et unique : l'image que le dictionnaire de l'Académie (1694), après des années de gestation, donne de la graphie, est conservatrice et stabilisée : tout en unifiant des variantes qui s'étaient multipliées au XVIe s. avec les doctrines réformistes et les techniques d'imprimerie, elle consacre les écarts entre écriture et prononciation, et conserve une grande part des ajouts de lettres étymologiques ou décoratives qui encombrent la notation des mots. Alors que l'Académie espagnole, entre le XVIIe et le XVIIIe s., donne au castillan un système d'écriture économique et rationnel par rapport à la phonétique de cette langue, le français restera, comme l'anglais, victime d'un double principe phonétique et visuel : *«une orthographe fixée crée une image graphique obsédante qui [...] finit par obscurcir les autres modes de réalisation du mot»* (J. Chaurand, p. 70). Cette image graphique conduit déjà à la prononciation de lettres adventices, phénomène évident en français moderne. Cependant, à l'intérieur de normes simples, chacun peut se permettre, au XVIIe comme au XVIIIe s., des fantaisies que le XIXe s. interdira. — Si la syntaxe évolue aussi, notamment celle des déterminants, des relatifs, des adverbes et des prépositions (*sur* et *dessus* par exemple prennent leurs fonctions actuelles) ou celle des pronoms compléments (*je le vous assure* devient *je vous l'assure*), si la conjugaison et la structure de la phrase se réorganisent, le système général de la langue semble dès lors plus stable.

Vocabulaires et terminologies. Les principales modifications du français, dans cette période, concernent trois domaines : le lexique, la situation sociale de la langue et la perception de celle-ci par les usagers. Le *vocabulaire* est en effervescence. Tandis que les grammairiens et les gens de goût s'emploient à l'épurer, ce qu'on observe dans la littérature surtout après 1650, les besoins de désignation des sciences et des techniques, ceux du droit et de l'économie, des beaux-arts et de la musique, domaines en plein essor, induisent de très nombreux emplois nouveaux. Certes, après la prolifération de la Renaissance, après la fantaisie verbale de la première moitié du XVIIe s., période de littérature baroque, qui fait suite à celle du moyen français, les discours littéraires s'appauvrissent volontairement, mais les arbres bien taillés de ce parc littéraire à la Lenôtre ne doivent pas nous cacher la forêt des signes. Ainsi, le mince vocabulaire de Racine, génialement mis en œuvre, ne correspond nullement à la réalité sociale des vocabulaires français. L'évolution des sens, l'apparition de nouvelles manières de dire, après l'abondante phraséologie familière et truculente qui s'observe du XIVe au XVIe s., et surtout la constitution de terminologies propres aux nouveaux domaines du savoir enrichissent le tableau beaucoup plus que les beaux esprits et les doctes ne l'appauvrissent. Et même là, en littérature, le burlesque, la préciosité — à la fois puriste et novatrice — donnent du XVIIe s. une image opposée à celle qu'en propose Boileau et qu'en a trop longtemps retenue la postérité. Cependant, il est vrai, comme le note Bouhours, que la dérivation et la composition, si appréciées des hommes de la Renaissance, sont appauvries, presqu'exsangues. Dans le même temps, les besoins d'expression suscitent des mots et des termes nouveaux : la science, la technique, là encore, n'ont cure des interdits.

Norme et dictionnaires. Ce qui est clair, c'est qu'une nouvelle norme lexicale se construit, du «bon usage» de «l'honnête homme» (deux concepts éminemment classiques) au «langage des arts» (techniques), sans omettre la reconnaissance de la langue populaire, chez Scarron ou chez Charles Sorel, et chez Molière même. On le voit bien lorsque le dictionnaire de l'Académie, paru en 1694, est accusé par les puristes de donner asile au langage des Halles, ou lorsque Furetière, entreprenant de décrire les mots nouveaux de la science et des techniques, suscite de la part de l'Académie, qui a expulsé ce trublion mais qui se sent durement concurrencée, le dictionnaire complémentaire de Thomas Corneille. En effet, ce lexique français en mutation est maintenant décrit dans son ensemble, après les dictionnaires bilingues du XVIe s. et quasi unilingues (français) du début du XVIIe s. (le *Trésor* du diplomate Jean Nicot — l'homme de la *nicotine* —, en 1606), plusieurs ouvrages paraissent entre 1650 et 1700. Ils sont didactiques, comme le dictionnaire du jésuite Pomey, qui inclut du latin, comme celui du pédagogue Richelet, exclusivement français (1680), ou institutionnels (l'Académie, 1694) ou encore culturels et terminologiques (Furetière, 1690; Thomas Corneille, 1694). Ces recueils permettent de fixer assez fidèlement l'état du lexique. En même temps, ils témoignent d'un souci nouveau de décrire, d'inventorier, de comprendre le langage en devenir, d'épuiser les ressources de cette langue devenue omniprésente en France, le français.

Le statut social du français. Car le *statut du français* se modifie. Si la campagne parle patois, et le sud de la France occitan, les rapports entre langues évoluent. Certes Racine, allant de Paris à Uzès, cesse après Lyon de pouvoir communiquer dans sa langue, utilisant à son arrivée en Provence l'espagnol et l'italien qu'il connaît pour se faire comprendre. Mais, dans les grandes villes, le français progresse et le bilinguisme s'instaure : à Marseille, on parle provençal en famille, français dans les affaires et l'on n'écrit plus guère que le français. Si la langue de Paris (la «ville») et celle de la Cour se fixent, les variations demeurent; des formes de français régional patoisant se manifestent même en littérature, chez Cyrano, Molière ou dans ces «Agréables conférences de deux paysans de Saint-Ouen et de Montmorency» (1649-1651) où l'on satirise Mazarin. Par ailleurs, le français ne cesse de gagner du terrain sur le latin dans l'enseignement et dans les sciences : en 1637, Descartes publie en français son *Discours de la méthode,* fait inaccoutumé en philosophie. Enfin, après les «défenses et illustrations» du XVIe s., le combat pour le français prend deux formes nouvelles. Combat pour la connaissance, par exemple avec Ménage qui donne le premier recueil étymologique scientifique de notre langue (1650), ceci grâce à une intuition historique très forte : ce n'est pas du latin classique qu'il faut partir, mais du bas latin exploré par Du Cange. Malgré ses faiblesses, inévitables à l'époque, le recueil de Ménage résout bien des problèmes, et ses erreurs mêmes procèdent d'une démarche à la fois hardie et prudente. À côté des savants, grammairiens, logiciens (Port-Royal), philologues et étymologistes, une race nouvelle se manifeste, celle des auteurs de remarques sur la langue, surtout Vaugelas (*Remarques,* 1647), très pragmatique, et Bouhours, plus théoricien. Avec d'autres, ils cherchent à hisser le français au niveau de pureté du latin classique ou plutôt de l'image très filtrée qu'ils en ont. L'idée d'«usage», c'est-à-dire d'une pratique partagée résultant d'un choix collectif, donne à la société, aux mœurs, une importance décisive. Mais les jugements, la norme sociologique viennent d'une collectivité choisie, d'une oligarchie aristocratique et, de plus en plus, bourgeoise. La raison — c'est-à-dire le système, l'analogie — doit s'incliner devant cet usage, notion ambiguë comme tout concept lié à la hiérarchie sociale. Le rôle de conseiller-observateur de la langue est donc de promouvoir le «bon usage» réalisé par le beau style, selon une hiérarchie de genres strictement codifiée, du sublime au bas, des vers à la prose, mais à la belle prose de Guez de Balzac et de Voiture (la spontanéité aristocratique de Mme de Sévigné, pour admirée qu'elle soit, reste en marge).

LE XVIIIe SIÈCLE.

On qualifie parfois le français du XVIIIe s. de langue *post-classique.* Cependant, par sa structure et ses usages, par ses tendances et son idéologie, le français du siècle des Lumières ne fait que prolonger celui de la deuxième partie du XVIIe siècle. Les évolutions phonétiques se poursuivent, parfois avec inversion de tendance : ainsi les *r* finaux disparus réapparaissent : si *tiroir* était vulgaire face à *tiroi,* c'est l'inverse au XVIIIe s. (Cohen, p. 221). La grammaire change peu; la créativité lexicale et terminologique s'accentue. Les mutations idéologiques ont peu d'effet sur les structures profondes de la langue. Comme il est devenu normal depuis la fin de la Renaissance, ce sont les vocabulaires qui se modifient, ainsi que la

perception de la langue et les actions de politique langagière (éducation, critique des usages, traduction...) qui en découlent.
L'évolution de l'*orthographe* imposée manifeste cette réflexion active sur la langue. L'Académie, dans son édition de 1740, procède à une remarquable simplification : 5 000 mots du dictionnaire sont touchés, sur 20 000. Ainsi, le *s* non prononcé devant consonne est supprimé, l'accent circonflexe apparaît alors : *asne* devient *âne*, le verbe *estre* devient *être;* des lettres superflues sont éliminées, des *y* finaux sont remplacés par *i (roi)*, les accents aigus et graves sont généralisés. Certaines lettres non prononcées, et alors supprimées (le pluriel *enfants* devient *enfans*), seront rétablies au XIXe s., mais, dans l'ensemble, l'orthographe de 1740, perfectionnée en 1776 (le *ez* des noms en *é*, au pluriel, devient *és*), est presque celle du français contemporain. Heureuse époque, penseront certains, où la norme de l'Académie correspond à un effort vers la clarté et vers la simplification, où l'évolution de l'usage est entérinée par l'autorité ! En comparaison, la fin du XXe s. peut paraître un sommet d'intolérance peureuse : mais, en fait, les conditions sociales d'exercice du langage ont changé ; au XVIIIe s., écrire est encore l'apanage d'une minorité de favorisés.
Quant aux *vocabulaires*, ils reflètent l'évolution de la société : non seulement les concepts évoluent avec les termes qui leur sont attachés, mais des mots nouveaux apparaissent par dérivation ou par emprunt. C'est ainsi qu'après l'italien et l'espagnol, à côté du latin dont la science fait grand usage, l'*anglais*, langue de l'innovation scientifique et technique et de l'évolution politique, devient une source essentielle pour le français. Les anglicismes de l'époque sont souvent visibles *(budget, club)*, mais plus souvent encore discrets, et même secrets. L'anglais fournit en effet des mots d'origine latine ou française qui s'adaptent à merveille aux structures du vocabulaire ; certains dérivés semblent indigènes, alors qu'ils sont créés outre-Manche *(gouvernemental, sentimental...)*. Enfin, bien des changements de sens doivent quelque chose à l'anglais. Si *révolution*, terme d'astronomie et de chronologie («retour des choses, terme») passé dans la langue générale au XVIe s., s'emploie depuis la seconde moitié du XVIIe s. (Retz, puis Bossuet en témoignent) à propos de bouleversements et de luttes politiques, parfois violents, c'est en partie à cause de l'emploi du mot *revolution* en anglais, lors de la restauration qui a suivi la dictature de Cromwell ; cet usage encore très flou a été conceptualisé en France, notamment par Montesquieu, mais la politisation du mot doit beaucoup à la langue anglaise. — À côté de l'anglais, le *grec*, par les éléments «savants» utilisés très largement depuis la Renaissance, est un gros fournisseur de termes : les sciences et le discours théorique font usage des éléments grecs en français (Lavoisier et Guyton de Morveau l'illustrent avec la chimie : *oxygène, hydrogène*), mais aussi en anglais, en allemand, et ces terminologies prennent leur visage moderne au XVIIIe s. : il se précisera et deviendra plus complexe au XIXe siècle. Déjà, peu après 1750, des synthèses lexicographiques manifestent clairement ces tendances : l'*Encyclopédie* surtout (1765), mais aussi les enrichissements du dictionnaire de Trévoux (issu du Furetière) ou le *Manuel lexique* de l'abbé Prévost (1750), qui reflètent tout comme les œuvres didactiques de Voltaire, diffuseur des idées et de certains termes newtoniens, l'énorme influence de l'Angleterre.

LE FRANÇAIS RÉVOLUTIONNÉ : LA RÉVOLUTION ET L'EMPIRE.

Il peut sembler paradoxal de placer *la Révolution* et *l'Empire* (1789-1815) dans cette langue «post-classique». Il est pourtant très raisonnable de le faire, en y voyant aussi une transition vers le français moderne. En effet, phonétique et grammaire ne bougent guère alors, et ceci manifeste la grande indépendance des structures du langage par rapport à l'histoire immédiate, si décisive soit l'influence de celle-ci sur la société, sur les idées et sur le lexique. En revanche, et comme auparavant, le statut du français, sa manipulation institutionnelle, les terminologies qui permettent la maîtrise intellectuelle du monde reflètent bien les bouleversements historiques de la grande mutation «démocratique», confisquée après les excès de la Terreur (plus robespierriste que prolétarienne) par la bourgeoisie (1794), et retournée en monarchie expansionniste par Napoléon. Dans les discours, les contenus les plus nouveaux affectent une forme traditionnelle : Robespierre, dans sa phrase, parle «jésuite» — en tout cas, parle ce français post-classique que les Jésuites enseignaient fort bien — ; Marat fait usage d'un rousseauisme pédantisé. Cependant, l'inflation lexicale se développe au rythme des innovations : non seulement politiques et idéologiques, comme il se doit alors, mais aussi scientifiques, la science entrant directement dans l'institution (le système métrique). Cette explosion se marque dans la morphologie (la seule série de dérivés du mot-symbole *révolution* en fournit la preuve) ; dans la composition gréco-latine ; dans l'emprunt ; peut-être surtout dans la rhétorique des significations, avec des extensions, des spécialisations, des métaphores portant sur les mots les plus usuels. C'est à cette époque que le débat sur la création de mots nouveaux débouche sur des recueils, qu'ils soient systématiques (*Vocabulaire des nouveaux privatifs*, de Pougens) ou non (*La Néologie* de Sébastien Mercier, 1801), sans parler des dictionnaires «révolutionnaires» destinés aux étrangers ou aux Français. Le sen-

timent de choses nouvelles à exprimer l'emporte en général sur le souci puriste. Cet immense apport de la Révolution au vocabulaire français a été remarquablement étudié au début du XXe s. par Max Frey, puis par F. Brunot.
La Révolution est un des grands moments de l'«institution de la langue» (R. Balibar). Le jeune Talleyrand en 1791 plaide pour un véritable plan de perfectionnement du français (en fait, du lexique). La Révolution se fait aussi par le français, par le langage, et le pouvoir nouveau croit qu'à l'Ancien et au nouveau Régime correspondent un vieux et un nouveau langage : on prétend «révolutionner» le français. Tout à fait fausse quant au système de la langue, cette idée n'est pas absurde quant aux mots. Elle est presque exacte quant aux rapports entre pouvoir politique et langue française. Des conventionnels, surtout Barère et l'abbé Grégoire, font la guerre aux dialectes et aux langues étrangères en France; surtout, on organise un enseignement pour la nation entière : l'«institution» du peuple va donner naissance à l'«instituteur». Au-delà des exaltations du discours conventionnel, un fait essentiel sera acquis : entre 1789 et 1815, le nombre des Français parlant français (des Belges et des Suisses aussi, d'ailleurs) a fortement augmenté : outre les intentions d'instruction généralisée, qui se réaliseront de manière moins fantasmatique et très progressivement au XIXe s., le brassage militaire y aura été pour beaucoup. Cependant, la Révolution crée l'*école primaire* et les *écoles centrales*, l'Empire les *lycées*. Si le rôle du latin, éliminé en intention par les conventionnels, reste important avec l'Empire et la Restauration, celui du français ne cesse de croître en France. Cependant les tentatives de réformes linguistiques en profondeur — notamment celles de l'orthographe : Restif, Domergue — ont toutes échoué. Les seuils ne sont en effet pas marqués par la science ni par la volonté, mais bien par l'équilibre social dans sa globalité.

LE FRANÇAIS MODERNE (DE LA RESTAURATION À LA TROISIÈME RÉPUBLIQUE).

Le français moderne, défini non sans arbitraire, commence avec une période de réaction politique, la Restauration. Le XIXe s. en entier vit une contradiction : les pouvoirs conservateurs et autoritaires (par exemple le Second Empire) correspondent à une évolution rapide de la société : science, techniques, idéologie, mœurs. À la variété accrue des pratiques sociales veut correspondre une unification de la langue, sans doute pour conjurer les risques d'éclatement national. La plupart des linguistes pensent, avec Marcel Cohen ou Walther von Wartburg, que rien d'important n'a changé entre 1815 et 1848 dans le système de la langue. Ce qui est notable, c'est que le français, objet d'une volonté politique pendant la Révolution, devient alors — comme le souligne très bien Cohen — un objet d'administration centralisée. Ainsi, la liberté individuelle dans l'orthographe, qui suppose une petite élite d'écrivants et qui explique en partie les réformes assez hardies du XVIIIe s., fait place à une codification beaucoup plus contraignante, liée à l'intention d'enseignement généralisé. Depuis 1832, l'orthographe du français n'est plus seulement «d'Académie», mais «d'État» : sa connaissance devient indispensable pour accéder au moindre emploi public. L'enseignement primaire d'État, évident progrès démocratique, coïncide avec l'échec d'une Restauration immobiliste (1830). Une grammaire normative (Noël et Chapsal, 1823) est obligatoire et requise. À la même époque, les réformes orthographiques de l'Académie deviennent de simples réformettes (1835 : *français* remplace *françois*, prononcé *wé*; *enfans* redevient *enfants*); mais ces changements modestes et ces palinodies paraîtraient aujourd'hui d'effroyables révulsions. C'est dire que, sur ce terrain du mot écrit et de la phrase correcte — l'un et l'autre étroitement définis par la pédagogie —, tout se fige, tout s'immobilise. C'est un nouveau paradoxe puisque cette époque est particulièrement turbulente, évolutive, révolutionnée, même si l'on n'envisage que les usages de la langue, que les changements du discours littéraire, scientifique ou technique. Langue très vivante, d'un côté; quant à la lettre, langue morte ou du moins immobilisée. Alors, et pendant deux siècles, le français de l'école, fixé ou presque, se répand en tuant les patois, en blessant mortellement le breton, le flamand de France, en attaquant l'occitan, le catalan, le basque. Le germanique d'Alsace doit en partie son salut à la victoire allemande de 1870; le dialecte italien de Corse doit le sien à l'insularité. Unité française, démocratie, réduction des différences et violence culturelle marchent d'un même pas. — Passons sur les évolutions de la phonétique et de la syntaxe : elles ne sont pas essentielles, au moins dans l'illusion unitaire de la langue nationale. Le XIXe s., comme la fin du français dit post-classique, se marque par l'évolution des vocabulaires, par les changements de statut du français, lequel devient plus complexe hors de France (il va falloir dire «les français»), et par l'impossibilité de faire évoluer les images sociales de la norme, malgré les efforts des savants et des intellectuels.
Les mots, la langue et son image (1848-1920). Les lignes de force qui semblent gouverner l'évolution du français au XIXe s. conduisent à distinguer — certes artificiellement — deux périodes, la seconde allant de 1848 aux lendemains de la «Grande Guerre». Au cours de la première, on vient de le voir, un français officiel s'était fixé; ensuite il se répand dans la société. Pour les vocabulaires, la seconde moitié du siècle voit l'ap-

plication sociale massive des découvertes scientifiques fondamentales de la première : des dizaines de milliers de termes apparus entre 1730 et 1860 environ, demeurés l'apanage des milieux spécialisés, passent dans l'usage commun. Les attestations de nos dictionnaires historiques reflètent mal ce mouvement, pourtant socialement essentiel : les mots et les termes enregistrés depuis cinquante ans et plus deviennent en quelques années des vocables de tous les jours. Aujourd'hui cette vulgarisation est quasi immédiate, du fait des médias. Vers 1830 ou 1860, le passage était lent, progressif. À la fin du XIXe s., la situation est intermédiaire : la presse et les transports ont déjà vécu leur mutation. Ainsi, le vocabulaire de l'électricité, constitué au XVIIIe s. puis dans la première moitié du XIXe s. (surtout en anglais, avec Faraday), deviendra populaire entre 1850-1860 et 1914 ; celui des chemins de fer, venu pour partie d'Angleterre entre 1830 et 1860, s'implante déjà plus vite. Ceux de l'aviation, de la bicyclette, de l'automobile, puis du cinéma ou de la télégraphie sans fil, constitués avant et pendant la guerre de 1914-1918, se diffusent en une ou deux décennies. Ce rythme lexical deviendra assez effréné au XXesiècle. Il en va de même pour les emprunts culturels : un premier voyageur emploie le mot originel, le transmet, souvent le déforme. La plupart de ces «mots de relation», qui apparaissent en nombre au XVIe s., qui se multiplient en français classique et déferlent au XIXe s., restent virtuels et ne sont pas réemployés ; certains, pour des raisons variables, s'imposent et se répandent. Le phénomène de diffusion, secondaire pour le philologue, est primordial pour le sociologue du langage. Ces mouvements de diffusion, d'osmose sont à l'œuvre depuis l'ancien français mais plus significatifs à l'époque moderne. Très délicats à appréhender, ils sont de plus en plus difficiles à décrire.

Un autre problème, qui concerne l'histoire des notions, est posé par les *terminologies*, scientifiques, techniques, juridiques, économiques, institutionnelles... Chaque terme, apparu dans un contexte de connaissance, est sujet à évoluer selon ces connaissances. Des mots anciens comme *atome* ou *acide* sont d'histoire plus complexe qu'un terme créé pour correspondre à une notion nouvelle, comme *électron* ou *oxygène*. Le sens général des premiers, comme l'apparition des derniers, peut être repéré et daté avec précision ; mais l'évolution des notions qu'ils dénotent n'est pas aisée à cerner. Tous ces faits ne sont pas nouveaux ; leur multiplication au XIXe s. souligne à quel point l'histoire du français déborde la linguistique historique, à quel point il s'agit d'histoire des usages sociaux de la langue, du langage, des signes.

Études et points de vue sur le français : la problématique. De par une tradition universitaire encore vivace, la langue étudiée et ses usages tendent, surtout à partir du français classique, à être confondus avec les discours littéraires et aussi avec les attitudes de la société quant au langage. Cette tendance devient excessive pour le français du XIXe et du XXe siècle. Ce n'est pas un hasard si l'*Histoire de la langue française*, dirigée par F. Brunot, admirable pour la période classique et la Révolution, devient avec Charles Bruneau en ce qui concerne le XIXe s. une mince stylistique historique, n'étudiant plus que la poésie et la prose des écrivains «romantiques», puis «réalistes», ainsi que quelques grammaires et dictionnaires. Certes, les discours littéraires sont des représentations essentielles du français à cette époque ; mais, déjà insuffisants pour l'étude «externe», ils le sont davantage pour l'étude «interne» ; ils rendent compte de la réalité inaccessible de la langue comme une galerie de glaces déformantes, non comme un instrument d'optique fidèle.

Il est pourtant vrai que les grands courants littéraires révèlent des tendances profondes : mais n'oublions pas la lucidité critique de Hugo : «guerre à la rhétorique et paix à la syntaxe». Car la syntaxe (et de manière générale la langue) répond à d'autres lois. L'usage reconnu du français, confisqué par l'épurateur du classicisme, s'ouvre avant et avec la Révolution (Restif...) aux aspects souterrains et réprimés des usages sociaux. Les romantiques mettent alors en scène les richesses du passé (moyen âge et Renaissance, puis baroque : les «grotesques» de Gautier changent l'image littéraire du XVIIe s.). On prend conscience de la variété des usages : du français hors de France, des dialectes et des patois, des habitudes de langage des parias de la société (l'«argot» chez Balzac, Sue, Hugo). Mais, ceci, éclatant, ne tuera pas cela : le «bon français». Ce français national, dont la nature est plus fantasmée que connue, fait l'objet d'un respect universel, depuis le savant et l'écrivain jusqu'au paysan, qui devient peu à peu honteux de son dialecte, jusqu'au prolétaire et même jusqu'au hors-la-loi, qui a conscience d'employer un langage second, utile et protecteur, mais sans mesure commune avec ce «français» des bourgeois, qu'on enseigne. Hors de France, au XIXe s. comme au début du XXe s., le souci de parler comme à Paris correspond au souci de faire comme dans la capitale, qui affecte les coutumes et les modes visibles. Le langage maternel (créoles, français que l'on continue d'appeler «régionaux» de Belgique, de Suisse, du Bas-Canada) est souvent un pis-aller, moqué ou répudié par ceux qui le pratiquent. Ce triomphe à peine contrarié de la norme officielle était sans doute nécessaire pour insérer une partie plus importante des populations dans le progrès intellectuel et social ; cependant ni la variété des discours littéraires, ni la prolifération désigna-

tive, ni les luttes d'opinion quant au langage, ni les acquis du savoir sur la langue, tous fort bien étudiés, ne nous renseignent sur l'essentiel. Comment, et où, va désormais le français ?
Alors que les meilleures études nous éclairent en profondeur sur l'évolution de cet idiome du IXe au XIIIe s., puis du XIVe au début du XVIIe s., c'est en fait l'histoire du lexique et celle des pratiques ou des institutions langagières — l'institution littéraire, la pédagogie... — qui prend en charge le français classique et, surtout, le français moderne. On en trouvera l'indice très clair dans le travail fondateur de Ferdinand Brunot pour l'*Histoire de la langue et de la littérature françaises* de Petit de Juleville, qui couvre les dix siècles s'achevant à sa publication (1900). Ce qui est dit dans cette étude sur l'évolution de la langue entre 1815 et 1900 n'a guère été développé depuis, et une synthèse analogue, pour le XXe s., se fait attendre. Il faut noter ce disparate pour ne pas tomber dans deux illusions : celle d'une immobilité fondamentale ; celle, qui s'est exprimée vers 1950-1960, d'un «néo-français», et qui sert de correctif à la première, dans l'excès. Commencer un roman, comme le fait Queneau, par *doukipudonktan ?,* c'est refaire le coup astucieux et juste de Hugo dans *Les Misérables,* avec *kekcéksa* et *kekçaa;* ce n'est pas révéler une langue nouvelle mais bien le français de maintenant. En effet, l'évolution si évidente des vocabulaires, des attitudes et des pratiques langagières, concernant plus la sociologie et l'histoire générale que la linguistique, masque une immense obscurité. Les carcans politiques et institutionnels — évolution et révolution correspondant plutôt à des durcissements — ont-ils ou non agi en profondeur sur la langue ? Il est clair qu'ils ont agi sur le langage, sur les usages, sur la manière d'agir par la parole et l'écriture ; mais sur le système et les structures ? Une seule réponse est honnête. Nous n'en savons à peu près rien. En ce qui concerne le XIXe s., F. Brunot posait vers 1900 l'existence de deux langues, manifestées par deux «grammaires» : une langue «savante, écrite», une autre «populaire». «*Cette séparation,* ajoutait-il, *ne semble pas près de disparaître*» et surtout «*cette dualité est un danger assez semblable à celui qui a occasionné la mort du latin littéraire* (nous préférerions, 'classique')». Il convient, à la lumière du passé récent, de s'interroger sur cette redoutable prophétie.

LE FRANÇAIS CONTEMPORAIN.

Les strates de la langue : différenciation des usages. On ne peut aborder le français contemporain, qui s'organise à partir des années 1920, sans un bref retour en arrière sur la période qui suit les révolutions de 1848, et qui voit se mettre en place, en France comme en Europe, les conditions sociales modernes de la vie du langage : démocratisation et unification, enseignement généralisé, transports, urbanisation, luttes d'idées, révoltes, mais absorption du prolétariat, triomphe du capitalisme bourgeois, expansion coloniale, d'abord militaire, puis politique, enfin économique.
De 1848 à 1914, le système de la langue, tel que nous pouvons le percevoir, continue sa très lente évolution : un Français de 1910 aurait compris, même à l'oral, *à peu près* l'immense majorité des phrases produites en 1870, en 1848 et même en 1800. Mais cet «à-peu-près» n'est pas peu ; en outre, on peut comprendre identiquement et parler tout autrement. Des changements phonétiques, des usures syntaxiques se sont produits : l'imparfait et le plus-que-parfait du subjonctif disparaissent de la langue parlée ; le passé simple se raréfie ; l'inversion interrogative n'est plus vivante que dans certains usages oraux (au Canada, par exemple).
Face à ces mouvements globaux, les usages régionaux bougent certainement plus vite, dans la mesure où le français gagne sur des langues maternelles qui exercent sur lui un véritable effet de substrat. Au XVIIe s., les provinciaux de langue occitane étaient des étrangers à l'accent pittoresque, à la langue fertile en fautes dont on se moquait à Paris. Au XIXe s., s'instaurent des variétés régionales à l'intérieur d'une même langue et, à côté des patois déclinants. Ces variétés sont trop mal connues : aujourd'hui encore, la prononciation des dictionnaires, et souvent celle de l'école, écarte l'usage vivant d'un tiers de la France. Ainsi, dans ce français réel d'Occitanie, le *e* dit «muet» se prononce, le pronominal a d'autres usages qu'en «bon français» («je me la prends et je me la mange, la pomme»). C'est qu'entre 1790 et 1910, la proportion de Français connaissant le français est passé de 50 à 90%, cependant que «plus de la moitié de la population continue à comprendre le patois local et l'utilise largement» (P. Guiraud, *Patois et dialectes français,* p. 28). Ainsi, la dispersion des idiomes, héritée de la féodalité, a fait place à la différenciation interne des usages d'une langue unifiée. La situation ne devait pas être très différente en Wallonie et en Suisse romande. Les villes qui s'industrialisent sont des laboratoires où cette différenciation se marque avec le plus d'évidence. La variété des paroles sociales s'est toujours manifestée en littérature. Mais cette manifestation restait discrète en français classique, ou cantonnée à des milieux fermés et utilisée avec grand artifice (la littérature «poissarde», la parade de foire, au XVIIIe s.). Au contraire, après Restif, très marginal, après le Diderot de *Jacques le fataliste,* inconnu avant la fin du XIXe s., les grands romanciers du XIXe s. explorent ces régions obscures. Leurs œuvres construisent le lieu fictif et fidèle où se rassemblent et s'enchaînent les produits d'énonciations socialement affrontées. Le français du

récit, où le style transfigure la langue correcte de l'école, est confronté avec d'autres langages par le jeu des dialogues, du discours rapporté. Ces langages, non moins français, étaient jusqu'alors à peine entrevus. On trouve ainsi dans Balzac, dans *Les Misérables,* puis chez Flaubert, les Goncourt, Maupassant, Zola, Huysmans, le témoignage d'une vitalité puissante et confuse. Non seulement le pittoresque des vocabulaires secrets ou violents (l'argot), mais un mouvement dans l'essence même du langage. C'est là qu'affleurent, derrière le français de l'école, français bourgeois, français unique et correct, des usages qui trahissent des tendances cachées et réprimées. L'évolution de l'interrogation est entendue par Hugo, oreille incomparable : «*Où elle va ? — ... je le sais — où va-t-elle encore ?*» La première phrase, sans inversion, est une notation nouvelle. Ou encore, dans la bouche de Gavroche : «*Moutards, n'ayez pas peur !*», puis «*aies pas peur !*» et phonétiquement «*aye pas peur*», «*eille pas peur*» (*Les Misérables,* Pléiade, pp. 1001, 1010). Il faut aussi relire les scènes d'Henri Monnier pour se faire une idée de ce français «populaire» de Paris vers 1850, butte témoin d'un stade d'évolution qui serait, sans cette littérature, entièrement perdu. Non seulement le français de la comédie humaine et sociale est varié, mais encore il bouge : aucun instantané n'en rend compte que dans l'instant. À la même époque, de nouvelles images de la langue s'élaborent : c'est le temps de la philologie, qui triomphe avec Renan ; c'est le temps des dictionnaires (Littré, Pierre Larousse) ; c'est aussi le temps des prophètes (Auguste Comte) et des poètes (Mallarmé) ; c'est enfin le temps des linguistes. Ceux-ci, en France, transmettent d'abord, comme le fait Littré, la science allemande (Friedrich Diez, le grand romaniste ; Bopp, le créateur de la linguistique ; Humboldt...). À la fin du siècle, s'élaborent une sémantique (Bréal), une phonétique moderne (Rousselot), une dialectologie (Gilliéron) appliquées au français. Il est difficile de mesurer l'impact du savoir historique, puis structural sur le français, sur cette langue même en son évolution : il est à peu près nul, sans doute. Comme est resté sans effet notable le retrait vers le passé, le purisme sémantique quasi platonicien de Mallarmé, relayé par Valéry. Pourtant, ces attitudes hautaines et isolées ont leur petite monnaie sociale : le purisme esthétique de Gourmont, celui d'Abel Hermant (qui signait Lancelot) ont tenté vainement de compenser le déferlement moderniste des vocabulaires estampillés par Pierre Larousse, Camille Flammarion puis Aristide Quillet depuis les années 1850 (le «Petit Dictionnaire complet» de Pierre Larousse) et pendant les «années folles» jusqu'à la Deuxième Guerre mondiale.

Après 1920 : problématiques. Comment caractériser le français contemporain qui, gros de toutes les évolutions antérieures, se manifeste des années 1920 à l'an 2000 ? Comment appréhender le terme, par nature provisoire, d'un millénaire de spécificité langagière ? Tous les mouvements profonds décrits ou décelés pour les époques antérieures se continuent sans aucun doute, malgré le masquage de «l'institution du français». Le français d'aujourd'hui est caractérisé banalement par une continuité et par des ruptures. Les tendances du XIXe et du début du XXe s. se prolongent et s'amplifient, mais elles révèlent des situations inconnues. L'histoire profonde de la langue semble inaccessible. Ce sont alors des facteurs socioculturels, économiques, intellectuels, techniques qui semblent prévaloir. D'un côté le français, promu au XVIe s., précisé au XVIIe s. par une norme exigeante, a reçu au XIXe s. une définition contraignante qui semble l'immobiliser. Instrument de l'école et de l'État, il s'institutionnalise de plus en plus, notamment par l'écriture. Mais ce français ainsi déterminé, plutôt bourgeois, plutôt urbain, plutôt francilien, est menacé de l'intérieur. L'apparente unité ne parvient plus à cacher les complexités ; l'apparente fixité — exemplaire pour l'orthographe — ne peut plus masquer les transformations. Parlant en 1939 du passé récent du français, Marcel Cohen posait avec lucidité le problème (*Histoire d'une langue...,* chap. XV) et mesurait les difficultés : excès de faits et de documents, subjectivité d'un sentiment de «crise», voire de débâcle du français, clivage entre «français écrit» et «français parlé», dont il faut ajouter qu'il se révèle très complexe et parfois trompeur. Il répondait à ces défis avec discernement, par un outil d'analyse indispensable : la sociologie du langage (on dira plus tard *sociolinguistique*). Dans ce cadre, les évolutions très nettes de la prononciation, de la grammaire, etc. ne peuvent plus être étudiées abstraitement et généralement, comme on le fait à propos du passé lointain de la langue, à la fois par absence d'informations et par des choix simplifiants. Pour le français d'aujourd'hui, nous sommes dans l'eau du bocal, noyés dans l'information, en proie aux préjugés et postjugés contradictoires : on nous parle d'un français éternel, «langue humaine» plus que toute autre, et qui pourtant se perd dans une inculture envahissante.

Cependant, les différences de perspective n'expliquent pas tout : la complexité sociale du français s'est objectivement accrue, en France et hors de France. Plus de locuteurs, des villes proliférantes, des contacts cent fois plus rapides, des déplacements incessants, une marée de paroles et d'images instantanément véhiculées. En outre, certaines frontières linguistiques sont devenues à peine perceptibles, entre français d'oïl et de zone «franco-provençale» — Lyonnais, Jura, Suisse —, entre ces domaines et celui d'oc, entre Bretagne romane et pays bretonnants. D'autres, en revanche, comme la frontière romano-germanique, ne sont brouillées que par endroits (Bruxelles) et résistent aux siècles : à Biel-Bienne, en Suisse, depuis des siècles on parle germanique d'un côté de la rue, français de l'autre. Quant aux frontières politiques, elles se traversent de plus en plus : si le tourisme donne lieu à de pittoresques sabirs, les immigrations ont créé au XXe s. en terres francophones (Belgique et France urbaines, Québec) des situations linguistiques nouvelles. Dans une direction opposée, centrifuge, les colonisations du XIXe s. et de la première moitié du XXe s. avaient procuré au français, promu langue officielle ou langue seconde, des lieux d'expression nouveaux et des sociologies différentes.

Le français normalisé de l'école et de l'administration subsiste à l'écrit. Il y est à la fois rudement maltraité et superbement exalté, ce qui est le fait de toute langue «de culture». À l'oral, la spontanéité, l'illettrisme, l'inculture même, ne sont pas ses pires ennemis : bien plutôt les intentions rhétoriques et brutales de la communication de masse. Celles-ci découpent la parole au mépris de la morphologie, de la syntaxe et du (bon) sens, fabriquant un «écrit-parlé» dont l'artifice, multiplié par le discours politique et publicitaire, ne peut pas rester sans effet sur les millions d'oreilles qui le subissent. Dans tous les cas, il s'agit de ce français («cultivé», ou «soutenu», ou «non marqué», ou «central»...), dont on affirme qu'il est en crise. Ce français, bien ou mal employé, interdit presque de percevoir d'autres usages, aussi vivants, mais plus divisés et moins prestigieux. Ainsi, les français régionaux, ruraux et urbains, reconnus à leur phonétique (les «accents») et à leurs vocabulaires, parfois à des traits de grammaire, survivent et parfois prospèrent.

Ces usages sociaux de la langue forment des familles où l'on retrouve les grandes zones dialectales du passé, que le français y soit seul pratiqué (avec l'agonie des patois, en phase terminale après 1945; avec le recul de langues, comme le breton, qui continuent à agir en tant que substrats...) ou en situation bilingue (en Europe, avec le flamand, les dialectes allemands, le basque, le corse, le catalan...). Se joignent à ces usages des formes de français plus nettement différenciées par rapport à la référence «centrale» et cultivée mentionnée plus haut : parler de français «régionaux» n'est d'ailleurs plus licite, s'agissant de l'élément francophone des plurilinguismes africains, de l'ensemble créole-français des Caraïbes ou de l'océan Indien, de l'usage institutionnel ou subi du français au Maghreb, d'ailleurs en recul devant l'arabe et gravement compromis par les affrontements politiques et culturels. Échappe plus encore au «régionalisme» l'ensemble francophone nord-américain, essentiellement québécois, lui-même complexe, en cours de normalisation, parfois beaucoup plus vigoureux dans son affirmation que les usages français de l'Europe, mais subissant les mêmes types de contraintes avec, en outre, la pression immédiate et puissante de la langue anglaise dans un contexte social nord-américain, très peu britannique, malgré l'appartenance nominale au Commonwealth. Il s'agit là de types de français à la fois proches et distincts du «français de France», sans même parler de ces dialectes hyperinstitutionnels que sont les «français officiels d'administration» et qui existent en France même, en Belgique, en Suisse. Dans la Confédération, on parle ironiquement de «français fédéral», jargon distinct des usages cantonaux spontanés du pays romand. Ces langages d'institution coupés de la société existent aussi en Afrique, et même dans les tours de Babel administratives et normalisées de New York, Bruxelles, Genève, Paris, que sont les communautés européennes, l'ONU, l'UNESCO.

Il faut pourtant, et on le doit, parler encore *du* français, mais en sachant que toute description, d'usage, de norme et peut-être même de système, ne concerne qu'une partie des faits linguistiques pertinents. Jusqu'au début du XIXe s., malgré la complexité sociale des usages, on pouvait décrire le français sans autre précaution définitoire. À la fin du XXe s., toute observation sur les tendances de la prononciation, de la grammaire et plus encore du lexique demande à être déterminée socialement, et d'abord géographiquement. Il en va de même pour l'anglais, l'espagnol, le portugais, l'arabe ou le russe... Quant au «français de France», sa situation est déjà fort complexe, apparemment moins que celle de l'italien ou de l'allemand, de par la centralisation et le recul des dialectes, qui créent l'illusion de stabilité déjà évoquée. Cette illusion constitue en elle-même une importante caractéristique qui touche doublement à la langue : directement, parce qu'elle favorise l'immobilisme et confère aux dynamismes langagiers — engendrés par ceux de la société même — un caractère négatif et perturbateur; indirectement, parce qu'elle interdit aux francophones, surtout européens, surtout français, de percevoir la variation et le mouvement de leur propre usage. Ainsi, certaines tentatives puristes intelligentes, comme celle d'Étiemble (contre le «babélien» ou le «franglais», en fait contre l'influence américaine à travers l'emprunt lexical) ou celle des institutions langagières officielles de France, du Québec, se heurtent aux caractéristiques sociales du système qu'elles défendent; ce paradoxe est bien analysé, mais nul ne peut aller là contre. La créativité lexicale du français — sa morphologie — est à demi paralysée depuis le grand réglage classique; dès lors, devant le besoin de nommer les nouveautés (de la pensée, de la mode, du désir), pas d'autre réponse que l'emprunt. Que la source principale, pour de nombreuses langues dans le monde, en soit aujourd'hui les États-Unis d'Amérique et leur anglais décolonisé, enrichi et troublé, n'a rien à voir avec la linguistique.

Tendances et tensions. Parmi les tendances qui caractérisent l'évolution du français après la Deuxième Guerre mondiale, quelques-unes sont connues, d'autres se développent sournoisement. On a décrit l'évolution confuse des prononciations, par perte d'oppositions vocaliques, affaiblissement articulatoire de plusieurs consonnes, réapparition en français «central» du *e* dit «muet» qui cesse souvent de l'être (*renseignement* est plus courant que *renseign'ment*), influence de l'orthographe sur la prononciation, avatars de la liaison (fautive, ou pédante et hypercorrecte, voire plaisante : *où-t'est-ce?*); on connaît les malheurs de certains temps verbaux, l'importance accrue de l'article, le recul du verbe par rapport au substantif, la réduction de la phrase par rupture et reprise ; on a montré et dénoncé l'abondance d'un nouveau type de création lexicale, par abréviation, siglaison et acronymie. Mais ceci vise surtout la langue écrite soutenue et correcte, par rapport à laquelle on définit des écarts. — Pour les autres états de langue, les descripteurs objectifs, tels A. Martinet et H. Walter pour la prononciation, de nombreux grammairiens, depuis les admirables et ésotériques travaux de Damourette et Pichon, sont trop peu entendus. Pourtant, ils tentent de dégager les lois du français parlé ainsi qu'écrit, ou bien, comme le font les psycholinguistes, celles du langage enfantin qui donne à la langue officielle des leçons d'économie et d'efficacité. La phrase parlée est par nature rompue, fragmentée ; une partie de son sens réside dans des traits phonétiques : accents de hauteur, d'intensité, que l'écriture annihile. Le français vivant est là, il se porte à merveille ; ses seules «fautes» sont l'échec expressif et communicatif. Mais il est mal connu et sa variété se dissimule derrière les discours appris. On mesure mal le pouvoir d'une langue sans tradition d'écriture, comme le furent les langues africaines avant une période récente ou le français avant le XIVe siècle. On mesure encore plus mal le pouvoir et les faiblesses d'une pratique orale dans une société où les mots, les phrases sont pris dans des images graphiques que l'école généralisée a imposées. Les médias de masse ont peut-être redonné force à l'oral, mais en le soumettant secrètement à l'écriture. Il en va de même pour des pratiques langagières d'abord spontanées, tel l'argot. Le matériel de vocabulaire fourni par l'argot du milieu, code secret jusqu'à la Seconde Guerre mondiale, a donné lieu à de la littérature, à des dialogues de films, parfois excellents et enrichissants pour la langue, mais entièrement intégrés au système dominant. Parmi les procédés de création argotiques, à côté des codes folkloriques, javanais, loucherbem (que les bouchers ont oublié depuis belle heurette), un seul est aujourd'hui actif, le verlan. Né avant le mélange culturel des grands ensembles des banlieues, il s'y est épanoui : quelques-uns de ses produits s'intègrent au lexique français (de France) ; leur diffusion passe par les médias. Un cas notoire est le *ripou*, ou policier *pourri ;* le film qui lançait le mot hors de son milieu d'origine portait en titre écrit *Les Ripoux*, appliquant le scolaire pluriel en *-oux* dicté par la série sacrée : *bijou, chou, genou*, dans laquelle *pou* n'est pas oublié... Ainsi, la règle créatrice orale et banlieusarde a été immédiatement soumise à la loi scolaire. Par ailleurs, le verlan enrichit peu à peu le dictionnaire : *beur, meuf.* L'argot, tel qu'il s'est pratiqué dans le «milieu», probablement depuis le moyen français et jusqu'à 1950 ou 1960, est mort, embaumé au cinéma et en littérature. Mais l'argot est devenu un jeu, une illusion dans le langage. En revanche, le français parlé est immortel — ou c'est le français qui mourra.

Pour revenir au lexique, objet de cet ouvrage, on y constate que l'évolution accélérée au XIXe s. se continue jusqu'à nos jours, malgré une morphologie déficiente. Certains procédés de création, comme ceux que fournissent les déverbaux (la *bouffe*, la *gratte*, etc.), les abrégements et suffixations «populaires» (*fastoche, cinoche, coolos* sur l'anglicisme *cool*), les sigles et les acronymes, innombrables, quelques préfixations (*extra-, super-...*) enrichissent le vocabulaire «d'une manière monotone» ; en effet, peu de suffixes sont aussi productifs que par le passé ; certains se spécialisent étroitement, comme le *-erie* de *croissanterie, gadgetterie*, d'autres ne servent plus. Pourtant, les mots sont en effervescence : nos dictionnaires en témoignent. Les gros contingents viennent des emprunts anglo-américains, des formations savantes gréco-latines internationales. L'abondance des emprunts, en principe sans effet sur le système, mofidie les habitudes graphiques : on s'habitue à trouver *ee* pour *i, oo* pour *ou, ew* pour *iou ;* certains procédés habituels à l'anglo-américain, comme la création par addition syllabique, s'instaurent en français au mépris de la morphologie : d'après *informatique* on a *bureautique, confortique*, etc. Ce qui reste très actif, c'est la création de syntagmes et de locutions, certes avec des emprunts, mais adaptés et rapidement intégrés. Relayant le proverbe ancien et l'expression poétique, le slogan et les jeux verbaux de la publicité alimentent une phraséologie très vivante. La créativité du français s'exerce beaucoup plus sur le groupe de mots, la locution semi-figée ou le terme complexe, que sur le mot lui-même ; là réside aujourd'hui son génie propre. Le français contemporain tient au classicisme par la volonté d'unité et parfois de fixité. Cette volonté est frustrée, contredite par la liberté d'expression et de communication, qui apparente l'époque à la Renaissance, par le flot d'influences et d'emprunts. La plupart de ces traits sont communs à toute langue qui se trouve dans une situation historique analogue. Le français, créole latin enrichi et normalisé, va-t-il s'épanouir dans l'ouverture et l'anarchie qui définissent une langue vivante, ou, comme le latin du moyen âge, se fixer, s'embaumer et donner naissance à un nouveau créole, candidat au statut honoré de langue de culture ? La seconde hypothèse serait vraisemblable, si les conditions culturelles n'avaient pas tant changé depuis la naissance de cet idiome. Devenu langue institutionnelle et écrite, langue de tradition mais aussi langue de modernité, répandu sur les quatre continents, appris dans le monde entier, menacé par l'indifférence et les idées fausses plus que par l'anglais, défendu par tous ceux qui le font vivre, fût-ce par transgression, le français n'est pas en train de disparaître. Son évolution, largement imprévisible, est inévitable. Refuser les changements c'est préparer une somptueuse agonie à la manière latine ; les accepter sans règle, c'est tolérer l'éclatement — géographique et social. Ce que la société défait, ce qu'elle bloque ineptement — l'orthographe —, la société le reconstruit et, sans le savoir, le débloque. Le français est une langue en danger, une langue vivante.

A. Rey

BIBLIOGRAPHIE

Ch. BRUNEAU, *Petite Histoire de la langue française*, 2 vol., Paris, 1955-1956.

F. BRUNOT, *Histoire de la langue française des origines à nos jours*, 13 vol., Paris, A. Colin, 1905-1958 ; rééd. 1966-1968.

F. BRUNOT, Ch. BRUNEAU, *Précis de grammaire historique de la langue française*, Paris, Masson ; réédité en 1964.

J. CHAURAND, *Histoire de la langue française*, Paris, Que sais-je ?. — *Introduction à l'histoire du vocabulaire français*, Paris, Bordas, 1977.

M. COHEN, *Histoire d'une langue, le français*, Paris, Éditeurs français réunis, 1947 ; réédité en 1967.

DAMOURETTE, PICHON, *Essai de grammaire de la langue française*, 8 vol., Paris, 1968-1971.

A. DAUZAT, *Histoire de la langue française*, Paris, Payot, 1930. — *Les Étapes de la langue française*, Paris, P. U. F., 1944.

A. FRANÇOIS, *Histoire de la langue française cultivée des origines à nos jours*, 2 vol., Genève, 1959.

G. GOUGENHEIM, *Les Mots français dans l'histoire et dans la vie*, 2 vol., Paris, 1962 et 1966.

A. G. HAUDRICOURT, A. G. JUILLIAND, *Essai pour une histoire structurale du phonétisme français*, Paris, Klincksieck, 1949.

J. HERMAN, *Précis d'histoire de la langue française*, Budapest, 1967.

L. KUKENKEIM, *Grammaire historique de la langue française*, 2 vol., Leyden, 1967-1968.

H. MITTERAND, *Les Mots français*, Paris, Que sais-je ?, n° 270, 1968.

Kr. NYROP, *Grammaire historique de la langue française*, 6 vol., Paris (Picard)-Copenhague, 1914-1929.

G. PICOCHE, C. MARCHELLO-NIZIA, *Histoire de la langue française*, Paris, Nathan, 1989.

Ch. VOSSLER, *Langue et culture de la France. Histoire du français littéraire des origines à nos jours*, trad. sur l'éd. de 1929 et préface d'A. Juilliand, Paris, 1953.

W. von WARTBURG, *Évolution et structure de la langue française* (refondu en 1958), Berne, Francke.

FRANSQUILLON n. m., emprunt (1867, en argot) au wallon *franskilion* (1739), de *français* avec un suffixe péjoratif, désigne parfois en Belgique francophone une personne qui parle le français avec des tournures et l'accent du français parisien et, en Belgique néerlandophone, un francophone. Par extension, il s'emploie péjorativement pour «français» (1910). On relève en argot *francillon* dès le XVIIe s. (1628 ; 1594 à Anvers).

Le composé **ANTIFRANÇAIS, AISE** adj. et n. (1790, *anti-français*) signifie «hostile à la France».

FRANGLAIS n. m., de *fran*(çais) et (an)*glais* (1955), répandu par Étiemble (1964, *Parlez-vous franglais ?*, titre), désigne un usage de la langue française où l'influence anglaise est très sensible. Le mot a eu plus de succès que *fragnol*, de *français* et *espagnol*, qui l'a précédé.

NÉO-FRANÇAIS n. m. a été introduit vers 1960 par Raymond Queneau, pour désigner la langue française contemporaine, en tant qu'elle présente des structures nouvelles.

③ **FRANCO-** est un élément invariable, tiré du radical de *français*, utilisé pour composer des adjectifs et des noms, comme **FRANCOPHILE** adj. et n. (1591, repris en 1834 ; → -phile), d'où **FRANCOPHILIE** n. f. (att. 1916), **FRANCOPHOBE** adj. et n. (1864 ; → -phobe) et **FRANCOPHOBIE** n. f. (1877). ◆ **FRANCOPHONE** adj. et n. (1880), inusité avant 1930 et répandu surtout vers 1960, correspond à «qui parle habituellement ou normalement français». ◆ **FRANCOPHONIE** n. f. (apparu dès 1880 ; diffusé après 1960), notion controversée, désigne l'ensemble des personnes de langue française maternelle ou seconde (souvent langue officielle), de par le monde, ainsi que le statut du français langue maternelle, véhiculaire et parfois langue étrangère apprise, dans le monde. (Voir l'encadré ci-contre pp. 1500 à 1504.)

FRANCILIEN, IENNE adj. et n. est une création récente à partir de *Île-de-France*.

◈ voir FRANCIUM.

(Suite page 1504)

LA LANGUE FRANÇAISE DANS LE MONDE - LA FRANCOPHONIE

Le français européen.

Si le français est la langue nationale et aujourd'hui très majoritaire des Français, nul n'ignore que cette langue, sous des formes divergentes mais en général intercompréhensibles, est aussi celle d'autres États, et celle de départements et territoires administrativement français, mais relevant d'autres cultures.

La notion ambiguë de «francophonie» réunit des situations linguistiques très différentes. Elle ne peut avoir qu'une nature politique. Ses effets culturels et intellectuels ne sont pas négligeables, mais l'unité de pensée que l'on évoque à ce propos identifie abusivement la communauté d'un système d'expression, de communication, et un rapprochement de sensibilités et d'attitudes mentales, toujours réducteur et souvent démenti par les faits (par exemple au Maghreb, à Madagascar ou même, tout autrement, au Québec).

L'expansion géographique du français, dont l'histoire commence avec la langue même, conduit à distinguer plusieurs domaines d'emploi pour cet idiome, le clivage premier se faisant entre le statut de langue maternelle majoritaire sur un territoire donné (France, Suisse romande, Belgique wallonne, Québec...) et celui de langue véhiculaire, en général différente de la langue ou des langues maternelles, quel que soit par ailleurs son statut officiel (langue nationale, officielle, étrangère, langue d'enseignement, etc.) et son statut réel, de nature sociale (langue des riches, de l'élite intellectuelle, d'une minorité urbaine, scolarisée...).

Trois États européens, frontaliers avec la France, sont partiellement francophones : la Belgique, le Luxembourg, la Suisse. Dans deux d'entre eux, le français est la langue maternelle, assez souvent unique, d'une certaine proportion de nationaux (→ Belgique, Suisse). La situation du Luxembourg est différente, puisque la grande majorité des autochtones y a pour langue maternelle un dialecte germanique, le luxembourgeois, l'allemand étant (depuis 1984) langue nationale et le français langue enseignée et effectivement pratiquée dans les relations sociales. La plupart de ces Luxembourgeois autochtones sont trilingues, et utilisent de préférence comme langue écrite l'allemand commun (49 %) ou le français (28 %). Le français, moins spontané que le dialecte maternel et même que l'allemand standard, est une variante régionale peu marquée — certainement moins que bien des français régionaux de France — de ce qu'on pourrait nommer le français européen. Sa situation sociolinguistique est comparable à celle de l'Alsace*, et, quant à la position du français par rapport à l'allemand, complémentaire.

En Belgique comme en Suisse, c'est une proportion notable de la population, sur un territoire continu et bien déterminé (à l'exception de Bruxelles) et en continuité spatiale avec la France, qui parle un français très proche du français hexagonal, en tout cas pas plus marqué ou moins marqué que celui de nombreuses zones à substrat occitan en France même. Les frontières politiques peuvent correspondre à des différences linguistiques («isoglosses» phonétiques ou lexicaux) : c'est le cas de la frontière franco-belge ; mais de nombreux traits régionaux sont communs au nord-est de la France et à la Belgique, ou au français de l'espace francoprovençal, de la Savoie, et de la Suisse romande. Les différences les plus évidentes concernent les terminologies d'institution (que le linguiste belge Jacques Pohl nomme des «statalismes»), c'est-à-dire une partie très précise du lexique : en effet *bourgmestre* et *échevin* ont cours en Belgique seulement, *gymnase* en Suisse, où *cantonal* n'a pas la même valeur qu'en France. Ces traits nationaux divergents du français sont nombreux, mais lexicaux et terminologiques, superficiels par rapport au système de la langue, lequel est modulé régionalement de Liège à Marseille, de Bordeaux à Lausanne ou à Neuchâtel, sans aucune rupture.

Cependant, à l'équilibre des langues en Suisse et aux conflits langagiers et sociaux de la Belgique s'oppose la domination accrue d'un français écrit normalisé et objet de l'institution pédagogique, usage commun en France ; mais c'est ce même français qui est «défendu et illustré» en Suisse romande comme en Belgique wallonne. Une renaissance des régionalismes — surtout lexicaux — se fait sentir de manière très analogue dans les trois communautés nationales francophones d'Europe, après une période de purisme centralisateur, et comme pour compenser dans le sentiment d'identité culturelle locale la disparition ou l'affaiblissement des dialectes. On notera à ce propos la reconnaissance accrue des variations lexicales régionales qui atteint aujourd'hui les dictionnaires «centraux».

L'ensemble francophone européen se complète sur le mode nostalgique par le Val d'Aoste, où le français, qui fut vivement combattu par le régime fasciste italien, est partout dominé par l'italien, malgré le statut de région autonome (1945-1948). Le dialecte franco-provençal est néanmoins toujours pratiqué par les Valdotains. En revanche, la région niçoise et Monaco ont vu reculer leurs dialectes italiens au bénéfice du français, qui ne s'y est implanté qu'au XIXe siècle. En Piémont, le français n'est plus qu'une langue étrangère, d'ailleurs souvent maîtrisée par l'élite intellectuelle. En Corse enfin, territoire français au statut évolutif, le dialecte italien, proche du pisan, est extrêmement vivant, mais l'italien commune concurrence nullement le français régional de Corse, marqué surtout phonétiquement par le substrat.

L'expansion du français et son histoire.

De ce noyau francophone européen, il faut distinguer les divers groupes sociaux où le français s'est implanté, hors d'Europe. L'un d'eux est dans une situation comparable à celle du français européen, celle de langue maternelle unique ou très majoritaire sur un territoire donné, et possédant un statut officiel dominant sur une entité politique : c'est — depuis peu pour le dernier caractère — le français québécois (voir : Québec et Canada). En revanche, d'autres témoins de la première expansion coloniale française, dans l'océan Indien et aux Caraïbes, ont des caractéristiques différentes : le français y est un élément dans une «diglossie» (emploi de deux langues hiérarchisées) avec un créole (voir Antilles et océan Indien).

Ces situations variées résultent d'une histoire, où la France, affrontée à d'autres puissances colonisatrices, notamment l'Angleterre, a souvent été en difficulté, l'expansion du français s'en trouvant limitée ou contrariée, malgré un prestige international qui fut à son apogée au XVIIIe et au XIXe siècles.

L'histoire du français hors de France commence avec les Croisades. Celles-ci, du XIe s. (1099, prise de Jérusalem) aux échecs du XIIIe s. (perte des États «francs» du Levant, 1291), sont à l'origine d'un système linguistique latino-français de caractère utilitaire, la *lingua franca*, encore active au XVIIe s. si l'on en croit le reflet littéraire qu'en donne Molière dans la turquerie du *Bourgeois gentilhomme*. Ce «pidgin» latinisant a joué un grand rôle dans les échanges économiques entre l'Europe et le bassin méditerranéen, puis a disparu.

Autrement importante est l'aventure médiévale de l'anglo-normand, qui a fait hésiter linguistiquement les îles Britanniques entre sa langue germanique, jamais éliminée mais infériorisée pendant deux siècles, et le français. Ce dernier, éliminé au XIVe s., a laissé de nombreuses traces dans le vocabulaire de l'anglais (voir Anglo-normand et langue anglaise*).

L'héritage du premier colonialisme.

Vint le XVIe siècle. Peu après les aventures coloniales immenses de l'espagnol, du portugais, puis du néerlandais, le français s'est à son tour lancé à la conquête du monde, pour des raisons économiques et idéologiques. Une volonté politique plus faible et donc des moyens plus réduits l'ont souvent soumis, à partir du XVIIe s., à l'expansion concurrente de l'anglais. La présence mondiale du français, à l'exception des traces importantes du colonialisme du XIXe s. (ci-dessous), est aujourd'hui celle de la résistance à l'anglophonie. Trois régions du monde en témoignent différemment, en cette fin du XXe s. : l'est du Canada ; une partie de la zone caraïbe ; l'océan Indien.

Le français en Amérique et aux «îles» (1534-1815).

Après les explorations de Jacques Cartier qui embouche en 1534 le grand fleuve qu'il nomme Saint-Laurent, il a fallu un siècle pour que le traité de Saint-Germain (1632) délimite les zones de colonisation française (Champlain : 1604 en Acadie, 1608 à Québec, suivi par les Récollets et les Jésuites). Le XVIIe s. voit la fondation de Montréal (1642) et un début de colonisation de peuplement : le traité de paix avec les Iroquois (1701) semble assurer des possibilités de développement aux établissements français, entièrement organisés par l'Église (outre les Récollets et les Jésuites, les Sœurs Hospitalières de Dieppe, puis les Ursulines). Cette époque est aussi témoin de l'implantation française en Louisiane, gigantesque territoire englobant la vallée du Mississippi, aux Petites Antilles, à Saint-Domingue, à la Guyane, à l'île Bourbon (Réunion), et de comptoirs isolés en Afrique (Sénégal), aux Indes. Dans le même temps, les flibustiers français ont évincé les Espagnols à la Martinique (1625) et à la Guadeloupe (1635).

Presque partout, cette présence est insuffisante pour assurer une prépondérance durable. Là où les difficultés naturelles, d'ailleurs tragiques, sont surmontées, la force et la politique vont imposer la domination anglaise.

Le XVIIIe s., époque de l'«universalité de la langue française» et de son apparent triomphe en Europe, est aussi hors d'Europe celle des occasions manquées ou perdues, au bénéfice de l'anglais, le plus souvent. Le traité de Paris (1763) cède la rive gauche du Mississippi aux Anglais, la droite aux Espagnols (très provisoirement) ; les colons français d'Acadie, passés sous domination britannique en 1713, sont déportés par les Anglais (1755).

Aux Indes, malgré Dupleix qui aurait permis à la France de contrôler un tiers de cet immense territoire, le traité de Paris ne laisse que quelques bribes. Ce traité concède à la France les cinq comptoirs indiens et plusieurs îles : Gorée (Sénégal), Bourbon (Réunion), l'île de France (Maurice), Saint-Pierre-et-Miquelon, une partie de Saint-Domingue (Haïti), la Guadeloupe et la Martinique. En effet, Québec vient d'être repris par les troupes anglaises (1759). Outre le peu d'intérêt de la royauté pour la colonisation, d'ailleurs vivement dénoncée par les «philosophes», notamment l'abbé Raynal, la faiblesse de l'implantation démographique a joué : en 1763, il n'y avait en Amérique que 60 000 colons français pour un million de Britanniques (selon A. Sauvy).

Aux Antilles, le premier peuplement, au XVIIe s., est le fait de travailleurs libres et surtout, à l'exemple des Espagnols, d'esclaves noirs transportés d'Afrique dans des conditions inhumaines. La mise en valeur de ces îles — canne à sucre, tabac et coton — exigeait une main-d'œuvre que les Indiens caraïbes, d'ailleurs peu nombreux, ne voulaient et ne pouvaient pas constituer ; ces Indiens furent exterminés (révolte de 1654). En 1700, les Caraïbes ont à peu près disparu ; les îles sont peuplées de 70 000 esclaves africains et de 25 000 colons blancs.

La colonisation française dans l'océan Indien est plus modeste : l'île Bourbon compte une centaine d'habitants en 1671 ; les Français occupent en 1715 sans la mettre en valeur une autre île abandonnée par les Hollandais (île de France : Maurice). Quant à l'île Dauphine (Madagascar), la présence française y est infime. Ces îles servent surtout d'escales sur la route des Indes, où Pondichéry est le plus important comptoir français (fondé en 1673).

Haïti étant devenue république indépendante, en 1804, les traités de Paris de 1814 et 1815 réduisent les colonies françaises aux cinq comptoirs de l'Inde, à Saint-Louis et à Gorée au Sénégal, à la Guyane (récupérée sur les Portugais), à Saint-Pierre-et-Miquelon, à la Martinique, la Guadeloupe, l'île Bourbon rebaptisée la Réunion ; l'île de France passe aux Anglais qui la renomment Maurice. Une présence linguistique française se manifeste sur tous ces territoires. À Saint-Pierre-et-Miquelon, elle est du type nord-américain canadien ; en Inde, elle fait partie d'un plurilinguisme complexe et va reculer.

En Guyane, Martinique et Guadeloupe, comme à la Réunion et à Maurice, le français est l'élément supérieur d'une «diglossie», la langue maternelle infériorisée mais très vivante étant un créole.

Malgré les dates, une situation entièrement différente est celle du Liban et de la Syrie, terres christianisées, puis incomplètement islamisées, où le français s'est implanté dès le XVIIe siècle. Mais c'est au XIXe s., avec une présence politique liée à la deuxième colonisation française (1815-1939), que cette langue est devenue le support d'une vie culturelle active, à côté de l'arabe (voir plus loin) ; phénomène qui s'est étendu à l'Égypte.

Le français colonial (après 1815).

Après 1815, les destins de la langue française la conduisent en Afrique, avec la colonisation et par l'action de deux États, la France et la Belgique. Ce sont d'abord des comptoirs français existants comme Saint-Louis du Sénégal, qui font l'objet d'un intérêt religieux missionnaire, puis économique. Les missions catholiques implantent aussi les intérêts français en Polynésie et en Nouvelle-Calédonie (découverte par Cook en 1774). Les îles Gambier, Wallis-et-Futuna, la Nouvelle-Calédonie (1853) sont évangélisées avant d'être colonisées politiquement.

La grande action coloniale française de la Restauration est celle de Charles X en Algérie (1830). C'est alors une conquête militaire (reddition d'Abd-el-Kader, 1847) précédant une organisation administrative complexe et spécifique, où la langue française est un moyen de pouvoir. La colonisation proprement dite ajoute à l'usage français des militaires et des administrateurs celui d'agriculteurs (2 000 familles en 1847), premier noyau d'une population qui deviendra un creuset culturel méditerranéen, franco-italo-espagnol, promis à la destruction après l'indépendance de l'Algérie (voir Maghreb).

Sous le second Empire, l'action colonisatrice porte sur l'Algérie, sur le Sénégal (Faidherbe) et sur l'Extrême-Orient. Là, les missions françaises, effectivement persécutées, induisent une action politique à finalité économique : protectorat sur le Cambodge (1863), création du port de Saïgon. Après 1870, l'Algérie française se développe, avec des mesures politiques négatives pour la communauté musulmane (code de l'indigénat, 1881). La troisième République est surtout responsable de l'empire français subsaharien ; comme en Algérie, l'armée — S. de Brazza conquiert le Gabon et le Congo ; la France annexe le Soudan, le Niger, le Dahomey (1893-1894). En 1885 Léopold II de Belgique est désigné par la conférence de Berlin comme souverain d'un «État indépendant du Congo». Même schéma militaire à Madagascar avec Gallieni (protectorat — 1895, puis colonie — 1896). Mais, si le français remplit aux colonies les mêmes fonctions, militaires, administratives, économiques (les missionnaires d'Afrique noire tentent plutôt d'employer les langues maternelles), les milieux colonisés sont très différents linguistiquement. Au Maghreb, deux États constitués sont subjugués, la Tunisie étant contrainte au protectorat français (1881) avant le Maroc (1912, Lyautey), tandis que l'Algérie «indigène» tend peu à peu à se penser comme nation, la langue française acquiert des fonctions institutionnelles par rapport à peu de langues maternelles, la principale, l'arabe, étant certes représentée par des dialectes parlés peu prestigieux, mais non séparés de leur source, l'arabe littéraire, garantie par l'islam. Les parlers berbères, notamment kabyles en Algérie, ne bénéficient pas de cet arrière-plan culturel de grand prestige et d'importance internationale. En revanche, l'Afrique subsaharienne parle une grande quantité de langues qui ne sont ni écrites ni décrites, très différentes les unes des autres, ce qui crée un évident besoin d'idiome véhiculaire. Plus encore que l'anglais aux Indes, et comme l'anglais en Afrique de l'Est, le français prend rapidement une place institutionnelle dans les pays du Sahel et en Afrique occidentale (AOF) ou équatoriale (AEF). En Nouvelle-Calédonie, face à la culture orale kanak, représentée par un petit nombre de locuteurs de plusieurs langues très différentes (moins de 20 000 en 1917, les Européens étant plus de 18 000), l'emploi du français s'impose encore plus facilement.

Après la guerre de 1914-1918 et la défaite allemande, l'emploi du français dans le monde augmente encore, par l'entremise de deux États : la France (Togo, Cameroun ; au Proche-Orient, Syrie et Liban) et la Belgique (Ruanda et Burundi s'ajoutent au Congo «belge»).

En revanche, dans les domaines scientifique et technique, le français, depuis le début du XIXe s., recule en général devant l'anglais et, dans plusieurs domaines, subit aussi l'influence de l'allemand. L'usage du français dans les couches élevées de la société, assez normal en Europe centrale et en Russie au XVIIIe s. et dans la première moitié du XIXe s., tend à disparaître avec la renaissance culturelle et littéraire des langues nationales, dès le XVIIIe s., et surtout après les révolutions nationalistes de 1848.

À l'exception du Canada, le français hors d'Europe tend donc à être une langue de pays colonisés. Ceci entraîne pour lui diverses caractéristiques sociolinguistiques communes, avec de fortes variables. En dehors de l'Afrique*, des Antilles* et de l'océan Indien, les zones d'emploi du français sont en régression. Au Proche-Orient, la Syrie devenue indépendante en 1943 a opté pour l'arabisation totale, les principales langues étrangères enseignées étant l'anglais — souvent transmis par des professeurs palestiniens — et le français, en grand recul. Le cas du Liban, déchiré par la violence, est tout différent ; le français, surtout en milieu chrétien, y conserve une grande importance culturelle. Mais l'avenir de la région est très incertain et l'équilibre linguistique, normalement favorable à l'arabe, laisse peu de place au français comme langue seconde, dans la mesure où les communautés chrétiennes de Syrie et du Liban sont en difficulté.

Un autre héritage francophone colonial en perdition est celui de l'Asie du Sud-Est. Au Vietnam indépendant, le français est devenu une langue étrangère parmi d'autres, l'occupation américaine du sud du pays (1963-72) ayant développé l'usage de l'anglais. Cependant, pour certaines fonctions intellectuelles, le français, à côté de l'anglais et du chinois, joue un certain rôle. Dans l'ensemble, le Laos et le Cambodge ne conservent que des traces de leur ancienne pratique du français.

Situation du français dans le monde.
Ainsi, hors d'Europe et du Canada, le français ne conserve une importance institutionnelle et culturelle majeure qu'en Afrique — avec deux situations très différentes : Maghreb et Afrique Noire — et dans des «îles» où, souvent, il se pratique en même temps qu'un créole issu de lui, mais qui est fonctionnellement une langue indépendante. Le reste (Inde, Asie du Sud-Est, Moyen-Orient) ne relève plus que d'une certaine influence culturelle. Celle-ci est importante dans le monde, mais, on l'a vu, partout en butte à la concurrence inévitable et en général triomphante de l'anglais.

En effet, si la présence institutionnelle du français est notable sur le plan international, la réalité fonctionnelle dément souvent cette importance. Certes le français, langue de travail et langue officielle de l'ONU, ne partage ce privilège qu'avec l'anglais, l'espagnol, le russe, le chinois et l'arabe. Mais, dans cette assemblée comme en d'autres, une langue parmi ces idiomes égaux est «plus égale que les autres» (pour reprendre la formule d'un auteur anglophone, George Orwell) : c'est précisément l'anglais, langue dans laquelle sont rédigés, dit-on, 90 % des documents préparatoires. De même, dans l'égalité fictive des langues de l'institution européenne, le français et l'anglais sont favorisés, même par rapport à l'allemand, à l'espagnol et à l'italien. À terme, il serait étonnant que l'anglais ne l'emporte pas en Europe aussi sur toute autre langue si les principaux partenaires ne parviennent pas à imposer un plurilinguisme très coûteux. Dans ce cadre, les revendications normales et prévisibles de l'allemand pourraient créer les conditions d'un équilibre à trois qui ne serait pas défavorable au français, dans la mesure où il limiterait la prépondérance de l'anglais.

Le français est soutenu, en Europe et dans le monde, par l'action religieuse (œuvres catholiques, alliance israélite universelle, etc.), laïque (*Alliance française*, fondée en 1883 et très active ; *Mission laïque française*, etc.), et gouvernementale (*Affaires étrangères, Agence de Coopération...*). Sur ce plan, les instituts français, belges, québécois, les lycées français, les attachés culturels (fonction créée en 1920) et linguistiques (1958) jouent un rôle essentiel.

D'autres organismes pédagogiques viennent s'y ajouter, et l'action d'États comme la Belgique, le Québec, le Canada, avec des organismes internationaux, introduisent une nouvelle réalité institutionnelle.

LA FRANCOPHONIE. Ce mot didactique, créé par Onésime Reclus en 1871, a été repris et illustré à partir de 1962 par des non-Français, essentiellement des Africains (Senghor, Hamani Diori, Bourguiba) et des Asiatiques (Norodom Sihanouk). Des associations groupant des journalistes, des radiotélévisions, des universités (l'AUPELF, association des universités partiellement ou entièrement de langue française, 1961) existaient déjà. S'y ajoutent d'autres institutions, françaises, québécoises, internationales comme le CILF (Conseil international de la langue française) ou l'ACTT (Agence de coopération culturelle et technique, fondée en 1969-1970 à Niamey) groupant 41 États. En France, un *Haut Conseil* (1984), puis un *ministère de la Francophonie* (1988, d'abord secrétariat d'État, 1986) jouent un rôle de consultation et (théoriquement) de coordination dans ce domaine. Juger de leur efficacité et de leur rôle n'entre pas dans mes intentions. Il suffira de noter qu'entre les enjeux et les moyens, relativement minces, une contradiction est visible, sauf peut-être au Québec et au Canada. Il en va de même pour les moyens d'expression ; en effet, le cinéma, la chanson et les créations télévisuelles en français pèsent assez peu devant leurs concurrents anglophones, l'édition et la presse francophones sont exsangues en dehors de la France, de la Belgique, de la Suisse et du Québec (dans l'édition, ces quatre pays ensemble atteignant à peine la production éditoriale allemande de la RFA avant la réunification). L'effort radiophonique francophone, qualitativement notable (RFI), est notoirement insuffisant.

Cet aspect international du français relève d'une idéologie nouvelle, plus remarquable par ses effets culturels que par ses moyens institutionnels, à la fois faibles, mal perçus et discutables. De toute façon, les quelque 60 millions de locuteurs du français maîtrisant bien la langue en Afrique, et dans les «îles», et même les 20 millions qui manient un français rudimentaire ou très altéré — car les 200 millions de francophones parfois évoqués relèvent du mythe (le même mythe qui fait de Kinshasa, avant Montréal, la deuxième ville «francophone» du monde) — sont moins nombreux que les locuteurs de l'anglais, du chinois, du hindi, du russe, de l'espagnol, de l'arabe et même du portugais. En revanche, l'usage du français est géographiquement plus diversifié que celui des autres langues, à l'exception de l'anglais. La présence technique et littéraire du français est elle aussi remarquable, mais sur ce plan, d'autres langues de culture, l'allemand par exemple, ou le japonais, s'ajoutent à celles qu'on vient de citer en tant qu'honorables concurrents. Il faut aussi noter que, dans quelques secteurs scientifiques ou érudits (mathématiques, médecine, sciences sociales, histoire...), le français résiste convenablement à l'anglais.

Quant à la présence pédagogique de la langue hors des territoires et États où elle reste privilégiée, elle est variable. L'enseignement du français dans le monde, repérable par le pourcentage des élèves de français par rapport à la population scolaire et enseignée d'un pays, était en 1985 importante en Europe occidentale (21 %) et en Amérique du Nord (13 %), plus faible au Moyen-Orient (environ 10 %), faible mais de bon niveau en Europe centrale et orientale (moins de 5 %), encore appréciable en Amérique latine (3 %), infime sauf au niveau universitaire dans le reste du monde non «francophone». Enfin, à côté de la question brutale et déjà complexe de la pratique du français par rapport à celle d'autres langues, se pose celle, infiniment

FRANCHISAGE n. m. représente la francisation (1973) de l'anglais *franchising* (1574, repris v. 1966 au sens moderne; introduit en français en 1969), de *to franchise*, emprunté à l'ancien français *franchir** (→ ② franc).

♦ C'est un terme de commerce désignant un contrat par lequel une société (le *franchiseur*, n. m., de *franchiser*), moyennant redevances, concède à un commerçant (le *franchisé*, n. m.) l'exploitation d'une marque.

▸ Sur *franchisage* a été dérivé le verbe **FRANCHISER** v. tr. (1973).

FRANCISCAIN, AINE n. et adj. est un dérivé (1757, avec le suffixe *-ain*; 1544, *francisquin*) du latin médiéval *Franciscus* «François» d'après le latin ecclésiastique *Franciscanus* (1537).

♦ Le nom masculin désigne un religieux de l'ordre mendiant fondé par François d'Assise au début du XIIIe s.; aujourd'hui les Franciscains comprennent les Conventuels, les Capucins et les Frères mineurs. **FRANCISCAINE** n. f. se dit (fin XIXe s.) d'une religieuse du tiers ordre régulier de François d'Assise (mot pris abusivement comme synonyme de *clarisse*). ◆ Comme adjectif, le mot qualifie ce qui concerne ces ordres, puis ce qui est caractéristique de saint François d'Assise.

▸ De là **FRANCISCANISME** n. m. (1938, in *T. L. F.*) qui désigne l'esprit franciscain.

FRANCIUM n. m. a été construit (1939) sur *France*, patrie de Marguerite Perey, physicienne qui découvrit cet élément radioactif.

FRANC-MAÇON n. et adj. est une adaptation (1737; variantes par emprunt *frey-maçon, frimasson*, et *fri-maçon*) de l'anglais *free mason*, de *mason* «maçon» et *free* «libre» (XIVe s.). *Free mason* s'est d'abord dit d'un maître maçon expérimenté, qui voyageait à son gré selon les demandes de travail et se faisait reconnaître comme tel par des mots de passe et des signes secrets (les artisans, organisés en corporations, ne travaillaient pas où ils le voulaient). Le mot a ensuite désigné des architectes nommés *(accepted masons)* comme membres honoraires des corporations d'artisans libres, position socialement recherchée dès le mi-

plus délicate, de la «qualité de la langue». De ce point de vue, toutes les langues sont en crise, et les problèmes du français sont ceux de tout idiome comparable (anglais, russe, espagnol...). Ils dépendent d'attitudes mentales, de moyens et de politiques pédagogiques, de situations socioculturelles variées. En Europe, comme l'allemand et l'italien, comme l'anglais britannique même, le français s'américanise par le lexique — avec des effets plus graves, en profondeur, sur la morphosyntaxe. En outre, sournoisement, les médias de masse, et notamment la télévision, véhiculent des dialogues calqués sur un original américain, où les procédures de discours — comme les personnages et les lieux présentés — sont étrangères aux habitudes de parole autochtones (on y dit : «mon nom est Martin» et non pas «je m'appelle Martin»). Cette langue hybride, issue des contraintes du doublage, n'est pas étudiée ; elle n'est pas même perçue et s'amalgame aux prétentionnismes plus spontanés de la mode, bourrés d'américanismes d'ailleurs mieux digérés, de la publicité et des talk-shows du prime-time. Ces anglicismes lexicaux sont déjà excessifs, mais c'est l'américanisation des imaginaires — en français comme en allemand, en italien comme en arabe — qui est alors la maladie la plus grave.

En effet, contre l'anglicisation des terminologies, on peut lutter. On le fait très activement au Québec, plus symboliquement en France (avec les commissions de terminologie des ministères et diverses initiatives privées). Cette lutte est souvent décevante, car la pratique du langage ne se laisse pas régenter par décret : on l'a vu en 1991 à propos d'une très prudente proposition orthographique rejetée par le public. Rares sont les francisations ou refrancisations lexicales réussies *(ordinateur, baladeur)* ; plus encourageantes les éliminations spontanées d'anglicismes, dans les sports populaires, par exemple (les sports de luxe, comme le golf, s'expriment en anglais ; seule leur démocratisation constitue une chance d'évolution). Les reproches mutuels que se font Français et Québécois, chacun trouvant chez l'autre des anglicismes qu'il a lui-même écartés ou ignorés, soulignent que chaque situation sociolinguistique modifie le tableau. Enfin, le problème de la «qualité du français», là où il n'est pas langue maternelle, est tout différent : c'est alors l'école qui détient presque toutes les clés (voir Afrique, Maghreb). Partout, l'idée de norme évolue : la rigidité n'est plus possible, la variation est parfois valorisée, mais plus souvent réprimée : le divorce entre langue institutionnelle et usages spontanés s'accroît. Mais la vitalité du français n'est pas en cause.

A. Rey

BIBLIOGRAPHIE

F. BRUNOT, *Histoire de la langue française des origines à nos jours*, 13 vol., Paris, A. Colin, 1905-1958 ; rééd. 1966-1968. (En particulier : t. I à III, V, VIII, X.)

X. DENIAU, *La Francophonie*, Paris, Que sais-je ?, n° 2111, 1988.

Fr. SCHOELL, *La Langue française dans le monde*, Français moderne, 1956.

A. VALDMAN (sous la direction de), *Le Français hors de France*, Paris, Champion, 1979.

A. VIATTE, *La Francophonie*, Paris, Larousse, 1969.

lieu du XVIIe siècle. L'association, au XVIIIe s., a englobé toutes sortes de personnes (mais les femmes en étaient exclues) et s'est répandue en Europe avec la fondation de confréries ou «loges», en France à partir de 1730.

♦ Le sens de *franc* «libre» (→ ① franc) était encore bien compris au XVIIIe s. et la dénomination *maçon-libre*, aujourd'hui sortie d'usage, est apparue en 1735. *Franc-maçon* désigne un membre de la **FRANC-MAÇONNERIE** n. f., réfection en 1747 de *franche-maçonnerie* (1742), tiré de l'anglais *freemasonry*, société organisée en loges, dont les membres sont liés entre eux par une grande solidarité. Par extension (1833), *franc-maçonnerie* s'emploie pour une alliance entre personnes qui se sentent solidaires les unes des autres. ➛ *Franc-maçon* est abrégé en **MAÇON** (1782), reprise sans doute de l'anglais *mason*, qui alterne avec *free mason* dès 1425 ; *maçonnerie* pour *franc-maçonnerie* est attesté à partir de 1766 (anglais *masonry*, 1686).

▸ **FRANC-MAÇONNIQUE** adj. n'apparaît qu'en 1855 (anglais *freemasonic*, 1835) alors que *maçonnique* est attesté dès 1778 (en anglais, *masonic*, 1797). Les connotations de ces mots ont profondément changé, du XVIIIe s., où l'idée de société ésotérique unie pour le progrès de l'humanité est dominante — la franc-maçonnerie par exemple a inspiré *La Flûte enchantée* de Mozart — au XIXe s. et au XXe s., époques où le contenu politique, l'idéal pacifiste et cosmopolite, les pratiques de solidarité ont été dénoncées par les adversaires, en général conservateurs ou nationalistes, qui associent souvent dans leur hostilité francs-maçons, juifs et socialistes.

① et ② **FRANCO** → ① FRANC

③ **FRANCO-** → FRANÇAIS

FRANCOLIN n. m. serait selon Bloch et Wartburg un emprunt (1298 ; mil. XIIIe s., *franquilin*) à l'italien *francolino* «petite perdrix», d'origine obscure. Cependant P. Guiraud rappelle que *colin* désigne des oiseaux divers («espèce de goéland» [XVIe s.-XVIIIe s.], «perdrix d'Amérique» [1759], etc.) et, dans les dialectes, que *colas* se dit pour le canard, le coq, le dindon ; *colin* est un nom de personne

LE FRANCIEN

Le terme *francien* a été créé en 1889 par le philologue Gaston Paris et remplace celui de *dialecte de l'Île-de-France.* Ce dialecte fantôme — pour reprendre l'expression du dialectologue R. Loriot — serait une variété de français d'oïl parlée au moyen âge. On n'a aucune donnée sûre à son sujet avant le XIIIe s. et les témoignages ultérieurs sont du domaine de la langue écrite littéraire. L'objet n'est donc plus le même quand on sait que cet hypothétique dialecte a été promu au rang de langue littéraire, langue qui s'uniformise au XIIIe s. pour devenir le français, au détriment des autres dialectes, qui, eux, se différencient alors fortement. Est *francien,* en fait, tout ce qui n'est ni picard, ni normand, ni bourguignon, ni poitevin, tout ce qui ne possède donc pas de traits linguistiques spécifiques et distinctifs en domaine d'oïl. L'aire de ce dialecte recouvrirait donc le territoire qui s'étend du Maine à la Champagne ; il faudrait l'interpréter, à une plus large échelle, comme «dialecte» du centre de la France.

Le terme de *francien* qualifie plus justement ce que les philologues appellent une *scripta,* c'est-à-dire un dialecte médiéval écrit reflétant des habitudes graphiques propres à une région, que le copiste a accommodées à son parler local. L'étiquette «francien» appliquée au dialecte est «une commodité appréciable dans des types de recherches déterminés» (Chaurand, *op. cit.,* p. 92) ; elle ne correspond à aucune réalité linguistique orale et n'est pertinente que «dans un classement philologique touchant la scripta» (*ibid.,* p. 99).

M.-J. Brochard

BIBLIOGRAPHIE

J. CHAURAND, «Pour l'histoire du mot "francien"», in *Mélanges de dialectologie d'oïl à la mémoire de Robert Loriot,* Fontaine-lès-Dijon, 1983, 91-99.

mais beaucoup d'oiseaux en reçoivent un (pierrot, guillaume, etc.). Le *francolin* pourrait être un *colin franc,* c'est-à-dire «libre» donc «sauvage».

♦ Le mot désigne un gallinacé plus grand que la perdrix.

FRANGE n. f. viendrait (v. 1190) d'un latin populaire °*frimbria,* altération du latin classique *fimbria,* surtout employé au pluriel *fimbriae,* «bord d'un vêtement» et «tresses d'une chevelure» (cf. roumain *frînghie* «corde» ; l'italien *frangia,* l'allemand *Franse* sont des emprunts au français). P. Guiraud postule plutôt un dérivé d'un latin populaire °*frangiare,* du latin classique *frangere* «briser» (→ fraction), qui rendrait compte des formes romanes.

♦ *Frange* reprend le premier sens latin ; par analogie, le mot désigne ce qui rappelle une frange de vêtements (1830 ; cf. déb. XXe s., *frange [de cheveux]*) ; en optique (1872), *frange* désigne spécialement une raie lumineuse dont la partie centrale est plus brillante ou plus sombre que les bords (*frange d'interférence,* 1877). Par métaphore, le mot désigne (déb. XXe s.) une limite imprécise entre deux situations, deux états, etc., et en particulier (v. 1966) la partie minoritaire (d'un groupe humain), plus ou moins marginale.

▸ Le dérivé **FRANGER** v. tr. (fin XIIe s., *frengé* «décoré de franges») signifie «garnir de franges» (1367, variante *fringer*) ou «garnir d'une bordure semblable à une frange» (v. 1398) ; *franger,* c'est aussi «constituer la frange» et par analogie (av. 1854) «border».

Le composé **EFFRANGER** v. intr. (1863) signifie «enfiler un tissu de manière que, sur les bords, les fils pendent comme une frange».

FRANGIN, INE n. pourrait représenter (1821) un emprunt à un mot d'argot italien, ce qu'attesterait l'existence de l'argot piémontais *franzino* «frère» (déformation du piémontais *fradel,* d'après *cüzin*). Le mot pourrait être aussi un emprunt à l'argot des canuts lyonnais et *frangin* serait alors un dérivé de *frange* «ouvrier qui fait des franges». Dans ces deux cas, *frangin* pourrait aussi bien être le mot source. On a aussi suggéré un croisement de *frère* avec *franc.* P. Guiraud voit dans le mot un dérivé de *frangir* «briser» (du latin *frangere ;* → fraction) en s'appuyant sur la relation entre des formes dialectales *(franzin, fragnu, frecio)* et des dérivés de *frêle (fralin, frelot),* ainsi que sur l'existence de l'ancien français *frarin* «pauvre, débile».

♦ Le mot, attesté au sens de «copain» (1821, en argot), est un équivalent familier de *frère* (1833). *Frangine* «sœur» a également le sens général de «femme» (1901, «femme facile» ; encore au sens de «prostituée» en argot) et, spécialement, celui de «religieuse» (1850 ; jeu sur *sœur**).

FRANGIPANE n. f. est une adaptation (v. 1646, *gants de frangipane*) du nom propre *Frangipani,* nom d'un seigneur romain inventeur du parfum dont on imprégnait les gants à partir du XVIe s. ou responsable de sa vogue. On a d'abord la variante *gants de Frangipani* puis la variante *franchipane* (av. 1648).

♦ Le mot désignait un parfum (v. 1646), une liqueur parfumée (1690), aujourd'hui une crème composée d'amandes, de pralines, etc., utilisée en pâtisserie (1740) et, par extension (1732), le gâteau garni de cette crème.

▸ *Frangipane* désigne aussi (1708) le fruit du **FRANGIPANIER** n. m. (1700), arbrisseau exotique dont les fleurs ont un parfum qui rappelle celui de la frangipane.

① **FRAPPE** n. f. → FRAPPER

② **FRAPPE** n. f. représente (1888) une apocope de *frapouille,* qui serait une altération de *fripouille,* sous l'influence de *frapper* (cf. aussi l'ancien français *frapaille* «canaille», XIIe au XVe s.). *Frapouille* a d'abord signifié «guenille» (1735, *frappouille*, en Lorraine) et en argot «malfaiteur» (1866). Dans ce sens initial, il se rattache à des mots dialectaux, comme le savoyard *frapo* «frange» ou (Centre) *frapa* «guenille», mots peut-être issus du bas latin *faluppa* (→ fripe).

♦ *Frappe* se dit aujourd'hui familièrement pour «voyou».

FRAPPER v. est peut-être issu (1178) d'un francique °*hrappan* «arracher» à l'origine de l'allemand *rappeln* et de l'anglais *to rap* «frapper à la porte»; on a proposé aussi une origine onomatopéique assez arbitraire, *frap-* marquant un choc violent.

♦ Le sens premier est «atteindre d'un coup», d'où plus tard au figuré «être atteint d'une maladie mortelle» (av. 1590, *frappé de peste*), notamment dans la locution ***frapper à mort*** (1756). De l'idée de «but à atteindre» on passe à *se frapper* «se jeter violemment, s'élancer» en parlant de qqn ou d'un animal (XIIe s.) et aux emplois, également disparus, de *frapper* «fuir» (XIVe s., intr.) et de *se frapper* «se répandre violemment (d'une épidémie)» (XVe s.). ◆ *Frapper qqn* «donner un coup», aussi intransitif (v. 1460), a fourni des locutions comme ***frapper comme un sourd*** (1640) et au figuré ***se frapper la poitrine*** «regretter qqch.» (XIXe s.), le vrai pronominal (réciproque et réfléchi) étant attesté au XVIIe s. (1664). ◆ Par figure, le verbe veut dire «s'imposer avec force à (qqn)» (1580; 1640, en parlant des sens), puis «affecter d'une impression vive et soudaine» (1669; *frapper de stupeur*) et sans complément second, «impressionner» : *sa mort l'a frappé;* par extension il équivaut à «surprendre en excitant l'imagination, l'intérêt, etc.» (av. 1742, *cela ne m'a pas frappé*), en particulier au pronominal *se frapper* «s'inquiéter» et «s'émouvoir», surtout négatif (1865, *sans se frapper* «sans se faire de souci»). Par ailleurs, *frapper* s'emploie pour «infliger un châtiment à (qqn)» (1656). *Frapper* «sonner», en parlant d'une horloge (1608), s'employait à l'époque classique; plus généralement le verbe signifie «heurter (qqn, qqch.)» en parlant d'une chose (1665). ◇ *Frapper qqch.* correspond à «donner un coup à» (av. 1704); cette valeur s'est spécialisée au théâtre dans ***frapper les trois coups*** (1865). Les emplois les plus fréquents sont figurés : ***frapper un (grand) coup*** (1647, ***frapper le coup***). En construction transitive indirecte, ***frapper à toutes les portes*** signifie «s'adresser à tout le monde», ***frapper à la tête*** «s'attaquer aux responsables». ◆ Par analogie, *frapper une boisson*, c'est lui donner l'«impression de la glace où on l'a placée» (1835). Dans ce sens, les premiers emplois sont au participe passé (*frappé de glace*, 1771). ◆ Le verbe a divers sens techniques liés au sens général : ***frapper la monnaie*** «la marquer d'une empreinte» (1636); en marine, ***frapper un cordage*** «le fixer» (1690), ***frapper la toile*** «donner le coup qui permet de serrer les fils de la trame, au passage de la navette» (1690), d'où au participe passé adjectif *velours frappé*.

► ① **FRAPPE** n. f., (1178, *estre en male frape* «être en situation difficile») «action de frapper et son résultat», s'emploie dans divers domaines, notamment pour «action ou manière de taper à la machine à écrire» (XXe s.) et par métonymie «page dactylographiée» *(envoyer la frappe à l'imprimeur)*. De là l'expression usuelle *faute de frappe*. En boxe (1921), la *frappe* est la manière d'attaquer l'adversaire, au football la manière d'attaquer le ballon (cf. aussi ***force de frappe;*** → force). ◆ **FRAPPEMENT** n. m. (XIIIe s.) signifie «action de frapper» et par extension «bruit produit par ce qui frappe» (av. 1885). ◆ **FRAPPEUR, EUSE** adj. et n. (fin XIVe s.), «personne qui frappe», est utilisé dans des emplois techniques; il est rare au féminin. L'adjectif masculin entre dans l'expression ***esprit frappeur*** (1857) «esprit qui, dans les séances de spiritisme, répond en frappant des coups».

FRAPPANT, ANTE adj. est surtout employé (av. 1742) avec la valeur de «qui suscite un vif intérêt» (voir ci-dessus au verbe), d'où (mil. XIXe s.) «tout à fait évident» mais, par jeu de mots, il reprend le sens concret du verbe dans ***arguments frappants*** (familier) «coups». ◆ **FRAPPAGE** n. m., outre l'emploi technique (*frappage d'un velours*, 1838), désigne (1922) le refroidissement d'une boisson dans de la glace.

Le préfixé **SURFRAPPE** n. f. (1874) est un terme technique («nouvelle frappe», pour une monnaie, une médaille qui porte déjà une empreinte). ◆ **REFRAPPER** v. tr. (XIIe s.) est demeuré rare.

FRASQUE n. f. est une adaptation (1440-1442) de l'italien *frasche*, pluriel de *frasca* «branche d'arbre» et «baliverne» (déb. XIVe s.), «caprice, acte stupide» (2e moitié XIVe s.), lui-même d'origine obscure; *frasca* pourrait être dérivé d'un latin populaire °*fraxicare*, tiré de °*fraxus* pour *fractus*, participe passé de *frangere* «briser» (→ fraction).

♦ Les sens d'«extravagance» (1440-1442), «mauvaise plaisanterie» (1522; encore vivant au XVIIIe s.) sont sortis d'usage; par extension, *frasque* signifie (1762) «écart de conduite» mais a perdu de sa force depuis le XIXe s. et s'emploie, souvent au pluriel, pour des écarts bénins.

FRATERNEL, ELLE adj. est un dérivé savant (mil. XIIe s.) du latin *fraternus*, de *frater* (→ frère).

♦ Il qualifie d'abord les relations qui unissent des chrétiens, aujourd'hui dans *charité fraternelle*. Par ailleurs, il s'applique (v. 1361) à des personnes qui se traitent en frères et qualifie (XVIe s.) les relations entre frères, sœurs (cf. *sororal*).

► Il a fourni **FRATERNELLEMENT** adv. (v. 1360).

FRATERNISER v. intr., construit sur le radical de *fraternel* (1548) au sens d'«avoir des relations de fraternité», s'emploie spécialement (fin XVIIIe s.) en parlant de soldats qui refusent de se battre — considérant que les adversaires font partie de la «famille humaine»; en dérive **FRATERNISATION** n. f. (1792), lié à cette dernière acception.

FRATERNITÉ n. f. (v. 1140, *fraternited*) est un emprunt au latin classique *fraternitas* «relations entre frères, entre peuples», en bas latin «entre chrétiens», dérivé de *fraternus*. ◇ Comme terme de parenté (1690), *fraternité* est rarement employé au-

LE FRANCIQUE

Le francique est une langue indoeuropéenne disparue, de la famille du germanique occidental, parlée par les Francs (→ ② franc).Elle est reconstituée à partir des langues germaniques du moyen âge, à l'aide des noms de lieux (toponymes) et des noms de familles (anthroponymes) cités par des écrivains comme Grégoire de Tours dans son *Histoire des Francs*, rédigée en latin (575-vers 590), ou inscrits sur des monnaies mérovingiennes. Une autre source est constituée par les gloses de la Loi Salique *(Lex Salica)*. Le francique est l'ancêtre du néerlandais actuel. Cette langue est appelée par les linguistes *ancien bas francique* pour éviter la confusion avec les dialectes du haut allemand : francique rhénan, francique mosellan et francique oriental parlés jusqu'à nos jours.

Il est difficile de distinguer avant le ve s., date des grandes invasions germaniques en Europe occidentale, les apports des différents peuples germaniques. Ce n'est qu'à cette époque, en effet, que les Francs se posent en conquérants. Il est certain qu'à partir de la fin du IIe s., ils occupaient des postes de direction dans l'armée romaine. Au tout début du ve s. (406), par exemple, ils aident les Romains à repousser les Barbares qui essaient d'envahir le nord du territoire. Aux IIIe et IVe s., colons et «lètes» (Barbares établis dans l'Empire romain pour cultiver et défendre la terre) reçoivent des Romains des terres abandonnées par les Celtes romanisés. Avant le ve s., donc, les Francs s'étaient implantés au nord de la Gaule où ils s'étaient intégrés à la population, mais il faut attendre Clovis et la prise de Soissons (486) pour parler vraiment d'une conquête franque. En 536, les descendants de Clovis établissent leur suprématie sur les autres peuples germaniques (Wisigoths, dans le sud-ouest de la Gaule, Ostrogoths dans le Midi, Burgondes dans le Sud-Est) et par là sur la plus grande partie de la Gaule romanisée. Ce sont d'ailleurs les seuls qui laissèrent leur nom à un État. En 842, les petits-fils de Charlemagne, Louis le Germanique et Charles le Chauve s'allient contre leur frère Lothaire pour garantir le partage des États que Charlemagne leur avait légués. Ce traité d'alliance est connu sous le nom de *Serments de Strasbourg* et constitue le premier document en «roman», plus exactement en français d'oïl, par traduction de la version germanique ou du latin sous-jacent aux deux versions.

Les Francs avaient gardé leurs coutumes et leur langue bien qu'ils eussent parfaitement assimilé la culture et la langue latines; les influences étaient d'ailleurs réciproques. En linguistique, on parle de *superstrat* germanique pour désigner une langue — le francique, en l'occurrence — qui s'introduit sur l'aire d'une autre langue — le bas latin dialectalisé, en Gaule —, sans s'y substituer, mais en y laissent des traces aussi bien syntaxiques que morphologiques, phonétiques ou lexicales. «À quelques exceptions près (emprunts aux fédérés Gots) les mots français d'origine germaniques empruntés à l'époque gallo-romaine l'ont été aux populations westiques [Germaniques de l'Ouest] établies sur le sol de la Gaule, Bataves, Suèves, Alamans et Francs, sans qu'il soit possible de distinguer l'apport de chacun de ces peuples» (L. Guinet, *op. cit.*, p. 15). Il est donc relativement difficile, dans l'état actuel des recherches, en particulier onomastiques sur les noms de lieux (toponymie) et de personnes (anthroponymie), de distinguer les différentes strates d'emprunts aux langues germaniques et au francique. Il est sûr, néanmoins, qu'avant le ve s., il y a eu des emprunts directs au germanique commun; il serait souhaitable, dans cette optique, de considérer tout le domaine roman.

Considérant le domaine gallo-roman et l'action du superstrat francique, on peut établir les données suivantes. À partir du milieu du ve s. la situation s'éclaircit : des critères phonétiques et de distribution géographique permettent de mieux distinguer les divers apports et on peut

jourd'hui; le premier sens, «lien entre des personnes se considérant comme appartenant à la famille humaine», est toujours vivant. Par extension, *fraternité* se dit pour des liens qui établissent des rapports fraternels (1764, *fraternité d'armes*). Désignant des communautés, religieuses ou laïques, le mot reprend (xxe s.) un sens de l'anglais *fraternity.* ◆ Son dérivé **FRATERNITAIRE** adj. et n. (d'après *humanitaire*), qualifiant ce qui est relatif à la fraternité humaine (1855, Baudelaire; 1842, «membre d'une secte»), est sorti d'usage.

CONFRATERNITÉ n. f. (1283), terme didactique, est composé d'après *fraternité.* ◆ Le composé **CONFRATERNEL** adj. (1829, de *con-* «avec») signifie «qui a rapport aux relations entre confrères et consœurs»; en dérive **CONFRATERNELLEMENT** adv. (1892).

FRATER n. m., sorti d'usage, est un mot latin emprunté sous la forme *fratre* au sens de «frère» (déb. XIIIe s.) et repris au XVIe s. par ironie pour «moine» (1532). Il a désigné un barbier chirurgien (1649) et un frère lai employé aux travaux domestiques (1872). Tous les emplois sont archaïques.

① **FRATRICIDE** n. m., réfection (xve s.) de *fratrecide* (v. 1170), est rare jusqu'au XVIIe s. où il est vivement critiqué; il est emprunté au bas latin *fratri-*

parler vraiment d'un apport francique distinct. On lui attribue des effets d'importance à quatre niveaux : typologique, phonétique, syntaxique et lexical; les changements sémantiques sont trop peu explorés pour qu'on les commente.

1. On a voulu (Jud, Wartburg) expliquer la fragmentation linguistique de la Gallia Romania (en zone d'oïl et zone d'oc) par l'influence du francique. Or, cette séparation existait auparavant : «la barrière géographique, ethnique et linguistique préexistante fut renforcée par la ligne de contact des zones d'influence franque au nord et wisigothique au sud de la Loire dans la seconde moitié du xe s.» (Pfister, *op. cit.*, p. 51). On ne peut pas dire, en outre, que la frontière linguistique entre le wallon et le flamand, frontière qui ne correspond à aucun tracé politique et s'établit vers l'an 700, soit en rapport direct avec la colonisation franque; cette région était bilingue bien avant cette date-là.

2. Dans le domaine de la phonétique, on a parfois attribué la diphtongaison de *a*, en syllabe libre, qui a eu lieu vers le vie s. dans le nord de la France, au superstrat francique; on peut seulement affirmer que leur diffusion est en rapport avec les zones d'influence des Francs dans cette partie de la Gaule. Ce qui est certain, en revanche, c'est bien l'attribution au superstrat francique de la réapparition du *h* aspiré, qui avait disparu en latin, et celle de l'apport de la bilabiale *w*, souvent articulée *gw* > *g* ou *w*, dans un mot comme *guerre*, du francique °*werra* «querelle».

3. En syntaxe, on notera l'antéposition de l'adjectif, particulièrement frappante dans les noms de lieux : à *Castelnau*, au sud de la Loire, correspond *Neufchâteau* au nord.

4. Quant au lexique — et c'est peut-être le domaine le plus intéressant et le plus riche —, on peut distinguer les emprunts en trois catégories suivant leur répartition géographique. Certains emprunts lexicaux, dans une zone située entre la Picardie et la Lorraine, remontent à la première colonisation. D'autres, qui ne dépassent pas le sud de la Loire, témoignent d'une forte colonisation au nord de la Loire pendant la période mérovingienne. La troisième catégorie d'emprunts pénètre par l'intermédiaire du latin carolingien jusque dans les régions au sud de la Loire. Ces mots sont pour la plupart des emprunts interromans, que l'on retrouve dans d'autres langues romanes. 520 vocables environ sont passés en français (il y en a eu jusqu'à 700 en ancien français). Ils touchent le domaine de l'administration : *sénéchal, maréchal, baron;* on peut les classer parmi la troisième catégorie d'emprunts déjà latinisés par les Francs. Les mots de la vie agricole, de la végétation ou ceux des sentiments et des couleurs sont également nombreux : *hêtre* (opposé à *fau* < lat. *fagus*, en occitan), *houx, oster* ou bien *honte* (opposé à *vergonha* < lat. *veregundia*, en occitan). Les seuls domaines où l'on ne retrouve pratiquement pas de mots d'origine francique sont le commerce et l'artisanat, secteurs «où sans doute les indigènes conservaient leur supériorité, et de la religion, par suite de l'influence du clergé» (Wolff, *op. cit.*, p. 59).

L'influence du superstrat francique est encore controversée en ce qui concerne la frontière linguistique entre oïl et oc. Il en va de même de l'apport et de l'influence des autres peuples germaniques dans la fragmentation linguistique de la Romania. Les recherches se poursuivent selon la connaissance grandissante de ces langues disparues. Elles nécessitent un travail de collaboration entre linguistes, historiens et archéologues. Voir : germaniques (langues), gotique, longobard, romanes (langues).

M.-J. Brochard

BIBLIOGRAPHIE

L. GUINET, *Les Emprunts gallo-romans au germanique (du Ier à la fin du Ve siècle)*, Paris, Bibliothèque Française et Romane, Série A, T. 44, 1982.

M. PFISTER, «Le superstrat germanique dans les langues romanes», in *Atti del XIV Congresso internazionale di linguistica et filologia romanza, Naples, 15-20 avril 1974*, Naples, I, 49-97, 1978.

Ph. WOLFF, *Les Origines linguistiques de l'Europe occidentale*, Toulouse, Association des publications de l'université de Toulouse-Le-Mirail, Série A, T. 48, 1982.

cidium «meurtre d'un frère, d'une sœur», composé à partir de *frater* (→ frère) et de *caedere* «tuer».

♦ Le nom conserve le sens du latin.

② **FRATRICIDE** n. et adj. est emprunté (v. 1450, n.) avec le sens du latin classique *fratricida* «personne qui tue son frère ou sa sœur».

♦ Le mot a conservé le sens de son étymon; au figuré (1871), l'adjectif qualifie ce qui conduit des hommes d'une même communauté à s'entretuer (par ex., *une guerre fratricide*).

FRATRIE n. f. est un terme didactique, dérivé (v. 1970) du latin *frater* «frère» (→ frère).

♦ Il désigne (en ethnologie, en démographie) l'ensemble des frères et sœurs d'une même famille.

FRAUDE n. f., réfection (v. 1283) de *fraulde* (1255), est un emprunt au latin *fraus, fraudis* «tort fait à qqn», «dommage résultant d'une erreur ou d'une tromperie», d'où ensuite «tromperie» (cf. *flouer*); *fraus* n'a pas d'origine connue.

♦ *Fraude* se disait (1255) d'une action faite de mauvaise foi pour tromper; le mot s'est spécialisé et, au sens courant mais aussi en droit, désigne (1682) une falsification prouvée par la loi, spécialement (1690) un acte acccompli dans l'intention de porter atteinte aux droits d'autrui ; la locution adverbiale ***en fraude*** signifie au figuré (1690) «en cachette».

▸ **FRAUDER** v., emprunté au latin classique *fraudare* «faire tort par fraude», dérivé de *fraus*, est sorti d'usage au sens de «tromper (qqn)» (v. 1330, tr.) ; le verbe s'emploie aujourd'hui avec un complément désignant une personne morale (fin XIVe s. ; *frauder la loi*) ou (av. 1865, intr.) au sens de «commettre une fraude» *(frauder à un examen)*. ◆ En dérive **FRAUDEUR, EUSE** n. (v. 1370) «personne qui fraude», mot qui s'est aussi employé comme adjectif (1340). ◆ **FRAUDULEUX, EUSE** adj. est un emprunt (v. 1361) au dérivé bas latin *fraudulosus* «entaché de fraude» ; en dérive **FRAUDULEUSEMENT** adv. (v. 1398).

FRAYER v. est une réfection (XIVe s.) de *froyer*, *fraier* (XIIIe s.), *freier* (v. 1155) ; le mot est issu du latin *fricare* «frotter», «polir», seulement au sens concret, peut-être d'origine expressive. P. Guiraud suppose une influence de *frayer* «fragmenter» (→ ② frais pour cette hypothèse) qui expliquerait les différentes acceptions de ce verbe, impliquant souvent non seulement un «frottement» mais aussi l'idée de «fragments qui se séparent».

♦ *Frayer* «frotter (qqch.)» est sorti d'usage, sauf dans quelques emplois particuliers : en vénerie (2e moitié XIIIe s.) «frotter son bois contre les arbres» (en parlant du cerf) ; *frayer une monnaie* «la rogner en imitant l'usure» (1757). Dans l'usage courant, *frayer* signifie depuis le XIVe s. (v. 1360) «tracer (un chemin) par le passage» (étymologiquement, par le frottement des pieds), d'où «ouvrir (un chemin) en écartant les obstacles» (1690) ; au figuré (1275-1280), ***frayer le chemin, la voie*** signifie «aplanir les difficultés». ◆ Par ailleurs, *frayer* s'est spécialisé (v. 1121) au sens de «disposer ses œufs», en parlant de la femelle du poisson qui frotte son ventre contre le sable pour faciliter l'émission (même image en espagnol) ; par extension (v. 1560) le verbe signifie «féconder les œufs», en parlant du mâle. ◆ Par figure (fin XVIIe s.) ***frayer avec qqn, ensemble*** s'emploie pour «avoir des relations suivies», aujourd'hui avec une nuance péjorative.

▸ Le déverbal **FRAI** n. m., réfection (XVIIe s.) de *froi* (1388), *fri* (1340), désigne la ponte des œufs, leur fécondation et, par extension *(du frai, le frai)*, les très jeunes poissons utilisés pour le peuplement d'un lac, etc. ◇ Le mot est vieilli pour parler de l'usure des monnaies en circulation (1690 ; v. 1560, «frottement»).

De *frayer* dérivent plusieurs termes techniques comme **FRAYÈRE** n. f. «lieu où frayent les poissons» (1812). ◆ **FRAYEMENT** n. m. (XIVe s., *froiement* «froissement») est spécialisé en médecine vétérinaire (1872). ◆ **FRAYOIR** n. m. (mil. XVIe s. ; v. 1354, *freour*), autrefois «lieu où les cerfs vont frotter leurs bois», signifie en vénerie «marque faite sur un arbre par un cerf qui fraye son bois».

FRAYAGE n. m. (v. 1946) est un terme de psychophysiologie et de psychanalyse qui traduit l'allemand *Bahnung*, de *bahnen* «frayer» et «ouvrir la voie».

FRAYEUR n. f. est la réfection (1470) de *frëor* (v. 1135), issu du latin *fragorem*, accusatif de *fragor* «bruit éclatant, vacarme», dérivé de *frangere* «briser» (→ fraction) ; la forme et le sens de *frayeur* viennent d'un rapprochement avec *effrayer**.

♦ Le mot a signifié «vacarme» (v. 1165, *frëor*) et désigne (v. 1135) une peur violente, souvent passagère, provoquée par un danger réel ou supposé. Cet emploi est resté usuel, mais seulement dans un registre soutenu.

FREAK n. m. est un mot emprunté (1966) à l'anglais *freak* «monstre» (1847 ; 1563, «saute d'humeur») ; aux États-Unis, le mot s'est surtout appliqué aux monstres exhibés dans les foires ; *freak* a été largement diffusé par la bande dessinée de G. Shelton, *The Freak Brothers*.

♦ *Freak* se dit d'une personne jeune qui refuse les valeurs de la société sans pour autant appartenir à un mouvement ou adopter une tenue, un style de vie précis (comme les punks ou les hippies) ; le mot s'emploie aussi (v. 1980) pour désigner un toxicomane adepte des drogues dures.

FREDAINE n. f., réfection (1420) de *fridainne* (v. 1310), représenterait le féminin de l'adjectif *fredain* «mauvais», emprunt avec affaiblissement de sens à l'ancien provençal *fradin* (v. 1060) «scélérat» (cf. ancien provençal *fradel*, v. 1060, «pauvre» et «scélérat»), peut-être issu du gotique °*fra-aitheis* «rebelle dissident» (cf. ancien haut allemand *freidic*, id.). P. Guiraud relève que *fredaine* a signifié «tromperie, moquerie» (XVIe s.), sens que l'on retrouve dans *fredain* et l'ancien provençal ; le mot se rattacherait selon lui à *farder* «déguiser la vérité» (→ farder ; cf. *refarder* «tromper», 1234 ; *raffarder* «se moquer», XIVe s.). *Fredain* viendrait alors d'un latin populaire °*fardanis*, avec métathèse de l'*r*, comme pour *bredaine* dans *calembredaine* (*fradin* et *fradel* provenant de °*fardinus* et °*fradellus*). La *fredaine* serait une tromperie, une dissimulation, image qui aboutirait au sens moderne.

♦ Le mot est attesté au sens de «chose sans importance» (v. 1310) et dans ***faire des fredaines*** «faire l'important» ; le sens de «tromperie» (XVIe s.) n'a pas vécu. Il désigne aujourd'hui (1547) un écart de conduite sans gravité, en général dans le domaine sexuel.

FREDON n. m. est sans doute issu (XVe s., puis 1546) par l'intermédiaire d'un dialecte du Midi (cf. ancien provençal *fredoun* «motif, air») du latin classique *fritinnire* «gazouiller, bredouiller» (avec changement de suffixe, déjà en bas latin), verbe «expressif» rattaché à *fringillus* «pinson».

♦ En français, le mot a d'abord désigné un ornement mélodique improvisé par le chanteur, en particulier au refrain, puis par analogie (1890) un refrain, une chanson, également un air chanté à mi-voix (fin XIXe s., concurrencé par *fredonnement*), un bruit indistinct. Dans ces diverses acceptions, le mot a vieilli.

▸ **FREDONNER** v. (1549) signifie d'abord «orner (un air) de fredons» ; il s'emploie aussi intransitivement dans ce sens (1665). Le verbe a pris dès le XVIe s. sa valeur actuelle de «chantonner à mi-voix sans articuler les paroles» (mil. XVIe s.), se détachant alors de *fredon*, qui vieillissait, alors que *fredonner* devenait plus courant, aussi comme transitif (1834, *fredonner un air*, etc.). ◆ Il a pour dérivé **FREDONNEMENT** n. m. (1546, Rabelais).

FREESIA n. m. vient (1872, *freesa*) du nom d'un médecin allemand, *Freese*, par suffixation en *-a*, puis *-ia*. Le mot a été formé par le botaniste Ecklon en l'honneur de son ami. On relève les variantes *fraisia* (1872) encore en usage, écrit d'après *fraise*, *freesea* (1886), *fresia*.

♦ Le mot désigne une plante ornementale à bulbe, originaire d'Afrique du Sud.

FREEZER n. m. est emprunté (v. 1955) à l'anglais *freezer* (1860) «glacière», «réfrigérateur puissant», de *to freeze* «geler», spécialisé ensuite au sens de «partie d'un réfrigérateur où se forme la glace».

♦ C'est cette valeur que le français a repris, cet anglicisme étant concurrencé par *congélateur*.

FRÉGATE n. f. est un emprunt (1525; 1536, *frégatte*) à l'italien *fregata*, mot diffusé à partir de l'Italie méridionale (napolitain et sicilien *fragata*) dans tous les ports de la Méditerranée, d'où la variante *fraguate* (1525), le provençal *fragato*, le catalan, l'espagnol et le portugais *fragata*. L'origine du mot italien est obscure; on a supposé un type °*fargata*, du latin médiéval *infarchatum* «pourvu d'un bordage mobile», calque du grec *aphraktos* «non enclos», d'où «sans pont», mais sans résoudre les difficultés morphologiques et phonétiques. La frégate étant à l'origine un bâtiment à rames non ponté, destiné à alléger une galère ou à en recueillir l'équipage en cas de naufrage, on a aussi supposé *naufragata* (participe passé du latin classique *naufragare*, dérivé de *naufragus*; → naufrage), avec chute de la première syllabe identique au substantif *nau* «bateau» (nef); mais le sens de *naufragata* «qui fait naufrage» convient très mal. Pour P. Guiraud, l'italien *fragata* représenterait plus simplement un latin populaire °*fragata*, participe passé de °*fragere* «briser», doublet de *frangere* (cf. l'ancien provençal *fragar* «briser»; → fraction), ce qui suppose que la poupe du bateau était coupée pour former un plan incliné; mais nous ignorons les caractéristiques des premières frégates.

♦ Le mot est emprunté avec le sens de l'italien, puis s'est appliqué à divers types de navires. Aux XVIIIe et XIXe s., la *frégate* était un bâtiment de guerre à trois mâts; aujourd'hui c'est un bâtiment d'escorte anti-sous-marin. ◆ Par analogie avec la rapidité du bateau, *frégate* désigne un oiseau de mer (1637). Par allusion au navire «à voiles», *frégate* s'est dit en argot (1821) d'un jeune homosexuel.

▸ Le mot a fourni **FRÉGATON** n. m. «grand navire en usage dans la marine vénitienne» (1643), sorti d'usage, et **FRÉGATER** v. tr. «affiner les formes de (un bateau) pour le rendre plus rapide» (v. 1680), aussi au participe passé adjectif **FRÉGATÉ, ÉE**.

FREIN n. m. représente l'aboutissement (1080) de l'évolution du latin *frenum* «bride de cheval», «mors», employé aussi au figuré, «ce qui arrête», dérivé de *frendere* «broyer» (→ fraiser).

♦ *Frein* a désigné comme le mot latin le morceau de la bride qui entre dans la bouche du cheval, dont la pression sur les barres sert à le retenir; la langue courante a conservé ce sens dans la locution figurée ***ronger son frein*** «contenir son impatience, sa colère», comme un cheval impatient (déb. XVe s.). Par figure et comme en latin, *frein* s'est dit dès l'ancien français (1172) de ce qui ralentit le développement de qqch. (***le frein de la loi***, etc., ***sans frein*** «sans limites»). Par analogie de fonction, le mot a pris au XVIIe s. (1690) en anatomie le sens de «repli ou ligament qui sert à retenir un organe» (*le frein de la langue*). ◆ Par extension *frein* se dit, d'abord en meunerie (1680, *frein d'une roue de moulin*), d'un dispositif servant à ralentir, éventuellement à arrêter le mouvement d'un ensemble mécanique, et couramment du dispositif adapté aux roues d'un véhicule hippomobile puis (fin XIXe s.) automobile, le référent technique devenant de plus en plus complexe. De là vient la locution figurée ***coup de frein*** (XXe s.) «action qui vise à diminuer une évolution». Par extension, on désigne par ***frein moteur*** la résistance opposée par le mouvement du moteur à la rotation des roues.

▸ **FREINER** v. est une réfection de *frener*, issu du latin *frenare* «brider», au propre et au figuré; il s'emploie (2e moitié XIIIe s.) au figuré pour «réfréner» (sous la forme *frener*, du XIIIe au XVIe s.; cf. *réfréner*) et au propre «ralentir qqn, qqch. dans son mouvement»; en ce sens (attesté 1899, mais antérieur) le verbe s'oppose à *accélérer* (comme *frein* à *accélérateur*) et a servi à former *freinage*. ◆ **FREINAGE** n. m. (1892), «action, manière de freiner» et «système de freins», est employé aussi au figuré dans le domaine économique. ◆ **FREINEUR** n. m. (1885), «ouvrier chargé de ralentir la marche des wagons» puis «personne qui commande les freins de voie», est peut-être dérivé de *frein*, le verbe semblant un peu plus tardif en ce sens.

◈ voir **EFFRÉNÉ, RÉFRÉNER**.

FRELATER v. tr. est emprunté (apr. 1350) au moyen néerlandais *verlaten* «transvaser (du vin)».

♦ Il est utilisé en ce sens puis, le vin étant transvasé pour des motifs commerciaux peu recommandables, au sens d'«altérer la pureté d'une substance en y mêlant une substance étrangère», le seul conservé aujourd'hui (1660). *Frelater* s'emploie aussi au figuré (1546, Rabelais) pour «faire perdre sa pureté à (qqch.)».

▸ Du verbe dérivent **FRELATÉ, ÉE** adj., au propre (1690, *boissons frelatées*) et au figuré (*sentiments frelatés*), **FRELATAGE** n. m. (1684; 1655, «action de transvaser»), **FRELATERIE** n. f. (1792), sorti d'usage, et **FRELATEUR, EUSE** n. (1660; 1604, n. m., «celui qui transvase le vin»), mot peu usité.

FRÊLE adj. est une réfection tardive (XVIe s., *fresle*), peut-être sous l'influence de *graisle*, *gresle*, de *frelle* (XIIe s.), *fraisle* (mil. XIe s.), issus du latin impérial *fragilis* «friable», «fragile» au propre et au figuré (→ fragile).

♦ *Frêle* s'emploie d'abord au figuré pour qualifier ce qui est facile à ébranler, périssable (mil. XIe s., à propos de la vie); l'adjectif s'applique ensuite à une personne qui semble manquer de force (1135), seul emploi usuel, et se dit de qqch. (mil. XVIe s.) dont l'aspect ténu donne une impression de fragilité.

► Le dérivé **FRÊLEMENT** adv. (1841) est rare.

FRELON n. m. est issu (v. 1180, *frelun*) d'un francique *°hurslo* (cf. moyen néerlandais *horsel*) par le bas latin *furlone* (VIe s.), cas régime de *°furlo*.

♦ Le mot désigne une grosse variété de guêpe. Il a été employé au figuré (v. 1664, La Rochefoucauld) au sens de «personne incapable qui, dénigrant les travaux d'autrui, cherche à en tirer profit», car on pensait que les frelons pillaient le miel des abeilles.

FRELUQUET n. m. serait un dérivé (1609) de *freluque* n. f. (attesté v. 1478) «mèche (de cheveux)», variante de *freluche* (1611, «ornement, petite chose de peu de valeur»), venu de *fanfreluche* par aphérèse de la première syllabe (→ fanfreluche). P. Guiraud conteste cette origine, et propose de voir en *freluche* un dérivé de *fresler* «briser», de *fresle* (→ frêle); la *freluche* serait alors une frange (de cheveux, de vêtements), et le *freluquet* un homme paré d'ornements vains, prétentieux, la valeur au sens étymologique pouvant être attestée par le mot dialectal normand *ferluquet* «mince, grêle».

♦ *Freluquet* a désigné un jeune homme de mise soignée. Le mot est aujourd'hui péjoratif et s'applique à un personnage frivole et prétentieux (1660).

FRÉMIR v. intr. est issu (1080) d'un latin populaire *°fremire*, altération du latin classique *fremere* «gronder» (pour tout bruit grave et violent), d'origine expressive.

♦ Ce sens fort, aujourd'hui sorti d'usage, est le premier en français, le verbe voulant dire «vibrer, retentir» avec un sujet désignant le vent, les armes. En parlant d'une personne (v. 1120), *frémir* se dit pour «être agité d'un tremblement»; il est assez rare en emploi concret et concurrencé par *trembler;* par figure, *frémir* (de colère, etc.), c'est «ressentir une vive émotion, une agitation morale» (v. 1130). ➛ Par affaiblissement, *frémir* signifie «être agité d'un faible mouvement qui produit un son confus» (déb. XIIe s.), spécialement en parlant d'un liquide sur le point de bouillir (fin XIVe s.), d'où par extension (1721) «cuire doucement».

► Construits sur la forme longue du radical, *frémiss-*, les dérivés **FRÉMISSEMENT** n. m. (v. 1120) et **FRÉMISSANT, ANTE** adj. (1480, «retentissant») ont eu une évolution sémantique parallèle à celle du verbe. *Frémissement* a reçu un sens figuré «léger mouvement (de l'opinion, d'un marché)».

FRÊNE n. m. est une réfection (1501, *fresne*) de *freisne* (v. 1180), *fraisne* (1080), formes à diphtongues issues du latin classique *fraxinus*, mot sans origine connue.

♦ Le mot désigne un arbre des régions tempérées et, par métonymie, le bois de cet arbre.

► En dérive **FRÊNAIE** n. f. (XVIIe s.; 1600, *fresnaie*), dont l'ancienne forme *fregnee* (1280) correspond à une variante ancienne et qui pourrait continuer le dérivé bas latin *fraxinetum*, latin populaire *°fraxineta*. ➛ Le diminutif **FRÉNETTE** ou **FREINETTE** n. f. (1930) est le nom d'une boisson fermentée à base de feuilles de frêne.
Le latin *fraxinus* sert à former plusieurs termes de botanique en *fraxin-*.

FRÉNÉSIE n. f. est un emprunt (v. 1223) au latin médiéval *phrenesia*, du latin classique *phrenesis*, repris au grec *phrenêsis*, lui-même dérivé de *phrên* «esprit» (→ phréno-).

♦ C'est jusqu'au XVIIIe s. un terme médical, désignant un délire provoqué par une affection cérébrale; de là vient par analogie (XVIe s.) l'emploi vieilli d'«état d'agitation fébrile, d'égarement» (comparable à l'état du malade atteint de délire). Depuis le XVIe s. (1544) le mot désigne le degré extrême atteint par un sentiment, un comportement.

► **FRÉNÉTIQUE** adj. (v. 1200) est emprunté au latin d'origine grecque *phreneticus;* l'ancien français *fernicle* «violent, hardi» provient (v. 1185) d'une forme syncopée *°frenicus*. ◇ *Frénétique* a suivi l'évolution sémantique de *frénésie*. Terme d'histoire littéraire (XXe s.), il qualifie les membres d'une école littéraire qui a porté à leur paroxysme certaines tendances du romantisme, et leurs textes. ➛ En dérive **FRÉNÉTIQUEMENT** adv. (1615).

FRÉQUENT, ENTE adj. est un emprunt (fin XIVe s.) au latin *frequens, -entis*, terme d'agriculture signifiant «bien garni, abondant», puis adjectif d'usage courant au sens de «assidu», «fréquent» et, par la suite, de «nombreux», «peuplé».

♦ *Fréquent* a signifié «fréquenté, peuplé». L'adjectif, qui s'oppose à *rare*, a pris (XVe s.) un des sens du latin, «qui se reproduit souvent», d'où par extension «courant, ordinaire» (opposé à *exceptionnel*). En médecine, *pouls fréquent* signifie «qui bat à un rythme rapide» (1694).

► Il a fourni **FRÉQUEMMENT** adv. «d'une manière fréquente» (v. 1380), mot usuel.
FRÉQUENCE n. f., emprunté au latin *frequentia* «affluence, foule» et par extension «abondance, fréquence», «fréquentation» (de *frequens*), a eu le sens de «foule, grande assemblée» (v. 1190) jusqu'à la fin du XVIIe siècle. ➛ D'après le sens temporel pris par l'adjectif, il désigne (1587) le caractère de ce qui arrive plusieurs fois et, spécialement, de ce qui se reproduit périodiquement (fin XVIIe s.); de cette acception viennent plusieurs emplois spéciaux : en médecine (1704, *fréquence du pouls* «rapidité anormale»), dans des domaines techniques (1753 en physique, 1890 en électricité), «nombre de cycles identiques d'un phénomène par unité de temps» (d'où *haute fréquence*, 1895) et aussi en statistique. De *fréquence* en physique vient le composé **AUDIO-FRÉQUENCE** n. f. (1942).
FRÉQUENTER v. est emprunté (v. 1175) au latin *frequentare* «être assidu quelque part», «employer fréquemment», «célébrer en foule», dérivé de *frequens*. Le verbe français, qui a signifié «célébrer»

(v. 1190), est détaché par le sens de *fréquent-fréquence.* Il s'emploie au sens d'«aller habituellement dans (un lieu)» (v. 1175) et signifie par extension «rencontrer, voir habituellement (qqn)» (v. 1380) avec des emplois spéciaux (1848, «avoir des relations amoureuses») et au figuré (v. 1530, *fréquenter un auteur* «le lire souvent»). ➜ **FRÉQUENTÉ, ÉE** adj. (fin XVe s.) s'est spécialisé pour «où il y a habituellement du monde» (1629). ◇ Le préfixé **INFRÉQUENTÉ, ÉE** adj. (1571) est beaucoup moins usuel. ➜ Le dérivé **FRÉQUENTABLE** adj. (1838) «que l'on peut fréquenter» s'emploie le plus souvent dans des constructions négatives ou restrictives. Le mot avait existé en moyen français (av. 1526) au sens de «fréquent». ➜ **INFRÉQUENTABLE** adj., proposé comme néologisme au XIXe s. (1842), est ensuite attesté au début du XXe siècle.

FRÉQUENTATIF, IVE adj. est emprunté (XIVe s.) au latin impérial *frequentativus* «qui marque la répétition», devenu terme de grammaire (dérivé du supin de *frequentare*); l'adjectif français s'applique à une forme qui exprime la répétition.

FRÉQUENTATION n. f. (déb. XIVe s., «fréquence, manière d'être») est un emprunt au latin *frequentatio* «abondance, emploi fréquent» et sert de substantif à *fréquenter*; il a le sens général d'«action de fréquenter» (v. 1350), se dit en particulier des rapports sociaux habituels et par extension (1853) des personnes que l'on fréquente, souvent au pluriel; figurément, il équivaut à «pratique» (1580, *la fréquentation des livres*).

FRÈRE n. m. est issu (1080), par l'intermédiaire de la forme romane *fradre* (842), du latin *frater* «frère par le sang» (au sens large, la parenté étant précisée par une épithète : pour le frère consanguin, *frater germanus,* ou *germanus;* cf. espagnol *hermano,* portugais *irmao*) et «frère par alliance»; *frater* s'employait aussi comme terme d'amitié (dans la langue érotique «amant»), au sens d'«allié», «membre d'une confrérie» et pour désigner des objets de même nature. *Frater* représente en latin une forme indoeuropéenne *°bhrater* (cf. le sanskrit *bhratar,* le grec *phratêr,* le vieil irlandais *brathir,* le vieux slave *bratru,* etc.); dans le système patriarcal ancien, le mot désignait sans doute les hommes appartenant à une même génération mais qui n'étaient pas issus nécessairement d'une même mère et d'un même géniteur : la notion de frère se définissait par rapport à celle de *père,* le mot ne désignant pas toujours le géniteur. On trouve des rapports comparables, sous l'influence des langues africaines, en français d'Afrique. C'est pour désigner le lien fraternel au sens étroit, exprimé par rapport à la mère, qu'apparaissent de nouvelles formes : par exemple le grec *adelphos* se substitue à *phratêr,* désignant le membre d'une «phratrie» (→ parenté).

♦ La complexité de la construction et de l'évolution du vocabulaire de la parenté explique les diverses acceptions du mot *frère* en français. Celui-ci désigne une personne de sexe masculin par rapport aux enfants de mêmes parents (XIIIe s., *frères germains*); dans le cas du même père (XIVe s., *frère consanguin*) ou de la même mère seulement (mil. XVe s., *frère utérin*), on dit plutôt *demi-frère.* De cette acception viennent ***ressembler à qqn comme un frère, vivre comme des frères;*** par extension ***frère de lait*** (1538) se dit du fils d'une nourrice par rapport à celui (ou à celle) qu'elle a nourri. ◇ Depuis l'ancien français (v. 1050), le mot se dit de l'homme en tant que membre de la «famille» humaine, en particulier en religion (1690) en parlant des hommes en tant que créatures du même dieu. Spécialement *frère* désigne (v. 1175) les membres de certaines communautés religieuses et est le nom que se donnent les francs-maçons (1764). Par extension *frères* au pluriel se dit, comme en latin, de l'homme par rapport à ceux qui partagent les mêmes sentiments, intérêts, etc. ; ***frères d'armes*** a désigné (mil. XVe s.) des guerriers unis entre eux par une alliance et s'applique aujourd'hui à ceux qui luttent pour la même cause, aux membres d'une association, etc. Les pirates des Antilles, aux XVIIe et XVIIIe s., se donnaient le nom de ***frères de la côte.*** ◇ ***Faux frère*** (1668) signifie «traître à ses associés» et, par extension, «hypocrite». Enfin, le mot s'emploie en parlant d'une chose, d'une idée, liée à une autre par un rapport d'analogie (1678; cf. *sœur*).

▸ **FRÉROT** n. m. (v. 1534, «compagnon») est un diminutif familier de *frère.* Il est concurrencé par *frangin**.

BEAU-FRÈRE n. m. (1286; de *beau,* terme d'affection), dans le système de parenté, désigne le frère du conjoint (pour l'autre conjoint) ou le mari de la sœur d'une autre personne. ◇ Un personnage créé par le dessinateur Cabu, utilisant l'abréviation **BEAUF** n. m. pour *beau-frère,* a donné à ce mot une valeur nouvelle de type social : homme grossier, phallocrate, intéressé, borné et exprimant les idées les plus conventionnelles et rétrogrades. La forme du mot (cf. *B.O.F., bœuf*) a facilité son succès.

◈ voir CONFRÉRIE, FRATERNEL, ① et ② FRATRICIDE, FRATRIE.

FRESQUE n. f. est emprunté (1550, *peinture à fresque*) à l'italien *(dipingere a) fresco* «peindre à frais (sur le plâtre frais)», francisé au XVIe s. (1596, *peindre à frais, au frais*). L'italien *fresco* a la même origine que *frais* (→ ① frais); la finale *-que* explique que *fresque* soit devenu féminin.

♦ Employé seul à partir du XVIIe s. (1669), le mot désigne un procédé de peinture murale consistant à peindre, à l'aide de couleurs délayées, sur un enduit frais; par métonymie (1680), *fresque* se dit de l'œuvre peinte et, par une extension peu correcte dans le langage technique mais usuelle dans l'usage général, de toute peinture murale de grandes dimensions. Au figuré (1842, Banville), le mot se dit d'une composition littéraire qui présente l'ensemble d'une société, d'une époque, etc.

▸ Le dérivé **FRESQUISTE** n. et adj. «peintre de fresques» (1865) n'est pas entré dans l'usage général et courant.

FRESSURE n. f. est une réfection (fin XIIIe s.) de *froissure* (v. 1230), issu du bas latin *frixura* «poêle à frire», «morceau à frire» (on faisait des fricassées avec ce morceau), dérivé du bas latin *frixare* «bien rôtir», fréquentatif du latin classique *frigere* «faire rôtir, frire*». Le *e* est peut-être dû à l'influence de *freser* (→ ② fraise).

♦ *Fressure* désigne les gros viscères d'un animal (v. 1230, aussi «viscères humains») et n'est plus senti comme un nom de mets.

FRET n. m. est probablement un emprunt (XIIIe s.) au néerlandais *vrecht, vracht* «prix du transport» (cf. allemand *Fracht* et anglais *freight*; l'ancien provençal *freit* vient du français). P. Guiraud postule un ancien français *fret* au sens de «ce que coûte l'exécution ou l'entretien d'un ouvrage», en liant le mot à *frais* «somme fragmentée des dépenses» (→ ② frais) mais il pourrait s'agir d'une confusion paronymique.

♦ D'abord en droit maritime, *fret* désigne le prix du transport par mer de marchandises (XIIIe s.) — aujourd'hui aussi par route, par avion —, par métonymie et couramment la cargaison elle-même (1596), le prix de location d'un navire (1606) et le louage d'un bateau de transport utilisé au transport des marchandises (1681, *à fret*), puis s'applique à tout moyen de transport. La variante ① **FRETTAGE** n. m. (1723) a disparu.

► Le dérivé **FRÉTER** v. tr. signifie d'abord (XIIIe s.) «équiper un moyen de transport» puis (1639) «donner en location (un navire, puis tout moyen de transport)», en concurrence avec *noliser*, et «prendre à fret» (1690); il est utilisé abusivement pour son complémentaire (comme *louer*, qui a les deux valeurs). ◆ Le préfixé **AFFRÉTER** v. tr., d'abord (1322) «équiper un navire», signifie aujourd'hui (dep. 1639) «prendre (un navire, puis XXe s., un avion, etc.) en location». ◆ Sur *fréter* ont été dérivés **FRÈTEMENT** n. m. (déb. XVe s.) et **FRÉTEUR** n. m. (1609; fin XVIe s., adj.). ◆ Sur *affréter* ont été construits **AFFRÈTEMENT** n. m. (1366) «équipement» puis «location (d'un navire)» (1584) et **AFFRÉTEUR** n. m. (1678).

FRÉTILLER v. intr. serait, selon Bloch et Wartburg, un dérivé (ap. 1150) de l'ancien français *freter* «frotter», issu du bas latin *frictare* (VIIe s.), dérivé de *frictum*, supin du latin classique *fricare* «frotter» (→ frayer); le sens moderne viendrait par analogie des mouvements qu'on fait en frottant. P. Guiraud trouve l'explication peu convaincante, remarquant que *freter* au sens de «frotter» n'est attesté que tardivement. Il rapproche *frétiller* de *fretin* «menus débris» (1193) et de *fretille* «paille hachée» (XVIe s.); le sens de *frétiller* viendrait alors d'une analogie avec les mouvements des débris de paille remués ou des petits poissons (sens de *fretin*).

♦ Le verbe signifie «remuer par petits mouvements rapides», au concret (poissons, etc.) et, en parlant des personnes, avec des connotations psychologiques d'excitation et de plaisir.

► Sur *frétiller* ont été dérivés **FRÉTILLEMENT** n. m. (1370-1372, *fretilement*), **FRÉTILLANT, ANTE** adj. (fin XVe s.) et **FRÉTILLON** n. m. (av. 1493) «personne qui ne cesse de s'agiter», sorti d'usage.

FRETIN n. m. est un diminutif (v. 1193) de l'ancien français *frait, fret* «débris», participe passé de l'ancien verbe *freindre, fraindre* «briser» (1080), issu du latin *frangere* «briser» (→ enfreindre, fraction).

♦ Au premier sens de «menus débris» *fretin* est sorti d'usage; par analogie, *fretin* désigne (XVIe s.) des poissons trop petits pour être pris en compte dans une pêche (une paronymie avec *friture* peut être évoquée), notamment en parlant des morues, *menu fretin* se disant encore (1606) des normes de dernière qualité (autrefois opposé à *meilleur fretin*). Au figuré, ***(menu) fretin*** s'emploie (1606) pour parler de personnes ou de choses considérées comme insignifiantes.

FRETTE n. f. est une réfection tardive (1690) de *frete* (fin XIIe s.), probablement issu d'un francique °*fetur* «chaîne».

♦ Le mot, d'emploi technique, désigne un anneau métallique dont on entoure une pièce pour l'empêcher de se fendre.

► Il a produit **FRETTER** v. tr. (1694), qui remplace *freter* (v. 1200) et dont dérive ② **FRETTAGE** n. m. (1865).

FREUDIEN, IENNE adj. est dérivé (1910) du nom de *Freud* (1856-1939), fondateur de la psychanalyse.

♦ Le mot désigne ce qui est relatif à Freud.

► Un autre dérivé, **FREUDISME** n. m. (1913), désigne l'ensemble des théories et des méthodes psychanalytiques de Freud et de ses disciples.
Comme pour tous les adjectifs de ce type, des composés préfixés *(pré-, post-, anti-)* sont apparus.

FREUX n. m. est une réfection (1493) par resuffixation des formes anciennes *fru* (v. 1280), *frox* (v. 1220) d'un francique °*hrôk* (cf. ancien haut allemand *hruoh*).

♦ Le mot désigne une espèce de corneille, parfois en apposition *(corbeau freux)*.

FRIABLE adj. est un emprunt (1535) au latin impérial *friabilis*, dérivé du latin classique *friare* «réduire en morceaux, broyer», terme technique.

♦ Il s'applique à ce qui peut se réduire en menus fragments.

► **FRIABILITÉ** n. f. est un dérivé savant (1641), d'après le radical latin.

FRIAND, ANDE adj. et n. m. représente (v. 1179) l'ancien participe présent de *frire* (→ frire).

♦ Il signifie d'abord «avide, ardent au plaisir», par une métaphore claire («chaud, brûlant»). Les valeurs culinaires de *frire* ont pu l'entraîner vers le sens devenu archaïque de «qui apprécie la fine cuisine» (XIIIe s.). L'adjectif est couramment employé depuis le XIIIe s. au sens figuré avec un complément en *de* pour «qui aime qqch. avec empressement» (v. 1265). Il se dit aussi (v. 1300, *frilans*) d'un aliment délicat au palais et, à l'époque classique, d'une femme attirante (1665), souvent dans le syntagme *un morceau friand*. Tous les sens de l'adjectif ont vieilli. ◆ Substantivé en nom masculin, le mot désigne (1906) une pâtisserie, salée (garnie de viande) ou sucrée.

▸ **FRIANDISE** n. f. (1342, comme personnification de la gourmandise) a disparu de l'usage au sens de «goût pour la bonne cuisine» (v. 1380), remplacé par *gourmandise.* ◇ Le mot désigne depuis le XVIe s. (1541) une sucrerie et au figuré (1837) équivaut à «chose très agréable, régal».

FRIC n. m. est peut-être (1879) une abréviation de *fricot* (→ fricasser) «bombance», à cause de l'argent nécessaire à des festivités, mais cette origine n'est pas prouvée. On peut penser aussi à un dérivé de *fricasser, frire,* désignant la nourriture (cf. *blé, galette* pour «argent») et à l'ancienne expression *de fric* «par acquisition malhonnête», qui survit dans *fric-frac,* mais n'est pas expliquée.

♦ *Fric,* familier et très usuel, signifie «argent».

▸ Le dérivé **FRIQUÉ, ÉE** adj. correspond à «riche» (v. 1930).

FRICANDEAU n. m. serait dérivé (1548) selon Bloch et Wartburg de *fric-*, radical obtenu, contre l'étymologie effective, en interprétant le verbe *fricasser* comme un dérivé en *-asser.* P. Guiraud rapproche *fricandeau* «morceau de viande cuit dans son jus» de *fricasser* et *fricot* (→ fricasser). De toute façon l'élément *-andeau* n'est pas expliqué.

♦ Le mot s'est spécialisé pour désigner, soit une noix de veau lardée et braisée, soit un pâté.

FRICASSER v. tr. serait (XVe s.) selon Bloch et Wartburg le résultat du croisement de *frire* et de *casser.* On peut noter qu'en latin *frigere* «frire», *friare* «briser, concasser», *fricare* «frotter» sont paronymes et que le latin médiéval a pu fournir l'occasion d'un jeu sur les formes. P. Guiraud part du fait que ce modèle n'existe pas par ailleurs; il relève que la série *fricasser, fricandeau* et *fricot* comporte une idée de bonne nourriture («régal», «bombance») — mais le dérivé *fricasseur* fournit un contre-exemple — et il y associe des formes du type *frigoler* «faire bonne chère», *frigousse* (1772, «bonne chère»). Dès lors, il postule une forme gallo-romane °*frixicare* construite d'après le verbe attesté *frixare* «cuire à point» (dérivé du supin *frixum,* du classique *frigere* «frire»), idée commune à tous ces mots.

♦ Le verbe *fricasser* signifie «faire cuire en ragoût» (XVe s.), d'où régionalement (nord de la France, Belgique) *fricasser des œufs* (1690). Il s'est utilisé au figuré (1611) au sens de «dépenser sans discernement» et est relevé à l'époque classique au sens de «faire périr» (1636).

▸ **FRICASSÉE** n. f., au sens propre (v. 1450) «ragoût de viande cuite dans une sauce», s'est dit au figuré (1540) d'un mélange de choses confuses, par une métaphore fréquente (cf. *salade,* par ex.). Aujourd'hui ***fricassée de museaux*** (1881) signifie «embrassade générale» (l'idée de «mélange» est retenue). ◇ *Fricassée* a désigné (1808) une danse à figures irrégulières, puis une chanson formée de fragments d'autres chansons (XXe s.). ➛ **FRICASSEUR, EUSE** n. se disait (déb. XVIe s.) d'un mauvais cuisinier et est rare pour désigner une personne qui fricasse qqch. (av. 1646).

FRICOT n. m., relevé (1767) au sens de «bombance», désigne (1800) une viande en ragoût et, par extension (1847), tout mets simplement cuisiné (***faire le fricot*** «faire la cuisine»). ➛ **FRICOTER** v. (1807, intr., «faire bombance») signifie «faire la cuisine» (1825); le sens extensif de «dépenser en bombance» (1843) est sorti d'usage. Au figuré, en emploi intransitif, le verbe signifie (1867) «mener secrètement une affaire» et spécialement «falsifier des comptes»; ***fricoter avec qqn*** a le sens (1868) d'«être de connivence avec qqn» et spécialement d'«être en relations amoureuses avec qqn» (1883), acceptions analogues à celles de *mijoter.* C'est la valeur que conservent les dérivés **FRICOTAGE** n. m. (1895; 1856, *fricotage de petits plats* «trafic malhonnête») et **FRICOTEUR, EUSE** n. «personne qui fricote» (1843; 1812, «soldat maraudeur»; 1825, «mauvais cuisinier»). ➛ Enfin le verbe qui correspond familièrement à «faire», comme *fabriquer,* a fourni le nom plaisant *Fricotin* rendu célèbre par la traduction française d'une bande dessinée américaine *(Bibi Fricotin)* et évoquant les petits méfaits d'un enfant turbulent.

FRICATIF, IVE adj. et n. f. est un dérivé savant (1873) à partir du latin *fricatum,* supin de *fricare* «frotter» qui a donné *frayer**.

♦ En phonétique, une *fricative* est une consonne (par ex. *f, v*) dont l'articulation comporte un simple resserrement du canal vocal, le mouvement d'expiration déterminant un bruit de frottement.

FRIC-FRAC n. m. est une formation dite onomatopéique (1545, dans la locution *ne fric ne frac* «rien du tout») et en fait mal expliquée, qu'on suppose devoir traduire un bruit fait en frappant d'un côté et de l'autre (d'où le premier sens). *Ce qui vient de fric s'en va de frac* (v. 1640) signifiait «ce qui est mal acquis se dissipe aisément».
De là vient *fric-frac* n. m. «vol avec effraction» (d'abord argotique, 1836, «effraction»), spontanément rapproché de *fric* «argent».

FRICHE n. f. apparaît au XIIIe s. (1251); on trouve aussi du XIIIe au XVIIIe s. et encore aujourd'hui dans des dialectes la forme *fresche* (v. 1280) ou *freche* (1287). Pour Bloch et Wartburg, le mot serait un emprunt au moyen néerlandais *versch* ou *virsch* «frais», employé régulièrement avec *lant* «terre» pour désigner la terre gagnée sur la mer grâce aux digues et destinée aux cultures; la forme *friche* viendrait de l'influence des parlers rhénans où *frisch* s'appliquait à une terre nouvellement défrichée. P. Guiraud préfère rattacher le mot à *fresche,* féminin de *freis* «frais», attesté en ancien français au sens de «bien reposé» (de même *freschir* «restaurer les forces de qqn»; → ① frais); la variante *friche, frisque* «frais» est bien attestée en moyen français.

♦ *Friche* désigne depuis l'ancien français une terre qu'on laisse reposer, notamment dans l'expression *en friche* (v. 1270). Au figuré *friche* se dit (v. 1460) de ce qu'on laisse sans soins et spécialement d'un domaine intellectuel laissé inexploité.

▸ **DÉFRICHER** v. tr. (1356) s'emploie au propre et au figuré, comme ses dérivés **DÉFRICHAGE** n. m. (1519), **DÉFRICHEMENT** n. m. (1486), à peu près synonymes, le second plus courant, et **DÉFRICHEUR**

n. m. (1541, *deffricheur*). ◆ **INDÉFRICHABLE** adj. (1779) est rare.

FRICHTI n. m. est considéré par Bloch et Wartburg comme un emprunt (1834) à l'alsacien *fristick*, correspondant à l'allemand *Frühstück* «déjeuner du matin». P. Guiraud observe qu'aucun témoignage ne corrobore cette hypothèse, que le petit déjeuner français a rarement l'allure d'un bon repas, et on peut ajouter que le traitement phonétique de l'emprunt serait anormal. Il propose de rapprocher *frichti* de *fricotis* (1849) qu'on peut rattacher à *fricot*; *frichti* et ses doubles *fristi*, *fristille* viendraient d'une variante d'un gallo-roman °*frixicare* (→ fricasser). Mais le passage de *te-* à *ch-* rend cette hypothèse douteuse.

♦ *Frichti* (1855), d'abord écrit *fricheti* (1834), a signifié «festin, repas d'extra», puis équivaut familièrement à *repas* (1864, en argot militaire), seulement dans le contexte de la préparation de la nourriture, de la cuisine *(faire le frichti)*.

FRICTION n. f. est un emprunt (1538) au latin impérial *frictio* «action de frotter», dérivé de *frictum*, supin du latin classique *fricare* (→ frayer).

♦ *Friction* a conservé le sens général d'«action de frotter», en particulier en médecine (1538), en physique (1752), en mécanique. ◇ Par métonymie, *une friction* désigne le liniment administré par friction (1872); par analogie, il se dit du nettoyage des cheveux avec une eau aromatisée (1872). ◆ Par plaisanterie le mot s'emploie pour «réprimande» (cf. *savon*). *Friction* a pris couramment au figuré (1922) le sens de «désaccord» (***un point de friction*** «un sujet de mésentente»).

▸ Le dérivé **FRICTIONNER** v. tr. (1782) s'utilise au sens de «soumettre à une friction» et dans la locution figurée (1946) ***frictionner la tête (les oreilles) à qqn*** «le réprimander» (cf. *laver, savonner la tête à qqn*). ◇ Ce verbe est courant, à la différence de **FRICTIONNEL, ELLE** adj., «relatif à la friction», utilisé en mécanique et au figuré en économie (1962).
Le préfixé **ANTIFRICTION** adj. inv. (1845) qualifie un métal, un alliage qui atténue les frottements, en mécanique.

FRIGIDAIRE n. m. est un emprunt francisé (1636) au latin impérial *frigidarium* «chambre froide (des Thermes)», dérivé du classique *frigidus* «froid» (→ frigide).

♦ Le mot, didactique, est abandonné au profit de la forme latine (voir ci-dessous); il a été repris en 1920 en anglo-américain, probablement sans connaissance de l'emploi en français classique, par la compagnie General Motors qui a déposé ce nom. Il s'est souvent appliqué à tout réfrigérateur (malgré l'opposition du propriétaire de la marque). La locution figurée ***mettre qqch. au frigidaire*** (1956) signifie «le mettre en attente» (pour l'utiliser plus tard).

▸ **FRIGIDARIUM** n. m. (1838) est utilisé pour désigner la partie des thermes où l'on prenait des bains froids dans l'antiquité romaine.

voir FRIGO (art. FRIGORIFIQUE).

FRIGIDE adj. est un emprunt (1706) au latin *frigidus* «froid» au propre et au figuré, dérivé de *frigus, -oris* «froid» et, au sens moral, «froideur».

♦ Il ne s'emploie plus au sens concret mais au figuré, comme *froid* ou *glacé*, pour parler du comportement. Il s'est spécialisé (av. 1841) pour désigner qqn et notamment une femme (fin XIXe s.) qui ignore le désir sexuel.

▸ Le dérivé littéraire **FRIGIDEMENT** adv. (1855, Goncourt) est très rare.
FRIGIDITÉ n. f. (1330; variante *fregidité*, fin XIVe s.), emprunté au bas latin *frigiditas* «froidure, froid» (de *frigidus*), est rare au sens concret. Il a désigné l'impuissance sexuelle (1495) et, peu usité avant le XIXe s., s'emploie surtout à propos d'une femme (1845).

FRIGORIFIQUE adj. est un emprunt (1676) au latin *frigorificus*, adjectif composé de *frigus* «froid», et de *-ficus* (de *facere* «faire*»).

♦ Il signifie «qui sert à produire du froid», d'où vient l'emploi substantif : un *frigorifique* (ou *une installation frigorifique*) servant à produire un froid artificiel (1876, comme nom d'un bateau conservateur de viandes). ◆ En ce sens le mot est abrégé en **FRIGO** n. m. (1941) qui désignait déjà, par abrègement du participe passé du verbe, de la viande frigorifiée (1919). *Frigo* est senti comme lié à *frigidaire*, dont l'abréviation américaine est *fridge*.

▸ **FRIGORIFIER** v. tr. (1894), c'est «soumettre au froid» — d'où ***être frigo*** «avoir froid» (1918, adj. inv., par apocope de *frigorifié*) — et, par métaphore, «figer, ne pas faire évoluer» (1913), moins courant que *geler*.
D'autres termes techniques ont été composés ou dérivés à partir de l'élément *frigo-*, *frigor-*, tiré de *frigus, -oris*, par exemple : **FRIGORIFÈRE** n. m. et adj. (1842); **FRIGORIE** n. f. (1890), «unité de froid», formé d'après *calorie*; **FRIGORISTE** n. (1948) «spécialiste du froid industriel».

FRILEUX, EUSE adj. et n. est l'aboutissement (v. 1360), par les formes *frillous* (v. 1330), *frieleus* (v. 1223), du bas latin *frigorosus* «froid, glacial», aussi substantif, «le froid», devenu après amuïssement du *g* et changement du second *r* en *l* (dissimilation) *friuleus* (XIIIe s.; XIIe s., *fruileus*). Le bas latin dérive du latin classique *frigus, -oris* (→ froid).

♦ *Frileux* est sorti d'usage aux sens de «qui a froid» (XIIe s.) et «où l'on sent le froid» (fin XIVe s.); il s'emploie pour «qui craint le froid» (v. 1330) et, par extension, pour «qui dénote la crainte du froid». Par métaphore récente, il signifie «craintif, pusillanime», emploi répandu en politique. ◇ Une *frileuse* a désigné par métonymie (1849) une coiffure en laine pour se protéger du froid.

▸ L'adjectif a pour dérivés **FRILEUSEMENT** adv. (1842; fin XIVe s., *frillousement*) et **FRILOSITÉ** n. f. (1845; fin XIVe s., *frillouseté*), forme savante obtenue à partir du radical de *frileux*.

FRIMAS n. m. dérive (1456, Villon) de l'ancien français *frume, frime* «gelée blanche» (v. 1150), issu d'un francique °*hrîm* (cf. ancien haut allemand *hrîfo* «froid», moyen néerlandais *rijm*).

♦ Le mot désigne un brouillard épais qui se congèle en tombant, d'où par analogie (1825, Stendhal) ***être coiffé, poudré à frimas*** «avec une légère couche de poudre sur la chevelure» qui s'emploie à propos des modes du XVIIIe siècle.

▸ **FRIMAIRE** n. m. «mois des frimas» est un mot créé (1793) par Fabre d'Églantine, pour désigner le troisième mois de l'année républicaine (du 21 ou 22 novembre au 20 ou 21 décembre).

FRIME n. f. apparu au XVe s. (v. 1450, *faire frime*) est d'origine incertaine. Le mot représente peut-être un croisement de *mine* et de l'ancien français *frume* «mine», peut-être issu du bas latin *frumen* «gosier, gueule» (cf. au XIIe s., *faire frume* «manifester de la mauvaise humeur»).

♦ Le sens de «mine, grimace» a disparu ; au XVIIe s. *faire la frime de* signifiait «faire semblant de» (1611). Par extension, *frime* a pris (1835) le sens de «tromperie, apparence trompeuse», surtout dans des locutions comme ***pour la frime*** «par supercherie» (1865) et par extension «pour rien» (pour sauver les apparences) ou encore ***c'est de la frime !*** «ce n'est pas sérieux !»

▸ Le dérivé **FRIMER** v. intr. (1836, tr.), «envisager» puis (1878, tr.) «remarquer» en argot, se dit pour «avoir bonne (mauvaise) apparence» et familièrement (1867) «faire de l'esbroufe» ; dans ce sens, il s'est diffusé récemment produisant un déverbal *la frime*, distinct du substantif ancien, et **FRIMEUR, EUSE** adj. et n. (v. 1972).

voir **FRIMOUSSE**.

FRIMOUSSE n. f. est peut-être un dérivé (1743) de *frime*, lui-même d'origine obscure (→ frime). Ce mot est ancien dans les dialectes, sous des formes pseudo-savantes et plaisantes (*phlimousse, phrimouse*, 1577, etc.).

♦ *Frimousse* s'est dit pour «visage», il s'emploie plutôt aujourd'hui (1833) en parlant d'un visage jeune et gracieux (d'enfant, de jeune fille).

FRINGALE n. f. représente (1774, *fringalle*, au figuré) une altération, sans doute d'après *fringant**, de *faim-valle*, de *faim* (→ faim) et du breton *gwall* «mauvais» qui désignait une boulimie subite des chevaux.

♦ Le mot s'est employé pour *faim-valle* et par analogie s'est utilisé à propos des personnes (1807). Par figure (1774) *fringale* se dit d'un désir violent (comme *soif, faim*).

FRINGUES n. f. pl., apparu (XIIIe s.) au sens de «gambade» (cf. XVe s., *faire (des) fringues* «danser, gambader»), est d'origine incertaine. On a supposé un radical onomatopéique *fring-* exprimant l'allure sautillante et le chant du pinson (cf. en latin *fri(n)guttire* «chanter», en parlant du pinson, et *fringilla* «pinson») ; on a aussi proposé un radical germanique, le francique °*hringila* «boucle» (cf. ancien haut allemand *hreinjan* «purifier» — d'où l'allemand *rein* «pur»), pour expliquer un sens disparu de son dérivé *fringuer* «rincer des verres» (1590, tr.), mais le passage de «gambader» à «remuer dans l'eau (des verres)» ne nécessite pas cette hypothèse. Pour P. Guiraud *fringues* pourrait être rattaché à une riche famille de mots d'ancien français, à laquelle correspondraient trois groupes de sens : «sauter, gambader, se divertir», «briller par l'élégance, surtout vestimentaire» et «courtiser une femme» ; P. Guiraud postule pour rendre compte de cet ensemble un gallo-roman °*frumicare*, d'après le bas latin *frumere* «consommer, jouir», l'*u* entre deux labiales ayant donné *i* dans *fringues* et *fringant* en français moderne.

♦ *Fringues*, repris au XIXe s. et alors déverbal de *fringuer*, signifie d'abord «toilette de luxe» (1878, au singulier), se dit familièrement par extension pour «vêtements» (1886).

▸ **FRINGUER** v., de même origine que le moyen français *fringues*, a eu le sens de «gambader» (v. 1462, intr.), de «se faire valoir, parader» (v. 1440-1466, intr.) puis par extension de «faire l'élégant» (1743), d'où celui de «vêtir (bien ou mal)», transitif (1878), qui a donné naissance au moderne *fringues*. **FRINGANT, ANTE** adj., du participe présent de *fringuer*, se dit (1478-1480) d'une personne dont l'air décidé, la mise élégante dénotent de la vitalité, puis par extension (1687) d'un cheval plein de vigueur.

① **FRIPE** n. f. est une variante (1616, *frippe*) de l'ancien français *frepe* (fin XIVe s.), *felpe, ferpe* (XIIIe s.) «chiffon, vieux vêtement», mot issu du bas latin *faluppa* «fibre, chose sans valeur», d'origine inconnue (→ envelopper).

♦ *Fripe*, sorti d'usage au sens de «vieux vêtement», a pris récemment le sens de «vêtement d'occasion», par référence à *fripier, friperie* et en concurrence avec *fringues*.

▸ **FRIPER** v. tr., variante (1534, Rabelais) de l'ancien français *freper*, signifie «défraîchir en chiffonnant» (1840, pron.) ; par analogie *friper* signifie «rider», en parlant d'un visage (1865, pron.). ◆ **FRIPÉ, ÉE** p. p., a été adjectivé (1611, *vestemens fripez*), aussi au sens de «marqué, ridé», en parlant du visage (1879). **FRIPERIE** n. f. (1541 ; v. 1268-1271, *freperie*) se dit de vieux habits sans valeur, par extension du commerce de vieux vêtements (1690) et par métonymie du magasin où on les vend (1587). ◇ Par métaphore (1690) *friperie* désignait de vieilles choses rebattues. ◆ **FRIPIER, IÈRE** n. (1485, *frippier* ; v. 1268-1271, *frepier*) désigne la personne qui vend de vieux vêtements.

② **FRIPE** → FRIPON

FRIPON, ONNE n., d'abord mot argotique (1547, mais sans doute plus ancien ; cf. ci-dessous *friponner*), est dérivé d'un verbe *friper* (v. 1265) «s'agiter», puis «manger goulûment» (1545), d'où par extension «consommer, dissiper» et «dérober». Dans les dialectes de l'Ouest ② **FRIPE** ou **FRIPPE** n. f. désigne tout aliment qui peut s'étaler sur du pain (XIXe s. ; 1655, «mangeaille»). *Friper* a peut-être la même origine que *friper* «chiffonner» (→ ① fripe).

♦ *Fripon* a eu le sens de «gourmand, bon vivant» (1547) et a signifié (1558) «personne sans scrupules, malhonnête»; par affaiblissement de sens, *fripon* désigne (1678) quelqu'un qui aime les tours malicieux. Au XVIIe s., il s'employait aussi pour «personne égrillarde» et, au féminin (1666, Molière), désignait une jeune femme coquette, sens usuel encore aux XVIIIe et XIXe siècles. Appliqué à un enfant joueur et turbulent (1636), le mot est resté usuel. Son emploi adjectif (1665) est littéraire.

▸ Le diminutif **FRIPONNEAU** n. m. (1665, La Fontaine) est devenu rare aujourd'hui, comme **FRIPONNER** v. tr., d'abord «faire bonne chère» (v. 1340), puis «voler de petites choses» (1580) et «escroquer qqn» (1585).

FRIPONNERIE n. f., «débauche» (1530), aujourd'hui «malhonnêteté», «caractère du fripon» (1790), a mieux résisté au vieillissement, mais est très littéraire.

FRIPOUILLE n. f. est sans doute (1797) un dérivé de *frepe* «chiffon, haillon» (→ ① fripe).

♦ Le mot a signifié «bon à rien» (ce qui vaut peu, comme le haillon), puis «misérable» (1837), acceptions disparues aujourd'hui. Il s'emploie (1851) pour désigner une personne dénuée de scrupules, par influence très vraisemblable de *fripon,* dont *fripouille* semble être l'intensif et qu'il tend à remplacer.

▸ Les dérivés **FRIPOUILLARD, ARDE** n. (1882) et **FRIPOUILLERIE** n. f. (1897) sont peu usités aujourd'hui.

FRIRE v. est issu (v. 1180) du latin *frigere,* d'abord «faire sécher par la cuisson» puis «rôtir, griller», mot expressif apparenté au grec *phrugein* «faire griller», ainsi qu'au sanskrit *bhr̥jyáti* «il fait griller»; ces formes semblent se rattacher à une racine indoeuropéenne *°bher-*.

♦ *Frire* s'est spécialisé au sens de «faire cuire dans un corps gras bouillant» (d'abord intransitif, 1668); par figure de l'emploi transitif, *être frit* signifie (v. 1460) «être perdu», en parlant d'une personne (cf. de même *être cuit*).

▸ Le participe passé **FRIT, FRITE** est adjectivé dans de nombreux syntagmes usuels. ➜ Il est substantivé en **FRITE** n. f. (1842), ellipse de *pomme de terre frite* (1808, Stendhal), le plus souvent au pluriel. Le succès de ce plat, plus ou moins symbolique de la nourriture française et belge, explique que *frite* s'utilise dans plusieurs locutions : ***en rester, (être) comme deux ronds de frite*** «stupéfait»; ***avoir la frite*** (1965) «être en forme» — ici la métaphore reste obscure. ➜ **FRITERIE** n. f. (1909) désigne l'installation pour la friture des poissons, dans une conserverie ou, rarement, une baraque de marchand de frites (1930); on dit plutôt *marchand de frites* en France et *friture* en Belgique. ➜ D'autres mots sont dérivés du participe passé *frit :* **FRITOT** n. m. (1815) très ancien sous la graphie *friteau, fritel* (XIIIe s.) «pâte frite» puis «beignets»; **FRITONS** n. m. pl. (1907; aussi *frittons*) «résidus frits, de porc ou d'oie»; **FRITTOLE** n. f. (1845) «gâteau frit dans l'huile». Ces mots sont sentis comme régionaux. ➜ **FRITEUSE** n. f. (1954) désigne un récipient destiné aux fritures.

FRITURE n. f. est issu (v. 1120) du bas latin *frictura,* dérivé du supin de *frigere.* Le mot désigne les aliments qu'on a fait frire (cf. *friture de poissons*); employé seul, *friture* équivaut (en France, et non pas en Belgique, on l'a vu) à «poissons frits». ➜ Il s'emploie ensuite pour la matière grasse servant à frire (XIVe s.) et pour l'action de frire (1690), spécialement en parlant d'un aliment (fin XIXe s.). ◇ ***Bruit de friture,*** outre son sens propre, se dit par analogie (1894; d'abord dans *friture téléphonique,* 1885) du grésillement qui se produit parfois à la radio, au téléphone, etc. ➜ Ses dérivés **FRITURIER, -ÈRE** n. (1826) et **FRITURERIE** n. f. (1877) sont peu employés.

FRITTE n. f. (1690) est un terme technique désignant un mélange auquel on fait subir un commencement de fusion pour former le verre, la céramique, etc.; en dérive **FRITTER** v. tr. (1765), d'où vient **FRITTAGE** n. m. (1845), tous termes techniques.

◈ voir **FRESSURE, FRIAND**; aussi **FRICASSER, LÉCHER (LÈCHEFRITE).**

① **FRISE** n. f. serait la réfection (1524; 1520, *frize*) de *freis* «bandeau brodé d'or» (fin XIe s.) selon la tradition (cf. Bloch et Wartburg), emprunt au latin médiéval *frisium,* autre forme de *frigium, phrygium* «broderie, frange» (*phrygium opus* «ouvrage phrygien», à cause de la renommée des Phrygiens dans divers domaines artistiques), sur le modèle de *phrygiae vestes* ou *phrygiae* «étoffes brochées d'or», chez Virgile. Le mot aurait été utilisé en architecture par comparaison des ornements avec une broderie. *Frise* a pu être emprunté par l'intermédiaire de l'italien du Nord *friso, freso,* variantes de *fregio,* attesté dès 1235 comme terme d'architecture et issu du bas latin *phrygium.* P. Guiraud propose une autre hypothèse qui associe *frise* à *friser* (→ friser).

♦ *Frise* désigne la partie de l'entablement entre l'architrave et la corniche et par extension (1694, en menuiserie) une bordure ornementale (d'un mur, d'un vase, d'un meuble, etc.); il se dit aussi (1842) d'une bande de toile fixée au cintre d'un théâtre pour représenter un ciel, un plafond.

▸ ① **FRISETTE** n. f. (1928) «petite frise de parquet» se dit par extension d'une planche fine.

② **FRISE** n. f., utilisé dans *cheval de frise* (1642; 1572, *de frizzes*), pourrait être (Bloch et Wartburg) la traduction erronée du néerlandais *friese ruiter* «cavalier de la Frise», ainsi nommé parce que ce système de défense, constitué de pièces de bois hérissées de pieux, aurait été inventé dans la province de la Frise, pendant la guerre de libération contre les Espagnols (cf. la dénomination en allemand *spanischer Reiter,* proprement «cavalier espagnol»). Cependant P. Guiraud lie le mot au verbe *friser* (→ friser).

FRISER v. est attesté au XVe s. (1448), mais *frisé* n. m., nom d'une étoffe, apparaît dès 1407. L'origine du verbe est incertaine. Bloch et Wartburg proposent de faire dériver *friser* du radical *fris-* que certaines formes de *frire* présentent (du XIVe au XVIe s.) : les aliments qu'on frit dans l'huile prendraient la forme de mèches frisées ; ce développement sémantique aurait été facilité par le conflit entre *frire* et *frir* «férir, frapper». Pour P. Guiraud, la relation entre un radical *fris-* et le verbe *frire* est difficilement soutenable ; il suggère l'existence possible d'un gallo-roman °*fretiare* «onduler», d'après le latin *fretum* «flot qui se brise contre le rivage» ; ce sémantisme lui permet de rattacher ① *frise* et ② *frise* à *friser ;* dans les deux cas il s'agit d'une ligne qui se déroule : en architecture, la frise ondule le long du chapiteau, et la frise défensive est placée le long d'une fortification.

♦ *Friser qqch.* (1448), c'est lui donner la forme d'ondulations, d'où «être ou devenir frisé» (1552, intr.). Par ailleurs *friser* équivaut à «frôler», au propre (1504 ; *la balle frise le filet*) et au figuré (1690 ; *friser la quarantaine*). *Friser* s'emploie aussi en typographie (1694, «donner une impression de tremblé») et en musique (1857, «rendre un son tremblé»).

► L'ensemble des dérivés conserve l'idée d'«ondulation» et plusieurs concernent les cheveux. **FRISÉ, ÉE** adj. «disposé en boucles fines» (1564, en parlant des cheveux) se dit par analogie de plantes ou d'objets dont le bord est ondulé (1680, *salade frisée* ou **FRISÉE** n. f.). ◇ *Frisé* désigne aussi (av. 1612) une personne qui frise, alors aussi substantivé (cf. le composé plaisant **FRISE-À-PLAT** n. (déb. XXe s.) «personne à cheveux plats, raides»).
② **FRISETTE** n. f. (1827) se dit d'une petite boucle de cheveux, comme **FRISON** n. m. (1560), utilisé aussi pour désigner une rognure de bois, de métal, etc. ◆ **FRISURE** n. f., terme d'architecture (1539, «rinceaux enroulés»), désigne (av. 1560, Du Bellay) l'état des cheveux frisés.
FRISEUR, EUSE n. (1782 ; une fois en 1552) s'employait autrefois pour «coiffeur» (sens passé en allemand moderne). ◆ **FRISOIR** n. m. (1640) signifiait autrefois «fer à friser» ; ◆ **FRISAGE** n. m. (1827) correspond à «action de friser».
Le diminutif **FRISOTTER** v. signifie «friser par petites boucles» (1552, tr.) ou «friser légèrement» (1612, intr.) ; en dérivent **FRISOTTANT, ANTE** adj. (1873), **FRISOTTEMENT** n. m. (1887), d'emploi rare, et **FRISOTTIS** n. m. (XXe s.), synonyme littéraire de *frisette*.
FRISELER v. tr. signifie «plisser légèrement» (1926), le sujet désignant le vent, l'air ; en dérive **FRISELIS** n. m. (1864), littéraire, sur lequel a été construit **FRISELISER** v. intr. (XXe s.).
Les préfixés sont **REFRISER** v. (1690 ; v. 1550, *se refriser*, «s'épanouir de nouveau», d'une feuille) «friser à nouveau» et surtout **DÉFRISER** v., employé au propre au sens de «défaire ce qui était frisé» (XVIIe s.) et, au figuré, pour «déconcerter, désappointer» (1808), familier. ◆ **INDÉFRISABLE** adj. et n. f. (1846) a vieilli comme nom d'une opération de coiffure durable (1930), concurrencé par *permanente*.

① **FRISETTE** → ① **FRISE**

② **FRISETTE** → **FRISER**

FRISQUET, ETTE adj. et n. m. est un dérivé (1827, n. m.) du wallon *frisque* «froid», emprunté au flamand *frisch* «un peu froid» (cf. moyen néerlandais *frisc* «frais»), de même origine que *frais**.

♦ *Frisquet*, «froid vif» (n. m.) et «un peu froid» (1845) — d'où ***avoir frisquet, faire frisquet*** — s'emploie aussi au figuré (déb. XXe s.).

FRISSON n. m. est la réfection graphique (XVIe s.) de *friçon* (fin XIe s.), resté féminin jusqu'au XVIe siècle. Il est issu d'un latin populaire °*frĭctio, -onis* «frisson», en bas latin *frĭctio* «action de frotter, friction*», rapproché par étymologie populaire de *frigere* «avoir froid» et au figuré «trembler». *Frigere* dérive de *frigus* «le froid*».

♦ *Frisson* a signifié «tremblements qui précèdent les menstrues» (fin XIe s.) et, par extension (v. 1170), se dit d'un tremblement accompagné d'une sensation de froid, par figure (v. 1131) d'un mouvement convulsif accompagnant une impression vive, pénible ou agréable. Par analogie, il désigne un léger mouvement se propageant par ondulation *(frisson de l'eau)* ou le bruit qui accompagne ce mouvement (1839, Balzac). Par figure (1859) *frisson* signifie «courant d'émotion qui se propage dans un groupe» ; on pense au *frisson nouveau* créé par Baudelaire, selon Hugo.

► **FRISSONNER** v. intr. (1368) a eu une évolution sémantique parallèle à celle de *frisson*. ◆ En dérivent **FRISSONNANT, ANTE** adj. (v. 1540) et **FRISSONNEMENT** n. m. (v. 1540), qui est resté rare.

FRITTE est dérivé de formes en *frit-* du verbe *frire*. Il est antérieur à 1690.

♦ Le mot désigne un mélange de sable et de soude auquel on fait subir une demi-fusion.

► Le dérivé **FRITTER** v. tr. (1763) est plus courant au participe passé (*verre, nickel fritté*) et a pour dérivé **FRITTAGE** n. m. (1834) «vitrification préparatoire» et «agglomération de poudres métalliques par chauffage».

FRITZ n. m. inv. est une dénomination péjorative (1914) pour «Allemand». *Fritz* est un prénom allemand courant, diminutif de *Friedrich* (correspondant à *Frédéric*).

► Le mot a été altéré en **FRISÉ** n. m. (1914) et, pendant la Seconde Guerre mondiale (1940), en **FRISOU** n. m., par influence du verbe *friser*, peut-être dans des désignations ironiques, du type *frise-à-plat* (→ friser).
FRIDOLIN n. m., emprunt (1880) au prénom allemand *Fridolin*, diminutif de *Friedo* (de *Fritz*), s'est employé pour «homme drôle» ; repris pendant la Première Guerre mondiale (1917), ce surnom s'est diffusé de 1939 à 1945 comme variante de *Fritz*.

FRIVOLE adj. est un emprunt (v. 1265 ; 1246, n. f. pl.) au latin classique *frivolus* «vain, futile» (personnes) et «sans valeur» (choses), surtout utilisé en latin impérial et chez les auteurs chrétiens. *Frivolus*, d'origine incertaine, est peut-être rattaché à *friare* «casser, concasser» (→ friable), d'origine indoeuropéenne incertaine (par l'idée de petitesse, d'élément insignifiant).

♦ *Frivole* conserve les sens du latin. Le mot a désigné des choses futiles (1246); comme adjectif, il s'applique à ce qui a peu de sérieux (v. 1265) ou à une personne qui s'occupe de choses futiles (1678), qui est volage (1832).

▸ Le dérivé **FRIVOLEMENT** adv. (1384) est demeuré rare et littéraire. ➜ **FRIVOLITÉ** n. f. signifie (av. 1718) «caractère de ce qui est frivole»; le sens de «choses, propos frivoles» (1760) est aujourd'hui peu en usage. ◇ Au sens concret, *frivolité* (au pluriel) se dit d'objets dont on considère qu'ils n'ont pas grande utilité d'où, par extension (1829), de petits articles de mode, de parure. *Frivolité* désigne aussi (1812) un type de dentelle dont on fait des ornements.

FROC n. m. est issu (v. 1138) d'un francique °*hrokk* (cf. ancien haut allemand *rock* «tunique», allemand *Rock* «habit»; latin médiéval *hroccus*, 817, «froc de moine»).

♦ *Froc*, attesté isolément au sens de «manteau» (v. 1138), a longtemps désigné (v. 1155) ce qui dans l'habit du moine couvre la tête, les épaules, la poitrine puis par extension (1608) l'habit monacal tout entier, *le froc* (XVe s.) s'appliquant abstraitement à l'état monacal ou ecclésiastique; de là les expressions ***prendre le froc*** «se faire moine ou prêtre», ***porter le froc*** et ***quitter le froc*** (XVe s.), aujourd'hui (depuis le XVIe s.) ***jeter le froc aux orties*** «quitter les ordres» (pour un homme ou une femme), qui s'emploie aussi par analogie pour «abandonner sa profession». *Froc*, par référence à l'habit du moine, a désigné (1547) un lainage grossier. ➜ Du sens d'«habit», on est passé (d'abord en argot, 1905) à celui de «pantalon» — d'où des locutions comme ***baisser son froc*** «se soumettre».

▸ **FROQUER** v. tr. (fin XVIe s.) «faire entrer (qqn) en religion» et **FROCARD** n. m. (fin XVIIe s.) «moine» sont sortis d'usage.

DÉFROQUER v. tr. (XVe s., *deffrocquer*) signifie «faire quitter le froc», c'est-à-dire «l'état ecclésiastique» et *se défroquer* (1563) «l'abandonner». Le participe passé **DÉFROQUÉ, ÉE** adj. (1680) est aussi substantivé. ➜ Le déverbal **DÉFROQUE** n. f. est sorti d'usage aux sens de «malheur» (XVe s.), «dépouillement, pillage» (1611), «vieux habits et objets que laisse un moine en mourant» (1680). ➜ Le mot est devenu courant au sens étendu de «vieux vêtements» (1623) et désigne par extension, péjorativement, un habillement bizarre.

FROID, FROIDE adj. et n. m., d'abord écrit *froit, froide* (XIIe s.) puis *froid* (XIVe s.), est la réfection des formes *freit, freide* (1080) issues du latin classique *frigidus* «froid», dérivé de *frigus, -oris* «froid» au propre et au figuré (*frigor* à partir de saint Augustin); en bas latin, le *i* long de la première syllabe est devenu bref, ce qui explique l'évolution phonétique. *Frigus* est apparenté au grec *rhigos* «froid vif», ce qui permet de poser une racine indoeuropéenne °*srig-*; l'hypothèse d'un rapprochement avec des mots baltes est plus douteuse.

♦ Comme le mot latin, *froid* est employé au sens concret de «qui est à une température inférieure à celle du corps humain», en parlant de l'atmosphère et plus généralement (v. 1196). Une valeur un peu différente est «qui est habituellement froid» (1121). ◇ Le nom s'emploie en parlant de la température ambiante (1080, *les grands froids*) et d'une manière générale (v. 1240). Ce nom est souvent qualifié et les intensifs sont nombreux, y compris des loc. figurées, comme un ***froid de canard*** (de chasse au canard) att. en 1907 chez Hector France, ou encore un ***froid de gueux.*** Le nom s'emploie aussi pour la sensation provoquée par le manque de chaleur (1273, *avoir froid*) ou par une émotion vive (1677). Cette notion, en physique, donne lieu à l'expression *froid absolu* (1793, Lavoisier). L'évolution technique a ajouté au froid naturel le domaine du *froid artificiel* ou *industriel* (1872). ➜ Par analogie, *froid* s'applique (1273) à d'autres domaines de perception (*lumière, couleur froide, son froid*). Par extension, l'adjectif se dit de ce qui s'est refroidi (XIIIe s.) et par analogie de ce qui n'a pas fonctionné depuis longtemps (1890, en parlant d'un moteur). ➜ Dans le domaine de la cuisine, *froid* signifie «qui a été cuit puis refroidi» (1835), d'où «composé de plats froids» à propos d'un repas (1865) et l'emploi adverbial *manger froid;* par figure l'expression ***viande froide*** a pris en argot la valeur de «cadavre». En biologie, le mot n'est plus utilisé : l'opposition *animaux à sang froid* (1791)/*à sang chaud* est remplacée par *à température variable, constante.*

Froid, en ancien français au figuré, pour «triste» (v. 1150), s'emploie à propos de personnes, au sens de «qui ne s'émeut pas aisément» (v. 1223), par suite du contrôle exercé sur soi (v. 1360) — d'où vient (av. 1696) ***garder, avoir la tête froide*** — ou à cause de son tempérament (1791) et dans le domaine sexuel «dépourvu de sensualité» (1771); comme *frigide*. Par extension, *froid* se dit (v. 1360) d'une personne, puis (1580) du comportement dont la réserve marque l'indifférence, la distance; sens retenu dans des locutions comme ***laisser qqn froid*** (1699), ***ça ne me fait ni chaud ni froid, battre froid à qqn*** (1690), anciennement *faire froide mine à qqn* et avec le nom masculin ***jeter un froid*** (XXe s.; anciennement, 1890, *jeter du froid*). De là vient le sens d'«insensible» (1732) et l'emploi comme nom masculin pour «situation où l'on se traite froidement» (1667), d'où la locution ***être en froid avec qqn*** et (1669) la valeur de «qui ne suscite aucune émotion» (personnes, œuvres). ➜ La locution ***guerre froide*** (1924) traduit l'anglais *cold war* pour désigner des hostilités sans opérations militaires puis (apr. 1945) l'état de tension entre les puissances capitalistes et socialistes.

▸ *Froid* a de nombreux dérivés. ➜ **FROIDEUR** n. f., réfection (XVIe s.) de *froidour* (fin XIIe s.), *freidur* (v. 1121), s'emploie pour «froid» ou «impression de froid», surtout à propos d'autres domaines que celui de la température (par ex. : *la froideur d'une lumière*). ◇ *Froideur* s'utilise parallèlement à *froid* pour «absence de sensibilité» (av. 1559), «manque d'empressement» (1580), spécialement pour «manque de sensualité» (av. 1799) et dans le domaine esthétique «manque de chaleur, d'émotion»

(1664). ◆ **FROIDURE** n. f., réfection (XIIIe s.) de *freidure* (v. 1120) ne s'emploie plus au sens de «saison froide» (v. 1120), mais s'utilise encore pour «température froide» (v. 1160), notamment en français du Canada.

Le verbe **FROIDIR** (v. 1165, intr., «devenir froid») est aujourd'hui sorti d'usage; au sens concret de «rendre froid» (XIIe s., tr.) comme au figuré «rendre moins actif (un sentiment, etc.)» (XIXe s.) il a été remplacé par le préfixé. ◆ Celui-ci, **REFROIDIR** v. (1080, *refreidier* «se reposer»), est attesté très tôt au sens concret (XIIe s.) puis au figuré (v. 1355, tr.); d'où les locutions ***laisser refroidir qqch.*** «attendre que les passions soient apaisées» (XVIIe s.) et ***refroidir qqn, le cœur de qqn*** «le décourager» (déb. XVIIe s.). ◆ Par figure *refroidir* signifie familièrement (1828) «tuer», et en argot *un refroidi* (1836, n. m.) a signifié «un cadavre». ◆ Ce verbe a servi à former **REFROIDISSANT, ANTE** adj. (1611), employé au propre et au figuré, et **REFROIDISSEMENT** n. m. «abaissement de la température» (1314; XIIe s., *refroidement*). Le mot se dit par extension (1762) d'une indisposition causée par cet abaissement de chaleur; au figuré le mot désigne (1636) une diminution de la force des sentiments.

FROIDEMENT adv. (déb. XIVe s.) n'est plus en usage au sens concret; il s'emploie au figuré avec les sens de «avec calme» (av. 1370), «avec froideur» (mil. XVIe s.), «avec insensibilité» (1832) et «sans éclat, terne» (1663).

◈ voir **CHAUD-FROID** (art. **CHAUD**); **PISSE-FROID** (art. **PISSER**); **SANG-FROID** (art. **SANG**); **FRIGIDAIRE, FRIGIDE, FRIGORIFIQUE, FRILEUX.**

FROISSER

FROISSER v. tr. est la réfection (XIIIe s.) de *fruisser* (1080), issu d'un latin populaire °*frustiare* «mettre en pièces», dérivé du latin classique *frustum* «morceau (surtout à propos d'aliments)»; ce dernier semble indoeuropéen (irlandais *bruid* «il brise», mots slaves, etc.).

♦ Le verbe a longtemps signifié, comme en latin, «briser» (1080) et «battre qqn» (v. 1165), puis par extension «meurtrir par un heurt, blesser» (v. 1319-1322); par affaiblissement de sens, *froisser* signifie à l'époque classique et depuis le moyen français (v. 1360) «meurtrir par un choc violent», aujourd'hui «contusionner» (1651; *se froisser un muscle*). ◇ Le verbe s'emploie en parlant d'un tissu, d'un papier (v. 1456-1467) pour «faire prendre de nombreux plis, des faux plis» (déformation sans déchirure). ◇ *Froisser,* comme *blesser,* signifie figurément (1829) «offenser par un manque d'égards»; ce sens n'a rien à voir avec la valeur figurée de l'ancien français (v. 1180) «vaincre, dominer» et constitue une métaphore de «plisser en désordre», non plus de *briser.*

▶ **FROISSIS** n. m., d'abord «heurt» (v. 1155, *froisseïz*), est littéraire pour «bruit de choses froissées» (mil. XVIe s.). ◆ **FROISSURE** n. f., autrefois «brisure, fracture» (fin XIIe s.), reste rare pour désigner la trace laissée par un froissement (1803). ◆ **FROISSEMENT** n. m., en ancien français (v. 1275) «action de mettre en morceaux» puis «fatigue, peine» (fin XIVe s.), se dit en emploi concret de l'action de froisser (v. 1560) et par métonymie (1827) du bruissement de ce qui est froissé; au figuré *froissement* signifie «vexation» (1829), «friction, heurt» (1831). ◆ Le dérivé **FROISSABLE** adj., autrefois (XVIe s.) «peu robuste» en parlant du corps, s'emploie au propre et au figuré (1865). ◆ Le contraire préfixé **INFROISSABLE** adj. a seulement une valeur concrète (1912). ◆ Le verbe préfixé **DÉFROISSER** v. tr. (1935) est usuel; il a pour dérivé **DÉFROISSABLE** adj. (attesté 1964).

FROISSANT, ANTE adj. (1845) est surtout employé au sens figuré de «blessant».

FRÔLER

FRÔLER v. tr., variante graphique (1670, Molière) de *fraulier* (1458), a peut-être une origine onomatopéique, la séquence *f-r-l-* évoquant le bruit d'un objet qui passe. P. Guiraud relève dans les dialectes les sens de «frotter», «effeuiller», «émietter» et dans l'argot ancien celui de «médire de qqn»; *frôler* représenterait peut-être un latin populaire °*fraudulare* au sens d'«endommager», du classique *fraudare* «faire du tort» (cf. aussi *frotter*), sans que soient exclues les connotations onomatopéiques.

♦ Le verbe serait passé du sens de «frotter», non attesté, à celui de «battre» (1458), puis à ceux de «toucher légèrement, effleurer» (1670), «passer très près de» au propre (1877) et au figuré (déb. XXe s.).

▶ **FRÔLAGE** n. m. (XXe s.) «action de frôler» est moins courant que **FRÔLEMENT** n. m. (1700), de même sens. ◆ **FRÔLEUR, EUSE** adj. et n. (1870, *branches frôleuses*), «qui frôle», désigne qqn qui cherche à frôler d'autres personnes pour obtenir des émotions érotiques (1879), spécialement une femme provocante (1882, n. f.).

FROMAGE

FROMAGE n. m. procède (v. 1135) d'un bas latin *(caseus) formaticus* «(fromage) fait dans une forme», *formaticus* dérivant du latin classique *forma* (→ forme, fourme). *Fromage,* à côté de la forme attendue *formage* attestée en 1180, provient d'une métathèse qui a détaché le mot de son origine.

♦ *Fromage* entre dans des locutions comme ***entre la poire et le fromage*** (av. 1660) «à la fin du repas, quand les propos sont moins sérieux» ou ***en faire tout un fromage*** «grossir l'importance d'un fait» (1928). ◇ Au figuré, *fromage* se dit (1932) pour «situation de tout repos» d'abord dans ***se retirer dans un fromage*** (1873), d'après *Le rat qui s'est retiré du monde,* fable de La Fontaine. Dans l'argot des théâtres, le mot désigne (1905) l'emplacement d'une affiche où le nom d'une vedette est inscrit en grosses lettres. ◇ Par retour à son origine, *fromage* désigne des plats que l'on prépare dans un moule, une forme : *fromage de cochon* (1803), *fromage de tête* (1835) et absolt. *fromage* (1804). ◇ Les suffixations populaires *from(e)gi* (1878) et *from(e)ton* (1888) sont construites à partir de *from', frome* (1856), abréviation de *fromage,* avec le suffixe argotique *-gi* ou le suffixe diminutif *-ton.*

▶ ① **FROMAGER, ÈRE** n. et adj. désigne le fabricant ou le vendeur de fromages (1254, *fromaiger;* 1313, *formagiere, fromagiere*) et **FROMAGIÈRE** n. f. un appareil pour faire le fromage blanc (XXe s.); en moyen français (XVIe s.), *fromagier* avait désigné un égouttoir à fromage. L'adjectif signifie «relatif au fromage» (1846; 1571, sens obscur). ◆ Sont aussi dérivés de *fromage* : **FROMAGERIE** n. f. (1636; *formagerie*, av. 1320, nom de rue à Paris) et **FROMAGEUX, EUSE** adj. (XVIe s.).

② **FROMAGER** n. m. est la dénomination (1724; 1664, *fromagier*) d'un arbre tropical, par comparaison de son bois très mou avec le fromage.

FROMENT n. m. est issu (XIVe s.), par les formes *frommant* (v. 1268), *furment* (v. 1121), du latin *frumentum*, terme général pour toutes les céréales à épi et, spécialement, le blé. Le mot est lié sémantiquement à *fruges* qui désigne les produits issus de la terre, par opposition à *fructus* (→ fruit) pour les produits des arbres; il appartient à la même famille que *frui* (dont dérive *fructus*) «avoir la jouissance de», «jouir des produits de».

♦ *Froment* ne s'emploie aujourd'hui que dans le vocabulaire agricole pour *blé*, et (1342) *grain du blé*. Par extension, le mot s'emploie (1872) dans des syntagmes pour désigner diverses graminées (*froment des haies, froment de vache*, etc.). Adjectivement, il s'applique par métonymie à la couleur blonde de certains bovidés (déb. XXe s.).

▸ **FROMENTAL, ALE, AUX** adj. et n. m., dérivé de *froment* ou emprunté au bas latin *fromentalis* «de blé», est rare au sens latin (fin XIIe s., *formentail*). Comme nom, le mot désigne l'avoine fourragère (1761). ◆ **FROMENTÉE** n. f. «bouillie de farine de froment» (v. 1280) est sorti d'usage. ◆ **FROMENTACÉ, ÉE** adj. et n. f. est un terme de botanique (1732) d'après le bas latin *frumentaceus* «de blé»; il a vieilli et a été remplacé par **FRUMENTACÉ, ÉE** adj. et n. f. (1865, Littré).

FRONCE n. f. est donné habituellement comme issu (fin XIe s.) d'un francique °*hrunkja* «ride», mot restitué par le moyen néerlandais *fronse, ronse* «pli, ride», l'ancien scandinave *hrukka* et l'allemand *Runzel*, de même sens. P. Guiraud voit plutôt dans *fronce* le déverbal de *froncer*, mot roman dérivé de *front**, par une forme populaire °*frontiare* «agir avec le front» au sens de «plisser le front».

♦ *Fronce* au sens de «pli de la peau» (fin XIe s.) est sorti d'usage; le mot reste employé (fin XIe s.) en couture.

▸ **FRONCER** v. tr., réfection (av. 1191) de *froncier* (fin XIe s.) «plisser, rider en contractant», est surtout utilisé dans ***froncer le(s) sourcil(s) (la bouche;*** v. 1155, ***le nez)*** et est aussi employé en couture (fin XIe s., *froncer une étoffe*) comme le préfixé **DÉFRONCER** v. tr. (XIIIe s.). ◆ Le verbe a pour dérivé **FRONCEMENT** n. m. «action de froncer (en général le sourcil), son résultat» (1530). ◆ **FRONCIS** n. m. (1563) «suite de plis faits à une étoffe» est dérivé de *fronce* au sens moderne. ◆ **FRONÇURE** n. f. (1606) est demeuré rare.

FRONDAISON n. f. est un dérivé (1823) de ① **FRONDE** n. f. (XVe s.), terme de botanique (disparu au sens de «frondaison»), emprunt au latin *frons, frondis* «feuillage», singulier collectif (sans rapport avec *frons, frontis* «front*» et d'origine inconnue).

♦ *Frondaison* se dit en botanique de l'apparition des feuilles sur les arbres et, plus couramment (av. 1850), du feuillage lui-même.

▸ **FRONDESCENT, ENTE** adj. (1865), emprunté au participe présent de *frondescere* «avoir des feuilles», inchoatif de *frondere* (dérivé de *frons*), signifie «qui se couvre de feuillage»; il est didactique et rare.

① **FRONDE** → **FRONDAISON**

② **FRONDE** n. f. est probablement issu (v. 1240; variante *flondre*, XIIIe s.) d'un latin populaire °*fundula*, diminutif du classique *funda* «fronde», mot «dont l'origine indoeuropéenne est douteuse» (Ernout et Meillet) et qui a donné l'ancien mot *fonde* (déb. XIIe s.), encore employé au XVIIe siècle. *Funda* désignait par analogie tout objet comparable à la fronde (chaton de bague, bourse, etc.).

♦ *Fronde* a conservé les sens du latin : «arme de jet» (v. 1240) et par analogie de forme «jouet d'enfant» (1678), passant du sens initial, où le projectile est lancé par rotation, à «lance-pierre». Le mot désigne aussi (1732) un bandage (la forme du bandage rappelant celle de la fronde).

▸ **FRONDER** v. s'est substitué (1611) à *fonder* (XIIe s., «jeter»; de *fonde*); le verbe n'est plus utilisé au sens propre de «lancer un projectile avec une fronde» (1611, tr.). ◇ Par métaphore, *fronder* signifie (av. 1662) «attaquer (qqn ou qqch.) en usant de la satire, de la moquerie»; cet emploi est littéraire; en histoire, *fronder* (1649, intr.) est lié au sens spécialisé du substantif (ci-dessous).

③ **FRONDE** n. f. (1649; avec *F* majuscule) est la dénomination de la sédition qui éclata contre la reine Anne d'Autriche, régente, et contre Mazarin pendant la minorité de Louis XIV; par extension (1651) le mot a désigné le parti des insurgés. Au figuré et tardivement (1873) ***un esprit de fronde*** équivaut à «un esprit de révolte».

FRONDEUR, EUSE n. et adj., dérivé de *fronder* (1648), a désigné autrefois un soldat armé de la fronde (1290, *fondaour, fondeur;* de *fonde*). ◇ Il ne s'emploie plus qu'au figuré au sens historique (1662) de «personne appartenant au parti de la Fronde» et pour désigner (1690, n.; déb. XIXe s., adj.) une personne qui critique sans retenue les personnes au pouvoir, les autorités, etc.

✳ **FRONT** n. m. est issu (1080) du latin *frons, frontis* «front» (de l'homme, des animaux), mot obscur (sans rapprochements indoeuropéens) qui reprend tous les sens du grec langue où le front était considéré comme le miroir des sentiments (en particulier de la pudeur et de l'impudence); *frons* avait aussi le sens de «devant d'une chose», notamment dans le domaine militaire.

♦ Au sens propre, *front* désigne (1080) la partie supérieure de la face humaine (ou de certains animaux, 1668), d'où par métonymie (1121-1134) la tête, le visage, surtout dans des emplois figurés du type *courber le front*. Le mot s'emploie aussi (fin XIIe s.)

pour désigner le siège de la pensée et du sentiment et par extension se dit du visage dans ce qu'il a d'expressif (1611). ◇ À l'époque classique, *front* signifiait par métonymie (1559) «air, apparence» et, spécialement, «air intrépide» (1662); il en reste des expressions comme ***avoir le front de...*** ➜ Le mot a repris le sens latin de «face antérieure d'une chose» (v. 1225), «proue d'un navire» et, dans le domaine militaire (v. 1165), de «troupe rangée face à l'ennemi»; de là viennent outre le mot *frontière** les locutions ***faire front*** «faire face» (mil. XVIe s.) au propre et au figuré, ***de front*** (v. 1170; loc. adv.) «du côté de la face» (1635, emploi figuré : ***attaquer qqn, une opinion de front*** «directement») et «sur la même ligne» (XIVe s. au propre, 1716 au figuré, ***mener de front***). ➜ L'expression ***front de mer*** «avenue, promenade en bord de mer» (qui fait face à la mer) semble récente. ➜ Employé absolument, ***le front*** (1914) désigne la zone des batailles, d'où le composé **ARRIÈRE-FRONT** n. m. (1922) «en arrière de la zone des combats». Par analogie, *front* se dit (XXe s.) de l'union entre des partis ou des individus qui s'accordent sur un programme (d'où ***front populaire, front national***; emplois communs au français et à l'espagnol *frente*). ➜ *Front* est également utilisé au sens de «face, plan vertical» (1875, dans une mine, *front de taille*) et en météorologie (XXe s.; *front froid, chaud*).

▶ **FRONTAL, ALE, AUX** n. m. et adj. (av. 1105) vient à la fois de *front* au sens propre et du bas latin *frontalis* «fronteau, têtière des chevaux». Il se dit (av. 1105) d'un bandeau de front et de la pièce de casque couvrant le front; il a désigné (1594) un instrument de torture avec lequel on serrait le front et, par métonymie (1690), le supplice ainsi infligé. C'est aussi le nom d'une partie de la têtière du cheval, nommée également **FRONTAIL** n. m. (1762; 1559, «bandeau»). L'adjectif *frontal* «relatif au front» est attesté au XVIe s. puis (1611) dans *os frontal.* ➜ Le dérivé **FRONTALITÉ** n. f. (fin XIXe s.) désigne le fait de se présenter de face et s'emploie en art.

FRONTEAU n. m. (1393), réfection de *frontel* (XIIe s.), lui-même doublet de *frontal*, possède diverses acceptions liées à l'idée de «front» ou de «face» : «bijou porté sur le front» (XIIe s.), «bandeau sur le front», spécialement (1704) «bandeau faisant partie du vêtement de certaines religieuses», «petit fronton» (1611), etc.

FRONTISTE adj. et n. est dérivé de *Front* national, nom d'un parti d'extrême droite français *(un élu frontiste; des Frontistes).*

AFFRONTER v. tr., composé à partir de *front*, a eu en ancien français le sens (1160) d'«abattre en frappant sur le front» et par figure signifie (XIIIe s.) «aller hardiment au-devant d'une difficulté, d'un adversaire, etc.» et, par affaiblissement (1501-1516), «opposer face à face», «front à front», d'où en médecine (1835) *affronter les bords d'une plaie* «les mettre en contact». Au figuré, le verbe a signifié aussi (déb. XVIe s.) «être limitrophe (d'une terre)». ◇ De *front* «siège du sentiment» viennent pour ce verbe des emplois sortis d'usage : «couvrir de honte» (1221), «perdre toute honte» (fin XIIIe s.) et «tromper» (XVIe s.). ➜ De là, le déverbal **AFFRONT** n. m. (v. 1560; 1588, «tromperie») qui signifie «offense faite publiquement», d'où par métonymie (1690) «honte éprouvée par celui qui subit un affront» et par extension «échec humiliant». ➜ **AFFRONTERIE** n. f. (ap. 1535) «action de tromper impudemment» est sorti d'usage, ainsi qu'**AFFRONTEUR** n. m. (1536) au sens d'«imposteur». Cependant, *affronteur* «personne qui affronte» (1589, d'un choc) est resté dans l'usage littéraire. Le mot désigne aussi un instrument chirurgical. ➜ **AFFRONTEMENT** n. m. «rencontre face à face» (av. 1540), sorti d'usage au sens de «tromperie» (mil. XVIe s.), s'est spécialisé dans le domaine militaire (1587), en médecine (1846) et en technologie (1866).

EFFRONTÉ, ÉE adj. et n. (v. 1278, *esfrontez*) signifie proprement «sans front», le *front* figurant le siège des sentiments; il qualifie et désigne comme nom une personne qui n'a honte de rien et manifeste sans honte sa liberté de mœurs, d'où le sens de «licencieux». ➜ En dérivent **EFFRONTÉMENT** adv. (fin XIIe s., *effronteyement*) et **EFFRONTERIE** n. f. (mil. XIVe s., *enfronterie*). *Effronté* et ses dérivés sont devenus moins usuels en français moderne.

◈ voir FRONTALIER, FRONTIÈRE, FRONTISPICE, FRONTON.

FRONTALIER, IÈRE adj. et n. est emprunté (1730; repris en 1827) au gascon *frountalié* (*frountalé* «habitant de zone frontière»), dérivé de *froun* «front», du latin *frons* (→ front).

♦ Le mot désigne un habitant d'une région frontière et, comme adjectif, se dit de ce qui est relatif à une frontière. Il est aujourd'hui senti comme le dérivé aberrant de *frontière*.

FRONTIÈRE n. f. est un dérivé (1213) de *front* ***(faire front)***, le sens moderne venant sans doute d'expressions du type *pays de frontière*, c'est-à-dire gardé par une armée, une place forte qui fait front à l'ennemi; le moyen français connaît l'adjectif *frontier*, d'où *ville frontière*.

♦ En ancien français, le mot désigne le front d'une armée, puis (1292) une place fortifiée faisant face à l'ennemi. *Frontière* se dit aujourd'hui de la limite séparant deux États (v. 1360) et par extension de la limite d'un territoire. Par analogie, on parlera (1770) des *frontières d'une région* ou de *frontières linguistiques*, etc. Au figuré *frontière* s'emploie (1700) pour «limite» séparant des domaines abstraits ou concrets.

◈ voir FRONTALIER.

FRONTISPICE n. m. est emprunté (1529; 1528, variante altérée *frontepie*) au bas latin *frontispicium* «façade», composé de *frons, frontis* (→ front) et du verbe archaïque *specere, spicere* «regarder», qui se rattache à une racine indoeuropéenne °*spek-* «contempler» (→ spectacle).

♦ *Frontispice* s'est employé en architecture au sens de «façade principale d'un bâtiment»; il désigne aujourd'hui le grand titre d'un ouvrage, placé à la première page (1647), d'où par extension (1872) le titre. Il désigne en outre une gravure placée avant la page de titre ou face au titre (av. 1695).

FRONTON n. m. est emprunté (1624) à l'italien *frontone*, mot d'architecture (XVe s.), augmentatif de *fronte* «front» du latin *frons, frontis* (→ front).

♦ Le mot désigne un ornement de forme triangulaire ou en segment de cercle couronnant l'entrée principale d'un édifice et, par extension, la partie supérieure de la façade principale d'un bâtiment. *Fronton* s'emploie aussi pour désigner la partie supérieure du mur contre lequel on joue à la pelote basque (1897) et la plate-forme devant ce mur (1910).

FROTTER v. est une variante graphique (XVIe s.) de *froter* (v. 1121-1134). Bloch et Wartburg, notant que l'ancien provençal *fretar* et l'ancien français *freter* ont le même sens, et évoquant l'existence de l'italien *frettare* «nettoyer avec un balai la partie submergée d'une barque», proposent pour origine à ces verbes un bas latin *frictare* «frotter» (VIIe s.), fréquentatif de *fricare* (→ frayer), mais le rapport entre les formes en *-e-* et celles en *-o-* reste obscur. P. Guiraud rapproche *frotter* de *frôler*, tous deux ayant eu le sens de «rosser», et suggère une forme gallo-romane °*frauditare*, dérivée du latin classique *fraudare* «tromper», «faire du tort»; on serait passé de l'idée de «faire du tort à qqn» (cf. latin *fraudem ferre*) à celle de «causer un tort physique»; *frotter*, c'est alors user et détériorer la surface d'un objet; mais cette hypothèse est sémantiquement faible.

♦ Au sens général, *frotter* signifie dès le début du XIIe s. «exercer sur qqch. une pression accompagnée d'un mouvement», spécialement sur le corps pour le laver (v. 1175); de là viennent des locutions comme ***se frotter les yeux***, au figuré «être très surpris», ***se frotter les mains***, au figuré «se réjouir», et ***frotter les oreilles à qqn*** «le punir» (1669) correspondant à un sens archaïque «donner des coups» (XIIIe s.); une autre valeur spéciale, érotique, est restée vivante en français moderne. *Frotter qqn* signifie par extension «le frictionner» (1273) et *frotter qqch.* «rendre qqch. plus propre en frottant» (1690), d'où par plaisanterie ***frotter le parquet*** «danser» et la locution figurée, en Belgique, ***frotter la manche*** «flatter» (avec le composé *frotte-manche* «flatteur»). Le verbe s'emploie aussi avec un nom de chose pour sujet (1604). ➛ Spécialement, *frotter de* (XIIIe s.; *se frotter de*, v. 1160) correspond à «enduire par frottement», d'où au figuré (1839) *être frotté de* (connaissance, etc.) «avoir un vernis de...». ➛ Au figuré, *frotter* veut dire «faire entrer en relations» surtout au pronominal et ***se frotter à qqn*** a signifié «avoir commerce avec qqn» (av. 1613), auparavant «attaquer» (XVe s.). Ces emplois sont sortis d'usage, sauf le dernier dans quelques locutions (***qui s'y frotte s'y pique***, etc.).

▸ **FROTTAGE** n. m., attesté isolément (1327, *frotaige*) pour désigner un droit féodal, signifie «action de frotter» (1690; *le frottage du linge*); il se dit spécialement (XXe s.) d'un procédé pictural où l'on procède en frottant ou grattant et par métonymie de l'œuvre obtenue par ce procédé. ➛ **FROTTOIR** n. m. désigne un objet utilisé pour frotter: «linge pour essuyer» (1423), *frottoir à allumettes* (1865), etc. ➛ **FROTTEMENT** n. m. (1490) se dit du contact de deux corps dont l'un au moins se déplace par rapport à l'autre, d'où vient l'emploi du mot en physique. ◇ Au figuré, *frottement* ne s'emploie plus pour «fréquentation» (1820) mais pour «désaccord provenant de contacts difficiles» (1811). ➛ **FROTTIS** n. m. est vieilli au sens général d'«action de frotter» (1611) mais s'utilise par métonymie pour désigner ce qui est frotté, au sens concret (1850, en peinture; 1896, en biologie) et au sens figuré (1888, «connaissance superficielle»). ➛ **FROTTÉE** n. f. désigne une tartine frottée d'ail (1611) et une volée de coups (1807) — d'où au figuré «défaite» (XXe s.).

FROTTEUR, EUSE n. (1372) «personne qui frotte», spécialement «les parquets» (XVIIIe s.), est devenu aussi un terme technique (XXe s., n. m., «pièce destinée à produire un frottement»). ◇ Le mot désigne aussi (fin XIXe s.) celui qui cherche à aguicher par des contacts physiques plus ou moins furtifs. ➛ Cette valeur sexuelle de *frotter*, demeurée vivante, se retrouve dans le composé expressif **FROTTI-FROTTA** n. m. (1937; par redoublement) «frottement dans un sens puis dans un autre» et, spécialement, «contact plus ou moins érotique entre des personnes qui se frottent».

FROUER v. intr. est un mot d'origine peu claire (1732); il est peut-être de formation onomatopéique — cf. *frou-frou* — mais on y voit aussi (Bloch et Wartburg) un emploi figuré de *frouer* «tricher au jeu» (v. 1460), antérieurement *froer* «briser» (XIIe s.), du latin *fraudare* «tromper» (→ flouer, frauder).

♦ *Frouer* est un terme de chasse signifiant «imiter le cri du geai, de la chouette, pour attirer les oiseaux».

▸ En dérivent **FROUEMENT** n. m. (1838) et **FROUÉE** n. f. (1875), termes techniques.

FROUFROU ou **FROU-FROU** n. m. est une onomatopée redoublée (1738 puis 1787, *faire frou-frou*; 1829, n. m.) construite sur l'initiale de *frôler, froisser*.

♦ Le mot évoque ou désigne un bruit léger, produit par le frôlement d'une étoffe soyeuse, etc.; par métonymie, *froufrou* se dit d'un vêtement féminin aguichant. La mode de ce mot dans les dernières décennies du XIXe s. est attestée par l'apparition des dérivés.

▸ **FROUFROUTER** v. intr. (1876) «produire un froufrou», a lui-même pour dérivés **FROUFROUTANT, ANTE** adj. (1883), **FROUFROUTEUX, EUSE** adj. (fin XIXe s.) et **FROUFROUTEMENT** n. m. (1907).

FROUSSE n. f. pourrait avoir été formé (1858), selon Bloch et Wartburg, par allongement consonantique de *frou*, onomatopée (→ froufrou), et aurait d'abord désigné une peur causée par un bruit subit. Pour P. Guiraud *frousse*, comme *trouille*, concerne la forme de peur qui se manifeste par la colique, et le mot serait issu de *fluxa* «qui coule», doublet savant de *flux** (*flux de dysenterie*, en ancien français); les formes en *-r-* de *flux* existent dans les Vosges et en Franche-Comté *(frux, fru)*; *frousse* suppose alors une origine dialectale ou un croisement avec l'onomatopée *flou, frou*, à cause du bruit du flux qui s'échappe.

♦ Le mot est un synonyme familier de *peur*.

▸ **FROUSSARD, ARDE** adj. et n. «qui a la frousse» (1890) est resté usuel, comme *frousse*.

FRUCTIFIER v. intr., réfection (v. 1180) de *fructefier* (v. 1165), est emprunté au latin impérial *fructificare* «produire des fruits» et en bas latin «procréer», composé du radical de *fructus* (→ fruit, fructueux) et de *facere* (→ faire).

♦ *Fructifier* a le sens général de «produire» : d'abord par figure des résultats avantageux (v. 1165), puis des récoltes (v. 1180), des fruits (v. 1190) et, par analogie, des bénéfices (1667).

▶ **FRUCTIFICATEUR, TRICE** adj. (1865) s'emploie au sens concret et au figuré.

FRUCTIFICATION n. f. est un emprunt au bas latin *fructificatio,* du supin de *fructificare;* le mot est d'abord utilisé (XIVe s.) pour «fait de fructifier; bénéfice» (au figuré), puis en botanique au sens de «formation des fruits» (1782).

FRUCTUEUX, EUSE adj. est emprunté (v. 1200, *fructuous*) au latin *fructuosus* «fructueux, fécond», dérivé de *fructus* (→ fruit, fructifier).

♦ *Fructueux* s'applique à ce qui donne des résultats avantageux; le sens concret (XVe s.) «qui donne des fruits» est sorti d'usage.

▶ Le dérivé **FRUCTUEUSEMENT** adv. (1350) est didactique.

L'antonyme **INFRUCTUEUX, EUSE** adj. est emprunté (1372) au latin *infructuosus;* en dérive **INFRUCTUEUSEMENT** adv. (1488).

FRUGAL, ALE, AUX adj. est emprunté (1534) au latin impérial *frugalis* «qui produit», d'où «économe» et «sobre» dès l'époque classique sous la forme comparative *frugalior.* Le mot est dérivé du latin classique *frugi* «sage, tempérant» (d'abord dans la locution *esse frugi bonae* «être capable de donner une bonne récolte»), ancien datif de *frux, frugis* «fruit, produit du sol», de la famille de *frui* (→ fruit).

♦ *Frugal* signifie (1534) «qui se contente d'une nourriture simple» — d'où «simple et sobre» (1690, *vie frugale*) et «qui consiste en aliments simples».

▶ En dérive **FRUGALEMENT** adv. (1547).

FRUGALITÉ n. f. est emprunté au dérivé latin *frugalitas* (de *frugalis*) «récolte de fruits» et «modération, sobriété». Il signifie «qualité de celui (ou de ce) qui est frugal» (XIVe s.) et «fait de se nourrir sobrement» (1897).

✳ **FRUIT** n. m. est issu (Xe s., *fruit espirituel*) du latin classique *fructus* «revenu, profit», d'où au sens concret «récolte», «produits de la terre, des arbres, d'un animal» et en latin médiéval «enfant», considéré comme le produit de la génération. *Fructus* vient de *frui* «avoir la jouissance de», que l'on rapproche de mots germaniques comme le gotique *brukjian,* le vieil anglais *brūcan* «utiliser», ce qui permet de poser un radical °*frug-,* présent dans *fruges, frugis* (→ frugal). Le français a distingué le terme général latin *fructus* de *pomum* «fruit d'un arbre», spécialisé au sens de «pomme» (→ pomme).

♦ *Fruit* signifie d'abord «résultat avantageux que produit qqch.» (Xe s.), «bénéfice tiré (de qqch.)» (1120-1150), d'où autrefois *faire du fruit* (1580), et les expressions ***sans fruit*** (1643), ***avec fruit*** «avec profit»; par extension (v. 1225), le mot désigne l'effet, bon ou mauvais, de qqch. ◇ Le sens de «revenu» est emprunté plus tard au latin juridique (XVIe s., au pluriel). ◆ Mais le mot s'emploie (v. 1165) au sens concret pour «production des plantes apparaissant après la fleur» et spécialement «fruit comestible» (1690); par extension, *fruit* s'est dit (1580) autrefois du dessert. ◆ Au sens de «produits de la terre servant à la nourriture» (v. 1283; au pluriel), il ne s'utilise plus que dans l'expression *les fruits de la terre.* Par calque de l'italien *frutti di mare,* ***fruits de mer*** (av. 1709) désigne les produits comestibles de la mer. ◆ Au sens restreint, botanique et le plus usuel, l'expression ***fruits rouges*** (1704; en Suisse, *petits fruits*) désigne des baies rouges. ◆ *Fruit* entre dans plusieurs locutions : ***le fruit défendu*** (1682), c'est celui de l'arbre de la science du bien et du mal, identifié à la pomme à cause du latin *pomum* «fruit», et que Dieu avait défendu de manger à Adam et Ève et, au figuré (1829), une chose dont on doit s'abstenir. ***Fruit vert*** (XXe s.) se dit par métaphore d'une très jeune fille («qui n'est pas épanouie»), ***fruit sec*** (1831) d'une personne qui n'a rien donné de ce qu'elle semblait promettre dans la vie. ◆ D'après le latin ecclésiastique *fructus, fruit* (dans ***le fruit de***) équivaut à «enfant» (v. 1165), en tant que «produit» de la mère; cet emploi est exceptionnel, sauf dans les prières *(le fruit de vos entrailles est béni).*

▶ Les dérivés se rattachent au sens concret du mot. ◆ **FRUITERIE** n. f. a désigné d'abord (1261) l'ensemble des fruits, puis (XVe s.) l'office de la maison du roi chargé des fruits, aujourd'hui un local où l'on conserve les fruits (1328) et, plus couramment (1829), une boutique où l'on vend des fruits. ◆ **FRUITIER, IÈRE** adj. et n. désignait (1277) un officier chargé de la fruiterie de la Cour puis (fin XIVe s.) la personne qui tient une fruiterie (attesté plus tard dans ce sens). L'adjectif signifie «qui donne des fruits comestibles» (1528). ◆ Le nom masculin s'emploie pour un lieu planté d'arbres fruitiers (av. 1589) et pour un local où l'on garde des fruits (1636). Par extension (1890) le mot s'applique à une étagère à claire-voie où l'on étale les fruits et, autrefois, à une coupe à fruits (XVIe s.). ◆ En Suisse, *fruitier, ière* désigne (1872) un fabricant de fromages : *fruit* est alors pris au sens de «produit agricole» et spécialement de «produit laitier». ◆ **FRUITIÈRE** n. f. s'emploie depuis le XVIe s. (1524) en Suisse, en Savoie et en Franche-Comté pour désigner le lieu où les fromages sont fabriqués. ◆ **FRUITÉ, ÉE** adj. (1690, comme terme de blason) se dit (1907) de ce qui a un goût de fruits frais (huile, vin, etc.). ◆ **FRUITER** v. signifie d'abord «donner des fruits» (1872, intr.) et aujourd'hui «rendre fruité» (XXe s., tr.).

Quelques verbes préfixés sont formés à partir de *fruit.*

AFFRUITER v. s'employait en ancien français pour «être fructueux» (fin XIIe s., *s'afruiter*) et «être utile» (v. 1200, intr.). Au sens de «planter» (1284), il est encore en usage régionalement mais ne s'emploie plus que comme terme technique au sens de «se mettre à produire des fruits» (1863, *s'affruiter*). ◆ **DÉFRUITER** v. tr. (1232, *se deffruicter* «perdre ses fruits») est rare dans le sens de «cueillir» (1803); c'est un terme technique (av. 1903) signifiant «enlever le goût du fruit à». ◆ **EFFRUITER** v. tr. équivaut (1213) à «épuiser une terre», c'est-à-dire «lui ôter la possibilité de produire des fruits» (cf. *effriter*) et régionalement (1691) à «dépouiller un arbre de ses fruits».

Le composé **FRUITARIEN, IENNE** adj. et n. (1909; d'après *végétarien*) est un terme didactique, dans *régime fruitarien* «où l'homme ne s'alimente que de fruits». ➛ **FRUITICULTURE** n. f. (mil. XXe s.) et **FRUITICULTEUR, TRICE** n. (1973) sont des termes techniques spécialisés par rapport à *arboriculture, -culteur.*

FRUCT-, FRUCTI- sont des éléments tirés du radical du latin *fructus* servant à produire des composés savants, par exemple : **FRUCTIFÈRE** adj. (1505; → -fère) «qui porte des fruits»; **FRUCTOSE** n. m. (1924; → -ose) «sucre d'origine végétale» («sucre de fruit»). ➛ Ces éléments tendent à éliminer *frugi-*, tiré du latin *frux, frugis,* qu'on trouve dans **FRUGIFÈRE** adj. (1842; → -fère), mot vieilli, ou **FRUGIVORE** adj. (1762; → -vore) «qui se nourrit de fruits, de végétaux».

FRUCTIDOR n. m. est un composé savant (1793, Fabre d'Églantine) du latin *fructus* et du grec *dôron* «don, présent». Le mot désigne le douzième mois, le «mois des fruits», dans le calendrier républicain (18 ou 19 août au 17 ou 18 septembre). ◇ **FRUCTIDORIEN** n. m. se dit en histoire (1823) d'une personne favorable au coup d'État du 18 fructidor.

◈ voir FRUCTIFIER, FRUCTUEUX.

FRUSQUIN (SAINT) n. m. est d'abord un mot d'argot (1628, *frusquin* «habit») d'origine incertaine; il vient peut-être de l'adjectif *frisque* «pimpant» (v. 1360), altération sous l'influence de *fresche* (ancien féminin de *frais**), de *frique* (XIIIe s.), d'un francique °*frik.* Pour P. Guiraud, ce serait un emprunt à l'italien *frusco,* issu du latin impérial *frustulum* «morceau» (diminutif de *frustum;* → fruste), cette idée de «morceau» étant à la base des emplois de *frusquin* (pièces de vêtement, d'outillage, de monnaie), d'où le sens d'«argent» en argot ancien (dep. 1668). Le mot, depuis le XVIIIe s., n'est utilisé que dans l'expression ***saint-frusquin,*** selon un procédé de formation populaire (cf. *saint-crépin* «outils du cordonnier»).

♦ *Saint-frusquin* (1710), écrit avec un trait d'union depuis 1740, se dit de ce qu'on a d'argent, d'effets et, par extension, à la fin d'une énumération pour «et tout le reste».

▸ **FRUSQUES** n. f. pl. (1800 au pluriel; 1790 au singulier, en argot, «habit») est un dérivé régressif qui signifie «habits» et spécialement «hardes».

FRUSTE adj. est un emprunt (1580) à l'italien *frusto* «usé» (1re moitié XVIe s.), dérivé de *frustare* «user», lui-même du substantif *frusto,* du latin *frustum* «morceau» (→ froisser).

♦ Au sens d'«usé» (1580), c'est un terme technique aussi substantivé (*le fruste,* 1691) comme au sens extensif «dont le relief est grossier» (1871, Goncourt). Par extension, *fruste* s'applique à une personne mal dégrossie (1831), peut-être sous l'influence de *rustre* — responsable aussi avec le verbe *frustrer* de la forme altérée *frustre,* fautive et courante. *Fruste* est aussi un terme médical (1897), employé à propos d'une maladie dont les symptômes apparaissent sous une forme atténuée; il reprend alors le sens du latin *frustare.*

FRUSTRER v. tr. représente un emprunt (v. 1330) au latin classique *frustrare* «rendre vain» et «tromper», dérivé de l'adverbe *frustra* «en vain», qui était fréquent dans *frustra esse* «être dupe», *frustra habere* «tromper»; *frustra,* d'origine obscure, était rattaché pour les Latins à *fraus* (→ fraude).

♦ *Frustrer* signifie «priver (qqn) d'un avantage escompté» et, par extension (fin XVIIe s.), «ne pas répondre à une attente». Le verbe a pris, par l'usage en psychanalyse, le sens devenu usuel de «mettre (qqn) dans une situation de déception» (mil. XXe s.).

▸ **FRUSTRANT, ANTE** adj. (1967) et **FRUSTRATEUR, TRICE** adj. et n. (mil. XXe s.) sont des termes de psychanalyse, passés comme le verbe et le participe passé **FRUSTRÉ, ÉE** adj. et n. dans l'usage courant.

FRUSTRATOIRE adj., terme de droit (1367), est emprunté au dérivé bas latin *frustratorius* «trompeur»; l'équivalent **FRUSTRATIF, IVE** adj. (1845; de *frustrer*) est rare. ➛ **FRUSTRATION** n. f. (mil. XVe s., *frustracion*) est emprunté au dérivé latin *frustratio* «action de tromper», «déception»; il se dit de l'action de frustrer ou du fait d'être frustré (v. 1950, *frustration sexuelle*).

FUCHSIA n. m., mot du latin botanique (1693), a été créé par un botaniste, le père Plumier, en l'honneur de *Fuchs,* botaniste bavarois du XVIe siècle.

♦ Le mot désigne un arbrisseau d'origine exotique.

◈ voir FUCHSINE.

FUCHSINE n. f. serait un mot formé (1859) par le chimiste Verguin à partir de *Fuchs,* traduction en allemand de *Renard,* nom de l'industriel lyonnais pour lequel il travaillait. Pour d'autres, qui rejettent l'origine anecdotique, le mot vient de *fuchsia,* à cause de ses fleurs pourpres.

♦ La *fuchsine* est une matière colorante rouge, découverte par le chimiste allemand Hermann.

FUCUS n. m. est un emprunt (1562, *phucus,* sous l'influence du grec) au latin *fucus,* emprunté au grec *phukos* «algue».

♦ *Fucus* désigne une algue brune appelée couramment *varech.*

▸ Les dérivés **FUCACÉES** n. f. pl. (1813) et plus récemment **FUCALES** n. f. pl. (XXe s.) sont des termes de taxinomie botanique (suffixes *-acées* et *-ales*) désignant une famille et un ordre d'algues brunes auxquels appartient le fucus.

FUEL n. m. est emprunté (1944), d'abord sous la forme *fuel oil* (1921), à l'anglais *fuel oil* (1893), composé de *fuel* «combustible» et de *oil* «huile»; *fuel* est attesté en anglais dans ce sens depuis 1886 (depuis le XIIIe s. pour désigner une matière combustible qui sert à alimenter un feu). L'anglais a emprunté *fuel* à l'ancien français *fouaille* n. f. (v. 1200) «bois de chauffage; tout ce qui sert à chauffer», de *fou,* forme ancienne de *feu*; oil* est aussi un emprunt à une forme ancienne de *huile**.

♦ On a récemment francisé la graphie de cet anglicisme, concurrencé par le mot d'origine russe *mazout*, en *fioul*.

FUGACE adj. est emprunté (1550, attestation isolée, puis 1726) au latin impérial *fugax* «disposé à fuir», d'où «qui fuit», de *fugere* (→ fuir).

♦ Au sens latin de «qui s'enfuit» (en parlant d'un animal), calque du latin *bestia ferae fugaces* «bêtes qui fuient par frayeur», le français *fugace* est archaïque. ◇ Terme de botanique (1772) au sens de «qui se détache très tôt» (en parlant d'un organe), *fugace* se dit plus généralement de ce qui dure très peu (1826) et, en parlant de l'état d'esprit (1834), de ce qui change rapidement.

▸ En dérivent **FUGACITÉ** n. f. (1791) et **FUGACEMENT** adv. (XXe s.), mots d'usage littéraire.

-FUGE, second élément, est emprunté au latin *-fuga* «qui fuit» (de *fugere;* → fugace, fugitif, fuir) et «qui fait fuir» (de *fugare*) et entre à partir du XVIIIe s. dans la composition de termes didactiques. Certains composés sont directement empruntés au latin (par ex. *fébrifuge, subterfuge*).

FUGITIF, IVE adj. et n., réfection (av. 1380) de *fugitiu* (adj., fin XIIIe s.), représente un emprunt au latin *fugitivus* «qui s'enfuit» (à propos d'un esclave, d'un soldat déserteur), de *fugere* (→ fuir); *fugitif* a remplacé l'ancien français *fuitif* (v. 1155, jusqu'au XVIIe s.), issu du latin.

♦ Au sens de «qui s'enfuit», le mot est plus souvent employé comme nom (fin XIVe s.) que comme adjectif. Par extension *fugitif* a signifié «exilé» (v. 1355) et se dit (av. 1678) de ce qui est de brève durée *(une idée fugitive)*, d'où spécialement (1704) *pièce fugitive* en poésie pour désigner une petite pièce versifiée sur un sujet léger; l'adjectif qualifie ensuite ce qui s'éloigne rapidement (1690; *vision fugitive*) et par figure (1770) ce qui s'écoule rapidement, en relation avec certains emplois de *fuir, s'enfuir* (à propos du temps).

▸ En dérivent **FUGITIVEMENT** adv. (1828) assez usuel et **FUGITIVITÉ** n. f. (1830), littéraire.

FUGUE n. f. est un emprunt (fin XIIIe s.) à l'italien *fuga* «fuite» et «départ subit» (XIVe s.), puis terme de musique depuis le XVIe s., emprunté au latin *fuga* «fuite», de *fugere* (→ fuir). *Fuga* avait abouti à l'ancien français *fue* «fuite» (XIIe s.), éliminé ensuite.

♦ Outre un emploi isolé au sens de «fuite» (fin XIIIe s.), *fugue* désigne (1598) un type de composition musicale où plusieurs parties «se poursuivent». ◇ Le sens du latin a été repris plus tard (1728), mais dans une acception plus restreinte : «action, fait de s'enfuir momentanément du lieu où l'on vit», d'où son emploi comme terme de psychopathologie (1901).

▸ Du sens en musique viennent **FUGUÉ, ÉE** adj. «dont la forme est comparable à celle de la fugue» (1817), ① **FUGUER** v. intr. (1803), et le diminutif **FUGUETTE** n. f. (1914). ➛ Le composé **CONTRE-FUGUE** n. f. (1680) signifie «fugue inversée». ➛ Le second sens a donné **FUGUEUR, EUSE** adj. et n. (1930) et ② **FUGUER** v. intr. (v. 1960).

FUGATO n. m. reprend (1866) un mot italien dérivé de *fuga* et désigne en musique un passage fugué.

FÜHRER n. m. est un emprunt (1934) à l'allemand *Führer* «guide», titre que prit Hitler en 1934, équivalent en allemand de l'italien *duce. Führer* dérive de *führen* «conduire», d'un germanique °*fōrjan* «faire se mouvoir».

♦ Le mot est devenu synonyme de *dictateur,* dans un contexte évoquant le nazisme.

FUIR v. est l'aboutissement (fin IXe s., tr.) du bas latin *fugire* (IIIe s.), altération du latin classique *fugere* «fuir, s'enfuir», «être exilé, banni». Ce verbe se rattache à une racine indoeuropéenne °*bheug-*, attestée en sanskrit, en grec, dans les langues baltes.

♦ *Fuir* qui est aussi intransitif (1080) a conservé le premier sens latin. Il a pris au XIIe s. (v. 1176-1181) le sens de «céder sous l'effet d'un contact» *(le sol fuyait sous lui)*. C'est l'idée d'«éloignement» qui est retenue dans les diverses acceptions, quand on parle d'une chose qui s'éloigne par un mouvement rapide (1640) ou par analogie de ce qui est éphémère (1640; *le jour fuit*). *Fuir* s'emploie (av. 1704) en parlant de ce qui paraît s'éloigner, par l'effet de la perspective dans un tableau ou par le mouvement de qqn qui regarde (av. 1841; *voir fuir les arbres*). ➛ Par analogie, le verbe s'emploie à propos d'un contenant (1762) dont le contenu liquide s'échappe et par extension (1872) signifie «s'échapper par une issue étroite» en parlant d'un contenu (cf. ci-dessous *fuite*). ◇ Les sens figurés, «échapper» (1538, tr.; par exemple dans *le sommeil me fuit*) et «chercher à échapper à des difficultés d'ordre moral» (1549) sont devenus assez littéraires.

▸ **FUITE** n. f. représente (v. 1190-1200) une réfection d'après *suite* de l'ancien français *fuie,* issu de °*fugita,* féminin du participe passé du bas latin *fugire,* du latin classique *fugere;* l'ancien **FUIE** n. f. (v. 1135), d'abord «fuite», puis «refuge», désigne encore régionalement une petite volière (1248). ◇ *Fuite* désigne figurément l'action de fuir par figure en parlant du temps (av. 1662); dès le XIIIe s., *fuite* désignait aussi au figuré (v. 1270) l'action de se dérober (à une difficulté). Par extension, il se dit de la disparition de qqn qui a fui, d'où en droit ***délit de fuite*** et la locution figurée (1968) ***fuite en avant*** «accélération d'un processus politique ou économique». ➛ D'après *fuir, fuite* se dit d'un écoulement de fluide par une issue (1845, *fuite de gaz*) et, par métonymie, de l'issue elle-même; il s'emploie, surtout au pluriel (1899; sens répandu à partir de l'affaire Dreyfus), pour «disparition de documents qui devaient demeurer secrets». *Fuite* est aussi employé en peinture et en géométrie (1802, *point de fuite*). ➛ Sur *fuite* a été dérivé le verbe familier **FUITER** intr. et pron. «fuir» (1910).

FUYARD, ARDE adj. et n. m., formé sur le verbe (*fuyant,* il *fuyait*...) avec le suffixe *-ard,* désigne la personne qui s'enfuit (1538) et spécialement (1610) le soldat qui abandonne son poste. L'adjectif est peu utilisé au sens propre (1690, «qui fuit») et est d'emploi littéraire au figuré (1792, *yeux fuyards;* 1834, à propos du temps). ➛ **FUYANT, ANTE,** parti-

cipe présent de *fuir,* est d'abord attesté comme nom (1213), emploi où il a été éliminé par *fuyard.* Comme adjectif, il se dit (1539) de ce qui s'enfuit, êtres animés et choses et, au figuré (XVIIIe s.), de ce qui semble se dérober, s'éloigner (alors en relation avec *fuir* et *fuite,* employés en art). De là un emploi courant pour «qui est incurvé vers l'arrière» (2e moitié XIXe s. : France, Bourget). À l'abstrait, *fuyant* s'applique (1884, Zola) à ce qui se dérobe, en parlant des regards, des pensées et aussi des personnes (fin XIXe s.).
Le composé **S'ENFUIR** v. pron. (1080, *s'en fuir*) a, dans ses différents emplois propres et figurés, le sens de «s'en aller, s'échapper». Comme *fuir,* il se dit du temps qui passe, de ce qui est éphémère, de la vie.

◈ voir **FAUX-FUYANT, FUGACE, -FUGE, FUGITIF, FUGUE.**

FULGURANT, ANTE adj. est un emprunt (1488) au latin *fulgurans,* participe présent de *fulgurare* «faire des éclairs», de *fulgur* «foudre*».

♦ Du sens de «qui produit des éclairs» et d'un emploi didactique et rare, on est passé par analogie des idées de vivacité, de rapidité, de soudaineté, à l'emploi en médecine (1564, *fièvre fulgurante*) et couramment (XIXe s.) aux sens de «qui frappe soudainement l'esprit» et de «rapide comme l'éclair». Par ailleurs, l'adjectif a la valeur moins précise et plus courante (d'après *fulguration*) de «qui jette une lueur vive et rapide comme l'éclair» (XIXe s.).

▸ **FULGURATION** n. f., emprunt au dérivé latin *fulguratio* «lueur de l'éclair», en conserve le sens (1532) et par extension (1755) se dit d'un éclat lumineux; au figuré (1843), une *fulguration* est une illumination soudaine qui traverse l'esprit.
FULGURER v. intr. (1845) soit est un emprunt au latin *fulgurare,* soit a été refait à partir de *fulgurant.* Le verbe a les valeurs propres et figurées de *fulgurant* et a donné **FULGURANCE** n. f. (1866), synonyme littéraire de *fulguration.*

FULIGINEUX, EUSE adj. a été emprunté (1549) au bas latin *fuliginosus* «couvert de suie», dérivé du latin classique *fuligo, -inis* «suie» qui se rattache à une racine indoeuropéenne °*dhūlī-.*

♦ *Fuligineux,* introduit avec le sens de «qui a la couleur noirâtre de la suie», est utilisé en médecine (1814) pour parler de la bouche quand elle est recouverte d'un enduit noirâtre et s'emploie au figuré pour *obscur* (1842), comme *fumeux*.* Le mot est littéraire ou (au figuré) plaisant.

FULLERÈNE n. f. est emprunté v. 1990) à l'anglo-américain *fullerene,* mot créé par R. Curl, H. Kroto et R. Shalley, prix Nobel 1996, et dérivé du nom de l'architecte américain R. Buckminster *Fuller,* auteur du dôme géodésique de l'exposition de Montréal, en 1967.

♦ Le terme s'applique à un type de molécules stables, formées de 60 atomes de carbone et plus, en nombre pair, et assemblés en hexagones et pentagones, eux-mêmes disposés en feuillets — comme le graphite — et refermés sur eux-mêmes. Ces molécules ont des propriétés spécifiques importantes en chimie industrielle.

FULMINER v. est emprunté (1330) au latin classique *fulminare* «lancer la foudre», en latin médiéval «lancer les foudres de l'excommunication», «donner des arguments foudroyants». Ce verbe dérive de *fulmen* «foudre», qui se rattache comme *fulgur* (→ foudre) à une racine indoeuropéenne °*bhel-,* °*bhleg-* «briller».

♦ *Fulminer* s'est employé (1330, intr.) au sens du latin classique. Par emprunt au latin du droit canon, il signifie en emploi transitif (1368) «lancer une condamnation dans les formes» et par extension «formuler avec véhémence» (XVIe s.), d'où «se laisser aller à une explosion de colère» (av. 1655). Par analogie, le verbe a pris dans le domaine de la chimie (mil. XVIIIe s.) le sens de «faire explosion».

▸ **FULMINANT, ANTE** adj. a signifié «qui lance la foudre» (fin XVe s.), puis «qui est chargé de menaces» (1663). Par analogie, il s'applique en chimie (1690) à ce qui détone.
FULMINATION n. f. (1406, d'après le latin classique *fulminatio*) et **FULMINATOIRE** adj. (1636; 1512, «qui lance la foudre», d'un dieu; cf. latin médiéval *fulminatorius*) sont des termes de droit canon.
Enfin, **FULMI-,** élément tiré du latin *fulmen, -inis* «foudre», entre dans la composition de quelques mots savants : **FULMINATE** n. m. (1823), **FULMINIQUE** adj. (1824), **FULMICOTON** n. m. (1847; de *coton*), nom d'un puissant explosif.

✳ ① **FUMER** v. est issu (v. 1120, intr.) du latin *fumare* «dégager de la fumée», dérivé de *fumus* «fumée», sans origine connue.

♦ *Fumer* a conservé le sens latin; par extension, il signifie très tôt (1178) «laisser passer la fumée» et «exhaler de la vapeur». En emploi transitif, il s'utilise pour «enfumer» (1565) et, spécialement (1611), «exposer (une denrée) à la fumée, à la vapeur». ◇ Par spécialisation il s'emploie (1664, intr.) pour «faire brûler du tabac, etc. en aspirant la fumée par la bouche». Cette valeur, liée à une habitude sociale (cf. *tabac, pipe, cigare* et dérivés), est devenue dominante, en emploi transitif et absolu *(défense de fumer).* ◇ Par figure, le verbe intransitif signifie aussi «s'exciter» (fin XIVe s.) et par extension (1456-1457) «se mettre en colère».

▸ **FUMÉE** n. f., déverbal de *fumer,* s'emploie au propre (déb. XIIe s.), éliminant l'ancien français *fum* (ci-dessous ① *fumage*), d'où plusieurs locutions figurées comme ***se dissiper en fumée*** (1640), ***s'en aller en fumée*** (1671), ***il n'y a pas de fumée sans feu*** (déb. XVe s., *onques feu ne fut sans fumée*). Le mot désigne spécialement au pluriel la griserie due à des causes morales (v. 1230, *fumée de l'orgueil*), les vapeurs supposées monter au cerveau sous l'effet de l'alcool (déb. XVe s., au singulier) et, par métaphore, (av. 1559) des choses fugitives ou des propos imprécis. Le sens propre est très vivant, surtout en parlant de la fumée des foyers et des industries, ou encore de celle du tabac (1690).
① **FUMAGE** n. m., qui vient de l'ancien mot *fum* «fumée» (déb. XIIe s., du latin *fumus;* cf. italien *fumo,* espagnol *humo*), a désigné (1321) un droit levé sur certains étrangers faisant feu et fumée. ➛ Son homonyme usuel dérivé de *fumer,* ② **FUMAGE** n. m.,

signifie «action d'exposer à la fumée» (pour une denrée, 1845); dans ce cas on dit aussi ① **FUMAISON** n. f. (1865).

Plusieurs dérivés sont liés à l'emploi du tabac (ou d'autres substances). ➛ **FUMEUR, EUSE** n. (1690) «personne qui fume» désigne spécialement un fumeur de tabac *(un grand fumeur)*; sur le mot a été composé **NON-FUMEUR** n. m. (mil. XXe s.), en une opposition liée à l'usage du tabac et à son interdiction de plus en plus fréquente. ➛ **FUMERIE** n. f. (1786) désigne l'action de fumer et, par métonymie (1863), le lieu où l'on fume l'opium. ➛ **FUMABLE** adj. (1829) signifie «qui peut être fumé», d'où le composé **INFUMABLE** adj. (1868). ➛ **FUMOIR** n. m. se dit d'une pièce où l'on se tient pour *fumer* (1859; 1846, *salon-fumoir*); le mot s'emploie également (1821) pour désigner le local où l'on fume des denrées.

FUMEUSE n. f. (v. 1868, par abréviation de *chaise fumeuse*) «siège bas muni d'un coffret contenant l'attirail du fumeur», est vieilli. ➛ **FUMAILLER** v., c'est «fumer un peu» (1883; en ce sens, aussi **FUMASSER**, 1918); le verbe s'emploie aussi pour «dégager un peu de fumée» (1843). ➛ **FUMETTE** n. f. (1978; du radical de *fumer*) se dit pour «drogue» («herbe» à fumer) et désigne le fait de fumer du haschich, de l'opium.

À partir de *fumer* ont été aussi composés **FUME-CIGARETTE** n. m. (1891) et **FUME-CIGARE** n. m. (1871).

D'autres dérivés renvoient à des valeurs différentes du verbe *fumer*. ➛ **FUMET** n. m. désigne (1558) l'odeur agréable émanant d'un vin puis d'une préparation culinaire (1670), d'une viande (1690). Cette formation radical verbal plus *-et* est rare et correspond plutôt à un nom d'instrument *(foret, de forer)*; *-ette* est plus normal (*allumette*, etc.). ➛ **FUMERON** n. m. désigne (1611) un morceau de charbon de bois insuffisamment carbonisé, qui jette encore de la fumée et familièrement (1913) une petite lampe portative (qui fume). ◇ Le dérivé **FUMERONNER** v. intr. (déb. XXe s.) est rare. ➛ **FUMISTE** n. m. (1735) «personne qui installe ou répare les cheminées et, par extension, les appareils de chauffage», signifie depuis 1885 (mais *fumisterie* semble antérieur) «personnage peu sérieux»; on pense en général que ce sens vient de l'expression *c'est une farce de fumiste*, répétée par le héros d'un vaudeville (*La Famille du fumiste*, 1840), un fumiste enrichi qui se vante de ses bons tours. Mais P. Guiraud a fait remarquer que le *fumiste* peut être qqn qui produit de la fumée, une parole trompeuse (cf. le latin *fumator* «trompeur, hâbleur», c'est-à-dire «qui débite de la fumée»). ➛ De *fumiste* dérive **FUMISTERIE** n. f., employé au propre pour «métier, activités du fumiste» (1845) et au figuré (1852). Lié au sens de *fumer* «être en colère», dérive **FUMASSE** adj. (XXe s.) «furieux», familier.

FUMEUX adj. est emprunté au dérivé latin *fumosus* «qui rejette de la fumée». Il en conserve le sens (v. 1175). Il s'est employé au figuré au sens de «violent, querelleur» (v. 1370) et en parlant d'une substance enivrante (1377; av. 1590, *vin fumeux*). Il s'emploie par métaphore, comme *fuligineux*, pour «peu clair» (1777; 1840, *poète fumeux*).

FUMIGÈNE adj. et n. m. (1909, adj.; 1932, n. m.) «qui produit de la fumée» et **FUMIVORE** adj. (1799; terme d'alchimie, au XVIIe s.) «qui absorbe la fumée» sont formés sur le radical de *fumus*.

FUMETERRE n. f. est emprunté (v. 1350) au latin médiéval *fumus terrae* (av. 1250), littéralement «fumée de la terre», le jus de cette plante faisant pleurer les yeux comme la fumée, selon O. de Serres.

ENFUMER v. tr. (v. 1150) signifie «emplir, environner de fumée» (le contraire est **DÉSENFUMER** v. tr. [1845]), d'où par extension «noircir par la fumée» (emploi technique) et «incommoder par la fumée» (1636). Au figuré *enfumer* s'est dit (1674) pour «troubler l'esprit» par des vapeurs d'alcool, des bouffées d'orgueil, etc. ➛ Dérivent du verbe les termes techniques **ENFUMAGE** n. m. (1846) et **ENFUMOIR** n. m. (1845).

◈ voir FUMEROLLE, FUMIGER.

② **FUMER** v. tr. est une réfection (XIVe s.), par attraction de ① *fumer*, de *femer* (v. 1180), issu, comme l'ancien provençal *femar*, d'un latin populaire °*femare*, du bas latin °*femus*, altération du latin classique *fimus* «fumier», sans origine claire. ◇ C'est la confusion entre *femus* et son homonyme issu de *femur* (→ fémur) qui a motivé l'emploi d'un mot issu de *coxa* (→ cuisse).

♦ Le verbe a signifié «faire du fumier» en parlant d'un animal (v. 1180), aujourd'hui «répandre du fumier» (v. 1200).

▸ Les dérivés ③ **FUMAGE** n. m., altération de *femage* (1356), et ② **FUMAISON** n. f. (1865), moins courant, désignent l'action de fumer une terre. ➛ **FUMURE** n. f. désigne l'amendement d'une terre que l'on fume (1327 en picard) et par métonymie la quantité de fumier incorporé (1357).

FUMIER n. m. est lui aussi l'altération (v. 1175) de l'ancien français *femier* (v. 1155), issu d'un latin populaire °*femarium* «tas de fumier», de °*femus*. Ce dernier avait abouti (XIIe s.) à *fiens*, employé jusqu'au XVIe s. et plus tard régionalement; cf. *fiente*. ◇ Le mot désigne le résultat de la décomposition des litières et des déjections des bestiaux, des chevaux et par extension des détritus pouvant servir d'engrais (1690). Par métonymie, il se dit pour «amas, tas de fumier». Par métaphore *fumier* est le symbole de la misère (1690, *le fumier de Job*), de la saleté et de la corruption morale; le mot est courant comme terme d'injure (déb. XXe s., cf. *ordure*). ➛ Son dérivé **FUMIÈRE** n. f., autrefois «fumier» (v. 1530), désigne régionalement une fosse à fumier (1869).

FUMEROLLE n. f. est une adaptation (1826), d'abord sous la forme *fumaroles* (1824), du napolitain *fumar(u)ola* «orifice de cheminée», utilisé depuis le XVIe s. pour parler des dégagements de gaz naturel de Pouzzoles. Le mot correspond au toscan *fumai(u)olo* et est issu du bas latin *fumariolum*, diminutif de *fumarium* «cheminée», dérivé de *fumus* (→ ① fumer). Cependant on trouve en Normandie et dans le centre de la France *fumerolle*, formé en français comme *fumeron* (→ ① fumer), dont il a le sens.

♦ Le mot désigne l'émanation de gaz qui s'échappe d'un volcan ; au sens de «crevasse d'un volcan d'où sort de la fumée», il n'est plus en usage.

FUMIGER v. tr. représente un emprunt (v. 1300), rare jusqu'au XVIIIe s. où il est repris d'après *fumigation,* au latin *fumigare* «faire de la fumée» et terme de médecine, dérivé de *fumus* (→ ① fumer).

♦ *Fumiger* «soumettre à des fumigations» est didactique et rare.

▶ Du verbe ont été dérivés les mots savants **FUMIGATOIRE** adj. (1503) et **FUMIGATEUR** n. m. (1803) «celui qui fumige» puis (1929) «appareil pour fumigations».

FUMIGATION n. f. est emprunté (1314) au dérivé bas latin *fumigatio* et se dit d'une production de vapeurs (pour désinfecter un local ; XVe s., pour traiter certaines maladies, etc.).

FUNAMBULE n. m. est un emprunt (av. 1528) au latin *funambulus,* composé de *funis* «corde», sans origine connue, et de *ambulare* «marcher» (→ aller).

♦ Le mot désigne une personne qui marche sur une corde raide et, au figuré (XXe s.), une personne qui se tire d'affaire par son habileté.

▶ **FUNAMBULESQUE** adj. (1857), «qui a rapport à l'art du funambule», signifie par figure «extravagant» (1907) ; cette valeur peut provenir du titre des *Odes funambulesques* de Th. de Banville (1857).

FUNÈBRE adj. est un emprunt (XIVe s.) au latin *funebris* «relatif aux funérailles», dérivé de *funus* (→ funérailles, funeste).

♦ *Funèbre* conserve en français le sens de *funebris,* par exemple dans *oraison funèbre* (1514), *pompes funèbres* (1835) ; par extension il signifie «qui évoque l'idée de la mort» (1562 ; *des idées funèbres*) et «qui se rapporte à la mort» (1801, *lit funèbre* «lit de mort»).

FUNÉRAILLES n. f. pl. est emprunté (XIVe s., puis 1406) au latin ecclésiastique *funeralia* (Xe s.), pluriel neutre du bas latin *funeralis,* adjectif dérivé du classique *funus* «funérailles», souvent employé au pluriel collectif *funera,* le deuil comprenant plusieurs cérémonies ; *funus* se disait en poésie pour «mort» puis «destruction». Le mot est sans origine connue.

♦ *Funérailles* «ensemble des cérémonies pour rendre les derniers devoirs à un mort» s'emploie abusivement par extension pour «mise en terre». ◇ Le mot est utilisé dans le midi de la France (il n'est attesté par écrit qu'en 1935) de façon exclamative, pour marquer la déception, le dépit.

▶ **FUNÉRAIRE** adj. est un emprunt (1565) au bas latin *funerarius,* dérivé de *funus.* De «relatif aux funérailles», on est passé par extension (1807) à «relatif aux tombes, qui commémore les morts» (ex. : *dalle funéraire*) ; le mot s'emploie aussi figurément pour «triste» (1866). Au Canada *salon funéraire* (d'après l'américain *funeral home* ou *funeral parlor*) désigne le local d'une entreprise de pompes funèbres, où l'on expose les cadavres embaumés.

FUNÉRARIUM n. m. est construit (v. 1970) sur *funérailles,* d'après *crématorium,* pour désigner l'établissement où les familles des défunts se réunissent avant les obsèques.

FUNESTE adj. est un emprunt (v. 1355) au latin *funestus* «funèbre», «mortel», «sinistre», dérivé de *funus* «funérailles» (→ funérailles).

♦ *Funeste,* littéraire, conserve les sens du latin : il s'est appliqué à une personne dans le deuil (v. 1355), valeur conservée à propos de choses. Repris au sens de «mortel» (1564), il se dit (1596) de ce qui évoque des idées de mort, inspire le désespoir. Par extension, le mot s'emploie aux sens de «qui porte avec soi le malheur» (1660, *une guerre funeste*), «qui annonce un malheur» (1666, *présages funestes*) ; par affaiblissement de sens (1611), l'adjectif équivaut à «mauvais, nuisible» *(influence funeste).*

▶ En dérivent **FUNESTEMENT** adv. (1613), mot rare, et **FUNESTER** v. tr. «répandre le malheur sur» (XVIe s., puis 1756), sorti d'usage.

FUNICULAIRE adj. et n. m. est dérivé savamment (1725) du latin *funiculus,* diminutif de *funis* «corde» (→ funambule).

♦ Cet adjectif didactique signifie «qui fonctionne aux moyens de cordes» (1811, *polygone funiculaire*). *Funiculaire* est employé couramment comme nom (1890) par abréviation de *chemin de fer* (1872), *tramway funiculaire.*

FUR n. m., réfection (XIVe s.) de *fuer* (v. 1130), *feur* (v. 1268 ; encore déb. XVIIe s.), est issu du latin classique *forum* «marché», «opération faite au marché» et en latin médiéval «prix du marché» (744) [→ for].

♦ D'abord dans la locution figurée ***à nul fur*** «à aucun prix», le mot se dit jusqu'au XVIIIe s. pour «taux» (v. 1155 ; aussi *al fuer de* «au prix de») ; l'expression *au fur* «à proportion» apparaît dans la seconde moitié du XIVe s. (*au fuer;* 1561, *au fur*), précédée par *au feur que* «à mesure que» (v. 1306). Le mot ne s'utilise aujourd'hui que dans la locution ***au fur et à mesure*** «en même temps et proportionnellement, ou successivement» (XVIIe s.) ; du XVIIe s. au XIXe s., on trouve aussi *à fur et à mesure, à fur et mesure.* Cette locution pléonastique, où *mesure* reprend le sens de *fur* devenu obscur, est entrée dans la langue générale vers le milieu du XIXe s., avec l'emploi prépositif *(au fur et à mesure de...).*

FURET n. m. représente l'aboutissement (XIIIe s.) d'un latin populaire °*furittus* «petit voleur», dérivé du latin classique *fur* «voleur», mot sans doute emprunté par l'intermédiaire de l'étrusque. L'ancien français avait aussi *fuiron* (v. 1178), d'un latin populaire °*furionem,* accusatif de °*furio,* forme élargie du bas latin *furo* «furet» (dérivé de *fur*), qui a donné l'ancien provençal *furon,* l'espagnol *huron.*

♦ Comme *furo, furet* désigne un mammifère carnassier, utilisé pour la chasse au lapin, qu'il poursuit ou fait sortir de son terrier. Par figure (et dé-

FURET : il court… et il « vole »

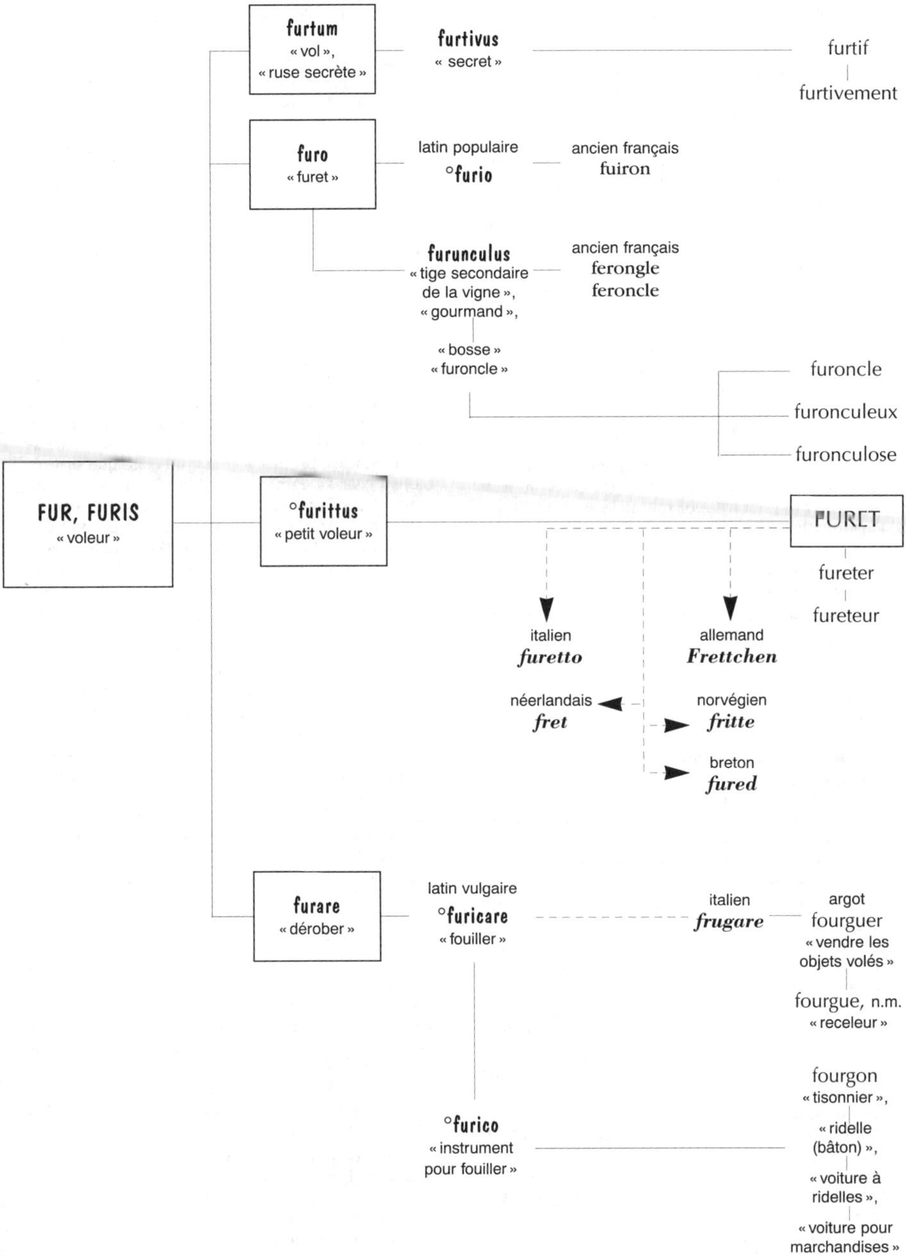

tournement du sens étymologique) il se dit d'une personne qui cherche partout pour découvrir qqch. (1636) et d'une personne curieuse; cette valeur semble procéder du figuré de *fureter*. ➔ Par analogie avec le comportement du furet, le mot désigne aussi (1832) un jeu dans lequel les joueurs assis en rond se passent rapidement un objet (nommé par métonymie le *furet*), tandis qu'un autre joueur placé au milieu du cercle doit deviner qui le détient. Ce sens, comme le genre de jeux de société qu'il illustre, a vécu au XIXe s. et au début du XXe siècle.

▶ **FURETER** v. intr., d'abord «chasser le furet» (XIVe s.), a pris au XVIe s. (1547) la valeur figurée de «chercher avec curiosité» (comme *fouiner*, de *fouine*). ➔ **FURETEUR, EUSE** n. et adj., autre dérivé de *furet*, a été précédé par la forme *fuireteor* (1285) «officier de vénerie qui a soin des furets»; il est sorti d'usage au sens de «celui qui chasse avec un furet» (1514, n. m.). Il se dit pour «curieux», dérivé alors de *fureter*, comme nom (1611) et est aussi adjectif (1806); cf. *fouineur*. ➔ **FURETAGE** n. m., dérivé de *fureter*, s'emploie comme terme de chasse (1838; 1811, terme technique des Eaux et Forêts) et rarement au figuré (1865).

◈ voir FURAX (art. FURIE), FURONCLE, FURTIF.

FUREUR n. f. est emprunté (après 950, *furor*) au latin *furor* «folie, égarement»; selon Cicéron, c'est un accès qui peut frapper même le sage, alors que l'*insania* (la démence) ne peut l'atteindre. *Furor* est le déverbal de *furere* «être fou», «être furieux». L'origine de ce verbe est peu claire; on le rapproche du grec *thorein* «s'élancer» et de l'avestique.

♦ *Fureur*, dans ses différents emplois, conserve l'idée d'«écart de la raison», qu'il partage avec *folie**, et souvent celle de «violence». Il signifie d'abord «colère folle, sans mesure», au pluriel (1651) «mouvement de colère extrême». Le sens étymologique, d'emploi littéraire, de «folie conduisant à la violence» est repris en 1596. Par analogie («écart de la raison»), *fureur* se dit (1542) du délire poétique de l'inspiration. ➔ Outre colère et folie, le mot évoque dès le XIIIe s. (v. 1265 au pluriel; av. 1559 au singulier) la passion. Le sens s'affaiblit au XVIIe s., comme pour *furieux* et *furieusement*, dans *avec fureur* ou *fureur de* (1689; cf. *la fureur du jeu*) et plus encore dans la locution verbale (1835) ***faire fureur*** «exciter l'intérêt». En parlant des éléments (1640), seule l'idée de violence est retenue (*la fureur de la tempête* «l'extrême violence»); dans cette acception, le mot est sorti d'usage en parlant d'actions, de sentiments.

▶ **FURIBOND, ONDE** adj. est un emprunt (v. 1250, *furibonde* au masculin, puis v. 1355) au latin *furibundus* «délirant, égaré», dérivé de *furere*. Il s'applique à qui ressent une grande fureur (au sens de «colère») et par extension signifie (1704) «d'une furieuse violence».

Par substitution de terminaison a été formé **FURIBARD, ARDE** adj. (fin XIXe s.). ➔ Les dérivés formés au XIXe s., **FURIBONDERIE** n. f. (1833, Balzac) et **FURIBONDEMENT** adv. (1871, Goncourt), n'ont pas vécu.

◈ voir FURIE et dérivés.

FURIE n. f. est un emprunt (XIVe s.) au latin *furia* qui avait abouti en ancien français à *fuire* n. f. (XIIe s.). *Furia*, surtout au pluriel pour «délire, égarement furieux», désigne dans la mythologie chacune des trois divinités des Enfers (Alecto, Mégère, Tisiphone), d'où l'emploi au singulier pour parler d'une femme; le mot dérive de *furere* (→ fureur).

♦ *Furie* s'emploie d'abord comme terme de mythologie et par extension s'applique (1549) à une femme que la méchanceté emporte jusqu'à la fureur (cf. *mégère*). ◇ *Furie* double *fureur* (sauf pour le sens de «folie») et se dit (XVe s.) d'une colère violente *(en furie)*; le mot a aussi le sens d'«emportement manifesté avec éclat» (1635) et, à l'époque classique (1667), de «passion violente». Par extension, il s'emploie (1668) en parlant des choses (la mer, l'orage), au sens d'«agitation violente».

▶ **FURIEUX, EUSE** adj. (v. 1290), emprunt au latin *furiosus* «en délire», dérivé de *furia*, s'emploie au sens général de «en fureur, plein de fureur»; son évolution sémantique est parallèle à celle de *furie*. ◇ Le mot a signifié «en proie à la folie» (1437) mais n'est plus utilisé en psychiatrie : *un fou furieux* (1853) ne se dit plus qu'au figuré. L'idée d'«écart» est présente dans le sens (av. 1559) d'«excité par une passion intense» et dans l'usage pour «excessif, extraordinaire», propre à la langue classique et précieuse (XVIIe s.). *Furieux*, par un affaiblissement de sens (XVIe s.) observé aussi pour *fureur**, signifie «plein de fureur, très violent» (1669, en parlant des éléments). ➔ Le dérivé **FURIEUSEMENT** adv. (v. 1360), comme *furieux*, a été fort à la mode au sens d'«extraordinairement» (fin XVIe s.), notamment chez les précieux du XVIIe s. (Molière s'en est moqué).

FURIOSO adj. et adv. est emprunté (1836) à l'italien *furioso* «furieux, fou» (cf. *Orlando furioso* «Roland furieux», de l'Arioste); c'est un terme de musique qui signifie «qui a un caractère violent», «avec violence». ➔ **FURIA** n. f. est aussi emprunté (1867, Verlaine) à l'italien (utilisé dans des expressions comme *furia francese*), du latin *furia*; il se dit d'un emportement enthousiaste.

FURAX adj. inv. (v. 1944) est formé sur *furieux* et est un équivalent familier de *furieux*. La forme du mot, peut-être sur une suffixation en *-asse*, évoque plaisamment le latin (mais *furax* est un dérivé de *furari* «voler» et signifie «voleur»).

FURONCLE n. m. est une réfection d'après le latin (1538) de *ferongle* (1372), *feroncle* (v. 1376), issus du latin impérial *furunculus*. Ce dernier, au sens d'«infection de la peau» qu'a gardé le mot français, vient par analogie de forme du sens «bosse de la vigne à l'endroit du bouton». Il signifie proprement «petit voleur», parce que la sève de la plante est «dérobée» (on a le même genre de métaphore avec *gourmand* n. m.); c'est probablement un diminutif de *furo*, dérivé de *fur* «voleur» (→ furet).

♦ Le mot continue à s'employer, tant en médecine que dans l'usage courant; la notion s'est précisée avec les connaissances, désignant une infection du follicule pilo-sébacé, causée par un staphylocoque (Pasteur, Émile Roux).

▸ **FURONCULEUX, EUSE** adj. (1834) et **FURONCULOSE** n. f. (1864) ont été formés à partir du radical de *furunculus*.

FURTIF, IVE adj. est un emprunt (1370) au latin classique *furtivus* «secret» et en latin impérial «dérobé», de *furtum* «vol», dérivé de *fur* «voleur» (→ furet).

♦ L'adjectif signifie d'abord (1370) «propre au voleur», sens sorti d'usage, puis par extension (1545) «que l'on cache» — comme un voleur ferait d'un larcin; Furetière (1690) relève que l'adjectif ne s'utilise en ce sens que dans *amours furtives*. ◇ Par affaiblissement de sens (1549), *furtif* a pris sa valeur moderne, «qui se fait à la dérobée» et «qui cherche à passer inaperçu»; il est littéraire pour qualifier une chose qui passe presque inaperçue (1775).

▸ **FURTIVEMENT** adv. (v. 1350, au sens ancien de *furtif*) a évolué comme l'adjectif.

FUSAIN n. m. est issu (v. 1180) d'un latin populaire °*fusago*, à l'accusatif °*fusaginem*, dérivé du latin classique *fusus* (→ fuseau, fusée), le bois de fusain étant utilisé dans l'antiquité pour faire des fuseaux.

♦ *Fusain* désigne un arbre originaire du Japon, le bois de cet arbre et spécialement (1704) le charbon fait avec le bois, dont on se sert pour dessiner. Par métonymie, on nomme *fusain* (1853) le dessin exécuté avec un fusain.

▸ **FUSINER** v. tr. (1867) «dessiner au fusain» est dérivé de *fusin*, variante de *fusain*. ◆ On dit **FUSINISTE** n. (1867) ou **FUSAINISTE** n. (1877) pour désigner l'artiste.

FUSEAU n. m. est une réfection (XVe s.) de *fuiseau* (v. 1268), *fusel* (XIIe s.), diminutif de l'ancien français *fus*, issu du latin *fusus* «fuseau», employé surtout au pluriel, et d'origine inconnue.

♦ Le mot désigne (XIIe s., *fusel*) un instrument en bois, renflé au milieu et terminé en pointe aux deux extrémités, utilisé pour filer, puis reprend au latin *le fuseau des Parques* (mil. XVIe s.). ◇ Par extension (fin XVe s.) il se dit de la forme de cet instrument *(en fuseau;* d'où aussi *pantalon-fuseau* ou [1941] *un fuseau)*. Par analogie de forme le mot désigne des objets, des formations naturelles (1566, «piquant de porc-épic»), des organismes (1736, «genre de mollusques»); il est aussi employé en géométrie (1757, *fuseau sphérique*) et plus récemment en géographie, dans *fuseau horaire* (1894), syntagme devenu usuel avec les voyages en avion.

▸ **FUSELÉ, ÉE** adj. est dérivé de *fusel, fuisel* (v. 1393, *fuiselé*) et signifie «en forme de fuseau»; en dérivent **FUSELER** v. tr. (1838) et **FUSELAGE** n. m. (1908), terme d'aviation qui désigne la partie fuselée du corps de l'avion et ne semble pas avoir eu la valeur de substantif d'action.

◈ voir **FUSAIN, FUSÉE**.

FUSÉE n. f. est dérivé (1230) de l'ancien français *fus*, aboutissement du latin *fusus* «fuseau*».

♦ Le premier sens du mot, «quantité de fil enroulé sur un fuseau», d'où par métonymie «fuseau» (fin XIIIe s.), est sorti d'usage; par analogie de forme, *fusée* a pris diverses acceptions techniques (1680, en horlogerie; 1845, en mécanique, etc.) pour lesquelles *fuseau* aurait convenu. ◆ Par analogie de forme, *fusée* a pris le sens général de «projectile propulsé par réaction»; pour P. Guiraud, il y aurait alors eu croisement entre *fuseau* et *fuser* «fondre, se répandre» (→ fuser), la valeur de «se répandre» se retrouvant dans le sens populaire de *fusée* «vomissure» (1640) où il est dérivé du verbe. ◇ *Fusée* désigne donc (v. 1400) une pièce de feu d'artifice; par analogie avec le trajet de la fusée et par influence de *fuser, fusée* signifie «jet de liquide qui gicle»; par figure, le mot s'est dit (1760) d'une manifestation rapide et éclatante *(une fusée de rires)*. Une *fusée* est également (1736) une composition fusante servant à mettre le feu à un explosif. ◇ Dans son sens de «projectile», *fusée* a occupé trois champs désignatifs successifs, la pyrotechnie (du début du XVe s. à nos jours), la technique militaire, et enfin (1933) celui, militaire et civil, de la propulsion spatiale. Ce dernier sens tend à dominer les autres emplois (d'où *lanceur de fusées, fusée à étages*, etc.). Les emplois métaphoriques ***(partir comme une fusée)***, issus d'autres valeurs, sont aujourd'hui rapportés à ce contexte.

▸ **FUSETTE** n. f., dérivé (1936) de *fusée* «fuseau», désigne un petit tube sur lequel est enroulé du fil; c'est un mot technique assez rare.
Le composé **FUSÉONAUTIQUE** n. f. est formé (v. 1960) d'après *astronautique*. ◆ **RÉTROFUSÉE** n. f., de *rétro-*, désigne une fusée servant au freinage ou au recul (v. 1960).

◈ voir **FUSER** (pour le second sens) et aussi **LANCER (LANCE-FUSÉES)**.

FUSER v. intr. est dérivé savamment (1544, tr.) du latin *fusus*, participe passé du latin *fundere* «fondre, couler» (→ fondre).

♦ *Fuser*, terme technique, a signifié «faire fondre» (1544, tr.), «se déliter» (1562), au figuré «se répandre» en parlant de personnes (v. 1743); il est employé en chimie (1757) et pour «se répandre en fondant» (1802), puis par métaphore (1866) pour «se répandre peu à peu». ◆ Sous l'influence de *fusée**, le verbe a pris (1868) le sens de «partir comme une fusée», au figuré «retentir de façon soudaine» (1877). Il a eu par ailleurs, toujours d'après *fusée*, le sens populaire de «vomir» (1901).

▸ **FUSANT, ANTE** adj. (1845), participe présent de *fuser* «qui fuse», s'emploie comme terme technique et au figuré. ◆ **FUSEMENT** n. m. (1845) «action de fuser» est un terme de chimie.
FUSIBLE adj. et n. m. est dérivé savamment (v. 1265) de *fusum*. Le latin médiéval connaissait *fusibilis* «qui peut fondre», altération du latin classique *fusilis* (qui avait abouti à *fusile*), dérivé de *fusum*. ◇ L'adjectif *fusible* s'applique à ce qui peut fondre. Le nom désigne (1897) un petit fil d'un alliage fondant facilement, pour interrompre un circuit électrique en cas de surtension (familier : les *plombs*). ◇ *Fusible* s'emploie au figuré en politique (1990) pour «élément, personne dont l'élimination peut protéger un système (on peut le faire sauter)». ◆ Ont été construits à partir de *fusible*, **FUSIBILITÉ**

n. f. (1641), **INFUSIBLE** adj. (1760) «qui ne peut être fondu», d'où **INFUSIBILITÉ** n. f. (1769), et **SURFUSIBLE** adj. (1872).

FUSIL n. m. est issu (v. 1244) par les formes *foisil, fuisil* (av. 1105), *focil* (v. 1174) d'un latin populaire °*focilis* «qui produit du feu» dans °*focilis petra* «pierre à feu», dérivé du latin classique *focus* «feu» (→ feu).

♦ *Fusil* désigne d'abord une pièce d'acier avec laquelle on bat un silex pour faire jaillir des étincelles (sens demeuré dans ***pierre à fusil***). Par analogie, le mot s'emploie aussi (XIIIe s.) pour la baguette d'acier avec laquelle on aiguise les couteaux *(fusil de boucher)*. Dans les anciennes armes à feu, mousquet, etc., le *fusil* était (v. 1630) une pièce d'acier contre laquelle venait frapper un silex. ◇ Par métonymie (v. 1670), *fusil* a désigné l'arme à feu qui comportait à l'origine cette pièce. Cet emploi, appliqué aux armes à feu les plus modernes, a concurrencé et parfois éliminé les autres termes désignant l'arme à feu individuelle à canon long. Par métonymie, *fusil* s'emploie pour «tireur au fusil» (1888). En emploi figuré ***changer son fusil d'épaule,*** c'est «changer de projet, d'opinion, etc.» (1894); ***un coup de fusil*** désigne par métaphore (1887) une addition très élevée (dans un restaurant, etc.).

▸ Le dérivé **FUSILIER** n. m. a désigné celui qui enflamme comme une pierre à fusil (1589) puis a pris la valeur moderne de «soldat armé d'un fusil» (1649, *fusilier à cheval;* 1671, *fusilier du roi*); le mot se dit aujourd'hui d'une spécialité dans la marine militaire (*fusilier-marin,* 1888).
FUSILLER v. tr. (1732) signifie «tuer par une décharge de coups de fusils» dans le contexte spécial de l'exécution par les armes à feu (alors que le populaire *flinguer,* de *flingue* «arme à feu», est de sens plus général); l'extension «tuer (ou tirer sur) qqn avec une arme à feu» (déb. XXe s.) est restée rare. Par métaphore, *fusiller* s'emploie (1911) au sens de «détériorer, détruire» *(fusiller un moteur)* et de «dépenser» (1878). ◆ Du verbe dérivent **FUSILLEUR** n. m. (1797) «celui qui fusille» d'où par extension «celui qui donne l'ordre de fusiller» (XIXe s.). ◆ Un autre dérivé, **FUSILLADE** n. f. (1771) «décharge de coups de fusils», signifie par extension «combat à coups de fusils», dans le contexte du combat et non plus de l'exécution.
Le composé **FUSIL-MITRAILLEUR** n. m. (1919; de *mitrailleur*) désigne une arme militaire collective automatique, dans l'infanterie (à côté de *pistolet-mitrailleur,* individuel); il est couramment abrégé en **F. M.** (n. m.).

FUSION n. f. représente un emprunt (1578; 1547, en attestation isolée au sens latin) au latin classique *fusio* «action de répandre» (qui a abouti à *foison**) et en bas latin «fonte des métaux», dérivé du supin *fusum* de *fundere* (→ fondre).

♦ *Fusion,* substantif verbal de *fondre,* se dit du passage d'un corps solide à l'état liquide sous l'action de la chaleur et, par métonymie, de l'état d'un corps liquéfié. Par analogie, le mot s'emploie (1690) pour désigner la dissolution d'un corps dans un liquide et, par extension, il signifie «combinaison de deux corps» — d'où son emploi récent en physique (*fusion [thermo]nucléaire,* 1954). Par métaphore, *fusion* désigne (1801) l'union résultant de la combinaison ou de l'interpénétration de choses ou d'êtres, avec des valeurs spéciales en économie (1865, *fusion de sociétés*) et en linguistique (1943).

▸ **FUSIONNER** v. (1802) ne s'utilise qu'au sens figuré, «unir (plusieurs éléments) par fusion» et intransitivement (1860) «s'unir par fusion». ◆ En dérive **FUSIONNEMENT** n. m. (1861).
Le composé **SURFUSION** n. f. (1856) désigne l'état d'une substance qui demeure à l'état liquide au-dessous de son point de solidification.

FUSTANELLE → FUTAINE

FUSTIGER v. tr. représente un emprunt (v. 1400), rare avant le XVIIIe s., au bas latin *fustigare* «frapper à coups de bâton», dérivé du classique *fustis* «bâton» (→ fût).

♦ En ce sens, et par extension «corriger à coups de verges», *fustiger* est sorti d'usage. Il ne s'emploie plus qu'au figuré pour «critiquer violemment» (av. 1842), et il est alors littéraire.

▸ **FUSTIGATION** n. f. «action de fustiger» (1411) et **FUSTIGATEUR, TRICE** n. (1785), dérivés à partir du supin du verbe latin, sont des mots littéraires et rares.

✳ **FÛT** n. m. est issu (1080, *fust*) du latin classique *fustis* «bois coupé», «bâton, pieu», en bas latin «tige, tronc»; *fustis* a fourni l'italien *fusto* «tige, tronc», l'ancien provençal *fust* «bâton, tonneau, bateau». La graphie *fût* n'apparaît qu'au XVIIe siècle.

♦ Le mot désigne (1080) la partie d'un arbre entre le sol et les premiers rameaux et par extension (1176) le tronc d'un arbre, d'où *arbre de haut fût.* Par analogie de forme, *fût* est employé en architecture (1680) au sens de «tige d'une colonne, entre la base et le chapiteau» et en vénerie (1757) comme nom de la branche principale du bois d'un cerf. Par ailleurs, le mot désigne (1080) un objet en bois, un bâton, et le bois sur lequel était montée une arme de trait puis une arme à feu (1690, *le fût d'un fusil*), un outil, un instrument (1680), etc. ◇ Spécialement *fût* désigne un tonneau (1260), et en particulier aujourd'hui un tonneau en tôle d'acier destiné aux produits pétroliers.

▸ **FUTAIE** n. f. (XVIe s.), réfection de *fustoie, fustaye* (déb. XIIIe s.), se dit d'un groupe d'arbres de haut fût et, par extension, d'une forêt d'arbres élevés (XVIe s., *haute futaie*); le mot désigne spécialement (1865) des arbres issus de semences et destinés à atteindre un plein développement avant d'être exploités. ◆ **FUTAILLE** n. f., d'abord *fustaille* «morceaux, objets de bois» (fin XIIe s.) et aussi «vaisselle en bois» (XIVe s.), sens disparus, désigne (XVe s.) d'après un sens spécialisé de *fût* (ci-dessus) un récipient en forme de tonneau et s'emploie comme nom collectif (1857). ◆ Les composés **ENFUTAIL-**

LER v. tr. (1722), de *futaille,* et **ENFÛTER** v. tr. (v. 1285), de *fût,* signifient «mettre en fût» (d'où **ENFÛTAGE** n. m., 1870).
AFFÛTER v. est construit à partir de *fût* «pièce de bois». *S'afuster* (fin XIIe s.) a signifié «s'appuyer, se mettre en position»; il n'est plus utilisé au sens de «se poster derrière un arbre» et est vieilli pour «chasser à l'affût» (XVIe s.; v. 1354, *s'afuster*). *Affûter* reste un terme technique au sens d'ailleurs ancien (1411) de «mettre en batterie». ◇ Le verbe a eu le sens de «mettre en état de servir» (XIIe s.) et d'«ajuster un outil» (1564), d'où est venu par extension (1680) celui d'«aiguiser un outil tranchant», seul sens très vivant en français contemporain, comme dans *affûtage, affûteur, affûtoir.* Au figuré, en sports (1906), il signifie «préparer soigneusement (un cheval) pour une course». ◆ Le déverbal **AFFÛT** n. m. désigne (1448, *affeul*) le support de divers appareils et spécialement (1458) le bâti d'un canon. Il est resté courant dans le vocabulaire de la chasse (1638) aux sens de «poste pour attendre le gibier» et par métonymie «moment où l'on guette le gibier». La locution ***à l'affût*** «en train de guetter sa proie» (1671) s'emploie au figuré. ◆ **AFFÛTAGE** n. m. (1421, *afistaige* «mise en batterie») «action de disposer» dans des emplois techniques, a désigné par métonymie (1680) l'assortiment des outils nécessaires à une technique. Aujourd'hui *affûtage* signifie (1752) «action d'affûter, d'aiguiser». ◆ **AFFÛTEUR, EUSE** n. (fin XVe s., «celui qui pointe un canon») est sorti d'usage au sens (1700) de «chasseur à l'affût» et s'emploie dans le domaine technique (1897) pour désigner la personne qui affûte les outils (aussi **AFFÛTEUSE** n. f., v. 1920, nom de machine). ◇ **AFFÛTEUR** n. m. «lime pour redresser les scies» a remplacé **AFFÛTOIR** n. m. (1890).
AFFÛTIAUX n. m. pl. (1680), de *affûter* «disposer», mais démotivé, ne s'utilise que régionalement pour «objets, outils». Il se dit familièrement par extension pour «petits objets de parure».
◈ voir **FUSTIGER.**

FUTAINE n. f. est une francisation (XIIe s., *fustaine;* 1234, *fustane*) du latin médiéval *fusteanum* (1103-1113), littéralement «tissu d'arbre». Le terme, dérivé du latin classique *fustis* «bois d'arbre», représente sans doute un calque du grec *xylina* «(tissu) venant de l'arbre» (de *xulon* «bois»), c'est-à-dire «tissu de coton».

♦ *Futaine* désignait un tissu croisé (chaîne en fil et trame en coton).

▸ **FUSTANELLE** n. f. (1844; 1834, *foustanelle*), tiré du latin médiéval *fustana,* est le nom d'un court jupon masculin, faisant partie du costume national grec.

FUTÉ, ÉE adj. représente (1645) le participe passé de l'ancien verbe *se fuster* «échapper au chasseur, éviter les filets» (av. 1621), d'origine incertaine. Il pourrait venir de *fuster* «battre» (v. 1174), «tromper» (XIIIe s.), dérivé de *fust* (→ fût), ou reprendre un latin tardif °*fustare* «bâtonner», doublet du bas latin *fustigare* (→ fustiger). On y a vu aussi un dérivé d'une forme dialectale (Ouest) de *fuite**. L'évolution sémantique se serait faite à partir du vocabulaire rural.

♦ *Futé* s'applique à une personne pleine de finesse, comme quelqu'un qui, à force d'expérience, a appris à esquiver les coups, à éviter les pièges. Il équivaut à *malin, rusé* en français moderne, où il est devenu familier, notamment au négatif *(il n'est pas très futé),* aussi abrégé et redoublé en *fut-fut.*

FUTILE adj. a été emprunté (XVe s.) au latin *futilis* «qui laisse échapper ce qu'il contient» (en parlant d'un vase), d'où au figuré «dépourvu de fond, de sérieux»; *futilis* se rattache à une racine indoeuropéenne °*gheu-* «faire couler» (cf. *fondre*).

♦ C'est le sens figuré du latin qui a été retenu en français moderne (XVe s.), le mot s'appliquant par extension à une personne qui s'occupe de choses sans importance (1757). *Futile* s'était aussi employé au sens propre du latin (1488), rapidement sorti d'usage. Il se dit au sens moderne de choses (actions, propos) superficielles et vaines.

▸ En dérive **FUTILEMENT** adv. (1769).
FUTILITÉ n. f. (XVIe s., *futileté*), emprunt au dérivé latin *futilitas* «caractère de ce qui est futile», signifie «chose futile» et (1690) «caractère de ce qui est futile».

FUTON n. m., emprunt au japonais, est attesté en 1917 dans un texte d'Alexandra David-Neel.

♦ D'abord terme de voyageur, le mot, qui désigne un matelas mince, souple et pliable, s'est diffusé en français après 1980, quand les futons furent commercialisés en Occident sous ce nom.

FUTUR, URE adj. et n. m. représente un emprunt (1219) au latin *futurus* adj. «à venir» et n. «avenir», participe futur de *esse* «être*», et qui repose, comme le parfait *fui* «je fus», sur une racine indoeuropéenne °*bhewē, bhū-* «croître».

♦ *Futur* a le sens de «qui sera, arrivera» (1219); dans la langue religieuse, *la vie future* (XVIIIe s.) se dit de celle qui doit succéder à la vie terrestre. Spécialement, l'adjectif s'emploie (1651) pour «qui sera tel» *(sa future épouse,* d'où substantivement *son futur, sa future).* ◆ Dès le XIIIe s. (1275-1280), l'adjectif est substantivé *(le futur)* pour «l'avenir». La répartition des emplois entre *avenir* et *futur* a été modifiée à partir des années 1960 au bénéfice du second, sous l'influence de l'anglais *future,* lui-même objet d'un emprunt dans l'expression *no future* «pas d'avenir». Cette mode a inspiré des composés, tel *Futuroscope,* nom d'un parc d'attractions. ◇ Le terme de grammaire *futur* n. m. (XIVe s.) désigne le système des formes verbales qui situe l'énoncé dans un moment après l'instant présent.

▸ **FUTURISTE** adj. (1892, adj.; 1896, dans *littérature futuriste*) est un emprunt à l'anglais *futurist* «tourné vers l'avenir» (1848), puis à l'italien *futurista* (1909) au sens de «partisan du futurisme»; le mot s'applique aussi couramment (mil. XXe s.) à ce qui évoque les étapes futures de l'évolution de l'humanité; il est alors tiré du français *futur.* ◆ **FUTU-**

RISME n. m. représente (1909) une adaptation de l'italien *futurismo* de *futuro* «futur» (du latin *futurus*); le mot a été créé pour désigner la doctrine esthétique formulée par le poète Marinetti, exaltant tout ce qui dans le présent préfigure le monde futur.
FUTURIBLE n. et adj. (1966), formé anormalement sur le modèle de *possible,* signifie «qui s'adonne à des recherches prospectives sur le futur». Il a eu son heure de succès.
FUTUROLOGIE n. f. (v. 1968), composé avec *-(o)logie,* désigne l'ensemble des recherches prospectives concernant l'évolution future de l'humanité; en dérivent **FUTUROLOGIQUE** adj. (v. 1968) et **FUTUROLOGUE** n. (1968).

G

GABARDINE n. f. représenterait un emprunt (1925) à l'anglais *gabardine* (1904) ou à l'espagnol *gabardina* (dès 1423, «espèce de justaucorps»), ce dernier étant probablement issu d'un croisement de *gaban* «paletot» (→ caban) avec *tavardina, tabardina,* diminutif de *tabardo* «manteau» lui-même repris à l'ancien français *tabart,* d'origine incertaine. Le mot existait en moyen français sous les formes *gaverdine* (1482), *gavardine* (1491) «manteau, cape», emprunté à l'espagnol ou peut-être au moyen haut allemand *Wallevart* «pèlerinage». Quant à l'anglais, relevé dès 1520 *(gawbardine, gaberdine)* au sens de «manteau», il reprend le moyen français. Cependant P. Guiraud rappelle l'existence de *galbe* «devant d'un pourpoint, pourpoint» (1611), de *galbe* ou *garbe* «qui moule le corps» (→ galbe) et suppose une dérivation.

♦ *Gabardine* désigne un tissu d'armure façonnée et, par métonymie (1932), un manteau de pluie en gabardine.

GABARIT n. m. est un emprunt (1643, *gabari*), d'abord comme terme de marine, au provençal *gabarrit* «modèle d'un bateau à construire», altération par croisement avec *gabarra* (→ gabarre), de *garbi* «grâce, gentillesse», d'où «belle forme» puis «modèle». *Garbi* est issu d'un gotique °*garwi* «préparation» (cf. moyen néerlandais *gerwen* «mettre en ordre», ancien haut allemand *garawi* «préparation» et allemand *gerben* «préparer [le cuir]»), dérivé de °*garwon* «arranger». Mais pour P. Guiraud, *gabarit* est de la famille de *galbe, garbe,* et composé de *garbit* participe passé, variante de *garbé,* et d'*arrier* «disposer» (d'où une composition possible en *garb + arri :* «ensemble de barres galbées»).

♦ *Gabarit* conserve le sens du mot provençal; par analogie il désigne, dans divers corps de métier, un modèle pour construire et, par extension (1877), pour vérifier des dimensions, des formes. Par métonymie, *gabarit* a pris (1872) le sens de «forme et dimension déterminée d'avance», d'où par extension celui de «forme type». ◇ À propos d'une personne, *gabarit* équivaut à «taille, stature» (1909; par métonymie *un petit, un grand gabarit*).

▸ ① **GABARIER** v. tr. (1764; 1680, *gabariser*) et son dérivé **GABARIAGE** n. m. (1845; 1829, en marine) sont des termes techniques.

GABARE ou **GABARRE** n. f. est un emprunt (1338) à l'ancien provençal *gabarra* «bateau plat à voiles et à rames» (sous la même forme en catalan, en espagnol et en portugais) qui serait emprunté au grec *karabos* «bateau de charge», mot bien attesté dans la marine byzantine et qui a pu donner par altération une forme °*gabaros.* C'est un sens métaphorique, apparu assez tardivement, pour le grec classique *karabos* «langouste». Le mot ayant été d'abord répandu dans la région de la Garonne, *gabarra* pourrait aussi être un emprunt au basque *kabarra,* issu par métathèse du latin *carabus* «barque recouverte de peaux» (→ caravelle), qui reprend le grec. P. Guiraud voit dans *gabarre* une forme substantivée du latin *gabbarus* «grossier», la gabarre étant une embarcation plate servant au transport des marchandises (donc une nef grossière).

▸ ② **GABAR(R)IER** n. m. (1478) «patron ou matelot sur une gabarre» n'est plus en usage.

GABEGIE n. f. serait un dérivé (v. 1790) du radical de *gaber* (→ gaber), mais l'élément *-egie* reste obscur. Pour Bloch et Wartburg, une influence de *tabagie* est possible; pour P. Guiraud, on peut rapprocher *gabegie* de *fromegie* (ancêtre de l'argotique *fromgi* «fromage»), les deux mots étant dans la même aire (le Nord-Est), où *-ie* représente *-iée;* l'hypothèse suppose un °*gabage* sur lequel aurait été formé *gabagiée* «ensemble de tromperies».

♦ Au sens de «tromperie, fraude» (*gabgie,* 1807; mais certainement antérieur), *gabegie* est sorti d'usage. Le mot désigne aujourd'hui un désordre issu d'une mauvaise administration, valeur introduite vers 1790 et qui se rattache à des sens dialectaux (cf. normand *gabiller* «gaspiller, gâter»).

GABELLE n. f. représente un emprunt (1267, *gabele*) à l'italien *gabella* qui désignait des impôts sur toutes sortes de denrées (déb. XIVe s.; cf. le latin médiéval de Sicile *gabella*, 1129), probablement emprunté par l'Andalousie à l'arabe *qabāla*, désignant un impôt.

♦ *Gabelle* a désigné une taxe sur des produits divers (drap, vin, sel, etc.), sens archaïque dès le XVIIe s.; le mot s'est spécialisé (1342) au sens d'«impôt indirect sur la vente du sel», monopole d'État; par métonymie, la *gabelle* a désigné le grenier où l'on entreposait le sel (1331) et l'administration chargée de recevoir l'impôt (1651).

▸ **GABELOU** n. m. (1585), forme dialectale (Ouest) de *gabeleur* (1548), désignait un commis de la gabelle. Par extension, il a désigné un employé de l'octroi et, aujourd'hui péjorativement, un employé de la Douane (1807).

GABER v. tr. représenterait (1080) l'ancien scandinave *gabba* «railler», proprement «ouvrir grand la bouche», de même que l'ancien substantif *gab* reprenait *gabba* «raillerie» (cf. italien *gabbare*, portugais *gabar* «vanter»). P. Guiraud y voit plutôt, le mot étant panroman, une formation onomatopéique à partir de la base méditerranéenne indoeuropéenne °*gaba* «gorge» (cf. la base *gobb-* «enflé, gonflé» qu'on retrouve dans *gober*).

♦ *Gaber* «plaisanter, railler», vivant en ancien français, archaïque à partir du XVe s. et sorti d'usage au XVIIe s., avait été repris au XIXe s. par plusieurs écrivains.

▸ Le dérivé **GABEUR** n. m. («moqueur», v. 1160) a été repris lui aussi au XIXe s. comme terme du moyen âge.

voir **GABEGIE**.

GABIER n. m. est un dérivé (1678) de l'ancien *gabie* n. f. «hune» (1480), emprunt au provençal *gabia* «cage» (1re moitié XIVe s.) et par extension terme de marine, issu du latin *cavea* «cage».

♦ *Gabier* désigne dans la marine à voile le matelot chargé de l'entretien et de la manœuvre du gréement.

GABION n. m. est emprunté (1525, Bloch et Wartburg; puis 1543) à l'italien *gabbione*, terme de fortification depuis le début du XVIe s., augmentatif de *gabbia* «cage», du latin *cavea* (→ cage).

♦ *Gabion* désigne un cylindre clayonné, qu'on remplit de terre pour servir de protection; en termes de chasse (fin XIXe s.), c'est un abri pour les chasseurs de gibier d'eau.

▸ Sur le dérivé **GABIONNER** v. tr. (1540) sont construits **GABIONNAGE** n. m. (1832) et **GABIONNEUR** n. m. (XIXe s.).

GABLE ou **GÂBLE** n. m. est issu (v. 1200) du bas latin *gabulum*, altération du latin classique *gabalus* «gibet, potence», d'origine celtique (cf. ancien irlandais *gabul*, breton *gavl* «fourche»).

♦ Terme d'architecture, *gable* désigne un pignon décoratif aigu, notamment dans l'art gothique.

① **GÂCHE** n. f., réfection (1489, *gasche*) de *gaiche* (1294) et mot d'aire gallo-romane, représenterait le francique °*gaspia* «boucle, crochet», reconstitué d'après le moyen néerlandais *gespe*, *gesp* de même sens. P. Guiraud propose cependant de le rattacher au bas latin *vascus* «oblique».

♦ *Gâche*, autrefois «crampon», désigne (1489) une pièce de métal munie d'une ouverture dans laquelle peut s'engager le pêne d'une serrure.

▸ **GÂCHETTE** n. f., réfection (1676; 1611, *gaschettes* en médecine) de *glachette* (1478), se dit d'une tige métallique à encoches où pénètrent les saillies de la queue du pêne. ◇ Par analogie, le mot désigne (1762) dans une arme à feu la pièce qui immobilise le percuteur puis, par une extension critiquée (XIXe s.), la détente de l'arme (dans ***appuyer sur la gâchette***) et, par métonymie, le tireur lui-même (***une fine gâchette***).

② **GÂCHE** → **GÂCHER**

GÂCHER v. tr. est une réfection graphique (XVIIe s.) de *gascher* (XVe s.), *gaschier* (1260), issu du francique °*waskôn* «laver, détremper» restitué d'après l'ancien haut allemand *wascan* et le moyen néerlandais *wasschen* (cf. allemand *waschen*, anglais *to wash*). P. Guiraud suggère pour origine un gallo-roman °*vasicare* «touiller comme le raisin dans la cuve», dérivé de *vas* «vase» (→ ① vase; cf. italien *vasca* «cuve du pressoir»).

♦ *Gâcher* a signifié «remuer dans l'eau, laver sommairement» (d'abord, le poisson pour le dessaler), d'où vient (déb. XIVe s.) ***gâcher du mortier, du plâtre*** «le délayer». ◇ De ce sens, évoquant comme le premier un travail rapide et parfois sommaire, sont probablement issus les sens figurés «donner sa marchandise trop bon marché» (1741) puis «faire un travail sans soin» (1808; cf. *bousiller*) et, par figure, «manquer qqch. faute d'en tirer profit» (1872).

▸ ② **GÂCHE** n. f., d'abord (1376, *gaiche*) «rame» (avec laquelle on remue l'eau), se dit (1636) de l'outil avec lequel on gâche le plâtre. Les autres dérivés de *gâcher* s'utilisent au propre et au figuré. ◆ **GÂCHAGE** n. m. signifie «action de gâcher» (1807 au propre, 1890 au figuré). ◆ **GÂCHEUR** n. m. (1292, *gascheeur*) désigne un ouvrier qui gâche le plâtre, etc. et **GÂCHEUR, EUSE** n. une personne qui bâcle un travail (1808) ou gaspille (1846). ◆ **GÂCHIS** n. m. désigne d'abord (*gaschis*, 1564) de l'eau jetée par mégarde, puis (1611) une éclaboussure. Le sens technique «action de délayer de la chaux» ◇ vient du sens correspondant du verbe (1636) d'où (1660) le sens moderne «mortier de chaux». ◇ Le mot a pris les valeurs figurées du verbe (1775, «situation confuse»).

GADGET n. m. est un emprunt (1944, chez Sartre; répandu v. 1965) à l'anglais des États-Unis. Le mot anglais (v. 1850) est argotique et d'origine obscure; il est peut-être à rapprocher du français *gâchette* appliqué à des mécanismes, ou du dialectal *gagée* «petit outil, petit accessoire»; il a pris vers 1915 le sens de «bibelot, objet amusant sans utilité»; la famille du mot s'est développée sur l'idée d'«ingénieux mécanisme» et non sur celle d'«objet plaisant».

♦ En français, *gadget* signifie «objet ingénieux, amusant et nouveau» (souvent sans utilité) et, par extension, «idée ingénieuse mais dont le sérieux est contestable»; dans ces deux valeurs le mot s'emploie comme élément de composés (*appareil-gadget, culture-gadget,* etc.).

▸ *Gadget* a donné en français les dérivés **GADGÉTISER** v. tr. (1970) (d'où **GADGÉTISATION** n. f., 1968), **GADGETTERIE** n. f. (1979), familier.

GADIN n. m. est connu d'abord (1914) dans l'argot des aviateurs au sens de «chute» (d'une personne). D'origine obscure, ce mot vient peut-être de *gadin* «tête, vieux chapeau» (1867), d'où «coup sur la tête», directement ou par le sens dérivé de «jeu de bouchon» (1867), le jeu consistant à faire tomber un bouchon assimilé à une tête. Il y a peut-être eu influence du radical de *gadoue* (cf. ***faire gadin-gadouille*** «tomber de cheval», 1915); la forme lyonnaise *gadin* «caillou» ainsi que la variante *galin* (Est, Sud-Est) et l'ancien normanno-picard *gal* «caillou» (→ galet) suggèrent au départ le radical *cal* (→ caillou); cf. *caillou* «tête».

GADOUE n. f., mot apparu au XVIe s. (1561), est d'origine obscure; P. Guiraud le rapproche de son doublet *gadouille,* dérivé de *gade* «boue» (d'un gallo-roman °*vadita,* issu de *vadum* «gué» ou d'un francique °*wadu;* → gué); il suggère un croisement de *gadouille* avec *doue* «fossé» (→ douve) ou «canal pour l'écoulement des eaux» (du latin *dux, ducis;* → duc, dans *aqueduc*), le composé désignant la boue des fossés.

♦ *Gadoue* désigne un mélange de matières fécales et d'immondices autrefois employé comme engrais et, par extension (XXe s.), une terre détrempée. ◇ Par figure, *gadoue* s'est dit pour «femme malpropre», «prostituée» (1867) et, comme *merde, merdier,* désigne une situation désastreuse (XXe s.).

GAÉLIQUE adj. et n. m. attesté isolément au XVIIe s. sous la forme *gaidelach* (1614), repris au XIXe s. (1828), est emprunté à l'anglais *gaelic,* d'abord appliqué aux Celtes d'Écosse (1596, adj.) et désignant ensuite les dialectes celtiques d'Irlande et d'Écosse (1775, n.). *Gaelic* dérive de *Gaël,* nom des peuples celtiques, altération de l'ancien écossais *Gaid-heal.*

♦ Le français emprunte ces mêmes emplois (1828, adj.; 1865, n. m.). On a dit auparavant *galique* (1761), *gallique** (1804).

① **GAFFE** n. f. est un emprunt (1393; puis 1455) à l'ancien provençal *gaf* n. m. (provençal moderne *gafo* n. f.), dérivé de *gafar* (XIIIe s.). Selon Bloch et Wartburg, *gaffer* viendrait du provençal *gafar* (verbe identique en espagnol et en portugais) qui représenterait un gotique °*gaffôn* «saisir» par l'intermédiaire d'un latin médiéval *gaffare;* pour P. Guiraud, les sens en ancien provençal du verbe *gafar* «passer à gué» et «patauger» expliquent la double acception de *gaffe* «perche pour passer un gué» et «maladresse du piéton qui patauge dans la boue du gué».

♦ Une *gaffe* est une perche servant à manœuvrer une embarcation. ◇ Le sens de «maladresse» (1872) s'est développé en français ou vient du provençal *gaf.*

▸ Le dérivé **GAFFER** v. signifie «accrocher avec une gaffe» (tr., 1687) et, d'après le sens correspondant de *gaffe,* «commettre une maladresse» (intr., 1883). *Gaffer,* d'abord en argot (1829, *gafer*), signifie aussi «surveiller», «guetter» (1837) et «regarder attentivement» (1879, tr.; 1901, intr.); il s'agirait d'une métaphore sur «accrocher (du regard)». ◆ De ce sens vient le déverbal ② **GAFFE** n. f. dans ***faire gaffe*** «faire attention» (1926) et *un gaffe,* en argot «gardien, surveillant de prison» («qui gaffe»). On relève isolément *gaffre* «sergent» (1455) puis *rester en gaffre* «faire la sentinelle» (1798), et on a rapproché *gaffe, gaffer* de ce *gaffre* qui serait emprunté à l'allemand *Gaffer* «badaud», du moyen haut allemand *kapfen, gaffen* «regarder bouche bée», ou dérivé directement de *gaffen.*

GAFFEUR, EUSE n. (1886) désigne une personne maladroite qui fait des gaffes.

GAG n. m. est emprunté (1922) à l'anglais *gag,* mot ancien (1553), qui a au XIXe s. le sens d'«histoire drôle» (1[illegible]), puis de «partie d'un dialogue improvisée par un acteur» et en anglo-américain d'«objet de risée, de raillerie» (1840). Le sens cinématographique est né aux États-Unis vers 1920, où *gag* a la valeur générale de «remarque drôle».

♦ *Gag* désigne d'abord en français un effet comique visuel rapide (au cinéma, à la télévision) puis s'utilise dans d'autres domaines; il s'est répandu après 1945. Par analogie, il s'emploie pour une situation burlesque de la vie réelle (1939, Montherlant).

▸ Le français a aussi emprunté le composé **GAGMAN** n. m. (1922; de *man* «homme») «auteur de gags».

GAGA n. et adj. est une formation onomatopéique (1879) faite à l'imitation du bredouillement des personnes retombées en enfance; le rapprochement avec la première syllabe de *gâteux* s'impose, *gaga* en ayant le sens. Par extension, le mot équivaut à «imbécile» (1916, Barbusse).

✻ **GAGE** n. m. est issu (XIIe s.), par l'intermédiaire des formes *gwage* (v. 1130), *guage* (v. 1135, *mettre guage* «en jeu»), de l'ancien francique °*waddi,* restitué par le gotique *wadi* «gage» et l'ancien haut allemand *wetti* (cf. allemand *Wette* «gageure»); le mot est attesté en bas latin (*wadium,* 643). Du français viennent l'italien *gaggio,* l'espagnol et le portugais *gage.* P. Guiraud voit dans *gage* un déverbal de *gager,* croisement du germanique °*waddi* avec un latin populaire °*vadicare* ou °*vadiare,* d'après le latin classique *vas* «caution», *vador* «assigner en justice (en faisant donner une caution)». Les deux origines ont pu se croiser.

♦ *Gage,* couramment et en droit, a le sens de «dépôt fait à titre de garantie» *(mettre qqch. en gage, prêter sur gages)*; il est concurrencé par *caution, garantie.* Par métaphore, *gage* équivaut (déb. XVe s.) à *promesse* ou à *preuve,* selon que la garantie porte sur l'avenir, ou sur le présent et le passé. Par analogie (1538), dans les jeux de société, *gage* désigne un objet que le joueur dépose à chaque fois qu'il se trompe. Par extension (1694), il se dit de ce qui est laissé entre les mains d'un tiers, en cas de contestation entre deux personnes, pour être remis à celle qui aura gain de cause. ◇ Employé au pluriel, *gages* a désigné très tôt (v. 1155) une rétribution et, spécialement, le salaire d'un domestique (aujourd'hui, en parlant du passé); de là vient la locution ***être aux gages de qqn*** (fin XVIIe s.). La locution ***à gages*** «payé pour remplir tel rôle» (1713) s'emploie surtout aujourd'hui dans ***tueur à gages.***

▶ **GAGISTE** n. m. «homme qui reçoit des gages, sans être domestique» (1680; 1666, *auteur gagiste*) ne s'est conservé qu'en droit (1890) au sens de «personne dont la créance est garantie par un gage». ➝ **GAGER** v. tr. (v. 1080, *guagier*) vient de *gage,* du francique °*wadjare,* ou d'un verbe roman *wadiare* (776). ◇ Il ne s'emploie plus au sens de «déposer qqch. comme gage dans une contestation» (premier emploi) ni de «payer par des gages» (fin XIVe s., *gagier*). *Gager* se dit pour «parier» (fin XIIIe s.; v. 1200, *soi gagier* «parier») et, par affaiblissement de sens (mil. XVe s., *gagier que*), pour exprimer un simple avis (sans rien engager); il signifie aussi en économie (1872) «garantir par un gage». ➝ **GAGEURE** n. f., dérivé de *gager* avec le suffixe *-ure,* s'est utilisé (fin XIIe s., *faire wageure*) en droit au sens de «promesse réciproque de payer le gage convenu si on perd un pari» (d'où *soutenir la gageure,* 1678) et par métonymie pour la chose gagée (1636; XIIIe s., *wagour,* emploi isolé); par extension (1684) le mot désigne une action, une opinion, etc. dont le caractère de difficulté fait penser à une espèce de pari; il tend à être remplacé par *défi,* sinon par *challenge.* La graphie a suscité une prononciation erronée, en-*eure.*

◈ voir **DÉGAGER, ENGAGER.**

✻ **GAGNER** v. tr., réfection graphique (XVIe s.) de *gaigner* (XIIIe s.), *gaaignier* (v. 1135), est issu du francique °*waidanjan,* sans doute à l'origine «se procurer de la nourriture, faire paître le bétail», sens conservé par le dérivé allemand *Weide* «pâturage» et, en français, dans l'emploi régional de *gagnage* (ci-dessous), de *gagner* «brouter» en vénerie et «cultiver» (1155), les pâturages étant labourés au moyen âge par le système de l'assolement (et pendant longtemps dans l'Est).

♦ *Gagner* a rapidement pris le sens général de «s'assurer un profit matériel» par un travail (v. 1135) ou par le jeu, par un hasard favorable (1re moitié XIIIe s.). Par extension le verbe signifie «acquérir un avantage non matériel», d'où «obtenir par le mérite» et «avoir les dispositions favorables de (qqn)» (1269-1278, *gaaigner un ami*). ➝ Parallèlement, *gagner* s'emploie pour «obtenir, remporter» dans une rivalité (v. 1135), au jeu (v. 1223), dans un procès (1283), et à l'époque classique pour «obtenir la main d'une femme» (1636); de là viennent les locutions ***gagner qqch. sur qqn*** «obtenir en triomphant de sa résistance» (1560; aujourd'hui archaïque), ***gagner qqn de vitesse*** (1762, au propre et au figuré), ***gagner du terrain sur qqn*** (1646) et, par ellipse, ***gagner sur qqn, sur qqch.*** (1559, intr.) «s'étendre aux dépens de qqn, qqch.». ◇ De l'idée d'«obtenir», on est passé à celle d'«atteindre», dans différents emplois; *gagner* signifie «agir sur qqn», en parlant du sommeil, de la faim, etc. (1256, isolément; puis 1587), «atteindre en se déplaçant» (1548, *gagner le haut* «s'enfuir»; on dit encore ***gagner le large,*** 1862). ◇ Une extension du sens de «remporter, dans une rivalité» (ci-dessus), par calque de l'expression anglaise *to win the war,* est apparue en 1918, souvent attribuée à Lloyd George (par ex. dans Proust, *le Temps retrouvé* : «*gagner la guerre,* selon la forte expression de M. Lloyd George»).

▶ Le dérivé **GAGNABLE** adj., d'abord «cultivable» (v. 1150, *gaaignable*), aujourd'hui «qui peut être gagné», est d'emploi rare, contrairement à son antonyme *ingagnable* (1773). ➝ **GAGNAGE** n. m. (v. 1155, *guaainage*) signifie d'abord «produit de la terre», puis «terre de labour» (v. 1160), «pâturage» (1565), sens qui s'est maintenu régionalement (dans l'est de la France). ➝ **GAGNANT, ANTE** adj. et n. (1226, *bien gaagnant* «industrieux») désigne une personne qui gagne qqch. (1660), spécialement en sports (1887). Comme adjectif (1798), il se dit de ce qui fait gagner qqch. ➝ **GAGNEUR, EUSE** n. et adj., en ancien français «cultivateur» (v. 1174-1178, *gaïneor*), désigne une personne qui fait un profit (v. 1160, *gaaigneor*) et signifie «vainqueur» (1645-1648). ◇ En argot, **GAGNEUSE** n. f. désigne une prostituée qui rapporte beaucoup (1873). ◇ Aujourd'hui, sous l'influence de l'anglais *winner, gagneur* désigne une personne combative, qui cherche à réussir, à dominer. ➝ **GAIN** n. m., déverbal de *gagner,* désigne ce qu'on gagne, le profit (v. 1145) et le fait de vaincre (1539, dans ***gain de cause***). En ancien français, *gain* signifiait aussi «époque de la récolte» (→ regain), d'après le sens originel de *gagner.* ➝ À partir de *gagner* ont été composés quelques noms : **GAGNE-PAIN** n. m. inv. (1292, *gaaigne pain*), d'abord «ouvrier qui reçoit un petit salaire», désigne (1508) ce qui permet de gagner sa vie. ➝ **GAGNE-PETIT** n. inv., d'abord «rémouleur ambulant» (1597), aujourd'hui «personne qui a un métier peu rémunérateur» (1640), a remplacé **GAGNE-DENIER** n. m. inv. de même sens (1376, *gaignedenier*), lui-même employé à la place de *gagne-pain* (voir plus haut).

REGAGNER v. tr., c'est «obtenir de nouveau» (1549; v. 1175, *regaaignier*) et «revenir à un endroit» (1559). ➝ ① **REGAIN** n. m. (1666, *reguain de jeunesse*) en a été tiré sous l'influence de *gain.*

◈ voir ② **REGAIN.**

GAI, GAIE adj. est peut-être emprunté (2de moitié XIe s.) à l'ancien provençal *gai,* terme employé par les troubadours et que l'on considère en général comme germanique, issu du gotique °*gaheis* «impétueux» ou plus vraisemblablement de l'ancien haut allemand *gāhi* (même sens), ce qui explique la forme *jai* au XIIIe siècle. P. Guiraud constate que l'idée de «liberté» est plus forte dans beaucoup d'emplois anciens que celle d'«impétuo-

GAINE

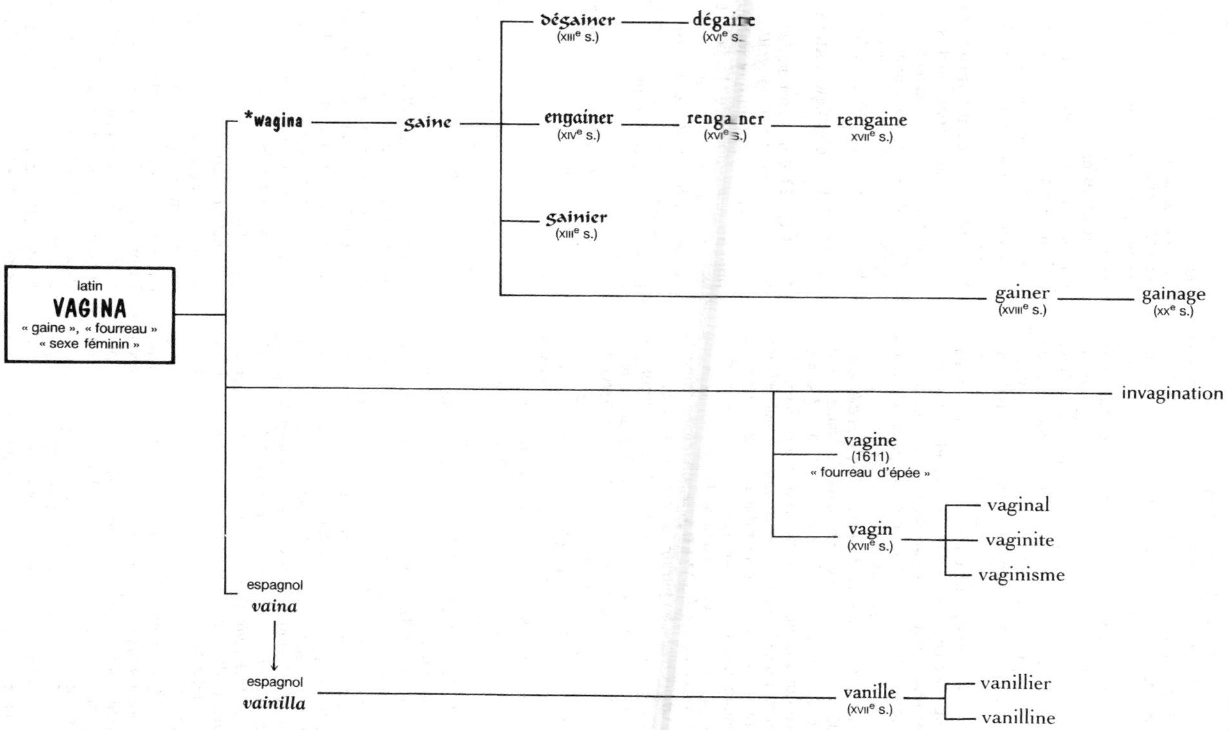

latin
VAGINA
« gaine », « fourreau »
« sexe féminin »
*wagina
gaine
dégainer
(XIIIe s.)
dégaine
(XVIe s.)
engainer
(XIVe s.)
rengainer
(XVIe s.)
rengaine
XVIIe s.)
gainier
(XIIIe s.)
gainer
(XVIIIe s.)
gainage
(XXe s.)
invagination
vagine
(1611)
« fourreau d'épée »
vagin
(XVIIe s.)
vaginal
vaginite
vaginisme
espagnol
vaina
espagnol
vainilla
vanille
(XVIIe s.)
vanillier
vanilline

sité» (cf. en termes de blason *cheval gai* «sans bride ni harnais», *avoir l'ouïe gaie* «entendre facilement») et, sans rejeter un croisement avec le gotique, voit aussi à l'origine de *gai* le latin *vagus* «errant» et «mobile» (en parlant du sable) et au figuré «libre» (à propos des mœurs, du style) (→ vague); il relève également que la terminologie (occitane) des troubadours est entièrement latine.

♦ En français, *gai* se dit d'une personne animée par une disposition heureuse et vive, et, spécialement, dont la gaieté provient d'une légère ivresse (1611; d'où par métonymie ***avoir le vin gai,*** 1740); *gai* qualifie aussi les choses qui marquent la gaieté ou l'inspirent (v. 1300). ◇ La reprise du mot au sens de l'anglo-américain *gay* «homosexuel masculin» est récente; elle concurrence la forme anglaise *gay,* employée comme nom et comme adjectif (v. 1965; *des revues gay* ou *gaies*); dans cet emploi, le mot anglais est apparu dans l'argot des prisons (1935) et s'est répandu après 1945.

▸ **GAIEMENT** (ou **GAÎMENT**) adv. (v. 1280) «avec gaieté», s'est employé au sens de «sans effort». ◆ **GAIETÉ** (ou **GAÎTÉ**) n. f. (v. 1150; fin XIe s., *waited*), qui a signifié d'abord «passion déréglée», a des valeurs parallèles à celles de *gai;* le mot est employé dans la locution adverbiale ***de gaieté de cœur*** «volontairement et volontiers» (1549), qui succède à *de gayeté* «de propos délibéré» (1309).

Le verbe préfixé **ÉGAYER** v. tr., en ancien français «se disperser», en parlant de personnes (v. 1175, *soi esgaier*), et «s'épanouir» (v. 1225), a supplanté *agueer* «se réjouir» (v. 1228) et signifie par extension (1547) «rendre (plus) agréable». L'idée de «liberté», invoquée pour l'origine latine par *vagus,* est conservée dans un emploi technique du verbe: *égayer un arbre,* c'est l'élaguer. ◆ Les dérivés **ÉGAYANT, ANTE** adj. (1870), **ÉGAIEMENT** n. m. (v. 1175, *esgaiement*) et **ÉGAYEUR, EUSE** n. (av. 1896) sont peu employés.

① **GAILLARD, ARDE** adj. et n. représente probablement (1080) un dérivé du gallo-roman °*galia* «force» (cf. italien *gagliardo,* espagnol *gallardo,* portugais *galhardo*), construit sur un radical celtique *gal-* (cf. irlandais *gal* «bravoure») que P. Guiraud rattache à une racine indoeuropéenne °*wall-* «rouler» et «courir en s'élançant» (en parlant d'un animal), «sortir en bouillonnant», retrouvée dans une famille importante de mots à base *gal-* (*galant, galoper,* etc.); cf. l'ancien français *galier* «cheval» (coursier), *galir* «s'élancer, jaillir» (→ jaillir) avec des valeurs de sens voisines de celles de la famille du latin *jactare* (→ jeter; éjaculer, galant, galet, galvauder).

♦ *Gaillard* signifie «plein de vie (du fait de sa constitution robuste)» d'où par extension «plein d'entrain et de gaieté» (1266), sens vieilli aujourd'hui, et spécialement «d'une gaieté un peu libre», à propos du discours (1re moitié XVIe s.). Nom masculin depuis le XVIe s. d'abord au sens de «garçon vigoureux», *gaillard* équivaut aussi (1690; comme appellatif, XIXe s.) à «gars, lascar». ◇ L'emploi du début du XVIe s. en parlant d'un château (cf. ci-dessous ② *gaillard* n. m.) montre que l'adjectif s'est appliqué à des choses au sens de «fort, résistant».

▸ **GAILLARDEMENT** adv., autrefois «avec zèle», «avec courage et décision» (1080), ne signifie plus que «avec entrain» (1596). ◆ **GAILLARDISE** n. f. (av. 1514, «gaieté») est d'emploi vieilli aux sens de «gaieté un peu libre» (1636) et, d'après un sens spécial de *gaillard,* de «comportement libertin». ◆ **GAILLARDE** n. f. (1548) désignait une danse, en vogue au XVIe s., caractérisée par une allure vigoureuse.

② **GAILLARD** n. m. est la substantivation (1573) de *château gaillard* «château fort» (1516), une sorte de château fort étant autrefois élevé à l'avant et à l'arrière des grands vaisseaux. *Gaillard* désigne encore sur un voilier la partie extrême du pont supérieur.

Le composé **RAGAILLARDIR** v. tr. apparaît au XVIe s. (1544) au pronominal *se regaillardir,* en même temps que la variante vieillie *regaillardir* (1533). ◇ Il signifie «redonner de la vigueur ou de l'entrain» et s'est employé à propos d'une chose abstraite (1667, *ragaillardir l'affection*).

GAILLET → CAILLER (CAILLE-LAIT).

GAILLETIN n. m. est un dérivé (1853, Bloch et Wartburg; puis 1877) de *gaillette* «morceau de houille» (1770). C'est un mot wallon, *gayette,* diminutif de *gaille* «noix», ce charbon se présentant en morceaux de la grosseur d'une noix. *Gaille* est issu du latin médiéval *(nux) gallica* «(noix) gauloise» (IXe s.) comme l'ancien français *nois gauge* (1re moitié XIIIe s.), le noyer ayant été très tôt cultivé en Gaule.

♦ *Gailletin* est le nom donné à de petits morceaux de houille destinés à l'usage domestique.

GAIN → GAGNER.

✳ **GAINE** n. f. est issu (v. 1200) du latin *vagina* «fourreau (d'une arme)»; «étui (en général)», puis «sexe de la femme» dans Plaute (→ vagin), mot devenu °*wagina* sous l'influence du germanique.

♦ *Gaine* conserve le sens latin d'«étui de protection ou de rangement»; il s'emploie dans divers domaines spécialisés, en architecture (1676), en anatomie (1695), en botanique (1704), etc. ◇ *Gaine,* qui a pris le sens spécial en mode féminine de «sous-vêtement qui serre les hanches, la taille» (1909), équivaut par figure à «contrainte qui entrave un développement» (1844; cf. *corset*). Voir le tableau page précédente.

▸ **GAINIER, IÈRE** n. a plusieurs sens liés à l'idée d'«étui»; il a désigné (1252, *gainnier;* 1293, *gueniere*) un fabricant, un marchand de fourreaux; par analogie, au masculin, *gainier* est le nom (1587) de l'arbre de Judée, dont la gousse ressemble à une gaine. ◇ Au féminin, le mot se dit (fin XIXe s.) d'une variété de guêpe ou d'abeille (dite aussi *faiseuse d'étui*). ◆ **GAINER** v. tr. signifie «mettre une gaine à» (1773, *gainer une voile*), d'où le terme technique **GAINAGE** n. m. (1930), et «mouler comme fait une gaine» (1907). ◆ Le verbe préfixé **DÉGAINER** v. tr. (XIIIe s., *deswainer*) signifie «tirer une arme blanche de son fourreau» et, par extension, «un pistolet de son étui». ◆ Son déverbal **DÉGAINE** n. f., d'abord

La famille germanique de GALANT

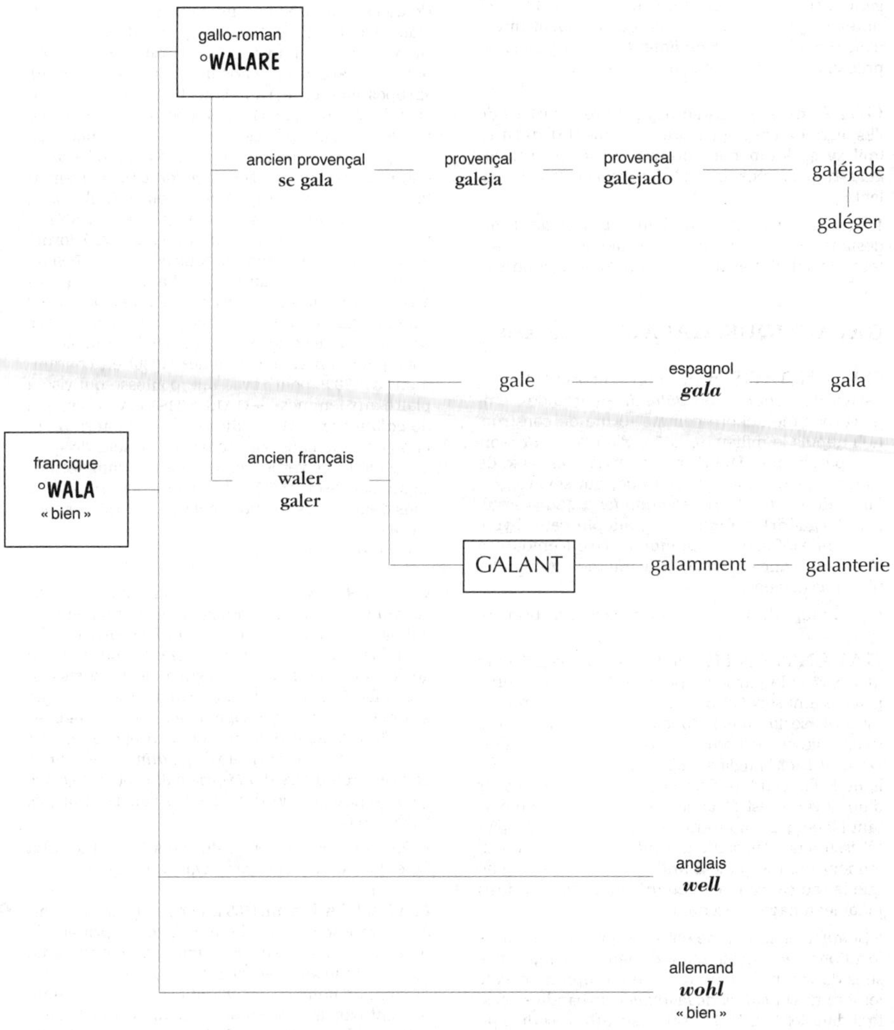

«action de dégainer» (XVIe s.), a pris le sens (1611) d'«attitude ridicule», d'«allure extérieure bizarre». ➛ **ENGAINER** v. tr. au sens de «mettre dans une gaine» (XIVe s.) est moins courant que *rengainer* (ci-dessous); il s'utilise au sens (av. 1665) de «tenir serré»; en dérivent **ENGAINANT, ANTE** adj. (1798) et **ENGAINÉ, ÉE** adj. (1864). ➛ Le composé **RENGAINER** v. tr. (1526), «remettre dans le fourreau, la gaine», se dit au figuré familièrement (1646) pour «interrompre, renoncer à (ce qu'on voulait dire)», d'où ***rengainer son compliment*** (1664). Ce sens est probablement à l'origine de *rengaine**.

GALA n. m. est un emprunt (1670, à propos de l'Espagne) à l'espagnol *gala* «vêtement d'apparat» (mil. XVe s.), lui-même emprunté à l'ancien français *gale* «réjouissance» (XIIIe s.), déverbal de *galer* (→ galant).

♦ *Gala,* d'emploi généralisé au XVIIIe s. (*galla,* 1736), désigne une grande fête, généralement de caractère officiel et, par analogie, un repas somptueux (1787).

GALACTIQUE, GALACT- → GALAXIE

GALANDAGE n. m. représenterait (1706) un dérivé de *garlande* ou *galande* «guirlande», employé par métaphore comme terme de construction depuis le milieu du XIIIe s., d'où *garlander* «orner, parer», puis (1387) «pourvoir de créneaux, de cloisons». Cependant P. Guiraud, qui sépare *garlande* de *guirlande,* relie *garlander* à *garir* «protéger» (→ guérir); même si l'on adopte cette hypothèse, une influence de *guirlande* «ce qui entoure la tête» sur l'ancien français *garlande* «guirlande» n'est pas exclue.

♦ *Galandage* désigne une cloison légère de briques.

GALANT, ANTE adj. et n. représente (déb. XIVe s.) le participe présent de l'ancien verbe *galer* «s'amuser» (1223, *waler*), issu du gallo-roman °*walare* «se la couler douce», du francique °*wala* «bien» (adv.), restitué par le moyen néerlandais *wale, wel* (cf. l'anglais *well*). Mais, comme le souligne P. Guiraud, la dérivation de °*walare* à partir d'un adverbe est étrange; le verbe *galer* comportant l'idée d'un mouvement vif, °*walare* serait plutôt issu d'un germanique *wallen* «s'élancer, bouillonner», dont le radical *wall-* est de même origine que le radical celtique *gal-* (cf. *gaillard*). Voir aussi le tableau page précédente.

♦ *Galant* a eu le sens de «vif, entreprenant», d'où les locutions ***vert galant,*** qui a désigné, par jeu sur le sens de *vert* (XVe s.), un homme entreprenant avec les femmes et ***galant de la feuillée*** un bandit se postant dans les bois (1471). ◇ *Galant* adj. s'est dit d'un homme distingué et poli (XVIe s.), aux sentiments délicats, et s'applique aujourd'hui (XVIIe s.) à un homme empressé auprès des femmes, mais *galant* n. m. (1606) est vieilli. Employé au féminin, l'adjectif a qualifié une femme qui recherche les intrigues amoureuses (1548); le mot est maintenant péjoratif, *femme galante* désignant une femme de mœurs légères (1765); on a dit *une galante* n. f. (XVIe s.) dans ce sens. ◇ À propos de choses, l'adjectif s'emploie pour qualifier ce qui a rapport à l'amour (1647); il a signifié (1548) «agréable», en parlant d'une description et, en peinture, ***fête galante*** désigne un tableau, surtout au XVIIIe s., qui met en scène des personnages de la comédie italienne.

▸ **GALANTERIE** n. f. (1535, «mauvais tour», du sens de *galer* «s'amuser») a signifié dans la langue classique (1611) «distinction, élégance dans les manières», d'où par métonymie (1630) «procédé galant» (en particulier, «cadeau offert à une femme»), «propos flatteur, écrit galant» (v. 1640). Par extension, le mot désigne (1667) la courtoisie témoignée aux femmes et, spécialement, l'empressement inspiré par le désir de conquérir une femme (cf. la locution ancienne *courtier de galanterie* «entremetteur»); le sens d'«intrigue amoureuse» (mil. XVIIe s., *une galanterie*) est sorti d'usage. ➛ **GALANTIN** n. m. et adj. m. (1555, *galentin* «vigoureux»), formé avec le suffixe péjoratif *-in* pour désigner (1798) un galant ridicule, est un mot archaïque ➛ **GALAMMENT** adv., jusqu'au XVIIe s. *galantement* (1532) «avec élégance», est sorti d'usage aux sens d'«avec courage» et «avec adresse» (XVIIe s.); il s'emploie encore pour «en galant homme» (1636) et, couramment (v. 1700), pour «avec une politesse qui vise à plaire aux femmes». ➛ **GALANTISER** v. tr. est issu de *galantise* n. f. (1re moitié XVIe s., «galanterie»), repris par Huysmans par archaïsme au sens de «propos galant»; ce verbe signifiait dans la langue classique «courtiser» (1637, v. tr.); l'emploi intransitif au sens d'«avoir des relations galantes» (1645) est sorti d'usage.

◈ voir **GALONNER** (de *galer*).

GALANTINE n. f. est une altération (v. 1223, *galentine*) de *galatine,* probablement emprunté au dalmate de Raguse (aujourd'hui Dubrovnik), ville d'où l'on exportait au moyen âge des poissons en gelée, et où *galatina* est attesté dans des textes en latin médiéval. Le mot est dérivé du latin classique *gelare* (→ geler), le passage de *e* à *a* étant régulier dans le domaine dalmate. On a proposé de voir dans *galatina* une variante de *gelatina* (→ gélatine), par l'intermédiaire d'un verbe gallo-roman °*galare* (pour *gelare*), reconstitué d'après l'ancien français *galée* «gelée».

♦ *Galantine* est le nom d'un mets (charcuterie) à base de viande froide servi dans de la gelée.

GALAPIAT n. m. (1833; 1792, *galipiat*) est peut-être composé à partir du radical *gal-* exprimant la paresse, le manque de vergogne, de l'ancien verbe *galer* «s'amuser» (→ galant). Dans les dialectes existent de nombreuses variantes, qui s'expliquent souvent par un croisement avec un terme de sens voisin (cf. le niçois *galapin* influencé par *galopin*). Le provençal *galapian,* de son côté, est un emprunt déformé à *galopin.*

♦ *Galapiat,* familier et régional pour «homme grossier, vaurien», appartient à une famille de mots qui désignent celui qui fait mal son travail, perd son temps, etc. (cf. *galfâtre, galopin*).

GALAXIE n. f. est emprunté (1557) au latin *galaxias,* lui-même au grec *galakias (kuklos)* «Voie lactée», dérivé de *gala, galaktos* «lait».

♦ *Galaxie* reprend le sens latin et signifie au XXe s. «amas d'étoiles. Une galaxie est un amas d'étoiles constituant la structure fondamentale de l'Univers. Selon leur forme, on distingue des galaxies spirales, elliptiques et irrégulières. Notre galaxie, appelée *la Galaxie* ou, plus poétiquement, la *Voie lactée,* est une galaxie spirale comprenant environ 100 milliards d'étoiles, dont le Soleil. Une nébuleuse désigne un objet céleste d'apparence diffuse, c.-à-d. une galaxie ou un nuage de gaz et de poussière. ◇ Par métaphore *galaxie* se dit (XXe s.) pour «ensemble très important d'éléments»; la métaphore est appuyée par l'anglais : cf. ***La Galaxie Gutenberg*** (1970), traduction de *The Gutenberg Galaxy,* titre d'une œuvre de McLuhan.

► **GALACTIQUE** adj., emprunté au dérivé grec *galaktikos* «blanc comme du lait», s'est employé (1782) en chimie dans *acide galactique* «du lait». Il signifie en astronomie «qui a rapport à la Voie lactée» (1877) et (XXe s.) «qui appartient à une galaxie».

GALACT-, GALACTO-, élément tiré du grec *gala, galaktos,* entre dans la formation de mots savants directement repris du grec, tel **GALACTOSE** n. m. en chimie (1793; 1665, «formation du lait dans les mamelles»; grec *galaktôsis*), ou dont le second élément est emprunté au grec, comme **GALACTORRHÉE** n. f. (1855, → -rrhée) en médecine.

GALBANUM n. m. est un emprunt (mil. XIIIe s.) au latin classique et chrétien *galbanum,* lui-même emprunté au grec *khalbanê* qui désigne une plante ombellifère de Syrie et la résine que l'on en tire; le mot est issu de l'hébreu *ḥèlbena. Galbanum,* avec des changements d'accentuation par rapport au latin classique, avait abouti en ancien français aux formes *galme* (fin XIe s.) et *galban, galbanen* (v. 1200).

♦ Le mot désigne une gomme-résine balsamique, utilisée autrefois comme antispasmodique; l'expression figurée *donner (vendre) du galbanum* «donner des illusions» (1740) est sortie d'usage.

GALBE n. m. représente un emprunt de la Renaissance (1578), d'abord écrit *garbe* (1550), à l'italien *garbo* (av. 1529) «manière dont une chose est faite». *Garbo* est considéré par Bloch et Wartburg comme un dérivé de *garbare* «plaire» (XVe s.), issu d'un gotique °*garwon* «arranger» (→ gabarit); P. Guiraud préfère rattacher *garbo* au latin *galba* «ventru» (sans doute emprunté au gaulois), d'après le sémantisme «gros ventre, rotondité, prestance» qu'il reconnaît dans la famille du mot (cf. le savoyard *garbo* «embonpoint» et, en moyen français, *porter son garbe haut* «avoir une fière allure»).

♦ Ce mot, d'abord attesté en provençal (1530), a eu le sens de «grâce, manière gracieuse» (*garbe,* 1550; cf. *de garbe* «de bonne grâce», chez Ronsard, 1551); il s'est appliqué (1578) à une gentillesse gracieuse. ◇ *Galbe* désigne aujourd'hui (av. 1574, traduction de Vasari) le contour harmonieux (d'un corps, d'un visage) et le contour d'une œuvre d'art (1676, en architecture). ◇ ***Avoir du galbe*** (1853) «avoir de l'élégance», comme le dérivé **GALBEUX, EUSE** adj. «à la mode» (1865, mot répandu jusqu'à la fin du XIXe s.), témoignent de la durée de l'emploi général, non artistique, du mot; ces emplois sont sortis d'usage.

► **GALBER** v. tr. (1907), qui continue *se garber* «se parer» (1575), signifie «donner du galbe à» et a pour dérivés **GALBAGE** n. m. (mil. XXe s.), terme technique, et **GALBÉ, ÉE** adj. (1578, *garbé* «élégant»; 1611, «gracieux») qui prend au XVIIe s. la valeur artistique «qui présente un galbe caractéristique» (1676) et signifie par extension (déb. XXe s.) «bien fait» (à propos du corps humain).

GALE n. f., après gale (v. 1100) est considéré comme une variante (1508; v. 1160, *jale*) de *galle**, mot employé pour désigner la gale des végétaux puis celle des animaux. Pour P. Guiraud, *gale* (nommée aussi *gratte*) dérive de *galer* (→ galant), synonyme de *jeter* «suppurer» et, dans les dialectes, «se couvrir de boutons».

♦ *Gale* désigne une maladie prurigineuse et, par analogie, une affection cutanée qui s'accompagne de démangeaisons; la locution figurée ***méchant comme la gale*** (1807) signifie «très méchant»; *gale d'Espagne* (1550) a désigné la syphilis.

► Le dérivé **GALER** v. tr. (v. 1360) «gratter, frotter», employé jusqu'au XVIIIe s., a complètement disparu.
◆ **GALEUX, EUSE** adj. et n. (1495) «atteint de la gale» est précédé par *galeus* «calleux» (v. 1330); il a produit la locution figurée ***brebis galeuse*** «personne dangereuse dans un groupe» (1648) et les acceptions «méprisable» (1656, n.), «sale» (fin XIXe s.).

GALÉE → GALÈRE

GALÉJADE n. f. représente un emprunt (1881, A. Daudet) au provençal *galejado* «plaisanterie, raillerie», dérivé de *galeja* «plaisanter», lui-même de *se gala* «s'amuser», qui correspond à l'ancien français *galer* (→ galant).

♦ Demeuré régional (Provence), *galéjade* se dit d'une histoire inventée ou exagérée, destinée à mystifier.

► Du mot dérive **GALÉJER** (ou *galéger*) v. intr. (1888), d'où **GALÉGEUR, EUSE** adj. et n. (1923). La série fait partie du folklore lexical provençal et marseillais diffusé par les écrivains, de Daudet à Pagnol.

GALÈNE n. f. est un emprunt (1553) au latin *galena* «minerai de plomb», du grec *galênê,* pour désigner le sulfure naturel de plomb.

♦ Un emploi technique du mot, en radio, dans *poste à galène,* lui a donné une fréquence importante dans la langue courante (dans les années 1930-1940).

GALÉNIQUE adj. est dérivé (1581; puis 1723) de *Galenus,* nom latin de *Galien,* médecin grec (v. 131-v. 201) qui exerça dans la Rome ancienne; il développa la théorie des quatre humeurs (→ humeur) qui influença la pratique médicale européenne jusqu'au XVIIe siècle.

♦ L'adjectif appartient à l'histoire de la médecine ; il s'applique à ce qui concerne les théories de Galien et se dit aussi d'un remède tiré des plantes.

▸ Sur *Galenus* ont été également formés (1771) **GALÉNISME** n. m. et **GALÉNISTE** adj. et n. «partisan des théories de Galien».

GALÈRE n. f. est un emprunt (1402) au catalan *galera* (terme de marine depuis 1237), issu par substitution de suffixe du latin *galea*, qui reprend le grec byzantin *galea*, probablement variante du grec classique *galeos* «requin», à cause de l'allure rapide du bateau. Le latin avait abouti en ancien français aux formes *galée* (1080), *galie*, aujourd'hui archaïques ou historiques (*galée*, ci-dessous). → Galion.

♦ *Galère* désigne un bâtiment de guerre, à voiles et à rames, en usage dans l'Antiquité et, par extension, un bâtiment de guerre ponté, à faible tirant d'eau, ordinairement à rames, utilisé jusqu'au XVIIIe s. ; la locution ***vogue la galère !*** «advienne que pourra !» (1552) reste vivante. ◆ La ***peine des galères***, elliptiquement *les galères* (1549), se disait de la peine de ceux qui étaient condamnés à ramer sur les galères de l'État et, par extension, des travaux forcés (les galères ayant été abolies en 1791). Au figuré *galère* désigne (1690) un métier, une situation, un séjour très pénible. Ce sens métaphorique est d'emploi littéraire avant une lexicalisation (v. 1970) où ***c'est la galère !*** correspond à «c'est pénible», d'où adjectivement *c'est galère* (dans les années 1980) et le dérivé verbal ci-dessous.

▸ **GALÉRER** v. intr. (1980), qui témoigne de ce regain d'usage, ne s'emploie qu'au figuré. ◆ **GALÉRIEN** n. m. «rameur sur une galère» (1568), puis «homme condamné à ramer sur les galères» (1611) et «bagnard» (1823), s'emploie seulement dans des locutions figurées (***mener une vie de galérien***, 1830 ; ***travail de galérien***).
GALÉE n. f., qui reprend une forme ancienne (cidessus), désigne (1523), par analogie de forme avec le navire, une planchette rectangulaire utilisée par le typographe.

GALERIE n. f. est emprunté (1316 ; variante *guerrerie*) à l'italien *galleria*, du latin médiéval *galeria* (IXe s.), peut-être issu par dissimilation ou par changement de suffixe de *galilea* «porche d'église, de monastère» (la forme *galilée* se trouve aussi en ancien français, XIIIe s.) ; c'est un emploi figuré du nom propre *Galilaea* «Galilée» : sous ce porche étaient les laïcs à convertir (par opposition à l'Église), de même que la Galilée dans la Bible est considérée comme le pays des Gentils par opposition à la Judée, patrie du peuple élu. Pour P. Guiraud, *galerie* désignant un passage pourrait être rattaché à la racine *gal-* «s'élancer, courir» (→ gaillard) ; se disant d'un passage couvert, le mot pourrait être lié au latin *galerus* «bonnet» (cf. *galeritus* «couvert d'un bonnet») par l'intermédiaire d'un dérivé °*galeria*. Ces diverses possibilités ont pu se croiser et «surdéterminer» le mot.

♦ *Galerie*, en français, est passé de «porche d'église» (1316) à «lieu de passage ou de promenade, couvert» (1331) puis, par extension, «salle où l'on réunit des collections» (1690) et, par métonymie, «collection d'objets, dans un musée, etc.» (1807, *galerie de tableaux*), d'où par figure *galerie de portraits* (1831, Sainte-Beuve). ◇ Au jeu de paume, le mot a désigné (1555) l'allée couverte d'où l'on regardait les joueurs ; par extension il s'emploie pour un emplacement réservé à des spectateurs et, par métonymie (1901), pour l'ensemble des spectateurs d'une réunion sportive ; d'où le sens de «public», d'«opinion» (1794), par exemple dans les locutions figurées ***pour la galerie*** «aux yeux du monde, pour faire illusion», ***faire galerie*** «rester en témoin passif» (1837, Balzac) aujourd'hui sortie d'usage, et ***amuser la galerie*** (1881). ◇ Dans un théâtre, *galerie* désigne (1501) un balcon à encorbellement à plusieurs rangs de spectateurs. ◇ *Galerie* s'emploie aussi pour désigner un passage, souterrain ou couvert, creusé par l'homme (fin XVIe s.), spécialement dans le domaine militaire (1626) ou celui des mines (1770), concurrencé au XIXe s. par *tunnel**, ou par divers animaux *(les galeries d'un terrier)*.

✳ **GALET** n. m., mot emprunté (av. 1188, *galeit*) à l'ancien dialecte normanno-picard (v. 1195, *jalet*), est un diminutif de *gal* «caillou», peut-être du gaulois °*gallos* «pierre, rocher» (cf. ancien irlandais *gall* «pilier de pierre, pierre» → caillou). Selon P. Guiraud, *galet* pourrait être un doublet de *chail* «petite pierre», issu du latin *callum* «durillon» (→ cal, caillou, galgal), avec influence possible de *gal-* «lancer» (→ gaillard), le galet ayant souvent été un projectile (cf. *arbalète à jalets* «qui lance des cailloux»).

♦ *Galet* désigne un caillou poli par le frottement et, par analogie de forme, en technique (1832) un disque, une petite roue de bois, de métal (1956, *galet-guide* d'un projecteur de cinéma).

▸ De *galet* «caillou» dérive (XIIIe s.) **GALETTE** n. f., à cause de sa forme ronde et plate (cf. ancien normand *gale*, XIIIe s., «gâteau plat»). *Galette* désigne un type de gâteau et, par analogie, un objet plat de forme analogue (spécialt 1952, cinéma, «enroulement de film non maintenu par des joues»). ◇ Par analogie avec les pièces de monnaie rondes et plates, et par la métaphore usuelle argent-aliment primordial (cf. *blé*), *galette* se dit pour «argent» (1849 dans Labiche ; dès 1837, *mangeur de galette* «homme vénal»). ◇ De ce sens dérive l'adjectif familier **GALETTEUX, EUSE** (1891) «qui a de la fortune». ◆ **GALETTIÈRE** n. f. désigne régionalement (1865) une poêle pour faire cuire les galettes. ◆ De *galet* terme technique dérive **GALETER** v. tr. (XXe s.) «munir de galets».

GALETAS n. m. vient (1532 ; 2de moitié XIVe s., *galatas*) du nom de la tour *Galata*, haute de plus de cent mètres et dressée au point culminant de Constantinople.

♦ *Galetas* a désigné un logement placé sous les combles et, par extension aujourd'hui (1678), un logement misérable.

GALFÂTRE n. m. est en général considéré comme issu (1835 ; dès 1808, surnom d'un valet d'auberge), par altération au moyen du suffixe péjoratif *-âtre,* de *galefretier* «ouvrier calfat» (1542) et figurément «bon à rien» (1564), dérivé de *gallefreter* «calfater» (1542). Ce verbe est une altération de *galefeustrer* (1478; → calfeutrer), ou selon Bloch et Wartburg représente un dérivé de *galfat,* forme dialectale (Ouest) de *calfat.* Le sens de «paresseux» viendrait du fait que le calfat, qui reste presque immobile pendant son travail, semble ne rien faire. On peut penser aussi, pour *gallefreter,* à une métaphore du type de *gâcher.* Pour P. Guiraud, *galfâtre* appartient plutôt à la famille de *galer* «s'amuser» (→ galant) et serait composé par juxtaposition de radicaux synonymes (procédé fréquent dans le système explicatif de l'auteur des *Structures étymologiques*) : *galer* et l'ancien français *fatrer* «ravauder», à l'origine de *fatrasser, fatrouiller* «gâcher l'ouvrage». *Galfâtre,* sorti d'usage aujourd'hui, a été employé après 1850 par Huysmans, Zola, et jusque vers la fin du XIXe siècle.

GALGAL n. m., terme d'archéologie, a été construit (1825) par redoublement de l'ancien français *gal* «caillou», peut-être mot gaulois (→ galet), pour désigner un tumulus mégalithique.

GALHAUBAN → HAUBAN

GALIBOT n. m. est un mot du vocabulaire de la mine (1871), formé à partir du picard *galibier* déformation de *galaubier* «polisson», d'origine incertaine. On trouve en ancien et moyen français *galoberie* (mil. XIIIe s.) «divertissement», qui serait issu du croisement de *galer* «s'amuser» (→ galant) et de *loberie* «cajolerie trompeuse» (déb. XIIIe s.), dérivé de *lober* «tromper», du francique °*lobbon* «guetter» ou du moyen haut allemand *loben* «louer». Pour P. Guiraud, *galobier* est un doublet de *galopin,* et représenterait un composé tautologique, formé de *galir* «s'élancer» (→ gaillard) et de *hober* «sauter» (du moyen néerlandais *hobben* qu'on retrouve dans *hobereau*).

♦ Ce mot technique désigne un jeune manœuvre employé au service des voies dans les houillères.

GALIMATIAS n. m. est relevé chez Montaigne (1580, *jargon de galimathias;* 1576, *galimatian*). Son origine est discutée; on l'a rattaché au bas latin *ballematia* «chansons obscènes», au grec *Kata Matthaion* «selon (saint) Matthieu» par allusion à des psalmodies plus ou moins parodiques (du genre de celles des Goliards), au provençal *Galimatié,* nom d'un pays imaginaire (par altération de *Arimathie*) et également au jargon des étudiants, le latin *gallus* «coq» désignant au moyen âge les étudiants qui participaient aux discussions réglementaires, avec la terminaison grecque *-mathia* «science» d'où °*gallimathia.* Pour P. Guiraud, le mot a été de toute façon influencé par *galer* «s'amuser, se moquer» (→ galant); le *galimatias* «discours confus» serait un langage de farceur.

GALION n. m. est un dérivé (v. 1208) de l'ancien français *galie* (→ galère); il désigne au moyen âge et à la Renaissance un petit navire de guerre puis, par influence de l'espagnol *galeón* (1528), de *galea* (→ galère), un grand bâtiment de guerre armé (1626) surtout utilisé par les Espagnols du XVIe au XVIIIe s. pour transporter l'or et les marchandises des colonies d'Amérique.

▸ **GALIOTE** n. f. est le féminin (apr. 1250) de *galiot* (même sens) qui vient de *galie,* formé sous l'influence de l'italien *galeotta* (1196), dérivé de *galea* «galée» (→ galère).

GALIPETTE n. f. est attesté tard (1883); c'est sans doute un mot d'origine dialectale (cf. dans l'Ouest *calipette,* v. 1865, «cabriole», *galipote* «course effrénée»), peut-être dérivé de *galipia* «goinfre» (1792), variante de *galapiat**.

♦ *Galipette* signifie «cabriole, culbute»; au figuré ***faire des galipettes*** se dit pour «avoir des ébats érotiques».

GALLE n. f. est emprunté (fin XIe s., *gales*) au latin impérial *galla* «galle».

♦ *Galle* désigne une excroissance produite sur les tiges et les feuilles de certains végétaux, provoquée par des insectes parasites (d'où l'expression aujourd'hui plus courante : ***noix de galle,*** XIIIe s.) et, par métonymie, l'insecte responsable.

▸ En dérive ① **GALLIQUE** adj. (1789) «qui provient de la noix de galle», terme de chimie.

GALLICAN, ANE adj. et n., réfection (v. 1355) de *gallikan* (1294), est un emprunt au latin médiéval *gallicanus* employé (v. 730) à propos de l'Église de France, à l'époque classique «gaulois», dérivé de *gallicus* «gaulois», lui-même de *Gallia* «Gaule».

♦ *Gallican* «qui est relatif à l'Église catholique de France» a pris le sens spécial (n. et adj.) de «(qui est) partisan des libertés de cette Église» (1831, Lamennais).

▸ **GALLICANISME** n. m. (v. 1809) se dit des principes et des doctrines de l'Église gallicane.

GALLICISME n. m. est un dérivé savant (1578) du latin *gallicus* «gaulois», pris au sens de «français» (v. 730).

♦ Le mot désigne une construction propre à la langue française; il s'emploie aussi pour désigner (1690) un mot français introduit dans une autre langue et appartient à une série cohérente (*anglicisme, germanisme,* etc.).

▸ **GALLICISANT, ANTE** n. et adj., terme didactique également dérivé (1912) du latin, désigne un spécialiste de la langue française; il est moins courant que *francisant.*

GALLINACÉ, ÉE adj. et n. représente un emprunt (1770, Buffon) au latin impérial *gallinaceus* «de coq, de poule», dérivé du latin classique *gallina* «poule» (→ gélinotte).

♦ *Gallinacé* signifie «qui se rapporte au coq et à la poule»; le nom (n. m. pl.) se dit d'un ordre d'oiseaux terrestres auquel appartient le genre *gallus,* le nom singulier désignant un individu de cette espèce.

① **GALLIQUE** → GALLE

② **GALLIQUE** adj. est un terme didactique, emprunté (v. 1460) au latin *gallicus* «gaulois» (→ gallican).

♦ Il signifiait «relatif aux anciens Gaulois». Il s'est dit aussi pour *gaélique**.

GALLIUM n. m. a été dérivé (1877 ; 1875, dans un journal anglais) du latin *gallus* «coq» (→ gélinotte), traduction latine du nom du savant français *Lecoq* (de Boisbaudran), lequel découvrit ce corps simple en 1875. Le suffixe latin *-ium* est employé pour ce genre de désignations (*francium*, etc.).

GALLO- est un élément tiré du latin *gallus* «gaulois» (dérivé de *Gallia* «Gaule»), utilisé pour former quelques mots composés, en histoire et en linguistique.

► Les plus connus sont **GALLO-ROMAIN, AINE** adj. et n. (1833, de *romain*) «relatif à la civilisation issue du mélange des Gaulois et des Romains après la conquête de la Gaule» et **GALLO-ROMAN** n. m. (1887, de *roman*) «langue romane (latin populaire) parlée en Gaule avant le roman», en supposant — ce qui était de règle au XIXe s. — un fort substrat gaulois. *Gallo-* est concurrencé par *franco-* (→ français).
GALLOPHILE adj. et n. (1786) et **GALLOPHILIE** n. f. (att. 1912) se sont employés pour *francophile* et *-philie*.

GALLON n. m. est un emprunt (1669) à l'anglais *gallon* (v. 1300) lui-même issu du normanno-picard *galon* (XIIe s.), nom de mesure pour les liquides, les grains, les terres, contemporain du médiéval *galo* (1135-1139). Toutes ces formes sont peut-être à rattacher à l'ancien français *jalaie* «mesure de capacité» (1175-1180), au latin médiéval *galleta* de même sens (Xe s.) et d'origine incertaine (y correspond l'allemand *Gelle* «seau»). Pour P. Guiraud, *galon* est la forme normande de *jalon* «baguette» (le *jalon* devant servir de jauge ; → jalon).

♦ *Gallon* se dit en français d'une mesure de capacité utilisée dans les pays anglo-saxons.

GALLUP n. m. est un emprunt (1948) au nom propre *Gallup* (abréviation de l'américain *Gallup poll* «scrutin de Gallup»), du nom d'un journaliste et statisticien américain qui fonda un institut de sondage d'opinion en 1935.

♦ Le mot, répandu dans les années 1950 par le journalisme, est beaucoup moins employé aujourd'hui que *sondage (d'opinion)*.

① **GALOCHE** n. f., attesté en 1351, est probablement antérieur puisque *galochier* «fabricant de galoches» apparaît en 1292 et qu'une forme latinisée, au pluriel, *caloges*, est attestée en 1263. L'origine du mot est incertaine ; les correspondants italien, espagnol, anglais et allemand semblent avoir été empruntés au français. On a proposé diverses origines ; le mot pourrait être issu du bas latin *gallicula* «petite (chaussure) gauloise», diminutif du latin classique *gallica ; galoche* a été parfois considéré comme un dérivé normanno-picard du gaulois *gallos* «pierre plate» (→ galet) à cause de la semelle épaisse. On a aussi fait appel à deux étymons grecs de sens équivalent : *kalopodion* «chaussure de bois», de *kalon* «bois» et *podion*, de *pous, podos* «pied», par le latin populaire °*calopia*, et °*kalochtion*, de même sens, variante de °*kalortion*, de *kalon* «bois» et *artion*, de *artên* «chaussure», par le latin *caloctium*. La variante °*kalochtion*, d'origine massaliote, aurait été diffusée à partir de la Provence (cf. l'ancien provençal *galochas*, XIIIe s.). P. Guiraud suggère à son tour deux étymons latins croisés : *calum* «morceau de bois» et *callum* «peau épaisse» (cf. *gallicula* «petite galoche» et *gallicula* «enveloppe de la noix verte», d'après *gallum* et *callum*).

♦ *Galoche* désigne une chaussure montante à semelle de bois épaisse et, par extension (XVIe s.), une chaussure en forme de sabot, à semelle de bois, portée par-dessus des chaussons. Le mot est utilisé au figuré dans la locution ***menton en galoche*** (1704, *menton de galoche*). ◇ Par analogie de forme, c'est un terme de marine (XVIe s., «poulie dont la caisse est ouverte sur l'une de ses faces» ; 1848, «pièce de guidage à encoche»).

► **GALOCHARD, ARDE** adj. (1933), «en galoche», s'est dit (1882, n. m.) d'un vendeur au rayon de chaussures. ➛ Quant à ② **GALOCHE** n. f., «baiser lingual» dans ***rouler une galoche***, il vient peut-être de *galoche* «chaussure», d'après *rouler un patin*, par le sens «chaussure» qu'ont les deux mots.

GALONNER v. tr. a été considéré comme un dérivé (v. 1160) de *galer* (→ galant), mais le rapport de sens des deux mots — *galonner* signifiant «orner les cheveux de rubans, etc.» — est un peu vague (idée de réjouissance ?). P. Guiraud rattache *galon* à *jalon* «scion, baguette», d'où le sens de «lien» (→ jalon). On peut également relever l'identité de sémantisme des familles de *galon* et de *guirlande : galonner* et l'ancien français *garlander, galender* «parer» se rencontrent en contextes identiques ; on relève également dans les dialectes *garlaunde* «couronne de fils de métal» (surtout d'or), *guerlan* «garniture de dentelles».

♦ Le sens du verbe *galonner* a suivi celui qu'avait pris son dérivé *galon*, «border, orner d'un galon» (1611).

► **GALON** n. m. (1379) désigne un ruban pour border ou orner un vêtement, un rideau et, par extension, se dit pour *bordure*. Le mot s'emploie comme signe de fonctions militaires (1779) puis civiles (1839), constitué par un galon de tissu. Dans l'armée, *galon*, «signe distinctif des grades et des fonctions», se dit par extension des insignes quelconques d'un grade ; ce sens donne lieu à des locutions : ***prendre du galon*** «monter en grade» et, au figuré, «obtenir une promotion», ***se donner du galon*** «se donner un rôle qu'on n'a pas». ➛ **GALONNÉ, ÉE** adj. et n. m. (XVIIe s.), «orné de galon» et «qui porte des galons», se dit (1916, n. m.) pour «officier» (également **GALONNARD** n. m. péjoratif, 1920) ou «sous-officier».

✱ **GALOPER** v. est une variante (v. 1155) de *gualoper* (v. 1140). Le mot serait issu, selon Bloch et

Wartburg, du francique °*wala hlaupan*, composé de °*hlaupan* «sauter, courir» (restitué par le gotique *us-hlaupan* «bondir», l'ancien haut allemand *hlaufan, hlaufôn* «courir» et l'allemand *laufen*, même sens), et de *wala* «bien» (→ galant; cf. allemand *wohl*). Mais la valeur de cet élément °*wala* n'est pas claire (voir ci-dessous *galop*). Rejetant cette origine germanique, P. Guiraud rattache *galoper* à *galir* «s'élancer» (→ gaillard) qui a donné en ancien français *galier* «cheval, coursier». *Galoper* pourrait être aussi un dérivé de *galop*, la difficulté étant alors reportée au substantif.

♦ *Galoper* «aller au galop» (v. 1140, intr.) et «faire aller au galop» (v. 1155, tr.) s'emploie par métonymie pour «monter un cheval qui va au galop» (v. 1140). Par analogie, le verbe signifie (XIIIe s. intr.,) «courir rapidement» et, au figuré, «faire vite, se hâter» (1655). Dans la langue classique, *galoper qqn* se disait pour «le poursuivre au galop» (1458); *galoper une femme* «la poursuivre de ses assiduités» (1696) est lui aussi sorti d'usage. Cf. *courser*. ◇ Au sens de «danser le galop» (1830), le verbe est dérivé du nom (ci-dessous); cet emploi a disparu.

▸ **GALOP** n. m. est le déverbal de *galoper* ou est directement issu du francique °*walhlaup* «course vers le champ de bataille d'un cavalier, accompagné d'un fantassin qui se tient à la crinière du cheval»; ce mode de combat connu du temps de César, s'était répandu en Europe et avait été adopté par les contingents germains des armées romaines; °*walhlaup* est composé de °*wal* «champ de bataille» (cf. ancien haut allemand *wal*, même sens, et ancien nordique *val* «morts sur le champ de bataille») et de °*hlaup* «course» (cf. ancien haut allemand *hlauf*, moyen haut allemand *louf* et allemand *Lauf*). Si l'élément °*hlaup* est cohérent, *wal* est alors interprété autrement qu'il ne l'a été dans *galoper* (ci-dessus). ◆ *Galop* (1080, en emploi adverbial au sens général de «précipitation») désigne (v. 1165) l'allure la plus rapide que prend le cheval lancé à fond de train et, par métonymie, la course et le bruit d'un cheval au galop, d'où la locution ***au galop*** (1585). ◇ La locution ***galop d'essai*** (1872) «petit galop pour tester la forme d'un cheval» signifie au figuré «épreuve d'essai». Au figuré, *galop* équivaut à «mouvement extrêmement rapide» (av. 1660). ◆ Au XIXe s., le mot a désigné (1829) une danse d'origine hongroise dont le rythme rappelait celui du galop (1835) et l'air sur lequel se faisait cette danse. ◆ En médecine et par analogie, ***bruit de galop*** (1847) se dit d'un bruit lié à un rythme cardiaque anormal à trois temps.

GALOPIN n. m., d'abord (v. 1179) nom propre et surnom de messagers, de coursiers, a désigné (1388) un jeune garçon chargé des commissions d'où, par extension (1671, alors très péjoratif), un gamin qui court les rues et en même temps, par affaiblissement de sens, un enfant espiègle. Par personnification, *galopin* s'est dit de plusieurs récipients : «demi-setier (de vin)» (1680), «petit verre (de vin, de bière)» (1881) ◆ Le dérivé **GALOPINER** v. intr. (1873, Zola) est sorti d'usage.

GALOPEUR, EUSE n. (1583, *gallopeur* «qui galope») est sorti d'usage au sens (1840) de «danseur de galop» et vieilli (déb. XXe s., n. m.) pour «coureur d'aventures galantes» (cf. *coureur*); il désigne un cheval qui a des aptitudes pour le galop (déb. XXe s.). ◆ **GALOPADE** n. f. désigne (1611) un galop raccourci et ralenti, puis une course au galop (1696); aujourd'hui le mot s'emploie surtout (dep. 1878) pour «course précipitée», d'où ***à la galopade*** «en hâte et sans soin» (1888). ◆ **GALOPE** n. f., nom d'un outil de relieur (1820), a désigné une danse au mouvement rapide (1830), comme *galop* (ci-dessus) et est un équivalent vieilli (1885) de *à la galopade*. ◆ **GALOPANT, ANTE** adj. (1836) «qui galope» s'emploie au figuré : «qui a une évolution très rapide» (1832, *phtisie galopante;* cf. 1674, anglais *galloping consumption*) et par extension «qui a une croissance très rapide» *(inflation galopante)*.

GALOUBET n. m. est un emprunt (1767, Rousseau), antérieurement sous des formes variables (1731, *galobet;* 1764, *galoubé* «tambouriné»), au provençal *galoubet* «flûte rustique» (1723), peut-être dérivé de *galaubar* «bien jouer (d'un instrument)», de l'ancien verbe *galaubeiar* «agir habilement» (XIIe s.), issu de *galaubia* «faste», venu du gotique °*galaubei* «grande valeur» (cf. gotique *galaufs* «précieux»). Cette origine germanique est contestée par P. Guiraud, qui propose un étymon à valeur fréquentative *galober* (→ galibot) «sauter», puisqu'on danse la farandole au son du galoubet.

GALUCHAT n. m. vient (1762; 1755, *galucha*) de *Galuchat*, nom de l'inventeur d'un procédé de traitement de la peau de certains poissons.

♦ Le mot désigne un produit de maroquinerie obtenu par ce traitement.

GALURIN n. m. représente une altération (1866) de l'ancien français *galeron* (XIIIe s.) «chapeau de fauconnerie», probablement emprunté au latin *galerus* «bonnet de fourrure» puis «perruque», de *galea* «casque». *Galea* représente le grec *galeê* «belette, martre», parce qu'à l'origine le casque du guerrier était recouvert de la peau d'un petit carnassier, censé transmettre sa force au combattant. On rencontre en moyen français *galere* «chapeau» (1540). ◆ **GALURE** n. m. (1881), également familier pour «chapeau», est une abréviation de *galurin*.

GALVANISER v. tr. est formé (1799) à partir du radical de *galvanisme*, lui-même du nom de *Galvani*, médecin et physicien italien (1737-1798).

♦ Terme de physique, *galvaniser* signifie «électriser au moyen de la pile» et, spécialement en biologie, «appliquer les courants électriques dits *galvaniques* à des structures vivantes (nerfs, muscles)». ◇ Le verbe a rapidement signifié «mettre en mouvement ce qui était inerte» et, par métaphore (1831), «animer d'une énergie soudaine» (cf. *électriser*). Il a aussi reçu un emploi technique (1861) «fixer un dépôt électrolytique (sel métallique) sur un métal pour le préserver de l'oxydation».

▸ **GALVANIQUE** adj. (1797) «relatif au galvanisme» est construit à partir du nom de *Galvani* comme **GALVANISME** n. m. (1797) qui désigne les phénomènes électriques découverts par Galvani et s'utilise aussi au figuré (1829, «force qui galvanise»).

➜ **GALVANISATION** n. f. s'emploie (1802) avec toutes les valeurs du verbe, par ex. dans *galvanisation du fer* .(1839). ➜ **GALVANISANT, ANTE** adj. (1858, participe présent de *galvaniser*) ne s'utilise qu'au figuré. ➜ **GALVANO-**, élément tiré du nom de *Galvani,* sert à composer des termes scientifiques et techniques, par exemple : **GALVANOMÈTRE** n. m. (1802, de *-mètre*), **GALVANOPLASTIE** n. f. (1840, de *-plastie*), d'où **GALVANOPLASTIQUE** adj. (1840), **GALVANOTHÉRAPIE** n. f. (1860, de *-thérapie*), **GALVANOTYPE** n. m. (v. 1900, de *-type*) et **GALVANOTYPIE** n. f. (1845).

GALVAUDER v. est d'origine incertaine (1690). On le fait généralement venir d'un croisement de l'ancien français *galer* «s'amuser» (→ galant) et de (ra)*vauder* (→ ravauder) par contamination ironisante; P. Guiraud propose d'y voir un composé tautologique de *galir* «sauter» (→ gaillard) et d'un normand °*vauder* «aller d'un côté et de l'autre» (manifeste dans le dialectal *ravauder* «fureter, chercher une piste», et dans *vaudeville*).

♦ Ceci explique le premier sens de *galvauder*: «poursuivre qqn et le maltraiter», relevé par Furetière (1690), dont procède le sens figuré moderne (1770) de «compromettre par un mauvais usage (un avantage, un don, etc.)», d'où *se galvauder* «s'abaisser, se compromettre» (1836) et *galvauder un mot* «en affaiblir la portée». Par extension (1810), *galvauder* signifie «mettre en désordre, gâter (qqch.)». ◇ Dans l'emploi intransitif, au sens de «traîner sans rien faire» (1887; surtout régional), ce sont les idées de «gaspillage» et de «mouvement» qui sont retenues.

► **GALVAUDEUX, EUSE** n. (1865), variante de *galvaudeur* «homme hargneux» (1778), est un mot vieilli signifiant «paresseux, propre à rien»; il s'utilise encore dans un sens atténué pour «polisson». ➜ Le dérivé **GALVAUDAGE** n. m. (1842) est d'emploi rare.

GAMAHUCHER v. tr., terme érotique et littéraire (XVIIIe s.), est d'origine obscure. On a pensé au verbe *hucher, huchier* «crier, appeler» en ancien français (v. 1135; → hucher); on a aussi évoqué l'arabe *(ǧild)ġadamasî* «(cuir) de Gadames» (en Tripolitaine) qui a abouti à **GAMACHE** n. f. (1595; par l'intermédiaire de l'espagnol *guadameci,* 1140), à *gamacha* en ancien provençal (1395), désignant une longue guêtre qui se portait au XVIe s. pour protéger le bas de chausse. (→ godemiché).

♦ Mais ces éléments ne conviennent guère pour le sens, *gamahucher* signifiant «faire des caresses buccales aux parties génitales».

GAMAY n. m. est le nom d'un village de Bourgogne (Côte-d'Or), pris comme nom commun. ➜ D'abord écrit *games* (1728), puis *gamet* (1751), enfin *gamay* (1816), il désigne un cépage, aujourd'hui courant en Beaujolais, en Touraine.

GAMBADE n. f. est probablement emprunté (1480) à l'ancien provençal *cambado, gambado,* répandu dans la plus grande partie du domaine d'oc, dérivé de *cambo, gambo,* du bas latin *gamba* «jambe» (→ jambe), comme l'italien *gambata* «croc-en-jambe» (XVIe s.), de *gamba.*

♦ *Gambade* se dit d'un saut avec mouvement des jambes (ou des pattes) exprimant la gaieté, la vivacité, etc., d'où le sens érotique, pour «ébats»; la locution figurée ***payer en gambades*** «éluder le paiement d'une dette» (1611) faisait allusion aux jongleurs, qui faisaient danser leur singe pour s'acquitter d'un droit de péage (cf. *monnaie de singe*).

► **GAMBADER** v. intr. (1526; 1425, *gambadir,* en Suisse romande) «faire des gambades» s'emploie au figuré pour «divaguer gaiement» (1808). ➜ Il a pour dérivé **GAMBADEUR, EUSE** n. (1788); le féminin est employé au sens figuré de «femme légère» dans Proust (1922).

GAMBAS n. f. pl. se répand dans les années 1960; c'est un mot emprunté au catalan *gambes* (pl.) puis *gamba,* issu (comme l'ancien espagnol *gambaro* [variante de *camaron*] et l'italien *gambero*) du latin populaire °*gambarus,* du latin impérial *cammarus* «crevette, écrevisse», lui-même emprunté au grec *kammaros.*

♦ Le mot désigne de très grosses crevettes de la Méditerranée.

① **GAMBE** n. f. est une ellipse de ***viole de gambe,*** emprunt (1646) à l'italien *viola da gamba* (1640), cet instrument à cordes se jouant tenu entre les jambes comme le violoncelle moderne; l'italien *gamba* (1303-1306) est issu du bas latin *gamba* (→ jambe).

② **GAMBE** n. f. est un terme de marine (1677) représentant la forme normanno-picarde de *jambe** ou emprunté au provençal *cambo* (du bas latin *camba, gamba* «jambe»), de même sens.

♦ *Gambe* s'emploie par analogie avec la fonction d'appui de la jambe pour «double cordage».

► En dérive le terme technique de marine **GAMBIER** (1838) ou **GAMBEYER** v. tr. (1922). ➜ **GAMBETTE** n. f., variante picarde de *jambette** (1re moitié XIIIe s., *ganbete*), est un équivalent très familier (1880, argotique) de *jambe.* ➜ **GAMBILLER** v. intr. a remplacé la forme picarde *gambier* «serrer entre ses jambes» puis «marcher» (XIVe s.), «faire un croc-en-jambe» (XVe s.) et «enjamber» (1530). ◇ Le verbe est vieux au sens d'«agiter les jambes en les laissant pendantes» (1609; 1535, *se gambayer* «agiter les jambes»); il s'emploie par analogie (1821) pour «danser sur un rythme très vif». ➜ En dérive **GAMBILLEUR, EUSE** n. (XXe s.) «personne qui gambille». ➜ **GAMBILLE** n. f. se dit familièrement pour «jambe» (1773, en argot; déverbal ou dérivé de *gambe*) ou pour «danse» (XXe s.).

GAMBERGER v. est d'origine incertaine. C'est peut-être une variante (1844) de *gomberger* «compter» (1836; 1835, «ne rien perdre») ou *comberger* «compter» (1836) et «réfléchir, calculer» (1899), qui pourrait être une altération de *compter* et de *combiner.*

♦ Il a signifié «compter» (1844) et s'emploie très familièrement (1926) pour «calculer, combiner» (tr.) et aujourd'hui pour «réfléchir» (intr.).

▸ En dérive **GAMBERGE** n. f. (1952) «action de gamberger».

GAMBETTE → **JAMBE**

GAMBIT n. m. est un emprunt (1743), peut-être par l'intermédiaire de l'espagnol *gambito,* à l'italien *gambetto,* d'abord «croc-en-jambe» et terme de jeu d'échecs depuis 1622-1634, dérivé de *gamba,* du bas latin *gamba* (→ gambade; jambe).

♦ *Gambit* désigne un coup aux échecs, qui permet d'assurer une bonne position d'attaque ou de défense.

GAMELLE n. f. est emprunté (1584) à l'espagnol *gamella* «récipient» (fin XIIIe s.), du bas latin *gamella* (IIe s.) — à l'origine de l'ancien français *gamele* «petit bateau» (XIIIe s.) —, altération du latin classique *camella* «coupe à boire», peut-être diminutif de *camera* (→ chambre) ou dérivé de *camelus,* variante °*camellus* (→ chameau).

♦ *Gamelle* a désigné une grande écuelle dans laquelle plusieurs matelots ou soldats mangeaient ensemble, d'où ***être (manger) à la gamelle*** «manger à l'ordinaire» (1740), par métonymie *la gamelle* «la vie militaire» (1829) et dans la marine «table commune des officiers» (1845). Le mot désigne aujourd'hui une écuelle individuelle et, spécialement (1831), un récipient individuel muni d'un couvercle. ◇ Par analogie de forme, *gamelle* se dit familièrement (XXe s.) pour «projecteur» (cf. *casserole*). ◇ ***Ramasser une gamelle*** «tomber», «subir un échec» est d'origine peu claire (répandu v. 1930); peut-être s'agit-il d'un renforcement anecdotique de *ramasser* «se baisser brusquement en avant» (cf. *ramasser une bûche, une pelle,* etc.); la métaphore de la tête, présente dans *gadin,* n'est pas exclue.

GAMÈTE n. m. représente un emprunt savant (1872) au grec *gametê* «épouse» ou *gametês* «époux», de *gamos* «union, mariage». Mais c'est un emprunt indirect, d'abord par le latin moderne *gametis* (1842) pour désigner (1872) un coléoptère. Ce sens est recouvert par la désignation du «zoospore», en biologie végétale, par l'allemand Strassburger, utilisant le latin savant *gameta,* de même origine.

♦ Le mot se trouve en français en botanique (1884, Van Tieghem), puis en biologie générale, pour «cellule reproductrice sexuée».

▸ *Gamète* est à la base de composés, comme **GAMÉTOGÉNÈSE** n. f. (v. 1950, de *genèse*), **GAMÉTOPHYTE** n. m. (1897; de *-phyte,* tiré du grec *phuton* «plante»), ou, comme deuxième élément, **MACROGAMÈTE, MICROGAMÈTE, ZOOGAMÈTE,** etc., *gamète* étant devenu un terme clé de la génétique. **-GAME, -GAMIE, GAMO-**, éléments tirés du grec *gamos,* entrent dans la composition de termes didactiques, en botanique et en biologie (idée de «reproduction»), et en sociologie (idée d'«union»).

GAMIN, INE n. et adj. est attesté dans l'*Encyclopédie* (1765, tome XVII, article *Verrerie*) pour désigner un jeune aide du verrier. L'origine du mot est incertaine; il a peut-être été formé (en Lorraine) à partir d'un radical germanique *gamm-,* que l'on retrouve dans l'alémanique *gammel* «joie bruyante» et «jeune homme dégingandé, vaurien». D'après le sémantisme «frêle» associé à l'adolescent apprenti, on peut y voir un emprunt au provençal *gamo* «rachitique, rabougri» (Guiraud).

♦ *Gamin* a signifié «jeune garçon qui sert d'aide ou de commissionnaire» (on dit aujourd'hui *garçon*), puis «petit garçon ou petite fille qui passe son temps à jouer dans les rues» (1805; aussi *gamin des rues*; cf. Galopin); on retient aujourd'hui l'idée d'«espièglerie» et de «jeunesse» (1836; 1844, adj.) pour un garçon, une fille et, par extension, un adulte. Couramment, le mot s'emploie pour «garçon ou fille dans l'âge de l'enfance» (1803, «petit garçon») et, spécialement (1883), pour «fils ou fille encore jeune».

▸ Les dérivés **GAMINEMENT** adv. (1881) et **GAMINER** v. intr. (1836) sont d'emploi littéraire. ◆ **GAMINERIE** n. f. (1836) «enfantillage, espièglerie» est plus courant.

GAMMA est un mot grec désignant (1829, transcription) la troisième lettre de l'alphabet (Γ, γ correspondant au *g* dans l'alphabet français).

♦ Le mot a été utilisé pour désigner des papillons (1803, *gamma doré*) d'après la forme des taches de leurs ailes. Le symbole est employé aujourd'hui dans des expressions scientifiques: en physique dans *rayon gamma* (1922) et comme abréviation du millionième de gramme; en astronomie dans *point gamma* «intersection de l'écliptique avec le plan de l'équateur», d'où vient (1862) par analogie l'argot scolaire *point gamma* «fête de l'École polytechnique», qui a lieu le jour de l'équinoxe de printemps.

▸ Le dérivé **GAMMÉE** adj. f. (1872) employé dans *croix gammée,* dont les branches sont coudées en forme de gamma, a connu un succès imprévisible et déplorable avec l'adoption par le parti nazi de ce symbole religieux indoaryen, la Svastika. ◆ *Gamma* est un élément formateur de composés scientifiques et techniques, par exemple **GAMMAGLOBULINE** n. f. (1950, de *globuline*), **GAMMAGRAPHIE** n. f. (1953, de *[rayons] gamma,* et *-graphie*), **GAMMATHÉRAPIE** n. f. (mil. XXe s., de *[rayons] gamma* et *-thérapie*).

◈ voir GAMME.

GAMME n. f. est un emprunt (v. 1155) au latin médiéval *gamma,* du grec *gamma,* nom de la troisième lettre de l'alphabet grec, utilisé en musique par Gui d'Arezzo (mort en 1050) pour désigner la première note de la gamme, puis la gamme elle-même; il nomma les six notes de *ut* à *la* d'après six syllabes de l'hymne à saint Jean Baptiste, de Jean Diacre (*Ut* queant laxis *re*sonare fibris *mi*ra gestorum *fa*muli tuorum, *sol*ve pulluti *la*abii reatum, Sancte Johannes); *ut* était également désigné par *gamma,* d'où le terme *gamm(a)ut.*

♦ *Gamme* désigne, dans un système musical donné, la suite des notes comprises dans l'intervalle d'une octave ; de ***faire ses gammes*** (au piano) (fin XIXe s.) vient par métaphore le sens d'«exercice» ; ***changer de gamme*** s'emploie au figuré (1665) pour «modifier sa manière de parler, d'agir» ; ***chanter à qqn sa gamme*** «lui énumérer les reproches qu'on lui fait» (1645) est archaïque. ◇ Par analogie, *gamme* se dit d'une série continue (1830, *gamme du talent ;* 1837, *gamme des sensations*) où tous les degrés sont représentés, en particulier (1845) d'une succession (de couleurs, de teintes) en gradation naturelle et, par extension (1939), d'une série de produits commercialisés considérée comme cohérente. D'où (v. 1965) la locution très fréquente ***haut (bas) de gamme*** «le plus (le moins) coûteux», dans une série de produits.

GANACHE n. f. représente un emprunt (1642) à l'italien *ganascia* «mâchoire de l'homme» (XIIIe s.), «des animaux» (déb. XVIe s.), issu du bas latin d'Italie *ganathos* «mâchoire» (Xe s.), emprunté au grec *gnathos. Gnathos* est apparenté au latin *genus,* de même sens, à rattacher à plusieurs noms indoeuropéens désignant la mâchoire, la joue ou le menton : latin *genae,* vieil irlandais *gin,* gotique *kimmus,* etc., ainsi que l'anglais moderne *chin.*

♦ *Ganache* se dit de la région latérale de la tête du cheval ; au sens de «mâchoire, tête» (av. 1661), le mot n'est plus en usage. ◇ L'expression *chargé de ganache* «qui a l'esprit lourd» (1690), la forte mâchoire étant interprétée comme un signe de grossièreté, a entraîné (1740) *ganache* «personne sans intelligence» et, spécialement (av. 1815 ; av. 1850, adj.), «vieillard radoteur» (souvent *vieille ganache*). ◇ Le mot a désigné aussi (1837) une sorte de fauteuil capitonné à la mode au XIXe s. ; la désignation tient au fait que ce fauteuil était souvent réservé aux personnes âgées. ◆ Un homonyme récent (XXe s.), peut-être d'origine régionale, désigne une crème au chocolat ; il ne semble pas apparenté.

► Le dérivé **GANACHERIE** n. f. (1892), «caractère de vieillard ridicule», est archaïque.

GANDIN n. m. et adj. m., attesté en 1710 au sens de «nigaud, niais» en Dauphiné et répandu vers 1855, a passé pour être dérivé du nom du *boulevard de Gand* (à Paris ; devenu *boulevard des Italiens*), qui fut longtemps le rendez-vous des élégants. Un personnage de la pièce de Barrière, *Les Parisiens* (1855), a contribué à mettre le mot à la mode. Cette origine anecdotique est en fait une invention postérieure. Le mot est peut-être issu d'un dialecte du Sud-Est : le dauphinois *gandina* «femme de basse condition» date du XVIIe s. ; *gandin* «nigaud» est formé du radical *gand-* (ancien français *gandir* «se sauver», XIIe s.), issu du francique °*wandjan* «tourner» (cf. le moyen néerlandais *wenden* et l'ancien haut allemand *wantjan*).

♦ *Gandin* n'est employé que par ironie, au sens de «jeune élégant ridicule», ce qui appuie l'hypothèse de l'origine régionale («nigaud»).

► Les dérivés **GANDINERIE** n. f. (1863) et **GANDINISME** n. m. (1865) sont sortis d'usage.

GANDOURA n. f. est un mot emprunté (1845 ; 1756, *gandoure*) à l'arabe d'Algérie *gandūra,* de l'arabe classique *qandūra.* Le moyen français *arcandore* (1408), *arcandolle* (1459) avait été emprunté à l'arabe par l'intermédiaire de l'espagnol *alcandora* «sorte de chemise» (XIVe s.).

♦ Le mot désigne une longue tunique sans manches, en pays arabe.

GANG n. m. a été introduit au XIXe s. (1831, *gang criminel*), chez Mérimée (1837) isolément au sens de «bande, clan» ; il est repris au XXe s. (1930, chez P. Morand comme mot américain) et à partir de 1946 après l'adoption de *gangster* (voir ci-dessous). Ce sens de l'anglais subsiste au Québec sous la forme *gagne* n. f. (cf. *toute la gagne* «tout le groupe»). Le mot a été emprunté à l'anglais *gang* «ensemble d'objets ou de personnes» (1340), puis «équipe de travailleurs» (XVIIe s.) et «bande», appliqué péjorativement aux malfaiteurs.

♦ Au sens de «bande organisée de malfaiteurs», *gang* est venu de l'américain.

► **GANGSTER** n. m., emprunté (v. 1925) au dérivé anglo-américain (1896) «malfaiteur qui travaille avec une bande organisée», a été répandu par les films américains. ◆ **GANGSTÉRISME** n. m. (1934) dérive de *gangster* ou est un emprunt à l'américain *gangsterism.* ◆ Le composé **ANTIGANG** adj. et n. m. (1965 ; → ① anti-) est surtout fréquent dans l'usage journalistique.

GANGLION n. m. est un emprunt (v. 1560) au bas latin *ganglion* «sorte d'enflure», du grec *ganglion, gagglion* «tumeur sous-cutanée, glande».

♦ Le mot désigne un petit renflement sur le trajet des vaisseaux lymphatiques et de certains nerfs.

► En dérive **GANGLIONNAIRE** adj. (1816).

GANGRÈNE n. f. est un emprunt (1538) au latin *gangraena* «gangrène» au propre et au figuré, repris du grec *gangraina* de même sens ; le mot, qui subsiste en grec moderne et a été largement emprunté par les langues d'Europe, vient de *graein* «dévorer», cf. sanskrit *grásati* «il dévore», latin *gramen* «herbe» (→ graminées), ancien islandais *kras* «friandise». La forme *cancrene* (v. 1370) vient d'une altération d'après *cancer* au sens ancien de «chancre».

♦ *Gangrène* garde les sens du latin, au propre «mortification et putréfaction des tissus» et au figuré (1561) «ce qui pourrit, corrompt». Cf. Cancer, chancre.

► **GANGRENER** v. tr. (1503, *gangrené,* adj. ; *gangréner,* jusqu'au XVIIe s.), c'est «affecter de gangrène» (employé surtout au pronominal, 1680) et au figuré (av. 1692 ; av. 1865, pron.) «altérer profondément». ◆ Le dérivé **GANGRENEUX, EUSE** adj. (1539) s'emploie aussi au propre et au figuré.

GANGUE n. f. est d'abord un mot du vocabulaire de la mine (1552) emprunté à l'allemand *Gang* «chemin» puis «filon» dans des mots composés (cf. *Erzgang* «filon métallique»).

♦ Le mot désigne une substance qui entoure un minerai et, par analogie, une matière qui enveloppe qqch. (1865). Dans un emploi figuré (1857), *gangue* se dit de ce qui enferme un sentiment, une idée, etc.

GANSE n. f. est peut-être un mot emprunté (1594; variante *gance* jusqu'au XIXe s.) au provençal moderne *ganso* «ganse» et «boucle, nœud, anse, bord», représentant l'adjectif grec *gampsos* «recourbé», de *gnamptein* «plier, fléchir». Cependant P. Guiraud propose pour origine à *ganse* le latin *campsa* «(chose) courbe», de *campsare* «tourner», dont la racine vient du grec (cf. *kamptein* «fléchir», de *kampê* «courbure»).

♦ *Ganse* désigne un cordonnet ou un ruban servant à broder, à orner, etc. et, par métonymie, l'attache faite avec ce cordonnet.

▸ En dérivent les termes techniques **GANSETTE** n. f. (1754) et **GANSER** v. tr. (1765) «garnir d'une ganse».

GANT n. m., réfection (v. 1155) de *guant* (1080), est issu du francique °*want* «moufle, mitaine», restitué par le moyen néerlandais *want*, l'ancien haut allemand *wantus*, le latin médiéval *wantus*.

♦ *Gant*, «pièce de l'habillement qui recouvre la main» (1080), se dit par extension (1070) d'un dispositif qui recouvre la main. Cette valeur extensive reprend le sens ancien (v. 1360) mais postérieur à *gantelet* «pièce de l'armure couvrant la main», aujourd'hui *gant (de boxe), gant de crin*, etc. Les Francs ayant l'habitude d'offrir une paire de gants en symbole de la remise d'une terre, *gant* (v. 1150) a été un des termes juridiques de l'investiture; de là vient la valeur symbolique du gant, qu'on retrouve dans les locutions.
Le mot est entré dans de nombreuses locutions figurées: ***jeter le gant*** «provoquer, défier» (1432) vient d'une coutume par laquelle, au moyen âge, un chevalier qui en défiait un autre au combat lui jetait son gant, que ce dernier ramassait s'il acceptait le combat; la forme initiale (1080) est *présenter sun guant;* de là vient (1803) ***ramasser, relever le gant*** «se disposer à la riposte»; ***aller comme un gant*** signifie (1558) «convenir parfaitement» (comme le gant qui épouse la main) et ***prendre des gants*** (1808) «agir avec ménagement». ◇ ***Avoir les gants de qqn, qqch.*** (1488) «en avoir la première idée» ou «le profit», locution sortie d'usage, vient de l'espagnol *para guantes* «pour les gants», désignant le pourboire qu'on donnait au messager d'une bonne nouvelle; on dit aujourd'hui ***se donner les gants de qqch.*** (1872) «s'en attribuer le mérite» (souvent mal à propos).

▸ Plusieurs plantes ont des fleurs en forme de doigts de gant (ancolie, campanule, digitale) et sont nommées couramment d'après *gant*: **GANTELÉE** n. f. (XIIIe s.; *gauntelée*, v. 1215) ou **GANTELINE** n. f. (1820), **GANT DE NOTRE-DAME** (1538), **GANT DE BERGÈRE.** ➛ Le diminutif **GANTELET** n. m. désignait (1260) un gant couvert de lames de fer, pièce de l'armure d'un chevalier. De là viennent les locutions figurées sorties d'usage aujourd'hui *plier le gantelet* (1611) «faire acte de soumission», *donner le gantelet* (1680) «appeler au combat», *prêter le gantelet* (1704) «accepter le défi» (cf. ci-dessus *jeter, relever... le gant*). ◇ *Gantelet* désigne aussi (1680) un morceau de cuir avec lequel certains artisans se protègent la paume. ➛ **GANTER** v., «mettre un gant» (1488; 1690, pron.), signifie par extension «enfiler sa main dans qqch.» et, par analogie, «gainer étroitement» (déb. XXe s.); *ganter*, en parlant des gants, signifie (1690) «aller à qqn, à sa main» et au figuré (vieux aujourd'hui) «convenir» (1843). ➛ De **GANTIER, IÈRE** n. et adj. (1260; 1240, *wantier;* 1197, au féminin), «personne qui confectionne ou vend des gants», dérive **GANTERIE** n. f. (1292, *rue de la Ganterie*).

DÉGANTER v. tr., attesté dès le XIVe s., est formé à partir de *gant*, au sens d'«enlever les gants de (qqn)», et s'emploie notamment au participe passé **DÉGANTÉ, ÉE** adjectivé.

GAP n. m. est emprunté (1948) à l'anglais *gap*, d'abord «brèche» (XIVe s.), puis «manque» (XVIIe s.) et «écart, distance considérable (entre des choses abstraites)» (XIXe s.).

♦ Le mot est venu au français par l'américain au sens de «fossé, décalage» entre des personnes, des pays ou des choses»; il peut être traduit par *retard, déficit, pénurie* selon le contexte.

GARANCE n. f. et adj. inv., réfection (v. 1175) de *warance* (fin XIe s.), par une forme latinisée *warantia, warentia* (VIIe s., en Gaule), vient du francique °*wratja* «garance» (cf. ancien haut allemand *rezza*), qui représente un emprunt au latin *bractea, brattea* «feuille de métal», confondu sémantiquement avec *blatta, -ea* «pourpre».

♦ *Garance* désigne une plante (fin XIe s.) et, par métonymie (v. 1165, *warance*), la teinture qui en est tirée et la couleur rouge vif de la teinture (v. 1265, n. m. ou adj. inv.).

▸ De *garance* dérivent des termes techniques, par exemple **GARANCER** v. tr. (déb. XIVe s.; 1283, *waranchier*) et **GARANCIÈRE** n. f. «champ semé de garance» (1600), puis (1829) «atelier de teinture avec la garance». ◇ De *garancer* vient **GARANÇAGE** n. m. (1671) «teinture avec la garance».

GARANT, ANTE n. et adj. représente (1080, *guarant*) le participe présent d'un ancien verbe *garir*, issu du francique °*warjan* «désigner qqch. comme vrai» restitué d'après l'ancien haut allemand *(bi)warian* «éprouver, vérifier», formé à partir du radical *wari-* «vrai») — cf. allemand *wahr* «vrai» (→ warrant); *warjan* se rattache à la racine indoeuropéenne °*wer-* (cf. latin *verus* «vrai»).

♦ Le sens premier de *garant* est «personne qui certifie la vérité de qqch., qui répond de qqch.», d'où «personne qui répond de la dette d'autrui» (v.1283) et «personne qui est caution d'une autre» (v. 1260) et, par métonymie (v. 1155), «chose qui garantit». Le mot, d'usage juridique, a reçu des emplois courants dans la locution ***être (se porter) garant*** (1403, *entrer en garand*) et par ses dérivés. ◇ Par analogie, le *garant* étant ce qui sauvegarde, *garant* désigne (1516) un cordage employé pour former un palan.

▸ **GARANTIR** v. tr. a le sens général de «répondre de, se porter garant de qqch.» (1080, *guarantir*) d'où couramment «donner pour vrai» (1663) et, par extension, «affirmer qqch. en répondant de son authenticité» (1872). En droit (1690), le verbe signifie «fournir l'assurance de qqch.» (1872, «contenir la garantie de») et, par extension, «donner l'assurance de la qualité de qqch.» (1865), à propos du futur «promettre» (av. 1850). ◇ Parallèlement ***garantir (qqn contre, de)*** s'est employé (1080, *guarantir*) au sens de «mettre qqn à l'abri d'un inconvénient», d'où l'emploi en droit (v. 1283). ◆ **GARANTIE** n. f. (fin XIe s.), déverbal de *garantir*, a le sens général d'«action de garantir», «ce qui garantit»; il a signifié en particulier (v. 1160) «protection, défense». En droit (1789), il se dit de dispositions juridiques qui protègent certains droits *sans garantie du gouvernement,* (cf. 1872), abrév. *S. G. D. G.*, est une formule pour les brevets; au figuré (1580) il désigne ce qui est le gage de qqch. ◆ **GARANTIQUE** n. f. (attesté en 1983; de *garantir,* d'après des mots comme *informatique*) est un terme d'informatique désignant l'ensemble des techniques et des théories qui concourent à la sécurité des transmissions de données.

GARBURE n. f. est un mot emprunté (1767) sous diverses formes (v. 1655, *carbure;* 1735, *galbeure;* 1739, *galbure*) au gascon *garburo* «soupe aux choux et au confit d'oie ou de canard», dont il garde le sens. *Garburo,* apparenté à l'espagnol *garbias* «sorte de ragoût» (1525), est peut-être d'origine préromane ou, selon P. Guiraud, viendrait du gascon *garbo* «gerbe» (→ gerbe), la *garbure* étant un plat composé comme la *gerbée* est un fourrage mélangé; l'hypothèse, qui part de l'assimilation de la nourriture humaine à la nourriture animale, est étayée par l'exemple de *dragée* (→ dragée). Le mot a pris sa forme moderne au XVIIIe s. (1767), d'abord (1750) comme nom masculin.

GARCE → GARÇON

◈ ① **GARCETTE** n. f. vient peut-être (fin XVIe s.; av. 1610, *à la garcette*) de l'espagnol *garceta* «aigrette (du héron)» et «cheveux tressés sur la tempe», d'origine inconnue. P. Guiraud fait de *garcette* un dérivé d'un verbe °*garcer,* issu d'un latin populaire °*carptiare,* construit à partir de *carpere* «déchirer; carder» (cf. italien *garziare* «carder»).

♦ Le mot désigne une ancienne coiffure féminine espagnole, portée en France sous Anne d'Autriche. ◇ Il s'emploie ensuite comme terme de marine pour une petite tresse faite de vieux cordages (1636), autrefois utilisée pour fustiger les marins punis (1835), notamment dans *coups de garcette.*

② **GARCETTE** → GARÇON

◈ ✳ **GARÇON** n. m., ancien cas régime de *gars,* est considéré comme issu (1080, *garçun* «goujat, valet») du francique °*wrakjo* «vagabond» (qui aboutit à *gars*), cas régime °*wrakkjone,* devenu °*wrakjone* (cf. la forme latinisée *waracionem,* VIIe s., et le nom de personne *Wracchio* au IXe s.). Le mot francique est restitué d'après l'ancien haut allemand *hrechjo* «banni, guerrier à la solde de l'étranger» (d'où allemand *Recke* «héros»), l'ancien saxon *wrecca* «fugitif, malheureux» (cf. l'anglais *wretch* «malheureux, scélérat»), le moyen néerlandais *Recke* «banni». Pour P. Guiraud qui rejette l'origine germanique, *garçon,* comme l'italien *garçon,* l'espagnol *garzon,* est d'origine romane; le mot pourrait être issu de °*carptio,* doublet du latin *carptor* «esclave chargé de découper les mets», d'un verbe °*carptiare* «déchirer, couper en morceaux», altération du latin *carpere* «déchirer».

♦ Quoi qu'il en soit, *garçon* signifiait au moyen âge «jeune homme de basse condition» (1080), l'enfant noble étant appelé *valet, varlet* (cf. *bachelier, damoiseau* qui faisaient ressortir le jeune âge, et non l'origine sociale); à ce sens se rattache (1080) celui de «valet, domestique» (à l'armée, à la cuisine, etc.); par extension (1554, *garçon cousturier*), *garçon* désigne un homme en service ou un employé subalterne, généralement chargé de servir la clientèle (cf. 1837, ***garçon de bureau***), spécialement dans l'hôtellerie (1750, *garson* «serveur dans un café»), sens très vivant en français contemporain, ainsi que le syntagme ***garçon de café*** (1729). ◆ Depuis l'ancien français (v. 1130), *garçon* se dit aussi d'un enfant de sexe masculin, d'où les locutions ***petit garçon, grand garçon*** et, au figuré (déb. XVIIIe s.), ***faire le petit garçon.*** ◇ Par extension (1530), *garçon* signifie «jeune homme» ou «homme jeune»; de cette acception viennent les locutions ***beau, joli garçon*** (1676), ***bon, brave garçon*** et ***mauvais garçon*** (1538). Spécialement, *garçon* s'est dit d'un jeune homme non marié, d'un homme célibataire (1636); cet emploi est vieilli mais a fourni les locutions vivantes ***vieux garçon, mener une vie de garçon*** (1637), ***enterrer sa vie de garçon*** (1929) et ***garçon d'honneur*** (1865). Du sens d'«enfant mâle» on est passé au XVIe s. à celui de «fils» (1564). ◇ Le sens récent de «soldat» (surtout dans ***nos garçons***) vient d'une traduction maladroite de l'anglais *boy.*

▸ **GARÇONNE** n. f., utilisé par Huysmans (1880, «adolescente aux formes encore enfantines»), avait été attesté isolément au XIIIe s. («femme volage»). Le mot se répand avec le roman *La Garçonne* (1922, V. Margueritte) au sens de «jeune femme menant une vie indépendante». La locution ***à la garçonne*** (v. 1925) s'est employée à propos d'une coiffure féminine (cheveux courts). ◆ **GARÇONNET** n. m. «jeune garçon» (v. 1185) s'est spécialisé au XIXe s. comme terme de mode (commerce des vêtements). ◆ **GARÇONNIER, IÈRE** adj. et n. f. s'emploie surtout de façon péjorative en parlant d'une fille dont le comportement rappelle celui d'un garçon (1803), puis au sens de «qui convient plutôt à un garçon» (1862). Le mot avait eu des connotations sexuelles : dès l'ancien français (1176, adj.) il signifie «qui se livre aux goujats» (en parlant du corps d'une femme) et «prostituée» (fin XIIe s.), repris au XVIIe s. (1640, adj. et n. f.) «femme qui aime les hommes». ◆ **GARÇONNIÈRE** n. f. (1835) désigne le logement d'un homme célibataire et, par extension, un logement pour une personne seule. ◆ Le composé **BON GARÇON** adj. m. (XIXe s.) correspond à «gentil» (en parlant d'un homme), avec une

idée de bonne humeur simple. ◇ Son dérivé **BONGARÇONNISME** n. m. (1883) a vieilli.
GARS n. m., cas sujet de *garçon* en ancien français (v. 1130, *garz*), a d'abord été un terme d'injure «misérable, lâche» puis a désigné (v. 1155) un valet et (1170) un garçon, un jeune homme; il signifie, spécialement (1759), «garçon résolu». Le mot est aussi employé en appellatif (1835); il est plus usuel en milieu rural. ➜ **GARCE** n. f. et adj. f., féminin de *gars*, ne s'utilise plus au sens de «jeune fille» (usuel du XIIIe au XVIe s.) que dans la région méditerranéenne (dans *une belle garce*); le mot apparaît (1165) au sens spécial et péjoratif de «jeune fille ou femme débauchée» (cf. les emplois de *garçonne* et *garçonnier*), d'où procèdent les acceptions modernes : *garce* équivaut à *salaud* (déb. XXe s.; av. 1880, adj.) et s'emploie par analogie (1865) en parlant d'une chose désagréable *(garce de vie)*. ➜ Le dérivé ② **GARCETTE** n. f. (v. 1223) désignait une jeune fille de basse condition et a été employé comme synonyme de «fillette».

GARDÉNAL n. m., nom (1920) déposé en 1926 d'un phénobarbital, est composé de *garder* et *nal*, d'après l'avis exprimé par un chimiste de l'entreprise Rhône-Poulenc qu'il fallait «garder *nal*», élément final de *véronal*, dans le nom à donner au nouveau produit. Cette étymologie illustre un phénomène sémantique exceptionnel dans les terminologies mais fréquent dans l'usage spontané et étudié par les folkloristes.

GARDÉNIA n. m. reprend (1777) un mot du latin scientifique moderne (1760 en anglais), tiré du nom de *Garden*, botaniste écossais du XVIIIe siècle.
♦ Il désigne un arbuste d'origine exotique et sa fleur.

GARDEN-PARTY (plur. **PARTIES**) n. f., est un emprunt (1882) à l'anglais, de *garden* «jardin» et *party* «réunion sociale».
♦ Le mot désigne une réception mondaine donnée dans un jardin.
▸ L'anglais *garden* a suscité l'anglicisme **GARDEN CENTER** n. m. (1968) «centre commercial vendant des produits pour le jardinage».

✻ **GARDER** v. tr. est issu (fin Xe s.) du germanique °*wardôn* «regarder vers» reconstitué par l'ancien haut allemand *warten* «regarder, se garder de», le moyen haut allemand *warten* «regarder; prendre soin de», le moyen néerlandais *waerden* «veiller sur; se garder de» (cf. aussi allemand *warten*, anglais *to ward*). La base germanique °*war-* «être attentif» se rattache à la famille (cf. *garer*, *garnir*) d'une racine indoeuropéenne °*swer*, variantes °*ser-* et °*wer-* (cf. grec *horan* «voir, surveiller», latin *vereri* «craindre», «respecter»; → serf).
♦ En français, contrairement aux autres langues romanes, le sens de «regarder» (v. 980) a disparu, *garder* étant remplacé par *esgarder* (→ égard) puis *regarder*. En même temps que le sémantisme «veiller sur, prendre soin», se développent parallèlement les sens de «conserver», d'«observer», de «veiller à ce que qqch. soit respecté».
Se garder signifiait (fin Xe s.) «se tenir sur ses gardes» dans un contexte religieux, dans l'usage général plus tard (v. 1160). Dans une série d'emplois, *garder* signifie «veiller sur» (v. 1050) et en particulier «empêcher une personne de sortir d'un lieu» (1080; d'où ensuite ***garder qqn à vue*** 1690). Par extension, *garder* prend l'acception de «rester dans un lieu afin de surveiller, défendre» (v. 1130) d'où le sens de «demeurer» (v. 1138), surtout dans des locutions (v. 1265, ***garder la chambre***). ◇ De l'idée de «veiller», on passe (v. 1131) à celle de «protéger» (d'un mal, etc.) et à celle de «prendre soin de, surveiller (qqn, un animal)» (v. 1050). ◇ Par extension, *garder* signifie «conserver», spécialement «mettre (qqch.) de côté» (v. 1131) : *garder une place*, au figuré (1690) ***garder une poire pour la soif*** et «mettre (qqch.) en lieu sûr» (v. 1334). Le verbe s'utilise en particulier au sens de «conserver (qqch.) sur soi» (v. 1265) : *garder son chapeau*, puis de «conserver qqn» : *garder un employé* (1675), *garder qqn à dîner* (1736). ◇ L'idée de «retenir» s'applique aussi à des éléments abstraits : *garder*, c'est «continuer à avoir (une qualité, une idée, un sentiment, etc.)» (v. 1155; d'où ***garder le silence***, 1636, ***garder qqch. en mémoire***, 1820, ***garder rancune***, 1872) et «ne pas divulguer» (déb. XIIIe s.; *garder un secret*, 1647); *garder* s'emploie aussi au sens de «retenir, veiller sur qqch. qui règle» et d'«observer avec soin» (v. 1145) d'où ***garder la mesure*** (1675), ***garder ses distances*** (1687).
▸ Les dérivés sont liés au sémantisme général de *garder* «surveiller» (pour prendre soin, pour défendre). ➜ ① **GARDE** n. f., déverbal de *garder*, est d'abord employé au sens d'«action de garder avec attention» (v. 1050, *guarde*); ce sémantisme est dominant dans les différents emplois : l'accent est mis sur l'idée de surveillance (action d'éviter un danger, 1080) ou sur celle de protection (action de mettre qqch. à l'abri d'un danger). La *garde*, c'est notamment le service de surveillance qui revient périodiquement (v. 1297) d'où ***monter et descendre la garde*** (1690), ***médecin de garde*** est récent (XXe s.). Ce sens produit des locutions : au figuré ***en garde*** «dans un état de vigilance», ***sur ses gardes*** (1552); la locution ***prendre garde*** (v. 1190) «faire attention» signifie par extension «ne pas faire» (1679) comme ***n'avoir garde de (faire qqch.)*** «s'abstenir soigneusement»; ***se donner garde de*** «éviter» (v. 1170) est sorti d'usage. ➜ *La garde* (valeur collective) désigne (XIIe s.) l'ensemble des personnes qui gardent pour défendre, protéger, en particulier les soldats qui occupent un poste, d'où ***corps de garde*** (XVIe s.); de là le sens d'«escorte» (1538) et par extension le «corps de troupe», *Garde impériale* (créée en 1804) et au figuré (XXe s.) ***vieille garde*** «amis fidèles d'un chef d'État, etc.». ➜ *Garde* se dit de l'action de surveiller pour conserver qqch. (v. 1360) ou protéger. De là des expressions comme ***Que Dieu nous ait en garde*** (1690) et des emplois juridiques, ***droit de garde*** (1690), ***garde judiciaire*** (1865). ◇ Une valeur spéciale concerne la surveillance des prisonniers (1686), aujourd'hui (v. 1960) dans ***garde à vue***; *garde* signifie aussi «surveillance pour assurer la sécurité» (mil. XVIe s.), d'où (1636) ***faire bonne garde*** et (1857) ***chien de garde***. — Il désigne spécialement

une position de défense pour éviter un coup, un danger (1671 ; 1690, en escrime), notamment dans ***en garde !*** ◆ Par ailleurs, *garde* se dit de choses qui gardent (idée de «protection») : *la garde d'une épée* (mil. xve s.), d'où les locutions figurées ***s'enferrer jusqu'à la garde*** et ***s'en donner jusqu'à la garde*** «manger, boire trop» (1651). ◇ Cet emploi a des spécialisations techniques : aux jeux de cartes ***carte de garde*** (1690), d'où ***avoir garde à carreau*** (1835) ; en serrurerie *les gardes* (v. 1268), en reliure ***pages de garde*** ou *gardes* (1743).

② **GARDE** n. m. (fin xe s.), dérivé de ① *garde*, est surtout employé au pluriel en ancien français. Le nom masculin correspond à la valeur collective de *garde* n. f. ; il désigne une personne armée qui défend, protège (v. 1170), d'où ***garde du corps*** «qui garde la personne du souverain» (1680) et, par extension, *garde* «soldat d'une garde» (1690) par exemple dans ***garde rouge*** (1917 en U. R. S. S., 1964 en Chine). ◆ Depuis le moyen âge, *garde* s'applique à celui qui surveille (un prisonnier, xiie s.), avec des développements administratifs au début du xixe s., et à celui qui conserve ou garde qqch., un lieu (1805, ***garde forestier*** ; 1790, ***garde champêtre***). Le même sémantisme rend compte d'une fonction plus haute, celle de ***garde des Sceaux*** (1841). ◆ ③ **GARDE** n. (1165, n. f.) se dit d'une personne qui garde («surveille») un enfant, un malade. ◇ Dans ce cas, on dit aussi **GARDE-MALADE** n. (1754 ; 1684, *garde de malade*).

À partir de *garder* ont été formés plusieurs dérivés. ◆ **GARDABLE** adj. signifie d'abord (xiiie s., «qu'il faut observer», à propos de règles, de lois) puis (1690) «que l'on peut garder». ◆ **GARDERIE** n. f. (1832 ; v. 1540, *garderye* «salle de garde») qui a pris de l'importance avec les *garderies d'enfants*. ◆ **GARDEUR, EUSE** n. (1247 ; v. 1160, *gardeor*), rare du fait de la synonymie avec *garde*, sauf dans *gardeur de* avec un nom d'animal. ◆ **GARDIEN, IENNE** n., réfection (1255 ; 1264, *gardiain*) de *guardenc* (v. 1130, dérivé de *garder*), désigne une personne qui doit garder («surveiller») qqn, un animal, un lieu, etc. (d'où ***gardien de but,*** 1871 ; traduction de l'anglais *goal keeper* ; → goal) ou qui défend, protège (1656) d'où ***gardien de la paix*** (arrêté du 8 septembre 1870). ◇ *Gardien* était depuis longtemps employé comme adjectif : *le père gardien* (xiiie s.) «le supérieur», dans certains couvents et *ange gardien* (1636). ◇ En dérive **GARDIENNAGE** n. m. (1803). ◆ À *gardien* correspond la forme provençale **GARDIAN** n. m. (1409, du verbe ancien provençal *gardar*) empruntée (1911, n. m.) pour désigner les gardiens de taureaux en Camargue.

À partir de ① *garde* ont été formés plusieurs composés. ◆ **AVANT-GARDE** n. f. (xiie s., *avant-garde* ; de *avant*), d'abord terme militaire puis, au figuré (xvie s.), «ensemble des groupes qui jouent un rôle de précurseurs» ; le mot a deux dérivés, **AVANT-GARDISME** n. m. (1918) et **AVANT-GARDISTE** adj. et n. (1918 ; le sens de «milicien fasciste italien» est emprunté à l'italien *avanguardista*). ◆ **ARRIÈRE-GARDE** n. f. (av. 1150), réfection de *reregarde* (1080) de l'ancien français *rere* «en arrière» (du latin *retro*), et un terme militaire également employé au figuré. ◆ **GARDE-À-VOUS** loc. est l'abréviation (1835) de *prenez garde à vous* et s'emploie aussi comme nom masculin en termes militaires (av. 1850) ; il se dit, par analogie (1923), pour «attitude contrainte».

GARDE- est un élément très actif de mots composés, tiré du verbe *garder* ou de ② *garde*. Ce sont les idées de surveillance, de protection ou de conservation qui dominent dans le sens des mots composés. ◆ **GARDE-ROBE** n. f. «pièce (v. 1190), armoire (apr. 1250) où l'on range les vêtements» et par métonymie (1540) «vêtements», se dit également (1541) d'une plante odorante qui protège le linge des mites. Au xvie s. et dès 1314 dans un texte anglais, le mot s'est dit du lieu où l'on plaçait la chaise percée et par métonymie pour «excréments». ◆ **GARDE-MANGER** n. m., d'abord «officier de bouche» (1286, *garde mangier*), a désigné (1304) une pièce dans laquelle on garde les aliments et aujourd'hui un placard pour le même usage (1538). ◆ **GARDE-MEUBLE** n. m. (1352), «officier préposé à la garde des meubles du roi», est devenu le nom du lieu où l'on garde les meubles (1836). ◆ **GARDE-FOU** n. m. (1400, *gardefol*) signifie «rambarde». ◆ **GARDE-MAIN** n. m. (xvie s.), «partie de la garde d'une épée», a pris une autre valeur (1829) «feuille mise sous la main pour protéger le papier». ◆ **GARDE-CÔTE** n. m. signifie d'abord (1599) «service de guet», puis «vaisseau cuirassé» (1690) et «petit bateau qui surveille la pêche» (1845). ◆ **GARDE-VUE** n. m. désigne une sorte d'abat-jour (1642), puis une visière (1757). ◆ **GARDE-CHASSE** n. m. apparaît en même temps (1669) que **GARDE-PÊCHE** n. m. «agent chargé de surveiller la pêche» (1669), puis «vedette pour surveiller la pêche» (1907), mais *garde-chasse* est plus courant. ◆ **GARDE-CENDRE** n. m. (1831) est resté un terme technique, alors que **GARDE-BARRIÈRE** n. m. (1845) est devenu usuel avec le chemin de fer et les passages à niveau. ◆ **GARDE-FREIN** n. m. (1857) appartient aussi au vocabulaire des chemins de fer. ◆ **GARDE-BOUE** n. m. (1869) et **GARDE-CROTTE** (1845), le second éliminé à cause de l'évolution de sens de *crotte*, sont passés de la terminologie des voitures à cheval à celle de l'automobile et de la bicyclette (fin xixe s.). ◆ **GARDE-VOIE** n. m. (1872), terme de chemin de fer, a vieilli. ◆ Enfin **GARDE-BUT** n. m. (1894) est rare (cf. *gardien*, ci-dessus, et *goal*).

MÉGARDE n. f. déverbal (*mesgarde*, 1138) de *mesgarder*, de *garder* et préf. *mes-* (*-mé*) a signifié «faute d'attention», valeur disparue, avant d'entrer au xviie s. dans l'expression *par mégarde*. Celle-ci est restée en usage, pour «sans faire attention, sans vouloir».

◈ voir **CHIOURME (GARDE-CHIOURME)** ; ① **FEU (GARDE-FEU)**.

GARDON n. m. est d'origine incertaine (v. 1220 ; variante *guerdon*, au xvie s.). Le mot pourrait être un dérivé de *garder* «regarder», à cause des yeux rouges de ce poisson, ou de *garder* «surveiller» parce qu'il a l'habitude de revenir sur les mêmes lieux. P. Guiraud rattache *gardon* à *gard*, *jard*, d'un latin populaire °*carpitum*, du latin classique *carpere* «déchirer», ce poisson ayant une chair de qualité médiocre, remplie d'arêtes.

① **GARE** interj. est une forme abrégée (v. 1165, *guar* «prends garde!») de l'impératif de *garder*, rattachée à *garer*.

♦ *Gare* s'emploie pour avertir de se garer et, par extension, de prendre garde à quelque éventualité fâcheuse, d'où la locution figurée ***sans crier gare*** «sans avertir» (autrefois *sans dire gare*, v. 1500, *sans dire gaire*, XVe s.).

② **GARE** → GARER

GARENNE n. f., réfection (XVIe s.) de *garanne* (v. 1160), *warenne* (v. 1283), est un mot d'origine discutée. On le donne comme un emprunt au latin médiéval *warenna* (1086), terme de droit féodal désignant un terrain où les seigneurs se réservaient le droit de chasse ou de pêche. *Warenna* pourrait être un dérivé du germanique °*wardon* (→ garder) ou de °*warôn* (→ garer), ou encore se rattacherait à *garir* «protéger» (→ guérir). On dérive aussi *garenne* du gaulois °*varros* «poteau», restitué par l'irlandais *farr* «poteau», et par des noms de famille gaulois, *warenna* ayant pu signifier «étendue entourée de piquets»; la forme *garenne* viendrait d'un croisement avec *garder* (cf. les variantes du type *garende*, 1297).

♦ *Garenne*, en ancien français «étendue de terre» (v. 1160) et «domaine de chasse réservé» (v. 1283), désigne (1366) par analogie un endroit où la pêche est réservée puis, par extension (1486), une étendue boisée où les lapins se multiplient à l'état sauvage, d'où ***lapin de garenne*** (1575) et par ellipse *un garenne*.

✳ **GARER** v. tr. est d'abord un mot du vocabulaire maritime; il ne semble pas avoir été utilisé à l'intérieur des terres avant le XVe s. (1415, *guerrer*) sauf (v. 1180) *varer a* «se défendre contre», attestation isolée en Bretagne. Le mot viendrait de l'ancien nordique °*varask* «être sur ses gardes», qui se rattache au germanique °*warôn* «veiller à, se protéger» (cf. allemand *wahren*), d'une racine indoeuropéenne °*swer*, variantes °*ser* et °*wer* «faire attention» (→ garder, garnir). P. Guiraud établit une relation entre *varer* «garer un navire» et l'ancien provençal *varar* «lancer» et «échouer (un navire)» dont la source pourrait être le latin *vara* «traverse» (dérivé de *varus* «qui a les jambes tournées en dedans»): on fait glisser le navire sur des traverses de bois quand on le tire pour le mettre à l'abri; cette hypothèse n'exclut d'ailleurs pas un croisement avec *garer* «protéger». La forme moderne n'apparaît qu'au XVIIe s. (XVIe s., *garrer*).

♦ *Garer* a signifié (1415) «amarrer un navire» puis s'est employé par extension (1564, *garrer*) au sens de «mettre à l'abri un bateau», d'où viennent les sens courants actuels «se ranger pour laisser passer» (1611, dans *se garer*), «mettre un véhicule à l'écart de la circulation» (1865) et le sens technique de «ranger (un convoi) hors de la circulation pour laisser passer un autre convoi» (1723, *se garer* pour un bateau; 1865 en chemin de fer). Au sens de «mettre à l'abri», *garer* s'emploie aujourd'hui sans préposition. ◇ Le pronominal *se garer de* (fin XVIIIe s.; 1635, *se varer à un danger*) signifie «prendre garde d'éviter» (cf. la locution figurée [déb. XXe s.] ***se garer des voitures*** «se mettre à l'abri de tout risque»).

► Le déverbal ② **GARE** n. f. a signifié «distance» (1533) et s'est dit (1690) de la partie d'une rivière, d'un canal où les bateaux peuvent se croiser, se garer. ◆ Le mot est sorti d'usage avec cette valeur qui s'est étendue (1831) au vocabulaire des chemins de fer où il a désigné la portion de voie, alors double, où les trains peuvent se croiser. ◇ De là, *gare* désigne très tôt (1835) l'ensemble des installations pour l'embarquement et le débarquement des voyageurs, des marchandises (on a aussi employé *embarcadère*, jusqu'aux années 1860). Par analogie on parle de *gare maritime* (1873), de *gare routière*, puis de *gare aérienne* (→ aérogare).

GARAGE n. m. a d'abord désigné (1802) l'action de faire entrer les bateaux dans une «gare» d'eau; par extension (1865) le mot s'emploie à propos d'un véhicule ou des wagons de chemin de fer, d'où la locution ***voie de garage*** «voie où l'on gare les trains» (XXe s.), au figuré «activité sans avenir». ◇ Par extension, *garage* désigne (1891) un bâtiment destiné à garer des véhicules, puis une entreprise qui garde, entretient et répare les véhicules notamment les automobiles (1896). C'est le sens le plus usuel aujourd'hui, d'où vient le dérivé **GARAGISTE** n. (1922), mot courant, à côté de *mécanicien*, et où l'origine (*garer*) n'est plus perçue.

GARGAMELLE n. f. est un mot emprunté (1468) au provençal *gargamella* «gorge, gosier», issu du croisement entre *calamella* «chalumeau*» (XIVe; XIIe s., *caramel*) d'où au figuré «gorge», et la racine onomatopéique *garg-* «gorge» (→ gargariser).

♦ Le mot est aujourd'hui d'emploi régional (Provence).

GARGANTUA n. m. est le nom d'un personnage de Rabelais doué d'un prodigieux appétit (1532, *Pantagruel, filz du grand géant Gargantua*, titre). Il est formé à partir de la racine onomatopéique *garg-* «gorge» (→ gargariser).

♦ *Gargantua* a signifié (1707) «homme très grand» et est utilisé au sens de gros mangeur (1802).

► En dérive **GARGANTUESQUE** adj. (1836), précédé par *gargantuélien, ienne* (1617) «digne de Gargantua».

GARGARISER v. tr., réfection graphique (v. 1560) de *gargarisier* (v. 1350), *gargarissier* (XIIIe s.), est un emprunt au latin *gargarizare*, du grec *gargarizein* «gargariser» et «gargouiller», forme à redoublement suggérant un bruit de gorge ou un liquide qui bouillonne. La racine onomatopéique *garg-* apparaît dans de nombreuses langues avec des vocalismes divers (cf. anglais *to gargle*, italien *gargarizzare*, espagnol *gorgotear*, allemand *gurgeln*).

♦ *Gargariser*, au sens de «laver (la gorge, l'arrière-bouche) avec un liquide médicamenteux» (XIIIe s.), s'emploie surtout pronominalement (1636); mais il a eu l'emploi transitif de «boire» (1534). Au figuré, *se gargariser de* signifie familièrement (1865) «se délecter en se vantant de (qqch.)».

▸ **GARGARISME** n. m. est emprunté (av. 1028) au bas latin *gargarisma*, du grec *gargarismos*, dérivé de *gargarizein*.

GARGOTE n. f. est attesté à la fin du XVIIe s. (1680) mais est probablement antérieur, le dérivé *gargotier* étant relevé dès 1642. Le mot est le déverbal de l'ancien verbe *gargoter* «bouillonner» (1584), «manger, boire malproprement» (1675), dérivé du moyen français *gargotte* «gorge, gosier» (1549), variante de *garguette* (1419; cf. latin médiéval *gargeta*, v. 1300), issu de *gargate* (1155), mot formé à partir de la racine onomatopéique *garg-* «gorge» (→ gargariser).

♦ *Gargote* se dit d'un restaurant bon marché où la cuisine et le service sont de qualité médiocre; il a vieilli, sauf en emploi stylistique.

▸ Le dérivé **GARGOTIER, IÈRE** n. désigne une personne qui tient une gargote (1642) ou un mauvais cuisinier (1680). ➛ **GARGOT** n. m. a signifié «ragoût» (av. 1665) et s'est employé comme synonyme de *gargote* (1859); il a désigné aussi un grossiste en porcs (1794).

GARGOUILLE n. f., variante (1313) de *gargoule* (1294), est composé de la racine onomatopéique *garg-* «gorge» (→ gargariser) et de l'ancien français *goule* «gueule*».

♦ Le mot désigne d'abord un dégorgeoir à distance des murs par lequel s'écoulent les eaux de pluie, souvent orné d'une figure humaine ou animale grotesque et, par métonymie, la figure elle-même. Par extension, *gargouille* se dit (1845) d'un conduit servant à l'écoulement des eaux pluviales.

▸ **GARGOULETTE** n. f., de la forme *gargoule*, s'est dit d'une petite gargouille (1337) et d'un bec verseur (1397); il désigne aujourd'hui (1686) un vase poreux dans lequel un liquide se rafraîchit par évaporation (par influence du provençal *gargouleto* «cruchon»). ➛ **GARGOUILLER** v. (1594) signifie «produire un bruit analogue à celui de l'eau qui tombe d'une gargouille»; le verbe s'est employé antérieurement au sens d'«articuler des paroles incompréhensibles» (XVe s.; XIVe s., *jargoillier* «gazouiller»), il est alors dérivé de *jargonner, gargonner* par substitution de suffixe. ◇ En dérivent **GARGOUILLEMENT** n. m., réfection (1532) de *gargoulement* (1478), et **GARGOUILLIS** n. m. (1581). ◇ **GARGOUILLADE** n. f. s'est dit (1747) d'un pas de danse et désigne (1834) une vocalise mal exécutée évoquant le bruit de l'eau tombant d'une gargouille (ce sens, dérivé du verbe *gargouiller*, est peut-être antérieur au premier).

GARGOUSSE n. f. représente une altération (1687) du provençal *cargousso, gargousso* «charge de poudre à canon dans son enveloppe», dérivé de *carga*, qui correspond à *charger* (→ charger). La forme plus ancienne (1505) *gargouche* vient d'un croisement avec *cartouche*.

♦ Le mot, qui conserve le sens du provençal, s'applique aujourd'hui à un cylindre métallique empli de poudre.

▸ Il a pour dérivés **GARGOUSSIER** n. m. (1722) et **GARGOUSSERIE** n. f. (XXe s.).

GARNEMENT n. m., réfection (v. 1300) de *guarnement* (1080), est un dérivé démotivé du verbe *garnir**.

♦ Le mot s'est d'abord employé pour désigner l'équipement d'un soldat et, par métonymie (1080), un homme armé, puis un vaurien (1176-1181, *garnemant*), spécialement autrefois dans *faus garnement* (v. 1300), *malves garnement* (v. 1334), *faux* et *mauvais* étant fréquemment utilisés pour désigner des objets usés. ◇ Par affaiblissement de sens, *garnement* se dit seulement aujourd'hui (1784) d'un enfant ou d'un jeune homme insupportable.

✳ **GARNIR** v. tr. est issu (fin Xe s.) du francique °*warnjan* «prendre garde à qqch.», restitué d'après l'ancien haut allemand *warnôn* «avertir, protéger», le moyen néerlandais *waernen* «équiper» (cf. allemand *warnen*, anglais *to warn*); °*warnjan* se rattache à une racine indoeuropéenne °*swer*, variantes °*ser* et °*wer* «faire attention» (→ garder, garer).

♦ Le verbe a eu le sens de «mettre en garde qqn contre qqch.» (fin Xe s.) puis par extension celui de «se tenir sur ses gardes» (v. 1119, *soi garnir*) dans le domaine militaire. ➛ Le passage au sens moderne vient de *garnir (qqch. de, avec qqch.)* signifiant (1080) «munir d'éléments destinés à protéger, garder, renforcer». Par extension, *garnir qqch.* correspond à «munir de tous les éléments dont la présence est nécessaire ou normale» (v. 1207) d'où l'emploi en industrie textile (1723) et avec un sujet de chose pour «remplir, recouvrir» (mil. XVIIIe s.). ◇ Par extension, *garnir (qqn, qqch.) de (qqch.)* se dit (v. 1260) pour «munir d'éléments accessoires ou ornementaux» et signifie spécialement «accompagner (le plat principal) d'une garniture» (1721).

▸ **GARNI, IE** adj. et n. m. signifie «approvisionné» (v. 1125) et «pourvu de» (v. 1165). De l'idée de «pourvoir» vient le sens de «meublé» dans *chambre garnie* (1609) et ***hôtel garni*** (1724) d'où *un garni* (1829) et par suffixation populaire (1867) *un* ***garno***, mot populaire en usage au début du XXe siècle. ➛ **GARNISON** n. f. a eu en ancien français des acceptions liées à l'idée de protection, de défense, d'équipement (comme *garnir*) «défense» (fin XIe s.), «approvisionnement» (1155), «équipement» (v. 1176-1184), «ville fortifiée» (1213). Se sont conservés les sens de «troupes mises dans une place pour la défendre» (v. 1200) et de «ville où sont casernées ces troupes» (1283; 1835, *ville de garnison*). ◇ Au sens d'«action de munir d'éléments supplémentaires» (1623), *garnison* est sorti d'usage sauf dans des emplois techniques (cf. 1690, en orfèvrerie, *pièce de garnison*, 1633). ➛ Dérivent de *garnison*, **GARNISONNAIRE** n. m. (1743), contracté en **GARNISAIRE** n. m. (1784), «celui qu'on établit en garnison chez des débiteurs», d'un sens spécial de *garnison* «établissement de sergents chez les débiteurs», et **GARNISONNER** v. (1794), tous deux sortis d'usage. ➛ **GARNISSAGE** n. m., autre dérivé de *garnir*, signifie «action de garnir; son résultat» (1840) dans divers emplois techniques (1785, «action de rendre

laineuse la surface des draps»). ◆ **GARNISSEUR, EUSE** n. désigne l'ouvrier qui pose des garnitures (1260, pour celui qui garnit les chapeaux) et (1845, n. f.) une machine à garnir le drap. ◆ **GARNITURE** n. f. (1327 ; v. 1260, *garneture*) se dit de ce qui sert à garnir, à orner (1570, en tapisserie ; 1672, terme de marine ; 1872, en céramique ; 1930, d'un dispositif assurant l'étanchéité, etc.) et, spécialement, de ce qui accompagne un mets (1721).
Garnir a servi à former deux préfixés. ◆ **DÉGARNIR** v. tr. (1080, préfixe *dé-*), c'est «enlever ce qui garnit», spécialement au participe passé (1798, *front dégarni*) ; en dérivent **DÉGARNISSEMENT** n. m. (XII ; repris mil. XVIIIe s.) et **DÉGARNISSAGE** n. m. (1933). ◆ **REGARNIR** v. tr., en ancien français (XIIe s.) «fortifier de nouveau», signifie (XIIIe s.) «garnir de nouveau», «pourvoir d'une nouvelle garniture» (1549). ◇ Le dérivé **REGARNIS** n. m. (1875 ; 1869, *regarni*) est un terme technique de sylviculture.

◈ voir GARNEMENT.

GAROU → LOUP (LOUP-GAROU)

GARRIGUE n. f. est un emprunt (1544, «lande») au provençal *garriga* (v. 1120) désignant un terrain aride de la région méditerranéenne. Le mot est issu de l'ancien provençal *garric*, n. m., «chêne kermès», qui correspond dans le domaine d'oïl à *jarrie* (v. 1150, franco-provençal ; cf. aussi v. 1170, *jarris* «bâton taillé dans un chêne kermès») et au latin médiéval *garricu*, *garrigu* (817), utilisé dans le domaine d'oc jusqu'au milieu du XIIe siècle. Ces mots font partie d'un ensemble désignant des terres incultes ou des plantes épineuses, mots en usage de la péninsule Ibérique à l'Italie du Sud ; ils auraient pour origine un type préroman *carra-* «pierre» (cf. le dérivé gascon *carroc*, *garroc* «rocher», le suisse allemand *Karren* «rochers calcaires»), les sols pierreux donnant naissance à une végétation épineuse (cf. espagnol *carrasca* «yeuse», catalan *garric* «chêne»). Pour P. Guiraud, c'est plus souvent la plante qui donne le nom au lieu, ce qui l'incite à voir dans *garrigue* un mot de la famille de *gart*, *jard* «aiguillon» et de *carder*, *chardon*, mots issus du latin *car(r)ere* «carder» (→ jarre).

① **GARROT** n. m. est peut-être un emprunt (1549 ; 1444, sous la forme *gerrot*) au provençal *garrot* «partie du corps située au-dessus de l'épaule, et qui prolonge l'encolure» (chez les grands quadrupèdes), de l'ancien provençal *garra* «jambe, jarret», issu du gaulois °*garra* (→ jarret). P. Guiraud met en rapport *garrot* «encolure» avec *garrot* «bâton» (→ ② garrot) qu'il propose de former à partir de *vara* «traverse».

♦ Le mot désigne le support en travers duquel est placé le joug.

② **GARROT** n. m. est un mot d'origine discutée (2de moitié XIIIe s.). Attesté aussi sous la forme *guaroc* (XVe s.), il est donné comme dérivé du verbe *garo-kier* «barrer la route à qqn», issu du francique °*wrokkon* «tordre avec force», restitué par le moyen néerlandais *wroegen* «dénoncer, torturer, tourmenter», *wroc* «rancune». Cependant *garokier* n'est attesté qu'au XIIIe s. alors que *garrot* est courant en ancien français, et on a aussi proposé pour origine le francique °*wrok* «partie noueuse d'un tronc d'arbre», dérivé hypothétique de °*wrokkon*. Pour P. Guiraud, *garrot* pourrait avoir été formé à partir du latin *vara* «traverse en bois», de *varus* «de travers», l'influence du francique se limitant au passage du ***v*** au ***g-***.

♦ *Garrot* a désigné (2de moitié XIIe s.) un bâton, sens encore présent chez Furetière (1690), et spécialement un trait d'arbalète. Le mot se spécialise comme nom d'une barre de bois passée en travers d'une corde pour la serrer (1611 ; XVe s., *guaroc*). ◇ *Garrot*, par analogie, se dit (1598) d'un instrument de supplice, un collier de fer qu'on serre avec une vis pour étrangler, également nommé **GARROTTE** n. f. (1647). Dans cet emploi, les deux formes sont empruntées à l'espagnol *garrote*, sens spécialisé (1570) de *garrote* «bâton» (v. 1300), lui-même emprunté à l'ancien français *garrot*. ◇ Par extension, *garrot* se dit (1814) d'un lien qui sert à comprimer l'artère d'un membre pour arrêter une hémorragie ainsi que d'une ligature (1757) par laquelle on corrige la direction d'un arbre.

▸ **GARROTTER** v. tr. «attacher, lier comme avec un garrot» (1535 ; XVe s., «serrer fortement un objet») a été précédé par les formes *waroquier* (1470) et *garocier* (attestation isolée, XIIIe s.) ; il s'emploie aussi au figuré (1580). ◇ En dérive **GARROTTAGE** n. m. (1588).

GARS → GARÇON

GASCON, ONNE adj. et n. est issu (1080, *li Gascuinz* ; v. 1180, adj.) du latin impérial *Vascones*, nom d'origine préromane qui désigne un peuple établi sur les deux versants des Pyrénées, devenu *Wascones* (VIe s. ; → basque).

♦ Le mot s'est employé au figuré de façon péjorative (1622) pour parler d'une personne qui a les traits que l'on attribuait (notamment aux XVIe et XVIIe s.) aux Gascons, supposés vantards et malins.

▸ **GASCON(N)ISME** n. m. s'est dit (1584) d'un tour gascon et en général occitan employé en français, dans le contexte de la normalisation de la langue française et, beaucoup plus tard (1823), d'une vantardise de Gascon, ce que signifie aussi **GASCONNADE** n. f. (XVIIe s. ; av. 1611, ***à la gasconnade***). ◆ **GASCONNER** v. s'emploie pour «se vanter» (1613, intr.), mais les sens de «voler» (1611, tr.) et de «tromper qqn par des vantardises» (1778, tr.) sont sortis d'usage ; le verbe a également signifié «parler avec l'accent gascon» (av. 1607, tr.).

GASPACHO n. m. est un emprunt (1776) à l'espagnol *gazpacho* (1607), mot d'origine obscure sans doute préromane.

♦ *Gaspacho* désigne une sorte de soupe froide ; le mot, qui avait été repris par Mérimée (1830) sous la forme espagnole, ne s'est répandu qu'après 1950 avec le développement du tourisme en Espagne.

GASPILLER v. tr. est peut-être issu (1549) du croisement d'un terme dialectal de l'Ouest *ga(s)* *pailler* «rejeter les balles de blé», puis «répandre la paille du blé», avec le provençal *gaspilha* «grapiller, gaspiller» qui correspond au moyen français *gapiller* (attesté 1578). *Gaspailler* est un dérivé de l'ancien français *gaspail*, attesté vers 1200 dans *jeter à waspail*, en rapport avec le latin médiéval *vaspale* «balles de blé» (1194), le provençal *gaspa* «petit lait» (1450), le wallon *wèspa* «déchets de paille», le poitevin *gaspailles*, de même sens (1516). *Gaspail* est issu d'un type °*waspa* «déchets», peut-être gaulois, signifiant «nourriture» puis «nourriture de bétail, déchet» (de °*wes-* «nourrir» et d'un suffixe pré-indoeuropéen *-p* à valeur diminutive). Pour P. Guiraud, qui affectionne les formations doubles, *gaspiller* serait un composé par juxtaposition de radicaux synonymes, *gaster (gâter)* ou une variante de *casser* (la forme *gasse* pour *casse* se trouve dans les dialectes du Centre et du Poitou) et *piller* «détacher, déchirer» (cf. *pille* «balle de blé, pelure»), soit «gâte, pille».

♦ *Gaspiller* signifie «dépenser sans discernement», au propre (1549) et au figuré (1829).

▸ En dérivent **GASPILLEUR, EUSE** n. (1538), **GASPILLAGE** n. m. au propre (1732) et au figuré (1872). ◇ *Gaspillage* a été abrégé en **GASPILLE** n. f., terme régional (1822), et (1979) en **GASPI** n. m. *(la chasse au gaspi)*, terme proposé par l'administration et diffusé par les médias, lors d'une campagne pour l'économie d'énergie.

GASTÉRO-, GASTR-, GASTRO-, -GASTRE, -GASTRIE sont des éléments tirés du grec *gastêr, gastros* «ventre, estomac», de *graein* «dévorer» (→ gangrène), qui entrent dans la composition de nombreux mots savants.

▸ **GASTÉROPODES** ou **GASTROPODES** n. m. pl. (1795, de *-pode*) d'animaux qui marchent sur le ventre, c'est-à-dire les escargots. ◆ **GASTR(O)-** sert à former de nombreux termes médicaux tels **GASTRALGIE** n. f. (1824, de *-algie*) «douleur d'estomac»; **GASTRECTOMIE** n. f. (1879, de *-tomie*); **GASTRO-ENTÉRITE** n. f. (→ enter-); **GASTRO-INTESTINAL, ALE, AUX** adj. (1808, de *intestinal*), etc.

◈ voir GASTRIQUE.

GASTRIQUE adj. est un dérivé savant (1560, n.) du grec *gastêr, gastros* «ventre, estomac» (→ gastéro-).

♦ Le mot désigne un vaisseau sanguin proche de l'estomac, et s'applique aujourd'hui (1762) à ce qui a rapport à l'estomac.

▸ **GASTRITE** n. f. est lui aussi un dérivé savant du grec *gastêr* (1803) par le latin moderne *gastritis* (1795, dans une traduction), pour désigner une inflammation de la muqueuse de l'estomac; comme dans d'autres termes médicaux en *-ite*, le latin médical moderne s'est créé dans la terminologie médicale anglaise, au XVIIIe siècle.

GASTRONOMIE n. f. représente un emprunt (1800; 1623, attestation isolée) au grec *gastronomia* (cf. *gastro-* et *-nomie*) «art de régler l'estomac». C'est peut-être le nom d'un traité culinaire écrit par le Grec Arkhestratos (IVe s. av. J.-C.) et dont il ne nous reste que des témoignages indirects.

♦ Le mot désigne l'art de la bonne chère d'où, par extension, l'art de préparer de bons repas, la haute cuisine.

▸ En dérivent **GASTRONOME** n. (1803) et **GASTRONOMIQUE** adj. (1807), devenus usuels avec *gastronomie*, depuis l'ouvrage célèbre de Brillat-Savarin, la *Physiologie du goût* (1826).

GASTRULA n. f. est un mot du latin scientifique moderne (1874), diminutif du latin classique *gastra* «vase ventru», du grec *gastêr, gastros* «ventre, estomac» (→ gastéro-); le mot a été créé en 1872 par le biologiste allemand Haeckel (1834-1919).

♦ Il désigne un stade du développement embryonnaire; il est passé rapidement dans les langues européennes.

GÂTEAU n. m. est issu (v. 1138, *gastels*, pl.; v. 1170, *li gastiax*, cas sujet singulier) d'un latin populaire °*wastellum*, probablement du francique °*wastil* «nourriture» (ancien et moyen haut allemand *wist* «nourriture»), dérivé de °*wahs* «cire» (cf. anglais *wax* et allemand *Wachs* «cire»). P. Guiraud rapproche *gastel* du moyen français *gasche* «galette», dérivé de *gâcher** «mouiller le plâtre» et suggère un étymon gallo-roman °*vasitare* «faire une pâte». On a écrit *gastiau* (v. 1265) puis *gasteau* (XVe s.); la forme moderne est relevée en 1636.

♦ Du sens de *gâteau* «pâtisserie» viennent les locutions figurées ***avoir part au gâteau*** (1541) et récemment ***c'est du gâteau!*** (cf. *tarte*). ◇ Par jeu de mots avec *gâter*, ***papa gâteau*** (1785) se dit d'un père qui gâte ses enfants (ensuite appliqué à d'autres substantifs). ◇ Par analogie de forme, *gâteau* s'emploie dans des acceptions techniques (1680, *gâteau de cire, de miel*; 1676 en sculpture, etc.).

✳ **GÂTER** v. tr. est issu (1080) du latin *vastare* «dévaster, ruiner», «dépeupler», dérivé de *vastus* «ravagé, désolé» (→ vaste), devenu °*wastare* sous l'influence du germanique °*wôstjan* (restitué par l'ancien haut allemand *wuostan*, l'allemand *werwüsten* «dévaster, ravager»; cf. *gâtine*), d'où le *g*-initial comme dans d'autres langues romanes (italien *guastare*, espagnol et ancien provençal *gastar*).

♦ *Gâter* a le sens général de «mettre une chose en mauvais état»; il a signifié «dévaster, ravager» (1080) jusqu'au XVIIe s. et «endommager gravement qqch.» (v. 1200), jusqu'au XIXe s. et encore régionalement; cf. 1662, *se gâter* «se détériorer»). ◇ Par extension, *gâter* se dit spécialement pour «détériorer en pourrissant» (1636; 1538, au pronominal) et, par affaiblissement de sens, pour «affaiblir, diminuer en privant de ses effets agréables, favorables» (1640, ***gâter le métier*** et, par litote, av. 1778, la locution ***ce qui ne gâte rien***). ◇ L'emploi au sens de «priver qqch. de ses qualités naturelles» (fin XIIe s.; aussi *vaster* «souiller») est vieilli ou littéraire. ◇ Depuis le XVIe s. le verbe signifie (1530) «traiter un enfant avec une trop grande indulgence, qui risque de corrompre ses qualités»; aujourd'hui seul le participe adjectif (*enfant gâté*) est courant. Enfin, par oubli de son sens initial, *gâter* s'emploie par extension (fin XVIIe s.) au sens de «traiter qqn en le comblant de prévenances».

▸ Le dérivé **GÂTERIE** n. f. (1815; 1609, attestation isolée pour «altération d'un texte») est lié au dernier sens mentionné pour le verbe; le mot désigne aussi un petit cadeau (apr. 1850), et, en langue populaire, une fantaisie érotique (att. 1951). ➛ **GÂTEUR, EUSE** n. «personne qui détériore qqch.» (1680; v. 1213, *gasteur* «celui qui gaspille») est sorti d'usage. ➛ Il n'en va pas de même pour la variante péjorative **GÂTEUX, EUSE** n. et adj. dérivée à l'aide du suffixe *-eux* (forme dialectale de *-eur*) d'abord dans l'argot des hôpitaux (1835) «personne atteinte d'incontinence et donc qui *gâte* ses draps» (cf. en ancien français *gâter* «gaspiller, répandre un liquide» et *soi gaster* «se souiller», XIIe s.). ◇ Par extension, *gâteux* se dit (mil. XIXe s.) d'une personne dont les fonctions intellectuelles sont troublées (souvent à cause de l'âge); par hyperbole (1872), il équivaut à «idiot». ➛ En dérivent **GÂTISME** n. m. (1868) et **GÂTIFIER** v. intr. (v. 1950, d'après *bêtifier*) (→ gaga).

GÂTE- est tiré du verbe *gâter* pour former des mots composés comme : **GÂTE-BOIS** n. m. inv. «chenille qui creuse des galeries dans le bois» (1829; 1397, «mauvais menuisier»; de *bois*); **GÂTE-PAPIER** n. m. (XIIIe s.; de *papier*) autrefois «mauvais écrivain»; **GÂTE-SAUCE** n. m. d'abord «mauvais cuisinier» (1804; de *sauce*), aujourd'hui «marmiton» (1840). On a suggéré comme origine l'expression *gars de sauce*, qui paraît inventée pour l'occasion.

GÂTINE n. f., réfection graphique tardive (XVIIe s.) de *gastine* (v. 1138), *guastine* (v. 1120), pourrait être un dérivé de l'ancien adjectif *gast* ou *guast* «inculte, désert» (1080), «dévasté» (v. 1175), issu du latin *vastus* «ravagé, désolé» (→ vaste) avec l'influence du germanique °*wost* (cf. allemand *wüst* «désert»). Le mot pourrait aussi provenir d'un francique °*wôstina*, dérivé reconstruit à partir de l'ancien haut allemand *wostina*, n., «désert».

♦ *Gâtine* désigne une terre stérile, surtout aujourd'hui comme terme de géographie (*la forêt de Gâtine*, par exemple).

GAUCHE adj. et n. est d'origine incertaine (v. 1225, *guauche*). Lui assigner une origine germanique en le considérant comme un dérivé de *gauchir* (→ gauchir) soulève des difficultés; P. Guiraud propose pour étymon, sans preuve à l'appui, un gallo-roman °*valgicus*, d'après le latin *valgus* «qui a les jambes tournées en dehors» (nom d'une infirmité), invoquant l'ancienne forme *gaulche* (1471).

♦ *Gauche* s'applique à ce qui présente une déviation (v. 1225; XIVe s., adv., «de travers»). En géométrie, gauche signifie «non coplanaire». Un quadrilatère gauche, par exemple, est une figure dont les quatre sommets ne sont pas situés dans un même plan. Le sens de déviation est donc plutôt lointain et pourrait laisser supposer qu'une courbe gauche est une courbe «qui tourne brusquement». ◇ *Gauche* se dit des personnes maladroites (1660); le nom masculin, *un gauche* (fin XVIIe s.), est archaïque. ➛ Au XVe s., pour des raisons inconnues, *gauche* remplace *senestre* (→ senestre), alors que *droit* se substitue à *destre* (1471, adj., *la main gaulche*); d'où la substantivation *la gauche* et la locution adverbiale ***à gauche.*** L'équivalence *droit-adroit* a pu influencer ce nouveau sens de *gauche*. Désignant une orientation de l'espace, l'adjectif s'emploie dans plusieurs locutions figurées, dont : ***mariage de la main gauche*** «union libre» (1680); autrefois un noble donnait la main gauche au lieu de la main droite, lors de la cérémonie nuptiale, s'il contractait un mariage avec une femme d'une condition inférieure; ***passer l'arme à gauche*** (1832) signifie «mourir» en contexte militaire. ➛ Depuis la Révolution, la *gauche* désigne (1791) les membres d'une assemblée politique siégeant à la gauche du président et professant des idées progressistes (adj., 1672, traduction de l'anglais *left*); en effet, en 1789 les royalistes se placèrent à droite du président et les partisans de la Révolution s'installèrent à sa gauche; cette disposition a été maintenue (d'où les locutions ***à gauche, de gauche;*** cf. *les gauches*, n. f. pl.), mais ce sens politique n'est plus senti comme lié à la répartition dans l'espace.

▸ À chaque sens de *gauche* correspondent des dérivés. ➛ De *gauche* «maladroit» viennent **GAUCHEMENT** adv. (1575) et **GAUCHERIE** n. f. (1739). *Gaucherie* est aussi un terme didactique, au sens de «prédominance fonctionnelle de la main gauche ou de l'œil gauche» (1858); la notion était aussi exprimée par *gauchisme* (1858). ➛ **GAUCHER, ÈRE** adj. et n. (1549, n. m.; 1444, adj. *gauschier*) signifie «qui se sert ordinairement de la main gauche».

Comme terme de politique, *gauche* a plusieurs dérivés : ➛ **GAUCHISTE** n. et adj. a d'abord signifié «qui appartient à l'opposition de gauche» (1839; cf. aussi 1831, chez Balzac, *gaucher* «qui est de gauche») avant de désigner un partisan extrême des solutions de gauche; dans cette acception le mot, utilisé au XIXe s. en concurrence avec *gauchard* (1877,), s'est répandu d'abord sous l'influence de Lénine qui y voit la «maladie infantile» du communisme (1920), puis vers 1965-1968, ➛ **GAUCHISME** n. m. (1838) a suivi la même évolution. ➛ *Gauchiste* a donné l'abréviation familière ① **GAUCHO** n. m. (1974) ➛ **SE GAUCHISER** v. pron. signifie (v. 1968) «tendre vers une politique de gauche», d'où vient **GAUCHISANT, ANTE** adj. et n. (attesté dès 1959).

GAUCHIR v. est sans doute une altération (v. 1181) de *ganchir, guenchir* «faire des détours» (XIIe s.), issu du francique °*wenkjan* «vaciller» (restitué par l'ancien haut allemand *wankôn*, le moyen néerlandais *wenken*, l'allemand *wanken*), peut-être avec influence de °*gauchier* (cf. *gauchie*, XIIIe s.), métaphoriquement «fouler la vérité», d'où «déformer», issu du francique °*walkan* «fouler» (cf. ancien haut allemand *walchan* «rouler», moyen néerlandais *walken* et allemand *walken* «fouler»). Dans cette hypothèse, *gauche*, adjectif, viendrait du verbe. P. Guiraud voit plutôt dans *gauchir* l'aboutissement de l'évolution d'un verbe gallo-roman °*valgicare*, formé à partir du latin *valgus* «de travers» (→ gauche); cette hypothèse gallo-romane lie aussi le verbe à l'adjectif *gauche* qui a de toute manière influé sur *gauchir* par son sens initial, à partir du XIVe siècle.

♦ *Gauchir* a d'abord signifié «se tourner, se diriger vers» (v. 1181). Il a pris le sens de «dévier» (v. 1398), d'où par extension «s'écarter de la direction initiale» (1580). Le verbe s'emploie intransitivement (fin XIVe s.) pour «perdre sa forme» et comme transitif, au sens de «déformer», au propre (1549, *gauchir une planche*) et au figuré (v. 1210, *gauchir un fait*).

▶ En dérivent peut-être *gauche* (selon l'hypothèse de P. Guiraud; → gauche) et à coup sûr **GAUCHISSEMENT** n. m. employé au propre (1700; 1547, «fléchissement») et au figuré (déb. XXe s.). ➜ Le composé **DÉGAUCHIR** v. tr. (1397, *desgauchir*) signifie «rendre droit, uni» et, au figuré (1801), «corriger la gaucherie de qqn». ◇ Il a donné les termes techniques **DÉGAUCHISSEMENT** n. m. (1513) ou **DÉGAUCHISSAGE** n. m. (1838), et **DÉGAUCHISSEUSE** n. f. (1888).

① **GAUCHO** → GAUCHISTE (à GAUCHE)

② **GAUCHO** n. m. est un mot emprunté (1826), d'abord écrit *gaoucho* (1822), à l'espagnol (dep. 1782, en Argentine). Ce pourrait être un emprunt à l'araucan ou au quichua *cachu* «camarade» (ou «indigent, pauvre»).

♦ Le mot désigne un berger, un cavalier gardien de troupeaux, en Amérique du Sud.

GAUDRIOLE n. f. est un dérivé (1761) du verbe aujourd'hui sorti d'usage *gaudir*, sur le modèle et avec la finale de *cabriole*. *Gaudir* (v. intr. et pron., v. 1242, «railler») est peut-être emprunté au latin classique *gaudere* «se réjouir», altéré en *gaudire* (→ jouir) et passé sous cette forme dans le latin ecclésiastique (cf. aussi l'ancien français *goder* [v. 1223] «railler», [v. 1310] «se réjouir»); mais c'est un terme dialectal, ce qui rend difficile l'hypothèse d'un emprunt. ◇ Selon P. Guiraud, le verbe serait plutôt l'aboutissement d'un gallo-roman °*gabitare*, dérivé d'un gallo-roman °*gaba* «gosier», d'une racine onomatopéique °*gab-* (→ gober).

♦ *Gaudriole* se dit d'une plaisanterie un peu leste, d'où l'emploi de *la gaudriole* pour «l'amour physique, le libertinage» (1872, Zola).

▶ **GAUDRIOLER** v. intr. (1860) est sorti d'usage.
Le verbe *gaudir* avait produit deux dérivés: **GAUDISSERIE** n. f. (fin XVe s.) «moquerie» et **GAUDISSEMENT** n. m. (1855) «plaisir». Ce dernier est un archaïsme, parallèle à des emplois de *gaudir, se gaudir*, au XIXe siècle.

GAUFRE n. f. est une réfection (v. 1398) de *goffre* (v. 1268), aboutissement de *walfre* (v. 1185), probablement issu du francique °*wafla*, peut-être déjà au sens de «gâteau» et de «rayon de miel», sens qui existent en roman et dans les langues germaniques (moyen néerlandais *wafele*, ancien haut allemand *waba, wabo*, allemand *Wabe* «rayon de miel»); l'ancienneté du mot en roman rend peu vraisemblable un emprunt au moyen néerlandais *wafele*, seulement attesté à la fin du XIIIe siècle. La forme française s'explique par une anticipation du *-l* de *wafla*, suivie d'une dissimilation des deux *l*.

♦ *Gaufre* désigne une pâtisserie (v. 1185), sens usuel et qui donne lieu à des syntagmes (*moule à gaufres*, etc.), et un rayon de miel (1559, Ronsard).

▶ De *gaufre* «gâteau» dérivent **GAUFRETTE** n. f. (1536; attestation isolée *gauffretes*, XIVe s.) et **GAUFRIER** n. m. (1393; 1377, *waffier*) «appareil pour faire les gaufres». ➜ **GAUFRER** v. tr. par analogie avec le dessin en relief de la gaufre signifie (1565) «imprimer des motifs, en relief ou en creux (sur du cuir, du papier, etc.)»; le participe passé est plus ancien (1439, *rochettes gaufrées*). ◇ En dérivent des termes techniques : **GAUFRURE** n. f. (XVe s.); **GAUFRAGE** n. m. (1806; attestation isolée *gauffrage*, 1670), précédé par *goffrage* «ouvrage en forme de gaufre (rayon de miel)» (1573); **GAUFREUR** n. m. (1604) et **GAUFREUSE** n. f. «machine à gaufrer» (1907); **GAUFROIR** n. m. (1785).

GAULE n. f., réfection (1306) de *waulle* (1278), serait issu du francique °*walu* «bâton», restitué d'après l'ancien nordique *vǫlr*, le gotique *walus* et l'ancien anglais *walu* «marque laissée par un coup de fouet»; P. Guiraud, à partir des anciennes formes *vale, gale*, rattache *gaule* au latin *vallus* «pieu»; (→ intervalle).

♦ *Gaule* désigne une longue perche (1278), spécialement pour abattre certains fruits (1534), et une canne à pêche (1554); au sens de «baguette pour frapper une personne, pour diriger des animaux» (1530), le mot est vieilli.

▶ **GAULER** v. tr., réfection (1534) de *wauller* (1360), signifie «frapper (un arbre) avec une gaule pour faire tomber les fruits» (1360) et, par analogie, «frapper qqn» aussi, en argot familier, «attraper, prendre» *(se faire gauler)*. ➜ Il a pour dérivés **GAULAGE** n. m. (1845), **GAULÉE** n. f. «volée de coups» (1611) et «quantité de fruits abattus à la gaule» (1874), et **GAULIS** n. m. (1661; 1655, *golys*), réfection de *waulich* «clôture de gaules» (1392), qui se dit d'un taillis dont les branches peuvent être utilisées pour faire des gaules.

GAULLISTE n. et adj. dérive (1941) du nom propre *de Gaulle* général français (1890-1970), qui organisa à partir de 1940 les Forces françaises libres contre l'occupant allemand et devint après la Libération un chef de parti et un homme d'État.

♦ Le mot désigne un partisan du général de Gaulle à l'époque de la Résistance et de la Libération, puis un de ses partisans comme homme politique (v. 1954), après la Libération, et spécialement comme président de la République (décembre 1958 à 1969).

▶ À partir du nom de De Gaulle ont été aussi dérivés **GAULLISME** n. m. (1941) et **GAULLIEN, IENNE** adj. (v. 1958), antérieurement par plaisanterie (1947) défini comme «habitant de la Gaullie». ➜ À *gaullisme* et *gaulliste* correspondent des préfixés. **ANTIGAULLISME** n. m. (1941), **ANTIGAULLISTE** adj. et n. (1941) et **APRÈS-GAULLISME** n. m. (1964) sont relativement usuels. ◇ Le nom a fourni également l'élément **GAULLO-** employé à partir des années 1960 pour former quelques noms et adjectifs (1967, *gaullo-arabe*).

GAULOIS, OISE adj. et n. qui a remplacé (XVe s.) *gualeis* (1155), dérive du nom propre *Gaule* (1155), issu du francique °*Walha* «les Romans»; la forme *galois* (qui se réfère surtout au celte, en ancien français) serait issue du francique °*walhisk* «roman».

♦ L'adjectif s'applique à ce qui se rapporte à la Gaule (XVe s.; 1155, *gualeis* «gallois») et le nom désigne la langue celtique parlée en Gaule (v. 1285, *walois* «la langue d'oïl») [voir l'encadré pp. 1564-1566]. *Galois* «gai, joyeux», en parlant d'un son (v. 1205, de *galer* «s'amuser» → galant), s'est trouvé en homonymie avec *galois* issu du francique. De là *galoy* (1314), *gaulois* (1640) pour "plaisant, licencieux et comique", motivé par l'idée reçue de la truculence de "nos ancêtres". ◇ Par ailleurs, *gaulois* a eu dans la langue classique (1671) une autre valeur : «qui a le caractère inculte, grossier des anciens temps» (par référence à l'époque où vécurent les Gaulois, cf. *gothique*); cet emploi est sorti d'usage.

▸ C'est l'idée de «grivoiserie» qui est retenue dans les dérivés **GAULOISEMENT** adv. (v. 1720), d'abord «librement, sincèrement» puis, par allusion à la réputation de liberté de l'esprit médiéval, «de manière truculente et licencieuse», et **GAULOISERIE** n. f. (1865). ◆ **GAULOISE** n. f. (1910) désigne une cigarette française de la marque de ce nom (par symbole français, comme *Celtique*).

GAUSSER (SE) v. pron., variante (1583) de *gosser* (1561), a une origine incertaine. C'est peut-être un emprunt à l'espagnol *gozarse* «se réjouir» (v. 1330), dérivé de *gozo* «joie» issu du latin *gaudium* (→ joie). P. Guiraud rapproche le mot du dialectal *gausser* «gaver (les oies)», dérivé de *gausse, gosse* «gorge», et de *gouailler* «s'amuser, se moquer» : tous ces mots supposent une origine commune, °*gaba* «gorge», *gausser* étant alors l'aboutissement d'un gallo-roman °*gabiciare*, fréquentatif de °*gabicare* (qui aurait fourni *se gaucher* «se moquer», 1569, Ronsard).

♦ *Se gausser* «railler» (1583; 1569, *se gaucher*) est d'emploi littéraire; *gausser* «plaisanter» (1580, intr.) et *gausser qqn* «s'en moquer» (1561) sont archaïques.

▸ Les dérivés **GAUSSERIE** n. f. (1552), **GAUSSEUR, EUSE** adj. et n. (1584; 1553, *gozzeur*), mots de la langue classique, et le déverbal **GAUSSE** n. f. «mauvaise plaisanterie» (1842; 1611, écrit *gosse*) sont eux aussi des archaïsmes littéraires, s'ils n'ont pas disparu.

GAVE n. m. est un emprunt (fin XIVe s., Froissart; rare av. 1614; variante *gaure*, 1562) à l'ancien gascon *gave, gabe* (1188; cf. également *gaver*, XIe s., *gauer*, 1160); ces mots semblent issus d'une base préromane °*gabaru*, °*gabarru* qu'attestent le latin médiéval *gabarus* (fin VIIIe s.-déb. IXe s.) et les dérivés *Gabarret, Gabarrot*. On a aussi proposé une base préromane °*gava* «cours d'eau».

♦ *Gave* reste vivant comme terme régional (Pyrénées) pour désigner un cours d'eau torrentiel.

GAVER v. tr. est un dérivé (1642, pronom.) de l'ancien mot picard *gave* «jabot, gosier» (XIIIe s.; v. 1295, *gaive*), issu d'un préroman °*gaba*, °*gava* «gorge, gosier», peut-être d'origine gauloise (→ joue).

♦ *Gaver*, «faire manger (qqn) jusqu'à l'excès» (1642), se dit au figuré pour «emplir» (1852) et, par extension (av. 1865), à propos d'un animal à engraisser.

▸ C'est dans ce dernier sens que sont employés les dérivés **GAVAGE** n. m. (1877) et **GAVEUR, EUSE** n. (1870; 1889, n. f., «machine à gaver»), surtout appliqués aux oies et canards.

GAVOTTE n. f. représente un emprunt (1588) au provençal *gavoto* «danse des Gavots», dérivé de *Gavot, ote*, n. et adj., «habitant de la partie montagneuse de la Provence» (forme latinisée *gavotus*, 1268), issu du préroman peut-être d'origine gauloise °*gaba*, °*gava* «gorge, goitre» (→ gave); le goitre étant une maladie fréquente chez les montagnards, on les aurait nommés *gavots* (cf. aussi ancien provençal *gavach* «montagnard, rustre» et aussi *crétin*).

♦ *Gavotte* se dit d'une danse ancienne et, par métonymie (1674), de l'air de cette danse, devenue entre-temps danse de cour, et non plus rurale.

GAVROCHE n. m. vient (1866) du nom du personnage des *Misérables* (1862) de V. Hugo.

♦ Le mot désigne un gamin de Paris, spirituel et moqueur.

▸ Les dérivés **GAVROCHIEN, IENNE** adj. (Vallès, 1885), **GAVROCHERIE** n. f. (1889), etc., n'ont pas survécu à une mode.

GAY → GAI

GAZ n. m. inv., d'abord *gas* (1670), est un mot créé par le médecin et chimiste flamand Van Helmont (1577-1644) d'après le latin *chaos*, la graphie ***g-*** venant de la notation flamande de ***ch-*** prononcé comme une gutturale.

♦ Le mot a d'abord désigné une vapeur invisible, une émanation; *gaz* est aujourd'hui (dep. 1787) un terme générique pour désigner un corps à l'état de fluide expansible et compressible, par ex. dans *gaz parfait* (1868) en physique. Il se dit spécialement d'un gaz utilisé pour l'éclairage, le chauffage, etc. (1826), d'où *bec de gaz, gaz de ville* et *gaz naturel* (1886). ◆ Au pluriel, *les gaz* désigne (1825) les gaz accumulés dans le tube digestif ***(avoir des gaz)*** et sert d'euphémisme pseudo-savant pour *pet*. ◆ *Gaz* se dit en particulier (av. 1915) d'un corps gazeux ayant des effets nocifs sur l'organisme, utilisé en temps de guerre (1916, *gaz asphyxiants*; v. 1943, *chambre à gaz*). ◇ Le mot désigne (déb. XXe s.) le mélange gazeux qui fait fonctionner les moteurs à explosion, d'où les locutions ***à pleins gaz*** (1929), ***mettre les gaz.***

▸ Le mot a produit de nombreux dérivés. ◆ ① **GAZER** v., terme technique (1829) pour «flamber (au gaz)», a pris (av. 1915) le sens d'«intoxiquer par un gaz de combat», d'où pour ces deux acceptions le dérivé **GAZAGE** n. m. (1873). ◆ Le préfixé **DÉGAZER** v., terme de chimie (1838, v. tr.), s'emploie aussi dans l'industrie pétrolière (v. 1971), comme

(Suite page 1566)

LE GAULOIS (LA LANGUE GAULOISE)

La relation du français et des francophones d'aujourd'hui avec cette langue est paradoxale. Parlé pendant plus de quinze siècles sur tout le territoire actuel de la France, de la Belgique et de la Suisse, le gaulois est à peu près inconnu, malgré une forte présence symbolique récemment exaltée par les exploits d'Astérix.

Les Celtes en Gaule.

Le gaulois, qui appartient au groupe celtique (→ celtique), fut parlé par les populations venues d'Europe centrale, qui s'étaient établies dans la zone d'Europe occidentale correspondant à la Belgique, la France, la Suisse et une partie de l'Espagne actuelles. Cette zone était peuplée depuis des millénaires. On sait que les sites préhistoriques français et espagnols sont nombreux et riches. Mais on ignore absolument tout des parlers des populations préceltiques, c'est-à-dire pré-indoeuropéennes, à une exception près : le seul qui soit encore représenté en Europe occidentale est le basque (euskara).

Les Celtes, comme l'ont établi d'Arbois de Jubainville à la fin du XIXe s., puis Henri Hubert, grâce à l'étude des noms de lieux et à l'archéologie, venaient des régions situées autour du Haut-Danube, et notamment d'Allemagne méridionale, comme l'avait pressenti Hérodote. Leur habitat primitif se situait peut-être plus à l'Est. Ils seraient parvenus dans ce qui allait devenir les Gaules entre 1600 et 1300 avant notre ère, se déployant et s'accroissant en nombre pendant la période dite «du bronze». Leurs tumulus caractéristiques se multiplient pendant la période de Hallstatt, notamment dans l'actuelle Côte-d'Or et dans le Jura. La fin de cette période protohistorique (de — 700 à — 500) voit une immigration considérable. Vers 400 avant J.-C., les Celtes atteignent la colonie grecque de Phocée (Marseille); se mêlant aux peuples que l'on appelle Ibères, ils franchissent les Pyrénées. Vers 200 avant J.-C., ces populations, qui avaient déjà colonisé les îles Britanniques, occupaient l'intégralité du territoire que César allait subjuguer.

L'organisation des Celtes en Gaule, à leur apogée (Ier s. av. J.-C.), est un ensemble fluctuant de tribus associées de manière variable en «pays» ou «cités» formant des sortes de nations. Celles-ci sont «l'aboutissement d'un processus perpétuel de formation et de dislocation» (H. Hubert). Ces entités géopolitiques et économiques actives constituèrent les limites et l'articulation interne des provinces romaines, puis des grandes régions qui formèrent la France. Outre cette zone, la Rhénanie des Trévires, la Belgique, l'Helvétie, une partie de l'Espagne étaient entièrement celtisées à l'arrivée des Romains. Le centre de cet ensemble a connu une volonté politique ambitieuse avec la confédération éduenne, centrée sur le Morvan (Bibracte) et l'actuelle Bourgogne, et qui, au Ier s., englobait au nord Lutèce, à l'ouest les terres bituriges (Bourges, alors Avaricum). Les Éduens avoisinaient une autre puissance, celle des Arvernes (actuelle Auvergne). De telles nations avaient une organisation politique élaborée avec à leur tête un magistrat élu annuellement, dépourvu de charge militaire, le vergobret. Dans cette Gaule politiquement divisée, mais organisée et assez prospère, les places fortes (oppida), les ports et les marchés marquent l'emplacement des futures grandes villes. Une population estimée proche de 15 millions donne à la Gaule des premiers siècles une importance certaine au sein de l'Empire romain.

La langue.

On connaît beaucoup mieux, par l'archéologie et les textes latins, la civilisation matérielle, intellectuelle, artistique et religieuse (les fameux druides) de ces Gaulois que leur langage, mais ce sont pourtant les noms de personnes et de lieux, lesquels se conservent à travers les siècles, qui ont permis de reconstituer pour partie l'histoire politique et économique de la Gaule celtique.

Des rudiments de morphologie lexicale se dégagent de l'analyse de ces noms. Le plus fameux sans doute, *Vercingetorix,* s'analyse en un préfixe majoratif *ver-*, trois syllabes qui correspondent à «guerrier» et un élément *rix* qui correspond au latin *rex* «roi», non par emprunt, mais par communauté d'origine indoeuropéenne. D'autres *Cingetorix,* un chef trévire, un roi du Kent, manifestent l'unité de la langue (à ce niveau). De même *Eporedorix* était le «chef *(rix)* des cavaliers». «L'absolue identité des noms de personnes et de lieux à travers tout le domaine gaulois» (E. Thévenot) incite à penser que la langue gauloise présentait peu de variantes dialectales, qu'elle était comprise sur tout le territoire. Selon saint Jérôme, au IVe s., cette homogénéité s'étendait jusqu'aux colonies celtes d'Orient, aux Galates. En revanche, quelques siècles plus tôt, César, informateur essentiel, distingue Gaulois, Belges et Aquitains «par la langue, les institutions et les lois». Phrase d'interprétation difficile, mais qui suggère soit un plurilinguisme (avec une langue germanique et le «celtibère», ou le basque), soit une variation linguistique celte d'importance, sur le continent même. Il convient donc d'être prudent sur ce thème, notre connaissance du gaulois se bornant à des listes lexicologiques et à des reconstructions douteuses, appuyées sur les langues celtiques parlées dans les îles, gallois et irlandais, qui pouvaient avoir divergé fortement. L'absence d'écriture, pendant des siècles, aggrave encore notre ignorance. L'adoption de l'alphabet grec au IIIe s. avant notre ère, par l'entremise de la colonie phocéenne, n'a d'ailleurs conduit qu'à des inscriptions sommaires sur les monnaies, à des contrats commerciaux, des listes de noms, un célèbre calendrier. La littérature gauloise, lyrique et didactique, religieuse par sa fonction, est restée entièrement orale et s'est définitivement perdue.

Quelle que soit sa variété, le celte de Belgique, des Gaules, d'Helvétie et d'Aquitaine, au moins dans ses usages nobles, politiques, religieux, lyriques, devait présenter la relative unité nécessaire à l'expression d'une civilisation commune. Cependant, une variation locale, dans cet univers sociopolitique très subdivisé et mouvant, et par ailleurs rural, est plus que probable. En outre, la frontière entre «gaulois» et «celtibère», langue s'il se peut encore moins connue, ne pouvait pas être nettement tranchée.

La langue gauloise, et plus largement le celte continental, dans ce que l'on en sait, présentait de nombreuses analogies, à l'intérieur de l'ensemble indoeuropéen, avec le groupe des langues italiques, et parmi elles avec l'ombrien, lui même assez proche du latin. Cette concordance ne se marque pas seulement par le lexique (on vient de noter le *rix* gaulois et le *rex* latin), mais par des traits de structure (génitif en *i* des thèmes en *o;* forme du futur en *bo-*, par exemple). La phonologie, elle aussi, était assez proche, et ces ressemblances s'expliquent peut-être par l'origine géographique de ces deux peuples, celte et italique, venus d'Europe centrale. Le gaulois était, comme le latin, une langue flexionnelle, à déclinaisons (cas) et conjugaisons; il connaissait probablement les déterminants (démonstratifs, peut-être l'article). La morphologie, on l'a vu, est mieux connue, grâce aux noms propres : la dérivation était riche, la composition abondante. Au-delà, notamment pour la syntaxe, notre ignorance est quasi totale.

Nous n'en savons guère plus sur la **disparition du gaulois**, entre le Ier et le Ve s., et sur son remplacement par un latin régional, qui donnera naissance aux dialectes d'oc, d'oïl et «francoprovençaux». Ni sur le rôle précis du substrat gaulois dans l'évolution de ce latin avant l'apparition des «vulgaires romans» dont l'un va devenir le français. Les historiens expliquent l'effondrement rapide et, en fait, peu compréhensible du gaulois par des facteurs historiques aussi généraux qu'hypothétiques : attraction des Gaulois pour la civilisation méditerranéenne (influence grecque pour l'écriture, liens commerciaux avec Rome par la Narbonnaise, etc.), admiration pour le mode de vie romain, qui apparaît dans les villes. Plus évident est l'impact de la romanisation politique, administrative, commerciale et juridique des Gaules : le latin devient vite indispensable en dehors des relations familiales quotidiennes. Les techniques nouvelles (construction en pierre, culture de la vigne, etc.) véhiculent avec elles leurs terminologies entièrement latines. En outre, le brassage des Celtes recrutés dans les armées romaines, celui des commerçants itinérants, surtout peut-être la conversion volontaire ou forcée de l'aristocratie gauloise à l'ordre romain, imposèrent très rapidement l'usage du latin. On le constate à l'évolution des patronymes. É. Thévenot cite un Caius Julius Eporedorix dont le fils se nomme déjà, à la romaine, Caius Julius Magnus. Les personnages influents, qui après avoir été des chefs de guerre et des dirigeants politiques, deviennent entre le Ier et le IIIe s. des riches propriétaires et des administrateurs romains, furent sans conteste les véhicules de la langue latine. Certains étaient éduqués dans des écoles romaines. Sous Tibère, la plus prestigieuse était celle d'Autun (Augustodunum), fréquentée par «les fils des plus grands personnages des "Trois Gaules"» (Tacite). L'accession au titre de citoyen romain était subordonnée à la connaissance du latin. Partant du sommet de la hiérarchie sociale et des villes, le latin a dû gagner successivement les couches moyennes, la campagne par les propriétaires terriens, et finalement toute la population. Les stades de bilinguisme, la géographie sociale du gaulois subsistant aux IIe et IIIe s. nous demeurent inconnus. Si les inscriptions écrites, même sur les objets les plus modestes, montrent l'absolue prépondérance du latin, on ne peut rien dire de la langue parlée, en situation privée ou en milieu rural modeste. L'impact des invasions germaniques du IIIe s., avec leur cortège de violences, de désordres, de déplacements de populations, ne saurait être sous-estimé, non plus que le redressement et les transformations sociales du IVe s. À travers ces conditions très contrastées, le mouvement linguistique est paradoxalement toujours le même : le latin l'emporte partout. Parallèlement, l'influence chrétienne, surtout au IVe s. où elle devient générale et profonde, contribue certainement à la disparition de l'ancienne langue celtique et d'une civilisation transformée en un hybride «gallo-romain».

Les traces du gaulois en français.

En latin des Gaules, en «vulgaire roman» et enfin en français, le gaulois a laissé peu de traces, sauf, on l'a vu, dans le domaine des noms de lieux. La langue celte a cependant quelques témoins dans le vocabulaire français, en général par l'intermédiaire du gallo-roman (latin des Gaules), quelquefois par l'entremise du breton, langue importée en Armorique par d'autres Celtes, venus des îles Britanniques aux Ve et VIe s. À cette époque, le gaulois ne devait plus être pratiqué que dans quelques zones rurales d'Armorique (peut-être autour de Vannes), outre les vallées isolées des Alpes helvétiques.

Les étymologies gauloises sont d'ailleurs difficiles à retracer, que les mots aient transité par le breton (c'est peut-être le cas pour *balai*, dont l'origine est discutée) ou, beaucoup plus souvent, par une forme latine régionale et tardive. Certains mots, comme *alae, aloie* qui a donné *alouette*, viennent d'un *alauda* considéré par les Romains comme gaulois, mais on n'en sait guère plus. Le trajet probable qui mènerait d'un gaulois °*ambacto* au latin *ambactus* (lui-même pris à un mot germanique, qui l'aurait emprunté au celtique), puis du latin à l'italien, de là au français et à l'anglais, est trop complexe pour qu'on puisse retenir l'image simple d'un mot «gaulois» dans *ambassade*. De même, l'origine gauloise d'un mot courant, *trou*, est sujette à discussion.

Hormis les noms de lieux, les formes d'origine gauloise en français sont donc peu nombreuses. Cependant, certaines sont significatives de la culture celte. On peut citer *cervoise, brasser* et *brasserie* (d'un °*braces* «malt»), *tonne* et *tonneau* (°*tonna*), *braie* d'où *braguette* (sans allusion «gauloise»), *charrue* et *soc*, *arpent* et *lieue*, et aussi *chemin*, avec d'autres termes de transport. Il en va de même pour les noms de quelques réalités rurales : animaux d'élevage *(mouton)*, techniques du bois (*bille* de bois). Dans certains cas, selon Wartburg, le mot gaulois était utilisé pour la production agricole, le terme latin chaque fois qu'il y avait échange, commerce ; c'est ainsi qu'on explique que *miel* continue le mot romain, *ruche* un mot celtique.

Les exemples sont peu nombreux (entre 100 et 150 mots) par rapport à ceux que fourniront plus tard le francique. Même en tenant compte des effets de substrat, par lesquels le gaulois a influencé le latin populaire et par lui le roman, puis le français (palatalisations, évolution du *u* latin /ou/ au *u* français, vocalisation du *l*), la présence gauloise est, sinon infime, du moins imperceptible et très profonde, en français.

A. Rey

BIBLIOGRAPHIE

G. DOTTIN, *La Langue gauloise*, 1920.

H. HUBERT, *Les Celtes*, 1932.

C. JULLIAN, *Histoire de la Gaule*, 8 vol., 1908-1926.

M. LEJEUNE, *Recueil des inscriptions gauloises*, C. N. R. S., 1984.

F. LOT, *La Gaule*, 1947.

É. THÉVENOT, *Histoire des Gaulois*, Paris, Que sais-je ?, n° 206, 1946. — *Les Gallo-Romains*, Paris, Que sais-je ?, n° 314, 1948.

son dérivé **DÉGAZAGE** n. m. (1929). ◆ ② **GAZER** v. intr. (1915), emploi familier et métaphore sur ***mettre les gaz*** «accélérer», signifie «aller à souhait» et «aller vite». Il a vieilli. ◆ **GAZEUX, EUSE** adj. signifie (1775) «qui contient du gaz» (d'où *boisson gazeuse*) et «relatif aux gaz» (1809). ◆ **GAZIER, IÈRE** adj. et n. «relatif au gaz de ville» (adj., 1802) désigne comme nom un employé du gaz (1865) et, assez récemment, dans l'usage familier, un individu quelconque ; ce sens, apparu d'abord dans l'argot militaire (1945 ; répandu v. 1950), a pu tirer son origine d'une paronymie (*gars* et *gaz*), renforcée par l'emploi de *compagnie* (*la 1re compagnie* et *la Compagnie du gaz*).

GAZÉIFIER v. tr., formé avec le suffixe *-ifier*, signifie (1802) «faire passer à l'état de gaz» et, spécialement (XXe s.), «faire dissoudre du gaz carbonique (dans un liquide)». ◆ En dérivent des termes techniques : **GAZÉIFIABLE** adj. (1811), **GAZÉIFICATION** n. f. (1824), **GAZÉIFICATEUR** n. m. (1930). ◆ **GAZINIÈRE** n. f. (mil. XXe s.), formé à partir de *gaz* et de (cuis)*inière*, désigne commercialement une cuisinière à gaz.

GAZO-, élément formé sur *gaz*, sert à former des termes techniques. ◆ **GAZOGÈNE** n. m. (de *-gène*) a désigné un appareil pour fabriquer l'eau de Seltz (eau gazeuse) (1832) ; c'est un terme technique (1844) qui désigne un appareil transformant un combustible solide en gaz. Le mot a eu une brève et intense fortune, de 1941 à 1945, à la suite de l'utilisation de tels appareils pour les automobiles (à cause de la pénurie d'essence), d'où (v. 1942) «véhicule à gazogène». ◆ **GAZOMÈTRE** n. m. s'est d'abord dit d'un appareil pour mesurer le volume des gaz (1789, Lavoisier) ; puis il a désigné l'appareil réglant le débit du gaz de ville (1809) et, plus couramment, une construction dans laquelle on met le gaz en réserve (1858). ◆ **GAZODUC** n. m. est construit (1958) d'après *oléoduc*. ◆ **GAZOLINE** n. f. est plus courant (1890) que **GAZOLÈNE** n. m. (1878) ; ces mots sont empruntés à l'anglais *gasoline, gasolene* (1871), avec *-ol* tiré de *benzol*, pour désigner l'éther de pétrole. ◇ *Gazoline* a produit **DÉGAZOLINER** v. tr. (1948), d'où **DÉGAZOLINAGE** n. m. (1948), termes techniques écrits aussi avec *-s-* (1961). ◆ **GAZOLE** n. m. représente (1973) une adaptation de l'anglicisme **GASOIL** n. m. (1920) ou **GAS-OIL** ; l'anglais *gas oil*, composé de *gas* «gaz» et de *oil* «huile», désignait à l'origine tout hydrocarbure produisant des gaz par distillation.

GAZE n. f. est d'origine incertaine ; c'est peut-être un emprunt (1461) à l'arabe *qazz* «bourre de soie», lui-même du persan, ou un dérivé du nom de la ville de *Gaza* (Palestine). L'anglais *gauze*, l'allemand *Gaze*, l'espagnol *gasa* sont empruntés au français, mais on ignore comment le mot et la chose ont pénétré en Europe.

♦ *Gaze*, «tissu léger de soie, de lin ou de laine», avait pris dans la langue classique (1675) la valeur figurée de «ce qui adoucit la pensée» et, par analogie (1872), s'est dit d'un voile transparent. Vieilli dans cet emploi, *gaze* désigne spécialement (1907) un tissu utilisé pour les pansements.

▸ Le dérivé ③ **GAZER** v. tr. (1762) signifie «couvrir d'une gaze» et, au figuré (av. 1742), mais sorti d'usage ou du moins très archaïque, «voiler légèrement (ce que l'on dit)».

GAZELLE n. f. est une réfection tardive (1690) d'un emprunt ancien, sous plusieurs formes : *gacele* (v. 1195), puis *gasele* (1298) et *gazel* (fin XIIIe s.), à l'arabe classique *ġazāl* (cf. latin médiéval *gazela*, v. 1110).

♦ Le mot désigne un mammifère ruminant d'Afrique et d'Asie.

GAZETTE n. f. est un emprunt (fin XVIe s.) à l'italien *gazzetta* «feuille volante d'information» (av. 1580), du nom d'un journal créé à Venise *(Gazeta de le novite)*, qui coûtait une *gazeta*, nom d'une pièce de monnaie frappée à Venise en 1539 (le français *gazette* a le même sens, chez d'Aubigné). Le vénitien *gazeta* est dérivé de *gazza* «monnaie», d'origine incertaine ; *gazza* serait issu du latin *gaza* «richesses» (mot iranien venu par le grec) ou du vénitien *gaza* «pie» (de même origine que *geai**). L'existence en moyen français de *gaser* «babiller» (→ jaser) a certainement favorisé l'emprunt, la gazette étant liée à l'idée de bavardage (ce trait peut être lié à l'hypothèse de *gaza* «pie»).

♦ *Gazette* désignait un écrit périodique contenant des nouvelles (cf. *journal*) ; le mot entre dans un titre en 1609 ; il se dit au figuré d'une personne bavarde (fin XVIe s.) et d'un récit détaillé de petites nouvelles (av. 1654).

▸ En dérive **GAZETIER, IÈRE** n., mot sorti d'usage au propre (1633) et au figuré (1752).

GAZON n. m. est une réfection (fin XVIe s.) de *gason* (1213), aboutissement de *wason* (1178), issu du francique °*waso* «motte de terre couverte d'herbe», restitué d'après l'ancien haut allemand *waso* et le moyen néerlandais *wase* (cf. allemand *Rasen*, *Wasen* «gazon»). Le mot a été introduit comme terme juridique dans la Gallo-Romanie : lors d'une investiture, les Francs offraient une paire de gants (→ gant) et une motte de terre, symbole de la remise d'une terre.

♦ *Gazon* désigne (1178) une motte de terre couverte d'herbe (emploi technique : *un, des gazons*) ; par extension *le gazon* désigne une herbe courte et fine (fin XIVe s.) et la surface qui en est couverte (1690 ; 1865, «pelouse artificielle»). ◇ *Gazon* s'emploie familièrement pour «cheveux» (XVIIIe s., «perruque»).

▸ Le dérivé **GAZONNER** v., réfection (1328) de *wassonner* (1295) «lever des mottes de terre», signifie «revêtir de gazon» et «pousser en gazon» (1862, intr.), «se couvrir de gazon» (1874). ◇ Il a deux dérivés, **GAZONNAGE** n. m. (av. 1683) et **GAZONNEMENT** n. m. (1701). ◆ Le verbe a servi à former **DÉGAZONNER** v. tr. (1863), d'où **DÉGAZONNAGE** n. m. (1922) qui l'a emporté sur *dégazonnement* (1863). ◆ **REGAZONNER** v. tr. est aussi ancien que le verbe simple, sous la forme *rewasonner* (v. 1328). ◆ Un autre dérivé de *gazon*, **GAZONNEUX, EUSE** adj. (1791 ; 1611, *glasonneux*), est rare ; **GAZONNIER** n. m. (1955) est un terme technique.

GAZOUILLER v. intr. est un dérivé (1316) du radical onomatopéique *gas-* (→ jaser).

♦ Il s'emploie, tout d'abord en parlant d'un enfant, au sens de «faire entendre des sons articulés». Il signifie par extension «produire un bruit léger et doux» (v. 1380, à propos de la perdrix) et devient aussi transitif (av. 1525).

▸ **GAZOUILLEMENT** n. m., d'abord *gazoillement* (v. 1360-1365) à propos des oiseaux, prend sa forme actuelle au XVIe s. (v. 1560) et se dit aussi de l'eau (1636) et en parlant des sons émis par un petit enfant (1787). ◆ Le verbe a aussi fourni **GAZOUILLEUR, EUSE** adj. (1611 ; rare av. fin XIXe s.) et **GAZOUILLIS** n. m. (1552, Ronsard), synonyme partiel et poétique de *gazouillement*.

GEAI n. m., d'abord *gai* (v. 1170), puis modifié phonétiquement en *jai* (1175), écrit *geai* au XVIIe s., est issu du bas latin *gaius* «geai», probablement tiré du nom propre *Gaius*, courant comme sobriquet populaire, selon un procédé habituel pour désigner des animaux familiers.

♦ Cet oiseau, capable de reproduire certains mots ou sons du langage humain, est souvent désigné par des noms d'hommes, comme d'autres oiseaux (cf. par ex. *pierrot*).

GÉANT, ANTE n. est une réfection (v. 1170) de *jaiant* (1080) ; ce mot, comme l'ancien provençal *jaian* (v. 1120), *gaiant*, est l'aboutissement du latin populaire °*gagantem*, accusatif de *gagas*, altération du classique *Gigas, -antis*, du grec *Gigas, gigantos*. *Gigas*, d'ordinaire au pluriel («les Géants»), est dans la mythologie grecque le nom de monstres brutaux et gigantesques, nés de la Terre et du Ciel, frères des Titans, et que Zeus dut vaincre avec l'aide des Olympiens avant de devenir le maître des dieux.

♦ *Géant* s'est d'abord dit d'une personne d'une taille anormalement grande (1080 ; v. 1240, adj.). Le mot désigne dans les légendes (v. 1170) un être fabuleux, gigantesque, considéré comme l'ancêtre de l'espèce humaine. À la fin du XVIIe s. (1699 ; 1791, adj.), il s'applique aussi à des choses. En astronomie, on appelle *géantes* un type d'étoiles de faible densité (emprunt probable à l'angl. *giant*, 1912). Voir ci-dessous *supergéante*. ◇ Au figuré, *géant* s'emploie (av. 1778, Voltaire) pour «personne très remarquable» ; cet emploi est resté très vivant, par exemple dans la locution ***les géants de la route*** (1900). ◆ L'adjectif connaît (v. 1985) une vogue nouvelle, comme majoratif, avec une valeur voisine de celle de *super* ou de *génial (c'est géant !)*.

▸ Le préfixé **SUPERGÉANTE** n. f. (empr. à l'anglais *supergiant*, 1927, Russell) s'applique à un type d'étoiles géantes encore plus vastes et très peu denses.

GECKO n. m. est emprunté (1769) au latin scientifique *gekko* (1734), puis *gecko* (1747), repris du néerlandais *Gecco* (1631) qui transmet un mot malais *(gekop)*, sans doute d'origine onomatopéique.

♦ Le mot désigne un reptile saurien.

GÉGÈNE n. f., mot de l'argot militaire (av. 1958, Mauriac), est formé à partir de (groupe électro) *gène*, par abréviation et redoublement, avec un jeu de mots sur le prénom populaire *Gégène* (Eugène).

♦ Il désigne un groupe électrogène portatif et, spécialement, l'usage de cet instrument aux fins de torture (peut-être avec le rappel inconscient de *gêne, géhenne*).

► En dérive (v. 1960) **GÉGÉNER** v. tr. «torturer avec la gégène».

GÉHENNE n. f. est repris (v. 1265, aussi *jehenne*) du bas latin ecclésiastique *gehenna*, issu par l'intermédiaire du grec *geenna* de l'hébreu biblique *géy-ḥinnōm* «vallée de Hinnom». Ce toponyme désigne un lieu situé près de Jérusalem où des Israélites idolâtres sacrifièrent des enfants par le feu; le lieu fut maudit et son nom désigna l'enfer.

♦ En français, *géhenne* reste dans le langage biblique pour «Enfer» (v. 1265). ◇ Par croisement avec *gêne**, le mot a désigné (fin XVIe s.) la torture appliquée aux criminels; dans un emploi figuré, *géhenne* se dit aussi (1580) d'une souffrance intense.

◈ voir GÊNE.

① **GEINDRE** v. intr. est une réfection (v. 1155, *geint*, 3e pers. du sing.) de *giembre* (v. 1200) par analogie avec les verbes en *-eindre* (cf. *craindre*). Il est issu du latin *gemere* «se plaindre, gémir» (→ gémir).

♦ Le sens latin ne s'est maintenu que dans un style soutenu (v. 1155; à propos de choses, 1573); *geindre* s'emploie couramment depuis l'ancien français (1280) de façon péjorative.

► Le dérivé **GEIGNARD, ARDE** adj. (1867) est formé avec le suffixe péjoratif *-ard*. ◆ **GEIGNEUR, EUSE** adj. (1833), **GEIGNANT, ANTE** adj. (1856 et *Journal* des Goncourt) et **GEIGNEMENT** n. m. (1842) sont d'un emploi rare.

② **GEINDRE** → GINDRE

GEISHA n. f., d'abord francisé en *guécha* (1887, Loti), a été réécrit *geisha* (1899) par translittération d'un mot japonais.

♦ Il désigne une danseuse et chanteuse qui se loue pour divertir les hommes par sa conversation, sa musique et sa danse. Désignant une réalité culturelle qui n'est pas sortie du Japon, le mot fait partie de la terminologie propre à cette civilisation, qui fascine l'Occident depuis la fin du XIXe siècle. En français, on donne parfois au mot, erronément, une valeur érotique, assimilant la geisha à une courtisane.

GEL → GELER

GÉLATINE n. f. est emprunté (1611) à l'italien *gelatina* «gelée comestible» (2e moitié XIIIe s.), dérivé du verbe *gelare*, emprunt au latin *gelare* «geler*».

♦ À la différence de son concurrent plus ancien, *gelée**, *gélatine* a reculé pour désigner une substance comestible, probablement à cause de son dérivé *gélatineux*, devenu quelque peu péjoratif. Par extension, le mot s'emploie (1888) pour désigner une substance détonante d'aspect gélatineux.

► En dérivent **GÉLATINEUX, EUSE** adj. (1743), relativement courant, et des termes techniques comme **GÉLATINISER** (1850), **GÉLATINÉ, ÉE** adj. (1865), **GÉLATINER** v. tr. (1885, pron.).
GÉLULE n. f. a été formé (1909) d'après *capsule* à partir de *gél*(atine) pour désigner, en pharmacie et couramment, une capsule gélatineuse.

GELÉE → GELER

GELER v. est issu (v. 1140) du latin *gelare* «descendre à une température qui provoque le gel», dérivé de *gelu* (ci-dessous *gel*).

♦ *Geler* conserve le sens latin (v. 1440, impers.). Il s'emploie ensuite au sens transitif de «transformer en glace» (v. 1174-1180), puis d'«endommager par le froid» (1578). ◇ Les emplois intransitifs correspondent à «être endommagé, tué par le froid» (par ex. d'un végétal; v. 1393) et à «être pris en glace» (1690). Le verbe signifie aussi, par exagération, «souffrir du froid» (1567), sens qu'a aussi *se geler* (v. 1660). Par extension, *geler* signifie (mil. XVIIIe s.) «durcir par le froid», par exemple à propos du sol, valeur plus ancienne (v. 1600) pour *se geler*. ◇ Il s'emploie au figuré dès le XVIe s. (1552), à propos des personnes, pour «mettre mal à l'aise»; on peut rapprocher de cette valeur la locution archaïque ***avoir le bec gelé*** «se taire» (1611) qui est une métaphore du sens propre. ◇ À propos de choses, le verbe se dit pour «bloquer une activité, un processus» (v. 1930), «arrêter la circulation de (l'argent)».

► **GÉLIF, IVE** adj. (1519) est un dérivé didactique dont viennent **GÉLIVURE** n. f. (1737), **GÉLIVITÉ** n. f. (1845) et **GÉLIVATION** n. f. (XXe s.). ◆ Un autre dérivé, **GELURE** n. f., s'est d'abord dit pour «gelée» (1538), puis pour «engelure» (1542); repris en 1807, le mot a été dénoncé au XIXe s. comme un barbarisme. ◆ Quant à **ENGELURE** n. f., c'est un dérivé (XIIIe s.) de l'ancien verbe *engeler* «geler complètement» (XIIe s.); sorti d'usage, ce nom désignait une enflure douloureuse, accompagnée d'ampoules, et due au froid.
Plusieurs verbes ont été construits à partir de *geler* ou sont issus d'un composé du latin *gelare*. ◆ **DÉGELER** v., d'abord sous la forme *desgeler* (1213), est l'antonyme de *geler*, au propre et au figuré (1875, pron. «sortir de sa réserve»), spécialement «débloquer» des crédits (1941) ou une situation (1963). ◇ Son dérivé **DÉGEL** n. m. est le contraire de *gel*, au propre (1265) et au figuré (1834). ◇ **DÉGELÉE** n. f. (1790) «volée de coups» vient sans doute d'un emploi dialectal «avalanche, averse». ◆ **CONGELER** v. tr. (1265, au participe passé) est emprunté au latin *congelare*, dont il conserve le sens, «faire passer à l'état solide par l'action du froid»; par extension il signifie (1636) «soumettre à un froid intense pour conserver». ◇ **CONGÉLATION** n. f., emprunté (XVIe s.) au dérivé latin *congelatio*, a suivi l'évolution sémantique du verbe; il a désigné aussi une concrétion calcaire (1676). ◇ *Congeler* a plusieurs dérivés français : **CONGELABLE** adj. attesté

en 1612 est repris en 1800; **CONGÉLATIF, IVE** adj. (fin XVe s.) est sorti d'usage; **CONGÉLATEUR** n. m. a d'abord désigné (1845) un appareil qui congèle les liquides (cf. *réfrigérateur,* qui l'a éliminé) puis (XXe s.) la partie d'un réfrigérateur qui conserve les aliments et l'appareil qui congèle les aliments (à — 30°). ➛ Sur *congeler* a été composé **DÉCONGELER** v. tr. (1907) et sur *congélation* son contraire **DÉCONGÉLATION** n. f. (1893). ➛ **REGELER** v. tr., «geler de nouveau» (1447, de *geler*), a produit le dérivé **REGEL** n. m. (1777), demeuré rare. ➛ **SURGELER** v. tr., apparu au milieu du XXe s. (v. 1960, au participe passé), est comme *congélateur* lié aux techniques de conservation des aliments par le froid, de même que **SURGELÉ** n. m. (v. 1970), très courant pour «aliment surgelé». **SURGÉLATION** n. f. (1948, d'après *congélation*) et **SURGÉLATEUR** n. m. (1966, d'après *congélateur*).

GELÉE n. f. est issu (1080) du bas latin *gelata* (VIIIe s.), participe passé féminin substantivé du verbe classique *gelare.* Le mot désigne l'état de la température quand elle provoque la congélation de l'eau (1080, «givre, glace») puis l'eau congelée (2de moitié XIIIe s., *blanche jalée;* plus tard *gelée blanche*). ➛ Par analogie de consistance avec la glace, *gelée* se dit d'un suc comestible (1393, *gelee de poisson*), puis d'un jus de fruits cuit avec du sucre, qui s'est coagulé en se refroidissant (1605, *gelée de coing*) ou d'un entremets (1825). ◇ Par extension, *gelée* désigne tout corps de consistance gélatineuse (1805), par exemple dans la locution ***gelée royale;*** c'est aussi par analogie (1765) le nom courant d'une espèce de méduse.

GEL n. m. est une réfection (XIIIe s.) de *giel* (1080), aboutissement du latin *gelu* «gelée, glace» et, par affaiblissement, «grand froid»; *gelu* se rattache à une racine indoeuropéenne °*gel-* «froid» (cf. *glace*). ➛ *Gel* désigne d'abord le froid qui provoque la gelée puis le fait de geler, d'être gelé en parlant de l'eau (1584); le mot disparaît de l'usage courant jusqu'au milieu du XIXe siècle. Il s'emploie figurément (XXe s.) à propos du blocage d'une activité, d'un processus. Par analogie d'aspect, *gel* désigne en physique une substance transparente (1898); c'est aussi un terme de cosmétique (v. 1968). ➛ Les dérivés et composés sont d'usage techno-scientifique : **GÉLIFIER** v. tr. (au participe passé, v. 1900; 1906, *se gélifier*) a produit à son tour **GÉLIFICATION** n. f. (av. 1890) et **GÉLIFIANT, ANTE** adj. (mil. XXe s.), employé aussi comme nom masculin, devenu courant en industrie alimentaire. ➛ **AÉROGEL** n. m. est formé (1931) à partir de *aéro-**. ➛ **ANTIGEL** n. m. (1923), formé à partir de *anti-,* est le seul terme courant, de par son emploi pour l'automobile.

◈ voir **GÉLATINE.**

GÉLINOTTE n. f. (1519, «petite poule») est un dérivé (1530, Marot) de **GÉLINE** n. f. (v. 1140), ancien nom de la poule (archaïque depuis le XVIIIe s.), issu du bas latin *galina,* du latin classique *gallina,* dérivé de *gallus* «coq». *Gallus* est peut-être le même mot que *gallus* «gaulois» ou est construit à partir d'une racine expressive indoeuropéenne signifiant «crier, appeler», attestée par le gallois *galw* «appeler», le vieux slave *glasŭ* «voix», l'anglais *to call* «appeler». La forme *gualinotte* (1534) vient peut-être d'un emprunt au provençal *galinoto* «poulette, gélinotte»; *gelinette* «petite poule» (*gelinete* v. 1200), puis «gélinotte», est d'emploi régional.

♦ *Gélinotte,* autrefois «petite poule» (1530), désigne (1552) un oiseau très voisin de la perdrix, communément appelé «coq des marais».

GÉMEAU, GÉMELLE, GÉMEAUX adj. et n. est une réfection savante (v. 1165, n.; v. 1170, adj.) de *jumeau,* du latin *gemellus* (→ jumeau), diminutif de *geminus* (→ géminer).

♦ En français, *gémeau* est synonyme de *jumeau* jusqu'au XVIIe siècle. Les *Gémeaux* n. m. pl. (1546, Rabelais), d'abord *les gimels* (XIIIe s.), désigne une constellation zodiacale (Castor et Pollux) par traduction du latin *gemini* (pluriel de *geminus*) et, en astrologie, le troisième signe du zodiaque. Dans cet emploi, le moyen français avait aussi par emprunt au latin *gemins* (1488).

▸ Le latin *gemellus* est à l'origine de dérivés savants : **GEMELLER** v. intr. (1556) se dit encore en emploi didactique pour «mettre au monde des jumeaux» (cf. *jumeler*). ➛ **GÉMELLAIRE** adj. (1842) «qui se rapporte aux jumeaux» a pour dérivé **GEMELLARITÉ** n. f. (XXe s.) «fait d'être jumeaux». ➛ **GÉMELLITÉ** n. f. (1866) a le même sens et se dit aussi au figuré du caractère de deux choses exactement semblables.

GÉMINER v. tr. est emprunté (v. 1486) au latin *geminare* «doubler», «mettre deux choses ensemble», dérivé de *geminus* «jumeau», «double» (→ jumeau).

♦ Il s'est employé d'abord au sens de «joindre», puis (1561) de «diviser en deux» et, en droit (1611), «réitérer (un jugement)». Il signifie aujourd'hui «grouper deux par deux» (mil. XXe s.).

▸ **GÉMINÉ, ÉE** adj., dérivé du verbe, est sorti d'usage au sens général de «doublé, répété» (1529) mais s'utilise comme terme d'architecture pour «double» (1694) — notamment *fenêtres géminées* — et en linguistique (1802, *lettres géminées*); comme *gémination,* c'est aussi un terme de botanique (1797) et d'enseignement (mil. XXe s., *classes géminées*).

GÉMINATION n. f. reprend d'abord (1478) le sens du latin *geminatio* (de *geminatum,* supin de *geminare* «répétition de mots»). Il s'emploie au sens d'«état de ce qui est disposé par paire» en rhétorique, en botanique (1845), en linguistique (XXe s.) et dans l'enseignement (v. 1960).

GÉMIR v. est emprunté (v. 1170) au latin *gemere* «se plaindre», «déplorer», sans étymologie certaine, qui a abouti à *geindre* (→ ① geindre).

♦ Il conserve le sens latin «exprimer sa souffrance d'une voix plaintive» (v. 1170, intr.); l'emploi transitif (v. 1240) pour «déplorer», aujourd'hui (v. 1540) «faire entendre en gémissant», a souvent la valeur dépréciative de «se plaindre sans cesse». *Gémir* se dit par analogie en parlant de certains oiseaux (v. 1530), par extension à propos de choses (1648) et figurément (1660) pour «éprouver des tourments», en emploi poétique et archaïque.

▸ **GÉMISSANT, ANTE** adj. a suivi l'évolution sémantique du verbe (av. 1502 au sens propre, av. 1848 pour des choses) comme **GÉMISSEMENT** n. m. (v. 1120; av. 1654 à propos de certains oiseaux; 1675 au figuré). ◇ **GÉMISSEUR, EUSE** n. et adj. (1464) est rare.

◈ voir GÉMONIES.

GEMME n. f. est emprunté (mil. XIe s.) au latin *gemma* d'abord «bourgeon, œil de la vigne», sens moins fréquent que celui de «pierre précieuse», dérivé par analogie de forme et de couleur; l'ancien français a connu aussi la forme autochtone *jame* (v. 1170), sans doute par le biais des parlers du Sud-Ouest (cf. Périgord *gema* «résine» [XIIe s.], forme étymologisante, et le moyen français *geme* «poix» [1391]).

♦ C'est pour désigner une pierre précieuse que le mot est d'abord introduit en français, d'où *sel gemme* (1561; *sal gemme,* XIIe s.); *gemme* désigne aussi (1391) la résine du pin (qui sort en gouttes brillantes), rare avant le XIXe siècle. Le sens latin de «bourgeon» a été repris en 1808 (on disait aussi *gemma*); aujourd'hui, il est sorti d'usage mais *gemme* est resté comme terme de sciences naturelles, «bourgeon constituant le rudiment d'un nouvel animal ou d'un nouveau végétal» (1845).

▸ Au premier sens se rattachent le composé **GEMMOLOGIE** n. f. d'introduction récente (XXe s.) et le dérivé **GEMMER** v. (1080, *gemé*) qui correspond au latin *gemmare* «être couvert de pierres précieuses», «couvrir de gemmes»; *gemmer* est aussi un terme d'arboriculture (1820, sens du verbe gascon *gema*). ◇ Il a pour dérivés **GEMMAGE** n. m. (1864) et **GEMMEUR** n. et adj. m. (av. 1874). ◆ D'autres dérivés et composés de *gemme* sont des termes de botanique ou de zoologie, comme **GEMMIPARE** adj. (1771), **GEMMATION** n. f. (1798, dérivé savant du latin *gemmare* «bourgeonner»), **GEMMAIRE** adj. (1846). ◆ **GEMMULE** n. f. (1808), terme didactique, est un emprunt au latin *gemmula,* diminutif de *gemma.* ◆ **GEMMAIL, AUX** n. m., nom déposé (1957), est composé de *gemm*(e) et de (vitr)*ail,* suscité par le pluriel *gemmaux,* homonyme de *gémeaux.*

GÉMONIES n. f. pl. est un emprunt (1548) au latin *gemoniae (scalae)* «(escalier) des gémissements», désignant un escalier situé au flanc du Capitole et où l'on exposait, à Rome, les cadavres des condamnés après leur strangulation, avant de les jeter dans le Tibre. *Gemonia* est un dérivé de *gemere* «gémir*».

♦ D'abord terme d'archéologie, *gémonies* est devenu usuel, au XIXe s., dans la locution figurée ***traîner, vouer qqn aux gémonies*** (1820) «accabler publiquement de mépris».

GENCIVE n. f. est une réfection (XIIe s.) de *genchives* (v. 1130, en wallon), *jencives* (fin XIIe s.), issu du latin *gingiva* «gencive», avec dissimilation du second ***g*** (→ gingival).

♦ *Gencive* se dit par extension de la bouche, de la mâchoire (cf. la locution figurée [XXe s.] ***dans les gencives*** «dans la figure»).

GENDARME n. m. représente une contraction (1440-1475) de *gens d'armes* (déb. XIVe s.), composé de *gens* (→ gens) et d'*arme* (→ arme).

♦ *Gens d'armes,* au pluriel, a alors le sens de «soldats» (gens armés) puis se spécialise au sens de «cavaliers» (1352-1356). *Gendarme* conserve le même sémantisme et a désigné un homme de guerre à cheval fortement armé (1440-1475, *escuier gendarme*); au XVIIe s., le mot se dit spécialement d'un cavalier attaché à la Maison royale (1680). Par analogie, il s'emploie (1680) pour parler d'une personne à l'air revêche et autoritaire. ◇ Le sens moderne, qui succède immédiatement à la création de la *gendarmerie,* date de 1792 (décret du 26-27 août 1792) mais le mot s'était employé pour «agent de police» (1790); de là vient l'emploi du mot comme symbole de la force publique (1872) et des locutions comme ***jouer au gendarme et au voleur*** (1845), ***dormir en gendarme*** (1907), etc. ◆ Par analogie *gendarme* a pris divers sens figurés : il désigne, par allusion à la raideur, un hareng saur (fin XIXe s.; 1477 en auvergnat) et une saucisse sèche et plate (XXe s.; d'abord en Suisse romande, par traduction de l'allemand); *gendarme* s'est dit aussi familièrement (1690, n. f. pl.) de flammèches qui s'échappent du feu.

▸ **GENDARMERIE** n. f. a désigné (1473, *gendarmerye*) un ensemble de gens en armes formant une cavalerie lourde, puis le corps d'élite attaché à la Maison royale (1680). Le mot prend son sens moderne (1791) en même temps que *gendarme* et, par métonymie, il désigne (1865) la caserne où les gendarmes sont logés. ◆ **GENDARMER (SE)** v. pron. a signifié «gouverner despotiquement» (1547, tr.) et «prendre une attitude belliqueuse» (1566). ◇ Il signifie aujourd'hui «se mettre dans une attitude d'opposition» (1622) et «s'emporter pour peu de chose» (1666). ◇ **GENDARMESQUE** adj., formation plaisante en *-esque,* qualifie le comportement et surtout le langage attribué aux gendarmes.

GENDELETTRE → GENS

GENDRE n. m. est issu (1130) de *generum,* accusatif du latin *gener* «mari de la fille» par rapport au père et à la mère de celle-ci (cf. l'italien *genero,* l'espagnol *yerno,* l'ancien provençal *genre*), de la famille de *gignere* «engendrer» (→ genre), qui se rattache à un radical indoeuropéen °*gen(e)-,* °*gnē-* «engendrer» et «naître». Le nom du «gendre», comme tous les noms relatifs à la famille de la femme, n'a pas de forme fixe en indoeuropéen. Dans les parlers gallo-romans, *gendre* est concurrencé par *beau-fils.*

♦ Le mot a gardé le sens de l'étymon latin.

GÊNE n. f. est une réfection de la Renaissance (1538) de *gehenne* (1390), qui représente une altération, par croisement avec *géhenne**, de l'ancien français *gehine* «torture» (v. 1200), dérivé de *gehir* «avouer par la torture» (v. 1120), qui viendrait du francique °*jehhjan* «avouer», restitué par l'ancien haut allemand *jehan* «avouer». On trouve le participe passé *jectus* dans la loi salique et des formes anciennes *gessir, gissir* pour le verbe, ce qui pour P. Guiraud fait de *gehine* l'aboutissement d'un latin °*jacina* «lit (de torture)», du latin classique *jacere* «être étendu» et «dire» (→ gésir); P. Guiraud rapproche *mettre à la gehine* «mettre à la torture pour faire avouer», de *gésine* «position de qqn qui est couché» et suppose que *gehir* est le résultat d'un croisement entre le francique et le latin *jacere*. On relève au XVIe s. les variantes *genne* (1550), *geine* (1580).

♦ *Gêne,* d'abord «torture» et, par métonymie, «instrument de torture» (v. 1560), a gardé jusqu'à la fin de l'époque classique le sens très fort de «tourment moral» (1541, *géhenne*), par exemple dans *mettre qqn à la gêne* (1671). ➛ Par affaiblissement de sens, *gêne* signifie depuis le XVIe s. (1580, *geine*) «malaise physique» (*gêne dans la respiration,* 1800). À partir du XVIIe s. (1606, *gesne*), le mot se dit d'une contrainte, d'une incommodité puis, spécialement (1790), d'une situation embarrassante due au manque d'argent. *Gêne* désigne par extension et couramment (v. 1770, Rousseau) une impression désagréable due à la timidité, à la honte, etc. ◇ De là vient **SANS-GÊNE** adj. inv. (1829), loc. adv. (1835; probablement antérieur), n. m. pour «attitude impolie» (1783) et n. «personne impolie» (1842 Balzac).

▸ **GÊNER** v. tr. reste courant jusqu'au XVIIe s. sous la forme *gehenner* (1363; aussi *gehinner,* 1381), au sens de «mettre à la torture»; la graphie *gesner* est employée du XVIe au XVIIIe s. à côté de *gêner* (1530). ◇ Le verbe a suivi l'évolution du nom : il a signifié «tourmenter» (1515, *gehainer*) jusqu'au XVIIIe s.; il prend le sens de «contraindre» (1549, *gehinner*), «causer une gêne physique» (1569, *genner*), «imposer une contrainte morale» (1565, *gesner; se gêner,* pron., 1580) puis «embarrasser» (av. 1703); on relève ensuite *être gêné* «être dans une situation financière embarrassante» (1768). ➛ Du verbe dérivent **GÊNANT, ANTE** adj. (XVIe s., *gehinnant;* 1690, *gesnant*) et **GÊNEUR, EUSE** n., qui apparaît sous la forme *gehinneur* «bourreau» (1474), achève son évolution au XIXe s. («importun», 1863).

GÈNE n. m. (1935) est un mot formé en allemand par le biologiste danois W. Johannsen (1909; dès 1911, *gene* en anglais) à partir du grec *genos* «naissance, famille, race», à rattacher à *gignesthai* «naître» et «devenir» (→ génétique, genre).

♦ Ce terme de biologie désigne un élément du chromosome, responsable d'un facteur héréditaire. Le concept est primordial en génétique*.

▸ En dérive **GÉNIQUE** adj. (XXe s.) «relatif aux gènes». ➛ **ANTIGÈNE** n. m., «substance qui peut engendrer des anticorps» (1904), est un terme de biologie et de médecine qui a produit quelques mots didactiques comme **ANTIGÉNIQUE** adj. (v. 1920).

◈ voir -GÈNE, GÉNÉTIQUE.

-GÈNE élément tiré du grec *-genês,* de *genos* (→ gène), entre dans la composition de noms et d'adjectifs scientifiques.

▸ De *-gène* est issu le suffixe **-ÈNE** employé en chimie (cf. *acétylène*).

GÉNÉALOGIE n. f. est un emprunt (fin XIIe s.) au bas latin *genealogia,* hellénisme. Le grec *genealogia* est dérivé de *genealogos* «personne qui étudie la généalogie», composé de *genea* (→ gène) «espèce, famille; génération» et *legein* (→ -logie).

♦ *Généalogie* désigne la suite d'ancêtres qui établit une filiation (fin XIIe s.), le tableau de cette filiation (XVe s.) et, par métonymie (1713), la science qui a pour objet les origines familiales. Par analogie, le mot s'emploie (1731) à propos des animaux de race (cf. *pedigree*) et, en biologie (XXe s.), des espèces vivantes. Par figure, il désigne dès le XVIIe s. l'histoire d'un développement successif (1674).

▸ **GÉNÉALOGIQUE** adj. «relatif à la généalogie» (1480) s'emploie dans *arbre généalogique* au propre (1671) et au figuré pour «classification des sciences dans le système de Bacon» (1810). ◇ Le dérivé **GÉNÉALOGIQUEMENT** adv. est didactique (1845). ➛ **GÉNÉALOGISTE** n. est attesté chez Cyrano de Bergerac (1654).

GÉNÉRAL, ALE, AUX adj. et n. est un emprunt (v. 1121-1134) au latin *generalis,* terme philosophique au sens de «qui se rapporte à un genre ou à une espèce» qui, s'opposant à *specialis,* à *singuli* «particulier», en est venu à prendre le sens de «général». *Generalis,* dérivé de *genus, generis* (→ genre), se rattache à une famille indoeuropéenne de radical *gen(e)-, gne-* «engendrer» et «naître» (→ engendrer, générer, génie, gens).

♦ *Général* est introduit dans la langue philosophique avec le sens latin de «qui se rapporte à un ensemble de cas ou d'individus», opposé à *particulier;* substantivé (déb. XIIIe s.), il donne naissance à la locution adverbiale ***en général*** «d'un point de vue général» (v. 1270), puis «le plus souvent» (1538). Par extension (v. 1190) l'adjectif prend le sens de «qui intéresse, réunit tous les éléments d'un ensemble» et, plus tard, s'applique à ce qui s'étend à la majorité d'un ensemble de personnes ou de choses, par ex. dans *assemblée générale* (1574), puis se dit d'une science qui couvre toutes les spécialités d'un même genre (XXe s.).
Joint à des noms de fonctions (1330, *vicaire général;* 1365, *généraux trésoriers*), il qualifie le titulaire d'un grade supérieur dans une hiérarchie et s'emploie au sens de «qui embrasse l'ensemble d'une organisation» (fin XVIe s.); d'où *un général* n. m. (1463, «trésorier général») pour une personne placée à la tête d'un corps, d'une administration, notamment dans le domaine militaire (1549) d'après un emploi de l'adjectif, *capitaine général* (1507-1508). Ce sens est devenu dominant pour le nom, avec des syntagmes correspondant aux grades *(général de brigade, de division)* signalés par un certain nombre d'étoiles. *Mon général* est l'appellatif en usage. ◇ Le mot désigne aussi celui qui est à la tête de certains ordres religieux (1611), notamment des Jésuites. ◇ Au fé-

minin, *la générale* s'emploie en religion pour désigner la supérieure de certains ordres religieux (1740); cette reconnaissance des fonctions dirigeantes féminines contraste avec l'emploi du nom féminin *générale* (1802) pour «épouse d'un général». ➛ Au XIXe s., *général* prend le sens de «qui intéresse toutes les parties» (1851), d'où *répétition générale* et le nom féminin *la générale* (déb. XXe s.).

▶ Dérivé de l'adjectif, **GÉNÉRALEMENT** adv. est sorti d'usage au sens de «sans exception» (v. 1190); il a pris la valeur de «sans considérer les détails» (déb. XIVe s.) et de «d'une manière générale» (1538). ① **GÉNÉRALITÉ** n. f., emprunt au bas latin philosophique *generalitas,* dérivé de *generalis,* a signifié «espèce» (v. 1265) et se dit, dans un contexte philosophique (v. 1275-1280), pour «caractère de ce qui est général»; de cet emploi vient l'acception (fin XVIIe s., surtout au pluriel) d'«idée générale» et, par péjoration, de «propos de caractère trop général» (1740); *généralité* a désigné aussi l'ensemble des individus (fin XVe s.) et on parle encore de *la généralité des cas.* ➛ ② **GÉNÉRALITÉ** n. f., dérivé de *général,* a désigné sous l'Ancien Régime (1443) une circonscription financière dirigée par un *trésorier général* puis, comme dérivé de *général* n. m., a désigné ce grade militaire (XVIe s.) et l'état-major des officiers généraux (fin XVIIe s.), emplois disparus au XIXe s. ➛ Au premier sens, le mot a été remplacé par **GÉNÉRALAT** n. m. (1585) qui s'emploie aussi (1680) en parlant d'un ordre religieux. Le mot est emprunté à l'italien *generalato* (XIVe s.), dérivé de *generale,* adj. et n. m., de même origine que *général.* ➛ ① **GÉNÉRALISSIME** n. m., «général commandant les autres généraux», est un emprunt (fin XVIe s.) à l'italien *generalissimo,* superlatif de *generale* «général». ➛ On relève ② **GÉNÉRALISSIME** adj. «tout à fait général» (1558), sorti d'usage, emprunt direct au bas latin *generalissimus,* superlatif de *generalis.*

GÉNÉRALISER v. tr., c'est «rendre général» d'un point de vue abstrait (1600-1612; 1751, en emploi absolu) ou au plan concret (1784). ➛ Du verbe dérivent **GÉNÉRALISATION** n. f. (1773; 1845 au sens abstrait. **GÉNÉRALISATEUR, TRICE** adj. (1792) et **GÉNÉRALISABLE** adj. (1845). ➛ **GÉNÉRALISTE** n. m. est formé (v. 1960) à partir de *(médecine) générale* sur le modèle de *spécialiste.*

GÉNÉRER v. tr. représente un emprunt (v. 1180) au latin classique *generare* «engendrer», «produire», «composer», dérivé de *genus, generis* (→ genre). Ce verbe a pris en latin chrétien le sens de «régénérer par le baptême»; *générer* s'est substitué à la forme *gendrer* (XIe s.), issue de l'évolution du verbe latin avant d'être quasiment éliminée par le verbe préfixé (→ engendrer).

♦ C'est d'abord le sens religieux qui est introduit en ancien français et il est usuel pendant tout le moyen âge. Le sens d'«enfanter» (1518), qui correspond à la valeur physiologique, voire sexuelle, de *génération**, est lui aussi sorti d'usage; celui de «produire» (1875) est d'emploi rare.

La réapparition du verbe est due à un emprunt. *Générer* est devenu un terme de linguistique (v. 1960) par adaptation de l'anglais *to generate* (1509), du latin *generare,* et spécialisé (XXe s.) en mathématiques, puis en linguistique, au sens d'«engendrer, produire et décrire de manière explicite des règles». C'est la grammaire chomskyenne, dite, d'après l'anglais, *générative transformationnelle,* qui a relancé en français cette série morphologique disparue, à l'exception du substantif bien vivant *génération.* Par anglicisme encore, *générer* s'emploie pour «produire, engendrer de manière formelle», notamment en informatique.

▶ **GÉNÉRATION** n. f., réfection (XIIIe s.) de *generatiun* (v. 1120), est un emprunt au latin classique *generatio* «engendrement, reproduction» et en latin chrétien «descendance», du supin de *generare* «engendrer». ◇ *Génération* est introduit avec le sens d'«ensemble d'individus engendrés à la même époque, qui ont à peu près le même âge»; le mot a aussi (fin XIIe s.) le sens du latin classique «action d'engendrer», d'où l'acception figurée (v. 1361) de «création». La valeur physiologique d'«acte sexuel» (1580) est sortie d'usage. ◇ Le sens de «descendance» est repris au latin chrétien (déb. XVe s.; fin XIIIe s., «tribu, famille») et, par métonymie, *génération* désigne (1511) le degré de filiation en ligne directe, puis (1564) l'espace de temps correspondant à l'intervalle séparant chacun des degrés d'une filiation. ◇ Le sens général d'«action d'engendrer, de produire» se spécialise en mathématiques (1752, en géométrie) et, avant les travaux de Pasteur, en biologie (1859, ***génération spontanée***). C'est par figure sur les générations humaines successives que *génération* s'emploie (v. 1970) à propos de chacune des phases successives d'une série d'objets techniques et, par métonymie, de la série de produits apparentés. ◇ *Génération* est entré dans le vocabulaire de la linguistique (v. 1965), par calque de l'anglais *generation* «action de produire du discours», de *to generate* (cf. ci-dessus *générer*). Les valeurs dynamiques du mot («production, engendrement») sont, dans les terminologies savantes, plus ou moins parasitées par l'anglais *to generate* et ses dérivés; mais le sens chronologique et humain («groupe d'humains du même âge») conserve au mot ses caractères originaux.

GÉNÉRATIF, IVE adj. est un emprunt (1314) au bas latin *generativus* «qui engendre, relatif à la génération», du supin de *generare.* Ce sens repris au latin a disparu en français moderne, comme l'ancien verbe *générer**. ➛ L'adjectif moderne, employé en linguistique (1965), est un autre mot, emprunté à l'anglais *generative* (1413, en biologie; 1955, en linguistique), notamment dans *grammaire générative* (adaptation de *generative grammar*) concept et expression lancés par Noam Chomsky pour «description systématique de la génération des phrases d'une langue». En ce sens l'adjectif *générateur, trice* (ci-dessous), qui aurait fourni un équivalent, a échoué face au terme nouveau, soutenu par l'emprunt du verbe correspondant (ci-dessus, *générer*). ➛ De cet emploi technique dérivent (v. 1965) **GÉNÉRATIVISME** n. m. et **GÉNÉRATIVISTE** adj. et n. (peut-être directement empruntés à l'anglais).

GÉNÉRATEUR, TRICE adj. et n. est un emprunt (1519) au latin *generator* «celui qui engendre, qui produit», du supin de *generare* «engendrer» (*géné-*

rer, ci-dessus). ◇ *Générateur* est introduit avec le sens latin (1519; 1575, adj. «qui sert à la reproduction»); cette valeur biologique reste dans l'emploi figuré «qui est à l'origine de» (1580). ◇ Le mot s'est spécialisé en sciences, notamment en géométrie (*génératrice,* n. f., 1704; n. m., 1752). Au XIXe s., *générateur* n. m., par ellipse de *appareil générateur* (1857; 1845, «chaudière»), devient un terme technique : le mot se diffuse avec la «génération» de courant alternatif (1885, L. Gaulard) et le moteur à induction, inventé par Nikola Tesla en 1888; **GÉNÉRATRICE** n. f. est une ellipse de *machine génératrice* (1883). ➜ Sur le nom masculin a été composé **SURGÉNÉRATEUR** n. m. (ou *réacteur surgénérateur*) (1967) en concurrence morphologique avec *surrégénérateur,* de *régénérer.*

GÉNÉREUX, EUSE adj. est emprunté (1370) au latin *generosus* «de (bonne ou noble) race», en parlant des hommes, des animaux et, par suite au figuré, «qui a des sentiments nobles ou généreux», par une assimilation fréquente de la bonne hérédité à la qualité morale. L'adjectif latin est dérivé de *genus, generis* «naissance, race» (→ genre).

♦ *Généreux* a d'abord signifié «qui est capable d'engendrer» (au figuré, en parlant de la grammaire), sens où un lien fort est gardé avec *générer.* ◇ L'adjectif reprend ensuite le premier sens du latin (1540, n.; 1550, adj.; 1567, par analogie à propos d'animaux) aujourd'hui disparu, ainsi que celui de «brave, chevaleresque» (1611), qualité attribuée au noble. ◇ Parallèlement le mot s'emploie (1556) à propos de sentiments nobles, portant au dévouement. Des valeurs figurées concrètes l'appliquent au vin (1611) puis à des choses diverses (*sol généreux, poitrine généreuse* «abondante», XXe s.). ◇ Par extension, *généreux* s'applique à ce qui manifeste la générosité (1667) et signifie «qui donne plus qu'il n'est tenu de faire» (1677) et «clément, indulgent» (1690); ces valeurs, apparues dans la langue classique et soutenues par les dérivés, l'emportent aujourd'hui.

▸ **GÉNÉREUSEMENT** adv. a suivi l'évolution sémantique de l'adjectif; sorti de l'usage au sens de «de façon courageuse» (av. 1580), il signifie «en montrant de la grandeur d'âme» (1636) et «avec libéralité» (1798). ➜ **GÉNÉROSITÉ** n. f. est emprunté au dérivé latin *generositas* «bonne race» puis «magnanimité». C'est le sens de «noblesse», aujourd'hui archaïque, qui est d'abord introduit (1509; 1551, «noblesse d'âme», acception encore vivante), puis le second sens du latin (1564). Comme pour *généreux,* c'est l'idée de libéralité qui devient la plus courante dans la seconde moitié du XVIIe s. (1677).

GÉNÉRIQUE adj. et n. m. est un dérivé savant (1596) du latin *genus, generis* «genre» (→ général, genre).

♦ *Générique* adj., d'abord pour «général» et signifiant «qui appartient au genre» (1647), est un terme didactique (cf. aussi 1806, *expression générique*) qui demeure plus rare que *spécifique.* ◇ Il n'en va pas de même pour le nom masculin (1934) qui, dans le domaine du cinéma et de la télévision, désigne la présentation générale d'un film (titre, nom des auteurs, etc.). Ce terme fait certes allusion au «genre» de film annoncé, mais son choix n'est pas clairement expliqué (un emprunt est possible, mais pas à l'anglais).

▸ **GÉNÉRIQUEMENT** adv. (1843) est d'emploi didactique (plus que *spécifiquement*).

GENÈSE n. f. est une réfection tardive (1660) de *genesie* (1611), antérieurement *genese* n. m. (1554), dès l'ancien français *genesin* (v. 1119); c'est un emprunt au latin ecclésiastique *genesis* «naissance, génération», du grec *genesis,* de même sens.

♦ Le mot nomme d'abord et exclusivement pendant longtemps le premier livre de l'Ancien Testament qui contient l'histoire de la création du monde. ◇ Les emplois biologiques (1611, *genesie;* 1660, pour *genèse : la genèse des espèces*) et techniques (1721, «formation de certaines figures géométriques», en relation avec *génératrice, générateur*) appartiennent à la langue classique. ◇ *Genèse* désigne aujourd'hui (1849) l'élaboration, la formation d'une chose, d'une pensée, etc. *(la genèse d'un ouvrage).*

▸ **GÉNÉSIQUE** adj. (1825), d'abord en concurrence avec *génétique* (→ génétique), est un terme didactique qui désigne ce qui est relatif à la sexualité.

-GÉNÈSE, -GENÈSE, -GÉNÉSIE sont des éléments savants tirés du latin *genesis,* du grec *genesis* «naissance, origine», de la famille de *gignesthai* «naître» et «devenir» (→ genre); ils entrent dans la composition de mots savants féminins, principalement en biologie et en médecine. Voir le premier élément.

GENET n. m. est un emprunt (fin XIVe s.; 1374, *genest*) à l'ancien espagnol *(cavallo) ginete* «petit cheval rapide» (1348; cf. espagnol *jinete* «cavalier») et «cavalier chevauchant avec des étriers courts», emprunté à l'arabe *zĭnātā,* nom d'une tribu berbère connue pour sa cavalerie légère.

♦ *Genet* «petit cheval de race espagnole» est aujourd'hui un terme didactique.

▸ ① **GENETTE** n. f. (1455-1475), terme de manège, s'emploie dans la locution adverbiale ***chevaucher à la genette*** «monter à cheval avec des étriers courts» (calque de la locution espagnole *a la gineta*); le mot désigne aussi (1611) une espèce de mors qu'on utilisait pour guider le genet.

GENÊT n. m. apparaît comme nom propre (v. 1160-1174, Plante *Genest,* la dynastie des *Plantagenêts*). Ce nom, comme *genest* (XIIe s.) et *genêt* (1600), est tiré de l'ancien français *geneste* n. f. «genêt» (v. 1175), encore vivace dans les dialectes de l'est du domaine d'oïl et issu de *genesta,* variante du latin *genista* n. f., probablement d'origine dialectale; le latin a fourni aussi l'ancien provençal *genetas,* l'italien *ginestra,* l'espagnol *hiniesta.* Le changement de genre, venu de la partie occidentale de la Gallo-Romania (latin médiéval *genestrum*), est dû au fait que la forme féminine a été sentie comme un collectif (cf. en ancien français *feuil/feuille*). La plante s'appelle fréquemment *genêt à balai* et se dénomme régionalement *balai.*

▸ **GENÊTIÈRE** n. f. «terrain couvert de genêts» (1829; *genestrière,* 1611) a remplacé les formes de l'ancien français *genestoi* n. m. ; *genestoie* n. f. (XIIIe s.) et *genestee* n. f. (XIVe s.).

GÉNÉTIQUE adj. et n. f. apparaît d'abord (1800) dans une citation philosophique traduite de l'allemand (Herder); le mot ne se répand qu'après 1840 (1846, *in* Bescherelle). C'est un emprunt, par l'intermédiaire de l'allemand *genetisch,* au grec *gennêtikos* «propre à la génération», à rattacher à la racine indoeuropéenne °*gen(e)-*, °*gne-* «engendrer» et «naître» (→ générer, genre).

♦ D'abord terme philosophique, au sens de «qui est relatif à la genèse de qqch.», *génétique* est employé ensuite en physiologie comme variante de *génésique.* ◇ Quant au nom féminin *la génétique,* désignant la science de l'hérédité, il a été créé en anglais (proposé le 18 avril 1905), par W. Bateson, l'un des premiers biologistes (après Mendel, dont il fut l'éditeur) à étudier les variations dans une optique mutationniste. *Genetics* a réussi (Ier Congrès en 1907) et est passé en diverses langues (*génétique,* en français, attesté 1911, probablement dès 1907). En anglais *genetic* adj. et *genetics* n. avaient eu une valeur différente en biologie à la fin du XIXe siècle. ◇ L'adjectif, certainement postérieur à l'anglais *genetic* (1908, Bateson), correspond à «de l'hérédité (étudiée scientifiquement)». Il est de plus en plus courant, même en dehors des contextes scientifiques *(maladies génétiques; test, expertise génétique).* Les *manipulations génétiques* concernent l'agronomie, la zootechnie. ◇ Par ailleurs, au sens général, «d'une genèse, d'un développement», l'adjectif *génétique* a pris des valeurs spéciales (*psychologie génétique,* déb. XXe s., diffusé par Piaget).

▸ Le dérivé **GÉNÉTICIEN, IENNE** n. «spécialiste de la génétique» (1931 ; cf. anglais *geneticist,* 1913) a remplacé **GÉNÉTISTE** n. (fin XIXe s.), employé seulement aujourd'hui au sens de «relatif au génétisme». ➛ **GÉNÉTISME** n. m. (fin XIXe s.) «théorie de la perception de l'espace acquise» est un emprunt à l'anglais *genetism,* du radical de *genetics* «génétique» (du grec *gennêtikos*). ➛ **GÉNÉTIQUEMENT** adv. (1949) est fréquent en biologie et dans les techniques de l'alimentation (*organisme génétiquement modifié* ou *O. G. M.,* auquel correspond le composé **TRANSGÉNIQUE** adj. [1984], par ex. dans *maïs transgénique,* empr. probable à l'anglo-amér. [cf. *transgenesis,* 1973]).

◈ voir GÈNE, GENÈSE, GÉNOTYPE.

① **GENETTE** → GENET

② **GENETTE** n. f. représente un emprunt (1260) à l'arabe d'Andalousie et d'Afrique du Nord *ǧarnaṭ,* sans doute par l'intermédiaire de l'Espagne ou du Portugal (1284, catalan *janeta;* espagnol *jineta;* 1137, portugais *janeta*).

♦ Le mot désigne une espèce de civette.

GENÉVRIER → GENIÈVRE

GÉNIE n. m. est emprunté (1532, Rabelais) au latin *genius* désignant d'abord une divinité génératrice qui préside à la naissance de qqn, puis la divinité tutélaire de chaque individu, avec laquelle celui-ci se confond. De cette conception animiste viennent les sens figurés en latin impérial : «inclinations naturelles», «pouvoir intellectuel et moral» (où *genius* double *ingenium* «caractère inné», «dispositions naturelles de l'esprit»). *Genius* dérive de *genus, generis* (→ genre). Ces acceptions ont été reprises en français, à différentes époques.

♦ *Génie* signifie d'abord «caractère, tendances naturelles», sens qui se maintient jusqu'à la fin du XVIIIe siècle. Le mot désigne aussi les dispositions naturelles pour qqch. (1549; ***le génie du mal,*** 1789), puis tout ensemble de caractères qui forment l'individualité d'une chose (1640); c'est l'idée de particularité qui l'emporte dans le sens d'«aptitude supérieure de l'esprit» (av. 1674) d'où par métonymie *un génie* «homme supérieur» (1686). ◇ *Génie* a repris (1571) le sens latin de «divinité», d'où vient celui d'«esprit, bon ou mauvais, qui influe sur notre destinée» (1637), ***bon, mauvais génie*** (de qqn) désignant par analogie une personne qui a une influence sur qqn (1689). Par extension, *génie* désigne un être allégorique personnifiant une idée abstraite et sa représentation (1704) puis, dans les récits fantastiques, un être surnaturel doué d'un pouvoir magique (1791, Volney). ➛ Sous l'influence de *ingénieur* (→ ingénieur), le mot a pris dans le vocabulaire militaire (av. 1708) un sens tout différent, désignant une activité technique inventive : «art de fortifier les places», d'où (1835) *génie des Ponts et Chaussées* et (1845) ***génie civil.*** Par extension *génie* désigne le service technique chargé des travaux. Employé comme équivalent moins embarrassé que *ingénierie* à l'anglais *engineering, génie* a acquis des emplois spécialisés, comme *génie génétique,* où il correspond à «application technique d'une science», ou *génie chimique* (adapt. angl. *chemical engineering,* v. 1920).

▸ **GÉNIAL, ALE, AUX** adj. est emprunté (1509) au latin *genialis* «relatif à la naissance», «nuptial» et est introduit au sens de «voluptueux, agréable». ◇ Les sens modernes de l'adjectif se rattachent à celui de *génie* «aptitude supérieure» : «qui porte la marque du génie» (1837), «qui a du génie» (1888) et, par affaiblissement (XXe s.), «ingénieux». Récemment, l'adjectif a pris une valeur majorative vague; dans le langage des écoliers, il est (v. 1980) quasi synonyme de *super,* de *géant.* ➛ De *génial* dérivent **GÉNIALITÉ** n. f. (1865), d'emploi rare, et **GÉNIALEMENT** adv. (1613, rare av. 1869), assez usuel.

GENIÈVRE n. m. est l'aboutissement (1377) d'une série de formes : *jenevre* «genévrier» et «baie» (fin XIe s.); *geneivre* (v. 1160); *genoivre* (v. 1175), *genevre* (XIVe s.). Le mot est issu d'un latin populaire °*jeniperus* (cf. bas latin *ziniperus, giniperus;* v. 800, *geniperus*), altération du latin classique *juniperus* «genévrier». La forme *genièvre* s'expliquerait par analogie avec des couples tels que *lévrier/lièvre.*

♦ *Genièvre,* nom régional du genévrier, désigne aussi et surtout le fruit de l'arbuste (fin XIe s. en judéo-français; 1256, *genoivre*) et une eau-de-vie de grains (1835) parfumée au genièvre, comme le *gin* anglais (→ gin).

▸ **GENÉVRIER** n. m. (1522; *gennouvrier,* fin XIIIe s.) désigne l'arbuste.

GÉNISSE n. f., réfection (1538) de l'ancienne forme *genice* (1160-1174), est issu d'un latin populaire °*junicia* altéré en °*jenicia* (par affaiblissement du *u* atone), du latin classique *junix, junicis* «jeune vache», mot de la famille de *juvenis* «jeune».

♦ *Génisse* désigne une jeune vache qui n'a pas encore vêlé et, par métonymie, la viande de cet animal (ex. *foie de génisse*). Dans la langue classique, le mot *vache* étant considéré comme très bas, c'était *génisse* qui assumait en poésie et dans la prose de style élevé tous les emplois de *vache*.

▸ **GÉNISSON** n. m., «jeune taureau ou jeune bœuf» (1561; *génichon*, 1553), est un terme régional.

GÉNITAL, ALE, AUX adj. apparaît au pluriel (v. 1378) dans le syntagme *membres génitaulx* «qui servent à la génération», la forme *génital*, au singulier, n'étant relevée que vers 1560. C'est un emprunt au latin *genitalis* «qui engendre», de *genitum*, supin de *genere*, forme archaïque de *gignere* «engendrer» (→ engendrer, géniteur, génitif, genre, gens).

♦ *Génital*, terme d'anatomie, se dit de ce qui se rapporte à la reproduction sexuée et, par extension, de ce qui concerne la sexualité adulte normale (d'où en psychanalyse, *stade génital* et n. m. *le génital*).

▸ **GÉNITALITÉ** n. f. (1877) est un terme de biologie et de psychophysiologie. ◆ **GÉNITALEMENT** adv. (1946) est d'emploi didactique.

GÉNITO-, élément tiré de *génital*, entre dans la composition d'adjectifs dans le domaine de l'anatomie : par exemple, *génito-urinaire* (1840, de *urinaire*), *génito-crural* (1877, de *crural*).

GÉNITOIRES n. f. pl. (XIVe s.) a remplacé l'ancien français *genitaires* (1121-1134), puis *genetoires* (fin XIIIe s.), et reprend avec substitution de suffixe le latin *genitalia* «parties génitales», substantivation du pluriel neutre de *genitalis*; *genitalia* avait été emprunté sous la forme *genitailles* (v. 1180). ◇ Le mot ne s'emploie plus que par plaisanterie pour désigner les testicules.

GÉNITEUR, TRICE n. est un emprunt (1137) au latin *genitor, genitrix* «celui, celle qui engendre, a engendré», forme nominale de *gignere* «engendrer» (→ engendrer, génital, génitif, genre, gens); la distinction entre *pater* et *genitor* est souvent abolie, d'où le sens de «père» et par extension de «fondateur, créateur».

♦ *Géniteur*, dans le premier sens de *genitor*, est un terme didactique ou s'emploie par plaisanterie; au masculin pluriel, *les géniteurs* est devenu synonyme de «parents». ◇ Repris en zoologie (1865), *géniteur* se dit d'un animal mâle destiné à la reproduction.

GÉNITIF n. m. est un emprunt (1380; v. 1373, selon Bloch et Wartburg) au latin *genetivus* ou *genitivus* «relatif à la génération», dérivé de *genus, generis* «naissance, race», de *gignere* «engendrer» (→ génital, géniteur, genre, gens). Le mot latin s'est employé comme terme technique de grammaire dans le syntagme *genitivus casus*, proprement «cas qui engendre» parce que ce cas marque notamment l'origine. ◆ Un autre emprunt **GÉNITIF, IVE** adj. (XIIIe s.) signifiait «qui a la faculté d'engendrer» jusqu'au début du XVIIe s., et l'on relève *les génitifs* pour «testicules» (XIIIe s.), comme *génitoires* (→ génital).

♦ *Génitif* désigne, dans les langues à déclinaisons, le cas exprimant une relation de subordination dans un syntagme nominal et, par extension, dans les langues sans déclinaisons nominales, une tournure comportant un complément de nom (1606).

GÉNOCIDE n. m. est composé (v. 1944) du grec *genos* «naissance, race» (→ gène, genre) et de l'élément *-cide**; le mot a été créé en anglais *(genocide)* en 1944 par l'Américain Lemkin, d'origine polonaise, et doit être contemporain en français.

♦ *Génocide*, d'abord employé à propos des nazis et de leur «solution finale» du problème juif, se dit de la destruction méthodique d'un groupe ethnique et, par extension (v. 1970), de l'extermination d'un groupe en peu de temps; le mot s'emploie aussi au figuré *(génocide scientifique, politique)*.

GÉNOIS, OISE adj. et n. est dérivé (1625) du nom français de la ville italienne *Gênes;* il a remplacé l'ancien *genevois* (1336), dérivé de *Genova*, nom italien de la ville.

♦ Le mot désigne et qualifie ce qui est relatif à Gênes; le féminin s'est spécialisé et *génoise* n. f. se dit en cuisine (1735) d'une sorte de gâteau à pâte légère, puis en architecture (XXe s.) d'une sorte de frise. ◇ Quant au masculin, *génois* n. m., il désigne (v. 1785) les parlers italiens de la région de Gênes.

GÉNOTYPE n. m. est un mot créé en allemand (1909, *Genotypus*) par le biologiste danois W. Johannsen à partir du grec *genos* «naissance, race» (→ gène) et de *type**, pour désigner le patrimoine génétique d'un individu; le mot a passé dans plusieurs langues (*genotype* 1910, en anglais; av. 1930, en français).

▸ En dérive **GÉNOTYPIQUE** adj. (1936), qui semble propre au français. ◆ **GÉNOME** n. m. est lui aussi formé en allemand (*Genom*, Winckler, 1920) sur *Gen* «gène» et la finale de *chromosome;* le mot a été emprunté en anglais (1930, *genome*), en français (attesté 1936), etc. Il désigne le lot chromosomique haploïde du gamète et par extension, celui des cellules somatiques (diploïdes). ◇ Le dérivé **GÉNOMIQUE** adj. semble récent (mil. XXe s.).

GENOU n. m. est issu (v. 1360) du pluriel, *genolz* (fin Xe s.) puis *genous*, du singulier *genoil* (1080), aboutissement d'un latin populaire °*genuc(u)-lum* «genou», altération du latin classique *geniculum*, lui-même diminutif de *genu*, qu'il a tendu à remplacer. *Genu* a des correspondants dans plusieurs langues indoeuropéennes (dialectes indo-iraniens, ainsi que le grec *gonu* «genou»). Le nom du genou dans ces langues est sans doute à rapprocher de la racine °*gne-*, °*gen(e)-* «naître» (latin *gignere*, grec *gignesthai*, → genre) selon l'usage ancien de faire reconnaître le nouveau-né en le mettant sur les genoux de son père.

♦ *Genou,* «articulation du fémur et du tibia» (1080), désigne par analogie (1690) l'articulation du membre antérieur des quadrupèdes; le mot est employé au sens général d'«articulation» dans des domaines techniques (1573, comme terme de marine; 1845, en mécanique). Il entre dans la composition de nombreuses locutions; la locution adverbiale ***à genoux*** s'emploie au propre (1273) pour «les genoux en terre» et au figuré (1665) pour désigner une attitude soumise ***(demander qqch. à genoux)***; ***plier les genoux,*** au figuré «montrer de la servilité», est attesté au début du XVIIe s. et (1690) au sens de «s'humilier»; ***être aux genoux de qqn*** (1782), correspond à «être obéissant». Plus récent, ***être sur les genoux*** s'emploie pour «être très fatigué» (1900, en équitation; 1926, en cyclisme).

▸ **GENOUILLÈRE** n. f. est un dérivé ancien (v. 1570) de la forme *genoil,* écrit d'abord *genoillere* (v. 1130) au sens de «pièce d'armure couvrant le genou»; il s'emploie ensuite pour désigner ce qu'on attache sur le genou pour le protéger (1680) et, dans des domaines techniques, au sens de «charnière mobile» (1690).

Le composé **AGENOUILLER** v. pron. et tr. (XIe s.) s'emploie au propre «se mettre à genoux» et au figuré, «s'abaisser, s'humilier». ◆ En dérivent **AGENOUILLEMENT** n. m. (XIVe puis XVIe s., rare avant le milieu du XIXe s.) et **AGENOUILLOIR** n. m. (1552). ◆ Le dérivé **AGENOUILLÉE** n. f. «prostituée» (1886; métaphore analogue à celle de *horizontale* pour indiquer une position érotique) est sorti d'usage.

◈ voir GÉNUFLEXION.

GENRE n. m. est une réfection (v. 1200) de *gendre* (v. 1121-1134), usité jusqu'au XVIe siècle. C'est un emprunt au latin *genus, generis* «naissance, race» (souvent employé en bonne part), puis «réunion d'êtres ayant une origine commune et des ressemblances naturelles» (*genus humanum* «le genre humain»), dans des emplois concrets et abstraits — d'où le sens de «classe». Dans le domaine philosophique, sur le modèle du grec, où *genos* est opposé à *eidos,* le latin *genus* s'est opposé à *pars, species* (cf. *partie, espèce*). *Genus* est issu de *gignere* «engendrer»; comme le grec *gignesthai* «naître» et «devenir», ainsi que les mots de cette famille, *genos* «naissance, race» (→ gène), *genea* «génération» (→ généalogie), *genesis* «naissance, origine» (→ genèse), *gignere* se rattache à une racine indoeuropéenne °*gen(e)-*, °*gne-* «engendrer» et «naître» (cf. aussi le sanskrit *jánate*). La forme de l'ancien français *gendre* vient sans doute de l'influence du verbe *gendrer,* issu du latin *generare* (→ engendrer).

♦ *Genre* a d'abord la valeur latine de «catégorie, type, espèce» (v. 1121-1134, *gendre*), liée au sens de «race», qui a disparu depuis l'époque classique; le sens de «sexe» (v. 1200), étroitement lié à *gignere* «engendrer» et qui a subsisté dans *génération,* dans *génésique,* ne s'est pas maintenu. ◇ C'est l'idée générale de «groupement, catégorie» qui domine l'ensemble des emplois au cours de l'histoire. Ainsi, ***genre humain*** est attesté au début du XIIIe s. *(humaine genre)*; le sens général de «groupement, espèce» explique l'emploi du mot en grammaire (v. 1245) pour désigner chacune des catégories grammaticales, la répartition s'effectuant selon un modèle d'oppositions naturelles (sexe) ou culturelles. ◇ *Genre* s'emploie par extension en philosophie (v. 1300) au sens d'«idée générale d'un groupe d'êtres ou d'objets ayant des caractères communs», puis désigne (1645) une catégorie d'œuvres définie par des caractères communs (sujet, style, etc.), d'où le sens de «manière propre à un artiste» et l'emploi technique du mot en musique (1690, «division du tétracorde»). ◇ Depuis le milieu du XVIIIe s. *genre* désigne en taxinomie la subdivision de la famille, au-dessus des espèces, d'où **SOUS-GENRE** n. m. (1798, Cuvier). ◇ Le sens de «sorte, type» apparaît au début du XVe s. d'où ***en (dans) son genre*** (1690) et ***genre de vie*** (1690) «façon de vivre d'un individu», puis l'acception «manières de parler, de se comporter» (en 1835, ***bon, mauvais genre***; en 1845, ***se donner un genre***). Récemment, *genre* suivi d'un adjectif ou d'un nom attribut constitue un tour à la mode. ◇ En attribut *(être genre),* le mot signifie «prétentieux, frimeur», retrouvant le sémantisme de *genreux* en 1900 (ci-dessous).

▸ De ce dernier emploi dérive **GENREUX, EUSE** adj. (1878) «qui a du genre», mot en vogue vers 1900 et qui a disparu, le substantif étant aujourd'hui isolé morphologiquement et ayant pour adjectif *générique**.

◈ voir GÉNÉRAL, GÉNÉRIQUE.

GENS n. m. et f. pl. représente (fin Xe s.) l'ancien pluriel de *gent,* mot ancien issu du latin *gens, gentis,* n. f., dérivé de *gignere* «engendrer», que l'on rattache à une racine indoeuropéenne °*gen(e)-*, °*gne-* «engendrer» et «naître» (→ engendrer, genre, etc.). *Gens, gentis* désigne d'abord le groupe de ceux qui se rattachent par les mâles à un ancêtre commun, la communauté d'origine de tous les membres se révélant par la communauté du nom *(gentilicium nomen)* de l'ancêtre éponyme. La notion de clan» s'effaçant, *gens* a désigné par spécialisation la famille, la descendance et, par extension, la nation, le peuple; à l'époque impériale *gentes* se dit des nations étrangères, par opposition à *populus Romanus* «le peuple romain». De là vient son emploi dans la langue de l'Église pour désigner les païens (→ ① gentil); en même temps *gentes* est devenu synonyme de *homines* désignant un ensemble d'êtres humains (cf. *les hommes*), d'où le genre masculin pour cet emploi.

♦ *Gens* est introduit à la fin du Xe s. au singulier et au pluriel est le plus souvent féminin au moyen âge (au masculin dans quelques exemples au XIIIe s.), comme le singulier *(une, la gent...)*. Employé seulement comme nom féminin singulier, **GENT** a le sens latin de «nation, peuple» (1080) jusqu'au XVIIe s. où est reprise la valeur de «race, espèce» (1648; cf. *la gent trotte-menu* «les souris», La Fontaine, 1668). Cet emploi classique est aujourd'hui archaïque, mais il est repris dans l'usage familier, avec *la gent* et adjectif féminin (*la gent automobiliste, piétonne,* etc.) d'où, par erreur, l'emploi de *gente,* pseudo-féminin. ◇ Le sens de «peuple» demeure dans *droit des gens* (1668), traduction du latin juridique classique *jus gentium.*

Gens s'emploie d'abord (fin xe s. aussi au sing.) pour un nombre indéterminé de personnes ; de là viennent deux séries d'emplois. D'une part, *gens* désigne par restriction de sens un groupe placé sous l'autorité de qqn (1080) et, spécialement, prend les sens de «domestiques, serviteurs» (v. 1130) puis de «soldats» (1273) (*les gens de...* [un prince, un chef]). ◇ D'autre part, *les gens* signifie (v. 1207) «les humains en général», d'où viennent les emplois avec un adjectif ou un déterminatif : *bonnes gens* (v. 1207), *petites gens* (fin xve s.), *vieilles gens* (v. 1530), ***jeunes gens*** (1538 ; cf. *li jovene gent*, 1350), ce dernier servant en français moderne de pluriel à *jeune homme* et à *jeune fille* (→ jeune) ; *gens* avec cette acception est aussi employé avec un nom désignant une profession ou un état : *gens d'armes* (déb. xive s. ; → gendarme), *gens d'Église* (v. 1360), *gens de robe* (1530), ***gens de lettres*** (1544) — qui a donné le composé plaisant *un* **GENDELETTRE** (1843, Balzac) —, *gens de mer* (1636), *gens de cour* (1642). ◇ Repris didactiquement au latin, *gens* est utilisé (1834) comme terme technique au premier sens du latin (*la gens Fabia* ; dans ce cas, l'*s* final se prononce).

▸ **GENTILICE** n. f. et adj. (1541) est emprunté à *gentilicius* «propre à une famille», de *gentiles* dérivé de *gens*. C'est, comme *gens* dans son dernier sens mentionné, un mot didactique d'historien. ◇ **GENTILÉ** n. m. (1752), emprunt oral au latin *gentile (nomen)* signifie «désignation des habitants d'un lieu dérivée du nom de ce lieu». Le mot est surtout en usage au Québec.

◈ voir ② GENTIL.

① **GENT** → GENS

② **GENT, GENTE** adj. attesté en 1080 ; probablement antérieur, l'adverbe dérivé *gentement* «dignement» l'étant v. 1050, est issu du latin *genitus* «né» et par extension «bien né», d'où «noble, gracieux». *Genitus* est le participe passé de *gignere* «engendrer» (→ gens).

♦ *Gent* au sens de «gracieux, joli», sorti d'usage depuis le xvie s., est utilisé par archaïsme, comme *gentement*, adv. «gentiment». Il a été en partie remplacé par *gentil**.

◈ voir AGENCER.

GENTIANE n. f. est un emprunt (apr. 1250) au latin *gentiana* qui vient peut-être de *Gentius*, nom d'un roi illyrien qui aurait découvert cette plante.

♦ *Gentiane* désigne par métonymie (1890) une liqueur à base de la racine de la plante, à goût amer et tonique.

① **GENTIL** n. m. est un emprunt (1488) au latin chrétien *gentiles*, nom pluriel désignant les païens dans l'Ancien et le Nouveau Testament, par opposition au peuple de Dieu, le peuple d'Israël. *Gentiles* est la substantivation de l'adjectif du latin classique *gentilis* «qui appartient à la famille, au peuple», puis «relatif aux nations étrangères» (→ gens) ; le mot est alors synonyme de *barbarus*, de *peregrinus* et, à l'époque chrétienne, de *paganus*, correspondant à l'hébreu *gōyīm* «peuples non juifs» (→ goy).

♦ En histoire religieuse *gentil* se dit, dans le discours juif, des personnes étrangères à la religion juive, puis, dans le discours chrétien (1690), des païens.

▸ **GENTILITÉ** n. f. (1495), rare, est un emprunt au latin chrétien *gentilitas* «les païens, le paganisme» («parenté de famille» en latin classique).

✻ ② **GENTIL, ILLE** adj. vient par emprunt (v. 1050) du latin *gentilis* «propre à la race, à la famille» d'où «de bonne race» puis «généreux, aimable», par une évolution analogue à celle de *gent* (→ ② gent) ; *gentilis* dérive de *gens, gentis* (→ gens).

♦ *Gentil* est introduit (v. 1050) avec les sens latins de «noble de naissance» et «noble de cœur, brave», aujourd'hui disparus. Il est alors peu différencié de l'adjectif *gent**, *gente* et fait lui aussi référence à des valeurs d'abord guerrières : *gentilis* et *nobilis* se confondent presque, en latin médiéval. Mais le *gentil hom* (v. 1150 ; cf. ci-dessous) cesse d'être un brave pour devenir un aristocrate ; comme *gent*, souvent associé à *bel* (dont la valeur majorative très générale permet tous les glissements de sens), *gentil* commence à s'appliquer à la femme et notamment au corps féminin. ◇ *Gentil* prend alors (v. 1160-1174) le sens concret de «qui plaît (par ses manières, son allure)» et s'applique ensuite (v. 1220) à ce qui plaît par la bienveillance, la délicatesse morale, etc. Il est substantivé dans cet emploi (v. 1770 ; *faire le gentil*) d'où son usage par antiphrase (1666). Beaucoup plus tard, il se dit en parlant d'un enfant, pour «sage» (déb. xxe s.). ◇ *Gentil* s'utilise aussi (déb. xxe s.) au sens «d'une certaine importance», à propos de l'argent (cf. *coquet*).

▸ Le dérivé **GENTILLESSE** n. f. (xiiie s.), réfection de *jantillese* (1176), *gentillece* (v. 1265), a eu une évolution sémantique parallèle à celle de l'adjectif. Le mot a désigné la noblesse de naissance (1176 ; aussi *gentelise*, xiie s.) et celle des sentiments (1176-1180). ◇ *Une gentillesse* s'est dit ensuite (1578) d'une action ou d'une parole pleine de délicatesse. Au sens de «petit tour agréable» (1611), *une gentillesse* est déjà archaïque vers 1680 ; le mot s'est employé au xviie s. (1687) par antiphrase pour «parole, action méchante» : on dit encore ironiquement ***se dire des gentillesses*** «s'injurier». Il désigne ensuite la qualité d'une personne qui cherche à être agréable à autrui (v. 1850). ◆ **GENTIMENT** adv., «d'une manière gentille», a remplacé les formes *gentilment, gentillement* (fin xiie s.), *gentieument* (v. 1200) ; il se rattache d'abord à *gentil* «noble», puis remplace *gentement*. ◆ **GENTILLÂTRE** n. m. (de *gentil* «noble»), formé avec le suffixe péjoratif *-astre, âtre*, signifie d'abord «élégant ridicule» (1310, *gentillastre*) et a désigné un gentilhomme de petite noblesse (1480-1490), un noble de province désargenté. ◆ **GENTILLET, ETTE** adj. apparaît dans un exemple isolé au xvie s. (1550) et est repris dans la première moitié du xixe siècle.

GENTILHOMME n. m. est composé (xiiie s.) de *gentil* «noble» et de *homme ;* les deux éléments sont d'abord séparés (v. 1050, *gentil hom*). Le mot a désigné un homme noble de naissance, spécialement (1549) attaché à la personne du roi et, par analogie (1080), un homme qui montre de la générosité, de la noblesse dans ses sentiments (→ gentleman); lié à la notion de «noble» sous l'Ancien Régime, le mot, tout en prenant un contenu moral, continue à faire allusion à un état ancien de la société. ◆ De *gentilhomme* dérivent **GENTILHOMMIÈRE** n. f. (1606) «maison de campagne d'un gentilhomme» puis par extension «petit château à la campagne» et **GENTILHOMMERIE** n. f. autrefois employé ironiquement (1669) au sens de «qualité de gentilhomme», et qui désigne (av. 1825) l'ensemble des gentilshommes.

◈ voir **GENTLEMAN, GENTRY.**

GENTLEMAN n. m. est un emprunt (1695), d'abord adapté en *gentilleman* (1558), à l'anglais *gentleman* (XIIIe s.), calque du français *gentilhomme*, de *gentle* (v. 1050) avec le sens de l'ancien français *gentil** «noble» et de *man* «homme».

♦ À la fin du XVIIe s. le mot est introduit en français pour distinguer, quant aux Anglais, le *gentilhomme* qui implique la noblesse héréditaire, de la noblesse non titrée *(gentleman)* (→ gentry). *Gentleman* ne se répand qu'avec le romantisme et au XXe s. se dit d'un homme distingué, d'une parfaite éducation par référence au «chic britannique» (cf. le *gentleman cambrioleur* Arsène Lupin). *Gentleman*, adjectif (1858), est sorti d'usage.

▶ Le terme a connu un grand succès en français et a donné lieu à la construction de composés : **GENTLEMAN-FARMER** n. m., attesté en anglais en 1749 (de l'anglais *farmer* «fermier», de même origine que *ferme*), est attesté en français en 1801 et a été utilisé en 1822 par Chateaubriand parlant des Anglais; le mot s'est répandu en France à la fin du XIXe siècle. ◆ **GENTLEMAN-RIDER** n. m. (de l'anglais *rider* «cavalier» de *to ride* «monter à cheval»), «gentilhomme cavalier» en anglais au début du XIXe s., est introduit vers 1839 avec le sens de «jockey amateur»; il a été utilisé jusqu'à l'organisation professionnelle des courses de chevaux. ◆ **GENTLEMEN'S AGREEMENT** ou **GENTLEMAN'S AGREEMENT** loc. m. est une expression américaine («accord entre gentlemen», de *agreement* «accord», de même origine que *agréer*), attestée en 1886 et introduite (fin XIXe s.) en France, pour désigner un accord où la loi n'intervient pas, en politique, puis en affaires.

GENTRY n. f. est emprunté (1669) à un mot anglais qui signifie d'abord (XIVe s.) «qualité de gentleman», puis «ensemble des gentlemen» et «noblesse non titrée»; il représente probablement une altération de *gentrice* (XIIIe s.) venue de l'ancien français *genterise* (XIIe s.; puis *genterie, gentrie*, XIVe s.), variante de *gentelise* «noblesse» (XIIe s.), dérivé de *gentil**.

♦ *Gentry* est en français un terme didactique, désignant une réalité anglaise, la noblesse non titrée (opposé à *nobility* «noblesse titrée»). Il désigne par extension (1846) la haute société française, le «monde».

GÉNUFLEXION n. f. représente un emprunt (XIVe s.) au latin médiéval *genuflexio*, dérivé du latin ecclésiastique *genuflectere* «fléchir le genou», du latin classique *genu* (→ genou) et *flectere* «courber, fléchir» (→ flexion).

♦ *Génuflexion*, qui désigne l'action de fléchir un (les) genou(x) en signe de respect et de soumission, s'emploie au figuré (1872) pour parler d'un acte de respect ou de soumission, comme *se mettre à genoux*.

✱ **GÉO-**, premier élément de mots savants construits, tiré de composés grecs comme *geôgraphia, geômetria*, représente le grec *gê* «Terre» qui prend en composition la forme *geô*. *Géo-* entre dans la composition de nombreux mots, notamment dans le domaine des sciences physiques, chimiques et naturelles. Le développement des sciences de la Terre et la collaboration entre les disciplines scientifiques et techniques expliquent l'usage croissant de *géo-* dans la formation de composés.

▶ **GÉOCENTRIQUE** adj. est la francisation (1721) du latin moderne *geocentricus* (1636), tiré de *geo-* et *centrum* «centre», suffixé en *-icus;* l'anglais *geocentrick* est attesté en 1686. L'adjectif s'oppose à *héliocentrique*. ◆ **GÉOCHIMIE** n. f. est un emprunt (1838, Schönbein) à l'allemand *Geochemie*, qui a dû passer dans les principales langues européennes vers la fin du XIXe s. (anglais *geochemical*, 1888; *geochemistry*, 1903); le dérivé **GÉOCHIMIQUE** adj. n'est attesté en français (provisoirement) qu'en 1924 et **GÉOCHIMISTE** n. semble récent. ◆ **GÉOPHYSIQUE** adj. et n. f. semble formé à la fin du XIXe s. (cf. anglais *geophysics*, attesté en 1889 et *geophysical*, adj., 1888); on en a tiré un dérivé **GÉOPHYSICIEN, IENNE** n. (v. 1944). ◆ **GÉOMORPHOLOGIE** n. f. semble issu de l'anglais *geomorphology*, mot formé par W. J. McGee en 1893, d'après l'expression *geomorphic geology* (Powell) (→ géologie); attesté dans les dictionnaires généraux français en 1939, il est certainement bien antérieur, comme l'adjectif **GÉOMORPHOLOGIQUE.** ◆ **GÉOPOLITIQUE** adj. et n. f. est emprunté au suédois *geopolitisk*, adj. (R. Kjellén, 1889), peut-être par l'anglais *geopolitics* (1904). Il n'est attesté en français qu'en 1924. ◆ **GÉOCHRONOLOGIE** n. f. provient (v. 1943) de l'anglais *geochronology* (H. S. Williams, 1893) avec pour dérivé **GÉOCHRONOLOGIQUE** adj. ◆ **GÉOMAGNÉTIQUE** adj. (v. 1960) et **GÉOMAGNÉTISME** n. m. (v. 1953) sont eux aussi empruntés à l'anglais (*geomagnetism*, S. Chapman, 1938; *geomagnetic*, dès 1903). ◆ **GÉOBOTANIQUE** adj. (1893, Encycl. Berthelot) et n. f. et **GÉOBOTANISTE** n. sont employés au début du XXe s. (cf. anglais *geo-botany*, 1904; *geo-botanic*, 1904; *geo-botanist*, 1901); le mot est en concurrence avec *phytogéographie*. ◆ **GÉOLINGUISTIQUE** adj. et n. f. (mil. XXe s.) et **GÉOHISTOIRE** n. f. (mil. XXe s.) sont peut-être formés en français. ◆ **GÉOSTATIONNAIRE** adj. (1966) est en revanche une adaptation probable de l'anglais *geostationary* (1961), pour qualifier l'orbite d'un satellite artificiel qui reste au-dessus d'un point terrestre, et ce satellite lui-même.

◈ voir **GÉODÉSIE, GÉOGRAPHIE, GÉOÏDE, GÉOLOGIE, GÉOMANCIE, GÉOMÉTRIE.**

GÉODÉSIE n. f. est un emprunt (1644) au grec *geôdaisia* «partage de la Terre», composé de *gê* «Terre» (→ géo-) et de *dais, daitos* «ce qui est partagé» (à l'origine le repas où chacun a sa part), de *daiein* «diviser, partager». Attesté en 1644, il est très probablement antérieur (anglais *geodesy,* 1570, Dee ; et *géodésique*).

♦ Le terme désigne la science qui a pour objet l'étude de la forme de la Terre, la mesure de ses dimensions.

▸ En dérivent **GÉODÉSIQUE** adj. (1584), d'où l'adverbe **GÉODÉSIQUEMENT** (1829) et **GÉODÉSIEN, IENNE** n. (1866, n. m.) «spécialiste de géodésie». ◇ Une *géodésique* n.f. correspond à «ligne, courbe géodésique» (notion importante en physique relativiste). **GÉODIMÈTRE** n. m. est formé (apr. 1948) sur le radical du grec *geôdaisia* et du suffixe *-mètre* (→ mètre) ; il désigne un appareil de mesure des distances géodésiques inventé par le Suédois Bergstrand en 1948.

GÉOGRAPHIE n. f. représente un emprunt (1513) au latin *geographia,* du grec *geôgraphia* «description de la Terre», de *gê* «Terre» et de *graphein* (→ graphe).

♦ *Géographie* conserve le sens étymologique, mais la valeur terminologique du mot a évolué avec le concept et sa scientifisation. ◇ Exprimé en latin (*geographia*), le concept dépend d'abord de la valeur des mots grec et latin, qui font référence à la pratique de l'Antiquité. Celle-ci est à la fois géométrique, cartographique (Claude Ptolémée, traduit en latin en 1414) et historico-descriptive (Hérodote, Strabon, imprimé en 1516). Les grands géographes arabes ont exercé peu d'influence sur le moyen âge français. En latin et souvent sous le nom d'*imago mundi,* la géographie médiévale est cosmologique, descriptive, anecdotique. Le mot *géographie,* né au début du XVIe s., correspond à cette valeur, qui devient plus scientifique à la fin du siècle, avec la cartographie moderne (Atlas de Mercator : 1595) et au XVIIe s., avec des synthèses comme la *Geographia generalis* du Hollandais Varenius (1650). Au XVIIIe s., le domaine commence à se préciser : on parle de *géographie physique et naturelle* (un recueil de cartes de 1756) pour «géologie et description physique». *Géographie physique,* selon le dictionnaire de Trévoux (1740), serait calqué de l'anglais (Woodward). *Géographie historique, civile, politique* sont dans l'Encyclopédie (1757) avec *géographie sacrée, ecclésiastique.* D'autres branches de cette science sont nommées au XIXe s. : *géographie botanique, zoologique* au milieu du siècle (le premier dans Bescherelle 1845), *géographie politique* est chez Michelet. L'expression *géographie comparée* (fin XIXe s.) procède de l'Allemand (Ritter). C'est aussi en allemand que Friedrich Ratzel réintroduit l'étude de l'homme en société dans l'espace avec son *anthropogéographie* (1882-1891). Vidal de la Blache au début du XXe s. emploie l'expression *géographie humaine* ; dès lors, on enseigne séparément, à la Sorbonne, la géographie physique (de Martonne) et la géographie humaine (Demangeon, 1912). Des expressions aujourd'hui usuelles, comme *géographie régionale* (opposé à *géographie générale, universelle,* syntagmes plus anciens) ou encore *géographie économique* sont plus tardives. Le mot désigne alors par métonymie la réalité qui fait l'objet d'étude de la science géographique (1835). Une autre extension, régulière pour ce genre de mots, est «ouvrage, traité de géographie» (1866).

▸ Du français *géographie* ne dérivent que deux mots rares : **GÉOGRAPHIEN** n. m. (1544) qui est éliminé par *géographe,* et le verbe **GÉOGRAPHIER** v. tr. (1833) qui a eu une existence éphémère.

GÉOGRAPHIQUE adj. (1532) est emprunté au bas latin *geographicus,* du grec *geôgraphikos,* de *geôgraphia ;* en dérive **GÉOGRAPHIQUEMENT** adv. (av. 1559). ◆ **GÉOGRAPHE** n. (1532) est aussi un emprunt au bas latin *geographus,* du grec *geôgraphos.*

GÉOÏDE n. m. est un emprunt (av. 1890) au grec *geoeidês,* de *gê* «Terre» et de *eidos* «forme» *(-oïde)* formé en allemand par Listing (1872).

♦ Le mot désigne la surface théorique (un ellipsoïde de révolution) utilisée comme modèle de la surface terrestre en géodésie.

✳ **GEÔLE** n. f. est l'aboutissement (XIVe s.), par les formes *gaiole* (1101-1106), *jaiole* (fin XIIe s.), du bas latin *caveola,* diminutif du classique *cavea* «cage*».

♦ *Geôle* est archaïque ou didactique (en histoire, etc.) au sens de «prison» (1101-1106) ; par extension et seulement littéraire, le mot désigne (1580) un lieu dans lequel on est comme dans une prison et a signifié par figure «asservissement moral» (XIVe s. ; fin XIIe s., *en ma jaiole* «en mon pouvoir»).

▸ Le dérivé **GEÔLIER, IÈRE** n. (v. 1225, *gaiolier, jaiolier ;* 1298, *jeolier*) au propre et (av. 1549) au figuré a résisté plus longtemps. Les deux mots conservent une certaine vie en poésie jusqu'au XXe s. (où l'on traduit encore le recueil de Wilde : *Ballade de la geôle de Reading*).

Le composé **ENJÔLER** v. tr., autrefois «emprisonner» (déb. XIIIe s., *enjaoler*), a pris le sens figuré d'«abuser par de belles paroles». Il est sémantiquement et graphiquement *(j)* détaché de *geôle* et a cessé d'être courant. ◆ Son dérivé **ENJÔLEUR, EUSE** n. (1585) est plus vivant, passant du domaine de la tromperie intéressée à celui de la séduction érotique, notamment comme adjectif (1870).

GÉOLOGIE n.f. est un mot savant (1751) composé de *géo-,* du grec *gê* «Terre» (→ géo-) et de *-logie,* du grec *legein* «dire» (→ -logie). Il apparaît en latin médiéval (1345) sous la forme *geologia,* employé par Richard de Bury en Angleterre au sens de «sciences des choses terrestres (et non divines)», c'est-à-dire le droit, et *giologia* (1603) en italien. En italien encore, F. Sessa emploie *geologia* en astrologie, pour «influence de la Terre». ◇ Après une œuvre en latin moderne, la *Geologia Norwegica* de M. P. Escholt (1657), l'Anglais E. Warren emploie le mot dans le titre d'un «discours concernant la Terre avant le déluge» (1690). Le mot est anglicisé en *geology* au XVIIIe s. (1735).

♦ *Géologie*, «science du globe terrestre», est mentionné dans le «Système des connaissances humaines» de l'*Encyclopédie* (tome I, 1751) comme une partie de la cosmologie et définie comme la «science des continens», mais le terme n'est pas traité dans l'ouvrage. Il reste rare en français au XVIIIe s. et n'entre dans le dictionnaire de l'Académie qu'en 1835, alors que le dictionnaire de S. Johnson enregistrait *geology* en 1755. La notion générale se précise à la fin du siècle (en anglais chez J. Hutton, 1795) en «science de la croûte terrestre et de son histoire», liée au XIXe s. à la minéralogie*, à la paléontologie* et à la connaissance des fossiles, puis à la stratigraphie et à la tectonique. La périodisation (en ères) s'effectue à cette époque, avec d'Orbigny et surtout l'Anglais Lyell. Les rapports avec l'anatomie comparée (Cuvier) puis le transformisme (Brongniart, Darwin), et donc les progrès de la paléontologie, développent la géologie, qui se subdivise au XXe s. en *géologie historique, géologie générale* (géomorphologie, sédimentologie, pétrographie...), *géologie structurale* (et tectonique), *géologie marine, hydrogéologie, pédologie*, etc. Ses rapports avec la géophysique sont étroits et ses applications (ingénierie géologique) de plus en plus importantes.

▸ En dérivent : **GÉOLOGIQUE** adj. (1797) qui s'applique à la fois au savoir et à son objet *(couches géologiques)*. ◇ Il a pour dérivé **GÉOLOGIQUEMENT** adv. (1843). ➜ **GÉOLOGUE** n. (1797) «spécialiste de la géologie» a été un moment en concurrence avec **GÉOLOGISTE** n. (1801), leur sens a évolué d'après le substantif.

GÉOMANCIE n. f., d'abord *jomansie* (XIIIe s.) relatinisé sous la forme actuelle (1495), est un emprunt au bas latin *geomantia*, du grec tardif *geômanteia*, composé de *gê* «Terre» (→ géo-) et de *manteia* «divination» (→ -mancie).

♦ Comme en grec et en latin, le mot se dit de la divination par l'examen des figures que forment la terre, les cailloux, la poussière, jetés au hasard sur le sol.

▸ La variante **GÉOMANCE** n. f. (1577) n'a pas vécu. ➜ **GÉOMANCIEN, IENNE** n., attesté chez Rabelais (1532), désigne la personne qui pratique la géomancie.

GÉOMÉTRIE n. f. est un emprunt (v. 1150) au latin *geometria*, hellénisme, du grec *geômetria* (→ géo-, et -métrie).

♦ *Géométrie* a d'abord désigné l'arpentage avant de se dire de la science mathématique de l'espace, à date incertaine (XIIIe -XIVe s. ?). Le mot s'est utilisé au XVIIe s. au sens extensif de «mathématiques» (attesté en 1655, mais antérieur ; cf. *géométrique*), emploi qui est celui de Pascal. Comme pour *mathématiques* et *algèbre*, le concept a évidemment beaucoup évolué entre le XIIe s. (XIVe s. pour *géométrique*) et notre époque. Consacrée pendant tout le moyen âge à l'étude des propriétés des figures simples selon la tradition grecque, la géométrie en Europe occidentale dépend d'abord de la transmission des textes grecs par les Arabes puis (XVe s.) par les traités byzantins. Liée au XVIe s. à la cartographie, la géométrie s'enrichit alors des méthodes projectives. Au XVIIe s. le concept se modifie et se scinde, du fait de l'apparition de l'algèbre moderne et de l'analyse : application de la méthode analytique* au domaine par Descartes (1637), développement d'une «géométrie projective» par Desargues (1639), Pascal, La Hire. Mais les concepts modernes de *«géométrie analytique»* (Clairault, Euler, Lagrange, Monge) et de *«géométrie projective»* (Monge, Lazare Carnot, Poncelet, Chasles) datent de l'époque 1760-1830. L'expression ***géométrie descriptive*** (c'est-à-dire non analytique, synthétique) apparaît chez Monge (1795). Au XIXe s. la notion prend une extension nouvelle par l'apparition de ce qu'on appellera plus tard les *géométries non euclidiennes* (Lobatchevski, Bolyai, Riemann, après les intuitions de Gauss). Elle est analysée par Klein (programme d'Erlangen, 1872) en *géométrie projective, géométrie affine, géométrie métrique* et *géométrie euclidienne* (les équivalents français des termes allemands ont dû s'employer dès la fin du XIXe s.). Les géométries *non euclidiennes* sont alors dites *géométrie hyperbolique* (Lobatchevski, Bolyai), *elliptique* (Riemann). Apparaissent ultérieurement la *géométrie infinitésimale*, puis *différentielle* (E. Cartan, S. Lie), et au XXe s. la *géométrie algébrique*, enrichie d'emprunts à l'analyse et à la topologie, et qui est une branche de l'algèbre. ◇ Par métonymie, *géométrie* signifie «traité de géométrie» et s'emploie pour «forme caractéristique d'un objet technique» (XXe s.), d'où vient ***à géométrie variable***, qualifiant un avion dont la voilure peut être modifiée, puis au figuré (v. 1970) en parlant d'un espace dont la disposition, le fonctionnement peut varier.

▸ **GÉOMÉTRISER** v. tr. (av. 1593, au participe passé), introduit en sciences comme intransitif (1749) pour «procéder géométriquement», est un terme didactique, comme ses dérivés **GÉOMÉTRISANT, ANTE** adj. (1907) et **GÉOMÉTRISATION** n. f. (1932). ➜ **GÉOMÉTRIQUE** adj. «qui concerne la géométrie» (1370-1372) est un emprunt au latin *geometricus*, du grec *geômetrikos* ; par extension (mil. XVIe s.), il se dit pour «qui procède avec la rigueur mathématique» et s'emploie par analogie au sens de «régulier (comme les figures géométriques)» (1831). ◇ **GÉOMÉTRIQUEMENT** adv. «d'une manière géométrique» (1561) est vieilli au sens extensif de «mathématiquement». L'adjectif et l'adverbe ont suivi l'évolution conceptuelle du nom. ➜ **GÉOMÈTRE** n. «qui s'occupe de géométrie» est emprunté (v. 1300) au latin *geometres*, du grec *geômetrês* «géomètre, arpenteur». Par extension (1637) *géomètre* désigne le technicien qui s'occupe du levé des plans ; le sens de «mathématicien» (1655) est sorti de l'usage. Le mot a conservé la valeur primitive d'arpentage, tout en acquérant les contenus modernes de *géométrie*. ◇ Par analogie, à cause de la démarche des chenilles qui semblent mesurer le sol avec leur corps, on a nommé **GÉOMÈTRE** n. m. (1803) un papillon d'une famille appelée plus tard les **GÉOMÉTRIDÉS** n. m. pl. (XXe s.). ➜ **GÉOMÉ-**

TRAL, ALE, AUX adj., terme didactique attesté au XVIIe s. (1665), est antérieur à cette attestation ; en effet son dérivé **GÉOMÉTRALEMENT** adv. apparaît un siècle plus tôt (1547).

GÉRANIUM n. m. est un emprunt (1545) au latin des botanistes *geranium*, réfection du latin classique *geranion*, du grec *geranion* de même sens, dérivé de *geranos* (→ grue), le fruit de cette plante ressemblant au bec d'une grue. La forme *geranion* (1550) a été reprise et employée au XIXe s. (1803).

♦ Malgré sa forme latine, le mot est devenu courant, non pas dans sa valeur botanique, qui concerne une plante dicotylédone, sauvage, mais pour désigner le pélargonium, dans ses variétés cultivées pour ses fleurs ornementales.

▸ De *géranium* dérivent des mots savants : **GÉRANIACÉES** n. f. pl. (1820 ; suffixe *-acées*) et **GÉRANIALES** n. f. pl. (1962) en classification botanique. ◆ **GÉRANIOL** n. m. (1900) formé avec la finale de *alcool* est un terme de chimie. ◆ **GÉRANIUM-LIERRE** n. m. (1908), composé de *géranium* et de *lierre*, est le nom usuel du *pélargonium-lierre*.

① **GERBE** n. f. est issu (XIVe s.), par la forme *garbe* (v. 1170), du francique °*garba* (cf. allemand *Garbe* ; ancien provençal *garba*).

♦ Le mot désigne dès son apparition (v. 1170) une botte de céréales coupées et liées. Le mot a eu au moyen âge un emploi administratif, concernant un impôt en nature : *jarbe* (1180-1205) «gerbe qu'on prélevait pour la dîme». ◇ Il s'est dit d'une botte de barres métalliques (1396) et plus tard d'une botte d'osier (1690) ou de fleurs (1747). ◇ Par analogie de forme, on a désigné par *une gerbe* ce qui s'élance, jaillit (1690, *gerbe d'eau*) ou (mil. XVIIIe s.) un ensemble de choses allongées *(une gerbe de colonnes)* ; par la même figure, *gerbe* s'emploie en artillerie (déb. XXe s.) pour «faisceau de projectiles», en physique *(gerbe de particules)*, en mathématiques (1962). Par métaphore, le mot se dit (1864) d'un ensemble de choses semblables réunies.

▸ Le dérivé ① **GERBER** v. s'est employé d'abord comme transitif (XIIIe s.) au sens de «mettre (le blé) en gerbes», d'où le composé **ENGERBER** v. (1226, «remplir de gerbes») dont l'évolution sémantique est identique. ◇ Par analogie, *gerber* signifie (1567) «mettre en tas (des fûts) dans une cave», valeur à l'origine du sens moderne de «procéder à la manutention de marchandises en hauteur», usuel en technique. Le mot s'est dit par métaphore («mise en cave», 1815) pour «condamner», en emploi argotique. *Gerber* s'emploie intransitivement (1866) au sens de «donner beaucoup de gerbes» (d'un terrain). ◇ Cet emploi n'a rien à voir avec un autre intransitif ② **GERBER**, lié au sens figuré de *gerbe* *(gerbe d'eau)* et synonyme argotique de «vomir» (1925) ; d'où au figuré, ***ça me fait gerber*** «ça m'écœure». ◆ De *gerber* dérive **GERBAGE** n. m. (fin XVIe s., «ensemble de gerbes»), alors que l'ancien français *gerbage* (1212) «droit sur les gerbes» vient de *jarbe, gerbe* (voir plus haut). ◇ C'est une autre valeur du suffixe *-age* qui donne à *gerbage* le sens d'«action d'enlever les gerbes d'un champ» puis de «mettre les céréales en gerbes» (1890). Enfin, le nom est courant, comme le verbe, en manutention. ◆ **GERBEUR, EUSE** adj. et n. (XVIe s.) est surtout un terme technique d'agriculture, comme **GERBÉE** n. f. (1432). ◆ **GERBIER** n. m. (1460) «meule», s'est dit aussi (1872) d'une construction mobile destinée à abriter une meule. ◆ Enfin le déverbal argotique ② **GERBE** n. f. (v. 1980), déverbal de *gerber* «vomir», s'emploie surtout au sens figuré (***c'est la gerbe*** «c'est écœurant»).

GERBOISE n. f. représente un emprunt (1712), d'abord sous les formes *ierbuah* (1655), *gerbo* (1700), au latin des naturalistes *gerboa*, lui-même emprunté à l'arabe *ǧarbū*.

♦ Le mot désigne un petit mammifère rongeur, vivant dans les déserts d'Afrique, d'Amérique et d'Asie.

① **GERCE** → **GERCER**

② **GERCE** n. f., mot argotique (attesté en 1886), est d'origine incertaine. Il pourrait être issu d'un terme régional (Ouest) d'origine obscure, *gerce* «jeune brebis qui n'a pas encore porté», ou représenter une altération de *garce*, féminin de *gars* (→ garçon), avec l'influence sémantique de ① *gerce* «teigne» (→ gercer).

♦ *Gerce* s'est dit, dans le vocabulaire argotique, pour «fille, femme, garce» ; usuel jusqu'en 1930, il est aujourd'hui sorti d'usage, sauf comme terme régional pour désigner, au figuré, une teigne, une peste.

GERCER v. est une réfection graphique (1690) de *gerser* (mil. XIVe s.), lui-même de *jarser* (fin XIIe s.), d'origine incertaine. Ce verbe est probablement issu du bas latin *charaxare* «couper, inciser», fréquemment écrit *caraxare* «sillonner, déchirer». On fait remonter ce verbe au grec *kharassein* «faire une entaille» (dérivé de *kharas* «échalas, pieu»), et on suppose que le mot latin est devenu °*garassare* puis par dissimilation °*garsare*.

♦ *Gercer* a signifié «blesser, endommager» (fin XIIe s.) ; le sens de «scarifier» (apr. 1250), déjà attesté dans le composé grec *enkharassein*, a disparu avant le XVIe s. (cf. le wallon *garsi* «ventouser»). Le sens moderne de «faire de petites crevasses (en parlant du froid, du vent)» (1530, tr.) serait alors une extension.

▸ ① **GERCE** n. f. a désigné (XIIIe s., *jarse*) une lancette utilisée pour saigner ; le sens de «teigne qui ronge les étoffes, les papiers» (1607) vient de *gercer* «endommager», celui de «fente dans le bois» (1777) du sens moderne. ◆ **GERÇURE** n. f. a d'abord signifié «scarification» (1375-1379). Le mot désigne une petite fente, en parlant de la terre, d'un arbre (fin XIVe s.) et une petite fissure au niveau de la peau (1548, *jarceure*) — seul sens usuel, comme pour le verbe. ◆ **GERCEMENT** n. m. (1866) est beaucoup moins fréquent.

GÉRER v. tr. est un emprunt (v. 1558 ; 1445, selon Bloch et Wartburg) au latin *gerere* «porter (sur soi)» ; le verbe comporte l'idée d'activité propre du sujet et signifie aussi «prendre sur soi, administrer», par extension «exécuter, faire» (d'où *gestum* → geste).

♦ C'est avec ce dernier sens qu'il a été introduit en français. Il reprend au XVIIe s. le sens juridique d'«administrer (une affaire, des intérêts)» (1671) et signifie par extension (1764) «diriger (ses affaires)» et (mil. XXe s.) «s'occuper de (qqch., qqn), de manière suivie».

▸ En dérivent **GÉRABLE** adj. (1968), **GÉRANT, ANTE** n. (1787), sur lequel sont formés **GÉRANCE** n. f. (1843) et **COGÉRANT, ANTE** n. (XXe s.); **COGÉRANCE** n. f. est attesté en 1869. *Gérance* et *gérant* ont acquis des valeurs plus précises que le verbe et, comme *gestion,* plus techniques. ➛ **AUTOGÉRÉ, ÉE** adj., composé de ① *auto-*, est de formation récente (1964). Il correspond à *autogestion.*

◈ voir GESTION.

GERFAUT n. m. est la réfection XIIIe s. de *girfaus* (v. 1180, pluriel), composé de l'ancien français *gir* «vautour» (v. 1200) emprunté de l'ancien haut allemand *gîr,* de même sens, et de *faus* (v. 1175), cas sujet singulier de *faucon;* → faucon (cf. germanique *girfalco*).

♦ Le mot, qui a eu en ancien français la variante *jerfaus* (fin XIIIe-déb. XIVe s.), signifie étymologiquement «vautour-faucon» et désigne un oiseau de proie de grande taille utilisé en fauconnerie.

GÉRIATRIE n. f. est un composé récent (1915) du radical du grec *gerôn* «vieillard» (→ géronte) et du suffixe *-iatrie,* du grec *iatreia* «traitement».

♦ Le mot signifie «médecine de la vieillesse»; il est appuyé par un terme apparenté et plus récent, *gérontologie* (→ géronto-).

▸ Le dérivé **GÉRIATRIQUE** adj. (1959) est d'un emploi didactique. ➛ **GÉRIATRE** n. (av. 1959; suffixe *-iatre,* du grec *iatros* «médecin») désigne le ou la spécialiste de gériatrie.

① **GERMAIN, AINE** adj. et n. représente un emprunt (v. 1160) au latin *germanus* «naturel» et «germain», de *germen, -inis* au sens de «progéniture, qui est du même sang» (→ germe). De cet étymon viennent l'espagnol *hermano, -a* et le portugais *irmão, -ã* «frère, sœur».

♦ *Germain* adj. et n. (v. 1160) s'est longtemps employé au sens de «frère ou sœur de mêmes parents» (1646, *les germains,* n.), mais n'est plus aujourd'hui qu'un terme juridique (on oppose *germain* à *utérin* et à *consanguin*). Le terme n'est couramment employé (v. 1160, adj.) qu'avec *cousin* dans les expressions ***cousins germains*** et ***cousins issus de germains*** (1680). Le nom *un germain* s'est dit (1642), pour «membre de la même famille» et l'adjectif a qualifié (1580) ce qui présente des traits communs; on dit aujourd'hui *cousin germain.*

② **GERMAIN, AINE** adj. et n. est un emprunt (1512) au latin *germanus,* peut-être composé du celtique *gair* «voisin» et de *maon, man* «peuple», nom que les Gaulois donnaient à leurs voisins de l'Est. On relève à la fin du XIIIe s. la forme suffixée *germaniens* (1284).

♦ *Germain,* «qui appartient à la Germanie» en histoire, est devenu le radical correspondant à *allemand.*

▸ Il a pour dérivé **GERMANISER** v. «employer des mots allemands» (1556) et «rendre germanique» (1755, intr.), d'où vient **GERMANISATION** n. f. (1876). ◇ **GERMANISANT, ANTE** adj. et n. a signifié (1844) «qui a l'accent allemand». ➛ **GERMANO-** est tiré du latin *germanus* pour former des composés concernant les Allemands, l'Allemagne, comme : **GERMANOPHILE** adj. et n. (1894; de *-phile*), **GERMANOPHOBE** adj. et n. (1894; de *-phobe*) et **GERMANOPHONE** adj. et n. (v. 1945) «qui parle allemand», qui figure dans l'abondante série récente qualifiant l'emploi d'une langue.
GERMANIQUE adj. est emprunté (1532) au latin *germanicus* «de Germanie», issu de *Germania,* et ne peut être dissocié de *germain.* Le mot signifie «qui a rapport aux Germains» (1532, *en langue germanique*), puis «relatif à l'Allemagne» (1703). Voir aussi l'encadré page ci-contre. ➛ Sur son radical ont été construits **GERMANISME** n. m. «tournure propre à l'allemand» (1720) et «emprunt à l'allemand» (XXe s.), **GERMANISTE** n. «spécialiste de l'allemand, des langues germaniques» (1866), et **GERMANITÉ** n. f. (1800, repris en 1947) «caractère germanique». ◇ Se **GERMANISER** est attesté en 1903.

◈ voir PAN- (PANGERMANIQUE).

GERMANDRÉE n. f., d'abord *gemandree* (XIIe s.), représenterait selon P. Guiraud une altération du latin médiéval *calamendria,* croisement probable de °*calamentum* «sorte de menthe» avec *camedria,* latinisation de *chamoedrys,* emprunté au grec *khamaidrys,* proprement «chêne nain», de *drys* «chêne» (→ dryade), et *khamai* «au ras du sol».

♦ C'est la plante désignée par *chamoedrys* (et non par °*calamentum*) qui correspond à *germandrée.*

GERMANIUM n. m. est composé (1885) du radical du latin *Germania* «Germanie» et du suffixe *-ium* des métaux.

♦ Le nom désigne un métal rare découvert en Allemagne en 1880 par Winkler, après avoir été prévu par Mendeleieff en 1871. Le mot peut être considéré comme un emprunt au latin moderne ou à l'allemand.

▸ **GERMANITE** n. f. (XXe s.; suffixe *-ite*) désigne le sulfure naturel de germanium, de fer et de cuivre.

GERME n. m. est un emprunt (v. 1120) au latin *germen* «germe», «bourgeon, rejeton» et, par extension, «descendance», de la famille de *gignere* «engendrer», qui se rattache à la racine indoeuropéenne °*gen(e)-*, °*gne-* «engendrer» et «naître» (→ engendrer, genre, gens).

♦ *Germe* apparaît en français avec le sens de «partie de la semence qui se développe en formant la plante»; cette acception vague n'a pas de caractère scientifique et s'applique par exemple aussi bien au gamète qu'à l'embryon ou à la graine. De là vient l'emploi courant pour nommer la première pousse qui sort de la graine, du tubercule (1580). ◇ Le mot désigne ensuite (XIVe s.) la forme initiale

LES LANGUES GERMANIQUES

Les langues germaniques font partie de la famille des langues indoeuropéennes. Elles dérivent d'un *germanique commun*, non attesté, qui s'est développé — indépendamment de l'indoeuropéen — vers 500 av. J.-C. Le plus ancien témoignage d'une langue germanique remonte au Ier s. av. J.-C.
On distingue trois groupes parmi ces langues : septentrional, oriental et occidental. Le groupe *septentrional* ou «*nordique*» est le plus anciennement attesté ; le plus ancien stade de la langue appartenant à ce groupe est appelé *norrois*. Dès le XIe s., ce groupe comprend cinq grands dialectes : le danois, le féroïen (langue des îles Féroé), le norvégien, le suédois et l'islandais. — Le groupe *oriental* ou «*ostique*» est constitué de langues aujourd'hui disparues : celle des Goths, le *gotique*, celle des Longobards, des Burgondes et celle des Vandales. Très tôt (av. 250), les Goths se scindent en deux peuples : les Ostrogoths et les Wisigoths. Le seul document que nous possédions en gotique consiste en des fragments de la Bible, traduite par l'évêque wisigoth Wulfila (mort en 383). En Occident, la langue des Goths persista jusqu'au début du VIIIe s. (Ostrogoths en Italie et Wisigoths dans le sud-ouest de la Gaule et en Espagne), époque où elle se fond rapidement avec les idiomes romans. En Orient, une variété de gotique a été relevée encore en 1560 en Crimée. Le *longobard* a laissé quelques traces en italien. Le *burgonde*, quant à lui, ne se retrouve que dans des noms de lieux du sud-est de la Gaule.
Le troisième groupe est le germanique *occidental* ou «*westique*». Font partie de ce groupe le *francique* ainsi que le *haut allemand* (base de l'allemand moderne) et ses dialectes : bavarois et alémanique, le *bas allemand* auquel se rattachent le hollandais, dialecte de base du néerlandais, le flamand et le frison ; enfin, l'*anglais*. Il faut également rattacher aux langues germaniques le *yiddish*, langue des Juifs ashkénazes établis en Allemagne (et en France) dès Charlemagne. Cette langue composite, qui apparaît au XIe s. en Rhénanie, est la fusion de trois composantes : l'hébréo-araméen, langue de la vie religieuse (→ hébreu), les dialectes du haut allemand, parlers de la population environnante, et des vestiges d'un parler antérieur des communautés juives, à base de français et d'italien. Au XVIIIe s., l'allemand évince le yiddish, mais ce dernier a survécu dans les communautés juives d'Europe centrale et des États-Unis.

◈ voir ALLEMAND, ANGLAIS, BURGONDE, FRANCIQUE, GOTIQUE, LONGOBARD, ROMANES (langues).

M.-J. Brochard

d'un être vivant, spécialement le rudiment de certaines parties organiques (1762, *germe des dents*) ; cet emploi a disparu, à la différence du figuré (1679) pour «élément de développement (de qqch.)». ◇ Avec les progrès de la biologie, *germe* désigne (1860) un micro-organisme capable de provoquer une maladie.

▸ En dérive **GERMICIDE** adj. (1784) «qui tue les germes». ◆ Le mot latin **GERMEN** n. m. est entré dans le vocabulaire de la biologie (1901) par l'allemand (1883, Weismann) au sens d'«ensemble des cellules reproductrices d'un être vivant» (cf. *soma*). ◆ À partir du latin *germen* ont été dérivés : ① **GERMINAL** n. m. (1793, Fabre d'Églantine) «septième mois du calendrier républicain», mois de la germination (du 21 ou 22 mars au 18 ou 19 avril) ; ② **GERMINAL, ALE, AUX** adj., terme de biologie (1831) signifiant «relatif au germe, à la germination». Un emploi métaphorique a été rendu célèbre par Zola, dont le roman *Germinal* évoque un printemps social et humain.

GERMER v. est issu (1120) du latin *germinare* «germer» et «laisser pousser», dérivé de *germen* (ci-dessus, *germe*). Le verbe s'emploie au sens de «pousser un germe» en parlant d'une graine, d'un bulbe (v. 1120, intr.) ; l'emploi transitif «faire germer» (1174-1176) est aujourd'hui littéraire et rare. Une valeur figurée (1165) correspond à «commencer à se développer». ◆ Le verbe a fourni le dérivé **GERMOIR** n. m. (1700) et les préfixés **ÉGERMER** v. tr. (XIIIe s., *esgermer* «germer»), repris (fin XIXe s.) au sens technique d'«enlever le germe». ◇ Un autre préfixé, **DÉGERMER** v. tr. (1874), de sens voisin, a fourni au XXe s. **DÉGERMAGE** n. m. et **DÉGERMEUR, EUSE** n.

GERMINATIF, IVE adj. est un dérivé savant (1551) formé à partir du verbe latin *germinare*, comme **GERMINER** v. tr. «germer» (*germinant*, v. 1120), sorti d'usage du XVIIe au XIXe siècle. ◆ **GERMINATION** n. f. est un emprunt au latin *germinatio*, du supin de *germinare* ; il a été employé au sens de «descendance» (déb. XVIe s.). ◇ Il représente aujourd'hui le substantif de *germer* au sens propre (1580) et au figuré «début d'un développement» (1835). ◆ Sur son radical a été formé **GERMINATEUR, TRICE** adj. (1770) en botanique et n. m. (1962), terme technique.

◈ voir ② GERMAIN.

GERMON n. m. sous la forme *gernon* (XIVe s.), de sens discuté («tanche», «variété de thon»), puis *germon* «variété de thon blanc de l'océan» (1769), est un mot poitevin toujours d'usage régional, d'origine incertaine. On peut penser à une dérivation, à partir de *germe*, du latin *germen* «germe, bourgeon» dans un emploi figuré (→ germe). On relève *germon* (XIIIe s.) et *gernon* (1440-1475) au sens de «germe». ◈

GÉRONDIF n. m. est une réfection (1647) des formes *gerundif,* n. m. (1464), *gerundive,* adj. (1521); c'est un dérivé savant du latin tardif *gerun-dium, -i* ou *gerundi (modus),* terme de grammaire, dérivé de *gerundus* «mode de l'action à accomplir», de *gerere* au sens d'«exécuter, accomplir» (→ gérer).

♦ *Gérondif* désigne en français une forme verbale en *-ant,* généralement précédée de la préposition *en;* le mot est utilisé pour désigner (1866), en latin, la forme verbale qui constitue la déclinaison de l'infinitif. On l'emploie aussi en grammaire anglaise (anglais *gerund*).

GÉRONTE n. m., attesté d'abord comme nom propre (1636), est un emprunt au grec *gerôn, -ontos* «vieillard», d'une forme ancienne de participe présent à rattacher au sanskrit *járant-.*

♦ Au XVIIe s., dans la comédie, c'est le nom propre habituel des personnages de vieillards faibles et crédules. Le mot est utilisé en histoire (1704) pour désigner, dans l'ancienne Sparte, un membre du Sénat élu à vie, à partir de 60 ans. Par extension (1828-1829), le mot s'est dit d'un vieillard naïf, facile à berner et, par atténuation, d'un homme âgé ; il est aujourd'hui archaïque.

▶ **GÉRONTISME** n. m. (1866), terme didactique, désigne en médecine un vieillissement prématuré et aussi un régime politique où des vieillards gouvernent.

GÉRONT-, GÉRONTO-, éléments tirés du grec *gerôn, gerontos,* servent à former des mots savants. ◆ **GÉRONTOCRATIE** n. f. (1825; suffixe *-cratie,* du grec *kratos* «force, puissance») est un terme didactique qui désigne le gouvernement des vieillards (cf. *gérontisme*). Le substantif semble formé après l'adjectif **GÉRONTOCRATIQUE** (av. 1755). ◆ **GÉRONTOLOGIE** n. f. (suffixe *-logie*) est attesté en 1950, ainsi que son dérivé *gérontologue.* Mais ces termes, comme **GÉRONTOLOGUE** n. (1953), sont bien antérieurs. *Gérontologie* pourrait avoir été créé par le biologiste russe Metchnikov, car c'est dans une traduction de ce dernier que *gerontology* apparaît en anglais (avec *thanatology*), en 1903. *Gérontologie* est en concurrence avec *gériatrie.* Ces mots attestent les développements de la médecine spécialisée *(gériatrie)* qui se double d'une étude systématique *(-logie)* de la physiologie du vieillissement.

◈ voir GÉRIATRIE

GERZEAU n. m. (1752), qui a eu pour variante *jardeau* (v. 1330, «espèce de nielle») et apparaît aussi sous la forme *jerzeu* (XIIIe s., «ivraie»), est d'origine incertaine. Bloch et Wartburg le rapprochent de l'ancien français *garderie* «ivraie» (v. 1176), variante de *jarderie* (v. 1168), dérivé de l'ancien français *gart* (attesté 1260) «long poil dur de la laine» (→ ② jarre). Cependant P. Guiraud lie *jarzeu* à l'ancien français *jarse* «lancette», dérivé de *jarser* «scarifier» (→ gercer).

♦ Le mot désigne une plante à feuilles lancéolées (la nielle) ou à feuilles en forme de lames aplaties (la gesse; cf. *gesse*).

GÉSIER n. m. est une réfection (v. 1560) de *gisier* (av. 1154), *giser* (déb. XIIIe s.). Le mot est issu du latin populaire °*gizerium,* variante du latin classique *gigerium,* seulement au pluriel *gigeria* «entrailles de volaille», peut-être emprunté à une langue iranienne.

♦ *Gésier,* en ancien français «foie» (av. 1154), désigne, chez les oiseaux, la troisième poche digestive (déb. XIIIe s., aussi «viscères») et, familièrement (fin XVIIe s.), l'estomac d'une personne. En entomologie le mot s'emploie (XXe s.) à propos des insectes et d'autres invertébrés pour désigner une partie de l'appareil digestif.

✱ **GÉSIR** v. intr. défectif apparaît au passé simple (2de moitié Xe s., *joth*); le verbe est issu du latin classique *jacere* (*jaceo* à l'indicatif, 1re pers.) «être couché, être étendu», proprement «être dans l'état d'une chose jetée», valeur résultative par rapport à *jacere* (*jacio* à l'indicatif, 1re pers.) «lancer, jeter», d'une famille à racine indoeuropéenne °*ye-* «jeter». En latin, le verbe est surtout utilisé aux temps de l'«infectum»; en français il ne s'emploie aujourd'hui qu'au présent et à l'imparfait de l'indicatif, et au participe présent (→ gisant, jacent).

♦ *Gésir* reprend d'abord le sens latin d'«être couché» et signifie spécialement (1080) «être couché dans la tombe», d'où la formule d'épitaphe ***ci-gît*** (v. 1170). Par figure (v. 1160) *gésir en, dans* a en ancien français le sens de «résider dans». Le verbe signifie dans l'usage classique (1668) «se trouver» (en parlant d'une chose enfouie, cachée). Le sens d'«accoucher de» (v. 1180) est en relation avec le substantif *gésine.* Ces emplois ont disparu en français classique.

▶ **GÉSINE** n. f. est issu (v. 1160-1174) du latin populaire °*jacina* «couche», dérivé de *jacere,* et attesté par l'ancien provençal *jazina* «gésine, litière», le calabrais *jacina* «grabat». Le mot signifie «accouchement» et s'emploie surtout dans *en gésine,* «en train d'accoucher»; il est devenu archaïque. ◆ Le participe présent de *gésir,* **GISANT, ANTE** adj. «qui est étendu immobile» (1260), s'emploie comme nom masculin (1911) pour désigner une statue représentant un mort étendu (cf. *orant*).

① **GÎTE** n. m. représente l'ancien participe passé substantivé de *gésir.* Il s'emploie pour désigner un lieu où l'on trouve à se coucher, à se loger (1176-1181), d'où ***gîte d'étape*** (1866) et récemment ***gîte rural*** (1965); il se dit aussi du lieu où s'abrite (gît) le gibier (v. 1354), spécialement (1552) le lièvre. Par extension *gîte* s'est appliqué à des choses placées dans un endroit caché ou enfoui : «partie inférieure de la cuisse du bœuf» (1393; *gîte à la noix,* 1838); «dépôt de minerai» (1811), ce dernier en relation avec *gisement.* ◆ ② **GÎTE** n. f. est un terme de marine désignant le lieu où s'est enfoncé un bateau échoué (1859), puis (1901) l'inclinaison latérale d'un bateau (le bateau «se couche, gît»). ◆ Le dérivé verbal **GÎTER** v. a d'abord signifié «avoir son gîte quelque part» (intr., 1210-1230; tr., «pourvoir d'un gîte», XVIe s.); ce sens a vécu pour parler du gibier (fin XVIe s.). ◇ *Gîter* s'emploie au figuré (av. 1890) pour «être situé», et comme terme de marine (1859) au sens de «donner de la gîte». ◆ De *gîte* «contrée contenant des gisements» dérivent les termes didactiques (v. 1960; de *-logie*) **GÎTOLOGIE** n. f. et **GÎTOLOGUE** n.

GISEMENT n. m. est un dérivé de *gésir*, sur le radical *gis-*. Le mot a d'abord eu le sens d'«action de se coucher» (v. 1200). Il s'emploie en marine (1632), puis dans le vocabulaire des mines au sens de «disposition des couches de minéraux» (1721) et, par extension, de «masse de minéraux exploitables» (1834); par analogie *gisement* se dit d'une masse de matières non minérales (fin XIXe s.) et, par métaphore, comme *mine*, pour «ce qui contient des richesses à exploiter» (XIXe s.).

GESSE n. f., réfection (1457) de *jesse* (fin XIe s.), *jaisse* (1080), est emprunté au provençal *geissa* (XIIIe s.; cf. dès 1107 en Rouergue le latin médiéval *geissas caninas* «vesces de mauvaise qualité [pour les chiens]»). *Geissa* pourrait être issu du latin *(faba) Aegyptia* «(fève) d'Égypte». P. Guiraud rapproche *gesse* de ses synonymes *jarosse, garoche,* ainsi que de *jarre* «cuscute», mots qu'il lie à *jarre/ jard* (→ ② jarre) «aiguillon», «langue de serpent» : la gesse comme la nielle (cf. *gerzeau*) présente des feuilles lancéolées. Dans cette hypothèse, *gesse* représenterait un doublet gallo-roman, sous la forme °*jaceus,* du latin *jaculum* «trait, dard», dérivé de *jacere* «lancer» (→ gésir).

GESTALT n. f. est un emprunt à l'allemand (1945) où le mot, signifiant «structure, forme, configuration», est entré dans le vocabulaire de la psychologie (1912, Wertheimer) avec l'apparition de la *Gestalttheorie,* qui étudie la structure à laquelle sont subordonnées les perceptions. Le terme, adopté par les psychologues sous sa forme allemande, a été ensuite traduit par *forme* (*configuration,* en anglais).

▸ **GESTALTISME** n. m. est construit (1946) à partir de *gestalt* pour traduire l'allemand *Gestalttheorie* «théorie de la forme». ◇ En dérive **GESTALTISTE** adj. et n. (mil. XXe s. [attesté 1953]; suffixe *-iste*). ◆ **GESTALT-THÉRAPIE** n. f. (v. 1960) représente un calque de l'anglais *gestalt-therapy* (de *therapy,* de même origine que *thérapie*).

GESTAPO n. f. est un mot emprunté (1936) à l'allemand *Gestapo,* terme composé à partir des initiales de *Ge*(heime) *Sta*(ats) *Po*(lizei) «police secrète d'État», de *geheim* adj. «secret», *Staat* «État», et *Polizei* «police».

♦ *Gestapo* (par abréviation, v. 1945, *gestape,* n. f.) désigne la police politique de l'Allemagne nazie et, par analogie, se dit d'une police secrète qui emploie la torture. Pendant l'occupation allemande à Paris, la Gestapo a été appelée en argot *la carlingue,* par allusion au nom d'un café du XVIe arrondissement, fréquenté par les agents en civil de la Gestapo.

▸ **GESTAPISTE** n. m. s'est dit (1945) d'un membre de la *Gestapo.*

GESTATION n. f. est un emprunt (1537, sens inconnu; puis 1550) au latin *gestatio* «action de porter», du supin de *gestare* «porter» et, spécialement, «porter en litière» et «porter un enfant» (par substitution à *ferre* à l'époque impériale); *gestare* est le fréquentatif de *gerere* «porter» (→ gérer).

♦ *Gestation* était un terme de médecine (1550) pour désigner un exercice qui consistait à se faire porter pour réparer ses forces; il se spécialise en biologie (1748; 1585, selon *T. L. F.*) pour l'état d'une femelle vivipare qui porte son petit, de la conception jusqu'à l'accouchement. ◇ L'emploi figuré «travail d'élaboration qui précède la mise à jour d'une œuvre, d'une idée, etc.» semble assez récent (1862, Hugo).

① **GESTE** n. m., réfection (1495) de *gest* (v. 1213), est un emprunt au latin *gestus* «attitude», «mouvement du corps», «mimique, jeu», de *gestum,* supin de *gerere* au sens d'«accomplir, faire» (→ gérer, ② geste).

♦ *Geste* apparaît avec le sens latin de «façon de se comporter» (1213) et désigne ensuite les mouvements du corps, volontaires ou involontaires (1495); puis il prend le sens de «simple mouvement expressif» (1662). Au figuré et par métonymie (abstraction faite du mouvement corporel) le mot s'emploie pour «action», notamment dans les locutions ***faire un geste, un beau geste,*** etc.

▸ À l'époque contemporaine, des dérivés didactiques ont été formés, le geste étant étudié comme signe. ◆ **GESTUEL, ELLE** adj. et n. f. (1937 dans *langage gestuel,* d'après *manuel*) a pour dérivé **GESTUALITÉ** n. f. (v. 1960). ◆ **GESTIQUE** n. f. (1964) est didactique et rare pour «ensemble de gestes et d'attitudes en tant que moyen d'expression». ◆ **GESTUAIRE** n. m., «ensemble cofidié de gestes», est un dérivé savant (1957) à partir de *gestus.*

GESTICULER v. intr. représente un emprunt (1578) au latin *gesticulari* «faire des gestes, mimer», de *gesticulus* «petit geste», diminutif de *gestus; gesticulari* s'est substitué à *gestire* «faire des gestes violents sous l'effet d'une émotion», d'où «être transporté» et le sens abstrait de «désirer ardemment». *Gesticuler,* «faire beaucoup de gestes» (1578), est vieilli au sens de «mimer». ◆ En dérivent **GESTICULANT, ANTE** adj. (1758) et **GESTICULATOIRE** adj. (fin XIXe s.). ◇ **GESTICULAIRE** adj. «qui a rapport aux gestes» (1699) a disparu. ◆ Deux substantifs plus anciens viennent du latin : **GESTICULATEUR, TRICE** n. et adj. est un emprunt (1578) au dérivé latin *gesticulator* «qui fait beaucoup de gestes», «mime». ◇ **GESTICULATION** n. f. est emprunté au latin *gesticulatio* «action de gesticuler» et signifie d'abord (1495) «mouvement rapide» avant de prendre son sens moderne (1552). Une extension de sens récente correspond à «activité publique démonstrative et inefficace», notamment en politique.

② **GESTE** n. f. est un emprunt (1080) au latin classique *gesta* «actions» et spécialement «exploits», pluriel neutre substantivé du participe passé de *gerere* (→ gérer, ① geste) au sens d'«accomplir, faire»; *gesta* a été ensuite utilisé en latin médiéval au sens de «récit, histoire», dans des titres d'ouvrages historiques *(Gesta Francorum).*

♦ Francisé en nom féminin singulier, *geste* désigne (1080) les poèmes épiques relatant les exploits d'un même héros et, par extension (XIIe s.), équivaut à «épopée» ; l'expression ***chanson de geste,*** désignant un de ces poèmes, est attestée vers 1170 ; elle a été reprise en histoire littéraire au XIXe s. (1831, *chanson de bonne geste,* Fauriel). ◇ Le sens latin d'«exploits, hauts faits» (XIIIe s.) reste vivant jusqu'à l'époque classique ; *geste* subsiste encore en ce sens dans la locution ***les faits et gestes (de qqn)*** «ses activités» (1615), mais il y est alors compris comme représentant l'homonyme ① *geste.*

GESTION n. f. est un emprunt (1481) au latin *gestio* «action de gérer, exécution», du supin de *gerere* «faire, exécuter» (→ gérer).

♦ *Gestion,* d'abord seulement terme de droit, signifie «action de gérer» (les affaires d'autrui et, par extension, ses propres affaires).

▶ **GESTIONNAIRE** adj. (1874) et n. (1876) désigne spécialement (1922, n.) un officier ou sous-officier chargé de l'administration d'un établissement militaire. ➡ Le composé **AUTOGESTION** n. f. (1960, de ① *auto-*) a fourni **AUTOGESTIONNAIRE** adj. (1970) formé d'après *gestionnaire.* Cette série, comme *gérant* et *gérance,* est plus technique que le verbe *gérer.*

GEYSER n. m. est un mot emprunté (1783, comme nom propre ; 1824, nom commun), par l'intermédiaire de l'anglais *geyser,* à l'islandais *Geysir,* nom propre d'une source d'eau chaude du sud de l'Islande et qui signifie «celui qui jaillit», du verbe *geysa* «jaillir».

♦ *Geyser* désigne toute source d'eau chaude qui jaillit par intermittence et, par analogie d'aspect (1895), une grande gerbe jaillissante.

▶ Le dérivé **GEYSÉRIEN, IENNE** adj. (1913) «relatif aux geysers» est d'emploi didactique.

GHETTO n. m. est un emprunt (1536, *guetto,* à propos de Venise ; *ghetto,* 1690) à l'italien *ghetto* (1516), du nom d'une petite île de Venise dénommée *ghetto* «fonderie», mot dérivé de *ghettare* «jeter» (italien *gettare*). C'est dans cette île que les Juifs de Venise furent assignés à résidence à partir de 1516. On parle aujourd'hui à Venise de *Giudecca.*

♦ *Ghetto* a désigné tout quartier où l'on obligeait les Juifs à résider, en Italie (1536), puis dans certaines villes d'Europe, (1690). Par analogie, le mot s'emploie (1873) pour désigner un lieu où une communauté (ethnique ou religieuse) vit, isolée du reste de la population ; il est appliqué, d'après l'anglais, aux quartiers noirs de certaines grandes villes des États-Unis. Au figuré, *ghetto* signifie (mil. XXe s.) «situation de ségrégation et d'oppression».
Il a pour dérivés, au figuré, **GHETTOÏSER** v. tr. et **GHETTOÏSATION** n. f. (1972).

G. I. n. m. représente (v. 1942) l'abréviation de l'expression américaine familière *galvanized iron,* proprement «fer galvanisé», employée pour désigner toutes sortes de contenants dans des listes de matériel, mais interprétée comme l'abréviation de *government issue* «fourniture du gouvernement». *G. I.,* qui en américain contient l'idée d'appartenance à l'armée et de conformité à ses règlements, est une marque placée sur les effets des soldats de l'armée américaine et s'est appliquée plaisamment aux hommes.

♦ Cet anglicisme s'est répandu pendant la guerre de 1939-1945 pour désigner un soldat de l'armée américaine.

GIBBEUX, EUSE adj. est un emprunt (XVe s.) au bas latin *gibbosus* «bossu», du latin impérial *gibbus* «bosse», variante du classique *gibber.*

♦ *Gibbeux* signifie «qui est pourvu d'une ou de plusieurs bosses» et, par analogie (av. 1590), «qui a la forme d'une bosse».

▶ **GIBBOSITÉ** n. f. (1314, «partie en saillie») est un dérivé savant de *gibbosus,* sur le modèle du latin médiéval *gibbositas* (1250) ; le mot désigne (1490) une bosse produite par une difformité de la colonne vertébrale et, par analogie (1803), une proéminence en forme de bosse. Les deux mots sont didactiques.

GIBBON n. m. est un mot introduit en France (1766) par Dupleix pour désigner un singe d'Asie. Selon Buffon, il serait emprunté à un parler des Indes orientales, mais on n'a pu en retrouver l'origine. P. Guiraud fait l'hypothèse d'un néologisme de naturaliste, à partir du radical du latin *gibbus* «bosse» (→ gibbeux), en raison de l'allure voûtée de l'animal.

GIBECIÈRE n. f. est considéré comme un dérivé (1280) de *gibiez* (XIIe s.), ancienne forme de *gibier* (→ gibier). Sans exclure l'attraction de *gibier,* P. Guiraud rapproche *gibecière* «sac porté sur la cuisse», de °*gibe* «cuisse, fesse, aile» (parties du corps formant une «bosse»), forme hypothétique provenant d'un °*gibasse* issu d'un gallo-roman °*gibbacea,* du radical latin *gibb-,* à partir de *gibbus* «bossu, voûté» (→ gibbeux, regimber).

♦ *Gibecière* «sac (de cuir) dont se servent les chasseurs» (1280) a eu aussi le sens de «bourse qu'on porte à la ceinture» (1316) et a désigné le sac qu'utilisaient les prestidigitateurs (1680), d'où l'expression ***tour de gibecière*** «tour de passe-passe» et la locution figurée ***avoir plus d'un tour dans sa gibecière*** (1848). Par analogie de forme, *gibecière* s'est dit d'un sac de femme (1820) et d'un cartable d'écolier (1900).

GIBELET n. m. est l'état final (1606) d'un mot attesté sous diverses formes : *guibelet* (fin XIVe s.), *guinbelet* (1412), *gymbellet* (1534), *giblet* (1549). Ce serait une adaptation régionale (partie ouest de la Gallo-Romania) de *wimbelquin,* ancienne forme de *vilebrequin* (→ vilebrequin), par substitution de *gu-* à *w-,* et du suffixe diminutif *-et* au suffixe néerlandais *-kijn,* mais le passage de *gui* (dans les formes plus anciennes) à *gi* reste inexpliqué. Pour des raisons phonétiques (les variantes nasalisées et vélarisées) et sémantiques (*gibelet* désigne un petit foret, donc un instrument «tordu»), P. Guiraud rattache le mot à la racine *gibb-*, tirée du bas latin *gibbus* «bossu, voûté» (→ gibbeux).

GIBELOTTE n. f. est issu (1617), par changement de suffixe, de l'ancien français *gibelet* «plat de petits oiseaux» (XIIIe s.), diminutif de *gibier* altérant un hypothétique °*giberet* (→ gibier) et à l'origine de l'anglais *giblet* «abattis de volaille». Le sens de *gibelet* suggère à P. Guiraud une dérivation du verbe *gibeler* «s'ébattre», «ruer» dans l'acception, non attestée, de «remuer les ailes» et donc «voler», la *gibelotte* étant d'abord une «volée de petits oiseaux» ; *gibeler* dérive de *giber* (attesté 1381), d'un radical *gib-* (→ regimber).

♦ *Gibelotte* apparaît (1617) dans la locution ***à la gibelotte*** «manière de préparer les poissons» ; le mot désigne une fricassée de lapin au vin blanc (1708, «fricassée de poulet»).

GIBERNE n. f. serait issu (1573) du bas latin *zaberna* (IVe s.), *gabarna, gaberina* «sorte de bissac», d'origine inconnue. P. Guiraud rattache *giberne*, d'abord «sorte de sacoche», à °*gibe* «cuisse, fesse» et donc à *gibecière ;* l'italien *giberna* (XIXe s.) est un emprunt au français.

♦ *Giberne* s'est spécialisé (1748) au sens de «boîte recouverte de cuir pour mettre les cartouches» (équipement militaire). Par extension (déb. XXe s.) *giberne* s'est dit d'un sac d'écolier.

GIBET n. m. est un mot d'origine discutée ; ce serait un diminutif (v. 1155) du francique °*gibb* «bâton fourchu» (cf. l'anglais *gib* «bâton recourbé», le bavarois *gippel* «branche fourchue»). P. Guiraud rattache le mot, comme plusieurs autres en *gib-*, au radical latin de *gibbus* «bosse» (→ gibbeux) à cause de la courbure.

♦ *Gibet*, d'abord «bâton servant d'arme», désigne (déb. XIIIe s.) la potence où l'on exécutait les condamnés à la pendaison et les fourches patibulaires où l'on exposait leurs cadavres. Par métonymie, le mot se dit ensuite (1690) d'un lieu de supplice, puis de l'instrument (spécialt, 1804, *le gibet du Christ*) et du supplice lui-même (*mériter le gibet ;* mais *potence, corde* sont plus usuels).

GIBIER n. m., traditionnellement considéré comme un mot germanique, est issu, par substitution de suffixe, de l'ancien français *gibiez* (v. 1176, *aler an [en] gibiers* «aller à la chasse»), du francique °*gabaiti*, °*gibaiti* «chasse au faucon» (radical °*bait-;* cf. allemand *Beize* «chasse aux oiseaux de proie»). Sans exclure cette influence du francique, P. Guiraud rapporte *gibier* à un gallo-roman °*gibbarius* «relatif au vol» (et *gibiez* à un doublet °*gibbaceus*, sur une aire normanno-picarde), sens attesté dans *gaule gibière* «qui sert à la chasse au vol» (1611) ; °*gibbarius* aurait la même origine que °*gibe* «membre qu'on agite, jambe, aile» (→ gibecière, gigot, guibole).

♦ *Gibier*, «viande d'oiseaux chassés» (1377), désigne par extension (1539) l'ensemble des animaux bons à manger pris à la chasse. Le mot prend le sens figuré (v. 1460) de «personne que l'on poursuit» (1528, *gibier de prevost ;* puis 1668, ***gibier de potence***) et par ailleurs, de «domaine dont on fait sa nourriture intellectuelle» (v. 1540), d'où la locution vieillie *ce n'est pas de votre gibier* «de votre ressort» (v. 1560).

▸ Sur le radical de *gibier* a été formé **GIBOYER** v. tr., d'abord «chasser aux oiseaux» (XIIIe s., *giboier*), puis «chasser» (XVIe s.), la *poudre à giboyer* (1679) étant une «poudre de chasse». Le verbe est sorti d'usage comme le dérivé **GIBOYEUR** n. m. (1581). ◆ En revanche le dérivé plus tardif **GIBOYEUX, EUSE** adj. (1700), «riche en gibier» et, par extension, «en poisson», est resté vivant.

GIBOULÉE n. f. (1547) est d'origine obscure. Le mot est peut-être du domaine occitan (cf. *giboulado, gibourdano*, même sens ; le verbe *gibour-na* «grésiller») ; il se rattacherait à l'ancien verbe *gibler*, *gibeler* «s'agiter, s'ébattre» et spécialement «voler» (→ gibelotte), mais ce sens n'est pas attesté. C'est du moins l'hypothèse de P. Guiraud, qui relève le sémantisme analogue de *volée* et de *giboulée* (cf. régional *volée* «averse» et aussi *secouée*, même sens).

♦ *Giboulée* se dit d'une pluie soudaine et, par figure (1866), s'est employé pour «série de coups» (qui tombent drus, comme la giboulée ; cf. *volée*).

GIBUS n. m. est emprunté (1843) à l'anglais *gibus* (ou *gibus-hat*, calqué [1872] en *chapeau-gibus*). Il vient du nom propre *Gibus*, fabricant de ce chapeau en Angleterre (brevet déposé en 1834) ; le mot est passé en français avec d'autres termes de mode.

GICLER v. intr. est attesté de façon isolée au XVIe s. (1542) au sens de «faire jaillir» et n'est repris qu'en 1810. Représentant d'une famille de mots répandue dans le domaine gallo-roman, ce verbe est probablement emprunté au franco-provençal *jicler*, *gigler*, du provençal *cisclar*, *gisclar* (mil. XIIIe s.) «crier, siffler» et «pleuvoir, venter», apparenté à l'ancien français *ciscler* (v. 1120) «fouetter» (cf. dialectal *cicler*, *cigler*). On a supposé pour origine commune une forme °*cisculare*, altération du latin *fistulare* «jouer de la flûte» (de *fistula* «flûte») sous l'influence de *sibilare* → siffler, mais des raisons phonétiques excluent ce croisement. P. Guiraud relève que les sens de la famille «crier ; faire jaillir ; fouetter» correspondent à ceux du latin *ciere* (→ exciter ; inciter) ; d'après le dérivé *citare*, il propose un doublet °*cicare*, à l'origine d'une forme fréquentative (avec l'idée de répétition dans *crier, fouetter, jaillir*), °*ciculare* et °*ciulare*, ce qui expliquerait les diverses formes.

♦ *Gicler* «jaillir en éclaboussant» en parlant d'un liquide (1810) s'emploie aussi par figure (1913) pour «se répandre». ◇ Il a pris récemment la valeur d'«être projeté» et, pour les personnes, «partir rapidement et involontairement, être renvoyé».

▸ De *gicler* dérivent **GICLÉE** n. f. (1852), d'où **GICLETTE** n. f. «petite giclée» (XXe s.), **GICLEUR** n. m. (1907), **GICLEMENT** n. m. (1918) et **GICLURE** n. f. (1926).

GIFLE n. f. apparaît d'abord (v. 1220) sous la forme *giffe* puis *gifle* (1531) avec le sens de «joue» qu'il conserve jusqu'au XVIIe siècle. Le mot, d'origine dialectale (picard, wallon), est issu du francique °*kifel* «mâchoire» restitué par le moyen haut allemand *kifel*, l'allemand *Kiefer*, de même sens. La forme *gifle* (au lieu de *giffe*) est sans doute due à l'influence de mots comme *souffler*, *gonfler*, etc.

♦ Le changement de sens du mot s'explique par la valeur péjorative qu'il avait dès l'ancien français (cf. 1649, le nom propre *Giflart* «homme aux grosses joues»; 1743, *giffles* «oreillons»). La métonymie qui donne à *gifle* (1807, certainement antérieur dialectalement) le sens de «coup donné du plat ou du revers de la main sur la joue de qqn» (cf. la locution familière ***tête à gifles***) en a fait un mot courant, qui a remplacé, sauf dans un usage très soutenu et littéraire, le mot *soufflet* (avant d'être lui-même en concurrence avec des mots familiers, tel *baffe*). *Gifle* se dit aussi au figuré (1887) d'un affront, d'une humiliation.

▸ Le sens moderne a produit immédiatement **GIFLER** v. tr. «souffleter» (1808) et, par métaphore (1906), «humilier, offenser». ◇ Du verbe sont issus l'adjectif rare **GIFLABLE** (1886) et **GIFLEUR, EUSE** n. (1899).

GIGA-, élément tiré du grec *gigas, gigantos* «géant» (→ géant), est utilisé en métrologie : placé devant un nom d'unité, il la multiplie par un milliard.

▸ **GIGAWATT** n. m. (mil. XXe s.; de *watt*) «un milliard de watts», **GIGAHERTZ** n. m. inv. (1962; de *hertz*) en physique, «un milliard de hertz» (fréquence) et **GIGANNÉE** n. f. (1973; de *année*) en astronomie, unité de temps valant un milliard d'années, sont des termes techniques assez rares. **GIGAÉLECTRON-VOLT** n. m. est employé en physique nucléaire. ➛ **GIGA**, comme *méga*, est entré dans le langage à la mode (v. 1985-1990), comme élément préfixé et adjectif, alors utilisé comme *géant*.

GIGANTESQUE adj. représente un emprunt (1598) à l'italien *gigantesco* «d'une taille supérieure à la normale» (2de moitié XIVe s.), dérivé de *gigante* «géant» de même origine que le français; *gigantesque* peut aussi représenter un dérivé savant du latin *gigas, gigantis* (→ géant).

♦ *Gigantesque* s'emploie au sens de «qui tient du géant» et, au figuré, signifie «démesuré» (1718; 1775, n. m.).

▸ **GIGANTESQUEMENT** adv. (1847) et **GIGANTAL, ALE, AUX** adj. (av. 1553; dérivé savant de *gigas, gigantis*) sont d'emploi littéraire. ➛ **GIGANTISME** n. m., autre dérivé savant de *gigas*, s'emploie au propre (mil. XVIIIe s.) et au figuré (XXe s.).

GIGANTOMACHIE n. f. est un emprunt (1611) au latin impérial *gigantomachia*, du grec *gigantomakhia* «combat des Géants et des dieux», formé de *gigas, gigantos* «géant» et de *makhê* «combat» (→ -machie). Ce terme fait référence à la lutte des Géants contre Zeus et les dieux de l'Olympe, thème mythologique qui a tenu une grande place dans l'art et la littérature.

♦ Le mot conserve le sens du grec et du latin et, par métonymie (1644), désigne une œuvre qui représente ce combat.

GIGOGNE n. f. est d'abord employé (1659) dans *Mère Gigogne* ou *Dame Gigogne*, personnage du théâtre des marionnettes créé en 1602, femme géante des jupes de laquelle sortait une foule d'enfants. *Gigogne* paraît être une altération de *cigogne* (→ cigogne), cet oiseau étant réputé pour son amour maternel. Mais, selon P. Guiraud, ce trait est secondaire et *gigogne* viendrait du verbe *gigogner*, doublet de *gigoter* (cf. *dame gigonne* «danse», *in* Littré) : la gigogne primitive est un mannequin aux longues jambes (→ ① gigue) qui dansait un ballet burlesque (→ gigoter).

♦ *Mère Gigogne* se dit (1842, Balzac) d'une femme qui a beaucoup d'enfants. ◇ Par analogie, *gigogne* s'emploie (comme second élément du nom composé) au sens de «composé d'une série d'éléments de taille décroissante, s'emboîtant les uns dans les autres» (*table gigogne*, 1901; *lit gigogne*, *poupée gigogne*, etc.).

GIGOLO n. m. est un mot d'origine incertaine. Créé (1850) en même temps que ***gigolette*** n. f. (attesté seulement en 1864), *gigolo* et son féminin sont peut-être des dérivés de *gigue* «jambe, cuisse» et aussi «femme gaie, enjouée» (→ ① gigue); l'anglais *giglet, giglot* (av. 1325) «femme de mauvaise vie; jeune femme gaie» a peut-être influencé la formation des deux mots.

♦ *Gigolo*, qui signifie d'abord «amant d'une fille facile, d'une gigolette», se dit d'un jeune homme élégant dont les moyens d'existence sont suspects (1894) et d'un jeune amant entretenu par une femme (1901); *gigolette* signifie «fille délurée, facile». Par substitution de suffixe, l'argot a créé *gigolpince* «maquereau élégant».

GIGOT n. m. est en général considéré comme dérivé (fin XIVe s.) de l'ancien français *gigue* (v. 1120-1150) «instrument de musique à trois cordes», par analogie de forme avec cet instrument (on peut penser aussi à une métonymie possible, si l'instrument se tenait comme une viole de gambe); *gigue* est emprunté à l'ancien haut allemand *gīga* «instrument à cordes» (XIIe s.). P. Guiraud fait plutôt de *gigot* un dérivé de l'ancien verbe *giguer* «gambader, agiter les jambes» (XIVe s.; voir *gigoter*), lié à *giber* «secouer en jouant des bras et des jambes» (1381), d'un gallo-roman °*gibbicare*, de même origine que *gibecière* et *guibole* (voir ces mots).

♦ Quoi qu'il en soit, *gigot* désigne la cuisse du mouton, du chevreuil, coupée pour être mangée et, par plaisanterie (1644), s'emploie pour «jambe, cuisse d'une personne» d'où *remuer le gigot* «coïter» (1650) et «danser» (1695), sorti d'usage; par extension, *gigot* s'est dit au pluriel des jambes de derrière d'un cheval (1740). ◇ Par analogie de forme, le mot désigne un type de manche bouffante aux épaules, ajustée dans le bas (1832, *manche à gigot*).

▸ **GIGOTER** v. intr. est soit un dérivé de *gigot* soit le fréquentatif (suffixe *-oter*) de l'ancien verbe *gi-*

guer. Il a signifié «donner des coups de pied» (1694), «agiter ses pattes» (1718, en parlant d'un animal à l'agonie). *Gigoter* veut dire aujourd'hui (1743) «agiter vivement les jambes» (d'où, vieilli, le sens de «danser», av. 1778) avec influence évidente de *gigue.* ➜ En dérivent **GIGOTEUR, EUSE** n. (1842) et **GIGOTEMENT** n. m. (1884). ➜ ① **GIGUE** n. f. est tiré de *gigot,* d'après *cuisse/cuissot;* il s'emploie au sens de «jambe» (1650) ; le sens ancien de «fille gaie et enjouée» (1650) est sans doute lié à *giguer* «gambader». Par métonymie, *grande gigue* signifie «fille grande et maigre» (1650, utilisé à Paris et en Normandie selon Ménage). ◇ *Gigue* s'emploie aussi pour *gigot* dans *gigue de chevreuil* (1838).

① **GIGUE** → GIGOT

② **GIGUE** n. f. est emprunté (1650, Ménage) à l'anglais *jig* «air d'une danse vive, cette danse» mot attesté en 1560; *jig* est peut-être un emprunt à *gigue* «instrument de musique» (→ gigot). De toute façon, dès que le mot a été assimilé en français, il a été motivé par *giguer* «gambader» *(gigoter).*

▶ **GIGUER** v. intr. «danser une gigue» (attesté, 1841) est sorti d'usage.

GILET n. m. est un mot emprunté (1664, *gillet*), par l'intermédiaire de l'espagnol *jileco* ou *gileco* (cf. portugais *jaleco;* sicilien *gileccu, cileccu*), à l'arabe maghrébin *ğalīka* «casaque des captifs chrétiens chez les Mores», lui-même emprunté au turc *yelek* qui a désigné aussi un vêtement à manches amples et longues.

♦ *Gilet,* d'abord «camisole sans manches», se dit (1736) d'un vêtement d'homme court sans manches et, par extension, d'un sous-vêtement porté à même la peau ou sur la chemise *(gilet de peau, de flanelle),* d'un tricot de femme ouvert devant (1900). Le gilet initial donne lieu à locutions ***(pleurer dans le gilet de qqn).*** Au XIXe s. le vêtement est intégré au costume trois-pièces masculin et se porte sous la veste. ◇ Par analogie de forme, le mot s'emploie dans divers domaines : *gilet d'armes* (1872), *gilet pare-balles, gilet de sauvetage.*

▶ **GILETIER, IÈRE** n. (1828) s'est dit d'un ouvrier en gilet. ➜ **GILETIÈRE** n. f. (1872), vieilli, désigne une chaîne de montre, fixée à l'une des boutonnières d'un gilet.

GIMMICK n. m. est emprunté (1967) au mot anglo-américain familier *gimmick* (1926), d'origine incertaine, désignant d'abord un procédé malhonnête pour tricher au jeu, un truc. *Gimmick* pourrait être une altération de *gimac,* anagramme de *magic.*

♦ Le terme a le sens d'«astuce, procédé ou objet astucieux»; il reste assez rare en français, à la différence de *gadget.*

GIN n. m. est un emprunt (1759) à l'anglais *gin* (1714), abréviation de *geneva* (ou *genever*). Le mot désignait d'abord une eau-de-vie hollandaise, et adaptait le néerlandais *genever/jenever,* mot de même origine que l'ancien français *genevre* (→ genièvre).

♦ *Gin* désigne une eau-de-vie de grains parfumée au genièvre, fabriquée essentiellement dans les pays anglo-saxons.

▶ Le mot s'emploie en composition pour désigner des cocktails : **GIN-FIZZ** n. m. inv. (1924; attestation isolée en 1895; de *fizz* n. «boisson effervescente, pétillante», d'origine onomatopéique) désigne un cocktail à base de gin et de jus de citron rafraîchi. ➜ **GIN-TONIC** n. m. inv. (1962) est une abréviation de *gin and tonic* (water), de *tonic (water)* «(eau) tonique» (→ tonique).

GINDRE ou **GEINDRE** n. m., est la réfection de *joindre* (fin XIe s.). L'ancien français *joindre* représente un ancien cas sujet issu de °*jŭnior,* altération du latin classique *jūnior,* comparatif de l'adjectif *juvenis* «jeune» (→ jeune). En bas latin le mot, comme substantif (IVe-Ve s.), est attesté aux sens de «jeune soldat, recrue» et (v. 720) d'«apprenti». L'ancien français a *gignor* n. «aide d'un maître artisan» (v. 1160), issu de *juniorem,* accusatif de *junior.* La graphie *geindre* est introduite au XIXe siècle.

♦ Les acceptions initiales de *joindre* «apprenti» (fin XIe s.), «cadet» (v. 1175) se sont donc effacées au profit d'une spécialisation de sens «ouvrier boulanger» (v. 1268). Le terme est sorti d'usage, semble-t-il, au début du XXe siècle.

GINGEMBRE n. m. est une réfection (v. 1330) des formes *jenjevre* (fin XIe s.) et *gingibre* (1174-1176). Le mot est issu du latin *zingiberi, -eris* (ou *zingiber*), du grec *zingiberis* «gingembre», d'origine tamoule (langue dravidienne du sud de l'Inde).

♦ *Gingembre,* «plante tropicale» et, par métonymie, «rhizome de cette plante», désigne aussi un condiment.

▶ **GINGER-BEER** n. m. «boisson gazeuse aromatisée (à l'origine) au gingembre» est emprunté (1833) à un mot anglais (américain), composé (1809) de *ginger* «gingembre» et de *beer* «bière». Cet anglicisme a pour francisation au Québec *bière d'épinette.*

GINGIVAL, ALE, AUX adj., réfection (1837), d'après le latin, de *gengival* (1825), est un dérivé savant du latin *gingiva* «gencive» (→ gencive).

♦ Le mot signifie «qui est relatif aux gencives».

▶ À partir du latin *gingiva* ont été dérivés des mots en médecine, dont **GINGIVITE** n. f. (1832; suffixe *-ite*) «inflammation des gencives» et **GINGIVECTOMIE** n. f. (1951; élément *-ectomie*) «excision des gencives».

GINGUET, ETTE n. m. et adj. est un dérivé (1549, n. m.) de *ginguer* v. intr. (XVe s.; v. 1440 au participe présent) «s'agiter, sauter», «folâtrer», aujourd'hui régional, et variante de *giguer* (→ ② gigue). *Ginguet* conserve le sémantisme du verbe, soit qu'on considère que le vin vert fait sursauter, soit qu'on retienne l'idée de «chose sans importance», «faribole» impliquée par «folâtrer».

♦ *Ginguet* signifie «un peu aigre, acide» (1567; 1549, *boire du ginguet*), en parlant du vin. On relève les variantes **GINGLET** (1852), **GINGLARD** n. m.

(1878), d'où **REGINGLARD** n. m. «vin aigrelet» (1860), *ginguelet* (1878). Tous ces mots sont archaïques. ◇ *Ginglet* s'est dit aussi par extension pour «médiocre», «de peu de valeur» (1718) et par ailleurs (1694) s'est appliqué à un habit étriqué.

GIN-RUMMY ou **GIN-RAMI** → RAMI

GINSENG n. m. est une translittération (1663; aussi *jin-seng*, 1850, Hue) du chinois *jên shên*, mot composé de *jên* «homme» et de *shên* «plante», en raison d'une certaine ressemblance entre la racine de cette plante d'Extrême-Orient et le corps humain, évoquée aussi pour la mandragore.

♦ *Ginseng* désigne la plante et, par métonymie, la racine.

A GIORNO loc. adv. est un emprunt (1838) à l'italien *a giorno* «par la lumière du jour», du latin *diurnus*, comme *jour* (→ jour).

♦ En français, la locution adverbiale ou adjective qualifie une lumière artificielle aussi claire que la lumière du jour *(éclairage a giorno)*.

GIPSY n. est un mot emprunté (1796, *gipsies* cité comme mot anglais, puis 1816) à l'anglais *gipsy* ou *gypsy* (XVIIe s.; d'abord *gipcyan*, 1514), altération d'*Egyptian* «égyptien» car l'on attribuait aux Bohémiens une origine égyptienne (cf. l'espagnol *gitano;* → gitan).

GIRAFE n. f. est un emprunt (1298) à l'italien *giraffa* (2de moitié XIIIe s.), lui-même emprunté à l'arabe *zarāfa* qui était passé à l'ancien français sous les formes *giras* (mil. XIIIe s.) et *orafle* (fin XIIIe s.) (cf. aussi l'ancien espagnol *azor(r)afa*.).

♦ La morphologie particulière de l'animal a donné lieu à différentes acceptions figurées; ainsi, *girafe* se dit (1828) familièrement d'une personne grande et maigre (cf. aussi, 1900, la locution ***cou de girafe***). ◇ La locution ***peigner la girafe*** (déb. XXe s.) équivaut à «faire un travail inutile ou fastidieux» ou à «ne rien faire». Son origine a été expliquée anecdotiquement, mais elle provient plutôt d'une image érotique de masturbation, avec l'idée courante dans *branler, glander* «ne rien faire». ◇ Dans le domaine technique, *girafe* désigne par analogie (1931) une longue perche articulée.

▸ De *girafe* dérive **GIRAFEAU** n. m. (1874) ou **GIRAFON** n. m. (XXe s.) «petit de la girafe».

GIRANDOLE n. f. représente un emprunt (1571) à l'italien *girandola* «faisceau de jets d'eau, de fusées» (1re moitié XVIe s.), diminutif de *giranda* «gerbe de feu» (d'où en français *girande*, 1694). Le nom italien dérive de *girare* «imprimer un mouvement circulaire», du bas latin *gyrare* (→ girie).

♦ *Girandole* est introduit avec le sens de l'italien, aujourd'hui sorti d'usage, puis désigne par analogie de forme (image du «faisceau») un chandelier à plusieurs branches, souvent orné de pendeloques (1669); par référence à ces pendeloques, il s'applique (1740) à un assemblage de pierres précieuses formant pendants d'oreilles et en botanique (1787) à la grappe de fleurs de certaines plantes. ◆ Probablement par attraction de *guirlande*, le mot désigne couramment une guirlande lumineuse (fin XIXe s.; cf. 1866, par métaphore *vigne en girandole*).

GIRASOL n. m. apparaît au XVIe s. (1562, *girasole*), d'abord (1505, emploi isolé) adapté en *giresol* «chicorée sauvage». C'est un emprunt à l'italien *girasole* (XIVe s.), composé de *gira*, forme du verbe *girare* «tourner», du bas latin *gyrare* (→ girie), et de *sole* «soleil» (→ soleil).

♦ *Girasol* désigne (1562; XVIe s. en italien) une variété d'opale dont les teintes varient avec l'orientation de la lumière. ◇ Le mot a été au XVIIe s. (1630, *girasol*) la désignation du *tournesol*, comme l'italien *girasole* (XIVe s., en ce sens).

GIRATION n. f. apparaît isolément au XIVe s. (1377, *giracion*) et est repris au XIXe s.; c'est un dérivé savant du supin *gyratum*, du bas latin *gyrare* «faire tourner en rond, tourner» (→ girie).

♦ Le mot désigne un mouvement circulaire (autour d'un axe).

▸ **GIRATOIRE** adj. et n. m., autre dérivé savant de *gyratum*, d'abord terme de science (1773, *mouvement giratoire*), est devenu courant lorsque la langue administrative l'a adopté pour la circulation automobile : *sens giratoire*. Il est aussi nom masculin dans un emploi technique (1962). Ces deux mots sont isolés en français, le verbe *girer* (→ girie) ayant été abandonné.

GIRAUMONT ou **GIRAUMON** n. m., d'abord *giromon* (1614), est emprunté (1719; 1645, *giraumon*) au tupi ancien °*jirumum*, la transcription ayant pu être influencée par *girer* «tourner» (→ girond); en tupi, on relève les formes *jirimum, jirumu, gerumu*, etc.

♦ Le mot désigne une variété de courge d'Amérique nommée aussi *bonnet turc*.

GIRIE ou **GYRIE** n. f. est formé (1789) à partir du radical de l'ancien verbe *girer* «tourner sur soi-même» (1265; archaïque après le XVIe s., parfois repris à la fin du XIXe s.), emprunt au bas latin *gyrare* «faire tourner en rond, tourner», dérivé de *gyrus*. Ce dernier est emprunté au grec *guros* «cercle que l'on fait faire au cheval», mot de dresseur de chevaux et, en général, «cercle» (→ gyro-).

♦ D'abord au sens de «manière hypocrite d'agir» (1789), puis de «douleur feinte» (1808), *girie*, par extension, ne s'emploie plus que rarement (surtout au pluriel) pour désigner des manières affectées (1840).

GIRL n. f. représente l'abréviation française (1910) de l'anglais *chorus-girl* (1905), mot composé de *chorus* «chœur (de danseurs, de chanteurs), troupe de music-hall» (→ chœur) et de *girl* «jeune fille» (XIIIe s.) et dont l'origine est incertaine; il remonte au moyen anglais, mais l'ancien anglais l'ignore; il est apparenté à l'ancien bas allemand *gör* «garçon» et pourrait être une forme féminine d'un ancien anglais °*gur* «adolescent».

♦ En français le mot *girl* «jeune danseuse de music-hall» a un peu vieilli. *Girl* «jeune fille anglaise» comme emprunt direct à l'anglais (1884, P. Bourget) n'est plus utilisé.

▶ *Girl* est aussi un élément de composés américains introduits en français, et plus ou moins assimilés : **CALL-GIRL** n. f. (1960) de *call* «appel (téléphonique)» «prostituée de luxe qu'on appelle par téléphone», **GIRL-FRIEND** n. f. (1940; de *friend* «ami») «petite amie». Enfin, **GIRL-SCOUT** n. f. (déb. XXe s. ; de *scout* «éclaireur») a été formé en anglais par attraction de *boy-scout.*

GIROFLE n. m. est un mot issu (1165), par évolution phonétique d'une altération latine tardive, de *caryophyllon* «giroflier, girofle», transcription du grec *karuophullon* «clou de girofle», peut-être adaptation d'un mot exotique (cf. sanskrit *kaṭukaphala).* Le mot latin était devenu *gariofilum* (VIe s.), *gariofolum* (cf. l'italien *garofano*). Le mot et l'épice qu'il désigne se sont répandus par l'intermédiaire des marchands et, par voie orale, de foire en foire, ce qui explique l'évolution phonétique irrégulière.

♦ *Girofle* désigne le bouton floral du giroflier, utilisé comme épice, plus couramment nommé ***clou de girofle*** (1225, *clos de girofle*).

▶ **GIROFLÉE** n. f. représente (1393) le féminin substantivé de l'adjectif *giroflé* (fin XIIIe s.) «du girofle ; parfumé au girofle», d'où (v. 1275) le *giroflé* masculin substantivé, «boisson à la girofle». ◇ La *giroflée,* plante vivace odorante sans rapport botanique avec le girofle, doit son nom à l'odeur de clou de girofle qui émane de ses fleurs. ◇ Au figuré, ***giroflée à cinq feuilles*** (XIXe s.) se dit de la marque des cinq doigts laissée par une gifle, d'où *giroflée* pour «gifle». La locution ***recevoir des giroflées*** «être réprimandé» (1874) est apparentée à ce sens, qui provient non d'une métaphore claire, mais d'un jeu sur *gi-fle* ou *gi-flé.* ◆ L'adjectif féminin **GIROFLÉE** ou **GÉROFLÉE** (1835), dans l'expression *cannelle giroflée,* a désigné l'écorce du giroflier. ◆ Le dérivé **GIROFLIER** n. m. (1542) est d'abord apparu sous la forme *giroffier* (1372) pour désigner la plante qui produit le girofle.

GIROLLE ou **GIROLE** n. f. est peut-être dérivé (1513) de l'ancien français *girer* «tourner» (1265) (→ girie), la tête de ce champignon semblant décrire un mouvement de révolution ; le mot pourrait être une adaptation de l'ancien provençal *giroilla* (1397), dérivé de l'ancien provençal *gir* (déb. XIIIe s.) «tournoiement», du latin *gyrus,* étymon de cette série.

GIRON n. m. est une réfection (XVIe s.) de *geron* (XIVe s.), *gerun* (v. 1140), issue du francique °*gêro* «pièce d'étoffe coupée en pointe», restitué d'après l'ancien haut allemand *gero* et le moyen néerlandais *ghêre,* de même sens.

♦ Le mot s'est introduit avec ce sens en ancien français et pour désigner un pan de vêtement, en particulier allant de la ceinture au genou. Par extension, *giron* désigne (v. 1179) la partie du corps comprise entre la ceinture et le genou, chez une personne assise. ◇ Par métaphore, c'est l'idée de protection qui est retenue et *giron* s'emploie au figuré comme *sein* (cf. XIVe s., *geron de l'Église,* attestation isolée, puis 1563 ; 1544, «asile»). ◇ Par analogie de forme («surface triangulaire»), *giron* est devenu un terme de blason (1611 ; 1581, *geron*) et d'architecture (1676, *le giron d'une marche*).

▶ Le dérivé **GIRONNÉ, ÉE** adj., d'abord au sens de «qui a des pans», en parlant d'un vêtement (v. 1180), est devenu un terme technique de blason et d'architecture (*écu gironné,* v. 1250 ; *marches gironnées,* 1694). ◆ Son dérivé ① **GIRONNER** v. tr. apparu (1537, *gyronner*) au sens d'«aller en rond», s'emploie en orfèvrerie (1600) et en architecture (XXe s.). ② **GIRONNER** v. tr., «prendre (qqn) dans son giron» (1881), est sorti d'usage.

GIROND, ONDE adj., attesté en argot (1815), est d'origine incertaine. Il se rattache peut-être à *girer* «tourner», issu du latin *gyrare* (→ girie), par allusion à des formes rondes, comme l'attestent, malgré le hiatus chronologique, *gironde* «médaillon circulaire» (1682) et le nom propre de femme *Girondelle,* dans le refrain d'un motet du XIIIe s. *(Je l'arai / l'amour de la belle Girondelle).* P. Guiraud suppose un croisement avec *ronder* «tailler en rond», de *gironner* «tourner», issu de *girer* qui a donné en argot *girard* (1562), *giraud,* etc. «beau». Le mot a certainement subi l'attraction de *rond,* au sens de «bien en chair».

♦ Cet adjectif argotique puis familier signifie «beau, bien tourné», en parlant du corps humain.

GIROUETTE n. f. pourrait être une altération (1501, *gyrouete*) de l'ancien normand *wirewite* (1160-1174), *wirewire,* peut-être contaminé par le latin populaire °*virare* (→ virer) ; ce mot serait rattaché à l'ancien scandinave *vedrviti* «girouette». *Wirewite* aurait été modifié sous l'influence de *girer* «tourner» (→ girie) et de *pirouette.* Pour P. Guiraud, *girouette* est un composé tautologique de *girer* «tourner» et *rouer** «tourner», à valeur intensive et fréquentative.

♦ *Girouette* désigne une plaque métallique qui, tournant autour d'un axe vertical au sommet d'un édifice, indique la direction du vent. Il s'emploie au figuré (1640) pour «personne versatile, qui change aisément d'avis», spécialisé aux XIXe-XXe s. en politique (cf. le *Dictionnaire des girouettes*).

GISANT, GISEMENT → GÉSIR

GISQUETTE n. f. est attesté au XXe s. (1925) comme nom commun pour désigner argotiquement une jeune fille de mauvaises mœurs mais apparaît au XIXe s. comme prénom (*Gisquette la Gencienne,* dans *Notre-Dame de Paris* de Hugo, 1831). On a donné pour origine à ce mot le nom du préfet de police *Gisquet* (1792-1864), qui imposa une «carte» aux prostituées, mais l'écart chronologique entre cette mesure (v. 1834) et l'apparition de *gisquette* rend peu probable l'hypothèse. On peut rapprocher le mot, avec Cellard et Rey, de *frisquette* «jeune fille vive», de l'ancien français *frique, frisque* «pimpant, vif» (XIIe s. ; du francique °*frik*).

♦ *Gisquette* s'est dit pour «prostituée» (1925 ; cf. 1928, «maîtresse») et équivaut plus tard à «jeune fille, jeune femme» (v. 1945).

GITAN, ANE n. m., réfection (1823) de *gitain* n. m. (1661) «égyptien», puis *gaytano* n. m. (1784) «bohémien», est un mot emprunté à l'espagnol *gitano, gitana* (1570) «bohémien» et «égyptien» à l'époque classique, issu par aphérèse de *Egiptano,* dérivé de *Egipto* «Égypte» (du latin *Aegyptanus* «Égyptien», *Aegyptus* «Égypte»). On croyait que les *Gitans* «tsiganes d'Espagne» venaient d'Égypte (cf. aussi *Gipsy*).

♦ *Gitan,* aujourd'hui, désigne comme *bohémien* un tsigane, quelle que soit son origine géographique. Au féminin, cependant, il désigne une femme appartenant à la communauté tsigane d'Andalousie, et notamment une danseuse, les Gitans d'Espagne étant les créateurs d'une admirable musique. ◇ C'est dans ce sens que *Gitane,* n. f., est le nom donné (XXe s.) à une cigarette brune fabriquée par la Régie française des tabacs.

GÎTE, GÎTER → GÉSIR

GITON n. m. est un mot formé (av. 1714, Voltaire, l'*Anti-Giton*) à partir de *Gito,* nom d'un jeune homosexuel du *Satiricon* de Pétrone.

♦ *Giton* signifie «jeune homme entretenu par un homosexuel».

▸ Le dérivé **GITONISME** n. m. (1898) est littéraire et rare.

GIVRE n. m. n'est attesté sous cette forme qu'au XVIIe s. (1611), mais on relève *joivre* au XVe s. et *geuvrieuse* «couverte de givre» au début du XIVe s., qui suppose une forme °*geuvre.* Le mot est probablement d'origine prélatine, avec deux bases, °*givro* (d'où *givre,* sans doute venu du domaine d'oc) et °*gevero,* °*gevro* (d'où *joivre*). Pour P. Guiraud, le provençal *gibro* postule un ***b*** ou un ***p*** intervocalique, ce qui suggère pour origine le latin *vibrare* «étinceler, briller» (cf. l'ancien français *vivrée* «givre», 1350).

♦ *Givre* «fins cristaux de glace» se dit aussi (1866) de substances analogues, par la même image que *glace.*

▸ **GIVRER** v. «couvrir de givre» s'emploie comme verbe impersonnel (v. 1130, *givlet* «il givre», attestation isolée). L'emploi transitif semble récent (1879). ➛ L'adjectif **GIVRÉ, ÉE** (1829, du participe passé) se dit familièrement (XXe s.) pour «ivre» et «fou», l'ivresse et la folie assommant comme un froid très vif. ➛ **GIVRAGE** n. m. (1939) est un terme technique, comme les composés préfixés **ANTIGIVRAGE** n. m. (mil. XXe s.) et **ANTIGIVRANT** n. m. (1949), ce dernier correspondant à **GIVRANT, ANTE** adj. «qui givre» (mil. XXe s.). ➛ Sur *givrer* a été composé **DÉGIVRER** v. tr. (1939 en aéronautique), d'où **DÉGIVREUR** n. m. (1943) et **DÉGIVRAGE** n. m. (1949), rendus usuels par l'automobile. ➛ Les dérivés **GIVREUX, EUSE** adj. (1829) et **GIVRURE** n. f. (1866 ; 1755, selon Bloch et Wartburg) sont des termes de joaillerie, construits sur un sens technique et analogique de *givre,* «tache blanche».

GLABRE adj. est un emprunt (1545, en botanique ; 1549, *glabere*) au latin *glaber* «sans poils, chauve» et n. m. «esclave épilé», apparenté à quelques mots germaniques de même sémantisme et à initiale *gl-,* comme l'ancien haut allemand *glat* «poli, brillant», le vieux slave *gladŭ-kŭ* «poli».

♦ *Glabre* s'applique (1548) tant au corps humain (ou animal) qu'aux plantes (dès 1545).

✳ **GLACE** n. f. est issu (v. 1130) du bas latin *glacia* (IVe s.) pour le latin classique *glacies* «glace» et au figuré «dureté», de formation peu claire, que certains rattachent à une racine indoeuropéenne °*gel-* «froid» (→ geler).

♦ *Glace* «eau congelée» (v. 1130) est demeuré usuel, avec des syntagmes courants comme *casser la glace, patins à glace.* ◇ Le mot s'emploie très tôt (v. 1165) au figuré comme en latin, la glace étant le symbole de la froideur, de l'insensibilité ; le mot figure avec cette valeur dans plusieurs locutions, comme ***rompre la glace,*** d'abord «assumer les premières démarches d'une entreprise» (XVIe s.) puis «dissiper la gêne» (1678), d'abord sous la forme *fondre, briser la glace* (av. 1613) ou encore ***être de glace*** (déb. XVIIe s.). ◇ Par extension, *glace* désigne un bloc de glace (1434), ensuite une boisson ou une crème congelée (1669) malgré l'ambiguïté, levée en français canadien par *crème glacée.* ◇ Le mot s'est dit pour la température à laquelle se forme la glace (1835). ➛ Par ailleurs, par référence au poli, au brillant, à la translucidité de la glace, le mot désigne dès le XIIe s. (v. 1165) une plaque de verre non étamée, puis étamée (v. 1175), par métonymie le châssis vitré d'une voiture (1680), autrefois d'une fenêtre (1802, cf. *vitre*), et enfin un miroir (1825), y compris aujourd'hui de petite dimension, le mot *miroir* tendant à se spécialiser. ◇ Par analogie du sens initial, *glace* s'emploie en joaillerie (1660) et en cuisine pour «couche lisse comme un vernis dont on recouvre certains gâteaux» (attesté, 1660) et «couche de gelée» (1866).

▸ **GLACEUX, EUSE** adj. (1400) apparaît avant *glace* en joaillerie.
Le dérivé **GLACERIE** n. f. désigne l'industrie des glaces de verre (1765), puis le commerce du glacier-limonadier (1845). ➛ ① **GLACIER** n. m. «champ de glace éternelle» (1757) est longtemps en concurrence avec *glacière* (1757, en ce sens), jusqu'à la distinction établie par Horace Benedict de Saussure à la fin du XVIIIe siècle. Le mot est repris du franco-provençal (1332, pays de Vaud ; 1349, Valais) ; en dérive **GLACIÉRISTE** n., qui a désigné la personne qui étudie les glaciers (1875 ; variante *glaciairiste,* 1866, de *glaciaire*) et est employé aujourd'hui pour désigner (1949) un alpiniste spécialiste des glaciers. ➛ ② **GLACIER** n. m. est vieilli au sens (1741) de «fabricant de miroirs» mais s'emploie encore pour désigner (1797) la personne qui fabrique ou vend des glaces, des sorbets. ➛ **GLACIÈRE** n. f. a d'abord désigné (1640) une cavité souterraine dans laquelle on conservait la glace produite l'hiver ; par extension le mot se dit (1850) d'une armoire ou d'un récipient contenant de la glace artificielle, sens très vivant jusqu'à l'apparition du froid artificiel et des *réfrigérateurs.* Au figuré, *glacière* signifie (1718) «lieu ex-

trêmement froid». ➛ **GLAÇON** n. m. est plus ancien (v. 1175). Il se dit d'un morceau de glace de taille moyenne ou petite et s'emploie au figuré (1626) pour «personne froide». C'était le nom d'un bijou taillé (1380) et d'un ornement (1694). Au sens concret, il désigne (XXe s.) un petit cube de glace artificielle.

Parmi les composés, certains emploient *glace* au sens d'«eau congelée». ➛ **BRISE-GLACE** n. m. (1704, en architecture); est repris en marine (1836) au sens de «navire destiné à rompre la glace sur les canaux»; puis (1867) pour «éperon d'un navire pour rompre la glace»; et enfin (1898) au sens aujourd'hui courant de «navire à étrave renforcée conçu pour la navigation arctique ou antarctique». ◇ D'autres composés procèdent du sens de «plaque de verre» : dans le domaine de l'automobile **ESSUIE-GLACE** n. m. (→ essuyer), **LAVE-GLACE** n. m. (1962), **LÈVE-GLACE** n. m. (v. 1980).

Sur le radical du latin *glacies* ont été dérivés **GLACIAIRE** adj. «propre aux glaciers» (1847) et **GLACIOLOGIE** n. f. «étude des glaciers» (1892, de *-logie*) d'où **GLACIOLOGUE** n. (1907; variante *glaciologiste*, 1901). ➛ **GLACIEL, ELLE** adj., employé en géographie (1959), qualifie de manière didactique ce qui est relatif aux glaces flottantes et vient de *glace*.

◈ voir **GLACER, GLACIAL; VERGLAS.**

GLACER v. tr. est issu (v. 1160) du latin *glaciare* «changer en glace, se figer» et au figuré «glacer d'effroi», «durcir», dérivé de *glacia* (→ glace).

♦ Dans ses premiers emplois *glacer* équivaut à «glisser, faire glisser» (v. 1160, tr. et intr.) et signifie au figuré «décourager (qqn) par sa froideur» (v. 1160), sens demeuré vivant. Toujours dès le XIIe s., il s'emploie pour «transformer en glace» (v. 1175) aussi au pronominal (v. 1500); de cette valeur viennent divers emplois figurés : «frapper d'une émotion violente» (1673, dans la métaphore *glacer les veines*), «diminuer la chaleur de la jeunesse» (1611), littéraire, et à l'époque classique «ennuyer» (mil. XVIIe s.). ◇ Par ailleurs, *glacer* s'emploie concrètement aux sens de «causer une sensation de froid» (v.1740), *être glacé* correspondant à *geler**, et «refroidir à la glace» (1845). ◇ *Glacer*, c'est aussi (1549) «donner une apparence polie, brillante comme celle de la glace», d'où l'emploi technique du verbe, comme terme de cuisine (1680) ou au sens de «garnir d'un apprêt» (1611, *glacer une doublure*), aussi au participe passé adjectivé (1680, *taffetas glacé*).

▸ Le dérivé ① **GLACIS** n. m. s'est employé en ancien français comme adjectif (v. 1160) pour «glacial» et, toujours lié au sémantisme du froid, a désigné un endroit rendu glissant par le verglas (1611). ◇ Par ailleurs, il se rattache à *glacer* au sens ancien de «glisser»; le mot se dit d'une pente douce et unie et s'emploie comme terme de fortification en 1421 (1345, *in* Bloch et Wartburg) pour «talus incliné qui rend difficile l'approche», en architecture (1694) «pente pour l'écoulement des eaux», en géologie «surface d'érosion en pente»; *glacis* s'emploie par métaphore pour «protection» et, spécialement, en politique (mil. XXe s.) au sens de «zone protectrice» (que constituent des États indépendants mais soumis à l'influence de l'État qui se protège). ◇ *Glacis* a pris aussi des valeurs techniques liées à *glacer* «donner un aspect poli». ➛ Deux dérivés sont liés au sémantisme du froid, au propre et au figuré. **GLAÇANT, ANTE** adj. (XIIe s., «glissant»), qui ne s'emploie plus au sens propre (cf. *glacial*), est courant au figuré (1716). ➛ **GLACIATION** n. f., d'abord «action de (se) transformer en glace» (1560), s'est spécialisé comme terme de géologie (1900), comme son dérivé **GLACIÉ, ÉE** adj. (XXe s.) et son composé **DÉGLACIATION** n. f. (1911).

Outre *glacis*, une série de dérivés vient de *glacer* «donner l'apparence de la glace». ➛ **GLAÇAGE** n. m., «action de donner un aspect lisse et brillant», est un terme technique (1857 pour le papier), comme **GLACEUR, EUSE** n. (1829) «ouvrier employé au glaçage» et **GLACEUSE** n. f. (1962) «machine effectuant le glaçage des épreuves photographiques». ➛ ② **GLACIS** n. m. désigne (1757) une fine couche de couleur transparente (comme une glace) étendue sur des couleurs sèches pour leur donner du brillant; le mot s'emploie au figuré (fin XIXe s.) au sens d'«aspect brillant qui cache la réalité» (comme *vernis*). ➛ **GLAÇURE** n. f., terme de céramique (1844), est une adaptation de l'allemand *Glasur* «vernis de la porcelaine» (de *Glas* «verre» et suffixe *-ur*); *Glasur* est cité en 1771 dans un traité sur la porcelaine et alors traduit par *couverte*. Adopté en français, il est interprété comme un dérivé de *glacer*.

Le verbe préfixé **DÉGLACER** v. tr., rare au sens de «faire fondre la glace» (1442), s'emploie pour «réchauffer» au propre (1587), mais a été remplacé par *dégeler* au figuré (XVIe s., *déglacer l'atmosphère*). ◇ C'était un terme militaire lié à *glacis* (fin XVe s., *deglachier*) au sens de «renverser, abattre», et il s'est employé comme *glacer* pour «glisser» (1522); ces acceptions ont disparu. ◇ Par analogie, *déglacer* a pris des sens techniques (1906, *déglacer du papier*) et s'emploie couramment en cuisine. ➛ Les dérivés **DÉGLACEMENT** n. m. (1870) et **DÉGLAÇAGE** n. m. (1890) sont techniques, le second surtout culinaire.

◈ voir **GLACIAL.**

GLACIAL, ALE, ALS ou **AUX** adj. est attesté isolément au XIVe s. en médecine (v. 1380) au sens de «cristallin», puis en 1534 *(mer glaciale)* et chez Montaigne (1580, «couvert de glace»); il est repris en 1611. C'est un emprunt au latin *glacialis* «glacial», dérivé de *glacies* (→ glace).

♦ Il s'emploie à partir du XVIIe s. au sens de «très froid» (1611), ensuite au figuré comme quasi synonyme de *glaçant*, «d'une froideur qui glace» (1740; 1866, d'une personne).

▸ **GLACIALEMENT** adv. (1860) ne s'utilise qu'au figuré.

GLADIATEUR n. m. est une réfection (1580) de *gladiator* (XIIIe s.), emprunté au latin *gladiator* «homme qui combat avec le glaive» et, comme terme d'injure, «spadassin». Ce mot est dérivé de *gladius* «épée» (→ glaive), au propre et au figuré, d'où «métier de gladiateur», mot probablement introduit en latin par les invasions celtiques, comme *carrus* «char*».

♦ *Gladiateur* s'emploie à propos des jeux du cirque de l'Antiquité romaine ; par extension (1646), le mot s'est dit à l'époque classique pour «duelliste». On relève (av. 1650) jusqu'au XVIIIe s. le féminin *gladiatrice,* «femme qui combat avec l'épée».

GLAGLA onomatopée formée probablement sur *glacé* est attestée par écrit en 1947 (*aglagla,* R. Fallet).

♦ Plus que l'onomatopée *gla-gla,* c'est la loc. ***a*** ou ***à glagla*** qui est courante, comme adj. («gelé, glacé, frigorifié») et dans *les avoir à glagla.*

► Le dér. **GLAGLATER** v. tr. signifie «trembler de froid».

GLAÏEUL n. m. apparaît sous les formes *glaviuz* (XIIe s.), *glagous* (v. 1200), *jaglueil* (XIIIe s.), *glaiol, glaiuel* (id.), la forme actuelle (1541) resuffixant cette variante. Le mot est issu du latin *gladiolus* «épée courte» et aussi «glaïeul», à cause de la forme «lancéolée» des feuilles de cette plante. L'adjectif latin est dérivé de *gladius* «épée», «glaive», qui avait probablement déjà pris, en bas latin, une acception botanique ; d'où l'ancien français *glaid* «glaïeul» (fin XIe s.), *glai* (v. 1160) éliminé par la forme longue du fait de sa brièveté et des homophonies possibles.

GLAIRE n. f. est issu (fin XIe s.) du latin populaire °*clarea* puis °*claria,* dérivé de l'adjectif du latin classique *clarus* (→ clair) ; °*claria* est devenu °*glaria,* peut-être sous l'influence du latin classique *glarea* «gravier», voisin phonétiquement (cf. au XIVe s., *glaire* «gravier») et (peut-être) par analogie de couleur.

♦ *Glaire* «matière visqueuse et claire sécrétée par les muqueuses» a signifié aussi «blanc d'œuf cru» (1re moitié XIIe s.), valeur qui a perduré dans les parlers picards et méridionaux et dans le vocabulaire de la reliure (1827 ; cf. aussi l'italien *chiara* «blanc d'œuf»). Par analogie (1690) *glaire* désigne, en joaillerie, une tache semi-opaque qui ternit l'éclat d'un diamant.

► De *glaire* dérivent **GLAIREUX, EUSE** adj. (v. 1256) «visqueux» et le verbe **GLAIRER** tr. (1680), terme technique de reliure — d'où **GLAIRURE** n. f. (1810) et **GLAIRAGE** n. m. (1866). ◇ Des connotations positives de *clarus-clair, glaire* et ses dérivés sont passés, sous l'influence de son acception dominante, à une valeur négative, plus ou moins répugnante (sauf régionalement et dans les sens techniques).

GLAISE n. f. apparaît sous cette forme très tôt (fin IXe s., puis 1306), mais est aussi relevé avec les graphies *glise* (v. 1165 ; *terre glisse,* 1549), *gloise* (v. 1175), *glase* (1393, *terre glase*). Ce serait un mot d'origine gauloise, ce qu'attesterait le composé latin *glisomarga* «espèce de marne» ; *gliso-,* qualifiant *marga,* serait un dérivé du celtique (cf. irlandais *gel* «blanc») ou serait apparenté à *glu**. Pour P. Guiraud la forme *glise* représenterait le latin *glīteus* «glaiseux», dérivé de *glis* «glaise, terre grasse» ; la variante *gleise* serait issue d'une forme °*glīteus.*

♦ *Glaise* «terre grasse compacte», spécialement employée dans la fabrication de poteries, s'emploie couramment dans ***terre glaise*** (v. 1300), altéré au XVIe s. (1549) en *terre glisse.*

► **GLAISEUX, EUSE** adj. et n., d'abord *gloiseux* (1re moitié XIIIe s.) puis *glazeux* (1611), signifie «qui est de la nature de la glaise» (1752 sous cette forme) puis «couvert de glaise» (1918), d'où vient l'emploi péjoratif (nom, 1927) pour «paysan» (cf. *bouseux*). ➛ **GLAISER** v. tr. signifie «enduire de glaise» (1690) et «amender un sol en y mêlant de la glaise» (1771). ➛ **GLAISIÈRE** n. f. (1759) et **GLAISIER** n. m. (1955) sont des termes techniques.

GLAIVE n. m. est issu (1121-1134) du latin *gladius* «épée». L'évolution phonétique aboutit à *glai* (sous cette forme en ancien franco-provençal ; identique à *glai* «glaïeul», → glaïeul) ; le ***-v-*** a été expliqué par un croisement entre *gladius* et *glavus* (IVe-Ve s.), mot bas latin lui-même issu du croisement de *gladius* et *clava* «massue». Pour Fouché, *glaive* viendrait d'un type brittonique °*klafido,* d'un celtique °*kladyo* (d'où le latin *gladius* proviendrait), introduit en Gaule à partir de 460 et devenu °*glafido* sous l'influence de *gladius,* puis °*glavido, glavie* et enfin *glaive.* La forme *gladie* «lance» (2de moitié Xe s.) est un emprunt direct au latin.

♦ *Glaive,* «épée», s'est employé par figure pour «massacre à l'arme blanche» (v. 1135), «épidémie, calamité» (v. 1210) et pour «déchirement, douleur» (v. 1165). Par métonymie, il a servi à nommer un soldat armé d'une lance (XIVe s.). Le mot, par une nouvelle métaphorisation propre à la rhétorique classique, a été utilisé comme symbole de destruction (1642) et de guerre (1690), l'expression ***tirer le glaive*** signifiant «s'apprêter à combattre», «entrer en guerre». *Glaive* s'emploie comme symbole de la puissance divine (XVIIe s.) — d'où *le glaive spirituel* (1686) — et du pouvoir judiciaire (av. 1681). Dans tous ses emplois, le mot est didactique (histoire) ou poétique.

◈ voir GLADIATEUR.

GLAND n. m. est issu (av. 1105, *glant*) du latin *glans, glandis* n. f. «fruit du chêne» puis, par analogie de forme, «objet en forme de gland», spécialement «balle de plomb d'une fronde» et «extrémité antérieure de la verge» ; ce mot se rattache, comme le grec *balanos,* à une racine indoeuropéenne *gwele-* «gland».

♦ *Gland* est d'abord introduit pour désigner le fruit du chêne (le féminin est attesté en ancien français et en ancien provençal, *glan*), puis comme en latin un projectile lancé avec une fronde (1213), aujourd'hui (1379) des objets (morceau de bois, de métal, etc.) ou des coquillages (1558, *gland de mer*), des fruits (1611) ressemblant au gland. ◇ De l'emploi anatomique tiré du latin (1538, *gland*) vient le sens figuré d'«imbécile» (1901) par une évolution semblable à celle de *couillon.*

► ① **GLANDAGE** n. m. (av. 1589 ; 1443, en ancien provençal ; de *gland* ou de *glander*) et **GLANDÉE** n. f. (v. 1500) sont des termes vieillis d'agriculture, également d'anciens termes juridiques signifiant «droit de ramasser les glands en forêt» (*glandage,* 1866; *glandée,* 1936). ◆ **GLANDER** v. intr. a été employé aux sens de «produire des glands» (fin XIVe s., hapax), «ramasser des glands» (1513, rare; repris par Valéry, 1926). ◇ Vieilli dans ces emplois où il a probablement été confondu avec *glaner**, *glander* s'emploie familièrement au sens d'«attendre en vain» (1941), «perdre son temps», probablement à partir de *gland* de la verge (avec l'idée de masturbation, cf. *branler*), et du sens figuré d'«imbécile» (*glander* «se comporter comme un gland»); on peut supposer aussi une influence de *glandée* «ramassage des glands», activité considérée comme peu productive. *Glander,* en construction transitive, signifie «faire une chose inepte»; de ces emplois dérivent **GLANDEUR, EUSE** n. (mil. XXe s.), **GLANDOUILLER** v. intr. (1938) et ② **GLANDAGE** n. m. «fait de glander» (mil. XXe s.).

GLANDE n. f. est issu (1314) d'un latin populaire °*glanda,* altération du latin classique *glans, glandis* n. f. (→ gland); par ailleurs, l'ancien français emploie *glandre* (fin XIIe s., «tumeur»), issu du latin classique et médical *glandula* (ordinairement nom féminin pluriel) «glandes (du cou)», diminutif de *glans, glandis.* Les deux mots se sont confondus.

♦ *Glande,* «organe dont la fonction est de produire une sécrétion», prend (v. 1560) le sens spécial de «ganglion lymphatique» et par extension celui d'«inflammation de ces ganglions». De là, dans l'usage familier récent, ***avoir les glandes*** (ou *les boules*) «être contrarié, ou dégoûté (de qqch.)».

▸ **GLANDULE** n. f. (1370) «petite glande», emprunté au latin *glandula,* est archaïque, mais son dérivé **GLANDULAIRE** adj. (1611) «qui est relatif aux glandes, qui a la nature d'une glande» reste vivant. ◆ **GLANDULEUX, EUSE** adj., emprunté (1314) au latin classique et médical *glandulosus,* de *glandula,* est devenu aussi un terme de botanique (1866).

GLANER v. tr. est issu (1223; déb. XIIIe s., variante *glener*) du bas latin *glenare* (VIe s.), dérivé d'un radical gaulois °*glenn-* (cf. ancien irlandais *doglinn* «il ramasse» et anglais *to glean* «glaner», d'origine celtique).

♦ *Glaner,* c'est «ramasser les épis laissés par les moissonneurs», d'où au figuré (av. 1613; fin XIVe s., *glainer*) «recueillir çà et là (des éléments isolés) pour utiliser». Par extension (1830), *glaner* correspond à «ramasser, cueillir au hasard» (du bois, des fleurs, etc.), ce verbe prenant en particulier la place de *glander,* avec lequel il n'a aucun rapport étymologique.

▸ Le déverbal **GLANE** n. f. a eu le sens (1223) de «poignée d'épis glanés» — d'où *glane d'oignons* (1660) — et désigne (XIIIe s.) l'action de glaner. De ces sens viennent les acceptions figurées de *glane* «petite quantité» et «ce que l'on recueille derrière les autres» (1611). ◆ **GLANAGE** n. m. (1596, *glainage*) et **GLANEMENT** n. m. (1552) sont plus rares. ◆ **GLANEUR, EUSE** n. (XVIe s.), «personne qui glane», a remplacé *gleneor* (1291). ◆ **GLANURE** n. f., terme didactique pour «ce que l'on glane» (1562, *glenure*), s'emploie au figuré (1696) comme *glane,* notamment en parlant d'informations savantes, philologiques.

GLAPIR v. intr. représente peut-être une altération (v. 1210), d'après *japper**, de l'ancien français *glatir* (1080) «aboyer, glapir», issu du latin impérial *glattire* «japper». Ce mot serait d'origine onomatopéique et se disait spécialement du cri des jeunes chiens; il a fourni l'espagnol et le portugais *latir,* l'ancien provençal *glatir.*

♦ *Glapir* s'applique d'abord aux animaux puis par extension (v. 1585) aux êtres humains, aux bruits naturels (1831, *le vent glapit*).

▸ De *glapir* dérivent **GLAPISSEMENT** n. m. (1538, animaux; 1690, personnes), **GLAPISSANT, ANTE** adj. (1623) et **GLAPISSEUR, EUSE** n. (1552, adj.), mot rare.
GLATIR v. intr. s'est spécialisé (1690) au sens de «crier», en parlant de l'aigle.

GLAS n. m. est issu (v. 1140) du latin populaire °*classum,* du latin classique *classicum* «sonnerie de trompettes», dérivé de *classis,* sans doute d'abord «appel» (→ classe). La forme *glas* (aussi *clas* en ancien français) s'explique par l'assimilation du ***c-*** initial à la consonne sonore suivante.

♦ Le mot a d'abord désigné diverses sortes de sonneries (v. 1140), en particulier la sonnerie de toutes les cloches d'une église (1160-1174) puis, spécialement, le tintement d'une cloche pour annoncer l'agonie, la mort ou les obsèques d'une personne (v. 1225, *glais*) — d'où au figuré (1837) ***sonner le glas de qqch.***; par extension (1803) *glas* désigne les salves d'artillerie tirées à des funérailles.

GLASS n. m. apparaît d'abord (1628) adapté sous la forme *glace* n. m. «verre à boire»; c'est alors un mot de l'argot militaire, emprunté à l'allemand *Glas* «verre», sans doute introduit par les mercenaires. Sous la forme *glass* (1886) il est repris à l'anglais — de même origine que l'allemand.

♦ Le mot, resté argotique, désigne un verre d'une boisson alcoolisée.

GLAUQUE adj., réfection (1503) de *glauke* (apr. 1250), est un emprunt au latin *glaucus* «d'un vert (ou d'un bleu) pâle ou gris» (l'ancien provençal *glauc* est antérieur, déb. XIIe s.). *Glaucus* est emprunté au grec *glaukos* qui n'a pas une valeur péjorative et se dit de ce qui est à la fois clair et brillant (de la mer, de la lune ou d'yeux bleu clair).

♦ *Glauque* se dit d'un vert qui rappelle l'eau de mer et, au figuré (récemment), de ce qui inspire un sentiment désagréable, un malaise, à cause d'un aspect trouble. Un autre adjectif descriptif, *blême,* a pris vers 1990 la même valeur. ◇ Un sens figuré récent (v. 1985), usuel chez les jeunes, correspond à «lugubre, sinistre» (*une ambiance glauque*), parfois à «sordide».

▸ **GLAUCOME** n. m. est emprunté (1649) au latin impérial *glaucoma* (variante *glaucuma*), du grec *glaukôma,* de *glaukos,* à cause de la couleur que prend le fond de l'œil. *Glaucome,* terme médical, désigne une affection de l'œil.

GLAVIOT n. m. représente probablement une altération (1862), d'après *glaire**, de *claviot* (1808), lui-même variante régionale de *claveau* (déb. XIIIe s., *clavel*), nom donné à la morve des moutons atteints du *claveau*, maladie éruptive. *Claveau* est lui-même emprunté au bas latin *clavellus* «pustule», diminutif du classique *clavus* qui a donné *clou**, aussi terme de médecine.

♦ *Glaviot*, d'abord argotique puis très familier, s'emploie pour «crachat».

▸ En dérive **GLAVIOTER** v. (1866), *glavioter sur qqn* signifiant au figuré «l'insulter», comme *cracher*.

GLÈBE n. f. est emprunté (XVe s.) au latin *gleba*, *glaeba* «boule, morceau» et spécialement «motte de terre» — d'où dans la langue poétique «sol», puis à basse époque «impôt sur la terre». *Gleba* se rattache à une racine indoeuropéenne °*gel-* «rouler en boule».

♦ *Glèbe* s'est dit (XVe s.) pour «motte de terre» et, en droit féodal (1611), d'une terre à laquelle étaient attachés les serfs, d'où vient le sens (1767) de «terre cultivée», dans lequel *glèbe*, mot littéraire ou historique, survit.

GLISSER v., réfection (v. 1380) de *glicier* (av. 1191), représente le croisement de l'ancien français *gliier* «glisser», issu du francique °*glidan* (cf. le moyen néerlandais *gliden*, l'allemand *gleiten*) et du verbe *glacier* (→ glacer) employé au XIIe s. au sens de «glisser».

♦ *Glisser*, «se déplacer d'un mouvement continu» (av. 1191, intr.), d'où *glisser sur la glace* (1530), s'emploie par extension au sens de «pousser (qqn ou qqch.)» (v. 1320, *glicier*). À partir de ces deux emplois les acceptions du verbe se développent : «avancer comme en glissant» (déb. XVIe s.), d'où par métaphore «passer légèrement» (mil. XVIe s.) ou «insensiblement» (1580) et, par extension (1607 ; mil. XVIe s., pron.), «avancer, pénétrer de manière progressive» ; de là vient le sens de «se laisser aller» (av. 1750). En emploi transitif, *glisser* signifie (1636) «faire passer adroitement ou furtivement (qqch.)», «dire en confidence» (1735). ◇ C'est l'idée de légèreté qui est retenue dans les emplois figurés «ne pas approfondir» (1671) puis «effleurer» (fin XVIIe s.), «ne faire qu'une impression faible ou nulle sur (qqn)» (1680), avec *glisser sur* (sujet nom de chose).

▸ **GLISSANT, ANTE** adj. s'emploie au sens concret (fin XIVe s. ; v. 1265, *gliçant*) de «où l'on glisse facilement», d'où par métaphore (1580) «dangereux, hasardeux» *(terrain glissant)*. ◇ Glissant signifie aussi «qui glisse facilement (entre les mains)» (1671) et, au figuré (mil. XVIe s.), «fuyant, instable». ◆ **GLISSEMENT** n. m., «action de glisser, mouvement de ce qui glisse» (1460), s'emploie au figuré pour «passage progressif et continu» (av. 1914, en politique). ◆ **GLISSADE** n. f., «action de glisser» (1553 ; sur la glace, 1690), s'emploie spécialement en danse (1725), en alpinisme (1876) et en aviation (1916) ; au figuré il se dit (1660) pour «faux pas, faute». ◇ Par métonymie, *glissade* désigne (1829) une surface aménagée pour glisser, avec une valeur très voisine de celle de **GLISSOIRE** n. f. «surface glacée sur laquelle on glisse» (1606 ; dès 1308, *glichouere*, «conduit pour écouler l'eau»), puis (1883) «couloir descendant de manutention». ◆ **GLISSE** n. f., déverbal de *glisser*, désigne régionalement (Suisse) un traîneau d'attelage utilisé l'hiver (1793), puis une luge (1842). ◇ Le mot a été repris comme terme technique «façon de glisser (des skis)» (v. 1950) et «qualité de fabrication par laquelle les skis glissent bien» (1969). ◆ **GLISSOIR** n. m. s'est employé au figuré (1613) et pour «glissoire» (1636). C'est aujourd'hui un terme technique désignant un couloir aménagé pour faire glisser des troncs d'arbres (1820) et un petit coulant où glisse une chaîne (1872). ◆ **GLISSANDO** n. m. (1903), en musique «passage progressif d'un son à un autre», est construit sur le modèle des mots italiens en *-ando*, *-endo (scherzando, crescendo)*.

Glisser a plusieurs autres dérivés. ◆ **GLISSEUR, EUSE** n. (1636), «personne qui glisse sur la glace», a été repris en mathématiques (1930) pour «vecteur glissant». ◆ **GLISSIÈRE** n. f. (1810), «glissoire», signifie de nos jours «dispositif de fermeture coulissante» (1816). ◆ **GLISSAGE** n. m. (1866) est un terme technique ainsi que **GLISSANCE** n. f. (attesté, 1937).

Le composé **HYDROGLISSEUR** n. m. (1914), de *hydro-*, désignant un bateau mû par une hélice aérienne ou un moteur à réaction, a remplacé dans l'usage courant *hydroplane* n. m. (1907).

GLOBE n. m. est un emprunt du XIVe s. (apr. 1350) au latin *globus* «boule, balle, sphère» et, dans la langue militaire, «peloton» d'où «foule dense» ; ce mot est sans origine connue.

♦ *Globe* a signifié «rouleau (de drap)» (apr. 1350), puis a repris le sens latin de «sphère» et se dit spécialement pour «sphère d'un astre» (v. 1560). Ce dernier sens est aujourd'hui vieilli, mais on dit encore ***globe terrestre*** (1616 ; *globe de la terre*, 1552) ou *globe* ; par métonymie (1616), le mot signifie «sphère matérielle représentant le globe terrestre» (on a aussi *globe céleste*, 1616). ◇ Par analogie de forme, *globe* s'applique à des parties du corps qui ont une forme sphérique (*globe oculaire*, 1690 ; *globe utérin*, 1833, archaïque). Il désigne également (1770, *lanterne en globe*) une sphère ou demi-sphère creuse, de verre, de cristal, etc.

▸ **GLOBAL, ALE, AUX** adj. (1864, sans doute antérieur, cf. *globalement*) dérive du radical de *globe*, au sens figuré de «masse totale de qqch.» (fin XVIe s. ; déjà en latin) et signifie «qui est pris en bloc», d'où en pédagogie *méthode globale* (déb. XXe s.) et le sens abstrait de «considéré dans son ensemble» (v. 1960). ◆ Le dérivé **GLOBALEMENT** adv. «en bloc» (1840) signifie aussi «d'une manière générale» (XXe s.). ◆ Le terme didactique **GLOBALISME** n. m., équivalent de *méthode globale*, est aussi employé en philosophie (1923) et en économie (1965). ◆ **GLOBALISER** v. intr. signifie (1965) «considérer un problème dans son ensemble ; présenter d'une manière globale» ; en dérivent **GLOBALISANT, ANTE** adj. (1966) et **GLOBALISATION** n. f. (1968).

De *globe* sont également issus **GLOBAIRE** adj. (1866) «formé de globules», d'emploi rare, et **GLOBIQUE** adj. (1962) «qui a la forme d'un globe», terme didactique. ◆ **GLOBEUX, EUSE** adj. (1611, du dérivé latin *globosus*), «arrondi en globe», est sorti d'usage. ◆ Le composé **ENGLOBER** v. tr. est en revanche courant. Il signifie «faire entrer dans un bloc» (1611) d'où, par extension (1764), «réunir en un tout». ◇ En dérivent **ENGLOBEMENT** n. m. (1861; 1611, *englobure*) et **ENGLOBANT, ANTE** adj. (fin XIXe s.).

⬦ voir GLOBULE.

GLOBE-TROTTER n. m. est cité comme mot anglais (1873) puis utilisé à partir de 1880; il est emprunté à l'anglais *globe-trotter* (mil. XIXe s.) «voyageur qui parcourt le monde», mot composé de *globe* «globe terrestre», de même origine que le français, et *trotter* «trotteur», de *to trot* «trotter». Le mot a pénétré en français à une époque où quelques individus privilégiés, souvent anglo-saxons, parcouraient le monde; il s'est démodé avec la généralisation des grands voyages.

GLOBINE → HÉMA-, HÉMO- (HÉMOGLOBINE)

GLOBULE n. m. est attesté (av. 1662) dans l'œuvre de Pascal; le mot est emprunté au latin *globulus* «petite boule», diminutif de *globus* (→ globe).

♦ *Globule* a d'abord le sens repris au latin de «corpuscule sphérique»; il est devenu un terme de physiologie, désignant (1742) un élément de forme plus ou moins sphérique en suspension dans certains liquides organiques et notamment dans le sang : *globule rouge* (1765), *globule blanc* (1770), puis en embryologie *globule polaire* (1875). Il a aussi désigné (1834) une petite pilule sphérique.

▶ Le dérivé ① **GLOBULAIRE** adj. signifie «composé de globules» (1679) et «qui a la forme d'un globe» (1866); il est spécialement utilisé en physiologie (1856) et en astronomie (mil. XXe s., *amas globulaire*). ◆ Son homonyme ② **GLOBULAIRE** n. f., «plante vivace (dont les fleurs sont ramassées en forme de petites boules)», est un emprunt (1694) au latin scientifique *globularia* (1570-1576), dérivé de *globulus*. ◆ Le dérivé **GLOBULEUX, EUSE** adj., «formé de globules» (1571), a remplacé *globeux* (→ globe); il signifie «qui a la forme d'un globule» (1611) et «dont le globe est saillant (en parlant de l'œil)» (déb. XXe s.). ◆ À partir de *globule* ont été dérivés des termes didactiques de physiologie, tels **GLOBULINE** n. f. (1830; en botanique en 1827 au sens de «vésicule»), **GLOBULIN** n. m. (1844).

✳ **GLOIRE** n. f., variante (1080) de la forme *glorie* (v. 1050), est emprunté au latin classique *gloria* «renommée», puis par spécialisation «bonne renommée, réputation»; en latin chrétien, *gloria* signifie spécialement «majesté (de Dieu)», «béatitude éternelle (de Dieu, des élus)» et «palme du martyre, glorification».

♦ *Gloire* a d'abord emprunté le sens religieux de «béatitude céleste», puis a pris au latin classique le sens de «renommée, célébrité» (v. 1130-1140), d'où vient celui d'«éclat dont la grandeur est environnée» (v. 1160), et par extension «magnificence» et «honneur», très courants au XVIIe s., aujourd'hui archaïques; ces valeurs demeurent dans ***se faire gloire de*** (1611) et, couramment, ***travailler pour la gloire*** (1872). Du sens de «renommée» est issu celui d'«orgueil», lui aussi archaïque après l'époque classique et, par péjoration, celui de «vanité» (fin XIIe s., *vaine gloire*) et «manifestation de la vanité» (1440-1475). Par métonymie, *une gloire* se dit (1639) pour «personne célèbre». Ce champ sémantique, très vivant et riche aux XVIIe et XVIIIe s., s'est effrité et a quasiment disparu aux XIXe et XXe s. ◆ Dans le domaine des beaux-arts, *gloire* désigne (1622) l'auréole enveloppant le corps du Christ (cf. la locution ***en gloire*** «représenté dans une gloire») et, par extension, la représentation picturale du ciel avec des anges et des saints (1636), plus tard une machine employée dans les pièces féeriques (1690); de là, au figuré, le sens d'«auréole, nimbe». ◇ L'utilisation de *gloire*, en astronomie, pour «nimbe lumineux entourant le Soleil lors d'une éclipse totale» (1868) est une analogie du sens pictural.

▶ Le mot latin **GLORIA** a été repris en 1680 (n. m.) pour désigner l'hymne chantée à la messe, et commençant par les mots *Gloria in excelsis Deo*. L'ancien français employait en ce sens *glorie* (fin XIIe s.), forme française ancienne de *gloire*. ◇ *Gloria* a désigné (1816) un café mélangé d'eau-de-vie, le mélange étant considéré comme excellent.

GLORIETTE n. f., diminutif de *glorie*, par référence à l'idée de richesse, se dit d'une petite pièce (av. 1188; v. 1160, comme nom du palais de Guillaume d'Orange) puis d'une chambre surélevée (1417), enfin d'un petit pavillon (1548) et spécialement d'un pavillon de verdure dans un jardin. *Gloriette* a désigné aussi (1304) une grande cage à oiseaux en forme de pavillon.

Plusieurs mots sont empruntés à des dérivés ou composés du latin *gloria*. ◆ **GLORIEUX, EUSE** adj. est emprunté (1080, *Deu le Glorios*) au latin classique *gloriosus* «plein de gloire» et, péjorativement, «qui aime la gloire, fanfaron»; le mot prend en latin chrétien le sens de «resplendissant, plein de gloire». ◇ C'est d'abord un substantif utilisé pour parler de Dieu et des élus; il est ensuite adjectif (v. 1120, *glorios*), comme terme religieux, et signifie «qui participe de la gloire céleste»; d'où en théologie *corps glorieux* (1690) «état après la résurrection des corps des bienheureux». ◇ Dans le domaine profane, *glorieux* reprend les sens du latin; il signifie (v. 1155) «qui s'est acquis de la gloire» et, en parlant de choses, «qui donne de la gloire, est plein de gloire» (fin XIIe s.). ◇ Comme en latin (le fameux *miles gloriosus*), il signifie péjorativement (v. 1220) «qui a trop bonne opinion de lui-même» (mil. XVIe s., n., *faire le glorieux*); le mot, appliqué à une personne, avait à l'époque classique surtout ce sens péjoratif et Voltaire en proscrivait l'emploi pour «illustre». Au milieu du XIXe s. (Baudelaire) *glorieux* prend le sens de «plein de splendeur», probablement d'après l'anglais *glorious* «somptueux, magnifique» (de même origine). ◇ Une substantivation au féminin concerne ***les trois*** (journées) ***Glorieuses***, les journées révolutionnaires des 27, 28 et 29 juillet 1830, à Paris (d'abord : *trois glorieuses journées*, Balzac 1847). ◆ L'adverbe dérivé **GLORIEUSEMENT** a suivi l'évolution sémantique de *glorieux* (1549; fin XIIe s., *gloriosement*).

GLORIFIER v. tr. a été emprunté (v. 1120) au latin chrétien *glorificare* «glorifier (Dieu)», composé de *gloria* et de *facere* «faire*». Le verbe conserve le sens du latin et, par extension (v. 1170), signifie «appeler (qqn) à la gloire céleste». Par extension, dans un contexte profane, *glorifier* s'emploie au sens de «proclamer la gloire de qqn (en exaltant ses mérites)» (v. 1155, pron., «tirer gloire de»). Le verbe, au XIXe s. (1835, *se glorifier dans*), prend le sens de «mettre sa gloire en (qqch., qqn)». Il s'utilise dans un emploi littéraire (1928) pour «rendre plus beau» d'après le sens de *glorieux* «magnifique». ➛ Du verbe dérivent **GLORIFIABLE** adj. (1580) et **GLORIFIANT, ANTE** adj. (1846), assez littéraires. ➛ **GLORIFICATION** n. f. est emprunté au latin chrétien *glorificatio* «acte de glorifier» et s'emploie dans un contexte profane (v. 1300, *glorificassion*) et religieux (XIVe s.). ➛ **GLORIFICATEUR, TRICE** adj. et n. (fin XVe s.) est littéraire et rare.

GLORIOLE n. f. est un emprunt (1735) au dérivé latin *gloriola* «petite gloire», et signifie «vaine gloire».

GLOSE n. f. est un emprunt (v. 1175) au bas latin *glosa* «terme rare, peu usité (qui a besoin d'une explication)», «explication d'un terme rare», variante du classique *glossa*, du grec ionien *glôssa* (attique *glôtta* → glosse, glotte) «langue» et, en grammaire, «mot rare ou dialectal».

♦ *Glose* désigne une annotation qui explique un mot difficile (v. 1175), spécialement dans le domaine religieux; de là *la glose de qqch.* (v. 1240) et «son explication», et le sens de «commentaire, note explicative ou critique à propos d'un texte» (1508). ◇ Par ailleurs, *glose* s'est spécialisé pour désigner un commentaire malveillant, sur un texte ou une personne (v. 1220; v. 1209, «réprimande»). Le mot a été appliqué par hellénisme (v. 1550) à un mot vieilli ou difficile, recueilli dans un auteur grec et expliqué.

▸ **GLOSER** v. tr. signifie (v. 1170) «expliquer par une glose» (*gloser sur qqn, qqch.*, 1130-1140). Par extension, *gloser* comme *glose* s'est dit (tr. ou intr.; 1re moitié XIVe s.) pour «critiquer, blesser» et, à l'époque classique, pour «ajouter des détails sur tout» (1690). ➛ Du verbe dérive **GLOSEUR, EUSE** n. (1636) qui reprend *glossere* «glossateur» (XIIe s.) et désigne une personne malveillante dans ses propos (emploi sorti d'usage). ➛ **GLOSSATEUR** n. m. «auteur d'un recueil de gloses» (1669; 1426, *glosateur*) est un dérivé savant de *glosa, glossa.*

◈ voir GLOSSAIRE.

GLOSSAIRE n. m. représente une réfection (1666) de *glosaire* (1585), emprunt au latin impérial *glossarium* «dictionnaire où l'on explique les mots rares ou vieillis», dérivé de *glossa* (→ glose). Le rapport avec *glose* est encore senti, si l'on en juge par M. Leiris : «Glossaire, j'y serre mes gloses.»

♦ *Glossaire* a conservé le sens du latin et se dit spécialement (1835) du lexique d'un dialecte, d'un patois, puis d'un domaine spécialisé, avec une idée d'explication sommaire ou rapide et de sélection omettant les mots de la langue courante, usuelle, ce qui le distingue de *vocabulaire* et *dictionnaire*.

-GLOSSE, GLOSS(O)-, éléments tirés du grec ionien *glôssa* «langue» (→ glose, glotte), sont utilisés dans la composition de mots savants.

▸ **GLOSSOGRAPHE** n., d'abord «personne qui étudie les termes anciens et obscurs» (1619), du grec *glossographos* «qui explique les mots difficiles d'une langue», aujourd'hui (1890) n. m. «appareil qui reproduit la parole en utilisant les mouvements de la langue». ➛ **GLOSSIEN, IENNE** adj. (1811) et **GLOSSIQUE** adj. (1845) signifiant «relatif à la langue». ➛ **GLOSSOLALIE** n. f. (de *-lalie*) «faculté de parler toutes les langues, accordée aux apôtres par le Saint-Esprit» (1866) et, en psychiatrie (1951), «utilisation d'un discours formé de mots en partie inventés». ➛ Au sens anatomique de *langue*, on a par exemple **GLOSSALGIE** n. f. (1808; de *-algie*) «névralgie linguale»; **GLOSSODYNIE** n. f. (1890; du grec *odunê* «douleur») «douleur localisée à la langue».

GLOTTE n. f. est emprunté (1618) au grec *glôtta* «langue» (cf. les mots savants en *-glotte*, comme *polyglotte*), puis «glotte», «luette» chez Galien. *Glôtta*, qui est la forme attique pour *glôssa* (→ glose, -glosse), se prête, dès le grec ancien, à différents emplois métaphoriques (par exemple «anche d'une flûte»).

♦ Terme d'anatomie, *glotte* se dit aussi (1872) de la languette d'une flûte, en parlant de l'Antiquité.

▸ De *glotte* dérivent les termes didactiques **GLOTTAL, ALE, AUX** adj. et n. f. (1888) en phonétique, **GLOTTITE** n. f. (1845; → -ite), en médecine, et **GLOTTIQUE** adj., terme d'anatomie (1856) et de linguistique (av. 1877).

GLOUGLOU n. m. est une onomatopée (attestée en 1619) qui rappelle le bas latin *glutglut*.

♦ Le mot désigne le bruit d'un liquide qui s'écoule dans un conduit et, par analogie (ou comme déverbal de *glouglouter*), le cri du dindon (1721), le roucoulement du pigeon (1770).

▸ **GLOUGLOUTER** v. intr., «faire un bruit de glouglou» (1569), s'emploie par analogie en parlant du cri répétitif du dindon; il représente alors probablement une altération (1721, *glougloter*; 1752, *glouglotter*) de l'ancien *clouclouquer* «glousser» (1611; → glousser). ➛ Du verbe dérivent **GLOUGLOUTANT, ANTE** adj. (1901) et **GLOUGLOUTEMENT** n. m. (1926).

GLOUSSER v. intr. est une réfection (1600) de *glosser* (1538), altération de *clousser* (XIVe s.; v. 1350, *clocier*) du latin populaire °*clociare*, lui-même altération du latin classique *glocire* «glousser», verbe à valeur expressive (cf. l'ancien provençal *glozir*, XIIe s.). Le mot, par son évolution phonétique, a perdu sa valeur onomatopéique, autrefois rétablie dans les parlers populaires par la création de formes comme *cloquer* «glousser», et par réduplication de *clo-* (*clocloquer*).

♦ *Glousser* s'emploie d'abord (XIVe s., *clousser*, *clocier*) en parlant du cri émis par certains volatiles et, par extension (1690), à propos des personnes, au sens de «rire en poussant de petits cris».

▶ De *glousser* dérivent l'adjectif **GLOUSSANT, ANTE** (1600), **GLOUSSEMENT** n. m. (1690), réfection de *glocement* (XVe s.), qui a eu pour variante *clossement* (1538), «cri de la poule» et, par analogie (1857), «rire étouffé». ◆ Un dernier dérivé, **GLOUSSÈTE** ou **GLOUSSETTE** n. f. (1829; suffixe *-ète, -ette*), est le nom régional de la poule d'eau.

GLOUTON, ONNE adj. et n. m., réfection (v. 1361) de *gluton, gloton* n. (1080), représente un ancien cas régime issu de *gluttonem*, accusatif du latin populaire *glutto* «glouton», dérivé du latin impérial *glut(t)us* «gosier»; du cas sujet *gluz* (1080) provient l'archaïsme marotique *glout*, conservé jusqu'au XVIIe siècle. *Gluttus* semble formé à partir de l'onomatopée *glut-* (→ glouglou, engloutir).

♦ *Glouton* s'est employé dans la *Chanson de Roland* comme terme d'injure («traître, canaille»); il a le sens latin de «goinfre» (v. 1223), puis une valeur figurée équivalant à «avide» (1580). ◇ *Glouton* n. m. (1671), substantivation de l'adjectif, désigne un mammifère carnivore appelé aussi *goulu*.

▶ **GLOUTONNERIE** n. f. (XIIIe s.), auparavant sous les formes *glutunie* (v. 1119), *glotonerie* (v. 1145), *glutunerie* (XIIe s.), s'emploie au sens propre et au figuré (1886). ◆ **GLOUTONNEMENT** adv. a remplacé l'ancien français *gloutement* (déb. XIIIe s.) et s'emploie au propre (XVe s.) et au figuré (1863). ◆ **GLOUTONNER** v. intr., «manger ou boire goulûment», est d'emploi familier et semble récent.

GLOXINIA n. m. est un mot du latin scientifique moderne (1784) francisé au XIXe s. en *gloxine* (1832) et en *gloxinie* (1870). Il est formé d'après le nom de B. P. *Gloxin* qui décrivit la plante.

♦ Le mot désigne une plante ornementale d'origine tropicale.

GLU n. f., réfection (v. 1165) de *glud* (fin XIe s.), est issu du bas latin *glus, glutis*, dérivé du latin classique *gluten, glutinis* «glu, gomme, colle», qui se rattache à une racine indoeuropéenne °*gel-* «coller», «rouler en boule» (cf. ancien islandais *klina* et ancien haut allemand *klenan* «enduire»).

♦ *Glu* a conservé les sens du latin sans avoir la fréquence de *colle* ni sa variété d'emplois; le mot cependant a désigné par figure ce qui retient en séduisant (XIIe s.), encore à l'époque classique, et s'emploie pour parler de personnes importunes dont on ne peut se dégager (1863).

▶ Le dérivé **GLUAU** n. m. (1376, *gluiau;* suffixe *-al* devenu *-au* d'après le pluriel *gluals, gluaus*) désigne une branche enduite de glu pour prendre les oiseaux. ◆ À partir du dérivé **GLUER** v. tr. «enduire de glu», rare (v. 1190), ont été composés **ENGLUER** v. tr. «prendre à la glu» (v. 1170) puis «enduire de glu» (XIVe s.) et **DÉGLUER** v. tr. (1213, *desgluer*). ◆ **GLUANT, ANTE** adj. est devenu beaucoup plus usuel que le verbe; il signifie «collant» (v. 1265) puis «recouvert d'une matière gluante» (v. 1530) et s'emploie aussi au figuré (XXe s.), comme *collant*. ◆ **GLUON** n. m. (v. 1974, suffixe *-on*) est un terme de physique qui désigne une particule quantique assurant la cohésion du noyau atomique; le mot est formé en anglais sur *glue* «colle», de même origine que le français *glu*. ◇ En moyen français, une forme *gluon* s'est employée (v. 1354) pour *gluau* et s'est dite de l'attrait du mâle (1584).

voir AGGLUTINER, GLUTEN.

GLUCIDE n. m. est un mot formé (1826) par le chimiste Guibourt, composé de *gluc(o)-*, du radical du grec *glukus* «doux, sucré», et du suffixe *-ide*.

♦ Le mot désigne en biochimie une substance naturelle ou artificielle composée de carbone, d'hydrogène et d'oxygène. C'est un synonyme savant de *sucre*, au sens le plus large.

▶ Il a pour dérivé **GLUCIDIQUE** adj. (mil. XXe s.). ◆ Le grec *glukus* a servi à former des mots savants, essentiellement dans le domaine de la chimie. Sous la forme *gluc(o)-* : **GLUCINE** n. f. (1798; suffixe *-ine*); **GLUCOMÈTRE** (1872) ou **GLYCOMÈTRE** (1866) n. m. (de *-mètre*); **GLUCAGON** n. m. (XXe s.; élément *-agon*, tiré du grec *agein* «amener, conduire»). ◆ Avec la forme *glyco-* : **GLYCOGÉNIE** n. f. (1853; élément *-génie*) ou **GLYCOGÉNÈSE** n. f. (1876; élément *-génèse;* → genèse); **GLYCOCOLLE** n. m. (1855; de *colle*); **GLYCOGÈNE** n. m. (1855 comme adjectif; élément *-gène;* → gène); **GLYCOL** n. m. (1855; élément *-ol;* à cause de sa saveur sucrée); **GLYCÉMIE** n. f. (1872; suffixe *-émie* du grec *haima, haimatos* «sang»; → héma-); **GLYCOLYSE** n. f. (1896; élément *-lyse*); **GLYCOPROTÉINE** n. f. (1908; de *protéine*); **GLYCORÉGULATION** n. f. (1929, de *régulation*); **GLYCONÉOGENÈSE** n. f. (XXe s.; éléments *néo-* et *-genèse*); **GLYCOLIPIDE** ou **GLUCOLIPIDE** n. m. (v. 1970; de *lipide*) «lipide contenant des sucres».
GLUCOSE n. m. (1838; la variante *glycose* ne s'est pas imposée) est aussi un dérivé savant du grec *glukus*. Ce terme de chimie désigne le sucre, glucide répandu dans la nature. ◆ En dérivent des termes didactiques (chimie, biochimie) comme **GLUCOSIDE** n. m. (1859; suffixe *-ide*) et **GLUCONIQUE** adj. (1890).

voir GLYCÉRINE, GLYCINE.

GLUME n. f., attesté une première fois au XVIe s. (1584), est réemprunté (1797-1798) au latin *gluma* «pellicule des graines», «balle du blé», dérivé de *glubere* «écorcer, peler» qui se rattache à une racine indoeuropéenne °*glubh-* «creuser» que l'on retrouve en grec (→ glyphe).

♦ *Glume*, terme de botanique, conserve le sens du latin.

▶ En dérive **GLUMELLE** n. f. (1817).

GLUTEN n. m. est un emprunt (1515) au latin *gluten* «glu, colle, gomme» (→ glu).

♦ Il a signifié «substance qui lie, glu» (1515), puis a pris une valeur scientifique (1787) : «substance visqueuse contenue dans la graine des céréales».

▶ À partir du radical de *gluten*, au sens moderne, ont été formés des termes didactiques : **GLUTAMIQUE** adj. (1872) de *am*(ide) et *-ique;* **GLUTA-**

MATE n. m. (1898) et **GLUTOSE** n. m. (XXe s.; suffixe *-ose*).
GLUTINEUX adj. (emprunt au latin *glutinosus,* de *gluten*) a signifié «visqueux» (v. 1265), aujourd'hui «de la nature du gluten» (1787) et «qui contient du gluten» (1866).

GLYCÉRINE n. f. est un dérivé savant (1823) du grec *glukeros* «doux» (doublet de *glukus* → glucide) avec le suffixe *-ine.*

♦ D'abord terme de chimie, *glycérine* est passé dans la langue courante (*pommade à la glycérine,* etc.), à cause des emplois de la substance en cosmétique.

▸ Sur *glycérine,* ont été dérivés et composés des termes techniques ou scientifiques de chimie parmi lesquels : **GLYCÉRINÉ, ÉE** adj. (1856); **GLYCÉRIQUE** adj. (v. 1862; suffixe *-ique*); **GLYCÉROLÉ** n. m. (1866; de *glycérine, -ol* et *-é*) synonyme de **GLYCÉRÉ** n. m. (1878; de *glycér*[ine]); **GLYCÉRIDE** n. f. (1868; suffixe *-ide*); **GLYCÉROL** ou **GLYCEROL** n. m. (1905; du radical de *glycérine* et *-ol*) synonyme de *glycérine;* **GLYCÉROCOLLE** n. f. (1872; du radical de *glycérine* et de *colle*); **GLYCÉROPHOSPHATE** n. m. (1872; de *phosphate*); **GLYCÉROTANIN** n. m. (1962; de *tanin*).

GLYCINE n. f. représente un dérivé savant (1744) du grec *glukus* «doux» (et suffixe *-ine*); → glucide.

♦ La plante, d'origine exotique, a été ainsi nommée à cause de l'élément visqueux qu'elle contient; le mot, aujourd'hui démotivé, est assez courant.

GLYCO- → GLUCIDE

GLYPHE n. m. est un mot emprunté (1701) au grec *gluphê* «ciselure, ouvrage gravé», de *gluphein* «tailler, graver», que l'on rattache à une racine indoeuropéenne °*glubh-* «creuser» (cf. ancien haut allemand *klioban* «fendre», vieux saxon *clioban* «se fendre»).

♦ Terme didactique, *glyphe* désigne en archéologie un trait gravé en creux.

▸ **-GLYPHE**, comme second élément de composition, entre dans la construction de mots savants comme **ANAGLYPHE** n. m. (1495, *anaglife;* repris et écrit à la grecque au XVIIIe s.), du grec *ana* «vers le haut», et **TRIGLYPHE** n. m. (1545), de *tri-* «trois» (→ hiéroglyphe).
GLYPTIQUE n. f., emprunté (1796) au grec *gluptikos* «relatif à la gravure» (de *gluptês* «graveur», mot tardif issu de *gluphein*), désigne l'art de graver sur pierres fines — d'où **GLYPTICIEN, IENNE** n., attesté en 1979. ◇ Un élément savant **GLYPTO-** est tiré du grec *gluptos* «gravé».

◈ **GNAF** ou **GNIAF** n. m. a été relevé sous différentes graphies : *gniaf* (1691), *gniaffe* (v. 1770), *gnaf, gnafe* (1808). La locution plus ancienne *dire gnaf de qqn* «en dire beaucoup de mal» (XIIIe s.) correspond sans doute à l'une des valeurs initiales de *naff-, gnaff-* (voir ci-dessous). *Gnaf* serait repris du lyonnais *gnafre* «cordonnier»; cf. le personnage de *Gnafron* le savetier, compère de Guignol. Pour P. Guiraud, *gnaf* est construit à partir d'une base onomatopéique *naff-,* variante de *niff-,* qui a donné dans des dialectes des verbes au sens péjoratif «manger avec bruit» *(gnaffer),* d'où des substantifs comme *gnafron* «glouton».

♦ *Naff-* désigne le nez, le museau, d'où *gnaffe* «gros museau» et «individu lourd, stupide»; le mot s'applique péjorativement à l'ouvrier non qualifié, d'où «mauvais ouvrier maladroit» et savetier, opposé à *cordonnier.* Au sens de «cordonnier ou savetier», le mot est d'usage régional; par retour aux valeurs initiales, *gnaf* s'est dit pour «maladroit, gâcheur» (1839).

GNANGNAN n. et adj. est attesté une première fois (1825) dans une lettre de Talma (*des gnans-gnans,* au pluriel, en parlant de mauvais rôles de théâtre) et repris en 1842 (adj.) avec une valeur plus générale. Le mot est sans doute d'origine onomatopéique réalisée par les variantes *gnagna* et *gnian-gnian* (1784, Beaumarchais) pour imiter les pleurs, les plaintes de quelqu'un. On y a vu aussi la forme redoublée de l'adjectif *nient, niant* ou *gnant* «niais», «nul», «paresseux», forme adjectivale de *néant* (→ néant), sous l'influence de *faignant* (cf. *fainéant*); mais cette hypothèse est discutée.

♦ *Gnangnan* se dit, familièrement, d'une personne molle, sans énergie. L'emploi substantif a été récemment diffusé par une bande dessinée de Claire Bretécher.

GNARD ou **GNARE** n. m., mot argotique (attesté 1903; cf. aussi *gniard* 1936, et *niard*), représente peut-être une aphérèse de *mignard* (1714, «nourrisson») ou *momignard* (1829) composé de *môme* et de *mignard.*

♦ *Gnard,* de même sens, signifie aussi «individu»; dans cette acception, dont la forme initiale est *gnière* ou *nière* (*niert,* 1836; *gniaire,* 1844), le mot, qui a pris la valeur péjorative d'«imbécile» probablement sous l'influence paronymique de *niais,* a pour variante l'argotique **GNASSE** n. m. (variante *gnace, gniasse, niasse*) «individu» et (1878) élément lexical de pronoms personnels : *mon, ton gnasse,* etc., «moi», «toi», etc. ◇ L'emploi substantif «individu», «enfant» est attesté un peu plus tard (1895).

GNEISS n. m., attesté sous cette forme (1779) chez le géologue de Saussure (*kneiss,* en 1759), est un mot emprunté à l'allemand *Gneis* (XVIe s.) «roche cristallophyllienne composée de quartz, de mica et de feldspath».

▸ En dérivent les adjectifs didactiques **GNEISSIQUE** (1846) et **GNEISSEUX, EUSE** (1877).

GNOCCHI n. m. pl. est un emprunt (1864), aussi francisé en *niocki* (1851; d'abord *nioc,* 1747), à l'italien *gnocchi,* attesté au sens de «boulettes de pâte» depuis le XVIe s., pluriel de *gnocco,* d'abord «petit pain rond à l'anis» (2de moitié XVe s.). ◇ Le mot est d'origine vénitienne, apparenté à l'ancien vénitien *gnoco* «nœud dans un tissu» (1339), et peut-être issu par métathèse de *nocchio* «nœud dans le bois», d'origine incertaine.

GNOGNOTE ou **GNOGNOTTE** n. f. apparaît (av. 1831) dans le titre d'une chanson *(La Gnognotte)*, puis est attesté comme nom commun (1840). Le mot appartient probablement à la même famille onomatopéique que *gnan-gnan* (→ gnangnan), ou représente une forme régionale de *niais*.

♦ *Gnognotte*, terme familier, est seulement employé dans l'expression : ***c'est de la gnognotte!*** «c'est qqch., qqn de tout à fait négligeable».

GNÔLE n. f., attesté au XIXe s. (1822), s'est sans doute répandu au cours de la Première Guerre mondiale. C'est d'abord un mot dialectal (Bourgogne, Lyonnais) peut-être issu de *yôle*, variante de *hièble** («sureau dont on fait de l'eau-de-vie»), par mauvaise coupure de *une yole*. P. Guiraud voit plutôt dans *gnôle* une variante de *nielle* «ivraie enivrante», évoquant les variantes vosgiennes *noyelle*, *nialle*, de même sens, ces noms convenant à une mauvaise eau-de-vie (cf. les dénominations *vitriol*, *pétrole*, *tord-boyaux*, etc.); il pourrait aussi y avoir un croisement avec le dialectal *gnole* «brouillard» (du latin *nebula*, → nébuleux), par approximation entre *brouillard* et *bouillon*, ou allusion aux effets de l'ivresse. Mais ceci reste très hypothétique.

♦ Le mot, de populaire, est devenu familier pour désigner toute boisson alcoolique forte, mais il a vieilli.

GNOME n. m. représente (1583) un emprunt au latin des alchimistes *gnomus*, mot utilisé par Paracelse, alchimiste du XVIe s., comme synonyme de *Pygmaei (Pygmées)*, et dont l'origine est discutée. Il s'agit peut-être d'une altération de °*genomus*, d'un type grec °*gênomos* «habitant de la Terre», de construction identique à *thalassonomos* «habitant de la mer», avec l'influence possible de *gnômê* «opinion», «pensée» et «intelligence»; les gnomes «petits génies laids et difformes, présidant à la terre» ayant pu être considérés comme doués de pouvoirs intellectuels (cf. *démon*).

♦ Par affaiblissement de sens (1867) *gnome* a pris le sens de «personne de petite taille et difforme».

▸ En dérive **GNOMIDE** n. f. (1670), «femme de gnome», terme didactique peu usité.

GNOMIQUE adj. est un mot emprunté (1616) au grec *gnômikos* «en forme de sentence, de proverbe», comme le furent les œuvres de poètes dits «gnomiques», tel Solon. *Gnômikos* est dérivé de *gnômê* «opinion, pensée», de la famille de *gignôskein* «connaître» (→ gnose).

♦ *Gnomique*, terme didactique, s'applique à un poète qui s'exprime par sentences (1616), d'où *poésie gnomique* (1706), par extension *les gnomiques* n. m. pl. «les poètes gnomiques» (1866). L'adjectif est usité (1933) en grammaire grecque *(aoriste gnomique)* pour exprimer une vérité d'expérience.

◈ voir **GNOMON**.

GNOMON n. m. est emprunté (1547) au latin *gnomon* «aiguille de cadran solaire», du grec *gnômôn*, d'abord «ce qui sert de règle», «régulateur», de même origine que *gnômê* (→ gnomique). Le mot a surtout des emplois techniques et désigne des instruments comme l'équerre ou le cadran solaire.

♦ *Gnomon*, terme didactique, désigne l'instrument permettant de mesurer la hauteur du soleil et, par métonymie, la tige verticale, le style de cet instrument.

▸ En dérive **GNOMONIQUE** adj. (1547) et n. f. (1660).

GNON n. m. est issu (1651) par aphérèse de *oignon**, l'enflure provoquée par le coup ayant pu être comparée à un oignon.

♦ Par métonymie (1853), *gnon* signifie «coup» et en particulier «coup de poing», valeurs dominantes aujourd'hui. ◇ *Gnon* est aussi un équivalent argotique de «postérieur»; il représente alors une abréviation de *fignon*, issu par aphérèse de *troufignon* (XVIe s., écrit *trou finon*) «anus», qu'on rapproche un peu facilement de trou *mignon*, mais qui pourrait lui aussi provenir de *oignon*, qui a cette valeur dans la langue populaire.

◈ voir **FION**.

GNOSE n. f., attesté chez Bossuet, est un mot emprunté au grec ecclésiastique *gnôsis* «connaissance», issu de *gignôskein* «connaître», d'une racine indoeuropéenne °*gnē-*, °*gno-* «connaître», que l'on retrouve dans le latin *noscere* «connaître*».

♦ *Gnose* signifie d'abord «connaissance suprême des mystères de la religion», sens sorti d'usage, se dit aujourd'hui (1840) d'une doctrine chrétienne rejetée par l'Église, qui prétend expliquer le sens des religions par une connaissance parfaite des choses divines, puis, dans le vocabulaire de l'occultisme (XXe s.), d'une connaissance initiatique et ésotérique.

▸ À partir du grec *gnôsis* ont été formés les termes philosophiques **GNOSIE** n. f. (1937) «perception, connaissance élémentaire» et **GNOSÉOLOGIE** n. f. (1954 in *T. L. F.*; de *-logie*) «théorie de la connaissance». ➜ **GNOSTIQUE** n. et adj. (1586, n.), «hérétique» et, sorti d'usage, «personne qui a la connaissance des mystères de la religion» (fin XVIIe s., Bossuet), est emprunté au bas latin ecclésiastique *gnostici* n. m. pl., emprunt à l'adjectif grec *gnôstikos* «qui sait, savant, sage» (substantivé au pluriel *gnôstikoi* «ceux qui savent, les Gnostiques»), autre dérivé de *gignôskein*; il est repris comme adjectif au grec *gnôstikos* (1721). ➜ Le dérivé **GNOSTICISME** n. m. (1828; cf. anglais *gnosticism*, 1664) désigne l'ensemble des doctrines de la *gnose*. Par extension (XXe s.) *gnostique*, comme *gnose*, désigne ce qui est relatif à toute doctrine secrète de salut.

◈ voir **AGNOSTIQUE**, **GNOMIQUE**, **GNOMON**.

GNOU n. m. apparaît d'abord sous les formes *nou* (1775, cité par Buffon) et, d'après l'anglais, *gnoo* (1778, *Second Voyage du capitaine Cook*), puis *gnou* ou *niou* (1782, Buffon).

♦ C'est un mot hottentot qui désigne une grande antilope d'Afrique australe.

GNOUF n. m. représente (1938) une forme abrégée (par aphérèse) de *bignouf*, qui serait à rapprocher, selon Esnault, de *bignou* «trou», mot dialectal d'origine obscure (sans rapport avec le breton *biniou*).

♦ *Gnouf*, sous plusieurs variantes (*gniouf*, 1955, Céline et *gnoufe*, *niouf*), désigne en argot une cellule, un cachot *(mettre qqn au gnouf)*.

GO n. m. est la translittération (1964), d'abord *gô* (1893), d'un mot japonais.

♦ *Go* désigne un jeu japonais d'origine chinoise (nommé *wei-ch'i*), constitué d'un damier *(goban)* et de pions blancs et noirs *(go-ishi)*.

GO (TOUT DE) → GOBER

GOAL n. m. reprend (1882) un mot anglais signifiant d'abord «but d'une course», «limite» (v. 1315, *gol*) puis «poteaux entre lesquels la balle doit passer» (XVIe s.) et «but»; *goal*, d'origine incertaine, correspond peut-être à un germanique °*gal-* «obstacle».

♦ En français, *goal* (1882) «but» n'est plus en usage; le mot a conservé le sens de «gardien de but» (1894), qui représente l'abréviation française de l'anglais *goal-keeper* n. (1658; de *keeper* «gardien»), passé en français avec les autres termes de football entre 1870 et 1914. Il tend à être éliminé par *gardien*.

▸ **GOAL-AVERAGE** n. m., composé des mots anglais *goal* et *average* «moyenne», a été emprunté en français en 1927.

GOBELET n. m., réfection (1345) de *gubulet* (XIIIe s.; déb. XIVe s., *gobeloz* en Franche-Comté), est un dérivé de l'ancien provençal *gobel* «récipient pour boire» (attesté 1310). Bloch et Wartburg dérivent *gobel* d'un gallo-roman °*gob* «bouche, bec», qui représenterait le gaulois °*gobbo* de même sens (cf. irlandais *gob*; → gober). Cette hypothèse s'accorde mal à la réalité, le gobelet étant démuni de bec verseur. Aussi P. Guiraud fait-il remonter *gobelet* «récipient sans anse ni pied» à la racine °*gobb-* «arrondi, renflé», d'un gallo-roman °*gubbus* «enflé» (comme l'italien *gobbo* «bossu») variante du latin *gibbus* «bosse» (→ gibbeux).

♦ *Gobelet* a désigné, outre le récipient, un office de la maison du roi (1611), le service de la table, l'une des fonctions de l'échanson étant de présenter le gobelet au roi. Par analogie de forme, le mot a été employé dans divers domaines. Il a désigné (1549) un récipient ayant la forme d'un gobelet à boire, utilisé dans les tours de prestidigitation, d'où autrefois *joueur des gobelets* «voler» (1611), *joueur de gobelet* «fourbe» (1690); *gobelet* désigne aujourd'hui (XXe s.) un récipient tronconique servant à jeter les dés. ◇ Il se dit aussi d'une taille d'arbres fruitiers en forme de gobelet (1872; 1845, *goubelet*), régionalement de diverses plantes à fleurs (1549, pour la renoncule) et, en botanique, d'une tige qui porte plusieurs fruits (1690; 1549, «cupule de gland»).

▸ De *gobelet* dérivent les termes techniques **GOBELETERIE** n. f. (1742), **GOBELETIER** n. m. (1791) qui ont pris une valeur plus large. ◆ **GOBELOT(T)ER** v. intr., dérivé lui aussi de *gobelet*, avec altération vocalique (1680), signifie «boire de l'alcool avec excès». ◇ Il a pour dérivés **GOBELOT(T)AGE** n. m. (fin XIXe s.) et **GOBELOT(T)EUR, EUSE** n. (1845). Le verbe de sonorité proche *gobichonner* (→ gober) est employé à peu près à la même époque.

GOBELIN n. m., attesté une première fois (v. 1195) peu après le latin médiéval *gobelinus* (av. 1141) et repris au début du XVIe s., est peut-être issu, par l'intermédiaire du latin chrétien °*gobalus* «génie domestique», du grec *kobalos* «vaurien, filou» et, plaisamment, «lutin, génie malfaisant» (cf. allemand *Kobold* «lutin» → kobold).

♦ *Gobelin* «lutin» est sorti d'usage. Il a donné par emprunt l'anglais *goblin* (v. 1327), toujours vivant et dont l'influence par des récits, des jeux de rôle, ont redonné vie au mot français. ◇ Le toponyme *les Gobelins*, nom d'un quartier de Paris, est devenu celui d'une célèbre manufacture de tapisseries (1662).

GOBER v. tr. dérive (XIIIe s., *soi gober*) d'un gallo-roman °*gob* «bouche, bec», d'un radical gaulois °*gobbo-* «bouche» (cf. °*gaba*, → gaber), avec influence probable du radical onomatopéique °*gobb-* «enflé» que l'on a pu évoquer pour *gobelet**.

♦ *Se gober* a voulu dire «se vanter» (XIIIe s.). *Gober* signifie «avaler sans prendre le temps de mâcher» (1549); le verbe s'emploie ensuite au figuré pour «croire sans examen» (1650; cf. *avaler* au figuré), d'où ***gober le morceau*** (1662), *gober l'hameçon* (1669) «se laisser tromper» et ***gober les mouches*** «perdre son temps en rêveries» (1690), sorti d'usage mais continué par le composé *gobe-mouches* (ci-dessous). ◇ *Gober* par figure et familièrement signifie aussi (1846) «apprécier qqn», souvent en proposition négative ***(ne pas pouvoir gober*** «ne pas supporter»), et *se gober* «se rengorger» (1856), ce qui évoque le premier emploi du verbe.

▸ **GOBAGE** n. m. (1870) s'emploie au propre et au figuré, comme **GOBEUR, EUSE** n. «personne qui gobe» (1670; nom propre, 1524) et «crédule» (1721). ◆ **GOB(B)E** n. f., sorti d'usage aux sens de «forte bouchée» (v. 1625-1651) et de «boulette empoisonnée» (1690) signifie aujourd'hui (1866) «bol pour engraisser la volaille». ◆ **GOBICHONNER** v. intr. «festoyer» est composé (1835) de *gober* et *bichonner**; le verbe est sorti d'usage, comme ses dérivés **GOBICHONNEUR, EUSE** n. (1839), **GOBICHONNAGE** n. m. (1844) et **GOBICHONNADE** n. f. (1844), et le verbe quasi contemporain et de sens voisin *gobelotter* (→ gobelet).

DÉGOBILLER v. (1611) vient de *dé-*, *gober* et du suffixe *-iller* (cf. *dégober* dans l'Ouest); il équivaut à «vomir» et constitue un synonyme moins vulgaire de *dégueuler* (→ gueule). ◆ Le dérivé **DÉGOBILLAGE** n. m. (1809) est plus rare.

GOBE-MOUCHE(S) n. m. apparaît (1547, *Gobemousche*) comme surnom d'un personnage bon vivant. Le mot désigne (1611) un oiseau qui se nourrit de mouches et d'insectes happés en vol puis, par analogie (1764), une plante carnivore dont les fleurs retiennent des insectes. ◇ *Gobe-mouche* s'emploie aussi au figuré pour «homme crédule» (qui gobe tout ce qu'on lui dit), sens probablement répandu en 1759 par un personnage *(M. Gobemouche)* d'une pièce de Favart, *La Soirée des Boulevards.* ✦ **TOUT DE GO** loc. adv. (1660) est composé de *tout* et de *gob,* déverbal de *gober* (cf. 1579, *avaler tout de gob* «d'un seul coup»). La locution signifie «directement» et, par extension (1850), «sans façon, librement»; elle est encore en usage, mais est démotivée et isolée.

GOBERGER (SE) v. pron. est une variante (1569, pron.) de *gauberger* (1532, tr.) «railler, se moquer de». Ce verbe de forme populaire, peut-être dialectale, est assez obscur. Il vient peut-être du moyen français *goberge, gouberge* «forfanterie» (1re moitié XIVe s.), issu comme le moyen français *gobert* «facétie, plaisanterie» (XVe s.) de l'adjectif *gobe* «pétulant, orgueilleux» (XIIe s.) et «somptueux» (du XIIe au XVIe s.). Cet adjectif vient de *gober* ou du gallo-roman °*gob-* (→ gober). P. Guiraud propose de voir dans *goberger* un composé de °*gobe* «grosse gorge, jabot» (→ gober, jabot) et du normanno-picard *se berger* «se bomber», d'où «bomber le jabot».

♦ *Se goberger* signifie depuis l'époque classique (1640) «prendre ses aises, se réjouir» et, en particulier, «faire bombance». Les deux sémantismes «vantardise» et «bombance», sont d'ailleurs compatibles avec le radical °*gob-* (→ gober).

GODAILLE n. f., d'abord sous les formes *godale* (v. 1223, «sorte de bière») et *goudaille* (1568, «mauvaise bière»), se trouve dans la locution ***faire godaille*** «se livrer à une débauche de table» (1650). *Godaille* serait un emprunt au moyen néerlandais *goed ale* «bonne bière» (avec *-aille* péjoratif). Cette étymologie qui semblait claire est pourtant contestée par P. Guiraud, qui dérive *godaille* d'un dialectal *goudi* «manger avec avidité» (soit «se remplir la panse»), qu'il rattache au radical °*godd-* «enflé», d'un gallo-roman °*gobitare* «se remplir la panse», de °*gubbus* «enflé» (→ gobelet). Un croisement n'est d'ailleurs pas exclu.

♦ *Godaille,* familier, a pris par extension (1808) le sens d'«excès de table».

▸ En dérive **GODAILLER** v. intr. (1750), d'où **GODAILLEUR, EUSE** n. (1835; 1821, adj.).

GODASSE → GODILLOT

GODELUREAU n. m. s'est substitué (1648) aux formes *gaudelureau* (av. 1545), *guodelureau* (1552), *goguelureau* (1611). Pour Bloch et Wartburg, le mot serait composé de l'onomatopée *god-*, cri pour appeler les animaux domestiques et souvent employé pour les désigner (1478-1480, *gode* «vieille brebis»; aussi «truie», «oie», etc.); des mots formés à partir de *god-* ont désigné péjorativement des personnes dès le XIIe s. : ainsi vers 1160 *godel* «giton», au XIVe s. *godon,* surnom donné aux Anglais. On a rattaché aussi la première partie du mot à *gauder/gaudir* «se réjouir» (XIIIe-XVIe s.) du latin *gaudere* (→ jouir), d'où les graphies *gaudelureau, guodelureau,* ou à *goguer* «plaisanter» (→ goguenard), d'où *goguelureau.* La seconde partie du mot viendrait de *galureau* «galant, mignon» (1530), composé de *galer* (→ galant) et de *lureau.* Pour P. Guiraud, *godelureau* provient du radical °*god-* avec une idée d'enflure et de fainéantise (dans *gode, godon, godel;* → gobelet) et de *lureau,* variante de *luron*:* seul ce second élément fait l'unanimité des étymologistes.

♦ *Godelureau,* familier et péjoratif, se dit d'un jeune homme aux manières affectées qui aime à courtiser les femmes.

GODEMICHÉ n. m. a remplacé (1611) les formes *godmicy* (1578, Ronsard), *godemichi* (1583-1584). On a proposé pour origine l'impératif latin *gaude mihi* «réjouis-moi» (*gaudemichi* en latin médiéval), de *gaudere* «jouir» (→ jouir). Pour A. Thomas, le latin n'aurait eu qu'une influence secondaire et le mot serait emprunté, par l'intermédiaire du catalan *godomacil* (1409), à l'espagnol *gaudameci* «cuir de Gadames» (1140; emprunt à l'arabe *(ǧild) ġadamasī,* → gamahucher) avec influence de *Michet. Michet, Miché* sont des variantes du prénom *Michel* qui a eu des valeurs érotiques. Pour P. Guiraud, *godemiché* serait un composé de *goder* (à l'impératif) «tromper, plaisanter», et du même *Miché, Michet.*

♦ *Godemiché* «phallus artificiel» a été abrégé (v. 1930) en *gode.*

① **GODER** v. intr. est formé (1762) sur le radical de *godron* n. m., lui-même dérivé de *godet* (→ ② godet).

♦ Le verbe signifie «faire de faux plis en bombant», en parlant d'un vêtement (on dit aussi, par dérivation, *godailler,* XXe s.) et par analogie «se boursoufler, se bomber», en parlant d'un papier, d'un carton.

▸ En dérivent **GODAGE** n. m. (1774), terme technique, et ① **GODET** n. m. (1849) d'abord adjectif *(plis godets)* qui se dit spécialement, en couture, de plis souples qui tombent en s'évasant.

② **GODER** v. intr. apparaît (1894, Esnault) avec les deux sens «être en érection» et «jouir» en parlant d'un homme. L'origine du mot est discutée; l'hypothèse d'une forme abrégée de *godiller,* verbe intransitif (1835) de même sens, est peu convaincante, ce verbe étant plus vraisemblablement dérivé de *goder,* sous l'influence de *godiller* «ramer à la godille». Selon P. Guiraud, les deux verbes seraient issus de l'ancien français *gaudir* (XIIIe s.) «se réjouir», et «jouir», dont l'évolution phonétique normale n'a pourtant abouti qu'à *jouir*. Goder* et son synonyme pourraient être issus (Cellard et Rey) de l'ancien français *gode* n. m. (XIIe s.) «joyeux drille» (variante *godel* «inverti», «mignon»), ce qui reporte le problème, ce nom étant d'origine inconnue, peut-être issu de *gode,* ancien adjectif exprimant le gonflement («qui bande», après avoir signifié «ventru»).

◇ voir GODELUREAU.

① **GODET** → ① GODER

◈ ② **GODET** n. m. est expliqué traditionnellement par un emprunt (1re moitié XIVe s.) au moyen néerlandais *kodde* «morceau de bois de forme cylindrique» (cf. l'allemand *Humpen,* d'abord «morceau de bois» puis «hanap»). Refusant cette origine germanique sémantiquement lointaine (mais qui convient assez bien pour le dérivé *godron*), P. Guiraud rattache *godet* au radical °*godd-* «enflé», de même origine que °*gobb-* (→ gobelet), par l'intermédiaire d'un gallo-roman supposé °*gobitare,* issu d'une base °*gubbus,* variante du latin *gibbus* «bosse» (→ gibbeux).

♦ *Godet* a été utilisé, comme *gobelet,* au sens de «petit récipient sans pied ni anse». Par analogie de forme (1508) le mot désigne un petit récipient sans pied, utilisé pour délayer, recueillir un liquide et, spécialement (1690) un auget.

▸ **GODENOT** n. m. (1644) dérive du radical de *godet* (avec changement de suffixe, probablement dialectal; cf. en Poitou *godeneau* «récipient pour la cuisine, la rôtie»); le mot désignait autrefois une figurine de bois qu'escamotaient les joueurs de gobelets et, au figuré dans la langue classique (1651), un petit homme difforme (cf. *pot*). ◆ Un autre dérivé ancien, *goderon* (1309), puis **GODRON** n. m. (1577), se dit d'un ornement renflé aux bords de la vaisselle d'argent; puis, par analogie de forme, *godron* est un terme de broderie (1577) et désigne (1581) un gros pli rond et empesé (d'une fraise, d'un jabot, etc.) et ensuite un ornement renflé sur des ouvrages d'ébénisterie, d'architecture (1676). ◇ En dérive le terme technique **GODRONNER** v. tr. (v. 1600; 1379, *goderonné*).

◈ voir **GODILLE.**

◈ **GODICHE** adj. est d'abord attesté comme nom propre (1743) puis comme adjectif (1752); le mot est probablement issu, par substitution de suffixe, de *Godon,* forme hypocoristique de *Claude,* régionalement *Glaude,* appliqué, d'après Ménage, aussi bien aux petites filles qu'aux garçons. *Godiche* a pu être rapproché de dérivés dialectaux construits à partir du radical *god-* «niais». Selon P. Guiraud, ce serait un dérivé de *gode* au sens d'«enflé, gavé», d'où «stupide»; → ② godet (cf. l'ancien et moyen français *godon* «goinfre», «poltron», «ventru»).

♦ *Godiche* signifie familièrement «niaisement maladroit». Le substantif n'est d'usage courant qu'au féminin.

▸ En dérive le synonyme suffixé **GODICHON, ONNE** adj. et n. (1752).

◈ **GODILLE** n. f., attesté d'abord sous la forme *goudille* (1792), reste d'origine obscure. Pour P. Guiraud ce mot régional, bien attesté dans les dialectes de l'Ouest, serait un dérivé de *godiller,* lui-même issu de *goder* «faire des plis» (→ ① goder), ce qui correspond au mouvement de l'aviron.

♦ *Godille* désigne un aviron placé à l'arrière d'une embarcation; par analogie, ***à la godille*** signifie (1922, argot des cyclistes) «en zigzag», d'où «en mauvais état»(1924); *godille* est devenu un terme de ski (XXe s.) désignant un enchaînement de virages.

▸ **GODILLER** v. intr. «manœuvrer une embarcation avec la godille» (1792, *goudiller*) est aussi un terme de ski (v. 1930). ◆ Il a pour dérivé **GODILLEUR, EUSE** n. (1840).

GODILLOT n. m. est issu (1869) du nom d'Alexis *Godillot* (1816-1896), fabricant de brodequins militaires, qui créa ce soulier. P. Guiraud rattache ce mot au radical *god-, godillot* ayant pu être interprété comme une sorte de *godet* «objet creux et renflé» (→ ② godet), reprenant inconsciemment, peut-être l'argot ancien *gobelets* «souliers» (1566).

♦ *Godillot* désigne familièrement un gros soulier et par figure, une personne qui suit un chef sans discuter (v. 1960-1970, d'abord à propos des gaullistes inconditionnels).

▸ **GODASSE** n. f., formé par resuffixation sur *godillot,* désigne familièrement une grosse chaussure, puis une chaussure en général (1888); il est demeuré plus usuel et moins spécial que *godillot,* qui évoque l'armée.

GODIVEAU n. m. représente (1546) une altération, sous l'influence de *veau,* de *gaudebillaux* «tripes grasses» (1534, Rabelais), le poitevin *godebeilla,* «gras double», est encore attesté. *Gaudebillaux* est composé du radical *god-* (cf. *goder, godiche*) et de *beille* «ventre», forme poitevine de l'ancien français *buille* «boyaux», du latin *botulus* «boudin», «boyaux», mot sans doute emprunté à l'osque, langue parlée avant le latin en Italie. Selon P. Guiraud, *godiveau* «sorte d'andouillette» (1546) représenterait un composé de *gode* «enflé, bourré de nourriture» et de *-iveau* sur le modèle de *baliveau, soliveau;* le mot serait à rapprocher de *gogue* «boudin» (régional).

♦ *Godiveau* désigne en cuisine un hachis de viande utilisé comme farce.

GOÉLAND n. m., sous cette graphie chez Buffon (1781), a eu de nombreuses formes, *gaellans* (1484), *goilant* (fin XVIe s.), *goilan* (1642), *goiland* (1757). Cette hésitation formelle est normale, s'agissant d'un emprunt ancien. En effet, le mot est emprunté au breton *gwelan* «mouette», d'un ancien celtique °*voilenno-* (correspondant à l'ancien écossais *gûrplan,* au gallois *gwylan*). *Goéland* est encore écrit *goëland* dans Littré. La prononciation francisée l'emporte, hors de Bretagne, où l'on dit [gwalɑ̃] et [gwɛlɑ̃], par abréviation [gwɛl].

GOÉLETTE n. f. a probablement été formé (1740) — la variante *goualette* (1752) attestant un emprunt oral — sur *goéland,* avec substitution de suffixe. La graphie *goëlette* (1835, Académie) se trouve encore chez Littré.

♦ Le mot désigne un navire léger à deux mâts d'où, par métonymie, le sens sorti d'usage (XIXe s.) de «voile aurique». C'est aussi le nom régional de l'hirondelle de mer (1767).

GOÉMON n. m. se substitue (1686) aux formes *goumon* (XIVe s.), *gouesmon* (1681). Le mot est emprunté au bas breton *gwemon* «varech» (cf. le galois *gwymon* et l'irlandais *femmuin,* de même sens).

Comme pour *goéland,* la prononciation originelle [gwɛ-, gwa-] subsiste seulement en Bretagne.

♦ *Goémon* désigne, par extension, l'engrais fait de goémon.

► En dérive **GOÉMONIER** n. m. (1922) «personne ou bateau qui recueille le goémon».

GOGO n. m. apparaît (1834) comme nom d'un personnage crédule, qu'on trompe facilement; le mot vient de *Robert Macaire* (pièce de Saint-Amand, Antier et F. Lemaître), personnage popularisé par Daumier. *Gogo* est sans doute formé par redoublement de la syllabe initiale de *gober* avec influence probable de *nigaud.*

► Sur le mot a été composé **ATTRAPE-GOGO** n. m. (1936) «ruse grossière», variante formelle de *attrape-nigaud.*

À GOGO loc. adv., attesté chez Ch. d'Orléans (av. 1465), représenterait un redoublement plaisant de l'ancien français *gogue* «liesse» (→ goguette) ou, selon P. Guiraud, serait à rattacher à *gob,* attesté dans l'expression *tout de gob, tout de go* (→ gober), ***boire à gogo*** étant interprété comme «boire trait sur trait».

♦ *À gogo* se dit familièrement pour «abondamment, à discrétion».

GOGUENARD, ARDE adj. est un dérivé (1607) de l'ancien français *gogue* «liesse» (→ goguette); la finale *-enard* s'expliquerait par l'influence du moyen français *mentenard* «menteur» (v. 1380).

♦ L'adjectif signifie «qui plaisante en se moquant» et s'applique par extension aux comportements, aux apparences *(air goguenard),* aux paroles.

► Il a pour dérivés **GOGUENARDER** v. intr. (1611; 1609 en emploi réfléchi); **GOGUENARDERIE** n. f. (1651; variante *goguenardie* au XVIe s.), aujourd'hui remplacé par **GOGUENARDISE** n. f. (1853).

GOGUENOT n. m. est un mot d'origine incertaine (1805). Bloch et Wartburg y ont vu un dérivé burlesque de *goguenard**, peut-être sous l'influence du dialectal *godeneau* «vase à boire». Pour P. Guiraud on retrouve dans *goguenot* le sémantisme «objet creux et renflé» de *gobelet* et de *godet;* le mot serait donc construit sur le radical *gog-* «enflé» qui, par l'intermédiaire d'un gallo-roman °*gobbocare,* remonte à *gibbus* «bosse» (→ gibbeux).

♦ *Goguenot* a désigné un gobelet pour boire (1805), et s'emploie encore dialectement (Normandie) pour «pot à cidre»; par extension plaisante il se dit (1831) d'un vase de nuit puis des lieux d'aisance, au pluriel *les goguenots* (1861). ◇ L'abréviation **GOGS, GOGUES** (1888) est demeurée usuelle en langue très familière, mais le mot est plus «marqué» et plus rare que *chiottes* appartenant au même registre.

GOGUETTE n. f. apparaît (1462) dans les expressions *faire goghettes* «se régaler», *être à goguette* «en être aux caresses (avec une femme)», puis dans *être en ses goguettes* «être de joyeuse humeur» (1549). Ce nom est un dérivé de l'ancien français *gogue* «réjouissance», «bonne humeur» (XIIIe s.) dont l'origine est discutée et qu'on retrouve dans *à gogo, goguenard. Gogue* pourrait être issu d'un radical onomatopéique *gog-,* correspondant pour la partie vocalique à *kok-* (cf. *coq*). Selon P. Guiraud, *gogue* serait un déverbal de *goguer* «railler, plaisanter», d'un gallo-roman °*gobbicare* «gonfler le jabot» (→ gober).

♦ *Goguette* s'emploie dans la locution familière ***être en goguette*** (1704) «être en partie fine»; ***chanter goguette à qqn*** «l'injurier» (av. 1650) est aujourd'hui sorti d'usage. ◇ Par extension, *goguette* est ensuite le nom donné (1829) à Paris à des sociétés chantantes d'où, par métonymie (mil. XIXe s.), à un cabaret, emplois disparus.

◈ voir **GOGUENARD.**

GOÏ, GOÏM → GOY

GOINFRE n. m., attesté (fin XVIe s.) chez d'Aubigné avec un sens inconnu et à nouveau en 1611, est d'origine obscure. L'hypothèse qui rattache *goinfre* aux noms propres *Galafre, Golafre,* noms de héros de chansons de geste, est peu convaincante. P. Guiraud rapproche ce nom de *goulafre* et *gougnafier* (cf. ce mot), qui seraient composés de *lafrer, gnafer* «manger goulûment» et d'un verbe °*gouer* «se remplir le jabot» (→ s'engouer, gouailler). Mais le *gou-* de *goutre* (goitre), de *goule* (variante de *gueule*) peut être évoqué.

♦ *Goinfre* au sens de «débauché, parasite» (1611) est sorti d'usage (encore chez Taine, 1867); le mot désigne aujourd'hui une personne qui mange avec excès et salement (1613).

► **GOINFRER** est sorti d'usage ou d'emploi régional comme v. intr. (1642) mais *se goinfrer* est usuel (XIXe s.), et correspond à *se farcir**. ◇ **GOINFRERIE** n. f. (1646) est courant. **GOINFRESSE** n. f. (1649, Scarron) «femme qui se goinfre» ne s'utilise plus.

GOITRE n. m. est une réfection (1552) de *goyetre* (1492), *gouistre* (1530); mot d'origine dialectale, de la région rhodanienne, c'est un dérivé régressif de l'ancien français *goitron* «gorge, gosier» (v. 1120, jusqu'au XIVe s.), puis *goetron* «goitre» (v. 1560), issu du latin populaire °*gutturionem,* accusatif de °*gutturio,* lui-même dérivé du latin classique *guttur* «gosier, gorge», d'origine obscure. La graphie *goître* (1762, Académie) est encore dans Littré.

♦ Le mot désigne l'augmentation de volume de la glande thyroïde, qui déforme la partie antérieure du cou puis, par analogie (1837), un gonflement du cou chez certains animaux.

► **GOITREUX, EUSE** adj. et n. (1411) dérive du radical de *goitron.* C'est le goitreux qui, dans le domaine alpin, a été dénommé *crétin**, l'hyperthyroïdie pouvant être associée à un quotient intellectuel anormalement bas.

GOL n. et adj., attesté en 1982, est formé d'après *mongolien,* avec les variantes *golio* (suffixé en *-o*), *gogol* (réduplication d'après *gaga, guignol*).

♦ Le mot signifie «imbécile, crétin, taré», dans le langage des jeunes.

GOLEM n. m. est emprunté (1877) à un mot hébreu signifiant d'abord «masse informe, embryon» (hébreu biblique), puis «masse, tas» (hébreu de la Mishnah).

♦ Le sens moderne du mot, «être artificiel à forme humaine, animé par un texte biblique fixé sur son front», apparaît en hébreu médiéval (XIIe s.) dans les légendes juives d'Allemagne.

GOLF n. m. est attesté une première fois sous cette forme au XVIIIe s. (1776; 1792, *goff*) comme terme de voyage concernant l'Écosse, et repris en 1872 lorsque le sport est importé en France. C'est un mot anglais, d'origine écossaise, lui-même de forme variable : *golf, gouff* (XVe s.), d'où les différentes graphies du terme. Il est peut-être issu du néerlandais *kolf* «bâton, batte», mot d'une famille germanique (allemand *Kolben*). Mais les jeux néerlandais (exportés en Amérique du Nord au XVIIe s.) joués avec ce bâton étaient assez différents du jeu écossais et aucune forme en *k* ou *c* n'est attestée en anglais d'Écosse. La prononciation écossaise originelle est [guf] ; la graphie *golf* est attestée dès 1451. Le jeu, qui se joue alors avec des balles de cuir, est pratiqué par les souverains d'Écosse eux-mêmes (notamment Marie Stuart). Les règles du jeu s'établissent au XVIIIe s. (Club de St. Andrews, 1754) et il se répand en Angleterre à partir du milieu du XIXe s. (1864, dans le Devon).

♦ *Golf*, qui désigne un sport d'origine écossaise, se dit par métonymie (1901) du terrain, en concurrence avec *terrain de golf* et l'anglicisme *green*. ⟡ L'emploi au pluriel de ***golfs*** n. m. pl. (1941) pour *culottes, pantalon de golf* (v. 1940) est rare, de même que *golf* «gilet de laine» (1909). ⟡ Le vocabulaire du golf, essentiellement composé de mots anglais, est mal assimilé en France où ce sport ne jouit pas d'une faveur populaire. Alors que d'autres sports anglicisés, comme le football, francisent en partie leur vocabulaire, celui du golf est formé d'emprunts, ce qui reflète le caractère social de sa pratique, qui tend néanmoins à se diffuser dans les pays francophones, après 1960-1970.

▸ De *golf* dérive **GOLFEUR, EUSE** n. emprunté (v. 1900) à l'anglais *golfer* «joueur de golf» (1848), et francisé par le suffixe. ⟡ Le syntagme ***golf miniature*** et le composé **MINI-GOLF** n. m., formé en français (1930), désignent un jeu différent, inspiré du golf.

GOLFE n. m. est une réfection (1528) de *golf* (v. 1284), *guolf* (1418). Le mot est emprunté à l'italien *golfo* (attesté depuis le début du XIVe s.), issu du bas latin *culfus, colfus*, altération du latin classique *colpus*, emprunté au grec *kolpos* «pli, creux», d'où «golfe». La forme *goffre*, qui se maintient jusqu'au début du XVIIe s., vient directement (v. 1196) du bas latin (→ gouffre).

♦ *Golfe* a longtemps concurrencé *gouffre*, notamment avec les variantes *goulfe* (1451-1455), *goulfre, goulphe*, les deux mots n'étant nettement distincts dans leur forme et leur sens que depuis la seconde moitié du XVIIe s. (1680). *Golfe* a pu s'imposer par les récits de voyage du XVIe s., traduits de l'espagnol ou du portugais, dans lesquels les formes *golfe* et *goulfe* (adaptation de l'espagnol ou du portugais *golfo*) désignent les golfes des Indes orientales ou occidentales (Amérique). *Golfe*, en emploi absolu, se dit aujourd'hui du golfe dit *Persique* ou *Arabique* (*le Golfe ; les pays, la guerre du Golfe*). ◇ Par analogie, le mot désigne (1834) en anatomie une partie de la veine jugulaire.

GOLIARD n. m., d'abord *golias, gouliar* (XIIIe s., «glouton, gourmand»), puis *goliard* (XIVe s.) désignant un bouffon, est d'origine obscure. Le mot pourrait être dérivé, avec le suffixe *-ard*, de l'ancien français *gole, goule* (→ gueule), le ***-i-*** provenant du nom du géant *Goliath* (cf. en latin médiéval *golias* «gourmand») ; *goliard* pourrait aussi provenir d'un élément *goli-*, représentant le radical d'un verbe germanique °*goljan* «crier, chanter, se divertir» attesté par l'ancien islandais *goela* «faire rire qqn», le moyen haut allemand *goln* «chanter à voix haute, plaisanter, etc.» *Goliard* «bouffon, jongleur» aurait donc été rattaché à *gole, goule* (d'où le sens de «gourmand») et à Goliath, symbole des ennemis de l'Église.

♦ Le mot s'est dit aux XIVe et XVe s. d'un étudiant mendiant, vivant en marge de l'Église, par emprunt au latin médiéval *goliardus* «étudiant vagabond» (av. 1219). C'est aujourd'hui un terme d'histoire.

GOLMOTTE n. f. représente (1900, aussi *golmelle*) une variante régionale, par changement de suffixe, de *colmotte* (1845) ou *coulemelle* (v. 1600), *columelle* (fin XVIe s.), emprunt au latin *columella* «petite colonne», dérivé de *columna* (→ colonne).

♦ *Golmotte* est le nom courant d'une amanite ; il désigne aussi (1900) la lépiote élevée (→ coulemelle).

GOMBO n. m. a été emprunté (1764 ; 1757, *gombaut*) à l'anglo-américain *gumbo, gombo ;* l'étymon est un mot bantou de région angolaise, *(ki) ngombo*, introduit par les esclaves noirs en Amérique et qui était en usage dans le sud des États-Unis (chez les Créoles de la Louisiane) et aux Caraïbes.

♦ Le mot désigne une plante tropicale (emploi didactique) et par métonymie ses fruits comestibles (emploi courant en français des Antilles).

GOMINA n. f. est l'emploi comme nom commun (1935) du nom d'une marque déposée (1926), qui reprend l'espagnol d'Argentine *gomina* «pommade pour fixer les cheveux», dérivé de *goma* de même origine que le français *gomme**.

♦ Le mot a vieilli avec l'évolution des cosmétiques.

▸ Il est moins vivant que **SE GOMINER** v. pron. (v. 1930) et **GOMINÉ, ÉE** adj., du participe passé (1931), souvent appliqué péjorativement à la personne.

① **GOMME** n. f., d'abord *gome* (v. 1165), est emprunté par un latin populaire °*gumma* au latin classique *cummi, gummi*, lui-même du grec *kommi*, d'origine égyptienne.

♦ *Gomme* désigne d'abord une substance mucilagineuse provenant de l'exsudation de certains végétaux, d'où les syntagmes *gomme arabique* (v. 1560), *gomme-gutte* (1654), emprunt au latin moderne *gummi gutta* (XVIIe s., du classique *gutta*; → goutte), et *gomme-résine* (1694). ◇ Par analogie (de «exsudation d'un liquide»), *gomme* se dit de la maladie de certains arbres (1742) et, en médecine, d'un type de lésion inflammatoire (1842). ◇ *Gomme* désigne ensuite d'autres substances ayant des propriétés analogues (élasticité, plasticité), par exemple dans les locutions ***boule de gomme*** (1835), ***gomme à mâcher*** (XXe s.; → chewing-gum). Par extension, le mot désigne un bloc de caoutchouc servant à effacer (1866), et aussi la substance caoutchoutée d'un pneu (XXe s.). ◇ De cette dernière valeur viendrait l'expression familière ***mettre (toute) la gomme*** (1925) «activer l'allure (d'un véhicule, d'un moteur)» et, par extension (v. 1960), «faire porter tout son effort sur qqch.». ◇ Voir ci-dessous *à la gomme* (après *gommeux, gommeuse*).

▸ **GOMMER** v. tr. (XIVe s., *cire gommée* «mêlée avec de la gomme») signifie «enduire de gomme» (1464) et, par extension, «mélanger de gomme»; le sens de «pommader» (1690) est sorti d'usage. *Gommer* signifie aussi «effacer avec une gomme» (XXe s.) et, au figuré, «atténuer, minimiser» (v. 1964), d'où **GOMMAGE** n. m. (1832). ➛ Le verbe a produit des préfixés techniques, **ENGOMMER** v. tr. (1581, au p. p.), d'où **ENGOMMAGE** n. m. (1864) et **DÉGOMMER** v. tr. (1653); ce dernier s'emploie par figure : *dégommer qqn* «lui faire perdre sa place» (1833) ou «le tuer» (1845). ◇ Son dérivé **DÉGOMMAGE** n. m. (1767) se prend aussi au figuré (1842). ➛ **GOMMIER** n. m. (1645), dérivé du premier sens du mot, désigne l'arbre à gomme. ➛ **GOMMEUX, EUSE** adj., «qui produit de la gomme» (1314) ou «de la nature de la gomme» (XVe s., *substance gommeuse*), est aussi utilisé comme nom. Le passage du nom, au sens aujourd'hui archaïque de «jeune homme que son élégance excessive et sa prétention rendent ridicule» (1842), est peu clair; il vient peut-être de *se gommer* «se pommader» ou de *vêtements gommés*, c'est-à-dire «empesés»; pour les Goncourt, *gommeux* serait un terme de mépris pour désigner ceux qui mettaient de la gomme dans leur absinthe (donc ceux qui n'étaient pas de «vrais hommes»), mais cette explication «d'époque» n'est pas corroborée. ◇ **GOMMEUSE** n. f. a désigné (1873) une chanteuse de café-concert. ➛ De *gommeux* vient le nom féminin ② **GOMME** (1875) «ensemble des gommeux» et «élégance, chic des gommeux»; si ces valeurs ont rapidement vieilli, l'expression ***à la gomme*** (1921), qui viendrait de *gomme chiquée* «élégance gommeuse affectée» et signifie «sans valeur», est bien vivante, sans que son origine soit perçue.

GONADE n. f. est un dérivé savant (1893) du grec *gonê* «ce qui engendre» d'où «semence», «organes de la génération». Le terme a probablement été créé en anglais (*gonad*, 1880); le grec *gonê* se rattache à la racine indoeuropéenne °*gen(e)-*, °*gnē-* «engendrer» et «naître» qu'on retrouve dans *genèse* et *génétique*.

▸ À partir de *gonade* «glande génitale» ont été formés des termes de biologie : **GONADIQUE** adj. (1936); **GONADOSTIMULINE** n. f. (mil. XXe s., de *stimuline*, du radical de *stimuler*), **GONADOTROPHINE** n. f. (mil. XXe s., de *-troph-* et *-ine*); **GONADOTROPE** adj. (1938, de *-trope*).

GONO-, élément tiré du grec *gonos, gonê*, est employé dans la formation de termes de médecine et de biologie. ➛ **GONOCOQUE** n. m. (1890), francisation du latin scientifique *gonococcus* (1885), formé avec *-coque*, est le nom du microbe de la blennorragie, découvert par Neisser en 1879. ➛ **GONORRHÉE** n. f., réfection (1550) de *gomorree* (1495), est un emprunt au bas latin médical *gonorrhoea*, lui-même pris au grec *gonorrhoia* «écoulement de la semence» (→ -rrhée), les Anciens pensant que l'écoulement urétral de la blennorragie était un écoulement de sperme.

GOND n. m. succède (v. 1360) aux variantes anciennes *gont* (v. 1100), *gon* (v. 1175); c'est un mot issu du latin impérial *gomphus* «large cheville en forme de coin», emprunté tardivement au grec *gomphos* de même sens.

♦ *Gond*, «pièce de métal servant de pivot», s'emploie au figuré (v. 1535) dans la locution ***faire sortir, mettre qqn hors de ses gonds*** «hors de soi», qui succède à *se tenir sur ses gonds* (XVIe s.) «rester raisonnable» et *(être) hors des gonds de...* (Brantôme, Montaigne).

▸ **GONDER** v. tr. (1845) est peu usité, mais le composé **DÉGONDER** v. tr. (1606; *desgonter*, 1514) est employé dans l'usage technique (surtout au participe passé).

ENGONCER v. tr. (1643; 1611, au participe passé; de *en-* et suffixe verbal) doit son sens à une comparaison, aujourd'hui effacée, entre une personne gênée dans un vêtement et une porte dont les pivots sont enfoncés dans les gonds; le mot s'emploie plus couramment au passif et au participe passé (cf. aussi, au figuré, *avoir l'air engoncé*). ➛ Du verbe *engoncer* dérivent **ENGONCEMENT** n. m. (1803), **ENGONÇANT, ANTE** adj. (1895), ainsi que **ENGONÇURE** n. f. (déb. XXe s.) et **ENGONÇAGE** n. m. (1951), peu usités.

✳ **GONDOLE** n. f. est un emprunt (1549), après des emplois isolés au XIIIe s. (1246, *gondele*) et au XIVe s. (1382-1384, *gondre*), à l'italien *gondola*, d'origine vénitienne et attesté dès le XIe s. par le latin médiéval *gondula* (1098) à Venise. Le mot vient lui-même, par l'intermédiaire d'une forme *condura* (XIIIe s., aussi à Venise), du grec byzantin *kontoura*, n. f., de *kontouros* «à courte queue», composé de *kontos* «court», qui figure uniquement dans des composés tardifs, et de *oura* «queue, arrière» (→ -ure). La forme *gondre* reprend la variante génoise *gondora*.

♦ *Gondole* est introduit en français avec le sens de «petite barque attachée au service d'un navire» (1246); le mot désigne ensuite (1549) une petite embarcation et, spécialement, la barque vénitienne caractérisée par ses extrémités relevées et recourbées, et la courbure de son axe longitudinal (1558, *gondolle*). ◇ Par analogie de forme, *gondole* s'est dit (1589) d'un récipient à boire, long et étroit, sans pied ni anse, aujourd'hui terme d'archéologie, puis d'une chaise à dossier incurvé (1784), nommée *chaise gondole,* et enfin d'un comptoir de vente dont la base est légèrement rentrée et les extrémités relevées (apr. 1950), notamment dans *tête de gondole* désignant un emplacement de présentation convoité, dans les commerces de grande surface.

▶ **GONDOLIER, IÈRE** n. (1532) est emprunté à l'italien d'origine vénitienne *gondoliere* (XVIe s.), dérivé de *gondola.*
Le dérivé récent **GONDOLIÈRE** n. f. désigne l'employée qui garnit les «gondoles» d'un magasin.
Le dérivé français **GONDOLER** v. tr. a subi une évolution imprévisible. Il a été utilisé comme terme de marine avec la valeur d'«être relevé de l'avant et de l'arrière comme une gondole» (1687, au participe passé). ◇ Au sens moderne de «se déformer en se recourbant», il est très postérieur (1845); c'est son pronominal, particulièrement courant *(une planche qui se gondole),* qui a donné naissance (1881) au figuré *se gondoler* «rire beaucoup» (cf. *se tordre de rire*); en argot ancien, on a aussi *se gondoler* «se reposer», par image du bois qui se gondole au soleil (1881). ◆ Du verbe dérivent **GONDOLAGE** n. m. (1845) «fait de se gondoler», **GONDOLEMENT** n. m. (XXe s.) et, au sens figuré, **GONDOLANT, ANTE** adj. (fin XIXe s.) «très amusant».

-GONE est un second élément tiré du grec *gônia* «angle» et entrant dans la composition de mots savants, surtout en géométrie, dont le premier élément est le plus souvent d'origine grecque (→ pentagone, polygone).

▶ **GONIO-**, également tiré de *gônia,* entre comme premier élément dans la formation de quelques termes didactiques *(goniomètre).*

GONFALON → FANON

GONFLER v. est un mot originaire du Sud-Ouest (1559; 1555, *confler*) issu du latin classique *conflare* «activer le feu en soufflant», d'où «fondre (une statue, etc.)» et au figuré «forger, réunir», devenu en bas latin synonyme de *inflare* «gonfler» (→ enfler). *Conflare* est composé de *con-* «avec» et *flare* «souffler» et «fondre», qui se rattache à une famille de mots indoeuropéens ayant à l'initiale °*bhl-* exprimant l'idée de «souffler» et de «gonfler».

♦ *Gonfler* s'emploie au sens latin d'«enfler» (1555) puis de «faire augmenter de volume» (1559; v. 1560, *se gonfler*). Le verbe trouve un important domaine d'application au début du XXe s. avec l'invention des pneumatiques (voir les dérivés). ◇ Au figuré, *gonfler* se dit à propos des personnes pour «remplir complètement ou à l'excès» avec différentes spécialisations au participe passé, par exemple *cœur gonflé de chagrin* (av. 1606), *gonflé d'audace* «plein d'audace» (1667). ◇ Repris au XIXe s., **GONFLÉ, ÉE,** absolument, signifie «courageux» (1842), puis (1919) «plein d'audace»; *être gonflé à bloc* «rempli de courage» évoque le gonflage des pneus. ◇ Le verbe, toujours au figuré, signifie aussi «exagérer, surestimer (un chiffre)» (1884) et «augmenter», spécialement, «la puissance d'un moteur» (emploi récent). ◇ Par une autre figure, *gonfler* correspond à «ennuyer, être insupportable à qqn» *(tu me gonfles).*

▶ Plusieurs dérivés se rattachent à *gonfler* au sens concret : **GONFLAGE** n. m. (1893), **GONFLEUR** n. m. (1911), **GONFLABLE** adj. (XXe s.). ◇ **GONFLANT, ANTE** adj. (1925, «qui gonfle d'orgueil») signifie «qui fait gonfler», «qui gonfle» (n. m., *le gonflant d'un tissu*) et au figuré «amusant» (cf. pour la même image *gondolant*). ◆ **GONFLE** n. f. (1539) désigne régionalement une congère (du sud de la Lorraine aux Alpes du Nord), c'est-à-dire de la neige entassée quand le vent souffle; au figuré le mot s'emploie pour «affaire compromettante». ◇ *Gonfle* (1553, «vessie de porc» à Genève) est régionalement synonyme de *gonflement* (spécialt «hydropisie», valeur conservée régionalement, par exemple dans *La Gonfle,* récit patoisant de Martin du Gard) et de *gonflé.* ◇ *Gonfle* se dit aussi (Suisse) pour «boursouflure, ampoule». ◆ **GONFLEMENT** n. m. (1542) s'emploie au propre et au figuré. ◆ **GONFLETTE** n. f. (v. 1970) désigne la musculation culturiste, le volume musculaire obtenu étant assimilé par dérision à une baudruche gonflée.
Le composé **DÉGONFLER** v. «faire cesser d'être gonflé» (1558, *se desconfler;* à nouveau 1802, tr.) s'emploie au figuré pour «dénoncer des prétentions exagérées» (1862); *se dégonfler* équivaut à «manquer de courage», courant dans l'usage familier (v. 1913). ◆ En dérivent **DÉGONFLEMENT** n. m. (1790), **DÉGONFLAGE** n. m. au propre (1887) et au figuré (1929) et, employés au figuré (de *se dégonfler*), **DÉGONFLARD, ARDE** n. (1932) et **DÉGONFLE** n. f. (1940). ◆ **REGONFLER** v. (1527; 1530, intr., *reconfler*) «gonfler de nouveau» et «enfler de nouveau» (1835) s'emploie aussi au figuré (1918), parallèlement à *se dégonfler,* pour «redonner du courage». ◇ En dérivent **REGONFLEMENT** n. m. (1542) et **REGONFLAGE** n. m., employés presque exclusivement au sens propre.

GONG n. m., d'abord *cong* (1681) puis sous la forme actuelle (1701), est un mot d'origine malaise (*gung;* javanais *gong*).

♦ Ce mot désigne un instrument à percussion; jusqu'au début du XIXe s. le terme n'est employé qu'en parlant des pays d'Extrême-Orient. Par extension, *gong* se dit d'un instrument analogue, servant de signal (1899, en marine; sorti d'usage), spécialement en boxe (1910), d'où *coup de gong* (indiquant la fin d'un round).

GONIO- est un élément tiré du grec *gônia* «angle», entrant dans la composition de quelques termes savants.

▶ **GONIOMÈTRE** n. m., formé avec *-mètre,* désigne un instrument à mesurer les angles (1783) dans différents domaines, par exemple en optique, en artillerie, en physiologie, etc. ① **GONIO** n. m. (1935) en est l'abréviation par apocope. ◆ **GONIOMÉTRIE** n. f. (1724), mot créé par le mathématicien Lan-Lagny, est aussi abrégé en ② **GONIO** n. f. (1951).
RADIOGONIOMÈTRE n. m. (1906) et **RADIOGONIOMÉTRIE** n. f. (1922), formés avec le premier

élément *radio-*, sont eux aussi abrégés en ③ **GONIO.**

GONO- → **GONADE**

GONZE n. m. succède (1684, «gueux») à *conce* (1628) et est emprunté à l'argot italien *gonzo* «niais, lourdaud» (av. 1561), d'origine incertaine. P. Guiraud rapproche *conce* du latin *conscius* «confident, complice», composé de *scius*, de *scire* «savoir» (1628, *conce du castuz* «domestique d'hôpital»).

♦ *Gonze* conserve la valeur de l'italien *gonzo* au XVIIIe s., puis prend le sens général d'«individu, homme» (1753), spécialement «homme énergique», «patron» au XIXe s., se valorisant progressivement alors que *mec* a suivi le chemin inverse.

▸ **GONZESSE** n. f. (1811), féminin de *gonze*, se dit pour «femme, fille» et spécialement pour «prostituée». Le mot s'emploie pour parler d'un homme, avec une valeur péjorative («homosexuel» ou «lâche»), et n'est usuel au sens de «femme» que dans l'usage régional du sud de la France, où il est connoté sexuellement (discours masculin).

GORET n. m., qui apparaît (1297) dans un surnom *(Robert le Gorrez)*, représente un diminutif de l'ancien français *gore* «truie», attesté au début du XVe s. (1415-1416). *Gore* serait formé sur la racine *gorr-*, d'origine onomatopéique, imitant le grognement du porc (cf. allemand *gorren* «grogner») ou, selon P. Guiraud, représenterait un déverbal du normand *gourer* «se gorger de nourriture», hypothèse appuyée sur le cas analogue de *gode* «truie», d'après *goder* «se gorger de nourriture». Ce verbe *gourer* est issu du latin *vorare* «dévorer*».

♦ *Goret*, «jeune cochon», se dit par figure (1694) d'un balai destiné à nettoyer la carène d'un navire et, par une métaphore plus banale (1808), d'une personne sale (cf. *cochon, porc*...), souvent d'un enfant.

✳ **GORGE** n. f. est un emprunt (déb. XIIe s.) au latin populaire °*gorga*, variante du bas latin *gurga* «gosier» (VIe s.), du latin classique *gurges* «tourbillon d'eau», «gouffre, abîme» et, par figure, «gosier»; *gurges* se rattache aux racines indoeuropéennes °*gwel-*, °*gwer-* «avaler». Le français a repris les sens du latin.

♦ *Gorge* a d'abord (déb. XIIe s.) les valeurs de «partie antérieure du cou» et de «gosier». Par extension, le mot désigne les seins d'une femme (1228; emploi vieilli aujourd'hui, qui s'est conservé dans *soutien-gorge* (→ soutenir), mot qui a succédé à *maintien-gorge* .(1889), sorti d'usage. ◇ Il entre dans des locutions figurées : ***prendre qqn à la gorge*** (fin XVIe s.), ***se couper la gorge*** «se tuer» et aussi «se battre à l'arme blanche» (1664, cette dernière valeur est sortie d'usage aujourd'hui), ***avoir le couteau sous la gorge,*** puis ***sur la gorge*** (1866). ◇ À partir de *gorge* «gosier» ont été formées des locutions où le mot désigne le lieu de production de la voix : ***rire à gorge déployée*** (1585) et, au figuré, ***faire rentrer à qqn des mots dans la gorge.*** ◆ Par métonymie, *gorge* a désigné (1280) ce qui entre dans la gorge, dans le jabot de l'oiseau de proie, c'est-à-dire le repas d'un oiseau de chasse (1376); de là viennent plusieurs locutions aujourd'hui démotivées mais toujours bien vivantes : ***gorge chaude*** s'étant dit de la chair encore chaude qu'on donnait à l'oiseau, *faire gorge chaude* a signifié «se régaler»; au figuré *faire gorge chaude de qqn* (1690) correspondait à «se régaler de plaisanteries à ses dépens»; la locution est devenue ***faire des gorges chaudes de qqn. Rendre gorge*** se disait de l'oiseau rendant la viande avalée, puis a signifié «vomir» (1535, *rendre sa gorge*); *rendre gorge* s'emploie encore aujourd'hui au figuré (1598) pour «restituer par force». ◆ *Gorge* a repris aussi le sens d'«ouverture rétrécie» (1269-1275). Il s'emploie dans divers domaines au sens général de «lieu ou objet creux et étroit», spécialement pour désigner un passage étroit entre deux montagnes (1675); la cannelure d'un objet concave (1680), etc.

▸ **GORGERETTE** n. f., diminutif de *gorgère* de même sens (1266, *gorgière*), lui-même dérivé de *gorge* «partie du cou», désignait une collerette couvrant une partie de la poitrine d'une femme (1319; d'abord 1260, «pièce d'une armure protégeant le cou»). ◆ **GORGERIN** n. m. (1419), également dérivé de *gorgère*, était un synonyme de *gorgerette*. C'est aussi un terme d'architecture (1564) au sens de «partie étroite d'un chapiteau» et, comme *gorge* lui-même, «cannelure». ◆ **GORGET** n. m., terme technique, vient de *gorge* dans ce même sens, et désigne un rabot qui fait des gorges (1757) et, par métonymie (1785), une moulure («petite gorge»). Plusieurs autres dérivés sont liés à *gorge* «gosier». **GORGER** v. tr. (1220, *gorgier*; v. 1393, *gorgé de*), «remplir de nourriture jusqu'à la gorge», s'emploie surtout au figuré (1580) au sens de «pourvoir à profusion», et plus souvent au pronominal (mil. XVIe s.). ◆ **GORGÉE** n. f. désigne la quantité de liquide qu'on avale en une seule fois (v. 1223, *gorgie*); au XIIe s. (v. 1175), *dire sa gorgie* signifie «dire ce que l'on a sur le cœur». ◆ **GORGEON** n. m. signifie (1840) «petit coup à boire» (ce que l'on a dans la gorge) et, spécialement, «verre de vin», «boisson alcoolisée»; le mot est régional et familier.
Plusieurs mots sont composés à partir de *gorge* «partie du cou» : **COUPE-GORGE** n. m. (v. 1210, *cope gorge*), de *couper*, a d'abord désigné (XIIIe s.) un coutelas, puis un lieu dangereux, où l'on risque de se faire égorger. ◆ **ROUGE-GORGE** (1464) désigne l'oiseau dont la gorge est *rouge*. ◆ **SOUS-GORGE** n. f. a désigné le dessous de la gorge d'un animal, en vénerie (XIIIe s.), puis en hippologie (1611) la partie du caveçon qui passe sous la gorge du cheval. ◆ **GORGE-DE-PIGEON** adj. inv. (1640) s'applique à une couleur irisée. ◆ De *gorge* «gosier» vient **ARRIÈRE-GORGE** n. m. (1831).
Plusieurs verbes usuels ont été composés à partir de *gorge* «gosier». ◆ **DÉGORGER** v. apparaît au pronominal au sens d'«épancher ses eaux» (1299) en parlant d'une rivière. Comme transitif, il est d'abord attesté pour «dire ce que l'on a tu longtemps» (v. 1300), d'où «bavarder» (v. 1530), «chanter» (v. 1560); le verbe a pris la valeur de «faire sortir de soi» en parlant d'un contenant (1501 tr.; au XVIe s. intr., «déborder»), d'où celui de «vider (qqch.) de son trop plein» (1611) dans divers emplois techniques. ◇ En dérivent des termes techniques **DÉGORGEMENT** n. m. (1548), **DÉGORGEOIR** n. m. (1505, *des-*

gorgeoir) «issue par laquelle un trop-plein dégorge», mot qui a pris diverses valeurs techniques, avec les sens d'«outil à dégorger», «lieu où on met qqch. à dégorger», etc. ◇ **DÉGORGEUR** n. (1860; 1555, au figuré, isolément) s'est spécialisé pour désigner la personne qui fait dégorger les vins mousseux. ◇ **DÉGORGEAGE** n. m. (mil. XVIIIe s.) est technique (teinture, œnologie). ➜ **ÉGORGER** v. tr. (1450, *esgorger*), concurrencé par *esgorgeter* (plus courant au XVIe s., «tuer en coupant la gorge», 1542), s'est employé au figuré (1690) pour «ruiner qqn par ses exigences» (comme *assassiner*) et par atténuation pour «attaquer violemment qqn» (déb. XVIIIe s.). ◇ Le dérivé **ÉGORGEUR, EUSE** n. (1606; adj. au XVIe s.) s'emploie au propre et au figuré (1837). ◇ Du verbe *égorger* dérive aussi **ÉGORGILLER** v. tr. (av. 1799), aujourd'hui archaïque. ➜ **ENGORGER** v. tr. a d'abord signifié «mettre en gorge, avaler» (XIIe s.), aujourd'hui «obstruer par l'accumulation de matières étrangères» (1611; 1690, en médecine) et par analogie «causer un embarras de circulation (1911, au participe passé)». ◇ Le préfixé **DÉSENGORGER** v. tr. (1870) est d'emploi technique. ◇ **ENGORGEMENT** n. m. (XVe s.) «action d'avaler, d'engorger» s'emploie comme le verbe au sens d'obstruction (1611; 1707, en médecine; XXe s., en parlant de la circulation) et au figuré (1767) pour désigner l'encombrement du marché; en procède **DÉSENGORGEMENT** n. m. (1870). ➜ **REGORGER** v. intr. apparaît avec le sens de «faire refluer un fleuve» en parlant de la mer (v. 1360, tr.), encore à l'époque classique, et a signifié «déborder» (v. 1340), «rendre par la gorge» (1580). ◇ Il s'emploie encore au sens d'«être très abondant» (*regorger de*, XVe s.; 1672 en parlant de personnes). ◇ Le dérivé (participe adjectivé) **REGORGEANT, ANTE** adj. (1635) «rempli» est sorti d'usage. ◇ **REGORGEMENT** n. m. «action de regorger» (1522) s'emploie surtout en médecine (1560). ➜ **RENGORGER (SE)** v. pron. correspond au sens propre, «gonfler la gorge» (1549), peu après avoir correspondu à «avaler gloutonnement» (1530), emploi disparu. Il ne s'emploie aujourd'hui qu'en parlant d'un oiseau et surtout figurément pour «prendre une attitude avantageuse» (1660), ce dernier sens étant seul usuel. Dès l'ancien français l'adjectif *engorgié* correspondait à «qui se pavane» (v. 1270). Le comportement des oiseaux (plumage, chant, jabot, roue du paon) est très productif dans ce champ sémantique. ◇ **RENGORGEMENT** n. m. (1688) correspond à *se rengorger*. **RÉGURGITER** v. tr. est un dérivé savant du latin *gurges;* il s'est employé intransitivement (1540) au sens de «regorger», «déborder» et est devenu au XIXe s. un terme de physiologie, signifiant (1842) «faire revenir de l'estomac dans la bouche». ➜ Le dérivé **RÉGURGITATION** n. f. est aussi didactique; autrefois équivalant à «débordement d'un liquide» (1567), il désigne en médecine le reflux du sang vers le cœur (1573) et le retour des aliments (1824).

◈ voir SOUTENIR (SOUTIEN-GORGE).

GORGONE n. f. est un emprunt de la Renaissance (av. 1560, *Gorgonne*) au latin impérial *Gorgona*, altération du classique *Gorgo* (ou *Gorgon*), *Gorgonis*, lui-même emprunté au grec *Gorgô*, mot sans étymologie connue, qui a donné *gorgos* «terrible». Dans la mythologie l'une des trois Gorgones, Méduse, pour avoir passé une nuit avec Poséidon, fut changée par Athéna en un monstre ailé, à la chevelure de serpents et à la bouche ouverte, qui pétrifiait les humains qu'elle regardait.

♦ Le mot apparaît en français comme terme de mythologie; par métonymie, il désigne en sculpture une représentation du monstre (1831); par figure, il se dit (av. 1848), comme *harpie* et *mégère*, d'une femme méchante, mais cet emploi a vieilli. ◇ *Gorgone* est devenu à partir du XVIIIe s. (1775) le nom d'un animal marin dont le polypier corné, à ramifications arborescentes, rappelle la tête d'une gorgone.

GORGONZOLA n. m. est emprunté (1890) à un mot italien désignant un fromage à pâte fermentée; lui-même reprend le nom d'une ville de la province de Milan, réputée pour ses fromages.

GORILLE n. m. est la forme francisée (1854) du latin scientifique *gorilla*, nom donné en 1847 par le missionnaire américain Savages à cette espèce de singes, d'après le grec *gorillai* qui, dans la traduction grecque du *Périple d'Hannon* (voyageur carthaginois du Ve s. av. J.-C.), désigne des êtres velus rencontrés par ce navigateur sur les côtes d'Afrique (1759, attestation isolée de *Gorilles* dans cette acception). *Gorille* serait à rapprocher de la racine *kor-*, *gor-* ou *gur-*, signifiant «homme» dans plusieurs langues actuelles du Sénégal.

♦ *Gorille* se dit par extension (1890) d'un homme laid ou brutal. L'emploi récent pour «garde du corps» (v. 1950-1955) est l'adaptation d'un emploi argotique de l'américain *gorilla* (1910), de même sens et de même origine.

GOSIER n. m., réfection (v. 1393) de *josier* (XIIIe s.), est issu du bas latin *geusiae* «joue, bords du gosier», d'origine gauloise; le passage de ***j*** à ***g*** s'explique soit par l'influence des mots désignant la gorge, soit par une forme °*gousia* ou °*gausia;* le suffixe *-ier* vient probablement de l'influence de *gésier*.

♦ Comme *gorge*, *gosier* «arrière-gorge» désigne par extension (XVIe s.) le siège de la voix, par exemple dans les locutions ***à plein gosier, coup de gosier*** (1835). Par analogie le mot désigne techniquement (1757) la partie d'un orgue par laquelle passe l'air.

▸ Le préfixé **DÉGOISER** v., d'abord «chanter» (fin XIIIe s.), s'emploie ensuite péjorativement pour «parler» (XIVe s., intr.) et «raconter des mensonges» (XIVe s.), «parler sans discrétion» (1535; cf. *jaser*). ◇ En dérivent **DÉGOISADE** n. f. (1853), aujourd'hui sorti d'usage, et **DÉGOISEMENT** n. m. (v. 1400, «chant d'oiseau»), «bavardage» (1845). ➜ **S'ÉGOSILLER** v. pron. est formé de *-é*, et du radical de *gosier*. *Égosiller*, v. tr. a signifié (1488) «égorger», c'est-à-dire «couper le gosier». Le pronominal s'emploie pour «se fatiguer la gorge à force de crier, de chanter» (1653) et «chanter longtemps» (en parlant des oiseaux, 1671). ◇ Le dérivé **ÉGOSILLEMENT** n. m. a signifié (1606) «action d'égorger» avant de correspondre à *s'égosiller* au sens moderne (1802).

GOSPEL (ou **GOSPELSONG**) n. m. est un anglicisme (1958 pour *gospel song*), emprunté de l'américain *gospel song*, de *gospel* «Évangile» (lui-même de *good spell* «bon récit») et *song* «chant».

♦ *Gospel*, «chant religieux des Noirs d'Amérique du Nord», tend à se substituer à *negro-spiritual* qui vieillit.

◈ **GOSSE** n., attesté depuis 1796 selon Esnault (1808, *gousse*), est d'origine obscure. On l'a rapproché de *gausser**, mais la relation sémantique entre les deux mots est peu convaincante; un emprunt évoqué au suédois *gosse* est quasi invraisemblable; la relation avec *gonze* soulève des difficultés d'ordre sémantique et phonétique. P. Guiraud propose pour origine le provençal *gous* «chien» et sa variante *gousse* (*gousset, goussoun* «petit chien») sur le modèle de *chiot* «jeune chien» et «gamin» et de *cadet* «petit d'un chien» et «jeune homme»; *gous* «chien» pourrait représenter le bas latin *coxus* «boiteux, cagneux» (du latin impérial *coxa* «hanche»): c'est ce sémantisme «homme mal développé» qui serait maintenu dans *gosse* «gamin, apprenti».

♦ *Gosse* «enfant» signifie par extension «adolescent, ente» et, à l'égard de la filiation, «enfant jeune». ◇ L'homonyme du français canadien familier, signifiant «testicule», est apparenté à *gousse** et rend l'emploi du français de France impossible au Québec.

▸ Les dérivés de *gosse* «enfant» sont **GOSSELIN, INE** n. (1827, n. m.; 1836, n. f.), synonyme sorti d'usage de «gamin»; **GOSSAILLE** n. f. (1922) «ensemble de gosses» et **GOSSERIE** n. f. (1931) «gaminerie», l'un et l'autre d'emploi rare.

GOTHIQUE adj. et n. est emprunté (v. 1440) au bas latin *gothicus* «relatif aux Goths», du bas latin *Gothi*, latin classique *Gotones, Gutones*, issu du gotique *Gut-thiuda*.

♦ *Gothique* est d'abord employé par Lorenzo Valla pour désigner l'écriture du moyen âge, comme l'adverbe *gothice* (1435-1444, «d'une manière gothique»). L'adjectif s'applique ensuite péjorativement (1615), aux XVIIe et XVIIIe s., à la période artistique comprise entre l'art antique et celui de la Renaissance que l'on pensait dominée par les Goths; en ce sens *gothique* est probablement repris à l'italien *gotico;* il est aussi substantivé (*le gothique*, 1716). Pendant la période classique, le mot, assez rare et à valeur pseudo-historique, est forte-

LE GOTIQUE

Le gotique est une langue indoeuropéenne aujourd'hui disparue qui forme, avec la langue des Burgondes et celle des Vandales, le rameau du germanique occidental. Très tôt, les Goths se scindent, en Ukraine, en deux peuples : les Ostrogoths (peut-être «Goths de l'Est» ou alors «Goths brillants») et les Wisigoths («Goths de l'Ouest» ou «Goths sages»). Les Ostrogoths s'installent en Italie et y forment un royaume qui subsiste pendant une cinquantaine d'années (493-555); ce peuple disparaît de la Romania au VIe siècle. Les Wisigoths, quant à eux, occupent dans l'Empire romain, au début du IVe s., l'actuelle Bulgarie. Vers 412, ils s'établissent dans le sud de la Gaule jusqu'à Bordeaux. Ils fondent le royaume wisigothique d'Aquitaine, avec pour siège Toulouse, et forment, parallèlement un véritable État d'un côté et de l'autre des Pyrénées. En 507, la victoire des Francs près de Poitiers anéantit le royaume wisigothique d'Alaric II en Gaule. Les Wisigoths, aidés des Ostrogoths, s'implantent plus tard (vers 550) en Espagne, où ils se fixent à Tolède. Ce n'est qu'en 711, après la conquête de l'Espagne par les Arabes, que les Wisigoths disparaissent.

La langue des Goths a laissé des traces, dans la Romania, non seulement dans les noms de lieux ou de personnes, mais aussi dans le lexique de l'italien, de l'espagnol et du français. En ce qui concerne le français, c'est surtout l'influence wisigothe qui se fait sentir. Les Wisigoths, fortement romanisés, ne parlent déjà plus leur langue probablement vers le milieu du VIe siècle. Un certain nombre de mots de cette langue ont donc eu des continuateurs en français. Parmi les idiomes germaniques qui ont laissé des traces, en particulier en français, le gotique occupe une place spéciale. Il est, en effet, la seule langue germanique dont on possède un témoignage écrit et ce, déjà au IVe siècle : des fragments importants de la traduction de la Bible par l'évêque wisigoth Wulfila (né v. 311-mort v. 383).

Les emprunts lexicaux français au gotique représentent environ 11 % du legs germanique, la grande majorité étant constituée par les emprunts au francique. Mais, sur les 76 étymons gotiques que le *Französisches Etymologisches Wörterbuch* enregistre, 28 sont attestés, alors que sur les 485 étymons franciques seuls 27 le sont. Parmi ces 76 mots gotiques, dont certains ont été transmis en gallo-roman par l'intermédiaire du latin populaire, 24 ont encore des représentants en français moderne. Il s'agit surtout de termes spécialisés, mais aussi de mots de la langue courante, tels *choisir*, gotique *°kausjan; fange*, gotique *fani; gai*, gotique *°gaheins*, ou encore *tache*, gotique *taikns*. D'autres mots d'origine gotique survivent encore dans des parlers français.

◈ voir FRANCIQUE, GERMANIQUES (langues), ITALIEN, LONGOBARD, ROMANES (langues).

J.-M. Brochard

ment péjoratif. Molière parle du «fade goût des ornements gothiques». L'origine de *gothique* n'est cependant plus toujours rapportée aux Goths : Fénelon pensait que l'art «gothique» venait des Arabes. La réaction à ce rejet intervient en France sous l'influence de savants normands (qui ont créé puis imposé *roman* en art), inspirés d'auteurs anglais ainsi que de Chateaubriand. Ces auteurs anglais de la fin du XVIIIe s. distinguaient déjà l'*ancien gothique* appelé plus tard *roman* et le *gothique nouveau*. ◇ *Gothique* désigne ensuite (1824, adj.) le style, répandu du XIIe au XVIe s. en Europe, notamment caractérisé par l'ogive ; il est en ce sens en concurrence avec *ogival*, qu'il élimine dans les dernières décennies du XIXe s. après avoir été dominé par lui. ◆ *Gothique* s'est appliqué à la langue des Goths (1545, adj. ; 1840, n. m.) ; le mot est remplacé aujourd'hui dans cette acception par sa variante graphique **GOTIQUE** (1901) : le gotique est attesté par la traduction de la Bible, dite de Wulfila, du IVe s. ◆ *Gothique* désigne aussi un type d'écriture (1585, adj. ; 1835, n. f.) à caractères droits, à angles et à crochets, utilisée en Allemagne jusqu'en 1941. Voir l'encadré page précédente.

▶ De *gothique* dérivent **GOTHIQUEMENT** adv. (1801 ; en 1534 «en écriture gothique») «à la façon gothique» et **GOTHISME** n. m. (1878) «époque gothique» puis (1907) «goût pour le style gothique», aujourd'hui archaïque.

GOUACHE n. f. est emprunté (1746) à l'italien *guazzo*, proprement «terrain inondé, marécage» (depuis le début du XIVe s.), attesté comme terme de peinture depuis la première moitié du XVIe siècle. En 1684, on rencontre l'emprunt *peinture a guazzo* «à la détrempe». Le mot est issu du latin impérial *aquatio* «lieu où se trouve de l'eau», en latin classique «action de faire provision d'eau», du radical de *aqua* (→ eau).

♦ *Gouache*, «préparation de matières colorantes», se dit par métonymie (1757) d'une peinture à la gouache.

▶ En dérive **GOUACHER** v. tr. (1847), d'où **GOUACHEUR, EUSE** n. (1881), rare.

◈ **GOUAILLER** v. serait issu (1732) d'une racine méditerranéenne pré-indoeuropéenne, de nature onomatopéique, °*gaba* «jabot», que l'on retrouve dans *gaver, s'engouer*. P. Guiraud préfère rattacher *gouailler* au radical *gobb-* (→ gober), le verbe étant construit à partir d'un thème gallo-roman °*gobacul-*.

♦ *Gouailler* signifie «se moquer grossièrement» (1732, tr.), seulement aujourd'hui en emploi intransitif.

▶ En dérivent **GOUAILLE** n. f. (1748), plus courant que **GOUAILLERIE** n. f. (1819, *goaillerie*), et **GOUAILLEUR, EUSE** adj. (1843 ; dès 1755, *gouyaeuse*, n. f.).

◇ voir GOUALANTE.

GOUALANTE n. f., terme de l'argot familier (1821) pour «chanson, complainte», représente le participe présent substantivé de *goualer*, verbe attesté en 1837 et variante probable de *gouailler**. On peut aussi rapprocher *goualer* de formes régionales *couâler, couéler*, en parlant d'animaux à cri désagréable, construites sur le radical imitatif *coua-* (cf. *coasser, croasser*).

▶ De *goualer* dérive **GOUALEUSE** n. f. (1836 ; *goualeur* n. m., 1822, est archaïque) «chanteuse» et spécialement «chanteuse des rues» (cf. *La Goualeuse*, surnom d'un personnage des *Mystères de Paris* de E. Sue, 1842). ◆ Par croisement avec *gueuler**, *gueulante* s'est employé dans ce sens.

GOUAPE n. f. est emprunté (1840), par l'intermédiaire du provençal moderne *gouapo* «gueux», à l'argot espagnol *guapo* n. m. «brigand» (depuis le XVe s.), puis adj. «vaillant» et «galant, amoureux» ; *guapo* est probablement emprunté à l'ancien picard *wape, gape* qui signifie initialement «insipide» (en parlant d'aliments), «affaibli» (en parlant d'une personne) et a été utilisé comme terme d'injure (1379). Il est issu du latin *vappa* «vin éventé» qui signifie déjà au figuré «vaurien» ; ce mot populaire est peut-être apparenté à *vapor* (→ vapeur).

♦ *Gouape* a d'abord les sens de «monde des débauchés» (*la gouape*, 1840), «viveur» (1847, *un goîpe*), «ivrogne» (1852) et «débauché» (1861) ; il équivaut aujourd'hui familièrement à «mauvais sujet, voyou» (1867).

▶ Le verbe **GOUAPER** intr., d'abord écrit *gouëper*, a signifié (1835) «vivre sans logis» puis «faire la noce» (1847, *goîper*) ; il est probablement emprunté à l'espagnol *guapear* «faire le brave» (déb. XVIIIe s.), dérivé de *guapo* (voir ci-dessus). ◆ Du verbe vient **GOUAPEUR, EUSE** n. et adj. «homme sans asile» (1827), «noceur tapageur» (1834), «filou» (1847, adj.), archaïque.

GOUDRON n. m. apparu au XVIIe s. sous cette forme (1647) était attesté depuis longtemps sous d'autres formes : *catran* (v. 1195), puis *goutren* (1309), *gotran* (1381), *gouderon* (1611). Le mot est un emprunt à l'arabe d'Égypte *qaṭrān* ; le changement de la première voyelle est mal expliqué.

♦ Le mot désigne d'abord une substance visqueuse obtenue par distillation, d'où autrefois en pharmacie *eau de goudron* (1745) et, selon le mode de préparation, *goudron de houille* (1801), *goudron minéral* ou *de pétrole* (1832) «asphalte ou bitume» ; par extension, il désigne un revêtement routier (XXe s.).

▶ **GOUDRONNER** v. tr., c'est «enduire de goudron» (1481 ; 1457, *goutrenner*, terme de marine) et «revêtir (une route) de goudron» (XXe s.). ◆ De là **GOUDRONNAGE** n. m. (1675, en marine ; 1903, pour une route), **GOUDRONNEUR** n. m. (1532, *guoildronneur*) et **GOUDRONNEUSE** n. f. (1918), désignant une machine. ◆ De *goudron* dérivent aussi des termes techniques : **GOUDRONNERIE** n. f. (1834 ; fin XVIIe s., «préparation du goudron»), **GOUDRONNEUX, EUSE** adj. (1841) «qui a la consistance, l'aspect du goudron» et **GOUDRONNIER** n. m. (1877).

GOUFFRE n. m., variante (fin XIIe s., *goufre*) de *gofre* (v. 1165), vient du latin tardif *colpus, colfus*, ◈

emprunté lui-même au IVe s. au grec *kolpos* «pli, creux», d'où les sens de «golfe, repli de la côte» et de «vallée encaissée». Le mot a pu être emprunté directement aux Grecs de la côte méditerranéenne, le gallo-roman ayant conservé les sens de «golfe» et de «vallée», alors que le latin n'a retenu que le premier. *Gouffre*, avec ses variantes (*gloufe* en ancien français), a été confondu longtemps avec *golfe*, dont il a été distingué au XVIIe s. (→ golfe).

♦ *Gouffre* «abîme où l'on risque d'être englouti» (v. 1165) s'emploie par figure au sens de «ce qui engloutit comme un gouffre», et spécialement de «gosier» (v. 1330), d'où procède la valeur de «personne qui engloutit de la nourriture» (fin XIVe s.). Une autre métaphore, retenant l'idée de danger, produit le sens de «situation déplorable» (av. 1525). ◇ Par extension du sens concret, *gouffre* équivaut ensuite à «courant tourbillonnaire» (1538) et, par métonymie, désigne une cavité creusée par les eaux. ◇ Par figure, *gouffre* se dit ensuite d'une personne très dépensière qui «engloutit» l'argent (1611) et, par extension, d'une chose ruineuse (1690).

▸ **ENGOUFFRER** v. tr. signifie «entraîner dans un gouffre» (av. 1525) d'où *s'engouffrer* «être entraîné dans un gouffre» (1538), par extension «se précipiter dans un passage» (1541); il s'emploie dès l'origine (fin XIIe s.) au figuré pour «manger avidement» ensuite pour «engloutir (des biens, de l'argent)» (1604). À partir des emplois extensifs et figurés, le rapport avec *gouffre* s'estompe. ◆ Du verbe dérive **ENGOUFFREMENT** n. m. (1686), mot rare.

① **GOUGE** n. f. représente l'aboutissement (attesté 1344, mais antérieur) du bas latin *gubia* (variante *gulbia*) «burin, gouge», mot d'origine probablement celtique, qui a donné aussi l'ancien provençal *goja*, l'espagnol *gubia*. Une variante masculine de *gubia*, °*gubius* a donné *gouet* «serpe» (1382) qui correspond à *goy* en franco-provençal (1325), aujourd'hui terme régional.

♦ Le mot désigne un outil formant un demi-tube et servant à creuser.

▸ De *gouge*, «outil creusé en canal», dérivent des mots techniques dont : ① **GOUJON** n. m. «cheville de bois ou de métal» (v. 1170, suffixe *-on*), «axe d'une poulie» (1567), «petite gouge de sculpteur» (1690) et «pièce de métal d'un appareil télégraphique» (1924). ◇ De ce nom dérive **GOUJONNER** v. tr. (1467; 1364, *goujonnier*) «assembler avec des goujons». ◆ *Gouge* a aussi pour dérivés **GOUJURE** n. f. (1694, de *gouge*) «cannelure d'une poulie», **GOUGETTE** n. f. (1757) «petite gouge de menuisier», **GOUGER** v. tr. (1767) «travailler (le bois) avec la gouge».

② **GOUGE** n. f., attesté au milieu du XVe s. (1456-1467), est emprunté à un dialecte d'oc comme l'ancien gascon *goya, gotya* «servante, fille» (1483); l'ancien provençal *gouge* (1473), l'ancien béarnais *goye* «fille non mariée» (XVe s.). Le mot remonte à l'hébreu *gōyā* «servante chrétienne» (→ goujat, gouine), féminin de *gōy* (→ goy). Refusant cette origine hébraïque, P. Guiraud attribue au mot la même origine qu'à ① *gouge*, l'idée de «jeune apprenti», «jeune servante» dérivant à son avis de l'idée de «mal développé, rabougri» (→ gosse).

♦ *Gouge* «servante» est un mot régional (Sud-Ouest); le sens de «fille» ou «femme», avec l'idée de «femme facile, débauchée», attesté dès le XVe s. et peut-être influencé par *gouce, gousse* «chienne» (→ ② gousse), est aujourd'hui sorti d'usage.

GOUGNAFIER n. m. est un mot d'origine incertaine attesté en 1899. On peut le rapprocher de *gougniafiasse* «goinfre» (1891), l'un et l'autre peut-être dérivés de *gougne* «prostituée», variante de *gouine**, ou de *gouillafe*, variante de *goulafre* «goinfre» (av. 1639; v. 1220, *golafre* isolément), dérivé de *goule, gueule**.

♦ *Gougnafier* signifie «bon à rien, rustre».

GOUINE n. f., variante (1675) de *gougne* (v. 1625-1655), est un mot normand, féminin de *gouain* «salaud» (1625), autre forme de *gouin* «lourdaud» (XVe s.). Ce mot vient peut-être de l'hébreu *goyim*, pluriel de *gōy* «non juif» (→ goy; ② gouge, goujat), mais ce passage suppose un milieu judéo-chrétien non identifié.

♦ *Gouine* désignait autrefois une prostituée; il se dit aujourd'hui (av. 1867) pour «homosexuelle».

▸ Le dérivé de *gougne* **GOUGNOTTE** n. f. (1858) est synonyme de *gouine*. ◇ Il a pour dérivé le verbe **GOUGNOTTER** (Lr., 1958) «avoir des relations homosexuelles avec (une autre femme)».

GOUJAT, ATE n., apparu sous la forme *gougeas* (pluriel) au XVe s., est un mot emprunté à l'ancien provençal *gojat* «gars» (1339), dérivé de l'hébreu *gōyā* «servante chrétienne» (→ ② gouge), féminin de *gōy* «non juif» (→ goy). P. Guiraud rattache pourtant *goujat*, comme ② *gouge*, à ① *gouge*, le *goujat* «valet d'armée» ayant pu être celui qui portait une gouge, «bâton emmanché d'une serpe»; cette hypothèse est assez gratuite.

♦ *Goujat*, d'abord «valet d'armée», puis «apprenti maçon» (1676, *goujat*) encore régional, «homme grossier» (v. 1720), rare aujourd'hui, se dit par extension d'une personne sans usage dont les manières sont offensantes (spécialement s'agissant d'injures faites à une femme). Le féminin (fin XVIe s.) est peu utilisé.

▸ Le dérivé **GOUJATERIE** n. f. signifie d'abord «ensemble des valets d'armée» (1611) puis «caractère, acte de goujat (au sens moderne), impolitesse» (1853). ◆ Deux autres dérivés, **GOUJATISME** n. m. (1885) et **GOUJATEMENT** adv. (1896), sont peu usités.

① **GOUJON** → ① GOUGE

② **GOUJON** n. m., réfection (v. 1398) de *gujon* (déb. XIIIe s., cf. les variantes régionales *gouvion, goiffon*), est issu du latin impérial *gobio* (accusatif de *gobionem*), du latin classique *cobius* puis *gobius*, emprunté au grec *kôbios*, nom de petits poissons de mer (ci-dessous *gobie*) ou d'eau douce.

▸ De *goujon* «petit poisson d'eau douce», symbole de la pêche en rivière avec le gardon, dérivent les

termes de pêche **GOUJONNIER** n. m. (1845), **GOUJONNIÈRE** adj. f. (1845) et un terme de cuisine **GOUJONNETTE** n. f. (1933).
Le latin *gobio* a été déformé en latin scientifique moderne en *gobius* (1748) d'où, par emprunt, le français **GOBIE** n. f. (1803) aussi appelé *goujon de mer,* poisson qui se fixe au rocher par une ventouse.

GOULAG n. m., attesté comme nom féminin (1938) avec le sens russe, s'est répandu vers 1974 avec la traduction du livre de A. Soljenitsyne, *L'Archipel du Goulag.* Le mot représente l'abréviation russe de *Glavnoïé Upravlenie Lagereï* «Direction générale des camps».

♦ *Goulag* (souvent avec une majuscule) désigne l'institution des camps de travail forcé dans l'ancienne Union soviétique et, par extension, la mise à l'écart, dans un régime totalitaire, des éléments jugés indésirables, ou *(un, des goulags)* un camp de travail forcé. Des extensions plus vagues ont donné au mot une valeur proche de celle de *ghetto.*

► En dérive **GOULAGUIER** n. m. (1978) «gardien, partisan d'un goulag».

GOULASCH ou **GOULACHE** n. m. ou f., variante (1914, *goulasch,* n. f.) des formes *gulasch, gouliasch* en 1893, est un mot emprunté par l'allemand au hongrois *gulyás,* abréviation de *gulyás hús,* formé de *gulyás* «bouvier» et de *hús* «viande».

♦ *Goulasch,* «ragoût de bœuf assaisonné à la mode hongroise», est plus courant au masculin (le mot, en hongrois, n'a pas de genre). Le sens du français est plus tributaire de l'allemand que du hongrois originel, où *gulyas* désigne une préparation liquide, une soupe.

✷ ① **GOULE** n. f. est la reprise (1808) de la forme ancienne de *gueule,* attestée à la fin du xe s. *(gola),* et issue du latin *gula* «gorge, gosier», «bouche des animaux» (→ gueule).

♦ Le mot s'emploie régionalement pour *gueule;* il est resté vivant par ses dérivés.

► **GOULÉE** n. f., «grosse bouchée, gorgée», est d'abord attesté sous la forme *golee* (1176, au figuré).
GOULET n. m. est un diminutif de *goule;* le mot a le sens général d'«ouverture étroite». Il a désigné un ruisseau (1358), puis l'embouchure d'un cours d'eau (1506), la partie étroite d'une bouteille (1544), sens déjà vieilli au xviie s. et éliminé par un autre dérivé, *goulot.* ◇ *Goulet* prend au xvie s. le sens de «passage étroit» (1555), spécialement «entrée étroite d'un port» (1743), et est utilisé comme terme technique (1752, «trou par lequel on introduit la fusée de la bombe»; 1759, terme de pêche, «ouverture d'une nasse»). ◇ Au xxe s. *goulet* s'emploie au figuré dans ***goulet d'étranglement*** (1959).
GOULOT n. m. n'est plus utilisé au sens de «passage par où l'eau s'écoule» (1415), mais on dit cependant, outre *goulet,* ***goulot d'étranglement*** (alors senti comme une métaphore du sens «col de bouteille»). ◇ *Goulot* s'emploie familièrement pour «gosier» (1616), sens remotivé plus tard par *goulot* «col d'une bouteille» (1680), qui est la valeur dominante du mot en français contemporain.
GOULU, UE adj. est attesté (av. 1493) au sens de «qui mange avec avidité», de là, par figure, la valeur de «avide de» (par métonymie, 1643, *regards goulus*). ◇ Il a pour dérivé **GOULÛMENT** adv. (1546), employé au propre et au figuré. ➛ **GOULOTTE** n. f., diminutif de *goule,* a le sens de «petite rigole qui permet l'écoulement des eaux» (1694) et techniquement de «conduit calibré» (1890).
GOULEYANT, ANTE adj., attesté en 1931, est emprunté au français régional (de l'Ouest, du francoprovençal, de Suisse) où on le relève au xixe siècle. Le mot se dit en parlant d'un vin qui se boit facilement d'où, au figuré (mil. xxe s.), le sens «agréable». Enfin **GOULAFRE** adj. et n., dérivé de la forme *gole,* est attesté isolément en ancien français (v. 1220, *golaffre*) appliqué au diable, puis au xviie s. écrit *gouilliafre* (av. 1639), sans doute par influence de *goliard*.* La graphie *goulafre* n'apparaît qu'au xixe s. (1821). Le moyen âge connaissait le surnom *Gulafrius* (1106). ➛ Le mot, encore employé dans le nord-est de la France et en Belgique, équivaut à *goinfre.*
Le composé **ENGOULER** v. tr. (v. 1170), «avaler, engloutir», est sorti d'usage ou régional, comme le dérivé **ENGOULEMENT** n. m. (xiie s.). ➛ **ENGOULEVENT** n. m., proprement «qui avale le vent», est au moyen âge un nom propre (1292, de *engouler* et *vent*), encore chez Rabelais, nom d'un géant de l'armée de Picrochole. Il a eu le sens d'«homme qui boit et mange beaucoup» (1656). ◇ Il désigne ensuite (1778) un passereau au bec largement fendu, sens où il reste vivant.

◈ voir DÉGOULINER.

② **GOULE** n. f., attesté (1712) dans la traduction de Galland des *Mille et Une Nuits,* est emprunté à l'arabe *ġūl* «démon qui dévore les hommes», au pluriel *ġilān* d'où la forme *gaïlan* (1697).

♦ *Goule* désigne un vampire femelle des légendes orientales et, au figuré (fin xixe s.), une femme lascive, insatiable, dans un usage littéraire.

GOUPIL n. m. représente l'aboutissement (xiiie s.), par les formes *goupieu* (xie s.), *gupil* (v. 1119), *gulpil* (v. 1155), du bas latin *vulpiculus* (cf. ancien italien *volpiglio*), dérivé du latin classique *vulpecula* «petit renard», diminutif de *vulpes, volpes* «renard», mot sans origine connue. Le *g* initial provient d'une influence germanique, le bas latin ayant fourni par ailleurs les formes *vorpil* (v. 1175), *volpil* (v. 1180).

♦ *Goupil,* éliminé par *renard*,* se maintient comme archaïsme littéraire.

◈ voir GOUPILLE.

GOUPILLE n. f. est le féminin lexicalisé (1439) de l'ancien français *goupil* «renard» (v. 1119; → goupil).

♦ Le mot désigne une cheville utilisée pour assembler deux pièces (cf. les sens techniques de *renard*).

► Le dérivé **GOUPILLER** v. tr. apparaît dans une acception technique «garnir de goupilles» (1670). ◇ *Goupiller,* au sens de «combiner, arranger» (1900), mêle probablement une dérivation de *goupille* et une variante de *goupiner* (→ gouspin). ➛ Du verbe viennent **GOUPILLAGE** n. m. (1885) et le composé **DÉGOUPILLER** v. tr. (1749), spécialisé dans *dégoupiller une grenade* (apr. 1916).

GOUPILLON n. m., variante (v. 1460) des formes *guipellon* (v. 1180), *guipillon* (XIVe s.), est dérivé de l'ancien français *guipon*, sous l'influence de *écouvillon*. On considère souvent *guipon*, attesté tardivement (1342), comme issu du francique °*wisp* «bouchon de paille» (cf. la forme *wispeilon*, XIIIe s., et encore le normand *vipillon*, 1416); le breton *guispon*, emprunté au français, indiquerait que l'*s* que contiennent certaines formes est étymologique. On a aussi proposé pour l'étymon l'ancien nordique *vippa*, d'un radical *vip-* «se balancer»; il s'agit en tout cas d'un mot d'origine germanique.

♦ *Goupillon*, «tige garnie de touffes de poil, dont on se sert pour asperger d'eau bénite», prend le sens de «brosse à long manche» (1611) sous l'influence de *écouvillon*. Le mot désigne figurément l'Église (1835) dans la locution ***le sabre et le goupillon.***

► En dérive **GOUPILLONNER** v. tr. (1680; 1597, *guespilloner* «asperger») «nettoyer avec un goupillon».

GOUR ou **GOURD** n. m. apparaît sous les formes *gort* (v. 1110, «cours d'eau»), *gors* (XIIe s.), puis *gour* (dialecte des Dombes, 1005) qui représentent l'aboutissement du latin *gurges* «tourbillon d'eau», «gouffre, abîme» (→ gorge).

♦ *Gour* est resté un terme régional (Centre, Sud et Alpes) pour désigner la partie creuse d'un cours d'eau et (en Auvergne) un lac profond.

GOURBI n. m. apparaît dans un récit de voyage, écrit *gurbie* (1743), puis au XIXe s. (1841); c'est un emprunt à l'arabe d'Algérie *gurbī*, «maison de terre, chaumière», peut-être lié à l'arabe classique *qurbā* «proximité».

♦ *Gourbi*, «habitation sommaire», a désigné par analogie (1855) un abri de tranchées et, par extension (1878-1879), une habitation misérable et sale.

GOURD, GOURDE adj., réfection (v. 1160) de *gurt* (v. 1112), est issu du latin impérial *gurdus* «lourdaud, grossier», puis en gallo-roman «immobilisé par le froid», le mot latin étant d'origine ibère (où il signifie «gros, bien nourri»; cf. espagnol *gordo*).

♦ Le français *gourd* a signifié «sans mouvement» en parlant du vent (v. 1112) et s'applique à ce qui est engourdi (v. 1160, *main gourde*). Il s'est dit, comme en latin, pour «lourd, grossier» (1342), d'où le sens de «maladroit» (v. 1498). ◇ Par ailleurs, l'adjectif s'est employé jusqu'à l'époque classique au sens de «pompeux, opulent, riche» (v. 1460), en parlant de personnes, de vêtements, etc., valeur venue du domaine d'oc où *gort* «bien nourri» apparaît dès le XIIe siècle. Cette acception disparaît sans laisser de traces vers la fin du XVIIe siècle.

► De cet emploi dérive **GOURDEMENT** adv., en moyen français «beaucoup» (XVe s.) d'après le sens de «riche», sens disparu au XVIe siècle. L'adverbe est rare pour «avec les mains gourdes».

Le préfixé **ENGOURDIR** v. tr. signifie d'abord (v. 1260; v. 1195, au participe passé) «priver en partie de sa mobilité» (un membre ou le corps), d'où par extension (1555) «mettre dans un état de ralentissement», au propre (en parlant des fonctions vitales). Au figuré; *engourdi* est, de nos jours, plus courant que *gourd*. ➛ Les dérivés **ENGOURDISSEMENT** n. m. (1539) et **ENGOURDISSANT, ANTE** adj. s'emploient au propre et au figuré.

DÉGOURDIR v. tr. s'emploie lui aussi au propre (v. 1442) et au figuré, attesté longtemps après (1588) le participe adjectivé **DÉGOURDI, IE** (XIIIe s.) «vif, prompt», substantivé en moyen français (1391, *Jehan le Desgourdi*, surnom). ◇ Au sens de «chauffer légèrement» (1694, *faire dégourdir de l'eau*), le verbe a vieilli. ◇ Il a produit le terme technique **DÉGOURDI** n. m., «pièce de céramique soumise à une première cuisson» (1782) et «cuisson légère pour ôter l'excès d'eau dans une pâte de porcelaine» (1844). *Dégourdir* a signifié «manger vite et goulûment» (v. 1150), valeur relevée jusqu'au milieu du XVIIIe s. dans les dictionnaires.

GOURDE n. f. s'est substitué (1377) à *gorde* (XIIIe s.) et représente une altération de l'ancien français *coorde* (XIIIe s.; → courge), du latin *cucurbita* «courge» et «gourde», probablement sous l'influence de l'ancien provençal *cogorda*, de même origine.

♦ *Gourde* conserve (XIIIe s.) le sens du latin, «fruit de certaines cucurbitacées» et, par métonymie, désigne aussi le récipient constitué par ce fruit vidé (v. 1520, *caourde pleine de vin*). Par analogie de forme, *gourde* se dit d'un récipient portatif (1828). ◇ Au figuré, sous l'influence de l'adjectif *gourd*, le mot signifie «personne niaise et stupide» (1886); il est adjectivé peu après (*il, elle est gourde*, 1895).

► C'est ce dernier sens qui est retenu dans les dérivés **GOURDASSE** n. f. (XXe s.), rare, et **GOURDIFLOT** n. m. (XXe s.), avec le même suffixe argotique que *artiflot* «artilleur».

GOURDIN n. m. représente un emprunt (1526, *gordin*), par l'intermédiaire du provençal °*gordino* attesté par le latin médiéval *gordinum* à Marseille (1298), à l'italien *cordino*, dérivé de *corda* «corde» (→ corde).

♦ Le mot a désigné d'abord (1526) une corde utilisée pour infliger un supplice aux forçats puis, par extension et sous la forme moderne *gourdin* (1622), un gros bâton lourd et solide.

GOURER v. tr. apparaît d'abord au participe passé sous la forme *gorré* (2de moitié XIIIe s., attestation isolée) et tardivement comme verbe pronominal (1790); il est probablement formé à partir du radical *gor-* (→ goret). Pour P. Guiraud, les sens de *gor-* peuvent être classés en trois groupes : **1.** «dévorer» : en Normandie, *se gourrer* a signifié «se gorger de nourriture» (→ goret); **2.** «mener une vie de débauche»; **3.** «tromper»; le passage de «gourmand, débauché» à «trompeur» appartient d'ailleurs, toujours selon Guiraud, à un sémantisme fondamental de la langue.

♦ *Gourer* apparaît avec le sens de «tromper» (XIIIe s., puis 1460 au participe passé) valeur aujourd'hui sortie d'usage, alors que reste vivant *se gourer* (1807 ; 1790, *se gourrer*). Par extension, le verbe s'est dit pour «falsifier» (1832), spécialement «falsifier un remède» (1845) ; cet emploi familier a disparu.

► Le dérivé **GOURANCE** n. f. (1899, au sens de «soupçon») «erreur» (1913) est très familier, comme **GOURANTE** n. f. (XXe s.) qui en procède. ◇ Le déverbal **GOURE** n. f. (1562, «simulation») est sorti d'usage.

GOURGANDINE n. f. est un mot d'origine dialectale (attesté 1640), probablement composé du radical de *gouret, goret* que l'on retrouve aussi dans le moyen français *gorre* «syphilis», *gorrasse* «coquette», le dialectal *gore, goure* «femme de mauvaise vie» (d'où le verbe provençal *gourra* «courir les femmes») et d'un dérivé dialectal de l'ancien français et de l'ancien provençal *gander, gandir ;* → gandin (cf. *gandine* «femme de mauvaise vie», dès le XVIIe s.). ◇ On trouve aussi (1613) le masculin *gourgandin* (utilisé par Céline).

♦ *Gourgandine,* «femme facile», «prostituée» (1640), est peu usité aujourd'hui. Le mot a désigné aussi (1694) un corsage lacé devant, qui fut en usage au XVIIe siècle.

► Le dérivé **GOURGANDINER** v. intr. (1867) et son dérivé **GOURGANDINAGE** n. m. (1895) sont sortis d'usage.

GOURMAND, ANDE adj. et n. est un mot d'origine incertaine (1354). Rattacher le mot à *gourmet** (avec un changement de suffixe) soulève des difficultés, *gourmet* ne prenant un sens analogue qu'au XVIIIe s., très probablement par influence de *gourmand ;* on peut partir à la rigueur du sens de «valet» qu'a eu *gourmet :* l'évolution sémantique serait alors analogue à celle de *goinfre* «parasite», puis «glouton». P. Guiraud propose une base *gourm-* «gorge», commune à *gourmand, gourme, gourmet, gourmette,* issue d'un gallo-roman °*culmus* puis °*cormu,* du latin *calamus* «chalumeau» et «trachée-artère» (→ chalumeau) ; °*culmus* serait à l'origine de l'espagnol *cuelmo* et du portugais *colmo,* de l'occitan auvergnat *cormel* «pipeau» (Aurillac) ; là encore, *gourmand* serait un doublet de *gourmet* avec la finale *-and* appliquée à des métiers *(marchand, truand).*

♦ *Gourmand* s'est dit longtemps (1354, adj.) pour «qui mange avec avidité». Au figuré, le mot signifie «avide de connaître, qui aime beaucoup» (1550, *gourmand de*). ◇ Par extension du sens propre, *gourmand* se dit d'abord en emploi adjectif (1688), puis comme nom masculin (1700), d'une pousse qui tire la sève à elle. *Pois gourmand* désigne une variété de *petit pois.* ◇ Le mot a perdu sa connotation négative au XVIIIe et au XXe s. ; l'adjectif, dans des emplois extensifs, est devenu synonyme de *gastronomique* (*chronique gourmande,* etc.).

► Le verbe dérivé **GOURMANDER** a signifié «dévorer» (v. 1330, d'abord tr.), encore au XIXe s. (Littré). Cette valeur disparue était rattachée à l'adjectif ; il n'en va plus de même pour d'autres acceptions, «tourmenter» (v. 1378) et «manier durement (un cheval)» (1611), ces deux sens sous l'influence de *gourmer* (→ gourme). Par extension, *gourmander* se dit ensuite pour «réprimander vivement» (1630) et «dominer (ses passions)» (1660). ➝ Du verbe dérive **GOURMANDEUR, EUSE** adj. «glouton» (XVIe s.), repris au XIXe s. au sens de «qui a l'habitude de réprimander», d'emploi rare (1880). ➝ **GOURMANDISE** n. f., autre dérivé de *gourmand,* s'est substitué (1400-1403) à *gourmandie* (1342) et *gourmanderie* (1357). Le mot a eu une évolution sémantique parallèle à celle de *gourmand.* Il signifie aussi «mets friand» (1835, surtout au pluriel).

GOURME n. f., recensé au XIIIe s. (1228) sous la forme *gorme* «écrouelles», viendrait du francique °*worm* (ou °*wurm*) «pus», restitué à partir de l'ancien haut allemand *wurm,* du néerlandais *worm,* tôt répandu dans la Romania (cf. ancien provençal *worm* «morve de cheval», XVe s.). P. Guiraud préfère rattacher le mot à la base gallo-romane qu'il extrait d'une série de mots d'origine obscure ou douteuse, °*gourm-* «gorge» (→ gourmand). Dans les deux cas, le sémantisme paraît quelque peu sollicité.

♦ *Gourme* désigne depuis le XIVe s. (v. 1350) une maladie de la gorge du cheval, d'où ***jeter sa gourme*** (XVIe s.) «être affecté de la gourme pour la première fois» et, au figuré, en parlant d'une personne (1559) «faire ses premières frasques» ; par analogie, le mot est devenu un synonyme familier de *impétigo.* ◇ Gourme a été utilisé (1405, *mors a gourme*) pour désigner la chaînette appelée un peu plus tard *gourmette* (ci-dessous), peut-être parce que la chaînette provoquait pour le cheval la même gêne que la maladie de la gourme, mais cette évolution de sens n'est pas claire.

► **GOURMER** v. tr. est attesté (v. 1300) au participe passé *(gormé),* qui signifiait «qui a la gourme». *Gourmer* s'est dit figurément pour «critiquer sévèrement» (1580) et «battre à coups de poing» (fin XVIe s. ; cf. *se gourmer,* 1583-1590), peut-être en raison des marques laissées par les coups, analogues à celles qui résultaient de la gourme, ou, selon P. Guiraud, parce que *gourmer* signifierait «donner un coup sur la gorge». Le verbe, qui a influencé le dérivé de *gourmand, gourmander*,* s'emploie aussi au sens de «brider un cheval avec sa gourme ou gourmette» (attesté en 1611, mais *regourmer* est relevé dès 1549), d'où au figuré à celui de «rendre raide» ; en ce sens, le pronominal *se gourmer* (1563) et surtout l'adjectif **GOURMÉ, ÉE** (1732), qui avait signifié en moyen français «goitreux» (v. 1300), sont plus courants. ➝ **GOURMADE** n. f. (de *gourmer*) «coup de poing» (fin XVIe s.) est archaïque.

GOURMETTE n. f. a remplacé (1442) *gourme* pour désigner la chaînette qui fixe le mors dans la bouche du cheval. Par analogie, le mot désigne aujourd'hui (1895) une chaîne de montre, un bracelet en mailles de métal.

GOURMET n. m. est une altération, par métathèse (1402), de *groumet* (1392), auparavant au féminin (v. 1330, *groumete* «courtière en vins») ; cette forme a triomphé, probablement par attraction, d'autres mots en *gourm-*. Ce nom est issu de l'ancien français *grommes* «valet» (1352) dont l'origine est discutée; il est soit rattaché à l'ancien anglais *grom* «jeune garçon» (1225) puis «valet» (1297) (→ groom), et, par influence sémantique, à *gourmand,* soit rattaché (P. Guiraud) à la racine °*gourm-* «gorge» (→ gourme), issue du gallo-roman °*culmus,* doublet de *calamus* (→ chalumeau) au sens de «chalumeau», «pipette» (servant à goûter). Mais cette dernière hypothèse ne tient pas compte des formes initiales en *grou-*.

♦ *Gourmet,* d'abord «valet chargé de conduire les vins», s'est dit (1458) par élargissement de «celui qui déguste du vin, qui sait l'apprécier», d'où, par assimilation probable à *gourmand**, le sens moderne (peu av. 1757) de «personne qui apprécie la bonne chère».

GOUROU n. m. est une adaptation (1732, Trévoux) de *gurū* «vénérable», mot hindi issu du sanskrit *gurúh* «lourd, grave», qui trouve des correspondants dans plusieurs langues indoeuropéennes : grec *barus* (→ baryton), latin *gravis* (→ grave), gotique *kaurus.*

♦ *Gourou,* nom donné à un maître spirituel, à un précepteur religieux dans la religion brahmanique, a été repris et diffusé au XXe s. (1946; répandu v. 1960) pour parler d'un maître à penser, sans doute sous l'influence de l'anglais.

GOUSPIN n. m., d'origine incertaine (1649), pourrait être composé à partir de *gousser* «manger» (v. 1537; de l'ancien provençal *gosa* «chienne»; → gousse) et de *pain* (cf. *happelopin* «vaurien», XVIe s., proprement «celui qui vole un morceau»); il représente peut-être un dérivé de *gousse,* forme ancienne de *gosse* mais qui n'est attestée qu'au XIXe siècle.

♦ *Gouspin,* terme argotique, apparaît au sens de «polisson, vaurien»; il désigne un factotum (1808) et un clerc de notaire ou d'huissier (1847).

▸ En dérive peut-être le verbe **GOUPINER** «travailler» (XVIIIe s.) puis «faire son travail (en parlant de voleurs)» (1799), sans doute influencé par *goupiller* «ruser» (→ goupiller).

① **GOUSSE** n. f., réfection tardive (1538) de *gose* (v. 1200; variante *gosse,* v. 1225), est d'origine incertaine. Il représente peut-être l'ancien français *gouce* «chienne» (v. 1330), féminin de *gos* «chien» (fin XIIe s.) qui correspond à l'ancien provençal *gossa* «chienne» (mil. XIIe s.). On connaît des créations métaphoriques analogues : *caïeu,* et roumain *câtel de usturoiu* «gousse d'ail», de *câtel* «petit chien». *Gos* «chien» est supposé d'origine onomatopéique. ◇ Selon P. Guiraud, *gousse* (comme sa variante provençale *golsa*) représenterait un gallo-roman °*volsa,* synonyme du latin *volva* «enveloppe» (qui a donné l'ancien français *vous, vousse* «courbé, bombé»), dérivé de *volvere,* et de *volvus* «bulbe». La *gousse* serait donc un «objet voûté», ce sémantisme rendant compte de tous les emplois du mot et de ses dérivés.

♦ *Gousse,* d'abord «enveloppe des graines des légumineuses», désigne par analogie de forme un caïeu d'ail (XIIIe s.), un ornement architectural (1676), puis le fruit des légumineuses (1701) et, en termes de pêche, une masse lestant les filets (1783).

▸ De *gousse* dérive **GOUSSET** n. m., d'abord *goucet* (1278; cf. aussi *gocet,* 1180), de sens incertain. Le mot a désigné d'abord une pièce de l'armure protégeant l'aisselle (1302), puis le creux de l'aisselle (1278) et, par extension, une pièce placée à la manche d'un vêtement (1398), ensuite dans la ceinture d'un pantalon. De cette dernière acception viennent les sens modernes de «petite bourse» (1642), d'abord portée sous l'aisselle, et de «petite poche de gilet ou de pantalon» (1757). ◇ Par analogie, *gousset,* terme technique, désigne une console de bois (1438), une traverse soutenant une autre pièce de bois (1551) et, à l'époque actuelle, une plaque de tôle servant de renfort (1930). ➜ Le composé **VIDE-GOUSSET** (1835, de *vider*) s'est employé pour «filou, voleur», par allusion archaïque (mais le mot n'est pas attesté anciennement). ➜ **GOUSSAUT** n. m. (1615, n. m.; 1678, adj.), terme technique, désigne, d'après l'image de la gousse bien remplie, un animal au corps trapu.

◈ voir **GOSSE** (mot canadien), ② **GOUSSE**.

② **GOUSSE** n. f., attesté en argot au XIXe s. (1865), est peut-être issu de l'ancien français *gouce* «chienne» (v. 1330), féminin de *gos* «chien» (v. 1175; → ① gousse) ou serait le dérivé (déverbal) de *gousser* «manger» (1460), lui-même formé sur *gos* ou *gousse* avec la valeur de «manger comme un chien, grossièrement». Un rapport avec ② gouge* n'est pas exclu.

♦ L'assimilation de «chienne» à «femme débauchée» conduit au sens initial de *gousse* «femme lascive, débauchée» (encore attesté en 1878) puis au sens moderne d'«homosexuelle», peut-être sous l'influence de la série *gougne, gougnotte, gouine* (→ gouine).

✳ **GOÛT** n. m., réfection graphique tardive (XVIIe s.) de *goust* (déb. XIIIe s.), *gost* (XIIe s.), est issu du latin *gustus* «action de goûter, dégustation», puis «goût d'une chose», au propre et au figuré; *gustus* se rattache à une famille issue de la racine indoeuropéenne °*geus-* «éprouver, goûter, apprécier», famille à laquelle appartient le germanique *kausjan* «éprouver» (→ choisir).

♦ Comme en latin, *goût* s'emploie au propre et au figuré dès les premières attestations. Le mot signifie au XIIIe s. «sens par lequel les saveurs sont distinguées» (v. 1282), d'où par métonymie «saveur» (XIIe s.), par exemple dans la locution disparue (1617) *(plat) de haut goût* «très épicé». ◇ Par extension, *goût* désigne une impression forte sur les sens (quand il ne s'agit pas d'aliments), au propre (1564; cf. *odeur*) et au figuré. Dans des expressions, il équivaut (1379) à «appétit, envie», d'où la locution figurée ***faire perdre (passer) à qqn le goût du pain*** «le tuer» (1656), précédée par ***perdre le goût du pain*** «mourir» (1616) et par extension «lui faire perdre l'envie de recommencer (qqch.)».

Goût s'emploie dès le XIIIe s. au sens figuré (1276, *venir bien a goust* «plaire, convenir»); il signifie «penchant, disposition» (1538, ***le goût de (à) qqch.***; d'où

en goût (av. 1613), ***par goût,*** etc.) et, spécialement, «inclination amoureuse» (1676). ◇ Parallèlement, *goût* se dit (1564) pour «aptitude à discerner les beautés et les défauts» (faculté analogue au sens du goût), en particulier dans les domaines esthétique et intellectuel (1643, ***le bon goût***), d'où ***de bon (mauvais) goût*** (1690), ***dans le goût de, (personne) de goût, avoir du goût, être sans goût,*** etc.

▶ ① **GOÛTER** v. est issu du latin *gustare* «goûter», au propre et au figuré, et «faire collation», dérivé de *gustus.* ◇ *Goûter* s'emploie comme *goût* au sens propre (v. 1130, *goster de;* 1155, *guster,* tr.), d'où *goûter de* «boire ou manger une chose pour la première fois» (XIIIe s.), et au figuré (fin XVe s.) «apprécier, trouver à son goût» (mais *goûter qqn* est sorti d'usage), «faire l'épreuve de qqch. pour la première fois» (*goûter de,* 1580). ◇ Le français reprend le sens latin de «faire une collation dans l'après-midi» (1538, intr.), d'où vient ② **GOÛTER** n. m. (1538) «léger repas entre le déjeuner et le dîner» (régionalement, **GOÛTERON** n. m., attesté mil. XXe s.). À l'époque classique, on préférait à la Cour *collation,* et *goûter* était jugé «populaire et bourgeois» (Richelet, 1680) ; dès le XVIIIe s., le nom s'emploie surtout en parlant des enfants (Académie, 1740). ➜ De ① *goûter* dérivent également **GOÛTABLE** adj. (1495), d'emploi rare, **GOÛTEUR** n. m. (1579) et **GOÛTEUX, EUSE** n. (1910, de *goûter*) et adj. (de *goût*) «qui a bon goût, savoureux».

RAGOÛTER v. tr., formé (déb. XIIIe s.) de *re-* et *a-* (du *ad* latin), signifie «plaire à qqn», opposé à *dégoûter,* mais est demeuré plus rare et s'emploie surtout en construction négative. Par extension, il a signifié «réveiller le désir, la passion de qqn» (fin XIVe s.) et «remettre en appétit» (1660). ➜ Le déverbal **RAGOÛT** n. m. n'apparaît qu'au XVIIe s. où il a désigné un mets qui excite l'appétit (1623, *ragoust*), le mot *apéritif** étant très postérieur, puis un assaisonnement (1690), également au figuré (1647). ◇ Puis *ragoût,* détaché de son origine, s'est spécialisé (1665) pour nommer un plat de viande (ou de poisson) et de légumes. ◇ Au figuré, c'est un terme de peinture (1767) désignant une facture grasse et expressive, acception sortie d'usage au XIXe siècle. ➜ **RAGOÛTANT, ANTE** adj. s'applique à ce qui plaît (1672) et à ce qui excite l'appétit (1673), surtout en construction négative ; l'antonyme *dégoûtant* est beaucoup plus usuel et contamine le sens du mot. ➜ Le dérivé régional et populaire **RAGOUGNASSE** n. f. (1881), formé avec l'initiale *gougn-* (→ gougnafier) et le suff. péjoratif *-asse,* désigne une cuisine infecte.

DÉGOÛTER v. tr. (de ① *dé-* et *goût*) a signifié, d'abord au participe adjectif *dégoûté, ée* (1379), puis au pronominal (XVe s.) et enfin comme transitif (1538) «ôter l'appétit à (qqn)», et au figuré «inspirer un ennui extrême» (fin XVIe s.), d'où «éloigner de», en usage jusqu'à l'époque classique. ◇ Par extension, *dégoûter* signifie «prendre en dégoût» (fin XVe s.), «écœurer», «rebuter» (1538) puis «ôter l'envie de» (fin XVIe s. ; 1756, par plaisanterie *si vous n'aimez pas ça, n'en dégoûtez pas les autres*). *Se dégoûter,* en ce sens, est attesté depuis le XVIe s. (après 1550) .➜ **DÉGOÛT** n. m., déverbal de *dégoûter,* s'emploie au sens de «manque de goût, d'appétit» (1580), et au figuré (1636) pour «aversion morale (pour qqch. ou qqn)», «cessation du plaisir que procure qqch.» (fin XVIe s.). ➜ **DÉGOÛTANT, ANTE** adj. signifie «qui inspire du dégoût» (1642), dans un contexte concret ou moral. Il se dit aussi pour «fastidieux» (1790) et «très mauvais».

Sur *goût* ont été également composés **AVANT-GOÛT** n. m. (1610), employé au figuré, et **ARRIÈRE-GOÛT** n. m., «goût qui reste dans la bouche après l'absorption de certains aliments ou boissons» (1798), qui s'emploie aussi au figuré (XIXe s.).

◈ voir DÉGUSTER.

✳ ① **GOUTTE** n. f. est issu (v. 1360), par les formes *goute* (XIIIe s.), *gute,* d'abord *gote* (v. 980), du latin *gutta* «goutte de liquide», «tache en forme de goutte», au figuré «petite partie, parcelle», et aussi terme d'architecture, mot de formation expressive.

♦ Le mot conserve le sens latin de «petite quantité de liquide de forme sphérique» (v. 980), d'où la locution adverbiale ***goutte à goutte,*** au propre (1170) et au figuré (av. 1654), et ensuite les locutions figurées : ***se ressembler comme deux gouttes d'eau*** (1664), ***ne pas avoir une goutte de sang dans les veines*** (1835), ***avoir la goutte au nez*** (1866). ◇ Parallèlement *goutte,* représentant une petite quantité (fin XIIe s.), s'emploie avec *ne* pour former une négation renforcée avec certains verbes (*ne veoir gote,* v. 1130, «ne rien voir»). Cet usage correspond aux emplois négatifs de *pas, point, mie* (archaïque) et est aujourd'hui plaisant ***(on n'y voit goutte).*** ◇ Par extension, *goutte* désigne en pharmacie une unité de mesure (1700 ; 1721, *des gouttes*), une petite quantité de boisson, spécialement de boisson alcoolisée (1795, «eau-de-vie» dans ***boire la goutte*** et quelques emplois), et aussi *donner la goutte,* familier et vieilli pour «donner à téter» (1907). ◇ Par analogie, comme en latin, *goutte* se dit d'une tache qui ressemble à une goutte, spécialement en architecture (1568) au sens d'«ornements de forme conique», et en orfèvrerie (1820, *goutte d'eau*) pour désigner une pierre taillée en forme de goutte.

▶ ② **GOUTTE** n. f. est le nom d'une maladie (v. 1170, *male gote ;* puis v. 1200, *goute*) ainsi nommée parce qu'elle était attribuée à des gouttes d'humeur viciée. Le mot s'applique surtout à une diathèse arthritique manifestée par des dépôts d'urate et des douleurs articulaires aiguës. Par extension, on a parlé aussi de *goutte viscérale* et le mot s'est appliqué à d'autres affections. Très courant du XVIe au XVIIIe s., le mot est ensuite marqué, puis archaïque. ➜ En dérive **GOUTTEUX, EUSE** adj. et n. «qui est atteint de la goutte» (XVIe s. ; 1174-1176, *gutus*) et, beaucoup plus récemment, «qui se rapporte à la goutte» (1900). ➜ Du diminutif **GOUTTELETTE** n. f. «petite goutte» (apr. 1250, *goutelete*) et au figuré «petite quantité», dérive **GOUTTELER** v. intr., attesté au XXe siècle. ➜ **GOUTTER** v. intr., dérivé de *goutte* au sens premier ou emprunté au dérivé bas latin *guttare,* signifie «tomber goutte à goutte» (XIIIe s., *gutteir ;* v. 1320, *gouter*) et «faire couler goutte à goutte» (XIVe s.). ◇ Il a pour dérivé le terme technique **GOUTTEUR** n. m. (mil. XXe s.).

Parmi les autres dérivés, **GOUTTIÈRE** n. f. a désigné la partie inférieure d'un toit, d'où l'eau tombe goutte à goutte (v. 1120), aujourd'hui le toit lui-même dans sa partie inférieure (XVIe s.), et un canal fixé au bord inférieur du toit (mil. XVe s.). ◇ Par extension, *gouttière* s'est dit (1580) d'une fissure par où l'eau pénètre goutte à goutte à l'intérieur d'une maison. ◇ Par analogie, le mot désigne un objet qui rappelle, par sa forme demi-cylindrique, une gouttière : en anatomie (1805), en chirurgie (1845), en armement (1845, *gouttière d'une épée*), etc. ◇ Le dérivé **GOUTTEREAU** n. m. (1398, *goutterot*) est un terme technique.

DÉGOUTTER v. intr. signifie «couler goutte à goutte» (v. 1119), d'emploi rare (d'où le diminutif **DÉGOUTTELER** v. intr. [XIIIe s. ; repris au XIXe s.]), et «laisser tomber goutte à goutte» (v. 1120). ➡ **ÉGOUTTER** v., «débarrasser (qqch.) d'un liquide en le laissant s'écouler goutte à goutte», est attesté au XIIIe siècle. Le pronominal *s'égoutter*, «perdre son eau goutte à goutte», est courant (v. 1268, «se tarir», d'une source). ➡ **ÉGOUT** n. m. (XIIIe s., *esgorz*), déverbal de *égoutter*, désigne ce qui permet l'écoulement des eaux de pluie et des eaux ménagères (v. 1260, *esgos*) et l'eau qui s'écoule peu à peu (1538). ◇ Le sens actif est rare et le pluriel, ***les égouts***, est devenu usuel au XIXe s. avec le développement de l'hygiène urbaine ; le mot n'est alors plus senti comme dérivé de *égoutter*. Au figuré, le mot signifie «lieu ou aboutissent les gens les plus vils, les vices, etc.» (1692 ; cf. *bourbier*). ➡ À partir d'*égout* sont construits le dérivé **ÉGOUTIER, IÈRE** n. m. et adj. (1824) et le composé **TOUT-À-L'ÉGOUT** n. m. inv. (1886, de *tout* nominal). ➡ Du verbe *égoutter* dérivent aussi **ÉGOUTTAGE** n. m. (1778), **ÉGOUTTEMENT** n. m. (1330), **ÉGOUTTOIR** n. m. (1554), spécialement de nos jours *égouttoir à vaisselle*, **ÉGOUTTURE** n. f. (fin XVIIe s.) et le régional **ÉGOUTIS** n. m. (*égouttîs* à Troyes, 1887).

COMPTE-GOUTTES n. m. inv. (av. 1850, de *compter*) désigne un appareil servant à doser les liquides et se dit au figuré ***(au compte-gouttes)*** pour «avec parcimonie». ➡ Le composé **GOUTTE-À-GOUTTE** n. m. (1931), de la locution ***goutte à goutte***, désigne en médecine une perfusion lente et l'appareil qui la permet. ➡ Enfin, **GOUGOUTTE** n. f., mot familier signifiant «petite goutte», est formé (XXe s.) par redoublement.

GOUVERNER

GOUVERNER v. tr. est l'aboutissement (XIIIe s.), par la forme *guverner* (v. 1050), du latin *gubernare* «diriger un navire» et «diriger, gouverner», emprunt technique de la langue nautique au grec *kubernan*, de même sens (→ cybernétique).

♦ *Gouverner* a d'abord le sens d'«exercer le pouvoir politique», transitif et en construction absolue, et celui de «diriger la conduite de qqch. ou de qqn» ; en ce dernier sens, certains emplois du verbe sont aujourd'hui sortis d'usage : «entretenir des personnes, pourvoir de» (XIIIe s.), d'où «soigner un malade» (1425) encore au XIXe siècle. En moyen français, le verbe *gouverner qqn* a eu le sens d'«avoir une conversation avec» (XVIe s.) puis «être en relation avec» (fin XVIe s.), et *gouverner qqch.* «en avoir soin» (1360), spécialement «administrer avec épargne» (1611). En grammaire le verbe a signifié «régir» (apr. 1650). ◇ D'autres sens ont disparu, comme «s'occuper de l'éducation de (un enfant)» (fin XIVe s.), ou sont littéraires, «dominer», avec un sujet nom de chose (v. 1190). ◇ *Gouverner* a aussi dès le XIe s. (1080) le sens latin de «diriger un navire», d'où viennent le sens de «conduire» : *gouverner une voiture* (1689) et au figuré : *gouverner son regard*, et celui, régional (encore en Suisse), de «soigner le bétail».

▶ Les dérivés de *gouverner* se rattachent à ses trois sens principaux.

GOUVERNEMENT n. m., d'abord au sens disparu de *gouverner* «action de diriger qqch. ou qqn» (fin XIIe s., *governement ;* cf. latin médiéval *gubernamen*, XIe s.), prend (v. 1265) le sens d'«action d'exercer le pouvoir politique sur un groupe social» (valeur devenue littéraire). D'où (1462) en droit ancien l'acception de «direction d'une ville, d'une province, etc.», par métonymie, «circonscription régie par un gouverneur» (1462) et de «charge d'un gouverneur» (1461-1466). ➡ C'est à la Renaissance que le mot prend une valeur politique, désignant (1588) la structure selon laquelle est régi un État, puis le pouvoir qui assume la direction d'un État (1648, mais répandu au XVIIIe s.) et spécialement le pouvoir exécutif (1762) par opposition au *législatif*, puis l'administration centrale d'un État et enfin, avec la IIIe République, la partie du pouvoir exécutif responsable devant le Parlement (attesté, 1887). ➡ De *gouvernement* dérivent **GOUVERNEMENTAL, ALE, AUX** adj. «relatif au pouvoir (politique, exécutif) ou au ministère» (1801) et «qui soutient le gouvernement, le ministère» (1866). Dans le premier sens, on parle d'*organisations gouvernementales* et aussi, sur le plan de l'action humanitaire, d'***organisations non gouvernementales***, abrégé en *O. N. G.* ◇ **GOUVERNEMENTALISME** n. m. (1840) et **GOUVERNEMENTALISTE** adj. et n. (1862), termes vieillis. Tous les emplois à partir du milieu du XVIIIe s. et jusque vers le milieu du XIXe s. ont subi l'influence de l'anglais *government*, de même origine, et de ses dérivés. ◇ *Gouvernemental* a pour préfixé **INTERGOUVERNEMENTAL, ALE, AUX** adj. (1946) «qui concerne plusieurs gouvernements» et au Québec (dep. 1967) «qui concerne les relations entre le gouvernement québécois et d'autres gouvernements». ◇ **ANTIGOUVERNEMENTAL, ALE, AUX** adj. (1830) est dans Balzac en 1832. ➡ Enfin, **SELF-GOVERNMENT** est l'emprunt graphique (1831) d'un composé anglais en *self* «soi-même» (→ self), qui s'applique à un système britannique d'administration, puis à l'autonomie d'un pays.

GOUVERNE n. f., déverbal de *gouverner*, a le sens général d'«action de gouverner» (1292, *estre en le gouvierne de* «être dirigé par» ; en 1240, *governe* est en outre attesté au sens de «nourriture»), sorti d'usage en parlant du commerce (1723) ou d'une personne, sauf dans la locution (1829) ***pour ma (ta***, etc.) ***gouverne***. ◇ Le mot s'est cantonné à des sens plus spécialisés, en marine «action de diriger une embarcation» (1866, *aviron de gouverne*), par métonymie (1872) «dispositif pour changer de direction» (cf. *gouvernail*) et, par extension (1930), «dispositif mobile servant à diriger un engin aérien» (cette extension est postérieure à l'emploi de *gouvernail*).

GOUVERNANT, ANTE n. et adj., a eu comme nom masculin (1437) le sens de «gouverneur» et de «conduite» (v. 1550); le mot désigne (1789), surtout employé au pluriel, ceux qui détiennent le pouvoir politique (opposé à *gouverné*). ◇ Le nom féminin *gouvernante*, d'abord «femme d'un gouvernant» c'est-à-dire d'un gouverneur (1477), désigne une femme qui s'occupe de l'éducation d'un enfant (1534); par extension, le mot s'est dit (1651) d'une femme chargée de surveiller une jeune fille et il s'emploie encore quelquefois (1690) au sens de «femme qui s'occupe du ménage d'un célibataire». ➛ **GOUVERNANCE** n. f., d'abord équivalent de *gouvernement* (XIIIe s.), puis terme de droit (1478) et au sens de «charge de gouvernante» (1679), s'emploie aujourd'hui au Sénégal, par l'action philologique et politique du président Senghor, pour désigner les services administratifs d'une région. ➛ **GOUVERNABLE** adj. (1823) «susceptible d'être gouverné» (à propos d'humains) est postérieur à **INGOUVERNABLE** adj., attesté en 1713 à propos des sentiments, et aujourd'hui terme de politique. Deux mots de la même famille sont empruntés à des dérivés latins. ➛ **GOUVERNAIL** n. m. est issu (v. 1130; fin XIe s., *governail*) du latin *gubernaculum* «aviron à large palette servant à diriger un navire» et employé au figuré, du verbe *gubernare*. ◇ *Gouvernail* conserve les sens latins au propre (fin XIe s.) et au figuré «gouvernement» (XIVe s.), «conduite des affaires publiques, du gouvernement, etc.» (1534); ces emplois métaphoriques ont vieilli. ◇ En revanche, le transfert de toute une partie du vocabulaire de la marine aux engins aériens a donné à *gouvernail* une valeur nouvelle en aviation (1909). (Cf. ci-dessus, *gouverne.*)

GOUVERNEUR n. m. (1130-1140, *gouverneres*) est issu du latin *gubernator* «celui qui tient le gouvernail» et, au figuré, «celui qui dirige (un État)»,formé sur *gubernatum*, supin de *gubernare*. ◇ Le mot désigne d'abord celui qui dirige qqn, d'où spécialement (v. 1165, *governere*) un chef militaire, puis en droit ancien (fin XIIe s., *guvernere*) le fonctionnaire qui gouverne une province, une ville; le mot a éliminé *gouvernant** dans son sens ancien. On parle surtout aujourd'hui de *gouverneur militaire*. ◇ *Gouverneur* a ensuite désigné (fin XVe s.) celui qui dirigeait l'éducation d'un enfant, d'où (1690) *sous-gouverneur* «gouverneur en second», sorti d'usage. ◇ Spécialement, il s'est dit du chef mis par l'État à la tête d'une grande institution financière (XVIIIe s.; mais dès 1492, *gouverneur des finances*), d'où **SOUS-GOUVERNEUR** n. m. (1806). ◇ Le mot a désigné (1645; repris au XIXe s. en droit colonial) le fonctionnaire représentant dans une colonie l'autorité métropolitaine, le chef de l'administration. Il se dit, par adaptation de l'anglais *governor*, à propos des États-Unis, du chef du pouvoir exécutif d'un État fédéré.

GOY n. m. apparaît au XVIe s. (selon Dauzat) et est repris sous les formes *goï* (1844), *goye* et *goym* au pluriel (1878). Le mot est emprunté à l'hébreu moderne *gōy*, pluriel *gōyīm* «non juif» et en particulier «chrétien» (cf. le provençal *gouien* «les chrétiens», 1795). Le mot vient de l'hébreu biblique où il signifie «peuple, nation» puis «peuple d'Israël» et enfin «peuples non juifs».

♦ *Goy* est le nom donné par les israélites aux personnes étrangères à leur culte, en particulier aux chrétiens.

◈ voir ② GOUGE, GOUINE, GOUJAT.

GOYAVE n. f. succède (1614), avec la variante *gouyave* (1643), à la forme *gouiave* (1601-1603) et s'est introduit en français par des traductions de l'espagnol, sous une forme empruntée à l'arawak (langue amérindienne des Caraïbes) *guayaba* (1555; forme employée en espagnol, 1526), du caraïbe *guava*.

♦ Le mot désigne un fruit originaire d'Amérique tropicale à saveur parfumée et sucrée.

► L'arbre qui produit ce fruit exotique a été nommé **GOYAVIER** n. m. (1647; 1601-1603, *gouiavier*).

GRAAL n. m. représente (mil. XIIe s.) une forme occitane (*gré, gréau, grial* en domaine d'oc) issue du latin médiéval *gradalis* «plat large et creux» (1010), mot d'origine incertaine, dont on sait qu'il est lié à une réalité rurale. *Gradalis* pourrait provenir du latin populaire °*cratalis*, issu du latin classique *cratis* «claie»; on a proposé aussi pour étymons les mots classiques *crater* «vase» (→ cratère) ou *gradus* «degré» (parce que dans le récipient les morceaux sont disposés l'un après l'autre).

♦ *Graal* a repris le sens du latin médiéval, puis le mot s'est spécialisé au sens de «plat de la Cène» (v. 1200; nom propre). Le Graal était au moyen âge le symbole du salut spirituel et la quête du Graal est le thème central des légendes celtiques du cycle d'Arthur.

GRABAT n. m. est un emprunt (1190), d'abord sous la forme *grabatum* (1050), variante tardive du latin *grabatus* «mauvais lit», du grec *krabbatos* «petit lit bas», qui n'est pas un mot hellénique, mais un emprunt occidental, sans doute macédo-illyrien.

♦ *Grabat*, peu attesté avant le XVIe s., a conservé le sens du latin; le mot s'est dit (1690) d'un lit de malade.

► Il a pour dérivé **GRABATAIRE** adj. et n. av. 1720, «sectaire qui n'acceptait le baptême que sur son lit de mort», désignant ensuite (1777) une personne qui (par maladie, faiblesse, infirmité) ne peut quitter le lit. Le mot est aussi adjectif, dans ce sens (1762).

GRABUGE n. m., variante (1536) de *gaburge* (1526), est un mot d'origine discutée. On y voit traditionnellement un emprunt au vénitien *garbugio*, correspondant à l'italien *garbuglio* «tumulte, désordre, confusion» (2e moitié XVe s.), à l'origine du moyen français *garbouile* ou *garbouille* «querelle» (1536). *Garbuglio* pourrait lui-même être issu de l'ancien italien *garbugliare* «embrouiller, bouleverser» (dep. XVIe s.), composé pour le premier élément d'une racine onomatopéique *garg-* évoquant la gorge (celle de *gargouiller*) et de *bugliare* «s'agiter» (XIVe s.; altération du dialecte italien septentrional *boglire,* pour *bollire* «bouillir»). Mais le grand nombre de formes dialectales relevées dans le nord de la France permet d'autres hypothèses; ainsi, selon Bloch et Wartburg, *grabuge* représenterait une altération, par substitution de suffixe (d'après *déluge*), de *grabouil, garbouil* (attesté 1536), déverbal de *grabouiller, garbouiller* «faire du tumulte» (XVIe s.), lequel serait emprunté au moyen néerlandais *crabbelen* «égratigner, griffonner». ◇ Selon P. Guiraud, enfin, *grabuge* serait issu du verbe dialectal *grabber* «saisir par des crampons» (Béthune, 1496), comme le picard et le normand *grabuche;* il serait formé sur la racine *grab-*, exprimant l'idée de «griffe», de «crampon», à l'origine du néerlandais *grabben* «saisir» (cf. anglais *to crab,* même sens; allemand *graben* «creuser»). P. Guiraud évoque, par ailleurs, le latin *carabus* «crabe» en proposant des formes hypothétiques °*carabuculare,* °*carabuciare* «gratter, fouiller comme un crabe».

♦ *Grabuge* se dit familièrement pour «dispute, querelle bruyante»; par extension, le mot signifie «échauffourée», «remue-ménage» (av. 1850). ◇ Il a désigné par analogie (1855) un jeu de cartes.

✳ **GRÂCE** n. f. est un emprunt (v. 1050), précédé par la forme latine *gratia* (2e moitié Xe s.), au latin classique *gratia* «reconnaissance» (abstrait), «acte par lequel on s'acquiert de la reconnaissance», d'où «service rendu»; le mot est fréquent dans la langue politique, pour «faveur, crédit, influence» puis «agrément, beauté, grâce», le latin chrétien ayant développé la valeur religieuse «faveur divine». *Gratia* vient de l'adjectif latin *gratus* «accueilli avec faveur», «reconnaissant». → gratifier, gré.

♦ *Grâce,* à partir du XIIe s., développe trois sens principaux conservés du latin : «reconnaissance», «ce qu'on accorde à qqn» et «agrément». *Grâce* signifie d'abord (v. 1050, *par la Deu grace*) «faveur de Dieu», «aide de Dieu qui rend l'homme capable de parvenir au salut», d'où plus tard les locutions ***an de grâce*** (v. 1360), ***état de grâce*** (1456), ***à la grâce de Dieu*** (attesté anormalement tard, 1872), *État de grâce* a été repris en politique pour «situation où le pouvoir bénéficie d'une opinion favorable». ◇ Le mot, dans le domaine profane, a pris le sens latin de «faveur», spécialement de «pardon, remise d'une peine» (v. 1174-1176) et «disposition à faire des faveurs» (XIIIe s.). À partir de ce sens sont construites une série de locutions : ***rentrer en grâce*** (1538), ***faire grâce à qqn de qqch.*** (1588, au propre et au figuré), ***de grâce*** (1636) d'abord «par bonté», ***faire à qqn la grâce de*** «le plaisir» (1636), ***trouver grâce*** «plaire» (1654), ***bonnes grâces*** (1657), ***coup de grâce*** «qui termine les souffrances» (1690; 1758 au figuré). ◇ *Grâce* s'emploie aussi pour «remerciement» (1135), spécialement dans la locution ***action de grâce(s)*** «témoignage de reconnaissance rendu à Dieu», d'où (fin XIIIe s.) par extension *les grâces* «prière de remerciement après les repas». De là viennent par ellipse ***grâce*** (en soit rendue) ***à Dieu*** (1549), ***grâce au ciel*** (1665) et la locution prépositive (1564) ***grâce à.*** ◇ Depuis le milieu du XIIe s. *grâce* signifie enfin, par réemprunt au latin, «charme d'une chose», puis (fin XIIe s.) «d'une personne». Au pluriel ***les grâces de qqn*** signifie «ses attraits» (vieilli). Par extension, ***bonne (mauvaise) grâce*** (XIVe s.) se dit d'un comportement qui plaît (ou déplaît); de là viennent ***avoir bonne*** (1584), ***mauvaise*** (1611) ***grâce à*** et ***de bonne (mauvaise) grâce*** (1637). ◇ Au pluriel, les ***trois Grâces*** désignent (1550) les trois déesses qui personnifiaient le don de plaire, et *grâces* signifie «manières gracieuses». À cet emploi seul correspond l'adjectif *gracieux* (cf. ci-dessous).

▶ **GRACIER** v. tr. est probablement un emprunt au latin médiéval *gratiare* (formé sur *gratia*), plutôt qu'un dérivé de *grâce.* Le verbe a d'abord signifié «rendre grâce (à Dieu)» (v. 1050) puis «remettre une amende» (1336) et, attesté tardivement (1832), «faire grâce à (un condamné)». ◆ D'où le dérivé (en droit) **GRACIABLE** adj. (1690), d'abord au sens de «reconnaissable» (1311, attestation isolée).

GRACIEUX, IEUSE adj. est un emprunt ancien (1176) au latin *gratiosus* «qui est en faveur, accorde une faveur», «fait ou obtenu par faveur», dérivé de *gratia.* ◇ L'adjectif signifie d'abord «qui témoigne de bienveillance» (1176), en parlant des personnes puis des choses (fin XIVe s., *saison gracieuse*); ce sens a vieilli, à la différence d'un autre sens médiéval «qui a de l'agrément» (1176-1181). *Gracieux* s'applique ensuite à une personne qui est aimable, cherche à être agréable (av. 1473). Vers 1530, l'adjectif signifie «qui accorde des grâces à qqn», d'où en particulier *gracieux souverain* «qui accorde sa grâce» (av. 1778), acception disparue; au XIXe s., par extension, il prend la valeur de «qui est accordé sans contrepartie (comme une grâce)» (1866). ◇ *Gracieux* a eu (1831, n. m.) le sens de «bouffon de comédie»; c'est alors un emprunt à l'espagnol *gracioso* «gracieux», attesté depuis le début du XVIIe s. au sens d'«acteur spécialisé dans les rôles comiques» (*gracioso* avait été emprunté en français en 1715). ◆ L'adjectif a servi à former **GRACIEUSEMENT** adv. (1302), **GRACIEUSETÉ** n. f. «manière aimable» (1462), «don gracieux» (1462), terme littéraire, comme **GRACIEUSER** v. tr., autrefois «traiter qqn avec grâce» (1584), qui a pris le sens de «rendre gracieux» (1853; 1881, pron.).

DISGRÂCE n. f. est un emprunt de la Renaissance (1539) à l'italien *disgrazia,* composé de *dis-*, du latin *dis-*, et de *grazia,* de même origine que le français *grâce.* Le français emprunte le sens d'«événement malheureux» (1539), sorti d'usage. Le mot signifie encore aujourd'hui «perte de la faveur de qqn» (1564; XVIIe s., en religion). Une troisième valeur, «manque de grâces» (1564), est littéraire et a vieilli. ◆ Le français a également repris à l'italien, au XVIe s., un composé de *grazia.* **DISGRACIÉ, IÉE** adj. et n. (1546), emprunté à l'italien *disgraziato,* a les deux valeurs de *disgrâce* (1601, *disgracié de la nature*) et a fourni **DISGRACIER** v. tr. (1552), littéraire. ◆ **DISGRACIEUX, IEUSE** adj., formé d'après *gracieux,* apparaît au début du XVIe s. (1518, *desgracieux*) au sens de «désagréable», qui semble rare avant le XIXe s. et reste littéraire. L'adjectif s'applique surtout (attesté depuis 1578, mais antérieur) à une personne, une attitude qui manque de grâce. ◇ Le dérivé **DISGRACIEUSEMENT** adv. est attesté plus tôt (1518) avec cette valeur. ◇ *Disgracieux* a signifié aussi «d'une manière peu heureuse» (1752), et le dictionnaire de Trévoux le note comme terme nouveau à la mode.

GRACILE adj., attesté en 1515, abandonné ensuite et repris en 1867 (Baudelaire), est emprunté au latin *gracilis* «maigre, mince, grêle»; c'est un doublet savant de *grêle* (→ ① grêle).

▸ En dérive l'adverbe rare **GRACILEMENT** (1929). ◇ **GRACILITÉ** n. f. (1488) est un emprunt au dérivé latin *gracilitas* «finesse, forme élancée».

GRADATION n. f. est emprunté (1464) au latin *gradatio* «gradin», aussi terme de rhétorique, dérivé de *gradus* (→ grade).

♦ *Gradation* désigne d'abord en rhétorique et comme en latin (1464) une succession de mots de force croissante ou décroissante; le mot prend (1595) le sens général de «progression par degrés successifs» et s'emploie spécialement en peinture (1676) et en musique (1865).

GRADE n. m. est emprunté (1578) à l'italien *grado* ou au latin *gradus* «pas», d'où «marche, allure, étape» et, dans la langue militaire, «position»; *gradus*, dérivé de *gradi* «marcher», s'est spécialisé dans le sens de «pas fait pour grimper une échelle, un escalier», d'où le sens de «degré», au propre et au figuré, puis de «rang».

♦ *Grade* est introduit en français avec l'un des sens analogiques du latin, «degré d'honneur, de dignité», courant à l'époque classique et aujourd'hui sorti d'usage comme celui de «marche d'un escalier, escalier» (1611). ◇ Le mot se spécialise ensuite au sens de «degré d'une hiérarchie» (1690), en particulier dans *grade universitaire* (1718) et *grade militaire* (1798), emploi d'où vient la locution ***en prendre pour son grade*** (av. 1908). ◆ De là aussi **SANS-GRADE** n. m. «personne de situation subalterne», qui fait allusion à un vers célèbre d'E. Rostand, dans *l'Aiglon* («...*les obscurs, les sans-grades*»). ◆ *Grade* est introduit en géométrie (1803) avec le sens particulier d'«unité de mesure des angles», pour désigner la centième partie d'un angle droit. ◇ Suivi d'un numéro, dans le domaine de l'industrie pétrolière, la catégorie S. A. E. (Society of Automotive Engineers) le mot indique le degré de viscosité d'une huile de graissage, le mot est emprunté (1960) à l'anglais *grade*, de même origine.

▸ **GRADÉ, ÉE** adj. «(soldat) qui a un grade, en particulier un grade inférieur» (1796) s'emploie par analogie dans d'autres domaines. Il est substantivé (1842), aussi au féminin (*une gradée*, après 1960). ◆ Du sens de *grade* en géométrie dérivent les composés didactiques, où il sert de suffixe, **CENTIGRADE** (1811), **DÉCIGRADE** (1922), **MILLIGRADE** (1923), tous noms masculins.

GRADIENT n. m. a été construit (attesté 1876, *gradient barométrique*) à partir du radical de *gradus* et de l'élément *-ient*, sur le modèle de *quotient*. Le mot, d'emploi scientifique, a le sens général (1890) de «taux de variation d'une grandeur physique en fonction de la distance»; il s'emploie en météorologie (1876, *gradient barométrique*), en électricité (1907) et en biologie (mil. XXe s.).

-GRADE est un élément emprunté au latin *-gradus* (lui-même servant à former en latin des adjectifs savants), du substantif *gradus* «pas; marche; degré». *-grade* sert en français à former des mots dans certains domaines techniques et en zoologie notamment (ex.: *antérograde* «qui se déplace vers l'avant»; *plantigrade* «qui marche sur la plante des pieds»).

GRADUS n. m. représente l'abréviation (1821) de *Gradus ad Parnassum* «Degré vers le Parnasse», titre (1702) d'un dictionnaire latin du jésuite allemand Aler dans lequel étaient notés la métrique des mots, les synonymes, etc., pour faciliter les exercices de versification; ce terme didactique s'emploie par extension pour parler d'un dictionnaire poétique (1825, *gradus français*).

◈ voir **DÉGRADER, GRADIN, GRADUEL, GRADUER.**

GRADIN n. m. est emprunté (1643) à l'italien *gradino* «petite marche» (déb. XVIIe s.), diminutif de *grado*, de même origine que *grade**.

♦ *Gradin* reprend le sens de l'italien puis s'emploie par analogie : *gradins d'un jardin* (1704), *d'un amphithéâtre* (1727), *chantier en gradins* (1866).

① **GRADUEL** n. m. est un emprunt (1374) au latin médiéval *gradualis*, variante sous l'influence de *gradus* du latin chrétien *gradalis* dont l'évolution avait abouti en ancien français à *grael* (déb. XIIIe s.). *Gradalis* s'est employé dans *gradales psalmi* (Ve s.), littéralement «psaumes des degrés», parce qu'ils étaient chantés par les pèlerins montant vers Jérusalem ou (par figure) parce que certains mots étaient repris d'un vers à l'autre; *gradalis* est dérivé de *gradus* «marche» (→ grade).

♦ *Graduel* désigne une portion de l'office de la messe, qui se disait autrefois sur les marches de l'ambon et, par métonymie (1375-1376), le livre de chants pour la messe.

GRADUER v. tr. représente un emprunt (1545; dès 1400-1417, au participe passé) au latin médiéval *graduare* «conférer une dignité», dérivé du latin classique *gradus* au sens de «rang» (→ grade).

♦ *Graduer* s'emploie d'abord au sens de «conférer un grade universitaire» (1400-1417). Il se dit ensuite (de *gradus* «degré») pour «augmenter par degrés (qqch.)» (1545) et pour «diviser en degrés (un instrument)» (1643).

▸ **GRADUATION** n. f., dérivé de *gradus* ou emprunt au latin médiéval *graduatio*, du supin de *graduare*, a été employé au sens de «dosage» (1495, attestation isolée) et se dit de l'action de graduer et, par métonymie, des divisions obtenues en graduant (1718). ◆ ② **GRADUEL, ELLE** adj. représente un emprunt (1560, en droit) au latin médiéval *gradualis* «qui va par degrés», dérivé de *gradus*, dont il reprend le sens. Il passe du sens juridique à une valeur générale (1688) et a produit **GRADUELLEMENT** adv. (1596; 1374, en liturgie; cf. ① *graduel*). ◆ **GRADUALISME** n. m. «attitude réformatrice procédant par paliers» et **GRADUALISTE** adj. sont des termes didactiques récents.

◈ voir aussi **GRADIN**, ① **GRADUEL**.

GRAFFITI n. m. pl., attesté au XIXe s. (1856, *Graffiti de Pompéi*, titre), est emprunté au pluriel italien *graffiti* (1657), dérivé de *grafio*, du latin *graphium* «stylet», avec influence de *graffiare* «griffer». *Graphium* a abouti en français à *greffe**.

♦ *Graffiti*, terme d'archéologie, désigne aussi couramment des inscriptions ou dessins griffonnés sur des murs. On relève rarement le singulier *graffito* (1866) et la forme francisée **GRAFFITE** n. m. (1878) qui s'est spécialisée (v. 1975) en archéologie pour désigner une inscription faite sur une céramique. ◇ Dans un autre contexte, *graffiti* a été repris à propos de surfaces décoratives élaborées, tracées à la bombe et différentes des tags*. Avant que ce mot ne soit acclimaté en français, *graffiti* incluait les tags.

▸ Le dérivé **GRAFFITEUR, EUSE** n. «auteur de graffiti» (attesté 1943, Drieu La Rochelle) a été repris dans le contexte récent (v. 1990) des tags et spécifiquement des *graffiti* au sens moderne (alors distinct de *tagueur*). ◇ **GRAFFITER** v. intr. (1924, puis 1968) correspond à «tracer des graffiti», au sens d'inscription sur un mur; comme v. tr. (1976) il correspond à «tracer des tags», puis «des graffiti» au sens moderne (→ taguer).

① **GRAILLER** v. intr. est dérivé (1552) de ① **GRAILLE** n. f. (av. XVIe s.), nom régional de la corneille, issu du latin *gracula* «femelle du geai», féminin de *graculus* «geai», d'une famille de mots indoeuropéens à *gr-* initial, désignant des bruits, comme le slave *grajati* «croasser», l'ancien haut allemand *krājan* «chanter» (en parlant du coq).

♦ *Grailler*, terme didactique qui signifie «crier» (en parlant d'une corneille), se dit parfois par analogie (1611) pour «parler d'une voix enrouée». Son homonyme familier, signifiant «manger», se rattache à *graillon**.

▸ En dérive **GRAILLEMENT** n. m. (mil. XIVe s., *gralement* «cri d'oiseau») qui a pris au XVIIe s. (1671) l'acception «son de voix enrouée».

② **GRAILLER** → ① **GRAILLON**

① **GRAILLON** n. m. est un mot dérivé (1642) de l'ancien français *graillier, graeillier* «rôtir sur un gril» qui a vécu dialectement : normand *grailler* «griller», berrichon *grillons* (→ gril, grille).

♦ *Graillon* a d'abord désigné (1642, au pluriel) les restes d'un repas, autrefois récupérés et revendus. De là, par analogie, le sens technique de «rognures d'un bloc de marbre ou de pierre» (1723) et, par extension, «odeur ou goût de graisse brûlée» (1798; 1762, à propos d'une nourriture avariée). Le mot se dit ensuite de morceaux de gras frits non consommés (1829) et s'emploie péjorativement pour «mauvaise cuisine» (déb. XXe s.); l'initiale commune de *gras* a joué un rôle dans l'évolution.

▸ De *graillon* dérivent ① **GRAILLONNER** v. intr. (1866), d'où ① **GRAILLONNANT, ANTE** adj. (fin XIXe s.). ◆ **GRAILLONNEUX, EUSE** adj. (fin XIXe s.) est relativement usuel pour «qui a l'apparence du graillon, sent le graillon». ◆ ② **GRAILLE** n. f. (1929) est un synonyme familier de «nourriture», d'où vient un nouveau verbe très familier (d'abord argotique) ② **GRAILLER** v. tr. «manger» (1944). Ces deux mots ont perdu la valeur péjorative de *graillon*.

② **GRAILLON** n. m. représente (1808) une variante de *craillon*, du radical germanique *krakk-*, ou vient de ① *graillon* (à cause de l'aspect des mucosités expectorées).

▸ En dérive ② **GRAILLONNER** v. intr. familièrement «tousser pour expectorer des graillons» (1808) et, par extension, «parler d'une voix grasse» (1897). ◆ Du verbe viennent **GRAILLONNEUR, EUSE** n. (1756), ② **GRAILLONNANT, ANTE** adj. (fin XIXe s.) et **GRAILLONNEMENT** n. m. (1890).

✱ **GRAIN** n. m. est l'aboutissement (v. 1160) du latin *granum* «grain, graine», et, par extension, de parcelles d'autres substances; *granum* se rattache à une racine indoeuropéenne °*ger-* «graine», comme le germanique °*kurnam* (cf. allemand *Korn*, anglais *corn*).

♦ *Grain* désigne (v. 1160) comme en latin le fruit comestible des graminées et s'emploie par analogie pour désigner d'autres fruits ou graines (v. 1225, *grain de raisin*), l'aspect d'une surface grenue (v. 1170), une aspérité grenue (v. 1188) d'où ***grain de beauté***, et ***grain d'orge*** «orgelet» (1660). Il se dit aussi de petits objets arrondis qui rappellent un grain (v. 1200). ◇ Le mot s'est employé (v. 1200) au sens de «très petite quantité» dans une phrase négative, comme *goutte, mie* et *pas, point*, qui se sont imposés, alors que *ne ... grain* est sorti d'usage en moyen français. ◇ *Le grain*, collectivement, désigne surtout la partie des céréales que l'on peut réduire en farine, et aussi (1538) les grains destinés aux semailles. *Moudre le grain* a suscité l'expression figurée ***avoir du grain à moudre*** «avoir des éléments à traiter, des sujets intéressants à envisager». ◇ Dès le XIIIe s. (v. 1245) il s'est employé au figuré pour «origine». ◆ Probablement par référence aux grêlons de certaines tempêtes, *grain* désigne un vent violent de peu de durée, souvent accompagné de grêle, de pluie ou de neige (1552); de là vient ***veiller au grain***, au propre (1831, langue des marins) et au figuré.

▸ **GROS-GRAIN** n. m. est composé de *gros* «grossier» et de *grain* «texture d'un corps» (1611; probablement antérieur, comme l'anglais *grograyn* emprunté au français; → grog); le mot désigne un tissu de soie à côtes plus ou moins grosses.
De nombreux dérivés et composés sont formés sur le radical *gren-*. ◆ **GRENER** v. (v. 1180-1185, intr.) a eu le sens de «monter en graine» et signifie ensuite par extension «produire de la graine» d'où, par analogie, *faire grener le ver à soie* (1600); il se dit pour «réduire en grains» (1593, au participe passé; 1723, tr.) et pour «rendre grenu» (1745; en 1753, *cuir grainé*), notamment en gravure. ◇ On emploie aussi en ce sens le dérivé **GRENELER** v. tr. (1752; 1553, *pierre grenelée*). ◆ De *grener* dérivent d'autres termes techniques : **GRENAGE** n. m. (1730) «réduc-

tion en grains», **GRENAISON** n. f. (1752) «formation du grain des céréales»; au XVIe s., «récolte». **GRENETIS** ou **GRÈNETIS** n. m. (1676) «cordon de petits grains au bord des monnaies», dérivé de l'ancien français *greneter* «greneler, grener» (1294). ➜ **GRENEUR** n. m. (1867) désigne un ouvrier qui donne le grain aux plaques ou aux pierres de gravure. ➜ **GRENURE** n. f. (1757) s'applique à la manière de grener une gravure. ➜ **GRENU, UE** adj., du radical *gren-* de *grener*, «riche en grains» (1205-1250), se dit ensuite par analogie (à propos de la peau, du cuir, etc.) de ce qui semble formé de petits grains (av. 1690; 1866, n. m.). Il est alors courant et en partie démotivé. ➜ Le composé **ÉGRENER** v. tr. a signifié (1180-1185, intr.) «s'ébrécher (d'une arme)» jusqu'au XVIe s.; le verbe a pris le sens transitif de «dégarnir de ses grains» (1600) d'où, par analogie, ***égrener son chapelet*** (v. 1830) et au figuré «présenter un à un (des sons)» (1842). ➜ De ce verbe dérivent des termes techniques: **ÉGRÈNEMENT** n. m. (1606, *esgrenement*), **ÉGRENAGE** n. m. (1835), **ÉGRENEUR** n. m. (1876), **ÉGRENEUSE** n. f. (1870) qui tend à remplacer **ÉGRENOIR** n. m. (1785).

① **ENGRENER** v. tr. (parfois *engrainer*), terme technique d'agriculture, signifie «emplir de grain» (XIIe s., un grenier; 1232; la trémie d'un moulin) et «engraisser avec du grain» (1690). ◇ Le dérivé ① **ENGRENAGE** n. m. (1876) «action de mettre du grain pour attirer le gibier» est demeuré rare. ➜ ② **ENGRENER** v. (peut-être par influence de *encrené* «entaillé de crans», 1506; → cran) signifie «faire entrer les dents d'une roue dans les espaces séparant les dents d'une autre roue» (1660; 1740, pron.). ◇ Dès le XIIIe s., il a pris le sens figuré de «commencer (une action)» et l'on relève au XVIIe s. *bien engrener* «bien s'engager dans une affaire» (1656). Le verbe prend ensuite le sens de «bien s'enchaîner» (1777, *s'engrener dans/avec*), resté en usage. ➜ Son dérivé ② **ENGRENAGE** n. m. s'utilise au propre (1709) et au figuré, alors surtout dans des locutions (1843, ***mettre le doigt dans l'engrenage***). Ce mot, qui symbolise le monde déterministe du machinisme, est devenu très courant. ➜ Du verbe dérivent plusieurs termes techniques: **ENGRÈNEMENT** n. m. (1730; 1912, en médecine), **ENGRENEUR** n. m. (1836), **ENGRENURE** n. f. (1640; 1803, en anatomie). ◇ Le composé **DÉSENGRENER** v. tr. (1699, pron.; 1752, tr.) ne s'emploie qu'au sens propre. ➜ **RENGRENER** ou **RENGRÉNER** v. tr. s'emploie en agriculture (1549) et dans le vocabulaire technique (1680), comme **RENGRÈNEMENT** n. m. (1611).

GRENAILLE n. f., qui reprend le moyen français *greignaille* (1354, «grains»), désigne un rebut de graines (1798), mais d'abord du métal réduit en grains (1542). ➜ En proviennent **GRENAILLER** v. tr. (1757) «réduire en grenaille», et ses dérivés techniques **GRENAILLAGE** n. m. (1757), **GRENAILLEMENT** n. m. (1866) et **GRENAILLEUSE** n. f. (1976) «machine qui décape par projection de grenaille».

GRAINE n. f. est issu du latin populaire *grana*, pluriel neutre de *granum*, pris comme féminin singulier; *graine* «teinture d'écarlate» (v. 1150) est un calque de l'arabe *ḥabba* «une baie», de *ḥabb* «baie» désignant par métaphore la cochenille (cf. *cochenille*). ➜ *Graine* se dit de la partie des plantes à fleurs qui assure leur reproduction (1176); par analogie de forme, il désigne les œufs du ver à soie (1600). ◇ Le mot s'emploie aussi au figuré, les locutions ***mauvaise graine*** (1690, *meschante graine*), ***graine de*** (***potence,*** etc.), ***monter en graine*** (1690, «vieillir sans se marier») s'appliquant péjorativement à un être humain qui grandit (la paronymie *grand-graine* a pu jouer). Par métaphore (*graine*, c'est-à-dire «blé» pour «pain»), ***casser la graine*** (1926, d'où **GRAINER** v. intr., 1935) signifie «manger». ➜ De *graine* dérivent aussi des termes techniques, **GRAINIER, IÈRE** n. (1672) «personne qui vend des graines», **GRAINEUR** n. m. (1859) «producteur ou négociant de graines de vers à soie». ➜ Le composé **AGRAINER** v. tr. (v. 1220) «produire des graines» s'emploie spécialement (1834) pour «attirer le gibier avec des graines» (cf. ci-dessus ① *engrener*). ➜ **GRAINETIER, IÈRE** n., d'abord *greneter* (XIIIe s.) «officier du grenier à sel», dérive de *grenier;* il correspond au latin médiéval *granatarius* «préposé du grenier» (1152) et à l'ancien provençal *granatier* (1472). Sous les formes *grenotier* (1484, Saintonge), *grenetier* (1660, jusqu'au XIXe s.), *grainetier* (1771), le mot est lié sémantiquement à *grain* et désigne la personne qui vend des graines. ➜ Le dérivé **GRAINETERIE** n. f., d'abord «office du juge du grenier à sel» (1328, *greneterie*), est tiré de *grainetier;* il désigne aujourd'hui le commerce du grainetier (1845; 1660, *greneterie*).

◈ voir GRANGE, GRANULE, ② GRENADINE, GRENIER.

✳ **GRAISSE** n. f. représente l'aboutissement (v. 1170), par les formes *craisse* (v. 1120), puis *gresse* (v. 1150), d'un bas latin °*crassia*, substantif abstrait formé sur l'adjectif classique *crassus* dont le sens est allé de «épais» à «gras» (→ gras).

♦ *Graisse* désigne dès son apparition la substance animale onctueuse, qui se développe dans le tissu sous-cutané, et ceci dans deux contextes: humain, en relation avec la grosseur, et animal, pour l'élevage, et donc alimentaire. Le premier contexte a produit (assez tard) diverses expressions, comme ***faire de la (mauvaise) graisse, crever de graisse; mauvaise graisse*** s'employant aussi au figuré. Pour le second, il faut au moins signaler la locution ancienne *de haulte gresse* «bien engraissé» (v. 1393) illustrée au figuré par Rabelais. ◇ Le mot désigne par analogie (v. 1245) la partie riche des sols (cf. *engrais*). ◇ Par métonymie, *graisse* se dit de la même substance d'origine animale servant à d'autres usages qu'alimentaires et, par analogie, pour tout «corps gras» (1768 pour «cambouis»). ◇ En outre, *graisse* désigne (1767) une altération du vin qui lui donne une consistance visqueuse. ◇ Enfin, *graisse*, en imprimerie, correspond à «épaisseur et force d'un caractère».

▸ **GRAISSER** v. a supplanté *oindre** et signifie «enduire d'un corps gras» (tr.; déb. XVIe s., *gressees*) aujourd'hui surtout en contexte technique, d'où par extension «tacher de graisse» (1542, tr.); il s'emploie ensuite au figuré dans la locution ***graisser la patte à qqn*** (1633, *graisser les mains*). ◇ *Graisser*, v. intr., «tourner en graisse (en parlant d'un vin)», est attesté en 1767 comme *graisse* dans ce sens. ➜ Le dé-

rivé **GRAISSAGE** n. m., d'abord «matière grasse» (1460, *gressage*), signifie aujourd'hui «action de graisser» (XVIe s.). Il s'est spécialisé au XIXe s. en mécanique, et il est usuel à propos de l'automobile (par exemple dans *vidange graissage*). ➡ **GRAISSEUR** n. m. et adj., d'abord chez Rabelais (1532, *gresseur de botes*, peut-être d'après *dégresseur*), est repris au XIXe s. comme terme technique d'abord comme nom masculin (1861), «dispositif servant au graissage», puis comme adjectif (1877). ➡ **GRAISSIN** n. m., d'abord «ensemble des graisses» (mil. XIVe s., *gressin*), «engrais» (1583) puis «écume qui surnage où les poissons fraient» (1795), désigne en termes de pêche une amorce faite de têtes de poissons hachées (XXe s.). ➡ **GRAISSEUX, EUSE** adj., dérivé de *graisse*, signifie «taché de graisse», «qui contient de la graisse» et est attesté en 1598 (1532, *in* Bloch et Wartburg). ➡ **GRAISSOIR** n. m., de *graisser*, est aussi un terme technique (av. 1866 ; 1802, au sens d'«auge pour le graissage de la laine»).
Le préfixé **DÉGRAISSER** v. tr. a le sens général (XIIe s.) de «débarrasser de la graisse». Le verbe s'emploie depuis peu au figuré (1974, emploi absolu) en économie, pour «effectuer des économies», notamment en licenciant du personnel (comparé de manière déplaisante à une graisse inutile). ➡ **DÉGRAISSAGE** n. m. s'emploie dans les mêmes sens, propre (1754) et figuré (1974). ➡ Du verbe dérivent aussi plusieurs termes techniques : **DÉGRAISSEUR, EUSE** n. (1532), **DÉGRAS** n. m. (1723, avec influence de *gras*), **DÉGRAISSEMENT** n. m. (1752, moins courant que *dégraissage*), **DÉGRAISSOIR** n. m. (1752), **DÉGRAISSANT, ANTE** adj. et n. (1844).

ENGRAISSER v. est issu du latin populaire (reconstitué) °*ingrassiare*, pour °*incrassiare*, du bas latin *incrassare* «engraisser» (formé sur *crassus*). ◇ Le verbe signifie «rendre gras» (v. 1050) et spécialement «enrichir une terre» (XIIIe s., *encraissier la terre*) : comme les animaux rendus gras, la terre doit produire des substances comestibles. La valeur intransitive (v. 1360) correspond à «devenir gras», d'où le sens figuré de *s'engraisser* «devenir riche». *Engraisser* a été remplacé par *graisser* au sens d'«enduire d'un corps gras» (XIIe s.). L'acception «souiller de graisse» (XIVe s.), relevée jusqu'au XIXe s., a aussi disparu au bénéfice de *graisser*. Par figure, le verbe a signifié (1611) «se gâter» en parlant du temps. ➡ Du verbe dérivent **ENGRAISSEMENT** n. m. (déb. XIIIe s.) «fait d'engraisser» (intransitif) et «action d'engraisser» (transitif), **ENGRAISSEUR** n. m. (1636 ; XVIe s., *engresseur*) et **ENGRAIS** n. m. (1510, *terre à l'engrais*). Ce dernier, déverbal de *engraisser*, s'applique, comme *engraissement*, aux animaux (mil. XVIe s.), dans la locution adverbiale ***à l'engrais*** qui succède à *d'engrais* (1611, *bœuf d'engrais*). ◇ Mais on parlait depuis le XIIIe s. de *engraisser les terres*, et *engrais* a pris au XVIIe s., employé seul (attesté 1690), le sens aujourd'hui dominant de «substance pour fertiliser le sol». Les valeurs du mot ont fortement évolué avec les techniques agricoles, de l'engrais naturel (fait surtout d'excréments d'animaux d'élevage) aux produits chimiques (2de moitié XIXe et surtout XXe s.). Les connotations ont ainsi changé et le mot, devenu centre d'une terminologie technique, tend à se détacher de son origine.

◈ voir **GRAS**.

GRAMINÉE adj. et n. f., attesté isolément au XVe s. comme nom (*graminee* «herbe commune») puis (v. 1500) comme adjectif (*graminé* «recouvert de gazon»), a été repris comme terme de botanique (1732) ; c'est un emprunt au latin *gramineus* «de gazon», dérivé de *gramen* «nourriture du bétail, herbe» puis «gazon», peut-être apparenté à la racine sur laquelle repose *vorare* (→ vorace).

▶ *Graminée* désigne couramment la famille des **GRAMINACÉES** n. f. pl., dérivé savant (1754) de *gramineus*. ➡ **GRAMEN** n. m., employé comme mot latin pour «herbe» (1372), est repris (1542) en botanique.

GRAMMAIRE n. f. représente (1121-1134) un dérivé irrégulier du latin *grammatica*, emprunté au grec *grammatikê* «grammaire» à l'époque classique et plus tard «culture», «érudition», substantivation de l'adjectif *grammatikos* «qui connaît les lettres», d'où «cultivé» (cf. *lettré*), de *gramma, -atos* «lettre, caractère d'écriture», de *graphein* «écrire».

♦ *Grammaire* désigne d'abord le premier des arts libéraux, constitué de l'étude du langage correct et de la littérature (déb. XIIe s., *livre de grammaire*) ; ce sens de *grammaire* comme «étude des règles» est dominant jusqu'au XIXe s. et reste vivant, de là les emplois anciens (XIIIe s.) pour «latin», «ouvrage en latin» et «belles-lettres». Mais le mot se spécialise aussi très tôt (v. 1200) au sens d'«étude systématique des éléments constitutifs d'une langue», d'où *grammaire générale* (1660), puis *grammaire philosophique* (XVIIIe s.), *grammaire historique* (attesté 1867), *grammaire structurale* (XXe s.), *grammaire générative**, etc. Aujourd'hui, en linguistique, *grammaire* désigne l'ensemble des structures et des règles qui permettent de produire tous les énoncés d'une langue ; il est alors voisin de *syntaxe*. ◇ Par métonymie (1550), le mot désigne un livre de grammaire d'abord au sens normatif, puis descriptif (jusqu'à parler de la *grammaire des fautes*). ◇ À partir du XIXe s. (1823), le mot s'emploie dans d'autres domaines, au sens d'«ensemble des règles d'un art» (*la grammaire de la peinture, du cinéma*, etc.).

▶ **GRAMMAIRIEN, IENNE** n. et adj. (1245, n. m. ; av. 1654, n. f.) s'est substitué à *gramaire* (v. 1200), du latin *grammaticus* «grammairien». Il a eu une évolution sémantique parallèle à celle de *grammaire*. ➡ **GRAMMATICAL, ALE, AUX** adj. (XVe s., *in* Bloch et Wartburg ; 1536, in *F. e. w.*) représente un emprunt au bas latin *grammaticalis* ; d'abord «relatif à la grammaire», l'adjectif s'applique aussi (1690) à ce qui est conforme à la grammaire normative, puis (surtout fin XIXe et XXe s.) décrit ou prévu par la grammaire descriptive. ◇ En dérive **GRAMMATICALEMENT** adv. (1529). ➡ Sur *grammatical* ont été dérivés et composés des termes didactiques dans la seconde moitié du XXe s., liés à l'évolution de l'étude de la langue ; **GRAMMATICALISER** v. tr. (au participe passé en 1845) «donner à un terme un statut grammatical» dont dérivent **GRAMMATI-**

CALISATION n. f. (1912 Meillet) et **GRAMMATICALITÉ** n. f. (v. 1960) «caractère d'un énoncé conforme à la grammaire descriptive d'une langue». ◆ **AGRAMMATICAL, ALE, AUX** adj. (1929) et **AGRAMMATICALITÉ** n. f. (v. 1960) sont formés avec *a-* privatif. ◆ On emploie en pathologie **AGRAMMATIQUE** adj. (chez Ombredane, 1951), aussi substantivé (1968, Alajouanine), et **AGRAMMATISME** n. m. (1884), tirés du grec *agrammatos* «illettré», de *a-* privatif et *grammatos*, de *gramma*. Ces termes concernent un type d'aphasie, par trouble de l'organisation syntactique.
Parmi les mots didactiques tirés du grec *gramma*, deux sont remarquables. ◆ **GRAMMATISTE** n. m. est emprunté (1575) au latin impérial *grammatista* «celui qui enseigne la lecture et l'écriture», du grec *grammatistês*, formé sur le verbe *grammatizein*, de *gramma, -atos* «signe écrit». Le mot, appliqué au monde grec, garde sa valeur antique ; il a désigné aussi (1743) un grammairien trop attaché à l'application des règles. ◆ **GRAMMATOLOGIE** n. f. a été composé (fin XIXe s.) du grec *gramma* et de *-logie*. Le mot signifiait «traité des lettres, de l'alphabet, de la syllabation, de la lecture et de l'écriture». ◇ Il a été repris (1967) par le philosophe J. Derrida pour désigner la science générale de l'écriture et une philosophie de la langue graphique.

◈ voir aussi GRIMOIRE.

GRAMME n. m. attesté en 1793 (séance de la Convention du 13 novembre), est un emprunt au bas latin *gramma*, emprunté au grec *gramma* au sens de «vingt-quatrième partie de l'once» ; le latin classique *scrupulum*, de même sens (dérivé de *scrupus* «caillou pointu» et au figuré «anxiété, souci»), a été interprété comme un dérivé de *scribere* «écrire» et donc comme l'équivalent du grec *gramma*, proprement «lettre» (*gramme* est attesté dans ce sens en français [1790]).

♦ *Gramme* est défini comme l'unité de masse du système métrique, ses composés (*kilogramme* surtout) étant devenus très courants. Il se dit par extension, au figuré, d'une très petite quantité.

▸ À partir de *gramme* ont été formés des composés désignant une quantité de matière : **CENTIGRAMME** n. m. (de *centi-*), **DÉCAGRAMME** n. m. (de *déca-*), **DÉCIGRAMME** n. m. (de *déci-*), **HECTOGRAMME** n. m. (de *hecto-*), **MILLIGRAMME** n. m. (de *milli-*) et, sorti d'usage, **MYRIAGRAMME** n. m. (de *myria-*), tous formés en 1795 (loi du 18 germinal an III, qui fonde le système métrique). Leur usage est variable, *kilogramme** (souvent réduit à *kilo*) et à un moindre titre *hectogramme* et *milligramme* ayant mieux pénétré dans l'usage courant. ◆ Les dérivés : **GRAMMAGE** n. m. (1939) «poids de l'unité de surface d'un papier» et **GRAMMER** v. tr. «déterminer le grammage», sont techniques.

-GRAMME, élément formant tiré du grec *gramma, -atos,* «lettre, écriture», (→ grammaire), entre dans la composition de nombreux mots savants exprimant les notions d'«inscription», d'«enregistrement».

▸ **DIGRAMME** n. m. (1838) désigne un groupe de deux lettres ayant une unité fonctionnelle (ex. *ch* en français).

◈ voir TÉTRA- (TÉTRAGRAMME).

GRAMOPHONE n. m. est un emprunt (1901) à l'anglais *Grammophone* (1887), nom déposé (par l'Américain E. Berliner) d'un phonographe à disques ; le mot, formé par inversion de l'anglais *phonogram* «enregistrement d'un son», est composé d'éléments issus du grec, *gramma* «écriture» (→ grammaire) et *phônê* «voix, son». *Gramophone* ne s'emploie plus, depuis 1930 environ, qu'en histoire des techniques.

✳ **GRAND, GRANDE** adj. est issu (v. 881) du latin *grandis* «grand», «avancé en âge» et, appliqué au style, «sublime, imposant» ; *grandis* (sans origine connue) était plus usité dans la langue parlée que *magnus* (→ magnifier). En ancien français, *grand* n'avait qu'une terminaison pour les deux genres, d'où pendant longtemps l'usage de l'apostrophe pour ce qui était senti comme une élision du ***e*** (*grand'mère ;* la graphie *grand-mère* étant reconnue par l'Académie depuis 1932) ; il reste de cet état ancien des expressions où *grand* ne s'accorde pas.

♦ Comme *grandis* en latin, *grand* s'emploie dans l'ordre abstrait et concret au sens général de «qui dépasse la moyenne ; qui a une valeur supérieure». *Grand*, en ancien français, est d'abord utilisé dans l'ordre qualitatif (v. 881, *grand honestet* «grande honorabilité»), d'où par exemple *grand ami* (XIIIe s.). L'adjectif porte ensuite (1080) l'idée générale de «ce qui distingue parmi les autres», par exemple dans des locutions comme ***se donner de grands airs*** (fin XVIIe s.). ◇ À propos de personnes, il signifie (v. 1130-1140) «qui a le rang le plus élevé» d'où *un grand* n. m. (v. 1500). ◇ À propos de choses, l'adjectif s'applique à ce qui est considéré comme essentiel et, spécialement (fin XVe s.), à ce qui a une importance particulière dans le domaine politique ou économique. De là l'emploi au XXe s. de : *les Grands* «les grandes puissances» (apr. 1950) et *les grands* «les entreprises qui occupent une place dominante» (v. 1960). C'est dans le premier de ces contextes qu'apparaît dans les années 60 le composé **SUPERGRAND** n. m., qui équivaut à *superpuissance.* ◇ *Grand* se dit depuis le XVIe s. pour «qui a le titre le plus élevé» (1546), par exemple (déb. XVIIe s.) dans ***Grand d'Espagne,*** calque de l'espagnol *Grande de España.* ◇ Il signifie par extension «qui a de la valeur (mérite, talents, etc.)», d'où l'emploi ancien (XVe s.) de *le grand* (comme *le beau*) n. m. «ce qui est noble, élevé» (av. 1679), la locution adverbiale disparue *à la grande* «avec faste, comme les grands seigneurs» (1660) et l'emploi avec un nom propre (fin XVIIe s. ; *le grand Corneille, Louis le Grand*). ◇ *Grand*, avec une valeur qualitative, équivaut à un superlatif (1611, *un grand sot*).
Dans l'ordre concret, *grand* a très tôt (fin Xe s.) le sens de «qui atteint une taille notable» et, comme en latin, de «qui est avancé en âge». La substantivation *les grands* «les adultes» (v. 1050) et l'expression ***grande personne*** sont demeurées usuelles dans

l'opposition avec *petit* pour «enfant». Dans *grand-père, grand-mère* (→ père, mère), *grand* a aussi cette valeur d'âge plus élevé. ◇ *Grand* signifie également (1080) «dont la hauteur, ou la dimension, dépasse la moyenne»; de là vient (1080) l'emploi au sens de «très important» et de «très abondant» : *le grand âge* (1538), *le grand jour* (1549), au figuré ***faire qqch. au grand jour*** (1690), *le grand air* (1676), ***le grand public*** (XXe s.), etc. ou encore la locution adverbiale ***en grand*** (1671).

▸ **GRANDEUR** n. f., dans son premier emploi attesté (v. 1120), signifie «puissance, splendeur (de Dieu)». Le mot a aussi, dès le XIIe s., les sens de «caractère de ce qui est grand pour la dimension, la taille» (v. 1155) et de «dimension, étendue» (v. 1165, vieilli). Du sens de «puissance» viennent ceux de «caractère de ce qui est important» (XIIIe s.) et (surtout au pluriel) d'«action d'éclat» (1559) et de «dignité, honneur» (1640), d'emploi littéraire aujourd'hui, enfin de «distinction particulière, dans l'ordre moral, spirituel» (XVIIe s.), d'où vient la locution courante ***grandeur d'âme*** (1736). ◇ À partir de la valeur de «dimension», le mot est employé dans le domaine scientifique : «unité de mesure de l'éclat des étoiles» (XVIIe s., notamment dans : *de première, deuxième... grandeur*) et «ce qui est susceptible de variation» (v. 1650); la locution de fonction adjectivale ***grandeur nature,*** «aux dimensions réelles», est attestée au début du XXe siècle. ◆ **GRANDEMENT** adv. est d'abord utilisé au sens de «considérablement, à un degré élevé» (v. 1165, *gramment*). ◆ **GRANDIR** v. signifie d'abord (v. 1280) «devenir plus grand» (intransitif), dans l'ordre concret et abstrait; il s'emploie ensuite transitivement (fin XVe s., rare avant le XIXe s.), au sens de «rendre plus grand», au propre et au figuré (1834, «exagérer»). ◇ En dérivent **GRANDISSANT, ANTE** adj. (1845), **GRANDISSAGE** n. m., sorti d'usage au sens d'«action de grandir» (1845), utilisé en optique (1870, Goncourt) comme synonyme rare de *grossissement* et comme terme technique; **GRANDISSEMENT** n. m. (1845), employé aussi en optique (1956). ◆ Sur *grandir* a été formé **AGRANDIR** v. tr. (1265) «rendre plus grand (notamment une image)» et «plus puissant»; en dérivent **AGRANDISSEMENT** n. m., autrefois (1502) «élévation en pouvoir», puis (1680) «action d'agrandir», et (1800) **AGRANDISSANT, ANTE** adj. ◇ **AGRANDISSEUR** n. m. apparaît en 1611 (attestation isolée) et est repris en photographie (1897).

GRANDELET, ETTE adj. (1380) est un diminutif de *grand*, comme **GRANDET, ETTE** adj. (v. 1250), aujourd'hui d'emploi régional.

GRANDESSE n. f., «dignité de grand d'Espagne», représente un emprunt (1664) à l'espagnol *grandeza* (XVIe s.), dérivé de *grande (de España)*. *Grandesse,* dérivé de *grand,* avait eu le sens de «grandeur» (XIIe s., *grandece*).

GRANDISSIME adj., familier pour «très grand», est un emprunt (déb. XIVe s., isolé; puis 1531) à l'italien *grandissimo,* superlatif de *grande* «grand». Il s'est substitué aux formes issues du superlatif latin *grandissimus* et usitées au moyen âge, *grandesme, grandisme* (1re moitié Xe s.).

De nombreux composés retiennent une des valeurs de *grand* : «de dimension importante» (*grand-angle, grande surface,* etc.); «le plus élevé» (*grand-croix, grand-duc,* etc.); «âgé» (*grand-mère, grand-parent,* etc.). Voir l'autre élément.

◈ voir **GRANDILOQUENCE, GRANDIOSE.**

GRANDILOQUENCE n. f. a été formé (1544) sur le latin *grandiloquus* «qui a le style pompeux», de *grandis* «sublime» (→ grand) et *loqui* «parler» (→ loquace), d'après *éloquence.*

♦ Le mot, devenu rare et archaïque, a été repris (1859) pour «manière emphatique, très noble de s'exprimer».

▸ En dérive **GRANDILOQUENT, ENTE** adj. (1876) qui a remplacé **GRANDILOQUE** adj. et n. m. (1519; repris au XIXe s. comme archaïsme : L. Bloy, les Goncourt), celui-ci ayant une valeur nettement péjorative depuis le XIXe siècle.

GRANDIOSE adj. et n. m., attesté en 1798, doit être antérieur (1787, *grandiosité*); le mot, d'abord le plus souvent employé comme nom masculin (1804), est emprunté à l'italien *grandioso* «qui a un caractère de grandeur imposant» (XVIIe s.), formé à partir de *grande,* du latin *grandis* (→ grand).

▸ L'adverbe **GRANDIOSEMENT** (1852) est d'emploi très littéraire, à la différence de l'adjectif, de style soutenu mais assez courant, comme de nombreux intensifs (*sublime,* etc.).

GRANGE n. f. représente l'aboutissement (v. 1160) du latin populaire °*granica,* dérivé du latin classique *granum* (→ grain).

♦ *Grange,* qui désigne initialement et encore aujourd'hui un bâtiment destiné à abriter les récoltes, s'applique par extension, régionalement, à des bâtiments servant aussi d'habitation; dans le sud de la France, le mot signifie «métairie» (XIIIe s.) et, en montagne, «étage où logent les troupeaux» (1636, «étables»). *Les granges* ont aussi désigné un établissement agricole monastique (v. 1220, *grainge*).

▸ De *grange* dérivent **GRANGÉE** n. f. (1564) «contenu d'une grange», **GRANGER, ÈRE** (1600) ou **GRANGIER, IÈRE** n. (1195) «métayer», d'usage dialectal (et courant comme nom de famille) et **GRANGETTE** n. f. (1374), régional. ◆ **ENGRANGER** v. tr. (v. 1260) composé de *en-* et d'un suffixe verbal, est un verbe technique, mais s'emploie aussi au figuré (1939) pour «réunir (des informations, des connaissances)». ◇ En dérivent **ENGRANGEMENT** n. m. (1611) aux sens concret et figuré, et **ENGRANGEUR, EUSE** n. (XXe s.), terme d'agriculture.

GRANIT, GRANITE n. m. est une adaptation (1665, *granite,* graphie conservée en sciences; 1611, dans *granit oriental,* emploi isolé) de l'italien *granito,* désignant une roche dure composée de feldspath, de mica et de quartz (fin XVe s.), forme substantivée de l'adjectif *granito,* participe passé de *granire* «former des grains», dérivé de *grano,* du latin *granum* (→ grain).

♦ *Granit* signifie donc étymologiquement «pierre grenue». Le mot désigne en sciences (écrit *granite*) une roche de composition précise, et, par analogie d'aspect, une matière ayant l'aspect du granite proprement dit (1810, *granit*). Au figuré, il symbolise l'insensibilité (cf. *marbre*).

▶ De *granit* dérivent des termes de minéralogie et de technique. ◆ **GRANITEUX, EUSE** adj. (1783); **GRANITOÏDE** adj. (1783); **GRANITIQUE** adj. (1783) usuel pour qualifier des roches, des terrains; **GRANITISER** v. tr. (1852) «transformer en granit» d'où **GRANITISATION** n. f. (1962). ◆ **GRANITELLE** adj. et n. f. (1694) est un emprunt au dérivé italien *granitella* (XVIIe s.). ◆ **GRANITÉ, ÉE** adj. et n. m. (1842; spécialt, 1888, n. m., «tissu à gros grain»), dérivé de *granit*, a été probablement repris à l'italien *granitá* «sorbet granuleux» (déb. XXe s.). ◇ Le verbe **GRANITER** semble un peu postérieur à l'adjectif (1866, tr.).

GRANULE n. m. est emprunté (1832) au bas latin *granulum* «petit grain», diminutif de *granum* (→ grain), dont il garde le sens.

♦ Par analogie de forme, il signifie ensuite (1858) «petite pilule» en pharmacie.

▶ **GRANULAIRE** adj. en est dérivé (1834). ◆ **GRANULER** v. tr. «réduire en granules» est un dérivé savant (1611) de *granulum;* en sont dérivés **GRANULÉ, ÉE** adj. et n. m. (1798), devenu courant comme nom masculin en pharmacie (1893), surtout au pluriel, et les termes techniques **GRANULAGE** n. m. (1845) et **GRANULAT** n. m. (v. 1900). ◆ À partir de *granulum* ont été dérivés et composés des termes didactiques ou scientifiques, notamment médicaux dont : **GRANULIE** n. f. (1866) «forme aiguë de tuberculose», **GRANULIFORME** adj. (1803; de *forme*) «en forme de grain», **GRANULITE** n. f. (1866), nom d'une roche granitoïde, **GRANULOME** n. m. (1869, dans une traduction de l'allemand) «tumeur inflammatoire», avec le dérivé **GRANULOMATOSE** n. f., nom de maladie, qui entre lui-même en composition. ◇ **GRANULOCYTE** n. m. (mil. XXe s.) désigne un leucocyte à cytoplasme granuleux. ◇ **GRANULINE** (1961) n. f. se dit d'une variété d'opale. ◇ **GRANULOMÉTRIE** n. f. «mesure des éléments d'une substance pulvérulente» a pour dérivé **GRANULOMÉTRIQUE** adj. (1928).

◈ voir GRAIN.

GRAPHIQUE adj. et n. est un emprunt du XVIIIe s. (1757) au grec *graphikos* «qui concerne l'action d'écrire, l'art d'écrire et la peinture», dérivé de *graphein* «écrire». Ce verbe est apparenté à des termes qui, en vieux slave et haut allemand, signifient «couper, entailler» et que l'on rattache à une racine indoeuropéenne **gerbh-* de même sens.

♦ *Graphique* est introduit en astronomie dans *opérations graphiques*, aujourd'hui *nomographie*. Plus largement, l'adjectif s'applique à ce qui représente qqch. par des figures (1762), spécialement dans ***arts graphiques*** désignant (1872) les arts plastiques fondés sur le dessin, mais *la graphique* n. f. (fin XIXe s.) ne s'emploie plus en ce sens. ◇ Le mot se spécialise dans le vocabulaire didactique; il qualifie (1801) ce qui est relatif à une écriture (cf. *graphie*) et *graphique* n. m. est employé pour nommer la représentation du rapport de deux variables (av. 1877 à propos d'un appareil enregistreur) et la représentation graphique d'un phénomène (v. 1900). ◇ De là naît *la graphique*, qui recouvre aussi bien l'univers des diagrammes et des réseaux que celui des cartes et qui est devenue, liée à l'ordinateur, un instrument de recherche et un moyen de traitement de l'information.

▶ Le dérivé **GRAPHIQUEMENT** adv. «par des moyens graphiques» (1762) a été précédé par un homonyme sorti d'usage (1669, Molière) signifiant «avec précision»; l'adverbe était alors un calque du latin *grafice* «artistement, parfaitement», dérivé de *graficus, graphicus* «dessiné de main de maître», d'où «parfait», lui-même emprunté au grec *graphikos.*

GRAPHISME n. m., «manière de représenter le langage par l'écriture» (1875), est passé dans le vocabulaire des beaux-arts (1912, É. Faure), produisant alors **GRAPHISTE** n. (v. 1965).

GRAPHO- est le premier élément de mots composés tiré du grec *graphein* «écrire». ◇ Les principaux sont **GRAPHOMÈTRE** n. m. (1597; de *-mètre*), «instrument de mesure des angles», d'abord en topographie, puis (déb. XIXe s.) en cristallographie et dans diverses sciences, **GRAPHOMANIE** n. f. (1782; de *-manie*), d'où **GRAPHOMANE** adj. et n. (1791; de *-mane*) qui concernent la manie d'écrire. ◆ Le seul composé de la série à entrer dans l'usage courant est **GRAPHOLOGIE** n. f., mot forgé par l'abbé Michon (1868?; son *Système de graphologie* est publié en 1878). Le mot désigne ce qu'Édouard Hocquart nommait en 1812 l'*Art de juger de l'esprit et du caractère des hommes sur leur écriture*. La scientifisation de ce domaine eut lieu à la fin du XIXe s., avec Preyer, Meyer en Allemagne, J. Crépieux-Jamin en France, puis Karl Klages (1917), Max Pulver, en relation avec la psychanalyse et tout un courant lié à l'étude de la symbolique. À côté des travaux de cette nature, développés au XXe s., et de l'utilisation de cette technique en psychologie du travail, une activité pratique intense donne parfois à la graphologie (dans une acception différente) un statut social comparable à celui de l'astrologie. ◇ Les dérivés **GRAPHOLOGIQUE** adj. (1891), **GRAPHOLOGISTE** ou **GRAPHOLOGUE** n. (1877) se sont aussi répandus au XXe siècle.

-GRAPHE, -GRAPHIE, -GRAPHIQUE sont des éléments entrant dans la composition de nombreux mots (formés sur le modèle de mots grecs terminés par *-graphos, -graphia,* du radical de *graphein* «écrire») relatifs aux domaines de l'écriture, de l'imprimerie et de l'enregistrement.

GRAPHITE n. m. est un dérivé savant (1801) par suffixation en *-ite* du radical du grec *graphein* «écrire». *Graphite* désigne une variété de carbone, naturel ou artificiel, nommé couramment *mine de plomb*, qu'on emploie en particulier dans la fabrication des crayons, puis en technique, en électricité, en mécanique (lubrifiants), etc. ◆ Ce mot a fourni des termes techniques ou didactiques comme **GRAPHITEUX, EUSE** adj. (av. 1845), **GRAPHITIQUE** adj. (1866) et **GRAPHITER** v. tr. (déb. XXe s.) «enduire ou mélanger de graphite».

GRAPHIE n. f., d'abord attesté (1762, n. f.) comme élément de composition, au sens de «description», est un dérivé savant du radical du grec *graphein* «écrire». ◇ Terme didactique, *graphie* est repris aux sens de «manière d'écrire un mot» (1877), sans l'idée de norme liée à *orthographe*, et de «mode de représentation du phonème dans l'écriture» (1878).
GRAPHE n. m., attesté en 1926 (certainement antérieur), est un emprunt à l'anglais *graph*, abréviation de *graphic formula* «formule graphique», *graphic*, comme le français *graphique*, provenant du grec *graphein* «écrire». ◇ D'abord appliqué en chimie, où il correspond à un diagramme muni de symboles, le concept a été étudié par Sylveste, qui l'a appliqué (avec le mot *graph*) aux mathématiques (v. 1880) ; l'usage du terme s'est répandu en algèbre (1886, *in* Oxford), puis, dans un sens plus large, il correspond à «graphique, diagramme». ◇ Avec sa valeur stricte, *graphe* désigne en mathématiques l'ensemble des couples d'éléments vérifiant une relation donnée, et la représentation graphique d'une fonction. Le mot, support de diverses notions correspondant à des syntagmes (*graphes orientés, non orientés ; graphes topologiques, graphes de flux*, etc.), est devenu très important en mathématiques avec l'élaboration de la *théorie des graphes*, reconnue et développée dans les années 1960 (mais dont les problèmes et certains principes remontent à Euler et à W. R. Hamilton, mil. XIXe s.). ◇ Des composés, **SOUS-GRAPHE** n. m., **HYPERGRAPHE** n. m., manifestent sur le plan lexical cette évolution.

◈ voir **DYS- (DYSGRAPHIE), ORTHOGRAPHE, RADIOGRAPHIE.**

✳ GRAPPE

✳ GRAPPE n. f. est issu (1121-1134) du francique *°krappa* «crochet» (reconstitué d'après le moyen néerlandais *crappe*, l'ancien français *crape* «agrafe» (1213).

♦ Le sens moderne viendrait d'une métaphore, d'après la forme de la grappe de raisin. ◇ Le sens étymologique de «crochet» (1213) se maintient dans des emplois techniques : «collier métallique garni de pointes», en archéologie (1385), «crampon à glace, sur un fer à cheval» (1625), sorti d'usage (voir ci-dessous *grappin*). Par analogie, *grappe* s'emploie (1558) au sens d'«assemblage serré de petits objets ou de personnes».

▸ Le dérivé **GRAPPER** (ou *craper*, déb. XIIIe s.) «cueillir les raisins» a été éliminé par son dérivé **GRAPPILLER** ; du sens de «cueillir les raisins qui restent après les vendanges» (1549), on passe par figure à celui de «prendre de ci, de là (des objets, des connaissances, etc.)» (1566) et, en particulier, «faire de petits profits, souvent illicites» (1679, tr. ; 1683, intr. et absolument). ◆ Du verbe dérivent **GRAPPILLAGE** n. m. (1537) et **GRAPPILLEUR, EUSE** n. (1611) qui ne s'emploie plus qu'au figuré. ◆ Le diminutif **GRAPPILLON** n. m. désigne une petite grappe (1584).
GRAPPIN n. m. (1382) est un dérivé de *grappe* «crochet» ; d'abord terme de marine (1382, «petite ancre» ; 1466, «crochet d'abordage»), *grappin* se dit par analogie (1701) de tout instrument muni de crochets. De l'idée de «crochet d'abordage» vient l'emploi métaphorique, notamment dans la locution (fin XVIIe s.) ***mettre le grappin sur (qqn).***
GRAPPA n. f. «eau-de-vie de marc de raisin» est un emprunt (1936) à l'italien *grappa* (1876), de même origine que *grappe*.
Le préfixé **ÉGRAPPER** v. tr. «détacher (les fruits) de la grappe» (av. 1732) a produit **ÉGRAPPOIR** n. m. (1785 ; 1761, en métallurgie), **ÉGRAPPAGE** n. m. (1845) et **ÉGRAPPEUR, EUSE** n. (1845).

GRAS, GRASSE

GRAS, GRASSE adj. est issu (v. 1170) du latin *crassus*, qui signifie d'abord «épais» puis «corpulent, gros», probablement sous l'influence du latin impérial *grossus ; crassus*, sans étymologie connue, a éliminé *pinguis* qui n'est représenté dans les langues romanes qu'en italien *(pingue)*. ◈

♦ *Gras* signifie d'abord «bien en chair» puis, en relation avec le substantif *graisse*, de même origine (→ graisse), «formé de graisse» (1er quart du XIIIe s.), d'où le sens de «qui contient de la graisse» (XIIIe s., *gras fromages*). Comme *graisse*, l'adjectif a de nombreux emplois culinaires, comme *choux gras* d'où vient la locution figurée ***en faire ses choux gras*** (1478). ◇ Dans ce sens, *gras* est substantivé pour «partie graisseuse» (*le gras*, 1265). ◇ Par extension, *gras* se dit de ce qui a beaucoup de graisse (XIIIe s., *grasse viande*), d'où le sens de «de basse qualité, grossier» (XIIIe s.). ◇ Par analogie, *gras* s'applique à ce qui évoque la graisse (XIIIe s.), d'où l'emploi figuré (XIIIe s.) au sens de «fertile, abondant», aujourd'hui vieilli et qui correspondait aux valeurs de *engraisser, engrais* (→ graisse). De l'idée d'abondance on est passé à celle de temps agréablement prolongé, dans la locution ***grasse matinée*** (1478). ◇ *Gras* s'emploie aussi pour «licencieux» (1401), par allusion aux écarts de langage permis les ***jours gras***, où l'Église permet de manger de la viande. Cet emploi se retrouve dans *dimanche gras* (XVe s.), ***mardi gras***, plus courant, et *cause grasse* (1549), plaidée le mardi gras parce qu'elle portait sur des sujets licencieux. ◇ Par extension *gras* se dit (2de moitié XVIe s.) pour «taché ou enduit de graisse», développement parallèle à celui du nom *graisse*. ◇ Par analogie, *gras* s'emploie en parlant des sons (***parler gras***, av. 1540, avec une valeur adverbiale ; voir ci-dessous *grasseyer*). ◇ Une autre extension concerne l'art : *gras* signifie «important par le volume, trop épais» en architecture (1676), et «large, appuyé» en imprimerie (1775, adj. et n. m.) ; là encore, le parallélisme avec *graisse* est notoire.

▸ **GRASSEMENT** adv. d'abord sous la forme *crassement* signifie «abondamment» (1290) et «avec indécence» (v. 1350, *parler crassement*). ◆ ① **GRASSET, ETTE** adj. (v. 1265 ; v. 1180, *craset*) a été remplacé par le diminutif *grassouillet* (ci-dessous). ◇ Le substantif *grasset* (XIVe s. ; 1286, *graset*) remplace des formes issues du latin *crassus* (*craisset*, fin XIIIe s.) pour désigner une petite lampe à graisse. Comme terme d'anatomie animale (1757) et de boucherie (1872), *grasset* est la substantivation de l'adjectif ancien. ◇ Emprunté au provençal, ② **GRASSET** n. m. désigne aussi (1778) régionalement la sarcelle d'été. ◆ **GRASSEYER** v. intr., d'abord *grassier* (1530), correspond à *parler gras*.

Graissayer (1611), *grasseier* (1694), c'est parler avec une prononciation gutturale des ***r*** (*r* grasseyé); cette prononciation constituait à l'époque classique une marque d'afféterie. ◇ Du verbe dérivent **GRASSEYEMENT** n. m. (1665) et **GRASSEYANT, ANTE** adj. (v. 1780). ➛ **GRASSOUILLET, ETTE** adj. diminutif de *gras* (1690) a remplacé *grasset,* avec une nuance hypocoristique.

À partir de *gras* ont été composés **GRAS-DOUBLE** n. m. (1611), de *double,* n., au sens de «panse», compris ensuite comme «deux fois gras», et **GRAS-FONDU** n. m. terme de médecine vétérinaire (1615), de *fondu,* participe passé de *fondre,* d'après l'ancien français *graisse-fondre, se graisse fondre* «fondre de chaleur».

GRATIFIER v. tr. représente un emprunt (1366) au latin *gratificari* «être agréable à» et «accorder comme faveur», composé de *gratus* adj. (→ gré) et de *facere* «faire*».

♦ *Gratifier* conserve un des sens du latin (1366, *gratifier de*), aussi *gratifier à* (1534) à l'époque classique où le verbe a également signifié «être agréable à (qqn)» (1609). ◇ À partir du milieu du XVIIIe s., *gratifier* s'entend par antiphrase (1769) au sens d'«infliger un désagrément à (qqn)», acception qui tend à se substituer à la précédente. Le verbe a aussi pris au XVIIIe s. le sens de «satisfaire» (1787), aujourd'hui avec un sujet de chose (1823) «être cause de plaisir pour qqn». ◇ Enfin, le sens psychologique de «valoriser ou revaloriser (qqn) à ses propres yeux» (v. 1950) vient du vocabulaire de la psychanalyse en opposition avec *frustrer,* et est repris de l'anglais *to gratify* «donner de la satisfaction, faire plaisir à» (XVIe s.; issu du sens originel du verbe français).

▸ De ce sens vient **GRATIFIANT, ANTE** adj. (mil. XXe s.), opposé à *frustrant.* ➛ **GRATIFICATION** n. f., emprunt au dérivé latin *gratificatio* «bienfaisance, faveur», se dit d'une libéralité, d'un don fait à qqn, en particulier en récompense d'un service (1362), spécialement en parlant d'une somme d'argent (1679). Le mot a pris au XVe s. (1475) le sens de «reconnaissance, faveur», encore à l'époque classique. ◇ La valeur psychologique, «satisfaction qui valorise ou revalorise à ses propres yeux celui qui était frustré», est reprise (av. 1951) de l'anglais *gratification* (dérivé de *to gratify,* cf. ci-dessus).

GRATIN et dér. → **GRATTER**

GRATIS adv., d'abord attesté comme nom masculin (1468), est un emprunt à l'adverbe latin *gratis,* forme contractée de *gratiis* «gracieusement, par complaisance», ablatif pluriel de *gratia* (→ grâce).

♦ *Gratis* n. m. a désigné un affranchissement d'impôts (1468) et une gratification (1474). Employé comme adverbe, le mot signifie (1495) «sans qu'il en coûte rien», et s'emploie comme adjectif invariable (1811; *spectacle gratis*).

◈ voir **GRATUIT.**

GRATITUDE → **INGRATITUDE**

◈ **GRATTER** v. est issu (1160-1174) du francique ou du germanique °*krattôn* «frotter en raclant», qui se rattache à une racine *gradi-* et est reconstitué par l'ancien haut allemand *krazian, krazôn* «déchirer, gratter, graver», le moyen haut allemand *kratzen, kretzen,* d'où l'allemand *kratzen* «gratter». Le mot germanique a pénétré en latin populaire, d'où le latin médiéval *grattari* (1023), l'italien *grattare,* l'ancien provençal *gratar.* Cette explication classique est contestée par P. Guiraud, qui pense que *gratter* serait à rapprocher du latin *cratire* «herser», d'après *cratis* «claie, treillis», qui aurait eu un dérivé gallo-roman °*cratitare.*

♦ *Gratter,* attesté au XIIe s. comme intransitif et pronominal (av. 1174), puis comme transitif (1180-1190), a d'abord le sens de «frotter, racler légèrement», d'où par extension celui de «fouiller le sol (avec la patte, le sabot, etc.)» (1176-1181), celui de «labourer superficiellement» (v. 1223, intr.) et de «frotter qqch. de dur en entamant la surface» (v. 1260). Il a signifié au figuré jusqu'à l'époque classique «flatter» (XIVe s., *gratter qqn*). Par extension, *gratter* signifie (1283) «enlever en grattant» et «faire entendre un grattement» (1663, *gratter à la porte*). Le verbe s'emploie par extension (1723, intr.) au sens de «provoquer une sensation d'irritation». ◇ De l'idée d'«enlever» viennent les sens figurés de «recueillir tout ce qui peut être utilisé» (1847), «voler, piller» et de «dépasser un concurrent» (1894, argot cycliste) d'où «dépasser (en voiture)», mot qui fut à la mode dans les années 1920-1930. ◇ Du sens de «frotter» vient celui de «jouer médiocrement d'un instrument à cordes» (1853). ◇ *Gratter* équivaut aussi à «travailler» (1889), sans doute à partir d'expressions telles que ***gratter la terre*** (1690) ou, dans un autre domaine, ***gratter le papier*** (1866; 1690, *gratter le parchemin* «gagner sa vie à copier»).

▸ Le déverbal **GRATTE** n. f. a le sens général de «ce que l'on peut gratter» avec diverses spécialisations : par exemple «gale» (fin XIIIe s., peut-être de *gratelle*), «coup, rossée» (1733) et «petit profit», resté usuel et familier (1838). Un autre sens général est «ce qui sert à gratter», d'où (1773) en marine et (1803) «sarcloir». ◇ Au sens récent de «guitare» (1977), le mot correspond à «ce que l'on gratte». ➛ **GRATTELLE** n. f. (fin XIIIe s., *gratele*) «gale légère» est sorti d'usage, comme son dérivé **GRATTELEUX, EUSE** adj. (XIIIe s.). ➛ **GRATTEMENT** n. m. «action de gratter» (1509) signifie aussi «bruit de ce qui gratte» (1841).

GRATIN n. m. désignait autrefois (1564) la partie d'un mets qui s'attache au fond d'un récipient et qu'il faut gratter, racler pour la détacher. D'où le verbe *gratiner* au sens ancien (1825) «attacher en cuisant», voisin de *cramer.* De ces valeurs négatives, on est passé à l'idée d'une préparation volontaire. *Gratin* se dit (1811; *au gratin* 1803) d'une manière de cuire en formant une croûte à la surface du plat. Par figure, le mot désigne (1881), souvent ironiquement, l'élite d'une société (cf. *crème, fleur*). ◇ **GRATINER** v. a suivi l'évolution de *gratin* et signifie «faire cuire au gratin» (1829). Ses dérivés sont **GRATINÉ, ÉE** adj. «cuit au gratin» (1829) et au figuré «extraordinaire» (1936); **GRATINÉE** n. f. (1912), qui désigne surtout la soupe à l'oignon gratinée. ➛ **GRATTAGE** n. m. «action de gratter; son résultat» (1766) est également un terme technique (1786). ➛ **GRATTELER** v. tr. est le diminutif (1839) de *gratter.* ➛ D'autres dérivés de *gratter,* **GRAT-**

TOIRE n. f. (1556), **GRATTURE** n. f. (1283, *grature*) sont des termes techniques. ◆ **GRATTOIR** n. m., d'abord terme d'armement désignant l'écouvillon pour nettoyer le canon d'une arquebuse (1571), est devenu courant pour «instrument qui sert à gratter» (1611). ◆ **GRAT(T)OUILLER** v. (1881, mais antérieur régionalement) est probablement une altération, d'après *chatouiller*, de *gratiller* «chatouiller», mot ancien répandu en provençal et en franco-provençal, attesté indirectement par *gratilleux* (XVe s.) et par l'ancien provençal *faire gratil* «rire, plaisanter» (XIIe s.), eux-mêmes dérivés de *gratter* au sens de «flatter». ◇ *Grat(t)ouiller* «gratter légèrement» (1901), «gratter maladroitement», «faire éprouver une démangeaison» et au figuré «flatter» (1881), a pour dérivés **GRAT(T)OUILLEMENT** n. m. (XVe s.) et **GRAT(T)OUILLIS** n. m. (XXe s.). ◆ ① **GRATTON** ou **GRATON** n. m. (1949) désigne, en alpinisme, une petite aspérité servant de prise; de là **GRATTONNER** v. intr. (1949). Il s'agit sans doute d'emplois régionaux. ◆ ② **GRATTONS** n. m. pl. se dit régionalement de résidus de la fonte de morceaux de graisse animale, plus ou moins attachés dans le récipient par la même image que *gratin*.

Le préfixé **REGRATTER** v. a signifié «faire de petits bénéfices en vendant de seconde main» (XIIIe s.) et «faire de petites économies en épluchant les comptes» (1694); ces emplois intransitifs ont disparu au XIXe siècle. Le verbe transitif a eu le sens de «remettre à neuf (un objet) pour le vendre» (1538) et «corriger (une œuvre littéraire)» (av. 1613); il signifie «gratter de nouveau», en particulier les pierres d'un bâtiment (1675). ◆ Liés aux emplois anciens du verbe, les dérivés **REGRATTIER, IÈRE** n. (v. 1180), **REGRATTERIE** n. f. (1260) et **REGRAT** n. m. (1279) sont sortis d'usage. ◇ **REGRATTAGE** n. m. (1660) est le seul terme de la série qui se soit maintenu avec la valeur technique du verbe (1680).

GRATUIT, UITE adj. est un emprunt (attesté 1495) au latin classique *gratuitus* «gratuit», «désintéressé», en latin impérial «sans motif», dérivé de l'adjectif *gratus* (→ gré).

♦ *Gratuit* conserve le sens latin «accordé par libéralité» (1495); l'adjectif s'oppose aujourd'hui (1519) à *payant*. *Gratuit* se dit ensuite, comme en latin, de ce qui n'est pas fondé, justifié (1718, *supposition gratuite*) et de ce qui n'est pas déterminé par des considérations rationnelles (1831, *des crimes gratuits*, Michelet). De là, l'expression ***acte gratuit***.

▸ Le dérivé **GRATUITEMENT** adv. a suivi la même évolution sémantique : «sans avantage en retour» (1400); «sans fondement» (1671). ◆ **GRATUITÉ** n. f. est un dérivé savant du latin *gratuitus* ou un emprunt au latin médiéval *gratuitas* «faveur» (1273). ◇ Le mot a signifié (v. 1350) «exemption de payer»; il désigne ensuite l'action d'accorder qqch. par faveur (1460). Par extension, *gratuité* signifie «caractère désintéressé (d'une action)» (1541). À partir du XIXe s., il s'applique au caractère de ce qui s'obtient sans payer (1866; *la gratuité de l'enseignement*), au caractère de ce qui est non motivé (1884).

GRATULATION n. f. est un emprunt (av. 1380; une fois au XIIIe s.) au latin *gratulatio*, dérivé du supin de *gratulari* «remercier», «féliciter» (d'où est tiré en moyen français le verbe *gratuler*, v. 1355), issu de *gratus* «reconnaissant, charmant» (→ gré).

♦ *Gratulation*, «remerciement», est d'un emploi littéraire et rare, déjà archaïque à la fin du XIXe s. (cf. l'emploi archaïsant de *gratuler* chez Huysmans). Seuls les composés latins comme *congratulari* ont donné des formes courantes en français (→ congratulation).

GRAU n. m. est un emprunt (1704, puis 1769) à l'occitan *grau* «chenal par lequel un étang ou une rivière débouche dans la mer»; ce mot est soit emprunté au catalan *grau*, soit représente une altération du provençal *gra*, *gras* (déb. XIVe s.) sous l'influence de *grau*, n. m., issu de *grava* «grève*»; le catalan et le provençal sont issus du latin *gradus* (→ grade, degré) qui, à partir de l'époque impériale, s'employait à propos du mouvement des fleuves.

♦ *Grau* reste vivant en Languedoc, en particulier en toponymie (*Le Grau du roi*).

GRAVATS n. m. pl., réfection graphique tardive (XVIIIe s.) de *gravaz* (1500), *gravatz* (1523) et *gravas* (1548-1550), représente une altération, par substitution du suffixe *-as* (d'après *plâtras*), de *gravois* «débris» (1342) et «partie la plus grossière du plâtre» (1694), attesté aussi au sens de «gros sable» (XVe s.). *Gravois* est une nouvelle graphie pour l'ancien français *gravoi* «gros sable» (*gravei*, v. 1165), dérivé de *grave*, variante de grève (→ grave, grève).

♦ *Gravats* a signifié «gros graviers» (1500) puis «débris» (1523), aujourd'hui seulement (1680) en parlant des débris provenant d'une démolition. ◇ On dit aussi **GRAVOIS** n. m., forme ancienne (ci-dessus) dans le vocabulaire technique (1680). ◇ Le sens technique de *gravats* «partie du plâtre qui ne traverse pas le tamis» (1798) est aujourd'hui sorti de l'usage.

▸ En dérive le terme technique **GRAVATIER** n. m. (1762).

✳ ① **GRAVE** adj. représente un emprunt (déb. XIVe s.) au latin *gravis* «pesant, lourd», qui se dit des sons («bas») du climat, des aliments, etc.; dans l'ordre moral, *gravis* signifie «qui a de l'autorité, de l'importance», «puissant», «sérieux», «embarrassé, pénible»; *gravis* appartient à une famille issue d'une racine indoeuropéenne °*g*w*er-* «lourd» à laquelle se rattache le grec *barus*, de même sens (→ baryton). Le français *grave*, qui a éliminé l'adjectif *grief*, *griève* (→ grief), a repris une partie des sens du latin.

♦ *Grave*, introduit avec le sens de «qui a de l'importance» (aujourd'hui archaïque en parlant de personnes), a pris par extension et influence de sens latins la valeur de «qui peut avoir des conséquences mauvaises» (1580) et spécialement en morale de «condamnable» (1690, *faute grave*), d'où en religion *péché grave* (1690). De *maladie grave*, *blessure grave* (1764), on est passé au XXe s. à l'emploi extensif et très contestable de «gravement atteint» (*blessé grave*). Par ailleurs le mot s'est affaibli, comme son quasi-synonyme *sérieux*. ◇ L'adjectif s'emploie comme en latin (XVe s.) pour qualifier un son. Au XVIe s. *grave* s'utilise en grammaire (1533, *accent grave*). ◇ Il s'applique aussi (1542) à une personne qui se comporte avec dignité et réserve — auparavant en parlant de l'habillement (1440-1475) — d'où, par extension, à ce qui exprime la gravité, qu'il s'agisse du comportement (1638) ou de la pensée, du style (1680). ◇ Il s'est employé au sens propre latin, «lourd» (1690; 1757, *le grave*). ➜ L'emploi récent pour «abruti, idiot» est en fait un abrègement oral de *gravement atteint*.

▶ **GRAVEMENT** adv., «d'une manière importante» (1396), prend les sens modernes au XVe s. (1440-1475 «dignement») et au XIXe s. (1838, *gravement blessé*). ➜ **GRAVITÉ** n. f. est emprunté (v. 1200, *graviteit*) au latin *gravitas* «pesanteur, lourdeur», et au figuré «importance, dignité», «dureté», «incommodité», dérivé de *gravis; gravitas* avait abouti à *grieté* (attesté XIIIe s.). ◇ *Gravité* signifie d'abord «caractère de ce qui est réfléchi, sérieux» (v. 1200). Le sens physique «pesanteur» est repris en 1377, d'où au XVIIe s. (1672) la locution ***centre de gravité.*** Les autres emplois classiques sont passés à *gravitation* (voir ce mot à *graviter*). ◇ *Gravité* a signifié comme en latin «difficulté» (1520), «chose grave» (1554), acception disparue aujourd'hui, le mot ayant pris les sens d'«importance» (1611) et de «caractère dangereux» (1829), en particulier en pathologie (1845). ◇ Comme *grave*, mais plus rarement, *gravité* s'emploie aussi pour parler d'un son (1680). ➜ **GRAVI-** est un premier élément de composés tiré du latin *gravis* «pesant», et utilisé pour la composition de mots didactiques en sciences, technique. On peut citer **GRAVIMÈTRE** n. m. (1797), **GRAVIMÉTRIE** n. f. (1904, mais antérieur), **GRAVIMÉTRIQUE** adj. (1832) et, plus récemment, **GRAVIDÉVIATION** n. f. (v. 1970), **GRAVICÉLÉRATION** n. f. (1973; de *[ac]célération*), **GRAVISPHÈRE** n. f. (1973).

AGGRAVER v. tr. est emprunté (déb. XIIe s.) au latin *aggravare*, formé sur *gravis*, et en reprend les sens; d'abord au participe passé *agravet* (v. 1050), il s'est le plus souvent écrit *agrever* en ancien français par contamination avec **aggrevare*, formé sur la variante **grevis;* la graphie avec *-a-* semble s'imposer après 1350. ➜ Le verbe s'introduit aux sens de «rendre plus dangereux» en parlant d'une maladie et de «charger, alourdir», emploi qui se maintient dans la langue classique. Il signifie ensuite «rendre plus violent (qqch.)» (apr. 1250), «rendre plus condamnable (une faute, un tort)» (1340), employé à partir du XVIIe s. en théologie à propos d'un péché (1680) et en droit en parlant d'une condamnation (1690). ◇ Par ailleurs le verbe conserve en droit canon (1480) un sens du latin médiéval, «prononcer un second avertissement d'excommunication». ➜ **AGGRAVANT, ANTE** adj. du participe présent (XVIe s.) s'emploie en médecine et en droit *(circonstances aggravantes)*. ➜ **AGGRAVEMENT** n. m. (1547) est rare. ◇ Il est à peu près éliminé par le nom d'action emprunté au dérivé bas latin *aggravatio* «surcharge» et «oppression», devenu un terme de droit canon en latin médiéval. ◇ **AGGRAVATION** n. f. a repris cet emploi (XVe s.) mais a été ensuite remplacé par **AGGRAVE** n. f. (1655), déverbal de *aggraver*. ◇ Signifiant d'abord «accablement (moral)» (XIVe s.), *aggravation* s'est spécialisé en droit à partir du XIXe s. (1835, *aggravation de peine*) et désigne couramment le fait d'empirer, d'abord en médecine (1838).

◈ voir GRAVIDE, GRAVITER, GRÈVE, GREVER.

✳ ② **GRAVE** n. m. et f. représente (fin XIIe s.) une variante de *grève**.

♦ Comme *grève*, le mot a désigné un terrain sablonneux au bord de la mer ou d'un fleuve (fin XIIe s.). Il s'est employé pour «gravier» (1390) et se disait (1690) du rivage où les pêcheurs de Terre-Neuve faisaient sécher la morue, encore au XIXe siècle. ◇ Le mot, dans son premier emploi, s'est spécialisé pour désigner des terrains caillouteux situés dans la région bordelaise, qui conviennent pour la culture de la vigne (1525, *graves*, n. f. pl.; 1545, *vin de Graves*); par métonymie ***graves*** n. m. est le nom du vin de ces vignobles (1829).

▶ Le dérivé **GRAVIER** n. m., en ancien français «grève, rivage» (v. 1135), se spécialise très tôt pour désigner un sable à gros grains (v. 1155), et plus tard par métonymie un des petits cailloux constituant le gravier (1838). Par analogie il s'est employé en médecine (av. 1662) pour *calcul**. ➜ Son dérivé ① **GRAVIÈRE** n. f., réfection (1385) de *gravere* (fin XIIe s.) «lieu couvert de gravier», désigne une carrière d'où l'on extrait le gravier (1876). ➜ ② **GRAVIÈRE** n. f. a désigné (1780, Buffon) l'oiseau appelé plus tard *gravelot* (→ gravelle). ➜ **GRAVILLON** n. m., «petit caillou» (1558, puis 1611), sorti d'usage, a été repris à la fin du XIXe siècle. ◇ Le mot a fourni au XXe s. **GRAVILLONNER** v. tr. (attesté 1931), d'où **GRAVILLONNEUSE** n. f. (1941), **GRAVILLONNAGE** n. m. (v. 1950).

Le préfixé ① **ENGRAVER** v. tr., terme de marine (1636) aussi au pronominal *s'engraver* (1636), s'emploie par ailleurs (1817) au sens de «recouvrir d'une couche de gravier». ◇ Son dérivé **ENGRAVEMENT** n. m. (1798) est seulement un terme de marine.

◈ voir GRAVELLE, GRÈVE.

GRAVELLE n. f. est un dérivé (v. 1120, *gravele*) de ② *grave** «gravier», autre forme de *grève**.

♦ *Gravelle* a eu le sens (v. 1120) de «sable, gravier» du XIIe s. jusqu'à la fin du XIVe s. ◇ *Gravelle* «concrétions rénales» (XIIe s.) et, par extension, «affection provoquée par ces concrétions» (1580) est aujourd'hui archaïque.

▶ **GRAVELEUX, EUSE** adj. (XIIIe s.; v. 1200, *gravillous* puis *graveleux*, XIIIe s.) «qui contient du gravier» est attesté comme terme de médecine en 1478 *(gravelleux);* aujourd'hui sorti d'usage. Par extension, il signifie «qui a une chair pierreuse» (en parlant d'un fruit) (1671). ◇ Le sens figuré de «très licencieux», «proche de l'obscénité», apparaît à la fin du XVIIe s. et correspond à une métaphore selon laquelle ce qui est licencieux est pénible pour la conscience, comme la gravelle l'est pour le corps. ➜ De là vient **GRAVELURE** n. f. (1707), d'emploi rare, et **GRAVELEUSEMENT** adv. (1910), littéraire. ➜ **GRAVELOT** n. m. (1899; *gravelotte*, n. f., 1817) est le nom régional d'un petit échassier du genre pluvier; il a succédé à ② *gravière*.

GRAVER v. tr. est issu (v. 1200) de l'ancien francique °*graban* «creuser» (cf. allemand *graben* «creuser»).

♦ *Graver* est d'abord attesté au sens de «faire une raie dans les cheveux». Avec sa valeur moderne, «tracer sur une matière dure en l'entaillant», le verbe n'est attesté qu'au XVe s. (1475), mais on relève le composé *regraver* en 1346. Par figure, *graver* signifie (av. 1558) «rendre durable» ***(graver qqch. dans le cœur de qqn)*** et «rendre manifeste, par qqch. de remarquable» (1636). ◇ Par spécialisation du sens propre, *graver* prend le sens (v. 1650) de «tracer (un dessin, un texte) sur une matière dure, en vue de les reproduire», d'où par métonymie *graver une médaille* et, par extension, «reproduire par le procédé de la gravure» (par analogie, mil. XXe s., *graver un disque*).

▶ Les dérivés de *graver* sont liés au sens technique du verbe. ➛ **GRAVURE** n. f. a eu le sens général de «sillon, rainure» avec des emplois spéciaux (XIIIe s., *graveure* «rainure d'arbalète»), sens conservé dans des domaines techniques (architecture, cordonnerie, 1680). ◇ Le mot, suffixé en *-ure* comme *peinture, sculpture,* etc., prend au XVIe s. une signification artistique, «action de graver un dessin pour le reproduire» (1538), ce qui conduit à la notion d'«art de graver». Si l'action de graver une matière dure dans une intention artistique est aussi ancienne que l'art, le fait d'encrer une plaque incisée pour en reproduire le dessin (sur papier) remonterait à l'orfèvre italien Maso Finiguerra (mort en 1464). *Gravure* dans ce sens pourrait être un «emprunt culturel» (et non pas linguistique, l'italien dit *incisione*) à l'Italie, mais seulement en ce qui concerne les procédés sur métal, car la xylographie (dite plus tard *gravure sur bois*) est pratiquée au XVe s., notamment en Allemagne, pour la production d'«estampes*» (ce mot étant un italianisme de la Renaissance). ◇ *Une gravure* signifie par métonymie «ouvrage de graveur» (1568) et par extension (1829) toute image imprimée reproduisant un tableau, etc. ➛ Sur *gravure* ont été composés des termes techniques désignant les différents procédés de gravure et qui équivalent à des syntagmes comme *gravure sur bois, sur acier..., en taille douce,* etc. : **HÉLIOGRAVURE** n. f. (1873) de *hélio-*, tiré du grec *hêlios* «soleil», d'où **HÉLIOGRAVEUR, EUSE** n. (1905), d'après *graveur ;* **PHOTOGRAVURE** n. f. (1867, de *photo-*), d'où **PHOTOGRAVEUR** n. m. (1901); **PYROGRAVURE** n. f. (1888), de *pyro-*, tiré du grec *pur, puros* feu, — d'où **PYROGRAVER** v. tr. (1888, sur *graver*), avec pour dérivé **PYROGRAVEUR** (1907); **SIMILIGRAVURE** n. f. (1890, de *simili-*), du latin *similis* «semblable». ➛ **GRAVEUR, EUSE** n. (1398) précédé par le féminin *graveresse* (v. 1330) prend au XVIe s. le sens correspondant à *gravure.* ➛ **GRAVOIR** n. m. est la réfection (1426) des anciens féminins *gravouere* (1316), *gravoire* (1351); le mot a signifié «peigne» d'après le premier sens attesté de *graver.* Le sens technique moderne apparaît au début du XIXe s. (1803). ➛ Le préfixé ② **ENGRAVER** v. tr. était sorti d'usage dès le XVIIe s. au sens de «graver» (1532) mais est resté comme terme de construction (fin XVIe s.).

GRAVIDE adj. est un mot emprunté (1863) au latin *gravida* «enceinte», féminin de *gravidus* «chargé»; «rempli de qqch.», dérivé de *gravis* «lourd», qualifiant en particulier l'état de lourdeur d'une femme enceinte (→ grave).

♦ L'adjectif signifie «qui contient un embryon».

▶ Dans le vocabulaire de la médecine ont été dérivés **GRAVIDIQUE** adj. (1857) et **GRAVIDISME** n. m. (1866), sorti d'usage et remplacé par **GRAVIDITÉ** n. f. (1872), emprunt au latin *graviditas,* dérivé de *gravidus.*

GRAVIR v. est traditionnellement considéré comme issu (v. 1180) du francique *krawjan* «s'aider de ses griffes». Ce mot, reconstitué grâce au moyen néerlandais °*krauwen,* l'ancien haut allemand *krouwon,* l'allemand *krauen,* est dérivé de °*krawa* «griffe», qui a donné l'ancien français *groe* (XIIIe s.); selon une autre hypothèse, *gravir* serait à rattacher au latin *gradus* «pas», «marche» d'où viendrait un verbe populaire hypothétique °*gradivire,* issu de *gradu ire* «aller de marche en marche».

♦ *Gravir* est d'abord employé intransitivement avec le sens de «monter avec effort en s'aidant de ses mains» jusqu'au XVIe s., et encore dans les dictionnaires du XVIIe s. En emploi transitif, il signifie, à partir du XVIe s., par affaiblissement, «escalader, monter péniblement» (v. 1530) d'où, au figuré, «franchir, parcourir progressivement» (1835).

▶ Les dérivés **GRAVISSEMENT** n. m. (1906) et **GRAVISSABLE** adj. (attesté 1943) ne sont pas d'emploi courant.

GRAVITER v. intr. est introduit en français (1732) par emprunt au latin scientifique *gravitare* (1686), lequel est formé sur *gravitas, -atis* «pesanteur» (→ gravité), ou à l'anglais *to gravitate* «exercer un poids, une pression» (1644), puis «être affecté par la gravitation» (1692), lui-même d'origine latine.

♦ L'emploi en physique (1732) pour «tendre et peser vers un point», d'où au figuré «tendre vers (qqch.)» (1770), n'est plus en usage. *Graviter (autour de)* a pris d'après *gravitation* le sens de «tourner autour (d'un centre d'attraction)» (1734), et au figuré celui d'«évoluer autour de (qqn)» (1835).

▶ **GRAVITATION** n. f., introduit en 1717 (en concurrence avec *gravité*), est emprunté à l'anglais *gravitation* (1645) ou au latin scientifique *gravitatio* (dérivé savant de *gravitas*) et répandu en français par la traduction des œuvres de Newton. La théorie de la *gravitation universelle,* essentielle en sciences, se diffuse à partir du milieu du XVIIIe s. ◇ Malgré l'importance essentielle du concept de gravitation dans la pensée scientifique, à partir du XVIIIe s., le mot n'a provoqué que récemment la formation d'une série morphologique. ➛ **GRAVITATIONNEL, ELLE** adj. (1912) «relatif à la gravitation» a été formé d'après l'anglais *gravitational ;* **GRAVITATOIRE** adj. (XXe s.), de même sens, est moins usité. ➛ **GRAVITON** n. m. (av. 1962) est construit à partir du radical de *gravi*(tation), et de l'élément *-on* des particules. ➛ Les composés **AGRAVITATION** n. f. (v. 1960; de *a-* privatif) et **ANTIGRAVITATION** n. f. (mil. XXe s.; de *anti-* «contre») sont aussi des termes didactiques. ➝ Un élément *gravi-* sert à former d'après *accélération* et *décélération* **GRAVICÉLÉRATION** n. f. (1973) «accélération (positive ou négative) d'un engin spatial utilisant l'attraction d'un corps céleste». ◇ **GRAVIDÉVIATION** n. f. (v. 1970) a le même sens.

GRAVIFIQUE adj. (1782) est un dérivé de *gravis* «lourd».

GRAVOIS → GRAVATS

✻ GRÉ

GRÉ n. m. est issu (2de moitié xe s., *gred*) du latin *gratum*, neutre substantivé de l'adjectif *gratus* «accueilli avec faveur, agréable, bienvenu», «aimable» et «reconnaissant»; *gratus* est probablement un ancien terme religieux, qui répond au sanskrit *gūrtáḥ* et au lituanien *gìrtas* «célébré».

♦ *Gré* a d'abord le sens latin de «consentement». Il reprend les sens de «reconnaissance» (v. 1050, ***savoir bon gré;*** aujourd'hui ***savoir gré,*** XIIe s.), devenu archaïque en emploi libre; il s'est employé au sens de «faveur» (XIIIe s.), «amitié» (XIIIe s.) et «don» (1451). Dès le moyen âge, *gré* s'emploie surtout dans des locutions : ***de gré*** «spontanément» (1080), continué aujourd'hui dans ***de mon (ton, ...) plein gré*** (1636) et ***de gré ou de force*** (1866; de force ou de gré est antérieur), ***savoir gré*** (de qqch.) ***à*** (qqn) (XIIe s.), ***au gré de*** «selon la volonté» (1280); *bon gré, mau gré* (1330) devenu ***bon gré mal gré*** (XVIe s.); ensuite sont formées les locutions ***de gré à gré*** «à l'amiable» (XVIe s.), ***avoir, prendre en gré*** «trouver agréable» (→ agréer).

▸ Sur *gré* ont été composés de nombreux mots. ➝ **AGRÉER** v., formé (v. 1160) de *a-*, *gré*, et suffixe verbal au sens d'«être au gré (de qqn)», a pris, en construction intransitive, le sens de «consentir, approuver» (v. 1170). Sa construction normale est *agréer à qqn* (comme *plaire à*), mais on trouve aussi *agréer que*, suivi du subjonctif (1660). ➝ De ce verbe vient **AGRÉABLE** adj. qui a eu (v. 1165) jusqu'à l'époque classique le sens de «qui est au gré (de qqn)», par exemple dans la locution ***avoir (qqch.) pour agréable*** «trouver bon» (1538). Ce sens vieilli est celui de l'anglais moderne (emprunté au français) *agreable.* ◇ L'adjectif a aussi (XIIe s.) le sens de «qui plaît, éveille l'affectivité»; il est substantivé (1658, n. m.) pour «ce qui est agréable» et (1720) «personne agréable», au masculin et au féminin. Ce dernier sens a donné lieu à l'expression ***faire l'agréable.*** L'adjectif s'est également appliqué à un vent favorable (1486). ◇ En dérive **AGRÉABLEMENT** adv. (2de moitié XIIIe s.) «volontiers» puis (1343) «d'une manière agréable». ➝ Le préfixé **DÉSAGRÉABLE** adj. apparaît au XIIIe s. (1275, *desagraable*); il succède au composé verbal *désagréer* (XIIe s.), «ne pas convenir à..., causer du déplaisir», et signifie d'abord «qui ne convient pas, qui déplaît», en parlant des personnes et des choses; mais il semble avoir assez tôt des emplois sans complément, proches (au moins en apparence) de l'usage moderne, alors que *agréable,* avant le XVIIe s., signifie toujours «qui agrée, convient à qqn». ◇ Il a pour dérivé **DÉSAGRÉABLEMENT** adv. à la fin du XIVe siècle.

AGRÉMENT n. m. n'est employé au sens d'«action d'agréer, approbation» (v. 1465) que dans quelques syntagmes figés, spécialement comme terme de droit («accord»). Ce sens s'est conservé dans l'emprunt fait par l'anglais *agreement* (→ gentleman agreement). Le mot a eu la valeur de «charme, attrait» à propos de personnes (1476); le sens d'«ornement» (1502-1503, en serrurerie; fin XVIIe s., en imprimerie) n'existe plus qu'en musique (1706) ou à propos du style. ➝ Sur *agrément* a été dérivé **AGRÉMENTER** v. tr. (fin XVIIIe s.) «améliorer par des agréments», d'où vient le terme technique **AGRÉMENTISTE** n., synonyme de *agriministe* (1766) puis *agréministe* (1782), refait sur *agrément* en **AGRÉMANISTE** (XXe s.). ➝ **AGRÉATION** n. f. (XVe s.), dérivé de *agréer,* est utilisé en Belgique (1874) au sens d'«agrément, accord donné à un acte administratif».

MALGRÉ prép., formé avec *mal* adj. «mauvais» et *gré,* représente (XIVe s.) une réfection de *maugré* (XIIe s.) utilisé jusqu'au XVIe siècle. Il s'emploie au sens étymologique de «contre le gré de (qqn)» (v. 1160, *maugré qqn* ; *maugré que*) et par extension (1650; v. 1250, *maugré*) équivaut à «en dépit de»; l'expression ***malgré tout*** est attestée en 1867. ➝ **MAUGRÉER** v. intr., «manifester son mécontentement», dérive (1279) de l'ancien français *maugré* n. m. «déplaisir, peine» (XIIe s.), composé de *mal* adj. et *gré.* Le son *gr-*, qu'on trouve dans *gronder, grommeler,* a infléchi son sens vers l'idée de manifestation orale.

◈ voir **GRÂCE, GRATUIT, INGRAT.**

GRÈBE

GRÈBE n. m. est un mot d'origine obscure (1557). P. Guiraud suggère pour étymon le latin *crepare* «craquer, faire entendre un cliquetis» ou encore un dialectal *grabber* «fouiller en grattant» (→ grabuge).

♦ *Grèbe,* nom d'un oiseau aquatique, désigne (1844) par métonymie ses plumes.

GREC, GRECQUE

GREC, GRECQUE adj. et n. représente un emprunt (v. 1165) au latin *Graecus* «grec», du grec *Graikos. Graikos* est cependant très rare dans la littérature grecque où le terme normal et courant est *Hellên, -ênos* (→ hellénique) : c'est sans doute un mot étranger (peut-être illyrien) passé très tôt en latin par l'intermédiaire de l'étrusque. *Grec* s'est substitué aux formes issues de l'évolution phonétique de *graecus, griu, griois, grézois* (→ grégeois), *griesche* (→ grive).

♦ *Grec* «de Grèce» (v. 1165, *la langue grecque;* v. 1208, n., *le grec*) s'est employé au XVIe s. (1527) pour «helléniste, personne qui connaît le grec» (ceci encore au XVIIe s.); d'où au figuré les sens de «savant» (1640, adj.) et «habile» (1651). ◇ Quant au sens d'«habile à tromper» (1578), allusion à une ancienne réputation de ruse des Grecs (→ grigou), il a produit celui de «tricheur au jeu» (1721), courant au XIXe s., spécialisation qui provient sans doute d'un croisement par calembour sur *graisse* «profit» et *Grèce.* ◇ La locution ***à la grecque*** (1584) «à la manière des Grecs» s'emploie en reliure (1635) et aussi en cuisine (par ex. *champignons à la grecque*). ◇ Par allusion à la Grèce antique et en particulier à Socrate, *le vice grec* a désigné l'homosexualité masculine (d'où la locution moderne ***se faire voir chez les Grecs***). Voir aussi l'encadré pp. 1636 à 1639.

▸ **GRÉCISER** v. «imiter la langue grecque» (1551, intr.) est un emprunt au dérivé latin *graecisare ;* au sens transitif de «donner une forme grecque (à un mot)» (1674), le verbe dérive de l'adjectif *grec.* ◆ **GRÉCITÉ** n. f. (1800) «caractère grec» est un terme didactique ; il a été employé au sens figuré d'«avarice» (1808). ◆ **GRECQUE** n. f. est un terme technique, en reliure d'abord (1701, «scie de relieur» ; 1810, «encoche au dos du livre») et en architecture (1828 ; 1765, «ornement»), désignant une forme décorative. Du sens technique en reliure (*relier à la grecque,* 1635) vient le dérivé **GRECQUER** v. tr. (1701) «pratiquer des saignées dans le dos des volumes pour loger les attaches de la couture», qui a donné **GRECQUAGE** n. m. et **GRECQURE** n. f. (attestés XXe s.). ◆ Un premier élément **GRÉCO-** se combine avec des adjectifs ethniques, comme *latin, romain* (*gréco-romain* 1829).

⟐ voir aussi GRÉGEOIS, GRÈGUES, GRIGOU, GRIVE, GRIVOIS.

① **GREDIN, INE** n. est une forme francisée (1640) avec un suffixe en *-in* du moyen néerlandais *gredich* «avide» ; on relève les variantes régionales *gredan* «gredin», *gueurdaud* «mendiant» (Centre), *gredot* «vagabond» (Berri).

♦ *Gredin* a d'abord désigné un mendiant, un truand (au sens ancien) (1640), d'où l'acception moderne (1653) de «personne vile, méprisable», et par affaiblissement (1775) de «mauvais garnement».

▸ Le dérivé **GREDINERIE** n. f. (1690) est aujourd'hui vieilli.

② **GREDIN** n. m. désigne aussi, peut-être par altération de *grondin* (et il s'agirait dans ce cas d'un homonyme sans rapport étymologique), un chien de petite taille (1755, Buffon ; 1746, *chienne gredine*).

⟐ **GRÉER** v. tr. a remplacé (1666) *grayer* (1636) et vient de l'ancien nordique *greida* «équiper, arranger» auquel correspondent le moyen néerlandais et moyen haut allemand *gereiden* ; la forme *agreier* (v. 1170) «équiper, mettre en état» et (v. 1180) «pourvoir un navire de ses accessoires» vient sans doute de l'influence de verbes comme *abiller* «préparer, apprêter» (→ habiller, à *bille*) ; la forme simple a probablement été introduite pour éviter l'homonymie avec *agréer* «trouver à son gré» (→ gré) ; cependant *agréer,* terme de marine, est encore utilisé au XIXe s., et *agrès** est usuel.

▸ **GRÉEMENT** n. m. (1670) a remplacé le dérivé de *agreier, agrément* (déb. XVIIe s.) ; il signifie «ensemble du matériel nécessaire à la propulsion d'un voilier» et «action de gréer» (1801), en concurrence avec **GRÉAGE** n. m. (1865). ◆ **GRÉEUR** n. m. (1834) désigne la personne responsable des gréements sur un chantier naval.
RAGRÉER v. tr. a été formé (1554) sur l'ancien verbe *agréer* (ci-dessus) ; il est employé dans le vocabulaire du bâtiment et en arboriculture. ◇ *Se ragréer* «remettre en état le gréement» (XIXe s.) n'est plus en usage : on utilise en marine **REGRÉER** v. tr., préfixé plus ancien (1666) de *gréer.*

GREFFE n. m. et f. est issu (mil. XIe s.) du latin *graphium* «stylet, poinçon à écrire», emprunt au grec *grapheion* (de *graphein* «écrire» ; → graphique) ; l'ancien français a connu (1re moitié du XIIe s.) la variante *grafie.* ⟐

♦ *Greffe* a eu le sens latin de «stylet», aujourd'hui sorti d'usage, puis a pris celui de «bureau où l'on garde les minutes des actes» (déb. XIVe s. ; 1278, «office chargé des comptes de l'hôtel royal») — d'où celui, aujourd'hui archaïque, de «charge de greffier» (1636).
Par ailleurs, *greffe* n. f. (1538) d'abord écrit *greife* (v. 1240) est un emploi métaphorique de *greffe* «stylet» pour «pousse d'une plante que l'on insère dans une autre». Le mot s'emploie ensuite pour «action de greffer» (1690) puis par analogie en parlant d'êtres animés (1782, *greffe animale*). Le développement de la chirurgie lui a donné de nombreux emplois récents (*greffes d'organes,* etc.), ainsi que des composés (ci-dessous).

▸ De *greffe* n. m. dérive **GREFFIER, IÈRE** n. (1278) «officier du greffe» ; le mot désigne ensuite (1571) une sorte de chien de meute (la race provenant, dit-on, de la chienne d'un greffier). ◆ Il équivaut en argot à *chat* (1821, sans doute plus ancien), par rapprochement avec *griffe* (les mots *greffe* et *griffe* sont sémantiquement reliés par le sens d'égratignure ; cf. aussi *griffe* «paraphe»). ◆ De *greffe* n. f. dérive **GREFFER** v. tr. (1536) qui a remplacé *graffer* (1496), employé au propre et au figuré. ◆ Du verbe dérivent **GREFFEUR, EUSE** n. (déb. XVIe s.), **GREFFOIR** n. m. (1700), **GREFFON** n. m. (1552, *grafon*) repris en 1872 en botanique, en horticulture, puis en médecine, **GREFFAGE** n. m. (1872), **GREFFÉ, ÉE** adj. et n. «qui a subi une greffe» et le préfixé **REGREFFER** v. tr. (1676).
Greffe a fourni plusieurs composés, en horticulture (**PORTE-GREFFE** n. m., 1877 ; **GUIDE-GREFFE** n. m., XXe s.) et surtout en biologie : **HOMOGREFFE** n. f. (1899), **HÉTÉROGREFFE** n. f. (1900), **AUTOGREFFE** n. f. (1920), **XÉNOGREFFE** n. f. (1973).

GRÉGAIRE adj. représente une adaptation tardive (1829) du latin *gregarius* «qui fait partie de la troupe» (en parlant d'animaux, de soldats) : *gregarius miles* «simple soldat» figure en 1520 dans une traduction de Suétone. C'est un dérivé de *grex, gregis* «réunion d'animaux ou d'individus de même espèce», qui se rattache à une racine indoeuropéenne **ger-* «assembler». Le troupeau en tant que bétail se disait *pecus* (→ pécore, pécule).

♦ *Grégaire,* terme didactique, se dit des espèces dont les individus vivent par troupeaux (1829, *instinct grégaire*) ; le mot s'emploie couramment au figuré, appliqué à des êtres humains (1909, Poincaré), en parlant de ce qui provoque le groupement ou qui en résulte.

▸ À partir du radical latin de *grégaire* ont été formés les termes didactiques : **GRÉGARISME** n. m. (1876), **GRÉGARISATION** n. f. (déb. XXe s.) et **GRÉGARITÉ** n. f. (mil. XXe s.).

GRÈGE adj. est un emprunt (1576) à l'italien *(seta) greggia* «(soie) brute», féminin de l'adjectif

(Suite page 1640)

LE GREC

La longévité de la langue grecque est surprenante : plus de trente-cinq siècles séparent les premières attestations que l'on en possède — le mycénien — du grec moderne, descendant direct du grec ancien.

Cette langue, qui fait partie du groupe indoeuropéen, apparaît comme isolée dans cet ensemble : elle présente cependant quelques affinités caractéristiques avec le groupe indo-iranien, et surtout avec l'arménien.

Origines et formation.

Le grec garde d'importants éléments indoeuropéens comme peuvent en témoigner sa grammaire, sa morphologie et une partie de son vocabulaire. Mais il a également été marqué par les langues de substrat parlées dans la péninsule et les îles avant les différentes invasions helléniques, qui ont eu lieu au cours du IIe millénaire avant notre ère, dans des circonstances totalement inconnues de nous : c'est ainsi par exemple que les Hellènes ont emprunté aux peuples qu'ils ont envahis un certain nombre de mots désignant des réalités qu'ils ne connaissaient pas. C'est le cas du nom de l'olivier, *ela (w)ia*, emprunté par le latin *oliva*. Le nom de la mer, réalité nouvelle pour des envahisseurs venus du continent, a été emprunté à une langue autochtone : c'est *thalassa* (d'où en français *thalassothérapie*, etc.). Cette tendance explique que nombre de mots venant du grec ne peuvent se comprendre par une origine indoeuropéenne : on dit qu'ils sont «préhelléniques» (d'avant l'arrivée des Hellènes) ou «égéens» (indigènes de la mer Égée).

Le grec a eu en outre, dans l'ensemble indoeuropéen, son évolution propre, et s'est vite constitué comme une langue originale : son lexique s'enrichit de mots abstraits et ignore certains tabous linguistiques propres aux autres langues du groupe. Trois caractéristiques phonétiques, différenciant le grec, ont pu se répercuter dans les langues modernes. Le grec a eu tendance à supprimer, à l'initiale et entre voyelles, trois phonèmes et leurs trois notations, le ***s***, le ***w*** (noté Ϝ «digamma») et le ***y*** (notre *j*) : il a remplacé le ***s*** par une aspiration *(h)*, a supprimé le ***w***, et a remplacé le ***y*** par une autre lettre (par exemple *z*). Cela explique certaines formes de prime abord divergentes que prennent des mots des langues modernes se rattachant à une même racine indoeuropéenne, selon qu'ils sont passés, respectivement, par le grec ou par une autre langue : on a ainsi *herpès* à côté de la série à laquelle appartient *serpent; organe* et *ergonomique*, du grec *ergon* «travail», à côté de l'anglais *work* ou de l'allemand *Werk; zeugma* à côté du latin *jugum* «joug», etc.

Le mycénien.

Le plus ancien témoignage du grec remonte au milieu du IIe millénaire avant J.-C. : c'est le mycénien, déchiffré en 1952 à partir de documents découverts en Crète, à Cnossos, et dans le Péloponnèse, à Pylos et à Mycènes. Les documents que l'on possède sont nombreux, environ 5 000, et sont constitués pour l'essentiel de listes de personnes, d'inventaires d'objets et de relevés de comptabilité. Le mycénien ignore l'écriture alphabétique : il s'écrit à l'aide d'un syllabaire lourd et mal adapté, couramment appelé «linéaire B», et hérité d'un système inventé pour une langue préhellénique non encore déchiffrée (linéaire A). Malgré ces handicaps pour les chercheurs, on peut se faire une idée de la langue que parlaient les envahisseurs helléniques.

Les poèmes homériques.

Entre le mycénien, dont les derniers textes datent de 1200 avant J.-C., et le premier témoignage que l'on possède d'un grec «littéraire», les poèmes homériques écrits au VIIIe s. avant J.-C., aucun document ne nous renseigne sur l'évolution de la langue. Cependant, un fait d'importance a eu lieu : la naissance, sans doute au début du Ier millénaire avant J.-C., de l'alphabet grec, adapté du phénicien, beaucoup plus précis et plus commode que le vieux syllabaire mycénien. L'épopée homérique, qui conserve quelques traits du mycénien, est elle-même écrite dans une langue élaborée et artificielle, c'est-à-dire normalisée et contrôlée, qui correspond à un mélange de différents dialectes grecs.

Les dialectes.

Le grec ancien est en effet divisé en plusieurs dialectes dont on a — et c'est là chose inhabituelle dans les langues indoeuropéennes anciennes — un assez grand nombre d'attestations, tant par la littérature que par les inscriptions. Cette diversité est due aux conditions historiques : les Hellènes sont arrivés du Nord par vagues successives, chacune ayant un dialecte défini; les langues de substrat étaient elles-mêmes différentes dans les diverses régions de Grèce. À la base de ces différenciations, existe une cause naturelle : le relief tourmenté de la Grèce, constitué de montagnes entourant des vallées et qui a longtemps favorisé le morcellement linguistique.

Les dialectes grecs anciens se divisent en quatre groupes : l'*ionien-attique*, l'*arcado-cypriote* (caractéristique de l'Arcadie et de la plus grande partie de l'île de Chypre, et constitué de l'arcadien, du cypriote, et du pamphylien) l'*éolien* (comprenant le béotien, le thessalien et l'éolien d'Asie) et enfin le *dorien* (nom de la dernière vague d'envahisseurs). Ces dialectes ne sont pas également connus, en particulier parce que, excepté l'ionien, l'attique et, dans une moindre mesure, l'éolien de Lesbos avec Sappho et Alcée, aucun d'entre eux n'a eu d'existence littéraire.

L'ionien et l'attique.

Deux dialectes, à l'origine apparentés, ont eu une influence prépondérante parce qu'ils ont été véhiculés par des cités importantes et parce qu'ils ont été largement diffusés par la littérature : l'ionien et l'attique. Le premier, géographiquement disséminé, était parlé dans des points très éloignés les uns des autres : dans les îles (les Cyclades, autour de Délos, lieu de culte ionien, et l'Eubée), sur les côtes d'Asie Mineure, en Sicile, en Italie et jusqu'en Gaule, où Marseille (Phocée) et Agde sont des colonies ioniennes. C'est en dialecte ionien qu'est née la prose littéraire au VIe s. avant J.-C., avec les premiers philosophes, Héraclite, Parménide, et avec Thalès de Milet. C'est aussi en ionien qu'ont écrit, à l'époque classique, Hérodote et Hippocrate. Quant à l'attique, parlé autour d'Athènes et géographiquement limité, il s'est répandu avec l'extraordinaire expansion d'Athènes après les guerres médiques : c'est en attique qu'ont écrit la plupart des écrivains de la période classique, Eschyle, Sophocle, Euripide, Thucydide, etc.
Les particularités dialectales expliquent que des mots grecs ont pu se transmettre en latin, puis en français avec des graphies un peu différentes : ainsi *tt* en attique est noté et prononcé *ss* en ionien (ainsi que dans la *koinè*, voir ci-dessous). Un mot comme *glôtta* (attique) correspondant à *glôssa* (ionien) «langue» a pu aboutir à la fois à *glotte* et à *glossaire*.

Évolution du grec.

Les articles de ce dictionnaire font référence, pour caractériser les étymons, au «grec» parfois qualifié : «grec hellénistique, tardif, byzantin», «grec chrétien», «grec moderne». «Grec» employé seul désigne le grec ancien, archaïque et classique : c'est en gros la langue que l'on trouve dans la littérature grecque depuis Homère (VIIIe s. avant J.-C.), jusqu'à la fin de l'indépendance des cités, marquée par la conquête d'Alexandre (IVe s. avant J.-C.). Sauf lorsque c'était nécessaire pour la compréhension d'un terme en français, il n'a pas été fait de différences entre les dialectes — ce qui n'aurait correspondu, la plupart du temps, qu'à noter des variantes.

Grec hellénistique : la *koinè*.

À partir de la mort d'Alexandre, qui marque le début de la période dite «hellénistique» (323 avant J.-C.) et s'étend jusqu'à la conquête romaine de l'Égypte (30 avant J.-C.), les conditions sociolinguistiques changent du tout au tout. Le grec, jusqu'alors langue de culture, mais parlée sur un petit territoire, devient la langue officielle du vaste empire d'Alexandre, puis des royaumes de ses successeurs, les diadoques : c'est la langue littéraire, administrative, la langue de l'institution et des échanges. Parlé par une multitude d'individus dont ce n'était pas la langue maternelle, le grec subit d'importantes transformations, aboutissant à ce qu'on appelle le «grec commun» ou *koinè*, qui repose essentiellement sur l'attique. La *koinè* a totalement éliminé les dialectes et se trouve à la base du grec byzantin et du grec moderne. Les transformations les plus significatives vont dans le sens de la simplification syntaxique et morphologique, avec la suppression de l'optatif, un mode dont les emplois doublaient ceux du subjonctif, la disparition du duel, forme qui s'ajoutait au singulier et au pluriel (au-dessus de deux), la simplification des déclinaisons et des conjugaisons. Pour ce qui est du lexique, la *koinè* s'est beaucoup enrichie, en évitant en général les emprunts aux langues qu'elle doublait ou supplantait.

Naissance du grec chrétien.

Cette extraordinaire expansion du grec a été à l'origine de l'existence d'une littérature grecque chrétienne, très importante également durant la période tardive et byzantine. Dès l'époque hellénistique, au IIIe s. avant J.-C., la Bible est traduite en grec, d'abord pour les besoins cultuels des juifs hellénophones : c'est ce que l'on appelle la version des Septante, texte adopté par les chrétiens, et dont l'influence culturelle sera immense. Plus tard, pendant la période romaine, le grec sera le grand véhicule de la «bonne nouvelle», du message chrétien. Les Évangiles sont écrits en grec, ainsi que les écrits formant le Nouveau Testament. Les premiers textes chrétiens sont rédigés dans la langue grecque parlée alors, la *koinè;* par les traductions latines, beaucoup d'éléments passeront dans les langues européennes modernes.

Grec tardif.

La période qui suit l'époque hellénistique est celle du grec tardif, qui va de la conquête romaine (30 avant J.-C.) à l'Empire byzantin, né en 330 de notre ère : avec la conquête romaine, le grec, en tant que langue internationale, langue des échanges, s'est trouvé concurrencé par le latin. C'est en réaction contre l'importance prise par la langue latine et par nostalgie pour la belle époque du grec que certains écrivains des premiers siècles de l'ère chrétienne ont eu tendance à revenir artificiellement, à l'encontre de l'usage parlé et de celui de la littérature hellénistique, à l'atticisme le plus pur, à la langue de

Thucydide ou de Platon. Cette tendance touche aussi bien les auteurs «païens» que chrétiens, avec les premiers apologistes, puis les grands docteurs de l'école d'Alexandrie, comme Origène ou Clément d'Alexandrie : seuls les textes formant le Nouveau Testament avaient été écrits dans la langue parlée, la *koinè*. Ce désir d'un retour à la langue des auteurs classiques a suscité une opposition entre une langue littéraire, de plus en plus éloignée de l'usage courant, et une langue parlée qui évolue. Cette opposition a marqué toute l'histoire du grec jusqu'à nos jours.

Grec byzantin.

La même dichotomie existe en effet sous l'Empire byzantin, de 330 à 1453, date de la conquête de Constantinople par les Turcs. La langue officielle et littéraire, tant celle des auteurs chrétiens — comme saint Jean Chrysostome ou saint Grégoire de Nazianze — que profanes, reste autant que possible proche de celle de la rhétorique classique ; la langue parlée, qui évolue, est représentée par une littérature jugée «vulgaire», «populaire» : d'abord écrits monastiques, puis hagiographies, chroniques historiques et plus tard cantiques populaires, poésie satirique. La langue commune subit alors d'importantes modifications, avec de nouvelles simplifications des déclinaisons (et notamment, la disparition du datif) ainsi que des conjugaisons. La prononciation se modifie profondément avec la tendance — déjà amorcée lors de la période hellénistique — à prononcer *i* les diphtongues *oi* et *ei* ainsi que *ê* et *u*, et à supprimer l'aspiration initiale. Le lexique s'enrichit par l'introduction de termes maritimes et commerciaux d'origine vénitienne, et aussi de mots d'ancien français, lors des croisades. Quant au domaine où est parlé le grec, il revient petit à petit à ce qu'il était avant la conquête d'Alexandre.

Grec moderne.

Le grec moderne, descendant direct de la *koinè*, est à peu près formé au XVe s. de notre ère. L'occupation turque, longue de quatre siècles, n'a pas transformé la langue en profondeur, se bornant à fournir d'importants apports lexicaux. Quant à l'opposition entre une langue des puristes, proche du grec classique, et le grec courant ou démotique, elle a suscité de nombreuses polémiques aux XIXe et XXe s., polémiques dont le grec courant, cependant normalisé, sort enfin victorieux.

Influence du grec sur le français.

Emprunts indirects. L'influence du grec sur le français est indirecte lorsque ce dernier a emprunté des mots latins venant eux-mêmes du grec. Or, on sait que le latin s'est constamment enrichi par des emprunts à cette langue ; il y eut d'abord de nombreux emprunts anciens par voie orale, relatifs, la plupart du temps, à un vocabulaire concret. Ces mots ont pu être soumis aux lois de la phonétique latine et subir certaines transformations : ainsi le grec *porphura* a donné *purpura* en latin (d'où *pourpre* en français). Ensuite, au fur et à mesure que les contacts ont été plus importants entre les deux civilisations, le latin a emprunté des mots grecs par voie écrite, en leur laissant cette fois leur forme originelle. C'est alors que sont apparus en latin des doublets comme *purpura* et *porphyretus*, qui rappellent les nombreux doublets français provenant du latin par voie orale, puis écrite. Une grande partie du vocabulaire philosophique et scientifique du latin a été soit emprunté, soit calqué du grec de la *koinè*, et c'est ainsi que le grec hellénistique a eu une influence prépondérante sur le vocabulaire, non seulement du français, mais de l'ensemble des langues d'Europe occidentale : le latin *conscientia* calque *suneidêsis*, *humanitas* rend *philanthrôpia*, etc. Par l'intermédiaire des traductions latines de la version des Septante, beaucoup de mots du vocabulaire religieux venant du grec sont passés en français (*baptême*, etc.). Le latin de Gaule a lui aussi emprunté au grec des mots dont le sens ou la forme ont pu se transformer profondément : ainsi en est-il de mots concrets comme *cathedra* «chaise», *encaustum* «encre», de mots du domaine pharmaceutique comme *butyrum* «corps gras» (passé plus tard au sens de «beurre»), du domaine médical comme *gamba* «jambe» (grec *kampè* «courbure»).

Emprunts directs. Les emprunts directs au grec débutent à la Renaissance, lorsqu'on s'est à nouveau intéressé à cette langue, ignorée au moyen âge sinon par l'entremise des textes arabes. L'entrée du grec dans le «colinguisme» européen, à titre de source et de symbole, est essentielle pour l'histoire des mots. Les emprunts du français se sont multipliés à tel point que l'on ne pourra qu'indiquer des domaines, en les illustrant de quelques mots significatifs. Si, à la différence des emprunts indirects, le grec sert en général à former des mots savants (littéraires, scientifiques, techniques), nombre de ces termes sont passés dans le langage courant, dans leur intégralité lorsqu'ils étaient courts et assez usuels *(symptôme, époque)*, souvent tronqués s'ils étaient trop longs, comme c'est le cas des composés savants qui ont donné *sténo, stylo, télé* ou *cinéma*.

Les emprunts savants directs au grec ont commencé au XVIe s. par la médecine avec Ambroise Paré, à qui on doit des mots comme *hygiène, péricarde, diarthrose; œdème, symptôme* et *larynx* datent également du XVIe s. Rabelais, à la fois médecin et humaniste, est un important témoin de ce processus. Le domaine médical, dont l'expression en France reste longtemps le latin, a depuis, à la suite des illustres prédécesseurs de langue grecque Hippocrate et Galien, abondamment puisé dans le fonds grec pour former les mots dont il avait besoin, puisque actuellement plus de 4 500 mots — soit 66 % du vocabulaire médical — viennent de cette langue. Les poètes de la Pléiade, quant à eux, n'ont fourni qu'un petit nombre de termes venant du grec : *anagramme, athée, enthousiasme* et quelques autres. On forme également des mots que le grec n'a pas connus, par dérivation et composition, un procédé qui connaîtra par la suite une grande fortune : ainsi en est-il de *symptomatique, académicien, hiéroglyphe.*

Malgré la répugnance des puristes d'alors pour les néologismes, le XVIIe s. fournit lui aussi un certain nombre de mots venant du grec : *anachronisme* et *polyglotte, anecdote* et *époque* en font partie. Au XVIIIe s., par suite des progrès scientifiques, les emprunts au grec se sont multipliés dans tous les domaines, tant intellectuels que scientifiques et techniques : ainsi sont nés, avec les débuts de la chimie (Lavoisier et Guyton de Morveau), *oxygène* et *hydrogène*, parmi beaucoup d'autres termes. Le grec tiendra une grande place dans la formation du lexique très organisé de la chimie moderne, avec des mots parfois très simples, comme *brome, chrome* ou *iode,* qui datent aussi du XVIIIe s. Le Suédois Linné codifie le vocabulaire de la botanique et celui de la *zoologie* (terme né à l'époque), deux branches du savoir qui voient fleurir les emprunts au grec. Le vocabulaire philosophique s'enrichit *(cynique, sceptique)* et les débuts de l'économie voient naître *économiste,* tandis que *économie* change de sens. Le lexique politique se développe avec par exemple les dérivés de *monarchie (monarchisme, antimonarchique)* et *physiocrate,* qui ne durera pas, mais permet à l'élément *-crate* de servir à la formation de nombreux mots nouveaux (tels *bureaucrate* à la fin du XVIIIe s. et, récemment, *technocrate*).

Dès la fin du XVIIIe s. et jusqu'à notre époque, la formation de nouvelles techniques, de sciences, appelle des termes souvent formés à l'aide du grec. La naissance du système métrique en France à la fin du XVIIIe s. inaugure *mètre, gramme,* et leurs composés, tel *kilogramme,* etc. Si beaucoup de mots ainsi formés appartiennent au vocabulaire savant, nombre d'entre eux sont également passés dans le langage courant. Ainsi, au XIXe s., la biologie crée *microbe, bactérie, aérobie*... Les sciences humaines voient le jour, et c'est la naissance de la *sociologie,* de l'*ethnographie;* les sciences du langage aussi sont concernées, avec *philologie,* puis *phonétique, sémantique.* Dans le domaine des techniques, le XIXe s. voit naître le *cinéma(tographe),* la *photographie,* le *téléphone.* Depuis la deuxième moitié du XVIIIe s. et surtout au XIXe et au XXe s., la chimie, la physique, la biologie, la médecine, puisent dans le fonds grec, surtout par l'anglais, l'allemand et le français, des éléments ou des mots convenant à leurs besoins. Beaucoup vieillissent ou restent étroitement spécialisés, mais d'autres se diffusent durablement : *échographie, électron, cyclotron.* Les noms des nouvelles branches scientifiques comme *biophysique* ou *biotechnologie* sont dans le même cas. *Symposium* double *colloque* et la langue courante forme également des néologismes souvent à l'aide d'éléments «opérateurs» comme les nomme P. Guiraud, tels *hyper-, auto-, télé-, pseudo-, néo-, méga-* : ainsi les hybrides *pseudo-policier, néonazi* ou *hypermarché.* Les procédés de formation de mots savants à partir du grec — comme du latin — ne sont pas toujours très rigoureux, et cela dès le XVIIIe s. : ainsi existe-t-il des pseudo-hellénismes, des formes qui n'ont jamais existé en grec : c'est le cas de *microbe* pour *microbie* «petite vie» ou de *bactérie.* On a pu extraire d'un mot déjà existant une finale dont on a fait un suffixe autonome : *-ose,* en médecine, a pu former *dermatose* ou *leucocytose* (parmi 886 termes), sur le modèle de *ecchymose.* Les suffixes *-on* et *-tron* — qui sont simplement des finales en grec — ont pris une grande extension dans la physique moderne, notamment à partir de *électron (cyclotron, mégatron, nucléon, méson...).* Enfin, tant les termes scientifiques et techniques que les mots courants peuvent être «hybrides», formés d'un élément latin et d'un élément grec (ou d'une autre langue) : ainsi en est-il de *automobile,* de *télévision* ou de *hypermarché,* de *microprocesseur* ou de *microfilm.* Malgré les critiques des puristes, ces formations hybrides, où un élément non grec est directement compréhensible, connaissent une large diffusion.

C. Coulet

BIBLIOGRAPHIE

P. S. COSTAS, *An Outline of the History of the Greek Language,* Chicago, Ares Publishers Inc., 1979 (1re éd., 1936).

J. HUMBERT, *Histoire de la langue grecque,* Paris, Que sais-je ?, n° 1483, 1972.

A. MEILLET, *Aperçu d'une histoire de la langue grecque,* Paris, Klincksieck, 1913.

greggio «qui est à l'état naturel» (XVe s.), peut-être issu d'un latin vulgaire °*gredius* «propre au troupeau», c'est-à-dire «à l'état naturel» (comme la laine non lavée), dérivé du latin classique *grex, gregis* «troupeau» (→ grégaire).

♦ *Grège* a conservé le sens du mot italien et se dit, par analogie, de la couleur (beige et grise) de la soie grège.

GRÉGEOIS adj. m. représente une altération (v. 1190; av. 1188, *grigeois*) de *grezeiz, grezois* «grec» (v. 1130; cf. ancien provençal *grezesc*) issu d'un latin populaire °*graeciscus*, dérivé de *graecus* «grec» (→ grec).

♦ Le mot a signifié «langue grecque» (av. 1188, n. m.), puis s'emploie dans l'expression ***feu grégeois*** «mélange incendiaire» (v. 1190; v. 1160, *feu grezeis*). Le «feu», qu'utilisaient les Byzantins surtout dans les combats navals fut connu par les Occidentaux au cours de la troisième croisade. ◇ *Grisou** semble être une altération de *grégeois*.

GRÉGORIEN, IENNE adj. est un emprunt (1410) au bas latin *gregorianus* dérivé de *Gregorius* «Grégoire», nom de plusieurs papes. Le latin emprunte le grec *Grêgorios,* tiré de *grêgoros* «qui veille», de *grêgorein* «veiller», «être éveillé», terme hellénistique apparenté au sanskrit *jāgāra* «je veille».

♦ Par référence à Grégoire Ier, *eau grégorienne* désigne une eau bénite mêlée de vin, de sel et de cendres et employée pour purifier une église profanée. La plus connue des modifications liturgiques attribuées à ce pape, dont l'ensemble est dit *rite grégorien* (1865), concerne le chant liturgique, nommé ***chant grégorien,*** dénomination beaucoup plus courante que *plain-chant* (→ plain); le latin médiéval employait dès le XIIe s. *cantus gregorianus.* ◇ C'est à Grégoire XIII, pape de 1572 à 1585, que l'on doit le ***calendrier grégorien*** (expression attestée en 1704), réforme du calendrier julien et fondé sur une valeur proche de celle de l'année tropique. ◇ Enfin, plus récemment, on a désigné par *réforme grégorienne* l'action d'un autre pape, Grégoire VII, qui, à la fin du XIe s., œuvra pour rétablir l'esprit religieux de l'Église et l'émanciper du pouvoir temporel.

GRÈGUES n. f. pl. représente (v. 1470) un emprunt au provençal *gréga* «grec», du latin *graecus* (→ grec), ce pantalon large ayant été nommé d'après l'habillement grec; il disparut au XVIIe s. (cf. encore 1668, ***tirer ses grègues*** au figuré «s'enfuir»). ◇ Les formes *gregesque* (*chausses à la gregesque,* 1578), *gargesque,* viennent de l'espagnol *gregüescos* «sorte de culotte large (à la mode aux XVIe et XVIIe s.)» dérivé de *griego* «grec».

① **GRÊLE** adj. est la réfection (XIIIe s.) de *greille* (v. 1190), *graisle* (1080), issu du latin *gracilis* «maigre, mince», emprunté ensuite (→ gracile).

♦ *Grêle* conserve le sens du latin (1080), sans l'idée de fragilité gracieuse qu'a *gracile.* L'adjectif s'emploie par analogie pour qualifier un son aigu et sans intensité ; ce sens est attesté au XIVe s. (v. 1360) mais sans doute antérieur : on relève *graisle* n. m. «sorte de trompette» (1080; v. 1150, *sonner en grêle*). L'adjectif s'est spécialisé en anatomie dans ***intestin grêle*** (1690), opposé à *gros intestin.*

▸ Plusieurs dérivés techniques conservent l'idée de minceur. ① **GRÊLER** v. tr. a signifié «s'amincir» (XVIe s., *greslir,* intr. et pron.), «sonner de la trompette» (fin XVIe s., intr.) et veut dire «amincir en forme de ruban» (1757). ◆ **GRÊLOIR** n. m. a désigné un appareil pour couler la cire en forme de rubans (1700). ◆ **GRELIN** n. m., réfection (1694) de *greslin* (av. 1529), est le nom en marine d'un cordage plus mince que le câble; on disait aussi *guerlin* (1634).

② **GRÊLE** → ② **GRÊLER**

② **GRÊLER** v. impers. (1176-1181, *gresler*) serait issu du francique °*grisilôn* «grêler» (→ grésil; cf. moyen néerlandais *grîselen*), qui a éliminé en Gaule le latin *grando* «grêle», *grandinare* «grêler». Selon P. Guiraud qui récuse l'origine germanique, *grêler* serait à rapprocher de l'ancien français (et dialectal) *grêler* «cribler», d'après un latin populaire **cratella* «crible», du classique *cratis* «treillis» (→ grille; grésil). La graphie *grêle* apparaît au XVIIe siècle.

♦ *Grêler* s'emploie couramment dans son acception étymologique *(il grêle).* Le verbe s'est employé transitivement (1552), et encore régionalement avec le sens de «gâter, dévaster (une récolte, un lieu) par la grêle», d'où (XIIIe s.) **GRÊLÉ, ÉE** adj. ◇ Par analogie, le verbe transitif s'emploie pour «frapper, marquer comme par des grêlons» c'est-à-dire de petites marques en creux. De là (v. 1180) *greslé* «marqué de petites taches» puis (1611) «marqué par la petite vérole».

▸ Le déverbal ② **GRÊLE** n. f. (*gresle,* fin XIe s.) «pluie qui tombe en grains» s'emploie dans des locutions à valeur métaphorique ***(une grêle de...)*** dès le XIIe s. (v. 1150, en parlant de flèches). ◆ En dérivent l'adjectif **GRÊLEUX, EUSE** (XVIe s.), rare, et **GRÊLON** n. m. (av. 1626, *greslon*) «grain de grêle». ◆ À partir de *grêle* ont été formés des composés comme **PARAGRÊLE** n. m. et adj. (1810) et, plus récemment, **ANTIGRÊLE** n. m. et adj.

GRELOT n. m., réfection (1565) de *grilot* (1392), est considéré comme issu d'un radical germanique à alternance vocalique *grill-, grell-, groll-, grüll-,* évoquant des sons (cf. moyen haut allemand *grillen, grellen* «crier» et moyen néerlandais *grollen* «manifester sa colère, grogner»); le mot est entré en gallo-roman avec ces variantes vocaliques; l'ancien français *grouller* (1342) «désapprouver», le namurois *grûler* «murmurer», l'ancien bourguignon *grilot* «grelot» et l'ancien français *grelee* «cri de la poule», (XIIIe s.) se rattachent à la même série, et il y a probablement eu interférence avec certains noms dialectaux du grillon (franc-comtois *grillot* «grelot» et «grillon»). Pour P. Guiraud, la synonymie et la paronymie de *grilot, grelot, grillon,* etc. correspondent au fait que *grelot,* déverbal de *grelotter,* est de même origine que *grêler* (→ grêler), le grelot étant assimilé à un caillou secoué sur un crible; mais une influence de ce type ne permet pas d'écarter l'hypothèse d'une origine germanique.

♦ *Grelot,* «petite sphère de métal contenant un corps dur et servant de sonnette» (1392), s'est employé dans la locution *trembler le grelot* (1555 ; 1547, *trembler le grelet*) «trembler de froid ou de peur» (de sorte que les dents en claquent ; cf. ci-dessous *grelotter*), d'où vient *avoir le grelot* (Lorraine, 1807), sorti d'usage, puis ***avoir les grelots*** «avoir peur» (1915). ◇ Par analogie de forme, *grelot* se dit pour «en forme de grelot» (1771, en botanique, *fleurs en grelot* ; 1830, *[bouton] grelot*). En argot les *grelots* ont désigné les testicules et cette valeur attestée au XXe s. doit être ancienne, si on en juge par *greluchon** et les formes dont ce mot procède. ◇ ***Coup de grelot*** se dit familièrement (XXe s.) pour «coup de téléphone» (objet qui produit une sonnerie).

▸ Le dérivé **GRELOTTER** v. intr. a signifié (1562, en franc-comtois, *grilloter*) «faire un bruit de grelot», puis se dit, d'après la locution *trembler le grelot,* pour «trembler de froid et avoir les dents qui claquent de froid» (av. 1630) — d'où **GRELOTTANT, ANTE** adj. (1848, Flaubert). ◇ *Grelotter* veut dire ensuite d'après *grelotte* «émettre un bruit de grelot» (1853). ◆ **GRELOTTE** n. f. «peur» (XXe s.) est un déverbal argotique. ◆ **GRELOTTEMENT** n. m. apparaît sous la forme *grillotement* «action de secouer» (1562), et est refait sur *grelotter* avec la valeur «faire un son tremblé, comme un grelot» (1829) ; il signifie ensuite (1863) «action, fait de grelotter» (de froid, de peur). ◆ **GRELOTTEUX, EUSE** n. a désigné un(e) élégant(e) (1884), car la mode prescrivait des habits courts et ajustés dans lesquels on était supposé grelotter de froid, et a eu le sens de «prostituée» (1884) parce qu'elle est court vêtue ; il signifie ensuite «miséreux qui grelotte» (1886).

GRELUCHON n. m. est issu (1725) du nom d'un saint imaginaire du Berry, censé guérir la stérilité (mil. XVIe s. ; variante *Grelichon,* 1560 ; *Guerlichon,* 1566). Le mot est peut-être issu d'un calembour sur *grelot* «testicules» (→ grelot) ou de *grelu* «misérable» (attesté 1743), dérivé de ① *grêle**.

♦ *Greluchon,* mot vieilli, signifie «amant de cœur d'une femme entretenue par un autre homme», puis (XXe s.) «jeune homme insignifiant».

▸ Son dérivé régressif **GRELUCHE** n. f. (v. 1930) a le sens de «jeune femme de mœurs légères» et par extension «jeune femme sotte».

GRENACHE n. m. représente une altération (v. 1360) de *garnasse* (1316), lui-même de *vernache* (2de moitié XIIIe s.), emprunts à l'italien *vernaccia* «cépage à gros grains doux» et «vin produit par ce cépage», issu du nom de la ville de *Vernazza,* située dans une importante région vinicole (près de La Spezia). On a d'abord la variante *vernache* (*vin vernache,* XIIIe s.), puis *vin de Grenache* (mil. XIVe s.) et enfin, par un processus classique (*du bordeaux,* etc.), *du Grenache* (1846).

GRENADE n. f. a sans doute été emprunté comme adjectif (*plume grenate,* v. 1165) puis comme nom (*grenate,* v. 1314) aux dialectes de l'Italie du Nord, avec adaptation à la base française *gre-* (cf. piémontais *pum grana,* lombard *pom granat*), où *pomo* remplace *melo* «pomme» dans l'expression *melo granato* «grenade», emprunt au latin *malum granatum,* littéralement «pomme à grains» ; en latin *malum* a servi à désigner tous les fruits à pépins ou à noyau (par opposition à *nux*) ; *granatum* est un dérivé de *granum* «grain, graine» (→ grain).

♦ *Grenade,* nom de fruit, est entré par analogie de forme dans le vocabulaire militaire pour désigner (1558) un projectile explosif lancé à la main, puis avec une arme (fusil *lance-grenades*).

▸ Du nom du fruit dérivent : ① **GRENADIER** n. m. (1425), réfection de *granatier* (fin XIVe s.), qui a remplacé *pom(m)ier grenat,* de *grenade* (v. 1200, utilisé jusqu'au début du XVIe s.) ; ① **GRENADINE** n. f., «sirop fait avec du jus de grenade» (1877), qui vient de *sirop grenadin* «sirop de grenade contre la toux» (1866) ; à la fin du XIXe s., *grenadine* (comme *limonade*) désigne une boisson rafraîchissante parfumée artificiellement.

De *grenade* «projectile» viennent trois dérivés : ② **GRENADIER** n. m. (1671) signifie «soldat spécialisé dans le lancement des grenades» et, par analogie de forme (1870), «poisson dont le museau conique a été comparé à un bonnet de grenadier». ◆ **GRENADIÈRE** n. f. «gibecière à grenades» (1680), sens vieilli, se dit d'une bague métallique reliant le canon au fût d'un fusil (1803). ◆ **GRENADER** v. tr. (1918 au participe passé), précédé par le dérivé **GRENADAGE** n. m. (v. 1914), a vieilli ; ce verbe a un autre dérivé, **GRENADEUR** n. m. «lanceur de grenades» (v. 1950).

GRENADIN n. m. par analogie de couleur désigne une tranche de noix de veau braisée (1755, *grenadin de mouton*), puis de volaille ou de poisson ; on relève plus tôt *grenade* avec cette valeur (1705). *Grenadin* s'est employé (1778) pour nommer un petit oiseau d'Afrique et reste pour une espèce d'œillet rouge.

◈ voir GRENADILLE, GRENAT.

GRENADILLE n. f. est un mot emprunté (1598, *bois de grenadille*) à l'hispano-américain *granadillo* «bois dur d'un brun rougeâtre» (dit aussi *ébène rouge*), diminutif de *granada* «grenade», à cause de la couleur de ce bois (→ grenade).

♦ *Grenadille* désigne aussi un arbuste qui porte des fruits dont le goût rappelle celui de la grenade (1602) ; le mot est alors emprunté à l'hispano-américain *grenadilla,* également diminutif de *granada.*

① **GRENADINE** → GRENADE

② **GRENADINE** n. f., homonyme du nom de boisson, est dérivé (1813) de *grenade,* nom d'un tissu (1723) employé au XVIIIe s. et dans la première moitié du XIXe s. *Grenade* provient de *grain**.

♦ Le mot désigne une soie grenue.

GRENAT n. m. et adj. inv., réfection (XVe s.) de *grenat* (v. 1130, adj.), est probablement tiré de *grenate* dans *pome grenate* «grenade», où *grenate* a été pris pour un adjectif de couleur (→ grenade).

♦ *Grenat* s'est d'abord appliqué comme adjectif à la couleur rouge sombre de pierres précieuses (v. 1130) avant de s'employer plus généralement (1622). Le nom désigne une pierre fine de couleur rouge (v. 1265).

GRENIER n. m., réfection (déb. XIIIe s.) de *guernier* (v. 1155), est issu du latin *granarium* «endroit où l'on conserve le grain», souvent employé au pluriel, *granaria,* et dérivé de *granum* (→ grain).

♦ *Grenier* conserve le sens du latin et, par extension (1570), désigne la partie d'une maison située sous les combles; une autre extension lui donne le sens de magasin (par ex., à sel, 1342). Par figure, *grenier* désigne (1690) une région qui produit beaucoup de blé, de céréales. ◇ Par analogie, le mot se dit d'un plancher mobile protégeant des marchandises (1736, en marine) et s'emploie dans l'expression aujourd'hui sortie d'usage *charger en grenier* «en vrac» (1680). *Grenier* désigne aussi un lieu de spectacle (1863) et un lieu de réunion (en 1887, le *grenier des Goncourt*) situés à un étage élevé.

GRENOUILLE n. f. représente une réfection (1503) de l'ancien français *grenoile* (1225). C'est une altération de l'ancien *renoille* (XIIIe s.), issu d'un latin populaire °*ranacula* (d'où aussi italien *ranocchia*), altération de la forme classique *ranunculus* «petite grenouille» (qui a donné *renoncule*), diminutif de *rana* (→ rainette); *renouille* se trouve encore régionalement (Est) et l'ancien français *raine,* de *rana* (cf. aussi italien, espagnol et ancien provençal *rana*) se maintient dans quelques dialectes (par ex., wallon, picard).

♦ *Grenouille,* nom d'un batracien, a désigné par analogie une tirelire en forme de grenouille et se dit par extension (1793) d'une somme d'argent mise en réserve par un groupe, d'où les locutions ***manger*** (1793), ***faire sauter la grenouille*** (1842). ◇ Le mot a pris divers sens techniques, tel récemment (v. 1970) le sens d'«engin pour le pilonnage et le compactage des terres, se déplaçant par bonds».

▸ Les dérivés exploitent surtout les valeurs figurées du mot. ◆ Cependant **GRENOUILLÈRE** n. f. désigne (1299) un lieu marécageux (fréquenté par les grenouilles), d'où par extension un lieu humide (1694). Vers la fin du XIXe s., le mot s'applique à un lieu de baignade. ◆ **GRENOUILLETTE** n. f. a eu le sens (1538) de «petite grenouille»; ce diminutif désigne figurément une renoncule d'eau (1549) et une tumeur dans la région sous-linguale (1615). ◆ **GRENOUILLER** v. tr. est sorti d'usage aux sens de «barboter» (1527), «boire abondamment» (1555) et «boire beaucoup d'eau» (1865). ◇ Il s'emploie au figuré (av. 1945) pour «pratiquer le grenouillage», **GRENOUILLAGE** n. m. signifiant «intrigues, manœuvres malhonnêtes» (mil. XXe s.). ◇ Du verbe dérive aussi **GRENOUILLEUR, EUSE** n. «personne qui pratique le grenouillage». ◆ L'idée d'eau froide est présente dans **GRENOUILLARD, ARDE** n. et adj., vieilli, «amateur de bains froids» (av. 1878), en relation avec *grenouillère* «baignade encombrée». Des analogies de comportement (sauts, marche accroupie) se retrouvent dans *grenouillard* «footballeur maladroit» (1931) en argot des sports.

◈ voir **HOMME (HOMME-GRENOUILLE).**

GRÈS n. m. est issu (1176-1181) du francique °*greot* «sable, gravier», reconstitué à partir du moyen néerlandais *griet* «sable grossier, gravier» et de l'ancien haut allemand *griez* «sable».

♦ *Grès* semble signifier d'abord «bloc de pierre» et prend au XIIIe s. (v. 1223) sa valeur moderne : «roche formée de petits éléments unis par un ciment naturel». Il désigne spécialement (1330) une terre glaise mêlée de sable fin utilisée pour faire des poteries et, par métonymie (1837), une poterie de grès.

▸ De *grès* dérivent des termes techniques, dont : **GRÉSER** v. tr. (1676) «polir, poncer avec une meule de grès»; **GRÉSEUX, EUSE** adj. (1774) «de la nature du grès»; **GRÉSIÈRE** n. f. (1801) «carrière de grès»; **GRÉSEUSE** n. f. (1962) «machine à gréser».

GRÉSIL n. m. est habituellement considéré comme le dérivé (1080) de ① **GRÉSILLER,** v. impers. (v. 1130, *gresilher*), d'emploi rare, adaptation du moyen néerlandais *grîselen* «tomber» (en parlant du grésil» du francique °*grisilôn* «grêler» (→ grêle). Pour P. Guiraud, *grésil* viendrait d'un dérivé gallo-roman °*crisiculum* «crible, treillis», issu du latin impérial *crisare* «se tortiller», par assimilation des grains de grésil aux graviers passés dans un crible. *Grésil* est souvent attesté au moyen âge sous la forme féminine *grésille* (v. 1160), sans doute d'après *grêle.*

♦ *Grésil* désigne une précipitation de cristaux de glace et de neige. Il n'est usuel que régionalement.

② **GRÉSILLER** v. tr. et intr. représenterait (1360-1370) une altération, d'après *grésiller* «faire du grésil*», du moyen français *gredillier,* forme dialectale (Normandie) de *griller,* dérivée de *gredil* «gril», issu du latin classique *craticula* «petit gril», diminutif de *cratiis* «claie, grille» (→ grille). Pour P. Guiraud, qui rejette cette étymologie, le verbe viendrait du latin impérial *crisare* «entortiller», ce qui grésille n'étant pas simplement «grillé», mais plissé sous l'influence de la chaleur (→ grésil).

♦ *Grésiller* a d'abord eu le sens (1360-1370) de «brûler en grillant», puis de «friser (les cheveux) au fer chaud» (1538) et, par analogie, de «déterminer un plissement sous l'action de la chaleur» (1575). ◇ Le verbe, en emploi intransitif, par rapprochement entre une matière «grésillée» et le bruit du grésil qui tombe (ou d'une matière qui grille), signifie ensuite (1832) «produire un crépitement rapide et assez faible» et «crier» (en parlant du grillon et de quelques insectes) (1896).

▸ Le dérivé **GRÉSILLEMENT** n. m. signifie «action de racornir» (1721), «léger crépitement» (1785) et, d'emploi rare, «cri du grillon» (1862).

✳ ① **GRÈVE** n. f. est issu (v. 1140) du latin populaire °*grava* «gravier» (en latin médiéval, 876, «plage»), probablement d'origine prélatine. P. Guiraud rapproche *grève* du latin *gravis* «dur, difficile» (→ ① grave) : l'ancien français connaît *groisse* «gravier, caillou», variante de *grosse* «gravier». *Grève* «gravier» se maintient en champenois, en lorrain, dans l'Ouest (forme *groue*) et dans des parlers méridionaux.

♦ De *grève,* «terrain constitué de sable et de gravier (au bord de la mer ou d'un cours d'eau)», vient l'homonyme ② **GRÈVE** (1805), du nom de la *place de Grève* (1260) au bord de la Seine à Paris, où se réunissaient les ouvriers qui attendaient l'embauche ; les valeurs métaphoriques de *grève* «place», ***être sur la grève*** équivalant à *être sur le sable, sur le pavé,* ont pu jouer leur rôle. ➛ ***Faire grève*** (1805) a d'abord signifié «quitter l'ouvrage (pour demander une augmentation)», mais l'exemple d'emploi est isolé. ***Être en grève*** (av. 1850) avait le sens de «chercher du travail» (attendre l'embauche en place de Grève). ➛ Par métonymie, *grève* désignait le lieu où les ouvriers sans emploi se réunissaient ; le passage au sens moderne de «cessation volontaire et collective du travail» se produit vers 1845-1848 : une locution comme *mettre un patron en grève* (1848) signifiait «refuser de travailler pour lui». C'est alors que *grève* passe d'«absence subie de travail» (chômage) à «refus de travail». Par extension, *grève* a pris le sens d'«arrêt d'une activité», par exemple dans les locutions ***grève de la faim*** (1906) ou ***grève de l'impôt*** (mil. XXe s.).

▸ Le dérivé **GRÉVISTE** n. apparaît (v. 1844) au moment où *grève* prend le sens moderne ; le mot est déjà employé par Chateaubriand en 1822, mais avec une valeur toute différente, pour opposer les Royalistes aux *Grévistes,* «amateurs d'exécutions en place de Grève». *Gréviste de la faim, de l'impôt,* etc. correspondent aux extensions de *grève.* ◇ **GRÉVETTE** n. f. «grève de petite durée» est attesté vers 1972. ➛ Le composé **ANTIGRÈVE** adj. date de 1948 mais *antigréviste* adj. et n. est relevé plus tôt (1928).

◈ voir ② GRAVE, GRAVELLE.

GREVER v. tr. représente un emprunt (v. 1160) au latin *gravare* «alourdir» et abstraitement «accabler, oppresser», dérivé de *gravis* «lourd» (→ grave).

♦ Le verbe est sorti d'usage dans son premier sens, conservé du latin et qui correspond à «accabler (qqn)». ◇ Par analogie, *grever* s'emploie cinq siècles plus tard (1636) pour «accabler (qqn) de charges financières», puis au figuré au sens de «porter atteinte à, limiter (qqch.)».

▸ Le préfixé **DÉGREVER** v. tr., qui a en ancien français le sens de «dédommager» (1319, *degraver*) et «décharger» (v. 1450), est repris au sens moderne d'«alléger la charge fiscale» ; cet emploi date du XVIIIe s. (attesté 1792, mais antérieur, puisque le dérivé **DÉGRÈVEMENT** n. m. est repéré en 1733).

◈ **GRIBICHE** adj., attesté (v. 1900) dans ***sauce gribiche*** «sauce relevée servie froide», est un mot d'origine incertaine. On a proposé une création fantaisiste à partir du normand *gribiche* «femme méchante», issu du moyen néerlandais *kribbich* «grognon», mais l'évolution sémantique reste incompréhensible. Un nom propre, comme dans beaucoup de désignations analogues, ou un régionalisme, est plus vraisemblable.

♦ Le mot qualifie une sauce relevée (huile, vinaigre, moutarde, jaune d'œufs durs, etc.) servie en général froide avec des viandes ou des poissons.

GRIBOUILLER v. est d'origine incertaine. ◈
Pour certains, il s'agirait d'un emprunt (1611) au néerlandais *kriebelen* «fourmiller, démanger» et «griffonner», avec substitution de suffixe, *-ouiller* étant plus expressif en français que *-eler ; gribouiller* existait sans doute dès le XVIe s. si l'on en juge par les dérivés. On a proposé aussi de rattacher ce verbe à l'ancien *grabouiller* «barbouiller, griffonner» en picard (→ grabuge), mais le passage de *gra-* à *gri-* reste inexpliqué. Pour P. Guiraud enfin, *gribouiller* serait un composé de *gripper* «griffer» (→ gripper) et de *bouiller* «fouiller l'eau», «brouiller» (→ écrabouiller).

♦ *Gribouiller* a eu le sens de «gargouiller» (en parlant des intestins) (1611). ◇ Peu avant 1700, le verbe s'emploie pour «écrire, peindre d'une manière confuse», rejoignant le sémantisme de *barbouiller, griffonner* (et *grabouiller,* ci-dessus). Il pourrait s'agir de deux mots différents et homonymes.

▸ **GRIBOUILLIS** n. m. se trouve chez Rabelais comme nom propre d'un diable (1532), puis d'un cuisinier (1552 ; cf. *gribouille* comme nom propre). Ce nom, peut-être apparenté à *gribouri* «revenant» en moyen français, et aux dialectaux *grippi* «diable», *gripé* «esprit follet, lutin», serait lié au francique °*grîpan* «saisir» (→ gripper). La relation de ces mots avec la série du verbe *gribouiller* n'est pas nette. En revanche, le sens attesté au début du XVIIe s. (1611) «borborygme» est parallèle à celui de *gribouiller.* ◇ Il en va de même pour le sens moderne (d'après *gribouillage*) attesté en 1826. Par extension, *gribouillis,* terme d'art, signifie (1926) «hachures en tous sens». ➛ **GRIBOUILLE** n. m., du radical de *gribouiller,* est le nom d'un personnage naïf et sot (av. 1522 [Koopmans], en proverbe *Toute femme fillant quenoille / Est plus sotte que n'est Gribouille*). *Un gribouille* désigne une personne naïve et malavisée. ➛ **GRIBOUILLETTE** n. f. se disait (1690) d'un jeu qui consiste à se saisir d'un objet jeté au milieu des joueurs. ➛ **GRIBOUILLAGE** n. m. «action de gribouiller» se dit pour «écriture illisible» (1741) et «dessin informe» (1743), synonyme alors de *gribouillis.* ➛ **GRIBOUILLEUR, EUSE** n. désigne (1782) une personne qui gribouille.

GRIÈCHE → ② PIE (PIE-GRIÈCHE)

GRIEF n. m. représente (1269-1278) le déverbal de *grever** ou est une substantivation de *grief, griève,* adj. (→ grièvement).

♦ *Grief* a d'abord eu le sens de «peine, dommage subi». Aujourd'hui, *grief* s'emploie au pluriel et en locution au sens de «motif de plainte» (1549). ◇ *Grief,* encore utilisé ou plutôt repris par archaïsme au sens de «grave» (XIXe s.) puis de «douloureux» par Moréas, Claudel, est issu du latin populaire °*grevis,* altération du latin classique *gravis* (→ grave) d'après *levis* «léger».

▸ **GRIÈVEMENT** adv., réfection (1457, *griefvement*) de *grivement* (v. 1175), est un dérivé de l'ancien adjectif *grief, griève* (1130-1140), d'abord (1080) sous la forme *gref* «pénible à supporter». ◇ *Grièvement* a remplacé l'ancien *griement* (v. 1130, aussi dérivé de *grief*) et signifie à l'origine «fortement», puis prend sa valeur moderne en moyen français (1457, «gravement»). Il ne s'emploie plus qu'avec un adjectif signifiant «physiquement atteint» *(grièvement blessé)*. ➜ **GRIÈVETÉ** n. f. (v. 1360), de *grieve*, a été remplacé par *gravité**.

✳ ① **GRIFFER** v. tr. est un emprunt (v. 1340) à l'ancien haut allemand *grifan* «prendre, saisir» (cf. allemand *greifen*), aboutissement du francique °*gripan* qui a aussi donné *gripper*, ou vient directement d'un autre mot francique, °*grif*, restitué d'après l'ancien haut allemand *grif* «action de saisir», le moyen haut allemand *grif* et l'allemand *Griff*, de même sens.

♦ *Griffer* entre en français avec le sens d'«égratigner d'un coup de griffe ou d'ongle» (1340, emploi absolu; 1386, tr.). Il s'est employé au figuré pour «blesser (qqn) par des critiques méchantes» (XIXe s.). ◇ Au XIXe s., par extension du sens concret, *griffer* équivaut à «gratter, érafler» (1866).

▸ Le verbe a donné naissance à plusieurs substantifs. ➜ **GRIFFE** n. f. est soit le déverbal de *griffer*, soit un emprunt au francique °*grif* (cf. ci-dessus le verbe). Il signifie d'abord «ongle pointu et recourbé de certains animaux»; d'abord masculin (1175-1180), il devient féminin au XVe s. (1469, cf. aussi la forme *criffe* du XIVe au XVIe s.). Par métonymie il se dit pour «patte» (v. 1500) et, par analogie, «main armée de griffes»; *griffe* devient ensuite un symbole d'agressivité, de méchanceté (1623) et entre dans la locution ***coup de griffe*** (1694). ◇ *Griffe* est dès le XVIe s. (1545) le nom de divers outils, instruments, pièces en forme de griffe, et ce dans des domaines très divers (plomberie, chirurgie, marine; cinéma en 1923). Le mot se dit en particulier (1798) d'un instrument qui sert à faire une empreinte imitant une signature, d'où le sens de «signature apposée au moyen d'un cachet» (1835) et au figuré (1852, Flaubert) la valeur de «marque de la personnalité de qqn dans ses œuvres». ◇ Par métonymie, *griffe* «signature» désigne (1951) un carré d'étoffe cousu à l'intérieur d'un vêtement, portant le nom de celui qui l'a fait. ➜ De ce sens vient le verbe ② **GRIFFER** (1970), précédé par **DÉGRIFFER** v. tr. (1965) «enlever la griffe d'un créateur sur (un vêtement)», d'ailleurs plus courant, surtout au participe passé *(articles dégriffés)*. ➜ **GRIFFU, UE** adj. «armé de griffes» (1552, Ronsard; 1863, en parlant d'une main) s'emploie à partir du XIXe s. au figuré (1846); il est dérivé de *griffe*. ➜ **GRIFFONNER** v. tr., d'abord au sens d'«écrire d'une façon confuse» (1610), succède à l'adjectif **GRIFFONNÉ, ÉE** «dessiné grossièrement» (1555). ◇ Le verbe s'emploie ensuite par extension (1643) pour «rédiger à la hâte». ➜ Il a plusieurs dérivés. **GRIFFONNAGE** n. m. se dit d'une écriture peu lisible (1608), d'un dessin informe (1690), de ce qui est rédigé hâtivement (1738). ➜ **GRIFFONNEMENT** n. m. «action de griffonner» (v. 1630) est d'emploi plus rare. ➜ **GRIFFONNIS** n. m., terme de beaux-arts, a désigné une esquisse à la plume (1642). ➜ **GRIFFONNEUR, EUSE** n., rare au sens (1584) de «personne qui écrit mal», s'emploie plutôt au figuré («mauvais écrivain», XXe s.). ➜ **GRIFFURE** n. f. «égratignure» apparaît en 1494 (attestation isolée) et est repris au XIXe s. (1867); par analogie, le mot se dit pour «éraflure, rayure». ➜ **GRIFFADE** n. f. «coup de griffe» (1564) est archaïque ou régional et familier. ➜ ① **GRIFFON** n. m. est un terme technique désignant des objets qui griffent : il a eu le sens de «crochet» (1611), se dit d'une lime d'orfèvre (1642) et d'un hameçon double (1866). L'homonymie avec le nom d'oiseau (→ ② griffon) a empêché le mot de devenir courant. ➜ **GRIFFAGE** n. m. (1827) «action de griffer» correspond surtout aux sens techniques du verbe. ➜ **GRIFFEUR, EUSE** adj. et n. (1901) s'emploie au sens propre du verbe.

① **GRIFFON** → **GRIFFER**

② **GRIFFON** n. m. est dérivé (fin XIe s., *grifon*), aussi écrit *grifun* (1080), de l'ancien français *grif*, sans rapport étymologique avec *griffe*, puisqu'il vient par emprunt du latin chrétien *gryphus* (devenu *grippus* au moyen âge) qui, à la suite d'une substitution de consonnes inexpliquée, a remplacé le latin classique *grypus* «oiseau fabuleux», variante de *gryps* du grec *grups, grupos*. Le terme grec désigne à la fois un animal mythique (sans doute d'origine orientale) qui joue un rôle dans la décoration dès l'époque mycénienne, et un oiseau réel, le gypaète.

♦ Le simple *(grups, gryps, grif)* et le dérivé en *-on*, les formes en *-p* (français, langues germaniques) et celles en *-f* (*grifon*, l'espagnol et l'italien *grifo*) désignent, comme l'étymon latino-grec, un animal fabuleux à corps de lion, tête et ailes d'aigle. Ce sens est le premier en français. ◇ Cependant le latin chrétien *gryphus* comme l'ancien français *gripon* (v. 1265) désignent un oiseau de proie; le français *griffon* prend cette valeur à l'époque classique pour désigner le vautour fauve (1672), puis le martinet noir (1762). ➜ Par ailleurs *griffon* avait repris le sens du provençal moderne *grifo, grifoul* «fontaine publique jaillissante», qui continuait l'ancien provençal *grifol* (d'un bas latin *grifoulus*, diminutif de *gryphus*), les anciennes fontaines publiques étant souvent ornées de têtes de griffons. Par extension *griffon* désigne en hydrologie (1866) l'endroit d'où sort une source minérale.

③ **GRIFFON** n. m., désignant un chien de chasse, le barbet à poils longs (1608, écrit *gryphon*) vient de l'ancien nom *griffe* n. m. «limier» (1611). Si le dérivé moderne a subi l'influence probable de *griffon* «oiseau», pour la forme, *griffe* doit vraisemblablement se rattacher à la famille de *griffer*, qui comprend un autre dérivé *griffon*.

◈ voir GRIFFER.

GRIGNOTER v. dérive au XVIe s. (1537, tr.; 1535, *grinoter*, intr.) du verbe transitif *grigner*, courant en ancien français, «plisser les lèvres en montrant les dents» (v. 1170, *greignier*; 1243, *graingnier les dens*) et par extension «faire la grimace» (1174-1178, *grinier*). Conservé dans les dialectes et en français régional, *grigner* a été repris par analogie en couture au sens de «faire des fronces» (1890). Ce verbe est issu du francique °*grinân* «faire la moue», reconstitué par le moyen néerlandais *greinen* «faire la grimace», l'ancien haut allemand *grînan* et le moyen haut allemand *grînen* «grommeler, grogner» (cf. allemand *greinen* «pleurnicher» et anglais *to grin* «grimacer»). *Grigner* v. tr. reste vivant dans certains dialectes au sens de «pleurnicher».

♦ *Grignoter* signifie «manger petit à petit, lentement, en rongeant» (1535) et par extension «manger très peu». Le verbe s'emploie au figuré au sens de «faire de petits profits dans une affaire» (1690) d'où, par extension (1842), «s'approprier une petite chose» puis «détruire peu à peu, lentement» (1846; *grignoter l'adversaire,* spécialement, comme terme militaire et terme de sports).

▸ Il a lui-même plusieurs dérivés. ◆ **GRIGNOTAGE** n. m. s'emploie au figuré aux sens de «destruction lente» (1882) et, récemment, de «tactique d'usure» (1952). ◆ **GRIGNOTEMENT** n. m. se dit de l'action de grignoter (1792) d'où, par analogie, du bruit produit (1848). ◆ **GRIGNOTIS** n. m. désigne d'abord (v. 1500) ce qui est grignoté. Repris au XVIIIe s. comme terme technique de gravure (1745), il est à nouveau dérivé de *grignoter* au sens de «bruit de rongement» (XXe s.), comme synonyme plus rare de *grignotement.* ◆ **GRIGNOTEUR, EUSE** adj. et n. se dit pour «(personne) qui mange en grignotant» (1564, n. m.); au sens figuré de «personne qui commet de petits larcins», le mot est vieilli. ◇ *Grignoteuse* n. f. a été repris pour désigner une machine-outil (attesté 1930).
Outre *grignoter,* l'ancien verbe *grigner* a produit plusieurs dérivés. ◆ **GRIGNON** n. m. est d'emploi régional au sens de «morceau croustillant pris sur le côté le plus cuit du pain» (1553, Ronsard). C'est de ce nom que vient (fin XIXe s.) l'argot *grignolet* «pain», et la variante conservée *brignolet.* ◇ Au sens de «tourteau d'olives» (1783), *grignon* est emprunté au provençal *grignoun,* de même origine, «résidu du marc d'olives». ◆ **GRIGNE** n. f. est un dérivé de *grignon* au sens de «couleur dorée du pain bien cuit» (1782), puis de «fente que le boulanger fait sur le pain» (1839). ◇ Au sens technique «inégalité du feutre» (1823), *grigne* est dérivé (déverbal) de *grigner,* comme l'adjectif *grigne* «ridé» (1611). ◇ Le mot avait signifié en ancien français «mécontentement» (déb. XIIe s., *greigne, grinne*), valeur encore attestée dans les dialectes de l'Ouest et en argot (1881, au sens de «grimace»).

◈ voir GRINGUE.

GRIGOU n. m. représente (av. 1650) un emprunt au languedocien *grigou* «gredin», qui correspond au gascon *gregoun* (1610), dérivé de *grec,* qui a pris le sens de filou dans le sud de la France (→ grec).

♦ *Grigou* a depuis Molière le sens d'«homme avare et déplaisant» et s'emploie surtout dans le syntagme *vieux grigou.*

▸ Le dérivé **GRIGOUTERIE** n. f. (1934) est d'emploi rare.

GRILL n. m. est l'abréviation de *grill-room,* n. m. (1893), mot vieilli, emprunté à l'anglais *grill-room* (1883; abrégé lui aussi en *grill*), de *grill* «grillade» et *room* «salle». *Grill* vient du verbe *to grill,* apparenté à *griller.*

♦ Le mot ne s'est répandu en français que vers 1950, lorsque ce genre de restaurant (où les viandes et les poissons sont préparés sous les yeux des clients) s'est implanté en France.

✳ **GRILLE** n. f., sous ses formes successives attestant l'évolution phonétique : *gradilie* (fin Xe s.), *graïlle* (v. 1200), *greille* (1372), est issu du latin classique *craticula* «petit gril», diminutif de *cratis* «claie, grille»; les formes *crille* (1402), *grisle* (1466) et enfin *grille* (1538) proviennent d'une altération sous l'influence du *i-* initial de mots de même sémantisme, issus d'un gallo-roman °*crisiculum* (→ grésil). ◈

♦ Cet ensemble de formes désigne d'abord un assemblage de barreaux entrecroisés qu'on utilise pour l'exposition directe au feu (fin Xe s., comme instrument de supplice), sens qui sera éliminé au profit du masculin *gril* (ci-dessous); par analogie de forme, elles s'appliquent (v. 1200) à une clôture formée de barreaux. *Grille* s'emploie ensuite comme terme technique (métallurgie, 1680; archéologie, «barreaux de la visière du heaume», attesté tardivement chez Furetière, 1690, etc.). ◇ Par référence à la disposition des barreaux, *grille* désigne un carton à jours pour la lecture de textes rédigés en langage chiffré (1833), une disposition en tableau à cases (déb. XXe s., *grille de mots croisés*), puis une feuille quadrillée (mil. XXe s.), un tableau présentant une organisation chiffrée *(grille d'horaires, grille des programmes)* et cette organisation elle-même.

▸ **GRIL** n. m., forme masculine de *grille* (1393, précédé par *gradil,* XIe s.; *grëel,* XIIIe s.), s'emploie comme *grille* jusqu'au XVe s.; la spécialisation qui détache les deux formes n'est acquise qu'au XVIIe s. *Gril* est probablement issu de *craticulum,* masculin latin plus rare que *craticula;* on trouve aussi en moyen français la forme *clee,* issue de *cratis* (attestée au XIVe s.). ◇ *Gril* — comme *grille* désigne d'abord un instrument de supplice, d'où (1740) la locution figurée ***être sur le gril*** (comparable à *être sur des charbons ardents*). Comme *grille,* il se dit d'un assemblage à claire-voie pour fermer un passage (XIIIe s.). ◇ Le sens moderne, «instrument de cuisine», apparaît en moyen français (1393). À partir du milieu du XIXe s., le mot prend divers sens techniques, mais le sens culinaire (*cuire sur le gril,* etc.) reste dominant.
De *grille* dérivent deux verbes *griller,* utilisant deux sémantismes, le plus courant étant aujourd'hui assumé par *gril* n. m. ◆ ① **GRILLER** v., d'abord «supplicier par le feu» (v. 1155) et «brûler, détruire par le feu» (1180-1185), prend (v. 1200) le sens moderne de «rôtir, cuire sur un gril». Il signifie par extension «soumettre à une chaleur (trop) vive» (1550) et, avec le développement des techniques, s'applique à diverses opérations de chauffage (comme *cuire* et d'autres verbes) : au XVIIIe s. (1757) *griller du minerai.* Puis, par affaiblissement de sens, il correspond à «brûler légèrement, torréfier» (1840) et, dans l'usage familier, «fumer (un cigare, une cigarette)»

(1861). Spécialement, en conservant l'idée d'excès de chaleur, *griller* signifie (XXe s.) «mettre hors d'usage par un excès d'échauffement». ◇ Au figuré, le verbe s'emploie depuis le XVIe s. (*griller de + nom;* 1546) pour «être en proie (à un sentiment extrême d'impatience, etc.)», comme *brûler de.* L'idée de destruction (par le feu) explique divers sens figurés argotiques et vieux, «prendre» (1827), «tromper» (1881), «dénoncer» (1886), et celui de «dépasser (un véhicule)» (1911) *gratter.* ◇ Sont restées vivantes les valeurs de «dépasser sans s'arrêter» (XXe s., cf. *griller un feu rouge*) et de «supplanter (un concurrent)» (1907). ➜ De ce verbe *griller* dérivent plusieurs noms. ➜ **GRILLADE** n. f. (1623) «aliment grillé» est spécialisé pour les viandes et les poissons et plus usuel depuis le XIXe s. où, sous l'influence anglaise, la gastronomie se modifie. ➜ ① **GRILLAGE** n. m. signifie «action de griller» (1735, en métallurgie). ➜ **GRILLOIR** n. m., terme technique (1819), désigne divers appareils pour griller (notamment le café, mil. XXe s.). ➜ **GRILLEUR, EUSE** n. est un mot argotique ancien pour «délateur» (1887; de *griller* «dénoncer»). ➜ **GRILLURE** n. f., terme technique (XXe s.), se dit notamment d'une marque de moisissure sur les feuilles de la vigne.

Le sens aujourd'hui dominant de *grille* «clôture» a donné pour sa part ② **GRILLER** v. tr. «entourer d'une grille» attesté en 1572 (1463, d'après Bloch et Wartburg); il a signifié, par une extension analogue à celle de *cadenasser,* «enfermer derrière une grille» (1616, au participe passé; spécialement *griller une fille* «la cloîtrer dans un couvent»). Ce verbe, du fait de la concurrence homonymique, est assez rare. ➜ Plus ancien que lui, et donc directement issu de *grille,* le substantif ② **GRILLAGE** n. m. (1328) désigne un treillis, le plus souvent métallique, utilisé comme clôture; rare avant le XVIIIe s., le mot prend ensuite des acceptions techniques (en construction, 1733; comme terme de pêche, 1866). ◇ En dérive **GRILLAGER** v. tr. (1832; 1802, au participe passé), qui pallie en partie le vieillissement de *griller* «clôturer»; il ne concerne pas une grille rigide, mais une clôture relativement souple.

◈ voir GRILL; PAIN (GRILLE-PAIN).

◈ **GRILLON** n. m. est attesté au XVe s. (1485); l'insecte que ce mot désigne a été auparavant nommé *grillet* (Normandie, Centre, Est, domaine franco-provençal; cf. au XIIIe s., ancien français *grislet*) et également *grille, grillot* (1690) ; ces formes dérivent d'un type *grill-* (cf. ancien provençal *grilh*), issu du latin *grillus, gryllus,* par l'intermédiaire d'un gallo-roman °*grillus.* On trouve aussi *gresillon* (fin XIIe s.), dans un triangle dont les pointes seraient Bayeux, Paris et La Rochelle, dérivé des formes *greill, grel,* comme *grelet* et *guerlet,* qui sont issues d'un gallo-roman °*grill(i)us. Grillon* viendrait d'un croisement, peut-être dans la région parisienne, des deux formes *grill-* et (*grés*)*illon.* P. Guiraud évoque aussi une contamination par *grelot* «sonnette, clochette» (→ grelot) et ses doublets dialectaux *grillon, grésillon,* le bruit produit par le grillon s'apparentant au son grêle du grelot.

GRIMACE n. f. est issu (XIVe s.; aussi *grimache*) par substitution de suffixe de l'ancien français *grimuche* (v. 1200) qui, comme le latin *grimutio* (XIIe s., comme surnom), signifie «figure grotesque». Le mot vient d'un francique °*grîma* «masque» (cf. le moyen néerlandais *grime* et l'ancien nordique *grima*) (→ grimaud). ◈

♦ *Grimace* a dès son apparition (2de moitié XIVe s.) le sens de «contorsion du visage»; il est aussi employé au figuré dans ***faire la grimace (à qqn)*** «lui faire un accueil hostile» (fin XIVe s.), ce genre de métaphore se retrouvant dans des locutions qui ont perduré, comme ***soupe à la grimace*** «accueil hostile (d'une épouse)» ◇ *Grimace* désigne aussi, étymologiquement, une figure grotesque, et spécialement une figure sculptée sur les sièges des stalles d'une église (1387). ◇ Par figure du sens dominant, le mot signifie ensuite (1632) «comportement faux et trompeur», et spécialement (au pluriel, 1663) «manières affectées», sens toujours vivant. ◇ Par analogie, *grimace* a, en couture, le sens de «faux pli (d'un vêtement)» (1690); le sens spécial de «boîte de pains à cacheter dont le couvercle est une pelote à épingles» (1721) est sorti d'usage.

▸ **GRIMACER** v. (1428, *grimachier*) a suivi l'évolution sémantique de *grimace* (1669, au figuré; 1690, en couture). ➜ En dérivent **GRIMAÇANT, ANTE** adj. (1660, au figuré), **GRIMACERIE** n. f. (1668), ① **GRIMACIER** n. m., «sculpteur de grotesques» (1580), a disparu. ➜ ② **GRIMACIER, IÈRE** adj. et n. (1660) signifie «qui a l'habitude de faire des grimaces», au figuré «hypocrite» (1665, n.; 1690, adj.); le sens figuré de «minaudier» (av. 1701) est vieilli, celui d'«artiste comique» (1811, n. m.) sorti d'usage. **GRIME** n. apparaît d'abord au féminin dans l'expression ***faire la grime*** «faire la moue» (1694) et vient probablement de *grimace.* Repris comme nom masculin, il a désigné un rôle de vieillard ridicule au théâtre (1778, *grimme*) et un acteur qui joue ce rôle (1825); *grime* s'est dit aussi d'une ride fabriquée artificiellement (1894, n. f.). ➜ **GRIMER** v. tr. vient de *grime* «grimace, ride»; le sens initial de «marquer un acteur de rides pour le vieillir» (1823) est archaïque; le pronominal *se grimer* est attesté en 1819. Le verbe, par extension, signifie (1827) «farder, maquiller» et s'emploie au figuré (comme *maquiller*). ➜ Le dérivé **GRIMAGE** n. m., comme le verbe, s'emploie au propre (1860) et au figuré. Il est beaucoup plus rare que *maquillage* et, comme *grimer,* ne s'emploie guère que dans le contexte du théâtre.

GRIMAUD n. m. et adj. représente probablement un emploi figuré (1480, *grimault*) du nom de personne *Grimaud* (v. 1180, *Grimaus*), issu du francique **Grimwald,* dérivé de **grîma* «masque» (→ grimace; cf. en bas latin *Grimoaldus,* v. 644, et l'ancien français *grimouart* «moue dédaigneuse») avec une influence possible de *grimoire*.* P. Guiraud, sans exclure ce croisement, rapproche *grimaud* «écolier» (donc «griffonneur») du normand *grimer* «égratigner, griffer» (de même racine que *gribouiller*). ◈

♦ *Grimaud* «écolier» puis «homme inculte ou pédant» (1550) et «homme désagréable» (1611, n.; 1830, adj.) est sorti d'usage.

▸ Le dérivé **GRIMAUDAGE** n. m. (1622) a disparu encore plus rapidement.

GRIME, GRIMER → GRIMACE

GRIMOIRE n. m. représente (XIVe s., *grymoire*) une altération de *gramaire* (v. 1165, «livre de magie») qui désignait au moyen âge la grammaire en latin, inintelligible pour le commun des mortels, probablement sous l'influence de *grimer* «griffer» (→ grimaud), selon P. Guiraud, le grimoire apparaissant comme un «griffonnage» et souvent comme l'œuvre du «griffu» (du diable, sens aussi de *grimaud*).

♦ *Grimoire* désigne un livre de magie puis, par extension, un discours incompréhensible (av. 1475) et un ouvrage inintelligible (1668); il entre dans quelques locutions, comme *entendre, savoir le grimoire* «être habile» (1656), sorti d'usage. Le mot, mal compris aujourd'hui, désigne plutôt des vieux livres, toujours avec l'idée de «difficile à lire».

GRIMPER v., attesté à la fin du XVe s. (1495-1496), représente sans doute une forme nasalisée de *gripper* «s'accrocher pour monter» (déb. XIVe s.), peut-être d'après *ramper* auquel il est apparenté par le domaine d'emploi et le sens primitif (→ gripper); l'hypothèse d'un étymon germanique °*krimpan* «s'accrocher, se contracter» a été exclue à cause de la date tardive d'apparition de *grimper*.

♦ *Grimper* se dit d'abord pour «monter en s'aidant des mains et des pieds» (1495, intr.) puis s'emploie par analogie pour une plante (1538). Par figure, *grimper* signifie (1669) «s'élever dans l'échelle sociale». Il s'emploie transitivement *(grimper qqch.)* au début du XVIIe s. (1609) et se dit par extension (1680) pour «monter avec effort sur (un lieu élevé)». ◇ Par figure et allusion à la «monture», *grimper* s'emploie populairement (1831) pour «posséder sexuellement (une femme)».

▸ **GRIMPANT, ANTE** adj. et n. m. apparaît au XVIe s. comme adjectif *(plante grimpante)* et s'applique aux êtres animés au XVIIe s. (1691). ◇ Par substantivation et métaphore, *un grimpant* se dit familièrement pour «pantalon» (1872). ◆ **GRIMPÉE** n. f. (1811) et le diminutif **GRIMPETTE** n. f. (1855) ne conservent que l'idée de «pente» (ou «rampe», «chemin montant»). ◆ **GRIMPEREAU** n. m. (1555) désigne un passereau qui grimpe le long des arbres (cf. *grimpeur*). ◆ **GRIMPER** n. m. *(le grimper)*, substantivation du verbe, désigne l'«action de grimper» (1805) et, spécialement, une épreuve d'athlétisme (1902). ◆ **GRIMPEUR, EUSE** adj. et n., «qui a l'habitude de grimper» (1596), désigne un ordre d'oiseaux qui grimpent aux arbres (1788, au singulier; 1798, *oiseaux grimpeurs*, d'où les *grimpeurs*, 1803). ◇ Le mot s'emploie spécialement en alpinisme (1855) et en cyclisme (1894). ◆ Le composé **REGRIMPER** v. est attesté en 1549.

GRINCER v. intr. représente (XIVe s.) une variante nasalisée de *grisser* (XIVe s.), de même sens, doublet de *crisser**, mot d'origine germanique, peut-être avec une influence de *grigner* (→ grignoter).

♦ Le verbe s'emploie d'abord dans *grincer des dents* (*grincer les dents*, tr., XIVe s.; intr., 1491). Le sens du verbe ne s'est étendu que beaucoup plus tard (1805, mais certainement antérieur, cf. *grincement*) : «produire un son aigu, désagréable» d'où, au figuré (mil. XXe s.), «manifester de l'aigreur, de l'hostilité». ◇ En ce sens on trouve aussi ① **GRINCHER**, v. intr., forme dialectale de *grincer*, employé en moyen français au sens propre (1530; cf. *gringe* «mauvaise humeur», 1784).

▸ Le dérivé **GRINCEMENT** n. m. (XVe s., *gricement*) a eu une évolution sémantique parallèle à celle du verbe (1541, *grincement de dents;* 1770, par extension). ◆ Il en va de même pour **GRINÇANT, ANTE** adj. (1846), du participe présent.

GRINCHEUX, EUSE adj. (1844) est dérivé de *grincher* ou représente une variante dialectale de *grinceur* (1611) «qui grince facilement des dents», emploi disparu; il signifie «d'humeur maussade, revêche» (1872, *caractère grincheux*) et s'emploie aussi substantivement (1866). ◆ **GRINCHU, UE** adj. (1868) est une variante, encore usitée en Suisse, de *grincheux*.

① **GRINCHER** → GRINCER

② **GRINCHER** v. tr. homonyme de *grincher* (→ grincer), mot d'argot ancien (1800), représente une variante nasalisée d'un verbe issu du francique °*grîpjan* «saisir, agripper», formé sur °*grîpan* (→ gripper) et restitué d'après le moyen haut allemand *gripfen* «saisir». Dans le domaine d'oïl existent les formes analogues *agricher, agrichir* «agripper».

▸ De *grincher* «voler» dérive **GRINCHE** n. m. (1800) «vol», lui aussi sorti d'usage.

GRINGALET, ETTE n. m. et adj., d'abord attesté (1611) au sens de «bouffon amusant», est d'origine incertaine. Il vient peut-être d'un mot supposé suisse allemand °*gränggeli* «homme peu considérable», diminutif de °*granggel* «homme chétif», qui aurait été introduit en France par les mercenaires suisses. On a aussi proposé pour origine l'ancien français *gringalet* «beau cheval» (1165-1170; nom du cheval de Gauvain, dans l'*Erec* de Chrétien de Troyes), adaptation du gallois *Keinkaled*, de *kein* «beau» et *kaled* «dur, vigoureux»; si le mot était encore connu au début du XVIIe s. — ce qui est peu vraisemblable —, il aurait alors été employé par une antiphrase ironique peu explicable.

♦ *Gringalet* s'emploie encore aujourd'hui au sens d'«homme chétif» (1785; 1835, adj.); le féminin est peu courant.

GRINGO n. m. vient (1899) de l'espagnol d'Amérique où il est utilisé pour désigner les étrangers, en particulier les Anglo-Saxons (Américains du Nord). Le mot serait une altération de *grigo, griego* «grec», mot espagnol qui avait pris le sens de «jargon incompréhensible», le *-ing* évoquant un élément fréquent en anglais. L'hypothèse semble plus vraisemblable que celle qui recourt à l'expression *Green, go out* «vert (c'est-à-dire «soldat yankee»), fous le camp» ou à une vieille chanson anglaise commençant par *green growthe...* («Verts croissent [les joncs]»).

GRINGUE n. m. est d'abord relevé (1878) au sens de «pain». Le mot serait à rattacher au moyen français *grignon* «morceau de pain» (1564), dérivé de *grigner* (→ grignoter).

♦ La locution ***faire du gringue*** «faire l'aimable» (1901) s'expliquerait peut-être par une transposition de la métaphore des pêcheurs *faire des petits pains* «faire l'aimable pour appâter» et, par extension, «faire la cour à une femme», sens qu'a pris peu après (1911) l'expression *faire du gringue (à qqn).*

GRIOT, GRIOTTE n., variante (1688) de *guiriot* (1637) pour désigner les musiciens ambulants du Sénégal, est d'origine incertaine. Il vient peut-être, par l'intermédiaire d'un parler portugais créolisé, du portugais *criado* «domestique» (1001; de *criar* «élever un enfant ou un animal», proprement «créer»), le *griot,* poète musicien, ayant été au service de souverains ou de chefs.

♦ Le mot reste jusqu'au XIXe s. un «terme de relations», connu seulement des voyageurs et des spécialistes de l'Afrique. L'époque romantique voit sa diffusion avec des déviations pittoresques (dans le même registre que *sorcier,* etc.). ◆ Au XXe s., en français d'Afrique où il désigne une réalité quotidienne, et dans le public francophone cultivé, le mot et la notion redeviennent plus précis : le griot est un poète-musicien professionnel, comparable aux trouvères médiévaux.

GRIOTTE n. f. vient (1505) de la forme *agriotte* (XVe s., selon Bloch et Wartburg; en usage aux XVIe-XVIIe s.), après élimination de l'***a*** initial confondu avec celui de l'article *la. Agriotte* est lui-même un emprunt au provençal ancien *agriota* «cerise aigre» (XIIIe s.; provençal moderne *agrioto, grioto*), dérivé de *agre* «aigre», issu du latin *acer, acris* «âpre, piquant, aigre» (→ âcre).

♦ Par analogie de couleur, *griotte* «cerise aigre» désigne aussi (1752) un marbre tacheté de rouge.

▸ Le dérivé **GRIOTTIER** n. m. (1583; 1557, *gryotier*) désignant l'arbre producteur est d'emploi rare.

GRIPPER v. est probablement issu (1425) du francique °*gripan* «empoigner, saisir» reconstitué par l'ancien haut allemand *grifan,* le moyen haut allemand *grifen,* d'où l'allemand *greifen. Gripper* est sans doute apparu beaucoup plus tôt comme en témoignent *agripper* (v. 1200), *gripaille* (XIIIe s.), mais son emploi a longtemps été limité à la langue des voleurs, d'où son introduction tardive dans la langue écrite. Pour Bloch et Wartburg, le verbe pourrait être dérivé du substantif *grippe,* lui-même du francique °*grip,* altération de °*griff-* (→ griffe).

♦ *Gripper* (v. tr.) a longtemps le sens général de «saisir violemment, agripper» (1425) : on le trouve au sens de «saisir avec les griffes» (1509), de «filouter» (1585) puis de «saisir» en parlant d'une maladie (1578) — cf. ci-dessous *grippe* — et «prendre au collet (un voleur)» (1649); *gripper* a dès lors pris dans des locutions la valeur d'«attraper» (*être grippé de qqch.* «être entiché de qqch.», 1684). Tous ces emplois sont aujourd'hui sortis d'usage. ◇ *Gripper* s'utilise ensuite de façon plus restreinte dans des contextes techniques (v. intr.) : «se froncer» (en parlant des étoffes) (1740); le participe passé a signifié «froncé», d'où en médecine *faciès grippé* (1814). ◇ Enfin, le verbe s'emploie en technique pour «s'arrêter par excès de frottement de ses pièces» (en parlant d'une machine) (1757) d'où *gripper* (v. tr.) «provoquer un grippage» (déb. XXe s.).

▸ **GRIPPE** n. f., déverbal de *gripper* ou issu du francique °*grip,* signifie d'abord «griffe, croc» (fin XIIIe-déb. XIVe s.) et au figuré «querelle» (1306), «mésaventure», c'est-à-dire «ce qui saisit»; de là vient ensuite son emploi au sens de «fantaisie soudaine, caprice» (1632), également disparu. Par antiphrase de *grippe* «caprice», la locution ***prendre (qqn, qqch.) en grippe*** «avoir une antipathie soudaine» (1751) est restée usuelle. ◆ Parce que l'indisposition saisit brusquement, *grippe* sert à dénommer (1743) une maladie infectieuse ; ce sens est devenu très courant, le mot n'étant plus compris étymologiquement. ◆ Dans ce sens, *grippe* a pour dérivés **GRIPPÉ, ÉE** adj. (1782), **GRIPPAL, ALE, AUX** adj. (1871), les préfixés **ANTIGRIPPAL, ALE, AUX** adj. et **ANTIGRIPPE** adj. (1926) «qui agit contre la grippe».

De *gripper* au sens technique dérivent **GRIPPAGE** n. m. (1869) et **GRIPPEMENT** n. m. (1845; «action de saisir» en 1606). ◆ **DÉGRIPPER** v. tr. «faire cesser le grippage (d'un mécanisme)» et son dérivé **DÉGRIPPANT** n. m., du participe présent, sont récents (v. 1950). ◆ De *gripper* «saisir» vient le composé archaïsant **GRIPPE-SOU** n. et adj. qui a désigné (1680) celui qui, moyennant un sou par livre, se chargeait de toucher les rentes d'un particulier; par extension, le mot s'est dit ensuite pour «usurier»; il s'emploie encore aujourd'hui au sens de «personne avare qui économise sur tout» (av. 1778), mais il connote alors le passé.

Le préfixé **AGRIPPER** v. tr. apparaît vers 1200 (bien avant l'emploi écrit de *gripper,* on l'a vu) au sens d'«arracher», de *gripper* «saisir»; il signifie «saisir violemment» XVe s., sens répandu avec le vieillissement de *gripper.* En argot, il s'est dit pour «dérober adroitement» (1752). ◆ Le verbe a servi à former **AGRIPPEMENT** n. m. (1929) et **AGRIPPEUR, EUSE** n. et adj. «voleur» (1505), repris comme adjectif assez récemment (1883).

✳ **GRIS, GRISE** adj. et n. est issu (1140) de l'ancien francique °*grîs* «gris», restitué d'après (notamment) l'ancien saxon *gris,* le néerlandais *grijs.*

♦ *Gris* s'emploie d'abord comme nom (1140) et désigne la fourrure de l'écureuil appelé plus tard *petit-gris,* et comme adjectif en parlant de la couleur de la barbe (v. 1150) puis de la couleur d'un vêtement avec une substantivation (v. 1165, n. m.; 1440, *vêtu de gris*). Le contexte initial du poil, avec l'idée de l'âge qui fait «grisonner», s'est donc rapidement élargi. ◇ Par métonymie, *gris* s'est dit d'un gros drap (1270, n. m.). Dans des syntagmes nominaux, l'adjectif sert à désigner certains objets et certaines espèces (1549, *un temps gris;* en imprimerie, *lettres grises,* 1556; *papier gris,* 1609; *vin gris,* 1690, aussi n. m.). Il sert à former des locutions, comme ***la nuit tous les chats sont gris*** (1690), d'abord *de nuit tous chats sont gris* (1640) et des adjectifs composés : *gris souris* (1850; *gris de souris,* 1660), *gris de fer* (1690), devenu *gris fer.* ◇ *Gris* s'emploie au figuré dans la locution ***faire grise mine à qqn*** (1460-1466) puis au sens (XVIIe s.) de «terne, sans éclat». ◆ Un emploi spécial aujourd'hui vieilli s'applique aux personnes «près d'être ivres» (attesté 1690), sans doute parce que dans cet état les choses apparaissent comme une grisaille, un brouillard.

▶ **GRISÂTRE** adj. s'emploie au propre (1510) et au figuré. ◆ **GRISER** v. tr. s'est d'abord employé (1538) au sens de *grisonner;* il signifie ensuite «colorer de gris» (1609; le sens «devenir gris» [1671] est sorti d'usage); de là viennent les termes techniques **GRISAGE** n. m. (1671) et **GRISÉ** n. m. (1873). ◇ À partir de *gris* «un peu ivre», *griser* s'est employé (1718) comme verbe transitif *(griser qqn)* puis au pronominal *se griser* (1732) pour «enivrer»; il prend au figuré le sens d'«exalter» (1835; pron., 1842) et par analogie celui d'«étourdir» (pron., 1846; trans. 1855). ◆ *Gris* «un peu ivre» et *griser* ont produit **GRISERIE** n. f. «légère ivresse» (1838), qui s'utilise aussi au figuré (mil. XIXe s.) comme **GRISANT, ANTE** adj. (1877) «exaltant». ◆ Le préfixé **DÉGRISER** v. tr. signifie «détruire l'enthousiasme» (1580, pron.) et «tirer de l'état d'ivresse» (1771); de là **DÉGRISEMENT** n. m. (1823).

GRISAILLE n. f. est d'abord utilisé comme terme technique (1625) pour désigner une peinture en camaïeu gris qui donne l'illusion du relief; le mot se dit par analogie (1865) d'un ton analogue et, au figuré (1884), de ce qui manque d'éclat; en dérive **GRISAILLER** v. (1649, au participe passé).

Gris est aussi à l'origine de dérivés désignant des êtres humains, des animaux, des plantes, etc., dont la caractéristique est la couleur grise. ◆ **GRISARD** n. m., d'abord adj. (*grisart* «grisâtre», 1351), désigne comme substantif le blaireau (1549), une sorte de goéland (1562), le peuplier blanc (1786) et enfin un type de grès (1783). ◆ **GRISET** n. m., de l'ancien adjectif *griset* «un peu gris» (en parlant d'un vêtement) (XIIIe s.; cf. aussi en ancien français *grisle* «gris [d'un cheval]», v. 1150, et *grisel,* 1350, qui a donné l'anglais *grizzly**), désigne un petit passereau (1721), une espèce de requins (1780), l'argousier (1791), plusieurs champignons, etc. ◆ **GRISETTE** n. f., également issu de l'adjectif *griset,* s'est dit d'une étoffe grossière (1651). ◇ Par métonymie pour («fille vêtue de grisette»), le mot a le sens (1665), aujourd'hui vieilli, de «fille de condition modeste, de mœurs faciles». Cet emploi évoque surtout l'époque romantique où la grisette est un type social reconnu et littérairement très exploité (autour de *bohème, artiste,* etc.). ◇ Régionalement, *grisette* désigne aussi des animaux (la fauvette grise, 1721; un papillon diurne, 1791) et des champignons (un agaric, 1816; une amanite, 1858). ◇ Le mot a aussi désigné une monnaie (v. 1634). ◆ **GRISON, ONNE** adj. et n. s'emploie d'abord pour «d'un gris léger» en parlant d'un cheval (1449, adj.; v. 1470, n. m.) et d'un homme (1536, adj.). Le mot désigne ensuite l'âne (1644) et se dit d'un domestique sans livrée, vêtu de gris (1685), et aussi (1640) d'un filou vêtu en gris. Ces emplois des XVIe et XVIIe s., alors usuels, ont tous vieilli après l'époque classique. ◆ De *grison* vient **GRISONNER** v. «devenir gris» en parlant du poil (intr., 1740; d'abord pron., 1527). Au sens transitif de «rendre gris» (1556), le verbe est sorti d'usage; il s'emploie au sens technique de «teindre en gris» (1900). ◇ Du premier sens viennent **GRISONNANT, ANTE** adj. (1546), courant et **GRISONNEMENT** n. m. (1546). ◇ *Grison* et *grisonner,* après d'autres dérivés anciens de *gris,* reprennent la première valeur attestée de cet adjectif, qui, on l'a vu, concerne la couleur des poils, animaux et humains. ◆ Le composé **PETIT-GRIS** n. m. (1621) désigne une espèce d'écureuil de Sibérie et, plus tard, une sorte d'escargot.

◈ voir aussi **GRISBI, GRIZZLY.**

GRISBI n. m., apparu en 1895 *(grisbis)* et répandu à partir de 1953 par le roman *Touchez pas au grisbi* de A. Simonin, serait composé de *gris* «monnaie grise» (1784; cf. le rouchi *griset* «pièce de six liards», 1834; et *grisette* «monnaie», v. 1634) et de l'élément *bi-* d'origine obscure; *grisbi,* «argent» en argot, pourrait être un composé tautologique de *gris* et *bis.*

GRIS-GRIS ou **GRI-GRI** n. m. s'emploie d'abord (1557, *grigri*) au sens de «diable, esprit malfaisant (en Guinée)», puis d'«idole représentant un diable» (av. 1637) et, sous la forme *gris gris* (1637), pour «petit objet magique» (en ce sens *grigri,* 1643). Le mot est d'origine inconnue, probablement issu d'une langue de Guinée ou du Sénégal. Des influences paronymiques (*gris, griffe,* etc.) ont pu jouer.

GRISOLLER v. intr., apparu au XVIIIe s. (1718; *grisoler,* 1803) pour qualifier le cri de l'alouette, reste un mot d'origine obscure, probablement issu d'un radical onomatopéique.

▶ Il a pour dérivé **GRISOLLEMENT** n. m. (1859), rare.

GRISOU n. m., attesté à la fin du XVIIIe s. (1796), représente la forme wallone de *grégeois,* en ancien français *gresois, grisois;* on connaît aussi la forme liégeoise *griyeû,* en ancien français *griois* (→ grégeois).

♦ Le mot, d'abord dialectal pour qualifier un gaz combustible propre aux mines, se répand au XIXe s. avec d'autres termes de la mine. La forme *brisou* (1753, *Encyclopédie, feu brisou*) est due à l'influence de *briser.* L'emploi le plus usuel est ***coup de grisou,*** désignant l'explosion souterraine, souvent cause d'accidents.

▶ Le dérivé **GRISOUTEUX, EUSE** adj. (1876) et le composé **GRISOUMÈTRE** n. m. (1876) sont des termes techniques.

① **GRIVE** n. f. était considéré traditionnellement comme le féminin (1280-1290) de l'ancien français *grieu, griu* «grec» (1119), du latin *graecus* (→ grec), parce qu'on pensait que la grive, oiseau migrateur, hivernait en Grèce. Selon P. Guiraud, *grive* représente plutôt, par l'intermédiaire du catalan *griva*, une forme du latin *cribrum* «crible» : de nombreux animaux tachetés sont en effet désignés par le nom de la marque qu'ils portent ; on trouve également la forme *grivel* (du diminutif bas latin *cribellum* «crible»), à la fois nom du crible et de différents animaux tachetés. De fait, ce type d'image est constant dans la désignation des oiseaux et de certains mammifères, la qualification d'origine, plus rare, étant en général transparente (*dinde*, etc.).

♦ Le mot désigne un petit passereau au plumage brun, voisin du merle, à chair très estimée, d'où le proverbe *faute de grives, on mange des merles* «il faut se contenter de ce qu'on a». La locution ***saoul comme une grive*** (1486), précédée par *étourdi comme une grive* (v. 1456), vient de l'habitude qu'a la grive appelée *grive des vignes* (1767) de se gorger de raisin au moment de la vendange et surtout de son comportement vif et imprévisible, assimilé à celui d'un ivrogne.

▸ **GRIVETTE** n. f. (1611) est un diminutif de *grive*.

◈ voir **GRIVELER**.

◈ ② **GRIVE** n. f., attesté en argot (1628), est d'origine obscure. On a suggéré un emploi métaphorique de *grive* «oiseau», ce passereau étant très querelleur, explication peu convaincante. On rattache aussi le mot à l'ancien adjectif *grief, grieve* «pénible, douloureux» (→ grief), avec influence possible du nom de l'oiseau. Un rapport avec *griveler* est plus que vraisemblable.

♦ Sorti d'usage au sens de «guerre» (1628), le mot s'est dit pour «troupe, armée» (1821, «corps de garde»), spécialement pour «infanterie», sens encore usuels en argot, au XXe siècle.

▸ **GRIVETON** n. m. ou **GRIFFETON, GRIFTON**, «simple soldat» (1881), dérive de *grivet* «fantassin» (1861), issu de *grive*. ➛ **GRIVOIS, OISE** n. et adj., également dérivé de *grive*, a eu aussi (1690) ce sens de «soldat, fantassin». ◇ Mais le mot a changé de domaine et de statut (de l'argot à la langue littéraire) en s'appliquant aux personnes de mœurs libres (1696). Il s'emploie aujourd'hui comme adjectif (1707) pour «d'une gaieté un peu licencieuse». ◇ L'adjectif a pour dérivés **GRIVOISERIE** n. f. (1843) et **GRIVOISEMENT** adv. (attesté en 1910, Colette).

◈ voir **GRIVELER**.

GRIVELER v. intr. représente pour Bloch et Wartburg un dérivé (1620) de *grive*, cet oiseau étant connu pour son avidité à piller les vignes. Selon P. Guiraud, le verbe dérive plutôt de *grivel* «crible», du bas latin *cribellum* de même sens (cf. le dialectal *gribeler* «examiner soigneusement»), et est un synonyme de *cribler** au sens de «prendre le meilleur d'une récolte, trier». Le rapport avec *la grive* «la guerre», assimilée au pillage, est sémantiquement évident (→ ② grive).

♦ Le verbe, d'emploi vieilli, signifie «faire des profits illicites» (1620) et «consommer sans avoir de quoi payer» (1901).

▸ **GRIVÈLERIE** n. f., autrefois lié au premier sens du verbe (XVIe s.), est un terme de droit et désigne le fait de ne pouvoir payer sa note, dans un restaurant, un hôtel (av. 1892, Code pénal) ; **GRIVELAGE** n. m. est sorti d'usage (1807). ➛ **GRIVELEUR, EUSE** n. (1642), terme de droit, correspond à *grivèlerie*.

GRIZZLI ou **GRIZZLY** n. m. est emprunté avec des graphies variables (*grisly*, 1860 ; *grizzly*, 1866 ; *grizzli*, 1902) à l'anglais *grizzly* (1808), abréviation de *grizzly bear* «ours grisâtre» ; l'anglais *grizzly* est dérivé de *grizzle*, adaptation de l'ancien français *grisel, griseau* «gris», dérivé de *gris**.

♦ Le mot ne s'applique qu'à l'ours gris d'Amérique du Nord, et reste exotique.

GROG n. m. est emprunté (1776 ; 1757, selon Bloch et Wartburg) à l'anglais *grog* (1770), d'abord «ration de rhum coupé d'eau», tiré de *Old Grog*, sobriquet donné à l'amiral Vernon qui portait habituellement un manteau de *grogram* («tissu côtelé» ; du français *gros-grain* ; → grain).

♦ Cet amiral prescrivit en août 1760 l'ajout de moitié d'eau dans la ration de rhum des matelots. Le grog des marins était bu froid, puis chaud au XIXe s. dans les climats humides des tropiques. Cette boisson s'est répandue hors du milieu des marins vers 1850 (Littré, 1866, signale qu'on le sert alors dans les cafés).

◈ voir **GROGGY**.

GROGGY adj. inv. est emprunté (1910, *boxeur groggy*) à l'anglais *groggy* «ivre, alcoolique» (1770), dérivé de *grog* (→ grog) ; le mot a pris en anglais le sens de «qui a les jambes faibles», en parlant d'un cheval (1828) puis, d'abord en argot, a qualifié (1832) un homme titubant après un choc.

♦ *Groggy* s'est introduit en français dans le contexte de la boxe, puis se dit familièrement pour «assommé par un choc physique ou moral» (1917) ; le sens anglais initial de «titubant d'ivresse» est repris en 1941, mais en français le mot évoque surtout le boxeur «sonné».

GROGNER v. intr. représente (1190, *grognier*) une altération, d'après *groin*, de l'ancien français *gronir* «murmurer pour manifester son mécontentement» (1174-1175), issu du latin *grunnire* «grogner» (en parlant du porc), variante de *grundire* (→ gronder), d'une base onomatopéique *grun-* (cf. aussi l'ancien français *grommer* ; → grommeler). ◈

♦ Le verbe s'emploie en parlant d'une personne qui bouge, proteste (1190) et du cri d'un animal (av. 1123), ce dernier sens étant appliqué à l'homme pour «produire un bruit inarticulé et continu». Il s'est dit pour «être hostile à qqn» (déb. XVe s.) puis pour «gronder qqn» (1835). ◇ Le sens de *grogner*, «manifester son mécontentement», se retrouve dans le déverbal **GROGNE** n. f. (1364, *grongne*), vieilli, puis repris, avec la *hargne* et la *rogne*, dans un célèbre discours du général de Gaulle, qui lui a donné une seconde carrière.

▸ Les dérivés **GROGNERIE** n. f. (XVe s., *grongnerie*), **GROGNEUR, EUSE** adj. (XVe s., *grongneur*), **GRO-**

GNON, ONNE adj. et n. (1721, *mère Grognon,* surnom donné par les pensionnaires à la religieuse chargée de leur éducation) exploitent cette même valeur, *grognon* étant le plus courant ; son propre dérivé **GROGNONNER** v. tr. (1634, selon Bloch et Wartburg), «faire le grognon» se dit aussi en parlant d'un animal. ◆ **GROGNARD, ARDE** adj. (fin XIIIe s.) signifiait «qui grogne» ; il a été concurrencé par *grogneur,* puis éliminé par *grognon.* ◇ Le mot a été repris en 1812 (n. m.) pour désigner un soldat de la vieille garde, sous Napoléon Ier, «ils grognaient toujours». ◆ **GROGNEMENT** n. m. se dit du cri d'un animal (XVe s., *grongnemens*) et en parlant de personnes (1530) a seulement le sens physique de *grogner.* ◆ **GROGNASSE** n. f., terme péjoratif formé à partir de *grogner* (1883, suffixe *-asse*), désigne une femme laide et d'humeur acariâtre («qui grogne») et, par extension, se dit injurieusement pour «femme» (en relation avec d'autres termes d'injure en *-asse : pouffiasse,* etc.).

GROIN n. m. est issu, sous la forme *gruing* (v. 1174-1176), du bas latin *grunium* «groin de porc», dérivé d'une forme non attestée °*grunire,* altération du latin classique *grunnire* (→ grogner).

♦ Le mot s'applique au museau du porc, du sanglier et, par extension, à un museau court et tronqué. Il s'emploie métaphoriquement en parlant des humains.

▸ En dérive le verbe intransitif **GROINER** (variante *grouiner ;* 1881, au participe présent), d'emploi rare.

GROLE ou **GROLLE** n. f., attesté indirectement au XIIIe s. (le dérivé *grolier* «savetier» est repéré en 1289) comme terme dialectal (Ouest, franco-provençal), est passé en argot parisien au XIXe s. ; le mot vient d'un latin populaire °*grolla,* attesté par l'ancien provençal *grola* «vieux soulier» (mil. XIIIe s.), d'origine inconnue. *Grole,* signifiant également, en ancien français, «vase en forme de flacon» (cf. aussi *crole* «écuelle de gueux», 1596), a le sémantisme d'«objet arrondi et creux» ; de là P. Guiraud propose de rattacher le mot à *grouler* «secouer» (*groler* et *croler* en ancien et moyen français) issu d'un gallo-roman °*corrotulare,* intensif de °*rotulare,* dérivé du classique *rotare* «faire tourner» (de *rota ;* → roue), d'où l'idée de «secouer» et d'«arrondir». Cette reconstitution reste très hypothétique.

♦ Le mot est un équivalent argotique, puis familier, de *chaussure.*

GROLLES n. f. pl., attesté en 1910 dans la locution ***avoir les grolles*** «avoir peur», représente le déverbal de l'ancien français *grouler* «grouiller» (→ grouiller), qui a pris régionalement le sens de «trembler» (1771, *gruller,* en champenois et en bourguignon).

GROMMELER v., réfection (1382), peut-être d'après *grogner,* de *grumeler* (1342), est dérivé de l'ancien français *grommer* «gronder» (XIIIe s.), emprunt au moyen néerlandais *grommen* «gronder, grogner» ou à l'allemand *grummeln* «grogner» (Rhénanie, Allemagne du Nord). Les formes dialectales *gremeler, grimoler* viennent du néerlandais *grimmelen* «geindre, se plaindre», de *grimmen, gremmen,* variantes de *grommen.*

♦ Sémantiquement, *grommeler* «exprimer son mécontentement de manière indistincte» est influencé par *grogner* et *gronder.*

▸ En dérive **GROMMELLEMENT** n. m., réfection (1567) de *grumeslement* (XIIIe s.), d'abord appliqué au cri d'un petit animal (de souris, au XIIIe s.), sens sorti d'usage. Le mot correspond à *grommeler,* en parlant des humains (mil. XIVe s.) et, par extension plus ou moins anthropomorphique, des animaux (1861).

GRONDER v. est la réfection (v. 1230, aussi *grundire*) de *grondre, grondir* (v. 1170), formes issues du latin *grundire,* variante de *grunnire* (→ grogner).

♦ Le verbe s'emploie d'abord en parlant d'un chien (v. 1170), puis d'une chose (v. 1230) sans idée de menace, et d'une personne (v. 1230) pour «grommeler». En ancien et moyen français, *grogner, grommeler* et *gronder* interfèrent pour le sens. *Gronder* s'en détache lorsqu'il s'emploie transitivement (1655) au sens de «réprimander qqn». En emploi transitif, il a signifié «dire à mi-voix» (XIVe s.).

▸ **GRONDEMENT** n. m. (fin XIIIe s.) est utilisé en parlant de certains animaux ou de choses. ◆ **GRONDERIE** n. f. s'est dit (1598) du grognement du porc, puis pour «plaintes» (1620) ; il a pris ensuite le sens de «réprimande» (1694), seul vivant aujourd'hui. ◆ **GRONDE** n. f. (1801) en ce sens est aujourd'hui seulement d'usage régional. ◆ **GRONDEUR, EUSE** adj. (1586) ne s'emploie plus comme nom. ◆ **GRONDIN** n. m. s'est d'abord dit du porc (1598) avant de désigner un poisson de mer (1769), ainsi nommé à cause du grondement qu'il fait entendre quand il est pris (aussi en apposition *rouget grondin*).

GROOM n. m. apparaît (1669) dans un ouvrage sur l'Angleterre au sens de «valet» ; le mot est emprunté à l'anglais *groom* d'origine incertaine, peut-être issu de *to grow* «grandir, pousser». En anglais le mot a en effet signifié «petit garçon» (1225) puis «valet» (XIIIe s.) et, spécialement, «valet d'écurie» (XIVe s.).

♦ C'est ce dernier sens qu'a repris le français (1822, sorti d'usage), presque uniquement à propos des pays de langue anglaise. *Groom* n'est que très peu utilisé en France avant la Restauration, époque où il eut aussi le sens de «laquais d'un jeune homme élégant» (1826). Le sens moderne (1828) ne semble se répandre qu'à la fin du XIXe siècle.

✳ **GROS, GROSSE** adj., adv. et n. est issu (1080) du latin impérial *grossus* «gros, épais» (Ier s.) et «rude, grossier» en latin chrétien. Le mot est une altération phonétique — la voyelle *-o-* évoquant mieux la grosseur — et une spécialisation du latin classique *crassus* (→ gras) qui remplaçait *pinguis* au sens de «gras».

♦ *Gros* a pris, comme dans les autres langues romanes les mots issus de *grossus,* un sens général :

«de volume ou de dimensions importants» (1080; aussi adv., *en gros*, «en grandes dimensions»), en parlant de choses ou de personnes. Il est immédiatement employé dans des comparaisons (1080) *gros comme* «de dimensions aussi importantes que», puis «de la taille de» (1678-1679). ◇ Il a pris par transposition (1er quart XIIIe s.) une valeur acoustique : «de volume sonore important». ◇ Par extension, il signifie «abondant» (adv., *en gros*, 1re moitié XIIIe s.), «en grande quantité» et «sans entrer dans les détails», sens également de l'adverbe *grossement* (ci-dessous). Dans toutes ces valeurs, la répartition d'emplois entre *grand* et *gros* est plus délicate que les interférences avec *gras*, réservées aux personnes *(gros et gras)* et aux animaux. ◇ Par extension, *gros* se dit de ce qui entre dans la catégorie des choses importantes (fin XIVe s., *le gros gibier;* 1538, *gros bétail*). ◇ Au sens le plus général, proche de *grand*, *gros* s'emploie (v. 1225) avec une valeur amplificatrice, au sens de «total, entier» pour renforcer un adjectif (1440-1475), puis pour renforcer l'expression d'une qualité, d'un état, etc. (1661-1679). Il prend spécialement la valeur de «foncé, intense», en parlant d'une couleur (1796). ➡ Parallèlement, *gros* se dit de ce qui est temporairement ou anormalement de dimensions importantes; *grosse*, au féminin, signifie (1130-1140) «enceinte» (d'où *grossesse*, ci-dessous) et *gros, grosse*, aux deux genres, «enflé, gonflé» (v. 1165, *mer grosse;* mil. XIIIe s., *gros temps* «tempête»).

L'adjectif s'emploie aussi au figuré (v. 1165, ***le cœur gros***), en particulier dans ***être gros de***, d'abord «avoir envie de» (1450-1465, sens disparu) puis aujourd'hui «qui recèle en germe» (1549). Au XVIIe s., *gros* s'emploie au sens de «grossi pour impressionner» (1718, ***faire le gros dos;*** 1784, ***faire les gros yeux;*** 1837, ***la grosse voix***). ◇ L'adjectif a pris en outre une valeur affective ou ironique (1740, *mon gros ami*); il en reste l'appellatif ***mon gros*** (1808, à un enfant), où il est substantivé.

Gros s'emploie depuis le début du XIIIe s. au sens d'«important par sa situation sociale, sa puissance, etc.»; il est alors synonyme de *grand* (*gros roi*, v. 1210); de là l'emploi pour «important, intense» (v. 1274, *grosse peine*), «conséquent» (1280). Si ces emplois ont vieilli, d'autres, où *gros* a la même valeur, restent usuels : *un gros travail* (1306, *grosse besogne*), ***le gros lot*** «le plus important» (1690). À ce dernier emploi se rattache l'usage adverbial ***gagner gros*** «beaucoup» (1678). ◇ Le sens spécial de «rude» est introduit au XIIe s. (v. 1150, ***gros mot***). Sauf dans *gros mot*, cet emploi sera éliminé par le dérivé *grossier* (à partir du XVIe s. → ci-dessous). ◇ Au concret, *gros* qualifie ce qui est d'une «consistance peu fine» (1174) et, au figuré, «sans finesse d'esprit» (v. 1265). ◇ Par extension l'adjectif correspond à «trop évident» (1269-1278), d'où plus récemment ***c'est un peu gros.***

▶ **GROS** n. m. et **GROSSE** n. f. représentent l'adjectif substantivé. Au masculin **GROS** n. m. désigne d'abord (1080, ***le gros de***) la partie la plus épaisse, puis *un gros* (1er quart XIIIe s.) une personne corpulente et, au figuré, une personne puissante, riche (*les gros*, emploi très vivant en langue populaire moderne). ◇ *Le gros* s'emploie en même temps pour «l'ensemble, le tout» (v. 1265) puis pour «la partie la plus importante» (1549, ***le plus gros est fait***). ◇ *Un gros* a désigné une monnaie à cause de l'épaisseur de la pièce (v. 1340) puis (1606) un poids correspondant à celui de la pièce de monnaie. ➡ Par emprunt au latin médiéval *grossum*, neutre substantivé de *grossus*, désignant le revenu annuel d'un bénéfice, *le gros* s'est dit du revenu d'une redevance (1379). ➡ Du sens évaluatif de l'adjectif «sans finesse», *gros* s'est dit d'un tissu à gros grain (1391) d'où *gros de Naples* «sorte de taffetas épais» (1586). De la locution ***en gros*** «en grande quantité» vient *commerce de gros* (1704), qui s'oppose à *au détail*, d'où *le gros* (et le détail). ➡ **GROSSE** n. f. s'emploie au sens de «douze douzaines» (du sens de l'adjectif, «grande quantité»); le latin médiéval *grossa* (XIIIe s.) a déjà ce sens. ◇ Comme terme de droit, *grosse* désigne l'expédition d'une obligation notariée, dont les caractères sont plus gros que ceux de la «minute» (1464); c'est alors un emprunt au latin médiéval *grossa* qui désignait des expéditions d'actes du pape Innocent III (déb. XIIIe s.) rédigées en grosses lettres. ➡ De cet emploi vient **GROSSOYER** v. tr. «faire la grosse» (1335). Le sens d'«écriture en gros caractères» est relevé au XIXe s. (1835).

GROSSEMENT adv. demeure rare pour «grandement» (1188) et «d'une manière grosse» (1566; du latin *grosso modo*, emprunté au XVIe s. — voir ci-dessous).

GROSSESSE n. f., qui signifie d'abord (XIIe s.) «grosseur», se spécialise avec l'adjectif féminin *grosse* «enceinte» et signifie «état d'une femme enceinte» (1283); dans ce sens spécial, il a éliminé *grosseur*. ➡ **GROSSEUR** n. f., qui a eu le sens très général de «dimension, taille» (déb. XIIe s.), analogue à celui de *grandeur*, a en effet eu (1283 et jusqu'au XVIe s.) celui d'«état d'une femme grosse». ◇ Le mot prend ensuite les sens modernes d'«épaisseur excessive» (1314), de «volume qui passe l'ordinaire» (1538). ◇ Spécialement, *une grosseur* se dit (1694) d'une enflure à la surface de la peau.

GROSSIER, IÈRE adj., de l'adjectif *gros* au sens d'«important», a désigné (1260, n. m.) un ouvrier travaillant de grosses pièces de fer et (1305, n. m.) un commerçant en gros (on dira beaucoup plus tard *grossiste*). ◇ Les emplois modernes de *grossier* dérivent d'un sens spécial de *gros* «rude» (voir ci-dessus) et d'un emploi de *gros* pour «rustre»; *grossier* signifie «rustre, inculte» (1550, *grosse multitude*, Ronsard), d'emploi littéraire aujourd'hui, et «fait sans finesse» (1555, *laine grossière*, Ronsard). ◇ Par extension, *grossier* se dit de ce qui est digne d'un homme peu cultivé, peu évolué (1604, *grossière erreur*) puis de ce qui est choquant et offense la pudeur (fin XVIIe s.); dans cet emploi, il a éliminé *gros* sauf dans *gros mot*. ➡ *Grossier* a deux dérivés courants. **GROSSIÈREMENT** adv., d'abord (1488) «sans complication», signifie ensuite «sommairement» (1580) et, d'après la valeur prise par *grossier*, «de manière inconvenante ou blessante» (1694). ➡ **GROSSIÈRETÉ** n. f. est sorti d'usage au sens de «manque de délicatesse» (1640-1642) et de «manque de valeur» (1690). Il s'emploie pour «caractère de ce qui offense les bienséances» (av. 1696) et de «mot grossier» (1732).

Le verbe tiré de *gros*, **GROSSIR**, signifie «devenir gros, s'enfler» (1317, d'un cours d'eau) et «rendre plus intense» (mil. XVIe s.; 1368, pron.). De là viennent les sens : «faire paraître important, exagérer» (1580) et «rendre plus volumineux» (1595) puis «rendre plus puissant, apporter du renfort» (1647) et «faire apparaître plus gros par un procédé optique» (1671, d'où *verre grossissant*). ➜ Ce verbe a pour dérivé **GROSSISSEMENT** n. m., qui désigne le fait de devenir plus gros (1560, *crossissement*) ou plus dense (1572), d'augmenter de volume (1588). Le mot signifie ensuite «action de rendre gros» (1611), de «faire apparaître plus gros» (au propre, valeur liée au développement de l'optique, et au figuré, 1842). ➜ **GROSSISSANT, ANTE** adj. (1763) est tiré du participe présent. ➜ **GROSSISTE** n. a remplacé *grossier* au sens de «marchand en gros»; il vient (fin XIXe s.) de *gros*, n. m., dans *commerce en gros* ou de l'allemand *Grossist*, attesté en 1800. ➜ **GROSSIUM** n. m. vient (1899) de l'adjectif *gros* et d'un suffixe pseudo-latin *-ium*, ou de *gros siam* «négociant», de *siam* «boutiquier» (1895), d'origine obscure; répandu dans les années 1900 au sens d'«homme riche, important», le mot est argotique.

De *gros* par préfixation et suffixe verbal vient **DÉGROSSIR** v. tr. (1611) «enlever le plus gros», qui s'emploie aussi au figuré pour «donner les éléments essentiels de qqch.» (av. 1848) et «donner à qqn des rudiments de formation». Le participe passé est adjectivé dans l'expression ***mal dégrossi*** «grossier». ➜ En dérivent **DÉGROSSISSEMENT** n. m. (1578) et **DÉGROSSISSAGE** n. m. (1799) dont les emplois se répartissent selon les contextes.

Les composés formés à partir de *gros* retiennent soit l'idée de «taille importante» ou de «grande capacité», soit l'idée de «rusticité». ➜ Parmi les premiers : **GROS-BEC** n. m. (1553) et une série très récente : **GROS-CUBE** n. m. (v. 1970; de [centimètre] *cube*); ② **GROS-CUL** n. m. «camion» (v. 1965) de *cul* pour *C.U.* «charge utile»; **GROS-PORTEUR** adj. et n. m. (1969) qualifiant ou désignant un avion. ➜ Avec l'idée de «grossier» : **GROS-GUILLAUME** n. m. en 1642 «pain grossier» (qu'on donnait aux valets de ferme, d'où *guillaume*), puis cépage de raisin rouge (1821); ① **GROS-CUL** n. m. «tabac dit gris» (1914-1918, argot de la guerre) de *cul*, synonyme argotique de *trèfle* «tabac». ➜ **GROSSO MODO** loc. adv. «en gros» est l'emprunt (1566) en concurrence avec *grossement*, employé en français classique, d'une locution du latin médiéval (XIVe s.), composé de l'ablatif de *grossus* et de *modus* (→ mode) et signifiant proprement «d'une manière grosse».

◈ voir ENGROSSER et aussi GRAIN (GROS-GRAIN), ŒUVRE (GROS ŒUVRE).

GROSEILLE n. f. apparaît sous la forme *grosele* (attesté fin XIIe s., mais antérieur), devenu *groseille* (1536) sous l'influence du dérivé *groseillier* n. m. (déb. XIIe s., aussi *groselier*). *Grosele* est issu du francique °*krusil* «groseille», d'un adjectif °*krus* désignant la forme de la baie (cf. moyen néerlandais *kroesel*, de *kroes* «crépu», allemand dialectal *kräuselbeere*, proprement «baie crépue»). Le latin médiéval *grosellarius* «groseillier» (XIe s.) est un emprunt au francique.

♦ *Groseille* «baie du groseillier» s'emploie par métonymie comme apposition ou adjectif (1841) pour désigner un rose vif; le mot désigne en effet couramment la groseille rouge. *Groseille noire* (1690) est beaucoup moins usité que *cassis**. ◇ ***Groseille à maquereau*** (1866) est le nom d'une grosse baie ainsi appelée parce qu'on l'emploie dans une sauce accompagnant le maquereau.

▸ **GROSEILLIER** n. m. s'écrit d'abord *groselier* (v. 1120), dérivé de l'ancienne forme *grosele*.

GROS-JEAN → JEAN

GROTESQUE n. et adj., attesté d'abord sous la forme *crotesque* (1532, n. m.), sous l'influence de *crote, croute* (→ grotte), est un emprunt (1540-1550) à l'italien *(pittura) grottesca*, proprement «peinture de grotte», désignant un type de décoration murale qui apparaît en Italie au milieu du XVe s. *Grottesca* est un adjectif féminin dérivé de *grotta*, de même origine que *grotte**, parce que ce genre de peinture représentant des figures caricaturales s'inspirait des décorations de la Domus Aurea de Néron, que les fouilles (l'excavation archéologique étant appelée *grotta*) découvrirent au moment de la Renaissance italienne. Le nom italien prend au XVIe s. le sens de «peinture licencieuse et fantaisiste ou caricaturale» et cette valeur évaluative et morale, non plus descriptive et esthétique, colore toute l'histoire du mot en français. L'évolution de *baroque** est comparable.

♦ Cependant, *grotesque* apparaît au XVIe s. comme terme d'art, désignant (1540-1550) les ornements antiques des ruines, puis les ornements modernes (à l'italienne) qui en sont inspirés. Au figuré (Montaigne) le mot correspond à peu près à «chimère». ◇ Déjà adjectif en ce sens (1566), le mot prend dans cet emploi, dans la première moitié du XVIIe s. (1636, Corneille), une valeur voisine d'«extravagant» (*grotesques aventures*, Saint-Amand) et de «burlesque». Mais dans *imaginations grotesques* (chez Pascal), l'adjectif signifie plutôt «fantastique, fou» que «ridicule». ◇ Le sens actuel de «ridicule», probablement influencé par *grossier*, et qui n'implique pas la bizarrerie, semble ne se dégager qu'au XIXe s., mais le mot a, pour les romantiques, une valeur positive qui l'apparente à *baroque :* Gautier emploie et lance avec cette valeur l'appellation *les Grotesques* pour désigner les écrivains baroques du début du XVIIe s. français. Par ailleurs, le *grotesque* chez Gautier, Hugo, puis Baudelaire est une catégorie esthétique essentielle («j'appellerai désormais le grotesque comique absolu», Baudelaire). Par rapport au *burlesque* (comique de situation et d'observation réaliste), le *grotesque* implique imagination fantastique. Ceci n'empêche pas la langue courante d'employer *grotesque* adj. avec la simple valeur de «ridicule».

▸ De ce sens vient **GROTESQUEMENT** adv. (1623) alors que **GROTESQUERIE** n. f. (v. 1850, Baudelaire) fait référence, au moins au début, à la catégorie esthétique.

GROTTE n. f., attesté à la fin du XIIIe s. (1280, *grote*), est un mot rare (attestations isolées au XIVe s.) avant sa reprise au XVIe s. (1537, *grotte*). C'est un emprunt à l'italien *grotta* «cavité naturelle» (v. 1300-1313), d'abord «escarpement» (mil. XIIIe s.), issu du latin *crypta*, prononcé *crupta* (→ crypte), du grec *kruptê* «souterrain, crypte» (de *kruptein* «couvrir», «cacher»). *Grotte* a éliminé l'ancien français *crote, croute* «caverne» (v. 1223 et jusqu'au XVIIe s., encore attesté dans des dialectes), qui est issu directement de *crypta*.

♦ Le mot, en français moderne, ne s'applique qu'aux cavernes naturelles, mais il désignait en français classique une construction décorative artificielle à la manière italienne. *La grotte satyrique*, imitant par son apparence une caverne naturelle, relie clairement le mot à *grotesque*; il est réemprunté dans ce sens à l'italien, qui désignait par *grotta* l'excavation et l'architecture excavée par l'archéologie (d'où le sens de *grotesque*).

◈ voir **GROTESQUE**.

◈ **GROUILLER** v. intr. est une altération (1480), sous l'influence de verbes en *-ouiller* (comme *fouiller*), de l'ancien français *grouler* «s'agiter, s'ébranler» (v. 1280) d'origine incertaine. *Grouler* peut représenter une variante de *crouler* «agiter, secouer» (Xe s.; → crouler) comme l'italien *grollare* à côté de *crollare*, ou encore un dérivé du dialectal *grouée* «foule, masse» (Poitou), qui se rattacherait au provençal *grou* «frai» et *grova* «frayer, pulluler», d'origine incertaine.

♦ *Grouiller* a le sens de «fourmiller» (1480) d'où, par extension, en parlant de personnes ou d'animaux, «s'agiter en tous sens» (1549) et «bouger, remuer» (1625), valeurs aujourd'hui régionales, conservées notamment au Canada, sans les connotations de vitesse du français familier de France. ◇ Par extension, en effet, *grouiller* v. intr. et *se grouiller* signifient «se dépêcher» (1645, pron.), d'usage familier. ➜ *Grouiller* «produire un bruit sourd et continu» (en parlant des intestins) (1718) pourrait être un autre verbe, une altération du moyen français *grouller* «gronder» (XIVe s.), sous l'influence de verbes en *-ouiller*, emprunté au moyen néerlandais *grollen* «gronder»; (→ grelot).

▶ De *grouiller* dérivent : **GROUILLANT, ANTE** adj. (1540) qui correspond au premier emploi de *grouiller*, et **GROUILLEMENT** n. m., d'abord «bruit que font les intestins» (1770-1783) alors dérivé de la deuxième acception du verbe, puis généralement «mouvement de ce qui grouille» (1798) et enfin «ensemble mouvant» (1884). ➜ **GROUILLOT** n. m., forme masculine de *groule* «apprentie qui fait les courses» (1847), désigne, en Bourse, un jeune employé qui porte les ordres d'achat ou de vente et, par extension, un garçon de courses.
Le préfixé *se* **DÉGROUILLER** v. pron. (1898) vient de l'argot des écoliers et signifie «se dépêcher».

GROUPE n. m. est un mot emprunté (1668) à l'italien *gruppo* «réunion de plusieurs figures formant un ensemble, dans une œuvre d'art» (fin XVe-déb. XVIe s.), qui a dû d'abord signifier «nœud, assemblage» (cf. encore *grup* «nœud» dans le midi de la France), et qui est issu du germanique °*kruppa* «masse arrondie» (→ croupe).

♦ *Groupe* est introduit en français avec le sens de l'italien (cf. aussi *ensemble* n. m., emprunt de valeur analogue). Il s'emploie ensuite (1726) plus généralement pour «ensemble d'êtres ou de choses ayant des caractères communs, qu'on utilise pour les classer», d'où le sens d'«ensemble de symboles, de signifiants ayant une unité» (1732, en musique) et les emplois en physiologie, *groupes sanguins, groupes tissulaires* (XXe s.). Le mot s'applique aujourd'hui à la classification des voitures de course (de 1 à 9). ◇ *Groupe* se dit couramment (1755) d'un ensemble de personnes ou de choses réunies dans le même lieu, puis d'un ensemble de personnes ayant un point commun (opinions, goûts, etc.) (1790). ◇ Repris en sciences humaines (sociologie), en économie, où *groupe* correspond (1908) à «ensemble d'entreprises liées entre elles», le mot est prolifique en valeurs spéciales et en syntagmes. ◇ Une spécialisation importante en mathématiques (1898, Hadamard) correspond à une théorie et à un domaine devenus essentiels *(théorie des groupes)*, domaine exploré au début du XIXe s. par Évariste Galois mais alors non dénommé. ◇ En technique (emploi concret), on parle de *groupe électrogène**.

▶ **GROUPER** v. tr. signifie d'abord (1680) «disposer en groupe», en terme de beaux-arts (aussi 1694, *grouper des colonnes*), sens du verbe préfixé aujourd'hui sorti d'usage *agrouper* v. tr. (1669). ◇ Par extension, *grouper* signifie dans l'usage courant «mettre ensemble» (1770). ➜ Ce verbe a plusieurs dérivés. ◇ **GROUPAGE** n. m. (1806) est spécialisé pour «action de réunir des colis pour les expédier». ➜ **GROUPEMENT** n. m. «action de grouper» (1801) est devenu usuel au sens métonymique de «réunion (de personnes, de choses)» entrant dans des syntagmes comme *groupement tactique, groupement agricole d'achat*... (personnes) et *groupement végétal, fonctionnel*... (choses). Le mot est courant en chimie, pour «association fonctionnelle d'atomes dans une molécule». ◇ Il a pour composé **SOUS-GROUPEMENT** n. m. (XXe s.). ➜ **GROUPEUR, EUSE** adj. et n. (1797, en politique) a été repris (1872) d'après *groupage* pour «commissionnaire qui groupe des colis pour plusieurs expéditeurs».
Le composé **DÉGROUPER** v. tr. est un terme technique (1935) comme son dérivé **DÉGROUPEMENT** n. m. (v. 1950) utilisé par exemple pour la séparation, dans un dictionnaire, des homonymes traditionnellement considérés comme un mot unique. ➜ **REGROUPER** v. tr. (fin XIXe s.; pron., 1926) a pour dérivé **REGROUPEMENT** n. m. (fin XIXe s.), d'usage assez général. ➜ Sur *groupe* ont été composés **SOUS-GROUPE** n. m. (1891), didactique, et **INTERGROUPE** adj. et n. m. (v. 1949), terme de politique.
GROUPUSCULE n. m., formé (1932) d'après le diminutif en *-icule* comme *minuscule*, ne se répand qu'à partir de 1955. Le mot, plutôt péjoratif, désigne un petit groupe politique, qui défend souvent des thèses extrémistes et qui est estimé peu représentatif. *Groupuscule* devient courant au moment des

troubles universitaires de 1968, où ceux qui contestèrent les institutions appartenaient à des organisations de très peu d'adhérents et s'opposaient aux partis politiques en place. Le mot, d'abord employé à propos de petits groupes marxistes, s'applique aussi à toute formation politique de petite taille et à un groupe minoritaire dans une organisation. ◇ Son dérivé **GROUPUSCULAIRE** adj. (v. 1968) est rare.

GRUPPETTO n. m. est emprunté (1810) en musique au diminutif italien de *grupo* «groupe», de même origine que le français; il désigne un groupe de quelques notes composant un ornement, sens du mot italien depuis le XVIe siècle.

GROUPIE n. f. est un mot emprunté (v. 1970) à l'anglais des États-Unis *groupie* (1967), de l'anglais *group*, de même origine germanique que le mot français (→ groupe).

♦ Le mot désigne une jeune admiratrice fanatique qui suit un musicien, un chanteur d'un «groupe» de musique pop dans ses tournées et, par extension, une femme partisan inconditionnel. Le mot, rare au masculin, s'emploie au pluriel et peut alors désigner un ensemble d'hommes et de femmes.

① **GRUAU** n. m., réfection (1390) de *gruel* (v. 1170), est dérivé de l'ancien français *gru* «grain grossièrement moulu», issu du francique *°grût*, restitué par l'ancien haut allemand *gruzzi*, l'allemand *Grütze*, le moyen néerlandais *gort*, le néerlandais *gort* ou *grut* (→ gruger). P. Guiraud fait l'hypothèse d'un croisement du francique avec le latin *crudus* «brut, non façonné» (→ cru), dont un dérivé gallo-romain *°crudalis* expliquerait mieux la forme *gruau*.

♦ Le mot désigne, comme *gru* l'avait fait, le grain d'une céréale broyé, débarrassé du son et, en particulier (1835), se dit de la fine fleur de froment. Il est aujourd'hui surtout en usage dans ***pain de gruau*** (1660).

② **GRUAU** → GRUE

GRUE n. f. est une adaptation du XIIe s. (1121-1134) du latin populaire *°grua*, issu du latin classique *grus, gruis* «grue», et nom d'une machine de guerre en latin impérial. Ce mot repose sur une racine **ger-*, d'origine onomatopéique, et attesté dans plusieurs langues indoeuropéennes comme le grec *geranos* qui désigne l'oiseau et l'instrument pour lever les poids, le vieux russe *žeravĭ*, le vieil anglais *cran* (anglais moderne *crane*), le gallois *garan*, etc.

♦ *Grue* désigne d'abord (déb. XIIe s.) un oiseau échassier qui a la particularité de se tenir fréquemment sur une patte, d'où la locution figurée *faire de la grue* (av. 1544), remplacée par ***faire le pied de grue*** (1608). ◇ Par métaphore, *grue* prend très tôt le sens de «prostituée» (1415, *grus*) par allusion à la station prolongée sur les trottoirs, exemple de l'assimilation fréquente, dans le langage populaire, des femmes de mœurs légères à des oiseaux (cf. *poule*). *Grue* «prostituée» semble être sorti d'usage jusqu'à la seconde moitié du XIXe s.; Littré ne retient que l'acception figurée de «grande femme à l'air gauche» (1466, «personne sotte»), aujourd'hui sortie d'usage. ◆ Parallèlement, *grue* est attesté au XVe s. en technique pour «appareil pour soulever les fardeaux» (1467), avec influence du moyen néerlandais *crane*, de même sens; par extension, le mot désigne au XXe s., dans le domaine cinématographique, un appareil articulé permettant les mouvements de la caméra (attesté 1952).

▶ Du premier sens de *grue* dérive ② **GRUAU** n. m. (1562; 1547, *gruyau*) ou **GRUON** n. m. (1636) «petit de la grue», termes peu usités. ◆ Du sens technique dérive **GRUTIER** n. m. (déb. XXe s.), courant en technique.

GRUGER v. tr. est un emprunt (1482, *grugier*) au néerlandais *gruizen* «écraser», issu comme *gruau* d'un francique **grût* (→ gruau).

♦ Les sens propres de «réduire en grains» (1482) et en particulier «briser avec les dents» d'où, par extension, «manger» (1640), se sont effacés en français d'Europe (ils sont restés usuels régionalement, notamment au Québec) au profit du sens figuré : «duper qqn en affaires; le dépouiller de son bien» (1668). ◇ Le sens étymologique de «broyer, écraser» est à l'origine des acceptions techniques en sculpture et en miroiterie (1676) notamment.

▶ Ce sont surtout ces emplois techniques qui ont produit les dérivés : **GRUGEOIR** n. m. (1606) «instrument servant à gruger» et **GRUGEAGE** n. m. (1870, au figuré) et un verbe préfixé. ◆ Ce dernier, **ÉGRUGER** v. tr. (1556, *s'esgruger*), signifie «réduire en poudre» puis (1617) «égrainer (du chanvre)»; en sont dérivés les termes techniques **ÉGRUGEOIR** n. m. (1611), **ÉGRUGEURE** n. f. (1680), **ÉGRUGEUR, EUSE** adj. (1860) et **ÉGRUGEAGE** n. m. (1888).

GRUME n. f. est un emprunt (1552) au bas latin *gruma* «écorce d'un fruit» (IVe s.), dérivé régressif de *grumula* «cosse, coquille», obtenu par dissimilation d'une forme *°glumula*, elle-même dérivée du latin classique *gluma* «pellicule (des grains), balle». *Gluma* est un dérivé de *glubere* «écorcer, peler», verbe technique qui correspond à l'ancien haut allemand *klioban* et au grec *gluphein* «tailler, graver» (→ glyphe).

♦ *Grume*, terme régional, désigne le grain de raisin (1552, Bourgogne, Beaujolais) et, terme technique (1684), l'écorce revêtant un tronc coupé d'où, par métonymie, *bois de/en grume* «couvert de son écorce». La Fontaine et Furetière ont échangé des épigrammes, le second reprochant entre autres choses au premier d'ignorer, malgré son ancienne fonction d'officier forestier, le sens exact de *bois de grume* et *bois marmenteau*.

▶ **GRUMIER** n. m. (mil. XXe s.) désigne un camion servant au transport des grumes.

GRUMEAU n. m. est un mot issu (1265, *grumiel*) du latin populaire *°grumellus*, altération du latin classique *grumulus*, diminutif de *grumus* «tertre», terme technique peu usité.

♦ *Grumeau* a le sens de «petite masse de matière agglomérée» (1265) comme l'ancien provençal *gru-*

mel «peloton de fil», et en particulier celui de «masse coagulée mal dissoute dans un liquide» (1866) qui est resté courant. ◇ Par extension, *grumeau* désigne une petite rugosité qui apparaît sur une surface lisse.

▸ À partir de l'ancien français *grumel*, forme ancienne de *grumeau*, ont été formés deux dérivés. ➛ **GRUMELER** v. tr., d'abord au participe passé adjectivé (v. 1200, «ridé, flétri»; 1548, *sang grumelé* «en grumeaux») puis sous la forme pronominale *se grumeler* (1718), concerne l'action de (se) mettre en grumeaux. ◇ En dérivent le terme technique **GRUMELURE** n. f. (1668) et le composé préfixé **ENGRUMELER** v. tr. (1549) «mettre en grumeaux», peu usité. ➛ **GRUMELEUX, EUSE** adj. «qui contient des grumeaux» (2de moitié XIIIe s., *grumeleus*) s'emploie ensuite par extension au sens de «qui contient des granulations» (1783, *racine grumeleuse*).

GRUYER n. m., terme de droit féodal, est probablement issu (1247, écrit *gruier*) d'un gallo-roman °*grodiarius* «maître forestier», dérivé du francique °*grôdi* «ce qui est vert» (cf. ancien haut allemand *gruoti*, de même sens), qui a donné l'allemand *grün* «vert». La vitalité de la série, attestée par le latin médiéval *gruarii* (1218), l'ancien français *gruage* «droit sur la forêt» et par *gru* (fin XVIe s.) «produit de la forêt», correspond à l'importance de l'exploitation forestière et du droit forestier (XIIIe-XVe s.). Au XIIIe s., parallèlement à *gruyer*, le mot *verdier* «officier des Eaux et Forêts» a été formé sur le nom de la couleur verte. ◇ P. Guiraud préfère rapprocher *gruyer* et *gru* du latin *crudarius*, d'après *crudus* «brut, non façonné», évoquant l'ancien français *cruière* «jachère», le *gru* étant un produit «brut» par opposition aux produits des champs.

♦ *Gruyer* (aussi *seigneur gruyer*, adj., 1718) désignait sous l'Ancien Régime un seigneur qui avait un droit d'usage sur les bois d'un vassal, et un officier préposé aux délits commis dans les forêts.

▸ En dérive **GRUERIE** n. f., en latin médiéval *gruaria, griaria* (1153), «privilège royal ou seigneurial sur les bois», attesté en 1261 dans cette acception et en 1509 dans celle de «juridiction des Eaux et forêts».

GRUYÈRE n. m., qui apparaît sous la forme *gruière* (1655, dans *fromage façonné à la mode de gruière*; puis 1680, *gruière*), vient du nom d'une région du canton de Fribourg, en Suisse — *la Gruyère* — où ce fromage a d'abord été fabriqué.

♦ Par extension, *gruyère* est employé pour désigner d'autres fromages analogues, comme le comté et surtout l'emmenthal, la distinction entre ces types étant mieux faite en français de Suisse.

GRYLLE n. m., attesté au début du XVIIe s. (av. 1614) et repris en 1834, est emprunté, par l'intermédiaire du latin *gryllus*, au grec *grullos* «danse grotesque ou inconvenante», mot hellénistique, emprunté par Pline au sens de «caricature».

♦ *Grylle* désigne, dans les œuvres antiques de la glyptique, un monstre et, par extension (1901) en peinture, un assemblage étrange de figures d'animaux.

GUAI ou **GUAIS** adj. m., d'abord *hareng gai* (1723), représente probablement (1812) une variante graphique de l'adjectif *gai* (→ gai) dans l'acception figurée (depuis le XIIIe s.) de «vif, pétulant» qualifiant un animal. Ainsi, le terme de blason *cheval guais* (1690) signifiait «sans bride ni harnais».

♦ *Guai*, terme technique de pêche, se dit du hareng qui, après avoir frayé, est vide de laitance et d'œufs.

GUANO n. m. est un mot emprunté (1598; variante *guana*, n. f., 1785) à l'espagnol *guano* (1590), lui-même du quichua *huano* ou *huanu* «engrais, fumier», forme reprise en français au XIXe s. mais qui ne s'est pas imposée.

♦ Le mot désigne une matière composée de déjections d'oiseaux marins, dont les vertus fertilisantes étaient connues depuis longtemps par les Péruviens. Par extension (1875), *guano* se dit d'un engrais obtenu avec des déchets d'origine animale.

▸ En dérivent : **GUANINE** n. f. (1858), terme de biochimie désignant aujourd'hui l'un des quatre nucléotides de l'A. D. N., d'où **GUANIDINE** n. f. (1905). ➛ Au sens premier du mot, **GUANIER, IÈRE** adj. (1877) et **GUANEUX, EUSE** adj. (1928), peu usité, signifient «relatif au guano».

GUARANI adj. et n., d'abord écrit *guarini* chez Chateaubriand (1803) dans *Le Génie du christianisme*, est un emprunt (1840) à la langue d'une population indienne du Paraguay; *Guarani* est le nom que se donnent ces Amérindiens. Le mot s'est probablement introduit par l'intermédiaire de l'espagnol où il est attesté dès le XVIIe s. dans les récits de voyage et des lexiques (1639, *Tesoro de la lengua guarani*).

♦ Le mot désigne et qualifie en français une population indienne du Paraguay et est le nom donné à sa langue *(guarani*, n. m.), voisine du tupi*.

① **GUÉ** n. m. est issu (1080) du francique °*wad* «endroit guéable», attesté par l'ancien haut allemand *wat* et *watan* «passer à gué», le moyen néerlandais *wat*, et qui correspond au latin *vadum*, d'où viennent le roumain *vad*, le portugais *vau* et l'espagnol *vado*. °*Wad* et *vadum* se rattachent à une racine indoeuropéenne °*wadh-* «aller».

♦ *Gué* conserve le sens du francique. ◇ Le mot a eu aussi le sens de «mare, abreuvoir» (v. 1200; aussi sous la forme *weis*, 1280), sens qu'il tient du francique (cf. l'usage de *guer* «abreuver» dans les dialectes du Nord et de l'Est). *Gué* est entré dans la composition de proverbes et locutions comme ***à gué***, loc. adv., par exemple dans *passer à gué*.

▸ **GUÉER** v. tr. est la réfection (XVe s.) de *guaër* (déb. XIIe s.), issu du bas latin *vadare* «passer à gué», dérivé tardif de *vadum*. Ce verbe assez peu courant signifie par extension (XIIIe s.) «faire baigner dans un gué» (un animal, du linge). ➛ En dérive **GUÉABLE** adj. (fin XVe s.; v. 1160, *gaable*) «qu'on peut traverser à gué».

② **GUÉ** interj., attesté en 1666 (***au gué !***; Molière, *Le Misanthrope*) mais plus ancien dans les refrains populaires, représente une variante de *gai**, *gay* (1534, *guay, guay!*, Rabelais, *Gargantua*).

♦ La locution interjective *ô gué* exprimant la joie ne survit que dans des refrains de chanson.

GUÈDE n. f. est un emprunt ancien (fin XIe s., *guesde, gesde*), aussi écrit *waide* (v. 1165) au moyen âge, à un germanique **waizda-* restitué d'après l'ancien haut allemand *weit* et le moyen néerlandais *weed* (cf. allemand *Waid*). On relève dès le VIIIe s. la forme latinisée *waisdo*, le mot germanique supplantant le latin *vitrum* (→ verre).

♦ *Guède*, synonyme de *pastel** mais plus didactique, désigne une plante à fleurs jaunes dont les feuilles fournissaient en teinturerie une matière colorante bleu foncé ; c'est aussi le nom de la teinture.

GUÉDOUFLE n. f., forme refaite (1532) de *cantoufle* (1302), est (selon Sainéan) un emprunt au provençal *gadoufle, goudoufle* «flacon garni de paille», mot formé sur le radical onomatopéique *god-* exprimant l'idée de gonflement, peut-être avec influence des dérivés du latin *conflare* «gonfler» (cf. le dialectal *goundounfle* «enflé»).

♦ *Guédoufle* s'est dit (1532) d'un flacon rond employé pour divers liquides et semble avoir été repris au XIXe s. à partir d'un usage régional resté vivant, pour désigner un couple de flacons accolés (huilier et vinaigrier) destiné à la table.

GUENILLE n. f., attesté en 1611, mais plus ancien, est un mot emprunté aux dialectes du Centre et de l'Ouest. Il représente une altération de *guenipe* (1496), aussi attesté sous la forme *gnippe* «chiffon» (1605), par substitution de suffixe, sous l'influence de mots suffixés en *-ille*, comme *fondrille, broutille*. *Guenipe*, mot sorti d'usage, dont la finale *-ipe* est probablement due à l'influence de l'ancien français *chipe* (variante de *chiffon*), serait dérivé du verbe dialectal *guener* «mouiller, crotter» qu'on retrouve dans *gasne* «mare», *gana* «sentier fangeux» (1502, Creuse ; 1586, Haute-Manche). Ce verbe est issu d'un radical gaulois *°wadana-* «eau» qui représenterait la racine indoeuropéenne *°wed-* (cf. gotique *wato* «eau», latin *unda*, grec *hudôr* ; → hydr-, onde). Ainsi *guenille* devrait son nom au fait que les pauvres, en marchant, traînent leurs hardes dans la boue. ◇ P. Guiraud, sans écarter totalement cette hypothèse, propose un rapprochement avec le latin populaire *°vanicula*, du classique *vanus* «vain*», d'où le sens de *guenille* «objet sans valeur».

♦ Le mot désigne d'abord un chiffon, une loque (1611), d'où le sens de «vêtement sale et déchiré» (1664) proche par le sens de *haillons*. ◇ Par figure (1672, Molière) *guenille* se dit d'une chose méprisable, sans importance, puis au XIXe s. d'une personne vieille, sale et mal habillée (1808, *vieille guenille*). ◇ De même *guenipe* avait (1496, *guenyppe ;* 1606, *guenipe*) le sens de «femme malpropre», «femme de mauvaise vie», peut-être influencé par le mot *guenon* au figuré. ◇ En outre, *guenille*, par une autre métaphore, se dit d'une personne dénuée de toute vigueur physique et morale (1846 ; cf. *chiffe*).

▸ De *guenille* dérive **GUENILLON** n. m. «petite guenille» (1652), au figuré (archaïque) «petit écrit de peu de valeur» (1679) et «fille déguenillée» (1808) peut-être avec influence de *souillon*, ces trois acceptions étant sorties d'usage. ➞ **GUENILLEUX, EUSE** adj. (1765, Diderot), autre dérivé, est moins courant que *en guenilles ;* le mot s'est employé au figuré (1776) pour «sans valeur». ➞ Le composé **DÉGUENILLÉ, ÉE** adj. et n., attesté en 1671 chez Mme de Sévigné, est courant.

GUENIPE → GUENILLE, GUENON

GUENON n. f., attesté au début du XVIe s. (1505), est généralement rattaché au radical de *guenipe* (→ guenille), par allusion à la longue queue traînante de l'espèce de singes que désigne d'abord le mot. P. Guiraud rapproche *guenon*, comme *guenille*, du latin *vanus* «futile» et «fourbe, menteur», les naturalistes décrivant ce singe, en général, comme un voleur.

♦ Au XVIIe s. le mot, d'abord au figuré, prend la valeur de «femelle du singe» et non plus d'espèce animale, pour des raisons formelles (un mot féminin peut désigner une espèce, mâle et femelle compris, mais la transgression de genre est difficile pour un animal aussi anthropomorphe). *Guenon* se dit par figure (1640) d'une femme laide puis (1678) de la femelle du singe. ◇ Par extension (1686), *guenon* a eu le sens de «femme de mauvaise vie», celle-ci étant couramment dotée, dans le langage populaire, d'un nom d'animal.

▸ Du radical de *guenon* dérive **GUENUCHE** n. f. qui a désigné d'abord (1608) un jeune singe du genre guenon, et a pris à la fin du XVIIe s. les acceptions figurées de *guenon* (1680). ◇ On trouve aussi les variantes **GUENICHON** et **GUENICHE**, «femme de mauvaise vie» et «poupée» (1615, Lorraine).

GUÉPARD n. m. relevé sous cette forme chez Buffon (1765) représente le latin scientifique *gapardus* (1622), adapté précédemment par les formes *gapar* (1637), *gapard* (1706). C'est l'adaptation de l'italien *gatto-pardo*, proprement «chat-léopard» (déb. XVIIe s.), mot composé de *gatto* «chat», du latin impérial *cattus* (→ chat) et de *pardo* (cf. en français *chat-pard*, 1690) du latin *pardus* issu du grec *pardalis* «léopard, panthère». Le mot grec est lui-même un emprunt oriental ; la forme *guépard* reste mal expliquée ; elle est peut-être due à une dissimilation des deux ***a*** ou à la prononciation parisienne des fourreurs.

♦ L'animal, connu dès le moyen âge, a longtemps été désigné par d'autres noms tels que *léopard, lynx, once*, etc.

GUÊPE n. f., réfection (1636 ; XIIIe s., *guespe*) de *wespe* (v. 1180), est issu d'un gallo-roman *°wespa*, obtenu par croisement du latin *vespa* «guêpe» (cf. l'italien *vespa*, l'espagnol *avispa*) et du francique *°waspa* de même sens (attesté par l'ancien haut allemand *wefsa*) qui a subi à son tour l'influence du latin; le mot germanique a donné l'allemand *Wespe*, le néerlandais *wesp*.

♦ Par analogie de forme avec l'insecte, le mot s'emploie dans l'expression *taille en guêpe* (1783) puis ***taille de guêpe*** (1829) «taille très fine». ◇ *Guêpe* s'est aussi employé pour désigner une femme maligne (1850; 1829, «personne railleuse»), d'où la locution vieillie *une fine guêpe* (1850; cf. *une fine mouche*) et la locution moderne ***pas folle la guêpe !*** (XXe s.).

▸ Le dérivé **GUÊPIER** n. m. (1376, *gespier*) est le nom donné à un oiseau qui se nourrit surtout d'abeilles et de guêpes. Le mot désigne ensuite (1636; d'abord au féminin *guespière*, n. f., 1567) un nid de guêpes. ◇ L'acception figurée de «position critique» apparaît au XVIIIe s. d'abord dans une métaphore (1775, ***se fourrer la tête dans un guêpier***). ➛ L'expression *taille de guêpe* a donné naissance au verbe **GUÊPER** tr., (1857), vieilli, et à **GUÊPIÈRE** n. f. (v. 1945), nom déposé d'un corset très étroit qui souligne la taille.

GUÈRE adv. est issu (1165-1170; 1080, *ne... guaires, ne... gueres*) du francique °*waigaro* «beaucoup», reconstitué par l'ancien haut allemand *uueigiro* «pas très, peu», le moyen haut allemand *unweiger* «pas très».

♦ *Guère*, employé avec *ne*, signifie «pas très, pas beaucoup» ou «pas longtemps» (1080). L'ancien français avait *gaire* au sens de «beaucoup» (1188); cet emploi sans négation, rare à partir du XVIe s. est sorti d'usage au XVIIe s. *Guère* précédé d'une préposition reste d'un usage vivant jusqu'à l'époque classique; il est aujourd'hui archaïsant ou littéraire, sauf dans certains usages régionaux.

◈ voir NAGUÈRE.

GUÉRET n. m., mot originaire de la région Ouest et du Sud-Ouest, est la réfection (fin XIVe s.) de *guaret* (1080), aboutissement par l'intermédiaire d'un gallo-roman °*waracto* du latin *vervactum* «jachère», formé sur le supin de *vervagere* «défricher, retourner une terre en jachère» d'origine obscure. Le mot latin a subi une double altération : la chute du ***-v-*** qui suit le ***r*** (d'où l'ancien provençal *garag*), et le passage du ***v-*** initial à ***gu-, g-***, peut s'expliquer par un croisement avec un mot germanique, peut-être le francique °*waraita* «champ labouré» ou par la prononciation germanique du ***v-*** initial.

♦ *Guéret*, qui a conservé le sens du latin, s'est dit aussi (1667), dans la langue poétique, d'un champ couvert de moissons.

GUÉRIDON n. m., attesté au XVIIe s. (1650), vient peut-être du nom d'un personnage de farce nommé *Guéridon* (1614) et introduit à la même date dans un ballet; ce nom est probablement né d'un refrain de chanson contemporain (cf. *ô gué et laridon*) ou, pourquoi pas, du calembour attesté plus tard (si t'es) *gai, ris donc !* ◇ Selon P. Guiraud, qui rejette en général les origines anecdotiques, le *guéridon* est un *flambeau*, c'est-à-dire (d'après le sens de «maison de jeu») «la somme laissée sur le meuble qui porte la chandelle pour la fourniture de celle-ci». Cette valeur évoque l'ancien et le moyen français *guerredon* «prix d'un service», issu du francique °*widarlon* «récompense». On serait donc passé, par métonymie, de *guerredon* «somme payée pour le flambeau, déposée près du flambeau» à *guerredon* «flambeau» et «tableau supportant le flambeau». Mais ceci n'explique pas les premiers emplois.

♦ *Guéridon* a désigné un genre de chanson (1626, «vers pour les guéridons et les chansons nouvelles»). Le sens moderne (1650) de «petite table ronde, pourvue d'un seul pied central» — à l'origine ce pied avait souvent une forme humaine figurant un Maure porteur de flambeau — vient peut-être d'une analogie avec le personnage *Guéridon* qui, dans la danse du «branle de la torche», tenait un flambeau pendant que les autres danseurs s'embrassaient.

GUÉRILLA n. f. représente un emprunt (1812) à l'espagnol *guerilla* (1535) «petite formation militaire offensive», diminutif de *guerra*, de même origine que *guerre* (→ guerre).

♦ Introduit avec les guerres de Napoléon Ier en Espagne, le mot a désigné (1812) une troupe de partisans; le sens métonymique de «guerre de harcèlement» est plus courant, mais *une guerilla* semble avoir repris la valeur initiale par influence de *guerillero*.

▸ **GUÉRILLERO** n. m., «combattant de guérilla», est également emprunté (1812) à l'espagnol (1808; de *guerilla*); moins courant que *guérilla*, il entraîne des connotations hispaniques, notamment hispano-américaines.

GUÉRIR v. est une variante régionale (fin du XIIIe s. en Champagne) de *guarir* (v. 1050), issu du francique °*warjan* «défendre, protéger» restitué par l'ancien haut allemand *werian*, de même sens, l'allemand *wehren* «défendre». *Guarir* (ou, plus courant, *garir*, v. 1150) et *guérir* coexistent jusqu'au XVIIe siècle.

♦ *Guérir* a eu le sens de «protéger, garantir» (*guarir*, v. 1050), puis, intransitif, signifie «recouvrer la santé» (1080, *guarir*) et, par extension (1176-1181), «se cicatriser», en parlant d'une plaie. ◇ Un emploi transitif s'ensuit (v. 1130) pour «rendre la santé» (au pronominal *soi garir*, v. 1210-1225). *Guérir* s'emploie au figuré pour «être soulagé (d'un mal moral, de qqch. de pénible)» (fin XIIe s., intr.; 1564, tr.).

▸ **GUÉRISON** n. f. a suivi une évolution sémantique parallèle à celle de *guérir*. Le mot signifie d'abord (1080, *guarison*) «défense, protection», puis «action de guérir» (1155). Le sens figuré de «protection, etc.» apparaît vers la fin du XIIe siècle. ➛ **GUÉRISSABLE** adj. (v. 1360; v. 1300, *garissable*) a pour contraire **INGUÉRISSABLE** adj. (1611; v. 1460, *ingarissable*), qui s'emploie aussi au figuré (1773). ➛ **GUÉRISSEUR, EUSE** n. et adj. «personne qui guérit» (XIVe s., *gariseur*) s'applique depuis le XVIIe s. à un médecin *(médecin guérisseur)*. Il se spécialise (av. 1721), en opposition à *médecin*, réservé aux thérapeutes formés et reconnus par l'institution universitaire, et peut-être avec une intention ironique à leur égard, pour désigner une personne qui fait profession de guérir, sans avoir la qualité officielle de médecin. ◆ Le composé **GUÉRIT-TOUT** n. m. inv. (1835, Balzac) est d'emploi régional.

◈ voir GUÉRITE.

GUÉRITE n. f., réfection (v. 1360) de *garite* (v. 1220), est probablement une adaptation avec substitution de suffixe, de l'ancien français *garrette* (v. 1200) dérivé (sur le modèle de *fuir-/fuite*) de *guarir* ou *garir* «protéger»; → guérir. L'ancien provençal a déjà *garida* «abri sur les remparts» (v. 1219) de même origine.

♦ Le mot est introduit dans la locution *a la garite!* (v. 1220) «sauve qui peut» et en emploi libre au sens d'«ouvrage de protection» (1223, *guarite*). ◇ À partir du XIVe s., *guérite* n'a plus que la valeur d'«abri pour une sentinelle». L'idée de protection a donné le sens analogique de «refuge», aujourd'hui sorti d'usage. *Guérite* s'est dit aussi d'un siège à capote, servant à s'abriter du soleil ou du vent (1907). ◇ Le mot désigne, par plaisanterie, un confessionnal (1889).

◈ **GUERRE** n. f. est issu (1080) du francique °*werra* «troubles, désordre», «querelle», attesté par l'ancien haut allemand *werra* «scandale, querelle», le moyen néerlandais *werre* «désordre, guerre», dès le IXe s. en latin médiéval, le mot francique a éliminé le latin classique *bellum* «guerre» qui a pourtant donné par ses dérivés des mots empruntés (→ belliqueux). Cette substitution correspond à la germanisation des armées romaines, puis à leur remplacement par l'organisation militaire franque.

♦ *Guerre* a dès le XIe s. le sens de «lutte armée entre groupes humains ou entre États» (1080, *faire la guerre*) et, par métonymie, se dit de tout conflit localisé dans l'espace et le temps, souvent précisément désigné; cette valeur a donné lieu à de nombreuses expressions, comme ***guerre civile*** (fin XIVe s.), ***guerre de religion, guerre sainte*** (1690); la locution ***nom de guerre*** «que prenaient les soldats en s'enrôlant» (1660) équivaut par figure à *pseudonyme* (1671). *Guerre révolutionnaire* est dans Hugo (1842). ◇ Pour l'expression *gagner la guerre*, → gagner. ◇ Si *bataille* et *conflit* sont anciens (mais moins employés au moyen âge que *estor*), *combat* n'apparaît qu'au XVIe s. et *guerre* a peu à peu pris la valeur de «vaste ensemble d'opérations militaires», par rapport à ces mots. ◇ *Guerre* a aussi très tôt le sens figuré de «querelle, dissension entre particuliers» (v. 1150, «inimitié»), d'où ***faire la guerre à qqn*** (1640), et d'«action entreprise pour supprimer, détruire» (v. 1190), dont procède l'expression ***partir en guerre contre qqch. ou qqn.*** Par extension, *la guerre* se dit (1680) pour «les questions militaires; l'organisation des armées». De *guerre* «lutte armée» viennent des locutions comme ***petite guerre*** (fin XVIe s.; av. 1850, au figuré), ***à la guerre comme à la guerre*** (1690), ***de guerre lasse*** (av. 1755) «en renonçant à combattre», ***de bonne guerre*** autrefois «en respectant les lois de la guerre» (av. 1679, Retz) d'où par extension «par des procédés loyaux». Dans l'usage courant, *la guerre*, absolument, désigne les dernières grandes guerres, celle de 1914-1918, puis celle de 1939-1945.

▸ De ces derniers emplois viennent les composés **APRÈS-GUERRE** n. m. (1903), **AVANT-GUERRE** n. m. ou f. (1913), et **ENTRE-DEUX-GUERRES** n. m. inv. (1915), appliqué spécialement à la période 1871-1914 et, plus tard, à 1919-1940.

Le composé familier **VA-T'EN GUERRE** n. m., attesté en 1918 dans Romain Rolland, vient de l'expression populaire *il s'en va-t'en guerre*, diffusée par la chanson *Malbrough*... Il désigne un belliciste et un agresseur militaire.

GUERRIER, IÈRE n. et adj. apparaît comme nom masculin (1080, *guerrer*) au sens de «personne qui aime la guerre». Mot noble par rapport à *soldat*, qui l'emporte à l'époque classique, il ne s'emploie aujourd'hui que pour parler des gens de guerre du passé. ◆ L'adjectif (v. 1200, *ome guerier*, attestation isolée) signifie au XVIe s. «relatif à la guerre» (1562) et «qui a des dispositions pour la guerre» (1580). ◆ **GUERROYER** v. (1080, intr.) «faire la guerre, combattre» est aujourd'hui d'emploi littéraire, et sorti d'usage comme verbe transitif (1080, «combattre qqn»). ◇ Du verbe dérivent **GUERROYEUR, EUSE** adj. et n. (XIIIe s.; v. 1155, *guerreeur*), rare, et **GUERROYANT, ANTE** adj. (XVIe s.), littéraire. ◆ **GUÉGUERRE** n. f. (1945), formé par redoublement de la syllabe initiale, signifie «petite guerre» et est surtout employé au figuré.

Enfin, le composé **AGUERRIR** v. tr. (1525) signifie «accoutumer qqn aux dangers de la guerre» et, au figuré, «aux choses pénibles». ◇ Son dérivé **AGUERRISSEMENT** n. m. (1552) a vieilli mais le participe passé **AGUERRI, IE** est usuel.

◈ Voir aussi le schéma p. 1661.

GUET-APENS n. m. représente une altération (1508, *guet a pens*) de la locution *d'agais apensés* «avec préméditation» (1353), d'abord *en aguet apensé* (1283), composée de *aguet* et du participe passé de l'ancien français *apenser* «réfléchir, s'aviser de» (v. 1150), dérivé de *penser* (→ penser). L'ancien français a eu aussi *de agwait purpensé* (1150), de même sens, composé de *aguet* et du participe passé de *porpenser* «réfléchir, songer à» (v. 1050), dérivé de *penser*. ◇ Par *de guet a pens* (1546), l'expression *guet apensé* est peut-être devenue *guet apens* d'après *apens* «réflexion, pensée» (av. 1191) utilisé dans des locutions comme *de fait et apens* (1556), *de fait apens* (1605) «avec intention» ou encore par agglutination de *a pens* (*de guet a pens*, 1546). L'influence de *guet* n. m., dérivé de *guetter**, est par ailleurs évidente.

♦ *Guet-apens* signifie en droit et couramment «embuscade» (1508); le mot s'emploie ensuite au figuré au sens de «machination» (1690) et, par plaisanterie, pour «chose, situation soigneusement préparée» (1903, Huysmans).

GUÊTRE n. f. est la réfection (1538, *guestre*) de *guestes* (1426), *guietres* (1432), probablement issu du francique **wrist* «cou-de-pied», d'où sans doute par métonymie «ce qui couvre cette partie du corps»; le francique est restitué par le moyen haut allemand *rist*, le moyen néerlandais *gewreste* et l'ancien anglais *wrist* (d'où anglais *wrist* «poignet»). *Guêtre*, ◈

d'apparition tardive, est sans doute à l'origine un terme rural.

♦ Le mot désigne une pièce de tissu ou de cuir qui recouvre le haut de la chaussure et s'emploie dans les locutions figurées ***tirer ses guêtres*** «partir» (mil. XVIe s.), ***laisser ses guêtres*** (quelque part) «mourir» (attesté 1762), sorties d'usage, mais encore connues par la littérature, et ***traîner ses guêtres*** (quelque part) «y aller», probablement issues du contexte militaire. ◇ De ce contexte, le mot est passé au XIXe s. à celui de la mode masculine, ceci jusque vers 1940.

▸ Le dérivé **GUÊTRER** v. tr. (1549, au participe passé) est rare. ◇ **GUÊTRON** n. m. (1808) a disparu.

GUETTER v. tr. est la réfection (1538) de *gaitier* (v. 1155), *guaitier* (1080), issu du francique °*wahtôn* «surveiller», restitué par l'ancien haut allemand *wahten* «faire le guet», le moyen néerlandais *wachten* «surveiller», l'anglais *to watch; °wahtôn* dérive d'un nom °*wahta* (voir ci-dessous *guette*).

♦ *Guetter* «surveiller» a été en ancien français en concurrence avec *garder* (→ garder), ce qui explique en partie son évolution sémantique. Le verbe a d'abord le sens de «veiller (un mort)» (1080, *guaitier*), puis celui de «surveiller des personnes (pour les protéger)» (v. 1130-1140, *gaitier*), comme *garder*. ◇ *Guetter,* s'appliquant plutôt à la surveillance en cachette, prend aussi le sens d'«observer (qqn) avec de mauvaises intentions» (v. 1135, *guaitier*), de «surveiller pour surprendre» (v. 1160-1174, *gaitier*) et d'«attendre avec impatience (une chose à venir)» (XIIe s.). Le sémantisme est acquis dès le XIIe s. et tous les dérivés sont anciens.

▸ **GUETTE** n. f., issu du francique °*wahta* «le guet» (attesté par l'ancien haut allemand *wahta,* la forme latinisée *wacta* (v. 800) et l'allemand *Wacht* «la garde»), a désigné un homme qui fait le guet (v. 1135, *guaite*). ◇ Par attraction de *guetter* (sa forme en faisant un déverbal) *guette* a eu le sens de «vigilance» (fin XIIIe s., *waites*) et d'«action de guetter». Le mot est seulement d'emploi régional aujourd'hui. ➛ *Guette,* en parlant du moyen âge, se dit d'une tour d'où l'on guettait (attesté XVIe s.), autrement dit *tour de guet,* et d'une trompette dont on sonnait pour réunir le guet (XVIe s.).

GUET n. m., déverbal de *guetter,* ou masculin de *guette* (voir ci-dessous), a désigné (v. 1155, *gait*) la garde chargée de la surveillance de nuit — d'où l'expression *ovrer de gait* «être de garde» (XIIIe s.). ◇ *Guet* signifie ensuite «action de guetter» (1225-1230, *fere le guiet*) et «surveillance de nuit» (v. 1360). *De guet* correspond à «d'où l'on surveille», par exemple dans ***tour de guet.***

GUETTEUR, EUSE n. et adj., «personne qui fait le guet» (fin XIIe s., *waitor*), a désigné spécialement l'homme qui, placé en haut d'un beffroi, était chargé d'annoncer toute espèce de danger. *Guetteur* se dit en particulier (v. 1360) du soldat qui veille. ◇ Le mot est aussi employé comme adjectif (XIXe s.).

AGUET n. m. (1065) est le déverbal de *aguetter* «guetter», aujourd'hui d'emploi régional ; ce verbe est une réfection (1671) de *agaitier* (v. 1120), *agueiter* (1177), dérivé de *gaitier,* ancienne forme de *guetter.* ➛ D'abord au sens disparu d'«embuscade» dans un texte de latin médiéval, le mot s'est employé seul (1160, *agait*) jusqu'à la fin du XVIe s. au sens d'«embuscade», d'où *en agait* «en éveil, en train de guetter» (fin XIIe s.). Il reste d'usage courant dans la locution adverbiale ***aux aguets*** «en position de guetteur», puis «sur ses gardes», apparue au XVIIe s. (1636).

◈ voir **ÉCHAUGUETTE.**

✳ **GUEULE** n. f. est issu, sous les formes *goule* et *gueule* (v. 1175 ; → goule) précédées par *gola* (fin Xe s.) puis *gole* (v. 1135), du latin *gula* «gorge, gosier», «bouche, palais» et, à l'époque impériale, «gourmandise». *Gula* se rattache aux racines indoeuropéennes °*gwel-,* °*gwer-* «avaler», probablement onomatopéiques.

♦ *Gueule* s'est d'abord dit pour «gorge, gosier» (fin Xe s.) et a même désigné (v. 1135, *os de la gole*) la partie du cou où se placent les vertèbres cervicales. Le mot se dit ensuite de la bouche d'un animal (1176-1181) ou d'un être humain, spécialement, comme organe servant à crier (v. 1174-1177), à manger ou à engloutir (XIIIe s.). Appliqué aux personnes, ces deux sémantismes ont produit de nombreuses locutions, comme ***fort en gueule*** (1656), ***coup de gueule*** «éclat de voix» (1891), ***taire*** (populaire) et ***fermer sa gueule*** (1747, *tais ta gueule*), ***gueule de bois*** «bouche sèche pour avoir trop bu» (1902). ◇ Le mot a pris par extension (XIIIe s.) le sens de «gloutonnerie, gourmandise» et par métonymie, de «gourmand» ; de là ***fine gueule*** «gourmet» (v. 1890), précédé de *être une fine gueule* (1847). ➛ Parallèlement, *gueule* s'emploie par analogie au sens d'«ouverture béante» (1176), par exemple dans ***gueule d'un canon, d'un four.*** ➛ De *gueule* «bouche humaine», emploi toujours plus ou moins grossier ou péjoratif, vient le sens extensif et d'origine populaire «visage, figure» (fin XVIe-déb. XVIIe s.), d'où procèdent une série d'expressions : ***la gueule enfarinée*** (XVIIe s. ; 1656, *venir la gueule enfarinée*), ***faire une gueule***, avec adjectif (1898), ***une sale gueule*** (1903), des termes d'injures, et des locutions comme ***gueule cassée*** «mutilé de guerre blessé au visage», ***gueule noire*** «mineur de charbon» (1894 ; diffusé par le titre d'un ouvrage de E. Morel, *Les gueules noires,* 1907). Ces derniers emplois attestent un usage non péjoratif, comme ***une belle gueule, gueule d'amour*** et le dérivé de même sens **GUEUGUEULE** n. f. (fin XIXe s.). ➛ Par extension (déb. XXe s.) *gueule* prend le sens de «forme, aspect (d'un objet)», par exemple dans les expressions ***avoir de la gueule*** «de l'allure», ***une drôle de gueule*** «une allure curieuse».

▸ De *gueule* «organe pour crier» dérive **GUEULER** v. «parler, crier, chanter très fort» (1660 ; 1648, selon Bloch et Wartburg) qui se dit par extension pour «faire du bruit» (1872) et, par figure, au sens de «produire un effet très fort» (déb. XXe s., *des couleurs qui gueulent*). ◇ *Gueuler* est aussi un terme de chasse au sens de «saisir par la gueule» (tr., 1762) ; l'emploi transitif au sens de «crier» paraît récent (fin XIXe s.). ➛ **GUEULADE** n. f. (1850) «cri» est sorti d'usage,

GUERRE

francique *WERRA

- guerre
  - guerroyer
  - guerrier
  - aguerrir
- espagnol *GUERRA*
  - *guerilla* — guérilla
  - *guerillero* — guérillero

latin DUELLUM ↓ BELLUM

- pris comme dérivé de *DUO* « deux » — duel
  - italien **duello → duellista** — duelliste
- **BELLICUS** — bellicisme, -iste
  - **bellicosus** — belliqueux
- **BELLARE**
  - **rebellare** — ancien français **reveler** — se rebeller
    - **rebellio** — rébellion
    - **rebellis** — rebelle
- **BELLIGERARE**
  - **belligerans** — belligérant, belligérance
- **« Si vis pacem para bellum »**
  - allemand *PARABELLUM* — parabellum

indoeuropéen *PEL- « agiter » ↓ grec POLEMOS « guerre »

- **POLEMIKOS** « relatif à la guerre » — polémique
  - polémiquer
  - polémiste
- **POLEMARKHOS** « chef de guerre » — polémarque

remplacé par **GUEULEMENT** n. m. «cri, hurlement» (av. 1870). ➛ **GUEULANTE** n. f., qui s'est employé pour *goualante*, «chanson populaire», signifie «cris, clameurs» (1939), comme **GUEULÉE** n. f. (v. 1175, *geulée;* XIIIe s., *goulée*). ➛ ① **GUEULARD, ARDE** adj. signifie «bruyant» (1567) et au figuré (mil. XIXe s.) «criard». ➛ ② **GUEULARD** n. m., employé en argot pour «petit canon» (1791), désigne en marine (1904) un porte-voix. ➛ **GUEULOIR** n. m. «bouche (comme instrument à gueuler)» est attesté en 1862 chez Goncourt mais est sans doute antérieur. Selon P. Bourget, le mot était utilisé fréquemment par Flaubert pour désigner le bureau de travail où il clamait ses phrases pour en éprouver le style.

De *gueule* «organe pour manger» dérive **GUEULETON** n. m. (1743) «bon repas», devenu familier au XIXe s., d'où **GUEULETONNER** v. intr. (1838). ➛ ③ **GUEULARD, ARDE** n. (1808), vieilli déjà au XIXe s., signifie encore régionalement «porté sur les plaisirs de la table»; en dérive **GUEULARDISE** n. f. (1867) «gourmandise» ou «amuse-gueule». Ces valeurs sont anciennes sous les formes **GOULIART** (XIIIe s., *gouliars, golias*), **GOULARDISE** (1611). ➛ Le sens figuré d'«ouverture béante» a fourni ④ **GUEULARD** n. m. (mil. XVIIIe s.; 1395, en picard *gheular* «grosse cruche de laitier»), terme technique désignant notamment l'ouverture supérieure d'un haut fourneau. ➛ *Gueule* «visage» a pour diminutif **GUEULETTE** n. f. (1933), aujourd'hui vieilli, comme **GUEUGUEULE** n. f. (fin XIXe s.).

Gueule est à la base de plusieurs verbes préfixés. ➛ **DÉGUEULER** v. tr., littéralement «sortir de la gueule» (intr.), a eu le sens de «parler» (1482). ◇ Le sens moderne de «vomir» est attesté au XVIIe s. (1680); il est resté très marqué et vulgaire. ➛ En dérivent des termes vulgaires eux aussi, **DÉGUEULIS** n. m. «vomissure» (1790), **DÉGUEULASSE** adj. (1867, *dégueulas*), assez démotivé et d'usage familier pour «sale», «désagréable» et, au figuré, pour «infâme». ◇ Sur *dégueulasse* ont été formés, employés au propre et au figuré, **DÉGUEULASSERIE** n. f. (1920) et **DÉGUEULASSER** v. tr. (1963). ➛ **DÉGUEULANDO** adv. et n. m., «en détonant vers le grave», a été formé plaisamment sur le modèle des termes de musique empruntés à l'italien (cf. *glissando*). ➛ D'autres dérivés du verbe, tels **DÉGUEULEMENT** n. m. (1863) et **DÉGUEULATOIRE** adj. (1907) «qui fait dégueuler, écœurant» sont plus rares. ➛ Enfin *dégueulasse* est abrégé en **DÉGUEU** adj., surtout employé dans *c'est pas dégueu* «c'est bien, c'est bon».

ÉGUEULER v. tr., qui a eu le sens d'«égorger» (1396), a pris au XVIIe s. (1690) le sens de «détériorer un récipient par l'orifice» («par la gueule»). ➛ **ÉGUEULEMENT** n. m. (1617) «égorgement» puis «action d'égueuler» (1798) en est issu. ➛ **S'ÉGUEULER** v. pron. (1564) «se fatiguer la gorge à force de crier» est vieilli.

ENGUEULER v. tr., d'abord «mettre dans la gueule» (XVIe s.), a pris le sens moderne d'«invectiver grossièrement qqn» au XVIIIe s. (1783). Cet emploi, influencé par *gueuler* «crier», s'est affaibli en «critiquer, faire des reproches». Le verbe avait été précédé par l'adjectif **ENGUEULÉ, ÉE** (formé sur *en-*, *gueule* et le suffixe *-é*) «mal embouché» (1581). ➛ En dérivent **ENGUEULEMENT** n. m. (1840), **ENGUEULAGE** n. m. (1853), vieilli, et **ENGUEULADE** n. f. (1846), usuel avec le sens affaibli du verbe.

Gueule entre enfin dans la composition de noms et d'adjectifs. **BÉGUEULE** adj. et n. (de *bée;* → béer) apparaît d'abord comme terme d'injure (1470), sous la forme *béegueule* «qui tient la bouche ouverte», puis *bégueule* «sotte». ◇ Le sens moderne de «prude» n'est attesté qu'au XVIIIe s. (1746). ➛ En dérivent, aujourd'hui vieillis, **BÉGUEULERIE** n. f. (1754) et **BÉGUEULISME** n. m. (1750). ➛ **GUEULEBÉE** n. f. (de *gueule* «ouverture» et *bée;* → béer) est un terme technique qui signifie «tonneau à un seul fond» (1606; 1409, *gueules bayées*) et «décharge d'un réservoir» (1828). ➛ **GUEULE-DE-LOUP** n. f., terme technique où *gueule* signifie «ouverture», désigne (apr. 1750) un tuyau coudé qui surmonte une cheminée et (1832) l'assemblage de deux pièces par une surface courbe; le mot désigne plus couramment, *gueule* ayant alors le sens de «tête», le muflier des jardins (1809). La variante *goule* a produit elle aussi une série de dérivés.

◈ voir DÉGOULINER, GOULE (et GOULET, GOULOT, GOULEYANT).

② **GUEUSE** n. f. aurait été emprunté (1543), avec la variante *guise* au XVIe s. et encore chez Littré, au bas allemand *göse*, pluriel de *gos* «oie» (cf. allemand *Gans*); le terme, utilisé par les fondeurs allemands pour désigner les morceaux informes de fer fondu, aurait été introduit par les mineurs du Harz venus en France au XVIe s. pour organiser l'industrie minière. Mais l'analogie de forme invoquée entre le corps de l'oie — en effet massif et grossièrement triangulaire — et le morceau de fer ne convainc pas les étymologistes. Ainsi, P. Guiraud voit dans *gueuse* une variante normanno-picarde de *cueux, cueuse,* qui viendrait d'un participe passé °*coxus, coxa* du latin populaire °*cocere,* pour le classique *coquere* «cuire» et «fondre» (→ cuire).

♦ *Gueuse,* terme technique, désigne (1543) une masse de fer fondu, telle qu'elle sort du haut fourneau et, par métonymie, le moule dans lequel on coule le fer en fusion (ce sens est considéré comme le premier par le dictionnaire de Thomas Corneille, 1694).

GUEUX, GUEUSE adj. et n. est en général considéré comme emprunté (mil. XVe s.) au moyen néerlandais *guit* «coquin, fripon»; le féminin, d'abord *gueue* (1454), a été refait sur le modèle des mots en *-eux, -euse*. Selon P. Guiraud, *gueux* serait plutôt un doublet de *queux* «cuisinier», et à rattacher au latin *coquere* «cuire*», «faire fondre» et «tourmenter, importuner», tous les noms du mendiant comprenant l'idée d'«importun» (cf. *truand, coquin, taquin,* etc.). ◈

♦ *Gueux* a d'abord eu le sens étymologique de «coquin» (mil. XVe s.). ◇ Dès le XVe s., le nom féminin ① **GUEUSE** désigne (1454) une femme de mauvaise vie, d'où la locution ***courir la gueuse*** «se débaucher» (1808). ◇ Parallèlement, *gueux* s'est dit d'une personne qui vit d'aumônes (1458) d'où, par exten-

sion, les sens aujourd'hui vieillis de «personne pauvre» (1545) et de «personne qui n'a pas de quoi vivre selon son état» (1654). Ces deux derniers sens fournissent au XVIIe s. des emplois adjectifs (respectivement 1654 et 1648); dès 1615, *gueux* est attesté comme adjectif avec la valeur de «coquin» ; ces valeurs sont archaïques.
Gueuse n. f. a désigné figurément, au sens de «pauvresse», une variété de dentelle (1669) puis une étoffe sans valeur (1723). ◆ *Gueux* n. m. (1830) ou *gueuse* n. f. (1851) se disait d'un pot de grès dans lequel on plaçait des braises; ces sens viennent sans doute du fait que les personnes utilisant ces objets ou ces tissus étaient de condition pauvre.

▶ Les dérivés de *gueux* sont aujourd'hui sortis d'usage. ◆ **GUEUSER** v. intr. (1501, *in* Bloch et Wartburg) «vivre en gueux, mendier», **GUEUSAILLE** n. f. (1630) «groupe de mendiants», **GUEUSARD, ARDE** adj. et n. (1807). ◆ **GUEUSERIE** n. f. «condition de gueux» (1606) puis «chose de bas prix» (1624) et «action vile» (1808) se dit encore en histoire de l'art, à propos du XVIIe s., d'une peinture représentant des gueux (*les gueuseries* de Callot).

① **GUI** n. m., attesté en 1372 (peut-être *guy* en 1347, mais le sens est douteux), est issu du latin *viscum* comme l'ancien provençal *vesc* (XIIe s.). *Viscum*, qui signifie «gui» et «glu», est peut-être apparenté au grec *ixos* «glu»; son dérivé *viscosus* a donné *visqueux**. Les formes *visc, vist, vif* (fin XIVe s.) viennent de l'influence des mots issus de *hibiscus* (→ guimauve); le *g* est sans doute dû à l'influence de l'ancien francique °*wihsila* «griotte» (→ guigne), les fruits des deux plantes ayant quelque ressemblance.

♦ Outre une valeur symbolique de plante du nouvel an (*au gui l'an neuf*), le *gui* évoque les coutumes religieuses de l'ancienne Gaule (les druides, etc.), thème développé particulièrement par Chateaubriand et les romantiques.

▶ Le dérivé **GUIAGE** n. m. (1879) signifie «arrachage du gui»; il est rare.

② **GUI** n. m. est un emprunt (1687) au néerlandais *giek, gijk*.

♦ Terme de marine, il signifie «espar arrondi sur lequel se borde une voile à corne».

GUIBOLLE n. f. représente une altération (1836) de la forme *guibonne* «jambe» (1836) encore chez Richepin à la fin du XIXe s., et sans doute dérivée du normand *guibon* «cuisse» (2e quart de XVIIe s.), qui est apparenté à l'ancien verbe *giber* «secouer, remuer bras et jambes» (XIIe s.; cf. *regiber* «ruer»; → regimber); le passage de *g-* à *gu-* est dû à l'influence de mots à initiale *gamb-*, de la famille de *jambe* (mais °*gambolle* n'est pas attesté).

♦ *Guibolle*, équivalent familier de *jambe*, surtout en tant qu'organe de la marche, s'emploie par exemple dans la locution ***en avoir plein les guibolles*** (XXe s.) «être très fatigué d'avoir longtemps marché» et «en avoir assez de qqch.» (cf. *plein les pattes*).

GUICHE n. f., réfection (XIIIe s.) de *guige* (1080) et *guinche*, est probablement issu du francique °*whitig* «lien d'osier».

♦ *Guiche* désigne la courroie utilisée pour suspendre un bouclier, un cor de chasse, aujourd'hui terme d'archéologie. Il se dit aussi (1704) d'une bande d'étoffe attachée de chaque côté de la robe des chartreux. ◆ Le composé **ENGUICHURE** n. f. (1351) appartient au vocabulaire de la chasse.
Un autre sens de *guiche* «accroche-cœur» est peut-être issu (1876) d'une analogie avec la guiche des chartreux. Selon Esnault, le mot, dans ce sens, viendrait du nom de Louis Henri Casimir, marquis de la *Guiche* (1777-1842), promoteur de cette coiffure où les cheveux étaient collés aux tempes (1847, *favoris taillés à la Guiche*); il s'agirait alors d'un homonyme, mais cette étymologie a pu être suggérée *a posteriori*. *Guiche* «accroche-cœur» s'emploie couramment au pluriel (1878); par métonymie, le mot a désigné (1876) le monde des souteneurs, ceux-ci portant des favoris «à la Guiche».

◈ voir AGUICHER.

GUICHET n. m. est probablement issu (v. 1130) de l'ancien nordique *vik* «baie», et «cachette, recoin», avec l'influence, pour l'ancienne forme *guischet*, de *uisset* (XIIIe s.), diminutif de *uis, huis* «porte» (→ huis). Pour P. Guiraud, l'existence de l'ancien provençal *guisquet* (variante *visquet*) rend peu probable cette origine; rapprochant *guisquet* de *viscard, visquet* «habile, éveillé» et *guisquet* de *guiscos* «rusé, habile», il suggère de rapporter l'ensemble de la famille au latin *visere* «voir», par l'intermédiaire d'un gallo-roman °*visicare*, doublet de *visitare* (→ visiter). La formation serait analogue à celle de l'ancien provençal *guinchet* «guichet», sur le verbe *guinchar* «regarder».

♦ *Guichet* a désigné (v. 1130) une petite porte pratiquée dans une porte monumentale, une muraille, d'où l'ancienne locution *passer le guichet* «entrer en prison» (v. 1590). ◇ Par analogie, le mot s'est dit d'un passage étroit (1690, *les guichets du Louvre*), puis désigne (1767) une petite ouverture pratiquée dans une porte, un mur, par laquelle on peut faire passer des objets, ou parler à qqn, valeur spécialisée (1862) pour la petite ouverture par laquelle le public communique avec les employés d'une administration; le mot demeure utilisé même quand les opérations se déroulent de part et d'autre d'un simple comptoir.

▶ **GUICHETIER, IÈRE** n. a désigné (1611) la personne qui ouvrait et fermait le guichet d'une prison et, par extension, un geôlier (1668). ◇ Au sens moderne de «préposé à un guichet», le mot est attesté en 1941 au féminin mais doit être antérieur.

GUIDE n. m. et f. est un emprunt (1370, n. f.) à l'ancien provençal *guida* «celui qui conduit» (av. 1292), et aussi «conduite» (XIIIe s.), déverbal de *guidar* «conduire» (2de moitié XIe s.), ou à l'italien *guida* de même sens (v. 1300), déverbal de *guidare* «accompagner qqn» (XIIIe s.). L'un et l'autre sont issus du gotique °*widan*, attesté dans le dérivé *gawidan* «atteler ensemble». *Guide* s'est substitué à l'ancien français *guie* «chef, guide» (XIIIe s.), déverbal de *guier* (→ guider).

♦ *Guide* conserve le sens étymologique de «personne qui conduit», au propre (1370) et au figuré (XVe s.); il s'emploie aussi au féminin jusqu'au XVIIe siècle. Il s'est par ailleurs spécialisé au XIXe s. pour désigner la personne qui conduit des ascensionnistes en montagne (1821) et des visiteurs dans un lieu d'intérêt touristique (1842); d'où l'expression *suivez le guide.* ◇ Par analogie, *guide* se dit au XVIe s. d'un principe directeur qui inspire qqn (1534, n. m.). ◇ Par extension le mot s'emploie à propos d'un ouvrage qui renferme des conseils d'ordre moral, spirituel (1552, n. f.; déb. XVIIe s., n. m.). À la même époque apparaît le sens moderne «ouvrage destiné à aider les voyageurs (en donnant des informations sur un pays, etc.)» *La Guide des chemins de France,* de Charles Estienne semble le premier du genre (2de éd., 1552).

Appliqué à des choses, le mot prend, à partir du XVIIe s., d'abord en français populaire (1607, 1609 [P. Rézeau]), les sens techniques de «rênes» (1676, n. f. pl.), en menuiserie (1676) «appareil pour guider l'outil» puis (1757, n. m.) d'«organe mécanique qui dirige un mouvement». En électronique enfin, on nomme *guide d'ondes* un système transporteur des ondes radar. ◇ Désignant des personnes, *guide* se dit du militaire sur lequel on règle l'alignement et la marche (1825). ➜ Une *guide,* n. f., désigne (1930) une jeune fille qui appartient à un mouvement de scoutisme féminin — d'où **GUIDISME** n. m. (1960; d'après *scoutisme*).

▸ **GUIDEROPE** n. m., introduit (1856, *guide-rope*) par Baudelaire dans une traduction de E. A. Poe, est emprunté à l'anglais *guide-rope* (XIVe s., *gyde-rope*), de *guide* emprunté au français, et *rope* «corde».

GUIDER v. tr. représente une réfection (1368), d'après *guide* (→ guide), de l'ancien français *guier* «conduire, guider» (1080), issu du francique °*wîtan* «montrer une direction» attesté par l'ancien haut allemand *wîzan* et l'ancien saxon *wîtan* «reprocher (qqch. à qqn)» et l'anglo-saxon *wisian* «observer, suivre une direction».

♦ *Guider* conserve son sens initial, «accompagner (qqn) en lui montrant une direction» d'où (1516) *se guider* «trouver son chemin». Le verbe signifie figurément (1433) «conseiller, aider (qqn) à choisir une direction»; il se spécialise ensuite, avec un sujet nom de chose, aux sens d'«aider à trouver son chemin» (1549), d'où «être le principe directeur de (qqch.)» (1585), et de «diriger, faire aller dans une certaine direction» (1550).

▸ De *guider* dérivent : **GUIDAGE** n. m. au sens général d'«action de guider» (1611), surtout utilisé dans des emplois techniques «installation servant à guider» (1872), puis en aéronautique (1948), en astronautique (1973). ➜ **GUIDANCE** n. f. (v. 1950) se dit d'une méthode d'assistance aux enfants. ➜ Ces dérivés restent motivés, alors que *guidon* a pris une existence autonome.

GUIDON n. m., avec le sens général de «ce qui guide», a désigné d'abord (1373) l'étendard d'une compagnie d'où, par métonymie (1611), celui qui porte cet étendard. De là viennent les sens de «fanion utilisé pour déterminer l'alignement dans des manœuvres d'infanterie» (1825) et, vieilli (1891), «fanion d'une équipe sportive». ◇ Depuis le XVIe s. *guidon,* comme *guide* nom masculin et féminin, désigne (1503) un ouvrage qui donne des renseignements sur un sujet; le *guidon des finances* a été célèbre au XVIIe s. (1668). Ces emplois ont été éliminés par *guide,* n. m. ◇ Parallèlement, *guidon* s'est dit (1529) de ce qui sert de signe pour se guider et, par analogie (1622), d'un signe de renvoi dans un texte. Le mot prend ensuite (1673) le sens de «pièce en saillie sur une arme à feu qui aide à viser, qui guide le regard» et une acception technique en musique (1680). ➜ Au XIXe s. *guidon* désigne (1869) le tube métallique qui permet d'orienter (de guider) la roue directrice d'un véhicule à deux ou trois roues. Ce sens s'est implanté et est devenu courant avec la diffusion de la bicyclette; des syntagmes correspondent aux différentes formes : *guidon de course, guidon droit,* etc., mais les guidons ont été éliminés par les volants en automobile. ➜ De *guidon* dérivent **GUIDONNAGE** n. m. (1869), équivalent technique de «guidage», et **GUIDONNER** v. intr. (v. 1970), terme de moto.

① **GUIGNE** n. f., réfection (XVe s.) de *guine* (v. 1393), est un mot d'origine incertaine. Il est peut-être issu du francique °*wihsila* «griotte», restitué par l'ancien haut allemand *wihsela* (cf. allemand *Weichsel*), mais cette hypothèse ne permet pas d'expliquer le ***-n-***, que l'on retrouve dans les formes dialectales (angevin *guindole,* provençal *guindol*) et romanes (espagnol *guinda*). ◇ Pour P. Guiraud, *guigne* comme *griotte* désignant une cerise à saveur acide, le mot pourrait représenter l'adjectif latin *vineus* «de vin», dérivé de *vinum* «vin*», par l'intermédiaire d'une forme °*vinea* «(fruit) ayant l'acidité du vin» ou «(fruit) ayant la couleur du vin»; les dérivés latins de *vinum* rendraient compte de l'ensemble des variantes du mot (°*vinula* pour *guinle,* °*vinita* pour *guinde*).

♦ Le mot, devenu rare ou régional, survit dans l'usage général par la locution ***s'en soucier comme d'une guigne*** (1877, Zola), laquelle, comme ***des guignes!*** «rien du tout» (vieilli), correspond à un sémantisme usuel (le petit fruit est assimilé à une quantité négligeable, cf. *des nèfles, pour des prunes...*).

▸ **GUIGNOLET** n. m. «liqueur de cerises» est formé (1823) sur *guignole,* variante normande de *guigne,* issue de °*vineola,* dérivé de *vineus.*

② **GUIGNE** → **GUIGNER**

GUIGNER v. tr. est probablement issu (v. 1175, *guignier;* XVe s., *guigner*) d'un gallo-roman °*gwinyare,* lui-même aboutissement par dissimilation consonantique d'un francique °*wingjan* «faire signe», variante de °*winkjan,* restitué par l'ancien haut allemand *winchjan,* l'allemand *winken.*

♦ *Guigner* a signifié en ancien français «faire signe de l'œil (à qqn)» (v. 1175) et dans plusieurs dialectes «loucher» (Est, Sud-Est) et «remuer» en provençal.

Par extension, le mot prend le sens de «regarder à la dérobée» (1536) et par figure de «guetter avec convoitise» (1640).

▸ Le dérivé **GUIGNON** n. m. (1609) correspond au sens «regarder de côté de façon défavorable»; l'idée de «mauvaise chance» vient de la superstition commune du «mauvais œil». ➛ ② **GUIGNE** n. f. a le même sens (1811; 1866, *porter la guigne*) et on trouve aussi *avoir la guigne* «loucher» (1864). ◇ Plus vivant que *guignon*, qui évoque le XIXe s. (en particulier Baudelaire), *guigne* «malchance» a pour équivalent argotique, d'après le sens de l'homonyme, *cerise*. ➛ Le composé de *guignon*, **ENGUIGNONNÉ, ÉE** adj. (1813) «qui a du guignon» est sorti d'usage. ➛ **GUIGNARD, ARDE** adj. (1880) et n. (1886), dérivé de *guigne* ou de *guigner*, est vieilli, plus encore que *guignon*.

◈ voir GUIGNOL.

GUIGNOL n. m. est l'emploi comme nom commun (1847) du nom du canut lyonnais *Guignol* (variante *Chignol*), dont Mourguet fit le héros de son théâtre de marionnettes, à la fin du XVIIIe s. à Lyon; *guignol*, proprement «celui qui cligne de l'œil», est dérivé de *guigner* (→ guigner).

♦ Au milieu du XIXe s., *un guignol*, «marionnette sans fils», se dit par analogie d'une personne involontairement comique ou ridicule (1856); il a aussi le sens de «cabotin». ◇ Le mot désigne par métonymie (1866, après *théâtre à la Guignol*, 1852) le théâtre de marionnettes et les pièces dont Guignol est le héros.

▸ Le dérivé **GUIGNOLADE** n. f. a désigné une farce proche de celle du théâtre de marionnettes (XXe s.; variante *guignolerie*, 1904, utilisée par F. Jammes); par analogie le mot signifie «situation, discours ridicule», sens que l'on a dans **GUIGNOLESQUE** adj. (XXe s.). ➛ **GUIGNOLER** v. intr. (1918), «faire le guignol», est d'usage littéraire et rare. ➛ Le composé **GRAND-GUIGNOL** n. m., nom d'un théâtre parisien spécialisé dans les pièces d'horreur tragicomique, est très employé pour désigner un genre de spectacle horrifique et sanglant d'un mauvais goût outrancier. ◇ Il a pour dérivé **GRAND-GUIGNOLESQUE** adj. «horrifique, grotesquement horrible».

GUILDE ou **GILDE** n. f. est un emprunt (1282, *gilde*; 1260, en ancien picard *geude*) au latin médiéval *gilda* (1125), forme latinisée du moyen néerlandais *gilde* «réunion de fête, banquet de nature symbolique et religieuse». Ce mot était surtout utilisé dans les régions bordant la mer du Nord (ancien nordique *gildi*, ancien frison *jelde*, allemand *Gilde*), et en était venu à désigner des associations de métiers dans les villes flamandes.

♦ Le mot entre avec cette valeur en Picardie et en Flandre : il se dit d'une corporation de marchands (1260, picard *geude*), d'artisans (1282, *gilde*) puis tombe dans l'oubli; on retrouve *guilde* au XVIIIe s. (1788) comme terme d'histoire médiévale. *Guilde* prend par extension au milieu du XXe s. le sens d'«association qui procure à ses adhérents des conditions commerciales particulières».

L'ancien français *gelde*, au moyen âge «bande de soldats à pied» (1155), d'où l'ancien français *geldon* «soldat» (XIIe s.), est sans doute issu du francique °*gilda*, de la même famille que le moyen néerlandais *gilde*; ce sens vient probablement du fait que certaines fonctions des associations avaient un caractère militaire. Avec la hanse, la guilde fait partie des institutions fondatrices de l'économie moderne.

GUILLEDOU n. m., attesté en 1620 dans la locution *courir le guildrou* (1640, ... *le guilledou*), est d'origine incertaine. Le mot est peut-être composé du radical de l'ancien français *guiller* «tromper, séduire» (XIIe s.; → guilleret) et de l'adjectif *doux**, au sens de «tendre, agréable».

♦ Le mot n'est usité que dans ***courir le guilledou*** «aller en quête d'aventures galantes».

GUILLEMET n. m. représente probablement un diminutif (1677) de *Guillaume*, d'après le nom ou le prénom de l'imprimeur qui inventa ce signe, apparu pour la première fois en 1527 mais pas encore désigné sous ce nom. Les expressions *guillemets ouvrants, fermants* sont plus tardives (1806). La locution figurée ***entre guillemets*** (XXe s.) marque qu'on ne prend pas à son compte le mot qu'on emploie.

▸ Le dérivé **GUILLEMETER** v. tr. (1800) «mettre entre guillemets» a fourni **GUILLEMETAGE** n. m. (XXe s.).

GUILLERET, ETTE adj. est probablement dérivé (v. 1480) de l'ancien français *guiller, guiler* «tromper» (XIIe s.), de *guile* «ruse, tromperie» (XIIe s.), issu du francique °*wigila* «ruse», restitué par le moyen haut allemand *gîlen* «se moquer de».

♦ L'adjectif s'est employé au XVe s. au féminin (v. 1480, *guillerette*) pour «pimpante, séduisante». ◇ Le sens moderne, «qui manifeste une gaieté vive», apparu au XVIe s. (1536), est resté courant, et se soutient par la paronymie de l'initiale *gui-* avec *gai*.

▸ Le dérivé **GUILLERETTEMENT** adv. (1845) est rare.

GUILLERI n. m., mot sorti d'usage, également dérivé de l'ancien verbe *guiller*, a désigné (1608) le chant du moineau et par métonymie (1775) un moineau; c'est aussi le nom *(Compère Guilleri)* d'un personnage de chansons populaires.

GUILLOCHER v. tr., apparu au participe passé au milieu du XVIe s., représenterait un emprunt modifié à l'italien du Nord *ghiocciare* «goutter» (attesté en 1585), variante de *gocciare* sous l'influence de *ghiotto* «glouton» (du latin populaire °*gluttus*; → glouton); *ghiocciare* a dû signifier «orner de lignes entrelacées» — l'italien *goccia* et le français *goutte* ayant eu un sens architectural au XVIe siècle. *Gocciare* est lui-même issu du latin populaire *guttiare*, dérivé du classique *gutta* «goutte». ◇ Pour P. Guiraud, *guillocher* serait plutôt un dérivé de *guille*, variante de *quille* comme le dialectal *guille* «cheville, chevron», le guillochis étant en forme de traits entrecroisés et non en forme de gouttes; mais cette évolution de sens, par la valeur de *goutte* «ornement», n'est pas à exclure.

▸ *Guillocher* «orner de traits gravés en creux et entrecroisés» a fourni les termes techniques **GUILLOCHIS** n. m. (1555) «ensemble de traits guillochés», archaïque; **GUILLOCHEUR** n. m. (1756), **GUILLOCHAGE** n. m. (1765), **GUILLOCHURE** n. f. (1858) et **GUILLOCHE** n. f. (1866), tous techniques.

GUILLOTINE n. f. a été formé (1789) à partir du nom d'un médecin, *Guillotin* (1738-1814), qui préconisa l'usage de cet instrument de supplice inventé par le médecin Louis (on l'appela la *louisette*) pour abréger les souffrances du condamné à mort; un instrument analogue à la guillotine était utilisé depuis le XVIe s. en Italie, remplaçant la décapitation à la hache ou au sabre.

♦ Apparu en français en 1790, le mot est tristement typique de l'époque de la Terreur; après la Révolution, il est resté l'emblème de la peine de mort en France, avec ses apprêts plus ou moins symboliques, jusqu'à l'abolition de cette peine. ◇ Par analogie, le mot est utilisé dans la locution adjective ***à guillotine*** (1830, *fenêtre, cisaille à guillotine*). ◇ Par métonymie (1872), *guillotine* se dit du supplice.

▸ Du nom a été dérivé **GUILLOTINER** v. tr. (1790), d'où (également en 1790) **GUILLOTINAGE** n. m., **GUILLOTINEMENT** n. m., d'emploi rare, **GUILLOTINEUR** n. m. (1797), employé par extension pour «responsable des exécutions par guillotine», et **GUILLOTINADE** n. f. (1797), formation analogue à *noyade*.

GUIMAUVE n. f. succède (XIIIe s.) à *wid malve, wimauve* (XIIe s.), composé, pour le premier élément, d'une forme issue du latin impérial *hibiscum* «guimauve», emprunt au grec *hibiskos* «mauve» (→ hibiscus), après aphérèse (d'où °*viscu*), et sous l'influence du germanique °*wihsila* (→ gui) — d'où un passage de ***v-*** à ***gu-***; le second élément *malve, mauve* est emprunté au latin classique *malva* «mauve*». On a de même en italien et en espagnol *malvavisco*, à partir de °*malva viscu*.

♦ *Guimauve* est le nom d'une plante herbacée de la famille des malvacées (→ mauve); par métonymie, le mot désigne dans ***pâte de guimauve*** (1811) une friandise, pâte molle et sucrée, parfumée à la guimauve. ◇ *Guimauve* en ce sens s'emploie au figuré (2de moitié XIXe s.) en parlant de ce qui est fade, sans expression, dans un récit.

GUIMBARDE n. f. est un emprunt (1622) au provençal moderne *guimbardo* «instrument, outil», «mauvaise barque», relevé dès le XVIIe s. au sens de «danse» (1617, à Toulouse; aussi «chanson» 1622) et peut-être dérivé de *guimba* «sauter» (XVIIe s.; → guibolle; regimber). Ce verbe correspond à l'ancien provençal *guimar* «bondir» (1150-1173, au figuré), venu du gotique °*wimon* (attesté par l'ancien saxon *up-wimon* «s'élever», l'ancien haut allemand *wemôn* «flotter, ondoyer»). Le passage de ***m-*** à ***mb-*** est dû à l'influence de *cambo* «jambe»; il se pourrait aussi que, le gascon modifiant ***mb-*** en ***m-***, ***-guimar*** ait été senti comme une forme gasconne. ◇ P. Guiraud part du fait qu'en provençal *guimbard* signifie «boiteux» et désigne divers instruments de façon péjorative (des instruments qui «vont de travers», au propre et au figuré) pour supposer que *guimbarde* est un composé tautologique de *guinguer* «sauter de travers» et de *barder* «glisser en travers».

♦ *Guimbarde* s'est appliqué au début du XVIIe s. à une héroïne de roman (attesté 1620), d'où l'emploi du mot pour désigner une mode (1622, *mode à la guimbarde*), puis une danse (1625). On peut y rattacher le sens ancien de «femme méprisable» (1671), encore utilisé par Zola et quelques auteurs au début du XXe siècle. ◇ De là vient sans doute aussi *guimbarde* «nom de la reine de cœur» et «jeu où la reine de cœur porte ce nom» (1752). ➜ *Guimbarde* se dit ensuite (1723) d'un long chariot couvert, parce que les cahots donnent l'impression que la voiture danse; par extension, le mot signifie (1828-1829) «lourde voiture», puis (1862) «mauvaise voiture», seule valeur moderne, appliquée plus tard à l'automobile. ➜ Par analogie de forme avec les ridelles des voitures, *guimbarde* désigne aussi (1739) un petit instrument de musique fait de deux branches de fer et d'une languette métallique puis divers instruments de musique rudimentaires et, spécialement (1853), une mauvaise guitare. Par une autre analogie de forme, le mot désigne aussi (1771) un outil de menuisier.

▸ De l'emploi en musique vient le dérivé **GUIMBARDIER** n. m. «joueur de guimbarde» (1848), comme la variante **GUIMBARDISTE** n. (1866).

GUIMPE n. f. est une altération (1564) de *guimple* (v. 1140) issu du francique °*wimpil* «fichu de tête», attesté par l'ancien haut allemand *wimpal* et le moyen néerlandais *wumpel* «coiffe»; l'allemand *Wimpel* «banderole».

♦ Le mot désigne d'abord un morceau de toile qui, couvrant la tête, encadre le visage (v. 1140), spécialement d'une religieuse (1225-1230, *guimple;* 1660, *guimpe de religieuse*); par extension, il se dit d'un volant de dentelle (1812, *robe à guimpe*) et d'une chemisette de femme en tissu léger (1840).

▸ Le dérivé **GUIMPER** v. tr. a signifié (v. 1170, *soi guimpler*) «vêtir d'une guimpe» et, par allusion à la guimpe des religieuses, «faire entrer au couvent» (1691). ◇ Le verbe est ensuite devenu un terme technique, probablement par métaphore sur le volant de dentelle ou encore sous l'influence de *guiper**, au sens (XXe s.) de «recouvrir (un fil) de plusieurs fils torsadés».

GUINCHER v. intr. représente peut-être une variante (attesté en 1821) de l'ancien français *guenchir* «obliquer, esquiver» (XIIe s.), du francique °*wenkjan* «vaciller, chanceler» (→ gauchir).

♦ Le verbe, qui signifie d'abord «danser au cabaret», s'emploie ensuite pour «danser» en général (1866). Il est d'usage familier comme ses dérivés.

▸ **GUINCHE** n. f. et m. signifie «danse» (1821, n. f.) et, par métonymie, «bal» (1879, n. f.; 1855, n. m.). ➜ ① **GUINCHEUR, EUSE** n. (XXe s.) «danseur» est resté, comme *guinche*, plus marqué que le verbe.

② **GUINCHEUR** adj. et n. m. est un dérivé de l'ancien verbe *guenchir*. Terme d'hippologie, *guincheur* se dit (1877) d'un cheval qui, en approchant de l'écurie, frappe du pied et cherche à mordre.

GUINDAILLE n. f., mot wallon d'argot estudiantin (1880), est sans doute une altération de *godaille** sous l'influence du picard et du wallon *guinse* «beuverie» (du francique °*winst* «bénéfice, gain») ou de l'argotique **GUINDAL**, n. m. «verre à boire» (1844), d'origine incertaine : on le trouve dans l'argot des bouchers (1867), et *faire guidal* «trinquer» est attesté (1892) dans l'argot des étudiants.

♦ *Guindaille* se dit régionalement (Belgique) d'une réunion et d'une beuverie d'étudiants et, par extension (1912), d'un repas bien arrosé.

▸ En dérivent **GUINDAILLER** v. intr. (XXe s.) et **GUINDAILLEUR, EUSE** n.

GUINDER v. tr. est une réfection de *winder* (v. 1155), issu de l'ancien nordique *vinda* «brandir ; enrouler», mot introduit en Normandie par les Vikings.

♦ *Guinder* est employé à l'origine comme terme technique de marine pour «hisser au moyen d'un treuil». De là vient le sens figuré (XVIe s.) de «donner une élévation, une tenue factice qui s'accompagne d'un manque de naturel» et «donner un tour affecté», plus courant au participe passé et au pronominal (XVIIe s.).

▸ **GUINDÉ, ÉE** adj. signifie d'abord «serré (dans ses vêtements)» (1580), puis «qui manque de naturel» (1643) d'où, par extension (1654), «affecté, ampoulé», en parlant d'un écrivain et du style. ◆ De *guinder*, terme technique, dérivent dans le vocabulaire de la marine **GUINDAGE** n. m. (1386), **GUINDERESSE** n. f. (1525) «gros cordage pour guinder», **GUINDANT** n. m. (1643, *gindant*) «hauteur utile (d'un mât)».

GUINDEAU n. m. (1642), «sorte de treuil», vient par substitution de suffixe de l'ancien français *guindas* (1155), issu de l'ancien nordique *vindáss*, du verbe *vinda* et de *áss* «barre» ; on relève aussi *guindaulx* «treuil d'arbalète» (1436). L'expression *virer au guindeau* est connue par les chansons de marins.

GUINÉE n. f. représente une francisation (1669) de l'anglais *guinea* (1664) de *Guinea*, nom anglais de la Guinée, parce que les premières pièces furent frappées avec l'or provenant de Guinée.

♦ Le mot désigne une ancienne monnaie anglaise, frappée de 1663 à 1813, valant 21 shillings et servant encore de monnaie de compte. ◆ *Guinée* est par ailleurs le nom d'un tissu, tiré (1682) de l'expression *toile de Guinée* (1666), du nom de la région africaine, sans doute parce qu'on se servait de ces toiles grossières pour le troc avec les Africains ; le mot est tombé en désuétude en ce sens.

GUINGOIS (DE) loc. adv. apparaît au XVe s. (v. 1440-1442) et dériverait selon Bloch et Wartburg du radical de l'ancien verbe *ginguer, guinguer* «sauter» (XVe s.), doublet de *giguer* (→ gigue, gigot). Pour P. Guiraud, *de guingois* «de travers» (aussi au XVe s., *a gingois*) s'apparente plutôt à *guincher*, issu du francique °*wenkjan*, variante °*wingjan* (→ guincher).

♦ L'expression est familière pour «de travers». ◆ *Guingois* n. m., dans le dictionnaire de l'Académie depuis la première édition (1694), n'est pas attesté auparavant ; on n'en trouve que très rarement des exemples dans l'usage moderne (un chez Huysmans, 1879).

GUINGUETTE n. f. représente la substantivation (1694) du féminin de l'adjectif *guinguet* «étroit» (en parlant d'un habit), issu selon Bloch et Wartburg de l'ancien verbe *ginguer* «sauter» (XVe s.), doublet de *giguer* (→ gigue), ce qui est peu satisfaisant quant au sens. P. Guiraud rattache le mot au francique °*wenkjan* par l'intermédiaire d'un germanique °*winkan* (cf. l'ancien haut allemand *winkan* «marcher de côté»), mais la date d'attestation paraît alors bien tardive.

♦ *Guinguette* s'est dit (1694) d'un café où l'on danse, surtout dans le milieu urbain, de la fin du XIXe s. aux années 1930. ◇ Le mot a désigné aussi (1718) une maison de campagne, sens disparu au XIXe s.

GUIPER v. tr. est issu (1350) du francique °*wîpan* «envelopper de qqch», restitué par le moyen néerlandais *wîpen* «couronner» et le moyen haut allemand *wîfen* «tortiller» ; le *w-* étant passé à *g-*, le mot a dû être introduit en gallo-roman bien avant le XIVe siècle.

♦ *Guiper* est d'abord un terme de passementerie au sens de «passer un brin de soie sur ce qui est déjà tors» ; il a pris plus récemment diverses acceptions techniques, notamment en électricité (XXe s.) «entourer (un fil) d'un isolant».

▸ Du verbe dérivent **GUIPURE** n. f. (1393, *ghippure*), plus courant que le verbe et qui a des emplois figurés (XIXe s.), et les termes techniques **GUIPOIR** n. m. (1723) nom d'instrument et **GUIPAGE** n. m. (1867), nom d'action.

GUIRLANDE n. f., réfection (1540) de *guerlande* (1403), est un emprunt à l'italien *ghirlanda* «couronne de fleurs ou de feuillages» (XIIIe s.), lui-même emprunté à l'ancien provençal *guirlanda* «couronne de fils d'or» (2de moitié XIIIe s.) — d'où *guirlandar* «affubler d'une coiffure» (v. 1200). Le provençal, comme l'ancien français *garlande* (du XIIIe au XVe s.), a pour base un francique °*wēra*, devenu (v. 800) °*weara* (d'où *garlande* et *guerlande*) et °*wiara* (d'où *guirlanda*) et désignant un bijou porté sur la tête comme diadème ou couronne, sens attesté par l'ancien haut allemand *wiara, wiera*. On explique la finale *-ande* en supposant une dérivation en *-anda* à partir d'un ancien verbe en *-eler, -elar* (formé sur un francique °*wiarōn*, °*wierōn*). Pour P. Guiraud, *guirlande* est sans rapport avec *garlande* «cloison, créneau» (qui serait un déverbal de *garlander*), et *-ande* est un collectif, sur le modèle de *vivenda, legenda*, etc.

♦ *Guirlande* a eu le sens de «couronne de métal précieux» (1403) puis, par extension, de «cordon décoratif (de fleurs, de papier découpé, etc.) pendu en feston, enroulé en couronne, etc.» (1540; aussi *girlande*, 1549). Au XVIIe s., le mot désigne au figuré un recueil de poésie (*La Guirlande de Julie*, recueil de madrigaux composés pour Mlle de Rambouillet, ainsi nommé parce que chaque feuillet était orné d'une fleur). ◇ Par analogie le mot désigne (1835) ce qui par sa disposition évoque une guirlande (végétation, objets, etc.).

▸ Le dérivé **GUIRLANDER** v. tr. «orner de guirlandes» (XVIe s.) a été remplacé par le préfixé. ◆ **ENGUIRLANDER** v. tr. (1555), devenu rare au sens propre depuis la diffusion des figurés, a signifié «couvrir d'éloges» (1819) et, par métaphore, «orner un discours» (XIXe s.), sens qu'a eu aussi *guirlander* (1833). ◇ Un autre sens vient d'un jeu sur *engueuler* : «attraper, réprimander» (1922). Cette dernière acception familière colore aujourd'hui tous les emplois du mot.

◈ ✳ **GUISE** n. f., réfection (v. 1050) de *wise* (fin Xe s.), est issu d'un germanique °*wisa* «manière, façon», reconstitué par l'ancien haut allemand *wisa*, le moyen haut allemand *wise* (cf. allemand *Weise*).

♦ D'abord attesté en emploi libre au sens de l'étymon (fin Xe s., *wise*), le mot reste courant dans la locution prépositive ***en guise de*** «en manière de» d'ailleurs très ancienne (v. 1050), comme ***à ma (ta, sa) guise*** «selon mon (ton, son) goût» (1188, *a* [à] *sa guise*); d'autres locutions comme *en cette guise, de telle guise, à la guise*, etc., vivantes à l'époque classique, sont archaïques.

▸ Le composé **DÉGUISER** v. tr. est formé (1155, *soi desguiser*) de *dé-* (du latin *dis* marquant la négation) et de *guise* au sens de «manière d'être», avec le suffixe verbal. ◇ Le verbe s'emploie au sens de «recouvrir (qqch., qqn) pour rendre méconnaissable», d'où, par extension (1559), les sens «modifier pour tromper» (au propre et au figuré) et «dissimuler» *(déguiser la vérité)*. ◆ En dérive **DÉGUISEMENT** n. m., rare au sens d'«action de déguiser» (v. 1200). Le mot désigne (1672) ce qui sert à déguiser (1538 en parlant de marchandises) et s'emploie figurément depuis le XVIe s. (1549). ◆ Le verbe et le participe passé adjectivé, comme le nom dérivé, s'emploient par analogie pour «dissimuler (une chose concrète)»; on parle en confiserie de ***fruits déguisés*** «enrobés de sucre».

GUITARE n. f. est emprunté au XIIIe s. (1275-1280, *guitarre*) à l'espagnol *guitarra ;* on connaît une représentation de la *guitarra morisca* (*guitare moresche* en français, 1349) de la 2de moitié du XIIe siècle. Le mot espagnol remonte au grec *kithara* (→ cithare), peut-être par l'intermédiaire de l'arabe *kittàra*. Le rapport avec le persan *sih tar* «trois cordes», nom d'instrument, et des mots apparentés (égyptien, chaldéen), n'est pas clair. Le nombre de cordes variant (sept en Grèce), plusieurs instruments sont désignés par ce nom. L'espagnol médiéval connaît la *guitarra latina*, proche de notre guitare actuelle, et la *moresca* à trois cordes, proche du luth et de forme ovoïde.

♦ *Guitare*, «instrument de musique à cordes pincées», s'emploie par métonymie pour «joueur de guitare» (XIXe s.); par figure, le mot se disait (1858) pour «rengaine, banalité rebattue» (cf. aujourd'hui *disque*). ◇ Par analogie de forme, *guitare* s'emploie comme terme technique (1866) pour désigner un type d'assemblage de charpente. ◇ L'instrument de musique à amplificateur a donné naissance à l'expression *guitare électrique*, et par contraste à *guitare sèche*.

▸ Le dérivé **GUITARISER** v. intr. (1654) est tombé en désuétude. ◆ **GUITARISTE** n., attesté en 1821, est en revanche courant. ◆ **GUITERNE** n. f. (1280) et la variante *quinterne* (XIIIe s.) est aussi un emprunt, avec une altération mal expliquée de l'espagnol *guitarra ;* le mot désigne un ancien instrument, voisin de la guitare, en usage aux XVIe et XVIIe siècles.

GUITOUNE n. f., forme refaite (v. 1860-1870) de *guitour* n. m. (1838), est un emprunt à l'arabe maghrébin *gitūn* «tente», de l'arabe classique *qaiṭūn*, lui-même emprunté au grec tardif *koitôn* «chambre».

♦ *Guitoune* est introduit en français dans l'argot des troupes d'Algérie, avec son sens étymologique, puis en argot militaire, il s'est dit en général pour «tente de campement» (v. 1860) et, par extension, pour «abri de tranchée» (1914). Le mot s'est employé dans l'argot des prostituées au sens de «chambre» (1881, *guitourne*), avec l'idée d'abri provisoire; il se dit ensuite familièrement pour «maison» (1901). ◇ *Guitoune* a repris le sens de «tente de campeur» au milieu du XXe s. (1952), et a vieilli dans ses autres acceptions.

GUIVRE n. f. est issu (1080) du latin *vipera* (→ vipère) altéré en °*wipera* sous l'influence de mots germaniques en ***w-***. La forme *vouivre** est encore employée régionalement. ◈

♦ *Guivre* désigne au moyen âge et jusqu'au XVe s. une espèce de serpent fantastique; aujourd'hui terme de blason (dep. 1581), le mot est parfois utilisé pour désigner la représentation de ce serpent.

◈ voir VOUIVRE.

GUS n. m. est une apocope (1954) de *Gugusse* (1883), forme populaire de *Auguste*, prononcée *Augus'*, avec redoublement. Le *gugusse* est d'abord un auguste (un clown maquillé), puis le mot signifie «personnage ridicule», comme *guignol* ou *charlot*.

♦ *Gus* s'emploie d'abord en argot militaire pour «simple soldat», puis comme *gugusse* au sens de «type», sans péjoration. ◆ L'ancien argot *gus* «gueux, fripon» (1904), emprunt au provençal *gus*, de même origine que *gueux*, représente un autre mot.

GUSTATIF, IVE adj., dérivé savant (v. 1370) de *gustatum*, supin du latin classique *gustare* (→ goûter), qualifie ce qui a rapport au goût.

▸ **GUSTATION** n. f. est un emprunt de la Renaissance (1530) au latin impérial *gustatio* «action de goûter», dérivé de *gustatum*. Ce terme didactique désigne la perception des saveurs par le goût.

GUTTA-PERCHA n. f. est un emprunt immédiat (1845) à l'anglais *gutta-percha* (1845), du malais *getah* «latex» et *percha*, nom de l'arbre qui sécrète cette substance.

♦ Le mot désigne la gomme tirée du latex de certains arbres poussant en Malaisie et le ruban gommé préparé avec cette substance.

GUTTURAL, ALE, AUX adj. est un dérivé savant (1542, Rabelais) du latin *guttur* «gosier, gorge», mot expressif d'origine obscure.

♦ *Guttural* se dit de ce qui appartient au gosier (1542; 1771, *artère gutturale*) d'où son emploi pour qualifier un son qui semble venir du gosier (1578, *lettres gutturales*, d'où *une gutturale* (1834). ◇ Le sens (1791) de «rauque» *(voix gutturale)* est le seul usuel.

GYMKHANA n. m. est un emprunt (1899) à l'anglais *gymkhana* (1861, année où fut institué le premier gymkhana), adaptation de l'hindi *gendkhāna* «maison de danse», avec substitution du *gym-* de *gymnastics* «gymnastique».

♦ Le sens premier est «fête de plein air, avec des épreuves d'adresse». *Gymkhana* désigne par extension (1914) une épreuve réservée à des automobiles, motocyclettes, etc., se déroulant sur un parcours semé d'obstacles, et dans laquelle une grande adresse est nécessaire.

GYMNASE n. m., réfection (XVIe s.) de *gymnasy* (1re moitié XIIIe s.), est un emprunt au latin *gymnasium* «lieu public destiné aux exercices du corps, chez les Grecs», du grec *gumnasion*, de *gumnazein* «s'exercer aux exercices gymniques»; le verbe est formé sur *gumnos* «nu» (→ gymno-) parce qu'on avait coutume en Grèce de pratiquer nu l'exercice physique; il a également le sens plus général de «s'exercer».

♦ Le mot s'applique d'abord à la réalité de l'Antiquité grecque (1re moitié XIIIe s.), avec la variante *gynaise* au XIVe s.; il est repris au début du XVIIIe s. (1704). Il désigne aussi (1596) un établissement d'enseignement secondaire, en Allemagne (allemand *Gymnasium*) et en Suisse. ◇ Le sens moderne d'«établissement où l'on pratique les exercices du corps» est attesté au XVIIIe s. (1757), mais l'emploi spécial «salle aménagée à cet effet» est beaucoup plus tardif (1888).

▸ Les dérivés **GYMNASIAL, ALE, AUX** adj. et **GYMNASIEN, IENNE** n. «élève d'un gymnase» (XXe s.) sont utilisés en Suisse; le second correspond à *lycéen*. ◆ **GYMNASIARQUE** n. m., emprunté au latin *gymnasiarchus* «chef de gymnase», hellénisme, du grec *gumnasiarkhos*, signifie «chef d'un gymnase antique» (1530) puis «professeur de gymnastique» (XIXe s.) et «gymnaste professionnel» (1840).

GYMNASTE n., emprunté au grec *gumnastês* «entraîneur» (mot technique), est d'abord utilisé au XIIe s. comme adjectif au sens d'«habile dans les exercices» puis par Rabelais comme nom propre (1534) : c'est celui du maître de gymnastique de Gargantua. ◇ Le mot est repris au début du XVIIIe s. (1701), comme *gymnase*, pour désigner le maître qui, dans l'Antiquité grecque, formait les athlètes. Par extension, il signifie (1855) «celui qui s'adonne à la gymnastique» et spécialement «professeur de gymnastique» (1886), sens archaïque. ◆ **GYMNASTIQUE** adj. et n. f. est un emprunt (v. 1361) comme adjectif au latin *gymnasticus*, grec *gumnastikos* «qui concerne les exercices du corps» ou «doué pour la gymnastique» et, comme nom féminin au grec *gumnastikê (technê)* «art de la gymnastique», substantivation de l'adjectif. ◇ Le mot s'emploie par figure (1778) dans le domaine spirituel, intellectuel (*gymnastique cérébrale*, etc.). ◇ Il a pour dérivé **GYMNASTIQUER** v. intr. (1891) «faire de la gymnastique», mot rare.

GYMN(O)- est un élément tiré du grec *gumnos* «nu, sans vêtements» ou «sans arme», mot ancien qui est représenté dans les langues indoeuropéennes par des variantes élargies, soit du fait de dissimilations, soit d'un tabou linguistique (vieux slave *nagŭ*, latin *nudus*, etc.). *Gymn(o)-* est représenté dans des mots empruntés du grec par le latin et dans des formations françaises.

▸ **GYMNIQUE** adj. est emprunté (1542) au latin *gymnicus* «de lutte», puis au grec *gumnikôs*. Il est substantivé au XVIIIe s. (*la gymnique*, 1723). ◆ **GYMNOTE** n. m., emprunt (1777) au latin scientifique *gymnotus* (1700), signifie proprement «dos nu», du grec *gumno*, et *nôtos* «dos». ◇ Le mot désigne un poisson dépourvu de nageoire dorsale. ◆ **GYMNOPÉDIE** n. f., emprunt tardif (1865) au grec *gumnopaidia*, désigne des fêtes annuelles, à Sparte, célébrées par des danses d'enfants et d'hommes nus. Le mot a été mis en honneur par Éric Satie, en titre d'une composition pour piano.

GYMNOSOPHISTE n. m. est un emprunt du moyen français (1488) au latin *gymnosophistae*, pris au grec *gumnosophistai*, de *gumnos* et *sophistes* (→ sophiste). ◆ Le mot désigne un ascète hindou de l'Antiquité, un yoga.

Sont formés en français les termes de botanique **GYMNOBLASTE** adj. (1866; du grec *blastos* «bourgeon»), **GYMNOCARPE** adj. (1823; → -carpe), **GYMNOSPERMES** n. f. pl., où *gymno-* a la valeur d'«apparent» et *sperma* «semence», emprunt au composé grec *gumnospermos*, employé pour désigner en botanique (av. 1776, Rousseau) les phanérogames à graines nues (conifères, etc.).

◈ voir GYMNASE.

-GYNE, élément tiré du grec *gunê* «femme, femelle», entre dans la composition de termes didactiques, surtout de botanique. Quelques noms sont empruntés au grec par l'intermédiaire du latin (→ androgyne, misogyne).

◈ voir GYNÉCÉE, GYNÉCOLOGIE.

GYNÉCÉE n. m. est la réfection (1701) de *gynaices* (1568) puis *gynaecée* (1694). Une forme dérivée *gyneconitis* est antérieure (1547). Le mot est un emprunt savant au latin *gynaeceum* «partie de l'habitation réservée aux femmes» (en Grèce), qui reproduit le grec tardif *gunaikeion* (forme classique *gunaikeia*), dérivé de *gunê, gunaïkos* «femme» (→ gynécologie).

♦ *Gynécée* conserve le sens du mot latin, en parlant de l'Antiquité. Il s'emploie ensuite sans référence à l'Antiquité (1767, Rousseau). ◆ En botanique, *gynécée* s'emploie (1845) comme synonyme de *pistil*.

GYNÉCOLOGIE n. f. est un composé (1823) de *gynéco-*, formé à partir du grec *gunê, gunaikos* «femme» (→ -gyne), et de *-logie*. *Gunê* a des correspondants dans un grand nombre de langues indoeuropéennes comme le sanskrit *gnā* «femme, déesse», l'avestique *ganā*, le gotique *qino*, etc. On a hésité pour former le mot et on relève les variantes *gynéologie, gynologie* (1826), qui ont disparu.

♦ Le mot recouvrait au XIXe s. l'étude scientifique de la femme, au sens le plus large, puisqu'elle incluait la psychologie. Il s'est spécialisé en médecine (v. 1900), désignant l'étude des organes sexuels de la femme et des maladies qui leur sont propres; il est abrégé couramment en **GYNÉCO** n. f. (attesté 1975).

▸ En dérivent **GYNÉCOLOGIQUE** adj. (1873) et **GYNÉCOLOGUE** n. (1832; 1901, au sens moderne) qui, en concurrence avec **GYNÉCOLOGISTE** n. (1845), l'a emporté; il est abrégé en **GYNÉCO** (mil. XXe s.).

GYPAÈTE n. m. représente une composition savante (1800) à partir du grec *gups, gupos* «vautour, oiseau de proie», probablement apparenté à *grups, grupos* (→ griffon), et de *aetos* «aigle».

♦ Le mot désigne un grand rapace diurne.

GYPSE n. m. est un emprunt (XIVe s., *gipse*), repris en *gypse* d'après le grec (1719), au latin *gypsum*, lui-même au grec *gupsos* «gypse, plâtre, chaux vive»; l'évolution phonétique de *gypsum* avait abouti à l'ancien français *gip* (1re moitié XIIIe s.), encore en usage en franco-provençal.

♦ *Gypse* désigne en minéralogie le sulfate hydraté de calcium, communément nommé *pierre à plâtre*.

▸ Le mot a fourni les termes didactiques **GYPSEUX, EUSE** adj. (v. 1370) et **GYPSIFÈRE** adj. (1811) de *-fère*.

GYRO-, élément tiré du grec *guros* «cercle», a servi, en bas latin et surtout en français, à former des composés savants.

▸ Le terme didactique **GYROMANCIE** n. f. composé (v. 1360) de *-mancie*, du grec *manteia* «divination», désigne un mode de divination qui se pratique en tournant sur soi-même, au milieu d'un cercle portant des lettres tracées au hasard sur sa circonférence; les prédictions se tirent des mots formés par une réunion des lettres sur lesquelles le consultant finit par tomber étourdi. ◆ **GYROVAGUE** adj. et n. m. est emprunté (1501, *girovague*) au bas latin ecclésiastique *girovagus* «(moine) errant», de *girare* «tourner» (dérivé de *gyrus* «cercle», du grec *guros*), et du latin classique *vagus* «vagabond»; il a remplacé l'ancien français *girovas* (déb. XIIIe s.). *Moine gyrovague* ou *un gyrovague* désignait un moine qui errait sur les routes en demandant l'aumône.

Au XIXe s., l'élément *gyro-* devient productif en science et en technique. ◆ **GYROSCOPE** n. m. (1832; de *-scope*) désigne l'appareil inventé par Foucault en 1852 pour fournir une preuve expérimentale de la rotation de la Terre et des lois du mouvement pendulaire; en dérive **GYROSCOPIQUE** adj. (1852). ◆ On relève également, formés d'après *gyroscope*, **GYROSTAT** n. m. (1901) du suffixe grec *-statês*, «stabilisateur», «régulateur», de *histanai*, «dresser», «fixer»; **GYROCOMPAS** n. m. (1914; de *compas*). ◆ **GIRAVION** ou **GYRAVION** n. m. (mil. XXe s.) de *avion*, a concurrencé **GYROPLANE** n. m. (1907), mais les deux mots sont demeurés rares, à côté de *hélicoptère*. ◆ D'autres composés désignent des dispositifs techniques. Seul **GYROPHARE** n. m. (v. 1970), désignant un feu rotatif clignotant disposé sur certains véhicules (voitures de police, ambulances, etc.), a une certaine fréquence dans l'usage général.

H

HABEAS CORPUS n. m. est emprunté (1672) à l'expression anglaise médiévale *habeas corpus* (XIIIe s.), mots latins signifiant «que tu aies le corps», abréviation de *habeas corpus subjiciendum* «tu présenteras le corps» (c'est-à-dire la personne en chair et en os) devant la cour. L'expression désigne à l'origine un acte *(writ)* délivré par la juridiction compétente pour notifier que le prévenu doit comparaître devant le juge ou devant la cour, pour qu'il soit statué sur la validité de son arrestation. Ensuite *habeas corpus* est le nom de la loi qui institue l'obligation de cette pratique (1679 sous Charles II; *Habeas Corpus Act*), en vue d'assurer la liberté individuelle.

♦ Le mot ne se répand en français qu'au milieu du XVIIIe s., en tant que symbole de garantie juridique de liberté individuelle.

HABILE adj. représente un emprunt (fin XIIIe s.) au latin classique *habilis* «qui tient bien», d'où «bien adapté» et «souple», «preste», qui prend en latin impérial le sens juridique de «personne légitimée à qqch.»; *habilis* dérive du verbe *habere* «tenir, se tenir» (→ avoir). *Habile* a remplacé la forme normalement issue du latin, *able, aule* (en picard et en lorrain depuis le XIIe s.; cf. anglais *able*).

♦ *Habile* est introduit avec le sens étymologique de «convenable, propre» en parlant des choses, d'où le sens juridique (1390) de «qui remplit les conditions requises (pour exercer un droit)», spécialement «qui a le droit d'hériter» (1461; 1694, *habile à succéder*), toujours en usage (cf. *habiliter*). ◇ Il a aussi en moyen français, comme en latin, les sens de «souple, agile» (XVe s.) et de «rapide» (1493), utilisés jusqu'à la fin du XVIe siècle. ◇ Par extension, *habile* signifie (1478-1480) «qui exécute ce qu'il fait avec adresse, compétence» et il est substantivé dans ce sens (*les habiles,* déb. XVe s., «les ingénieux»), la construction *habile à* datant du XVIIe s. (1636). ◇ Spécialement, l'adjectif se dit pour «prompt à comprendre, à apprendre», «savant» (1555, Ronsard), sens qui s'applique à une personne qui utilise les moyens les mieux adaptés pour parvenir à ses fins (apr. 1650). Qualifiant des actions, *habile* qualifie ce qui est fait avec adresse, intelligence (1687).

▸ Le dérivé **HABILEMENT** adv. a suivi une évolution sémantique parallèle à celle de l'adjectif: d'abord aux sens de «de la manière la plus apte» (1374) et de «promptement» (1427), il signifie (1538) «d'une manière adroite». ◆ **HABILETÉ** n. f. est emprunté au dérivé latin *habilitas* ou est dérivé de l'adjectif *habile.* Le mot est sorti de l'usage aux sens de «capacité, aptitude» (1539) et de «rapidité, promptitude» (XVIIe s.); il s'emploie (1549) pour «adresse». **INHABILE** adj., de *in-,* et du latin *habilis,* d'abord pour «qui n'est pas apte» (v. 1369, sorti de l'usage), prend un sens juridique (1384) puis signifie (1611) «qui manque d'adresse», sens que conservent les dérivés aujourd'hui d'usage littéraire, **INHABILETÉ** n. f. (1390; rare avant le XIXe s.) et **INHABILEMENT** adv. (1596). ◆ **MALHABILE** adj. «qui manque d'habileté» (1538) est composé à la fin du XVe s. de ② *mal* d'abord au sens de «difficile», en parlant des choses; il s'applique plus tard aux personnes. En dérivent **MALHABILETÉ** n. f. (XVe s.) tombé en désuétude, et **MALHABILEMENT** adv. (1636).

◈ voir **HABILITER**

HABILITER v. tr. est emprunté (v. 1300, *abilleté a*) au bas latin *habilitare,* dérivé du latin classique *habilis* (→ habile) avec le sens de «rendre capable», spécialement en droit (1379) pour «rendre légalement capable de», sens repris au latin médiéval.

▸ Le composé **RÉHABILITER** v. tr. a d'abord un sens juridique (1234, *reabiliter une ville a maire* «lui rendre le droit d'avoir un maire»); dès le XVe s. le verbe a signifié «rétablir (un fonctionnaire, après une déchéance) dans l'exercice de ses fonctions» (1440-1475); de là viennent en droit ancien *rétablir un noble* «lui restituer ses titres et ses prérogatives» (1680) et, à partir du XIXe s., l'acception de «rendre (à un condamné) ses droits perdus et l'estime publique» (1823). Sans référence juridique, *réhabiliter* signifie «rétablir dans l'estime» (1740, *réhabiliter la mémoire de qqn;* 1754, *se réhabiliter*). ◇ Le verbe a pris récemment (av. 1968) le sens de «remettre en état, rénover (un quartier, etc.)» emprunté à l'anglais *to rehabilitate* (av. 1966). ◇ Le dérivé **RÉHABILITATION** n. f. a suivi l'évolution sémantique du verbe : il a l'emploi juridique (1401) puis signifie «fait de restituer ou de regagner l'estime perdue» (1762, Voltaire) et «rénovation» (av. 1968), d'après l'anglais *rehabilitation.* ◇ Le verbe a aussi fourni **RÉHABILITABLE** adj. (1845). ➜ **HABILITÉ** n. f., emprunté au latin classique *habilitas,* a eu les sens d'«aptitude légale» (1365) et de «qualité qui rend apte à» (v. 1370) ; il est archaïque. ➜ **HABILITATION** n. f. (1470 ; 1373, *abilitacion*), emprunté au latin médiéval juridique *habilitatio,* du supin de *habilitare,* reste un terme juridique. ➜ **INHABILITÉ** n. f. (1361), d'après *habilité,* ou emprunt au latin médiéval *inhabilitas* «incapacité» (1270), est sorti d'usage (employé parfois pour *inhabileté*).

HABILLER → ② BILLE

HABIT n. m. est emprunté (1155) au latin *habitus* «manière d'être, maintien», d'où «mise, tenue, vêtement», dérivé de *habere* au sens de «se tenir» (→ avoir). Le substantif a influencé le verbe *habiller,* dont l'origine est tout autre (→ bille).

♦ *Habit* a d'abord seulement désigné un vêtement de religieux, donc caractéristique d'une activité (1155, *abit*), d'où (XIIIe s.) le proverbe ***l'habit ne fait pas le moine,*** traduit du latin médiéval *habitus non facit monachum, sed professio regularis.* Dans la même acception (v. 1350) *prendre l'habit de religion* devient (1676) ***prendre l'habit,*** et ***quitter l'habit*** (1690) signifie «se défroquer» ; *habit* est alors synonyme de *froc.* ◇ Le mot s'emploie au singulier (1er quart XIIIe s.) pour désigner l'ensemble des *vêtements* (ce mot étant plus ancien) qui couvrent le corps, sens qui demeure jusqu'à l'époque classique, où l'habit inclut toujours la chaussure et la coiffure ; l'emploi moderne, au pluriel *(les habits),* est attesté vers 1360 ; la locution ***marchand d'habits*** désigne spécialement le fripier (1900). ◇ C'est à la fin du XIIIe s. (av. 1288 au pluriel) que le mot s'utilise au figuré pour «apparence», valeur abstraite qui rappelle le sens latin et disparaîtra avant l'époque classique. ◇ Le mot *habit,* qualifié, désigne (1360) un vêtement caractéristique d'une époque, d'un usage ou d'une certaine fonction, d'où à l'époque classique *habit court* pour «vêtements ordinaires» (1659), opposé à *habit long* propre à certaines fonctions (1659). *Habit rouge* désigne (1822) la tenue des soldats anglais jusqu'en 1914 et par métonymie ces soldats ; *habit vert* (1902) s'applique à la tenue des membres de l'Institut de France. Au XVIIe s., *habit* se dit spécialement (1666, Molière) d'un veston de cérémonie ; de là vient l'emploi, sorti d'usage aujourd'hui, de *habit-veste,* nom masculin (1760) «habit à basques courtes». Le sens moderne de «costume de cérémonie» est attesté en 1845 ; il s'emploie surtout dans l'expression ***en habit,*** qui correspond à *tenue de soirée,* comme la jaquette et le smoking. Voir aussi le schéma pp. 1674-1675.

HABITER v. est emprunté (v. 1050) au latin *habitare* «avoir souvent», «demeurer», fréquentatif de *habere* «avoir» (→ avoir), au supin *habitum,* d'où *habitudo* (→ habitude).

♦ *Habiter* signifie d'abord (v. 1050) «rester quelque part, vivre dans un lieu», spécialement «occuper une demeure», le sujet désignant une personne ou un animal (v. 1120) ; il a disparu en emploi pronominal (1481). L'emploi figuré avec un sujet abstrait apparaît en termes de dévotion (XIIIe s.), par exemple en parlant de la paix qui *habite* («règne dans») l'âme. La même valeur donne lieu à l'époque classique à *habiter la guerre* «avoir souvent la guerre» (1578), au XIXe s. à *habiter son fauteuil* «y rester toujours» (1866), emplois disparus. ◇ Par extension *habiter avec* signifié «fréquenter (qqn)» (v. 1225), en particulier dans le style biblique «avoir des relations charnelles (avec qqn)». ◇ Il prend en moyen français le sens de «remplir (un pays) de villes» (1393), d'où «peupler» (1629), sens qui subsiste au participe passé *(une région habitée).* Voir aussi le schéma pp. 1674-1675.

▶ **HABITANT, ANTE** n., participe présent substantivé du verbe (1er quart XIIIe s.), se dit d'un être vivant, en particulier une personne qui vit dans un lieu, d'où les emplois en périphrases à partir de l'époque classique : *les habitants de l'Olympe* «les dieux» (1677, Racine), *les habitants de l'air* (1677, Boileau), *les habitants de l'eau, des ondes,* «poissons, oiseaux». *Habitant* a désigné une personne à laquelle le roi accordait des terres dans une colonie (1654) et, de là, a pris au Canada (1675) le sens spécial de «personne qui cultive la terre» (cf. *paysan,* de *pays*). ◇ *Habitant* a remplacé *habiteur* (v. 1120), plus employé en ancien français et encore mentionné en 1842 dans le dictionnaire de l'Académie. ➜ **HABITAT** n. m. (1812 ; 1808, d'après Bloch et Wartburg), d'après le sens général du verbe, désigne le lieu occupé par une plante à l'état naturel, puis (1861) le milieu géographique favorable à la vie d'une espèce, végétale ou animale, spécialement (1902) le mode d'organisation, de peuplement par l'homme du milieu où il vit *(habitat rural, urbain)* d'où, en particulier, l'ensemble des conditions de logement (1925).

Plusieurs mots ont été empruntés à des dérivés du verbe latin. ➜ **HABITABLE** adj. (1155, *abitable*), du latin *habitabilis* «où l'on peut habiter», a servi à former le dérivé savant **HABITABILITÉ** n. f. (1801) qui a pris au XXe s. le sens de «qualité de ce qui offre plus ou moins de place à occuper» *(l'habitabilité d'une voiture).* ◇ **INHABITABLE** adj. reprend (fin XIIIe s.) le latin classique *inhabitabilis* «(lieu) qui ne peut être habité». ➜ **HABITACLE** n. m., emprunté (v. 1120) au latin ecclésiastique *habitaculum* «petite maison», n'a pas conservé le sens de «demeure» ; le mot a pris une valeur spéciale en marine (1643), désignant l'armoire qui contient les instruments de bord, puis par métonymie le poste de pilotage où se trouvent ces instruments ; cette dernière acception est reprise au XXe s. en aviation.

HABITATION n. f. est un emprunt (v. 1120, *habitaciun*) au latin *habitatio* «fait d'habiter un lieu», «demeure», dont il a conservé les sens. Le mot a eu d'autres sens liés à des valeurs spéciales du verbe *habiter :* «coït» (déb. XIIIe s.), emploi sorti d'usage après l'époque classique, «présence de Dieu dans l'âme» (1561), «établissement fait dans une colonie»

(1658), d'où «bien possédé par un colon» (1723). Comme terme juridique il a désigné (1690) le droit d'habiter une maison, pour l'épouse, après la mort du conjoint. ◇ Le sigle H. L. M. n. f. et n. m. (1951) pour *habitation à loyer modéré* est passé d'une valeur administrative précise au sens de «grand immeuble populaire». ◇ Le composé ① **INHABITATION** n. f. «état d'un lieu qui n'est pas habité» (1829) est rare. ◇ En revanche **COHABITATION** n. f. (XIIIe s.), qui était employé à côté de **COHABITER** v. intr. (fin XIVe s.) au sens propre de «[fait d'] habiter ensemble», a reçu dans l'organisation politique de la Ve République, après la présidence de F. Mitterrand (1981), une valeur précise : «coexistence d'un gouvernement et d'une majorité parlementaire "de droite" et du président socialiste», ou l'inverse. Cette valeur pourrait évidemment être appliquée à une autre situation concrète, et correspond au jeu des institutions de ce régime semi-présidentiel.

② **INHABITATION** n. f., emprunt (attesté v. 1950) au latin chrétien *inhabitatio* «présence de Dieu dans l'âme en état de grâce» (de *in* locatif; → ② in-), est un terme de théologie.

◇ voir HABITUDE, HABITUER, HABITUS.

HABITUDE n. f. a été emprunté (1365) au bas latin *habitudo* «manière d'être, aspect physique», «relation», dérivé du supin *habitum* de *habere* «se tenir, se trouver dans tel état» (→ avoir). Le rapport étymologique avec *habiter* n'est plus perçu.

♦ *Habitude* a été introduit avec le sens de «relation, rapport» et, également chez Oresme, avec celui de «disposition générale (du corps), complexion» (1370-1372), valeurs encore en usage au XVIIe s. et aujourd'hui archaïques. Le mot prend, dans la seconde moitié du XVe s., le sens de «relation de tous les jours avec qqn, fréquentation ordinaire» (1440-1475), toujours très vivant à l'époque classique, comme le pluriel *habitudes* pour «relations»; en revanche, le sens de «contrée habitée» (v. 1501) ne s'est pas maintenu. ◆ *Habitude*, sous l'influence du verbe *habituer*, est employé ensuite (1580) au sens moderne de «manière d'être, disposition acquise par la répétition», d'où les locutions ***par habitude*** (1694), ***d'habitude*** (1845). La locution usuelle dès le XVIIe s., ***avoir l'habitude*** «être accoutumé» a remplacé l'ancien verbe *soloir* ou *souloir* (fin Xe s.; du latin *solere* «avoir coutume»), dont La Bruyère relève la disparition; ont également disparu : *avoir habitude en un lieu* «avoir accès à» (XVIIe s.) et *être d'habitude* «être attaché à ses habitudes» (1787).

▶ **HABITUDINAIRE** n. m., dérivé savant, a été employé comme adjectif aux sens de «qui a l'habitude de qqch., qui y est habile» (1487), «qui est passé en habitude» (1611). Le mot est repris comme nom masculin en théologie (av. 1866) pour désigner celui qui commet habituellement le même péché. ◆ **INHABITUDE** n. f. (1758) «absence d'habitude» est à peu près inusité.

HABITUER v. tr est un emprunt (1330, *abituer*) au bas latin *habituari* «avoir telle manière d'être, être pourvu de», d'où le latin médiéval *habituare* «accoutumer» (v. 1290). *Habituari* est dérivé du latin classique *habitus* «manière d'être», de *habere* (→ habitude, avoir).

♦ *Habituer* s'est dit pour «habiller» (1330) jusqu'au XVe s. (cf. *habit*); au participe passé adjectivé, il s'emploie au sens de «qui a acquis l'habitude de» chez Oresme (1370-1372); le verbe signifie ensuite «s'établir, s'installer en un lieu» (1475, pronom.), sens en usage à l'époque classique et encore relevé par Littré; d'où *prêtre habitué* ou *habitué* (1477, n. m.), terme d'histoire aujourd'hui au sens d'«ecclésiastique attaché au service d'une paroisse sans y avoir de charge». Le sens moderne, repris au latin médiéval, est attesté en 1549 (tr. et pron., *s'habituer*); le participe passé substantivé **HABITUÉ, ÉE** est employé au sens de «personne qui fréquente régulièrement un lieu» (1778).

▶ **HABITUATION** n. f., terme didactique, désigne le fait de s'habituer à quelque chose (v. 1960). Le mot a été employé pour «coutume» (1549). ◇ Il se dit aussi d'un prêtre habitué (1743). ◆ **HABITUEL, ELLE** adj. est un emprunt (1617; *habitual*, 1611) au latin médiéval *habitualis*, dérivé de *habituari*; l'adjectif, comme en latin, signifie «passé à l'état d'habitude» (XIVe s.) puis par extension «qui est constant ou fréquent» (1671); de là viennent les sens du dérivé **HABITUELLEMENT** adv. (v. 1389) et du préfixé **INHABITUEL, ELLE** adj. (1829), relativement usuel.

◇ voir HABITUDE.

HABITUS n. m. reprend un mot latin (1586) qui signifie «manière d'être», dérivé de *habere* au sens de «se tenir» (→ avoir).

♦ Rare en français avant le XIXe s., le mot conserve le sens d'«aspect général», spécialement en médecine, où l'apparence générale est vue comme reflet de l'état de santé, et en sociologie où il se répand vers 1980.

HÂBLER v. intr. est un emprunt (1542, tr.) à l'espagnol *hablar* «parler» (*fabular* en 1115, *fablar*, verbe, 1140, puis *hablar*), issu du latin *fabulari* «parler, raconter qqch.», dérivé de *fabula* «conversation», puis «récit» (→ fable).

♦ Le verbe, avec le sens de l'espagnol, est tombé en désuétude; Th. Gautier l'emploie, mais il s'agit d'un hispanisme. *Hâbler* prend rapidement (1575) le sens de «parler avec forfanterie», emploi aujourd'hui vieilli ou littéraire.

▶ Il en va de même pour le dérivé **HÂBLERIE** n. f. (1628); seul **HÂBLEUR, EUSE** n. m. et adj. (1555) reste courant; Céline emploie une variante, avec suffixe péjoratif, **HÂBLARD, ARDE** n. et adj. (1932).

HACHE n. f. est issu (v. 1140) de *happja* «instrument tranchant», mot de l'ancien haut allemand du domaine francique.

♦ *Hache* conserve le sens étymologique, d'abord attesté pour désigner une arme offensive (v. 1140) puis un instrument servant à couper, à fendre (XIIIe s.); de ces emplois viennent *hache d'armes* (1530), *hache de guerre* (1770), *hache à main* (1802), *hache d'abordage* (1902). Le mot s'emploie à partir du XVIe s. au figuré, par analogie de forme, dans *en hache* «en forme de hache» (1551, *champ en hache*), puis dans les locutions ***fait*** (1787), ***taillé*** (1873) ***à coups de hache*** «grossièrement» et ***porter la hache***

HABIT et HABITER

les voies parallèles du maintien (manière d'être) et de l'occupation (être là)

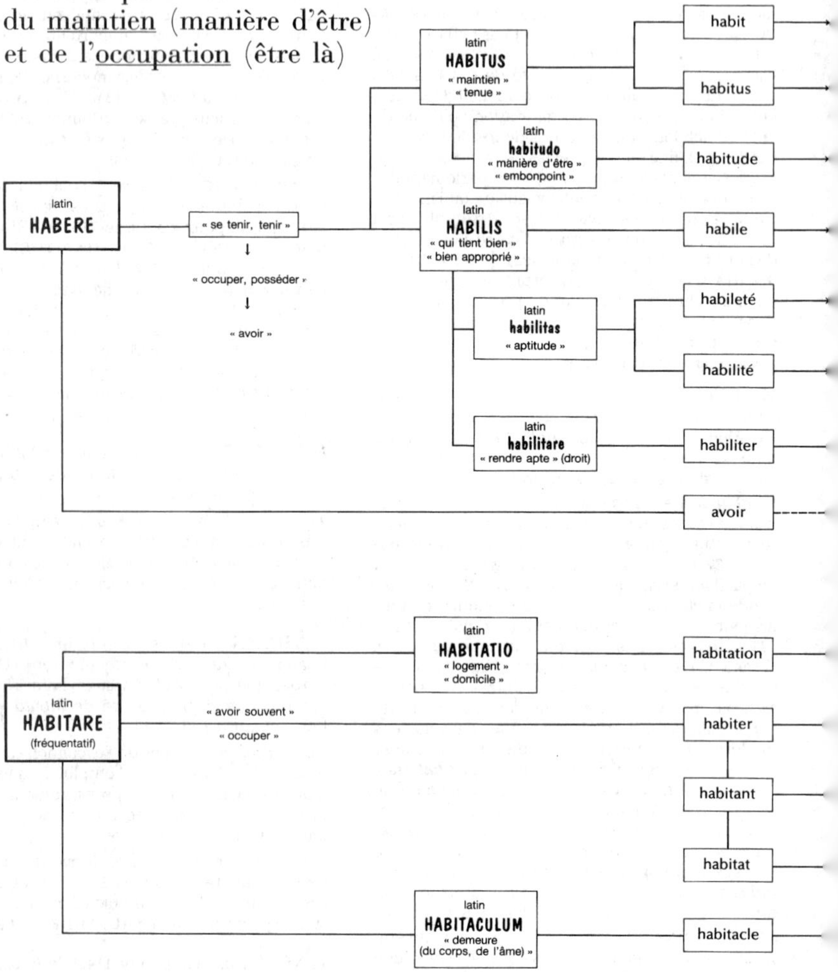

IXe s.	XIe s.	XIIe s.	XIIIe s.	XIVe s.	XVe s.	XVIe s.	XVIIe s.	XIXe s.	XXe s.
		« vêtement de religieux »		sens moderne				« costume de cérémonie »	
						« aspect général »			
				« relation, rapport » «complexion»	« fréquentation ordinaire de qqn »	sens moderne			
			« convenable, propre » →	emploi juridique ↓	« souple » « agile » « rapide » sens moderne →	« savant »			
				↓		sens moderne			
				droit ↓					
				droit					

IXe s.	XIe s.	XIIe s.	XIIIe s.	XIVe s.	XVe s.	XVIe s.	XVIIe s.	XIXe s.	XXe s.
		sens moderne	« coït »						
	sens moderne		« fréquenter qqn »	« urbaniser (un pays) »			« peupler (un pays) »		
			sens moderne				« colon » « cultivateur » [Canada]		
								sens moderne → nature	→ homme
		« demeure »					sens moderne → marine		→ aviation

(dans une administration) «y supprimer les abus», par allusion au *Comité de la hache,* chargé en 1938 de réformes administratives (la métaphore a été remplacée par celle du dégraissage).

▶ **HACHER** v. tr., dérivé de *hache* (v. 1225), est sans doute antérieur ; en effet, le composé *dehachier* est relevé en 1176-1181 (de même sens, il est utilisé jusqu'au XVIIe s.). *Hacher,* «couper en petits morceaux avec un instrument tranchant», s'utilise par analogie, en gravure (1376), pour «sillonner de hachures», d'où *haché* «ciselé» (XIVe s.) puis «couvert de hachures» (1690), et aussi au sens d'«entailler avec une hache ou un ciseau» (1611). Le verbe s'emploie à partir du XVIIe s. au sens de «couper grossièrement» (1690) et, par analogie, «endommager en brisant en petits morceaux, détruire» (1694). ◇ À la même époque, *hacher* est utilisé au figuré ; la locution ***se faire hacher*** signifie «être disposé à tout supporter pour défendre qqch.» (1693) et «se défendre jusqu'au bout» (1759), d'où ***haché menu comme chair à pâté*** «massacré». ◇ La locution ***hacher de la paille*** s'est dite pour «parler (de manière saccadée) allemand» (1867), «parler en marquant fortement les accents» (1873), sens lié à celui de *hacher,* «entrecouper, interrompre» (1877) antérieurement relevé au participe passé adjectivé (1798).
Sur *hacher* ont été formés des termes techniques, les dérivés **HACHEUR, EUSE** n. (XIVe s.), **HACHEUSE** n. f. (1873) et les composés, tous n. m. inv. **HACHE-PAILLE** (1765), **HACHE-ÉCORCE** (1866), **HACHE-LÉGUMES** (1866), **HACHE-FOURRAGE** (1902) et **HACHE-MAÏS** (1902). ➜ **HACHIS** n. m. désigne un mets de viande hachée (1538 ; v. 1280, *hagis*), *hachis Parmentier,* «aux pommes de terre», n'étant attesté qu'au XXe siècle. Le mot a été un terme technique (1355, *hacheiz,* «travail au burin») et s'emploie au figuré pour «mise en pièces, destruction», «réunion informe de fragments», comme *compote* et *marmelade.* ➜ **HACHEMENT** n. m., au pluriel comme terme de blason (1349) «découpure des lambrequins», ne s'emploie plus pour «action de hacher» (1606), alors remplacé par **HACHAGE** n. m. (1866) ; il est utilisé (1962) comme terme technique, en maçonnerie.
HACHOIR n. m. désigne (1471) la planche sur laquelle on hache et le couteau pour hacher, cette dernière acception étant plus tardive selon *T. L. F.* (1701, date du *F. e. w.* pour la planche). Le mot s'applique plus tard à un instrument mécanique (XXe s.), aussi nommé **HACHE-VIANDE** n. m. inv. (1893). ➜ **HACHURE** n. f. est comme *hachement* un terme de blason (1450, *hacheure,* «cordon liant les lambrequins») avant d'être utilisé en gravure (1675) pour désigner l'un des traits qui marque les demi-teintes, les ombres, et dans le vocabulaire technique (1723). Le mot prend ensuite le sens figuré de «fragment d'un ensemble qui paraît brisé» (1770) puis désigne l'un des traits qui figure, sur une carte, les accidents du terrain, etc. (1873). ◇ En dérive **HACHURER** v. tr. (1893), surtout au participe passé, d'où vient le terme technique **HACHURATEUR** n. m. (1907).
Sur *hache* ont été dérivés les diminutifs **HACHETTE** n. f. «petite hache» (XIVe s. ; 1250, *hachete*), **HACHEREAU** n. m. (1456), terme technique, et **HACHOT** n. m. (XVIe, repris mil. XXe s.), ainsi que les termes techniques **HACHOTTE** n. f. (1789) et **HACHARD** n. m. (1838) désignant divers instruments.

HACHISCH → **HASCHISCH**

HACIENDA n. f. est un mot emprunté (1827) à l'espagnol *hacienda* «exploitation agricole» (XVe s.), surtout utilisé en ce sens en Amérique latine ; l'espagnol est issu du latin *facienda* (participe neutre pluriel substantivé de *facere* «faire» ; → faire) «choses à faire», d'où l'ancien espagnol *facienda* «affaire, occupation» (1115), puis *hacienda* «travail» (déb. XVIIe s.), ensuite «biens, richesses» et «troupeau, ferme». De là viennent aussi l'ancien provençal *fazenda* «petite ferme», et le portugais *fazenda* «grande propriété au Brésil» (1822), parfois employé en français à propos du Brésil. *Hacienda* même n'est utilisé que pour parler de l'Amérique latine.

HADDOCK n. m. est une forme reprise en 1708 (*hadock,* graphie donnée encore par Littré) à l'anglais *haddock* (XIVe s., *haddoc, hadoke*) «aiglefin fumé». On trouve en ancien français *hadot,* pluriel *hados,* en usage du XIIIe à la fin du XVIIe s. (1285, attestation isolée *hadoc,* 1555 *hadou, hadoche*), *hadot* «aiglefin» au XIIIe s., *hadoc* en anglo-normand et *haddocus* en anglo-latin. L'ensemble est d'origine obscure. ➜ Le mot désigne l'églefin fumé.

HADRON n. m. est un composé savant (v. 1965), d'abord formé en russe (*adron,* 1962), du grec *hadros* «abondant», et de *-on* (de *électron*) qui désigne une particule lourde. Il s'oppose à *lepton* (→ lepto-).

HAGARD, ARDE adj., attesté sous la forme *hagart* comme terme de fauconnerie (v. 1393), est d'origine incertaine. On l'a considéré comme dérivé de *hague* (1341), forme normande de *haie. Hague* a donné le dialectal *hague* «palissade» (1780) et «bâton, trique». Un faucon *mué de haie* «sauvage» s'opposait à *mué de ferme* «domestique». Le mot pourrait être emprunté à un moyen anglais °*hagger* «sauvage», dérivé de *hag* «sorcière» (cf. allemand *Hagerfalk* «faucon sauvage»).

♦ *Hagard* s'est dit en fauconnerie de l'oiseau qui, capturé adulte, restait trop farouche pour être apprivoisé (opposé à *niais* «pris au nid», et à *sors* «en plumage brun de jeune»). Le mot s'applique ensuite aux personnes (fin XIVe s.), mais cet emploi au sens de «farouche» est aujourd'hui littéraire. ◇ On ne retient ensuite que le sens de «farouche» en parlant du sentiment : *cueur hagart* «sauvage» (déb. XVe s.), puis de l'expression *regard hagart* (1577) et *oil (œil) hagard* (1585). Le mot, surtout à partir de son emploi par Hugo à côté de *farouche, fauve,* etc., se dit de ce qui rend l'homme hagard.

HAGIOGRAPHE adj. et n. est un emprunt savant (fin XVe s., *agyographe,* n. m.) au bas latin *hagiographa,* pluriel neutre, emprunté au grec ecclésiastique *hagiographa (biblia)* «les livres hagiographes de la Bible», composé de *hagios* «saint, sacré», et de *-graphos* «ce qui est écrit», de *graphein* «écrire» (→ graphe).

♦ *Hagiographe* a eu ce sens étymologique comme nom et comme adjectif (1704, *livre hagiographe*). Le mot s'emploie ensuite (déb. XVe s.) au sens d'«auteur qui écrit la vie des saints», composé alors de *hagio-*, de *hagios*, et de l'élément *-graphe*. Par extension le mot a pris la valeur de «biographe qui embellit la vie de son héros».

▸ En dérive **HAGIOGRAPHIE** n. f. (1813), d'où vient **HAGIOGRAPHIQUE** adj. (1840), souvent employé par extension pour «absolument laudatif».
HAGIOLOGIE n. f. (1840; composé savant du grec *hagios*, et de *-logie*) est un terme didactique désignant l'étude de la sainteté.

HAIE n. f. est issu (v. 1120) du francique *°hagia* «haie» (d'arbres, etc.), qui correspond à l'ancien haut allemand *hegga* «pieu, palissade», au moyen néerlandais *hegge* «haie, clôture»; le latin médiéval *haja* est attesté au sens de «haie» au IXe siècle.

♦ *Haie* conserve le sens étymologique, avec les syntagmes *haie vive* et *haie morte* (1600). ◇ Le mot prend le sens d'«obstacle» (fin XIIIe s.) en parlant d'une file de choses qui interdit le passage, d'où son emploi en hippisme (1853) et en athlétisme (1884). ◇ Par analogie et au figuré, *haie* désigne (v. 1360) une file de personnes bordant une voie, notamment dans les locutions *faire, former la haie*. ◇ Par ailleurs, *haie* est un synonyme vieilli (1280) de *flèche* (en parlant d'une charrue).

▸ Le dérivé **HAYON** n. m. s'est employé dialectalement pour «étal, échoppe» (1280), c'est-à-dire «claie sur laquelle on place les marchandises»; le mot a encore dans des dialectes le sens de «claie formant abri» (relevé par Littré en 1877). *Hayon* prend ensuite le sens de «panneau amovible» (1872, pour une charrette, mais antérieur; 1926 pour un camion). De ce sens vient (1867) la forme agglutinée avec l'article *layon* (pour *l'hayon*).

HAÏK n. m. est emprunté (1725 au féminin, 1830 nom masculin), d'abord sous la forme francisée *heque* (1654), à l'arabe maghrébin *ḥayk*, issu du verbe *ḥāka* «tisser» et désignant une longue pièce d'étoffe dans laquelle les femmes musulmanes se drapent. Le mot a connu de nombreuses variantes : *hayque* (1667), *alhaique* (1670), *eque* (1675), *haïque* (1683), *hayc* (1686).

HAÏKAÏ ou **HAÏ-KAÏ** n. m., attesté chez Paul Eluard (1920) dans un titre de recueil *(Pour vivre ici, onze haïkaïs)*, est la translittération d'un mot japonais, attesté en 905, comme titre d'une section d'une anthologie, sous la forme *haïkaï-ka*. C'est un terme d'origine chinoise signifiant «poème mettant en œuvre les jeux de l'esprit»; associé avec ce sens au *renga* (1356, *haïkaï renga*), le *haïkaï* devient un genre autonome à partir du XVIIe s., en particulier avec l'école de Bashô (1644-1694); œuvre collective, les haïkaïs sont construits à partir d'un thème, lors de séances qui réunissent plusieurs poètes, et ils s'enchaînent. Chaque *haïkaï* se compose, comme le renga, d'une strophe de 17 syllabes (5/7/5) issue d'un genre ancien, le *tanka* (5/7/5/7/7).

♦ En français, le mot conserve le sens du japonais et désigne par ailleurs un poème construit selon la structure syllabique du *haïkaï*.

▸ **HAÏKU** n. m., autre emprunt (attesté 1922) au japonais, représente la contraction de *haïkaï-hokku*, *hokku* désignant d'abord le verset initial d'une séquence, puis un verset détaché. Ce mot a été proposé en 1891 par l'écrivain Masaoka Shiki (1867-1902) pour désigner un poème de même structure que le haïkaï, mais composé hors de toute préoccupation d'enchaînement. En français, les mots *haïkaï* et *haïku* sont employés, hors du cercle des spécialistes, indifféremment avec le même sens.

HAILLON n. m. a été emprunté (1391) au moyen haut allemand *hadel*, variante de *hader*, «lambeau, guenille», ou bien dérivé (suffixe diminutif *-on*) de *hailles* «guenilles», emprunt au moyen haut allemand. *Hailles* est relevé seulement au XIXe s., avec divers sens, dans plusieurs dialectes (wallon, picard, champenois) mais est beaucoup plus ancien, comme l'indique son aire d'extension très large et celle de ses dérivés.

▸ **HAILLONNEUX, EUSE** adj. «qui tombe en lambeaux», vieilli aujourd'hui, se trouve chez Ronsard (1569); le mot s'emploie ensuite au sens de «vêtu de haillons» (1580).

HAÏR v. tr. est issu (1080), antérieur sous la forme préfixée *enhadir* (v. 1050), de l'ancien francique *°hatjan* «haïr», restitué d'après l'ancien haut allemand *hâzen, hazôn*, le moyen haut allemand *hazzen* (cf. allemand *hassen*, anglais *to hate*).

♦ *Haïr*, «éprouver un sentiment de haine envers (qqn)», s'emploie d'abord en parlant de personnes (1160, en construction absolue), ensuite de choses (1165); les constructions *haïr à* et *haïr de*, courantes à l'époque classique, sont aujourd'hui tombées en désuétude.

▸ Le dérivé **HAINE** n. f. (v. 1360) apparaît sous la forme *haïne* (v. 1150) puis *hayne* (1283). La locution ***en haine de*** (1644, Corneille), vieillie aujourd'hui, tend à être supplantée par ***par haine de*** (XXe s.). Récemment, *avoir la haine* «être furieux, en colère» a donné lieu à un emploi elliptique, *la haine !*, *avoir la haine* dans le langage des jeunes (années 1980), à propos du ressentiment social.
De *haine* vient **HAINEUX, EUSE** adj., à l'origine «détesté, haï» (1155, *haïnus*); l'adjectif prend aussi (v. 1165) le sens de «naturellement porté à la haine», d'où «qui exprime la haine, est inspiré par la haine» (1365). ◇ L'adverbe dérivé **HAINEUSEMENT** est aujourd'hui d'emploi littéraire (fin XVe; mil. XIVe s., *haingneusement*). ◆ **HAÏSSABLE** adj. a été construit (1569) à partir du radical du participe présent et de l'imparfait de *haïr* (la forme *haable*, XIIIe s., vient de *haïr*). ◆ Le dérivé **HAÏSSEUR, EUSE** adj. et n. est aujourd'hui d'emploi rare (1566); il s'est substitué aux formes *hayor* (déb. XIIIe s.), *haere* (v. 1245), de *haïr*.

HAIRE n. f. vient (1re moitié Xe s.) de l'ancien francique *°harja* «vêtement grossier fait de poil», restitué par l'ancien haut allemand *harra* et qui a abouti à l'allemand *Haar* et à l'anglais *hair* «cheveu».

♦ En français, la *haire* est d'abord une chemise faite de crin, que l'on porte par esprit de mortification; le mot s'emploie ensuite (v. 1170) par extension pour désigner un tissu grossier qui n'a pas été soumis au foulage (1723, *drap en haire*). ◇ Par figure, *haire* a signifié en ancien français (v. 1150) «tourment, peine», d'où l'adjectif *haire* «malheureux» (v. 1250).

HALBRAN n. m. est un emprunt (v. 1393, *halebran*) au moyen haut allemand *halberant*, proprement «demi-canard», parce que le jeune canard sauvage est petit; on trouve la forme *albran* chez Rabelais (1552) et la forme moderne est attestée en 1636.

▸ Le dérivé **HALBRENER** v. intr. (XVIe s.; 1373 au participe passé) «chasser le halbran» est sorti d'usage. ➛ **HALBRENÉ, ÉE** adj. (v. 1200), ancien terme de fauconnerie (*faucon halbrené*, «qui s'est brisé des plumes en halbrenant»), s'est employé au figuré au sens de «rompu de fatigue» (XVIe s.), «en mauvais état» (1694).

HALEINE n. f. représente, d'abord sous la forme *aleine* (1080), le déverbal de l'ancien verbe *alener* (ci-dessous).

♦ *Haleine* signifie d'abord «air qui sort des poumons» et par métonymie «souffle» (1080); par analogie, il désigne plus généralement ce qui s'exhale comme un souffle (déb. XIIIe s., «souffle du vent»), en particulier une odeur qui se dégage (1690). ◇ *Haleine* a pris, surtout dans des locutions, le sens figuré (1595) de «capacité de soutenir un effort intellectuel prolongé», littéraire aujourd'hui. *Haleine* «respiration» entre dès le moyen âge dans la formation de locutions: ***reprendre haleine*** (XIIIe s.; *prendre haleine* est archaïque), au propre et au figuré; ***en haleine*** (1456), c'est-à-dire dans un état tel qu'il n'est pas nécessaire de s'arrêter pour reprendre haleine, surtout au figuré dans ***tenir qqn en haleine*** (1580); ***d'une haleine*** «sans s'arrêter pour respirer» (v. 1460) d'où au figuré «sans pause» (1677); ***hors d'haleine*** (v. 1460); ***de longue haleine*** (1595) «qui dure longtemps» et aujourd'hui «qui demande beaucoup de temps». La locution adverbiale ***à perdre haleine*** (av. 1634) est toujours en usage; ***à perte d'haleine*** (1673), de même sens, est archaïque, comme ***être sans haleine*** «sans force», *perdre haleine* «mourir» et ***perdre haleine*** signifie depuis le XIXe s. (av. 1834) «ne plus pouvoir respirer, à la suite d'un effort trop soutenu».

▸ **HALENER, HALEINER** v. tr., à l'origine du nom, est issu du latin populaire °*alenare*, altération du latin classique *anhelare* «respirer difficilement, exhaler», par métathèse de *n* et *l* (cf. italien *alenare*, ancien provençal *alenar*); le *h* initial vient d'une réfection orthographique, d'après le latin *halare* «souffler». ◇ Le verbe a été repris à la fin du XIXe s. par Moréas, Huysmans et reste d'usage littéraire. *Halener*, tr. (*aleiner*, v. 1165), a signifié «exhaler son haleine» et, par extension, «souffler» (XVIe s.); comme v. intr., *halener* a eu le sens figuré (*alainer*, v. 1170) de «deviner, pressentir» (cf. *flairer*). ➛ Le dérivé **HALENÉE** n. f. (1180-1190, *alenee*) «souffle, respiration» est aujourd'hui seulement d'usage littéraire (cf. *haleinée* dérivé de *haleine* chez Giono).

◈ voir HALETER.

① **HALER** v. tr. est emprunté (déb. XIIe s.) au germanique occidental °*halôn* «amener, aller chercher» restitué par l'ancien haut allemand *halôn, holôn*, le moyen haut allemand *halen, holen* «faire venir, chercher à atteindre, tirer hors de» et le moyen néerlandais *halen* «aller chercher, aller prendre»; en normand, *haler* a gardé le sens général de «tirer».

♦ Le verbe, terme de marine, signifie d'abord «tirer sur (un cordage, un câble, etc.)», puis (v. 1180) équivaut à «tirer au moyen d'un cordage» et, par extension, à «remorquer (un bateau) au moyen d'un cordage qu'on tire du rivage» (XIIIe s.; *se haler*, 1833).

▸ Les dérivés de *haler* appartiennent au vocabulaire de la marine: **HALAGE** n. m. (1488) «action de haler» est usuel dans ***chemin de halage*** (1691). ➛ **HALEMENT** n. m. (1660 «action de haler», emploi disparu, a été repris (1676) comme terme de charpenterie. ➛ **HALEUR, EUSE** n. (1680), «personne qui hale», a été repris comme nom masculin (1931) pour «treuil pour remonter les filets». ➛ Enfin, **HALIN** n. m. «cordage» (1679) est sorti d'usage.
Le composé **DÉHALER** v. tr., terme technique (de ① dé-) au sens de «déplacer (un navire) au moyen de ses amarres» (1529, *deshaler*), s'est employé au pronominal pour «avancer, marcher» dans l'argot des marins (1883, Corbière). ➛ Il a fourni **DÉHALAGE** n. m. (XXe s.).
De nombreux composés ont eu cours en marine, tels **HALE-À-BORD** n. m. (1691), **HALE-AVANT** n. m. (1772), **HALE-DEDANS** n. m. (1836), etc.

② **HALER** → **HALLALI, HARO**

HÂLER v. tr. est d'abord attesté (v. 1180) comme participe passé adjectivé (*baston halé*, «sec, desséché») et au XIIIe s. (v. 1225-1230) à l'infinitif; on relève au moyen âge les formes *harler, haller, hasler*. L'origine du mot est incertaine, peut-être un latin populaire °*assulare*, altération du latin classique *assare* «rôtir», le *h* provenant d'un croisement avec le néerlandais *hael* «desséché» (ou un autre mot de la famille du francique °*hallôn* «sécher»); le verbe pourrait être issu directement de °*hallôn*.

♦ *Hâler* a eu pour premier sens «dessécher (les végétaux)», en parlant du soleil; le verbe s'emploie ensuite pour «rendre (la peau, une partie du corps) plus ou moins brun» (v. 1225-1230; 1690 au pronominal, *peau qui se hâle*).

▸ Le déverbal **HÂLE** n. m., sous cette forme au XVIIe s. (1176, *hasle*; XIIIe s., *halle*, puis *hale*, du début du XVe jusqu'au XVIIe s.), a eu une évolution sémantique parallèle à celle de *hâler*, le sens de «couleur prise par la peau exposée au soleil et à l'air» étant attesté en 1690. ➛ **HÂLOIR** n. m. est un terme technique, lié au premier sens du verbe, qui désigne un séchoir (pour le chanvre, 1752, pour les fromages à pâte molle, 1895). ➛ **HALETTE** n. f., mot régional (Lorraine) attesté en 1903, désigne une coiffe protégeant du hâle; *helot*, nom masculin (1876), a le même sens.

Le préfixé antonyme **DÉHÂLER** v. tr. (1690, *dehasler*) «faire perdre son hâle à (qqn)» est demeuré rare.

HALETER v. intr., attesté au XIIe s. (v. 1165), a été considéré (Bloch et Wartburg) comme un dérivé d'*aile*, sur le modèle *voler/voleter*, signifiant proprement «battre des ailes» (cf. en Anjou et en Poitou, *daleter* «battre des ailes»), appliqué par métaphore au cœur; le *h* serait d'origine expressive. *Haleter* pourrait être aussi un dérivé d'un ancien verbe *haler* de même sens, maintenu dans les dialectes, et issu du latin classique *halare* «exhaler (une odeur, un souffle)» d'origine incertaine, dont un composé a donné *haleiner* (→ haleine).

♦ Le sens de «palpiter» demeure aujourd'hui dans quelques emplois. *Haleter* prend au XVIe s. le sens de «respirer bruyamment, être essoufflé» (1538) et s'emploie au figuré pour «aspirer ardemment» (1559), usage archaïque auquel s'est substitué celui d'«être tenu en haleine». Par analogie, *haleter* s'emploie aussi (1873) au sens de «faire un bruit qui évoque un halètement».

▸ **HALÈTEMENT** n. m. (1495), très peu employé jusqu'au milieu du XIXe s. puis assez usuel, et **HALETANT, ANTE** adj. (1539) ont eu une évolution sémantique parallèle à celle du verbe.

HALF TRACK n. m. est un mot emprunté (1946) à l'américain *half-track*, littéralement «semi-chenillé» de *half* «demi», et *track* au sens de «chenille».

♦ Le mot a désigné une semi-traction par chenilles (les roues avant restant libres), puis le véhicule militaire lui-même.

HALL n. m. est un emprunt (1672) à l'anglais *hall*, de l'ancien francique °*halla* ou °*hala* (→ halle); en anglais le mot a signifié d'abord «halle» (XIIe s.) puis a désigné toute grande salle et toute demeure ayant une telle salle (manoir, maison de réunion, etc.); ensuite *hall* prend le sens d'«entrée», pièce plus vaste des grandes demeures anglaises.

♦ Le mot est introduit en français pour désigner une réalité anglaise, la maison où se réunissent les membres d'un corps de métier; il n'est repris que dans la seconde moitié du XIXe s., toujours à propos de l'Angleterre, au sens de «grande salle ou galerie d'un château» (1872, Taine). ◇ *Hall* désigne ensuite (1879) une grande salle par laquelle on a accès à l'intérieur d'un édifice public ou privé. *Hall* est entré dans le vocabulaire technique (1973 *hall d'assemblage*, en astronautique).

◈ voir MUSIC-HALL (sous MUSIQUE).

HALLALI n. m. et interj. est un terme de chasse à courre, d'abord attesté (1683) sous la forme *ha la ly;* la graphie moderne est relevée en 1751. Le mot est composé de *haler* «exciter les chiens» (→ ② haler, haro), et de *à lui*, sous la forme réduite *a li* (donc «hale à lui»).

♦ *Hallali* est le cri qui annonce que la bête poursuivie est aux abois, d'où le nom (1866) désignant ce cri ou la sonnerie du cor *(sonner l'hallali)* et, par métonymie, le moment où l'animal est mis à mort (1877, Zola). ◇ Le mot s'emploie au figuré pour «dernier temps d'une poursuite», «approche de la fin, de la mort» (aussi au figuré *sonner l'hallali*, 2e moitié XIXe s.).

HALLE n. f. est issu (1213, *hale*) de l'ancien francique °*halla* «vaste emplacement couvert», restitué par l'ancien haut allemand *halla*, le moyen haut allemand *halle* (cf. l'allemand *Halle*) → hall.

♦ *Halle* conserve le sens étymologique au sujet de l'emplacement où se tient un marché; au singulier, le mot ne s'emploie aujourd'hui qu'en parlant de bâtiments anciens ou dans des locutions ***(halle aux vins, halle aux poissons).*** ◇ *Les halles* (v. 1260, *hales*) désigne l'emplacement où se tient le marché central des denrées alimentaires d'une ville (1873 en emploi absolu: *les Halles*, celles de Paris). En locution ***(de la halle, des halles),*** le mot s'utilise pour connoter un ton ou un langage considéré comme populaire (1595, Montaigne, *mots (...) qui servent aux hales*, puis Boileau (1674), *le langage des halles*). Ainsi, le dictionnaire de l'Académie (1694) fut considéré par certains comme le «dictionnaire des Halles», à cause des emplois jugés vulgaires. ◇ Par analogie de dimension, *halle* a désigné une grande salle (1690) et, spécialement, un grand atelier de verrerie (1784); au sens de «grande salle», le mot est encore en usage en Suisse, dans *halle de gymnastique, halle des fêtes* (cf. l'anglicisme *hall*).

▸ **HALLAGE** n. m. a désigné (v. 1260, *halage*) un droit payé sur les marchandises vendues aux halles, puis à partir du XVIIIe s. (1723) la taxe payée par les marchands qui y vendent. ◂ ① **HALLIER** n. m., réfection (XVIIe s.) de *halier* (v. 1260), a disparu au sens de «gardien des halles»; il n'est employé que par archaïsme pour «marchand qui vend aux halles» (1723).

HALLEBARDE n. f., réfection (1448) de *allabarde* (1333), est emprunté au moyen haut allemand *helmbarte*, littéralement «hache *(barte)* à poignée» *(helm, halm)*; → heaume.

♦ Le mot désignait une arme à longue hampe, importée en France d'Allemagne, de Suisse, et utilisée du XVe au XVIIe siècle. La hallebarde est conservée comme arme d'apparat. Le mot est toujours employé dans la locution figurée ***il pleut (il tombe) des hallebardes*** «il pleut à verse». ◇ La locution attestée au XVIIIe s. ***rimer comme hallebarde et miséricorde,*** signifiant «rimer très mal», est vieillie; elle a reçu une explication anecdotique au XIXe s.: elle proviendrait d'une épitaphe rédigée par un marchand à qui on avait assuré que l'identité des trois dernières lettres du dernier mot de deux vers suffisait à faire la rime.

▸ Le dérivé **HALLEBARDIER** n. m. est d'abord attesté (1483) sous la forme *halbardier*.

① **HALLIER** → HALLE

② **HALLIER** n. m., réfection (déb. XVIe s.) de *haillier* (mil. XVe s.), est issu par substitution de suffixe de l'ancien français *hal(l)ot* «buisson, saule à tête» (1283-1286), mot encore vivant dans les dialectes normand et picard. *Hal(l)ot* est issu du latin médiéval *hasla* «rameau», lui-même du francique °*hasal* «buisson du noisetier», reconstitué par l'ancien haut allemand *hasala*, le moyen haut allemand et le moyen néerlandais *hasel* (cf. allemand *Hasel* et anglais *hazel*).

♦ Le mot désigne un groupe de buissons serrés et touffus.

HALLUCINÉ, ÉE adj. et n. est un emprunt (1611, *halluxiné*) au latin classique *hallucinatus*, auparavant *alucinatus*, participe passé de *hallucinari* «dormir debout», «divaguer, rêver» et, en bas latin, «avoir des hallucinations, se tromper». Ce verbe, non attesté avant Cicéron et peu employé à l'époque classique, est dérivé du grec *aluein* «errer», «être agité, hors de soi».

♦ Le mot est introduit avec le sens de «qui a des hallucinations»; il est repris au XIXe s. comme nom (1845) et adjectif, au sens de «qui a le caractère de l'hallucination» (1851), au figuré dans le titre *Les Campagnes hallucinées*, de Verhaeren (1893).

► Le v. tr. **HALLUCINER**, au sens de «provoquer des hallucinations», est relevé chez Hugo (1862); il prend à la fin du XIXe s. le sens de «rendre halluciné, obséder» (1891) et se diffuse dans le langage «des jeunes» (années 1980) comme intransitif, pour «rêver» (*j'hallucine* : «c'est fou, absurde, on croit rêver»). ⟡ En dérivent **HALLUCINATEUR, TRICE** adj. (1835) d'emploi littéraire, et **HALLUCINANT, ANTE** adj. (1862), qui s'applique d'abord à ce qui hallucine; par affaiblissement de sens, *hallucinant* s'emploie comme intensif (1866, *une netteté hallucinante*, Flaubert) puis qualifie ce qui a une grande puissance d'évocation (1908).

HALLUCINATION n. f. est emprunté (1660) au latin impérial *hallucinatio* «méprise, hallucination», du supin du verbe classique. Terme médical pour «perception pathologique de faits qui n'existent pas», le nom prend le sens figuré et courant aujourd'hui (1831, Balzac) d'«erreur des sens, illusion». ⟡ Sur le radical d'*hallucination*, ont été dérivés **HALLUCINATOIRE** adj. (1872) et les composés **HALLUCINOSE** n. f. (1908; de *-ose*), didactique, et **HALLUCINOGÈNE** adj. et n. m. (1934; de *-gène*) qui s'applique notamment aux drogues.

HALO n. m. est emprunté (v. 1360) au latin *halos*, hellénisme. Le grec *halôs* désigne une aire à battre le blé et, par extension, toute surface ronde comme une aire, spécialement un cercle lumineux autour du soleil et de la lune.

♦ C'est avec le dernier sens qu'est introduit le mot en français. Par extension, *halo* désigne une auréole lumineuse autour d'une source de lumière (1884, Huysmans), en particulier en photographie (1891) — d'où **ANTIHALO** adj. et n. m. (1907; de ① anti-). ◇ Au XXe s. *halo* a pris des valeurs scientifiques (*halo galactique* en astronomie; *halo glaucomateux* en ophtalmologie) et s'emploie également au figuré (1908, R. Rolland) comme *aura* et *rayonnement*.

HALO- élément tiré du grec *hals, halos* «sel» est utilisé pour former de nombreux mots dans les domaines de la biologie, de la botanique et de la chimie.

► **HALOPHILE** n. m. (1817, de *-phile*) aussi adj. (1840) se dit de plantes qui croissent en terrain salé. ⟡ **HALOGRAPHIE** n. f. (1819, de *-graphie*) «étude des sels», est archaïque. ⟡ **HALOMÉTRIE** n. f. (1866, de *-métrie*) concerne la détermination du titre des solutions salines.

HALOGÈNE n. m. (1826, de *-gène*), nom d'un élément chimique, voisin du chlore, est devenu usuel dans *lampe à halogène* ou *halogène*, n. m. (v. 1970). ◇ En dérivent des termes de chimie comme **HALOGÉNATION** n. f. (1930), **HALOGÉNURE** n. m., qui ne concernent que la valeur chimique de *halogène* (1934). ⟡ **HALON** n. m. est construit à partir du radical de *halogène*, et du suffixe *-on*, sur le modèle des noms de gaz rares (*néon, argon*, etc.).

HALTE n. f. est emprunté (1566, *faire halt*) à l'allemand *Halt* «arrêt», terme militaire, impératif substantivé de *halten* «arrêter», du francique °*halt* qui avait donné en ancien picard *halt* (XIIe s.), «lieu où l'on séjourne». La variante *alte*, utilisée du XVIe au XVIIIe s., est due à l'italien *alto* «arrêt au cours d'une marche», en parlant d'une armée (fin XVe-déb. XVIe s., dans l'expression *fare alto* «s'arrêter»), lui-même repris de l'allemand.

♦ *Halte* s'emploie d'abord dans ***faire halte***. Le mot est ensuite usité comme interjection, d'abord dans les commandements militaires (1636), où *halte* signifie «temps d'arrêt consacré au repos», puis au figuré pour arrêter quelqu'un dans ses propos, ses actions (1669, Molière; aussi *alte-là !*). *Halte* désigne ensuite par métonymie (1794) le lieu où l'on s'arrête, d'où son emploi dans le vocabulaire des chemins de fer (1866), distinct de celui de *gare*. Au figuré, *halte* signifie ensuite «moment de pause» (1830, Lamartine) et spécialement «diminution temporaire d'un mal» (1843, Balzac).

HALTÈRE n. m. apparaît une première fois, sous la forme *alteres*, chez Rabelais (1534); le mot, repris en 1636, est rare jusqu'au XIXe siècle. Il est emprunté au latin impérial *halteres* (pl.), du grec *haltêres* «balanciers pour le saut, la danse», du verbe *hallesthai* «sauter», apparenté au latin *salire* et *saltare* (→ saut).

♦ *Haltère* s'emploie le plus souvent au pluriel, notamment pour désigner l'exercice sportif qui consiste à soulever des barres de métal munies de boules à leurs extrémités (*poids et haltères*).

► Sur *haltère* a été composé **HALTÉROPHILE** n. et adj. (1903; de *-phile*), d'où **HALTÉROPHILIE** n. f. (1924).

HALVA n. m., réfection (1890) de *halwah* (1826), est un mot emprunté au turc *halva*, de l'arabe *halwä* «douceur».

♦ Il désigne une confiserie orientale, d'origine turque.

HAMAC n. m. apparaît sous différentes formes, du début du XVIe jusqu'au milieu du XVIIe s., dans des traductions de récits de voyage (d'abord italiens) et des histoires des Indes : vers 1525, *amache;* 1532, *amacca;* 1545, *hamaca;* 1568, *hamacque;* 1640, *hamat;* il est attesté sous la forme actuelle en 1659. Le mot est emprunté à l'espagnol *hamaca* (1519), lui-même emprunté au taïno (langue indienne disparue) de Haïti, *hamacu.*

♦ Il désigne un rectangle de toile (ou un filet) suspendu, qui sert de lit dans les régions tropicales. Il a été répandu par son usage dans la marine.

HAMADRYADE → **DRYADE**

HAMBURGER n. m., attesté en français chez P. Morand (1930), est emprunté à l'américain *hamburger* (1902, proprement *hambourgeois*), de *Hamburg,* nom anglais (et allemand) de *Hambourg.* C'est l'abréviation de *hamburger steak* (1889) «steak hambourgeois» ; on ignore la raison pour laquelle ce plat a été qualifié aux États-Unis de hambourgeois.

♦ Le mot, qui désigne un bifteck haché servi dans un pain rond (ou, en France, recouvert d'un œuf au plat), ne s'est répandu en français qu'à partir de la Seconde Guerre mondiale, sous l'influence des soldats américains. Aux États-Unis, la référence à *Hambourg* s'est perdue (mais le français du Québec la rétablit en traduisant *hambourgeois*), d'où l'utilisation de *-burger* dans la formation de très nombreux composés comme *cheeseburger* «hamburger au fromage», — de *cheese* «fromage» — parfois utilisés comme emprunts en français.

HAMEAU n. m., réfection (XIIIe s.) de *hamel* (v. 1170), est un diminutif de l'ancien français *ham,* attesté surtout dans des noms de lieux (France septentrionale), lui-même issu du francique °*haim* «petit village» (cf. allemand *Heim* «domicile, foyer», anglais *home,* de même sens, et les toponymes français *Le Hamel, Hamelin,* etc., les patronymes *Duhamel, Duhameau,* etc.).

♦ *Hameau,* qui désigne un groupe d'habitations rurales situées à l'écart d'un village, est aussi (1968) un terme militaire (*hameau stratégique*). Le mot appartient au domaine d'oïl ; dans la France du Sud, on emploie toujours *village* pour *hameau.*

◈ voir **HANTER.**

HAMEÇON n. m., réfection d'après le latin (fin XIIIe s.) de *esmeçon, ameçon* (1174-1187), est dérivé (à l'aide du suffixe *-(e)çon, -(e)sson,* sur le modèle de *poinçon, écusson*) de l'ancien français *aim, ain* (fin XIe s.), issu du latin classique *hamus* «hameçon, crochet», d'origine inconnue.

♦ *Hameçon,* qui désigne d'abord un instrument de pêche, est très vite employé au figuré (1269-1278, *ameçon*) au sens de «piège, appât», notamment dans des locutions (1669, ***mordre à l'hameçon, gober l'hameçon***).

▸ **HAMEÇONNER** v. tr. apparaît d'abord au participe passé sous les formes *hamessonnes* «recourbé, crochu» (fin XIVe s.), *hamensonné* «pris à l'hameçon» (1464) et «garni d'hameçons» (1606). ◇ Le verbe actif *hameçonner* «prendre à l'hameçon» est attesté au début du XVIIe s. (1609) ; il a aussi (1611) le sens de «garnir d'un hameçon». Le sens figuré de «séduire» est relevé une première fois en 1589 et repris en 1832. La métaphore est celle de «prendre à l'appât».

HAMMAM n. m. est un mot emprunté (1655), par l'intermédiaire du turc, à l'arabe *ḥammām* «bain chaud», avec les variantes *hummuns* (1663), *hammamât* (1873).

♦ Le mot désigne un établissement de bains de vapeur, d'étuves, en Orient et, par extension, dans d'autres pays ; un synonyme est *bain turc.*

① **HAMPE** n. f. est une altération (1471) de l'ancien français *hanste* (1080) «javelot» ou *hante* «lance, bois de lance, manche, tige» (1165-1170, «javelot»), lui-même issu d'un croisement entre le latin classique *hasta* «lance, pique» (d'où *hast**) et le francique °*hant* «main» restitué par l'ancien et moyen haut allemand *hant* (cf. allemand *Hand* et anglais *hand*). Le passage de *hante* à *hampe* est peut-être le résultat d'un croisement avec *empe,* forme lorraine du français *ente* «scion qu'on greffe» (cf. encore, en Lorraine, *ampe* et *hampe; (h)amper* «greffer»). La forme *hante,* usitée jusqu'au XVIIe s., est encore en usage en normand, picard et manceau.

♦ *Hampe,* qui désigne à l'origine un long manche de bois supportant une arme d'hast, un drapeau, une croix, prend des sens analogiques à partir de la fin du XVIIIe s. : en botanique (1771 ; *la hampe d'un roseau*) et dans le domaine de l'écriture (1939 ; *la hampe d'une lettre*).

② **HAMPE** n. f., terme de boucherie (1270), est d'origine incertaine ; le mot est peut-être issu d'un croisement de l'ancien haut allemand *wampa* «ventre, panse» (d'où l'allemand *Wampe,* autre forme de *Wamme* «fanon, peau du ventre», et le vosgien *wambe* «fanon») avec le francique °*hamma* «jarret, cuisse», restitué par l'ancien haut allemand *hamme* «jambon» (cf. anglais moderne *ham*) ; le croisement se serait produit dans le francique parlé en France septentrionale avant 800. P. Guiraud rapproche *hampe* du dialectal *lampe* «fanon de bœuf», emploi figuré de *lampe* «morceau, lambeau», issu du francique °*labba* (→ lambeau).

♦ Le mot est d'abord attesté comme terme de vénerie («poitrine du cerf») et, par la suite (1690), désigne une partie du bœuf, du côté de la cuisse ; l'évolution de sens (vers «partie allongée») a pu se faire par l'influence de ① hampe.

HAMSTER n. m. est un mot emprunté (1765, Buffon) à l'allemand *Hamster* ou *hamastra* (XIIIe s.), attesté au sens de «ver du blé, charançon» (par l'ancien haut allemand *hamustro*).

♦ *Hamster* est le nom donné à un petit mammifère rongeur, ce qui suppose que la valeur de «rongeur» a été seule retenue dans l'étymon.

HAN interj. est une interjection onomatopéique (XIIIe s.) figurant un soupir, un gémissement, employée (1306) comme interjection affirmative. Au XVIe s., chez Rabelais (1552), le mot traduit le cri d'une personne qui fournit un effort (notamment un bûcheron). *Han* est employé comme nom masculin en 1834 *(faire, pousser un han)*.

► Le dérivé **HANNER** v. intr. (1841, Flaubert) «souffler, soupirer» est sorti d'usage (cf. *ahaner*).

HANAP n. m., autre forme (v. 1131) de *henap* (v. 1100), est issu, par l'intermédiaire du bas latin *anappus* (VIIe s.), *hanappus* (IXe s.), du francique °*hnap* «écuelle» que l'on restitue d'après l'ancien haut allemand *hnapf*, l'ancien nordique *hnappr* (cf. l'allemand *Napf* «écuelle»).

♦ Le mot désignait, au moyen âge, une grande coupe à boire en métal, munie d'un couvercle; il s'emploie encore par archaïsme et en histoire.

HANCHE n. f. représente l'aboutissement (v. 1155) du germanique °*hanka* «hanche», restitué d'après le moyen néerlandais de même sens *hanke*, qui a aussi produit l'italien, l'espagnol et l'ancien provençal *anca*. Le mot s'est substitué au latin classique *coxa* (→ cuisse), qui avait lui-même remplacé le latin *femur* «cuisse» devenu homonyme de *femus*, mot qui a donné *fumier*.

♦ *Hanche* est d'abord un terme d'anatomie; il a produit l'expression *le poing, la main sur la hanche* (1845) pour désigner une posture qui marque le défi. Par extension, *hanche* s'utilise en parlant de certains animaux (XIVe s.), d'où (1678) *mettre un cheval sur les hanches* et un emploi en entomologie (1832). ◇ Par analogie, le mot a pris des acceptions techniques en marine (1678) et pour désigner les montants d'un chevalet (1832).

► Le dérivé **HANCHU, UE** adj. (1611), qui a remplacé l'ancien français *hainchous*, est d'emploi littéraire. ➝ **HANCHER** v., d'abord *hanchier* «donner un croc-en-jambe» (1397) d'un sens donné à hanche en ancien français (*haulte hanche* «croc-en-jambe»), est attesté en 1835 (intr.) avec le sens de «se camper dans une posture qui fait saillir une hanche» (aussi, 1877, *se hancher*) et en 1902 (tr.) avec celui de «représenter (un personnage, une statue) de manière à faire saillir une hanche». ◇ Du verbe dérive **HANCHEMENT** n. m. (1867) «attitude hanchée». Les deux mots se substituent à une partie des emplois de *déhancher, déhanchement* qui sont antérieurs. ➝ À partir de *hanche* a été composé **DÉHANCHER** v., d'abord verbe transitif (1555) formé avec le préfixe *dé-*. Le verbe signifie «porter (qqch.) en l'appuyant sur la hanche», et s'emploie ensuite couramment au sens de «se balancer sur ses hanches, en marchant» (XVIIe s.). ◇ **DÉHANCHÉ, ÉE** part. passé adj. s'emploie d'abord (mil. XVIe s.) en parlant d'un cheval dont la hanche est déplacée, puis des personnes. ◇ Du verbe dérive **DÉHANCHEMENT** n. m. (1693).

HAND-BALL n. m. est un emprunt (1912) à l'allemand *Handball*, «balle à main», composé de *Hand* «main» et de *Ball* «ballon». Cependant, au rugby, *handball* «jeu à la main» (1930) est un emprunt isolé à l'anglais *hand ball*, littéralement «(jeu de) balle à la main».

♦ Le mot désigne un sport d'équipe qui se joue uniquement avec les mains et s'oppose alors à *football*.

► En dérive **HANDBALLEUR, EUSE** n. (1934).

◇ voir HANDICAP.

HANDICAP n. m. est emprunté (1827) à l'anglais *handicap*, qui représente probablement une contraction de *hand in cap*, proprement «la main (*hand*) dans (*in*) le chapeau (*cap*)». Le mot, en anglais, a désigné (XVIIe s.) un jeu où l'on se disputait des objets personnels dont le prix était proposé par un arbitre, la mise étant déposée dans une coiffure (*cap*) et, par la suite, sous la forme contractée *handicap*, une compétition entre deux chevaux (1754), puis des courses de chevaux (1780), le glissement de sens s'expliquant par l'idée de jugement comparatif de la valeur (des objets, puis des chevaux).

♦ *Handicap* est introduit en français, comme d'autres termes de hippisme, avec l'idée d'égaliser les chances des concurrents en imposant aux meilleurs de porter un poids plus grand ou de parcourir une distance plus longue. Par extension, le terme s'applique (1854) à d'autres sports puis par métonymie (1888, en cyclisme) se dit de tout désavantage imposé dans une épreuve à un concurrent de qualité supérieure. De là vient (1913) le sens figuré d'«entrave, gêne», «infériorité» et, par extension (1964), celui d'«infériorité momentanée» en parlant d'une collectivité par rapport à une autre. *Handicap* a aussi pris la valeur sociale de *handicapé* (ci-dessous).

► *Handicap* a produit très tôt des dérivés en français : **HANDICAPER** v. tr. (1855; 1854 au participe passé; d'après l'anglais *to handicap*) s'applique d'abord aux sports puis signifie au figuré (1888) «mettre (qqn) en état d'infériorité». ➝ Le participe passé **HANDICAPÉ, ÉE** adj. et n., d'abord en hippisme (1854), se dit (1889) d'une personne désavantagée et, notamment, d'une personne affectée d'une déficience physique ou mentale (1957, *travailleur handicapé*); le terme tend aujourd'hui à remplacer *infirme*, mais il est plus large (déficiences mentales, etc.); il est devenu très courant, parmi les euphémismes sociaux masquant les réalités pénibles (cf. *mal voyant, malentendant*, etc.). ◇ *Handicapé* est à l'origine du composé **HANDISPORT** adj. (1977; de *handi[capé]* et *sport*) «relatif aux sports pratiqués par les handicapés physiques», qui est un mot-valise à l'anglaise particulièrement mal formé en français. ➝ **HANDICAPEUR** n. m. (1855; 1854, *handicapper*), dérivé du verbe *handicaper*, est resté un terme de turf.

HANGAR n. m., réfection graphique (1337) de *hangart* (1135), est issu du francique °*haimgard* «clôture autour de la maison», composé de *haim* «petit village» (→ hameau) et de *gard* «enclos» (→ jardin). P. Guiraud, pour mieux justifier la graphie de *hangar*, fait l'hypothèse d'une composition de *garer* «mettre à l'abri» (→ garer) et de *ham* «gîte, retraite», «abri pour le bétail» (du francique °*haim*); quoi qu'il en soit de l'hypothèse, l'influence de *garer* est probable.

♦ *Hangar*, d'abord attesté (1135, *hangart*) comme toponyme en Picardie, où les bâtiments de ferme sont traditionnellement disposés autour de l'enclos, désigne une construction sommaire qui abrite du matériel agricole, des récoltes ou des marchandises et, au XXe s. (1922), un abri pour les avions, puis pour toutes sortes de matériels, véhicules.

◈ **HANNETON** n. m. représente (fin XIe s., *haneton*) un diminutif non attesté du francique °*hano* «coq», qui a servi à désigner (souvent en composition) divers insectes dans les langues germaniques : néerlandais *leliehaantje* «scarabée qui vit dans les lis», en allemand de Rhénanie *Hahn* «punaise des baies», en anglais *cockchafer* «hanneton».

♦ Par allusion au vol lourd et maladroit de l'insecte apparaissent, à partir du XVIIe s., des locutions figurées : ***être étourdi comme un hanneton*** (1611), aujourd'hui sorti d'usage d'où *hanneton* «individu étourdi» (1675, adj.; 1787, n.); ***avoir un hanneton dans le cerveau*** «être un peu dérangé» (d'où 1675 *un hanneton* «lubie, manie») et, plus récemment, ***n'être pas piqué des hannetons*** (1821) «être intense, extrême».

▸ **HANNETONNER** v. intr., d'emploi rare au sens de «détruire les hannetons» (1767), a aussi (rarement) une valeur figurée (1907, Gide) pour «aller et venir de manière désordonnée». ◆ Le dérivé **HANNETONNAGE** n. m. (1835) ne concerne que le sens concret du verbe.

HANSE n. f. représente un emprunt (v. 1223) à l'ancien haut allemand *hansa* «troupe de soldats» qui, en moyen haut allemand *hanse* (v. le XIe-XIIe s.), a pris le sens d'«association de marchands». Le latin médiéval *hansa* (1199) est attesté dans cette acception et dans celle de «cotisation» dès 1127 le français a eu aussi ce sens de «cotisation» (v. 1223 *payer la hanse).*

♦ *Hanse* désigne depuis le milieu du XIIIe s. (v. 1240), en particulier sur les bords de la Baltique, une association de marchands ayant le monopole du commerce par eau (la *Hanse germanique* et, absolument, *la Hanse*). Par extension, *hanse* est le nom donné à certaines corporations. Avec *guilde, hanse* représente l'une des institutions originelles de l'économie moderne.

▸ **HANSÉATIQUE** adj. (1690; 1605, *anséatique*), emprunté au dérivé médiéval *hanseaticus,* correspond à l'allemand *hanseatisch* «relatif à la Hanse», seulement attesté au XVIIIe s.; c'est un terme didactique comme **HANSÉATE** adj. et n. (1878) «relatif aux villes d'une hanse» et «habitant de ces villes».

◈ voir **ÉCONOMIE** (encadré).

HANTER v. tr. représente, d'abord en Normandie, un emprunt (XIIe s.) à l'ancien scandinave *heimta* «conduire à la maison», dérivé de *heim* «maison»; ce mot repose sur une base germanique °*haim-* — d'où viennent l'anglais *home* et l'allemand *Heim,* et qui est peut-être liée au sanskrit *kshēma-* «sécurité» (→ hameau).

♦ *Hanter* s'emploie d'abord au sens de «fréquenter (qqn)», encore en usage au XVIIe s. mais estimé vieilli à la fin du siècle. Le verbe signifie par extension (1121-1134; aussi **HANTÉ, ÉE** adj. XIIe s.) «fréquenter un lieu d'une manière régulière», aujourd'hui d'emploi littéraire. ◇ Depuis le début du XIXe s., *hanter* s'utilise en parlant d'un esprit, d'un fantôme (1800, Delille, puis 1823 Hugo), aussi au participe passé adjectivé *hanté, ée* (av. 1848, *chambre hantée,* Chateaubriand). L'emploi vient de l'influence de l'anglais *to haunt,* par l'intermédiaire des romans fantastiques (A. Radcliffe, H. Walpole), le verbe anglais étant issu de l'ancien français; on peut aussi penser à l'influence du normand *hanté* «fréquenté par les spectres», *hant* «fantôme». Par extension, avec un sujet abstrait, *hanter* équivaut à «poursuivre, obséder» (1836, Stendhal).

▸ **HANTISE** n. f. au sens de «fréquentation» (1228) se prenait plutôt en mauvaise part à la fin du XVIIe s. et est sorti d'usage aujourd'hui; il s'emploie depuis le XIXe s. (1860, Baudelaire) au sens d'«obsession». ◆ **HANTEUR, EUSE** adj. et n. (XVIe s., repris en 1865), lié au premier sens du verbe, et **HANTANT, ANTE** adj. (1884) «qui obsède», sont d'emploi rare.

HAPAX n. m. est emprunté au grec, d'abord dans l'expression *hapax legomenon* en 1909, puis *apax* (1919) et *hapax* (1922); l'expression est composée de *hapax* «une fois», mot qui repose sur la racine indoeuropéenne du latin *pactus* (→ pacte), et *legomenon* «dit», participe présent passif de *legein* «dire» (→ -logie, -logue); elle a été utilisée dans un texte anglais dès 1654.

♦ *Hapax,* terme de linguistique, désigne un mot, une forme dont on ne peut relever qu'un exemple à une époque donnée.

HAPLO- est un élément tiré du grec *haplous* «simple», entrant dans la composition de mots savants comportant l'idée d'«une seule fois, une seule chose», parmi lesquels :

▸ **HAPLOGRAPHIE** n. f. (1898; de *-graphie*) et **HAPLOLOGIE** n. f. (1908; de *-logie*), terme de phonétique, concernent le fait de n'écrire et de ne prononcer qu'une fois un élément redoublé.
HAPLOÏDE adj. (déb. XXe s.; de *-oïde*), terme de biologie emprunté à l'allemand *haploid,* mot formé par le botaniste E. Strasburger en 1905 par adaptation du grec, qualifie les gamètes après la méïose, quand un seul chromosome de chaque paire est conservé; **HAPLOPHASE** n. f. (mil. XXe s.; de *-phase*), aussi terme de biologie désigne la phase correspondante.

HAPPENING n. m. est un emprunt récent (1963) à l'anglais *happening* «événement» (XVIe s.), participe présent substantivé de *to happen* «arriver, avoir lieu, se produire», d'origine germanique.

♦ Le mot a pris aux États-Unis (1959) le sens repris en français de «spectacle qui laisse une part essentielle à l'imprévu et à la spontanéité». Par extension, *happening* se dit d'un événement collectif comparé à ce type de spectacle (v. 1980). On a suggéré de remplacer ce mot, difficilement assimilable en français, par *impromptu.*

HAPPER v. est issu (fin XIIe s.) d'un radical onomatopéique *happ-,* indiquant un mouvement de saisie brutale et rapide que l'on retrouve dans les langues germaniques : néerlandais *happen* «saisir», bas allemand *happen* «chercher à saisir», flamand *happen* «parler aigrement», danois *hap* «bouchée»; mais ces formes sont attestées plus tardivement que le mot français, ce qui semble exclure pour *happer* une origine germanique.

♦ Les principales acceptions de *happer* apparaissent à la fin du XIIe et au début du XIIIe s. : «saisir brusquement (qqch., qqn)» (1193), spécialement en parlant d'un piège, d'une machine (1275-1280) et en particulier, en parlant d'un animal, «attraper dans la gueule» (v. 1200). Le sens figuré apparaît au XIIIe s. (v. 1245). ◇ L'emploi intransitif, aujourd'hui sorti d'usage, est attesté (1785) dans l'expression *happer à la langue* «adhérer fortement», en parlant de l'argile, par exemple.

► **HAPPE** n. f., déverbal de *happer,* a le sens général de «crampon» (1260, *hape*); c'est un terme technique utilisé dans divers domaines, par exemple «crampon qui lie deux pierres, deux pièces de bois» (1611).

HAPPEMENT n. m. «action de happer», aujourd'hui peu usité, apparaît au XIVe s. (1330); il s'emploie concrètement (1845) en parlant de l'adhérence (de l'argile, etc.) sur la langue, et au figuré. ◆ **HAPPEUR, EUSE** n. et adj. (1870) est peu usité comme nom. ◆ **HAPPEAU** n. m. (1872) se dit encore dialectalement pour «piège pour prendre les oiseaux» (→ appeau).

HAPPE-, élément tiré de *happer,* entre dans la composition de mots aujourd'hui sortis d'usage, comme **HAPPELOURDE** n. f. composé, comme *attrape-nigaud,* de *lourde,* féminin de *lourd,* au sens de «femme qui manque de finesse, de subtilité; sotte». Le mot apparaît d'abord (1532) chez Rabelais avec le sens de «séducteur qui trompe les femmes» et, plus généralement (av. 1573), de «personne qui trompe sur les apparences»; par extension il désigne (1636) une personne d'aspect agréable, mais dépourvue d'esprit, et par analogie (1564), une fausse pierre précieuse.

On relève aussi **HAPPE-CHAIR** n. m., attesté à la fin du XVIe s., repris en 1684 par La Fontaine (de *chair*), **HAPPE-BOURSE** n. m. (1834; de *bourse*) et **HAPPE-LOPIN** n. m. (mil. XIXe s.; de *lopin*).

HAPPY END n. m. ou n. f. représente un emprunt (1945) à l'anglais *happy end* (normalement *happy ending*), composé de *happy* «heureux» et de *end* «fin».

♦ L'expression, empruntée en français à l'américain comme terme de cinéma, s'applique d'abord au dénouement heureux d'un film tragique et, par extension, se dit familièrement (v. 1970) de la fin heureuse d'une histoire tragique. Généralement employé au masculin, *happy end* est parfois doté du genre féminin, sous l'influence de *fin,* nom féminin.

HAPPY FEW n. m. pl. inv., employé par Stendhal (1804) à propos de ses lecteurs présumés, et repris dans l'exergue de *Lucien Leuwen* (1836; *to the happy few*), est une expression anglaise qui signifie proprement «un petit nombre *(few)* heureux *(happy)*»; cet anglicisme désigne le petit nombre des privilégiés (les gens fortunés, l'élite intellectuelle, etc.).

HAQUENÉE n. f. est emprunté (v. 1360) au moyen anglais *haquenei* (XIVe s.; attesté d'abord sous la forme latine *haqueneia* en 1292), devenu *hackney* au XVIe siècle. Le mot vient du nom d'une bourgade de la région londonienne réputée pour l'élevage de ses chevaux. Cette origine toponymique ne satisfait pas P. Guiraud, pour qui le mot anglais serait un emprunt au français; *haquenée* «jument qui va l'amble» dériverait de *haquener,* doublet de *haqueter* (→ haquet) selon l'analogie entre l'amble du cheval et le mouvement de balancement.

♦ *Haquenée* s'est d'abord dit (v. 1360) d'un petit cheval ou d'une jument que montaient les dames, d'où ensuite les sens figurés et péjoratifs de «femme de mauvaise vie» (1805, Stendhal), peut-être par assimilation entre *amazone* et *courtisane,* et selon la métaphore habituelle de la «monture» (cf. *chameau*). Une autre valeur figurée est «femme laide, d'allure masculine» (1841, Balzac), par référence explicite à l'animal (cf. *jument*). ◇ *Haquenée* n'est plus en usage depuis la fin du XVIe s. mais reste évocateur du moyen âge, comme *destrier* ou *palefroi.*

HAQUET n. m., relevé en 1606, est antérieur, comme l'atteste son dérivé (ci-dessous). Le mot représente peut-être un emploi métaphorique de l'ancien français *haquet* (v. 1480) «cheval (propre à tirer ce genre de charrette)». Ce dernier pourrait être une altération de *haquenée* (→ haquenée) par substitution de suffixe (cf. *haque* «cheval hongre», du radical de *haquenée*). Cependant, P. Guiraud suppose comme origine commune à *haquet* «cheval» et à *haquet* «charrette» le verbe *haqueter,* variante onomatopéique de *hoqueter* «secouer, cahoter», attesté par le normand *haqueter* «avoir le hoquet», «bégayer»; cette hypothèse n'est pas appuyée par les textes.

♦ Le mot désigne une charrette sans ridelles.

► **HAQUETIER** n. m. (1481) désignait le conducteur de haquet.

HARA-KIRI n. m. est une lecture des caractères d'un mot japonais (attesté en 1863 : *hara-kiri* ou *sep-kou*), qui signifie «ouverture du ventre»; la lecture normale des caractères japonais, seule usitée au Japon et chez les spécialistes, est *seppuku.*

♦ *Hara-kiri* désigne en français un mode de suicide par éviscération, considéré comme très honorable au Japon; autrefois, les samouraïs condamnés à mort en avaient le privilège. Par figure, la locution ***se faire hara-kiri*** «se suicider» (1881) se dit pour «se sacrifier pour une cause» (1933).

HARANGUE n. f., attesté chez Villon (v. 1461), est un emprunt à l'italien *ar(r)inga* «discours public» (XIIIe s.), d'où viennent aussi au XIIIe s. l'ancien provençal *arengua* et le catalan *arenga; ar(r)inga* est sans doute formé sur *ar(r)ingo* «arène» et «lieu de rassemblement» (cf. latin médiéval *arrengum,*

1328), mot issu du gotique °*hriggs* qui correspond au francique °*hring* «anneau, cercle» (cf. anglais *ring* et allemand *Ring*).

♦ *Harangue* se dit d'un discours solennel devant une assemblée, un haut personnage (1689, *harangue d'ouverture à l'Université*), puis le mot prend les sens péjoratifs de «discours ennuyeux» (v. 1530), «longue remontrance» (1611).

▸ **HARANGUER** v. tr., directement emprunté (1414) au dérivé italien *arringare* (déb. XIVe s.), s'emploie d'abord au sens de «lire en public», puis de «faire un discours» (1514, emploi absolu; 1547, *haranguer qqn*) et de «sermonner, faire des discours ennuyeux» (1573). ◆ **HARANGUEUR, EUSE** n. est vieilli au premier sens d'«orateur» (1527), littéraire dans son emploi figuré (1652).

HARAS n. m. (1280), d'abord sous la forme *haraz* (v. 1160), est peut-être issu de l'ancien scandinave *hârr* «qui a le poil gris», d'après la couleur la plus fréquente de la robe des chevaux. P. Guiraud préfère un étymon gallo-roman supposé °*haracius* du latin classique *hara* «abri pour les animaux (les porcs, les oies)» — qui a donné l'italien dialectal *ara* «abri pour les chevaux».

♦ *Haras* a d'abord eu le sens de «troupe d'étalons et de juments destinés à la reproduction»; par métonymie, le mot désigne (1280) un établissement destiné à la reproduction et à l'amélioration des races de chevaux; par analogie, *haras* s'emploie pour l'élevage d'autres animaux et en parlant de l'espèce humaine (XIXe s.).

HARASSER v. tr. est dérivé (1527) de l'ancien français *harache* (XIIIe s.), *harace* (XIVe s.), surtout employé dans les locutions *courre a la harache* «poursuivre» (XVIe s.), *prendre a la harache* «prendre qqn de force», lui-même de *hare* (→ haro) «cri pour exciter les chiens», avec le suffixe *-ace*.

♦ *Harasser* a signifié «harceler» (1527) puis, par extension, «épuiser de fatigue» (1562 au participe passé), seul sens usité aujourd'hui, surtout aux temps composés.

▸ Le dérivé **HARASSEMENT** n. m., «tracas, tourment» (1572), puis (1609) «état d'une personne harassée», est aujourd'hui rare, contrairement au dérivé **HARASSANT, ANTE** adj. (1845), usuel en parlant d'un travail.

HARCELER v. tr. représente (v. 1478-1480, *harceller*) une variante de *herseler, herceler* (seulement relevé en 1530 mais antérieur), diminutif de *herser* employé au figuré en ancien français au sens de «malmener» de la fin du XIIe au XVe s. (→ herse).

♦ *Harceler* s'emploie d'abord au sens de «provoquer, exciter (qqn) pour l'excéder», d'où spécialement «presser (qqn) d'agir» et, par extension, «soumettre (l'ennemi) à de petites attaques réitérées» (1648).

▸ Le dérivé **HARCÈLEMENT** n. m. (1632) est devenu un mot d'emploi soutenu, jusqu'à la diffusion du mot par calque de l'anglo-américain *harassment* (→ harasser), dans *harcèlement sexuel*. **HARCELEUR, EUSE** adj. (1898) est rare.

① **HARDE** n. f., réfection (XVIe s.) de *herde* (v. 1140), est issu du francique °*herda* (cf. allemand *Herde* et anglais *herd* «troupeau»); le sens de «troupeau» est conservé dans les dialectes gallo-romans du Nord-Est: *hardier* signifie «gardien de troupeaux», en Lorraine.

♦ Le mot désigne une troupe de bêtes sauvages vivant ensemble.

▸ En dérivent les termes techniques de vénerie: **HARDÉES** n. f. pl. (1690), **HARDÉ, ÉE** adj. (déb. XXe s.; *enhardé*, 1867) et **SE HARDER** v. pron. (1902).

② **HARDE** → **HART** n. f.

HARDES n. f. pl. est une forme issue (1480) de la prononciation gasconne de l'ancien français *farde*, écrit *farde* en ancien gascon (1376-1378) et en ancien béarnais (1385) mais où le *f*, comme en espagnol, devient normalement *h*. *Farde* «charge, bagage» et «vêtements» (apr. 1170, *fardres*) est emprunté à l'arabe *farda* «balle de vêtements, d'étoffes, de marchandises» (→ fardeau), comme le catalan *alfarda* «pièce d'habillement portée par les femmes (au moyen âge)», l'espagnol *alfarda* et le portugais *alffarda* de même sens.

♦ *Hardes* se dit encore régionalement pour désigner l'ensemble des effets personnels (1480), sens encore conservé dans le langage juridique. L'acception péjorative de «vêtements pauvres et usagés» apparaît au XVIIIe s. (1771).

HARDI, IE adj., relevé dans *La Chanson de Roland* (1080), est le participe passé d'un ancien verbe, *hardir* «rendre, devenir dur», d'où «rendre courageux», issu du francique °*hardjan* «rendre dur», dérivé de °*hart* «dur» (cf. allemand *hart* «dur» et *härten* «durcir», anglais *hard* «dur»).

♦ L'adjectif s'emploie dès son apparition (1080) au sens de «courageux, vaillant», d'où «téméraire» (v. 1160-1174). Par extension, *hardi* se dit de ce qui dénote ou exige de l'audace (1273; *projet hardi, regard hardi*) et, par péjoration, s'emploie pour «insolent» (v. 1283), sens vieilli, encore usuel au XVIIe s., de même que «provocant, impudique». Ce sens ne demeure aujourd'hui qu'en parlant d'écrits libres sans être inconvenants. ◇ Depuis le XVIIe s., *hardi* se dit aussi de ce qui est audacieux avec bonheur, spécialement dans le domaine de l'art, de l'expression (1648, Voiture); à la même époque, l'adjectif qualifie des doctrines qu'il est dangereux de soutenir (1690; *ouvrage hardi*). ◇ L'emploi de *hardi* comme interjection pour encourager est attesté chez Molière (1660), aujourd'hui seulement dans des locutions comme ***hardi les gars!*** ou ***hardi petit!*** ◇ L'emploi adverbial et dialectal au sens de «beaucoup», relevé chez Hugo (1866; îles anglo-normandes), est tombé en désuétude. Il continue un autre mot, lié au francique °*herda* «troupeau» (→ harde).

▸ **HARDIMENT** adv. (v. 1160, *hardiement*) a le sens général de «d'une manière hardie»; dans l'emploi laudatif de *hardi* en art, il est relevé chez Hugo (1831). ◆ **HARDIESSE** n. f. s'emploie à la fin du XIIe s. *(ardiesce)*: «manière d'être hardie» et «action, parole hardie» *(une, des hardiesses)*; il est pris (1538) dans une acception péjorative, aujourd'hui vieillie, puis dans un sens laudatif en parlant des productions de l'esprit (1669); le mot désigne ensuite (1690) la qualité qui dénote de l'audace. ➛ Le composé **ENHARDIR** v. tr. «rendre hardi, plus hardi» est formé au XIIe s. (v. 1155). ◇ Son dérivé **ENHARDISSEMENT** n. m., qu'on relève chez Gide (1916), est rare.

HARDWARE n. m. est un emprunt (v. 1965) à l'anglais *hardware* (XVe s.) «quincaillerie, ferronnerie», composé sur le modèle de *ironware*, de *hard* «dur» et *ware* «articles (manufacturés)». Dans le milieu des ingénieurs américains de l'informatique naissante (1947), le mot a pris plaisamment son sens moderne d'«équipement électronique de l'informatique» (par opposition aux moyens et programmes d'utilisation, nommés, par calembour, *software*).

♦ Le mot a été introduit en français vers 1965, avec d'autres termes provenant de l'électronique. *Hardware* (ou l'abréviation [le] *hard*) résiste chez les spécialistes à l'emploi d'équivalents comme *quincaillerie, quincaille* (Louis Armand) et même de *matériel** (officialisé en 1974, *Journal officiel*), alors que *logiciel* (→ logique) l'a emporté sur *software*.

HAREM n. m., variante (1673) de *hara* (1632), puis *haram* (v. 1660), est un emprunt à l'arabe *ḥaram* «chose interdite et sacrée», appliqué aux femmes qu'un homme étranger à la famille n'a pas le droit de voir : *haram*, en français, est attesté (1559) au sens de «grand péché», mais ce sens n'a pas vécu.

♦ *Harem* désigne, dans la civilisation musulmane, l'appartement des femmes, interdit aux hommes; le mot a longtemps été confondu avec *sérail* (cf. les *Lettres persanes* de Montesquieu). *Harem* se dit par métonymie (1661) de l'ensemble des femmes d'un harem. Par extension (déb. XXe s.) *harem* se dit par plaisanterie d'un groupe de femmes entourant un homme.

HARENG n. m. est issu (XIIe s.) du francique °*hâring*, nom d'un poisson de mer, restitué d'après l'ancien néerlandais et l'ancien haut allemand *harinc* (*aringus* en bas latin).

♦ Le mot s'emploie dans plusieurs locutions : ***être serrés comme des harengs*** (av. 1850, Balzac; cf. *comme des sardines*), ***sec, maigre comme un hareng saur*** (XIXe s.). *Hareng (saur)* a eu (1876) le sens, abandonné après 1930, de «gendarme», par métaphore portant sur la raideur (cf. inversement *gendarme* pour *hareng saur* depuis le XVIe s.) et la couleur dorée des galons. ◇ ***Peau d'hareng*** (1919 dans Dorgelès) est l'une des innombrables désignations péjoratives formées avec *peau*. ◇ *Hareng*, par assimilation à *maquereau*, désignation ancienne du souteneur, s'emploie depuis le début du XXe s. pour «proxénète».

▸ Au sens de «vendeuse de poissons», **HARENGÈRE** n. f. (1226, *haranchiere*) est sorti d'usage; le mot demeure avec la valeur figurée (1618) de «femme grossière, criarde», par allusion aux cris de la marchande et en relation avec les usages et le langage des *halles** (cf. *poissarde*). ➛ Plusieurs dérivés de *hareng* sont des termes techniques. ◇ **HARENGEAISON** n. f. «pêche au hareng» (1690) et **HARENGAISON** (1615; anciennement *harengueson*, 1357, et *harenghison*, 1262) sont des quasi-synonymes. ◇ **HARENGUIER** n. m. (XIXe s.) «bateau pour la pêche aux harengs», a pour synonyme **HARENGUEUX** n. m. (1877), aussi «pêcheur de harengs». ◇ **HARENGUIÈRE** n. f. (1727) «filet pour la pêche aux harengs», a lui aussi un équivalent sémantique, **HARENGADE** n. f. (1834).

HARGNE n. f., d'abord sous la forme *herne* (v. 1265), est le déverbal d'un ancien verbe *hargner, hergner* «se plaindre, quereller», attesté seulement en 1426. Ce verbe est d'origine incertaine. Il serait issu d'un ancien francique °*harmjan* «insulter», restitué d'après l'ancien haut allemand *harmjan* «insulter, tourmenter», le groupe *-rmj-* se transformant phonétiquement en *-nrj-*. Selon P. Guiraud, *hergner* serait plutôt un doublet de *hericer, hericier*, dialectalement *hercier*, issu d'un gallo-roman °*hericiniare*, dérivé du latin *hericinus* «de hérisson» (→ hérisser), ce que confirmerait l'existence des formes *heregner, haregner, harigner* «quereller»; il y aurait peut-être eu une influence de *harer* «exciter les chiens en criant» (→ haro). Mais aucune hypothèse n'est sûre.

♦ L'ancien français *hargne* disparaît en même temps que le verbe (v. mil. XVe s. ?). C'est à partir de *hargneux*, adjectif (voir ci-dessous), qui s'était maintenu, que le substantif s'est reformé avec le sens de «dispute», vivant au XVIe s., et encore attesté aujourd'hui dans des dialectes, à côté du sens d'«averse». Le mot connaît une nouvelle éclipse — Rousseau, vers 1770, emploie *hargnerie* pour «querelle» — et ne réapparaît que vers la fin du XIXe s. (attesté 1899) au sens de «mauvaise humeur se manifestant par un comportement agressif», valeur liée à l'adjectif.

▸ **HARGNEUX, EUSE** adj., dérivé du verbe au sens de «qui est d'une humeur agressive», est employé depuis le XIIe s. (v. 1160, *hergnos*); la forme moderne apparaît à la fin du XIVe s. (v. 1393) comme nom masculin, l'adjectif au XVIe s. (1572, *paroles hargneuses*). ➛ L'adverbe **HARGNEUSEMENT** est formé au XIXe s. (1876, A. Daudet).

HARICOT n. m., pour le francophone d'aujourd'hui, évoque la gousse ou la graine comestible d'une plante légumineuse. C'est pourtant un sens tout différent, «ragoût», encore connu par l'expression *haricot de mouton* (voir ci-dessous), qui est à l'origine. *Hericot* (v. 1398), *haricoq* (déb. XVe s.; l'altération en *-coq* est inexpliquée), enfin *haricot* (1596) semble être le déverbal (qui devrait être °*harigot* ou °*haligot*) de l'ancien verbe *harigoter* ou *haligoter* (v. 1175, Chrétien de Troyes) «couper en morceaux, mettre en lambeaux», dérivé probable d'un francique °*hârion* (une prononciation °*harijôn* serait à l'origine de l'allemand *verheeren* «ravager, détruire») signifiant «gâcher», et peut-être «abîmer en cassant, en déchirant». °*Harion* a donné en moyen français le verbe *harier, herier* «harceler, tourmenter», d'où *haria,* puis *aria,* nom masculin, «ennui, difficulté» (encore au XIXe s.). *Harigoter,* refait en *haricoter,* a eu de nombreux sens, «perdre du temps à un travail difficile», «cultiver une mauvaise terre» (1769), «agir mesquinement» (1838), alors avec influence évidente de *haricot* «légumineuse».

♦ Le *haricot,* ragoût de mouton, était en général accompagné de fèves. Au début du XVIIe s., on trouve en effet l'expression *feves d'aricot* (1628), *febve de haricot,* qui semble avoir produit la forme abrégée (attestée en 1640, par le dictionnaire français-espagnol de Oudin : *haricot, febve de haricot*). On parlait aussi de *pois d'haricot* (1701). Il faut cependant noter que le dérivé (déverbal) de *harigoter,* sous diverses formes (*herigaut,* v. 1300; *hergaut,* 1354), a désigné une housse, un vêtement de dessous, et qu'une comparaison avec la gousse de légumineuse n'est pas absurde. On trouve d'ailleurs concurremment la variante rapidement éliminée *fève de callicot* (1654) puis *calicot* (*callicot,* 1651) due à la croyance que ce légume venait des Indes, *Calicot* étant le nom ancien de Calcutta. En fait, il provenait des Indes occidentales, c'est-à-dire d'Amérique centrale et méridionale, d'où il avait été rapporté en Italie (1528) et nommé *fagivolo* (du latin *phaseolus;* → flageolet), d'où en provençal *fayol,* qui a donné *fayol.* C'est à la demande du pape Clément V que le haricot mexicain est cultivé en Italie, d'où il serait passé en France à l'occasion du mariage de Catherine de Médicis. Mais le *phaseolus* latin était une plante différente. La traduction du latin par *haricot,* aux XVIIe-XVIIIe s., n'est qu'un indice de la confusion entre la légumineuse antique et le haricot; une autre confusion avec *faba* et *fève* (la féverole est un haricot) et même avec *pisum* et *pois* (*pois anglais* et *pois d'Anjole,* au XVIIIe s., désignent des haricots en provenance des Antilles, → pois), rendent la terminologie très complexe. Cependant, le légume appelé *haricot,* que l'on croyait autochtone, est bien identifié quant à son origine botanique dans la seconde moitié du XIXe siècle. C'est à cette époque que l'on croit trouver son origine dans le mot indien du Mexique, *ayacotl :* Heredia invente une forme *ayacot,* aussi imaginaire que les *fabaricus, fabaricotus* invoqués imprudemment par Ménage, en 1690 pour rattacher *haricot* à *faba...*

Le sens initial, «ragoût», seul en usage avant le XVIIe s., ne survit que par le syntagme ***haricot de mouton,*** qui n'est plus compris, le sens moderne (1640) l'éliminant peu à peu. ◇ Lorsque le haricot supplante en partie la fève, et que le mot *haricot* devient très usuel pour désigner la graine, apparaissent des syntagmes pour désigner des variétés botaniques (*haricot noir,* le dolic; ***haricot rouge,*** espèce réimportée d'Amérique) et surtout des états de la partie comestible : ***haricots blancs*** (grains mûrs), *haricots verts* (gousses vertes), ***haricots mange-tout*** (gousses et graines non mûres). ◇ Le français moderne développe une opposition entre *haricot* employé seul (*haricot blanc*) et ***haricot vert*** (1708, Académie), véritable composé donnant lieu à d'autres effets de sens (en argot «voleur jeune et hardi», 1849, puis «personne maigre» (*un vrai haricot,* 1882 Zola); en locution, ***être mince comme un haricot vert,*** la ***ligne haricot vert.*** ◇ Employé seul, le mot a donc pour valeur dominante «graine mûre du haricot blanc»; elle donne naissance par analogie de forme à *table haricot,* au sens argotique d'«orteil» (1883), d'où «pied», qui explique en partie ***courir, taper sur le haricot*** «ennuyer» (mais *haricot* a pu signifier «testicule», comme l'atteste *haricocèle,* nom masculin, «testicule atrophié», 1907). ◇ ***Des haricots*** «rien du tout» (1911) correspond probablement à l'emploi de haricots secs (ou de fèves) comme enjeu fictif, et aussi du verbe *haricoter* (voir ci-dessus); de là vient peut-être aussi ***la fin des haricots*** «la fin de tout» (XXe s.).

HARIDELLE n. f. est attesté une première fois chez Villon dans un emploi figuré (v. 1460), pour «grande femme sèche et maigre», selon l'assimilation habituelle *cheval/femme* (cf. *jument*). Utilisé au sens propre au milieu du XVIe s., *haridelle* est un mot d'origine discutée. Il est peut-être composé du radical germanique *hârr* «gris» (cf. scandinave *hârr* «grisonnant») qui exprime la notion de «cheval» dans de nombreux mots dialectaux (→ haras). Selon P. Guiraud, le mot serait plutôt dérivé de *aride* (1360), emprunt savant au latin *aridus* «desséché», d'où «décharné», «stérile». La forme primitive de *haridelle,* «mauvais cheval efflanqué» (1558), serait *aridelle* au sens de «squelette» (1583), qui se serait croisé avec *harin, harigne, harotte, harousse, harouque* «vieux cheval», sans doute dérivés de *harer* «exciter (les chiens, les chevaux)» [→ haro], le «vieux cheval (squelettique)» étant un animal que l'on «harasse» («harigne», «harotte») de cris pour le faire avancer. Le mot aurait donc d'abord désigné un «squelette» par la même évolution sémantique que *carcan* «carcasse» et «vieux cheval».

HARISSA n. f. est un mot emprunté (1930, *arissa*) à l'arabe *harīsa,* dérivé du verbe *harasa* «écraser, piler, broyer».

♦ Il désigne une poudre ou purée de piments, employée comme condiment dans la cuisine tunisienne.

HARKA n. f. est un mot emprunté (1907) à l'arabe maghrébin *ḥarka* «expédition, opération militaire», issu de l'arabe classique *ḥaraka* «mouvement».

♦ *Harka* a désigné en français (1907), employé à propos du Maroc, un coup de main organisé contre un poste; ensuite le mot s'est dit par métonymie d'une troupe d'insurgés rassemblés pour opérer un coup de main, puis (1914, J. Jaurès) d'une troupe de supplétifs renforçant l'armée régulière, dans l'armée française d'Afrique du Nord.

▸ **HARKI** n. m., «membre d'une harka», est un mot arabe répandu en français vers 1960. ◇ Le mot a pris des connotations particulières avec la guerre d'indépendance algérienne, où les harkis combattaient aux côtés des troupes françaises.

HARLE n. m., d'abord *herle* (v. 1290) et attesté sous la forme actuelle au XVIe s. (1555), est un mot dialectal (nivernais) d'origine inconnue.

♦ Le mot désigne un oiseau palmipède ressemblant aux canards.

HARMATTAN n. m. est un emprunt (1753, *harmatan*, graphie moderne en 1840) au fanti *haramata*, nom donné au Ghana à un vent très chaud et sec qui souffle de l'est, en Afrique occidentale.

♦ Le mot, attesté en anglais dès le XVIIe s. (1671, *harmetan*), conserve le sens de son étymon.

HARMONICA n. m. est un mot emprunté (1765) à l'anglais *harmonica* (1762, *armonica*). C'est le nom donné par Benjamin Franklin à l'instrument de musique qu'il mit au point, d'après la forme féminine de l'italien *armonico* «qui est en harmonie, qui produit de l'harmonie», du latin *harmonicus* (→ harmonie); *armonica* a été latinisé en *harmonica*.

♦ L'instrument de Franklin était constitué de récipients de verre que l'on faisait résonner par frottement, et qui produisaient des sons différents. Le mot est repris ensuite pour désigner différents instruments à touche (*harmonica à clavier*, 1788) et divers instruments nouveaux (*harmonica chimique*, 1866), en particulier l'*eolharmonica* (1859). ◆ De là vient *harmonica* au sens moderne (1902; cf. allemand *Harmonika* «accordéon», 1829); pour cet instrument, l'allemand a *Mundharmonika* «accordéon à bouche» d'où l'emploi autrefois en français d'*harmonica à bouche* (analogue à l'anglais *mouth organ* «orgue à bouche»). Aujourd'hui, le premier emploi est oublié et *harmonica* est redevenu monosémique; pour l'instrument ancien, on dit *harmonica de verre*.

▶ Le dérivé **HARMONICISTE** n. (1953) désigne un joueur d'harmonica.

✱ **HARMONIE** n. f., d'abord *armonie* (v. 1120-1150 et jusqu'au XVIe s.), est un mot emprunté, par l'intermédiaire du latin *harmonia*, au grec *harmonia* «cheville, joint», par exemple en maçonnerie, d'où «assemblage», «juste rapport» et en particulier «accord des sons», qui se rattache à une racine indoeuropéenne °*are-* ou °*re-* «adapter, ajuster» (→ art), sous la forme élargie °*ar-sm-o-*, que l'on retrouve par exemple dans le latin *arma* (→ arme).
Dans la Grèce classique, *harmonia* se dit de la disposition type des tons qui contiennent l'octave et de la succession caractéristique des intervalles qui séparent les tons; la musique grecque sélectionnait sept sons, en fonction des intervalles obtenus par la division d'une corde vibrante (par moitié, tiers, etc.), ce qui aboutit à la gamme diatonique (*harmonie dorienne*), échelle juxtaposant deux groupes de structure identique, de chacun quatre notes; ce mode dorien reste à la base du plain-chant médiéval.

♦ *Harmonie*, jusqu'à la fin du XVIe s., se rapporte à l'ordonnance et à la perception des sons. Le mot se dit (v. 1120-1150) de l'ensemble des sons perçus de manière agréable par l'oreille, puis, de manière plus technique, de l'accord de divers sons perçus dans leur simultanéité (1377). L'évolution — de la succession à la simultanéité — vient de la superposition et de l'enchaînement de lignes mélodiques indépendantes les unes des autres, en particulier à partir de Guillaume de Machaut. ◇ Du premier emploi viennent *l'harmonie des sphères* (1555, Ronsard) «sons harmonieux que les pythagoriciens croyaient produits par le mouvement des corps célestes», puis plus tard *l'harmonie de la nature*, qu'exalta le romantisme et qui participe aussi du sens élargi. À la fin du XVIe s., *harmonie* reprend ce sens de «juste rapport», usuel en grec hors de la musique (par exemple chez Aristote), et se dit des rapports, envisagés d'un point de vue esthétique, existant entre des éléments d'une œuvre d'art, d'un objet, etc. (1574, Amadis Jamin).
C'est à partir de ces deux sens, dans le domaine musical et hors de ce domaine, que les emplois du mot se développent ensuite. *Les harmonies* désigne les accords conformes aux règles de l'harmonie (1662, Racine; exemples plus tardifs *harmonies consonantes* et *harmonies dissonantes*); par analogie, le mot désigne l'ensemble des caractères — combinaison de sons, rythmes, accents — qui font qu'un discours est agréable à l'oreille (1672, Boileau). ◇ *Harmonie* s'emploie également au sens de «rapports justes entre les parties d'un tout, qui font que ces parties concourent à un même effet» (dictionnaire de Richelet, 1680); de là, par extension, l'emploi au sens de «bonnes relations entre des personnes» (1689, Racine) et en philosophie, *l'harmonie préétablie* de Leibniz (1716, Fontenelle). ◇ C'est dans le *Traité de l'harmonie* (1722) de J.-Ph. Rameau que sont fixés les sens musicaux d'*harmonie*, «ensemble de principes sur lesquels est basé en musique l'emploi des sons simultanés» et «théorie des accords et des simultanéités». Le concept d'harmonie musicale ne sera modifié qu'avec B. Bartok au début du XXe s., en particulier par la combinaison d'un mode de *fa* et d'un mode de *ré;* la rupture avec l'harmonie classique s'opère surtout, au début du XXe s., avec l'utilisation des douze sons du total chromatique, par A. Schönberg (le *dodécaphonisme**).
Du sens général de «juste rapport» viennent la locution ***en harmonie*** (1802, Chateaubriand) et l'emploi du mot dans les doctrines économiques et sociales du XIXe s. : *Les Harmonies économiques* de Bastiat (1849), *l'harmonie (sociale)* «l'époque de prospérité qui doit succéder, selon les fouriéristes, à l'enfance de l'humanité» (av. 1866). ◇ De là vient le dérivé didactique **HARMONIEN, IENNE** adj. (1822, Fourier, *union harmonienne;* le mot est attesté isolément au sens d'«harmonieux», à la fin du XIVe s.). ◇ *Harmonie* est devenu aussi au XXe s. un terme de mathématiques, au sens de «relation caractéristique entre plusieurs grandeurs».
En musique apparaît ***cor, trompette d'harmonie*** (1820), permettant de produire les sons de la gamme (opposé à *cor de chasse*, à *trompette de cavalerie*); *l'harmonie d'un orchestre* désigne par métonymie (1866) les bois, les cuivres et les percussions, d'où *musique d'harmonie* et *une harmonie, l'harmonie municipale*, etc. (dep. 1821), «orchestre composé de ces instruments».

▶ **HARMONIEUX, EUSE** adj. apparaît au XIIIe s. dans le syntagme *armonieus sons* et sous la forme actuelle au XVIe siècle. D'abord appliqué aux sons agréables à l'oreille, puis à un instrument qui produit des sons agréables (1671, Molière), le mot qualifie par extension le langage, le style (1669, Boileau). À partir du XVIIIe s., il s'emploie par figure en parlant de ce qui forme un ensemble équilibré (ainsi dans les arts plastiques, *couleurs harmonieuses,* 1765). ◇ De l'adjectif dérive **HARMONIEUSEMENT** adv. (1636; 1512, *armonieusement*).

HARMONISER v. tr., attesté au milieu du XVe s. au sens de «mettre en harmonie (des choses)», est très peu usité dans la langue classique. Le verbe est repris (1893, pronom., «se mettre en harmonie»), après la création de **HARMONIER** v. tr. (1784), aujourd'hui sorti d'usage, classé parmi les «nouveaux verbes complètement barbares» par Necker, mais fréquemment employé par Bernardin de Saint-Pierre, Chateaubriand et Balzac. ◇ *Harmoniser* s'emploie comme terme de musique au sens de «combiner (une mélodie) avec d'autres parties en vue de réaliser un ensemble harmonique» et, spécialement (1839), de «régler le timbre des tuyaux d'orgue». ➜ À partir du XIXe s. sont dérivés des termes qui se rattachent à l'un des deux sens ou aux deux sens du verbe : **HARMONISANT, ANTE** adj. «qui harmonise» (1839; participe présent du verbe), repris comme terme de biologie au XXe s. pour «qui régularise»; **HARMONISATION** n. f., en 1842 en musique (1873 en phonétique, *harmonisation vocalique*); **HARMONISATEUR, TRICE** n., attesté en 1846 en musique (emploi figuré en 1878, Cl. Bernard, *systèmes nerveux et musculaire harmonisateurs*); plus récemment, apparaît **HARMONISABLE** adj. «qui peut être harmonisé, s'harmoniser» (1949).

HARMONISTE n. m. est d'abord attesté comme terme de musique (1767, Rousseau) et de peinture (av. 1784, Diderot); le mot n'est plus usité dans ce dernier emploi. Au XIXe s. *harmoniste* a été repris dans le domaine de la religion pour désigner celui qui montre l'harmonie des Évangiles (1863, Renan). ◇ *Harmoniste* se dit par ailleurs (1866, Littré) d'un membre d'une société réligieuse et communiste fondée aux États-Unis par G. Rapp en 1803; le mot est alors emprunté à l'américain *harmonist,* issu de *Harmony,* nom donné à la ville de Pennsylvanie créée par cette communauté.

HARMONIUM n. m., mot savant, a été créé (1840) d'après *harmonie* par A. Debain pour désigner un instrument à clavier et à soufflerie comme l'orgue, mais muni d'anches libres au lieu de tuyaux. ➜ Le composé **HARMONICORDE** n. m. (1819; probablement d'après l'allemand) a désigné un instrument inventé à Dresde par Kaufmann, puis cet instrument perfectionné par A. Debain (1854).

Sur *harmonie* a été composé le terme didactique **INHARMONIE** n. f. «défaut d'harmonie» (1765, Diderot); en dérive l'adj. **INHARMONIQUE** (fin XVIIIe s.), employé au propre et au figuré. ➜ **DYSHARMONIE** n. f. (1839) ou **DISHARMONIE** (XXe s.), de *dys-*, terme didactique au sens d'«absence d'harmonie», est employé spécialement en médecine (mil. XXe s.). ◇ Il a pour dérivé **DYSHARMONIQUE** adj. ou **DISHARMONIQUE** (1925), terme didactique.

PHILHARMONIE n. f., autrefois «amour de la musique» (1845), aujourd'hui «société philharmonique», est issu de **PHILHARMONIQUE** adj. composé de *phil(o)-* et *harmonia,* d'après l'italien *filarmonica. Philharmonique* a autrefois désigné par emprunt (1739, n. m.) un membre d'une société littéraire de Vérone. ◇ Comme adjectif (1797) il qualifie les personnes qui aiment la musique, puis une société d'amateurs de musique (1805), enfin une formation musicale locale et (par réemprunt) certains grands orchestres de musique classique.

HARMONIQUE adj. et n., attesté en 1377 chez Oresme, est emprunté au latin *harmonicus* «bien proportionné, harmonieux», lui-même pris au grec *harmonikos,* en musique «conforme aux lois des accords», dérivé de *harmonia.* ➜ Le mot conserve chez Oresme le sens du latin et est aussi employé comme terme de mathématiques pour qualifier une bonne proportion entre des nombres (proportionnalité double ou triple). Au XVIIe s., on emploie *harmonique* avec le sens de «dont toutes les parties sont en harmonie» (1662, La Rochefoucauld). ◇ C'est à partir du XVIIIe s., surtout d'après le *Traité de l'harmonie* de J.-Ph. Rameau (voir ci-dessus), que le mot se spécialise en musique et en acoustique : *division harmonique* est attesté en 1703, *son harmonique* (1732) s'emploie au sens de «son musical simple dont la fréquence est un multiple entier d'un son de référence», dit *fondamental* (d'où *un harmonique,* n. m.). ◇ Le mot est repris en mathématiques (1704), au début de ce qui aboutira à l'*analyse harmonique* (traitement des fonctions périodiques, et leur représentation par des séries trigonométriques). Au XXe s., *les harmoniques,* n. f. pl., désigne figurément ce qui produit un effet comparable à celui d'un harmonique d'un son fondamental (1922, Proust; cf. *résonance*). ◇ Le mot est utilisé par extension en ethnologie, comme adjectif, pour qualifier une structure de parenté où la règle de filiation et de résidence sont semblables. ➜ Le dérivé **HARMONIQUEMENT** adv., d'abord «avec harmonie» dans un contexte politique (1576), s'emploie en musique (1705) et au sens d'«harmonieusement» (1837, Balzac), puis aussi en mathématiques (1866). ➜ L'adjectif préfixé **ANHARMONIQUE** (1837; préfixe *an-*) est un terme de mathématiques.

ENHARMONIQUE adj. est un emprunt (v. 1360-1377, Oresme) au composé bas latin *enharmonicus,* lui-même pris au grec *enharmonikos* «harmonieux». Ce terme qualifie l'un des trois genres de la musique grecque et s'applique, dans la musique moderne (1755), à des notes de noms distincts et de caractères harmoniques différents (par exemple do dièse et ré bémol), représentés dans les instruments par un son unique intermédiaire. ◇ Le dérivé **ENHARMONIE** n. f. (1849) est formé d'après *harmonie.*

◈ voir HARMONICA.

HARNAIS ou **HARNOIS** n. m. est une réfection (1230) de *herneis* (1155); la graphie *harnais* ne s'impose qu'au XVIIIe s., mais *harnois* subsiste par archaïsme dans quelques expressions. Le mot représente une adaptation de l'ancien scandinave °*hernest* «provisions pour l'armée», issu d'une forme °*harinest,* composée du francique °*hari,* °*heri* «armée» (cf. allemand *Heer*) et de *nest* «provisions»; la seconde syllabe a été modifiée sur le modèle du suffixe *-eis/-ois*. C'est à cause du prestige de la chevalerie française que le mot a été emprunté par d'autres langues; italien *arnese*, espagnol *arnes*, anglais *harness*, allemand *Harnisch*.

♦ *Harnais*, attesté une seule fois en 1155 avec le sens étymologique de «suite d'une armée, bagages», s'est spécialisé pour désigner l'équipement complet d'un homme d'armes (v. 1160-1174), d'où le sens moderne d'«habit militaire», d'«uniforme» (av. 1825); de là viennent les locutions ***endosser le harnais/le harnois*** (1636), ***blanchir sous le harnais*** (ou ***le harnois***, par souci d'archaïsme, 1669). Par extension du sens d'«équipement», *harnais* se dit au moyen âge pour «vêtements, atours» (1228), d'où les locutions aujourd'hui tombées en désuétude *suer dans son harnais* «être trop vêtu», *s'échauffer dans son harnais* «s'énerver» (1552) et, plus tard, la valeur péjorative de «vêtement peu commode ou ridicule», qu'on relève par exemple chez Balzac (1841). C'est au XIIIe s. que le sens d'«équipement» s'emploie par extension à propos du cheval (1230), puis de tout animal de trait (fin XVIIe s.); aujourd'hui, dans l'usage courant, *harnais* se dit surtout des pièces souples de l'équipement. ◇ Le mot a eu la valeur métonymique de «voiture avec son attelage» (1301) et «ensemble formé par les chevaux et la voiture» (1694). ◇ À partir du XVIIIe s., par analogie, *harnais* prend des acceptions techniques : il désigne par exemple l'ensemble des pièces d'un métier à tisser (1765; aussi *harnat*, n. m.) et, récemment, un système de sécurité utilisé par les alpinistes (v. 1960; cf. *baudrier, ceinture*).

▸ **HARNACHER** v. tr. est une réfection (1564), qui semble postérieure à celle du dérivé *harnachement*, au moins sous la forme *arnechement*, de *harnessier* (fin XIIIe s.), lui-même de *haneker* «carguer (les voiles)» (fin XIIe s.), au participe passé *harnesié* (v. 1230). ◇ Le verbe s'emploie d'abord (déb. XIIIe s.) en parlant d'un cheval puis par analogie de personnes : «accoutrer» (1493), d'où **HARNACHÉ, ÉE** adj. «affublé, accoutré» relevé chez C. de Bergerac (1651). ◆ Le dérivé **HARNACHEMENT** n. m. (1561; *harnasment* au XIVe s.) désigne d'abord (1494-1495, *arnechement*) l'équipement des chevaux et animaux de selle, puis l'action de harnacher (1636) et par extension un habillement lourd et incommode (1834, Stendhal). ◆ **HARNACHEUR** n. m., qui a disparu au sens de «fabricant de harnais» (fin XVIe s.; 1402, *harnicheur*), désigne depuis 1611 un palefrenier qui harnache les chevaux.

HARO interj. et n. m. inv., attesté vers 1180, est comme les variantes *harou, hareu* (v. 1360) un dérivé de *hare* (1204), mot issu du francique °*hara* «ici, de ce côté» restitué par l'ancien haut allemand *hera* et le moyen néerlandais *hare* (cf. allemand *her* de même sens). C'était le cri par lequel on marquait la fin d'une foire ou de la vente d'une denrée (1204); l'interjection fut ensuite utilisée (1373) dans le vocabulaire de la chasse pour exciter les chiens. Le composé *harlou* (1569) ou *harloup* (1604) est une contraction de *hare-loup*, interjection qu'on utilisait à la chasse au loup.

♦ *Haro*, comme terme de droit (v. 1180), s'est employé pour exprimer l'appel à l'aide qui rendait obligatoire l'intervention de ceux qui l'entendaient; de là vient par extension (1529) la locution ***crier haro sur qqn*** «dénoncer qqn à l'indignation de tous, s'élever contre»; ***crier haro sur le baudet***, popularisé par La Fontaine, signifie «dénoncer un innocent, désigner un bouc émissaire».

▸ ② **HALER** v. tr., terme de chasse sorti d'usage, est dérivé de *hare* par dissimilation des deux *r* dans certaines formes verbales; le mot apparaît d'abord sous la forme *harer* (1377), l'altération *haler* étant attestée vers 1460.

◈ voir HALLALI, HARASSER.

HARPAGON, ONNE n. m. et adj. est attesté comme nom commun en 1696 et comme adjectif en 1719; il vient du nom propre *Harpagon*, personnage principal de *L'Avare* de Molière (1668), emprunt au latin *harpago* «harpon» et au figuré «rapace», lui-même formé sur le grec *harpagê* «rapine», «proie», «rapacité», de *harpazein* «piller», «enlever», mot d'origine indoeuropéenne, de la racine signifiant «crochu» (→ ① harpe, harpon).

♦ *Harpagon*, terme littéraire, se dit d'un homme d'une grande avarice.

▸ Le dérivé **HARPAGONNERIE** n. f., attesté chez Balzac (1850), n'a pas de vie réelle.

① **HARPE** n. f. est issu (fin XIe s.) du germanique °*harpa* «instrument de musique à cordes» restitué par l'ancien haut allemand *harfa* et le moyen haut allemand *hârpe* (cf. allemand *Harfe;* anglais *harp*), introduit en bas latin par les légionnaires d'origine germanique (*harpa*, VIe s.). P. Guiraud rapproche le mot du roman *harpa* «griffe» et de l'ancien français *harper* «saisir» (→ harpon), la harpe étant un instrument dont on pince les cordes en les saisissant du bout des doigts; la racine *harp-* «crochet» est à la fois latine et germanique.

♦ La forme de la harpe change au cours des siècles; au XVIe s., le mot désigne un instrument analogue à la lyre et au luth. C'est au début du XIXe s. que *harpe* désigne le grand instrument à cordes que nous connaissons, perfectionné par Érard. Le nom de cet instrument de musique apparaît dans des syntagmes comme *harpe de David*, désignant par métaphore, comme *lyre* dans le contexte grec, la poésie (1820, «poésie sacrée», Lamartine), *les harpes célestes*. ◇ Par analogie de forme avec l'instrument ancien, *harpe* est aussi le nom (1742) d'un mollusque.

▸ ① **HARPER** v. intr. (XIIe s.) «jouer de la harpe», est aujourd'hui sorti d'usage. ◆ **HARPISTE** n. (1677) s'est maintenu contre le terme concurrent plus tardif **HARPEUR, EUSE** n. (1808). ◆ Par analogie avec le mouvement du bras d'un harpiste, un autre verbe ② **HARPER** v. intr., terme technique, a signifié (fin XIIIe s.), en parlant d'un cheval, «lever une jambe de derrière plus haut que l'autre sans plier le jarret»; il s'emploie encore avec le sens de «fléchir les jarrets dans le pas et le trot» (1678).

② **HARPE** → HARPON

HARPIE n. f., d'abord *arpe* au XIVe s., suffixé en *erpie* vers 1420, *arpye* en 1537, et sous la forme actuelle chez Ronsard (1555), est un mot emprunté, par l'intermédiaire du latin *Harpyia*, ordinairement au pluriel *Harpyiae*, au grec *Harpuia* (plus souvent au pluriel, *Harpuiai*).

♦ C'est le nom donné, dans la mythologie grecque, à des divinités des tempêtes, monstres à corps d'oiseau comme les sirènes, aux griffes acérées, et à tête de femme ; en ce sens, le mot s'est parfois écrit *harpye, harpyie*. ◇ Dès le XVIe s., *harpie* est attesté avec le sens figuré de «personne avide, rapace» (1585), déjà utilisé en latin, spécialisé pour désigner une femme méchante, acariâtre, au début du XVIIe s. chez d'Aubigné (cf. *furie, mégère*). ◇ À la fin du XVIIIe s., *harpie* est le nom donné à un genre de chauve-souris (1775 ; du latin scientifique *harpyja*, 1767) puis (1808) à un oiseau rapace vivant en Amérique du Sud.

Ⓖ **HARPON** n. m. est un dérivé (v. 1130) du verbe *harper* (XIIe s.) «saisir», qui serait issu d'un germanique °*harpan* «saisir», ou du latin *harpe* «faucille» et «espèce d'oiseau de proie», du grec *harpê* «objet crochu», «faucon» (à rattacher à *harpazein* ; → harpagon), avec une influence phonétique de l'ancien scandinave *harpa* «action de tordre, crampe» (dans *munn-harpa* «tordre la bouche»), du verbe °*harpan*.

♦ *Harpon* est d'abord apparu en anglo-normand au sens d'«agrafe (de parure)» ; le mot est rare jusqu'au XVe s., où il est employé comme terme technique (1474, *herpon*) au sens de «pièce métallique coudée qui relie deux pièces de maçonnerie». Le mot désigne ensuite (1516) un instrument en forme de flèche pour prendre certains gros poissons et les cétacés, sens toujours vivant, puis un grappin tranchant utilisé pour l'abordage d'un vaisseau ennemi (1611). Par analogie de forme, *harpon* se dit également (mil. XIXe s.) d'une arme connue dès la préhistoire, flèche terminée par un crochet ou munie de crocs latéraux, et au XXe s. d'un double-croc employé comme grappin par les sapeurs-pompiers.

▸ Le dérivé **HARPONNER** v. tr. «accrocher avec un harpon» (1613) s'emploie au figuré pour «arrêter, saisir brutalement» («accaparer», Balzac, 1830 ; cf. les emplois figurés de *grappin*). ➛ Du verbe dérivent des termes de pêche, comme **HARPONNAGE** n. m. (1769) ou, rare, **HARPONNEMENT** n. m. (1886) propre ou figuré. ◇ **HARPONNEUR** n. (1613) est plus courant.

Le verbe ② **HARPER** tr., sorti d'usage aux sens de «saisir» (1376) ou au figuré de «voler», en argot (attesté en 1882, mais sans doute plus ancien), est lui aussi un terme technique de pêche, comme ses dérivés attestés au XXe s., tel **HARPAGE** n. m. ➛ Le dérivé **HARPAILLER** v. tr., proprement «mal saisir», a eu le sens de «malmener» (1556) d'où l'emploi pronominal pour «se quereller» (1718), encore relevé par le dictionnaire de l'Académie en 1878. Le verbe est entré dans le vocabulaire de la vénerie (1794), au sens de «prendre le change sur des biches, en chassant le cerf» (donc, «mal saisir»).

② **HARPE** n. f. est aussi un dérivé du verbe *harper* ; c'est depuis ses premiers emplois un terme technique, qui a le sens général d'«instrument ou élément de forme crochue», «fer coudé» (1409), «saillie d'une pierre de taille» (1485) ; en vénerie (1549), il est emprunté au provençal *harpa* «griffe de chien», lui-même du latin *harpe*.

HART n. f. est issu (1160-1174) selon Bloch et Wartburg du francique °*hard* «filasse» (cf. moyen néerlandais *hede* «fibre de lin», allemand *Haar* «filasse», peut-être apparenté à *Haar* «cheveu» ; → haire) ou du francique °*hard* «branche» (cf. ancien haut allemand *hard*, moyen néerlandais *hart* «forêt», et le nom géographique allemand *Hardt*, désignant un massif boisé au nord des Vosges). Ⓖ

♦ *Hart* s'est dit d'abord d'une corde avec laquelle on pendait les condamnés, sens qui ne subsiste que dans certaines formules judiciaires au XVIIe s. *(à peine de la hart)*, encore au XIXe s. par archaïsme littéraire, chez Hugo par exemple. Par métonymie, *hart* a eu le sens de «pendaison» (1265). Le mot a aussi désigné (fin du XIIe s. ; v. 1200, *hard*) un lien de bois flexible pour attacher les fagots, aujourd'hui d'emploi régional. Enfin, *hart* fut le nom donné (1704) dans le milieu des peaussiers et des gantiers à un instrument servant à étirer les peaux.

▸ ② **HARDE** n. f. (1391) représente la forme féminine de *hart*. Le mot signifie d'abord «corde», comme *hart*, et spécialement en vénerie (XVIIe s.) le lien servant à attacher les chiens par couples (1671) et, par métonymie, un groupe de chiens de chasse ainsi attachés (1625, au figuré).

De *harde* dérivent les termes techniques **HARDER** v. tr. (1561) avec un composé de *hart*, **ENHARDER** v. tr., «lier avec une corde», attesté plus tôt (v. 1200), et **HARDILLIER** n. m. (1723), nom d'un crochet de métal utilisé dans la tapisserie de haute lice.

HASARD n. m. représente un emprunt (v. 1150, *hasart*) à l'arabe *az-zahr*, «jeu de dés», par l'intermédiaire de l'espagnol *azar* (1283) «jeu de dés» et «coup défavorable au jeu de dés». Le mot arabe vient de *zahr* «fleur» (espagnol *azahar* «fleur d'oranger»), les dés ayant porté une fleur sur l'une des faces, soit du verbe *yasara* «jouer à un jeu de hasard». Le *h-* est dû au fait qu'au moyen âge les mots à initiale vocalique, d'origine étrangère, étaient régulièrement écrits avec *h*.

♦ *Hasard* a désigné au moyen âge un jeu de dés et s'est dit (1200) d'un coup heureux à ce jeu (le six). C'est de ce premier sens que vient l'expression *jeu de hasard* (1538), mais aujourd'hui la référence au jeu de dés est oubliée, *hasard* étant toujours compris au sens absolu et philosophique.

Hasard prend dans le premier quart du XIIIe s. le sens figuré de «mauvais coup», d'où celui de «risque, danger» (XVe s.), sens vieilli dans l'emploi au singulier — Voltaire n'admettait dans cette acception que *mettre au hasard* ; la locution *être au hasard* (1538) est tombée en désuétude. Restent aujourd'hui ***les hasards de la guerre*** et, comme terme technique de golf, *les hasards* «les obstacles naturels», mais dans cet emploi le mot a été emprunté (1906) à l'anglais *hazard* ; cependant, un sens analogue est attesté en 1717 au jeu de mail. ◇ Par extension, on passe du sens de «risque» à celui de «cas, événement fortuit» (déb. XVIe s., *hasart*). Au milieu du XVIe s., comme *sort* et *fortune*, *hasard* s'emploie absolument pour «cause qu'on attribue à ce qui arrive sans raison apparente», d'où ensuite l'emploi en sciences *(les lois du hasard)*. De l'idée de «fortuit» vient un ensemble de locutions adverbiales : ***au hasard*** (1580, Montaigne) signifie «sans direction déterminée» *(aller au hasard)* et «sans réflexion» *(parler au hasard)*, puis «sans évolution prévisible» (1695, Fénelon); ***à tout hasard*** (fin XVIe s., d'Aubigné), d'abord pour «quoi qu'il puisse arriver», équivaut aujourd'hui à «en prévision de ce qui peut arriver»; ***par hasard*** (1636) a remplacé l'emploi adverbial de *hasard* (1532, *hazart*) au sens de «fortuitement». La locution prépositive ***au hasard de*** (1580, Montaigne) a signifié «au risque de» et aujourd'hui «selon les hasards de» (1883, P. Loti). ***De hasard*** s'est employé (1694) pour «d'occasion», c'est-à-dire «ce qu'on trouve par hasard» *(marchandise de hasard)* jusqu'à la fin du XIXe s. (encore chez Flaubert, 1869).

▶ Les dérivés sont usuels. **HASARDER** v. tr. s'est employé au sens de «jouer aux dés»; c'est la réfection de *haseter*, intr. (1re moitié du XIIIe s.), d'abord au participe passé *hazardé*. ◇ Comme pour le nom, on passe ensuite à l'idée de «risquer» (1389, *hazardé* «hardi, impertinent») avec le sens de «livrer aux aléas du sort» (1407), devenu d'usage littéraire; de là viennent des emplois maintenant sortis d'usage, *hasarder qqn* «l'exposer à un danger» (v. 1500; pronom., v. 1460) et de *hasarder qqch.* «risquer» (1622, d'Aubigné, *hasarder le combat*). ◇ Le verbe s'emploie aujourd'hui au pronominal : *se hasarder à*, construit avec un infinitif «se risquer à» (1642, Corneille) et *se hasarder* «se risquer (en un lieu où il y a du danger)» (1835). *Hasarder* signifie par extension (1532) «faire (qqch.) en risquant d'échouer», — emploi réalisé dans *démarche hasardée* «dont l'issue est douteuse» (XIXe s.) —, d'où (1579) «se risquer à exprimer une opinion qui peut déplaire» (exemple : *une idée hasardée* «peu sûre», XVIIIe s.). Spécialement, *hasarder un mot, une expression* signifie «l'utiliser alors que son usage n'est pas bien établi» (1670). ➜ **HASARDEUX, EUSE** adj., tiré de *hasard* «risque», signifie, en parlant de personnes, «qui s'expose au risque» (1552) et, par ailleurs, «qui expose au risque, comporte des risques» (1580, Montaigne). ◇ L'adverbe dérivé **HASARDEUSEMENT**, au sens de «d'une manière risquée» (1554), d'emploi rare aujourd'hui, s'est dit aussi pour «fortuitement» (1624).

HA(S)CHI(S)CH n. m. est une adaptation de l'arabe *ḥašīš* «herbe, foin» et «chanvre indien». Le mot est introduit, dans un récit de voyage en 1556, sous les formes *ashy* et *hasis*; la graphie *haschîsch* est attestée en 1773, *hachisch, hachich, hatschisch* (Nerval), etc., au XIXe siècle.

♦ Le mot, abrégé en **HASCH** n. m. (v. 1968) et **H** (1973), conserve le sens étymologique de «chanvre indien» (il correspond à *herbe*).

▶ *Haschisch* a eu à partir des années 1840 des dérivés, qui n'ont pas vécu, exprimant les effets du haschisch : **HASCHISÉ, ÉE** adj. (1845), **HASCHICHÉ, ÉE** adj. (1871), **HASCHIDÉ, ÉE** adj. (1886). ➜ **HA(S)CHISCHIN** n. m. est l'étymologie traditionnelle, mais très probablement erronée, de *assassin* (→ assassin); elle date du début du XIXe s. et a été reprise littérairement pour qualifier les musulmans ismaïliens censés s'adonner à l'usage du haschich. Le mot, emprunté à l'arabe *ḥašīšī* ou *ḥaššāšī*, signifie normalement «personne qui fume le haschich»; il est littéraire et rare en français, tant comme nom (1860) que comme adjectif (1860, Baudelaire).

HASE n. f. représente un emprunt (1556; 1547 en wallon) à l'allemand *Hase* «lièvre» issu, comme l'anglais *hare*, d'un germanique °*kazon-*, qui se rattache à une base indoeuropéenne °*kas-* «sauter», représentée en sanskrit. *Hâve** lui est apparenté.

♦ Le mot désigne la femelle du lièvre ou du lapin de garenne.

◈ voir HÂVE.

HASSIDIM n. m. pl. représente l'hébreu *ḥăsîdîm* «pieux», transcrit en grec *asidaioi* (Septante), en latin *assidaei* (Vulgate), qui a donné *assidiens* au XVIIe s. (traduction de la Bible) puis *assidéen* au XVIIIe siècle. La forme actuelle n'apparaît qu'au début du XXe s. ainsi que la variante graphique *chasidim* (1886).

♦ Le mot désigne, dans l'histoire de la judaïté, les juifs orthodoxes qui s'opposèrent aux tentatives d'hellénisation de la Palestine par la Syrie (v. 175 av. J.-C.) puis, dans l'Allemagne des XIIe et XIIIe s., les juifs pieux se réclamant du *hassidisme* (ci-dessous); enfin, depuis le XVIIIe s., ceux qui se réclament du hassidisme restauré par Ba'al Shem Tob.

▶ Le dérivé **HASSIDISME** n. m. (1923) a désigné différents mouvements juifs de dévotion ardente, de stricte observance et de tendance mystique. ➜ **HASSIDIQUE** adj. apparaît au XXe siècle.

HAST n. m. ou **HASTE** n. f. apparaît d'abord au féminin (v. 1188, *haste*); on relève *arme d'ast* en 1542; la réfection en *hast* dans *arme d'hast*, n'est attestée qu'en 1636. *Hast* est issu du latin *hasta*, nom féminin, «lance, pique, javelot», qui se rattache à une base indoeuropéenne °*-z-dh-* comme le gotique *gazds* «aiguillon», l'irlandais *gat* «verge», *gas* «tige».

♦ Le mot a conservé les sens du latin dans le vocabulaire de l'archéologie. *Arme d'hast* désigne par extension toute arme emmanchée au bout d'un long bâton. Il est enfin possible que *hast* «manche de pique» soit à l'origine de l'expression familière *as de pique*.

▶ Le dérivé **HASTÉ, ÉE** adj. (1789) se dit, en botanique, de ce qui a la forme d'un fer de lance.

HÂTE n. f. est issu (v. 1135, *en haste*) du francique °*haist* «violence, vivacité», reconstitué d'après l'ancien gotique *haifsts* «dispute» et l'ancien haut allemand *heisti* «violent» (l'allemand moderne *Hast* est emprunté au français). On trouve très tôt en galloroman la forme *hast*; la graphie moderne est attestée au XVIe siècle.

♦ *Hâte* est introduit avec le sens de «précipitation, empressement» (v. 1170), d'abord dans la locution adverbiale ***en hâte*** «avec rapidité», d'où ensuite ***à la hâte*** «au plus vite» (1538, d'abord *a haste,* mil. XVe s.) et ***avoir hâte de*** (1538).

▸ **HÂTER** v. tr. est attesté en 1080 (*haster;* v. 1160, pron.) au sens de «s'empresser de, faire diligence», d'où viennent les sens de «faire arriver qqch. plus vite» (mil. XIIe s.; *hâter le pas,* 1580) et de «faire dépêcher (qqn)» (v. 1155), sorti d'usage. L'emploi transitif est peu à peu devenu d'usage soutenu, seul le pronominal reste courant. ◆ Le dérivé **HÂTIF, IVE** adj. est employé dans *La Chanson de Roland* (1080, *hastif*) au sens de «qui se hâte, précipité». Il se dit (fin XIVe s.) en parlant d'un fruit qui vient avant son temps et au XVIe s., en emploi figuré, en parlant d'une intelligence, d'un esprit rapidement développé (1559). Au XVIIe s., *hâtif* est utilisé pour «pressé» (1680), emploi rare repris au XXe siècle. Par extension, l'adjectif se dit, à la fin du XIXe s., de ce qui se fait ou a été fait trop vite. ◇ **HÂTIVEMENT** adv., sous cette graphie, depuis 1694, est attesté vers 1140 (*hastivement*). ◆ **HÂTIVEAU** n. m., d'abord *hastivel* (v. 1223) «saison hâtive», désigne aujourd'hui un fruit ou un légume hâtif (1611, *hastiveau*), emploi conservé régionalement. L'extension s'est faite par des expressions comme *poire de hastivel* (v. 1300).

HAUBAN n. m. apparaît sous les formes *hobent* (v. 1138), *hoben, hobun* (1155), *auban* (1570) et enfin *hauban* (1676). Le mot est issu de l'ancien scandinave *höfudbenda* «câble principal d'un navire», composé de deux mots germaniques, *höfud* «tête» (cf. allemand *Haupt,* anglais *head*) et de *benda* «lien» (cf. allemand *Band,* anglais *to bind* «lier»).

♦ *Hauban,* terme de marine, conserve le sens étymologique (v. 1138) de «cordage servant à assujettir un mât»; par analogie, le mot se dit ensuite (1359, *hoban*) d'un cordage ou câble métallique servant à maintenir et à consolider; au XXe s. (v. 1929) il s'intègre au vocabulaire de l'aviation.

▸ De *hauban* dérive le verbe **HAUBANER** tr. (1676), terme de marine et d'aviation. ◆ **HAUBANAGE** n. m. (1927) dérive du verbe au sens de «consolidation par des haubans» et du nom (suffixe collectif *-age*) pour celui d'«ensemble des haubans».
À partir de *hauban* ont été composés des termes de marine : **PORTE-HAUBAN** n. m. (1611; aussi *porte-haubanne,* 1552, aujourd'hui sorti d'usage) et **GALHAUBAN** n. m. (1634) altération de *cale-hauban* (de *caler* «abaisser»; → ① caler).

HAUBERT n. m. est une réfection (déb. XIVe s.) des formes *haberc, halberc* (1080) puis par changement de finale *aubert* (XIIe s.). C'est un mot issu du francique °*halsberg* (que l'on peut restituer d'après le moyen néerlandais *halsberch* et le moyen haut allemand *halsberc*), proprement «ce qui protège le cou», composé de *hals* «cou» et du verbe correspondant à l'allemand *bergen* «mettre en sûreté». La forme *osberc* (1080), sans doute empruntée comme d'autres formes anciennes sans *h* à l'ancien provençal *ausberc,* est dans le vocabulaire une des traces du commerce d'armes actif entre le Nord et le Midi.

♦ *Haubert* désignait au moyen âge une chemise en mailles munie de manches, d'un gorgerin et d'un capuchon, que portaient les hommes d'armes. En droit médiéval, un *fief de haubert* se disait (1409) d'un fief dont le possesseur devait servir le roi à la guerre, acquérant ainsi le droit de porter le haubert, symbole de son rang. ◇ Par analogie, *haubert* s'est employé pour «cosse de fève», d'où une métaphore pour désigner le sexe de la femme (1550).

▸ Les dérivés, aujourd'hui termes d'histoire, sont issus des formes anciennes en *-erc, -erg* : **HAUBERGEON** n. m. (1170; v. 1165, *hauberjon*) «haubert court» et **HAUBERGIER** n. m. (XIIIe s.) «fabricant ou vendeur de hauberts».

✱ **HAUSSER** v., attesté vers 1130 sous la forme *halcier,* devenu *haucier* au XIIe s. par vocalisation du *l-,* puis *hausser* par influence de *haut,* est issu d'un latin populaire °*altiare,* dérivé de *altus* «qui a grandi» (→ haut); le *h* initial provient de *haut.*

♦ *Hausser* s'emploie d'abord (v. 1130) au sens de «mettre à un niveau plus élevé, lever», d'où «augmenter» (v. 1208), aujourd'hui d'emploi vieilli sauf dans quelques contextes : *hausser les prix, se hausser sur la pointe des pieds* (v. 1265), *hausser les épaules.* ◇ Le verbe s'emploie parallèlement (v. 1155) au sens de «relever» *(hausser un mur)* et spécialement (v. 1195) «augmenter l'intensité de (un son)». L'emploi figuré pour «élever» (XIIIe s.; v. 1265 au pronom.) est devenu archaïsant; l'emploi intransitif de *hausser* pour «augmenter, monter» (mil. XVIe s.), concurrencé par celui de *monter,* est lui aussi vieilli.

▸ Le déverbal **HAUSSE** n. f. est attesté au XIIIe s. (judéo-français, *halce*) pour «orgueil»; lié au sens figuré de *hausser;* cet emploi abstrait ne s'est pas maintenu. ◇ Le mot s'utilise ensuite depuis le XIVe s. au sens de «dispositif servant à hausser» (1376), d'où viennent divers emplois techniques, en musique (1680, *hausse d'un archet*), en imprimerie (1690), plus tard dans le domaine de l'armement (1819). ◇ Au XVe s., on trouve *hausse* pour «augmentation de prix, de valeur» (1443, *la haulce d'un denier*), d'où *hausse des actions* (1771) et l'expression *en hausse* (1886). ◇ Au XIXe s., le nom s'emploie dans un contexte concret pour «fait de s'accroître en hauteur» (1874, *hausse du baromètre*). ◇ Le dérivé **HAUSSETTE** n. f. (déb. XXe s., suffixe *-ette*), terme technique, signifie «paroi surélevée». ◆ Sur *hausse,* terme de finances, a été dérivé **HAUSSIER** n. m. en 1823 pour désigner la personne qui joue à la hausse les valeurs boursières. ◆ **HAUSSIER, IÈRE** emploi adjectivé du nom signifie (1968) «qui est favorable à la hausse des prix». ◆ Sur *hausse* «augmentation» a été composé l'adjectif invariable **ANTIHAUSSE** (1955 : *mesures antihausse*).
HAUSSEMENT n. m., dérivé de *hausser,* est attesté de façon isolée au XIIIe s. (judéo-français, *hocement*) au sens d'«élévation, montagne»; le substantif d'action, repris (1358) au sens d'«action de hausser qqch.», demeure aujourd'hui seulement en parlant d'une partie du corps (1585, *haussement d'épaules*); l'emploi figuré, apparu au XVIIIe s., n'est

plus en usage (1763, *haussement de valeur numéraire,* Voltaire).

Le composé **HAUSSE-PIED** n. m., d'abord sous la forme *hauchepied* (1336), a le sens général de «ce qui fait lever le pied»; il s'est employé pour «marchepied», comme terme de vénerie (1377-1389, «piège à loups») et de fauconnerie (av. 1690); le mot est repris au XIXe s. comme terme technique («pièce d'une bêche», d'abord en 1840, *hoche-pied,* par confusion morphologique avec *hocher,* puis en 1893).

Sur *hausser* ont été formés plusieurs verbes préfixés. ➜ **EXHAUSSER** v. tr. avec le préfixe *es-,* refait ensuite sur le modèle du latin, a d'abord le sens (1119, *eshalcier*) d'«élever, donner plus de dignité à» et de «louer, glorifier» (déb. XIIe s., *exalcier*), d'emploi littéraire aujourd'hui. ◇ Le verbe signifie aussi (v. 1174-1176, *heshalcier*) «écouter favorablement (une demande)», par extension du premier sens — d'où «élever qqn pour la satisfaction de ses vœux» — ou peut-être sous l'influence du latin *exaudire* «exaucer». Avec ce sens le verbe devient, sous la forme *exaucer**, distinct de *exhausser* qui conserve le sens concret de «relever» (1352-1355, *exhausser une cheminée*). ➜ **EXHAUSSEMENT** n. m. signifie d'abord «action de glorifier, de célébrer» (1165), «élévation» (1176-1184), sens disparus au bénéfice de l'emploi concret en architecture (av. 1570; cf. aussi *arc exhaussé* «surhaussé»).

REHAUSSER v. tr., formé au XIIe s. (v. 1185, *reaucier*), a d'abord le sens concret de «hausser davantage»; apparaissent ensuite les sens figurés : «augmenter», sorti d'usage, et «faire paraître davantage» (1580; cf. *rehausser le mérite de qqn*). Par extension, *rehausser* s'emploie comme terme technique pour «donner plus de relief», en dessin et en peinture (1690), «donner plus de goût», en cuisine (cf. *relever*). ➜ Le déverbal **REHAUT** n. m. (1552) est un terme technique de peinture, comme le dérivé **REHAUSSAGE** n. m. formé en 1871. ◇ Le dérivé **REHAUSSEMENT** n. m. (1552, repris 1600) s'est employé en parlant des monnaies, des prix, en concurrence avec *hausse,* comme **REHAUSSE** n. f. (1371, *rehauce,* graphie moderne au XVIe s.), qui est ensuite repris comme terme technique en fonderie au milieu du XXe siècle.

SURHAUSSER v. tr. a eu en ancien français des sens figurés; d'abord pour «fêter avec éclat» (v. 1131, *sorhalcier*) et «rendre plus puissant» (v. 1150, *sorhaucier*), le verbe s'est employé au sens de «donner plus de valeur» (à une monnaie, etc.) [v. 1398]. Le verbe signifie ensuite «rendre plus haut» (1610), comme *exhausser,* sens qui demeure surtout dans l'emploi du participe adjectivé en architecture (1676; *voûte surhaussée*). ◇ Comme le verbe, le dérivé **SURHAUSSEMENT** n. m. ne s'emploie plus au sens d'«élévation de valeur» (1578), mais seulement à celui d'«augmentation de hauteur», «surélévation» (1706).

HAUSSE-COL n. m., attesté en 1415 sous les formes *housecol, houchecol,* est d'origine incertaine. D'abord relevé en Flandre, il vient peut-être du moyen néerlandais °*halskote,* composé de *hals* «cou» et de *kote* «vêtement de dessus». ➜ Le mot a désigné jusqu'au XVIIIe s. une pièce d'armure qui protégeait la base du cou. De là s'explique son rattachement au verbe *hausser* manifesté par les graphies *hauscol* (1447), *haulsecol* (1559), enfin *hausse-col* (1671). Le mot a aussi désigné (1680) un croissant de métal doré porté jusqu'en 1881 par les officiers d'infanterie en grande tenue. Le mot a été repris au XXe s., comme terme technique en médecine, pour désigner un appareil qui immobilise partiellement la colonne vertébrale cervicale (cf. *minerve*).

HAUT, HAUTE adj., n. m. et adv. est issu (v. 1050) du latin *altus,* ancien participe passé de *alere* «nourrir, faire grandir», qui s'est spécialisé aux sens de «haut, élevé», au propre et au figuré, de «profond» et au figuré, de «reculé», le sémantisme commun étant l'intensité; *altus* a été remplacé en latin par *alitus. Alere* se rattache à une racine indoeuropéenne °*al-* «nourrir». Le *h* initial de *haut* vient d'un croisement dans le domaine d'oïl avec le francique °*hauh,* °*hôh* de même sens (cf. allemand *hoch,* anglais *high*); ce *h* n'apparaît pas dans les représentants romans de *altus,* l'ancien provençal *alt, aut,* l'italien, l'espagnol et le portugais *alto,* le catalan *alt;* la forme *au* provient d'une vocalisation du *l.*

♦ L'essentiel des valeurs de *haut,* qui existent en latin, est attesté entre 1050 et le XIIIe siècle. Dans le premier emploi connu (v. 1050) *haut* signifie «élevé dans l'échelle des valeurs» (v. 1145 comme adverbe); il a le sens concret d'«élevé» dans *La Chanson de Roland* (1080; fin Xe s. sous la forme *alta*); au XIIe s. (v. 1165) l'adjectif est utilisé à propos des personnes. ◇ En 1080, *haut* est aussi employé par métaphore en parlant de la voix, signifiant «qui atteint un niveau d'intensité élevé» *(voix halte),* et à propos d'un instrument, d'un son, pour «aigu», d'où *hauts et bas instruments* (1467). Le mot a très tôt (1080) un emploi adverbial, qui se trouve couramment aujourd'hui dans *parler tout haut,* au sens propre et, au figuré, pour «parler franchement, sans ambages» (*parler haut,* 1461 puis 1661). À ce sens se rattachent aussi les anciennes locutions *prendre le haut ton, le prendre d'un ton haut,* etc., puis ***avoir le verbe haut*** (1835). ➜ C'est encore dans *La Chanson de Roland* qu'on relève le sens métaphorique de «noble, fier» *(paroles haltes),* encore vivant à l'époque classique, archaïque aujourd'hui, ainsi que la valeur générale de «très grand»; en ce sens l'emploi de *haut* est très répandu à l'époque classique, sans acception de valeur : on trouve aussi bien *haute sottise* que *haute piété;* de cet emploi restent les expression lexicalisées ***haute trahison*** (1669), ***haute estime***, *avoir une* ***haute idée*** *de soi, de haute qualité,* etc.

À partir du sens concret d'«élevé» se développent plusieurs autres acceptions. *Haut* se dit de ce qui est dans une position élevée (1119 en parlant des astres); de là vient l'emploi adverbial pour «en position haute» : en 1119, *porter haut la tête,* puis (v. 1160-1174) *voler haut* et (1267) *haut pendu,* ainsi que l'ancien commandement *haut les bras!* (1640), aujourd'hui ***haut les mains!*** (1922); *haut la main* ne s'emploie plus qu'au figuré («de manière aisée, sans effort»). ◇ De ce sens sont également issues plusieurs locutions adverbiales : ***en haut*** (v. 1120) s'utilise au propre et au figuré ; l'emploi adverbial, sous les formes *enhaut, en-haut,* est sorti d'usage ; ***de haut*** (v. 1170) «d'un endroit élevé» ; ***tomber de haut*** (1580) est employé au figuré au XIXe s. (1821, Hugo) ; ***de haut en bas*** (1268) s'emploie aussi au figuré pour «dans le malheur» ; plus tardivement ***là-haut*** (1553) signifie d'abord «dans le ciel», d'où ensuite ***d'en haut*** «du ciel» (1669). ◇ Vers 1121, *haut* reprend un des sens du latin, «profond», d'où ***haute mer*** (*altum,* en latin) et ***hauts-fonds.***

Vers 1170, le nom masculin *haut,* construit avec *de* ou *du,* équivaut à *hauteur (vingt pieds de haut)* ; de là viennent les locutions ***de haut en bas*** (XIIe s., *d'aut en bas*), puis, en usage à partir du XVIIe s., ***tomber de son haut*** (1643). À la fin du XIIe s., *haut,* toujours comme substantif *(le haut de),* signifie «partie haute (d'une chose)» ; en ce sens le mot est utilisé à partir du XVIIe s. comme terme de marine (1676, *les hauts d'un navire*).

C'est le sens d'«élevé» qui est réalisé dans l'ancienne désignation *le haut bout de la table* (1530), cette partie étant surélevée à l'origine. Au début du XIIIe s., *haut,* avec le sens d'«élevé dans l'échelle des valeurs», s'emploie dans ***haute cour*** «cour plénière», expression qui à partir de 1791 désigne un tribunal d'exception. ◇ Par extension, le nom *haut* s'emploie au sens de «situation élevée (v. 1283)» ; de là *le haut d'une hiérarchie* et la locution ***des hauts et des bas*** (1740), dès le XVe s. ***les hauts et les bas*** (v. 1461). ◇ L'adjectif se dit de ce qui atteint un niveau élevé dans l'ordre intellectuel, esthétique, etc. (1493, *hautes vertus*), d'où l'idée d'une difficulté supérieure *(hautes mathématiques).* ➜ *Haut* reprend le sens latin d'«éloigné dans le temps» et s'emploie depuis le XIIIe s. (1267) pour «tardif, tard» (*au plus haut le jour ;* fin XIVe s. «tard», dans l'année). ➜ L'idée de «position au-dessus de la moyenne» est conservée avec le sens de «qui a de l'éclat» (1531, *haute couleur*), sorti d'usage, sauf dans ***haut en couleur*** «coloré» (1538), employé aussi au figuré. ◇ *Haut* signifie aussi «qui atteint un prix élevé» (adv., 1408, attesté comme adj. seulement en 1538) ; cet emploi est sorti de l'usage comme celui de *haut* pour «relevé, fort» (*haut goût,* 1715). ➜ À partir du XVIIe s., *haut* s'emploie en parlant de la partie d'un pays plus élevée qu'une autre ou plus éloignée de la mer (1625) ; d'où (1656) *le haut allemand* pour désigner le dialecte de la haute Allemagne ; ensuite, l'adjectif se dit à propos de la partie d'un cours d'eau la plus proche de sa source (1694), puis de la partie la plus élevée d'une ville (1834, *la ville haute*). ◇ À la fin du XVIIe s., c'est la valeur temporelle de *haut* qui est reprise du latin, et *haut* signifie «près de l'origine» (1690 ; d'où *haute époque*), d'où aussi ***(voir) plus haut*** au sens de «précédemment».

HAUTE s'emploie au XIXe s. comme nom féminin, par substantivation de l'adjectif, au sens de «ce qui est le plus élevé dans un ensemble» ; *la haute,* en argot (1844 ; 1821, *être de la haute* «en fonds»), désigne la fraction supérieure d'une société, puis l'emploi passe dans la langue courante (1854, *une femme de la haute*).

▶ Le dérivé **HAUTAIN, AINE** adj. (1080, sous la forme *altain*) a été un équivalent de *haut* dans une partie de ses emplois ; le mot se spécialise (v. 1200) au sens de «noble, élevé», déjà vieilli à l'époque classique, l'idée de fierté et d'arrogance l'emportant au début du XIVe s. (1320) ; seul le sens défavorable est donné par les dictionnaires à partir du XVIIe siècle. ◇ De l'adjectif dérivent l'adverbe **HAUTAINEMENT** (1365), maintenant d'emploi littéraire, et **HAUTAINETÉ** n. f. (XIVe s.). ➜ L'homonyme **HAUTAIN** (1605) ou **HAUTIN** n. m. (1562, aussi sous la forme *autin*) est un terme technique qui désigne une vigne cultivée en hauteur ; la forme *hautain* (vivante en Anjou, dans le Lyonnais) est due à l'attraction de l'adjectif *hautain.*

HAUTEMENT adv. s'est d'abord employé (1080, *haltement*) au sens de «à haute voix», sorti d'usage à la fin du XVIIe s., puis au sens de «d'une manière très honorable» (1165), d'où par extension «parfaitement, excellemment» (v. 1220). Au sens figuré de «d'une manière hardie, résolue» (v. 1220), c'est un terme d'emploi courant à l'époque classique ; il est vieilli au sens de «fièrement» (attesté depuis le XIVe s., v. 1330). ◇ Il demeure aujourd'hui au sens figuré de «franchement, nettement» (v. 1250) et à celui de «fortement, à un haut degré» (déb. XXe s., devant un adjectif).

HAUTESSE n. f. est soit dérivé de *haut,* soit issu du bas latin *altitia* «hauteur» (IVe s.) formé sur *altus* (→ altesse) ; il a eu au moyen âge le sens de «lieu élevé», spécialement «ciel» (1re moitié du XIIe s., *haltece*) et celui de «haut rang» (v. 1155). ◇ D'où son emploi jusqu'au XVIIe s. pour «titre honorifique donné à certains personnages» (XIIIe s., *hautece*), en particulier au sultan de Turquie (*votre hautesse, sa hautesse,* etc.), en concurrence très partielle avec *altesse.*

Un autre dérivé, **HAUTEUR** n. f. a au XIIe s. le sens de «dimension dans le sens vertical» (1155, *holtur*) et au figuré de «situation élevée (d'une personne)» [v. 1180]. Du sens concret viennent l'emploi en astronomie (1529, *prendre la hauteur du soleil*), le sens de «profondeur», au propre (1553 ; fin XVIe s., «profondeur de la mer») et au figuré (XVIIe s., *la hauteur des jugements de Dieu,* «leur caractère impénétrable») et celui de «latitude» (d'une ville, d'un lieu) [1553]. ◇ *Hauteur* se dit ensuite pour «partie haute» d'une région (1671) ; au sens de «taille (d'une personne)», le mot est attesté en 1678, mais cet emploi a vieilli. ◇ Du sens figuré de *hauteur* découle par extension l'emploi pour «orgueil, fermeté», sorti d'usage, comme l'acception «marques de dédain» (au pluriel ; 1654) ; reste le sens de «condescendance». Depuis la fin du XIVe s., *hauteur* s'emploie en parlant du caractère d'une personne qui a des sentiments élevés, puis (1458) de ce qui est supérieur ; au XVIIe s., le nom s'utilise plus largement pour désigner ce qui est grand, important, difficile, honorable, etc., spécialement ce qui est d'un ordre élevé pour l'esprit (1685) ; ces emplois ont disparu sauf dans quelques locutions, comme ***hauteur de vue*** et (familier et courant) ***être à la hauteur*** (1792). ➜ Le dérivé **HAUTURIER, IÈRE** adj., terme de marine, signifie «relatif à la haute mer» (1632, *pilote hauturier*).

À partir de *haut* ont été formés de très nombreux composés. ➜ **HAUTBOIS** n. m., sous la forme *haultbos* en 1455 (*haut bois,* 1490, forme moderne en

1586; de *bois*), désigne un instrument de musique; le mot se dit par métonymie du joueur de hautbois (1508, *haulzbois*), comme **HAUTBOÏSTE** n., formé plus tard (1779), emprunt à l'allemand *Hoboist*, de *Hoboe*, adaptation du français *hautbois*.

HAUTE-CONTRE n. a d'abord désigné un baryton (1486, *haulte contre*) avant de se dire d'une voix masculine plus étendue dans le haut que celle du ténor (1553, n. f.) — cf. *alto* — puis, par métonymie, du chanteur qui a cette voix (1671, n. m.). Archaïque après le XVIIe-XVIIIe s., le mot a été repris avec le renouveau de la musique ancienne et la réapparition de ce genre de voix (v. 1960-1970); voir aussi *contre-ténor* (sous *ténor*). ◆ On trouvera d'autres composés à l'élément qualifié → chausse, commissaire, cœur, corps, fidélité, fond, forme, fourneau, lisse, parleur, relief.

◈ voir **HAUSSER**.

HAVANE n. m. vient du nom français de la capitale de Cuba (espagnol *Habana*) renommée pour ses cigares.

♦ Le mot désigne (1838) le tabac qui provient de la partie ouest de l'île de Cuba, au sud de La Havane *(de havane)* et, par métonymie *(un havane)*, un cigare fabriqué avec ce tabac. *Havane* s'emploie comme adjectif au sens de «couleur marron clair» (celle du tabac) [1858, Goncourt].

HÂVE adj., qui apparaît chez Chrétien de Troyes (1176-1181), est issu du francique °*haswa*, proprement «gris comme le lièvre» (cf. allemand *Hase* «lièvre»; → hase) d'où «pâle, mat, terne», adjectif que l'on peut restituer d'après le moyen haut allemand *heswe* «pâle, blême» et l'ancien anglais *haswe* «de couleur sombre, obscure» (v. 1250). On trouve la graphie avec l'accent circonflexe à partir de 1740 dans les dictionnaires.

♦ *Hâve* est d'abord attesté comme terme de jeu d'échecs où il semble correspondre à «battu» (indépendamment de *mat*, terme d'échecs emprunté à l'arabe : l'adjectif *mat, mate* a suivi la même évolution de sens d'«abattu, affligé», à «sombre», puis «non brillant». *Hâve* au XIIIe s. signifie en effet «sombre» en parlant d'une cave (1269-1278). À la fin du XIVe s., *hâve* qualifie une terre en mauvais état, en friche. ◇ C'est à partir du XVIe s. que le mot s'applique à la personne humaine; *hâve* a eu le sens de «terne, vitreux» en parlant des yeux (1536) puis s'emploie par métonymie au sens d'«amaigri et pâli» (1560), seule valeur aujourd'hui en usage *(teint hâve)*.

▸ **HAVIR** v., dérivé de *have* (ancienne forme de *hâve*), d'abord attesté (1306) comme transitif au sens de «désirer ardemment», signifie par la suite (1564) «brûler, dessécher, hâler», puis (1680) «dessécher et brûler en surface (la viande) sans cuire en dedans»; cette dernière acception, seule en usage aujourd'hui, est d'emploi rare comme *se havir* «se dessécher» (1572) et *havir* «se brûler extérieurement» (1718).

HAVER v. tr., attesté une première fois chez Froissart (fin XIVe s.), puis en 1407, n'a été repris et répandu en français qu'au XIXe s. (av. 1873, au p. p.; 1877, inf.). C'est un mot dialectal (wallon) d'origine incertaine; il pourrait être rapproché de l'allemand *hauen* «abattre, entailler», issu du francique °*hauwa* (cf. ancien haut allemand *houwa*, moyen haut allemand *haue* «piocher») ou venir du néerlandais *schaven* «racler». Selon une autre hypothèse, *haver* serait une variante de *chaver, chever*, issu du latin *excavare* «creuser», dérivé de *cavare* (cf. *escaver* «extraire en creusant», v. 1300; → caver).

♦ *Haver* «entailler et abattre (le minerai)» est à l'origine de plusieurs dérivés techniques :

▸ Les dérivés **HAVEUR** n. m. (1568 en wallon), «ouvrier qui creuse», **HAVAGE** n. m. (1812), «action de haver», **HAVEUSE** n. f. (1867) «machine pour le havage» et **HAVÉE** n. f. (XXe s.; participe passé substantivé de *haver*) «surface de taille dégagée par le havage», sont d'emploi technique.

HAVRE n. m. existe au moyen âge sous deux formes : *havene* (v. 1138) et *havre* (v. 1165); c'est un emprunt au moyen néerlandais *hafen* ou *haven(e)* «port», mot d'origine germanique (cf. allemand *Hafen*, anglais *haven* de même sens). La forme *havre* s'impose à partir du XVIe s. avec la création du *Havre de Grâce* à l'estuaire de la Seine (1517).

♦ *Havre* s'est d'abord dit d'un port de mer (v. 1138) et désigne encore régionalement un petit port naturel ou artificiel; le mot prend dès le XIIe s. la valeur de «refuge sûr» (v. 1190, *hafne*) en marine, d'où le sens figuré (v. 1420) d'«abri», de «refuge» *(un havre de paix)*, d'emploi littéraire.

HAVRESAC n. m. est introduit tardivement (1680). La variante *habresac* (1694), vivante encore dans les dialectes, résulte d'un emprunt au haut allemand *Habersack*, proprement «sac *(sack)* à avoine *(haber)*», introduit par les soldats revenant d'Allemagne lors de la guerre de Trente Ans. La forme *havresac*, ou parfois *havre-sac*, est probablement issue du bas allemand °*Hawersack* (cf. bas allemand *Hawer* «avoine»).

♦ *Havresac* s'est dit autrefois d'un sac se portant sur le dos et contenant l'équipement du fantassin (on dit aujourd'hui *sac*, parfois qualifié); par extension (1735) le mot désigne un sac du même genre, servant à transporter de l'outillage, etc.

HAYON → **HAIE**

HÉ interj. d'origine onomatopéique, d'abord écrit *e* (v. 1050) — *hé* attesté en 1655 chez Molière —, sert à appeler, interpeller. Redoublée, l'interjection s'emploie avec des nuances qui varient selon le ton.

▸ **OHÉ** interj. pour appeler (cf. latin *ohe*), comme *hé*, est attesté en 1215 sous la forme *oé*; la graphie moderne est relevée en 1834.

HÉLAS interj. est attesté au XIIe s. (1176-1184, *elas*) aussi *E, las!* (fin XIIe s.) et *hé! las*; le mot est formé de *hé* et de l'ancien français *las* «malheureux». Les deux composants restent autonomes en ancien français et on a longtemps accordé *las* : on se servait de *hélasse* au féminin. *Hélas* s'emploie comme nom masculin depuis le XVe s. (1458).

① **HEAUME** n. m., attesté sous la forme latinisée *helmus* (VIIIe s., *Gloses de Reichenau*), apparaît sous les formes *helme, healme* dans *La Chanson de Roland* (1080) puis par vocalisation du *l heaume* (XIIe s.). C'est un mot issu du francique °*helm* «casque» restitué par l'ancien haut allemand *helm* (cf. allemand *Helm*) d'où viennent aussi l'italien et l'espagnol *elmo*, l'ancien provençal *elm*.

♦ *Heaume*, aujourd'hui terme d'histoire, désignait au moyen âge un grand casque que portaient les hommes d'armes. Il est employé comme terme de blason (1690, Furetière, évidemment antérieur) et a été par analogie la désignation d'un récipient en chimie (1735).

▸ En dérivent des termes didactiques : **HEAUMIER, IÈRE** n. (1260 ; aussi *hiaumier*) «fabricant de heaumes», dont le féminin *Heaulmière* (1462, Villon : la *Ballade de la Belle Heaumière*) désignait l'épouse. ◆ **HEAUMERIE** n. f. (XIIIe s.) «fabrique de heaumes» et **HEAUMET** n. m. (XIIIe s.), diminutif emprunté par l'anglais (*helmet* «casque») sont archaïques.

② **HEAUME** → JAUMIÈRE

HEBDOMADAIRE adj. et n. m. est emprunté (1220, n. m.) au latin ecclésiastique *hebdomadarius* «celui qui assure un service pendant une semaine», dérivé du latin impérial *hebdomas, -ados* «semaine», utilisé comme nom et comme adjectif, emprunt au grec *hebdomos* «septième», dérivé de *hepta* «sept» qui se rattache à une racine indoeuropéenne °*septṃ* (→ hept-, sept).

♦ *Hebdomadaire* a d'abord désigné comme en latin un moine en fonction pour la semaine (cf. *semainier*). De ce sens vient l'emploi adjectivé, attesté en 1501 : *les serviteurs hebdomadaires* sont ceux qui se renouvellent chaque semaine ; puis l'adjectif qualifie ce qui s'accomplit en une semaine, s'étend sur une semaine (1460). Au XVIIIe s. le mot, comme nom masculin, désigne une publication qui paraît chaque semaine (1758, Voltaire). ◇ L'abréviation **HEBDO** n. m. est récente (1947).

▸ L'adverbe dérivé **HEBDOMADAIREMENT** est attesté en 1781.

À partir d'hebdomadaire ont été formés les composés **BIHEBDOMADAIRE** adj. et n. m. (1866) qui a signifié «qui a lieu, paraît toutes les deux semaines» et correspond aujourd'hui à «qui paraît deux fois par semaine», sens où, selon Littré, *semi-hebdomadaire* eût été plus juste. ◆ L'adjectif **TRIHEBDOMADAIRE** apparaît chez Littré (*Supplément*) en 1872. ◆ Le latin ecclésiastique *hebdomadarius* a été emprunté avec son sens sous la forme **HEBDOMADIER, IÈRE** n. (1511 ; XIIIe s., *ebdomadier*) ; ce terme de religion a pour équivalent *semainier* (→ semaine).

HÉBERGER v. tr. représente (v. 1050, *herberger*) une adaptation du francique °*heribergôn* «loger, camper» (en parlant d'une armée), restitué d'après le germanique *haribergôn* (→ auberge), l'ancien haut allemand *heribergon* «loger», le moyen haut allemand et le moyen néerlandais *herbergen*, de même sens (allemand *beherbergen*) ; le verbe francique est composé de °*heri*, °*hari* «armée» (cf. *héraut*) et de °*bergan* «protéger». Le sens étymologique est en usage au moyen âge ; on le trouve dès 811 dans le latin médiéval *heribergare* «procurer le gîte aux guerriers».

♦ *Héberger* a pris (v. 1150) le sens moins restreint de «loger qqn chez soi» ; par extension, le verbe signifie en général «recevoir sur son sol, accueillir» (v. 1125-1130, *hebergier*). En construction intransitive, *héberger* a signifié du XIIe (v. 1196) au XIXe s. «être logé de façon temporaire» (*héberger chez qqn*). ◇ Le verbe a eu aussi à partir du XIIIe s. (1235, *hierbegier*) le sens de «construire un édifice», qui continue le latin médiéval *heribergare* (1187), d'où au XVIe s. *s'héberger* «s'adosser sur un mur mitoyen» (1580).

▸ Des dérivés, seul **HÉBERGEMENT** n. m. est d'emploi courant aujourd'hui ; d'abord «logement, habitation» (1155, *herbergement* ; graphie moderne au XIIIe s.), le mot prend au XVIe s. le sens d'«action de loger» (1586). ◆ **HÉBERGE** n. f. (v. 1208 ; v. 1050, *herberge* à côté de la forme masculine *héberc*, de même sens) eut au moyen âge le sens de «logement». Il est attesté comme terme de droit à partir du XVIe s. (1552) alors lié à *héberger* «construire».

HÉBÉTER v. tr. est un emprunt (XIVe s.) au latin *hebetare* «émousser, enlever la finesse», dérivé de *hebes, hebetis* «émoussé, qui manque de vivacité», lui-même dérivé de *hebere* «être émoussé», «être engourdi», verbe d'origine incertaine qui n'est pas attesté avant l'époque impériale.

♦ *Hébéter* est introduit avec le sens étymologique d'«affaiblir» (l'activité physique, intellectuelle) [1355 au participe passé ; 1587 pronominal], d'emploi rare aujourd'hui. ◇ Le verbe, sous l'influence de *bête*, a pris à partir du XVIIe s. le sens de «rendre (qqn) stupide», d'où le participe passé **HÉBÉTÉ, ÉE**, adjectivé et substantivé (1631, *un hébété*).

▸ **HÉBÉTEMENT** n. m. est attesté isolément au XVIe s. (1586) et repris au XIXe s. (1832, Stendhal).
HÉBÉTUDE n. f. représente un emprunt (1530) au dérivé bas latin *hebetudo* «état d'une chose émoussée» et «stupidité». Le mot s'emploie, d'abord en médecine, au sens d'«engourdissement de l'esprit».

HÉBREU adj. et n. m. est un mot emprunté (v. 1119) au latin chrétien *hebraeus*, lui-même du grec *hebraïos*, de l'hébreu biblique *'ibrî, 'ibrāy* par l'intermédiaire de l'araméen.

♦ Le mot est introduit au sens de «langue hébraïque» (v. 1119, *l'hebreus*) et comme adjectif (*ebrieu*, fin XIIe s.). *Hébreu* s'emploie ensuite (v. 1190, *ebrieu*, adj., XIIIe s. *ebris*, n.) comme terme d'histoire ancienne pour désigner la personne qui appartient au peuple issu d'Abraham dans la Bible ; par extension, le mot signifie «celui (ce) qui appartient aux descendants du peuple hébreu» ; il est alors synonyme de *juif* et *israélite* ; de là, par extension, l'emploi de *État hébreu* pour *Israël*. ◇ Sans doute par référence aux caractères de l'écriture, le mot est utilisé dans la locution figurée ***c'est de l'hébreu*** «c'est inintelligible» (1530, *parler en hebrieu*), cf. aussi *c'est du chinois*.

LA LANGUE HÉBRAÏQUE

L'histoire trimillénaire de la langue hébraïque a connu des rebondissements surprenants qui en font un cas tout à fait à part. Alors que la règle générale veut que toute langue qui n'est plus parlée finisse par s'éteindre, on assiste en effet de nos jours à une véritable résurrection de l'hébreu.

L'hébreu est, semble-t-il, dès la fin du second millénaire avant l'ère chrétienne, la langue des Beni Israël, descendants de Jacob. Ceux-ci, lorsqu'ils se présentaient à d'autres peuples, se donnaient le nom d'*Ibrim* (Hébreux). Les premières attestations archéologiques de leur langue ne sont pas antérieures au xe siècle. L'hébreu y apparaît très proche d'autres langues de la région de Canaan connues par des inscriptions, comme le phénicien ou le moabite.

Ces langues, dont on a décelé la parenté avec l'araméen, l'arabe, la majeure partie des langues éthiopiennes, l'assyro-babylonien (déchiffré après 1850) et l'ougaritique (déchiffré en 1930), se classent dans le groupe dit «sémitique», terme créé en allemand en 1781 à des fins uniquement linguistiques à partir du nom biblique de Sem, et qui a remplacé la dénomination trop vague de «langues orientales». C'est dans le sous-groupe du nord-sémitique occidental auquel appartient l'hébreu qu'est apparu l'alphabet. L'hébreu utilise lui-même un alphabet consonantique. Cet alphabet hébraïque, très proche de l'alphabet phénicien avant l'exil des Judéens à Babylone (- 586), a pris une autre forme, inspirée de l'écriture araméenne, au retour de cet exil. C'est cette forme à peine modifiée qui reste en usage de nos jours.

La langue hébraïque ne serait pas ce qu'elle est si elle n'avait produit un monument littéraire considérable : la Bible. Encore faut-il noter que les écrits qui composent la Bible hébraïque s'échelonnent sur plusieurs siècles : du - VIIIe s. (?), date présumée des premiers livres historiques, jusqu'au - IIe s., puisque le Livre de Daniel semble avoir été rédigé vers - 167.

C'est une question très discutée que de savoir jusqu'à quelle date l'hébreu fut effectivement parlé en Palestine même. Sur la foi de l'évidence interne de la Mishna, recueil rabbinique rassemblé vers l'an + 200, et de découvertes archéologiques récentes (notamment les lettres de Bar Kokhba, + 135, rédigées soient en hébreu, soit en araméen, soit en grec), il semble que l'hébreu ait survécu en Judée sinon en Galilée, malgré la concurrence de l'araméen et celle du grec, langue administrative de l'Empire romain, jusque vers la fin du IIe siècle.

Précieusement préservé dans les communautés juives à travers le monde dans les siècles qui ont suivi la perte de l'indépendance nationale, l'hébreu s'est maintenu comme langue liturgique et langue d'érudits. Les Juifs se sont exprimés dans des dialectes (yiddish, judéo-espagnol, judéo-arabe, judéo-grec, judéo-persan, etc.) qui sont des variantes des langues des pays où ils vivaient, adaptées aux réalités de la vie juive. Certains ont laissé des textes écrits en caractères hébraïques. Ces langues vernaculaires sont à distinguer d'emplois spécifiques de langues, tel le «judéo-français» des Gloses de Raschi, qui est de l'ancien français très pur.

Le renouveau littéraire de la Haskala (1780-1880) vit apparaître en Allemagne, puis dans les provinces polonaises d'Autriche et de Russie, une littérature profane en pur hébreu biblique. Celle-ci aurait pu rester sans lendemain si un jeune juif russe, Eliézer Perlman, plus tard appelé Ben Jehuda, influencé par l'éveil des nationalités qui associait peuple, terre et langue, n'avait dès 1881 entrepris avec une exceptionnelle ténacité de redonner vie à «la langue ancestrale sur la terre ancestrale». L'écho qu'il rencontra auprès des pionniers juifs établis dans des villages agricoles (de Palestine) dès la fin du XIXe s., permit le développement d'écoles où dès le plus jeune âge l'enseignement de toutes les matières était donné en hébreu. C'est ainsi que se créèrent de nouvelles générations successives d'«hébréophones». En 1922, l'hébreu devint une des trois langues officielles (avec l'anglais et l'arabe) du mandat britannique institué en Palestine.

Avec la création de l'État d'Israël en 1948, l'hébreu normalisé et modernisé a conquis tous les domaines de la vie publique. Des centaines de milliers d'immigrants l'ont appris, des enfants l'ont enseigné à leurs parents. La langue compte actuellement en Israël environ 4 millions de locuteurs.

L'apport de l'hébreu au français

La principale contribution de l'hébreu au français s'est faite sans conteste par l'intermédiaire des traductions bibliques dont les expressions, reprises par les prédicateurs puis les écrivains, pénétrèrent ainsi dans la langue française.

▸ **HÉBRAÏQUE** adj. est emprunté (v. 1450) au latin chrétien *hebraicus* «hébreu», du dérivé grec *hebraïkos.* ◆ En dérivent les termes didactiques **HÉBRAÏSME** n. m. (1566) et **HÉBRAÏSTE** n. (1839).

HÉBRAÏSER v. est l'adaptation (1752, mais antérieur ; cf. *hébraïsant,* infra) du grec tardif *hebraizein* «parler la langue hébraïque», dérivé de *hebraïos.* Le verbe s'emploie d'abord pour «employer des tournures propres à la langue hébraïque», puis «adop-

Cette influence du texte a été plus faible sur le français que sur l'allemand et l'anglais, faute d'une version en langue vulgaire largement diffusée.

Il faut distinguer les mots d'emprunts, les calques syntaxiques, les citations, les images et comparaisons.

Les ***mots d'emprunts*** sont assez peu nombreux. Trois au moins ont pénétré dans la langue liturgique par l'intermédiaire du latin d'Église : *amen, hosanna, alleluia. Satan,* devenu nom propre (l'hébreu, comme l'arabe, dit le Satan), *Messie* (de *masīaḥ* «oint»), ont été francisés. Les chérubins et les séraphins étant évoqués en troupes, le latin, puis le français, ont emprunté les pluriels hébreux de *kerub* et *saraf* avec valeur de singulier. Il a également transcrit le mot hébreu pour une institution spécifique comme le jubilé *(yobel)* ou encore pour la *manne.* Certains termes ont subi une évolution sémantique qui les a totalement «laïcisés». C'est le cas de *tohu-bohu* (le mot hébreu désignant à l'origine la matière informe précédant la Création) et de *gêne,* contraction de *géhenne* qui vient de *géhinnom,* vallée de *Hinom,* devenue synonyme d'Enfer en hébreu plus tardif.

Les ***calques syntaxiques*** constituent de véritables hébraïsmes en français. D'origine littéraire, ils gardent le plus souvent ce caractère dans les adaptations grecque, latine, puis française. Ainsi *en* vérité ; voie *d'*iniquité ou parole de vérité (au lieu de l'adjectif) ; vanité *des* vanités, cantique *des* cantiques, saint *des* saints, ou encore belle *entre* les femmes (pour exprimer le superlatif), aller *en* paix, dormir *du* sommeil, trouver grâce *aux yeux* de...

Beaucoup de ***formules*** hébraïques de la Bible sont entrées dans l'usage courant, parfois par l'intermédiaire de leurs citations dans le Nouveau Testament. C'est le cas de : *aimer son prochain comme soi-même, l'homme ne vit pas seulement de pain, manger son pain à la sueur de son front, enfanter dans la douleur, qui sème le vent récolte la tempête, œil pour œil, dent pour dent, rien de nouveau sous le soleil,* etc.

L'hébreu biblique contient de nombreuses comparaisons, dont certaines ont été reprises : *comme la rosée du matin, sécher comme l'herbe, nombreux comme les étoiles du ciel et le sable de la mer,* et un répertoire d'images : *le lis des vallées, le veau d'or, l'arbre de vie, les années de vaches grasses* (ou *maigres), la vallée des larmes, le pain de misère, s'appuyer sur un roseau, la brebis égarée* (ou : *sans pasteur), la caverne de brigands...*

La langue de certains auteurs français comme Agrippa d'Aubigné, Racine ou Victor Hugo dans *La Légende des siècles* est particulièrement influencée par la Bible.

Il faut ajouter qu'un grand nombre de ***prénoms*** français parmi les plus courants est d'origine biblique : Jean, Anne, Suzanne, sans parler des noms théophores : Daniel, Michel, Joël, Emmanuel, Raphaël.

À cet apport de la Bible qui est de loin la plus importante contribution de l'hébreu au français, il convient d'ajouter un petit nombre de termes qui se répartissent en deux catégories très différentes.

Les préjugés dont ont été victimes les Juifs pendant des siècles ont fait attribuer un sens extrêmement péjoratif au nom du jour de repos hebdomadaire : le *sabbat* «réunion de sorciers» et à celui de leur tradition mystique : la *cabale,* tandis que l'adjectif *cabalistique* prenait le sens d'«étrange et incompréhensible». Ajoutons que *capharnaüm* est à l'origine le nom d'une localité du lac de Tibériade où prêcha Jésus.

De nos jours un certain nombre de mots d'***hébreu moderne*** en transcription phonétique pénètrent dans le vocabulaire international parce qu'ils désignent des réalités spécifiques d'Israël. C'est le cas de *kibboutz* ou *sabra* (enfant né en Israël). À la faveur de l'actualité dont Israël fait fréquemment les titres, les journaux utilisent également *Tsahal* (sigle formé des initiales des mots *Tsva Haganah le Israël*) «armée de défense d'Israël» et *Knesset* «assemblée» pour le parlement. La presse familiarise également les lecteurs francophones avec les formes hébraïques de prénoms jadis latinisés *Moshé* (Moïse), *Shlomo* (Salomon), *Hana* (Anne), *Johanan* (Jean) ; ces formes passent parfois par l'usage des communautés juives les plus médiatisées, comme celles, anglophones ou bilingues (avec le yiddish) des États-Unis.

M. Hadas-Lebel

BIBLIOGRAPHIE

D. COHEN et H. ZAFRANI, *Grammaire de l'hébreu vivant*, Paris, 1968.

E. DHROME, *Langue et écriture sémitiques*, Paris, 1930.

M. HADAS-LEBEL, *Histoire de la langue hébraïque des origines à l'époque de la Mishna*, 3 vol., Paris, 1976-81.

E.-Y. KUTSCHER, *A History of the Hebrew language*, R. Kutscher, Jérusalem-Leyde, 1982.

ter les coutumes, la culture hébraïques» (1776, Voltaire ; intr.). C'est seulement au XIXe s. qu'il signifie «étudier l'hébreu» (1834, intr.). Au sens de «rendre hébreu», *hébraïser* est attesté en 1873. ◆ **HÉBRAÏSANT, ANTE** adj. et n. désigne une personne qui étudie la langue hébraïque, en particulier les textes sacrés hébreux (1586 selon Bloch et Wartburg, puis 1699) ; le mot s'emploie aussi (1756, adj. et n.) pour «juif converti resté fidèle à l'Ancien Testament».

HÉCATOMBE n. f. est un mot savant emprunté (1513), par l'intermédiaire du latin *hecatombe,* au grec *hekatombê,* proprement «(sacrifice de) cent bœufs», composé de *hekaton* «cent» (→ hecto-) et de *bous* «bœuf». Dès Homère, le mot s'applique à un grand sacrifice public, aussi bien de bœufs en nombre variable que d'autres animaux (douze bœufs, cinquante béliers, etc.).

♦ Au début du XVIe s., le mot désigne le sacrifice d'un grand nombre d'animaux. Par analogie, à partir du XVIIe s., il se dit couramment du «massacre d'un grand nombre de personnes» (1667, Corneille) d'où, par la suite, les emplois figurés d'«échec d'un grand nombre de candidats», lors d'un examen ou d'une compétition (XXe s.) et de «destruction d'un grand nombre de choses ou d'animaux» (XXe s.; *hécatombe routière*).

HECTARE → ARE

HECTO-, tiré du grec *hekaton* «cent», est un élément servant à former des mots savants de mesure.

◈ voir ARE, GRAMME, LITRE, MÈTRE, STHÈNE, WATT; HÉCATOMBE.

HÉDONISME n. m. est un dérivé savant (1877) du grec *hêdonê* «plaisir», dérivé de *hêdein* «réjouir, charmer», qui se rattache à une racine indoeuropéenne °*swād-* «être agréable» (cf. latin *suavis;* → suave).

♦ Le mot désigne, en philosophie, une doctrine qui prend pour principe moral la recherche du plaisir. Il est ensuite utilisé, au XXe s., par les économistes (1956, Romeuf) et par la psychanalyse (v. 1960, *hédonisme oral, anal, génital*).

▸ De *hédonisme* dérivent **HÉDONISTE** (1884-1885, n.) «partisan de l'hédonisme» (1943, adj.), ou **HÉDONISTIQUE** adj. (1907) et **HÉDONIQUE** adj. (1926; du radical du grec *hêdonê*) d'emploi didactique. ◇ De ce dernier dérivent **HÉDONIQUEMENT** adv. (1926) et **HÉDONICITÉ** n. f. (1946).

HÉGÉMONIE n. f. est un mot savant emprunté (1840; mais on trouve *égimonie* en 1815 sous la plume de J. de Maistre) au grec *hêgemonia* «autorité» et spécialement «prééminence, souveraineté d'un État grec sur le reste de la Grèce», dérivé de *hêgemôn* «chef, guide», de *hêgeisthai* «marcher devant», d'où «commander, diriger». Ce verbe se rattache à une racine indoeuropéenne °*sag-* «chercher, quêter» (en parlant du chien de chasse), d'où «avoir du flair», comme le latin *sagire* «avoir du flair» (→ sagace).

♦ *Hégémonie,* terme didactique, se dit par extension du sens initial, qui concerne l'antiquité grecque, de la suprématie politique et militaire d'une ville, d'un État, d'un peuple sur d'autres.

▸ En dérive **HÉGÉMONIQUE** adj. (1876, Renan), didactique, mais relativement usuel.

HÉGIRE n. f. est un emprunt (1556, dans un texte traduit de l'italien) à l'arabe *hiǧra* «la fuite (de Mahomet)» par l'intermédiaire de l'italien *hegira* (1550; italien moderne *egira*); l'espagnol *hegira* n'est attesté que depuis 1601.

♦ L'*Hégire* désigne l'an I de la chronologie musulmane, marquée par la fuite de Mahomet de La Mecque à Médine en 622 de l'ère chrétienne et, par extension, l'ère des musulmans.

▸ Le dérivé didactique **HÉGIRIEN, IENNE** adj. est attesté au XXe siècle.

HEIN interj. apparaît sous différentes formes à partir de la fin du XIIe s.: *ahene* (v. 1178), *ahen, ahene* (XIIIe s.), *hen* (mil. XVe s.), *heim* (1691) et se fixe dans sa graphie actuelle au début du XVIIIe s. (1724, Marivaux). Le latin *hem,* exprimant divers sentiments pénibles et marquant aussi l'interrogation, est à l'origine de cette interjection employée pour inviter à répéter un énoncé mal entendu, ou que l'on feint d'avoir mal compris, ou à expliciter un propos. *Hein,* joint à une phrase interrogative ou exclamative, de formation beaucoup plus tardive, serait la survivance de l'ancien français *ainz, ains* «mais, mais plutôt», du latin populaire °*antius* «plus tôt» (→ avant), comme doublure nasalisée de *Eh!* dans son rôle interrogatif aussi bien que de protestation.

◈ voir HEM.

HÉLAS → HÉ

HÉLER v. tr. représente une adaptation (1531) du moyen anglais *heilen* (anglais moderne *to hail*) «saluer, appeler» (v. 1200), de *heil, hail* «santé, prospérité», abréviation de *wassail,* issu de l'ancien scandinave *ves heill* «soyez en bonne santé» (cf. allemand *Heil* «salut»). *Heler* (1374-1387), «boire ensemble, se souhaiter la santé», employé dans le nord de la France, se rattache au moyen néerlandais *heel* correspondant au moyen anglais.

♦ *Héler* est attesté comme terme de marine au début du XVIe s. avec le sens d'«appeler (une embarcation) à l'aide». Par extension, il signifie «appeler de loin par geste ou avec la voix» (1830, *héler un fiacre*).

HÉLIANTHE n. m. est emprunté (1615) au latin botanique *helianthus* désignant une plante mal identifiée (camomille?), mot composé à partir du grec *hêlios* «soleil» (→ hélio)- et *anthos* «fleur» (→ anthologie, chrysanthème).

♦ *Hélianthe* désigne couramment le tournesol (appelé aussi *soleil*).

▸ En dérive le terme de chimie **HÉLIANTHINE** n. f. (1890; suffixe *-ine*).

HÉLIANTHÈME n. m., réfection (1732) de *elianteme* (1694), est emprunté au latin botanique *helianthemum* (1615), du grec *hêlios* et *anthemon* «fleur», dérivé de *anthos.* Le mot désigne communément une plante nommée «gerbe d'or» ou «herbe d'or».

✳ **HÉLICE** n. f. est un emprunt savant (1547), par l'intermédiaire du latin *helix, -icis,* au grec *helix, -ikos* «spirale» qui désigne aussi tout objet en forme de spirale (coquillage, repli de l'oreille, volute d'une colonne, etc.). *Helix* se rattache à une racine indoeuropéenne °*wel-* «rouler» (cf. anglais *wheel*).

♦ C'est d'abord un terme d'architecture employé en parlant d'une volute ornant un chapiteau corinthien, puis de la forme en vis d'un escalier (1690, *escalier en hélice*). À la fin du XVIIe s., le mot est attesté comme terme de géométrie (1684, Furetière) «courbe engendrée par enroulement sur un cylindre de révolution», et d'anatomie, remplacé par **HÉLIX** n. m. (1690; latin moderne, du grec *helix*), également employé comme nom scientifique de l'escargot (1802; latin des naturalistes, 1758). ◇ *Hélice* désignant une courbe dans l'espace reste un mot savant, concurrencé par *spirale* (qui devrait désigner une courbe plane, mais on dit *escalier en spirale*). Le mot n'est entré dans la langue courante que par la technique. ➛ Par analogie de mouvement, *hélice* désigne en effet (1803, *hélice à vapeur*) un appareil constitué de plusieurs pales, constituant l'organe de propulsion ou de traction de bateaux et, au début du XXe s., d'avions (avant la propulsion par réaction). Le remplacement des *avions à hélice* par les avions à réaction a fait baisser la fréquence du mot dans ce contexte.

▶ À partir d'*hélice* ont été dérivés au XXe s. les termes techniques **HÉLIÇAGE** n. m. et **HÉLICIER** n. m. (1929). ➛ Sur *hélix* «escargot» ont été composés des termes didactiques comme **HÉLICIDÉS** n. m. pl. (1902; 1873, *hélicides*), **HÉLICICULTURE** n. f. (1914) et **HÉLICICULTEUR, TRICE** n. (1922), concernant l'élevage des escargots.

HÉLICOÏDE adj. et n. est emprunté (1704), par l'intermédiaire du latin des mathématiciens *helicoïdes parabola* (fin XVIIe s.), au grec *helikoeidês* «en forme de spirale», composé de *helix* et de *eidos* «forme» (→ suffixe *-oïde*). Ce terme de géométrie signifiant «en forme d'hélice» est attesté comme adjectif en 1704 *(parabole hélicoïde)* et comme nom masculin en 1832. ◇ En dérive l'adjectif **HÉLICOÏDAL, ALE, AUX** (1854) d'emploi didactique au sens de «en forme d'hélice» *(mouvement hélicoïdal)*.

➛ **HÉLICON** n. m. est formé (av. 1902, Larousse) à partir du grec tardif *helikôn* (dérivé de *helix, -ikos* «spirale»), qui désigne un instrument de musique. L'inventeur étant Stowaerrer, de Vienne, le mot, en anglais (dès 1875) et en français, est probablement emprunté à l'allemand; il désigne un instrument à vent et à pistons que sa forme circulaire permet de porter autour du corps, en le faisant reposer sur une épaule (cf. *saxhorn*).

HÉLICOPTÈRE n. m. apparaît pour la première fois en 1861 dans une demande de brevet rédigée en anglais, déposée en Angleterre par Ponton d'Amécourt, puis en 1862 dans un contexte français. C'est un mot formé savamment à partir du grec *helix, ikos* et de *pteron* «aile», pour désigner un appareil volant propulsé à l'aide d'hélices; le mot a eu aussi le sens d'«aéronef» (1862; aussi «jouet d'enfant»). On rencontre l'abréviation familière **HÉLICO** depuis 1929. **PORTE-HÉLICOPTÈRES** n. m., désigne, comme *porte-avions*, un navire de guerre spécialisé (dep. 1956). ◇ **HÉLICOSTAT** n. m., mot composé (1938) de *hélico* (ptère) d'après *aérostat*, a désigné un type d'hélicoptère stabilisé par un ballon. ➛ À partir d'*hélicoptère* ont été formés, par une mauvaise coupe dégageant un pseudo-préfixe **HÉLI-**, plusieurs termes techniques se rapportant à l'usage de cet appareil : **HÉLIGARE** n. f. (1957; de *gare*) ne s'est pas imposé à côté de son équivalent **HÉLIPORT** n. m. (1952; de *port;* → aéroport) qui apparaît dans un arrêté du *Journal officiel* de 1959, avec **HÉLISTATION** n. f. (de *station*) et **HÉLISURFACE** n. f. (de *surface*). ◇ De **HÉLIPORTÉ, ÉE** adj. (1955; de *porté*) «transporté par hélicoptère» dérive **HÉLIPORTAGE** n. m. (1962); ces deux mots ont pour équivalents **HÉLITRANSPORTÉ, ÉE** adj. (mil. XXe s.) et **HÉLITRANSPORT** n. m. (mil. XXe s.). ◇ Plus récemment ont été formés les mots **HÉLIGRUE** n. f. (1974; de *grue*), **HÉLITREUILLER** v. tr. (1974; de *treuiller*, dérivé technique de *treuil*) et **HÉLITREUILLAGE** n. m. (1977; de *treuillage*).

HÉLIO- est un élément tiré du grec *hêlios* «soleil» qui se rattache à de nombreux termes indoeuropéens désignant le soleil. *Hélio-* sert à former des mots savants.

▶ **HÉLIOCENTRIQUE** adj. (1721; de *centre*), signifie «qui a pour centre le Soleil»; c'est un terme d'astronomie à partir duquel a été formé **HÉLIOCENTRISME** n. m. (XXe s.);
HÉLIOSTAT n. m. (1746) du grec *-statês*, en composition «qui stabilise ou régule», de *histanai* «fixer, arrêter»;
HÉLIOGRAPHIE n. f., terme d'astronomie pour «description du soleil» (1800) de *graphie* désigne aussi un procédé photographique de gravure (1829), d'où **HÉLIOGRAPHIQUE** adj. (1842);
HÉLIODORE n. m., composé (1873) pour désigner une variété de tulipe (du grec *dôron* «don»), se dit aujourd'hui (1962) d'une pierre fine formée de béryl jaune.
Au XXe s. apparaissent de nombreux composés parmi lesquels **HÉLIOTHÉRAPIE** n. f. (1900; de *thérapie*); **HÉLIOMARIN, INE** adj. (1933; de *marin*), terme de médecine; **HÉLIOTECHNIQUE** n. f. (mil. XXe s.; de *technique*); **HÉLIOTHERMIE** n. f. (v. 1960; de *thermie*), dont dérive **HÉLIOTHERMIQUE** adj. (1972).

◈ voir aussi **HÉLIOGRAVURE** (à **GRAVER**), **HÉLIOTROPE**, **HÉLIUM**.

HÉLIOTROPE n. m. et adj., réfection à la Renaissance (1546) de *elyotrope* (XIIe s.; 1372 *elitropie*, en botanique), est emprunté au latin impérial *heliotropium* «pierre précieuse» et «(plante) qui se tourne vers le soleil», lui-même emprunt au grec *hêliotropion*, doublet de *hêliotropos*, composé de *hêlios* «soleil» et de *-tropos* «qui se tourne vers» de *trepein* «tourner». Le mot, en grec comme en latin, désigne à la fois une plante et une pierre.

♦ Le mot reprend le sens du latin et du grec, en minéralogie (XIIIe s.; 1611, *heliotrope*) et en botanique (1546, Rabelais), sens où il succède à *elitropie* (1372). ◇ L'emploi adjectivé au sens de «qui se tourne vers le soleil» est attesté en 1803; le mot se dit ensuite de la couleur violette des fleurs d'héliotrope (1892).

▶ Du nom dérive le terme de chimie **HÉLIOTROPINE** n. f. (v. 1900).

HÉLIUM n. m. est repris (1875) au latin scientifique moderne *helium*, créé en anglais (1868) à partir du grec *hêlios* «soleil» (→ hélio-) par l'astrophysicien J. Norman Lockyer, sur le modèle de termes comme *selenium* (français *sélénium*). L'existence du corps simple gazeux désigné par ce mot a été établie par l'observation spectroscopique du soleil.

▸ Le dérivé **HÉLION** n. m. (1923, Marie Curie), équivalent ancien de *hélium*, désigne le noyau d'hélium, particule du rayonnement α (alpha).

HELLÈNE n. apparaît tardivement, comme n. m. pl., chez Bossuet (1681, *Discours sur l'histoire universelle*), dans un contexte religieux, au sens de «païen de l'Antiquité»; c'est un mot emprunté au latin *Hellenes, um* «les Grecs», lui-même du grec *Hellên, ênos,* terme qu'utilisaient les Grecs pour se désigner.

♦ Le mot, à partir du début du XIXe s., s'emploie au sens de «de la Grèce, ancienne *(Hellade)* ou moderne», mais il est concurrencé par *grec**.

▸ **HELLÉNISME** n. m. est un emprunt au grec *hellênismos* (de *hellênizein*) «fait de parler grec» et parfois en grec tardif, «fait de parler le grec hellénistique» (par opposition à l'attique) ou «d'adopter les mœurs ou la religion grecque» (par opposition aux mœurs ou à la religion juive). ◇ Le mot s'emploie en français (1580) pour «construction propre au grec» puis, par extension (1704), pour «tour emprunté au grec». Au XIXe s., il a signifié «goût pour la civilisation grecque» (1829) d'où, par extension, l'usage d'*hellénisme* en histoire pour désigner l'ensemble de la civilisation grecque et, spécialement (1866), l'esprit grec. En histoire des religions, *hellénisme* désigne (XIXe s.) la religion répandue dans l'Empire romain, où dominait le paganisme d'origine grecque. ◆ **HELLÉNISTE** n., attesté en 1598, est une adaptation du grec *hellênistês* «partisan de la langue, des coutumes grecques» (de *hellênizein*) d'où, pour les chrétiens, «païen». ◇ Le mot, en histoire des religions, désignait un juif converti au paganisme grec d'où (1643) «juif vivant en Grèce». *Helléniste* s'emploie ensuite au sens de «personne qui s'occupe de philologie ou de littérature grecque» (1661, péjorativement; repris en 1808). ◇ En dérive **HELLÉNISTIQUE** adj. employé d'abord dans un contexte religieux (1671, Bossuet) à propos des *hellénistes.* Aujourd'hui, cet adjectif qualifie (1880) ce qui est relatif à l'époque qui va de la conquête d'Alexandre (IIIe s. av. J.-C.) à la conquête romaine, période où s'effectue une fusion entre la culture grecque et celle des grands royaumes orientaux conquis par Alexandre.

HELLÉNIQUE adj. (1712), «qui a rapport à la Grèce antique» (ou moderne, dans un usage littéraire), est un emprunt au grec *hellênikos* (de *Hellên*), de même sens. ◆ Le composé **PANHELLÉNIQUE** adj. s'emploie (1868; de *pan-*), à propos de l'Antiquité, au sens de «qui appartient à l'ensemble des Grecs» et quant à l'époque moderne, comme **PANHELLÉNISME** n. m. (1868), à propos du système politique tendant à réunir les Grecs en une seule nation.

HELLÉNISER v. est une adaptation du dérivé grec *hellênizein* «parler grec» et, en grec tardif, «étudier le grec ancien»; il est employé au sens de «donner un caractère grec (à qqch.)» par P.-L. Courier (1808, tr.; 1860, pron.; cf. *gréciser*). Le verbe prend ensuite le sens (1845, intr.) d'«étudier la langue et la civilisation grecques», d'emploi rare. ◆ Il a deux dérivés, **HELLÉNISATION** n. f. (1876) et **HELLÉNISANT, ANTE** n. et adj., d'abord terme d'histoire des religions (1840) pour désigner un juif parlant grec, se dit ensuite (1888, A. Daudet) d'une personne qui s'occupe d'études grecques (cf. *helléniste*).

HELMINTHE n. m. est un emprunt au grec *helmins, -inthos* «ver intestinal», pour désigner une classe de vers parasites de l'homme et des animaux. D'abord écrit *elminthe* (1538), il a été corrigé en *helminthe* (1803).

▸ D'où **HELMINTHOLOGIE** n. f. «étude des vers», branche de la zoologie des invertébrés (1791; 1778, *helmontologie*).

HELVÉTIQUE adj. est un emprunt (1656) au latin *helveticus* «de l'Helvétie», dérivé de *Helvetii* «les Helvètes», lui-même de *Helvetia* «Helvétie», partie orientale de la Gaule qui correspond à peu près aujourd'hui au territoire de la Suisse.

♦ *Helvétique* «relatif à la Suisse» s'emploie surtout dans des contextes juridiques ou politiques *(Confédération helvétique)*; dans l'usage courant on dit plutôt *suisse.*

▸ L'adjectif a fourni **HELVÉTISME** n. m. (1845) qui désigne une tournure française propre aux habitants de la Suisse (cf. *suissisme*).
Par ailleurs on relève **HELVÈTE** adj. et n. (1831), terme d'histoire qui renvoie à une réalité ancienne, l'Helvétie, et est emprunté au latin *Helvetii.* ◇ Son dérivé **HELVÉTIEN, IENNE** n. «personne de nationalité suisse» (XVIIIe s.) est sorti d'usage.

HEM interj. est relevé chez Marot (av. 1544; n. m., 1646); cette onomatopée est certainement antérieure, *hem* servant à attirer l'attention étant déjà attesté en latin (→ hein). Avec des emplois proches, on relève aussi *hum* (1611, *humhum*) et la variante *hom* (1680) qui n'est plus en usage.

HÉMA-, HÉMAT-, HÉMATO-, HÉMO- sont des éléments tirés du grec *haima, haimatos* «sang», utilisés pour former de nombreux composés savants, en particulier en biologie, en médecine et en chimie.

▸ Les plus répandus sont **HÉMATURIE** n. f. (1771) de *-urie;* **HÉMATOLOGIE** n. f. (1803) de *-logie;* **HÉMATOME** n. m. (1855) de *-ome;* **HÉMOPHILIE** n. f. (1855) de *-philie;* d'où **HÉMOPHILE** adj. et n. (1866)*. Ces deux termes s'appliquent à une anomalie héréditaire impliquant un défaut de coagulation du sang et pouvant entraîner des conséquences dramatiques (hémorragies, notamment); la dernière en cause est, de par la nécessité de transfusions, le risque de transmission du sida. ◇ **HÉMOGLOBINE** n. f. (1873), du radical de *globuline,* désigne la substance contenue dans les globules rouges du sang; il a pour dérivés **HÉMOGLOBINIQUE** adj. (1904), par composés **HÉMOGLOBINURIE** n. f. (1888), **HÉMOGLOBINÉMIE** n. f. (1904). ◇ **HÉMOCYANINE** n. f. (av. 1892)

du grec *kuanos* «bleu»; **HÉMOLYSE** n. f. (1901) de *-lyse*; **HÉMODIAGNOSTIC** n. m. (1904) de *diagnostic*; **HÉMOGRAMME** n. m. (1938) de *-gramme*. ◇ Récemment, on peut signaler : **HÉMODIALYSE** n. f. (apr. 1947) de *dialyse*; **HÉMATOCYTOLOGIE** n. f. (mil. XXe s.) de *-cytologie*; **HÉMOBIOLOGISTE** n. (1962) de *biologiste*; **HÉMOCOMPATIBLE** adj. (v. 1970) de *compatible*.
Plusieurs mots contenant l'élément *haima* sont empruntés au grec ou au latin. ➜ **HÉMATOSE** n. f. (1628) est emprunté au grec *haimatôsis*, issu du verbe *haimatoun* «ensanglanter, transformer en sang». ➜ **HÉMOPTYSIE** n. f. (1694), emprunt au bas latin *haemoptyicus*, lui-même du grec *haimoptuikos* «qui crache le sang», de *ptuein* «cracher». ➜ **HÉMOSTASE** n. f. (1812; 1748, *hémostasie*) est emprunté au grec *haimostasis*, de *stasis* «arrêt» et **HÉMOSTATIQUE** adj. et n. (1748) qui s'applique à un agent de coagulation capable d'arrêter les hémorragies, au dérivé grec *haimostatikos*. ➜ **HÉMATOPOÏÈSE** n. f. (1888), d'abord *hématopoèse* (1873), est un emprunt au grec *haimatopoiein* «changer en sang», de *haima* et *poiein* «faire».

◈ voir **HÉMORRAGIE, HÉMORROÏDE.**

HÉMÉROCALLE n. f., réfection graphique (1628) de *hémerocallis* (1573), est emprunté au latin impérial *hemerocalles*, transcription du grec *hêmerokallos* littéralement «belle d'un jour», nom d'un lis jaune dont les fleurs ne durent chacune qu'un jour, de *hêmera* «jour», et *kallos* «beauté», dérivé de *kalos* «beau» (→ cally-).

► À partir de *hemer(o)-*, tiré du grec *hêmera* «jour», ont été composés des mots didactiques comme **HÉMÉRALOPE** n. et adj. (1755) et **HÉMÉRALOPIE** n. f. (1755) où *hêmera* a la valeur de «jour» opposé à «nuit» et de *ôps, opos* «œil», d'après *nyctalopie*, ou encore **HÉMÉROLOGIE** n. f. (1866) du grec *hêmerologein* «compter jour par jour», de *hêmera* «jour» et *legein* «compter».

HÉMI- est un élément tiré du grec *hêmi* «demi», mot ancien attesté en composition, qui correspond au latin *semi-*, au sanskrit *sāmi-*, etc. Tous ces mots se rattachent à une racine indoeuropéenne °*sem-* «un», qui semble avoir été employée très tôt pour exprimer l'identité (→ similitude) et, par ailleurs, l'unité (mais le latin utilise *unus*; → un).

♦ *Hémi-* sert à former des noms et des adjectifs dans le vocabulaire scientifique. L'élément apparaît dans des mots empruntés au grec par l'intermédiaire du latin.

◈ voir **HÉMICYCLE, HÉMIONE, HÉMIPLÉGIE, HÉMISPHÈRE, HÉMISTICHE.**

HÉMICYCLE n. m. a été emprunté (1547) au latin *hemicyclum* «demi-cercle, amphithéâtre», transcription du grec *hêmikuklion*, désignant tout objet en forme de demi-cercle, composé de *hêmi* «demi» (→ hémi-) et de *kuklos* «cercle» (→ cycle).

♦ *Hémicycle* s'emploie d'abord au sens de «construction en demi-cercle», puis est repris au XVIIIe s. avec la valeur d'«amphithéâtre» (1762) et pour désigner les rangées de gradins destinées à des spectateurs ou aux membres d'une assemblée (en 1844, *hémicycle de l'Assemblée nationale*).

HÉMIONE n. m. est emprunté (1793) au latin scientifique *(equus) hemionus*, du grec *hêmionos* «mulet», proprement «demi-âne», de *hêmi* (→ hémi-), et *onos* «âne».

♦ Le mot désigne un mammifère qui tient de l'âne et du cheval, propre à l'Asie occidentale.

HÉMIPLÉGIE n. f., réfection étymologique (1707) de *émiplegie* (1658), d'abord *hemiplexie* (1573), est un emprunt au grec *hêmiplêx, -êgos* «à moitié frappé», composé de *hêmi* (→ hémi-) et de *-plêx*, de *plettein* «frapper, battre».

♦ *Hémiplégie*, qui désigne une paralysie partielle ou complète d'une moitié latérale du corps, a été en concurrence avec la forme *hémiplexie* jusqu'à la fin du XIXe siècle.

► Le dérivé **HÉMIPLÉGIQUE** adj. et n. apparaît en 1795. ◇ D'autres composés avec l'élément *-plégie* ont été formés depuis (*paraplégie, tétraplégie*, etc.).

HÉMISPHÈRE n. m. représente un emprunt (v. 1320), d'abord sous la forme *emispere*, au latin *hemisphaerion*, variante *hemisphaerium* «moitié quelconque de sphère ; coupole», lui-même du grec *hêmisphairion*, de *hêmi* (→ hémi-) et *sphaira* «corps rond» (→ sphère).

♦ Le mot, introduit pour parler d'une moitié quelconque du globe terrestre, retrouve le *h* étymologique en 1544 (M. Scève). *Hémisphère* désigne aussi à partir du XVIIe s. chacune des deux moitiés du globe limitée par l'équateur et chacune des deux moitiés d'une sphère limitée par un des plans passant par le centre, ces deux acceptions étant relevées par Furetière (1690). Le mot est ensuite utilisé en anatomie (1776, *hémisphères cérébraux*). ◇ Au XIXe s., *hémisphère* devient également (1866, Littré) un terme d'astronomie au sens de «moitié de la sphère céleste». ◇ En physique, *les hémisphères de Magdebourg* désignent les demi-sphères creuses utilisées en 1654 par Otto de Guerick, bourgmestre de Magdebourg, pour démontrer l'existence de la pression atmosphérique.

► Le dérivé **HÉMISPHÉRIQUE** adj. «qui a la forme d'un hémisphère» est un emprunt (1551) au latin médiéval *hemisphericus*, de même sens (v. 1115). ➜ **HÉMISPHÉROÏDE** adj. et n. m. (de *-oïde*) est formé d'après *sphéroïde* (1716).

HÉMISTICHE n. m. est emprunté (1548) par Thomas Sébillet dans son *Art Poétique*, au bas latin *hemistichium* «moitié de vers», lui-même pris au grec *hêmistikhion*, composé de *hêmi* (→ hémi-) et de *stikhos* «rangée», «ligne» et particulièrement «ligne d'écriture», d'où «vers» (→ stichomythie).

♦ Terme de versification, *hémistiche* désigne jusqu'au XIXe s., la moitié d'un vers, et spécialement un alexandrin, d'où son emploi par métonymie pour *césure* (1690, Furetière). C'est la transformation des règles qui aboutit à ce qu'*hémistiche* se dise également des deux parties d'un vers, qu'elles soient ou non égales (1843).

HÉMO- → HÉMA-

HÉMORRAGIE n. f. est emprunté sous la forme *emoragie* (v. 1370) au latin impérial *haemorrhagia* «flux de sang», emprunt au grec *haimorrhagia*, de *haimorrhagês* «dont le sang se répand à flots», adjectif formé de *haima* «sang» et de *rhêgunai* «rompre», «faire jaillir (en parlant de pleurs, de sources, de sang)» (→ -rragie). La réfection étymologique aboutit à *hemorragie* (1539); on trouve aussi le calque du latin *hémorrhagie* (1768, Géraud), graphie reçue au XIXe s. et recommandée par Littré.

♦ *Hémorragie* désigne un épanchement de sang; par figure (1767), le mot prend le sens d'«écoulement abondant» puis, au XIXe s., de «perte de vies humaines» (1862, Hugo), et enfin, dans la première moitié du XXe s., le sens large de «perte de biens, de moyens».

▸ **HÉMORRAGIQUE** adj. (1795; variante *-rrh-* dans Littré) est un terme médical usuel.

HÉMORROÏDE n. f. est une réfection (1549) de *emoroyde* (XIIIe s.); le mot est écrit *hemorrhoïde* par A. Paré vers 1560 par réfection étymologique, graphie encore relevée dans Bescherelle en 1845. Le mot est emprunté au latin impérial *haemorroïda* n. f. pl. «qui souffre d'un afflux de sang», de *haemorrhoïs* emprunt au grec *haimorrhois, -idos*, composé de *haima* «sang» et de *rhoos* «écoulement», du verbe *rhein* «couler». *Rhein* a des correspondants dans diverses langues indoeuropéennes et on le rattache à une racine °*srew-* «couler», sans doute liée à °*ser-* «ramper» (→ herpès, serpent).

♦ Le mot s'emploie surtout au pluriel pour désigner les tumeurs formées par la dilatation des veines de l'anus et du rectum.

▸ Les dérivés **HÉMORROÏDAL, ALE, AUX** adj. (1559) et **HÉMORROÏDAIRE** adj. et n. (1795) restent d'emploi didactique. ◆ **HÉMORROÏSSE** n. f. apparaît dans les traductions de l'Évangile (1598), par emprunt au latin ecclésiastique *haemorrhoissa* «femme qui a des hémorroïdes» (du grec *haimorrhois*); il ne s'emploie que pour parler de la femme guérie par le Christ (*Évangile selon saint Matthieu*, IX, 18-22); on trouve avec le même sens la graphie étymologique *hémorrhoïsse* (encore chez Claudel, 1947). ◇ **HÉMORROÏDESSE** n. f. est dérivé de *hémorroïde* (1874, Flaubert).

HENDÉCA-, élément tiré du grec *hendeka* «onze», de *hen* «un» et *deka* «dix», entre dans la composition de mots savants empruntés.

▸ **HENDÉCASYLLABE** n. m. se trouve chez Du Bellay (1549; de *syllabe*); c'est un terme didactique pour désigner un vers de onze syllabes. ◇ **HENDÉCASYLLABIQUE** adj. en a été dérivé au XVIIIe siècle.

HENDÉCAGONE n. m. (1676, *endécagone*; avec *h-* initial en 1762 dans le dictionnaire de l'Académie; depuis 1652, d'après Bloch et Wartburg) est emprunté au bas latin *hendecagonus* «polygone de 11 côtés», formé à partir du grec *hendeka* et *gônia* «angle».

HENNÉ n. m., d'abord *henne* (1541), puis *henné* (1681), est un emprunt à l'arabe *ḥinnā'* «henné», par l'intermédiaire du latin médiéval *henne* (XIIIe s.), dans la traduction d'un médecin arabe du IXe siècle. On trouve au moyen âge les formes *alchanne* (XIIIe s.), *encanne* (1240-1244), *alcanne* (1256), adaptations du latin médiéval *alchanna* (mil. XIIe s.), qui traduisait l'arabe *āl-ḥinnā'* «le henné» (avec article agglutiné), d'un texte du Xe s. du médecin persan Razi. La graphie *henneh* est relevée par Littré et utilisée par Flaubert (1862).

♦ Le mot désigne une plante nommée par les botanistes *lawsonia*, dont l'écorce et les feuilles fournissent une poudre colorante, et par métonymie cette poudre (1835), utilisée pour la teinture des cheveux, des doigts, etc., notamment dans les pays musulmans.

HENNIR v. intr. est un emprunt (1080, *henir*) au latin *hinnire* «hennir» (en parlant du cheval), onomatopée avec un *h* initial d'origine expressive.

♦ Dans *La Chanson de Roland*, le verbe s'emploie en parlant d'êtres humains, puis il s'utilise en parlant du cheval (v. 1121-1134). Par analogie, *hennir* a pris le sens de «faire un bruit évoquant le cri du cheval» (XIXe s.) et, spécialement, celui de «rire bruyamment» (XXe s.).

▸ Le dérivé **HENNISSEMENT** n. m. (XIVe s.), d'abord *hanissement* (v. 1120), s'emploie au sens propre et au sens analogique du verbe.

HEP interj. d'origine onomatopéïque, servant à appeler, est attestée dans le dictionnaire de l'Académie en 1694; elle est employée aussi comme nom masculin (XIXe s.).

HÉPATIQUE n. et adj., réfection étymologique (1538) des formes *epatic* (1240, *aloes epatic*), *epatique* (1314), est un emprunt au bas latin *hepaticus* «relatif au foie», «qui a le foie malade», luimême pris au grec *hêpatikos*, dérivé de *hêpar, hepatos* «foie».

♦ Le mot désigne d'abord une plante dont une variété (*anémone hépatique* ou *herbe de la Trinité*) était employée pour soigner les affections du foie. ◇ Le sens médical, «qui a rapport au foie», repris au latin, est attesté en 1314 (*vaine epatique*) puis le mot s'applique (1561, A. Paré) à une personne qui a le foie malade. *Hépatique* entre ensuite, comme terme d'anatomie ou de médecine, dans des syntagmes comme *canal hépatique* (1770), *colique hépatique* (1863). ◇ Comme nom féminin, *hépatique* (1314 au singulier) désigne une classe de plantes cryptogames.

▸ De *hépatique* au sens médical dérivent des termes didactiques de médecine, comme **HÉPATISATION** n. f. (1820), **HÉPATISME** n. m. (1887). ◆ ① **HÉPATITE** n. f. est une adaptation, attestée en 1660, du bas latin *hepatites, hepatitis* «de la nature du foie», emprunt au grec *hêpatitis, -itidos* «du foie», dérivé de *hêpar, hêpatos* «foie». *Hépatite* désigne une affection inflammatoire du foie; ce mot médical est employé couramment dans le syntagme *hépatite virale*.

Un autre mot ② **HÉPATITE** n. f., attesté à partir de 1542, pour désigner une pierre précieuse dont la couleur rappelle parfois celle du foie, est un emprunt au latin impérial *hepatites*, de même sens.
L'élément **HÉPAT-, HÉPATO-**, tiré du grec *hêpar, hepatos*, entre dans la composition de termes de pathologie et de médecine, parmi lesquels : **HÉPATOLOGIE** n. f. (fin XVIIIe s.), d'où **HÉPATOLOGUE** n. ou **HÉPATOLOGISTE**, abrégés en **HÉPATO**, et **HÉPATOGRAPHIE** n. f. (1866).

HEPT-, HEPTA- est un élément tiré du grec *hepta* «sept», qui se rattache à une racine indoeuropéenne °*septm̥* (→ sept), utilisé dans la composition de mots savants ou contenu dans des mots empruntés au latin.

▶ **HEPTAGONE** n. m. est emprunté (1542) au bas latin *heptagonus* «figure qui a sept angles égaux», du grec de même sens *heptagonos*, formé de *hepta* et de *gônia* «angle».
HEPTAMÉRON n. m., mot qui entre dans le titre (1559) d'un recueil de récits de Marguerite de Navarre, est composé du grec *hepta* et de *hêmera* «jour», d'après *décaméron*. Ce nom désigne un récit en sept parties distribuées en sept journées.
HEPTACORDE adj. et n. m. est un emprunt au bas latin *heptacordus* «à sept cordes», «à sept sons», du grec *heptakhordos*, composé de *hepta* et de *khordê* «corde». En musique ancienne (1578, *eptachorde* et *heptachorde*), le mot désigne l'échelle musicale de 7 notes composant l'octave (1721, adj., «qui se chante sur 7 notes»). ◇ Le sens de «lyre à 7 cordes» est attesté dans le *Dictionnaire de la musique* de Rousseau (1768, *eptacorde;* on trouvait en 1634 *lyre heptacorde*).
HEPTAÈDRE n. m., terme de géométrie, est composé (1772) à partir du grec *hepta* et du grec *hedra* «siège, base» (→ -èdre). ◆ On trouvera d'autres composés au second élément (→ par exemple syllabe).
HEPTAMÈTRE n. m. (1816) est emprunté au bas latin *heptametrum* pour «(vers) de sept pieds».
HEPTANE n. m. (1890), de *-ane*, désigne en chimie un hydrocarbure saturé à sept atomes de carbone.

HÉRALDIQUE adj. et n. f. est un dérivé savant (1680) du latin médiéval *heraldus* (XIIIe s.), transposition de *héraut* (→ héraut).

♦ Signifiant «relatif au blason» (1701, *colonne héraldique*), le mot entre dans le syntagme *art héraldique* «art du blason» (1839), puis est utilisé seul comme nom féminin avec ce sens (1845), éliminant l'ancien *hérauderie*, dérivé de *héraut*.

▶ **HÉRALDISTE** n. «personne versée dans l'héraldique», formé aussi à partir de *heraldus*, n'apparaît qu'au XIXe s. (1873).

◈ **HÉRAUT** n. m. est attesté d'abord sous la forme *hyraut (d'armes)* chez Chrétien de Troyes (1176-1181). Le mot est issu du francique °*heriwald*, forme infléchie de °*hariwald*, proprement «chef d'armée», composé de °*hari* «armée» (d'où vient °*haribergon* → auberge, héberger) et de °*wald* «qui règne» que l'on trouve dans le nom *Chariovalda*, chef batave chez Tacite, ou l'anglo-saxon *Harald*, etc. Passé tardivement en gallo-roman sous la forme °*heriwald*, le mot français est à l'origine de l'italien *araldo*, de l'espagnol *heraldo*, de l'allemand *Herold*, de l'anglais *herald*.

♦ *Héraut* (ou *héraut d'armes*) désignait au moyen âge un officier de l'office d'armes, chargé de transmettre des messages importants, de régler les cérémonies, de s'occuper des blasons. Le mot prend (XVe s.) le sens figuré de «personne qui a pour charge d'annoncer la venue de qqn ou de qqch.», d'emploi littéraire aujourd'hui.

▶ De *héraut* dérive **HÉRAUDERIE** n. f. qui a désigné l'héraldique (v. 1570) et ensuite en histoire (1802) une province dont un héraut portait le nom.

✳ **HERBE** n. f. est l'aboutissement (1080) de l'évolution du latin classique *herba* «herbe», et également «mauvaises herbes», «jeune pousse» (spécialt en parlant des céréales) et «plante» en général; en latin, *herba* est souvent accompagné d'un nom au génitif (par ex. *herba Herculis*) ou d'un adjectif (par ex. *herba admirabilis*) qui en précise le sens; mot rural prélatin d'origine inconnue, *herba* a donné en italien *erba*, en espagnol *yerba*. ◈

♦ *Herbe* est introduit avec le sens de «plante à tige non ligneuse» et en même temps, en emploi singulier à valeur collective, avec celui de «végétation naturelle de plantes herbacées», d'où la locution *male herbe* (XIIIe s.), puis ***mauvaise herbe*** (1316), pour désigner une herbe sans utilité pour l'homme, locution qui prend un sens métaphorique dans la seconde moitié du XVIIe s. (cf. *mauvaise graine*), d'après des expressions du type *pousser comme de la mauvaise herbe*. ◇ Vers 1160, *herbe* est attesté au sens de «plante qui a des vertus médicinales»; aujourd'hui, en ce sens, le mot est qualifié par *médicinale* (XVe s.), *officinale;* cf. *simple*. ◇ À partir du XIIIe s., *herbe* est souvent qualifié, comme en latin, pour désigner une plante spécifique; les syntagmes, extrêmement nombreux, contiennent un élément qui rappelle une caractéristique de la plante, parfum, forme, couleur, usage domestique, etc. : *herbe à balais* (érica); *herbe à cailler* (gaillet); *herbe au citron* (mélisse); *herbe aux murailles* (pariétaire); *herbe aux neuf chemises* (ail); *herbe à teinture* (genêt), etc.; l'élément ajouté peut aussi indiquer un usage médicinal : *herbe à dartre* (cassia); *herbe aux engelures* (jusquiame); *herbe à la gale* (solanum); *herbe à tous les maux, herbe sacrée* (verveine), etc.; dans ce cadre les noms de saints ont été largement mis à contribution : *herbe de Saint-Benoît* ou *herbe bénie/benoîte, herbe de Saint-Paul* (primevère), *herbe de Sainte-Marie* (basalmine) , etc.; *herbe de la Saint-Jean* désignait des herbes cueillies le jour de la saint Jean, auxquelles on attribuait des vertus magiques. De là la locution aujourd'hui vieillie ***employer toutes les herbes de la Saint-Jean*** (mil. XVIe s.) «employer tous les moyens possibles pour réussir».
En herbe se dit (1225-1230, G. de Lorris) des céréales encore jeunes, vertes et courtes comme de l'herbe, puis au sens figuré (1558) pour «en puissance, virtuel» (1558, *cocu en herbe*) et pour «qui a des dispositions pour qqch.», en parlant d'un en-

fant. *Herbe* s'emploie seul, au pluriel, pour désigner (1306) les herbes aromatiques utilisées comme assaisonnement, dites ensuite *fines herbes* (1540). ◇ Le mot a eu le sens général de «légumes verts et salades» (1414), d'où *bouillon aux herbes* «de légumes», *marché aux herbes,* la locution ancienne *l'herbe lui manque sous les pieds* «il manque de moyens d'existence», et ***couper l'herbe sous le pied (à qqn)*** «le frustrer d'un avantage en le devançant» (XVIe s.), devenu ***couper l'herbe sous les pieds de qqn*** (1611) toujours en usage.
Au XIXe s., Baudelaire appelait le haschisch *herbe* (1860, *Les Paradis artificiels*); le mot, dans l'argot de la drogue, se dit aujourd'hui, d'après l'anglais *grass,* d'une herbe qui se fume (marijuana). ◇ *Herbe* s'est employé aussi pour *tabac,* seul ou qualifié (autrefois *herbe à Nicot, herbe aux grands prieurs*).

▸ Les dérivés et composés sont liés aux diverses acceptions. ◆ **HERBAGE** n. m. se dit (v. 1135) d'une prairie naturelle où paissent les troupeaux. *Herbage* a désigné plus généralement à la fin du XIIIe s. des herbes de toutes sortes (au singulier collectif ou au pluriel), puis l'ensemble des herbes cueillies (fin XVe s.) et spécialement les plantes potagères (1599), sens encore en usage au XIXe siècle. ◇ *Herbage* était aussi le nom (XIIIe s.) d'un droit perçu sur les pâturages jusqu'au XVIIIe siècle. ◆ Du premier emploi viennent **HERBAGER** v. tr. (1420) «mettre à paître dans un herbage» et **HERBAGER, ÈRE** n. et adj. «éleveur qui engraisse des bestiaux» (1732); au sens de «marchand d'herbes (de légumes verts)» (1832), le mot est tombé en désuétude; comme adjectif, *herbager* signifie (1842) «caractérisé par des herbages». ◆ Le dérivé **HERBAGEUX, EUSE** adj. «couvert d'herbages» (1611) est archaïque.
HERBER v. tr. a eu en ancien français le sens d'«aromatiser avec des herbes» (v. 1170 au participe passé, Beroul, *vinz herbez*) et, comme intransitif, celui de «pâturer» (v. 1290). Le verbe est repris au XVIe s. par Rabelais (1534, pron.) pour «s'étendre sur l'herbe», acception qui ne survit pas, et à nouveau au XVIIIe s. au sens technique d'«exposer (de la toile) au soleil, sur l'herbe» (1723), aujourd'hui archaïque. ◆ Il en va de même pour un autre dérivé de *herbe,* **HERBERIE** n. f. «lieu où l'on herbe la toile» (1730). *Herberie* avait désigné (XIIIe s.) une collection d'herbes et un marché aux herbes (potagères, aromatiques et médicinales), puis un jardin potager (1555).
HERBETTE n. f. s'est dit d'une herbe courte et fine (v. 1170, Beroul) et s'employait pour «herbe médicinale» (1611); le mot, au pluriel, équivaut en Suisse romande à *fines herbes.* ◆ **HERBIER** n. m. a eu en ancien et en moyen français le sens de «terrain herbeux» (v. 1165) et est encore employé en Normandie et en Picardie comme synonyme de *herbes* et de *mauvaises herbes.* Il a désigné un herboriste (XIIIe s.) jusqu'au XVIIe s. et un ouvrage qui traite des plantes (XVe s.), sens emprunté au bas latin *herbarium,* qui donne celui de «collection de plantes conservées séchées» (1704) puis de «collection de dessins représentant des plantes» (1783, *herbier [artificiel]*). ◇ Au XVIIIe s. également, *herbier* désigne un banc d'herbes au milieu des eaux (1769), sens voisin de l'ancien français; *herbier* a signifié aussi «endroit où l'on conserve l'herbe coupée pour le bétail» (1771). ◇ Le mot a désigné (1690) la poche de l'estomac des ruminants, où s'accumule l'herbe. ◆ **HERBIÈRE** n. f. (XIIIe s.), comme d'autres dérivés d'*herbe,* a signifié en ancien français (1230) «pré, gazon». Les emplois aux sens de «femme qui recueille des herbes médicinales» (v. 1245), puis de «femme qui vend des herbes» (1596), ont disparu. ◇ L'acception «poche de l'estomac des ruminants» a été remplacée par *herbier* (ci-dessus).
HERBU, UE adj. (1080) s'applique à un endroit où l'herbe est abondante. ◇ **HERBUE** n. f. désigne une terre utilisée pour les pâturages (1264); le mot, repris au XVIIIe s. (1761, *harbue*), se dit d'un fondant argileux mêlé au minerai de fer dans les hauts fourneaux.
HERBEILLER v. intr. «brouter l'herbe» (1279) ne s'emploie plus qu'en vénerie (1561).
Le composé **DÉSHERBER** v. tr. «enlever les mauvaises herbes» est attesté en 1837 (préfixe *dés-;* → dé-); en dérivent **DÉSHERBAGE** n. m. (1907) puis **DÉSHERBANT, ANTE** n. m. et adj. (XXe s.), de même sens que le composé savant **HERBICIDE** n. m. et adj. (1903; de *-cide*). ◆ Ont été aussi formés sur *herbe,* **HERBICOLE** adj. (1828; de *-cole*), au sens de «qui vit dans l'herbe» et, beaucoup plus courant, **HERBIVORE** adj., au sens de «qui se nourrit d'herbe» (1748; de *herbe,* ou du latin *herba*), puis n. m. pl. chez Cuvier (1805) pour «ensemble des espèces animales qui se nourrissent de végétaux» (opposé à *carnivore*).
HERBACÉ, ÉE adj. signifie «qui a les caractères de l'herbe» (1542; 1762, *plante herbacée*); c'est un emprunt au latin impérial *herbaceus* «de couleur d'herbe», dérivé de *herba.* ◆ **HERBEUX, EUSE** adj. est un emprunt ancien resuffixé (1080, *herbous*) au latin impérial *herbosus* «couvert d'herbe», dérivé de *herba.*

◈ voir HERBORISTE.

HERBORISTE n. est un emprunt (1442, *herboliste*) aux parlers d'oc, où il correspond à un dérivé de *erbola,* dérivé du latin *herbula* «petite herbe», diminutif de *herba;* on trouve en ancien provençal *erbolaria, erboliera* (1366) «marché aux herbes», *erbolestier* (1379) «marchand de légumes verts». Les formes en *-ar* (1499, *arboliste*) viennent d'une hésitation en moyen français entre *-ar* et *-er;* le *h* initial est une réfection étymologique d'après *herbe* ou d'après le latin, et le changement du *l* de *herboliste* en *r* (1545, *herboriste*) est dû à une influence de *arbre* ou à l'assimilation de ce *l* au *r* précédent.

♦ *Herboriste* a d'abord désigné celui qui connaît les vertus médicinales des plantes, puis équivaut (1545) à notre actuel *botaniste,* acceptions sorties d'usage. C'est à partir du XVIIe s. que le mot désigne une personne qui vend des plantes médicinales (1690, Furetière); jusqu'au début du XXe s., un herboriste vendait aussi des drogues simples, des produits hygiéniques.

▸ Le dérivé **HERBORISER** v. intr. a gardé le premier sens attesté, «recueillir des plantes pour les étudier, les collectionner ou les vendre» (1611, d'abord écrit *arboriser;* 1534, Rabelais); le verbe ne s'emploie plus au sens de «soigner avec des plantes» (1634). ◇ En dérivent **HERBORISEUR, EUSE** n. (1636), synonyme de **HERBORISATEUR, TRICE** n. (1845), d'emploi rare, et **HERBORISATION** n. f. (1719). ◂ Le dérivé **HERBORISTERIE** n. f. «commerce d'herboriste» (1838) s'emploie aussi au xxe s. comme terme didactique au sens d'«étude des propriétés médicinales des plantes».

HERCHER v. intr. est d'abord un mot wallon (v. 1385, *heirchier* «traîner»), issu d'un bas latin °*hirpicare* (d'où proviennent aussi des formes italiennes comme *erpicare*) dérivé du latin classique *hirpex, -icis* (→ herse).

◆ Le verbe est attesté en français central (1769) sous la forme *hiercher* au sens de «pousser les wagons contenant le minerai»; il est écrit ensuite *herscher* (1873), puis *hercher* (1875).

▸ Comme le dérivé **HERCHEUR, EUSE** n. (1769, *hiercheur;* forme moderne en 1774, et variante *herscheur* en 1873), *hercher,* mot du Nord, s'est répandu en France par Zola, avec *Germinal* (1885). ◂ Les autres dérivés sont **HERCHAGE** n. m. (1769, *hierchage*) et **HERCHE** n. f. (xixe s.), déverbal.

HERCULE n. m. est emprunté comme nom commun par Ronsard (1550) au latin *Hercules* (cf. grec *Hêraklês*), nom d'un demi-dieu de la mythologie gréco-latine, fils de Jupiter et d'Alcmène, poursuivi par la jalousie de Junon, l'épouse de Jupiter, et réputé pour sa force et pour les épreuves que lui imposa Junon (les douze travaux d'Hercule, comprenant des luttes contre des monstres, etc.); le mot est attesté comme nom propre vers 1150.

◆ *Hercule* désigne un homme d'une force physique exceptionnelle, par analogie avec le personnage mythologique, et au xixe s. un lutteur qui fait des tours de force *(hercule de foire).* Il a eu pour synonyme un *alcide.* ◇ Par figure, le mot a signifié en argot (déb. xxe s.) «forte somme», «billet de mille francs»; ce sens a disparu.

▸ **HERCULÉEN, ÉENNE** adj. signifie «digne d'Hercule, d'un hercule» (1520; variante *herculien* en 1512); il continue le dérivé latin *herculaneus.*

HERD-BOOK n. m., emprunté à l'anglais (v. 1839) et signalé par Littré (1866), signifie «livre généalogique des races bovines»; l'anglais *herd-book* (1822), littéralement «livre de troupeau», est composé de *book* «livre» et de *herd* «troupeau» (→ ① harde).

HÈRE n. m. est sorti d'usage sauf dans la locution ***pauvre hère,*** attestée chez Rabelais en 1534 *(pouvre hayre)* et signifiant «homme misérable». Le mot est d'origine incertaine. On a fait de *hère* un emprunt à l'allemand *Herr* «seigneur», employé par dérision; le suisse alémanique *en arme her* correspond au français *un pauvre hère* et on relève par ailleurs l'ancien français *herre, here* au sens de «seigneur» (1314; cf. variante *her* chez Rabelais, 1534). *Hère* pourrait être, au sens de «pèlerin qui porte la haire», un emploi métonymique du nom féminin *haire,* ou — cette dernière hypothèse paraît plus plausible — un emploi substantivé de l'adjectif *haire* «malheureux, pauvre» (v. 1250), issu de ce nom (→ haire).

HÉRÉDITÉ n. f. est un emprunt (v. 1050) au latin *hereditas* «ce dont on hérite» (sens abstrait et concret), dérivé de *heres, heredis* «héritier», nom masculin jusqu'à l'époque impériale, seul l'enfant mâle pouvant hériter.

◆ *Hérédité* a désigné comme en latin l'ensemble des biens laissés par une personne en mourant (1050, au pluriel, *ereditez;* puis déb. xiie s., au singulier, *heredite*); dans ce sens il est resté terme juridique jusqu'au xixe s. (Code civil; 1804), supplanté ensuite par *héritage.* Toujours en droit, *hérédité* désigne ensuite (1538) la qualité d'héritier et le droit de recueillir une succession *(accepter l'hérédité),* puis (xviie s.) la transmission par voie de succession (attesté 1690).
Le mot est repris en biologie (1821) pour désigner la transmission des caractères d'un être vivant à ses descendants. Le développement de la *génétique** donne à la notion un contenu plus précis; ce n'est qu'au début du xxe s. que l'on met au jour les lois de l'hérédité, liées à l'organisation cellulaire des êtres vivants; on distingue ensuite l'*hérédité mendélienne,* le matériel génétique chromosomique étant transmis lors de la fécondation par les gamètes, et l'*hérédité non mendélienne,* qui vient de la présence d'A. D. N. dans certains organites cellulaires. ◇ Dans la seconde moitié du xixe s., *hérédité* s'emploie au sens figuré d'«ensemble des dispositions, des aptitudes, etc. qu'une personne reçoit de ses aïeux», largement attesté chez les écrivains naturalistes (cf. en particulier Zola, *Le Roman expérimental*). Par extension le mot désigne les caractères propres à un milieu social, géographique, etc., qui semblent se transmettre de façon héréditaire (xxe s.).

▸ **HÉRÉDITAIRE** adj. est emprunté (1459) au dérivé latin *hereditarius* «qui se transmet par droit de succession» et «qui se transmet des parents aux descendants». Le mot est probablement antérieur, son dérivé **HÉRÉDITAIREMENT** adv. étant attesté en 1323. ◇ Le premier sens latin est repris en 1459; de ce sens vient *monarchie héréditaire* (1549); le second est introduit en 1549 *(aptitudes héréditaires).* Par extension le mot a pris le sens large de «qui est transmis par habitude, par tradition, etc.» (xviie s.; cf. *ennemi héréditaire*). ◇ *Héréditaire* est repris comme terme de biologie au xixe s. selon l'évolution de *hérédité (patrimoine héréditaire, caractères héréditaires).*
L'élément **HÉRÉDO-** est tiré de *heres, heredis* «héritier»; il a été utilisé, représentant l'adjectif *héréditaire,* pour composer des mots en médecine, à la fin du xixe et au début du xxe siècle. Ces mots sont sortis d'usage ou vieillis à partir des années 1940-1950 : les travaux de la génétique ont distingué précisément ce qui est transmis héréditairement (lié aux gènes et aux chromosomes) et ce qui est acquis pendant la grossesse ou les premières années de la vie. ◂ Parmi les composés qui furent le plus en usage, on relève : **HÉRÉDOCONTAGION** n. f. (1897, de *contagion*), **HÉRÉDOSYPHILIS** n. f. (1899,

de *syphilis*), d'où le dérivé **HÉRÉDOSYPHILITIQUE** adj. et n., par abréviation **HÉRÉDO** (1916), qui a eu les deux valeurs (la maladie et surtout le malade), avant de sortir d'usage.

◈ voir HÉRITER, HÉRITIER.

HÉRÉSIE n. f., réfection étymologique (v. 1140) de *eresie* (1121-1134), est un emprunt savant au latin classique *haeresis* «doctrine, système», spécialement en latin ecclésiastique «doctrine contraire aux dogmes de l'Église catholique»; le latin représente le grec *hairesis* «choix» puis, en grec tardif, «école philosophique», «secte religieuse» d'où «hérésie», dérivé du verbe *hairein* «prendre, choisir».

♦ *Hérésie*, qui s'oppose à *orthodoxie*, garde le sens du latin ecclésiastique; au cours des siècles, les hérésies condamnées par l'Église catholique ont été nombreuses, comme les noms d'hérésie : celles des adamiens (ou *adamisme*), des albigeois ou cathares *(catharisme)*, des ariens *(arianisme)*, des bogomiles, des manichéens *(manichéisme)*, des quiétistes *(quiétisme)*, des sociniens, des unitaires ou unitariens, etc. Les convictions religieuses de Calvin et de Luther, qui ont abouti au protestantisme, comme celles de Jansénius, sont pour le catholicisme, surtout depuis la Contre-Réforme et jusqu'à une époque récente, des hérésies. Par analogie, *hérésie* désigne très tôt (fin XIIe s., *iresie*) une doctrine, une opinion contraire aux opinions généralement admises; on relève là aussi un parallélisme avec *orthodoxie*.

▸ L'étude des hérésies a donné naissance à une discipline, l'**HÉRÉSIOGRAPHIE** n. f. (1846; de *-graphie*) ou **HÉRÉSIOLOGIE** n. f. (1892, Renan; de *-logie*), et à des spécialistes, nommés **HÉRÉSIOGRAPHE** n. (1846) ou **HÉRÉSIOLOGUE** n. (1920).

HÉRÉTIQUE adj. et n. a remplacé les formes issues du latin *herite* (1080, d'après *sodomite* auquel il était souvent associé) et *erege, herege* (v. 1165); *hérétique* est emprunté au latin ecclésiastique *haereticus* «(personne) qui professe ou soutient une hérésie», du grec *hairetikos* «qui choisit» et, tardivement, «sectaire», «tenant d'une hérésie», dérivé de *hairesis*. ◇ *Hérétique*, attesté comme substantif au XIVe s. *(hereticque)* avec le sens du latin (1656, à propos d'écrits, d'opinions), se dit par analogie de ce qui est contraire aux opinions admises (1647), par exemple *un hérétique en médecine*. ➔ **HÉRÉTICITÉ** n. f. «caractère de ce qui est hérétique» est un terme didactique, dérivé savant (fin XVIIe s.) du latin *haereticus*.

HÉRÉSIARQUE n. m. est emprunté (fin XVIe s.; 1524, *erarsiarge*) au latin ecclésiastique *haeresiarches*, mot grec lui-même composé de *haeresis* et de *arkhein* «commander» (→ -archie). Terme didactique, *hérésiarque* signifie comme en latin «auteur d'une hérésie», «chef d'une secte hérétique».

◈ voir DIÉRÈSE.

◈ **HÉRISSER** v., d'abord écrit *hericer* (v. 1140), est issu d'un latin populaire °*ericiare*, dérivé du radical du latin classique *ericius* (→ hérisson); on relève au IXe s. le latin médiéval *iriciatus*, participe adjectivé. Le *h* initial «aspiré» est peut-être d'origine expressive mais on peut penser à l'influence du latin *hirsutus* (→ hirsute) sinon au fait que le latin archaïque a un *h* initial.

♦ *Hérisser* s'emploie d'abord au sens de «dresser ses poils, ses plumes» comme intransitif (v. 1140), pronominal (v. 1160) et transitif (v. 1165); *hérissé* (fin XIIe s.) prend le sens d'«épineux». Depuis le XVIe s., le verbe s'applique aux personnes (1595, au pronominal chez Montaigne). Le verbe pronominal a également et très tôt (fin XIIe s.) le sens figuré de «s'opposer, se révolter», d'où celui de «s'indisposer, s'irriter». Au transitif, *hérisser* signifie «garnir de choses pointues, aiguës» (fin XIIe s., au participe passé *héricé*), sens tiré du latin *ericius*; au XVIe s., le verbe est attesté en ce sens à la forme pronominale (1558). Il prend par extension comme le verbe intransitif *(le poil hérissé)* le sens de «se dresser» (1585); seul le transitif (1674) et le pronominal *se hérisser* (1794) sont vivants avec cette valeur. ◇ Le verbe s'emploie aussi au figuré pour «garnir de choses rébarbatives, difficiles, choquantes», d'où au participe passé adjectivé (1586) le sens de «parsemé de difficultés» et la valeur archaïque «qui affiche d'une manière désagréable son érudition» *(être hérissé de grec)*.

▸ Par analogie (présence de piquants), **HÉRISSÉ** n. m. est le nom donné à divers poissons, **HÉRISSÉE** n. f. celui de la chenille de noctuelle. ➔ Le dérivé **HÉRISSEMENT** n. m. (1418, *héricement*) s'emploie au propre et au figuré.

◈ voir HÉRISSON.

HÉRISSON n. m. est un dérivé (déb. XIIe s., *heriçun*) d'une forme °*eriz* (avec le suffixe *-on*), attestée indirectement par l'ancien provençal *aritz*, l'italien *riccio*, l'espagnol *erizo*, mots issus du latin classique *ericius* «hérisson» et «machine de guerre faite d'une poutre garnie de pointes de fer»; une forme du latin populaire °*ericio, -onis* aurait abouti à °*erçon*. *Ericius* est dérivé de *er, eris* avec une forme archaïque *her, heris*; apparenté au grec *khêr*, nom rare du hérisson couramment appelé *ekhinos* (→ échino-). Le mot semble en relation avec une série de termes désignant des piquants durs (ancien haut allemand *grot* «pointe de rocher, arête de poisson», irlandais *garb* «rude», etc.), que l'on rattache ordinairement à une racine indoeuropéenne °*gher(s)* «se raidir, se hérisser». Dès les premiers emplois, le mot a dû être senti comme un dérivé en *-on* du verbe *hérisser*, de même origine.

♦ *Hérisson* conserve le sens (déb. XIIe s.) de «petit mammifère couvert de piquants»; en ce sens le féminin *hérissonne*, d'emploi rare, n'est attesté qu'en 1937 (Giraudoux). ◇ Le mot reprend également un sens technique du latin (v. 1155, *hériçon*), désignant un élément mobile d'un réseau barbelé. ◇ Par analogie, c'est le nom donné à des animaux de mer garnis de piquants (XIVe s., *hérisson de mer* «oursin»; en latin, *echinus* désigne à la fois l'oursin et le hérisson comestible). Le mot s'applique plus tard à l'enveloppe de la châtaigne (1866; cf. *bogue*). ◇ Du sens technique viennent des emplois variés pour désigner par analogie de forme (1370, *hireçon*) des briques dressées de chant sur un mur, et pour nommer des appareils, des instruments ou des dispositifs garnis de pointes : «roue dentelée» (1676), «égouttoir à bouteilles» (1680), «ensemble de pointes garnissant le haut d'une grille ou d'un mur» (1840), «rouleau pour écraser les mottes de terre» (1840), «outil de ramoneur» (1866). ◇ Le mot a pris, comme terme de marine (1678), le sens de «grappin à 4 becs», avec influence de *ruchon* de même sens (1512), mot d'origine obscure, devenu *roisson* (1521), *resson* (1525) puis *risson* (1539), ainsi remotivé. ◇ Au XVIIIe s., *hérisson*, par analogie de forme, a désigné une coiffure de femme dans laquelle les cheveux étaient relevés au-dessus de la tête (1780). ◇ Au XXe s., il revient dans le domaine militaire pour «point fortifié d'un front discontinu» (1940, *se mettre en hérisson*).

▸ Le dérivé **HÉRISSONNER** v. tr. a eu le sens de «garnir d'objets pointus» (v. 1175, *heriçonné*; cf. *hérisser*) ; il signifie ensuite, d'après la valeur technique du nom (XVe s.), «couvrir d'une couche de mortier qu'on garde avec ses aspérités». ◇ Comme terme de fauconnerie, il s'emploie comme intransitif (1721), puis au pronominal, pour «hérisser».

◈ **HÉRITER** v. tr. doit représenter une réfection (v. 1140) de °*hereter*, issu du latin chrétien *hereditare* «donner ou recevoir en héritage», dérivé du latin classique *heres, heredis* «héritier», d'après *érité* n. f. «héritage» (v. 1105), de *hereditas* (→ hérédité), les formes *ireter, eriter* se maintiennent jusqu'au XVe siècle.

♦ *Hériter* s'emploie d'abord pour «donner (qqch.) en héritage à qqn» puis pour «recevoir (qqch.) en héritage» (1160-1174, *eriter*), d'où l'emploi moderne sans complément direct (1655, *hériter de qqn*). ◇ Par figure, *hériter* se dit pour «recevoir, recueillir» (1650), par exemple *hériter une tradition, des idées;* par extension il signifie «recueillir la jouissance, l'usage de (qqch. qui a été donné)» [1690].

▸ Le dérivé **HÉRITAGE** n. m. désigne d'abord (v. 1135, *eritage*) un patrimoine transmis par succession. Par extension, le mot s'est dit (1228) d'un bien immeuble faisant ou non l'objet d'une succession, sens toujours vivant à l'époque classique, où il désignait aussi un domaine, un fonds de terre, à chaque fois qu'il s'agissait d'une possession durable (dont le type est la propriété héréditaire) ; l'emploi est alors analogue à celui de *patrimoine*. ◇ Par figure, *héritage* s'emploie comme terme religieux (1189-1193, *iretaige*) dans *l'héritage du Seigneur* pour «la Terre sainte», *l'héritage céleste* pour «le Paradis», expressions encore usitées à l'époque classique. Par métaphore, *héritage* prend ensuite le sens de «ce qui est transmis par tradition, comme par succession» *(héritage culturel)*.
Sur *hériter* a été composé **DÉSHÉRITER** v. tr. (v. 1130) «priver (qqn) de la succession sur laquelle il pouvait compter». *Déshériter*, qui a pour dérivé **DÉSHÉRITEMENT** n. m (v. 1160, *deseritement*), rare, s'emploie aussi au figuré (av. 1203) au sens de «priver (qqn) de ses avantages naturels». ◆ **CO-HÉRITER** v. tr. (1866) est un terme de droit qui correspond à *co-héritier* (→ héritier). ◆ On emploie dans le vocabulaire juridique **EXHÉRÉDER** v. tr. (1468), emprunt savant au latin *exheredare* (de *ex-* «hors» et *heres, heredis* «héritier»), et **EXHÉRÉDATION** n. f. (1437), du latin *exheredatio*.

HÉRITIER, IÈRE n. est issu (v. 1135, *eritier*) de l'adjectif latin classique *hereditarius* «héréditaire, reçu par héritage», puis en latin médiéval «héritier» (1012-1018, n.), dérivé de *hereditas* (→ hérédité). On relève au moyen âge les formes *iretier, iritier* (XIIIe s.). Le *h* étymologique a été restitué en moyen français (*heretier*, 1324).

♦ *Héritier* désigne, comme le mot du latin médiéval, le parent qui recueille la succession d'un défunt ; en ce sens le mot est en concurrence en ancien français avec *heir* (1080), **HOIR** n. m., issu du latin populaire °*herem* pour le classique *heredem (heres, heredis)*. ◇ *Hoir*, au féminin *hoiresse* (XIIe s.), n'est plus utilisé que par archaïsme littéraire ou comme terme d'histoire, sauf en Suisse où il signifie «héritier direct».
Héritier, appuyé par *héritage*, a supplanté *hoir*. Le mot prend le sens large (v. 1360) de «personne qui reçoit des biens en héritage», d'où le composé **CO-HÉRITIER, IÈRE** n. (1411), terme de droit. ◇ Il acquiert d'autres valeurs au XVIIe s. : «enfant» (1648), aujourd'hui seulement par plaisanterie ; enfin, *héritier* désigne (1668) une personne qui continue une tradition *(les héritiers d'une civilisation)*. À la fin du XVIIIe s., le mot s'utilise au féminin en parlant d'une fille unique qui doit hériter d'une succession importante.

▸ D'*hoir* dérive, après la disparition de *érité* n. f. «héritage», **HOIRIE** n. f. (1318, *haerie*), qui ne s'utilise plus que comme terme de droit, dans la locution juridique ***avancement d'hoirie*** et, en Suisse, au sens d'«ensemble des héritiers indivis».

HERMAPHRODITE n. m. et adj. est la réfection étymologique (1551) de *ermefrodis* (XIIIe s.), *hermofrodite* (XVe s.), empruntés au latin impérial *Hermaphroditus*, du grec *Hermaphroditos*, nom d'un personnage mythologique, fils d'*Hermès* (messager d'Apollon) et d'*Aphrodite* (Vénus), représenté comme bisexué ; le mot est déjà adjectivé en grec et en latin.

♦ Le mot se dit d'un être humain qui a les deux sexes ; on distingue au sens étroit l'hermaphrodite qui porte un ovaire et un testicule, et au sens large *(pseudo-hermaphrodite)* l'individu qui a les glandes génitales d'un sexe et les caractères secondaires de l'autre sexe. L'adjectif, attesté plus tard, s'emploie d'abord en parlant d'un animal (1562, *jumens hermafrodites*), ensuite d'un humain (1573). ◇ *Hermaphrodite* s'emploie aussi au figuré (1615, n. m.) pour «ce qui présente une ambiguïté, une double nature». ◇ Le mot est utilisé ensuite en botanique (1704, adj.), en parlant des espèces (très normales) où le même sujet porte les fleurs mâles et femelles, ou dont les fleurs sont hermaphrodites ; le mot s'emploie également en zoologie.

▸ Le dérivé **HERMAPHRODISME** n. m. s'emploie au propre (1765) et au figuré (1797, Beaumarchais) ; une variante **HERMAPHRODITISME** n. m. (v. 1780) est utilisée par Huysmans et Proust.

HERMÉNEUTIQUE adj. et n. f. est un emprunt savant (1777) au grec *hermêneutikê (tekhnê)* «art d'interpréter, de faire comprendre», du verbe *hermêneuein* «interpréter, expliquer».

♦ Le mot est introduit dans l'*Encyclopédie* pour désigner l'art de découvrir le sens exact d'un texte, d'où son emploi spécial en théologie (1803, n. f. : *l'herméneutique sacrée,* «l'interprétation de la Bible, des textes sacrés», et adj.); on le relève à la fin du XIXe s. au sens large d'«interprétation des symboles» (1890, Huysmans). ◇ Au XXe s., le mot signifie spécialement dans le contexte de la sémiologie, «système d'interprétation d'une séquence de signes (symboles, etc.) et des codes qui l'organisent»; dans le domaine des textes, l'herméneutique moderne, développée après les travaux de Husserl et, en français, de Ricœur, insiste sur la divergence et la multiplication des sens.

▸ **HERMÉNEUTE** n., terme didactique (1900), désigne (n. m.) un spécialiste de l'Écriture et par extension (apr. 1960) la personne (n. m. et f.) qui interprète un système signifiant.

HERMÈS n. m. représente un emprunt savant (1732) au latin *Hermae* (pluriel de *Hermes*) «gaines surmontées d'une tête d'Hermès» et par extension «buste ou tête surmontant une gaine». *Hermês* est le nom d'une divinité grecque correspondant à Mercure, messager des dieux, mais aussi dieu du commerce et des voyages, interprète des oracles, etc. Ces deux sens du mot viennent peut-être d'une confusion avec *herma,* nom de la borne aux carrefours des routes, où l'on représentait ce dieu.

♦ Ce terme de sculpture conserve en français les sens du latin.

▸ **HERMÉTIQUE** adj. (*hermetic,* mil. XVIe s.) correspond aux deux sens du latin. *Colonne hermétique,* «colonne surmontée d'un buste» (1694), est un terme technique d'architecture. ➛ *Hermétique,* lié au nom du dieu *Hermès,* est surtout un terme d'alchimie, parce que cette divinité représentait chez les Grecs le maître des arts, de la science des nombres et des signes, et a été assimilé (sous le nom d'*Hermès Trismégiste* «trois fois très grand») au dieu égyptien Thot, considéré comme le fondateur de l'alchimie; pour Platon, le nom d'Hermès venait de *hermêneus* «celui qui interprète» (→ herméneutique). ◇ L'adjectif a d'abord qualifié une manière particulière de boucher les récipients, réalisée par les alchimistes (1554, *hermetic vase;* 1620, *fermeture hermétique*). *Hermétique* a été un équivalent d'*alchimique* (1610, *pierres hermétiques*); il signifie ensuite «relatif à la partie occulte de l'alchimie», d'où *hermétique* n. f. (1762) «alchimie occulte», parfois aussi employé comme nom masculin au sens de «personne versée dans l'hermétisme»; on dit plus tard **HERMÉTISTE** n. (1884, Péladan). ◇ Par extension, *hermétique* se dit de ce dont le caractère peu compréhensible vient d'une volonté de secret (déb. XIXe s.); l'adjectif équivaut ensuite (1843, Gautier) à «difficile ou impossible à comprendre», en parlant d'un texte, d'une œuvre, etc., et à «impénétrable» à propos d'une personne, spécialement d'une expression, d'un visage. ◇ Le mot s'emploie couramment depuis le XIXe s. (1837, Balzac) pour qualifier une fermeture aussi parfaite que le sceau hermétique des alchimistes et, figurément, ce qui empêche toute communication *(des frontières hermétiques).* C'est à ce sens concret que se rattache le dérivé **HERMÉTIQUEMENT** adv. (1608). ➛ **HERMÉTISME** n. m. n'est attesté qu'au XIXe s. pour désigner l'ensemble des doctrines des alchimistes (1832, Hugo); par extension, le mot signifie «caractère de ce qui est incompréhensible, obscur», sens relevé chez J. Péladan (1884). ➛ **HERMÉTICITÉ** n. f. (1866) est très didactique.

◈ voir HERMAPHRODITE.

HERMINE n. f. représente (v. 1140, *ermine*) le féminin substantivé de l'ancien adjectif *ermin, hermin* (XIIe s., «d'hermine»), issu du latin classique *Armenius* «arménien», dans l'expression °*mus Armenius* «rat d'Arménie», pour désigner un animal qu'on trouvait en quantité en Asie Mineure.

♦ Le mot désigne (v. 1140) ce mammifère carnivore et, par métonymie, sa fourrure blanche. ◇ *Hermine,* avec une forte valeur symbolique liée à sa couleur («pureté»), est un terme d'héraldique (fin XIIe s.) et se dit d'une des deux fourrures du blason (cf. *vair*), d'où le composé **CONTRE-HERMINE** n. f. (1690). Le mot désigne aussi une bande de fourrure fixée au costume d'apparat de hauts dignitaires de l'État, de l'Église, de l'Université. ◇ Par analogie, *hermine* (ou *blanche hermine*) s'emploie comme symbole de l'innocence et de la pureté (XIXe s.).

▸ **HERMINÉ, ÉE** adj. est sorti d'usage au sens de «fourré d'hermine» (1228), mais le mot subsiste comme terme de blason (1285). ➛ ① **HERMINETTE** n. f., diminutif d'*hermine* attesté (v. 1223, *erminete*) au sens de «petite hermine», est repris au XXe s. pour désigner l'hermine quand elle a sa fourrure fauve d'été. Le mot est aussi utilisé (1949) comme nom commercial du lapin blanc. ➛ ② **HERMINETTE** n. f. (1518), aussi écrit **ERMINETTE** (1835), désigne une hachette à tranchant recourbé, par analogie de forme avec le museau de l'animal.

HERNIE n. f. représente un emprunt savant (v. 1370) au latin *hernia* «tumeur formée par un organe sorti par un orifice, naturel ou accidentel, de la cavité qui le contient». On relève aussi en ancien français des formes «populaires», issues de l'évolution phonétique de *hernia : herne* «bosse, défaut» (fin XIIe s.), puis les variantes *hergne* (1538) et *hargne* (1564), encore en usage au XVIIe siècle.

♦ Le mot garde le sens du latin et, par analogie, se dit (XXe s.) d'une excroissance formée par une chambre à air.

▸ ① **HERNIAIRE** adj. «relatif à la hernie» (1704, *chirurgien herniaire*) est un terme de médecine, comme **HERNIEUX, EUSE** adj. et n. «atteint d'une hernie» (1545) et **HERNIÉ, ÉE** adj. «sorti par hernie» (1836). ➛ ② **HERNIAIRE** n. f. se dit (1611) d'une plante vivace, appelée aussi **HERNIOLE** n. f. (v. 1600), qu'on utilisait pour traiter les hernies.

① **HÉROÏNE** → HÉROS

② **HÉROÏNE** n. f. est probablement emprunté (1903) à l'allemand *Heroin* (1898), la substance ayant été d'abord mise au point en Allemagne ; le mot a été formé à partir du grec *hêrôs* (→ héros), par analogie entre la fougue du héros et l'exaltation provoquée par la drogue.

♦ *Héroïne* désigne un médicament et un stupéfiant, tiré d'un ester de la morphine ; le mot a été abrégé familièrement en *héro* (1960).

▶ En dérive **HÉROÏNOMANE** n. et adj. (1906, de *-mane*), «intoxiqué par l'héroïne», d'où **HÉROÏNOMANIE** n. f. (1906, de *-manie*), didactique.

HÉRON n. m., réfection (1320) des formes *hairon* (v. 1150), *heiron* (v. 1175), est issu du francique °*haigro* restitué par l'ancien haut allemand *heigir* et le moyen néerlandais *heger ; hairo* est attestée en latin médiéval (XIe s.). La forme *aigron* a donné *aigrette**.

♦ Le mot désigne un grand oiseau échassier à long bec.

▶ *Héron* a fourni plusieurs dérivés. ◆ **HÉRONNIER, IÈRE** adj. qualifie un faucon dressé pour la chasse au héron (av. 1188, *faucon haironnier*) et s'employait à propos d'humains, avec la valeur de «maigre et long» (1532, *cuisse heronniere*). ◆ **HÉRONNIÈRE** n. f. désigne un endroit aménagé pour l'élevage des hérons (1601, *haironniere*) et le lieu où les hérons font leur nid. ◆ **HÉRONNEAU** n. m. «jeune héron» (1542) est d'emploi rare.

HÉROS n. m., héroïne n. f. est un emprunt (Oresme, 1370-1374) au latin classique *heros* «demi-dieu», «homme de grande valeur», du grec *hêrôs* «chef», désignant les chefs militaires de la guerre de Troie comme Ulysse ou Agamemnon, puis, avec une signification religieuse, «demi-dieu» et «homme élevé au rang de demi-dieu après sa mort». Le mot était sans doute un terme de respect et de politesse. ◇ *Héroïne* est emprunté plus tardivement au latin *heroine*, du grec *hêroinê*, qui sert de féminin à *hêrôs*. ◇ Le mot est passé par emprunt dans de nombreuses langues indoeuropéennes (par ex. anglais *hero*, russe *geroi*).

♦ C'est avec le sens de «demi-dieu» que *héros* est introduit, aujourd'hui en emploi didactique ; *héroïne* est employé dans un contexte mythologique, au sens de «femme qui s'est distinguée par une grande action» (1578, chez Ronsard). La glorification des exploits militaires désacralise l'emploi du mot qui, comme en latin, prend le sens figuré d'«homme de grande valeur» (1555, *herôs*, Ronsard), puis par extension d'«homme digne de l'estime publique, par son génie, sa force d'âme, etc.» *(être le héros de qqn)*. L'idée d'«homme au-dessus du commun» explique l'emploi au sens de «personnage principal dans une œuvre littéraire» (1651, Scarron), d'où vient par figure l'expression *un héros de roman* pour parler d'une personne qui a vécu des aventures extraordinaires (1671) ; *héroïne*, au sens de «personnage principal féminin (d'une œuvre)» est attesté dès 1554 (Ronsard). Ensuite, c'est l'idée de «personnage principal» qui est retenue avec *le héros d'une aventure, le héros de la fête* (1734), *le héros du jour* (1874, Mallarmé). ◆ *Héros* s'emploie aussi (déb. XXe s.) au cinéma et dans toutes sortes de narrations (bande dessinée, télévision, etc.) Dans le domaine de la création littéraire, cinématographique est apparu le personnage qui n'a aucun des caractères du héros traditionnel, l'**ANTIHÉROS** n. m., de *anti-* (1940) ; ce mot n'a pas de féminin. ◆ **SUPERHÉROS** n. m. (1968, in P. Gilbert), francisation et généralisation de la série de mots américains en *super-* dont le premier est *superman* (→ superman), s'applique aux héros surhumains des *comic books* américains.

▶ **HÉROÏQUE** adj. est un emprunt au latin *heroicus* «relatif aux héros (de la mythologie)», «relatif à la poésie qui célèbre les héros», du grec *hêroikos*, de *hêrôs*. ◆ Il a d'abord ces sens chez Oresme (1370-1372, *heroÿque*), d'où en particulier l'emploi comme terme de prosodie, *vers héroïques* désignant l'hexamètre des Grecs et des Latins, utilisé pour chanter les héros, et l'alexandrin français, plus rarement le décasyllabe (mil. XVIe s., Du Bellay) ; Oresme emploie aussi le mot comme nom masculin pour «personne exceptionnelle». Du premier emploi vient la locution ***temps héroïques*** au sens d'«époque très reculée». ◇ L'adjectif s'emploie ensuite avec la même extension que *héros* et s'applique à une caractéristique digne d'un héros (1381, *eroyque*), puis au XVIe s. à ce qui appartient à l'épopée (1572 ; cf. au XVIIe s., *l'héroïque* «le genre héroïque»). Depuis le XVIIe s., il s'emploie pour «brave, courageux». Par extension, le mot a été utilisé pour «énergique» en parlant d'un médicament (1800), puis d'une action (1866). ◇ L'adverbe dérivé **HÉROÏQUEMENT** est attesté en 1551 (Pontus de Tyard). ◆ **HÉROÏSER** v. tr. s'emploie d'abord au sens de «diviniser» (1554, *heroizer*), à propos de l'Antiquité ; on trouve la forme pronominale *se heroizer* «se rendre héroïque» à la fin du XVIe s., puis le verbe est repris au XIXe s. au sens de «donner le caractère d'un héros» (v. 1840) ; de cet emploi vient au XXe s. le dérivé **HÉROÏSATION** n. f. (1936). **HÉROÏCITÉ** n. f., de *héroïque*, est un équivalent didactique (1716) de *héroïsme*.

HÉROÏSME n. m. est dérivé au XVIIe s. de *héros*, d'après *héroïque*, avec le sens de «force d'âme qui fait les héros» (1658). Il est rare avant le XVIIIe siècle. Par extension, il désigne le caractère de ce qui est héroïque (1696).

HÉROÏ-COMIQUE adj. est issu (1640) par haplologie de °*héroïco-comique* (de *héroïco-*, tiré du latin *heroicus*, et de *comique*) ; le mot se dit d'un genre littéraire qui tient de l'héroïque et du comique et s'apparente au burlesque. Par extension, l'adjectif s'applique (déb. XXe s.) à un événement où se mêlent le cocasse et l'héroïque.

HÉROÏDE n. f., terme didactique, est un emprunt (1512) au latin d'origine grecque *herois, -oidis* «femme illustre», «demi-déesse» ; au pluriel, le mot latin est le titre d'un recueil élégiaque d'Ovide où le poète fait parler des héroïnes connues. Le mot désigne une épître élégiaque que l'auteur attribue à un héros ou à une héroïne célèbres.

HERPÈS n. m. est un emprunt (XIIIe s.) au latin impérial *herpes, -etis* «maladie de la peau», lui-même du grec *herpês, -êtos* «dartre», dérivé du verbe *herpein* «se traîner», «ramper», probablement parce que cette maladie a tendance à s'étendre. *Herpein* est lié au sanskrit *sárpati* «ramper, glisser», au latin *serpere* de même sens (→ serpent).

♦ L'*herpès,* affection cutanée, est une maladie dont l'origine virale a été établie en 1912 par Grüter.

▸ Du mot viennent des termes médicaux, **HERPÉTIQUE** adj. (1793), **HERPÉTIFORME** adj. (1875, de *forme*).

◈ **HERSE** n. f. est issu (v. 1170, *herce*) du latin populaire °*herpex,* altération du latin classique *hirpex, -icis* «instrument aratoire», dérivé de *hirpus,* nom du loup en samnite (langue italique), à cause des dents de l'instrument; l'*h* initial aspiré est sans doute d'origine expressive.

♦ Le mot conserve le sens latin, désignant un instrument d'abord à dents de bois, puis de fer ou d'acier, utilisé pour briser les mottes. Par analogie de forme (pointes fixées sur un bâti), le mot s'emploie dans des domaines très divers : *herse* se dit d'un grand chandelier d'église (1319, *erche;* cf. le latin médiéval *hercia,* v. 1070) puis, comme terme militaire, a désigné une grille mobile qui défendait l'accès d'une forteresse (1358-1359); ensuite le mot s'emploie comme terme technique, au sens de «cadre sur lequel on tend des peaux pour les sécher» (1501). À partir du XVIIIe s., il désigne une pièce de bois garnie de pointes pour barrer une route (1752), une tablette sur laquelle, au théâtre, on met des lampions pour éclairer la scène (1765; au XXe s., *herse électrique*) et une disposition de pièces de bois dans une charpente (1782). ◇ Au XXe s. enfin, le mot se dit d'une grille qui, placée en travers d'un cours d'eau, arrête les corps flottants.

▸ Le dérivé **HERSER** v. tr. (1174-1187, *(h)ercier;* XVIe s., *herser*) et ses variantes dialectales *harser, hercher* (→ harceler, hercher) ne s'emploient qu'en agriculture, comme ses dérivés **HERSAGE** n. m. (fin XIIIe s., isolément *herchage;* puis 1704), **HERSEUR, EUSE** n. et adj. (1549; 1174-1187, *erceeur*) «qui herse» *(rouleau herseur)* et **HERSEUSE** n. f. «herse mécanique»; ce dernier est aussi un terme de zoologie (adj., 1878, *araignée herseuse*), désignant une araignée dont les pattes sont munies d'une espèce de brosse.

◈ voir HARCELER.

HERTZIEN, IENNE adj. est formé sur le nom du physicien Hertz à la fin du XIXe s. (attesté 1892).

♦ Le mot pour «relatif aux ondes électromagnétiques», a dû son succès au développement de la télégraphie* sans fil (→ radio).

HÉSITER v. intr. et tr. ind., réfection (v. 1535) de *hecyter* (1406), représente un emprunt au latin *haesitare* «être embarrassé, empêché», «éprouver une gêne, bégayer», dérivé de *haerere* «être fixé à, accroché», d'où «être arrêté, ne pas avancer», puis «être embarrassé ou perplexe», verbe qui a été rapproché du lituanien *gaištù* «hésiter», «temporiser».

♦ Le verbe français est introduit avec le sens général d'«être dans un état d'incertitude qui suspend l'action», en emploi intransitif (au sens d'«hésiter en parlant», 1611) et transitif indirect : *hésiter entre* (1653), *hésiter sur* (1670), *hésiter à* suivi de l'infinitif (1690), *hésiter de* suivi de l'infinitif (fin XVIIe s.), construction sortie d'usage, puis *hésiter si* (et indicatif ou conditionnel), au XIXe siècle. *Hésiter* en construction intransitive signifie également «marquer de l'indécision par un temps d'arrêt» (1636).

▸ **HÉSITANT, ANTE** adj., participe présent du verbe, «qui hésite» (1829, à propos de personnes), s'emploie par extension en parlant de choses aux sens de «qui n'est pas caractérisé» (1862, *une réponse hésitante*) et de «qui exprime l'hésitation» (1866, *une démarche hésitante*).

HÉSITATION n. f., attesté à la fin du XIIIe s. (*esitation;* forme moderne au XVe s.), est emprunté au dérivé latin *haesitatio* «incertitude», «embarras de langue», dont il conserve les sens (1595, pour «temps d'arrêt dans l'élocution»).

HESPÉRIDES adj. et n. f. pl. est un emprunt (1798) au latin *hesperides,* hellénisme, nom de trois nymphes, filles d'Atlas et d'Hespéris, qui habitaient un jardin situé à l'Extrême-Occident et dont les arbres portaient des pommes («fruits») d'or.

♦ Le mot s'est d'abord employé en français dans *pommes hespérides* dans un contexte mythologique; il reste pour désigner (1848) le jardin des Hespérides et, par métaphore, ce qui est d'accès difficile ou interdit et rempli de choses précieuses.

HÉTAÏRE n. f. est un emprunt (1799, *hetaire*) au grec *hetaira* «compagne, amie» et, spécialement, «maîtresse, courtisane» (opposé à la femme légitime et à la prostituée), féminin de *hetairos* «compagnon» (→ hétairie).

♦ Le mot se dit d'abord, en parlant de l'Antiquité grecque, d'une courtisane d'un rang social élevé puis, par extension littéraire, d'une femme vénale (1859, *hétaïre,* Th. de Banville). La forme *hétère,* seule admise par Littré, n'est plus en usage.

▸ Le dérivé **HÉTAÏRISME** n. m. (1981; 1874, *hétairisme*), «condition des hétaïres», est un terme didactique rare.

HÉTAIRIE ou **HÉTÉRIE** n. f. est emprunté (1834, *hétairie;* 1866, *hétérie*) au latin impérial *hetaeria* «confrérie, association», du grec *hetaireia* «association d'amis» et, spécialement à Athènes, «association politique», dérivé de *hetairos* «compagnon» (→ hétaïre).

♦ Terme didactique, *hétairie* désigne, en parlant de l'Antiquité grecque, une association secrète à caractère politique, puis (XIXe s.) une société politique ou littéraire, en parlant de la Grèce moderne.

HÉTER-, HÉTÉRO-, élément tiré du grec *heteros* «autre», entre dans la composition de très nombreux mots savants (termes de médecine, biologie, botanique, etc.) contenant l'idée d'une différence de forme, de nature, de provenance, etc., entre des individus, des espèces, des éléments, souvent en opposition avec *homo-*.*

▸ On peut citer : **HÉTÉROMORPHE** adj., de *-morphe,* «qui a plusieurs formes», mot employé en zoologie (1816), en biologie (1832), en minéralogie (1917). ◆ **HÉTÉROMÈRE** adj. (1839), du grec *meros* «partie»; aussi n. m. pl. «groupe de coléoptères comprenant ceux qui possèdent cinq articles aux deux premières paires de tarses et quatre seulement aux tarses postérieurs». ◆ Citons encore **HÉTÉROGAMIE** n. f. (1842), de *-gamie*. ◆ **HÉTÉRODONTE** adj. (1846), de *-odonte* «dent» (1877 en anglais, *Encyclopédie britannique*); aussi les **HÉTÉRODONTES** n. m. pl., d'où **HÉTÉRODONTIE** n. f. (1969). ◆ **HÉTÉROLOGUE** adj. (1853), du grec *logos* «rapport», est beaucoup plus rare que *homologue*. ◆ **HÉTÉRONYME** adj. (1866 en biologie), de *-onyme*, du grec *onoma* «nom», signifie notamment en linguistique (XXe s.) «qui n'a pas le même nom», et, comme nom masculin, désigne l'équivalent d'un mot dans une autre langue (*heteronymeus* en anglais, 1734; cf. *homonyme*). ◆ **HÉTÉROCHROME** adj. (1873), de *-chrome*, du grec *khrôma* «couleur», d'où **HÉTÉROCHROMIE** n. f. (1896). ◆ **HÉTÉRODYNE** n. f. et adj. (d'un récepteur de radio) est emprunté (déb. XXe s.) à un terme allemand créé par Fessenden (av. 1908). ◇ De là le préfixé **SUPERHÉTÉRODYNE** adj. (1932 dans les dictionnaires), d'après l'anglais (1922, Armstrong), qualifiant un récepteur de radio muni d'un changeur de fréquence. ◆ On peut encore citer **HÉTÉROTROPHE** adj. (1905), de *-trophe*, d'où **HÉTÉROTROPHIE** n. f. (mil. XXe s.); **HÉTÉROCHRONE** adj. (XXe s.), de *-chrone* «temps»; **HÉTÉROPLOÏDE** adj. (XXe s.) [allemand *heteroploid*, Winkler 1916], de *(ha)ploïde*, d'après *diploïde*; **HÉTÉROCENTRIQUE** adj. (1948), de *centre*, d'après *anthropocentrique*, *géocentrique*, etc.

◈ voir HÉTÉROCLITE, HÉTÉROGÈNE, HÉTÉRODOXE (à ORTHODOXE), HÉTÉROSEXUEL (à SEXE), HÉTÉROZYGOTE (à ZYGOMA).

HÉTÉROCLITE adj. apparaît d'abord (v. 1440) sous la forme réduite *etroclite* «étrange» puis (1549) comme terme de grammaire, écrit *hetheroclite*. C'est un emprunt au latin des grammairiens *heteroclitus* «irrégulier, qui a une forme irrégulière», lui-même du grec *heteroklitos* «dont la déclinaison procède de thèmes différents», composé de *heteros* (→ hétéro-) et de *klinein* «incliner», «coucher», qui se rattache à une racine indoeuropéenne *°klei-* «incliner», «pencher».

♦ *Hétéroclite* est d'un emploi didactique dans le sens grammatical qu'il a conservé du grec *(mot hétéroclite)*. ◇ Il s'est dit au figuré (XVe s.) de ce qui s'écarte d'une norme, se comporte d'une façon singulière, notamment (déb. XVIIe s.; v. 1440, *etroclite*) en parlant d'une personne, de son comportement. Le mot, appliqué aux arts, qualifie par extension une œuvre constituée de styles ou de genres différents, d'où le sens courant de «qui est constitué d'éléments de nature, de provenance, etc., différents».

▶ Du sens étymologique d'*hétéroclite* dérive le terme de linguistique **HÉTÉROCLISIE** n. f. (XXe s.). ◆ Des autres emplois dérive un mot didactique et rare, **HÉTÉROCLISME** n. m. (mil. XXe s.; 1835, *hétéroclitisme*). **HÉTÉROCLITEMENT** adv. a été employé par Gautier (1863). ◇ Cette série n'a pas d'opposé en *homo-*.

HÉTÉRODOXE → ORTHODOXE

HÉTÉROGÈNE adj., d'abord écrit *eterogenée* au féminin (v. 1370), forme en usage jusqu'au XVIe s., puis *hétérogène* (1657-1658), est un mot emprunté au latin scolastique *heterogeneus*, lui-même au grec *heterogenês* «d'un autre genre, d'une autre espèce», employé par exemple chez Aristote, à propos des noms qui changent de genre au pluriel, composé de *heteros* (→ hétéro-) et de *-genês*, de *genos* «genre» (→ -gène).

♦ *Hétérogène* est d'abord attesté, au XIVe s., avec le sens aujourd'hui archaïque de «qui est de nature différente»; il s'oppose à *homogène*. Au XVIIe s., le mot se dit au propre de ce qui est composé d'éléments de nature différente, dissemblables (1690; *corps hétérogène*), puis au figuré à la fin du XVIIIe s. (1798), par ex. dans *nation hétérogène*, y compris en parlant d'une seule entité *(notion, concept hétérogène)*. Il s'est aussi employé en grammaire au sens étymologique (1866, *substantif hétérogène*).

▶ **HÉTÉROGÉNÉITÉ** n. f., emprunté (1586) au latin scolastique *heterogeneitas*, a été formé d'après *homogénéité* (suffixe *-ité*). ◇ **HÉTÉROGÉNIE** n. f. (1837), didactique, désigne une origine multiple.

HÊTRE n. m., d'abord sous la forme *hestre* (v. 1220), est un mot issu du francique *°haistr* (cf. néerlandais *heester*), dérivé, à l'aide du suffixe *-tr* servant à former des noms d'arbres, du radical de *°haisi* «buisson, fourré»; ce dernier terme, entré en gallo-roman sous la forme *°hasia*, a donné en ancien français *haise* n. f. «clôture de branches entrelacées» et *haizier*. *°Haistr* s'est romanisé plus tard que *°haisi*, ce qui explique le passage de *ai* à *e*. *Hêtre* a longtemps coexisté avec l'ancien français *fou*, issu du latin *fagus* (cf. encore, régionalement, *fau*, *fayard*, *fouet*), qui désignait les grands arbres de l'espèce destinés à la reproduction.

♦ *Hêtre* était le nom donné aux jeunes troncs de cette espèce coupés régulièrement et qui repoussaient sur les souches. Cette distinction s'est perdue par la suite et *hêtre*, éliminant *fou* (lui-même abandonné par conflits homonymiques), a désigné finalement l'arbre adulte (1301) et, par métonymie, le bois de cet arbre.

▶ En dérive **HÊTRAIE** n. f. (1701) qui s'est parfois écrit *hêtrée*.

HEU interj. et n. m., onomatopée attestée au XVe s., marque l'embarras, le doute, etc., comme la variante *euh* (1708) autrefois employée pour exprimer la contrariété (1662, Molière).

✳ **HEUR** n. m. apparaît d'abord sous les formes *oür*, *aür* (v. 1121), puis *eür* (v. 1170) avant d'être attesté sous la forme actuelle, en 1306. Le mot est issu par évolution phonétique normale du latin impérial *agurium*, altération du latin classique *augurium* «présage (favorable ou non)», d'où «chance, bonne ou mauvaise» et plus spécialement «bonne chance»; ce mot appartient à la famille du verbe *augere* «s'accroître», qui se rattache à une racine indoeuropéenne °*aweg*- (→ augure). À la suite d'un glissement de sens qui s'explique par le recul des croyances païennes, le mot a pris les sens de «sort, condition, destinée».

♦ C'est cette acception qui apparaît en ancien français dans le syntagme *bon oür* «fatalité heureuse, chance» (v. 1121), puis en emploi absolu (v. 1190), et demeure au XVIIe s. (chez Corneille, Molière); regretté par La Bruyère, *heur* vieillissait après 1660-1670 et est considéré comme «bas» et «peu usité» par Richelet (1680). Le mot ne subsiste aujourd'hui que dans la locution ***avoir l'heur de plaire à qqn,*** alors que ses dérivés et composés sont bien vivants.

▸ HEUREUX, EUSE adj. et n. m., dérivé de *heur* «chance», a dès ses premiers emplois le sens général de «qui a ou marque du bonheur». Le mot signifie d'abord «qui bénéficie d'un destin favorable» (fin XIIe s., *euros*), d'où la locution ***un heureux mortel*** et des constructions comme *être (bien) heureux de, s'estimer heureux de, que*... Depuis le début du XIIIe s., l'adjectif s'emploie, toujours en parlant de personnes, au sens de «qui connaît le bonheur», par exemple dans ***il a tout pour être heureux*** ou en exclamation ***heureux celui qui...!*** (1558); au cours du XIIIe s., il se dit *(choses aurouses)* pour «favorable, avantageux». L'adjectif a pris ensuite par extension le sens de «marqué par le bonheur», «où règne le bonheur» (1558, *heureuse vye*). ◇ Ce n'est qu'au XVIIe s. que l'emploi d'*heureux* comme substantif masculin (le féminin n'est pas usité) est attesté, au pluriel (1654), d'où ***les heureux de ce monde*** (1673), ***faire des heureux*** (1701); le singulier semble beaucoup plus récent (***faire un heureux,*** 1900). ◇ Du sens de «favorable» viennent par extension la valeur de «qui est signe ou promesse de succès» (1669; *un heureux présage*), la locution ***avoir la main heureuse*** (1690, d'abord au jeu puis au figuré) et l'emploi impersonnel (***c'est heureux pour vous***). C'est aussi à l'époque classique que l'adjectif est employé pour «qui marque une disposition favorable, remarquable en son genre» (1674, ***un heureux caractère***), spécialement dans un contexte esthétique *(une inspiration heureuse)*. ◇ L'adverbe HEUREUSEMENT s'emploie d'abord (1351) pour «par une fatalité favorable». Au XVIe s., le mot prend les sens de «avec du bonheur, dans le bonheur», aujourd'hui tombé en désuétude (1557), et de «d'une manière réussie», spécialement dans un contexte esthétique (1560-1561). L'emploi, le plus courant aujourd'hui, «par bonheur», est attesté en 1756; l'adverbe dans ce cas est généralement en tête de la proposition et est détaché par la ponctuation; de là viennent ***heureusement que*** «il est heureux que» (1784) et ***heureusement pour*** (moi, toi, etc.) [XIXe s.]. ➛ HEUREUSETÉ n. f. (déb. XVIIe s.) «qualité, état de ce qui est heureux», encore dans Littré, n'est plus en usage.

L'adjectif composé BIENHEUREUX, EUSE, formé avec *bien* comme *bonheur* l'est avec *bon*, est la réfection (v. 1190) du très ancien français *boneüré, buenëuré* (874) puis *bieneüré* (v. 1160) aux sens de «qui jouit d'un bonheur parfait» et, en parlant de choses, «qui donne la félicité», devenus tous deux d'emploi littéraire. Le mot se dit aussi, dans le vocabulaire religieux, pour «qui jouit de la béatitude», d'où par extension «qui a été béatifié par l'Église» avec un emploi comme nom masculin, d'abord au pluriel, *les bienheureux* (1690). ➛ L'adverbe dérivé BIENHEUREUSEMENT (XIIe s., attestation isolée, puis 1557) a conservé son emploi dans le vocabulaire religieux; il est rare au sens profane de «avec plaisir».

BONHEUR n. m., formé avec l'adjectif ① *bon*, est attesté vers 1121 au sens de «chance, fatalité heureuse», d'où ***avoir du bonheur*** «être favorisé» et la locution verbale usuelle ***porter bonheur*** «porter chance». La locution adverbiale ***par bonheur*** «par chance» est attestée en 1668 (La Fontaine). *Bonheur (le bonheur)* au sens d'«état de la conscience pleinement satisfaite» (XVe s.) s'emploie aussi dans un contexte politique *(le bonheur des hommes)* et religieux *(le bonheur éternel)*; par extension, le mot se dit pour «ce qui rend heureux» (cf. le proverbe *l'argent ne fait pas le bonheur*). ➛ Le composé BONHEUR-DU-JOUR n. m. (v. 1760, écrit sans traits d'union) désigne un petit bureau de facture très soignée, souvent en bois précieux. Le nom du meuble est probablement lié à la grande vogue qu'il connut au XVIIIe s., mais aussi à la position qu'il occupait, généralement près d'une fenêtre, ou entre deux fenêtres, et ainsi éclairé par la lumière du jour.

MALHEUR n. m. apparaît d'abord (1174) dans la locution *a mal eür* «de façon funeste» et sous la forme *mal eûr* (1200), pour «coup funeste du sort». Sous la graphie moderne *malheur* (av. 1526), le mot se dit d'un événement qui affecte péniblement. Il donne lieu à un proverbe (1569) : ***à quelque chose malheur est bon,*** et à quelques expressions attestées à partir du XIXe s. : ***avoir des malheurs*** (1834) est employé par ironie pour parler d'ennuis et au sens affaibli d'«événement regrettable» (cf. *c'est un petit malheur*); ***faire un malheur,*** d'emploi familier (1867), signifie «faire un éclat qui pourrait avoir des conséquences fâcheuses»; l'expression, apparue en argot du spectacle (par allusion aux manifestations de la salle et par antiphrase), se dit couramment pour «remporter un énorme succès». ◇ *Malheur (le malheur,* 1529) se dit pour «situation pénible, douloureuse», dans laquelle on voit souvent l'action du mauvais sort; de là vient le sens de «mauvaise chance». De ces emplois sont issues les expressions et locutions ***porter malheur*** (1632), ***malheur à*** et pronom complément *(lui, toi...)* [1660], ***pour mon malheur*** (1670), ***de malheur*** (1696), et l'interjection ***malheur!*** pour exprimer le désespoir, le désappointement, etc.; cette interjection, dans le midi de la France, s'emploie aussi par affaiblissement pour exprimer la surprise, l'admiration, etc. ➛ Le dérivé MALHEUREUX, EUSE adj. et n. a d'abord le sens d'«accablé de malheur» (1155, adj.; 1176-1181, n.); par extension, le mot s'emploie pour «digne de commisération» (1176-1181, n. et adj.), d'où spécialement «pauvre, misérable». ◇ Depuis le XVe s., *malheureux* signifie «qui a une issue fâcheuse», d'où *une entreprise malheureuse* (1680), puis «qui ne réussit pas» (des personnes); cet usage est illustré par le proverbe ***malheureux au jeu, heureux en amour.*** *Mari malheureux* correspond à «mari trompé». L'expression ***avoir la main malheureuse*** signifie «casser tout ce que l'on touche» et, au figuré, «faire un mauvais choix». Au XVIe s., *malheureux* prend le sens de «funeste» (1558, Du Bellay) et, par affaiblissement, «regrettable» (1567). ◇ Au XVIIe s., à partir du sens de «pitoyable», l'adjectif s'est employé pour «méprisable, méchant» (1656, Pascal) et en exclamatif pour exprimer la colère, l'indignation (1672, Racine); ces valeurs subsistent régionalement. Du sens affaibli vient celui de «sans importance», relevé par Furetière (1690). ◇ L'adverbe **MALHEUREUSEMENT**, rare aujourd'hui au sens de «d'une manière fâcheuse» (1379), s'emploie couramment au sens de «par malheur» (1687).

HEURE n. f., attesté sous les formes *ure* (v. 1050), *ore* (1130-1140), puis *heure* avec le rétablissement du *h* étymologique (v. 1150), est issu du latin *hora* «unité de mesure du temps (pour distinguer un point dans le temps ou une durée)», lui-même emprunté au grec *hôra,* qui désigne une période définie du temps considérée dans son retour cyclique, saison ou moment de la journée, et, plus spécialement, le moment propice ou habituel pour une action, heure du repas, du coucher, âge du mariage, etc.

♦ En français, *heure* conserve les deux sens généraux du latin; la plupart des locutions où entrent le mot apparaissent avant le XVIIe siècle. *Heure* est attesté vers 1050 au sens de «point situé dans le temps, moment», puis spécialement (1130-1140) de «moment de la journée»; au milieu du XIIe s., *heure* désigne une unité de durée (v. 1150, *en si poi d'ure* «en si peu de temps»).

Du sens de «moment», devenu relativement rare en emploi libre, viennent de nombreuses locutions et plusieurs acceptions. Dans la première moitié du XIIe s., on relève *tutes ures* «à tout moment», aujourd'hui ***à toute heure****; de bone heure* signifie (v. 1050), sans doute sous l'influence de *heur* (→ heur), «à un moment favorable»; la locution devient *a bone hore* (fin XIIe s.) puis, à la fin du XIVe s., ***à la bonne heure*** «à propos», à quoi s'oppose, encore en usage à l'époque classique, *à la male heure;* ***à la bonne heure*** a signifié aussi au XVIIe s. «promptement». ◇ Depuis la seconde moitié du XIIe s. sont attestées diverses acceptions : «moment de la journée prévu pour une activité particulière» (1160-1174), «moment où a lieu une activité d'heure régulière» (1172-1175, *ore de souper*), d'où ***à la première heure*** «très tôt» et, au figuré (XXe s.), *les combattants* ***de la première heure, de la dernière heure,*** et la locution ***à ses heures*** «à certains moments». ◇ De là également vient la valeur spéciale de *heures,* au pluriel, «prières dites à heures régulières» (1174-1176), d'où ***livre d'heures*** «de prières» (v. 1250), conservé dans les *Riches Heures...* ◇ *A ore* «tout de suite» (1171-1181) devient *en l'ore* (v. 1210), la locution moderne ***sur l'heure*** étant attestée en 1540, mais *à l'heure* dans ce sens archaïque est encore utilisé au XVIIe siècle. Dans la seconde moitié du XIIIe s., on relève *de bele heure* au sens de «tôt», devenu ***de bonne heure*** au XVIe s. (1539) avec ce sens et pour «avant l'époque habituelle» (1691). ◇ La locution ***d'heure en heure*** signifie d'abord (v. 1260) «d'un instant à l'autre», puis (1288) «toutes les heures». Par ailleurs, le mot entre dans la locution ***pour l'heure*** au sens d'«à ce moment-là» (fin du XIVe s.), puis «dans le moment présent» (mil. XVe s.); on relève également (v. 1450) *l'heure (de qqn)* pour «les derniers moments, l'heure de la mort» (***son heure a sonné****; mourir* ***avant l'heure,*** 1580) et ensuite pour «moment de la vie» *(avoir son heure de gloire).* ◇ Plus tard, le mot entre dans les locutions ***l'heure actuelle*** (1803) ou ***l'heure*** *(les problèmes de l'heure),* ***l'heure H*** (expression de la guerre de 14-18 [attestée en 1917], comme *jour J.*). ◇ *Heure,* «indication exacte du moment de la journée», est attesté en 1505 *(donner l'heure),* d'où (1580) ***à l'heure convenue, fixée, dite...*** et ***prendre heure*** «convenir d'une heure». Puis le mot est employé pour indiquer une heure précise : *il est trois heures sonnant* (1690), *battant* ou *battantes* (1856), *tapant* (XXe s.). ◇ Le moment exact indiqué par une mesure est nommé au XIXe s. ***heure légale,*** en France celle du méridien de Greenwich avancée d'une heure (1866). Dans le décompte, les heures de 1 à 11 de la première moitié du jour sont précisées en ajoutant *du matin,* celles de la seconde en ajoutant *de l'après-midi* ou *du soir.* Le décompte numérique s'est répandu dans l'usage avec la diffusion des montres à quartz et des horloges à affichage numérique, et l'on dit couramment aujourd'hui *il est deux heures quarante* au lieu de *il est trois heures moins vingt* ou *quatorze heures quinze* au lieu de *deux heures un quart* (→ demi, quart).

C'est au XVIe s. qu'on trouve *(tout) a ceste heure* pour «tout de suite, maintenant, à l'instant où» (1549), aujourd'hui sorti d'usage; la locution modifiée en ***tout à l'heure*** (cf. *tout à coup*) garde ce sens encore chez La Fontaine, puis marque un passé proche (1647, «il y a un instant») et un futur proche (1694, «dans un moment»). *Heure,* pour désigner le chiffre qui indique le temps présent sur une horloge, n'est attesté qu'en 1751.

À partir du sens d'«unité de durée», *heure* signifie au XIIe s. «division — un douzième — du jour» (1160-1174) et par extension se dit pour «temps» (1176-1181, *ore passe*). Depuis le XVIIe s., le mot s'emploie pour désigner cette division du temps mesurant une activité (1662, Pascal, *une heure de peine*), et spécialement un temps de travail : ***par heure*** (1694) puis ***à l'heure*** (1740); de là vient la locution familière ***s'embêter à cent sous (de) l'heure,*** et des syntagmes comme ***heure supplémentaire*** (1870). ◇ *Heure* s'emploie dès l'époque classique pour exprimer une durée longue égalant ou dépassant l'heure et opposée aux petites durées que sont la minute et la seconde (1669), d'où ***une bonne heure, une grande heure*** (1862). Le mot est également utilisé comme unité de mesure d'un trajet (1690; *être à deux heures [d'un lieu]*); de cet emploi viennent ensuite les locutions ***faire tant de kilomètres à l'heure*** (1886), ***battre le record de l'heure*** (1909). ◆ Au même sens se rattachent les emplois en composition, **-HEURE,** comme second élément *(ampère-heure, kilomètre-heure, kilowatt-heure)* ou premier élément *(heure-machine),* entrant dans la formation de termes techniques. Voir aussi le schéma p. 1717.

▸ Le composé **DÉSHEURER** v. tr., attesté au milieu du XVIIe s. au pronominal (Retz), n'est plus en usage au sens de «modifier ses heures habituelles» ; il signifie aujourd'hui (déb. XXe s.) «retarder (un train) par rapport à son horaire normal». ◇ **DÉSHEURÉ, ÉE** adj. (XIXe s.) s'emploie dans *horloge désheurée*, puis (XXe s.) *train désheuré*.

◈ voir **HORAIRE, LURETTE.**

HEUREUX → **HEUR**

HEURISTIQUE adj. et n. f. est un mot emprunté (av. 1845) à l'allemand *heuristik, heuristisch* (1750), adaptation du latin scientifique moderne *heuristica* (1734 en Allemagne), forme dérivée du grec *heuristikê (tekhnê)* «art de trouver», du verbe *heuriskein* «trouver», d'une racine indoeuropéenne °*wer-*.

♦ Le mot, parfois écrit *euristique*, est un terme didactique signifiant «qui a pour objet la découverte des faits», employé notamment dans le domaine philosophique (1845, adj., *méthode heuristique* «qui sert à la découverte») et scientifique (1845, n. f., *l'heuristique de la science*), et par extension (XXe s.) dans d'autres domaines (pédagogie, histoire).

◈ **HEURTER** v. apparaît au XIIe s. sous la forme *hurter* (1119) ; la forme en *heur-* est attestée à la fin du XIVe s. et ne s'impose qu'au XVIe s., époque où le son *u* s'est ouvert en *œ* devant *r*, notamment en Picardie. Le mot est probablement dérivé d'un francique °*hûrt* que l'on peut restituer d'après l'ancien scandinave *hrûtr* «bélier» ; le verbe aurait donc signifié proprement «cogner à la façon d'un bélier». Cette étymologie est discutée par P. Guiraud qui, d'après certaines formes romanes comme l'italien *urtare*, rapproche *hurter* d'un ancien mot *huron*, issu du latin *urus* «bison», ce qui permettrait de supposer un gallo-roman °*uritare* «frapper comme un bison», l'adjonction d'un *h* initial ayant soit une valeur expressive soit une origine germanique.

♦ Les principaux emplois du verbe apparaissent dès le XIIe s. ; il a le sens propre d'«entrer rudement en contact avec», en emploi intransitif (1119 ; *hurter à la porte*, v. 1135) puis transitif (1160) et pronominal : *soi hurter à* «se cogner à» (v. 1170). Le sens figuré de «contrecarrer» est attesté vers 1180 (intr.), celui de «contrarier (qqn)» vers 1280 (tr.), d'où par la suite la locution ***heurter de front*** (1668, Molière) et pronominalement *se heurter* «se contrarier mutuellement» (av. 1662).

▸ L'adjectif **HEURTÉ, ÉE** s'applique (XVIIe s.) spécialement au domaine de la perception auditive (*voyelle heurtée*, Boileau, *Art poétique*) et plus tard visuelle (1752, *dessin heurté* et *couleurs qui se heurtent*) pour caractériser une œuvre d'art (aussi *style heurté*).
Tous les dérivés de *heurter* apparaissent d'abord, comme le verbe, avec la voyelle *u*. ◆ **HEURT** n. m. (v. 1450) remplace *hurt* (v. 1120). Le mot est d'abord attesté au sens propre de «choc, coup donné en heurtant» d'où (1694) «marque laissée par un coup» (rare). Les emplois figurés apparaissent au XIXe s. avec le sens général d'«opposition», (av. 1846) en parlant des sons de l'harmonie, (1882) d'une opposition entre deux tempéraments, (1897) dans le domaine de l'esthétique picturale, poétique. *Heurt* s'est imposé en face de deux autres dérivés de *heurter*. ◆ **HEURTEMENT** n. m. «fait de (se) heurter» (v. 1200, *hurtement* ; 1538, *heurtement*) et **HEURTÉE** n. f. «combat, mêlée» (XIIIe s., *hurtee*) sont aujourd'hui archaïques. ◆ **HEURTOIR** n. m., sous la forme *hurteuer* (v. 1280-1290) puis *hurtoir* en picard en 1302, est un terme technique qui désigne d'abord une pièce (de métal, de bois) servant de butée à un objet mobile, puis (1345, *hortoir*) le marteau de la porte extérieure d'une maison. ◇ Le terme technique ancien **HEURTEQUIN** n. m. (1597), formé par substitution de suffixe à l'aide de l'élément *-quin*, issu du néerlandais *-kijn* (cf. *vilebrequin, troussequin*), vient de *heurter* ou de *heurtoir*.
À partir de *heurter* ont été formés deux composés : **AHEURTER** v. tr. et **S'AHEURTER** v. pron. (mil. XIIe s.) «heurter, arrêter devant un obstacle», devenu archaïque, comme son dérivé **AHEURTEMENT** n. m. (mil. XIIe s.). ◆ **ENTRE-HEURTER (S')** v. pron. (XVe s. ; v. 1155, *entrehurter*), «se heurter mutuellement», est rare de nos jours.

HÉVÉA n. m. apparaît sous les formes *hhévé* (1751, La Condamine), puis *hévé* (1769) ; *hévéa* (1802) représente la forme, latinisée par les botanistes au XVIIIe s., d'un mot emprunté au quichua, *hyeve* «arbre à caoutchouc». Le mot a été importé en France en même temps que *caoutchouc**.

♦ C'est le nom communément donné à un arbre de grande taille originaire de la Guyane et d'Amérique tropicale, puis cultivé en Asie du Sud-Est, dont on extrait la gomme élastique (cf. *caoutchouc*).

HEX-, HEXA- est le premier élément, tiré du grec *hex* «six», que l'on rattache à une racine indoeuropéenne *°eks* (cf. latin *ex-*), de mots composés savants. Beaucoup, d'attestation ancienne, ont été empruntés au grec, directement ou par l'intermédiaire du latin.

▸ **HEXAMÈTRE** adj. et n. m. (1488 ; d'abord sous la forme *exametre*, 1450) est emprunté au latin classique *hexameter*, du grec *hexametros* (de *metron* «mesure, mètre»). Terme de versification grecque et latine, le mot désigne un vers de six pieds (adj. et n. m.). Il est employé pour *alexandrin*, défini alors comme vers de six pieds de deux syllabes chacun. ◆ **HEXACORDE** n. m. (1690, Furetière), emprunt au latin *hexachordas*, formé sur le grec *hexa* et *chordê* (→ corde), désigne, en musique, une gamme de six sons. ◆ **HEXAÈDRE** adj. et n. (1701, *exaedre*) est un terme de géométrie emprunté, par l'intermédiaire du bas latin *hexahedrum*, au grec *hexaedros* «à six côtés», de *hedra* «base». ◇ En dérive **HÉXAÉDRIQUE** adj. (1846). ◆ **HEXAPODE** adj. et n. m., terme de zoologie, est emprunté (1762) au grec *hexapous, hexapodos* «à six pieds ; long de six pieds», de *pous, podos* (→ -pode).
Plus récemment, *hex-, hexa-* a servi à former des termes de chimie désignant des composés dont la molécule contient six atomes d'un élément. Par exemple : **HEXOSE** n. m. (1905), suffixe *-ose* ; **HEXAFLUORURE** n. m. (XXe s.) ; **HEXOL** n. m.,

HEURE

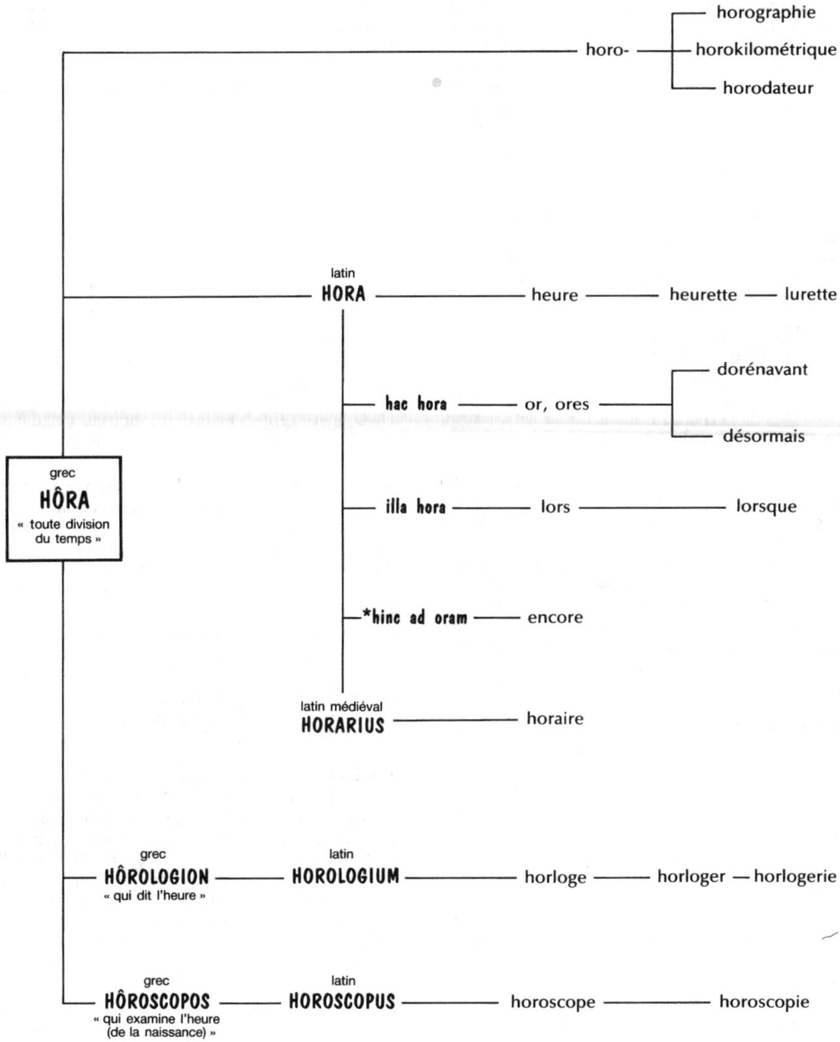
horo-
horographie
horokilométrique
horodateur
latin
HORA
heure
heurette
lurette
hac hora
or, ores
dorénavant
désormais
illa hora
lors
lorsque
*hinc ad oram
encore
latin médiéval
HORARIUS
horaire
grec
HÔRA
« toute division du temps »
grec
HÔROLOGION
« qui dit l'heure »
latin
HOROLOGIUM
horloge
horloger
horlogerie
grec
HÔROSCOPOS
« qui examine l'heure (de la naissance) »
latin
HOROSCOPUS
horoscope
horoscopie

contraction de **HEXALCOOL** n. m., lui-même formé de *alcool*.

◈ voir **HEXAGONE**.

HEXAGONE adj. et n. m. est emprunté (1377, Oresme, *exagone*), par l'intermédiaire du latin impérial *hexagonum* ou *hexagonus*, au grec *hexagônos* «à six angles» (de *hex* «six» [→ hexa-] et *gônia* «angle»).

♦ *Hexagone* désigne (1651, n. m.) un polygone à six côtés et, par analogie (1690), un ouvrage de fortification composé de six bastions. ◇ Au XXe s., par métonymie, le mot est employé (1934, De Gaulle) pour désigner la France métropolitaine à cause de la forme de sa carte (d'où absolument, *l'Hexagone*). ◇ Le mot est sorti d'usage en tant qu'adjectif (1377).

▸ Il est remplacé par son dérivé **HEXAGONAL, ALE, AUX** adj. (1632) qui, outre son sens en géométrie, s'emploie (XXe s.) en parlant, parfois avec une valeur péjorative ou ironique, de ce qui concerne la France métropolitaine; de là l'**HEXAGONAL** n. m. (v. 1969) «la langue française telle qu'elle est pratiquée par les médias de masse, l'administration».

HIATUS n. m. est un emprunt (1521) au latin *hiatus* «ouverture» et, en rhétorique, «rencontre de deux voyelles», dérivé de *hiare* «s'entr'ouvrir, béer» et, en rhétorique, «présenter des rencontres de voyelles». *Hiare* peut être mis en relation avec d'autres formes indoeuropéennes, mais son origine reste obscure.

♦ En français, le mot reprend d'abord le sens technique du latin (1521, attestation isolée, «élision»; 1690, «rencontre de deux voyelles»). À la fin du XVIIe s. (1690 au théâtre) apparaît le sens figuré de «décalage dans l'espace ou le temps» en parlant de personnes, de notions abstraites; par analogie, le mot prend le sens de «solution de continuité entre deux choses» (1835). Il est aussi employé (XIXe s.) en anatomie, pour désigner un orifice étroit et allongé.

▸ De cette acception dérive le terme didactique **HIATAL, ALE** adj. (v. 1900).

HIBERNER v. intr. est un emprunt (1805, Cuvier) au latin classique *hibernare* «être en quartier d'hiver» (à côté de *hiemare* «passer l'hiver», issu de *hiems, hiemis* «mauvaise saison, hiver»), dérivé du latin classique *hibernus* «d'hiver», lui-même de *hiems*, d'une base indoeuropéenne °*g'hi-m* qui désignait l'hiver, la neige. Le bas latin *hibernum* a remplacé *hiems* et est passé dans les langues romanes.

♦ *Hiberner* s'emploie en parlant de certains animaux qui passent l'hiver dans un état d'engourdissement.

▸ Son dérivé **HIBERNANT, ANTE** adj. (1824; 1808, *hybernant*) qualifie les animaux qui hibernent. ◆ *Hibernare* a donné en bas latin *hibernatio* «hivernage», emprunté en français sous la forme **HIBERNATION** n. f. (1829). Ce nom, employé d'abord en parlant des animaux, s'applique par extension à l'homme, en particulier dans le domaine médical *(hibernation artificielle)* et se dit au figuré (1966) pour «inaction, passivité». ◆ **HIBERNAL, ALE, AUX** adj., attesté (1532) chez Rabelais, est un emprunt savant au bas latin *hibernalis*, de l'adjectif *hibernus* «d'hiver». ◆ Cette série de mots didactiques possède des valeurs spécifiques par rapport à la série de *hiver, hiverner*.

◈ voir **HIVER**.

HIBISCUS n. m. est emprunté (1786) au latin scientifique moderne *hibiscus* (1798, Linné), du latin impérial *hibiscum* «guimauve» (→ guimauve); on suppose que ce mot est emprunté au celtique.

♦ *Hibiscus* désigne un arbre tropical.

HIBOU n. m. apparaît sous la forme *huiboust* (1530), *hybou* (1535, Rabelais), enfin *hibou*. Le mot est probablement d'origine onomatopéique (cf. les variantes dialectales *houbou* en Normandie, *hourou* en Gascogne), à rattacher à une base *ou-, u-* exprimant le cri du loup et de certains oiseaux, notamment des rapaces nocturnes, comme en latin *upupa* «huppe», *ulula* «chat-huant».

♦ *Hibou*, nom de rapaces nocturnes s'emploie au figuré à partir du XVIIe s., sous forme de locutions, en parlant de l'aspect *(avoir des yeux de hibou)* ou du comportement de certaines personnes (1640, ***être un vieux, un vrai hibou, faire le hibou***) ou de l'aspect d'un lieu (1690; *un nid de hiboux* «une vieille maison inhabitée»).

HIC n. m. reprend (1690) un mot latin signifiant «ici» dans la locution *hic est quaestio* «c'est là la question» (→ ici).

♦ Dans la langue du Palais, il était employé dans la marge d'un acte pour attirer l'attention sur un point important et en éviter ainsi la lecture dans son entier. De là l'emploi du mot au sens de «point difficile (d'une chose, d'une affaire)», notamment dans les expressions ***voilà le hic, c'est (bien) là le hic.***

▸ **HIC ET NUNC** loc. adv., mots latins signifiant «ici et maintenant», attesté en 1750 au sens de «sur-le-champ»; cet emploi est aujourd'hui didactique ou littéraire. Au XXe s., *hic et nunc* s'emploie en philosophie au sens latin comme locution adverbiale et nom masculin (1949).

HIDALGO n. m. apparaît d'abord sous les formes *hydale* (av. 1525, dans un récit historique) puis *indalgo* (1534, Rabelais); la forme actuelle, celle de la source, est attestée en 1579. C'est un mot emprunté à l'espagnol *hidalgo* (XVIe s.) «gentilhomme, noble», qui représente une contraction de *hijo de algo*, proprement «fils *(hijo)* de quelque chose (*algo;* du latin *aliquus*)», c'est-à-dire «personne pourvue de biens, d'une naissance» (cf. en espagnol les formes *fijo dalgo*, v. 1140; *fidalgus*, v. 1197).

♦ En français, le mot, autrefois francisé en *hidalgue* (1640) désigne un noble espagnol de vieille souche chrétienne; il équivaut plus ou moins à *cavalier* pour l'italien; c'est un type social bien caractérisé aux XVIIe et XVIIIe s.

HIDEUX, EUSE adj., réfection (1273) des formes *hisdos, hydus* (v. 1140), est un mot d'origine ◈

discutée : il peut être issu du latin classique *hispodosus* attesté chez Catulle, dérivé de *hispidus* «hérissé, velu», ou être un dérivé de l'ancien français *hisde, hide* «horreur, frayeur». Ce dernier est classiquement considéré comme issu de l'ancien haut allemand °*egisida* «horreur» (devenu *eiisde* en gallo-roman), dérivé du verbe °*egisôn* «effrayer». Mais selon P. Guiraud, l'ancien français *hisde* serait issu du latin *hispidus*, le *h*- initial, normalement effacé dans un mot d'origine latine, étant ici de nature expressive.

♦ *Hideux* a conservé le sens fort qu'il avait au XIIe s. (*hydus* «qui inspire l'horreur») : «qui est horrible à voir», «d'une laideur repoussante» et au figuré (1694) «qui provoque le dégoût moral» ; il garde plus de force qu'*affreux* ou *horrible*, sauf dans un emploi étendu, en parlant de ce qui choque le bon goût.

▸ En dérive **HIDEUSEMENT** adv. (v. 1185, *hisdosement, hidusement* «d'une manière effrayante»). ◂ De l'ancien français *hisde* est issu **HIDEUR** n. f. qui apparaît, comme *hideux*, au début du XIIe s. sous la forme *hisdur* «effroi, horreur», puis *hidor* «laideur extrême» (v. 1210) et sous la forme actuelle vers 1240 au sens d'«effroi», d'où celui de «chose horrible, hideuse» (v. 1393). ◇ *Hideur*, peu usité après le XVIe s., qualifié par Littré d'«ancien mot fort nécessaire» (1866) et donné comme vieilli par Hatzfeld à la fin du XIXe s., est rappelé à l'usage par l'Académie (1935) ; il a dû être repris littérairement autour de 1900 (Bloy écrit : *des hideurs sociales*). Il reste cependant d'emploi littéraire.

HIE n. f. est emprunté (v. 1220) au moyen néerlandais *heie* «bélier» ; il a été importé en français par des Néerlandais occupés à des travaux hydrauliques en France. Le passage du *-ei-* à *-i-* peut s'expliquer par l'influence des verbes à alternance vocalique comme *preier/prier*. Le déverbal de *hier* (cf. ci-dessous), *hie* «coup», était usité en ancien français dans les expressions *a hie* «avec force, à coups redoublés» (1176-1181) et *a une hie* «d'un coup» (1174-1177). Sa date d'attestation laisse supposer que le verbe est plus ancien et donc directement emprunté au moyen néerlandais, *hie* venant soit de cette langue par emprunt, soit du verbe.

♦ *Hie*, d'abord «maillet de fer pour défoncer les murs», désigne un instrument servant à enfoncer les pavés (v. 1415), aussi nommé *dame, demoiselle*.

▸ Le verbe ① **HIER** (v. 1200, *hiier*) signifie en emploi intransitif «frapper avec un maillet, un bélier» (cf. moyen néerlandais *heien*, de même sens) ; il est peu usité au sens technique (1611, tr.) d'«enfoncer avec la hie». ◇ Le dérivé **HIEMENT** n. m., terme technique (1549), peu usité, s'écrit aussi *himent* (XXe s.).

HIÈBLE ou **YÈBLE** n. f., attesté sous la forme *ybles* au XIIe s. (*hieble*, déb. XIVe s.), est issu du latin *ebulum*, mot d'origine incertaine qui a donné l'italien *ebbio*, l'ancien provençal *evol*. Le *h* initial est apparu au moyen âge pour éviter la prononciation *jèble*.

♦ *Hièble* désigne comme le mot latin un sureau à tige herbacée, communément appelé *petit sureau*.

HIÉMAL, ALE, AUX adj. apparaît au XIIIe s. sous la forme *hyemal* (1246-1248), graphie qu'il conserve jusqu'au XVIe s. (1580, *hiemal*). C'est un emprunt savant à l'adjectif latin *hiemalis*, dérivé de *hiems* «hiver» (→ hiberner, hiver).

♦ *Hiémal* est un terme d'emploi aujourd'hui littéraire au sens latin d'«hivernal», et didactique en parlant de plantes ou de certains animaux comme synonyme de *hibernal*.

▸ **HIÉMATION** n. f., emprunté (1866) au dérivé latin *hiematio*, est un terme didactique et se dit spécialement de la propriété qu'ont certaines plantes de croître en hiver.

① **HIER** → **HIE**

② **HIER** adv. et n. m., réfection (1176-1181) des formes *ier, er* (1080), est issu du latin *heri* (adv.) «hier». Les formes venues de l'indoeuropéen sont simples, comme celles du latin, ou comportent un groupe initial : sanskrit *hyáḥ*, irlandais *in-dí*. Le *h* initial a été rétabli au moyen âge pour éviter la lecture *jer*.

♦ *Hier* se dit d'abord du jour qui précède immédiatement celui où l'on est (1080, adv. ; 1350, n. m.) ; cet emploi est souvent précisé par d'autres indications temporelles : *hier soir, hier matin* (1080, *ier main*). Dès la fin du XIIe s., par extension, le mot s'emploie à propos d'un passé récent (av. 1188, *ier* «à une date récente»), ceci jusqu'au XVIe s. et les expressions *je m'en souviens comme si c'était hier, il me semble que c'était hier*, et les locutions familières ***(ne pas) être né d'hier*** «avoir de l'expérience» (1756), ***ne pas dater d'hier*** «être ancien».
Le composé **AVANT-HIER** adv. est une réfection graphique (v. 1220) de *avant ier* (v. 1170), désignant le jour qui a précédé *hier* (aussi employé comme substantif).

HIÉRARCHIE n. f. est une réfection étymologique (1545) de *gerarchie* (1332), mais la prononciation *gerarchie* se maintient jusqu'à la fin du XVIIe s. ; le mot est emprunté au latin ecclésiastique *hierarchia* (IXe s.), du grec ecclésiastique *hierarkhia* «gouvernement des choses sacrées», composé de *hieros* «sacré» (→ hiératique, hiéroglyphe, hiérophante) et de *arkhê* «commandement» (→ -archie).

♦ Au début du XIVe s., *hiérarchie* est un terme de théologie ; il se dit de l'ordre et de la subordination des chœurs des anges (1332 ; 1521, *ierarchiez celestes*), puis (v. 1389) des divers degrés de l'état ecclésiastique. En même temps apparaît (v. 1389), par extension, le sens d'«ordre et subordination des rangs, des pouvoirs, dans une société», d'où plus tard l'expression *hiérarchie militaire* (mil. XIXe s.). Le sens figuré de «classification selon une échelle de valeur, de grandeur ou d'importance» est attesté au XVIIIe s. (1784).

▸ **HIÉRARCHISER** v. tr., dérivé de *hiérarchie*, est attesté en 1834 (chez Balzac) avec le sens d'«organiser selon une hiérarchie» ; il signifie par extension «classer selon un ordre de valeur ou d'importance» ; le participe passé est adjectivé (1840). ◇ En dérive **HIÉRARCHISATION** n. f. (1840).

Deux autres mots sont empruntés au latin. **HIÉRARCHIQUE** adj. (XVIe s.) apparaît d'abord sous les formes *ierarcicque* (XIVe s.), *iherarchique* (XVe s.); c'est un emprunt au latin ecclésiastique *hierarchicus* (v. 1238) «relatif à la hiérarchie», dérivé de *hierarchia;* il est employé dans un sens religieux jusqu'au XVIIIe siècle. L'extension au domaine profane apparaît avant 1752 (Voltaire). ◇ Le dérivé **HIÉRARCHIQUEMENT** adv. (1690) est assez usuel. **HIÉRARQUE** n. m. est emprunté (1551, *hierarche*) au latin ecclésiastique *hierarcha* (IXe s.), titre honorifique employé pour un évêque, du grec *hierarkhês* «grand prêtre du culte impérial dans les provinces de l'Empire romain»; le mot désigne les hauts dignitaires de l'Église orthodoxe puis, par figure (XXe s.) dans un emploi littéraire, un personnage important dans une hiérarchie.

HIÉRATIQUE adj. et n. m. est un emprunt savant (1562) au latin impérial *hieraticus,* du grec *hieratikos* «de prêtre» ou «qui concerne les usages sacrés», de *hieros* «sacré».

♦ *Hiératique,* «qui concerne les choses sacrées, la liturgie», a qualifié au milieu du XVIe s. une sorte de papier utilisée dans l'Antiquité pour les livres sacrés. ◇ Au XIXe s., l'adjectif (1822, Champollion) se dit de l'écriture cursive ancienne des Égyptiens (opposé à *écriture démotique* et à *écriture hiéroglyphique*). ◇ L'adjectif s'emploie aussi (1843, Gautier) en art, à propos d'un style imposé par une tradition sacrée puis, par extension, hors de tout formalisme religieux, de ce qui semble réglé par une tradition, un rite, etc. (1862, Flaubert) : *un visage hiératique.* ◇ **HIÉRATIQUEMENT** adv. est attesté en 1855 et **HIÉRATISME** n. m. en 1858 (Goncourt). ➛ **HIÉROGRAMME** n. m. est un composé savant (1830) du grec *hieros* et de *-gramme,* du grec *gramma,* pour «caractère de l'écriture hiératique». Toute la série est d'emploi didactique ou littéraire.

◈ voir HIÉROGLYPHE, HIÉROPHANTE.

HIÉROGLYPHE n. m. est un dérivé régressif (1546) de l'adjectif *hiéroglyphique,* emprunt savant (1529) au bas latin *hieroglyphicus,* hellénisme, du grec *hierogluphikos* désignant l'«écriture sacrée» des anciens Égyptiens, mot composé de *hieros* «sacré» et d'un dérivé du verbe *gluphein* «graver».

♦ *Hiéroglyphe* s'emploie en parlant du caractère des anciennes écritures égyptiennes et par extension (1690) des signes de l'écriture utilisée en Asie Mineure, du XIVe au VIIe s. av. J.-C. en Syrie du Nord. Le mot désigne ensuite tout signe d'une écriture qui fait usage de figures ou d'idéogrammes. Le sens figuré de «signe, écriture impossible à déchiffrer» apparaît à la fin du XVIIe s. (1689, Mme de Sévigné), d'où l'emploi littéraire du mot pour parler d'une chose obscure, énigmatique. ◇ L'étude des hiéroglyphes égyptiens au XVIIIe s. et surtout leur déchiffrage par Champollion (1822) aboutissent à une meilleure analyse de ce type de caractères, mi-idéographique, mi-phonétique et donnent au mot une valeur plus précise (distincte de *pictogramme, idéogramme*).

▸ **HIÉROGLYPHIQUE** adj. est directement emprunté au grec et est attesté (1529) avant *hiéroglyphe.* L'adjectif qualifie une écriture formée d'hiéroglyphes égyptiens *(escriptures hieroglyphiques)* et ce qui apparaît énigmatique.
Tous les dérivés français sont postérieurs à Champollion, ce qui manifeste aussi la diffusion des mots *hiéroglyphe* et *hiéroglyphique.* ➛ À partir d'*hiéroglyphe* ont été formés les termes didactiques **HIÉROGLYPHITE** n. m. (1858, Th. Gautier), nom donné, en parlant de l'Antiquité égyptienne, à un savant expert en hiéroglyphes, mot sorti d'usage. ➛ **HIÉROGLYPHISME** n. m. (1872), «système d'écriture qui fait usage d'hiéroglyphes», est aujourd'hui archaïque. ➛ Les adjectifs **HIÉROGLYPHÉ, ÉE** «couvert d'hiéroglyphes» (1851, Murger) et **HIÉROGLYPHIÉ, ÉE** «transformé en hiéroglyphes» (1830, Balzac) sont attestés une seule fois. ➛ De l'adjectif *hiéroglyphique* dérive **HIÉROGLYPHIQUEMENT** adv. (1822, Champollion), d'emploi didactique.

HIÉROGRAMME → HIÉRATIQUE

HIÉROPHANTE n. m. est un emprunt savant (1535) au latin chrétien *hierophantes,* du grec *hierophantês* «prêtre qui explique les mystères sacrés», mot composé de *hieros* «sacré» et du radical du verbe *phainesthai* «faire briller», «faire voir», «paraître».

♦ *Hiérophante,* terme didactique, désigne en parlant de l'Antiquité grecque le prêtre qui présidait aux mystères d'Éleusis et instruisait les initiés, d'où le sens figuré de «prêtre, pontife».

▸ En dérive le terme didactique **HIÉROPHANTIQUE** adj. (1852, Nerval). ➛ Le mot apparenté **HIÉROPHANIE** n. f. «manifestation du sacré» a été forgé par l'historien des religions Mircea Eliade (publ. 1949).

HI-FI → FIDÉLITÉ (à FIDÈLE)

HIGH-LIFE n. m., mot anglais introduit (1818) par A. de Mareste dans une lettre à Stendhal, est composé de *high* «haut(e)» et *life* «vie», employé avec le sens de «haute société, grand monde». Ce terme, à la mode au XIXe s., est aujourd'hui archaïque. L'emploi adjectival a été peu répandu (1874).

▸ Les dérivés **HIGHLIFEUR** n. m. (1866) «mondain» et **HIGHLIFER** v. intr. (1869) «vivre selon la high-life» ont été utilisés dans les années 1870.
HIGH TECH adj. et n. m., emprunt (1980) à l'anglo-américain, abréviation de *high technology,* s'applique à un style d'architecture utilisant des éléments industriels.

HI-HAN onomatopée, est attesté en 1670, après *hi ha,* 1606.

♦ Le mot, aussi substantif *(des hi-hans),* note le cri de l'âne, un braiement.

HILARE adj., réfection de la Renaissance (1519) des formes *hylaire* (XIIIe s., Dauzat, mais le texte cité est sans doute du XVe s.), *islaire* (1360-1370), est un emprunt savant au latin *hilaris* (d'abord *hilarus*), lui-même du grec *hilaros* «joyeux».

♦ Le mot *hilare* est très peu usité entre le XVIe et le XIXe s. et n'apparaît dans les dictionnaires que vers la fin du XIXe s. ; il est admis par l'Académie en 1935. Des variantes sont attestées dans Trévoux (*hilarieux*, 1771) et chez Chateaubriand *(hilareux)*. Le mot signifie «qui est dans un état d'euphorie, de douce gaieté» et se dit par métonymie de ce qui traduit cet état *(un visage hilare)* ; il s'emploie au figuré, en parlant de choses, avec le sens de «comique, plein d'entrain».

▸ **HILARITÉ** n. f., d'abord *ilarité* (XIIIe s.), *hylarité* (1374), sous la forme moderne au XVIIIe s. (1769, Voltaire), est emprunté au dérivé latin *hilaritas*. Le mot, comme *hilare*, s'est peu employé entre le XVIe et le XVIIIe s. et a eu d'abord le sens de «joie douce et calme» ; le sens moderne, «brusque accès de gaieté», apparaît au début du XIXe s. (1820, Michelet). ◆ **HILARANT, ANTE** adj. est emprunté (1805) au latin *hilarans*, participe présent de *hilarare* «rendre gai». D'abord attesté comme terme de chimie (1805) dans *gaz hilarant* «gaz qui produit une sorte d'exaltation», il est employé assez vite au sens général de «qui rend gai, provoque le rire» (1834 ; 1832, *hilariant*). ◆ Son équivalent **EXHILARANT, ANTE** adj. (1669), tiré du participe présent de l'ancien verbe *exhilarer*, est d'usage littéraire.

HILE n. m. est un emprunt savant (1600) au latin *hilum* «point noir au haut d'une fève» et au figuré «un rien, petite parcelle».

♦ *Hile* est d'abord attesté comme terme de botanique, «cicatrice laissée par le tégument d'une graine par la rupture du funicule», puis au XIXe s. (1845) par analogie, comme terme d'anatomie avec le sens de «point, généralement déprimé, par où un viscère reçoit ses vaisseaux et ses nerfs».

▸ Du second sens dérive l'adjectif didactique **HILAIRE** (1834 ; *ganglions hilaires*).

HINDOU, OUE adj. et n., aussi écrit *indou*, est un dérivé (1653) du nom propre *Inde* (→ indien) d'après la forme autochtone *hindu-* ; la graphie *hindou* n'apparaît qu'au début du XIXe s. (attestée 1832).

♦ *Hindou*, «de l'Inde et relatif à la civilisation brahmanique», est parfois employé pour *indien**, à cause de l'ambiguïté de ce dernier terme.

▸ Le mot a fourni tardivement les dérivés **HINDOUISME** n. m. (1876), «religion brahmanique pratiquée en Inde», et **HINDOUISTE** adj. et n. (1951).

HINDI n. m. et adj., attesté en 1815, est un emprunt à l'une des principales langues parlées en Inde, pour désigner cette langue qui appartient au groupe indoeuropéen oriental et dérive du sanskrit. ◆ On l'appelle aussi **HINDOUSTANI** n. m. et adj. (1814), antérieurement l'*indistanni* (1653), du nom géographique *Hindoustan*, partie principale de la péninsule hindoue.

HIP (répété) → **HOURRA**

HIPP-, HIPPO-, premier élément tiré du grec *hippos* «cheval» qui se rattache à une racine indoeuropéenne °*ekwo-* «cheval» (→ équestre), entre dans la composition de mots savants formés en français ou empruntés au grec ou au latin.

▸ **HIPPIATRIE** n. f. (1534, Rabelais), dérivé savant du grec *hippiatros*, de *-iatros* «médecin», est un terme didactique signifiant «médecine des chevaux». ◆ Il a été concurrencé puis remplacé par **HIPPIATRIQUE** n. f. (1750), aussi adjectif (1823), du grec *hippiatrikos* «qui concerne l'art vétérinaire» (de *hippiatros*). ◆ **HIPPIATRE** n. (1772, du grec *hippiatros*) est vieilli.

HIPPODROME n. m. est un emprunt (XIIIe s.) au latin classique *hippodromus*, du grec *hippodromos* (de *dromos* «course» ; → -drome). ◇ Le mot est attesté isolément au XIIIe s. *(ypodrome)* au sens de «cirque pour les courses de chevaux», à propos de l'Antiquité ; il est repris chez Rabelais (1534) avec ce sens. Par extension, il désigne un champ de courses (1828) et est devenu courant avec la vogue des courses de chevaux.

HIPPARQUE n. m. est un emprunt didactique (1765) au grec *hipparkhos* «commandant de cavalerie» (de *arkhein* «commander»), dont il garde le sens en parlant de l'Antiquité grecque. ◆ **HIPPARCHIE** n. f. «division de cavalerie» est emprunté (1832) au dérivé grec *hipparkhia*.

HIPPOPHAGE adj. et n., terme didactique (1827, de *-phage*) signifie «qui mange de la viande de cheval». ◆ En dérive **HIPPOPHAGIE** n. f. (1832, de *-phagie*), d'où **HIPPOPHAGIQUE** adj. (1836), plus usuel dans *boucherie hippophagique* (qui tend à disparaître après 1950).

HIPPARION n. m. est un emprunt (1843) au grec *hipparion* «petit cheval» ou «jeune cheval», dérivé de *hippos* ; il est utilisé en paléontologie pour désigner un mammifère fossile du tertiaire considéré comme l'ancêtre du cheval.

HIPPOLOGIE n. f. (1855, de *-logie*), terme didactique, signifie «étude du cheval». ◆ Il a pour dérivés **HIPPOLOGIQUE** adj. (1776) et **HIPPOLOGUE** n. (1866).

HIPPOMOBILE adj. et n. f., terme didactique (de *-mobile*, d'après *automobile*), signifie (1897) «mû par un ou plusieurs chevaux», «qui utilise des chevaux» ; le nom féminin (1896) est à peu près sorti d'usage, après avoir eu des emplois administratifs assez courants, en opposition avec *automobile*, quand ce dernier mot était nouveau.

HIPPIQUE adj. représente un emprunt (1842) au grec *hippikos* «relatif aux chevaux», dérivé de *hippos*. Le mot conserve le sens du grec puis signifie surtout «relatif aux courses de chevaux» (cf. *chroniqueur hippique*). ◆ En dérive **HIPPISME** n. m. (1898) «sports hippiques», équivalent de l'anglicisme *turf*.

◈ voir HIPPOCAMPE, HIPPOGRIFFE, HIPPOPOTAME.

HIPPIE ou **HIPPY** n. et adj., répandu vers 1967 en français, est emprunté à l'américain *hippy* n., dérivé de *hip* (variante *hep*) «qui est initié, au courant de ce qui est nouveau», d'origine inconnue.

♦ Le mot, d'abord en américain, désigne des personnes, en général jeunes, qui rejettent les valeurs sociales et culturelles de la société de consommation (mode de vie, recherche de l'argent, goût de la technologie, etc.) et le nationalisme. En 1990, *hippie*, comme *beatnik*, évoque surtout la décennie 1960-1970, mais le mot reste vivant pour évoquer un état d'esprit, tout comme *baba cool*, autre anglicisme vieilli, *écolo*, etc.

▸ Les dérivés **HIPPISÉ, ÉE** adj. (1968) et **HIPPYSME** n. m. (1968; parfois écrit *hippisme* par plaisanterie) ont eu une existence éphémère.

HIPPOCAMPE n. m. est un emprunt (1561) au latin *hippocampus,* nom d'un poisson qui porte la tête inclinée contre la gorge, comme le cheval dont il rappelle le profil, et nom d'un animal mythique avec un corps de cheval et une queue recourbée de poisson; le latin est emprunté au grec *hippokampos,* composé de *hippos* «cheval» et de *kampos* «sorte de poisson», de *kampê* «courbure».

♦ Le français conserve les sens de l'étymon. Malgré sa nature savante, le mot est usuel; dans la conscience populaire, l'animal marin qu'il désigne n'est pas considéré comme un poisson. ◇ Par analogie de forme, *hippocampe* désigne en anatomie (XXe s.) une région du cerveau.

HIPPOCRATE n. m. est emprunté (av. 1845) au nom propre *Hippocrate,* célèbre médecin grec du Ve s. av. J.-C., par le latin *Hippocrates.*

♦ Le mot s'utilisait, écrit avec ou sans majuscule, par plaisanterie, pour «médecin».

▸ **HIPPOCRATIQUE** adj., attesté en 1658, est certainement antérieur, comme le montre le dérivé **HIPPOCRATIQUEMENT** adv., relevé en 1579. ◇ L'adjectif est emprunté au dérivé bas latin *hippocraticus* (IVe s.). Il se dit de ce qui est relatif à Hippocrate et à sa doctrine, puis il signifie (1814) «digne d'Hippocrate», d'où «digne d'un médecin». Le mot est employé ensuite comme terme de médecine dans des syntagmes: *face, facies hippocratique* (1862), *doigts hippocratiques* (ou *hippocratisme digital,* 1876). ◆ Un autre dérivé didactique du nom propre, **HIPPOCRATISTE** n. «partisan de l'hippocratisme», apparaît à la fin du XVe s. (1478-1480, *ypocratiste*); il est employé par Claude Bernard dans son *Introduction à la médecine expérimentale* (1865). ◆ **HIPPOCRATISME** n. m. (1719) désigne la doctrine hippocratique.

HIPPOGRIFFE n. m. est emprunté (1556, Ronsard, *hippogrife*) à l'italien *ippogrifo,* mot composé par l'Arioste dans *Le Roland furieux* à partir du grec *hippos* «cheval» (→ hipp-, hippo-) et de l'italien *grifo* «griffon» (→ griffon).

♦ Le mot désigne, comme son étymon, un cheval à tête d'oiseau, né d'une jument et d'un griffon. Mallarmé (1898) l'utilise figurément.

HIPPOPOTAME n. m., d'abord attesté sous la forme *ypopotamox* (1180-1190), sous la forme moderne en 1546 (Rabelais), est emprunté au latin impérial *hippopotamus,* du grec *hippopotamos,* proprement «cheval du fleuve» (spécialement du Nil), composé de *hippos* «cheval» (→ hipp-, hippo-) et de *potamos* «fleuve»; on trouve, formées par haplologie, les graphies *ypotame* (v. 1265), *ipotham* (v. 1330), encore au XVIe s., et *hipotame* (1680).

♦ Le mot conserve le sens zoologique, désignant un gros mammifère ongulé; par figure, il signifie «personne énorme» (1856, Hugo).

▸ En dérive **HIPPOPOTAMESQUE** adj. «qui rappelle un hippopotame» (1838); Th. Gautier utilise la variante **HIPPOPOTAMIQUE** adj. (1838).

HIRONDELLE n. f. a été emprunté (1546, *hyrondelle,* Rabelais) à l'ancien provençal *irondela* (XIIe s.), diminutif de *irunda* (XIIe s.), issu d'un latin populaire °*hironda,* déformation du latin classique *hirundo.*

♦ *Hirondelle* s'est substitué à l'ancien français **ARONDE** n. f. (1080, de *hirundo*) et à son dérivé **ARONDELLE** n. f. (XIIe s.); *aronde* survit dans certains parlers régionaux et s'emploie comme terme technique: *à queue d'aronde* (1458; 1409, *queue d'alonde*) se dit d'un assemblage dans lequel le tenon s'élargit en forme de queue d'hirondelle; *queue d'aronde* (1690) ou *aronde* désigne en architecture un crampon de même forme; on dit aussi *queue d'hironde* (1694), *d'hirondelle.* ◆ *Hirondelle* désigne un oiseau migrateur à queue fourchue et, qualifié, d'autres oiseaux (1611, *hirondelle de mer* «sterne»). ◇ Le mot entre dans la locution ***nid d'hirondelle*** (1878) désignant abusivement les matières végétales malaxées par un autre oiseau, la salangane, mets apprécié en Extrême-Orient.
Par analogie (forme qui rappelle l'hirondelle ou ses ailes), *hirondelle (de mer)* désigne parfois un poisson, l'exocet volant (1553) et le mot s'est dit d'un petit bateau à vapeur rapide (1626). Il s'est employé familièrement (1704) pour dénommer certaines religieuses (leur voile allongé étant comparé à une aile) et comme équivalent d'«agent cycliste» (1837, *hirondelle de la grève,* Balzac; 1915, «gendarme»), probablement par allusion au vêtement de l'agent volant au vent. Par allusion aux migrations de l'oiseau, *hirondelle* désignait diverses professions saisonnières, par exemple le ramoneur, le marchand de marrons (1873, *hirondelle d'hiver*), qui venaient dans les villes, notamment à Paris, au début de l'hiver.

HIRSUTE adj. est un emprunt savant (1802) au latin classique *hirsutus* «hérissé», spécialement terme de botanique. Le mot, probablement d'origine populaire, semble dérivé d'un nom en *u-* non attesté, °*hirsu-,* (cf. *cornu/cornutus*) et est sans doute lié à l'adjectif classique *hirtus* «pointu, plein d'aspérités».

♦ Il est introduit en botanique au sens de «garni de longs poils fournis». Par métaphore (av. 1841), il se dit pour «bourru, grossier»; par extension (fin XIXe s.) appliqué à une personne, il signifie «ébouriffé, échevelé» *(tête hirsute)* d'où, par métonymie, *personne hirsute.* ◇ Le mot substantivé, en histoire littéraire, désigne un cénacle parisien de la fin du XIXe siècle.

▸ **HIRSUTISME** n. m., terme de médecine (1920), signifie «développement excessif du système pileux».

HISPANIQUE adj. est un emprunt (1525) au latin impérial *hispanicus,* dérivé du classique *Hispania* «Hispanie», de *Hispani,* nom de peuple, pluriel de *Hispanus.* Le mot, attesté isolément en 1525 (1527, *yspanique*), est repris au XIXe s. (1832).

♦ Il signifie «qui a trait à l'Espagne, aux Espagnols».

▸ En dérivent **HISPANISME** n. m. (1725, sur le modèle de *anglicisme,* etc.) et **HISPANISANT, ANTE** n. (1863) ou **HISPANISTE** n. (v. 1933).

HISPANO-, élément tiré du latin *hispanus* «espagnol», entre dans la composition de plusieurs mots : **HISPANO-AMÉRICAIN, AINE** adj. et n. (1845); **HISPANO-ARABE** adj. (1867); **HISPANO-MAURESQUE** adj. (1898), spécialisé en art décoratif (cf. *mudéjar* et *mozarabe,* en histoire de l'art); **HISPANO-MEXICAIN, AINE** adj. (XXe s.).

HISSER v. tr., d'abord sous la forme de l'impératif, *inse* (1552, Rabelais) puis *ysser* (1573), est un emprunt au bas allemand *hissen* «élever à l'aide d'une corde» (cf. moyen néerlandais *hischen, hijschen*), qui serait de formation onomatopéique.

♦ Le verbe garde le sens de l'étymon et s'emploie couramment dans *hisser le drapeau, les couleurs.* L'interjection *hisse! oh! hisse,* tirée de l'impératif du verbe, est attestée en 1773 (1701, *hisse!*). *Se hisser* signifie par extension (av. 1794) «s'élever avec effort», puis s'emploie au figuré (déb. XXe s.) au sens de «s'élever».

HIST-, HISTIO-, HISTO-, élément tiré du grec *histos* «métier de tisserand» d'où, par extension, «ce que l'on tisse», dérivé de *histanai* «dresser». Il entre dans la formation de mots savants (biologie, biochimie, médecine).

▸ **HISTOLOGIE** n. f. (1823, de *-logie*) «science qui traite de la structure des tissus et des cellules», d'où **HISTOLOGIQUE** adj. (1832), **HISTOLOGISTE** n. (1840), variante **HISTOLOGUE**, forme une série de termes très vivants. ◆ **HISTOGÈNE** adj. (1873, de *-gène*) «qui donne naissance aux tissus vivants» et nom masculin (1931), «substance qui favorise la régénération d'un tissu». ◆ **HISTOLYSE** n. f. (1890), de *-lyse,* succède à *hystolisie, histolysie* (1875) «dissolution de tissus vivants»). ◆ **HISTIDINE** n. f. (1897) est emprunté au mot allemand créé par A. Kossel (1896) à partir du grec *histos* pour désigner un acide aminé; de *histidine* et *amine** vient **HISTAMINE** n. f. (XXe s.; 1913, en anglais, *histamin*). ◇ Ce terme de biochimie a fourni **HISTAMINIQUE** adj. (mil. XXe s.), qui a lui-même donné **ANTIHISTAMINIQUE** adj. et n. m. (1950) «qui combat les effets de l'histamine». ◆ **HISTONE** n. f. (1904, du grec *histos* et suffixe *-one;* cf. 1900, *histon*) est le nom d'une protéine simple, créé en allemand *(histon)* par A. Kossel (1884).

◈ voir HISTOGRAMME.

HISTOGRAMME n. m. est un emprunt (1956) à l'anglais *histogram* (1891, Karl Pearson), du grec *histos* «tissu» (→ hist-), pris au sens de «réseau, graphe», et de *-gram* (→ -gramme).

♦ C'est un terme de statistique qui désigne un graphique représentant la densité d'un effectif en fonction des valeurs d'un caractère.

✻ **HISTOIRE** n. f. est un emprunt adapté, d'abord sous la forme *istorie* (déb. XIIe s.), au latin *historia* «récit d'événements historiques», «objet de récit historique», mais aussi «récit fabuleux, sornettes», lui-même pris au grec *historia* «recherche, enquête, information» et «résultat d'une enquête», d'où «récit», «œuvre historique». Le mot appartient à la famille de *eidenai* «savoir», qui se rattache à une racine indoeuropéenne °*weid-*, comme le sanskrit *véda* et le latin *videre* «voir».

♦ *Histoire* a d'abord eu, avec diverses formes, *istorie, storie* et pour le suffixe francisé *-oire, estoire* (dominante au moyen âge), le sens de «récit des événements de la vie de qqn» (déb. XIIe s., *istorie;* v. 1105, *storie*). Puis le mot prend un sens plus large (v. 1155, *hystoire*) «récit des événements relatifs à un peuple, à l'humanité en général». À partir du XIIIe s., il désigne l'ensemble des connaissances susceptibles de prendre une forme narrative, et relatives à l'évolution de l'humanité (v. 1265, *istore*); il recouvre alors ce qui met en jeu la mémoire et s'oppose à la poésie (création), à la philosophie (sagesse) et aux beaux-arts. ◇ De la valeur générale, «objet de mémoire et de narration», vient ***histoire naturelle*** «livre décrivant les choses de la nature» (1551) puis (1765) «étude des corps observables dans l'univers, spécialement sur terre» (botanique, géologie, comme dans l'*Histoire naturelle* de Pline); l'expression est remplacée aujourd'hui par *sciences naturelles.* ◇ C'est au XVIIe s. que sont attestés le sens de «mémoire que la postérité garde du passé» (1646) et *histoire peinte* (1611), puis *tableau d'histoire* (1680), «où le peintre représente un fait» (1690, *peintre d'histoire*). ◇ *Philosophie de l'histoire,* «science des lois qui régissent les événements», apparaît au XVIIIe s. (1765), mais s'emploie surtout à partir du XIXe siècle. ◆ En même temps que son acception générale («ensemble des connaissances...»), à partir du XIIIe s. *histoire* «narration» désigne la représentation d'une scène à plusieurs personnages (v. 1240, *hystoire*); cette valeur se développe ensuite et le mot s'emploie pour des œuvres qui représentent de telles scènes, une tapisserie (fin XIVe s.) ou un ouvrage de sculpture (1417), d'où *tailleur d'histoire* «sculpteur» (v. 1560), et, par ailleurs, un jeu mimé (1449), un mystère (fin XVe s.).

Parallèlement aux emplois concernant la collectivité, *histoire* se dit à partir du XVIIe s. d'une aventure arrivée à une ou plusieurs personnes (1636), puis une succession d'aventures (1670), et désigne des propos mensongers, pour tromper et mystifier (1663), devenant un équivalent de «balivernes, niaiserie» (1668). Ces emplois extensifs donnent lieu à une série de locutions, comme ***des histoires*** «des manières affectées» (1690), ***faire (chercher) des histoires*** «des difficultés, des embarras» (1732), ***c'est une autre histoire*** «c'est une chose bien différente» (1690), *faire une belle histoire* «exciter des rumeurs» (1747). ◇ En marge de ces emplois, on peut mentionner une spécialisation concrète, où *histoire* correspond à un euphémisme («chose», «machin») pour «parties sexuelles» (1611, au pluriel).

Histoire, on l'a vu, contient depuis la latinité *(historia)* l'idée de «récit» fondé sur l'établissement de faits observés (étymologiquement, «vus») ou inventé. Mais le mot n'a pris le contenu que nous lui connaissons que depuis le XIXe s., même si une référence à l'évolution de l'humanité est introduite dès le XIIIe siècle. Le récit des événements, construit dans beaucoup de documents ou à partir de témoignages, a gardé longtemps des buts moraux ou a été utilisé comme argument de polémiques; au moyen âge, les *chroniques* (l'idée dominante est alors la temporalité), les hagiographies ne se séparent que très lentement de l'épopée. Les recherches archéologiques ou numismatiques, nées à la Renaissance, relèvent de la curiosité d'amateurs et de la sensibilité esthétique ou morale sans être encore exploitées comme documents. Avec le romantisme, l'histoire explicative trouve d'autres motifs ; Michelet ouvre son *Histoire de France* par un tableau géographique, interprétant les faits passés par le milieu et la race ; l'histoire positiviste (A. Comte) présente le passé en un récit de causes et de conséquences. Enfin, après 1850, la méthode critique d'analyse des documents est établie, elle aboutit à un effacement de l'historien, qui se veut comme un naturaliste devant l'archive. C'est aussi dans la seconde moitié du XIXe s. que se construit une histoire spécialisée (*histoire de l'art, de la littérature,* etc.). La rupture avec cette histoire qui refuse l'interprétation s'effectue au XXe s. avec la collection «Évolution de l'Humanité» (1920, H. Berr) puis la revue «Annales d'histoire économique et sociale» (1929, L. Febvre et M. Bloch) ; c'est alors qu'on oppose une histoire événementielle, voire une *petite histoire* anecdotique, à la *nouvelle histoire,* qui élargit ses objets, scientifise ses méthodes (sciences annexes de l'histoire) et participe à l'interprétation, parfois à l'explication des évolutions humaines.

▶ Plusieurs mots sont des dérivés savants du latin *historia.* **HISTORIEN, IENNE** n., attesté en 1213 sous la forme *ystorien,* signifie «auteur d'ouvrages d'histoire» (le contenu de la notion ayant changé au cours du temps, voir ci-dessus) et, spécialement aujourd'hui, «spécialiste de la science historique» ; on a aussi employé *hystoristre* (1213), *historieur* (1393) et *historieux* (XVe s., n. m. ; XIIe s., adj., «historique»). Par extension, le mot a désigné un peintre d'histoire (XIXe s.) et se dit pour «étudiant en histoire» (XIXe s.). Au sens figuré de «personne qui raconte une suite d'événements», le mot est vieilli. Le féminin *historienne* est rare jusqu'au XIXe et ne se répand que dans la deuxième moitié du XXe siècle. Voir aussi *historique.* ➜ Le dérivé français **HISTORIETTE** n. f. (1650, Mme de Sévigné) désigne le récit d'une petite aventure.

PRÉHISTOIRE n. f., composé (1872) de *pré-* et *histoire,* d'après *préhistorique* attesté antérieurement, et employé comme substantif (→ historique), désigne l'ensemble des faits antérieurs à l'apparition de l'écriture, incluant alors la *protohistoire,* et, plus strictement, antérieurs à la première métallurgie. Le mot signifie également «science qui étudie ces faits». ➜ **PRÉHISTORIEN, IENNE** n. (d'après *historien*), «spécialiste de la préhistoire», est attesté en 1874. ➜ **PROTOHISTOIRE** n. f., terme didactique (1910, de *proto-*), a été formé pour désigner les événements immédiatement antérieurs à l'apparition de l'écriture, contemporains de la première métallurgie. ◇ En dérivent **PROTOHISTORIQUE** adj., attesté antérieurement (1877, d'après *historique*), et **PROTOHISTORIEN, IENNE** n. (mil. XXe s., d'après *historien*).

MÉTAHISTOIRE n. f. et **MÉTAHISTORIQUE** adj., employés à propos de la philosophie ou épistémologie de l'histoire, figurent dans la traduction de Berdiaev par S. Jankélévitch (1948).

◈ voir **HISTORIER, HISTORIOGRAPHE, HISTORIQUE.**

HISTORIER

HISTORIER v. tr. est un emprunt (fin XIVe s., *hystoryer*) au latin médiéval *historiare* (v. 1150), déjà en bas latin au sens de «chercher à s'informer», dérivé de *historia* (→ histoire).

♦ Le verbe a d'abord signifié «raconter» et s'emploie, dans le domaine des arts (1409-1410), au sens de «décorer de scènes à personnages», en particulier de scènes tirées de la vie des saints, appelées *histoires* au moyen âge. Par extension (1542), *historier* signifie «orner».

▶ De ce verbe dérivent **HISTORIEUR** n. m. (1495) «artiste qui enluminait les manuscrits» (cf. *enlumineur*) et **HISTORIÉ, ÉE** adj. (1487, *histoiré*), terme d'art employé dans un contexte religieux ou profane. Le *manuscrit historié* comprend des figures (enluminures, miniatures) impliquant un contenu narratif ; la notion exclut donc en principe les illustrations d'une autre nature (décor géométrique, végétal, etc.). À l'époque classique, *ouvrage historié* (1636) désigne un jardin artificiel, une peinture ou un dessin de jardin.

HISTORIOGRAPHE

HISTORIOGRAPHE n. est un emprunt (1213, *hystoriographe*) au bas latin *historiographus,* du grec *historiographos* «historien», de *historia* (→ histoire) et *graphein* «écrire» (→ -graphe). On relève en ancien français la forme *storiographe* (v. 1300) ; à partir du XVe s., plusieurs termes coexistent avec *historiographe : historiographeur, historiographien* (XVe s.), *histoiregraphe* (fin XVIe s.).

♦ Le mot désigne un écrivain chargé officiellement d'écrire l'histoire de son temps, sens courant aux XVIIe-XVIIIe s. (*historiographe du roi,* titre porté par Racine et Boileau), et s'emploie par extension au sens d'«historien» ou plutôt d'«écrivain historique».

▶ **HISTORIOGRAPHIE** n. f., attesté d'abord au sens d'«histoire» (1498-1502), est un dérivé d'*historiographe* ou un emprunt au latin médiéval *historiographia* (v. 942), repris du grec. ◇ Le mot, d'emploi didactique, désigne le travail de l'historiographe (1750, Voltaire écrit *historiographerie*) et, par métonymie (1845), un ensemble d'ouvrages d'historiographes, puis le discours historique sur un sujet ou une période. ◇ En dérive l'adjectif **HISTORIOGRAPHIQUE** (1832).

HISTORIQUE

HISTORIQUE adj. et n. m. est un emprunt (seconde moitié du XVe s.) au latin *historicus,* du grec *historikos* «qui concerne la connaissance d'une chose», en particulier «d'histoire ou d'historien ; historique», de *historia* (→ histoire).

♦ *Historique* signifie «qui a rapport à l'histoire, au sens d'étude du passé», d'où «utilisé par l'histoire» *(documents historiques)* et «qui s'intéresse aux aspects historiques» *(dictionnaire historique)* ou «qui résulte de l'histoire» *(une nécessité historique).* À partir du XVIIe s., *historique* s'oppose à *fabuleux,* au sens (1694) de «qui relève de faits avérés». ◇ Il s'emploie comme nom masculin (av. 1755) au sens d'«exposé chronologique des faits», puis de «narration, récit», d'où *faire l'historique d'une question* et, par ailleurs, *l'historique d'un mot* (Littré). ◇ *Historique,* adjectif, se dit en particulier (1740, *temps historiques*) de ce que l'on peut étudier à partir de documents écrits (opposé à *préhistorique ;* ci-dessous) ; il s'utilise spécialement à partir du XVIIIe s. (1763) dans *roman historique,* œuvre dont l'intrigue est empruntée en partie à l'histoire, puis dans *pièce historique, peinture historique, film historique.* Depuis le XIXe s., *historique* signifie par extension «qui est ou mérite d'être conservé par l'histoire» (***journée historique,*** etc.), d'où ***musée historique*** (1840) et la locution (1900) ***monument historique.***

▸ *Historique* a remplacé **HISTORIAL, ALE, AUX** adj., emprunt savant (v. 1327) au bas latin *historialis,* dérivé de *historia.* Le mot s'était employé au XIIIe s. à propos de la Bible dans un sens difficile à déterminer. ◇ Le dérivé inattendu de cet archaïsme, **HISTORIALISER** v. tr. «donner une dimension historique à (qqch.)», est attesté en 1943 (Sartre, *L'Être et le Néant*). ◇ L'adverbe **HISTORIQUEMENT** est attesté en 1617.
De *historique,* employé substantivement au XVIe s. (v. 1510) au sens d'«historien», dérive **HISTORICIEN** n. m. (1567) pour «historiographe», disparu au XVIIe siècle.
HISTORICITÉ n. f., «caractère de ce qui est attesté par l'histoire», est un dérivé savant (1866, Amiel) de *historique ;* il a pris spécialement en philosophie (1943, Sartre) le sens de «dimension historique de l'existence».
HISTORICISME n. m. (1908) ou **HISTORISME,** termes de philosophie, désignent une doctrine selon laquelle toute vérité évolue avec l'histoire et, par extension, la tendance à accorder la première place à l'histoire pour expliquer tous les faits.
À partir d'*historique* ont été formés plusieurs composés. ➛ **PRÉHISTORIQUE** adj. et n. m. (1864, de *pré-*) est plus courant aujourd'hui que **ANTÉHISTORIQUE** adj. (1828, de *anté-*) au sens de «qui est antérieur à l'apparition des témoignages écrits et à l'usage de métaux». *Préhistorique* s'est employé comme nom masculin (1888) pour *préhistoire* (→ histoire) qui l'a supplanté. À la fin du XIXe s., l'adjectif s'emploie pour «relatif à la préhistoire» (v. 1890) en tant que période, puis (XXe s.) qualifie la science *(anthropologie préhistorique)* et son objet d'étude *(techniques préhistoriques ; flore, faune préhistoriques).* ◇ Par analogie, l'adjectif s'emploie familièrement au sens (1903) de «très ancien, démodé».
HISTORICO-, tiré du radical latin de *historicus,* est utilisé pour former des adjectifs composés, dont le sens est «relatif à une discipline considérée sous l'angle de l'histoire» et «relatif à la fois à une discipline et à l'histoire». On relève par exemple **HISTORICO-ROMANESQUE** (1833, Musset), **HISTORICO-PHILOSOPHIQUE** (1853, Flaubert), **HISTORICO-LINGUISTIQUE** (1926, L. Febvre), **HISTORICO-CRITIQUE** (1933), **HISTORICO-MYTHIQUE** (mil. XXe s.), **HISTORICO-PSYCHOLOGIQUE** (1957).

HISTRION n. m. est emprunté (1544) au latin *histrio* «mime, comédien» et, au figuré, «fanfaron, faiseur d'embarras». Le mot est peut-être dérivé de *Hister* (ou *Ister*), nom latin du Danube inférieur, qui traversait l'*Istrie :* les Anciens pensaient que les premiers acteurs venaient de cette contrée située à l'est de l'Adriatique.

♦ *Histrion* est d'abord employé pour désigner un acteur de l'Antiquité romaine jouant des farces grossières ; par extension, le mot prend péjorativement le sens de «comédien» (1690). À partir du XIXe s., il s'emploie pour «charlatan, personne qui joue un rôle» (1819). Le féminin **HISTRIONNE** est attesté chez Diderot et Huysmans.

▸ **HISTRIONNER** v. intr., attesté chez Voltaire (1758) au sens de «cabotiner», est sorti d'usage. ➛ **HISTRIONISME** n. m., d'abord (1842) «profession de comédien», se dit ensuite pour «cabotinage» (XXe s.) ; le mot est également employé dans le domaine psychiatrique (1917). ➛ **HISTRIONIQUE** adj. «relatif à l'histrion» (1944) est d'emploi littéraire.

HITLÉRIEN, IENNE adj. et n. est dérivé (1930) du nom d'Adolf *Hitler.*

♦ Le mot concerne le nazisme et son action, plus que la personnalité d'Hitler.

▸ **HITLÉRISME** n. m. (1932) désigne la doctrine et la politique d'Hitler, le nazisme*.

HIT-PARADE n. m. est un mot anglais des États-Unis, emprunté en 1956 (av. 1950, en français du Canada) et signifiant littéralement «parade des succès». Il est formé de *hit* «coup» (de *to hit* «frapper») puis «chance» et «succès» (déb. XIXe s.), et de *parade,* emprunté au français (→ parade) ; *hit* «succès» avait été emprunté antérieurement en français (1930).

♦ *Hit-parade* signifie «palmarès des meilleurs succès de vente, dans le domaine des disques de variétés» ; le mot s'emploie par extension à propos de toute forme de spectacle ou de manifestation (*au hit-parade de l'actualité* «au premier plan»).

HITTITE adj. et n. est un emprunt (1884) à l'anglais *hittite,* qui apparaît dans les anciennes traductions anglaises de la Bible, écrit *Hettite ;* les traductions françaises donnent *Héthéen* ou *Hétéen.* Le mot est une adaptation de l'hébreu *ḥitt (īm)* et *Héthéen* vient de la forme *Hethaei* de la Vulgate.

♦ L'appellation *hittite* s'est imposée en archéologie pour désigner un peuple de l'Antiquité, établi en Asie Mineure au second millénaire avant notre ère, différent de la tribu cananéenne désignée par les mots *ḥitt* et *Hethai.* Le nom masculin désigne (XXe s.) la langue parlée par les Hittites, dont le déchiffrement a commencé au début du XXe s. et qui constitue un nouveau témoin dans l'ensemble des langues indoeuropéennes.

HIVER n. m. est emprunté (XIe s., *iver*) au bas latin *hibernum* «hiver», du latin classique *hibernum tempus* «la saison hivernale» ; *hibernum* s'est substitué au classique *hiems* «hiver» (cf. italien *inverno,* espagnol *invierno ;* → hiberner, hiémal) : le *h* étymologique a été introduit au XIIIe s. (1282, *hyveir*).

♦ *Hiver* désignant la plus froide des quatre saisons de l'année, s'emploie au sens de «température froide» (v. 1695) et dans quelques syntagmes usuels, comme ***sports* d'hiver.*** ◇ Le mot est utilisé au figuré comme symbole de tristesse (av. 1560, Du Bellay, *l'hyver de mes ennuis*) et de vieillesse (1629, *l'hiver de la vie*); il signifie «année» dans le contexte de la vieillesse *(soixante hivers)*.

▸ **HIVERNER** v., d'abord sous la forme *iverner*, est emprunté d'après *hiver* au latin classique *hibernare* «être en quartiers d'hiver», dérivé de *hibernus* (→ hiberner). ◇ Le mot signifie (1190-1205, intr.) «passer l'hiver à l'abri» en parlant des troupes, des navires, puis des animaux (XIIIe s.), spécialement des graines, des œufs de vers à soie (1763). *Hiverner* signifie aussi «labourer (une terre) avant l'hiver» (1600, à propos de la vigne). Par extension, il a pris le sens de «passer l'hiver (quelque part)» (XIXe s.). ◆ **HIVERNAGE** n. m., réfection (XVIIe s.) d'après *hiver* de *ybernage* (1226), aussi *yvrenage* (XIIIe s.), a d'abord eu le sens de «semailles d'hiver» (en latin médiéval *hibernaticum* et *hivernaticum*, v. 868). À partir du XVIIe s., le mot désigne l'action d'hiverner (1636) et prend des sens spéciaux : «labour qui précède l'hiver» (XVIIIe s.), «temps de relâche pour les navires» (1797) et, par métonymie, «port où les navires relâchent» (1823), «séjour des bestiaux à l'étable» (1867), etc. En français d'Afrique, où les noms des «quatre saisons» ne correspondent pas à des réalités climatiques tropicales, *hivernage* désigne (1802) la saison des pluies, qui correspond d'ailleurs plutôt à l'été dans l'hémisphère Nord. ◆ **HIVERNATION** n. f., encore employé pour les plantes, est un synonyme sorti d'usage (1829) de *hibernation;* le mot est utilisé (XXe s.) comme terme technique, dans le domaine de l'élevage des vers à soie. ◆ **HIVERNEUR, EUSE** n. (1874), «personne qui passe l'hiver quelque part», est un mot vieilli, remplacé par **HIVERNANT, ANTE** n. (1890). ◆ **HIVERNAL, ALE, AUX** adj. est un emprunt (1119) au bas latin *hibernalis*, d'après *hiver;* il signifie «de l'hiver». *Course hivernale* ou **HIVERNALE** n. f. (1961) se dit d'une ascension effectuée l'hiver en haute montagne.

◈ voir HIBERNER.

H. L. M. → HABITATION

HO interj. est une onomatopée (1223) d'abord utilisée pour *halte!*

♦ Cette interjection sert à appeler (1345, *eh, hé*) ou à exprimer l'étonnement (1539, *hoho*); dans ce dernier cas, la graphie la plus courante est *oh**.

▸ **HOLÀ** interj. et n. m., formé avec *ho* et *là* (v. 1350), est utilisé pour appeler. L'emploi de *holà* pour modérer, arrêter, est vieilli; on dit plutôt *hé, là! Holà*, comme nom masculin, entre dans la locution ***mettre le holà*** (1644) qui reprend *faire holà* (1594) «faire cesser une querelle, qqch. jugé déplaisant».

HOBBY n. m. a d'abord été emprunté (1815) à l'anglais sous la forme complète *hobby-horse* et ne s'est répandu sous la forme abrégée que vers 1930. *Hobby-horse* est composé de *hobby* «petit cheval» et de *horse* «cheval»; le mot anglais a été francisé en *hobin*, 1534 (→ aubin), pour «cheval de bois pour les enfants» (XVIe s.), d'où «passe-temps» (1676), puis est devenu avec ce sens *hobby* au début du XIXe siècle.

♦ *Hobby-horse*, «manie» en français (→ dada), n'est plus en usage. *Hobby* s'emploie au sens de «passe-temps pour se distraire».

HOBEREAU n. m., réfection (1377) de *hoberel* (v. 1195), est dérivé, avec modification, de l'ancien français *hobel* désignant un petit oiseau de proie (attesté au XIIIe s.; cf. les variantes *hobé*, fin XIIIe-fin XIVe s., *hobier*, fin XIVe s.). *Hobel* dérive de l'ancien verbe *hobeler* (v. 1195), *hober* (déb. XIVe s., par réduction) «harceler l'ennemi, piller», lui-même emprunté au moyen néerlandais *hob(b)elen* «bouger, se démener» (cf. néerlandais *hobbelen* «se balancer»). Ce dernier vient d'un germanique °*hubbon* (→ aubin).

♦ *Hobereau*, terme de fauconnerie (1377 sous la forme moderne), désigne un oiseau rapace diurne, un faucon de petite taille qui se nourrit de petits oiseaux. Par analogie, et employé péjorativement, le mot se dit ensuite (1579, *hobreau*) d'un gentilhomme campagnard de petite noblesse qui vit sur ses terres.

HOCHE n. f., réfection (1590), sous l'influence de ② *hocher*, des formes *osche* (v. 1170), *oche* (v. 1260), pourrait être issu, selon Wartburg, d'un terme d'origine gauloise, °*osca*, déduit du cymrique *osg* «entaille, coche» et du breton *ask* de même sens; l'hypothèse s'appuie sur le fait que le mot est présent dans l'ensemble du domaine gallo-roman, par l'ancien provençal *osca* «entaille» (v. 1228), l'ancien gascon *osca* «brèche dans un terrain» (1384), des formes du nord de l'Espagne et du nord de l'Italie; le basque *osca* serait un emprunt à une langue romane. On a rattaché cette famille à une racine préromane °*oska*, les mots du domaine gallo-roman remontant alors à un substrat pré-indoeuropéen. P. Guiraud, qui met en doute cette origine, évoque un déverbal du verbe *hocher*, issu d'un gallo-roman °*oscicare*, doublet du latin classique *oscitare* «ouvrir la bouche».

♦ *Hoche* a eu le sens d'«entaille sur une lame» (v. 1170), encore dans Littré, aujourd'hui disparu. Le mot, usuel en ancien et moyen français, désigne encore régionalement une entaille naturelle (XIIe s.) et spécialement (v. 1260) une entaille faite sur une planchette pour tenir le compte des denrées vendues à crédit.

▸ ① **HOCHER** v. tr. «marquer d'une hoche» est tombé en désuétude (v. 1160, au participe passé *oschié; oschier* «ébrécher», v. 1210; déb. XIVe s., *hoschier*). Si l'on adopte l'hypothèse de Guiraud, il serait d'origine gallo-romane et c'est *hoche* n. f. qui en serait issu.

① **HOCHER** → HOCHE

② **HOCHER** v. tr., d'abord sous la forme *hochier* (1155), est issu du francique °*hottisôn* «secouer», dérivé de °*hotton* «faire balancer», que l'on restitue par le moyen néerlandais *hutselen, hutsen* et le néerlandais *hutsen* «secouer, balancer».

♦ *Hocher* a eu en ancien français le sens de «remuer, secouer», encore employé régionalement (*hocher un arbre*) et un emploi érotique (cf. *branler*). ◇ Le verbe s'emploie encore dans la locution ***hocher la tête*** (XIIIe s. ; v. 1170, *hoquer le chief*) ; la locution *hocher du nez* «manifester son mécontentement» est sortie d'usage.

▶ Le dérivé **HOCHET** n. m. a désigné autrefois (1381) un jeu d'osselets (que l'on secoue). Le mot se dit ensuite (1391) d'un jouet d'enfant, qui est secoué pour faire du bruit. Par figure *hochet* signifie (1745) «chose futile qui console l'esprit». ◆ **HOCHEMENT** n. m. «action de secouer, d'agiter» (1er tiers du XIVe s., *hoquement*) a eu aussi le sens de «coït» (1550). Le mot s'emploie dans la locution ***hochement de tête*** (1552).
De *hocher* viennent des composés aujourd'hui d'emploi régional. ◆ **HOCHEPOT** n. m. (v. 1220, de *pot*) désigne un ragoût de bœuf et de volaille (on remue le pot pour que le contenu n'attache pas). ◆ **HOCHE-QUEUE** ou **HOCHEQUEUE** n. m. (1549, *hoque-queue ;* variante *hausse-queue,* 1557, par confusion avec *hausser*) est un des noms de la bergeronnette (qui remue la queue en sautillant).

HOCKEY n. m. est un emprunt (1876) à l'anglais *hockey* (1527, attestation isolée ; *hockie,* puis *hockey,* 1785), probablement issu de l'ancien français *hoquet* «bâton recourbé», du francique °*hôk*.

♦ Le mot désigne un jeu d'équipe où l'on utilise une crosse aplatie dans sa partie courbe pour faire passer une balle de cuir entre deux poteaux (cf. *crosse*) ; de là, *hockey sur glace,* où la balle est remplacée par un palet (1897, *hockey sur la glace*).

▶ **HOCKEYEUR, EUSE** n. (1924 ; *hockeyer,* n. m. 1910) est un dérivé français ; l'anglais dit *hockey player.*

HOIR, HOIRIE → **HÉRITIER**

HOLDING n. m. représente (1930) l'abréviation de l'anglais *holding company* (1906), de *holding* «qui possède, contrôle», dès le XVIe s. au sens de «propriétaire de parts» (de *to hold* «tenir, détenir») et *company* «compagnie».

♦ *Holding* apparaît en français en même temps que son équivalent *société de portefeuille ; société de participation* est plus récent (1948).

HOLD-UP n. m. a été emprunté (1925) à l'anglo-américain *hold-up,* désignant dès 1837 une obstruction à l'avance d'un véhicule (de *to hold* «retenir, empêcher»), puis en 1878 un vol à main armée ; le hold-up dans un lieu public apparaît dans les villes, aux États-Unis, au début du XXe siècle. *Hold-up* est la substantivation de *to hold up,* littéralement «tenir, retenir vers le haut», attesté en 1851 au sens de «voler sous la menace d'une arme à feu (dans une diligence, un train)» ; l'explication du nom à partir de *hold up your hands !,* de *to hold up one's hands* «tenir les mains en l'air», convient mal, *haut les mains !* se disant *hands up !* en anglais.

♦ Le mot a conservé le sens de l'étymon.

HOLISME n. m. est un emprunt (attesté en 1939) à l'anglais *holism,* terme forgé en 1926 par le biologiste sud-africain J. C. Smuts, à partir du grec *holos* «tout entier, complet», correspondant au sanskrit *sárva-,* au latin *salvus* «intact» (→ sauf).

♦ Le mot, d'emploi didactique, désigne la théorie selon laquelle l'homme est un tout indivisible qui ne peut être expliqué par ses différents composants isolés les uns des autres (cf. *globalisme*).

▶ **HOLISTE** adj. et n. (mil. XXe s.) a été formé sur le grec *holos ;* on dit aussi **HOLISTIQUE** adj. (mil. XXe s.), emprunté à l'anglais *holistic,* de même origine.

HOLO-, premier élément tiré du grec *holos,* entre dans la composition de nombreux mots savants.
HOLOPHRASTIQUE adj. (1866), du grec *phrastikos* «qui concerne la parole», dérivé de *phrazein* «dire» (→ phrase), terme de grammaire, se dit d'une langue dans laquelle une phrase entière s'exprime par un seul mot. ◆ **HOLOCÈNE** adj. et n. m. (1907, de *-cène*), du grec *kainos* «nouveau, récent», est un terme de géologie, concernant la période la plus récente de l'ère quaternaire. ◆ **HOLOGRAMME** n. m. a été formé en anglais (*hologram,* 1949, D. Gabor). ◇ À noter que les formations *holo-* + *-graphe, -graphie* ont désigné à l'époque classique un document entièrement écrit par la main de l'auteur (par le bas latin *olographus*) : *testament holographe* (1603 ; altéré en *orographe,* 1275). ◆ **HOLOGRAPHIE** n. f. (v. 1950, de *[photo]graphie*), d'après *hologramme,* désigne une méthode de photographie restituant le relief des objets. ◇ En dérivent **HOLOGRAPHIQUE** adj. (v. 1970 ; anglais *holographic,* 1964), **HOLOGRAPHIER** v. tr. et **HOLOGRAPHISTE** n., apparus tous deux vers 1975.

◈ voir HOLOCAUSTE.

HOLOCAUSTE n. m. représente un emprunt (v. 1200) au latin chrétien *holocaustum* «sacrifice dans lequel la victime offerte à Dieu est entièrement consumée par le feu» (en parlant des Hébreux des temps bibliques), du grec ecclésiastique *holokauston,* de *holos* «entier», et *kauston,* adjectif verbal de *kaiein* «allumer, faire brûler», peut-être pour évoquer le terme hébraïque *'ōlāh* désignant ce sacrifice.

♦ *Holocauste* est introduit avec le sens de «sacrifice» ; le mot est masculin ou féminin jusqu'à l'époque classique. À la fin du XVIe s., *holocauste* désigne un sacrifice total, de caractère religieux ou non ; cet emploi littéraire reste vivant dans des locutions verbales : ***s'offrir en holocauste*** (à une cause, etc.), *faire l'holocauste de ses goûts.* Au XVIIe s., le mot, par extension du premier sens, signifie «sacrifice sanglant, de caractère religieux» (1691) et, par métonymie, «victime», dans un sacrifice (1690). Au XIXe s., *holocauste* est repris au sens de «massacre, génocide» (1855, Sand) ; au XXe s., en emploi absolu avec l'article défini, il sert à désigner l'extermination des Juifs par les nazis (attesté 1958, Mauriac), en concurrence avec le mot hébreu *shoa.*

HOMARD n. m., variante (1547) de *hommars, houmar* (1525), est probablement emprunté au bas allemand *hummer,* issu de l'ancien nordique *hummarr,* pour désigner un grand crustacé marin.

♦ *Homard* désigne un crustacé comestible d'une autre espèce que la langouste (cf. en anglais, pour la même désignation, *lobster* «homard» et «langouste»). Par allusion à la couleur du crustacé quand il est cuit, il s'emploie dans la locution ***rouge comme un homard*** (cf. *écrevisse*). ◇ Il s'est dit (1847) des soldats anglais à cause de la couleur rouge de leur uniforme.

▸ Du mot dérivent les termes techniques **HOMARDERIE** n. f. (1904) et **HOMARDIER** n. m. (1907).

HOMBRE n. m. représente un emprunt (1657) à l'espagnol *hombre* «homme» de même origine que *homme**, attesté comme nom d'un jeu de cartes à partir du XVIᵉ siècle.

♦ *Hombre* désigne un ancien jeu de cartes fondé sur l'alliance de deux ou plusieurs joueurs contre un seul, l'*hombre,* qui mène le jeu. Le mot s'écrit aussi *ombre.*

HOME n. m. est emprunté (1807, Mᵐᵉ de Staël) à l'anglais *home,* de l'ancien anglais *ham* «village» (→ hameau); en anglais le mot conserve des emplois larges, qui vont du foyer au pays tout entier, parfois opposé à *abroad* «à l'étranger».

♦ Mᵐᵉ de Staël, dans *Corinne,* lui donne le sens de «chez nous», qui n'a pas vécu; ensuite le mot s'emploie (v. 1815) au sens de «domicile», considéré sous son aspect intime et familial. Introduit en même temps que *confort, confortable,* il a servi à parler des intérieurs anglais, puis s'est appliqué aux intérieurs français, avec une pointe de snobisme. L'emprunt *at home* «à la maison, chez soi» est attesté en 1826. Puis, *home* est utilisé comme équivalent de «foyer» (1895) et, par extension, au sens de «centre d'accueil» dans *home d'enfants* (1939), *home de semi-liberté* (apr. 1960).

HOMÉLIE n. f. est un emprunt (fin XIIᵉ s., *omelie*) au latin ecclésiastique *homilia* «entretien familier», désignant en particulier l'explication simple d'un texte biblique, donnée du haut de la chaire aux fidèles rassemblés; *homilia* est emprunté au grec *homilia* «réunion» et, en grec tardif, «conversation, entretien familier, leçon d'un maître», de *homilos* «troupe, rassemblement». *Homilos* est composé de *homos* (→ homo-), mais on ne s'accorde pas sur la seconde partie du mot, qui est soit *ilê* «troupe», soit un suffixe inexpliqué *-ilos.*

♦ *Homélie* est introduit avec le sens religieux, qu'il conserve. Par extension, dans un emploi littéraire, le mot a pris (1815, Chateaubriand) le sens de «longue et ennuyeuse leçon de morale».

▸ **HOMILAIRE** n. m., réfection étymologique (1866) du dérivé ancien *omeliaire* (XVIᵉ s.), «recueil d'homélies», est tombé en désuétude.

HOMÉO-, premier élément, tiré du latin *homeo,* lui-même du grec *homoios* «semblable» (→ homo-), sert à composer des termes didactiques dont le second élément est le plus souvent tiré du grec.

▸ **HOMÉOPATHIE** n. f., introduit en français (1827) par J. Bigel, est adapté de l'allemand *Homöopathie,* terme créé par S. Hahnemann (1796) à partir du grec *homoios* et *pathos* «ce que l'on éprouve» (→ -pathie). La graphie *homœopathie* (Claude Binet) ne s'est pas imposée. Le terme désigne une méthode thérapeutique qui consiste à soigner les malades au moyen de remèdes qui seraient capables, à des doses plus élevées, de produire sur l'homme sain des symptômes semblables *(homoios)* à ceux de la maladie à combattre. Au figuré, le mot signifie (1846, Proudhon) «traitement du mal par le mal»; une autre valeur figurée est attestée chez Balzac (1833). ◇ L'adjectif **HOMÉOPATHIQUE** s'emploie au propre (1827) et au figuré pour «infime» (*dose homéopathique,* 1846, Baudelaire). ◇ Cet adjectif a pour dérivé **HOMÉOPATHIQUEMENT** adv. (1830, Mérimée, *oméopathiquement*). ◇ **HOMÉOPATHE** n. et adj. est attesté en 1827.

HOMÉOTHERME adj. et n., terme de biologie (1878, *homoeotherme* de *-therme;* cf. anglais *homoeothermal,* 1870), d'après l'allemand *homöotherm* (C. Bergmann, 1847), se dit des animaux qui présentent une température constante. ◇ En dérive **HOMÉOTHERMIE** n. f. (attesté XXᵉ s.).

HOMÉOSTASIE n. f. (av. 1945) est emprunté au latin moderne, forgé en anglais, *homoeostasis* (1926, Camon) puis *homeostasy* (1945), de *homoeo-* (équivalent de *homéo-*) et *-stasis* «position» (→ stase); le mot signifie «stabilisation des différentes constantes physiologiques». ◇ **HOMÉOSTATIQUE** adj. (1954), d'après *statique* en est dérivé, ainsi que la variante **HOMÉOSTASIQUE** adj. (1963). ◆ **HOMÉOSTAT** n. m. désigne un système ou une machine homéostatique; le mot a été forgé en anglais par Ashby (1948) pour désigner un mécanisme autocontrôlé (dans le cadre de la cybernétique*).

HOMÉRIQUE adj. est un emprunt (1548) au latin *homericus* «propre à Homère, relatif à Homère», du grec *Homêrikos,* dérivé de *Homêros* «Homère».

♦ *Homérique* est introduit avec le sens du latin puis, à partir du XIXᵉ s., employé dans la locution ***rire homérique*** (1825) «fou rire bruyant», semblable à celui que prête Homère aux dieux de l'Olympe à la vue du boiteux Hephaïstos (Vulcain) [*Iliade,* I]. Par extension, *homérique* se dit ensuite (1833) de ce qui est digne d'Homère *(style, personnage homérique)* et, par figure, de ce qui est plein d'événements spectaculaires, digne des scènes décrites par Homère (1842, *une bagarre homérique*).

▸ **HOMÉRIDE** n. m., terme didactique (1810, Chateaubriand) emprunté au dérivé grec *homêridês,* est employé au sens étymologique de «rapsode qui chantait les poèmes d'Homère» et s'emploie ensuite pour «descendant présumé d'Homère».

HOMÉRISME n. m., dérivé didactique (1865, Sainte-Beuve) de *Homère,* désigne la théorie aujourd'hui abandonnée qui attribue le corpus homérique à un seul auteur et, par ailleurs, une particularité linguistique propre à Homère (1901).

① **HOMICIDE** n. et adj. a été emprunté (v. 1150, *omicide*) au latin *homicida* «personne qui tue (a tué) un être humain», composé de *homo* «homme» (→ homme) et de *caedere* «tuer» (→ -cide).

♦ *Homicide* conserve le sens du latin comme nom (v. 1150) puis comme adjectif (XIVe s.), par archaïsme littéraire de nos jours ; par extension (XVIe s.), *homicide* adj. se dit en emploi littéraire de ce qui tue ou sert à tuer (*un poignard homicide ;* au figuré *un regard homicide ;* cf. *assassin, meurtrier*). Au XVIIe s., *homicide* prend au figuré le sens de «personne qui cause la perte morale de qqn» (1643).

▶ L'homonyme ② **HOMICIDE** n. m., réfection (1160-1174) de *omecide* (v. 1155), est un emprunt au latin *homicidium* «action de tuer un être humain», dont il garde le sens ; *homicidium* est composé de *homo* et de *caedere*.

HOMINIENS n. m. pl. est un dérivé savant (1877), avec le suffixe zoologique *-iens*, du latin *homo, hominis* «homme» (→ homme).

♦ *Hominiens* désigne le sous-ordre de primates qui comprend plusieurs genres fossiles et un seul représentant actuel, l'homme.

▶ **HOMINIDÉS** n. m. pl. (1845), succédant à *hominides* (1834), dérivé savant de même origine qu'*hominiens,* signifie «famille de primates qui comprend le genre *homo* avec une seule espèce vivante et plusieurs groupes fossiles». ◆ **HOMINISATION** n. f., dérivé savant (v. 1950) de même origine, se dit de l'ensemble des processus qui caractérisent le passage du primate à l'homme *(homo sapiens).* ◇ On en a tiré **HOMINISÉ, ÉE** adj. et **HOMINISER** v. tr. (1955).

HOMMAGE n. m. est un dérivé (XIIe s.) de *homme* qui a eu au moyen âge (comme en latin) le sens de «soldat» et celui de «vassal».

♦ Son premier sens est «acte par lequel le vassal se déclare l'homme (homme lige) de son seigneur» (v. 1160, *homage*), d'où plus tard le sens de «fief pour lequel on prête hommage» (1463) et la locution ***foi et hommage,*** dans *tenir en foi et en hommage* (1549), *tenir à foi et hommage* (1671) «posséder une terre comme vassal» ; ces emplois subsistent en histoire du moyen âge (→ lige). ◇ À la même époque, le mot est employé au sens de «marque de déférence, de courtoisie (à une femme)» (v. 1165) et de «marque de vénération, de soumission (à Dieu)» (XIIe s.), sens général que l'on retrouve dans l'expression ***rendre hommage*** et dans plusieurs emplois attestés surtout au XVIIe siècle. *Hommage* se dit (1644, Corneille) en parlant d'un témoignage de respect, de reconnaissance, d'admiration, etc., d'où spécialement *rendre hommage à la beauté d'une femme,* «la célébrer», dans le vocabulaire précieux du XVIIe s., et ***en hommage*** «en signe d'hommage» (fin XVIe s.). Le mot prend par extension le sens de «don respectueux», aujourd'hui vieilli (1651, *faire hommage de*). ◇ Par affaiblissement de ce sens général, *hommage* s'emploie également au pluriel, au sens d'«actes, paroles par lesquels un homme donne à une femme un témoignage d'appréciation (notamment galante [1670])» et désigne spécialement (XVIIIe s.) le fait d'avoir des rapports sexuels, considéré comme un hommage. Depuis la fin du XVIIe s., *hommage* s'emploie avec une valeur très affaiblie dans les formules de politesse (1694, ***présenter ses hommages***). ◇ Par ailleurs, lié à certaines acceptions de *homme, hommage* s'est employé en ancien français pour «nature humaine» (XIIIe s.) et pour «salaire» (XIIIe s.).

▶ Du premier sens viennent les dérivés, aujourd'hui termes d'histoire du moyen âge, **HOMMAGER** adj. et n. m. (1552) «qui doit l'hommage» et **HOMMAGÉ, ÉE** adj. (v. 1570) «tenu en hommage», en parlant d'un fief, d'une terre.

✱ **HOMME** n. m., attesté en 980 sous les formes *hom* et *om* (→ on), en ancien français *hom, hume, home,* est issu du latin classique *hominem,* accusatif de *homo* «être humain» ; à partir de ce sens général se sont développées plusieurs acceptions à l'époque impériale : «créature raisonnable» (par opposition à *fera* «bête féroce») ; *homo* se substitue alors à *vir* (→ viril, vertu) ; au pluriel, le mot latin prend le sens de «soldats», spécialement de «fantassins» ; il signifie aussi (au singulier) «vivant», par opposition aux morts et aux dieux. *Homo,* littéralement «né de la terre», se rattache à une racine indoeuropéenne °*ghyom-* «terre».

♦ L'essentiel des sens du latin est attesté en français avant la fin du XIVe s. À la fin du Xe s., *homme* s'emploie au sens d'«être humain» (mâle ou femelle), *les hommes* dans ce cas correspondant toujours aujourd'hui à *les humains ;* de ce sens viendra ensuite *homme sauvage* (v. 1700), puis *homme des bois* (1794), d'abord pour «orang-outan», aujourd'hui au sens d'«homme sauvage, primitif». ◇ Depuis les premiers textes, *homme* s'emploie aussi au sens de «créature de Dieu», d'où les locutions, ***homme de péché*** «pécheur» et (1564) ***le vieil homme*** «l'homme qui a des habitudes de péché, le pécheur avant sa régénération par la grâce» (vocabulaire biblique), d'où ***se dépouiller du vieil homme*** (1694), et *le fils d'homme* (v. 1300) puis ***le fils de l'homme*** «Jésus» (1364). ◇ Également depuis la fin du Xe s., *homme* se dit pour «être humain de sexe masculin» : l'emploi individuel *(un, des hommes)* l'emporte sur le général (*les hommes*). ◇ Vers 1050, *hume* est attesté au sens de «mari» ; l'emploi assez fréquent du mot en ce sens n'a pas entraîné sa lexicalisation au même niveau que *femme* au sens d'«épouse» : *mon (ton...) homme* est toujours en usage, mais d'emploi populaire, puis familier. ◇ Dans *La Chanson de Roland* (1080), *hume* est utilisé au sens de «guerrier» ; le mot est toujours usité pour «soldat», opposé à «gradé, sous-officier, officier», aussi dans ***homme de troupe.*** ◇ Le sens féodal de «vassal» est aussi attesté en 1080 (XIIe s., *homme lige ;* → lige et le dérivé hommage).

Depuis le XIIe s. (v. 1155), *homme* se dit d'un être humain considéré dans les qualités et les défauts propres à la nature humaine (v. 1155, *ce n'est qu'un homme*) ; il se dit également d'un être humain par rapport à son origine sociale ou ethnique (1160-1175). Par extension (v. 1260, *ome*), le mot se dit d'un individu caractérisé par sa fonction, sa situation ; à partir de cet emploi, *homme de* suivi d'un nom ou

HOMME. Les noms indoeuropéens de l'homme : l'espèce humaine et le mâle

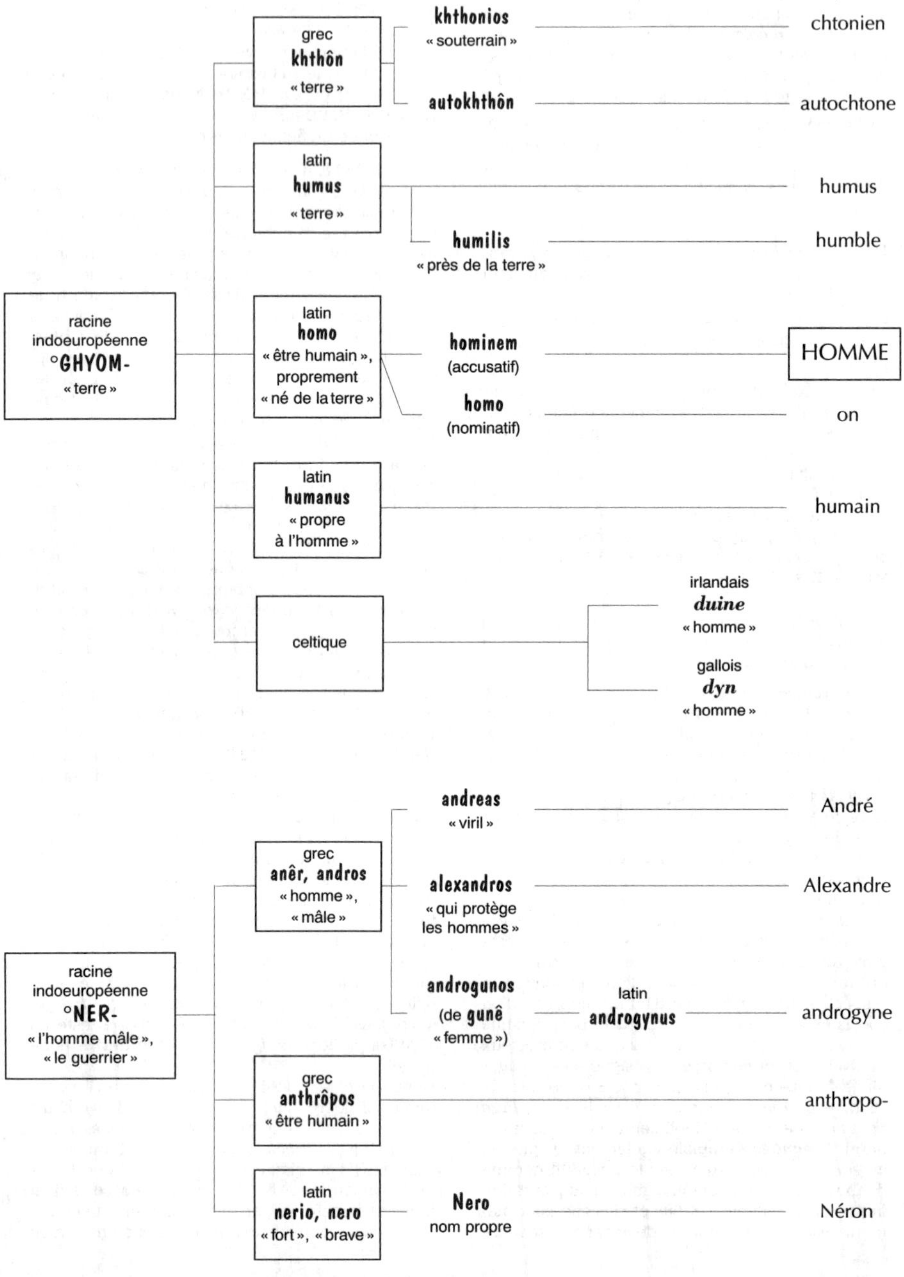

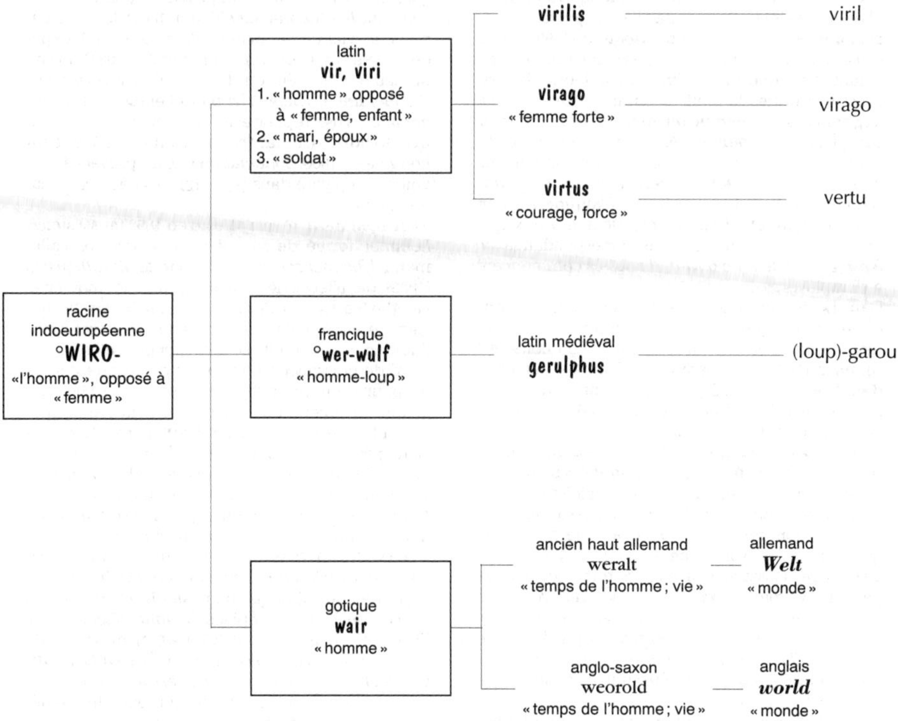
racine indoeuropéenne
°WIRO-
«l'homme», opposé à «femme»
latin
vir, viri
1. « homme » opposé à « femme, enfant »
2. « mari, époux »
3. « soldat »
virilis
viril
virago
« femme forte »
virago
virtus
« courage, force »
vertu
francique
°wer-wulf
« homme-loup »
latin médiéval
gerulphus
(loup)-garou
gotique
wair
« homme »
ancien haut allemand
weralt
« temps de l'homme ; vie »
allemand
Welt
« monde »
anglo-saxon
weorold
« temps de l'homme ; vie »
anglais
world
« monde »

d'un adjectif a donné naissance à de nombreux syntagmes, dont certains sont lexicalisés : ***homme de guerre*** «militaire» (1530), précédé par ***homme d'armes; homme politique*** (1552), ***homme de lettres**** (1580), ***homme de métier*** «artisan» (1606), *homme de robe* «magistrat» (1636), remplacé par ***homme de loi*** (1718); ***homme d'État*** (1640), *homme d'épée* «militaire de carrière» (1659), sorti d'usage comme *homme de cheval* «cavalier», ***homme de qualité, de condition*** (av. 1675), opposé à *homme du commun* (remplacé aujourd'hui par ***homme du peuple***); ***homme d'Église*** (1690), ***homme d'affaires*** (1690), autrefois «financier, intendant» et aujourd'hui «homme qui a une fonction de direction ou de décision dans l'économie privée». On peut encore citer *homme de mer,* archaïque, *homme de chambre* «valet» (1560), disparu alors que *femme de chambre* est en usage, puis *homme* (1596) en ce sens. Le mot désigne plus largement (1690) un exécutant dans une hiérarchie. Par ailleurs, des expressions professionnelles comme *femme de ménage* ont suscité ***homme de ménage*** (1972). Au XXe s. sont formés ***l'homme de la rue*** (1935), après *l'homme dans la rue* (1933) traduisant l'anglais *the man in the street,* 1931 ; l'italien dit *uomo qualunque* «l'homme quelconque», et aussi ***l'homme du jour*** «qui a la notoriété du moment». De nombreux syntagmes de ce type n'ont pas de correspondant avec *femme,* mais *femme d'État, d'affaires* commencent à s'employer.

Dans la dernière partie du XIVe s. est attesté le sens d'«être mâle ayant atteint sa maturité, physiquement et moralement» (1383, *omme*), d'où ***homme à femmes*** (1837) «qui séduit les femmes», et celui d'«individu considéré par rapport aux qualités et aux défauts dont il fait preuve» (1391, *homme de bien*); de ce sens viennent les locutions disparues, *homme de rien, homme de Dieu* «dévot» et ***honnête homme*** (→ honnête) ou ***grand homme*** qui équivaut à «personne, être humain remarquable et célèbre». ◇ Du sens d'«être humain mâle» est issu ***mon*** (**ton, son,** etc.) ***homme*** au sens de «l'homme dont il est question» (XVe s. ; *voilà mon homme*), employé aussi à l'époque classique au sens d'«homme qui ne cède pas» (1663, *trouver son homme* «son maître»), puis de «l'homme qui convient» (1866, *c'est votre homme*) et aussi de «mari, amant», emploi populaire. ◇ La locution ***d'homme à homme*** «directement» est attestée au milieu du XVIe s., ***être (un) homme à*** «être capable de» en 1647.

Le syntagme ***jeune homme*** pour «homme jeune» est relevé au XVIe s. ; il s'emploie couramment aujourd'hui pour «jeune homme célibataire» ou «garçon pubère», d'où par extension populaire au sens de «fils» (XXe s., avec un possessif : *son, votre jeune homme*) et pour appeler un adolescent trop jeune pour qu'on lui dise «Monsieur». Voir aussi le schéma pp. 1730-1731.

▸ Le dérivé **HOMMASSE** adj. est attesté en 1535 *(homace)* comme nom féminin au sens de «femme virile» ; le mot est sans doute antérieur puisqu'on relève l'adverbe *hommassement* «à la manière d'un homme» (en parlant d'une femme) à la fin du XIVe s. (1393), mot sorti d'usage. L'emploi adjectivé de *hommasse,* seul vivant, est relevé en 1584.

BONHOMME n. m. (au pluriel *bonshommes*), composé de ① *bon* et *homme,* est attesté au XIIe s. au sens d'«homme bon» (v. 1175), aujourd'hui archaïque. Il s'emploie aussi au moyen âge (XIIIe s.) pour «paysan, manant», sens disparu dont il reste le surnom donné au paysan français de l'Ancien Régime, *Jacques Bonhomme* (1359, *Jaques* écrit ; → Jacques). ◇ C'est l'idée d'infériorité sociale qu'on retrouve dans les emplois aujourd'hui désuets au sens d'«homme naïf et crédule» (1665) et comme appellatif (à un homme d'une condition inférieure, XVIIe s.). Le mot s'est employé aussi pour «mari trompé» (XIVe s.), «homme d'âge mûr ou avancé» (1536) et reste au sens d'«homme» dans le discours familier. ***Petit bonhomme*** (1762) se dit pour «petit garçon». ◇ Dans la locution ***aller*** (continuer, etc.) ***son petit bonhomme de chemin*** (1803), le renforcement de *chemin* par *petit bonhomme* reste inexpliqué. ◇ Par figure, *bonhomme* signifie (1831) «forme humaine dessinée ou façonnée grossièrement» ***(bonhomme de neige).*** Le pluriel enfantin des *bonhommes* s'est répandu au XXe siècle. ◆ Le dérivé **BONHOMIE** n. f., tardivement attesté (1736, *bonhommie ;* v. 1300, *bonomia* en ancien provençal), signifie «simplicité dans les manières liée à la bonté du cœur».

SURHOMME n. m. est attesté en 1892 (aussi *superhomme*), formé de *sur,* et *homme,* d'après l'allemand *Übermensch* répandu par le *Zarathoustra* (1885) de Nietzsche, qui avait pris le mot chez Goethe (*Faust,* I, 1). *Surhomme,* chez Nietzsche, désigne le «type d'homme supérieur» qu'engendrera l'humanité quand elle se développera selon la «volonté de puissance». Le mot, au début du XXe s., se dit pour «homme mythique, supérieur à l'homme actuel» (→ superman), puis pour «homme supérieurement doué». ◆ **SOUS-HOMME** n. m. (1859) désigne péjorativement celui qui n'a ni les qualités ni la liberté requises par la dignité d'homme. Voir aussi *humain* (*sous-humain, sous-humanité*).

Homme est utilisé comme premier élément de mots, composés à partir de la fin du XIXe siècle. ◆ **HOMME-SANDWICH** n. m. (1881) traduit l'anglais *sandwich-man* (1864), de *sandwich** et *man* «homme» ou elliptiquement *sandwich* (1836-1839 en ce sens) ; il a remplacé *homme-affiche* (1833, Th. Gautier); **HOMME-RÉCLAME** n. m. (1921 ; de *réclame*) ne s'est pas imposé. ◆ **HOMME-ORCHESTRE** n. m. (de *orchestre*) est attesté en 1842 au sens propre de «musicien qui joue simultanément de plusieurs instruments», en 1920 au figuré «homme qui accomplit des fonctions diverses dans un domaine». ◆ **HOMME-OISEAU** n. m. a désigné un être mythique (1828, Sainte-Beuve), mi-homme mi-oiseau ; le mot a été repris vers 1935 et fut à la mode jusque vers 1940, pour désigner un homme qui, largué d'un avion, effectuait de longs vols planés au moyen d'une voilure dorsale. ◆ **HOMME-GRENOUILLE** n. m. (1949) se dit d'un plongeur qui travaille sous l'eau, muni d'un scaphandre autonome. ◆ *Homme,* comme premier élément, s'emploie aussi dans de nombreux composés libres, tous noms masculins, comme **HOMME-LOUP** (1831, Michelet), **HOMME-NATION** (1831), **HOMME-FÉE** (1877, Hugo), *l'***HOMME-DIEU** «Jésus-Christ» (1920), **HOMME-MACHINE, HOMME-ROBOT** (1948, Cendrars), **HOMME-SERPENT** (1948, Cendrars), etc.

① **HOMO** n. m., mot emprunté au latin *homo, hominis* «homme», est un terme didactique utilisé pour désigner l'espèce zoologique formée par l'homme au sein des Primates ; *homo* est surtout utilisé dans des syntagmes latins (tel *Homo sapiens* créé par Linné, 1735), *Homo faber, Homo erectus* en particulier pour désigner des hommes fossiles *(Homo neandertalensis)* ou pour qualifier des aspects de l'activité humaine au XXe s. (*homo oeconomicus, homo ludens* formé par Huizinga, etc.).

◈ voir **GENTILHOMME, HOMINIEN, HOMMAGE, HOMONCULE, HUMAIN, ON, PRUD'HOMME** (art. **PREUX**).

② HOMO → SEXE

HOMO-

HOMO- est un premier élément, tiré du grec *homos* «semblable» servant à former des mots composés. L'adjectif grec *homos* est d'origine indoeuropéenne (sanskrit *sámaḥ-*, vieux perse *hama-*, vieux slave *samŭ*, gotique *sa, sama*, etc.), apparenté au latin *similis* et à sa famille (→ sembler, similitude).

▶ **HOMOGRAPHE** adj. et n. m. (1823, de *-graphe*) se dit des mots qui ont la même orthographe. ◇ **HOMOGRAPHIE** n. f. (de *-graphie*) et le dérivé **HOMOGRAPHIQUE** adj. sont des termes de géométrie, formés par Chasles (v. 1850), comme **HOMOTHÉTIE** n. f. (du grec *thesis* «position») et le dérivé **HOMOTHÉTIQUE** adj. (attesté en 1846). ➛ **HOMOGAME** adj. (1866, de *-game ;* cf. anglais *homogamous*, 1842), terme de botanique, signifie «qui ne comprend que des fleurs du même sexe». ➛ **HOMOPTÈRE** adj. et n. m. (1866, n. m. pl. pour l'ordre ; adj., 1873) est emprunté au grec *homopteros*, composé de *homos* et *pteron* «aile». Le mot désigne des insectes qui ont quatre ailes de dimension ou de consistance analogues.

HOMOMORPHISME n. m., de *-morphisme*, terme de sciences et de mathématiques (cf. anglais *homomorphism*, 1872), est attesté au début du XXe s. (v. 1935, en mathématiques), comme son synonyme **HOMOMORPHIE** n. f., qui a aussi le sens de «homogénéité des formes» et **HOMOMORPHE** adj. (attesté 1903 ; cf. anglais *homomorph*, 1886 ; *homomorphous*, 1854).

HOMOPHILE n. m. (v. 1970, de *-phile ;* cf. anglais *homophile*, 1960), terme didactique, signifie «homme qui éprouve une affinité sexuelle pour les personnes de son sexe, sans avoir forcément des pratiques homosexuelles».

◈ voir **HOMOGÈNE, HOMOLOGUE, HOMONYME, HOMOPHONE, HOMOSEXUEL** (art. **SEXE**), **HOMOZYGOTE** (art. **ZYGOMA**).

HOMOGÈNE

HOMOGÈNE adj. est emprunté (1503, *homogénée*) au latin scolastique *homogeneus* (av. 1200), lui-même emprunté au grec *homogenês* «de même race, de même sorte», composé de *homos* «semblable» (→ homo-) et de *-genês*, de *genos* «race, genre» (→ -gène).

♦ Le mot est introduit en français avec le sens de «de même nature en toutes ses parties» (en parlant d'un tout). Il est employé comme terme de mathématiques par Pascal (1657-1658, *grandeurs homogènes ;* ensuite *fonction homogène, espace homogène*). Au XVIIIe s., *homogène* se dit de ce qui présente une grande harmonie, une grande unité entre ses divers éléments (1733, *un groupe, une œuvre homogène*).

▶ Le dérivé **HOMOGÉNÉISER** v. tr. (1837) signifie «rendre homogène (qqch.)», d'où *lait homogénéisé* (XXe s.). ➛ Du verbe dérivent le terme technique **HOMOGÉNÉISATEUR, TRICE** adj. et n. m. (1907) et le terme didactique **HOMOGÉNÉISATION** n. f. (1907), rendu plus usuel par les techniques.

HOMOGÉNÉITÉ n. f. est un emprunt savant (1503) au dérivé latin scolastique *homogeneitas* (v. 1360) ; le mot désigne le caractère de ce qui est homogène et, par extension dans un contexte abstrait (1769), signifie «cohésion, harmonie, unité».

HOMOLOGUE

HOMOLOGUE adj. et n. est un emprunt savant (1585) au grec *homologos* «qui exprime par la parole un accord», «qui est en harmonie», «qui correspond à», composé de *homos* «semblable» (→ homo-) et de *-logos*, de *logos* au sens de «rapport, proportion».

♦ *Homologue* est d'abord utilisé en géométrie (1585) dans *termes homologues* «qui se correspondent exactement» puis (1680) dans *côtés homologues* (de deux triangles semblables). ◇ Le mot s'emploie ensuite, à partir du XIXe s., au sens d'«équivalent, semblable» (1803), emploi courant aujourd'hui, et dans des domaines spéciaux (en chimie, 1844 ; en anatomie, 1866). Au XXe s., *homologue*, nom, se dit d'une personne dont la fonction, l'activité est semblable à celle d'une autre personne *(l'homologue de* X, *son homologue)*.

▶ **HOMOLOGIE** n. f. est un emprunt savant (1822) au grec *homologia* «accord», «convention», «concession» (de *homologos*). Terme de sciences, *homologie* est employé en mathématiques (1822) et en chimie (1844). ◇ En dérive **HOMOLOGIQUE** adj., spécialisé en géométrie (1822) et en chimie (1858), d'où vient **HOMOLOGIQUEMENT** adv. (1866).

HOMOLOGUER v. tr., réfection (1461) de *emologuer* (1329) par dissimilation, est un emprunt au latin médiéval *homologare* (1268), lui-même emprunté au grec *homologein* «être d'accord, reconnaître», de *homologos*. ◇ Le verbe, d'abord terme de droit, signifie «approuver (un acte) par une mesure qui lui donne une force exécutoire» *(homologuer une adoption)*. *Homologuer* est aussi employé au début du XXe s. (1902) dans le domaine des sports, au sens de «reconnaître (un record), après vérification de la conformité à certaines normes». ➛ L'adjectif dérivé **HOMOLOGATIF, IVE** (1839), terme didactique, a seulement le sens juridique. ➛ **HOMOLOGATION** n. f. s'emploie en droit (1611 ; 1313, *emologation*) et en sports (1886), comme **HOMOLOGABLE** adj. (1866, en droit).

HOMONCULE

HOMONCULE n. m. est un emprunt savant (1611) au latin *homunculus* «petit homme», diminutif de *homo* (→ homme) ; on trouve les variantes *homuncule* (1873) et, par emprunt intégral au latin, *homonculus* ou *homunculus*.

♦ Aujourd'hui terme d'histoire des sciences, le mot a désigné un petit être vivant à la forme humaine, que prétendaient fabriquer les alchimistes (1611), puis au XVIIIe s. (1749, Buffon) le petit être préformé que les biologistes croyaient voir dans l'ovule ou le spermatozoïde. Par extension, *homoncule* s'est dit (apr. 1750) pour «petit homme contrefait» (cf. *avorton*), emploi sorti d'usage.

HOMONYME adj. et n. m. est un emprunt (XVe s.) au latin *homonymus* «de même prononciation mais de sens différent» (à propos des mots), lui-même du grec *homônumos* «qui porte le même nom, qui emploie la même dénomination», composé de *homos* (→ homo-) et de *onoma* «nom», qui correspond au latin *nomen* (→ nom).

♦ *Homonyme* apparaît dans le syntagme *vers homonyme* «vers léonin»; il est utilisé ensuite (1534) au sens de «personnes, villes, etc., qui portent le même nom» puis, devenu terme de grammaire, se dit comme en latin de mots phonétiquement identiques mais de sens différents (n. m., 1572; adj., 1616). ◇ *Homonyme* devient au XIXe s. un terme de médecine; l'adjectif employé au pluriel se dit de troubles, de lésions localisées symétriquement par rapport à la ligne médiane du corps (1866).

▶ **HOMONYMIE** n. f., emprunté au latin impérial *homonymia* (du grec *homônumia* «similitude de nom» et «sens ou mot équivoque»), apparaît en 1534 (Rabelais) au sens de «calembour», aujourd'hui sorti d'usage. Un peu plus tard (1582), le mot signifie «caractère de ce qui est homonyme», en particulier en parlant des unités lexicales, mots et locutions; par extension, il s'emploie au sens d'«identité des noms». ◇ En dérive **HOMONYMIQUE** adj. (XXe s.).

HOMOPHONE adj. et n. m. est un emprunt savant (1822, Champollion) au grec *homophônos* «qui parle la même langue» et «qui rend le même son, qui est à l'unisson», composé de *homos* «semblable» (→ homo) et de *phonê* «son», «voix, langage» (→ phonétique).

♦ Ce terme didactique signifie d'abord «qui a le même son», également nom masculin pour «son homophone» (1824); il s'emploie ensuite comme terme de musique, au sens de «qui correspond exactement au même son».

▶ **HOMOPHONIE** n. f., emprunt savant (1752) au dérivé grec *homophonia* «identité de langage» et «ressemblance de sons», est d'abord employé pour désigner la musique de l'Antiquité qui s'exécutait à l'unisson; il s'oppose à *polyphonie*. Champollion l'emploie ensuite (1822) pour désigner l'identité de sons représentés par des signes différents. Au XXe s., le mot se dit également du caractère homophone de deux notes.

HOMOSEXUEL → **SEXE**

HONGRE adj. et n. m. est attesté comme nom masculin au XIVe s. (1372); le mot représente une spécialisation de *Hongre, Ongre* «Hongrois» (1080), du latin d'Allemagne *Hungarus, ungarus*. Le mot est d'origine turque; l'ethnie elle-même se désigne par *Magyar*. Le grec byzantin correspondant, *onogouroi*, permet en effet de reconnaître le turc *on* «dix»; l'identité du second terme est incertaine, mais il paraît s'agir du nom propre d'un groupe qui devait compter dix tribus.

♦ La spécialisation du mot en français vient du fait que l'usage de châtrer les chevaux a été emprunté à la Hongrie; *hongre* s'emploie aussi comme nom masculin (1572). Le mot est sorti d'usage au sens d'«homme châtré» (1611), aujourd'hui réservé à *castrat, eunuque*.

▶ Le dérivé **HONGRER** v. tr. (1613) «châtrer (un animal)» est d'emploi technique, comme son dérivé **HONGREUR** n. m. (mil. XIXe s.).

HONGROIS, OISE adj. et n. est un dérivé (XIIIe s., J. Bodel) de *Hongre*, au sens ancien de «Hongrois». *Hongrois*, nom pour «personne d'ethnie magyare ou habitant la Hongrie» (XIIIe s.) et adjectif pour «qui se rapporte à la Hongrie» (apr. 1250), désigne aussi comme nom masculin (1701) la plus importante des langues finno-ougriennes, qui s'écrit en caractères latins.

HONGROYER v. tr. dérive (1734) de *Hongrie* dans *cuir de Hongrie*, par suffixation *-oyer*, peut-être d'après *corroyer*. Terme technique, le verbe signifie «préparer (le cuir) à la manière des cuirs dits de Hongrie». ◇ Il a fourni **HONGROYEUR, EUSE** n. (1734) et **HONGROYAGE** n. m. (1804).

HONGROIS → **HONGRE**

HONNÊTE adj. et n. m. est emprunté (mil. XIe s.) au latin *honestus* «digne de considération, d'estime», «juste, conforme à la morale», «beau, noble», dérivé de *honos, honoris* d'après une flexion °*honos, honeris* (→ honneur).

♦ Le mot s'utilise d'abord en français au sens de «juste, honorable». Au XIIe s., il qualifie ce qui est conforme aux bienséances, aux convenances (v. 1160) et ce qui est noble, digne d'estime, en parlant de personnes (v. 1174-1176), valeur sortie d'usage comme l'emploi extensif pour «magnifique» (1440-1475), qui subsiste jusqu'au XVIIe siècle. ◇ Par extension, il prend le sens (v. 1280) de «courtois, civil», devenu lui aussi archaïque. ◇ Au milieu du XVe s. *(honnestes femmes)*, se rattachant à son premier emploi, *honnête* s'applique à une femme qui pratique la vertu en matière sexuelle; le mot tend à vieillir en ce sens; avec l'évolution des mœurs sexuelles, il est appliqué au XIXe s. à une femme qui, ayant eu des relations extra-conjugales, a su sauver les apparences. ◇ Dès le début du XVIe s., *honnête* se dit de ce qui convient à l'usage auquel on le destine (1501) et, en particulier (1508), de ce qui convient à la condition sociale d'une personne. Cette valeur se développe, spécialement avec l'expression ***honnête homme,*** attestée en 1538; elle se répand au sens d'«homme affable, de conversation agréable» (chez Montaigne, 1580), mais désigne aussi une notion complexe : *l'honnête homme* idéal, selon Faret dans *L'Honnête Homme ou l'Art de plaire à la Cour* (1630), était un gentilhomme qui joignait à la «naissance» les dons du corps, la culture de l'esprit, le goût de la poésie, le courage, la probité, les vertus chrétiennes; on emploie aussi ***honnêtes gens*** en ce sens (Académie, 1694). Dans cette acception, le mot est aujourd'hui d'emploi didactique pour parler du XVIIe s. en France. ◇ De l'idée de «convenance» viennent d'autres emplois, surtout à l'époque classique; on parle d'un *prétexte honnête* «fondé sur une apparence de raison» (v. 1550), d'un *habit honnête* «encore assez bon pour être porté» (1690), d'une *naissance honnête* (1690); le sens de «convenable, approprié» a vieilli (1680, *un cadeau honnête*), mais on qualifie encore d'*honnête* un vin, etc. ◇ C'est aussi au XVIIe s. que le mot prend le sens (1669) de «qui respecte le bien d'autrui» (en locution ***trop poli pour être honnête***).

▶ **HONNÊTEMENT** adv., dans sa première attestation (1121-1134, *onestement*) signifiait «selon la morale», d'où ensuite (v. 1485) «selon le devoir, la probité, etc.». ◇ L'adverbe correspond ensuite (1174-1176, *honestement*) à «selon les normes moyennes ou raisonnables». De là *honnêtement payé* «suffisamment» (1611). ◇ Aux sens de «selon les bienséances» (fin XIIe s.), de «en honnête homme», le mot est aujourd'hui vieilli.

HONNÊTETÉ n. f. représente la réfection (v. 1265), d'après *honnête*, de l'ancien *onesté* (v. 881), emprunt au dérivé latin classique *honestas, -atis* «honneur, considération, beauté morale, vertu». ◇ Le mot a eu une évolution sémantique parallèle à celle d'*honnête*. Au XIIIe s., il s'emploie au sens de «bienséance, convenance», d'où les emplois aujourd'hui vieillis pour «témoignage de politesse» (1532, Rabelais) et pour «civilité, bienveillance», «ensemble des qualités de l'honnête homme» (1538). ◇ Il s'est dit aussi (1275-1285) pour «dignité, noblesse», valeur aujourd'hui archaïque mais d'où viennent le sens demeuré courant de «fait d'être conforme à la probité» (1538; XIIe s., *honesté*), et celui de «décence, pudeur» (1538), qui ne subsiste aujourd'hui que dans des expressions *(choquer, blesser l'honnêteté)*.

DÉSHONNÊTE adj., composé au XIIIe s. (de *dés-*; → ① dé-), a signifié «vilain, affreux» (en parlant d'une chose) puis (v. 1265) a pris le sens d'«inconvenant, contraire à la pudeur», encore en usage, et ceux de «déshonorant» (XVe s.) et «improbe» (1538), disparus. ◆ Le dérivé **DÉSHONNÊTETÉ** n. f. (XIVe s.; XIIIe s., *déshonesté*) est noté comme vieux par l'Académie en 1798. ◆ **DÉSHONNÊTEMENT** adv. (v. 1230) est rare.

MALHONNÊTE adj., dans son premier emploi attesté (1406, de *mal*, adv.), signifie «délabré». L'adjectif s'emploie ensuite (v. 1462) au sens de «qui manque à la décence», aujourd'hui archaïque en parlant d'une personne. Au XVIIe s., *malhonnête* acquiert plusieurs valeurs : *malhonnête homme* «qui manque aux usages de la société» (1668) s'oppose à *honnête homme* et l'adjectif s'applique à quelqu'un qui manque à la civilité; ces emplois, sauf le dernier, marqué comme populaire (cf. *malpoli*), ont disparu aujourd'hui. ◇ Enfin le mot signifie «qui manque à la probité» (1674), sens le plus courant aujourd'hui. ◆ Le dérivé **MALHONNÊTETÉ** n. f. est attesté au XVIIe s. (1676) aux sens de «manque de politesse», archaïque, et de «manque de probité», d'où viennent par extension celui d'«acte contraire à la probité» (1864), d'emploi rare, et celui de «mauvaise foi» (1883, *malhonnêteté intellectuelle*). Le sens tardif (1902) d'«indécence» est tombé en désuétude. ◆ **MALHONNÊTEMENT** adv. est relevé en 1665.

HONNEUR n. m., apparu dans la deuxième moitié du Xe s. *(honor)*, est issu du latin impérial *honor, honorem*, en latin classique *honos*, «honneur rendu aux dieux, décerné à qqn» (le sentiment de l'honneur étant plutôt désigné par *honestum*), «charge honorifique» (au pluriel *honores* «les honneurs»), «magistrature, fonction publique». Les formes *onor, enor, eneur* de l'ancien français sont devenues *honneur* par réfection étymologique. L'essentiel des sens du latin est repris avant la fin du XIIe s.

♦ Depuis le VIe s., *honor* se dit de charges octroyées à un comte, à un duc, aux officiers royaux, qui s'accompagnent de revenus fonciers; avec le temps, l'honneur se confond avec le *bénéfice*, devenu héréditaire; aussi trouve-t-on au Xe s. *honneur* avec le sens d'«office, charge», puis de «possession, fief» (1080; IXe s., *honor*). Ces emplois ont disparu, mais il en reste ***les honneurs*** «les titres, les charges, les décorations, etc. qui sont appréciées dans la société» (par ex., dans *être comblé d'honneurs*). Spécialement, le mot reprend le sens du latin *cursus honorum* «carrière des honneurs», hiérarchie des fonctions publiques, avec le sens de «dignité d'une carrière»; par métonymie, il signifie «insignes honorifiques» (pour la célébration de grandes cérémonies) et désignait une personne qui porte ces insignes (1752). ◆ Dans la seconde moitié du Xe s., *honneur* a le sens général de «marque de vénération, de considération» (attachée à la vertu, au mérite, etc.), d'où en ancien et moyen français celui d'«action honorable» (depuis le XIe s.). De ce sens viennent *acquérir de l'honneur*, sorti d'usage et remplacé par ***s'en tirer avec honneur***; ***pour l'honneur*** «de façon désintéressée»; ***rendre honneur à*** «célébrer» (comme *rendre hommage*); au XVIIe s., ***en honneur*** se dit à propos de choses pour «apprécié, estimé» ***(mettre qqch. en honneur)***. ***D'honneur*** s'emploie depuis le XVIIIe s. dans ***champ d'honneur*** «champ de bataille» (où l'on acquiert de l'honneur); la locution a été reprise dans le domaine des sports, dans ***faire un tour d'honneur***.

Dès le milieu du XIe s., *honneur* est attesté au sens de «considération, estime dont on jouit» et est employé (1080) pour «bien moral, sentiment qu'on a de sa dignité». De là viennent *veuve d'honneur* «femme qui a perdu son honneur», en usage à l'époque classique, et *l'honneur d'une femme* (v. 1145), expression vieillie aujourd'hui, pour désigner la réputation attachée au caractère irréprochable de ses mœurs; de là l'expression *rendre l'honneur à une femme* «l'épouser après l'avoir eue pour maîtresse», sortie d'usage. Reste de cette acception la locution moderne ***en tout bien tout honneur***. *Honneur (d'un homme)* au sens de «réputation liée au comportement de sa femme» est archaïque et *honneur* «parties sexuelles de la femme» (1690) n'a pas vécu. Ces valeurs sociales sont liées dans la langue classique au sens correspondant de *honnête*. ◇ On emploie aussi *honneur* en parlant d'une collectivité, d'une profession, etc. (*l'honneur de la famille, l'honneur militaire*, etc.). ◆ Du premier usage sont issues de nombreuses locutions, en particulier à l'époque classique, où l'honneur fait partie intégrante de la morale : ***point d'honneur*** «chose essentielle quant à l'honneur» est attesté en 1580 (*se faire un point d'honneur de*); la locution *se piquer d'honneur* (1657, Pascal) est vieillie aujourd'hui, comme *piquer d'honneur qqn* (fin XVIIe s.); ***affaire d'honneur*** «où l'honneur est engagé» (1690) prend le sens spécial de «duel» au XVIIIe s.; *en l'honneur, d'honneur*, devenues archaïques, ont cédé la place à ***sur mon honneur*** (1690), elliptiquement ***sur l'honneur*** (1835). ***Parole d'honneur*** est attesté en 1694, auparavant avec une valeur spéciale, dans *porter à quelqu'un une parole d'honneur* «l'appeler en duel» (1671). On relève aussi ***mettre son honneur à (qqch.)*** et ***sauver l'honneur***, cette dernière locution étant utilisée aujourd'hui dans le domaine des sports, en parlant d'une rencontre qui a tourné au désavantage d'une équipe.

En emploi absolu, *honneur* (1080), parfois écrit avec une majuscule, se dit du sentiment qui pousse à obtenir le bien moral qu'est l'honneur. De là viennent ***homme d'honneur***, d'abord «homme d'un certain rang» (1461) et ensuite «personne animée par le sentiment de l'honneur», d'où par extension «homme de probité» (1592), et ***bandit d'honneur*** «celui qui est devenu bandit par honneur», spécialement en parlant des bandits corses (cf. *vendetta*). ◇ *Honneurs* au pluriel se dit pour «éloges» (XIIe s.). De ce sens viennent, de nos jours, des syntagmes littéraires, ***honneurs funèbres, suprêmes*** (1552), aussi en emploi absolu à partir du XVIIe s. (1642), et ***les derniers honneurs*** (fin XVIIe s.). Autrefois, *avoir les honneurs du Louvre* (1672, Mme de Sévigné) se disait de ceux qui avaient certains privilèges, en particulier celui d'entrer à cheval dans la cour du Louvre. ◇ Au XVIIIe s., ***les honneurs de la guerre*** (1732) désignent la condition stipulant que la garnison qui se rend peut se retirer libre d'une place; au figuré, ***sortir d'une discussion avec les honneurs de la guerre*** signifie «en sortir sans rien perdre de sa dignité». ***Honneurs militaires*** (1823) se dit encore aujourd'hui des saluts, salves d'artillerie, etc., rendus à des chefs d'État, des drapeaux, etc.

Depuis le XIIe s., *honneur* a aussi le sens de «traitement destiné à honorer qqn», par exemple dans la locution ***en l'honneur de qqn*** (XIIe s., *en l'onor de*) «en vue de lui rendre honneur» (*à l'honneur de*, de même sens, est sorti d'usage); ***en l'honneur de*** a pris aujourd'hui le sens d'«à cause de» dans un registre familier (cf. aussi *en quel honneur?* «à cause de qui, de quoi?»). *Tenir à l'honneur* «considérer comme un honneur» est archaïque; ***avoir, faire à qqn l'honneur de*** (suivi de l'infinitif) «l'honneur qui consiste à» est devenu par affaiblissement une formule de politesse (en particulier dans le style épistolaire). ◇ ***D'honneur***, après un substantif (XVIIIe s., relevé par Richelet, 1680) marque à l'origine que la personne ou la chose est destinée à recevoir ou à conférer un honneur (*président d'honneur*). ◇ *Faire l'honneur à qqn* (mil. XVIIe s.) correspond à «lui valoir de l'honneur»; dans le même sens, *faire de l'honneur* est sorti d'usage. ***Faire honneur à une dette*** signifie «garder la considération qu'on a en la payant» (1679), ***faire honneur à qqch.*** (av. 1690) «y rester fidèle, s'en montrer digne» se dit familièrement par extension quand la chose semble être traitée de façon flatteuse (*faire honneur à un repas* «en manger largement», 1694).

▶ Le composé **DÉSHONNEUR** n. m., attesté dans *La Chanson de Roland* (1080, de *dés-*; → ① dé-), signifie «perte de l'honneur», «état d'une personne qui a perdu son honneur», d'où la locution *presser qqn de son déshonneur* «lui faire commettre des actes qui le déshonorent», sortie d'usage. Le mot a désigné des paroles ou des actes outrageants (1425) et, par ailleurs, l'état d'une femme qui s'est laissé séduire (v. 1485). ◆ **HONORIS CAUSA** loc. adj. et adv. est emprunté (1894) à la locution latine signifiant «pour l'honneur», de *causa* à l'ablatif, «pour cause de, en raison de», et du génitif de *honos, honoris* «honneur». La locution s'emploie dans *docteur honoris causa*, titre conféré à des personnalités que l'on veut honorer, bien qu'elles ne remplissent pas les conditions normalement exigées.

◈ voir HONORABLE, ① HONORAIRE, HONORER, HONORIFIQUE.

HONNIR v. tr. est issu (1080, *hunir*) du francique °*haunjan* «railler, insulter» (→ honte), que l'on restitue d'après l'ancien haut allemand *hônen* et le moyen néerlandais *honen* «déshonorer», «corrompre» (cf. allemand *höhnen* «railler, bafouer»). ⓖ

♦ Le verbe est d'emploi littéraire au sens de «vouer au mépris public, couvrir de honte», venu du premier emploi, archaïque, de «déshonorer».

▶ Le participe passé adjectivé **HONNI, IE** (1269-1278, *honi*) est également d'emploi littéraire, en particulier dans la formule ***honni soit qui mal y pense*** «honte à celui qui y voit du mal»; cette formule enregistrée par Furetière (1690) est beaucoup plus ancienne : elle a été la devise en français de l'Ordre de la Jarretière, en Angleterre; elle s'emploie avec ironie pour blâmer ceux qui verraient une allusion scabreuse dans les actes ou les propos les plus honnêtes.

HONORABLE adj. est emprunté (v. 1125) au latin *honorabilis* «qui fait honneur», «digne d'être honoré», employé comme titre honorifique en bas latin, dérivé de *honorare* (→ honorer).

♦ *Honorable* conserve le sens latin de «digne de respect» (v. 1125, en parlant d'une personne), d'où «noble» (qui subsiste dans la locution ***l'honorable compagnie***), puis s'emploie comme épithète honorifique (1276, *honorable homme*), titre donné ensuite aux marchands et aux artisans, par opposition à la noblesse (1690); cet usage a disparu officiellement en 1791 par décision de l'Assemblée législative, qui supprime l'usage de *honorable membre*. En ancien français, l'adjectif a eu d'autres valeurs : «respectueux, disposé à faire honneur» (XIIIe s.) — d'où son emploi appliqué à une personne qui observe les règles de la bienséance (XVe s.) — et «vénérable» en théologie (XIIIe s.), encore au XVIe siècle. *Amende honorable*, relevé au XVIe s. (1549), désignait une peine infamante (susceptible de réparer la faute), puis une réparation faite à qqn (1636), valeur qui demeure affaiblie dans ***faire amende honorable*** (1672). ◇ Depuis le milieu du XVIe s., *honorable* qualifie une chose considérée comme attirant la considération, digne de respect *(une profession honorable)*; au début du XVIIe s. est attesté le sens affaibli de «convenable, suffisant» (d'Aubigné). L'adjectif, en termes de blason (1690), conserve son premier sens, dans *pièces honorables* «pièces principales» (on dit aussi *pièces de premier ordre*). Depuis le XIXe s. (V. Hugo, 1829), *honorable* s'emploie comme terme de déférence, dans la langue parlementaire, d'où l'emploi du mot comme nom masculin au sens de «député, parlementaire» (1845); cet emploi est un emprunt à l'anglais *honourable* (lui-même issu de *honorable*) utilisé en ce sens depuis 1450 pour s'adresser à des personnages de haut rang ou appartenant à certains corps; en anglo-américain, *honourable* se dit à partir de 1640 des magistrats.

▸ **HONORABLEMENT** adv. est attesté au XIIe s. (1160-1174). ◆ **HONORABILITÉ** n. f. apparaît sous la forme *onorableté* (v. 1265; usitée jusqu'au XVIe s.) aux sens de «caractère honorable (de qqn ou de qqch.)» et de «capacité d'honorer»; la forme est refaite d'après le latin *honorabilitas* (de *honorabilis*) en *onorabilité* (1464, attestation isolée) au sens de «qualité de ce qui est honorable». ◇ Le mot est repris au XIXe s. *(honorabilité)* et signifie «qualité d'une personne honorable»; il s'emploie par métonymie, mais rarement, pour «personne honorable» (1857, Baudelaire; cf. *notable*).

① **HONORAIRE** adj. représente un emprunt (1496) au latin *honorarius* «honorable», puis en latin juridique «donné à titre d'honneur», dérivé de *honos, honoris* (→ honneur).

♦ *Honoraire* s'applique à une personne qui, sans exercer une fonction, en a le titre «par honneur» (1496, *tuteur honoraire*) puis par extension (1680, *conseiller honoraire*) à une personne qui garde le titre d'une fonction, ayant cessé de l'exercer (cf. en Belgique, *émérite*).

▸ En dérive le terme didactique **HONORARIAT** n. m. (1841, sur le modèle de *notariat*).

② **HONORAIRE** n. m., **HONORAIRES** n. m. pl. a été emprunté (1597, au singulier) au latin impérial *honorarium (donum)*, neutre substantivé de *honorarius* «don honorable», d'où «rétribution d'une charge».

♦ Le mot a d'abord eu le sens de «rétribution honorable», aujourd'hui archaïque. *Honoraire*, par spécialisation, prend ensuite le sens de «rétribution accordée aux personnes exerçant une profession libérale, en échange de leurs services» (1747); le mot s'emploie au singulier ou au pluriel au XVIIIe s., seulement au pluriel de nos jours; il s'oppose à *salaire*.

HONORER v. tr. a été emprunté (première moitié du Xe s.) au latin *honorare* «rendre hommage», «gratifier», «orner», dérivé de *honos, honoris* (→ honneur).

♦ Le verbe est introduit avec le sens, toujours en usage, de «rendre hommage par des marques de respect» *(honorer ses parents, la mémoire de qqn)*; l'emploi dans le langage de la politesse ne subsiste qu'au participe passé et au passif *(je suis très honoré*; cf. aussi l'emploi comme nom féminin [1873], avec ellipse du mot *lettre* : *j'ai reçu votre honorée du...*). Il s'emploie en particulier (XIIIe s.) au sens de «gratifier (qqn) d'une récompense». ◇ Par extension, le verbe signifie (1580, Montaigne) «tenir en haute estime», d'où *honorer la paresse*, etc. (av. 1650). ◇ En emploi pronominal, *s'honorer* prend le sens de «tirer honneur de» (mil. XVIe s.) et, dans un emploi péjoratif, celui de «tirer vanité de» (mil. XVIe s., *s'honorer de ses richesses*). ◇ À partir du XVIIe s., *honorer* signifie «faire honneur» (attesté 1690, *honorer son pays*). Le verbe entre au XVIIIe s. dans le vocabulaire du commerce et signifie «acquitter» (afin de «faire honneur» à un engagement, 1723). ◇ Par euphémisme, il s'emploie (XXe s.) pour «avoir des relations sexuelles avec» *(honorer sa femme*; cf. *hommage*).

▸ **DÉSHONORER** v. tr. (fin XIIe s., sous la forme *deshonret*; puis *deshonorez*, déb. XIIIe s.) signifie «priver (qqn) de l'honneur», «porter atteinte à l'honneur de (qqn)». Par référence à la morale sexuelle traditionnelle, *déshonorer une femme*, c'est la séduire, abuser d'elle (fin XIIe s.). Par extension le verbe, dans un emploi aujourd'hui littéraire, se dit pour «faire tort à (qqch.)» [XVIIe s.]. ◆ Le dérivé **DÉSHONORABLE** adj. (v. 1265), archaïque, a été remplacé par **DÉSHONORANT, ANTE** adj. (1748), demeuré usuel.

HONORIFIQUE adj. est un emprunt savant (1488) au latin *honorificus* «qui honore, procure les honneurs», dérivé de *honos, honoris* (→ honneur).

♦ Le mot conserve le sens du latin; aujourd'hui terme d'histoire, *droits honorifiques* désignait sous l'Ancien Régime un ensemble de droits à certains honneurs réservés aux seigneurs. L'adjectif, sur le modèle d'expressions comme *à titre gratuit, onéreux*, s'emploie dans *à titre honorifique* pour «sans autre droit qu'un titre honorifique».

▸ **HONORIFIQUEMENT** adv. (1488) est sorti d'usage.

HONTE n. f. est issu (1080, *hunte*) du francique °*haunipa*, °*haunita* «mépris, raillerie» (cf. *honnir*), restitué d'après l'ancien haut allemand *hônida* «déshonneur», le moyen néerlandais *hoonde* (cf. allemand *Hohn*).

♦ *Honte* a d'abord le sens de «déshonneur humiliant», d'où celui d'«affront», d'«humiliation» (1174-1176), spécialement dans la locution *faire honte à qqn* «l'outrager» (XIIe s.), et par extension «être un sujet de honte» (fin XIIe s.); de cette acception procède aussi ***à la honte de qqn*** «en lui infligeant un déshonneur». Au début du XIIIe s., on relève la locution aujourd'hui archaïque *boire honte* «éprouver toutes sortes d'avanies», puis ***avoir toute honte bue*** (XVe s.; av. 1450, *avoir toutes ses hontes bues*) au sens de «devenir inaccessible à la honte» (pour avoir subi trop d'avanies). ◇ Le mot s'emploie ensuite pour «pudeur» (xve s.), puis désigne une chose, un fait honteux (1538) et un sentiment pénible d'humiliation devant autrui, d'indignité devant sa conscience (sens attesté en 1611); en est issu un nouveau sens de la locution ***faire honte (à qqn)*** «faire des reproches à qqn (pour lui inspirer de la honte)» (apr. 1650). ◇ La locution ***courte honte*** «échec, insuccès» (1552, Rabelais), encore courante au XVIIIe s. (Rousseau) est tombée en désuétude. ◇ Au XVIe s., apparaît par affaiblissement (av. 1553) le sens de «sentiment de gêne éprouvé par timidité, par pudeur, par crainte du ridicule, etc.»; c'est ce sens affaibli qu'on trouve ensuite dans les locutions ***mauvaise honte*** (1660), ***fausse honte*** (1735) «honte éprouvée à propos de qqch. qui n'est pas blâmable». *Honte* entre dans les expressions ***quelle honte! c'est une honte!*** (1690) signifiant «c'est une chose honteuse», puis, par exagération, «c'est lamentable», d'où, récemment, *(c'est) la honte!* ainsi que dans l'exclamation d'emploi littéraire *honte à celui, à ceux...* (1837).

▸ Le composé **AHONTER** v. tr. (v. 1188; avec un autre suffixe *ahontir,* v. 1120) a signifié «couvrir de honte»; le verbe est sorti d'usage depuis le XVIIIe siècle.

HONTEUX, EUSE adj. est dérivé au XIIe s. du nom (v. 1135, *hontos*) avec les sens de «qui éprouve de la honte» et (v. 1165) «qui cause de la honte», d'où les emplois devenus archaïques de *être honteux à qqn* «mériter l'ignominie». ◇ Les interdits sexuels expliquent l'usage de ***parties honteuses*** «organes génitaux» (xve s.), vieilli aujourd'hui, et de ***maladie honteuse*** pour *maladie vénérienne* (mil. XVIe s.). ◇ Depuis la fin du XIIe s., *honteux* signifie par affaiblissement «qui éprouve de la confusion, de la gêne», vieilli de nos jours, puis par extension (fin XIIIe; déb. XVIIe s., «pudique») «qui dissimule (son état) par gêne» *(un pauvre honteux);* de là vient la locution familière ***le morceau honteux*** pour désigner le dernier morceau dans un plat, que personne n'ose prendre (XVIe s.). ◆ **HONTEUSEMENT** adv. (v. 1120, *huntusement*) est d'emploi littéraire au sens de «d'une manière honteuse», mais courant pour «d'une manière très insuffisante».

HOP interj., attesté sous la forme *houp* en 1652 et *hop* vers 1828, est une onomatopée certainement antérieure : le dérivé *houper* «appeler qqn» est relevé à la fin du XIVe s. (Froissart); ce verbe archaïque est encore dans le dictionnaire de l'Académie en 1935.

♦ *Hop* sert à stimuler, à faire sauter (*hop là!* et variante *houp là!*). ◇ L'exclamation *hip hop!* (1991), liée au rap et à d'autres mouvements de jeunes, est probablement reprise à l'anglais, et suggère la vivacité (d'un rythme, figurément d'une action).

HÔPITAL, AUX n. m., d'abord *opital* (v. 1170) puis *hospital* (1190), est emprunté au nom bas latin *hospitalis* (VIIe s., Bède), de l'adjectif *hospitalis* dans *hospitalis domus* «maison hospitalière». *Hospitalis* est l'adjectif de *hospes,* qui a donné *hôte.*

♦ Le mot s'applique d'abord à un établissement religieux recevant des personnes démunies, mendiants ou non. *Ospital de Jerusalem* (1180), du latin *Ospitale Jherosolimitanum,* correspond par exemple à la même notion que *hôtel*-Dieu.* Étendu à des établissements laïcs analogues, le mot est alors un quasi-synonyme de *hospice*.* De ce sens viennent des locutions plus ou moins archaïques et qui seraient aujourd'hui mal comprises, où le mot symbolise la misère : *le (grand) chemin de l'hôpital* (1640), *être réduit à l'hôpital,* etc., ainsi que des acceptions figurées, «taudis» (1704), voire en argot «prison» (1837).
La spécialisation médicale apparaît au XVIIe s. dans *hôpital pour les malades* (1671), mais la distinction nette avec *hospice* ne se fait que dans la seconde moitié du XVIIe siècle. En français classique, le contenu du mot est encore axé sur l'hébergement gratuit, même si l'établissement dispense des soins : *hôpital des orphelins* (1690) «orphelinat», *hôpital général* (1704) «hospice pour tout indigent». Depuis le début du XIXe s., *hôpital* est usuel pour désigner un établissement public recevant et traitant des personnes nécessitant des soins (malades, blessés, femmes en couche...) pendant un temps relativement limité.
Dès le XVIIIe s., la spécialisation médicale paraît claire en contexte militaire, avec *hôpital ambulant* (1762), qui prépare *ambulance* (*hôpital militaire* est attesté tardivement, 1893), et dans la marine (1721), où l'on emploie par apposition *vaisseau hôpital* (1773). ◇ Senti comme une suffixation argotique irrégulière de *hôpital* et *hospitalier, hosto* est en fait une variante de *hôtel*.*

▸ ① **HOSPITALIER, IÈRE** adj. est emprunté (1174) au latin médiéval *hospitalarius,* dérivé attesté au XIIe s. (1109) du bas latin *hospitale,* de *hospitalis* «de l'hôte» (ci-dessus). Le mot qualifie d'abord les religieux qui recueillent et abritent des voyageurs ou des indigents; il est aussi substantif (au féminin, XIIIe s.) alors par dérivation probable de *hospital.* ◇ Parallèlement à l'évolution de sens de *hospital/ hôpital,* il se dit au XVIIe s. de ce qui concerne l'accueil des indigents et aussi les soins aux malades. De là un emploi substantif, d'abord attesté en Suisse (vaudois *espitaley,* 1401), aussi au féminin (*hospitaliere,* 1532, Rabelais), puis adjectif (XVIIe s.) pour «(personne) qui soigne les malades» (cf. en français moderne, *infirmier-infirmière*). ◆ Depuis le moyen français, ② **HOSPITALIER, IÈRE** adj. s'emploie pour qualifier le bon accueil des hôtes, d'abord dans *Jupiter ospitalier* (1488), puis en parlant des personnes (1586), des lieux (1671) accueillant bien les étrangers, d'où agréables, accueillants (déb. XIXe s.). ◇ Cet adjectif a pour dérivé rare **HOSPITALIÈREMENT** adv. (1590) et pour préfixé antonyme **INHOSPITALIER, IÈRE** adj., d'abord attesté pour les lieux (1649, Scarron), puis les personnes (1671), l'accueil, les coutumes (1776, Voltaire). ◇ Son dérivé **INHOSPITALIÈREMENT** adv. (1838) est rare.

HOSPITALITÉ n. f. est emprunté (v. 1206) au latin *hospitalitas,* dérivé de *hospitalis.* Le mot désigne l'hébergement gratuit et l'attitude charitable qui correspond à l'accueil des indigents, des voyageurs dans les couvents (dans les hospices* et hôpitaux*). Au XVIe s. (1538), il est réemprunté (après *hospitalier,* semble-t-il) dans le contexte antique pour «droit réciproque de protection et d'abri», parallèlement à l'emploi général pour «fait de recevoir, loger, nourrir qqn sans contrepartie» (1530) et par extension «bon accueil». ◇ En histoire, par calque du latin médiéval *hospitalitas, hospitalité* se dit du système obligeant les occupants d'un territoire de l'Empire romain envahi par les Germaniques à leur céder une partie des terres, en les accueillant en tant qu'«hôtes». Le premier emploi en français (1661) dans ce sens concerne les Burgondes. ➞ *Hospitalité* a pour préfixé antonyme **INHOSPITALITÉ** n. f. (1530), qui correspond à *inhospitalier* mais qui, à la différence de l'adjectif, est devenu archaïque. Par ailleurs, en relation avec *hôpital* et *hospitalier*, le latin *hospitales* a servi à former **HOSPITALISER** v. tr. (1801, Mercier), d'abord au sens de «soigner et accueillir (les indigents)», puis, en relation avec l'évolution de *hôpital*, «admettre (un malade, un blessé...) dans un hôpital» (1875, comme **HOSPITALISÉ, ÉE** adj., aussi substantivé). ◇ Ce sens est antérieur aux attestations puisque le dérivé **HOSPITALISATION** n. f. est enregistré avec cette valeur en 1866. Le mot est usuel en relation avec l'acception moderne du verbe. ➞ **HOSPITALISME** n. m. est emprunté (1949) à l'anglo-américain *hospitalism* (Spitz, 1945), dérivé de *hospital* qui correspond au français *hôpital*. Ce terme de psychiatrie concerne les troubles liés à la situation d'hospitalisé.

HOSPITALO-, élément tiré du latin *hospitalis*, entre dans **HOSPITALO-UNIVERSITAIRE** adj. (1958), qualifiant en France un centre qui associe les soins et la recherche médicale, le syntagme *centre hospitalo-universitaire* étant abrégé en C. H. U.

HOQUET

HOQUET n. m., réfection (XVe s.) de *hoquès* (1310), a été formé à partir d'une onomatopée, *hok-*, qui exprime un bruit de choc.

♦ *Hoquet* est attesté en 1310 comme terme de musique, désignant une alternance de deux voix se répondant, dans la polyphonie médiévale. Le mot se dit ensuite pour «coup, choc» (1385), archaïque aujourd'hui comme son emploi figuré au sens d'«empêchement». ◇ Le mot prend au XVe s., alors sous la variante *icquet* (1464), le sens de «contraction spasmodique du diaphragme, qui produit une vibration des cordes vocales», d'où par métonymie «bruit qui en résulte». Les locutions ***le dernier hoquet*** (1608, *aux derniers hoquets*), ***le hoquet de la mort***, désignent le hoquet qui accompagne parfois le râle des mourants. Par analogie, *hoquet* se dit (1844) du bruit qui accompagne une respiration brutalement contrariée; par extension, le mot s'applique à un état caractérisé par des hoquets répétés, d'où *avoir le hoquet*.

▶ **HOQUETER** v. intr. (1538) signifie «avoir le hoquet»; le verbe s'est employé comme le nom dans un contexte musical (déb. XIVe s.).

HOQUETON

HOQUETON n. m., sous les formes *alqueton* (v. 1130), *auqueton* (1180-1190), *hauketon* (XIIIe s.) et la forme *hoqueton* en 1465, est emprunté, par l'espagnol, à l'arabe *quṭn* «le coton» (→ coton); le *h* initial est sans doute dû à l'influence de l'ancien français *heuque, huque* «sorte de cape».

♦ *Hoqueton* a désigné une veste de grosse toile, portée par les hommes d'armes sous le haubert, du moyen âge à la Révolution; le mot s'est dit (1180-1190) aussi pour «étoffe de coton». Au XVe s., *hoqueton* est le nom de la casaque brodée, portée par les archers du roi (1465); par métonymie (1636), il a désigné ces archers eux-mêmes. ◇ Par extension, le mot a désigné (1549) une casaque de paysan; il n'est plus employé en ce sens, mais se dit encore régionalement pour une sorte de cape.

HORAIRE

HORAIRE adj. et n. m. représente un emprunt (1532) au latin médiéval *horarius* «propre aux heures liturgiques», dérivé de *hora* (→ heure).

♦ C'est chez Rabelais un latinisme de l'écolier limousin employé dans un contexte religieux, les *precules horaires* désignant les prières dites aux heures canoniales. L'adjectif est ensuite utilisé par Pontus de Tyard dans *moment horaire*, pour «moment compris dans une heure» (2e moitié XVIe s.); mais il s'agit d'un emploi isolé et le mot reste rare avant la seconde moitié du XVIIe siècle. *Horaire* s'applique alors (1680, ***cercle horaire***) aux cercles qui marquent les heures sur les cadrans solaires; il signifie encore «relatif aux heures, aux temps, aux angles mesurés des heures» (1721, *mouvement horaire des planètes*), puis *horaire* se dit de ce qui a lieu toutes les heures ***(signaux horaires)*** et de ce qui correspond à une durée d'une heure ***(vitesse horaire)***.
Comme nom masculin, *horaire* est attesté en 1866 (Amiel) au sens de «relevé des heures de départ, d'arrivée des services de transports réguliers», d'où par métonymie l'emploi pour «tableau indiquant un horaire»; ce sens vient peut-être de l'italien *orario* (dérivé de *ora* «heure»). Au XXe s. le nom désigne aussi un emploi du temps heure par heure, d'où vient le sens de «répartition des heures de travail exigées» (1972, *horaire variable, mobile, à la carte*). ◇ En relation avec le substantif, l'adjectif, en parlant de personnes, se dit (1968), pour «qui est payé à l'heure» (opposé à *mensuel*), d'où une autre valeur du nom *horaire* (1968; *les horaires et les mensuels*).

▶ **HORO-**, premier élément tiré du grec *hôra* «heure», sert à composer des termes didactiques, comme **HOROGRAPHIE** n. f. (1644, de *-graphie*) «art de tracer les cadrans solaires» — qui a fourni **HOROGRAPHE** n. m. (XVIIe s.) et **HOROGRAPHIQUE** adj. (1866) — ou techniques, comme **HORODATEUR, TRICE** adj. et n. (1927), de *dateur*, d'emploi courant pour désigner un appareil servant à imprimer la date et l'heure. Le nom féminin est attesté en 1974.

◈ voir HOROSCOPE.

HORDE

HORDE n. f. apparaît (1559) dans un récit de voyage en Turquie; le mot était connu en Europe dès le XIIIe s. : on relève le latin médiéval *orda* pour «camp militaire» vers 1240; par ailleurs *horda* est attesté en allemand en 1429. *Horde, orda* et *horda* constituent un emprunt au turco-mongol *orda, horda* «camp militaire», mot apparenté au turc *ordu* «armée, camp militaire», et au mongol *ordu, orda* «camp, horde» (cf. *ourdou*, nom de langue).

♦ *Horde* est introduit avec le sens de «tribu errante, nomade» en parlant des peuples de l'Asie centrale ; cet emploi est aujourd'hui didactique. Le mot prend au XVIIe s., par analogie, le sens de «troupe d'animaux» (1669, La Fontaine, repris au XXe s. ; cf. ① harde, meute) et, par extension (1690), celui de «tribu errante, peuplade de nomades». Le mot utilisé ensuite avec une valeur péjorative, signifie (1767) «troupe d'hommes indisciplinés, nuisibles», sens courant aujourd'hui, puis (1769) «foule quelconque» «groupe très nombreux» (péjoratif), sens utilisé dans le slogan d'une organisation de voyages, *«voyagez hors des hordes»*. ◇ Au XIXe s., *horde* en emploi figuré (1848, Chateaubriand) signifie «grand nombre (de choses qui apparaissent sans ordre)» ; en ce sens le mot est rare. ◇ *Horde* est utilisé au XIXe s. (trad. de Darwin) dans *la horde primitive* pour désigner un groupe humain primitif dominé par un «mâle puissant» ; l'hypothèse de *la horde primitive* a été reprise par Freud.

HORION n. m., attesté (v. 1285) chez Adam de la Halle, est un mot d'origine incertaine, représentant peut-être une altération de l'ancien français *orillon, oreillon* (dérivé de *oreille*) «coup sur l'oreille», avec adjonction d'un *h* à valeur expressive. P. Guiraud, relevant qu'en ancien français *horion* désigne un coup (de lance, d'épée) et une maladie qui frappe, épuise, rattache le mot au latin classique *haurire* «épuiser» ; l'hypothèse s'appuie sur le fait qu'à des locutions du latin classique (*haurire latus gladio* «percer le flanc d'un glaive») correspondent en ancien français des locutions comme *férir (avec l'épée) le premier horion.*

♦ Rare aujourd'hui au singulier, *horion* a gardé le sens de «coup violent».

HORIZON n. m. est une réfection étymologique tardive (déb. XVIIe s.) de *orizonte* (apr. 1250) puis *orizon* (1328). C'est un emprunt savant au latin *horizon, -ontis,* terme d'astronomie usité au sens de «borne de la vue», lui-même au grec *horizôn (kuklos)* «(cercle) qui borne la vue», du verbe *horizein* «limiter», dérivé de *horos* «borne, limite».

♦ *Horizon* est introduit avec le sens de «limite circulaire de la vue» (pour la personne qui en est le centre), d'où la locution ***la ligne d'horizon, de l'horizon*** «qui semble séparer le ciel de la terre (ou de la mer)». ◇ Par extension, *horizon* se dit des parties de la surface terreste et du ciel voisines de l'horizon visuel (1611, pour le ciel ; 1671, pour une étendue de paysage) ; de là viennent les expressions *voir, apercevoir qqch. à l'horizon* et, avec une valeur caractérisante, ***bleu horizon*** (par allusion à la couleur des uniformes français pendant et après la guerre de 1914-1918). ◇ Par extension, *horizon* désigne tout l'espace visible au niveau de l'horizon. ◇ Le mot, au XVIIe s., prend en astronomie (1611) le sens de «cercle théorique divisant la sphère céleste en deux parties égales», d'où *horizon rationnel* (1680). ◇ *Horizon géologique* (1867) s'applique à une couche de terrains bien caractérisée. ◇ L'emploi abstrait, figuré, se développe au début du XIXe s. ; *horizon* signifie alors «domaine qui s'ouvre à la pensée ou à l'activité» (v. 1820). Avec ce sens, le mot entre dans plusieurs expressions et locutions : *l'horizon social, l'horizon politique* «la situation envisagée» (1839), ***tour d'horizon*** «examen général d'une question», ***nouvel horizon, (nouveaux horizons)*** «domaine encore inexploré», *ouvrir les horizons,* etc. Au XIXe s., *horizon* désigne aussi le cadre (social, culturel, etc.) qui limite les aspirations d'une personne *(un horizon étroit).* ◇ *À l'horizon...* suivi d'un millésime, pour «dans la perspective de (l'année indiquée)» est attesté récemment (v. 1971).

▸ **HORIZONTAL, ALE, AUX** adj. et n. f., attesté en 1545 *(lignes horizontales),* se dit (adj.) au propre de ce qui est parallèle à l'horizon astronomique, et au figuré de ce qui réunit des individus, des éléments appartenant à un même niveau (opposé à *vertical*) et alors employé dans *concentration horizontale,* en parlant de la réunion d'entreprises. ◇ **HORIZONTALE** n. f., «position horizontale» (1690), «droite horizontale», s'est dit en argot (1881), par analogie de position, pour «prostituée». ◆ De *horizontal* dérivent : **HORIZONTALEMENT** adv. (1596), **HORIZONTALITÉ** n. f. (1786) et, au XXe s., des termes didactiques issus de certains emplois figurés : **HORIZONTALISTE** adj. et n. (1908), terme de musique, «qui privilégie la mélodie *(l'écriture horizontale)* par rapport à l'harmonie», se dit aussi d'un catholique dont la tendance est appelée **HORIZONTALISME** n. m. (v. 1965), «primauté donnée par certains catholiques à l'action envers les hommes» (opposé à *verticalisme*).

HORIZONNER v. tr., dérivé de *horizon,* attesté en 1839 (E. de Guérin), peu usité au sens de «borner par un horizon», est employé comme terme de peinture.

◈ voir DIORITE.

HORLOGE n. f. est une réfection graphique, d'après le latin (XVe s.), des formes au masculin *orilioge, orloge* (v. 1170-1180), *reloge ;* le féminin apparaît au XIIIe s. mais ne s'impose qu'au XVIIe s. ; le masculin, encore attesté au XIXe s. (Stendhal, Hugo) ne s'est conservé que dans quelques dénominations (par ex. *le gros horloge* à Rouen). *Horloge* est issu du latin *horologium,* lui-même du grec tardif *hôrologion,* littéralement «ce qui dit l'heure», désignant des instruments comme le cadran solaire ou l'horloge à eau. Le mot est composé de *hôra* (→ heure) et d'un dérivé de *legein* «dire, parler», qui a pour correspondant le latin *legere* (→ lire).

♦ *Horloge* a d'abord conservé le sens étymologique de «dispositif indiquant l'heure» (comme le cadran solaire, la clepsydre ou le sablier), aujourd'hui sorti de l'usage ou terme d'histoire. La valeur moderne d'«appareil muni d'un mécanisme pour indiquer l'heure au moyen d'un signal sonore» est attestée vers 1230 ; de ce sens vient la locution (1547) ***une heure d'horloge*** «une heure entière». Par analogie, le mot se dit ensuite (XVe s.) de ce qui règle ou régularise qqch., par exemple dans les locutions *une précision, une ponctualité,* (etc.) *d'horloge,* ou dans ***être réglé comme une horloge.*** ◇ Par métaphore, *horloge* est adopté par les botanistes au XVIIIe s. : *horloge botanique* (1764) et *horloge de Flore* (1797) désignent un classement des plantes tel que leur ouverture et leur fermeture constituent une succession chronologique (cf. aussi, XXe s., *horloge physiologique*). La locution ***horloge de la mort*** (ou *horloge-de-mort*) se dit (1776) par analogie d'un insecte qui, en rongeant le bois, produit un bruit régulier, analogue au tic-tac d'une horloge. ◇ Après 1965, les progrès techniques introduisent des appareils de mesure du temps de haute précision désignés par les syntagmes *horloge à quartz*, horloge électronique, horloge atomique.*

▸ Le dérivé **HORLOGER, ÈRE** n. et adj. est d'abord attesté comme substantif, sous les formes *aulogier* (1292), puis *horlogier* (1360-1393, Froissart), graphie en usage jusqu'au XVIIe s., ainsi que la variante *horlogeur.* Au figuré, le mot désigne Dieu, créateur de l'univers *(le grand horloger).* L'adjectif n'est attesté qu'en 1867; il s'emploie surtout dans *industrie horlogère.*

HORLOGERIE n. f., qui apparaît au XVIIe s. (de *horloger*), se dit de la fabrication et du commerce des instruments de mesure du temps (1639-1642) et par métonymie (1762, *ouvrage d'horlogerie*) des objets ainsi fabriqués, plus tard d'un magasin d'horloger (1800). Au figuré (XIXe s.), *une pièce d'horlogerie* se dit d'un mécanisme délicat, complexe.

HORMIS → HORS

HORMONE n. f. représente un emprunt (attesté 1911) à l'anglais *hormone,* terme proposé par W. M. Bayliss et E. H. Starling en 1904 et formé à partir du grec *horman* «mettre en mouvement, exciter». Le mot est cependant précédé par *hormonique,* de même origine (1738, *pilules hormoniques,* attestation isolée).

♦ *Hormone,* terme de physiologie, désigne une substance chimique élaborée par un groupe de cellules ou par un organe qui déclenche une action spécifique sur d'autres organes ou tissus. Par analogie, le terme a été emprunté par les botanistes *(hormone végétale).* ◇ Les *hormones de synthèse* sont, en particulier, utilisées pour accélérer la croissance des animaux domestiques, d'où la locution familière récente ***poulet aux hormones*** «traité aux hormones», qui constitue une appréciation péjorative.

▸ De *hormone* dérivent **HORMONAL, ALE, AUX** adj., attesté en 1932 (l'anglais *hormonal,* adj., 1926) qui a supplanté une variante *hormonique* (1913), et **HORMONER** v. tr. (v. 1980) qui se dit familièrement pour «traiter (un animal) aux hormones».

Hormone, comme premier élément, entre dans la composition (sous la forme *hormono-*) de termes de physiologie ou de médecine comme **HORMONOTHÉRAPIE** n. f. (1938, de *-thérapie*) d'après l'anglais *hormone therapy* (1914) «traitement par les hormones», **HORMONOPOÏÈSE** n. f. (XXe s.), formé à l'aide du grec *poiêsis* «formation», de *poiein* «faire». ◆ **HORMONOGENÈSE** n. f. (mil. XXe s.), de *genèse,* signifie «production d'hormones». ◇ **HORMOGÈNE** adj. (1959, de *-gène*) et **HORMONOLOGIE** n. f. (mil. XXe s., de *-logie*) «étude des hormones», sont des termes didactiques peu usités. ◆ *Hormone,* comme dernier élément de composition, apparaît dans **NÉCROHORMONE** n. f. (1941, de *nécro-*); **NEUROHORMONE** (mil. XXe s., de *neuro-;* attesté en anglais, 1941); **PHÉRO-HORMONE** n. f., composé français en *phéro-,* éliminé par la forme **PHÉROMONE** n. f. (av. 1969) emprunt à l'anglais *pheromone* (1960, du grec *pherein* «porter, transporter»), d'où **PHÉROMONAL, ALE, AUX** adj. (av. 1980); **ANTIHORMONE** n. f. (av. 1973).

HORO- → HORAIRE.

HOROSCOPE n. m. est un emprunt savant (1512; aussi sous la forme *oroscope* chez Rabelais, 1529) au latin *horoscopus* «constellation sous laquelle on est né», lui-même de l'adjectif grec *hôroscopos* «qui examine l'heure natale» d'où «qui tire de certains éléments observés lors de la naissance des prévisions pour la vie», mot fréquent dans le vocabulaire de l'astrologie. Le mot grec est composé de *hôra* «heure» (→ heure) et de *skopein* «observer, examiner» (→ -scopie).

♦ *Horoscope,* qui a conservé sa valeur étymologique (1512, «conjonctions astrales lors d'une naissance») se dit de l'examen des influences astrales lors de la naissance d'un individu, en vue de prédire sa destinée. Vers le milieu du XVIIe s., le mot prend par extension le sens de «prédiction de l'avenir», fondée ou non sur l'astrologie.

▸ En dérivent les termes didactiques et peu usités, **HOROSCOPISTE** n. (v. 1765, Diderot), synonyme d'*astrologue* ou de *voyant(e),* et **HOROSCOPIE** n. f. (1812) qui a pour dérivé **HOROSCOPIQUE** adj (1839).

HORREUR n. f. représente un emprunt (v. 1170) au latin *horror* «hérissement, frissonnement», «frisson d'effroi» puis «terreur sacrée», dérivé de *horrere* «se hérisser, trembler», «frissonner d'horreur», «avoir horreur de» (→ horripiler).

♦ Les premières attestations en français correspondent à «caractère de ce qui inspire un sentiment d'effroi, de répulsion», sens utilisé dans la locution ***faire horreur à*** «répugner», et dans l'acception devenue littéraire, de «terreur sacrée» (1675). L'idée de répulsion, prise concrètement,explique l'expression *l'horreur du vide,* appliquée d'après le latin à la nature (1648, chez Pascal). Depuis le XIIIe s., *horreur* signifie (v. 1225) «sentiment violemment défavorable qu'une chose inspire» *(l'horreur du crime),* avec les locutions ***avoir horreur de, en horreur*** et *être en horreur à qqn, être l'horreur de qqn* (1587), expressions sorties d'usage. ◇ Au XVIe s., le sens latin, concret, de «frisson» est repris (1547); il a disparu. ◇ Le mot désigne *(une/des horreurs)* ce qui inspire un sentiment d'horreur à propos d'une personne, sens archaïque aujourd'hui (1587), puis (XVIIIe s.) à propos d'une chose, d'où par affaiblissement, l'emploi familier pour «chose, personne repoussante ou très désagréable» et l'utilisation du mot comme exclamatif, pour marquer le dégoût *(quelle horreur!).* ◆ Au pluriel, *horreurs* signifie «aspects horribles d'une chose» (déb. XVIIe s., *les horreurs de la mort,* d'Aubigné), d'où par métonymie le sens d'«objets horribles», par exemple dans l'expression *le musée des horreurs.* ◇ Le mot s'emploie ensuite (1655) au sens de «sentiments criminels, actes infâmes» (qui inspirent l'horreur) et, spécialement (XVIIe s.), pour désigner des imputations outrageantes sur le compte de qqn. Par extension du sens de «choses horribles», le mot passe (1866) à «propos obscènes». ◇ Dans ces différentes acceptions, *horreur* a été utilisé de façon hyperbolique du XVIIe au début du XIXe s., en particulier dans la langue du théâtre, usage que condamnait Voltaire.

▸ **HORRIBLE** adj. et n. m. est emprunté (v. 1138) au latin classique *horribilis* «qui fait horreur», dérivé du verbe *horrere.* ◇ *Horrible,* d'abord attesté au sens étymologique, est employé à partir du XVIe s., par exagération, pour qualifier qqch. d'excessif (1534, Rabelais, «très grand, énorme»). ◇ Cet emploi hyperbolique s'est restreint depuis le XVIIe s., époque à laquelle le mot a pris le sens affaibli, aujourd'hui courant (1672, Molière) de «très laid, très mauvais». ◆ En dérive **HORRIBLEMENT** adv. (1174-1176) qui a subi le même affaiblissement de sens que l'adjectif (1559, au sens d'«extrêmement»). **HORRIFIER** v. tr. représente un emprunt tardif (mil. XIXe s., G. Sand) au latin classique *horrificare* «hérisser», «épouvanter», de *horrificus* «qui fait horreur», composé de *horror* (→ horreur), et *facere* (→ faire). ◆ *Horrifier* s'est introduit avec sa valeur étymologique d'«emplir, frapper d'horreur»; le mot se dit ensuite par affaiblissement de sens pour «scandaliser, choquer» (XXe s.), en particulier au participe passé adjectivé. C'est un mot relativement rare, notamment au sens (fin XIXe s.) de «rendre horrible»; en ce sens, on a dit *horribler* (mil. XVIe s.). ◆ En dérivent **HORRIFIANT, ANTE** adj. (1862, Villiers de L'Isle-Adam), qui a souvent une valeur ironique, et **HORRIFICATION** n. f. (1896, Verlaine), terme peu usité, influencé formellement par *horrifique.* ◆ **HORRIFIQUE** adj. emprunté (av. 1500) au même mot latin, *horrificus,* dont il conserve le sens, était courant au XVIe s. (cf. Rabelais, *La Vie très horrificque du grand Gargantua*); il n'est employé aujourd'hui que par plaisanterie.
Enfin, le composé latin *abhorrere* a donné **ABHORRER** v. tr. (1488) avec la variante *abhorrir* en moyen français (de 1492 au XVIIe s.). Depuis le début du XVIIe s., le verbe se construit avec un complément nom de personne. Le verbe est littéraire et ses dérivés (*abhorrable,* adj.; *abhorrement,* n. m.) inusités.

◈ voir HORRIPILER.

HORRIPILER

HORRIPILER v. est un emprunt tardif (1843) au latin impérial *horripilare* «avoir le poil hérissé», composé du latin classique *horrere* «se dresser» (en parlant des poils du corps), sans étymologie connue, et qui a donné *horror* (→ horreur), et de *pilus* «poil».

♦ Le sens étymologique, d'emploi didactique, est limité à la physiologie; il apparaît en même temps que le sens figuré courant «exaspérer, provoquer l'agacement» (1843, mais antérieur; cf. *horripilant*).

▸ Le dérivé **HORRIPILANT, ANTE** adj. est relevé en 1806 dans cette acception *(d'une manière horripilante).* ◆ Du sens propre du verbe dérive le terme d'anatomie **HORRIPILATEUR, TRICE** adj. et n. m. (1824), qui se dit du muscle qui relève chaque poil.

◆ **HORRIPILATION** n. f. est un emprunt (1495) au bas latin *horripilatio,* de *horripilare,* dont il conserve jusqu'au XIXe s. le sens de «hérissement des poils, frisson». Le sens courant et figuré, «irritation extrême», est relevé chez Flaubert (1862). ◇ Une variante **HORRIPILEMENT** n. m. est attestée isolément en 1885 (Goncourt).

HORS

HORS adv. et prép. est tiré (v. 1050) de *dehors* (→ dehors); *hors* coexiste longtemps avec sa variante phonétique *fors,* qui ne subsiste depuis le XVIIe s. que sous forme de préfixe (→ fors).

♦ *Hors* apparaît d'abord dans *hors de...,* locution prépositive, avec le sens de «en dehors de» (sens local ou temporel d'extériorité), courant aujourd'hui; le mot est employé ensuite (v. 1135) comme adverbe de lieu, sorti d'usage, pour «dehors» *(aller hors).* Au XVIIe s., *hors de* pouvait être suivi des prépositions *auprès, avec, dessus,* il n'admet de nos jours que *chez (hors de chez lui)*; *hors de* s'emploie dans la locution familière ***être hors du coup*** (opposé à *être dans le coup*), et dans ***hors d'âge*** «archaïque» et, en parlant d'un alcool, «très vieux». ◇ La préposition, *hors* «à l'extérieur de», «au delà-de», est construite directement avec son régime (mil. XIIe s., *hors la ville*), cette construction est archaïque sauf dans quelques expressions *(skier hors piste)* ou avec un complément abstrait (*hors catégorie, hors jeu* au propre et au figuré, *hors service,* etc.). L'emploi de *hors* au sens d'«à l'exclusion de», courant au XVIIe s., est sorti d'usage. ◇ *Hors de* est employé dans des locutions métaphoriques ou figurées dès la fin du XIIe s., pour indiquer l'exclusion, sans rapport concret au lieu ou au temps : ***hors d'état d'agir, de nuire, hors de là*** «à part cela», *être hors de sens, hors de son bon sens* (v. 1276, *hors dou sens*) — cf. *forcené* —, ***hors de soi*** (***de lui,*** etc.), autrefois «en proie à une grande agitation», puis «dans une colère extrême». ◇ ***Hors que,*** locution conjonctive (1666), est archaïque.

▸ **HORSAIN** n. m., formé au XIIIe s. (aussi variante *horsin*) à l'aide du suffixe *-ain* tiré de *forain,* est un terme régional (Normandie) pour désigner un étranger.

HORMIS prép. qui apparaît vers 1360 (Froissart) sous la forme *hors mis que* (loc. prép.), représente la lexicalisation du syntagme *hors mis* «étant mis hors», participe passé de *mettre hors* «exclure» (1260, *hors mise*). *Hormis,* vieilli ou d'emploi littéraire, est remplacé couramment par *excepté, sauf. Hormis que* loc. conj. est un archaïsme littéraire.

◈ voir HORS-BORD (art. BORD), HORS D'ŒUVRE (art. ŒUVRE), HORS-LA-LOI (art. LOI).

HORTENSIA

HORTENSIA n. m. est un mot du latin moderne des botanistes, rapidement francisé (1789, *hortense*) puis repris sous la forme latine (1796), créé par le botaniste Commerson (1727-1773). D'après Jussieu, la plante avait d'abord été dénommée *peautia caelestina,* en mémoire de Mme Nicole Reine Lepaute, mathématicienne célèbre du XVIIIe siècle (qui ne se prénommait pas Hortense). *Hortensia* est probablement tiré de *flor hortorum* «fleur des jardins» (*hortensia* étant pris comme féminin de *hortensius* «de jardin»), parce que cette fleur était cultivée dans les jardins de Chine et du Japon.

♦ Cette plante, originaire d'Extrême-Orient, est en effet nommée *rosier du Japon*. Employé comme adjectif invariable (1920, Proust), le mot signifie «de la couleur (en général bleu clair ou rose) de l'hortensia».

HORTICOLE adj. est un dérivé savant (1829), formé d'après *agricole*, du latin *hortus* «jardin», qui se rattache à l'indoeuropéen °*ghordo* «enclos». *Hortus* a abouti à l'ancien français *ort*, *hort* (v. 1150), d'où en ancien picard *ortillier* «cultiver un jardin» (v. 1275).

♦ *Horticole* se dit de ce qui est relatif à la culture des jardins.

▸ Sur la même base latine ont été formés deux composés. ◆ **HORTICULTURE** n. f. (1824), «art de cultiver les jardins», est formé d'après *agriculture*, peut-être par l'intermédiaire de l'anglais *horticulture* qui est attesté depuis 1678 (de même formation). ◇ Il a pour dérivé **HORTICULTURAL, ALE, AUX** adj. (1839). ◆ **HORTICULTEUR, TRICE** n. (1825, Brillat-Savarin) est formé d'après *agriculteur*.

⇓ voir HORTILLON.

HORTILLON n. m., attesté à la fin du XVᵉ s. (1492), est un mot d'origine picarde, dérivé de l'ancien picard *ortel* «jardin» (v. 1200), issu du bas latin *hortellus* «petit jardin» (VIᵉ s.), diminutif du latin classique *hortus* «jardin» (→ horticole).

♦ *Hortillon* est aujourd'hui seulement d'emploi régional au sens de «maraîcher»; il désigne encore, en Picardie, un terrain conquis sur les marais de la Somme et propre à la culture maraîchère.

▸ En dérivent les termes régionaux usuels **HORTILLONNAGE** n. m. (1870) et **HORTILLONNEUR** n. m. (1873).

HOSANNA n. m. est emprunté (fin Xᵉ s., *osanna*; 1276, *ossanne*) au latin chrétien *hosanna*, transcription, par l'intermédiaire du grec *hosanna*, de l'hébreu *hôšīʿā-nā* «sauve(-nous), de grâce». Cette formule de supplication, composée de *hôšīʿā* «sauve!» (impératif de *yāšaʿ*) et de la particule *nā*, était répétée par les juifs pendant les sept jours de la fête des Tabernacles (Psaume 118, 25).

♦ Dans la religion chrétienne, *hosanna* a pris la valeur d'une acclamation (fin Xᵉ s., *osanna* «acclamation à l'adresse de Jésus»), d'une louange utilisée dans les cérémonies. Le mot s'est dit pour «dimanche des rameaux» (1276, *ossanne*), jour particulier où l'on chante la gloire du Christ. Par extension, il désigne une hymne que l'on chante le dimanche des Rameaux (1752) et par extension un cri de joie, de triomphe, de louange (1762, comme exclamation; déb. XIXᵉ s., comme nom masculin), aujourd'hui d'emploi littéraire. Dans le religion juive, *hosanna* se dit du refrain d'un hymne de la synagogue (1721) et *Grand Hosanna* désigne (1721) la fête des Tabernacles.

▸ Le dérivé **HOSANNIÈRE** adj. f. (XVIᵉ s., *osanière*), aujourd'hui terme d'archéologie, qualifie une croix au pied de laquelle on chantait l'Hosanna le dimanche des Rameaux.

HOSPICE n. m. est issu (1294, *hospise*) du latin classique *hospitium* «hospitalité» et concrètement «gîte hospitalier», dérivé de *hospes* (→ hôte). *Hospitium* a pris en latin médiéval la valeur de «droit d'hébergement» (865), puis de «lieu d'un monastère où l'on reçoit des hôtes» (XIᵉ s.).

♦ Le mot signifie d'abord, en général et abstraitement, «refuge» dans *prendre hospice* (1294), puis *donner hospice* (1798), rare, ainsi que «lieu d'asile». Dans la seconde moitié du XVIIᵉ s., *hospice* commence à s'appliquer à une maison, dans un couvent, recevant les étrangers de l'ordre (1690), puis des pèlerins, des voyageurs laïcs (1721). ◇ Le sens moderne (1770) concerne un établissement où sont abrités, recueillis des enfants sans famille, des vieillards, des infirmes, etc.; le mot se distingue de plus en plus de *hôpital*, dans la mesure où il n'implique pas de soins médicaux, mais un simple asile, et s'y substitue au XIXᵉ siècle. Distingué au XIXᵉ s. d'*asile* (*hospice des aliénés*, Dictionnaire de l'Académie, 1825), il ne concerne plus que les vieillards indigents et tend à disparaître au profit d'euphémismes.

HOSPITALITÉ → **HÔPITAL**

HOSTIE n. f. est attesté au XIIIᵉ s. sous la forme *hoistie* qui a remplacé l'ancien *oiste*, *oeste* (du XIIᵉ au XIVᵉ s.); le mot est issu du latin ecclésiastique *hostia* (IVᵉ s.) «offrande de son corps (martyre)», «victime eucharistique, hostie». Le latin *hostia*, à l'époque classique, désignait une victime offerte en expiation aux dieux, en compensation pour une faute, par opposition à *victima* «victime offerte en remerciement». *Hostia* a été donné par le grammairien Festus comme un dérivé de *hostire* «frapper», lui-même de *hostis* «étranger, ennemi», mais les exemples fournis sont obscurs. Selon Benveniste, *hostia* correspond à l'idée de «compensation» (latin *hostire* «égaliser») que l'on trouve aussi dans *hostis* (→ hôte) et *hostilis* (→ hostile).

♦ Du latin chrétien vient le sens religieux, resté courant, de «petite rondelle de pain azyme que le prêtre consacre pendant la messe». ◇ Le sens du latin classique, «victime», repris en français au XIVᵉ s., se répand au XVIᵉ s., mais vieillit rapidement dès le début du XVIIᵉ s., subsistant dans une langue poétique archaïsante. Par extension, le mot a été couramment employé par les prédicateurs du XVIIᵉ s. pour désigner une personne qui se consacre à Dieu.

HOSTILE adj. apparaît au XVIᵉ s. (av. 1525) après la variante suffixée *hostif* (1450); c'est un emprunt au latin *hostilis*, dérivé de *hostis* au sens d'«étranger, ennemi potentiel». Le latin *hostis*, qui correspond à des mots indoeuropéens, germaniques (gotique *gasts*, aujourd'hui anglais *guest*), slaves (vieux slave *gosti*; cf. le russe *gospodin'* «monsieur», terme d'adresse), comme l'attestent ces corrélats, correspond d'abord à «hôte»; mais ce sens est accaparé en latin classique par la forme dérivée *hospes*

(→ hôte). *Hostis* lui-même semble exprimer originellement, comme le grec *xenos,* l'idée d'«étranger». Le latin avait pour cette notion *peregrinus* (qui a donné *pèlerin*); comme le rappelle Benveniste, l'*hostis* est un «étranger *(peregrinus)* de droit égal», les *hostes* étant «*pari jure cum populo Romano*» (Festus). La relation de l'hôte *(hostis)* et de celui qu'il visite *(hospes)* est une relation de compensation, tout comme l'*hostia* «victime» (→ hostie) est destinée à «compenser» la colère ou la mauvaise volonté des dieux (notion exprimée par le verbe latin *hostire* «égaliser»). De la compensation au statut d'étranger reçu par compensation, c'est-à-dire d'hôte, on est passé, comme on l'a fait en grec pour *xenos, xenia,* qui impliquent d'abord l'échange de dons, à l'idée d'«homme extérieur à la communauté, à la *civitas*» (en Grèce, à la *polis*), puis d'«ennemi potentiel» et d'«ennemi» tout court (cf. certains emplois d'*étranger,* en français). Ceci explique que *hostile, hostilité* et l'ancien français *ost* «armée», remontent à la même famille étymologique que *hôte**, *hôpital, hospice, hôtel,* à laquelle appartient aussi *hostie.*

♦ L'idée originelle remonte aux «institutions d'accueil et de réciprocité grâce auxquelles les hommes d'un peuple trouvent hospitalité chez un autre et les sociétés pratiquent alliances et échanges» (Benveniste, *Vocabulaire des Institutions indoeuropéennes*). *Hostile* était sorti d'usage à l'époque classique, et semble avoir été repris pendant la Révolution (Dictionnaire de l'Académie, 1798). Il qualifie ce qui manifeste une attitude d'ennemi, souvent construit avec *à* et, par extension, ce qui est défavorable ou malveillant.

► L'adjectif a pour dérivé **HOSTILEMENT** adv. (1418), probablement repris après *hostile.* ◆ **HOSTILITÉ** n. f. est emprunté (1353) au bas latin *hostilitas,* dérivé de *hostilis,* pour désigner un acte d'ennemi en guerre, sens archaïque (remplacé par *acte d'hostilité,* 1636), puis au pluriel (v. 1500) les opérations de guerre elles-mêmes et spécialement des ravages ou pillages (1718), et par extension une lutte par écrit (1829). ◇ Le mot a été repris (1606) avec la valeur abstraite de «disposition, sentiment hostile», d'où «opposition, attitude contraire» (1835). Le préfixé antonyme **INHOSTILE** adj. (1838) n'a pas vécu.

HOT-DOG n. m. est emprunté (1929) à l'anglo-américain *hot-dog,* composé de *hot* «chaud» et *dog* «chien», expression d'argot américain désignant depuis 1900 une saucisse servie chaude dans un petit pain allongé et ainsi appelé par allusion plaisante à un chien basset. On rencontre parfois la traduction littérale *chien chaud* au Canada francophone.

♦ Le mot, d'abord employé pour parler d'une réalité américaine, s'est diffusé en France avec la vente de ce type de sandwich (v. 1960).

HÔTE n. m. est issu (déb. XIIe s., *oste*) du latin *hospitem,* accusatif de *hospes* «celui qui donne ou reçoit l'hospitalité». *Hospes* est formé sur *hostis* et sur un élément °*pet-;* il a pris le sens de *hostis,* c'est-à-dire «hôte», le mot *hostis* ayant pris la valeur d'«étranger» et d'«ennemi» (→ hostile). Dans *hospitem,* selon Benveniste, *pet-* ou *pot-* correspond à l'idée de «maître»; on le retrouve dans le sanskrit *pátih* «maître» et «époux», dans le grec *posis* «époux» et son composé *despôtes,* d'abord «maître de maison» (→ despote), dans le latin °*potere,* d'où *possum* «je peux». L'origine indoeuropéenne de cette racine serait dans la notion de «soi-même», «lui-même», attestée par le hittite, l'iranien, le lituanien (*pats* «lui-même»), d'où une idée d'identification absolue et de domination. *Hospes* aurait donc la valeur de «maître de l'hôte (au sens d'étranger)». Le latin *hospes, -itis* a donné l'italien *ospite,* l'espagnol *huésped,* le portugais *hospede.* ◇ En droit médiéval, *hospes* a reçu (v. 1100) une acception précise : «personne de statut libre qui a une tenure à cens», d'où une valeur spéciale de *hôte* (attestée v. 1180), en ancien et moyen français, qui a donné lieu au dérivé médiéval *hostise* «exploitation rurale tenue par un "hoste"» et «droit payé par l'"hoste"» (1287; aussi *droit d'hostise*).

♦ Écrit *oste* puis *hoste* avec un *h* étymologique (v. 1195), le mot désigne aussi, dès le XIIe s. (*oste,* v. 1150; *hoste,* 1437), un aubergiste, notamment au féminin *hostesse* (*ostesse,* v. 1150). Mais la valeur de «personne qui accueille, reçoit» étant très vivante, ce sens spécial, «aubergiste, cabaretier», encore usuel au XVIIIe et au début du XIXe s., tend à se fondre dans l'emploi plus général. Ainsi, la locution ***table d'hôte*** (1606), par métonymie «repas en commun à prix fixe», n'est plus clairement comprise à partir du milieu du XIXe s., tout en restant en usage. ◇ Dans cet emploi, on relève des locutions, tel *compter sans son hôte* «oublier le principal intéressé» (1606) et des spécialisations, comme «personne réquisitionnée pour recevoir et loger des soldats» (1690), «personne qui loue (donne à loyer) un logement» (1606), «un bateau» (1769), tous ces emplois ayant disparu. ◆ Parallèlement à cette valeur, *hôte* et *hôtesse* (jusqu'au XVIIe s.) désignent depuis le XIIe s. (v. 1175, *oste*) la personne qui est reçue (latin *hostis,* et non *hospes*), aujourd'hui surtout dans le contexte de l'invitation privée (l'*hôte payant* ayant un statut différent du client) et par extension de l'accueil par un pays. Dans ce sens, la femme qui est reçue est aujourd'hui appelée *hôte,* et non *hôtesse.* ◇ Cette acception donne lieu à des métaphores pour «qualité qui réside en qqn» (fin XIIIe s.) et «être qui vit dans un lieu», en poésie (1646), dans des syntagmes comme *les hôtes de l'air* «les oiseaux», *des bois,* etc., fréquents dans la poésie classique (cf. Habitant). ◆ Par ailleurs, avec la valeur complémentaire de «qui reçoit», *hôte* s'emploie par figure (1897) en zoologie et en botanique pour «organisme qui héberge un parasite» puis pour «sujet qui reçoit une greffe». Voir aussi le schéma page ci-contre.

► **HÔTESSE** n. f., indépendamment de ses emplois anciens (ci-dessus), a été repris (v. 1950) dans ***hôtesse de l'air,*** calque de l'anglais des États-Unis *air hostess* (1934) ou *hostess* (1936), ce sens de *hostess* étant apparu (1931) à propos de jeunes femmes employées dans des *night-clubs,* puis, employé seul et dans des syntagmes *(hôtesse d'accueil...),* pour «jeune fille ou femme chargée de l'accueil des visiteurs, clients, etc.».

HÔTE

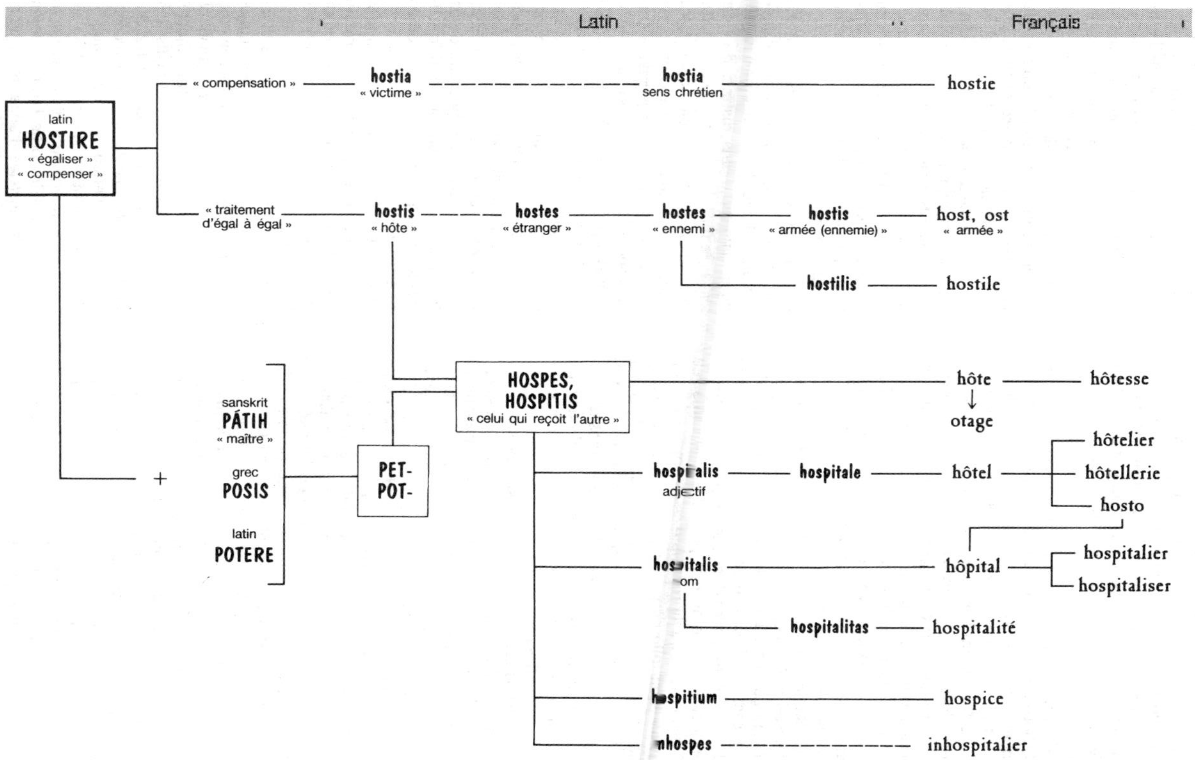

Latin
Français
latin
HOSTIRE
« égaliser »
« compenser »
« compensation »
hostia
« victime »
hostia
sens chrétien
hostie
« traitement d'égal à égal »
hostis
« hôte »
hostes
« étranger »
hostes
« ennemi »
hostis
« armée (ennemie) »
host, ost
« armée »
hostilis
hostile
sanskrit
PÁTIH
« maître »
grec
POSIS
latin
POTERE
+
PET-
POT-
HOSPES,
HOSPITIS
« celui qui reçoit l'autre »
hôte
otage
hôtesse
hospitalis
adjectif
hospitale
hôtel
hôtelier
hôtellerie
hosto
hospitalis
nom
hôpital
hospitalier
hospitaliser
hospitalitas
hospitalité
hospitium
hospice
inhospes
inhospitalier

Enfin, un dérivé ancien de *hoste, hostage,* s'en est détaché par le sens (→ otage).

HÔTEL n. m. est issu, d'abord sous la forme *ostel* (v. 1050) du bas latin *hospitale (cubiculum)* «chambre pour les étrangers», neutre substantivé de l'adjectif *hospitalis* (→ hôpital), dérivé de *hospes, hospitis* (→ hôte). Du même mot latin viennent l'italien *spedale, ospedale* «hôpital», d'où l'allemand *Spital.*

♦ Ce mot, écrit *hostel* à partir du XIIIe s., signifie d'abord en général «logement provisoire, hébergement», «campement» (1080), puis «demeure, logis» (v. 1135), d'où *tenir ostel* (v. 1165) et spécialement (v. 1225) «lieu où l'on reçoit les hôtes d'un monastère» (cf. *hospice* et *hospital,* en ancien français), d'où **HÔTEL-DIEU** (v. 1250, *Ostel*) désignant un hospice et un hôpital, mais signifiant «maison de Dieu». ◇ Cette valeur de «logement» a vieilli à l'époque classique, *hôtel* ayant acquis deux acceptions spécialisées et désignant des résidences plus ou moins prestigieuses : le *Dictionnaire* de Nicot, en 1606, affirme : «à present on n'attribue ce mot d'hostel a Paris et autres villes, si ce n'est [seulement] par certaines prerogatives aux logis des Princes, grands seigneurs et du publique (... l'hostel de ville) et les autres domiciles appelle-on maisons ou logis»; l'usage du mot pour des logements «au dessous de ce qualibre, ajoute ce dictionnaire, n'est qu'abus ou folle outrecuidance» (en fait il pouvait ne s'agir que d'un archaïsme). En ancien français, *ostel* désigne aussi la maison où l'on habite (v. 1135) et de nombreuses formes dialectales (*hostal, hosteau,* en provençal et occitan *ostal, oustal, oustau...*) assument ce sens général, d'autres servant à désigner la cuisine.

En français central, la première spécialisation apparaît à la fin du XIVe s. et serait issue d'expressions où *ostel,* au sens de «maison, logis», s'appliquait à des lieux officiels, y compris le palais royal (v. 1225), d'où *juger en l'ostel le roi (Coutumes de Beaumanoir);* elle correspond à «demeure citadine d'un grand seigneur» (v. 1415), puis «d'une personne riche». Ce sens, courant jusqu'au milieu du XIXe s., a vieilli avec la diffusion du second sens spécialisé; on emploie plutôt ***hôtel particulier,*** sauf en histoire, en architecture (*l'hôtel de Bourgogne, les hôtels du Marais,* à Paris). ◇ C'est de cette acception que dépendent les syntagmes ***maître d'hôtel*** (fin XIVe s.) «majordome d'un riche particulier ou d'un grand seigneur», puis (fin XIXe s., dans les dictionnaires) «celui qui dirige le service des tables dans un restaurant», d'où *sauce à la maître d'hôtel* (1855), puis *maître d'hôtel* en apposition, qualifiant une recette. ◇ Une autre spécialisation de ce sens est ***hôtel de ville*** (1538), qui a remplacé *hostel commun* (1478, à Rouen; encore pendant la Révolution), pour désigner la maison de ville, plus tard appelée *mairie.* ◇ Au XVIIe s., le mot s'applique aussi au lieu où loge un officier de justice, et l'expression *hôtel des monnaies* est enregistrée par Furetière.

La seconde valeur spéciale du mot, par rapport au sens général de «logis», est celle de «maison meublée servant de logement payant et d'auberge». Né au XIIIe s. dans les riches villes du Nord (M. Bloch), ce sens se généralise vers la fin du XVe s., mais est concurrencé par les autres sens du mot en français classique : d'où *hôtel garni, meublé* pour lever l'ambiguïté. Cet emploi a dû être soutenu par celui de *hôte** et *hôtesse* pour «aubergiste» et, dès le XVIIe s., ce genre d'établissement, lorsqu'il est relativement important et confortable (1677), est nommé *hôtel* (*hôtel d'Anjou, du Pérou...* à Paris, *in* Furetière, 1690). C'est dans la première moitié du XIXe s. que le mot et l'institution commerciale se généralisent, d'abord dans les villes, faisant reculer *auberge :* l'hôtel, jusqu'alors lieu où l'on loue des logements pour des périodes assez longues, prend les fonctions de l'hôtellerie et de l'auberge, mais avec plus de prestige (ceci depuis le XVIIe s.). Les connotations du mot sont aujourd'hui neutres, celui-ci désignant toutes les catégories d'établissements, du *petit hôtel* économique au palace. Son emploi est lié au développement fulgurant du tourisme au XXe s. (*chaînes d'hôtels,* etc.). C'est enfin dans ce sens que le mot français *hôtel,* comme *restaurant,* est devenu international.

▶ Ce derniers sens a absorbé les dérivés. **HÔTELLERIE** n. f. (v. 1130, *hostelerie*) désigne d'abord le bâtiment d'une abbaye destiné à recevoir les étrangers, plus ou moins distinct de *hospice.* Dès le XIIIe s., le mot devient laïc. Du XVIe (attesté 1606) au XIXe s., le mot désigne une auberge plutôt rustique par rapport à *hôtel.* Cette acception a vieilli, mais le mot a été repris au XXe s., souvent écrit *hostellerie* (*s* prononcé), pour désigner un hôtel campagnard et luxueux à la fois. ◇ En outre, *hôtellerie* désigne depuis le XVe s. (*hostellerie,* 1498), en relation avec *hôtelier,* la profession d'hôtelier. Au XXe s., peut-être d'abord en français de Suisse, le mot s'applique à l'industrie du logement des voyageurs et touristes dans les hôtels et établissements analogues, dans le contexte du tourisme. ◇ Enfin, deux mots provençaux, *oustau* (correspondant de *ostel, hôtel*) et le dérivé *oustalau* (parfois semi-francisé en *oustalot*), servent de nom à des établissements hôteliers, dans le sud de la France.

HÔTELIER, IÈRE n. apparaît dès le XIIe s. (v. 1138, *osteler*) en contexte religieux conventuel (*hostelier* au XVe s.) pour désigner le moine responsable d'une hôtellerie de couvent. Le sens moderne est ancien (1260, *hostelier*), en relation avec les emplois les plus anciens de *hostel* en ce sens; il a suivi l'évolution de *hôtel,* éliminant peu à peu *aubergiste; osteler, osteliere* étant déjà attestés en ce sens au XIIIe s. (v. 1250, au féminin; *hôtelière,* 1636) et concurrençant *hôte*, hôtesse.* ◆ Comme adjectif, le mot, qui correspondait en ancien français à *hospitalier,* a été reformé d'après *hôtel* au début du XXe s. (1906); de là *industrie, école, chaîne hôtelière, équipement hôtelier,* en relation avec *touristique.*

Au sens général de «logis», *hostel* a servi à former de nombreux dérivés disparus en français classique, comme le verbe *hosteler* «loger» (1080), les substantifs *hostelée* «habitants d'une maison» (XIVe-XVe s.), *hostelage* «hospitalité» (XIIIe s.), aussi nom donné à des taxes (1270), des redevances (jusqu'au XVIIIe s.), *hostelement* «logis» (v. 1230) et l'adjectif *hostelier* «hospitalier» (XIIIe s.).

Enfin **HOSTO** n. m., aujourd'hui senti, grâce à *hospitalier,* comme provenant de *hôpital,* est une resuffixation populaire (1807) de *hostau,* variante de *hostel* «maison». Le mot a désigné le logis, le chez-soi, avant de s'appliquer par ironie à la salle de police (1842) puis à l'hôpital (1886), sens qui est resté bien vivant dans l'usage familier.

HOTTE n. f. représente l'aboutissement (fin XIIIe s.; v. 1230, *hote*) de l'évolution du francique °*hotta* (cf. les dialectes allemands du Sud-Ouest *Hutte, Hotte*).

♦ Le mot conserve le sens de l'étymon «grand panier fixé sur le dos à l'aide de bretelles»; la locution figurée *porter la hotte* (attestée 1838) «être épuisé, à bout de force» (en parlant d'un animal, à la chasse) a disparu. ◇ Il a désigné une cuvette qui reçoit les eaux d'écoulement (1470). À partir du XVIe s., *hotte* désigne, par analogie de forme, une construction raccordée à un conduit de cheminée (1543, «pente intérieure d'une cheminée de cuisine») et par la suite tout dispositif permettant une aération (aujourd'hui, *hotte aspirante*). ◇ L'emploi métonymique pour «contenu d'une hotte» est ancien; il a donné lieu à un emploi figuré pour «foule (de personnes)» [1440-1475]. (Voir ci-dessous *hottée*) ◇ À partir du début du XXe s., le mot passe dans le langage familier avec des valeurs métaphoriques, *hotte* se dit par exemple d'une voiture, en particulier (1924) d'un taxi, le mot évoquant le transport de clients (assimilés à une marchandise) plutôt que le déplacement; un mot dialectal *hotte* «petit tombereau servant à transporter le fumier» est attesté par Littré (1866). ◇ *Hotte* est aussi relevé avec le sens de «ventre» (1947), antérieurement dans *se taper la hotte* «bien manger» (1916), acception sortie d'usage.

▸ Les dérivés du sens premier de *hotte* sont tombés en désuétude. ◆ **HOTTIER** n. m. (1220), «personne qui porte une hotte», a été en concurrence avec **HOTTEUR, EUSE** n. (1307, de *hotter*). ◆ **HOTTÉE** n. f. (*hostee* au XIVe s.) «contenu d'une hotte» s'est dit au figuré (1546) d'une grande quantité (de personnes, de choses), par exemple dans *une hottée d'injures* (XIXe s., Maupassant).
HOTTEREAU n. m., «petite hotte» (v. 1344), et la variante **HOTTERET** n. m. (1743) sont rares et archaïques, de même que **HOTTER** v. tr. (1412) «transporter dans une hotte».

HOTU n. m., attesté en 1873 (Larousse du XIXe s.), est un mot wallon (1845-1847 à Namur, *hôtu*), variante, par substitution de suffixe, d'une forme *hôtiche, hôtitche* (XVIIIe s.), désignant un poisson d'eau douce (avant l'âge de deux ans, il est désigné par le nom de *balowe*). Le mot wallon est probablement issu du moyen néerlandais *houtic,* nom d'un autre poisson, le corégone.

♦ Le *hotu,* poisson vorace et sans valeur culinaire venant de la région de Namur, s'est répandu dans la Seine et dans l'Yonne à partir de 1940, dépeuplant ces rivières; de là viendrait l'emploi péjoratif du mot dans le vocabulaire argotique (1944), pour désigner une personne, et spécialement une femme stupide, sans intérêt, laide (cf. aussi *nase,* synonyme de *hotu* «poisson», repris péjorativement en argot).

HOU interj. d'origine onomatopéique, apparaît vers 1285 (Adam de La Halle). Elle s'emploie seule ou redoublée, sous forme de cri (par exemple en vénerie, pour exciter les chiens, XIVe s.) ou d'appel (*hou! hou!,* variante de *ho!*). Couramment, le mot a une valeur de moquerie ou de réprobation (1507), par exemple dans *hou! la vilaine; hou! à la porte!*

▸ Le composé **HOUHOU** n. m. et onomatopée (XVIe s.) s'est dit d'abord d'une vieille sorcière, puis a désigné (1582) le cri du hibou et par métonymie (fin XVIIIe s.) le moyen duc, le hibou ou le chat-huant (1856, en Normandie).

HOUBLON n. m., d'abord *oubelon* et *houbelon* (1407), est attesté sous sa forme actuelle en 1444. C'est un mot dérivé de l'ancien substantif *hoppe* «bière houblonnée» (1391), en usage dans les parlers du Nord et wallons (d'où *houppe* en moyen français, 1537) et issu du moyen néerlandais *hoppe* «houblon, bière houblonnée» (le néerlandais a *hop,* de même sens). La sonorisation de la consonne *p* reste sans explication. L'élément final *-lon* s'explique par l'influence du judéo-français *homlon* «houblon» (XIe s.), dont il reste des traces dans les toponymes de l'Aisne et de la Somme. Cet *homlon* représente le francique °*humilo,* de même sens (cf. flamand *hommerl*), attesté par le latin médiéval *humulo* (VIIIe s.). Ce mot germanique d'origine francique a été évincé par la forme néerlandaise apportée avec les progrès dans la technique de brasserie aux Pays-Bas et en Flandre.

♦ *Houblon* désigne la plante dont les cônes entrent dans la fabrication de la bière (par exemple dans *perche à houblon*), et par métonymie les cônes de cette plante.

▸ Le mot a pour dérivés **HOUBLONNIÈRE** n. f. (1535) «champ de houblon», **HOUBLONNIER, IÈRE** (1873, n.; 1877, adj.) et le terme technique de brasserie **HOUBLONNER** v. tr. (1694), d'où **HOUBLONNAGE** n. m. (1874).

HOUE n. f. est un terme technique issu (v. 1170) du francique °*hauwa* «houe, pioche, binette», restitué par le moyen néerlandais *houwe,* l'ancien haut allemand *houwa* (cf. allemand *Haue*).

♦ Le mot désigne couramment une pioche dont on se sert pour le binage (v. 1170). Par extension (1755, *houe à cheval*), il se dit d'une charrue à un ou plusieurs socs. *Houe* a pris d'autres acceptions techniques, par exemple dans le domaine de la faïencerie (1866).

▸ Du premier sens de *houe* dérive **HOUER** v. tr. «travailler la terre à la houe», d'abord d'usage intransitif (déb. XIIIe s., *hoër*) puis (v. 1274) transitif (*hoer*); ce verbe est sorti d'usage comme ses dérivés **HOUAGE** n. m. (1336) et **HOUEMENT** n. m. (1538).
HOYAU n. m. apparaît (fin XIVe s.) sous les formes réduites *hoel, hael* (2e moitié du XIIIe s.) puis *heviaux* (1312), *hewel* (1335). C'est un diminutif de *hoe* ou °*howe,* formes anciennes de *houe,* par adjonction

du suffixe *-eau* (du latin *-ellus*). ◆ Le mot désigne une petite houe, mais sa forme le dissocie de *houe* dans la conscience du locuteur moderne.

HOUILLE n. f. qui apparaît sous les formes *oille (de charbon)* (1502), puis *ouille* (1590), est attesté sous la graphie *houille* en 1611. C'est un emprunt, par le wallon *hoye* (aujourd'hui *hoge*), à l'ancien liégeois *hulhes* (1278; 1295, *hulhes ou cherbons*), la houille ayant été en effet découverte et exploitée en Hesbaye vers 1195. *Hulhes* représente un francique **hukila* «bosse, tas, motte», diminutif de °*hukk-* (cf. moyen néerlandais *hokke* et allemand *Hocke* «tas») qui est attesté dans les dialectes néerlandais sous les formes *heukel, eukel.* On peut supposer, d'après l'aspect phonétique du mot, que le terme wallon a été emprunté très anciennement au francique.

♦ *Houille* est aujourd'hui surtout d'emploi didactique et on dit couramment *charbon,* la houille étant le meilleur des charbons naturels. Par analogie d'utilisation, le nom de ce combustible minéral est appliqué, à l'époque moderne, à des sources d'énergie électrique, avec un qualificatif de couleur : par exemple ***houille blanche*** «électricité fournie par les chutes en montagne» (1889), ***houille verte,*** fournie par le courant des fleuves (1906), ***houille bleue*** «énergie fournie par les vagues et les marées» (1922).

▸ À partir de *houille* ont été formés plusieurs dérivés. ◆ **HOUILLEUR** n. m. (v. 1360; cf. ancien liégeois *hulhier,* v. 1260) s'est dit d'un ouvrier travaillant dans les mines de houille. ◆ **HOUILLER, ÈRE** adj. (1793) «de la houille» s'emploie par exemple dans *industries houillères* et en géologie dans *période houillère.* ◆ **HOUILLÈRE** n. f. est une réfection (1811), d'après la forme moderne *houille,* de *ouillere* (1590), de l'ancien liégeois *huilhier,* nom féminin, «mine de houille» (1438), dérivé de *huhle.* ◆ **HOUILLEUX, EUSE** adj. (1835) s'est dit d'une roche contenant de la houille. ◆ Enfin **HOUILLIFICATION** n. f. «transformation en houille» est un dérivé savant (1907) en *-(i)fication.*

HOUKA n. m. apparaît (1771) sous la forme *hoka* dans une traduction; on trouve ensuite en 1813 *Houka-Berdar* «homme dont la fonction est d'allumer les pipes», puis *houka* (1831, Balzac). Le mot est emprunté, par l'intermédiaire de l'ourdou à l'arabe *ḥuqqa* «vase, bocal» et spécialement «flacon où passe la fumée du tabac» d'où «pipe à réservoir», analogue au narguilé, sens qui est passé en français.

HOULE n. f., attesté à la fin du XVᵉ s. (1484), avec la variante *oule* jusqu'à la fin du XVIIᵉ s., est probablement le même mot que le normand *houle* «cavité», notamment «cavité où se retirent les poissons au bord d'une rivière», ce mot ayant des dérivés : *houlette* «trou de lapin», *se déhouler* «sortir à regret de son lit ou de chez soi». Ce mot dialectal, comme l'ancien picard *haule* «port», est emprunté à l'ancien scandinave *hol* «caverne», sans doute en raison de l'aspect du creux des vagues; de même l'allemand a *hohle (See)* «houle, grosse mer», proprement «mer creuse».

♦ *Houle* a pris en français le sens de «mouvement ondulatoire de la mer» et s'emploie comme collectif pour «grosses vagues». Par analogie, il se dit, dans un emploi littéraire, d'une surface ondulée *(la houle de la chevelure).* À partir de la seconde moitié du XIXᵉ s., le mot apparaît aussi dans divers emplois métaphoriques ou figurés *(la houle d'un champ de blé, des montagnes).*

▸ *Houle* a fourni deux dérivés. ◆ **HOULEUX, EUSE** adj. (1716) a eu la même évolution sémantique que le substantif. Au figuré, le mot qualifie notamment (1870) une foule, une assemblée, un débat agités (cf. *orageux*). ◆ **HOULER** v. intr., attesté en 1852 (Gautier) et peu employé en parlant de la mer, est usité par analogie avec le sens d'«onduler» (1879), en parlant d'une foule, et de «balancer» (son corps) [déb. XXᵉ s.], peut-être sous l'influence de *rouler.* ◆ Le composé **HOULOGRAPHE** n. m. (mil. XXᵉ s.), formé avec *-graphe,* désigne un appareil qui enregistre la houle.

HOULETTE n. f. est dérivé (v. 1285) de l'ancien français *houler* «jeter, lancer» (XIIIᵉ s.) : la houlette, bâton de berger, était munie à son extrémité d'une plaque en forme de gouttière, servant à jeter des mottes de terre aux moutons qui s'éloignaient du troupeau. *Houler,* en raison de son aire (Picardie, Normandie, Champagne), est probablement issu du verbe francique qui a abouti au moyen néerlandais *hollen* «courir impétueusement» (cf. l'allemand de Rhénanie *holdern* «faire du bruit», *holtern* «travailler d'une manière désordonnée»).

♦ Au sens de «bâton de berger», *houlette* est sorti d'usage ou d'emploi didactique; par analogie de forme, le mot (1530, *hollette*) a eu le sens de «bâton pastoral d'un évêque»; reste la locution ***sous la houlette de*** «sous la conduite de». *Houlette* a pris par ailleurs des sens techniques : «petite bêche en forme de houlette» (1680), «cuiller utilisée pour préparer les sorbets» (1753). ◇ Le mot désigne enfin (1832) la coquille bivalve d'un mollusque des mers chaudes, à cause de sa ressemblance avec le fer d'une houlette.

HOULIGAN n. m. représente une adaptation (v. 1958), d'abord sous la forme *hooligan* (1926) de l'anglais *hooligan* «jeune voyou» (1898), d'origine incertaine : le mot représente un nom propre irlandais ou une mauvaise interprétation de *Hooley's gang* «la bande à Hooley»; il a pénétré en français par l'intermédiaire du russe, langue où il est fréquemment employé (depuis le début du XXᵉ siècle) pour désigner un jeune accusé de comportements asociaux. Le mot, sous la forme *kouligane,* avait déjà été employé par Gaston Leroux (1912).

♦ *Houligan* s'emploie en français pour désigner un jeune asocial qui exerce le vandalisme dans les lieux publics. Le mot, utilisé en russe sous le stalinisme pour désigner les jeunes hostiles au régime, est passé dans les années 1980 dans le vocabulaire courant, d'abord dans un contexte britannique, pour parler d'un jeune appartenant à une bande qui provoque des violences, notamment lors de manifestations sportives.

▶ **HOULIGANISME** n. m. (1958) s'emploie dans des contextes relatifs à l'ex-Union soviétique, puis aux violences des houligans en général.

HOUPPE n. f., attesté v. 1350 (écrit *houpe; houppe,* au xvie s.), est probablement issu du francique *°huppo* «touffe» que l'on restitue par le flamand *hoppe* «touffe d'herbe» et le rhénan *hupp, huppen* «tas en forme de pyramide».

♦ Le mot désigne d'abord un assemblage en touffe de brins de fil, de laine, etc., qui sert souvent d'ornement (cf. *pompon*); par spécialisation, il se dit également (xvie s.) d'un instrument utilisé pour poudrer *(houppe à poudre, à poudrer).* ◇ Par analogie de forme, *houppe* désigne une touffe d'éléments naturels : *houppe d'un arbre* (1409), *houppe de plumes* (d'un oiseau) (1559), *houppe de cheveux* parfois employé absolument (*Riquet à la houppe* [1697], personnage et titre d'un conte de Perrault), *fleurs en houppe,* etc.; le mot s'emploie spécialement en anatomie (1748, *houppes nerveuses*).

▶ **HOUPPETTE** n. f. «petite houppe» (1399) s'emploie en particulier (déb. xxe s.) dans *houppette à poudre de riz.* ◆ **HOUPPER** v. tr. «garnir de houppe», «disposer en houppe» (1680) est un terme technique; le participe passé est attesté à la fin du xiiie s. (*huppé, hopé* «qui a une houppe»; *houppé* v. 1530); *se houpper* (1587) signifie «se garnir de houppe» (à propos de la toison d'un bélier). ◆ **HOUPPIER** n. m., terme technique, a le sens de «sommet d'un arbre ébranché» (1343, *houpier*) et par métonymie désigne cet arbre (1536). Le sens ancien de «fabricant de houppes» (1377) est sorti d'usage.

HOUPPELANDE n. f., attesté au xiiie s. (1281), est d'origine inconnue. On a évoqué une adaptation de l'anglo-saxon *hop-pâda* «pardessus», mais la francisation du second élément est difficile à expliquer, le premier ayant subi une évolution phonétique analogue à celle de *houppe.* Le moyen anglais a *houpeland* (xive s.,) pris au français, l'espagnol *hopalanda.* P. Guiraud rattache d'ailleurs le mot à la famille de *houppe* (*houpper* «peigner la laine», *houppelé* «garni de houppe» en moyen français); *houppelande* désignerait alors un vêtement long ouaté, garni de *houppes* «flocons de laine», le suffixe *-ande* se trouvant expliqué par «ensemble de choses destinées à une opération».

♦ Le mot subsiste dans l'histoire du vêtement ou est d'emploi littéraire.

HOURD n. m. est issu (mil. xiiie s., *hort*) du francique *hurd* «claie», que l'on restitue par l'ancien haut allemand *hurd* et le moyen néerlandais *horde, hurde.*

♦ Terme technique, le mot se dit encore pour désigner une charpente en encorbellement au sommet d'une tour ou d'une muraille; il a désigné une estrade pour les spectateurs d'un tournoi (fin xiiie s.) et un échafaudage (1397).

▶ Le dérivé verbal **HOURDER** v. tr. s'est employé au sens de «consolider (un bateau)» [v. 1165] et de «garnir de hourds, fortifier» (fin xiie s.). Le verbe prend ensuite le sens (1547) de «maçonner grossièrement avec du plâtre», et spécialement celui de «préparer (un plancher) en garnissant l'aire de lattes et d'un hourdis de plâtre» (1610, *hourder un plancher*). À la différence de *hourd,* c'est un terme vivant.

Du verbe dérive ① **HOURDIS** n. m.; le mot s'est employé (1180-1205, *hordeiz*) comme synonyme de *hourd,* dans le domaine des fortifications et au sens de «maçonnage grossier» (1553). Il désigne aujourd'hui des blocs reposant sur les poutrelles d'un plancher de béton. ◆ Il a pour synonyme **HOURDAGE** n. m. (1553; fin xve s., «échafaudage»), autre dérivé de *hourder* qui désigne aussi (mil. xxe s.) un dispositif de soutènement, dans une mine. ◆ Un autre ② **HOURDIS** n. m., attesté au xixe s. (1831, in *T. L. F.*), est un terme de marine signifiant «élément de la charpente qui renforce la poupe»; il se rattache peut-être à *hourdis* «hourd» mais la graphie antérieure *hourdi* (1643, *lisse de hourdy*) pourrait suggérer une autre origine.

HOURI n. f., emprunt du xvie s., se trouve sous les formes *hora, horhin* en 1574; la graphie *houri* est attestée en 1654. Le mot est emprunté au persan *ḥūrī,* dérivé avec le suffixe d'unité persan *-ī,* de l'arabe *ḥūr,* pluriel de *ḥaurā',* féminin de *'aḥwar,* adjectif, «qui a le blanc et le noir des yeux très tranchés».

♦ *Houri* s'emploie au sens de «beauté céleste que le Coran promet au musulman fidèle dans le paradis d'Allah»; par extension (1751), le mot se dit d'une femme très belle (dans un contexte qui évoque l'Orient).

HOURRA interj. et n. m. est attesté sous les formes *houzaye* (1694), *huzza, houzza* (1718) et, le son *z* passant à *r, houra* (1718), *hourra* (1802) puis *hurra* (1830, Mérimée), *hurrah* dans Littré (graphie anglaise). Ces graphies correspondent à des origines différentes. La forme *houzaye* et ses variantes sont alors empruntées à l'anglais *huzza* (1573), cri d'encouragement des marins au xviie et xviie s.; on l'a rattaché au verbe *to heeze* «hisser», dont un dérivé, *heisau,* «cri poussé en tirant les voiles», est attesté en 1549. La forme *houra* est un emprunt à l'anglais *hurra(h)* [depuis 1686], altération de *huzza* peut-être sous l'influence de l'allemand.

♦ *Hourra* entre en français comme cri d'acclamation puis comme nom masculin «cri d'acclamation poussé par les marins». La forme renforcée *hip, hip, hip, hourra* (*hurra*) est attestée en français chez Zola (*Carnets,* av. 1882). ◇ Par analogie, le mot a été employé au sens d'«émeute» (1802).

Un second emprunt de *hourra,* archaïque au sens de «cri de guerre des cosaques» (1814) vient du russe *ura,* que l'on a rapproché du turc *vurmark,* «frapper, battre» (d'où l'impératif, 3e personne du singulier, «qu'il frappe!»), mais le mot a plus vraisemblablement été repris par le russe à l'anglais (ou à l'allemand) par l'intermédiaire des marins.

HOURVARI n. m., attesté au XVIe s. (1571) comme la variante *horvari* (1561), est probablement composé de *horva* «il va en dehors, il sort (de la piste suivie)», attesté en 1561, et du cri *hari*, variante de *haro* (→ haro), relevé du XIIIe au XVIe s. comme cri de ceux qui conduisent les animaux, et au XVIIe s. comme cri des chasseurs pour appeler les chiens ; *horva hari* a été contracté en *horvari*, le passage à *hourvari* s'expliquant par l'influence de cris de chasseurs comme *hou, houre*. Le rapprochement de *hourvari* et de *charivari* explique l'évolution de *hourvari*.

♦ *Hourvari* est d'abord un terme de vénerie, désignant le cri des chasseurs ou une sonnerie de trompe, pour ramener les chiens tombés en défaut (1561) ; cet emploi a disparu mais le mot se dit encore de la ruse d'une bête traquée, qui revient à son point de départ pour mettre les chiens en défaut (1577 ; dès 1571 dans *apprendre toutes ruses et hourvaris*). De ce dernier sens vient l'emploi figuré, qu'on trouve dans la langue classique, de «contretemps, désagrément imprévu» (1676, Mme de Sévigné). ◇ Du premier sens est issue la valeur figurée (fin XVIIe s.) de «grand tumulte» *(un hourvari de cris)*, toujours vivant. Par figure, le mot a signifié (1691) «tempête aux Antilles».

HOUSEAU n. m., réfection (1556, *housseau*) de *houssel* (v. 1210), lui-même de *huesel* (v. 1170), représente un dérivé de l'ancien français *hose, huese* «botte, guêtre» (fin XIe s.), devenu *heuse*, puis *heusse* au XIVe siècle. Ce dernier est issu du francique °*hosa* de même sens (cf. allemand *Hose* «culotte, pantalon»).

♦ *Houseau*, employé généralement au pluriel, désignait une jambière dont le bas s'adaptait sur la chaussure ; le mot a subsisté dans l'histoire du vêtement. La locution figurée *laisser ses houseaux* «mourir» (1453), encore chez La Fontaine, est sortie d'usage. ◇ Probablement par ellipse d'*épingle à houseau, houseau* (1752) ou *housseau* (1803) est le nom d'une grande épingle qui sert à réunir des bandes d'étoffe.

HOUSPILLER v. tr. représente (1454, *houssepillier*) une altération de l'ancien français *houcepingnier* (v. 1179) ou *houssepignier* (XIVe s.), sous l'influence des verbes en *-iller* ou celle du verbe *piller*. *Houcepingnier* est le résultat d'un croisement de *houcer* «maltraiter» (→ ② housser, à *houx*) et de *pingnier* au sens figuré de «battre» (→ peigner) ; ces verbes synonymes étant associés pour renforcer une expression (cf. pour le même mode de formation *tournevirer*). Le verbe est aussi relevé sous la forme *gouspiller* (1499), peut-être par croisement avec *gaspiller* dont il a eu le sens (1583).

♦ *Houspiller* a d'abord signifié «maltraiter qqn en le secouant ou en le grondant». Le verbe est vieilli au sens de «maltraiter», «importuner» (1611, au pronominal) et demeure, dans un emploi littéraire, au sens de «maltraiter en paroles» (cf. *critiquer, réprimander*).

▶ Le dérivé **HOUSPILLEUR, EUSE** n. «personne qui houspille» (1873), puis adjectif (1920) est d'emploi littéraire.

HOUSSE n. f., réfection (XVIe s.) de *houce* (XIIe s.), est peut-être issu du francique °*hulftia* «couverture», devenu °*hultia* (cf. l'ancien haut allemand *hulft*). ◈

♦ *Housse* s'est introduit avec le sens de «robe d'homme portée sur le surcot» (XIIe s.) puis de «couverture de selle», la locution *en housse* (fin XVIe s.) ayant signifié «à cheval». Puis, *housse* se dit spécialement (fin XIIIe s.) de la couverture qui protège la croupe du cheval (cf. *caparaçon*). Avec cette idée de «protection», le mot désigne une enveloppe qui recouvre une chose (fin XIIIe s., *houce d'une épée*), qu'il s'agisse d'un lit (1538) ou d'un meuble (1668), plus tard du siège d'un cocher (1740), puis d'un siège automobile (XXe s.). Il s'emploie aussi dans des domaines techniques, désignant par exemple une peau de mouton fourrée pour certains colliers (1680), aussi nommée **HOUSSÉE** n. f. (1845).

▶ Le dérivé ① **HOUSSER** v. tr. (1260, *houchier*) signifie «recouvrir d'une housse». ➜ **HOUSSET** n. m. (1765), autrefois *houssette*, nom féminin (XVe s.), terme d'archéologie, est le nom d'une petite serrure qui se ferme d'elle-même lorsqu'on rapproche ses deux éléments.

① **HOUSSER** → HOUSSE

② **HOUSSER** → HOUX

HOUX n. m., attesté v. 1200 *(hos, hous)*, est issu du francique °*hulis* «houx» que l'on restitue par l'ancien haut allemand *hulis, huls* et le moyen néerlandais *huls*. ◈

♦ *Houx* désigne un arbuste à feuilles luisantes et coriaces, persistantes.

▶ **HOUSSAIE** n. f., «lieu planté de houx» (mil. XIIIe s., *hulseie*), a pour synonyme **HOUSSIÈRE** n. f. (1341) ; ces mots sont plus fréquents comme noms propres de lieux que dans l'usage de la langue. ➜ ② **HOUSSER** v. tr. est attesté indirectement (v. 1179) par *houcepingnier* (→ houspiller), et directement vers 1200 au sens de «maltraiter», disparu ; il signifie (1269-1278) «nettoyer avec un houssoir». Le verbe s'était spécialisé dans divers domaines, par exemple pour «ramoner» (1410, *osser*), «secouer (un arbre)» (1530). ◇ En dérive **HOUSSAGE** n. m. (1743) «action de housser», aujourd'hui sorti d'usage. ➜ **HOUSSOIR** n. m. (XVe s.) vient de *hous*, forme ancienne de *houx* ; le mot est vieilli pour désigner un balai de crins ou de plumes (cf. *plumeau*). ➜ **HOUSSINE** n. f., proprement «branche de houx» (XVe s., *hussine*), est vieilli au sens de «baguette flexible». Le dérivé **HOUSSINER** v. tr. (1611) «battre avec une houssine» est tombé en désuétude.

HOVERCRAFT n. m. est un emprunt (1960) à l'anglais *hovercraft* (1959 ; enregistré comme marque en 1961), composé du verbe *to hover* (1400) «planer», «être suspendu en l'air», et *craft* «embarcation».

♦ Malgré la présence d'*aéroglisseur*, *hovercraft* s'est imposé, soutenu par la prépondérance des entreprises britanniques pour le transport des passagers entre Calais et l'Angleterre ; le mot s'utilise plutôt comme nom propre *(prendre l'Hovercraft)* que comme générique.

▸ Le composé anglais **HOVERPORT** n. m. (de *hovercraft* et *port*) s'emploie aussi en France (1973).

HOYAU → **HOUE**

HUBLOT n. m., attesté au XVIIIe s. (1773), est d'origine incertaine. Il représente peut-être une altération de l'ancien terme de marine *hulot* «ouverture pratiquée dans la muraille d'un navire» (1694), qui serait un dérivé du normand *houle* au sens de *brèche, cavité* (→ houle); on a supposé que le *-b-* venait de la rencontre de *hulot* avec le mot poitevin *loubier* «vasistas, lucarne» ou le nantais *hubiau* «sorte de cornet pour aérer les greniers». On a également proposé de voir en *hublot* une altération de l'ancien français *huvelot,* dérivé de *huve* «coiffe, bonnet» (v. 1225), mais le sens de *huvelot,* attesté isolément, est peu clair.

♦ *Hublot* «fenêtre ronde qui permet de donner du jour dans un navire tout en assurant l'étanchéité», s'emploie par analogie dans le domaine de l'aviation (1933; on dit aussi *fenêtre*). *Hublot* désigne également (v. 1960) la partie vitrée d'un appareil ménager, qui permet d'en surveiller l'intérieur. ◇ Le mot se dit aussi familièrement pour «lunettes», et de là pour «yeux».

HUCHE n. f. attesté au XIIe s. (v. 1170) avec la variante *huge,* est issu du latin médiéval *hutica* (VIIIe s.) «coffre»; la géographie du mot et de ses dérivés (Normandie, Picardie, Flandre) et le *h* initial suggèrent une origine germanique qui reste incertaine. P. Guiraud rapproche de ce mot *huche,* attesté au sens de «boutique où les marchands étalent leurs marchandises» (ancien et moyen français) et *huche* «réservoir à poissons» (mots d'habitude considérés comme distincts); il fait alors de *hutica* un dérivé gallo-roman du germanique *°hutta* (→ hutte), la *huche* étant un abri aménagé (cf. par ailleurs l'ancien français *huche* «arche de Noé»).

♦ *Huche* désignait au moyen âge un grand coffre de bois à couvercle plat (distinct de *bahut*), qui tenait lieu d'armoire, de malle et de table. Un emploi spécial est *huche à (au) pain* «où l'on garde le pain», aussi appelée *maie.* Le mot a pris ensuite un sens technique (1573), désignant en minoterie un coffre où tombe la farine; il se dit aussi d'une caisse percée de trous, que l'on immerge pour placer le poisson que l'on veut conserver.

▸ Le dérivé **HUCHIER** n. m. (1226, *huichier*) s'est dit pour «fabricant de huches».

✳ **HUE!** interj. est attesté à la fin du XIIe s. (v. 1180) mais dans un emploi obscur. Il représente une variante de l'onomatopée *hu,* relevée comme nom masculin en 1080 au sens de «clameur confuse», puis comme interjection pour faire peur (v. 1165), pour avertir (1176-1181) et pour exprimer le dédain (2e quart du XIIIe s.).

♦ *Hue* est relevé au XVIIe s. (1680; 1653, *hu*) comme cri pour faire avancer un cheval, le faire tourner à droite (*dia,* pour la gauche), d'où la locution ancienne *il n'entend ni a hue ni a dia* (1721) «on ne parvient pas à lui faire entendre raison»; aujourd'hui on dit ***tirer à hue et à dia*** «aller dans des directions opposées» et, au figuré (1835) «agir sans esprit de suite». ◇ On trouve aussi la forme **HUHAU** (1866, *T. L. F.*) de *hu* et *ho, hau,* autre interjection.

▸ Le verbe dérivé **HUER,** dans son premier emploi attesté (v. 1160) signifiait «lancer (un chien) par des cris» puis, en particulier (1174-1200) «crier pour faire sortir le gibier» (au XIIIe s. en parlant d'un loup). Le verbe se dit aussi (1174-1176) pour «couvrir (qqn) de huées», sens courant aujourd'hui. En emploi intransitif, *huer* signifie (v. 1175) «crier» et, spécialement (1279), seul sens encore vivant, «pousser son cri», en parlant du hibou, de la chouette (→ chat-huant). ◇ On a employé aussi **HÔLER** v. intr. (XIIIe s., *hoiler*), mot d'origine onomatopéique.

HUARD n. m., dérivé de *huer* à cause du cri de l'oiseau, a désigné le milan (fin XIIIe-déb. XIVe s., *hüart*), la buse (1611) et aujourd'hui, régionalement, le pygargue (rapaces). ◇ Le mot québécois *huard* «plongeon arctique», oiseau palmipède (1632; 1613, *huat*), est à rapprocher de l'ancien et moyen français *hua* «chat-huant, hibou, milan» (v. 1200) dérivé lui aussi de *huer.* ◆ **HUÉE** n. f. s'est dit (v. 1119) pour «clameur de la foule». Le mot est ensuite usité en vénerie au sens général, aujourd'hui vieilli, de «cri», pour faire lever le gibier (1376), le rabattre (1550), indiquer que le sanglier est pris (1690). Par spécialisation de sens, *huée* désigne des cris de dérision ou de réprobation (1621), le mot étant aujourd'hui courant au pluriel; le singulier (1630) est vieilli ou d'emploi littéraire. ◆ **HUETTE** n. f. (1555), autre dérivé du verbe *huer,* est une désignation régionale de la hulotte.

HUERTA n. f. est emprunté (1907, Claudel) à l'espagnol *huerta* «vaste terrain pour la culture des légumes et des arbres fruitiers» (v. 1140), féminin de *huerto* «jardin», lequel est issu du latin classique *hortus* «jardin» (→ horticole).

♦ Le mot garde le sens de l'étymon, pour désigner une réalité espagnole.

HUGUENOT n. et adj. est emprunté (mil. XVIe s.) au genevois *eyguenot* «confédéré genevois adversaire du duc de Savoie». *Eyguenot* (1520), avec des variantes (*aguynos,* 1519; *lidgnot* 1520) est une altération du suisse alémanique *Eidgnosse(n)* «confédéré(s)», correspondant au moyen haut allemand de même sens *eitgenôz* (d'où en français *esguenotz* désignant des soldats, 1483). Le mot, dès 1315, désigne officiellement les membres de la Confédération suisse : il se dit d'abord de ceux qui luttent contre les tentatives d'annexion du duc de Savoie. ◇ *Huguenot* devient, du XVIe au XVIIIe s., un terme de mépris par lequel les catholiques désignaient les Réformés (la majorité des confédérés était favorable à la Réforme); avec ce sens, il se répand en Suisse romande puis en France. La forme française *huguenot* viendrait de Touraine, où les habitants rattachèrent le mot *ey-*

guenot à un roi *Hugon*, populaire auprès des Réformés de Tours, ou selon d'autres, au nom d'un chef genevois *Hugues* de Besançon. Le mot, péjoratif à l'origine, signifie «protestant calviniste» (1552, n.) puis il est employé comme adjectif (1570) et dans ***à la huguenote*** «à la manière des huguenots» (1572).

▶ **HUGUENOTTE** n. f. a désigné (1660) une petite marmite de terre sans pieds, parce que les huguenots se servaient de ce type de marmite pour cuire leur nourriture, les jours de jeûne. Le mot, dans tous ses emplois, a vieilli ou est devenu un terme d'histoire. ◇ Les dérivés **HUGUENOTERIE** n. f. (1852, Sainte-Beuve) et **HUGUENOTISME** n. m. (1900, Francis Jammes), attestés isolément, sont restés très rares au XXe siècle.

HUILE n. f. est issu dans la première moitié du XIIe s. sous la forme *oile* (variante *olie*) du latin classique *oleum* (→ oléo-) «huile (d'olive)», latinisation du grec *elaion;* le grec a une origine méditerranéenne pré-indo-européenne reconstituable en °*elaiwon* (cf. *olive*, de même famille). En français, *uile* est attesté au XIIIe s., *huile* en 1260 : le *h* a été introduit pour éviter la lecture [vil], *u* notant aussi *v*.

♦ Sortant du bassin méditerranéen, *huile* désigne rapidement d'autres liquides gras que celui qu'on extrait des olives. Le mot est qualifié dès 1260, et on relève dès l'ancien français *huile d'olive, d'amande, de noix, de chènevis, de pavot;* on trouve plus tard *huile d'arachide* (1801), *huile de ricin* (1831), utilisée comme laxatif, *huile de foie de morue* (1836), etc. ◇ Par allusion à la fluidité de l'huile, le mot est utilisé dans des locutions : ***mer d'huile*** «sans vagues» (comme une nappe d'huile); ***tache d'huile,*** au XVIIe s. «chose irréparable» (à cause de la difficulté à nettoyer l'huile), d'où «affront, atteinte à l'honneur» (à cause des connotations morales de *tache*); ces valeurs de l'expression ont disparu et la locution se dit maintenant (1872) de ce qui se propage de façon insensible mais continue. ◇ Par référence au caractère combustible de l'huile, on trouve ***jeter (mettre, verser) de l'huile sur le feu*** «envenimer une dispute» (XVIIe s.). ◇ L'allusion à l'huile d'éclairage existe dans la locution, aujourd'hui vieillie (XVIe s.), ***sentir l'huile*** «porter la marque de longs efforts», en parlant d'une œuvre (par allusion aux nombreuses veilles devant la lampe qu'elle avait dû coûter à son auteur). ***Il n'y a plus d'huile dans la lampe*** se disait familièrement au XVIIe s. à propos d'une personne proche de la mort (l'huile désigne alors métaphoriquement l'énergie vitale). ***Huile de bras*** (1867) «force musculaire» est concurrencé aujourd'hui par ***huile de coude.*** ➛ Au XVIe s., *saint huile* se disait pour «extrême-onction»; dans la liturgie romaine, ***les saintes huiles*** désignent encore les huiles réservées aux divers sacrements; ensuite *huile sainte, huile consacrée* ou *huile* désignent (XVIIe s.) l'huile à onction utilisée pour sacrer les rois dans les religions chrétienne et juive, où l'huile est signe de bénédiction, symbole d'énergie vitale.

Huile, employé seul, désigne également un mélange d'huile de lin ou d'œillette et d'une matière colorante (qui se substitue à la détrempe dès le XVe s.); cet emploi n'est attesté qu'au XVIIIe s. dans *peindre à l'huile* (1752), ***peinture à l'huile*** (1768), puis *une huile* (fin XIXe s.) pour «un tableau peint à l'huile». ➛ *Huile,* qualifié, désigne le produit obtenu à partir d'une huile fine et de substances végétales ou animales : *huile aromatique, huile camphrée, huile solaire,* etc. *Huile minérale* désigne un liquide gras naturel dénommé selon son origine, sa qualité, etc. : *huiles lourdes* (1857), *huiles de pétrole, huile de schiste,* etc. ◇ De l'emploi technique récent de certaines huiles pour la lubrification des mécanismes et des moteurs viennent ***mettre de l'huile dans les rouages*** «apaiser les dissensions» et (mil. XXe s.) ***baigner dans l'huile*** «fonctionner parfaitement, aller bien», souvent elliptiquement *baigner**.

Huile s'emploie familièrement de nos jours pour «personne importante, influente» et, en particulier, pour «officier supérieur», en argot militaire. Cet emploi vient de la locution, aujourd'hui disparue, *nager dans (parmi) les huiles* («fréquenter des personnes influentes», 1887), d'origine obscure.

▶ Le dérivé **HUILER** v. tr. apparaît avec le sens général de «frotter, oindre avec de l'huile» (XIVe s., *huyler les plaies;* 1488, *se frotter d'huile*). *Huiler* «assaisonner avec de l'huile comestible» (1546) s'utilise surtout de nos jours au participe passé. Dans un emploi technique (agriculture), le verbe signifie «laisser suinter un liquide gras», dans *plante qui huile* (1771, intr.). ➛ Le dérivé **HUILAGE** n. m. (1838) et le préfixé **DÉSHUILER** v. tr. «enlever de l'huile» (1838) sont des termes techniques, comme les dérivés du verbe préfixé, **DÉSHUILEUR** n. m. (XXe s.) et **DÉSHUILAGE** n. m. (v. 1960).

De *huile* dérivent aussi quelques mots plus courants. ➛ ① **HUILIER** n. m. «fabricant d'huile» (1260) puis «ustensile contenant deux burettes pour l'huile et le vinaigre» (1693). ➛ **HUILEUX, EUSE** adj., «qui a la consistance, l'aspect de l'huile» (1538; 1474 selon Bloch et Wartburg), est usuel. ◇ De là **HUILEUSEMENT** adv. (1905) peu usité. ➛ **HUILERIE** n. f. (1547), «lieu où l'on fabrique l'huile», aujourd'hui appliquée à une usine. ➛ Enfin ② **HUILIER, IÈRE** adj. (1867; *poisson huilier* «qui fournit de l'huile») a été repris pour «relatif à la fabrication de l'huile».

✱ **HUIS** n. m. est issu d'abord sous la forme *us* (1050) du bas latin *ustium,* altération du latin classique *ostium* «entrée, ouverture», d'où «porte». Ce mot dérive de *os, oris* «bouche» et «entrée, orifice», remplacé dans les langues romanes par *bucca* (→ bouche); le thème *os-* se retrouve dans plusieurs langues indoeuropéennes (sanskrit *ās(i)yam,* vieil islandais *óss* «embouchure», irlandais *á* «bouche»). Le *h* a été introduit (1549) pour éviter la lecture *vis, u* notant aussi *v*.

♦ Le mot, apparu avec le sens de «porte», était devenu archaïque ou littéraire dès le XVIIe s.; il est concurrencé par *porte** dès l'ancien français — comme le latin *ostium* avait peu à peu éliminé *ianus.* ◇ *Huis* est encore employé dans la locution ***à huis clos*** «à portes fermées» (1549) et, au figuré, «en petit comité»; *huis clos* est un terme juridique comme nom masculin (1835), opposé à *publicité* (cf. *demander le huis clos*); *à huis ouvert* (1549) ne s'est pas maintenu.

▶ **HUISSERIE** n. f., sous la forme *uisserie* en judéo-français (av. 1105) «chambranle de porte» puis *oiseries* (v. 1160), est attesté sous la forme moderne d'après *huis* en 1260. Le sens de «porte», encore employé au XIXe s., est sorti d'usage.

HUISSIER n. m., dérivé de *us* (*ussier*, v. 1140) devenu *huis*, peut être rapproché du latin classique *ostarius* «portier, concierge», en latin ecclésiastique «portier» (le dernier des ordres mineurs), et désigne en latin médiéval un officier de ménage, un dignitaire aulique. ◇ Le mot, qui est usuel en français moderne, à la différence de *huis*, apparaît au sens de «gardien d'une porte»; il désigne un navire de transport muni d'une grande porte à la poupe (1188), puis un fabricant de portes (v. 1260); tous ces emplois sont archaïques. Du premier sens vient l'acception d'«officier dont la charge était d'ouvrir et de fermer une porte». ◇ Le mot désigne celui qui annonce et introduit les visiteurs (dans un ministère, par exemple). Par extension (XIVe s.), *huissier* se dit de celui qui est préposé au service de certaines assemblées (1320, *huissier de parlement*) et spécialement (1538) d'un officier ministériel chargé de signifier les actes de procédure.

HUIT adj. et n. m. inv. représente sous la forme *oit* (v. 1130) puis *uit*, l'aboutissement de l'évolution phonétique du latin classique *octo*; le *h* a été ajouté au XVIIe s. pour éviter la prononciation [vit].

♦ *Huit*, adjectif numéral cardinal, s'emploie par extension dans la locution ***huit jours*** «une semaine» d'où ***donner ses huit jours à qqn*** «le renvoyer et lui donner la rémunération d'une semaine de travail en dédommagement» et, pour un employé, «quitter son emploi» (en s'engageant à travailler encore une semaine; cf. *rendre son tablier*); la locution fait référence à un état archaïque du droit du travail. ◇ *Huit* est aussi adjectif numéral ordinal invariable (ex : *page huit*). ➜ Nom masculin invariable, *un, le huit* désigne, en particulier, la carte à jouer marquée de huit points (1690) *(le huit de pique)*; il se dit également (XIXe s.) du chiffre qui représente le nombre 8. ◇ Comme terme de sports, il s'emploie (1895) en patinage à propos d'une figure de base en forme de huit. Avec un autre sémantisme, il s'applique (1906) à une embarcation de huit rameurs en pointe et un barreur *(une course à huit)*.

▶ **HUITIÈME** adj. et n. a remplacé (v. 1170, *huistieme*) les formes *uitme, oisme, oitme* (depuis 1130) formées d'après *setme, sesme* (de *septimus*; → septième). *Huitième* s'emploie dans la locution ***la huitième merveille du monde***, «chose qui paraît pouvoir s'ajouter aux sept merveilles traditionnelles». ◇ *Huitième* s'emploie aussi comme nom (XIIe s.) : *être le/la huitième*; il se dit également d'une fraction d'un tout divisé également en huit, comme adjectif et nom masculin : *un huitième* «la huitième partie» (v. 1283). Dans cet emploi, un sens spécialisé (1932) en sports est *huitième de finale*. Le dérivé **HUITIÈMEMENT** adv. est attesté (1480; av. XVe s., *huytiesmement*).

HUITAIN n. m. s'emploie du XIIe (v. 1160, *uitain*) au XIVe s., au sens de «huitième»; le mot, d'emploi didactique, désigne ensuite un poème, ou une strophe, de huit vers (fin XVe s., *vers huytains*, J. Molinet). ➜ **HUITAINE** n. f., réfection (1437) de la forme *huitiene* (1260), signifie «ensemble de huit choses» (cf. *octave*); en emploi absolu, *une huitaine* signifie «huit jours» et, par extension «semaine».

HUITANTE adj. et n. est issu (v. 1140, *oitante*) du latin *octoginta* «quatre-vingts». En ce sens, le mot ne s'utilise aujourd'hui qu'en Suisse (terme officiel dans le canton de Vaud; cf. *octante*); il n'est plus employé en Belgique, où il était en usage avant le XIXe s. (par emprunt au wallon *ûtante*, de *ût* «huit»). En France, *quatre-vingts*, malgré l'abandon du type de numérotation vigésimal (par 20), s'est maintenu. Sur *huit* ont été formés plusieurs composés. **HUIT-RESSORTS** n. m. inv. (1866, de *ressort*) s'est dit d'une voiture à chevaux de luxe, suspendue sur huit ressorts. ➜ **HUIT-REFLETS** n. m. inv. (1907, de *reflet*) désigne un chapeau de soie haut de forme, sur le fond duquel on distingue huit reflets. ➜ Du format en *huit millimètres* au cinéma, vient **SUPER-HUIT** adj. et n. m. (attesté 1965), qualifiant et désignant un format de cinéma d'amateur intermédiaire entre le *huit* et le *seize* millimètres.

◈ voir SIX (SIX-HUIT), TROIS (TROIS-HUIT).

HUÎTRE n. f. représente, sous les formes *oistre, uistre* (v. 1270) l'aboutissement de l'évolution phonétique du latin classique *ostrea*, du grec *ostreon* (→ ostréo-), apparenté au nom de l'os, *ostoun*, ces mots désignant des objets durs. La forme *oistre* est en usage jusqu'au début du XVIIe s.; le *h* initial a été ajouté pour éviter la lecture *vitre*, le *u* et le *v* se confondant (XVe s., *huistre*).

♦ Tout en gardant le même sens, le mot a subi deux évolutions quant à ses applications. D'une part, *l'ostrea edulis*, espèce que désignait le mot latin, puis français (aussi nommée *gravette*), dépérit en France entre 1750 et 1850. C'est au milieu du XIXe s. que l'élevage apparaît, alors même qu'un autre mollusque, importé par hasard des Indes au Portugal (XVe s.), se fixa, aussi par accident, dans la Gironde et les Charentes (1868). Engraissées et affinées en bassins (appelées claires), ces *huîtres portugaises* ou *huîtres creuses* se sont développées aux dépens des anciennes espèces, dès lors nommées *huîtres plates* (celles de Belon sont célèbres), avant d'être elles-mêmes menacées par un virus et remplacées par une nouvelle espèce importée du Japon, la «giga» (1971). Dès lors le mot désigne plusieurs espèces, l'*ostrea* initiale étant minoritaire. — Par ailleurs, l'huître, mangée crue à Rome et en Gaule, fut longtemps l'objet de préparations culinaires élaborées : *civé d'oittres* (Ménagier, v. 1393), *pastez d'huistres* (1604), *ragoût, beignets d'huistres* et *huistres rosties* (1664). Au XVIIIe s., on mange l'huître soit crue, soit au gril (*huîtres saucées*, 1774). C'est au XIXe s. que l'huître crue l'emporte en France, alors que les anciennes recettes, passées par la Louisiane, sont pratiquées aux États-Unis; cependant, les *sauces d'huîtres* à la mode chinoise et les *huîtres chaudes* se sont récemment imposées en France, à côté des huîtres crues, largement majoritaires et consommées par douzaines. ◇ *Huître* s'emploie, par référence au comportement du mollusque, dans plusieurs locutions : ***bâiller comme une huître*** «en ouvrant largement la bouche», ***se***

fermer comme une huître «se replier sur soi», ***être plein comme une huître*** «être ivre». ◇ Il s'est employé pour «personne sotte» (1660).

▶ Le dérivé ① **HUÎTRIER** n. m. est d'un emploi rare (1718, *huistrier*) pour *ostréiculteur;* le mot désigne aussi (1781) un oiseau échassier qui se nourrit surtout d'huîtres; on dit aussi *huîtrier pie.* ➜ ② **HUÎTRIER, IÈRE** adj. «relatif aux huîtres, à leur élevage, etc.» est attesté en 1801. ➜ **HUÎTRIÈRE** n. f. signifie «banc d'huîtres» (1546, *huistriere*) et «établissement où se fait l'élevage des huîtres» (1867).

HULOTTE n. f., attesté au XVIe s. (1530), est dérivé du verbe (ancien et moyen français) *uller* puis *huller, huler* «pousser des cris stridents» (v. 1165), issu du latin impérial de même sens *ululare* (→ huluer); le latin impérial *ulula* avait déjà le sens de «chouette, effraie».

♦ *Hulotte* désigne un oiseau rapace nocturne appelée aussi *huette* (de *huer* → hue !).

HULULER v. intr. est un emprunt (XVe s.) au latin impérial *ululare* «hurler» d'origine onomatopéique (→ hurler).

♦ Le verbe, écrit aussi *ululer,* s'emploie pour «crier», en parlant des oiseaux de nuit.

▶ Il a pour dérivé **HULULEMENT** (aussi *ululement*) n. m. (1541).

✳ **HUMAIN, AINE** adj. et n. m. est un emprunt (v. 1160) au latin *humanus* «propre à l'homme» d'où «cultivé, policé», «bienveillant» et «qui peut arriver à un homme mortel», d'origine obscure : *humanus* correspond à *homo, inis* très précisément pour le sens et l'usage, mais est indépendant quant à l'étymologie (comme *publicus* par rapport à *populus,* rappellent Ernout et Meillet). Cependant, au niveau plus ancien où *homo* serait lié à *humus,* par l'idée de «terrestre», un rapport formel entre *homo* et *humanus* est plus que vraisemblable.

♦ *Humain* reprend (v. 1160) le sens «propre à l'homme» (comme dans : *respect humain*); par extension, il s'applique (v. 1165) à ce qui possède les caractéristiques de l'homme *(un être humain);* de là l'emploi analogique dans *voix humaine* pour nommer un jeu d'orgues qui imite les voix humaines (1680) et la locution ***n'avoir plus figure humaine*** «être laid, difforme» (1718). Depuis le XIIe s., l'adjectif se dit (v. 1175) pour «composé d'hommes» : *la race* puis *l'espèce humaine.* ◇ Le sens de «bienveillant», réemprunté au latin, est attesté vers 1200, d'où ensuite l'emploi, aujourd'hui archaïque, en parlant d'une femme «accessible» (1558; XIIe s., en ancien provençal) par opposition à *prude, inhumaine.* ➜ *Humain* s'emploie à partir du XIVe s. comme nom masculin au pluriel (1340, *li humains*) pour «les hommes»; il est rare en ce sens au singulier (1630, *l'humain* «la nature humaine»). ➜ Par spécialisation du premier sens, *humain,* adjectif, signifie «qui a l'homme pour objet» (1552, Rabelais, *les lettres humaines* «la littérature profane», par opposition aux Écritures) et a signifié «cultivé» (1636). C'est dans un autre sens qu'apparaît ***sciences humaines,*** opposées à *divines,* désignant un savoir humain et non pas inspiré; le syntagme sera repris avec une autre valeur (→ science). ◇ Au début du XVIIe s., le nom masculin désigne ce qui appartient à l'homme *(l'humain et le divin).* Dans le vocabulaire religieux, l'adjectif s'applique à ce qui est conforme à la nature humaine, en tant qu'imparfaite (1671), d'où *moyens humains* «moyens pour parvenir au salut sans la grâce» (1690).

▶ **HUMAINEMENT** adv. signifie (v. 1180, *humeinement*) «selon la nature de l'homme», d'où la locution *humainement parlant* (XVe s.), et surtout «avec bonté» (fin XIIe s., *humainement*). ➜ **HUMANISER** v. tr. dérivé savant de *humain* (1554) d'après le latin *humanus,* a d'abord le sens de «rendre humain», de nos jours d'emploi littéraire; il se dit ensuite (1559) pour «mettre à la portée des hommes» *(humaniser une doctrine)* et, en théologie (1584), «donner la nature humaine», en parlant d'un sacrement. Au XVIIe s. (1657, Scarron), le verbe prend le sens de «rendre bienveillant, plus sociable»; cette valeur, on l'a vu, correspond au latin *humanus* et à l'adjectif *humain,* comme à *humanité* (ci-dessous). ◇ Le dérivé **HUMANISABLE** adj. est attesté en 1834; **HUMANISATION** n. f. en 1845. ◇ Sur *humaniser* a été composé **DÉSHUMANISER** v. tr. (1647, repris déb. XXe s.), d'où dérivent **DÉSHUMANISATION** n. f. (1936, Martin du Gard; 1870, selon Dauzat) et **DÉSHUMANISANT, ANTE** adj. (1944).

À partir d'*humain* ont été formés plusieurs adjectifs préfixés. ➜ **SURHUMAIN, AINE** signifie d'abord (1555, *sur-humain*) «qui apparaît au-dessus des forces et des aptitudes normales» *(un effort surhumain),* puis dans un emploi littéraire (1601) «qui relève ou semble relever d'un autre monde que le monde humain». Il est (rarement) substantivé *(le surhumain,* 1926). ◇ En dérivent, liés au premier sens, **SURHUMANITÉ** n. f. (av. 1896 «société formée d'hommes supérieurs», Goncourt) formé d'après *humanité,* «état du surhomme» (1910) et **SURHUMAINEMENT** adv. (1900, après un exemple isolé v. 1615), tous deux d'usage littéraire. ◇ **SUPRAHUMAIN, AINE** adj. (1907, Paulhan) est une variante littéraire de *surhumain,* avec une valeur sémantique distincte.

ANTIHUMAIN, AINE (1855, G. Sand; de *anti-*) se dit pour «contraire à la nature de l'homme», «hostile à l'homme». ➜ **ANTÉHUMAIN, AINE,** terme didactique (1864, de *anté-*), signifie «qui a précédé l'apparition de l'*Homo sapiens*». ➜ **A-HUMAIN, AINE** (v. 1920), «qui n'a rien d'humain», est utilisé, dans un emploi littéraire, pour éviter *inhumain,* qui a aussi le sens de «cruel». ➜ **SOUS-HUMAIN, AINE** (mil. XXe s.), terme didactique, signifie «qui est incompatible avec la nature de l'homme», alors que **SUBHUMAIN, AINE** adj. (mil. XXe s.) suppose un état de l'évolution des Hominiens antérieur à l'*Homo sapiens.*

L'adjectif le plus ancien où l'on retrouve *humain* n'est pas formé en français. ➜ **INHUMAIN, AINE** adj. (1373) est un emprunt au latin *inhumanus* pour «qui manque d'humanité», devenu archaïque. Au XVIe s., le mot s'emploie au sens de «qui semble ne pas appartenir à la nature humaine» (1546, *cris inhumains*) d'où par extension «très pénible» *(un tra-*

vail inhumain). ◇ Il se dit aussi d'une femme qui ne répond pas à l'amour qu'on lui porte (1555, Ronsard, n.; XVIIe s., adj.), d'abord opposé à *humaine*, disparu plus vite en ce sens; le mot s'emploie maintenant par plaisanterie; d'où (1867) *cette femme n'est pas inhumaine* «elle accorde facilement ses faveurs». ◇ **INHUMAINEMENT** adv., d'emploi littéraire, est attesté au milieu du XIVe siècle.

HUMANITÉ n. f., attesté avant *humain* (v. 1119, *humanitet*), est emprunté au latin classique *humanitas* «ensemble des caractères qui définissent la nature humaine», «sentiment de bienveillance» et «culture» (ce qui est propre à l'homme), dérivé de *humanus*. ◇ C'est le premier sens du latin qui est d'abord repris, aujourd'hui en usage en philosophie et en anthropologie, puis le second, «bienveillance» (v. 1170, *humanited*) : de là, à la fin du XVIIe s. dans un contexte religieux, l'acception de «faiblesse humaine». ◇ Le mot a désigné les parties sexuelles du XIIIe (1244) jusqu'au XVIe s.; Rabelais emploie *petite humanité* pour «pénis» (1564). Une autre acception concernait une autre caractéristique de l'homme, les biens du monde terrestre (v. 1270). ◇ Par extension du premier sens, le mot, resuffixé en *humanité*, se dit (v. 1450) pour «ensemble des hommes»; ce sens, courant de nos jours, est rarement attesté avant le XVIIe s., époque où *humanité* prend d'autres valeurs influencées par celles d'un mot de la Renaissance, *humaniste* (voir ci-dessous). ◇ *Humanité* s'emploie dans ce contexte, au singulier (1615, Pasquier), puis au pluriel, pour «langue et littérature grecques et latines» et pour leur étude (1671, *faire ses humanités;* cf. déb. XVIe s., le latin moderne *studia humanitas*). Le mot s'emploie par extension au sens d'«études secondaires», vivant en français de Belgique. ◆ **SOUS-HUMANITÉ** n. f. (1938) correspond à *sous-humain* (ci-dessus) et à *sous-homme* (→ homme). ◆ Le dérivé **HUMANITAIRE** adj. «qui vise au bien de l'humanité», propre à la période romantique, est relevé en 1835 (Lamartine); le mot a été employé péjorativement, surtout dans la seconde moitié du XIXe s. d'où le dérivé **HUMANITAIRERIE** n. f. (1836, Musset), aujourd'hui sorti d'usage. ◆ De *humanitaire* dérivent aussi (1837, Balzac) les termes didactiques, souvent péjoratifs, **HUMANITARISME** n. m. et **HUMANITARISTE** adj. et n., en concurrence au XIXe s. avec *philanthropisme* et *philanthrope*.

INHUMANITÉ n. f. est un emprunt au latin classique *inhumanitas*, de *humanitas*. Le mot est d'emploi littéraire au sens de «caractère d'une personne ou d'une chose inhumaine» (1312); il est archaïque au sens d'«acte inhumain» (1376), didactique pour «caractère non humain». Il signifiait «impolitesse» (1530) jusqu'au début du XVIIIe siècle.

HUMANISTE n. et adj. est un emprunt de la Renaissance (1539) au latin moderne *humanista* (attesté en 1490), dérivé de *humanus*. ◆ Le mot désigne d'abord un lettré qui a une connaissance approfondie de la langue et de la littérature antiques, grecques et latines, domaines dont l'étude est appelée *studia humanitas* et, plus tard en français, *humanités* (voir ci-dessus). *Humaniste*, pris spécialement, devient (1677, n.) le nom donné aux lettrés des XVe et XVIe s. et a désigné celui qui enseignait les humanités (1740). ◇ Au XIXe s., *humaniste*, appuyé par *humanisme*, devient adjectif (1848), puis est utilisé en philosophie au sens de «penseur qui prend l'homme comme valeur suprême» (1873). ◇ Il a un préfixé antonyme **ANTIHUMANISTE** adj. (1936). ◆ **HUMANISME** n. m. est attesté isolément en 1765, au sens de «philanthropie»; il est alors en relation avec *humain* et *humanité* au sens latin de «bienveillant, bienveillance». ◇ Puis le mot, dérivé de *humaniste*, est repris vers 1840 (1846, chez Proudhon), probablement sous l'influence de l'allemand *Humanismus* «humanisme» (dérivé de l'adjectif *human* «humain»). Le mot désigne la doctrine qui prend pour fin la personne humaine puis (1877) le mouvement représenté par les *humanistes* de la Renaissance. Le sens général (*L'Existentialisme est un humanisme*, titre de Sartre) et la valeur spéciale, historique, coexistent aujourd'hui. ◆ C'est cette dernière valeur, liée à *humaniste*, qui se réalise dans **HUMANISTIQUE** adj. (1924, *écriture humanistique*), terme didactique qui s'applique à l'écriture utilisée par les humanistes de la Renaissance italienne pour transcrire des œuvres de l'Antiquité. ◆ *Humanisme* a pour contraire le préfixé **ANTIHUMANISME** n. (1936).

HUMANOÏDE adj. et n. est un dérivé savant (1851) du latin classique *humanus*, avec le suffixe *-oïde*. L'adjectif, d'emploi didactique, s'applique à ce qui rappelle l'homme, d'un point de vue zoologique; le nom est d'usage plus courant et désigne un être voisin de l'homme, le plus souvent en parlant d'êtres imaginaires, dans un contexte de fiction scientifique (cf. *extra-terrestre*). Dans ces deux emplois, le mot a pu transiter par l'anglais : *humanoid* est employé par F. G. Ritchie (1918) et comme nom en 1925 (J. A. Thomson) en anthropologie; l'emploi en science-fiction semble américain (Nabokov, 1952).

HUMBLE

HUMBLE adj. est la modification (v. 1120) des formes *humele* (1080), *humle* (v. 1120), emprunt au latin classique *humilis* «bas, près de la terre», d'où au figuré «modeste, faible» et, surtout en latin chrétien, «conscient de sa faiblesse»; *humilis* dérive de *humus* «terre» (→ humus).

♦ *Humble* reprend (1080) le sens de «qui s'abaisse par humilité» (à propos de personnes), d'où en parlant de choses (1636) «qui marque de l'humilité», dans un contexte chrétien et éthique. Par extension, l'adjectif s'applique (1564) à une personne qui est d'une condition sociale inférieure ou à une chose qui en est la caractéristique; il s'emploie en ce sens comme nom, le plus souvent au pluriel (1564; *les humbles*). ◇ Dans un emploi aujourd'hui littéraire, *humble*, adjectif, prend au XVIe s. (1576) le sens de «sans éclat», «médiocre».

▶ **HUMBLEMENT** adv., réfection (v. 1175) de *humelement* (XIIe s.), signifie «avec humilité» et s'est aussi employé pour «dans l'humilité» (1611).

HUMILITÉ n. f. est emprunté (XIIe; 2de moitié Xe s., *humilitiet*) au dérivé latin classique *humilitas* «faible élévation, petite taille» et au figuré, «état modeste, bassesse», puis en latin chrétien «modestie, abaissement devant Dieu». ◆ C'est ce dernier sens qui apparaît d'abord en français ; le mot s'est employé (v. 1120) pour «humiliation», encore au XVe s., dans *faire humilité à qqn* «se soumettre» (1440-1475). ◇ Puis (1606), le mot signifie «état d'infériorité de la nature humaine ("bassesse") ou d'une condition sociale», «obscurité» et par extension du premier sens «grande déférence», d'où les emplois péjoratifs pour «servilité» et dans l'expression *en toute humilité* «le plus humblement possible» ; *humilité* au sens de «platitude» *(s'abaisser à des humilités)* est archaïque.

◈ voir HUMILIER.

HUMECTER v. tr. est un emprunt savant (1503 ; 1505, *humetter*) au latin classique *humectare* «mouiller», dérivé du radical de *humectus*, lui-même du verbe *humere* (→ humide).

♦ Le mot français conserve le sens du latin, également employé au pronominal (1636) ; par extension, ***s'humecter le gosier*** se dit pour «boire» (1845 ; 1718, *s'humecter le pectoral*).

▶ **HUMECTANT, ANTE** adj. s'est dit en médecine (v. 1560) de ce qui rend le sang plus fluide, et donc humecte les organes. ◆ **HUMECTAGE** n. m. «action d'humecter» (1873) a remplacé **HUMECTATION** n. f., emprunté (v. 1314) au bas latin *humectatio*, du supin de *humectare*. ◆ Le dérivé **HUMECTEUR** n. m. (1842) est un terme technique.

HUMER v. tr., apparu (av. 1105) en judéo-français, puis réattesté vers 1150, est probablement issu d'un radical onomatopéique *hum-*, exprimant l'aspiration ; P. Guiraud propose de rapprocher le verbe du latin classique *humere* (→ humide).

♦ *Humer* signifie d'abord «boire en aspirant», en emploi littéraire aujourd'hui ; mais le verbe s'est employé pour «boire en ivrogne» à l'époque classique (1611). Il se dit ensuite, en parlant d'un animal (1366), pour «flairer» et a signifié «aspirer la fumée du tabac» (1575). ◇ Le sens moderne d'«aspirer par le nez pour sentir» est attesté depuis 1611 ; puis *humer* prend le sens figuré d'«aspirer avec délices» (1644, Scarron).

▶ Du verbe dérivent **HUMAGE** n. m., d'abord «boisson» (XVe s.), aujourd'hui terme de médecine (1530), et **HUMANT, ANTE** adj. (1936), d'usage rare.

HUMÉRUS n. m. est un emprunt savant (1579, chez A. Paré) au latin *humerus* «épaule», généralement de l'homme (par opposition à *armus*), «partie supérieure du bras» et par métaphore «milieu» (d'un objet), «dos, flanc» (d'une montagne) à l'époque impériale ; on trouve au XIVe s., dans un texte italianisant, la forme *humre* pour désigner l'épaule d'un chien et la partie supérieure de l'aile d'un oiseau.

♦ *Humérus*, terme d'anatomie (d'abord écrit sans accent — graphie latine), se dit de l'os long qui constitue le squelette du bras, de l'épaule au coude.

▶ **HUMÉRAL, ALE, AUX** adj. est un dérivé savant (1541) du latin *humerus*. Terme d'anatomie signifiant «relatif à l'humérus» ; l'adjectif fait aussi partie du vocabulaire de la liturgie catholique : *voile huméral* désigne la bande d'étoffe couvrant les épaules du prêtre.

HUMEUR n. f. est emprunté (1119) au latin classique *humor, humoris* «humidité» (concret et abstrait), «élément liquide», «liquide, en général», «humeur» (du corps humain), dérivé de *humere* «être humide» (→ humide).

♦ *Humeur* a d'abord désigné l'eau (1119) comme élément nécessaire à la vie, symbolisant l'amour, puis a été employé pour «humidité» (apr. 1150) jusqu'au XVIIIe siècle. ◇ Le mot s'est dit ensuite (v. 1175, B. Latini) au sens de «liquide organique du corps humain», le plus souvent au pluriel dans l'ancienne médecine ; le dosage des «quatre humeurs» (v. 1265) bile, atrabile, flegme et sang, était supposé déterminer le tempérament (*humeur atrabilaire, humeur noire*, 1631). Le sens étendu de «sève» (XIIIe s.) a disparu mais au sens de «liquide organique» (1314) le mot conserve aujourd'hui quelques emplois, comme *humeur aqueuse* (1680), *humeur vitrée de l'œil* (ou *corps vitré*). L'hésitation entre masculin et féminin ne disparaît qu'au XVIIe siècle. ◆ *Humeur*, par extension, prend le sens, toujours en usage dans un emploi littéraire, d'«ensemble des tendances dominantes qui forment le caractère» (XVe s.), au pluriel *les humeurs* (1555, Ronsard, in *T. L. F.*) ; de là vient le sens, dans un usage aujourd'hui littéraire, d'«ensemble de tendances spontanées» (opposé à *raison, volonté*), usité dans *un homme* ***d'humeur*** «capricieux», devenu archaïque, et dans *une* ***critique d'humeur*** «écrite selon l'humeur du moment» qui s'emploie toujours. ◇ De l'idée de «spontanéité», on passe (XVIe s.) à celle de «fantaisie» *(des humeurs imprévisibles)*. ◇ *Humeur* désigne aussi à partir du XVIe s. une disposition momentanée, qui ne constitue pas un trait de caractère (1578) ; en viennent plusieurs locutions : ***humeur de*** (suivi d'un nom ou de l'infinitif) «disposition à», vieilli ; ***être d'humeur à*** (1643), ***en humeur de*** (suivi d'un infinitif) «disposé à» ; ***mauvaise humeur*** (déb. XVIIe s., Malherbe) et de même sens, ***méchante humeur, humeur de chien***, etc. ; ***bonne humeur*** (déb. XVIIe s.), ***belle humeur*** (1636), archaïque sauf dans *(être) en belle humeur*. ◇ Employé seul, *humeur* signifie (1643) «disposition à la plaisanterie» et (fin XVIIe s. ; au pluriel, 1583) «mauvaise humeur», d'où la locution ***prendre de l'humeur*** «se fâcher» (1788) ; les deux emplois antinomiques n'ont pas coexisté et seul le second est resté, le premier étant éliminé par *humour* (→ humour).

▶ **HUMORAL, ALE, AUX** adj. est un emprunt (v. 1370) au latin médiéval *humoralis*, de *humor* ; terme de médecine ancienne, le mot signifiait «relatif aux humeurs du corps». ◆ À partir du latin *humor* a été formé ② **HUMORISME** n. m. (1825) pour désigner la théorie ancienne des quatre humeurs.

◈ voir HUMORISTE, HUMOUR.

HUMIDE adj. est un emprunt au latin classique *humidus* «humide, mouillé», dérivé de *humere* «être humide», d'origine peu claire (→ humeur, humecter). La forme première est *humiz* au masculin

(XIVe s.) et c'est la forme du féminin qui l'emporte pour les deux genres (1495).

♦ *Humide* s'est introduit en français avec un sens aujourd'hui archaïque, «qui tient de la nature de l'eau» (*l'humide élément,* «l'eau»). Il prend au XVIe s. (1528) le sens moderne, «chargé, sans en être pénétré, de liquide» (cf. *mouillé, trempé,* de sens plus fort). Dans ce sens, l'adjectif est substantivé (*l'humide et le sec*) au XVIe siècle. Le mot entre dans la locution ***la paille humide des cachots*** «la prison».

▸ **HUMIDIFIER** v. tr., terme aujourd'hui technique, signifie (1649, Scarron) «rendre (plus) humide»; il correspond au bas latin *humificare,* de *humere.* ◇ En dérivent les termes techniques **HUMIDIFICATION** n. f. (1875) et **HUMIDIFICATEUR, TRICE** adj. et n. m. (1895).
Le composé **HUMIDIFUGE** adj. (1829; de *-fuge*) est didactique. ◆ **HUMIDIMÈTRE** n. m. (1972; de *-mètre*) est un terme technique.
HUMIDITÉ n. f. est emprunté (2e moitié XIVe s.) au dérivé bas latin *humiditas;* il a suivi l'évolution de l'adjectif, de «nature aqueuse» à «caractère de ce qui est imprégné légèrement de liquide».

HUMILIER v. tr. représente un emprunt (v. 1120) au latin ecclésiastique *humiliare* «abaisser, rendre humble», dérivé du latin classique *humilis* (→ humble).

♦ Au XIIe s., le verbe a le sens d'«abaisser (la tête, le front) avec soumission», aujourd'hui disparu, et celui de «rendre humble», employé dans le vocabulaire religieux; *humilier* a aussi à partir du XIIe s. le sens d'«abaisser (qqn) d'une manière avilissante ou outrageante» dans un contexte profane, également au pronominal. Le verbe prend ensuite le sens plus faible de «couvrir de honte, de confusion».

▸ Le verbe a fourni les dérivés : **HUMILIANT, ANTE** adj., d'abord «humble» (XIIe s., *humeliant*) «courtois, charitable», s'applique à ce qui cause de l'humiliation (1668); ◆ **HUMILIATEUR, TRICE** adj. et n. (1904, Claudel) est rare et d'emploi littéraire.
HUMILIATION n. f. est emprunté au latin chrétien *humiliatio* «action d'abaisser» et au figuré «action d'humilier», par mortification, dérivé de *humiliare.* ◆ C'est d'abord un mot du vocabulaire religieux (av. 1449) désignant le fait de s'humilier devant Dieu. Il prend ensuite le sens, hors d'un contexte religieux (1495), d'«action d'humilier ou de s'humilier», d'où ensuite (XVIIe s.) «sentiment d'une personne humiliée» et «ce qui blesse l'amour-propre» (1683, Bossuet).

◈ voir HUMBLE.

HUMORISTE n. et adj. est apparu à diverses périodes, avec des origines différentes. Il est d'abord emprunté (1578) à l'italien *umorista* «capricieux, fantasque», dérivé de *umor,* équivalent à *humeur* et de même origine.

♦ Comme nom, il signifie alors «personne de caractère difficile, d'humeur fâcheuse», sens disparu aujourd'hui, comme celui de «commentateur malveillant» (1785, Beaumarchais). ◆ Au XVIIIe s. (1752), un nouvel emprunt au latin savant *humorista,* formé par le médecin flamand Van Helmont à partir du latin *humor* (→ humeur), désigne un médecin partisan de la théorie des humeurs ou *humorisme :* dans cet emploi, c'est aujourd'hui un terme d'histoire de la médecine. ◆ Le dernier emploi, qui a supplanté les autres, est attesté en 1793 comme adjectif; *humoriste* est alors une francisation de l'anglais *humorist* ou *humourist* (attesté en français en 1788; → humour), emprunté lui-même au français *humoriste* (dans son premier sens) ou à l'italien *umorista* et qui a pris la valeur de «personne facétieuse, enjouée» en 1599. Le français *humoriste,* substantivé (1831), est rattaché à *humour**, mais semble plus détaché de son origine britannique.

▸ **HUMORISTIQUE** adj. est emprunté (1801; 1869, *humouristique,* Sainte-Beuve) à l'anglais *humoristic* (fin XVIIIe s.), dérivé de *humorist,* et signifie «relatif à l'humour», «empreint d'humour» et plus généralement «drôle» (XXe s.). Balzac l'emploie (1847) au sens de «relatif aux humeurs», qui n'a pas survécu. C'est alors un dérivé savant du latin *humor* ou de *humoriste.* ◇ Le dérivé **HUMORISTIQUEMENT** adv. «avec humour» (1874) est d'emploi rare. ◆ ① **HUMORISME** n. m. (1818) est sorti d'usage.

HUMOUR n. m., attesté isolément en 1725 (*houmour*) puis repris en 1745, est un emprunt à l'anglais *humour,* lui-même de l'ancien français *humour* et ayant eu la même évolution (→ humeur). L'anglais a repris au français le sens de «disposition à la gaieté» (XVIIe s.); le français *humour* ne [illegible] avant que celui de «disposition à l'irritation». En anglais, le sens du mot a évolué pour désigner dans le courant du XVIIIe s. la faculté de présenter la réalité de manière à en montrer les aspects plaisants, insolites ou parfois absurdes, avec une attitude empreinte de détachement.

♦ En français, *humour* a d'abord un sens proche d'«esprit»; Littré définit encore le mot par «gaieté d'imagination, verve comique»; le sens propre de l'anglais est utilisé à la fin du XIXe siècle. Si la notion est adoptée en France, l'humour est toujours considéré comme une spécialité anglaise (on emploie souvent le mot dans le syntagme *humour anglais*), alors que *humoristique* est relativement plus autonome.

◈ voir HUMORISTE.

HUMUS n. m. est un emprunt savant (1765, *Encyclopédie*) au latin *humus* «terre, sol», qui se rattache à une racine indoeuropéenne °*ghyom* «terre».

♦ Le mot signifie «matière organique du sol, issue de la décomposition des végétaux».

▸ En dérivent les termes didactiques **HUMIQUE** adj. (1834), d'emploi rare, et **HUMINE** n. f. (1866, suffixe *-ine*). ◆ Les composés **HUMIFICATION** n. f. (1922), **HUMIFÈRE** adj. (XXe s.) et **HUMICOLE** adj. (mil. XXe s.) sont aussi d'emploi didactique.

HUNE n. f. est un emprunt effectué en Normandie (v. 1180) à l'ancien scandinave *hûnn,* terme de marine désignant une plate-forme arrondie à l'avant, reposant sur les bas-mâts.

♦ *Hune* conserve ce sens en français.

▸ En dérive **HUNIER** n. m. (1557), «voile du mât de hune».

HUPPE n. f. est issu (1121-1134) du bas latin *uppa,* lui-même du latin classique *upupa* «huppe» par syncope (cf. ancien français *hupupe*), d'origine onomatopéique ; le *h* a une valeur expressive. Le *u* du bas latin aurait dû aboutir à *ou,* attesté dialectalement avec les formes *heupe, houppette ;* il s'est peut-être maintenu à cause d'un croisement avec l'ancien verbe *huper, hupper* «crier haut et loin», la huppe étant criarde. *Huppe,* par ailleurs, a été altéré en *dupe* (→ dupe).

♦ Le mot désigne d'abord un oiseau passereau portant une touffe de plumes. Au début du XIVe s., *huppe* prend le sens de «touffe de plumes que certains oiseaux (dont la huppe) ont sur la tête» ; le mot est peut-être antérieur en ce sens (cf. *huppé*) qui provient probablement d'un croisement avec *houppe* (→ houppe). ◇ Par analogie, le mot s'emploie (1598) pour «touffe de cheveux hérissés» (cf. *houppe*).

▸ **HUPPÉ, ÉE** adj., d'abord attesté sous la forme *dupé* (1280, en anglo-normand) au sens de «portant une houppe», signifie (v. 1420) «de haute taille», sens sorti d'usage, et figurément (déb. XVe s.) «de haut rang, haut placé», spécialement «riche». À l'époque classique, le mot ne s'employait qu'au comparatif et au superlatif relatif *(les plus huppés ; il est des plus huppés)* et dans le syntagme *haut huppé,* maintenant disparu. À partir du XVIe s., *huppé* s'est dit pour «qui porte une touffe de plumes» (1532).

HURE n. f., attesté isolément au XIIe s. (v. 1175), est d'origine inconnue, probablement germanique en raison de la répartition des formes dialectales (France du Nord). P. Guiraud suggère d'en faire un dérivé du latin *urus* «bœuf sauvage» (mot cité par César, probablement d'origine germanique), par l'intermédiaire de l'ancien verbe *hurer* «hérisser la crinière», prolongé par les verbes dialectaux *hourer, se hurer* «se ruer tête baissée».

♦ *Hure* apparaît avec le sens de «bonnet de fourrure» et signifie (v. 1200) «tête hirsute» (d'un sanglier), puis en parlant d'un homme (XIIIe s.) «tête ébouriffée», sens aujourd'hui littéraire. ◇ Le mot désigne ensuite la tête coupée d'un sanglier ou d'un autre animal. Il se dit par extension du museau de certains poissons à tête allongée (1660), comme le brochet. Par métonymie (1866), il désigne une préparation de charcuterie faite avec des morceaux de hure (de sanglier ou de porc). ◇ *Hure* s'emploie aussi (1920) pour «tête» (cf. *gueule*), mais cet usage est resté rare.

▸ **HURON, ONNE** n. et adj. est attesté (1360) au sens de «qui a la tête hérissée», sens disparu, et qui correspond à l'ancien français *hurepé* (1135). *Huron* a été utilisé pour désigner un paysan insurgé dans une jacquerie (1360), puis une personne grossière (1380). À la fin du XIVe s., le mot s'emploie à propos d'un soldat qui pose des mines pendant un siège (cette valeur précise est inexpliquée). ◆ *Huron* est repris au XVIIe s. pour dénommer un «sauvage» d'Amérique du Nord (1671, Mme de Sévigné, *hurone*), à cause de la coiffure de plumes des Indiens. Ensuite *huron* désigne une langue de la famille de l'iroquois parlée par ce peuple (n. m. et adj.).
Le verbe **AHURIR** s'emploie aujourd'hui au figuré ; il est d'abord attesté au participe passé (v. 1270, *ahuri* «qui a une tête hérissée») puis au XVe s. à l'infinitif au sens de «jeter (qqn) dans la stupéfaction», «le déconcerter» et, par extension, «rendre (qqn) stupide» (1596, *ahuri*). ◆ En dérivent **AHURISSEMENT** n. m. (1853) et **AHURISSANT, ANTE** adj. (fin XIXe s.).

HURLER v. est emprunté (v. 1385) au bas latin *urulare* «hurler» (personnes ou animaux), «appeler par des hurlements», issu par dissimilation du latin classique *ululare* (→ hululer), d'origine onomatopéique, qui a abouti en ancien français à *ul(l)er, usler* (v. 1175). Le *h* dans *huler, huller,* puis *hurler* est d'origine expressive.

♦ *Hurler* conserve le sens latin «pousser des cris prolongés» (en parlant d'un animal, d'une personne), d'où la locution figurée ***hurler avec les loups*** (v. 1385) «faire une action cruelle, s'acharner comme ceux avec qui on se trouve». Le verbe a pris par extension le sens de «protester violemment», surtout dans la locution ***à hurler*** «qui incite à hurler d'indignation», valeur reprise par l'emploi récent, qui conserve l'idée de force, de ***hurler de rire*** «rire bruyamment»). ◇ Depuis le milieu du XVIe s., *hurler* s'emploie transitivement pour «dire en criant très fort» (comme *beugler, brailler*), puis au milieu du XVIIe s., le verbe en emploi intransitif signifie «parler, chanter, crier de toutes ses forces». ◇ Par analogie, *hurler* s'emploie en parlant de choses (1672, intr. ; par ex. *sirène qui hurle*). ◇ *Hurler* se dit aussi pour parler de choses incompatibles qui produisent un effet violemment discordant (1778).

▸ **HURLÉE** n. f. (v. 1340, *urlee* «tumulte, mêlée») a disparu au bénéfice de *hurlement,* comme *hulée* «hurlement» (XVIe s.). ◆ **HURLEMENT** n. m. (v. 1175, *uslement,* de *usler ;* XIIIe s., *ulement,* de *uler ;* puis 1509, *urlement*) a suivi une évolution sémantique parallèle à celle du verbe, comme **HURLANT, ANTE** adj. (XVIe s.) devenu usuel au figuré. ◆ **HURLEUR, EUSE** n. et adj. est attesté sous la forme *hulleur* (v. 1350) au sens disparu de «crieur public» ; il est repris (1606, *hurleur*) au sens de «personne qui hurle» ; il devient aussi adjectif (1766). En zoologie *hurleur* ou *singe hurleur* (Buffon) désigne l'alouate. Au XXe s., par analogie, le mot désigne un appareil de signalisation électrique muni d'un puissant haut-parleur. ◆ **HURLADE** n. f. (1680), d'emploi rare et littéraire, se dit du fait de hurler, en parlant de personnes.

HURLUBERLU n. m. est attesté sous la forme *hurluburlu* en 1564, comme nom d'un saint imaginaire (Rabelais), puis comme interjection en 1581 (A. du Baïf, *hurlu burlu*) ; il est aussi relevé comme adverbe au sens de «brusquement» (1640, Oudin) et comme adjectif par Furetière (1690, *hurlubrelu*). Enfin la forme *hurluberlu* adverbe, adjectif et substantif, se trouve en 1718 dans le dictionnaire de l'Académie. Le mot est d'origine incertaine ; on y a vu un composé de °*hurelu* «ébouriffé», dérivé de *hure ; hu-*

rel (1511) «homme aux cheveux hérissés» est isolé et ensuite interprété comme une forme lorraine de *hiraut* «héraut». *Berlu* «qui a la berlue, excentrique» est dérivé de *berlue*, comme *berluer* «voir mal» (1549 ; → berlue). Le mot pourrait être aussi un croisement de l'ancien français *hurepé* «qui a la tête hérissée» (1135 ; → hure) et de «hurler». On a enfin proposé un emprunt à l'anglais *hurly-burly* «confusion, tumulte» (attesté en 1539), altération de *hurling and burling* (v. 1530), de *hurling* «trouble» (de *to hurl* «lancer violemment») et *burling*, réduplication expressive de *hurling*.

♦ *Hurluberlu* est de toute façon une formation expressive ; il désigne une personne extravagante, qui se comporte de façon bizarre, inconsidérée (cf. *écervelé, farfelu*). On relève le mot au féminin vers 1770.

HUSSARD n. m., attesté sous cette forme en 1605, se trouve sous les graphies *housard, houssari* (1532), *houssar* (1624), *housart* (1660) ; le mot est emprunté, par l'intermédiaire de l'allemand *Husar, Husser* «cavalier de l'armée hongroise» (1re moitié XVIe s.), au hongrois *huszar* qui signifie «le vingtième» d'où «cavalier» (déb. XVIe s.), parce que le gouvernement hongrois ordonna la levée d'un homme sur vingt pour former une cavalerie légère, au moment de l'invasion turque en Hongrie, en 1458. Le mot est connu en France avec ce sens au moment de la guerre de Trente Ans ; les variantes avec l'alternance *u* et *ou* correspondent aux deux voies de l'emprunt (écrit pour *u*, oral pour *ou*).

♦ *Hussard* conserve le sens de l'étymon, puis se dit par extension (1721) pour «soldat de la cavalerie légère», dans diverses armées ; de cet emploi vient la locution sortie d'usage *hussards de la guillotine* pour «gendarmes» (1841, Balzac). ◇ Le mot est utilisé au féminin dans la locution ***à la hussarde*** signifiant «à la manière des hussards» ; cette locution vient de la formation en France (1691) d'un régiment de hussards : *couper les crins de chevaux à la hussarde* (1718), puis *danse à la hussarde, pantalon à la hussarde* (1798). La locution s'emploie au figuré (1815, *à la housarde*) au sens de «brutalement, sans retenue ni délicatesse», notamment en parlant du comportement amoureux. ◇ Au début du XXe s., on a appliqué l'expression figurée ***les hussards noirs de la République***, lancée par Péguy (1913), aux instituteurs de l'école laïque et publique. ◆ *Hussard* est aussi employé comme terme technique, pour désigner un grain de malt dont la plumule dépasse le grain, par analogie avec le chapeau à plumes de certains hussards. ◆ Le sens initial a été repris en littérature pour désigner un groupe de jeunes écrivains.

▸ Le dérivé **HUSSARDER** v. intr., disparu de nos jours, est attesté en 1765 au sens de «se battre à la manière des hussards» ; il est repris par Huysmans d'après l'expression *à la hussarde*, pour «agir avec hardiesse, violence dans les entreprises galantes» (1884). ◆ **HUSSARDE** n. f. (1721) «danse hongroise», vient de *danse à la hussarde*.

HUTTE n. f. est un emprunt (XIIe s., *hute*) à l'ancien haut allemand *hutta* «cabane» à l'origine d'une famille de mots germaniques (anglais *hut*, par exemple) ; c'est probablement une désignation de constructions militaires provisoires. La racine *hud-, hid* est celle de l'anglais *to hide* «cacher» (ancien anglais *hydan*).

♦ Le mot a d'abord désigné un dispositif (une espèce de chaumière) permettant aux eaux fluviales de s'écouler dans les pâturages ; on en trouve la trace dans des toponymes. ◇ Le sens moderne d'«abri rudimentaire» (de bois, de branchages, etc., grossièrement assemblés et servant parfois d'habitation) n'est attesté qu'en 1358 ; le mot est peu utilisé en ancien français dans la langue littéraire, où ce genre de construction était désigné par *feuillée* (hutte couverte de branchages) ou *loge*.

▸ En dérivent **HUTTER** v. tr., sorti d'usage (1594 au participe passé ; 1635, *se hutter* «se loger», en parlant d'un fantassin), et les termes techniques **HUTTIER** n. m. «chasseur dissimulé dans une hutte» (1874) et **HUTTEAU** n. m. «petite hutte, abri démontable» (1877).

◈ voir CAHUTE.

HYACINTHE n. f. est emprunté (1523, *hiacinte*) au latin *hyacinthus*, lui-même du grec *huakinthos* désignant la jacinthe (→ jacinthe et aussi ② jargon, zircon) ainsi qu'une pierre précieuse et, tardivement, une étoffe de couleur bleue ou rougeâtre. Une légende fait naître la fleur du sang du jeune Laconien *Huakinthos*, aimé d'Apollon qui le tua involontairement avec son disque ; le personnage représente sans doute une divinité préhellénique évincée par Apollon.

♦ *Hyacinthe* a d'abord désigné une pierre précieuse, variété de zircon d'un jaune tirant sur le rouge. Le mot s'est employé ensuite (1559, Ronsard) pour désigner la fleur, emploi où *jacinthe* l'a emporté. ◇ C'est aussi à partir du XVIe s. (1564) qu'il désigne une étoffe couleur hyacinthe et par extension, dans un usage littéraire, une couleur jaune rougeâtre. Au sens de «bleu tirant sur le violet» (1840), *hyacinthe* ne se trouve que dans des traductions de la Bible (du latin chrétien *hyacinthus* «étoffe de couleur pourpre-violet»).

◈ voir JACINTHE.

▸ **HYAL-, HYALO-** est un élément tiré du grec *hualos* «matière transparente», désignant l'albâtre, le cristal ou le verre, et que l'on trouve dans quelques termes didactiques.

HYALIN, INE adj. est attesté isolément au XVe s. (1450-1452, *ialin* «qui a l'aspect du verre») ; il est repris au début du XIXe s. en minéralogie (1801, *quartz ialin*) au sens de «transparent» ; c'est un emprunt au bas latin *hyalinus* «de verre», et «vert», du grec *hualinos*, dérivé de *hualos*.

HYALOÏDE adj. est emprunté (1541) au bas latin *hyaloides* «qui ressemble à du verre», grec *hualoeidês*, composé de *hualos* et de *eidos* «forme». Le mot, au sens de «qui a la transparence du verre» (1541) est attesté isolément ; il est repris au XVIIIe s. en anatomie pour qualifier l'humeur vitrée de l'œil (1765) ; il s'emploie ensuite dans *membrane hyaloïde* ou *hyaloïde*, nom féminin (1805, Cuvier), déjà dénommée en grec médical moderne *hyaloeides* (1670, en contexte anglais).

HYALE n. f., emprunt savant au grec *hualos* (1805, Cuvier), désigne en zoologie un mollusque à coquille réduite et à corps transparent.

HYALOGRAPHE n. m., terme didactique (1839 ; de *-graphe*), désigne un instrument formé d'un carreau de verre servant à dessiner selon la perspective. ◇ En dérive **HYALOGRAPHIE** n. f. (1866).

HYALOPLASME n. m., terme didactique (1903) qui a supplanté *hyaloplasma* (1908), de *-plasme*, se dit de la substance du cytoplasme formée d'une masse gélatineuse transparente ; c'est probablement un emprunt à l'anglais *hyaloplasm* (Dallinger, 1886).

HYBRIDE adj. et n. m. est un mot emprunté (1596, *hibride*) au latin classique *ibrida* «bâtard, de sang mêlé», et spécialement «produit du sanglier et de la truie», devenu *hybrida* par rapprochement avec le grec *hubris* «excès».

♦ *Hybride* signifie d'abord «qui provient de deux espèces différentes», et aujourd'hui en biologie «de deux espèces ou de deux variétés différentes» ; le mot est réservé en zootechnie aux hybrides d'espèces comme le mulet, hybride de l'âne et de la jument ; il s'est dit des animaux, puis des humains (XVIIIe s.) et des plantes (*Hybrida* en latin scientifique, 1788). ◇ Dès le XVIIe s., l'adjectif s'utilise (1647, *ibride*) dans *mots hybrides*, pour parler de mots formés d'éléments issus de deux langues différentes, notamment latin et grec. ◇ Il est employé depuis le XIXe s. (1832, Hugo) pour qualifier ce qui est composé de deux éléments de nature différente anormalement réunis et ce qui participe de deux ou plusieurs ensembles.

▶ **HYBRIDATION** n. f. s'est d'abord employé en botanique (1826), en zootechnie (1842) puis en biologie. Il s'emploie aussi en physique et en chimie. Le sens figuré correspondant à celui de l'adjectif est attesté en 1884. ➜ **HYBRIDITÉ** n. f. est un terme didactique (1828, en botanique ; 1840, en grammaire) comme **HYBRIDISME** n. m. (1826, en botanique) «hybridation entre espèces très voisines», en biologie ; il a eu (1866) la même valeur que *hybridité*. ◇ Ce nom a servi à former le composé **POLYHYBRIDISME** n. m. (1904, de *poly-*). ➜ **HYBRIDER** v. tr. (attesté en 1862) s'emploie en élevage, en agriculture, mais le composé **RÉHYBRIDER** v. tr. (relevé en 1830) est un terme de biologie ; la variante **HYBRIDISER** est un emprunt à l'anglais *to hybridize* (1845). *Hybrider* a pour dérivé le terme technique **HYBRIDEUR, EUSE** n. (1925), utilisé en agriculture et précédé en anglais par *hydridizer* et *hybridist* (1849). ➜ **HYBRIDOME** n. m. est un emprunt (av. 1980) à l'anglais (v. 1975), où il a été formé du radical grec de *hybride* et du suffixe *-ome* ; ce mot de biologie désigne une formation cellulaire hybride.

HYDNE n. m. est un emprunt (1783) au latin des botanistes *hydnum*, du grec *hudnon* qui désigne des tubercules et notamment la truffe.

♦ *Hydne*, en français, désigne un genre de champignons dont une variété est parfois appelée *pied de mouton*.

✳ ① **HYDR-, HYDRO-, -HYDRE** sont des éléments tirés du grec *hudôr* «eau» (*hudro-* en composition), mot qui trouve des correspondants dans de nombreuses langues indoeuropéennes, ombrien *utūr*, sanskrit *udáni(-)*, gotique *wato*, ainsi que l'anglais *water*, l'allemand *Wasser*, etc. Ils entrent dans la composition de très nombreux mots scientifiques et techniques, où ils indiquent une relation avec l'eau, ou un autre liquide (*hydr-*, *hydro-* comme premiers éléments, *-hydre* comme élément terminal).

▶ **HYDROGRAPHIE** n. f. (1551, de *-graphie*) désigne la partie de la géographie physique qui traite des océans, des mers, des lacs et des cours d'eau, et l'ensemble des cours d'eau et des lacs d'une région. ◇ Il a pour dérivé **HYDROGRAPHIQUE** adj. (1551). **HYDROGRAPHE** n. est attesté en 1548. ➜ **HYDROLOGIE** n. f. (1614 ; de *-logie*), signifie «étude des eaux, de leurs propriétés» et, spécialement (1824), de leurs propriétés thérapeutiques. ◇ En dérivent **HYDROLOGISTE** n. (1753), remplacé par **HYDROLOGUE** (1827), et **HYDROLOGIQUE** adj. (1832). ➜ **HYDROPHOBE** adj., emprunt (1640) au latin *hydrophobus* (→ -phobe), terme de médecine signifiant «qui a une peur morbide de l'eau», s'est employé au sens de «qui est atteint de la rage», la peur du liquide étant un symptôme, d'où plaisamment «enragé» (XIXe s.). Terme de chimie, le mot signifie (XIXe s.) «que l'eau ne modifie pas» et «qui repousse l'eau» (1915, en anglais). ◇ **HYDROPHOBIE** n. f. (1314, *ydroforbie*) est un emprunt au bas latin *hydrophobia*, du grec *hudrophobia* (→ phobie), et **HYDROPHOBIQUE** adj. (1314) au bas latin *hydrophobicus* en médecine. ➜ **HYDROPHILE** n. m. et adj., proprement «qui aime l'eau» (→ -phile), désigne comme nom masculin (1762) un insecte coléoptère qui vit dans les eaux stagnantes ; comme adjectif, il est sorti d'usage au sens (1859) de «qui aime l'eau, vit dans l'eau» ; il signifie aujourd'hui (1902) «qui est capable d'absorber l'eau, un liquide» notamment dans *coton hydrophile*.

HYDRATE n. m., terme de chimie (1802, *hidrate*), a désigné ce qu'on a appelé plus tard *hydroxyde* (1842 ; cf. l'anglais *hydro-oxyde*, 1826). Il s'emploie ensuite au sens de «composé contenant de l'eau» et entre (1872) dans le syntagme *hydrate de carbone* pour désigner un composé organique constitué de carbone, d'hydrogène et d'oxygène. ➜ Le mot a servi à former **HYDRATER** v. tr., d'abord au participe passé *hydraté* (1805, puis 1836), aussi au pronominal (1845-1846) «combiner avec de l'eau», d'où sont issus des termes scientifiques et techniques : **HYDRATATION** n. f. (1845-1846 en chimie ; 1927 en médecine), **HYDRATEUR** n. m. (1934). ◇ **HYDRATANT, ANTE** adj. et n. m. (av. 1877), du participe présent, s'emploie spécialement dans *crème hydratante*. ➜ Le préfixé **DÉSHYDRATER** v. tr. (1850 au participe passé, puis 1864) a pour dérivé **DÉSHYDRATATION** n. f. (1844). ➜ **HYDRIQUE** adj. (1826, Berzelius), «qui a rapport à l'eau», entre en médecine, dans le syntagme *diète hydrique* (1874) «dans laquelle seule l'eau est permise».

HYDROFUGE adj. et n. (1826 ; → fuge), terme didactique, signifie «qui préserve de l'eau, de l'humidité» (cf. *imperméable*) ; en dérive **HYDROFUGER** v. tr. (1933). ➜ **HYDROTHÉRAPIE** n. f. (1840 ; de *-thérapie*) se dit de l'emploi thérapeutique de l'eau sous toutes ses formes. ◇ Il a pour dérivés les termes de médecine : **HYDROTHÉRAPIQUE** adj. (1844), **HYDROTHÉRAPISTE** n. (1955) ; **HYDROTHÉRAPEUTE** est attesté en 1844 (de *thérapeute*). ➡ **HYDROPATHE** adj. et n., terme didactique (1843) est formé avec *-pathe*, probablement par l'allemand, Preissnitz et Gräfenberg ayant commencé leur traitement médical en 1825. Le mot désigne une personne qui soigne et prétend guérir uniquement par l'eau. Il a servi à nommer les membres d'une société littéraire créée en 1878 et groupant des poètes «décadents», parmi lesquels M. Rollinat (Maupassant en fit partie). ◇ Le dérivé **HYDROPATHIE** n. f. (1843) est sorti d'usage. ➡ **HYDROLYSE** n. f., terme de chimie (1895 ; de *-lyse ;* en anglais *hydrolysis* est attesté en 1880, H. E. Armstrong), signifie «décomposition d'un corps sous l'action de l'eau». ◇ En dérivent des termes de chimie, **HYDROLYSER** v. tr. (1898), **HYDROLYSAT** n. m. (mil. XXe s.). ➡ **HYDROCUTION** n. f. (1950), mot valise formé en français sur *hydro-* et (électro)*cution*, est un terme de médecine qui désigne une syncope due au contact trop brutal avec l'eau ; on a aussi **HYDROCUTÉ, ÉE** adj. et n. (mil. XXe s.) d'après *électrocuté*. ➡ **HYDROPONIQUE** adj. (1951, du latin *ponere* «poser» ; → pondre) est un terme technique qui désigne la culture de plantes dans l'eau sans recours au sol (type de culture dénommé aussi *aquaculture*) ; le mot semble emprunté à l'anglais *hydroponic* adj. (1940) ou au nom *hydroponics* (attesté 1937, créé par W. A. Setchell). ➡ **HYDROPTÈRE** n. m. (v. 1960 ; de *-ptère*), terme technique, se dit d'un navire rapide dont la coque est munie d'ailes sustentatrices immergées ; le mot a été proposé pour remplacer l'emprunt *hydrofoil* (1955), mot anglais composé de *hydro-* et de *foil* «feuille, surface plane».

HYDROÉLECTRIQUE adj. apparaît au XVIIIe s. (1781) pour «relatif à l'eau et à l'électricité» avant de prendre une valeur plus précise en physique (1823), puis (XXe s.) de «relatif à la production d'électricité par l'énergie hydraulique». ◇ À ce sens correspond **HYDROÉLECTRICITÉ** n. f. (mil. XXe s.).

ANHYDRE adj., en chimie «qui ne contient pas d'eau» (1820), est un emprunt savant au grec *anudros*, de *an-* à valeur négative. ➡ En dérivent **ANHYDRITE** n. f., terme de minéralogie (1845), et **ANHYDRIDE** n. m., en chimie (1859), de *(ac)ide*.

➡ **HYDRO-** sert à former divers composés (→ avion (hydravion), carbure, dynamique, glisseur, statique...).

◈ voir HYDRANT, HYDRAULIQUE, HYDRE, HYDROCÉPHALE, HYDROGÈNE, HYDROMEL.

② **HYDR-, HYDRO-** est l'élément correspondant à *hydrogène** (à l'orde alphabétique), qui entre dans la composition de mots didactiques, pour indiquer en chimie une fixation d'hydrogène sur un corps.

▶ **HYDRURE** n. m. (1789 ; de *-ure*) désigne tout composé que forme l'hydrogène avec un corps (simple ou composé) et, spécialement, un composé binaire d'un métal avec l'hydrogène. ➡ **HYDROCRAQUAGE** n. m. (1968) est l'adaptation de l'anglais *hydrocracking* (de *cracking*) d'après *craquage*, et désigne un procédé de raffinage du pétrole par craquage en présence d'hydrogène.

HYDRANT n. m. ou **HYDRANTE** n. f. est emprunté (1872, n. m. ; 1876, n. f.) à l'allemand *Hydrant* «bouche d'incendie» (XIXe s.), dérivé savant du grec *hudôr* «eau» (→ ① hydr-).

♦ Le mot s'emploie en français de Suisse au sens de l'étymon.

HYDRATER → ① HYDR-, HYDRO-

HYDRAULIQUE adj. et n. f. est emprunté (déb. XVIe s., *orgues ydraulicques*) au latin impérial *hydraulicus*, emprunt à l'adjectif grec *hudraulikos*, dérivé de *hudraulis* «orgue hydraulique», lui-même composé de *hudôr* «eau» et de *aulein* «jouer d'un instrument à vent», de *aulos* «tuyau, flûte».

♦ L'adjectif conserve le sens de «mû par l'eau». *Hydraulique*, comme nom féminin (1690), désigne la science qui traite des lois du mouvement des liquides et, spécialement, la branche de la technique qui comporte les applications pratiques de l'hydrodynamique. Le syntagme *énergie hydraulique* désigne l'énergie fournie par les chutes d'eau, les courants et les marées.

▶ En dérivent les termes techniques **HYDRAULICIEN, IENNE** n. (1803) et **HYDRAULICITÉ** n. f. (1928).

HYDRE n. f. est un emprunt (v. 1250, écrit *ydre*, *idre*) au latin *hydra* «hydre» (serpent d'eau), dit notamment de l'hydre de Lerne, lui-même du grec *hudra*, dérivé de *hudôr* «eau» (→ ① hydr-). Le mot, rarement employé jusqu'au XVIIe s., a longtemps été au masculin (exemples chez La Fontaine, et encore chez Hugo).

♦ *Hydre* est introduit pour désigner un animal mythique, *l'hydre de Lerne*, serpent à sept têtes, auquel il en renaissait plusieurs quand on lui en coupait une et qui fut vaincu par Hercule. ◇ Le mot s'emploie ensuite (1562) comme terme de zoologie, au sens de «serpent d'eau», par réemprunt au latin *hydrus*. Par métaphore, *hydre* (1628) est le symbole littéraire d'un mal qui se renouvelle, malgré les efforts faits pour s'en débarrasser. ◇ Le mot est ensuite employé en zoologie (1762 ; latin moderne *hydra*), par allusion à la mythologie, pour désigner un polype d'eau douce qui porte une couronne de tentacules filiformes autour de la bouche et qui a la faculté de régénérer les parties de son corps qui sont coupées.

HYDROCÉPHALE n. et adj. est un emprunt (1575) au grec *hudrokephalon*, terme de médecine composé de *hudro-*, de *hudôr* «eau» (→ ① hydr-) et de *kephalê* «tête» (→ céphalée).

♦ C'est d'abord un nom désignant l'anomalie, nommée plus tard *hydrocéphalie*, puis (1782) un nom et un adjectif signifiant «qui a une quantité anormalement élevée de liquide céphalo-rachidien dans les cavités du cerveau».

▶ **HYDROCÉPHALIE** n. f. (1814), désigne l'anomalie, appelée auparavant *hydrocéphale* ou *hydropisie de la tête*.

HYDROGÈNE n. m. est un mot créé (1787) par Guyton de Morveau, Lavoisier, Berthollet et Fourcroy, à partir de *hydro-* du grec *hudôr* «eau» (→ ① hydr-) et de *-gène* (→ -gène).

♦ Le sens propre est «qui produit de l'eau», mais, s'agissant d'un corps essentiel, cette propriété analogue à celle qu'évoque à la même époque *oxygène*, n'est rapidement plus sentie. Le terme désigne un corps simple, gaz incolore, inodore et sans saveur (symbole *H*), qui entre dans la composition de l'eau.

▸ En dérivent, **HYDROGÉNER** v. tr. (1804; 1802, *hydrogéné*), d'où **HYDROGÉNATION** n. f. (1814), et **HYDROGÉNITE** n. f. (1922).

HYDROMEL n. m. est un emprunt (1314, *ydromel*) au latin impérial *hydromeli*, lui-même au grec *hudromeli*, composé de *hudôr* «eau» (→ ① hydr-) et de *meli* (→ miel).

♦ *Hydromel*, terme didactique d'antiquité ou mot régional (Bretagne notamment), désigne une boisson, souvent fermentée, faite d'eau et de miel.

HYDROPISIE n. f., d'abord *ydropisie* (1174), est un emprunt au latin impérial *hydropisis*, du grec *hudrôps, -ôpos* «épanchement de liquide dans une cavité du corps», de *hudôr* «eau» (→ ① hydr-).

♦ Le mot conserve le sens de l'étymon.

HYÈNE n. f. est emprunté (1re moitié du XIIe s.) au latin impérial *hyaena* «hyène», du grec *huaina* «bête féroce de Libye», dérivé de *hus, huos* «porc, truie» (avec suffixation dépréciative *-aina*), par une analogie d'allure; *hus* a des correspondants dans plusieurs langues indoeuropéennes, comme le latin *sus* (→ souiller), le sanskrit *sū-karaḥ* ou l'ancien haut allemand *sū*.

♦ *Hyène* désigne un mammifère carnassier d'Afrique et d'Asie. ◇ Le mot s'emploie au figuré (1835, Balzac) au sens de «personne féroce et vile», la hyène ayant la réputation d'être à la fois féroce et craintive, et de ne s'attaquer qu'aux animaux blessés ou malades.

HYGIÈNE n. f. est emprunté (1575, A. Paré, *hygiaine*) au grec *to hugieinon* «santé», neutre substantivé de l'adjectif *hugieinos* «sain, qui maintient en bonne santé» lequel est dérivé de *hugiês* «sain, bien portant». *Hugiês* est composé de deux racines indoeuropéennes, l'une *(°su-)* signifiant «bien», la seconde «vivre».

♦ Le mot désigne la partie de la médecine traitant du mode de vie propre à conserver et à améliorer la santé et, par métonymie, les principes et les pratiques relatifs à cette fin. Couramment, *hygiène* se dit pour *hygiène corporelle* et signifie «pratique de la propreté corporelle». Le mot entre au début du XIXe s. dans la composition de plusieurs syntagmes : *hygiène mentale* (1808), *hygiène publique* (1833), *hygiène préventive*, etc.

▸ **HYGIÉNIQUE** apparaît isolément (1611) comme nom féminin *(l'hygiénique)* au sens de «médecine préservatrice» ; repris en ce sens en 1803, il a été rapidement remplacé par *hygiène*. ◆ L'adjectif signifie d'abord (1791) «relatif à l'hygiène» puis «de l'hygiène corporelle», sens devenu le plus courant; il est vieilli ou didactique quand il correspond à «conforme aux principes de l'hygiène», «bon pour la santé». ◇ *Hygiénique* s'emploie par euphémisme dans quelques syntagmes, au sens de «relatif à l'hygiène, en ce qui concerne l'évacuation des excréments» *(seau hygiénique, papier hygiénique)* et «relatif à l'hygiène intime de la femme» *(tampon hygiénique)*. Ces désignations pourraient être inspirées par l'emploi de *toilet* en anglais dans *toilet paper* (1884), *toilet pail* (1858) et pour la dernière par *sanitary* dans *sanitary towel* (1881) puis *sanitory pad* (1917); par ailleurs l'adjectif anglais *hygienic* ne se développe dans d'autres emplois qu'après 1833. ◇ Le dérivé **HYGIÉNIQUEMENT** adv. est attesté en 1837. ◆ De *hygiénique* dérivent également **HYGIÉNISTE** n. (1830, Balzac), **HYGIÉNISER** v. tr. (1913), rare, et **HYGIÉNISME** n. m., terme didactique attesté au milieu du XXe s. et probablement sans rapport avec l'anglais *hygienism* (1864) devenu rapidement archaïque. ◆ Le préfixé **ANTIHYGIÉNIQUE** adj. (1850) signifie «contraire à l'hygiène».

HYGIAPHONE n. m., nom déposé (1965), de *-phone*, désigne un dispositif formé d'une plaque transparente perforée permettant de se parler à un guichet en évitant toute contamination.

HYGR-, HYGRO-, éléments tirés du grec *hugros* «humide», entrent dans la composition de mots savants, comme :

▸ **HYGROSCOPE** n. m. (1666; attesté, 1665 en anglais) de *-scope*, terme de physique désignant un *hygromètre* (voir ci-dessous) d'absorption, qui n'indique qu'approximativement le degré d'humidité de l'air. En dérive **HYGROSCOPIQUE** adj. (1799-1801). ◆ **HYGROMÈTRE** n. m. (1666, Hatzfeld) de *-mètre*, terme de physique, désigne un instrument qui sert à mesurer précisément le degré d'humidité de l'air. ◇ De là vient **HYGROMÉTRIE** n. f. (1783) «(degré d') humidité de l'air», d'où **HYGROMÉTRIQUE** adj. (1783). ◆ **HYGROSTAT** n. m. (v. 1960) se dit d'un dispositif permettant de maintenir dans un local un degré d'humidité constant (cf. *humidificateur*); le mot est emprunté à l'anglais *hygrostat* (R. C. Carpenter, 1915), de *-stat*, du grec *statos* «stationnaire».

HYL-, HYLE-, HYLO- sont des éléments tirés du grec *hulê* «bois», «matière dont une chose est faite» et généralement «matière», en philosophie. Ils entrent dans la composition de mots savants, parmi lesquels :

▸ **HYLÉ** n. f., emprunt ancien (v. 1230, *yle*) au grec *hulê* au sens philosophique, se dit de la matière en tant que support. Le *h* initial date du début du XVIe s. (1516).

HYLOZOÏSME n. m., composé de *hulê* et de *zôê* «vie» (1765) se dit de la doctrine antique de Thalès, des Stoïciens, selon laquelle la matière, ou l'univers dans son ensemble, sont doués de vie. L'adjectif **HYLOZOÏSTE** en est dérivé au début du XXe siècle. ◆ **HYLÉMORPHISME** n. m. (1904, du grec *morphê* «forme») désigne, en philosophie, la théorie (d'Aristote) selon laquelle les êtres corporels sont constitués de deux principes complémentaires, la matière et la forme. ◇ Le dérivé **HYLÉMORPHIQUE** adj. (1931) est très rare.

① **HYMEN** ou **HYMÉNÉE** n. m. sont introduits en français comme noms propres en 1548 (Ronsard). *Hymen* et *Hyménée* sont empruntés respectivement à deux mots latins *hymen* «dieu du mariage» et *hymenaeus* «chant de mariage». Ces mots viennent du grec *humên, -enos* qui désigne le cri rituel poussé lors du mariage et vient peut-être de *humên* «membrane» (voir ci-dessous ② hymen).

♦ Les deux mots, utilisés dans la poésie classique et demeurés littéraires (aujourd'hui archaïques ou plaisants), signifient «mariage, union conjugale» (*hymen*, 1560; *hyménée*, 1580). La locution ***les fruits de l'hymen*** «les enfants» (1670) est sortie d'usage. Au figuré, *hymen* s'emploie (fin XVIIe s.) quelquefois au sens d'«association, union» (cf. *mariage*). *Hyménée* s'est employé au sens latin de «chant de mariage» (1669), aujourd'hui disparu, et pour «mariage».

▸ Le dérivé **HYMÉNÉEN, ÉENNE** adj. (fin XVIe s.) «de l'hyménée, du mariage» est sorti d'usage.

② **HYMEN** n. m. a été emprunté par ailleurs (1520) au bas latin *hymen*, du grec *humên, -enos* «membrane, peau fine». C'est un terme d'anatomie désignant la membrane qui obstrue partiellement l'orifice vaginal de la femme vierge. On a tenté de rapprocher les deux termes grecs *humên* : si le même mot désigne l'hymen de la jeune fille et le cri poussé lors du mariage, ce cri serait une plaisanterie rituelle. ◇ En dérive **HYMÉNAL** ou **HYMÉNÉAL, ALE, AUX** adj., terme d'anatomie (XIXe s.).

HYMÉNOPTÈRES n. m. pl. est emprunté (1765) au latin moderne *hymenoptera* (1748, Linné), du grec *humenopteros* «aux ailes membraneuses», composé de *humên* «membrane» (→ hymen) et de *pteron* «aile» (→ -ptère). ◆ Le mot désigne un ordre d'animaux dans la classe des insectes, caractérisés par quatre ailes membraneuses transparentes.

HYMNE n., réfection étymologique (v. 1200) de *ymne* (v. 1120), est emprunté au latin *hymnus*, nom masculin, lui-même du grec *humnos* désignant un chant ou un poème, en particulier en l'honneur d'un dieu ou d'un héros; les auteurs chrétiens reprennent le mot pour désigner un chant à la louange de Dieu, et les Psaumes. *Hymne* est le plus souvent au féminin au moyen âge et encore ordinairement au XVIIe s. (1680, Richelet); le passage au masculin semble parallèle à celui de *psaume*.

♦ *Hymne* est introduit en français avec le sens de «cantique». Au début du XIVe s., le mot prend le sens du grec «poème, chant à la gloire des dieux, des héros»; il est alors écrit *ine*, puis (1545) *hymne* et du masculin. Il s'emploie ensuite avec la valeur extensive (1537, Marot) de «chant, poème célébrant une personne ou une chose», d'où plus tard spécialement «chant solennel en l'honneur de la patrie». ◇ À partir du XVIIe s., *hymne* désigne comme en latin ecclésiastique un chant chrétien à la gloire de Dieu; le mot est utilisé au masculin et plus fréquemment dans la liturgie catholique au féminin.

▸ Le dérivé d'emploi didactique **HYMNIQUE** adj. est attesté en 1839.

HYMNODE n. est emprunté (1765) au grec *humnôdos*, composé de *humnos* et de *adein* «chanter»; le mot désigne dans l'Antiquité un chanteur d'hymnes. ◆ **HYMNOGRAPHE** n. m., emprunt (1765) au grec *humnographos* (de *humnos*, et *graphein*; → graphe) conserve le sens d'«auteur d'hymnes ou de panégyriques». ◇ **HYMNOGRAPHIE** n. f. a été composé (1832) à partir d'*hymne* et de *-graphie*, pour désigner l'art de composer ou d'étudier les hymnes, puis un recueil d'hymnes (1842).

HYOÏDE adj. et n. m. est emprunté (1541) au grec médical *huoeidês (ostoun)* «(os) en forme d'*u*, de upsilon», du nom de la lettre et de *eidos* (→ -oïde).

♦ *Os hyoïde* désigne en anatomie un os situé à la partie antérieure du cou.

▸ En dérive **HYOÏDIEN, IENNE** adj. (1654) «relatif à l'os hyoïde».

HYPALLAGE n. f. est un emprunt (av. 1596) au bas latin *hypallage*, lui-même au grec *hupallagê* «échange, interversion» de *hupallattein*, composé de *hupo* «au-dessous, en-deça» (→ hypo-) et de *allattein*, dérivé de *allos* «autre».

♦ Terme de rhétorique, *hypallage* désigne une figure de style qui consiste à attribuer à certains mots d'une phrase ce qui convient à d'autres (de la même phrase), par exemple *rendre qqn à la vie* pour *rendre la vie à qqn*.

HYPER-, préfixe tiré du grec *huper* «au-dessus, au-delà», entre dans la composition de nombreux mots scientifiques (en physique, en médecine, en biologie, etc.), le plus souvent pour exprimer le plus haut degré, l'exagération, l'excès (cf. *super-*, *sur-*, *ultra-*). *Hyper-*, dans la langue courante, sert à former des adjectifs ou des noms, mais est moins employé que *super-*. L'opposition *hyper-/hypo-*, fréquente, n'est pas systématique.

▸ **HYPERESTHÉSIE** n. f. (1803) est emprunté au latin médical moderne *hyperaestheses* (1795) formé du grec *aisthêsis* «sensation, sensibilité», et se dit pour «sensibilité exagérée». ◆ **HYPERALGIE** n. f., synonyme de *hyperalgésie* (→ analgésie), du grec *algos* «douleur», n'est relevé qu'en 1957. ◆ **HYPERMÉTROPE** adj. et n. (1866) est formé à partir du grec *hupermetros* «qui passe la mesure» (de *huper*, et *metron* «mesure») et *-ôpos* «qui voit» (→ -ope); le mot, relativement courant dans le système *myope-presbyte-hypermétrope*, se dit d'une personne atteinte d'**HYPERMÉTROPIE** n. f. (1866) mot qui désigne l'état de l'œil dans lequel les rayons parallèles provenant d'une source éloignée vont converger au-delà de la rétine. Ce nom est, soit dérivé de l'adjectif, soit emprunté au latin savant *hypermetropia*, formé à partir du grec.

HYPERTÉLIE n. f. est emprunté (mil. XXe s.) à l'allemand *Hypertelie* (C. Brunner, 1873; passé en anglais, dès 1875), du grec *hupertelês* «qui s'élève au-dessus de», de *telos* «fin, terme»; le mot désigne en

biologie le développement excessif d'une structure anatomique ; il a été précédé par *hypertélisme*.
HYPÉRON n. m. (1953) est tiré de *hyper-* et de l'élément *-on* de *électron* (l'anglais *hyperon* est contemporain) ; il désigne une particule élémentaire peu stable, de masse supérieure à celle des nucléons.
HYPÉRONYME n. m. (v. 1960, de *-onyme*) se dit en linguistique d'un nom dont le sens inclut celui d'autres noms (il s'oppose à *hyponyme*).
Parmi les nombreux composés en *hyper-* avec un adjectif ou un nom, on peut signaler **HYPERACTIF, IVE** adj. et n. (déb. XXe s.) et **HYPERACTIVITÉ** n. f. (1900), ou encore **HYPERÉMOTIF, IVE** adj. et n. (1913) et **HYPERÉMOTIVITÉ** n. f. (1905).

◈ voir **HYPERBOLE, HYPERBORÉE, HYPERTROPHIE**, et aussi **MARCHÉ, RÉALISME, TEXTE, TENSION** (hypertension), ② **SON** (hypersonique).

HYPERBOLE n. f., réfection graphique d'après le latin (1520) de *yperbole* (XIIIe s.), rare jusqu'au XVIIe s., est un emprunt au latin *hyperbole*, du grec *huperbolê*, dérivé de *huperballein* «jeter au-dessus», «dépasser la mesure», composé de *huper* «au-dessus, au-delà» (→ hyper-) et de *ballein* «lancer, jeter».

♦ Terme de rhétorique d'usage relativement courant, *hyperbole* désigne une figure de style qui consiste à mettre en relief une idée en exagérant les termes employés (opposé à *litote*).

▸ Le dérivé **HYPERBOLISER** v. intr. «employer un style hyperbolique» (XVIe s.) est sorti d'usage. ◆ **HYPERBOLISME** n. m. «emploi excessif de l'hyperbole» (1829) est d'emploi rare.
HYPERBOLIQUE adj. a été emprunté (1541) au bas latin *hyperbolicus*, du grec *huperbolikos* «excessif», dérivé de *huperbolê*. Il s'emploie en rhétorique pour «caractérisé par l'hyperbole» et, par analogie, signifie (1546) «qui a un caractère excessif». *Hyperbolique* s'emploie parfois, par métonymie (1690), pour parler d'un auteur, d'une œuvre. ◇ En dérive **HYPERBOLIQUEMENT** adv., terme de rhétorique (1561).
Une autre série d'emplois apparaît au XVIIe siècle. *Hyperbole* est, depuis Descartes (1637), le nom d'une courbe à deux foyers. ◇ Il a dans ce sens pour dérivés **HYPERBOLIQUE** adj. (1646), notamment dans *fonctions hyperboliques*, et **HYPERBOLOÏDE**, d'abord usité comme adjectif (1765) puis comme nom masculin (1830, Cauchy).

HYPERBORÉE adj. est emprunté au latin *hyperboreus*, lui-même, puis au grec *huperboreos* «situé à l'extrême nord», composé de *huper* (→ hyper-) et de *boreas*, qui désigne le vent du nord et, par extension, les régions du Nord. *Iperbore*, nom d'une montagne de la Grèce du Nord est attesté dès le XIIIe s. (v. 1265) et *Yperborée* «Extrême nord» au XIVe s. (1372).

♦ Le mot, repris en 1728 comme adjectif, signifie «situé à l'extrême nord» ; il est d'usage littéraire.

▸ **HYPERBORÉEN, ENNE** adj. et n., attesté en 1542 comme nom masculin pluriel, est un emprunt au dérivé bas latin *hyperboreanus* ; le mot signifie, dans un emploi didactique ou littéraire, «des régions du Grand-Nord» (cf. *arctique*), comme **HYPERBORÉAL, ALE, AUX** adj. (1891, P. Loti), de *boréal*. ◇ *Hyperboréen*, nom, désigne aussi un habitant du Grand Nord.

HYPERTROPHIE n. f. est composé (1818) de *hyper-* et de *-trophie*, littéralement «excès de nutrition».

♦ Ce terme médical désigne l'augmentation de volume d'un organe, avec ou sans altération anatomique (cf. *atrophie*). Par analogie, *hypertrophie* s'emploie (1865) au sens de «développement excessif», au concret, puis à l'abstrait (*hypertrophie du moi*).

▸ Liés à ces deux acceptions, en dérivent **HYPERTROPHIER** v. tr. (1833) et **HYPERTROPHIQUE** adj. (1832).

HYPNOTIQUE adj. est un emprunt au bas latin *hypnoticus*, hellénisme du grec *hupnôtikos* «du sommeil», dérivé de *hupnos* «sommeil», mot de la famille indoeuropéenne en °*sup-nos* à laquelle appartiennent le latin *somnus*, le vieux slave *sŭnŭ*, le verbe sanskrit *svápiti*, au participe *suptá*.

♦ On trouve *hypnotique*, comme adjectif et nom masculin, «médicament qui provoque le sommeil», dans un passage d'Ambroise Paré édité en 1628 (Paré étant mort en 1590). Bloch et Wartburg date le mot de 1549 ; le sens est alors «narcotique, somnifère» et le mot semble rare à l'époque classique, comme *hypnologie* (grec *hupnologia*) «régime du sommeil», créé par Linden au XVIIIe s. (*Encyclopédie*, 1765). ◇ C'est un siècle plus tard que le médecin britannique J. Braid crée *neuro-hypnotism* (1842), abrégé en *hypnotism* (1843), sur le grec *hupnos* et d'après l'adjectif *hypnotic* (de même formation que le français), pour désigner le processus par lequel on plonge une personne par suggestion dans un état comparable à un profond sommeil. Le mot est alors en relation avec *somnambulism, magnetism*... Il passe dans les principales langues européennes et le français **HYPNOTISME** n. m. est attesté en 1845, avec la même valeur que l'anglais.

▸ D'après l'anglais *to hypnotize* (1843, Braid), on trouve **HYPNOTISER** v. tr. (1855), et le sens nouveau de *hypnotic* (1843) donne sa valeur actuelle à *hypnotique* (1855). Les trois mots, *hypnotique, hypnotisme* et *hypnotiser*, deviennent courants avec le développement des recherches médicales et psychologiques sur le sommeil provoqué. ◇ À preuve les nombreux dérivés : **HYPNOTIQUEMENT** adv. (1924, chez Valéry ; certainement antérieur) ; **HYPNOTISANT, ANTE** adj. (1886), **HYPNOTISABLE** adj. (même date), **HYPNOTISATION** (1894), **HYPNOTISEUR** n. m. (1860) ; **HYPNOTISTE** (1890) est un anglicisme. ◆ En 1862, Danjais emploie **HYPNOSE** n. f. pour distinguer l'état provoqué du processus qui le provoque et des phénomènes qui l'accompagnent (appelés depuis 1860 environ *hypnotisme*). En 1893, Breuer et Freud créent en allemand l'adjectif *hypnoid*, adapté plus tard en **HYPNOÏDAL** adj. (1903) et **HYPNOÏDE** adj. (1900), pour qualifier un état proche du sommeil. À la même époque, *hypnotique, hypnotisme* et surtout

le verbe *hypnotiser* prennent des valeurs extensives (*s'hypnotiser* sur qqch., 1897) évoquant un état psychique de fascination. ◇ Cette série est le témoin d'un stade essentiel de la psychologie expérimentale, avec Charcot et Janet en France, et de la naissance de la psychanalyse.
D'autres formations sont issues du grec *hupnos*. ➛ **HYPNAGOGIQUE** adj. (1855) «qui précède ou suit l'endormissement» et **HYPNOPOMPIQUE** adj. (XXe s., créé en anglais *hypnopumpic*, par Myers, 1901) «relatif à l'état précédant le réveil» ont vieilli. ➛ **HYPNOTHÉRAPIQUE** adj. (1911) et **HYPNOTHÉRAPEUTE** (1912), avec le recul de l'hypnose, ont eux aussi vieilli. ◇ Liés à l'étude scientifique du sommeil, **HYPNOGÈNE** adj. (1939) et **HYPNOGRAMME** n. m. (attesté 1974) sont très didactiques mais vivants.

HYPO-, préfixe tiré du grec *hupo* «au-dessous, en-deçà», entre dans la composition de nombreux mots scientifiques (chimie, biologie, médecine) et exprime la diminution, l'insuffisance, la situation inférieure, au propre et au figuré. Il se rattache à une racine indoeuropéenne °*upo-* (cf. sanskrit *úpa*).

▸ **HYPOGASTRE** n. m. est emprunté (1536) au grec *hupogastrion* «le bas-ventre», substantivation de *hupogastrios* «qui est sous *(hupo)* le ventre», adjectif formé sur *gastêr, gastros* «ventre, estomac». Le nom désigne la région médiane inférieure de l'abdomen appelée communément *bas-ventre*. ➛ En dérive **HYPOGASTRIQUE** adj. (v. 1560).
HYPOGLOSSE adj. est un emprunt (1752) au grec *hupoglôssios* «placé sous la langue», de *glôssa* «langue»; le mot signifie en anatomie «qui est sous la langue» (ex : *nerf grand hypoglosse*).
HYPODERME n. m. (1884, en botanique) aurait, selon P. Larousse, été créé en allemand en 1877 (Pfitzer); on relève en anglais *hypoderma* en entomologie dès 1826. Terme de botanique, le mot désigne le tissu situé sous l'épiderme; en anatomie (1893), *hypoderme* se dit du tissu sous-cutané. ➛ Son dérivé **HYPODERMIQUE** adj., attesté en 1854, est devenu relativement usuel dans *seringue hypodermique*.
HYPOTROPHIE n. f. (1855), de *-trophe*, se dit du développement insuffisant de l'organisme, avec retard de la croissance (cf. *atrophie* et *hypertrophie*); en dérive **HYPOTROPHIQUE** adj. (XXe s.). ➛ **HYPOALGÉSIE** n. f., (1897) du grec *algêsis* «douleur», signifie en médecine «diminution anormale de la sensibilité à la douleur»; *hypalgesia* ou *hypalgia* ont été proposés en allemand ou en anglais par Eulenberg (1881).
HYPONYME n. m. (v. 1960) de *-onyme*, terme de linguistique, désigne un nom dont la compréhension logique est incluse dans celle d'un autre mot; le mot a été employé auparavant en taxinomie botanique (1904, en anglais). ➛ Il s'oppose à *hyperonyme* et a pour dérivé préfixé **COHYPONYME** n. m. qui désigne un parmi plusieurs hyponymes du même mot.

◈ voir HYPALLAGE, HYPOCONDRIAQUE, HYPOCORISTIQUE, HYPOCRISIE, HYPOGÉE, HYPOSTASE, HYPOTÉNUSE, HYPOTHÈQUE; voir aussi TENSION (hypotension), THALAMUS (hypothalamus).

HYPOCONDRIAQUE adj. et n. est un emprunt (av. 1560) au grec *hupokhondriakos* «malade des hypocondres», de *ta hupokhondria*, désignant la région du corps située sous les fausses côtes. Le mot est composé de *hupo* (→ hypo-) et de *khondros* «cartilage des côtes».

♦ Dans la médecine ancienne, le mot signifiait (av. 1590) «qui a rapport à la partie du corps appelée *hupokhondria*». ◇ Il s'applique aussi (av. 1572, *mélancolie hypocondriaque*) à une personne qui a une crainte pathologique des maladies, puis qui est d'humeur triste et capricieuse; dans ce sens, il est aussi substantivé.

▸ ① **HYPOCONDRE** adj. est un dérivé régressif de *hypocondriaque*. Il a eu comme nom masculin le sens d'«hypocondrie» (1609), qui a disparu. ◇ Comme adjectif, il est d'abord attesté avec la valeur de «déraisonnable, fou» (1667) qui a disparu; le mot subsiste mais est rare, pour «atteint d'hypocondrie» (1653, Molière). ◇ ② **HYPOCONDRE** n. m. est attesté au XIVe s. au pluriel; c'est alors un emprunt au bas latin (pluriel neutre) *hypochondria*, emprunté au grec. Le mot désigne en anatomie chacune des parties latérales de la région supérieure de l'abdomen; en médecine ancienne, il s'appliquait aux organes situés au niveau des hypocondres. ➛ **HYPOCONDRIE** n. f., attesté isolément au XVe s. *(ipocondrie)*, écrit *hypo-* avant 1478, a été repris en 1781 (d'Alembert) avec la variante disparue *hypocondrerie*. C'est un dérivé de *hypocondre* ou un emprunt au bas latin *hypochondria*. Il désigne une disposition obsessionnelle caractérisée par un état d'anxiété du sujet à propos de sa santé.

HYPOCORISTIQUE adj., attesté en 1893 (l'anglais *hypocoristic* date de 1796), est un emprunt au grec tardif *hupokoristikos* «caressant» et, chez les grammairiens, «diminutif». Cet adjectif grec vient de *hupokorizesthai* «parler avec des diminutifs», composé de *hupo* «sous» (→ hypo-) et *korizesthai* «cajoler», dérivé de *korê* «jeune fille».

♦ Le mot, didactique, conserve le sens de l'étymon.

HYPOCRAS n. m., d'abord sous la forme *ipocras* (1377), représenterait une altération, d'après les mots en *hypo-*, de l'ancien *borgeraste* «boisson aromatique», variante *boucrast(e)* (v. 1275), peut-être d'un bas latin °*hippocrasticum (vinum)* «(vin) hippocratique», du nom d'*Hippocrate* auquel on attribuait l'invention de ce breuvage. Une autre hypothèse, à considérer avec prudence, veut que *boucrast(e)* soit une altération du grec byzantin *hupokeraston* «légèrement mélangé», adjectif verbal de *hupokerannunai* «mélanger légèrement», terme très rare. ◈

♦ Le mot désigne un vin sucré où l'on a fait infuser de la cannelle ou du girofle.

HYPOCRISIE n. f. est un emprunt (1176, *ypocrisye*) au bas latin *hypocrisis*, du grec *hupokrisis*, proprement «réponse» dans un dialogue de théâtre, d'où «jeu de l'acteur» puis «feinte, faux-semblant». C'est un dérivé du verbe *hupokrinesthai* «répondre», «jouer un rôle» et «mimer, feindre». Le jeu de ressemblance de l'acteur, du mime, est dénommé d'après la caractérisation imparfaite de l'objet imité.

♦ *Hypocrisie* en français, change de registre : de l'idée de l'imitation volontaire, on passe à celle d'artifice, de fausse apparence, sur le plan moral, et le mot désigne le caractère d'une personne qui déguise ses pensées, ses opinions, et spécialement (XVIIe s.) l'attitude qui consiste à affecter des sentiments religieux, illustrée par Molière dans le personnage du faux dévot Tartuffe. ◇ Le mot s'emploie aussi à partir du XVIIe s. pour «acte hypocrite» (1669), aujourd'hui littéraire et vieilli, et ensuite au sens de «caractère de ce qui est hypocrite» (1775 ; *l'hypocrisie d'un procédé*).

▸ **HYPOCRITE** n. et adj. a été emprunté (1176, *ipocrite*) au bas latin *hypocrita* «mime», du grec *hypokritês* «celui qui interprète (un songe, une vision)», puis «acteur» et, tardivement, «fourbe», issu du verbe *hupokrinesthai*. ◆ Le mot a eu une évolution sémantique parallèle à celle d'*hypocrisie ;* en dérive **HYPOCRITEMENT** adv. (1584).

HYPOGÉE n. m., attesté chez Rabelais (1564), est un emprunt au latin *hypogeum*, du grec *hupogeios* «souterrain», composé de *hupo* «sous» (→ hypo-) et de *gê* «terre».

♦ C'est un mot d'archéologie signifiant «construction souterraine» et désignant spécialement une sépulture souterraine (1765). Par métaphore, il s'emploie ensuite pour «abri souterrain» (1611, «partie souterraine d'une maison» à propos de l'Antiquité).

La forme homonyme **HYPOGÉ, ÉE** adj., empruntée (1831) au bas latin *hypogaeus*, de même origine que *hypogeum*, signifie «situé au-dessous du niveau du sol» et se dit en botanique pour «qui se développe sous la terre» *(cotylédons hypogés)*.

HYPOPHYSE n. f. est un emprunt (1818) au grec *hupophusis* «croissance en dessous», dérivé de *hupophuein* «naître ou croître sous», lui-même formé de *hupo* (→ hypo-) et de *phuein* «pousser».

♦ Terme de biologie, le mot désigne un organe neuro-glandulaire situé à la base du crâne.

▸ Il a fourni le dérivé **HYPOPHYSAIRE** adj. (1894) et les composés **HYPOPHYSECTOMIE** n. f. (1907) et **ANTÉHYPOPHYSE** n. f. (mil. XXe s.), d'où vient **ANTÉHYPOPHYSAIRE** adj. (mil. XXe s.).

HYPOSTASE n. f. a été emprunté (1398, *ypostasie*) au grec *hupostasis* «action de placer en dessous» d'où «support, sédiment» en médecine, et «substance» en philosophie, dérivé du verbe *huphistanai* «placer sous» (→ hypo- ; et stase).

♦ Le mot est sorti d'usage au sens médical (1398) de «dépôt d'un liquide organique». ◇ En philosophie, il reprend le sens de «substance» et en théologie (1541, Calvin), il désigne dans le dogme chrétien, comme le latin ecclésiastique *hypostasis*, chacune des trois personnes de la Trinité, en tant que substantiellement distincte des deux autres. ◇ *Hypostase* est repris au XXe s. en philosophie (1926) au sens d'«entité fictive» et, en linguistique (1933), pour désigner la substitution d'une catégorie grammaticale à une autre.

▸ En dérive **HYPOSTASIER** v. tr. (1907) «considérer comme une substance (ce qui n'est qu'une idée)».

HYPOSTATIQUE adj. (1474, *ypostatique*) est emprunté au latin médiéval *hypostaticus* (apr. 1300), du dérivé grec *hupostatikos*. ◆ D'abord terme de médecine, le mot est ensuite utilisé dans le vocabulaire de la théologie (1674).

HYPOTÉNUSE n. f. est emprunté (1520) au latin *hypotenusa*, transcription du grec *hupoteinousa* «l'hypoténuse», proprement «se tenant sous (les angles)», participe présent du verbe *hupoteinein* «tendre au-dessous», composé de *hupo* «au-dessous» (→ hypo-) et de *teinein* «tendre».

♦ *Hypoténuse* désigne, dans un triangle rectangle, le côté opposé à l'angle droit ; le mot est usuel en géométrie élémentaire.

HYPOTHÈQUE n. f., d'abord sous la forme *ypoteque* (XIIIe s.), est emprunté au latin *hypotheca*, du grec *hupothêkê*, littéralement «qui sert de fondement», d'où «gage», de *hupotithenai*, composé de *hupo* «sous» (→ hypo-) et de *tithenai* «placer».

♦ *Hypothèque*, «droit réel accessoire accordé à un créancier sur un bien», s'emploie dans le langage juridique et dans l'usage courant. Il s'utilise au figuré (comme *gage*), notamment dans la locution *prendre une hypothèque sur l'avenir* «disposer d'une chose avant de la posséder» et, récemment, dans le vocabulaire politique au sens d'«obstacle qui empêche l'accomplissement de qqch.».

▸ Le dérivé **HYPOTHÉQUER** v. tr. (1369, *ypothequer*) s'emploie au propre, en droit, et au figuré (1580) ; en est issu **HYPOTHÉCABLE** adj. (1675).

HYPOTHÉCAIRE adj. est emprunté (1305) au dérivé bas latin *hypothecarius*. Comme pour *hypothèque*, son emploi en droit est fixé par le Code civil (1804). Terme de droit, il signifie «relatif à l'hypothèque», «qui est garanti par une hypothèque». ◇ Le dérivé **HYPOTHÉCAIREMENT** adv. (1414) est rare.

HYPOTHÈSE n. f. est un emprunt (1539, J. Canappe) au latin *hypothesis* «argument», lui-même au grec *hupothesis* «action de mettre dessous», «base d'un raisonnement», «supposition» ; ce mot est dérivé de *hupotithenai*, composé de *hupo* «sous» (→ hypo-) et de *tithenai* «placer» (→ thèse).

♦ *Hypothèse* est d'abord employé dans un contexte médical et désigne une proposition relative à l'explication des phénomènes naturels et admise provisoirement, concept qui joue un rôle essentiel dans les sciences exactes et les sciences humaines. Jusqu'à la fin du XVIIIe s., le mot s'est employé pour toute proposition reçue pour en déduire d'autres, sans souci de sa vérité ou de sa fausseté. Dans l'usage courant (XVIIe s.), il se dit d'une conjecture sur la possibilité d'un événement, ou propre à l'expliquer. Enfin, il s'est spécialisé en grammaire.

▸ **HYPOTHÉTIQUE** adj. reprend le bas latin *hypotheticus* (grec *hupothêtikos*) ; d'abord (1290) nom féminin pour «hypothèse» et écrit *ypotetique*, il s'emploie ensuite comme le nom, avec une valeur didactique (fin XIVe s.) et dans l'usage courant (XIXe s.). ◆ Son dérivé **HYPOTHÉTIQUEMENT** adv. (1617) est didactique, comme le composé récent (mil. XXe s.) **HYPOTHÉTICO-DÉDUCTIF, IVE** adj. qualifiant une science fondée sur l'hypothèse et la déduction (logique, mathématiques).

HYSOPE n. f., réfection (v. 1170) de *ysope* (v. 1120), est un emprunt au bas latin *hyssopus*, du grec *hussôpos*, lui-même d'une langue sémitique et apparenté au babylonien *zūpu* et à l'hébreu *'ezôb* qu'il traduit dans la Bible.

♦ *Hysope* désigne un arbrisseau vivace, à feuilles persistantes et à fleurs bleues ; la locution figurée ***depuis le cèdre jusqu'à l'hysope*** «du plus grand au plus petit» (v. 1170) est tirée du premier Livre des *Rois* ; elle a été usuelle, mais n'est plus qu'une allusion érudite à la Bible.

HYSTÉRÉSIS n. f. est un emprunt (1890 ; 1903, *hystérèse*) à l'anglais *hysteresis*, formé en 1881 par le physicien J. A. Ewing (1855-1935) à partir du grec tardif *husterêsis* «manque, dénuement», dérivé de *husterein* «être en retard, rester en arrière».

♦ Terme de physique, *hystérésis* se dit de la persistance d'un phénomène quand la cause qui le produit cesse (*hystérésis diélectrique*, 1925).

HYSTÉRIQUE adj. et n. est emprunté (1568, *hystéricque*) au bas latin *hystericus*, du grec *husterikos* «qui concerne la matrice», «(femme) malade de l'utérus» de *hustera* «utérus». Il se rattache peut-être à une racine indoeuropéenne concernant «ce qui est en arrière» (→ hystérésis), qu'on retrouverait dans l'anglais *out* «dehors», mais le sens fait difficulté, de même que pour le sanskrit *úttara-* «ce qui est au-dessus». Par ailleurs, le rapport avec le nom du ventre (grec *uderos*, sanskrit *udaram*) n'est pas éclairci.

♦ *Hystérique* s'est d'abord employé uniquement en parlant des femmes, au sens de «qui présente des troubles psychiques», parce qu'on pensait que cette maladie avait son siège dans l'utérus et qu'elle était liée à des accès d'érotisme morbide. Puis le sens s'étend aux hommes avant l'évolution de la notion, qui devient essentielle en psychiatrie et en psychanalyse, à la fin du XIXe siècle.

▸ Au XVIIIe s. en effet était formé (1731, puis 1771) le dérivé régressif **HYSTÉRIE** n. f. qui désigne d'abord l'ensemble des troubles. Par analogie avec ces troubles, le mot prend (1834) le sens d'«exaltation», par exemple dans *c'est de l'hystérie !*, «de la rage, du délire». ◇ Depuis les travaux de Charcot, *hystérie* désigne (v. 1880) un ensemble de symptômes prenant l'apparence d'affections organiques sans lésions décelables ; le mot s'emploie ensuite en psychiatrie, puis en psychanalyse pour parler d'un type de névrose. ◆ De même, l'adjectif **HYSTÉRIQUE** s'emploie en relation avec le sens correspondant du nom, pour «excessif» (1837) et «nerveux, exalté» (1844), en parlant d'une personne avant de suivre, en psychiatrie, puis en psychanalyse, l'évolution de sens du nom. ◆ **HYSTÉRIQUEMENT** adv. (1893, Verlaine) est lié à l'emploi figuré de *hystérique*, ainsi que le verbe **HYSTÉRISER** (1864, pron. ; 1874, tr., Goncourt), d'emploi littéraire. ◆ **HYSTÉRISME** n. m. (1768), dérivé de *hystérie* au premier sens, était un terme didactique ; il est sorti d'usage. ◆ **HYSTÉROÏDE** adj. (XXe s.) de *-oïde*, terme de médecine, signifie «qui a les caractères de l'hystérie» (*crise hystéroïde*).

I

IAMBE ou **ÏAMBE** n. m. est un emprunt savant du XVIe s. (1555, J. Peletier du Mans, *pié Iambe;* l'emploi de *Jambus,* par Rabelais, 1532, est douteux quant au sens). Il est pris au latin *iambus,* du grec *iambos* dont les sens sont repris en français. Littré notait que le tréma était inutile; les spécialistes ne le conservent pas, cependant il est maintenu par la plupart des écrivains et des dictionnaires.

♦ Le mot désigne, en parlant de la versification antique, d'abord comme adjectif puis comme nom (1605), un pied composé de deux syllabes, l'une brève, l'autre longue. Par extension (av. 1589, A. de Baïf), le mot se dit d'un vers grec ou latin de six pieds, dont le deuxième, le quatrième et le sixième sont des ïambes; ce vers était d'abord utilisé dans la poésie satirique. Par métonymie, le mot désigne un poème formé d'ïambes. ◇ Par référence aux ïambes des poètes anciens, le mot désigne depuis A. Chénier, dans la littérature française, une pièce de vers satiriques, composée d'alexandrins et d'octosyllabes à rimes croisées.

▸ **ÏAMBIQUE** adj. (1486) est un emprunt au latin *iambicus,* lui-même emprunté au grec *iambikos* «composé d'ïambes».

À partir de *ïambe* ont été formés des termes didactiques, uniquement employés à propos de la métrique ancienne, **ÏAMBÉLÉGIAQUE** adj. (1867, Littré; de *élégiaque*) et **ÏAMBO-TROCHAÏQUE** adj. (1893; de *trochaïque,* de *trochée*).

IATR-, IATRO- sont des éléments tirés du grec *iatros* «médecin», entrant dans la composition de mots scientifiques et indiquant une relation avec le médecin ou la médecine.

▸ **IATROCHIMIE** n. f. (1752; de *chimie*), aujourd'hui terme d'histoire des sciences, désigne une doctrine médicale du XVIIe s., selon laquelle tous les actes vitaux dépendent de combinaisons chimiques (fermentation, distillation, etc.); le dérivé **IATROCHIMIQUE** adj. est attesté en 1803. ◆ **IATROPHYSIQUE** n. f. (1803; de *physique*), terme sorti d'usage, désignait la physique dans ses applications à la médecine. ◆ **IATROGÉNIE** n. f., création récente (apr. 1950; de *-génie*), se dit d'une pathogénie d'origine médicale ou médicamenteuse; en dérive **IATROGÈNE** ou **IATROGÉNIQUE** adj. (av. 1970).

-IATRE, -IATRIE, éléments de même origine, sont utilisés pour désigner des médecins spécialistes (cf. *psychiatre*) et des spécialités *(psychiatrie).*

IBÈRE adj. et n. est un emprunt savant (1552) au latin *Iberus* ou *Hiberus,* «d'Ibérie», lui-même du grec *Ibêr, Ibêros.*

♦ Il qualifie ce qui est relatif à l'Ibérie, ancien nom de la péninsule hispanique et au peuple qui l'habitait. Le mot s'est employé en poésie (av. 1719) pour «espagnol».

▸ **IBÉRIQUE** adj. est un emprunt (1765) au latin impérial *ibericus* ou *hibericus* «d'Ibérie», du grec *ibêrikos.* Le mot, didactique au sens de «relatif à l'Ibérie antique», s'emploie couramment pour «relatif à l'Espagne et au Portugal» (1840, *péninsule Ibérique*) et spécialement pour «espagnol». ◆ **IBÉRIEN, IENNE** adj. et n. (1797, Chateaubriand), dérivé de *Ibérie,* est sorti d'usage. ◆ **IBÉRISME** n. m. (1839, Mérimée), tiré de *ibérique* «particularité ibérique», est didactique comme **IBÉRISER** v. tr. (XXe s.).

IBÉRO-, premier élément, représente l'adjectif *ibérique* et entre dans la composition de termes didactiques, comme **IBÉRO-ROMAN, ANE** adj. et n. m. (XXe s.) «ensemble des parlers romans de la péninsule Ibérique», **IBÉRO-AFRICAIN, AINE** adj. (XXe s.).

◈ voir aussi CELTIBÈRE (à CELTE).

IBIDEM adv. est un emprunt (1693 selon Bloch et Wartburg) au latin *ibidem* «ici même», adverbe dérivé de *ibi* «dans ce lieu» qui se rattache à un thème indoeuropéen °*ei-,* °*i-* (→ idem).

♦ L'adverbe signifie «dans le même passage» (d'un ouvrage déjà cité) et est abrégé en *ibid.* ou *ib.* (cf. *idem*); il est surtout écrit.

IBIS n. m., réfection du XVIe s. (1537) de *ibex* (1121-1134), *ibe* (v. 1265), est emprunté par l'intermédiaire du latin au grec *ibis*. Le mot grec vient lui-même de l'égyptien *hīb* et désigne un oiseau adoré par les Égyptiens.

♦ Le mot désigne un oiseau de l'ordre des Échassiers, caractérisé par son bec long, mince et recourbé.

ICARIEN, IENNE adj. est dérivé (1721) de *Icare*, du latin *Icarus*, emprunt au grec *Ikaros*, nom d'un héros de la mythologie grecque. Fils de Dédale, il put s'échapper du Labyrinthe de Minos en Crète grâce aux ailes que lui fabriqua son père, mais comme il s'approchait trop du soleil, la cire qui maintenait ses ailes fondit : il tomba dans la mer qui porte son nom.

♦ L'adjectif qualifie ce qui a rapport à l'Icarie, île de la mer Égée (*mer icarienne*, 1721), et ce qui est relatif à Icare ou à sa légende (1829, *jeux icariens* «exercices de voltige»; 1832, *ailes icariennes*).

ICEBERG n. m. est attesté isolément comme emprunt direct à une langue nordique (1715, *ysbergh*), puis sous la forme *ice-berg* (1819; 1839, *iceberg*) comme emprunt à l'anglais *iceberg;* le mot anglais est une adaptation (1774) d'une des formes de langues germaniques nordiques (néerlandais *ijsberg*, danois *isbjerg*, suédois *isberg*), composé de *is* «glace» et de *berg* «montagne»; il a d'abord désigné un glacier côtier en forme de colline et a pris son sens actuel au XIXe s. (on disait *ice island* «île de glace»). La forme abrégée *berg* (1823) est apparue aussi comme variante en français (1853).

♦ *Iceberg*, «masse de glace flottante, détachée d'un glacier polaire ou de la banquise», s'emploie dans la locution figurée ***la partie cachée de l'iceberg***, inspirée par un emploi métaphorique du mot en anglais (1962, Webster).

► Le terme **ICEBLOC** n. m. a été employé (1906) par J. B. Charcot pour désigner les petits icebergs de la Nouvelle-Zemble.

ICE-CREAM n. m. est un emprunt (1895) à l'anglais *ice cream* (1769), déformation de *iced cream* «crème glacée», composé du participe passé de *to ice* (de *ice* «glace», vieil anglais *is*) et de *cream* «crème*»; *ice cream* a produit par ailleurs le calque *crème glacée*.

♦ Cet anglicisme ne sert qu'en parlant des réalités des pays anglophones. Il désigne une glace à base de crème (en français, un *parfait*) ou une *glace*, au sens strict, par opposition à *sorbet*. *Crème glacée* en est le calque.

ICHTY-, ICHTYO- sont des éléments tirés du grec *ikhthus, uos* «poisson», mot qui a des correspondants en arménien et en lituanien et doit donc relever d'une racine indoeuropéenne. La graphie *ichthyo-* est courante jusqu'au XIXe siècle.

► **ICHTYOPHAGE** adj. et n. est un emprunt (v. 1265, *ictiofagi;* 1532, *ichthyiophage*, Rabelais) au latin *ichtyophagus*, du grec *ikhthuophagos* «qui se nourrit de poisson» (de *phagein* qui sert d'aoriste à *esthiein* «manger»; → -phage); en dérive **ICHTYOPHAGIE** n. f. (1546, *ichthyophagie*, Rabelais).

◆ **ICHTYOLOGIE** n. f. (1649), emprunt au latin scientifique *ichthyologia* (1540), formé sur *ichtyo-* et *-logia* (→ -logie), désigne la partie de la zoologie qui traite des poissons. ◇ Il a pour dérivés **ICHTYOLOGISTE** n. (1765), **ICHTYOLOGUE** (1840), **ICHTYOLOGIQUE** adj. (1770, *ichtiologique*). ◆ **ICHTYOSAURE** n. m. (1828, *ichthyosaure*) est un emprunt au latin scientifique *ichthyosaurus* (1824) du grec *sauros* «lézard» (→ saurien); ce terme de paléontologie désigne un grand reptile fossile de l'époque secondaire. ◆ **ICHTYOSE** n. f. est un emprunt (1813; 1810, *ichtyosis*) au latin scientifique moderne *ichthyosis* formé en anglais (1801) avec *-ose**; le mot désigne une maladie congénitale de la peau, caractérisée par un épaississement de l'épiderme et la formation de grosses écailles. ◆ **ICHTYORNIS** n. m. a été formé en latin moderne par Marsh (1872; de *ornis, -ithos* «oiseau») pour désigner un oiseau fossile (→ ornitho-).

ICI adv. est composé (v. 1050) de *ci** et d'un *i-* initial provenant de l'ancien français *iluec* «là», adverbe (2e moitié Xe s., *illo;* XIe s., *iluec*); *iluec* est issu du latin *illoc* «là-bas, là». *Ci* a été renforcé d'autres façons, par exemple en champenois *(toutci)*, en wallon *(droitci)*. La forme phonique isit, régionale, est parfois écrite *icite, icitte*, notamment en français québécois.

♦ Dans ses premiers emplois (v. 1050), *ici* adverbe de lieu signifie «dans cet endroit», «dans le lieu où se trouve celui qui parle» (1080, *d'ici qu'en* «depuis ce lieu jusqu'à», forme disparue). ◇ *Ici* est également employé (v. 1130) comme adverbe de temps, combiné avec *de*, pour marquer le point de départ dans le temps, le point d'aboutissement étant indiqué par une date ou un adverbe *(d'ici à demain)*. ◇ L'adverbe de lieu désigne par extension (fin XIIe s.) un endroit précis, d'où les emplois avec un autre adverbe de lieu (*d'ici là* «d'ici à cet endroit-là», *d'ici à*, v. 1180), avec une préposition (*d'ici* «de ce lieu», v. 1265, «de ce pays»); *ici dedans, ici autour*, encore employés à l'époque classique, sont sortis d'usage ou devenus régionaux. ◇ Au milieu du XVIe s. (Ronsard), *ici* est employé au figuré pour désigner, en corrélation avec *là*, des actions, des circonstances successives et opposées. *Ici*, joint à un substantif désigné par un démonstratif (1580, Montaigne, *ce monde ici*), a été remplacé par *ci;* au XVIIe s. cet usage, selon Vaugelas ne se maintenait que dans la langue parlée. La locution adverbiale ***ici-bas*** (1544) a disparu au sens de «ci-dessous, par la suite» et a pris le sens (1668) de «sur la terre», par opposition à *là-haut* désignant l'au-delà. *Ici* s'emploie (1637, Descartes) au sens de «à l'endroit où l'on se trouve», que l'on désigne dans un discours, un écrit (opposé à *ailleurs*), d'où par extension (1674, Racine) «dans ce domaine». ◇ *Ici!* s'emploie seul en exclamation pour *viens ici!* (1668, Molière), surtout aujourd'hui pour appeler un chien. ◇ Avec *là*, l'adverbe permet d'opposer deux lieux, sans idée d'éloignement ou de présence (1668; *ici... là, ici et là*); ***par ici*** équivaut à «dans les environs, dans ce pays» (1668), «dans cette direction» (fin XVIIe s.). ◇ *Ici* adverbe de temps, souvent au sens de «en ce moment, maintenant» au XVIIe s., notamment chez

Molière, s'emploie encore aujourd'hui avec cette valeur dans *jusqu'ici* «jusqu'à présent» (1667, Racine). Au XIXe s. sont attestés ***d'ici là*** (av. 1850, Balzac) et ***d'ici peu*** (1869, Flaubert). Au XXe s., *ici* adverbe de lieu s'emploie, notamment au téléphone suivi du nom, pour indiquer l'identité de celui qui appelle; *d'ici* «de ce lieu» entre dans la locution figurée ***je vois cela (ça) d'ici*** «j'imagine la chose».
On trouve en argot les formes **ICIGO** (1821; suffixe *-go* propre aux adverbes de lieu) et **ICICAILLE** (1862), toutes deux sorties d'usage.

✱ ① **ICÔNE** ou **ICONE** n. f. est un emprunt (1838) au russe *ikona* «image», lui-même du grec byzantin *eikona* prononcé avec *i* initial, du grec classique *eikôn, onos* «image», mot qui n'est pas représenté dans les autres langues indoeuropéennes. L'ancien français *icoine* «image» (v. 1220) était un emprunt au bas latin *iconia* (VIe s.), du grec byzantin *eikonia,* pluriel de *eikonion* «petite image»; la forme *ancone* «enseigne des Byzantins» (v. 1208) est probablement un emprunt à l'italien.

♦ Le mot désigne une peinture religieuse sur panneau de bois (et non pas une fresque) dans l'Église d'Orient.

▶ **ICONISER** v. tr., «représenter figurativement», introduit par Saint-Paul-Roux (1901), est un terme didactique et rare.
① **ICONIQUE** adj., attesté isolément en 1562 au sens de «relatif à l'image» (sens qui sera repris au XIXe s.), est employé à nouveau dans l'*Encyclopédie* (1765); le mot est un emprunt au latin *iconicus* «fait d'après nature», du grec *eikonikos* «qui reproduit les traits», dérivé de *eikôn.* ➜ L'adjectif qualifie une statue grecque antique de grandeur naturelle, érigée en l'honneur d'un vainqueur aux jeux sacrés.
② **ICONE** n. m. ou n. f. est un emprunt récent à l'anglais *icon,* terme introduit par le philosophe américain Ch. S. Peirce à la fin du XIXe s. et formé comme ① *icône* à partir du grec classique *eikôn* «image». ➜ Le terme, chez Peirce, désigne un signe qui renvoie à ce qu'il dénote (l'objet) en vertu de ses caractères propres, et qui a avec cet objet des caractères communs, d'ordre abstrait et relationnel, c'est-à-dire concrètement une similitude, une ressemblance. Il s'oppose à *indice* et à *symbole.* ➜ ② **ICONIQUE** adj. (v. 1970) est emprunté à l'anglais *iconic,* dérivé de *icon,* pour qualifier un signe ayant les caractères de l'icône chez Peirce.
ICON(O)-, élément tiré du grec *eikôn* «image», sert à former des mots savants. ➜ **ICONOLOGIE** n. f. est un emprunt (1636) à l'italien *iconologia,* adaptation du grec *eikonologia* «langage figuré», formé de *eikôn* et de *-logia* (→ -logie). Le mot désigne l'art de représenter des figures allégoriques avec leurs attributs distinctifs, la connaissance de ces attributs et, par métonymie, le répertoire de ces représentations. Par extension, *iconologie* se dit (XXe s.) de l'étude des modes de la représentation en art. ◇ En dérive **ICONOLOGUE** n. (1756) ou **ICONOLOGISTE** (1834).
ICONOGRAPHIE n. f. est une adaptation (1680) du grec tardif *eikonographia* «peinture de portraits» (d'où le latin *iconographia* «art du dessin»), composé de *eikôn* et de *graphia* (→ -graphie). ➜ Le mot désigne l'étude des représentations d'un sujet et, par extension, l'étude des sujets, des thèmes, des allégories de l'art figuratif puis, par métonymie (1873), l'ensemble de ces représentations, en particulier l'ensemble des représentations plastiques d'un personnage, d'un sujet. *Iconographie* a pris au XXe s. le sens d'«ensemble d'images (dans un livre)» et, par métonymie, celui de «recueil de ces images», ainsi que «métier, travail de l'iconographe». Dans le sens courant «ensemble d'images», il est abrégé en **ICONO** (cf. *illustration*). ◇ En sémiotique, le mot désigne (v. 1970) le code des représentations visuelles en usage dans un groupe social à une époque donnée. ➜ En dérivent les termes didactiques **ICONOGRAPHIQUE** adj. (1762) et **ICONOGRAPHE** n. (1803) qui désigne au XXe s. le spécialiste de la recherche des documents figurés.
ICONOSCOPE n. m. de *-scope** a désigné (1866) un appareil d'optique donnant l'impression du relief; le mot s'est dit ensuite (1902) en photographie du dispositif à lentille divergente d'un viseur, permettant de voir l'image réduite d'une scène à photographier. Il désigne aujourd'hui (1947) le tube qui analyse les images dans les caméras de télévision.
ICONOPHILE adj. et n. (1801; de *-phile**), sorti d'usage au sens d'«amateur d'images, d'estampes», a été repris au XXe s. pour «qui est favorable aux représentations figuratives». ◇ L'antonyme **ICONOPHOBE** adj. et n. (de *-phobe**) est attesté en 1927, ➜ **ICONOGÈNE** n. m. (1899), peut-être pris à l'allemand *Iconogene* (1889), se dit d'un sel de sodium employé comme révélateur photographique. ➜ **ICONOTHÈQUE** n. f. (1968; de *-thèque**) désigne une collection d'images, d'illustrations. ➜ **ICOPHONE** n. m. (1970; de *icono-* réduit à *ico-*, et *-phone*) se dit d'un appareil qui permet une représentation graphique de la parole.
ICONOCLASTE n. et adj. est un emprunt savant (1557 d'après Bloch et Wartburg, 1605, in *T. L. F.*) au grec byzantin *eikonoklastês* «briseur d'images», composé du grec classique *eikôn, eikonos* (→ ① icône) et d'un dérivé de *klan* «briser»: on trouve aussi en latin moderne les formes *iconoclastae* (1596) et *iconoclastes* (1610). ➜ Comme terme d'histoire religieuse, le mot désigne les partisans des empereurs byzantins qui, aux VIIIe et IXe s., s'opposèrent à l'adoration des images saintes. *Iconoclaste* se dit aussi d'une personne qui proscrit la représentation des personnes divines, des saints et, par extension, des œuvres d'art (1690, adj.). Le mot a pris au XIXe s. le sens péjoratif de «qui est hostile aux traditions, aux formes héritées du passé, jusqu'à les détruire». ➜ De *iconoclaste* dérivent **ICONOCLASTIQUE** adj. (1705), **ICONOCLASME** n. m. (1832) ou **ICONOCLASTIE** n. f. (av. 1868, Bürger).
ICONOLÂTRE n. (1701, Furetière), attesté plus tôt en anglais (1654), a été emprunté au latin médiéval *iconolatres* «adorateur d'images», lui-même du grec ecclésiastique *eikonolatrês,* d'un dérivé de *latruein* «adorer». Ce terme didactique est le nom donné par les iconoclastes aux catholiques. ◇ Il a produit **ICONOLÂTRIE** n. f. (1769), d'où **ICONOLÂTRIQUE** adj. (1832).

ICONOSTASE n. f. (1843) a été précédé par *ikonostas* et *iconastus* (1786); c'est un emprunt au russe *ikonostas*, nom masculin, lui-même pris au grec tardif *eikônostasion*, de *stasis* «action de poser debout» (→ stase). ◆ Ce mot didactique désigne, dans les églises orthodoxes, une cloison décorée d'icônes.

ICTÈRE n. m. est un emprunt savant (1578) au latin impérial *icterus*, du grec *ikteros* «jaunisse» et nom d'un oiseau censé guérir cette maladie.

♦ *Ictère* désigne une maladie dont le symptôme est une coloration jaune de la peau (cf. *jaunisse*, d'emploi courant). Le mot se dit aussi en médecine (1902) d'une coloration jaune de la peau et des muqueuses, sans autre symptôme de maladie.

▶ **ICTÉRIQUE** adj. est une réfection (1579) des formes populaires *iterite* (2e moitié XIIIe s., nom, «personne atteinte d'ictère»), *itherique* (fin XIIIe s.), puis *icterite* (1495). Le mot est un emprunt au latin impérial *ictericus* «qui guérit l'ictère», puis «atteint de jaunisse», du grec *ikterikos* «relatif à la jaunisse», de *ikteros*. *Ictérique*, adjectif (1704), signifie «qui se rapporte à l'ictère».

ICTUS n. m. apparaît isolément sous la forme francisée *icte* (1558, Rabelais), puis est repris en 1861 sous la forme du latin *ictus* «coup, choc» et «battement de mesure», dérivé de *ictum*, supin de *icere* «frapper», sans origine connue.

♦ Rabelais a employé le mot au sens de «coup». Repris au XIXe s., le mot désigne en médecine une manifestation morbide violente et soudaine qui affecte le système nerveux. ◇ *Ictus* est ensuite introduit (1866, Littré) pour désigner, en versification antique, un battement de la mesure dans le vers puis, en musique, une note très accentuée soulignant le rythme (fin XIXe s.).

ICULE → ② **-IL**.

① **-IDE** est un élément issu du grec *-is*, pluriel *-ides*, par l'intermédiaire du latin *-ides* ou *idis*; suffixe patronymique, *-ide* indique l'appartenance, la descendance (par exemple *la napoléonide* «descendance de Napoléon Ier»), ou un être issu de cette descendance, notamment en mythologie (par exemple *Euménides*).

② **-IDE** est un élément tiré du grec *-eidês*, de *eidos* «forme, apparence» (→ idée), qui entre dans la formation de nombreux mots savants indiquant des formes (en chimie, en médecine, etc.), sous la forme *-ide* ou *-oïde*.

IDÉAL, ALE, ALS ou **AUX** adj. est un emprunt (1551) au latin médiéval *idealis* «relatif à l'idée», dérivé du latin classique *idea*, mot grec (→ idée). Le masculin pluriel, peu usité, est *idéaux* ou *idéals*.

♦ *Idéal* est introduit en français avec le sens de «qui est conçu et représenté dans l'esprit, sans être perçu par les sens». L'adjectif s'applique ensuite à ce qui atteint la perfection ou réunit toutes les perfections que l'on peut concevoir (1758, Buffon), d'où ***le beau idéal***, dans l'art (1760), opposé à la *beauté naturelle*. L'adjectif est passé à la même époque dans le vocabulaire de l'économie (1766, *monnaie idéale*) et plus tard dans celui des mathématiques (début XXe s., *nombres idéaux*). ◇ Dans la langue courante, *idéal* a été un équivalent de «chimérique, irréel» (1762) et se dit (1812) de ce qui semble avoir ou a toutes les qualités que l'on peut souhaiter (cf. *parfait*).

▶ ② **IDÉAL** n. m. est à la fois un emprunt (1746) à l'allemand philosophique *Ideal*, lui-même du latin médiéval *idealis*, et la substantivation de *idéal*, adjectif; les deux pluriels *idéals* et *idéaux* sont en usage. ◆ Le mot est d'abord attesté chez l'abbé Batteux pour désigner l'ensemble des représentations abstraites les plus adéquates se rapportant à un être, un objet particulier; il est ensuite employé (1765, Diderot) au sens aujourd'hui vieilli de «conception que l'artiste a dans l'esprit» puis se dit (1799, Senancour) de ce qu'on se représente comme type parfait, dans l'ordre esthétique, intellectuel ou pratique. ◇ Par extension, *idéal*, employé absolument (1831, Hugo), désigne un ensemble de valeurs esthétiques, morales ou intellectuelles, par opposition aux intérêts matériels; de là vient le sens de «ce qui réalise la perfection dans un domaine, et donne une parfaite satisfaction» (1836, Stendhal). Le mot devient un terme essentiel de l'esthétique romantique, surtout à partir de 1848 où la notion est souvent personnifiée, par exemple chez Hugo (1854) ou Baudelaire. À la fin du XIXe s., il prend la valeur familière (av. 1902, Zola) de «le mieux, la meilleure chose» (*l'idéal, ce serait de... que...*). ◇ Parallèlement, *idéal* est utilisé dans des emplois didactiques, en mathématiques (1903), en psychanalyse (*Idéal du moi*, XXe s.), en philosophie (1926) au sens d'«être individuel dont tous les caractères sont déterminés par l'idée» (Kant). ◇ Par extension du sens de «type parfait», *idéal* se dit (1935) d'un individu qui est le modèle d'un genre. ◆ **IDÉALEMENT** adv. signifie «en idée, en imagination» (1551) puis «parfaitement». ◆ **IDÉALISTE** adj. et n. désigne d'abord (av. 1716, nom, Leibnitz) un philosophe qui voit dans la forme l'essence des choses (1810, *philosophie idéaliste*). Le mot prend ensuite le sens aujourd'hui courant (1839, G. Sand) de «qui a un idéal», d'où péjorativement de «qui vit de chimères» (fin XIXe s.). Le nom s'emploie dans le domaine des arts pour «partisan de l'idéalisme» (1846, Baudelaire). ◆ **IDÉALISME** n. m. est dérivé de *idéal* au XVIIIe s. (1749, Diderot, *Lettre sur les aveugles*) pour désigner un système philosophique qui ramène l'être à la pensée (1801, *idéalisme transcendantal de Kant*). Le mot se dit ensuite (1828, Villemain) d'une conception esthétique qui donne pour fin à l'art la représentation d'une nature idéale (par opposition à *réalisme, naturalisme*). ◇ Il désigne couramment (1863, Renan) une attitude qui subordonne la pensée, les conduites à un idéal; il a pris aussi une valeur péjorative (1904, R. Rolland) et se dit d'une tendance à négliger le réel, à se nourrir d'illusions. ◆ **IDÉALITÉ** n. f. est sorti d'usage au sens (1770) de «disposition de l'esprit à donner aux choses un caractère idéal» (cf. *idéalisme*); signifiant «caractère de ce qui est idéal», le mot s'emploie en philosophie (1789; cf. *idéel* à *idée**) et en art (1829). Par métonymie, il se dit pour «ce qui n'existe que dans l'imagination», surtout au pluriel (1839, Vigny). Au XXe s., on parle des *idéalités mathématiques.* ◆ **IDÉALISER** v. tr. signifie «revêtir d'un caractère idéal» (1794; 1835, pron.). ◇ En dérivent **IDÉALISATION** n. f. (1794), **IDÉALISÉ, ÉE** adj. (1828), assez usuels, et **IDÉALISABLE** adj. (v. 1840, A. Comte), **IDÉALISATEUR, TRICE** adj. et n. (1845) et **IDÉALISANT, ANTE** adj. (XXe s.), plus rares.

◈ voir IDÉE, IDÉOLOGIE.

✱ IDÉE n. f. est issu (1119, *idees*) du latin philosophique *idea* «type de choses» et, en latin tardif, «forme visible», emprunt au grec *idea* «forme visible, aspect», d'où «espèce, catégorie» et, chez Platon, «forme idéale concevable par la pensée»; en grec *idea* est dérivé du verbe *idein,* qui sert d'aoriste à *horan* «voir» et se rattache à une racine indoeuropéenne °*weid-* «voir, percevoir par la vue», que l'on retrouve dans le latin *videre* (→ voir).

♦ *Idée* désigne d'abord les formes des choses présentes de toute éternité en Dieu, puis, chez Oresme (1370-1372), écrit *ydee,* l'essence éternelle et purement intelligible des choses sensibles (cf. *archétype*), la notion intellectuelle préexistante d'un être, d'un objet particulier. Le mot désigne ensuite (1458, *ydee*) la vue que l'intelligence élabore dans le domaine de l'action. Il reprend à la même époque le sens étymologique de «forme, image» (1487), d'où vient une valeur plus courante : «image (d'un être, d'un objet) telle que les sens la perçoivent», «vue approximative» (1552, Ronsard), réalisée dans les locutions ***n'avoir pas la moindre idée de, avoir peu d'idée d'une chose*** (vieillie), ***on n'a pas idée de cela*** «c'est impensable, anormal». ◇ En outre, *idée* désigne (1583) l'image de qqch., de qqn, telle que l'esprit la forme par l'imagination, ou la conserve dans le souvenir; dans ce sens didactique (logique, philosophie) on emploie plutôt ***idée générale*** (usage psychologique) ou les mots *concept* et *notion.* Cette notion de «conception imaginaire» se retrouve dans *par idée* (1616), archaïque, ***en idée*** «en imagination» (1643), dans les locutions ***j'ai idée que*** «il me semble que» (1775, Beaumarchais), ***se faire des idées*** «s'imaginer des choses sans rapport avec le réel, le possible» et familièrement ***cette idée, drôle d'idée,*** etc., ainsi que dans l'emploi de ***une idée de (qqch.)*** «un tout petit peu de», la chose étant en si petite quantité qu'elle semble à peine réelle. ◇ Au sens large et courant, le mot désigne (1637, Descartes) toute représentation élaborée par la pensée individuelle, qu'il existe ou non un objet qui lui corresponde. *Les idées* s'applique (1656, Pascal) à l'ensemble des opinions d'un individu, d'un groupe social, d'où la locution familière ***être dans les idées de qqn.*** Une valeur particulière du mot correspond à «façon particulière de se représenter le réel, de voir les choses», par exemple dans les locutions ***juger, agir selon son idée, ne faire qu'à son idée.*** Deux emplois qualifiés, avec une valeur particulière, sont ***idée reçue*** «banalité, poncif», illustré au XIXe s. par Flaubert qui en fit un dictionnaire, et ***idée fixe*** «obsession», commenté par Valéry. ◇ Au singulier et dans quelques expressions, *l'idée* signifie aussi (1666, La Fontaine) «l'esprit qui élabore les idées» ***(se mettre qqch. dans l'idée).*** ◇ Du sens de «vue élaborée par l'intelligence» vient celui de «projet, dessein» (attesté au XVIIe s.; 1670, Molière), par exemple dans ***lancer une idée.*** Au XIXe s., *idée* est employé pour «fonction d'élaboration des idées», notamment par Hugo; le mot est rare en ce sens.

▸ **IDÉER** v. tr. (1800) est d'emploi didactique et rare au sens de «former l'idée de (qqch.)», «concevoir». ◆ **IDÉEL, ELLE** adj. «de l'idée, des idées», d'emploi didactique, est attesté isolément en 1671 et repris au XIXe s. (1843, Proudhon), peut-être par emprunt à l'allemand *ideel* (néologisme du XVIIIe-XIXe s.), pour éviter l'ambiguïté de *idéal* (cf. *conceptuel*). ◆ **IDÉATION** n. f. est formé (1870, Th. Ribot) d'après l'anglais *ideation* «formation et enchaînement des idées», mot créé en 1829 par J. S. Mill (1773-1836) à partir de *idea,* de même origine que *idée.* ◇ Ce mot didactique conserve le sens de l'anglais; en dérive **IDÉATIONNEL, ELLE** adj. (1890). ◆ **IDÉAT** n. m. est un emprunt (1842, Ch. Renouvier) au latin philosophique du XVIIe s. *ideatum* «objet auquel correspond une idée» (à propos de Spinoza), mot repris au latin scolastique *ideatum* «objet produit conformément à une idée préconçue», dérivé du latin classique *idea.*

◈ voir IDÉAL, IDÉO- (IDÉOLOGIE).

IDEM adv. est un emprunt (v. 1501) au latin *idem* «la même chose», au neutre «le même», «aussi», reposant sur °*is-dem* qui exprime l'identité, °*is* se rattachant à un thème indoeuropéen °*ei-*, °*i-*.

♦ *Idem* est repris avec le sens de «le même (être, objet)», pour éviter la répétition d'un nom dans une énumération, surtout par écrit sous la forme abrégée *id.* Dans un emploi familier, l'adverbe signifie (1812) «de même, pareillement».

▸ Le composé **IDEMPOTENT, ENTE** adj., attesté au milieu du XXe s. (du latin *potens;* → potentat), est un terme de mathématiques; il s'applique à une matrice carrée égale à toutes ses puissances.

IDENTIFIER v. tr. est un emprunt (1610) au latin scolastique *identificare* «rendre semblable», attesté vers 1300 en Angleterre, et composé du latin classique *idem* «le même» et de *facere* «faire*» (→ identique, identité).

♦ *Identifier* est introduit en français avec le sens de «considérer comme identique à autre chose», d'où *s'identifier* (1764, Rousseau) «se confondre, en pensée ou en fait». Le verbe signifie aussi «reconnaître qqn, qqch.» (1784, tr., Mme de Staël). ◇ Il s'est employé, rarement, au sens étymologique pour «rendre identique» (1836, Montalembert). ◇ Par extension du premier sens, il signifie (1864) «reconnaître la nature de (qqn, qqch.)», spécialement (fin XIXe s.) «reconnaître du point de vue de l'état civil», puis (1935) «reconnaître comme appartenant à une classe, une espèce» *(identifier un accent).*

▸ Le dérivé **IDENTIFIABLE** adj., proposé par Richard de Radonvilliers (1845), ne semble usité que depuis le début du XXe s. (1905, in *T. L. F.*).

IDENTIFICATION n. f. est un emprunt (1610) au latin scolastique *identificatio* (v. 1380 dans le domaine anglais), dérivé de *identificare.* Le mot a suivi l'évolution sémantique du verbe : «action d'identifier et son résultat» (1610), «fait de s'identifier» (1847), spécialement en psychanalyse (XXe s.), et «action d'établir l'identité (de qqn), de reconnaître une chose comme étant de telle espèce» (1883). ◇ **IDENTIFICATEUR, TRICE** adj. est d'abord attesté en sciences (1927 en linguistique).

IDENTIQUE adj. est un emprunt (1610) au latin scolastique *identicus* «semblable» (v. 1300 dans le domaine anglais), dérivé du latin classique *idem* «le même» (→ idem) comme *identifier* et *identité;* l'adjectif, attesté indirectement par le dérivé, doit s'employer depuis le XVIe siècle.

♦ *Identique* se dit d'objets, d'êtres parfaitement semblables, tout en restant distincts (cf. l'adage latin *idem nec unum*). Au XVIIIe s. (1763-1767, Buffon), l'adjectif prend le sens de «qui est unique, quoique perçu ou nommé de manières différentes» (cf. l'adage *unum nec idem*). ◇ De là son emploi en mathématiques (*identique à,* représenté par le signe ≡). Par extension, *identique* s'applique (1823, Maine de Biran) à un individu qui reste le même à différents moments de son existence (cf. le latin *unum et idem*). Le mot est ensuite employé en logique dans ***proposition identique*** (1867), d'où *une identique* «(proposition) dont le sujet et le prédicat représentent un même concept».

▸ Le dérivé **IDENTIQUEMENT** adv. (1574) est relativement courant.

IDENTITÉ n. f. est un emprunt (déb. XIVe s., *ydemtite*) au bas latin *identitas* «qualité de ce qui est le même», dérivé du latin classique *idem* (→ idem), comme *identificare* (→ identifier) et *identicus* (→ identique), pour traduire le grec *tautotês* (→ tautologie). *Identité* signifie d'abord (déb. XIVe s.) «caractère de deux objets de pensée identiques». ◇ Le mot est repris au XVIIIe s. pour désigner le caractère de ce qui est permanent (1756 ; dans la terminologie philosophique, *identité personnelle*) et en logique (1797) le caractère de ce qui est un. En droit et dans l'usage courant (1801), il désigne le fait, pour une personne, d'être un individu donné et de pouvoir être reconnu pour tel. ◇ Il s'emploie de la même façon que *identique,* comme terme d'algèbre (1840), pour désigner une égalité qui demeure vraie quelles que soient les valeurs attribuées aux termes qui la constituent, et comme terme de logique (1851, Cournot). ◇ De son sens en droit viennent les syntagmes usuels ***plaque d'identité*** (1881), ***pièce d'identité, carte d'identité*** (1931), ***photo d'identité*** et, par métonymie, ***identité judiciaire*** (XXe s.), désignant les services de police chargés de l'identification des personnes.

IDÉOGRAPHIE → IDÉOLOGIE

IDÉOLOGIE n. f., mot créé par le philosophe Destutt de Tracy (1796), est composé du grec *idea* «forme, aspect» (→ idée) et de *-logie**.

♦ *Idéologie* désigne chez Destutt de Tracy et ses disciples une science nouvelle ayant pour objet l'étude des idées, au sens général de faits de conscience, de leur origine, de leurs caractères et de leurs lois, ainsi que l'étude des rapports que les idées entretiennent avec les signes qui les représentent. Le terme s'emploie dès avant 1800 à propos du mouvement intellectuel dû aux promoteurs de cette science. En ces sens, *idéologie* appartient à l'histoire de la philosophie. ◇ Vers 1800, les adversaires de l'idéologie, notamment Napoléon, donnent au mot un sens péjoratif qu'il a conservé : «discussions, analyses portant sur des abstractions sans rapport avec les faits et la réalité positive». ◆ Le mot est ensuite employé (1842, Reybaud) au sens d'«ensemble d'idées qui inspire un gouvernement, un parti» ; c'est avec cette valeur qu'il est repris et diffusé à la fin du XIXe s. par le marxisme qui l'oppose aux *faits économiques* et à l'*infrastructure* et lui donne la valeur d'«ensemble des idées, des croyances propres à une époque, à une société ou à une classe». Par extension *idéologie* désigne un système d'idées, une philosophie du monde et de la vie, en particulier (v. 1965) une théorie mettant en valeur un aspect de l'activité sociale *(idéologie de consommation).*

▸ Le dérivé **IDÉOLOGUE** n. désigne, avec une valeur péjorative (v. 1800), une personne qui se laisse diriger par les théories plus que par les faits, et un penseur admettant la perfectibilité de l'esprit humain ; au sens de «partisan de l'idéologie» (1802, Chateaubriand), en histoire de la philosophie, le mot a remplacé **IDÉOLOGISTE** n. m., qu'avait introduit Destutt de Tracy (1801). ◆ **IDÉOLOGIQUE** adj. (1801, Destutt) a suivi une évolution sémantique parallèle à celle d'*idéologie ;* en dérive **IDÉOLOGIQUEMENT** adv. (déb. XXe s.). ◆ **IDÉOLOGISER** v. tr., «donner une valeur idéologique à (qqch.)», est formé avant 1964, le nom d'action dérivé, **IDÉOLOGISATION** n. f., avant 1968.

Le grec *idea* a ensuite servi, sous la forme **IDÉO-**, à former plusieurs mots didactiques. ◆ **IDÉOGRAPHIQUE** adj. (1822, Champollion) de *-graphique** se dit d'une écriture qui traduit directement les idées par des signes (ou *idéogrammes*) susceptibles de suggérer les objets. Chez Champollion, l'adjectif sert à caractériser les hiéroglyphes égyptiens. ◇ **IDÉOGRAPHIQUEMENT** adv. se trouve également chez Champollion (1822). ◆ **IDÉOGRAPHIE** n. f., «système d'écriture idéographique», est attesté peu après (1840). ◆ **IDÉOGRAMME** n. m. (1859, Renan), de *idéographique* et *-gramme*,* désigne un signe graphique suggérant par sa forme une ou plusieurs unités de sens ; il s'applique notamment aux caractères chinois ; le mot est attesté en anglais dès 1838 *(ideogram).* Par extension (déb. XXe s.), le mot se dit d'une représentation stylisée et symbolique et, spécialement (v. 1970, H. Hartung), désigne dans une œuvre picturale abstraite un signe évoquant une expérience. ◇ Le composé **PICTO-IDÉOGRAMME** n. m. est attesté au milieu du XXe s. (de *picto-gramme*).

IDÉOMOTEUR, TRICE adj. est formé (1879, *idéomoteur*) de l'adjectif *moteur,* d'après l'anglais *ideomotor* (1874, W. B. Carpentier) ; ce terme de psychophysiologie s'applique à un mouvement déclenché directement par une représentation mentale.

IDÉOPHONE n. m. (mil. XXe s. ; de *-phone**) désigne en linguistique un vocable exclamatif transmettant une impression par des moyens onomatopéiques (par ex. *ploc ! floc !* ou l'anglais *splatch !*).

IDES n. f. pl. est un emprunt (1119) au latin classique *idus,* nom féminin pluriel, «les ides», peut-être d'origine étrusque.

♦ *Ides* désigne, en parlant du calendrier romain antique, une division du mois qui tombait le 15 en mars, mai, juillet et octobre, et le 13 les autres mois. Les ***ides de mars,*** par référence à l'assassinat de César, s'emploie pour parler d'une période que l'on considère comme dangereuse à passer.

-IDÉS ou **-IDES,** suffixe taxinomique, est tiré du grec *-idai* (pluriel *ides ;* → ① -ide) par l'intermédiaire du latin *-idae.*

♦ Il est utilisé en sciences naturelles pour former des noms de famille d'animaux dont la base, reprise au latin ou au grec, désigne l'animal type de la famille (exemple : *bovidés,* du latin *bos, bovis ;* → bœuf). Le suffixe a été introduit par Vigors et Lesson à partir de 1830 sous la forme féminine *-idées.* On a hésité entre *-idés* et *-inés,* formé à partir d'adjectifs en *-in* du type *bovin.* Le suffixe *-inés* s'est spécialisé pour désigner les sous-familles d'animaux (exemple : *bovinés*).

IDIO-, élément initial tiré du grec *idios* «propre, particulier», sert à composer des mots didactiques.

▸ **IDIOPATHIE** n. f. est un emprunt (1586, *idiopithie*) au grec *idiopatheia,* de *idios* et *-patheia* (→ -pathie) ; c'est un ancien terme de médecine qui signifie «maladie qui existe par elle-même, ne peut être rapportée à aucune autre» ; en dérive l'adjectif **IDIOPATHIQUE** (1602). ◆ **IDIOMORPHE** adj. de *-morphe*,* créé en paléontologie au sens de «fossile» (1817), est aujourd'hui un terme de minéralogie ; il s'applique à des cristaux intégrés à une roche qui ont une forme propre. ◆ **IDIOGLOSSIE** n. f. (1912) de *-glossie* (→ -glosse), terme de médecine, signifie «langage incompréhensible» (pour une autre personne). ◆ **IDIOPHONE** n. m., emprunté (XXe s.) à l'allemand *Idiophone* (1913), désigne un instrument de musique dans lequel le son est produit par la mise en vibration du corps même de l'instrument (par ex. les cymbales). ◆ **IDIOLECTE** n. m., terme de linguistique, est un emprunt (v. 1960) à l'anglais *idiolect,* de *idio-* et *(dia)lect* «dialecte*», emprunté au français ; le mot désigne l'utilisation particulière de la langue par une personne ; il a fourni **IDIOLECTAL, ALE, AUX** adj. (v. 1960) d'après *dialectal*.* ◆ **IDIORYTHMIE** n. f. (1962 ; de *rythme**), terme de religion, se dit d'un genre de vie religieuse où les moines peuvent s'organiser individuellement.

◈ voir IDIOME, IDIOSYNCRASIE, IDIOT, ② IDIOTISME.

IDIOME n. m. est une francisation (1558) de *idiomat* (1527), emprunt au bas latin *idioma,* lui-même du grec *idiôma, idiômatos* «propriété particulière» et tardivement «particularité de style», de *idios* «particulier» (→ idio-) ; en bas latin, *idioma* signifie également «langue particulière» (attesté en 615).

♦ Ce mot didactique désigne d'abord un parler propre à une région ; ensuite (1611), il se dit à l'époque classique de ce qui est particulier à une langue ; il s'emploie aussi, au XVIIe s., pour désigner un moyen d'expression autre que le langage (sens vieilli) et l'ensemble des moyens d'expression d'une communauté, la langue et, par extension du premier sens (XVIIIe s.), la manière de s'exprimer propre à une époque, un groupe social, une personne. ◇ Le sens de «particularité propre à une langue» est repris au XXe s., par emprunt à l'anglais *idiom* de même origine, qui signifie en linguistique «locution, syntagme lexicalisé» (→ ② idiotisme).

▸ **IDIOMATIQUE** adj., attesté isolément en 1547 (G. Budé) au sens de «particulier (à une nation)», est un emprunt au grec tardif *idiômatikos* «particulier, spécial», dérivé de *idiôma.* Au sens de «propre à un idiome», *idiomatique* est dérivé (1815) de *idiome.*

IDIOSYNCRASIE n. f. est un emprunt savant (1581) au grec tardif *idiosunkrasia* «tempérament particulier», composé de *idios* «propre» (→ idio-) et de *sunkrasis* «mélange» et tardivement «tempérament», de *krasis* «mélange» (→ crase).

♦ Ce terme de médecine désigne la disposition particulière d'un organisme à réagir aux agents extérieurs. Par extension, il se dit (1856, Baudelaire) pour «tempérament personnel». ◇ Par emprunt de sens à l'anglais *idiosyncrasy* de même origine, il désigne en pharmacologie la réaction individuelle (1887, en anglais) et, en linguistique, la tendance des individus à organiser les règles d'une langue selon leur tempérament.

▸ Le nom a fourni **IDIOSYNCRASIQUE** adj. (1832), précédé par la variante **IDIOSYNCRATIQUE** (1808, Cabanis).

IDIOT, IDIOTE adj. et n. est un emprunt (fin XIIe s., *idiote,* adjectif masculin) au latin classique *idiota* ou *idiotes* «homme qui n'est pas connaisseur, ignorant», adjectif en latin chrétien. Le mot latin est emprunté au grec *idiôtês* «simple particulier» (par opposition à un magistrat, à un homme public ou à un spécialiste), d'où «non technicien» et «ignorant», «homme sans éducation» ; *idiôtês* est dérivé de *idios* (→ idio-).

♦ *Idiot* (1370-1372, Oresme), d'abord *idiote,* a le sens latin d'«illettré, ignorant» comme adjectif et comme nom (v. 1225, *ydiotes*) et le conserve jusqu'au XVIe siècle. ◇ Par extension, le mot s'applique (v. 1225, adj.) à une personne qui manque d'intelligence, de bon sens, d'où l'emploi de l'adjectif en parlant d'actes et de comportements, de faits, etc. (1612, écrit *idiotte ;* 1719, *idiot préjugé*). ◇ L'emploi substantif, en ce sens (1283), donne lieu à des locutions, comme ***faire l'idiot, l'idiote*** et à des appellatifs injurieux. *Idiot* prend vers le milieu du XVIIe s. (1660, Retz) la valeur de «personne d'un niveau intellectuel anormalement bas» (comme *innocent, simple*) puis, dans le domaine médical (1690), de «personne atteinte de l'état le plus grave d'arriération mentale» (en termes modernes *débile profond*). Le mot est en concurrence partielle, surtout dans l'usage courant, avec *imbécile* et *crétin.*

▶ Le dérivé ① **IDIOTISME** n. m. a d'abord désigné (1611) l'absence de culture, puis la stupidité (v. 1730). Dans l'usage courant et comme terme médical (attesté 1773), il est sorti d'usage. ➜ **IDIOTIE** n. f., attesté en 1818 en médecine, a remplacé *idiotisme* à cause de l'homonymie avec ② *idiotisme*. Le mot signifie couramment (1893) «manque d'intelligence» et, par métonymie (déb. XXe s.), *une idiotie* désigne une action, une parole, etc., qui dénote le manque d'intelligence, de bon sens. ➜ **IDIOTISER** v. tr. «rendre idiot» (1845; le participe passé est attesté en 1835 chez Balzac) a été remplacé par **IDIOTIFIER** v. tr. (relevé en 1886 au participe passé, mais on trouve **IDIOTIFIANT, ANTE** adj. en 1835). ➜ **IDIOTEMENT** adv. apparaît en 1845; il est peu usité.

① **IDIOTISME** → IDIOT

② **IDIOTISME** n. m. est un emprunt (1558) au latin *idiotismus* «expression propre à une langue», du grec tardif *idiôtismos* «genre de vie, habitude, langage d'une personne simple», puis «langage particulier», dérivé de *idiôtês* «simple particulier» (→ idiot).

♦ Terme de linguistique, *idiotisme* désigne une forme, une locution propre à une langue, impossible à traduire dans une autre langue même de structure analogue; par extension, le mot se dit (XIXe s.) d'une tournure propre à quelqu'un. Dans son sens initial, *idiotisme* est moins courant que les mots spécifiques en *-isme* où le radical désigne une langue (*hellénisme, latinisme, gallicisme, hispanisme,* etc.).

IDOINE adj. est un emprunt (1216), qui succède à la forme adaptée *aoine* (1174-1176), au latin *idoneus* «approprié, propre à», d'étymologie incertaine. Il peut s'agir d'un dérivé de °*id-do* «vers ceci» ou de *ideo*, de l'ablatif de *id* «ceci pour que», «pour cette raison», en rapport avec *idem**.

♦ *Idoine* a conservé le sens du latin, mais ne s'emploie plus qu'en droit, ou par plaisanterie au sens de «qui convient parfaitement» en parlant d'une personne, d'un objet (emploi qui semble récent).

▶ **IDONÉITÉ** n. f., emprunt au dérivé bas latin *idoneitas* «faculté, capacité», attesté à la fin du XIVe s., est repris au XIXe s. (1812, Boiste) mais est demeuré rare.

IDOLE n. f., attesté sous la forme *ydele* (1080), réduite en *ydle* (1re moitié XIIe s.), refaite en *ydole* (v. 1220), *idolle* (1530) et enfin *idole* (1538), est un emprunt au latin *idolum*, «image, spectre» à l'époque impériale et «idole» en latin chrétien. C'est un emprunt au grec *eidôlon* «image, fantôme» et en grec ecclésiastique «idole»; *eidôlon* dérive de *eidos* «forme», qui se rattache à la racine indoeuropéenne °*weid-* «voir» (→ idée). Les formes *idele, idle* viennent d'une accentuation du mot latin sur la première syllabe; elles ont disparu au XIIIe siècle. On trouve parfois le masculin, de 1080 au XVIIe s., à cause de l'étymologie.

♦ Le mot désigne d'abord une image représentant une divinité, adorée comme si elle était la divinité elle-même. Le sens d'«image vue dans un miroir» (v. 1270) ne s'est pas maintenu, non plus que l'emploi pour «ombre, fantôme» (fin XVe s.) et le sens figuré de «personne dénuée de volonté» (mil. XVIe s.), «de sensibilité» (1635) par allusion à l'immobilité d'une statue. ◇ Au figuré, *idole* désigne une personne ou une chose qui est l'objet d'une sorte d'adoration, de culte (1631); en particulier (1834, Balzac) un acteur ou une actrice célèbre enfin, au XXe s., un chanteur, une chanteuse à la mode au point d'être l'objet d'un véritable culte, par exemple dans ***idole des jeunes.***

▶ **IDOLÂTRE** adj. et n. est un emprunt (1268, *idolastre;* haplologie pour °*idololatre*) du latin chrétien *idololatra, -latres,* emprunt au grec *eidôlolatrês,* qui apparaît chez saint Paul et fait partie d'une importante famille de mots dans le vocabulaire chrétien. Le terme est composé de *eidôlon* «image» et d'un dérivé de *latreuein* «adorer, servir». ◇ *Idolâtre* au sens de «qui rend un culte aux idoles» (cf. *gentil, païen*) est substantivé au XVIe s. (1530). Par analogie, le mot signifie ensuite «qui voue un culte (à qqn, qqch.)» (1567, *ydolastre,* Ronsard), ainsi que «excessif» en parlant d'un sentiment (v. 1600). Ce sens, usuel au XVIIe s. (1680, *honneur idolâtre*), est sorti d'usage. ➜ L'adverbe **IDOLÂTREMENT** (déb. XVIe s., *ydolatrement*) est rare. ➜ **IDOLÂTRER** v. tr. est aujourd'hui vieilli pour «adorer les idoles» (2e moitié du XIVe s., *ydolatrer*) et d'emploi littéraire au sens d'«aimer avec passion (qqn)» (1547-1549, Ronsard). ➜ **IDOLÂTRIE** n. f. est, par haplologie pour °*idololatrie,* un emprunt (v. 1170, écrit *ydolatie*) au latin chrétien *idololatria,* du grec chrétien *eidôlolatreia,* dérivé de *eidôlolatrês.* ◇ Le mot d'abord a été employé (v. 1170) pour «idole»; à la fin du XIIIe s. il est attesté au sens extensif d'«amour passionné» (1635). ◇ On rencontre avec ce sens la variante **IDOLÂTRERIE** n. f. (début XVIe s.), dérivée de *idolâtrer. Idolâtrie* signifie ensuite (1310) «culte rendu à une idole»; par métonymie, le mot s'est dit pour «acte idolâtre». ➜ *Idolâtre* a pour dérivé **IDOLÂTRIQUE** adj. (1560) d'emploi didactique.

IDYLLE n. f., sous les formes *idilie* (1555) puis au masculin *idyllie* (1565) et *idille* (1638), ne s'est fixé sous la forme moderne qu'en 1674 au féminin. C'est un emprunt à l'italien *idillio* «petit poème pastoral» (XVIe s.), du latin de la Renaissance *idyllium* (pluriel *idyllia*), calque du grec *eidullion* «petite poésie», mot utilisé au pluriel par les érudits byzantins pour désigner les poèmes de Théocrite, nommés jusqu'alors *eklogai* (→ églogue) ou *boukolika* (→ bucolique). *Eidullion* est dérivé de *eidos* «image, figure», qui avait pris à Byzance le sens de «poème lyrique», d'après le pluriel *eidê* (titre des *Odes* de Pindare). Le latin classique *idyllion* et le grec *eidullion* signifient «petit poème». *Eidos* se rattache à une racine indoeuropéenne °*weid-* «voir*».

♦ *Idylle* désigne un petit poème à sujet pastoral et amoureux et, par extension, une œuvre de prose (1721), puis une peinture, une œuvre musicale (1867) inspirée du même sujet. ◇ Le mot se dit figurément (1851) d'une aventure amoureuse naïve et tendre, souvent chaste, puis il s'emploie, dans un contexte politique, social (1871, G. Sand) pour désigner une relation caractérisée par une parfaite bonne entente, souvent avec intention ironique.

▸ Le dérivé **IDYLLIQUE** adj. (1845) a suivi l'évolution sémantique du nom; comme lui, il est souvent ironique.

-IE, suffixe, est issu de mots latins en *-ia* (par exemple *envie*, de *indivia*) et en *-ies* (*calvitie*, de *calvities*) ou gréco-latins en *-ia* (*philosophie*, de *philosophia*) et en *-is* (*poésie*, de *poesis*). Le suffixe cesse d'être productif à la fin du moyen âge, sauf pour former des noms de pays. Dès l'ancien français, il est concurrencé par *-erie* (*fourberie*) et *-ise* (*friandise*). Il est entré dans la formation d'un grand nombre de termes didactiques.

♦ *-ie* se joint à des noms ou des adjectifs pour former des noms féminins désignant la qualité (*courtoisie*), le lieu de profession (*mairie*) ou un état pathologique (*paralysie*).

-IÈME est un suffixe issu du latin *-imus*, *-esimus*, servant à former les nombres ordinaux (sauf *premier*).

-IEN, -IENNE, suffixe, est issu du suffixe latin *-anum* (-ain en ancien français) précédé d'une palatale, comme dans *doyen* (de *decanu*), *moyen* (de *medianu*), ou d'un suffixe latin *-ianum*.

♦ Joint à des noms, ce suffixe sert à former des adjectifs ou des noms désignant la profession, la nationalité, etc. Ce suffixe, très productif au XIXe s., le demeure au XXe s., surtout pour les formations à partir de noms propres.

-IER, -IÈRE est issu du suffixe latin *-arius*, *-aria*, *-arium* et, dans quelques cas, du suffixe latin *-aris*, *-are* (par ex. *ecoler*, XIIIe s., *écolier*, 1206, de *scolaris*).

♦ Ce suffixe, très productif dès l'ancien français, sert à former des noms de métiers, des noms d'arbres (d'après celui du fruit), des noms exprimant un contenant, et des adjectifs. ◇ *-ier* tend à l'emporter sur *-er* à partir du XIIe s.; en revanche, il s'est réduit à *-er* après *g* et *ch* (par ex. *dangier* devenu *danger*); cette évolution a commencé dès la seconde moitié du XIIe s., mais la diphtongue était encore prononcée au XVIe siècle; la graphie correspondant à la prononciation ne s'impose qu'au XVIIe siècle.

IF n. m. est issu (1080) du gaulois °*ivos*, attesté par l'irlandais *eo*, le cymrique *yv* et par plusieurs langues germaniques, où le morphème serait un emprunt au celtique (ancien haut allemand *îwa*, allemand *Eibe* et anglo-saxon *îw*, anglais *yew*); le breton *ivin* est peut-être emprunté au français.

♦ Le mot désigne un arbre décoratif à feuilles persistantes et à fruits rouges. Par analogie avec la forme de cet arbre lorsqu'il est taillé en pyramide, le mot se dit (1834) d'une pièce de charpente légère de forme triangulaire, montée sur pied, sur laquelle on dispose des lampions pour les illuminations; on trouve aussi ***if à bouteilles*** (1858) pour «égouttoir».

-IF, -IVE, suffixe, du latin *-ivus*, se développe surtout entre le XIVe s. et l'époque classique.

♦ Il est joint à des adjectifs (*tardif*), des verbes (*pensif*) ou des noms (*productif*) pour former des adjectifs.

IGLOO ou **IGLOU** n. m. est un emprunt (1865, *igloo*), adapté ensuite en *iglou* (1880), à l'anglais *igloo*, attesté dès le XVIIe s. et transcription d'un mot inuit (eskimo), *iglo*, signifiant «habitation».

♦ Le mot désigne un abri en forme de dôme, construit avec des blocs de glace ou de neige. Les spécialistes utilisent aussi le féminin (*une iglou*), parfois au sens originel d'«habitation», le sens courant de l'emprunt correspondant à l'inuit *iglouliak*, de *liak* «neige».

IGNAME n. m. apparaît d'abord dans les traductions; la forme *igname* (1515) vient d'un texte italien, lui-même traduction d'un ouvrage portugais; *inhame* (1602) vient d'un texte latin, lui-même du portugais; *iniamo* (1605) du néerlandais; on le retrouve dans une relation de voyage d'un Français (1654), alors emprunt par voie orale. Le mot est un emprunt au portugais *inhame* (v. 1500), première langue européenne à l'utiliser, d'après une langue bantoue d'Afrique, dont cette plante est originaire; les Portugais l'ont introduite en Amérique du Sud (actuel Brésil).

♦ Le mot désigne une plante tropicale, vivace et grimpante, à gros tubercules farineux utilisés pour l'alimentation; il est resté didactique ou pittoresque, sauf en français d'Afrique où il est usuel.

IGNARE adj. et n. est un emprunt (1365, Oresme) au latin *ignarus* «ignorant», de *i-* négatif et *gnarus* «qui sait», de la famille d'une racine indoeuropéenne °*genē*, °*gnō-* «connaître» (→ connaître, gnose, ignorant).

♦ *Ignare*, au sens de «qui n'a reçu aucune instruction» (1365), est devenu littéraire; le mot, d'abord substantivé, s'applique (XIVe s.) à une personne d'une ignorance complète, sorti d'usage dans la construction *ignare de* (1440-1475, *ignaire de*); rare jusqu'au XVIIIe s., il est usuel dans ce sens avec une valeur péjorative depuis le milieu du XIXe s., et constitue un quasi-équivalent de *ignorant*.

▸ Les dérivés **IGNARDISE** n. f. (1886, Vallès) et **IGNARERIE** n. f. (1906) sont à peu près inusités.

IGNÉ, ÉE adj. est un emprunt (mil. XVe s.) au latin *igneus* «de feu, enflammé», «étincelant, ardent», dérivé de *ignis* «feu», concurrencé par *focus*, plus courant, seul représenté dans les langues romanes (→ feu). Le mot indoeuropéen correspond au sanskrit *agniḥ*, de caractère religieux, et au vieux slave *ognĭ*, au lituanien *ugnis*.

♦ Au sens étymologique de «qui est de feu, a les caractères du feu», l'adjectif est d'emploi littéraire. *Fluide igné* désignait dans la physique ancienne un liquide en fusion issu du Soleil, alimentant toute vie sur la terre et occupant l'univers (l'*éther*); il s'est employé au figuré (1616) pour «ardent». ◇ Le mot s'emploie encore en géologie (1835) au sens de «produit par l'action du feu» (*roches ignées*).

▶ **IGNESCENT, ENTE** adj., tiré du participe présent latin *ignescens*, de *ignescere* «prendre feu, s'enflammer» (dérivé de *ignis*), est attesté au figuré pour «ardent» chez Beaumarchais (av. 1789); il est rare au sens de «qui prend feu, est en feu», apparu à la fin du XVIIIe s. ➝ **IGNITION** n. f. est formé à partir du bas latin *ignitum*, supin de *ignire* «brûler», de *ignis*. Le mot est attesté isolément aux sens de «brûlure» (1370) et de «combustion» (XVIe s.); il s'est employé ensuite en chimie (1611) pour désigner l'état d'un métal chauffé au rouge sans se fondre; *ignition* se dit en physique depuis le XVIIIe s. (1765) de l'état d'un corps en combustion.

IGNI-, élément tiré du latin *ignis*, sert à former des mots savants. ➝ **IGNICOLE** adj. et n. (1732) de *-cole**, «qui adore le feu», et **IGNIFÈRE** adj. (1817) de *-fère**, «qui transmet le feu», sont rares. ➝ **IGNIFUGE** adj. (1890) de *-fuge** «qui rend ininflammables les matières combustibles» est beaucoup plus courant, du fait de l'évolution des techniques (amiante, etc.). ◇ Il a servi à former **IGNIFUGÉ, ÉE** adj. (1894), le plus courant de la série, puis **IGNIFUGER** v. tr. (1900) dont dérivent **IGNIFUGATION** n. f. (1900), **IGNIFUGEAGE** n. m. (1906) et **IGNIFUGEANT, ANTE** adj. et n. m. (1907). ➝ **IGNIPUNCTURE** n. f. est un terme de médecine (1870), formé sur le modèle d'*acupuncture*, pour désigner une méthode de cautérisation.

IGNITRON n. m. (1931), de la finale d'*électron*, désigne un tube redresseur dans lequel l'amorçage est renouvelé périodiquement par une électrode spéciale. ➝ Celle-ci est nommée **IGNITEUR** n. m. (1962), francisation de l'anglais *igniter* (1887) ou *ignitor*, dérivé de *to ignite* «chauffer au rouge», du latin *ignitus*.

IGNOBLE adj. est un emprunt savant (fin XIVe s.) au latin *ignobilis* «de basse naissance», d'où «inconnu, obscur», formé de *in-* négatif (→ ① in-) et de *nobilis* (→ noble).

♦ *Ignoble* a d'abord signifié étymologiquement «roturier, non noble», ceci jusqu'à l'époque classique. Par analogie, le mot est devenu (XVe s.) un terme de fauconnerie qualifiant les oiseaux de proie qui refusent de se laisser dresser pour la chasse. Il a repris au XVIe s. le second sens du latin, «inconnu», qui a disparu. *Ignoble* s'applique à une personne sans distinction et à des manières (1694, Académie), puis s'oppose ensuite à *noble* au sens moral par transfert de la hiérarchie sociale à la morale; dans ce sens, il est enregistré par l'Académie (1718), mais doit être très antérieur (cf. *ignobilité* ci-dessous). ➝ Il s'est répandu avec la valeur de «qui est moralement bas»; opposé à *beau*, l'adjectif s'applique aussi à ce qui est d'une laideur affreuse, d'une saleté repoussante (1835), d'un goût détestable, comme *hideux* et *immonde*. Par exagération, il signifie «très déplaisant»; la valeur de l'adjectif est plus forte en français moderne qu'à l'époque classique et proche de *répugnant, dégoûtant*.

▶ **IGNOBLEMENT** adv., réfection de la forme *ignobilement* (1576), a le sens moderne au XVIIIe s. (1762, Académie); il est usuel. ➝ **IGNOBILITÉ** n. f. est emprunté (1509; 1482, *innobilité*) au latin *ignobilitas* «naissance obscure», d'où «qualité inférieure», «absence de renom», composé de *in-* négatif et de *nobilitas* «noblesse», dérivé de *nobilis*. ◇ Sorti d'usage aux sens anciens de l'adjectif, «condition non noble» (1482), «qualité de l'homme qui n'est pas connu» (1509), il n'est guère plus usuel pour «caractère de ce qui est vil» (1547-1549). Les quasi-synonymes *infamie, ignominie* ou *abjection* ne lui ont pas laissé de place.

◈ voir IGNOMINIE.

IGNOMINIE n. f. est un emprunt savant (av. 1475), avec une variante *ignomenie* (1587), au latin *ignominia* «déshonneur», «honte», formé de *in-* négatif (→ ① in-) et de *gnomen*, ancienne forme de *nomen* «nom*». Le rapport entre *ignobilis* «non noble» et *ignominia* «absence de nom» est évident, au moins sémantiquement dès le latin (→ ignoble).

♦ *Ignominie*, mot d'emploi littéraire, désigne un déshonneur extrême causé par un outrage public, une action infamante et (1587; *une ignominie*) une action, une situation qui cause l'ignominie.

▶ **IGNOMINIEUX, EUSE** adj. (1455, mais antérieur) est un emprunt au dérivé latin *ignominiosus* «qui cause de l'ignominie». ◇ Le dérivé **IGNOMINIEUSEMENT** adv. est relevé avant 1429.

IGNORER v. tr. est un emprunt savant (v. 1330) au latin *ignorare* «ne pas connaître», dérivé de *ignarus*, de *in-* (→ ① in-) et *gnarus* «qui sait» (→ ignare).

♦ *Ignorer* s'est introduit en français avec le sens du latin, «ne pas connaître», et avec une valeur objective et subjective; il a signifié «être négligent» (fin XIVe s., intr.). Il s'est spécialisé aux sens de «ne pas connaître l'existence, ou le mérite, de qqn» (1564), d'où «faire semblant de ne pas connaître» (1714), et de «ne pas vouloir se mêler de qqch.» (1690). La construction avec *de (ignorer de qqch.)* est un archaïsme littéraire, comme *en ignorer* «n'en rien savoir» (1579), encore vivant en emploi négatif surtout dans l'usage juridique *(pour que nul n'en ignore)*. *S'ignorer* «ne pas se connaître soi-même» (av. 1662, Pascal) signifie aussi «se juger trop modestement» (1707). *Ignorer les hommes* s'est dit pour «ne pas connaître le cœur humain» (1787).

▶ **IGNORANCE** n. f. est un emprunt (1re moitié XIIe s.) au latin *ignorantia* «état d'ignorance», le plus souvent volontaire et blâmable, en latin chrétien «ignorance de la religion, de Dieu» et «faute, erreur»; *ignorantia* est dérivé de *ignorans* (ci-dessous *ignorant*). ➝ D'abord terme de religion, *ignorance* a eu le sens du latin chrétien, mais il désigne dès le XIIe s. (v. 1165) en général l'état d'une personne qui ne sait pas, ne connaît pas *(dans l'ignorance de)* et, spécialement (fin XIVe s.), l'état de qqn qui n'est pas averti des réalités de la vie, en particulier de la vie sexuelle. Depuis le début du XVIIe s., il se dit d'une faute qui indique le manque de connaissances (1607). ◇ *Ignorance* a pris par extension (1611) le sens de «manque d'instruction, de savoir», «absence de culture générale»; par métonymie, *une ignorance* désigne une manifestation, une preuve d'ignorance.

IGNORANT, ANTE adj. est un emprunt (1re moitié XIIIe s.) au latin *ignorans, -antis*, participe présent de *ignorare.* L'adjectif s'est d'abord appliqué aux personnes qui sont dépourvues d'instruction, de savoir; dans ce sens il est substantivé (2e moitié du XIVe s.). ◇ Il signifie ensuite (v. 1355) «qui n'est pas au courant (de qqch.)», d'où *faire de l'ignorant* (fin XVe s.), sorti d'usage, puis ***faire l'ignorant*** «faire semblant de ne rien savoir (de qqch.)» (1643). ◇ L'adjectif qualifie à partir du XVIe s. une personne qui n'a pas de connaissances dans un certain domaine (1549), spécialement, à l'époque classique, qui est inhabile dans sa profession (1668, Molière, d'un médecin). ◇ Le dérivé **IGNORAMMENT** adv. (v. 1283), «par ignorance», s'est utilisé jusqu'au XVIIe siècle. ◆ **IGNORANTISSIME** adj. et n. est un calque (1593) du superlatif italien *ignorantissimo,* de *ignorante;* le mot s'est surtout employé à l'époque classique. ◆ **IGNORANTIN, INE** n. m. et adj. est dérivé d'*ignorant* avec le suffixe péjoratif *-in**, par analogie avec *augustin, capucin* et peut-être sur le modèle de l'italien *Ignorantelli,* qui désignait les Frères des écoles chrétiennes. *Frères ignorantins* (1752), et *les ignorantins* (1829, n. m.), nom pris par humilité par les Frères des écoles chrétiennes, a été utilisé péjorativement aux époques d'anticléricalisme, l'enseignement des Frères n'étant d'ailleurs pas d'un niveau remarquable. ◇ Avant l'apparition du dérivé, *Frères ignorants* a désigné aussi les Capucins (1594) et les Frères de la Charité (1690). ◆ **IGNORANTISME** n. m. (1829), variante rare d'*obscurantisme,* désigne la doctrine de ceux qui considèrent l'instruction nuisible; le nom a fourni **IGNORANTISTE** adj. et n. (1842).

IGUANE n. m., qui apparaît au XVIe s. sous les formes *iuana* (1533), *iguanné* (1579), *yquane* (1598), est un emprunt à l'espagnol *iguana* (1519, *yaguana*), lui-même emprunt à l'arawak, langue indienne des Caraïbes; la forme isolée *iuana* viendrait du taino, les formes avec *-g-* du goaxiro, autre langue indienne. Le mot est d'abord introduit en français (1553, 1579) par des traductions de textes italiens; la forme actuelle apparaît au XVIIe s. (1658).

♦ Le mot désigne un reptile saurien herbivore de l'Amérique tropicale et des îles du Pacifique, ayant l'aspect d'un lézard de grande taille.

▶ **IGUANODON** n. m. (1825) est un emprunt à l'anglais *iguanodon,* mot composé de l'anglais *iguana* «iguane», et du grec *odous, odontos* «dent» d'après *mastodon* «mastodonte». ◇ En paléontologie, le mot désigne un reptile dinosaurien fossile, de l'époque crétacée.

IL, ILS pron. pers. m. est issu (842) du bas latin *illi* «celui-là», altération du latin classique *ille* démonstratif, sous l'influence de *qui.* Devant consonne, on trouve en français la forme *i* au singulier (v. 1178); le cas sujet du pluriel (937-952, *il*) a pris un *-s* vers le milieu du XIIIe s., par analogie avec la flexion nominale. Le pronom neutre sujet *il* vient du latin populaire *illum* (latin classique *illud*); la forme *el,* avec les variantes *al, ol* en ancien français, a été éliminée par *il* (mil. XIe s.). *Ille* se rattache sans doute à une base indoeuropéenne *voyelle + l,* indiquant l'objet éloigné et réalisé dans *alius, alter* (→ autre); *ultra* (→ outre) et, par ailleurs, dans l'irlandais *t-all* «là», le vieux slave *lani* «l'année dernière». Au XVIIe s., la prononciation courante *ils ont* était ilon, la prononciation soignée izon, la prononciation aujourd'hui normale ilzon a été répandue par l'école. Cependant, l'usage familier actuel élimine la consonne, au singulier et au pluriel, devant consonne (idi pour *il dit*) et au pluriel devant voyelle izon pour *ils ont,* retrouvant la diction soignée du français classique.
En latin classique, *ille (illa, illud)* s'emploie pour désigner l'objet éloigné, opposé à *hic, iste;* le pronom n'était usité que pour mettre en valeur le sujet, puisque la désinence verbale suffisait à marquer la personne; cependant, dans la langue parlée, par exemple celle de la comédie, *ille* tenait souvent le rôle de la 3e personne.

♦ Dans les premiers textes français, l'emploi du pronom personnel sujet a une fonction d'insistance, de renforcement : *aime* correspond à notre *il aime,* et *il aime* à *lui, il aime. Il* au masculin singulier a pour variante *el* (apr. 950) par influence méridionale. *Il* pronom sujet représente un nom masculin ou féminin qui vient d'être exprimé ou qui va suivre (2e moitié Xe s.). Le pronom perd sa fonction de renforcement et devient la marque normale du pronom sujet au début du XIIIe s. dans les textes en prose. *Il,* employé en ancien français comme apposition au sujet (v. 1190, *il et sa compaignie*), sera remplacé ensuite par *lui* (v. 1200, *lui et sa gent;* → lui). ◇ Le pronom masculin était également utilisé comme pronom complément tonique (937-952, au pluriel sous la forme *els*) et atone (mil. XIe s., au pluriel, *els;* 1080, comme objet d'un verbe pronominal); dans ces fonctions on utilise ensuite *lui* (*eux* au pluriel) et *se,* alors que *elle* reste employé comme complément (v. 1160, pluriel, *eles;* 1284, singulier, *ele*). ◇ Jusqu'au XVIIe s., le pronom sujet pouvait s'omettre, en particulier après *et* et *tant;* aujourd'hui l'omission n'est régulière que dans quelques contextes administratifs (citations à l'ordre du jour, motifs de punition) où le nom de l'intéressé est généralement placé en tête et détaché du contexte. La langue classique employait souvent *il* en reprise; cette construction se rencontre encore quand le nom et le verbe sont éloignés ou que l'on veut insister sur le nom sujet; la langue parlée a tendance à ajouter le pronom même quand le sujet est proche du verbe *(son fils, il gagne plus que lui).* ◇ En ancien français et jusqu'au XVIe s., *ils* s'employait avec une valeur indéfinie; le pronom pluriel désigne encore aujourd'hui un nombre indéterminé de personnes qu'on ne mentionne pas mais qu'on tient responsable d'une action désignée par le verbe (gouvernement, riches, etc.; par exemple *ils ont augmenté l'essence*).
Le pronom neutre *il* introduit un verbe impersonnel ou employé impersonnellement (mil. XIe s.). En ancien français et jusqu'au XVIIe s., *il* neutre était souvent omis; cet usage se maintient en français moderne dans des locutions figées telles que *m'est avis, peu importe, reste que,* etc. ◇ Jusqu'au XVIIe s., *il* était fréquent en valeur démonstrative et pouvait renvoyer à un pronom neutre *(ce qui, ce que)* ou à un indéfini; cet emploi est aujourd'hui un archaïsme littéraire; par ailleurs, l'usage littéraire

emploie encore à peu près indifféremment *il* ou *ce* dans certains tours *(il est possible/c'est possible)*.

① **-IL**, suffixe représentant le latin *-ile*, a servi à former quelques noms indiquant le dépôt (par ex. *fenil*) ou l'abri (pour les animaux ; par ex. *chenil*).

② **-IL**, suffixe représentant le latin *-iculum*, produisait des diminutifs (par ex. *coutil, grésil*). Par ailleurs, *-iculum* apparaît sous la forme **-ICULE** dans des mots empruntés (par ex. *pédicule, ventricule*) et sert à former quelques diminutifs savants comme *animalcule*.

ÎLE n. f. est issu (déb. XIIe s., *isle*) du latin *insula* «île» et «îlot de maisons». L'étymologie du mot latin est ignorée ; *insula* viendrait peut-être d'un thème méditerranéen pré-indoeuropéen °*nasa-* ou °*nsa-* «île», représenté en grec par *nasos* en dorien, et *nêsos* en attique, mais cette hypothèse reste indémontrable.

♦ *Île* désigne une étendue de terre émergée d'une manière durable dans un océan, une mer, sens conservé depuis l'origine. La graphie *île* est attestée au XVIIIe s., mais *isle* reste employé jusqu'au milieu du XIXe s. et encore par archaïsme pittoresque au XXe s. *(les Isles)*. Le mot a repris à la Renaissance (1520, dans une traduction de Suétone) le sens latin «îlot de maisons», mais cette acception est sortie d'usage (→ îlot). Il a désigné, au pluriel (XVIIe s., *les îles*), les Antilles ; cet emploi est archaïque ou pittoresque, sauf dans les expressions ***oiseau des îles, bois des îles*** et anciennement ***tabac des îles.*** Le mot sert à former divers syntagmes, au sens propre (*île déserte, île au trésor*, etc.) et des désignations géographiques (*les îles Sous-le-Vent*, etc.). Par extension, *île de glace* (XIXe s.) s'est dit pour «iceberg» ; il est sorti d'usage. ◇ Par analogie, ***île flottante*** (XXe s.) se dit d'un entremets formé de blancs d'œufs battus sur de la crème anglaise.

▶ **ÎLET** n. m. (v. 1155, *illet*) «petite île» ne s'emploie plus qu'en français des Antilles ; le mot est sorti d'usage (1780) au sens d'«ensemble de maisons» au bénéfice de *îlot*. ◆ **ÎLETTE** n. f. (v. 1225, *islete* ; XVIe s., *illette*) a également disparu ; ces mots ont été remplacés par *îlot*. ◇ On relève aussi *islel* (v. 1155) en ancien français et *isleau* (1575).

ÎLOT n. m., formé avec le suffixe *-ot*, est attesté au XVIe s. (1529, *islot*) au sens de «très petite île» et s'est substitué aux autres diminutifs de *île*. ◇ Il prend le sens (1834) de «petit groupe de maisons, isolé des autres constructions», et désigne un lieu (réel ou abstrait) où s'exerce une influence particulière, d'ordre culturel, politique (1838) ; puis, par analogie (1866, P. Loti), un espace, un objet, isolé dans un espace d'une autre nature *(îlot de verdure)*. ◇ La même image s'applique en physiologie pour désigner un groupe de cellules dans un tissu de nature différente (1871, *îlots hépatiques ; îlots pancréatiques* ou, 1905, *îlots de Langerhans*). ◇ Au XXe s., *îlot* est utilisé dans divers domaines avec la valeur «élément isolé, espace réservé». L'acception urbaine «groupe de maisons» reçoit une valeur spéciale avec ***îlot administratif, chef d'îlot*** (1942-1943) «responsable de la défense passive d'un groupe d'immeubles», d'où **ÎLOTIER** n. m. (1893) et **ÎLOTAGE** n. m. (v. 1972).

ÎLIEN, ÎLIENNE adj. et n. désigne (1800) une personne qui habite une île, spécialement sur le littoral breton (→ insulaire). ◆ **PRESQU'ÎLE** n. f. (1546), composé de *presque** et d'*île*, est le calque du latin *paeninsula* formé de *paene* «presque» et de *insula* (→ péninsule).

ILIAQUE adj. est un dérivé savant (v. 1370) du latin classique *ilia*, nom féminin pluriel, désignant les entrailles et plus généralement les flancs, mot sans origine connue. Un homonyme apparu plus tôt (XIIIe s., *yliaque*) est un emprunt au bas latin *iliacus*, adjectif, «qui concerne l'obstruction de l'intestin» (Ve s.), substantivé pour désigner l'occlusion et la personne qui en est atteinte ; *iliacus* est un dérivé de *ileus* «occlusion de l'intestin grêle», emprunté au grec *eileos* de même sens, dérivé de *eilein* «faire tourner, rouler» (→ hélice). Il s'est employé comme nom avec le sens latin et comme adjectif au figuré (XVIe s., *ilyaque passion*).

♦ *Iliaque*, terme d'anatomie, s'applique à ce qui est relatif aux hanches (v. 1370), notamment dans *veine iliaque* (1562), *os iliaque* (1814).

▶ **ILION** ou **ILIUM** n. m. est un emprunt au latin *ilium* «partie supérieure de l'os de la hanche», singulier refait de *ilia*, pris pour un mot grec. Le mot conserve le sens de l'étymon. D'abord adjectif (*os ilion*, 1562 ; *os ilium*, 1550), il s'emploie comme nom depuis A. Paré (1560).

ILÉON n. m., réfection (1562, A. Paré) de *yléon* (XVe s.), est un emprunt au latin médiéval *ileum*, *ileon* (v. 1210 dans le domaine anglais), dérivé du grec *eilein* «faire tourner, rouler», à cause des circonvolutions de l'intestin grêle. Ce terme d'anatomie désigne le troisième segment de l'intestin grêle. ◆ Il a produit en médecine **ILÉITE** n. f. (1832), **ILÉOSTOMIE** n. f. (1938), **ILÉAL, ALE, AUX** adj. (v. 1970), etc.

ILLÉGAL → LÉGAL

ILLETTRÉ → LETTRE

ILLICO adv. est un emprunt (1417-1435) au latin *ilico* «sur le champ», «sur la place», tardivement *illico*, par rapprochement avec *illic* «là-bas». Cet adverbe, peu usité après Cicéron, est composé de *in* «dans» et de *loco*, ablatif de *locus* «lieu, moment» (→ lieu).

♦ Cet adverbe s'emploie familièrement pour «sur-le-champ», comme la locution adverbiale ***illico presto***, de l'italien *presto*.

ILLOCUTOIRE adj. et n. m. est emprunté (1970) à l'anglais *illocutory* (1955, Austin), de *illocution*, composé de *locution* «action de parler», de même origine que le mot français *locution*.

♦ *Illocutoire* qualifie ce qui produit un effet par l'acte de parole même.

▶ **ILLOCUTIONNAIRE** adj. (1965), emprunt à l'anglais *illocutionary* (1962, Austin ; de *illocution*), est un doublet inutile et lourd.

ILLUMINER v. tr. est un emprunt (v. 1200) au latin classique *illuminare* «éclairer, illuminer», «orner», au figuré «mettre en lumière, rendre illustre», qui a pris en latin chrétien le sens de «rendre la vue», «éclairer, instruire» et, spécialement, «éclairer l'âme par la grâce, inspirer». Le verbe est formé de *il-* pour *in-* et de *lumen, -inis* «moyen d'éclairage» puis «lumière» (→ lumière), issu de *°leuk-s-men,* d'une racine indoeuropéenne *°leuk-* «être lumineux, éclairer». *°Leuk-* a donné naissance à une importante famille de mots, d'où viennent le latin *lux, lucis* (→ luire) et le grec *leukos* «blanc» (→ leuco-).

♦ *Illuminer* a d'abord signifié, comme en latin chrétien, «rendre la vue (à un aveugle)» puis (v. 1350) «éclairer (qqn) par la lumière de la vérité», dans un contexte religieux, et «éclairer d'une vive lumière». Il s'est employé du XIVe (av. 1350) jusqu'au XVIIe s. au sens d'*enluminer** et signifie ensuite (1694) «orner de lumières (un monument, une rue, etc.)».

▶ **ILLUMINÉ, ÉE** adj. et n. signifiant «éclairé d'une vive lumière» a eu les sens abstraits (1564) d'«intelligent» et de «saisi brusquement (par une idée)», *un illuminé* désignant (1625) un esprit éclairé. Le nom désigne en histoire des religions un mystique croyant à l'illumination intérieure (1625) et un visionnaire (1600); par extension, il se dit d'une personne dont le comportement suit aveuglément les inspirations. ◆ Plusieurs dérivés se rattachent au sens religieux du verbe. ◇ **ILLUMINATIF, IVE** adj. (av. 1429) signifie «qui illumine» (de la lumière céleste); il a eu un emploi concret (1488). ◇ **ILLUMINISME** n. m. (1791) désigne en histoire des religions le mouvement et la doctrine de mystiques comme Swedenborg, Saint-Martin, dits *illuminés* ou **ILLUMINISTES** adj. et n. (XXe s.). Par ailleurs le mot, alors emprunté à l'italien *illuminismo,* de même origine, se dit du courant rationaliste du XVIIIe s. italien, correspondant à la philosophie des Lumières en France. *Illuminisme* est aussi employé en médecine (XXe s.) pour désigner un état d'exaltation pathologique accompagnée d'hallucinations. ◆ **ILLUMINABLE** adj., d'abord terme de théologie (1866), s'emploie aussi (XXe s.) au sens concret.

ILLUMINATION n. f. est emprunté au dérivé bas latin *illuminatio* «action d'éclairer» et en latin chrétien «apparition», «lumière de la vérité religieuse», «inspiration, conversion». ◇ En français, le mot s'emploie d'abord (1370-1372, Oresme) dans un contexte religieux, au sens de «lumière que Dieu répand dans l'âme d'un homme». Il désigne ensuite (mil. XVIe s.) l'action d'éclairer et son résultat (cf. *éclairage, éclairement*), spécialement (1611) l'action d'illuminer par de nombreuses lumières décoratives et, par métonymie, l'ensemble de ces lumières. ◇ *Illumination,* d'après le sens correspondant de *illuminer* et *illuminé,* s'est dit pour *illuminisme* (1796) et équivaut à «inspiration subite». ◇ Dans le titre du recueil de Rimbaud, *Les Illuminations* (1873-1875), le mot signifie «enluminure», sens ancien repris (1636) à l'anglais *illumination* (de *to illuminate* «enluminer») : Verlaine écrit *Les Illuminécheunes* dans une lettre du 27 octobre 1878. ◆ **ILLUMINATEUR, TRICE** adj. et n. (1403; 1447, selon *T. L. F.*) est un emprunt au latin chrétien *illuminator,* du supin de *illuminare,* «celui qui éclaire» (au figuré), «celui qui rend la vie», «qui révèle, qui inspire», d'où «maître». ◇ Le nom est attesté au masculin dans les emplois de «personne, chose qui illumine». Au figuré il est repris comme dérivé du verbe, au sens de «personne qui s'occupe des éclairages» dans un théâtre (1803) (cf. *éclairagiste*). L'adjectif, rare au sens propre, est littéraire au figuré (XXe s.).

ILLUSION n. f. a été emprunté (v. 1120) au latin classique *illusio* «ironie» en rhétorique, qui a pris en latin chrétien les sens de «moquerie, objet de dérision» et aussi «erreur des sens, tromperie», «mirage, déception». Le mot est dérivé de *illusum,* supin de *illudere* «se jouer, se moquer de», formé de *il-* (→ ① in-) et de *ludere* «jouer», de la famille de *ludus* «jeu» (→ ludique).

♦ *Illusion* est introduit en français avec les sens du latin chrétien «moquerie», «objet de risée» qui ont disparu. Le mot désigne ensuite (v. 1223) une fausse apparence, l'erreur de perception dont elle est la cause, d'où spécialement ***illusion d'optique*** (1756) ou ***illusion optique*** (1761, Rousseau), au figuré «erreur de point de vue». Par extension, *illusion* se dit d'un trucage, d'un tour de passe-passe (1611), notamment (1765) en art dramatique. ◇ Abstraitement le mot désigne une opinion fausse que forme l'esprit et qui l'abuse par son caractère séduisant (1611), par exemple dans les locutions ***sans illusions, se faire des illusions, faire illusion*** «tromper» (1767).

▶ **ILLUSIONNER** v. tr. «séduire ou tromper (qqn) par l'effet d'une illusion» (1801) est beaucoup moins courant que **S'ILLUSIONNER** v. pron. (1822). ◆ Le dérivé **ILLUSIONNISME** n. m., attesté isolément (1845) au sens de «tendance à illusionner les autres ou soi-même», est repris en 1891 en arts. Le mot désigne ensuite (1922) l'art de créer une illusion par des tours de prestidigitation, des trucages. Par analogie, le mot désigne en philosophie (1947, Sartre) la recherche de l'illusion du réel dans le roman, la peinture, etc. ◇ **ILLUSIONNISTE** adj. et n. (1888) a des valeurs parallèles à celles de *illusionnisme.* ◆ **ILLUSIONNEL, ELLE** adj. «qui correspond à une illusion» est littéraire (av. 1886, Villiers de l'Isle-Adam). ◆ **ILLUSOIRE** adj. est emprunté (fin XIVe s.) au bas latin *illusorius* «qui est propre à engendrer l'illusion», dérivé de *illusio.* Le sens repris au latin est sorti d'usage et l'adjectif s'applique aujourd'hui à ce qui peut faire illusion mais ne repose sur rien de réel. ◇ Le dérivé **ILLUSOIREMENT** adv. (v. 1530) qui a les deux sens successifs d'*illusoire* est littéraire.

ILLUSTRE adj. est un emprunt (1440-1475) au latin *illustris* «éclairé, bien en lumière», «éclatant, manifeste», d'où «brillant, en vue», mot formé de *il-* (→ ② in-) et de *°lustrum* «éclat», dérivé non attesté de *lux, lucis* «lumière» (→ lucide), avec influence de *illustrare* (→ illustrer).

♦ *Illustre* s'applique à une personne dont le renom est éclatant du fait de ses qualités, d'où *naissance illustre* «noble»; le mot s'est employé comme nom masculin au XVIIe s. (av. 1660, Scarron). L'adjectif signifiait aussi (XVIIe s.), comme en latin, «bien en vue, manifeste, éclatant», en bonne ou en mauvaise part. *Illustre* est aujourd'hui moins courant et plus littéraire que *célèbre*.

▶ **ILLUSTRISSIME** adj., emprunt (1481) à l'italien *illustrissimo* (XIVe s.) (superlatif de *illustre*, latin *illustris*), est encore utilisé comme terme d'adresse pour certains dignitaires ecclésiastiques. ◆ **ILLUSTREMENT** adv. (1555) est littéraire et rare.

Enfin, le verbe **ILLUSTRER**, en relation sémantique étroite avec *illustre* du XVe au XVIIIe s., s'en est détaché (→ illustrer), notamment après les emprunts à l'anglais qui lui ont donné, comme à *illustration*, une tout autre valeur.

ILLUSTRER v. tr. a été emprunté en moyen français (1486; v. 1350, selon *F. e. w.*) au latin *illustrare* «éclairer, illuminer» et au figuré «mettre en lumière», «donner de l'éclat»; le verbe est formé de *il-* (→ ② in-) et de *lustrare* «éclairer» (différent de *lustrare* «purifier»), dénominatif de *°lustrum* «éclat», dérivé non attesté de *lux, lucis* «lumière», de la famille indoeuropéenne de *°leuk-* «être lumineux, éclairer» (→ illustre, lucide, lumière).

♦ *Illustrer* signifie d'abord (1486) «éclairer», en parlant de Dieu, de la foi, sens en usage jusqu'à la fin du XVIe s. (1580, Montaigne). ◇ Le sens de «rendre illustre» (1508) s'est employé plus longtemps, mais est archaïque; il a été remplacé par *enrichir, orner* (une œuvre ou la langue). ◇ *Illustrer* reprend au début du XVIe s. le sens latin de «rendre plus clair (par des explications)», «mettre en lumière (par des exemples)» (1509). ◆ C'est par emprunt (1825) à l'anglais *to illustrate*, de même origine que le verbe français, que *illustrer* prend le seul sens courant aujourd'hui, «orner d'images en rapport avec un texte».

▶ **ILLUSTRANT, ANTE**, participe présent adjectivé (av. 1475), a signifié «brillant, illustre»; cet adjectif a disparu. ◆ **ILLUSTRÉ, ÉE** adj. et n. m. ne se rattache qu'à la valeur empruntée à l'anglais «orné d'illustrations»; il désigne par métonymie (1894) un périodique qui comporte de nombreuses illustrations, en particulier des bandes dessinées; ce sens a vieilli. ◆ **ILLUSTRATION** n. f. est un emprunt (2e tiers du XIVe s.; XIIIe s., isolément) au latin impérial *illustratio* «action d'éclairer, de rendre brillant», terme de rhétorique qui a pris en latin chrétien les sens de «glorification, gloire», «apparition lumineuse», «inspiration»; le mot dérive du supin de *illustrare*. ◇ *Illustration* s'est d'abord employé dans le vocabulaire religieux au sens de «lumière resplendissante» et désigne ensuite dans le vocabulaire théologique (1636) l'illumination que Dieu répand dans l'esprit. ◇ Il a repris au XVIe s. (1509) les sens latins, également sortis d'usage, d'«action de rendre illustre», «honneur» et, spécialement, «marque d'honneur qui illustre» (1549, Du Bellay, *Deffence et illustration de la langue françoise*). *Une illustration* pour «un personnage célèbre» (1834) est archaïque et littéraire. ◆ C'est par emprunt à l'anglais, de même origine que le français, qui avait pris à la fin du XVIe s. les sens d'«éclaircissement» (1581), «exemple» (1585), que *illustration* signifie ensuite (1611) «action d'éclairer par des explications, des commentaires, des exemples»; le mot est encore chez Littré au sens de «note». Il se dit plus tard (1870) de ce qui éclaire en confirmant, mais cette valeur n'est pas entrée dans l'usage au même titre que le sens iconographique. ◇ Au XIXe s., comme le verbe *illustrer, illustration* change de domaine également par emprunt à l'anglais; il se dit (1825) d'une figure illustrant un texte imprimé, puis désigne (1845) l'ensemble des techniques mises en œuvre pour illustrer les textes, le genre artistique lui-même et le fait d'illustrer un texte; l'anglais *illustration*, de même origine que le mot français, était récent dans ce sens : «illustration destinée à éclairer un texte» (1813) et «dessin, gravure rehaussant un texte» (1816). ◆ **ILLUSTRATEUR, TRICE** n. s'est employé au masculin (mil. XIIIe s.) au sens du latin chrétien *illustrator* «celui qui donne du lustre, de l'éclat»; le mot latin se disait aussi pour «inspirateur», en parlant de Dieu. ◇ Au XIXe s., alors rattaché à *illustrer* «orner de figures» et à *illustration*, le mot désigne un artiste spécialisé dans l'illustration (1845, Gautier). Il se dit (apr. 1850) d'une personne qui orne qqch. par une œuvre d'art. ◆ **ILLUSTRATIF, IVE** adj. s'applique à ce qui est explicatif, d'abord en philosophie (1847, V. Cousin); là aussi, le mot est un emprunt à l'anglais *illustrative* «qui sert à expliquer» (1643), dérivé de *to illustrate*. ◇ *Illustratif*, lié à *illustration*, signifie parfois «relatif à l'illustration en tant que genre».

ILOTE n. m. est un emprunt savant (av. 1593) au latin *ilotae*, lui-même emprunté au grec *heilôs, -ôtos*, «ilote», mot désignant les esclaves de l'État à Sparte, généralement des serfs attachés à la terre, dont les conditions de vie étaient très dures. Le mot, que l'on a rapproché sans raison valable d'un verbe grec signifiant «prendre, capturer», est sans étymologie. La forme grecque explique les graphies *hélote* (1662), *heilote* (1752), *hilote* (1812) beaucoup plus rares.

♦ *Ilote* est introduit avec le sens de l'étymon, en parlant de l'Antiquité grecque; par référence à la tradition selon laquelle les Spartiates enivraient les ilotes pour inciter leurs enfants à la sobriété, la locution ***un ilote ivre*** (1794, A. Chénier) désigne une personne qui a un vice dont le spectacle préserve les autres. Par analogie, *ilote* a désigné un opprimé (1793, Robespierre) et, dans un usage très soutenu (1819), une personne asservie, réduite à la misère ou au dernier degré de l'ignorance.

▶ **ILOTISME** n. m., terme didactique, désigne (1819) la condition d'ilote dans l'Antiquité; le mot a remplacé *ilotie* nom féminin (1568; repris en 1748, par Montesquieu), emprunt au grec *heilôteia*. *Ilotisme* s'emploie aussi au sens figuré de *ilote* (1833, Balzac).

✱ **IMAGE** n. f. est une réfection (v. 1160) de la forme *imagine, imagene* (v. 1050); c'est un emprunt au latin *imaginem*, accusatif de *imago* «image», puis «représentation», «portrait», «fantôme» et «apparence» par opposition à la réalité, également terme de rhétorique comme *figura*. *Imago* suppose un radical *im-*, d'origine obscure qui serait à la base du verbe *imitari* (→ imiter).

♦ *Image* a d'abord eu le sens latin de «statue»; dès le XIIᵉ s., le mot désigne aussi (v. 1160) une vision au cours d'un rêve et se dit également (1176, *ymage*), par extension du premier sens, de la représentation graphique d'un objet ou d'une personne, sens d'où viennent les locutions ***une belle image*** «une femme au visage inexpressif» (1690), sortie d'usage à la différence de ***sage comme une image*** (1690); ces deux expressions — comme l'usage du mot *idole* dans ce sens — font allusion à l'immobilité de l'image par rapport à l'être représenté. Le mot s'emploie aussi pour désigner ce qui reproduit ou imite qqch. ou qqn, en particulier dans ***à l'image de*** «à la ressemblance de» (v. 1180). ◇ Enfin, dès l'ancien français, *image* signifie (1180, Marie de France) «reproduction inversée qu'une surface polie donne d'un objet qui s'y réfléchit». ◇ Abstraitement, *image* entre comme en latin dans le vocabulaire de la rhétorique (1265, B. Latini, *par ymage u par comparison*); le mot se réfère à l'évocation dans le discours d'une réalité différente de celle à laquelle renvoie le sens propre du texte, mais qui reste liée à elle par une relation d'analogie; la locution ***faire image*** correspond à «évoquer qqch.» (en tant qu'image) [→ imagé]. *Image* désigne ensuite (1550) la manifestation sensible de qqch. d'abstrait ou d'invisible et ce qui évoque une réalité de nature différente, en raison d'un rapport de similitude (cf. *figure, symbole*). ◇ À partir du XVIIᵉ s., *image* devient un mot-clé de la psychologie; le mot désigne (1647, Descartes) la reproduction mentale d'une perception ou d'une impression, en l'absence de l'objet qui lui avait donné naissance; en ce sens, lié à *imagination* (ci-dessous), on a utilisé indistinctement *idée* ou *image* jusqu'au milieu du XVIIIᵉ siècle; ensuite *image* s'oppose d'une part à la réalité, aux choses, d'autre part au concept, à l'idée abstraite. Par extension (XVIIᵉ s.), *image* se dit d'une vision intérieure plus ou moins exacte de qqch., et d'un produit de l'imagination. ◇ Par extension du sens d'«apparence visible», le mot s'emploie aussi, littérairement, pour «aspect particulier, évocateur» (1795, Mᵐᵉ de Genlis, *l'image du repos*). ◇ Au XIXᵉ s., l'importance des représentations planes, jusqu'alors limitées à un nombre restreint, notamment par la gravure, s'accroît avec l'apparition de nouvelles techniques. Mises en rapport ou non avec des textes imprimés (cf. *illustration, illustrer**, repris à l'anglais à cette époque), les images sont reproduites (cf. *reproduction*) par la photographie (*image* est attesté dans ce contexte en 1840), puis par diverses techniques (1850). ***Image d'Épinal*** (1873) désigne une image de facture souvent naïve, produite par la célèbre imprimerie d'Épinal au XIXᵉ s., puis toute image populaire et naïve; par figure, l'expression se dit d'un lieu commun largement répandu. En ce sens, un côté naïf ou religieux reste souvent attaché à *image* par rapport à *illustration* ou à *reproduction* (*les belles images*, etc.). ◇ Au sens de «représentation mentale», jusqu'à la fin du XIXᵉ s., le mot ne s'applique qu'aux images de la vue; puis il s'étend aux autres impressions sensorielles (1883, *image sonore, auditive;* déb. XXᵉ s., *image acoustique, graphique d'un signe,* en linguistique chez de Saussure). ◇ Au XXᵉ s., *image* désigne aussi l'élément visuel, au cinéma ou à la télévision *(arrêt sur l'image)*. ◇ Par ailleurs la locution ***image de marque*** se dit (av. 1960) de la représentation qu'a le public d'un produit, d'une marque commerciale, etc. et, par extension, signifie «représentation collective d'une personne, d'une institution».

▸ **IMAGIER, IÈRE** n. et adj. désigne d'abord, en relation avec le premier sens d'*image*, un sculpteur (1260, *ymagier;* 1364, *ymager*), puis un peintre (1549, Ronsard, *imager*), sens qui évoque aujourd'hui le moyen âge. Le mot se dit ensuite (1636) avec sa variante *imager* (1680) de qqn qui vend des images. Il équivaut enfin à *enlumineur* (1833, *maître imagier*). ◇ L'adjectif est rare au sens d'«imagé» (1899, Bloy). ➝ **IMAGERIE** n. f. s'est d'abord dit (fin XIIIᵉ s.) d'un ensemble d'objets sculptés. Le mot est repris au XIXᵉ s. pour désigner la fabrication et le commerce d'images (1829), puis un ensemble d'images de même origine, au propre (1860, Baudelaire, *l'imagerie orientale;* 1866, *l'imagerie d'Épinal*) et au figuré (1867, Baudelaire). ◇ Dans un usage didactique (XXᵉ s.), *imagerie* se dit d'un ensemble d'images dans un discours et d'un ensemble d'images mentales. ◇ Le mot est repris en technique pour désigner un ensemble de productions d'images par divers procédés *(l'imagerie médicale)*. ➝ **IMAGÉ, ÉE** adj. est d'abord attesté (XIVᵉ s., *ymagié*) au sens ancien de «reproduit par l'image», puis de «orné d'images, décoré» (1481, *ymaigié*). ◇ Il s'emploie pour «qui contient des images rhétoriques» (1795, *une langue imagée*) et en parlant d'un écrit (1842). ➝ Le verbe **IMAGER** v. tr. (1584) est beaucoup moins courant que *imagé*. ➝ **IMAGEANT, ANTE** adj. (1940, Sartre) «qui produit des images mentales» est un terme de philosophie. ➝ **IMAGISTE** adj. et n. a désigné (1775) un vendeur d'images. Au sens de «qui concerne un mouvement poétique anglo-saxon du début du XXᵉ s.», c'est un emprunt à l'anglais *imagist* ou *imagiste* (1912, Ezra Pound), dérivé d'*image,* lui-même emprunté au français. ➝ **IMAGISME** n. m. (1931; de l'anglais *imagism* ou *imagisme,* 1912, Ezra Pound) désigne le mouvement des imagistes.

IMAGINER v. tr. est emprunté (1290) au latin impérial *imaginari* «se figurer, s'imaginer», dérivé du latin classique *imago*. ◇ Le verbe s'emploie d'abord au sens de «former dans son esprit l'image d'un être, d'une chose», puis de «concevoir l'existence de qqch.» (1314, *imaginer que*) et «avoir l'idée de qqch., inventer» (1440-1475). *S'imaginer* (1553) prend ensuite le sens (1636) de «croire à tort»; la construction *s'imaginer de* (suivie de l'infinitif) est sortie d'usage. ➝ **IMAGINANT, ANTE** adj., tiré du participe présent, est attesté au sens de «fin, habile» (v. 1360); il a ensuite eu le sens de «qui imagine», en parlant des facultés (av. 1662, Pascal); noté «vieux» au XIXᵉ s., l'adjectif est aujourd'hui rare. ➝ **IMAGINATEUR, TRICE** n., utilisé au XVIᵉ s. au sens de «personne qui se livre aux écarts de l'imagination» (1578, H. Estienne; cf. latin moderne *imaginator,* 1564), a été repris au XIXᵉ s. pour «personne qui a de l'imagination, invente» (1856, Goncourt); le mot est rare, comme l'est *imagineur,* attesté chez Valéry (1899).

Les dérivés de *imago* et de *imaginari* ont fourni plusieurs emprunts. ◆ **IMAGINABLE** adj., emprunté (v. 1375, *ymaginable*) au bas latin *imaginabilis* «que l'on ne peut concevoir», conserve le sens de l'étymon et est employé (XVIIe s.) avec une valeur intensive; l'antonyme préfixé **INIMAGINABLE** adj. est attesté en 1580 (Montaigne). Il est plus courant que *imaginable*, surtout au sens affaibli de «scandaleux, inacceptable et étonnant». Cf. *Invraisemblable*. ◇ Le dérivé **INIMAGINABLEMENT** adv. (1838) est rare. ◆ **IMAGINATIVE** n. f. est emprunté (1314) au latin médiéval *imaginativa* «faculté, puissance d'imaginer» (v. 1270, dans le domaine anglais); encore employé comme archaïsme plaisant au XIXe s., le mot a été remplacé par *imagination*. ◆ **IMAGINATIF, IVE** adj. a, par emprunt au latin médiéval *imaginativus* (1250 dans le domaine anglais), le sens de «habile, fin» (dernier quart du XIVe s.). Le sens moderne «qui a l'imagination fertile» apparaît au XVIe s. (La Boétie, av. 1563). ◇ En dérive **IMAGINATIVEMENT** adv. (1847), rare.

IMAGINATION n. f. est un emprunt (v. 1175) au latin impérial *imaginatio* «image, vision», de *imaginatus* participe passé de *imaginari*, et se dit d'abord d'une image de rêve. ◇ Par extension, le mot désigne (1269-1278) la faculté d'inventer des images et, depuis le XIVe s., de former des combinaisons nouvelles d'images. ◇ Se détachant de l'idée d'image, le mot en vient à une valeur plus abstraite, «faculté de créer en combinant des idées», spécialement «inspiration artistique ou littéraire». *Une imagination*, par métonymie, se dit (v. 1370, Oresme) de ce qui est conçu par l'esprit; il est également employé (av. 1593, Montaigne) pour désigner la faculté d'évoquer les images des objets qu'on a déjà perçus, sens plus usuel jusqu'au début du XVIIIe siècle. ◆ **IMAGINAIRE** adj. et n. m. est emprunté (1496) au latin impérial *imaginarius* «simulé», «qui n'existe qu'en imagination», dérivé de *imago*. ◇ L'adjectif s'applique d'abord à ce qui n'a de réalité qu'en apparence. Au XVIIe s., il est employé par Descartes en mathématiques (1637, *racines imaginaires, nombre imaginaire;* av. 1650, *espaces imaginaires*), et par Pascal (1658) au sens de «qui n'existe que dans l'imagination» (1673, *malade imaginaire*). ◇ ***L'imaginaire*** n. m. (1820, Maine de Biran) désigne l'ensemble des produits de l'imagination, le domaine de l'imagination; le mot est utilisé en psychanalyse (1966, Lacan) pour désigner un des registres du champ psychanalytique, caractérisé par la prévalence de la relation à l'image du semblable. ◆ Le dérivé **IMAGINAIREMENT** adv. (1540) est d'emploi didactique ou littéraire.

Le dernier mot de la série est un emprunt de la langue scientifique au latin: *imago* (→ image). **IMAGO** n. f. désigne en biologie (1866) la forme adulte définitive de l'insecte sexué à métamorphoses; le mot *image* a été utilisé en ce sens (1845). ◇ *Imago* est devenu (1929) un terme de psychanalyse, par emprunt à l'allemand, d'abord dans le roman *Imago* de Spitteler (1906), puis chez Jung (1911) et Freud (av. 1915); le mot désigne un prototype inconscient acquis par le sujet dans l'enfance (en particulier, image du père, de la mère) et qui oriente ses relations interpersonnelles. ◇ De ce sens dérive **IMAGOÏQUE** adj. (mil. XXe s.). ◆ **IMAGINAL, ALE, AUX** adj., dérivé savant (1893) du latin *imago, imaginis,* correspond à l'emploi de *imago* en biologie.

IMAM ou **IMAN** n. m. est un emprunt d'abord transcrit *iman* (1559; 1697, *imam*) à l'arabe *'imām* «celui qui se tient devant», «président», d'où «ministre de la religion musulmane», celui qui se met devant les fidèles en prière. C'est un dérivé de *'amma* «marcher en tête», «présider».

♦ Dans ses premières attestations, le mot désigne en français un ministre de la religion musulmane, qui préside à la prière dans une mosquée. Le mot s'emploie ensuite comme titre de Ali (1653), de Mahomet (1697) et de leurs successeurs (dans l'islam chiite), puis (1721) comme titre du chef de chacune des quatre écoles juridiques et théologiques sunnites. *Imam* a été utilisé (1752) comme titre du souverain du Yémen. ◇ Par extension du premier sens, le mot a désigné au XVIIIe s. (1771, d'Alembert) tout ministre d'une religion, de manière plaisante et péjorative.

▸ **IMAMAT** n. m. signifie (1697) «dignité d'imam» et désigne aussi un territoire dépendant de l'autorité d'un imam (1867, Littré). La graphie *imanat* (1765) est archaïque.

IMBÉCILE adj. et n. représente un emprunt (1495-1496) au latin *imbecillus,* proprement «sans bâton, sans soutien» d'où «faible (de corps, d'esprit)» et «sans caractère». Le mot est formé de *im-* (→ ① in-) et de *bacillum,* diminutif de *baculum* «bâton», qui se rattache à une racine indoeuropéenne °*bak-* «bâton». La graphie *imbecille* (1508), courante au XVIIe s., se rencontre encore au début du XIXe siècle.

♦ *Imbécile* s'est d'abord dit, comme en latin, d'une personne physiquement faible; ce sens est toujours vivant à l'époque classique, ainsi que la locution ***le sexe imbécile*** (1580, Garnier) pour désigner les femmes. ◇ L'adjectif signifie ensuite «dépourvu d'intelligence» (1541, *imbecille jugement;* 1595, en parlant des personnes). Cet emploi vient d'expressions comme *imbecille de sens* «faible d'esprit» (1509) où l'adjectif a encore la valeur originelle de faible». Le sens moderne donne lieu à diverses expressions comme ***imbécile heureux*** «personne bête et satisfaite d'elle-même». Comme terme d'injure, le mot est plus ou moins vidé de son sens *(espèce d'imbécile)* et a des emplois analogues à ceux de *idiot, crétin*. ◆ Le mot a pris au XVIe s. le sens latin de «dépourvu de force morale ou intellectuelle» (1541), courant à l'époque classique, ainsi que *imbécile (à, pour)* «incapable (de)». *Imbécile* s'est employé (1671) en médecine pour «faible d'esprit». Ces valeurs sont archaïques.

▸ **IMBÉCILEMENT** adv. (1542, *imbécillement*) a eu le sens de «faiblement», le sens courant moderne étant attesté chez Saint-Simon (déb. XVIIIe s.). ◇ Les verbes dérivés **IMBÉCILLIFIER** v. tr. (1875 au participe passé, Goncourt) et **IMBÉCILLISER** v. tr. (1888, Léon Bloy) n'ont pas vécu. ◆ **IMBÉCILLITÉ** n. f. est emprunté (3e quart du XIVe s.) au dérivé latin *imbecillitas* «faiblesse physique», «faiblesse d'esprit, de caractère». ◇ Le nom, dans ses premiers emplois, signifie «manque de force physique», sens encore vivant au XVIIIe siècle. ◇ Il désigne ensuite (1509) un grave manque d'intelligence, seul emploi aujourd'hui vivant, et s'est dit (1541) pour «faiblesse morale». Il s'emploie, comme *imbécile,* au sens médical (1680). Il se dit enfin (1756, Voltaire) par métonymie d'un acte, d'une parole imbécile *(une, des imbécillités),* valeur souvent affaiblie en «parole, acte, chose inintéressante, insignifiante». Tous les emplois sont proches de ceux d'*idiotie.*

IMBERBE adj. est un emprunt savant (1509, O. de Saint-Gelais) au latin *imberbis* «qui est sans barbe», formé de *im-* (→ ① in-) et d'un dérivé de *barba* (→ barbe).

♦ *Imberbe* est introduit avec le sens du latin qui équivaut à *glabre.* Au figuré, l'adjectif équivaut à «très jeune, sans expérience», c'est-à-dire comme un jeune homme qui n'a pas encore de barbe (cf. *blanc-bec*).

IMBIBER v. tr. est un emprunt, d'abord attesté au participe passé (1478), au latin *imbibere* «absorber», «se pénétrer de», formé de *im-* (→ ② in-) et de *bibere* (→ boire).

♦ *Imbibé* signifie d'abord «qui a pénétré dans qqch.»; *s'imbiber* (v. 1500) puis *imbiber,* transitif (1555), s'emploient ensuite pour «pénétrer d'un liquide» et, depuis le XVIIe s., avec un sujet désignant le liquide. Au XVIIIe s., le verbe s'utilise au figuré comme *imprégner.* Dans l'usage familier *s'imbiber* signifie «boire beaucoup» (1873, probablement antérieur).

▸ **IMBIBITION** n. f. est un emprunt (v. 1377, *imbibicion*) au latin médiéval *imbibitio* «absorption» (1250). Le nom désigne l'action d'imbiber, de s'imbiber, et son résultat; comme le verbe, il s'emploie au figuré pour «imprégnation» (1857, Michelet).

IMBRIQUÉ, ÉE adj. est précédé par *une imbriquée,* nom féminin, dérivé savant (1555) du latin classique *imbrex, -icis* «tuile creuse», sur le modèle des adjectifs latins en *-iceus,* pour désigner une tuile concave. L'adjectif actuel est un emprunt (1584) au latin classique *imbricatus* «ayant la forme d'une tuile creuse», «disposé comme les tuiles», participe passé de *imbricare,* dérivé de *imbrex.* Ce nom dérive de *imber* «pluie», d'origine incertaine, supplanté par *pluvia* dans les langues romanes (→ pluie) et emprunté isolément au XVIe s. (1510, *ymbre*).

♦ L'adjectif se dit de ce qui est formé d'éléments se recouvrant partiellement, à la manière des tuiles d'un toit. Il s'emploie au pluriel (mil. XIXe s.) en parlant d'éléments attachés les uns aux autres et signifie figurément (mil. XXe s.) «dans des rapports d'étroite dépendance».

▸ Les dérivés **IMBRIQUER** v. tr. (1836), plus courant au pronominal *s'imbriquer,* au propre comme au figuré, et **IMBRICATION** n. f., également employé au propre (1812) et au figuré (av. 1922, Proust), sont moins usuels que l'adjectif.

IMBROGLIO n. m., attesté en français chez Bossuet (fin du XVIIe s.), est un mot repris à italien (XIVe s.), déverbal de *imbrogliare* «embrouiller». Le verbe est un préfixé de *brogliare,* du provençal *brolhar,* équivalent du français *brouiller*.* Le mot a été francisé au XVIIIe s. sous les formes *imbroille* (dictionnaire de l'Académie, de 1762 à 1835), disparue, et *embrouille*.*

♦ *Imbroglio,* d'abord au sens de «confusion, embrouillement», signifie depuis le XVIIIe s. (1762-1779, Diderot) «situation embrouillée». Le mot s'emploie spécialement (déb. XIXe s., 1829, chez Sainte-Beuve), en parlant d'une pièce de théâtre, pour «intrigue difficile à suivre»; par métonymie, il désigne la pièce qui a une telle intrigue (1839, Balzac).

IMBU, UE adj. représente une réfection (XVe s., *imbëu*) de *embu,* participe passé de *emboire*,* d'après le latin *imbutus* «imbibé, imprégné», participe passé de *imbuere* «imprégner», au physique et au moral, sans origine connue. Il a été emprunté au début du XVIe s. sous la forme *imbuer* pour «pénétrer», «imprégner» (1500) et «instruire» (1542).

♦ *Imbu* signifie, en parlant de personnes, «pénétré (de sentiments, d'idées, etc.)» et ***être imbu de soi-même*** se dit pour «se croire supérieur aux autres» (déb. XXe s.). ◇ L'adjectif s'est aussi employé au sens concret d'«imbibé» (1438, *imbeu de vin*).

▸ **IMBOIRE** v. tr., réfection d'après *imbu* du verbe *emboire*,* est d'emploi très littéraire au sens d'«imprégner (d'une influence)» (1572, «se pénétrer de») et d'usage technique (1845) comme synonyme de *emboire.*

IMBUVABLE → BOIRE

IMITER v. tr. est un emprunt du moyen français (av. 1493) au latin classique *imitari* «reproduire par imitation», «être semblable à» et, en parlant d'une peinture, «exprimer, représenter», puis en latin chrétien (VIIe s.) «reproduire des exemples de vertu, un modèle idéal»; le radical *im-* de *imitari,* d'origine obscure, se retrouve dans *imago* (→ image).

♦ *Imiter* signifie d'abord «chercher à reproduire ce que fait qqn, à suivre son exemple», spécialement dans le domaine religieux *(imiter Jésus).* Puis, le verbe s'emploie dans le domaine des arts, de la littérature (1549, Du Bellay) au sens de «prendre pour modèle (une œuvre)». *Imiter* depuis le début du XVIIe s. (1611) se dit pour «chercher à reproduire» (le comportement d'une personne, d'un animal; des voix, etc.). Par extension, le verbe signifie (1663, Boileau) «contrefaire (une marchandise, une écriture, etc.)» et «agir comme (qqn)». ◇ Dans le domaine des arts, il s'emploie (1674, Boileau) au sens de «reproduire l'aspect sensible de la réalité»; cet emploi est aujourd'hui péjoratif, le mot n'ayant plus les connotations positives d'*imitation,* au sens de *mimesis* (ci-dessous). *Imiter* signifie ensuite (1690) «produire le même effet que (qqch.)».

▸ **IMITATION** n. f. est un emprunt (v. 1236, *imitacion;* 1488, *ymitation*) au dérivé latin *imitatio* «imitation, copie», «faculté d'imiter» et, en latin chrétien (VIIe s.), «imitation d'exemples de vertu». ◆ Le nom désigne d'abord l'action de chercher à reproduire (une attitude, un geste, etc.) et, spécialement, le fait de prendre qqn pour modèle dans l'ordre moral. C'est le sens qu'a le mot dans *L'Imitation de Jésus-Christ*, ouvrage adapté en vers par Corneille (1651) et attribué à Thomas a Kempis (v. 1380-1471) sous le titre *Imitatio Christi*, d'abord traduit en 1447 sous le titre *Internelle Consolation*. ◇ *Imitation* s'emploie ensuite dans le domaine littéraire (1549, Du Bellay) pour «action, fait de prendre une œuvre pour modèle», sens aujourd'hui péjoratif, mais qui ne l'était pas avant le XIXe siècle ; les théoriciens du théâtre, au XVIIe s., conservent à *imitation* le sens du latin *imitatio* traduisant le grec *mimesis* : «production par l'art d'effets analogues à ceux de la réalité» ; les textes classiques, qui se réfèrent aux concepts aristotéliciens, donnent à la notion la valeur active qu'elle a chez Aristote : «processus de création respectant un certain nombre de qualités naturelles». *Imitation* se dit par métonymie (1690) d'une œuvre qui est le produit de ce processus, puis, péjorativement, d'une œuvre sans originalité. ◇ Le mot prend au XVIIIe s. le sens de «reproduction volontaire ou involontaire (d'actes, etc.)» (1762, Rousseau) ; il est sorti d'usage pour désigner une œuvre imitée de la nature, valeur attestée elle aussi chez Rousseau (1763). ◇ Au XIXe s., *imitation* équivaut à «contrefaçon, reproduction (d'un objet, d'une matière)» (1845), d'où ***en imitation*** «en matière imitée» (1861). *Arts d'imitation* (1857, Delacroix) désignait la peinture et la sculpture, par opposition à la musique, la poésie, pourtant relevant aussi de la *mimesis* chez Aristote et chez les théoriciens du XVIIe siècle. ➜ **IMITATEUR, TRICE** n. et adj., «personne qui imite», est un emprunt (1422, *immitateur*) au latin *imitator*, féminin *imitatrix*, de *imitatum*, supin de *imitari* ; le féminin *imitatrice* est attesté en 1530. ◇ Un emploi spécial récent concerne un artiste qui imite la voix et le comportement de personnes célèbres. ➜ **IMITATIF, IVE** adj. (1466), emprunt au dérivé bas latin *imitativus* «qui reproduit», «qu'on fait par imitation». Il s'emploie notamment dans les syntagmes *musique imitative* (1761) et *harmonie imitative* (1771). ➜ **IMITABLE** adj. est dérivé (av. 1520) de *imiter* ou emprunté au latin *imitabilis*, dérivé de *imitari* ; en dérive **IMITABILITÉ** n. f. (XXe s.). ◇ L'antonyme **INIMITABLE** adj. est emprunté (déb. XVIe s.) au latin *inimitabilis*, de *in-* négatif. Il a pris une valeur majorative «si excellent qu'on ne peut l'imiter». ◇ Les dérivés **INIMITABLEMENT** adv. (1801) et **INIMITABILITÉ** n. f. (XXe s.) sont rares.

IMMACULÉ → MACULER

IMMANENT, ENTE adj. est un emprunt (v. 1370, Oresme) au latin scolastique *immanens* (v. 1300), participe présent du latin classique *immanere* «demeurer dans», de *im-* «dans» (→ ② in-) et *manere* «demeurer», «rester, être dans» (→ manoir).

♦ *Immanent* est attesté isolément chez Oresme pour «qui demeure dans la pensée», valeur reprise au XVIe s. (1570) et sortie d'usage. L'adjectif s'applique ensuite en théologie (1690) à ce qui réside dans le sujet agissant *(cause immanente)*. ◇ En philosophie, il signifie «qui est impliqué dans», d'où *immanent à* (1867, Littré ; *immanent à la nature*) et *justice immanente* (1865, Proudhon) «dont le principe est contenu dans les choses elles-mêmes». Dans ces emplois didactiques, l'adjectif s'oppose à *transcendant*.

▶ Sur l'adjectif ont été formés les termes de philosophie **IMMANENCE** n. f. (1840, P. Leroux), l'expression *principe d'immanence* étant attestée à la fin du XIXe s. (1893), et **IMMANENTISME** n. m. (av. 1907, Bergson), d'où vient **IMMANENTISTE** n. (1920) et adj. (1936).

IMMARCESCIBLE adj. est un emprunt (1482, écrit *inmarcessible*) au latin ecclésiastique *immarcescibilis* «qui ne se flétrit pas», formé de *im-* (→ ① in-) et du latin classique *marcescibilis*, dérivé de *marcescere* «se flétrir», de *marcere* «être fané» au propre et au figuré, verbe d'origine expressive. La graphie *immarcessible*, encore utilisée par quelques auteurs, a été abandonnée par l'Académie en 1878.

♦ D'emploi didactique ou littéraire, *immarcescible* conserve le sens du latin, au propre et au figuré.

IMMATRICULER → MATRICULE

IMMÉDIAT, ATE adj. et n. m. a été emprunté (1382) au bas latin *immediatus*, formé de *im-* (→ ② in-) et d'un dérivé du latin classique *medius* «central», «intermédiaire», «moyen» (→ médiat), qui se rattache à un thème indoeuropéen °*medhyo* «qui est au milieu».

♦ *Immédiat* s'applique d'abord à ce qui précède ou suit qqch. sans intermédiaire, dans l'espace. Puis, le mot est attesté en moyen français comme terme de droit (1474) dans *seigneur immédiat*, pour parler d'un seigneur relevant directement du souverain. Au sens abstrait de «qui opère, se produit sans intermédiaire», il apparaît au XVIIe s. chez Pascal (av. 1662, *sentiment intérieur et immédiat*). De là viennent les emplois en philosophie et en logique dans *cause immédiate, déduction immédiate* ou dans le titre bergsonien *Essai sur les données immédiates de la conscience* (1888). ◇ *Immédiat* est aussi employé (1830, Balzac) pour «sans intervalle (dans le temps)», d'où l'emploi courant (XIXe s.) pour «qui est du moment présent, a lieu tout de suite» et la substantivation *l'immédiat* «le moment même» (1864, Sainte-Beuve), fréquente sous la forme ***dans l'immédiat*** «dans un avenir bref» ou «pour le moment».

▶ **IMMÉDIATEMENT** adv. a suivi une évolution sémantique parallèle à celle de l'adjectif ; le mot signifie «directement, sans intermédiaire» (1534) et «tout de suite avant ou après», dans le temps (1602) ou dans l'espace (1616). ➜ **IMMÉDIATETÉ** n. f. a d'abord été employé comme terme de droit féodal (av. 1688), puis pour «qualité de ce qui est immédiat» (1721). Le mot est didactique ou littéraire.

IMMÉMORIAL → MÉMOIRE

IMMENSE adj. est emprunté (1360) au latin *immensus* «sans limite, infini», formé de *im-* (→ ① in-)

et de *mensum*, supin de *metiri* «mesurer», qui se rattache à une racine indoeuropéenne °*me-* (→ mesurer, mètre).

♦ *Immense* est attesté d'abord au sens de «total, sans réserve» dans *donation immense*, emploi aujourd'hui disparu. ◇ L'adjectif signifie ensuite (av. 1453, Villon) «dont l'étendue, les dimensions sont considérables» et «qui est considérable en son genre par la taille, la quantité», concrètement et abstraitement; par affaiblissement, il s'emploie pour «très grand». ◇ *Immense* s'est employé (XVIe s.) au sens latin d'«infini» *(Dieu est immense)*. Le mot s'est appliqué au XIXe s. à qqn dont la personnalité, les aptitudes sont très grandes. Ces deux emplois ont disparu.

▶ Le dérivé **IMMENSÉMENT** adv. (déb. XVIIIe s., Saint-Simon) est assez rare, sauf dans quelques syntagmes, avec le sens d'«énormément» *(immensément riche)*. ➝ **IMMENSITÉ** n. f., emprunt (1374, *immansité*) au latin *immensitas*, dérivé de *immensus*, signifie d'abord «état de ce qui est immense», «grandeur sans bornes». Le nom désigne ensuite (1495) une étendue trop vaste pour être aisément mesurée, puis la grandeur considérable de qqch. (1671), seul emploi aujourd'hui usuel.

IMMERGER v. tr. est un emprunt isolé du début du XVIe s. (1501), à nouveau au XVIIe s., au latin *immergere* «enfouir», «plonger dans», de *im-* (→ ② in-) et *mergere, mersus* «plonger», qui se rattache à une racine indoeuropéenne °*mezg-* que l'on retrouve par exemple dans le sanskrit *majjáti* «il plonge», et *madgúḥ* désignant un oiseau aquatique.

♦ *Immerger* est attesté isolément (1501) au sens d'«enfouir», dans un emploi figuré. Le verbe actuel apparaît au participe passé au XVIIe s. (v. 1650, Pascal) puis à l'actif (1823) au sens de «plonger dans l'eau». ◇ Par figure, *immerger* signifie (attesté 1895, Huysmans) «plonger (dans un milieu, une atmosphère, etc.)», d'où l'emploi au pronominal *(s'immerger dans le travail)*.

▶ **IMMERSION** n. f. est emprunté (1374) au latin *immersio*, de *immersum*, supin du verbe *immergere*. Le mot signifie «action d'immerger» et «état de ce qui est immergé», au propre et au figuré. Il s'emploie spécialement en astronomie (1691) pour «début d'éclipse», puis en optique (1865, *point d'immersion*; 1902, *objectif à immersion*). ➝ De là **IMMERGENT, ENTE** adj. (1873; de *immerger*) «qui pénètre dans un milieu», en parlant d'un rayon lumineux. ➝ **IMMERSIF, IVE** adj. (1690), de *immersion* ou du latin *immersum*, «qui se produit par immersion», est un terme didactique.

◈ voir **ÉMERGER**.

IMMEUBLE → **MEUBLE**

IMMIGRER v. tr. représente un emprunt (1840) au latin *immigrare* «venir dans, s'introduire dans», formé de *im-* (→ ② in) et de *migrare* «changer de résidence» (→ migrer).

♦ Le verbe transitif, relativement récent (1840) qui signifie «entrer dans un pays étranger», est resté rare; la spécialisation de sens s'est effectuée en rapport avec le sens d'*émigrer**.

▶ En revanche, le participe **IMMIGRÉ, ÉE** adj. et n., d'abord (1769) au sens de «qui est venu de l'étranger», se dit plus couramment aujourd'hui (mil. XXe s.) d'un ouvrier étranger, souvent issu d'un pays peu développé, qui travaille dans un pays industrialisé. ➝ **IMMIGRATION** n. f., formé à la même époque (1768) à partir du verbe latin d'après *émigration*, désigne l'entrée dans un pays de personnes non autochtones qui viennent généralement pour trouver un emploi. On dit par analogie *immigration interne, régionale* (XXe s.). Par métonymie, le mot désigne (mil. XXe s.) un ensemble d'immigrés de même origine. ➝ **IMMIGRANT, ANTE** adj. et n. (1787, n.), désignant la personne qui arrive de l'étranger, le futur *immigré*, est peu employé comme adjectif (1845).

◈ voir **ÉMIGRER, MIGRER**.

IMMINENT, ENTE adj. est un emprunt (fin XIVe s.) au latin *imminens*, participe présent adjectivé de *imminere* «s'élever au-dessus», «être très proche» et «menacer», formé de *im-* (→ ② in-) et de *minere* «avancer, être en saillie». Ce verbe se rattache au latin *minae* «saillie, surplomb», à *minax* (→ menace, menacer), à *eminere* (→ éminent). Tous ces mots remontent à une racine indoeuropéenne °*men-* «être saillant», qui figure aussi dans le lat. *mons, montis* (→ mont, monter).

♦ *Imminent* apparaît (fin XIVe s.) avec le sens étymologique de «qui va se produire dans un avenir très proche», en parlant de ce qui menace *(péril imminent)*. L'adjectif est ensuite employé (1831) sans idée de menace *(une arrivée imminente)*.

▶ **IMMINENCE** n. f., emprunt au bas latin *imminentia*, dérivé de *imminens*, désigne le caractère de ce qui est imminent, avec l'idée d'une menace (1787, Necker) puis (1821, Hugo) sans cette idée de menace. Ce nom est plus didactique que l'adjectif. ➝ **IMMINER** v. intr. (1896, Willy), du radical de l'adjectif, est très rare.

IMMISCER v. tr. est un emprunt, d'abord au pronominal (1482, *soy imiscer*), au latin *immiscere* «mêler à» (aussi *se immiscere*), formé de *im-* (→ ② in-) et de *miscere, mixtus* «mêler*».

♦ *S'immiscer* a le sens de «s'introduire mal à propos ou indûment (dans une affaire, etc.)», d'où vient l'emploi juridique (1583) *s'immiscer dans une succession*. L'emploi transitif (1599), pour «mêler (qqn) à une affaire», est rare.

▶ **IMMIXTION** n. f. est emprunté au bas latin *immixtio* «action de mêler», «fréquentation», de *immixtum*, supin de *immiscere*. Le nom, attesté isolément (1573, *imixtion*) avec le sens de «mélange, mixture», est repris en droit (1701), puis au sens d'«action de s'immiscer» en général (1748).

IMMOBILE adj. est un emprunt (1370-1372, Oresme) au latin *immobilis* «qui ne bouge pas» (→ immeuble), au figuré «inébranlable», de *im-* (→ ① in-) et *mobilis* «mobile*». On relève isolément *immobil*, nom masculin, «immobilité», antérieurement (XIIIe s.).

♦ L'adjectif a conservé le sens général du latin s'appliquant à des choses ou à des personnes; par extension, *immobile* signifie (1636, Corneille) «qui reste sans mouvement, sous l'effet d'une émotion violente». Il qualifie, comme en latin, ce qui est fixé une fois pour toutes, invariable (1580) et s'applique à une personne ferme, inébranlable (1573). ◇ *Immobile à qqch.* «insensible» s'est dit dans la langue classique et a disparu.

▸ Le dérivé **IMMOBILEMENT** adv. (XVe s.) est rare. ➛ **IMMOBILISER** v. tr. est attesté en 1654 (Cyrano de Bergerac) au sens de «rendre immobile, arrêter»; on trouve au XVIe s. la forme *immobiliter,* verbe transitif, avec ce même sens (1507); *s'immobiliser* n'est relevé qu'à la fin du XIXe s. chez les Goncourt. ◇ Le verbe est employé en droit (1802) au sens de «convertir fictivement en immeuble», du sens spécial de *immobilis* en latin. *Immobiliser* s'emploie ensuite spécialement en médecine (1864; *immobiliser un membre fracturé*). ◇ La valeur générale a donné les sens figurés «empêcher le progrès» (1839, G. Sand), «rendre incapable d'agir, paralyser» (1857, pron., Flaubert), et l'emploi dans le domaine économique (av. 1902; *immobiliser des capitaux*). Le verbe a plusieurs dérivés. ➛ Le nom d'action **IMMOBILISATION** n. f., d'abord terme de banque (1819), puis d'emploi général (1832, Balzac), a des sens parallèles à ceux du verbe. ➛ **IMMOBILISABLE** adj. et **IMMOBILISANT, ANTE** adj. (XXe s.) sont surtout vivants dans des emplois spéciaux (droit, finances pour le premier; médecine pour le second). ➛ **IMMOBILISME** n. m., attesté chez Fourier (1829), comme **IMMOBILISTE** adj. et n., désigne la disposition à se satisfaire de l'état présent des choses, notamment dans le domaine économique et social.
IMMOBILITÉ n. f., emprunté (1314) au latin impérial *immobilitas,* dérivé préfixé de *mobilitas* d'après *immobilis,* désigne l'état de ce qui est immobile, au propre et (1658) au figuré.

IMMOBILIER → MOBILE

IMMOLER

IMMOLER v. tr. est un emprunt (v. 1460) au latin *immolare,* de *im-* (→ ② in-) et de *molare,* dérivé de *mola* «meule», d'où «farine», spécialement employé pour désigner la farine de blé torréfiée que l'on mélangeait de sel pour la répandre sur la tête des victimes au cours d'un sacrifice. *Mola* se rattache à une racine indoeuropéenne °*mel-* «moudre».

♦ *Immoler,* dans toutes ses acceptions, est didactique ou littéraire. Le verbe apparaît d'abord dans un contexte religieux (v. 1460) en parlant du sacrifice de Jésus, sur la croix, et renouvelé dans la messe. Par extension (1538), *immoler* signifie «tuer (une personne, un animal) en sacrifice à une divinité». Le verbe est ensuite employé (déb. XVIIe s.) au figuré au sens de «renoncer à» (XVIIe s.). Cet emploi (*immoler ses intérêts,* etc.) [1640], comme celui de *s'immoler* (1668, Molière), a vieilli puis a disparu. Par extension du premier sens, *immoler* a le sens «faire périr» (1691), sorti d'usage, alors que *s'immoler* (*par le feu,* etc.) peut encore se dire. Dans tous les emplois, sauf en histoire des religions, le verbe est remplacé par *sacrifier.*

▸ **IMMOLATION** n. f., «action d'immoler», est antérieur au verbe (1re moitié du XIIe s.). C'est un emprunt au latin *immolatio,* de *immolatum,* supin du verbe latin; le mot est didactique ou littéraire comme *immoler.* ➛ **IMMOLATEUR, TRICE** n. (1534, au masculin), emprunt au latin *immolator* «sacrificateur», du supin de *immolare,* est quasiment sorti d'usage.

IMMONDE

IMMONDE adj. est un emprunt (v. 1225) au latin *immundus* «sale», «impur», formé de *im-* négatif (→ ① in-) et de *mundus* «propre, soigné» (→ émonder).

♦ L'adjectif s'applique d'abord à ce qui est impur selon la loi religieuse, et à ce qui a un caractère d'impureté morale, d'où les locutions ***l'esprit immonde*** «le démon» (2e moitié du XIVe s., *esperit immonde*) et ***le péché immonde*** «le péché de la chair» (1767, Voltaire). ◇ *Immonde* signifie depuis le XVIe s. «d'une saleté ou d'une laideur qui soulève le dégoût» (cf. *ignoble*), sens aujourd'hui courant. Au figuré, l'adjectif qualifie (1835, Flaubert) ce qui est d'une extrême immoralité ou d'une grande bassesse.

▸ **IMMONDICE** n. f. est un emprunt (v. 1225, au pluriel; v. 1265, au singulier) au latin *immunditia* «saleté», «ordures», dérivé de *immundus. Immondices* désigne au pluriel les détritus, les déchets de la vie humaine. Au singulier (v. 1265), au sens de «chose répugnante ou impure», le mot est d'emploi littéraire ou appartient au vocabulaire religieux (1564). *Immondices* s'emploie par figure (1778, Diderot) pour «horreurs, saletés». ➛ Le dérivé **IMMONDICITÉ** n. f. (fin XIVe s., *inmundicitez*) «saleté, ordure», ensuite au singulier et au figuré (apr. 1450), est littéraire et rare. V. Hugo a employé l'adjectif *immondiciel* dans *Les Misérables* (1862).

IMMORTEL, ELLE

IMMORTEL, ELLE adj. et n. est emprunté (v. 1314, Mondeville) au latin *immortalis* «qui n'est pas sujet à la mort», formé de *im-* (→ ① in-) et de *mortalis,* dérivé de *mors, mortis* (→ mort).

♦ *Immortel* s'est d'abord employé au sens de «qui n'entraîne pas la mort» *(plaies immortelz)* comme contraire de *mortel;* ce sens a disparu. ◇ L'adjectif s'applique ensuite (v. 1330) à ce qui n'est pas sujet à la mort, d'où l'emploi nominal, *un immortel* «un dieu» (1578, Ronsard). Par extension, *immortel* prend le sens de «qui survit dans la mémoire des hommes» (1352-1356, Bersuire), puis signifie au XVIe s. (av. 1525, G. Crétin) «qu'on suppose ne devoir jamais finir». ◇ De là vient **IMMORTELLE** n. f. (1665), nom d'une plante dont l'involucre ne change pas avec le temps quand la fleur se dessèche. ◇ Par référence au sceau portant la formule *À l'immortalité,* donné par Richelieu à l'Académie française, *immortel,* nom, désigne (1833) un académicien, le féminin étant normal dès lors que l'Académie admet les femmes.

▸ **IMMORTELLEMENT** adv. (XVe s.) est littéraire. ➛ Le dérivé **IMMORTALISER** v. tr. signifie d'abord (1544, M. Scève, *se immortaliser*) «rendre immortel», sens aujourd'hui rare. Au figuré, il signifie (1554, Tahureau) «rendre immortel dans la mémoire des hommes», emploi vieilli avec un sujet de personne. ◇ Ce verbe a fourni **IMMORTALISATION** n. f. (1580, Montaigne).

IMMORTALITÉ n. f. est un emprunt (fin XIIᵉ s.) au latin *immortalitas,* dérivé de *immortalis.* Le mot d'abord écrit *immortaliteit,* puis (v. 1220) *immortalité,* désigne d'abord l'état d'une chose, d'une personne immortelle ou considérée comme telle, d'où spécialement *l'immortalité de l'âme* (av. 1662, Pascal). Au figuré, il désigne (1532, Rabelais) la qualité de ce qui survit longtemps dans la mémoire des hommes, d'où la formule donnée par Richelieu à l'Académie française, *À l'immortalité* (cf. ci-dessus, *immortel*). ◇ Au début du XXᵉ s., par extension du premier sens, *immortalité* se dit d'une durée dont on ne voit pas le terme.

IMMUABLE → MUER

IMMUNITÉ n. f. est un emprunt (1341 ; dès 1276, selon Bloch et Wartburg) au latin *immunitas* «exemption, dispense, remise», dérivé de *immunis* «dispensé de toute charge, d'impôt», formé de *im-* privatif (→ in-) et de *munus* «charge» (→ commun, municipal, munificence), le pluriel *munera* signifiant «fonctions officielles» et «cadeau que l'on fait» ; *munus* se rattache à une racine indoeuropéenne °*mei-* «changer», «échanger».

♦ *Immunité* est introduit en français avec le sens latin, «exemption», en parlant de charges, d'impôts ; à l'époque franque, l'immunité est une des institutions qui annoncent la féodalité. L'idée de «franchise» explique que le mot ait eu en moyen français le sens de «droit d'asile» (1367). ◇ *Immunité,* toujours avec l'idée de «franchise», devient ensuite (1890) un terme de droit constitutionnel *(immunité parlementaire)* et international *(immunité diplomatique).* ◇ Le mot a été repris au XIXᵉ s. en biologie (1865, Littré et Robin) pour désigner la propriété que possède un organisme d'être réfractaire à certains agents pathogènes, par exemple *immunité acquise* (1867).

▸ De ce sens vient **IMMUNITAIRE** adj. (mil. XXᵉ s.), sur le modèle *communauté/communautaire,* et la formation d'une série de mots, ainsi que le sens nouveau de *immun* (ci-dessous). ◆ **IMMUNISER** v. tr. est en effet un dérivé savant (1894, au participe passé, A. Calmette) du latin *immunis.* Formé en relation avec le nom *immunité**, ce verbe a le sens de «rendre réfractaire aux agents pathogènes» ; il s'emploie figurément pour «protéger». ◇ Sur le verbe ont été formés **IMMUNISATION** n. f. (1894, A. Calmette), **IMMUNISANT, ANTE** adj. et n. m. (1895) et **IMMUNISINE** n. f. (1933) avec le suffixe *-ine.*

Le latin *immunis* avait été emprunté sous la forme **IMMUN, UNE** adj. et n. m., qui a eu en droit ancien (1431) le sens latin de «non soumis à (une obligation)», «exempt (d'impôts)» et a signifié aussi en moyen français «indemne» (v. 1480). ◆ La même forme, en biologie (1916), correspond à un emprunt de sens à l'anglais *immune* (1881), de même origine que le français, sous l'influence d'*immunité ;* l'adjectif qualifie un organisme immunisé ou une substance immunisante.

IMMUNO-, premier élément tiré du latin *immunis* et du radical d'*immunité,* a servi à former de nombreux mots en biologie et en médecine, surtout avec le développement des études portant sur les réactions immunitaires. ◆ **IMMUNOGÈNE** adj. (1906) ; **IMMUNOLOGIE** n. f. (1924), dont dérivent **IMMUNOLOGIQUE** adj. (1928) et **IMMUNOLOGISTE** n. (mil. XXᵉ s.). ◆ **IMMUNOTHÉRAPIE** n. f. (1938) ; **IMMUNOTRANSFUSION** n. f. (écrit *immuno-transfusion* en 1927) ; **IMMUNOGÉNÉTIQUE** n. f. (mil. XXᵉ s.) ; **IMMUNOSUPPRESSION** n. f. (mil. XXᵉ s.) ; **IMMUNOGLOBULINE** n. f. (v. 1958) ou **IMMUNOGLOBINE** n. f. ; **IMMUNOCHIMIE** n. f. (1959) ; **IMMUNODÉPRESSEUR** adj. et n. m. (1967), du radical du latin *depressus* «abaissé» (→ dépresseur ; sida), synonyme de **IMMUNOSUPPRESSEUR** n. m. (1967).

IMMUTABLE adj. est un emprunt (1410) au latin *immutabilis* «qui ne change pas», formé de *im-* privatif (→ ① in-) et de *mutabilis,* dérivé de *mutare* «changer» (→ muer, muter).

♦ Le mot, qui a repris le sens du latin, reste inusité jusqu'au XIXᵉ s. et demeure rare.

▸ **IMMUTABILITÉ** n. f., emprunt au dérivé latin *immutabilitas,* est d'usage didactique ou littéraire (1470), ou employé comme terme de droit (1804).

IMPACT n. m. est un emprunt tardif (1824) au latin *impactum,* supin de *impingere* «frapper contre», «jeter contre», dérivé de *pangere* «enfoncer», qui se rattache à une racine indoeuropéenne °*pag-,* °*pak-* «enfoncer, fixer», comme *pax* (→ paix), *pala* (→ pelle), *pagus* (→ pays).

♦ *Impact* a le sens de «heurt, collision», surtout dans ***point d'impact*** «endroit où un projectile vient frapper» ; par extension, le mot désigne la trace laissée par un projectile. ◇ Par figure, *impact* s'emploie couramment (v. 1955) pour «effet d'une action brutale», «retentissement» et, par affaiblissement de sens, pour «influence (d'une personnalité)».

IMPAIR → PAIR

IMPARFAIT → PARFAIRE

IMPARI- est un premier élément, tiré du latin *impar, imparis,* qui entre dans la composition de quelques termes didactiques.

▸ **IMPARISYLLABE** (1784, adj. ; 1840, n. m.) de *syllabe** ou **IMPARISYLLABIQUE** (1812, adj. ; 1882, n. m.) de *syllabique** se dit, en grammaire grecque et latine, d'un adjectif ou d'un nom qui n'a pas le même nombre de syllabes aux cas obliques du singulier qu'au nominatif. ◆ **IMPARINERVÉ, ÉE** adj. (1838), de *ner[vure],* et **IMPARIPENNÉ, ÉE** adj. (1838), de *penné,* sont des termes de botanique.

IMPARTIR v. tr. est un emprunt (1374) au bas latin *impartire, impartiri* «faire part de», altération du latin classique *impertire, impertiri* «partager, accorder, consacrer», sans doute sous l'influence de *partire, partiri* «diviser en parts» (→ part). L'italien *impartire* et l'espagnol *impartir* viennent aussi du verbe latin, lequel se rattache à une racine indoeuropéenne °*per-* «procurer».

♦ *Impartir* signifie dès les premiers emplois «donner en partage», mais n'est usité aujourd'hui qu'à l'infinitif, au présent de l'indicatif et au participe passé ; le verbe signifie en droit (1800) «accorder, fixer» *(impartir un délai)*.

▸ Le dérivé **IMPARTITION** n. f., relevé au XVIe s. au sens d'«action d'accorder (une grâce)» (1580), a été reformé au XXe s. pour désigner, dans la gestion des entreprises, la sous-traitance partielle.

IMPASSE → **PASSER**

IMPASSIBLE → **PASSIBLE**

IMPATIENT → **PATIENT**

IMPATRONISER v. tr. a été formé (1552) par préfixation en *in-* (→ ② in-) à partir du latin *patronus* «protecteur des plébéiens», «ancien maître d'un esclave affranchi», «défenseur en justice» (→ patron) ; l'italien *impatronare* provient du même mot latin.

♦ Le verbe, d'abord pronominal *(s'impatroniser de...)*, a signifié «se rendre maître (d'une ville, d'un pays)». Il s'emploie ensuite (1613, Régnier) au sens de «s'établir comme chez soi» *(s'impatroniser à, dans, en)*. ◇ Employé transitivement, il s'est dit (1828-1829) pour «introduire, établir (qqn) en maître», d'où «imposer (qqch.) avec autorité», plus courant au pronominal.

▸ Le nom d'action **IMPATRONISATION** n. f., attesté isolément (1611) et repris au XIXe s. (1842, Balzac), est demeuré rare.

IMPAVIDE adj. est un emprunt tardif (1801, S. Mercier) au latin *impavidus* «inaccessible à la peur, calme», de *im-* négatif (→ ① in-) et de *pavidus* «craintif, effrayé», dérivé de *pavere* «redouter», lui-même de *pavor* (→ peur).

♦ L'adjectif conserve le sens du latin ; il est d'emploi littéraire.

▸ Il en va de même pour ses dérivés **IMPAVIDITÉ** n. f. (1884, Péladan) et **IMPAVIDEMENT** adv. (1886, L. Bloy).

IMPEACHMENT n. m. est un emprunt (1778) à l'anglais *impeachment* «obstacle», «dommage» (1432), qui a pris un sens constitutionnel en 1680. Le mot est dérivé de *to impeach* «empêcher», de même origine que *empêcher**.

♦ *Impeachment*, mot institutionnel anglais, désigne la procédure de mise en accusation d'un élu devant la Chambre des lords (en Grande-Bretagne) ou le Sénat (aux États-Unis). La francisation par *empêchement* entraînerait une incertitude quant au sens et l'on conserve *impeachment* dans la terminologie du droit international et en parlant des institutions.

IMPECCABLE adj. est un emprunt (1478) au latin impérial *impeccabilis* «incapable de faute» et, chez les auteurs chrétiens, «incapable de péché», formé de *im-* négatif (→ ① in-) et d'un dérivé de *peccare* «faire un faux pas», d'où «commettre une faute, une erreur» (→ pécher) ; on trouve aussi le simple *peccable* «capable de pécher».

♦ *Impeccable* est introduit comme terme de théologie, reprenant le sens du latin chrétien. L'adjectif s'applique à partir du XVIIe s., dans un contexte profane, à une personne qui ne commet aucune erreur (1668, Racine), sens devenu archaïque. ◇ Il s'emploie ensuite par extension pour «sans défaut» en parlant de choses (1856, Baudelaire), «d'une tenue parfaite» en parlant de personnes (1926, Giraudoux). En français moderne, il est utilisé comme simple mélioratif, équivalent de «remarquable», abrégé alors en **IMPEC** adj. inv. (mil. XXe s.), mais qui n'a plus à la fin du XXe s. la vogue qu'il a eue, d'autres mélioratifs l'ayant remplacé.

▸ L'adjectif a fourni les dérivés **IMPECCABILITÉ** n. f., terme de théologie (1578), didactique ou littéraire pour parler de ce qui est parfaitement exécuté (1865, de l'expression), de ce qui a un aspect impeccable (1921, Aragon), et **IMPECCABLEMENT** adv. d'usage courant (1769).

IMPÉCUNIEUX → **PÉCUNIEUX**

IMPÉDANCE n. f. représente un emprunt (1892) à l'anglais *impedance* (1886), terme d'électricité créé par Heaviside à partir de *to impede* «empêcher, retenir». Le verbe anglais est un emprunt au latin *impedire* «entraver», «empêcher de marcher», de la même famille que *pes, pedis* (→ pied).

♦ Le mot désigne, dans un circuit parcouru par un courant alternatif, la grandeur qui mesure le quotient de la tension par l'intensité.

▸ Le mot a fourni le composé d'usage technique **IMPÉDANCEMÈTRE** n. m. (1952).

IMPEDIMENTA n. m. pl. est un emprunt récent (1876) au latin *impedimentum* «empêchement à qqch.», employé spécialement au pluriel *impedimenta* pour «bagages d'une armée en campagne» (qui embarrassent la marche). C'est un dérivé de *impedire* «entraver», «empêcher de marcher», verbe de la famille de *pes, pedis* (→ pied). ◇ La forme *impedimentum* a été employée au figuré (1859, Goncourt) pour «handicap entravant l'activité» ; la forme francisée *empediment* se trouve en ancien français (v. 980) au sens de «tourment, embarras» ; *impédiment* pour «empêchement» est relevé comme latinisme par l'Académie en 1840.

♦ *Impedimenta* désignait comme en latin les équipements d'une armée en campagne. Le mot s'emploie encore au figuré, depuis le début du XXe s. (1907), pour désigner ce qui entrave l'activité, le mouvement.

IMPÉNITENT → **PÉNITENT**

IMPÉRATIF, IVE n. m. et adj. représente un emprunt (v. 1245) au bas latin *imperativus* «qui a été ordonné», employé comme terme de grammaire (IVe-Ve s.), et «qui commande» (VIe s.), de *imperatum*, supin de *imperare*. Ce verbe signifie à l'origine «prendre les mesures pour que qqch. se fasse», «forcer à se produire» puis, dès le latin classique, «commander en maître»; le verbe est composé de *im-* (→ ② in-) et de *parare* «faire des préparatifs», qui se rattache à une racine indoeuropéenne °*per-* «procurer».

♦ *Impératif*, terme de grammaire (v. 1245, n. m.), désigne le mode du verbe qui exprime le commandement, la défense, le souhait; il est aussi adjectif (1607). ◇ L'adjectif s'applique ensuite (1486) à ce qui exprime ou impose un ordre puis, par extension (1690), à ce qui est empreint d'autorité. Des spécialisations dans le domaine du droit (1718, *loi impérative*) et de la politique (1789, *mandat impératif*) apparaissent au XVIIIe siècle. ◇ *Impératif*, nom masculin, est introduit en philosophie avec le sens particulier de «proposition ayant la forme d'un commandement», par traduction de Kant (1801, ***impératif catégorique***). Par analogie, le nom signifie (XIXe s.) «prescription d'ordre moral» d'où, par extension (1924, Montherlant), «ce qui s'impose»; il est alors le plus souvent employé au pluriel. L'emploi adjectif *(il est impératif de...)* semble contemporain des emplois récents du nom.

▸ *Impératif* adjectif a servi à former **IMPÉRATIVEMENT** adv. (1584) et **IMPÉRATIVITÉ** n. f. (1928), d'emploi rare.

IMPÉRATRICE n. f. est un emprunt du moyen français (1482) au latin classique *imperatrix, -icis* «celle qui commande» et «épouse de l'empereur», féminin de *imperator*, qui a abouti à *empereur**, lui-même dérivé de *imperium* (→ empire). *Impératrice* s'est substitué à la forme issue du latin par évolution phonétique *empereriz* (v. 1175) ou *emperiere* (v. 1460, Villon).

♦ *Impératrice* s'est employé au XVe s. (1482) comme adjectif pour *impériale*. Le nom féminin est attesté en 1527 pour désigner l'épouse d'un empereur. ◇ *Impératrice-mère*, nom féminin (1810, Mme de Staël), est un titre créé sous le premier Empire napoléonien et *impératrice-régente*, nom féminin (1870), fut le titre donné à l'impératrice Eugénie quand elle devint régente sous le second Empire, en août 1870. ◇ *Impératrice* se dit aussi (1766, Voltaire) de la souveraine d'un empire. Le nom entre dans des locutions : ***à l'impératrice*** «avec les caractéristiques propres à une impératrice» s'est employée en parlant de préparations culinaires, par référence à la richesse des ingrédients (cf. *à l'impériale*); ***prendre des airs d'impératrice*** (1853) «des airs supérieurs» vient probablement de l'influence de *impérieux**.

▸ **IMPERATOR** n. m. est un mot emprunté au latin au XVIe s. (1559). Le moyen français avait francisé *imperator* en *imperateur*, signifiant «empereur» (1471) puis «chef d'armée» (1521). ◇ *Imperator*, terme d'histoire, désigne un titre décerné à un général victorieux de la République romaine et un des titres que prirent les empereurs.

IMPÉRATOIRE adj. est un emprunt (av. 1453) au dérivé latin *imperatorius* «relatif à l'empereur, au chef». Le mot, introduit avec ce sens, est aussi un terme de religion signifiant «qui a une valeur absolue». ◆ **IMPÉRATOIRE** n. f., terme de botanique, est une substantivation de l'adjectif (XVIe s.) qui correspond au latin scientifique *imperatoria* (1623); le nom de cette plante de la famille des ombellifères s'explique par les propriétés médicinales de sa racine.

IMPERCEPTIBLE → PERCEPTION

IMPERFECTIBLE → PERFECTION

IMPÉRIAL, ALE, AUX adj. et n. est un emprunt du XIIe s. (v. 1176), aussi écrit *imperïaus* (v. 1165) et *emperial* (XIIe s.), au bas latin *imperialis* «de l'empereur», dérivé du latin classique *imperium* «ordre, commandement» (→ empire).

♦ *Impérial* s'applique d'abord à ce qui est d'une qualité supérieure, digne d'un empereur, par exemple en parlant d'une étoffe richement décorée (v. 1165); en ce sens l'adjectif entre dans les dénominations de certains objets, d'animaux ou de plantes : *papyrus impérial, japon impérial, serge impériale* ou *impériale*, n. f., *prune impériale*, etc. ◇ *Impérial* est également attesté dès le XIIe s. (v. 1176) au sens propre pour qualifier ce qui appartient ou est propre à un empereur, à un empire, d'où l'emploi comme terme d'histoire dans ***les impériaux*** pour désigner les partisans ou les soldats d'un empereur (XIIIe s., *emperiaux*) et, spécialement (1552), les troupes de l'empereur d'Allemagne, ainsi appelées jusqu'en 1806, et dans ***villes impériales*** «villes libres d'Allemagne» (1531). ***Latin impérial*** désigne le latin parlé dans l'Empire romain. ◆ **IMPÉRIALE**, n. f. (1545), dénommait un jeu de cartes dans lequel la série as, roi, dame, valet (dite *série impériale*) est gagnante. ◇ Par analogie de forme avec la couronne des empereurs, *lit à l'impériale* (1566), puis **IMPÉRIALE** n. f. (1589), se dit d'un dais surmontant le ciel d'un lit à colonnes; le mot désigne ensuite (1648) le dessus d'une voiture, à l'origine en forme de dôme, pouvant recevoir des voyageurs et est un terme d'architecture (1671). ◇ ***À l'impériale***, locution adjectivée, signifie «à la manière d'un empereur» et s'emploie dans ***barbe à l'impériale*** (1817), dite aussi **IMPÉRIALE** n. f. (1830, Balzac), «touffe de poils que l'on laisse pousser sous la lèvre inférieure» à la mode en particulier sous le règne de l'empereur Napoléon III; le mot remplace *royale*.

▸ De l'adjectif procède **IMPÉRIALEMENT** adv., d'emploi rare (1508; v. 1208, *emperialment*). ◆ **IMPÉRIALISTE** n. et adj. a d'abord désigné (1525) un partisan d'un empereur, spécialement en parlant des partisans de l'empereur d'Allemagne, puis (1823) de ceux de Napoléon Ier; en ce sens le mot est un terme d'histoire assez rare. ◇ **IMPÉRIALISME** n. m. désigne dans ses premiers emplois (1832) la tendance favorable au régime impérial instauré par Napoléon Ier, par opposition à *royalisme* et à *républicanisme*. ◆ Les valeurs modernes de ces deux mots proviennent d'une évolution de sens propre à l'anglais, où *imperialism* (1878) a pris le sens de «politique d'expansion coloniale dans le cadre de l'Empire britannique», d'après le sens spécial des mots anglais *imperial* et *empire*. *Imperialist* a pris le sens correspondant vers la fin du XIXe s., l'adjectif français *impérialiste* étant attesté dans ce sens en 1893 et le nom, pour «partisan de l'impérialisme colonial», en 1901. *Impérialisme,* d'abord appliqué à l'Empire britannique (*l'impérialisme anglais,* Barrès, 1900), fut écrit en français *imperialism* (1880). Comme en anglais, le mot se dit de la politique d'un État qui vise à mettre d'autres États sous sa dépendance, notamment par la colonisation (cf. *colonisation*) ; par métonymie, le mot désigne la doctrine des partisans de cette politique. Le mot, appliqué en anglais à la politique de Disraeli, n'a pris une valeur péjorative qu'à partir de sa prise en charge par le vocabulaire marxiste-léniniste au début du XXe s. où l'impérialisme est considéré comme le «stade suprême du capitalisme» (Lénine). Par figure, *impérialisme* signifie (v. 1954) «domination morale, intellectuelle, psychique».

▶ Liés aux emplois politiques d'*impérialisme* et *impérialiste,* les préfixés **ANTI-IMPÉRIALISME** n. m. (XXe s.) et **ANTI-IMPÉRIALISTE** adj. et n. (fin XIXe s. ; mais le mot s'était employé avant 1870 pour «hostile au régime impérial de Napoléon III») sont moins courants que leurs homologues formés sur *colonialisme, iste.*

IMPÉRIEUX, EUSE adj. est un emprunt (av. 1435) au latin *imperiosus* «qui commande», dérivé de *imperium* (→ empire), qui désignait le pouvoir souverain (du père sur ses enfants, du maître sur les esclaves), d'où dans la langue politique le sens de «commandement» et en particulier de «pouvoir suprême qu'avaient certains magistrats romains».

♦ *Impérieux* est introduit avec le sens de «qui force à céder», en parlant de choses. Il reprend (1544, M. Scève) le sens latin, aujourd'hui vieilli, de «qui commande», s'appliquant aux personnes. *Impérieux* s'applique (v. 1570), dans un style soutenu, à ce qui marque le commandement.

▶ Le dérivé **IMPÉRIEUSEMENT** adv. (1512) et **IMPÉRIOSITÉ** n. f., dérivé savant de *imperiosus* (v. 1584, Brantôme), sont rares. ◆ Le mot latin **IMPERIUM** a été repris en français (1841, Mérimée) ; terme didactique, il conserve en histoire romaine le sens latin.

IMPÉRITIE n. f. est un emprunt (v. 1490, *impericie*) au latin *imperitia* «manque de connaissance», «inexpérience», dérivé de *imperitus* «inexpérimenté, inhabile». L'adjectif est formé de *in-* négatif et de *peritus,* adj., «qui sait par expérience», «adroit» ; *peritus* est le participe passé d'un ancien verbe latin non attesté, °*periri* (→ expérience) que l'on rattache à une racine indoeuropéenne °*per-* «aller de l'avant» ; il est en rapport avec le grec *peira* «épreuve» et *empeiros* «expérimenté», d'où *empeirikos* (→ empirique). Le moyen français employait la forme francisée *impérice* (1395), et *imperit* «ignorant» (1498), emprunt à *imperitus.*

♦ *Impéritie,* mot didactique ou littéraire, a conservé le sens latin de «manque d'habileté», d'où «incapacité», notamment dans l'exercice d'une profession.

◈ voir EMPIRIQUE, EXPÉRIENCE.

IMPERMÉABLE → PERMÉABLE

IMPERSONNEL → PERSONNE

IMPERTURBABLE → PERTURBER

IMPÉTIGO n. m. est un emprunt (v. 1240) au latin *impetigo, impetiginis* «éruption cutanée, dartre», de *impetere* «se jeter sur, attaquer», formé de *im-* (→ ② in-) et de *petere* «chercher à atteindre», qui se rattache à une racine indoeuropéenne °*pete-* «s'élancer vers», peut-être apparentée à °*pet-*, °*ped-* «tomber» (→ pire) ou à °*pot-* «pouvoir*».

♦ *Impétigo,* terme de médecine, désigne comme en latin une maladie de peau. ◇ On relève les formes francisées *impetige, impetigine* (v. 1560), la seconde employée archaïquement par Huysmans (1903, *L'Oblat*).

▶ **IMPÉTIGINEUX, EUSE** adj. (1812) et n. (attesté milieu XXe s.) est un emprunt au dérivé bas latin *impetiginosus ;* c'est un terme de médecine comme **IMPÉTIGINISATION** n. f., dérivé savant du latin (mil. XXe s.).

IMPÉTRER v. tr., réfection (1268) de l'ancienne forme *empetrer* (v. 1155, «réclamer»), est un emprunt, d'abord adapté avec le préfixe français *en-*, au latin *impetrare* «obtenir», formé de *im-* (→ ② in-) et de *patrare* «prononcer un serment en tant que *pater patratus*» (titre du chef des «féciaux» ; → patricien) ; le verbe est dérivé de *pater* (→ père).

♦ Terme de droit aujourd'hui rare, *impétrer* signifie (1268) «obtenir (qqch.) de l'autorité compétente, à la suite d'une requête». Dans un emploi religieux (fin XVe s.), le verbe équivaut à «obtenir de Dieu».

▶ **IMPÉTRATION** n. f., emprunt (1345) au dérivé latin juridique *impetratio* «action d'obtenir», est didactique et rare. ◆ **IMPÉTRANT, ANTE** n. (fin XIVe s.) succède à *empetrant* (1350) et désigne en droit une personne qui obtient qqch. et, spécialement (1834), une personne qui a obtenu un diplôme. ◆ **IMPÉTRABLE** adj., ancien terme de droit signifiant «qu'on peut obtenir» (1400), est dérivé du verbe ou emprunté au latin classique *impetrabilis.*

IMPÉTUEUX, EUSE adj. est un emprunt ancien (v. 1223) au bas latin *impetuosus* «violent», dérivé du latin classique *impetus* «élan, attaque», de *impes,* de même sens. Ce dernier mot est formé de *im-* (→ ② in-) et d'un dérivé de *petere* «chercher à atteindre», qui se rattache à une racine indoeuropéenne °*pete-* «s'élancer vers», peut-être apparentée à °*pet-*, °*ped-* «tomber» (→ pire) ou à °*pot-* «pouvoir*» (→ impétigo). *Impetus* avait abouti à *ente* (XIIe s., *estre a ente* «pénible»).

♦ *Impétueux,* d'emploi littéraire, signifie depuis l'ancien français «violent et rapide» ; il ne s'emploie aujourd'hui qu'en parlant d'éléments naturels ou de personnes.

▶ Le dérivé **IMPÉTUEUSEMENT** adv. (1370-1372, Oresme) est lui aussi littéraire, comme **IMPÉTUOSITÉ** n. f., emprunté (v. 1223) au dérivé bas latin *impetuositas* «caractère de ce qui est impétueux», dont il a conservé le sens. ◆ **IMPETUS** n. m., terme scientifique employé au XVIe s. au sens d'«élan moteur», appartient aujourd'hui à l'histoire des sciences.

IMPIE adj. et n. a été emprunté (XVIe s.; XVe s., d'après Bloch et Wartburg; on trouve le dérivé *impieux* en 1482) au latin *impius* «qui manque aux devoirs de piété, sacrilège», dérivé par préfixation *im-* (→ ① in-) de *pius* (→ pieux).

♦ *Impie*, adjectif, se dit d'abord des personnes, puis (1636) des choses qui n'ont pas de religion ou offensent la religion. L'adjectif est moins usité que le nom (av. 1636), qui a été employé au XVIe s. (1544, M. Scève) au sens de «personne sans pitié», disparu en français classique. ◇ L'adjectif s'est appliqué par extension (1606) à ce qui contrevient aux valeurs reçues dans une société.

▶ **IMPIÉTÉ** n. f. est un emprunt (v. 1120) au dérivé latin *impietas* «manquement aux devoirs envers les dieux, les parents, etc.». ◆ Le mot est attesté au XIIe s. au sens de «caractère de ce qui est impie», mais il est rare avant le XVIe s., où il prend (v. 1562) le sens de «mépris pour les choses de la religion». Lié à *impie*, *impiété* a eu le sens de «manque de pitié» (1544, M. Scève) et, par extension, de «mépris pour ce que tout le monde respecte» (1606).

IMPITOYABLE → PITIÉ

IMPLACABLE adj. est un emprunt (1456) au latin *implacabilis* «qui ne peut être apaisé», formé de *im-* négatif (→ ① in-) et de *placabilis*, dérivé de *placare* «tâcher de faire agréer, apaiser, adoucir», de la famille de *placere* «plaire» (→ plaisir).

♦ *Implacable* signifie d'abord «dont on ne peut apaiser la fureur, la violence». Par extension, l'adjectif signifie (XVIIe s.) «sans pitié, sans humanité» et s'applique à ce que rien ne peut arrêter ou modifier (av. 1664, *destin implacable*).

▶ Le dérivé **IMPLACABLEMENT** adv. (1546) est littéraire, comme **IMPLACABILITÉ** n. f. (1743), plus rare.

IMPLANTER v. tr. est un emprunt (1539) au latin médiéval *implantare* ou, selon Bloch et Wartburg, une adaptation de l'italien *impiantare*, de *implantare*, formé de *im-* (→ ① in-) et du latin classique *plantare* (→ planter).

♦ *S'implanter* signifie d'abord en anatomie (1539) «se fixer sur»; le verbe transitif est rare au sens général (1611) de «fixer, insérer» et signifie couramment «introduire et faire se développer d'une manière durable dans (un nouveau milieu)». ◇ *Implanter* prend en médecine (1719) le sens d'«introduire (une substance) dans l'organisme pour en modifier le caractère»; le sens moderne de «pratiquer l'implantation de (un élément thérapeutique)» date du milieu du XXe siècle. ◇ *S'implanter (chez qqn)* «s'y incruster» (1864) est familier, le pronominal s'employant aussi au sens de «s'établir solidement» (1873) en parlant d'une idée, d'une mode, etc.

▶ **IMPLANTATION** n. f. (1555, en anatomie) «action d'implanter, de s'implanter» ne s'est étendu dans d'autres domaines qu'au XXe s. (architecture, économie, commerce). Le mot désigne en médecine (1904) l'introduction sous la peau d'un implant (en chirurgie dentaire, apr. 1960). ◆ **IMPLANTATEUR, TRICE** adj. et n. (1901, Claudel, repris au milieu du XXe s.) est rare au sens de «(personne) qui implante (qqch.)», comme **IMPLANTEUR, EUSE** adj. et n. (1938, Claudel, repris au milieu du XXe s.). ◇ **IMPLANTEUSE** n. f. désigne une professionnelle qui insère des éléments fins, comme des cheveux, sur une surface, travail dénommé **IMPLANTÉ** n. m. (1911). ◆ **IMPLANT** n. m. (1932) se dit en médecine d'une substance (fragment de tissu, prothèse, etc.) qu'on introduit sous la peau ou dans un autre tissu en vue d'un effet thérapeutique; le mot s'emploie spécialement (apr. 1960) en chirurgie dentaire. ◆ **IMPLANTABLE** adj. est attesté au milieu du XXe siècle. ◆ Le préfixé **RÉIMPLANTER** v. tr. s'emploie en chirurgie (1879) comme **RÉIMPLANTATION** n. f. (1879).

IMPLEXE adj. représente un emprunt savant (1669, Corneille) au latin *implexus*, participe passé de *implexer* «entremêler, enlacer dans, mêler à», formé de *im-* (→ ① in-) et de *plectere* «entrelacer, tresser».

♦ *Implexe* s'est appliqué jusqu'à la fin du XIXe s. à une pièce, un ouvrage dont l'intrigue est compliquée. Le mot s'emploie quelquefois en philosophie (XXe s.) au sens de «qui ne peut se réduire à un seul schème», en parlant d'un concept. ◇ *Implexe*, nom masculin, est fréquent chez Valéry pour désigner un ensemble complexe résultant de la combinaison d'éléments hétérogènes.

IMPLICITE adj. et n. m. est un emprunt (1488) au latin *implicitus* «enveloppé», d'où «sous-entendu», une des formes du participe passé du verbe *implicare* (→ impliquer).

♦ Le mot apparaît en premier lieu dans un contexte religieux, *foy implicite* désignant la foi sans connaissance parfaite de la doctrine. ◇ Il est attesté ensuite aux sens de «compliqué» (1549), «obscur» (1671), qui ont disparu, puis s'applique (1690, Furetière) à ce qui, sans être formellement exprimé, est virtuellement contenu (dans un fait, une proposition); de ce sens aujourd'hui seul vivant viennent des emplois spécialisés en philosophie, en logique, en linguistique. Le mot s'oppose à *explicite*.

▶ Le dérivé **IMPLICITEMENT** adv. a signifié (1488) «en combinant avec d'autres actions», puis, lié au sens de l'adjectif, «sans faire appel au raisonnement», en matière de religion (1541, Calvin) et «d'une manière embrouillée» (1596). Le sens moderne est attesté en 1690 (Furetière).

IMPLIQUER v. tr. est un emprunt (1377, Oresme) au latin *implicare* «plier dans, entortiller, emmêler», utilisé en droit et en logique; le verbe est formé de *im-* (→ ② in-) et de *plicare* «plier, replier» (→ plier), lié à *plectere*, *plexus* «tresser, enlacer». *Implicare* a abouti en français à *employer**. La variante *empliquer* (1477) est obtenue par substitution du préfixe français *en-* à forme fatine *in-*.

♦ Le verbe s'emploie d'abord dans le syntagme *impliquer contradiction* «être contradictoire» (1377); en emploi absolu (1381, isolément; puis 1641, Descartes), *impliquer* est sorti d'usage. ◇ *Impliquer* est attesté au XIVe s. au sens d'«engluer, embarrasser», notamment au participe passé *impliqué* «embarrassé» (1477) et au pronominal *se implicquer* «s'embarrasser» (1482). ◇ De cet emploi disparu vient le sens d'«entraîner (qqn) dans une affaire fâcheuse» (1596), d'où en droit (1611) «mettre en cause par une accusation» et dans l'usage courant «engager (qqn, qqch.) dans une action». ◆ Du premier emploi vient le sens de «comporter de façon implicite, entraîner comme conséquence» (1803, Chateaubriand) puis en logique (1904) «constituer une implication».

► **IMPLICATION** n. f. est un emprunt (v. 1447) au latin *implicatio* «enchaînement», «entrelacement», «embarras», dérivé de *implicatum*, supin de *implicare*. ◆ Le nom s'est dit pour «fait d'être embrouillé», puis s'emploie en droit (1611). Il a eu en logique le sens de «contradiction» (1718; 1636, *implication de contredits* «confusion résultant de déclarations contradictoires»), puis désigne une relation logique où une assertion en suppose obligatoirement une autre (1904). ◇ Par extension, *implication* désigne couramment ce qui est impliqué par qqch., mais non exprimé; au pluriel (mil. XXe s.), *implications* équivaut à «conséquences».

◈ voir IMPLICITE.

IMPLORER

IMPLORER v. tr. est un emprunt (1280) au latin *implorare* «demander avec des larmes», «invoquer», composé de *im-* (→ ② in-) et de *plorare* «pleurer*».

♦ Le verbe signifie «demander (une faveur, une aide) avec insistance» (1380, *pour sa grace implorer*); il s'emploie ensuite (1549) au sens de «supplier d'une manière humble et touchante».

► Le verbe a fourni les dérivés **IMPLORATION** n. f. (1549; 1317, *imploracion*), peut-être emprunté au dérivé latin *imploratio*, **IMPLORATEUR, TRICE** n. et adj. (1530, *imploreur;* chez Rousseau, 1770), **IMPLORABLE** adj. (1557), rare, et **IMPLORANT, ANTE** adj. (av. 1763), littéraire.

IMPLOSION

IMPLOSION n. f. est une formation savante (1897, abbé Rousselot) à partir de *explosion**, par substitution du préfixe *im-* (→ ② in-), à *ex-**; l'anglais *implosion*, de formation identique, est attesté en 1877 en phonétique.

♦ Le mot désigne d'abord la première phase de l'émission d'une consonne occlusive (par ex. [p, b]). ◆ Il est repris en physique (v. 1960) aux sens de «explosion ou série d'explosions dirigées vers l'intérieur», «irruption d'un fluide dans une enceinte dont la pression est beaucoup plus faible que la pression extérieure» *(implosion d'un tube de télévision)*. ◇ Par analogie, *implosion* désigne en astronomie (v. 1962) l'effondrement d'une masse gazeuse, quand les pressions internes sont insuffisantes pour équilibrer les pressions externes.

► **IMPLOSIF, IVE** adj. et n. f., formé sur *explosif**, est d'abord un terme de phonétique (1888; anglais *implosive*, 1877) et s'applique aussi (v. 1960) à ce qui est relatif à une implosion. ◆ **IMPLOSER** v. intr., formé (v. 1960) sur *exploser**, signifie «faire implosion».

IMPLUVIUM

IMPLUVIUM n. m. est emprunté (1837) au latin *impluvium* qui dérive du verbe impersonnel *impluere* «pleuvoir dans», formé de *im-* (→ ② in-) et de *pluere* «pleuvoir*».

♦ Le mot désigne, dans l'Antiquité romaine, un bassin creusé au milieu de l'atrium des maisons pour recueillir les eaux de pluie.

IMPOLI → POLIR

① IMPORTABLE → ① IMPORTER

② IMPORTABLE → ② IMPORTER

③ IMPORTABLE → PORTER

✳ ① IMPORTER

① IMPORTER v. intr. et tr. ind., attesté chez Rabelais (1536) au sens de «nécessiter, comporter», représente sans doute une réfection, d'après l'italien *importare* ou d'après le latin, de l'ancien français *emporter* «comporter, avoir pour conséquence» (1283), sens encore relevé au XVIe siècle. L'italien *importare* «comporter, impliquer, entraîner» (fin XIIIe-déb. XIVe s., Dante), puis «nécessiter, réclamer» (déb. XIVe s.), emprunte le latin classique *importare* «porter dans», d'où «causer», «entraîner». Ce verbe est composé de *im-* (→ ② in-) et de *portare* (→ porter). Le verbe italien signifiait aussi «concerner, présenter de l'intérêt» (XVe s.); de ce sens viennent les valeurs de *importanza* et *importance.*

♦ Seul ce sens propre à l'italien «avoir de l'importance, concerner», lié à *importance,* subsiste en français où il est attesté en 1543; *importer à (qqn, qqch.)* est relevé en 1552, l'emploi absolu en 1587. ◇ ***Qu'importe que,*** suivi de l'indicatif, apparaît chez Montaigne (1595); on relève ensuite ***il importe de,*** suivi d'un infinitif (1611), *il importe que,* suivi d'un subjonctif (1636), *il n'importe* et ***n'importe*** (XVIIe s.). *N'importe* fait partie de locutions pronominales indéfinies (mil. XVIIIe s.), comme ***n'importe qui, quoi, lequel,*** de locutions adjectivées, comme ***n'importe quel, quelle*** (1782, Rousseau), et adverbiales ***(n'importe comment, où, quand).***

► Le dérivé ① **IMPORTABLE** adj. «qui a de l'importance» (1509) est sorti d'usage.

IMPORTANCE n. f. est sans doute un emprunt (1440-1475) à l'italien *importanza* «fait d'être important» (fin XIVe-déb. XVe s.), «autorité, influence, prestige» (1re moitié XVe s.), dérivé de *importare* (ci-dessus). ◆ *Importance* a d'abord désigné un événement remarquable, un accident (sens disparu) et s'est employé pour «autorité, influence d'une personne», que lui confèrent ses responsabilités, ses talents, etc. ◇ Le nom se dit ensuite (fin XVe s.) du caractère de ce qui a de grandes conséquences et de la valeur que l'on attribue à une chose. Au XVIIe s., la locution adverbiale ***d'importance,*** très fréquente, signifie «beaucoup, fortement» (1636); aujourd'hui littéraire, elle n'est plus employée avec un adverbe de quantité *(assez, trop)* ni avec une négation. *Importance* «autorité» est employé péjorativement au XVIIe s. (1659, Molière *faire l'homme d'importance*); de là vient (1772) le sens de «suffisance, arrogance», aujourd'hui vieilli (cf. important).

IMPORTANT, ANTE adj. et n. (1476, selon Bloch et Wartburg; puis 1528) est lui aussi un emprunt à l'italien *importante* «qui a de l'importance» et, spécialement, «de l'intérêt stratégique, politique» (attesté au XVe s., au superlatif *importantissimo*); c'est le participe présent adjectivé de *importare*. ◆ L'adjectif français s'applique d'abord à ce qui importe, qui a un grand intérêt, des conséquences notables, d'un point de vue qualitatif ou quantitatif. Il s'emploie également depuis la fin du XVIe s. en parlant de personnes, péjorativement comme nom au XVIIe s., dans ***faire l'important*** (1651; 1630, *faire de l'important*) et comme adjectif (XVIIIe s.). ◇ **L'IMPORTANT** n. m. «ce qui importe» est attesté chez Beaumarchais (1792).

② **IMPORTER** v. tr., attesté au XIVe s. (1369 en Normandie, puis en 1382), est un emprunt au latin *importare* «porter dans» (→ ① porter) et employé comme terme de commerce.

♦ *Importer* s'emploie d'abord pour «apporter (de l'argent) dans une entreprise commerciale», remplacé en ce sens par *investir*. Il reprend ensuite le sens du latin, «transporter dans un pays (des produits en provenance d'autres pays)» (1396); on trouve aussi au XVIe s. *emporter* dans cet emploi. ◇ Le verbe devient courant à partir du XVIIe s. (1669, Colbert) avec le développement des échanges commerciaux et l'influence de l'anglais *to import* (1548, dans ce sens; 1508, «introduire une chose venue de l'extérieur»), lui-même emprunté au moyen français. Il s'oppose alors à *exporter*. ◇ Par extension, *importer* signifie «introduire dans un pays (une espèce animale) pour l'y acclimater» (1755); le verbe s'emploie ensuite au figuré (1801) en parlant d'idées, de mœurs, de mots, etc.

► Le verbe a fourni deux dérivés. **IMPORTATEUR, TRICE** n. et adj., employé au propre (1756-1758) et au figuré (déb. XIXe s.). *Importeur* (1764) au sens propre ne s'est pas imposé. ◆ ② **IMPORTABLE** adj. est quasi contemporain (1802) du composé **RÉIMPORTER** v. tr. (1792) dont dérive **RÉIMPORTATION** n. f. (1835).

IMPORTATION n. f. est un emprunt (1734) à l'anglais *importation* «action d'importer» (1601) et «marchandise importée» (1664), dérivé de *to import*. *Importation*, introduit en même temps que *exportation**, a eu une évolution sémantique parallèle à celle du verbe *importer*; terme de commerce (1734), il s'emploie au figuré (1770, Voltaire, *l'importation des idées*) et désigne ce qui est importé (1770, Raynal); le mot reste d'emploi technique au XVIIIe siècle.

IMPORT-EXPORT n. m., anglicisme, provient d'un syntagme attesté chez J. Laforgue (1885, *import et export*); le nom est composé des mots anglais *import* (1690, «ce qui est importé»; 1797, «action d'importer») et *export* (1690, «ce qui est exporté»; 1804, «action d'exporter»). ◆ **IMPORT** n. m., attesté chez Claudel en 1907, représente un nouvel emprunt à l'anglais *import* au sens particulier de «contenu, signification d'un mot, d'un texte»; ce mot est didactique.

IMPORTUN, UNE adj. et n. m. est un emprunt (1327) au latin *importunus*, proprement «inabordable» et au figuré «incommode, désagréable», formé de *im-* (→ ① in-) et d'un dérivé de *portus* «ouverture, passage», d'où «entrée d'un port» et «port, refuge» (→ port).

♦ L'adjectif a d'abord qualifié une demande, une supplication pressante, puis il s'est appliqué (v. 1450) à une personne dont la conduite n'est pas en accord avec le rang. ◇ Par extension, *importun* signifie «qui poursuit d'une manière continue, répétée», d'où «qui ennuie par une présence ou une conduite hors de propos», en parlant d'une personne (1540) ou d'une chose (1558). L'adjectif est d'emploi littéraire, seul le nom est courant; *être importun à soi-même* «être pour soi-même une cause d'embarras» (XVIIe s.) est sorti d'usage.

► Le dérivé **IMPORTUNÉMENT** adv., «de manière importune», est littéraire et rare (1527). Ce dérivé existait déjà en ancien français (XIIIe s.) au sens de «subitement»; isolément le mot a aussi signifié «d'une manière pressante» (1400-1450). ◆ **IMPORTUNER** v. tr. (1456-1467), peut-être pris au latin médiéval *importunare* (1220), signifie «ennuyer par ses assiduités, gêner par une présence ou un comportement lassant»; le verbe est d'emploi littéraire; *s'importuner* «être contrarié» (1637, Malherbe) est sorti d'usage. ◆ **IMPORTUNITÉ** n. f. est emprunté (1326) au dérivé latin classique *importunitas* «difficulté d'accès d'un lieu» et par figure «caractère désagréable d'une personne», puis en latin médiéval «sollicitation pressante» (v. 1000). ◇ Le mot est introduit avec le sens du latin médiéval qui a vieilli (*une, des importunités*). Il désigne ensuite (1572) le caractère de ce qui est importun puis (v. 1600) une chose importune.

✳ **IMPOSER** v. tr. est une réfection (1302), par latinisation du préfixe, de la forme *emposer* (1119), francisation d'après *poser*; le verbe est emprunté au latin *imponere* «placer sur» et «établir sur», «donner (à qqn) la charge de (qqch.)», «rendre obligatoire (un tribut, une loi)» et «abuser (qqn)». *Imponere* est formé de *im-* (→ ② in-) et de *ponere* «poser, déposer» (→ pondre), issu de °*po-sinere; sinere, situs* signifiait à l'origine «laisser, placer», puis à l'époque classique «permettre» (→ situer).

♦ L'ensemble des sens du latin a été repris en français. *Emposer* signifiait «donner (un nom) à» puis au XIIe s. (av. 1150) «placer sur». Dans son premier emploi attesté (1302), *imposer* signifie «attribuer faussement (qqch. à qqn)» (cf. *imputer*), acception disparue mais encore courante à l'époque classique. De là vient ensuite le sens de «faire croire une chose fausse» (1536; 1596, «tromper»), vieilli aujourd'hui, mais courant au XVIIe s. où *imposer* en emploi absolu équivalait à *mentir* (→ imposteur). ◇ Au XIVe s., se développe le sens général de «contraindre»; le verbe se dit pour «prescrire à qqn (une action, une attitude difficile, désagréable)», sens devenu courant (1342, *imposer silence*). ◇ Il s'emploie aussi pour «faire payer autoritairement» (→ impôt), spécialement «assujettir à l'impôt» (1332, *impouser à qqn* «soumettre à un impôt»; puis 1422, *imposer qqn*); il est sorti d'usage pour «frapper (qqn) d'une peine» (1370-1372) mais s'est étendu aux choses avec sa valeur fiscale, pour «percevoir une taxe sur» (1690, Furetière). ◇ Le sens de «mettre sur» apparaît dans *imposer un nom* (à une chose, etc.), qui reprend le sémantisme initial, «la désigner par un nom spécial» (1499), puis dans l'emploi général (1530), encore attesté chez Furetière en 1690 et encore vivant dans le vocabulaire liturgique (1541, Calvin; *imposer les mains,* dans certains sacrements). ◇ Le verbe signifie aussi (XVIe s.) «faire une forte impression, commander le respect, l'admiration», dans la construction (1538) *imposer à qqn,* remplacée par ***en imposer à*** *qqn* (1735). À ce sens correspond le dérivé *imposant* (ci-dessous). ◇ ***S'imposer*** au sens moderne de «se faire admettre, reconnaître» est attesté depuis Guizot (1828). L'idée de contrainte se retrouve dans l'emploi pronominal *s'imposer qqch.* (1552) «s'en faire une obligation», dans l'acception «faire accepter par une contrainte morale» (1564) puis, au XVIIe s., «faire accepter (qqn) par force, autorité, etc.» (1664). ◇ Le verbe s'emploie en imprimerie par spécialisation du sens de «mettre sur» : *imposer une feuille* (1690), c'est grouper les pages de composition.

▸ La famille du mot est importante. ◆ **IMPOSEUR** n. m. s'est employé (1340) au sens de «celui qui règle la répartition de l'impôt»; le mot désigne aujourd'hui (1802) l'ouvrier imprimeur qui *impose* la feuille. ◆ Le dérivé **IMPOSABLE** adj., «qui peut être soumis à l'impôt», est relevé en 1454. ◆ **IMPOSANT, ANTE** adj., tiré du participe présent, ne retient qu'une valeur du verbe; il signifie, en parlant d'une personne ou de son comportement, etc., «qui fait une forte impression, inspire le respect» (1715, Lesage, *air imposant*), puis prend le sens de «qui impressionne par la quantité, l'importance» (1732, *faste imposant*) et, par extension, équivaut à «important» (1825). *Imposant* se dit aussi d'une personnalité de forte corpulence, qui *en impose* par sa taille (1855). ◆ *Imposer* a fourni deux verbes préfixés. **RÉIMPOSER** v. tr. (1549), terme technique aujourd'hui spécialisé en imprimerie, dont dérive **RÉIMPOSITION** n. f. (1683); **SURIMPOSER** v. tr. «frapper d'un impôt supplémentaire» (1674), vieilli au sens de «placer par-dessus» (1766); en dérive **SURIMPOSITION** n. f. (1611).

IMPOSITION n. f. est emprunté au latin *impositio* «action de mettre sur», «application», dérivé de *impositum,* supin de *imponere.* ◆ Le nom a suivi une évolution sémantique parallèle à celle d'*imposer,* mais ses emplois sont plus restreints. Il est d'abord attesté au sens de «charge financière» (v. 1228, *imposicion;* fin XIVe s., au pluriel; 1538, «action d'imposer»); il a vieilli comme terme technique synonyme d'*impôt* (1288). ◇ Il désigne ensuite l'action de donner un nom (fin XVIe s.; 1317, en parlant de l'action d'imposer un sceau), valeur qui subsiste de nos jours en parlant des mains (1535; calque du latin *impositio manuum*). ◇ *Imposition* entre également dans le vocabulaire de l'imprimerie (1690). ◇ Aux sens d'«action de contraindre» (1694) et d'«injonction» (av. 1755), il est sorti d'usage.

◈ voir IMPOSTE, IMPOSTEUR, IMPÔT.

IMPOSTE n. f. est emprunté (1545) à l'italien *imposta,* féminin substantivé de *imposto* «placé sur», participe passé du verbe *imporre* «mettre sur», du latin *imponere* «mettre sur» (→ imposer). *Imposta* désigne (v. 1465) une tablette saillante posée sur un pilier de nef, puis (av. 1574) la partie supérieure d'une baie de porte ou de fenêtre.

♦ *Imposte* a repris les sens de l'italien, en architecture (1545) et au XIXe s. en menuiserie (1828).

IMPOSTEUR n. m. représente un emprunt (1542, Rabelais) au latin impérial *impostor, -oris* «trompeur», dérivé du latin classique *imponere* au sens d'«abuser (qqn)» (→ imposer). On trouve aussi chez Rabelais la forme francisée *emposteur* (1532).

♦ Le nom désigne d'abord une personne qui abuse de la crédulité d'autrui par des discours mensongers; il s'est dit dans la langue classique pour «calomniateur» et désigne (1669) celui qui cherche à en imposer par de fausses apparences. Ces emplois correspondent à ceux du verbe *imposer* et sont comme eux sortis d'usage. ◇ En revanche, l'acception contemporaine (1668) «personne qui usurpe un nom, une qualité qui ne lui appartient pas» est restée vivante.

▸ **IMPOSTURE** n. f. a été emprunté une première fois au XIIe s. (1174-1176), sous la forme adaptée *emposture,* au latin impérial *impostura* «tromperie», dérivé de *imponere.* ◇ *Imposture* est à nouveau emprunté au XVIe s. (1534, Rabelais) et désigne l'action, le fait de tromper (par des discours mensongers), sens qui correspond aux emplois d'*imposteur* et du verbe *imposer;* ce sens a vieilli. Le nom a désigné au XVIIe s. une imputation mensongère, une calomnie (1643) et une fausse apparence, une illusion. Il reste littéraire aux sens de «tromperie d'une personne qui se fait passer pour ce qu'elle n'est pas» (1670) et d'«apparence trompeuse».

IMPÔT n. m. est un emprunt adapté (1399, *impost*) au latin *impositum* «ce qui est imposé», neutre de *impositus,* participe passé de *imponere* (→ imposer). Il a été francisé comme *dépôt.*

♦ Le nom désigne tout d'abord le prélèvement que l'État opère sur les ressources des particuliers; sous l'Ancien Régime, ce prélèvement était en nature (corvée, dîme) ou pécuniaire (aide, capitation, gabelle, taille). Le mot s'applique ensuite (1767) à l'ensemble de ces redevances; on distingue au XVIIIe s. les *impôts indirects* (1768) des *impôts directs* (appelés *Droits réunis* sous l'Empire). Ces derniers seuls sont appelés *impôts* dans la langue courante. ◇ Par figure, *impôt* s'emploie (1817-1823, Lamennais) pour «contribution, obligation»; ***l'impôt du sang*** désignant (1842, Balzac) l'obligation du service militaire. ◇ Par métonymie, le mot s'emploie au pluriel (XIXe s.) pour désigner l'administration chargée de déterminer et de recouvrer les prélèvements; il est alors synonyme de *fisc.*

IMPOTENT, ENTE adj. et n. est un emprunt (1319) au latin classique *impotens* «impuissant, incapable, faible», formé de *im-* (→ ① in-) et de *potens, potentis* «puissant», «maître», qui servait de participe présent à *posse* «pouvoir». *Potens* a servi de base à la création du latin populaire °*potere* (→ pouvoir), qui a remplacé *posse;* le mot se rattache à un thème indoeuropéen °*poti-*, qui désignait le chef d'un groupe social (famille, clan, tribu).

♦ *Impotent* s'applique d'abord à une personne qui ne peut se mouvoir ou ne se meut qu'avec difficulté, substantivé tardivement (1798); par extension, il s'emploie (1835) en parlant d'un membre *(jambe impotente).*

► **IMPOTENCE** n. f., emprunté (1269-1278) au dérivé latin *impotentia* «impuissance, faiblesse», désigne l'état d'une personne impotente et s'emploie spécialement en médecine (*impotence fonctionnelle,* 1894).

IMPRÉCATION n. f. est un emprunt savant (v. 1355, *imprecacion*) au latin *imprecatio,* «prière par laquelle on vouait qqn aux dieux de l'Enfer» puis «bénédiction» (Ier s.), dérivé de *imprecari* «prier pour obtenir (un bien ou un mal pour un ennemi)». Ce verbe est formé de *im-* (→ ② in-) et de *precari* (→ prier), dérivé de *prex, precis* «prière».

♦ Le nom perdant sa valeur positive, vivante en moyen français (1374) où *imprécation* désignait le fait d'appeler la bénédiction de Dieu sur soi-même, a conservé le sens de «malédiction» dans le contexte de l'Antiquité (v. 1355). Par analogie, *imprécation* désigne (1564) un souhait de malheur (contre qqn); par référence à cette valeur, le mot s'emploie en histoire littéraire à propos des malédictions proférées par un personnage dans une tragédie (1680).

► *Imprécation* a fourni les dérivés **IMPRÉCATOIRE** adj. (fin XVIe s.), littéraire, et **IMPRÉCATEUR, TRICE** n. (1664), mot très rare, repris dans le titre d'un roman de R. V. Pilhes (1974), où il faisait figure de néologisme.

IMPRÉGNER v. tr. est la réfection (1500), d'après le latin, de *empreignier* (1121-1134) ou *empreigner* (1130-1140), pour éviter la confusion avec certaines formes de *empreindre.* Le verbe sous ses deux formes est issu du bas latin *impraegnare* «féconder», formé de *im-* (→ ② in-) et de *praegnans, -antis* «qui est près de produire», «enceinte» — emprunté par l'anglais *pregnant* —, «gros, gonflé». C'est un composé de *prae* «avant» et de *gnasci,* forme archaïque de *nasci* (→ naître).

♦ Le verbe a signifié comme intransitif «être fécondée, devenir enceinte» (1121-1124) et comme transitif «rendre enceinte, féconder» (1130-1140); il s'est employé au figuré en ancien français (XIIIe s.) pour «remplir (qqn d'un sentiment)». ◇ Par confusion avec certaines formes du verbe *empreindre,* qui en retour est attesté au sens d'«engrosser» (1530), *imprégner* prend au début du XVIIe s. (1620) le sens de «pénétrer (un corps) dans toutes ses parties», en parlant d'une matière quelconque (1671), puis d'un liquide (1762), seul emploi moderne, en concurrence avec *imbiber* en ce sens. Au figuré (1740-1755, Saint-Simon), le verbe signifie «pénétrer, influencer profondément».

► Du verbe dérivent **IMPRÉGNABLE** adj. (1803), rare, et **IMPRÉGNANT, ANTE** adj. (XXe s.). ◆ **IMPRÉGNATION** n. f. est emprunté (fin XIVe s., *impregnacion*) au dérivé latin *impraegnatio* «action de concevoir», dérivé de *impraegnare,* ou est un dérivé savant du verbe latin. ◇ Ce nom a eu une évolution sémantique parallèle à celle du verbe; il s'est employé (fin XIVe s.) pour «fécondation» jusqu'au XVIIIe s., par exemple chez Buffon; puis il a désigné (1690, Furetière) la pénétration d'une substance dans une autre et la pénétration d'un fluide dans un corps quelconque (1765). Au XIXe s., le mot s'emploie au figuré (1858, Michelet). La valeur en biologie (1858) pour «influence héréditaire» vient du premier sens et n'est plus vivante qu'en histoire des sciences. ◇ Du sens propre viennent des emplois spéciaux en technique (1859, *imprégnation des bois*), en biologie (1923) où *imprégnation* désigne une méthode de coloration des cellules, en pathologie (1928) où le mot se dit de la pénétration d'un agent nocif dans l'organisme (1933, *imprégnation alcoolique*); *imprégnation* est également devenu un terme d'éthologie.

IMPRESARIO n. est un emprunt (1753, Grimm) à l'italien *impresario* «entrepreneur» (1644-1683) et spécialement «organisateur de spectacles» (déb. XVIIIe s.). Ce nom est dérivé de *impresa* «entreprise» (d'où en moyen français *imprese,* 1578), féminin substantivé de *impreso,* participe passé de *imprendere* «entreprendre», issu du latin populaire °*imprehendere,* composé du latin classique *prehendere* (→ prendre). On trouve aussi la graphie francisée *imprésario* qui semble récente (1949).

♦ Le mot a désigné le directeur d'une troupe théâtrale; il désigne aujourd'hui (1867, Taine) une personne qui s'occupe de la vie professionnelle d'un artiste, d'un groupe artistique.

✱ **IMPRESSION** n. f. est un emprunt (mil. XIIIe s.) au latin *impressio* «action d'appuyer», «irruption, choc, attaque», «pression» et, au figuré, «effet qu'une cause produit dans l'esprit». Le nom est dérivé de *impressum,* supin de *imprimere* (→ imprimer).

♦ En ancien français, *impression* s'emploie concrètement pour désigner la marque laissée par un corps pressé sur une surface, l'action de presser (mil. XIIIe s.) et, abstraitement, l'effet qu'une cause extérieure produit dans l'esprit de qqn (1269-1278); ce sens aujourd'hui courant sera repris au XVIIe s. après une période où il n'est plus représenté. Un autre sens figuré, «acte de contrainte» (1359), est sorti d'usage. ◇ Dans la dernière partie du XVe s. le mot s'introduit dans le vocabulaire de l'imprimerie naissante (voir l'histoire du verbe *imprimer**, dont il est alors le substantif); *impression* désigne l'action d'imprimer un livre (1475; cf. *imprimerie*), le résultat de l'opération (1497) puis équivaut à «production des livres» (1500), sens sorti d'usage et remplacé par *édition.* ◇ Par extension, le mot se dit d'un procédé de reproduction par pression d'une surface sur une autre, qui en garde la marque (1570, en parlant de la frappe de la monnaie), cette marque se nommant *empreinte**. À la fin du XVIe s., *impression* est employé chez Montaigne (1588) au sens aujourd'hui disparu d'«action d'un corps sur un autre». Le mot s'utilise ensuite en peinture (1636)

pour désigner l'enduit mis sur une toile, avant que le peintre y exécute son œuvre.
C'est en 1630 qu'est repris le sens abstrait psychologique, utilisé alors dans la locution ***faire impression*** (1639, Rotrou), sens qui se développe à l'époque classique. *Impression* s'est dit aussi (1647, Corneille) de l'action qu'exerce sur qqn un objet, un sentiment; ***donner l'impression, une impression*** est vieillie au sens de «transmettre à qqn sa façon de juger (une personne ou qqch.)» (1656, Pascal), la locution ayant pris les sens de «faire l'effet de» et de «donner le sentiment, l'illusion (de qqch. dont on éveille l'idée)». *Impression* au milieu du XVIIe s. désigne aussi une forme de connaissance élémentaire, immédiate et vague, que l'on a de qqn ou de qqch., sens aujourd'hui usuel, et qui se retrouve dans plusieurs locutions : ***faire bonne (mauvaise) impression (à, sur qqn)*** [1669]. ◇ Le mot désigne également (1678, La Fontaine) l'action d'un agent extérieur qui atteint un organe sensoriel et y provoque une modification; cet emploi est aujourd'hui un archaïsme littéraire, *impression* se disant en psychologie de l'ensemble des états physiologiques qui provoque l'apparition d'une sensation. La locution ***avoir l'impression de*** (suivie de l'infinitif), attestée chez Goncourt (1856), signifie «avoir la sensation, le sentiment de».
Dans le domaine technique et au sens concret, *impression* s'applique depuis le XVIIIe s. (1723) à la technique par laquelle on imprime les étoffes et les tissus; ce sens procède de celui qu'a pris *imprimer** à la fin du XVIe siècle. Puis, par analogie avec les autres techniques de reproduction, le mot désigne au début du XXe s., d'après le verbe *impressionner*, le processus de formation d'une image photographique sur une surface sensible. ◇ Enfin, *impression*, comme *imprimer*, s'applique (apr. 1962) au produit d'une imprimante d'ordinateur.

▶ Le dérivé **IMPRESSIONNER** v. tr. est attesté au XVIIIe s. au sens d'«affecter (qqn) d'une vive impression» (1741, *impressionner tous les cœurs ;* 1762, *impressionner qqn*). ◇ Le verbe est ensuite employé en physiologie (1812, Mme de Staël), puis en photographie (1859, *impressionner une plaque photographique*). ➙ *Impressionner* a plusieurs dérivés. **IMPRESSIONNABLE** adj. signifie (1780) «susceptible de recevoir de vives impressions» et «facilement impressionné», sens le plus courant; l'adjectif est vieilli comme terme de photographie (1857) où l'on emploie *sensible ;* en dérive le terme didactique **IMPRESSIONNABILITÉ** n. f. (1809; 1857, en photographie). ➙ **IMPRESSIONNANT, ANTE** adj. s'applique à ce qui produit une impression vive et forte (av. 1801, Restif de La Bretonne) et, par extension, à ce qui est très remarquable, considérable (1896, J. Renard); ce sens, critiqué par les puristes mais admis par Littré et l'Académie (1935), est aujourd'hui usuel. ➙ **IMPRESSIONNISTE** n. et adj. est un mot créé par le critique Louis Leroy dans un article du *Charivari* du 25 avril 1874, «L'exposition des impressionnistes»; il est forgé par dérision d'après le titre d'un tableau de Monet, *Impression : soleil levant,* mais a vite perdu sa valeur péjorative; *impressionniste* se dit des peintres qui, présentant leurs œuvres dans des expositions communes entre 1874 et 1886, avaient le projet d'exprimer les impressions que les objets et la lumière suscitent dans la conscience. On est passé de cette caractéristique de la représentation à des traits communs de la technique (emploi des couleurs pures juxtaposées, importance de la lumière, refus du sujet anecdotique, etc.). Par analogie, dans un emploi didactique ou littéraire, le mot se dit au XXe s. d'un écrivain, d'un musicien proche du groupe des impressionnistes. ◇ Enfin, l'adjectif s'emploie de façon dépréciative (XXe s.) pour «qui ne se fonde que sur l'impression» (cf. *subjectif*). ➙ **IMPRESSIONNISME** n. m., dérivé d'*impression* d'après *impressionniste,* s'emploie en peinture (1874), puis par analogie (1885) dans d'autres arts, et de façon dépréciative sur le plan intellectuel (1923). Au sens initial, un souvenir transmis par témoignage oral (A. Proust, *Souvenirs,* in *Revue blanche,* 1927 [D. D. L.]) fait remonter le mot à 1858, ce qui en enlèverait la paternité, sinon la mise en usage, à Louis Leroy.

➙ À partir d'*impression* ont été formés **RÉIMPRESSION** n. f., qui désigne (1630) l'action de réimprimer et, par métonymie, un livre réimprimé par le même éditeur et sans changement typographique (à la différence de *réédition*). ➙ **SURIMPRESSION** n. f. (1908), terme de photographie et de cinéma, qui entre dans la locution figurée ***en surimpression*** «perçu en même temps qu'autre chose»; en dérive le terme technique **SURIMPRESSIONNER** v. tr. (1925) «montrer par surimpression».
IMPRESSIBLE adj. a été emprunté (1832, Balzac) à l'anglais *impressible* «impressionnable» (XVIIe s.), dérivé de *to impress* «empreindre, impressionner», formé sur *impressum* (cf. ci-dessus). L'adjectif, qui qualifie une personne qui se laisse émouvoir par une impression, a été éliminé par *impressionnable.* Son dérivé **IMPRESSIBILITÉ** n. f. (1858, Littré et Robin), peut-être d'après l'anglais *impressibility* (1715), didactique, est lui aussi sorti d'usage. ➙ **IMPRESSIF, IVE** adj. est un emprunt (1817, Mme de Staël) à l'anglais *impressive,* d'abord synonyme de *impressible,* puis employé pour «susceptible de faire une impression» (XVIIIe s.), dérivé de *to impress* «empreindre, impressionner». ◇ Le mot est sorti d'usage dans ses deux emplois; il a été éliminé par *impressionnant* et par *impressionnable.* ◇ Son dérivé **IMPRESSIVEMENT** adv. (1836, Barbey d'Aurevilly) a disparu avec lui et **IMPRESSIVITÉ** n. f. (1946, Mounier) semble inusité.

✳ **IMPRIMER** v. tr. est la réfection d'après le latin (v. 1355, Bersuire) de la forme adaptée *emprimer* (1270), emprunt au latin *imprimere* «appuyer sur», «faire (une figure) en pressant», «laisser une empreinte», formé de *im-* (→ ② in-) et de *premere* «presser», «exercer une pression sur». *Imprimere* a abouti par évolution phonétique à *empreindre**.

♦ *Imprimer* a conservé en ancien français le sens général de «presser sur». Le verbe s'est employé pour «inspirer, transmettre (un sentiment)» (v. 1355), d'où à l'époque classique *imprimer qqn* «l'impressionner» (1553). C'est aujourd'hui un archaïsme, alors que *impression* continue à avoir cette valeur. ➙ Le verbe est utilisé ensuite (1476) pour «reproduire (les caractères d'une écriture, des signes graphiques) par la technique de caractères encrés», sens devenu le plus courant, et contemporain de l'emploi général (1487) pour «faire, laisser (une marque, une empreinte) par pression», d'où *imprimer la main sur la joue de qqn* (1636). ◇ Par extension, le verbe signifie «faire paraître sous forme d'ouvrage imprimé» et, employé absolument, «faire imprimer des œuvres» (1666), puis équivaut à *publier* comme intransitif (1718) et transitif (1721), par exemple *imprimer un auteur.* Comme *impression,* le verbe s'applique (apr. 1962) au produit d'une *imprimante* (ci-dessous). ◇ Dans le domaine abstrait où il continue l'emploi du XIVᵉ s. mais possède une valeur métaphorique par rapport à l'acception technique, *imprimer* signifie (1530, *emprimer qqn de qqch.*) «graver dans l'esprit, le cœur» comme *imprégner,* puis «donner, imposer une marque, un caractère à» (1580, Montaigne), en particulier à un ouvrage (1730). ◇ Par extension de l'emploi technique, le verbe s'emploie pour «reproduire des dessins, des couleurs sur une étoffe» (1599), puis en peinture où il signifie (1622) «préparer le fond du tableau avec certaines couleurs», ainsi que dans un sens général «reproduire (une figure, une image) par l'application et la pression d'une surface sur une autre» (1636). ◇ Le verbe, par extension du sens abstrait de «communiquer, donner», signifie aussi (1660-1666, Bossuet, *imprimer un mouvement*) «transmettre (un mouvement)», emploi condamné par Littré, mais courant en sciences.

▸ Le développement de l'imprimerie explique le nombre et l'importance des dérivés d'*imprimer.* ➜ **IMPRIMEUR** n. m. et adj. (1478, *impremeur;* 1485, sous la forme moderne) désigne le propriétaire, le directeur d'une imprimerie; le mot, anciennement employé pour «ouvrier qui travaille à la presse» (1498), se dit aussi (1793) pour «ouvrier travaillant dans une imprimerie», mais cette acception est plus courante pour l'adjectif (*ouvrier, apprenti imprimeur,* ce dernier dès 1571). ➜ **IMPRIMEUSE** n. f., attesté au sens de «femme possédant une imprimerie» (1651) et de «femme imprimeur», sens parfois repris aujourd'hui, désigne surtout (1872) une machine qui sert à imprimer artisanalement (distingué de *presse*). ➜ **IMPRIMERIE** n. f. est relevé vers 1500 pour désigner l'ensemble des techniques permettant la reproduction d'un texte par impression; par métonymie, le mot se dit de l'établissement où l'on imprime (1523), du matériel servant à l'impression (1566), puis des ouvriers du livre (1823). ◇ Comme *imprimeur, imprimerie* tend à se spécialiser avec l'évolution des techniques; d'abord confondue avec l'édition, et parfois avec la librairie, l'imprimerie s'en est complètement distinguée et se détache au XXᵉ s. de la composition (en amont) comme de la reliure (en aval). En outre, on distingue les petits travaux «de ville» de l'impression des livres, journaux, périodiques et autres imprimés (le *labeur*). ➜ **IMPRIMÉ, ÉE** adj. et n. m. désigne (1532, Marot) un ouvrage imprimé, spécialement par opposition à *manuscrit* (1689, Mᵐᵉ de Sévigné); le mot s'est employé pour «petite brochure» (1611); à partir du XIXᵉ s., il désigne les caractères imprimés (1856) et s'emploie au sens (1873) de «feuille imprimée», «formulaire» *(remplir un imprimé).* ➜ **IMPRIMABLE** adj., «qui mérite d'être imprimé» (1583), a pour contraire **INIMPRIMABLE** adj. (1845), rare. ➜ **IMPRIMANT, ANTE** adj. (XXᵉ s.), «qui imprime», a fourni **IMPRIMANTE** n. f. (v. 1962), terme désignant un dispositif qui imprime le produit de sortie d'un ordinateur. ➜ Du verbe viennent les préfixés **RÉIMPRIMER** v. tr. (1538, Marot) et **SURIMPRIMER** v. tr. (1951, Queneau) qui correspondent respectivement à *réimpression* (plus récent) et à *surimpression* (plus ancien et qui a suscité le verbe); (→ impression).

IMPRIMATUR n. m. est une forme latine (1844, Mérimée) signifiant «qu'il soit imprimé» et correspondant à la 3ᵉ personne du singulier du subjonctif présent passif du latin classique *imprimere* «imprimer». Le mot a été employé par Mérimée, par plaisanterie, comme formule pour donner son accord; c'est ensuite un terme didactique, surtout employé dans le domaine religieux, désignant (1866, Veuillot) l'autorisation d'imprimer accordée par l'autorité religieuse ou l'Université à un ouvrage soumis à son approbation.

◈ voir IMPRESSION.

IMPROBE → PROBATION

IMPROMPTU, UE n. m., adj. et adv. est un emprunt savant (1651) à la locution adverbiale latine *in promptu* «sous les yeux, sous la main», composée de *in* «dans» (→ ② in-) et de l'ablatif de *promptus* «qui est à la disposition de qqn» (→ prompt), mot formé sur *promptum,* supin de *promere* «tirer, faire sortir», «produire». *Promere* est issu de °*pro-(e)mere,* le simple *emere, emptus* signifiant à l'origine «prendre», puis en latin classique «prendre contre de l'argent, acheter».

♦ *Impromptu* est introduit pour désigner, aujourd'hui en histoire littéraire, une petite pièce poétique de circonstance, en principe non préparée, et une courte pièce de théâtre composée pour une occasion précise, ou traitant d'un sujet d'actualité (1663, Molière, *L'Impromptu de Versailles*). ◇ Au sens général de «ce qui se fait sans préparation», le mot, employé au XVIIᵉ s. (1669), est sorti d'usage. *Impromptu* adj. équivaut à «improvisé» (1673, Molière); la locution adverbiale ***à l'impromptu*** (av. 1755, Saint-Simon) est sortie d'usage et l'emploi adverbial (1768, Rousseau, *chanter impromptu*) est littéraire et rare. ➜ Le nom est repris en musique (av. 1849, Chopin) pour désigner une petite pièce instrumentale de forme libre, généralement composée pour le piano; il est sans doute alors emprunté à l'allemand *impromtu* (lui-même du français), qui a ce sens dès 1827. ◇ Enfin, *impromptu,* en psychologie de groupe (XXᵉ s.), équivaut à *happening.*

IMPROPRE → PROPRE

IMPROUVER v. tr. est un emprunt, adapté d'après *prouver* (1370-1372, Oresme), au latin *improbare* «désapprouver», «rejeter, réfuter», formé de *im-* (→ ① in-) et de *probare* qui a donné *prouver.*

♦ Le verbe a signifié «réfuter (une opinion)» (1370-1372), puis «contredire» (v. 1450), «blâmer, désapprouver» (1582); il est quasiment sorti d'usage.

▶ **IMPROBATION** n. f. a été emprunté (1458) au latin classique *improbatio* «désapprobation» puis «réfutation» en bas latin et en latin médiéval, dérivé du supin de *improbare*. ◇ Le mot, vieilli, est très littéraire, comme son dérivé **IMPROBATIF, IVE** adj. (1792-1793). ◆ **IMPROBATEUR, TRICE** n. et adj., emprunt au dérivé latin *improbator* «celui qui désapprouve», est sorti d'usage comme nom (av. 1654, Guez de Balzac) et est vieilli comme adjectif (1776, Holbach), remplacé par *désapprobateur*.

IMPROVISER v. tr. est un emprunt (1642) à l'italien *improvvisare*, dérivé de *improvviso* «qui arrive de manière imprévue», lui-même emprunté au latin *improvisus*. Ce dernier est formé de *im-* (→ ① in-) et de *provisus*, participe passé de *providere* «prévoir», de *pro-* et *videre* (→ voir).

♦ Le verbe, reprenant le sens de l'italien, signifie dans son premier emploi «chanter ou composer sans préparation», le complément désignant une création musicale et, par extension, langagière (1779). ◇ Par extension, *improviser* s'emploie (1829) pour «organiser sur-le-champ, à la hâte» puis, dans la construction *improviser qqn* (suivi d'un nom désignant une fonction), au sens de «pourvoir inopinément (qqn) d'une fonction à laquelle il n'est pas préparé» (1823, pron.).

▶ **IMPROVISADE** n. f., «œuvre d'improvisation» (1731, aussi *à l'improvisade*, loc. adv.), a été supplanté par *impromptu*. ◆ **IMPROVISATEUR, TRICE** n. et adj. est attesté (1765) sous la forme *improvisteur*, comme nom féminin et adjectif en 1776 (Cazotte) et au masculin en 1787; le mot dérive du verbe, d'après l'italien *improvvisatore, -trice* (attesté au XVIIIe s. av. 1729). ◆ Le nom d'action **IMPROVISATION** n. f. est relevé chez Mme de Staël (1807) désignant une œuvre improvisée et l'action, art d'improviser. Il s'emploie spécialement en musique (en jazz, milieu XXe s., *improvisation collective*) et a pris, dans son acception générale, la valeur péjorative du verbe.

◈ voir (À L')IMPROVISTE.

IMPROVISTE (À L') loc. adv. est emprunté à la Renaissance (1528) à l'italien *all'improvvista* «d'une manière inattendue, par surprise» (1476); la locution italienne est formée du féminin de *improvvisto* «imprévu» (→ improviser).

♦ *À l'improviste*, qui a conservé le sens de l'italien, a éliminé les anciens *a despourveu* (→ dépourvu) et *à l'impourveu(e)* (XVIe-XVIIe s.). ◇ *Improviste* s'est employé à l'époque classique comme adjectif (1575), qualifiant ce qui est improvisé.

IMPUDENT, ENTE adj. est emprunté (v. 1500) au latin *impudens* «effronté», formé de *im-* (→ ① in-) et de *pudens* «qui a de la pudeur», «modeste», participe présent de *pudere* (→ pudeur).

♦ L'adjectif, vieilli ou littéraire, s'applique à une personne sans retenue, effrontée (v. 1500; 1664, n.) ou à ce qui marque l'effronterie (XVIe s.).

▶ Le dérivé **IMPUDEMMENT** adv. (1461, *impudamment*) est assez usuel dans l'usage soutenu. ◆ **IMPUDENCE** n. f., emprunt (1539; 1511, selon Bloch et Wartburg) au latin *impudentia*, dérivé de *impudens*, est lui aussi un mot vieilli ou littéraire. Il désigne une effronterie audacieuse ou cynique et, plus rarement (1680, Richelet), une action, une parole impudente.

IMPUISSANCE → POUVOIR

IMPULSION n. f. est un emprunt savant (v. 1315) au latin classique *impulsio* «action de pousser», «incitation, excitation» et «choc, heurt». C'est un dérivé de *impellere* «heurter», «pousser vers», «inciter à», formé de *im-* (→ ② in-) et de *pellere, pulsum* «pousser» (avec l'idée accessoire de «frapper»), puis «chasser» et dans la langue militaire «repousser» (cf. *Pellonia* «déesse qui met l'ennemi en fuite»). *Pellere* se rattache à une racine indoeuropéenne °*pel-* «agiter», comme le grec *polemos* «guerre» (→ polémique).

♦ En français, le mot reprend d'abord le sens général du latin, «action de pousser» et «mouvement donné à qqch.», puis il désigne (1370-1372) la force qui pousse qqn à faire qqch. Cet emploi est aujourd'hui borné à des emplois restreints (*impulsion du désir, de la raison*, etc.). *Impulsion* passe au XVIIe s. dans le vocabulaire abstrait (1686) aux sens de «ce qui anime», «fait d'inciter»; en parlant d'une personne, il signifie (déb. XVIIIe s.) «tendance spontanée à l'action», d'où les emplois récents (XXe s.) en psychologie et en psychanalyse. ◇ Dans le domaine concret, *impulsion* désigne spécialement en sports (1830) la tension provoquée par un mouvement de bras, de jambes, utilisé pour déclencher un saut, un lancer, etc.; le mot s'emploie également en physique *(impulsions électriques)*, en mécanique, en biologie.

▶ Le dérivé **IMPULSIONNEL, ELLE** adj., terme didactique (XXe s.), s'emploie en physique, en électricité et en psychologie.

IMPULSIF, IVE adj. est un emprunt au bas latin *impulsivus* «qui donne une impulsion», dérivé de *impellere*. ◇ L'adjectif, sorti d'usage au sens du latin (XVe s.), sauf en physique (1829), s'applique à qqn qui agit sous l'impulsion de mouvements spontanés, irréfléchis (1876, adj., Goncourt). Il est substantivé (1866, *un impulsif*), spécialement en psychologie (XXe s.). ◆ *Impulsif* a servi à former **IMPULSIVEMENT** adv. (1881, dans une traduction de Darwin) et **IMPULSIVITÉ** n. f. (1907). ◆ **IMPULSER** v. tr. est un dérivé savant d'*impulsion* ou un emprunt au bas latin *impulsare* «pousser contre», formé de *im-* (→ ② in-) et de *pulsare* «pousser violemment». *Pulsare*, construit sur *pulsus* «choc» (→ pouls), s'est substitué à *pellere* comme étant plus expressif. ◇ Le participe passé **IMPULSÉ, ÉE** adj. (v. 1500) a le sens d'«incité, excité». ◇ Le verbe est ensuite attesté (1531) aux sens de «pousser vivement (un corps)» et d'«inciter (qqn) à» (1542). ◆ *Impulser*, sorti d'usage, a été repris après 1945 au sens de «donner une impulsion à», par emprunt à l'anglais *to impulse* (donné comme archaïque jusque vers 1930), de même origine que le verbe français.

➛ Un dérivé récent du verbe est **IMPULSEUR** n. m., «dispositif qui donne des impulsions» (1975). Un homonyme s'était employé pour «instigateur» au sens concret (1524) et moral (1549), par emprunt au latin classique *impulsor* (dérivé du supin de *impellere*).

IMPUTER v. tr., réfection (mil. XIVe s.) de *emputer* (2e moitié du XIIIe s.), forme semi-populaire, est emprunté au latin impérial *imputare* «porter en compte», «mettre en ligne de compte», «attribuer», formé de *im-* (→ ② in-) et de *putare*. Ce verbe, lié à l'adjectif *putus* «pur» (appliqué à l'argent) et sans étymologie connue, aurait le sens général de «nettoyer»; il se serait spécialisé dans des acceptions techniques, «émonder (les arbres)», «épurer (un compte)», d'où le sens de «compter, calculer».

♦ Le verbe français est d'abord attesté chez Rutebeuf au sens d'«attribuer (à qqn) une chose digne de blâme», *imputer à*, avec un nom sans article (1370-1372, Oresme, *imputer a mal*), signifiant «considérer (l'action que l'on impute) comme». Le verbe est ensuite employé (1541) en religion pour «attribuer à l'homme (les mérites de Jésus-Christ) et «tenir compte (d'une faute)». ◇ Au XVIe s. (1587, au figuré), il signifie «porter (qqch.) au compte de qqn, en déduction», d'où «porter en compte, appliquer à un compte déterminé» (1636). ◇ *Imputer* a signifié à l'époque classique (av. 1628, Corneille) «attribuer (qqch.) à qqn», sans idée de blâme ou même avec éloge. La plupart de ces acceptions ont vieilli ou sont littéraires *(imputer à...)* ou techniques (en finances).

▶ Le dérivé **IMPUTABLE** adj. signifie d'abord (1370-1372, Oresme) «qui peut ou doit être attribué»; il est repris comme terme de finances (1829) et de droit; il est alors didactique comme son dérivé **IMPUTABILITÉ** n. f., signifiant «responsabilité» (1759), puis employé en finances (1829) et en droit (1872). ➛ **IMPUTATION** n. f. a été emprunté au latin chrétien *imputatio* «compte, calcul», «action de mettre en compte» et «accusation», dérivé de *imputare*. ◇ Le nom a eu une évolution sémantique parallèle à celle d'*imputer* désignant d'abord l'action de mettre sur le compte de qqn (qqch. de blâmable) [2de moitié du XVe s.] et une accusation fondée ou non, c'est aussi un terme de religion (1541, Calvin), de finances (1690, Furetière) et de droit (1804).

IMPUTRESCIBLE → PUTRÉFIER

IN adj. inv. est un anglicisme introduit vers 1965; l'anglais *in*, adverbe et adjectif, de la préposition d'origine germanique apparentée au latin *in* (→ ② in), a pris au début du XIXe s. le sens de «de saison», en parlant de fruits, et «à la mode».

♦ Le mot s'est répandu en français avec ce dernier sens (cf. *dans le vent*). Il s'emploie ensuite dans *spectacle in* (v. 1972) pour désigner, dans un festival, une représentation officielle (opposé à *spectacle off*, présenté en marge). ◇ Dans le vocabulaire du cinéma, de la télévision *une voix in* est celle d'une personne visible sur l'écran (opposé à *voix off*).

① **IN-**, préfixe négatif issu du préfixe latin *in-*, a pour variantes *il-* (par assimilation de [n] à [l]), *im-* (devant *b* ou *p*, par nasalisation de la voyelle et labialisation de [n] à [m]), *ir-* (par assimilation de [n] à [r]). Le *in-* latin, qui existe aussi sous la forme *ne-*, se rattache à une négation °*ne-* que l'on retrouve dans la plupart des langues indoeuropéennes, par exemple en grec sous la forme vocalisée *a-* (→ a-; ne, ni, non, nul).

♦ En français, *in-* indique la négation, l'absence ou le contraire de qqch. Le préfixe, très vivant en latin, se retrouve dans les mots empruntés en *in-* ou *en-* (exemples : *enfant*, latin *infans*; *ingrat*, latin *ingratus*). Il est très productif en français en combinaison avec des adjectifs et des participes ainsi qu'avec des adjectifs en *-able* où il marque l'impossibilité (exemples : *indéchirable, indémaillable*). Cette combinaison, pratiquement sans limites, admet des mots de formation très libre, d'emploi restreint ou isolé (exemple *incueillissable*, Proust, 1920). ◇ L'emploi du préfixe sous la forme *in-* à la place des formes assimilées *il-* et *ir-* est devenu courant pour les formations nouvelles (exemples : *inracontable* et auparavant *inlassable*).

② **IN-**, préfixe, est tiré du latin *in* «dans, en, parmi, sur» qui appartient à la famille de l'indoeuropéen °*in* «dans». *In* a abouti en français à *en-*, d'où l'existence de couples comme *envahir/invasion*, la forme *in* correspondant à des emprunts savants. *In-* a pour variantes *il-*, *im-*, *ir-*, dans les mêmes conditions que ① in-*.

♦ Ce préfixe entre dans la formation de mots où il indique le mouvement vers l'intérieur ou la position intérieure, spatiale ou temporelle. Très vivant en latin, il apparaît en français dans de nombreux emprunts.

① **-IN, -INE,** suffixe formateur d'adjectifs, vient du latin *-inus (-ina, -inum)*. Il marque l'origine ou la provenance (exemple : *angevin*), la matière, la composition (exemple : *sanguin*), l'espèce (exemple : *bovin*; dans ce cas, l'adjectif est en concurrence avec *-idés*), le caractère (exemples : *enfantin, poupin*); ce suffixe a été assez peu productif.

② **-IN, -INE,** suffixe formateur de noms, vient de l'italien *-ino, -ina*; il est diminutif (exemples : *tambourin, bottine*) ou péjoratif (exemples : *cabotin, routine*).

③ **-IN, -INE,** suffixe scientifique (chimie, biologie), a pour origine des emprunts au latin scientifique en *-ina* (exemple : *résine*; 1250, *rasinne*, de *resina*). En chimie, le système de suffixation s'est construit à la fin du XVIIIe s. (exemple : *alumine*, 1782, Fourcroy, de *alun*; *albumine*, 1792, etc.).

♦ Ce suffixe très productif (en particulier dans des appellations commerciales) indique l'origine, la nature d'un produit, une propriété (exemples : *caféine, quinine*).

IN ABSTRACTO → ABSTRAIT

INADVERTANCE → ADVERSE

INANITÉ n. f. est un emprunt (1495) au latin *inanitas,* dérivé de *inanis* «vide», «vain», qui a probablement signifié à l'origine «dénué de souffle vital», issu d'une racine indoeuropéenne °*ane-* «souffle vital» (→ âme, animal).

♦ *Inanité* s'emploie d'abord au sens de «caractère de ce qui est vide, sans réalité», inusité, encore que repris par Mallarmé *(«aboli bibelot d'inanité sonore»).* ◇ Plus courant au figuré (1580, Montaigne), le mot désigne le caractère de ce qui est futile. ◇ En religion, il a désigné (1719) la durée de l'univers jusqu'à la loi de Moïse, c'est-à-dire une période dénuée du souffle divin.

▸ **INANE** adj., emprunt au latin *inanis,* est attesté (1505) au sens de «sans force»; l'adjectif, employé de nouveau au XIXe s. (1838, Barbey d'Aurevilly), s'applique à ce qui est sans intérêt, sans valeur; il est extrêmement rare.

◈ voir **INANITION.**

INANITION n. f. a été emprunté savamment (v. 1250) au bas latin *inanitio* «état de vide», formé sur *inanitum,* supin de *inanire* «vider», dérivé de *inanis* (→ inanité).

♦ *Inanition* s'emploie couramment pour désigner l'épuisement par défaut de nourriture *(mourir d'inanition).* Il s'est dit de l'action de réduire à rien (1564). ◇ Il est rare et littéraire au figuré pour «accablement (dû au manque de qqch.)» (1866, Amiel).

▸ Le dérivé **INANITIÉ, ÉE** adj. (1844), «qui souffre d'inanition», est à peu près inusité.

INAPPÉTENCE → **APPÉTIT**

INARTICULÉ → **ARTICLE**

INAUGURER v. tr. est emprunté (v. 1355, Bersuire) au latin *inaugurare* «prendre les augures» et «consacrer officiellement la nomination de qqn (prêtre, consul, etc.)», «consacrer (un lieu)»; le verbe latin est formé de *in-* (→ ② in-) et de *augurare* «prédire», dérivé de *augur* (→ augure).

♦ Le verbe est employé depuis le XIVe s. dans un contexte religieux, au sens latin de «consacrer (une personne ou un lieu) par une cérémonie solennelle»; il est rarement attesté avant le XVIIIe s. et, dans cet emploi, n'est plus utilisé en parlant d'une personne; il est en revanche usuel à propos des lieux des expositions, etc. *Inaugurer* et *inauguration* sont devenus au XXe s. le symbole de l'activité présidentielle creuse *(inaugurer les chrysanthèmes).* ◇ Le verbe signifie figurément (1817, Mme de Staël) «mettre en pratique pour la première fois» et, par extension (1832, A. Karr), «utiliser pour la première fois». ◇ Par ailleurs on le relève comme terme d'Antiquité romaine au sens de «prendre les augures» (1752, Trévoux), encore attesté dans les dictionnaires du XIXe siècle.

▸ **INAUGURAL, ALE, AUX** adj. est dérivé de *inaugurer* (v. 1670) sur le modèle d'*augural.* ➜ **INAUGURATEUR, TRICE** n. désigne une personne qui inaugure qqch. (av. 1841) et une personne qui marque (par ses actes) le début de qqch. (1857, Michelet); il est rare. ➜ **INAUGURATION** n. f., emprunt au dérivé bas latin *inauguratio* «consécration (d'un lieu, d'une personne) par une cérémonie solennelle» et «commencement», dérivé du supin de *inaugurare,* s'emploie d'abord dans un contexte religieux (v. 1355, *inauguracion,* Bersuire) comme *inaugurer.* ◇ Rare jusqu'au XVIIIe s., sorti d'usage pour «sacre», le mot est devenu courant pour désigner la consécration d'un monument, d'un temple puis d'une manifestation, d'une exposition, d'où spécialement *discours d'inauguration* (1798, d'un professeur qui prend possession de sa chaire). Il s'emploie par extension (1783, Restif de La Bretonne) pour désigner le fait de se servir pour la première fois de qqch. et, dans un usage littéraire, au sens de «commencement, début» (1817, Mme de Staël).

INCA adj. inv. et n. s'est substitué (1672) aux formes *Inge* (1558), puis *Inga* (1622), *Ynca* (1633). Le mot vient du quichua; les Indiens de l'ancien Pérou désignaient ainsi leurs souverains. Il a très probablement été emprunté par l'intermédiaire de l'espagnol.

♦ Le mot se dit, au singulier, du titre porté par les souverains de cet empire nommé *Empire inca* (adjectif). Il s'emploie ensuite (1622) pour désigner la langue parlée par les Indiens du Pérou et nommée aujourd'hui *quichua**. Enfin, les *Incas* est le nom donné (1868) aux sujets de l'Empire inca. Les spécialistes utilisent aussi la graphie *Inka* et un pluriel invariable.

▸ *Inca* a fourni le dérivé didactique **INCASIQUE** adj. (1888, au sens de *inca*); **INCAÏSME** est attesté isolément chez P. Morand (1932).

INCANDESCENT, ENTE adj., attesté chez Lavoisier (1781), est un emprunt au latin *incandescens,* participe présent de *incandescere* «être en feu», «s'échauffer, chauffer à blanc», formé de *in-* (→ ② in-) et de *candere* «être enflammé, brûler», avec l'infixe inchoatif *-sc-* (→ chandelle).

♦ L'adjectif a d'abord le sens de «chauffé à blanc ou au rouge vif»; il s'applique figurément (comme *ardent, brûlant*) à une personne pleine d'ardeur, d'exaltation (1819); par analogie *incandescent* signifie «rouge vif».

▸ Le dérivé **INCANDESCENCE** n. f. s'emploie au propre (1779; 1764, selon Bloch et Wartburg) et au figuré (av. 1821).

INCANTATION n. f. a été emprunté (XIIIe s.) au bas latin *incantatio* «formule magique, enchantement, sortilège», du supin du latin classique *incantare* «chanter une formule magique», «consacrer par des charmes» (→ enchanter), composé de *cantare* (→ chanter).

♦ *Incantation,* d'abord dans un contexte religieux, désigne l'emploi de paroles magiques pour opérer un charme, un prodige. Le nom, à partir du XIXe s., s'emploie au figuré pour «action d'agir avec force par l'émotion» (1836, Quinet).

▸ Les dérivés sont formés vers la fin du XIXe siècle. ➜ **INCANTATOIRE** adj. (1886, Mallarmé) et **INCANTER** v. tr., didactique ou littéraire, doublet d'*enchanter** (1890, H. de Régnier), tiré du nom ou emprunt au verbe latin. ◆ **INCANTATEUR, TRICE** n. et adj. est un emprunt savant au bas latin *incantator* «enchanteur, sorcier» (→ enchanteur); attesté isolément (1495) au sens de «sorcier»; le mot, repris en 1854 (M. du Camp) comme nom et en 1902 comme adjectif, est très rare.

INCARCÉRER v. tr., réfection du XVe s. (1488) d'une forme picarde en *en-*, attestée dans *encarcere* «emprisonné» (1re moitié XIIIe s.), est emprunté au latin médiéval *incarcerare* «emprisonner». Ce verbe est formé de *in-* (→ ② in-) et du latin classique *carcer* «enclos, barrières formant la piste des chars» (surtout au pluriel *carceres*), d'où «prison»; *carcer* avait abouti à *chartre* (Xe s.), éliminé au XVe s. par *prison* (→ carcéral; cf. l'italien *carcere* «prison» et le gotique *karkara*, de *carcar*, forme du latin impérial). *Carcer* se rattache à une racine indoeuropéenne °*karkr-*, °*kankr-*, exprimant l'idée d'enclos.

♦ Le verbe, attesté en 1488 et à nouveau à la fin du XVIe s., est rare jusqu'au XVIIIe s. (1766, Voltaire). Il est employé en médecine (1858, pronominal, Littré et Robin) pour «s'étrangler», en parlant d'un organe qui se bloque dans un espace restreint. ◇ Par extension du premier sens, *incarcérer* signifie usuellement «enfermer» (fin XIXe s.).

▸ *Incarcérer* a fourni les dérivés **INCARCÉRABLE** adj., terme de droit (1784), et **INCARCÉRATEUR** n. m. (1788, S. Mercier), rares. ◆ **INCARCÉRATION** n. f., sorti d'usage comme terme de médecine (1314, attestation isolée; puis 1858, Littré et Robin), désigne l'action de mettre en prison (1418; repris à la fin du XVIIIe s.).

INCARNAT, ATE adj. et n. m., réfection (1528) de *incarnade* (v. 1515), a été emprunté à l'italien *incarnato* (fin XIVe-déb. XVe s., comme adjectif de couleur), dérivé de *carne* «chair» d'après le participe passé de *incarnare* «incarner», formé sur le latin classique *caro, carnis* «chair» (→ incarner).

♦ L'adjectif se dit d'une couleur rose vif, rappelant celle de la chair; il est d'emploi littéraire et plus courant comme nom masculin (1562).

▸ D'abord sous la forme *incarnatin* (1580), **INCARNADIN, INE** adj. (v. 1582) est un emprunt à l'italien *incarnatino*, puis à sa variante dialectale *incarnadino* (fin XVIe s.), diminutif de *incarnato*. ◇ D'emploi littéraire, il signifie «d'une couleur d'incarnat pâle» et, comme nom masculin, désigne cette couleur (1661).

① **INCARNER** v. tr., d'abord attesté au participe passé (v. 1350), est emprunté au latin ecclésiastique *incarnare, incarnatus* «entrer dans un corps», spécialement en parlant du Christ «revêtir la forme humaine»; le latin est formé, par préfixation (→ ② in-), à partir du latin classique *caro, carnis* «chair», qui se rattache à une racine indoeuropéenne °*(s)ker-* «couper, séparer, partager» (→ chair). *Incarner* a remplacé l'ancien français *encharner* (1119, *soi encharner*) de même sens, aboutissement normal de *incarnare*.

♦ Le verbe, d'abord employé en latin dans le contexte religieux, signifie «revêtir (un être de nature spirituelle) d'un corps charnel, d'une forme humaine ou animale»; il s'emploie plus couramment au participe passé adjectivé **INCARNÉ, ÉE**, où il est d'abord attesté, et comme verbe pronominal (1681). ◇ *Incarner* a pris le sens figuré de «représenter (qqch. d'abstrait) sous une forme matérielle» (1580, Montaigne). Par extension, le verbe signifie «représenter (un personnage) dans un spectacle», le sujet désignant l'acteur (1874, Mallarmé).

▸ Le nom d'action **INCARNATION** n. f. est emprunté au latin ecclésiastique *incarnatio* «action de prendre un corps» en parlant du Christ, dérivé du supin de *incarnare*. Il est employé dans le domaine religieux (1121-1134, *incarnatiun*), en particulier dans *incarnation de Jésus-Christ*, ou absolument *l'incarnation*, et au figuré (1831, Balzac), d'après les valeurs du verbe *incarner*. ◆ Sur *incarner* a été composé **SE RÉINCARNER** v. pron. qui n'est attesté qu'au début du XXe s., mais le dérivé **RÉINCARNATION** n. f. est relevé en 1875. ◇ De **DÉSINCARNÉ, ÉE** adj. (1891), formé de *dé-* et d'*incarné*, vient **DÉSINCARNER** v. tr. (v. 1922) et **DÉSINCARNATION** n. f. (1913).

INCARNÉE, ÉE adj., d'où ② **INCARNER (S')** v. pron., est un dérivé savant (1833, *ongle incarné*; 1873, v. pron.), par préfixation (→ ② in-), du latin *caro, carnis* (→ chair). Jusqu'au XVIe s., les formes populaires *encharner* et *incarner* étaient employées en médecine ancienne (en moyen français) au sens de «cicatriser», «reprendre de nouvelles chairs», en parlant d'une plaie. ◇ *S'incarner*, en parlant d'un ongle, signifie «s'enfoncer dans la chair», mais la forme verbale est moins courante que l'adjectif *incarné*.

◈ voir INCARNAT.

INCARTADE n. f. a été emprunté (1612) à l'italien *inquartata* et adapté d'après d'autres mots en *-ade*; ce terme d'escrime italien (XVIe s.) signifie «parade rapide qu'on porte à un coup droit de l'adversaire, en se jetant brusquement de côté», ainsi nommée soit parce que l'attaqué décrit un *quart* (italien *quarto*) de tour sur lui-même, soit parce que l'attaque a lieu dans la ligne de *quarte** (italien *quarta*).

♦ Le nom est passé en français au figuré pour désigner une boutade blessante lancée brusquement et inconsidérément; ce sens a vieilli. Le mot s'emploie ensuite (1643) pour «léger écart de conduite». Il a été repris avec une valeur concrète au XXe s., comme terme d'équitation, au sens de «brusque écart».

INCENDIE n. m. est un emprunt savant (1605) au latin *incendium* «embrasement, feu», au figuré «ardeur» (des sentiments, des passions), de *incendere* «allumer», formé de *in-* (→ ② in-) et de *candere* «faire brûler, enflammer» (→ incandescent). On relève aussi, dans le domaine occitan, *encendi* (mil. XIe s.), *encende* (1560) en ancien provençal, *encendy* et *incendy* (1570) en ancien gascon.

♦ Le mot est introduit avec le sens de «grand feu qui se propage en causant des dégâts»; au XVIIe s., il a été critiqué par Vaugelas comme vulgaire par rapport à *embrasement*, mais il reste usuel. ◇ Par figure, *incendie* prend le sens (1671, Fléchier) de «bouleversement important qui affecte l'ordre établi» et Voltaire l'emploie pour parler des dévastations par le feu provoquées par une armée (1767). ◇ Par analogie avec les lueurs du feu, le nom désigne (1762, Rousseau) une lumière intense éclairant une grande étendue, puis (XIXe s.) une sensation d'irritation, en parlant d'un aliment épicé, par analogie avec les brûlures provoquées par le feu (cf. *brûlure*). Il signifie aussi, par figure plus que par reprise du sens latin, «explosion de sentiments violents» (XIXe s.).

▶ Le dérivé **INCENDIER** v. tr. (1596), «mettre le feu», s'emploie par figure aux sens d'«enflammer, exciter» (1824), «propager des idées subversives» (1823) et par analogie (1833) «colorer d'une lueur ardente». ◇ Dans un emploi familier ***incendier qqn*** (1905) se dit pour «accabler (qqn) de reproches», les reproches détruisant et aussi faisant rougir.

INCENDIAIRE n. et adj., emprunté au dérivé latin *incendiarius* adj. et n., désigne (XIIIe s., n.) une personne qui allume volontairement un incendie. L'adjectif qualifie ce qui peut causer un incendie (XIVe s.). *Incendiaire,* dans un emploi littéraire, qualifie ou désigne (déb. XVIIe s., d'Aubigné) aussi la personne qui agite les esprits, allume la révolte (1777, adj., Voltaire). ◇ L'adjectif qualifie par figure (1830) ce qui éveille les désirs amoureux et, par analogie, ce qui produit une sensation de brûlure (fin XVIIIe s.), ce qui est d'une teinte vive (XIXe s.).

INCESTE n. est un emprunt savant (fin XIIIe s.) au latin classique *incestum* n., proprement «sacrilège», de *incestus* adj. «impur, souillé», formé de *in-* (→ ① in-) et de *castus,* terme de la langue religieuse signifiant «qui se conforme aux règles et aux rites»; *castus* s'est confondu avec *castus* dérivé de *carere* «manquer de», et a signifié «exempt d'impureté», «vertueux», «chaste» (→ chaste, châtier); au premier sens, il correspond au sanskrit *çiṣṭáḥ* «instruit, éduqué, bien dressé». La spécialisation de sens a eu lieu en latin, pour *incestus* et *incestum,* l'acte sexuel entre proches parents étant considéré comme l'impureté par excellence.

♦ *Inceste,* nom masculin, désigne des relations sexuelles entre proches parents (du premier degré) et, en droit, entre un homme et une femme parents ou alliés à un degré qui entraîne la prohibition du mariage. ◇ Le mot est ensuite employé comme adjectif (fin XIVe s.) pour «qui a commis un inceste», puis «qui a le caractère d'un inceste» (v. 1480); dans ces emplois, sortis d'usage comme la substantivation (*un, une inceste* «personne qui a commis un inceste», 1524), le mot français représente un emprunt au latin *incestus.* ◇ *Inceste,* nom masculin, est utilisé dans des domaines spécialisés, en droit canon (1685) où il se dit de relations sexuelles entre personnes unies par un lien spirituel (par ex., parrain et filleule), en anthropologie et en psychanalyse *(interdit de l'inceste).*

▶ **INCESTUEUX, EUSE** adj. est un emprunt (v. 1355, Bersuire) au bas latin *incestuosus* «incestueux, impudique», dérivé de *incestus, -us* n., synonyme de *incestum.* ➛ Il signifie d'abord «qui constitue un inceste» et s'applique ensuite à une personne coupable d'inceste (1594), puis signifie «issu d'un inceste» (1765). Il est substantivé depuis le XVIIe s. (1677). ➛ Le dérivé **INCESTUEUSEMENT** adv. (fin XVe s.) est rare.

INCHOATIF, IVE adj. et n. m. est un emprunt savant, d'abord comme nom féminin (*une inchoactive,* déb. XIVe s.) puis comme adjectif (XIVe s.), au bas latin *inchoativus* adj., terme de grammaire, dérivé de *inchoatum,* supin du latin classique *inchoare* «commencer, entreprendre», d'origine obscure.

♦ *Inchoative,* nom féminin, a désigné (déb. XIVe s.) l'intention de commettre une action, par jeu de mots sur l'emploi en grammaire, où l'adjectif s'applique (XIVe s.) à ce qui exprime une action commençante, une progression. ➛ *Inchoatif,* nom masculin se dit (1557) de l'aspect inchoatif, puis du verbe inchoatif (1835). ◇ L'adjectif est aussi employé (XXe s.) en philosophie au sens de «qui est à son commencement».

INCIDENT n. m. est un emprunt savant (fin XIIIe s.) au latin *incidens, -entis,* participe présent de *incidere* «tomber dans, sur», «venir par coïncidence», formé de *in-* (→ ② in-) et de *cadere,* au participe passé *casus* «tomber» (→ choir).

♦ *Incident* désigne d'abord un petit événement qui survient; par extension, il s'est employé (v. 1460, Villon) pour «digression», s'est spécialisé en droit (fin XIVe s.) pour désigner ce qui survient accessoirement dans un procès, d'où la locution ***l'incident est clos*** «arrêtons là la querelle» et l'emploi à propos d'une objection qu'une personne soulève dans un débat (1675). Le nom se dit spécialement en parlant d'une pièce, d'un roman pour «événement accessoire qui survient dans le cours d'une action principale», aujourd'hui terme d'histoire littéraire (apr. 1650; 1641, en peinture). ◇ Depuis le XIXe s., le nom désigne par figure du sens juridique une difficulté passagère, qui ne modifie pas le déroulement d'une opération, d'où *sans incident* «normalement»; à partir du début du XXe s., il s'emploie spécialement au sens de «petite difficulté imprévue, d'importance limitée mais dont les conséquences peuvent être graves» *(incident diplomatique);* par extension il équivaut ensuite à «désordre» *(provoquer des incidents).*

▶ De l'emploi juridique est issu **INCIDENT, ENTE,** adj. «qui survient accessoirement dans un procès» (1468), d'où le sens courant «qui est accessoire, secondaire» (1549). ◇ Une autre valeur, en physique (*rayon incident,* 1720), est empruntée à l'anglais *incident* (1667 dans cet emploi) de même origine que le français, pour qualifier le rayonnement qui tombe sur une surface réfléchissante ou réfringente. ◇ L'adjectif s'emploie aussi en grammaire (1732) pour qualifier une proposition qui introduit un énoncé accessoire dans la phrase (cf. *incise*); en ce sens, l'adjectif est substantivé au féminin (1765). Du nom dérive **INCIDENTER** v., en droit «faire naître des incidents au cours d'un procès» (av. 1679, Retz), verbe sorti d'usage au sens général de «sou-

lever les difficultés» (1688) et devenu rare au sens de «compliquer par des incidents» (1857, Michelet). ◆ **INCIDENTEL, ELLE** adj. (1783) «relatif à un incident» est d'emploi didactique ou littéraire, comme sa variante plus ancienne **INCIDENTAL, ALE, AUX** adj. (1495).
L'adjectif a fourni **INCIDEMMENT** adv. «sans y attacher une importance particulière» (v. 1310, *incidamment*) et «par hasard» (XXe s.). ◆ **INCIDENCE** n. f., autre dérivé de l'adjectif, est d'abord employé pour «incident» (fin XIIIe s.), «digression (dans une chronique)» (XVe s.). ◇ Le mot est repris ensuite en physique, désignant la rencontre d'une ligne, d'une trajectoire avec une surface (1626, Mydorge); c'est alors un emprunt au latin médiéval *incidentia* (v. 1240), qui apparaît en même temps en anglais (1626, Bacon). De cette acception vient *angle d'incidence* (1637, Descartes) et *point d'incidence.* ◇ *Incidence* s'emploie en économie (1876) et désigne le fait, pour un impôt, de frapper indirectement une autre personne. ◇ L'emploi devenu usuel pour «conséquence, effet» (attesté 1928, Malraux) est peut-être un emprunt à l'anglais *incidence,* qui possède ce sens depuis 1846; en médecine *incidence* se dit (1966) du nombre de cas de maladie apparus pendant une période de temps donnée.

INCINÉRER v. tr. est un emprunt (1488) au latin médiéval *incinerare,* employé en médecine pour «détruire un cadavre par le feu» (XIIe s.) et au sens plus général de «réduire en cendres» (XIIIe s.). Ce verbe est formé de *in-* «vers, dans» (→ ② in-) et du latin classique *cinis, cineris* (→ cinéraire; cendre).

♦ *Incinérer* reprend le premier sens du verbe latin (1488), puis le second au début du XVIe siècle; il est peu employé avant 1830, sa reprise étant postérieure à celle d'*incinération* (ci-dessous).

▶ Le dérivé **INCINÉRATEUR** n. m. (1894) désigne un appareil où l'on incinère. ◆ Le nom d'action **INCINÉRATION** n. f. est emprunté (fin XIVe s.) au dérivé latin médiéval *incineratio, -onis* «action d'incinérer» (XIIe s.); il est d'usage rare avant le XVIIIe s. (1762, Académie).

INCIPIT n. m. inv., introduit en français au XIXe s. (1840), est la substantivation de la 3e personne du singulier de l'indicatif présent du verbe latin *incipere* «prendre en main», «commencer», formé de *in-* (→ ② in-) et de *capere* «prendre», qui se rattache à une racine indoeuropéenne *°kap-* «prendre» (→ capter, chasser).

♦ D'emploi didactique, *incipit* désigne les premiers mots d'un manuscrit, d'un texte, par référence à la locution latine des manuscrits latins du moyen âge, *incipit liber* «ici commence le livre» (cf. le contraire *explicit*); par extension, le mot se dit des premières notes d'un ouvrage, en musique.

INCISE n. f. a été formé (1770, Rousseau) à partir du latin *incisa* «coupée», participe passé féminin substantivé de *incidere* (→ inciser); au sens grammatical, le latin employait *incisum,* participe passé neutre substantivé.

♦ *Incise,* terme de musique, désigne d'abord un groupe de notes formant une unité rythmique à l'intérieur d'une phrase musicale; repris en grammaire (1771), le mot se dit d'une proposition insérée dans le corps de la phrase ou rejetée à la fin (cf. *incidente*). ◇ Dans le vocabulaire technique de l'imprimerie, *les incises* (n. f. pl.) désigne (XXe s.) des caractères typographiques qui s'inspirent des inscriptions des monuments antiques.

INCISER v. tr. représente une réfection (av. 1418), d'après *incision* qui est antérieur (voir ci-dessous), de l'ancien français *enciser* «couper, trancher» (1121-1134), issu d'un latin populaire *°incisare,* construit à partir de *incisum,* supin du latin classique *incidere* «couper»; ce verbe est formé de *in-* (→ ② in-) et de *caedere* «tailler, couper».

♦ *Inciser* est d'abord employé au sens de «fendre avec un instrument tranchant», usité spécialement en chirurgie (1475; 1314, *encisier*), en arboriculture (XVe s.), en gravure pour «entailler (une matière servant de support) pour inscrire un dessin» (1596; 1690, en parlant d'une eau-forte) et au participe passé (1783) en botanique *(feuille incisée).*

▶ Le verbe a fourni **INCISEUR** n m., d'abord «chirurgien» (1508), puis employé dans *instrument insciseur* (1598), mot d'emploi didactique ou technique à peu près abandonné. Il a été repris en chirurgie (1878) et en arboriculture (1902).
INCISION n. f. est emprunté (1314) au bas latin *incisio* «coupure, entaille», dérivé de *incisum;* en latin classique *incisio* signifiait «incise, césure», sens attesté en français au XVIe s. (1521). Le nom désigne l'action d'inciser, d'abord dans le domaine médical (1314) puis en emploi général (XVe s.; cf. 1482, «décapitation»). ◆ **INCISIF, IVE** adj., attesté lui aussi en 1314 (Mondeville), est construit sur le radical d'*incision* ou emprunté au latin médiéval *incisivus* «tranchant» (XIIIe s.), dérivé de *incisum.* ◇ L'adjectif s'est appliqué jusqu'au XIXe s. à une préparation propre à dissoudre les humeurs (1314, *médecine incisive;* 1549, n. m. pl.). Il s'est aussi employé aux sens concrets (1545, Paré) de «qui sert à couper», «qui attaque les métaux» (1690), sortis d'usage. ◇ L'adjectif est resté courant au sens figuré (1827, Hugo) de «qui attaque ou touche profondément, a un caractère tranchant», en parlant d'une idée, de l'expression, etc. (cf. *mordant, tranchant*) ou d'une personne (1830, Stendhal). ◇ L'adverbe dérivé **INCISIVEMENT** (1845) est rare.
INCISIVE n. f., dérivé savant d'*incision* (1545, Paré, au pluriel), désigne chacune des dents de devant, aplatie et tranchante, qui sert à couper les aliments. ◆ **INCISURE** n f. est une réfection de *enciseure* (fin XIIIe s.) d'après le latin impérial *incisura* «incision», «ligne de la main», «nervure», «contour (en peinture)», de *incisum.* ◇ Le nom s'est dit pour «incision» (XVe s., *inciseure*) et pour «ligne de la main» (1549). Il s'emploie en anatomie (1638, «découpure de certains organes») et en botanique (mil. XIXe s.).

◈ voir INCISE.

INCITER v. tr. représente soit un emprunt au latin classique *incitare,* soit une réfection (fin XIVe s.)

de l'ancien français *enciter* (fin XIIe s., *enciteir*), emprunté lui aussi au latin *incitare* «lancer en avant», «pousser vivement», «exciter». Ce verbe est formé de *in-* «vers» (→ ② in-) et de *citare*, fréquentatif de *ciere*, participe passé *citus*, «faire mouvoir», de la famille d'une racine indoeuropéenne °*kei-*, °*ki-* «mouvoir». *Citare* a éliminé *ciere* à l'époque impériale (→ citer).

♦ Le verbe, dans *inciter (qqn) à*, signifie «pousser (qqn) à qqch., à faire qqch.»; la construction *inciter qqch.* «mettre en mouvement» (fin XIVe s., *inciter le désir*) est à peu près sortie d'usage.

► Le participe présent **INCITANT, ANTE** adj. et n. m. est vieilli dans un emploi non technique (1538) mais subsiste comme terme médical (1798). Un emploi substantivé pour «incitateur» (1611) est sorti d'usage après l'époque classique.
INCITATION n. f., emprunt au latin *incitatio, -onis* «mouvement rapide», «action de mettre en mouvement», «excitation, impulsion», dérivé de *incitatum* (supin de *incitare*), s'emploie avec une valeur générale (fin XIVe s.) pour «action d'inciter»; il est sorti d'usage en médecine (1809) au sens d'«excitation» et s'utilise spécialement (v. 1964) comme terme d'économie et de finances. ◆ **INCITATIF, IVE** adj., terme didactique formé à partir du radical d'*incitation* (1488), s'emploie aussi de nos jours en économie. ◆ **INCITATEUR, TRICE** n. et adj. est un emprunt (1470, n.; 1873, adj.) au dérivé bas latin *incitator, -trix* «celui qui incite».

INCIVIL → CIVIL

INCLÉMENT → CLÉMENT

INCLINER v. est un emprunt savant (1213) au latin *inclinare* «faire pencher», «pencher», «dévier», employé au physique et au moral, et formé de *in-* «vers» (→ ② in-) et de *clinare*. Ce dernier n'apparaît que dans des formes préfixées et provient d'une racine indoeuropéenne °*klei-* «incliner», «pencher». *Incliner* est le doublet de l'ancien français *encliner* «baisser», «incliner vers» (1080, *encliner qqn* «le saluer en inclinant la tête»), qui s'emploie jusqu'au XVIIe s., soutenu par le déverbal *enclin**.

♦ C'est avec cette dernière valeur, disparue, que le verbe *incliner* est d'abord attesté; à la fin du XIIIe s., le verbe se dit pour «pencher, baisser, diriger vers le bas», d'abord dans *incliner la tête*. ◇ Il s'emploie ensuite avec une valeur abstraite (1327, *incliner qqn à*) et signifie «rendre enclin à» puis au figuré (1358) dans l'intransitif *incliner à* «être favorable à», d'où «être porté (vers qqch.)» (1370-1372, Oresme) et, à partir du XVIIe s., «évoluer, tendre vers» en parlant de choses (1636). ◇ Par métaphore, *incliner* signifie (déb. XVIe s.) «inciter», valeur devenue littéraire. ◇ Au pronominal, le verbe prend le sens (1532) de «se pencher, se baisser» *(saluer en s'inclinant)* et, par extension, le transitif signifie (1596) «mettre dans une position oblique». ◇ *Incliner* est attesté au XVIIe s. au sens propre intransitif d'«aller en s'inclinant» (1671) et, en parlant de choses (1680), *s'incliner* correspond à «se placer, être placé obliquement par rapport à l'horizon ou à un plan». Par figure ***s'incliner devant qqn*** signifie (1683) «lui donner des marques de respect», «reconnaître son autorité», et *s'incliner* (fin XIXe s.) s'emploie par extension pour «s'avouer vaincu, renoncer à contester».

► Le dérivé **INCLINAISON** n. f. désigne couramment (1661) l'état de ce qui est incliné et, dans un emploi didactique, la relation d'obliquité; de ces sens viennent des emplois spéciaux, en géométrie (1691), en astronomie (1721), en physique (fin XVIIIe s., *inclinaison [magnétique]*), en anatomie (1805). Le nom désigne aussi la position inclinée d'une partie du corps (1831, Nodier, *inclinaison de tête*).
INCLINATION n. f. est un emprunt au dérivé latin *inclinatio* «action de pencher, inclinaison» et «tendance, penchant». ◇ Le nom est d'abord attesté (1236, *inclinacion*) pour désigner un mouvement affectif, spontanément orienté vers un objet ou une fin. Il s'est opéré un partage des valeurs entre *inclinaison* et *inclination*. Si ce dernier s'emploie encore (v. 1393) avec la valeur concrète pour «action d'incliner le corps ou la tête» (pour saluer, acquiescer), il est sorti d'usage pour «état de ce qui est incliné» (1547) et rare au sens concret, «action de pencher (qqch.)» (1575); le mot a connu, parallèlement à son doublet, des emplois didactiques (mil. XVIe s., en physique). ◇ Depuis le milieu du XVIe s., *inclination* désigne le mouvement qui porte à aimer qqn; courant dans la langue classique, ce sens est devenu littéraire; désignant par métonymie la personne qui est l'objet de l'inclination (1650), le mot est complètement sorti d'usage.

INCLUS, USE adj. représente un emprunt savant (1394) au latin *inclusus*, participe passé de *includere* «enfermer», «renfermer», de *in-* (→ ② in-) et *claudere* (*-cludere* en composition) «fermer» (→ clore) qui appartient à un ensemble de mots latins se rattachant à une base *clau-*, exprimant l'idée de fermeture (→ occlusion). Une forme francisée *enclus*, nom (1193-1197), s'est employée pour «reclus».

♦ L'adjectif signifie d'abord (1394) «qui est contenu, compris (dans)», sens d'où viennent ***ci-inclus, ci-incluse*** «placé ici» (1690; 1644, *si inclus*, locution adverbiale) ainsi que les emplois en botanique (1802, *étamines incluses*) et en art dentaire (1925, *dent incluse*).

► **INCLURE** v. tr., formé (fin XVIe s.) sur l'adjectif et d'après *exclure*, signifie d'abord «contenir, comprendre». Le verbe, rare jusqu'au XIXe s., est repris (1823) au sens de «mettre (qqch.) dans, insérer», puis en emploi abstrait figuré (1866) de «comprendre en soi, impliquer». Le pronominal *s'inclure* est attesté (1827). ◆ **INCLUANT** n. m. (av. 1971; du participe présent), terme didactique, désigne un mot qui, dans une définition, est dans une relation d'inclusion par rapport au défini.
INCLUSION n. f. est emprunté au dérivé latin classique *inclusio* «emprisonnement», employé en bas latin pour désigner un procédé de style et en latin chrétien au sens de «réclusion (d'un ermite)». ◆ Le nom, d'abord attesté isolément avec ce dernier sens (v. 1200), est repris en français classique (1605) pour désigner l'action de déclarer inclus, d'inclure, puis (1665) l'état de ce qui est inclus dans qqch., la

relation entre ce qui est inclus et ce qui l'inclut ; au XIXe s., il se dit par métonymie, en logique, de ce qui est inclus (1851, Cournot ; *relation d'inclusion*). ◇ De ces acceptions viennent de nombreux emplois spéciaux en biologie (1858, Littré et Robin, *inclusion fœtale*), minéralogie (1892), cytologie (1897, *inclusion cellulaire*), géologie (1902, *gite d'inclusion*), histologie (1907), stylistique (1933, Marouzeau), mathématiques (1948), art dentaire (1957).

INCLUSIF, IVE adj. est emprunté au latin médiéval *inclusivus* «qui inclut», attesté (v. 900) après le latin chrétien *inclusive* «inclusivement» (Ve s.). Ce nom est formé sur *inclusum*, supin de *includere*. ◆ *Inclusif* est d'abord attesté (1507) au sens d'«inclus», disparu. Il s'applique ensuite à ce qui renferme (qqch.) en soi (1688), sens repris au XIXe s. (1823) et employé spécialement en linguistique (av. 1873). ◇ Par emprunt de sens (v. 1970) à l'anglais *inclusive* «qui inclut» (de même origine que le français), l'adjectif s'emploie pour «tout compris» dans le vocabulaire de la publicité. ◆ **INCLUSIVEMENT** adv., attesté en 1403, est formé sur le latin médiéval *inclusivus*, à moins que *inclusif* ne soit antérieur à 1507, puis normalement senti comme dérivé de l'adjectif.

INCOGNITO adv. et n. m. est un emprunt (1581) à l'italien *incognito*, proprement «inconnu» (1317-1321, Dante), lui-même emprunté au latin *incognitus* «non examiné (d'une affaire)» et «inconnu», formé de *in-* (→ ① in-) et de *cognitus*, participe passé de *cognoscere* (→ connaître).

♦ *Incognito* s'emploie d'abord comme adverbe, avec la valeur de «en faisant en sorte qu'on ne soit pas reconnu (dans un lieu)» ; par extension, il signifie (1690) «sans que la chose soit sue», sens aujourd'hui sorti d'usage. *L'incognito* n. m. désigne depuis le XVIIIe s. (av. 1750) la situation d'une personne qui cherche à n'être pas reconnue, qui n'est pas connue.

INCOMBER v. représente un emprunt savant (1440-75) au latin classique *incumbere* «s'appuyer, se pencher sur», «s'abattre sur, peser», au figuré «s'appliquer à» et, en bas latin, «incomber à». Le verbe latin est formé de *in-* (→ ② in-) et de *-cumbere* «se coucher», forme à infixe nasal attestée seulement dans des composés et indiquant l'action par opposition à *cubare* «être couché» indiquant l'état (→ couver et incuber).

♦ *Incomber* a d'abord été employé aux sens de «s'abattre sur» *(incomber à)* et de «concerner» (v. tr.), valeur reprise en droit (attesté en 1842). ◇ *Incomber à* signifie (1789), par reprise d'un sens du bas latin, «retomber sur (qqn), être imposé à (qqn)», en parlant d'une obligation, d'une responsabilité.

INCOMBUSTIBLE → COMBUSTION

INCOMMENSURABLE adj. a été emprunté (1370-1372, Oresme) au bas latin *incommensurabilis* «qui n'ont pas de commune mesure», en parlant de deux grandeurs (terme de mathématiques), dérivé du bas latin *commensurabilis* par préfixation en *in-* (→ ① in-) ; le mot dérive du bas latin *commensurare* «donner une mesure égale», du latin classique *mensurare* (→ mesurer) et pour traduire le grec *asummêtros* (→ symétrie).

♦ Le mot est introduit en mathématiques. Par extension, il s'applique (1738, Voltaire) à ce qu'on ne peut mesurer, faute de commune mesure puis dans un emploi non scientifique (1768, Diderot) à ce qui est très grand, également comme substantif masculin (1810, Mme de Staël).

▸ Le dérivé **INCOMMENSURABLEMENT** adv. est didactique (1850, Michelet). ◆ **INCOMMENSURABILITÉ** n. f., emprunt savant (1636, Mersenne) au dérivé latin médiéval *incommensurabilitas* (v. 1267), succède au dérivé français *incommensurableté* (1377, Oresme).

INCOMPÉTENT → COMPÉTER

INCONDITIONNEL → CONDITION

INCONDUITE → CONDUIRE

INCONGRU → CONGRU

INCONNU → CONNAÎTRE

INCONSTITUTIONNEL → CONSTITUER

INCONTINENCE → ① CONTINENT

INCONTOURNABLE → CONTOURNER

INCONVÉNIENT n. m. est un emprunt savant (v. 1223) au latin classique *inconveniens* adj. «qui ne s'accorde pas, discordant», formé de *in-* (→ ① in-) et de *conveniens* «convenable, séant», participe présent de *convenire* (→ convenir) ; le mot a pris en latin impérial le sens de «qui ne convient pas» (à qqch.) puis, en bas latin, au neutre pluriel, désigne par substantivation les choses qui ne conviennent pas.

♦ *Inconvénient* signifie d'abord «accident fâcheux», «malheur», sens sorti d'usage depuis la fin du XVIIe s., le sens faible de «désagrément» étant employé jusqu'au XIXe siècle. Le mot reprend ensuite (1314), comme adjectif, le sens du latin impérial, «qui ne convient pas», rare à partir du XVIIe siècle. ◇ À partir du XVIe s., le nom désigne la suite fâcheuse (d'une action, d'une situation) puis (fin XVIIe s.) l'erreur résultant d'une théorie, emploi sorti d'usage. Par extension il signifie (1690) «désavantage», à propos d'une chose qui, par ailleurs, peut être bonne.

INCORPOREL, INCORPORER → CORPS

INCRÉMENT n. m. est une réfection (1529) de la forme *encrement* (1445), emprunt savant au latin *incrementum* «accroissement», «développement», «augmentation», de *increscere* «croître, s'accroître», formé de *in-* (→ ② in-) et de *crescere* (→ croître).

♦ *Incrément* reprend d'abord le sens latin, «accroissement» (1529), sorti d'usage. Il s'emploie spécialement en mathématiques pour désigner un accroissement infiniment petit de la quantité d'une variable (1738, Voltaire); cette valeur vient de l'anglais (1721) et du latin de Newton *incrementum* (1687); en ce sens, on dit aujourd'hui *différentielle* ou *accroissement arbitraire*. ◇ Par un nouvel anglicisme, le mot s'emploie en sciences et en informatique (1974) pour désigner l'accroissement de la valeur d'une variable à chaque phase de l'exécution d'un programme.

▸ *Incrément* a fourni plusieurs dérivés d'emploi scientifique : **INCRÉMENTAL, ALE, AUX** adj. (v. 1970), d'après l'anglais *incremental;* **INCRÉMENTER** v. tr. (v. 1970), d'après l'anglais *to increment,* d'où **INCRÉMENTATION** n. f. (av. 1974), et **INCRÉMENTIEL, ELLE** adj. (av. 1973), probablement lui aussi d'après l'anglais *incremential.*

INCRIMINER v. tr. a été emprunté (1558) au bas latin *incriminare* «accuser», dérivé par préfixation en *in-* (→ ② in-) du latin classique *criminare* ou *criminari* «accuser de façon calomnieuse», lui-même de *crimen, -inis,* d'abord «décision judiciaire», d'où en latin classique «accusation, grief», et en latin impérial «crime*». On relève avant le français l'ancien provençal *encrimar* «accuser» (XIIe-XIIIe s.).

♦ *Incriminer* s'est introduit avec le sens de «déclarer (qqn) criminel» et s'est substitué à *criminaliser* au moment de la Révolution française; le verbe, vieilli en ce sens, est remplacé par *inculper.* ◇ *Incriminer* signifie par extension «mettre en cause», soit une chose (1859, Sainte-Beuve) soit une personne, d'abord au pronominal (1863, Flaubert), d'où (déb. XXe s.) «considérer (qqch., qqn) comme responsable, sans qu'il y ait faute».

▸ Le verbe a fourni les dérivés d'emploi rare **INCRIMINATION** n. f. (1829; on trouve en moyen français *crimination* «accusation», XVIe s.), **INCRIMINABLE** adj. (1842) et **INCRIMINATEUR, TRICE** adj. (1918, Proust).

INCRUSTER v. tr. représente un emprunt savant (1555) au latin *incrustare* «couvrir d'une couche, d'un enduit, d'une croûte», de *in-* (→ ② in-) et *crustare* «revêtir», ou dérivé de *crusta* «ce qui recouvre, revêtement», qui a abouti en français à *croûte*.*

♦ Le verbe est d'abord employé au sens de «couvrir d'un dépôt formant croûte», aujourd'hui technique, et d'où vient par extension la valeur d'«orner (qqch.) suivant un dessin gravé en creux» (1564, au participe passé). ◇ *S'incruster* v. pron. signifie (1564, A. Paré) «adhérer fortement à un corps» puis s'emploie par métaphore (1680, *préjugés qui s'incrustent*). Le verbe, par analogie (1694), correspond à «insérer dans une surface évidée (des matériaux d'ornement)». ◇ *S'incruster* s'emploie ensuite (1820) pour «être incrusté» et par figure (1834, Balzac) pour «s'installer durablement» *(s'incruster chez qqn).*

▸ Du verbe dérive **INCRUSTEUR, EUSE** n. (1828), terme technique.

INCRUSTATION n. f., emprunt savant au bas latin *incrustatio* «revêtement (de marbre)», du supin de *incrustare,* désigne un ornement incrusté (1553) et l'action d'incruster (1690); le mot a rapidement remplacé *incrustature,* attesté en 1547. ◇ Il s'est employé pour désigner la plaque qui recouvre les extrémités des cornes d'un jeune bœuf (1600) et la formation des croûtes sur une plaie (1747). ◇ Terme technique, *incrustation* désigne le dépôt d'un enduit pierreux naturel (1752) et, en chirurgie dentaire (XXe s.), un bloc destiné à obturer une cavité dentaire (cf. l'anglicisme *inlay**). En télévision, le mot s'applique (v. 1980) à une image insérée dans l'image principale. De là, la forme abrégée **INCRUSTE** n. f., aussi déverbal de *s'incruster* «fait de s'installer en parasite» (1991).

INCUBATION n. f. est emprunté (1694) au bas latin *incubatio* «couvaison, incubation», du supin du latin classique *incubare* «être couché dans ou sur», «couvert» et au figuré «veiller jalousement sur», formé de *in-* (→ ② in-) et de *cubare* «être étendu», «être couché» (→ couver, incomber).

♦ *Incubation* désigne l'action de couver les œufs, l'anglais *incubation,* de même origine, étant attesté plus tôt (1646). Il désigne par métonymie le développement de l'embryon dans l'œuf. ◇ Par analogie, le mot est repris en médecine (1824, Nysten), où il signifie «temps qui s'écoule entre l'introduction d'un germe infectieux dans l'organisme et l'apparition des premiers symptômes». Par figure (1840, Sainte-Beuve), il désigne la période pendant laquelle une œuvre, un événement, etc. se prépare.

▸ **INCUBER** v. tr., d'emploi didactique, est emprunté (1771) au latin *incubare* pour servir de verbe à *incubation.* ◂ **INCUBATEUR, TRICE,** dérivé savant de *incuber,* est employé comme adjectif (1847, *organe incubateur;* 1877, *appareil incubateur*) et comme nom masculin (1906), spécialement au sens de «couveuse artificielle pour bébés prématurés», peut-être d'après l'anglais *incubator* (1896 en ce sens).

INCUBE n. m. représente un emprunt savant (1372) au bas latin *incubus* «cauchemar» et «satyre», dérivé du latin classique *incubare* (→ incuber). On trouve aussi la forme savante *incubus* pour «cauchemar» (1256).

♦ Terme de théologie, *incube* désigne un démon masculin, censé abuser des femmes durant leur sommeil (opposé à *succube**). Le mot est attesté dans Richelet (1680) au sens de «lesbienne».

▸ Le dérivé **INCUBAT** n. m. «nature de l'incube» est attesté isolément chez Huysmans (1891).

INCULPER v. tr. est un emprunt savant (1526) au bas latin *inculpare* «blâmer, accuser», formé de *in-* marquant le terme d'une action (→ ② in-) et du latin classique *culpare* «blâmer», «regarder comme fautif», dérivé de *culpa* «faute», sans origine connue. *Inculper* a remplacé *encouper* (XIIe s.), aboutissement de *inculpare* et a éliminé la variante francisée *encolper* (1584).

♦ *Inculper* signifie d'abord «considérer (qqn) comme coupable d'une faute»; sorti d'usage dans cet emploi, le verbe équivaut en droit (1810) à «mettre (qqn) sous le coup d'une imputation de crime ou de délit».

▸ **INCULPÉ, ÉE** adj. et n., qui a signifié «accusé» en général (1611), est devenu un terme technique de droit (1810) distinct d'*accusé*. ◇ Le moyen français connaissait *inculpé* au sens d'«irréprochable, innocent», emprunt au latin classique *inculpatus*. ➛ **INCULPATION** n. f., attesté isolément au XVIe s. et à nouveau au XVIIIe s. (1740, Lesage) au sens d'«action d'inculper», dérive de *inculper* ou est emprunté au dérivé bas latin *inculpatio*; en droit pénal (1810), le mot désigne l'imputation officielle d'un crime ou d'un délit à un individu. ➛ **INCULPABLE** adj. (1829) est rare en droit. On le trouve au XVIIIe s. (Rousseau), opposé à *inculpé*, en parlant d'un innocent.

INCULQUER

INCULQUER v. tr., attesté en 1512 au participe passé, puis sous la forme *inculcer* en 1532 (Rabelais), est un emprunt savant au latin *inculcare* «fouler», d'où «faire pénétrer en tassant avec le pied», et par figure «inculquer», formé de *in-* (→ ② in-) et de *calcare* «fouler, piétiner», dérivé de *calx, calcis* «talon», mot sans origine connue.

♦ *Inculquer* s'est introduit en français avec le sens figuré du latin, «faire entrer qqch. dans l'esprit de qqn de façon durable». ➛ Le verbe est attesté à la fin du XVIe s. au sens latin, «fouler» (1596); ce latinisme a rapidement disparu.

▸ Le nom d'action **INCULCATION** n. f., emprunté (1580, Montaigne) au dérivé latin *inculcatio*, est demeuré rare.

INCULTE

INCULTE adj. est un emprunt (fin XVe s.) au latin *incultus* «en friche» (d'une terre) et «non soigné, négligé», «sans éducation», de *in-* (→ ① in) et *cultus*, formé sur *cultum*, supin de *colere* (→ cultiver, culture). Le verbe signifiait «habiter» et «cultiver», idées connexes dans une civilisation rurale, et a pris aussi le sens moral. Il se rattache à une racine indoeuropéenne °*kwel-* «tourner en rond», «se trouver habituellement dans», que l'on retrouve dans le grec *kuklos* «cercle» (→ cycle).

♦ *Inculte* est d'abord attesté au sens abstrait de «sans culture intellectuelle». Il s'applique à partir du XVIe s. (av. 1520) à une terre non cultivée; par analogie, il signifie (1838) «qui n'est pas soigné», en parlant de la barbe, des cheveux.

◈ voir CULTIVER, CULTURE.

INCUNABLE

INCUNABLE adj. et n. m. est un emprunt savant (1802, adj.) au latin *incunabula*, tiré de *Incunabula typographiae*, littéralement «les berceaux de la typographie», titre du catalogue des premiers ouvrages imprimés, publiés par Beughem à Amsterdam, en 1688. Le latin classique *incunabula*, nom neutre pluriel, signifie «langes, berceau, enfance» d'où «commencement»; il est formé de *in-* intensif (→ ② in-) et de *cunabula* «berceau» et «origine», nom d'instrument formé sur **cunare* «bercer», de *cunae* n. f. pl. «berceau, première enfance», mot d'origine obscure.

♦ *Incunable*, didactique, qualifie un ouvrage qui date des premiers temps de l'imprimerie, avant 1500. L'adjectif est fréquemment substantivé (1838). ◇ Par extension, le mot s'emploie à propos d'une lithographie datant des premières réalisations de cette technique (1861, Goncourt).

INCURIE

INCURIE n. f. est un emprunt savant (1611; 1560, selon Bloch et Wartburg) au latin *incura* «défaut de soin», «négligence, insouciance», de *in-* (→ ① in-) et *cura* «soin», «souci» (→ cure).

♦ Le nom conserve le sens du latin; la construction *l'incurie de* (qqn) *pour* qqch. «le fait de ne pas s'en soucier» (XVIIe s.) n'est plus en usage.

INCURSION

INCURSION n. f. a été emprunté savamment (v. 1355, Bersuire) au latin *incursio, -onis* «chose contre», «attaque, invasion», de *incursum*, supin de *incurrere* «se jeter sur, faire irruption dans», formé de *in-* (→ ② in-) et de *currere* «courir*». *Incurrere* a abouti en français à *encourir**.

♦ *Incursion* désigne un court séjour d'un envahisseur en pays ennemi (cf. *coup de main*). Dans le genre burlesque de l'époque classique, il équivalait (1680) à «aventure amoureuse». ◇ Il est employé par figure (1765) pour «fait de pénétrer momentanément dans un domaine qui n'est pas le sien» puis par analogie pour «entrée brusque» (1835). Dans tous ses emplois, le mot est du style soutenu.

▸ Jaurès emploie **INCURSIONNER** v. intr. au premier sens (1914), qui ne s'est pas maintenu; on dit *faire incursion (dans)*.

INCURVÉ, ÉE

INCURVÉ, ÉE adj. est emprunté au XVIe s. (1551), postérieurement à *incurvacion*, au participe passé *incurvatus* du latin *incurvare* «courber, plier». Ce verbe est formé de *in-* marquant le mouvement (→ ② in-) et de *curvare* «courber*». *Incurvare* avait donné en ancien français un verbe de même sens, *encurver* (v. 1120), qui fut éliminé par *courber*.

▸ C'est d'après *incurvé* qu'a été formé le verbe transitif moderne **INCURVER** (1838) «rendre courbe», souvent au pronominal (1885). ➛ Il a pour dérivé **INCURVABLE** adj. (1838), didactique.
INCURVATION n. f., attesté à la fin du XIVe s. et au XVe s. sous la forme *incurvacion*, en 1585 sous la forme moderne, et repris au début du XIXe s. (1803), est emprunté au dérivé latin *incurvatio* «action d'incurver», «courbure». Le mot conserve les sens du latin, dans des emplois didactiques.

INDAGUER

INDAGUER v. intr. est un emprunt savant (1484) au latin classique *indagare* «suivre la piste (d'un animal), traquer, dépister», et au figuré «rechercher», «découvrir»; le verbe est soit dérivé de *indago, indaginis* «action de pousser le gibier à l'intérieur d'une enceinte» puis «investigation, enquête» et en latin impérial «enceinte; réseau (de chasseurs, etc.)», soit directement composé de *indu-*, variante ancienne de *endo-*, forme renforcée de *in-*, et de *agere* «pousser devant soi», «poursuivre, mener» (→ agir).

♦ Le verbe, introduit avec le sens étymologique de «rechercher», est sorti d'usage en France après le XVIe siècle. Il reste vivant en Belgique comme terme de droit, signifiant «mener une enquête judiciaire».

INDÉCENT → DÉCENT

INDÉCHIFFRABLE → CHIFFRE

INDÉCIS, ISE adj. et n. a été emprunté en droit (1467) au bas latin *indecisus* «non tranché» (2e moitié du VIe s.), formé de *in-* (→ ① in-) et *decisus*, participe passé de *decidere* «décider*», dérivé de *caedere, caesus* «tailler», «couper».

♦ L'adjectif s'applique d'abord, dans le vocabulaire juridique, à une cause non jugée (1467, *cause indécise*). ◇ À partir du XVIIIe s., *indécis* s'applique par extension à une personne qui a peine à se décider (1718) et, par métonymie, s'emploie en parlant du comportement physique (*un air indécis*). Dans le premier de ces emplois, il est aussi substantivé (1747). ◇ Parallèlement, l'adjectif signifie «au sujet de quoi aucune décision n'est prise» (1730), puis (XVIIIe s., Buffon) «qu'il est difficile de distinguer, de reconnaître».

▸ **INDÉCISION** n. f., dérivé d'après *décision** (1611), désigne d'abord l'état de ce qui est indécis, rare (cf. *flou*). Le mot prend au XVIIIe s. (av. 1742, Massillon) le sens courant de «manque de décision», «état d'une personne indécise».

INDÉFECTIBLE adj. a été emprunté (1501) au latin médiéval *indefectibilis* «indestructible, éternel» (IXe s.), formé de *in-* (→ ① in-) et du bas latin *defectibilis* «sujet à défaillir», dérivé du classique *defectum*, supin de *deficere, defectus* «se détacher de», «faire défaut» (→ défectif, déficient), dérivé de *facere* (→ faire); l'adjectif a pu être dérivé savamment de *defectus*.

♦ L'adjectif *indéfectible* s'applique d'abord à ce qui ne peut cesser d'être, à ce qui dure toujours, spécialement en théologie. Il s'emploie par extension au sens de «qui ne peut défaillir» (attesté 1860; 1923, *mémoire indéfectible*). Il est didactique ou littéraire et se dit surtout des sentiments, de l'attachement.

▸ **INDÉFECTIBILITÉ** n. f. (1677, Mme de Sévigné) est encore plus didactique; on relève *deffectibilité* «défaut, manque» dès 1468. ➛ **INDÉFECTIBLEMENT** adv. (1677, Retz) est lui aussi didactique ou littéraire; le latin chrétien employait *indefectibiliter* adv. «sans défaillance» (Ve s.), puis en latin médiéval «avec constance»; *desfectiblement* «de façon incomplète» est attesté en 1468.

INDÉFINI → DÉFINIR

INDÉLÉBILE adj. est emprunté (1528) au latin *indelebilis* «ineffaçable», «indestructible», de ① in- et *delebilis*, dérivé de *delere* «effacer» et «détruire, raser»; ce verbe est rattaché, comme *abolere* (→ abolir), à *alere* «nourrir», «faire grandir», dont le participe passé *altus* s'est spécialisé au sens de «haut» (→ haut). La forme adaptée *indeleble* (1551) s'est employée au XVIe siècle.

♦ *Indélébile* «qui ne peut s'effacer» est d'abord employé au figuré puis au propre (1541, Calvin). ◇ Ce mot est beaucoup plus courant que le simple **DÉLÉBILE** adj., emprunt plus tardif au latin (1819).

▸ Les dérivés **INDÉLÉBILITÉ** n. f. (1771) et **INDÉLÉBILEMENT** adv. (1775; 1551, *indeleblement*) sont très rares.

◈ voir DELEATUR.

✳ **INDEMNE** adj. est la réfection savante (1525) de *indampne* (1384), *indamne* (1500), emprunt au latin classique *indemnis* «qui n'a pas subi de dommage», en latin médiéval (Xe s.) «exempt»; *indemnis* est formé de *in-* (→ ① in-) et de *damnum* «dommage», «perte», «dépense» (→ dam, damner). Ce terme de droit («dommages et intérêts») est issu d'une forme reconstituée °*dap-no-m*, apparenté à *daps, dapis* «sacrifice offert aux dieux», désignant à l'origine une compensation rituelle sans le caractère pécuniaire qui est dans *poena* (→ peine), plus tardif. *Damnum* a abouti en ancien français à *dam**.

♦ L'adjectif a d'abord (1384) repris le sens du latin médiéval, se disant pour «exempt de toute redevance» encore au XVIe s. (1525). Il a qualifié ce qui ne cause aucun dommage (1509) et signifie ensuite (1500) «qui n'a pas subi de dommage», «sain et sauf» en parlant d'une personne et d'une chose intacte, sens devenu courant. Comme terme de droit, il a signifié «qui n'a pas éprouvé de perte, qui est dédommagé» (1549). ◇ Par figure, en emploi littéraire, il s'applique (1885, Zola) à qqn qui n'est pas atteint d'une influence jugée néfaste.

▸ **INDEMNISER** v. tr. est dérivé savamment de l'adjectif, d'après le latin *indemnis*; le verbe est attesté isolément en 1465, repris au XVIe s. (1567), alors en concurrence avec *indemner* (1480), attesté jusqu'en 1637. ◇ *Indemniser* «dédommager (qqn) de ses pertes, de ses frais», etc. s'emploie aussi au figuré (XIXe s.). ➛ En dérivent le nom d'action **INDEMNISATION** n. f. (1754) et le terme de droit administratif **INDEMNISABLE** adj. (1873; 1845 dans Richard de Radonvilliers, qui le propose comme néologisme utile).

INDEMNITÉ n. f. a été emprunté savamment (1369; 1278, *endempnitat*) au latin classique *indemnitas* «fait d'être préservé de tout dommage», qui a pris en latin médiéval le sens de «dédommagement». ➛ Le nom a d'abord le sens général de «compensation» et a désigné spécialement (1369) le droit payé au seigneur quand un fief tombe en main-morte. Il reste terme de droit (1549) au sens plus général de «ce qui est attribué à qqn en réparation d'un dommage», au début du XXe s. dans *indemnité de guerre* (1914, Maurras). ◇ À la fin du XVIIIe s., il est employé pour désigner le traitement annuel de chacun des membres du corps législatif et du Directoire (1795), d'où ensuite *indemnité* «émoluments d'un député» (1875), aujourd'hui *indemnité parlementaire* (déb. XXe s.), et le sens de «rétribution d'une fonction temporaire ou honorifique» (1850, Balzac). Par spécialisation du sens de «compensation», on relève (XXe s.) des syntagmes : *indemnité de déplacement, de logement*, etc. ➛ *Indemnité* est attesté au XVIe s. pour «état de ce qui est indemne», mais cette acception a rapidement disparu. ➛ Le dérivé **INDEMNITAIRE** n. (1832) et adj. (1874) est un terme de droit.

INDÉNIABLE → DÉNIER

INDÉPENDANCE → DÉPENDRE

INDEX n. m. inv. est un emprunt savant (1520) au latin *index* «celui qui montre, indique, dénonce», d'où par spécialisation «index» (doigt), «indicateur, dénonciateur», «catalogue, liste, table», «pierre de touche», «inscription», etc. Le mot latin est formé de *in-* (→ ② in-) et d'un élément *-dex, dicis* (pour *-dix, -dicis*) à valeur de nom d'agent, représentant la racine indoeuropéenne °*deik-*, °*dik-* «montrer» qui avait à l'origine un caractère religieux ou juridique, et qu'on retrouve dans le latin *dicere* (→ dire), dans des composés formés sur *-dex* (→ bénir, indiquer, juge, etc.) et dans le grec *dikê* «la règle, le droit», «la justice».

♦ Dans son premier emploi, *index* désigne le doigt de la main le plus proche du pouce, ainsi nommé parce qu'il sert à indiquer, à désigner. Le nom reprend au XVIIe s. d'autres sens du latin; il se dit (1690, Furetière) d'une table alphabétique, placée à la fin d'un ouvrage, et contenant les termes correspondant aux sujets traités, les noms cités. Dans le vocabulaire technique (1690), il désigne un objet mobile sur un cadran, destiné à fournir des indications numériques. ◇ Il s'est appliqué spécialement (1690) au catalogue des livres dont le Saint-Siège interdisait la lecture, pour des motifs de doctrine ou de morale; ce catalogue, aussi appelé *indice**, a été supprimé en 1965; de ce sens vient la locution figurée (1816) ***mettre (qqn, qqch.) à l'index*** «le signaler comme dangereux pour qu'on s'en détourne». ◇ Par spécialisation du sens de «liste alphabétique», le mot s'emploie (XXe s.) en documentation *(index systématique)* et en lexicologie *(index du vocabulaire de Racine)*. ◇ Il est utilisé en économie (1907, alors par anglicisme) et en médecine (déb. XXe s.) avec le sens d'*indice**, plus courant.

▸ **INDEXER** v. tr. a été proposé par Richard de Radonvilliers (1845) pour «mettre à l'index», sens non retenu. ◇ Le verbe n'est attesté dans l'usage que depuis le milieu du XXe s. au sens d'«attribuer à (un document) une marque distinctive qui renseigne sur le contenu et qui permet de le retrouver» (1948), d'où ensuite son emploi en informatique (v. 1963). ◇ *Indexer* se dit en économie (1955) pour «lier les variations d'une valeur économique à celle d'un élément de référence (nommé *indice**) déterminé». ◆ Le nom d'action **INDEXATION** n. f., proposé en 1845 pour «mise à l'index», s'emploie en documentation (1948; le synonyme **INDEXAGE** n. m., attesté v. 1963, semble rare) et en économie (1955). ◆ **INDEXEUR, EUSE** n. est surtout un terme technique de documentation (v. 1970).

◈ voir INDICE.

INDICE n. m. est la réfection savante (1306) de la forme adaptée *endice* (v. 1130), emprunt au latin *indicium* «révélation», «dénonciation», «signe», «indice», dérivé de *index, indicis* (→ index).

♦ Le mot reprend (1306) le sens latin de «dénonciation», en usage jusqu'à l'époque classique. Mais *indice*, spécialement utilisé en parlant d'une maladie, emploi où il est remplacé aujourd'hui par *symptôme*, a aussi désigné (XIIe s., *endice*, puis 1488) un signe apparent qui indique qqch. avec probabilité, puis l'index mobile sur un cadran et, en droit (XVIIIe s.), un fait connu qui sert à constituer la preuve par présomption, sens demeuré vivant. ◇ Il a désigné au XVIe s. celui qui indique (1529), en particulier un dénonciateur (1541), et a été en concurrence avec *index**, comme nom d'une table indicative (v. 1500; v. 1590, en droit canon, *indice expurgatoire*). Il s'est dit aussi du doigt nommé *index* (v. 1560; 1534, *doigt indice*). ◆ *Indice* entre au XIXe s. dans le vocabulaire didactique; il se dit d'une indication numérique qui sert à exprimer un rapport, en physique (1829, ***indice de réfraction***), en anthropologie physique (1868, Broca, ***indice céphalique***), et désigne une indication numérique ou littéraire qui sert à caractériser un signe, spécialement en documentation (1851, Cournot), en mathématiques (1873), en musique (1885). ◇ Le mot est repris avec l'idée de «rapport» en économie, emploi devenu courant (déb. XXe s., ***indice des prix***, et dès 1867, *nombres-indices*), au XXe s. dans le vocabulaire militaire (1922), en médecine *(indice thérapeutique)*, en chimie *(indice d'octane)*, etc. Dans le vocabulaire administratif, *indice de traitement* signifie «nombre affecté à un échelon d'un grade, d'un emploi». ***Indice d'écoute*** (apr. 1960) désigne le nombre de personnes, évalué en pourcentage, ayant écouté ou regardé une émission de radio, de télévision à un moment donné. ◇ À partir du premier sens, *indice* est repris en linguistique au XXe s., ***indice de classe*** désignant un élément morphologique servant à répartir les unités du lexique en classes, dans certaines langues. ◇ Enfin, dans la théorie sémiotique de Ch. S. Peirce, *indice*, opposé à *icone** et à *symbole** (*index* en anglais), se dit d'un signe qui renvoie à son objet par une action physique, par une connexion (par exemple la girouette par rapport au vent).

▸ *Indice* a fourni plusieurs dérivés d'usage didactique. ◆ **INDICIEL, ELLE** adj. a eu le sens général (1540) de «qui indique»; le mot est repris (mil. XXe s.) en linguistique (1953), en mathématiques, en économie et en sémiotique. ◆ **INDICIAL, IALE, IAUX** adj. (1945) «qui s'appuie sur des index» est rare, parfois remplacé par **INDICAL, ALE, AUX** adj. (mil. XXe s.). ◆ **INDICER** v. (v. 1970) «attribuer des indices pour identifier des variables» est un terme d'informatique. ◆ **INDICIAIRE** adj., dérivé savant du latin *indicium*, s'est employé comme nom masculin (1475) au sens de «chroniqueur». On le retrouve ensuite dans *le doy indiciaire* «l'index (de la main)» (av. 1506) et dans *table indiciaire* «index» (1537), tous deux en concurrence avec *indice* (ci-dessus). ◇ Le mot est repris au XXe s. en droit (1936, *impôt indiciaire*) et dans le vocabulaire administratif *(grille indiciaire)*.

◈ voir INDIQUER.

INDICTION n. f., d'abord écrit *indictiuns* (1119) et repris par latinisme sous la forme *indiction* (1526), est un emprunt savant au bas latin *indictio* «avis, notification», «publication d'un rôle d'impôt», «convocation (d'un concile à une date donnée)», «période de quinze ans», mot dérivé de *indictum*, supin de *indicere* «publier, notifier»; le verbe est formé de *in-* marquant l'aboutissement (→ ② in-) et de *dicere* «dire*» (→ indiquer).

♦ *Indiction* désigne, en parlant de l'Antiquité, une période (de quinze ans dans le Bas-Empire romain) pour laquelle le budget était fixé à l'avance, période utilisée ensuite dans le comput ecclésiastique. Dans le vocabulaire religieux (1526), le mot désigne la convocation à un jour dit d'un concile, d'un synode, puis s'emploie au sens de «prescription» (fin XVIe s., *indiction d'un jeûne*).

► **INDICT** n. m. est un emprunt au latin *indictum* «chose prescrite», participe passé neutre substantivé de *indicere*, et a signifié (mil. XVe s., adj.) «établi par un édit». Le nom est attesté au XVIIIe s. au sens de «fixation à un jour dit (d'une foire)»; il est sorti d'usage.

INDIEN, IENNE n. et adj., attesté vers 1265 (*yndiien* n. m. chez B. Latini), est un emprunt savant au bas latin *Indianus,* dérivé du latin classique *India* «Inde», du grec *India,* de *Indos* «Indus». C'est un nom propre indoeuropéen (cf. le sanskrit *sindhu* «fleuve» et, spécialement, «Indus», et aussi *Sind,* nom propre d'une région du Pakistan irriguée par le cours inférieur de l'Indus).

♦ *Indien* se dit d'une personne née aux Indes ou qui habite les Indes; l'adjectif s'applique à ce qui est originaire des Indes, notamment dans *toile indienne* (1359), devenu **INDIENNE** n. f. (1632) «toile de coton peinte ou imprimée» qui se fabriquait primitivement aux Indes. ◆ Dans la seconde partie du XVIe s., *Indien* qualifie (1588) un indigène d'Amérique parce que les navigateurs du XVe s. se croyaient arrivés aux Indes par la route de l'Ouest. Dans cet emploi, *indien* est aussi substantif (1721). Le mot s'emploie ensuite (XIXe s.) de façon plus restreinte, par allusion à l'image conventionnelle des Indiens «peaux-rouges» d'Amérique du Nord, dans la vision nord-américaine de la conquête de l'Ouest. Il entre dans quelques locutions : ***à la (en) file indienne*** (2e moitié XIXe s.), équivalent de *à la queue leu leu,* vient de la vogue des récits sur les Indiens, où ces derniers avancent ainsi sur le «sentier de la guerre». *Nage à l'indienne* (1901) ou *indienne* n. f. (*nage indienne* est sorti d'usage) désigne une nage sur le côté, les jambes en ciseaux; ***l'été des Indiens, l'été indien*** traduction de l'anglais *indian Summer,* correspond au Canada à ce que l'on nomme en France *été de la Saint-Martin;* l'expression a remplacé *Été des Sauvages,* le mot *sauvage* ayant désigné jusqu'au XIXe s. les autochtones américains, en français du Canada. ◆ L'Indien d'Amérique ayant longtemps été considéré comme dangereux, *indien* a pris en argot familier de France le sens (XXe s.) d'«individu quelconque plus ou moins tenu pour suspect» (cf. *Apache*).

► À partir d'*indien* ont été formés des dérivés savants. ◆ **INDIANISTE** désigne comme adjectif (1814, *des Anglais Indianistes*) puis comme nom (1832) un spécialiste des langues et civilisations indiennes au premier sens du mot (→ indologue); *indianiste* est rare (adj., mil. XXe s.) pour «relatif aux Indiens d'Amérique». ◆ **INDIANISME** n. m. se dit de l'étude des langues et civilisations de l'Inde (1840; → indologie) et signifie «caractère indien» (1866) et «idiotisme propre aux langues de l'Inde» (1873). ◇ Le nom s'emploie aussi (XXe s.) pour «caractère propre aux Indiens d'Amérique» et plus récemment, d'après l'espagnol *indianismo,* courant au Mexique, désigne l'intérêt porté aux cultures indiennes d'Amérique latine. ◆ **INDIANISER** v. tr. ne s'emploie (1892) que par référence à l'Inde; en dérive **INDIANISATION** n. f. (1942).
De *indienne* n. f., désignant une cotonnade, dérivent les termes techniques **INDIENNEUR** n. m. (1790) et **INDIENNERIE** n. f. (1869), aujourd'hui vieillis.

◈ voir AMÉRICAIN (AMÉRINDIEN), DINDE, DINDON, INDIGO, INDO-.

INDIFFÉRENT, ENTE adj. et n. est un emprunt (fin XIIIe-déb. XIVe s.) au latin *indifferens* «indifférent, ni bon ni mauvais», «qui ne se préoccupe pas», formé par Cicéron pour traduire le grec *adiaphoros* «non différent» à partir de *differens, -entis,* lui-même de *differe* (→ différent, différer).

♦ L'adjectif signifie d'abord «sans distinction, sans différence», sens sorti d'usage (cf. ci-dessous *indifféremment*) comme l'emploi du nom *indifférent* pour «impartialité» (1440-1475). Au XVIe s., l'adjectif s'applique comme en latin à ce qui, d'un côté comme de l'autre, présente un intérêt ou une absence d'intérêt (1529, en parlant de choses). ◇ L'adjectif est ensuite employé, au XVIIe s., sans idée de choix ou d'opposition; il signifie «sans intérêt, sans importance» (1634, Corneille) en parlant d'une chose, et s'applique, par reprise d'un sens du latin, à une personne qui marque de l'indifférence en amour (1643, Rotrou; 1669, n.) et, plus généralement (1669), ne s'intéresse pas à qqch. ou qqn (la construction *indifférent sur qqch.* est sortie d'usage) ou qui n'est pas émue. De là, une substantivation, surtout au masculin (1694), par exemple dans *un bel indifférent.* ◇ En parlant de choses, le mot signifie (1641) «qui ne tend pas vers telle chose plutôt que vers telle autre», d'où en sciences «sur lequel ne s'exerce aucune force capable de modifier l'état» (XVIIIe s.). L'adjectif qualifie aussi au XVIIe s. la personne qui n'est pas en faveur d'un parti plutôt que d'un autre. ◇ *Indifférent* correspond ensuite (1671) à «qui n'intéresse pas», en parlant de personnes, et spécialement «qui n'inspire pas de sentiment amoureux».

► Le dérivé **INDIFFÉREMMENT** adv. (1314, *indiferanment*), qui conserve le sens ancien de l'adjectif «sans distinction», est sorti d'usage au sens (1520) de «avec froideur». ◆ **INDIFFÉRENTISTE** n. et adj. a désigné en religion (1721) la personne qui accepte tous les dogmes religieux, refusant de donner la préférence à l'un d'eux. ◇ **INDIFFÉRENTISME** n. m. (1750) lui correspond. ◆ **INDIFFÉRER** v. tr. (1888), considéré comme un barbarisme par les puristes, est courant dans la langue familière pour «être indifférent (à qqn)».
INDIFFÉRENCE n. f. est emprunté (1372) au dérivé bas latin *indifferentia* «état physique qui ne présente rien de particulier», «synonymie» en latin impérial. ◆ C'est le sens concret qui est d'abord repris. Le mot réapparaît au XVIIe s. avec le sens

général d'«état d'une personne indifférente» (1606) et suit une évolution sémantique parallèle à celle d'*indifférent;* il s'emploie spécialement dans le domaine religieux (XVIIe s., Pascal, *indifférence de la religion;* 1817, Lamennais, *indifférence en matière de religion*). ◇ À l'emploi de l'adjectif concernant les choses correspond un usage en sciences (1855, *indifférence magnétique*).

◈ voir **DIFFÉRENCE, DIFFÉRENT.**

INDIGÈNE adj. et n., attesté chez Rabelais (1532), est un emprunt savant au latin classique *indigena* adj. et n. «originaire du pays, indigène», composé de *indu-*, forme renforcée archaïque de *in-* «dans» (→ ② in-), et de *-gena* «né de», de *genere* «engendrer» (→ géniteur), remplacé en latin classique par la forme à redoublement *gignere.* Ces verbes se rattachent à une racine indoeuropéenne °*gen(e)-*, °*gne-* «engendrer» et «naître» (→ -gène).

♦ *Indigène* adj., latinisme chez Rabelais, s'applique à une personne qui habite depuis longtemps dans une région. ◇ Le mot est repris au XVIIIe s., d'abord en parlant d'une plante originaire du pays où elle se trouve (1743, Geoffroy), et opposé à *exotique,* puis d'une personne (1756, Voltaire; 1762, n.) et d'un animal (1778, Buffon); en ce sens, l'adjectif est didactique. ◆ *Indigène* s'emploie également à partir du XVIIIe s. au sens d'«originaire d'un pays occupé par les colonisateurs» (1770, n.), le mot est aujourd'hui courant en ce sens, mais considéré comme péjoratif et souvent insultant, dans une perspective anticolonialiste. Au début du XIXe s., l'adjectif s'applique à ce qui est propre à une population indigène *(les langues indigènes d'Europe),* mais cet usage est très didactique. Le mot, dans son sens usuel, est en concurrence avec *autochtone, aborigène* (plus didactique). Son emploi, dans le contexte colonial, était en général lié à une classification ethnique, parfois raciale, d'où son actuel discrédit.

▸ **INDIGÉNAT** n. m. est attesté (1699) au sens de «droit de cité», en parlant de la Pologne. ◇ Le mot est repris au XIXe s. pour désigner le fait d'être indigène dans une région (1861, Proudhon) et le régime administratif spécial appliqué dans certaines colonies (1888), aujourd'hui aboli.

INDIGENT, ENTE adj. et n. est un emprunt savant (1275-1280) au latin *indigens, -entis* «qui est dans le besoin», participe présent de *indigere* «manquer de», formé de *indu-,* forme renforcée archaïque de *in-* «dans» (→ ② in-), avec valeur intensive, et de *egere* «être dans le besoin, manquer de». On rapproche ce verbe de mots germaniques comme l'ancien haut allemand *eko-rūdo* «seulement» et le vieil islandais *ekla* «manque».

♦ *Indigent,* conservant le sens du latin, signifie «qui manque des choses les plus nécessaires à la vie»; substantivé déb. XIVe s. L'adjectif s'emploie ensuite au sens figuré (1564, Rabelais) de «pauvre».

▸ Le dérivé **INDIGEMMENT** adv., attesté chez Mallarmé (1898), est d'emploi littéraire et rare. ◆ **INDIGENCE** n. f., emprunt au dérivé latin *indigentia* «besoin, exigence», s'emploie au propre (1275-1280) et au figuré (1675). On délivrait autrefois un *certificat d'indigence* (1835) qui donnait droit à des secours publics.

INDIGESTE, INDIGESTION → **DIGÉRER**

INDIGNE → **DIGNE**

INDIGO n. m. et adj. inv. est probablement emprunté (1578), d'abord sous la forme *indico* (1544), au portugais *indigo* (seulement cité en 1695); on a aussi évoqué l'espagnol et le néerlandais. Tous sont issus du latin *indicum,* neutre substantivé de l'adjectif *indicus* «de l'Inde», dérivé de *India* «Inde» (→ Indien). De l'italien *indaco* (1334; vénitien *indego,* 1246), également issu de *indicus,* viennent en français les formes *indaco* (1556) et *indacum* (1576) qui ne se sont pas maintenues.

♦ Le mot désigne une substance colorante bleue et, par ellipse, la couleur bleue de l'indigo, d'où par extension tout bleu d'aspect semblable. *Indigo* se dit aussi (XVIIIe s.) de la plante qui fournit l'indigo.

▸ La plante est également nommée **INDIGOTIER** n. m. (1718). ◆ **INDIGOTIER, IÈRE** n. désigne par ailleurs (1722) un fabricant d'indigo (on trouve aussi chez Flaubert **INDIGOTEUR** n. m. [1853] dans un emploi péjoratif) puis (1817) l'ouvrier travaillant dans une fabrique d'indigo, appelée **INDIGOTERIE** n. f. (*indigotterie,* 1657). ◆ De *indigo* ont été aussi tirés **INDIGOTINE** n. f. (1828), terme de chimie, et le composé **INDIGOÏDE** adj. (1908; de *-oïde*), terme technique.

INDICAN n. m. (1873), emprunt probable à l'allemand *Indican* (1855, Schunck), est tiré de *indicum,* avec suffixation en *-an* des composés azotés. Le mot désigne un glucoside extrait des feuilles de l'indigo.

INDE n. m. (v. 1165) et adj. (v. 1150), terme technique, est un emprunt ancien au latin *indicum,* sans doute par l'intermédiaire de l'ancien provençal *indi, endi* (XIIe s.). Le mot désigne et qualifie en ancien français la couleur bleu foncé violacé extraite de l'indigo; il s'emploie à partir du XVIe s. (1559) pour désigner la substance tinctoriale donnant ce bleu, extraite de la guède ou de l'indigotier (en ancien provençal, XIIIe-XIVe s.); en ce sens il a été éliminé par *indigo.* ◆ **INDIUM** n. m. est formé (1863) comme l'allemand *Indium* (1863) à partir du radical de *indigo,* à cause de la couleur caractéristique d'une raie spectrale de ce métal.

INDULINE n. f., emprunté (1886) à l'anglais *induline* (1882), est formé de *ind*(igo), du diminutif *-ul*(e) et de (anil)*ine**. Il désigne en chimie toute matière colorante bleue dérivée de l'aniline.

✻ **INDIQUER** v. tr. est un emprunt savant (1510, Bloch et Wartburg) au latin classique *indicare* «indiquer», «dénoncer», «révéler» et «donner le prix de, évaluer», dérivé de *index, indicis* (→ index, indice). L'emprunt français reprend aussi les sens du latin classique *indicere* «déclarer officiellement, notifier, annoncer» et «imposer, prescrire», dérivé de *dicere* (→ dire) par préfixation (→ ② in-). ◇ *Indicare* avait abouti par voie populaire à l'ancien français *aengier* (XIIe s.) «augmenter, accroître», puis *enger* (XVIe s.) dont dérive *engeance**. Par ailleurs, un dérivé gallo-roman, °*indictare,* avait donné *enditier* (1050) «indiquer, faire connaître», puis *enditer* (XIVe s.) qui se maintient jusqu'à la fin du XVIe siècle.

♦ *Indiquer* signifie d'abord «faire voir (qqch., qqn) d'une manière précise par un geste, un signe, etc.». Le verbe est attesté au sens de «dénoncer un coupable» (1611), à nouveau chez Montesquieu (1748); il a pris en argot (XIXe s.) le sens de «fournir des indications relatives à un acte délictueux», d'après *indicateur.* ◇ Il s'était spécialisé au XVIIe s. comme terme de médecine au sens de «faire connaître la médication appropriée», d'où le composé *contre-indiquer* (ci-dessous) et s'emploie surtout au participe passé *(remède indiqué).* ◇ Il a ensuite (1690) le sens de «faire connaître à qqn, en le renseignant (une chose, une personne)», spécialement ***indiquer un lieu à qqn*** «lui expliquer comment s'y rendre». L'acception particulière (1688) de «convoquer à une date déterminée» n'est plus en usage. ◇ L'emploi au sens de «déterminer et faire connaître» (XVIIIe s.) a vieilli sauf dans la langue juridique. Dans le domaine des arts, *indiquer* a pris le sens (av. 1803, La Harpe) de «représenter en s'en tenant aux traits essentiels, esquisser». Avec un sujet nom de chose, le verbe signifie (1835) «faire connaître le caractère de (un être, un événement) en servant d'indice».

▶ À part le composé préfixé **CONTRE-INDIQUER** v. tr. (1770) qui correspond au sens médical de *indiquer* et s'emploie comme lui surtout au participe passé, en relation avec *contre-indication* (ci-dessous), la série lexicale de *indiquer* est faite d'emprunts. ➜ **INDICATION** n. f. est emprunté (1333) au latin classique *indicatio, -onis* «indication de prix, taxe» et «mise à prix», de *indicatum,* supin de *indicare.* ◇ Le mot se dit de l'action d'indiquer, de ce qui est indiqué; de là son emploi spécial en médecine (1478) pour «signe, symptôme», sorti d'usage, et pour «médication, remède qu'indique le médecin» (XVIIe s.) — d'où **CONTRE-INDICATION** n. f. (1697) —, et enfin le sens plus général d'«indice, signe» (1708). ◇ *Indication* semble peu employé aux XVIIe et XVIIIe siècles; il est repris au XIXe s. pour désigner une information indiquée (1834; *chercher des indications*), spécialement en peinture (1853, Delacroix). ➜ **INDICATIF, IVE** adj. et n. m. est un emprunt (XIVe s.) au dérivé bas latin *indicativus* «qui indique» et terme de grammaire *(indicativus modus).* ◇ Le mot est d'abord un terme de grammaire (XIVe s., n. m.; fin du XVIe s., adj., *mode indicative*), désignant le système des formes verbales, le mode employés pour présenter un procès énoncé sans aucune interprétation. L'adjectif s'applique (1466) à ce qui sert à indiquer. ➜ *Indicatif* n. m. est repris avec ce sens (1873), pour désigner le signal distinctif de chaque émetteur-récepteur télégraphique ou radiophonique *(indicatif d'appel);* le nom se dit (1945) d'un fragment musical qui annonce une émission radiophonique régulière.

INDICATEUR, TRICE n. et adj. est un emprunt (v. 1490) au bas latin *indicator* «accusateur», de *indicare,* mais peut être considéré comme dérivé d'*indiquer* quant aux autres sens. ➜ Le mot est d'abord attesté comme nom, pour désigner une personne qui dénonce un coupable; ce sens, repris au XVIIIe s. (1748, Montesquieu), est rare avant le XIXe s. où il est abrégé, en argot, en **INDIC** n. m. (1894). ➜ L'adjectif s'applique aussi (1549) à ce qui indique qqch., porte une indication; le nom est repris au XVIIe s. en ce sens (1690), équivalant à *index.* ◇ *Indicateur* n. m. désigne aussi un livre, une brochure donnant des renseignements divers (1792), puis un instrument servant à donner des indications quantitatives (1851, Cournot) et un dispositif donnant des indications (1853, Flaubert). ◇ Par extension, le nom s'emploie en chimie (1922) à propos d'une substance qui permet de déceler une réaction chimique, d'où *indicateur radioactif* (cf. *traceur*), et en économie (XXe s.) pour désigner une variable dont certaines valeurs sont significatives d'un phénomène. Le nom est aussi employé en linguistique (v. 1970, n. m., *indicateur syntagmatique*), et le féminin **INDICATRICE** n. f. en sciences (mil. XXe s.).

INDISPENSABLE → DISPENSER

INDISPOSER → DISPOSER

INDISTINCT → DISTINGUER

INDIVIDU n. m. est un emprunt (1377, Lanfranc) au latin *individuum* qui en latin classique (Cicéron) traduit le grec *atomos* «atome» (littéralement «qu'on ne peut couper»), puis en latin médiéval correspond à «ce qui est indivisible», pour désigner un objet unique par opposition à *genus, species,* d'où *genre, espèce.* Le nom latin est la substantivation de l'adjectif *individuus* «indivisible» et «indivis», formé de *in-* (→ ① in-) et de *dividuus* «divisible», «divisé», de *dividere* «diviser, partager» (→ diviser), formé de *di-* et d'un verbe °*videre* non attesté à l'état simple.

♦ *Individu* s'emploie d'abord au sens large, pour «être formant une unité distincte», par opposition à *genre* et *espèce* (1377, *individue,* puis 1546, Rabelais, qui emploie aussi *son individu* «sa propre personne»). ◇ Le mot est aussi attesté comme adjectif (1486) signifiant «indivisible», sens disparu comme l'emploi pour «individuel» (fin XVIe s.). *Individu* reprend dans la langue classique (1611) en physique le sens latin d'«élément indivisible» (cf. *atome*). ◇ Il désigne à partir du XVIIe s. un membre de l'espèce humaine (1680, Richelet) et entre dans le vocabulaire de la biologie au sens de «corps organisé vivant une existence propre, et qui ne saurait être divisé sans être détruit» (1738, J. B. d'Argens). ◇ Comme terme scientifique, il s'est dit aussi (1814, B. de Saint-Pierre) de l'unité élémentaire d'une société.
Terme didactique devenu usuel, *individu* désigne (1755, Rousseau) un membre d'une collectivité humaine, puis est employé, souvent péjorativement, au sens de «personne quelconque» (1791, Robespierre, *l'individu royal*); en ce sens il ne s'emploie pas au singulier pour désigner une femme.

▶ **INDIVIDUEL, ELLE** adj. et n., emprunté au latin scolastique *individualis* (v. 1115), signifie d'abord (1372) «indivisible». ◇ L'adjectif, aussi écrit *individual* (1490), s'applique ensuite à ce qui a le caractère d'un individu (av. 1475, G. Chastellain) puis à ce qui est propre à l'individu (1546, Rabelais). ◇ *Individuel* est repris au XVIIIe s. au sens de «qui concerne une seule personne» (1764, Rousseau). Substantivé, il désigne spécialement (1934, n. m.) un sportif n'appartenant à aucune équipe, puis se dit d'un compartiment de wagon-lit, d'une chambre d'hôtel pour une personne seule, pour traduire l'anglais *single,* lui-même très employé. ◇ Le dérivé **INDIVIDUELLEMENT** adv. (1551) est usuel. ◇ Le préfixé **INTERINDIVIDUEL, ELLE** adj. est un terme didactique (1897) formé sur *individu.* ➜ Sur *individuel* ont été dérivés savamment plusieurs mots. **INDIVIDUALISÉ, ÉE** adj. (1732) est didactique et littéraire; **INDIVIDUALISER** v. tr. (1765, Diderot) a fourni par dérivation les mots didactiques **INDIVIDUALISATION** n. f. (1803), **INDIVIDUALISANT, ANTE** adj. (1864, Renouvier), **INDIVIDUALISABLE** adj. (mil. XXe s.). ➜ Le préfixé **DÉSINDIVIDUALISER** v. tr. (1924) est littéraire, son dérivé **DÉSINDIVIDUALISATION** n. f. (1936) didactique. ➜ Le dérivé **INDIVIDUALITÉ** n. f. (1760, Ch. Bonnet) désigne l'ensemble des caractères propres à un individu, d'où son emploi pour «originalité» (1779, Diderot); il est didactique au sens de «ce qui existe à l'état d'individu» (1761). *Une individualité* est employé (1830, Balzac) pour «individu» considéré dans ce qui le différencie des autres; cet emploi est signalé comme un néologisme par Littré; *individualité,* au sens (1000) de «personne douée d'un caractère marqué», est concurrencé par *personnalité.* ➜ **INDIVIDUALISME** n. m. se dit (1825) de la théorie qui voit dans l'individu la suprême valeur, dans le domaine politique, économique ou moral; le nom désigne ensuite (1834) l'attitude d'esprit qui favorise l'initiative et la réflexion individuelle, et (1839, Balzac) la tendance à l'égoïsme. ◇ Le mot est devenu un terme de sociologie (1904) désignant la théorie qui cherche à expliquer les phénomènes historiques et sociologiques par l'action consciente des indidivus. ◇ Le dérivé **INDIVIDUALISTE** n. (1825) et adj. (1836) a suivi une évolution sémantique parallèle.

INDIVIDUER v. tr. est emprunté (fin XVe s.) au latin scolastique *individuare* «donner son individualité à, individualiser» (XIIIe s.); il en conserve le sens dans des emplois didactiques; ses deux participes ont donné les mots didactiques **INDIVIDUÉ, ÉE** adj. (1907, Bergson) et **INDIVIDUANT, ANTE** adj. (1920, Goblot). ➜ Un autre terme didactique, **INDIVIDUATION** n. f., est un emprunt (1551) au latin scolastique *individuatio* «fait de devenir un individu, d'être doté d'une existence singulière» (XIIIe s.), dérivé de *individuus.*

INDIVIS, ISE adj. est un emprunt (1332) au latin *indivisus* «non partagé» qui s'est spécialisé dans le vocabulaire juridique au sens d'«indivis» (*pro indiviso* «en commun»); le mot est préfixé en *in-* (→ ① in-) de *divisus,* participe passé de *dividere* «diviser, séparer» (→ diviser).

♦ L'adjectif s'est d'abord employé en droit dans la locution adverbiale *pour indivis* «sans division, sans partage en commun», aujourd'hui ***par indivis*** (1347). Il qualifie (1562) un bien sur lequel plusieurs personnes ont un droit et qui n'est pas matériellement divisé entre eux, d'où par ellipse *propriétaires indivis* (1526, *indevis*).

▸ De l'adjectif dérivent des termes de droit : **INDIVISÉMENT** adv. (1551; 1497, *indiviseement*) «par indivis», **INDIVISION** n. f. (1765), auparavant «absence de division», préfixé de *division* (1606), et **INDIVISAIRE** n. (1936).

INDO- est un premier élément de mots composés, tiré du latin *Indus* (grec *Indos*) «de l'Inde» (→ indien).

▸ *Indo-* entre dans la composition de plusieurs mots didactiques, comme **INDO-PERSAN, ANE** adj. (1827), et courants, tel **INDOCHINOIS, OISE** adj. et n. (1840), qui a vieilli après la disparition de l'entité coloniale appelée Indochine. ◇ Plusieurs composés concernent la linguistique. **INDOEUROPÉEN, ENNE** adj. et n. (1836, A. Pictet) a été probablement composé d'après l'anglais *Indo-European,* attesté en 1813; le mot se dit des langues d'Europe et d'Asie qui ont une origine commune; il a supplanté **INDOGERMANIQUE** adj. et n. m. (1810), mot créé par les philologues allemands (attesté seulement en 1823 et en concurrence avec *indoeuropäisch*); on a dit aussi *indo-germain, aine* adj. (1827). En dérive **INDO-EUROPÉANISTE** n. (fin XIXe s.). — Voir l'encadré : langues indoeuropéennes pp. 1816 à 1822. ◇ **INDO-ARYEN, ENNE** adj. (1934) s'applique aux langues indoeuropéennes parlées dans le sous-continent indien. ◇ On relève aussi **INDO-HELLÉNIQUE** adj. (1846), **INDO-IRANIEN, IENNE** adj. et n. m. (1902), termes de linguistique.

INDOLOGIE n. f. (XXe s.), emprunt à l'anglais *indology* (1888), d'où **INDOLOGUE** n. et **INDOLOGIQUE** adj., concerne l'étude du continent indien.

◈ voir INDIEN.

INDONÉSIEN, IENNE adj. et n. dérive (v. 1885) de *Indonésie,* nom propre de pays, composé de *indo-* (→ indo-) et du grec *nêsos* qui correspond au latin *insula* (→ île); le mot est sans doute emprunté à l'anglais *Indonesia* qui apparaît en 1850, comme *indonesian.*

♦ Le mot désigne ce qui se rapporte à l'Indonésie et à ses habitants.

INDU → DEVOIR

INDUBITABLE adj., emprunt (XVe s., d'après le dérivé) au latin *indubitabilis* de *dubitabilis* «douteux» (→ dubitatif), de *dubitare* (→ douter).

♦ Employé pour «inéluctable» (attesté mil. XVIe s.), il a vieilli, alors que l'autre emploi pour «certain, indiscutable» est resté vivant. Le contraire *dubitable* est beaucoup plus rare.

▸ **INDUBITABLEMENT** adv. (1488) est plutôt didactique.

INDUIRE v. tr. représente la réfection (XIIIe s., selon Bloch et Wartburg; puis 1355) de l'ancien français *enduire* «conduire, inciter», «amener à l'esprit» (v. 1285; → enduire), d'après le latin *inducere* «conduire dans, vers», «faire avancer», «déterminer à». Ce verbe est un préfixé (→ ② in-) de *ducere, duc-*

(Suite p. 1823)

INDOEUROPÉEN (LANGUES INDOEUROPÉENNES)

Nom conventionnel d'une famille de langues, à laquelle se rattachent entre autres les langues romanes, et donc le français, ainsi que de nombreuses langues d'Asie et les langues parlées aujourd'hui en Europe, à l'exception des langues du groupe finno-ougrien (hongrois, finnois, estonien, etc.), du basque (sans rattachement démontré à un groupe de langues), et du turc (appartenant au groupe altaïque). À partir de 1000 avant J.-C. environ les langues indoeuropéennes étaient déjà parlées par la majorité des habitants de l'Europe, par une partie des habitants de l'Asie occidentale (Caucase, plateau iranien) et de l'Asie méridionale (sous-continent indien); depuis le milieu du XVe s. de notre ère, elles ont touché la plupart des zones du monde habité. À côté du terme français *indoeuropéen* (anglais *Indo-European,* et termes équivalents dans de nombreuses langues), le terme allemand *indogermanisch* est inexact, en ce qu'il semble privilégier la branche germanique, parmi les langues européennes; en fait, les linguistes allemands conservent cette dénomination depuis la première moitié du XIXe s., mais en lui donnant la même valeur conventionnelle que le terme «indoeuropéen». Les termes français et allemand sont simplement deux façons de résumer en un seul mot composé l'extension maximale de cette famille de langues. Cependant, depuis l'Islande et l'Irlande à l'ouest, jusqu'à l'Inde à l'est, et depuis la Scandinavie au nord, jusqu'à la Grèce au sud, toutes les langues ne sont pas indoeuropéennes. En revanche, à une époque plus ancienne, on connaît au moins une branche dialectale du groupe (le tokharien) attestée dans une région plus orientale que l'Inde.

La notion de ***proto-langue***, dont sont issues toute une série de langues apparentées, repose d'abord sur l'observation d'un fait : certaines langues de cet ensemble présentent entre elles des ressemblances si précises et si nombreuses qu'elles ne peuvent s'expliquer ni par l'emprunt (en raison de l'éloignement géographique) ni par des tendances universelles (constatées dans des secteurs très limités du lexique : mots imitatifs, enfantins), ou encore par le seul hasard. L'hypothèse consiste à admettre que ces langues ont une origine commune, dont elles ont divergé par différenciation dialectale. Cette langue non attestée est appelée «indoeuropéen» ou, de façon plus exacte, «proto-indoeuropéen» ou «indoeuropéen commun». La reconstruction des traits de cette langue repose d'abord sur la comparaison systématique des langues attestées, groupées en grandes branches dialectales, que l'on va présenter ici.

1. Anatolien, dont le représentant principal est le **hittite,** attesté par de nombreux documents (historiques, juridiques, religieux, littéraires) en écriture cunéiforme, depuis le XVIIe s. avant J.-C. jusqu'à 1200 environ avant J.-C. Ces écrits montrent une évolution sensible de la langue, idiome officiel d'un empire dont la capitale était au centre de la Turquie actuelle. Les deux autres langues anciennes sont le *palaïte,* connu par des fragments de l'époque hittite archaïque, et le *louvite,* connu par des textes des XVe et XIVe s. (époque néo-hittite), et par des mots empruntés en hittite ; des textes louvites gravés en écriture hiéroglyphique sont attestés sur une vaste zone en Asie Mineure et au nord de la Syrie, depuis 1500 au moins juqu'à la fin du VIIIe s. avant J.-C. ; les langues anatoliennes du premier millénaire, écrites dans des alphabets de type grec, sont le *lycien,* proche de l'ensemble louvite, attesté par des inscriptions et des légendes monétaires au sud-ouest de l'Anatolie, datables des Ve et IVe s. ; et le *lydien,* connu par des inscriptions de la ville de Sardes, principalement du IVe s., mais pouvant remonter en partie au VIe s., et représentant une autre variété dialectale du groupe anatolien.

2. Indo-iranien : ce groupe comprend principalement deux branches, l'*indo-aryen* (indien) et l'*iranien.* En plus des connexions nombreuses des systèmes linguistiques à date ancienne, l'unité indo-iranienne est prouvée par l'usage du même terme par les Indiens et les Iraniens pour se désigner comme peuple : *ārya,* dont le sens premier est peut-être tout simplement «homme». Le lieu de la communauté indo-iranienne était probablement au nord de l'Afghanistan actuel, dans le «Turkestan» de l'ex-empire soviétique, où des langues iraniennes sont encore parlées.

Les documents les plus anciens et les mieux conservés se trouvent du côté indo-aryen : en Inde, les textes sacrés de l'hindouisme, les Vedas, sont rédigés dans une langue littéraire, un mélange dialectal dont la variété dominante est un dialecte du Nord-Ouest (Penjab); dans l'abondante littérature védique, dont la composition s'est poursuivie jusqu'au VIe s. avant J.-C. environ, l'ouvrage le plus important pour la grammaire comparée est le recueil d'un millier d'hymnes, composé sur une longue période (1400-1000 av. J.-C., selon l'estimation habituelle). Au Ve s. av. J.-C. à la fin de la période védique, et à la suite de nombreux travaux de grammairiens, l'indo-aryen ancien fut décrit et codifié sous la forme appelée plus tard **sanskrit.** L'évolution des langues vernaculaires *(prâkrits)* apparaît de façon indirecte dans les textes védiques ; elles sont connues grâce aux réformes religieuses (bouddhisme et jaïnisme) qui ont utilisé pour leur prédication, à partir de 500 environ avant notre ère, les idiomes contemporains, et non la langue sacrée de l'hindouisme. Mais les textes datables les plus anciens en moyen-indo-aryen (ou moyen-indien) sont les inscriptions copiées sous l'empereur Asóka (mil. IIIe s. av. J.-C.), et rédigées dans les divers prâkrits de son empire. Plus tard, les prâkrits nous sont accessibles surtout à travers des formes conventionnelles et littérarisées ; le plus archaïque est le *pâli*, langue du canon bouddhique méridional. Le moyen-indien est le continuateur du védique, et il s'achève dans le stade appelé *apabhraṃsá* «dégradation», au milieu du premier millénaire de notre ère ; à partir du second millénaire, se forment les langues modernes (néo-indo-aryen), qui s'étendent sur la plus grande partie du sous-continent indien, à l'exception notable du Sud, occupé par les langues dravidiennes, étrangères à l'ensemble indoeuropéen. Les premiers témoignages sur l'indo-aryen ancien sont extérieurs à l'Inde : ils apparaissent au Proche-Orient, et consistent surtout en théonymes, anthroponymes (noms de dieux et d'hommes) et expressions techniques employés, aux alentours du XIVe s. avant J.-C., par l'aristocratie du royaume hourrite du Mitanni (au nord de la Syrie et de l'Irak actuels), et connus dans les régions voisines. Enfin, le tsigane appartient aussi au groupe indo-aryen (→ tsigane).

Du côté iranien, au stade ancien, l'**avestique** est le représentant de l'iranien oriental : c'est la langue de l'Avesta, texte sacré de la religion mazdéenne, corpus de compositions d'époques diverses. Les textes en vieil-avestique (notamment les Gâthâs) peuvent remonter à 1000 avant J.-C. environ ; on suppose plusieurs siècles d'écart avec ceux qui sont rédigés en avestique récent. L'avestique n'est continué par aucun dialecte iranien ultérieur. — La branche occidentale est représentée d'abord par le ***vieux-perse***, qui est attesté par les inscriptions des rois achéménides, datées avec précision du VIe au IVe s. avant J.-C. ; la langue officielle de l'empire perse contient des éléments de la langue des Mèdes, situés plus au nord. Les langues des Scythes et des Sarmates (peuplades nomadisant de l'Oural au Danube, en passant par l'Ukraine) sont documentées surtout par les témoignages de voyageurs de l'Antiquité et par les noms propres enregistrés sur des inscriptions grecques au nord de la mer Noire. Au stade moyen-iranien, plusieurs langues sont intéressantes pour la reconstruction de l'iranien commun : pour l'iranien occidental, le *moyen-perse (pehlevi)* et le *parthe*, et, pour l'iranien oriental, le *chorasmien*, le *sogdien*, le *saka*, et le *bactrien* ; ces langues-ci sont documentées en Asie centrale au cours du premier millénaire de notre ère. Les langues iraniennes modernes (persan, tadjik, pashto, baloutchi, ossète, kurde, etc.) ne présentent pas souvent une continuité directe avec le stade moyen-iranien. — Une troisième branche de l'indo-iranien est connue seulement par des témoignages modernes : les langues dites nuristani (ou «kafires») parlées au nord-est de l'Afghanistan et dans la zone frontalière du Pakistan : kati, prasun, ashkun, waigali. Cette branche, qui a conservé ses propres archaïsmes, a dû se séparer de l'indo-aryen et de l'iranien à une date très ancienne.

3. Grec. Voir l'encadré. Cette langue est sans doute en usage en Grèce depuis le début du second millénaire, connue à l'époque ancienne par plusieurs dialectes, dont la plupart ne sont attestés que par des inscriptions. Au deuxième millénaire, on ne connaît qu'un seul dialecte, le *mycénien*, noté dans un syllabaire malcommode (1400-1200 av. J.-C.), langue administrative avec des différenciations locales ; il n'est continué par aucun dialecte ultérieur. Au premier millénaire, on distingue les groupes dialectaux suivants : *ionien-attique*, arcado-chypriote, *éolien*, grec occidental *(dorien)* et pamphylien (ce dernier pouvant représenter un mixte dialectal) ; à l'exception du chypriote, qui utilise un syllabaire, ces dialectes utilisent l'alphabet importé et répandu depuis 700 avant J.-C. environ. Le VIIIe s. voit aussi la fixation des épopées homériques, qui emploient une langue conventionnelle à base d'ionien avec d'autres apports dialectaux : c'est une source d'une richesse considérable, à l'égal du Veda dans le domaine indien. Certains dialectes ont fourni des langues spéciales de genres littéraires, mais la langue dominante de la culture est l'***attique*** classique. Les rapports de ces dialectes entre eux et avec le mycénien sont toujours discutés : on isole généralement un ensemble méridional présentant des innovations communes, qui comprend le mycénien, l'ionien-attique et l'arcado-chypriote ; l'éolien et le dorien appartiendraient à un ensemble septentrional, plus fortement différencié. On reconstruit donc un grec commun, à partir des divers dialectes. À partir du IVe s. avant J.-C., l'attique, avec quelques simplifications (élimination de traits spécifiques), s'est imposé comme langue commune *(koinè)*, de tout le monde grec ; les autres dialectes ont disparu progressivement, à l'exception du dialecte ancien (dorien) de la Laconie, appelé aujourd'hui tsakonien.

4. Italique. La langue la mieux connue de ce groupe est le **latin**, en fait la langue de Rome qui a dominé les autres dialectes du Latium (→ latin) ; les inscriptions romaines les plus anciennes remontent au VIIe s. avant J.-C., mais la documentation épigraphique et littéraire ne devient abondante qu'à partir du IIIe s. ; la période du latin archaïque, attestée aussi par quelques formules juridiques et rituelles, va jusqu'au IIe s. ; au-delà, s'instaure le latin classique. Le dialecte italique le plus proche du latin est le *falisque*, attesté par des inscriptions se répartissant depuis 600 jusqu'au IIe s. avant J.-C.; on isole donc un sous-groupe latino-falisque. L'autre sous-groupe est l'*osco-ombrien :* avant l'expansion du latin, les parlers *osques* étaient les plus usités au milieu et au sud de la péninsule, et leur noyau était le Samnium; les inscriptions, assez variées, s'étalent de 300 à 80 avant J.-C. environ. L'*ombrien* est documenté, en dehors de quelques brèves inscriptions, par le texte rituel gravé sur les sept tables de bronze retrouvées à Gubbio (Iguvium), dont les plus anciennes ne remontent pas avant le IIIe s. avant J.-C., et dont les plus récentes sont du Ier s.; il représente un stade plus avancé d'évolution, par rapport à l'osque. Entre l'Ombrie (au nord-est) et le Samnium, plusieurs peuples parlaient des langues du même groupe, d'après les données clairsemées dont on dispose, la plupart de type osque : Péligniens, Vestiniens, Marrucins, Marses, Sabins, etc.; la langue des Volsques semble plus proche de l'ombrien. La problématique de cet ensemble italique a été renouvelée en partie par les inscriptions plus anciennes (du VIe s. av. J.-C.) retrouvées dans le sud du Picenum (côte de l'Adriatique), qui attesteraient un stade antérieur de certains dialectes du groupe osco-ombrien; le terme *sabellien* est employé dans cette perspective. Le latino-falisque et l'osco-ombrien présentent suffisamment d'innovations communes par rapport aux autres langues pour justifier leur place dans un italique commun.

5. Celtique : langue des peuples de la civilisation de Hallstatt, située en Europe centrale, dans la première moitié du premier millénaire avant J.-C., qui s'est étendue dans la seconde moitié vers l'ouest (France actuelle, Belgique, Espagne, îles Britanniques), vers le sud (nord de l'Italie), vers l'est le long du Danube (diverses régions de la péninsule balkanique), et jusqu'en Anatolie, dont le centre fut en partie occupé par les Galates. La documentation sur le celtique parlé (sans doute diversifié) dans cette aire très vaste pendant les derniers siècles avant et les premiers siècles après J.-C. est fort lacunaire. Le *celtique continental* est surtout connu par un nombre important de noms de personnes, de peuples et de lieux notés sur des inscriptions latines ou grecques, ou enregistrés par les auteurs anciens, à quoi s'ajoutent quelques mots d'emprunt en latin et en grec, quelques gloses et formules, et une centaine d'inscriptions et de légendes monétaires, retrouvées principalement en Gaule, au nord de l'Italie, et en Espagne (celtibère). Avec un nombre d'incertitudes, les inscriptions datables se répartissent pour la plupart entre 200 avant et 200 après J.-C., donc à une époque de contacts avec la civilisation romaine, qui entraînent assez rapidement la disparition du **gaulois** et du **celtique continental** au profit de la langue de Rome (→ celtique, gaulois). Nos connaissances du celtique reposent essentiellement sur le groupe insulaire, dont les langues se sont maintenues dans des régions non atteintes par la conquête romaine ou incomplètement romanisées. Ce celtique insulaire comprend deux branches bien documentées : 1. le **gaélique** (goidélique) en Irlande, qui fut amené par des colons au Ve s. en Écosse, et au cours du premier millénaire sur l'île de Man, et 2. le **brittonique** en Grande-Bretagne, dont une variété fut transportée par des émigrants au cours des Ve et VIe s., et au début du VIIe s. au nord-ouest de la Gaule, autrement dit en Bretagne (Armorique). Le gaélique est mieux connu et en général plus archaïque : l'*irlandais* primitif est documenté par les inscriptions Ogam (aux alentours de 400-600 apr. J.-C.); le vieil-irlandais (déjà considérablement évolué) est attesté surtout par des gloses et des commentaires sur des textes latins, depuis le VIIe jusqu'au milieu du Xe s.; un matériel intéressant est conservé seulement par des manuscrits au stade moyen-irlandais (900-1200), voire plus tard : en particulier les textes juridiques, dont les manuscrits sont pour la plupart du XVe s. ou ultérieurs, contiennent une langue archaïque. Le *brittonique* présente trois variétés locales : le *gallois* au Pays de Galles (vieux-gallois de la fin du VIIIe au milieu du XIIe s.); le *cornique* en Cornouailles (vieux-cornique de la fin du IXe s. jusque vers 1100); le *breton* en Bretagne (vieux-breton depuis le IXe s. jusque vers 1100); → breton. Les premiers témoignages de ces langues consistent surtout en gloses de mots isolés de textes latins. En moyen-gallois, une littérature importante (poésie savante et archaïsante, comme en irlandais) s'est développée du XIIe au début du XVe s.; en breton et en cornique, on ne trouve pas de textes littéraires avant le XVe s., et les plus anciens sont des mystères et des livres saints. Le cornique, pauvrement documenté, est éteint depuis le XVIIIe s.; la survivance des autres langues celtiques est affectée sérieusement par les contacts avec l'anglais et, pour le breton, par le français, et dans les pays considérés, il ne reste plus qu'une minorité de locuteurs qui ne soient pas bilingues. — Une troisième variété du celtique insulaire, distincte des deux autres, aurait été parlée par les *Pictes,* au nord de l'Écosse, jusque dans le premier millénaire de notre ère; sur ce territoire, des noms de personnes, de clans et de lieux d'origine celtique se sont transmis à l'époque médiévale, et au-delà. — La notion d'unité préhistorique «italo-celtique» est aujourd'hui abandonnée; les connexions indéniables sont le plus souvent des archaïsmes, et les innovations divergentes sont considérables entre l'italique commun et le celtique commun.

6. Germanique. Voir l'encadré. Cette famille est divisée en trois branches. La branche orientale, éteinte, est représentée essentiellement par le

gotique, connu par une traduction de la Bible datant du IVe s., des documents commerciaux rédigés en Italie au VIe s., et dont une variété était encore parlée au XVIe s. en Crimée (→ gotique). Auparavant, on a des témoignages du germanique par des noms propres et des gloses chez des auteurs anciens, depuis le début de notre ère, et, à partir de 200 environ, par des inscriptions runiques. — Les deux autres branches sont vivantes. Le groupe **nordique** est nettement distingué grâce à des inscriptions situées aux alentours de 600 ; après une période d'expansion territoriale, et la conversion au christianisme des royaumes scandinaves, les parlers nordiques (*islandais, norvégien, suédois* et *danois*) sont différenciés à l'époque de l'introduction de l'alphabet latin, au XIIe s. en Norvège et en Islande. La plus grande partie de la littérature originale est conservée par des manuscrits islandais, et le *vieil-islandais* est la forme usuellement citée du nordique ancien (jusqu'au XVe s.) ou *vieux-norrois.* — Pour le groupe occidental, l'épigraphie runique est beaucoup moins abondante, mais les documents en alphabet latin sont antérieurs : à partir de 700 environ pour le *vieil-anglais* (ou *anglo-saxon*), à partir de la fin du VIIIe s. pour le *vieux* (ou *ancien*) *haut-allemand* (ancêtre de l'allemand moderne), du milieu du IXe s. pour le *vieux-saxon,* à partir du XIIIe s. pour le *vieux-frison,* et du Xe s. pour le *vieux-bas-allemand,* avec l'ancien bas *francique,* langue des Francs (ancêtre du néerlandais, notamment) ; le vieil-anglais et le vieux-frison, ainsi que le vieux saxon, présentent nombre de particularités communes ; → allemand, anglais, francique, gotique → burgonde, longobard.

7. Arménien : les premiers textes remontent au début du Ve s. de notre ère, époque où fut créé un alphabet sur le modèle de l'alphabet grec, pour la copie de livres saints traduits du grec et du syriaque, et de quelques textes originaux (manuscrits datant du IXe s.) ; jusqu'au VIIIe s., la langue écrite *(grabar),* appelée «arménien classique», est remarquablement homogène, et on n'y distingue pas de variation dialectale. Une variété notable du *grabar,* au stade moyen-arménien, est la langue de chancellerie en usage aux XIIe et XIIIe s. dans le royaume de Cilicie. En arménien classique, le nombre de mots empruntés à l'iranien est impressionnant, du fait des contacts entre Arméniens et Iraniens, au moins depuis le VIe s. avant J.-C. ; l'arménien aurait été introduit en Transcaucasie, dans la région du lac de Van, par des envahisseurs venus du nord des Balkans, vers la fin du second millénaire avant notre ère. Des particularités importantes de phonétique, de morphologie, et surtout du lexique, dans sa partie héritée, indiquent une proximité ancienne de l'arménien et du grec.

8. Tokharien : groupe éteint, sans doute depuis le XIe s. de notre ère, formé de deux langues distinctes, appelées tokharien A et B, documentées par des manuscrits retrouvés dans des oasis au nord du bassin du Tarim, dans le Turkestan chinois, actuel Xinjiang ; certains documents (laissez-passer de caravanes, graffitis) sont datés du début du VIIe s. après J.-C., et les manuscrits les plus anciens peuvent remonter au Ve s. de notre ère, mais dans l'ensemble, ils ont été copiés entre les VIe et VIIIe siècles. Les textes sont dans leur grande majorité des traductions ou des adaptations d'ouvrages bouddhiques en sanskrit. Dans la partie occidentale de l'aire tokharienne, la région de Koutcha, on n'a trouvé que des documents en tokharien B, appelé aussi pour cette raison *koutchéen.*

9. Slave : à partir de leur zone originelle, située entre l'Oder et le Dniepr, les langues du groupe slave se sont répandues dans les Balkans, l'Europe centrale et orientale, et, avec l'expansion de l'empire russe, dans les parties septentrionales de l'Asie. Le groupe est divisé en trois branches. — Le *slave méridional,* avec deux sous-groupes : *a)* ***serbo-croate*** et ***slovène*** ; *b)* ***bulgare*** et *macédonien.* — Le *slave occidental,* avec trois sous-groupes : *a)* ***tchèque*** et *slovaque ; b) sorabe,* avec trois variétés, encore parlées en Lusace, à l'est de l'Allemagne ; *c)* ***polonais,*** et d'autres dialectes différents, kachoube, slovince, et polabe, ce dernier parlé jusqu'au XVIIIe s. sur le cours inférieur de l'Elbe. — Enfin, *slave oriental,* avec trois sous-groupes : ***biélorusse*** (blanc-russe), ***ukrainien*** (ou petit-russe, ou ruthène) ; et ***russe*** (ou grand-russe). Ces variétés appartenaient encore à la fin du VIIIe s. après J.-C. à une langue homogène, qui ne présentait que des différenciations dialectales limitées. Les premiers textes sont des traductions rédigées dans la seconde moitié du IXe s. par les moines Cyrille et Méthode et notées avec des caractères dérivés de l'alphabet grec, appelés cyrilliques, d'après leur inventeur : évangile, psautier, prières, etc. (manuscrits de la fin du Xe et du début du XIe s.) ; la langue de ces documents, dénommée *vieux slave,* est une langue d'Église (anglais, Old Church Slavonic ; allemand, Altkirchenslavisch), reposant sur un dialecte macédonien, semblable au type des parlers bulgares, relevant donc du type méridional, mais qui présente nombre de traits archaïques, proches de l'état du slave commun. — Les autres langues slaves sont connues plus tard, à un stade beaucoup plus avancé, et souvent sous une forme peu sincère, fortement influencée par la langue religieuse écrite adoptée par les peuples slaves qui appartiennent à l'Église d'Orient : le *slavon* ecclésiastique, un peu coloré par les langues locales. Le groupe slave se trouve géographiquement voisin du groupe baltique, et tous deux offrent des ressemblances importantes, qui peuvent être dues en partie à une situation de contact prolongé ; bien qu'il soit certain que les langues baltiques se rattachent au même groupe dialectal indoeuropéen que les langues slaves, il est préférable de poser deux développements parallèles, et il n'est pas possible de parler d'unité préhistorique «balto-slave» au même titre qu'on pose un groupe indo-iranien postérieur à l'indoeuropéen commun.

10. Baltique : groupe dont deux branches sont bien connues. La première est représentée par le *vieux-prussien*, éteint depuis la fin du XVIIe s., par suite de la germanisation de la Prusse; les documents les plus anciens en vieux-prussien (et d'ailleurs en baltique) sont le vocabulaire d'Elbing (802 mots avec traduction allemande), compilé peut-être vers 1300 après J.-C., et conservé dans une copie faite un siècle plus tard, et le vocabulaire (100 mots et locutions) enregistré dans la Chronique de Simon Grunau (écrite entre 1517 et 1526); les seuls textes conservés sont deux catéchismes luthériens, de 1545 et 1561. — L'autre branche est représentée par deux langues encore parlées actuellement : le *lituanien* et le *letton* ou *lette*, dont les plus anciens livres imprimés datent de 1547 et 1585, respectivement; d'abord langues parlées par des paysans illettrés, elles furent constituées progressivement en langues écrites au cours des XVIe-XVIIIe s. par les ouvrages de prêtres, de poètes et d'érudits. Une forme normalisée de ces deux langues fut acquise au début du XXe siècle. D'autres dialectes baltiques étaient parlés par des populations qui furent absorbées par les Lettons et les Lituaniens avant le XVIe s., et dont nous avons au moins les noms : couronien (koure), sémigalien, sélonien et yatvinguien. Cette aire linguistique était beaucoup plus étendue qu'aujourd'hui, vers le sud (Ukraine) et l'est (Russie), d'après les toponymes et les hydronymes. Une très riche littérature populaire (chansons, contes) a été préservée jusqu'à la fin du XIXe s. en lituanien et en letton.

11. Albanais : langue de l'Albanie et de communautés résidant dans d'autres pays, principalement en Yougoslavie (Kosovo), en Grèce et en Italie; les documents les plus anciens remontent au XVe s. après J.-C. (une formule d'une douzaine de mots, datant de 1462), et reflètent l'activité missionnaire catholique, aux XVIe et XVIIe s. : la littérature originale commence au XVIIIe s.; les deux dialectes principaux sont le *guègue* au Nord, et le *tosque* au Sud : la langue littéraire actuelle repose sur une variété du tosque.

12. Vénète : langue autonome, connue par des inscriptions (environ 275) retrouvées au nord de l'Italie, s'échelonnant sur les derniers siècles avant J.-C., sans doute à partir de 550 pour les plus anciennes, et rédigées dans un alphabet de type «nord-étrusque». Le vénète, considéré par certains comme un dialecte italique, semble se définir plutôt comme un rameau indépendant dans l'aire occidentale des langues indoeuropéennes, qui présente certaines connexions avec l'italique (et notamment avec le latin), mais aussi avec le germanique et le celtique.

13. Il existe en outre quelques langues attestées de façon très fragmentaire («langues en débris»), qui sont certainement indoeuropéennes, mais dont on ne peut pas toujours préciser s'il s'agit de représentants uniques de rameaux indépendants, ou de branches d'autres groupes dialectaux déjà connus. — Le ***phrygien***, utilisé en Asie Mineure, est documenté par des inscriptions : les textes anciens ou *paléo-phrygiens* se trouvent sur une aire très vaste, pas seulement en Phrygie proprement dite, et datent dans leur majorité du Ve s. avant J.-C., et des siècles précédents, le plus ancien aux environs de 750; les textes récents ou *néo-phrygiens* sont des IIe et IIIe s. de notre ère. En dépit du témoignage d'Hérodote, le phrygien n'est pas l'ancêtre direct de l'arménien; on y décèle certaines connexions avec le grec. — Les tribus ***thraces*** (incluant les Gètes et les Daces) occupaient dans l'Antiquité la côte septentrionale de la mer Égée, la Bithynie en Asie Mineure, et la plus grande partie de la Bulgarie et de la Roumanie actuelles; elles parlaient une (ou plusieurs) langue(s) très mal connue(s), seulement par deux inscriptions obscures, par des noms propres, des gloses et par des mots attribués au substrat antérieur au roumain, langue romane. Tout ce qu'on en sait est douteux, et n'autorise pas à y voir une quelconque communauté avec le phrygien. — De même, nous connaissons surtout le *vieux* ***macédonien*** par l'onomastique et par des gloses chez les auteurs anciens; il s'agissait d'une langue apparentée étroitement au grec, mais qui s'en était différenciée à une époque assez haute. — Pendant longtemps, on a dénommé ***illyrien*** la langue supposée de tous les peuples non celtes de l'Empire romain, situés à l'ouest des Thraces, au nord des Macédoniens et des Grecs, et à l'est des Vénètes; en fait, on distingue trois zones onomastiques, dont une seule relèverait de l'illyrien proprement dit, et l'on ne peut pas préciser sa relation éventuelle avec l'albanais. — Les inscriptions lépontiques (trouvées dans la région des Grands Lacs italiens et au sud de la Suisse) sont de la même époque que les inscriptions vénètes, et écrites dans un autre alphabet «nord-étrusque»; leur langue est considérée soit comme indépendante, soit comme rattachée au ***ligure,*** lequel est connu essentiellement par des toponymes du nord-ouest de l'Italie, soit encore comme de type celtique. — De l'extrême sud-est de l'Italie (Calabre) proviennent plus de 300 inscriptions en ***messapien,*** s'étalant depuis 500 environ jusqu'au Ier s. avant notre ère : une langue clairement non italique, mais dont la relation vraisemblable avec l'illyrien n'est pas encore clarifiée. — En Sicile, quelques inscriptions et légendes monétaires, ainsi que des noms propres et des gloses, attestent deux langues, le ***sicule*** et l'***élyme,*** dont les relations avec l'italique et le grec sont de toute façon obscurcies par les contacts probables. — Le caractère indoeuropéen de quelques autres langues, connues par de maigres documents, incomplètement déchiffrés, n'est pas encore démontré. Parmi les langues de l'Italie ancienne, l'***étrusque,*** attesté par de nombreuses inscriptions, n'est certainement pas de type indoeuropéen, d'après les quelques traits identifiés de sa phonologie, de sa morphologie et de son vocabulaire.

L'«indoeuropéen».

En plus des écarts considérables de dates, on notera deux faits :

— plusieurs langues sont d'abord connues sous forme de langues de traduction, et doivent leur première notation à la propagation des religions : christianisme (arménien, germanique, celtique, baltique, slave, albanais), bouddhisme et manichéisme (tokharien, langues moyen-iraniennes);

— nous pouvons suivre certains groupes de langues sur une très longue période jusqu'à nos jours dans le cas de l'indo-aryen, de l'iranien, du grec, et dans une moindre mesure, du latin.

Le groupe indoeuropéen est la plus étudiée des familles de langues connues. Les langues qui en relèvent présentent des formes, pas nécessairement ressemblantes en surface, entre lesquelles on peut établir des correspondances constantes, grâce à la régularité des changements phonétiques. Les linguistes s'efforcent de retracer la préhistoire des diverses langues indoeuropéennes par la reconstruction de formes de départ et de formes intermédiaires capables d'expliquer les formes attestées; cela implique une série d'hypothèses sur le processus d'évolution. À toutes les étapes, les arguments sont réfutables, susceptibles d'être contredits par une meilleure analyse de la préhistoire de certaines langues, sans compter la découverte de nouvelles langues ou de nouveaux documents de langues connues.

La reconstruction comparative, qui recourt à la confrontation des faits de langues différentes, est complétée par la reconstruction interne : celle-ci part de la synchronie d'une seule langue, et y repère les vestiges d'états antérieurs, qui peuvent être confirmés par la comparaison. Cette démarche est ainsi résumée par Antoine Meillet : «C'est surtout avec des anomalies de l'époque historique qu'on restitue la règle d'époque indoeuropéenne.» La reconstruction interne s'applique aux états les plus anciens des langues, et aussi à l'indoeuropéen reconstruit, dont on cherche à retracer l'histoire. Cette méthode a donné une nouvelle impulsion à la linguistique historique, depuis Ferdinand de Saussure; elle est indispensable à l'étude des évolutions de la morphologie. Le statut des formes reconstruites a été largement débattu : elles sont une façon de résumer les correspondances, mais on ne saurait y voir de simples formules algébriques, sous peine de faire de la grammaire comparée un jeu gratuit. Sous certains aspects, la reconstruction a gagné en précision, notamment depuis la découverte de nouveaux phonèmes, les laryngales, et les formes postulées pour les morphèmes sont susceptibles de modifications; il s'agit donc d'une recherche empirique. Les formes reconstruites, précédées d'un astérisque (sous la forme d'un ° dans cet ouvrage), ne constituent pas des entités dotées de réalité phonétique, bien qu'elles supposent cette réalité; dans la mesure où l'on tient compte de la cohérence du système reconstruit, les unités obtenues par la reconstruction ont une valeur phonologique (structurale). On peut donc raisonner sur cette langue reconstruite, en sachant tout ce qui la différencie d'une langue réelle, attestée; la reconstruction n'a guère d'intérêt si elle ne conçoit pas cette proto-langue comme un système, à l'instar de toutes les langues. En définitive, la proto-langue est un système de formes possibles (hypothétiques), dont la portée est explicative.

L'idée d'un arbre généalogique de l'indoeuropéen, avec une série de subdivisions aboutissant à la douzaine de groupes connus, est abandonnée; le seul groupe préhistorique dont l'existence soit sûre est l'indo-iranien. La grammaire comparée tire parti de toutes les langues, car chacune présente, dans une proportion variable, des conservations et des innovations; il faut se garder de privilégier, comme on le faisait au XIXe s., tel ou tel groupe de l'indoeuropéen, censé donner une image plus fidèle de la proto-langue. — La validité de la méthode est prouvée par le fait qu'elle est appliquée avec succès, dans les travaux les plus récents, à l'élucidation des langues les plus récemment déchiffrées, celles du groupe tokharien (depuis 1908), et celles du groupe anatolien (depuis 1915). Ces découvertes contribuent à modifier sur des points non négligeables l'image qu'on avait de l'indoeuropéen à la fin du XIXe siècle. L'indoeuropéen reconstruit ne constitue pas une «langue originelle», ni toute la langue; en effet, la reconstruction ne nous permet d'atteindre qu'une partie du système linguistique, à travers une remontée, toujours hypothétique, vers ses stades précédents. D'ailleurs, on ne peut reconstruire à l'infini; on n'atteint pas une origine, mais seulement un stade antérieur, qui peut aboutir par une série d'évolutions aux faits attestés. Les éléments reconstruits de l'indoeuropéen peuvent être situés dans une évolution possible, en chronologie relative, mais il est impossible de les situer historiquement, dans le temps et dans l'espace.

L'existence d'une langue commune, établie par la linguistique historique, suppose une communauté de locuteurs, qu'on appelle par simplification les «Indoeuropéens»; mais on ne dispose d'aucune donnée matérielle sur cette population. Toutes les identifications à certaines cultures connues par l'archéologie se sont révélées très fragiles, notamment à cause de l'absence de textes; de fait, il n'existe pas de racine signifiant spécifiquement «écrire» dans le lexique reconstruit. — Le rôle de la tradition orale est évidemment intéressant, mais assez banal si on le rapporte à d'autres civilisations anciennes ou primitives. En dépit de tous les chiffres avancés, on peut seulement donner pour la communauté des langues indoeuropéennes un *terminus ante quem*, qui serait au moins 2000 avant J.-C., car les cinq siècles suivants voient l'établissement des trois groupes les plus anciens : anatolien, grec et indo-iranien. Il est impossible de déduire des différences entre les langues le temps nécessaire à leur différenciation, ni le lieu géographique de la communauté. Les langues n'évoluent pas à la même vitesse : parmi les langues indoeuropéennes actuelles, les langues baltiques et slaves, qui ne sont pas les plus anciennement attestées, sont dans l'ensemble les plus conservatrices. Pour déterminer le degré de civilisation et le lieu géographique de la communauté indoeuropéenne, on a utilisé le témoignage du vocabulaire (noms d'arbres, d'animaux, de métaux, etc.); mais, en plus des difficultés factuelles, on oublie trop souvent que le mot que nous pouvons reconstruire nous fournit seulement l'association d'un signifiant et d'un signifié, tous deux déduits de la comparaison; il faut tenir compte de l'évolution possible du signifié dans la période préhistorique, des remplacements de lexèmes. Enfin et surtout, cette «paléontologie linguistique» néglige un point de méthode essentiel : de la reconstruction possible du signifié (le «sens» d'un mot), on ne saurait déduire l'existence d'un référent unique, présent dans l'environnement immédiat des «Indoeuropéens». La notion mal fondée de «civilisation indoeuropéenne» est un sous-produit de la grammaire comparée, et l'extension de la reconstruction à l'extra-linguistique, civilisation matérielle et morale, entraîne de graves erreurs d'appréciation. Un secteur, déjà développé et très prometteur des recherches concerne la poétique des textes les plus anciens : la formation de certains genres littéraires et l'emploi de formules. Nous sommes en mesure de reconstruire non seulement des mots ou locutions isolés, mais aussi des associations fixes de termes (groupes nominaux avec épithète ou groupes associant une racine et son complément); leur étude interfère souvent avec les études sur la syntaxe et sur l'étymologie. Cependant, cet ensemble de formules ne peut nous révéler toute la mentalité des «Indoeuropéens»; il indique l'existence, à une époque non déterminée, de poètes, spécialistes de la parole, et disposant d'un inventaire de syntagmes expressifs. Mais ce formulaire n'est pas représentatif de tout l'usage de la langue dans toute la communauté linguistique; il convient de s'interroger sur les processus de transmission et de réinterprétation de tels syntagmes. La même prudence peut s'appliquer aux recherches sur des unités textuelles plus vastes que la formule (mythes, épopées, etc.). Les travaux d'Émile Benveniste montrent l'intérêt pour l'anthropologie historique des recherches d'étymologie, quand elles s'appuient sur la restitution de sens précis, par l'observation de l'emploi des mots en discours. La diversité typologique des sources dans les langues indoeuropéennes anciennes est très grande. On croit retrouver dans l'héritage linguistique des permanences culturelles; cette démarche est dangereuse : il serait aussi absurde de considérer les habitants francophones des Antilles ou de la Réunion comme des «Latins», se rattachant à la civilisation romaine. L'indoeuropéanisation, c'est-à-dire l'adoption par des populations ethniquement et culturellement diverses de langues de la même famille, est un fait historique massif : on lui a souvent donné une réponse idéologique, en admettant que ce processus aurait été facilité par la «supériorité» de la civilisation, de l'organisation sociale des peuples de langue indoeuropéenne; or, les exemples observés historiquement d'extension de telle ou telle langue montrent que les causes de succès d'un type linguistique sur un autre sont multiples, et ne se laissent pas ramener à un schéma simple. Les multiples expériences d'acquisition d'une langue indoeuropéenne à différentes époques et dans des aires variées fournissent un terrain privilégié à la recherche sur les contacts linguistiques.

◈ voir **RECONSTRUCTION.**

G.-J. Pinault

BIBLIOGRAPHIE

É. BENVENISTE, *Le Vocabulaire des institutions indoeuropéennes*, 2 vol., Paris, Éd. de Minuit, 1969.

J. HAUDRY, *L'Indoeuropéen*, Paris, Que sais-je?, n° 1798, 1979 (2e éd., 1984).

A. MARTINET, *Des steppes aux océans*, Paris, Payot, 1987.

A. MEILLET, *Introduction à l'étude comparative des langues indoeuropéennes*, Paris, Hachette, 1937 (8e éd.); — *La Méthode comparative en linguistique historique*, Oslo, 1925 (réimpr. Paris, Champion, 1970).

O. SZEMERÉNYI, *Einführung in die vergleichende Sprachwissenschaft*, 4., vollständig neu bearbeitete Auflage, Darmstadt, Wissenschaftliche Buchgesellschaft, 1990 (1re éd., 1970).

tus «conduire», de la famille de *dux, ducis* «chef» (→ duc).

♦ Le verbe signifie d'abord «amener (qqn) à (qqch., faire qqch.)», sens vieilli qui reste présent dans la locution courante ***induire (qqn) en erreur.*** ◇ *Induire* est ensuite attesté (XIVe s. chez Oresme, selon Bloch et Wartburg ; puis 1530, Palsgrave) au sens de «tirer une conclusion», ous l'influence de *induction* (ci-dessous), terme de logique ; le latin médiéval connaît *inducere* en ce sens (v. 1300). — Au XIXe s., *induire* signifie en physique (1883) «produire les effets de l'induction», par reprise à l'anglais *to induce* (1777). ◇ Le verbe, comme *induction*, est devenu au XXe s. un terme de biologie, au sens de «déterminer l'induction», et d'économie *(induire des profits).*

▶ Des mots de la même série sont empruntés à *inductum,* supin du verbe latin, ou à ses dérivés. ◆ **INDUCTION** n. f., emprunt au latin *inductio, -onis* «action d'amener» et terme de logique, est d'abord attesté au sens de «suggestion» (1290) jusqu'au XVIe siècle. Le mot est employé ensuite en logique (1370-1372, *induccion,* Oresme), désignant l'opération mentale qui consiste à remonter des faits à la loi. ◇ En physique (1813), il semble emprunté à l'anglais *induction* (1801) pour désigner la transmission à distance d'énergie électrique, puis magnétique (anglais *induction,* 1855, Maxwell) par l'intermédiaire d'un aimant ou d'un courant. Puis, il se dit par analogie, en physique et en biologie (1924), du déclenchement d'un phénomène qui se produit avec un certain retard par rapport à la cause ; il s'emploie ainsi en embryologie *(induction embryonnaire),* en bactériologie (*induction du bactériophage,* 1950, Lwoff), en chirurgie *(induction de l'anesthésie).* ◇ **SELF-INDUCTION** n. f. fait partie d'une série d'anglicismes formés sur *self** et sur un terme généralement d'origine latine. Créé par Maxwell (1865), il est attesté en français en 1881, et désigne, pour un courant électrique, la propriété de résister à un changement d'intensité. ◇ L'abréviation ① **SELF** désigne ce phénomène (1881) et, par métonymie, la bobine de self (1894).

INDUCTANCE n. f. est emprunté (1893) à l'anglais *inductance* (1886), dérivé de *to induct* «produire par induction», et désigne en électricité le quotient du flux créé par un courant, par l'intensité de ce courant. Il a pour composé **INDUCTANCEMÈTRE** n. m. «appareil de mesure de l'inductance» (v. 1960). ◇ **SELF-INDUCTANCE** n. f. (1893) concerne le rapport entre le flux magnétique engendré par un circuit électrique et le courant qui parcourt ce circuit. Abrégé lui aussi en ② **SELF**, il a donné le dérivé **SELFIQUE** adj. (1925). ◆ **INDUCTEUR, TRICE** adj. et n. a eu le sens (1624) de «personne qui induit à faire qqch.», par emprunt au bas latin *inductor* (de *inductum*). Le mot a été repris comme adjectif *(inducteur, trice)* au milieu du XIXe s. en sciences (1866), puis comme nom masculin (1873) à partir du radical de *induction.* ◆ **INDUCTIF, IVE** adj., dérivé savant de *inductum,* a signifié (2e moitié du XIVe s.) «qui pousse à». ◇ Le mot de logique «qui procède par induction» (1648), est repris au bas latin *inductivus.* En électricité (1832), c'est un calque de l'anglais *inductive* (1832, Faraday). ◇ **INDUCTIVEMENT** adv., terme de logique (1491) opposé à *déductivement,* puis de physique au sens de «par induction». ◆ **INDUIT, UITE** adj., du participe passé de *induire,* s'emploie en électricité (1861, *courant induit*) d'après l'anglais *induced* et, au XXe s., en biologie, en psychologie et en linguistique (1933). Il est substantivé en électricité (*un induit,* 1886).

◈ voir **DÉDUIRE.**

INDULGENT, ENTE adj. et n. m. est un emprunt (1540, Marot) au latin classique *indulgens, -entis* «bon, complaisant, bienveillant», participe présent adjectivé de *indulgere* «être favorable à», d'où «se laisser aller à» puis en latin impérial «accorder par faveur, concéder» ; ce verbe est d'origine discutée.

♦ *Indulgent* apparaît au sens de «qui pardonne facilement», d'abord dans un contexte religieux ; *être indulgent à qqch.* a signifié (1580, Garnier) «se laisser aller facilement à». Par métonymie, l'adjectif s'applique à ce qui marque l'indulgence. ◇ *Les indulgents* (1794) désignait les partisans de Danton et de C. Desmoulins qui voulaient arrêter la Terreur.

▶ Le dérivé **INDULGEMMENT** adv. (1557) est sorti d'usage.

INDULGENCE n. f. est emprunté au latin classique *indulgentia* «bonté, complaisance, bienveillance», puis «remise d'une peine, pardon» en bas latin et en latin chrétien «pardon des péchés», d'où «remise de la peine due au péché» en latin médiéval (XIe s.). ◆ Le nom, d'abord employé en religion, signifie «pardon» (fin XIIe s.) puis désigne (1268) la remise accordée par l'Église de la peine temporelle due aux péchés et l'acte accordant cette rémission, d'où l'expression ***la querelle des indulgences*** désignant le conflit religieux, au début du XVIe s., qui aboutit à la Réforme. La politique de l'Église romaine concernant les indulgences a continué à être critiquée jusqu'au XVIIIe siècle. ◇ *Indulgence* se dit en général (1606) de la facilité à pardonner. ◆ Le dérivé **INDULGENCIER** v. tr. est un terme de la religion catholique (1833) ; il est rare au sens de «pardonner» (1888, Goncourt).

INDULT n. m. est un emprunt au latin chrétien *indultum* «concession, faveur» qui, surtout au moyen âge, s'employait en parlant du pape ; *indultum* est le participe substantivé de *indulgere.* ◇ *Indult* désigne (1498) un privilège accordé par le pape en dérogation du droit commun ; par analogie, on appelait *indult du parlement* (1583) le privilège qui permettait à chaque officier du Parlement de requérir sur une abbaye ou un évêché le premier bénéfice vacant. ◇ Le mot s'est dit aussi (1679) d'une taxe que le roi d'Espagne percevait sur les marchandises importées, par emprunt à l'espagnol *indulto* (de même origine), qui avait pris ce sens particulier dans le domaine des douanes. ◆ Le dérivé **INDULTAIRE** n. (XVIe s.) est un terme d'histoire.

INDURÉ, ÉE adj. est emprunté (1466) au latin *induratus* «durci, endurci», participe passé de *indurare* «durcir», formé de *in-* marquant le terme de l'action, et de *durare* «durcir», dérivé de *durus* (→ dur, endurer).

♦ L'adjectif, d'abord employé pour «endurci» au figuré, a été réemprunté au sens concret, en médecine (1833), d'après l'emploi antérieur de *induration* (ci-dessous).

Le verbe **INDURER**, emprunt à *indurare*, s'est employé en moyen français (dep. 1545) avant de céder la place à *endurer*. La reprise de cette forme correspond à une dérivation de *enduré* (1867), en médecine, au sens de «durcir (un tissu organique)».

▶ **INDURATION** n. f. est emprunté au latin chrétien *induratio, -onis* «endurcissement du cœur», dérivé de *induratum*, supin de *indurare*. ◇ Le nom est d'abord attesté (v. 1300) au sens figuré d'«endurcissement», puis est employé en médecine (v. 1370) où il est repris (1748) après une période d'abandon. Ce sens a déterminé la reprise de *induré*, puis de *indurer* (ci-dessus).

✳ **INDUSTRIE** n. f. est un emprunt (1356) au latin *industria* «activité secrète», puis «activité» en général, et «application», dérivé de *industrius* «actif, zélé», anciennement *indostruus*, variante de °*endostruus*. L'adjectif est formé de *indu-*, forme renforcée archaïque de *in-* «dans», et de *struere, structus* «disposer, arranger, préparer» et «empiler les matériaux»; la base *stru-* est peut-être une forme de la racine indoeuropéenne °*ster-* «étendre» (→ structure).

♦ *Industrie* s'est introduit avec le sens de «moyen ingénieux», qui a disparu au XIXe s. de l'usage courant, mais se conserve dans *industrieux*. Au XIVe s., il désigne également l'habileté à exécuter qqch. (1370-1372), précédé par l'ancien provençal *endustria* (1302); cet emploi, encore attesté littérairement au XIXe s., a disparu. ◇ Par extension, le mot prend le sens de «profession comportant une activité manuelle et demandant une certaine ingéniosité» (1467), sorti lui aussi d'usage, sauf dans la locution plaisante ***coupable industrie*** «activité délictueuse». ◇ Le mot a été employé pour désigner toute activité productive (1543) et, à l'époque classique, s'est spécialisé comme terme de finances (1690), appliqué au travail du fermier, au commerce d'un marchand; c'est de ces valeurs que procède le sens moderne (ci-dessous). ◇ Par ailleurs, de l'idée de «savoir-faire», on passe au sens de «finesse, ruse» (1440-1475), encore relevé au XIXe s. et qui survit avec une valeur péjorative dans ***vivre d'industrie*** «d'expédients» (1694) et ***chevalier d'industrie*** (fin XVIIe s.), formé à partir de *chevalier de l'industrie* (1633) d'après les romans picaresques espagnols.

Industrie s'emploie ensuite au sens large (1735) pour désigner l'ensemble des opérations qui concourent à la production et à la circulation des richesses; ce sens était plus courant au XIXe siècle; il a vieilli du fait de l'évolution postérieure. ◇ Le mot prend au XVIIIe s. le sens restreint moderne; *industrie* s'emploie (1765) pour «technique industrielle, machinisme» et (1771) désigne l'ensemble des activités économiques ayant pour objets l'exploitation des richesses minérales, des sources d'énergie, ainsi que la transformation des matières premières en produits fabriqués. Le commerce et l'agriculure ne sont plus alors inclus dans le concept d'industrie : aujourd'hui, *industrie agricole* ne désigne plus l'agriculture mais l'ensemble des industries de traitement ou de transformation des produits agricoles. De même *fabrique** et *manufacture**, liés à l'ancienne notion et même à celle d'habileté, ont été supplantés par d'autres mots, tel *usine**. Le développement des activités industrielles au XIXe s. explique que les acceptions anciennes de *industrie* soient devenues archaïques ou littéraires. Le mot entre dans des expressions qui caractérisent la nature de l'activité économique comme ***industrie lourde, industrie légère, industrie alimentaire.*** Par métonymie, il se dit de l'ensemble des industriels (XXe s.) et *une industrie* (mil. XXe s.) d'une entreprise industrielle.

▶ **INDUSTRIEL, ELLE** adj. et n. apparaît sous la forme *industrial* (1471, *fruits industriaux*) au sens de «relatif au travail humain» mais seulement lié à l'activité agricole; il semble emprunté au latin médiéval *industrialis* (1400) de même sens; le syntagme *fruits industrials* est encore relevé par Trévoux (1752) et l'adjectif prend la forme moderne *industriels* à partir de 1804, signifiant alors «produit par l'industrie (sens moderne)», acception qui a fourni la locution familière ***quantité industrielle*** «très grande quantité» (XXe s.). ◇ Le mot, comme adjectif et comme substantif, est également sorti d'usage pour «qui exerce un métier artisanal» (un métier *d'industrie* au sens ancien), valeur encore en usage au XIXe siècle. ◇ *Industriel,* concurrencé par *industrieux* (ci-dessous), prend ensuite le sens de «relatif à l'industrie (sens moderne)» (1770, *nations industrielles*), puis «qui provient de l'industrie», par exemple les richesses (1803). Appliqué à un nom de lieu, l'adjectif correspond à «où l'industrie est développée». ➜ **INDUSTRIEL** n. m. «propriétaire d'un établissement industriel», «personne qui dirige une industrie» est attesté (1818) chez Saint-Simon. C'est aussi à cette époque, et dans le cadre des théories économiques suscitées par le développement de l'industrie, que *industriel* a fourni plusieurs dérivés. ➜ **INDUSTRIALISME** n. m. désigne, en histoire économique (1823, Saint-Simon), le système qui donne une importance prépondérante à l'industrie dans la société; le mot a pris au XXe s. le sens de «tendance à l'industrialisation systématique»; le dérivé **INDUSTRIALISTE** adj. (1824 Saint-Simon; 1830 Fourier) et n. (1827) a les mêmes valeurs. ➜ **INDUSTRIALISER** v. tr. est didactique ou technique au sens d'«exploiter industriellement»; le verbe signifie aussi «équiper d'industries», sens attesté isolément chez Balzac (1836) et repris au XXe s. (attesté 1933); il a fourni le nom d'action **INDUSTRIALISATION** n. f. (1847), aujourd'hui courant, et **INDUSTRIALISABLE** adj. (XXe s.), ainsi que le préfixé négatif **DÉSINDUSTRIALISER** v. tr. (1923 au p.p.). ➜ **INDUSTRIELLEMENT** adv. (1834) a suivi les valeurs de l'adjectif. À part *industrialisme* et *industrialiste*, ces dérivés sont usuels.

Un témoin des premières acceptions, aujourd'hui vieillies, de *industrie* est **INDUSTRIEUX, EUSE** adj., emprunt (1455) au bas latin *industriosus* «actif», dérivé du latin classique *industria* (ci-dessus). ◇ L'adjectif s'applique d'abord à la personne qui fait preuve d'adresse, d'activité. D'emploi littéraire comme au sens d'«ingénieux», il est sorti d'usage au sens d'«inventif» en parlant des ouvrages de l'esprit. Au XVIIIe s., *industrieux* a signifié «relatif à l'industrie» (1765) : il est supplanté par *industriel* dans le courant du XIXe s., comme sa substantivation *(un industrieux)* attestée à la fin du XVIIIe s. (1798). ➛ Le dérivé **INDUSTRIEUSEMENT** adv. (1455) «d'une manière adroite» est sorti d'usage.

INÉDIT → ÉDITER

INEFFABLE adj. et n. est un emprunt (1450, mais l'adverbe dérivé est antérieur) au latin impérial *ineffabilis* «qu'on ne peut exprimer», formé de *in-* (→ ① in-) et de *effabilis* «qui ne peut se dire, se décrire», dérivé du latin classique *effari* «parler, dire» et «fixer, déterminer», surtout employé dans la langue des augures. Ce verbe est formé de *ex-*, préfixe à valeur intensive, et de *fari* «parler, dire», qui se rattache à une racine indoeuropéenne °*bha-* «parler», comme *fabula* (→ fable), *fatum* (→ fatal).

♦ *Ineffable,* employé en parlant de Dieu, des mystères de la religion, correspond à «inexprimable» (v. 1450, *vostre puissance ineffable*). Il est attesté à partir du XVIIe s. (1640) dans un contexte profane, en parlant de choses agréables, et s'est employé pour qualifier un nombre irrationnel (1721). L'adjectif est substantivé en *l'ineffable* n. m. (1769, Mme du Deffand). ◇ Le mot, comme adjectif, s'emploie par ironie (mil. XIXe s.) en parlant de qqch. qu'on ne peut décrire du fait de son caractère bizarre.

▸ Le dérivé **INEFFABLEMENT** adv. (1316) est aussi rare que **INEFFABILITÉ** n. f. (1521), emprunt au dérivé latin chrétien *ineffabilitas.*

INEFFICACE → ① EFFICACE

INÉLÉGANT → ÉLÉGANT

INÉLUCTABLE adj., attesté isolément en 1500, est réemprunté vers 1790 au latin *ineluctabilis* «insurmontable, inévitable», formé de *in-* (→ ① in-) et de *eluctabilis* «qu'on peut surmonter»; cet adjectif dérive de *eluctari* «sortir avec effort», «lutter pour se dégager», de *ex-* «hors de» et *luctari* (→ lutter).

♦ L'adjectif, qui conserve le sens du latin, a été substantivé (1886, Moréas).

▸ En dérivent **INÉLUCTABLEMENT** adv. (1872, Gautier) et **INÉLUCTABILITÉ** n. f. (attesté mil. XXe s.), mot rare.

INÉNARRABLE → NARRER

INEPTE adj., attesté au XVe s., est probablement antérieur (cf. ci-dessous *ineptement*); le mot est emprunté au latin *ineptus* «qui n'est pas approprié, hors de propos», «maladroit» et «déraisonnable, sot», formé de *in-* (→ ① in-) et de *aptus* (→ apte).

♦ *Inepte* s'est d'abord employé pour «incapable», sens encore vivant au XIXe siècle. Il s'applique ensuite à qqn qui manifeste une complète incompétence (1505), puis à ce qui dénote la sottise (1531). Il a aussi signifié «importun» (1611) comme le latin.

▸ **INEPTIE** n. f., emprunt au dérivé latin *ineptia* «sottise, niaiserie», «impertinence», surtout employé au pluriel *ineptiae,* a eu le sens de «maladresse» (1546). ◇ *Une ineptie* désigne (1556) une action ou une parole inepte et le caractère de ce qui est inepte (1626).

Le dérivé **INEPTEMENT** adv. (1380), qui était rarissime, semble avoir repris vie au XXe siècle.

INERME adj. est un emprunt (1515) au latin *inermis* «sans armes», au figuré «inoffensif» et «sans défense», préfixé en *in* (→ ① in-) de *arma* (→ arme).

♦ L'adjectif qualifie un être dépourvu d'organes assimilables à des armes; rare et didactique dans cet emploi, il est repris au XVIIIe s. en botanique (1798), appliqué à une tige sans épines, et ensuite en zoologie (1846). ➛ Le sens latin «sans armes» est attesté isolément à quelques reprises (dep. 1734).

INERTE adj. est emprunté (1505) au latin *iners, inertis* «inhabile à, sans capacité» d'où «sans énergie, inactif», «improductif» et «fade, insipide»; ce mot est un préfixé en *in-* (→ ① in-) de *ars, artis* (→ art).

♦ *Inerte* s'est introduit aux sens latins d'«inactif», en usage au XVIe s., «ignorant» (1534) et «maladroit» (1596) encore au XVIIe s., puis disparu. L'adjectif est repris au XVIIIe s., d'après *inertie* (ci-dessous), en physique (1759, Diderot), appliqué à ce qui n'a ni activité ni mouvement *(matière inerte),* et reste un terme didactique, en agronomie (1866, *sol inerte*) et en chimie *(gaz inerte).* ◇ C'est également après 1750 que le mot qualifie couramment une personne sans mouvement (1783), d'où *membre inerte* (1835); il se dit ensuite pour parler d'une personne sans énergie ni ressort (1835, *esprit inerte*).

▸ **INERTEMENT** adv., d'abord «maladroitement» (1584), est rare avec la valeur courante de l'adjectif (1886). ➛ **INERTIE** n. f. est emprunté au dérivé latin *inertia* «maladresse, incapacité» et «inaction», «indolence». ◇ Il est attesté isolément (v. 1370, *inhertie*) pour désigner l'atonie musculaire, sens qui réapparaît au XIXe s. (v. 1840). Il est à nouveau emprunté au sens latin de «maladresse» (1596), sorti d'usage. ◇ Enfin, il entre dans le vocabulaire de la physique avant l'adjectif (1648, Descartes, *inertie de la matière*), spécialement dans le syntagme ***force d'inertie*** (1720), dans la traduction du *Traité d'optique* de Newton, qui employait *inertiae vis;* le mot possède cette valeur dans *inertie électromagnétique* (1902, Mme Curie). ◇ Par ailleurs, depuis le XVIIIe s., *inertie* désigne dans l'usage général le manque d'énergie intellectuelle (1734), d'où *force d'inertie* «résistance passive de la volonté» (1829).

INERTIEL, ELLE adj., terme de physique et de technique (apr. 1960), est dérivé d'*inertie* d'après l'anglais *inertial* (1849).

INEXHAUSTIBLE adj. est dérivé (apr. 1450) d'un type °*exhaustible,* formé en moyen français sur le supin *exhaustum* du latin *exhaurire* «vider, épuiser» (→ exhaustif); on relève aussi en moyen français *inexhaust* «inépuisable».

♦ Le mot, synonyme littéraire de *inépuisable,* est encore attesté au XVIe siècle; il réapparaît à la fin du XIXe s. (1885, Régnier), probablement repris à l'anglais *inexhaustible* (déb. XVIIe s.), où il est resté vivant lié à *to exhaust* «vider, épuiser».

INEXORABLE adj. est un emprunt savant (av. 1520) au latin *inexorabilis* «qu'on ne peut fléchir», «auquel on ne peut se soustraire, implacable», formé de *in-* (→ ① in-) et de *exorabilis*, dérivé de *exorare* «prier avec insistance», «fléchir par les prières». Le verbe latin est composé de *ex-* intensif et de *orare* «prononcer une formule rituelle, une prière, un plaidoyer», terme de la langue religieuse et politique, que les Latins rattachaient, selon une étymologie populaire, à *os, oris* «bouche» (→ oraison).

♦ *Inexorable* conserve les sens de l'étymon, et qualifie d'abord ce à quoi on ne peut se soustraire. ***Être inexorable à qqn*** (1544, Scève) «ne pas lui pardonner une faute», puis «ne pas accéder à ses désirs», spécialement à ses désirs amoureux (XVIIe s., aussi n. f.), est sorti d'usage. ◇ L'adjectif s'applique (1555, Ronsard) à qqn qu'on ne peut fléchir, seul emploi resté vivant.

▸ Le dérivé **INEXORABLEMENT** adv. (1661) est littéraire, mais relativement usuel, alors que **INEXORABILITÉ** n. f. (1664) est d'emploi rare.
EXORER v. tr., emprunté au verbe latin au XVIe s., est sorti d'usage, comme **EXORATION** n. f. (XVe s.), emprunt au latin ecclésiastique *exoratio* «action de fléchir par des prières», du supin de *exorare*. ◆ **EXORABLE** adj. (1541), de *exorabilis*, est aujourd'hui ressenti comme provenant d'*inexorable*; il est rare et très littéraire.

INEXPLOITABLE → EXPLOIT

INEXPUGNABLE adj. est emprunté (1353) au latin *inexpugnabilis* «que l'on ne peut pas prendre d'assaut», formé de *in-* (→ ① in-) et de *expugnabilis*, dérivé de *expugnare* «emporter de haute lutte», «prendre d'assaut». Le verbe latin est dérivé, par préfixation en *ex-* à valeur intensive, de *pugnare* «frapper, combattre avec le poing», dérivé de *pugnus* (→ poing).

♦ L'adjectif s'applique à ce que l'on ne peut prendre d'assaut. Par figure, il signifie «qui ne peut être vaincu» (1543), aussi au figuré, par exemple dans *cœur inexpugnable* (1646), rare en parlant d'une personne (1669). Il est technique ou littéraire.

▸ En dérivent **INEXPUGNABILITÉ** n. f. (1875) et **INEXPUGNABLEMENT** adv. (XVe s.), littéraires et rares. ◆ Le contraire **EXPUGNABLE** adj., emprunté au latin *expugnabilis*, est sorti d'usage; il s'employait au propre (v. 1355) et au figuré (XVIIe s.).

IN EXTENSO loc. adv. et adj. reprend (1840) une locution latine signifiant «dans toute son étendue», formée de *in* «dans» et de l'ablatif de *extensum*, participe passé neutre du latin *extendere* (→ étendre).

♦ La locution, didactique et littéraire, conserve le sens latin, en parlant d'un texte.

INEXTINGUIBLE → EXTINCTION

IN EXTREMIS loc. adv. et adj. est emprunté (1708) à une locution latine formée de *in* «dans» et de l'ablatif du latin *extrema* «les choses dernières», pluriel neutre substantivé de *extremus* (→ extrême).

♦ La locution, probablement antérieure au début du XVIIIe s. (elle est attestée en anglais dès 1530), signifie d'abord comme en latin «à l'article de la mort» (1708, Regnard, *mariage in extremis*) puis par extension «au tout dernier moment» (1843, Balzac).

INEXTRICABLE adj. est un emprunt (1365, Oresme) au latin *inextricabilis* «dont on ne peut se tirer» et au figuré «incurable», «indescriptible», formé par préfixation de ① *in-* et de *extricare* «débarrasser», «démêler» au propre et au figuré, lui-même de *ex-* et de *tricare* (→ tricher).

♦ L'adjectif s'applique d'abord à ce qui est composé d'éléments embrouillés (1365, *inextricables difficultés*); il signifie ensuite (1580) «dont on ne peut sortir» *(labyrinthe inextricable)*.

▸ Les dérivés **INEXTRICABLEMENT** adv. (1832) et **INEXTRICABILITÉ** n. f. (1832) sont didactiques; le second est rare.

INFAILLIBLE → FAILLIR

INFÂME adj. est emprunté (1335) au latin *infamis*, proprement «sans renommée», d'où «décrié, perdu de réputation», dérivé par préfixation de *in-* (→ ① in-) de *fama* «renommée», «réputation, bonne ou mauvaise» (→ famé), qui se rattache à une racine indoeuropéenne °*bha-* «parler» (→ fable).

♦ Le mot s'est d'abord appliqué à une personne vile (1335, adj.; 1485, n.), l'adjectif qualifiant en particulier une personne flétrie par la loi (1348) puis ce qui entraîne une flétrissure (1553, d'un supplice), et spécialement une flétrissure légale (1690), par exemple au XVIIe s. le métier de comédien. Employé du XIVe s. à l'époque classique à propos de ce qui déshonore ou avilit qqn, il est devenu rare et littéraire en parlant d'abstractions et ne s'emploie qu'avec des substantifs exprimant des actions moralement dépréciées (*crime, trahison*, etc.). ◇ Par affaiblissement, il s'applique à qqn, qqch. qui provoque le dégoût (1559). *Lieu infâme* «de prostitution» (1690) est encore relevé dans les dictionnaires du XIXe s., mais était alors archaïque ou plaisant.

▸ Le dérivé **INFÂMEMENT** adv. (1478), signifiant «d'une manière vile ou déshonorante» jusqu'à l'époque classique, est aujourd'hui rare, ou pris dans un sens affaibli. ◆ **INFAMIE** n. f. (1364-1373) a supplanté *infâme* n. f. (v. 1223 et jusqu'au XVIe s.), adapté du bas latin *infamiun* (VIe s.) «déshonneur, mauvaise réputation» ainsi que son dérivé *infameté* (1498) qui survit jusqu'au XVIIe siècle. *Infamie* est emprunté au latin *infamia* «mauvaise renommée, déshonneur, honte», dérivé de *infamis*. ◇ Le mot a suivi une évolution analogue à celle d'*infâme* adj. et est sorti d'usage dans la plupart de ses emplois. Encore employé dans son premier sens de «parole, action infâme» (1690, au pluriel), il survit aussi au sens de «flétrissure légale ou sociale faite à la réputation de qqn» (1492), dans quelques expressions comme ***marque d'infamie,*** et en droit (1549, *estre noté d'infamie*). ➜ **INFAMANT, ANTE** adj. représente le participe présent de l'ancien verbe *infamer* «déshonorer, diffamer» (1470-1475), «rendre infâme par une peine» (XIIIe s., isolément; puis 1492), lui-même réfection de *enfamer* «être déshonoré» (XIIIe s.), emprunt au latin *infamare* «faire une mauvaise réputation, décrier», verbe dérivé de *infamis*. ◇ *Infamant,* littéraire au sens de «qui déshonore» (1557), est toujours employé en droit (1670, *condition infamante*).

INFANT, ANTE n. est emprunté (v. 1450 au masculin et 1462-1468 pour *infante*) à l'espagnol *infante* «fils de roi» (1140, *yfante*), proprement «enfant», de même origine que le français *enfant**.

♦ *Infant* est le titre qu'on donnait aux enfants puînés de la famille royale et parfois de quelques grandes familles, en Espagne et au Portugal; on trouve en ce sens *enfant de Castille* à la fin du XIVe s. chez Froissart et l'on relève *infante de Foix* (1514), *infant de Savoie* (1552). ◇ Le mot, employé comme terme d'affection dès le XVIe s. au féminin, est attesté au début du XVIIIe s. au masculin (1701, Furetière). ◇ *Infante,* pour désigner une femme peu vertueuse (1752), s'est employé jusqu'au milieu du XIXe siècle.

INFANTERIE n. f. est un emprunt (1553), d'abord adapté sous la forme *enffanterie* (av. 1502), à l'italien *infanteria* au sens de «troupes à pied» (XIVe s.); *infanteria* dérive de *infante* «enfant», qui avait pris au XIVe s. le sens de «fantassin», peut-être à partir d'un sens «jeune homme qui n'est pas en âge de combattre à cheval» (cf. italien moderne *fante* «fantassin» et «valet»). *Infanteria* a été supplanté par *fanteria* (av. 1363), emprunté en français sous la forme *fanterie,* attestée de 1547 à 1596; le français a aussi employé au XVe s. *enfant de pied, enfant à pied* pour *fantassin**. *Infante* vient du latin *infans* comme le français *enfant**.

♦ *Infanterie* a désigné l'ensemble des gens de guerre marchant et combattant à pied; le mot se dit ensuite de l'arme chargée de la conquête et de l'occupation du terrain, avec les syntagmes *infanterie de marine* (1774), *infanterie coloniale* (1902), aujourd'hui historique, *infanterie portée* (1948), *aéroportée,* etc.

① **INFANTICIDE** adj. et n., attesté isolément au XVIe s. comme adjectif (1564), est emprunté au latin chrétien *infanticida* «meurtrier d'un enfant», composé de *infans* (→ enfant) et de *-cid-,* forme en composition de la racine de *caedere* «tuer», sans correspondant indoeuropéen hors du latin.

♦ Le mot conserve en français le sens du latin. Il est substantivé (1721) et repris au XIXe s. comme adjectif (1835).

▸ ② **INFANTICIDE** n. m. est emprunté (1611) au latin chrétien *infanticidium* «meurtre d'un enfant», de même origine que le précédent. Il s'est employé au XVIIIe s. pour «avortement provoqué», emploi repris lors des polémiques récentes sur l'avortement. ◇ On relève isolément *enfanticide* (XVIe s.), dérivé de *enfant.*

INFANTILE adj. est un emprunt (1560) au latin *infantilis* «enfantin», dérivé de *infans, infantis* (→ enfant). Il succède à la forme ancienne *enfantil* (v. 1200) dérivée de *enfant* et encore relevée en 1611.

♦ Le mot apparaît avec le sens d'«enfantin»; il équivaut à *puéril* dans un emploi péjoratif chez Calvin (1560), sens repris à la fin du XIXe s. et devenu courant. ◇ En médecine l'adjectif s'applique (1863) à ce qui est relatif à la première enfance; il se dit spécialement (déb. XXe s.) d'un sujet dont le développement physiologique, psychologique, s'est arrêté au stade de l'enfance et, par extension, d'une personne, d'un comportement qui n'est pas jugé adulte.

▸ **INFANTILISME** n. m. s'emploie en médecine (1871) et couramment pour «tendance à se comporter d'une manière infantile, non adulte». ➜ L'adjectif a fourni au XXe s. les dérivés **INFANTILITÉ** n. f. «caractère propre à l'enfant» (attesté en 1949, S. de Beauvoir), **INFANTILEMENT** adv. (1951, Malraux) et **INFANTILISER** v. tr. (av. 1966), d'où **INFANTILISATION** n. f. (1970), ces trois derniers mots, liés au sens moderne d'*infantile, infantilisme,* étant assez usuels.

INFARCTUS n. m. est un mot du latin scientifique moderne (1826, Laennec), et correspond à une graphie altérée de *infartus,* participe passé du latin classique *infartire,* variante de la forme usuelle *infercire* «bourrer, fourrer dans, remplir». *Infarcire* est formé de *in-* (→ ② in-) et de *farcire* «garnir» (→ farcir). On relève en anglais *infarction* à la fin du XVIIe s. (1689, Harvey) au sens de «ce qui obstrue (un organe)».

♦ Le nom désigne la nécrose d'un organe, par obstruction de l'artère qui assure son irrigation; son seul emploi courant est *infarctus du myocarde,* par ellipse *infarctus,* cf. aussi *angine de poitrine.* ◇ On relève dans le style journalistique (1968) l'emploi métaphorique du mot pour «engorgement d'un réseau routier» et «crise grave».

▸ À partir du radical de *infarctus* ont été formés savamment (mil. XXe s.) les dérivés didactiques et rares **INFARCI, IE** adj. et **INFARCISSEMENT** n. m., plus proches de la forme-source latine.

INFATUER v. tr. est emprunté (v. 1380) au latin *infatuare* «rendre sot, déraisonnable», formé de *in-* marquant l'aboutissement de l'action (→ ② in-) et de *fatuus* «insensé, sot», puis «insipide» à l'époque impériale (→ fade).

♦ Le verbe, d'abord employé au sens étymologique, signifie ensuite «inspirer un engouement excessif ou ridicule (à qqn)» au participe passé adjectivé (1488, *infatué de*) puis (1530) au pronominal. L'usage actif, lui aussi du XVIe s. (1530), est devenu très rare. ◇ ***Être infatué** de soi* (*de ses mérites, etc.*) ou ***être infatué*** «être excessivement content de soi» (1689, La Bruyère) reste employé, mais le pronominal (av. 1704) est littéraire.

▸ Le dérivé **INFATUATION** n. f. est sorti d'usage au sens d'«engouement» (1622) et le sens de «suffisance, fatuité» (1836) est littéraire. ➜ **DÉSINFA-**

TUER v. tr. (1690) est sorti d'usage, comme **DÉSINFATUATION** n. f. (1845).

✱ INFECT, ECTE adj. est un emprunt du moyen français (v. 1361) au latin *infectus,* participe passé de *inficere* «mettre dans (un bain de teinture)», «imprégner», puis «empoisonner, infecter», formé de *in-* (→ ② in-) et de *facere* «faire*». On trouve d'ailleurs en ancien français *enfait* au sens d'«infecté» (v. 1200).

♦ Dans les diverses acceptions, c'est l'idée de répugnance attachée à qqch. ou à qqn qui domine. Au XIVe s., *infect* est relevé aux sens de «perverti» en parlant du goût (v. 1361) et d'«empesté, plein de miasmes» (1363). L'adjectif s'est aussi employé au sens d'«infecté» en parlant d'un lieu, d'une personne (1439), puis s'applique à ce qui excite le dégoût moral (v. 1500), d'où son emploi à propos de paroles déshonnêtes (1564). ◇ Au XVIe s., il a signifié «contagieux», et se dit (1552) de ce qui a une odeur ignoble, souvent due à la corruption : il s'est d'ailleurs employé (1636) en parlant d'une viande pleine de vers. ◇ La valeur la plus courante aujourd'hui, «qui est détestable en son genre, qui a un aspect repoussant», semble apparaître au milieu du XIXe s. (Flaubert). Aujourd'hui très usuel, cet emploi sépare sémantiquement l'adjectif des dérivés et préfixés : c'est un intensif de *mauvais* (cf. *ignoble*).

► Le dérivé **INFECTER** v. tr. est vieilli au sens d'«imprégner (l'air, l'eau) d'émanations malsaines» (1416). Le verbe est sorti d'usage ou devenu littéraire au sens abstrait (1431) de «corrompre» (par ex. par le vice). ◇ Il s'emploie aujourd'hui, depuis le XVIe s. (1520), pour «communiquer l'infection à (qqn, qqch.)» mais a disparu au sens d'«empester (l'air, un lieu) par une odeur infecte» (1530).
INFECTION n. f. a été emprunté au dérivé bas latin *infectio* «action de teindre», au figuré «fait de subir l'action de» et «salissure, souillure», en particulier chez les auteurs chrétiens. *Infectio* vient de *infectum,* supin de *inficere.* ◆ *Infection* s'est employé au pluriel dès la fin du XIIIe s. au sens de «pensée impure». Le nom a été repris (1314) à propos de la pénétration dans l'organisme de germes pathogènes et des troubles qui en résultent. Depuis le XVe s., il s'emploie pour «chose infecte» (1412, *infeccion*), sens aujourd'hui familier, pour «grande puanteur» (1465) et par ailleurs désigne une maladie contagieuse (1484) et la propagation d'une maladie (1552). Il est sorti d'usage ou littéraire aux sens (1616) de «putréfaction», «émanations malsaines». ◇ *Infection* s'emploie aussi au figuré pour «mal, corruption qui se transmet» (attesté 1829) en relation avec *infectieux.* ◇ Au XXe s. le nom, d'après le sens étymologique, désigne en phonétique (1933) le fait, pour le système des consonnes d'une langue, d'être influencé par l'articulation des voyelles qui leur succèdent. ◆ Du radical d'*infection* a été dérivé **INFECTIEUX, EUSE** adj., qui s'applique à ce qui s'accompagne d'infection (1821) et à ce qui communique, détermine une infection (1840); en viennent le dérivé savant **INFECTIOSITÉ** n. f. (1858), devenu archaïque, et le composé **ANTI-INFECTIEUX, EUSE** adj. (1905). ◆ À partir d'*infection* ont été formés **DÉSINFECTION** n. f. (1630), qui correspond à *désinfecter* (ci-dessous), **AUTO-INFECTION** n. f. (1883) et **SURINFECTION** n. f. (1926). ◆ **INFECTEMENT** adv. (1922, Proust), rare, est directement dérivé de l'adjectif *infect,* et ne concerne que le sens moderne «détestable, ignoble».
En revanche, **RÉINFECTER** v. tr. (1549), **RÉINFECTION** n. f. (1907) et la série préfixée en *dés-* (→ ① dé) se rattachent aux valeurs propres, physiologiques, comme *infection.* ◆ **DÉSINFECTER** v. tr. (1556) semble assez rare avant le début du XVIIIe s. où il prend une valeur figurée (av. 1704, *se désinfecter d'une opinion*) qui a disparu. ◇ Il devient usuel au début du XIXe s. avec les progrès de l'hygiène, lorsque apparaissent les dérivés **DÉSINFECTANT, ANTE** adj. (1803) puis n. m. (1820) et **DÉSINFECTEUR** n. m. (1834, au figuré), ce dernier demeuré rare. ◇ Quant à *désinfection,* formé sur *infection* (voir ci-dessus), il sert de substantif au verbe *désinfecter* et suit son évolution de fréquence.

INFÉODER v. tr. est attesté d'abord au participe passé (1411, *infeode*) par emprunt au participe passé *infeodatus,* du latin médiéval *infeodare* (1109-1120) «concéder un fief», formé avec le préfixe *in-* (→ ② in-) sur *feodum* (→ fief; féodal). Le verbe, refait sur le participe passé ou repris directement du latin médiéval, est relevé par Richelet en 1680; il a remplacé l'ancien *infeuder* «investir d'un fief» (1393), qui reprenait le latin médiéval *infeudare* (1097), de *feudum* (→ fief).

♦ *Inféoder* signifie, aujourd'hui en histoire, «donner (une terre à un vassal) pour qu'il la tienne en fief». Il s'emploie par figure au pronominal (1827), au sens de «se soumettre» (comme le ferait un vassal), puis plus couramment à l'actif pour «soumettre à une autorité» (1836, Lamartine).

► Le participe **INFÉODÉ, ÉE** adj. a les valeurs du verbe. ◆ **INFÉODATION** n. f. a remplacé (1467) *infeudacion* (1393; de *infeuder*), tous deux précédés par les formes du latin médiéval *infeodatio* (1064-1084) et *infeudatio* (1198); c'est un terme d'histoire, employé comme le verbe au figuré (1835, Balzac).

INFÉRER v. tr. est emprunté (v. 1370) au latin *inferre,* proprement «porter, jeter dans, vers, sur, contre», d'où des emplois variés, par exemple «faire violence à qqn», «porter une accusation» et «produire, mettre en avant (un raisonnement)»; *inferre* est formé de *in-* (→ ② in-) et de *ferre* «porter» (→ -fère) qui se rattache à la racine indoeuropéenne °*bher-* «porter».

♦ *Inférer* a été employé (v. 1370) jusqu'au XVIe s. au sens d'«introduire, causer, faire naître», par exemple de la violence dans les rapports entre deux personnes ou une fraude dans une affaire. ◇ Il reprend dès le XIVe s. un autre sens du latin et signifie «tirer une conséquence, déduire» (1372; 1530, *inférer que*), emploi réservé au langage didactique.

► **INFÉRENCE** n. f., peut-être dérivé du verbe d'après le latin médiéval *inferentia,* s'est employé pour «conséquence» (1606). ◇ Le mot désigne (1765, *Encyclopédie*) une opération logique par laquelle on admet une proposition en raison de son lien avec d'autres propositions tenues pour vraies.

INFÉRIEUR, EURE adj. est un emprunt (1461-1466; également au XVe s. *inferiore*) au latin *inferior* «plus bas» et «d'un rang inférieur», comparatif de *inferus* «en bas, en dessous» (→ enfer).

♦ L'adjectif conserve les valeurs du latin; il a un sens concret, «qui est situé plus bas» (1461-1466), et abstrait, «qui occupe une place au-dessous dans une hiérarchie, une classification», spécialement en parlant d'une personne (XVe s., adj.; 1482, n.), et rarement au féminin. Il s'emploie ensuite au figuré (1540) pour «qui est d'une plus faible valeur, importance, qualité, etc.». ◇ Du premier sens vient l'emploi en astronomie (1562, *planètes inférieures*) et en géographie : «dont l'altitude est inférieure, qui est plus près de la mer» (1690). ◇ Au figuré, le mot est repris par Cuvier (1805) dans *animaux inférieurs* «moins complexes dans leur organisation», plus tard interprété comme «peu avancés dans l'évolution».

▸ Le dérivé **INFÉRIEUREMENT** adv., «d'une manière inférieure» (1584), «à une place inférieure» (1802), est rare. ◆ **INFÉRIORISER** v. tr., dérivé savant de *inférieur* d'après *inferior* (R. de Radonvilliers avait proposé, en 1845, *infériorer*), est d'abord attesté au participe présent adjectivé (1878, J. Vallès), puis à l'actif (1893, Saint-Pol-Roux) pour «donner un sentiment d'infériorité à (qqn)». Le verbe s'emploie ensuite (1919) au sens de «placer dans une situation inférieure» puis est repris d'après les emplois psychologiques des dérivés pour «sous-estimer la valeur de (qqn, qqch.)» (1970). ◇ Le dérivé **INFÉRIORISATION** n. f. est didactique (1894). ◆ **INFÉRIORITÉ** n. f. est une réfection (1588, Montaigne), d'après le latin *inferior*, de *inferieurité* «situation inférieure (d'une chose)» (1538), repris en 1860. ◇ *Infériorité* désigne chez Montaigne l'état de ce qui est inférieur (en rang, en valeur, etc.), d'où l'emploi en grammaire (1863, *comparatif d'infériorité*) et les syntagmes de psychologie ***sentiment d'infériorité*** (1922, Proust), ***complexe d'infériorité.***

INFERNAL, ALE, AUX adj. est emprunté (v. 1130), d'abord sous la forme adaptée *enfernal* (1119), au bas latin *infernalis*, dérivé de *infernus*, qui a donné *enfer**. Une variante *infernel* a eu cours en moyen français (v. 1480).

♦ Le mot qualifie ce qui appartient à l'enfer chrétien et, beaucoup plus rarement, aux enfers dans d'autres religions, notamment le paganisme antique. ◇ Depuis le XVIIe s. (attesté 1667) il s'emploie, comme *démoniaque*, à propos de ce qui évoque l'enfer, le mal, la punition *(les flammes infernales)* avec des spécialisations portant sur diverses caractéristiques symboliques de l'enfer*, tel *pierre infernale* en alchimie, «azotate d'argent» (1690) ou ***machine infernale*** (1701), toujours connu pour «explosif, bombe à retardement». ◇ Comme *d'enfer*, l'adjectif s'est affaibli jusqu'à devenir un synonyme de «très mauvais», «insupportable» (1680) et, par des syntagmes comme *douleur, rire infernal*, un simple intensif : *une allure infernale*. ◇ De nouvelles spécialisations sont apparues au XXe s., comme *cycle infernal* (des salaires et des prix). Le mot s'applique aux personnes, pour «insupportable», *un enfant infernal, il est infernal* correspondant à des emplois de *démon, diable*.

▸ L'adjectif a pour dérivé **INFERNALEMENT** adv. (v. 1390; *infernellement*, XVe s.), assez rare, et **INFERNALITÉ** n. f. (v. 1775, isolément; puis v. 1790 et 1844), archaïsme d'emploi exceptionnel.

INFESTER v. tr. est un emprunt (1390) au latin *infestare* «attaquer, harceler, ravager» et au figuré «altérer, corrompre», dérivé de *infestus* «hostile», «menacé» et «infesté»; l'adjectif est formé de *in-* (→ ② in-) et d'un élément *-festus*, que l'on retrouve dans *manifestus* (→ manifeste), d'origine incertaine, qui comporte peut-être l'idée de «prendre».

♦ *Infester* s'est employé aux sens d'«importuner, harceler (qqn)» (1390), «outrager (qqn)» (1468), puis «ravager (un pays) en s'y livrant à des actes de brigandage» (1552). ◇ En médecine, probablement sous l'influence d'*infecter**, il a signifié (1570) «atteindre (d'une maladie)». ◇ Il s'est employé à la fin du XVIe s. au sens de «hanter (un lieu)», en parlant des esprits, puis à partir du XVIIe s. au sens maintenant courant d'«être très abondant, au point d'envahir complètement, et de provoquer des dégâts» (1690), d'abord en parlant d'animaux nuisibles, plus tard (1835) de plantes. ◇ Au début du XXe s., le verbe est repris en médecine (1910) au sens de «pénétrer dans l'organisme et l'envahir», en parlant de parasites.

▸ **INFESTATION** n. f., emprunt (1370) au dérivé bas latin *infestatio* «attaque», «hostilité», a eu des emplois analogues à ceux du verbe; signifiant d'abord «action de tourmenter», il a désigné l'action de ravager et son résultat (1558), le fait d'infester un lieu (1803). ◇ Il est aujourd'hui utilisé en médecine comme le verbe (1903).

INFIME adj. a été emprunté (1447) au latin *infimus* «qui est placé le plus bas», «le dernier», «le plus humble», superlatif de *inferus* «placé en bas» (→ inférieur).

♦ L'adjectif, attesté d'abord dans un emploi figuré, signifie surtout (1516) comme en latin «qui est placé le plus bas» en parlant d'une série, d'une hiérarchie. Par extension, il se dit pour «tout petit» (1828-1829).

▸ **INFIMITÉ** n. f. est attesté chez Saint-Simon au sens disparu de «caractère de ce qui est très bas» (cf. latin *infimitas*), «basse condition». Ce nom est d'usage didactique pour «faible valeur» (1873).

IN-FINE → ① FIN

INFINI, IE adj. et n. m., réfection (XIVe s.) de la forme *infinit* (1216), est emprunté au latin *infinitus* «sans fin, sans limites», «indéfini», formé par préfixation *in-* (→ ① in-) de *finitus*, participe passé de *finire* (→ finir).

♦ L'adjectif s'applique dans ses premiers emplois à ce qui, dans un ordre donné, n'a aucune limite; cette valeur existe aujourd'hui dans l'usage courant *(quantité infinie)* et didactique *(ensemble in-*

fini). Il se dit ensuite de ce qui n'est pas borné dans le temps, n'a pas de terme (1370-1372, adj. et n. m.); l'adjectif s'applique spécialement à Dieu (v. 1450, *infiny*) «en quoi l'homme ne conçoit aucune limite». ◇ Par extension, *infini* qualifie (1552) ce qui est très considérable par la grandeur, la durée, l'intensité, le nombre, d'où le sens de «très nombreux» au pluriel *(des richesses infinies).* Au XVIIe s., le nom est utilisé dans la locution adverbiale ***à l'infini*** «extrêmement» (1622, *à l'infiny*) et «sans limites, sans fin» (1640; 1647, Descartes, en parlant de la puissance divine). ◇ Il désigne également (1662) ce qui est infini par l'un de ses aspects, d'où, comme nom masculin, *l'infini mathématique* (noté ∞). L'adjectif s'emploie couramment au sens affaibli (ci-dessus) dans l'ordre sensible, moral, etc. (1690). ◇ Le mot, repris dans le vocabulaire de la photographie (XXe s.), désigne la distance à partir de laquelle les objets donnent une image nette dans le plan focal.

▸ **INFINIMENT** adv. (1488), d'abord sous les formes *infinitement* (fin XIVe s.; de *infinit*), puis *infiniement* (1418), a le sens strict et le sens affaibli de l'adjectif *(aimer infiniment qqch.)* et s'emploie spécialement en mathématiques (1719, *l'infiniment grand, petit*). ◆ **INFINITÉ** n. f. est emprunté au latin *infinitas* «étendue infinie», dérivé de *infinitus.* ◇ Le nom désigne couramment (1214) une très grande quantité, un très grand nombre; il est didactique (fin XIIIe-déb. XIVe s., *infiniteis;* 1538 avec la graphie moderne) au sens de «ce qui est sans fin». En dérivent les mots didactiques et rares, **INFINITISME** n. m. (1924; 1862, *infinitéisme* chez Vigny) et **INFINISTISTE** adj. et n. (1864). ◆ **INFINITUDE** n. f. est aussi un terme didactique (1522).

INFINITÉSIMAL, ALE, AUX adj. est emprunté (1706) à l'anglais *infinitesimal* «relatif aux quantités extrêmement petites» (1704), dès 1655 «l'un des points d'une série infinie», dérivé du latin *infinitas;* le français classique a employé aussi *infinitesime* (1752, Trévoux). L'adjectif s'emploie couramment (1769) pour «infiniment petit», par extension du sens didactique et, par figure (1905), en parlant de quantités non mesurables; il s'utilise spécialement en homéopathie (XXe s., *dose infinitésimale*).

INFINITIF, IVE n. m. et adj. est un emprunt (1368, *muef* [mode] *infinitif*) au latin impérial des grammairiens *infinitivus (modus)* «l'infinitif», dérivé du latin classique *infinitus* «sans fin, sans limites» et «indéfini» (→ infini).

◆ Le mot désigne en grammaire la forme nominale du verbe, exprimant l'idée d'état ou d'action d'une façon abstraite et indéterminée.

✳ **INFIRME** adj. représente une réfection (v. 1265), d'après le latin, de l'ancien français *enferm* ou *enferme* «faible, malade» (v. 1050), attesté jusqu'au XVIe s. et aboutissement du latin classique *infirmus* «faible», physiquement et moralement; *infirmus* est formé de *in-* (→ ① in-) et de *firmus* «ferme, au moral et au physique», d'où «solide, fort» (→ ferme). En français moderne, *infirme* et *ferme* ne sont plus sentis comme apparentés.

◆ Le mot, peu usité sous sa forme moderne avant le XVIe s., s'est dit pour «malade»; il s'est employé au sens de «qui manque de force, physique ou morale» (1539, Marot), courant dans la langue classique et en parlant d'une plante peu vigoureuse (1690). Il s'applique à une personne atteinte d'une ou plusieurs infirmités (1673, Molière), d'où *membre infirme,* puis à ce qui présente des défauts, des faiblesses graves (1803, Chateaubriand).

▸ **INFIRMITÉ** n. f. est une réfection (v. 1380), d'après le latin, de l'ancien et moyen français *enfermeté* (v. 1050), employé jusqu'au début du XVIe siècle et sans rapport direct avec *enfermer.* Ce mot est lui-même une réfection, d'après *enferm* (ci-dessus), de *enferté,* issu par voie orale du latin classique *infirmitas* «faiblesse, maladie», dérivé de *infirmus.* ◆ Le nom, vieilli pour «indisposition sérieuse, maladie habituelle» (v. 1380), s'est employé de l'époque classique jusqu'au XIXe s. pour «faiblesse physique» (1413) et pour «caractère faible (de l'homme)» (1564). ◇ Le sens moderne, «maladie, accident, faiblesse qui rend infirme», est relevé chez Malherbe (av. 1628); en emploi littéraire, il se dit pour «défaut, imperfection» (XIXe s.).

INFIRMIER, IÈRE n. représente une réfection (1398, n. m.), d'après *infirme,* de l'ancien français *enfermier* (1288), dérivé de *enferm* encore relevé au XVIIe s. (1675). ◆ Le mot désigne, comme l'ancien *enfermier,* une personne qui soigne des malades sous la direction des médecins; le féminin est attesté (1765) dans l'*Encyclopédie.* C'est aujourd'hui un nom de profession médicale organisée, soumise à des diplômes.

INFIRMERIE n. f. (1509) «lieu où l'on reçoit des malades, des blessés» a remplacé l'ancien français *enfermerie,* attesté du XIIIe s. à 1675. Le mot est sorti d'usage pour désigner un établissement charitable (XIXe s.); il s'emploie par extension et familièrement (1829) au sens de «maison où tout le monde est malade». Alors que *infirme* et *infirmité* entrent dans le champ sémantique de la pathologie, de la maladie, *infirmier* et *infirmerie,* qui ne sont plus rattachés spontanément ni à *infirme,* ni à *enfermer,* correspondent à des emplois administratifs, et entrent dans le champ du vocabulaire hospitalier.

INFIRMER v. tr. est un emprunt (1370-1372, Oresme) au latin *infirmare* «affaiblir» au propre, «réfuter» et en droit «annuler», dérivé de *infirmus* (→ infirme).

◆ Le verbe signifie d'abord «affaiblir (une assertion, etc.) dans son autorité»; il est ensuite usité en droit (1379) au sens d'«annuler ou réformer (une décision)».

▸ En dérivent les termes de droit **INFIRMATIF, IVE** adj. (1501) et **INFIRMABLE** adj. (1842). ◆ **INFIRMATION** n. f., emprunt au latin *infirmatio* (dérivé du supin du verbe), s'emploie en droit (1478) et désigne l'action d'infirmer une assertion (1867). Cette famille de mots est restée didactique.

INFIXE n. m., attesté dans le *Supplément* du Littré (1877), est un emprunt savant, sur le modèle de *suffixe*, préfixe*, affixe*,* au latin *infixus* «fixé, imprimé dans», participe passé de *infigere* «fixer, ficher dans»; le verbe est composé de *in-* «dans, en» et de *figere, fixus* «ficher» d'où «fixer*».

♦ *Infixe,* terme de linguistique, désigne un élément qui s'insère à l'intérieur même d'un mot, parfois d'une racine (cf. *affixe*).

INFLAMMATION n. f. est emprunté (2de moitié du XIVe s.) au latin *inflammatio* «action d'incendier, incendie», puis «inflammation» et «excitation, ardeur», mot formé sur *inflammatum,* supin de *inflammare* (→ enflammer).

♦ *Inflammation* est d'abord attesté avec le sens figuré de «vive irritation, colère» encore usité à l'époque classique, par exemple chez Molière. Il apparaît, à la même époque, dans l'emploi médical repris du latin et aujourd'hui courant. ◇ À la fin du XIVe s. (v. 1390), il a le sens propre de «grande chaleur, haute température», qui a disparu, comme celui d'«incendie» repris par la suite (1509) au latin ; de cette valeur subsiste l'emploi didactique pour désigner un phénomène par lequel une substance combustible s'enflamme, prend feu (1552).

▸ Du nom dérive **INFLAMMATEUR** n. m. (1874), terme technique. ◆ **INFLAMMATOIRE** adj., dérivé savant (av. 1590, Paré) du latin *inflammare,* est un terme de médecine passé dans la langue courante. ◇ Le composé **ANTI-INFLAMMATOIRE** adj. et n. (XXe s.), formé à l'aide de ① *anti-,* est aussi un terme de médecine.

INFLAMMABLE adj. est dérivé savamment (v. 1390), par suffixation en *-able,* du verbe *inflammare,* formé de *in-* (→ ② in-) et de *flammare.* Le latin médiéval *inflammabilis* (v. 1227) a pu servir de modèle. ◆ D'abord employé au sens propre pour «qui a la propriété de s'enflammer facilement et de brûler rapidement» (v. 1390 ; 1780, *air inflammable*), l'adjectif est relevé dans un emploi figuré à la fin du XVIIIe s. (1787, *caractère inflammable*). ◆ Le dérivé **INFLAMMABILITÉ** n. f., qui correspond au latin médiéval *inflammabilitas* (v. 1360), est didactique au sens propre (1641) et rare au figuré (1829). ◆ **ININFLAMMABLE** adj. (de ① *in-*), attesté isolément au début du XVIIe s. (1616), est repris à la fin du XVIIIe s. (1785, *corps ininflammable*) ; il est rare au figuré (1801).

◈ voir **ENFLAMMER.**

INFLATION n. f. est un emprunt savant (v. 1300) au latin *inflatio* «enflure, gonflement (de l'estomac)», «flatulence» et «inflammation», formé sur *inflatum,* supin du latin *inflare* «souffler dans ou sur, enfler», «gonfler» et «enfler le ton» (→ enfler).

♦ Le mot apparaît comme terme de médecine avec le sens de «gonflement» (v. 1300, *inflation du membre*) qui a disparu au profit d'*enflure.* ◇ Il est attesté ensuite au figuré (v. 1375) pour «action de s'enorgueillir» et dans un emploi métaphorique avec le sens d'«excès, abus prétentieux» (1511, *inflation de science*). ◇ Il a conservé en médecine le sens (1549) de «gonflement (d'un tissu, d'un organe) par infiltration de gaz ou de liquide» (cf. *emphysème, œdème*).

Inflation, comme terme d'économie (1919), reprend l'anglais *inflation* «gonflement», dérivé (XIVe s.) de *to inflate,* formé sur le supin de *inflare,* qui a pris (1838 aux États-Unis) le sens financier de «hausse des prix causée par un accroissement excessif des instruments de paiement entraînant une dépréciation de la monnaie». ◇ *Inflation,* comme *déflation*,* est passé en français au moment de la crise monétaire européenne qui suivit la guerre de 1914-1918, l'emprunt *inflationniste* paraissant antérieur. Par extension du sens économique, *inflation* se dit pour «excès, surabondance avec dévalorisation» (1922, *inflation des mots,* L. Daudet ; 1919, dans une comparaison chez le même).

▸ **INFLATIONNISTE** n. et adj. est emprunté (1894) à l'anglais *inflationist* n. et adj., dérivé de *inflation,* attesté depuis 1870 pour désigner, en tant que nom, un partisan de l'inflation, puis comme adjectif au sens de «qui a rapport ou tend à l'inflation», plus courant en français. ◆ Le terme d'économie **ANTI-INFLATIONNISTE** adj. (de ① *anti-*) est attesté en 1949.

◈ voir **DÉFLATION.**

INFLEXION n. f. est emprunté (fin XIVe s.) au latin *inflexio* «action de plier», puis terme de grammaire, dérivé de *inflectum,* supin de *inflectere* «plier, infléchir», au propre et au figuré. Le verbe est formé de *in-* (→ ② in-) et de *flectere* «courber» au propre et au figuré (→ fléchir), d'où «faire tourner, diriger», «détourner, changer» et l'emploi en grammaire.

♦ Le nom désigne dans ses premiers emplois l'état de ce qui est infléchi, le mouvement par lequel qqch. s'infléchit, sens aujourd'hui didactique ; il est rarement employé avant le XVIIe s. où il se dit (1636) d'un changement de ton dans la voix ; *inflexion* a été aussi utilisé en grammaire (1690) pour *flexion.* Du premier sens vient l'emploi en optique (1739, Voltaire, *inflexion de la lumière*) et en mathématiques (1765, *point d'inflexion*). ◇ Par figure, *inflexion* se dit d'une modification dans l'orientation d'une pensée, d'un sentiment (1828, Sainte-Beuve). ◇ Le mot est repris en phonétique (1893), où *inflexion vocalique* désigne le changement de timbre d'une voyelle sous l'influence d'un phonème voisin.

▸ **INFLÉCHIR** v. tr. a été formé au XVIIIe s., au participe **INFLÉCHI, IE** adj. et au pronominal **S'INFLÉCHIR** (1738), pour servir de correspondant verbal à *inflexion,* de *in-* (→ ② in-) et de *fléchir*.* ◆ Il a fourni **INFLÉCHISSEMENT** n. m. au propre (1888) et au figuré (XXe s.).

INFLIGER v. tr. est emprunté (1451) au latin classique *infligere* «heurter contre», «lancer contre», «infliger à», d'où en latin médiéval «punir» (v. 1250) ; *infligere* est composé de *in-* (→ ② in-) et de *fligere, flictus* «battre» ; ce verbe archaïque, seulement usuel en composition, n'est pas représenté dans les langues romanes ; il appartient à un ensemble de mots expressifs aux formes divergentes, comme le vieux slave *blizna* «cicatrice» et le gotique *bliggwan* «frapper».

♦ Le verbe français est d'abord employé en droit, au sens d'«imposer (une peine à qqn)», peu usité avant le XVIIe siècle et aujourd'hui sorti d'usage. Il signifie par extension «faire subir (une peine matérielle ou morale à qqn)» (1807, pron., Mme de Staël), d'où par affaiblissement «imposer (une contrainte, des ennuis, etc.)» (av. 1850). Il faut aussi noter l'expression courante ***infliger un démenti à qqn.***

► **INFLICTION** n. f. est emprunté (1486) au latin *inflictio* «action d'infliger une peine», formé sur le supin de *infligere.* Il en a repris le sens en droit, puis a signifié en administration «imposition (d'une amende, d'une taxe)», sens didactique et vieilli.

INFLORESCENCE n. f., attesté chez Lamarck (1792), est un emprunt au latin scientifique *inflorescentia,* formé par Linné (1770) d'après *efflorescentia* (→ efflorescence), sur le latin *inflorescere* «se couvrir de fleurs», verbe composé de *in-* (→ ② in-) et de *florescere,* dérivé de *florere* (→ fleurir), lui-même de *flos, floris* (→ fleur).

♦ *Inflorescence* désigne en botanique le mode de groupement des fleurs d'une plante et, par métonymie, le groupe de fleurs ainsi formé.

INFLUENZA n. m. est emprunté (1782, Mme D'Épinay) à l'italien, peut-être par l'intermédiaire de l'anglais, où il est attesté en 1743. Le mot a été introduit en France après une importante épidémie qui avait débuté en Italie. Le mot italien, relevé au sens médical avant 1363, est un emprunt au latin médiéval *influentia* (→ influence) qui avait été employé dans l'ancienne médecine pour traduire le grec *epirroê* «flux (de sang)», du verbe *rhein* «couler» (→ rhume).

♦ Le mot, vieilli ou littéraire, a été remplacé par *grippe**.

INFLUER v. est un emprunt (1375, Oresme) au latin classique *influere* «couler (dans, sur)», «s'insinuer dans», et en latin médiéval «exercer une influence» (v. 1267), formé de *in-* (→ ① in-) et de *fluere* «couler», par extension «s'écouler, tomber mollement», d'où «se laisser aller sans retenue»; *fluere* vient peut-être d'un croisement entre une racine indoeuropéenne °*sreu-* «couler» non représentée en latin (cf. sanskrit *srávati* «il coule») et une racine °*bhleu-* qui indique l'émission d'un liquide.

♦ *Influer* apparaît avec le sens d'«exercer une influence (sur qqn, qqch.)» qui est resté courant et notamment utilisé en parlant des astres (1453). Le verbe s'est employé à l'époque classique (1404, C. de Pisan) au sens de «faire pénétrer (une force, une action) dans», «inspirer une chose matérielle ou morale» et, avec une valeur concrète, pour «couler, pénétrer dans» (1536, intr.).

► Plusieurs mots sont empruntés à des dérivés du latin *influere.* ◆ **INFLUENCE** n. f. est un emprunt du XIIIe s. (v. 1240) au latin médiéval *influentia* «flux provenant des astres et agissant sur l'action des hommes et des choses» (attesté en 1241), dérivé de *influere* (→ influenza). ◇ *Influence* conserve d'abord le sens de l'étymon, le mot désignant ensuite l'action attribuée aux astres sur la destinée humaine. Par extension, il se dit dès le XIIIe s. de l'action lente et continue exercée sur une personne ou une chose. De là vient le sens d'«autorité, prestige de qqn, qui amène les autres à se ranger à son avis» (1780), d'où «autorité politique ou intellectuelle acquise par un pays, une civilisation, etc. à un moment donné» (1793, Mme de Staël, *l'influence française*). Au XIXe s., *influence* s'introduit par analogie dans le vocabulaire scientifique pour désigner un effet produit à distance (1814). ◆ Le dérivé **INFLUENCER** v. tr., d'abord relevé (1771) au sens large d'«exercer une influence sur», est un mot critiqué à la fin du XVIIIe siècle; il s'emploie aussi en parlant d'une chose (1805, Cuvier) et est devenu usuel dans de nombreux domaines. ◇ En dérive **INFLUENÇABLE** adj. (1831, Mérimée), d'où **INFLUENÇABILITÉ** n. f. (mil. XXe s.), didactique. ◆ **INFLUENT, ENTE** adj., emprunt au latin *influens* (participe présent du verbe), s'applique aux choses (1520) et surtout aux personnes qui ont de l'influence (1701). ◇ Un homonyme disparu, dérivé de *influer,* a signifié «qui coule, déborde sur» (v. 1510). ◆ **INFLUX** n. m. est un emprunt (1547) au bas latin *influxus* «action de couler dans» et «influence (des astres)» en latin médiéval; le nom s'est d'abord employé en parlant des astres. ◇ Il désigne au XVIIIe s. l'action exercée de façon mystérieuse par une force (1768-1772, en parlant de celle de l'âme sur le corps), d'où le sens de «force agissante», spécialement dans ***influx nerveux*** (1834, Broussais).

◈ voir INFLUENZA.

INFORME adj. est emprunté (déb. XVIe s.) au latin *informis* «non façonné, brut», «mal formé, difforme, hideux», composé de *in-* (→ ① in-) et de *forma* «forme*».

♦ L'adjectif s'applique d'abord à ce qui n'a pas de forme déterminée, spécialement au figuré (1580, Montaigne, *conceptions informes*); il se dit aussi (1591, Desportes) de ce dont on ne peut définir la forme, qui ne peut être reconnu par sa forme. ◇ *Informe* s'emploie à partir du XVIIe s. en parlant d'une chose dont la forme n'est pas achevée (1668, La Fontaine) ou dont les formes sont disgracieuses (1668). Par analogie, l'adjectif s'applique en droit (1690) à ce qui n'est pas dans les formes prescrites. Au figuré, il signifie «flou, incertain».

✳ **INFORMER** v. tr. représente une réfection (XVe s.), d'après le latin de l'ancien français *enformer* «donner une forme à» (1174), «instruire de» (1275), attesté jusqu'au XVIe s., issu de *informare* «façonner, donner une forme» et au figuré «représenter idéalement», «former dans l'esprit», «se faire une idée de», composé de *in-* (→ ② in-) et de *formare* (→ former). Cette réfection est hésitante quant à *forme,* qui a des variantes (*soi infourmer,* 1286), et quant au préfixe (*einformer,* transitif, 1351).

♦ Le verbe, d'abord pronominal, signifie «mettre au courant (qqn de qqch.)», d'où ***informer (qqn) que*** «faire savoir (à qqn) que» (1392, *infourmeir que*). Il se fixe et se spécialise dans le domaine judiciaire (1538, *informer*) au sens de «faire une instruction en matière criminelle». ◇ Au XVIe s., il reprend le sens latin de «donner une forme à» (1567), spécialement en philosophie (1572, «donner une forme sensible», en parlant de l'âme; 1617, d'un principe spirituel). Il a eu le sens de «questionner (qqn au sujet de qqch.)» (av. 1615, *informer qqn de qqch.*) mais reste usuel dans une valeur très proche du sens initial. Au XXe s., il subit l'influence des significations récentes de *information.*

En droit, le participe passé substantivé est employé dans *un plus ample informé* (1671) «une information plus ample (de l'affaire)», d'où l'expression ***jusqu'à plus ample informé.***

▸ **INFORMATEUR, TRICE** n. et adj. est apparu au XIVe s. au sens de «rapporteur» (v. 1354) puis désigne celui qui est chargé de faire une enquête (XVe s.), qui informe, instruit (1458). Il est repris au XIXe s. et désigne qqn qui donne des informations, ou dont le métier est de recueillir des informations (1838; *informeur,* v. 1797, ne s'est pas maintenu). ➛ **INFORMATIF, IVE** adj. s'est dit (1520, *vertu informative*) pour «qui sert à représenter». Repris au XXe s. et alors lié à *information,* l'adjectif signifie «qui apporte de l'information».

INFORMATION n. f. dérive de *informer;* en effet, le latin *informatio* signifiait «conception, explication (d'un mot)», «dessin, esquisse», sens non attestés en français. ◇ Le nom est d'abord attesté (1274) au sens juridique et courant d'«enquête faite en matière criminelle» (1323, *faire des enformations* «procéder à des enquêtes judiciaires»). Il a à partir du XIVe s. le sens courant de «renseignement que l'on obtient de qqn» (v. 1360, au pluriel), puis par extension désigne au pluriel (v. 1500) l'ensemble des connaissances réunies sur un sujet donné; mais il est rare en ce sens avant le XXe siècle. ◇ À la fin du XVe s. (1495), *information* se dit pour «action de donner une forme», sens didactique aujourd'hui disparu. ◇ Le mot se spécialise dans la seconde moitié du XIXe s., désignant l'action de prendre des renseignements (*voyage d'information,* 1867). Le sens aujourd'hui le plus usuel apparaît sous la IIIe République, avec le développement de la presse : il s'agit alors de l'information que l'on porte à la connaissance d'un public (1886, Zola); d'où, au début du XXe s., les acceptions «ensemble des informations» et «action d'informer (le public)». ◇ Au pluriel le mot s'emploie pour «bulletin d'informations» (1972, abréviation familière **INFOS,** n. f. pl.). ➛ De ces valeurs viennent (apr. 1950) plusieurs dérivés et composés, liés au développement des moyens et des techniques d'information (médias) : **DÉSINFORMATION** n. f. (1954) et **DÉSINFORMER** (1959) qui, contrairement à la morphologie, concernent une manière trompeuse d'informer, et non la privation d'informations sur qqch., **INFORMATIONNEL, ELLE** adj. (1961), **SOUS-INFORMATION** n. f. (v. 1965), **SURINFORMATION** n. f. (1969). Par ailleurs, *information,* par emprunt de sens (v. 1950) à l'anglais *information,* se spécialise pour désigner un élément ou un système pouvant être transmis par un signal ou une combinaison de signaux *(théorie de l'information).* ◇ L'expression ***autoroute de l'information*** (voir *autoroute,* sous *automobile*), qui traduit l'anglo-américain *highway,* désigne un réseau à grand débit capable de transporter des millions d'informations élémentaires à la seconde, en télématique. ➛ C'est de ce sens qu'est issu **INFORMATIQUE** n. f. et adj. (1962), mot créé par Ph. Dreyfus sur le modèle de *mathématique, électronique* et qui a lui-même servi de modèle pour de nombreux dérivés analogiques (*bureautique, robotique,* etc. : voir les radicaux). Le mot désigne la science et l'ensemble des techniques automatisées relatives aux informations (collecte, mise en mémoire, utilisation, etc.) et l'activité économique mettant en jeu cette science et ces techniques. L'informatique est en rapport avec les notions de calcul, de classement, d'ordre (cf. *ordinateur*), de mise en mémoire et, avec la gestion automatique des données, des informations au moyen de logiciels* et du matériel approprié. Le développement rapide de l'informatique explique l'abondance des termes formés en français. ➛ Le dérivé **INFORMATICIEN, IENNE** n. (1966) désigne un ensemble d'activités professionnelles liées à l'informatique. ➛ *Informatique* a aussi plusieurs composés. ◇ **TÉLÉINFORMATIQUE** n. f. (1968), **TÉLÉMATIQUE** n. f. (1977), de *télé*(communications), **MINI-INFORMATIQUE** n. f. (1974), devenu rare, **MICRO-INFORMATIQUE** n. f. (1978), lié à *micro-ordinateur,* et usuel **PÉRI-INFORMATIQUE** n. f. (1978). ➛ Dans le même domaine, **INFORMATE** n. m. a été proposé (v. 1970; de *inform*[ation] et [auto]*mate*) pour traduire l'anglicisme *hardware* (matériel des calculateurs et ordinateurs) mais a été supplanté par *matériel.* ➛ **INFORMATISER** v. tr. (1969, au participe passé), «traiter (un problème, une activité), organiser par les moyens de l'informatique», a fourni **INFORMATISABLE** adj. (1970) et **INFORMATISATION** n. f. (1971).

INFORTUNE n. f. représente un emprunt (1370-1372, Oresme) au latin *infortunium* «malheur, chatiment, revers de fortune», formé de *in-* (→ ① in-) et de *fortuna* (→ fortune).

♦ Le mot, littéraire, reprend les sens du latin, «revers de fortune» (1370-1372) et «malheur, mauvais sort» (1370-1386), d'où *compagnon d'infortune* (1797; XVIIe s., *sœur d'infortune*), et le sens disparu de «manque de réussite». ◇ L'acception dominante, «malheur», fait que le mot s'est détaché de *fortune* lorsque ce dernier a vieilli au sens de «chance». ◇ Au premier sens, le mot s'est spécialisé dans *infortune conjugale* (1853, Flaubert) «fait d'être trompé par son conjoint», devenu archaïque ou stylistique.

▸ **INFORTUNÉ, ÉE** adj. est emprunté (1370-1372) au latin *infortunatus* «malheureux, qui est dans l'infortune», formé à partir du participe passé de *fortunare* «faire réussir», dérivé de *fortuna.* Il est aujourd'hui archaïque, après avoir été un mot noble, d'emploi littéraire.

INFRA adv. est un emprunt tardif (1862) au latin *infra* adv. et prép., signifiant «au-dessous» (par opposition à *supra*), «plus bas», employé au propre et au figuré. *Infra* se rattache à *inferus* «qui se trouve dessous» (par opposition à *superus*) (→ enfer). L'ancien provençal avait emprunté le latin sous la forme *enfra* adv. et prép. (XIe s.).

♦ En français, *infra,* terme didactique, s'emploie comme adverbe pour renvoyer à un passage qui se trouve plus loin dans un texte (cf. *ci-dessous, ci-après, plus bas*), et comme préposition pour «après».

▸ **INFRA-,** élément de composition tiré du même mot latin, indique que le second élément se trouve dans une position inférieure (par ex. *infra-marin,* *infra-terrestre*) ou indique un niveau, une valeur inférieurs à ceux qui sont exprimés par le second élément (par ex. *infra-conscient, infra-sensible*). Il s'oppose à *ultra-**. ◇ La formation de mots composés à partir de *infra-* n'apparaît qu'au XIXe s. (1831, *infraxillaire* pour *infra-axillaire*). Il s'agit le plus souvent d'adjectifs formés sur des adjectifs; on trouve cependant, en français du Canada, **INFRA-NORD** n. m. «zones présentant de manière atténuée les caractères propres du Grand Nord». Les composés appartiennent tous au vocabulaire scientifique ou technique. Ceux qui sont bien intégrés s'écrivent aujourd'hui soudés.

◈ voir **ROUGE (INFRAROUGE), SON (INFRASON), STRUCTURE (INFRASTRUCTURE).**

INFRACTION n. f. représente un emprunt (1250) au bas latin *infractio* «action de briser», formé sur *infractum*, supin de *infringere* composé de *in-* (→ ② in-) et de *frangere, fractus* «briser» (→ fraction) qui se rattache à une racine indoeuropéenne °*bhreg-* (cf. l'anglais *to break*). *Infraction* a été emprunté sous l'influence sémantique de *enfreindre** dont il a éliminé les anciens dérivés, *enfraignement* «action de rompre, de violer» (1209), *enfrainture* «action de briser», «infraction» (1211) et *enfrainte* (1307).

♦ Le mot désigne la transgression, la violation d'une loi, d'un engagement; il s'emploie en droit et, couramment, en parlant de la violation d'une loi de l'État entraînant une peine fixée par la loi. Il a eu au XVIe s. le sens de «déchirement, rupture» (Rabelais, 1552).

▶ **INFRACTEUR, TRICE** n., emprunté (1419) au bas latin *infractor* «celui qui brise» (formé sur le supin de *infringere*) et désignant une personne qui commet une infraction, est sorti d'usage.

◈ voir **ENFREINDRE.**

INFRANCHISSABLE → ① **FRANC**

INFRANGIBLE adj., relevé sous la forme *infragible* au XVe s. (1488), est un composé par préfixation (→ ① in-) de l'ancien adjectif *frangible* «sujet à se briser» (XVe s.); cet adjectif a été dérivé savamment, par suffixation en *-ible*, du radical du latin *frangere, fractus* «briser» (→ infraction; enfreindre).

♦ Littéraire ou didactique, l'adjectif s'applique à ce qui ne peut être brisé, détruit et s'emploie aussi par figure (1564) pour «impossible à détruire».

INFUS, USE adj. est emprunté (XIIIe s.) au latin classique *infusus*, participe passé de *infundere* «verser dans», «répandre dans, sur», «faire pénétrer» (→ infusion); en latin chrétien, *scientia infusa* se disait de la connaissance «versée» par Dieu dans l'âme (d'Adam), et non acquise.

♦ L'adjectif est attesté au XIIIe s. aux sens de «enduit de» *(infus en)* et de «répandu dans, infusé» *(infus a)*, qui ont disparu. Il est repris en théologie au XVe s. *(grâce infuse)*, puis dans l'acception plus générale de «répandu dans l'âme», en parlant de connaissances, de vertus, etc. (fin XVe s.). *Science infuse* (1680) s'emploie ironiquement et sans référence religieuse, dans la locution ***avoir la science infuse*** (1834) «savoir sans avoir appris», d'où «prétendre tout savoir».

INFUSION n. f. est un emprunt (fin XIIe s.) au latin classique *infusio* «action de verser dans», puis «infusion, injection», qui a pris en bas latin le sens d'«action d'humecter, d'arroser», «épanchement»; *infusio* est dérivé du supin de *infundere* «verser dans, sur», «faire pénétrer», de *in-* (→ ② in-) et *fundere* «fondre», «se répandre» (→ fondre, infus).

♦ Le mot est d'abord un terme de théologie, signifiant «pénétration dans l'âme de grâces surnaturelles ou de certaines facultés». ◇ Il est attesté dans un emploi technique disparu pour «enduit» («ce qui a été répandu»). *Infusion* s'est dit ensuite en médecine (1572) de l'action de répandre sur une plaie un liquide qui contient des principes médicamenteux. ◆ Le mot se spécialise (1605) pour désigner l'action de laisser tremper dans un liquide une substance, notamment végétale, dont on veut extraire les principes solubles (cf. *infuser* ci-dessous); de là vient le sens courant (1611) «liquide infusé», spécialement «tisane de plantes» (à l'exclusion du thé). ◆ Le mot a été repris dans le vocabulaire religieux (1688, *baptême par infusion*) au sens d'«action de verser»; cet emploi est archaïque.

▶ Du nom a été tiré **INFUSER** v. tr., d'abord terme de religion disparu pour «faire pénétrer (une âme dans un corps)» (1380). Le verbe prend le sens large (1478) de «verser un liquide dans un récipient», sorti d'usage sauf en emploi figuré dans ***infuser un sang nouveau à qqn, qqch.*** Par figure, il signifie «faire pénétrer en communiquant (un sentiment, une vertu, etc.)» (1516) et s'emploie comme terme d'alchimie (v. 1516) en parlant de la communication d'une vertu à une substance. ◇ L'emploi moderne, lié au sens courant d'*infusion*, est attesté en 1575 et assez courant (*laisser infuser*, intr.). ◆ Le participe passé l'est aussi, mais **INFUSÉ** n. m. (1798) est un terme de pharmacie.

◈ voir **INFUSOIRE.**

INFUSOIRE n. m. est un emprunt (1795, Cuvier), d'abord comme adjectif (1791, *vers infusoire*), au latin scientifique *infusorius* créé en 1764 par Wrisberg à partir de *infusum*, supin du latin classique *infundere* «verser dans, sur» (→ infusion). *Infusorius* servait à désigner les animalcules qui se développent dans des «infusions» végétales. On relève en latin zoologique *animalcula infusoria* en 1760.

♦ Le mot désigne en zoologie un animal unicellulaire microscopique qui vit dans les liquides et, spécialement (n. m. pl.), un sous-embranchement des protistes.

INGAMBE adj. est un emprunt (fin XVIe s.; 1585, en deux mots *in gambe*) à l'italien *(essere) in gamba* «(être) en jambes», d'où «en bonne santé, alerte» (2e moitié du XIVe s.). L'expression italienne, composée de *gamba* «jambe*», a été adaptée en français sous la forme *en gambes*, attestée chez Du Bellay et encore en 1611 (Cotgrave) avec le sens de l'italien.

♦ *Ingambe* «qui se meut avec agilité» est d'emploi littéraire.

INGÉNIER (S') v. pron., relevé chez Ch. de Pisan (1404), a été formé savamment sur le latin *ingenium* «caractère inné, naturel» et en particulier «dispositions naturelles de l'esprit», «qualités innées» et «génie». Le mot latin est formé de *in-* (→ ② in-) et de la base *gen-* dont procède, parmi un grand nombre de mots, le verbe *genere,* forme archaïque de *gignere, genitus* «engendrer». L'ancien français *engeigner, engigner,* «faire avec habileté» (v. 1120) et «tromper» (1080; jusqu'au début du XVIIe s.), est un dérivé de *engin** au sens de «ruse»; il n'a pas eu d'influence sémantique sur *s'ingénier.*

♦ Le verbe est d'abord attesté dans la construction ***s'ingénier à*** (et infinitif), avec le sens de «faire preuve d'ingéniosité pour parvenir au but recherché». Peu usité jusqu'au XVIIIe s., il s'est employé dans la construction *s'ingénier de* (1857, G. Sand), sortie d'usage; *s'ingénier pour* est littéraire.

INGÉNIEUR n. m. représente une réfection, d'après *s'ingénier** (1537-1540), de l'ancien français *engigneor, ingeigneur* «constructeur d'engins de guerre» (v. 1155), dérivé de *engin* au sens de «machine de guerre» (→ engin). Cette réfection peut s'expliquer par l'homonymie gênante entre *engigneor, engeigneur* et l'ancien verbe *engigner, engeigner* «tromper», attesté jusqu'au début du XVIIe siècle. Selon une autre hypothèse (Brunot), *ingénieur* serait emprunté à l'italien *ingegnere.* Le mot n'a pas de féminin, sauf au Québec *(ingénieure).*

♦ *Ingénieur* a d'abord désigné un constructeur, un inventeur d'engins de guerre ou un conducteur d'ouvrages de fortification; le mot est encore en usage dans ce sens au XIXe siècle. ◇ Il s'emploie aussi, au XVIIe et au XVIIIe s., comme équivalent d'«architecte», mais s'est spécialisé pour désigner une personne qui, par sa formation scientifique et technique, est apte à diriger certains travaux, à participer à des recherches; cet emploi moderne d'*ingénieur* apparaît au XVIIIe s. (1732, *ingénieur de la marine*) et se répand avec le développement de l'industrie. Le mot entre dans de nombreux syntagmes tels que *ingénieur des ponts et chaussées* (1747), *ingénieur civil, ingénieur des arts et métiers, ingénieur chimiste, ingénieur mécanicien,* etc. et, dans le domaine de la radio et du cinéma (1931), *ingénieur du son.*

▸ **INGÉNIERIE** n. f. est un dérivé (v. 1964) d'*ingénieur,* d'après l'anglais *engineering,* lui-même employé en français par emprunt graphique. Le mot anglais est dérivé de *to engineer,* déverbal de *engineer* «ingénieur». Ce mot est lui-même emprunté à l'ancien français *engigneor* (voir ci-dessus). ◆ En concurrence avec le mot anglais, c'est un terme technique désignant l'étude globale d'un projet industriel sous tous ses aspects; il s'emploie aussi en sciences *(ingénierie génétique).*

INGÉNIEUX, EUSE adj. est une réfection (v. 1380) de l'ancien français *engeignos* (v. 1160), *engenious* (déb. XIIIe s.), lui-même issu du latin, d'après le latin *ingeniosus* «intelligent, inventif», dérivé de *ingenium* au sens de «génie» (→ ingénier [s']). La réfection de l'ancien français s'explique par le besoin de distinguer ce mot de l'ancien verbe *engigner, engeigner* «tromper».

♦ *Ingénieux,* d'usage littéraire, se dit d'abord (v. 1380) d'une personne qui a l'esprit inventif; en ce sens, la construction *ingénieux à,* suivie de l'infinitif (1640), est sortie d'usage; il s'emploie par extension (v. 1450) en parlant de ce qui dénote de l'habileté.

▸ De l'adjectif dérivent **INGÉNIEUSEMENT** adv. (fin XIVe s.; v. 1200, *engeniousement*) et **INGÉNIOSITÉ** n. f. (1488; *ingeniosité,* 1307, in *F. e. w.*). Ce dernier, formé d'après le bas latin *ingeniositas,* dérivé de *ingeniosus,* est peu employé avant la fin du XVIIIe s., où il devient usuel.

INGÉNU, UE adj. et n. apparaît isolément au XIIIe s. puis est repris en 1480 comme adjectif; le mot est emprunté au latin *ingenuus* «qui prend naissance dans, indigène» et «né de parents libres» (par opposition à *libertinus* «affranchi»). De là vient le sens psychologique «digne d'un homme libre, franc, sincère»; *ingenuus,* issu d'une forme °*en-gen-uo-s,* se rattache à la racine °*gen-* de *gignere/genere, genitus* «engendrer» (→ engendrer, génie).

♦ *Ingénu* est d'abord employé avec la valeur étymologique initiale de «condition libre» (1480, *condicion ingenue*); il est encore employé en droit romain (1690; *les ingénus* n. m. pl., par opposition à *affranchis*). ◆ Au début du XVIIe s., reprenant la valeur morale du latin, *ingénu* s'applique à une personne qui agit, parle avec une innocente franchise (1611, adj.; 1668, n. Molière). Le mot a vieilli avec ses connotations favorables: «sans recherche dans les manières», «sans déguisement dans les propos, naturel», encore actives dans le sous-titre du *Candide* de Voltaire. *Ingénu* éveille en effet, dès l'époque classique, l'idée péjorative de franchise trop naïve, et de candeur un peu sotte» qu'il a conservée. ◇ En emploi substantivé, le mot passe dans le vocabulaire du théâtre (1829), notamment dans les expressions ***une fausse ingénue*** «jeune fille qui feint la naïveté» et ***rôle d'ingénue*** «de jeune fille naïve».

▸ Le dérivé **INGÉNUMENT** adv. (XVe s., attestation isolée; puis 1554) s'emploie avec le sens moderne d'*ingénu.* ◆ **INGÉNUITÉ** n. f. est emprunté (1546) par réfection de *ingénité* (1376-1377 «franchise») au latin *ingenuitas,* dérivé de *ingenuus;* le nom a suivi un développement sémantique parallèle à celui de l'adjectif.

INGÉRER (S') v. pron. est un emprunt (1362, *s'ingerer de qqch.*) au latin *ingerere* «porter dans», «jeter sur», «verser», «introduire (un aliment, un liquide) par la bouche» et au figuré «imposer (qqch., qqn)», «s'imposer (aux regards de qqn)»; *ingerere* est formé de *in-* (→ ② in-) et de *gerere* «porter sur soi» et au figuré «se charger volontairement de» (→ gérer).

♦ Le verbe s'emploie d'abord sous la forme *s'ingérer de qqch.* (1362) «s'introduire indûment, sans en avoir le droit ou en être requis»; il est aujourd'hui construit avec *dans.* Les emplois de *s'ingérer* en construction absolue (1370-1372), suivi de *à* et infinitif (déb. XVe s.), de *de* (1627), de *en* et substantif (1530) ont disparu en français moderne.

▶ **INGÉRENCE** n. f., attesté en 1860 chez Ch. de Rémusat désigne le fait de s'ingérer et spécialement, pour un État, le fait d'intervenir dans les affaires d'un autre. La notion, d'abord vague et péjorative, s'est inscrite dans le droit international avec celle de ***droit d'ingérence,*** présentée par Mario Bettati en déc. 1988 à l'O. N. U. On parle aussi de *devoir d'ingérence* et d'*ingérence humanitaire.* ◆ Le verbe transitif **INGÉRER** est un véritable homonyme, qui reprend dans l'usage didactique (1825, Brillat-Savarin) l'un des sens concrets du latin *ingerere,* d'après le mot médical déjà ancien *ingestion* «introduire (qqch.) par la bouche». ◆ De l'emploi transitif dérive ② **INGÉRABLE** adj., attesté au XXe s. comme terme médical.

◆ **INGESTION** n. f. est emprunté au bas latin *ingestio* «action d'ingérer», dérivé de *ingestum,* supin du verbe. ◇ Le mot est relevé au sens d'«action de s'ingérer» (*ingession,* 1407). Il est attesté isolément (1520) pour «action d'ingérer (des aliments, etc.)» et est repris dans cet emploi didactique en 1821, peu avant le verbe *ingérer.*

INGRAT, ATE adj. et n. est emprunté (1370-1372, Oresme) au latin *ingratus* «désagréable», «qui n'a pas de reconnaissance», et qui se disait aussi d'une chose reçue sans reconnaissance, formé de *in-* (→ ① in-) et de *gratus* (→ gré).

♦ *Ingrat* s'applique dans ses premiers emplois à une personne qui n'a aucune reconnaissance, d'où à l'époque classique *être l'ingrat de qqn* (1633). Le sens latin de «qui manque d'agrément, de grâce» est repris au début du XVIe s. (1511), d'où la locution ***l'âge ingrat.*** ◇ À l'époque classique, l'adjectif s'applique spécialement (1633) à une personne qui ne répond pas ou plus à l'amour qu'on lui porte; dans cet emploi le mot est souvent substantivé *(une ingrate)* et sert aussi d'appellatif *(ingrat !).* ◇ Par extension du premier sens, *ingrat* signifie (1639) «qui ne dédommage pas des efforts qu'il coûte», en parlant de choses, l'expression *terre ingrate* s'employant aussi au figuré (av. 1704).

▶ Le dérivé **INGRATEMENT** adv. (1510) est rare. ◆ **INGRATITUDE** n. f. est un emprunt au dérivé bas latin *ingratitudo.* ◇ Ses emplois sont parallèles à ceux de l'adjectif, mais il ne s'utilise couramment que pour désigner le caractère d'un ingrat (1279), le manque de gratitude (fin XIIIe s.). Il a vieilli au sens d'«acte d'ingratitude» (1660) et est sorti d'usage en parlant de choses (1770). ◆ **GRATITUDE** n. f., dérivé régressif de *ingratitude,* désigne (1445) le sentiment reconnaissant que l'on a envers une personne dont on est l'obligé. Il est resté en usage et semble aujourd'hui moins marqué qu'*ingratitude.* Aucun adjectif ne lui correspond.

INGRÉDIENT n. m. est un emprunt (1508) au latin *ingrediens, -entis,* participe présent de *ingredi* «entrer dans», composé de *in-* (→ ② in-) et de *gradi, gressus* «marcher»; ce verbe, qui apparaît surtout en composition, est formé d'une base *-grad-* que l'on retrouve dans *gradus* «pas», «marche d'escalier», «échelon».

♦ *Ingrédient* apparaît dans le vocabulaire des apothicaires, reprenant peut-être ainsi un emploi technique non attesté de *ingrediens* (en latin médiéval); il désigne un élément entrant dans la composition d'une préparation, d'un mélange quelconque et s'emploie au figuré (av. 1681) au sens de «ce qui concourt à un résultat». Il est resté courant au concret comme à l'abstrait.

INGUINAL, ALE, AUX adj. est un dérivé savant (1478) du latin *inguen, -inis* «aine» et «endroit où la branche part du tronc», usité le plus souvent au pluriel *inguina; inguen,* comme le grec *adên* «glande», se rattache à une racine indoeuropéenne °*g*[w]*en-* «glande».

♦ Ce terme d'anatomie sert d'adjectif à *aine**.

INGURGITER v. tr. est un emprunt (2e moitié XVe s.), d'abord francisé en *engurgiter,* au latin *ingurgitare* «engouffrer, avaler», dérivé par préfixation en *in-* (→ ② in-) du latin classique *gurges, -itis* «gouffre, abîme» et, dans la langue populaire, «gosier». C'est un mot expressif du groupe de *virare, devorare* «avaler, engloutir», qui se rattache à la racine indoeuropéenne °*g*[w]*el,* °*g*[w]*er-* «avaler».

♦ D'abord au participe passé (1469, *engurgité*) au sens de «rempli de» qui reste isolé, puis au pronominal *(soy engurgiter de...)* avec la valeur latine de «manger, avaler» (1488), il semble avoir disparu. ◇ *Ingurgiter* n'est repris qu'au XIXe s. à l'actif (attesté 1836, mais sans doute antérieur; cf. *ingurgitation*) et au pronominal *s'ingurgiter* (1840). La construction ***ingurgiter qqch. à qqn*** pour «lui faire manger» est aujourd'hui hors d'usage. Le verbe s'emploie au figuré (1856), le plus souvent en parlant d'une lecture, d'une leçon à apprendre, etc.

▶ **INGURGITATION** n. f., rare, est emprunté (1488, attestation isolée; repris en 1820) au dérivé bas latin *ingurgitatio.* Il est plus rare que le verbe.

INHALER v. tr., attesté à l'infinitif chez Brillat-Savarin (1825), est probablement antérieur : l'adjectif *inhalant* est relevé en 1791. Ce verbe représente un emprunt au latin *inhalare* «souffler dans», composé de *in-* «dans» (→ ② in-) et de *halare* «exhaler un souffle, une odeur» (→ haleine).

♦ *Inhaler,* comme *inhalation,* ont été empruntés pour servir d'antonymes à *exhaler**, *exhalation**. Ce verbe didactique signifie «aspirer par inhalation», à la différence du verbe latin originel.

▶ **INHALANT, ANTE** adj., qui apparaît (1791) en physiologie au sens de «destiné à absorber des liquides», s'applique aujourd'hui à ce qui sert à faire des inhalations *(comprimé inhalant).* ◆ **INHALATION** n. f. est emprunté (1760) au bas latin *inhalatio* «exhalaison» (du supin de *inhalare*); il est employé en minéralogie, puis en physiologie (1805) dans des sens sortis d'usage. ◇ Le mot désigne ensuite (1845), d'après *inhaler,* l'absorption de gaz, de vapeurs, par les voies respiratoires; il s'emploie en médecine et couramment (1867) pour «aspiration par le nez de vapeurs qui désinfectent». ◆ Du radical d'*inhalation* a été dérivé **INHALATEUR, TRICE** adj. et n. m. (1873), terme didactique ou technique (1931, *inhalateur d'oxygène*).

◈ voir EXHALATION, EXHALER.

INHÉRENT, ENTE adj. est un emprunt (1520) au latin *inhaerens, -entis,* participe présent de *inhaerere* «tenir à», «être attaché, fixé à» au propre et au figuré; le verbe est composé de *in-* (→ ② in-) et de *haerere* «être attaché, fixé» d'où «être arrêté, ne pas avancer».

♦ *Inhérent,* construit avec *à,* s'applique à ce qui est lié inséparablement (à une personne, à une chose).

▶ **INHÉRENCE** n. f. est emprunté (1377, Oresme) au latin médiéval *inherentia* (XIIe s.), dérivé du verbe latin; employé en philosophie, il est resté plus rare que l'adjectif.

INHIBER v. tr., réfection (1391) de *inhibir* (1355), est un emprunt au latin classique *inhibere* «arrêter, retenir», qui a pris en latin médiéval le sens d'«empêcher, interdire» (v. 1190); *inhibere* est formé de *in-* (→ ① in-) et de *habere* «avoir, tenir» (→ avoir).

♦ Le verbe signifie d'abord en français «défendre» (1355), «interdire» (1391), spécialement en droit, sens encore attesté au XIXe siècle. ◇ Il est repris en physiologie (1885) au sens de «provoquer une action nerveuse empêchant ou diminuant le fonctionnement d'un organe»; par extension, il s'emploie (déb. XXe s.) pour «freiner, arrêter (une impulsion, un élan, etc.)» spécialement en psychologie et, couramment, en parlant de faits psychiques et dans des domaines techniques («freiner une réaction», en chimie, etc.). Comme *inhibé,* il est devenu usuel.

▶ Les mots dérivés de *inhiber,* ou empruntés à des dérivés latins, sont aujourd'hui techniques (droit) ou usuels (physiologie, psychologie). ➔ **INHIBITION** n. f. est emprunté au dérivé bas latin *inhibitio* «défense», qui désignait en latin classique l'action de ramer en sens contraire. Il a été employé en droit (fin XIIIe s., *inibicion;* puis fin XIVe s.); il est repris au XIXe s. (v. 1870) en physiologie, puis en chimie (1907). Comme le verbe, ce nom est devenu usuel en psychologie *(avoir des inhibitions).* ➔ **INHIBITOIRE** adj. est tiré (1368) de *inhibitum,* supin du verbe latin, au sens disparu de «qui interdit», en droit. C'est un dérivé savant (fin XIXe s.) de *inhiber,* ou un emprunt au latin médiéval *inhibitorius* (XIIIe s.), comme terme de physiologie. ➔ **INHIBÉ, ÉE** adj. et n. m., ancien terme de droit (XVe s.), a été repris comme *inhiber* en physiologie et en psychologie (1902, adj.; 1946, n. m.); à la mode comme beaucoup de termes de psychologie, il est employé couramment comme équivalent de *timide.* ➔ **INHIBITEUR, TRICE** adj. et n. m., remplaçant le dérivé *inhibeur* (v. 1380) et attesté isolément (1534) au sens de «celui qui interdit», est très probablement un emprunt au dérivé latin chrétien *inhibitor* «celui qui protège des violences». Le mot est repris en physiologie (1890, adj.) puis dans divers domaines (1934, en chimie, n. m.). Il demeure didactique. ➔ **INHIBITIF, IVE** adj. a d'abord été employé en droit (1584). ➔ Au XXe s. ont été dérivés **INHIBAGE** n. m., terme technique, et **INHIBANT, ANTE** adj. (v. 1970), didactique, puis assez usuel en psychologie, comme *inhiber* et *inhibition.*

INHOSPITALIER → HÔPITAL

INHUMAIN → HUMAIN

INHUMER v. tr. est emprunté (1413) au latin classique *inhumare* «mettre en terre, enfouir» qui n'apparaît qu'à partir de Pline comme variante de *infumare* au sens propre de «mettre en terre (une plante)». *Inhumare* est composé de *in-* (→ ② in-) et du latin classique *humare* «mettre en terre, recouvrir de terre» et «enterrer (les morts)», dérivé de *humus* «terre» (→ humus). Il est synonyme de *sepelire* (d'où vient *sépulture*) en latin chrétien.

♦ *Inhumer* passe en français (déb. XVe s.) avec le sens de «mettre en terre (un corps humain) avec les cérémonies d'usage». Il a eu le sens du latin classique (v. 1516) et s'est employé au figuré pour «faire disparaître» (XIXe s.), opposé à *exhumer*.*

▶ Du verbe dérive **INHUMATION** n. f. (déb. XVIe s.), d'abord écrit *inhumacion,* mot didactique signifiant (1417) «action d'inhumer» et «pratique qui consiste à mettre les corps des morts en terre».

◈ voir HUMUS.

INIMAGINABLE → IMAGE

INIMITIÉ n. f., qui apparaît sous la forme *innimitié* (XIIIe s.), représente une réfection de l'ancien français *enemisté* (1145), *enemistie* ou *anemistie* (XIIe s.), dérivé de *ennemi** sur le modèle de *amitié*;* la réfection a été faite d'après le latin *inimicitia* «haine», dérivé de *inimicus* «ennemi», lui-même obtenu par préfixation (*in-* à valeur négative) de *amicus* (→ ami), dérivé du verbe *amare* (→ aimer). On relève aussi les formes latinisantes *inimicité* (fin XVe s.), *inimicitié* (v. 1508).

♦ *Inimitié,* d'usage littéraire, a conservé son sens étymologique, «sentiment de haine ou d'hostilité à l'égard de qqn». Il a désigné l'antipathie naturelle entre certains animaux (1552) ou plantes (1570).

◈ voir ENNEMI.

ININFLAMMABLE → INFLAMMATION

INIQUE adj. est un emprunt savant (1352-1356) au latin classique *iniquus* «inégal» et par figure «injuste», formé de *in-* (→ ① in-) et de *aequus* «uni, plan, horizontal» et au moral «égal» d'où «juste, impartial». *Iniquus* s'est employé, en particulier dans la langue militaire, avec le sens de «défavorable, désavantageux», en parlant de la position d'un lieu; ce sens s'est étendu en latin aux personnes. En ancien provençal (v. 1200) et en français (XIe s.) on relève le substantif *enic* au sens de «méchant, mauvais», aboutissement oral de *iniquus.*

♦ *Inique* a d'abord qualifié un lieu défavorable. ◇ Comme terme juridique, il se dit (v. 1380) de qqch. qui est contraire à l'équité et s'applique à des personnes (1595, *juges iniques,* Montaigne). Le mot est resté en usage, mais littéraire.

▶ Le dérivé **INIQUEMENT** adv., attesté une première fois au XIVe s. (1352-1356) pour «de manière défavorable», est repris au XVIe s. au sens d'«injustement».

INIQUITÉ n. f. est un emprunt au dérivé latin classique *iniquitas* «inégalité de terrain, position défavorable (d'un lieu)», «injustice» et, en latin chrétien, «violation de la loi divine, péché». ◇ C'est d'abord un mot de la langue religieuse désignant la corruption des mœurs (1120-1150) et ce qui est contraire à la religion (v. 1120, *fils d'iniquité* «méchants»). Également dès le XIIe s., *une iniquité* s'emploie pour parler d'un acte contraire à l'équité (v. 1155). La locution *boire l'iniquité comme eau* (XIIIe s.) signifiait «commettre aisément le mal». ◇ Il se dit aussi du manque d'équité, du caractère perfide de qqn ou qqch. (1160-1174). Il a désigné comme en latin (1213), jusqu'au XVIe s., la position défavorable d'une armée qui combat.

INITIAL, ALE, AUX adj. et n. f. est un emprunt (v. 1130, *inicial*, dans un texte daté du XIIIe s. in *T. L. F.*) au latin impérial *initialis* «primitif, primordial», dérivé du latin classique *initium* «début, commencement», supin du verbe *inire* «entrer» et «commencer». Ce verbe est formé de *in-* (→ ② in-) et de *ire, itus* «aller», qui a fourni le futur du français *aller*, et se rattache à une racine indoeuropéenne °*ei-*,°*i-* marquant le mouvement.

♦ L'adjectif s'applique d'abord à ce qui constitue le commencement de qqch. *Lettre initiale* désigne à la fin du XVIIe s. la lettre qui commence un chapitre ou un livre, et qui est souvent plus grande que les majuscules du texte (1680). ◇ L'adjectif féminin est substantivé au début du XVIIIe s. pour désigner la lettre initiale d'un mot (v. 1718, en numismatique, les premières lettres du mot étant mises pour le mot entier) et pour *lettre initiale* au sens défini ci-dessus. ◇ L'idée de «commencement» est conservée pour l'adjectif dans l'acception «qui est au début de qqch.» (1738, Voltaire). ◇ *Une initiale* désigne un élément placé au début (1803), en parlant d'une unité linguistique. L'adjectif qualifie aussi ce qui est à l'origine de qqch. (1840, P. Leroux, *vérité initiale;* 1851, Cournot, *impulsion initiale*).

▶ **INITIALEMENT** adv., «au début, à l'origine», est attesté chez Cournot (1851). ◆ **INITIALISER** v. tr. est un terme d'informatique, adaptation (v. 1970) de l'anglais *to initialize*, dérivé de *initial*, de même origine que le français, et qui a fourni **INITIALISATION** n. f. (apr. 1970). ◆ **INITIALER** v. tr., attesté chez J. Richepin (1895) au sens de «représenter par des initiales», est à peu près inusité.

◈ voir INITIER.

✳ **INITIER** v. tr. est un emprunt (1364-1373) au latin classique *initiare* «initier (aux mystères)» et, à la période impériale, «instruire, initier à», «commencer», dérivé de *initium* «début, commencement» (→ initial).

♦ Le verbe est introduit en français avec le sens étymologique, «admettre à la connaissance et à la participation des mystères de l'Antiquité»; par extension, il signifie «admettre (qqn) à la pratique d'une religion» (1671), «au sein d'une société secrète» (fin XVIIe s.). ◇ Parallèlement, avec l'idée de «commencement» mais sans celle de «secret», le verbe a le sens (1611) de «donner (à qqn) les premiers éléments de qqch., en particulier en parlant d'une science» (1694). *Initier* s'emploie figurément au sens d'«introduire à la connaissance de choses d'accès difficile» (fin XVIIe s.). ◇ Vers le milieu du XXe s., sous l'influence de l'anglais *to initiate* «commencer», *initier* s'emploie pour «prendre l'initiative de (qqch.)»; le verbe se rattache de cette façon à *initiative*, mais dans un emploi sans rapport avec son sémantisme propre, ce qui rend cet emploi très critiquable.

▶ **INITIÉ, ÉE** p. p. adj. (1364-1373) s'emploie aussi comme nom (1756, Voltaire). Le mot s'est surtout appliqué aux membres des sociétés ésotériques. ◇ Par calque de l'anglais, le droit des affaires lui donne le sens de «qui est au courant de mouvements de capitaux inconnus du public», le ***délit d'initié*** consistant à utiliser cette connaissance pour effectuer des investissements fructueux. Plusieurs mots sont empruntés à des dérivés du supin de *initiare* ou formés savamment à partir du verbe latin. ◆ **INITIATION** n. f., emprunt au dérivé latin *initiatio*, est attesté isolément au XVe s. *(iniciacion)* au sens d'«admission aux mystères»; il est repris au XVIIIe s. (1732) en parlant de la religion chrétienne puis des religions anciennes (1762); couramment le mot désigne (1755) l'action de donner ou de recevoir les premiers éléments d'un art, d'une science, etc.

INITIATIVE n. f., dérivé savant de *initiare*, est attesté isolément au XVIe s. (1567) au sens d'«action de qqn qui est le premier à proposer, à organiser qqch.». Ce sens ne semble avoir été repris qu'en 1802, notamment dans l'expression ***prendre l'initiative*** et dans le vocabulaire militaire et sportif. ◇ D'une manière générale, le mot est rare avant la fin du XVIIIe s., époque où il s'emploie en politique pour «droit de soumettre à l'autorité compétente une proposition en vue de la faire adopter» (1790, en parlant du roi et des parlements); de là vient le sens de «liberté de choisir» (1803). ◇ C'est l'idée de «commencement» qu'on retrouve ensuite (1842) avec le sens de «disposition à entreprendre, qualité de décision». ◇ Dans le vocabulaire technique (1951) et d'après l'anglais *to initiate, initiative* désigne un phénomène qui déclenche une combustion. ◆ **INITIATEUR, TRICE** n., emprunt au bas latin *initiator*, est attesté isolément en 1586 au sens de «celui qui initie à un système». Comme *initiation* et *initiative*, il reprend vie au début du XIXe s. où il est d'abord attesté (1821) au figuré.

Enfin, **INITIATIQUE** adj., terme didactique (1922), est formé sur *initié* et *initiation*, d'abord en sociologie religieuse, puis figurément pour «qui initie qqn».

INJECTION n. f. est un emprunt (1416-1422) au latin classique *injectio* «action de jeter (sur)» et terme de médecine en bas latin, dérivé de *injectum*, supin de *injicere* «jeter sur, dans», «appliquer sur» et au figuré «inspirer, susciter»; ce verbe préfixé (→ ② in-) vient de *jacere, jactus* (→ jeter), qui se rattache à une racine indoeuropéenne °*ye-*.

♦ Le mot conserve d'abord le sens de l'étymon, «action de jeter, violence», qui a disparu. Il s'emploie en médecine (1478) où il désigne l'action d'introduire un liquide dans un organe et, par métonymie (1598), le produit injecté; il se dit spécialement (1690) du procédé d'anatomie consistant à introduire un produit dans les tissus, dans une cavité naturelle de l'organisme. ◇ De l'emploi médical vient l'emploi courant pour «piqûre faite dans une veine de la peau avec une seringue» (*injection in-*

traveineuse, abréviation *une intraveineuse,* 1860). ◇ Par analogie, *injection* désigne la pénétration d'un liquide, d'un fluide, etc. dans une substance; en ce sens le mot s'emploie dans de nombreux domaines techniques, en géologie (1867), dans les techniques de conservation du bois (1877), dans l'industrie (1888-1890, *appareil à injection*), et spécialement en mécanique, par exemple dans ***moteur à injection*** (1906; plus répandu depuis que ce type de moteur d'automobile concurrence la carburation, v. 1970). ◇ En économie, *injection* désigne (v. 1965) un apport soudain et massif (de capitaux) et, en astronautique, la mise sur orbite.

▸ Le verbe **INJECTER** v. tr. a été créé par les médecins (1555, *injetter*) d'après le latin impérial *injectare* «jeter sur», doublet de *injicere.* ◇ Le verbe signifie «introduire au moyen d'une seringue ou d'un autre instrument (un liquide) dans (un organe)»; attesté isolément, il est repris au XVIIIe s. (1721, au participe passé; 1771, *injecter une plaie*). ◇ Le participe passé s'emploie couramment à propos des tissus ou organes où le sang a afflué soudainement, dans *yeux injectés* (1749), ou *injectés de sang* puis le pronominal prend aussi ce sens (1846). *Injecter* est entré dans le vocabulaire technique, par analogie, comme *injection* (1872, à propos du bois). ➛ Le dérivé **INJECTEUR, TRICE** adj. et n. m. est rare au sens (1840) de «personne qui fait des injections». Il désigne un appareil servant à injecter un liquide dans l'organisme (1845 adj.; 1867, n. m.) et s'emploie spécialement (1859) à propos des chaudières à vapeur puis (déb. XXe s.) en mécanique. ➛ **INJECTABLE** adj. (attesté en 1925) est un terme médical.

INJONCTION n. f. est un emprunt savant (1295) au bas latin *injunctio* «action d'imposer (une charge)» et «ordre», mot formé sur *injunctum,* supin de *injungere* «appliquer dans ou sur», «infliger», «imposer». Ce verbe est composé de *in-* (→ ② in-) et de *jungere, junctus* «atteler», «unir deux à deux», «réunir» (→ joindre). *Injonction* a été emprunté pour servir de nom d'action à *enjoindre.*

♦ Le mot se dit de l'action d'ordonner expressément et, en droit, d'un ordre donné par le juge (soit aux parties, soit aux auxiliaires de justice). Il est resté didactique mais assez usuel.

▸ Le dérivé savant **INJONCTIF, IVE** adj., terme de droit (1768) et de grammaire, signifie «qui convient à l'expression d'un ordre» (1902); dans ce cas il est aussi substantivé (1902, *l'injonctif* n. m.).

INJURE n. f. est une réfection de la Renaissance (XVIe s.) des formes anciennes *enjurie, injuire* (1155), *injurie* (1174-1176). C'est un emprunt au latin *injuria,* à l'époque classique «injustice», «violation du droit», «tort, dommage», puis «parole blessante» en latin chrétien. *Injuria* est dérivé de l'adjectif archaïque *injurius* «injuste, inique», formé de *in-* (→ ① in-) et de *jus, juris* signifiant à l'origine «formule religieuse qui a force de loi», d'où en latin classique «droit» (→ juger). Les formes anciennes du mot français en *en-* représentent des adaptations, le préfixe emprunté *in-* étant plus tardif.

♦ Le mot est d'abord employé (1155) avec les sens forts, repris du latin, d'«injustice, violation du droit» et de «tort, dommage causé par violation du droit», encore en usage à l'époque classique et disparus depuis. ◇ Dans le deuxième tiers du XIIe s., *injure* prend le sens d'«outrage» (1174-1176), aujourd'hui vieilli ou littéraire, avec les locutions *imputer qqch. à injure à qqn, prendre qqch. à injure,* sorties d'usage, ***faire à qqn l'injure de...; faire injure à qqn,*** d'abord «commettre une injustice à son égard», a pris par la suite le sens d'«outrager, offenser». ◇ Au XVIe s., *injure* reprend l'idée de «tort, dommage» en parlant des éléments, du temps (1559, *l'injure du temps;* 1587, *l'injure de l'hiver*) ou de l'âge (XVIIe s.); cet emploi a vieilli. ◇ À la même époque, *injure* se spécialise au sens, devenu le plus courant, de «parole outrageante» (1559), avec une valeur voisine de *insulte.*

▸ **INJURIER** v. tr., d'abord *enjurier* (v. 1188), est emprunté au bas latin *injuriare* «faire du tort à», «outrager», «offenser par des paroles blessantes», dérivé de *injuria.* ➛ Le verbe est d'abord employé avec le premier sens du latin, sorti d'usage. Il est attesté au sens moderne d'«offenser par des paroles blessantes» en 1606, en relation avec l'évolution de *injure.*

INJURIEUX, EUSE adj., réfection (1334) de *enjurius* «médisant» (v. 1185), est emprunté au latin classique *injuriosus* «injuste, nuisible, funeste», dérivé de *injuria.* Le mot a suivi un développement sémantique parallèle à celui d'*injurier* et *injure.* ➛ En dérive **INJURIEUSEMENT** adv. (1333, *injurieusement*).

INLANDSIS n. m. est emprunté (1888) à un mot scandinave signifiant proprement «glace *(is)* à l'intérieur *(in-)* du pays *(land)*».

♦ Ce terme de géographie désigne le glacier continental des régions polaires, équivalant à *calotte glaciaire.*

INLAY n. m. est emprunté (1891) à un mot anglais signifiant «incrustation», dérivé de *to inlay* «incruster» (XVIIe s.), lui-même composé de *in-* «dans» et de *to lay* «laisser, déposer», mot d'origine germanique, d'une forme °*lag-jan* (cf. allemand *legen*). *Inlay* est passé en anglais dans le vocabulaire de la chirurgie dentaire pour désigner une obturation dentaire au moyen de métal coulé et la matière obturatrice.

♦ C'est en ce sens qu'il a été emprunté en français où il a pour équivalent *incrustation.*

INNÉ, ÉE adj. s'est substitué (1611) à la forme francisée *enné* (1554); c'est un emprunt savant au latin *innatus* «né dans», «naturel», «que l'on a en naissant», employé en particulier dans des textes philosophiques et chez les auteurs chrétiens. *Innatus* est le participe passé de *innasci* «naître dans», formé de *in-* (→ ② in-) et de *nasci* (→ naître), qui se rattache à la racine indoeuropéenne °*gen(e-),* °*gne-* «engendrer» et «naître» (→ genèse, génital, etc.).

♦ *Inné* conserve en français le sens de «que l'on a en naissant», opposé à *acquis; les **idées innées*** (1647, Descartes) sont celles inhérentes à l'esprit humain. ◇ Le mot s'applique en biologie à ce qui ne dépend pas du code génétique, mais apparaît dès la naissance (XXe s., aussi n. m. *l'inné*).

▸ **INNÉITÉ** n. f. est employé en physiologie (1812), par opposition à *hérédité*, et en philosophie ; il se dit par métonymie (1842) pour «disposition naturelle». ✦ **INNÉISME** n. m. est un terme de philosophie (1907) tiré de *idée innée*, comme **INNÉISTE** adj. et n. (XXe s.).

INNOCENT, ENTE adj. et n. est emprunté (1080) au latin *innocens, -entis* «qui ne fait pas de mal, inoffensif», en parlant de choses, et à propos de personnes «qui ne nuit pas, irréprochable», «qui n'est pas coupable» ; le mot est formé de *in-* (→ ① in-) et de *nocens, -entis*, participe présent de *nocere* «faire du mal, causer du tort» (→ nuire), lui-même de *nex, necis* «mort (violente)», qui se rattache à une racine indoeuropéenne °*nok-* comme le grec *nekros* (→ nécrose).

♦ Comme le latin chrétien *Innocentes*, le mot désigne d'abord au pluriel (1080) les enfants en bas âge qui furent mis à mort sur l'ordre d'Hérode ; en ce sens le mot reste surtout dans ***massacre des Innocents*** et dans des noms de lieux. ◇ De là *innocent* s'est dit pour «très jeune enfant» (v. 1165). ◇ Depuis la première moitié du XIIe s., l'adjectif qualifie, avec la valeur initiale du latin, ceux qui n'ont pas fait le mal sciemment, puis (v. 1300, *ignocent*) qui ne sont pas coupables. Lié à l'idée d'«ignorance», le mot signifie (mil. XIVe s.) «qui a une naïveté trop grande» et «qui n'est pas au courant de qqch.», d'où le sens de «simple d'esprit» (v. 1430) qui a vieilli, sauf dans quelques contextes (*l'innocent du village, ce pauvre innocent de* X...). Le proverbe ***aux innocents les mains pleines*** traduit le latin *fortuna favet stultis* et la locution ***faire l'innocent*** (1732) correspond à «faire semblant de ne pas savoir qqch.». ◇ À la fin du XIVe s., *innocent* reprend le sens latin de «qui ne nuit à personne», aujourd'hui littéraire. L'expression *donner les Innocents* (XVIe s.) «donner le fouet, par jeu, aux jeunes filles restées au lit le matin de la fête des saints Innocents» désignait un rite qui prolonge sans doute celui des Lupercales romaines, où les prêtres-loups frappaient d'un fouet les femmes qu'ils rencontraient afin de les rendre fécondes ; dans la culture chrétienne, ce geste de fécondation rituelle a pu s'interpréter comme un moyen symbolique de remplacer les enfants massacrés ; puis l'expression a pris dès le XVIe s. un sens libertin. ◇ Au XVIIe s., *innocent* a reçu la valeur chrétienne de «dans l'état de pureté d'avant le péché originel» (Bossuet, 1656) ; c'est la conception chrétienne du péché qui explique la valeur particulière d'«ignorant des choses sexuelles» (1662, Molière) ; on retrouve cet emploi dans la seconde moitié du XVIIe s., dans *robe à l'innocente* (ou *innocente* n. f.), désignant une robe flottante sans ceinture, que Mme de Montespan mit à la mode pour dissimuler ses grossesses. *Jeux innocents* s'est dit de jeux de société dénués de tout caractère équivoque, où l'on donnait des gages (1834, Landais) ; par antiphrase, l'expression désigne aujourd'hui des jeux qui sont le prétexte à des privautés sexuelles.

▸ **INNOCEMMENT** adv. (1538), d'abord *innocamment* (1349), correspond aux valeurs dominantes de l'adjectif. ✦ **INNOCENTER** v. tr., d'abord attesté au sens de «donner le fouet le jour de la fête des Innocents» (1547) — voir ci-dessus —, est lié ensuite à *innocent* «non coupable» et signifie «déclarer non coupable» (1704) et «considérer comme innocent» (1844). ✦ **INNOCENCE** n. f. est emprunté au dérivé latin *innocentia* «mœurs irréprochables, vertu», «non-culpabilité». ◇ Les emplois du mot recouvrent ceux de l'adjectif. Il est d'abord employé (v. 1120) pour désigner l'état d'une personne qui ne commet pas le mal volontairement, puis qui n'est pas coupable dans un cas donné (1309, *ignocance*). *L'innocence* désigne par métonymie (1636) les innocents, un innocent. Dans la religion chrétienne, le mot désigne l'état de l'homme purifié par le baptême (v. 1318 ; rare av. 1656, Pascal). Dans l'usage courant, *innocence* désigne l'état de qqn qui ignore le mal (1546, Rabelais) et de qqn qui ne nuit pas (1597). Ce dernier sens a vieilli. ◇ *Innocence*, d'après *innocent*, signifie aussi «naïveté excessive» (1611) et «ignorance des choses sexuelles» (1612), mais *innocence* pour «virginité» (1721, *ravir l'innocence*) est sorti d'usage.

INNOCUITÉ n. f. a été dérivé savamment (1806 ; 1783, d'après Bloch et Wartburg) par suffixation du latin *innocuus* «qui n'est pas nuisible», «qui ne fait pas de mal», formé de *in-* (→ ① in-) et de *nocere*, d'abord «causer la mort de» puis dans la langue courante «causer du tort» (→ nuire).

♦ *Innocuité*, reprenant le sens de l'étymon, désigne la qualité de ce qui n'est pas nuisible, notamment en médecine. On relève chez Claude Bernard (1878) l'emploi rare pour «qualité (d'un être) qui se défend parfaitement contre (des choses nuisibles)» ; cet emploi est peut-être issu d'un autre sens du latin *innocuus* «qui n'a subi aucun dommage» (relevé chez Virgile). Le mot véhicule déjà la notion de réflexe immunitaire.

◈ voir INNOCENT, NUIRE.

INNOVER v. est emprunté (1315, tr.) au latin classique *innovare* «revenir à» et en bas latin «renouveler», formé de *in-* (→ ② in-) et de *novare* «renouveler», «inventer», «changer», dérivé de *novus* (→ nouveau).

♦ D'abord attesté dans un contexte juridique avec le sens d'«introduire (qqch. de nouveau) dans une chose établie», le verbe n'est employé qu'au XVIe s. en emploi intransitif (1541, Calvin) où il est devenu usuel pour «faire preuve d'inventivité, créer des choses nouvelles, en relation avec *innovation*.

▸ **INNOVATEUR, TRICE** n. et adj. est dérivé (1483) du radical du verbe ou emprunté au bas latin *innovator*, du supin de *innovare*. ✦ **INNOVATION** n. f. est emprunté (1297, *innovacion*) au bas latin *innovatio* «changement, renouvellement», formé sur le supin *innovatum*. ◇ D'abord employé au moyen âge comme terme juridique (1297), synonyme de *novation*, le mot se dit à partir du XVIe s. (1559, Amyot) de l'action d'innover ; il prend ensuite par métonymie le sens courant (XVIIIe s.) de «chose nouvelle» (cf. *nouveauté, création*) et s'applique spécialement au domaine de l'industrie et des affaires. Cet emploi *(une, des innovations)* est aujourd'hui le plus courant.

◈ voir **NOUVEAU.**

IN-OCTAVO adj. inv. et n. m. reprend (1529) une locution latine signifiant «en huitième», composée de *in-* (→ ② in-) et de *octavo,* ablatif de *octavus* «huitième», dérivé de *octo* «huit*».

♦ Le mot qualifie le format d'un livre dont la feuille d'impression, pliée en huit feuillets, forme seize pages (par abréviation *in-8°*).

▸ On rencontre le dérivé plaisant **IN-OCTAVIQUE** adj. chez Ramuz.

INOCULER v. tr. est un emprunt (1723) à l'anglais *to inoculate,* d'abord mot d'horticulture «greffer en écusson (en insérant un bourgeon ou œil)» (XVe s.), puis signifiant «transmettre artificiellement la variole à un sujet sain pour le rendre résistant à cette maladie» (1722); le verbe anglais est emprunté au latin *inoculare* «greffer», formé de *in-* (→ ② in-) et de *oculus* «œil*», puis «objet en forme d'œil», en particulier «bourgeon». Le sens latin a vécu en anglais et dans l'emploi initial du français *inoculation* (ci-dessous).

♦ Le verbe conserve le sens de l'anglais, d'abord en parlant de la variole (XVIIIe s., *inoculer qqn,* vieilli), puis des germes d'autres maladies. Par métaphore (1771, Helvétius) il signifie «transmettre (un sentiment, une idée)».

▸ **INOCULATEUR, TRICE** adj. et n. désignait autrefois qqn qui pratiquait l'inoculation de la variole (1752) et un partisan de l'inoculation (1763); en ce sens on trouve aussi *inoculiste* (1771). L'adjectif s'applique (1845) à ce qui sert à inoculer ou inocule qqch. ◆ Le dérivé **INOCULABLE** est d'abord un nom (1759) désignant un sujet soumis à l'inoculation, puis un adjectif (1858). ◇ Il a fourni le terme didactique **INOCULABILITÉ** n. f. (1858). ◆ **INOCULATION** n. f. a d'abord été emprunté (1580) au latin *inoculatio* «greffe en écusson», du supin de *inoculare.* Il en a conservé le sens, rare dès le XVIIIe siècle; le mot est aussi attesté au XVIIe s. au sens de «transfusion» (1667). ◇ Le sens moderne (1723, pour la variole) vient de l'anglais *inoculation* (de *to inoculate*), emprunté en même temps que le verbe. Le mot s'emploie aussi métaphoriquement (1793). ◆ **INOCULUM** n. m., terme de biologie signifiant «substance inoculée», a été dérivé (mil. XXe s.) du verbe latin.

INOFFENSIF → **OFFENSE**

INONDER v. tr., d'abord *enonder* (v. 1120), est emprunté au latin *inundare* «déborder, submerger», formé de *in-* marquant le mouvement vers (→ ② in-) et de *undare* «rouler des vagues, se soulever», dérivé de *unda* (→ onde). En français les formes en *i-* (1420) se généralisent au XVe siècle.

♦ Le verbe, d'abord intransitif, signifie «déborder», puis est employé au XIIIe s. au figuré avec un sujet nom de personne au sens d'«affluer en grand nombre». En emploi transitif, il signifie «recouvrir» (v. 1250, *enonder*), au figuré, et en parlant des eaux qui débordent ou affluent (v. 1265). ◇ Par analogie, il s'emploie à propos des pleurs (1554) et du sang (1653). ◇ En parlant de personnes ou de choses, il signifie au figuré «envahir» (1653). ◇ Du p. p., est tiré l'adjectif **INONDÉ, ÉE** qui se dit des lieux, des bâtiments et des personnes, d'où l'emploi comme nom (dep. 1840).

▸ **INONDABLE** adj. est attesté tardivement (1874). ◆ **INONDATION** n. f., emprunt au dérivé latin *inundatio* «inondation, débordement», s'emploie d'abord à propos du déluge (v. 1275, *la grant inundacion*). La forme moderne et le sens courant sont attestés au XIVe s. (1374). ◇ Par analogie, le mot est devenu un terme médical (1559). Il s'emploie au figuré, en parlant de personnes ou de choses (1579), spécialement (fin XIXe s.) pour désigner un afflux massif (de biens, de produits). Il se dit par exagération (XXe s.) pour «eau qui se répand en grande quantité».

INOPÉRANT → **OPÉRER**

INOPINÉ, ÉE adj. est emprunté (1488; XIVe s., d'après Bloch et Wartburg) au latin *inopinatus* «qu'on n'aurait pas cru», «inattendu», composé de *in-* (→ ① in-) et de *opinatus,* participe passé de *opinari* «avoir» ou «émettre une opinion» (→ opiner).

♦ L'adjectif, d'usage littéraire, a conservé le sens du latin «qui arrive sans être prévu ou attendu».

▸ En dérive **INOPINÉMENT** adv. (1488), également littéraire.

INOUÏ → **OUÏR**

INOXYDABLE → **OXYDE**

IN PACE ou **IN-PACE** n. m. inv. vient (1440) de l'expression latine *(vade) in pace* «(va) en paix», prononcée en refermant le cachot sur le prisonnier, et employant le mot *pax.*

♦ Le mot, d'abord dans l'expression *mettre in pace,* désigne (1690) un cachot où l'on enfermait à perpétuité certains coupables scandaleux, dans un établissement religieux. Le mot est employé, notamment par les écrivains romantiques, comme symbole de l'arbitraire et de la cruauté de la justice religieuse (Inquisition, etc.).

IN PARTIBUS loc. adj. représente une abréviation (1703) de *in partibus infidelium* «dans les régions des infidèles», terme de droit canonique créé dans le latin moderne de l'Église, de *pars, partis* «région» (→ part).

♦ Dans le vocabulaire de l'Église, *in partibus* se disait d'un évêque titulaire d'un diocèse situé dans un pays non chrétien, donc sans clergé ni fidèles, et qui remplissait des fonctions d'auxiliaire auprès d'un évêque résidentiel. Par analogie, dans un emploi didactique ou ironique, la locution s'emploie pour «sans fonction réelle» (chez Hugo, 1866).

IN PETTO loc. adv. (1674, La Fontaine), d'abord en latin *in pecto* (1657), est emprunté à la locution italienne *avere in petto* «tenir cachée une décision déjà prise» (XVIIe s.), proprement «avoir dans le cœur, l'esprit». *Petto* est issu du latin *pectus* «poitrine, cœur», «siège de l'intelligence et de la pensée», de la famille de *pectere, pexus* (→ expectorer, pis).

♦ *In petto* s'est employé à propos de cardinaux non proclamés, en parlant d'une décision pontificale. La locution moderne signifie «dans le secret du cœur».

INPUT n. m. est un emprunt (1953) à l'anglais *input,* dérivé de *to input* «mettre dedans», de *in-* «dans, dedans» et de *to put* «mettre»; le mot anglais a d'abord signifié «contribution monétaire» (XVIIIe s.) puis au XIXe s. «entrée» (d'un mécanisme, d'un processus). Il s'oppose à *output* «sortie».

♦ *Input* est passé en français dans l'emploi spécialisé qu'il a pris en anglais, au milieu du XXe s., pour désigner l'entrée des données dans un système informatique; il s'emploie par extension dans le vocabulaire de la psychologie, en parlant de l'entrée des «données» dans un organisme vivant. *Output* est également usité au sens de «produit de sortie».

IN-QUARTO adj. inv. et n. m. reprend (1529) une locution latine signifiant «en quart», composé de *in-* «en, dans» et de *quarto,* ablatif de *quartus* «quatrième» et «quart», dérivé de *quattuor* (→ quatre).

♦ En imprimerie, le mot se dit en parlant du format d'un livre dont la feuille d'impression, pliée en quatre feuilles, forme huit pages (par abréviation *in-4°*). Comme les autres locutions de ce type, il est aussi substantivé (1704, *un in-quarto*).

INQUIET, ÈTE adj. est un emprunt savant (1588, *inquiete* au masculin; puis 1596) au latin *inquietus* «troublé, agité» et au figuré «qui s'agite; qui n'a pas de repos, turbulent», formé de *in-* (→ ① in-) et de *quietus,* dérivé de *quies* «repos» (→ coi; quiet).

♦ L'adjectif conserve le sens figuré du latin. Depuis le XVIIe s., il s'applique aussi (1662) à ce qui dénote l'inquiétude *(œil inquiet)* et se dit d'une personne qui n'est pas satisfaite de sa situation (1669, Bossuet), sens vieilli d'où procède avec une valeur positive l'idée de personne tourmentée par une exigence morale ou intellectuelle (XVIIe s.). Avec l'idée d'«agitation», l'adjectif s'applique au sommeil (1671). ◇ Au sens de «qui remue sans cesse» (1678), il a qualifié les personnes. Il ne s'emploie que littérairement à propos de choses.

▸ **INQUIÉTEMENT** adv. (1611) «de manière inquiète» est très rare. ◆ **INQUIÉTER** v. tr., emprunt (v. 1170) au dérivé latin *inquietare* «agiter, troubler», s'emploie d'abord au sens concret de «troubler la tranquillité, tourmenter», d'où spécialement en droit ancien (1479) «troubler qqn dans la possession de qqch.», puis (1611) «harceler» et «causer du tracas à qqn»; ces emplois ont vieilli. ◇ *Inquiéter* s'emploie ensuite dans le domaine moral (1645) pour «troubler en suscitant un sentiment d'inquiétude», d'où *s'inquiéter* au sens de «manifester de l'inquiétude (au sujet de qqn, qqch.)» (1662) et par affaiblissement «s'enquérir de, s'occuper de connaître» (1677, Mme de Sévigné). Des premiers emplois vient le sens de «poursuivre (qqn), menacer d'une sanction», surtout au passif. ◆ **INQUIÉTANT, ANTE** adj. est attesté en 1714; il a pris la valeur affaiblie d'«étrange et peut-être dangereux». ◆ **INQUIÉTEUR, EUSE** n. (1611; 1285, *inquiteor*) n'est guère vivant. On le trouve cependant chez Gide. ◆ **INQUIÉTUDE** n. f. est un emprunt (1447) au dérivé bas latin *inquietudo* «agitation» et spécialement «vexation», «ennui», «absence de repos moral, anxiété» dans le vocabulaire chrétien. On relève aussi une forme altérée et isolée, *enquetume* (v. 1230). ◇ *Inquiétude,* avec l'idée de «mouvement», d'«instabilité», signifie d'abord «manque de repos» (sens sorti d'usage), puis «état d'agitation d'un esprit insatisfait» (1530). Il est ensuite employé dans le domaine moral (1580), désignant un état pénible provoqué par l'attente, la crainte de qqch., sens aujourd'hui courant. À la fin du XVIe s., il s'emploie spécialement, avec la première valeur, pour désigner une agitation du corps (av. 1590), d'où *des inquiétudes* (av. 1685) «petites douleurs des membres qui provoquent une espèce d'impatience»; ces sens ont disparu, mais la locution figurée ***avoir des inquiétudes dans les jambes*** (1878) «avoir envie de donner des coups à qqn» s'est employée fin XIXe-début XXe siècle. Dans l'emploi philosophique et moral, le mot, lié à l'idée d'«instabilité», conserve jusqu'au XIXe s. un sens péjoratif; la valeur favorable vient du fait que l'idée de «crainte» domine aujourd'hui.

INQUISITEUR, TRICE n. m. et adj. est emprunté (1294, n. m.) au latin *inquisitor* «celui qui examine, recherche», «enquêteur» qui désigne un magistrat chargé de la police religieuse en latin médiéval (1233). Le mot est formé sur *inquisitum,* supin de *inquirere* «faire une enquête» (→ enquérir), verbe composé de *in-* et de *quaerere, quaesitus* «chercher, rechercher», «demander» (→ quérir).

♦ *Inquisiteur* est d'abord relevé au sens de «juge, enquêteur», comme terme de droit; le mot se spécialise ensuite et *inquisiteur (de la foi)* (1321) désigne un juge de l'Inquisition*. Au XVIIIe s. (1748), *inquisiteurs d'Espagne et de Portugal* concerne la même institution, alors que *Inquisiteurs d'État à Venise* dénomme les magistrats de le République de Venise chargés de la police secrète, d'après l'italien de même origine *inquisitore* «magistrat vénitien ou génois chargé du maintien de l'ordre public» (XVIe s.). ◇ Le mot a été repris au XVIe s. avec le sens de «personne qui fait des recherches, des études minutieuses» (1562, Rabelais), sens sorti d'usage en emploi substantif mais maintenu comme adjectif (1842), notamment pour qualifier un œil, un regard (cf. *scrutateur*).

▸ **INQUISITION** n. f. est emprunté (v. 1175) au dérivé latin *inquisitio* «recherche, enquête» à l'époque classique et «interrogatoire de témoins, poursuite, procès» en latin médiéval, spécialement, «enquête concernant la foi» (1223). ◇ Son cheminement sémantique est parallèle à celui d'*inquisiteur,* signifiant d'abord «enquête, recherche» (v. 1175), *inquisition* se dit ensuite (1265) d'une enquête concernant la foi, d'où *Tribunal de l'Inquisition* et, absolument, *l'Inquisition* pour désigner la juridiction instituée par le pape Grégoire IX qui réprima, dans toute la chrétienté, les crimes qualifiés d'hérésie et de sorcellerie ; par métonymie, *inquisition* désigne les membres de ce tribunal *(la Sainte Inquisition)*. L'emploi du mot par analogie, avec une valeur péjorative, est attesté au XVIIe s. (1686, Bayle). ◆ Le dérivé **INQUISITIONNER** v. tr. (1843, Proudhon) est rare. ◆ À des dérivés du latin *inquirere* ont été empruntés trois adjectifs. ◇ **INQUISITIF, IVE** adj. (fin XIVe s.) est pris au bas latin *inquisitivus*. ◇ **INQUISITORIAL, ALE, AUX** adj. est un dérivé savant (1516) du latin médiéval *inquisitorius* «qui interroge», «enquête» (1293), ou dérivé de *inquisiteur*. Il est didactique au sens historique, et littéraire au sens analogique de «digne d'un inquisiteur» (1570 ; repris en 1755). ◇ **INQUISITOIRE** adj. semble emprunté (1587) au latin médiéval *inquisitorius*, et s'emploie en droit pénal *(procédure inquisitoire)*.

◈ voir **ENQUÊTE**.

INRACONTABLE → CONTER

INSANE adj. représente un emprunt (1784) à l'anglais *insane* «qui n'est pas sain mentalement, fou» (XVIe s.), lui-même emprunté au latin *insanus* «malsain, malade», surtout usité pour «qui n'est pas sain d'esprit» ; l'adjectif latin est composé de *in-* (→ ① in-) et de *sanus* (→ sain).

♦ *Insane*, d'emploi littéraire, a conservé son sens étymologique mais seulement en parlant de choses ou d'actions ; il s'emploie plus couramment par extension pour qualifier ce qui est sans intérêt (cf. *inepte*). ◇ Il est aussi substantivé.

▸ **INSANITÉ** n. f. est également un emprunt (1784) à l'anglais *insanity* «folie» (XVIe s.), lui-même emprunté au latin *insanitas* (dérivé de *insanus*), moins courant que son équivalent *insania*. Ce dernier est à l'origine du français *insanie* «folie» (v. 1510), emprunt disparu. ◇ *Insanité* se répand au début du XIXe s., notamment au sens métonymique *(une, des insanités)* de «parole ou action insensée, dénuée de bon sens» (1832). Il est plus courant que l'adjectif *insane*.

INSATIABLE adj. est emprunté (v. 1310, *insaciable*) au latin *insatiabilis* «qui ne peut être rassasié», dérivé par préfixation (→ ① in-) de *satiare* «satisfaire, rassasier», lui-même dérivé de *satis* adv. (→ assez).

♦ Reprenant la valeur de l'étymon, l'adjectif s'applique à ce qui n'est jamais satisfait ou comblé, dans le domaine abstrait (v. 1310, *avarice insaciable* ; 1483, *un (une) insaciable* n.) ou concret *(soif, faim insatiable)*.

▸ Le dérivé **INSATIABLEMENT** adv. (1450, *insaciablement*) est littéraire. ◆ **INSATIABILITÉ** n. f., emprunté (1544) au dérivé bas latin *insatiabilitas*, s'est substitué au moyen français *insatiableté* (1576), dérivé de *insatiable*, mais est demeuré didactique et rare.

◈ voir **SATIÉTÉ**.

INSATISFACTION → SATISFAIRE

INSCRIRE v. tr. reprend (1482, *s'inscripvre, inscripre*), par francisation d'après *écrire**, un emprunt du XIIIe s., *enscrire*, au latin *inscribere* «écrire sur», «mettre une inscription à», formé de *in-* (→ ② in-) et de *scribere* (→ écrire).

♦ Le verbe, rare jusqu'au XVIe s., apparaît avec le sens d'«écrire qqch. (dans un livre, sur une liste) pour transmettre l'information, en conserver le souvenir» (XIIIe s.), d'où spécialement les sens de «noter des noms sur un registre» (1482 ; 1636, pron.) et «écrire, graver (sur la pierre, etc.)» (1611). ◇ En droit, ***s'inscrire en faux*** ou ***à faux*** (1611) signifie «s'inscrire en vue d'établir la fausseté d'une pièce», d'où au figuré ***s'inscrire en faux contre qqch.*** «lui opposer un démenti» (XVIIe s.). ◇ Le verbe s'emploie aussi en mathématiques (1647, Descartes) au sens de «tracer dans l'intérieur d'une figure une autre figure». Par figure, *inscrire* s'emploie au sens de «placer, insérer dans un cadre plus général», plus courant au pronominal.

▸ **INSCRIT, ITE** adj. et n. a signifié «marqué d'une inscription» (1532), «intitulé» (1541) ; l'adjectif s'applique à une personne (1835) dont le nom figure sur une liste ou qui est engagée dans une organisation *(député non inscrit)*. *Inscrit* ou *inscrit maritime* désigne (1864) un marin immatriculé sur les registres de l'Inscription maritime. ◇ En parlant d'une figure géométrique, *inscrit* signifie «inclus» (dans une autre figure), par opposition au préfixé **EXINSCRIT, ITE** adj. (1877), d'emploi didactique.

INSCRIPTION n. f. est un emprunt (1444, *inscripcion*) au dérivé latin *inscriptio* «action d'inscrire sur», «inscription». Le mot s'est dit d'abord en droit du fait de s'inscrire comme partie dans un procès (encore au XIXe s.). Il a signifié ensuite «titre d'un dossier» (1480), «texte écrit ou gravé» (1509), d'où le sens «ensemble de caractères écrits ou gravés». En droit, ***inscription de faux, à faux*** est attesté dès 1585. ◇ *Inscription* se dit ensuite de l'action d'inscrire, de s'inscrire (1615), spécialement en géométrie (1690) et en parlant d'un étudiant dans une faculté (1721, Trévoux). Le mot désigne enfin (1690) une brève indication destinée à informer le public. Le préfixé **RÉINSCRIRE** v. tr. (1876) a donné **RÉINSCRIPTION** n. f. (1877). ◆ Du supin *inscriptum* ont été dérivés **INSCRIPTIBLE** adj. (1691) en géométrie, et **INSCRIPTEUR, TRICE** adj. et n. m. (1811), terme rare.

INSCULPER v. tr., attesté isolément au XVe s. (1497) et repris au début du XIXe s. (1819, Boiste), représente un emprunt au latin *insculpere* «tailler, sculpter dans», composé de *in-* (→ ② in-) et de *sculpere* (→ sculpter) qui a remplacé en ce sens la forme plus ancienne *scalpere* «tailler, graver» et «sculpter».

♦ Ce verbe didactique signifie en orfèvrerie «frapper, marquer d'un poinçon destiné au contrôle des objets en métal précieux».

▸ En dérive le terme technique **INSCULPATION** n. f. (1813).

INSECTE n. m. est un emprunt savant (1553) au latin *insecta*, pluriel neutre substantivé de *insectus*, participe passé de *insecare* «couper, disséquer», composé de *in-* (→ ② in-) et de *secare, sectus* «couper» (→ section); le latin *insecta* représente un calque du grec *entoma (zôa)*, littéralement «(bêtes) coupées», ainsi nommées à cause des formes étranglées de leur corps (→ entomo-).

♦ *Insecte,* reprenant d'abord la valeur de l'étymon grec, s'est employé pour désigner un petit animal invertébré dont le corps est divisé par étranglements ou par anneaux; au XVIIe s., on appelait *insectes* les animaux qui, pensait-on, vivent encore après qu'on les a coupés (le serpent par exemple) et ceux dont le corps était, ou bien divisé en anneaux (vers, arthropodes) ou bien apparemment inorganisé (huîtres, mollusques en général). ◇ La notion moderne se construit progressivement, avec l'évolution de la zoologie (XVIIIe-déb. XIXe s.). *Insecte* désigne aujourd'hui un petit animal invertébré à six pattes, souvent ailé, et subissant des métamorphoses. L'usage courant du mot inclut les arachnides et les myriapodes, alors qu'en zoologie, la classe des *insectes* exclut ces arthropodes. ◇ À la fin du XVIIe s., *insecte* est employé (av. 1696) par figure du premier sens, pour désigner un être vil; cet emploi, analogue à celui de *ver (de terre),* est devenu archaïque.

▸ À partir de *insecte* ont été composés : **INSECTIVORE** (1764, adj.; 1805, Cuvier, n. m. pl.), terme de zoologie qualifiant des oiseaux. ◆ **INSECTOLOGIE** n. f. (1771, Trévoux), didactique, est plus rare que *entomologie.* ◆ **INSECTICIDE** (1838, adj.; 1858, n. m.) est couramment employé en parlant de produits qui détruisent les insectes et d'autres invertébrés. ◆ **INSECTARIUM** n. m. (1922; suffixe latin *-arium*) est rare pour désigner le lieu où l'on présente une collection d'insectes vivants. ◆ **INSECTIFUGE** adj. et n. m. (v. 1930; de *-fuge*) est encore plus rare.

IN-SEIZE → SEIZE

INSÉMINATION

INSÉMINATION n. f. est un dérivé savant (1694) de *inseminatum,* supin du latin impérial *inseminare* «semer dans, répandre dans, féconder», formé de *in-* locatif et du verbe latin classique *seminare* (→ semer, séminaire); le verbe dérive de *semen, seminis* «semence», lui-même dérivé de *serere, satus* «semer» et «planter», qui se rattache à la racine indoeuropéenne °*se-* «semer».

♦ *Insémination* apparaît d'abord pour désigner un procédé thérapeutique ancien destiné à obtenir la guérison d'un malade en semant et en faisant pousser dans de la terre une plante imprégnée de matières morbides produites par cette maladie. ◇ Le mot, disparu dans cet emploi, a été repris au XXe s. pour désigner (av. 1931) le procédé qui consiste à féconder artificiellement une femelle animale; ***insémination artificielle,*** terme de zootechnie d'usage courant (1936), se dit aussi des êtres humains.

▸ Sur le latin classique *semen* a été formé **INSÉMINÉ, ÉE** adj. (1897; de ① in-), terme de botanique. ◆ **INSÉMINER** v. tr., emprunté (1931) au latin *inseminare,* s'emploie en biologie et couramment; en dérive **INSÉMINATEUR, TRICE** adj. et n. (1950, n. m.).

INSENSÉ → ① SENS

INSÉRER

INSÉRER v. tr. est emprunté (1363) au latin *inserere, insertus* «introduire», «intercaler» et aussi «greffer», peut-être par confusion avec l'homonyme *inserere* issu de *serere, satus* «semer, planter». Le verbe latin est formé de *in-* locatif et de *serere, sertus* «tresser, entrelacer» et «lier ensemble, enchaîner».

♦ *Insérer* est d'abord employé avec l'idée de «faire entrer un élément dans un ensemble», précisément au sens d'«introduire un texte (clause, article, phrase) dans un autre», d'où les emplois dans le domaine juridique, en parlant d'ouvrages de l'esprit, et dans le domaine de l'édition avec *le* (ou *la*) ***prière d'insérer*** «notice sur un livre et son auteur». ◇ Au XVIe s., le mot est employé, d'abord au participe passé adjectivé (1541), en parlant d'une personne au sens d'«intégrer dans un ensemble», aujourd'hui courant au pronominal, *s'insérer dans...* Puis apparaissent des emplois spéciaux, avec l'idée de «fixation» : en anatomie (1562, *s'insérer,* Paré) «être attaché sur» (en parlant des muscles), puis (1599) «greffer» sens du verbe latin, en botanique et en chirurgie (cf. *implanter*). Depuis le XVIIe s., *insérer* se dit pour «introduire, ajouter (un feuillet dans un livre)» (1636). Le verbe s'emploie aussi sans idée d'incorporation, pour «mettre, glisser dans».

▸ Du verbe dérivent **INSÉRABLE** adj. (1838) «qui peut être inséré» et **RÉINSÉRER** v. tr. (1846).

INSERTION n. f. est emprunté (fin XIVe s.) au bas latin *insertio* «insertion (dans un écrit)», «greffe», formé sur *insertum,* supin de *inserere.* ◇ Le développement sémantique du nom est parallèle à celui du verbe. D'abord employé en botanique (fin XIVe s.; rare avant 1690), il se dit aussi (1535, *incertion*) en parlant d'un texte, spécialement en droit. L'emploi concret en anatomie est relevé chez A. Paré (1562). ◇ Au XIXe s., apparaît un premier emploi figuré (1851; *insertion d'une vie* [animale] *sur une autre* [organique]); le nom s'emploie (1932, Bergson) en parlant de personnes, au sens d'«intégration dans un groupe» (*insertion sociale*). ◇ De cet emploi vient le syntagme institutionnel (France) *Revenu minimum d'insertion,* abrégé en ***R.M.I.*** n. m. (1988) «revenu garanti aux personnes démunies». La notion d'insertion peut s'opposer à celle d'exclusion. ◆ Le préfixé **RÉINSERTION** n. f., apparu récemment (v. 1960), est courant avec cette valeur.

INSERT n. m. est un emprunt (1946) à l'anglais *insert,* dérivé de *to insert* (lui-même emprunté au latin *inserere*), d'abord terme de typographie (1893, «insertion [dans une épreuve]»; 1907, «encart»), puis de cinéma (1916) au sens de «très gros plan bref, souvent fixe, introduit entre deux plans ordinaires». Le mot est emprunté dans ce sens et employé, par extension, dans les domaines de la radio, de la télévision et de la publicité. ◇ *Insert* s'emploie aussi (XXe s.) pour désigner une pièce insérée dans un moule avant injection (en anglais, 1913). ◇ *Insert* désigne aussi (v. 1980) un appareil de chauffage inséré dans une cheminée et conçu pour fonctionner au bois, par convection naturelle ou à l'aide d'une soufflerie électrique.

INSIDIEUX, EUSE adj. est un emprunt savant (1420) au latin *insidiosus* «qui dresse des embûches, perfide» et «plein d'embûches», dérivé de *insidiae* «fait de s'établir à un endroit», d'où «embuscade» et par extension «perfidie, ruse». *Insidiae* dérive de *insidere* «être assis (quelque part)» d'où «être établi, fixé», (au physique et au moral), verbe formé de *in-* (→ ② in-) et de *sedere* «être assis, siéger» (→ seoir).

♦ L'adjectif, littéraire, reprend la valeur de l'étymon, «perfide», une première fois en 1420 *(traictiez insidieux)*, mais il reste peu usité jusqu'au XVIIe s., où il est noté «nouveau» dans Vaugelas (1647). Depuis le XVIIIe s., il qualifie une maladie qui se développe progressivement (1765) et aussi une personne qui dresse des embûches (1785, Beaumarchais).

▸ Le dérivé **INSIDIEUSEMENT** adv. (1549) est littéraire.

① **INSIGNE** adj. est un emprunt savant (1500) au latin *insignis, -e* «distingué par une marque particulière», employé en bonne comme en mauvaise part, plus souvent avec le sens laudatif de «distingué»; l'adjectif est formé de *in-* (→ ② in-) et de *signum* «marque distinctive» (→ signe).

♦ *Insigne*, reprenant la valeur positive du latin, signifie d'abord «remarquable, notable» (1500); le mot est employé par ironie ou péjorativement (1546, Rabelais) en parlant de qqch. de condamnable ou de regrettable *(maladresse insigne)*.

② **INSIGNE** n. m. est emprunté (1484) au latin *insignia*, pluriel de *insigne, -is*, substantif neutre, «emblème d'une fonction, d'une dignité, d'un grade» (→ enseigne), composé de *in-* et de *signum* (→ signe).

♦ Le mot, d'abord attesté au pluriel avec le sens du latin, est rare avant le XIXe siècle; on le trouve en 1804, à propos du couronnement de Napoléon, puis en 1821. Ce sens est aujourd'hui historique. ◇ La valeur moderne (1909, chez Pierre Hamp), au singulier, concerne un signe distinctif porté par les membres d'un groupe.

◈ voir ENSEIGNE, ① INSIGNE.

INSIGNIFIANT → SIGNIFIER

INSINUER v. tr. est un emprunt savant (1336) au latin classique *insinuare* «faire pénétrer dans l'intérieur de», «introduire» au propre, et au figuré «pénétrer, faire pénétrer dans la faveur de qqn». Il est surtout employé au réfléchi *(se insinuare)* et absolument. Le verbe a pris à basse époque les sens spéciaux et juridiques de «déclarer, notifier, faire connaître». *Insinuare* est formé de *in-* locatif et de *sinus* «courbure, pli», en particulier «pli que forme un vêtement et dans lequel les mères portaient leurs enfants», d'où «giron» (→ sein).

♦ Le verbe apparaît au XIVe s. avec des emplois juridiques repris au bas latin; il se dit (1336) en droit ancien pour «publier, notifier, faire connaître (un acte)» puis «enregistrer» (1368). ◇ *Insinuer* est aussi relevé avec le sens figuré, qui existe en latin, de «faire pénétrer adroitement dans l'esprit» (1359) d'où, par extension (1480), «donner à entendre (qqch.) sans le dire expressément»; seule cette acception reste vivante. ◇ *S'insinuer* a en outre repris le sens latin de «s'introduire insensiblement», en parlant de personnes (1541, *s'insinuer à qqn*), littéraire avec un sujet abstrait et sorti d'usage dans le domaine concret où il est attesté depuis 1580. ◇ L'emploi transitif au sens de «faire pénétrer doucement (qqch. dans qqch., dans un lieu)» (1660) est vieilli ou d'usage littéraire, comme l'emploi pronominal (1690) pour «s'introduire en se faufilant».

▸ **INSINUATIF, IVE** adj., attesté isolément (1624) dans une traduction de Bacon, pour qualifier la raison qui pénétre facilement, est repris plaisamment au sens concret par Molière (1673, *clystère insinuatif*) qui l'attribue au jargon médical. ◇ Le mot est employé comme substantif (1732) dans un contexte religieux pour désigner un présent qui permet d'entrer dans les bonnes grâces de qqn. À nouveau attesté comme adjectif en 1801, il est sorti d'usage. ◆ **INSINUANT, ANTE** adj. se dit en parlant de personnes et de choses intellectuelles (1662, *esprit insinuant*); il s'employait aussi dans la langue classique (1677) à propos de choses concrètes. ◆ **INSINUEUX, EUSE** adj., littéraire et rare (1846) en parlant de personnes, dérivé du verbe d'après *sinueux*. **INSINUATION** n. f. est emprunté au dérivé latin classique *insinuatio* «exorde insinuant», terme de rhétorique, qui désigne en bas latin l'action de faire pénétrer dans l'esprit, de persuader et, spécialement dans la langue juridique, un rapport, une notification. En bas latin, *insinuatio*, d'après la valeur propre de *sinus*, signifiait aussi «action de pénétrer dans un endroit sinueux», en parlant de la mer et *insinuation* est attesté isolément au XVe s. pour «anfractuosité de la côte». ◆ Attesté au début du XIVe s. en droit (1319), le mot français a été repris au début du XVIIe s. comme terme de rhétorique (1606), puis pour «action de s'introduire (dans les bonnes grâces de qqn)» (1636); ces sens ont disparu, comme l'emploi concret (av. 1704). ◇ Depuis la seconde moitié du XVIIe s., le mot désigne (av. 1679, Retz) la manière adroite de faire entendre qqch. sans l'affirmer ouvertement et, plus couramment, par métonymie (1740) la chose que l'on donne à entendre *(une, des insinuations)*.

INSIPIDE adj. est un emprunt savant (1534) au bas latin *insipidus* «fade, sans goût» (au propre et au figuré), formé de *in-* (→ ① in-) et du latin impérial *sapidus* «qui a du goût», et au figuré «qui a du jugement, sage, vertueux» : l'adjectif dérive du latin classique *sapere* «avoir de la saveur» et au figuré «avoir du goût, du discernement», «être sage» (→ saveur).

♦ L'adjectif est d'abord relevé avec le sens propre du latin (1534) appliqué à une saveur. Il demeure dans l'usage courant appliqué à un aliment, sens qui semble apparaître dans la seconde moitié du XVIIe siècle. ◇ Il s'emploie aussi au figuré avec le sens repris du latin «dépourvu de raison, de jugement» en parlant d'une personne (av. 1540) et «déraisonnable (d'une chose)» (1588, Montaigne), valeurs qui ne se sont pas maintenues. ◇ Depuis la fin du XVIe s. (1588), *insipide* s'emploie au figuré pour qualifier ce qui manque d'agrément, de piquant et, plus tard, une personne qui manque d'esprit (1694); ce sens est demeuré vivant.

▶ De l'adjectif dérivent **INSIPIDITÉ** n. f., didactique au sens propre (1572) et littéraire au figuré (1690), et **INSIPIDEMENT** adv. (v. 1765), rare.

INSISTER v. intr. est emprunté (1336) au latin *insistere,* proprement «se poser, se placer sur», et au figuré «s'appliquer à», «s'attacher à»; le verbe est composé de *in-* locatif et de *sistere* «s'arrêter» puis «mettre un terme à», forme à redoublement de *stare, status* «être debout», «être immobile» (→ ester), qui se rattache à une racine indoeuropéenne °*sta-* «être debout» (→ station).

♦ Le verbe apparaît d'abord avec les valeurs étymologiques de «s'appliquer à» (1336, *s'insister en*) et «s'adonner, s'appliquer» (1366, *soi insister*) qui ne se sont pas maintenues. ◇ Il reprend ensuite (1400, en emploi absolu; mil. XVe s., avec préposition) le sens de «persévérer à demander» demeuré le plus usuel, puis de «s'arrêter sur un point particulier», «mettre l'accent sur» (1671). L'idée d'arrêt sur qqch. se retrouve dans l'acception prise ensuite par *insister* «revenir fréquemment dans le même processus».

▶ Du verbe dérivent **INSISTANT, ANTE** adj. (1553; du participe présent) et **INSISTANCE** n. f., attesté en 1556 mais rare avant 1801; ce mot désigne l'action d'insister; il s'emploie spécialement en phonétique *(accent, ton d'insistance).* Dans l'usage général, il est courant, notamment dans des expressions à valeur adverbiale *(avec, par insistance).*

IN SITU loc. adv. est un emprunt (1842) à une locution latine signifiant «dans le lieu même», composée de *in-* «dans» et de *situ,* ablatif de *situs, -us* «position, situation, place» (→ site), sens physique issu de la valeur initiale du verbe correspondant *sinere, situs* «laisser, placer», qui à l'époque classique a pris le sens moral de «permettre». La langue anglaise connaît la locution depuis le XVIIIe s. (1740), mais on ne sait si cet usage est à l'origine de l'emploi en français.

♦ D'abord employée en géologie, puis en médecine (1877), la locution didactique *in situ* signifie «dans son milieu naturel» *(étude in situ)* et s'oppose à *in vitro**.

INSOCIABLE → SOCIÉTÉ

INSOLATION n. f. est soit un dérivé savant (1575, A. Paré) du latin *insolare* «exposer au soleil», soit un emprunt à *insolatio* «exposition au soleil» (Pline), formé sur *insolatum,* supin du verbe; ce dernier est composé de *in-* locatif et de *sol, solis* «astre», «soleil» (→ soleil).

♦ Le mot est d'abord employé aux sens d'«exposition (d'une substance) à la chaleur, à la lumière solaire» et «action des rayons du soleil (sur un objet)». Il désigne (1806) l'ensemble des phénomènes pathologiques provoqués par l'exposition prolongée à un soleil ardent. ◇ *Insolation* désigne aussi, en météorologie (1867), le temps pendant lequel le soleil a brillé. ◇ Du premier sens vient son usage en photographie (1902).

▶ **INSOLER** v. tr. est emprunté (1613) au latin *insolare* et en reprend le sens, notamment dans des emplois techniques *(insoler une plaque photographique).* ◆ En dérive **INSOLATEUR** n. m. (1882) qui désigne un appareil (capteur) permettant d'utiliser les rayons du soleil pour le chauffage.

INSOLENT, ENTE adj. et n. est certainement antérieur aux attestations connues (1495 selon Dauzat; 1542, in *T. L. F.;* 1545, in *F. e. w.*); *insolemment* (ci-dessous) étant repéré au XIVe siècle. L'adjectif est un emprunt savant au latin *insolens, -tis* «inaccoutumé à», «non habitué à» et, avec une idée péjorative, «excessif, insolent», peut-être sous l'influence de *insolescere* «se gonfler d'orgueil». L'adjectif latin est composé de *in-* (→ ① in-) et de *solens,* participe présent de *solere, solitus* «avoir l'habitude», qui a abouti en ancien français à *souloir* (italien *solere*), verbe employé jusqu'à l'époque classique.

♦ L'adjectif s'applique au XVIe s. à ce à quoi on n'est pas accoutumé, en parlant d'un fait, d'un événement, etc. (1542, *nouveauté insolente,* Mme de la Porte); il a été supplanté en ce sens par *insolite**. ◆ Parallèlement, avec l'idée d'«excès», *insolent* signifie (1545) «orgueilleux, arrogant» (en parlant de personnes, adj. et n.), sens répandu à l'époque classique où le mot s'est employé aussi comme équivalent d'«audacieux». ◇ Au XVIIe s., est introduite l'idée de «manque de respect» liée à celle d'«excès»; *insolent* est alors couramment employé comme adjectif et comme nom en parlant d'une personne dont le manque de respect est injurieux, insultant, et d'un comportement qui dénote l'insolence (1660), spécialement vis-à-vis des femmes, là où l'usage moderne emploie *irrespectueux.* En même temps, l'adjectif s'applique à une personne ou à un comportement qui blesse par son orgueil, son assurance hautaine (1651, *insolent de,* sorti d'usage). ◇ C'est avec l'idée d'«excès» qu'*insolent* qualifie à partir du XIXe s. (1840) ce qui apparaît comme un défi par son caractère extraordinaire, insolite ou supérieur *(bonheur, luxe, succès insolent),* d'où son emploi (v. 1960) en publicité.

▶ *Insolent* a fourni le dérivé **INSOLEMMENT** adv. (1352-1356, Bersuire). ◆ On relève au XVIIe s. **INSOLENTER** v. tr., encore attesté chez Mérimée (1870). **INSOLENCE** n. f. est emprunté (v. 1450) au dérivé latin *insolentia* «inexpérience», «étrangeté, caractère insolite», «manque de modération (orgueil, arrogance)». ◇ Le développement sémantique du mot est parallèle à celui de l'adjectif; introduit avec le sens de «violence, arrogance», *insolence* s'est employé aussi pour «caractère insolite (de qqch.)» (fin XVIe s.). Le mot pouvait désigner du XVe au XVIIe s. la perfidie, la trahison, l'impiété, etc. (v. 1485) et s'est dit à l'époque classique pour «audace excessive, insultante» (1636: «Ton insolence, téméraire vieillard...», Corneille, *Le Cid*). ◇ Ces emplois se sont effacés devant le sens courant, apparu à la même époque, «manque de respect» (1643, Corneille) et en particulier *(une, des insolences)* «acte, parole insolente» (1672, Racine). Le mot se dit également (1690) d'un orgueil offensant envers des personnes inférieures ou traitées comme telles et, par métaphore (1839, Stendhal), d'un caractère insolite et supérieur d'autorité *(l'insolence du génie)*.

◈ voir INSOLITE.

INSOLITE adj. est un emprunt savant (1495-1496) au latin *insolitus* «inhabituel, inusité», composé de *in-* (→ ① in-) et de *solitus*, participe passé adjectivé de *solere* «avoir coutume, être habitué» (→ insolent).

♦ L'adjectif, introduit avec le sens étymologique, signifie «qui étonne par son caractère inaccoutumé» en parlant de qqch. ou de qqn, d'un comportement; *insolite* s'emploie aussi comme nom masculin collectif (1846, Stendhal). ◇ L'adjectif est utilisé, jusqu'au XXe s., avec l'idée péjorative d'étrangeté ou d'iniquité qui le rapproche parfois d'*insolent;* devenu à la mode, le mot prend une connotation laudative au XXe s. et correspond à «surprenant, intéressant par sa nouveauté, sa rareté».

▸ Le dérivé **INSOLITEMENT** adv. (1834, Boiste) est peu usité.

◈ voir INSOLENT.

INSOMNIE n. f. est un emprunt savant (1611; 1555, selon Bloch et Wartburg) au latin *insomnia* «insomnie», pluriel neutre de *insomnium*, dérivé de *insomnis, -e* «privé de sommeil»; le mot est composé de *in-* (→ ① in-) et de *somnus* «sommeil» qui se rattache à une racine indoeuropéenne °*swep-* «dormir» (→ somme, sommeil).

♦ *Insomnie* reprend (1611) le sens latin de «privation involontaire de sommeil» et se dit plus couramment du moment pendant lequel une personne ne peut pas dormir. Richelet signale (1680) que le mot est parfois employé au masculin par les médecins, d'après le latin *insomnium*. ◇ On trouve en moyen français la forme *insompnité*, nom féminin (1495), empruntée au dérivé bas latin *insomnietas* (IVe s.).

▸ **INSOMNIEUX, EUSE** adj. (1853, Goncourt) et n. (1895, Gide), dérivé d'*insomnie* ou emprunté au latin *insomniosus* «privé de sommeil», préfixé de *somniosus* «somnolent» (de *somnus*), est un terme didactique. ➛ Il est plus rare que **INSOMNIAQUE** n. et adj. (1883, Richepin), dérivé d'*insomnie* sur le modèle de *cardiaque, maniaque*, etc., ce suffixe étant le calque d'un suffixe latin d'origine grecque. Le mot s'emploie aussi comme adjectif (1934, Bourget).

INSONORE, INSONORISER → ② SON

INSOUCIANCE → SOUCIER

INSPECTION n. f. est un emprunt (1290) au latin *inspectio* «action de regarder», «examen, contrôle», formé sur *inspectum*, supin de *inspicere*, verbe formé de *in-* (→ ② in-) et de *spicere, specere, spectus* «apercevoir» et «regarder», verbe de la langue archaïque qui a fourni un grand nombre de composés à préverbes et a été supplanté par le fréquentatif *spectare* (→ spectacle). *Spicere, specere* se rattachent à une racine indoeuropéenne °*spek-* «contempler, observer».

♦ Le mot a d'abord le sens d'«examen attentif», sorti d'usage; il se spécialise aux sens de «contrôle de qqch. dont on a la surveillance» (1611) et de «fonction de veiller sur qqch.» (1690). ◇ Par métonymie, il désigne (1800) l'ensemble des inspecteurs d'une administration (spécialement *inspection des Finances*, 1806; *inspection du travail*, 1871), puis le service qui les emploie, etc. et, par ailleurs, la charge d'inspecteur.

▸ **INSPECTEUR, TRICE** n. est un emprunt (1447) au latin classique *inspector* «observateur», terme juridique en bas latin signifiant «contrôleur, examinateur», dérivé de *inspectum*. ➛ Le mot est d'abord employé au figuré dans *inspecteur du cuer* «celui qui scrute le cœur», en parlant de Dieu, traduction du latin chrétien *inspector cordis* (saint Augustin). Il désigne ensuite (1532) une personne qui observe et examine qqch., sens disparu; puis il se spécialise (1611) au sens de «personne chargée d'un contrôle déterminé», en particulier en parlant d'un agent d'un service public ou privé (1697, *inspecteur général*), d'où au XIXe s. *inspecteur des finances* et *inspecteur (de police)*, avec plusieurs syntagmes (*inspecteur principal*, etc.). ◇ Le féminin *inspectrice* (1829) a désigné (1840) la femme d'un inspecteur; il n'est courant que lorsque la profession est normalement pratiquée par les femmes : une femme policière sera dite (en France) *inspecteur*. ◇ Le mot s'emploie dans des locutions plaisantes comme ***inspecteur des travaux finis*** (apr. 1850). ➛ Le dérivé **INSPECTORAT** n. m. (1811) est un terme administratif; le composé **SOUS-INSPECTEUR, TRICE** n. est relevé en 1781.

INSPECTER v. tr. a été dérivé du nom (av. 1771, Helvétius) d'après le latin *inspectare* «examiner, inspecter», fréquentatif de *inspicere*. Il est employé pour «examiner avec attention (qqch., qqn)» et, spécialement, «examiner en qualité d'inspecteur». Ce verbe est usuel en français moderne, et *inspection* comme *inspecteur* lui sont rattachés.

INSPIRER v. est issu (fin XIIe s., *enspirer*) du latin classique *inspirare* «souffler dans» et par figure «communiquer, insuffler»; le verbe est formé de *in-* (→ ② in-) et de *spirare* «souffler», «respirer» (en parlant de l'être humain), d'où les sens figurés «être en vie», «être inspiré». On relève aussi en ancien français (1150) un verbe *espirer*, emprunté au latin *spirare*, le *e-* résultant d'une évolution phonétique normale; la forme à initiale *en-* a été remplacée par *in-*, latinisation plus tardive (XIVe s.). (→ expirer, respirer).

♦ Le verbe, dans un contexte religieux, s'emploie d'abord en parlant de Dieu qui anime (l'homme) par son souffle. À la fin du XIVe s., *inspirer* est attesté au sens latin de «insuffler, suggérer». Il reprend ensuite, d'abord comme transitif, le sens physiologique (XVe s.), «aspirer, faire entrer l'air dans les poumons»; *inspirer de l'air dans les poumons* «l'y faire entrer», par opposition à *expirer*, est attesté en 1798. ◇ Au XVIe s., *inspirer qqn de* (et infinitif), construction vieillie, signifie «pousser qqn à faire qqch.» (1536), d'où ***inspirer qqch. à qqn*** (1636). Le verbe s'utilise spécialement (1553) au sens de «donner le souffle créateur à (qqn)», par exemple dans l'art. Par extension, dès le début du XVIIe s., il équivaut à «faire naître dans l'esprit un sentiment» (1604). *S'inspirer de* «emprunter des idées à» n'apparaît qu'au XIXe s. (1829). Au XXe s., par affaiblissement du sens de «donner l'inspiration», le verbe s'emploie pour «plaire», surtout dans un tour négatif *(ça ne m'inspire pas)*.

▶ **INSPIRÉ, ÉE** adj. et n. est d'abord employé dans un contexte religieux (1530); il est attesté comme nom chez Voltaire (1756). L'adjectif entre dans l'expression *bien inspiré, mal inspiré* (1690). ➛ **INSPIRANT, ANTE** adj. (1740) n'est courant qu'en phrase négative; on trouve aussi **INSPIRATIF, IVE** adj. (1628), mot didactique. ➛ **INSPIRATOIRE** adj., dérivé savant (1833, *tube inspiratoire*) d'après *respiratoire*, est un terme de physiologie et de linguistique (1933, *consonne inspiratoire*).

INSPIRATION n. f. est un emprunt (v. 1120) au dérivé bas latin *inspiratio* «souffle, haleine» et «souffle créateur». ◇ Les emplois du nom sont parallèles à ceux du verbe; il est introduit dans un contexte religieux et signifie ensuite (fin XIVe s.) «idée qui vient brusquement et spontanément à qqn» (cf. *intuition*). Il est repris en physiologie (XVe s.) et s'emploie depuis le XVIe s. (Montaigne, v. 1590) pour «souffle créateur qui anime les artistes, etc.», ce souffle ayant d'abord été considéré comme un don des dieux. ◇ Le mot désigne ensuite (1701, Furetière) l'action d'inspirer qqch. à qqn, d'où la valeur de «conseil, suggestion». ➛ **INSPIRATEUR, TRICE** n., emprunté (XIVe s.) au bas latin *inspirator*, dérivé de *inspiratum*, garde le sens de l'étymon «personne qui inspire». ◇ Le mot est rare avant la fin du XVIIIe s. (1787, *l'inspirateur des Beaux-Arts*, Marmontel) et devient alors aussi adjectif (1798), cet emploi demeurant exceptionnel. Le nom s'emploie spécialement (1803, Delille) au féminin pour «muse» puis couramment pour «chose qui inspire une action» (XIXe s.), ceci dans un style littéraire. ➛ L'emploi de l'adjectif en anatomie (1765) constitue une dérivation du verbe *inspirer*.

INSTALLER v. est un emprunt (1349) au latin médiéval *installare* «établir dans sa charge (un dignitaire ecclésiastique)», verbe formé depuis peu, au XIIIe s., de *in-* (→ ② in-) et de *stallum* (→ stalle).

♦ En français, le verbe est introduit avec le sens de l'étymon, toujours usité en droit ecclésiastique; il s'emploie ensuite (1596) pour «mettre (qqch.) dans un endroit qui lui était destiné»; *s'installer* signifie, d'abord (1690) avec une valeur péjorative, «s'établir chez qqn». ◇ L'idée d'«établir» est ensuite dominante dans les divers emplois : *installer* se dit au XVIIIe s. pour «mettre (qqn) dans un lieu, d'une manière durable» (1770), puis «mettre (qqn) à la place qu'il est appelé à occuper» (1790), spécialement dans le vocabulaire administratif d'où **INSTALLÉ, ÉE** adj. «qui est parvenu à une situation durable et aisée» (1936). ◇ *Installer qqch.* signifie «placer (un objet, un appareil destiné à un usage particulier) en faisant les travaux nécessaires» (1857) et «aménager (un local)» (1867). ◇ Au sens de «se prendre au sérieux», *installer* (1888) ou ***en installer*** (1917) vient peut-être de *installer qqch.* «faire valoir qqch. (en l'installant d'une certaine façon)», mais l'évolution de sens n'est pas claire; cet emploi est familier.

▶ **INSTALLATION** n. f., d'abord emprunt au dérivé latin médiéval *installatio* (XIIIe s.), a suivi une évolution sémantique parallèle. ◇ Désignant l'action d'installer un ecclésiastique dans ses fonctions (1349), il s'étend à d'autres emplois (1580, d'un fonctionnaire) et au fait d'installer qqn dans un lieu (1829). ◇ Il se dit plus couramment de l'action d'installer qqch. (1611), plus spécialement en parlant d'un local d'habitation (1867) et, par métonymie, de l'ensemble de ce qui est installé (apr. 1850). Dans tous ces emplois, il procède du verbe *installer*. ◇ Le mot a vieilli dans un autre sens (XIXe s.), «fait d'établir sa puissance dans une région». ➛ **INSTALLATEUR, TRICE** n. est sorti d'usage pour «celui qui installe (un dignitaire ecclésiastique)» (1863, n. m.); il désigne aujourd'hui (attesté 1875) une personne qui s'occupe d'installations. ➛ **INSTALLEUR, EUSE** adj. et n. (1918) est familier et ne correspond qu'au sens de «qui fait l'important». ➛ Le préfixé **RÉINSTALLER** v. tr. (1581; de *ré-*) a fourni **RÉINSTALLATION** n. f. (1775).

INSTANCE n. f. est un emprunt (v. 1240) au latin *instantia* «application assidue», «demande pressante» et au figuré «imminence, proximité»; le mot est dérivé de *instans, -antis* (→ instant).

♦ Le nom apparaît avec le sens latin de «sollicitation pressante», sorti d'usage au singulier, sauf dans la locution archaïque *avec instance* (1564); *à l'instance de* «à la sollicitude de» (1265) est vieux; cette valeur s'emploie encore dans un contexte littéraire au pluriel et couramment dans la locution ***céder aux instances de qqn***; de là vient l'emploi pour «soin pressant» (1534), courant à l'époque classique. ◇ Le mot se spécialise au XIVe s. au sens juridique de «poursuite en justice» (1370-1372, Oresme), ***première instance*** (1549) signifiant «poursuite d'une action devant un premier juge». Le mot est repris en droit dans *tribunal de première instance* (1804) désignant le premier degré dans la hiérarchie des juridictions, d'où le sens de «juridiction» (1890). Il entre dans la locution adjectivée ou adverbiale ***en instance*** «en attente» (XXe s.) qui signifiait en droit «en attente d'être jugé». ◇ Par extension du sens de «juridiction», *instance* a été repris (1938) au sens de «autorité, corps constitué qui détient un pouvoir de décision», emploi critiqué.

Par ailleurs, *instance* avec l'idée d'«insistance» se dit en philosophie (1636) d'un nouvel argument pour réfuter l'objection faite à un premier. ◇ Depuis la fin du XIXe s., *instance* est employé par analogie avec l'idée de «catégorie» au sens de «composante de la personnalité» (1895, Huysmans, *instance charnelle*); il est repris spécialement en psychanalyse, d'après l'allemand *Instanz*, pour désigner chacune des différentes parties de l'appareil psy-

chique dans le système freudien *(moi, ça, surmoi).*
◈ voir INSTANT.

INSTANT, ANTE adj. et n. m., attesté chez Oresme (1377), est la substantivation de l'adjectif *instant, ante* (fin XIVe s., *ystant,* Froissart), qui correspond à l'ancien provençal *instant* «proche, prochain» (1296). Cet adjectif est emprunté au latin classique *instans, -antis* «présent» et «pressant, menaçant», participe présent de *instare* «se tenir sur ou dessus», «serrer de près», «s'appliquer à qqch.» et «insister»; le verbe est formé de *in-* (→ ② in-) et de *stare, status* «se tenir debout» qui se rattache à une racine indoeuropéenne °*sta-* «être debout» (→ station).

♦ Le nom désigne un très petit espace de temps. ◇ L'adjectif s'est appliqué (fin XIVe s.) à ce qui est imminent d'où l'emploi adverbial disparu (1re moitié du XVe s.) *tout instant* «à l'instant même»; il signifie ensuite «qui presse vivement» (1550), mais tous les emplois sont aujourd'hui archaïques, juridiques ou littéraires. ◇ Le nom entre dans de nombreuses locutions : ***en un instant*** (1495) «très rapidement»; ***à chaque instant*** (1580); ***à l'instant*** (av. 1589, Baïf), renforcée par *tout à l'instant* (1694), sortie d'usage; ***dans l'instant*** (1689), aujourd'hui littéraire ou régionale, là où le français central emploie *à l'instant;* ***dans un instant*** (1694); ***d'instant en instant*** (1735); ***par instants*** (1833, Hugo); ***pour l'instant*** (1839, Musset). Employé absolument *l'instant* équivaut à «l'instant présent» (XIXe s.); ***l'instant fatal*** désigne l'instant de la mort. *Instant* est souvent synonyme de *moment,* mais il suggère plus que ce dernier la brièveté.

▸ De l'adjectif dérive **INSTAMMENT** adv. (1356, *instanment*) qui s'emploie avec quelques verbes et signifie «d'une manière pressante»; on trouve aussi en moyen français *instantement* (1388). ➛ **INSTANTANÉ, ÉE** adj. et n. dérive (1604) du nom sur le modèle de *momentané.* ◇ L'adjectif s'applique à ce qui ne dure qu'un instant, puis (1798) à ce qui se produit en un instant; de cette valeur vient *photographie instantanée* (1857) «obtenue par une exposition de très courte durée», d'où un **INSTANTANÉ** n. m. (1889). ◇ Le nom a aussi été employé au sens d'«instant présent» (1866, Taine) et de «représentation d'un instant précis» (1878, Goncourt). ◇ Par métaphore, **INSTANTANÉE** n. f. s'est dit pour «prostituée» (fin XIXe s.). ◇ L'adjectif s'emploie aussi pour «qui se prépare instantanément» *(crème instantanée,* etc.). ◇ Il a fourni **INSTANTANÉITÉ** n. f. (av. 1746), littéraire, **INSTANTANÉMENT** adv. (1787), courant, **INSTANTANÉISER** v. tr. (1892, *instantaniser*), littéraire et rare, et les termes didactiques **INSTANTANÉISME** n. m., **INSTANTANÉISTE** adj., attestés en 1943 chez Sartre.
◈ voir INSTANCE.

INSTAR DE (À L') loc. prép. (1572), précédée par *instar de* (1560), représente une adaptation de la locution du latin impérial *ad instar* suivi d'un génitif, «à la ressemblance de», d'après *ad exemplar;* la locution est composée de *ad* «vers, à» et du latin classique *instar* «poids que l'on place sur un plateau de balance pour faire équilibre» et par extension «valeur égale, image, ressemblance». Ce mot d'origine obscure ne semble pas attesté avant l'époque classique; il a été rapproché par son sens technique du grec *statêr,* nom de poids et de monnaie.

♦ La locution signifie «à l'exemple, à la manière de, de même que». On relève chez Gide un emploi substantivé de *instar* (1929, *à la merci de l'instar*), absolument exceptionnel.

INSTAURER v. tr. est emprunté (1352-1356, Bersuire) au latin classique *instaurare,* verbe rare, d'emploi technique, signifiant «renouveler, recommencer, réparer» puis «dresser, préparer»; à l'époque impériale, cette valeur semblait incompatible avec le préfixe *in-* et le verbe fut remplacé par *restaurare* (→ restaurer), *instaurare* passant au sens d'«offrir (pour la première fois)». Selon Ernoult et Meillet, le verbe a d'abord signifié «donner en compensation» pour une cérémonie religieuse manquée, non conforme aux rites, d'où «renouveler, refaire». *Instaurare* est en général considéré comme un composé de *stare, status* «se tenir debout», avec un élargissement vocalique en *-staurare* (qui n'apparaît que dans ce verbe). *Stare* se rattache à la racine indoeuropéenne °*sta-* «être debout». Le verbe latin a par ailleurs abouti en ancien français à la forme populaire *estorer* «établir, instituer» (1138), «construire» (v. 1155), «réparer» (1160), «fournir» (XVe s.), qui se maintient encore au XVIe siècle.

♦ *Instaurer* est introduit avec le sens étymologique de «renouveler, célébrer à nouveau», disparu. Le verbe est attesté ensuite (1509) avec le sens de «fonder, établir pour la première fois», d'abord en parlant d'une institution, puis avec une valeur plus générale *(instaurer une mode);* par extension, *instaurer qqn* signifie «le nommer (à la tête d'une institution)». Par ailleurs, il a repris des valeurs de l'ancien verbe *estorer* et s'est employé pour «restaurer» (v. 1380), «garnir de» (1530), emplois propres au XVIe siècle.

▸ Du verbe dérivent les termes littéraires : **INSTAURATION** n. f. (1451), peut-être emprunté au dérivé latin *instauratio* «renouvellement», qui signifie «action d'instaurer» et **INSTAURATEUR, TRICE** n. (1504; 1509, au féminin) qui correspond au latin chrétien *instaurator* «celui qui restaure (un bâtiment), qui redonne vie (à qqch.)»; rare avant 1802, le mot se dit d'une personne qui instaure (la liberté, une réforme, etc.).

INSTIGATEUR, TRICE n. est un emprunt savant (1363) au latin impérial *instigator* «celui qui pousse à faire qqch., qui stimule», dérivé du latin classique *instigare* «piquer contre», «exciter, stimuler»; le simple *stigare,* seulement attesté dans les gloses, se rattache à une racine indoeuropéenne °*stig-* «piquer» (→ stigmate).

♦ *Instigateur,* introduit avec la valeur de l'étymon, se dit d'une personne qui incite à faire qqch.; le mot est pris le plus souvent en mauvaise part. Il s'emploie aussi au figuré, comme équivalent de «cause, moteur». Le féminin *instigatrice* est attesté à partir de l'époque classique (1671).

▸ **INSTIGATION** n. f. est emprunté (1332) au latin impérial *instigatio* «action d'émouvoir, d'exciter», spécialement employé dans la langue juridique, formé sur *instigatum*, supin de *instigare*. ◆ Le mot est d'abord relevé dans la construction ***à l'instigation de*** (qqn) «sur le conseil pressant de qqn» qui est restée courante alors que le mot est rare, employé seul, pour désigner l'action d'inciter, de pousser qqn à faire qqch.

Le verbe transitif **INSTIGUER** a été emprunté (1352-1356, Bersuire) au latin *instiguare;* il est noté par l'Académie comme «vieilli» en 1718 et sorti d'usage à la fin du XVIIIe s. (1798); il est repris régionalement (Belgique) dans la construction *instiguer qqn* (à faire qqch.) «pousser, inciter qqn (à faire qqch.)».

◈ voir INSTINCT.

INSTILLER

INSTILLER v. tr. est un emprunt savant (v. 1370) au latin *instillare* «verser goutte à goutte» et au figuré «introduire, insinuer», composé de *in-* (→ ② in-) et de *stillare* «couler goutte à goutte, distiller», aussi au figuré, verbe dérivé de *stilla* «goutte», d'origine obscure.

♦ D'abord employé au sens propre du verbe latin dans l'usage didactique, il s'emploie littérairement au figuré (v. 1501).

▸ **INSTILLATEUR** n. m. (1902) «appareil servant à instiller une solution médicamenteuse dans l'organisme» est dérivé d'*instiller*. ◆ **INSTILLATION** n. f. est emprunté au latin *instillatio* «action de verser goutte à goutte» (du supin de *instillare*). Le mot s'emploie au propre en technique (1377) et au figuré littérairement (1542).

INSTINCT

INSTINCT n. m. est une réfection graphique (XVIe s.) de *instincte* (1495), emprunt savant au latin classique *instinctus* «instigation», «excitation, impulsion» et en latin chrétien «penchant, tendance naturelle». Ce nom dérive de *instinguere* ou *instingere* «pousser, exciter», surtout employé au participe passé; il est formé, comme *instigation** et *instigateur*, de *in-* (→ ① in-) et de *stinguere* ou *stingere* «éteindre», au propre et au figuré, qui se rattache à une racine indoeuropéenne °*stig-* «piquer».

♦ Le mot reprend d'abord (*instincte*, 1495) l'acception latine d'«instigation»; *par instinc (sic) de nature* signifiait «selon son penchant naturel» (1512). ◇ Il désigne ensuite (*instinct*, 1560, Ronsard) une tendance innée contre laquelle on ne peut lutter et cette valeur est restée usuelle; aujourd'hui dans le vocabulaire scientifique, les éthologistes donnent au mot un caractère plus précis; pour éviter la confusion avec l'emploi courant, certains utilisent *acte instinctif* (d'après K. Lorenz), d'autres *acte de pulsion*. ◇ Le mot désigne plus largement, au moins depuis Montaigne (1580) l'ensemble des pulsions naturelles qui régissent le comportement animal ou humain. En parlant de l'être humain, *instinct* s'emploie à propos de la faculté naturelle de sentir, de deviner (1662, Pascal) et, souvent en emploi absolu, l'intuition, le sentiment; il est alors opposé à *raison;* dans ce sens, on emploie la locution adverbiale ***d'instinct*** (av. 1850, Chateaubriand). *Instinct* se dit enfin d'une aptitude particulière faisant partie de l'ensemble des pulsions (1780, Buffon, *instinct social*) et, spécialement, en psychanalyse traduit l'allemand *Trieb* dans le sens que lui donne Freud (cf. *pulsion*).

▸ Le dérivé **INSTINCTIF, IVE** adj. apparaît au début du XIXe s. (1801, Crèvecœur; 1803, Maine de Biran); il peut être inspiré par l'anglais *instinctive*, attesté dès le XVIIe s., et correspond à *instinct*. ◇ S'appliquant à ce qui naît de l'instinct au sens large, l'adjectif qualifie une personne en qui domine l'impulsion (1883, Renan). ◆ *Instinctif* a fourni **INSTINCTIVEMENT** adv. (1801) et **INSTINCTIVITÉ** n. f. (1832, Balzac), sorti d'usage. ◆ **INSTINCTUEL, ELLE** adj., terme didactique dérivé d'*instinct* et apparu en 1838-1840, a été repris au milieu du XXe s. dans le vocabulaire de la psychanalyse.

✳ INSTITUER

✳ **INSTITUER** v. tr. est un emprunt (1219) au latin *instituere* «placer (en, dans)», «mettre sur pied, établir», d'où «fonder», «ordonner, régler (un État)» et aussi «enseigner à» et au figuré «préparer, commencer»; le verbe est formé de *in-* (→ ② in-) et de *statuere* «établir», au propre et au figuré (→ statuer), formé sur *status*, du verbe *stare* au participe passé *status* «se tenir debout» qui se rattache à une racine indoeuropéenne °*sta-* «être debout» (→ ester, établir, stable, station...).

♦ Le verbe s'emploie d'abord avec un complément nom de chose au sens latin d'«établir d'une manière durable», mais l'emploi concret (1464, *instituer un chemin*) a disparu. Puis il se dit d'une personne (v. 1350) pour «établir officiellement dans une fonction», aujourd'hui dans la langue religieuse ou en histoire. ◇ Au XVe s. (1466), il reprend un autre sens latin, «enseigner», sorti d'usage (→ instituteur). ◇ Par extension du premier sens, *instituer qqn en son lieu* s'est dit (v. 1500) pour «désigner qqn comme son successeur» d'où en droit l'emploi du verbe pour «nommer (héritier) par testament» (1552, Estienne). ◇ Au XVIIIe s., le sens de «doter d'institutions politiques» est repris par latinisme dans *Le Contrat social* (Rousseau, 1761); cependant, dès le XVIe s., on relève *instituter* «établir un État» chez Calvin (1541), d'après un emploi de *instituteur**. ◇ *S'instituer* au sens de «s'établir» est relevé chez Diderot (av. 1784).

▸ **INSTITUANT, ANTE** adj. et n. m. (1765) est un mot didactique, comme **INSTITUÉ, ÉE** adj. et n. m. (1721, en droit). ◆ **INSTITUTION** n. f. est un emprunt (fin XIIe s.) au latin classique *institutio* «disposition, arrangement», «méthode, doctrine, système» et «formation, éducation, instruction», dérivé du supin du verbe latin. ◇ Le mot apparaît avec le sens de «action d'instituer (qqch.), fondation», emploi assez rare; le sens courant de «ce qui est institué», personne morale, régime légal, etc. est attesté environ un demi-siècle plus tard (1256). Le mot s'emploie en droit en parlant d'une personne (1537). ◇ *Institution* est ensuite pris au sens «abrégé (contenant l'essentiel d'une matière)» (1541), vivant à l'époque classique. Le mot s'emploie aussi au sens latin de «formation, éducation» (1552, Rabelais); ce sens archaïque a produit par métonymie l'emploi pour «établissement privé d'éducation et d'instruction» (1680, en parlant des novices). ◆ Le mot, repéré isolément au XVIe s. (1564), est repris à la fin du XVIIe s. et au XVIIIe s. pour désigner ce qui est établi par les hommes et non par la nature; par spécialisation, *institutions* «choses instituées» désigne l'ensemble des structures fondamentales de l'organisation sociale (1790). ◇ De là, au XXe s., *l'institution* à propos de chaque secteur de l'activité sociale *(l'institution littéraire)* et un emploi absolu désignant les structures organisées qui maintiennent un état social. ➛ À partir du développement des structures sociales, au XXe s., ont été formés plusieurs dérivés didactiques. ◇ **INSTITUTIONNEL, ELLE** adj., attesté en 1933 (L. Febvre), peut-être d'après l'anglais *institutional* (1617, de même formation que le français), s'emploie dans le domaine juridique puis par extension en psychologie (1952, *psychothérapie institutionnelle*; 1958, *pédagogie institutionnelle*); en dérivent **INSTITUTIONNALISME** n. m. (1939, Pirou) d'après l'anglais *institutionalism* (1862) et **INSTITUTIONNELLEMENT** adv. (apr. 1950). ◇ **INSTITUTIONNALISER** v. tr. (v. 1955), qui correspond à l'anglais *to institutionalize* (1865), a fourni **INSTITUTIONNALISATION** n. f. (1949).

◈ voir INSTITUT, INSTITUTEUR.

INSTITUT n. m. est emprunté (1480) au latin *institutum* «ce qui est établi» d'où «plan», «disposition, organisation» et au pluriel *(instituta)* «principes établis, institutions». C'est le participe passé neutre substantivé de *instituere* «mettre sur pied», «établir» aux sens physique et moral, «former, instruire» (→ instituer).

♦ Le mot apparaît avec le sens général du latin, «chose établie, institution», encore employé à l'époque classique; il désigne spécialement la règle donnée à une institution au moment de sa formation (1552, *institute*, d'une abbaye) et un ordre religieux (1608); appliqué à un individu au sens de «manière de vivre» (apr. 1550), il s'est employé jusqu'au XVIIe siècle. ◇ *Institut* désigne en particulier certains corps constitués de savants (1749), spécialement dans *Institut national des sciences et des arts* (1795) ou *Institut national de France* (1795; absolument, *L'Institut*) qui regroupe les cinq Académies. Cette idée de corps constitué est réalisée dans le nom d'établissements de recherche ou d'enseignement (1876, *Institut national agronomique*; 1966, *Institut universitaire de technologie*, abrégé en *I.U.T.*). Lié à la valeur du verbe latin *institut* désigne depuis le XIXe s. un établissement scolaire privé, remplacé en ce sens par *institution*. ◇ On relève chez P. Leroux (1840) *institut* au sens de «action d'éduquer qqn, résultat de cette action». Par extension, le mot se dit d'un établissement où l'on donne des soins (1907, *un institut d'esthétique*, Colette).

▸ **INSTITUTES** n. f. pl., terme de droit, est emprunté (XIIIe s.) au latin *instituta* «institutions», pris pour un féminin singulier. ➛ Le mot désigne en droit romain un manuel rédigé par les jurisconsultes. Il s'est d'abord employé au féminin singulier, puis (fin XVe s.) au féminin pluriel et parfois aussi au masculin singulier (1328).

INSTITUTEUR, TRICE n. est emprunté (1441, *F. e. w.*) au latin classique *institutor* «celui qui dispose, administre», en bas latin «précepteur», formé sur *institutum*, supin du latin classique *instituere* «mettre sur pied», «former, instruire» (→ instituer). On relève la forme dérivée française *instituere* «celui qui fonde», en 1399.

♦ Le mot est d'abord attesté pour désigner celui qui est chargé de l'éducation d'un enfant dans la famille; dans ce sens général, le mot, encore employé au XIXe s., a été remplacé par *précepteur** pour le masculin mais reste parfois encore en usage au féminin. Depuis la fin du XVe s., comme en latin classique, *instituteur* désigne celui qui institue, fonde qqch. (1495, J. de Vignay); ce sens est encore en usage au XIXe siècle. ◇ Par spécialisation du premier emploi, le mot désigne (en France) une personne qui enseigne dans une école primaire (1789) et maternelle. Ce sens, qui correspond à l'organisation de l'enseignement sous la Révolution, est précisé selon l'évolution de l'institution pédagogique, au cours du XIXe siècle. Il est abrégé familièrement au XXe s. en **INSTIT** (1966) ou, moins courant, **INSTI** (1967). ◇ Cette désignation a été supprimée dans la terminologie administrative (1990); on emploie *professeur d'école*. ◇ Sorti d'usage au sens de «maître de pension» (1805), le mot est littéraire pour désigner une personne ou une collectivité qui établit qqn dans la connaissance de qqch. (fin XVIIIe s.).

✻ **INSTRUIRE** v. tr. est la réfection (1346, *instruit*) en *in-* d'un emprunt francisé *enstruire* (1re moitié XIIe s.), dont la finale est adaptée d'après *construire*, au latin classique *instruere* «assembler dans», «disposer» et spécialement, dans le vocabulaire militaire, «munir, outiller, équiper», puis en latin impérial et par figure «enseigner»; ce verbe est formé de *in-* (→ ② in-) et de *struere* «disposer par couches», «arranger, ranger» et «bâtir, dresser»; la base *stru-* se rattache peut-être à la racine indoeuropéenne °*ster-* «étendre» (→ estrade).

♦ C'est le sens le plus tardif du latin qui est retenu en français; l'ancien français *estruire* (v. 1175) a assumé les autres valeurs du latin. ◇ Le verbe est introduit avec le sens littéraire de «former l'esprit de qqn par des préceptes, des leçons»; il s'emploie (v. 1200) dans *instruire qqn de qqch.* «mettre qqn en possession d'une connaissance particulière» (1592, *s'instruire*, Montaigne), d'où le sens de «dispenser un enseignement à (qqn)»; en ce sens le verbe s'emploie aussi avec un sujet nom de chose (fin XIVe s.). ◇ Au participe passé adjectivé, attesté dès 1346, *bien, mal instruit* signifiait «bien, mal élevé» (1346); *instruit, instruite* s'appliquent aujourd'hui (XVIIIe s.) à une personne qui a des connaissances étendues. ◇ Le verbe entre au XVIe s. dans le vocabulaire du droit (1549, *instruire un procès*) au sens de «mettre (une cause) en état d'être jugée», c'est-à-dire en rassembler tous les éléments nécessaires. De «mettre (qqn) au courant (de qqch.)», vient le sens de «donner ses directives à» (1672, Boileau), sorti d'usage alors qu'*instruction* s'emploie toujours dans ce sens. Par extension du sens de «former», *instruire* s'est dit (1677) pour «dresser (un animal)».

▸ **INSTRUCTION** n. f. est emprunté (1320) au latin classique *instructio* «action de disposer, d'adapter» «construction, disposition» et, par figure, en bas latin «enseignement»; ce nom est formé sur *instructum*, supin du verbe *instruere*. ◇ Le mot français apparaît pour désigner ce qui sert à instruire, spécialement une directive donnée par une autorité supérieure à un subordonné, d'où spécialement (v. 1500) «un ordre donné à un envoyé quelconque». ◇ Par ailleurs, à partir de la fin du XVe s., *instruction* signifie «action de communiquer des connaissances à qqn» (1483); il est employé absolument au sens de «savoir de l'homme instruit» (1580, Montaigne, *sans aucune instruction de lettres*); ce sens a vieilli après l'époque classique. ◇ Le mot entre dans le vocabulaire du droit (1636, *instruction de procès*) : on parle de ***juge d'instruction*** depuis le début du XIXe s. (1822). ◇ Au XVIIe s., *instruction* désigne (1662) une leçon de morale, un précepte que l'on donne pour instruire, sens disparu mais qui survit en religion dans *instruction pastorale* (1702). ◇ Depuis la fin du XVIIe s., par extension de l'idée d'explication, le mot signifie «mode d'emploi pour se servir de qqch.» (1690). ➜ Peu après la Révolution, il désigne l'organisation dans une société de l'instruction de la jeunesse (1791, *Instruction publique*) et l'ensemble des connaissances relatives à un domaine (1794, Condorcet), d'où *instruction religieuse* (1802). ➜ Le mot est repris en informatique (av. 1968) au sens de «consigne exprimée dans un langage de programmation», d'où *instruction machine*. ◇ De cet emploi en informatique viennent **MACRO-INSTRUCTION** n. f. (v. 1965) et **MICRO-INSTRUCTION** n. f. (1970).

INSTRUCTIF, IVE adj., dérivé savant (XIVe s.) du latin classique *instructus*, participe passé de *instruere*, a suivi l'évolution d'*instruction*, se spécialisant pour «qui instruit, apporte une information». ◇ Il a pour dérivé **INSTRUCTIVEMENT** adv., didactique (1866). ➜ **INSTRUCTEUR** n. m. est emprunté (XIVe s.) au latin classique *instructor* «ordonnateur (d'un repas)» qui prend en latin chrétien et médiéval la valeur d'«éducateur». C'est un dérivé du supin *instructum* de *instruere*. ◇ Le mot est sorti d'usage au sens premier d'«éducateur»; c'est aujourd'hui un terme juridique (1636, *instructeur de procès*) employé adjectivement (1831, *juge instructeur*) ou spécialisé dans le domaine militaire, sens le plus courant (1803, n. m.; 1823, adj.).

INSTRUMENT

INSTRUMENT n. m., réfection (1365) de *estrument* (1119) ou *estrumanz* (1265), est un emprunt (d'abord adapté) au latin *instrumentum* «mobilier, ameublement, matériel» et au figuré «outillage, ressource»; le mot est dérivé du verbe *instruere* (→ instruire), mais cette origine n'est plus ressentie.

♦ *Instrument* apparaît avec le sens d'«objet fabriqué servant à exécuter un travail»; le mot, plus général que *outil*, désigne en français moderne des objets plus simples que *appareil* et *machine*. On le trouve spécialisé au sens (v. 1140) d'«objet élaboré pour produire de la musique». En moyen français, il signifie «membre, organe du corps» (XIVe s.), d'où l'emploi pour «membre viril» (XVe s.), à comparer avec celui d'*engin*; ces emplois correspondent à ceux d'*organe* aujourd'hui. ◇ Au figuré, *instrument* désigne (1265) un acte juridique servant à établir un droit, une convention; il est ensuite employé en parlant d'une chose ou d'une personne (v. 1485) pour «ce qui sert à obtenir un résultat» et, par analogie, «objet utilisé pour une fin déterminée» (par ex. *instrument de travail*). Le mot, en grammaire (XIXe s.), entre dans *complément d'instrument* «de moyen».

▸ **INSTRUMENTAL, ALE, AUX** adj., réfection (XVe s.) de *instrumentel* (1370-1372, *cause instrumentele*), s'applique à ce qui concerne le moyen; cet emploi didactique est emprunté au latin scolastique (*instrumentalis causa*, XIIIe s.). L'adjectif est ensuite employé en musique (XVe s., *musique instrumentale*) et s'oppose alors à *vocal*. ◇ C'est aussi un terme de droit (1390) et de grammaire (1824; 1867, *cas instrumental*). ◇ Il est entré dans le vocabulaire de la psychologie (XXe s. : *conditionnement instrumental*) d'après l'anglais *instrumental*, de *instrument*, de même origine que le français. ◇ L'adjectif a fourni plusieurs dérivés : **INSTRUMENTALEMENT** adv. (1532, *instrumentallement*; XVIe s., *instrumentellement*; 1578, en musique), **INSTRUMENTALITÉ** n. f. (1936), **INSTRUMENTALISATION** n. f. (1946) et **INSTRUMENTALISER** v. tr. (1973), tous didactiques. ◇ Seul ① **INSTRUMENTALISTE** n., terme de musique (attesté 1921), est entré dans l'usage général.

INSTRUMENTER v. est d'abord un terme de droit (1431, v. intr.). ◇ En musique (1507, tr.), il est sorti d'usage au sens de «jouer d'un instrument de musique» et il est rare au sens d'«orchestrer» (1823). ◇ Il a eu le sens familier (av. 1870) de «frapper avec un instrument». ◇ Le verbe a été repris au XXe s. dans le domaine de l'industrie pétrolière, au sens de «doter d'instruments de contrôle». ➜ En dérive **INSTRUMENTATION** n. f., terme de musique (1823, Stendhal), assez usuel pour «arrangement, orchestration», et terme technique pour désigner un ensemble d'instruments (1857, Michelet, en emploi métaphorique).

INSTRUMENTAIRE adj. a été remplacé comme nom (1477) par *instrumentiste* et signifie «qui sert de moyen» (XVIe s.); il est repris en droit au XVIIIe s. (1765, *témoin instrumentaire*). ➜ **INSTRUMENTISTE** n. est un terme courant de musique (1810) pour «personne qui joue d'un instrument» souvent opposé à *chanteur*. ◇ En chirurgie, il désigne (av. 1962) un auxiliaire préparant les instruments. ➜ **INSTRUMENTALISME** n. m. a été emprunté (v. 1955) à l'anglais *instrumentalism* (1909), de *instrument*, de même origine que le français. ◇ Le mot désigne en philosophie la doctrine pragmatique de l'américain J. Dewey, selon laquelle toute théorie est un instrument pour l'action. ◇ À ce nom correspond un autre mot ② **INSTRUMENTALISTE** adj. et n. emprunté (1955) à l'anglais *instrumentalist* (1909). ➜ À partir d'*instrument* ont été composés les termes techniques : **MICRO-INSTRUMENT** n. m. (qui entre dans les dictionnaires en 1963) et **PORTE-INSTRUMENTS** n. m. inv. (mil. XXe s.).

INSU (À L'INSU DE)

INSU (À L'INSU DE) loc. prép. représente un dérivé (déb. XVIe s.), par préfixation en *-in*

(→ ① in-), de *su*, participe passé de *savoir**, mais ne semble pas clairement analysé, le plus souvent.

♦ D'abord relevé comme adjectif avec le sens d'«inconnu», emploi didactique repris au milieu du XXe s., le mot apparaît ensuite dans la locution prépositive ***à l'insu de...*** (1538, *a l'insceu de*) qui signifie «sans que la chose soit sue de (qqn)» et, avec un sens réfléchi (1606, *a mon insceu*), «sans en avoir conscience».

INSUFFLER v. tr. est emprunté (XVe s.) au bas latin *insufflare* «souffler dans ou sur», utilisé en médecine, puis en latin chrétien pour «introduire par le souffle, communiquer». Ce verbe est formé de *in-* (→ ② in-) et du latin classique *sufflare* «souffler, gonfler» (→ souffler).

♦ *Insuffler* est introduit dans le vocabulaire religieux avec le sens du latin chrétien ; cet emploi didactique est rare jusqu'au XIXe s., époque où le verbe s'emploie dans un contexte littéraire pour «inspirer» (1844, Balzac). ◇ Il apparaît ensuite, au début du XIXe s. (1814, Nysten), alors avec la variante *insouffler* (1819), comme terme de médecine avec le sens propre de «introduire, faire pénétrer par insufflation». *Insuffler*, pour «gonfler en soufflant» (XIXe s. ; *insuffler un ballon*), est sorti d'usage.

▸ De l'emploi du verbe en médecine dérive **INSUFFLATEUR, TRICE** adj. et n. (1862) ◆ **INSUFFLATION** n. f. est emprunté (1374, *insufflacion*) au bas latin *insufflatio* formé sur *insufflatum*, supin de *insufflare* ; ce terme de médecine est utilisé en latin chrétien. ◇ Le mot en français reprend d'abord le sens religieux (1374), devenu archaïque, puis le sens médical (1765) avec une spécialisation en pneumonologie (insufflation d'air entre la plèvre et le poumon, en cas de pneumothorax).

INSULAIRE adj. est un emprunt savant (1516) au latin impérial *insularis* «relatif à une île», dérivé du latin classique *insula* «île» (→ île).

♦ Le mot signifie «qui habite une île» et se dit spécialement de ce qui est propre à la vie dans une île (1874), par opposition à *continental*. À propos des personnes il est aussi substantivé (1559). En France, *les insulaires* désignent fréquemment les Britanniques. ◇ L'adjectif s'emploie pour qualifier ce qui appartient à une île (1572, *flore, faune insulaire*). Par analogie, en médecine, il correspond à une valeur figurée d'*île* et d'*îlot* (→ insuline).

▸ *Insulaire* a servi à former les termes didactiques **INSULARITÉ** n. f. (1840), peut-être inspiré par l'anglais *insularity* «état d'île» (1790) et «condition de vie sur une île» (1755), **INSULARISME** n. m. (av. 1885, Hugo) «caractère insulaire» et **INSULARISER** v. tr. (1901) «isoler comme dans une île».

INSULINE n. f. est une formation savante (1909, J. de Meyer) à partir du latin classique *insula* «île*», d'après la désignation par *îlots de Langerhans* des corpuscules pancréatiques d'où est extraite cette hormone qui active l'utilisation du glucose dans l'organisme.

▸ Ce terme de biologie a servi à former **INSULINIQUE** adj. (av. 1946) et les composés **INSULINASE** n. f. (mil. XXe s., dans les dictionnaires généraux ; 1928, en anglais), **INSULINÉMIE** n. f., **INSULINOTHÉRAPIE** n. f.

INSULTER v. tr. est emprunté (1352-1356, Bersuire) au latin *insultare* «sauter sur, dans, contre» et par figure «braver», formé de *in-* (→ ② in-) et de *saltare*, intensif de *salire* (au p. p. *saltus*) «sauter, bondir», qu'il tend à remplacer (→ sauter).

♦ Le verbe, introduit avec le sens latin de «braver» *(insulter à)*, signifie (av. 1464) «attaquer» puis «se révolter, se soulever contre» (av. 1527, intr.) ; dans ces sens, usuels à l'époque classique, le verbe est parfois encore employé au XIXe siècle. ◇ Les emplois figurés (1611) de «faire des reproches» et «offenser par un outrage» sont sortis d'usage. ◆ En revanche, le sens figuré «attaquer (qqn) par des propos outrageants» (1611) s'emploie encore couramment mais on ne dit plus *insulter à* (v. 1650) et *insulter contre qqn* (1685). Le verbe signifie aussi au XVIIe s. (1647, Vaugelas) «traiter avec insolence», avec un complément abstrait ; il veut dire aussi (1685, *insulter à*) «constituer un défi (par rapport à une chose respectable).»

▸ **INSULTE** n. f. apparaît d'abord sous la forme *insult*, nom masculin (1380), au sens de «soulèvement, sédition», sans doute empruntée au latin médiéval *insultus* «assaut, attaque» (av. 1125), dérivé du verbe latin classique. ◇ Dans l'emploi pour «attaque» le mot est en usage du XVIe s. (1542) jusqu'au début du XVIIIe siècle. ◇ *Insulte* prend son sens figuré actuel, proche de celui d'*injure**, d'abord comme nom masculin (1535) puis féminin (av. 1664).
Le verbe a fourni **INSULTANT, ANTE** adj. (v. 1690) «qui constitue une insulte», «qui est de nature à insulter» et **INSULTEUR, EUSE** adj. et n. (1796 ; fin XVIIe s., *insultateur*), opposé à **INSULTÉ, ÉE** adj. et n. (v. 1500, adj. ; 1873, n. m.).

INSURGER (S') v. pron. est un emprunt du XVe s. (1474, *soy insurger* ; 1414, *s'insurgir*, attestation isolée) au latin *insurgere* «se dresser», spécialement pour attaquer, et figurément «monter, devenir plus puissant», «faire des efforts» ; le verbe est formé de *in-* locatif (→ ② in-) et de *surgere* «se mettre debout, s'élever» (→ surgir).

♦ Introduit avec le sens moderne de «s'élever contre l'autorité», le verbe n'est repris qu'à la fin du XVIIIe s. (1792) sous l'influence de *insurgent* ; la construction transitive (1797, Chateaubriand, *insurger les citoyens*), encore notée chez Littré, est sortie d'usage, mais *s'insurger* reste vivant.

▸ **INSURGENT** n. m., aujourd'hui terme d'histoire, a d'abord désigné (1752) les troupes hongroises levées exceptionnellement pour le service de l'État. ◆ Par emprunt à l'anglais *insurgent* (1775, Beaumarchais), le mot se dit des colons américains qui ont pris parti contre l'Angleterre pendant la guerre d'Indépendance et s'est employé plus généralement (1796) ; le mot anglais, attesté en 1765, est dérivé de *to insurge*, de même origine que le verbe français. ◆ Par extension ou nouvel emprunt au latin, *insurgent* s'est dit (1778, Mercier) d'une personne qui s'élève contre les règles établies. ◆ Le participe passé **INSURGÉ, ÉE** adj. «soulevé contre l'autorité» (1790) est aussi employé comme nom (1792).

INSURRECTION n. f., emprunté (1372-1377, Oresme) au bas latin *insurrectio* «action de s'élever», mot formé sur le supin *insurrectum* de *insurgere*, est rare du XVIe au XVIIIe s. pour «action de s'insurger» (repris en 1748, Montesquieu); il se dit par figure pour «révolte» (mil. XIXe s.). ◆ De ce nom dérivent : **INSURRECTIONNAIRE** adj. et n. (1790; d'après *révolutionnaire*), terme d'histoire de la Révolution française, et **INSURRECTIONNEL, ELLE** adj. (1792) «qui tient de l'insurrection» et «qui est en insurrection», usuel, d'où **INSURRECTIONNELLEMENT** adv. (1796), didactique.

INTACT, TE adj. est un emprunt savant (1461, G. Chastellain) au latin *intactus,* proprement «non touché» et au figuré «pur, chaste», formé de *in-* (→ ① in-) et de *tactus,* participe passé de *tangere* «toucher» (→ tangent), qui se rattache à une racine indoeuropéenne °*tag-* «toucher». *Intactus* avait abouti en ancien français à la forme populaire héritée *entait* «intact, entier» (v. 1150) et «frais, allègre» (v. 1200), remplacé au XVe s. par l'emprunt. On note aussi la forme masculine *intacte,* du XVIe au XVIIIe siècle.

♦ L'adjectif est introduit avec le sens de «vierge». *Intact* qualifie ensuite (1593) ce à quoi l'on n'a pas touché, en parlant de choses concrètes, puis s'emploie (apr. 1750) à propos de choses abstraites *(honneur intact)* et s'est dit d'un homme intègre (1812). ◇ Par extension (1835), l'adjectif s'applique à ce qui n'a pas subi d'altération, de dommage *(monument intact),* d'où à propos d'une personne le sens d'«indemne» (XXe s.).

INTAILLE n. f., cité comme mot italien par Ch. de Brosses (1740) sous la forme *intagli* et francisé en 1808 *(intailles),* est emprunté à l'italien *intaglio* (pl. *intagli*), attesté comme terme d'art depuis le XIVe s. et signifiant «entaille». *Intaglio* est le déverbal de *intagliare* «entailler» dérivé, par préfixation de *tagliare* «tailler», du bas latin *taliare* «couper» (→ tailler).

♦ Ce terme d'art désigne une pierre fine gravée en creux.

▸ En dérive le terme technique **INTAILLER** v. tr. (1860, Pommier; 1874, au participe passé).

✳ **INTÉGRAL, ALE, AUX** adj. et n. est un dérivé savant (1370-1372, Oresme) du latin classique *integer* «intact, entier» (cf. ci-dessous *intègre*).

♦ Le mot est introduit avec le sens, encore vivant au XVIIe s., de «intégrant, qui contribue à l'intégrité du tout». Il est repris au XVIIe s. (1640) pour qualifier ce qui n'est l'objet d'aucune diminution, d'aucune restriction (cf. *entier*). ◇ À la fin du XVIIe s., l'emploi de l'adjectif en mathématiques (1696, ***calcul intégral***) représente un emprunt au latin moderne *integralis,* dérivé de *integer* par le mathématicien J. Bernouilli. *Une intégrale* «somme totale (par opposition à l'élément)» est attesté en 1749 (C. Walmesley). ◇ Du sens général d'«entier» viennent les spécialisations *œuvre, édition intégrale* et, en musique, *une intégrale* n. f. (XXe s.).

▸ Du sens général d'*intégral* dérivent **INTÉGRALEMENT** adv. (1511) et **INTÉGRALITÉ** n. f. (1611), peut-être emprunté au latin médiéval *integralitas,* du latin médiéval *integralis.* ◆ Deux autres dérivés didactiques apparaissent au XXe s., **INTÉGRALISME** n. m. (1936) «caractère intégral, absolu (d'une thèse, de la défense d'une thèse)», terme didactique moins usité que *intégrisme* et **INTÉGRALISTE** adj. et n. (1936, Maritain) pour «intégriste». Le latin *integer* a donné par emprunt savant (1558) un autre adjectif, **INTÈGRE.** Le latin classique *integer* «intact, entier» et, au sens moral, «irréprochable» était formé de *in-* privatif et de °*-tagros,* issu de *tangere, tactus* «toucher» (→ tact). ◇ D'abord relevé au sens propre latin d'«entier» surtout assumé par *intégral* (ci-dessus), l'adjectif s'emploie, à partir du XVIIe s., au sens moral (1671, *un homme intègre*) qu'il a conservé. ◇ Par extension du premier sens ou par nouvel emprunt au latin, *intègre* est introduit (mil. XXe s.) dans le vocabulaire des mathématiques. ◆ Le dérivé **INTÈGREMENT** adv. (1867, Littré) est rare.

INTÉGRITÉ n. f. est une réfection (déb. XIVe s.) de *entegriteiz* (1279) «état de ce qui est entier», emprunté au latin *integritas* «totalité, état d'être intact», «innocence, probité». ◆ Le mot apparaît avec le sens de «chasteté, virginité», encore usité au XVIIe siècle. ◇ À partir du XVe s., *intégrité* s'emploie avec les valeurs abstraites reprises du latin : il signifie «état d'une chose qui est dans son entier» (2e moitié du XVe s., Chastellain) et au sens moral, correspondant à *intègre,* «pureté, probité dans la conduite» (av. 1465). ◇ L'emploi en mathématiques (mil. XXe s.) correspond à celui de *intègre.*

INTÉGRER v. est un emprunt (1340) au dérivé latin classique *integrare* «réparer, remettre en état», «renouveler, recommencer» et par figure «recréer, refaire» et «exécuter». ◆ D'abord attesté isolément au sens latin d'«exécuter», le verbe réapparaît à la fin du XVe s. au sens de «faire participer, associer»; ces emplois ont disparu. ◇ *Intégrer* est encore repris en mathématiques, lorsqu'apparaît *intégral* (1700), avec le sens d'«effectuer l'intégration de». ◇ Le verbe, dans l'argot scolaire des grandes écoles, s'emploie par emprunt au langage des mathématiques (1892, intr.) pour «entrer (dans une grande école)». À la même époque, en emploi didactique, puis courant (déb. XXe s.), il signifie généralement «faire entrer dans un ensemble», en tant que partie intégrante. ◆ Ce verbe a fourni des termes didactiques, d'abord en mathématiques **INTÉGRABLE** adj. (1704), d'où **INTÉGRABILITÉ** n. f. (1873); **INTÉGRATEUR, TRICE** adj. et n. m. (1877), terme technique; **INTÉGRATIF, IVE** adj. (XXe s.) «qui est propre à intégrer».

INTÉGRATION n. f. est emprunté (1309) au sens de «rétablissement» au dérivé bas latin *integratio.* ◇ Le terme, repris en mathématiques (1700), est dérivé de *intégrer* ou formé d'après le latin moderne, en même temps que *intégral.* Par extension, il s'emploie pour «action d'incorporer (un élément) dans un ensemble», spécialement en économie (fin XIXe s.), physiologie, psychanalyse (XXe s.), informatique, etc. ; il désigne couramment (mil. XXe s.) l'opération par laquelle un individu s'incorpore à un groupe. ◆ De cet emploi dérive **INTÉGRATIONNISTE** adj. et n. (mil. XXe s.), terme de politique. ◆ **INTÉGRANT, ANTE** adj. est emprunté (1503 ; 1520, selon *T. L. F.*) au latin classique *integrans, -antis* «qui rend entier», participe présent de *integrare.* L'adjectif s'applique à ce qui entre dans la composition d'un tout, spécialement dans *partie intégrante.*

RÉINTÉGRER v. tr. est emprunté (1352) au latin médiéval *reintegrare,* altération du préfixé classique *redintegrare* «recommencer», «rétablir», «restaurer». ◆ Le verbe français conserve le sens latin de «rétablir dans son état premier» jusqu'au milieu du XVIIIe siècle ; il se spécialise au sens de «rétablir dans la possession d'un bien, d'un droit, etc.» (1532), notamment dans le vocabulaire juridique. Rare au sens de «remettre (qqn) dans un lieu qu'il avait quitté» (1690), il est employé couramment au sens de «reprendre possession de (un lieu)» (av. 1873). ◆ Le verbe a fourni **RÉINTÉGRATION** n. f. (1326), jusqu'au XVIIe s. «remise en état», aujourd'hui «action de réintégrer» (dep. 1367), avec les spécialisations du verbe. ◇ Les dérivés **RÉINTÉGRANDE** n. f. (1411), archaïque, et **RÉINTÉGRABLE** adj. (1845) sont des termes de droit.

Le composé **DÉSINTÉGRER** v. tr. (1878), du préfixe *dé-, dés-,* terme didactique de physique, est devenu courant au sens de «transformer (la matière) en énergie» (déb. XXe s.) et se dit au figuré pour «détruire complètement» (XXe s.). ◆ Il a fourni **DÉSINTÉGRATION** n. f. (1871), spécialisé en physique (1907) et qui s'emploie aussi au figuré. Ces deux mots se sont diffusés après 1945 avec les applications militaires (bombe atomique), puis civiles de la physique nucléaire.

INTÉGRISTE n. et adj. est un emprunt (1913) à l'espagnol *integrista* «membre d'un parti espagnol voulant la subordination de l'État à l'Église», dérivé de *integro,* de même origine que le français *intègre**; le mot est attesté en 1894 au sens de «d'étroite observance». ◆ *Intégriste* en français est d'abord employé par référence à l'Espagne *(parti intégriste) ;* par extension, le mot désigne un adversaire du modernisme, un défenseur de l'intégrité de la doctrine et de la tradition, en parlant de la religion catholique (mil. XXe s.), puis de l'Islam (v. 1975). Par analogie, il désigne un partisan extrémiste de l'intransigeance, dans le domaine politique (v. 1970). ◆ **INTÉGRISME** n. m. (1913) est emprunté à l'espagnol *integrismo* (1885) ou dérive d'*intégriste ;* ses acceptions correspondent à celles de ce mot, le contexte religieux, chrétien ou islamique, l'emportant en fréquence en concurrence avec *fondamentalisme.*

INTELLECT n. m. est un emprunt (v. 1265, *intellec*) au latin *intellectus* «perception (par les sens)», «sens, signification» et «faculté de comprendre», formé sur *intellectum,* supin de *intellegere* «discerner, comprendre» (→ intelligence).

♦ Le mot, didactique à la différence de *intelligence,* a été employé dans le langage scolastique au sens d'«intelligence» avec la valeur générale de «capacité compréhensive» ; il a aussi signifié «sens d'un mot» (1582). ◆ Il se dit aujourd'hui pour «entendement» mais en gardant toujours une valeur gnoséologique (*entendement* est plutôt psychologique). Dans l'usage courant (mil. XIXe s.), il équivaut parfois à *esprit (se torturer l'intellect).*

▶ Plusieurs mots de la série sont empruntés à des dérivés du supin de *intellegere.* ◆ **INTELLECTION** n. f. est emprunté (XIIIe s. ; 1488, selon *T. L. F.*) au bas latin *intellectio* «sens, signification» et terme de rhétorique. Sous l'influence d'*intellect,* le mot a désigné la faculté de comprendre (XIIIe s.) jusqu'au XVIe s., puis s'est employé pour «idée, pensée» (1488) ; il désigne aussi (1617) un acte de l'intellect. Il avait repris à la Renaissance l'emploi rhétorique du latin (1521). ◆ **INTELLECTIF, IVE** adj., emprunté (v. 1265) au bas latin *intellectivus* «relatif à l'intellect», est un ancien terme de philosophie encore usité littérairement ; **INTELLECTIVE** n. f. de *faculté intellective,* est un synonyme archaïque de *intellect.* ◇ Tous ces mots sont didactiques.

INTELLECTUEL, ELLE adj., emprunt (v. 1265) au bas latin *intellectualis,* s'applique à ce qui se rapporte à l'intelligence, au sens large de «connaissance» ou d'«entendement». Le mot est devenu courant au XIXe siècle. À partir de cette époque, l'adjectif (attesté chez Amiel, 1866) s'emploie en parlant de personnes et signifie «dont la vie est consacrée aux activités de l'esprit». ◆ Le mot, employé comme nom (mil. XIXe s.), fait fortune à la fin du XIXe s., utilisé avec une valeur péjorative par les adversaires du capitaine Dreyfus en faveur duquel beaucoup d'écrivains s'étaient engagés ; le substantif s'emploie parfois encore péjorativement, l'intellectuel étant considéré comme coupé de la réalité. Mais il peut aussi être neutre ou mélioratif. Au pluriel, le nom (1913, Péguy) est opposé à d'autres catégories sociales. ◇ **INTELLO** adj. et n. (1977) est une abréviation familière et péjorative formée avec le suffixe populaire *-o.* ◆ De l'adjectif dérivent des termes moins usuels : **INTELLECTUELLEMENT** adv. (1501, *intellectualement*) «par l'intellect» ; **INTELLECTUALITÉ** n. f. (1784), attesté isolément en ancien français (fin XIIIe s.) au sens de «compréhension» ; **INTELLECTUALISER** v. tr. (1801, Villers exposant le système de Kant ; 1862, au pronominal) d'où vient **INTELLECTUALISATION** n. f. (1894) ; **INTELLECTUALISME** n. m. (1851, Amiel) «tendance à faire prévaloir les facteurs intellectuels», probablement d'après l'anglais *intellectualism* (1829), et **INTELLECTUALISTE** adj. et n. (1853, Amiel) qui correspond à l'anglais *intellectualist* (1605).

◈ voir INTELLIGENCE.

INTELLIGENCE n. f. est un emprunt ancien (v. 1175) au latin classique *intelligentia,* variante de *intellegentia,* «action de comprendre» et «faculté de comprendre, entendement», puis en latin chrétien «bonne entente, commun accord» et enfin «être spirituel, ange» (v. 1205). Le mot est dérivé de *intellegere* ou *intelligere,* proprement «choisir entre (par l'esprit)» d'où «comprendre» et «apprécier», verbe formé de *inter* «entre» (→ inter-) et de *legere* «cueillir, rassembler», d'où «lire» (→ élire, lire), qui se rattache à la racine indoeuropéenne °*leg-* «cueillir», «choisir», «rassembler».

♦ Le mot reprend d'abord le sens du latin classique, «faculté de connaître, de comprendre» d'où vient celui de «qualité de l'esprit d'une personne qui comprend» (XVIIe s.), plus courant. Il désigne ensuite (1370-1372, Oresme) un être spirituel, par opposition à la matière ; plus tard, comme en latin médiéval, *les intelligences célestes* s'est dit pour «les anges» (1694). ◇ *Intelligence* désigne aussi (v. 1500) une relation secrète entre des personnes, d'où l'emploi (1611), repris à l'anglais, pour parler d'une information fournie par un service privé de renseignements (cf. *intelligencier* n. m. «espion», 1611) et au pluriel d'informations diplomatiques (1828). Ces valeurs ont disparu, mais le mot subsiste au pluriel, pour parler de personnes placées dans des camps opposés, et dans les locutions *être d'intelligence avec qqn* (1643) ou, par figure, *avec qqch.*, archaïques, et ***en (bonne, mauvaise) intelligence*** «en conformité de sentiments» (1638).
Au XVIe s., *intelligence de (qqch.)* désigne (1559) l'acte ou la capacité de comprendre qqch. Par extension du sens d'«être spirituel», le mot se dit aussi (1598) de l'être humain en tant que capable de réflexion. L'emploi pour «personne supérieurement intelligente» (mil. XIXe s.) a été précédé par *une intelligence de l'État* «qui joue dans l'État un rôle éminent» (1694).
Calque de l'anglo-américain, ***intelligence artificielle*** prend le mot dans son sens initial et désigne la partie de l'informatique qui vise la simulation des facultés cognitives humaines (abrév. **I.A.**).

▸ **MÉSINTELLIGENCE** n. f. (1490), formé avec *més-**, préfixe péjoratif, désigne un défaut d'accord entre des personnes ; le mot est didactique ou littéraire. ➛ **ININTELLIGENCE** n. f. (1791), de ① in-, se dit plus couramment du manque d'intelligence et (1833) du comportement qui le traduit, en relation avec *inintelligent*. ➛ **INTELLIGENTIEL, IELLE** adj. (1832, Balzac), «relatif à l'intelligence», est sorti d'usage.
INTELLIGENT, ENTE adj. est emprunté (1420) au latin classique *intelligens, intellegens* «qui comprend, qui s'y connaît», dérivé du verbe. ◇ L'adjectif est introduit avec le sens latin disparu de «qui est expert dans un art». Il s'applique ensuite couramment à qqn qui a la faculté de comprendre (1611). ➛ Le dérivé **INTELLIGEMMENT** adv. est attesté au XVIIe s. (1636). ➛ Sur l'adjectif a été formé **ININTELLIGENT, ENTE** adj. (1770 ; → ① in-) dont procède **ININTELLIGEMMENT** adv. (1833).
INTELLIGENTSIA ou **INTELLIGENTZIA** n. f., introduit en français en 1902 (sous la forme *intelligentia*), écrit *intelligentsia* dep. 1920, est emprunté au russe *intelligentsia* (1901) ; le mot désignait la classe des intellectuels réformateurs dans la Russie tsariste de la fin du XIXe siècle ; beaucoup s'engagèrent dans le mouvement nihiliste. *Intelligentsia* est luimême emprunté au latin classique *intelligentia* «compréhension». ➛ En français, *intelligentsia* est d'abord un terme d'histoire ; hors du contexte russe, le mot désigne au XXe s. (1930) les intellectuels, dans un milieu ou un groupe humain donné, ce sens étant repris à l'anglais *intelligentsia* (1914) de même origine.

◈ voir INTELLECT, INTELLIGIBLE.

INTELLIGIBLE adj. est un emprunt (v. 1265) au latin classique *intelligibilis* «qu'on peut comprendre» et en bas latin «qui peut comprendre», dérivé de *intellegere* «comprendre» (→ intelligence).

♦ L'adjectif s'applique d'abord, en philosophie, à ce qui ne peut être connu que par l'intelligence, par opposition à *sensible* (*monde intelligible,* Descartes). ◇ Il prend ensuite dans l'usage courant le sens (1521) de «qui est plus ou moins aisé à comprendre», d'où, en parlant d'une personne, «qui se fait comprendre», en général par le langage, et (1538) «qui peut être distinctement perçu par l'ouïe», donc «compris». ➛ Il s'est employé au XVIe s., comme en bas latin, pour «intelligent» (1530).

▸ De l'adjectif procèdent **INTELLIGIBLEMENT** adv. (1521), **INTELLIGIBILITÉ** n. f. (1712, Fénelon), et le contraire préfixé **ININTELLIGIBLE** adj., employé en parlant de choses (1640), puis de personnes (1757-1762). ◇ Ce dernier a pour dérivés didactiques ou littéraires, **ININTELLIGIBLEMENT** adv. (av. 1622, F. de Sales, attestation isolée ; repris en 1829) et **ININTELLIGIBILITÉ** n. f. (av. 1714).

INTEMPÉRANT → TEMPÉRER

INTEMPÉRIE n. f. représente un emprunt (1534, Rabelais) au latin *intemperies* «état déréglé, immodéré (de qqch.)» et spécialement dans *intemperies caeli* «inclémence de l'atmosphère» et «orage». Le mot est formé de *in-* (→ ① in-) et de *temperies* «alliage, juste proportion» et «température», dérivé de *temperare* «mélanger» et «modérer» (→ tempérer).

♦ Le mot est d'abord usité avec l'idée de «dérèglement», dans des emplois sortis d'usage : en parlant des conditions atmosphériques (1534, *intemperie de l'aer*), puis du fonctionnement du corps humain (1587, *l'intemperie de maladies*), employé en médecine jusqu'au XVIIIe siècle. Il s'est dit par figure des sentiments (1652, «désordonné»), sens où il est encore employé chez Rousseau. ➛ Le sens moderne de «mauvais temps» apparaît à la fin du XVIIIe s. (1779-1796, au pluriel, H. de Saussure) avec l'influence du latin *tempus*.

◈ voir TEMPS.

INTEMPESTIF, IVE adj. est un emprunt savant (1440-1475) au latin *intempestivus* «hors de saison, déplacé» et «inopportun», composé de *in-* (→ ① in-) et de *tempestivus* «qui vient à temps», «opportun», dérivé de *tempus* «temps» et «saison, époque de l'année» (→ temps).

♦ Introduit avec la valeur générale de l'étymon latin et rare jusqu'à la fin du XVIIIe s., l'adjectif s'applique, dans un emploi littéraire, à ce qui se produit à contretemps, vient mal à propos, et, plus couramment, à un comportement qui choque ou étonne (*question intempestive*).

▸ De l'adjectif dérive **INTEMPESTIVEMENT** adv. qui signifie «immodérément» (1555) et «de manière intempestive» (1611). ➛ **INTEMPESTIVITÉ** n. f. (1791, Domergue), emprunté au dérivé bas latin *intempestivitas,* est didactique et rare.

INTENDANT, ANTE n. a été formé (1565, n. m.) par aphérèse du moyen français *surintendant* (ci-dessous), lui-même issu du moyen français *superintendent.* Une forme analogue est toujours vivante en anglais. *Superintendent* est emprunté au latin médiéval *superintendens,* participe présent du bas latin *superintendere* «surveiller», formé de *super* (→ super-) et du latin classique *intendere* «tendre vers», au propre et au figuré, d'où «diriger son esprit sur qqch.» (→ entendre). *Intendere* est lui-même un dérivé de *tendere, tensus* «tendre, tendre à» (→ tendre).

♦ *Intendant,* aujourd'hui terme d'histoire, désignait un agent du pouvoir royal, d'abord l'*intendant des finances* puis (v. 1570) l'*intendant de la justice;* au XVIIe s., c'est le titre donné à certains fonctionnaires chargés d'un service ou d'un établissement public (1623), *l'intendante* (1680) étant l'épouse d'un intendant. ◇ Par analogie, le mot désigne une personne qui administre les biens, la maison d'un particulier (1668; 1840, au féminin), et au féminin la supérieure de certains couvents de femmes (déb. XVIIIe s.). Le mot est repris dans le vocabulaire administratif (1817, *intendant militaire*) et on parle aujourd'hui d'*intendant de pensionnat.*

▸ **INTENDANCE** n. f. dérive (1543) de *intendant* ou est tiré du moyen français *superintendence* (1491) emprunt au latin médiéval *superintendentia.* ◆ Le mot a suivi une évolution sémantique analogue à celle d'*intendant.* Son emploi dans l'administration militaire donne lieu à des métaphores *(l'intendance suivra). Intendance* a été repris (v. 1959) pour désigner l'ensemble des tâches économiques de l'État.

SURINTENDANT, ANTE n. est d'abord attesté en histoire antique, pour «chef» (1556). Puis (1569), c'est le nom de divers officiers chargés de la haute surveillance d'une administration; le *surintendant des Finances* jouait sous l'Ancien Régime un rôle de ministre. Par changement de préfixe, le mot remplace *superintendant* (ci-dessus). ◇ Le féminin (v. 1660) a désigné la femme du surintendant des Finances, puis (1690) la dame placée à la tête de la Maison de la Reine. Aujourd'hui, le nom est le titre (1835) de la directrice d'une maison d'éducation de la Légion d'honneur. ◆ **SURINTENDANCE** n. f. (1556), composé de *intendance,* succède à *superintendance* (1491) et désigne la fonction de surintendant (1636), son bureau (1740). ◆ **SOUS-INTENDANT, ANTE** n. (1732) désigne un intendant militaire adjoint et l'adjoint d'un intendant universitaire (1945). ◇ **SOUS-INTENDANCE** n. f. est préfixé (1834) d'*intendance,* d'après *sous-intendant.*

INTENSE adj. est un emprunt savant (v. 1240, G. de Lorris) au bas latin *intensus* «fort, violent», participe passé adjectivé du latin classique *intendere* «tendre vers», «avoir l'intention ou la prétention de» (→ entendre).

♦ L'adjectif, relevé dans des attestations isolées (parmi lesquelles Oresme, 1377), se répand au XVIIe s. au sens de «qui agit avec force», «qui dépasse la mesure ordinaire» (1641). Il signifie «grand, fort», par exemple en parlant d'une qualité physique et de sentiments (1752), d'un son (1768). Au XIXe s., il s'emploie à propos d'une maladie dont les symptômes se manifestent avec force (1812). Avec cette valeur *intense* s'applique couramment à ce qui est soutenu et vif *(travail intense).*

▸ Le dérivé **INTENSÉMENT** adv., formé par analogie avec des dérivés d'adjectifs en *-é,* comme *aisément,* est attesté une première fois vers 1390 (*intensement,* E. de Conty) mais n'est repris et répandu que beaucoup plus tard, et longtemps après *intense* (1837, Barbey d'Aurevilly). ◆ **INTENSIF, IVE** adj. est dérivé (1495) de *intense* ou emprunté au latin médiéval et scolastique *intensivus* «caractérisé par une tension, un effort, un accroissement». Cet adjectif vient, par substitution de suffixe, de *intensio,* issu de *intendere.* ◇ D'abord employé pour qualifier ce qui provoque un accroissement d'intensité, l'adjectif n'est ensuite repris et diffusé que vers 1700 (Fénelon) en philosophie avec le sens de «qui a le caractère de l'intensité» d'où en particulier «qui ne se laisse pas mesurer» (1819, Maine de Biran). Au XIXe s., *intensif* s'emploie aussi en linguistique (1840, *verbe intensif, forme intensive*), reprenant alors la valeur du bas latin *intentivus* «augmentatif (en parlant d'un préfixe, d'un adverbe)». Dans un tout autre domaine, le syntagme *culture intensive,* opposé à *culture extensive,* est attesté en 1859. ◇ À la fin du XIXe s. apparaît le sens général aujourd'hui courant: «qui fait l'objet d'un effort intense» (1893, Durkheim, *travail intensif*). ◇ De l'adjectif dérive **INTENSIVEMENT** adv. (v. 1390) repris aussi vers 1700.

INTENSITÉ n. f., dérivé au XVIIIe s. d'*intense,* peut-être par influence de l'anglais *intensity* (1665), s'emploie en sciences puis couramment (1740) au sens de «degré d'énergie, de force, de puissance» et par figure (1745, Diderot) en parlant d'un sentiment. ◆ Le nom a fourni le composé didactique **SURINTENSITÉ** n. f. (1909). ◆ Un autre dérivé d'*intense,* **INTENSIFIER** v. tr. (1868, p. p.) «rendre plus intense», a fourni **INTENSIFICATION** n. f. (1893, Durkheim).

INTENSION n. f. est un emprunt (2e moitié du XIVe s.) au latin classique *intensio* «action de tendre, tension», «accroissement, augmentation», et en latin scolastique «accroissement d'intensité, de force», «effort» et «intensité», variante de *intentio* (→ intention).

♦ Le mot s'est d'abord dit pour «augmentation». Il a été employé en philosophie (1377, Oresme) pour désigner la qualité d'un phénomène, d'un processus, quand on peut y distinguer des degrés d'intensité. À la fin du XVIe s., il s'est utilisé pour «force, haut degré d'une qualité» *(intension de la fièvre),* sens disparu. ◆ Le mot est repris au XXe s. en logique (1932), d'après l'anglais *intension* (1836), synonyme de *compréhension* (d'un concept, d'un mot) et opposé à *extension**; il est alors didactique.

▸ De l'emploi en logique dérive **INTENSIONNEL, ELLE** adj. (mil. XXe s., *définition intensionnelle*), d'après l'anglais *intensional.*

INTENTER v. tr., réfection (fin XIVe s.) de *intempter* (1355), est un emprunt savant au latin *intentare* ou *intemptare* «diriger contre», spécialisé ensuite en droit et composé de *in-* (→ ② in-) et de *tentare*, fréquentatif de *tendere*, au participe passé *tensus* ou *tentus* «tendre*».

♦ Le verbe conserve en droit le sens latin, «entreprendre contre qqn (une action en justice)»; il est relativement usuel *(intenter un procès)*.

INTENTION n. f., d'abord écrit *intencion* (v. 1180), modifié pour le préfixe par rapport aux formes anciennes *entenciun* (1119), *entancion* (1176), est emprunté au latin classique *intentio* «tension, action de tendre», «attention», «effort vers un but, volonté» et «intensité», qui avait pris en rhétorique le sens de «ce qui soutient le demandeur» et en latin scolastique des valeurs intellectuelles : «application de l'esprit à un objet de connaissance» et «contenu de pensée». *Intentio* dérive de *intentum*, supin de *intendere* (→ entendre), lui-même dérivé de *tendere, tensus* «tendre à» (→ tendre).

♦ Le mot est d'abord attesté (1119) au sens d'«entendement, opinion», qui a disparu. Puis il reprend (1176) le sens latin de «fait de se proposer un but», demeuré vivant; de là viennent les locutions ***à l'intention de*** (mil. XVᵉ s.) «pour, en l'honneur de», souvent employé avec un arrière-plan moral ou religieux, et *en l'intention que* (1546), *à l'intention que*, employés aux XVIᵉ et XVIIᵉ s. puis sortis d'usage. ◇ Au XVIᵉ s. aussi, le mot désigne en philosophie (1563, *première intention*), d'après le latin scolastique, l'application de la pensée à un objet de connaissance. ◇ Il est employé également, avec une valeur concrète, en chirurgie (1572, Paré) pour «action de tendre (les lèvres d'une plaie pour les rapprocher)». ◇ Le mot s'emploie spécialement dans ***direction d'intention*** (1656, Pascal), expression employée dans la polémique entre les jésuites et les jansénistes au XVIIᵉ s., et désignant l'attitude d'esprit qui rapporte des actes et des paroles à un but qui leur confère une valeur morale. ◇ D'après l'idée de «dessein», *intention* se dit du but qu'on se propose d'atteindre (XVIIᵉ s.) et d'un dessein ferme et prémédité (XVIIIᵉ s.); le mot s'emploie, avec cette même idée, dans plusieurs locutions usuelles : ***avoir l'intention de*** (et infinitif), ***dans l'intention de*** (et infinitif), ***à l'intention de;*** il est usité spécialement en droit (XIXᵉ s.) au sens de «volonté consciente de commettre un fait interdit par la loi». ***Procès d'intention*** (XXᵉ s.) se dit d'une accusation portant sur les intentions et non sur les actes *(faire à qqn un procès d'intention)*. ◇ Enfin, le mot est repris en philosophie (1931, traduction de Husserl) pour désigner un acte de la conscience qui donne un sens aux données sensibles.

▸ Le dérivé **INTENTIONNER** v. tr. est attesté au XVIᵉ s. (1589) pour «tourner l'attention de (qqn vers qqch.)» puis pour «orienter vers» (v. 1690), sens sortis d'usage. Il est repris en philosophie (1936, Sartre) et signifie «viser par la pensée», d'après Husserl. ➝ **INTENTIONNÉ, ÉE** adj., sorti d'usage (1567) au sens de «qui a l'intention de», s'emploie (1626) dans ***bien, mal intentionné*** «qui a de bonnes, mauvaises intentions». ➝ **INTENTIONNEL, ELLE** adj., réfection (1487) de *intencionnal* (v. 1380), qualifie ce qu'on a en vue; il s'est employé dans *espèces intentionnelles* «sensibles» (1636) par emprunt au latin scolastique *intentionalis* «qui est de l'ordre de la représentation». ◇ Puis l'adjectif s'applique à ce qui est fait exprès, avec intention (1798), notamment en droit (1802; *délit intentionnel*). Le mot est repris en philosophie (1931) par traduction de Husserl. ◇ De cet adjectif vient **INTENTIONNALISER** v. tr. (1943, Sartre) et **INTENTIONNALISME** n. m. (1946, Mounier). ➝ **INTENTIONNELLEMENT** adv. (1566) reste longtemps rare; il n'apparaît dans les dictionnaires qu'à partir de 1823. ➝ **INTENTIONNALITÉ** n. f. est un terme littéraire (1877). En philosophie (1931, traduction de Husserl), il est, comme les autres mots de la série, propre au courant phénoménologique.

◈ voir INTENSION.

① **INTER** (INTERURBAIN) → URBAIN
② **INTER** → INTÉRIEUR

INTER- est un élément emprunté au latin *inter*, proprement «à l'intérieur de deux» (→ entre-), préverbe et préposition formé de *in* «dans» (→ en) et de l'élément *-ter-* servant à opposer deux parties.

♦ *Inter-* entre dans des composés exprimant l'espacement, la répartition (sens local ou temporel), dont certains sont empruntés au latin (par exemple *interlinéaire*, 1389; latin *interlinearis*). ◇ Les formations françaises appartiennent au vocabulaire scientifique, en anatomie (*intercostal*, XVIᵉ s.), puis à partir du XIXᵉ s. en astronomie (*interstellaire*, 1803), en géographie (*intertropical*, 1817). ➝ Les formations où *inter-* exprime une relation ou la réciprocité (*interrégional*, 1893) ne semblent pas procéder de modèles latins; *inter-* y représente plutôt un doublet savant de *entre-*. Certains composés, enfin, sont empruntés à l'anglais (par exemple *international*, 1802; → national).

INTERCALER v. tr. est emprunté (1520) au latin classique *intercalare* «proclamer un jour ou un mois supplémentaire (pour remédier aux irrégularités du calendrier)» surtout au passif impersonnel, et par la suite «insérer»; le verbe est formé de *inter-* (→ inter-) et de *calare* «proclamer, convoquer», verbe archaïque employé seulement dans certaines expressions de la langue religieuse ou juridique, et qui se rattache à une racine indoeuropéenne *°k(e)la-*, *°kel-*, *°gal-* «appeler» (cf. l'anglais *to call*) (→ nomenclature).

♦ Le verbe français conserve le sens latin, en chronologie *(intercaler un jour au mois de février, tous les quatre ans)*. ◇ Il s'emploie ensuite couramment, d'abord au participe passé (1564) pour «mettre une chose entre deux autres» (1611, à l'infinitif.

▸ **INTERCALAIRE** adj. et n. m. est emprunté au dérivé latin *intercalarius*. Comme en latin, l'adjectif s'emploie en chronologie : *jour intercalaire* dans le calendrier grégorien, *mois intercalaire* dans l'Antiquité grecque (v. 1355). Il s'applique couramment à ce qui peut s'intercaler (1558, Jodelle, *vers intercalaire* «répété en refrain»), notamment une feuille de papier; *un intercalaire* n. m. désigne un élément intercalé (1936). ➝ **INTERCALATION** n. f., emprunt au dérivé latin *intercalatio,* lui aussi terme de chronologie, est didactique (XVe s.), puis courant pour «action d'insérer»; en ce sens, Sartre utilise le dérivé régulier français **INTERCALAGE** n. m. (1943) qui reste rare.

INTERCÉDER v. intr. est emprunté (av. 1449) au latin classique *intercedere* «venir, aller entre», «intervenir pour» et aussi «s'opposer à», «se trouver entre» et «survenir» puis spécialement, en latin chrétien, «prier pour qqn» en parlant du Christ, d'un saint. Le verbe est formé de *inter-* (→ inter-) et de *cedere, cessus* «aller, marcher, s'en aller» (→ céder).

♦ Le verbe, d'abord avec la construction *intercéder a* qqn *por* (pour)..., ne conserve que l'un des sens du latin classique et signifie «intervenir auprès de qqn (pour obtenir qqch.)», notamment dans un contexte religieux (1482).

▸ Le français a emprunté au latin deux mots dérivés de *intercessum,* supin du verbe. ◆ **INTERCESSEUR** n. m. (1350), réfection de la forme adaptée *entrecessor* (1216), conserve le sens du latin *intercessor* «celui qui s'entremet» (auprès de Dieu, en latin chrétien). ◆ **INTERCESSION** n. f. (1223) est employé au sens du latin *intercessio* «action d'intercéder», en latin chrétien, puis en droit romain, le mot ayant signifié surtout «opposition» en latin classique. La série est sémantiquement très homogène, ces deux mots gardant les valeurs du verbe.

INTERCEPTION n. f. est emprunté (2e moitié du XIIIe s.) au latin classique *interceptio* «soustraction, vol» et «interruption», formé sur *interceptum,* supin de *intercipere* «soustraire, dérober», «enlever avant le temps» et «prendre au passage»; le verbe est composé de *inter-* (→ inter-) et de *capere, captus* «prendre, saisir», «contenir», qui se rattache à la racine indoeuropéenne °*kap-* «prendre» (→ captif, capter).

♦ Le nom désigne d'abord l'action de prendre au passage et par surprise (ce qui est destiné à qqn); il reprend ensuite (v. 1370) le sens du latin «interruption». Du premier sens viennent des emplois spécialisés, dans le domaine militaire (1755, *interception d'une flotte;* 1952, *avion d'interception*) et en sports (1900).

▸ **INTERCEPTER** v. tr., formé à partir du nom, a des emplois analogues : d'abord (1528) «prendre au passage», spécialisé dans le domaine militaire (1770) et en sports (1896). ◇ Il signifie aussi (1606) «arrêter dans son cours». ◆ Du verbe procède **INTERCEPTEUR** n. m., rare au sens général (1757). Le mot correspond au dérivé latin *interceptor* «celui qui intercepte». ◇ Il est employé pour «avion d'interception» (1950), probablement d'après l'anglais *interceptor* (1934).

INTERCHANGEABLE → **CHANGER**

INTERCOSTAL → **CÔTE**

INTERCOURSE n. f. est emprunté (1839) à l'anglais *intercourse* désignant l'ensemble des communications commerciales entre deux pays (1494, *entercourse*) et le droit réciproque accordé mutuellement aux navires de deux nations d'accéder à certains ports. Le moyen anglais *entercourse* est lui-même un emprunt au français *entrecors, entrecours,* nom masculin (fin XIIe s.), «échange». Ce dernier, ainsi que la variante *intercours* (1477), est emprunté au latin classique *intercursus,* dérivé de *intercurrere,* de *inter-* et *currere* (→ courir).

♦ En français, le mot reprend d'abord le sens maritime puis s'emploie comme terme de commerce (1867); il est archaïque.

INTERDIRE v. tr. est emprunté (v. 1250), avec adaptation d'après *dire,* au latin classique *interdicere* «défendre (qqch. à qqn)», «formuler une défense» et en latin médiéval chrétien (IXe s.) «défendre la célébration du culte (dans un lieu ou à un prêtre)». Le verbe latin est formé de *inter-* (→ inter-) et de *dicere, dictus* qui a donné *dire**. On trouve aussi en ancien français la forme francisée *entredire* «mettre (qqn, un lieu) en interdit» (1174).

♦ Le verbe reprend d'abord le sens général de «défendre (qqch. à qqn)»; c'est cette idée de défense que l'on retrouve dans tous les emplois. *Interdire* s'utilise dans le domaine religieux en parlant d'un lieu (1376-1378), comme en latin chrétien. Il s'emploie ensuite (av. 1615) au sens de «priver (qqn) du droit d'exercer ses fonctions» (cf. *suspendre*). ◇ De l'adjectif *interdit* (ci-dessous) vient l'emploi (1636), aujourd'hui rare, de «jeter (qqn) dans un trouble tel qu'il lui ôte la faculté d'agir»; en ce sens, *s'interdire* «se troubler» (1661, Molière) est sorti d'usage. ◇ *Interdire* s'emploie en droit canon en parlant d'une personne (1656), puis en droit civil (1690). ◇ Un emploi absolu correspond à «exercer des contraintes», notamment sociales (cf. le slogan de Mai 1968 : *il est interdit d'interdire*).

▸ **INTERDIT, ITE** adj. a suivi la même évolution sémantique que le verbe : il s'applique à ce qui n'est pas autorisé et signifie parfois (1383, *enterdit*) «excommunié», sens sorti d'usage. ◇ Il s'applique spécialement à une personne (1587) frappée d'un trouble qui l'empêche d'agir, emploi courant au XVIIe s. et qui a entraîné une acception nouvelle pour *interdire* (ci-dessus). ◆ **INTERDIT** n. m., réfection (XVe s.) de *intredit* (1366), est emprunté au latin classique *interdictum,* forme de *interdicere :* «interdiction (en général)» et terme de droit, puis en latin médiéval chrétien «sentence ecclésiastique défendant la célébration des offices». ◇ Le nom reprend d'abord le sens religieux (aussi sous la forme francisée *entredit,* 1213) puis est employé en droit (1478-1480). Il est repris au XIXe s. au sens de «condamnation absolue qui écarte qqn d'un groupe» (1840, G. Sand); il désigne ensuite plus couramment une interdiction émanant du groupe social (attesté en 1946) ou l'effet sur le comportement d'une instance psychique en psychanalyse (cf. *tabou*).

INTERDICTION n. f., réfection (1462) de *interdition* (1410), est un emprunt au dérivé latin classique *interdictio* «action d'interdire», qui a désigné en latin médiéval l'interdit ecclésiastique, sens repris en français. ◇ Le nom a des emplois analogues à ceux du verbe, spécialement en droit civil (1690) et en droit pénal (1873, *interdiction de séjour*).

✳ **INTÉRÊT** n. m. est un emprunt (1290) avec substantivation au latin classique *interest* «il y a de la différence entre», «il importe», 3e personne de l'indicatif présent de *interesse* «être entre», «être parmi», «être présent», «assister à», puis «être distant» et au figuré «participer à, s'occuper de» (cf. ci-dessous *intéresser*). Ce verbe est formé de *inter-* (→ inter-) et de *esse* (→ être). En latin médiéval, l'infinitif substantivé *interesse* désigne un dédommagement pour la résiliation d'un contrat et l'intérêt d'une somme prêtée (v. 1200), l'usure étant à l'origine considérée comme un dédommagement du revenu qu'aurait pu obtenir le créancier.

♦ Le nom est introduit en français avec le sens de «préjudice, tort», lié à l'idée de «ce qui importe», sens sorti d'usage depuis le XVIIe s., mais d'où procède ***dommages et intérêts*** (1343, *dampmages et interes* «indemnité due à qqn pour la réparation d'un préjudice»), et le sens devenu archaïque, «indemnité» (1377). ◆ *Intérêt* désigne ensuite (1445) le fait d'être concerné par qqch., puis ce qui importe à qqn (1467). On passe ensuite à «fait de prendre part (à ce qui concerne qqn)» (1580, Montaigne), qui survit dans des locutions verbales (1640, ***prendre, porter intérêt***) et dans ***d'intérêt (marque d'intérêt).*** ◇ Par extension, *intérêt* se dit de l'attention portée à ce qui est jugé important (1675, Mme de Sévigné), puis de la qualité de ce qui retient l'attention (1740) et en particulier du sentiment proche de l'amour qu'une femme porte à un homme (1782), sens archaïque.
Par ailleurs, le mot désigne (1462), d'après le latin médiéval (ci-dessus), le profit retiré d'une somme prêtée; dans cet emploi, il est complémentaire de *capital* (somme principale). ◇ De cette idée de «revenu» vient l'emploi (1690) pour «argent qu'une personne a dans une affaire» d'où ***avoir des intérêts*** (dans une affaire, etc.). ◇ ***Avoir intérêt à***, attesté au XVIe s. (1534), s'emploie surtout au figuré, pour «devoir faire qqch. dans son propre intérêt».

▸ **INTÉRESSER** v. tr. a suivi une évolution sémantique analogue à celle d'*intérêt,* dont il est dérivé (1356, au p. p.) d'après le verbe latin *interesse.* ◇ Sorti d'usage au sens de «porter atteinte à (qqch.)», le verbe s'emploie à la fin du XVIe s. aux sens de «retenir l'attention (de qqn)» (1588, Montaigne), d'où *s'intéresser pour (qqn)* «lui être favorable ou défavorable» (1636, Corneille), et «s'engager envers qqn» (1595, Montaigne), valeurs archaïques. ◇ De là viennent les emplois pour «inspirer de l'intérêt, de la bienveillance» (1666, Molière) et «faire participer (qqn) au profit d'une affaire» (1675), d'où **INTÉRESSÉ** n. m. «associé» (1634). ◇ Parallèlement, **INTÉRESSÉ, ÉE** adj., d'abord attesté (1356) en droit au sens premier d'*intérêt* et d'*intéressé* (*parties intéressées* «lésées») et en chirurgie (1549), passe ensuite de l'idée d'être lésé à celle d'être concerné (1636), le mot désignant aussi une personne qui recherche avant tout son avantage personnel (av. 1648) ou ce qui est motivé par l'égoïsme (1665). ◇ Au sens moderne «être de quelque importance pour (qqn)», *intéresser* est attesté chez Montesquieu (1748). ◆ **INTÉRESSEMENT** n. m. apparaît isolément en moyen français (1464) au sens de «dédommagement»; il est repris dans un contexte littéraire au sens de «fait de prendre intérêt» (déb. XXe s.) puis en droit social au milieu du XXe s., désignant l'action d'intéresser (le personnel) aux bénéfices d'une entreprise. ◆ **INTÉRESSANT, ANTE** adj. s'applique (1718) à ce qui intéresse, retient l'attention et spécialement (1913) à ce qui présente un intérêt matériel; en concurrence avec des emplois négatifs usuels *(ce n'est pas intéressant),* le contraire préfixé **ININTÉRESSANT, ANTE** adj., proposé à propos d'une chose (1845, R. de Radonvilliers), est effectivement relevé chez Huysmans en 1880 puis en parlant d'une personne (1901, Gide).
DÉSINTÉRESSER v. tr. (1552, Rabelais; 1690, pron.) reflète les deux valeurs principales d'*intéresser,* psychologique et financière. Il correspond à «rendre étranger à une affaire en indemnisant», d'emploi spécialisé, et plus couramment à «détourner de l'intérêt (porté à qqch.), surtout au pronominal *se désintéresser de* (qqn, qqch.) [1690]. ◆ Le participe passé **DÉSINTÉRESSÉ, ÉE** adj. correspond d'abord à ce dernier sens; il signifie «indifférent», puis (1665) «qui n'agit pas par intérêt, notamment financier»; dans ce sens, il se dit aussi des actes, des comportements. ◆ **DÉSINTÉRESSEMENT** n. m., attesté au XVIIe s. (1649, Retz), désigne l'absence de mobiles d'intérêt personnel, notamment financiers, et plus rarement (XXe s.) le fait de se désintéresser de qqch. ◆ **DÉSINTÉRÊT** n. m. est dérivé (1830) de *se désintéresser* d'après *intérêt;* il ne s'emploie qu'au sens moral d'*intéresser,* spécialement en psychologie *(désintérêt affectif).* ◆ **ININTÉRÊT** n. m., de ① in- et *intérêt* (1903, Huysmans), «absence d'intérêt psychologique», est très littéraire; le mot a probablement été suscité par *inintéressant.*

INTERFACE n. f. est emprunté (1965) à l'anglais *interface* «surface placée entre deux portions de matière ou d'espace» (1882), d'où «lieu d'interaction entre deux systèmes, deux organisations, etc.» (1962) et «dispositif destiné à assurer la connection entre deux systèmes». Le mot est formé de *inter-* «entre» (→ inter-) et de *face* «surface, aspect», de même origine que le français *face**.

♦ Le nom reprend les sens abstraits de l'anglais en physique et dans le vocabulaire technique; il désigne spécialement la jonction entre deux éléments d'un système informatique et s'emploie aussi métaphoriquement.

▸ Le terme technique **INTERFAÇAGE** n. m. est dérivé en français (v. 1974).

INTERFÉRER v. est un emprunt (1819, Arago et Fresnel) à l'anglais *to interfere* (XVIe s.) «se frapper l'un l'autre, s'entrechoquer» d'où «s'entremêler, conjuguer ses effets», employé spécialement en physique (1801, Th. Young), et qui signifie aussi, depuis le XVIIe s., «entrer en collision ou en opposition» et «intervenir». Le verbe anglais est lui-même emprunté à l'ancien français *s'entreferir* «se frapper l'un l'autre, s'entrechoquer» (v. 1165), composé de *entre** et de *férir** «frapper».

♦ Le verbe est introduit comme intransitif en physique au sens de «produire des interférences» (voir ci-dessous); il s'emploie également au figuré (1823; repris en 1902) pour «intervenir, s'immiscer». En emploi transitif, il a eu le sens de «produire une interférence avec» (déb. XXe s.).

▶ **INTERFÉRENCE** n. f. est aussi un emprunt à l'anglais *interference* «intervention, immixtion» (1783) et terme de physique (1802, Th. Young). Le substantif anglais est dérivé de *to interfere* interprété comme un composé du latin *ferre,* et formé sur le modèle de mots comme *difference.* ◆ Le mot français est introduit en physique (1819, Fresnel) pour désigner le phénomène résultant de la superposition de deux mouvements vibratoires de même nature, ainsi nommé et décrit par Young. ◇ Il est employé au sens général d'«intervention contradictoire» (1823, repris au XXe s.) puis, par métaphore, pour «superposition» (attesté en 1910, Péguy). Par analogie, il est employé en météorologie (1928) et en médecine (XXe s.). ◆ De *interférence* provient en physique **INTERFÉRENTIEL, ELLE** adj. (1858). ◆ **INTERFÉROMÈTRE** n. m. (1901, Fabry; suffixe *-mètre*), «instrument mesurant la distance des franges d'interférence», est emprunté à l'anglais *interferometer* (1897, in *Oxford Supplement;* l'invention de Michelson date de 1882), d'où **INTERFÉROMÉTRIE** n. f. (attesté en 1938), pris à l'anglais *interferometry* (1911), et son dérivé **INTERFÉROMÉTRIQUE** adj. (1934). ◆ **INTERFÉRENT, ENTE** adj. (1836), formé sur *interférence,* adapte l'anglais *interfering* (1802, en physique), participe présent de *to interfere.* ◆ **INTERFÉRON** n. m., terme de biochimie, est emprunté à l'anglais *interferon,* terme créé en 1957 par Isaacs et Lindenmans, et dérivé de *to interfere* «intervenir dans». Le mot est attesté dans les dictionnaires français en 1963.

INTERFOLIER → FOLIO

INTÉRIEUR, EURE adj. et n. m., francisation (1535) de *interior* (1406, adj.), est un emprunt au latin classique *interior* «plus en dedans» et au figuré «plus personnel», «plus étroit», «qui n'est pas du domaine commun» et «à l'abri de». *Interior,* comparatif de *inter* (→ inter), a remplacé un adjectif supposé °*interus* «du dedans, intérieur». Le pluriel *interiora,* comme substantif, a désigné les parties intérieures (d'une maison) et les parties internes du corps, spécialement les intestins. Ce sens a été emprunté en français où le mot a signifié «entrailles» dans *enteriors (d'un oisel)»* (XIVe s., exemple isolé), et *interieures* (1542).

♦ L'adjectif est introduit dans le domaine religieux; il qualifie ce qui est au-dedans de l'âme (1406); il est substantivé dans ce sens au XVIe s. (1549); de même *l'homme intérieur* (1535), dans la Bible, est considéré sous son aspect spirituel. ◇ L'adjectif s'emploie ensuite concrètement, par opposition à *extérieur,* pour qualifier ce qui est au-dedans d'une maison (1530, *interior*), d'un objet, d'un pays, etc. (1535); ce sens est aussi substantivé (1580). ◇ Au XVIIe s., *intérieur* a signifié «qui vit dans l'intimité de qqn» (1636), puis s'applique à ce qui concerne la vie psychologique (mil. XVIIe s.); en ce sens, le substantif (1656, Corneille) est sorti d'usage avant l'adjectif. L'adjectif s'emploie aussi dans le domaine religieux dans *voix intérieure* (1690) «inspiration de Dieu», aujourd'hui avec un sens plus large (cf. *Les Voix intérieures,* de Hugo), et dans *voies intérieures* (1701) «dispositions pour arriver à la perfection religieuse». Vers la fin du XVIIe s., le sémantisme se développe seulement à partir de la notion d'espace (1691, *mer intérieure*). ◆ Une autre substantivation équivaut à «domicile privé, vie domestique» (1779), emploi dont procède *d'intérieur (vêtement d'intérieur).* Parallèlement le nom s'emploie en parlant d'un groupe, d'une condition interne (1784; *étudier qqch. de l'intérieur*). ◇ Au sens concret, le nom désigne l'espace compris entre les frontières d'un pays (1787), d'où *Ministre* (et *ministère*) *de l'Intérieur* (1812), et le pays, opposé à l'étranger (1835). ◇ Le mot s'emploie spécialement dans le domaine de l'art à propos de ce qui est représenté dans une maison, un appartement (1829, *tableau d'intérieur;* 1835, *un intérieur*) et au XXe s. comme terme de cinéma (1929) dans *en intérieur* «en studio», opposé à *extérieur.* ◇ *Intérieur,* nom masculin, désigne en sports un joueur placé à l'intérieur du terrain; il n'est attesté en ce sens qu'en 1927 mais doit être plus ancien, puisque l'abréviation **INTER** n. m. date de 1905.

▶ **INTÉRIEUREMENT** adv. s'emploie d'abord avec un sens abstrait (1501; v. 1468, *interiorement*), puis avec une valeur spatiale (1534, Rabelais). ◆ **INTÉRIORITÉ** n. f., dérivé de la forme ancienne *interior* (v. 1500), désigne comme le latin médiéval *interioritas* le caractère de ce qui est intérieur, au propre et au figuré; il est employé en psychologie à partir de 1801. ◆ **INTÉRIORISER** v. tr., terme de psychologie attesté en 1893 (M. Blondel), est formé d'après *extérioriser**. ◇ Il a fourni **INTÉRIORISATION** n. f. (1899).

INTÉRO-, élément tiré de *intérieur** et s'opposant à *extéro-**, sert à former des termes scientifiques, notamment en physiologie, tels que : **INTÉROCEPTIF, IVE** ou **INTEROCEPTIF, IVE** adj. (1945, Merleau-Ponty; de *[ré]ceptif*), d'après l'anglais *interoceptive* (1906), qui se dit de ce qui se rattache au milieu organique interne (opposé à *extéroceptif*). ◇ En dérive **INTÉROCEPTIVITÉ** n. f. (1945, Merleau-Ponty) «sensibilité assurée par les intérocepteurs».

INTÉROCEPTEUR n. m. (1950) et adj. (1954), composé de *[ré]cepteur,* probablement d'après l'anglais *interceptor* (1906), désigne un récepteur périphérique qui réagit à des stimuli provenant de l'intérieur du corps (opposé à *extérocepteur*). ◇ **INTÉROFECTIF, IVE** adj., didactique (1955; de *[ef]fectif**; cf. l'anglais *interofective*), signifie en physiologie et en psychologie «dont les effets sont intérieurs à l'organisme».

INTÉRIM n. m. est un emprunt (1412) au latin *interim,* adverbe formé sur *inter-* «entre» (→ inter-) et signifiant «pendant ce temps, dans l'intervalle».

♦ Le mot désigne d'abord en français un intervalle pendant lequel une fonction est vacante; de là (1690) ***par intérim*** «pendant l'absence du titulaire, provisoirement» et le sens administratif d'«intervalle entre deux événements». ◇ *Intérim* se dit ensuite, par métonymie (1835), de l'exercice d'une fonction pendant cet intervalle *(un intérim)* [cf. *remplacement*] et, au XXe s. en économie, d'une organisation de travail temporaire *(agence d'intérim)*.

▶ Le dérivé **INTÉRIMAIRE** adj. et n. (1796; 1867, n.) désigne la personne chargée d'une fonction par intérim et, spécialement (XXe s.), un salarié qui n'exerce que des travaux temporaires pour le compte d'une entreprise spécialisée.

INTERJECTION n. f. est emprunté (v. 1300) au latin *interjectio* «intercalation, insertion», «parenthèse», terme de grammaire et de rhétorique formé sur *interjectum,* supin de *interjicere* «placer, jeter entre, interposer». Le verbe est composé de *inter-* (→ inter-) et de *jacere, jactus* «jeter, lancer» (→ jeter).

♦ *Interjection,* terme de grammaire, désigne un mot invariable qui peut être employé isolément et être inséré dans le discours pour traduire, d'une manière vive, une émotion, une sensation, un appel, etc.; dans cet emploi (contrairement à *exclamation*), le mot désigne plutôt la forme grammaticale que le contenu expressif. ◇ Il est employé ensuite (1611) pour désigner l'action de faire intervenir, sens emprunté au bas latin et disparu, puis spécialement en droit, d'après *interjeter,* l'action d'interjeter (un appel) [1690, Furetière].

▶ **INTERJECTIF, IVE** adj., terme de linguistique, est dérivé (1765) d'*interjection* ou emprunté au bas latin *interjectivus* «intercalé». ◆ **INTERJECTIONNEL, ELLE** adj., «composé d'interjections» (1875), est d'abord relevé dans un emploi métaphorique chez Baudelaire (1857).

INTERJETER v. tr. est composé d'*inter-* et de *jeter**, pour rendre le latin *interjicere.* L'ancien français a eu la forme francisée *entrejeter* «intercaler» (v. 1200). ◇ *Interjeter* signifie en droit «introduire, faire intervenir (un appel)» (1461, *interjecter appellations;* 1465, *interjecter appel*), puis, dans la seconde moitié du XVe s., «lancer (un propos) avec vivacité». La forme *interjecter,* sous l'influence d'*interjection,* a été reprise au XIXe s. et signifiait «insérer (une parole) dans le discours d'un autre» (1841).

INTERLOCK n. m. est un emprunt technique (1951) à l'anglais *interlock,* adjectif (XXe s.), dérivé de *to interlock* «enclencher», «s'entrecroiser, s'entremêler», composé de *inter-* «entre» (correspondant au français *inter-**) et de *to lock* «fermer».

♦ Cet anglicisme désigne un métier à tricoter et, par métonymie, le tissu de coton indémaillable obtenu avec ce métier.

INTERLOCUTEUR → LOCUTEUR

INTERLOCUTION → INTERLOQUER

INTERLOPE n. m. et adj. représente un emprunt (1685, La Courbe) à l'anglais *interloper* (v. 1590), nom dérivé de *to interlope* «courir entre deux parties et recueillir l'avantage que l'une devrait prendre sur l'autre», d'où «s'introduire, trafiquer dans un domaine réservé à d'autres». Ce verbe est composé de *inter-* (de même origine que le français *inter-**) et de *lope,* qui serait une forme dialectale de *to leap* «courir, sauter», issue du vieil anglais (cf. le correspondant néerlandais *loopen* «courir»).

♦ Le mot s'emploie d'abord en français (1685, *vaisseau interlope*) pour qualifier et désigner comme en anglais un navire marchand qui trafique en fraude (dans des pays concédés à une compagnie de commerce) [1687, *faire le métier d'interlope*]. Il est sorti d'usage comme nom (1755, Mirabeau) pour désigner un commerce maritime frauduleux et une personne vivant de ce commerce. ◇ Il signifie par extension (1723) «dont l'activité n'est pas légale» *(commerce interlope).* ◆ Le mot est relevé ensuite (1772, n., Voltaire) au figuré, en parlant d'une personne, et comme adjectif, signifiant «d'apparence louche, suspecte» (*monde interlope,* 1841, Balzac). C'est cette valeur sociale qui l'a emporté, mais le mot a vieilli même dans cet emploi.

INTERLOQUER v. tr. est emprunté (mil. XVe s.) au latin classique *interloqui* «couper la parole (à qqn)», «interrompre pour parler» et, en bas latin juridique, «rendre une sentence interlocutoire»; le verbe est composé de *inter-* (→ inter-) et de *loqui* «parler, s'exprimer» qui a éliminé *fari* (→ fable) avant d'avoir été lui-même remplacé par *parabolare* (→ parler).

♦ Le verbe emprunte d'abord au latin son emploi juridique au sens d'«interrompre (une procédure) par un jugement dit interlocutoire» (XVe s., intr.; 1680, tr.); il était encore vivant au XIXe siècle. À partir du XVIe s., *interloquer* a signifié comme en latin «interrompre le discours de qqn» (1549, intr.), emploi disparu au XVIIe siècle. ◇ Du sens juridique vient *interloquer qqn* «porter contre lui une sentence interlocutoire» (1680). ◆ Par figure, *interloquer* prend vers la fin du XVIIIe siècle le sens de «embarrasser, rendre (qqn) interdit, décontenancé» : il est d'abord attesté au participe passé *interloqué* (1787), puis à l'actif (1798).

▶ Deux mots ont été empruntés à des dérivés du verbe latin *interloqui.* ◆ **INTERLOCUTOIRE** adj. (1283, adj. et n.) est tiré du latin *interlocutum,* supin du verbe; on trouve aussi *interloquitorius* en latin médiéval (v. 1298). L'adjectif qualifie une décision judiciaire qui, en préjugeant le fond de la demande, ordonne une mesure d'instruction (1380, *jugement interlocutoire*) ou de sursis, sans statuer définitivement sur les prétentions des parties. ◆ **INTERLOCUTION** n. f. est emprunté (1546) au dérivé latin classique *interlocutio* «action d'interrompre en parlant, interpellation» et en bas latin juridique «sentence interlocutoire». ◇ Il est d'abord employé au sens étymologique «interruption faite dans une conversation», aujourd'hui disparu. Le mot a vieilli dans son emploi juridique (1611) et reste rare au sens de «discours qu'échangent des interlocuteurs» (1685). ◇ Il a été repris récemment pour désigner une situation d'échange linguistique.

◈ voir INTERLOCUTEUR (art. LOCUTEUR).

INTERLUDE n. m. est un emprunt (1819) à l'anglais *interlude,* mot ancien (1303) désignant d'abord un intermède, une petite pièce comique entre des mystères ou des moralités, puis, spécialement, une petite pièce musicale d'intermède (titre d'une œuvre de Purcell, publiée en 1718). On relève en moyen anglais des formes comme *enterlude, entirlodie,* adaptations du latin médiéval *interludium,* attesté dans le domaine anglais et composé de *inter-* «entre» et du latin classique *ludus* «jeu». Selon une autre hypothèse (Bloch et Wartburg), *interlude* serait un emprunt à l'italien *interludio,* dérivé savant du latin tardif *interludere* «jouer entre deux représentations», composé de *inter-* et de *ludere* «jouer» (→ ludique). Le mot français, encore absent de Littré (1867), figure dans le dictionnaire de l'Académie en 1935. Il a pu être emprunté à l'anglais et à l'italien, à plusieurs reprises.

♦ *Interlude* désigne d'abord un petit intermède dans un programme dramatique, musical, puis (1873) un morceau d'orgue joué entre les versets d'un choral et une courte pièce exécutée entre deux autres plus importantes (1897-1900, V. d'Indy). ◇ Le mot s'emploie par figure (XXe s.) pour «épisode, laps de temps, généralement divertissant». Par extension du premier emploi, *interlude* s'applique au cinéma et à la télévision (mil. XXe s.); dans ce dernier médium, l'interlude, pause parfois poétique, a été éliminé par l'hystérie des publicités et des clips.

✳ ① **INTERMÈDE** n. m., réfection (1597) de *intermedie* (1554), est un emprunt à l'italien *intermedio,* d'abord adjectif signifiant «qui représente un état de transition» (1502), puis nom masculin (XVIe s.) désignant un divertissement donné entre les différentes parties d'un spectacle, notamment d'une pièce de théâtre. *Intermedio* est lui-même emprunté au latin classique *intermedius* «interposé, intercalé», composé de *inter-* (→ inter-) et de *medius* «qui se trouve au milieu», «intermédiaire», «moyen» (→ médium).

♦ Le mot est introduit en français avec le sens de l'italien; il s'emploie ensuite (1682, La Fontaine) en parlant de ce qui interrompt provisoirement une continuité. ◇ Au XVIIIe s., il désigne un petit opéra-bouffe servant de lever de rideau (1765), puis (1894) un interlude instrumental.

▸ **INTERMÉDIAIRE** adj. et n., attesté en 1678, est antérieur, car l'adverbe dérivé est employé dès 1605; c'est un dérivé savant du latin classique *intermedius.* ◆ D'abord adjectif, *intermédiaire* qualifie ce qui est entre deux termes et se trouve placé dans une situation moyenne; le sens du XVIIIe s., où l'adjectif s'appliquait à des gages échus pendant les vacances (1704), en est une spécialisation. ◇ Comme nom, le mot a désigné un état intermédiaire (1762, Rousseau); *un intermédiaire* s'emploie encore en parlant d'une personne qui, se trouvant entre deux autres, les met en rapport (1774, Beaumarchais); il a vieilli en parlant d'une chose (1787, Feraud). De ces emplois procèdent les locutions ***sans intermédiaire*** «directement» et ***par l'intermédiaire de*** (1800). ◇ L'adjectif s'emploie dans l'usage courant et dans des domaines spécialisés, en politique (1797, *pouvoir intermédiaire*), en botanique (1817), en géologie (1831, *terrain intermédiaire*), etc. ◇ *Intermédiaire,* nom masculin, désigne spécialement l'action de s'entremettre entre deux choses, deux personnes (1835) et en particulier, en économie, une personne qui intervient dans un circuit commercial (av. 1850). ◆ Le dérivé **INTERMÉDIARITÉ** n. f. (1838, Académie) est didactique et rare.

INTERMÉDIAT, ATE adj. et n. est dérivé savamment du latin *intermedius;* il a qualifié une personne (1519) et s'est employé au sens d'«intermédiaire» dans *temps intermédiat* (1542); en histoire, on parle de *congrégation intermédiate* (1694), et, pour le nom, de *lettres d'intermédiat* (1690).

② **INTERMÈDE** n. m., emprunt au latin *intermedius,* désigne en pharmacie (1702) une substance employée pour faciliter le mélange de deux ou plusieurs corps; le mot est sorti d'usage ou didactique dans l'emploi pour «intermédiaire».

INTERMEZZO n. m., introduit par Mallarmé (1868), est emprunté à l'italien *intermezzo* (déb. XVIe s.; 1720, en musique), variante de *intermedio* et formé à l'aide de *mezzo* «à demi», du latin *medius.* On relève chez d'Aubigné (fin XVIe s.) une adaptation sous les formes *intermeze, intermese.* ◆ D'abord employé à propos d'une œuvre littéraire valeur encore en usage (il a été utilisé par Giraudoux comme titre), le mot reprend le sens de l'italien et se dit pour «intermède» (1873), puis désigne en musique (1885) un intermède, une partie, le plus souvent intercalaire, d'une œuvre musicale.

INTERMITTENT, ENTE adj. est un emprunt (1559) au latin classique *intermittens,* participe présent de *intermittere* «laisser au milieu, dans l'intervalle», «laisser du temps en intervalle» d'où «interrompre, suspendre»; le verbe est composé de *inter-* (→ inter-) et de *mittere,* à l'origine «laisser aller», «laisser partir» puis «envoyer» (→ mettre).

♦ L'adjectif qualifie ce qui se présente par intervalles, d'abord dans un contexte médical (1559, *maladie intermittente;* 1680, en parlant d'une fonction physiologique). Il s'applique en particulier, et couramment, à une source (1757, *fontaine intermittente*), en parlant de notions abstraites (1860, Baudelaire) et, plus rarement, pour qualifier une personne dont l'activité, la présence, etc. est discontinue (fin XIXe s.). ◇ Les *intermittents du spectacle* désigne les personnes qui n'ont d'emploi dans ce domaine que de manière intermittente.

▸ Le dérivé **INTERMITTENCE** n. f., littéraire, signifie d'abord (1660, *intermitance*) «intervalle», spécialement en médecine (1721, *intermittence du pouls;* 1787, *intermittence de la fièvre*). Le mot s'emploie ensuite (1812) pour «discontinuité», en parlant d'une fontaine, d'où ***sans intermittence*** (1835), ***par intermittence,*** et au figuré (1812) en parlant d'un sentiment (les «*intermittences du cœur*», chez Proust). ◇ Le dérivé **INTERMITTEMMENT** adv. (1894, Goncourt) est rare.

INTERMISSION n. f., emprunté au dérivé latin *intermissio* «discontinuité, interruption», «suspension, relâche», est sorti d'usage au sens d'«interruption»

(1377). On a dit *sans intermission* «sans interruption» (1417). Il est rare pour «intervalle», en médecine (1680, *intermission de fièvre*).

INTERNE adj. et n. est attesté isolément (XIVe s.) comme substantif signifiant «ce qui est à l'intérieur» et repris comme adjectif au XVIe s. (v. 1560, Paré). Le mot est emprunté au latin classique *internus* «intérieur, interne» et au pluriel neutre *interna* «le dedans», «entrailles»; *internus* se rattache à *inter-* (→ inter-).

♦ L'adjectif s'applique à ce qui appartient au-dedans de qqch., d'abord en médecine à ce qui affecte l'intérieur du corps *(maladie interne)*. Par figure, il s'emploie dans un contexte abstrait (1580, Montaigne, *causes internes*). À partir de la fin du XVIe s., *interne* qualifie ce qui est situé en dedans ou est tourné vers l'intérieur (1597), d'où son emploi en géométrie (1704, *angles internes*). Avec la première valeur, l'adjectif s'est dit par figure de sentiments, d'affects (mil. XVIIIe s., *sentiment interne*). ◇ L'adjectif s'emploie par ailleurs dans *observation interne* «introspection» (1845) puis en philosophie (1907, *sens interne* «conscience»). ➛ À partir du XIXe s., *interne* (nom d'abord masculin) désigne un étudiant en médecine qui loge dans l'hôpital auquel il est attaché (1818) et un élève logé et nourri dans l'établissement qu'il fréquente (1829, n.; 1935, *élève interne*). À cet emploi, correspond le dérivé *internat* (ci-dessous). ◇ *Médecine interne* (v. 1973) désigne la discipline concernant les phénomènes pathologiques atteignant l'organisme dans son ensemble; le syntagme est un calque de l'anglais *internal medecine* «médecine» stricto sensu, opposé à «chirurgie» : de cet emploi dérive **INTERNISTE** n. (1973).

▸ **INTERNEL, ELLE** adj. (1403), employé pour «intérieur» psychologiquement, est un ancien terme de religion ou un archaïsme littéraire. ➛ **INTERNER** v. tr., attesté en 1704 au pronominal *s'interner*, au sens de «s'unir intimement (par exemple avec un ami)», encore relevé au milieu du XIXe s., a été employé au XIXe s. avec des sens aujourd'hui disparus : «aller habiter à l'intérieur du pays» (1838), «importer (des marchandises)» (1842). ➛ Il entre dans le vocabulaire juridique (1845) et signifie «imposer (à qqn) une résidence» (cf. *assigner*), sens disparu mais d'où vient l'emploi moderne «enfermer par mesure administrative», spécialement (déb. XXe s.) «enfermer dans un hôpital psychiatrique», qui remplace dans l'usage *enfermer*. Ces emplois semblent postérieurs à celui de *internement*. ➛ Du verbe dérivent **INTERNEMENT** n. m. (1838), qui suit les emplois du verbe, et **INTERNÉ, ÉE** adj. (1858) et n. (1867), employé en parlant d'un aliéné (déb. XXe s.).
INTERNAT n. m., dérivé de *interne*, désigne d'abord (1820) une école où vivent des internes, la situation d'un élève interne (1825, Balzac) et l'ensemble des internes (1867). ◇ Le mot s'emploie spécialement en parlant de la fonction d'interne des hôpitaux (1845) et du concours d'accès à cette fonction (av. 1890), par exemple dans *passer, être reçu à l'internat*.

INTERNET n. m. est un nom propre formé en anglais sur *international network* «réseau international», de *net* «filet; réseau» dans *network*.

♦ Le mot, employé en français sans déterminant *(se connecter sur Internet)* ou avec l'article défini *(l'Internet)*, et aussi en apposition *(le réseau Internet)*, s'écrit en général avec la majuscule. Il désigne un réseau mondial de réseaux télématiques utilisant le même protocole de communication. Le monopole effectif de ce réseau fait que son nom peut être assimilé à un nom commun (il correspond à un concept définissable) à référence unique. → cyber-, toile, web.

▸ Sur *Internet* est formé **INTERNAUTE** n. «personne qui utilise régulièrement Internet».

INTERNONCE → NONCE

INTÉRO- → INTÉRIEUR

INTERPELLER v. tr. est emprunté (1364-1373, Bersuire) au latin classique *interpellare* «interrompre (qqn) qui parle», «déranger (le cours d'une action), troubler», employé dans la langue juridique à partir de l'époque impériale. Le verbe latin est composé de *inter-* (→ inter-) et de la forme *-pellare*, usitée seulement en composition où elle a pris le sens spécial de «s'adresser à»; elle est dérivée de *pellere, pulsus* «pousser», qui se rattache à une racine indoeuropéenne °*pel-* «agiter» (→ pulsion).

♦ D'abord attesté isolément au sens d'«invoquer, réclamer» (1364-1373, *interpeller aide*), le verbe est employé par Rabelais avec le sens étymologique de «couper la parole à qqn» et aussi pour «intercéder» (1534), sens encore vivants au début du XVIIe siècle. ◇ On le trouve ensuite au sens de «sommer qqn (de répondre, de s'expliquer)», dans la construction *interpeller qqn de* et infinitif (1599) puis comme transitif (1694); de là l'emploi général pour «poser une question» (1780), en particulier en droit pénal. De là aussi l'usage spécial dans le domaine politique, né sous la Révolution (1790, Mme Roland), au sens de «demander à (un ministre, un gouvernement) de s'expliquer (sur ses actes, sa politique)». Cet emploi est devenu courant avec la IIIe République : on parle du *droit d'interpeller les ministres* avant 1918. ◇ Le verbe se dit aussi pour «mettre (une personne) en garde à vue» et s'emploie presque comme *arrêter*. ➛ Par analogie, *interpeller* se dit (1880, Hugo) pour «interroger, appeler» (le destin, la fatalité, etc.). Au XXe s. (1969), le verbe s'emploie avec un nom de chose pour sujet au sens de «constituer un appel pour (qqn), avoir un intérêt psychologique vif pour (qqn)», emploi à la mode dans les années 1970-1980, dans un vocabulaire pseudo-psychologique *(ça m'interpelle quelque part)*.

▸ Du verbe dérive **INTERPELLATIF** n. m. (mil. XXe s.), terme de linguistique (cf. *appellatif*).
Deux mots ont été empruntés à des dérivés du supin de *interpellare, interpellatum*. ➛ **INTERPELLATION** n. f. reprend d'abord (1352, *interpellacion*) au latin classique *interpellatio* le sens d'«action d'interrompre un discours», puis au bas latin le sens juridique (1599) de «sommation (faite à qqn) de faire ou dire qqch.». ◇ L'emploi en politique est attesté en 1789, et seulement en 1823 le sens général : «action d'adresser vivement la parole à qqn». ➛ **INTER-**

PELLATEUR, TRICE n. désigne d'abord (1549) celui qui interrompt, comme le latin classique *interpellator,* et son développement sémantique est parallèle. Il est attesté en politique en 1790 et dans un sens plus général en 1791, avant les autres mots de la série.

INTERPHONE n. m., qui apparaît avant 1952 (d'après P. Gilbert), est un composé de [télé]*phone* et d'*intér*[ieur], probablement d'après l'anglais *interphone* (attesté en 1942), pour désigner un appareil de communication téléphonique intérieur.

INTERPOLER v. tr. est un emprunt (1364-1373, Bersuire, au participe passé *interpollez*) au latin classique *interpolare,* terme technique (foulage du drap) signifiant proprement «refaire, donner une nouvelle forme» d'où par figure «falsifier, notamment en introduisant dans un texte»; le verbe peut représenter un composé de *inter-* «entre» (→ inter-) et de *polire* «rendre uni» (→ polir), ou bien un dénominatif de l'adjectif *interpolus* (var. *interpolis*) «refait, remis à neuf».

♦ D'abord employé en ancien et en moyen français au sens de «qui n'est pas continu», le verbe prend ensuite (1704) le sens moderne d'«insérer par erreur ou par fraude (un mot, une phrase) dans un texte». ◇ Il est employé en mathématiques (1819) sans idée d'erreur pour «intercaler des valeurs intermédiaires dans une série de valeurs connues».

▶ Deux mots ont été empruntés à des dérivés du latin *interpolatum,* supin de *interpolare.* ◆ **INTERPOLATION** n. f. (1364-1373, Bersuire, «interruption»), emprunt au latin impérial *interpolatio* «action de changer çà et là» et en bas latin «altération, erreur», est attesté au XVIe s. pour désigner l'action de remettre une chose en état. Le nom désigne ensuite l'action d'interpoler en parlant d'un texte (1702) et en mathématiques (1812). ◆ **INTERPOLATEUR, TRICE** n., didactique, est d'abord attesté isolément (1578) au sens de «personne qui cherche à fausser la vérité», comme le bas latin *interpolator,* puis (1702) dans son emploi moderne, «celui qui altère un texte».

INTERPOSER v. tr. représente un emprunt (1355, *interposé;* 1538 à l'actif), francisé d'après *poser*,* au latin classique *interponere* «intercaler, placer entre», «mettre entre» aux sens concret et abstrait; le verbe est composé de *inter-* (→ inter-) et de *ponere* «placer, poser» (→ pondre). Le participe passé *interpositus* a été emprunté sous la forme *interposite,* adjectif (1389) «intermédiaire», employée jusqu'au début du XVIIe siècle.

♦ Le verbe actif apparaît au XVIe s. dans un emploi figuré, avec le sens de «faire intervenir», littéraire (1538, *interposer un médiateur*), puis dans un emploi concret (1546) avec celui de «poser, placer (qqch.) entre deux autres». *S'interposer* (1690, aux sens physique et moral) est plus courant en emploi abstrait *(s'interposer dans une dispute).*

▶ **INTERPOSÉ, ÉE** adj. est introduit en français avant le verbe comme terme de droit (1355, *personne interposée*) qualifiant une personne qui, servant d'intermédiaire, apparaît dans un acte juridique en son propre nom, à la place de l'intéressé. ◇ Par analogie, l'adjectif signifie «qui sert d'intermédiaire», notamment dans la locution ***par personnes interposées*** (1558, B. Des Périers), laquelle a donné lieu, par extension, à des expressions où *personne* est remplacé par un nom de personne, de collectivité ou de chose exprimant l'idée d'intermédiaire; *par nations, journaux,* etc. *interposés* (1971).

INTERPOSITION n. f., emprunté au dérivé latin classique *interpositio* «introduction, insertion, intercalation», est introduit (1165) avec le sens étymologique, disparu, de «ce qui est posé entre deux choses pour les séparer». Il se dit ensuite (1390, *F. e. w.*) de la situation d'un corps interposé entre deux autres. Depuis la fin du XVIe s., il signifie par figure «intervention (en particulier d'une autorité supérieure)» (1587), emploi rare d'où vient l'usage juridique (1765, *interposition de personnes*).

✱ **INTERPRÈTE** n., attesté isolément au début du XIVe s. (1321, *interpreite*), apparaît sous la forme moderne à la fin du XIVe s. (*interpréter* et *interprétation* sont plus anciens). C'est un emprunt au latin classique *interpres, -etis* «intermédiaire, courtier, chargé d'affaires» puis «commentateur» et «traducteur», en particulier par oral. Le mot est probablement un ancien terme juridique composé de *inter-* (→ inter-) et d'un élément *-pres,* qui représente peut-être une forme nominale d'un verbe disparu, signifiant «acheter» ou «vendre» et qui serait apparenté à *pretium* (→ prix).

♦ Le nom a eu, isolément, le sens de «crieur public» : c'est l'idée d'«intermédiaire» qui est alors retenue. ◇ Dans les emplois postérieurs et jusqu'au XIXe s., c'est avec la valeur générale d'intermédiaire que le sémantisme se développe. *Interprète* désigne celui ou celle qui transmet et explique la volonté des dieux (fin XIVe s., n. f.; 1549, n. m. Ronsard), valeur didactique comme l'emploi au sens de «personne qui explique le sens d'un texte» (1466). ◇ Le mot reprend au XVIe s. un sens latin (1562), désignant qqn qui traduit un texte écrit d'une langue dans une autre; il a été supplanté par *traducteur* dans cette acception. À la fin du XVIe s. (1588, Montaigne), *interprète* se dit de ce qui fait connaître ce qui est caché, d'où, dans le langage précieux du XVIIe s., *les muets interprètes* «les yeux». ◆ C'est vers la fin du XVIe s., après l'apparition des valeurs modernes de *traduction* et de *traduire,* que le mot commence à s'employer (1596) pour désigner une personne qui traduit oralement; il remplace alors *trucheman* (→ truchement) et donne lieu au XXe s. à des syntagmes *(école d'interprètes, interprète de conférences),* le mot désignant alors une profession distincte de celle de *traducteur.* ◆ De la valeur générale d'intermédiaire vient ensuite (1636) l'emploi pour «personne qui a charge de faire connaître les sentiments, les intentions, etc. de qqn». Le mot est repris au XIXe s. pour désigner le comédien qui joue un rôle au théâtre en «traduisant» de manière personnelle les intentions d'un auteur (1847, Balzac); il s'emploie aussi en musique, au cinéma, etc.

▸ **INTERPRÉTARIAT** n. m. est dérivé (1890) d'*interprète,* au sens moderne, sur le modèle de *secrétariat;* critiqué par les puristes, le mot est devenu d'usage courant, concurrencé cependant par *interprétation.*

INTERPRÉTER v. tr. est un emprunt savant au latin classique *interpretari,* dérivé de *interpres,* qui signifie «expliquer, éclaircir», «traduire», «prendre dans tel ou tel sens», «comprendre la pensée de qqn». ◇ Le verbe, attesté au XIIe s., est le mot le plus ancien de la série. Comme *interprète* et *interprétation,* il a évolué à partir du sens général de «rendre clair, expliquer» (1155) avec diverses spécialisations : *interpréter un songe* (1458), *interpréter une loi* (1694). ◇ Il a eu le sens général de «traduire d'une langue dans une autre» que ce soit par écrit ou oralement (v. 1434), la valeur qui correspond au sens moderne d'*interprète* ne se spécialisant qu'au XXe s. (comme transitif et intransitif; cf. *interprétation*). ◇ La valeur plus abstraite, «proposer un sens à qqch.» (1538), est toujours vivante. ◇ Le verbe s'emploie d'après le sens correspondant d'*interprète* dans le domaine artistique (1844, Balzac). ◇ Terme d'informatique (av. 1970), il signifie d'après l'anglais «déduire les actions liées aux éléments d'un programme» d'où **INTERPRÉTEUR** n. m. (v. 1970); cet emploi vient de l'anglais *interpreter* (1954). ◇ Le moyen français a eu *interpreteur* «celui qui donne des interprétations» (XIVe s.), mais le mot a disparu à l'époque classique. ➜ Le verbe a fourni plusieurs dérivés : **INTERPRÉTABLE** adj. (v. 1380), «qui peut être interprété», a divers sens du verbe, mais surtout au sens psychologique, d'où **ININTERPRÉTABLE** adj. (1840). ➜ **INTERPRÉTATIF, IVE** adj. (v. 1380), terme didactique «qui constitue une interprétation», a pour dérivé **INTERPRÉTATIVEMENT** adv. (XVe s., isolément), rare. ➜ **INTERPRÉTANT, ANTE** adj. et n. a signifié «devin» (v. 1460) et a été repris en psychologie au XXe s., puis comme terme de sémiotique (v. 1970, n. m.) d'après l'anglais *interpretant* (Ch. S. Peirce, v. 1900; de *to interprete* «interpréter»). ➜ **INTERPRÉTATEUR, TRICE** adj. et n. est soit dérivé du verbe (1487), soit emprunté au dérivé bas latin *interpretator* «qui explique»; il est sorti d'usage.

Sur *interpréter* ont été formés des préfixés : **RÉINTERPRÉTER** v. tr. (1549), d'où **RÉINTERPRÉTATION** n. f. (attesté au XXe s.), correspond à plusieurs valeurs du verbe, alors que **MÉSINTERPRÉTER** v. tr. (attesté 1752), d'où **MÉSINTERPRÉTATION** n. f. (1751), concerne surtout l'acception psychologique : «donner un sens erroné à un comportement, une attitude».

INTERPRÉTATION n. f. est emprunté (1160-1174, Wace) au latin classique *interpretatio* «explication», «traduction», «action de démêler», dérivé du supin du verbe latin. ➜ Son évolution est analogue à celle du verbe : «action de donner une signification», d'abord à des songes, puis à des actes, des paroles, etc. (1440-1475), ensuite «action d'expliquer qqch. dont le sens est obscur» (1487). Le nom correspond aussi à *interprète* et à *interpréter* au théâtre (1853). ◇ Au sens de «traduction» (1326, selon *T. L. F.*), où il correspondait à *interprète* et à *interpréter,* il est sorti d'usage, au bénéfice de *traduction.* ◇ Il a été repris au sens moderne d'*interprète,* concurrençant et remplaçant *interprétariat,* pour «action de traduire oralement et immédiatement» et «métier d'interprète» (apr. 1945), par exemple dans *interprétation simultanée.* ◇ La valeur psychologique de *délire d'interprétation* (1909) est propre au substantif. En revanche, en informatique, il correspond à *interpréter.* ➜ Le composé **PHOTO-INTERPRÉTATION** n. f. (av. 1966; de *photo-*) désigne l'analyse des photographies aériennes.

INTERRÈGNE → RÈGNE

INTERROGER

INTERROGER v. tr., réfection (1399) de *interroguer* (1355), est un emprunt au latin classique *interrogare* qui a d'abord signifié «demander les avis (de plusieurs personnes)» puis, en parlant d'une seule personne, «interroger», et a pris en droit le sens de «questionner», «poursuivre en justice» et enfin «argumenter», en philosophie. Ce verbe est composé de *inter-* (→ inter-) et de *rogare* dont les premiers sens étaient «s'adresser à» et «poser une question à (qqn)» (→ rogatoire). *Rogare* est sans doute apparenté à *regere* (→ régir). *Interrogare* avait normalement abouti en ancien français, par évolution phonétique, à *enterver* «interroger qqn», «exprimer qqch.» (v. 1165); cette forme conserve le sens de «comprendre» en argot, de Villon jusqu'au XVIIIe siècle; par métathèse, elle est devenue (1725) ② *entraver*.*

♦ Le verbe conserve le sens latin de «questionner (qqn)», d'abord dans un contexte juridique puis avec une valeur générale. Le pronominal est employé chez Rabelais (1532, *se interroguer*) pour «se demander». ◇ Depuis le XVIIe s., *interroger* signifie «examiner attentivement (qqch.) pour y trouver réponse à une question» (1674, Racine), et *interroger qqn* se spécialise dans un contexte scolaire (1690). ◇ *S'interroger,* en emploi réfléchi «se poser des questions à soi-même», est attesté chez Diderot (av. 1784).

▸ Plusieurs mots ont été empruntés à des dérivés de *interrogare* ou de son supin *interrogatum.* ➜ **INTERROGATOIRE** n. m. est emprunté au latin médiéval *interrogatoria* «interrogatoire», neutre pluriel substantivé de l'adjectif du bas latin *interrogatorius* «d'interrogatoire» en droit, dérivé de *interrogator.* L'adjectif a signifié en droit «qui procède par interrogations» (1265). ◇ Le nom désigne les questions posées par le juge au cours d'un procès (1327); il est concurrencé dans ce sens, au XVIe s., par *interrogatif.* Il s'applique aussi au procès-verbal de ces questions (1680). ◇ Il s'emploie pour «question» (1547) puis «ensemble de questions posées à qqn», hors du contexte juridique (1842). ➜ **INTERROGATION** n. f. reprend les emplois du latin classique *interrogatio* en droit et dans l'usage général (1283), puis en grammaire, notamment pour désigner le signe graphique dit ***point d'interrogation*** (1550), et en rhétorique (1680). Il se dit d'une chose obscure qui demande une explication (1807, Mme de Staël). *Point d'interrogation* est également usité au figuré pour «question non résolue» (XIXe s.). ➜ **INTERROGANT, ANTE** adj. est emprunté au participe présent du verbe latin, *interrogans;* il a désigné qqn qui interroge (1370, Oresme) et qualifie ce qui exprime l'interrogation (1529, *point interrogant*), une personne qui a la manie d'interroger (1692). Tous les emplois ont vieilli.

INTERROGATIF, IVE adj. et n., emprunté au bas latin *interrogativus* «qui exprime l'interrogation», spécialement en grammaire, en reprend le sens (1499). *Point interrogatif* (1550) a concurrencé *point d'interrogation* jusqu'au XIXe siècle. Le mot substantivé a signifié aussi *interrogatoire* (1507). L'adjectif s'applique encore à ce qui exprime l'interrogation (1529). ➜ **INTERROGATEUR, TRICE** n. et adj. est sorti d'usage (1530) au sens général du bas latin *interrogator* «celui qui interroge», conservé en droit (1549). Il est employé spécialement dans un contexte scolaire (1725), où il a été remplacé par *examinateur*. L'adjectif s'applique à ce qui exprime une interrogation (1867).

INTERROGAT n. m., emprunté au bas latin *interrogatum*, neutre substantivé du participe passé de *interrogare*, est un ancien terme de droit (1543) pour *interrogation*; il a eu à l'époque classique le sens général de «question» (1611).

INTERROMPRE v. tr. (1515-1520), d'abord *interrumpre* (1501), est la réfection d'après le latin des formes *entrerumpre* (déb. XIIe s.), *antrerompre* (v. 1160), *entrerompre* (v. 1195, encore usité au début du XVIIe s.), faites d'après *entre* et *rompre*. Le verbe moderne est emprunté au latin classique *interrumpere* «mettre en morceaux, briser, détruire», puis «interrompre (un discours)», composé de *inter-* (→ inter-) et de *rumpere, ruptus* «briser, casser» au propre et au figuré (→ rompre).

♦ Le verbe apparaît en français avec le sens propre du latin, «rompre, fendre», usité jusqu'au XVIIe siècle; il s'emploie ensuite (v. 1195) avec le sens figuré de «rompre la continuation de (qqch.)». De là vient son emploi dans *interrompre la parole a* (qqn) (1456-1467) «couper la parole à (qqn)», disparu à l'époque classique, puis *interrompre qqn* (1559), toujours vivant, de même que les emplois à valeur temporelle pour «empêcher la continuation de (qqch.)» (1501). La formule de politesse *sans vous interrompre*, prononcée quand on interrompt qqn, est attestée en 1671; elle est sortie d'usage. *S'interrompre* «s'arrêter de faire qqch., de parler» (1675) est toujours en usage. ◇ *Interrompre* s'emploie aussi en parlant de l'espace (1694, *interrompre un chemin*). On passe ensuite de l'idée de «suspendre l'activité de (qqn)» à celle de «déranger» : *interrompre qqn dans son travail* (1789).

▸ **ININTERROMPU, UE** adj. est formé sur le participe passé du verbe (1754). ➜ Plusieurs dérivés du latin *interruptum*, supin de *interrumpere*, ont été empruntés. ◇ **INTERRUPTION** n. f. reprend le bas latin *interruptio* «discontinuation», en droit «interruption de l'usucapion» et «réticence» en rhétorique. Le mot, d'abord juridique (1281, *-rupcion;* XIIIe s., *entreruption*, isolément), désigne un fait qui trouble dans la jouissance d'un droit. Il est attesté en rhétorique (1538); on relève à partir de Montaigne le sens général d'«action d'interrompre qqch., état de ce qui est interrompu» (fin XVIe s.). Puis *interruption* est utilisé à propos d'une personne qui parle (1671), d'où *sans interruption* (1671) d'abord en parlant d'un discours. ◇ Le préfixé **ININTERRUPTION** n. f. (1845; → ① in-) est littéraire. ➜ **INTERRUPTEUR, TRICE** n. reprend d'abord (1572) au bas latin *interruptor* le sens de «celui qui interrompt le cours de qqch.»; au XVIIe s. apparaît l'emploi (1688) pour «personne qui interrompt celui ou celle qui parle». ◇ Ces valeurs générales sont devenues très rares depuis que le mot désigne couramment un dispositif permettant de couper ou de rétablir le passage du courant électrique dans un circuit (*interrupteur électrique*, 1857; puis *interrupteur* seul). ➜ **INTERRUPTIF, IVE** adj. (1875), emprunté au latin médiéval *interruptivus* «qui interrompt» (1292), est un terme de droit ou didactique.

INTERSECTION n. f. est emprunté (v. 1390) au latin *intersectio*, terme d'architecture signifiant «coupure des denticules», composé de *inter-* (→ inter-) et de *sectio* «action de couper», «division (en géométrie)» (→ section), dérivé de *secare, sectus* «couper, découper», «couper en deux» et au figuré «trancher une question, décider» (→ scier). On relève en moyen français la forme *intersecation* (1362-1363), dérivée du verbe *intersequer* (1377, *sei intersequer* «se croiser»), lui-même emprunté au composé latin *intersecare* «couper par le milieu, séparer, diviser».

♦ Introduit avec le sens d'«interruption» qui ne semble pas avoir vécu, le mot est repris au XVIIe s. comme terme de géométrie pour désigner (1640, Oudin) le lieu de rencontre de deux lignes, deux surfaces ou deux volumes qui se coupent; d'où l'emploi spécial en anatomie (1818, *intersection tendineuse*), puis en logique et au XXe s. en mathématique ensembliste (*intersection de deux ensembles*). ◇ Par analogie, *intersection* s'emploie couramment (1893) comme équivalent de «croisement, carrefour».

▸ **INTERSECTER** v. tr., dérivé du radical d'*intersection*, apparaît chez Chateaubriand (1831, pron.) avec le sens de «couper en formant une intersection»; le verbe est rare, sauf en mathématiques. L'adjectif didactique **INTERSECTÉ, ÉE** (v. 1900) est dérivé du participe passé du verbe ou formé savamment d'après le latin *intersectus*. ◇ **INTERSECTIONNER (S')** v. pron., rare, s'emploie au figuré (1838, «se croiser») et au propre (1924, Gide).

INTERSÉCANT, ANTE adj., terme d'architecture attesté en 1875 (Ch. Blanc), est une formation savante d'après le participe présent *intersecans* du verbe latin. On relevait déjà en moyen français (1562) *interséquant* «d'intersection», participe présent de *se intersequer*.

INTERSIGNE → SIGNE

INTERSTICE n. m. est emprunté (1528), d'abord écrit *intertisse* (1495), au bas latin *interstitium* «interstice, intervalle», formé sur le thème de parfait *interstit* du latin classique *interstare* «se trouver entre»; ce verbe est composé de *inter-* (→ inter-) et de *stare, status* «se tenir debout» (→ ester; station).

♦ *Interstice* se dit comme en latin d'un intervalle de temps (1495, *intertisse de temps*) et s'emploie dans le domaine spatial (1528, «région de l'air»); ces emplois ont disparu. ◇ Le mot s'est ensuite spécialisé pour désigner un petit espace vide entre deux corps, en anatomie (1575, Paré, «espace intervertébral») puis avec une valeur générale (1793, Lavoisier). ◇ *Interstice* a été repris avec la valeur temporelle ancienne comme terme de droit (1693), puis avec une valeur générale, ceci jusqu'à la fin du XIXe siècle.

► Le dérivé **INTERSTITIEL, ELLE** adj., didactique, n'a conservé que la valeur spatiale, en anatomie (1832), en médecine (1922), en physique et en zoologie; l'adjectif est très rare pour qualifier un «interstice» temporel (1898, A. Daudet).

INTERSYNDICAL → SYNDIC

INTERTRIGO n. m. est un emprunt (1798) au latin *intertrigo* «écorchure, excoriation», composé de *inter-* (→ inter-) et d'un dérivé de *tritus*, participe passé de *terere* «frotter, user en frottant» d'où «user», «battre le grain». Ce verbe se rattache à une racine indoeuropéenne de valeur technique °*tre-* «user en frottant» comme le grec *tribein* «frotter, user» (→ triturer).

♦ Ce terme de médecine désigne une inflammation de la peau au niveau des surfaces en contact.

INTERVALLE n. m., qui apparaît d'abord au féminin (2e quart du XIIIe s., *intervale*), puis au masculin (1306), est emprunté au latin classique *intervallum*, «espace entre deux pieux d'une palissade», mot technique militaire dont le sens s'est étendu à «distance qui sépare deux points dans l'espace ou dans le temps». Le mot latin, également attesté comme terme de musique dès l'époque classique, est composé de *inter-* «entre» et de *vallum, valli* «palissade» et «rempart», terme collectif peut-être tiré de *valla, -orum*, ancien pluriel de *vallus* «pieu», qui désignait la palissade élevée sur la levée de terre entourant le camp romain. ◇ Le latin avait par ailleurs donné en ancien français *entreval*, nom masculin (XIIe s.), avec une valeur spatiale et temporelle, également en moyen français, ainsi que *entrevalle* (fin XVe s., encore relevé en 1611). On trouve *intervalle* au féminin jusqu'à la fin du XVIe s. et isolément au XVIIIe s. (Rousseau).

♦ *Intervalle* est d'abord employé avec une valeur temporelle, désignant un espace de temps qui sépare deux moments, deux époques, deux périodes. Le mot s'emploie ensuite (v. 1355) avec une valeur spatiale pour désigner la distance qui sépare un objet d'un autre. ◇ Par figure, il se dit (1440-1475) d'un incident désagréable entre deux personnes, mais ce sens a disparu. ◇ Le mot entre dans la locution adverbiale ***par intervalle(s)*** [1538] utilisée avec les deux valeurs et signifiant «de temps à autre» et «de place en place»; *sans intervalle* «sans relâche» (1611) est sorti d'usage. ◇ Avec sa valeur temporelle, le nom s'emploie spécialement, comme le latin *intervallum*, en musique (1629, Descartes), peut-être d'après l'italien *intervallo* (1546). Il désigne aussi (1680) un moment d'arrêt, par exemple entre les parties d'un spectacle. ◇ Par métaphore de la valeur spatiale, *intervalle* s'est dit de l'inégalité de condition sociale (fin XVIIe s., La Bruyère), sens disparu après la période classique, puis équivaut à «différence» (1831, Stendhal). ◇ En mathématiques (XXe s.), *intervalle* désigne l'ensemble des nombres compris entre deux nombres donnés.

► Le dérivé didactique **INTERVALLAIRE** adj. qualifie ce qui est placé dans les intervalles (1560, isolément en architecture), spécialement en botanique (1817). Il est sorti d'usage pour «intermittent» (v. 1570), repris au XIXe s. (A. Dumas) et rare.

INTERVENIR v. intr. est emprunté (1363 selon *F. e. w.*) au latin *intervenire* «survenir pendant», «se trouver entre», «interrompre» et «se mêler à», composé de *inter-* «entre» et de *venire* (→ venir). ◇ L'ancien français a eu les formes adaptées *entrevenir* «survenir, se produire (en parlant d'événements)» (v. 1190) et *entervenir* (1282) «prendre part à qqch., intervenir», celle-ci encore employée au XVIIe siècle; elle est probablement distincte de *s'entrevenir* «marcher l'un contre l'autre, se rencontrer» (v. 1155), qui représente vraisemblablement un composé de *venir* et disparaît beaucoup plus tôt, après des interférences de significations. (mil. XVIe s., M. Scève, *s'entrevenir contre*).

♦ Le verbe signifie «se produire, arriver» et n'est attesté au XVe s. qu'en droit (1475). ◇ Il s'emploie ensuite (1551) en parlant d'une personne avec le sens général de «prendre part à une affaire, à une action en cours, dans l'intention d'agir sur son déroulement», le plus souvent avec l'idée d'aide (par ex., *intervenir dans un débat*); il est usité spécialement au XIXe s. dans le domaine politique et signifie «entrer en action dans un conflit, une guerre» (1845, *faire intervenir la force armée*). ◇ Dans le dernier tiers du XIXe s., il prend le sens plus large de «jouer un rôle parmi d'autres éléments» (1876, Renan). Par analogie *intervenir entre* se dit (1885, Zola) pour «avoir lieu, se produire»: cet emploi, aujourd'hui rare, a été critiqué. ◇ *Intervenir* s'emploie spécialement en médecine (1902) pour «agir énergiquement dans le but d'enrayer l'évolution d'un mal» et, en particulier, «pratiquer une intervention chirurgicale» (v. 1915).

► Le dérivé **INTERVENANT, ANTE** adj. et n., participe présent du verbe, signifie d'abord «personne qui intervient» (1606), en particulier dans un procès (1666, n. m., Furetière; 1680, adj.). ◇ Le nom est devenu relativement courant (1879) pour désigner une personne qui prend la parole au cours d'un débat, d'une discussion.

INTERVENTION n. f., emprunté (v. 1322) au bas latin juridique *interventio* «garantie, caution» (dérivé du supin du verbe), est d'abord attesté au sens général: «action d'intervenir»; il s'est employé, en parlant de choses (1552), au sens de «fait de survenir», «événement», sorti d'usage. L'emploi juridique est attesté en 1690 (Furetière). ◇ Au début du XIXe s., apparaît l'emploi spécial en politique pour désigner l'acte d'un État qui agit militairement hors des frontières, puis différents emplois dans les domaines économique, international, social. ◇ Le mot se dit plus généralement (1860, C. Bernard) pour «action, rôle (de qqch.)»; il s'emploie depuis la seconde moitié du XIXe s. dans le domaine médical et en particulier en chirurgie (1877). ⟡ De l'emploi du nom en économie et en politique dérivent : **INTERVENTIONNISTE** adj. et n. (1837), «favorable à une intervention» et par extension (1922) dans quelque domaine que ce soit, et **INTERVENTIONNISME** n. m. «intervention de l'État» (1897), rare au sens étendu (1927). ◇ Le composé **NON-INTERVENTION** n. f. (1830) est un terme de politique internationale, comme son dérivé **NON-INTERVENTIONNISTE** adj. et n. (1838).

INTERVERTIR v. tr. est emprunté (1507) au latin *intervertere* «donner une autre direction», «détourner de sa destination», «dépouiller qqn de qqch.», composé de *inter-* (→ inter-) et de *vertere, versus* «tourner, faire tourner», «renverser» et au figuré «changer, transformer» (→ version; inverse, invertir).

♦ Le verbe s'emploie au propre pour «déplacer (les éléments d'une série) en renversant l'ordre primitif», et au figuré (1611) pour «détourner de l'argent» et «tromper», sens sortis d'usage. Au sens initial, il s'utilise dans *intervertir les rôles* (1866, Amiel).

▸ **INTERVERTI, IE** adj. s'emploie en chimie (1867, *sucre interverti*) et s'est dit (1885) pour «inverti* sexuel». ⟡ **INTERVERTISSEMENT** n. m. (1re moitié XVIIIe s., Saint-Simon), «action d'intervertir», n'a pas vécu.
INTERVERSION n. f. est emprunté (av. 1570; 1507, d'après Bloch et Wartburg) au bas latin *interversio* «action de prendre à contre-sens», «falsification», dérivé de *interversum*, supin du verbe. ◇ Le mot français s'emploie comme le verbe, au propre et au figuré. En chimie (déb. XXe s.), il est synonyme d'*inversion**.

INTERVIEW n. f. est un emprunt (attesté 1884, mais antérieur; cf. le dérivé) à l'anglais *interview* (1514), lui-même emprunté au moyen français *entreveue* (→ entrevue) dont il reprend d'abord le sens général, avant de passer dans la langue du journalisme aux États-Unis (1869).

♦ C'est dans le vocabulaire de la presse que *interview* s'est introduit en français pour désigner l'entretien au cours duquel un journaliste interroge une personne (sur sa vie, ses projets, etc.), dans l'intention de publier un article. Largement répandu dans l'usage courant, le mot est féminin, mais parfois employé au masculin (attesté 1891), le genre neutre anglais étant généralement traduit en français par le masculin. ◇ Par métonymie, il désigne la publication de cet entretien (1906) et, par extension, le genre journalistique constituant les interviews. En sciences, le mot, pour «interrogatoire», est très critiqué et fortement concurrencé par *entretien*.

▸ Ce nom a produit en français le dérivé **INTERVIEWER** v. tr. (1883), d'après l'anglais *to interview* (1869, comme terme de journalisme), «soumettre (qqn) à une interview»; son dérivé **INTERVIEWAGE** n. m., relevé chez Goncourt (1887), est un synonyme rare et vieilli d'*interview*. ⟡ **INTERVIEWÉ, ÉE** adj. et n. est attesté en 1890. ⟡ **INTERVIEWEUR, EUSE** n. (mil. XXe s.) est une francisation de **INTERVIEWER** n. m., lui-même emprunté (1881) à l'anglais *interviewer* (1869); on ne relève pas d'emploi du mot au féminin en français.

INTESTAT adj. m. et f. est un emprunt (1310) au latin *intestatus* «non attesté» et, en droit, «qui n'a pas fait de testament», composé de *in-* (→ ① in-) et de *testatus*, participe passé de *testari* «témoigner» et «prendre à témoin», «faire un testament»; ce verbe dérive de *testis* «témoin» (→ testament, tester).

♦ Le sens de l'adjectif est douteux dans sa première attestation; réattesté en 1388, il conserve le sens de l'étymon et s'emploie dans la locution adverbiale ***ab intestat*** (1409, *héritier ab intestat*), du latin juridique *ab intestato*.

① **INTESTIN, INE** adj. est un emprunt (1351-1356, Bersuire) au latin *intestinus* «intérieur», employé au figuré dans *bellum intestinum* «guerre civile» et dérivé de l'adverbe *intus* «de l'intérieur» puis «au-dedans, intérieurement», lui-même formé à partir de *in-* «dans, en» (→ ② in-).

♦ L'adjectif français apparaît dans un emploi figuré, aujourd'hui littéraire, qualifiant les conflits, les luttes qui ont lieu à l'intérieur du corps social. Il est sorti d'usage en parlant de ce qui se passe à l'intérieur d'un lieu (1532, Rabelais), du corps humain (1549, *fièvre intestine*), de l'âme (fin XVIe s.), d'une chose quelconque (1690). D'une manière générale, il a vieilli à cause de ② intestin, sauf dans *guerre intestine*.

▸ Par ailleurs, le latin *intestinum* «entrailles», neutre substantivé de *intestinus* (par la même figure que *interiora* et *interna* — → intérieur, interne —, cf. aussi *entrailles*) a été emprunté sous la forme ② **INTESTIN** n. m., au pluriel (XIVe s.) puis au singulier (1538). Le pluriel latin *intestina* a été repris en moyen français sous la forme *intestine*, nom féminin (XVIe s.). ◇ D'abord employé comme équivalent de *boyau* (terme réservé habituellement aux animaux), *l'intestin* ou *les intestins* désigne la partie du tube digestif qui va de l'estomac à l'anus; en anatomie, il est qualifié pour nommer les différentes parties de cet organe : *intestin grêle* (v. 1560, au pluriel; 1690, au singulier), *gros intestin* (1636) [cf. aussi *côlon*]. *Intestin* s'emploie aussi par métaphore (*l'intestin de Paris*, 1862, Hugo).
Du nom dérive **INTESTINAL, ALE, AUX** adj. (1370) «de l'intestin», mot médical et courant (*grippe intestinale*, etc.).

INTIME adj. est emprunté (1376-1377) au latin *intimus* «ce qui est le plus en dedans, au fond», superlatif de *interior* (→ intérieur).

♦ L'adjectif est d'abord employé pour qualifier une personne très unie, étroitement liée avec une autre; il s'applique ensuite (déb. XVIe s.) à la vie intérieure, généralement secrète, d'une personne. Du premier sens vient ensuite l'emploi comme nom pour «ami très cher» (1616, D'Aubigné) et du second la qualification de ce qu'il y a de plus profond, en particulier par rapport à Dieu, cet emploi étant lui aussi substantivé (1651, Pascal). Par extension de l'idée d'«union avec autrui», *intime* s'applique à ce qui relie étroitement les choses (1765). ◇ On relève, à partir de la fin du XVIIIe s. (1780), une application aux écrits autobiographiques, qui ne sont généralement pas destinés à la publication (1816, *Journaux intimes*). ◇ Au début du XIXe s., l'adjectif, s'appliquant au domaine des relations amicales, signifie (1806) «qui réunit des intimes, se passe entre intimes»; puis l'adjectif qualifie un lieu, une atmosphère qui crée ou évoque l'intimité (1849). ◇ L'idée de «domaine privé, secret» de l'individu est reprise à cette même époque romantique pour qualifier ce qui est strictement personnel et généralement tenu caché aux autres, en particulier ce qui se manifeste par un contact charnel (1821, Hugo, *union intime des corps*) et aussi la proximité sentimentale (1833, Balzac).

► Le dérivé **INTIMEMENT** adv. (attesté en 1406) suit l'évolution de l'adjectif. ◆ **INTIMITÉ** n. f., attesté chez Mme de Sévigné (1684), a suivi la même évolution sémantique. Le mot désigne d'abord ce qui est intérieur et secret puis (1735) le caractère étroit d'un lien et, spécialement (1740), une liaison, des relations étroites entre des personnes. S'appliquant à la vie privée, on relève (1810) la locution ***dans l'intimité*** et le sens métonymique de «confort d'un endroit où l'on se sent isolé du monde extérieur» (1848, Michelet). ◆ **INTIMISTE** n. et adj. s'applique notamment au domaine de l'art, qualifiant une peinture qui évoque des scènes d'intérieur (1881, Huysmans), un peintre qui privilégie ce thème (1905, n. m.), et est aussi appliqué à la littérature. ◇ Le dérivé **INTIMISME** n. m. (1905), rare au sens de «goût pour la vie intérieure», désigne en peinture et en littérature une école ou une manière intimiste.

◈ voir INTIMER.

INTIMER v. tr. est emprunté (1325) au bas latin *intimare* «faire pénétrer dans», spécialement «faire pénétrer dans les esprits», d'où en droit «faire connaître, annoncer, publier»; le verbe dérive du latin classique *intimus* «ce qui est le plus en dedans, le plus intérieur» au propre et au figuré (→ intime).

♦ Introduit avec un sens général : «avertir (qqn) de qqch., faire savoir», qui ne s'est pas maintenu, le verbe s'emploie depuis la même époque (1332) avec le sens de «signifier, déclarer (qqch. à qqn) avec autorité» et en droit «signifier légalement» (cf. *notifier*).

► Le dérivé **INTIMÉ, ÉE** adj. et n., terme de droit, apparaît comme adjectif (1412) dans *partie intimée* «assignée en justice» puis comme substantif (1460-1466) pour désigner le défendeur en appel, emploi typique de la langue classique (cf. *l'Intimé*, personnage des *Plaideurs* de Racine).

INTIMATION n. f. est un emprunt (1322) au dérivé bas latin *intimatio* «démonstration», «exposition», «accusation» et, en latin médiéval, «notification judiciaire». ◇ Ce terme juridique ancien s'est employé aussi pour «mise en demeure» (1768, Rousseau).

INTIMIDER → TIMIDE

INTITULER v. tr. est emprunté (v. 1393) au bas latin *intitulare* «appeler, intituler», composé de *in-* (→ ② in-) et de *titulare* «donner le titre de», dérivé de *titulus* «écriteau, affiche» puis «inscription», «épitaphe», «titre d'un ouvrage» et, par figure, «titre donné à qqn» d'où «renom, gloire». Forme à redoublement, *titulus* repose peut-être sur une racine indoeuropéenne °*tele-* «plan» (→ titre).

♦ Le verbe apparaît avec le sens qu'il avait en latin, «donner un titre à (un livre)»; *s'intituler* signifie (v. 1500) «se donner le titre, le nom de», fréquemment employé par ironie avec l'idée d'usurpation. ◇ Depuis le XVIIe s., *intituler* s'emploie en droit pour «mettre une formule en tête de (un acte, une loi)» (1662, La Fontaine). ◇ Par extension du premier sens, le verbe signifie (1853, Labiche) «désigner par un nom», s'appliquant surtout, selon l'étymologie, au titre donné à qqch.

► **INTITULÉ** n. m., attesté une première fois (1578, *intitul*) au sens de «titre (d'un livre)», repris en ce sens en 1787, désigne en droit (1694) une formule en tête d'une loi, d'un acte.

INTONATION n. f. est un dérivé savant (1372) du latin médiéval *intonare* «entonner», lui-même adapté d'après l'ancien français *entonner**, verbe emprunté au latin classique *intonare* «tonner», «résonner», «faire entendre avec fracas», «faire gronder», dérivé de *tonare* (→ tonner).

♦ Le mot apparaît comme terme de musique avec le sens de «mise dans le ton (d'un chant)»; il signifie ensuite (1552, Rabelais), toujours en musique, «action ou manière d'émettre avec la voix un son musical». ◇ *Intonation* désigne à partir du XVIIIe s. (v. 1770) le ton que prend la voix, l'ensemble des caractères phonétiques de hauteur d'un énoncé (cf. *accent, inflexion*); de là vient l'emploi en linguistique, où *langues à intonations* est remplacé par *langue à tons**.

► Du nom dérivent les termes didactiques (phonétique) **INTONATIF, IVE** adj. (XXe s.) «relatif à l'intonation» et **INTONÉ, ÉE** adj. (XXe s.).

INTOXIQUER v. tr., d'abord sous les formes *entosiquier* (1450), *intosiquer* (1484), *intocciquer* (1521, *-cc-* équivaut à *-x-*), est un emprunt au latin médiéval *intoxicare* «empoisonner»; le verbe est composé de *in-* (→ ② in-) et du latin classique *toxicum* «poison», lui-même emprunté au grec *toxikon (pharmakon)* «(poison) pour flèches» (→ toxique), dérivé de *toxon* «flèche, arc». ◇ En ancien français, le latin avait abouti aux formes *entuschier* «empoisonner» (v. 1155, Wace), *entoschier, entoukier* (XIIe s.).

♦ En moyen français, le verbe, conservant le sens du latin, correspond à «empoisonner» et, au figuré (1521), «empoisonner moralement». Le verbe, semble-t-il, a disparu aux XVIIe et XVIIIe siècles; il est repris au début du XIXe s. (1823, dans le dictionnaire de Boiste) au sens physiologique, précisé par rapport à *empoisonner* et en rapport avec *toxique**. ◇ Le sens moral, figuré, réapparaît aussi, d'abord dans *s'intoxiquer* (1883), puis transitivement (1903); cette valeur s'est spécialisée en «influencer par la propagande» (v. 1959, pron.).

▸ Le dérivé **INTOXICANT, ANTE** adj. (1845) est un terme de médecine.

INTOXICATION n. f., emprunté au dérivé latin médiéval *intoxicatio*, a d'abord désigné un poison (1408); le sens moderne en médecine apparaît, comme le verbe, au XIXe s. (1837, *état d'intoxication*); l'emploi figuré, attesté en 1883 *(intoxication littéraire)*, ne s'est répandu que vers 1960, abrégé familièrement en **INTOX** ou **INTOXE** (1966) n. f. ◇ Le composé **AUTO-INTOXICATION** n. f. (1887), terme de biologie, s'emploie aussi au figuré.

Sur le verbe a été formé **DÉSINTOXIQUER** v. tr. (1862; → dé-), terme didactique et courant, spécialisé à propos du traitement des alcooliques, fumeurs et en général de ceux qui absorbent des produits toxiques (drogues, etc.). ◇ De cette valeur du verbe procède **DÉSINTOXICATION** n. f. (1862), utilisé au propre et au figuré, et abrégé familièrement en **DÉSINTOX(E)** (v. 1972), moins courant que *intoxe*. **DÉTOXIQUER** v. tr., parallèle et contraire à *intoxiquer*, est attesté en 1907.

INTRA- est un élément préfixal emprunté au latin classique *intra* «à l'intérieur de», «sans dépasser, dans les limites», qui se rattache à *inter* «à l'intérieur de deux», «entre*» (→ inter-).

♦ *Intra-* sert à former, depuis le début du XIXe s., des termes didactiques et scientifiques, le plus souvent des adjectifs formés sur des adjectifs. Les composés appartiennent au vocabulaire de la médecine, de la physiologie, de la biologie et de la zoologie; certains se rattachent au domaine des sciences de la terre (géographie, géomorphologie). Le préfixe sert aussi à former quelques mots courants (par ex. *intra-communautaire* «intérieur à la communauté européenne»). *Intra-* a le même sens que *endo-**. ◇ La variante *intro-* (du latin *intro* «à l'intérieur», qui se rattache à *inter*) apparaît dans des mots empruntés (*introspection, introversion*, etc.).

INTRA MUROS loc. adv. et adj., attesté au début du XIXe s. (1805), est composé des mots latins signifiant «à l'intérieur des murs», *intra* «à l'intérieur de» (→ intra-) et *muros* accusatif pluriel de *murus* (→ mur).

♦ Le mot signifie au propre «à l'intérieur des murs, à l'intérieur de la ville» et par extension (XXe s.) «dans les limites administratives de la ville»; il s'emploie figurément au sens de «à huis clos, dans le secret» (XXe s.).

INTRANSIGEANT, ANTE adj. est un emprunt (1875) à l'espagnol *intransigente*, employé pour désigner (1873) les républicains fédéralistes insurgés contre le pouvoir central; ce mot est dérivé de *transigente*, participe présent de *transigir* «transiger», emprunté au latin classique *transigere* (→ transiger).

♦ L'adjectif s'applique à une personne qui n'admet aucune concession, aucun compromis; il qualifie sans connotation péjorative une personne qui s'attache à vivre sans faire de concessions, en accord avec ses principes, ses idées. Le nom masculin *L'Intransigeant* a servi de titre à un journal fondé par H. Rochefort en 1880, qui sera au XXe s. abrégé en *L'Intran*, manifestant la démotivation du titre.

▸ **INTRANSIGEANCE** n. f. (1874) est dérivé de l'adjectif ou emprunté au dérivé espagnol *intransigencia*; il a les valeurs correspondantes à l'adjectif.

INTRANSITIF → TRANSITIF

INTRÉPIDE adj. est emprunté (1495) au latin impérial *intrepidus* proprement «qui ne tremble pas», d'où «courageux» et «qui ne donne pas lieu à l'effroi»; le mot est composé de *in-* (→ ① in-) et du latin classique *trepidus* «qui s'agite», en particulier «inquiet, tremblant» (→ trépider).

♦ L'adjectif s'emploie avec le sens étymologique, qualifiant qqn qui ne tremble pas devant le danger (1694, *un intrépide*). Par extension, *intrépide* (aussi en emploi substantif) qualifie une personne qui ne se laisse pas rebuter par les obstacles, qui reste ferme dans sa conduite (déb. XVIe s.). Le mot, dans cet emploi, est rare avant le début du XIXe siècle.

▸ De l'adjectif dérivent **INTRÉPIDITÉ** n. f. (1665), employé au sens fort et au sens étendu (1672), et **INTRÉPIDEMENT** adv. (1691).

INTRIGUER v. tr. et intr. est emprunté (1532) à l'italien *intrigare*, forme septentrionale de *intricare*, lui-même pris au latin classique *intricare* «embrouiller, embarrasser» (→ intriquer). Le verbe italien signifie d'abord (fin XIIIe s.) «embrouiller» et «mettre dans l'embarras, rendre perplexe»; de l'idée d'embarras, on passe aux sens de «se livrer à des affaires compliquées, à des intrigues» (av. 1541) et de «s'immiscer (dans une affaire)» (1545) puis à celui d'«éveiller la curiosité» (av. 1610).

♦ Le verbe français reprend les diverses valeurs de l'italien. Il est attesté au XVIe s. pour «embrouiller» (1532) et *intricqué* se dit (1572) d'une affaire compliquée. *S'intriguer de* (qqch.) s'est employé au sens de «se mêler, s'intéresser à» (av. 1630, d'Aubigné; 1655, *s'intriguer dans une affaire*, Retz). ◇ Le verbe intransitif est ensuite relevé aux sens modernes: «mener une intrigue» (1656, Pascal) puis le transitif pour «embarrasser (qqn) en excitant sa curiosité» (1678-1679, La Fontaine). De l'idée de manœuvre vient *intriguer un ouvrage* «le lancer» (1692), emploi disparu au XVIIIe siècle. À la même époque, *intriguer une pièce* a signifié «en composer la trame, l'intrigue» (1764, Voltaire; 1740, *intrigué* «qui a une intrigue»).

▸ Le dérivé péjoratif **INTRIGAILLER** v. intr., «s'occuper d'intrigues mesquines», a été usité pendant la Révolution (1794) ainsi que **INTRIGAILLEUR** n. m. (v. 1770, Turgot), encore relevé au XXe s., et **INTRIGAILLERIE** n. f. (1792), que l'on trouve encore chez A. Daudet (1899).

INTRIGUE n. f. est emprunté à l'italien *intrigo* déverbal de *intrigare* attesté au milieu du XIVe s. Le mot est parfois masculin au XVIIe s., d'après l'italien. ◆ *Intrigue* désigne d'abord (1578) une liaison amoureuse, généralement secrète, puis se dit d'une situation compliquée et embarrassante : ce sens attesté en 1636 est donné pour familier au XVIIIe s. et vieilli au XIXe siècle ; il apparaît dans *homme d'intrigue* «intrigant» (1622), *hors d'intrigue* (1694) «hors d'affaire» et spécialement «hors de danger», expressions sorties d'usage. ◇ L'idée de complexité est présente dans l'emploi pour désigner l'ensemble des événements qui forment l'essentiel de la narration d'un roman, d'une pièce, etc. (1637, Scudéry) ; de ce sens toujours usuel vient *comédie d'intrigue* (1798 ; 1751, *pièce d'intrigue*). ◇ À cette valeur s'ajoute celle de «secret» : *intrigue* désigne une négociation menée avec habileté (1647) et un ensemble de combinaisons secrètes et compliquées pour réussir une affaire (1654). Le mot a aussi signifié dans la langue classique «habileté à intriguer» (v. 1660, *entrigue*).

① **INTRIGANT, ANTE** adj. et n. est apparu au XVIe s. (1583) et est repris au début du XVIIIe s., souvent écrit *intriguant ;* ce participe présent adjectivé correspond à l'italien *intrigante*. Le mot qualifie qqn qui recourt à l'intrigue pour parvenir à ses fins (1671, n.). ◆ ② **INTRIGANT, ANTE** adj. (XXe s.) s'applique dans l'usage littéraire à ce qui étonne, rend perplexe. ◆ Il correspond à **INTRIGUÉ, ÉE** adj., tiré du participe passé (1735), pour «dont la curiosité est excitée».

INTRINSÈQUE adj. est emprunté (1314) au latin scolastique *intrinsecus* «intérieur» (v. 1115, terme de philosophie), adjectif qui s'oppose en bas latin à *extrinsecus* (→ extrinsèque), tiré de l'adverbe latin classique *intrinsecus* «au-dedans, intérieurement». L'adverbe est composé de °*intrim*, issu de *interim* qui se rattache à *inter* (→ inter-), et de l'adverbe *secus* «le long de», apparenté à *sequi, secutus* (→ suivre).

♦ *Intrinsèque*, terme didactique, a été emprunté en anatomie (1314, «intérieur»), qualifiant ce qui appartient à un organe (v. 1500, *veines intrinsecques*). ◇ Au XVIe s. apparaît un emploi substantivé *l'intrinsèque (des cueurs)* [1528], désignant la partie la plus intime, l'émotion, le cœur, expression en usage à l'époque classique, encore relevée chez Saint-Simon. L'adjectif s'est employé aussi aux XVIe et XVIIe s., pour «intime» (1544, B. des Périers). ◇ Il apparaît à la même époque (1561, Calvin) comme terme de philosophie pour qualifier ce qui est intérieur à un objet de pensée, ce qui appartient à son essence (1690, *vertu, qualité intrinsèque*) ; de là vient l'emploi figuré (1704) pour qualifier la valeur qu'a un objet, indépendamment de toute convention, surtout en parlant de la monnaie.

▸ Le dérivé **INTRINSÈQUEMENT** adv., didactique, signifie d'abord «intérieurement» (fin XVe s.) puis «intimement» (1569). Il est attesté dans son emploi moderne, en philosophie, en 1677 (Retz).

INTRIQUER v. tr., qui apparaît au participe passé (*entriké*, v. 1300 ; *intriqué*, XVe s.), n'est repris qu'au XXe s. comme verbe transitif, après *intrication*. C'est un emprunt au latin classique *intricare* «embrouiller, embarrasser», composé de *in-* (→ ② in-) et de *tricae, -arum*, nom féminin pluriel, «bagatelles, sornettes» et «embarras, difficultés», mot d'origine obscure (→ intriguer).

♦ Le verbe, très didactique, signifie «rendre complexe, entremêler».

▸ **INTRICATION** n. f., terme didactique, dérivé du verbe ou emprunté au latin *intricatio* (formé sur *intricatum*, supin du verbe), apparaît (v. 1270) au sens d'«enchevêtrement». ◇ Repris après 1870, il désigne l'état de ce qui est entremêlé.

INTRODUIRE v. tr. est une réfection (1292), d'après le latin, de la forme *entreduire* (v. 1120), aboutissement phonétique du latin classique *introducere* «conduire, amener dans», composé de *intro-* (→ intra-) et de *ducere, ductus* «tirer à soi» d'où «conduire, mener». Ce verbe est un ancien terme de la langue pastorale, opposé à *agere* «pousser» (→ agir) ; il s'est employé au figuré dans de nombreuses acceptions et s'est appliqué à tout ce qui se rapporte à l'idée de «conduire, tirer sans discontinuité» ; il appartient à la même famille que *dux, ducis* «chef» (→ duc) et se retrouve dans plusieurs composés (qui ont fourni *conduire, déduire, induire, produire, traduire*, etc.).

♦ Le verbe reprend d'abord le sens général de «faire entrer (qqn) dans un lieu». Il s'emploie au figuré (v. 1180, *entroduire*) pour «préparer par l'éducation à la pratique de qqch.» *(introduire qqn à la poésie)*. Il signifie ensuite «faire qu'une chose devienne commune dans un endroit» (1468), d'abord au participe passé (1308, *instroduiz*). ◇ Du sens «enseigner à (qqn)» vient une valeur très spéciale, «initier la mariée aux secrets du lit nuptial» (v. 1430), qui correspond au latin *ducere uxorem domum* «emmener l'épouse chez soi» d'où «se marier» (en parlant d'un homme). ◇ Au XVe s., le participe passé *introduit* entre dans le vocabulaire du droit pour «que l'on a fait commencer» (1470) ; la forme active n'apparaît qu'au début du XIXe s. (1804). ◇ Au XVIe s., la valeur générale du verbe se spécialise : *introduire* signifie «faire admettre (qqn) dans une société» (1509), «faire figurer (un personnage) dans une œuvre» (1529) et «donner accès à (qqn) auprès d'une personne importante» (1569). Au XVIIe s., le verbe s'emploie aussi en parlant de choses concrètes ; le sens de «faire entrer (une marchandise) dans un pays» (1615) a disparu mais a produit l'emploi pour «faire venir (qqch.) pour la première fois dans un lieu». ◇ *Introduire* signifie aussi concrètement (1642, Corneille) «faire pénétrer (une chose dans une autre)». Cet emploi a une spécialisation érotique, évoquant la pénétration sexuelle. ◇ Avec la valeur d'«enseigner», *introduire* prend le sens de «servir de première initiation, en parlant d'une science par rapport à une autre» (1690). ◇ Un emploi spécialisé apparaît en fauconnerie dans *introduire un oiseau au vol* «commencer à le faire voler» (1732). ◇ *S'introduire* «pénétrer subrepticement dans un lieu» est relevé en 1732 et *introduire une marchandise en contrebande* en 1797.

▸ Du radical du verbe dérive **INTRODUCTIBLE** adj. (XXe s.), d'emploi littéraire.

Plusieurs mots sont empruntés à des dérivés de *introductum,* supin du verbe latin. ◆ **INTRODUCTION** n. f., emprunt au dérivé latin classique *introductio,* signifie d'abord «enseignement» (XIIIe s.) et «insertion» (1314), en parlant d'un chapitre dans un livre; ces emplois ont disparu comme celui de «préambule d'un sermon» (1355). ◇ Le nom désigne ensuite l'action de faire connaître dans un milieu ce qui y était inconnu (1553), en parlant de personnes (1598) et d'animaux (1600). Parallèlement, *introduction* désigne ce qui prépare qqn à la pratique d'une chose, en religion à la pénitence (1560, Calvin). Il s'emploie ensuite pour «action de faire entrer des personnages dans une œuvre» (1636). ◇ À la fin du XVIIe s., *introduction* s'emploie avec une valeur concrète pour «action de faire entrer une chose dans une autre» (1690). ◇ Au figuré le mot entre dans le vocabulaire du droit (1718, *introduction d'une instance*). ◇ Du sens de «préambule» vient (1726) celui plus large et devenu courant de «texte préliminaire et explicatif en tête d'un ouvrage» (cf. *préface*), puis de «prélude» en musique (1838). *Lettre d'introduction,* par laquelle on recommande qqn, est relevé en 1848. ◆ **INTRODUCTEUR, TRICE** n., emprunt au dérivé bas latin *introductor,* est attesté isolément au XIIIe s. sous les formes adaptées *introduitor* et *entroduteur,* désignant celui qui instruit, puis sous la forme moderne (1538) avec le sens, également disparu, de «celui qui établit (des études)». ◇ Le nom, rare pour désigner qqn qui favorise l'accès d'une personne auprès d'une autre (1606, n. m.; v. 1670, n. f.), s'emploie aussi (1713) en parlant de la personne qui, la première, introduit un usage, une mode, etc. dans un lieu ou un milieu. ◆ *Introducteur* a fourni **INTRODUCTIF, IVE** adj., qui a signifié «instructif» (1520) puis est devenu un terme de droit (1721) et s'emploie plus largement (1833, Balzac) pour qualifier ce qui constitue une introduction. ◆ **INTRODUCTOIRE** adj., emprunté au dérivé bas latin *introductorius* «qui initie», a été employé à la fois (1314) comme nom pour «introduction» et comme adjectif, équivalent didactique d'*introductif.*

Sur le verbe a été composé **RÉINTRODUIRE** v. tr. (1846) qui a fourni **RÉINTRODUCTION** n. f. (1873) et **RÉINTRODUCTEUR, TRICE** n. (1905, Péguy).

INTROÏT n. m. est un emprunt (1360), d'abord sous la forme *introïte,* nom féminin (fin XIIIe-déb. XIVe s.), au latin classique *introitus* «action d'entrer», «entrée d'un lieu, accès» et au figuré «introduction, commencement»; le mot s'est employé en latin ecclésiastique pour désigner (IXe s.) une pièce de chant inséparable de l'entrée du célébrant et de sa marche vers l'autel; au VIe s., on désignait cette pièce sous le nom de *Antiphona ad Introïtum. Introitus* est dérivé de *introire* «aller dans, entrer», composé de *in-* (→ ② in-) et de *ire* «aller», qui a fourni le futur d'*aller** et se rattache à une racine indoeuropéenne °*ei-*, °*i-* «aller».

♦ *Introït* garde le sens du latin chrétien. ◇ Au XVe s., il a repris le sens figuré du latin classique et désigné l'introduction, le début (d'un discours, d'une œuvre), d'abord au féminin (1466), puis au masculin (1545); ces valeurs, comme la locution *prendre son introïte* «commencer» (fin XIVe s., Ch. de Pisan), sont sorties d'usage.

INTROJECTION n. f., relevé en 1909 (Lalande), est la francisation de l'allemand *Introjektion,* mot créé (1888) par le psychologue allemand Avenarius (1843-1896), sur le modèle de *Projektion* à l'aide du préfixe *intro-* (de même origine que *intra-*), pour désigner l'opération par laquelle la conscience de chaque individu est conçue comme intérieure à son organisme, et la représentation des objets extérieurs comme une objectivation d'états internes.

♦ C'est en ce sens que le mot est introduit en français, en philosophie. Puis *introjection* est repris en psychanalyse, toujours d'après l'allemand, où il désigne (Ferenczi, 1909; puis Freud, 1915) le processus inconscient par lequel l'image d'une personne est incorporée au Moi et au Surmoi.

▶ Du nom dérivent les termes de psychanalyse **INTROJECTIF, IVE** adj. (attesté 1946, Mounier) et **INTROJECTER** v. tr. (XXe s.) ou **INTROJETER,** «incorporer par introjection».

INTROMISSION n. f. est un dérivé savant (1465) du latin *intromissus,* participe passé de *intromittere* «faire entrer», composé de *intro-* «à l'intérieur de» (→ intra-) et de *mittere, missus* (→ mettre). Le verbe latin a été emprunté en moyen français sous la forme *intromettre* «introduire, faire entrer» (1541-1543) (→ s'entremettre).

♦ Le nom a désigné le fait d'être mêlé à qqch. (1465). ◇ Il entre dans le vocabulaire didactique (1573, A. Paré) pour désigner l'action d'introduire un organe dans un autre, spécialement la copulation du mâle et de la femelle (1751). ◇ Au XVIIIe s., il s'emploie en physique (1762); un sens figuré «introduction», en parlant de personnes (attesté en 1893, Goncourt), est sorti d'usage.

INTRON n. m. est composé (1979) de *intr(o)-* (→ intra-) et du suffixe *-on** utilisé pour former des termes de physique.

♦ En biologie *intron* désigne la portion d'A. D. N. d'un gène d'eucaryote qui n'est pas recopiée par l'A. R. N. messager (on dit aussi *séquence non codante*). ◆ Le mot s'oppose à **EXON** n. m. (1979; de *ex-*), où la séquence de codage est exprimée.

INTRONISER v. tr., attesté sous la forme moderne au XIIIe s., est aussi relevé avec diverses graphies : *intronixer* (v. 1223), *intronizer* (v. 1380; encore au XVIe s.), *inthronizer* (1549, par latinisation, jusqu'au XVIIe s.); c'est un emprunt au latin ecclésiastique *inthronizare* «placer sur un trône épiscopal», lui-même emprunté au grec *enthronizein,* composé de *en* «dans» et d'un verbe dérivé de *thronos* «siège d'apparat (pour le roi, le juge, la Pythie)» puis, en grec chrétien, «trône épiscopal» (→ trône).

♦ Le verbe, qui signifie d'abord «placer sur un trône», «placer dans une situation prédominante», s'emploie en parlant d'un souverain (v. 1485), d'un évêque (1690). ◇ Par extension, parfois avec une connotation ironique, il se dit pour «installer dans une fonction» (attesté 1839), et s'emploie figurément (1832, pron., Balzac) au sens d'«introduire de manière officielle ou solennelle», en parlant de choses *(introniser une mode, une science)*, puis de personnes, dans certaines sociétés qui élisent leurs membres.

▸Le dérivé **INTRONISATION** n. f. s'emploie comme le verbe, en parlant d'un évêque (fin XIVe s.), d'un souverain (déb. XVIe s.), et au figuré (1837, Michelet).

INTROSPECTION n. f. est un emprunt (1838-1840) à l'anglais *introspection*, d'abord «examen à l'intérieur», employé comme terme de philosophie dès le XVIIe s., et formé sur le radical du latin *introspectum*, supin de *introspicere* «regarder dans, à l'intérieur de». Ce verbe est composé de *intro-* «dedans, à l'intérieur» (→ intra-) et de °*specere, spectus* «apercevoir» et «regarder», verbe archaïque qui se rattache à une racine indoeuropéenne °*spek-* «contempler, observer» (→ spectacle).

♦ *Introspection* est introduit comme terme de psychologie désignant, comme en anglais, l'observation d'une conscience individuelle par elle-même, à des fins spéculatives. ◇ Le mot s'emploie ensuite (déb. XXe s.) en philosophie en parlant du simple fait, pour une conscience, de se prendre pour objet, sans visée de connaissance spéculative.

▸ **INTROSPECTIF, IVE** adj. est aussi un emprunt (1840) à l'anglais *introspective* «qui possède la qualité de pénétrer, d'examiner intérieurement» (1820), qualifiant une méthode d'investigation psychologique fondée sur l'introspection. ◇ Ces sens sont repris en français *(méthode, psychologie introspective*, opposé à *objectif, expérimental)*. ➛ De l'adjectif dérive **INTROSPECTIVEMENT** adv. «par le moyen, l'effet de l'introspection» (attesté 1933), d'emploi didactique. ➛ **INTROSPECTER** v. apparaît d'abord dans un emploi plaisant (1935); en psychologie (1962, pron.), il est emprunté à l'anglais *to introspect* (fin XVIIe s.), dérivé savant du latin *introspectum* ou emprunt au fréquentatif *introspectare*. ➛ **INTROSPECTIONNISME** n. m. (av. 1951, Gide), dérivé d'*introspection* d'après l'anglais, désigne la psychologie de l'introspection; **INTROSPECTIONNISTE** adj. et n. (1952) lui correspond.

INTROVERSION n. f. est un emprunt (1913 dans un texte en français de Jung) à l'allemand *Introversion*, terme employé par C. G. Jung, notamment dans *Psychologische Typen* (1921; cf. l'anglais *introversion*, attesté en 1912); le mot est emprunté à un bas latin *introversio*, tiré de *introversus* «vers l'intérieur, en dedans» avec ou sans idée de mouvement, doublet de *introrsum*, de même sens. *Introversus* est composé de *intro-* (→ intra-) et de *versus*, employé en latin classique comme élément de composition signifiant «dans la direction de, vers»; c'est le participe passé de *vertere* (anciennement *vortere*) «tourner» au propre et au figuré (→ vers).

♦ *Introversion* désigne le fait d'être tourné vers son moi plutôt que vers le monde extérieur; en psychanalyse (1923), le mot est défini par Freud comme le retrait de la libido* sur des objets imaginaires (ou fantasmes). ◇ Une variante *intraversion* est employée par Mounier (1946) en caractérologie, mais n'est pas usuelle.

▸ **INTROVERSIF, IVE** adj. est dérivé savamment (1946) du nom ou emprunté à l'allemand *introversiv*, employé par Jung et repris par Rorschach. ➛ Le mot s'emploie comme équivalent didactique de **INTROVERTI, IE** adj. et n., attesté (1923) dans une traduction de Freud par Jankélévitch, et emprunté à l'allemand *introvertiert* (Jung, 1921; cf. l'anglais *introverted* p. p., 1915, et *introvert* n., 1918). La forme *introverse* (1913) a disparu. ➛ Qualifiant en psychologie une personne portée à l'introversion, le mot a fourni **INTRAVERTIR** v. tr. «tourner vers l'intérieur», qui ne semble relevé que chez Mounier (1946).

INTRUS, USE adj. et n. est emprunté (v. 1380) au latin médiéval *intrusus*, terme de droit ecclésiastique, participe passé de *intrudere*, verbe issu par haplologie du latin classique *introtrudere* «introduire de force»; ce verbe est composé de *intro-* (→ intra-) et de *trudere, trusus* «pousser» sans étymologie connue. L'ancien verbe *intrure*, construit sur *intrus* et signifiant «introduire sans droit, sans titre» (1479, *s'intruire en* «se mettre en possession de qqch. sans y avoir droit»; 1589, *s'intrure en*), est encore signalé par Littré aux temps composés et par l'Académie (1935) à la forme pronominale.

♦ Reprenant l'emploi du latin médiéval, *intrus* se dit d'abord d'une personne qui s'est introduite illégalement dans une charge, une fonction. ◇ Par extension (1801, n.), le mot désigne couramment une personne qui s'introduit quelque part sans y être invitée ni désirée. *Intrus* s'emploie aussi en parlant d'une chose dont la présence est importune (1899, R. de Gourmont).

▸ **INTRUSION** n. f., emprunté (1304) au latin médiéval *intrusio*, terme juridique dérivé de *intrusus*, a des emplois analogues: le mot est didactique dans son premier emploi; le sens moderne, «fait de s'introduire sans en avoir le droit (dans une société, un groupe)», est attesté en 1835. *Intrusion* s'emploie spécialement en géologie (1861, *roches d'intrusion*), d'où le dérivé **INTRUSIF, IVE** adj. (1871).

◈ voir INTRODUIRE.

INTUBATION, INTUBER → TUBE

INTUITION n. f. est un emprunt (1542) au latin scolastique *intuitio*, en bas latin «image réfléchie dans un miroir», formé sur *intuitum*, supin du latin classique *intueri* «regarder attentivement» et au figuré «se représenter par la pensée»; le verbe latin est formé de *in-* (→ ② in-) et de *tueri, tutus (tuitus)* anciennement «voir, regarder», puis «garder, protéger», verbe sans origine connue (→ tuer, tuteur).

♦ Le mot s'est d'abord employé pour «action de contempler». Il désigne en philosophie une forme de connaissance immédiate qui ne recourt pas au raisonnement (v. 1640, Descartes) et en théologie (1762) la vision directe de Dieu. Depuis le début du XIXe s., *intuition* se dit couramment (1831, Balzac) du pressentiment de ce qui est ou doit être.

▸ **INTUITIONNISTE** n. et adj. apparaît (1874) dans une traduction de J. Stuart Mill, qualifiant en philosophie un système où l'intuition joue un rôle important (1877, n.). ➜ Le mot est didactique, comme **INTUITIONNISME** n. m. (1908), **INTUITIONNER** v. tr. (1937, Ruyer) et **INTUITIONNEL, ELLE** adj. (mil. XXe s.), «intuitif» opposé à «logique».

INTUITIF, IVE adj. est dérivé savamment (1480) du latin *intuitus* «coup d'œil, regard» et au figuré «considération de qqch.», lui-même dérivé de *intueri.* Comme *intuition,* le mot est aussi d'usage courant (1845, Michelet). Il est parfois substantivé. ➜ Il a fourni **INTUITIVEMENT** adv., terme de théologie (1599), de philosophie (1731) et d'emploi courant. **INTUITIVISME** n. m. (1890) et **INTUITIVISTE** adj. et n. (1891) sont exclusivement d'usage didactique.

INTUMESCENCE n. f. est un dérivé savant (1611) du latin *intumescere* «gonfler, enfler», composé de *in-* (→ ② in-) et de *tumescere* «s'enfler», de la base *tum-* (→ tumeur).

♦ Ce mot didactique se dit d'un gonflement. Il s'emploie en géologie (1756) et surtout désigne en médecine l'augmentation de volume d'un organe, d'un tissu (1793). ◇ Il a été repris en mécanique des fluides (1962), désignant une onde de translation.

▸ Le dérivé **INTUMESCENT, ENTE** adj. (1836, Chateaubriand) est très rare.

INUIT adj. et n. est un emprunt de la langue ainsi désignée (l'*inuktituk*) signifiant «les hommes» (au singulier *inuk* «un homme»).

♦ Il désigne une personne appartenant aux ethnies de l'Extrême-Nord canadien (et sibérien) et ce qui est relatif à ce peuple. Le mot est usuel en français du Canada, où *eskimo, esquimau* est condamné à la demande des intéressés (→ esquimau).

INUSITÉ → USER

INUTILISABLE → UTILE

INVAR, INVARIABLE → VARIER

INVASION n. f. est emprunté (v. 1155, Wace) au bas latin *invasio* «invasion» et au figuré «usurpation», formé sur *invasum,* supin de *invadere* «envahir», et «assaillir, attraper» (→ envahir).

♦ D'abord attesté au sens d'«attaque» en concurrence avec la variante francisée *envasion* (du XIIe au XVIe s.), le mot apparaît ensuite (XVIe s.) dans un emploi repris du latin et disparu, pour «usurpation, abus de force» (v. 1541). ◇ Il désigne à la même époque en médecine (v. 1560, Paré) la période qui s'écoule entre les premiers symptômes d'une maladie et la période d'état de maladie aiguë. ◇ La première valeur du mot est reprise (v. 1580, Montaigne) pour désigner l'irruption d'un ennemi dans un pays, puis par métonymie pour «occupation» (1671) et «migration dévastatrice» (1690), notamment comme terme d'histoire (*les grandes invasions).* ◇ De l'idée de «pénétration massive» viennent des emplois étendus : «entrée soudaine et en nombre (de personnes)» (1835) et abstraitement «pénétration d'idées, de sentiments». Par analogie, le mot s'emploie en parlant de choses concrètes (1823, *invasion des eaux*) et de l'irruption d'animaux nuisibles (1873). Dans la plupart des emplois, c'est le substantif du verbe *envahir;* il est péjoratif et implique des inconvénients graves résultant d'une violence. Ainsi, son emploi par un homme politique à propos de l'immigration a pu être vivement critiqué (1991).

INVECTIVE n. f. est emprunté (1404, Ch. de Pisan) au bas latin *invectivae (orationes)* «(discours) violents», pluriel neutre substantivé de *invectivus* «outrageant», dérivé de *invehi, invectus* «s'élancer contre», «s'emporter contre (par la colère)». Ce verbe est une forme (le «médiopassif») de *invehere,* proprement «transporter dans, amener», formé de *in-* (→ ② in-) et de *vehere, vectus* «transporter, porter», de racine indoeuropéenne °*wegh-* «aller en char, transporter sur un char» (→ véhicule).

♦ Introduit avec le sens étymologique de «discours vif et emporté», qui est sorti d'usage, le mot se dit ensuite (1512) d'une parole ou d'une suite de paroles injurieuse.

▸ Le dérivé **INVECTIVER** v., employé comme intransitif dans *invectiver contre qqn* (1549) et *sur qqn* (1585), emploi disparu, et comme transitif *invectiver qqn* (1542, Bloch et Wartburg; puis 1587), est d'emploi littéraire. La construction transitive, considérée comme fautive par Littré, est entrée dans l'usage courant. ◇ On relève **INVECTIVEUR** n. m. chez A. Arnoux (1952).

INVENTAIRE n. m., écrit *inventayre* en 1313 (*F. e. w.;* 1344, selon *T. L. F.*), est un emprunt au bas latin juridique *inventarium,* dérivé du latin classique *inventum,* supin de *invenire* «trouver, rencontrer», «acquérir» et «inventer», lui-même composé de *in-* (→ ② in-) et de *venire* (→ venir). ◇ L'ancien français a également eu les formes *inventoire* (1292), *inventore* (v. 1300) usitées jusqu'à la fin du XVIe s., et empruntées au latin médiéval *inventorium* (v. 1290), altération du bas latin d'après *repertorium* «répertoire».

♦ *Inventaire* a conservé le sens général de «dénombrement et énumération (d'éléments)»; il s'emploie d'abord en droit civil en parlant de biens appartenant à un individu ou à une communauté, spécialement (1549) pour désigner l'état des pièces d'un procès. Par extension, il se dit dans l'usage général (av. 1615, É. Pasquier) de la revue minutieuse d'un ensemble de choses. En commerce, le mot désigne (1636) l'opération qui consiste à dénombrer et estimer les marchandises en magasin; par métonymie du sens juridique, il s'est employé (1660) pour la vente aux enchères de meubles inventoriés (jusqu'à la fin du XVIIIe s.). *Bénéfice d'inventaire,* terme de droit, a fourni la locution figurée ***sous bénéfice d'inventaire*** (1668, *par bénéfice d'inventaire*) «sous réserve de vérification». Au sens de «dénombrement et classification», le mot s'emploie spécialement dans divers domaines scientifiques et techniques (1690, en parlant d'une collection d'archives).

▸ *Inventaire* a fourni *inventarier* v. tr. (1407), encore usité au XVIe s., mais supplanté par **INVENTORIER** v. tr. (1367) qui a eu pour variantes *inventoirier* (1391), *inventoriser* (1470, employé jusqu'au XVIIe s.), dérivé de l'ancien français *inventoire* (voir ci-dessus). ◇ Le verbe signifie «inscrire dans un inventaire» et par extension (1732) «examiner en détail». ➛ Plusieurs termes techniques ou didactiques en ont été dérivés : **INVENTORIABLE** adj. (1946); **INVENTORIEUR, EUSE** n. (1946; 1902, L. Bloy, *inventoriateur*, hapax); **INVENTORIAGE** n. m. (1947) et en Belgique **INVENTORISATION** n. f. (depuis 1904; d'après le néerlandais); **INVENTORISTE** n. m. (1955).

◈ voir INVENTEUR.

✳ INVENTEUR, TRICE n. et adj. est d'abord attesté au féminin *inventeresse* (1431), le masculin n'étant relevé que dans le troisième quart du XVe s. en même temps que le verbe *inventer* (ci-dessous) et que le sens général d'*invention*. C'est un emprunt au latin *inventor* (m.), *inventrix* (f.) «personne qui trouve, qui découvre», «auteur», spécialement d'une loi, dérivé de *inventum*, supin de *invenire* (→ inventaire). Il y a eu des hésitations pour la forme du féminin : *inventeresse, inventeure* (1485) et *inventeuse* (1606) viennent du masculin, et *inventrice*, forme retenue, est empruntée (v. 1508) au latin.

♦ L'ensemble des acceptions du mot apparaît au XVe siècle : il désigne d'abord en moyen français une personne qui imagine, donne pour réel qqch., sens aujourd'hui archaïque. ◇ C'est depuis le XVe s. un terme de droit qui se dit (1454) de qqn qui découvre un objet, par exemple un trésor, une mine, etc., puis d'une personne qui trouve qqch. ➛ Après l'ancien provençal *enventadour* (1461), le mot (1530) désigne une personne qui imagine qqch. de nouveau, dans le domaine des arts, des sciences, etc.; de là viennent divers emplois : «personne qui a trouvé une idée» (1564), «auteur (d'une action, d'une situation)» (XVIIe s.) et spécialement *inventeur de romans* (XVIIe s.) «romancier», expression sortie d'usage. ◇ En emploi absolu (mil. XVIIIe s.) le mot désigne un auteur d'inventions importantes et s'applique surtout aux sciences et aux techniques : c'est aujourd'hui la valeur dominante du mot.

▸ **INVENTIF, IVE** adj., formé sur le radical de *inventeur*, qualifie qqn qui a le talent d'inventer (1440-1442) et, en particulier (1466), celui qui est fertile en expédients. ◇ Cette acception demeurée courante détache le mot des valeurs dominantes de *inventeur* et *invention*. L'adjectif a été employé par A. Daudet (1877) pour «imaginaire». ➛ *Inventif* a fourni **INVENTIVITÉ** n. f., attesté en 1917 (Barrès), et **INVENTIVEMENT** adv. (XXe s.), rare.

INVENTER v. tr. a des emplois analogues à ceux d'*invention* et *inventeur*, dont il procède (le verbe latin était *invenire*), avant de devenir le verbe d'où *inventeur* semble être dérivé et de constituer une tête de série lexicale, bien qu'*invention* et *inventeur* soient sémantiquement distincts. ◇ Il signifie d'abord «créer qqch. de nouveau» (1485) puis «trouver (des idées) grâce à son imagination» (1522), spécialement dans le domaine littéraire et des arts; il s'emploie à partir du XVIIe s. pour «donner comme réel (ce que l'on a imaginé)». Le verbe entre dans plusieurs locutions : ***ne pas avoir inventé la poudre*** (***l'eau tiède***, etc.) «avoir l'esprit borné» (1718), ***cela ne s'invente pas*** «cela est sûrement vrai». ➛ Le verbe a fourni le dérivé **INVENTABLE** adj. (sans doute déb. XXe s. : le contraire **ININVENTABLE** adj. est attesté en 1904) et le préfixé **RÉINVENTER** v. tr. (1838), d'où **RÉINVENTION** n. f. (av. 1869, Lamartine) d'après *invention*.

INVENTION n. f. (1431) apparaît d'abord sous les formes *invenciun* (v. 1120), *invencion* (1270), *envention* (1297). C'est un emprunt ancien au latin classique *inventio* «action de trouver, de découvrir», «découverte», «faculté d'invention» et terme de rhétorique. *Inventio* est dérivé de *inventum*, supin de *invenire*. En latin chrétien *Inventio Sanctae Crucis* (v. 530) désignait la fête (3 mai) rappelant la découverte de la Croix du Christ, et *adinventio* signifiait «trouvaille dans la façon d'agir» et, péjorativement, «expédient, ruse». ➛ *Invention* apparaît en français avec ce dernier sens (v. 1120), à côté de l'emprunt *adinventiun* (v. 1120; v. 1310, *adinvention*), puis entre dans l'expression *invencion Sainte Croix* (1270), devenue en français classique l'*Invention de la Sainte Croix*, puis *de la Croix* (1812). ➛ À partir du premier emploi, le mot désigne (1431) l'action d'imaginer une chose que l'on donne pour vraie, un mensonge. ◇ Le sens général d'«action de trouver une idée» et de «découverte» est attesté plus tard dans le XVe s. (v. 1485), époque où apparaît *inventeur* et le verbe *inventer* (ci-dessus) qui renforcent cette famille de mots. D'où diverses acceptions : «trouvaille littéraire» (1501), en peinture et en sculpture (1600), «action de créer qqch. de nouveau», par exemple une machine (1530), «moyen ingénieux, procédé». À la fin du XVIe s., *invention* désigne plus abstraitement la faculté de créer, en arts et en sciences (1595, Montaigne). ◇ Le sens rhétorique, «recherche des idées et art de les développer» est repris au latin au milieu du XVIIe siècle; on emploie aussi en français le latin *inventio*. ◇ Par extension du sens général, le mot désigne en musique une petite pièce instrumentale caractérisée par des effets nouveaux (notamment à propos de J. S. Bach). ◇ Depuis le XVIIIe s., le mot, comme *inventeur*, s'applique notamment aux découvertes scientifiques et techniques *(les grandes inventions)*.

INVERSE adj. et n. m. est emprunté (1611) au latin *inversus*, participe passé de *invertere* (→ invertir).

♦ L'adjectif qualifie ce qui est exactement opposé et contraire à qqch. *(en sens inverse)*; il s'emploie spécialement en mathématiques (1690, *règle inverse*, emploi disparu; 1708, *rapport, raison inverse*). Par extension, il s'applique à ce qui est, va, se fait en sens inverse (1762). Le nom désigne aussi (1762) ce qui est dans un ordre inverse, d'où la locution prépositive ***à l'inverse de*** (1831, Nodier), la locution adverbiale ***à l'inverse*** et verbale ***faire l'inverse de...*** (1835). ◇ L'adjectif s'est spécialisé et apparaît dans divers domaines, par exemple *courant inverse* en électricité (XIXe s.), *inverses optiques* en chimie, *dictionnaire inverse* (en ordre alphabétique inverse, qui commence par la dernière lettre), etc.

▸ Le dérivé ① **INVERSEMENT** adv. est attesté en 1752 (cf. *réciproquement, vice-versa*). ◆ **INVERSER** v. tr. (1840, P. Leroux) remplace *invertir* au sens de «changer la position, l'ordre, etc.». ◇ Le verbe s'emploie spécialement en électricité et a des dérivés techniques : **INVERSEUR** n. m. (1848, en électricité), employé aussi en mécanique (1902) et en électronique (v. 1960) ; **INVERSIBLE** adj. attesté en botanique (1873) et repris en 1952. ◇ Un autre dérivé du verbe, ② **INVERSEMENT** n. m., signifie «fait d'inverser» dans un processus technique (1961), synonyme rare d'*inversion*.

INVERSION n. f. est emprunté (1529) au latin *inversio* «action de retourner» et «antiphrase, anastrophe», formé sur *inversum*, supin de *invertere*.
◆ Le mot, d'abord attesté en grammaire, désigne le déplacement d'un mot par rapport à l'ordre habituel de la construction (*inversion du sujet*, etc.). Au sens général (1546) de «action d'invertir, résultat de cette action», il s'emploie notamment avec des acceptions techniques ou didactiques : «fait d'aller en sens inverse», dans le vocabulaire militaire (1835) et de la marine (1842), «anomalie concernant la position d'un organe» (1858), *inversion du sucre* en chimie (1877), *inversion de courant* (av. 1931), *inversion de relief* en géologie (av. 1931), *inversion positive, négative* en mathématiques (XXe s.), etc. ◇ Le verbe correspondant à *inversion* est *invertir*, concurrencé par *inverser* à partir du milieu du XIXe siècle. Par ailleurs, *inversion* ou *inversion sexuelle* (1889), après *inversion du sens génital* (1882, Charcot), désigne d'après *inverti** l'homosexualité.

Le dérivé **INVERSIF, IVE** adj. s'est appliqué (1824, Stendhal) à l'auteur qui use de l'inversion du style. ◇ Le mot est repris en chimie (1846) et en linguistique (1867) pour qualifier des langues qui ont la faculté de renverser l'ordre des mots de la phrase, alors opposé à *analogue* ; on emploie plutôt aujourd'hui *langues à construction libre*.

INVERTÉBRÉ → VERTÈBRE

INVERTIR v. tr. est un emprunt (1537) au latin *invertere* «retourner, renverser», «transposer, changer», formé de *in-* (→ ② in-) et de *vertere, versus* «tourner» au propre et au figuré d'où «convertir, changer en» (→ vers).

♦ Le verbe apparaît au XVIe s. avec les sens latins, «intervertir» (1537) et «bouleverser, troubler» (1552) sortis d'usage, de même que l'emploi juridique (1584) pour «entraver l'effet d'une mesure qu'on a prise». ◇ Le verbe, qui ne semble pas utilisé à l'époque classique, est repris à la fin du XVIIIe s. au participe passé adjectivé *inverti* «renversé symétriquement» (1797, Chateaubriand). ◆ *Invertir* demeure didactique ; il s'est employé dans le vocabulaire militaire (1838) au sens de «disposer dans un ordre contraire à l'ordre ordinaire» ; c'est un terme de chimie (1877) et d'électricité (1935), mais après 1840, c'est *inverser*, le verbe dérivé d'*inverse**, qui l'emporte.

▸ **INVERTI** n. m. est attesté en 1894 (Raffalovitch), probablement d'après un emploi adjectif, *sexuel inverti* (1888, Magnan). Le mot, à l'origine d'un sens d'*inversion**, désigne un homme qui n'éprouve d'affinités sexuelles que pour d'autres hommes. Bien qu'il soit plus usuel que le verbe, qu'il a contribué à affaiblir par rapport à *inverser*, il est moins courant qu'*homosexuel*.

INVESTIGATION n. f. est la réfection (v. 1502) d'un emprunt de la fin du XIVe s. (Ch. de Pisan), écrit *investigacion*, au latin *investigatio* «recherche attentive, enquête», formé sur *investigatum*, supin de *investigare* «chercher (suivre) à la trace, à la piste» et au figuré «rechercher avec soin, scruter ; déchiffrer». Le verbe est formé de *in-* (→ ② in-) et de *vestigare* «suivre à la trace, traquer» d'où «aller à la recherche de», «découvrir» (→ vestige).

♦ Le mot est introduit avec le sens étymologique de «recherche, enquête» qu'il a conservé au XVIe siècle ; il est encore chez Montaigne (1588) ; il semble disparaître au XVIIe s. et réapparaît au XVIIIe s., d'abord dans une traduction (1721) d'une grammaire grecque rédigée en latin, avec l'expression *investigation du thème* «manière de trouver dans les verbes le temps et le mode primitif», puis chez Rousseau. Ce dernier emploie le mot au sens étendu de «recherche suivie sur un objet» (1750, *investigation des sciences*) et pensait en être le créateur, ce qui témoigne de sa rareté à l'époque. *Investigation* désigne par la suite (1867) une recherche d'ordre juridique ou policière.

▸ Du nom dérive **INVESTIGATIF, IVE** adj. didactique (1865).

INVESTIGUER v. intr. vient du radical de *investigation* ou est emprunté au latin *investigare*. D'abord sous la forme *investigier* (1381 ; encore *investiger* en 1618), il est attesté avec la forme moderne en 1406, au sens de «faire des recherches». Le verbe latin avait abouti en ancien français à *envestier* (v. 1298). ◆ **INVESTIGATEUR, TRICE** n. et adj. est emprunté (v. 1500) au latin *investigator* «celui qui recherche, qui scrute», dérivé de *investigare*. Il a été précédé par *investigueur* n. m. (fin XIVe-déb. XVe s.). ◇ Le mot s'est dit de celui qui cherche la pierre philosophale. Repris au XVIIIe s. (1752), comme *investigation*, il s'emploie aussi comme adjectif (1829) et désigne aujourd'hui une personne qui fait des recherches systématiques.

✳ **INVESTIR** v. tr. succède (v. 1410) à la forme adaptée *envestir* (v. 1200) ; le mot est emprunté au latin *investire* «revêtir, garnir» au propre, et au figuré «entourer étroitement» (comme un vêtement), qui a pris à l'époque médiévale (fin VIIIe s.) dans le vocabulaire juridique le sens de «mettre en possession d'un fief, d'une charge», une partie du vêtement symbolisant la dignité ou le pouvoir conféré. *Investire* est en effet formé de *in-* (→ ② in-) et de *vestire* «vêtir, habiller», dérivé de *vestis* «vêtement» (→ vêtement, vêtir).

♦ Le verbe reprend du latin classique le sens de «revêtir» (v. 1200) aussi au pronominal (1291, *soi envestir de*), sens encore attesté à la fin du XVIe s. (1569, *investir*). ◇ Il a signifié, comme en latin médiéval, «mettre en possession (d'un fief)» (1241, *envestir*), aujourd'hui terme d'histoire. ◇ *Investir* emprunte ensuite à l'italien *investire* son sens militaire : «entourer avec des troupes» (v. 1320, *envestir*); l'italien *investire*, de même origine que le français, signifiait «mettre en possession d'une charge, etc.» (XIIe s.) et aussi «attaquer» (1304). *Investir* s'est ainsi employé pour «attaquer (un vaisseau)» (fin XIVe s.), «cerner» (v. 1410) et «s'emparer d'une ville» (v. 1550). ◇ Avec la première valeur, «mettre en possession», le verbe s'est dit en parlant d'un bien (1580) puis a pris le sens abstrait de «revêtir solennellement d'un pouvoir, d'une dignité, par la remise symbolique d'un attribut» (av. 1615, É. Pasquier). ◇ L'idée d'«attaque» (ci-dessus) explique les emplois en marine pour «donner contre (un récif)» (déb. XVIIe s.), «toucher à terre» (1690), disparus, mais le second était encore attesté au XIXe siècle. ◇ Par métaphore, *investir* s'utilise avec un nom de chose (1690) et *investir qqn* signifie «le presser de toutes parts» (1690). ◇ Le verbe s'emploie depuis le XVIIIe s. dans un contexte abstrait pour «mettre en possession d'un pouvoir, d'un droit, etc.» (1764). De là son emploi en droit constitutionnel et au figuré dans *investir qqn de sa confiance* «la lui donner» (1903). ➛ Au XXe s., *investir* a repris à l'anglais *to invest* son emploi en économie pour «employer (des capitaux) dans une entreprise» (1922); le verbe anglais, attesté en ce sens depuis 1613, l'avait lui-même repris à l'italien *investire* (1333). Par extension, *investir* se dit pour «employer (une somme à qqch.)». ◇ En psychologie (1943, Sartre) et en psychanalyse (1927), au sens de «mettre son énergie psychique dans (une activité, un objectif)», c'est un calque de la métaphore allemande sur *besetzen* «occuper militairement», pris au figuré par Freud.

▶ **INVESTISSEMENT** n. m. s'emploie d'abord dans le domaine militaire (1704), d'où son usage au figuré pour «fait de chercher à séduire (qqn)». ➛ L'emploi devenu usuel de l'économie (1924) est un emprunt adapté à l'anglais *investment* (en ce sens en 1615), et en psychanalyse (1927) une traduction de l'allemand *Besetzung* (1895, Freud), ces deux emplois correspondant à ceux du verbe. ➛ Le composé **SOUS-INVESTISSEMENT** n. m. s'emploie en économie (1968) comme **SURINVESTISSEMENT** n. m. (mil. XXe s.), qui a aussi une valeur psychanalytique. ➛ **INVESTISSEUR, EUSE** n. désigne (1937) une personne ou une collectivité qui place des capitaux dans un secteur de l'économie. Sur *investir* ont été préfixés plusieurs verbes. ➛ **DÉSINVESTIR** v., au pronominal à la fin du XVIe s. pour «se débarrasser» (emploi disparu), a signifié (1829) «cesser d'investir (d'un pouvoir)». Il s'emploie dans le vocabulaire militaire (1846, tr.), en économie et en psychanalyse (XXe s., intr.) d'après les emplois correspondants du verbe simple. ◇ Il a pour dérivé **DÉSINVESTISSEMENT** n. m. (1846). ➛ **RÉINVESTIR** v. tr. s'est employé dans le domaine militaire (1845), avant de devenir un terme d'économie, avec pour dérivé plus récent **RÉINVESTISSEMENT** n. m. (1934). ➛ **SURINVESTIR** v. intr. (v. 1960) est un terme d'économie et de psychanalyse.

INVESTITURE n. f., qui succède (1460) à la forme *envesture* (XIIIe s.), est un emprunt au latin médiéval *investitura* (IXe s.), terme juridique, dérivé de *investire*. ➛ Le mot reprend ce sens juridique qui n'existe plus aujourd'hui qu'en histoire. Au sens militaire (1587), il s'est employé à l'époque classique. Il désigne aujourd'hui l'acte par lequel une autorité accorde sa confiance à qqn pour une mission de gouvernement (1946, en droit constitutionnel) et, en politique, l'acte par lequel un parti désigne un candidat à une élection (attesté 1949, Vedel).

INVÉTÉRÉ, ÉE adj. est emprunté (1468) au participe passé *inveteratus* du latin *inveterare* «laisser (ou faire) vieillir», au passif «devenir vieux» et «faire tomber en désuétude», au participe passé «enraciné, implanté, ancien». Le verbe dérive de *inveteratus*, adjectif verbal de *inveterascere* «devenir ancien, vieillir», au figuré «s'établir, se fixer», et aussi «s'affaiblir», plus fréquent que le simple *veterascere*. Ces verbes viennent de *vetus, veteris* «vieux, ancien» (→ vétéran), qui se rattache à une racine indoeuropéenne °*wet-* «année» (→ vieux).

♦ Cet adjectif littéraire qualifie ce qui est enraciné et fortifié avec le temps, spécialement en parlant d'une maladie, d'un vice (1547). Il s'applique ensuite (1694) à une personne qui a laissé s'ancrer en elle une habitude, en particulier un défaut, un vice (*bavard, alcoolique invétéré*).

▶ **INVÉTÉRER** apparaît au pronominal (1543), *s'invétérer* «s'habituer à». Il s'est employé comme intransitif (*invétérer*, 1583) pour «devenir vieux», sens archaïque, attesté chez Gide (1896-1902). Il est mieux attesté au pronominal au sens de «se fortifier par le temps» (1606, d'un mal) et dans *laisser s'invétérer qqch.* (1690). ➛ **INVÉTÉRATION** n. f., terme très didactique, est emprunté (1552) au latin *inveteratio* «maladie invétérée» (dérivé de *inveterare*).

INVINCIBLE adj. est emprunté (v. 1370, Oresme) au bas latin *invincibilis* «qu'on ne peut vaincre», composé de *in-* négatif (→ ① in-) et de *vincibilis*, dérivé de *vincere, victus* (→ vaincre).

♦ Le mot apparaît comme terme de théologie dans *ignorance invincible* (calque du latin ecclésiastique *ignorantia invincibilis*), signifiant «ignorance des choses dont il est impossible qu'une personne ait eu connaissance»; dans cette acception, l'adjectif est encore relevé en 1690 (Furetière). ◇ Il est repris (1538) avec le sens étymologique, appliqué à qqn qu'on ne peut vaincre ou surpasser. Depuis le XVIe s., *invincible* qualifie figurément (1562) une chose, un argument, un sentiment, etc. dont on ne peut triompher, et ce que l'on ne peut maîtriser (1595, Montaigne, *degoust invincible*). ◇ Du sens étymologique viennent, au XVIIe s., plusieurs emplois figurés en parlant d'une personne qui ne peut être vaincue (1636), qui ne cède pas à l'amour (1669); *invincible à* «qui résiste victorieusement à» (1671) est sorti d'usage.

▶ L'adjectif a fourni **INVINCIBLEMENT** adv. (XVe s.) rare au sens propre d'*invincible* et **INVINCIBILITÉ** n. f. (v. 1508), tous deux d'usage littéraire.

◈ voir VAINCRE.

INVITER v. tr. est emprunté (1356) au latin *invitare* «inviter», en particulier «inviter à table» et par extension «encourager»; ce mot d'origine inconnue a été rapproché de *invitus* «qui agit contre son gré», d'un adjectif °*vitus* apparenté à *vis* «tu veux» (2e personne du présent de *volere*; → vouloir). Cependant, pour les Anciens, le préverbe *in-* avait une valeur locale et non pas privative. ◇ *Invitare* avait régulièrement abouti en ancien français à *envier* (v. 1050) qui conservait les sens du latin mais a été éliminé par son homonyme *envier** (→ envie); il n'en demeure que la locution *à l'envi**.

♦ Le verbe, qui conserve les valeurs du latin, signifie d'abord «prier (qqn) de se rendre en un lieu et de prendre part à une activité» (1585, au pronominal), cf. *convier*. Il est aujourd'hui littéraire au figuré, pour «inciter à faire qqch.», avec un sujet nom de chose (1607) ou de personne (1640); il signifie par extension (1769) «inciter avec autorité». ◇ Il s'emploie aussi comme terme de jeux (1867, v. intr.) probablement d'après *invite*, antérieur, au sens de «jouer une carte pour faire connaître son jeu à son partenaire et l'inviter à jouer dans la même couleur».

► Le dérivé **INVITEUR, EUSE** adj. et n. a désigné (v. 1510) une personne qui cherche à se faire inviter. Aujourd'hui il se dit assez rarement d'une personne qui invite (1876) ou s'applique à ce qui constitue une invite (1897). ◆ **INVITE** n. f., sorti d'usage comme terme de jeu de cartes (1767), désigne (1862) une invitation plus ou moins déguisée à faire qqch. ◇ Il a pour composé **CONTRE-INVITE** n. f. (1869). ◆ **INVITANT, ANTE** adj. et n., participe présent du verbe, est littéraire pour «encourageant» (1856); le synonyme **INVITATIF, IVE** adj. (1791, Mirabeau) est vieilli. ◇ *Invitant* est plus courant en politique (mil. XXe s.) dans *les puissances invitantes* «qui invitent». ◆ Le préfixé **RÉINVITER** v. tr. (1549) est relativement usuel.

INVITATOIRE adj. et n. f. est emprunté au bas latin *invitatorius* «qui invite» (*invitatoria scripta* «lettre d'invitation») et en latin ecclésiastique «psaume par lequel commence l'office des Matines» (IXe s.). ◆ Le mot français (1223) a conservé ce sens en liturgie. Il a été employé par Rabelais (1552) pour «invitation (à boire)» et par Bossuet (1691-1693) dans *lettre invitatoire* «lettre par laquelle le pape invitait les évêques à un concile».

INVITATION n. f. est emprunté au dérivé latin *invitatio* «action d'inviter», «sollicitation à faire qqch.». Le mot conserve le premier sens du latin (1484; XIVe s., selon Bloch et Wartburg), mais est rare avant le XVIIIe s., puis reprend le second sens à la fin du XVIIe siècle. C'est avec *inviter* le mot le plus courant de la série.

IN VITRO loc. adv., attestée chez Cl. Bernard (1877), est formée de mots latins signifiant proprement «dans le verre», de *in* «dans, en» (→ en) et *vitro*, ablatif de *vitrum* (→ verre).

♦ Cette locution didactique signifie «en milieu artificiel, en laboratoire» *(observation, culture in vitro)*, opposé à *in vivo* et à *in situ*.

IN VIVO loc. adv. reprend (1901) des mots latins signifiant proprement «dans le vif», de *in* «dans» et *vivo*, ablatif de *vivum* «le vif», neutre substantivé de l'adjectif *vivus* «vivant», dérivé de *vivere* (→ vivre).

♦ *In vivo* signifie «dans l'organisme vivant», opposé à *in vitro*.

INVOLUCRE n. m. est emprunté (1545) au latin *involucrum* «enveloppe, couverture», spécialement «étui d'un bouclier», et «voile recouvrant un candélabre», employé aussi au figuré. Le nom dérive de *involvere* «faire rouler en bas», «faire rouler sur», «enrouler, envelopper», formé de *in-* (→ ② in-) et de *volvere, volutus* «rouler, faire rouler» et au figuré «rouler dans son esprit», qui se rattache à une racine indoeuropéenne °*wel-* «rouler» (→ volute).

♦ *Involucre* désigne, en botanique, une collerette de bractées formant la base de certaines inflorescences, notamment chez les Ombellifères.

► Le nom a fourni **INVOLUCELLE** n. m. (1778) «involucre secondaire ou partiel» (probablement par le latin moderne) et **INVOLUCRÉ, ÉE** adj. (1803) «pourvu d'un involucre».

INVOLONTAIRE → VOLONTÉ

INVOLUTION n. f., réfection graphique (1371) de *involucion* (1314), est un emprunt au latin impérial *involutio* «action d'envelopper», «enroulement», formé sur *involutum*, supin du latin classique *involvere* «faire rouler», «enrouler, envelopper»; le verbe est composé de *in-* (→ ② in-) et de *volvere, volutus* «rouler, faire rouler», «faire aller et venir», et au figuré «rouler dans son esprit, méditer», qui se rattache à une racine indoeuropéenne °*wel-* «rouler», comme *involucre* (→ révolution, volute). ◇ *Involvere* avait abouti à *envoudre* «s'emparer de qqn» en parlant de mauvaises pensées (v. 1120), «envelopper» (v. 1160) et, par ailleurs, avait été emprunté sous la forme *involver* «envelopper» (1464, mais *involvé* est relevé dès 1370).

♦ Le mot a d'abord le sens du latin en anatomie : *involucion des boiaus* (1314) désignant leur enroulement; ce sens a disparu comme la valeur figurée «assemblage de difficultés, d'embarras», d'abord dans un contexte juridique (1371, *involution de procès;* encore en 1878, Académie). ◇ Le mot a eu aussi (1371) la valeur générale de «complication, confusion» du XIVe au XVIe siècle. ◇ À partir du XVIIe s., *involution* passe dans des domaines scientifiques : en mathématiques (1639, *poincts en involution;* repris au XIXe s. en géométrie), puis en botanique (1814) pour désigner l'état d'un organe invaginé. Dans les emplois suivants, l'idée de «reploiement vers l'intérieur» fait place à celle de «développement inverse de ce qui constitue l'évolution», le mot *évolution** étant devenu usuel en sciences; *involution* s'emploie en médecine et en physiologie (1907), à propos de la modification régressive d'un organisme ou d'une de ses parties *(involution utérine);* en philosophie (1948), du passage de l'hétérogène à l'homogène, et en psychologie et psychiatrie, d'un processus de régression psychophysiologique *(involution présénile; psychose d'involution)*.

► Des derniers emplois spécialisés du nom a été dérivé savamment, d'après *évoluer*, **INVOLUER** v. tr. (mil. XXe s.) «procéder par involution».

INVOLUTIF, IVE adj., dérivé savant du latin *involutus* «enveloppé» (participe passé adjectivé de *involvere*), s'est employé en botanique (1798), où il a été remplacé par **INVOLUTÉ, ÉE** adj. (1798) de même origine au sens de «qui est roulé de dehors en dedans»; *involutif* s'emploie par figure (1919) pour «qui roule sur lui-même»; c'est aussi un terme de mathématiques (1931) et de médecine.

◈ voir DÉSINVOLTE.

INVOQUER

INVOQUER v. tr. a remplacé (1397) la forme adaptée *envochier* (v. 1120) et constitue un emprunt au latin *invocare* «appeler, prendre les dieux à témoin, invoquer leur témoignage», «appeler au secours» et «appeler, nommer», formé de *in-* (→ ② in-) et de *vocare* «appeler», «nommer», «invoquer», «inviter», dérivé de *vox, vocis* (→ voix).

♦ Le verbe ne s'emploie que dans un contexte religieux jusqu'à la fin du XVe s., au sens d'«appeler à l'aide une puissance supérieure par des prières» *(invoquer Dieu, la grâce, le secours de Dieu)*. Il signifie ensuite «demander le secours, réclamer l'aide de qqn» (1536, *invoquer qqn;* 1743, *invoquer le secours de qqn*), puis s'utilise par analogie, dans un contexte littéraire (1609), dans *invoquer la muse, les muses.* Au XVIIIe s., il se dit figurément pour «citer (une autorité, une loi, une référence, etc.) en sa faveur» (1752).

▸ Du verbe dérive **INVOQUANT, ANTE** ou **INVOCANT, ANTE** adj., littéraire (1869, Goncourt).

INVOCATEUR, TRICE n. et adj. est emprunté dans *invocateurs de dyables* (déb. XVe s.) au bas latin *invocator (daemonum)* «celui qui invoque (les démons)» et au moyen âge *invocator* «celui qui invoque (le Saint-Esprit)» (IXe s.). *Invocator* est dérivé du supin de *invocare.* Le moyen français *invoqueur* (1486, *invoqueur de dyables*) représente un dérivé d'*invoquer.* ◆ Le nom est sorti d'usage au sens de «sorcier» (1469) ainsi que le féminin *invocatoresse* «sorcière» (1606) et l'adjectif demeure rare pour qualifier ce qui invoque les puissances.

INVOCATION n. f., emprunté au dérivé latin *invocatio* «action d'invoquer la divinité», recouvre les mêmes emplois que le verbe; il désigne d'abord (v. 1170) le fait d'invoquer une puissance supérieure, d'où le syntagme (1690) ***sous l'invocation de*** (un saint, etc.) «sous la protection de». ◇ En moyen français, il s'applique à une incantation magique (1469), sens disparu. Au XVIIe s. le mot se dit (1680) de la prière qu'adresse un poète à une Muse, etc. pour lui demander son concours (cf. ci-dessus *invoquer*) et par la suite de l'action de recourir à qqch. ◆ **INVOCATOIRE** adj., mot didactique dérivé du radical de *invocation* ou de *invocatum,* supin du verbe latin, qualifie (av. 1622, Fr. de Sales) ce qui sert à invoquer.

INVRAISEMBLABLE, INVRAISEMBLANCE → VRAI

IODE

IODE n. m. est un emprunt fait par Gay-Lussac (1812) au grec *iôdês* «aux reflets violets» ou «odorant comme la violette», *de ion* «violette» (à rapprocher du latin *viola;* → violette) et *eidos* «forme, apparence».

♦ Gay-Lussac donna ce nom à un corps simple, très volatil et dégageant des vapeurs violettes lorsqu'on le chauffe, que venait de découvrir le chimiste Courtois. Le mot entre dans la locution courante ***teinture d'iode*** «solution alcoolique d'iode officinal, servant à badigeonner les plaies» (son emploi a reculé depuis que l'on recourt plutôt au mercurochrome).

▸ *Iode* et le premier élément **IOD- (IODI-, IODO-)** ont fourni de nombreux termes dérivés ou composés en *iod-,* parmi lesquels des mots de chimie et de pharmacie. ◆ En chimie : **IODIQUE** adj. (1812, *acide iodique*), employé aussi en médecine (1928, *acné iodique*); **IODURE** n. m. (1812), d'où **IODURÉ, ÉE** adj. (1910); **IODATE** n. m. (1816); **IODÉ, ÉE** adj. (1824) puis **IODER** v. tr. «couvrir d'iode» (1861) et «traiter par l'iode» (1877), dont procède **IODATION** n. f. (mil. XXe s.). ◆ En pharmacie : **IODOFORME** n. m. (1834; aussi en chimie); **IODOTHÉRAPIE** n. f. (1885); **IODISME** n. m. (1855); **IODACÉTONE** n. f. (1885) de *acétone;* **IODÉMIE** n. f. (1938), terme de biologie.

ION

ION n. m. est emprunté (1840, Académie) à l'anglais *ion,* mot créé en 1834 par le physicien Faraday, emprunt au grec *ion,* participe présent neutre de *ienai* «aller», par allusion au fait que les particules ionisées se portent vers l'anode ou la cathode. L'ion est étymologiquement la «particule qui va».

♦ Le mot désigne un atome ou un groupement d'atomes portant une charge électrique, spécialement ayant gagné ou perdu un ou plusieurs électrons. De là, *ion-gramme* «atome-gramme d'un élément à l'état d'ion».

▸ Le développement de la physique de l'atome explique l'apparition de nombreux dérivés et composés. ◆ **IONISER** v. tr. (1895, pron. et p. p.) signifie «transformer en ions», «modifier un corps en donnant naissance à des ions». ◆ Le verbe a servi à former **IONISATION** n. f. (1894) d'après l'anglais *ionization* (1891), d'où **AUTO-IONISATION** n. f. (1903), ① **IONISANT, ANTE** adj. (1903), **IONISABLE** adj. (XXe s.) et **IONISATEUR** n. m. (mil. XXe s.). ◆ ① **IONIQUE** adj. (1893) s'applique à ce qui est relatif aux ions, spécialement dans le domaine technique *(propulsion, moteur ionique).*

ANION n. m. «ion négatif» (1842, Académie) reprend l'anglais *anion* (1834, Faraday), formé d'après *anode* et *ion.* ◇ En dérive **ANIONIQUE** adj. (1935). ◆ **CATION** n. m. «ion positif» (1866; 1838, *cathion*) est formé d'après *cat[hode].*

ION-, IONO-, tiré de *ion,* est un premier élément de termes scientifiques. ◆ **IONOSPHÈRE** n. f. est emprunté (1935) à l'anglais *ionosphere,* formé par Watson-Watt en 1926, d'après *atmosphère* (→ sphère); ce mot désigne la couche supérieure de l'atmosphère, à forte ionisation; en dérive **IONOSPHÉRIQUE** adj. (av. 1948) d'après l'anglais *ionospheric* (1933). ◆ **IONOMÈTRE** n. m. est relevé au milieu du XXe s., comme **IONOPHORÈSE** n. f. employé en médecine et tiré de *-phorèse* (→ -phore) et **IONOGRAMME** n. m. (av. 1959).

IONIEN, IENNE

IONIEN, IENNE adj. est dérivé (1529, comme nom) de *Ionie,* emprunté au latin *Ionia,* lui-même du grec *Iônia.* Ce nom est dérivé de *Iôn,* ancêtre mythique du peuple ionien : *Iônia* était le nom d'une ancienne province grecque d'Asie Mineure.

♦ Le mot s'applique à ce qui est propre à cette région ou ses habitants et s'emploie spécialement en musique (1598, d'Aubigné, *mode ionien*) pour désigner l'un des six modes archaïques (ou harmonies) décrits par Platon, et le mode ecclésiastique construit sur la gamme d'ut majeur. ◇ En linguistique *ionien* n. m. désigne le dialecte grec d'Ionie (1730, Rollin).

▸ ② **IONIQUE** adj. est emprunté (1526-1537; 1533, *yonicque*) au latin *ionicus* «d'Ionie», par exemple dans *motus ionici* «danse ionique», et usité en métrique : *ionicus a majore, a minore* «ionique majeur, mineur». Le latin est lui-même emprunté au grec *iônikos* dérivé de *Iônes* «les Ioniens». ✦ L'adjectif est introduit comme terme d'architecture ; de là ***ordre ionique*** (1669) et par ellipse *l'ionique* pour désigner l'un des trois ordres de l'architecture grecque (à côté de *dorique* et de *corinthien*), caractérisé par un chapiteau orné de deux volutes latérales. ◇ Il s'est employé pour *ionien* (1552, *languaige Ionicque ;* 1586, *l'ionique* «la musique ionique»), emploi disparu. ◇ L'adjectif a repris au XIXe s. l'emploi du latin en métrique (1845, *vers ioniques ;* 1893, *pied ionique* et, par ellipse, *un ionique*). ✦ De l'adjectif dérive ② **IONISANT, ANTE** adj. (XIXe s.) qualifiant ce qui se rapporte à l'art ionique, homonyme rare du terme de physique.

IOTA n. m. est un emprunt (v. 1240), occasionnel au milieu du XIIIe s., repris vers 1300, au grec *iôta,* par l'intermédiaire du latin. C'est le nom de la neuvième lettre de l'alphabet grec, la plus petite de toutes, correspondant dans l'alphabet français à la lettre *i.*

♦ Introduit en français dans cette acception, le mot s'emploie ensuite figurément avec le sens (1544) de «la plus petite chose, le plus petit détail (de ce qui est ou peut être écrit)», surtout dans la locution ***sans changer un iota*** (cf. *sans changer une virgule*) ; de là vient la locution ***ne pas bouger, modifier,*** etc. ***d'un iota*** «si peu que ce soit» (1669).

▸ **IOTACISME** n. m. est emprunté (1803) au bas latin des grammairiens *iotacismus* «prononciation défectueuse du *i*», «répétition fréquente du *i*», emprunt au grec *iotakismos* dérivé de *iota ;* le mot reprend les sens du latin en linguistique et en phonétique.

IPÉCA n. m. représente une abréviation (1802) de *Ipecacuana* n. m. (1694), aussi *Ygpecaya* (1640). *Ipecacuana* est toujours usité en botanique ; c'est un mot emprunté au portugais *ipecacuanha* (1648), d'abord *Igpecacoaya* (1595) et *Pecacuem* (1587), lui-même emprunté au tupi, langue indienne du Brésil. On a employé aussi la graphie avec *-h-,* d'après le portugais.

♦ *Ipéca,* terme de botanique et de pharmacie, désigne un arbrisseau du Brésil dont les racines sont utilisées pour leurs propriétés vomitives. ◇ Le mot s'est employé, par référence à ces propriétés, dans l'argot militaire (1861) pour désigner le médecin-major (aussi *Père Péca,* 1886).

IPOMÉE n. f., terme de botanique, est emprunté (1803, Lamarck et Mirbel) au latin scientifique *ipomaea* (Linné), formé à partir des mots grecs *ips, ipos* «ver» et *homoios* «semblable» (→ homo-).

♦ Il désigne une plante d'aspect vermiforme, dont une variété cultivée est couramment appelée *volubilis.*

IPSE n. m., attesté chez G. Bataille (1943, *L'Expérience intérieure*), reprend un mot latin signifiant «même, en personne ; lui-même, elle-même», etc. et par extension «en soi, par soi, de soi-même», formé de *i(s)-* nominatif (adjectif, pronom de renvoi) et de la particule de renforcement *-pse. Ipse* avait abouti en ancien français à *eps* «même» (fin Xe s. ; → même).

♦ Le mot, didactique et rare, est quelquefois employé en français pour désigner l'être pensant en tant qu'il est lui-même.

▸ **IPSÉITÉ** n. f. est un emprunt (1840, Pierre Leroux) au latin scolastique *ipseitas,* dérivé de *ipse.* Le mot, extrêmement rare avant son réemploi en phénoménologie (1943, Sartre), désigne le caractère de l'être conscient qui est lui-même, non réductible à nul autre.

IPSO FACTO adv., apparu dans un emploi adjectif en religion (1625; *excommunication ipso facto,* 1690) et à nouveau au début du XIXe s. (av. 1808), reprend une locution latine signifiant «par le fait même», composée des mots du latin *ipso,* ablatif neutre de *ipse* (→ ipse), et de *facto,* ablatif de *factum* (→ fait).

♦ L'adverbe s'emploie en droit avec le sens de «par le fait même, par une conséquence obligée, sans aucune formalité». Il signifie assez couramment (1835) «automatiquement, par voie de conséquence».

-IQUE est un suffixe issu du latin *-icus* «relatif à, qui est propre à», lui-même emprunté au grec *-ikos,* et servant à former un grand nombre d'adjectifs (parfois employés comme substantifs) dans les domaines scientifique et technique. ✦ Certains mots ont été empruntés au grec par l'intermédiaire du latin (*syllabique :* latin *syllabicus,* grec *sullabikos*), de même que des éléments formants en *-ique* (*-graphique, -logique, -métrique,* etc.). Le suffixe est très productif depuis le début du XIXe s., en particulier dans la formation de termes de chimie (exemple *stéarique,* 1819), de géométrie (*stéréométrique,* 1812), de médecine (*névralgique,* 1801 ; *anesthésique,* 1847). Les formations se multiplient au XXe s., au rythme des nouvelles acquisitions scientifiques et techniques et de leur vulgarisation (*stéréophonique,* 1940 ; *télégénique,* 1961). Certains termes représentent des calques de l'anglais *(basique),* auxquels ils empruntent parfois la variante *-ic,* notamment dans le vocabulaire de l'industrie et de la publicité *(plastic) ;* un nombre limité d'adjectifs empruntés au latin possède, par ailleurs, une double forme au masculin *(public/publique).*

◇ *-ique* est spécialement utilisé en chimie (1787, Lavoisier et Guyton de Morveau) pour former des adjectifs qualifiant celui des acides d'une série qui présente la teneur en oxygène la plus communément rencontrée (acide *chlorique,* plus oxygéné que l'acide *chloreux*).

IRAKIEN, IENNE adj. et n. est dérivé (1846) du nom de pays *Irak.* La graphie *Iraq,* transcrite de l'arabe *'irāq* ou empruntée à l'anglais, tend à se répandre, d'où les variantes *iraquien* et *iraqien,* voire *iraqi,* réemprunt à l'arabe par l'anglais.

♦ L'adjectif s'applique à ce qui est propre à l'Irak. Le nom désigne la variété d'arabe parlée en Irak.

IRANIEN, IENNE adj. et n. est dérivé (1840) de *Iran,* nom de la Perse moderne (cf. *persan*).

♦ Le mot se dit de ce qui est relatif à l'Iran et désigne (1867, n. m.) une des langues du groupe iranien.

► **IRANISANT, ANTE** n., dérivé (1877) d'*Iran* ou d'*Iranien* d'après les mots analogues en *-isant* (cf. *arabisant*), désigne un spécialiste de l'Iran ancien (langue : persan ; civilisation).

IRE n. f. est issu (fin xe s.) du latin *ira* «colère» et «motif de colère», d'origine mal déterminée.

♦ Le français conserve ces sens, le mot, remplacé par *colère* dans l'usage courant, devenant au xviie s. «un peu vieux mais toujours reçu dans la belle poésie» (Richelet, 1680), puis «en usage dans le burlesque» (Trévoux, 1704). Il a encore des emplois littéraires et plaisants.

► **IRASCIBLE** adj. est un emprunt savant (v. 1175, *iraiscible*) au bas latin *irascibilis,* dérivé du latin classique *irasci* «se mettre en colère», lui-même dérivé de *ira.* ➜ L'adjectif est introduit avec la valeur étymologique pour qualifier une personne prompte à s'irriter, à s'emporter. Au xive s., il passe dans le vocabulaire de la philosophie scolastique (1370-1372, *puissance irascible*), sens sorti d'usage, de même que *l'irascible* n. m. (1694) ou *faculté irascible* (1718) «celle des trois facultés de l'âme qui porte à la colère». Le sens initial est resté vivant en français moderne, à la différence de *ire.*
IRASCIBILITÉ n. f., dérivé de l'adjectif ou emprunt savant au dérivé bas latin *irascibilitas,* est littéraire (1444 ; 1370-1372, Oresme, *irasabilité*).

IRÉNIQUE adj. est emprunté (1867) au latin ecclésiastique moderne *irenicus,* lui-même emprunté au grec *eirênikos* «pacifique», dérivé de *eirênê* «paix».

♦ Cet adjectif très didactique qualifie ce qui apaise les querelles religieuses et s'emploie notamment dans *livres iréniques* «destinés à rétablir ou à consolider la paix (entre chrétiens de confessions différentes)». *Irénique* se dit par analogie (v. 1960) de ce qui est empreint d'irénisme.

► De l'adjectif dérivent **IRÉNISTE** n. (1931), «personne qui croit à la paix perpétuelle», et **IRÉNISME** n. m. (attesté en 1962) «attitude de compréhension et de conciliation» (cf. *œcuménisme*).

IRIDIUM n. m. est emprunté (1805) à l'anglais ; le mot a été créé par le chimiste Smithson Tennant en 1804 à partir du latin classique *iris, iridis* «arc-en-ciel» (→ iris), en raison des couleurs variées qu'offrent les combinaisons de ce métal.

♦ Le mot désigne un métal très dur et très lourd, extrait de certains minerais du platine.

► L'adjectif dérivé **IRIDIÉ, ÉE** (1872) s'applique à ce qui est allié avec de l'iridium (*platine iridié,* notamment en parlant de l'étalon matériel du mètre).

IRIS n. m. est un emprunt (1re moitié xiie s.) au latin *iris, iridis* pris au grec *Iris, Iridos,* nom de la messagère des dieux, personnification de l'arc-en-ciel, d'où «arc-en-ciel», et par ailleurs «partie colorée de l'œil» et «fleur d'iris», parce que sa coloration fait penser à l'arc-en-ciel.

♦ Le mot désigne d'abord, comme en latin, une variété de quartz qui présente les couleurs de l'arc-en-ciel. ➜ Par un autre emprunt au latin (xiiie s.), il désigne une fleur ornementale et la plante vivace, à feuilles en lame d'épée, qui la produit. Dans ce sens, il s'emploie parfois au féminin. ➜ *Iris* se dit ensuite (1478), après *yride* (v. 1370), de la partie de l'œil percée à son centre d'un orifice (la pupille), sens directement emprunté au grec par les médecins. ◇ Le mot, pour «arc-en-ciel» (1478, aussi *écharpe d'Iris*), est sorti d'usage ; il s'emploie par analogie (1690) pour désigner les couleurs de l'arc-en-ciel et, spécialement (1765), les cercles de couleur qui entourent un objet vu à travers une lentille. ◇ *Vert d'iris* désigne une couleur vert pâle (1680) ; *poudre d'iris* (1685 ; 1835, *iris*) «poudre utilisée en parfumerie» vient de ce que cette poudre est tirée de l'*iris de Florence* (xvie s.). ◇ Du sens anatomique vient l'emploi en photographie (*diaphragme* [à] *iris,* et absolument *iris*).

► De l'emploi du mot en botanique dérive **IRIDACÉES** n. f. pl. (1850), qui a remplacé la forme **IRIDÉES** n. f. pl. (1798-1799).
Le sens anatomique a fourni les termes didactiques **IRIEN, IENNE** adj. (1814) «de l'iris de l'œil», **IRITIS** n. f. (1818) «inflammation de l'iris», et ① **IRIDIEN, IENNE** adj. (1860).
De l'emploi pour «arc-en-ciel» vient ② **IRIDIEN, IENNE** adj., didactique et rare. ◇ **IRISER** v. tr. (1749, *s'iriser,* Buffon) «colorer des couleurs de l'arc-en-ciel» est plus rare que le participe passé adjectivé **IRISÉ, ÉE** *(quartz irisé).* ◇ Du verbe dérivent les termes littéraires **IRISATION** n. f. (1833, G. Sand), **IRISEMENT** n. m., (1873, A. Daudet) et **IRISABLE** adj. (1877).
IRIDESCENT, ENTE adj., littéraire, dérivé savant (1842) du latin *iris,* s'applique à ce qui a des reflets irisés ; en dérive **IRIDESCENCE** n. f. (1924).
➜ **IRONE** n. f., dérivé (v. 1900) de *iris,* désigne en chimie le principe auquel l'iris doit son odeur.
IRID-, IRIDO-, élément issu du grec *iris, iridos* au sens de «partie colorée de l'œil», sert à former des termes de médecine, tels que **IRIDOTOMIE** n. f. (1855), **IRIDOSCOPE** n. m. (1866), **IRIDODILATATEUR, TRICE** adj. (1909).

◈ voir IRIDIUM.

IRISH COFFEE n. m., anglicisme (relevé en 1959), est une locution signifiant «café *(coffee)* irlandais *(irish)*».

♦ Le mot désigne une boisson composée de café sucré chaud et de whisky irlandais, nappée de crème. La traduction *café irlandais*, en usage, n'a pas supplanté l'anglicisme.

IRLANDAIS, AISE adj. et n., attesté chez Baïf (1567, *archers Irlandois*) et certainement antérieur, est dérivé de *Irlande*, nom d'une île de l'archipel britannique. Le nom propre *Ireland* vient en anglais de l'irlandais *Eire* et de *land* «terre», de même origine que *lande**. *Eire* est d'origine incertaine ; on a évoqué le gaélique *lar(-fhonn)* «Ouest (du pays)» et *I-iarunn*, l'«île *(i)* du fer» (*iarunn*, d'où l'anglais *iron*).

♦ Qualifiant ce qui est relatif à l'Irlande et à ses habitants, le mot désigne en particulier (XVIIIe s., n. m.) le groupe des parlers celtiques d'Irlande. ◇ ***Cheval irlandais***, ou *irlandais* n. m., désigne une espèce répandue en Irlande et en Bretagne au XIXe siècle.

IRONIE n. f. est emprunté (fin XIIIe s., *yronie*) au latin *ironia*, lui-même repris au grec *eirôneia* proprement «interrogation», d'où «action d'interroger en feignant l'ignorance», sens dû à la méthode de Socrate qui, en interrogeant ainsi ses interlocuteurs, visait à déjouer la suffisance de certains d'entre eux et à faire apparaître leur ignorance. *Eirôneia* dérive du verbe *eirôneuesthai*, lui-même de *eirôn, -ônos* «qui interroge en affectant l'ignorance».

♦ Rare avant le XVIe s., le mot s'emploie d'abord pour désigner une forme de raillerie qui consiste à dire le contraire de ce que l'on veut faire entendre ; le sens étymologique est repris en rhétorique au XVIIe s. (av. 1680), sens précisé plus tard (1840) en *ironie socratique*. ◇ *Une ironie* se dit par métonymie (1656, Pascal) pour «parole ironique» puis «disposition railleuse» et «apparence ironique». ◇ Le mot désigne figurément ce qui semble être une moquerie insultante, en parlant de faits (1764), d'où ***ironie du malheur*** (1807, Mme de Staël), ***ironie du sort*** (1810). ◇ Du sens rhétorique vient ***point d'ironie*** (1902) «signe de ponctuation destiné à indiquer au lecteur un passage ironique dans le texte», d'usage rare par rapport à *point d'exclamation*.

▸ Le dérivé **IRONISER** v. signifie d'abord (1644-1645, tr. ; 1690, intr.) «railler finement» ; le verbe est vieilli au sens transitif de «tourner en dérision» (1838). ➛ **IRONISTE** n. et adj. (1776, Restif de la Bretonne) est aujourd'hui vieilli pour désigner une personne, un polémiste, qui pratique l'ironie ; son dérivé **IRONISME** n. m. (1897) est encore plus rare.
IRONIQUE adj., attesté en 1521 *(yronicque)*, est probablement antérieur (cf. *ironiquement*) ; l'adjectif est emprunté au bas latin *ironicus*, lui-même au grec *eirônikos*, dérivé de *eirôn*. ➛ Terme de rhétorique, l'adjectif s'emploie à partir du XIXe s. avec la valeur extensive du nom, en parlant des événements (1831). ➛ **IRONIQUEMENT** adv. (v. 1500) correspond aux valeurs de l'adjectif ; il est usuel.

IROQUOIS, OISE adj. et n., d'abord écrit *irocois* (1605) puis *iroquois* (1644), représente une déformation d'un mot de la langue iroquoise, signifiant «vraies vipères».

♦ D'abord employé pour désigner un groupe indien de l'Amérique du Nord, le mot s'est dit ensuite (1718), avec une valeur péjorative, d'une personne dont la conduite, les paroles paraissent bizarres. L'adjectif s'est notamment employé pour qualifier un vers ridicule (1795), sens disparu. Ces valeurs sont à rapprocher de celles de *huron* et d'*indien* (en argot). ◇ Le substantif désigne au sens propre (1808) l'ensemble des langues indiennes du même groupe que celle que parlent les Iroquois ; il a été employé péjorativement (1842) pour «langage inintelligible» (*c'est de l'iroquois ;* cf. *c'est du chinois, de l'hébreu*).

IRRADIER v. est emprunté (XVe s., *irradyer*) au latin impérial *irradiare* «projeter ses rayons sur», «rayonner, briller», formé par préfixation (→ ② in-) à partir de *radius* «baguette pointue», puis «rayon lumineux» (ordinairement représenté par une lame à pointe aiguë) (→ radiation, rayon).

♦ Le verbe apparaît au sens d'«illuminer», d'abord au participe passé dans un contexte religieux (*irradiez du Saint-Esprit*, v. 1470) ; il est repris au XVIe s. comme intransitif avec le sens de «déverser ses lumières», en parlant de l'intelligence (1545), puis n'est plus attesté. ◇ Il réapparaît au début du XIXe s. pour servir de verbe à *irradiation* (ci-dessous), au sens de «se propager en rayonnant», en parlant d'une source lumineuse (1808, intr.), puis en parlant d'un feu, d'une source de chaleur (1842, pron.) et d'une sensation douloureuse (1867). ◇ Depuis le début du XXe s., *irradier* s'emploie spécialement et transitivement pour «exposer (un organisme ou une substance) à l'action de certaines radiations» en particulier à la radio-activité. ◇ De là, **IRRADIÉ, ÉE** adj. et n.

▸ L'adjectif dérivé **IRRADIANT, ANTE**, d'abord attesté au XVe s., est repris à la fin du XIXe s. au figuré, puis au XXe s. en parlant d'une source de lumière.
IRRADIATION n. f. est emprunté (v. 1390, *irradiacion*) au latin impérial *irradiatio* «action de rayonner», du supin *irradiatum* du verbe latin. ➛ Le sémantisme du nom est analogue à celui du verbe ; d'abord employé au propre en parlant de l'émission de rayons lumineux, puis au figuré (1561, Calvin), il est repris à la fin du XVIIe s. pour désigner un mouvement qui part d'un centre et rayonne dans toutes les directions (1694, dans un contexte physiologique). ◇ Le premier sens est repris à la fin du XVIIIe s. (1796) pour désigner une lumière qui rayonne d'un corps lumineux et le fait paraître plus grand. ◇ De l'idée de déploiement à partir d'un centre vient l'emploi en anatomie (1805), à propos de la disposition rayonnée des fibres, des vaisseaux, etc. *Irradiation* s'utilise ensuite en médecine (1873, *irradiation de la douleur*) pour désigner la propagation de la douleur depuis son point d'origine. ◇ L'emploi pour «fait d'exposer à l'action de certaines radiations» (1926) correspond à la dernière valeur prise par le verbe.

IRRÉALISABLE → **RÉALITÉ**

IRRÉDENTISME n. m. est un emprunt (1890) à l'italien *irredentismo*, dérivé de *irredento* «soumis à la domination étrangère», formé du préfixe négatif *ir-* (→ ① in-) et de *redento* «racheté», emprunt au latin *redemptus,* participe passé de *redemire* «racheter un captif», d'où «délivrer, affranchir» (→ rédimer). En Italie, l'association *Irrendenta Italia* (1877) s'était fixé pour mission de libérer les régions de langue italienne encore soumises à la domination de l'Empire austro-hongrois.

♦ *Irrédentisme* désigne la doctrine et le mouvement de revendication des nationalistes italiens. Par analogie, le mot s'est employé (1923, Barrès) en parlant d'un mouvement national s'inspirant des mêmes principes.

▸ Le dérivé **IRRÉDENTISTE** adj. et n. est lui aussi attesté en 1890.

IRRÉDUCTIBLE → RÉDUIRE

IRRÉFRAGABLE adj. est un emprunt (1470) au bas latin *irrefragabilis* «irréfutable», formé par préfixation (→ ① in-) à partir du latin classique *refragari* qui signifie en droit public «voter contre, s'opposer à» et, employé au figuré, «être opposé à», «être incompatible avec». Le verbe s'oppose à *suffragari* «voter», les deux verbes semblant issus d'une base *-fragari, fragere,* formée sur la même racine que *frangere* «briser» (→ enfreindre).

♦ Le premier emploi de ce mot didactique n'est pas clair; il se dit ensuite (1508) de ce que l'on ne peut contredire ou récuser, notamment en parlant d'un fait. ◇ Le mot a qualifié ce que l'on ne peut dompter ou briser (déb. XVIe s., en parlant de l'amour, de la paix).

▸ Le dérivé **IRRÉFRAGABLEMENT**, adv., attesté une première fois en 1511, repris au début du XVIIe s. puis au XIXe s. (1835), est demeuré très rare.

IRRÉMÉDIABLE → REMÈDE

IRRÉMISSIBLE adj. est emprunté (1234) au latin ecclésiastique *irremissibilis* «irréparable», formé de *ir-* (→ ① in-) et de *remissibilis* «pardonnable», «aisé, doux»; cet adjectif dérive du latin classique *remissum,* supin de *remittere* «renvoyer», «détendre» et au figuré «abandonner, renoncer à» (→ rémission), lui-même de *mittere* (→ mettre).

♦ L'adjectif apparaît en français, avec la valeur du latin, pour qualifier ce qui ne mérite pas de rémission et, par extension (XVe s.), ce qui, par son caractère impardonnable, cause la mort. Le mot entre dans des expressions comme *péché irrémissible* «péché contre le Saint-Esprit», en termes de théologie protestante (1877). ◇ Il s'emploie au XIXe s., sans valeur religieuse, pour qualifier ce qui a un caractère irréversible *(mort irrémissible).* Substantivé au milieu du XIXe s. (Baudelaire), l'adjectif se dit aussi par exagération pour «inexcusable, déplacé» (1883, Huysmans).

▸ **IRRÉMISSIBLEMENT** adv. rare (1550) apparaît d'abord sous la forme *inremissiblement* (1521).

IRREMPLAÇABLE → PLACE

IRRÉPRESSIBLE → RÉPRESSION

IRRÉSISTIBLE → RÉSISTER

IRRÉSOLU, IRRÉSOLUTION → RÉSOUDRE

IRRÉVÉRENCE → RÉVÉRER

IRRIGUER v. tr., après une première attestation au XVIe s. du participe passé *irrigué* (1505), réapparaît au début du XIXe siècle. C'est un emprunt au latin *irrigare* «conduire, amener l'eau dans», «arroser» et au figuré «baigner»; le verbe est formé de *ir-* (→ ② in-) et de *rigare* «faire couler (l'eau, le sang, etc.) en dirigeant», «arroser» au propre et au figuré. ◇ Une forme *erger,* aboutissement phonétique du latin, est attestée en ancien vaudois en 1527, pour «arroser, irriguer».

♦ Reprenant les valeurs du verbe latin, *irriguer* s'emploie d'abord pour «arroser (une prairie à l'aide de canaux)» (1835), emploi généralisé plus tard. Il est sorti d'usage en médecine pour «arroser une plaie» (1873). Il se dit ensuite par analogie (1947) pour «arroser naturellement (les tissus de l'organisme)», en parlant du sang, des liquides organiques, et dans le domaine économique pour «provoquer une arrivée importante (de capitaux, etc.)».

▸ **IRRIGATEUR** n. m. désigne d'abord (1827) un instrument servant à irriguer les prés, puis en médecine (1832) un instrument destiné à faire des lavements, des injections; cet emploi a disparu, ainsi que le sens de «personne qui irrigue» (1847, Balzac). ◆ **IRRIGABLE** adj. est attesté en 1839. ◆ **IRRIGATION** n. f. est emprunté au latin *irrigatio* «action d'arroser», formé sur *irrigatum,* supin du verbe latin. ◇ Le mot, attesté isolément au XVe s. en médecine, est repris dans ce sens en 1754. Depuis le début du XVIe s. il désigne l'arrosage des terres. Les emplois par analogie, parallèles à ceux du verbe, apparaissent au milieu du XXe siècle.

IRRITER v. tr. est un emprunt (1352-1356 au passif, Bersuire) au latin *irritare* ou *inritare* «exciter, stimuler», «provoquer» et «indisposer», que Ernout et Meillet considèrent comme un «mot expressif, sans étymologie», c'est-à-dire d'origine obscure.

♦ Le verbe reprend dans ses premiers emplois le sens latin de «mettre qqn dans un état de nervosité hostile»; la construction *irriter à* (1510) est sortie d'usage; *s'irriter,* relevé en 1640 (Corneille), est toujours en usage. ◇ Le sens de «rendre plus vif (un sentiment)» (1587; 1535, *inriter*) est archaïque et littéraire. ◇ Parallèlement, le verbe reprend le sens latin de «rendre douloureux, en déterminant une légère inflammation» (1536). Il a été utilisé au figuré pour «donner plus de force à un élément» (1559) par exemple dans *irriter la mer* (1564), également dans un contexte poétique, au pronominal, en parlant des flots (1583, employé jusqu'au XIXe s.). ◇ *Irriter* correspond en sciences naturelles à «faire réagir sous l'effet d'un stimulus» et s'emploie d'abord au participe passé (1755, *nerfs irrités*).

▸ **IRRITANT, ANTE** adj. qualifie (1549) ce qui met (qqn) en colère; le mot est vieilli appliqué à ce qui détermine l'irritation (1555), d'où *un irritant* n. m.

(1835), ou, en biologie (1753), à ce qui provoque des réactions nerveuses; il qualifie ce qui agit fortement sur les nerfs (1851).
Plusieurs mots sont empruntés à des dérivés du latin *irritare* ou de son supin. ◆ **IRRITAMENT** n. m., mot de la langue classique (av. 1650, Guez de Balzac), désignait ce qui excite, stimule. Sous la forme *irritement,* il avait signifié en moyen français «provocation» (1352-1356) et «irritation» (1544), comme le latin *irritamentum* auquel il est emprunté. ◆ **IRRITATION** n. f., emprunt au latin *irritatio* «action d'irriter» et «sensation irritante», se dit de l'état d'une personne irritée (v. 1400) et d'une inflammation légère (1694); le nom désigne (1830) l'état des nerfs irrités, mais il est sorti d'usage pour parler de l'action d'irriter au moyen d'un stimulus (1834). ◆ Le terme de médecine **IRRITATIF, IVE** adj. (1498) est dérivé de *irritation* ou du latin médical. ◆ **IRRITABLE** adj., emprunt au latin *irritabilis* «qui irrite» et «susceptible», a d'abord eu (1520) le sens de «qui provoque la colère», disparu, et en biologie (1757) «qui fait réagir les nerfs». ◇ Il s'applique couramment (1829) à une personne qui se met facilement en colère. ◆ **IRRITABILITÉ** n. f., attesté en 1672 sous la forme latine *irritabilitas* (mot du latin impérial, dérivé de *irritabilis*), n'est relevé qu'en 1754 en biologie, pour désigner l'une des propriétés des nerfs, et en 1778 en emploi courant, pour «caractère d'une personne irritable».

IRRORATION n. f. est un emprunt (1694) au latin chrétien *irroratio,* dérivé de *irroratum,* supin de *irrorare* «couvrir de rosée», «asperger», lui-même composé de *ir-* (→ ② in-) et de *rorare* «couvrir de rosée» et au figuré «humecter, arroser», dérivé de *ros, roris* (→ rosée).

♦ Le mot désigne d'abord la pratique superstitieuse qui consistait à arroser une plante avec des liquides provenant d'un malade, pour le guérir. Il se dit aujourd'hui de l'action d'humecter par vaporisation (1825).

▶ **IRRORER** v. tr., emprunt au latin *irrorare,* a signifié «arroser» (1532, Rabelais) puis «vaporiser» (XIXe s.); il est sorti d'usage, comme son dérivé **IRRORATEUR** n. m. (1825).

IRRUPTION n. f. est un emprunt savant (1495) au latin *irruptio* «invasion (des eaux)», formé sur *irruptum,* supin de *irrumpere* «se précipiter dans», «envahir», employé spécialement en termes militaires; ce verbe est formé de *ir-* (→ ② in-) et de *rumpere, ruptus* «briser violemment» (→ rompre). *Irrumpere* a été emprunté en moyen français sous les formes adaptées *irrumpre* (1463), *irrompre* (1530) avec les sens du latin.

♦ *Irruption* s'emploie d'abord pour désigner une invasion soudaine et violente; il est repris au début du XVIIIe s. en parlant d'idées, de sentiments (1701). ◇ Le premier emploi concret concerne les eaux qui débordent (1749) et l'entrée brutale de qqch. (1805), sens disparus. ◇ *Irruption* désigne aujourd'hui l'entrée en force et en masse de personnes dans un lieu (1789) et, par extension, l'entrée brusque et inattendue d'une personne (1833), d'où la locution ***faire irruption.*** ◇ Par confusion avec *éruption* «sortie brusque», *irruption* s'est employé (1797, Chateaubriand, et début XIXe s.) en parlant d'un volcan.

▶ Le dérivé **IRRUPTIF, IVE** adj. (XXe s.) est rare.

ISABELLE adj. inv., d'abord dans l'expression *couleur d'Isabelle* (1595; 1633 en emploi libre), est emprunté au prénom espagnol *Isabel,* forme populaire de *Élisabeth,* transformé en *Isabelle* d'après le latin médiéval *Isabella* (cf. *Isabel, Isabeau* en français au XIVe s.). Le rapport entre le prénom et la couleur est peu clair : Littré reprend une anecdote qui attribue à Isabelle la Catholique le vœu, lors du siège de Grenade en 1491, de ne pas changer de chemise avant la prise de la ville, mais il s'agit probablement d'une explication pittoresque forgée a posteriori.

♦ Qualifiant une couleur jaune pâle, l'adjectif est lexicalisé dans *soie isabelle* (1633); *isabelle* n. m. est attesté dans ce sens en 1640. ◇ L'adjectif s'applique aujourd'hui à des chevaux (*cheval isabelle;* 1841, n. m.). ◆ Par ailleurs le substantif désigne (1872) un cépage américain à raisins noirs; dans cet emploi, le mot a probablement une autre origine, le prénom *Isabel* existant aussi en anglais.

ISARD n. m. apparaît d'abord dans *bouc ysarus* (1387-1391) et est écrit ensuite *ysard* (1553) et aussi *issars* au pluriel (1614). Le mot et ses variantes sont attestés des deux côtés des Pyrénées; on relève *isard* en catalan (XIVe s.) et dans le domaine aragonais *sisardo, chizardo* et *sarrio,* d'où vient le castillan *sarrio* (1625); en France, on trouve à l'ouest des Pyrénées le type *sarri* et ses dérivés *sarride* «troupe d'isards», *sarriat* «petit de l'isard», et à l'Est le type *isart.* Certains rattachent ces formes au basque *izar* «étoile», à cause de la tache blanche portée par les jeunes isards sur le front; le suffixe basque *-di,* qui exprime la présence, expliquerait le type *isar-t.* Pour d'autres, l'ensemble des formes, d'origine préromane, viendrait d'une base préindoeuropéenne ibérique *izarr-* de sens obscur, peut-être antérieure au basque. Le passage à *-rr-, -rd-* s'expliquerait par des raisons phonétiques. La variante graphique *izard* est rare et archaïque.

♦ Le mot a supplanté dans les Pyrénées *chamois,* mot employé dans les Alpes (cf. aussi le portugais *camuza*) pour désigner le même animal; il demeure régional.

ISBA n. f., relevé chez La Pérouse (1797), est emprunté au russe *izba* «maison traditionnelle en bois de sapin», d'origine incertaine. Il s'agit peut-être d'une création slave à partir de *istopit'* «chauffer» ou d'un emprunt au germanique °*stuba,* représenté par le haut allemand *stuba* «endroit chauffé»; on y a vu aussi un emprunt au latin populaire °*extupa* (→ étuve). On trouve antérieurement la forme *wisbys* (1669), résultant d'une mauvaise transcription de *visby* «dans les isbas», le mot russe étant ici à l'accusatif pluriel avec agglutination de la préposition *v* «dans». La graphie *izba* (1863, Mme de Ségur) est sortie d'usage.

♦ Le mot conserve le sens du russe.

ISCHION n. m. (1538, Chauliac) est attesté isolément au XIVe s. sous la forme adaptée *scie,* puis chez Rabelais (1534) écrit *ischie.* Le mot est emprunté au grec *iskhion* chez Homère, «os du bassin où s'emboîte le fémur», puis «hanche».

♦ C'est au sens disparu de «hanche» que le mot est introduit. Ce terme d'anatomie désigne aujourd'hui (1538) une partie de l'os coxal — les deux autres étant l'ilion et le pubis — en bas et en arrière du bassin.

▶ Le dérivé **ISCHIATIQUE** adj. «de l'ischion», employé dans *veine isciatique* (1687), *nerf ischiatique* (1761), succède à *isciatique, ischiatique* n. f. pour «sciatique» (1532, Rabelais ; 1605, *goutte ischiatique*).

◈ voir SCIATIQUE.

-ISER est un suffixe verbal savant emprunté au bas latin *-izare,* qui correspond au grec *-izein.* Ce suffixe entre dans la formation de verbes transitifs à valeur factitive, dérivés de substantifs *(alcooliser),* et de verbes à valeur intransitive construits sur des noms de peuples ou de langues *(helléniser).* Utilisé depuis le XIVe s. (*tyranniser,* 1370), il reste très productif au XXe s., en particulier pour former des verbes dans le vocabulaire didactique *(robotiser)* et dans la langue littéraire.

ISINGLASS n. m. est emprunté (1803) à l'anglais *isinglass* (1660), d'abord *isonglas* (1545), altération probable, d'après *glass* «verre», du néerlandais *huisenblas,* en moyen néerlandais *huusblas* «vessie *(blas)* d'esturgeon *(huus)*».

♦ Ce terme technique reprend les sens de l'anglais : il désigne le mica utilisé comme verre isolant puis, par analogie d'aspect, équivaut à «gélose» (1876) et se dit par retour possible au sens étymologique, d'une matière gélatineuse extraite des cartilages et des vessies natatoires de poissons (1877).

ISLAM n. m. est un emprunt (1697) à l'arabe *('islām),* proprement «soumission, résignation» nom d'action tiré du verbe *aslama* «il s'est soumis», spécialement «à Dieu», quatrième forme de *salama, salima* «il est sain, libre, en sécurité».

♦ Le mot désigne la religion prêchée par Mahomet, fondée sur le Coran ; avec l'initiale majuscule, *Islam* se dit de l'ensemble des peuples qui professent cette religion.

▶ *Islam* a fourni plusieurs dérivés. **ISLAMISME** n. m. (1697) signifie «religion musulmane» ; il a pour dérivé **ISLAMISTE** adj. (1803, Chateaubriand). ➝ **ISLAMITE** adj. et n. (1759) a été supplanté par *musulman.* ➝ **ISLAMIQUE** adj. (1835, Lamartine) s'applique à ce qui est relatif à l'Islam ; à la différence du précédent, il est resté en usage. ➝ **ISLAMISER** v. tr. «convertir à l'islam, intégrer au monde islamique» (1862, Renan) est fréquent au participe passé **ISLAMISÉ** adj. (1902) et a fourni **ISLAMISATION** n. f. (1903).

ISLAMOLOGIE n. f. «étude de l'Islam» est un composé didactique récent (mil. XXe s.) de *-logie,* comme **ISLAMOLOGUE** n., formé avec *-logue.* **PANISLAMIQUE** adj. est attesté en 1921.

ISLANDAIS, AISE adj. et n. dérive (1732) du nom toponymique *Islande* qui signifie «terre *(land)* de glace (*eis, is,* cf. anglais *ice*)».

♦ Le mot s'applique d'abord à une personne qui habite ou est originaire d'Islande. Comme nom masculin, il désigne (1827, n. m., Ampère) la langue scandinave parlée en Islande depuis le IXe s., qu'il s'agisse du *vieil islandais* ou d'*islandais moderne.* ◇ En France, *Islandais* n. m. est le nom donné à un pêcheur breton faisant les campagnes de pêche à la morue sur les bancs d'Islande (1883, P. Loti ; cf. *terre-neuvas*) ; en ce sens le mot est aussi adjectif (1906, *goélette islandaise*).

-ISME, suffixe savant, vient du grec *-ismos,* par l'intermédiaire du bas latin *-ismus,* et sert à former des substantifs masculins. Ce suffixe a été très utilisé, sous la forme *-ismus,* dans le latin scolastique, d'où il est passé en français, entrant dans la formation de nombreux dérivés à partir de la Renaissance. Il a été très productif dans la première moitié du XIXe s. pour construire des termes politiques, économiques et philosophiques, puis s'est employé dans l'ensemble du lexique.

♦ Joint à un nom ou à un adjectif, *-iste* forme des termes politiques et sociaux avec la valeur de «système d'opinions», «attitude, tendance», souvent combiné avec des préfixes comme *anti-, pro-...,* des termes de philosophie, de science, de religion («doctrine», «croyance»), des termes littéraires, artistiques («école, tendance») ; *-isme* dénote une attitude positive par rapport à la croyance, etc. représentée par la base. ◇ Par ailleurs, il a pour valeur «attitude et activité (conforme à la tendance qu'exprime la base)», par exemple dans *constructivisme* ou «favorable à une personne, un groupe» *(américanisme).* Correspondant parfois à l'idée d'«activité professionnelle» *(journalisme),* le suffixe peut exprimer un caractère ou un état particulier, une maladie *(mongolisme).* ◇ *-isme* se construit aussi avec des noms propres *(bovarysme),* notamment en politique *(gaullisme),* avec des verbes *(dirigisme)* ou des syntagmes *(je-m'en-foutisme).* La plupart des mots en *-isme* correspondent à une forme en *-iste** (adj. et n.).

ISO- est un premier élément tiré du grec *is(o)-,* de *isos* «égal», dont l'origine est inconnue, et qui a donné en grec un grand nombre de composés. *Iso-* entre dans la composition de nombreux termes scientifiques en géographie, géophysique, médecine... ; il signifie «égal», opposé à *hétéro-* et à *aniso-,* et peut aussi indiquer une équivalence, une identité entre des éléments. Les composés sont souvent directement empruntés au grec.

▶ **ISOCHRONE** adj. (1682), d'abord *isochron* (1675) et auparavant noté chez Descartes en caractères grecs (1629, *isokronoi* pl.), est emprunté au grec *isokhronos* «contemporain» puis «égal en durée», de *khronos* «temps, durée» (→ chrono-). Ce terme scientifique signifie «dont la période a une durée constante». ◇ En ce sens, on emploie aussi **ISOCHRONIQUE** adj. (1867). ◇ *Isochrone* se dit aussi de neurones qui ont la même chronaxie. ➝ Il a un dérivé, **ISOCHRONISME** n. m. (1700).

ISOGONE adj. conserve en mathématiques (1682) le sens de son étymon, le grec *isogônios* «qui a des angles égaux» (et, tardivement, «qui a le même nombre d'angles»), de *gônia* «angle» (→ genou). ◆ Le mot s'emploie aussi en géographie (1902) dans *lignes isogones* «lignes qui relient sur une carte les points de la Terre ayant une même déclinaison magnétique». ◆ On emploie également avec ce sens **ISOGONIQUE** adj. (1864; cf. anglais *isogonic*, av. 1859) et **ISOGONAL, ALE, AUX** (attesté XXe s.; cf. anglais *isogonal*, 1857).

ISOMORPHE adj. formé avec *-morphe* s'emploie en chimie (1821), appliqué à un corps qui présente la même structure cristalline qu'un autre, en mathématiques (1905, Poincaré) et au sens général de «qui correspond à des réalisations de la même structure», spécialement en linguistique (XXe s.). ◆ Il a pour dérivé **ISOMORPHISME** n. m. (1824); la variante **ISOMORPHIE** n. f. (1845) est vieillie.

ISODYNAME adj. et n. f. est une adaptation (1834) du grec *isodunamos* «d'une puissance (ou d'une valeur) égale», de *dunamis* «puissance, force» (→ dynam(o)-). ◆ Le mot s'est d'abord employé en botanique, puis (1873) en physique; repris en géographie d'abord comme nom féminin (1863) puis comme adjectif (1873), il désigne une ligne reliant des points de la Terre où l'intensité horizontale du champ magnétique terrestre prend la même valeur. L'adjectif s'applique ensuite en physiologie (1898) à ce qui apporte à l'organisme un même nombre de calories que la même quantité d'un aliment différent. ◆ Le dérivé **ISODYNAMIQUE** adj. est employé en géographie (1836, *ligne isodynamique*) et en physiologie (1911). ◆ **ISODYNAMIE** n. f., emprunt attesté isolément (1556) au sens de «règle des équipollences», est emprunté au grec tardif *isodunamia* «égalité de puissance, de force ou de valeur», de *isodunamos*. Le mot est repris en physiologie (1907).

ISOMÉTRIQUE adj. (1832, en mathématiques), dérivé savant du grec tardif *isometros*, signifie «dont les dimensions sont égales» et s'emploie aussi en minéralogie (1845), en géométrie (1902, *perspective isométrique*), en métrique (1958) où l'on utilise aussi **ISOMÈTRE** adj. (attesté 1962). ◆ **ISOMÉTRIE** n. f., d'abord utilisé en arithmétique (1797), pour désigner une opération par laquelle on réduit deux ou plusieurs fractions à un même dénominateur, se dit aujourd'hui (mil. XXe s.) d'une transformation ponctuelle laissant invariantes les distances (aussi *transformation isométrique*).

ISOCLINE adj. est emprunté (1845) au grec *isoklinês* «qui penche également», de *klinein* «pencher» (→ climat, enclin). Terme scientifique (physique, géographie), l'adjectif signifie «d'égale inclinaison magnétique» (1873, *lignes isoclines;* av. 1931, n. f., *une isocline*). ◆ **ISOCLINAL, ALE, AUX** adj. (1885) est de même origine avec le suffixe *-al*, d'après *anticlinal** (cf. anglais *isoclinal*, 1882 en ce sens; dès 1839, «isocline»). En géologie, l'adjectif signifie «dont les flancs ont la même inclinaison».

ISOBARE adj. et n. f. est un emprunt (1863) au grec *isobarês* «d'un poids égal (à)», de *baros* «pesanteur, poids» qui se rattache à une racine indoeuropéenne *°g^{w}er-* «lourd» (→ baryton, grave). ◆ Terme de météorologie, *isobare* signifie «d'égale pression atmosphérique», comme son dérivé **ISOBARIQUE** adj. (1877).

ISOGLOSSE n. f. et adj. est un emprunt (v. 1900; Meillet emploie le mot en 1908) à l'allemand *Isogloss* (1892, Bielenstein), formé du grec *iso-* et de *-glôssos* «qui a la langue, qui parle (de telle ou telle manière)», de *glôssa* «langue». ◆ Le mot désigne une ligne correspondant à l'ensemble des lieux limites présentant un même phénomène linguistique et séparant, sur une carte, deux aires dialectales distinctes.

À partir d'*isomère**, *iso-* s'est spécialisé en chimie comme premier élément de noms d'isomères, comme **ISOBUTANE** n. m. (1886; de *butane*), qui semble avoir été précédé par l'anglais *isobutane* (1876).

◈ voir ISOCÈLE, ISOMÈRE, ISOTHERME, ISOTONIQUE, ISOTOPE, ISOTOPIE, ISOTROPE.

ISOCÈLE adj. est un emprunt savant (1542) au bas latin *isosceles* «qui a deux côtés égaux» (d'un triangle), lui-même du grec *isoskelês*, de même sens, littéralement «qui a les jambes égales», composé de *iso-* (→ iso-) et de *skelos* «jambe». Le mot s'est aussi écrit *isoscèle* (1542), graphie déjà moins fréquente au XVIIIe s. mais que Littré jugeait la seule correcte et étymologique.

♦ *Isocèle* conserve la valeur étymologique en géométrie, surtout dans *triangle isocèle*.

▸ Il a pour dérivé **ISOCÉLIE** n. f. (1873; 1867, *isoscélie*), d'après le grec tardif *isoskelia* «égalité des côtés».

◈ voir SCOLIOSE

ISOLÉ, ÉE adj. est un emprunt (1575) à l'italien *isolato* «construit en îlot», «séparé», participe passé du verbe *isolare* «rendre comme une île», «séparer» (attesté au XVIe s.), lui-même dérivé de *isola* «île» et «îlot de maisons», issu du latin *insula* comme le français *île**.

♦ D'abord employé en architecture, l'adjectif qualifie ce qui forme un édifice indépendant (comme une île); il ne se répand que dans la seconde moitié du XVIIe s. (1676, Félibien, *colonne, maison isolée*) puis s'applique à une personne séparée des autres hommes (1694, *cœurs isolés*). ◇ Au XVIIIe s., *isolé* se dit figurément d'un élément du discours détaché de son contexte (1758, Rousseau, *passage isolé*) et prend le sens général de «séparé de choses de même nature» (1759, Voltaire). L'adjectif s'emploie ensuite en parlant d'un fait séparé de son environnement en vue d'une analyse (1794, Condorcet) puis qualifie un fait rare ou unique (1831, Lamennais). ◇ Il s'applique spécialement, dans le vocabulaire militaire, à un soldat qui n'appartient à aucun corps (1835); *un isolé* n. m. s'emploie dans le même sens (1893). ◇ En emploi concret, *isolé*, en électricité (1867), s'applique à un corps qui n'est pas en contact avec un conducteur (cf. ci-dessous *isolateur*).

▸ Le dérivé **ISOLER** v. tr. a d'abord signifié «faire prendre la forme d'une île» (1653, Saint-Amant, en parlant d'une prairie); il est ensuite employé comme *isolé* en architecture, au sens général de «séparer (qqch.) des objets environnants» (1690, d'un château). *S'isoler* «se séparer des autres hommes» (av. 1697, Mme de Sévigné) précède l'emploi transitif (1752) en ce sens. ◇ *Isoler* est utilisé également au XVIIIe s. en électricité (1749) et au figuré au sens de «considérer à part, hors d'un contexte» (une question, un mot, etc.) [1761, Rousseau]. Puis le verbe s'emploie spécialement en chimie (1821, *isoler un corps simple*) et à propos d'un malade contagieux (1824). En acoustique, *isoler une pièce* (v. 1950) signifie l'insonoriser avec des matériaux isolants.

Les nombreux dérivés du verbe conservent l'idée générale de «séparation». ◆ **ISOLEMENT** n. m., d'abord employé en architecture (1701), est peu employé avant les années 1770. Le mot désigne la situation d'une personne isolée (1778, Mirabeau), s'emploie en parlant d'un pays (1779, Beaumarchais), puis il entre dans le vocabulaire de la physique (1783). Au XIXe s., il s'utilise en parlant d'un malade (1824) d'où par extension d'un détenu. Enfin, le mot s'applique en politique à l'absence d'engagement d'un pays avec d'autres nations (déb. XXe s.). ◆ **ISOLATION** n. f. (1774, Beaumarchais) est sorti d'usage pour désigner l'état d'une personne sans soutien ou réduite à la solitude, supplanté par *isolement*. ◇ Le mot s'est spécialisé comme terme de physique (1803), puis en psychanalyse (déb. XXe s.) à propos d'un mécanisme de défense propre à la névrose, qui consiste à isoler un comportement de sorte que sa relation avec le reste de l'existence se trouve rompue. En technique (av. 1958), il se dit de l'action de protéger une pièce contre le froid, le bruit. Dans plusieurs emplois, ce pourrait être un anglicisme. ◆ **ISOLATEUR, TRICE** adj. (1783) et n. m. (1832) est un terme de physique spécialisé comme nom en électricité pour «dispositif isolant». ◆ **ISOLOIR** n. m. a désigné (1783) une sorte de tabouret qui permettait d'isoler qqn lors d'expériences d'électricité. Le mot s'est dit (1849) d'un endroit où l'on est à l'écart; avec cette valeur il s'emploie couramment (1914) en parlant de la cabine où un électeur s'isole pour préparer son bulletin de vote. ◆ **ISOLANT, ANTE** adj. (1789) et n. m. (1890), participe présent d'*isoler*, est un terme d'électricité, pour «qui isole, empêche le courant de passer». Il s'emploie aussi en linguistique dans *langues isolantes* (1867), caractérisées par la juxtaposition d'éléments simples dont la valeur dépend de la place ou de l'intonation (par ex. le chinois). Le mot s'emploie aussi au figuré (XXe s.) au sens de «qui constitue une barrière morale». ◆ **ISOLABLE** adj. (1845) signifie «qui peut être isolé». ◆ **ISOLÉMENT** adv., dérivé d'*isolé*, est relevé à la fin du XVIIIe s. (1787, Féraud).

ISOLAT n. m. (1947), peut-être formé d'après *habitat*, est un terme didactique désignant un groupe ethnique isolé. Le mot s'emploie aussi en biologie (1962, suffixe comme dans *filtrat*) et se dit du matériel obtenu à partir d'organismes vivants, à des fins d'analyse.

ISOLATIONNISME n. m. «politique d'isolement» est un emprunt (1931) à l'anglo-américain *isolationism* (1922), formé d'après *isolationist*, de *isolation*, lui-même emprunté au français, et usité en politique comme *isolement* l'est en français; aux États-Unis, le mot s'est appliqué à la politique d'isolement des États-Unis à la fin du XIXe siècle. ◆ Le mot ne s'est répandu en France qu'à partir de 1945, comme **ISOLATIONNISTE** adj. (1938) et n. (1946), qui en dérive ou est emprunté à l'anglo-américain *isolationist* (1899, n.).

◈ voir ISOREL.

ISOMÈRE adj. et n. m. est une adaptation (1830, Berzelius) du grec *isomerês* «pourvu d'une part égale», composé de *iso-* (→ iso-) et de *-merês*, de *meros* «part, partie, portion», à rapprocher du latin *merere* (→ mérite).

♦ L'adjectif qualifie en chimie des composés ayant la même formule brute et des propriétés différentes dues à un agencement différent des atomes dans la molécule. ◇ Le mot a été repris (mil. XXe s.) en physique nucléaire, probablement d'après l'anglais (1934), pour qualifier deux noyaux de même composition dont l'énergie est différente.

▸ **ISOMÉRIE** n. f., d'abord (1691) emprunt direct au grec comme terme d'arithmétique, a été reformé comme dérivé d'*isomère* en chimie (1831) puis en physique atomique : *isomérie nucléaire* (mil. XXe s.), d'où **ISOMÉRIQUE** adj. (1831, Berzélius), aussi en physique atomique d'après l'anglais *isomeric* (1934). ◆ **ISOMÉRISME** n. m. (1867), emprunt à l'anglais *isomerism* (1838), **ISOMÉRISATION** n. f. (1905), emprunt à l'anglais *isomerization* (1891), **ISOMÉRISER** v. tr. (mil. XXe s., dans les dictionnaires), emprunté à l'anglais *to isomerize* (1891), concernent tous trois l'isomérie chimique.

ISOREL n. m. est un nom déposé (1952) probablement formé d'après *isoler**.

♦ Le mot désigne un matériau isolant fait de particules de bois encollées et agglomérées en panneaux sous très forte pression.

ISOTHERME adj. et n. f., attesté d'abord comme adjectif (1816, A. de Humboldt, en français), est formé de *iso-** et du grec *thermê* «chaleur» (→ -therme), de *thermos* «chaud».

♦ Terme didactique et courant, le mot signifie «qui a la même température» (1816, *parallèles isothermes*), d'où en climatologie *lignes isothermes* (1845) ou *isotherme* n. f. (1873). ◇ Par extension (1867), l'adjectif qualifie en physique ce qui se produit à température constante et s'applique spécialement (mil. XXe s.) à un camion, un wagon, etc. dont l'intérieur se maintient à une température constante.

▸ En dérivent **ISOTHERMIQUE** adj., employé en géographie (1845) et en physique (1877), et **ISOTHERMIE** n. f., terme de physiologie (1906) et de physique (1911, Poincaré).

ISOTONIQUE adj. est une adaptation (1897) de l'allemand *isotonisch*, formé par A. Pick en 1882 et dans un autre domaine par de Vries en 1884, à partir du grec tardif *isotonos* «de tension, d'intensité égale», de *iso-* (→ iso-) et *tonos* (→ tonus), par suffixation en *-isch* (→ -ique).

♦ L'adjectif qualifie une solution qui a la même tension osmotique qu'une autre solution, sens emprunté à l'allemand (H. de Vries); en médecine *sérum isotonique* (ou *physiologique*) [1922] désigne un sérum artificiel, ayant la même concentration moléculaire que le sérum sanguin. L'acception introduite en physiologie par A. Pick, «qui a une tonicité uniforme ou égale à une autre à laquelle on la compare», est reprise au milieu du XXe s. *(contraction isotonique).*

▸ Du premier sens vient **ISOTONIE** n. f. (1902) et du second **ISOTONICITÉ** n. f. (mil. XXe s.) d'après *tonicité**.

① **ISOTOPE** n. m. et adj. est un emprunt (1914) à l'anglais *isotope* (1913), mot créé par F. Soddy et composé du grec *iso-* (→ iso-) et de *topos* «lieu, place» (→ topo-).

♦ Le mot désigne chacun des éléments de même numéro atomique (occupant la même place dans la classification de Mendeleïev), mais de masse atomique différente (même nombre de protons mais nombre différent de neutrons).

▸ En dérive ① **ISOTOPIE** n. f. (1924), d'après l'anglais *isotopy* (1919, Soddy).
① **ISOTOPIQUE** adj. (1914) est emprunté à l'anglais *isotopic* (1913, Soddy; déjà employé dans un autre sens en chimie, 1904), dérivé de *isotope*. ◆ **ISOTONE** adj. (1934) a été formé à partir de *isotope*, avec substitution de *n* à *p*, par référence au *p* de *proton* et au *n* de *neutron*, l'adjectif signifiant «qui possède le même nombre de neutrons (et un nombre différent de protons)».

② **ISOTOPE** → ② **ISOTOPIE**

① **ISOTOPIE** → ① **ISOTOPE**

② **ISOTOPIE** n. f. est composé (v. 1965, Greimas) de *iso-** et du grec *topos* «lieu, place», employé en rhétorique, notamment aux sens de «fondement d'un raisonnement», «sujet ou matière d'un discours», «lieu commun» (→ topo-).

♦ Ce mot didactique, créé et employé par A.J. Greimas et ses disciples en sémiologie du discours, désigne un ensemble de catégories sémantiques, repérables en plusieurs points de l'énoncé, qui permettent d'assigner une valeur unique et cohérente aux unités ambiguës dans le discours.

▸ ② **ISOTOPIQUE** adj. (v. 1965, Greimas) s'applique à ce qui est relatif à une isotopie.

ISOTROPE adj. représente (1840, Cauchy) une adaptation du grec byzantin *isotropos* «de même caractère», composé de *iso-* (→ iso-) et de *tropos* «direction», «manière», «façon de se comporter» (→ -trope).

♦ Cet adjectif signifie «qui présente les mêmes propriétés dans toutes les directions, spécialement les mêmes propriétés physiques».

▸ **ISOTROPIE** n. f. en a été dérivé (1890), de même que son contraire préfixé **ANISOTROPE** adj. et n. m. (1858) de *an-* privatif, d'où **ANISOTROPIE** n. f. (1890).

ISRAÉLITE n. et adj., attesté en 1458 (*Israellite*, n.; 1480, *ysraelite*, adj.), est un emprunt au bas latin *Israelita*, grec *Israêlitês*, adaptation à l'aide du suffixe *-(i)tês* de l'hébreu *yiśr^e^'ēlî*, adjectif tiré de *yiśrā'el* «Israël», nom donné à Jacob après sa lutte contre l'ange (Genèse, XXXII) et, par extension, au peuple juif.

♦ Le mot désigne une personne qui appartient à la communauté juive; il s'emploie, en concurrence avec *juif* qui a parfois des connotations indésirables. Il entre dans la locution employée à l'époque classique (1690) *un bon Israélite* «un homme franc et sincère» (d'après la parole du Christ à propos de Nathanaël, Évangile de Jean, I, 47). ◇ *Israélite* est didactique pour «descendant de Jacob» et comme synonyme de *hébreu*.

▸ **ISRAÉLISTE** adj. est un synonyme ancien (1847, Balzac) de *israélite*. ◆ **ISRAÉLITISME** n. m. ne s'emploie plus (1881, Renan) pour *judaïsme*.
ISRAÉLIEN, IENNE adj. et n. dérive (1948) du nom de l'État d'*Israël*, fondé le 14 mai 1948; le mot qualifie ce qui concerne l'État d'Israël et désigne qqn qui vit en Israël, en est originaire.

-ISSIME, suffixe tiré du latin *-issimus* ou de l'italien *-issimo*, entre dans la formation d'adjectifs à valeur superlative, dont certains sont empruntés à l'italien (par ex. *rarissime, sérénissime*); la base est un adjectif *(richissime)* ou parfois au XXe s. un nom de personne; ce suffixe, à la mode dans les années 1950-1960, a servi à former des adjectifs plus ou moins plaisants.

ISSU, UE adj., d'abord sous la forme *eissuz* (1120-1150) puis *issu* (v. 1200), est le participe passé de l'ancien verbe intransitif **ISSIR** (v. 1200), d'abord *escire* (1re moitié Xe s.) et *eissir* (1080). *Issir* représente l'aboutissement du latin *exire* «sortir», «se mettre en marche» et, au figuré, «sortir (de la vie)», «provenir, tirer son origine de», «être écoulé (du temps)». Le verbe latin est formé de *ex-* (→ ex-) et de *ire* «aller», qui se rattache à une racine indoeuropéenne *°ei-, °i-* «aller». ◆ Le verbe *issir* a été employé au sens de «sortir» (1re moitié Xe s.) et au figuré pour «en finir avec qqch.» (v. 1200). Supplanté par *sortir* au XVIe s., il est sorti d'usage au XVIIe s. seulement utilisé au passé composé, au figuré (1680, Richelet). Il ne s'emploie aujourd'hui que par archaïsme littéraire.

♦ *Issu, ue* signifie «qui est né, sorti» d'une personne, d'une espèce, etc., puis s'applique par figure (1656) à ce qui provient, résulte de qqch.

▸ **ISSANT, ANTE** adj. et n., participe présent adjectivé du verbe *issir*, terme de blason (1651), s'applique à des figures d'animaux qui, ne présentant que la partie supérieure du corps, semblent sortir de l'écu. ◇ Il a pour composé **CONTRE-ISSANT, ANTE** adj. (1694).
ISSUE n. f. représente le féminin substantivé d'*issu*. Le mot désigne (v. 1155, Wace) une ouverture offrant la possibilité de sortir d'un lieu, d'où la locution prépositive ***à l'issue de*** au figuré «en sortant de, à la fin de» (1273). Plus tard, *issue* désigne (1501) la manière dont on se sort d'une affaire, dont

une chose arrive à son terme, d'où *faire issue* «sortir d'une situation désagréable» (av. 1560, Du Bellay) et l'emploi moderne du mot, «moyen de se sortir d'affaire» (1671). ✦ Depuis la fin du XVIIe s., *issue* désigne un lieu par où peut sortir qqch. (1690) puis s'emploie dans l'expression ***sans issue***, au propre (1764) et au figuré. ◇ Par ailleurs le nom a exprimé l'action de sortir (v. 1165) et la conclusion d'une chose (v. 1175), emplois disparus en français classique. ◇ En droit féodal (1244) *droits d'issue* se disait de ce que devait payer un vassal quand il sortait de la domination de son suzerain. Le mot a aussi désigné (1393) le dernier service d'un repas. Enfin *les issues* au sens de «viscères» a disparu en parlant des humains, mais s'est conservé (1332) en parlant des animaux, spécialement en boucherie. ◇ Au pluriel le mot s'utilise aussi pour désigner (1751) ce qui reste des moutures après séparation de la farine.

-ISTE, suffixe savant d'origine grecque *(-istês)* passé en français par le latin *-ista*, sert à la formation de substantifs désignant des personnes et d'adjectifs qui correspondent souvent à un dérivé en *-isme**.

♦ Les mots ainsi formés se rapportent à l'exercice, par la personne désignée, d'un métier *(journaliste)*, d'une activité *(canoéiste)*, d'une spécialité *(urbaniste)* ou à son adhésion à une doctrine, un mode de vie, de pensée, etc. *(royaliste, communiste, gaulliste, humaniste)*. Le plus souvent, à un mot en *-iste* correspond un nom masculin en *-isme**. La formation de mots en *-iste* reste très productive, spécialement avec les noms propres *(maoïste, castriste,* etc.); seules des difficultés phonétiques peuvent bloquer le système. ◇ Les composés en *-iste* se prêtent à la préfixation par *anti- (antistructuraliste)*, parfois par *pro- (procommuniste)*.

ISTHME n. m. est un emprunt (1538), précédé par la forme *ismon* (v. 1240), au grec *isthmos* «passage étroit ou resserré», employé en géographie et par analogie en anatomie pour «cou, gorge». Le mot est à nouveau emprunté (1552) d'abord sous la forme latine (1527), cette fois au latin classique *isthmus*, spécialement en parlant de l'isthme de Corinthe, et «détroit», emprunt au grec.

♦ Introduit comme terme d'anatomie, *ismon* désignait le gosier (v. 1240). ✦ *Isthme* et ses variantes se disent d'une langue de terre séparant deux mers, et réunissant une presqu'île au continent (1527, *isthmus* «l'isthme de Corinthe»; 1556, *isthmos*, au sens général).

▸ **ISTHMIQUE** adj. (1626) est dérivé du nom ou emprunté au latin *isthmicus*, lui-même du grec *isthmikos* de même sens. ✦ Il s'applique d'abord, dans *odes isthmiques* (1626), aux odes composées par Pindare à la gloire des vainqueurs aux jeux (*Jeux isthmiques*, 1636), qui se disputaient tous les trois ans sur l'isthme de Corinthe, en l'honneur de Poséidon. On a aussi nommé ces jeux *isthmies* (1636, n. f. pl.) du grec *isthmia*, nom neutre pluriel. Les *odes isthmiques* sont également appelées *les isthmiques* n. f. pl. (1765).

ITAGUE n. f. a été employé sous des formes variées parmi lesquelles : *utange* (v. 1138), *utague, uitage* (v. 1155), *witage* (v. 1225), *ytaigue, ytague* (XVIe s.), enfin *itague* (*Encyclopédie*, 1765). Ce mot d'origine incertaine est peut-être un emprunt à l'ancien nordique °*útstag*, composé de *út* «hors de» et de *stag* «étai d'avant, cordage». La multiplicité des variantes (on trouve aussi *étagle, étague, itacle, utacque*, etc.) s'expliquerait par le contact des différentes langues des marins; la rareté du *u* initial en français a pu contribuer à l'instabilité du mot.

♦ En revanche, le sens de ce terme de marine est constant; il désigne un cordage ou (récemment) un filin d'acier fixé à une voile qu'il permet de hisser ou de déplacer.

ITALIEN, IENNE adj. et n., d'abord écrit *ytaliiens* n. m. pl. (1265; graphie moderne en 1512), est dérivé du nom propre *Italie*, emprunt au latin *Italia*, ou est un emprunt à l'italien *italiano* (attesté 1re moitié XIVe s.) «de l'Italie», qualifiant aussi (av. 1519) ce qui est relatif à la langue latine; *italiano* dérive de *Italia* «Italie», emprunté au latin *Italia*, de *Itali, Italorum*, nom de peuple.

♦ Le nom a d'abord désigné les habitants de l'Italie; *l'italien* n. m. pour «la langue italienne», c'est-à-dire le toscan littéraire, est relevé en 1512. — Voir l'encadré pp. 1891 à 1893. L'adjectif s'applique à ce qui concerne l'Italie (1551, en parlant de personnes; 1606, de choses), d'où ***à la manière italienne*** (1587), ***à l'italienne.*** ◇ *Italienne* n. f. «écriture bâtarde» (1765) a disparu. ◇ Le nom s'est employé (1718) pour «homme jaloux» et pour «sodomite», emplois sortis d'usage au XIXe siècle. ◇ Par ellipse de *Comédiens italiens* ou de *théâtre des Italiens, les Italiens* n. m. pl. a désigné l'ancien théâtre parisien où l'on interpréta à l'origine le répertoire de la Commedia dell'arte, ou la troupe installée à Paris, de 1659 à la fin du XVIIIe s., qui se consacra d'abord à ce répertoire.

▸ **ITALIANISER** v., «rendre italien, marquer d'un caractère italien», est d'abord employé au participe passé adjectivé (av. 1555, *italiennizé;* 1566, *italiannizé*) puis comme verbe transitif (1611, *italianizer, italienniser*). ◇ L'emploi intransitif pour «employer (en français) une prononciation italienne» ou «emprunter à l'italien» appartient aujourd'hui à l'histoire de la langue (1566, *italianizé;* 1578, *italianizer*); ce sens est lié à l'importance de la culture italienne en France au XVIe siècle. ✦ **ITALIANISATION** n. f. s'est d'abord employé avec l'acception du verbe intransitif (1578, *italianization*), avant de désigner le fait de rendre italien. ✦ **ITALIANISANT, ANTE** n. et adj. signifie «artiste qui s'inspire de l'art italien» (1908, R. Rolland) et «spécialiste de la langue, de la civilisation italiennes» (1906 adj.; 1923, Barrès). ✦ **ITALIANISME** n. m. a désigné (1578, H. Estienne) une imitation de la manière de parler italienne; Estienne employait *italianizement* pour l'emprunt lui-même. ◇ Le mot se dit aujourd'hui (dep. 1715) de la manière de parler propre à l'italien empruntée par une autre langue; il est vieilli pour désigner (1829, Stendhal) un comportement propre aux Italiens. ✦ **ITALIANITÉ** n. f., rare pour désigner l'appartenance au territoire italien (1919, Barrès), se dit

(Suite page 1893)

LA LANGUE ITALIENNE

L'italien est issu — comme les autres langues romanes — du latin parlé («latin vulgaire»). Du point de vue historique, la langue nationale d'aujourd'hui («italiano» ou bien «lingua», par opposition à «dialetto») représente une variante dialectale, le florentin ou bien le toscan, qui s'est affirmée vis-à-vis des autres variantes. Le terme «italiano» pour désigner la langue italienne se répand relativement tard; on parle d'abord de «volgare».

Au fur et à mesure que cette langue vulgaire s'éloignait du latin écrit, des variantes fortement différenciées se formaient dans les différentes régions de l'Italie. En substance, on peut distinguer les groupes suivants : **1.** Les dialectes de l'*Italie du Nord* («gallo-italiano») comprenant plusieurs sous-groupes : le piémontais, le lombard, le ligure et l'émilien-romagnol; le vénitien, et enfin l'istrien; **2.** les dialectes *toscans* se subdivisant en quatre sous-groupes : le toscan central ou florentin; le toscan occidental (Pise, Lucca, Pistoia); le siennois (Sienne); l'aretino (Arezzo) et le dialecte du Val di Chiana, ainsi que **3.** les dialectes de l'*Italie centrale et méridionale* composés de trois groupes : les dialectes des Marches, de l'Ombrie et du Latium; les dialectes des Abruzzes, de la Molise, de l'Apulie du Nord, de la Campanie et de la Lucanie; enfin, les dialectes du Salento, de la Calabre et de la Sicilie (voir Tagliavini, 1973). Les dialectes qui se parlent dans l'Italie du Nord font partie typologiquement de la Romania occidentale, les autres dialectes italiens de la Romania orientale (la démarcation approximative est constituée par une ligne qui passe entre Rimini et La Spezia).

Les données géographiques et politiques (en particulier la démarcation naturelle de l'Apennin aussi bien que le morcellement politique qui a existé jusqu'à l'unification nationale en 1861) ont joué un rôle déterminant dans la séparation historique des régions linguistiques italiennes. En outre, on notera l'influence des différentes langues de substrat et de superstrat sur l'évolution de la langue, dont les reflets se manifestent surtout dans le lexique; en matière de phonétique, par contre, il est plus difficile de prouver des influences analogues. Les langues de substrat les plus importantes sont le celtique dans le nord de l'Italie, l'étrusque dans le centre, l'italique dans l'Italie centrale et méridionale ainsi que le grec dans le sud. Comme langues de superstrat il faut mentionner le gothique, le lombard, le francique (langues germaniques), le grec de Byzance et l'arabe.

La tradition de la langue vulgaire commence pour l'italien environ un siècle plus tard que pour le français. Le premier texte, qui peut être qualifié clairement de «vulgaire», c'est-à-dire courant, populaire (par rapport au latin), est le *Placito capuano* qui date de l'an 960. Toutefois certains éléments qui peuvent être caractérisés comme vulgaires se manifestent déjà plus tôt, comme par exemple dans l'*Indovinello veronese*, une devinette qui date de la fin du VIIIe s. ou du début du IXe siècle. La tradition littéraire commence au XIIIe s., d'abord par la poésie lyrique de la «Scuola siciliana» (à l'exemple de l'ancien provençal), et par la poésie toscane du «Dolce stil nuovo» (Guido Guinizelli, Guido Cavalcanti).

En raison du morcellement dialectal, la question d'une langue littéraire suprarégionale fut soulevée assez tôt, et cette discussion («la questione della lingua») s'est étendue à travers les siècles. Dès le XIVe s. Dante traita le problème dans son œuvre en latin *De vulgari eloquentia :* il en résulta que surtout le dialecte de Florence ou bien celui de la Toscane, mais aussi le sicilien, entrent alors en ligne de compte pour constituer cette norme. Dans les siècles suivants, c'est surtout le florentin qui a servi de modèle, ce qui s'explique par le prestige des «Tre Corone», Dante, Boccace et Pétrarque, ainsi que par l'importance politique, économique et culturelle de Florence en général.

La discussion au sujet de la langue littéraire fut reprise au XVIe s. (Bembo, Machiavel, Muzio, Castiglione, Trissino). En fin de compte un toscan archaïsant (la position de Bembo) fut favorisé, ce qui confirma la situation réelle. Au XVIe s. se constitua aussi l'Accademia della Crusca (1582), dont le travail déboucha en 1612 sur un dictionnaire : le *Vocabolario degli Accademici della Crusca*. Celui-ci s'orientait de façon conséquente vers le modèle du toscan archaïque, dont la position continuait donc à s'affirmer. Bien que le toscan jouât un rôle de premier plan comme langue standard littéraire, il ne faut pas oublier que la littérature dialectale restait bien vivante à travers les siècles.

Étant donné que la langue normalisée s'orientait fortement vers des modèles archaïques et littéraires, elle ne pouvait se répandre dans l'usage oral qu'avec des restrictions considérables. En raison de son adaptation étroite à la tradition littéraire, l'italien est resté, de fait, à travers les siècles, la langue réservée à une minorité de personnes cultivées. Le peuple se servait dans la communication quotidienne du dialecte. Cette problématique fut mise en évidence de façon persistante au XIXe s., quand Manzoni prépara avec son roman *I Promessi Sposi (Les Fiancés)* l'éloignement graduel du modèle de la langue littéraire archaïque en plaidant pour l'adaptation de la «lingua» au florentin moderne et vivant. De cette façon il envisageait de créer une langue littéraire susceptible d'être employée dans la communication quotidienne et par conséquent à devenir vraiment la langue de tous les Italiens.

L'unification linguistique.

L'unification en 1861 contribua de manière décisive à la diffusion effective du modèle linguistique propagé par Manzoni, en créant les conditions politiques nécessaires. Dans ce contexte, des facteurs importants étaient la diffusion nationale de la presse, l'introduction du service militaire obligatoire et l'obligation scolaire aussi bien que les nombreux déplacements de la population. En raison de la vitalité des dialectes et de la formation scolaire encore insuffisante, la diffusion de la «lingua» a pourtant avancé lentement, et son apprentissage est demeuré jusqu'à nos jours un problème sociolinguistique de première importance. Par voie de conséquence, la situation linguistique de l'Italie d'aujourd'hui est très hétérogène. Dans le cadre de la rivalité entre le dialecte et la langue standard, c'est surtout l'«italiano popolare» qui joue un rôle particulier; il se définit comme «un type d'italien acquis de manière imparfaite par ceux qui ont le dialecte pour langue maternelle» (Cortelazzo). En outre, il y a des variétés coexistantes ou bien concurrentes de la langue standard qui sont dues à l'origine régionale de ceux qui parlent («italiani regionali»). Cette situation complexe a fait que, même récemment, la discussion à propos de la variété la plus adéquate de l'italien standard n'a pas abouti à une conclusion («la nuova questione della lingua»). Dans les années 60, l'écrivain Pier Paolo Pasolini prit une position forte en exigeant une plus grande acceptation d'une variété linguistique «plus proche du peuple» vis-à-vis de l'axe dominant Rome-Florence (il considérait notamment la langue du «triangolo industriale», formé par Milan, Turin et Gênes, comme base appropriée).

De fait, la norme «suprarégionale» de l'italien standard qui se parle aujourd'hui continue à être basée sur le florentin, sans les caractéristiques dialectales particulières du toscan.

Typologiquement l'italien est tout à fait conservateur par rapport au latin, contrairement par exemple au français. Des particularités au niveau du système de la langue sont notamment l'absence de voyelles nasales et de voyelles neutres (comme le ə caduc en français), le maintien du vocalisme à quatre degrés propre au latin vulgaire, la suppression de toutes les consonnes finales du latin (y compris le *-s*), la conservation des consonnes sourdes entre voyelles et devant *-r*, la différenciation phonétique et sémantique entre consonnes simples et doubles (*eco — ecco, fato — fatto*, etc.), le maintien de la combinaison *s-* + consonne sans prothèse vocalique (italien *spina* vs français *épine*, espagnol *espina*), etc.

Apports étrangers.

De plus, l'évolution de l'italien a été influencée — surtout sur le plan du lexique — par des langues d'«adstrat». À ce propos, il faut mentionner d'abord le latin qui — même après la diffusion graduelle de la langue vulgaire dans les domaines les plus divers — est resté vivant jusqu'à une époque récente comme langue des couches élevées. L'omniprésence du latin se traduit avant tout par le réemprunt d'éléments lexicaux. La coexistence de mots de tradition populaire et de provenance érudite se reflète très clairement dans de nombreux doublets lexicaux comme *angoscia* et *angustia*, *capecchio* et *capitolo*, *chiusura* et *clausura*, *freddo* et *frigido*, *netto* et *nitido*, *spalla* et *spatola*, *veglia* et *vigilia*, *vezzo* et *vizio*, etc. Le même phénomène s'observe dans certains groupes lexicaux qui sont homogènes du point de vue étymologique, mais qui comprennent des éléments de tradition populaire aussi bien que de tradition érudite (comme par exemple *oro* et *aureo*, *orecchia* et *auricolare*, *cervello* et *cerebrale*, *chiostro* et *claustrale*, *giorno* et *diurno*, *madre* et *materno*, *maestro* et *magistrale*, etc.) [voir Schweickard, 1991, 2.1.].

Le français.

La France aussi joue un rôle important : en règle générale, son influence se fait sentir dès la victoire des Francs sur les Lombards, la colonisation de l'Italie du Sud par les Normands, et en raison notamment du prestige littéraire et culturel français. Les emprunts proviennent d'abord tant du midi que du nord de la France (on parle alors de «gallicismes»). Des exemples d'emprunts faits assez tôt sont *conte*, *giardino*, *gioia*, *mangiare*, *marciare* et beaucoup d'autres. Même quelques morphèmes dérivatifs d'origine française s'affirmèrent assez tôt dans l'italien, comme par exemple *-iere* (< français *-ier*) et *-aggio* (< français *-age*) [voir Devoto, 1979, 24s.]. À une époque plus récente, la plupart des emprunts au français se sont faits au XVIIIe et au XIXe s., quand l'exemple de la France jouait un rôle prédominant, soit dans les domaines culturels (gastronomie, musique, variété, mode), soit sur le plan politique, administratif et militaire (pour plus de détails, voir Zolli, op. cit.). À partir du XIXe s. l'influence de l'anglais et de l'américain, qui aujourd'hui du point de vue quantitatif domine de façon incontestable, commençait à se faire sentir de plus en plus.

Influence de l'italien sur le français.

À l'inverse, l'italien a influencé considérablement le vocabulaire français. Cette influence se fait sentir à partir du XIVe s. et se concentre d'abord sur le domaine commercial, politique, international (*ambassade, archipel, brigantin, brigue, course, falot, ligue,* etc.). Conformément aux conditions générales sur le plan politique et culturel, la plupart des emprunts furent faits à l'époque de la Renaissance (XVe-XVIe s.), où l'on discutait aussi vivement du rapport entre la langue française et la langue italienne en général (voir par exemple les *Deux dialogues du nouveau langage françois italianizé et autrement desguizé* d'Henri Estienne [1578]). Les emprunts de cette époque concernent l'armée *(attaquer, cavalcade, parapet, sentinelle, solde),* l'architecture *(appartement, esplanade, pilastre, tribune),* les beaux-arts *(ballet, concert, contraste, sérénade),* la mode *(feston, ombrelle, panache, veste),* la gastronomie *(artichaut, brocoli, cervelas, sorbet)* et les mœurs en général *(caprice, carrosse, courtisan, majordome)* [voir Guiraud, 1971, 64ss.]. Depuis le XVIIe s. l'influence de l'italien sur le français va en diminuant, sauf dans quelques domaines, tels que la musique classique.

W. Schweickard

BIBLIOGRAPHIE

M. CORTELAZZO, *I dialetti e la dialettologia in Italia (fino al 1800),* Tübingen, Narr, 1980.

T. DE MAURO, *Storia linguistica dell'Italia unita,* Bari, Laterza, 1979 (1re éd., 1963).

G. DEVOTO, *Profilo di storia linguistica italiana,* Firenze, La Nuova Italia, 1979 (1re éd., 1953).

H. GECKELER, D. KATTENBUSCH, *Einführung in die italienische Sprachwissenschaft,* Tübingen, Niemeyer, 1987.

P. GUIRAUD, *Les Mots étrangers,* Paris, Que sais-je?, n° 1166, 1971 (1re éd., 1965).

G. HOLTUS, *Educazione linguistica (democratica),* Italienische Studien 4, 1981, 67-99.

A. L. LEPSCHY, G. LEPSCHY, *Die italienische Sprache,* Tübingen, Francke, 1986.

B. MIGLIORINI, *Storia della lingua italiana,* Firenze, Sansoni, 1983 (1reéd., 1960).

W. SCHWEICKARD, *Zweitsprache und Kulturadstrat : Funktionen des Lateins in der europäischen Sprachentwicklung,* in Holtus, Günter/Kramer, Johannes (edd.). — *Das zweisprachige Individuum und die Mehrsprachigkeit der Gesellschaft. W. Theodor Elwert zum 85. Geburtstag,* Tübingen, Niemeyer, 1991.

C. TAGLIAVINI, *Einführung in die romanische Philologie,* München, Beck, 1973.

P. ZOLLI, *Le parole straniere,* Bologna, Zanichelli, 1976.

du caractère propre à l'Italie, aux Italiens (1930, Morand).

De *italien* avec une consonne initiale pouvant provenir d'une liaison (comme *les Zitals* pour *les Italiens*) vient l'argot **RITAL** (1890) adj. et n., mot péjoratif mais non insultant. ◆ **ITALIOTE** adj. et n. est emprunté (1721, Trévoux) au grec *Italiotês* «relatif aux populations anciennes de l'Italie centrale», dérivé de *Italia.*

ITALO-, premier élément d'adjectifs composés, est tiré d'*italien* et signifie «de l'Italie et ...»; parmi les nombreux mots ainsi construits : **ITALO-ANGLAIS, AISE** (1866, Amiel), **ITALO-FRANÇAIS, AISE** (1901), **ITALO-ESPAGNOL, OLE** (1912, Tharaud), **ITALO-ALLEMAND, ANDE** (1914, Maurras).

ITALIQUE adj. et n. (1527), d'abord *ytallique* (1488, adj.), est un emprunt au latin *italicus* «d'Italie» et spécialement «de la Grande Grèce», dérivé de *Italia.* ◆ *Lettres italiques* (1488) ou *italique* n. m. (1528, *ytalicque*) se dit d'un caractère typographique incliné vers la droite; il est ainsi nommé parce que les lettres italiques ont été employées par l'imprimeur vénitien Aldo Manuce (1449 ou 1450-1515), helléniste qui édita les chefs-d'œuvre de l'Antiquité. ◆ *Italique* qualifiait aux XVIe et XVIIe s. ce qui concerne l'Italie moderne. *Heures italiennes* (1690), encore relevé chez Littré (1867), s'employait pour les 24 heures du jour naturel comptées entre deux couchers de soleil consécutifs, manière de compter les heures en usage en Italie. ◆ *Les langues italiques* (1873) ou *l'italique* n. m. (déb. XXe s.) désigne les langues indoeuropéennes parlées dans la partie centrale de l'Italie antique, les principales étant le latin, l'ombrien et l'osque.

① **-ITE,** suffixe savant d'origine grecque, vient de *-itis,* repris par le latin médical; il sert à désigner des maladies de nature inflammatoire, à partir d'une base française (par ex. *bronchite*) ou grecque *(colite).* La plupart des noms ainsi formés ont eu une forme en *-itis. -ite* est employé plaisamment pour désigner des habitudes, des manies que l'on compare à des maladies (par ex. *réunionite*).

② **-ITE,** suffixe d'origine grecque *(-[i]tês)* passé en français par le latin *-ita,* entre dans la formation de substantifs et d'adjectifs; il indique l'appartenance à un groupe (par ex. *jésuite*) et figure le plus souvent dans des emprunts (au grec, au latin ecclésiastique, à l'anglais); (→ -iste). Il est aussi employé en minéralogie (noms féminins désignant des minerais) et en paléontologie (noms masculins d'animaux fossiles).

③ **-ITE,** reproduisant le grec *-itis,* est un suffixe taxinomique introduit en 1787 qui caractérise en chimie les sels acides dont le nom est en *-eux* (par ex. *nitreux/nitrite*).

ITEM adv. et n. est un emprunt (1279) à l'adverbe latin *item,* variante, avec adjonction d'une particule *-em,* de *ita* «ainsi», qui spécifiait une chose dite ou qui va être dite et s'utilisait pour répondre à une question posée, d'où son emploi pour «oui». *Item* s'est différencié de *ita* en prenant le sens de «de même, également», peut-être sous l'influence de *idem*, d'où son emploi dans une énumération. *Ita, item* se rattache à un thème indoeuropéen °*ei-*, °*i-*.

♦ En français *item*, terme de commerce, s'emploie dans les comptes pour éviter une répétition, avec le sens de «de même, de plus». Le mot, substantivé, s'est dit pour «individu» (av. 1520), a été utilisé dans la locution ***pour un item*** «pour un point» (1543, Calvin) et pour désigner un article de compte (v. 1560). Repris sous l'influence de l'anglais *item* «numéro» (dans un programme), «article» (dans un catalogue), le mot a pris le sens d'«élément minimal» (attesté 1948) d'un ensemble organisé, «élément isolable» dans une grille d'analyse.

ITÉRER v. tr. est un emprunt (1488) au latin *iterare* «répéter, redire», dénominatif de l'adverbe *iterum* «pour la deuxième fois», d'un adjectif marquant l'opposition de deux éléments, formé sur la base *-i-* avec la particule *-ter-* (aussi dans *alter;* → autre); cette base *i-* se rattache à un thème indoeuropéen °*ei-*, °*i-*.

♦ Le verbe, sorti d'usage dès le XVIIe s. au sens de «répéter», a été remplacé par *réitérer* (ci-dessous). ◇ Il a été repris (v. 1970) en informatique, par anglicisme *(to iterate),* pour «exécuter plusieurs fois (une boucle de programme)».

► Deux mots ont été empruntés à des dérivés latins de *iteratum*, supin de *iterare*. ➜ **ITÉRATIF, IVE** adj., du bas latin *iterativus*, terme de grammaire *(iterativum verbum)*, s'applique en droit (peut-être d'après le latin médiéval) à ce qui est réitéré (1403, *commission yterative*). Repris en grammaire, l'adjectif (1840) se dit d'un verbe d'une forme énonçant une action qui se répète. ◇ Par anglicisme, l'adjectif, d'après *iterative* (1924 en mathématiques), qualifie ce qui est répété plusieurs fois, spécialement en informatique (v. 1970), et en mathématiques, au sens de «par itération». ◇ En dérive **ITÉRATIVEMENT** adv. (1528, en droit). ➜ **ITÉRATION** n. f., emprunt (1488) au latin *iteratio* «répétition, redite», a signifié «répétition». ◇ Sorti d'usage, le mot a réapparu au XXe s., par emprunt à l'anglais *iteration* (1924, en mathématiques) avec la valeur de «répétition», en psychiatrie (XXe s.) et en informatique. **RÉITÉRÉ, ÉE** adj. est emprunté (1314) au bas latin *reiteratus*, participe passé de *reiterare* «faire de nouveau (ce que l'on a déjà fait)», de *re-* (→ re-) à valeur intensive et de *iterare* «recommencer, répéter», de *iterum* «derechef» (→ itératif). L'adjectif qualifie ce qui est répété à plusieurs reprises. ➜ Le verbe **RÉITÉRER**, tiré de *réitéré* ou directement emprunté au verbe latin (1314), signifie «répéter, refaire» dans un contexte juridique, administratif ou, plus tard, scientifique. ➜ **RÉITÉRATION** n. f., réfection (1501) de *reiteracion* (1419), sert de nom d'action au verbe, spécialement dans le langage juridique et, en sciences, désignant la méthode de mesure d'un angle par une moyenne des mesures pour lesquelles la graduation correspondant à la direction d'origine change de quantités systématiquement décalées à chaque mesure (1875). ➜ **RÉITÉRATIF, IVE** adj. (1414), qualifiant d'abord un acte législatif renouvelé, a été repris (1803) pour «propre à réitérer»; il est didactique. ➜ **RÉITÉRABLE** adj. (XVIe s.), sorti d'usage puis repris (1845), s'emploie surtout dans la langue juridique pour un acte que l'on peut réitérer. ➜ **RÉITÉRATEUR, TRICE** adj., plus tardif (1870), qualifie spécialement un appareil de mesure des angles.

ITHYPHALLE → **PHALLUS**

ITINÉRAIRE n. m. et adj. est un emprunt (1351, *ytineraire*), repris en 1606, au bas latin *itinerarium* «relation de voyage», «carte de voyage», substantivation de l'adjectif bas latin *itinerarius* «de voyage, de route», dérivé du latin classique *iter, itineris* «voyage», «route», au propre et au figuré. C'est un hybride formé sur une flexion *iter, *itinis* (qui représenterait un type indoeuropéen °*-ter-*/°*-ten-* attesté seulement en hittite), à laquelle s'est juxtaposée une flexion normalisée *iter, iteris*. *Iter* se rattache à *ire*, qui a fourni le futur d'*aller**.

♦ Le nom, introduit avec le sens de «relation de voyage», vieilli aujourd'hui, s'est employé (1690) pour «recueil de prières à dire en voyage». Le nom désigne par extension un chemin à suivre pour aller d'un lieu à un autre (1805), seul sens demeuré vivant, puis un indicateur de chemin de fer et un guide de voyage (1867). Le seul sens demeuré vivant est le premier : «détail de la route à suivre». ➜ L'adjectif, didactique, emprunté au bas latin *itinerarius*, qualifie ce qui a rapport aux routes (1686, *mesures itinéraires*) et s'est utilisé dans *colonne itinéraire* (1694) remplacé par *poteau indicateur*.

► **ITINÉRANT, ANTE** adj. est emprunté (1873), par l'intermédiaire de l'anglais *itinerant*, au bas latin *itinerans*, participe présent de *itinerari*. L'anglais *itinerant* apparaît comme adjectif dans un contexte juridique dès 1591, puis dans le domaine religieux comme substantif (1641) et adjectif (1673). ➜ En français, le mot s'est d'abord dit comme en anglais d'un pasteur méthodiste qui va de lieu en lieu prêcher la doctrine (opposé à *pasteur sédentaire*). Par extension (av. 1885), il qualifie ce qui se fait en se déplaçant ou ce qui se déplace; il se dit spécialement (1918), d'après *itinéraire*, de ce qui a rapport aux itinéraires. L'adjectif s'applique couramment (XXe s.) à qqn qui se déplace dans l'exercice de ses fonctions.

ITOU adv., attesté chez Molière (1665) qui le met dans la bouche de paysans (*Dom Juan*, II, 1), représente probablement une altération de l'ancien français *atout* «avec», adverbe (v. 1100) employé jusqu'au XVIIe s. et préposition, du XIIe au XVIe s., sous l'influence de l'ancien français *itel* «tel». *Atout* est composé de *a* «avec» et de *tout*; itel* est une forme renforcée de *tel**, par la particule *i-*, également utilisée avec les démonstratifs (en ancien et moyen français *icist, icel, icelui*). On relève *itotes* adj. f. pl., au début du XIIIe siècle.

♦ *Itou* «de même, également», familier et vieilli, s'emploie encore aujourd'hui par plaisanterie *(et moi itou)*.

-ITUDE, -TUDE, élément suffixal, est un emprunt savant au suffixe du latin *-tudo* qui servait à former des noms abstraits à partir de l'adjectif (par ex. *magni-tudo*) ou de thèmes verbaux (par ex. *habi-tudo*). Ce suffixe a abouti régulièrement en français à des mots en *-une* ou *-ume* (en français moderne *coutume, amertume*). Les premiers emprunts en *-tude* apparaissent au XIIe s. (par ex. *multitude*).

♦ En français, le suffixe entre dans la formation de noms abstraits, avec pour base un adjectif ou sa racine ; depuis le XIXe s., peu de dérivés ont été formés. ◇ L'élément est encore utilisé au XXe s. dans le domaine philosophique et psychologique (par exemple *incomplétude*, 1907 ; *finitude*, 1920) ; on a également construit des dérivés à partir d'adjectifs exprimant l'appartenance à un groupe : le suffixe marque alors un état d'aliénation (par exemple *corsitude, féminitude*), le premier formé est sans doute *négritude* (v. 1933). Il s'oppose à *-ité* qui exprime l'idée positive de personnalité culturelle, morale, etc., issue de l'appartenance au groupe (*corsité, féminité*).

IVOIRE n. m. est l'aboutissement (v. 1140) du latin populaire °*eboreum*, substantivation du neutre de l'adjectif *eboreus* «d'ivoire», lui-même dérivé du latin classique *ebur, eboris* «ivoire», «objet d'ivoire», puis par métonymie «éléphant». Les Latins ont connu l'ivoire avant l'éléphant et ont deux mots, *ebur* et *elephas*, pour désigner la substance et l'animal ; l'emploi de *elephas, elephantus* pour «ivoire» est une imitation littéraire de l'usage grec, qui utilise *elephas* dans les deux cas.

♦ Le mot désigne la matière d'un blanc laiteux fournie par les défenses de l'éléphant, d'où ***blanc comme l'ivoire*** (v. 1165). Par métonymie et d'après le grec, *ivoire* s'est aussi employé (v. 1200) pour *éléphant. Noir d'ivoire* se dit (1562) d'une poudre noire employée en peinture, faite d'ivoire et d'os calcinés. ◇ Par métonymie, *un ivoire* désigne (1683, Boileau) un objet en ivoire. ◇ Par analogie, le mot s'emploie en parlant des défenses d'autres animaux (morse, 1778, Buffon), désignant spécialement (1867) en anatomie la partie dure des dents. ◆ En emploi adjectif invariable, *ivoire* qualifie (1900) ce qui est de la couleur de l'ivoire.

▶ Plusieurs mots ont été dérivés du nom. ◆ **IVOIRIN, INE** adj. s'applique à ce qui a l'apparence de l'ivoire (1544) ; l'ancien français a aussi employé *eborin* (v. 1160), dérivé savant du latin *ebur, eboris*. On relève chez E. de Goncourt la variante *ivoréen, enne* (1881). ◆ **IVOIRIER, IÈRE** n., terme technique (1322, *yvorier*), désigne qqn qui sculpte l'ivoire ou une personne qui en fait le commerce. ◆ **IVOIRERIE** n. f., vieilli, se dit pour «objet d'ivoire» (1849). ◆ **IVOIRÉ, ÉE** adj., d'emploi littéraire (1857, Delacroix), qualifie ce qui a la couleur de l'ivoire. ◆ **IVORINE** n. f. (fin XIXe s.) ou **IVOIRINE** n. f. (1902) est un terme technique désignant une matière imitant l'ivoire.

IVRAIE n. f. est issu (v. 1223) du latin populaire *ebriaca (herba planta)*, du bas latin *ebriacus*, dérivé et doublet de *ebrius* (→ ivre), formé d'après *merus/meracus* «pur» ou *verus/*veracus* «vrai». L'ivraie était réputée pour provoquer une sorte d'ivresse.

♦ *Ivraie* «graminée nuisible» s'emploie surtout dans des locutions : ***l'ivraie et le bon grain*** «les méchants et les bons», «le mal et le bien» (1580), ***séparer l'ivraie d'avec le bon grain*** (1690), provenant de la parabole évangélique de l'ivraie et du bon grain (Matthieu, XIII, 24-30 et 37-40). *Ne recueillir que de l'ivraie* (1759) «ne pas être payé de ses peines» est sorti d'usage.

IVRE adj. est issu par voie orale (v. 1140) du latin *ebrius* «qui a bu trop de vin, d'alcool», employé aussi au figuré, et opposé à *sobrius* «qui n'a pas bu» (→ sobre). Le *i-* initial provient de l'influence du *i* semi-voyelle *(yod)* de *ebrius*.

♦ L'adjectif, comme le latin *ebrius*, s'emploie d'abord au propre, aujourd'hui en emploi soutenu, sauf dans ***ivre-mort*** (1704), le français spontané employant plutôt *saoul* et ses équivalents familiers *(rond, bourré)*. ◇ Il reprend aussi l'emploi figuré du latin et qualifie une personne exaltée ou étourdie, qui se comporte comme si elle était ivre, hors de soi sous l'effet d'une émotion violente (1180, *ivre d'amour*) ; avec cette valeur, *ivre* a qualifié (1671) une personne exaltée par une idée, une activité, etc.

▶ **IVRESSE** n. f. s'emploie (v. 1119) au sens propre puis équivaut à «excitation, transport» (v. 1160), souvent qualifié par un nom (1691 ; *l'ivresse de l'amour*), par exemple dans l'expression ***l'ivresse des sens*** (1732). ◇ Par extension, le mot désigne l'état d'exaltation lyrique que fait naître la création (av. 1711), plus largement un état d'euphorie, de ravissement (av. 1742).

Le préfixé **ENIVRER** v. tr. a remplacé *ivrer* (XIIIe s.) usité jusqu'au XVIIe siècle ; le verbe s'emploie au propre (XIIe s.) et surtout au figuré (v. 1265, pron.). Il est soutenu par rapport à son synonyme *(se) soûler*. ◆ Son dérivé **ENIVREMENT** n. m. est vieilli au propre (XIIe s.) et littéraire ou soutenu pour désigner (av. 1714) un état d'exaltation agréable. ◆ **ENIVRANT, ANTE** adj., attesté au XIIe s., s'emploie aussi aujourd'hui plutôt au figuré (1679), qualifiant ce qui emplit d'une sorte d'exaltation.

IVROGNE adj. et n. (XVe s.), d'abord sous les formes *ivroigne* (XIIe s., n. f.), *yvrongne* (v. 1283, adj.), est issu du latin populaire °*ebrionia* «ivresse», dérivé du classique *ebrius* sur le modèle de mots en *-onia* (par ex. *castus/castimonia*). ◆ Le nom a conservé le sens du latin ; l'adjectif qualifie une personne qui a l'habitude de s'enivrer. ◆ Le dérivé **IVROGNESSE** n. f. a signifié «ivresse» (1562, Calvin) puis désigne (1611) une femme qui s'enivre. ◆ **IVROGNER** v. intr. est familier et vieilli (1538, *yvrogner* pour «s'enivrer, se soûler». Il a été repris comme pronominal (1858 ; *s'ivrogner*). ◆ **IVROGNERIE** n. f. (1538, *yvrongnerie*) a remplacé les formes plus anciennes *ivrognie* n. f. (déb. XIIIe s.), *ivrognise, ivrogneté*, etc. ◇ Le mot est sorti d'usage pour désigner (mil. XVIe s.) l'action de s'enivrer, mais est plus courant que les autres dérivés pour «comportement d'ivrogne». *Ivrogne* et *ivrognerie* semblent plus vivants qu'*ivre* et *ivresse*, au moins dans l'usage spontané.

◇ voir ÉBRIÉTÉ, IVRAIE.

IZARD → ISARD

J

JA → DÉJÀ, JAMAIS

JABOT n. m. est probablement emprunté (1546) à un mot des parlers de la partie septentrionale du domaine occitan (auvergnat, limousin), issu de la base prélatine °*gaba* «gorge, gosier» (→ gaver, joue).

♦ Le mot, d'abord relevé chez Rabelais dans la locution figurée ancienne *avoir dedans le jabot* «valoir réellement (en parlant d'une personne)», est attesté depuis 1555 au sens propre (en parlant d'un animal). *Gonfler le jabot*, après *faire jabot* (1773) évoque la prétention. ◆ Par analogie de forme et de situation, il a pris, probablement au XVIIe s., le sens d'«ornement de dentelle attaché sur l'ouverture de la chemise au-dessous de la gorge». Richelet (1680) le note comme vieilli en ce sens et, de toute façon, «plaisant», mais il est revenu en usage au XVIIIe s. et s'est maintenu jusqu'à nos jours. Il s'est spécialisé en pathologie animale, dénommant une dilatation accidentelle de l'œsophage des ruminants, du chien (1845).

▸ *Jabot* a servi à former **JABOTER** v. (1694) «bavarder» et (1770) «pousser des cris, en secouant le jabot (en parlant d'une perruche)», transitivement «murmurer» (fin XIXe s.), «parler en baragouinant». ◇ À son tour, ce verbe a produit **JABOTEUR, EUSE** n. (1772) «personne, plus rarement oiseau, qui jabote», et un mot familier aujourd'hui désuet, **JABOTAGE** n. m. «bavardage» (1845). ◆ Au XVIIIe s., on a formé sur *jabot* les homonymes ① **JABOTIÈRE** n. f. (1741) «variété d'oie sauvage» et ② **JABOTIÈRE** n. f. (1780) «mousseline pour faire les jabots», «devant de chemise» (1803).

◈ **JACASSER** v. intr. est d'origine incertaine. Apparu assez récemment (1806), il est peut-être dérivé de *jaqueter, jaquetter* «bavarder, crier (en parlant de la pie)», lui-même dérivé de *jaquette*, nom donné à la pie (→ jacques, jacter), avec substitution de suffixe d'après *croasser, agacer*. Une autre hypothèse en fait le dérivé de *jacasse* (ci-dessous).

♦ Relevé dès les premiers emplois au sens de «bavarder avec volubilité», sens toujours vivant et péjoratif, il est aussi utilisé au sens de «crier (en parlant de la pie)» depuis 1835.

▸ Quant à **JACASSE** n. f., il est soit le déverbal (1808) de *jacasser*, soit le résultat du croisement d'un mot dialectal, *jaque* «geai» ou *jaquette* «pie», avec *agace*, autre nom de la pie (→ agacer). ◆ On le relève pour la première fois dans *Marie Jacasse*, appellation péjorative pour une femme ou une fille bavarde (1808), puis dans *Mère Jacasse* et, dans l'usage argotique, comme désignation métonymique de la femme (1847). Il correspond également à l'action de bavarder (1867) et à une dénomination familière de la pie (1902). ◆ Sur *jacasser*, on a formé **JACASSEMENT** n. m. (1845) «bavardage» et (1878) «cri de la pie» et, avec d'autres suffixes, **JACASSERIE** n. f. (1840), plus rarement **JACASSAGE** n. m. (1930, Malraux).

JACENT, ENTE adj. est emprunté (1509) au latin *jacens*, participe présent de *jacere* «être étendu, couché» (→ gésir), pris avec son sens spécialisé tardif, «être sans propriétaire».

♦ *Jacent* est utilisé comme terme juridique au sens de «vacant» (en parlant de biens, d'une succession, etc.). Le sens physique de «gisant» (1611) est sorti d'usage.

▸ **SOUS-JACENT, ENTE** adj. (1812) est la réfection de *subjacent* (1520, repris déb. XIXe s.), emprunté au latin tardif *subjacens*, participe présent de *subjacere* «être placé dessous», au figuré «être subordonné à» d'où «être sujet à, en butte à» dans les textes médiévaux, de *sub-* (→ sub-) et *jacere*. ◆ Le mot français s'emploie au sens abstrait de «caché, latent» (1834), courant et didactique (spécialement en mathématiques, dans la théorie des ensembles), et au sens concret «qui s'étend sous», principalement en géologie où il s'oppose à **SUS-JACENT, ENTE** (1872), ce dernier étant rare.

◈ voir ADJACENT.

◈ **JACHÈRE** n. f., d'abord *jachiere* (v. 1175), est localisé dans le nord du domaine d'oïl — wallon, picard, normand — sous les formes latines *gascheria*, *gascaria,* à Compiègne et à Beauvais (1172, 1193), en ancien français *gaschiere* à Douai (v. 1200) et *jussière* (apr. 1250), *gaskiere* (1276). Son étymologie est obscure : on évoque une origine gauloise avec un étymon en *-aria* (peut-être déjà gaulois) de °*gansko-* «charrue», terme désignant à l'origine une branche. Ce mot, d'où vient l'irlandais *gesca* «branche», serait dérivé de °*ganku,* °*kanku* (d'où l'irlandais *géc,* le cymrique *caine* «branche»). Le latin *vervactum* «jachère», lui-même d'origine incertaine, ne peut pas convenir (→ guéret).

♦ Le mot désigne d'abord une terre labourée non ensemencée pour la laisser reposer, sens issu par métonymie d'«état d'une terre labourable qu'on laisse reposer temporairement», logiquement antérieur et attesté peu après (apr. 1250). Par extension, il se rapporte à une terre abandonnée, mal entretenue (1836) et, par analogie, à l'état d'une personne ou d'une chose dont on ne tire pas parti (fin XIXe s.).

▸ **JACHÉRER** v. tr., d'abord attesté sous la forme *ghaskerer* (XIIIe s.) et en latin médiéval dans *terras gacheratas* (1255 à Rouen), puis sous la forme *jascherer* (v. 1600) «labourer une jachère», est un terme technique.

JACINTHE n. f. représente par emprunt (1080) le latin *hyacinthus* «plante à bulbe, lis, glaïeul» et «sorte d'améthyste», lui-même emprunté au grec *huakhintos,* d'origine crétoise, qui désignait une fleur, la jacinthe, parfois le pied-d'alouette, et une pierre précieuse, ainsi que des étoffes de couleur bleue ou rouge. Le mythe grec fait naître la fleur du sang d'un jeune Laconien aimé d'Apollon (→ hyacinthe).

♦ Le mot grec passa d'abord en français par son usage oriental (syrien) uniquement comme nom de pierre précieuse (1080 *jacunce;* XIIe s. *jargunce;* XIIIe s. *jaconce,* encore au XIXe s.), tandis que *jacinthe,* comme *hyacinthe,* a été repris du latin ; *jacinthe* (XIIe s. *jacincte* au masculin, genre usuel au moyen âge) s'écrit avec *j* parce qu'il est emprunté à une époque où l'on ne tenait pas compte du *h* (cf. *Jérôme, Jérusalem*). ➝ Le mot a désigné la fleur (*jacintus,* v. 1300) et la pierre précieuse (*jacincte,* XIIe s.); mais l'usage a finalement réservé *jacinthe* au végétal, sauf dans des emplois stylistiquement recherchés.

◈ voir **HYACINTHE,** ② **JARGON.**

JACKPOT n. m. est l'emprunt (v. 1970) de l'anglais *jackpot* (1881), d'abord employé au poker à propos d'un jeu dans lequel une paire de valets au moins est nécessaire pour ouvrir les paris. Par la suite, le mot désigne aussi un «pot» dont la masse s'augmente des enjeux successifs jusqu'à ce qu'il soit gagné; de là, dans les jeux de hasard mécaniques, le sens de «combinaison gagnante qui déclenche un mécanisme envoyant au joueur la totalité de l'argent accumulé dans la machine». Il est passé dans l'usage avec la valeur figurée de «coup gagnant», dans la locution *to hit the jack-pot* (v. 1950), équivalant à *gagner le gros lot. Jack-pot* est l'un des nombreux substantifs composés avec *jack,* nom commun tiré de *Jack,* surnom pour *John,* et généralement considéré comme l'équivalent du français *Jacques* (→ jacquerie, jacques), pris ici dans son sens particulier de «valet au jeu de cartes» (1674-1680). *Pot* «récipient», «poule, pot» au jeu, correspond au français *pot**.

♦ Le mot a été repris dans le contexte des jeux de hasard mécaniques avec le sens de l'anglais; il se réfère, par métonymie, à la machine à sous elle-même et s'emploie figurément dans la locution ***gagner le jackpot,*** calquée sur la locution anglaise.

◈ voir **JOCKEY.**

JACOBIN, INE adj. et n. est dérivé (1254) du bas latin *Jacobus* «Jacques», prénom d'origine hébraïque (→ jacques), avec le suffixe *-in;* le latin médiéval emploie *jacobinus* (v. 1250).

♦ Le mot a longtemps désigné les dominicains et dominicaines, d'après l'emplacement de leur principal couvent, établi près de l'ancienne porte Saint-Jacques, rue Saint-Jacques, à Paris, et qui était à l'origine, en 1218, un hospice pour les pèlerins de Compostelle. Le dictionnaire de Trévoux (1740) signale qu'il ne s'emploie plus que dans l'usage familier, remplacé partout ailleurs par *dominicain, aine.* ➝ *Jacobin* a fourni une dénomination analogique pour plusieurs oiseaux possédant une sorte de capuchon, au masculin (1797) et au féminin (1803 «corneille mantelée»). ➝ Passé dans le vocabulaire politique pendant la Révolution (1790), le mot désignait le membre d'un club, la Société des amis de la Constitution, qui tenait ses séances dans le réfectoire de l'ancien couvent dominicain de la rue Saint-Honoré. En ce sens, il a été adjectivé (1790). Par référence à l'intransigeance politique des Jacobins, hostiles aux idées fédéralistes des Girondins, le nom (1797) et l'adjectif (1830, Stendhal) s'appliquent à un homme politique hostile à toute idée d'affaiblissement et de démembrement de l'État.

▸ Les dérivés concernent la vie politique révolutionnaire. Certains mots, comme **JACOBINISME** n. m. (1791), terme d'histoire révolutionnaire et, par extension, de politique (1839), se sont implantés. ◇ La plupart, de **JACOBINERIE** n. f. (1793) à **JACOBINADE** n. f. et **JACOBINIQUE** adj., péjoratifs, sont sortis d'usage.

JACQUARD n. m. est l'emploi comme nom commun (1834) du nom de Joseph-Marie *Jacquard* (1752-1834), célèbre mécanicien lyonnais qui inventa au début du XIXe s. un métier à tisser permettant la fabrication d'étoffes brochées très ouvragées.

♦ Le mot désigne le métier à tisser mis au point par J.-M. Jacquard; il entre dans ***métier à la Jacquard, métier Jacquard.*** ➝ Par métonymie, il désigne un tricot exécuté à la machine ou à la main et présentant des motifs complexes s'inspirant des étoffes tissées sur les métiers Jacquard (1936).

▸ De l'emploi de *jacquard* en apposition est dérivé l'adjectif **JACQUARDÉ, ÉE** (1873), employé comme épithète de *métier, étoffe.*

JACQUES n. m. est l'emploi comme nom commun du nom propre *Jacques* (également

Jaques en ancien français), issu, par l'intermédiaire de °*Jacbes,* du latin tardif *Jacobus,* correspondant au grec *Iakôbos* «Jacob».

♦ Le mot est employé comme sobriquet (au pluriel *les jacques,* 1359) pour désigner les paysans, en particulier ceux qui prirent part à la révolte qui affecta en 1358 l'Ile-de-France, le Beauvaisis et la Brie (cf. *jacquerie,* ci-dessous). Le choix de ce sobriquet, attesté dans des textes contemporains de l'insurrection, s'explique par la fréquence de ce prénom parmi les paysans, fréquence dont témoigne l'emploi de *Jacques Bonhomme* comme nom type du vilain aux XIVe-XVe s. : ce nom dont les nobles affublaient les paysans serait, d'après Froissart, celui du roi élu par les «gens sans armure» lors de la jacquerie. ➜ La révolte de 1358 a peut-être été à l'origine d'un nouvel usage vestimentaire, *jaques, jacques* désignant (1364) jusqu'au XVIe s. un habit court et serré (→ jaquette). ➜ Au XVIIe s., le mot sert à désigner un sot, un niais (1665 dans le diminutif sorti d'usage *jaquet*), sens encore présent dans la locution ***faire le Jacques*** (1881) «faire l'idiot». La valeur péjorative du mot, avérée dans des emplois comme *cuisinier jacques* (1808) «mauvais cuisinier», a été renversée dans le célèbre roman de Le Roy, *Jacquou le Croquant,* écrit en 1899 à la gloire de l'insurrection paysanne contre les derniers seigneurs, au début du XIXe siècle. ➜ En raison de sa fréquence dans les milieux rustiques, le mot est devenu la dénomination régionale de plusieurs animaux : la pie (1611) sous la forme *jaquette* (→ jacasser), le geai (1883, antérieurement dans les parlers régionaux ; dès 1829 dans le diminutif *jacquot*), le perroquet sous la forme *jacquot* (1779), l'écureuil sous la forme *jacquet* (cf. *potron-jacquet,* variante de *potron-minet*). Le point commun entre ces différents animaux tachetés, mouchetés (comparer les nombreuses formes dialectales appliquées à des vaches tachetées) pourrait mettre sur la voie d'une dérivation à partir de *jaquette* «pie», la pie pouvant avoir reçu son nom d'après son plumage bicolore (cf. *cheval pie*).

▸ **JACQUERIE** n. f. (v. 1360), nom immédiatement donné à la révolte paysanne de 1358, remarquable par sa brièveté et sa violence, est employé par extension (1821) à propos d'une insurrection sanglante de paysans pauvres.

◈ voir **JACTER, JAQUEMART, JAQUETTE,** et (de l'anglais) **JACKPOT, JOCKEY.**

① **JACTANCE** n. f. est emprunté (v. 1223) au latin impérial *jactancia* «vantardise», dérivé de *jactans,* participe présent de *jactare* «jeter souvent et précipitamment», pris au sens figuré de «faire parade, lancer avec ostentation», fréquentatif de *jacere* «jeter, lancer» (→ gésir, jeter).

♦ Ce mot, utilisé dans un style littéraire ou soutenu, exprime l'attitude arrogante d'une personne qui cherche à se faire valoir par des propos et un ton suffisant.

JACTER v. intr. est dérivé (1562, *jaqueter*), à l'aide de la désinence *-er,* de *jaquette,* nom populaire de la pie enregistré en 1611, mais antérieur dans les parlers régionaux (→ jacasser, jacques).

♦ Jusqu'en 1611, le mot a signifié «pousser son cri (en parlant de la pie)». Il a été repris au XVIIIe s. au sens figuré de «parler, bavarder (avec volubilité)» dans la langue populaire de Grenoble (1710), puis, au XIXe s. dans des argots de bagnards et de prisonniers. Depuis, il est passé dans l'usage familier au sens de «parler, bavarder (avec une idée de volubilité)», mais demeure plus trivial que *jacasser.* Son homonyme *se jacter* «se vanter» (1520) est un verbe distinct issu du latin *jactare,* du même groupe que ① *jactance*.*

▸ Une certaine confusion entre *jacter* et son homonyme, tous deux liés à une parole abondante, est à l'origine du dérivé ② **JACTANCE** n. f., mot en usage dans la langue populaire pour la parole (1878), le bavardage (1878). ➜ **JACTEUR, EUSE** adj. et n. (1881) s'applique à la personne qui jacte, a une propension au bavardage.

JACULATOIRE adj. est un emprunt religieux (1604, François de Sales) au latin chrétien *jaculatorius* «jeté rapidement, caractérisé par un jaillissement ardent», employé par saint Augustin à propos de prières (av. 430, *jaculatoriae preces*). Cet emploi est une spécialisation abstraite du sens initial, «relatif à un jet» puis, à basse époque, «relatif à l'art du javelot». Le mot est dérivé de *jaculari* «lancer, décocher» (→ éjaculer).

♦ L'adjectif, le plus souvent associé à *oraison,* et ce dès les premiers emplois, qualifie une prière courte et fervente par laquelle l'âme s'élance vers Dieu. Certains écrivains (Barbey, Du Bos, Gide) l'emploient à propos d'un sentiment intérieur fervent et exalté. On trouve aussi *prière jaculatoire.*

▸ **JACULATION** n. f., emprunté comme terme d'antiquité (1530) au latin impérial *jaculatio* «action de lancer, de décocher (une arme de jet)», a été repris par les écrivains décadents (1884, Péladan ; 1895, Huysmans) avec le sens figuré d'«élan d'enthousiasme». Son usage est très littéraire.

JADE n. m., sous sa forme masculine actuelle (1612), provient de la forme féminine antérieure *éjade* (seulement attestée en 1633) par mésinterprétation de *l'éjade, d'éjade* en *les jades, des jades.* Le mot est emprunté à l'espagnol *(piedra de la) ijada,* littéralement «(pierre du) flanc», lui-même dérivé, par l'intermédiaire d'un mot simple non attesté, du latin *ilia* «flancs» (→ iliaque). Ce nom aurait été donné à la pierre par les conquistadores espagnols d'après la croyance indienne selon laquelle ce minéral protégeait des coliques néphrétiques. L'allemand, à côté de *Jade,* a *Nierenstein* «pierre des reins», plus courant pour «calcul rénal».

♦ Le mot, nom de pierre semi-précieuse, est employé dès les premières attestations au sens métonymique «objet en jade». Il est également employé comme nom de couleur, notamment dans *de jade* (déb. XXe s.) dans un style littéraire.

▸ Il a produit **JADÉITE** n. f. (1873), désignant une variété de jade (on notera qu'une autre variété a été nommée *néphrite*).

JADIS adv. et adj. résulte (v. 1112) de la contraction de *ja a dis,* proprement «il y a déjà des jours».

L'expression est composée de *a*, ancienne forme de l'impersonnel *il y a*, de *ja* (→ déjà, jamais) et de l'ancien français *di* (842) «jour», issu au même sens du latin *diem*, accusatif de *dies* (→ diurne, jour), supplanté par *jour*.

♦ *Jadis* s'est maintenu dans l'usage comme synonyme littéraire et archaïsant de *autrefois* (cf. *antan*), notamment par opposition à *naguère*, en particulier chez Verlaine, auteur du recueil *Jadis et Naguère* (1884). Il est parfois employé comme adjectif associé à *temps*, et substantivé au masculin dans l'usage poétique.

JAGUAR n. m., sous cette forme depuis 1754 (Buffon), a été précédé par des variantes altérées, *iarnare* (1575), *janowara* (1722 dans une traduction de l'espagnol). Les différentes formes sont empruntées à deux variantes du même mot tupi (langue indienne du Brésil) *januare* et *jaguara*. Les premiers historiens du Nouveau Monde ont véhiculé la première, tandis que la seconde a probablement été introduite en français par le texte latin des naturalistes hollandais et allemand Pison et Marcgraf (*Historia Naturalis Brasiliae*, 1648), source de Buffon. Une autre forme, *jaguareté* (1731), a été empruntée au tupi *jaguarete*, proprement «véritable jaguar», qui dans cette langue désigne le jaguar noir et, par opposition à *jaguara* qui avait pris le sens de «chien» (car les Tupis n'avaient pas de mot pour le chien, introduit par les Européens), toute espèce de jaguar.

♦ Le mot désigne un mammifère carnassier d'Amérique centrale et du Sud. Par emprunt à l'anglais *jaguar*, nom de marque repris du nom de l'animal pour une voiture de luxe puissante, il correspond à un type d'automobile luxueuse. Il est alors couramment abrégé en *jag*, *jague*.

► **JAGUARONDI, JAGUARUNDI** n. m. (fin XIXe s.), nom d'un autre carnivore de la famille des félidés, est emprunté à un mot d'une langue indienne du Brésil probablement apparenté au tupi *jaguara*. Le guarani a *yagua-rundi* (attesté en 1639 chez un Péruvien).

JAILLIR v. intr. est la modification (1560) de *jalir* (av. 1200) ou *galir* (déb. XIIe s.), verbe d'origine obscure. On a proposé d'y voir un croisement de formes apparentées au latin *jaculari* «lancer» (→ éjaculer, jalon) avec un roman °*galire*, dérivé d'un radical gaulois °*gali-* «bouillir, jaillir, sourdre» (→ gaillard).

♦ *Jaillir*, d'abord transitif (jusqu'au XVe s.) au sens de «lancer, jeter», est intransitif depuis la fin du XIIe siècle. En ancien français, il signifie «sauter (en parlant d'un homme)». Son usage au sens moderne de «sortir impétueusement (en parlant d'un liquide et, par analogie, d'un fluide, de la lumière)» est attesté à partir de 1552. Ses autres emplois sont apparus au XIXe s. : «sortir par un mouvement rapide (en parlant d'une personne, d'une chose non fluide)» (1852), «sortir, apparaître (en parlant d'un objet dont la forme suggère une impression d'élan)» (1831) et, abstraitement, «se manifester soudainement» (1818).

► En sont dérivés le participe présent **JAILLISSANT, ANTE** adj. (1680) et **JAILLISSEMENT** n. m. (1718; 1611 *jallissement*) «action de jaillir» et (XIXe s.) «apparition subite».

Le composé **REJAILLIR** v. intr. (1539) «jaillir en étant renvoyé ou par l'effet d'une pression, d'un choc» est aussi utilisé (1671) avec la préposition *sur* au sens figuré de «retomber sur». ◇ Son dérivé **REJAILLISSEMENT** n. m. (1557) relève d'un usage plus littéraire.

voir JALON.

JAÏN ou **JAÏNA** adj. et n. est un emprunt (1824 pour *jaïn*, *jaïna* 1864) à l'hindi, de *Jina* «le Conquérant», nom donné au fondateur de cette religion.

♦ Le mot qualifie et désigne les adhérents d'une religion hindoue fondée sur la croyance en la transmigration des âmes et la non-violence.

► Il a pour dérivé **JAÏNISME** n. m. (1873), nom de la religion.

JAIS n. m., d'abord *gest* (v. 1261), puis *geais* (1611), enfin *jais* (1669), est la contraction de l'ancien français *jaiet*, attesté avant 1150. Ce dernier est issu du latin *gagates* (Pline), emprunt au grec *gagates* «jais» qui signifie proprement «pierre de Gages», de *Gages* (en grec *gagas*), ville et fleuve de Lycie, en Asie mineure.

♦ *Jais*, nom d'une variété de lignite d'un noir luisant, désigne aussi, généralement déterminé dans *jais artificiel*, *faux jais*, un verre teinté en noir ou un métal émaillé utilisé en bijouterie. Il entre dans la locution comparative courante ***comme du jais*** (v. 1510) et dans le syntagme ***de jais*** (1838; ***noir de jais***, 1803) exprimant l'idée d'une couleur noire et brillante. La confusion avec *geai*, nom d'oiseau, est fréquente dans les emplois métaphoriques.

JALON n. m., attesté au début du XVIIe s. (1613 *jallon de nasse*, 1690 dans un livre d'horticulture), est d'origine incertaine. Il s'agit peut-être d'un terme de métier formé sur le même radical que *jaillir**. On a aussi proposé un rapprochement avec l'ancien français *gielle* «bâton utilisé en vénerie pour tendre des filets», mais cela ne résout guère le problème, car ce dernier est d'origine inconnue. P. Guiraud suggère d'y voir une forme normannopicarde de *jallier*, *gielle* «bâton», qu'il interprète comme représentant le latin *jaculum* «javelot», dérivé de *jacere* (→ gésir, jeter).

♦ Après une attestation de sens obscur (*jallon de nasse*), le mot apparaît en 1690 dans un traité d'horticulture, désignant une tige plantée en terre pour déterminer un alignement, une direction, une distance, etc. ◆ Son sens figuré usuel de «ce qui sert à diriger, situer qqn, qqch.» est apparu au XIXe s. (1812).

► Le dénominatif **JALONNER** v. tr., d'abord employé en horticulture (1690), est spécialement usité en technique militaire (1867) et possède aussi un sens figuré (1834). ◇ En sont issus **JALONNEMENT** n. m. (1840) et **JALONNEUR** n. m. (1835) «celui qui place des jalons» et «soldat que l'on place pour servir de jalon».

① **JALOUSIE** → JALOUX

② **JALOUSIE** n. f. est emprunté (1549), avec francisation, à l'italien *gelosia*, correspondant du français ① *jalousie*. *Gelosia* désigne par métonymie un treillis dissimulant les femmes aux regards (av. 1494 en contexte oriental).

♦ Emprunté dans le même contexte que l'italien, le mot, depuis le XVIIIe s. (1757), s'applique à un volet mobile formé de lattes parallèles. La fréquence de *jalousie*, dérivé de *jaloux*, fait que le mot conserve des connotations psychologiques (cf. *La Jalousie*, roman de Robbe-Grillet, dont le titre joue sur les deux homonymes).
L'homonyme ③ **JALOUSIE** n. f. (1542) «amarante», aujourd'hui «œillet de poète», est une altération (d'après *jalousie*) de l'ancien *gelesis* (XVe s., *gelesia, gelasia* en latin médiéval), probablement issu d'un gaulois °*gelisia*.

JALOUX, OUSE adj. et n., variante (XIIIe s.) de *gelos* (1160) ou *gelus* (1170), est un mot dont l'histoire présente une certaine complexité. Il est issu du bas latin *zelosus* «plein d'amour et de prévenance» (V^e ou VIe s.), lui-même dérivé du bas latin (Vitruve, Ausone) *zelus* (→ zèle), surtout attesté en latin chrétien et emprunté au grec *zêlos* «empressement, ardeur, rivalité, envie», à rattacher à *zêtein* «chercher, rechercher», verbe d'origine obscure. Pour justifier la finale, au lieu de la forme en -eux attendue, on a invoqué un emprunt à l'ancien provençal *gelos* «jaloux», attesté dans le vocabulaire amoureux des troubadours depuis 1140 environ. Le mot serait passé en français, comme *amour*, par l'intermédiaire de la lyrique d'oïl, influencée par celle d'oc. Wartburg a poussé plus loin cette hypothèse en expliquant que *zelosus* provient directement du grec *zêlos*, plus riche de sens, et qui serait passé dans le latin de la Narbonnaise. Cependant, la diversité et l'ancienneté des sens de *jaloux* en ancien français, où il n'est pas limité au vocabulaire amoureux, contrairement à l'ancien provençal, rend douteuse l'hypothèse d'un emprunt global à cette langue. À cela s'ajoutent d'autres hypothèses, entre autres celle qui fait de *jaloux* un terme originaire (comme *amour*) de Champagne orientale, centre courtois de première importance.

♦ Dans les premiers textes, *jaloux* a le sens de «qui désire ardemment qqch.», synonyme de *désireux*. Il signifie également «qui est farouchement attaché à la conservation de qqch., d'un avantage». Ce sens, resté vivant dans l'expression biblique *Dieu jaloux* (XIIIe s.), c'est-à-dire «qui veut être aimé et servi sans partage», et dans quelques expressions de la langue littéraire (*jaloux de ses opinions*, 1718), n'est resté courant qu'avec sa spécialisation amoureuse, elle aussi ancienne (1170), développée par des comparaisons (***jaloux comme un tigre***, etc.). ➛ Le sens d'«envieux, qui éprouve de l'ombrage à l'idée qu'un autre jouit d'un avantage qu'il n'a pas» est attesté depuis 1250. ◇ L'adjectif est employé comme substantif (v. 1200), essentiellement aujourd'hui avec la spécialisation amoureuse (1635, Corneille).

▶ ① **JALOUSIE** n. f., d'abord *jalosie* (1181-1191), *gelosie* (v. 1250), recouvre le sentiment d'inquiétude concernant la fidélité de la personne aimée. Son sens plus général d'«attachement vif à un bien, un avantage» (v. 1250) s'est limité, en relation avec celui de l'adjectif, à un usage littéraire. Le sens général courant d'«envie devant ce qu'un autre possède» est attesté depuis 1501, longtemps après la valeur correspondante de l'adjectif. ➛ **JALOUSEMENT** adv. (XIIIe s.) se rattache à l'idée d'envie de ce que l'on n'a pas et (av. 1622) à la crainte de se dessaisir de ce que l'on a. ➛ **JALOUSER** v. tr. (v. 1300) s'emploie pour «regarder avec envie ce que possède autrui» et ne s'applique qu'à titre exceptionnel à la jalousie amoureuse.

◈ voir ② JALOUSIE.

JAMAIS adv. résulte de la soudure (XIIIe s.) de *ja mais* (v. 980), formé avec les anciens adverbes *ja* (→ déjà) et *mais* «plus» (→ désormais, mais).

♦ Le mot a pris ses sens actuels dès l'ancien français, entre le Xe et le XIIIe s., d'abord pour indiquer une négation par rapport au temps (Xe s.), puis également, dans un sens positif, pour indiquer une action à venir (1130), une éventualité (1160). En ancien français, *ne... ja* et *ne... jamais* ne s'employaient que par rapport à l'avenir, tandis que, pour le passé, on se servait de *ne... onques* (du latin *unquam*). C'est seulement à partir du XIVe s. que ce dernier a décliné face à *ne... jamais*. Du XIe au XIIIe s., l'usage distinguait entre *ne... ja* et *ne... jamais*, le deuxième ayant le sens de «ne... plus jamais», conformément à l'étymologie. Depuis, *ne... ja* a disparu au profit de *ne... jamais*, auquel il a fallu ajouter alors *plus* pour rendre l'idée dont il avait été l'expression. Ainsi s'explique la tautologie de l'élément *-mais* (qui signifie étymologiquement «plus») et *plus* dans *(ne... plus) jamais*. ◇ La locution ***à jamais***, équivalente de *pour toujours*, est attestée depuis 1275 et quelquefois renforcée en ***à tout jamais*** (av. 1526) ; elle a remplacé *pour jamais, pour tout jamais*, usuels en langue classique. ◇ Au XVIe s. sont apparues les locutions ***jamais plus*** (1552), ***au grand jamais*** (1573) après *au grand fin jamais* (1546), cette dernière, plus familière, représentant une substantivation et indiquant aussi une dénégation catégorique. ***Plus jamais (ça) !*** semble récent. ***Jamais de la vie*** est attesté en 1841.

✳ **JAMBE** n. f. est issu (1080) du bas latin *gamba* «paturon de cheval», étendu aux autres quadrupèdes et à l'homme. Ce dernier est un emprunt populaire au grec *kampê*, proprement «courbure», d'où spécialement «articulation du pied du cheval» (→ hippocampe), mot qui a des correspondants dans plusieurs langues indoeuropéennes, tels le lituanien *kâmpas* «coin, bord» ou le lette *kampis* «bois rond, crochet». Il a supplanté le mot classique pour désigner la jambe, *crus* (celui-ci, dans le domaine ibérique, a cédé la place à *perna* qui en langue classique signifiait «gigot, jambon» et qui a fourni l'espagnol *pierna*, le portugais *perna*).

♦ *Jambe* se dit à la fois de la patte d'un animal (1080) et du membre inférieur de l'homme (1150). ◇ Dès l'ancien français, il développe des sens analogiques, s'appliquant (1321) à chacun des poteaux soutenant le linteau d'une porte et, de là, s'employant en terme de charpente (***jambe de force***, 1609). Il dénomme les branches d'un compas (1564) et, plus techniquement, une pièce oblique servant d'étai dans le bâtiment (1676), un fil qui forme un des côtés de la maille d'un filet (1829). ◇ Le sens de «membre inférieur de l'homme», à partir du XVIe s., a donné lieu à des locutions encore usuelles : *cela me (lui...) fait la jambe belle* (1670), qui a connu plus d'une variante jusqu'à sa forme actuelle ***faire une belle jambe à qqn*** (1857), se réfère au fait de montrer une «belle jambe» par une démarche avantageuse. *Jouer qqn par-dessous la jambe* (1671), forme initiale de ***traiter*** (1829) et ***faire par-dessous la jambe*** (1844), fait probablement allusion aux joueurs de paume ou de boule. ◇ Citons aussi l'image hardie de ***prendre les jambes à son cou*** (1690; 1740 avec son sens actuel) d'abord *prendre ses jambes à son col* (1618) et la locution plus récente ***tenir la jambe à qqn*** (1901), employée par métaphore dans le contexte d'une conversation interminable pour «retenir qqn» (cf. aujourd'hui *ne pas lâcher les baskets*). ◇ Le mot désigne aussi une jambe artificielle servant de prothèse (1564, ***jambe de bois***), sens qui a donné, figurément, la locution ***c'est un cautère sur une jambe de bois*** (1808). ◇ Par métonymie, il dénomme aussi la partie d'un vêtement recouvrant la jambe (*jambe du pantalon*, 1879).

▶ **JAMBIÈRE** n. f. (1203), qui désigne d'abord la pièce de l'armure protégeant la jambe, a été repris au XIXe s. comme nom de la pièce d'habillement enveloppant la jambe (1851), spécialement destinée aux cavaliers (1902) et à certains sportifs (1931). ◆ *Jambière* a éliminé dans ce sens **JAMBARD** n. m. (1843), attesté comme adjectif en ancien français pour «celui qui a de fortes jambes» (1305). Le mot dénomme aussi la bande servant à envelopper les jambes des chevaux (1902). ◆ **JAMBETTE** n. f., diminutif de *jambe*, s'est maintenu sous deux formes : la forme picarde *gambette* (XIIIe s.) a été reprise en argot (→ ② gambe). *Jambette* (fin XIVe s.), archaïque au sens de «petite jambe», s'est spécialisé avec quelques sens techniques, en construction (1400-1402), en agriculture, puis (1831) en marine.

JAMBON n. m. (v. 1250), «haut de la jambe (d'un animal)», s'est spécialisé en charcuterie (apr. 1250) à propos de la cuisse ou de l'épaule du porc préparée pour être conservée. Il s'applique parfois familièrement à la cuisse humaine (XVe s.) et, d'après une stricte analogie de forme, s'est dit de la guitare et du violon, dans le jargon des musiciens (1852). ◇ Son diminutif **JAMBONNEAU** n. m. (1606) présente le même sémantisme : à côté du sens dominant en charcuterie, il se retrouve en argot musical (1879) et dans la langue familière pour «cuisse» (1894). ◇ Le dérivé diminutif **JAMBONNETTE** n. f. (v. 1950) a cours en cuisine. ◆ **JAMBAGE** n. m. (1369) a suivi un développement analogique, se spécialisant en construction (comme *jambe* et *jambette*) pour dénommer chacun des montants verticaux d'une baie de fenêtre, de porte (1453), de cheminée (1502), et la chaîne de pierre qui soutient l'édifice, sur laquelle on pose de grosses poutres (1416). Son emploi le plus courant se rapporte à l'élément vertical de certaines lettres (1680). ◇ Le mot réactive tardivement le sens propre de *jambe*, dans l'expression *droit de jambage* (av. 1834), remplacée ensuite par *droit de cuissage*, et celui de «membre d'un animal» en vénerie, où il désigne (1832) la partie de la peau d'un animal recouvrant les pattes, lorsqu'on la détache. ◆ ① **JAMBIER** n. m. (1409) a désigné la pièce de bois maintenant écartées les jambes d'une bête abattue pendant que le boucher la prépare. ◇ En construction (1803), il se dit d'une pièce que les ouvriers s'attachent aux jambes lorsqu'ils montent à la corde. ◆ ② **JAMBIER, IÈRE** n. et adj., homonyme du précédent, a été formé en anatomie comme nom du muscle qui fléchit le pied sur la jambe (v. 1560). L'adjectif (1611) correspond à cette valeur et s'emploie aussi en art vétérinaire.

JAMBÉ, ÉE adj., dérivé de *jambe*, qualifie la jambe envisagée sous l'angle de sa conformation (1582, *mal jambé*). Rare avant le XIXe s., il reste d'un usage limité. ◆ Les dérivés formés ultérieurement relèvent de l'usage technique : **JAMBIN** n. m. (1723), terme de pêche, s'applique à une nasse de forme allongée ; **JAMBELET** n. m. (1877), en bijouterie, se dit d'un «bracelet» porté à la jambe.

ENJAMBER v. tr. (XIIIe s.) répond à l'idée de «passer par-dessus un obstacle» et (v. 1382) d'«empiéter sur», cette dernière donnant lieu à sa spécialisation en versification (1660-1668, Boileau). ◇ Le nom d'action se partage entre **ENJAMBÉE** n. f. (apr. 1250, *engambée*) «distance franchie par un long pas», d'où ***à grandes enjambées***, et **ENJAMBEMENT** n. m. (1562), ce dernier se réservant la spécialisation en versification (1680). ◆ Il ne reste rien de l'ancien *entrejamber* v. intr. (1611) «croiser les jambes», mais la même formation se retrouve dans **ENTREJAMBE** n. m. (1751), terme d'ébénisterie, repris pour désigner la partie du corps située entre les jambes (XXe s.), dans le contexte de l'habillement ou avec des connotations sexuelles. ◆ **UNIJAMBISTE** n. et adj. (1914) désigne et qualifie une personne amputée d'une jambe.

◈ voir **CROC-EN-JAMBE** (art. **CROC**), **GAMBADE**, **GAMBE**, **INGAMBE**.

JANISSAIRE n. m. est l'altération (1546) de *jehanicere* (1457), lequel est emprunté, par l'intermédiaire de l'italien *giannizzero* (av. 1470), au turc *yeničerī*, proprement «nouvelle *(yeñī)* troupe *(čerī)*». Le corps des janissaires fut créé dans la seconde moitié du XIVe s. sous le règne du sultan Mūrad Ier (1362-1389) et supprimé en 1826 par le sultan Mahmud II.

♦ Le mot, en passant en français, a désigné individuellement un soldat d'élite de la garde du sultan turc. Ce terme d'histoire turque s'est appliqué parfois au satellite d'une autorité despotique.

JANSÉNISME n. m. est tiré (v. 1650, enregistré en 1680) du nom du Hollandais Corneille *Jansen* (1585-1638), évêque d'Ypres qui, dans son ouvrage l'*Augustinus*, interprétation de la thèse de saint Augustin (paru en 1640, deux ans après sa mort), expose l'idée que la grâce divine est accordée aux uns et refusée aux autres dès la naissance.

♦ Le mot désigne la doctrine chrétienne hérétique professée par Jansen, répandue en France par

A. Arnauld dans ses *Apologies pour Jansenius* (1644-1645) et par le couvent de Port-Royal, doctrine condamnée par l'Église après 1650 comme apportant une restriction dangereuse au libre arbitre. Très tôt, le jansénisme recouvrit une mentalité et un courant d'opinion irréductible à la seule question de doctrine théologique, se présentant comme un rigorisme moral hostile à l'attrition, à la réception trop facile des sacrements et à tout relâchement. Il se présenta aussi comme un courant de contestation politique, plusieurs jansénistes adoptant le parti de la Fronde, refusant la raison d'État, remettant en cause la monarchie de droit divin et défendant la conscience personnelle. Ces deux extensions de sens sont attestées *a posteriori* (respectivement 1794 à propos du rigorisme de Caton, et 1840 Sainte-Beuve).

▸ **JANSÉNISTE** n. est attesté en 1656 dans les *Provinciales* de Pascal, comme dénomination du partisan du jansénisme et comme adjectif qualifiant ce qui se rapporte à cette doctrine. L'extension est analogue à celle de *jansénisme* vers le sens moral d'«austère et intransigeant» (1690) (cf. *puritain*), quelquefois avec une valeur critique (av. 1703, *jansénistes de l'amour*). Aux XVIIe et XVIIIe s., le concept est opposé à *Jésuite*. ◇ Le mot s'est spécialisé en matière d'art, de style, qualifiant un crucifix dont les bras sont presque à la verticale (longtemps considéré comme symbolique de la spiritualité janséniste) et aussi une reliure très sobre, sans ornement (1862).

JANSÉNIQUEMENT adv. (1872, Gautier) avec une valeur morale, **JANSÉNISER** v. tr., **JANSÉNISANT, ANTE** adj., **JANSÉNISATION** n. f., attestés (1920) dans l'*Histoire du sentiment religieux* de Brémond, sont didactiques et peu usités.

JANTE n. f. est issu (v. 1170) d'un bas latin °*cambita* (devenu °*gambita*), lui-même emprunté à un gaulois °*cambita* «cercle de bois formant la périphérie d'une roue», de *cambo* «courbe». Cette racine se retrouve dans l'irlandais *camm*, le cymrique *cam*, ainsi que dans les toponymes gaulois *Cambodunum, Camboritum*.

♦ Le mot, avec ses variantes *chante* (XVIe s.) et *gante* (1741) dans l'ancienne langue, a été repris avec le sens de l'étymon, appliqué ensuite (fin XIXe s.) aux roues de bicyclette, d'automobile, etc.

▸ **JANTILLE** n. f., d'abord sous la forme normanno-picarde *gantille* (1304), la forme actuelle étant enregistrée dans Furetière (1690), désigne la palette d'une roue hydraulique. ◆ **DÉJANTER** v. tr. (1611), «ôter les jantes de (une roue)», est sorti d'usage, et a été reformé en cyclisme (XXe s., attesté 1945) à propos des pneumatiques, au pronominal et au participe passé *(pneu déjanté)*. ◆ **ENJANTAGE** n. m. (1930) désigne l'action de mettre des jantes à une roue.

JANVIER n. m. est issu (fin XIIe s.; 1119, *jenvier*) du bas latin *januarius* de même sens, substantivation de l'adjectif *januarius* «de Janus» dans *januarius mensis*. Celui-ci est dérivé de *janus* «passage» et spécialement, à Rome, «passage voûté, galerie où se tenaient les marchands et les changeurs». Le mot vient peut-être d'une racine signifiant «aller». Personnifié et divinisé, Janus symbolisait la nation par ses deux visages opposés, placés, l'un devant, l'autre derrière la tête, ainsi que par la forme de son temple, qui comportait deux portes opposées. Dieu des commencements, Janus présidait au début de l'année; le mois de passage d'une année à l'autre lui était consacré. Son dérivé *janua* «porte, passage» n'a donné aucun mot en français; il a été concurrencé et évincé par les représentants de *ostium* (→ huis) et de *porta* (→ porte).

JAPON n. m. est l'emploi comme nom commun (1723) de *Japon*. Ce nom géographique est probablement la corruption, par l'intermédiaire du chinois *jeh-pun*, pays du «soleil levant», de l'appellation japonaise *Nihon* «le lever du soleil» (645), d'où *Nippon*. Les Portugais et les Espagnols ont appris le mot sous sa forme chinoise ou malaise *(japoung)* lors de leur découverte de l'Extrême-Orient, au XVIe siècle.

♦ Le mot désigne une porcelaine originaire du Japon et tout objet en porcelaine japonaise (1864, *des vieux chines et des vieux japons*). ◇ Il s'emploie aussi en papeterie pour un papier ivoire très résistant, originairement fabriqué au Japon, utilisé pour les éditions de luxe (1879, Mallarmé). ◇ Il se rapporte également à un bois employé pour teindre les textiles en rouge (1902, *bois du japon* ou *Japon*).

▸ Exception faite de **JAPONNER** v. tr. (1700, *japonner*), «soumettre (la porcelaine) à une nouvelle cuisson pour lui donner l'apparence de celle du Japon», la création de dérivés, au XIXe s., correspond à la découverte et à la vogue de l'art japonais en France. ◆ **JAPONISER** v., après une attestation indirecte de *japonisé* dans le vocabulaire de la mode (1829, *épingle japonisée* «à tête de couleur»), est relevé chez Goncourt (1876) pour «rechercher des œuvres d'art japonaises». Cet écrivain, grand amateur d'art japonais, semble forger l'emploi substantivé de **JAPONISANT, ANTE** n. (1881, *un japonisant frénétique*) à propos du collectionneur et, plus largement, du spécialiste de la civilisation et de l'art japonais. Le mot a évincé **JAPONISTE** n. (11 février 1872), créé parallèlement à **JAPONISME** n. m. (31 décembre 1876), terme d'histoire du goût recouvrant l'intérêt pour l'art japonais et l'influence qu'il exerce sur l'art occidental, en particulier dans le dernier tiers du XIXe s. (1937, Francastel). ◇ Autre témoin de cet engouement, **JAPONAISERIE** n. f., formé (1868, Goncourt) sur le nom et adjectif ethnique *japonais*, s'est répandu au détriment de **JAPONNERIE** ou **JAPONERIE** n. f. (1878, Zola), titre d'une œuvre de P. Loti (*Japonerie*, 1889). Il recouvre le sens concret d'«objet, curiosité provenant du Japon», et le sens général de «goût pour l'art, la civilisation japonaise».

JAPPER v. intr., d'abord attesté (XIIIe s.) en emploi transitif, est d'origine incertaine. Il s'agit probablement d'un dérivé de l'onomatopée *jap-* exprimant un aboiement, forme originaire des domaines occitan et franco-provençal (on relève *japar* «aboyer» en ancien provençal et son déverbal *jap, jamp* après 1150).

♦ Le mot est passé en français dans un sens spécialisé, «aboyer d'une façon aiguë et claire» (surtout en parlant d'un jeune chien), mais il a conservé le sens large d'«aboyer» en Normandie, dans les parlers du Centre et en franco-provençal. Par analogie (1306), le verbe s'emploie aussi familièrement à propos d'une personne pour «parler fort, criailler».

▶ Il a produit quelques dérivés au XVIe s. : **JAPPEMENT** n. m. (1529) est plus usuel que **JAPPEUR, EUSE** adj. et n. (1546), surtout utilisé comme substantif (1565) en parlant d'une personne qui criaille sans cesse. ◇ **JAPPE** n. f., apparu vers 1555 sous la forme *jap* «aboiement», a reçu (av. 1707) le sens populaire (aujourd'hui disparu) de «caquet, babil».

JAQUE n. m. est l'emprunt (v. 1525) du malayal (langue dravidienne) *tsjakka* «fruit d'un arbre *(artocarpus integrifolia)* dont la pulpe blanche et farineuse se consomme cuite». Le mot a d'abord été repris par l'intermédiaire de l'italien *ciccara* (1444 et 1510) sous les formes éphémères *chiacare* et (1540) *ciaquara ;* il a été réintroduit par l'intermédiaire du portugais *jaca* (1535) sous les formes *iaca* (1553, donné comme mot étranger), *iaque* (1611), *jaque.*

▶ Il a pour dérivé **JAQUIER** n. m. avec le suffixe *-ier* des noms d'arbres, d'abord sous la forme *jacquier* (1688) pour *jaquier* (1779); cet arbre a souvent été confondu avec l'arbre à pain, qui en est très proche.

JAQUEMART ou **JACQUEMART** n. m. est emprunté (1422, dans le domaine franco-provençal) à l'ancien provençal *jacomart, jaquomart* (1472), lequel est dérivé de *Jaqueme,* forme provençale pour *Jacques.* Encore aujourd'hui, le mot vit surtout dans le midi de la France. Le latin médiéval *jaquemardus* était l'une des dénominations dérivées de *jaque* (→ jaquette) pour «cotte de mailles». *Jacquemart* est attesté avec ce sens vers 1480 (→ jacques).

♦ Le mot désigne la figure sculptée d'un homme d'armes muni d'un marteau et frappant les heures, d'abord attesté dans un inventaire des biens des ducs de Bourgogne, puis repris chez Rabelais avec une majuscule (1534, *Jacquemart*). La réalité désignée est bien antérieure puisque c'est en 1363 que Philippe le Hardi, duc de Bourgogne, fit démonter et emporter par charrois à Dijon, où il la fit remonter, la célèbre horloge de Courtrai, avec ses jaquemarts (restitués par Dijon en 1961).

① **JAQUETTE** n. f. est le diminutif (1374, *jaquete*) de *jaque* (1374, *jaques* au pluriel), mot de genre masculin désignant notamment un pourpoint à manches rembourré, en usage au moyen âge, lui-même de *Jacques,* sobriquet donné aux paysans insurgés en 1358 (→ jacquerie, jacques), parce que ce vêtement court et simple rappelait celui que portaient les paysans. Contrairement à une hypothèse avancée, c'est le mot français, dont le diminutif *jaquet* est revenu en français par l'anglais, qui est à l'origine des mots correspondants dans les autres langues romanes.

♦ Si *jaque* est seulement un terme d'histoire du costume, *jaquete* puis *jaquette* (1446) continue d'être utilisé. Après avoir désigné un vêtement d'homme ajusté sur le buste et à jupe flottante, ainsi qu'une tunique monastique, il a désigné (1446 jusqu'au XIXe s.) la robe portée par les petits garçons avant leur première culotte. ➜ Le mot désigne aujourd'hui une veste féminine de tailleur (1908; dès 1783, «veste courte ajustée à la taille») et un vêtement masculin ajusté à la taille et à longs pans arrondis (1832), qui ne se porte plus que dans de rares cérémonies. ◇ En argot, l'expression ***être de la jaquette flottante*** (1909) désigne les homosexuels passifs, peut-être parce que la jaquette évoquerait un homme vu de dos... ◇ Par une métaphore comparable à celle de *jupe, jaquette* a pris (1874) le sens technique de «manchon d'acier renforçant le tube d'un canon».

② **JAQUETTE** n. f. recouvre deux emprunts sémantiques du XXe s. à l'anglais *jacket,* lui-même emprunté dans un sens vestimentaire (1462) au moyen français *jaquet, jacquet* (→ ① jaquette).

♦ Le terme d'odontologie, écrit *jacket* (1930) ou *jaquette* (1938), est l'abréviation du syntagme *couronne jacket* (1928), *couronne jaquette* (1930), calque de l'anglais *jacket crown* (1903), «revêtement d'une couronne dentaire imitant l'émail, employé comme prothèse dentaire esthétique». ➜ Le second mot, plus courant, est emprunté (1951) à *jacket* dans l'un de ses autres emplois relatifs à un objet couvrant, en l'occurrence la chemise protégeant la couverture d'un livre (1894).

JARDIN n. m. semble désigner étymologiquement un enclos : en effet, le mot est probablement issu (av. 1150) d'un gallo-roman °*hortus gardinus,* proprement «jardin enclos». Le premier élément, *hortus,* est le nom latin du jardin, d'où vient l'ancien français *ort, hort,* et qui est passé en français (beaucoup plus tard) dans les composés savants *horticole, horticulture** et le dérivé *hortillon, ortillon,* terme picard. Son dérivé *hortulanus* est à l'origine de *ortolan** et le nom propre *Hortensius* a fourni *hortensia.* Le second élément, *gardinus,* est issu d'un francique °*gart* ou °*gardo* «clôture» que l'on reconstitue à partir de l'allemand *Garten* et de l'ancien et moyen français *jart, gart* (XIIe s.) «jardin». *Jardin* s'est répandu dans les langues romanes (italien *giardino,* espagnol *jardín*) et a donné l'anglais *garden* à partir de la variante anglo-normande *gardin.*

♦ *Jardin,* qui a évincé *(h)ort,* est utilisé dès les premiers textes pour le jardin de légumes (***jardin potager,*** 1570) et le jardin d'agrément, deux fonctions souvent rassemblées dans un même espace au moyen âge. ◇ Depuis 1532 et son emploi chez Rabelais dans le *Jardin de la France* «La Touraine», il est utilisé par métaphore au sens de «région fertile, riche». ◇ À partir du XVIIIe s., il entre dans plusieurs syntagmes, reflets de l'évolution de l'art des jardins : en 1732, ***jardin botanique*** désigne un jardin où sont cultivées les plantes médicinales; l'expression désigne aussi (1798) un jardin rassemblant des plantes de diverses parties du monde. Si ***jardin anglais*** est attesté depuis 1771, il faut attendre 1814 pour relever ***jardin français*** (1859, ***jardin à la fran-***

çaise), bien que ces expressions se réfèrent à un art des jardins en vogue au XVIIe siècle. Au XIXe s., sont apparus ***jardin zoologique*** (1834), plus tard remplacé par zoo, ***jardin d'hiver*** (1866), ainsi que ***jardin d'enfants*** (1859), expression modelée sur l'allemand *Kindergarten,* du nom donné à cette institution par Fr. Fröbel, son fondateur en 1840. ***Jardin public*** (v. 1900) désigne une réalité auparavant appelée simplement *jardin* (1836). ***Jardin japonais*** est apparu au XXe siècle. ◆ Le mot s'est progressivement enrichi de significations symboliques liées à la tradition antique ou chrétienne du jardin (cf. *Le Jardin des délices,* célèbre tableau de Jérôme Bosch) (cf. *eden, eldorado*) et est parfois employé par métaphore (av. 1922, Proust) au sens d'«endroit où s'épanouit qqn, qqch.» (par exemple dans ***jardin secret***). ◇ Le second membre de l'expression figurée ***côté cour et côté jardin*** se réfère au théâtre, où *côté jardin* (1869), qui succéda à *côté du roi, côté de la reine,* désigne le côté situé à gauche du spectateur, par allusion à l'orientation de l'ancien théâtre des Tuileries, placé entre le jardin et la cour du Palais. Voir aussi le schéma pages suivantes.

▶ **JARDINIER, IÈRE** n. (v. 1180) désigne la personne qui cultive des jardins, se référant plus rarement à celle qui connaît l'art de dessiner les jardins (1732), sinon en emploi déterminé *(jardinier fleuriste)* ou dans un contexte sans équivoque. Aux deux genres, il dénomme de petits animaux fréquents dans les jardins, comme la courtilière (1694, *jardinière*) et l'ortolan bruant (1817, *jardinier*). ◇ Adjectivé au sens de «relatif au jardin» (1568), il est substantivé au féminin. ◆ **JARDINIÈRE** n. f. a développé plusieurs sens métonymiques : depuis 1589, il est utilisé au sens d'«ensemble des outils du jardinier», sens disparu ; demeure son emploi en broderie (1752), en art culinaire «mélange de légumes frais» (1810), pour désigner un récipient recevant des plantes (1812) et une petite voiture de maraîcher (1873). ◇ En rapport avec *jardin d'enfants,* il entre aussi, depuis 1935, dans ***jardinière d'enfants*** (allemand *Kindergärtnerin*).

JARDINET n. m., d'abord *gardinet* (1267) «petit jardin», a reçu quelques sens analogiques très spécialisés. ◆ **JARDINER** v. est apparu au XIVe s. avec le sens métaphorique d'«avoir une aventure galante», à rattacher à la locution du moyen français *travailler es jardin d'autruy* «faire l'amour à la femme d'autrui». ◇ Terme d'horticulture depuis 1527, il a peu à peu décliné en construction transitive au profit de la construction intransitive (1600). ◇ L'emploi transitif est plutôt réservé à des spécialisations en sylviculture (1548) et en fauconnerie (1562, *se jardiner* «se réchauffer au soleil en parlant d'un oiseau»). ◆ On a formé sur le verbe **JARDINAGE** n. m., d'abord attesté avec le sens collectif d'«ensemble des jardins» (1281), puis comme nom d'action (v. 1393), avec un sens spécialisé en sylviculture (1812) en rapport avec celui du verbe. ◆ **JARDINISTE** n. (1832), formé pour désigner l'artiste composant des jardins, pâtit de la concurrence de *architecte-paysagiste.*

JARDINERIE n. f. (1974) est un terme récent de commerce qui désigne un grand magasin destiné à la vente de tout ce qui concerne le jardin (on emploie aussi l'anglicisme *garden-center,* dont il est la francisation).

① **JARGON** n. m. Comme *argot**, ce mot ancien, avec des variantes, (v. 1175 en anglo-normand, 1180 *gargun,* 1270 *gargon*) est d'origine incertaine. Il est probablement issu de la racine onomatopéique *garg-* (→ gargousse) désignant la gorge, les organes voisins et, par extension, leurs fonctions. P. Guiraud, à partir de ce radical, postule un intermédiaire °*garricare,* dérivé gallo-roman du latin *garrire* «bavarder», employé aussi, plus tard, à propos d'animaux. Le *j* initial de la forme actuelle s'expliquerait par le fait que, dans les mots dont le champ sémantique est plus éloigné de l'onomatopée, il y a eu une certaine évolution phonétique (qui n'a pas eu lieu dans *gargouille, gargote, gargariser, gazouiller,* etc.), ou par une alternance expressive *g-j.*

♦ *Jargon* s'est d'abord dit d'une langue étrangère et inintelligible, ainsi que du gazouillis des oiseaux, d'une langue propre aux animaux (de 1180 au XVIe s.). ◆ Il a pris (v. 1270) le sens de «langue artificielle employée par les malfaiteurs» d'où, par extension, celui d'«argot» en général. Il a rejoint *charabia* et *baragouin* au double sens péjoratif de «langue incorrecte» (1611) et de «langage incompréhensible» (fin XVIe s.). ◇ Il a été repris par les psycholinguistes à propos du parler inintelligible de certains aphasiques (XXe s.).

▶ **JARGONNER** v. intr., d'abord *gargonner* (v. 1200), a dès le moyen âge le sens péjoratif flou de «parler une langue incompréhensible» et le sens technique de «parler la langue des malfaiteurs» (v. 1460, Villon), c'est-à-dire l'argot, acception disparue. ◇ Par rapprochement avec *jars,* ce verbe signifie aussi (1585) «pousser son cri (en parlant du jars)». En sont issus **JARGONNEUR, EUSE** n. (1529) et **JARGONNEMENT** n. m. (1968), didactique. ◆ De *jargon* sont aussi dérivés **JARGONESQUE** adj. (1566), mot rare aux XVIIe-XVIIIe s., et **JARGONNIER, IÈRE** adj. (XXe s.) «qui tient du jargon» et «argotique», ainsi que **JARGONAUTE** n., création plaisante (1978) de J. Merlino, par allusion à *argonaute.* ◆ La psycholinguistique a produit les dérivés didactiques **JARGONAPHASIE** n. f. (1906), **JARGONOGRAPHIE** n. f. (v. 1950) et **JARGONOMIMIE** n. f. (v. 1960), nommant par ce dernier la tendance à s'exprimer par des gestes grotesques *(mimique).* ◆ Un code argotique a été nommé **LARGONJI** n. m. (1881), déformation de *jargon* selon le procédé caractéristique de cet argot, qui consiste à substituer la lettre *l* à la première consonne d'un mot, que l'on reporte à la fin du mot en la faisant suivre d'un suffixe libre. Ce procédé, qui semble apparaître au XVIIIe, est bien attesté au XIXe siècle. Le choix du *l* comme initiale est dû aux prothèses populaires du type *mon lévier* pour *mon évier,* dues à l'article élidé *l.*

② **JARGON** n. m. est emprunté (1723, Savary) à l'italien *giargone* «variété de diamant», attesté depuis le XIVe s. et de même origine que l'ancien français *jacunce, jargunce* «pierre précieuse», et que l'espagnol *zircon* (→ hyacinthe, jacinthe).

JARDIN

Entre cour et jardin

- racine indoeuropéenne **°GHORTO-** « enclos »
  - francique **°gart-, °gardo-** « clôture »
    - ancien français gard, jart — **JARDIN**
      - jardinet, jardiner, jardinier, jardinerie
    - anglo-normand gardin — anglais ***garden***
      - ***garden-party*** — garden-party
    - allemand ***Garten*** « jardin »
  - latin **hortus** « enclos », puis « jardin »
    - ancien français ort, hort
    - et culture — horticulture
    - **hortulanus** « du jardin »
      - moyen français hortolan « jardinier »
      - italien ***ortolano*** « (oiseau) du jardin » — ortolan
    - **hortensius** « de jardin » ; surnom romain — Hortense
    - bas latin **hortellus** « petit jardin » — ancien picard ortel — dér. hortillon
    - **cohors, cohortis** 1. « enclos, basse-cour » 2. « division du camp, troupe » — cohorte
      - **curtis**
        - ancien français court
          - dans des noms propres de lieux : — Azincourt
          - **COUR**
          - anglais ***court*** — court n. m.
          - courtois
        - italien ***corte*** « cour »
          - ***corteggiare*** « courtiser »
            - ***corteggio*** — cortège
            - ***cortigiano*** — courtisan

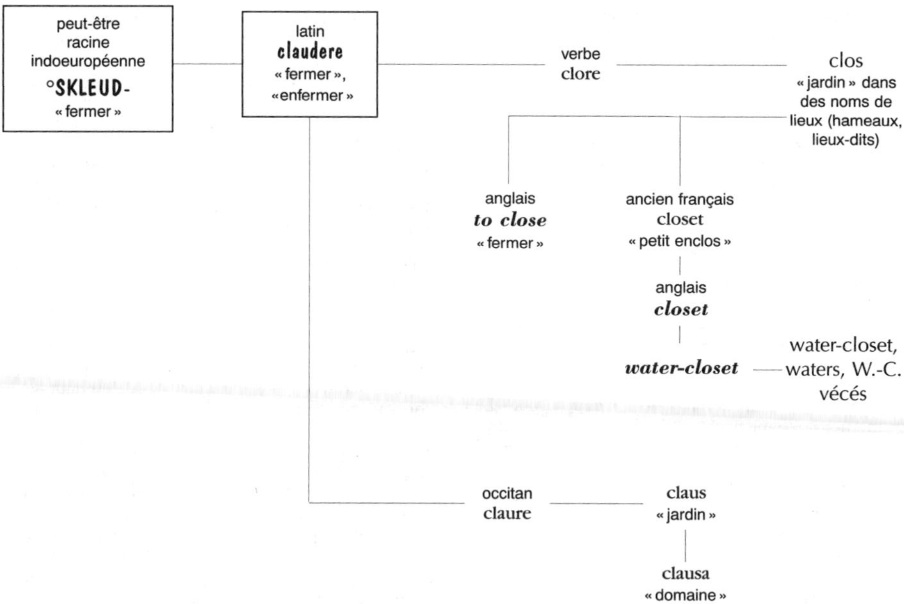
peut-être
racine
indoeuropéenne
°SKLEUD-
« fermer »
latin
claudere
« fermer »,
« enfermer »
verbe
clore
clos
« jardin » dans
des noms de
lieux (hameaux,
lieux-dits)
anglais
to close
« fermer »
ancien français
closet
« petit enclos »
anglais
closet
water-closet
water-closet,
waters, W.-C.
vécés
occitan
claure
claus
« jardin »
clausa
« domaine »

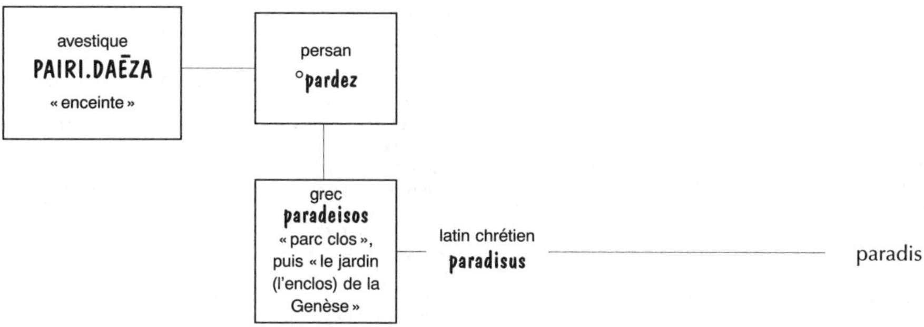
avestique
PAIRI.DAĒZA
« enceinte »
persan
°pardez
grec
paradeisos
« parc clos »,
puis « le jardin
(l'enclos) de la
Genèse »
latin chrétien
paradisus
paradis

♦ Le mot, qui désigne (au pluriel) de petits cristaux vendus par les droguistes pour de vraies hyacinthes, a reculé au profit de *zircon**. Il s'est spécialisé en joaillerie (1752) comme nom du zircon jaune ou incolore.

① **JARRE** n. f. est emprunté (1200, *jare*) à l'arabe *ǧarra* «grand vase de terre» de même que l'espagnol *jarra* (XIIIe s.) et l'italien *giarra* (XIVe s.). La première occurrence du mot atteste son emploi comme terme usuel du français parlé dans le royaume franc de Jérusalem; de là, il semble être parvenu en France par un intermédiaire italien (1441, alors écrit *jarre*, forme qui va dominer) et par un intermédiaire provençal (1449).

♦ *Jarre*, qui désigne un vase en poterie particulièrement utilisé sur tout le pourtour méditerranéen, désigne un vase funéraire, en archéologie. Par analogie de forme, il a pris le sens technique (1820) de «cloche de verre, de cristal, dont on forme les batteries électriques», généralement dans *jarre électrique* (1857), aujourd'hui archaïque.

② **JARRE** → JARS

JARRET n. m. est probablement dérivé (v. 1160, *garez*), au moyen du suffixe *-et*, du gaulois °*garra* «jambe», reconstitué d'après les langues celtiques : cymrique *garr* «jarret», ancien irlandais *gairri* «mollets», cornique *gar* «jambe», breton *garr* «jambe». Le même mot gaulois est à l'origine de l'ancien provençal *garra* «jarret» devenu *garro* en provençal (→ garrot). La substitution de *j* à *g* apparaît au XIIe s. *(jaret)* et l'orthographe moderne est fixée au XVIe siècle.

♦ *Jarret*, «région postérieure du genou chez l'homme», désigne également (1170) l'endroit où se plie la jambe de derrière d'un animal; le mot est employé particulièrement en boucherie et désigne le morceau de viande correspondant à la jambe (patte postérieure) et à l'avant-bras (patte antérieure). ◇ Par allusion à l'angle et à la saillie que forme un jarret de cheval, il a développé (1561) le sens technique de «bosse, saillie qui rompt la continuité d'une ligne, d'une courbe», en architecture et en menuiserie.

▶ *Jarret* a produit **JARRETIÈRE** n. f. (fin XIIIe s.), d'abord attesté sous la forme masculine anglo-normande *gareter*, demeurée en usage dans les parlers normanno-picards. C'est cette forme qui a été empruntée par l'anglais *garter* «jarretière», lequel a servi à nommer un ordre de chevalerie fondé par Édouard III en 1347-1349. Cet ordre, le plus ancien et le plus élevé en dignité, a été connu en France à la fin du XIVe s., où l'on relève chez Froissart *chevalier du Bleu Gartier*; l'expression l'***ordre de la Jarretière*** semble plus récente (1606). ◇ Depuis 1360 (*jartière*, aussi au masculin *jarretier*), le mot désigne une pièce de vêtement masculin ou féminin, consistant en un lien servant à maintenir et à tendre les bas. ◇ Par analogie, il a reçu quelques emplois techniques dans lesquels il désigne un fil, un cordage, et a donné son nom à un poisson très allongé et rubanné. ➜ En est dérivé ① **JARRETER** v. tr. «fixer par des jarretières» (1582), forme simplifiée — «haplologique» — d'un °*jarreterer* que l'on postule par le participe passé *jartieré* (1571).

JARRETELLE n. f., apparu tard (1892), est le déverbal de *jarreteler* «attacher avec des jarretières», terme normand relevé en 1596 et issu par dissimilation de °*jarreterer*. ◇ Le mot, qui a vieilli au sens de «ruban extensible utilisé par les hommes pour tendre leurs chaussettes», s'est maintenu comme terme d'habillement féminin, et est entré dans le composé **PORTE-JARRETELLES** n. m. (1935).

➜ ② **JARRETER** v. intr. (1694) se rattache au sens technique de *jarret*, et correspond à «présenter des bosses», en architecture et menuiserie. ➜ **JARRETÉ, ÉE** adj. (1694) semble distinct de son participe passé, qualifiant un cheval dont les pointes de jarrets convergent l'une vers l'autre et sont parfois trop rapprochées.

Le sens de «région postérieure du genou» survit dans **COUPE-JARRET** n. m. (1587, *coupe-jaret*), dénomination imagée du bandit, de nos jours plaisante ou archaïque.

JARS n. m. (v. 1174) est d'origine incertaine. Selon Bloch et Wartburg, il s'agit probablement du même mot que **JARD**, ② **JARRE**, **JAR** (1680; 1260, *gart*) «poil droit et raide mêlé au poil fin de certaines fourrures et à la laine des ovidés». Celui-ci est considéré comme issu du francique °*gard* «épine, aiguillon», postulé d'après l'ancien haut allemand de même sens *gart*. La spécialisation de sens de *jars* s'expliquerait alors par la comparaison de la *verge* du mâle de l'oie avec une aiguille, une baguette (cf. l'évolution sémantique de verge). Selon P. Guiraud, *jars* serait plutôt issu de l'ancien français *jarse* «lancette» qui a donné *jarser* (→ gercer) «donner des coups avec un objet pointu, le bec», d'après la combativité du jars.

♦ Le mot, nom du mâle de l'oie, a développé quelques valeurs figurées et péjoratives d'usage régional : «mâle du point de vue du comportement sexuel» (Normandie) et «niais» (Canada), en particulier dans ***faire son jars*** «faire l'important» (à comparer à *faire jart*, dans le Dauphiné). ➜ Le rapprochement de *jars* et *jargonner** a suscité un emploi de ce verbe sémantiquement dépendant de *jars*.

▶ Le nom a produit, probablement par l'intermédiaire d'un dérivé synonyme *(gergaud)*, le verbe rare **JARGAUDER** v. intr. (1650) «s'accoupler avec l'oie», dont un synonyme régional *jardir*, en berrichon, fournit à Bloch et Wartburg un argument en faveur de leur hypothèse (*cf* étymologique de *jard*).

JAS n. m. recouvre trois emprunts successifs au provençal *jas*, d'abord attesté sous la forme *jatz* (fin XIIe-début XIIIe s.). Ce mot désigne le gîte d'un animal, notamment d'un lièvre; il est spécialisé dans les Alpes de Provence à propos d'un parc entouré d'une petite muraille de pierres sèches, généralement situé sur un mamelon où, de juin à octobre, on fait coucher les troupeaux d'ovins (1208, dans une charte des Hautes-Alpes). Plus généralement, il s'applique à la cabane où l'on enferme le troupeau (1465). Sur les bords de la Méditerranée, le mot provençal s'est spécialisé dans deux autres emplois, désignant d'une part le réservoir d'une saline et, d'autre part, en marine, le joug d'une ancre. Dans ces trois sens, il est issu d'un bas latin °*jacium*, proprement «lieu où l'on gît, où l'on est couché», mot ayant des représentants dans les domaines italien, catalan et occitan, dérivé du latin classique *jacere* «être couché, allongé» (→ gésir).

♦ En français, le mot désigne d'abord (1580) le premier bassin où l'on fait entrer l'eau de mer dans les marais salants et, par métonymie (1867, Littré), le tuyau en bois qui permet l'entrée de l'eau. Ce sens se rencontre surtout en Vendée et en Charente. ◆ Un autre emprunt a été effectué en marine (1643) à propos de la pièce de métal transversale d'une ancre, destinée à faciliter l'accrochage des pattes au fond. ◆ Un troisième emprunt, plus tardif, a introduit le sens de «parc à moutons, bergerie» (1840) dans une aire géographique couvrant les Alpes et la Provence. Il est connu par les noms des lieux-dits, en Provence.

JASER v. intr. est probablement issu (1538; v. 1500, *gaser*) d'un radical onomatopéique °*gas-* par l'intermédiaire d'une forme normanno-picarde *gaser* (→ gazouiller).

♦ Le verbe signifie proprement «émettre une succession de petits cris» en parlant d'un oiseau, spécialement pour le geai, d'où *gaser comme un geai* (v. 1500), le perroquet et la pie (dans l'expression *jaser comme une pie borgne*). ◇ Par analogie, il est utilisé en parlant d'une personne pour «babiller» et, au Canada, comme synonyme de *bavarder, raconter*. Ronsard, déjà, faisait *jaser* ruisseaux et grenouilles. ◆ Comme de nombreux verbes de parole, il a développé une valeur péjorative au XVIIe s. (mais dès le XVIe s., on relève *se jaser* «se moquer»): il connote la frivolité, l'indiscrétion relative à un secret que l'on devrait garder (1678) ainsi que la médisance (1690), cf. *cancaner*. ◆ Le participe présent **JASANT, ANTE** est parfois utilisé comme adjectif; l'argot a employé le féminin substantivé *jasante* au sens de «prière» (1883), en relation avec un sens argotique du verbe.

▶ Au XVIe s. sont apparus **JASEMENT** n. m. (1538), son synonyme familier et rare **JASERIE** n. f. (1538), et **JASEUR, EUSE** adj. (v. 1530), qui qualifie les personnes bavardes, substantivé (1538) et, plus tard, appliqué à un passereau (1731) puis, en argot, au prêtre et à l'avocat général. ◆ L'argot a par ailleurs utilisé le radical de *jaser* pour former **JASPINER** v. intr. (1718) «jaser, bavarder» par croisement avec le verbe dialectal *jaspiner* «japper souvent et peu fort» (→ japper). ◇ Le verbe, à son tour, a produit **JASPIN** n. m. «bavardage» (1865; v. 1628 employé au sens de «oui»), **JASPINEUR, EUSE** adj. (1846) et **JASPINAGE** n. m. (1883).

JASERAN ou **JASERON** n. m. est la réfection en deux étapes, sous la forme *jaserant* (fin XIIe s.), puis *jaseran* (1527, *jasiran*) ou *jaseron* (1823), de l'ancien français *jazerenc* (1080), employé adjectivement pour «fait de mailles de fer». Ce mot est déjà une adaptation d'un type plus ancien, disparu sans passer dans les textes, °*jaserin*, reconstituée d'après l'italien *ghiazarino* «cotte de mailles» (XIVe s.), l'espagnol *cota jacerina* (1586) et le latin médiéval *jasarinus* (lecture proposée pour une forme *jafarinus* «couleur de safran», 1031). Le mot est emprunté à l'arabe *ǧazā'irī* «d'Alger», du nom de la ville où l'on importait ces cottes de mailles.

♦ Le mot, conservé dans son usage substantivé, a d'abord désigné une côte de mailles légères (fin XIIe s.). ◇ Il désigne par extension une chaîne d'or à maille fine dont on fait des colliers (1527) et, par analogie, un gros bouillon de broderie en fil métallique (1823).

JASMIN n. m. est emprunté (XIVe s.) avec des variantes (1512, *jassemin*; 1569, *josmin*) à l'arabe *jasmīn* de même sens, lequel est emprunté au persan *yāsamīn, yāsaman, yāsamūn*. Le mot est également passé en grec *(iasmê)*, en latin médiéval *(iasiminum)* (v. 1240), en italien *(gelsomino)* et en catalan *(gessamí)*.

♦ Le mot, apparu dans le syntagme *oile* [huile] *de jasmin*, repris sous sa forme moderne en 1573, désigne l'arbuste (1512) et, par métonymie, sa fleur (1569, Ronsard), son parfum et l'essence parfumée qu'on en extrait.

▶ Au XXe s., les chimistes ont dérivé du radical de *jasmin* **JASMONE** n. f. (1907) «cétone que l'on trouve dans le jasmin».

JASPE n. m. est emprunté (v. 1119) au latin *iaspis, jaspis*, lui-même repris au grec *iaspis*. Ce dernier est un emprunt d'origine orientale que l'on rapproche de l'hébreu *yašpeh* et de l'akkadien *yašpû*, mais le mot sémitique peut lui-même être emprunté à une langue indéterminée.

♦ *Jaspe*, nom d'une pierre opaque très dure aux nombreuses variétés bigarrées, désigne par analogie, en reliure, la couleur dont on marbre la page de garde ou la tranche d'un livre (1680).

▶ L'idée de «bigarrure» est réalisée par **JASPÉ, ÉE** adj. (1552) «marqué de taches colorées comme le jaspe», et **JASPER** v. tr. (1564) «bigarrer (un objet, une matière)», d'usage général et technique (1671 en reliure). ◆ Le verbe a donné **JASPURE** n. f. (1606; 1557 écrit *jasprure* probablement d'après *diaprure*) et **JASPAGE** n. m. (1873), ce dernier réservé à une opération technique.

◈ voir DIAPRER.

JASPINER → JASER

JATTE n. f., d'abord *gate* (1180), *iate* (XIIIe s.) puis *jatte* (1393), est issu de °*gabita*, forme tardive du latin *gabata* «écuelle, jatte», mot populaire.

♦ Le mot tend à vieillir au sens de «vase arrondi très évasé sans rebord ni anse», sinon dans des parlers régionaux et en français de Belgique. Il n'a pas gardé le sens de «bassin à laver» qu'il a eu du XVe au XVIIe siècle. Comme tous les noms de récipients, il est utilisé par métonymie au sens de «contenu d'une jatte» (1856), en concurrence avec **JATTÉE** n. f. (déb. XVIIe s.), d'usage limité. ◆ Il entre dans le syntagme courant ***cul-de-jatte,*** démotivé, où il correspond à «support plat» (→ cul).

JAUGE n. f. est issu (1260) du francique de même sens °*galga,* pluriel de *galgo* «perche», l'instrument composé de deux perches, avec lequel on jaugeait les récipients. Cet étymon a été reconstitué d'après l'ancien haut allemand *galgo* «potence, gibet» (allemand *Galgen*), son genre féminin étant assuré par le néerlandais *galge.* La forme normanno-picarde *gauge* a donné l'anglais *gauge,* de même sens.

♦ *Jauge,* «capacité que doit avoir un récipient déterminé», a développé en marine le sens technique de «capacité cubique intérieure d'un navire (en tonneau)» (1723), utilisé dans le langage juridique et en yachting. ◆ Depuis 1867, toujours avec l'idée de mesure, il désigne la quantité de mailles existant dans une surface donnée de tricot. ◆ Depuis le moyen français, il désigne par métonymie (1467) un instrument servant à fixer la jauge, sens avec lequel il compte plusieurs emplois techniques et, par extension de fonction, se rapporte à l'instrument servant à évaluer une grandeur physique (température, épaisseur).

▸ Le dérivé **JAUGER** v. tr. (v. 1260), outre des emplois techniques correspondant à ceux de *jauge,* notamment en marine (v. 1680), a développé (1787) le sens figuré assez courant d'«apprécier rapidement par un jugement de valeur». ◆ Ce verbe a produit **JAUGEAGE** n. m. (1248 *gaujage,* refait en *jaugeage,* 1611) et **JAUGEUR** n. m. (1248, *gaujeor*) nom d'ouvrier et (1912) d'appareil, tous deux d'usage technique.
DÉJAUGER v. intr. (1834) s'applique à un navire qui n'est plus dans ses lignes d'eau, est exhaussé. ◇ Par transposition au domaine de l'aviation, il se dit d'un avion dont on diminue le poids au moment du décollage. Un emploi transitif exprime l'idée de «soulever (un navire, la partie immergée d'un navire)». C'est dans les deux cas un terme technique.

JAUMIÈRE n. f. est l'altération mal expliquée (1667) de *heaumière* (1573) «ouverture pratiquée dans la voûte d'un navire pour le passage du gouvernail», lui-même dérivé de *heaume* «barre du gouvernail» (1552), mot distinct de *heaume* «casque». Il est emprunté au moyen néerlandais *helm,* mot dont la racine, qui se retrouve dans l'ancien norrois *hjálm,* le vieil anglais *helm* (v. 725), serait peut-être indoeuropéenne.

♦ *Jaumière* est en concurrence avec ***trou de jaumière*** «orifice laissant passer la mèche du gouvernail».

JAUNE adj., adv. et n., d'abord *jalne* (1080), est issu du latin *galbinus,* dérivé de *galbus* «vert pâle, jaune-vert», mot d'origine inconnue mais dont le radical *gal-* fait supposer un groupe de mots indoeuropéens. *Galbinus,* qui traduit le grec *khlôros* (→ chlore), a supplanté en latin de Gaule les désignations principales du jaune en latin : *flavus* «jaune clair, brillant» (d'où *flavescent*) et *fulvus* «jaune foncé, brillant».

♦ Dès l'ancien français, *jaune* «couleur de l'or, du safran» exprime aussi la couleur parcheminée d'un visage, dénotant fatigue ou maladie (1265), et l'altération d'une autre couleur (le vert, le blanc en particulier). Il est employé dans quelques syntagmes lexicalisés dès le XVIe s., puis dans ***fièvre jaune*** (1814), ***métal jaune*** «l'or» (1834, Balzac), ***race jaune*** (1840) désignant les Asiatiques, et ***péril jaune*** «causé par la race jaune», dont le sémantisme, de toute façon raciste, s'est déplacé du plan démographique au plan économique. ◇ Les emplois abstraits du mot, souvent péjoratifs, s'inscrivent dans le prolongement d'une ancienne symbolique médiévale : couleur de l'Éternité, le jaune joue un rôle important dans les vêtements sacerdotaux ; mais, couleur terrestre, il est aussi l'attribut de Judas, stigmatisé par la trahison et il représente le soufre, instrument des forces lucifériennes. Cette tradition infâmante se perpétue dans ***étoile jaune,*** insigne imposé aux juifs par les nazis en référence à un usage médiéval, et précédemment *passeport jaune* (1859, *sur papier jaune*) «passeport des anciens forçats». ◇ Quant à ***maillot jaune*** (1919, → maillot), vêtement qui distingue le premier au classement du Tour de France, tout au long du Tour, l'expression vient de la couleur du papier du journal *l'Équipe,* parrain de l'épreuve, à cette époque, tout en utilisant le symbole positif de la couleur solaire. ◇ C'est une opposition à *rouge* qui a fait appeler *syndicats jaunes* les syndicats créés en 1899 pour agir en collaboration avec les classes dirigeantes, leur emblème étant un brin de genêt et un gland jaune (cf. ci-dessous la substantivation). ◆ *Jaune,* substantivé dès le XIIe s. (v. 1165), se prête à de nombreux emplois métonymiques, désignant un objet par sa couleur (1538, ***jaune d'œuf***), une matière qui teint en jaune (1669). ◇ *Un, une Jaune* se dit aussi, avec une connotation raciste, d'un Asiatique de race jaune (1867, *les Jaunes*), et aussi d'un membre d'un syndicat jaune (1899) et, par extension, d'un ouvrier refusant de prendre part à une grève. ◇ La symbolique négative de la couleur est à l'origine d'emplois parallèles à ceux de l'adjectif, d'une allusion au cocuage où *jaune* exprime une idée d'infâmie (en locution *être peint en jaune* «être trompé par sa femme»). ◆ L'usage adverbial du mot se borne à la locution ***rire jaune*** (XVIIIe s.).

▸ **JAUNISSE** n. f. (XIIe s.), réfection de *jalnisse,* d'abord *jaloncie* (v. 1100), désigne une maladie du foie (hépatite) colorant le teint en jaune et, par analogie, une maladie des arbres (1651) et des vers à soie (1742). La locution familière ***en faire une jaunisse*** correspond à «éprouver du dépit». ◆ Plusieurs adjectifs insistent, dès l'ancien français, sur l'idée d'une «couleur altérée, sans éclat», tels **JAUNASSE** (fin XIIe s.), ultérieurement **JAUNÂTRE** (1530). ◆ **JAUNET, ETTE** adj. (1125) «un peu jaune», n'est pas péjoratif. Il est substantivé pour désigner de petites fleurs jaunes, dites aussi ***jaunet d'eau*** (1539), un oiseau jaune, le serin, et pour «pièce d'or» (1640), *-et* correspondant alors à l'idée de petitesse.
JAUNIR v. (1213) «rendre jaune» et comme intransitif «devenir jaune», a donné l'adjectif **JAUNISSANT, ANTE** (v. 1550), à partir de son participe présent, ainsi que les dérivés **JAUNISSURE** n. f. (1564), **JAUNISSEMENT** n. m. (1636), et le terme technique **JAUNISSAGE** n. m. (1881) «dorure».

JAVA n. f., attesté depuis 1901, est d'origine inconnue : l'emploi comme nom commun du nom de l'île de *Java* est à écarter, de même que l'idée d'une corruption supposée auvergnate de *ça va* en *cha va*, d'où *java* (proposée par A. Boudard). Une forme du verbe *aller* ou du verbe *avoir* (*j'ai, il va...*) est probablement en cause.

♦ Le mot, d'abord argotique, désigne une façon de danser en remuant les épaules (1901, *faire la java*) et, par métonymie, une danse saccadée à trois temps (1919, *danser la java*), ramenée d'Argentine et en vogue dans les bals populaires des faubourgs. ◇ Le mot s'est répandu dans l'usage populaire et familier avec les sens d'«astuce, manœuvre» (1935, *connaître la java*, sorti d'usage) et de «fête, noce» (1951, ***partir en java***), très courant en milieu rural.

▸ **JAVANAIS, AISE** adj. et n. m. recouvre lui aussi deux homonymes à dissocier : le terme ethnique (1813 ; on a dit *javan*, 1598), correspondant à l'île de *Java*, n'a probablement rien à voir avec la désignation populaire (1857 ; 1855 par allusion) d'un procédé argotique de déformation systématique des mots au moyen d'un infixe *av*, sinon par calembour. Le procédé semble se référer au verbe *avoir* : de la conjugaison de *j'ai* en *j'avais*, on serait passé à *j'avavais*, le rapprochement avec le nom des habitants de Java fournissant la finale.

JAVEL (EAU DE) n. f., attesté pour la première fois en 1830 sous la forme incorrecte *eau de javelle*, vient de *Javel*, nom d'un ancien village de la banlieue de Paris devenu aujourd'hui un quartier du XVe arrondissement (autour de la station de métro *Javel*), où se trouvait une usine de produits chimiques, créée en 1777.

♦ L'usage courant tend à employer *javel (de la)*, par ellipse de la forme complète *eau de javel*.

▸ Le nom a produit **JAVELLISATION** n. f. (1916) et **JAVELLISER** v. tr. (1919) dont le participe passé **JAVELLISÉ, ÉE** est adjectivé.

JAVELLE n. f., d'abord *gevele* (v. 1160), *gavele* (v. 1190), puis *javelle* (v. 1250), est issu d'un latin populaire °*gabella* dont on a une transcription en *javella* dans un cartulaire de Chartres en 846. Ce mot, également passé dans l'espagnol *gavilla* et le portugais *gavela*, est d'origine gauloise, comme l'indique l'irlandais *gabal* «saisir», et désignait ce qu'on rassemble par tas, par poignées.

♦ Le mot désigne chacune des poignées de blé, coupé pour en faire des gerbes, que l'on couche sur la terre, et aussi un fagot d'échalas, de sarments de vigne (1307), sens très vivants régionalement. ◇ L'accent mis sur la notion de monceau lui a valu en ancien français le sens figuré de «tas (de victimes)» (v. 1190) qui a disparu, et, ultérieurement, des emplois techniques. ◇ *Javelle* s'est dit d'un tas de huit morues séchées (1867, Littré) et pour le tas de sel provenant du raclage des tables salantes (1893). ◇ La locution figurée *tomber en javelle* (1704), d'abord en parlant d'un tonneau dont les douves et les fonds se séparent, puis avec une valeur générale de «tomber en pièces», est sortie d'usage.

▸ Les dérivés du mot se sont éteints, exception faite de **JAVOTTE** n. f. (1840), contraction de *javelot(t)e* (1832), terme technique appliqué à une masse de fonte qui soutient les grosses enclumes ou l'enclume d'un marteau-pilon. ➛ On rencontre encore quelquefois le préfixé **ENJAVELER** v. tr. (1352) «disposer en javelles les céréales coupées», lequel avait absorbé le simple *javeler* (XIIIe s.).

JAVELOT n. m. est un terme dont l'aire d'origine est limitée au domaine d'oïl : on y distingue le type anglo-normand *gaveloc* (1140) et le type *javelot* (1135). Étant donné la localisation des formes en *-oc* qui semblent originelles, il est probable que le mot soit emprunté à l'anglo-saxon *zafeluc* par une variante °*zafeloc* que l'on reconstitue d'après le vieil anglais *gafeluc*, le moyen anglais *gavelock* (encore dialectal et terme d'histoire). *Zafeluc*, qui désigne une arme de jet légère, est abondamment attesté dans les gloses, de la fin du Xe au début du XIIe s. ; c'est un mot d'origine celtique, correspondant en cymrique soit à *gafloch* «fourche, lance», soit à *gaflog* «fourchu». Dans le premier cas, le mot serait emprunté à un ancien brittonique °*gabal-akko* que l'on déduit du breton *gauloc'h* «qui a de longues cuisses» ; dans le second cas, le mot est emprunté à °*gabal-àk-o* que l'on déduit du breton *gaolek* «fourchu», les deux formes remontant à un celtique primitif °*gabal* «fourche». Certains, à l'encontre de cette hypothèse, font valoir que rien ne prouve que le javelot ait été d'abord une arme fourchue. Les formes en *-ot* qui se sont imposées et généralisées sont issues des formes anglo-normandes, par substitution du suffixe *-ot* (plus familier) à la finale *-oc*. L'hypothèse d'un rattachement direct au gaulois °*gabalaccos*, °*gabalus* «fourche», proposée par Wartburg, est moins satisfaisante pour la géographie linguistique.

♦ *Javelot*, «arme de trait», désigne aussi, depuis 1880, un instrument de lancer en athlétisme ; par métonymie, il désigne la discipline olympique du lancer du javelot.

▸ Son dérivé **JAVELOTÉ, ÉE** adj. (1963) est utilisé en handball pour qualifier un tir au but fait de loin, qui évoque le lancer du javelot. ➛ Le radical de *javelot* a servi à former **JAVELINE** n. f. (1451) «arme de jet plus mince et plus légère que le javelot».

JAZZ n. m., d'abord *jezz* (1918), puis *jazz* (1920), est emprunté à l'anglo-américain *jazz* employé d'abord parmi les Noirs et attesté au double sens de «danse» (1909) et de «genre musical» (1917). Son étymologie reste obscure en dépit de nombreuses hypothèses : pour les uns, ce serait un mot d'origine africaine ou une forme issue du nom de *Jasbo Brown*, musicien noir. L'étymologie la plus sérieuse (attribuée à Lafcadio Hearn) fait allusion à un verbe argotique noir, en usage à la Nouvelle-Orléans vers 1870-1880, qui signifierait «exciter» avec une connotation rythmique et érotique. Bien que d'un emploi très courant, le mot a maintenu en français la prononciation *dj* de l'initiale.

♦ Le mot, d'abord relatif à une danse négro-américaine, sur une musique syncopée apparentée au ragtime, désigne (1921) une musique des Noirs des

États-Unis ou inspirée de son style. Historiquement, il correspond à une musique faite par le peuple, issue du blues et du gospel song (→ gospel). Né dans le sud des États-Unis, notamment à la Nouvelle-Orléans, le jazz, émigré à Chicago, puis dans tous les États-Unis, est devenu une musique universelle, écoutée par les Noirs, surtout pour la danse, puis par des publics de plus en plus variés (à partir de 1920-1930). Les styles se sont alors succédé, engendrant des expressions comme ***jazz-hot*** («chaud», d'après l'anglais *hot jazz*) et des caractérisations de style, de *swing** (dans les années 1935-1945) à *rythm and blues*. Vers 1955, le jazz devient une musique plus savante, avec le be-bop ou bop, le ***free-jazz*** «jazz libre» lui succédant (v. 1965). Par ailleurs, le jazz ancien et classique fait l'objet de *revivals* («renaissances») et le jazz moderne élaboré coexiste avec des formes populaires influencées par la pop-music et le rock*.

▶ Relativement ancien, **JAZZ-BAND** n. m. (1918) est emprunté à un mot américain qui signifie «orchestre *(band)* de jazz» (1916). Le mot et la chose se sont répandus en France à la fin de la Première Guerre mondiale, d'abord dans des noms propres d'orchestres annoncés par les publicités des music-halls parisiens. ◇ Après avoir suscité le dérivé **JAZZ-BANDISME**, n. m. *jazz-band* s'est démodé dès 1935, remplacé par *orchestre de jazz* (1925) ou par *jazz* tout court (*un jazz*, 1920). ◆ **JAZZMAN** n. m. (avant 1948) est emprunté à l'anglo-américain *jazzman* (v. 1930; une première fois en 1906). On note quelquefois la graphie *jazz-man* (1960). ◆ *Jazz* a produit depuis le milieu du XXe s. **JAZZISTE** n. (1943); **JAZZISTIQUE** adj. (1954), didactique; **JAZZIFIER** v. (1961), adaptation de l'anglais *to jazzify* (1922) qui a supplanté *jazzer* (1923) répondant à l'anglais *to jazz*; **JAZZIQUE** adj. (1971); **JAZZOLOGUE** n. (1971). ◇ L'emprunt à l'adjectif anglais **JAZZY** semble récent, dans un emploi extensif, évoquant une atmosphère, un style.

JE pron. pers. est issu (1080) d'un latin tardif *eo* (VIe s.), de même que tous ses correspondants romans, l'ancien français *eo, io* (842), l'italien *io*, l'espagnol *yo*, le portugais *eu* et le roumain *eu*. *Eo* est la contraction du latin *ego*, qui a des correspondants dans plusieurs langues indoeuropéennes, le grec *egô* (→ ego), et, sans voyelle finale, le gotique *ik*, le vieil islandais *ek*, etc. ◇ D'abord employé par la langue littéraire pour mettre la personne qui parle en valeur et l'opposer à d'autres, *ego* a pris de bonne heure, dans la langue parlée, le simple rôle d'exposant de la première personne; l'affaiblissement de son rôle peut expliquer le passage à la forme *eo*. ◇ L'ancien français possède une grande variété de formes *(gié, jeo, jo)* résultant de divers traitements phonétiques de *eo* selon que la force d'accent était maintenue ou non. La forme atone *je* viendrait elle-même d'un affaiblissement de *jo*.

♦ *Je*, pronom personnel, est accolé à une forme verbale conjuguée, sauf dans la formule juridique *je soussigné*, vestige de l'usage ancien de *je* comme forme forte accentuée (encore attestée au XVIIe s.). ◆ *Je* est substantivé comme nom invariable *(le, un je)*, spécialement en philosophie (1871) où il désigne le principe auquel l'individu attribue ses actes et ses états; selon les philosophes, il est soit opposé, soit assimilé à *moi* (→ moi).

✳ **JEAN** n. m. correspond à différents emplois lexicalisés (attestés à partir du XVe s.) du prénom *Jean*, anciennement *Johan, Jehan*, issu du bas latin *Johannes*, d'origine hébraïque.

♦ *Jean*, prénom masculin très répandu, a eu une fortune particulière dans le lexique et la phraséologie populaires. Employé seul, il a désigné le sot, le niais (XVe s.), comme *Jacques**, le cocu (1457), le curé (1616, ***messire Jean***). ◇ Il s'est employé dans le vocabulaire du jeu de tric-trac, d'abord dans la locution *faire jean* «faire deux points au jeu» (Rabelais), et pour tout accident par lequel on peut gagner ou perdre des points au jeu (1690). Tous ces emplois ont vieilli ou disparu, de même que certains usages comme élément de composés à valeur dépréciative, *jean-bête* «imbécile»; *jean qui ne peut* «impuissant» ainsi que de pseudo-noms propres désignant certaines professions : *jean Guillaume* «bourreau»; *jean-Farine* «bouffon de comédie» (1656); *jean de la Suie* «savoyard, ramoneur». D'autres composés concernent des objets : *jean-des Vignes* «vin» (v. 1550); *jean du Bos* «bâton» (v. 1550); *jean le Blanc* «ostie (chez les protestants)» (1611); *jehan l'Enfumé* «jambon» (1612); tous ces pseudonoms ont disparu. Quelques composés plus fréquents ont resisté (voir ci-dessous). ◇ *Jean* a enfin servi à dénommer diverses espèces animales et végétales, dès le XIVe s., par allusion à la période de la Saint-Jean.

◆ **JEAN-FOUTRE** n. m., attesté dès 1657, en 1661 sous la forme *janfoutre*, s'est maintenu avec la valeur injurieuse (1750) de «propre à rien» et de «lâche, personne sans dignité» (1792), produisant **JEAN-FOUTRERIE** n. f. (1790), dénomination du caractère et d'une action de jean-foutre. ◇ On lui connaît la variante atténuée **JEAN-FESSE** n. m. (1609) et la forme euphémistique **JEAN-SUCRE** n. m. (av. 1842, Stendhal), qui a disparu. ◆ **GROS-JEAN** n. m. «niais» n'a eu cours qu'au XVIIIe s. mais s'est maintenu dans la locution relativement usuelle ***être Gros-Jean comme devant*** (1678) qui témoigne aussi de l'ancien emploi de *devant* à valeur temporelle, pour «avant cela». ◆ **JEAN-DE-NIVELLE** n. m. (av. 1660, Scarron) «lâche» est sorti d'usage, le nom lui-même étant encore connu par une chanson *(C'est le chien de Jean de Nivelle)*. ◆ **JEAN-JEAN** n. m., réduplication (1828) de *Jean*, s'est appliqué à un conscrit niais avant de désigner en général un niais; il est archaïque.

JEANNOT n. m., diminutif de *Jean*, a été lui aussi lexicalisé au sens de «sot, niais» (1397, *Jehannot*), s'employant également comme adjectif et en apposition, fournissant à La Fontaine l'appellation du lapin (*Jeannot lapin*, 1678) par allusion à la naïveté prêtée à l'animal. ◇ D'après le nom d'un personnage de niais, affecté d'un défaut de langage et popularisé par Dorvigny (*Janot, ou les battus paient l'amende*, 1779), il a produit **JEANNOTISME** n. m. (1779) ou **JANOTISME** n. m. (1828-1829), appliqué à la niaiserie et à un défaut de style consistant à intervertir certains membres de phrase, provoquant des équivoques burlesques. Ce dérivé est sorti d'usage.

JEANNETTE n. f., diminutif de *Jeanne,* féminin de *Jean,* a été lexicalisé comme nom d'objet. Après avoir désigné une étoffe, une fourrure (1548), il s'est dit d'une espèce de plante mal définie (1615), puis du narcisse des poètes (1845). ◇ Il désigne aussi une mince chaîne d'or à laquelle s'attache une croix, portée par les femmes sur la gorge (1782), et, par métonymie, cette croix (1812) également nommée ***croix à la jeannette*** (1867). ◇ Par une autre figure, inexpliquée, il se dit couramment de la planchette de bois servant à repasser les manches des vêtements (1922). ➛ **JEANNETON** n. f., le diminutif hypocoristique de *Jeannette,* s'applique depuis La Fontaine (1669, *janneton*) à une fille de moyenne vertu.

◈ voir **DON JUAN, YANKEE.**

JEAN, JEANS → BLUE-JEAN

JEEP n. f. est emprunté (v. 1942) à l'anglo-américain *jeep* (1941), nom donné à une voiture tout-terrain construite par Ford pour l'armée américaine. Le mot est la retranscription de la prononciation des initiales des *G. P. (djipi),* de *General Purpose* «tous usages», influencée par le nom d'un personnage de bande dessinée, *Eugene the Jeep,* à l'astuce et à la force légendaires (dans *Popeye,* créé le 16 mars 1936 par E. C. Segar).

♦ Le mot apparaît en français vers 1942 mais il ne s'est diffusé massivement qu'au moment du débarquement des Américains en France, en 1945. *Jeep* a normalement pris le genre féminin en français d'après *voiture* et *automobile* (il est masculin en français du Canada).

JE-M'EN-FOUTISME → FOUTRE

JE-NE-SAIS-QUOI ou **JE NE SAIS QUOI** pron. indéf. et n. m. inv. est relevé pour la première fois à la fin du XIIIe s. sous la forme elliptique *ne sai quoi* au sens de «quelque chose».

♦ Depuis 1531, l'expression est employée adjectivement pour qualifier un être ou une chose indéfinissable; substantivé au XVIIe s. (1639), il correspond a «élément, chose indéfinissable». L'expression est érigée en concept philosophique par Jankélévitch dans *Le Je-ne-sais-quoi et le Presque rien* (1957).

JÉRÉMIADE n. f. est dérivé, au moyen du suffixe *-ade* (1738), du nom du prophète *Jérémie* (*Jeremias* en latin), auteur du livre des *Lamentations* à propos des malheurs de Jérusalem.

♦ Le mot, généralement employé au pluriel, est attesté pour la première fois en 1738 mais une citation donnée par Trévoux (1743) laisse penser qu'il est antérieur; dès 1648, on relève l'expression ancienne *faire le Jérémie* «se lamenter», dans le style burlesque. Elle témoigne du retournement ironique, péjoratif, de l'éloquence ardente du prophète biblique.

▸ Le radical de *jérémiade* a servi à former le verbe rare **JÉRÉMIADER** v. intr. (1845, proposé par Richard de Radonvilliers), encore employé, et **JÉRÉMIER** v. intr. (1857, repris au XXe s.), à peu près inusité.

◈ voir **JERRICAN.**

JEREZ → XÉRÈS

JERK n. m. est emprunté (1965) à l'anglo-américain *jerk,* nom d'une danse consistant à imprimer des secousses à tout le corps, spécialisation de sens de l'anglais *jerk* «secousse, saccade» (XVIe s.), également «spasme musculaire» en physiologie (1805). Ce mot, synonyme des formes anciennes *jert* (XVIe s.) et *yerk,* serait d'origine onomatopéique.

♦ Le mot est passé en français avec la vogue de la danse. ➛ Il a produit **JERKER** v. intr. (1966).

JÉROBOAM n. m. est emprunté (1897 A. Hermant) à l'anglais *jeroboam* (1816) «grande coupe», (1889) «grande bouteille de vin», du nom de *Jeroboam,* roi d'Israël «fort et vaillant» (*Rois,* XI, 28) et «qui a fait commettre (des péchés) à Israël» (*Rois,* XIV, 26).

♦ Le mot désigne une grosse bouteille de vin ou d'alcool, généralement de champagne, d'une contenance de quatre bouteilles ordinaires (ou deux magnums).

JERRICAN ou **JERRYCAN** n. m. est emprunté (1944) à l'anglais *jerrycan, jerry-can* ou *jerricane* n. (1943) «gros bidon servant au transport de produits pétroliers». Le mot est formé de *Jerry,* diminutif de *Jeremy* (→ jérémiade) et sobriquet donné par les Anglais aux Allemands en 1914 (probablement par altération de *German* «Allemand»), et de *can* «récipient». Ce dernier a des correspondants dans les langues germaniques, mais pourrait être apparenté au bas latin *canna* (VIe s.), à l'origine de l'ancien français *channe, chane* «cruche, vaisseau». L'objet désigné a été emprunté par l'armée anglaise aux troupes allemandes et adopté par les forces alliées pendant la Seconde Guerre mondiale.

♦ Le mot désigne un bidon quadrangulaire à poignée, d'environ vingt litres, utilisé notamment pour stocker et transporter du carburant.

JERSEY n. m. est emprunté (1667) à l'anglais *Jersey,* nom de la plus grande île de l'archipel anglo-normand, réputée pour ses ouvrages de tricot. En anglais, le mot a d'abord le sens d'«ouvrage tricoté» (1583, *jarnsy*) puis de «vêtement collant», qu'il s'agisse d'un tricot de corps ou d'un chandail, valeur (déb. XIXe s.) spécialement appliquée au tricot des marins.

♦ Le mot a passé en français au sens aujourd'hui archaïque de «laine, drap de Jersey», mais ne s'est répandu qu'à la fin du XIXe s. au sens de «pull-over moulant» (1881), lui aussi hors d'usage (mais courant en espagnol). ◇ Son sens moderne de «tissu tricoté, souple, présentant le même aspect qu'un tricot à la main au point de jersey» est attesté depuis 1899, et l'expression *point de jersey* depuis 1930.

JÉSUS n. m. est la lexicalisation du nom propre *Jésus,* transcription du latin chrétien *Jesus,* correspondant au grec *Iêsous*. C'est l'adaptation de l'hébreu tardif ou de l'araméen *yēshūa'*, antérieurement *y'hōshua'* «Joshua», expliqué par «Jah ou Jahvé est le salut» et à rapprocher de l'hébreu *y'shu'ah* «salut, délivrance» (cf. *Matthieu* I, 21 : «elle enfantera un fils, auquel tu donneras le nom de Jésus : car c'est lui qui sauvera son peuple de ses péchés»). Nom propre juif fréquent donné au fondateur du christianisme, il est passé comme tel en grec et en latin puis dans toutes les langues de la chrétienté.

♦ Le mot apparaît d'abord dans des emplois se référant au Fils de Dieu, mort sur la Croix, fournissant une interjection (1496, *Jhesus*), étoffée en ***doux Jésus !***, toujours en usage *Jésus Dieu !* (archaïque) *Jésus Maria* (1573), puis *Jésus Marie Joseph*, et traduisant l'admiration, la peur, la surprise, la joie. ➛ Il se spécialise en imprimerie, désignant un format de papier de grande dimension dont la marge portait à l'origine le monogramme de Jésus, J H S (1633), et en numismatique pour une monnaie de Genève sur laquelle figurait ce même monogramme. ◇ Il s'emploie aussi comme appellatif affectueux (1753) en référence aux représentations de Jésus enfant (1840), alors en concurrence avec *(le) petit Jésus*. ◇ Il semble que le sens argotique de «jeune homosexuel passif» (1835) soit moins une spécialisation à partir de cet appellatif et de l'idée de «jeune enfant mignon» qu'une allusion (largement répandue dans les milieux athées dès la fin du XVIIIe s.) à l'homosexualité suggérée de Jésus et à ses liens «particuliers» avec ses disciples. ➛ Le sens de «couteau» (1919), lui aussi argotique, fait écho à *bon-dieu* «sabre-poignard» (1858). ➛ Le sens culinaire de «gros saucisson court», d'abord dialectal, repose, semble-t-il, sur une analogie d'aspect avec un enfant au maillot.

▸ **JÉSUITE** n. est dérivé (1548) du nom de la *Compagnie de Jésus*, imaginée en 1534 et fondée en 1540 par Ignace de Loyola (1491-1556). ➛ Le mot désigne un membre de cet ordre séculier et qualifie ce qui s'y rapporte (av. 1594, *la Secte Jésuite*). À partir du XVIIIe s., il a donné lieu à la valeur critique d'«hypocrite, retors» (1749). ◇ Son emploi comme désignation argotique du dindon (1808), disparu, vient de ce que l'animal aurait été acclimaté en Europe par les jésuites. ➛ Les dérivés **JÉSUITIQUE** adj. (1599; *jésuistique*, 1594) et **JÉSUITISME** n. m. (1622) ont perdu leur ancienne valeur neutre pour devenir péjoratifs sous la plume des écrivains du XVIIIe s. (av. 1755, Saint-Simon; 1753, Argenson). La valeur figurée d'«hypocrite» (1831) pour l'un, «hypocrisie» (1832) pour l'autre, s'est développée dans la première moitié du XIXe siècle ◇ L'adjectif a produit **JÉSUITIQUEMENT** adv. (1755 Montesquieu).

✱ **JETER** v. tr., d'abord *getter* (881), est issu, comme la plupart des correspondants romans du mot, du latin tardif *jectare*, altération du latin classique *jactare* (→ jactance), fréquentatif de *jacere* «lancer, jeter» (→ gésir), d'une racine indoeuropéenne °*ye-* «lancer», à laquelle se rattache le grec *hienai* de même sens.

♦ *Jeter*, apparu avec le sens de «pousser précipitamment dans ou sur» a développé de nombreux sens propres et figurés réalisant l'idée d'un mouvement vif en fonction de la nature de l'objet, de l'intention et de la nature du sujet. Dès la fin du Xe s., il est attesté au sens de «pousser vivement (qqn) à l'extérieur», d'abord avec un adverbe signifiant «dehors» puis absolument (1130), sans que cet usage ait la même familiarité qu'aujourd'hui. ◇ À la même époque (v. 980), on relève le sens de «déterminer par le hasard (du jet des dés)», surtout réalisé en français classique dans les locutions ***le sort en est jeté*** (1636), ***les dés sont jetés*** (1611, *le dé en est jeté*) et, depuis la Renaissance, dans ***jeter un sort***, dont la valeur «ensorceler» (1549) s'est substituée à «tirer au sort» (v. 980, *jeter le sort*). ◇ Dès le XIe s. (v. 1050), *jeter* est attesté au sens de «lancer un objet», soit dans l'intention de l'abandonner, de le donner (1160), soit dans celle de le faire tomber (1080); au XIIe s., il commence aussi à s'employer au sens de «faire jaillir hors de soi» en parlant de cris, de larmes, puis (1176) de paroles. ◇ À partir de *La Chanson de Roland* (1080), il a le sens de «répandre, émettre, diffuser» et de «placer, mettre» (sans soin ou au contraire solidement, comme dans ***jeter un fondement***, expression relevée en 1230 en architecture), ainsi que de «lancer pour se débarrasser». ◇ Au XIIe s. apparaissent les sens de «lancer pour répandre» (v. 1130) et «faire mouvoir (une partie de son corps)» (1150), ce dernier réalisé au figuré dans l'expression ***jeter les yeux*** «les diriger» (v. 1120). ◇ À la fin du XIIIe s., s'y ajoute le sens de «mettre brutalement (qqn) dans un état, une disposition d'esprit». ◇ Dès le XIIIe s., le verbe se trouve ainsi doté de la plupart de ses sens modernes, à côté de valeurs disparues avant le XVIIe s. comme «répartir» et «calculer» (d'où vient *jeton*, ci-dessous). ◇ Beaucoup d'emplois figurés apparaissent au XVIe et surtout au XVIIe s., époque où l'on commence également à relever des emplois plus particuliers du type ***jeter une draperie*** (1684), «l'arranger», et ***jeter sur le papier*** (1680; dès 1387 au sens de «dessiner un projet» en architecture), ainsi que plusieurs locutions encore usuelles. ◇ Le lien sémantique entre *jeter* et *jactance* est réalisé dans l'expression familière ***en jeter*** «faire impression», qui active l'idée d'impression visuelle de *jeter de la lumière* «briller» (XIe s.). ➛ L'emploi du pronominal ***se jeter*** est aussi très ancien au sens de «se lancer» (v. 950), au figuré «s'engager dans une situation», également (1549) «se précipiter sur». Son emploi à propos d'un cours d'eau qui rejoint un autre cours d'eau ou la mer apparaît beaucoup plus tard (1751). ◇ Très récemment, *se jeter* correspond à «partir» (cf. *se casser*).

▸ De *jeter* a été tiré le déverbal ① **JET** n. m. (1155) «action de lancer», qui a développé plusieurs emplois spécialisés en ce sens (en sport, marine) et a fourni la locution ***d'un jet*** (v. 1753). ◇ Par extension, *jet* désigne aussi le mouvement par lequel une chose jaillit, d'abord un liquide (fin XIIe s.), puis la lumière et la chaleur (XVIIIe s.), spécialement dans des emplois techniques et scientifiques. ◇ Par métonymie, il désigne des objets identifiés à leur jaillissement (***jet d'eau***, 1671). ◇ D'après l'emploi particulier de *jeter* en botanique au sens d'«engendrer» (1322), il désigne une nouvelle pousse d'un arbre

(→ rejet, rejeton). ◇ Au sens de «jaillissement de liquide», *jet* a fourni le nom d'instrument **BRISE-JET** n. m. (1906). ◆ Son correspondant anglais *jet*, partiellement influencé par le mot français, a donné ② **JET** n. m. (1957) «avion à réaction transportant des passagers», abréviation de l'anglais *jet-plane*, proprement «avion *(plane)* à jaillissement de gaz *(jet)*» (→ jumbo [jumbo-jet]). ◇ Le même mot, distingué oralement de ① *jet* par le *t* final prononcé, entre dans **JET-STREAM** n. m. (1955), de *jet* et *stream* «courant», et dans **JET-SOCIETY** n. f. (1972; ou *jet-set*, expression américaine, 1967) désignant les personnes qui comptent dans la vie mondaine internationale et prennent souvent l'avion *(jet)*.

JETEUR, EUSE n. (v. 1180) est surtout courant dans l'expression ***jeteur de sort*** (1842), apparue à l'époque où Stendhal introduisit en français le mot italien (napolitain) de même origine *jettatore* (1717) et *jettature* (1817) «mauvais œil», correspondant à l'italien *jettatura*, et formés tous deux sur le verbe *gettare (il malaugurio)* «jeter (le mauvais sort)». ◆ Le participe passé de *jeter* a fourni deux noms : le plus ancien est **JETÉE** n. f. (1216) dont le sens originel de «distance parcourue par une chose jetée» a été repris par *jet*. ◇ Le mot n'a que rarement le sens d'«action de jeter» (1362), éclipsé par l'acception métonymique de «construction formant une chaussée s'avançant sur l'eau», qu'il a depuis la même époque. ◆ Le masculin **JETÉ** (vers 1704 selon Wartburg; ou 1725) s'est spécialisé à partir du sens d'«action de lancer» dans les domaines de la danse (1725), de la musique (1885), des sports (1901) et de l'habillement (1856). ◇ Par métonymie, il désigne un brin jeté sur l'aiguille entre deux mailles en tricot (1867) et une bande d'étoffe étendue sur un meuble (1883; 1900, ***jeté de lit***).

JETON n. m. (av. 1250) est le seul vestige en français actuel d'un ancien sens de *jeter*, «répartir, compter, calculer» (1280). ◇ Le mot existait (av. 1250) dans un autre sens, «branche» (cf. *rejet, rejeton*), mais a dû cesser de s'employer assez vite. ◆ Le *jeton* était une pièce plate et ronde (1317), dont on se servait pour calculer, au moyen âge et encore aux XVIe et XVIIe s. après l'introduction des chiffres arabes. Ce calcul avait pour principe l'emploi de marques toutes identiques qui ne prenaient leur valeur que par la place qu'elles occupaient sur la table (le sens de *jeter* «calculer» procéderait de celui de «mettre, placer»). Au XVIIe s. (attesté 1690), *jeton* a pris son sens courant au jeu et s'est mis à désigner la marque représentant une somme allouée, par exemple dans ***jetons de présence***. ◇ De là l'expression figurée *faux comme un jeton* (1808), d'où ***faux jeton*** (1910), inspirée par la valeur fictive des jetons. ◆ L'expression familière ***avoir les jetons*** (1916) «avoir peur» vient peut-être de *jeter* au sens de «déféquer» d'après une métaphore commune pour exprimer la peur (cf. *trouille, courante...*). ◆ De *jeton* est dérivé **JETONNIER** n. m. (1685) qui a servi à désigner ironiquement — surtout au XVIIe s. — les académiciens assidus aux séances pour toucher des jetons de présence. ◆ **JETAGE** n. m. (1788 au sens étroit de «coulée de métal»), peu utilisé au sens d'«action de jeter», est réservé au sens d'«écoulement nasal purulent» en médecine vétérinaire (1832). ◆ La création de **JETABLE** adj. (v. 1950) coïncide avec la multiplication des objets d'usage courant non renouvelables *(briquets, rasoirs jetables)*.

Jeter fournit aussi des préfixés. ◆ Outre *déjeter**, le principal est formé avec *sur*. ◇ **SURJET** n. m., réfection (1660) de *sourget* (1393), est le déverbal de l'ancien français *sorjeter* (XIIIe s.) devenu **SURJETER** v. tr. «jeter par-dessus» est sorti d'usage dès le XVIIe s. sauf au sens de «faire des surjets» qu'il a pris en couture (1660) comme dénominatif de *surjet*. ◆ **SURJETEUSE** n. f. (1955) désigne l'ouvrière et (1964) la machine qui fait les surjets.

◈ voir ABJECT, ADJACENT, ADJECTIF, AGIOTER, AISE, CONJECTURE, DÉJECTION, DÉJETER, ÉJACULER, ÉJECTER, GÉSIR, GÎTE, INJECTER, JACENT (et SOUS-JACENT), JACTANCE, OBJECTER, OBJET, PROJETER, REJETER, SUJET, TRAJET.

JEU n. m., d'abord *giu* (1080) et *geu* (1160), est issu du latin *jocus* «jeu en paroles, plaisanterie», rapproché de mots indoeuropéens désignant la parole, tels le moyen gallois *ieith* «langue», l'ancien haut allemand *jehan* «prononcer une formule». *Jocus*, fréquemment associé à *ludus* (→ ludique ; allusion, illusion) «jeu en action», a fini par le remplacer en absorbant ses valeurs.

♦ *Jeu* désigne, dès les premiers textes, à la fois un amusement libre (1080) et l'activité ludique en tant qu'elle est organisée par un système de règles définissant succès et échec, gain et perte (1160). Son évolution sémantique, qui procède de ce double pôle, est remarquable par la richesse de ses développements métonymiques et figurés, amorcés dès l'ancien français. ◇ En tant qu'activité réglée, le mot s'applique aux compétitions qui seront appelées «sportives» (*gius* au pluriel, 1160) et, dans le domaine du théâtre, désigne la représentation, la pièce jouée (1200; dès le XIIe s. dans ***jeu parti***). ◇ Dans ce dernier contexte, le mot a tendance à s'appliquer particulièrement à la manière dont un acteur interprète un rôle (1680) et à certains mouvements scéniques, de nos jours surtout dans ***jeux de scène*** (1873). Il semble que la locution ***vieux jeu*** (1511, *c'est le vieux jeu* «ce n'est plus à la mode»), reprise plus tard avec une valeur d'adjectif (1867), est une métaphore du jeu des comédiens. ◇ Au XVIe s., *jeu* commence à se dire de jeux d'argent (apr. 1550, en emploi absolu) et de la manière dont on joue d'un instrument de musique (1559). ◇ Par métonymie, le mot concerne ce qui sert à jouer (1200, *jeu d'eskès* «d'échecs»), en particulier un ensemble de cartes (1451) puis, de manière plus précise, l'ensemble des cartes entre les mains d'un joueur (1580). ◆ La même métonymie appliquée au jeu musical fait que jeu désigne une rangée des tuyaux d'orgue de cylindre identique (*jeu d'orgue*, 1515) et l'ensemble des instruments dont il faut jouer à la fois (1611). *Jeu* se dit aussi d'un assortiment d'objets en marine (av. 1683) et en général (1845). ◆ Une autre métonymie le rapporte à l'espace où l'on joue (1385) et, par extension, à un espace aménagé pour la course d'un organe, le mouvement aisé d'un objet (1689), par exemple dans *avoir du jeu*. Cette valeur spatiale est combinée à la valeur dynamique de «mouvement» dans le contexte de l'activité technique (1694), spécialement en parlant de l'effet artistique produit par des assemblages et mouvements d'eau (1704, ***jeux d'eau***). Ici, l'idée de réglage correspond à celle d'organisation qu'entraînent certains jeux (cf. *la règle du jeu*). ◇ C'est au contraire l'aspect gratuit qui est évoqué dans le sens de «ce qui relève ou semble relever de la fantaisie» (1558), parfois souligné dans *libre jeu*. L'autre notion, «activité réglée», intervient dans les nombreux emplois métaphoriques du mot, pour «manœuvre, façon d'agir» (v. 1200). ◇ Ces deux valeurs sous-tendent une phraséologie très riche, allant de ***faire le jeu de qqn*** (v. 1220), autrefois avec l'idée de «maladresse», à ***d'entrée de jeu*** «d'emblée» (1689), ***c'est son jeu*** (1633) et ***ce n'est pas de jeu*** «ce n'est pas normal, correct» (1824), ***être en jeu*** (1873), locutions empruntées à divers contextes ludiques. ◇ L'implication métaphorique du jeu est particulièrement active dans l'activité amoureuse — *jeu* était d'ailleurs synonyme d'«acte amoureux» aux XIIIe et XIVe s. — ainsi qu'en politique. *Mettre en jeu* a produit *enjeu* (ci-dessous). ➡ Il convient enfin de mentionner que le sens strictement hérité du latin *jocus*, «plaisanterie verbale», vivant en moyen français, n'est plus retenu que dans le syntagme ***jeu de mots*** (v. 1660) et dans ***jeu d'esprit,*** appliqué à une création littéraire badine (1648, Scarron), à un simple exercice d'esprit (1688).

ENJOUÉ, ÉE adj., d'abord *enjoez* (1262), est dérivé de *jou*, forme atone de *jeu* avec le sens de «qui a de l'humour, aime plaisanter». Par la forme, il est plutôt senti comme apparenté au verbe *jouer*. ➡ On en a tiré **ENJOUER** v. tr. «mettre en joie, égayer» (1669, Boileau) seulement employé aux formes composées, et **ENJOUEMENT** n. m. (1659, Scarron). ➡ Le même préfixe se retrouve dans **ENJEU** n. m. (v. 1370) «somme risquée dans une partie de jeu», devenu courant au sens figuré de «ce qu'on risque (de gagner, de perdre) dans une entreprise» (1798). ➡ **HORS-JEU** n. m. inv. (1897) est un terme du vocabulaire sportif.

◈ voir JOKARI, JOKER, JONGLER, JOUER, JOYAU.

JEUDI n. m. est issu (1119, *juesdi*) du latin *Jovis dies* «jour de Jupiter», de *dies* «jour» (→ jour, diurne) et de *Jovis*, génitif de *Jupiter* (*Juppiter* par redoublement expressif du *p*), nom latin du roi des dieux de l'Olympe. Le terme latin est issu d'un type °*ju-pater* dans lequel °*ju-* provient (de même que *dies*), de la racine indoeuropéenne °*dei-* «briller» (→ dieu, jour), et qui signifie «dieu-père» ou, mieux, «jour-père». Certains noms romans remontent au type *dies Jovis*, tel le catalan *dijous*, l'occitan et le franco-provençal *dijou* et l'ancien français *dioes* (XIIIe-XIVe s.). L'ordre des mots *Jovis dies*, lui, vit en français et dans l'italien *giovedi;* le type *Jovis* se retrouve dans l'espagnol *jueves*, le provençal et le franco-provençal *jou*, et en roumain. Quant à l'allemand *Donnerstag* et à l'anglais *thursday*, ils contiennent le nom germanique du tonnerre divinisé assimilé au Jupiter romain.

♦ Le mot désigne le quatrième jour de la semaine. Le syntagme ***jeudi saint,*** qui désigne le jeudi de la semaine sainte, a évincé l'ancien *jeudi absolu* (ou *jeudi de l'absoute*). Cf. *dimanche* pour le même type de formation sémantique. ***La semaine des quatre jeudis*** (1867), variante récente de *la semaine des trois jeudis* (1532) équivaut à «jamais».

◈ voir JOUBARBE, JOVIAL.

JEUNE adj., n. et adv. est la réfection de *juvene* (1080), qui a en ancien français les variantes *jovenur, juevre, juenvre, gienvle, joefne, jone*, etc. Le mot est issu du latin tardif de même sens °*jovenus (d'où l'italien giovane* et les anciennes formes françaises en *-o-*), altération du latin classique *juvenis* sous l'influence dissimilatrice de *-v-*. *Juvenis*, issu d'une racine indoeuropéenne de même sens apparaissant dans le nom de *Junon* (→ juin), était surtout utilisé comme nom du jeune homme et de la jeune fille, notion qui couvrait la période de vingt à quarante ans, entre l'*adulescens* (→ adolescent) et le *senior* (→ seigneur, senior). Le genre féminin et l'emploi adjectif, rares, sont d'apparition plus tardive en latin.

♦ *Jeune* est apparu comme adjectif au sens de «peu avancé en âge», et est entré dans les syntagmes lexicalisés ***jeune homme*** (v. 1160), ***jeune fille*** (XVe s.), s'appliquant aussi, récemment, à un nom collectif au sens de «formé de personnes jeunes» (1913). ***Jeunes gens*** (→ gens) sert aujourd'hui de pluriel à ces deux syntagmes, lorsqu'il ne s'agit pas exclusivement de filles. Depuis le XIVe s., le mot est employé également en parlant d'un animal, d'un végétal et (1873) comme épithète postposée à un nom de chose *(montagne jeune)*. Dans la plupart de ces emplois, *jeune* correspond à l'usage symétrique de l'antonyme *vieux* (ainsi dans ***un vin jeune***). ➡ Dès le XIIIe s., *jeune* a développé des sens où le critère d'âge est secondaire par rapport aux traits traditionnellement attribués aux personnes jeunes, soit avec une valeur favorable, soit avec les valeurs péjoratives de «naïf, crédule» (1213) et «sans maturité». ➡ Il est appliqué à un nom de durée (fin XVe s.) ou à un nom de chose au sens de «qui sied à la jeunesse» (1779), lequel est réalisé adverbialement dans ***s'habiller jeune*** (XXe s.). Depuis le XVIe s., *jeune* est employé (1536) pour indiquer l'âge d'une personne, non par rapport à la longévité de son espèce, mais par rapport à l'âge d'autres personnes, par opposition à *aîné, ancien, ancêtre*, etc. Il est parfois synonyme de *nouveau* (dans un état, une profession), notamment, en syntagmes ***(jeunes mariés)*** et connote assez souvent l'inexpérience. ➡ Depuis le XVIIe s. (1690), il est quelquefois employé familièrement, comme adjectif ou adverbe de qualité, au sens d'«insuffisant, un peu juste».

JEUNESSE n. f., réfection (*junesce*, XIIIe s.) de *juenvlesce* (1155), *joefnesce* (v. 1170), dérivés des formes anciennes de l'adjectif, désigne le temps de la vie humaine qui va de l'enfance à l'âge mûr, et, avec une valeur caractérisante, l'état, le caractère d'une personne jeune ou qui a une attitude de jeune. La locution ***n'est plus de la première jeunesse*** (1768) est ironique. Comme l'adjectif, *jeunesse* a parfois la nuance péjorative d'«inexpérience» (v. 1275). Le mot avait en ancien français la valeur métonymique d'«action digne d'une personne jeune» (v. 1250), souvent proche d'«étourderie, acte irréfléchi». ◇ Appliqué à une personne mûre, le mot exprime en bonne part, depuis le XVIe s. (v. 1580), l'idée d'un caractère juvénile*. ◇ Concrètement, ***la jeunesse*** se dit de l'ensemble des jeunes (1377) et ***une jeunesse*** s'emploie familièrement depuis le début du XVIIe s. (av. 1605) à propos d'une jeune fille. ➜ Le diminutif **JEUNET, ETTE** adj., réfection de *jovenet* (au féminin *jovenete*, 1164), est affectif et parfois ironique, mais sans la valeur péjorative de **JEUNOT, OTTE** adj. et n. formé beaucoup plus tard (1904). ➜ **JEUNEMENT** adv., réfection de *jovenement* (fin XIIe s.), a signifié «à la manière d'une personne jeune, avec jeunesse», mais ne s'est conservé, au sens temporel de «récemment» (1584-1587), que dans l'expression de vénerie *cerf dix cors jeunement* (1655), opposé à *bellement* («de manière accomplie»), qualifiant une bête dans sa sixième année, ayant depuis peu cinq andouillers de chaque côté.

RAJEUNIR v., d'abord *rejeunir* (XIIIe s.), réfection de *rejonever, rajonevir* (XIIe s.) qui correspondent aux anciennes formes de *jeune*, a la valeur transitive de «rendre plus jeune» et, symétriquement, la valeur intransitive (XIIIe s.) de «devenir plus jeune», le sémantisme contraire au cours irréversible du temps obligeant le verbe à faire appel aux valeurs extensives et figurées de *jeune*, notamment à propos de choses, de sentiments. ◇ Le verbe signifie en fait «donner ou prendre une apparence de jeunesse» avec la locution ***ça ne nous rajeunit pas*** (1811) en parlant d'un événement, d'un souvenir ancien, et, au figuré, «faire paraître plus jeune», aussi au pronominal (1779), et «donner à (qqn) moins que son âge» (1850). Un sens collectif correspond à «diminuer l'âge moyen de (un groupe social)» (XXe s.). ➜ Le dérivé **RAJEUNISSEMENT** n. m. (XVe s.), réfection de *rajouisement* (1165), est usuel et correspond aux valeurs du verbe. ◇ **RAJEUNISSANT, ANTE** adj. (v. 1700), tiré du participe présent, est plus courant que **RAJEUNISSEUR, EUSE** n. et adj. (1852).

ANTIJEUNES adj., formé récemment, s'emploie essentiellement dans l'expression ***racisme antijeunes*** «hostilité systématique à l'égard des jeunes».

◈ voir JOUVENCE, JOUVENCEAU, JUNIOR, JUNKER, JUVÉNILE.

◈ **JEÛNER** v. intr. est issu (1119) du latin chrétien *jejunare* «faire abstinence, ne pas s'alimenter par esprit de pénitence» et, au figuré, «se priver, se tenir à l'écart de», dérivé de l'adjectif *jejunus* «à jeun, affamé» d'où aussi «maigre, sec, pauvre», mot sans doute à mettre en rapport avec *jantare, jentare* «faire son premier déjeuner», mot populaire sans étymologie claire.

♦ *Jeûner*, en dehors d'un contexte religieux, est employé au sens d'«être privé de nourriture» (1160). Depuis 1225, il a aussi le sens figuré de «s'abstenir de toutes réjouissances», d'usage littéraire sauf avec la valeur très particulière d'«être chaste», d'usage familier.

▸ De *jeûner* sont dérivés **JEÛNE** n. m. (XIVe s.; v. 1100, *juïne*) avec tous les sens correspondant au verbe, et **JEÛNEUR, EUSE** n. (1546 comme adjectif; v. 1400, *jeüneor*).

Jejunus est passé en français avec l'ancien adjectif **JEUN** (1174) «à jeun», attesté jusqu'au XVIe s. et probablement éliminé parce que son féminin pouvait être confondu avec *jeune*. ◇ La disparition du féminin a entraîné celle du masculin qui s'est conservé, substantivé, dans la locution adverbiale ***à jeun*** (1216) «sans avoir rien mangé». Celle-ci est employée familièrement en parlant d'une personne (1846), et spécialement d'un alcoolique, qui n'a encore rien bu.

◈ voir DÉJEUNER, DÎNER.

JEUNESSE → JEUNE

JINGLE n. m. est l'emprunt (1967) de l'anglais *jingle* «bruit métallique, son de cloche» (1599), appliqué par dépréciation à d'autres sons, spécialement (1645) à la répétition volontaire d'un même son dans le langage (rime, allitération) et, au XXe s. (1930), à un court motif sonore employé fréquemment à la radio. Le mot est le déverbal de *to jingle* (v. 1385) «sonner, tintinnabuler», verbe d'origine expressive à rapprocher des verbes de sens voisins *to dingle, to tingle*.

♦ Le mot, dont la valeur ironique s'est perdue en français, désigne un court motif sonore associé à un message ou à un contenu particulier. Il s'est répandu malgré la recommandation officielle de *sonal* (1973), absolument inusité. Il est prononcé approximativement à l'anglaise *(djinngeul)*.

JIU-JITSU → JUDO

JOB n. m. est emprunté (1819) à l'anglais *job* (XVIe s. *iobb* dans *iobb of werk* avec *work* «travail»), «tâche, partie spécifique d'un travail», puis «affaire», en mauvaise part «tâche pénible, insignifiante», et, d'abord dans l'usage parlé américain, «emploi rémunéré» (XIXe s.). L'origine du mot est inconnue : on a évoqué une spécialisation de sens de l'ancien *job* «morceau, bout, masse», terme en usage du XIVe au XVIe s., mais l'étymologie de ce dernier est tout aussi obscure.

♦ Le mot est resté au XIXe s. un anglicisme pittoresque : d'abord attesté comme mot anglais dans la traduction d'une nouvelle irlandaise, il est ainsi commenté : «Un bon *job*, dans la langue anglaise veut dire une affaire lucrative, une bonne aubaine ; en Irlande, le mot *job* s'applique principalement aux travaux entrepris, en apparence, dans un but d'utilité publique, mais en réalité pour faciliter quelque intérêt privé.» ◇ Attesté ensuite en contexte anglais pour «tâche désagréable ou de peu d'importance réelle» (1831), il s'est répandu avec le sens neutre de «travail rémunéré, emploi» (1893, Claudel, *L'Échange*, dans un contexte américain). Le mot entre dans la langue familière au milieu du XXe siècle. ◇ Il a pris au Canada français le genre féminin *(une job)* et le sens neutre courant de «travail».

JOBARD, ARDE adj. et n., attesté en 1571 sous la forme *joubard*, repris au début du XIXe s., est dérivé du moyen français *job* ou *jobe* (1547) «niais, sot, nigaud», à l'origine de *jobelin* n. m., nom du jargon des gueux au XVe s., et encore attesté dans quelques locutions argotiques ayant cours au XIXe siècle. *Job* a été considéré comme étant tiré du nom du personnage biblique *Job,* à cause de sa résignation dans le malheur et des reproches que lui adressent sa femme et ses amis (cf. *jérémiade*). P. Guiraud, rejetant cette hypothèse, apparente le mot à °*job* «gosier», issu du roman °*gaba* «gorge, jabot» (→ gaver, joue) par l'intermédiaire d'une forme en °*gaub-*, le jobard étant un «gobeur que l'on gave (en lui faisant tout avaler)».

♦ L'attestation du XVIe s., *chien joubard,* est difficile à interpréter («qui aime à plaisanter, à folâtrer» selon les dictionnaires); elle est à rapprocher du verbe ancien français *enjobarder* «tromper, se moquer de» (fin XIIIe s.). ◇ Le mot actuel est repris en 1807, écrit *jobbard, jobard,* et appliqué familièrement à un naïf, comme nom et (1834) comme adjectif.

▸ En sont dérivés **JOBARDISE** n. f. (1836) et **JOBARDER** v. tr. «duper, tromper un naïf» (1839), peu usité. ◇ En revanche le verlan **BARJO** adj. et n., obtenu par interversion des syllabes (déb. XXe s.), est courant dans l'usage familier pour «un peu fou». On écrit parfois *barjot.*

JOCKEY n. m. est emprunté (1775) à l'anglais *jockey* (également *jockie*), diminutif de *Jock,* variante écossaise de *Jack* (→ jackpot) qui est lui-même l'hypocoristique du prénom anglais *John* «Jean». Le mot, en anglais, a d'abord été appliqué avec une nuance de mépris à tout homme du peuple (XVIe s.) puis aux maquignons et palefreniers (XVIIe s.), avant de se spécialiser dans le domaine du turf où il désigne le professionnel des courses de chevaux (1670).

♦ *Jockey* apparaît en français dans la traduction de *Tristram Shandy,* le roman de Lawrence Sterne, au sens de «jeune domestique qui conduit une voiture en postillon, un cheval». On le trouve sous diverses formes à partir de 1776 (*jacqy, jaquet*) par rapprochement avec le français *Jacques* pris dans son sens de «paysan» (→ jacquerie, Jacques). Depuis 1813 (dès 1777 sous la forme *jockei*), il désigne aussi celui dont le métier est de monter les chevaux dans les courses; ce sens, qui s'est répandu avec l'engouement pour le «sport» et le turf, a évincé le précédent. ➝ Par métonymie, *jockey* s'est dit d'une casquette de jockey puis (v. 1900) d'un chapeau analogue à celui que portaient les palefreniers. ➝ Il est adjectivé (1919) dans ***régime jockey*** «maigre», par allusion au régime frugal qui maintient les jockeys légers.

▸ **JOCKEY-CLUB** n. m. (1828, en parlant de l'Angleterre) est le nom donné à un cercle mondain fondé en France en 1833 à l'imitation du cercle anglais du même nom, fondé vers 1750, dont l'autorité sur tout ce qui concerne les courses de chevaux était notoire dans toute l'Angleterre. Le mot est à ce point devenu synonyme de «cercle aristocratique très fermé» que l'on relève quelques emplois adjectivés de *jockey* au XIXe s. avec le sens d'«élégant, distingué».

JOCRISSE n. m., d'abord employé comme nom propre plaisant (1587), est d'origine incertaine. On y voit généralement l'altération du moyen français *joquerus* «homme mou, sans force, niais, benêt» (1480-1490, G. Coquillart). Ce mot qui signifie «il demeure là-dessus», c'est-à-dire «il demeure là, inactif», contient *joque,* forme verbale conjuguée (3e personne du présent) de *joquier,* variante normanno-picarde de *jochier* «demeurer en un lieu élevé (en particulier des poules)», «être en repos, attendre, tarder, se tenir coi» (→ jucher). Plusieurs formes dialectales renvoient à l'idée de «faire le paresseux», voire «le somnambule». Le second élément du composé est l'adverbe *sus** «dessus».

♦ Le mot apparaît dans un contexte plaisant : «C'est dommage que vous n'avez nom Jocrisse, je crois qu'il vous ferait fort bon veoir mener les poules pisser.» Il se répand au XVIIe s. comme nom commun à propos d'un sot se laissant mener par le premier venu (1618), d'un benêt s'occupant des soins du ménage (1672). L'impact péjoratif est conservé aussi lorsque le mot s'applique à un avare (1680), emploi qui ne s'est pas maintenu au-delà du XIXe siècle. Le mot s'est probablement répandu par le théâtre comique du XVIIIe s., notamment avec la pièce de Dorvigny, *Le Désespoir de Jocrisse,* dont le succès stimula une floraison de pièces prenant Jocrisse pour cible, entre 1780 et 1820. Tous les emplois ont vieilli.

▸ **JOCRISSERIE** n. f. (1843, Balzac) est archaïque et **JOCRISSADE** n. f. (1867), «composition littéraire mettant en scène un niais», a disparu.

JODHPURS n. m. pl. est emprunté (1939) à l'anglais *jodhpurs* «pantalon d'équitation serré du genou à la cheville, et qui évite le port de bottes», abréviation de *Jodhpur breeches, Jodhpur riding-breeches* (1899) «pantalon de Jodhpur», du nom d'une ville du Rājasthān, (au nord-ouest de l'Inde). Ce vêtement a été importé des Indes par les officiers anglais.

♦ La première attestation de 1939, une publicité de la revue *Adam,* donne le mot au singulier. C'est le pluriel (1946, *Le Jardin des modes*) qui l'a emporté, à l'exemple de l'usage anglais.

JODLER ou **IODLER** v. intr. est emprunté, sous la double forme *iodler* (1872) et *jodler* (1891), à l'allemand dialectal *jodeln* (1796), mot répandu dans les régions alpines alémaniques (Haute-Bavière, Tyrol, Carinthie et Suisse), où l'on pratique ce type de musique vocale. *Jodeln* est lui-même une altération ancienne de *joelen, jolen,* dérivés de l'onomatopée *jo* (*yo*) exprimant la joie (moyen bas allemand *jôlen* «pousser des cris d'allégresse» et moyen néerlandais *johlen* «crier à tue-tête»). La forme *iouler,* la première attestée en français (1840), rend l'ancienne forme alémanique. On rencontre également *yaudler* chez Daudet (1883), mais cette graphie n'a pas vécu.

♦ Le mot est relatif à la technique vocale propre aux montagnards, qui consiste à passer sans transition de la voix de poitrine à la voix de tête.

Il a produit **JODLEUR, EUSE** n. ou **YODLEUR, EUSE** n. (1933) «personne qui jodle».

◆ **JODEL** n. m. (1939) a été emprunté à un mot de la Suisse alémanique par les romans de montagne (Peyré, Frison-Roche) et désigne un appel jodlé. ◆ L'onomatopée *yoû-*, répandue dans de nombreux pays pour exprimer un cri prolongé, soutient la forme **IOULEMENT** n. m. (1950), d'usage rare.

JOGGING n. m. est emprunté (1964) à l'anglo-américain *jogging,* désignant une course à pied d'allure modérée conçue comme un exercice hygiénique, sans esprit de compétition (1948). Ce mot est le substantif verbal de *to jog* (XIVe s., rare dans les textes avant le XVIe s.) «secouer» et «trottiner», apparenté à la forme *to jug,* et d'origine douteuse, probablement onomatopéique.

♦ Le mot est d'abord relevé en référence à un sport pratiqué aux États-Unis et en Nouvelle-Zélande. Il se répand lentement (1974) puis s'acclimate (1978) avec la mode de ce sport en France.

▶ Parallèlement, le français a emprunté **JOGGER** n. «personne qui fait du jogging» (1964 puis 1974) et «chaussure de jogging», à l'anglais *jogger,* nom d'agent de *to jog,* et créé le verbe **JOGGER** «faire du jogging» (1978, *Elle*) d'après l'anglais *to jog.*

JOIE n. f. est issu (1080), d'abord (1050) sous la forme *goie,* du latin *gaudia,* pluriel du neutre *gaudium* «contentement, aise, plaisir», «plaisir des sens, volupté» et «personne, objet de plaisir», dérivé de *gaudere* «se réjouir, être joyeux» (→ jouir). *Gaudia,* d'abord employé dans la langue parlée, a été pris à basse époque comme féminin singulier. Cependant, au sud d'une ligne Loire-Vosges, les dérivés gallo-romans et les correspondants des domaines italiques et hispaniques reposent sur *gaudium;* on relève même en ancien français un masculin *joi* (1150) utilisé pour renforcer une négation *(ne... joi),* ainsi que l'emploi de *joie* au masculin.

♦ *Joie,* «sentiment de bonheur intense», est utilisé pour désigner ce sentiment considéré dans ses manifestations (1080) et ce qui est cause de joie (1230). Ce sens vit en particulier dans les expressions ***s'en donner à cœur joie*** (1680), ***fausse joie*** (1680), ***mettre en joie*** (1549). ◇ Son sens latin de «manifestation d'amour, caresse» (1165), «jouissance amoureuse» (1170) a disparu (→ jouir) et ne se maintient que dans l'expression ***fille de joie*** (1389; XIIIe s., *femme de joie*). ◆ Jusqu'au XVIe s., le mot a eu le sens particulier de «bijou» (XIVe s.) par rapprochement d'étymologie populaire avec *joyau :* il en reste une trace dans l'emprunt espagnol de même valeur *joya.* ◆ Le sens métonymique de «réjouissance collective» ne vit plus que dans les dialectes et dans l'expression ***feu de joie*** (1549). ◆ L'emploi antiphrastique du mot au sens de «malheur, désagrément» est connu dès le XVIIIe s. (*joies du mariage,* 1752 avec une valeur figurée) et s'est répandu dans la langue parlée moderne *(c'est la joie!),* l'emploi normal *(c'est pas la joie !)* étant d'ailleurs plus fréquent.

▶ **JOYEUX, EUSE** adj. est la réfection (v. 1375) de *joieus* (1220), lui-même aboutissement de *goiuse* (1050), *joiuse* (1080, nom de l'épée de Charlemagne), *joose* (fin XIIe s.). ◆ Le mot a été substantivé, autrefois, comme dénomination d'une pâtisserie (1469). ◇ Parlant de personnes, il désigne familièrement, par antiphrase, le soldat des compagnies de discipline d'Afrique (1855). Son féminin pluriel sert de désignation argotique pour les testicules (1881), cf. les *valseuses.* ◇ En sont tirés **JOYEUSEMENT** adv. (1155, *joiosement*) et **JOYEUSETÉ** n. f. (v. 1282), qui constitue un mot littéraire pour «humeur joyeuse» et par métonymie «propos, action qui amuse» (vers 1415, en particulier *joyeusetés de corps de garde*). ◇ On relève aussi **JOYEUSERIE** n. f., plus rare encore. ◆ **JOUASSE, JOISSE** adj. (att. 1946), dérivé oral de *joie* et synonyme familier de *joyeux,* a donné **JOUASSERIE** n. f. (R. Gary).
RABAT-JOIE adj. inv. et n. inv., formé (XIVe s.) avec le verbe *rabattre,* est attesté dès l'origine avec le sens d'«attristant, ennuyeux (en parlant d'une personne)». Il a eu aux XVIe et XVIIe s. le sens de «sujet de tristesse», sorti d'usage.

◈ voir GAUDRIOLE, GODEMICHÉ, GODIVEAU.

✳ **JOINDRE** v. tr. est issu (1080) du latin *jungere,* verbe appartenant au groupe indoeuropéen de *jugum* (→ joug) et qui, d'un sens primitif précis, «atteler», a élargi son sens à «unir deux à deux, lier, assembler, attacher», spécialement «réunir deux terres» (au passif «être contigu)»; transposé au figuré, il correspond à «lier d'un lien moral, associer, réunir (des qualités)», spécialement «lier les mots dans une phrase».

♦ Jusqu'au XVIIe s., *joindre* a exprimé l'idée d'un déplacement, signifiant «atteindre», à la fois en construction intransitive (1080), transitive et (1174-1176) au pronominal, spécialement avec une nuance hostile, belliqueuse. Il a perdu cette valeur au profit du préfixé *rejoindre* (ci-dessous). ◆ Dès le XIe s., il prend le sens aujourd'hui courant d'«unir deux éléments», d'abord avec un objet désignant un membre *(joindre les mains, les pieds)* en référence à l'attitude de la prière et à celle du cérémonial de l'hommage féodal. D'autres types de compléments apparaissent au XIIe s., *joindre des choses* (v. 1135), *joindre une chose à une autre* réalisant spécialement l'idée de «réunir pour assujettir» (v. 1160) et réactivant le sens étymologique d'«atteler, assujettir au joug» (1160-1174), qui était vivant dans les dialectes au XIXe s. Comme le verbe latin, il est employé en parlant de terres, d'abord absolument (fin XIIe s.), puis transitivement (un domaine *joint* un autre) (1176-1181) et au pronominal. ◆ L'idée d'un contact physique entre des êtres vivants est assumée par le pronominal *se joindre* pour «tenir, être attaché à, se serrer contre» (1176-1181), en particulier «s'accoupler (à propos d'animaux, autrefois également d'humains)» (XIVe s.). ◇ Cette même idée, transposée sur un plan abstrait, devient «attacher, unir par un sentiment» (*joindre leurs cœurs* en contexte amoureux, v. 1278) et, au pronominal, «s'associer, se réunir (dans la vie sociale, professionnelle)» (v. 1450). ◆ Le sens particulier de «dire en outre, associer dans le discours» (v. 1200), correspondant au latin *subjungere* (→ subjuguer), est sorti d'usage, de même que le sens grammatical de «placer (un mot) à côté d'un autre par un rapport syntaxique». ◇ Cependant, l'idée d'«ajouter, associer (une chose à une autre)» est courante dans sa valeur abstraite (1678), par exemple dans la locution ***joindre l'utile à l'agréable.*** ◆ La spécialisation du mot en droit pour «juger en même temps» (1606) est restée technique. ◇ La locution familière ***joindre les deux bouts*** (1762) reprend *joindre un bout de l'année avec l'autre* (1694). ◇ Enfin, le verbe, avec un complément désignant une personne, correspond à «être en mesure de rencontrer ou de parler avec qqn)», par ex. dans *joindre qqn au téléphone* ou *on ne peut pas le joindre.* → injoignable, ci-dessous.

▶ **JOINT, JOINTE,** le participe passé adjectivé (XIe s.) a été substantivé au XIIIe s. au sens de «joug», d'après un ancien sens du verbe *joindre* «atteler». ◆ Depuis, ① **JOINT** n. m. a développé de nombreux sens techniques : il désigne (1391) l'endroit où se rejoignent les éléments d'un assemblage, d'une construction (en menuiserie, maçonnerie) et, particulièrement, l'espace qui subsiste entre les éléments joints. Le sens d'«articulation» (1690), utilisé en anatomie et, au figuré, dans le langage courant, a disparu, sauf dans la locution familière ***trouver le joint*** (1798) «trouver la façon de résoudre une difficulté». ◇ Le sens technique, «articulation entre deux pièces destinées à transmettre un mouvement», est apparu vers 1845, et celui de «garniture assurant l'étanchéité d'un assemblage, en plomberie» au XXe siècle. ◆ ② **JOINT** n. m., au sens familier de «cigarette de haschisch ou de marihuana» (1970), est un emprunt à l'anglo-américain *joint,* lui-même emprunté au français, et qui, d'après le sens de «point de jonction», a pris en argot américain celui de «lieu de rencontre plus ou moins illégal» (cabaret, bar, etc.). Il a désigné notamment les locaux où l'on fumait l'opium et, par métonymie, en est venu à désigner vers 1935 les ustensiles destinés aux consommateurs de drogue, d'abord la seringue hypodermique, puis la cigarette de marihuana. Ce dernier sens seul est passé en français.

Joint, plus encore que *joindre,* a produit de nombreux dérivés : son féminin **JOINTE** n. f., ancien terme de manège désignant le paturon du cheval (v. 1150), a servi à former l'adjectif **JOINTÉ, ÉE** (1583) utilisé en vénerie, surtout dans les composés **COURT-JOINTÉ, ÉE** adj. (1661) et **LONG-JOINTE, ÉE** adj. (1660). ◆ À partir de l'expression usuelle *mains jointes,* on a formé **JOINTÉE** n. f. (v. 1225) «ce que le creux des mains peut contenir», mot aujourd'hui marqué comme archaïque. ◆ *Joint* a aussi produit plusieurs termes techniques : **JOINTIF, IVE** adj. (v. 1440) «qui joint exactement», usuel en technique d'où l'adverbe **JOINTIVEMENT** (1867), **JOINTER** v. tr. dir. et ind. (1471) et ses dérivés, ainsi que le composé **JOINTOYER** v. tr. (1335), le régional **AJOINTER** v. tr. (1838, 1202 «joindre» au figuré) et leurs dérivés. ◆ *Joint* entre comme second élément dans **COUVRE-JOINT** n. m. et **SERRE-JOINT** n. m. (tous deux v. 1845).

Les formes du participe et de l'imparfait du verbe *(joign-)* ont fourni **JOIGNANT, ANTE.** Les emplois de *joignant* comme préposition locale (XIIIe s.) et en locution prépositive (XIIIe s., *à joignant de ;* 1348, *joignant à ;* XVe s., *joignant de*) sont sortis d'usage. ◆ Comme adjectif, **JOIGNANT, ANTE** «contigu, attenant» (1538) a vieilli, sauf régionalement. ◇ Le composé **INJOIGNABLE** adj. (1970), qualifiant une personne qu'on ne peut joindre, semble mieux implanté que **JOIGNABLE** adj. ◆ **JOIGNEUR** n. m. désignait l'ouvrier qui assemble les pièces d'une chaussure et lui donne sa forme (1877). Le mot reprend morphologiquement l'ancien français *joignour* (v. 1120) «menuisier». ◇ Il n'est guère employé avec la valeur générale de «celui qui joint» (1885).

JOINTURE n. f., très ancien (1080), n'appartient pas au groupe des dérivés français de *joint :* il est issu du latin *junctura* «articulation, endroit où se joignent les mains, les genoux». Introduit dans ce sens anatomique, il se rapporte ensuite à l'endroit où deux éléments, deux objets se joignent (v. 1121). Il n'a gardé ni le sens actif d'«action de joindre» (attesté du XIIe au XVe s.), ni le sens érotique qu'il avait à l'origine d'après la valeur sexuelle du verbe *joindre,* dans l'expression ***trouver la jointure*** qui a signifié «trouver moyen de s'accoupler avec une femme» (1656) avant d'être réinterprétée en «trouver la solution» (av. 1755), et à rapprocher de *trouver le joint.* ◆ *Jointure* a reçu des acceptions spéciales en médecine vétérinaire (1765, «paturon du cheval») et en linguistique, où il se dit de la frontière entre deux segments, syllabes, syntagmes ou phrases. ◇ **JONCTURE** n. f. (1962), formé par dérivation de *jonction**, est synonyme de *jointure* en phonétique.

Le préfixé **REJOINDRE** v. tr. (v. 1050) réalise dans la majorité de ses emplois la notion de «déplacement dans l'espace» que lui a cédée *joindre :* il n'a pas gardé un ancien emploi intransitif, pour «aboutir à (un lieu)» en parlant d'un voyage (1050), mais se dit encore de choses qui aboutissent en un point, en construction transitive et dans *se rejoindre,* avec une idée de convergence (1690). ◆ Le sens itératif de «joindre de nouveau» (v. 1175), puis «réunir (des gens, des choses)» (1642), «réconcilier, remettre ensemble (ce qui avait été désuni)» (1690) a reculé dans la plupart de ses emplois anciens et classiques. ◇ Le verbe n'a plus comme usage vivant que «aller retrouver, rattraper» (1587) au propre et (1876) au figuré, et spécialement «regagner (un endroit, un poste) après l'avoir quitté» (1690), d'où en termes militaires «retourner à son corps» (absolument, av. 1825). Aucun de ces sens n'a donné de dérivés.

L'ancien français **DÉJOINDRE** v. tr. (XIIe s.) a disparu au profit de *disjoindre**.

◈ voir **ADJOINDRE, AJOUTER, CONJOINDRE, CONJONCTIF, CONJONCTION, CONJONCTURE, CONJUGUAL, DISJOINDRE (DISJONCTION, DISJONCTEUR), ENJOINDRE, INJONCTION, JONCTION, JOUG, JOUTER, JOUXTE, JUGULER, JUMENT, JUNTE, QUADRIGE, SUBJONCTIF, SUBJUGUER; YOGA.**

JOKARI

JOKARI n. m. est emprunté (1951, peut-être 1950) au basque *jokari* «joueur», dérivé avec le suffixe d'agent *-ari* (peut-être apparenté au latin *-arius* donnant *-ier* en français) de *joko* «jeu», issu du latin *jocus* (→ jeu).

♦ Le mot, employé régionalement pour une variété de pelote basque, s'est répandu, comme nom de marque déposée, pour un jeu formé d'une balle reliée par un élastique à un socle, et que l'on renvoie à l'aide d'une palette de bois, sur le principe de la pelote basque.

JOKER n. m. est emprunté (1912) à l'anglais *joker,* terme de jeu d'origine américaine désignant une carte dont la valeur varie au gré de son détenteur (1885). Ce sens est une spécialisation de celui de «plaisantin, farceur» (1729), spécialement «bouffon, fou», par le sens de «ce qui sert à faire un bon coup, notamment au jeu de dés». Le mot est dérivé de *to joke* «plaisanter» (1670), lequel est soit issu du latin *jocari* de même sens (→ jouer), soit dérivé de *joke* «plaisanterie», du latin *jocus* (→ jeu).

♦ Le mot, terme de jeu de cartes, s'emploie parfois par métaphore pour une marque, un signe ayant une grande valeur et permettant de gagner, dans un système codé.

JOLI, IE adj. (XIIIe s.), attesté d'abord sous la forme *jolif* (1140, *estre jolif de femmes*), serait dérivé de l'ancien norrois *jól,* nom (pluriel) d'une grande fête païenne de la mi-hiver, ultérieurement assimilée à Noël, avec le suffixe *-if* sur le modèle de *aisif* (de *aise*). Le mot scandinave correspond à l'anglais archaïque *yule,* du vieil anglais *zeól* (antérieurement *zeohhol*), mot très ancien (726 en latin) ayant désigné le mois de décembre ou de janvier puis (v. 900) Noël ; le mot anglais subsiste dans des syntagmes lexicalisés tels *yule-bog* «bûche de Noël», *yule-candle* «bougie de Noël». Le gotique a également *jiuleis* dans *Fruma jiuleis* «novembre». Le sens propre du français serait donc «festif». Paul Meyer suggère cependant que l'ancien français *jolif* pourrait remonter à un latin populaire °*gaudivus,* de *gaudere* «se réjouir» (→ jouir), avec un passage de *d* à *l* comme dans *cigale** (de *cigada*) ; cette hypothèse fragile correspond cependant mieux aux premiers emplois réalisant non l'idée de fête, mais celle de plaisir.

♦ Le mot est très polysémique en ancien français où il signifie «lascif, ardent» (1140), «joyeux, gai» (XIIIe s.), et aussi «tendre», «paré, huppé, élégant» (1265) et quelquefois «brave, loyal». ◇ S'il reste une trace de son ancien emploi galant dans l'expression ***joli cœur,*** fréquente dès le XIIe s. et encore utilisée par ironie, tous ces sens ont décliné avant le XVIe siècle. Ils se sont partiellement conservés dans l'anglais *jolly* «gai, enjoué, gaillard», «charmant, gentil», etc. (*a jolly good fellow,* adverbialement), mot emprunté à *joli.* ◇ Le sens moral d'«aimable, agréable par son esprit, sa gentillesse» s'est prolongé jusqu'à l'époque classique. ◆ Le champ sémantique du mot s'est simplifié en moyen français et surtout en français classique avec le sens courant de «très agréable à voir ou à entendre» (v. 1360), souvent utilisé à propos des personnes avec un sens très distinct de *beau ;* cette valeur, qui a éliminé toutes les autres, correspond à une atténuation de *beau,* avec l'idée d'agrément, de charme, comme pour *mignon, gentil.* Le mot est également appliqué à des choses (1360) et à des animaux (1690), mais de façon toujours sélective (il semble notamment impliquer une idée de «petitesse»). Il est utilisé spécialement en navigation pour qualifier une brise de force intermédiaire entre *petite* et *forte.* Depuis 1671, il sert à qualifier des ouvrages de l'esprit, en particulier lorsqu'ils sont petits, tels lettres, compliments, formules, et un tour plaisant joué à qqn. ◇ Dans l'usage familier, *joli* est employé (v. 1550) au sens de «digne de retenir l'attention par son importance ou sa qualité» *(un joli magot)* et, ironiquement, au sens antiphrasique (1634) de «déplaisant, désagréable» (comme *beau, gentil*).

▶ L'ancienne forme *jolif, ive* a produit en ancien français plusieurs dérivés, dont **JOLIVET, IETTE** adj. (XIIIe s.) ; **JOLIVEMENT** adv. (XIIIe s.) et **JOLIVETÉ** n. f. (XIIe s.), encore attesté au XVIIe s. et, plus tard par archaïsme, pour «gaieté, agrément» et par métonymie «chose agréable, action plaisante». ◆ Ces formes sont en concurrence dès le moyen français avec les dérivés de *joli.* ◇ **JOLIET, IETTE** adj. (XIIIe s.) a signifié «gai, joyeux» et «agréable» (comme *jolivet*), valeurs disparues avec celles de *joli* qui y correspondent, puis s'est restreint (1538) à «assez joli, mignon». ◆ **JOLITÉ** n. f. (XIIIe-XIVe s., aussi *jolieté*) reprend les acceptions de *joliveté,* se spécialisant pour «souci d'élégance» (1410) et désignant par métonymie *(une, des jolités)* un objet de parure (v. 1460), des bibelots, des colifichets (1690), abstraitement des gentillesses et badineries (1671). Toutes ces valeurs ont vieilli, malgré une reprise littéraire archaïsante vers 1900. ◆ **JOLIMENT** (1285, *joliement*) a pris au XIIIe s. ses sens modernes : «d'une façon agréable» (1609) et «extrêmement» (1670). Depuis le XIXe s., il est aussi employé par antiphrase. ◆ L'autre nom de qualité, **JOLIESSE** n. f., après une attestation isolée au XIVe s., a été reformé au XIXe s. (1843) au sens moderne de «caractère d'une chose gracieuse à regarder». Il est d'usage littéraire.

Un archaïsme de forme et de sens subsiste dans **ENJOLIVER** v. tr. (déb. XIVe s., *soi enjolyver*), dérivé de *jolif, ive* par l'intermédiaire de l'ancien français *joliver* v. intr. (XIIe s.) «s'adonner au plaisir», encore employé au XVIIIe s. par Saint-Simon pour «folâtrer, raconter des plaisanteries». ◇ *Enjoliver* s'est maintenu au détriment de la forme modernisée *enjolier,* correspondant au verbe simple *jolier.* Il a perdu le sens primitif, «être plein d'entrain», sans correspondre au sens moderne de *joli,* mais à celui de «paré, orné, élégant». De là son sens «orner, rendre plus agréable, plus élégant par des décorations» (1608), en particulier «ajouter des détails plaisants à un récit» (1608). ◆ Ses dérivés **ENJOLIVEMENT** n. m. (1611), **ENJOLIVURE** n. f. (1611) et **ENJOLIVEUR, EUSE** n. (1612) et adj. (1680) sont restés relativement courants ; *enjoliveur* recevant au XXe s. (1930) le sens concret et spécial de «plaque métallique brillante qui recouvre le moyeu des roues d'automobile pour les orner» (1930).

✱ ① **JONC** n. m., d'abord *junc* (v. 1165), *junc* (v. 1175), est emprunté au latin *juncus* «plante herbacée à tige longue, flexible, qui croît dans les lieux humides», mot attesté depuis Plaute et sans étymologie sûre.

♦ *Jonc,* nom de plante, a développé le sens métonymique de «tige de la plante utilisée en vannerie et sparterie» (XVe s.), s'appliquant à toute tige de plante flexible, en particulier à une badine, à une canne (1824). ◆ Par analogie, il désigne spécialement, en bijouterie, une bague ou un bracelet présentant partout un cercle de même grosseur (1631). ◇ Qualifié, il entre dans plusieurs désignations de végétaux (1764, *jonc flouri*).

▶ Le dérivé **JONCHER** v. tr., d'abord *junchier* (1080), réalise dès les premiers textes le sens analogique de «couvrir d'objets répandus çà et là en quantité». Il correspond aussi (v. 1165) à «couvrir le sol de végétaux, joncs, fleurs, etc.» et n'a pas gardé le sens général de «renverser, jeter» qu'il avait en moyen français. ◆ ① **JONCHÉE** n. f. (v. 1175) désigne une litière de joncs, puis une couche de branchages dont on couvre le sol lors d'une solennité (fin XIIIe s.) et, par extension, d'après *joncher*, une grande quantité d'objets épars, de cadavres étendus sur le sol. ◆ Le nom d'action **JONCHEMENT** n. m. (1605) ne s'est pas répandu. ◆ **JONCHET** n. m. (1483) est soit le dérivé de *joncher*, soit celui de *jonc* ; il est surtout employé au pluriel pour désigner un jeu de patience traditionnel qui se joue avec des bâtonnets de bois, d'os (dès 1474, *jeu de jongz*). On relève également les graphies régionales *honchet* et *onchet* (chez Rousseau). ◆ Dès l'ancien français, *jonc* a produit **JONCHÈRE** n. f. (XIIe s., *jonchiere*) pour le terrain où poussent des joncs, mot concurrencé ultérieurement par **JONCHAIE** n. f. (1771) et par **JONCHERAIE** n. f. (1926), résultant du croisement des deux autres types. ◆ Il a aussi produit ② **JONCHÉE** n. f. (1379) au sens de «petit panier pour égoutter le lait caillé» et, par métonymie, «fromage ainsi préparé» (1583). ◆ Par dérivation savante, on a tiré de *jonc* le terme de botanique **JONCACÉES** n. f. pl. (1798) et un verbe technique **JONCER** v. tr. (1858) «garnir (une chaise) de jonc», «frotter (une peau de chèvre) avec une tresse de jonc».

Les deux adjectifs formés sur *jonc*, tant le littéraire **JONCÉ, ÉE** «qui a la souplesse du jonc» (Huysmans) que le régional **JONCEUX, EUSE** (1901, cf. en 1580 *joncheux* «de jonc»), sont peu usités. ◆ L'emploi spécial de *jonc* en bijouterie est peut-être à l'origine de l'argotique ② **JONC** n. m. (1790) qui désigne l'or comme matière et, par métonymie (1842), l'or monnayé, d'où, par extension, l'argent en général (1885). ◇ À son tour, ce sens a produit les mots argotiques **JONCAILLE** n. f. (1928) «or en lingots, en bijoux», toujours en usage, et, **JONCHÉ, ÉE** adj. (1881) «doré», sorti d'usage.

◈ voir JONQUILLE.

JONCTION n. f. est emprunté (1245) au latin *junctio* «union, liaison, cohésion», dérivé du supin de *jungere* (→ joindre).

♦ Le mot est apparu au sens d'«union charnelle», sens propre à l'ancien et au moyen français et qui correspond à des emplois de (se) *joindre* et de *jointure*. Depuis le moyen français (1477), il fournit le nom correspondant à *joindre* au sens d'«action de réunir», en parlant de choses et (1581) de personnes, notamment de groupes (avant 1664 en manœuvres militaires). ◇ À partir du XVIIe s. (1690), il est employé spécialement par le langage juridique pour désigner la décision par laquelle un tribunal ordonne la réunion de deux causes liées étroitement, afin qu'il soit statué sur les deux par un même jugement *(jonction de causes)*. ◇ Au XIXe s., *jonction* commence à s'employer à propos du point où se rejoignent deux voies de communication (chemins de fer, cours d'eau, etc.).

▶ Par changement de suffixe, le mot a servi à former **JONCTURE** n. f. (1961) «attache», terme de linguistique qui rend l'anglais *juncture*, courant dans l'usage didactique.

◈ voir CONJONCTION.

JONGLER v. intr., mot du XVIe s. (1546), attesté une fois au XVe s., présente le cas d'une forme d'origine latine ayant subi l'influence d'un mot germanique : c'est la forme altérée de l'ancien français *jogler* «se jouer de» (XIIe-XIIIe s.) et «plaisanter, faire le métier de jongleur» (XIIIe s.), issu du latin *joculari* «dire des plaisanteries» (→ jeu, jouer). L'altération de *jogler* en *jongler* s'explique par l'influence de l'ancien verbe *jangler*, en usage du XIIe au XVIIe s. au sens de «plaisanter, hâbler, médire», et qui vient du francique °*jangalon* «bavarder», que l'on peut reconstruire d'après le moyen néerlandais *janken* «gémir», *jangelen* «murmurer, grommeler, miauler», et le moyen bas allemand *janken* «gémir, se lamenter» et «miauler».

♦ *Jongler*, attesté une première fois dans la construction *jongler à qqn* «s'amuser avec», a pris au XVIe s. le sens de «faire des plaisanteries», qu'il a conservé jusqu'à la fin du XVIIe siècle. ◆ En relation avec *jongleur**, il s'est spécialisé, par l'intermédiaire de «faire des tours de passe-passe» (1690), dans son sens moderne concernant un exercice d'adresse spectaculaire où l'on fait passer des objets d'une main à l'autre. ◇ Depuis 1863, il est aussi employé au sens figuré de «s'amuser, jouer adroitement de» (notamment dans le domaine verbal), retrouvant en partie ses valeurs anciennes.

▶ De *jongler* est dérivé **JONGLERIE** n. f. (1581), altération de l'ancien français *juglerie* (1119), de *jugler*, *jogler*, avec l'influence de l'ancien *janglerie* «caquet, bavardage», de *jangler*. ◇ Depuis le XIIe s., ce nom suit l'évolution sémantique de *jongleur* (→ jongleur) et signifie «art, métier du jongleur», «virtuosité mensongère» (début XVe s.), et «fausse apparence tendant à duper» (1784). ◆ Par substitution de suffixe, on a formé **JONGLAGE** n. m. (v. 1950), d'acception plus technique et de valeur active.

◈ voir JONGLEUR.

JONGLEUR, EUSE n. (XIIIe s.) continue l'ancien français *juglere* (1135) *juglar*, *jogleor*, *jugleor* (XIIe s.), issu du latin *joculator* «rieur, bon plaisant, railleur», dérivé de *jocus* «plaisanterie, jeu sur les mots» (→ jeu). La forme actuelle du mot, nasalisée, est due à un croisement avec l'ancien substantif *jangleor*, *janglëur* signifiant «bavard, hâbleur, médisant», dérivé de l'ancien verbe d'origine germanique *jangler* (→ jongler) ; en français moderne, le mot est senti comme un dérivé de *jongler*, alors que le verbe est bien postérieur.

♦ Au moyen âge, le jongleur était un ménestrel ambulant qui récitait ou chantait des vers en s'accompagnant d'instruments dans les cours seigneuriales et les villes. C'était même un artiste universel, puisqu'il montrait aussi des animaux savants, faisait des tours d'escamoteur et d'acrobate et vendait à l'occasion des onguents et des herbes médicinales. Il est probable que, par la suite, les tours d'adresse aient pris une part plus importante : au XVIe s., le mot désigne une personne qui fait des tours (1549) et est presque synonyme de *bateleur*. Il prend au XVIe s. (v. 1572) son sens moderne de «personne qui lance adroitement des objets en l'air». ◇ Dès le XIIIe s., il est parfois employé au sens figuré de «personne habile à manipuler les choses, les êtres, les mots», issu du sens large de l'ancien français. C'est en revanche l'acception spécialisée moderne qui est à la base du sens figuré péjoratif, pour «illusionniste, personne qui en impose par des apparences trompeuses» (1819). ◇ Au XVIIIe s., le mot était également répertorié avec le sens spécial, aujourd'hui hors d'usage, de «devin qui guérit ou prédit l'avenir», «sorcier, chez les Amérindiens», par analogie du sens médiéval.

◈ voir JONGLER.

JONQUE n. f., avant d'être attesté sous sa forme actuelle (1601), est relevé sous les formes *junc* (1521), *ionct* (v. 1525), *Ioncque* (1571), *Ionco* (1598) et *ionque* (1601). Ce mot est emprunté, par l'intermédiaire de textes italien, espagnol, néerlandais (d'où la variété des formes relevées) au portugais *junco* «grande embarcation en usage en Chine, au Japon et dans l'archipel malais» (1345, *jonco*). C'est un emprunt au javanais de même sens, *djong*, attesté en composition au moins dès le XIIIe s. (malais *adjong*).

♦ Le mot désigne un voilier d'Extrême-Orient à trois mâts.

JONQUILLE n. f., d'abord sous la forme altérée *iouquille* (de 1596 à 1628), puis *ionquille* en 1660, est emprunté à l'espagnol *junquillo* (1192, *Junquello* comme nom propre ; 1599 en botanique), dérivé diminutif de *junco*, correspondant au français *jonc**, de même origine. La finale *-ille* explique le changement de genre du mot en français.

♦ Ce nom de plante et de fleur (souvent jaune) est employé comme adjectif de couleur invariable (1748, après *couleur de jonquille* en 1715).

◈ ① **JOTA** n. f. est emprunté (1840) à l'espagnol *jota*, nom d'un chant et d'une danse populaires espagnols de rythme ternaire, vif et trépidant (1765-1783). Contrairement à la légende qui en attribue la création à un Arabe du XIIe s., Aben *Jot*, la jota n'est pas antérieure au XVIIIe s. et n'aurait aucune origine arabe directe. Corominas a proposé de voir en *jota* soit une altération, particulière à la phonétique aragonaise, de *sota* «danse», ancien dérivé de l'ancien castillan *sotar* «danser», issu du latin *saltare* (→ sauter), soit un emprunt à l'arabe *šáṯḥa* «danse».

♦ Le mot a été introduit avec le folklore espagnol au XIXe s., la formule musicale qu'il recouvre inspirant plusieurs compositeurs (Liszt, Glinka puis Ravel). Comme ② *jota*, il se prononce à l'espagnole avec une gutturale.

② **JOTA** n. f. est un emprunt à l'espagnol *jota* qui désigne le son guttural noté *x*, puis *j* en espagnol, et correspondant au *ch* allemand de *Buch*. Le nom de la lettre est emprunté au latin *iota*, hellénisme (→ iota).

JOUAL n. m. sing., attesté depuis 1930 (av. 1920 dans *parler joual* «parler mal, de manière relâchée»), transcrit la prononciation populaire de *cheval* (chouval, joual)* dans certaines régions (ouest de la France, d'où Québec).

♦ Le mot est utilisé au Québec pour désigner l'ensemble des écarts (phonétiques, lexicaux, syntaxiques) du français populaire canadien soit pour les stigmatiser, soit pour en faire un symbole d'identité. Il est quelquefois adjectivé et employé en apposition.

▸ On en a tiré **JOUALISER** v. intr., d'où **JOUALISANT, ANTE** adj. et n. (1973), appliqué aux écrivains qui revendiquent cet usage du français.

JOUBARBE n. f., d'abord *jobarbe* (XIIe s.), est issu du latin *Jovis barba* (Pline), proprement «barbe de Jupiter», de *barba* (→ barbe) et *jovis* «Jupiter» (→ jeudi, jovial), la plante devant son nom au fait qu'elle est censée protéger de la foudre, ou encore à la disposition de ses fleurs, en panicule. ◈

♦ Le mot désigne une plante grasse dont certaines espèces sont communes et croissent sur les toits et les vieux murs.

JOUE n. f., d'abord *joe* (1080) puis *jode* (XIIe s.), enfin *joue*, est d'origine incertaine. Il est peut-être issu, par une forme °*gauta*, de la base prélatine °*gaba* «jabot, gosier» (→ gaver, jabot) à travers un dérivé déjà prélatin °*gabota, gabuta*. C'est ce que semblent confirmer les correspondants du mot dans le domaine de l'Italie du Nord, du type *gaulta*, ou encore le catalan *galta*, l'ancien provençal *gauta* (fin XIIIe s.), le franco-provençal *dzotoa, dzauta, dzuta*. ◈

♦ *Joue*, apparu avec le sens courant de «partie latérale du visage de l'homme», est parfois appliqué à la partie correspondante de la tête d'un animal (1393, *joue de bœuf*), après avoir été employé au sens de «mâchoire» (v. 1120). ◇ D'après la position du fusil plaqué contre la joue pour viser, on a formé l'expression ***en joue*** (1578). ➜ *Joue* a développé quelques sens techniques, par analogie avec la position des joues : il désigne ainsi chaque partie latérale d'un objet (avec un sens ancien en 1426), spécialement en construction (1446), en chemins de fer *(joues de coussinet)*, en mécanique *(joue de poulie)* ; depuis 1680, il désigne l'espace entre le siège et l'accotoir d'un canapé ou d'un fauteuil.

▸ L'ancienneté de l'emploi analogique de *joue* est attestée par le dérivé technique **JOUÉE** n. f. (1160-1174), autrefois «pan, surface (d'un mur)», employé en bâtiment en parlant de l'épaisseur d'un mur dans une ouverture (1445), et en tapisserie (1867) à propos de la garniture qui recouvre la «joue» d'un fauteuil. ➜ *Joue*, avec le concours de l'adjectif *bas*, a servi à former **BAJOUE** n. f. (1390), employé en boucherie et, familièrement, en parlant de la joue pendante d'une personne. ◇ À son tour, ce mot a produit **BAJOYER** n. m. (1751), mot technique désignant la paroi latérale d'une chambre d'écluse et le mur consolidant les berges d'une rivière, sur le modèle de l'ancien *jouyer* (1521), attesté au même sens. *Bajoyer*, démotivé, n'est plus rattaché à *bajoue*. ➜ **ABAJOUE** n. f. (1766, Buffon) est issu de *la bajoue* avec agglutination du *-a* de l'article; il est employé, comme *bajoue*, au sens de «joue pendante de l'homme»; par métonymie, l'argot lui donne le sens de «face» (fin XIXe s.).

◈ voir ENGOUER, GOUAILLER, JOUFFLU.

✱ **JOUER** v. est issu, par l'évolution vocalique en *joer* (v. 1170), *juer*, puis *jouer* (XIIIe s.), du latin *jocari* «plaisanter, badiner», dérivé de *jocus* (→ jeu) dont les dérivés ont donné l'ancien français *jogler* et *jogleur* (→ jongler, jongleur). À basse époque, parallèlement au remplacement de *ludus* par *jocus*, *jocari* a évincé *ludere* (→ ludique) et lui a repris ses sens de «jouer à un jeu», «se livrer à un exercice physique», «jouer un rôle, contrefaire» et, au figuré, «se moquer, duper».

♦ L'évolution sémantique de *jouer* est analogue à celle de *jeu*. Le sens apparu le premier est celui de «s'amuser, se distraire, badiner», pour lequel l'usage ancien employait également la forme pronominale *se jouer* (1165) réservée depuis au sens de «folâtrer, se mouvoir au gré de son caprice» (av. 1606), d'usage littéraire. ◇ Depuis 1080, *jouer* est employé avec les prépositions *avec* et *à*, en exprimant les deux valeurs essentielles du jeu, activité indéterminée et déterminée, dans le contexte des jeux d'argent, de hasard. ◇ Il assume d'autres sens particuliers avec la préposition *de* (1225) spécialisée à propos d'un instrument, et dans des locutions figurées du type ***jouer de malchance***, y compris à la forme pronominale ***se jouer de*** (1671) «se moquer de». ◇ Il est employé avec un complément direct au sens d'«interpréter», en musique, théâtre et cinéma, avec des possibilités d'emplois figurés. ➜ À partir de 1559, en relation avec *jeu* «espace», il est appliqué à une chose, au sens de «se mouvoir librement avec aisance, dans un espace déterminé», ce qui correspond à une valeur spéciale de *jeu*. Il signifie particulièrement (1867) «ne pas garder sa forme, se déplacer» en parlant d'une porte, d'un assemblage, et «fonctionner à l'aise» à propos d'un mécanisme.

▸ **JOUEUR, EUSE** n. (1155, au féminin *joeresse*) a perdu son premier sens de «danseur, ménétrier» (→ jongleur) pour celui de «personne qui joue» (v. 1165), avec certains des emplois correspondant au verbe (XIIIe s., «joueur d'instrument»; v. 1400, «personne jouant aux jeux d'argent»). Il est aussi employé comme adjectif (1690).

JOUET n. m. (v. 1250), «objet avec lequel les enfants jouent», s'est longtemps dit également de ce qui servait à amuser les adultes (bijoux, animaux de compagnie). Jusqu'aux XVIIIe-XIXe s., il a subi la concurrence de *bimbelot*, *bimbeloterie* dans le vocabulaire du commerce et de l'industrie, avant de les supplanter. ◇ Depuis le dernier tiers du XVIe s., le mot est employé au sens métaphorique de «personne servant d'objet de raillerie» (1585) et (av. 1600) de «personne, chose qui semble livrée à une force, une volonté qui l'opprime». ➜ *Jouet* ou *jouer* est à l'origine de la forme enfantine **JOUJOU** n. m. (1715), antérieurement *jojo* (v. 1400) dans *faire jojo*, avec influence possible de la finale de *bijou*. Attesté clairement au sens de «jouet» depuis 1721, et usuel dans ce sens au XIXe s. (*La Morale du joujou*, de Baudelaire), *joujou* est employé au figuré en parlant d'un petit objet mignon, d'un mécanisme très perfectionné. ◇ Son composé **JOUJOUTHÈQUE** n. f. (1974), concurrent hybride de *ludothèque*, semble peu usité.

Jouer a produit d'autres dérivés au XVIIIe siècle. ➜ Les adjectifs **JOUABLE** (1741) et **INJOUABLE** (1767), tous deux relevés chez Voltaire, s'emploient à propos d'un jeu et, figurément, d'une action que l'on peut ou non tenter. ◇ Le verbe familier **JOUAILLER** (1718) est devenu archaïque. ➜ **JOUETTE** n. f. (1795), terme technique ou régional, désigne un trou peu profond creusé par un lapin de garenne.

Par préfixation, *jouer* a produit **REJOUER** v. tr. (XIIe s.) «jouer une seconde fois», qui a gardé le sémantisme fondamental de *jouer*, à la différence du préfixé en *dé-*. ➜ **DÉJOUER** v. tr. (1121) est d'abord attesté (1121, *se déjüer*) avec la valeur perfective de *dé-* (comme dans *délaisser, découper, dépasser*), le verbe signifiant «se réjouir, prendre un plaisir complet». De là pour l'intransitif (1694) le sens de «voltiger au gré du vent», qui renforce une valeur spéciale de *jouer*. ➜ C'est une autre valeur sémantique, attachée à *dé-* privatif, qui correspond au verbe moderne apparu (XIIIe s.) pour «décontenancer, déconcerter», sens sorti d'usage, puis «faire échouer le jeu, l'action de qqn», et enfin (1792, Marot) «faire échec à», seule valeur vivante.

◈ voir ENJOUER, JEU.

JOUFFLU, UE adj. (1530) résulte du croisement de *joue** et du moyen français *giflu*, «aux joues rebondies», dérivé (1531) de *gifle** pris au sens de «joue».

♦ *Joufflu*, employé en parlant d'une personne aux joues rebondies (parfois avec une valeur péjorative), est appliqué par analogie à un objet (1842). Il fournit une désignation argotique du derrière (*le joufflu*).

JOUG n. m., d'abord orthographié *jou* (v. 1120), a pris son *-g* final par rétablissement savant du *g* étymologique, au XIIIe siècle. Le mot est issu du latin *jugum* «pièce de l'attelage emboîtant le cou de l'animal». Par suite, le mot a aussi pris le sens figuré de «servitude», par allusion à la coutume qui consistait à faire passer les vaincus sous deux lances fichées en terre et en supportant une troisième transversale, évoquant un joug (cf. les *fourches caudines*). *Jugum*, qui a des correspondants dans le grec *zugon*, le hittite *iugan*, le sanskrit *yuga-n* (→ yoga) et le gotique *juk*, remonte à une racine indoeuropéenne °*yug-* qui se rapporte à l'attelage (de même que les anciens mots *equus, rota* et *axis*) (→ axe, équestre, roue).

♦ *Joug*, d'abord attesté par le hasard des textes avec le sens figuré de «contrainte qui pèse fortement sur qui la subit», d'usage littéraire, dans des expressions et syntagmes déterminés, quelquefois avec la notion plus précise de «contrainte résultant d'une obligation morale ou sociale» (v. 1265), par exemple dans le *joug du mariage* (1544). ◆ Dès le XIIe s. (v. 1170), il est également employé concrètement, désignant la pièce de bois à incurvation qu'on place sur la tête ou l'encolure des bœufs pour les atteler (dans les pays industrialisés, il a à peu près disparu au XXe s.). ◆ Depuis le XVIe s. (1526), d'abord dans l'expression *faire joug* «se soumettre», il est employé en histoire romaine pour désigner (1690) l'assemblage des trois piques utilisé par les vainqueurs pour asservir les vaincus.

▶ **JUGAL, ALE, AUX** adj. et n. m. est emprunté (1541) au latin *jugalis* «de joug, en forme de joug» et, en anatomie, «qui forme la pommette». Le mot a été repris dans cette spécialisation anatomique, également substantivé pour l'os appartenant à l'arcade osseuse de la joue.

◈ voir AJOUTER, CONJUGAL, CONJUGUER, ENJOINDRE, JOINDRE (et JONCTION), JOUTER, JOUXTE, JUCHER, JUGULAIRE, JUGULER, JUMENT, JUNTE, YOGA.

✳ **JOUIR** v. tr. ind., d'abord *goïr* (déb. XIIe s.), *joïr* (1140) puis *jouir* (XIIIe s.), est issu du latin tardif °*gaudire*, altération de la forme classique *gaudere* «se réjouir intérieurement», et poétiquement «se plaire à, se complaire dans» (en parlant de choses). Le verbe est dérivé de *gaudia* (→ joie).

♦ *Jouir* s'est employé pendant longtemps au sens transitif d'«accueillir chaleureusement, faire fête à» (encore au XVIe s.). ◇ L'usage moderne a imposé la construction indirecte *(jouir de)* attestée depuis 1155 en parlant de la possession d'un bien, dans le domaine juridique (1272) et, par suite, dans l'usage soutenu au sens d'«avoir la possession de» (la santé, XVIe s., une qualité, 1690). ◆ L'emploi courant du mot met l'accent sur l'idée de «plaisir» avec la valeur de «tirer agrément, profit de qqch.» (1165, tr.), particulièrement : «éprouver un plaisir de nature sexuelle» — aujourd'hui intransitif — sens attesté dès le XIIe s. (v. 1140, tr.). Ce dernier sens s'est répandu dans l'usage moderne au point de rendre difficile l'emploi du verbe dans tout autre contexte, si ce n'est dans quelques syntagmes et expressions particulières, alors que la valeur correspondante de *joie* a disparu. De la même façon, *jouir de qqn* s'est limité au sens de «disposer charnellement de qqn pour son plaisir» (XIIIe s.). ◇ Ces valeurs se sont répandues au détriment du sens ancien, plus général, de «tirer avantage, agrément de la fréquentation de» (XVIe s.), encore usuel en langue classique et régionalement, notamment en français du Canada, pour des emplois rendus impossibles en France par la valeur érotique.

▶ **JOUISSANT, ANTE** adj. (1549 ; v. 1165, *joïssant*), «qui jouit de la possession d'une chose» et, familièrement, «qui procure du plaisir, délicieux», subit en ce sens la concurrence de **JOUISSIF, IVE** adj. (v. 1950) ainsi que de *réjouissant* (ci-dessous). Alors que *jouissant*, comme *jouir*, est marqué par les connotations sexuelles, *jouissif* a plutôt la valeur générale de «plaisant, agréable» et par antiphrase «douloureux». ◆ **JOUISSANCE** n. f. est tiré (1466) du radical de *jouir* avec les sens correspondant au verbe : sens juridique (1466, spécialement 1671 : «usufruit») et sens commun de «plaisir intense des sens» (1503 ; 1488 en contexte religieux), spécialement «plaisir sexuel». ◇ Il entre dans **COJOUISSANCE** n. f. (1835) et **NON-JOUISSANCE** n. f. (1660), tous deux d'usage juridique. ◆ **JOUISSEUR, EUSE** n., d'abord utilisé en droit (1529 ; 1509, *faire jouisseur de*), s'applique plus généralement à la personne (1846) avide de jouissances matérielles, comme nom et comme adjectif (1885). Il est relativement moins marqué que *jouir* et *jouissance* par la connotation érotique, pourtant fréquente.

Le préfixé **RÉJOUIR** v. tr., d'abord *resjoïr* (XIIe s.), est issu de l'ancien *esjoïr* (v. 1120) «rendre joyeux», encore relevé au XVIIe s. sous la forme *esjouir*. Il n'a pas pris la spécialisation sexuelle du verbe simple *jouir*. Il est surtout utilisé à la forme pronominale *se réjouir* (v. 1175) «s'amuser», puis «éprouver de la joie» (1559). ◆ Le participe passé **RÉJOUI, IE** est adjectivé (v. 1200, *resjoi*) pour qualifier une personne, son apparence, son visage, lorsqu'ils manifestent de la joie, du plaisir. ◆ Le dérivé **RÉJOUISSANCE** n. f. (v. 1460) a remplacé *resjouissement* (XIVe s.) au sens de «vif plaisir» et «célébration de ce plaisir», surtout au pluriel pour «fête» (1666). ◇ Il a pris (1783) le sens très particulier d'«os que le boucher ajoute à la viande après l'avoir pesée», en souvenir des réjouissances qui auraient suivi l'ordonnance d'Henri IV supprimant l'usage d'ajouter et de peser les os pour les bas morceaux vendus au peuple. ◆ **RÉJOUISSANT, ANTE** adj. (1425 *resjouissant*) qualifie d'abord ce qui réjouit, procure du plaisir ou de l'amusement ; il a bénéficié du vieillissement de *jouissant* (ci-dessus). L'adjectif s'emploie souvent par antiphrase.

◈ voir GAUDRIOLE, GODIVEAU.

JOULE n. m. est emprunté (1888) à l'anglais *joule*, du nom du physicien anglais James Prescott *Joule* (1818-1884). Le terme a été proposé en 1882 par sir William Siemens au congrès de l'Association britannique tenu à Southampton pour désigner l'unité d'énergie électrique. Ce nom était auparavant employé en apposition pour désigner des réalités liées aux découvertes de ce physicien (*Joule's effect* «effet Joule», en 1879). C'est en 1948 que la IXe Conférence générale des poids et mesures proposa d'intégrer le terme au système international d'unités.

♦ Le mot désigne une unité pratique d'énergie électrique et (1948) l'unité de travail correspondant au travail d'une force d'un newton dont le point d'application se déplace d'un mètre dans la direction de cette force. ◇ *Effet Joule*, calque de l'anglais, désigne la production de chaleur dans un conducteur parcouru par un courant électrique.

✳ **JOUR** n. m., d'abord *jorn* (v. 980), puis *jor*, *jur* (1050) et *jour* (1274), est issu du latin *diurnum* qui a été pris à basse époque comme synonyme du mot classique *dies* «jour», qui provient d'une racine indoeuropéenne exprimant la clarté, présente dans le mot *dieu*. *Jour* a supplanté de bonne heure le représentant de *dies* en français, *di* (842), qui se maintient seulement dans *midi** et dans les noms des jours de la semaine (→ lundi, mardi, etc.). *Diurnum* lui-même est le neutre substantivé de l'adjectif *diurnus* «qui se passe le jour, quotidien, journalier» (→ diurne), tiré de *dies*, et relevé au Ier s. au sens de «ration journalière», «registre où sont consignés les actes du peuple et du Sénat» et «registre de comptes» (→ journal).

♦ Le mot se réfère à l'intervalle de temps écoulé pendant une rotation complète de la Terre (v. 980). Il sert à situer un événement dans le passé, comme dans le présent (1050) et le futur. ◇ Dès 1080, le mot a le sens particulier de «jour de célébration d'une fête» et celui de «premier jour», disparu sauf dans ***jour de l'an*** (1380). L'expression ***le jour J***, «le jour prévu pour un événement important», semble créé à l'occasion de la guerre de 14-18, comme *l'heure H* (attesté en 1917). ◇ Dès 1050, *jour* était envisagé sous son aspect duratif, précédé d'un adjectif numéral cardinal, avec une valeur plus ou moins déterminée (1050) ou indéterminée (v. 1135), et se rapportant au pluriel à une époque de la vie (*les beaux jours*). ◇ C'est également au début du XIIe s. que le mot prend le sens de «temps considéré par rapport à l'emploi qu'on en fait». Il y ajoute (v. 1274) celui de «temps considéré par rapport à l'état météorologique du ciel» et concerne alors, en s'opposant à *nuit*, un intervalle de temps compris entre le lever et le coucher du soleil. ➛ Le deuxième (v. 1050) sens essentiel du mot, «clarté, lumière donnée à la Terre par le Soleil» (1080), procède directement de cette valeur temporelle liée au Soleil. *Jour* désigne alors la source de lumière naturelle qui permet de voir (1176) et s'étend même à une lumière artificielle. ◇ Ce sens a donné lieu à des emplois métaphoriques, dans la locution verbale ***donner le jour*** (doublée au XVIIIe s. par ***mettre au jour***), et à des emplois figurés dans lesquels s'expriment l'idée de «manière de voir, aspect» (1588) ou celle d'«éclaircissement, explication» (1600, ***sous un jour, au grand jour***), etc.

➛ Par métonymie, *jour* a développé au XIVe s. un troisième axe sémantique, de nature concrète, celui d'«ouverture laissant passer le jour», d'abord en architecture. Cette valeur a inspiré, outre le composé *ajouré* (ci-dessous), des emplois figurés apparus aux XVIe et XVIIe s., et que l'on confond parfois avec ceux qui dépendent du sens de «lumière». Ainsi, ***percer à jour*** (1732) «découvrir» est à l'origine une expression d'escrime dont la forme développée était *percer à jour qqn de coups d'épée* (vers 1616). ◇ Au XVIIe s. (v. 1644), le mot a pris le sens abstrait de «moyen d'accès», limité dans l'usage moderne à la locution ***se faire jour*** (*au travers de*) (1667) «se frayer un chemin», devenue simplement *se faire jour* (1832) «apparaître».

► Au sens de «temps pendant lequel il fait clair», *jour* a un dérivé, **JOURNÉE** n. f. (v. 1150, *jornee*), avec lequel il entretient des rapports analogues (mais non identiques) à ceux qui existent entre *an* et *année* : la *journée* est plus pleine, plus étoffée que le *jour*. Le mot se rapporte en particulier à un jour de voyage, à un jour de travail (1155) d'où, par métonymie, à la rémunération d'une telle durée de travail (1267-1268). ➛ L'autre dérivé de *jour*, **JOURNADE** n. f. (1459), en est issu au sens de «jour de combat» : il désignait une cotte à manches longues que les combattants portaient par-dessus l'armure, jusqu'au XVIe s., également nommée *journée* au XVe siècle.

TOUJOURS adv. (1080, *tuzjurs*), de *tous* et *jours*, a remplacé l'ancien français *sempre* qui avait pris de bonne heure le sens de «tout de suite», représentant du latin *semper* «toujours» (conservé dans *sempiternel**). ➛ Outre ses sens temporels courants, *toujours* a une valeur dite «de circonstance logique» (1668), au sens de «en tout cas, quoi qu'il arrive» ***(toujours est-il que)***, née d'emplois où le mot marque une correspondance temporelle entre deux choses.

Jour entre dans **AUJOURD'HUI** adv. et n. m. (fin XIVe s.), soudure de la locution *au jour d'ui* (v. 1150), proprement «le jour où l'on est», contraction de *à le jour d'hui*, où *à* a le sens d'un démonstratif. L'ancien français *hui*, *hoi* (1080) «le jour où l'on est», est emprunté au latin *hodie* de même sens, lui-même de *ho die*, ablatif circonstanciel de temps formé avec *dies*. Le français use en la circonstance d'un renforcement pléonastique (entre *jour* et *hui*) qui lui est particulier et que ne connaissent ni l'italien *oggi* ni l'espagnol *hoy*. ◇ *Aujourd'hui*, en relation avec *demain* et *hier*, s'emploie dans diverses constructions, telles *dès aujourd'hui*, *jusqu'à* (ou *jusqu'*) *aujourd'hui* (→ jusque).

BONJOUR interj. et n. m. (av. 1250) résulte de la soudure du syntagme ***bon jour*** (av. 1230) «jour favorable, temps heureux», devenu formule de salutation vers le XVe-XVIe s., et qui semble antérieur à la locution verbale ***donner le bonjour*** (1570). ◇ Le mot prend parfois une nuance péjorative due à son emploi banalisé. De là l'expression familière *bonjour-bonsoir !* qui marque des rapports humains aussi superficiels qu'éphémères, et des formules comme ***bonjour les dégâts !***, où *bonjour* correspond à «voici le début (des ennuis, etc.)».

DEMI-JOUR n. m. a perdu son ancienne valeur temporelle de «midi, milieu du jour» (apr. 1260, *demi jor*) pour indiquer une clarté naturelle assourdie (1704). ➛ **CONTRE-JOUR** n. m. (1615) est à l'origine un terme pictural, repris par la photographie et entré dans l'usage courant.

AJOURÉ, ÉE adj., formé (1644) sur *jour* au sens d'«ouverture», s'est d'abord employé en blason, puis (fin XVIIIe s.) pour qualifier un objet percé ou orné de jours. ➛ Il a pour dérivés **AJOUR** n. m. (1866), employé en architecture et en broderie, et **AJOURER** v. tr. (1891 au pronominal) «percer d'ouvertures, de jours».

① **AJOURNER** v. tr., dérivé de la forme ancienne *jorn*, *journ*, a signifié en ancien français, en emploi intransitif, «faire jour». Il a été reformé (XIIIe s.) en droit pour «assigner (qqn) à comparaître, à jour fixe», par l'idée de «fixer un jour». ➛ ① **AJOURNEMENT** n. m. (fin XIIe s., «lever du jour», cf. ① *ajourner*) s'emploie en droit pour «fixation d'un jour de comparution» (mil. XIIIe s.), sens vieilli.

② **AJOURNER** v. tr., d'abord *adjourner* (1672), est emprunté à l'anglais *to adjourn* «remettre à un autre jour», lui-même pris au français et employé en politique. En français, le verbe s'applique aux réalités anglaises (XVIIIe s.), puis françaises (1775), en droit et en politique, prenant la valeur extensive de «retarder, remettre» (1794, Beaumarchais). ◆ ② **AJOURNEMENT** n. m. (1752), d'abord *adjournement* (1672), emprunt à l'anglais *adjournment*, de *to adjourn*, s'emploie comme le verbe en contexte anglais, puis français (1790, Mirabeau), pour «renvoi (d'un débat, etc.) à une date ultérieure». Il a pris au XIXe s. une valeur extensive. ◆ De ② *ajourner* vient **AJOURNABLE** adj. (1845).

◈ voir DIANE, DIÈTE, DIURNE, JOURNAL, MIDI, QUOTIDIEN, SÉJOURNER.

JOURNAL, AUX adj. et n. m., d'abord (v. 1119) adjectif, sous les formes *jornal, jornel, journal*, est soit formé sur *jorn*, l'ancienne forme de *jour**, avec le suffixe *-al* (à variante populaire *-el*), soit, plus probablement, issu du latin tardif *diurnalis* «de jour», issu de *diurnum* (→ jour) : dès 704, on relève *diurnalis* (et *jornalis, jurnalis*) au sens de «mesure de terre correspondant à la surface labourable en un jour» et, au IXe s., le pluriel *diurnales* au sens de «souliers».

♦ Le mot apparaît en français comme adjectif, dans *étoile journale* «étoile du matin», encore attesté au XVIe siècle. Il ne subsiste comme tel que dans ***livre journal*** (1543) «registre de comptes», de nos jours souvent remplacé par *journal*. ◆ L'usage moderne l'utilise seulement en tant que substantif, comme *diurnalis* en latin médiéval (v. 1150). Il a eu les sens, propres à l'ancien français, de «point du jour», de «jour, temps», spécialement «jour de bataille ou de voyage», et de «mesure de terre», ce dernier encore vivant dans certaines régions. ◆ C'est au XIVe s., par l'intermédiaire des sens de «livre d'enregistrement des actes» (1319) et de «livre de prières quotidiennes» (1371), que *journal* commence à désigner une relation quotidienne des actes de chaque jour. Au XVIIe s., il prend le sens de «publication périodique rendant compte des événements saillants dans certains domaines» (1625, dans le titre *Journal contenant les nouvelles de ce qui se passe de plus remarquable dans le Royaume*). Il s'applique d'abord à des publications savantes (*Journal des Savants*, 1665 ; *du Palais*, 1675 ; *de médecine*, 1683) et correspond plutôt à ce qu'on appelle aujourd'hui *revue*, tandis que le sens de «périodique relatant l'actualité» est réservé à l'italianisme *gazette**, qu'il évincera. ◇ Son sens aujourd'hui courant est attesté depuis la date où fut créé (1777) le *Journal de Paris*, premier quotidien français portant sur l'actualité. Depuis, il a aussi pris les sens d'«exemplaire de journal» (1843), «administration, direction d'un journal» et s'applique, dans d'autres médias, à un bulletin quotidien d'informations (1880, ***journal parlé*** ; mil. XXe s., ***journal télévisé***, absolument *journal*).

▸ En tant qu'adjectif, *journal* a produit **JOURNELLEMENT** adv. (v. 1460) qui conserve l'ancien vocalisme de *journel*, et **JOURNALIER, IÈRE** adj. (1535) «qui se fait chaque jour», substantivé pour désigner l'ouvrier travaillant à la journée (1550), par ellipse d'*ouvrier journalier*. ◇ Le sens de «sujet à changements» (1570) est quasiment inusité.

Les autres dérivés se rattachent au sens le plus récent de *journal* «publication périodique» : le premier apparu, **JOURNALISER** v. (1693), est vieilli en emploi intransitif et s'emploie seulement transitivement, avec le sens technique «passer une écriture comptable au (livre) journal» (1962).

JOURNALISTE n. (1684) a remplacé le mot classique *nouvelliste* (cf. *nouvelle*) ; au XVIIIe s., il désignait aussi bien celui qui travaille dans un journal que celui qui le fait, et plus particulièrement celui que l'on nomme aujourd'hui le *critique*, qui fait les comptes rendus des ouvrages à mesure de leur parution. Le mot recouvre aujourd'hui toutes les professions intellectuelles de la presse : rédacteur, reporter, chroniqueur, etc. ◆ Il a produit **JOURNALISME** n. m. (1705, rare av. 1781, d'abord «ensemble des journaux»), **JOURNALISTIQUE** adj. (1814) et le péjoratif **JOURNALEUX, EUSE** n. (1902, Bruant), «mauvais journaliste». ◇ *Journaliste* et *journalisme* ont évolué avec l'histoire de la presse, devenant au XIXe et surtout au XXe s. plus usuels, avec un sémantisme plus vaste. Les métiers du journalisme sont en effet variés, de la rédaction à la photo, de la critique au reportage, et couvrent des activités diverses, selon les types d'information* (presse, agences, radio, télévision) et les sujets traités (*journalisme, journaliste politique, sportif*, etc.).

JOUTER v., modification (1390) de *juster* (1080), *joster* (XIIe s.), puis *jouster* (XIIIe s.), est issu d'un latin populaire °*juxtare* «être attenant à, toucher à», formé sur la préposition *juxta* «près de» (→ jouxte, jouxter). Le sens primitif ne survit que dans les parlers septentrionaux et dans le Centre (en parlant des propriétés).

♦ *Jouter*, apparu au sens de «(se) rassembler» (qui explique le préfixé *ajouter**, aujourd'hui séparé par le sens), était employé au moyen âge dans un contexte militaire pour «ordonner les divisions qui vont attaquer» (*jouter avec, contre*), «livrer combat» (1080, *juster bataille*), et surtout «se mesurer à qqn à cheval, avec des lances». Les mœurs de la chevalerie ont porté le mot dans les langues voisines (italien *giostrare*, espagnol *justar*). ◇ Le sens figuré de «rivaliser», d'abord «lutter contre» (1155), s'est un peu mieux maintenu, dans la langue littéraire.

▸ Le déverbal **JOUTE** n. f. (v. 1130), terme né dans le contexte de la chevalerie en parlant du combat de parade entre deux chevaliers, est resté relativement courant au sens figuré de «dispute, affrontement» (1683), lequel est né de celui d'«entreprise guerrière» (v. 1178). La valeur concrète demeure, dans le cadre d'un combat entre deux animaux (*joute de coqs*) et d'un divertissement sportif (1671). ◆ **JOUTEUR, EUSE** n., d'abord *josteor* (1176-1181), désigne le combattant d'une joute et, par métaphore, un adversaire (v. 1250) : contrairement à *joute*, il n'a guère cours que dans le langage didactique.

◈ voir AJOUTER.

JOUVENCE n. f. est l'altération (XIVe s.), d'après *jouvenceau** et peut-être, pour la finale, *adolescence**, de l'ancien et moyen français *jovente* (1050, XVIe s.), issu du latin *juventa* «jeunesse, jeune âge», de *juventus* (→ jeune). *Jovente* était en concurrence avec le masculin *jouvent* qui représente le latin *juventus*, féminin à l'origine (d'où l'italien *gio-*

ventù), pris en latin populaire de Gaule pour un nom masculin.

♦ *Jovente* et *jouvent* ont été éliminés par *jeunesse*, *jouvence* s'étant maintenu dans le syntagme ***fontaine de jouvence*** (1483), d'après une légende d'origine orientale répandue en Occident par les romans d'Alexandre ; ***cure de jouvence*** a une valeur figurée, même si la cosmétologie veut lui redonner sa signification première.

JOUVENCEAU, ELLE n. est issu (v. 1120, *li juvencels*) d'un latin populaire °*juvencellus* «jeune, jeune homme», lui-même issu du latin classique *juvenculus* (diminutif de *juventus* → jeune) par substitution de suffixe. Le féminin *jouvencelle* (v. 1120, *juvenceles*) vient de l'altération populaire °*juvencella*, du classique *juvencula* «jeune fille».

♦ Le mot s'appliquait à un jeune homme, à une jeune fille, jusqu'au XVe siècle. Supplanté à la fois par *jeune homme*, *jeune fille* et *adolescent*, il devient dès le XVIe s., et plus encore au XVIIe s., un mot pittoresque évoquant le passé, considéré à l'époque classique comme «bas et ironique» (Furetière, 1690). Il est demeuré plaisant, à propos de jeunes gens beaux, bien faits.

◈ voir JOUVENCE, JUVÉNILE.

JOUXTE prép. est la réfection savante (XIVe s.), avec restitution du *x* étymologique latin, de l'ancien *joste*, *juste* (1080), *jouste* (1314), issu du latin *juxta* (adv. et prép.). Ce mot, qui appartient au groupe de *jugum* (→ joug), signifie «de manière à toucher, tout près de», et par suite «l'un à côté de l'autre, sur le même plan». Surtout employé comme adverbe sous la République, il a développé ensuite son emploi prépositionnel ; à basse époque et dans la langue de l'Église, il est employé au sens de «conformément à, selon».

♦ Le sens spatial de «près de, auprès de» a vieilli au XVIIe s., sauf dans un contexte juridique, en parlant des héritages. Le sens abstrait de «selon, conformément à» (v. 1314) s'est conservé en droit et en typographie (1690, *jouxte la copie imprimée en tel lieu*). Toutes les valeurs sont aujourd'hui archaïques.

▸ **JOUXTER** v. tr. (1376), réfection savante de l'ancien *joster* (1155) «approcher de, toucher à» (→ jouter), est archaïque quand il signifie «être situé près de, être contigu à», mais a été repris au XIXe s. dans un style littéraire et assez prétentieux.

JUXTA- a fourni le premier élément de nombreux composés, notamment des adjectifs savants appartenant au domaine de la médecine et à l'anatomie. ➛ Cependant, les termes les plus usuels sont ceux qu'il a contribué à former avec *poser* : **JUXTAPOSER** v. tr., attesté à l'actif au début du XIXe s. (1836), apparaît au participe passé en sciences (1793, *molécules juxtaposées*) d'après les emplois antérieurs de *juxtaposition* (ci-dessous). ◇ L'adjectif **JUXTAPOSÉ, ÉE** prend rapidement une valeur générale, d'abord en parlant de mots (1803, *juxta-posé*), suivi par le pronominal (1823), puis par l'actif. ◇ Le verbe a pour dérivés les adjectifs **JUXTAPOSABLE** (1927) et **JUXTAPOSANT, ANTE**, en linguistique (enregistré 1933). ➛ **JUXTAPOSITION** n. f., formé de *juxta-* et *position*, est plus ancien. Le mot apparaît dans la théorie cartésienne de l'accroissement des modèles (1664, probablement antérieur) ; il s'emploie ensuite en chimie, peut-être d'après l'emploi de *juxtaposition* en anglais (par emprunt au français) notamment chez le chimiste Boyle (1680). Au XVIIIe s. (1755 chez J.-J. Rousseau), le mot est passé dans l'usage général.

JUXTALINÉAIRE adj., de *juxta-* et *linéaire* (1843), qualifie une traduction, une glose faite ligne à ligne. Le mot est didactique, de même que **JUXTALINÉAIREMENT** adv. (1893). ➛ D'autres composés en *juxta-* ont cours en anatomie, tels **JUXTA-ARTICULAIRE** adj. (déb. XXe s.), et en psychologie **JUXTALIMINAIRE** adj., etc.

JOVIAL, ALE, AUX adj. est emprunté (1532) à l'italien *gioviale* «qui concerne la planète Jupiter» (1317-1321), et «soumis à l'influence bénéfique de Jupiter» (XIVe s.) d'où «d'une gaieté franche et tranquille» (av. 1566). Lui-même emprunté au latin impérial *jovialis* «de Jupiter», adjectif formé sur *Jovis*, ancien nominatif et génitif de *Jupiter* «Jupiter» (→ jeudi, joubarbe).

♦ Dans les premiers textes, *jovial* a le sens d'«influencé par la planète Jupiter», planète qui, selon les astrologues, promet à une destinée heureuse et qui est souvent opposée à Saturne, planète à l'influence maléfique (→ saturnien). ➛ De là, il est devenu (1549) un qualificatif psychologique pour «gai, porté naturellement à la bonne humeur», évolution peut-être favorisée par la proximité formelle de *joie*, *joyeux*.

▸ *Jovial* a produit **JOVIALITÉ** n. f. (1622) «caractère jovial», et **JOVIALEMENT** adv. (1832).

JOYAU n. m., réfection graphique (1379) du pluriel *joiaux* (1135), singulier *joiel*, *juël* (1205), n'est probablement pas issu du latin *jocalis*, adjectif tiré de *jocus* (→ jeu), mais dérivé de *jeu**. Étymologiquement, donc, le joyau est une chose qui amuse, qui fait plaisir (cf. le portugais *brinco* à la fois «bijou» et «jouet», et le rapprochement sémantique traditionnel entre *bijou* et *jouet* en français). La forme ancienne *juel* et ses dérivés ont été conservés dans l'anglais *jewel* et ses dérivés.

♦ Le mot désigne un objet de matière précieuse destiné à parer, à orner : à partir du XVIe s., il a été concurrencé par *bijou* qui l'a presque entièrement supplanté dans l'usage courant, mais il s'est maintenu pour désigner les bijoux de grand prix (*les joyaux de la couronne*, 1690). ◇ La métaphore ancienne (1205) «personne admirable, précieuse» ne s'est appliquée que fort tard (1801) aux choses ; mais cette acception a été précédée par l'expression ironique *un beau joyau* «personne, chose sans valeur ni beauté», en langue classique (1656).

▸ De *juel*, l'ancienne forme de *joyau*, a été dérivé *jevelier* (v. 1385). ➛ Ce dernier a été refait en **JOAILLIER, IÈRE** n. (v. 1675), qui signifie «fabricant et négociant de joyaux», et qui a lui-même produit *juelerie* (1434) refait (1675) en **JOAILLERIE** n. f. «art de monter les pierres précieuses et fines», «métier de joaillier» (1611), «sa marchandise» (1690) et «son magasin». La distinction *joyau/bijou* sépare aussi *joaillier* de *bijoutier* et *joaillerie* de *bijouterie*.

JUBARTE n. f. est emprunté (1765, Encyclopédie) à l'anglais *jubartes* (1616), qui semble être l'une des formes transcrivant les diverses altérations, dans le langage des marins, du français *gibbar* (1611) désignant cette baleine à bosse. Lui-même provient, par des intermédiaires mal connus, du latin *gibbus* «bosse» (→ gibbeux).

♦ Le mot désigne une grande baleine des mers arctiques, également appelée *baleine à bosse* ou *à bec*.

JUBÉ n. m. est, avec une graphie francisée par l'accent (1386), le premier mot d'une prière *Jube, Domine* «ordonne, Seigneur», impératif de *jubere*, d'où *jussum* «ordre» (→ jussion), qui supposent une racine °*yeudh-* (Ernout-Meillet); or une série de mots indoeuropéens (baltes, sanskrits) de cette forme correspondent à l'idée de «mettre en mouvement» et de «bouillonner», «exciter»; le sanskrit *udyodhati* signifie «il s'emporte, se met en colère». Cependant, les mots signifiant «commander» varient d'une langue indoeuropéenne à l'autre. Il s'agirait donc d'une métaphore parmi d'autres, propre au latin.

♦ Le mot, par une métonymie sur le lieu d'où la prière était prononcée dans l'église, désigne une tribune située sur une galerie transversale, entre la nef et le chœur, typique de l'architecture du gothique tardif et de la Renaissance (XIVe-XVIe s.). ◆ Le sens du latin *jube* «ordonne» justifie la locution *venir à jubé* (v. 1470) «se soumettre», disparue après le XVIIe siècle.

JUBILÉ n. m., francisation (v. 1382) de *jubileus* (v. 1235), constitue un emprunt au latin chrétien *jubilaeus*, employé comme nom dans *annus jubilaei* «année du jubilé» et comme adjectif dans *annus jubilaeus* «année jubilaire». Le mot latin est un emprunt à l'hébreu *yōbhēi* «bélier, corne de bélier, trompette en corne de bélier», utilisé par métonymie pour désigner une grande solennité publique de la loi mosaïque célébrée tous les cinquante ans dans l'antiquité juive, annoncée au son de cette trompette, et à l'occasion de laquelle les peines et dettes étaient remises. La forme latine *jubilaeus*, là où on attendrait *jobelaeus*, s'explique par l'attraction paronymique du latin *jubilare* «pousser des cris» (→ jubiler). En latin médiéval, *jubilaeus* s'est appliqué à l'indulgence accordée par le pape pour l'année sainte, et (1462) au cinquantième anniversaire de la profession d'un religieux.

♦ Le mot, repris à propos de la solennité juive, a développé, au cours du XVe s., le sens d'«indulgence plénière accordée par le pape, à intervalles réguliers ou à l'occasion d'événements religieux importants». Par métonymie, il désigne (1680) l'ensemble de ces pratiques (1671), dans ***faire son jubilé*** «observer les pratiques imposées pour obtenir cette pénitence». Il s'est laïcisé (v. 1360), désignant la fête célébrée à l'occasion du cinquantenaire de l'entrée dans une fonction, une profession et (fin XIVe s.) du cinquantième anniversaire d'une personne.

▸ En est dérivé le terme didactique **JUBILAIRE** adj. (1566) «qui a accompli cinquante ans de fonction», spécialement (1599) «qui se rapporte au jubilé catholique», d'où ***année jubilaire*** (1766), puis «relatif à un cinquantième anniversaire», en contexte laïque.

JUBILER v. intr. est emprunté (v. 1190) au latin *jubilare*, ancien verbe de la langue rustique signifiant «pousser des cris, crier après», avec sa spécialisation chrétienne de «pousser des cris de joie», transitivement «chanter dans l'allégresse». Cette spécialisation est due à l'influence sémantique de *jubilaeus* (→ jubilé), *jubilare* ayant dû s'utiliser au sens de «pousser des cris lors du jubilé»; inversement, il a influé sur la forme de *jubilaeus*.

♦ *Jubiler* est peu attesté au moyen âge, où il conserve le sens du latin chrétien (le sens classique, «pousser des cris de joie», subsiste dans certains dialectes romans). ◇ Il a été repris vers 1752 avec son sens moderne «éprouver une grande joie, se réjouir», sans impliquer l'extériorisation du sentiment.

▸ Les dérivés du verbe sont apparus au XIXe s. : **JUBILATOIRE** adj. (1828), mot didactique devenu à la mode pour «réjouissant, très agréable» (v. 1980), et **JUBILANT, ANTE** adj. (1825) d'usage assez littéraire.

JUBILATION n. f. (v. 1150, *jubilacium*; fin XIVe s., *jubilacion*), le mot le plus ancien du groupe, est emprunté au dérivé latin *jubilatio, -onis*, dans sa spécialisation chrétienne «sons d'instruments de musique exprimant la joie, l'allégresse». Il implique, plus que *jubiler*, la manifestation de la joie par des signes extérieurs.

JUCHER v. est probablement issu (v. 1155, *joschier*) de l'ancien français *jochier* (XIIIe s.) «se percher», dérivé de l'ancien et moyen français *joc* «perchoir», attesté plus tard (1376). Ce dernier est issu du francique °*juk* «joug» et par extension «perchoir», postulé d'après le moyen néerlandais *joc*, *juc* «joug, pieu», l'ancien haut allemand *joh* et l'allemand *Joch* «joug», lui-même équivalent germanique du latin *jugum* (→ joug). La forme actuelle *jucher* s'explique probablement par un croisement avec le verbe *hucher* «jucher», très antérieur à la première attestation, relevée en 1746, et qui représente le francique °*hukan* «s'accroupir», verbe très répandu dans les patois. ◈

♦ *Jucher* est apparu avec le sens intransitif de «se percher en un lieu élevé pour dormir (en parlant des poules)». ◇ Il est plus courant au sens transitif de «placer qqn très haut», surtout au passif et au pronominal *se jucher* (1342), au propre et dès le XIVe s., au figuré, avec la valeur de «prendre une position importante». La langue populaire a utilisé le verbe absolument pour «habiter» (1867).

▸ *Jucher* a produit **JUCHOIR** n. m. (1538) «perche, bâton destiné à faire jucher les oiseaux de basse-cour». ◆ **JUCHÉE** n. f. (1873), terme technique, désigne l'endroit où juchent les faisans. ◆ **DÉJUCHER** v. (v. 1190, *desjochier*) signifie comme intransitif «cesser d'être juché» et comme transitif «faire descendre du juchoir».

◈ voir JOCRISSE.

LE JUDÉO-FRANÇAIS

Le terme de *judéo-français* désigne, de manière trompeuse, le parler des Juifs résidant dans le nord de la France au moyen âge et s'applique aux mots français et aux gloses exégétiques en français d'oïl contenues dans des textes d'origine juive. Le terme apparaît pour la première fois en 1880, dans les syntagmes *Bibliographie judéo-française* et *Études judéo-françaises.* Il ne sera appliqué à la langue qu'à partir de 1925 comme traduction du terme allemand *Jüdisch-französisch,* adopté dès 1905 par Meyer-Lübke, auteur du célèbre *Romanisches Etymologisches Wörterbuch [Dictionnaire étymologique roman].* Les spécialistes qui s'étaient penchés sur ces textes auparavant qualifiaient simplement cette langue d'ancien français ou de français. Le fait d'étudier exclusivement un corpus de textes d'origine juive amène facilement à parler d'une langue judéo-française propre à ces textes et, par là, à la communauté juive française du moyen âge. Au niveau linguistique, se pose toutefois une question essentielle : peut-on déduire de la langue écrite dans ces textes l'existence d'une langue parlée propre à la communauté juive du nord de la France? Existait-il donc dans la réalité une entité linguistique que l'on pourrait appeler *judéo-française*? L'étude de la langue de ces textes révèle-t-elle, en outre, des particularités lexicales, morphologiques, syntaxiques ou phonétiques différentes de celles que l'on retrouve dans des textes français non juifs?

D. S. Blondheim, auteur des *Parlers judéo-romans et la vetus latina; étude sur les rapports entre les traductions bibliques en langue romane des Juifs au moyen âge et les anciennes versions,* (Paris, 1925), se montre lui-même très prudent : «Nous n'avons que des textes écrits, presque tous des traductions. Donc nous ne connaissons pas la langue parlée des Juifs» (p. CXXXVI). Il conclut malgré tout à l'existence d'un parler judéo-roman qui se serait différencié selon la langue du pays où les Juifs s'étaient établis; il émet également l'hypothèse d'une langue commune *(koinè)* «vulgaire». Or, cette théorie n'est soutenable ni historiquement ni linguistiquement. D'une part, tout porte à croire que les Juifs étaient parfaitement intégrés au milieu dans lequel ils vivaient, qu'ils en avaient adopté la langue ou le parler, parler qui ne se distinguait en rien de celui des non-Juifs. La langue parlée était, pour la France, le français ou un de ses dialectes. Pas question donc, de «judéo-français». D'autre part, Blondheim commet une erreur de méthode en attribuant les concordances qu'il relève dans ces textes écrits dans les six langues romanes à un modèle judéo-latin, puis judéo-roman. Il ne se pose pas la question de savoir si ces concordances ne sont pas dues plutôt à la prééminence d'une langue sur les autres.

JUDAÏSME n. m. est emprunté (v. 1213) au bas latin ecclésiastique *judaismus,* lui-même pris au grec ecclésiastique *ioudaïsmos* «religion, institution juive», de *ioudaios* (→ juif).

♦ Le mot a d'abord désigné la terre des juifs, puis leur religion (1223) et, par extension, la culture, la civilisation juive. Par métonymie, il désigne la communauté juive et le sentiment d'appartenance à celle-ci (fin XIXe s.), en concurrence avec *judaïcité* et *judéité* (ci-dessous).

▶ **JUDAÏSER** v. est emprunté (XIIIe s.) au latin chrétien *judaizare* «conserver ou adopter certaines pratiques du judaïsme», qui s'employait en parlant des juifs et des païens convertis au christianisme, dans les premiers temps de l'Église. Ce verbe est un emprunt latinisé au grec ecclésiastique *Ioudaïzein,* de *Ioudaios.* *Judaïser,* intransitif, correspond à «convertir au judaïsme»; il signifiait aussi «suivre les pratiques du judaïsme» (fin XIVe s.). ◇ Il a produit les adjectifs **JUDAÏSÉ, ÉE** et **JUDAÏSANT, ANTE** (1756), le dérivé **JUDAÏSATION** n. f., les préfixés **DÉJUDAÏSER** v., **REJUDAÏSER** v. tr., d'où **REJUDAÏSATION** n. f.

JUDAÏQUE adj., d'abord *judeique* (1414), est emprunté au latin ecclésiastique *judaicus* «qui concerne les juifs, leur religion», emprunté au grec *ioudaïkos,* de *ioudaïos.* ➜ Moins négatif que *juif* dans l'usage des chrétiens, le mot, employé comme synonyme didactique de *juif,* s'est cependant appliqué à la notion péjorative d'une interprétation trop étroite d'un texte (au XVIe s. chez Calvin; au XVIIe s. chez Pascal; au XVIIIe s. chez Voltaire). Il est en concurrence partielle avec *hébraïque**. ➜ *Judaïque* a lui-même donné **JUDAÏQUEMENT** adv. (1636) et **JUDAÏCITÉ** n. f. (1931) «ensemble des juifs» et (1962) «fait d'être juif». ➜ Ce dernier sens est également assumé par *judaïsme* et, de manière spécifique, par **JUDÉITÉ** n. f. (1962), formé savamment sur le radical du latin *judaeus.* ➜ L'élément **JUDÉO-** entre, avec le sens de «juif» ou, plus rarement, de «judaïsme», dans la construction de quelques mots savants, désignant notamment une communauté ou une langue, une religion, une philosophie (par exemple **JUDÉO-CHRÉTIEN, IENNE** adj. et **JUDÉO-CHRISTIANISME** n. m., enregistrés en 1867 par Littré). ◇ Le préfixe s'est employé dans le discours de l'antisémitisme : ex. *judéocapitaliste* adj. (1892) et n.

◈ voir JUDÉO-FRANÇAIS, encadré ci-dessus.

JUDAS n. m. est le nom commun (v. 1175) tiré du nom propre *Judas (Iscariote),* disciple de Jésus qui, selon les Évangiles, le trahit et le livra pour

On sait, en fait, que l'école narbonnaise marque aux XIe et XIIe s. toutes les autres communautés juives occidentales ; c'est donc le parler languedocien qui servira de base aux traductions bibliques du temps. Ceci explique la présence de nombreux occitanismes dans des textes juifs du nord de la France. Tel est le cas, par exemple, des *Gloses françaises dans les commentaires talmudiques de Raschi,* éditées par Blondheim et Darmesteter (Paris, 1929), source la plus ancienne (XIe s.) de ce «judéo-français». En fait, comme le reconnaîtra Blondheim plus tard, du français pur et simple émaillé de quelques termes méridionaux.

Se basant sur la théorie de son maître Blondheim, R. Lévy publie en 1932 des *Recherches lexicographiques sur d'anciens textes français d'origine juive,* qui seront suivies plus tard par un ouvrage intitulé *Contribution à la lexicographie française selon d'anciens textes d'origine juive* (New York, 1960). Ces deux recueils renferment près de 3 000 mots extraits de textes médiévaux français de toute provenance. Il s'agit pour 90 % de traductions bibliques, pour le reste, de traductions de gloses talmudiques ou de textes scientifiques à l'exception d'un seul, un livre de commerce. Il est nécessaire ici de souligner la nature particulière de ces textes : ayant affaire à des traductions, on y rencontrera bien sûr des hébraïsmes, mais aussi des néologismes forgés pour les besoins de la glose à côté de termes du français courant. Comme chez Blondheim, les nombreuses concordances entre les différents textes témoignent simplement du caractère livresque de la tradition judaïque ; elles ne suffisent aucunement à prouver, comme le voudrait Lévy, l'existence d'une langue judéo-française. Ceci d'autant moins que, comme dans l'édition de Blondheim et Darmesteter, plus de 40 % des mots sont purement français. En fait, après examen critique, bien moins de 5 % des mots que l'on y rencontre sont spécifiques de textes d'origine juive. Quant aux divergences de tous ordres, l'auteur aurait dû penser à les expliquer en recherchant la région d'origine où ces textes ont été élaborés, car ces formes «insolites», ces sons «bizarres» sont en réalité des variantes dialectales ou des dialectalismes. Étudiées sous cet angle, les divergences relevées nous apporteraient une meilleure connaissance des anciens dialectes français.

On peut ainsi conclure que «le terme *judéo-français* [...] a été appliqué à tort au français des Juifs du moyen âge, que cette fausse dénomination a entraîné la création de toutes pièces d'une entité linguistique qui n'a jamais existé dans la réalité : le judéo-français, langue fantôme» (Banitt, *art. cit.*, p. 246).

M.-J. Brochard

BIBLIOGRAPHIE

M. BANITT, «Une langue fantôme : le judéo-français», in *Revue de linguistique romane,* 27, 1963, pp. 245-294.

trente deniers d'argent. Le mot est la transcription du grec *Iouda,* lui-même transcription de l'hébreu *y^{e}hûdāh,* nom d'un fils de Jacob.

♦ Le mot, utilisé (avec ou sans majuscule) comme synonyme de «traître», entre dans l'expression ***baiser de Judas*** (1656) «manifestation hypocrite qui prélude à une trahison». ◆ Une valeur concrète, imprévisible, apparaît au XVIIIe s. (1734), le mot désignant alors la petite ouverture fermée d'un plancher, puis d'une grille, d'une porte, parce qu'elle permet de voir sans être vu, d'épier.

JUDICIAIRE adj. est emprunté (av. 1400) au latin *judiciarus* «relatif aux tribunaux», dérivé de *judicium* «jugement» (→ judicieux), pris dans son sens juridique d'«action judiciaire, procès», de *judex* (→ juge).

♦ *Judiciaire,* «qui se fait en justice» et «relatif à la justice», entre dans plusieurs syntagmes du type ***acte judiciaire*** (v. 1400, puis 1694) ; ***casier, liquidation judiciaire.*** Son usage ne s'est pas toujours borné au domaine juridique, puisqu'aux XVIIe et XVIIIe s. il avait le sens de «relatif au jugement, au discernement de l'esprit» et s'employait comme nom féminin par ellipse de *rhétorique judiciaire* pour dénommer la partie de la rhétorique qui concernait le jugement, la faculté de discerner le vrai du faux (1588).

▶ Le mot a pour dérivés **JUDICIAIREMENT** adv. (1690 ; 1453, *judicierment*) et **EXTRAJUDICIAIRE** adj. (1582, précédé au même sens par *extrajudiciable* au XIVe s.).

JUDICIEUX, EUSE adj. est dérivé savamment par suffixation (1588, *esprit judicieux*) du latin *judicium* «acte judiciaire, procès» (→ judiciaire), pris au sens courant de «faculté de juger, discernement».

♦ L'usage soutenu l'emploie au sens de «qui a une bonne faculté de juger» et, par métonymie, l'applique à une chose, au sens de «qui manifeste un bon jugement» (1647, *choix judicieux*). Il a évincé le doublet *judicier,* attesté chez Brantôme.

▶ On en a tiré **JUDICIEUSEMENT** adv. (1611).

JUDO n. m. est, comme le sport qu'il désigne, un emprunt (1931) au japonais *judo,* composé de *ju* «souple» et *do* «voie» (→ kendo), proprement «voie de la souplesse», parce que le judo est fondé sur un principe de non-résistance à la force de l'adversaire. Cette technique de combat sans armes fut créée par Jigoro Kano dans l'école de Kodokan (fondée en 1882). Elle est issue du ju-jitsu des samouraïs, né au XVIe s., et pratiqué dans tout le Japon au XVIIIe siècle. Le ju-jitsu (dont le nom signifie «art de la souplesse») a fait son apparition en France avant le judo, sous le nom de **JIU-JITSU** n. m. (1906), d'abord *jujetsu* (1903). Après la démonstration de judo faite par Jigoro Kano à Paris en 1938, ce sport (ou «art martial») et le mot qui le désigne ont été supplantés par le judo (création de la *Fédération française de judo* en 1947, entrée du judo au programme olympique en 1964).

♦ Le mot dénomme un sport de combat consistant à déséquilibrer en souplesse son adversaire.

▶ **JUDOKA** n. (1944) est emprunté au mot japonais de même forme signifiant «celui, celle qui pratique le judo». Le niveau des judokas est symbolisé par des ceintures de couleurs différentes et, pour les ceintures noires, par des dans*.

JUGAL → JOUG

JUGE n. m. est issu (v. 1170) du latin *judicem,* accusatif de *judex, -icis* «juge, arbitre». Ce mot signifie proprement «celui qui montre le droit par un acte de parole»; il est composé de *jus* «droit» (→ juridique) et de *dicere* «montrer verbalement, dire» (→ dire). Comme le souligne É. Benveniste, ce mot témoigne de la liaison constante qui existe en indoeuropéen entre les notions de «droit» et de «prononcer» : en effet, c'est par l'intermédiaire de cet acte de parole (le *jus dicere*) que s'est constituée la terminologie judiciaire latine (→ judiciaire, judicieux, juridiction, juridique). En passant dans le langage courant, *judex* s'est dépouillé de son sens technique pour acquérir la valeur plus large de «celui qui estime, qui pense».

♦ *Juge* est attesté dans les premiers textes avec le sens historique de «magistrat suprême du peuple juif, avant l'établissement de la royauté» *(Livre des Juges).* ◇ Son sens juridique courant, «magistrat chargé d'appliquer les lois et de rendre la justice», est attesté depuis 1174, et la spécialisation des fonctions du juge s'exprime en syntagmes du type ***juge de paix*** (1660), ***juge-commissaire*** (1808), etc. ◇ Dès les premières attestations, *juge* désigne aussi une personne appelée à faire partie d'un jury ou à se prononcer comme arbitre (v. 1170), sens repris dans le langage sportif (1872, une fois en 1858). ➜ Par métaphore, *juge* s'applique à la personne que l'on considère comme l'autorité suprême ayant droit et pouvoir de juger (1356) et, plus communément, à celle qui est appelée à donner un avis, une opinion (v. 1270), surtout en expressions du type ***prendre pour juge.*** ◇ Il se dit aussi (1564) à propos de celui ou celle qu'on estime capable d'apprécier une chose *(être juge de, bon juge, s'ériger en juge).* Le XXe s. voit l'application du mot à une chose (1914), en cyclisme où ***juge de paix*** désigne le col de montagne qui «juge» les concurrents en les éliminant. ◇ Le féminin *jugesse* (1504), attesté au propre comme au figuré, est fortement concurrencé par le masculin et l'expression *femme juge.*

◈ voir JUGER, JURER.

JUGER v. tr., d'abord *jugier* (1080), est issu du latin *judicare* «rendre un jugement» et, dans l'usage commun, «apprécier, décider», de *judex* (→ juge).

♦ *Juger,* apparu au sens restrictif de «condamner» *(juger à mort),* a pris son sens juridique actuel dès le XIe siècle. Il est entré dans l'usage commun avec les sens de «décider en qualité d'arbitre», «prendre position» (v. 1278) et «soumettre au jugement de sa conscience, de sa raison». Depuis le XIIIe s. (v. 1278), il admet un complément construit avec un adjectif ou une complétive, au sens particulier de «considérer comme». Avec une complétive *juger que...,* est employé pour «imaginer, se représenter, penser» (1636). ◇ La locution ***au juger,*** «d'une manière approximative», est probablement issue du langage des chasseurs pour (v. 1270) «tirer à l'endroit où l'on présume que se tient le gibier». ◇ L'époque classique a introduit la construction *juger de* «imaginer, se représenter» (1636), d'usage soutenu. ◇ *Juger* est employé absolument (1564) en psychologie et en philosophie, au sens de «faire usage de discernement», en relation avec *jugement* (ci-dessous), et «affirmer ou nier une existence, un rapport».

▶ **JUGEMENT** n. m. (1080), apparu avec sa valeur juridique de «sentence rendue par un juge», est employé dans le contexte religieux du ***jugement dernier*** «jugement rendu par Dieu après la résurrection des corps», depuis la fin du XIIe siècle. ◇ Il a développé tous les sens courants correspondant à ceux de *juger* et de *juge;* il désigne une appréciation (approbation ou condamnation) non juridique (v. 1165), quelquefois affaiblie en «avis» (av. 1450), et s'emploie spécialement en philosophie (1361) au sens de «faculté de l'esprit qui compare et juge», désignant (1637) une décision par laquelle le contenu d'une assertion est posé à titre de vérité.

JUGEUR n. m., réfection suffixale en *jugeor, jugeour* (1080) puis *jugeur* (XIIIe s.) de *jugedor* (v. 1050), a eu la valeur juridique de «juge ou juré pouvant rendre un jugement», puis est sorti d'usage, sauf en histoire. Il a été repris d'après le sens extensif du verbe pour «personne qui prétend juger de tout» (1773). ➜ **JUGEABLE** adj., réfection graphique de *jujable* (av. 1200), ce dernier signifiant en ancien français «condamnable», a été repris avec la valeur neutre de «qui peut, doit être jugé» (1575), à propos d'une cause, puis (1790) d'une personne. Au sens psychologique de *juger,* il est passé (1842) dans la langue des philosophes. ➜ Par substitution de suffixe, on a formé **JUGERIE** n. f. (1340), qui est passé de son ancien sens de «juridiction» au sens péjoratif de «cour de justice» (1749), «mauvaise manière de juger» puis est sorti d'usage.

JUGEOTE ou **JUGEOTTE** n. f. (1868; 1835, *jugeoteur* «personne aimant juger de tout») continue, avec son sens familier de «bon sens», des emplois classiques de *juger* et *jugement,* tel *d'après mon petit jugement* (av. 1694) «d'après mes saines capacités de juger».

Par préfixation, *juger* a produit **MÉJUGER** v. tr. (1205, *mesjugier*) «se tromper dans son jugement», assez rare au moyen âge, disparu et repris à partir du XIXe s.; le mot s'emploie spécialement en vénerie (1561) à propos d'un animal qui met les pattes de derrière en dehors des traces de celles de devant. ◇ Le sens d'«avoir mauvaise opinion de» (1829) est littéraire.

L'ancien préfixé **DÉJUGER** v. tr. (v. 1220), employé en ancien français au sens de «condamner qqn», a été repris vers 1845 à la forme pronominale avec son sens moderne de «revenir sur son jugement». Il est peu employé pour «annuler un procès, un jugement» (1845).

◈ voir **ADJUGER, PRÉJUGER.**

JUGULAIRE adj. et n. f. est dérivé savamment (1534), avec le suffixe *-aire,* du latin *jugulum* «endroit où le cou se joint aux épaules et à la poitrine, gorge», mot du groupe de *jugum* (→ joug).

♦ Le mot qualifie, en anatomie, ce qui se rapporte au cou ou à la gorge (*veines jugulaires,* 1534). ➛ Le féminin est substantivé, *la jugulaire,* comme dénomination d'une des quatre veines situées dans les parties latérales du cou (1694). ◇ Il désigne aussi l'attache sous le cou (1831, Balzac), généralement à propos d'une coiffure militaire, connotant l'idée de tenue stricte, peut-être par influence de *juguler.* De là l'expression familière ***jugulaire, jugulaire,*** d'abord exclamation, pour «d'une discipline stricte».

◈ voir **JUGULER.**

JUGULER v. tr. est emprunté (v. 1213) au latin *jugulare* «saisir à la gorge, assassiner (en égorgeant)» et, au figuré, «confondre, terrasser, abattre», dérivé de *jugulum* «gorge» (→ jugulaire).

♦ Jusqu'au XVIe s., *juguler* a été employé au sens propre d'«égorger»; après avoir été abandonné au XVIIe, il a été repris au XVIIIe s. au sens figuré d'«accuser, condamner (qqch.)» (1771, Beaumarchais), disparu au XIXe siècle. ➛ Il signifie ensuite «accabler, dépouiller de son argent» (1789, *Cahier de doléances*) et «importuner» (1821), sens à rapprocher de la locution *saisir à la gorge,* avant de s'établir avec la valeur actuelle d'«interrompre le développement de (qqch.), enrayer» (1836). Il est aussi employé au sens plus général d'«empêcher d'agir, tenir en bride», l'accent étant mis sur l'idée de neutralisation.

▸ **JUGULATION** n. f. (1888) et **JUGULATEUR** n. m. et adj. m. (v. 1950) sont très peu employés.

◈ **JUIF, JUIVE** n. et adj., d'abord *judeu* (v. 980), puis *juef* (v. 1150), *juiu* (v. 1190) et enfin *juif* (v. 1223), est issu du latin *Judaeus* «de la tribu de Juda, juif» (→ judaïsme). Ce mot est emprunté, par l'intermédiaire du grec *ioudaïos* à l'araméen *y^{e}hūdāi,* correspondant à l'hébreu *y^{e}hûdî.* Celui-ci est dérivé de *y^{e}hûdāh* «Juda», nom d'un personnage biblique, fils de Jacob et de Léa et éponyme d'une des douze tribus d'Israël (Genèse 35, 23; 49, 8); par extension, nom de cette tribu, puis d'un des deux royaumes de Palestine et du peuple qui y vivait. Le développement de sens vient de ce que la plupart des Hébreux qui revinrent de la captivité de Babylone étaient de la tribu de Juda et occupèrent le territoire de l'ancien royaume de Juda. ◇ Les formes de l'ancien français *juieu, juiu, jueu* aussi écrit *giule* (passé dans l'anglais *jew*) ont été refaites en *juif* sur le féminin *juiue, juive.*

♦ Le mot désigne et, comme adjectif (v. 1119), qualifie une personne qui descend du peuple issu d'Abraham et se réclame de la tradition d'Abraham et de Moïse. Dès l'ancien français et avec des nuances différentes selon les époques, le mot a revêtu des connotations péjoratives diverses, liées à l'hostilité de la majorité chrétienne; c'est le thème de l'usurier (1265), allusion à l'ancienne interdiction des métiers d'argent pour les chrétiens, développé plus tard en «avare» (1265), *juif* devenant quasi synonyme de *arabe,* dans cet emploi, à l'époque classique. ◇ À partir du milieu du XIXe s., le mot reflète la montée du racisme antisémite*; dès lors, les emplois insultants en appellatifs, les synonymes injurieux et la création de dérivés péjoratifs sont plus actifs (cf. ci-dessous). À certaines époques, on a conseillé d'éviter le mot au profit d'*israélite,* plus neutre, mais il a été repris et revendiqué (*conscience juive, renouveau juif*), un peu à la manière de *nègre.* ➛ L'expression figurée ***petit juif*** (1931), lexicalisée comme nom familier de l'endroit sensible du coude et (1962) du petit doigt, est d'origine obscure.

▸ **JUIVERIE** n. f., d'abord *juerie* (XIIe s.) et *juierie* (v. 1207), refait d'après le féminin *juive* en *juiverie* (v. 1350), a désigné la communauté juive et sa religion (jusqu'au XVIIe, repris à la fin du XIXe s. chez les antisémites), et aussi un quartier juif (XIIIe s.), un marché usuraire (1607) et un acte d'usurier (1656). Ses emplois, le plus souvent péjoratifs puis insultants, l'ont fait sortir de l'usage courant. ➛ Certains dérivés anciens comme **JUIVETÉ** n. f. (XVe s.) ont disparu, remplacés par les mots didactiques plus neutres *judaïsme, judaïque, judaïser*.*
Plusieurs dérivés antisémites ont été formés à la fin du XIXe et au début du XXe s., par exemple **ENJUIVER** v. tr. ➛ Certaines formations argotiques sont des corruptions du nom du juif en allemand. **ANTIJUIF, IVE** adj. apparu peu avant 1900, concurrence *antisémite* et manifeste une xénophobie «raciste» plus claire.

◈ voir **YOUDE, YOUPIN.**

JUILLET n. m., qui apparaît au début du XIIIe s. (v. 1213), a éliminé vers le XVIe s. l'ancien *juignet,* dérivé diminutif de *juin*,* proprement «petit mois de juin». Cette dérivation s'explique peut-être par le fait que l'on regardait juillet comme une répétition de juin, un juin cadet, tout comme on distinguait ces deux mois en ancien anglais en faisant précéder le même nom de l'épithète «le premier» et «le second». *Juillet* est donc une réfection de *juignet* d'après l'ancien *juil* (v. 1119), mot maintenu dans les parlers du Nord, issu du latin *julius (mensis)* «(mois) de Jules». Le mois avait été nommé par Marc Antoine en l'honneur de Jules César, né dans ce mois et réformateur du calendrier en 45 av. J.-C.; il s'appelait auparavant *quintilis* «le cinquième» parce que l'année commençait en mars. Le mot latin, régulièrement employé dans les documents médiévaux, a lui-même contribué à la transformation de *juignet* en *juillet.*

♦ Le mot désigne le septième mois de l'année, caractéristique de l'été dans la zone géographique où se trouve la France.

▸ Récemment, les vacanciers du mois de juillet ont reçu le nom familier de **JUILLETTISTES** n. pl. (1969), par opposition aux *aoûtiens.*

JUIN n. m. est issu (v. 1119) du latin *junius* (sous-entendu *mensis,* → mois), mot d'étymologie discutée : on a évoqué le nom de L. *Junius* Brutus, premier consul romain et l'un des fondateurs de la République. On y a aussi vu le dérivé de *Juno* «Junon», nom d'une déesse italique, plus tard assimilée à Héra et sans doute à rattacher à la racine de *juvenis* (→ jeune), exprimant la force physique et la jeunesse dans sa plénitude.

♦ Le mot désigne le sixième mois de l'année.

JUJUBE n. m. vient (v. 1256) du latin populaire °*zizupus* (avec assimilation régressive de *i* aboutissant à *u*), altération du latin classique *zizufum, zizuphum, zizuphon* «fruit du jujubier, jujubier». Ce mot est emprunté au grec tardif de même sens *zizuphon,* d'origine obscure. Étant donné l'aire méditerranéenne de l'arbre, il est probable que le mot soit parvenu en français par l'intermédiaire du provençal, mais on ne relève dans cette langue aucune forme du même type, sinon *jousibo* (Hérault, Gascogne, Languedoc, Pays de Foix), issu d'une forme °*zuzipus ;* et *gigoulo, chichoulo,* issu d'un latin populaire °*zizula,* probablement contraction de °*zizupula ;* enfin *ginjourlo, chinchurlo,* issu d'un °*zinzula* par l'italien.

♦ Le mot désigne le fruit du jujubier, consommé à des fins thérapeutiques (v. 1265, *décoction de jujubes*). Il a été considéré comme féminin (1600) par la plupart des dictionnaires à partir du XVIIe siècle. ◇ Par métonymie, il désigne une préparation pectorale adoucissante tirée du fruit, en particulier sous forme de pâte (1845). Le mot a vieilli au début du XXe s. comme *pâte pectorale,* au profit d'autres dénominations *(boule de gomme...).*

▶ **JUJUBIER** n. m. (1546), nom de l'arbre, a évincé *jujube* dans cet emploi.

JUKE-BOX n. m. est emprunté (1947) à l'anglo-américain *juke-box* (1939), antérieurement et encore quelquefois *juke organ* (1937), elliptiquement *juke* (1959), expression et mot désignant un électrophone public qui sélectionne un titre musical lorsqu'on insère une pièce de monnaie ou un jeton et que l'on appuie sur un système de touches. Le premier élément est *juke* «relais, bordel» (1935), probablement du gullah, dialecte des Noirs de la Caroline du Sud et de la Georgie où *juke, jook* (d'origine ouest africaine) signifie «mauvais, en désordre». Le second élément est *box* «boîte» (→ box), issu (XIVe s.) du latin tardif *buxis* (→ boîte, buis).

♦ Le mot a conservé le sens de l'anglo-américain.

JULES n. m. recouvre plusieurs emplois ironiques comme nom commun du prénom *Jules,* du latin *Julius* (→ juillet).

♦ En moyen français, le nom a désigné une petite monnaie valant environ cinq sous, en usage en Italie (1570) en référence au nom du pape Jules II. ◆ Le sens populaire de «vase de nuit» (1866), aujourd'hui vieilli, est (trop) ingénieusement expliqué par Esnault au moyen d'une rengaine du milieu du XIXe s., «*j'suis comme Jules, incrédule*», qui renverrait elle-même à *Thomas* «pot de chambre, vase de nuit» (de 1830 à 1870) ; l'emploi de *Thomas* en ce sens s'expliquant par un calembour sur les paroles du Christ à l'apôtre Thomas (*Saint-Jean,* XX, 26) : en latin *vide Thomas,* «vois, Thomas» étant compris comme «videz Thomas». La péjoration du prénom Jules était déjà intervenue au XVIIe s., à la suite des Mazarinades, Jules (Giulio) Mazarin étant passablement haï. Mais l'écart chronologique interdit de recourir à cette explication pour le sens mentionné ici. Dans ce sens, *Thomas* a disparu et *Jules* est archaïque. ◆ Le sens familier d'«amant, mari» (1947, certainement antérieur) est à mettre en relation avec le sens argotique de «souteneur», variation du même ordre que celle qui touche *julot* dès le début du XXe siècle. Cet emploi est usuel, surtout avec un possessif.

▶ **JULOT** n. m., diminutif populaire de *Jules,* est en effet un nom argotique du souteneur (1910), d'après la lexicalisation fréquente d'un prénom à la mode pour une classe d'individus peu nommables (→ Jacques). Le même mot a servi à désigner les policiers de la brigade des mœurs chargés de la répression de la prostitution, peut-être d'après l'ambivalence du souteneur et du policier, également signes de la loi pour les prostituées. ◆ **JULIE** n. f., avec une diffusion moindre, désigne en argot la maîtresse (1953), la petite amie.

◇ voir JULIENNE.

JULIENNE n. f. est probablement tiré (1482-1483), par un cheminement sémantique obscur, du prénom *Julien, Julienne,* du latin *Julianus,* dérivé de *Julius* (→ Jules).

♦ Le mot est attesté à Bordeaux au XVe s. comme nom régional d'une grande morue appelée *lingue, molve.* Il est repris en ce sens à partir de 1732. ◆ Parallèlement, il est employé sous la forme *juliane* (1665), puis *julienne* (1677) comme nom d'une plante crucifère. ◆ Il est devenu celui d'une préparation culinaire de légumes coupés en petits filaments (1691), sens encore usuel.

JUMBO n. m. est emprunté (1953) à un usage américain de l'anglais *jumbo* (1823), mot d'origine incertaine qui pourrait être une contraction de *Mumbo Jumbo,* nom d'une divinité africaine. *Jumbo* a commencé par désigner une personne ou un animal gigantesque et lourd ; il est ensuite devenu le nom propre de l'éléphant géant au zoo de Londres qui fut vendu au cirque Barnum en 1882, et, de là, un surnom familier de l'éléphant. Il s'est répandu comme adjectif épithète (1897), signifiant «éléphantesque, géant». Un emploi technique à propos de grandes plates-formes mobiles utilisées dans les travaux publics est relevé en 1908 aux États-Unis.

♦ Le mot a été repris comme terme de travaux publics, désignant un chariot à portique supportant des perforatrices, utilisé pour le forage dans le percement des souterrains.

▶ **JUMBO-JET** n. m. a été emprunté (1967) à l'anglo-américain *jumbo-jet,* composé (1964) de *jumbo* pris au sens de «gros porteur» (1960) et de *jet* «avion à réaction» (→ ② jet). *Jet* est le déverbal de *to jet* «jeter, projeter», lequel a été repris (XVIe s.) au français *jeter**. Le mot s'emploie pour un avion à réaction de grande capacité, aussi appelé *gros porteur.*

JUMEAU, JUMELLE adj. et n. est issu (v. 1165) du latin *gemellus* «l'un des enfants nés d'un même accouchement» et (comme adjectif pluriel) «semblables», diminutif poétique de *geminus* (→ géminer) qu'il a supplanté pour des raisons d'expressivité. La forme actuelle, résultant d'une transformation du [ə] de la première syllabe en *u* sous l'influence des deux consonnes labiales qui l'entourent, a remplacé de bonne heure *gemeau,* encore vivant dans les parlers de l'Est et dans le terme d'astrologie *gémeau**. Le midi et le centre de la France ont *besson* (1260, *beçon*), issu du latin gallo-roman °*bissus* issu de l'adverbe *bis* «deux fois» (→ bis); fréquent jusqu'au XVIe s., il est depuis limité à un usage régional.

♦ *Jumeau* est apparu avec son sens courant, comme nom et (fin XIIe s.) comme adjectif. Par extension, il qualifie des objets en tout point semblables (fin XIIe s.). ◇ Sa spécialisation en anatomie pour désigner deux muscles pairs date du XVIIIe s. (1747), mais correspond à un sens anciennement réalisé par *gémeau* (XVIe s.). Elle a donné une spécialisation en boucherie (1931) pour le morceau de bœuf situé dans l'épaule.

▸ Le féminin **JUMELLE** s'est spécialisé en héraldique (1234) et désigne un ensemble de deux pièces fonctionnant de pair en charpenterie (1332), en mécanique. Il désigne aussi une pièce de bois renforçant ou doublant un mât en certaines pièces d'un bateau (1634, *gemelles*). ◇ Le sens courant de «double lorgnette» est attesté depuis 1829, par ellipse pour *lorgnettes jumelles* (1825). ◆ **JUMELER** v. tr., d'abord *gemellé* (1660), *jumelé* (1678) au participe passé, a d'abord été employé au sens technique de «fortifier (un mât, une vergue)». Depuis 1765, le verbe signifie couramment «ajuster deux choses semblables ensemble», en particulier en parlant de villes (v. 1956). ◇ Il a produit **JUMELAGE** n. m. (1872), nom d'action correspondant à toutes les acceptions du verbe (art militaire, automobile, chemin de fer), y compris figurément (1956, *jumelage des villes*).

JUMENT n. f. est issu (v. 1120) du latin *jumentum,* mot neutre dont le premier sens est «attelage», issu d'un dérivé populaire de *jugum* (→ joug) désignant un attelage de chevaux ou de mules. De bonne heure, *jumentum* a pris le sens de «bête d'attelage», spécialement «cheval». Dans les langues romanes où il s'est conservé, il est passé très tôt du sens de «bête de somme» au sens spécialisé d'«âne» ou de «femelle du cheval» — ce qui est le cas du français — parce qu'on employait souvent la jument poulinière au transport. Dès le VIe s., le latin *jumentum* puis, aux VIIIe-IXe s., *jumenta* prend le sens de «jument». Le mot a éliminé l'ancien français *ive,* remontant au latin *equa,* féminin de *equus* (→ équestre) et conservé par l'espagnol *yegua.*

♦ Le mot, d'abord masculin, a désigné la bête de somme (cheval, mulet...), seul et en apposition dans *cheval jument* (1444). Cette acception disparaît au XVIe siècle. ◆ Dès le XIIe s., il a changé de genre en se spécialisant au sens de «femelle du cheval» (1174), éliminant le féminin *jumente* (1314).

JUMPING n. m. est emprunté (1900, *Jumping prizes*) à l'anglais *jumping* «action de sauter, saut», substantivation du gérondif de *to jump* «sauter» (XVIe s.). Ce dernier est d'origine expressive, imitant probablement le bruit des pieds touchant le sol après leur bond ; des formations similaires existent de manière indépendante dans l'italien dialectal *tzumpā, dzumbā,* l'allemand *gumpen,* le danois *gumpe* et le suédois dialectal *gumpa.*

♦ Cet anglicisme désigne un saut d'obstacles en hippisme.

▸ **JUMPER** n. m., quelquefois francisé en **JUMPEUR,** a été repris à l'anglais *jumper,* nom d'agent dérivé de *to jump,* à propos d'un cheval spécialisé dans le saut d'obstacles.

JUNGLE n. f. est emprunté (1796) à l'anglais *jungle* de même sens (1777). Ce dernier est emprunté à l'hindoustani *jangal* «territoire inhabité, désert», d'où «territoire couvert d'une végétation impénétrable», du sanskrit *jaṅgala* «désert, lieu sauvage».

♦ Le mot, quelquefois écrit *jongle* (1878) d'après la prononciation de l'anglais, s'est d'abord appliqué à l'Inde puis aux régions de l'Asie tropicale ; *Le Livre de la jungle,* de R. Kipling (1899), a contribué à sa diffusion internationale. Par analogie, il est employé (1904) au sens figuré de «milieu où règne la loi du plus fort», dite aussi ***loi de la jungle*** (1899) d'après l'anglais *law of the jungle.*

JUNIOR adj. et n. est un emprunt au latin *junior* «plus jeune» (1761 ; 1672 dans une traduction de l'anglais «personne inexpérimentée»). Le mot latin est le comparatif de *juvenis* (→ jeune), d'après l'usage anglais d'ajouter cette indication après un nom de famille pour désigner la plus jeune des deux personnes d'un même nom, usage d'abord attesté en latin médiéval, puis en anglais au XVIIe siècle. L'emprunt s'est aussi fait selon l'usage anglais du mot dès le XVIe s. pour qualifier ou désigner des personnes plus ou moins expérimentées dans une activité, une profession, d'après un emploi déjà répandu en latin tardif.

♦ Le mot se place après un patronyme pour désigner le plus jeune d'une famille. Il s'est surtout répandu en sports (1892) à propos d'un jeune sportif appartenant à une catégorie intermédiaire entre celle des cadets et celle des seniors.

JUNKER n. m. est emprunté (1863) à l'allemand *Junker,* littéralement «jeune seigneur», en moyen haut allemand *juncherre* «jeune noble, écuyer qui n'a pas encore été fait chevalier», avec deux développements, d'une part «fils de noble, de propriétaire terrien», d'autre part «jeune noble qui entre à l'armée pour devenir officier». Le mot est composé de *junc* «jeune» (*jung* en allemand moderne) et de *herre* «seigneur, maître», d'où «homme» (*Herr* en allemand). Le premier repose, comme l'anglais *young,* sur un type germanique apparenté à la racine indoeuropéenne qui sous-tend aussi le latin *ju-*

vencus «jeune taureau», *juvenis* (→ jeune). Le second appartient à une famille germanique de mots dont la signification originelle devait être «vénérable par l'âge» et qui a développé le sens de «maître» par l'intermédiaire d'un emploi comme terme d'adresse envers un supérieur (cf. le latin *senior* et ses représentants).

♦ Le mot, attesté en Suisse romande dès le XVe s. *(jungker),* désigne un hobereau allemand ; il s'est dit aussi d'un jeune noble allemand, fils de propriétaires terriens, qui servait dans l'armée (1902).

JUNTE n. f., d'abord *juncte* (1581), *junta* (1665) puis *junte* (1669), est emprunté à l'espagnol *junta* «assemblée, réunion» (1055), plus spécialement «assemblée administrative judiciaire» et «assemblée d'individus désignés pour diriger les affaires d'une collectivité». ➛ Le mot, selon les circonstances, revêt des caractères opposés et peut se référer à un organe de consultation ou de subversion. Ce dernier cas apparaît au XVIe s. en Espagne ; il prend une nature particulière avec la crise de la monarchie au XXe s. et les *pronunciamentos* de Primo de Rivera (1923) et de Franco (1936). Le mot désigne enfin le régime issu de l'organe provisoire, en général une dictature militaire, notamment en Amérique latine. *Junta* est le féminin substantivé du participe passé *junto,* dérivé du latin *junctus,* de *jungere* (→ joindre).

♦ En français, le mot s'est longtemps référé à une réalité espagnole ou portugaise. Après un emploi métaphorique relevé chez Balzac qui taxe la presse d'*espèce de junte perpétuelle* (1831), il a pris son sens moderne de «gouvernement militaire ayant pris le pouvoir par un coup d'État» vers 1959, en corrélation avec *putsch,* d'après le sens voisin de «gouvernement dictatorial» déjà attesté au XIXe s. (1871).

JUPE n. f. est emprunté (v. 1188) à l'ancien italien du sud *jupa* «veste d'homme ou de femme d'origine orientale» (1053), lui-même emprunté à l'arabe *ǧubba* «veste de dessous».

♦ Le mot a désigné un vêtement couvrant le buste, pourpoint ajusté fait d'étoffes repliées ou rembourrées (jusqu'en 1613), pourpoint à longues basques (XVIIe s.). ◇ Il a changé de valeur au XVIIe s. pour désigner un vêtement féminin qui descend de la ceinture aux pieds (1603) puis plus ou moins bas selon la mode : on précise alors *jupe de dessous, jupe de dessus* (1690), supplantant *cotillon.* Depuis 1665, il est employé au pluriel pour désigner l'ensemble formé par la jupe et les jupons, entrant dans l'expression figurée ***être dans les jupes de sa mère*** (1878 ; 1839, *être cousu à la jupe maternelle*). ➛ Par analogie de forme, il désigne en technique une pièce de forme cylindrique ou ajustée à la partie inférieure d'un objet (1952 en marine), notamment la partie gonflée d'air d'un véhicule sur coussin d'air.

▸ Ses dérivés sont tous des termes de couture ou d'habillement. ➛ **JUPON** n. m., d'abord *jupoun* (1347, en anglo-normand dans un texte latin) et *gippon* (1376 en ancien champenois), puis *juppon* (1380), *jupon* (1372), est le plus ancien et aussi le plus vivant. Après avoir désigné une tunique d'homme à manches, il a pris son sens moderne de «jupe de dessous» (1680) suivant l'évolution du sens de *jupe.* Certains de ses emplois recoupent ceux de *jupe,* tels celui du pluriel *jupons* (1779) en locution figurée, et son emploi métonymique au sens de «femme» (1823), dans ***coureur de jupons*** (1900), expression qui a supplanté le dérivé **JUPONNIER** n. m. (1886). ◇ L'ancien sens de «veston masculin», attesté jusqu'au XIXe s., reste vivant dans certains dialectes. ➛ De *jupon* sont dérivés **JUPONNAGE** n. m., passé du sens d'«action de matelasser une partie du vêtement masculin» (v. 1800) à «ensemble de jupons» (1913), et **JUPONNER** v. tr. (1800 ; 1819 comme terme de confection masculine), employé en couture et (1872) en habillement. ➛ Le composé **ENJUPONNER** v. tr. (1534) est employé à la forme pronominale avec le sens péjoratif de «s'enticher d'une femme» (1835).

Parmi les autres dérivés de *jupe,* **JUPIER** n. m. (1881 au féminin) désigne le tailleur spécialisé dans la jupe féminine. ➛ **JUPETTE** n. f. (1894) désigne une jupe très courte, tout comme l'anglicisme **MINIJUPE** (1966), traduction de l'anglais *mini-skirt,* mot formé sur le modèle de *minicar* pour désigner un vêtement dont l'invention revient à la styliste Mary Quant.

◈ voir JUPE-CULOTTE (art. CUL).

JURASSIQUE adj. est dérivé (1829) de *Jura* «chaîne de montagnes s'étendant sur la France, la Suisse, et l'Allemagne» avec le suffixe *-ique.* Le toponyme remonte au latin *Jura,* lui-même du celtique *juris* «forêt, montagne».

♦ Le mot qualifie en géologie ce qui se rapporte à la deuxième période de l'ère secondaire entre le trias et le crétacé, période marquée par le dépôt d'épaisses couches calcaires, notamment dans le Jura. Il est également employé substantivement *(le jurassique).*

▸ **JURASSIEN, IENNE** adj. (1840), dont l'emploi en géologie recouvre celui de *jurassique,* s'applique plus largement en géographie à ce qui est propre au Jura, à ses habitants.

JURER v. est issu à très haute époque (842, *iurat* «il jure», dans les *Serments de Strasbourg*) du latin *jurare* «prononcer la formule rituelle, prêter serment», d'où «prendre à témoin, engager par son serment», dérivé de *jus, juris* dans son sens originel de «formule rituelle ayant force de loi» (→ juridique).

♦ Le mot, héritier de la valeur juridico-religieuse du verbe latin, signifie «prêter serment solennellement», «promettre en prêtant serment» (1080) et «prendre à témoin (qqn) du sérieux de son serment» (1080). Cette dernière valeur *(jurer Dieu que)* est entièrement sortie d'usage en dehors de la locution ***jurer ses grands dieux que,*** relativement courante dans une acception laïcisée pour «affirmer catégoriquement» (1690). ◇ Dès l'ancien français, *jurer* se construit intransitivement avec un complément prépositionnel *(sur, de)* indiquant l'être pris à témoin ou la chose engageant le serment (v. 1150, *jurer sur*), l'objet, le propos du serment (v. 1225, *jurer de*). Par métonymie, il équivaut spécialement à «fiancer, promettre en mariage» (1080), sens disparu en français moderne, et, l'accent étant mis sur la conviction de la personne qui prête serment (1080), il devient synonyme de «promettre, affirmer avec force» (1461-1469), perdant l'idée de serment. Cette laïcisation du verbe conduit à des expressions où *jurer* équivaut à «attester avec certitude, être certain», comme ***il ne faut jurer de rien*** (1656), ***je ne (n'en) jurerais pas*** (1656), ***je vous jure*** «je vous affirme» (1667), ***ne jurer que par*** *(qqn, qqch.)* «suivre aveuglément» (1668) où *jurer* correspond simplement à *affirmer.* ◆ Parallèlement, un autre développement s'est fait à partir de la spécialisation pour «invoquer de manière sacrilège le nom d'êtres ou de choses sacrées» (1160-1174), qui insiste sur le caractère sacré de l'acte (cf. ci-dessous *juron*). ◇ L'accent se portant sur la violence des paroles proférées, on passe au sens d'«être fortement en discordance» (1665 en musique ; 1688 dans un contexte plus général).

▶ **JURÉ, ÉE,** participe passé de *jurer,* a confondu ses emplois adjectivés (par exemple dans *foi jurée*) et substantivés avec le représentant (fin XIIe s.) du latin *juratus,* participe passé de *jurare,* signifiant «qui a prêté serment» et substantivé au moyen âge pour désigner la personne qui a juré, prêté fidélité (fin XIe s.) ; *juratus* est employé spécialement dans les chartes octroyées aux villes du nord de la France pour les conseillers liés par le serment fait au seigneur. ◇ *Juré,* terme d'histoire des institutions, s'applique au vassal ayant prêté serment au roi et au membre du conseil d'une commune bénéficiant, sous serment, d'une délégation des pouvoirs du seigneur pour l'administration et la justice (v. 1200). Le mot se rapporte aussi au membre d'une corporation professionnelle commis par serment à la garde et à la surveillance d'un métier (1260), sens ayant donné l'expression ***maître juré,*** et des emplois plaisants (1668, *maître juré filou* chez Molière) et figurés (1580, *ennemi juré*) de l'adjectif. ◆ Dans le cadre des institutions modernes, le mot se réfère au membre d'un jury de tribunal, d'abord (1588) dans un contexte anglais, d'après *jury** et son composé *juryman* «membre du jury», puis dans un contexte français à partir de la *Constitution de 1791.* ◆ *Jurer* a aussi donné **JURANDE** n. f. (XVIe s.), terme d'histoire des institutions qui s'applique à la charge de juré dans une corporation et, par métonymie (1694), au corps des jurés d'une corporation.

JUREUR n. m. (1174-1176), nom d'agent, a assumé une valeur juridique et (v. 1233, *jurere*) la valeur religieuse de «blasphémateur», qui est à peu près sortie d'usage. Il ne s'emploie plus guère qu'en histoire, à propos des prêtres ayant prêté serment à la Constitution civile du clergé en vigueur de 1791 à 1802 (attesté 1795).

JUREMENT n. m. (v. 1200), probablement dérivé de *jurer* d'après le bas latin *juramentum,* «serment» et «blasphème», a désigné le serment et (1537) le juron, avant d'être nettement distancé par ces deux termes.

JURON n. m., relativement tardif (1599), a assumé le même double sens : il a désigné le serment, sens disparu avant la fin du XVIIe s., le mot s'employant surtout pour «blasphème» (1606) ; il désigne par extension une interjection ou exclamation grossière traduisant une vive réaction de colère, de surprise. Dans ce contexte, on dit *sacre* en français canadien.

◈ voir ABJURER, ADJURER, CONJURER, INJURE, JURIDICTION, JURIDIQUE, JURISPRUDENCE, JURISTE, JURY, JUSTE, PARJURER.

JURIDICTION n. f. est emprunté (1209) au latin *jurisdictio* «action et droit de rendre la justice» d'où «pouvoir, autorité, ressort» (notamment dans les provinces de l'Empire romain), mot composé de *juris,* génitif de *jus* «droit» et *dictio* «acte de prononcer», de *dicere* (→ dire). La forme actuelle résulte de la suppression du *-s-* latin sous l'influence de mots comme *juridicus* (→ juridique) et ce dès l'emprunt ; cependant, on relève encore au XVIIIe s. une variante *jurisdiction* qui rétablit le *-s-* d'après le latin.

♦ *Juridiction* est apparu au sens de «pouvoir juridique» (sur une catégorie d'individus, une portion de territoire donnée, une catégorie de procès). Par métonymie (1538), il s'applique aussi au ressort de ce pouvoir (1538), à un tribunal, et à l'ensemble des tribunaux de même degré ou de même classe.

▶ En est issu **JURIDICTIONNEL, ELLE** adj., mot créé (1537) au sens de «qui a le pouvoir d'exercer la justice», disparu, et repris au début du XIXe s. (1802) pour «relatif à une juridiction».

JURIDIQUE adj. est emprunté (1410) au latin *juridicus* «relatif aux tribunaux ou à la justice, conforme à la justice», de *jus, juris* «droit» (→ juste) et *dicere* (→ dire). *Jus* est un ancien terme de droit et de religion qui a dû désigner à l'origine une formule religieuse ayant force de loi. Il correspond, en indo-iranien au védique *yóh* «salut».

♦ D'abord employé au sens ancien de «qui se fait en justice, selon les formes judiciaires», valeur où il a été supplanté par *judiciaire, juridique* a pris (1588) le sens plus général de «qui a rapport au droit».

▶ Il a produit **JURIDIQUEMENT** adv. (déb. XVe s.) et le terme d'usage didactique **JURIDISME** n. m. (1940) désignant l'attitude d'une personne qui s'en tient à la lettre des textes juridiques (souvent avec une connotation critique). L'élément **JURIDICO-** est productif (ex. *juridico-religieux, euse,* adj. 1947).

◈ voir JURIDICTION, JURISPRUDENCE, JURISTE, JURY.

JURISPRUDENCE n. f. est emprunté (1562), avec maintien du *-s-* étymologique (à la différence de *juridiction**), au bas latin *jurisprudentia* «science du droit», de *jus, juris* «droit» (→ juridique) et *prudentia* «connaissance, compétence» (→ prudence), après que les deux mots eurent été souvent associés à l'époque classique.

♦ *Jurisprudence,* vieilli au sens de «science du droit et des lois» (1562), a depuis le début du XVIIe s. (1611) la valeur plus précise d'«ensemble des décisions des juridictions sur une matière ou dans un pays en tant que constituant une source de droit». Il entre dans l'expression ***faire jurisprudence*** (1804) «faire autorité (en parlant d'une décision de justice)». ◇ La langue familière l'emploie parfois avec le sens figuré de «coutume, usage».

▶ **JURISPRUDENTIEL, ELLE** adj. (1874) qualifie ce qui appartient à la jurisprudence et, par extension, ce qui est conforme à l'application d'une règle, à son usage.

JURISTE n. est emprunté (v. 1361) au latin médiéval *jurista* (XIIIe s.), formé sur *jus, juris* «droit» (→ juridique).

♦ Le mot désigne une personne qui a de grandes connaissances en droit et en fait profession, et spécialement un auteur d'ouvrages juridiques. ➛ Ce sens a évincé celui de «personne proférant souvent des jurons» (1606), dérivé de *jurer**, rapidement sorti d'usage malgré la rareté de son synonyme *jureur* dans ce sens. On dit *blasphémateur*.

JURY n. m. est emprunté (1588) à l'anglais *jury* qui désignait à l'origine une réunion de personnes choisies pour statuer sur une question particulière, la forme *jury* étant elle-même la transcription de l'ancien français *juree*, féminin du participe passé substantivé de *jurer**, signifiant «serment» (XIIIe s.) et «enquête juridique», parce que les personnes interrogées prêtaient serment. Passé en anglais avec ce sens, le mot en est venu à désigner le groupe de personnes interrogées pour statuer sur le sort d'un prévenu.

♦ D'abord introduit en français en référence à une réalité anglaise, *jury* a été adopté lors de la création d'une institution révolutionnaire correspondante, en 1790, après de nombreuses hésitations : certains optaient pour la forme *juré**, *jurie* ou voulaient reprendre le terme spécialisé *jurande**; l'anglicisme l'a emporté. Par extension, *jury* s'est rapidement appliqué à une commission temporaire chargée de l'examen d'une question (1793; 1792 sous la forme *juré*), notamment dans le contexte d'un examen et (1794) d'une réalisation artistique.

◈ **JUS** n. m. est issu (v. 1165) du latin *jus, juris* «jus, sauce, brouet», d'un mot indoeuropéen qui indique un mets confectionné avec de la viande cuite dans une sauce (et dont témoignent le sanskrit *yūḥ* «bouillon de viande» et plusieurs formes indoeuropéennes).

♦ Le mot latin a été conservé par le provençal et le français où il désigne le suc d'un fruit et (1538) la sauce d'une viande. Ces deux emplois donnent lieu à une spécialisation, ***jus de fruits*** (et *jus de*, suivi d'un nom de fruit) demeurant plus courant que *jus* seul, dans le second cas. ◇ Fin XIXe s. sont apparus plusieurs sens analogiques d'usage familier : le mot se rapporte alors à un liquide de couleur douteuse, en particulier au mauvais café (1894, locutions ***jus de chapeau, de chique, de chaussette***), à l'eau dans quelques expressions (1884) et au courant électrique (1914, «eau des accumulateurs») (→ court-jus). ◇ Depuis la fin du XIXe s., *jus* exprime une idée abstraite de qualité dans des locutions familières comme ***avoir du jus*** «de la vigueur», ***ça vaut le jus*** (1883), ***de même jus*** (1889); il se rapporte en particulier au profit tiré d'une affaire (1867), en relation avec *juteux*. ◇ Il a signifié familièrement «élégance, allure».

► À l'exception du terme technique **JUSÉE** n. f. (1765) «liquide acide obtenu en lessivant du tan déjà épuisé», les dérivés de *jus* comportent un *-t-* de soutien (dit «épenthétique»). ➛ **JUTEUX, EUSE** adj. (XIVe s.), «qui a beaucoup de jus», a reçu au XIXe s. le sens figuré de «profitable» (1830) et, en rapport avec *jus*, «élégance, chic», celui d'«élégant» (1883) qu'il n'a pas conservé. ➛ D'après ***premier jus*** «soldat de première classe», **JUTEUX** est substantivé dans l'argot militaire au sens d'«adjudant» (1907), par calembour sur la forme de ce mot. ➛ **JUTER** v. intr. (1844), «rendre du jus» au propre et au figuré (dès 1844 en parlant de la pipe), a développé quelques valeurs familières —«pleurer» (1852), «cracher» (1862) — et érotiques, pour «éjaculer».
Combiné à *vert**, *jus* a donné **VERJUS** n. m. (XIIIe s.) «suc acide de certaines espèces de raisin cueilli vert», d'où par métonymie «raisin cueilli à demi-mûr» (1351). ➛ *Verjus* a servi à former **VERJUTER** v. tr. (1872; 1694, *verjuté*), verbe technique signifiant «préparer au verjus».

◈ voir AZYME, ENZYME.

JUSANT n. m., d'abord attesté en Normandie (1484, *iusan*) et dans l'ouest de la France, est probablement dérivé de l'ancien adverbe *jus* «en bas», lui-même issu du latin *deorsum* «vers le bas», composé de *de* (→ de) et *versum (vorsum)* (→ vers); son vocalisme serait dû à celui de l'opposé antithétique de *deorsum, susum* (→ sus). Une autre hypothèse propose d'y voir un emprunt à l'ancien gascon *iusant* «inférieur» (1256), de même origine. La finale du mot s'explique peut-être par l'influence de mots tels que *levant, ponant*.

♦ Le mot désigne la marée descendante et, par métonymie, le moment où elle se produit.

JUSQUE prép., adv. et conj. est probablement issu (v. 980, *jusche, jusque*), en dépit de l'hiatus chronologique, de l'ancienne préposition et conjonction *enjusque* (v. 1175) dont le *en-* a disparu dès lors qu'on l'a senti comme un préfixe superflu. Cette forme venait du latin *inde usque*, de *inde* «d'ici», mot du groupe de *is*, adjectif-pronom de renvoi ayant donné des adverbes de lieu, et *usque* «jusqu'à», formé de *ut* (→ ut) et *que*, fréquent à époque tardive mais déjà relevé en langue classique. L'hypothèse d'un rattachement direct de *jusque* au latin *de usque* est réfutée (P. Falk) pour une raison concernant la datation du traitement phonétique. Le *-s-* intérieur de *jusque*, normalement amuï comme en témoignent les formes *juque, juc* (encore au XVIe s.), a été rétabli par analogie avec la conjonction *puisque* et par rapprochement étymologique avec le latin *usque*; en revanche, la graphie *jusques*, avec *s* adverbial, fréquente en langue ancienne, n'est plus employée que pour des raisons phonétiques (devant voyelle), surtout en poésie.

♦ *Jusque*, qui marque le terme final, la limite à ne pas dépasser, est employé comme préposition suivie de *à* depuis le Xe siècle. D'abord construit avec un complément de lieu ou de temps, le mot introduit aussi un nom abstrait (v. 1225) et un infinitif (1460); il indique (1547) l'inclusion de la limite dans un tout (notamment combiné à *inclus, y compris*). Plus rarement, il se construit avec une préposition autre que *à* et, dès le XIIe s. (1165), avec un adverbe de temps ou de lieu. Au XVIIe et au XVIIIe s., la construction *jusque* suivie de *aujourd'hui* a soulevé de grandes discussions, les uns préconisant *jusqu'aujourd'hui* en alléguant que l'adverbe contenait déjà l'article *au*, les autres penchant pour *jusqu'à aujourd'hui* en argumentant qu'*aujourd'hui* devait être traité comme un adverbe authentique (solution acceptée par la dernière édition du dictionnaire de l'Académie). ◆ *Jusque* est aussi employé comme adverbe (1561) et comme conjonction, suivi du subjonctif (mil. XVe s.). Jusqu'au XVIIIe s., la langue classique employait fréquemment l'indicatif pour exprimer un fait réel au passé, et rien n'interdit cet emploi lorsqu'on veut insister sur la réalité du fait. *Jusque* est entré dans la locution ***jusqu'à tant que*** (v. 1247), antérieurement (1175) *jusque tant que*, vieillie ou d'usage régional. On n'emploie plus guère ***jusqu'au point que*** «à tel point que» et ***jusque-là que*** (v. 1210) de même sens.

▶ *Jusque* a servi à former les termes politiques **JUSQU'AU-BOUTISTE** n. et adj. (1916, Romain Rolland ; 1877, *jusqu'auboutien*) «partisan de la guerre *jusqu'au bout*», plus généralement «celui qui va jusqu'au bout de ses idées, de son action». ◇ **JUSQU'AU-BOUTISME** n. m. est contemporain du précédent (1916).

JUSQUIAME n. f. est emprunté (XIIIe s.) au bas latin *jusquiamos, jusquiamus*, altération du latin *hyoscyamos, hyoscyamum*. Ce dernier est emprunté au grec *huoskuamos*, nom d'une plante aux propriétés narcotiques et toxiques, signifiant proprement «fève à cochons» : le premier élément, *hus huos*, correspond au nom du sanglier, de la laie, du porc et de la truie (→ hyène), et se rattache au même groupe indoeuropéen que le latin *sus* (conservé dans le terme de zoologie *suidés*), l'allemand *Sau* et l'anglais *sow*, désignations de la truie, animal connu pour sa fécondité, ce qui conduit à rattacher ses noms à la racine verbale °*su-* «mettre au monde» (→ sove). Le second élément, *kuamos*, est le nom de la fève, soit emprunté, soit du groupe de *kuein* «porter dans son sein», dont la racine exprime l'idée de gonflement.

♦ Le mot désigne une plante de la famille des solanacées. Très vénéneuse comme ses parentes — la stramoine et la belladone —, ce fut l'une des herbes maudites de la sorcellerie européenne. Sa nature vénéneuse a été analysée par le toxicologue autrichien A. Stoerck (1762).

JUSSION n. f. est emprunté (v. 1450) au bas latin *jussio, -onis* «ordre, commandement», formé sur le supin *jussum* de *jubere* «ordonner» (→ jubé).

♦ Le mot, d'abord employé dans l'ancienne locution *tenir en jussion* «tenir en sujétion», s'est spécialisé en droit pour désigner une lettre de chancellerie portant commandement (1583-1590). Ce sens, appliqué spécialement aux lettres adressées par le roi aux cours souveraines pour leur enjoindre d'enregistrer une ordonnance, un édit (1690), a été réalisé par l'expression ***lettres de jussion*** (1694), employée en histoire du droit.

▶ **FIDÉJUSSEUR** n. m., emprunté (déb. XIVe s., *fidejussor*) au latin impérial *fidejussor* «garant», de *fides* (→ foi) et *jussio*, a été employé en droit au sens de «personne s'engageant comme caution» avant de reculer au profit de *garant*. ◆ **FIDÉJUSSION** n. f. (1375), emprunt au latin *fidejussio* «garantie», et **FIDÉJUSSOIRE** adj., emprunt (fin XVIe s.) du bas latin *fidejussorius*, continuent de se référer en droit romain à une des formes de cautionnement.

✳ **JUSTE** adj., n. et adv. est emprunté (v. 1120) au latin *justus* «conforme au droit, équitable», dérivé de *jus, juris* «droit» (→ jurer, juridique).

♦ Le mot, comme le groupe latin auquel il se rattache, appartient originellement au vocabulaire juridico-religieux : il est relevé dans les premiers textes avec la valeur religieuse de «conforme à la justice divine, à ses exigences» et se laïcise au XIIIe s., qualifiant la personne qui agit conformément à la justice et ce qui est conforme au droit, à une règle établie (1285). De là, *juste Dieu, justes dieux* (1661), *juste ciel !* À la même époque, l'adjectif développe le sens moral de «fondé, justifié», notamment dans l'expression ***à juste titre*** (1470). ◇ Après 1350, il commence à exprimer aussi une idée d'«exactitude» dans deux emplois aujourd'hui archaïques : il s'applique à un instrument, à une mesure exacte (1484) et à un vêtement bien ajusté, qui tombe bien (apr. 1550, encore en langue classique). ◇ Cette idée s'est développée vers la fin du XVIIe s. surtout en emplois abstraits, *juste* réalisant les sens de «conforme à la raison, à la vérité» (1595), «qui convient, exact» (1668, d'une chose) et «qui apprécie bien, avec exactitude» (v. 1660, d'une aptitude). ◇ Il entre ainsi dans l'expression ***juste-milieu*** (av. 1662) «point de vue modéré», reprise au milieu du XIXe s. dans le vocabulaire politique, à propos du gouvernement modéré défini par Louis-Philippe. ◆ À partir de l'idée de «qui suffit exactement», *juste* a développé au XVIIe s. celle de «qui suffit à peine» (avec les adverbes *trop, à peine*), entraînant le glissement de sens de *vêtement juste* vers sa nuance moderne, «trop ajusté, serré». ◆ En emploi substantivé, **JUSTE** n. est relevé dès les premières attestations (v. 1120) au sens de «personne qui fait la volonté de Dieu». ◇ Comme abstrait, *le juste* est laïcisé avec la valeur juridique (v. 1361) de «ce qui est conforme au droit». ◇ Plus particulièrement, *une juste* n. f. a servi à désigner un vêtement ajusté (1528), d'abord une robe de médecin puis, en relation avec le changement de sens de l'adjectif, un vêtement serré (1779) à la mode avant la Révolution.

L'emploi adverbial de *juste* remonte au XVIIe s., au sens d'«avec exactitude, justesse», concurrençant dans son sens courant l'adverbe dérivé *justement* (voir ci-dessous). Il assume aussi les valeurs de *précisément* (1637), dans le domaine spatial, temporel ou logique et, depuis le XIXe s., signifie «de manière trop stricte». ◇ Le mot est entré dans les locutions adverbiales ***au juste*** (av. 1787) et ***comme de juste*** (1808 ; 1768, *comme juste*), cette dernière d'abord condamnée par les puristes et aujourd'hui consacrée par l'usage littéraire.

▶ De *juste* est dérivé **JUSTEMENT** adv. (1174-1176), qui réunit les valeurs de «selon la justice», «avec précision» (1225-1250) et, surtout à l'oral, «il se trouve précisément que» (1580), ainsi que **JUSTESSE** n. f. (1611). Ce dernier a repris au XVIIe s. tous les sens correspondant à ceux de l'adjectif, si l'on excepte l'idée d'«insuffisance», réalisée dans la locution adverbiale ***de justesse*** (1878).

Avec son sens d'«exact par la mesure», *juste* a produit le préfixé verbal **AJUSTER** v. tr. (v. 1230), d'abord utilisé au sens de «rendre conforme à un étalon» (1260), puis (v. 1480) avec des emplois techniques et (XVIe s.) avec le sens figuré de «mettre en accord à». Une spécialisation concerne les vêtements «près du corps», entraînant un emploi correspondant du participe passé **AJUSTÉ, ÉE** adj. ◇ En sont dérivés **AJUSTAGE** n. m. (1350) et **AJUSTEMENT** n. m. (1328, *adjutement*), de nos jours «action d'ajuster les choses» (1611). ➜ **AJUSTEUR, EUSE** n. (XVIe s.) «celui qui ajuste les monnaies» a acquis son sens moderne dans l'industrie (XIXe s.). ➜ **AJUSTOIR** n. m. (1676) et **AJUSTURE** n. f. sont techniques et rares.

Par préfixation, on a formé **RÉAJUSTER** v. tr. (XXe s.) et **RÉAJUSTEMENT** n. m. (XXe s.) qui gagnent du terrain sur les plus anciens **RAJUSTER** (1170, *rajoster*) et **RAJUSTEMENT** (1803; 1690, «réconciliation»). ➜ L'antonyme de *juste,* **INJUSTE** adj., est emprunté (1293) au latin *injustus,* dont il reprend les sens de «contraire à la justice» et «qui n'agit pas avec équité», en y ajoutant (1677) celui de «mal fondé, injustifié intellectuellement». ➜ Il a pour dérivé **INJUSTEMENT** adv. (1671) qui a remplacé *enjustement* (v. 1300), cf. aussi *injustice* (à *justice**).

De *juste* adjectif, au sens d'«étroit, ajusté», vient le composé **JUSTAUCORPS** n. m., d'abord écrit *just-au-corps* (1617), désignant un vêtement serré à la taille avec des basques, sens sorti d'usage, puis un maillot collant.

◈ voir JUSTICE, JUSTIFIER.

JUSTICE n. f. est emprunté (v. 1050) au latin *justitia,* dérivé de *justus* (→ juste) recouvrant la conformité au droit, le sentiment moral d'équité, à basse époque le droit, les lois et (au pluriel) les jugements et préceptes puis, dans les textes médiévaux, la circonscription, le pouvoir de justice.

♦ Le mot se rapporte dès les premiers textes au principe moral au nom duquel le droit doit être respecté, puis (v. 1155) à la vertu qui consiste à être équitable. Dès le XIe s., il est employé dans une acception strictement juridique, désignant d'abord par métonymie l'acte par lequel on rend justice. ◇ La locution ***faire justice,*** de «châtier» (1080) à «juger» (1538), suit l'évolution de sens de *juger;* en passant dans l'usage général, elle correspond au sens élargi de «se montrer équitable (envers qqn)» (1564) et surtout «reconnaître ses mérites» (1672, jusqu'au milieu du XVIIIe s. repris en 1835). Le pronominal *se faire justice* (1640) comporte parfois le sens de «se suicider pour se punir» (1873). La variante ***rendre justice à...*** (1631) s'emploie surtout au sens large de «reconnaître les mérites (de qqn)» (1665). ◇ D'autres extensions métonymiques plus ou moins sorties d'usage, pour «juge» (v. 1130), sens vivant en anglais, et pour «tribunal», se rattachent au sens plus général de «pouvoir de faire régner le droit» (1196). ◇ Une acception voisine, «organisation du pouvoir judiciaire» (XIIe s.), est réalisée dans la locution ***de justice*** «ensemble des juridictions de même ordre» (en emploi qualifié, 1283) et «acte par lequel on obtient son dû» (1306), dans ***demander justice.*** ➜ Le mot renvoie aussi (v. 1278) à la personnification plus ou moins allégorique de la justice, emploi qui a donné lieu à des locutions comparatives familières, comme ***être raide comme la justice.*** ◇ La spécialisation religieuse, «rectitude que Dieu met dans l'âme par sa grâce, observation scrupuleuse des devoirs de la religion» (1564), a été introduite à l'époque de la Réforme.

▶ **JUSTICIER, IÈRE** n. (v. 1119, *justisier*) est à l'origine un terme de droit féodal désignant le seigneur ayant pouvoir de justice. C'est aussi un autre nom pour le juge (1325, jusqu'au XVIIe s.). ◇ Dès le XIIe s., le mot a pris le sens de «celui qui aime faire justice» (v. 1180), annonçant la valeur moderne du mot, dégagée au XIXe s. au propre et figurément (1801, *justicier de la littérature*), également en emploi adjectif (1873). ➜ L'ancien verbe *justicier* a produit **JUSTICIABLE** adj., d'abord *justisable* (v. 1150), qui a perdu le sens moral de «juste», propre à l'ancien français, pour la valeur juridique de «qui relève de telle juridiction» (XIIe s.), avec lequel il est substantivé (v. 1265). Par extension, le mot qualifie une personne responsable devant la justice (1635). ◇ Il est passé dans l'usage avec la valeur de «qui relève d'une discipline» (1811) et, spécialement en médecine, «qui relève d'un traitement».

L'antonyme de *justice,* **INJUSTICE** n. f., est emprunté (v. 1200) au latin *injustitia* «rigueur injuste», dérivé de *injustus* (→ injuste à *juste*). Il signifie «absence de justice, négation de la justice», plus concrètement *(une injustice)* «acte d'injustice» (1559), et en emploi absolu *(l'injustice)* recouvre ce qui est injuste (v. 1361). En langue classique, il était également employé au sens de «caractère de ce qui est mal fondé, injustifié».

JUSTIFIER v. tr. est emprunté (v. 1120) au latin chrétien *justificare* «traiter avec justice, déclarer (qqn) juste», dérivé de *justus* (→ juste) au moyen de *-ficare* (→ faire).

♦ Le mot signifie «disculper (qqn) en justice». En moyen français, il est employé hors du contexte juridique pour «prouver, établir un fait» (1368) et s'étend à «prouver le bien-fondé d'une opinion, d'un jugement» (1587, *justifier de*). Il comporte parfois la nuance de «confirmer après coup» (1670), par laquelle il se sépare de *légitimer.* ➜ De l'ancien sens technique de «vérifier une mesure» (1260) procède la spécialisation du verbe en typographie, d'abord pour «égaliser la profondeur d'une matrice en passant la lime sur la surface» (1521), puis pour «aligner selon une règle». ➜ Le sens de «rendre juste comme la grâce fait du pécheur» (1564) est apparu en même temps que la spécialisation de *justice* en théologie.

▶ Le verbe a produit plusieurs adjectifs et leurs antonymes en *in-*. **JUSTIFIABLE** attesté une fois (v. 1300) avec une valeur active et repris au XVIIIe s.,

est plus rare que **INJUSTIFIABLE** (1701) «que l'on ne peut justifier», d'où «inacceptable». ➛ **JUSTIFIANT, ANTE** (1345) est spécialisé en théologie (XVIIe s., *grâce justifiante*) et en typographie. ➛ **JUSTIFIÉ, ÉE** adj. correspond à «qui a reçu une justification» et, en typographie, «aligné». ◇ **INJUSTIFIÉ, ÉE** adj. (av. 1830) n'a que le sens moral.
Mais **JUSTIFICATION** n. f. a été emprunté (v. 1120, *justificaciun*), parallèlement au verbe, au latin chrétien *justificatio*, et a suivi la même évolution que lui. En typographie, il est usuel pour «action de justifier» et «largeur de la colonne», et abrégé familièrement en *justif.* ◇ Au sens moral, il a servi à former **AUTOJUSTIFICATION** n. f. (v. 1950). ➛ **JUSTIFICATIF, IVE** adj. et n. m. est dérivé (1535) du supin de *justificare;* depuis 1913, il est substantivé par ellipse de *document justificatif.* ➛ **JUSTIFICATEUR, TRICE** n. (1512) puis adj. (1801), emprunt au bas latin ecclésiastique *justificator,* est surtout employé en typographie (1723) à propos de l'ouvrier, puis aussi de l'outil qui fait la justification des lignes.

JUTE n. m. est emprunté (1849) à l'anglais *jute,* nom de la fibre extraite d'une plante herbacée, importée principalement du Bengale (1746), et de la plante elle-même (1861). Le mot anglais est un emprunt au bengali *jhōṭo, jhuṭo,* du sanskrit *jūṭa,* variante de *jaṭā* «tresse de cheveux».

♦ Le mot désigne la plante, la fibre et (1901) l'étoffe grossière faite avec cette filasse et servant notamment à faire des toiles d'emballage, des sacs.

JUVÉNILE adj. et n. m. est emprunté (v. 1112, *juvenil*) au latin *juvenilis* «propre à la jeunesse, plein d'entrain, fort, violent», formé sur le modèle de *puerilis* (→ puéril) sur *juvenis* (→ jeune).

♦ Le mot se sépare de *jeune,* s'employant dans l'usage soutenu comme épithète de qualité avec le sens de «qui concerne les jeunes» ***(délinquance juvénile).*** ➛ Au XXe s., il a développé quelques emplois didactiques en géologie thermale (1931, ***eaux juvéniles***) et en zoologie où il est substantivé (v. 1978) par emprunt à l'anglais *juvenile* au sens de «jeune d'une espèce animale».

▸ Son dérivé **JUVÉNILEMENT** adv. (1544) est d'usage littéraire, tout comme **JUVÉNILITÉ** n. f. (1495) qui représente le dérivé latin *juvenilitas* «caractère juvénile». ➛ La langue didactique a formé en médecine **JUVÉNILISME** n. m. (1906), «infantilisme atténué», sur le modèle de *infantilisme.*

JUXTA- → JOUXTE

K

KABIG n. m. (noté *kabik* en 1965) est un emprunt au breton *kabig*.

♦ Le mot désigne un manteau court à capuche, muni d'une poche formant manchon sur le devant, et utilisé en navigation.

KABUKI n. m. est emprunté (1805) à un mot japonais dont les trois syllabes signifient «chant» *(ka)*, «danse» *(bu)* et «personnage» *(ki)*. Ce mot dénomma, par un jeu graphique, un genre théâtral né au début du XVIIe s. avec l'époque Edo, lorsque la danseuse O. Kuni interpréta, à partir de 1603, des danses et des chants qui furent dit *kabuki*, d'un terme désignant dans la langue populaire de l'époque un comportement exubérant et quelque peu marginal. Le genre du kabuki, dans lequel les dialogues alternent avec les chants et les intermèdes de ballet, se constitua au XVIIe et au XVIIIe s., assimilant la gestuelle des marionnettes (théâtre *bunraku*) et profitant du déclin de celles-ci.

♦ Le mot reste didactique en français, et moins répandu que *nô*.

KACHA n. f., écrit *kâscha* (1852, *kacha* 1861), est emprunté au russe *kacha*. Le mot remonte, comme le polonais *kasza* «orge mondé cuit dans du lait» (repris par le français en 1791) et le tchèque *kaše*, au mot *kasia* dont l'origine est incertaine.

♦ Le mot désigne un plat populaire russe et polonais, équivalent du gruau, bouillie de céréales parfois additionnée d'œufs, de crème aigre, de miel.

KAFKAÏEN, ÏENNE adj. est l'adjectif dérivé (1945), avec le suffixe *-ien*, du nom de Franz *Kafka*, écrivain tchèque de langue allemande (1883-1924), dont l'œuvre romanesque exprime l'angoisse de la condition de l'homme moderne : une situation sans issue dans une atmosphère oppressante et un espace labyrinthique.

♦ Le mot, qui a supplanté les variantes *kafkien* (1939) et *kafkéen*, qualifie ce qui appartient à Kafka et à son œuvre. Il s'est répandu dans l'usage courant pour caractériser un monde, une situation, un individu sinistre, absurde et dérisoire (1965, chez le traducteur A. Vialatte, qui note la vogue de cet adjectif chez les éditorialistes de journaux et les critiques littéraires).

KAISER n. m., d'abord *kayser* (1859), est emprunté à l'allemand *Kaiser* «empereur». Ce mot, comme son correspondant néerlandais *keiser*, vient de l'adoption précoce, dans les langues germaniques, du latin *Caesar*, nom de famille dans la gens Julia, puis titre porté par les empereurs romains, peut-être par l'intermédiaire du grec *kaîsar* (→ césar, tzar).

♦ Le mot, d'abord relevé chez Hugo dans *La Légende des siècles*, pour «empereur», est le nom donné par les Français à l'empereur d'Allemagne, de 1870 à 1918, et particulièrement à Guillaume II (1913).

KAKÉMONO n. m. est emprunté (1878, Goncourt) à un mot japonais composé de *kakeru* «suspendre» et *mono* «chose» (→ kimono), et désignant une peinture sur soie ou sur papier, de forme longitudinale, suspendue verticalement et pouvant se rouler autour d'un bâton. Son correspondant chinois *guàfú* «peinture suspendue», ou *lìzhou* «rouleau vertical», ne recouvre pas exactement la même réalité.

♦ Le mot s'est diffusé dans le langage des arts, comme témoin de la vogue de l'art japonais en France et en Occident, dans les années 1880-1900.

① **KAKI** n. m., en composition dans *ssibu-kaki* (1765), puis adapté en *caque* dans *figue caque* (1820) et *kake* (1830), formes francisées supplantées par *kaki* (1822), est l'adaptation du latin scientifique *kaki* (1712, chez le voyageur et naturaliste allemand Kaempfer) puis *Diospyros Kaki* (Linné), emprunt à un mot japonais.

♦ Le mot désigne un plaqueminier originaire d'Extrême-Orient, de nos jours acclimaté en France méridionale, et son fruit (1820). Introduit en sciences naturelles, il s'est diffusé à la fin du XIXe s.

avec le japonisme et l'accession du public français aux estampes japonaises (représentant le fruit).

② **KAKI** adj. et n. m. n'est pas issu, comme on pourrait le croire, du nom de fruit *kaki* pour sa couleur : le mot, qui apparaît d'abord sous la forme *khaki* (1898), puis *kaki* (1916), est un emprunt à l'anglais *khakee, khaki,* attesté depuis 1857 comme nom au sens de «couleur brun jaunâtre, étoffe de cette couleur utilisée dans l'armée britannique en Inde pour la confection d'uniformes», et depuis 1863 comme adjectif. C'est un emprunt à l'ourdou et hindi *ḫākī* «poussiéreux, couleur de poussière», lequel vient du persan.

♦ Le mot, introduit avec le sens métonymique de «tissu employé pour la confection des vêtements indiens», s'est répandu comme adjectif (1900) et nom de couleur à la suite de l'adoption de cette couleur dans l'armée française, qui renonce alors au «bleu horizon» (1916, Barbusse en parlant de soldats).

KALÉIDOSCOPE n. m., dès 1818 au figuré dans le titre *Le Kaléidoscope philosophique et littéraire ou l'Encyclopédie en miniature,* est emprunté à l'anglais *kaleidoscope,* nom formé par le savant D. Brewster qui inventa l'instrument et en déposa le brevet en 1917. Il est composé des mots grecs *kalos* «beau» (→ calli- dans *calligraphie*), *eidos* «image, aspect» (→ idole), et *skopein* «regarder» (→ -scope), exprimant l'idée de «regarder une belle image».

♦ Le mot, désignant un cylindre où des fragments colorés sont reflétés par un jeu de miroirs angulaires, formant des figures symétriques, a inspiré de bonne heure (1818) un emploi figuré exprimant l'idée d'une succession rapide et changeante (de sensations, impressions) et un emploi métaphorique (1880).

▸ On en a tiré **KALÉIDOSCOPIE** n. f. (1836), d'usage littéraire, **KALÉIDOSCOPIQUE** adj. (1835, Balzac, au figuré), littéraire ou technique au sens propre, moins rare au figuré pour «qui change rapidement d'aspect», et **KALÉIDOSCOPER** v. tr. (1895), aujourd'hui vieilli.

KAMIKAZE n. m. et adj. a été emprunté (1953) au japonais *kamikaze.* Le premier élément de ce mot, *kami,* signifie «supérieur», d'où «seigneur, maître» et, dans la religion shintoïste, «entité supérieure à l'homme par sa nature (soleil, lune, typhon), divinité». Il a fait l'objet d'un emprunt indépendant en français (1845). Le second élément *kaze* signifie «vent». À l'origine, ce mot désigne deux typhons qui ont détruit la flotte d'invasion mongole en 1274 et en 1281. Il a été repris vers la fin de la Seconde Guerre mondiale pour désigner les avions chargés d'explosifs qui devaient s'écraser en piqué sur les navires américains.

♦ Le mot est passé en français avec ce sens, désignant le pilote volontaire de l'avion ou l'avion lui-même (en concurrence avec *avion-suicide*) et, par extension, toute personne qui s'expose volontairement à un grand danger, ainsi que des actions considérées comme suicidaires.

KANGOUROU n. m. est emprunté (1744, *kanguro*) à l'anglais *kangaroo* (1770, Cook, *kangooroo* et *kanguru*), lequel est repris à une langue indigène d'Australie. Le caractère de l'emprunt est contesté, car il semble que les indigènes disaient *patagoroug;* en revanche, l'hypothèse selon laquelle il correspondrait à «je ne comprends pas», réponse faite par les indigènes au voyageur, ne semble pas fondée.

♦ Le mot, écrit *kangourou* depuis 1808, est rare en français avant la fin du XIXe s. et connaît plusieurs variantes graphiques à l'anglaise (*kanguroo, kangouroo,* 1875). Il est employé en apposition pour désigner un élément comparé à la poche ventrale de l'animal (*sac kangourou*).

KAOLIN n. m., d'abord écrit *kao-lin* (1712), réuni en *kaolin* (1739), est emprunté au chinois *kao ling,* composé de *kao* «haut» et *ling* «colline», nom donné à des régions où l'on extrayait une argile blanche, puis cette argile.

♦ Le mot désigne une argile réfractaire et friable, de couleur blanche, utilisée en particulier dans la fabrication de la porcelaine (d'où son appellation *terre à porcelaine*).

▸ Au XIXe s., *kaolin* a produit **KAOLINIQUE** adj. (1844), **KAOLINISER** v. tr. (1898), verbe au moins aussi ancien que son dérivé **KAOLINISATION** n. f. attesté dès 1873, et **KAOLINITE** n. f. employé en chimie et en minéralogie (attesté 1898) pour désigner un silicate d'albumine hydraté formant l'élément essentiel du kaolin.

KAPOK n. m., d'abord *capoc* dans la traduction (1680) d'un livre néerlandais, puis *capok* (1751) et *kapoc* (1763), est emprunté au malais *kāpuq* de même sens, probablement par le néerlandais.

♦ Le mot désigne une fibre végétale soyeuse et légère, constituant le feutre qui tapisse les fruits d'un arbre tropical.

▸ Le dérivé **KAPOKIER** n. m. (1691, *capoquier*) désigne l'arbre qui fournit cette fibre.

KAPOUT → ② CAPOT

KAPPA n. m. est un emprunt (1690; écrit *cappa* 1611) au grec *kappa.*

♦ Le mot désigne la lettre grecque correspondant au son k.

KARATÉ n. m. a été emprunté (1956) au japonais *karaté,* littéralement «main vide», qui désigne une méthode de combat sans armes fondée sur l'emploi de coups portés avec la main et le pied aux points vitaux de l'adversaire.

♦ L'implantation du sport en France a entraîné l'introduction de **KARATÉKA** n. (1966) pour désigner celui qui pratique le karaté (cf. *judoka*).

KARITÉ n. m. est l'emprunt (1907) d'un mot ouolof, langue de l'Afrique occidentale (Sénégal).

♦ Le mot désigne un arbre africain dont le bois est utilisé en charpente et dont le fruit contient une amande fournissant une matière grasse comestible. Surtout répandu dans l'expression ***beurre de karité*** (1907) à travers l'usage de cette substance en cosmétologie, il est usuel en français d'Afrique.

KARMA ou **KARMAN** n. m. est emprunté (1912, Alexandra David-Neel (ou Néel); cité comme mot sanskrit en 1899), peut-être par l'intermédiaire de l'anglais où il est attesté dès 1828, au sanskrit *karman* ou *karma*, substantif dérivé du radical sanskrit *kr-* qui signifie «faire» au sens le plus général du terme. Dès les premiers textes de l'Inde, le mot désigne n'importe quel acte, et s'applique notamment à l'acte rituel, au rite accompli selon les prescriptions des textes révélés; il relève alors du vocabulaire technique du brahmanisme. Concept central de l'hindouisme, le karma se rapporte à l'acte de l'être conscient, qui inscrit en lui un effet qui mûrit soit dans cette vie, soit, par transmigration, dans une vie future; il constitue ainsi le destin de l'être.

♦ Le mot est un terme d'histoire des religions relatif à l'hindouisme; il a conservé le sens de l'étymon.

▸ Il a produit **KARMIQUE** adj. «qui concerne le karma».

KARST n. m. est un emprunt, d'abord comme nom propre (1892, *Karst*), à l'allemand *Karst*, nom de la zone de plateaux calcaires du nord-ouest de la Yougoslavie correspondant au serbo-croate *Kras*.

♦ Le mot, devenu usuel comme nom commun (avec une minuscule), désigne un relief présentant des grottes, des gouffres, des résurgences, etc. résultant de l'érosion des roches calcaires.

▸ On en a dérivé **KARSTIQUE** adj. (1902), dans *relief, érosion karstique*.

KART n. m. est emprunté (v. 1960) à l'anglo-américain *kart* (1959) ou *go-kart* (1963), variante très spécialisée de l'anglais *cart* «charrette» (XIIIe s.), «véhicule lourd à deux roues» (XIIIe s.) puis, au XIXe s., «véhicule léger à deux roues». Ce mot représente partiellement, avec métathèse, le vieil anglais *craet* «chariot»; d'autre part, il est apparenté à l'ancien norrois *kartr* de même sens, et semble avoir subi l'influence de l'anglo-normand et de l'ancien picard *carete*, qui correspondent au français moderne *charrette**, diminutif de *char**.

♦ Le mot a été repris en sport pour une petite voiture de compétition à embrayage automatique, sans carrosserie, boîte de vitesses, ni suspension.

▸ **KARTING** n. m. a été emprunté parallèlement (1960) à l'anglo-américain *karting* «sport automobile pratiqué avec le kart», dérivé (1959) de *kart*.

KASCHER → **CASCHER**

KAYAK n. m., d'abord *cayac* (1829), *kajack* (1840), *kaïak* (1841-1842) puis *kayak* (1851), est emprunté à un mot inuit (eskimo) désignant une embarcation légère utilisée du Groenland à l'Alaska. L'anglais a cet emprunt dès 1662.

♦ Le mot a été introduit par les relations des missions évangéliques et les relations de voyage vers le pôle Nord, pour désigner une embarcation de pêche des Inuit. ◇ Par analogie, il dénomme une petite embarcation de sport, faite de toile imperméable tendue sur une armature de bois et, par métonymie, le sport pratiqué avec ce canot.

▸ Le terme de sport a donné le composé **CANOË-KAYAK** n. m. (v. 1950) avec *canoë**, et **KAYAKISTE** n. (1943) qui a évincé la variante *kayakeur* (1941).

KEEPSAKE n. m. est emprunté (1828) à l'anglais *keepsake* (1790, Mme d'Arblay), mot désignant un présent qui perpétue le souvenir de la personne qui l'a offert, et spécialement un recueil de textes orné de gravures. Le mot s'est employé ensuite pour caractériser (1839) ce qui évoque le style romantique des images de ce genre de recueil. Il est composé de *to keep* «garder, conserver», verbe d'étymologie inconnue dont les sens se sont en partie modelés sur le latin *servare*, et de *sake* pris au sens de «considération, égard». Ce sens est une spécialisation, d'après la formule *for one's sake* «pour le compte de», de l'acception originelle de «querelle», «chef d'accusation, culpabilité». *Sake* appartient à une famille germanique (néerlandais *zaak*, allemand *Sache*) dont la racine °*sak-* «quereller, accuser», est la spécialisation juridique de la racine contenue dans le verbe anglais *to seek* «chercher à obtenir», bien représentée en indoeuropéen, notamment par le latin *sagax* (→ sagace), *sagire* «avoir du flair» (→ présage).

♦ Le mot a été importé avec la mode des albums publiés en France entre 1825 et 1860. Il désignait un album de souvenirs illustré de gravures, souvent relié en soie ou en tissu, protégé par un étui, et offert en cadeau à une jeune femme, une jeune fille pour Noël et le jour de l'an. L'objet demeure un document précieux pour l'histoire du goût romantique.

KEFFIEH n. m. est l'emprunt (XXe s.) de l'arabe *kaffīyah* ou *kuffīyeh*, mot que l'on a rattaché au latin tardif *cofea, cuphia* (→ coiffe), lui-même d'origine germanique. L'anglais a *keffieh* dès 1817.

♦ Le mot désigne la coiffure des Bédouins, carré de tissu plié en triangle et retenu par un lien. Il s'est diffusé avec les commentaires de presse portant sur les problèmes palestiniens, surtout après 1970, le keffieh étant alors identifié comme la coiffure palestinienne, symbolisant les mouvements pour la libération de la Palestine.

KÉFIR ou **KÉPHIR, KÉPHYR** n. m. est l'emprunt (1885) d'un mot répandu dans plusieurs langues du Caucase (géorgien, arménien), et adopté en russe. Il a été emprunté à la même époque par plusieurs langues d'Europe occidentale (*kephir* en anglais, 1884).

♦ Le mot désigne une boisson gazeuse et acide, d'origine caucasienne, obtenue avec du lait que l'on fait fermenter au moyen d'une levure spéciale dite *grains de kéfir*. Les mots *kéfir* et *koumis*, désignant une boisson analogue, sont souvent associés.

KENDO n. m. est un emprunt (v. 1970) au japonais *kendo*, littéralement «voie (*do*, → judo) de l'épée (*ken*)», nom de l'art martial japonais du maniement du sabre. Le mot a été introduit en anglais dès 1921 avec son synonyme *ken-jutsu*, de *jutsu* «art», comme dans *jiu-jitsu*.

♦ Le mot s'est diffusé avec l'officialisation de ce sport en France vers 1970.

KÉPI n. m. est emprunté (1809, *Inventaire du général Lasalle*) à l'alémanique (Suisse) *käppi*, diminutif de l'allemand *Kappe* «bonnet», lui-même emprunté (VIIIe s.) au latin *cappa* «manteau à capuchon» (→ cape, chape).

♦ Le mot désigne une coiffure rigide à coiffe, cylindrique et à visière, portée par les officiers et sous-officiers de certaines armes et pour certains fonctionnaires en France, Belgique, Suisse.

▸ L'ouvrier qui fait les képis a reçu le nom de **KÉPISSIER** n. m. (1955), formé avec le suffixe des noms de métiers *matelassier, tapissier*, etc.

KÉRATINE n. f., mot créé par Simon (av. 1849) et attesté dans le *Dictionnaire de médecine* de Littré et Robin (1855), est l'une des principales formations françaises faites avec le premier élément *kér(a)-, kérat(o)-*, tiré du grec *keras, keratos* «corne, matière cornée», mot apparenté à d'autres noms de la corne (latin *cornu* → corne, anglais *horn*) et, avec un autre sens, à des noms de la tête comme le grec *kara* (→ carat, chère) et *kranion* (→ crâne). Le suffixe *-ine* indique l'essence ou la nature d'un produit.

♦ Le mot s'applique à un groupe de protéines, riches en soufre, formant le constituant principal de toutes les productions cornées de l'épiderme chez les vertébrés.

▸ En est dérivé **KÉRATINISER (SE)** v. pron. (1889), d'où **KÉRATINISATION** n. f. (1892), termes relatifs au processus par lequel les couches superficielles de la peau ou d'une muqueuse s'imprègnent de kératine.

KERMÈS n. m. est emprunté (v. 1500, *kermes*) à l'arabe *(al)-qirmiz* «cochenille», par l'intermédiaire de l'espagnol *alkermes* (→ carmin, cramoisi).

♦ Cet insecte, aussi nommé *cochenille*, portait le nom de *graine* en ancien et moyen français parce que la femelle, pour protéger ses œufs, se couvre d'une pellicule dure ayant la forme d'une graine rouge et servant à fabriquer la teinture rouge. ◇ Depuis le XVIe s. (1584), le mot sert aussi à désigner le chêne sur lequel vivent les cochenilles. À ce propos, il faut noter que jusqu'au XIXe s., le kermès était considéré comme une excroissance du chêne vert, provoquée par la piqûre d'un insecte; sa nature animale a été reconnue par l'Italien Cestoni (1637-1718). ◇ Par métonymie, le mot désigne aussi (1737) un médicament vomitif à base d'oxysulfure d'antimoine, appelé communément *poudre des Chartreux*, car il fut mis en vogue vers 1714 par le frère Simon, apothicaire des Chartreux.

▸ On en a tiré un terme de pharmacie aujourd'hui archaïque : **KERMÉTISÉ, ÉE** adj. «qui contient du kermès minéral» (1869).

KERMESSE n. f. est emprunté (1397) au flamand *kerkmisse*, littéralement «messe *(misse)* d'église *(kerk)*», employé par métonymie pour désigner la fête patronale et les réjouissances auxquelles elle donne lieu (cf. le picard *ducasse* de même sens, issu de *dédicace**). *Kerk* se range dans les dénominations germaniques de l'église (avec l'anglais *church*, l'allemand *Kirche*), et provient du grec tardif *kurikon* (sous-entendu *dôma* «maison»). Ce dernier est la substantivation d'une variante de *kuriakon*, neutre de l'adjectif *kuriakos* «du seigneur», dérivé de *kurios* «seigneur» (→ kyrielle). Les langues slaves ont adopté le même mot (russe *tserkovj*, serbe *crkva*, polonais *cerkiew* pour l'église du rite orthodoxe). *Misse* «messe» vient, comme le français *messe**, du latin ecclésiastique *missa*.

♦ Les premières attestations du mot, localisées dans les départements du Pas-de-Calais et du Nord, désignent sous les formes *kermesse, caremesse, carmesse* une fête patronale flamande, une fête de village. *Kermesse* s'est répandu au XIXe s. dans la langue littéraire (1842, Michelet) par le vocabulaire de la peinture, la kermesse constituant un des sujets favoris de l'art flamand. ◇ Par extension, il désigne une grande fête de bienfaisance se déroulant en plein air (1879).

KÉROSÈNE n. m., d'abord *kérosine* (1862), puis *kérosène* (1865), est emprunté à l'anglais *kerosene* «produit de la distillation des pétroles bruts» (1854). Ce terme est un dérivé savant du grec *keros* «cire» (→ cire,), avec le suffixe *-ene* correspondant au français *-ène*.

♦ Le mot désigne le carburant utilisé notamment dans les moteurs d'avions à réaction.

KETCH n. m. est emprunté sous la forme *cache* (1666) puis *quesche* (1677), *quaiche* (1687), réemprunté par écrit en *ketch* (1761), à l'anglais *ketch*, dont la forme a remplacé (milieu XVIIe s.) les formes plus anciennes *cache* (1371) et *catch* «vaisseau à deux mâts». Le mot est peut-être apparenté à *catch* «prise, capture», repris par l'intermédiaire de l'anglo-normand *cachier* au français *chasser**.

♦ Le mot désigne un cotre gréant deux focs et deux voiles auriques, aussi appelé *dundee*.

KETCHUP n. m. est d'abord attesté sous les formes *Ket-Chop* (1816), *catsup* (1821) et *calchup* (1826) avant de l'être sous sa graphie actuelle (1873). Celle-ci est conforme à l'original anglais *ketchup* (1711), également *catchup* (1690) et *kitchup*, lui-même probablement emprunté au chinois *kôe chiap* ou *kê tsiap* «saumure de poisson», peut-être par l'intermédiaire du malais *kêchap* «goût».

♦ Le mot désigne en général une sauce industrielle d'origine nord-américaine, à base de tomate et de goût sucré et épicé, assez éloignée du condiment chinois originel. Il connote en français une cuisine à l'américaine et la nourriture médiocre des fast-foods.

KEUF → FLIC

KEUM → MEC

KHÂGNEUX → CAGNEUX

① **KHAN** ou **KAN** n. m. est un emprunt, adapté en *kaan, kan* ou *can* chez Marco Polo (1298), puis *cham* (1549) et *khan* (1697), au mongol *kagan* «prince, souverain», mot de même origine que le turc *ḫān, ḫāqān* (turc moderne *ḫan, hakan*). Le mot est également passé en persan et en arabe : *ḫān*. Il apparaît en latin tardif et médiéval sous les formes *gaganus, caganus* «roi chez les Huns et les Avars» (VIe s.), aussi *chanis, canis* à côté du grec *kanis, kanês*.

♦ Le mot a été introduit en Europe, après les invasions mongoles de la première moitié du XIIIe s., par les missions européennes à la cour mongole et par les récits de voyage de Marco Polo. Dans le texte français du voyageur italien, le mot représente le titre tartare adopté par Oktai, fils de Gengis (appelé couramment en français *Gengis Khan*), et par ses successeurs. *Khan* recouvre plus largement le titre porté par celui qui exerce un pouvoir politique et religieux dans le monde mongol ou soumis à l'influence mongole (Turquie, Perse, sous-continent indien).

▸ **KHANAT** n. m., d'abord écrit *kanat* (1678), se rapporte à la fois à un pays soumis à l'autorité d'un khan et (1840) à la fonction ou à la dignité de khan.

② **KHAN** ou **KAN** n. m. est l'emprunt, sous les formes *kan* (1457) et *khan* (1679) du persan *ḫān* «caravansérail, hôtellerie», mot passé également en turc et en arabe.

♦ Le mot, qui désigne un caravansérail, un lieu de repos, est resté limité aux récits de voyageurs.

KHÉDIVE n. m. est emprunté (1869) au turc *ḫedīv* «prince, roi, souverain», et celui-ci au persan *ḫedīw*, prononciation courante de *ḫudaiw*, lequel est dérivé, au moyen du schème diminutif arabe, du persan *ḫudā̆* «dieu, seigneur».

♦ Le mot désigne le titre donné au pacha d'Égypte Ismaïl en 1867, porté ensuite par ses descendants sous la domination turque. L'association Égypte-tabac, à la fin du XIXe s., en a fait un nom de cigarettes blondes.

▸ Le mot a produit **KHÉDIVIAT** (1878) ou **KHÉDIVAT** (1888) n. m. «titre, fonction de khédive» et «temps d'exercice de cette fonction», ainsi que **KHÉDIVIAL, ALE, AUX** (1888) ou **KHÉDIVAL, ALE, AUX** adj. (1902), «relatif au khédive».

KHÔL, KOHL ou **KOHOL** n. m., successivement *kouhel* (1646), puis *kohl* (1787) et *khôl* (*k'hol*, 1837), est emprunté à l'arabe *kuhl* «antimoine», «collyre fait de poudre d'antimoine et appliqué comme fard» (→ alcool).

♦ Le mot français, aussi acclimaté en *kohel* (Nerval), *koheul*, s'applique au fard oriental utilisé pour les yeux.

KIBBOUTZ n. m., sous les formes *kibbouts* (1953) et *kibboutsim* au pluriel (v. 1953), est un emprunt à l'hébreu *qibbūs*, au pluriel *qibbūṣim*, dérivé du verbe *qibbẹ́s* «réunir, rassembler».

♦ Le mot désigne une communauté agricole de l'État d'Israël, fondée sur le principe d'un communautarisme intégral. Le premier kibboutz a été fondé en 1909 à Degania; depuis 1921, le kibboutz coexiste avec une autre forme d'exploitation rurale : le *mochab*, village coopératif fondé sur une vie familiale. De nos jours, il faut y ajouter un troisième type de village basé sur la propriété privée.

▸ Vers 1959 sont apparus **KIBBOUTZNIK** n. «habitant d'un kibboutz», de l'hébreu *qibbūṣ*, avec un suffixe yiddish venu du russe *-nik* (→ beatnik), et l'adjectif **KIBBOUTZIQUE**, rare et didactique.

KIDNAPPER v. tr. est emprunté (1861) à l'anglais *to kidnap* (1682), peut-être dérivé régressif de *kidnapper* (1678), mots apparus dans les milieux pratiquant le rapt illégal d'enfants ou d'adultes pour en faire des serviteurs ou de la main-d'œuvre agricole dans les plantations américaines. Par extension, le mot s'est étendu à tout rapt, surtout d'enfant, et s'emploie au figuré (1732). Il est formé de *kid* «chevreau» (v. 1200), employé par extension (d'abord en argot, 1599) pour «enfant», mot emprunté à l'ancien norrois *kid*, lui-même rattaché à une racine germanique, et de *to nap* «saisir, s'emparer de» (1673), verbe argotique à comparer au suédois, norvégien *nappa*, danois *nappe* «attraper», peut-être apparenté à *to nab*, verbe argotique et familier de même sens (1686).

♦ L'unique attestation connue du mot au XIXe s. (1861) concerne le rapt d'un homme de couleur dans le sud des États-Unis. ◇ Le sens moderne s'est répandu au XXe s. (1931), diffusé par les journaux. Le verbe a pris le sens figuré d'«enlever subrepticement» (1951) dans la langue familière.

▸ **KIDNAPPEUR, EUSE** n. est emprunté à l'anglais *kidnapper*. La forme *kidnapper*, d'abord employée en référence aux «embaucheurs» illégaux des plantations de Virginie (1783, puis 1861), a cédé la place à la forme francisée *kidnappeur* (1953) avec son sens moderne (dès 1861 dans un contexte américain). ➝ **KIDNAPPAGE** n. m. (1931) correspond à la francisation de **KIDNAPPING** n. m. (1935), emprunt à l'anglais *kidnapping;* on emploie plutôt *enlèvement* et *rapt* dans l'usage courant.

KIF-KIF adj. inv. est emprunté (1867, *in* Delvau) à l'arabe algérien *kif* «comme», en emploi redoublé à valeur intensive.

♦ Le mot est passé, comme d'autres emprunts, par l'argot de l'armée d'Algérie. Il correspond familièrement à «pareil, semblable», souvent simplifié en *kif* (emploi vieilli) et substantivé : *c'est du kif* (1914) «c'est la même chose». La locution ***kif-kif bourricot*** (1883), littéralement «pareil à l'âne», renforce *kif-kif;* elle a vieilli.

KILIM n. m. est l'emprunt d'un mot turc, lui-même formé à partir du persan *kīlim*, mot désignant un tapis en laine tissé et tramé en tapisserie de basse lisse (Turquie, Iran, Caucase).

♦ Le mot s'emploie en français dans le commerce des tapis d'Orient, au moins depuis les années 1920-1930; il est attesté en anglais dès 1881 *(Oxford, Suppl.)*.

KILO n. m., est l'abréviation courante, par apocope (1858), de *kilogramme* (1795, loi du 18 germinal de l'an III), composé de l'élément *kilo-* et de *gramme**.

♦ Le mot a remplacé *kilogramme* «unité de masse équivalant à mille grammes» dans le langage didactique, administratif et courant ; il représente l'une des unités de masse les plus usuelles, avec *gramme* et *tonne*. ➛ Il est employé populairement au sens de «litre de vin» (1878), abrégé en **KIL** n. m. (1880), surtout dans ***kil de rouge.***

KILO-, élément attesté depuis 1794-1795 comme préfixe multiplicateur, est tiré arbitrairement du grec *khilioi* «mille», mot d'origine indoeuropéenne.

♦ Dès la Révolution, *kilo-* a servi à composer les noms de mesure valant mille fois l'unité, la quantité exprimée.

▶ Certains, déjà anciens, sont tombés en désuétude (*kilolitre* → litre) ; d'autres, plus récents, se sont formés au fur et à mesure des découvertes scientifiques ou des besoins industriels (*kilotonne* → tonne), récemment *kilofranc* (de *franc*).

▶ **KILOMÈTRE** n. m. (1790) s'est peu à peu substitué aux noms traditionnels d'unités de longueur, de distance, comme *lieue*. Critiqué au XIXe s. par les puristes (l'élément *kilo-* devrait être *khilio-*), il s'est imposé, surtout avec les transports modernes. De là ***kilomètre à l'heure, kilomètre-heure,*** unité de vitesse, et des emplois extensifs, dans ***manger, bouffer du kilomètre*** «faire de la route» (1888), ainsi que des syntagmes spéciaux, ***kilomètre lancé,*** en sports, etc. et des expressions comme ***kilomètre-voyageur,*** dans les statistiques. ◇ Le succès du mot a suscité des dérivés, **KILOMÉTRIQUE** adj. (1811), **KILOMÉTRER** v. tr. (1867), rare, **KILOMÉTRAGE** n. m. (1867) usuel. ➛ **KILOWATT** n. m. (1889, d'après l'anglais de même formation *kilowatt,* 1884) s'emploie couramment pour **KILOWATTHEURE** n. m. (1894), unité de travail appliquée aux tarifs d'électricité.

KILT n. m. est emprunté (1792) à l'anglais *kilt* (1730, *quelt*) «jupe de tartan, costume national des Écossais», déverbal de *to kilt* «retrousser, plisser» (v. 1340), mot d'origine scandinave que l'on compare au danois *kilte,* au suédois dialectal *kilta* (ancien norrois *kilting, kjalta* «contourner, enrouler»).

♦ Introduit par des relations de voyage en Écosse (1792, *hilt* en 1816) en même temps que *tartan**, le mot est devenu, par extension, un terme de mode pour une jupe féminine analogue à celle que portent les Écossais.

KIMONO n. m. est emprunté (1603) à un mot japonais, nom d'un vêtement traditionnel formé de *ki* «vêtir» et de *mono* «chose» (également dans *kakémono*). Les attestations isolées relevées au XVIIe s. dans des ouvrages d'histoire et des relations d'ambassadeurs font état des formes *gimon, quimon* (traduction d'un ouvrage écrit en latin et utilisant essentiellement des documents portugais, le portugais ayant *guimão* dès 1544). Le mot est repris au XVIIIe s. sous la forme *kimona* (1796), la forme *kimono* n'étant fixée qu'à partir de 1899.

♦ Le mot désigne un vêtement traditionnel japonais, qui s'oppose au vêtement occidental désigné au Japon sous le nom de *yôfuku* (de *yô* «Europe» et *fuku* «vêtement»). Par analogie, il est passé dans le vocabulaire de la couture et de la mode pour un léger peignoir féminin (1902) et, en apposition dans ***coupe kimono, manches kimono,*** un type de manches larges non rapportées (mode lancée vers 1910 avec l'abandon du corset féminin).

KINÉSITHÉRAPIE n. f. est formé (1847) de *kinési-*, élément tiré du grec *kinêsis* «mouvement» (→ cinéma), et de *thérapie** qui fournit le second élément de nombreux termes médicaux.

♦ Le mot, répandu seulement à partir de 1945, est couramment abrégé en *kinési* (1974) et en **KINÉ** n. f. (1969).

▶ **KINÉSITHÉRAPEUTE** n., attesté pour la première fois dans le *Journal officiel* en 1946, en apposition à *masseur,* est probablement antérieur. Il est abrégé lui aussi en *kinési* (1969) et en **KINÉ** n. (1979), beaucoup plus courant.

KIOSQUE n. m., d'abord *chiosque* (1608), puis *kiosque* (1654), est emprunté, par l'intermédiaire de l'italien *chiosco* (1594), au turc *köşk,* «pavillon de jardin», lequel est emprunté, avec dérivation de sens, au persan *kušk* «salle haute, galerie, salon».

♦ Le sens propre de *kiosque* est donc celui de «pavillon de jardin ouvert de tous côtés et coiffé d'un dôme, au Moyen-Orient», étendu à un pavillon de jardin de style oriental. ◇ Par spécialisation, le mot désigne un abri du même genre destiné à abriter les musiciens lors d'un concert en plein air (1885; 1867, *kiosque de musique*, remplacé plus tard par ***kiosque à musique***), et, par analogie de forme, désigne couramment un édicule où l'on vend des journaux (1848, *kiosque de journaux* puis ***kiosque à journaux***). ➛ Depuis 1903, il connaît un emploi technique en marine, au sens d'«abri vitré sur le pont d'un bateau».

▶ Aucun des trois dérivés formés pour désigner la personne qui tient un kiosque à journaux, **KIOSQUISTE**, **KIOSQUIER** et **KIOSQUAIRE** n. (v. 1950), ne s'est imposé hors du vocabulaire professionnel.

KIPPA n. f. est l'emprunt, attesté récemment, de l'hébreu *kippa* «coupole, calotte».

♦ Le mot désigne la calotte portée par les juifs pratiquants.

KIPPER n. m. est emprunté (v. 1803) à l'anglais *kipper,* terme très ancien (v. 1000) désignant d'abord le saumon mâle à l'époque du frai, puis aussi bien le saumon que le hareng et d'autres poissons préparés (nettoyés, salés, séchés ou fumés) pour être conservés (v. 1326). Bien que le développement de sens soit plausible (en supposant que cette préparation s'est d'abord appliquée au saumon *kipper*), le second sens est manifestement solidaire du verbe *to kipper* «préparer les poissons de cette manière» (seulement attesté au XVIIIe s.) et l'étymologie du mot anglais n'est pas claire.

♦ D'abord emprunt rare et pittoresque, *kipper* s'est répandu comme terme culinaire (1888) pour désigner un hareng ouvert, légèrement salé et fumé à froid. Il reste associé à la cuisine britannique.

KIR n. m. est l'emploi comme nom commun (1953), parfois avec une majuscule, du nom du chanoine *Kir* (1876-1968), député-maire de Dijon, en l'honneur de qui cette boisson a été dénommée. La petite histoire veut qu'en 1950, un membre du Parlement britannique, rentrant à Londres après avoir été reçu à Dijon par le chanoine Kir, répondit à ses collègues qui lui demandaient ce qu'il avait bu : «J'ai bu un kir.» Le mot est attesté en anglais depuis 1966.

♦ *Kir* désigne un apéritif fait de crème de cassis et de vin blanc ou de champagne (*kir royal*).

KIRSCH n. m. est l'abréviation (1835) de *kirschwasser* (1835), mot attesté dès la fin du XVIIIe s. en Alsace et en Lorraine germaniques (1775). Le mot est emprunté à l'allemand *Kirschwasser* «eau-de-vie de cerises» (1741 ; dès le XVIe s. sous la forme *kirschenwassen*), composé de *Kirsche* «cerise» et de *Wasser* «eau». *Kirsche*, par un ancien haut allemand *kirsa*, remonte, comme le français *cerise**, au latin °*cerasia* ; *Wasser*, par l'ancien haut allemand *wazzar*, appartient à une famille de mots germaniques désignant l'eau (anglais *water*, néerlandais *water*), à rattacher à une racine indoeuropéenne que l'on retrouve en russe (→ vodka), en latin (→ onde), en grec (→ hydro-) et en celtique (→ whisky, du gaélique).

♦ Le mot désigne une eau-de-vie provenant de la fermentation de cerises ou de merises, fabriquée traditionnellement en Forêt-Noire et dans l'est de la France.

KIT n. m. est emprunté (1958) à l'anglais *kit*, mot désignant à l'origine un baquet en bois servant à transporter du lait, du poisson, le linge de la lessive (1375), étendu par métonymie à un lot d'articles (*articles of kit*) constituant l'équipement du soldat (1785), puis à un nécessaire de voyage (1833) et à un assortiment d'outils (1825), notamment en cordonnerie. L'anglais *kit* vient probablement du moyen néerlandais *kitte* «récipient en bois» (néerlandais *kit*), dont l'origine est inconnue.

♦ Le mot a été introduit à propos d'un ensemble d'éléments vendus accompagnés d'un plan de montage et que l'on peut assembler soi-même, d'après le vocabulaire commercial américain. La recommandation officielle *prêt-à-monter* (1982) ne paraît pas le concurrencer sérieusement.

KITSCH n. m. inv. et adj. inv. est un mot allemand introduit vers 1960 (1962, E. Morin, *L'Esprit du temps*). L'allemand *kitsch* est probablement dérivé de *kitschen* «ramasser la boue des rues» d'où «rénover des déchets, revendre du vieux» (en Bavière) plutôt qu'emprunté à l'anglais *sketch* «esquisse» (→ sketch). Le kitsch s'est affirmé dans la Bavière de l'hyperromantique et maniériste Louis II, où le mot apparaît vers 1870 pour qualifier des reproductions d'art bon marché. Il connaît une première diffusion autour du modern style de 1900 et un «second souffle» mondial, contemporain du pop art, vers 1960. Concept inséparable de la triade industrie-masse-consommation, il prospère dans les lieux et les moments de civilisation «flottante».

♦ Le mot, en histoire de l'art et dans l'usage courant, s'applique au caractère esthétique d'objets de grande diffusion surchargés, inauthentiques, de mauvais goût. Un concept plus scientifique correspond à «objet dont la finalité et le sens sont transférés». Dans l'usage courant, il s'applique à tout ce qui relève d'un mauvais goût provocant.

① **KIWI** n. m., d'abord *kivi-kivi* (1828), puis *kiwi* (1842), est emprunté à un mot maori désignant un oiseau de Nouvelle-Zélande, l'aptéryx. L'anglais *kiwi, kiwi-kiwi* a pu servir d'intermédiaire.

② **KIWI** n. m. est emprunté (v. 1975) à l'anglais *kiwi* (v. 1972), elliptique pour *kiwi fruit, kiwi berry* (1966), nom d'un fruit appelé antérieurement *chinese gooseberry* (1925) «groseille à maquereau chinoise» parce qu'on l'importa de Chine pour le cultiver en Nouvelle-Zélande. Le nom actuel vient probablement du surnom donné aux fruits néo-zélandais, par allusion à l'oiseau *kiwi* (→ ① kiwi), symbole néo-zélandais. Le nom savant du fruit, *actinidia*, figure dans le *Dictionnaire des sciences* de Poiré ([illegible]) sans mention du fait qu'il est comestible.

♦ D'abord commercialisé en France comme denrée de luxe, le kiwi, acclimaté dans le sud de la France et cultivé abondamment, est devenu un fruit banal, le mot devenant usuel vers 1980.

KLAXON n. m. est emprunté (1911) au terme anglo-américain *klaxon* (1910), marque déposée, du nom de la firme qui fabriquait cet avertisseur d'automobile. On rencontre des graphies *klakson* (1921), *claxon, clakson* (1919) et même *claskson*.

♦ *Klaxon* est un mot critiqué que l'on conseille de remplacer par *avertisseur* ; cependant, il s'est généralisé, de même que son dérivé **KLAXONNER** v. intr. (1930), qui a supplanté *corner* en ce sens.

KLEPTOMANE n. et adj. est composé savamment (1896), avec l'élément *klepto-* tiré du grec *kleptês* «voleur», dérivé de *kleptein* «voler, dérober, dissimuler», verbe contenant une racine exprimant le vol par ruse (→ clepsydre), et de *-mane* (→ manie). Une graphie à initiale *cl-* est également acceptée.

♦ Le mot désigne, d'abord en psychiatrie puis couramment, une personne qui vole par pulsion obsessionnelle.

▸ **KLEPTOMANIE** n. f. est formé (1906) de *klepto-* et de *-manie* pour désigner l'obsession du kleptomane.

KNICKERBOCKERS ou **KNICKERS** n. m. pl. est emprunté (1863) à l'anglo-américain *knickerbockers* (1859), par abréviation, *knickers* (1881) désignant des pantalons de sport serrés juste au-dessous du genou. Ce mot est l'emploi comme nom commun de *Knickerbocker*, nom donné aux membres des familles new-yorkaises descendant des premiers colons hollandais dans le livre de Washington Irving, *A History of New York* (1809). L'écrivain américain choisit de publier son ouvrage sous le pseudonyme de Dietrich *Knickerbocker* en l'honneur de son ami Herman *Knickerbocker*, qui vivait près d'Albany. Ce sont les éditions illustrées de ce livre, montrant plusieurs descendants de colons vêtus de ce genre de culotte, qui seraient à l'origine du nom du vêtement.

♦ Le mot désigne un pantalon large et court serré sous le genou, utilisé en sports, pour l'escalade (1885, A. Daudet, *Tartarin sur les Alpes : knickerbockers de montagne*), le ski et le golf (v. 1930), autrefois également en cyclisme. Le mot et la chose sont à peu près sortis d'usage, sauf par allusion à la mode masculine entre 1880 et 1930 ; l'expression *pantalons de golf* s'y était un moment substituée.

KNOCK-OUT n. m. inv. est emprunté par la langue de la boxe (1899) à l'anglais *knock-out* (1898), substantif verbal de *to knock out* «éliminer, faire sortir par un coup» (1591, spécialement en boxe depuis 1883). Le verbe est composé de *to knock* «cogner, frapper» (v. 1000), mot probablement d'origine onomatopéique — à comparer à l'ancien norrois *knoka* — et de l'adverbe *out* «dehors, au-delà de certaines limites», mot ayant des correspondants germaniques, et d'origine indo-européenne incertaine (cf. *hystérie*).

♦ Le mot désigne le coup qui met hors de combat un boxeur pendant plus de dix secondes et l'état du boxeur ainsi éliminé. ◇ L'emploi adjectif (dès 1905) est propre au français et correspond au participe passé *knocked out* de l'anglais. ◇ L'abréviation courante par les initiales **K.-O.** date de 1909. Des milieux de la boxe, les deux termes sont passés dans l'usage familier.

▸ Ce n'est pas le cas du dérivé **KNOCKOUTER** v. tr. (1907), ni d'un autre terme de boxe de formation similaire, **KNOCK-DOWN** n. m. inv. (1909) «mise à terre d'un boxeur (qui se relève avant d'être mis knock-out)», emprunt à l'anglais *knock down* (1690 ; 1809 comme terme de boxe), de *to knock down* «étendre à terre de plusieurs coups». L'adverbe *down* «en bas» est issu par aphérèse de *adown* (aujourd'hui dialectal ou poétique), anciennement *adune*, formé de *a-* et du datif de *dun* «colline», mot apparenté au français *dune**.

KOALA n. m., attesté pour la première fois en 1817 (Cuvier), est un emprunt à l'anglais d'origine australienne *koala* (1802), de *koolah, küla*, nom d'un mammifère (marsupial) australien grimpeur, dans une langue indigène. Il n'est pas exclu que *koala* soit dû à une mauvaise lecture de *koola*. Jules Verne écrit *koula*, probablement d'après l'anglais *koolah*.

KOBOLD n. m. est emprunté (1835, *Faust* de Nerval) à l'allemand *Kobold* désignant dans les contes un lutin familier, chargé de veiller sur les métaux précieux enfouis dans la terre. Le mot serait issu du gotique °*kuka-hulths* «celui qui tient la maison», croisé avec le latin médiéval *cobalus* «esprit de la montagne», «gnome» ; son premier élément est apparenté à l'ancien norrois *kofi* «maison» et le second élément *-hult, -hold* apparaît dans des noms de démons (tel le gotique *unhultho* «diable»).

♦ Le mot est didactique et ne s'applique qu'aux légendes germaniques.

◈ voir COBALT, GOBELIN.

KODAK n. m. est emprunté (1889) à l'anglo-américain *kodak*, mot créé arbitrairement en 1888 pour ses possibilités internationales d'emprunt par l'industriel américain G. Eastman (1854-1932), qui le déposa comme nom de son appareil photographique à main.

♦ Le mot, à la mode autour de 1900 et jusqu'à 1930 environ, a été supplanté par *appareil-photo, de photo*. Il reste vivant comme nom de marque.

KOLA n. m. (1829), et aussi *cola* (1610), est emprunté par l'intermédiaire du latin savant (fin XVIe s.) à un mot soudanais qui désigne l'arbre et la graine qu'il produit, utilisée comme produit tonique et stimulant.

♦ *Kola*, nom du végétal et, par métonymie, de sa graine, dite aussi ***noix de kola***, fournit également le nom d'une boisson à base de kola (en ce sens, on lui préfère *cola*).

▸ On en a dérivé le nom d'arbre **KOLATIER** n. m. (1905) et le terme médical **KOLATISME** n. m. (1935) qui désigne l'abus de kola.

◈ voir COCA-COLA.

KOLKHOSE ou **KOLKHOZE** n. m., d'abord *kolkos* (1931, dans une traduction du russe par J. Guéhenno), puis *kolkhose* (1935), est emprunté au russe *kolkhoz* (1927), combinaison de *kollektivnoje khozjajstvo* «exploitation agricole collective». *Khozjajstvo* est dérivé de *khozjain* «propriétaire, patron, maître de maison», formé avec le suffixe *-in* indiquant l'unicité, sur un mot que l'on trouve dans les langues slaves de l'Est et qui serait emprunté au tchouvache ; ce dernier correspond à un mot turc employé notamment comme appellatif honorifique pour un maître. Ce mot vient du persan *ḫawāǧa*, lui-même à l'origine d'un mot arabe. Le français a connu l'emprunt *hogea* (1559), *hogia* (1653), enfin *hodja* (Loti, 1879) en ce sens.

♦ Le mot se rapporte à une coopérative de producteurs agricoles disposant en commun d'une vaste étendue de terre et d'outils agricoles, en U. R. S. S. et dans certains pays socialistes, avant 1989-1990.

▸ **KOLKHOZIEN, IENNE** n. et adj. (1933) qualifie ce qui est relatif à un kolkhoze et désigne un membre d'un kolkhoze.

◈ voir SOVKHOZE.

KOPECK n. m., d'abord *copek* (1607), *kopek* (1823), puis *kopeck* (1828), est emprunté au russe *kopejka* «centième du rouble», mot dont l'origine est controversée : il est probablement dérivé, avec un suffixe diminutif, de *kopjio, kop'ë* «lance». Cette désignation viendrait de la substitution en 1535, sur la pièce de monnaie, de la figure d'Ivan IV à cheval, armé d'une lance, à celle de son prédécesseur qui était armé d'une épée. *Kopjio,* du vieux slave *kopije,* se rattache au grec *koptein* «couper, frapper» (→ comma). L'hypothèse d'un emprunt au turc *köpek* «chien», par référence à une pièce d'argent à l'effigie d'un chien, est moins probable.

♦ Le mot, essentiellement employé à propos de la monnaie russe et soviétique (avant 1991), est entré dans la locution familière ***ne pas avoir un kopeck,*** variante plaisante de *ne pas avoir un sou.*

KORÊ → KOUROS

KORRIGAN, ANE n. est emprunté (1831) à un mot breton désignant un esprit malfaisant auquel on donne soit l'apparence d'un nain, soit celle d'une fée. Le mot appartient au dialecte de Vannes ; c'est le féminin de *korrig* «gnome», diminutif de *korr* «nain», mot gaélique (*cory* en cornouaillais).

♦ Le mot apparaît dans le *Journal* de Michelet qui rapporte la tradition bretonne selon laquelle les korrigans habiteraient les dolmens, forceraient les voyageurs à danser en rond avec eux, voleraient les enfants, etc.

KOUBBA n. f., successivement adapté en *cube* (1568), *cubee* (1608), *kubbe* (1776) et repris sous la forme *koubba* (1845-1846), est emprunté à l'arabe *qubba* «coupole», «édifice en forme de dôme ou surmonté d'un dôme», en particulier «abritant la tombe d'un personnage vénéré».

♦ Le mot a été repris dans cette dernière acception spécialisée, dans le contexte de l'Afrique du Nord. Il est en concurrence avec *marabout.*

KOUGELHOF n. m., d'abord *gouglouff* (1827) puis *kougelhof* (1861, chez Erkmann-Chatrian), est emprunté à l'alémanique d'Alsace et de Suisse *gugelhupf,* également *gugelhopf* «gâteau à pâte levée aux raisins secs, cuit dans un moule rond muni d'une cheminée centrale». Le mot est formé de *gugel,* équivalent de l'allemand *Kugel* «boule», mot apparenté à l'anglais *cudgel* et au moyen néerlandais *koghele* désignant à l'origine un bâton au bout émoussé, et remontant à une racine indoeuropéenne °*geu-* «courber, arquer». Le second élément est dérivé de l'allemand *Hefe* «levure», issu, par l'ancien haut allemand *hevo,* d'un verbe germanique °*hafjo* «lever», qui serait apparenté à la même racine que le latin *capere* «prendre» (→ capter).

♦ Le mot, sous de nombreuses graphies, désigne la pâtisserie alsacienne décrite ci-dessus.

KOULAK n. m. est emprunté (1917 ; au plur. *koulaky,* 1881) au russe *kulak* «poing», par métonymie «personne aux poings fermés», image analogue à celle de *grippe-sou,* mot appliqué aux grands fermiers. Le mot est probablement emprunté au turco-tartare *kulak* «poing», apparenté au turc *ḳul* «main».

♦ Le mot se réfère à un riche propriétaire terrien dans la Russie pré-révolutionnaire et à un paysan-propriétaire en Union soviétique. Il s'est diffusé en français et en d'autres langues lorsque, dans les années 1930, le gouvernement soviétique fit campagne contre ces paysans riches. ◇ Par calque du russe, on parle alors aussi de **DÉKOULAKISATION** n. f. et de **DÉKOULAKISER** v. tr. (1933).

KOULIBIAK ou **KOULIBIAC** n. m. est emprunté (1902) au russe *kulebjaka,* désignant un pâté en croûte d'abord à base de chou, puis de viande, de poisson, mot d'origine inconnue. La forme *koulbac* est attestée en français dès 1855.

♦ Le mot se rapporte à un mets de la cuisine russe, préparation de poisson en croûte.

KOUMIS ou **KOUMYS** n. m. est un emprunt, d'abord adapté en *cosmos* (1634), *komiiz* (1663) puis écrit *kumis* (1823) et *koumis* (1832), au russe *kumys* (d'abord *komyz', komuz'* au XVe s.). C'est en russe un emprunt aux langues turco-tartares.

♦ Le mot désigne une boisson d'Asie centrale, voisine du kéfir, à base de lait fermenté de jument, d'ânesse, de chamelle ou de vache.

KOUROS n. m. est emprunté (attesté 1934 ; certainement antérieur) au grec *kouros,* forme ionique de *koros* «jeune garçon» et par métaphore, «rejeton d'une plante, branche». L'origine du mot est inconnue, l'hypothèse la plus solide le rattachant au thème de *kore-* «nourrir» et «faire croître», apparenté aux verbes latins *creare* (→ créer) et *crescere* (→ croître).

♦ Le mot désigne une statue de la Grèce antique représentant un jeune homme nu.

▸ **KORÊ** ou **KORÈ** n. f. est emprunté au grec *korê,* féminin de *koros,* «jeune fille», aussi «poupée, pupille» (cf. *pupille*) et, en architecture, «statue féminine», en particulier «caryatide». Le mot, attesté en 1933 dans les dictionnaires, est certainement bien antérieur (cf. *core,* 1844 en anglais, *Kore* en allemand). Il a été repris pour désigner une statue grecque représentant une jeune fille.

KRACH ou **KRACK** n. m. est emprunté (1877) au néerlandais *krach* sous l'influence de l'allemand *Krach,* déverbal de *krachen* «craquer», employé une fois en 1857 et répandu à la suite de l'effondrement des cours de la Bourse à Vienne, le 9 mai 1873. L'allemand doit cette spécialisation à l'anglais correspondant, *crash,* attesté au même sens depuis 1817. *Crash,* proprement «bruit, craquement» (XVIe s.), vient de *to crash* «craquer» (XIVe s.), formation expressive analogue au français *craquer**.

♦ Le mot s'est répandu en français en 1881 à propos du «krach» de l'Union générale. Il s'est étendu à la situation d'une banque qui ne peut plus faire face aux demandes de retrait (1891), puis à un effondrement des cours de la Bourse.

KRAFT n. m., enregistré à partir de 1931 dans les dictionnaires, est d'origine germanique, probablement emprunté au suédois *kraftpapper,* littéralement «papier force», peut-être par l'intermédiaire de l'anglais où le mot est attesté dès 1907, mais non de l'allemand, où il est rare et relativement récent. Le suédois *kraft,* «force», appartient à un important groupe germanique constitué par l'allemand *Kraft,* le néerlandais *kracht,* l'anglais *craft,* le norvégien et le danois *kraft;* la plupart de ces mots ont conservé le sens primitif de «force, pouvoir, capacité». Le rattachement de cette famille à la racine indoeuropéenne °*ger-* «tourner» (→ giratoire, girolle), proposé par Kluge, n'est pas confirmé.

♦ Le mot, seul ou en apposition à *papier,* désigne un papier d'emballage très résistant.

KSS, KSS onomatopée (1840) a d'abord été transcrite *xi, xi* (1745).

♦ Elle note le son humain produit pour exciter les chiens, provoquer et narguer quelqu'un.

KUMMEL n. m. est emprunté (1857) à l'allemand *Kümmel* «cumin» et, par métonymie, «liqueur aromatisée au cumin» (v. 1800). Ce mot remonte à une forme d'ancien haut allemand *kumil,* variante de *kumîn,* qui correspond au français *cumin**.

♦ Le mot a été repris comme nom d'une liqueur parfumée au cumin.

KUMQUAT n. m., d'abord *kum-quat* (1891), puis *kumquat* (1961), est emprunté à une forme dialectale (Canton) du chinois *kin kü* «orange d'or», désignant un arbrisseau asiatique produisant de petits fruits savoureux, et ce fruit. L'anglais connaît le fruit dès le XVIIe s. sous la forme *camquit* (1699), puis *kum-kat* (1841), et de nos jours *cumquat.*

♦ Le mot, diffusé par les restaurants chinois, s'applique surtout à ce petit agrume confit.

KWAS ou **KWASS** n. m., successivement acclimaté en *quassetz* (1540), *quas* (1656), *kuvas* (1688) puis transcrit en *kwas* (1824), *kwass* et *kvass* (1832), est emprunté au russe *kvas* «boisson alcoolique obtenue par la fermentation du seigle, de l'orge ou de fruits acides». Ce mot, dont le pluriel *kvastzy* explique la première attestation française, est d'origine incertaine : on a proposé un rattachement au latin *caseus* «fromage» (→ caséine) ou une formation savante à partir du latin *quassare* «secouer, agiter fortement» (→ casser).

♦ Le mot se réfère comme l'étymon à une boisson populaire russe.

KYMOGRAPHE n. m. est la francisation (1891) du grec scientifique *kymographion* (1855, Nysten), reprise du nom donné par l'Allemand A. W. Volkmann en 1850 à un instrument inventé par K. F. W. Ludwig pour enregistrer la pression artérielle (1846). L'appellation est composée d'un élément tiré de *kuma* «vague, onde», mot contenant un radical signifiant «gonfler», et d'un second élément tiré de *graphein* «écrire» (→ -graphe, -graphie, grapho-). L'anglais a *kymograph* en 1872.

♦ Le mot a désigné l'appareil de Ludwig, destiné à mesurer la pression artérielle *(kymographe de Ludwig),* avant de s'appliquer plus largement à un appareil servant à l'enregistrement graphique des mouvements d'un organe, formé d'un stylet relié à l'organe et inscrivant les variations dynamiques sur un tambour vertical en rotation.

▸ On en a dérivé **KYMOGRAPHIE** n. f. (1935) et **KYMOGRAPHIQUE** adj., le syntagme *tracé kymographique* étant concurrencé par **KYMOGRAMME** n. m., lui-même formé avec *-gramme**.

KYRIELLE n. f., d'abord *keriele, kiriele* (v. 1155), est issu par abréviation de *kyrie eleison,* invocation liturgique répétée plusieurs fois au cours de la messe (v. 1155). Celle-ci est reprise par le latin liturgique au grec *kurie eleêson* «Seigneur, prends pitié». *Kurie* est le vocatif de *kurios* «maître, souverain», appliqué au Christ dans les textes chrétiens (comme le latin *dominus* et le français *seigneur*), et à rapprocher du sanskrit *śū́ra-, śávīra-* «fort», du gallois *cawr* «géant». *Eleêson* est l'impératif aoriste de *eleein* «avoir pitié», mot sans étymologie connue.

♦ Le mot est d'abord synonyme de *litanie,* au propre (sens vieilli depuis le XVIIe s.) et au figuré. Par transposition à d'autres objets que la parole, il désigne une procession (XVe s.), une longue suite ou une liste de choses (1688). ◇ Il n'a pas conservé le sens de «tumulte» (1611), qui mettait l'accent sur le bruit (de la litanie).

◈ voir KERMESSE.

KYSTE n. m., réfection (1721) de *kisti* (v. 1370), *kist* (1478), *chyst* (1611), est emprunté au grec *kustis* «poche gonflée, vessie», conservé en grec moderne avec le double sens de «vessie» et de «kyste». Le mot est dérivé avec un suffixe *-ti* d'un verbe indoeuropéen signifiant «souffler», conservé par le sanskrit *śvas-iti.*

♦ Le mot, introduit en pathologie, désigne une poche sans ouverture se développant dans un tissu organique. La biologie l'a repris à propos de la membrane plus ou moins épaisse entourant un organisme ou une partie d'un organisme pour assurer sa protection.

▸ Il a produit **KYSTIQUE** adj. (*kistique,* 1721) et **KYSTEUX, EUSE** adj. (1845) «qui contient des kystes». ◆ Par l'intermédiaire de l'adjectif **ENKYSTÉ, ÉE** (1703) décrivant une tumeur enfermée dans un kyste, il a donné **ENKYSTER** v. tr. et pron., dont on a tiré **ENKYSTEMENT** n. m. (1823), plus rare. *Enkysté, ée* adj. s'emploie comme le verbe au propre et figurément, pour «enfermé comme par un kyste».

◈ voir CYSTITE.

L

① et ② **LA** → ① et ② LE

③ **LA** n. m. est la première syllabe (v. 1223) du mot latin *labii,* au troisième vers de l'hymne de saint Jean-Baptiste, de Paul Diacre, choisie arbitrairement par Gui d'Arezzo (995-1050).

♦ Le mot désigne la sixième note de la gamme en do majeur; il entre dans la locution ***donner le la,*** au propre (1831) et au figuré, «donner le ton» (1866); cf. *gamme.*

LÀ adv. et interj., attesté (1080) peu après les formes occitanes *lai, lay* (v. 980), est issu du latin *illac* «par là» (→ il), dont le *c* est tombé dans la langue parlée (depuis Plaute). La diphtongaison attendue du *a* a probablement été empêchée par la fréquence d'emploi d'*illa(c)* devant un adverbe.

♦ Le mot, qui a supplanté l'ancien français *ila* (v. 1120), s'applique originellement au lieu où l'on va, par opposition à *ici* (*ci* dans les premiers textes), mais cette opposition s'est entièrement perdue dans les emplois courants modernes, où *là* indique aussi (et abusivement) l'endroit où l'on est. La même chose se produit dans son emploi au sens temporel d'«alors, à ce moment» (1135) qui se déterminait anciennement par opposition au temps du locuteur. Depuis 1511, *là* assume aussi l'idée figurée d'«à ce point» (en particulier avec *en* : ***en être là***). ◆ Très tôt, sont apparues différentes possibilités de construction : *là* introduit une proposition relative avec *où, que, qui* (1080) et la langue classique préférait dire *c'est là où* quand nous disons aujourd'hui *c'est là que.* Depuis le XVIe s. (1545), *là où* est spécialement employé pour indiquer une opposition, assumant un rôle voisin de *tandis que.* Depuis les XIIe-XIIIe s., *là* accompagne un pronom ou adjectif démonstratif (→ cela, celui) pour le renforcer. ◇ Il s'emploie souvent précédé d'une préposition ou dans une locution prépositionnelle : ***de là*** (1080) [cf. ci-dessous *delà*], ***çà et là*** (v. 1175) [cf. *çà*], ***par là*** (v. 1208), qui s'emploie aussi au figuré depuis 1240, notamment dans ***en passer par là*** (1611) et dans ***par ci par là*** (av. 1538). ◇ *Là* s'emploie très tôt (1080) avec un autre adverbe, combinaison ayant d'abord donné *là-jus* (v. 980) «en bas» (du latin *deorsum* dont il reste une trace dans *jusant**), et *là-sus* «en haut» (du latin *su(r)sum;* → sus); ces composés ont été supplantés par ***là-dessous*** (v. 1180) et ***là-dessus*** (1580 au figuré). S'y sont ajoutés ***là-dedans*** (v. 1160), son antonyme ***là-dehors*** (1200; 1160, *la hors*), sorti d'usage, et ***là contre,*** aujourd'hui archaïque, ainsi que ***là-haut*** (1456) qui s'opposait primitivement à ***là-bas*** (1532). L'opposition s'est perdue en même temps que les deux locutions ont changé de sens : à l'origine, *là-haut* avait le sens religieux de «dans le ciel» (on désignait Dieu comme *celui qui est là-haut*) et, symétriquement, *là-bas* signifiait «dans les enfers», valeur réactivée, sans être clairement perçue par le locuteur moderne, dans le titre du roman de Huysmans *Là-bas* (1891). Les deux locutions ont pris un sens laïc au XVIIe s. et, progressivement, ***là-bas*** a glissé vers le sens actuel «à quelque distance, au loin» (av. 1833). Ce faisant, il usurpe le sens originel de *là* mais, celui-ci se confondant avec *ici,* ce renforcement est devenu nécessaire. ◆ Depuis 1611, *là* (parfois *là! là!*) est employé comme interjection dans les dialogues. Au XVIIe s., dans cet emploi, il était souvent orthographié sans accent grave, avant que Furetière et l'Académie ne préconisent la graphie actuelle. L'usage moderne tend à l'associer à une autre interjection *(ah là! ouh là! ah là là!).* Familièrement, il reprend parfois un mot que l'on vient d'exprimer.

DELÀ prép. et adv. résulte de la soudure (v. 1160) de *de** et *là**. ◆ La préposition *delà,* usuelle jusqu'au XVIIe s. au sens spatial de «plus loin que», a été remplacée par la locution prépositionnelle **PAR DELÀ** (1669, Racine). Une autre locution prépositionnelle, *de delà* (XIIIe s.), qui mettait l'accent sur la provenance («d'un lieu situé de l'autre côté de»), est sortie d'usage. L'usage adverbial de *delà* s'est lui aussi modifié au XVIIe s. : son emploi au sens local (v. 1175) l'a cédé à *là bas* lorsque cette dernière locution a acquis son sens moderne. Il a mieux résisté en association avec *delà* dans la locution *deçà et delà* «de côté et d'autre», dont une variante plus concise, ***deçà, delà*** (1549) est surtout connue pour ses emplois littéraires (*Une chanson* de Verlaine) [→ çà]. ◇ Parmi les locutions adverbiales formées avec *delà, en delà* n'a eu qu'une expansion réduite; ***par delà*** «plus loin, de l'autre côté» (XIIIe s.) s'est mieux maintenu, mais seul ***au delà*** (1538) est devenu courant avec cette même valeur spatiale. ◇ Ces deux locutions ont développé une valeur figurée, *au delà* recevant la valeur quantitative et qualitative de «encore plus, encore mieux» (Pascal). Symétriquement à *en deçà,* il a servi à construire une locution prépositionnelle, ***au delà de*** (v. 1550) de sens local et figuré (1580-1592, *au delà de nos forces*), et il a été substantivé plus récemment : ***l'au-delà*** (1866, Amiel). Cet emploi est presque totalement accaparé par la valeur de «l'autre monde» se plaçant dans la série des dénominations adverbiales *ici-bas, là-haut* et (archaïque) *là-bas.* L'emploi susbtantivé est le seul cas où le trait d'union demeure obligatoire.

◈ voir DESSOUS (là-dessous), VOILÀ.

LABEL n. m. est emprunté (1899, dans *La Vie américaine*) à l'anglais *label* «étiquette, marque distinctive» (1679), sens issu de celui de «ruban, bande de tissu» (v. 1320) avec lequel le mot a été emprunté à l'ancien français *label, lambel, labeau, lambeau* «ruban pendant en manière de frange» (→ lambeau).

♦ Ni l'anglais ni l'américain n'ont spécialisé le mot dans le sens d'«étiquette syndicale» et de «marque de qualité, image de marque» (1938) qui motivèrent son emprunt en français. Les puristes en ont tiré argument pour le critiquer, mais il s'est intégré, surtout au deuxième sens, largement attesté depuis 1963. ◇ Il a été emprunté une seconde fois vers 1970 comme terme d'informatique à l'anglais *label,* au sens (1961) de «caractère ou groupe de caractères servant à identifier un ensemble de données constituant une unité dans un ensemble plus vaste». ◇ Enfin, le mot, au sens anglo-américain de «marque commerciale», s'est spécialisé pour «firme éditrice de disques» (années 1990).

LABEUR n. m. est emprunté (v. 1120, *labur*) au latin *labor, -oris* «travail» (en tant qu'effort fourni), souvent avec une idée d'«effort fatigant, épreuve». Le mot semble apparenté à *labare* «glisser» (→ labile) et devait signifier à l'origine «charge» (sous laquelle on chancelle); de là, on serait passé au sens de «peine, souffrance» et, par un nouvel affaiblissement, à «travail, effort», valeur qui est passée au français et à l'anglais *labor.* Le mot classique pour le travail était en latin *opus* «résultat» et *opera* «activité» (→ œuvre), *labor* étant réservé surtout à la langue rustique pour les travaux particulièrement durs, d'où le sens technique de «labour» conservé en français jusqu'au XVIe s. (→ labourer).

♦ Le mot signifie d'abord «affliction, peine, malheur», sens propre à l'ancien français et, gardant l'idée de peine, désigne un travail pénible (1155). La valeur concrète de «fruit du travail» assumée, par métonymie, par le pluriel (v. 1120) a disparu avant l'époque classique, où le mot, même au sens de «travail pénible», est considéré comme archaïque («il vieillit», Furetière). D'usage plutôt littéraire dans son acception générale, il est marqué comme populaire en français moderne, quand il est synonyme de *travail.* ➜ Depuis 1730, il a une valeur technique en imprimerie où il désigne un travail de composition et d'impression important, et, par métonymie, la branche de l'imprimerie spécialisée dans la confection des «labeurs», dont les ouvriers s'appellent les *labeuriers* (1874).

▸ **LABORIEUX, EUSE** adj. est emprunté (v. 1200, *laborios*) au latin *laboriosus* «qui demande de la peine, pénible», «qui se donne au travail», de *labor.* ➜ Son premier sens, «consacré au travail», est aujourd'hui archaïque, et le mot est surtout employé au sens de «qui travaille beaucoup» (v. 1370), et (en parlant d'une chose) «qui coûte beaucoup d'efforts». L'usage moderne lui ajoute parfois la connotation péjorative de «dans lequel on sent l'effort» (1873). ◇ L'expression ***classe laborieuse*** (1845), en parlant des travailleurs, appartient au vocabulaire socialiste, puis marxiste.
En est dérivé **LABORIEUSEMENT** adv. (1489, v. 1361; *laboureusement*).

◈ voir COLLABORER, ÉLABORER, LABORATOIRE, LABOURER.

LABIAL, ALE, AUX adj. est dérivé avec le suffixe *-al* (1580) du latin *labium* (plus souvent au pluriel *labia,* forme interprétée comme un féminin singulier) «lèvre», terme archaïque et post-classique appartenant à la langue parlée, la langue classique utilisant *labra* (→ lèvre), de même origine.

♦ *Labial* est apparu comme terme de phonétique; il est substantivé en ce domaine depuis 1797 *(une labiale).* Depuis 1753, il fournit l'adjectif correspondant à *lèvre* dans l'usage didactique (anatomie, zoologie), usage peut-être influencé par l'anglais *labial* (1650).

▸ Ses dérivés sont des termes de phonétique : **LABIALISER** v. tr. (1846) et **LABIALISATION** n. f. (1889), les adjectifs **APICO-LABIAL, ALE, AUX** (XXe s.), **LABIO-DENTAL, ALE, AUX** (1905) et **LABIO-VÉLAIRE** (1905). ➜ **BILABIAL, ALE, AUX** adj. (1908) qui tend à concurrencer *labial* dans son acception restrictive «articulé par les deux lèvres».

LABILE adj. est emprunté (XIVe s., in *F. e. w.*) au bas latin *labilis* «glissant, enclin à tomber», de *labare* «glisser de manière à tomber, s'écrouler», au physique et au moral (→ laps, lapsus).

♦ Le mot, qui a supplanté la forme populaire *lable,* a qualifié des réalités abstraites précaires, changeantes, comme la mémoire, l'âme, la fortune; en moyen français il a aussi eu le sens de «fugace, fuyant» et s'est appliqué à une personne moralement fragile, qui cède facilement (XVIe s., *labile à*). L'usage moderne l'a restreint à un emploi didactique en sciences, spécialement en botanique à propos d'un pétale qui tombe facilement (1840) et en chimie (1931). Le sens abstrait s'est limité à l'usage littéraire.

▸ Le dérivé **LABILITÉ** n. f., attesté au XVIe s. au sens moral de «fragilité» (*labilité* 1527), a été réintroduit dans la langue didactique moderne (1904, *Revue générale des sciences*).

LABORATOIRE n. m. est formé savamment (1620) sur le supin *(laboratum)* du latin *laborare* (→ labourer) avec le suffixe *-oire*.

♦ Le mot se rapporte d'abord à un local aménagé pour faire des expériences scientifiques, notamment l'officine du pharmacien (1620) et le local du chimiste (1671). La Fontaine l'a employé à propos du cabinet de toilette (1699). ◇ Le XVIIIe s. a étendu son emploi au local où le distillateur prépare ses produits (1727) et, figurément, au lieu où l'on fait des recherches intellectuelles, où l'on étudie (1765). Il en a également fait le nom technique de la partie d'un four à réverbère où s'effectuent les échanges de chaleur, les réactions chimiques (1757). ◇ À la même époque, le mot s'est dit d'un atelier de travailleurs manuels (1727), mais ce sens ne s'est pas imposé. ◇ Le XXe s. a apporté un certain nombre de syntagmes : *laboratoire municipal* (1902), *laboratoire d'hygiène* (1962), *animal de laboratoire, homme, expérience de laboratoire* et a emprunté à l'anglais *language laboratory* l'expression *laboratoire de langue*.

▸ Le mot est familièrement abrégé en **LABO** n. m. (1894). ◆ **LABORANTINE** n. f. (1918) est emprunté à l'allemand *Laborantin* «femme travaillant dans un laboratoire», féminin de *Laborant*, lui-même dérivé savamment (apr. 1650) du latin *laborans, -antis*, participe présent de *laborare*. ◇ Le français a créé un masculin **LABORANTIN** au milieu du XXe s., d'après le féminin.

LABOURER v. tr. est emprunté au latin classique *laborare*, de *labor* (→ labeur), «travailler, se donner du mal», spécialement (en emploi transitif) «mettre en valeur, cultiver», sens très utilisé en latin médiéval.

♦ *Labourer* est apparu au sens général de «se donner de la peine, travailler», maintenu jusqu'au XVIIe s., souvent sous la forme *labeurer*, influencée par *labeur*. ◆ Il s'est spécialisé de bonne heure à propos du travail agricole, et plus précisément de celui qui consiste à retourner la terre au moyen d'instruments aratoires (1119, intr. ; 1155, tr.). En ce sens, il a supplanté les anciens verbes *arer* (du latin *arare*), usuel jusqu'au XVIe s. et maintenu dans certains parlers (→ araire), et *gaaigner* (→ gagner). Il n'a pas conservé le sens analogique, «faire l'acte charnel» (1375), qui représente une métaphore fondamentale, assimilant la Terre mère à la femme (ce qui correspond aux rites de fécondité). Le verbe s'emploie à propos d'une ancre qui ne tient pas au fond (1660) et, couramment, par hyperbole, dans *se labourer le visage* (1873), pour «se griffer». ◆ Le participe passé *labouré*, substantivé, est employé régionalement au sens de «terre, champ labouré» (masculin dans le nord et l'ouest de la France, féminin en Suisse romande).

▸ Son déverbal **LABOUR** n. m. (v. 1165) a pris de bonne heure sa spécialisation agricole sous l'influence du latin médiéval *labor* (→ labeur). Après avoir désigné, par métonymie, le produit de la terre labourée, il désigne le travail de la terre, des champs et, par métonymie, une terre labourée. Les autres dérivés de *labourer* ont tous acquis cette valeur au XVIe s. par spécialisation de l'idée large de «travail aux champs». C'est le cas de **LABOUREUR** n. m. qui a supplanté (v. 1155) l'ancien *loreür* «celui qui travaille, qui produit qqch.» (v. 1118), peut-être issu du latin médiéval *laborator* (933). Cependant, le mot a conservé longtemps quelque chose de son ancien sens dans des emplois poétiques qui en font le synonyme de *paysan*. Régionalement, on appelle la taupe-grillon le *laboureur* (1611), puis la **LABOUREUSE** n. f. (1931). ◆ **LABOURAGE** n. m. (v. 1225), apparu comme *labour* au sens concret de «produit du travail de la terre», a désigné en général le travail des champs (v. 1250), puis spécifiquement l'action de retourner la terre pour la cultiver (1552). ◆ **LABOURABLE** adj. (1308) a perdu dans le même temps son sens de «cultivable», pour «qui peut être labouré» (1552).

LABRADOR n. m. est l'emploi comme nom commun (1900) du toponyme *Labrador*, qui désigne une vaste péninsule de l'Amérique du Nord et pour lequel l'étymologie la plus répandue est la suivante : le mot viendrait du portugais *lavradór* «gros fermier», spécialisation du sens de «travailleur» avec lequel il répond au français *laboureur* (→ labourer). John Cabot en fit le nom de la péninsule en l'honneur d'un marin portugais, João Fernandes, connu sous le nom de *Lavradór* parce qu'il possédait une ferme aux Açores, et qui participa à l'expédition de Cabot au Groenland à la fin du XVe siècle. *Labrador* entra dès la fin du XIIIe s. dans *pierre de Labrador* (1783), puis au XIXe s., dans les expressions *canard du Labrador* (1867) et *chien du Labrador* (1867) en zoologie. Le premier rend l'allemand *Labradorstein*, dénomination inventée par Werner et correspondant à l'anglais *Labradore stone* (1778) ; les deux autres correspondent à l'anglais *Labrador duck* et *Labrador dog* (1842 ; dès 1829, *The dog was of the Labrador breed*).

♦ Le nom commun correspond à ces trois emplois, le sens le plus usuel correspondant au chien.

▸ Le terme de minéralogie est concurrencé par **LABRADORITE** n. f. (1874, Verne) «variété de feldspath à reflets opalins», formé avec le suffixe *-ite* des noms de pierres.

① **LABRE** n. m. est emprunté (1797 ; 1754, selon Bloch et Wartburg) au latin des naturalistes *Labrus* (1738), lequel est tiré du latin *labrum* (→ lèvre) par allusion aux lèvres épaisses de ce poisson.

♦ Le mot désigne un poisson marin à dentition double et lèvres épaisses, comestible mais peu estimé.

▸ Les zoologistes ont reformé le mot ② **LABRE** n. m. (1817, Latreille, dans Cuvier) pour dénommer la pièce squelettique impaire, située en avant de la bouche des insectes, analogue à une lèvre supérieure. Ils l'appliquent également au bord externe d'une coquille univalve.

LABYRINTHE n. m. est emprunté, sous la graphie *labarinte* (1418) puis *labyrinthe* (1540), au latin *labyrinthus* «bâtiment dont il est difficile de trouver la sortie», attesté à basse époque au figuré et lui-même emprunté au grec *laburinthos*, employé aussi au figuré pour des raisonnements tortueux, mot que sa finale *-inthos* fait regarder comme préhellénique. Une hypothèse souvent admise le rapproche de *labrus* qui serait un nom lydien de la hache, et l'interprète comme «la maison de la double hache, insigne de l'autorité». Le mot aurait d'abord été employé en Crète à propos d'un complexe de cavernes, puis d'un ensemble de bâtiments réunis par des passages contournés, des couloirs inextricables (pour son rôle dans la mythologie grecque, cf. *dédale*).

♦ *Labyrinthe,* repris avec son sens propre, quelquefois avec majuscule, en référence au labyrinthe de Crète (1553) [cf. *dédale*], est employé depuis 1540 au sens figuré d'«enchevêtrement compliqué». ◇ Par extension, il s'applique à des dispositifs spatiaux compliqués, en particulier à un petit bois taillé d'allées entretenues, dans un parc (1677), au dallage en méandres d'un pavement d'église que les fidèles suivaient à genoux (1852). ➛ En anatomie (1690), il se dit de l'ensemble des cavités sinueuses de l'oreille interne, avec un dérivé **LABYRINTHITE** n. f. (1912) «inflammation du labyrinthe».

▸ Le dérivé le plus ancien, **LABYRINTHIQUE** adj. (1549) est peut-être emprunté au bas latin *labyrinthicus* «relatif au labyrinthe». D'usage courant, il correspond aux divers sens, propre et figuré, du nom, y compris dans la spécialisation anatomique (1814). ➛ *Labyrinthe* a produit ultérieurement l'adjectif **LABYRINTHÉ, ÉE** (déb. XIXe s.), littéraire, et des composés, tel le terme de paléontologie **LABYRINTHODONTE** n. m. (1873) désignant un batracien fossile remarquable par la structure compliquée de ses dents (*odontos* en grec), ou **LABYRINTHIFORME** adj. (1893).

LAC

LAC n. m. est emprunté (v. 1120) au latin *lacus* désignant toute espèce de réservoir à eau — le réservoir d'eau public à Rome aussi bien qu'une citerne ou un bassin — et, par extension, tout objet en forme de réservoir. Le mot a des correspondants dans les langues indoeuropéennes, de l'italoceltique (→ ① loch) jusqu'au slave (vieux slave *loky*), et dans le grec *lakkos* «trou, réservoir, citerne».

♦ Apparu en français avec le sens de «fosse», qu'il doit au latin chrétien, *lac* est attesté avec son sens moderne depuis 1165 ; il a éliminé la forme populaire *lai*, relevée au XIIIe s. aux sens de «fosse» et d'«étang». Il est entré dans l'expression figurée moderne ***tomber dans le lac*** (1880) «être dans l'embarras», peut-être influencée par une expression homonyme, *tomber dans le lacs*, de même sens (1867 ; 1787, au pluriel), où *lacs* est pris au sens figuré d'«embarras, piège» (→ lacs). Cette hypothèse semble confirmée par l'expression *être dans le lac (s)*, glosée doublement «être pendu» (*lac* au sens de «corde»), et «être dans l'embarras» (*lac* au sens de «piège»).

▸ **LACUSTRE** adj., formé (1573) avec le suffixe *-ustre* de *palustre* «propre au marais», est d'un usage didactique pour «relatif à un lac». ➛ Rare avant le XIXe s., il est employé spécialement en archéologie, en botanique (1783) et en géologie (1821). ◇ Il est entré dans **SOUS-LACUSTRE** adj. (1872), terme technique de géologie.

◈ voir LACUNE, LAGON, LAGUNE.

LACER

LACER v. tr., d'abord *lacier* (1080), est issu du latin *laqueare* «lier, garrotter», «enlacer, enserrer», de *laqueus* «nœud coulant, lien, piège» (→ lacs).

♦ Le mot, passé en français avec le sens demeuré usuel, «attacher deux choses avec un lacet», n'a gardé aucune des extensions figurées qu'il avait en ancien français : «lier par une condamnation», «posséder qqn moralement» (1226), au pronominal «s'engager à» (XIVe s.). Tout au plus l'idée d'«étreindre» (XIIIe s.) demeure-t-elle dans le sens technique et rare de «couvrir la femelle, en parlant du chien» (1530). ◇ Dans ses emplois actuels, *lacer* est étroitement lié à *lacet**, le pronominal *se lacer* correspondant à «lacer son corset», en parlant d'une femme (1573). La spécialisation «joindre une voile à une autre (à l'aide d'un lacet)», en marine (1687), est sortie d'usage.

▸ La dérivation, abondante en substantifs, commence par **LACIS** n. m. (v. 1130, *laceïz*) qui, à partir du sens propre «réseau de fils entrelacés», désigne par analogie différents types de réseaux, dès 1170 en architecture puis en anatomie (1690). Ultérieurement, le mot a développé la valeur figurée de «réseau dense et compliqué» (1844), d'usage littéraire. ◇ **LAÇURE** n. f., d'abord *laceure* (XIIe s.), a perdu son sens d'«attache» au profit de *lacet*, et la quasi-totalité de ses anciennes acceptions. Il ne se dit plus que de l'action de lacer (1829) et de la partie d'un corsage fermée par un lacet passant par des œillets (1902). ➛ **LACEUR, EUSE** n. a également régressé, sortant d'usage comme nom de l'ouvrier qui fabrique des lacets pour être repris à propos de celui qui fait des filets de pêche ou de chasse (1769). ➛ **LAÇAGE** n. m., employé en ancien français au sens moral d'«attachement, lien» (v. 1320), a été repris comme substantif d'action (1845). ➛ Il a presque évincé de cet emploi **LACEMENT** n. m. (1611), surtout réservé à un sens technique concret, «ouvrage (de tapisserie) fait en laçant» (1617). ➛ **LACERIE** n. f., autrefois *lasserie* (1765), également technique, a trait aux ouvrages les plus fins des vanniers.

Le préfixé **DÉLACER** v. tr. (1080) «relâcher le lacet de» a suivi la même restriction de sens que *lacer* auquel il sert d'antonyme. À l'époque du port du corset féminin, il a concerné particulièrement le fait de délacer le corset, au pronominal *se délacer*. ➛ Il a produit **DÉLACEMENT** n. m. (1636), d'emploi limité (en partie à cause de l'homonymie avec *délassement*).

ENLACER v. tr. (v. 1120), proprement «lier, enserrer deux objets en les mêlant», a conservé le sens figuré de «saisir qqn étroitement, embrasser» (XIIe s.), souvent dans un contexte érotique, de même que son dérivé **ENLACEMENT** n. m. (v. 1190), quelquefois employé avec une valeur abstraite (1846). ➛ Le préfixé **DÉSENLACER** v. tr. (1579) et son dérivé **DÉSENLACEMENT** n. m. (1636) n'ont aucune vitalité hors de la langue littéraire.

ENTRELACER v. tr. (XIIe s.) «enlacer l'un dans l'autre» décrit, plus qu'*enlacer*, le fait de disposer plusieurs choses selon un plan complexe (1787). Son participe passé **ENTRELACÉ, ÉE** est adjectivé. ◆ Dès le XIIe s., il a produit **ENTRELACEMENT** n. m., auquel correspond concrètement le dérivé de *lacs**, *entrelacs*.

◈ voir LASSO, LAZZI.

LACÉRER v. tr. est emprunté (v. 1355) au latin *lacerare* «mettre en morceaux, déchirer, dévaster» (sens physique et moral), dérivé de l'adjectif *lacer* «déchiré» et «qui déchire», surtout utilisé dans la poésie et dans la prose impériale. Il n'est pas exclu que cet adjectif soit plutôt le dérivé postverbal de *lacerare;* en tous cas, les deux mots se rattachent à une racine indoeuropéenne °*lak-* représentée dans le grec *lakis* «déchirure», le russe *lokhma* «haillon».

♦ À côté de son sens général, *lacérer* s'employait particulièrement, en droit ancien, au sens de «déchirer un écrit, un livre par autorisation de justice» (1690); l'expression *lacérer une affiche* (XXe s.) reprend cette nuance.

▸ En est issu **LACÉRABLE** adj. (1867, *Littré*), d'emploi rare.

LACÉRATION n. f. (1356, *laceracion*) est emprunté au latin *laceratio* «action de déchirer», du supin de *lacerare*. C'est un mot didactique et rare.

DILACÉRER v. tr. (v. 1150, *dilazerer*) a été emprunté avant *lacérer* au latin *dilacerare*, composé intensif de *lacerare*. Il a évincé le type populaire *delazrer* (v. 1120) «déchirer», et concurrence *lacérer* dans la langue littéraire; sa spécialisation en chirurgie (1565) a vieilli. ◆ **DILACÉRATION** n. f., emprunté (1419) au latin *dilaceratio*, n'est guère usité hors de l'usage technique médical.

◈ voir LANCINANT.

LACET → LACS
LÂCHE → LÂCHER

◈ **LÂCHER** v. tr., d'abord *lascier* (1080), *laschier*, *lascher* (1256), est issu d'un latin °*lassicare*, forme dissimilée du latin populaire *laxicare*, fréquentatif de *laxare* (→ laisser) «relâcher, détendre», dérivé de *laxus* «lâche, détendu» (au physique et au moral), mot de la même racine que le grec °*lagos* (→ lagopède).

♦ Le verbe signifie d'abord «laisser aller en détendant ce qui retient (bride, rênes, corde)», sens dont procède l'emploi figuré de la locution ***lâcher la bride***, anciennement *le frein* (v. 1235, *laschier les frains*) «rendre à qqn sa liberté d'action». ◇ Avec des mots comme *main*, *doigts* pour complément, il prend la valeur de «desserrer» (XIIIe s.) et, de là, correspond à «laisser échapper» (1538), avec un complément concret et dans des locutions comme ***lâcher prise*** (1560 au figuré), ***lâcher pied*** «commencer à reculer» (av. 1600). L'extension «laisser partir (un coup), décocher (un coup de poing, une arme qui part)» (1530) est sortie d'usage, mais on retrouve l'idée de «laisser partir» en argot pour «donner de l'argent, payer à contrecœur» (elliptiquement *les lâcher*). ◆ *Lâcher qqn* «lui rendre sa liberté» (XVe s.) a pâti de la concurrence du composé *relâcher* (ci-dessous) bien que des valeurs familières modernes (ci-dessous) reprennent cette idée. *Lâcher des chiens, des sergents* (1552) correspond à «laisser partir à la poursuite de». ◆ L'expansion sémantique se poursuit au XVIe s. dans le domaine du langage avec ***lâcher un mot*** (v. 1580) «parler inconsidérément» puis aussi «parler à dessein» (1688) et, familièrement, «avouer» qui correspond à des locutions métaphoriques comme ***lâcher le paquet, le morceau*** (1878). ◆ La spécialisation pour «faire rendre au ventre (ses excréments)» (XVIe s.) et, plus généralement, «laisser s'écouler (une humeur du corps)» (1552, *laschier ses larmes*), donne lieu à quelques locutions familières comme ***lâcher de l'eau*** «uriner» (1635), qui a vieilli, ***lâcher un vent*** (1690), *un pet*, d'où ***en lâcher une*** (1808), ***un*** (1867). Dans le domaine des relations humaines, le verbe est passé au XVIe s. de la valeur de «laisser en liberté» à celle d'«abandonner, quitter» (av. 1544), reprise plus tard avec une connotation familière impliquant brusquerie et désinvolture (1808), en particulier dans le domaine amoureux (cf. *laisser tomber, larguer*); dans le contexte d'une compétition sportive, une figure spatiale correspond à «distancer (les concurrents)» (1884).

▸ **LÂCHE** adj. et n., d'abord *lasche* (v. 1131), aujourd'hui détaché du verbe par le sens, se partage entre la valeur morale de «poltron, sans courage» et le sens concret de «non tendu, non serré» (v. 1200). Le sens moral, sans correspondant net chez le verbe, se rapporte peut-être à une manifestation physique de la peur (dès le XIIe s. dans le pronominal *soi eslachier*) par une image analogue à celle de *trouille*. Mais il peut s'agir de l'extension d'une autre acception, «sans énergie, mou» (v. 1200), liée à l'ancien sens de *lâcher* «céder, faiblir», et tendant à s'estomper derrière celle de «peureux» dans les emplois où le mot qualifie une chose *(lâche complaisance)*, sauf en parlant du style (1718), de la pensée, où la métaphore du sens concret «détendu, non serré» est sensible. Cependant, le sens de «paresseux» se détache nettement dans certains usages régionaux (*Saint Lâche* «patron des paresseux», *faire la saint Lâche*). ◆ L'emploi adverbial du mot, concret (1690, *coudre lâche*), est concurrencé par **LÂCHEMENT** adv. (v. 1155) pour «de manière peu serrée». *Lâchement* a surtout le sens moral d'«indignement» (1538); celui de «mollement, paresseusement» (1538) ne s'étant pas maintenu. ◆ Plus encore que l'adjectif et l'adverbe, le substantif **LÂCHETÉ** n. f. (v. 1131, *lascheté*) tend à ne s'employer que dans le sens moral dépréciatif de «bassesse et manque de courage», ceci dès l'ancien français.

Les anciens substantifs de sens moral, *lâchement* n. m. (XIIIe s.), *lâchesse* n. f. (XIIe s.), *lâche* n. f. (XIVe s.) et *lâchance* n. f. (XIVe s.) ont tous disparu. ◆ **LÂCHÉE** n. f. (XIVe s.), anciennement «relâchement», puis (1611) «fait de laisser aller», se rencontre encore quelquefois pour «fait d'émettre». ◆ Le masculin **LÂCHÉ** est spécialisé dans le langage des arts pour «manque de précision, de clarté» (1842). ◆ **LÂCHAGE** n. m. (1855), introduit tardivement, s'est spécialisé au sens figuré de *lâcher* pour «abandon, fait d'abandonner». ◆ L'infinitif substantivé **LÂCHER** n. m. (1873) est utilisé spécialement à propos d'un lancement de ballons, d'oiseaux, et en termes de gymnastique. ➛ **LÂCHEUR, EUSE** n. (1858), lui aussi tardif, s'est imposé au sens familier de «personne qui lâche, qui abandonne», d'où «personne sur laquelle on ne peut pas compter».

RELÂCHER v. tr., d'abord *relaschier* (v. 1155), a signifié «remettre (une punition), renoncer (à une action), pardonner (un péché)» jusqu'à l'époque classique. Dès le XIIe s., il signifie «apporter une certaine négligence à» et «interrompre, diminuer (une activité, un effort)» (v. 1170), spécialement dans ***relâcher son attention.*** Cette notion de diminution a valu au verbe d'être employé dans les constructions *relâcher qqch. à* (1651) «abaisser à», *relâcher qqch. de* (1647) «réduire en enlevant de», aujourd'hui sorti d'usage. ➛ Le sens de «laisser (qqn) s'en aller, lui rendre sa liberté» (v. 1278) a fait reculer dans ce sens l'emploi du verbe simple. Avec la valeur concrète de «rendre plus lâche, détendre», le verbe s'applique à des liens (en concurrence avec *lâcher*) et s'emploie en physiologie (v. 1560, Paré). Le pronominal *se relâcher,* anciennement «se donner du repos» (XIIIe s.), assume tous les sens du verbe actif depuis le XVIIe s. ; l'emploi absolu de *relâcher* se rapporte à «faire relâche», en marine (1580). ➛ **RELÂCHEMENT** n. m. (v. 1160, *relaschement*) a désigné l'interruption, la remise d'une peine (1458) et le repos de l'esprit (1538). Ces sens ont disparu au profit de l'idée d'«état de ce qui est relâché», au physique (v. 1560, Paré) et surtout au moral (Pascal), ainsi qu'à celle de «diminution, baisse d'intensité» (XVIIe s.).

RELÂCHE n. f., dérivé régressif de *relâcher,* a gardé le sens premier d'«interruption momentanée d'une activité», attesté une première fois v. 1175 et repris avec le mot au XVIe s. : cette valeur est réalisée dans la locution adverbiale négative ***sans relâche*** «sans répit» (1690). Le mot a reçu deux acceptions spéciales, en marine où, par métonymie, il désigne le lieu où un navire fait escale (1691), et au théâtre, où il concerne la suspension momentanée des spectacles (1751), aussi dans ***faire relâche ;*** par extension, il se dit de la fermeture provisoire d'un magasin. Longtemps masculin (encore avec certains sens), il est devenu féminin vers la fin du XVIIe s., se spécialisant en marine. ➛ Les deux participes verbaux sont adjectivés. ◇ **RELÂCHANT, ANTE**, attesté dès le XIVe s. au sens médical de «qui relâche les intestins», est aujourd'hui remplacé par *laxatif**. ◇ **RELÂCHÉ, ÉE** est en usage à partir du XVIIe s. avec l'acception morale péjorative de «qui manque de rigueur morale» (Pascal), puis avec les sens correspondant à ceux du verbe.

◈ voir LAIS, LAISSER, LANGUEUR, LANGUIDE, LAXATIF, LAXISME, LEGS, RELAXER.

LACONIQUE adj. est soit dérivé (1529) de *Laconie,* nom d'une région de la Grèce antique ayant Sparte pour capitale (latin *Laconia,* du grec *lakôn* «habitant de Laconie»), soit emprunté au latin *laconicus,* adaptation du grec *lakônikos* «de Laconie». Les Laconiens (ou Lacédémoniens) s'étaient acquis la réputation de gens concis.

♦ Le mot qualifie une personne et, par métonymie, un langage, une expression brefs, sans aucun développement (1529, *langage laconique*). ➛ Jusqu'au XVIIe s., il a également servi d'adjectif ethnique (1536) avant que ce sens ne soit réservé à **LACONIEN, IENNE** adj. et n., son ancien synonyme (1554 *à la laconienne*).

▸ Au XVIe s., *laconique* a produit **LACONIQUEMENT** adv. (1558) et **LACONISME** n. m. (1556), ce dernier peut-être par calque du grec *lakônismos* «imitation des manières et du langage des Lacédémoniens». ➛ **LACONISER** v. intr., «parler succinctement» (1596), puis «vivre parcimonieusement» (1611), a vieilli, malgré un regain de vitalité dans les dictionnaires du XIXe siècle ; cf. *spartiate.*

LACRYMAL, ALE, AUX adj., d'abord *lacrimel* (v. 1300), puis *lacrimal* et *lacrymal,* est emprunté au latin médiéval *lacrimalis* «qui a rapport aux larmes» (1180), substantivé au neutre *lacrimale* pour désigner la glande qui sécrète les larmes, dérivé de *lacrima* (→ larme).

♦ Les médecins ont introduit le mot comme nom de la glande sécrétant les larmes. L'usage moderne n'a retenu que l'adjectif (av. 1525), non pas au sens ancien de «composé de larmes», mais pour «relatif aux larmes», en anatomie (v. 1560), dans *glandule lacrymale* puis *glande lacrymale* (au XIXe s.), et *conduits lacrymaux, sac lacrymal* (1867).

▸ **LACRYMA-CHRISTI** n. m. est l'emprunt (1534) de la locution latine moderne *lacrima Christi* «larme du Christ», employée en italien comme dénomination d'un vin muscat napolitain. L'appellation fonctionne comme un superlatif des *larmes des anges,* dénomination médiévale du vin.

LACRYMATOIRE n. m. et adj. est emprunté (1690) au bas latin médical *lacrimatorius* «qui combat le larmoiement», du supin de *lacrimare.* Le terme d'antiquité romaine sert à nommer un petit vase funéraire que l'on a longtemps cru destiné à recevoir les larmes des pleureuses, aussi appelé *vase lacrimaire* en moyen français (1581). ◇ Le mot a été adjectivé plaisamment dans la langue littéraire, pour «qui fait larmoyer» (1808). ➛ En ce sens, il est concurrencé par le composé **LACRYMOGÈNE** adj. (1915), «qui engendre les larmes», fréquent dans les syntagmes ***gaz, grenade lacrymogène.***

LACS n. m., d'abord *laz* (1080), aujourd'hui beaucoup moins courant que son dérivé *lacet,* est issu du latin *laqueus* «lacet, nœud coulant, filet», terme de chasse employé ensuite avec le sens figuré de «piège, trappe», probablement emprunté (à l'étrusque ?) comme beaucoup de mots en *-eus.*

♦ *Lacs* désigne un cordon servant à attacher qqch., en habillement (1080) et, particulièrement, l'attache d'un sceau (1388). Son ancien emploi en vénerie, «nœud coulant» (v. 1175), est tombé en désuétude, de même que son emploi figuré, «piège» (v. 1174). On rencontre encore la locution ***lacs d'amour*** (1420) pour un cordon d'ornement en forme de huit couché qui réunissait souvent les initiales du mari et de la femme. ◇ On fait remonter l'expression *tomber dans le lac* (→ lac) à *tomber dans les lacs* «dans un piège».

▸ Le diminutif **LACET** n. m. (v. 1315, *lacés*) désigne un mince cordon attachant certaines parties du costume. Comme *lacs*, il est utilisé en vénerie, en rapport avec la capture du gibier à plumes (1380) et s'emploie quelquefois au figuré ; il désigne aussi le cordon utilisé autrefois (en Turquie) pour étrangler un condamné (1747). ◆ Au XIXe s., il a pris un sens technique en passementerie (1849) et, par analogie de disposition, le sens figuré de «succession de virages» (1867, d'abord d'un chemin de fer), seul et dans la locution ***virages en lacets***. ◆ Il entre dans le nom d'instrument **PASSE-LACET** (1811) «grosse aiguille pour guider les lacets», d'où l'expression ***raide comme un passe-lacet*** (1911), qui renforce *raide*, notamment au sens de «sans argent» (Esnault la fait venir d'un autre sens de *passe-lacet*, argotique, «gendarme — parce qu'il passe les «lacets», menottes, liens).

Le composé **ENTRELACS** n. m., d'abord *entrelaz* (v. 1175), qui correspond dans le domaine concret au nom d'action *entrelecement* (→ lacer), s'est spécialisé dans le domaine de l'ornement, désignant un motif d'architecture (1671), des traits de plume (1811), une composition décorative de feuillages (1845). La destination ornementale s'efface dans le sens d'«ensemble d'objets embrouillés» (XVIe s.), de nos jours vivant au figuré (1611) dans la langue littéraire.

◈ voir **LACER, LASSO, LAZZI.**

LACTÉ, ÉE adj., le plus ancien des emprunts savants au groupe des dérivés du latin *lac, lactis* (→ lait), est emprunté (1398) au latin *lacteus* «laiteux, gonflé de lait, couleur de lait», employé spécialement dans *via lactea* (Ovide) «voie lactée».

♦ Le mot couvre une grande gamme d'emplois : il qualifie ce qui ressemble au lait du point de vue de la couleur, d'abord en médecine, où il est entré dans la dénomination *veines lactées* (1645). ◆ C'est dans une traduction d'Ovide au XIVe s., puis à partir de 1559 qu'on trouve l'expression ***voie lactée*** (laquelle s'est imposée au détriment de *voie laitine*, qu'on trouve au XVIe s. chez Baïf). ◆ À partir du XIXe s., l'adjectif s'emploie spécialement en botanique (1812, *plantes lactées*) et en médecine (1814, *diète lactée*).

▸ **LACTAIRE** n. m. est emprunté (1610) au latin *lactarius* «qui a rapport au lait». ◆ Le mot a perdu le sens primitif de «qui produit du lait» et a cédé à *lacté* le sens didactique de «relatif au lait, à l'allaitement» (1803). ◇ Il a été substantivé (1839) en mycologie à propos d'un champignon qui, lorsqu'on le brise, laisse échapper un suc laiteux et dont plusieurs espèces *(lactaire délicieux, des pins)* sont comestibles.

LACTATION n. f. est emprunté (1623) au dérivé bas latin *lactatio* «allaitement». ◆ Le mot désigne la fonction organique qui consiste dans la sécrétion du lait. Il a eu le sens d'«action d'allaiter» (1623), qu'il a cédé à *allaitement*. Par métonymie, il se dit à propos de la période d'allaitement maternel (1962).

LACTESCENT, ENTE adj. est emprunté (1783) au participe présent *lactescens* du verbe latin *lactescere* «devenir laiteux», dérivé inchoatif de *lactere*, lui-même de *lactus*. ◆ Le mot se partage entre des emplois didactiques (en botanique *plantes lactescentes*) et des emplois littéraires, avec la valeur de «blanc comme du lait» (1821). ◆ Il a produit **LACTESCENCE** n. f. (1812).

L'élément **LACT-, LACTI-, LACTO-**, tiré du latin *lac, lactis*, est employé dans la construction de mots du langage scientifique en rapport avec le lait, notamment en médecine, biologie, chimie. ◆ Le premier en date est **LACTIQUE** adj. (1787), qui se dit d'un acide résultant du lait fermenté et (1841) du processus de transformation des sucres en acide lactique. ◆ **LACTOSE** n. m. (1855) désigne le sucre contenu dans le lait de tous les mammifères. ◆ La vitalité de l'élément est importante au XXe s., avec des mots comme **LACTOGLOBULINE** n. f. (1900), **LACTOFLAVINE** n. f., nom d'une vitamine découverte en 1933 par Kuhn.

LACUNE n. f. est emprunté (1515) au latin *lacuna* «citerne» et «fosse, bassin», mot poétique passé dans la langue commune pour désigner un creux, une cavité et, au figuré, un vide. Le mot est le féminin substantivé d'un adjectif °*lacunus*, dérivé de *lacus* (→ lac).

♦ Le mot a été introduit avec son sens propre de «petit espace vide» en anatomie. Cette valeur est limitée à quelques emplois spécialisés (botanique, 1812 ; géologie ; physique). Le sens abstrait d'«interruption involontaire et fâcheuse dans un texte, un enchaînement de faits ou d'idées» (av. 1616), est devenu le plus courant des deux. ◇ Celui d'«étang près de la mer» (fin XVIe s. ?) est sorti d'usage au profit de l'emprunt *lagune**.

▸ **LACUNEUX, EUSE** adj. (1783) est spécialisé en histoire naturelle ; l'adjectif correspondant au sens abstrait étant **LACUNAIRE** adj. (1822), lequel a évincé dans cet emploi *lacuné, ée* (1787), disparu dans la première moitié du XIXe s., et s'emploie également avec un sens concret en minéralogie et en psychopathologie.

LACUSTRE → **LAC**

LAD n. m. est emprunté (1854) au mot anglais *lad* (1848), issu sans doute par abréviation de *stabblelad* (1856) «garçon d'écurie», de *stable* «étable» (emprunté à l'ancien français *estable, étable**) et de *lad* «garçon, adolescent» (XVe s.), auparavant «valet» (XIIIe s.), mot d'origine inconnue.

♦ *Lad* a passé en français avec le vocabulaire du turf, se répandant seulement vers la dernière décennie du siècle.

LADRE adj. et n. trahit son origine par sa forme ancienne *lazre* (v. 1160), rapidement modifiée en *ladre* (v. 1170) : il est issu de l'anthroponyme latin *Lazarus* (→ lazaret), de l'hébreu *'el 'azar* signifiant «Dieu a aidé». L'hypothèse la plus courante renvoie à la parabole de *Luc*, XVI (19-27) et au nom du pauvre rongé d'ulcères gisant à la porte du mauvais riche. Une autre hypothèse se réfère à *Jean* (XI, 1-44), où *Lazare* est le nom du frère de Marie et de Marthe de Béthonie, ressuscité par le Christ : en effet, au moyen âge, les lépreux étaient considérés comme des cadavres vivants.

♦ Il ne reste trace du sens premier, «lépreux», qu'en médecine vétérinaire dans l'expression *porc ladre*

(1564; 1475, *truie ladresse*) «porc atteint d'une maladie provoquée par des vers parasites». ➜ Le mot a changé de sens au XVIIe s., glissant au sens moral d'«insensible» par allusion à l'insensibilité dermique que l'on prête aux lépreux. De là, il s'est spécialisé au sens moderne d'«avare» (1640), avec une nuance d'indifférence à la misère des autres, encore sensible dans *L'Avare* (II, 5) de Molière. Il est devenu archaïque après l'époque classique.

► La même évolution se lit dans l'histoire de **LADRERIE** n. f. (1492) «lèpre» puis «avarice sordide» (1660), qui conserve le sens particulier de «maladie du porc» (1564). ➜ L'adverbe **LADREMENT**, qui semble plus récent (1844), est presque inusité.

LADY n. f. est emprunté (1669) à l'anglais *lady* (v. 1374; v. 1350, *ladi*), antérieurement *levedi, lafuedi, lefdi, lafdi*. Le mot vient du vieil anglais *hlaéfdize* «celle qui pétrit le pain», correspondant féminin de *hlaford*, étymon de *lord**. Bien que cette étymologie paraisse étrange, il semble bien que le mot soit composé de *hlaf* «pain» (anglais *loaf*), issu d'un mot germanique également passé dans les langues slaves (russe *khleb*), et de l'ancien représentant de la racine verbale germanique °*daiz*- «pétrir, modeler». Celle-ci se rattache à une racine indoeuropéenne très importante par les mots qu'elle a donnés en français (→ feindre, figure, paradis). ◇ L'histoire du mot anglais ressemble à celle de *dame* : il signifia «maîtresse (qui dirige esclaves ou domestiques)» (v. 800), «femme qui règne sur ses sujets ou à laquelle un hommage féodal est dû» (Xe s.), «femme qui est l'objet d'un dévouement chevaleresque» (XIVe s.). Plus généralement, par opposition à *woman* «femme», il désigne une femme d'un rang social élevé et, au XIXe s., une femme dont les manières, mœurs et sentiments caractérisent les plus hauts rangs de la société.

♦ *Lady* est passé en français comme titre donné aux femmes des membres de la noblesse anglaise; ce n'est qu'à la belle époque de l'anglomanie qu'il a pris le sens de «femme de distinction» (1818) comme pendant féminin de *gentleman*, gardant toujours une connotation anglaise.

LAGON n. m. est emprunté (1721) à l'italien *lagone* «grand lac» (v. 1300), dérivé augmentatif de *lago*, qui correspond à *lac**.

♦ *Lagon*, d'abord mot exotique avec un sens imprécis, a pris le sens de «lac d'eau salée» vers 1781, dans le contexte des îles des Antilles. Sa définition moderne de «petit lac d'eau de mer entourée de terre, de sable sur les côtes» est attestée en 1829 et s'applique en général à la lagune centrale d'un atoll.

LAGOPÈDE n. m. est la modification, par substitution de *-pède* au suffixe *-pode* (1771), de *lagopode* (1759), emprunté au latin *lagopus, lagopodis*. Celui-ci transcrit le nom grec de cet oiseau, *lagôpous*, proprement «patte-de-lièvre», de *lagôs* «lièvre» (également employé comme nom d'oiseau) et *pous, podos* «pied» (→ podo-). *Lagôs* est probablement un composé descriptif formé de °*lagos* «mou», mot auquel répond peut-être un adjectif germanique signifiant «mou, lâche», dont la famille grecque reposerait sur le thème du latin *laxus* «lâche» (→ lâcher), et du radical de *ous* «oreille» (→ oto-). Le procédé se retrouve dans l'ossète *tärqūs* «lièvre» («longues oreilles»), le persan *xargōš* «oreilles d'âne» : il correspond au tabou portant sur le nom de certains animaux dans la langue des chasseurs (cf. *belette*).

♦ Le mot désigne un gallinacé des montagnes neigeuses d'Europe, dont les pattes, recouvertes de plumes, sont comparées à celles du lièvre.

LAGUNE n. f. est emprunté (1701) à l'italien de Venise *laguna* «bassin côtier séparé de la mer par un cordon littoral sableux» (av. 1488), d'abord «marécage, étang» (1304). Le mot est issu du latin *lacuna* «fossé, trou» (→ lacune) avec une sonorisation du *c* en *g* propre au nord de l'Italie. *Lacune*, au sens ancien d'«étang, mare» (de 1575 à 1613), était directement emprunté au latin.

► De *lagune* sont dérivés deux adjectifs synonymes : **LAGUNAIRE** (1886) et **LAGUNEUX, EUSE** (1944).

◈ voir LAC, LAGON.

① **LAI, LAIE** → LAÏQUE (LAÏC)

② **LAI** n. m., attesté dans la seconde moitié du XIIe s. par le titre des poèmes de Marie de France, est d'origine discutée. On y voit en général un emprunt celtique, apparenté à l'irlandais *laid* «chant des oiseaux» et «chanson, poème». Mais on a aussi évoqué l'ancien provençal *lais*, attesté lui aussi au sens de «chant des oiseaux» et issu du latin *laïcus*, ellipse de *versus laïcus* «vers profane» (→ laïque), opposé à la poésie des clercs.

♦ Le mot désigne un poème narratif et lyrique médiéval; ceux de Marie de France *(du chèvrefeuille, du rossignol...)*, qui correspondent à la première attestation du mot, sont demeurés les plus célèbres. Ils s'appliquent à des récits celtiques (gallois, bretons). L'identité du pluriel *lais* ne doit pas le faire confondre avec les *lais* de Villon, où *lais* est le déverbal de *laisser** et correspond par le sens à *legs*.

LAID, LAIDE adj. et n. est issu (1080, *laiz;* au pluriel *lait*) du francique °*lai* «désagréable, contrariant, rebutant», de la même famille de mots que l'allemand *leid* (adj. et n.) qui exprime un mal, une souffrance, et que le groupe de vocables anglais *loath* (adj.), *to loathe* (v.) et *loathing* (n.) marquant la répugnance, le dégoût.

♦ L'idée première de *laid* est «repoussant, horrible, odieux» (d'une personne). Cette valeur a progressivement été évincée par le sens moderne (v. 1155; répandu au XIVe s.), transposition sur un plan esthétique qui en affaiblit la portée. *Laid* se trouve ainsi pris dans le couple *laid-beau* et rejoint le concept latin de *deformis* (→ difforme). ◇ Le sens moral, «qui inspire le dégoût, le mépris, l'horreur», que l'on perçoit à tort comme une dérivation à partir du sens esthétique, a subi une certaine dévaluation qui le fait employer aujourd'hui dans le langage enfantin *(c'est laid)* comme équivalent de *vilain*.

◆ Substantivé (v. 1121), le mot a désigné l'injure, l'outrage, au masculin comme au féminin (v. 1190), seul et en locutions *(faire, dire lait)*. Spécialisé avec son sens moderne (v. 1668) dans le domaine esthétique (à la différence de *laideur*), *le laid* a longtemps été banni de l'art avant d'être reconnu comme un facteur positif de la création (notamment par Hugo, *Préface de Cromwell*).

▸ **LAIDEMENT** adv. (1080) a perdu le sens moral d'«outrageusement», pour signifier «d'une manière désagréable» (1080), sans jamais renvoyer totalement au sens physique de l'adjectif. ◆ **LAIDEUR** n. f. (fin XIIe s., *a lador* «d'une vilaine façon»; 1275, *ledeur* «personnification de la disgrâce») correspond aux sens physique et moral de l'adjectif. ◇ D'abord employé au sens de «médisance» et «outrage», il a éliminé les anciens dérivés substantifs de *laid, laidece* (XIIe-XIIIe s.), *laideté* (XIIIe s.), *laidure* (XIIIe-XVIIe s.), et *laidangement, laidissement, laidit, laide, laidiere*, qui exprimaient souvent une idée d'outrage, d'injure, gardée en normand par *laidure*. Il décrit l'état de ce qui est laid (v. 1280), au physique et, avec la même dévaluation que pour l'adjectif, au moral.
LAIDERON n. m., autrefois variable en genre (av. 1544, n. f.), s'applique à une jeune fille ou une jeune femme laide et quelquefois, au pluriel, à un homme et une femme laids. Le mot, féminin à l'origine, s'est aligné sur le genre masculin de la plupart des mots en *-on*, d'où la création au XVIIe s. (avant 1692) d'un féminin *laideronne*, demeuré dans la langue littéraire.
L'ancien *laidir* v. (XIIe s.) a été supplanté par le préfixé **ENLAIDIR** v. (XIIe s.), lequel a perdu le sens initial, «outrager», pour celui de «rendre laid, devenir laid» (XIIe s.). ◆ À son tour, il a produit **ENLAIDISSEMENT** n. m. (v. 1470), **DÉSENLAIDIR** v., mot rare pour «rendre, devenir moins laid» (1826), et **ENLAIDISSANT, ANTE** adj. (1922).

① **LAIE** n. f. est issu (v. 1170, *lehe*) du francique *lêha* «femelle du sanglier» (cf. moyen haut allemand *liehe*). Le mot est déjà attesté sous la forme latine *leha* vers 800, dans le *Capitulaire de Villis*.

♦ *Laie* désigne la femelle du sanglier. En moyen français, il a désigné la truie, femelle du porc domestique.

② **LAIE** → LAYETTE

LAINE n. f. est issu (v. 1120) du latin *lana*, mot de même sens qui provient de °*welna*, °*wlna*, élargissement de la racine indoeuropéenne °*wel-* «arracher», parce qu'on devait arracher la toison à la main à l'époque préhistorique. La forme primitive de cette racine s'est conservée dans les dénominations germaniques : anglais *wool* (→ lambswool), néerlandais *wol*, allemand *Wolle*. Avec une extension de sens, elle se retrouve dans *velours**, *velu**, *svelte**.

♦ *Laine*, «poils souples constituant la toison de certains mammifères» (*bêtes à laine*, 1380), désigne par métonymie cette matière faite pour être utilisée (1262, *filler laine*) et aussi une étoffe, un vêtement de laine (v. 1200); cependant, l'usage familier du mot au sens de «gilet de laine» (surtout *petite laine*) n'apparaît que vers 1900. ◇ Le mot a inspiré quelques locutions comme ***se laisser manger la laine sur le dos***, (1640) «se laisser exploiter, 'tondre'», ***bas de laine*** «économies» (attesté 1907), et développé des sens analogiques, à propos de cheveux crépus et épais (1798), du duvet de plantes et, techniquement, de produits fibreux (*laine minérale*, 1882; *laine de verre*, 1934).

▸ Comme son correspondant latin, *laine* a fourni une dérivation assez importante, qui témoigne de l'importance de la laine dans la vie domestique ancienne. ◆ **LAINIER, IÈRE** n. et adj. est attesté une première fois (v. 1225) en parlant péjorativement d'un mercenaire préposé à la garde des troupeaux et qui cherche à tirer le plus grand profit de leur laine; d'après le bas latin *lanarius*, il a pris ses sens de «marchand de laine» (1296) et «ouvrier en laine» (1306). ◇ Depuis 1743, il est employé comme adjectif, réservé à des emplois plus didactiques que *laineux* (→ ci-dessous). ◆ **LAINAGE** n. m., d'abord *lanage* (XIIIe s.), désigne quelquefois la toison des animaux, mais, dès le XIIIe s., est surtout usité avec des sens métonymiques : il désigne un tissu de laine (apr. 1250), la laine comme matière première (1302) et, en histoire, la dîme prélevée sur la tonte des moutons, en usage dans quelques pays de la France du Centre vers le XIIIe siècle. ◇ Le sens courant de «veste en laine» est le plus récent (1876). ◆ **LAINERIE** n. f. (1295) est peu attesté avant le XIXe s. où il prend les sens de «lieu où l'on vend de la laine», «fabrique de laine» (1803), «atelier où l'on traite le drap, les étoffes de laine» (1832), «lieu où l'on tond les moutons» (1803). Depuis 1771, il signifie également «art de fabriquer des laines». ◆ **LAINER** v. tr. (1250) «rendre moelleux un tissu de laine» a produit un nom d'ouvrier, **LAINEUR** n. m. (1247), et un nom de machine, **LAINEUSE** n. f. (1824). ◆ **LAINEUX, EUSE** adj. (v. 1500, *laneux*) continue par le sens l'ancien français *lanu* (XIIIe s.), disparu au XVIIe siècle. ◇ L'adjectif signifie «couvert de laine» et qualifie aussi, par analogie, ce qui a le caractère ou l'apparence de la laine (1774-1779, Buffon, en parlant de cheveux crépus).

◈ voir LANGE, LANOLINE; CONVULSION, FLANELLE, RÉVULSION, SVELTE, VELOURS, VELU; LAMBSWOOL.

LAINURE n. f. attesté au XXe s. pour désigner les fentes horizontales rapprochées de certains fromages, ne viendrait pas de *laine*, mais d'un mot dialectal suisse romand, *se lainer*, lui-même issu du francique *lađo* «planche», et employé en parlant du bois.

LAÏQUE (également **LAÏC** au masculin) adj. est emprunté (XIIIe s.) au latin ecclésiastique *laïcus* «commun, du peuple», «non clerc, illettré», spécialement «non militaire», «séculier» et «vulgaire, parlée (en parlant de la langue)». Lui-même est emprunté au grec d'église *laikos* «commun, du peuple» et «non clerc» (par opposition à *klêrikos* → clerc), dérivé de *laos* «peuple», mot sans étymologie connue, employé au pluriel au sens de «simples soldats» et de «gens, citoyens».

♦ *Laïque*, attesté une première fois au XIIIe s. et repris à partir de 1487, a détrôné de l'usage courant, sans toutefois l'évincer entièrement, son doublet populaire **LAI, LAIE** adj. (XIIe s.), encore employé en droit ancien dans *avocat lai, cour laie*, et dans un contexte conventuel, *frère lai, sœur laie* (1690), synonymes de *frère convers, sœur converse*. ➜ *Laïc* qualifie ce qui n'est pas ecclésiastique et, par extension, ce qui appartient au monde profane, à la vie civile (1690), en particulier ce qui est indépendant de toute croyance religieuse (1873). Avec ce dernier sens, développé dans le contexte de la lutte idéologique entre valeurs religieuses, traditionalistes, et valeurs républicaines (apr. 1848 et surtout 1871), il est entré dans l'expression paradoxale ***saint laïque*** (1882, Pasteur) appliquée à un homme (Littré) se distinguant par des qualités morales exceptionnelles sans adhérer à aucune religion. L'un des syntagmes les plus significatifs est ***école laïque,*** substantivé, familièrement, dans *la laïque* (1901), désignation historiquement marquée de l'école primaire laïque.

▸ Les dérivés sont tous apparus aux XIXe et XXe s., parallèlement à la création des vocables à valeur polémique *anticlérical, anticléricalisme*. ➜ **LAÏCISME** n. m. et **LAÏCISTE** n. (1842), termes d'histoire religieuse, ont pris leur sens moderne à la fin du XIXe siècle. ➜ **LAÏCISER** v. tr. (v. 1870) et **LAÏCISATION** n. f. (v. 1870), puis **LAÏCISATEUR, TRICE** n. et adj. (1913), peu usité, concernent tous le processus par lequel plusieurs institutions, dont l'enseignement, se sont dégagées en France de l'emprise de l'Église. ➜ **LAÏQUEMENT** adv. (1913, chez Péguy) n'est pas usuel. ➜ Le plus courant est **LAÏCITÉ** n. f., d'abord au sens de «caractère laïque» (1871, dans le *Supplément du Littré*), puis pour «conception politique et sociale impliquant la séparation de la religion et de la société civile», et «caractère de ce qui est organisé selon ce principe», notamment «caractère laïc de l'enseignement», affirmé par la loi du 28 mars 1882.

LAISSER v. tr., d'abord *laissier* (v. 881), également *lesser* en ancien français, est issu du latin *laxare* «détendre, relâcher, libérer (au propre et au figuré)», aussi «quitter, abandonner, céder, déguerpir» et, à basse époque, «permettre, accorder», aux Ve-VIe s. avec l'infinitif (→ lâcher, relaxer). L'ancien français possédait, à côté du paradigme répondant à *laisser*, une forme *laier*, picarde et lorraine (conservée en Picardie, Lorraine et Franche-Comté), qui remonterait à un bas latin °*laggare*, altération très ancienne du latin *laxare* d'après un mot gaulois °*laggos* «mou» (→ délai, délayer, relais, relayer).

♦ Les principaux sens du verbe latin sont passés en français avant la fin du XIIe siècle. Dès les premiers textes, *laisser* exprime l'idée de ne pas intervenir, de se comporter de telle sorte qu'une personne, une chose restent dans le même état. Il se construit souvent alors avec un infinitif, comme en latin tardif, formant une locution verbale à valeur permissive, soit avec un verbe intransitif (v. 881, *laisser entrer;* v. 1050, *laisser courre,* c'est à dire *laisser courir*), soit avec un verbe transitif (v. 1050) dans *laisser qqn, qqch. faire...* ou pronominal (v. 1160, *se laisser mourir;* 1176-1181, *se laisser cheoir aux pieds de qqn*). Dans ce dernier cas, la règle moderne d'accord du participe passé avec le sujet dépend de la distinction entre sens passif, comme dans *se laisser dire qqch.* (XVe s.), *se laisser faire* (1656), et sens actif, comme dans *se laisser aller à* (v. 1580). ***Se laisser aller*** (1617) revêt les sens de «s'abandonner à ses penchants», «ne pas prendre soin de sa tenue» (1656), «relâcher ses muscles» (1690). ➜ L'idée voisine de «maintenir (qqn, qqch.) dans un état déterminé», elle aussi très ancienne (v. 980), rend le verbe apte à signifier «laisser en liberté, relâcher» (1176-1181) [→ lâcher, relâcher, relaxer] et «permettre (qqch.)» (1160-1174). ➜ La notion d'une séparation spatiale est présente avec l'une des valeurs originelles, «s'éloigner volontairement de (qqch., qqn)» (v. 881), qui, par extension, aboutit à «passer devant (un lieu) sans s'y arrêter» (1080); avec un complément désignant un être animé, une personne (v. 980), on rencontre aussi le verbe construit avec un attribut du complément (v. 1050, *laisser qqn dolent*). La séparation que marque *laisser* peut également être involontaire et résulter d'une impossibilité d'emmener qqn (1080), d'emporter qqch. avec soi (v. 1170). ◇ Avec une notion voisine, et comme en latin, le verbe exprime le fait de «céder, abandonner» (1080), indiquant quelquefois un procès qui s'accomplit non plus dans l'espace, mais dans le temps, avec l'idée de «mettre à la disposition de, après soi» (1616, *laisser des enfants après soi*), impliquant postérité, héritage, ou simplement avec l'idée de permanence dans la durée, comme dans *continuer* (*laisser un mauvais goût dans la bouche, laisser des traces,* 1690). ➜ Le troisième grand axe du verbe latin se retrouve dès le Xe s. en français dans l'acception de «renoncer à, s'abstenir de» (v. 980). *Laisser* a aussi les nuances d'«interrompre qqch. en cours» (v. 980), de «ne pas garder, volontairement» (1080) ou «omettre involontairement, négliger» (v. 1274). ◇ La construction *ne laisser de,* et subjonctif (v. 1050), «ne pas manquer de, ne pas s'abstenir de», a été modifiée au terme d'un débat au XVIIe s. en *ne pas laisser de* et infinitif, encore vivante dans l'usage soutenu ou littéraire. Dans cet emploi, comme dans les locutions du type ***laisser à désirer*** «être imparfait», le verbe n'a plus qu'une valeur très faible, voisine d'*être,* avec une faible idée de permanence. ◇ En revanche, l'emploi absolu de *laisser* pour «cesser» (1119), spécialement «cesser de parler, se taire» (v. 1200), qui s'est éteint après l'époque classique, conservait la trace du sens initial d'«abandonner».

▸ Le mot a produit un déverbal de chaque genre au XIIe siècle. ➜ Le masculin **LAIS** n. m., d'abord relevé en 1142 sous la forme latine *lessum,* apparaît avec le sens juridique de «legs, donation». Comme tel, il a éliminé le féminin *laisse* avant d'être lui-même supplanté par *legs**, lequel représente une altération de *lais* par faux rattachement étymologique à *léguer.* Cet emploi, archaïque à partir des XVIe-XVIIe s., demeure en histoire littéraire, grâce aux *lais des Testaments* de Villon (1461), dans lesquels le poète distribue à ses amis des legs satiriques. ◇ *Lais* s'est spécialisé techniquement à propos des alluvions déposées par une rivière, terrains devenant propriété de l'État mais pouvant être concédés (1495), et en parlant d'un jeune baliveau laissé lors de la coupe des taillis pour devenir grand (1586). ◆ Le féminin **LAISSE** n. f. (v. 1175 ; en latin médiéval *laxa*, v. 924) est considéré comme le déverbal de *laisser*, bien que diverses hypothèses fassent état d'un étymon latin *lectio* ou °*lectia*. ◇ En effet, le sens courant, attesté dès les premiers emplois, «lien servant à conduire des chiens», se comprend spontanément par le fait que la laisse est un lien lâche qui laisse une certaine liberté à l'animal. Il pourrait alors s'agir de la confusion de deux homonymes, un seul étant rattaché à *laisser*. *Laisse* a reçu une valeur figurée mettant l'accent sur l'absence de liberté (déb. XIIIe s., *tenir en laisse*). ◇ Le sens d'«émission d'excrément» (v. 1202), duquel on passe au sens concret de «fiente d'animal sauvage» (1387-1391), se comprend aisément comme «ce qu'on laisse» (sens partagé par l'ancien type dialectal *laie*, 1376) ; cf. ci-dessous *laissées*. ◆ Quant à la valeur spéciale de «texte, couplet, tirade chanté ou dit sans interruption» (1220-1230), relative à un genre littéraire en usage au moyen âge et reprise ultérieurement en histoire littéraire, elle est à rapprocher de l'ancienne locution *d'une laisse* «d'un trait» (v. 1278), avec l'idée de «laisser libre cours à la voix» ; on peut aussi l'expliquer d'après l'ancien sens de *laisser* «interrompre la parole», la laisse étant fondée, comme le couplet, par une interruption. ◆ C'est clairement l'idée de «ce qui est laissé» qui rend compte d'une autre valeur, concrète, «atterrissements, alluvions laissés par la mer» (1421, en toponymie), lequel fait de *laisse* le concurrent du masculin *lais*. Par métonymie, *laisse* désigne aussi les terrains découverts par la mer lors du reflux (1765, *laisses de basse mer, de haute mer*). ◆ Le participe passé substantivé au féminin pluriel **LAISSÉES** n. f. pl. concurrence (av. 1573) *laisse* dans son acception d'«excrément des animaux sauvages», en vénerie.

La dérivation de *laisser* s'est accrue de quelques substantifs composés avec une forme verbale de *laisser* (participe, impératif, infinitif). ◆ Le plus ancien est une création du langage de la vénerie, **LAISSER-COURRE** n. m. inv. «action de découpler les chiens après la bête» et «moment où a lieu cette action» (1387-1391). Concurrencé par *laissé-courre* et *laissez-courre* (1583), le mot désigne aussi, par métonymie, le lieu où l'on découple les chiens (1583) et la fanfare qui l'accompagne (1769) ; tous ces emplois sont techniques. ◆ **LAISSEZ-PASSER** n. m. inv. (1673), apparu dans le domaine de la circulation des marchandises, s'emploie par extension à propos de l'autorisation de circuler (1790), s'étendant aussi à celle de faire circuler des véhicules (1804), valeurs demeurées courantes. ◆ **LAISSER-ALLER** n. m. inv. (1786), substantivation du syntagme verbal *se laisser aller*, a trait à la négligence dans la conduite et, quelquefois, à la négligence dans la tenue vestimentaire ou la rigueur morale. ◆ **LAISSER-FAIRE** n. m., autre substantivation (1843) d'un syntagme verbal, est employé spécialement dans le cadre de l'économie politique libérale ; c'est aujourd'hui un terme d'histoire.

◆ **LAISSÉ(E)-POUR-COMPTE** n. (1867) concerne d'abord l'état d'une marchandise dont le destinataire a refusé de prendre livraison ; cette valeur technique a cédé la place à l'emploi courant pour une chose ou une personne dont personne ne veut (1873).

DÉLAISSER v. tr. (v. 1120) a d'abord signifié «renvoyer, laisser partir», sens disparu, puis «abandonner (qqn)» (1150), sens aujourd'hui dominant, et «renoncer à (qqch.)» (1150-1180, *Tristan*) en droit. ◆ Son dérivé **DÉLAISSEMENT** n. m. (1274), d'abord employé en droit pour l'abandon d'un bien ou d'un droit, et spécialement en droit maritime (1681), se rapporte aussi à l'état d'une personne laissée sans appui, sans recours (1538) et, plus rarement, à l'état d'une chose à l'abandon (1825).

◈ voir LEASING, LEGS.

✻ **LAIT** n. m. est issu (v. 1120) du latin populaire *lactem*, accusatif de déclinaison masculine ou féminine du mot neutre *lac, lactis* «lait (de femme, de femelle)» et «suc laiteux des plantes». Ce mot est apparenté au grec *gala, galaktos* (→ galaxie), mais il est sans correspondant dans les autres langues indoeuropéennes qui ont autant de mots distincts, outre des formes populaires du langage technique des femmes, pour désigner le lait.

♦ Le mot désigne le liquide blanc opaque sécrété par les mamelles de la femme (dans le contexte de la maternité) et celui des femelles de mammifères, notamment domestiques, dans le contexte de l'élevage et de l'alimentation, domaine où le mot et ses dérivés sont en rapport avec les familles de *crème, beurre* et *fromage*. ◇ Le premier de ces emplois a donné les expressions ***frère, sœur de lait*** (1538) et, par allusion à la petite enfance, à l'âge du nourrisson, ***dent de lait*** (1549), ***fièvre de lait*** (1690) et quelques locutions se rapportant à une personne considérée comme un enfant (*si on lui pressait le nez, il en sortirait du lait*). ◆ Du second domaine d'emploi relèvent ***agneau de lait*** (XIIIe s.), ***vache à lait*** (1549) «vache élevée pour son lait», au figuré (1561) en parlant d'une personne qu'on exploite. Dans le contexte de l'alimentation, le mot entre dans ***petit lait*** (1552), d'où au figuré ***boire du petit lait***, prolongement récent (1948) de l'ancienne expression *avaler doux comme lait* (av. 1755 ; dès 1572 avec un autre sens). Certains syntagmes, comme ***lait concentré*** (1874), sont en relation avec le développement des industries agroalimentaires d'où vient aussi *lait en poudre, lait stérilisé, lait pasteurisé, à haute température*, etc. ◇ De ***soupe au lait*** vient la locution métaphorique — par l'idée du lait qui monte et s'échappe, lorsqu'il est chauffé — ***s'emporter comme une soupe au lait*** (1808), ***être soupe au lait*** «impulsif, coléreux». ◆ Par analogie, *lait* désigne dès le XIIIe s. un liquide ou une émulsion ayant l'apparence, la couleur du lait, seul et surtout dans un nom de préparations, comme ***lait d'amande*** (XIIIe s.), *lait virginal* (1611) puis ***lait de beauté, de toilette***, et, techniquement, *lait de soufre* (1802), *lait de chaux, de ciment*. ◇ ***Lait de poule*** (1751) désigne un mélange de lait et de jaune d'œuf. ◆ En botanique, le sens de «suc laiteux (de certaines plantes)» (XIIIe s.) a donné, par métonymie, des dénominations telles que *lait de couleuvre* (1845) «variété d'euphorbe».

▶ ① **LAITIER, IÈRE** n. (fin XIIe s.) désigne la personne qui vend du lait ou le porte à domicile, sens aujourd'hui vieilli qui échappe à l'oubli par le titre de la fable de La Fontaine *La laitière et le pot au lait.* ◆ L'adjectif **LAITIER, IÈRE** (1290) se dit d'une femelle qui donne du lait, substantivé au féminin (1762) par ellipse pour *vache laitière.* ◇ Il a acquis le sens plus général de «relatif au lait» (1611), par exemple dans *industrie laitière, produits laitiers,* incluant les dérivés, beurre et fromage. ◆ **LAITERIE** n. f. (1315) désigne le lieu où l'on reçoit le lait et où l'on fait la crème et les fromages, d'abord dans un contexte rural et axé sur la distribution; de nos jours il s'est dit, avant de s'effacer derrière *crémerie,* d'un endroit où l'on vend du lait et des produits fermiers (1840). ◆ **LAITAGE** n. m., d'abord *lettage* (1376), désigne à la fois le lait et un aliment préparé avec du lait (surtout au pluriel et collectivement). ◆ ① **LAITÉ, ÉE** adj. (1662) a signifié «qui a du lait». La locution ***poule laitée*** (chez Molière, 1688) correspondait au moderne *poule mouillée.*
D'autres dérivés ne concernent que l'apparence, la couleur du lait. ◆ **LAITE** n. f. (v. 1350, *lecte de hareng*) désigne le sperme blanchâtre des poissons, sens avec lequel il a produit ② **LAITÉ, ÉE** adj. (v. 1393, substantivé), employé à propos d'un poisson mâle. ◆ Il est concurrencé par le synonyme **LAITANCE** n. f., d'abord *leitenche* (v. 1300, *leitenches de carpes*), lequel étend son domaine d'emploi au lait de ciment, en bâtiment. ◆ **LAITEUX, EUSE** adj., peut-être attesté dès le XIVe-XVe s. dans *terre leiteuse,* qualifie ce qui a l'aspect du lait, en particulier dans le discours médical (v. 1560) et en joaillerie (1622). Il se dit en général de la couleur blanche *(un blanc laiteux)* et de la chair. ◇ Il se rapporte également aux plantes qui contiennent un suc semblable au lait (1690). L'emploi, dans le vocabulaire médical, pour ce qui a rapport à l'allaitement et à la lactation (1832), où le sens propre de *lait* est en œuvre, est archaïque. On en a dérivé **LAITEUSEMENT** adv. (1881), d'usage littéraire. ◆ ② **LAITIER** n. m., homonyme de *laitier, ière,* dénomme (1676) une scorie de haut-fourneau utilisée dans divers secteurs d'activité, par allusion à son aspect vitreux. Buffon l'a repris pour nommer une lave de même aspect (1783).
L'ancien verbe dérivé de *lait,* **LAITER** (v. 1155), n'a pas vécu au-delà de l'ancien français. ◆ Il a été supplanté par un verbe préfixé. **ALLAITER** v. tr., d'abord *alaitier* (XIe s.), est issu du latin tardif *allactare* (Ve s.), employé, comme le simple *lactare* dont il est issu, au sens de «téter», ainsi qu'au sens transitif de «nourrir de son lait». ◇ Le verbe a plusieurs variantes en ancien français, *alecter, alaictier* avec le **c** étymologique, qu'on trouve en ancien français dans certains dérivés de *lait.* ◇ *Allaiter* a aussi (XIIIe s.) en ancien français le sens latin intransitif de «sucer le lait» et plusieurs valeurs figurées comme «nourrir l'esprit» (1209) et «profiter de qqch.» (1204), sorties d'usage en moyen français. ◆ Il a eu de nombreux dérivés dont **ALLAITANT, ANTE** adj. (XIIe s.), «qui est à la mamelle» d'où «nourrisson» (v. 1120) jusqu'au XVIe s. et, au féminin (*allaictante,* 1530) «qui nourrit de son lait». ◆ Ces dérivés et le préfixé **DÉSALLAITER** v. tr. (XIIIe s., *desalleter*) «sevrer», sont sortis d'usage. ◆ En revanche, le dérivé **ALLAITEMENT** n. m. (1273) est resté usuel au sens d'«action d'allaiter», partiellement, en concurrence avec *nourrir,* lequel s'applique aussi aux femelles des animaux.

◈ voir LACTÉ, LAITUE.

LAITON n. m., d'abord *laton* (v. 1170-1180), puis *laiton* (v. 1220), est emprunté à l'arabe *lāṭūn* «cuivre», lui-même emprunté au turc *altun* (orthographe moderne *altın*) qui désigne l'or et, dans certains dialectes turco-tartares et mongols, le cuivre. Dès 832, on relève *allatone* puis (852) *allaton* dans le latin médiéval de l'Espagne, par emprunt à l'arabe avec agglutination de l'article *al-* (comme dans *alcool, algèbre*).

♦ Le mot désigne un alliage jaune, ductile et malléable, de cuivre et de zinc.

▶ Il a pour dérivé l'adjectif **LAITONNÉ, ÉE** (1419, *latonné*), «recouvert d'une couche de laiton», attesté isolément deux fois au XVe siècle. ◆ Un verbe **LAITONNER**, proposé par Richard de Radonvilliers (1845), est employé plus tard avec pour dérivé **LAITONNAGE** n. m. (1895).

LAITUE n. f. est issu (XIe s.) du latin *lactuca* de même sens, dérivé de *lac, lactis* (→ lait), la plante recevant sa dénomination de son suc laiteux. Le mot latin est passé dans les langues romanes : roumain *lăptucă,* italien *lattuga,* espagnol *lechuga,* catalan *lletuga,* et dans les langues des pays germaniques, qui ont acclimaté la plante par les jardins des cloîtres : allemand *Lattich ;* l'anglais *lettuce* et le néerlandais *latuw* sont empruntés au français.

♦ Le mot, aujourd'hui démotivé par rapport à *lait,* désigne une plante herbacée dont plusieurs variétés sont cultivées pour ses feuilles, que l'on mange crues ou cuites; il est employé avec un complément de détermination ou un adjectif (*laitue romaine, scarole, batavia,* plutôt désignées par le qualificatif substantivé) et absolument (pour la *laitue pommée*). Le nord de la France tend à lui préférer *salade.* ◇ Par analogie, il fournit la dénomination d'une algue consommée en salade (*laitue de mer,* 1812) et de plantes qui lui sont comparées.

LAÏUS n. m. est emprunté (1842) au nom propre latin *Laïus* (en grec *Laïos*), époux de Jocaste et père d'Œdipe, les élèves de l'école Polytechnique ayant eu en 1804 pour premier sujet littéraire au concours d'entrée un *Discours de Laïus.*

♦ Le mot, d'abord limité à la vie à Polytechnique, a gagné toutes les écoles et s'est répandu dans la langue familière pour un discours, un long exposé verbeux. Par extension, il se dit de tout discours, la péjoration initiale étant neutralisée (comme dans *bagnole, godasse,* etc.).

▶ Vers 1891, on a formé **LAÏUSSER** v. intr. «discourir, pérorer» et **LAÏUSSEUR** n. m. (1892) «bavard intarissable», d'abord utilisés par les polytechniciens et répandus au début du XXe siècle.

LAIZE n. f. est issu (v. 1140) d'un latin populaire °*latia* «largeur», de *latus* «large» (→ lé), sans rapport avec *latus, -eris* signifiant «côté».

♦ Le mot, au sens général de «largeur, étendue», a été supplanté au XVIe s. par *largeur,* tandis que l'ancien adjectif *let, lé* était lui-même évincé par *large. Laize* s'est maintenu avec l'acception technique de «largeur d'étoffe comprise entre deux lisières», en termes de commerce (1474). D'autres acceptions techniques ont disparu, mais le mot s'emploie encore en marine pour chacune des bandes de toile qui, cousues ensemble, forment une voile (1831).

▸ **ALAIZE, ALÈSE** n. f., d'abord *aleize* (1419), est formé par agglutination à partir de l'article *la* et de *laize* par suite d'une mauvaise interprétation de *la laize* en *l'alaize.* Beaucoup plus courant aujourd'hui que le mot simple, *alaize* désigne la toile dont on garnit le lit d'un malade ou d'un enfant pour le protéger. ◇ Il a en outre éliminé *laize* dans deux spécialisations techniques, en menuiserie, où il désigne la planche la plus étroite mise dans un panneau d'assemblage pour le premier (1694), et en horticulture, à propos d'un lien végétal servant à fixer une jeune branche dans une certaine position (1767).

⇧ voir ALÉSER.

① **LAMA** n. m. est emprunté (1598), par l'intermédiaire de l'espagnol *llama* (1535), au quichua *llama,* désignant un ruminant du Pérou. La forme *llama* a été employée en français, de 1633 à 1878.

♦ Le mot, d'abord cité comme mot indien, a été acclimaté par les relations de voyage au XVIIe siècle. Inconnu des dictionnaires du XVIIe s., il n'est enregistré par l'Académie qu'en 1762. Assez diffusé, le mot est en concurrence avec *alpaca* ou *alpaga, vigogne,* qui désignent des espèces.

② **LAMA** n. m. est emprunté (1629) au tibétain *blama* (avec ***b*** muet), nom d'un prêtre bouddhiste au Tibet et chez les Mongols, formé de *bla* «le supérieur» et de *ma* «homme».

♦ Ce terme de religion orientale désigne un moine bouddhiste. ◇ Il est employé en composition dans *grand lama* «souverain spirituel du Tibet», titre qui correspond au tibétain *dalaï lama* dont le premier terme (*dalae* ou *delli*) signifie «océan», et qui a lui-même été emprunté dans les langues d'Europe, dont le français (voir ci-dessous).

▸ La terminologie didactique relative au bouddhisme tibétain et mongol s'est constituée aux XVIIIe et XIXe s. avec **LAMAÏSTE** adj. (1845), forme qui s'est substituée à *lamiste* (1773), aussi substantivé, **LAMAÏSME** n. m. (1816; 1813, *lamisme*), **LAMAÏQUE** adj. (1840). ◆ **LAMASERIE** n. f. (1850), ou quelquefois **LAMASSERIE** (1857), forme disparue, désigne un monastère bouddhique où vivent des lamas. ◆ **DALAÏ-LAMA** n. m. est l'emprunt d'un syntagme tibétain (ci-dessus), d'abord écrit *dalaé lama* (1692), l'Académie donnant en 1762 la graphie moderne. ◇ Il désigne le grand lama tibétain.

LAMANTIN n. m., attesté dans un texte antérieur à 1627, est probablement dû à l'influence de *lamenter,* altérant la forme originelle *manatl* (1553), emprunt à l'espagnol, lui-même pris au karib (langue amérindienne des Caraïbes, disparue) «vache de mer», d'un radical signifiant «mamelle».

▸ Le mot désigne un gros mammifère marin au corps en fuseau, à nageoire caudale non échancrée.

LAMBDA n. m. est emprunté (av. 1550) au grec.

♦ Ce mot désigne la lettre grecque correspondant au *l* latin. Il a reçu une valeur spéciale en anatomie (1877), puis en physique *(point lambda)* et est devenu (mil. XXe s.) un adjectif — opposé à *alpha* — pour «moyen, ordinaire», par référence aux mathématiques.

LAMBEAU n. m., d'abord *label* (v. 1165), *labiau* (v. 1165), nasalisé en *lambiau* (v. 1250), puis *lambel* (1285), *lambeau,* est probablement issu d'un francique °*labba* «morceau d'étoffe déchirée», dont le type est reconstitué par l'ancien haut allemand *lappa* «pan de vêtement, morceau déchiré», le moyen bas allemand *lappe,* l'allemand *Lappen,* l'anglais *lap.* La racine pourrait être la même que celle du grec *lobos* (→ lobe). P. Guiraud a invoqué un croisement avec *lambre, lambe* «lamelle», du latin *lamnula,* pour expliquer la nasalisation, mais celle-ci peut exister en francique.

♦ La forme non nasalisée, qui a disparu en moyen français, est revenue en français moderne par l'anglicisme *label** et s'est maintenue dans le dérivé aujourd'hui démotivé *délabrer**. *Lambeau* a d'abord désigné un ruban pendant en manière de frange, jusqu'au XVIe siècle. Il reste trace de ce sens dans la spécialisation, en blason, pour «brisure formée d'un filet horizontal garni de pendants à la partie supérieure de l'écu» (1273). ◇ Cette acception, d'abord réalisée par *label,* a assuré le maintien de la forme archaïque **LAMBEL** (XIVe s.). ◇ L'usage moderne de *lambeau* s'est installé à partir du XVe s. et du sens courant de «morceau de tissu déchiré ou détaché irrégulièrement» (v. 1480), qui a donné la locution ***en lambeaux*** (1835) «déchiqueté». ◇ Les autres emplois sont sentis comme des extensions analogiques bien qu'ils participent du même sens de base «morceau pendant» : *lambeau* se dit de la peau velue qui se détache du bois du cerf (1561), abstraitement, de la partie tronquée d'un ensemble, par exemple d'un discours (1559). Dans la langue littéraire (1662, Racine), puis aussi en chirurgie (1838), notamment en chirurgie plastique (XXe s.), il se réfère à un morceau de chair arraché, un fragment de peau.

▸ **LAMBREQUIN** n. m. (1480), d'abord *lambequin* (1451-1452) et *lampequin* (1458), est dérivé du radical de *lambeau* avec le suffixe diminutif *-quin,* issu du néerlandais *-kijn* (→ mannequin). ◆ Avec le sens de «bande d'étoffe», il a désigné la bande d'étoffe enroulée autour du cimier d'un casque, se spécialisant au pluriel pour désigner en blason des bandes d'étoffes découpées descendant du heaume et encadrant l'écu (1581). Aux XVIIe et XVIIIe s., le mot se référait à une bande d'étoffe pendant au bas d'une cuirasse, dans les imitations du costume antique

(1690). ◇ De nos jours, il se rapporte à une bordure à festons, garnie de franges, qui couronne une tente, une galerie de fenêtre, un ciel de lit (1835), et à l'ornement découpé que l'on pose au bord d'un toit (1873).

◈ voir LABEL, LAMBIN, ① LAMPAS.

LAMBIN, INE n. est probablement dérivé par changement de suffixe (1584) de *lambeau**, avec transposition de l'idée attachée au chiffon au domaine moral (cf. *chiffe molle*). L'attestation au XVIe s. de l'adjectif *lambineux, euse* «déchiré» consolide cette hypothèse.

♦ Le mot désigne puis, comme adjectif (1727), qualifie une personne qui traîne en longueur; il se dit d'une chose lente (1877).

► Le dérivé **LAMBINER** v. (1642), intransitif «agir avec lenteur», s'est employé transitivement (av. 1850, Balzac) pour «faire attendre (qqn)». ➛ Il a produit **LAMBINERIE** n. f. (1808), **LAMBINEUR, EUSE** n. (1821) et **LAMBINAGE** n. m. (1879). Le caractère familier de ces mots s'est atténué.

LAMBOURDE n. f. est probablement (1294) composé de l'ancien français *laon* «planche» (1312) et de ② *bourde** «poutre» dérivé de ② *bourdon**, la lambourde étant littéralement une poutre destinée à soutenir les planches. *Laon* est issu du francique °*laðo* «planche», que l'on restitue d'après le moyen haut allemand *lade* (allemand *Laden* «volet»).
Le mot, d'usage technique, désigne une des pièces de bois utilisées dans la construction reposant sur une solive et sur lesquelles sont clouées les lames d'un plancher; le mot s'applique aussi (1611) à la poutre fixée le long d'un mur et sur laquelle s'appuient les extrémités des solives. ◇ Par analogie d'aspect, il est passé en arboriculture (1771) à propos d'un rameau court d'un arbre fruitier terminé par un bouton.

LAMBREQUIN → LAMBEAU

◈ **LAMBRISSER** v. tr., anciennement *lambruschier* (v. 1165), *lambruchier* (XIIIe s.), *lambroissier* (XIVe s.), enfin *lambrisser* sous l'influence du déverbal *lambris* (ci-dessous), est considéré comme étant issu d'un latin populaire °*lambruscare* «orner avec des vrilles de vigne», dénominatif de °*lambrusca* «vigne sauvage», mot continué par le français **LAMBRUSQUE** ou **LAMBRUCHE** n. f. (1509), dénomination d'une vigne grimpante poussant dans les bois des régions méditerranéennes. °*Lambrusca* est une variante de *labrusca*, mot d'origine inconnue, qui rappelle *laburnum*, nom d'arbre désignant l'aubour. L'hypothèse de P. Guiraud, qui voit en *lambrisser* ou en *lambris* le dérivé de l'ancien français *lambre* (v. 1140) «lame», issu selon lui d'un dérivé latin ecclésiastique de *lamina* (→ lame), ne rend pas compte des formes initiales en *-us* et *-ois*. Les étymologies proposées restent douteuses.

♦ *Lambrisser* devrait son sens aux ornements en vrilles de vigne dont on couvre cette sorte de revêtement (cf. *vignette*), mais il n'en a pas gardé trace. Le verbe est senti comme dérivé de *lambris*.

► **LAMBRIS** n. m. est une altération de cause inconnue (1327) de *lambrus* (1180-1190), très probablement dérivé (déverbal) de *lambruschier* (ci-dessus). ➛ Il a dû désigner un décor de vrilles de vigne. Dès le XIIe s., il s'employait à propos du revêtement en bois, en marbre qui garnit les murs d'une pièce et le revêtement de menuiserie d'un plafond, les *lambris dorés* connotant la richesse. ◇ Il s'est spécialisé techniquement pour l'enduit de plâtre posé sur les lattes jointives sous les chevrons d'un comble (1680), s'appliquant par métonymie aux murs mansardés d'un comble.
Du verbe sont aussi dérivés **LAMBRISSEUR** n. m., d'abord *lambroisseur* (v. 1220), et **LAMBRISSAGE** n. m. (1454) «action de lambrisser» et, collectivement, «ensemble des lambris d'une pièce, d'un appartement» (1867), mot dont les deux sens ont supplanté *lambrissement* et *lambrissure*.

LAMBRUSQUE → LAMBRISSER

LAMBSWOOL n. m. est l'emprunt (1698) de l'anglais *lamb's wool* (1552, *lambes wool*) «laine d'agneau». *Lamb* «agneau» repose, comme ses correspondants allemand *(Lamm)* et néerlandais *(lam)*, sur un germanique °*lambaz*, adopté aussi par le finnois *lammas*. *Wool* «laine», comme l'allemand *Wolle* et le néerlandais *wol*, remonte, au-delà du germanique, à la même racine que le latin *lana* (→ laine).

♦ Le mot, après une attestation isolée dans une relation de voyage, a été repris et répandu au milieu du XXe s., sur les étiquettes précisant la composition des vêtements de laine.

LAME n. f., d'abord *lamme* (v. 1112), est issu du latin *lamina*, mot technique sans étymologie connue, peut-être nom italique et emprunté, qui désigne une feuille mince de métal ou de bois, une plaque, une lame tranchante, un lingot et d'autres objets plats et minces, cartilage de l'oreille, ruban, pièce de monnaie. ◈

♦ Le mot désigne comme son étymon une bande allongée, plate et mince, de métal ou de matière dure. De ce sens de base procèdent de nombreux emplois particuliers plus ou moins techniques et apparus tardivement : *lame* dénomme chacune des planchettes formant des persiennes (1787), constituant un parquet (1893, *lame de parquet*), chacune des bandes superposées assurant la suspension d'un véhicule (déb. XXe s., *lame de ressort*). ◇ En ancien français, il s'appliquait à la plaque de pierre couvrant un tombeau (XIIe s.), sens évincé par *dalle* et sorti d'usage au XVIIe s., sinon dans quelques emplois littéraires et stylistiques. ◇ Sa spécialisation dans le domaine du tissage remonte au XIIIe s. au sens ancien de «trame», mais l'acception moderne de «bande, fil d'or ou d'argent entrant dans la fabrication de certaines étoffes» ne s'est dégagée qu'à l'époque classique (1653). ➛ Le sens moyen français de «fer de l'épée, d'un couteau» (av. 1328) a eu une fortune particulière, donnant plusieurs extensions métonymiques : qualifié, le mot dénomme une personne plus ou moins adroite, autrefois dans *vieille lame* «personne d'expérience» (XVIe s.), puis dans ***bonne lame*** (1656) et ***fine lame*** (1690), dont les emplois figurés, «personne efficace, habile», devancent ceux qui font allusion à l'habileté de l'escrimeur. La locution ***en lame de couteau*** (1832) s'applique à la forme d'un visage mince et long. ◆ Par analogie, *lame* désigne aussi (fin XVe s.) une grosse vague amincie à son sommet, servant de synonyme recherché à *vague,* au propre et au figuré, et s'employant spécifiquement dans les syntagmes ***lame sourde*** (1845), ***lame de fond*** (1873; 1845, *lame du fond),* aussi au figuré pour «mouvement profond et irrésistible». Cette acception a servi à former *brise-lames* (ci-dessous). ◆ Au sens concret, *lame* s'emploie en sciences naturelles où il dénomme les feuillets des champignons (1764) et la partie évasée des pétales d'une fleur (fin XVIIIe s.), puis aussi en minéralogie (1765) et en anatomie *(lames vertébrales),* en embryologie, etc.

▶ **LAMER** v. tr., employé en moyen français pour «couvrir d'une pierre tombale» (fin XVe s.), ne semble avoir été repris avec des sens techniques qu'au XXe s. pour «dresser, aplanir (une surface) avec des lames tournantes», et «broder (un tissu) avec des lames». ◆ Il a produit **LAMAGE** n. m. (1931), lui aussi technique. ◆ **LAMÉ, ÉE** adj. (1532), qui qualifie une étoffe enrichie de lames d'or et d'argent, aussi substantivé au masculin dans **LAMÉ** n. m., d'où *lamé or, lamé argent,* est en revanche usuel.

LAMELLE n. f., d'abord *lemele* (v. 1165) puis *lamelle* (XIIIe s.), est emprunté au latin *lamella* «petite lame», diminutif de *lamina.* ◆ L'ancien français l'a employé au sens de «lame d'un couteau, d'une épée», sans valeur diminutive. ◇ Le sens de «petite lame» (1407) a mis longtemps à s'imposer, le mot n'étant presque pas attesté entre le milieu du XVe et celui du XVIIIe siècle. Depuis, outre un emploi générique, il s'est spécialisé en botanique, notamment dans la description des champignons (1873), en minéralogie et en géologie, à propos de la fine lame de verre d'un microscope (1893), et en cuisine *(découper en lamelles).* ◆ Sa reprise au XVIIIe s. a suscité les dérivés : **LAMELLEUX, EUSE** adj. (1775) «en forme de lamelle», **LAMELLÉ, ÉE** adj. (1778, Lamarck, 1783, Buffon), plus courant pour «qui est formé de lamelles», **LAMELLAIRE** adj. (1807) et **LAMELLATION** n. f. (1861). Tous relèvent de la langue de la description scientifique (botanique, minéralogie), avec quelques emplois techniques. ◆ Plusieurs composés sont formés avec **LAMELLI- : LAMELLICORNES** n. m. pl., de *corne*,* lat. *cornu,* désignant chez Cuvier (1805) une sous-famille de scarabéidés, **LAMELLIBRANCHES** n. m. pl. (1816), dont le second élément est tiré du latin *branchia,* emprunté au grec *brankhia* (→ branchie), servant à nommer une classe de mollusques (dont les huîtres, les moules...), établie par Blainville; **LAMELLIROSTRES** n. m. pl. (1817), du latin *rostrum* (→ rostre) un sous-ordre de palmipèdes, et **LAMELLIFORME** adj. (1827), de *-forme* (→ forme) qui correspond généralement à «en forme de lamelles».

BRISE-LAMES n. m. est, pour son premier élément, un calque (1818) de l'anglais *break water,* désignant un dispositif avançant dans la mer.

◈ voir LAMINAIRE, LAMINER, OMELETTE, SEMELLE.

LAMENTER (SE) v. pr. est issu (v. 1090) du bas latin *lamentare,* du latin classique *lamentari* «gémir, se plaindre, déplorer», dérivé de *lamentum* «lamentation», mot d'origine obscure, dont la parenté avec l'arménien *lam* «je pleure» et le grec *laiein* est hypothétique.

♦ L'usage moderne emploie essentiellement la forme pronominale (v. 1090), mais l'usage ancien tolérait aussi la construction intransitive *lamenter* (1225), qui se maintient seulement au sens spécial de «pousser son cri», en parlant du crocodile (1834) et de certains oiseaux. ◇ La construction transitive au sens de «déplorer vivement» (1380), encore employée plaisamment par Boileau au XVIIe s., est elle aussi archaïque.

▶ **LAMENTATION** n. f. est emprunté (XIIe s.) au latin *lamentatio* «gémissements, plainte bruyante et prolongée», en particulier à basse époque «plainte en justice». ◆ Attesté isolément au XIIe s. au sens de «sujet de lamentation», le mot désigne (1225) une longue plainte humaine; il s'emploie au pluriel avec une valeur religieuse et (XIIIe s.) pour des paroles exprimant un regret douloureux.

LAMENTABLE adj. est emprunté (XVe s.) au dérivé latin *lamentabilis,* proprement «qui donne sujet de se lamenter» et «plaintif». Il est allé par affaiblissement vers le sens de «mauvais, exécrable» (1843) d'après la même évolution que *déplorable;* il est alors partiellement démotivé. ◆ Son dérivé **LAMENTABLEMENT** adv. (av. 1450) l'a suivi (XXe s.).

LAMENTO n. m. est emprunté (v. 1840) à l'italien *lamento* «lamentation», spécialisé en musique (1608, Monteverdi), et issu du latin *lamentum* qui avait donné l'ancien français *lament,* disparu au XVIIe siècle. Le mot a été repris avec ses deux acceptions en italien, en parlant d'une complainte triste des gondoliers de Venise et (1842) d'un air de musique plaintif.

LAMIE n. f. est emprunté (1527) au latin *lamia,* transcription du grec *lamia,* nom d'un démon femelle vorace, parfois imaginé avec l'arrière-train d'un âne mâle, également employé pour désigner un grand poisson vorace. Le mot est dérivé de *lamuris* «vorace, effronté, pétulant», terme d'origine inconnue dont le rapprochement du latin *lemures* (→ lémuriens) est douteux.

♦ Le mot a été repris au XVIe s. en mythologie grecque — avec un sens voisin de celui de *lémure* — et (1551) en ichtyologie, à propos d'une variété de squale.

LAMINAIRE n. f. est l'adaptation (1828) du latin savant *laminaria,* dérivé du latin *lamina* (→ lame, laminer).

♦ Le mot a été créé en botanique comme dénomination d'une algue dont la partie foliacée se présente en longs rubans aplatis. ◆ Il a été recréé comme adjectif (1840-1842), qualifiant ce qui est composé de lamelles parallèles (en géologie) et, en physique, ce qui s'effectue par glissement de couches de fluide les unes sur les autres.

LAMINER v. tr. est le dérivé (attesté 1731, probablement antérieur, cf. *laminoir*), par l'intermédiaire de l'adjectif *laminé* (1596), du moyen français *lamine* n. f. (XIVe s.) «barre de métal», doublet savant de *lame**, employé comme lui avec le sens particulier de «pierre tombale» (1611) et qui s'est appliqué par métonymie à une cuirasse formée de petites lames.

♦ En allant de l'emploi de *laminé* «orné de lamelles de métal» au XVIe s. à celui du verbe au XVIIIe s., on est passé de la notion d'«ornement» (→ lame, lamé) au sens technique de «réduire du métal en lames», dont l'objet évolue avec les techniques métallurgiques (cf. ci-dessous *laminoir*), puis aussi (1893) «réduire l'épaisseur (spécialement d'un volume à relier) par forte pression». La valeur figurée de «diminuer jusqu'à l'anéantissement» (XXe s.) est l'aboutissement des sens techniques.

► La spécialisation du verbe en métallurgie remonte probablement au XVIIe s. comme en témoigne **LAMINOIR** n. m. (1643), nom de la machine qui réduit les métaux en lames, employé dès le XIXe s. avec une valeur figurée dans la locution ***passer au laminoir*** (1834, Balzac). L'évolution technique se traduit par l'apparition de syntagmes, tel ***train de laminoirs*** dans le domaine de l'aciérie. Le mot a dénommé également (1907) une machine employée en imprimerie. ➛ **LAMINAGE** n. m. (1731), nom d'action employé en métallurgie, a été repris par les géologues (1880) pour décrire l'amincissement et la déformation d'une couche lors d'un plissement. Il a aussi développé une acception figurée (attestée v. 1950) correspondant à celle du verbe. ➛ **LAMINEUR, EUSE** n. (1823), **LAMINERIE** n. f. (1845) et **LAMINÉ** n. m. (v. 1950) s'emploient eux aussi en métallurgie, et sont plus techniques que *laminoir*.

◈ voir LAMINAIRE.

LAMPADAIRE n. m. est emprunté (1535, *lampadeire*) au latin médiéval *lampadarium* «chandelier» (1242-1243), dérivé du bas latin *lampada* (→ lampe).

♦ Le mot, qui semble avoir été repris au XVIIIe s. (1752), désignait alors un support vertical destiné à soutenir une ou plusieurs lampes, à huile, puis à pétrole. ◇ Au XIXe s., il se dit aussi d'un luminaire monté sur un haut support (1832) et d'un type de lampe destiné à l'éclairage public, monté sur un tel support. Le référent a évolué avec l'invention de l'électricité, en concurrence avec *bec de gaz* et d'autres noms, puis s'est appliqué à une lampe électrique d'intérieur, à pied.

LAMPANT, ANTE adj. est emprunté (1593) à un mot provençal, participe présent du verbe *lampa* «briller», qui provient directement du grec *lampein* «briller» (→ lampe).

♦ L'adjectif, qui qualifie ce qui est propre à alimenter la flamme d'une lampe, s'est spécialisé dans *huile lampante, pétrole lampant.*

① **LAMPAS** n. m. est d'origine contestée. Le mot désigne en ancien français (déb. XIIIe s.) un gonflement de la muqueuse du palais, chez le cheval, et semble un dérivé de *lampe* «fanon du bœuf», variante nasalisée de *lape*, emprunt probable au francique °*laba* ou °*labba* «morceau d'étoffe» (→ lambeau). P. Guiraud préfère y voir un dérivé de l'ancien français *lamper* «briller», apparenté à *lampe**, la métaphore portant sur l'inflammation, alors que la première hypothèse portait sur l'apparence de la tuméfaction, par une figure analogue à celle de *chiffon rouge*, en argot du XIXe s. pour «langue».

♦ Le mot, terme de médecine vétérinaire, a pris la valeur argotique de «gosier», par l'intermédiaire d'un emploi dialectal pour «palais», et avec influence de *lamper* «boire», lui-même nasalisation de *laper**. La locution populaire ***s'arroser le lampas*** s'est employée au XIXe et au début du XXe siècle.

► Il a pour dérivé **LAMPASSÉ, ÉE** adj. (1502) qui signifie en héraldique «qui a la langue d'un autre émail (couleur) que le corps».

② **LAMPAS** n. m., d'abord *lampasse* (1723), puis *lampas* (1765), est d'origine obscure. On le rattache souvent à la famille de *lambeau* (→ ① lampas), mais l'hypothèse d'un emprunt serait plus plausible, l'étoffe étant originaire d'Asie (Inde ou Chine).

♦ Le mot désigne une étoffe de soie à grands dessins tissés en relief.

LAMPE n. f. est issu (1119) du bas latin *lampada*, accusatif de forme grecque pris comme nominatif féminin du latin *lampas*, lui-même emprunté au grec *lampas, -ados* «torche», «course aux flambeaux» et tardivement «lampe». Ce mot est dérivé de *lampein* «briller», dit également d'un son, de la gloire. Ce verbe a des correspondants dans les langues celtes, irlandais *lassaim* «flamber» et baltes, lette *lāpa* «torche».

♦ *Lampe* désigne d'abord un récipient contenant un liquide combustible destiné à éclairer, puis également (enregistré en 1690) un appareil dont la forme évoque une lampe d'éclairage mais qui sert à produire de la chaleur. ➛ Avant 1870, date où le mot est attesté chez J. Verne, on parle déjà de ***lampe électrique*** (la lampe électrique au charbon sera inventée par Edison en 1879). Au XXe s., le mot désigne aussi (1923) un tube à vide à plusieurs électrodes servant à engendrer, diriger, amplifier et moduler des signaux électriques. Dans ce sens, le mot n'a pas vieilli, mais son référent a été le plus souvent remplacé par d'autres dispositifs (transistors, par exemple). ➛ L'emploi argotique du mot dans l'expression ***s'en foutre plein la lampe*** (1915) se rattache au sens argotique ancien de *lampe* «estomac» (1683), qui est sans doute un emploi figuré du sens initial, «récipient contenant un liquide», avec influence probable de *lamper* (→ laper).

► Les dérivés ont le plus souvent vieilli. ➛ **LAMPIER** n. m. (v. 1210) a désigné un support de lampe garni de godets dans lesquels on brûlait de l'huile dans les églises, les cimetières, et aussi un fondeur de lampes et de chandeliers (v. 1265). ➛ **LAMPOTTE** n. f. (XIVe s.) a perdu le sens diminutif de «petite lampe» et se maintient régionalement (Nord-Ouest) comme nom d'un coquillage, la patelle. ➛ **LAMPERON** n. m. (1471) «godet contenant le combustible d'une lampe d'église» désigne aussi le tuyau qui tient la mèche d'une lampe (1577). ◆ **LAMPETTE** n. f., autre diminutif de *lampe* (1532), ne se maintient qu'avec un sens régional de «nielle des champs» (1812). ◆ **LAMPISTE** n. (1797) a relayé *lampier* comme nom du fabricant de lampes avant de se spécialiser en «éclairagiste» (1860). Le lampiste des chemins de fer étant un employé subalterne de la gare, chargé du dépôt et de l'entretien des appareils d'éclairage *(lampisterie),* il a pris la valeur figurée d'«employé subalterne sur lequel retombe la responsabilité des fautes» (XXe s.). ◇ Il a pour dérivé **LAMPISTERIE** n. f. (1845), qui désigne d'abord l'industrie et le commerce des lampes à réservoir, puis (1867, Littré) le dépôt des instruments d'éclairage, notamment dans une gare. Les deux sont archaïques.

Lampe, outre les syntagmes qu'il forme, entre dans les composés lexicalisés **LAMPE-TÉMOIN** n. f. (1929), **LAMPE-TEMPÊTE** n. f. (1932).

LAMPADOPHORE adj. et n. est un emprunt savant (1559) au grec *lampadêphoros,* de *lampas* et *phorein* «porter» (→ -phore). Le mot désigne d'abord une course aux flambeaux. Il est repris (1752) pour désigner et qualifier un porteur de flambeau, dans l'antiquité grecque, puis employé littérairement (Mallarmé).

LAMPARO n. m. est emprunté (1901) à l'espagnol *lámpara* «lampe» (v. 1280), altération de *lámpada* (→ lampe) avec adaptation de la finale. ◆ Le mot désigne une lampe employée par les pêcheurs pour attirer le poisson et, par métonymie, le filet et le bateau utilisés lors de ce type de pêche.

◈ voir **LAMPADAIRE, LAMPANT, LAMPION, LANTERNE.**

LAMPER → LAPER

LAMPION n. m. est emprunté (1510) à l'italien *lampione* «grosse lanterne», dérivé avec suffixe augmentatif *-(i)one,* de *lampa,* lui-même emprunté au français *lampe** avec le même sens.

♦ Le mot a désigné divers types de lampes, en particulier une lanterne de bateau, une grosse lampe. Il s'est spécialisé dans le domaine des illuminations, se référant, sans considération de taille, à un godet rempli d'huile avec une mèche (1690), puis à une lanterne vénitienne en papier plissé (v. 1750). D'après le cri *des lampions !,* prêté à la foule qui réclamait des illuminations en 1827, l'expression ***(sur) l'air des lampions*** s'applique à un cri scandé en trois syllabes détachées sur une même note. ◇ Par analogie de forme, *lampion* s'est dit (1826) d'un tricorne (en forme de lampe à huile) porté par des militaires et cavaliers, sens aujourd'hui oublié.

◈ **LAMPROIE** n. f. est issu (1174) du bas latin *lampreda* (VIIIe s.), glosé *muraena* (→ murène) au XIe s. et d'étymologie incertaine : certains y voient l'altération du synonyme *lampetra* (IVe-Ve s.), formé sur le radical de *lambere* «lécher» et de *petra* «pierre» (→ pierre), allusion au fait que ce poisson s'attache aux pierres par sa bouche. Cependant, il n'est pas exclu que *lampetra* soit une corruption, d'après cette étymologie, de *lampreda. Lampreda* est passé dans les langues romanes, sauf en roumain, et dans les langues germaniques : vieil anglais *lamprede,* moyen néerlandais *lampreide,* ancien haut allemand *lampreta,* d'où allemand *Lamprete.* L'anglais *lamprey* a été emprunté (1297) à une variante de l'ancien français.

♦ Le mot désigne une espèce de poisson cylindrique, voisin par l'apparence de l'anguille, et dont la chair est très estimée.

LANCE n. f. est issu (1080) du latin *lancea* «pique, arme de jet», mot qui serait d'origine étrangère, espagnole selon Varron, grecque selon Festus qui le rapproche du grec *lonkhê.* Il se peut que les mots grec et latin soient des emprunts indépendants à une même langue, peut-être celte, l'arme étant attribuée par les Romains aux Gaulois ou aux Galates. ◈

♦ Le mot désigne une arme d'hast à longue hampe, terminée par un fer pointu et qui fut en usage jusqu'au XVIe, puis aux XVIIIe-XIXe s. (cf. ci-dessous). En ancien français, le mot désigne une arme assez légère, qui sera remplacée par la pique, mais aussi et surtout une arme lourde à contrepoids, utilisée par les cavaliers en armure jusqu'au XVe, et jusqu'au XVIIe s. comme arme de tournoi. Par une métonymie commune à bien des noms d'outils et d'armes, il désigne, en général au pluriel, un soldat armé d'une lance (XIIe s.) puis une formation militaire comptant, entre autres attaquants, des hommes armés de lances (XVe s.). ◆ Avec l'abandon de l'arme qu'il désigne, *lance* est devenu un terme historique (en référence à une arme antique, 1690) ou exotique et est resté disponible pour des emplois symboliques et figurés : l'expression ***fer de lance,*** d'abord employée avec son sens propre (1367), est exemplaire de ce type d'évolution, passant à un sens analogique en ornementation (1867) et à une acception figurée, pour «corps d'élite» (XXe s.). De même, les locutions ***baisser la lance devant qqn*** (1690) et ***rompre une lance pour qqn*** (1718) sont bien postérieures à la réalité qui les a inspirées, le tournoi médiéval. ◇ L'arme militaire nommée *lance* réapparaît en France au milieu du XVIIIe s. avec les uhlans (1743), puis les lanciers de l'Empire (1801). ◆ Dès le XIIIe s., *lance* a désigné des objets dont la forme allongée rappelle celle de l'arme : *lance d'étendard* (1680), *lance de drapeau* (av. 1834). ◇ Il désigne en technique la spatule dont se servent les modeleurs en stuc, plâtre, terre et cire (1680), la longue perche utilisée pour les joutes sur l'eau (1690), différents instruments tranchants et piquants. ◆ La dénomination *lance d'eau* (1694), remplacée par ***lance à eau*** (1873), et ***lance à incendie*** (1867) représentent moins un emploi analogique de *lance* qu'un déverbal de *lancer**.

▸ **LANCETTE** n. f., rapidement sorti d'usage au sens propre de «petite lance» (v. 1200), s'est spécialisé dès le XIIIe s. comme nom d'un instrument de chirurgie (1256). Le mot est repris, par analogie de forme (cf. *fer de lance*), pour désigner un arc en tiers-point surhaussé, dit *à lancette* (1829), cf. *lancéolé.* ◆ **LANÇON** n. m. (XIIIe s., *lançoun* «branche de palmier») et **LANCERON** n. m. (1412), dérivés suffixés en *-on* et *-eron,* sont deux spécialisations analogiques en zoologie, désignant tous deux un jeune brochet et, pour le premier, une anguille de mer (1672). ➛ **LANCIFORME** adj. (1845) qualifie ce qui est en forme de lance, dans un usage didactique.

LANCIER n. m., emprunté (v. 1215) au bas latin *lancearius,* désigne spécifiquement le cavalier armé d'une lance ; le mot, sorti d'usage, a été repris surtout à propos d'un corps de cavaliers créé en 1801, puis pour d'autres armées, notamment l'anglaise, par adaptation de *lancer (les lanciers du Bengale).* Le ***quadrille des lanciers*** (1855), elliptiquement *les lanciers,* est aussi emprunté à l'anglais.

LANCÉOLE n. f. est un emprunt savant (1557) au bas latin *lanceola,* diminutif de *lancea.* Il a désigné une variété de plantain, avant d'être repris (1842) en description botanique pour un organe en forme de fer de lance. ◇ Il désigne aussi la petite tige d'une fusée de feu d'artifice. ➛ **LANCÉOLÉ, ÉE** adj. (1778) est dérivé du précédent par l'intermédiaire d'une forme *lanceolatus,* en latin des botanistes. C'est un terme de description botanique, repris par les historiens de l'art gothique (1890), et employé dans la description littéraire (av. 1902, Zola).

◈ voir LANCER.

◈ ✻ **LANCER** v. tr., apparu en même temps que *lance** sous la forme *lancier* (1080), est issu du bas latin *lanceare* «manier la lance», dénominatif de *lancea* (→ lance).

♦ Le mot, se référant à une façon de manier la lance, correspond dès les premiers emplois à «jeter devant soi (une arme) dans une direction déterminée», et en particulier à «projeter avec un engin propulseur (des flèches)» (1080). Cette valeur, plus que celle de «donner un coup» (v. 1170) et de «percer, piquer d'une lance» (v. 1250-1660), remotivée par le substantif, a déterminé l'évolution ultérieure de *lancer.* ➛ Dès le XIIe s., le pronominal *se lancer* signifie «se précipiter impétueusement», en parlant d'une personne (v. 1175), tandis que *lancer* s'emploie spécialement pour «mettre (un bateau) à l'eau» (v. 1180) et «faire mouvoir rapidement (un organe, un membre)» (v. 1180). Son emploi particulier à propos des palpitations du cœur (déb. XIIIe s., *le cœur li lance*) a été évincé par *élancer* (ci-dessous). Toujours avec la même notion de dynamisme, *lancer* signifie «décocher (un regard)» (v. 1270) et «faire partir en avant (un animal)», spécialement dans le contexte de la chasse (1481-1490, *lancer le cerf*). ➛ En moyen français, le verbe développe à la fois des acceptions techniques concrètes et des acceptions figurées : il exprime aussi le fait de faire jaillir de soi, d'émettre une parole avec vivacité (1578), d'émettre un soupir (1676). Il prend en marine, plus précisément qu'en ancien français, le sens de «faire glisser (un navire) du chantier dans l'eau» (1530). Au XVIIIe s., il prend la valeur de «déclencher (un mécanisme)» (1765). Abstraitement, *se lancer dans qqch.* correspond à «se consacrer, se mettre activement à» (1790). ➛ Le XIXe s. a apporté le sens particulier de «faire connaître (qqn) en le mettant en valeur, propulser dans la vie mondaine» (av. 1825) et, contemporain du développement de la publicité, celui de «promouvoir (qqch.)» (1870), «être le premier à faire connaître (qqch.)» (av. 1922). ➛ Le sens concret, d'autre part, prend au XIXe et au XXe s. de nouvelles valeurs techniques, comme «propulser dans l'atmosphère (un engin)». *Lancer* a en général conservé, à la différence de *jeter,* l'idée de faire se déplacer (à faire fonctionner) de manière voulue, et non pas pour se débarrasser.

▸ **LANCEUR, EUSE** n., d'abord *lanceour* (v. 1200), désigne d'abord la personne qui lance un objet, originellement une lance, une arme de jet. Le sens concret connaît un regain de vitalité à partir du XIXe en sport, et au XXe s. en astronautique (v. 1960, comme nom d'objet : *lanceur de satellites*). ◇ Le sens figuré apparaît au XIXe s. dans les milieux de la mode (1864) et de la promotion. ➛ **LANCEMENT** n. m. (1306), longtemps employé avec le seul sens concret d'«action de lancer qqch.», a connu une nouvelle expansion au XIXe s., s'appliquant à la mise à flot d'un navire (1859), puis aussi à l'envoi dans l'atmosphère d'un engin (XXe s.), désignant, semble-t-il avant le verbe (1802), l'action de faire connaître (un artiste, un mondain, puis un produit nouveau). ➛ **LANÇAGE** n. m. (XVIIe s.) s'est quasiment éteint sous la concurrence du précédent, se maintenant seulement par une spécialisation en génie civil. ➛ **LANCIS** n. m., enregistré par l'*Encyclopédie* (1765) à propos de l'opération consistant à réparer un mur en enfonçant des pierres et moellons dans les parties dégradées, continue par sa forme l'ancien français *lanceïs* (v. 1155), employé dès le XIVe s. (1371) à propos de pierres entrant dans le jambage d'une porte, d'une croisée. ➛ Le participe passé *lancé* a donné deux substantifs : le masculin **LANCÉ** n. m. (1701), d'abord «action de lancer le gibier», d'où par métonymie «lieu d'où la bête est lancée par les chiens» (1867), se réfère aussi au geste effectué pour lancer qqch. en avant (av. 1889) et à l'attitude du corps qui s'élance (1883). ➛ Ce nom est moins courant que l'adjectif **LANCÉ, ÉE** qui a pris des valeurs abstraites : «engagé profondément dans une activité» (av. 1714), en particulier «en vogue» (av. 1799, *lancé dans le monde ;* 1867, absolument) et, familièrement, «excité par l'alcool» (1867), sens disparu. ➛ Le féminin **LANCÉE** n. f., après une attestation isolée au sens de «comète» (1802), s'est répandu comme substantif d'action (1810), l'accent étant mis sur le mouvement, au propre et au figuré (***sur la, sa lancée,*** déb. XXe s.). ➛ L'infinitif substantivé **LANCER** n. m. (1735), introduit en vénerie, correspond aux valeurs physiques du verbe. Il a pris vers 1900 des emplois spéciaux en sports, où il désigne des disciplines athlétiques (poids, disque, marteau, javelot), et dans ***pêche au lancer*** (1902).

La forme verbale *lance* a fourni le premier élément de substantifs concrets à partir de la fin du XIXe s. : les noms d'engins propulsant des armes dominent avec **LANCE-PIERRE(S)** n. m. (1894), concurrencé par *fronde* dans un emploi extensif, **LANCE-TORPILLE(S)** n. m. (1890), **LANCE-FLAMMES** n. m. (1916), nom d'un engin militaire devenu usuel pendant la guerre de 1940-1945, plus courant que **LANCE-BOMBES** n. m. (1918), **LANCE-FUSÉES** adj. (1922, *pistolets lance-fusées*) puis n. m. (1935), par exemple dans *lance-fusées anti-char,* **LANCE-GRENADE(S)** n. m. (1931), **LANCE-ROQUETTES**

n. m. (1953), **LANCE-ENGINS** n. m. (1962), et **LANCE-MISSILE(S)** n. m. (1971). ◇ L'un d'eux, *lance-flammes*, est calqué sur l'allemand *Flammenwerfer*, cette arme ayant été employée par les Allemands lors de la Première Guerre mondiale (voir aussi les substantifs avec lesquels sont formés ces composés).

Deux verbes préfixés sont usuels. **ÉLANCER** v. tr. est employé dès le XIIe s. au pronominal *s'élancer* (v. 1150) pour «prendre sa course vers qqch.», lequel acquiert au XIIIe s. la valeur figurée de «s'élever dans une sphère supérieure» (v. 1240), annonçant l'idéalisation pour «prendre son essor (de l'âme, des pensées)» (av. 1559). La construction intransitive, employée dès le XIIIe s. en parlant du cœur qui palpite, remplaçant *lancer* (ci-dessus), a déterminé le sens actuel, «être le siège d'élancements dans le corps» (av. 1559). ◇ Les emplois transitifs, apparus au XVIe s., sont des renforcements du verbe simple, et correspondent à «lancer dans l'air, pousser avec force (en parlant de cris, de regards)» (v. 1550), «lancer avec vigueur» (1577) et «élever» (v. 1580) ; ils ont décliné après le XVIIe siècle. ◇ Le pronominal *s'élancer* reste seul d'usage courant, recevant ultérieurement les valeurs de «prendre des formes sveltes» (1793), «surgir, jaillir» (1780), «monter d'un jet (en parlant d'objets verticaux)» (av. 1854). ➛ Le dérivé régressif **ÉLAN** n. m. (1409), qui n'est plus senti comme lié à *lancer*, et à peine à *élancer*, sert cependant au verbe de substantif d'action, au propre et au figuré (1572), spécialement avec une valeur spirituelle (1690). La langue classique l'employait aussi à propos d'une élévation subite et brève de la voix (1669). Au sens concret, *élan* s'est spécialisé en sports pour «prise de vitesse avant un saut». ➛ **ÉLANCEMENT** n. m. (1549), en dehors de son sens, contemporain de la valeur équivalente d'*élancer*, de «douleur vive et brève dont les accès se répètent», est d'un usage plus spécialisé ou plus marqué stylistiquement. D'abord synonyme d'*élan* pour «action de s'élancer» (1559) et «ardente aspiration de l'âme» (1587), en particulier dans le contexte mystique, il relève de nos jours du style littéraire. ◇ Il se dit aussi de la forme élancée d'un objet, spécialement d'un bateau (1678). ➛ **ÉLANCÉ, ÉE** adj. (1549) qualifie physiquement une personne grande, mince et de taille bien prise (d'abord un cheval), puis aussi un objet élevé de forme légère (1690), en particulier un arbre (1771). Il est démotivé par rapport à *s'élancer*. ◇ Seule sa spécialisation en blason, à propos d'un cerf lancé au galop (1690), correspond à la sphère d'emplois de *lancé*.

RELANCER v. tr. (v. 1160, *relancier*), «lancer de nouveau», connaît une expansion de sens au début du XVIIe s. : il est spécialisé en vénerie (1611) et par extension prend le sens aujourd'hui courant de «poursuivre avec insistance» (1653), correspondant même, au figuré, à «reprendre (qqn)» dans la langue classique (1671). ➛ Avec l'acception de «remettre en route, en activité», il s'emploie spécialement au jeu (1765) et en sports (1906). ➛ Il produit tardivement des noms d'action inusités, **RELAN** n. m. (1829), **RELANCEMENT** n. m. (1875) et **RELANCÉ** n. m., attesté en vénerie (1885), puis **RELANCEUR, EUSE** n. (1893), surtout employé au jeu et au tennis. ➛ Seul **RELANCE** n. f. (1894), terme apparu en sports, connaît une grande vitalité avec le sens de «nouvelle impulsion économique» (v. 1950), lancé par les journalistes et critiqué par les puristes, malgré sa correspondance avec un sens déjà ancien du verbe.

LANCINANT, ANTE adj. est emprunté (1546) au latin *lancinans*, participe présent de *lancinare* «mettre en pièces, déchiqueter (au physique et au moral)». Celui-ci est une variante nasalisée de *lacerare* (→ lacérer), évitée par la prose classique mais reparue dans la latinité impériale.

♦ L'adjectif a été introduit en médecine *(humeur lancinante)* avec le sens physique de «qui se fait sentir par des élancements aigus», sous l'influence de *lancer**, *élancer* et *élancement*. Dès le XVIe s., il est employé dans le syntagme ***douleur lancinante*** (v. 1560, Paré). Par transposition au figuré, il qualifie (1836), dans la langue littéraire ou soutenue, ce qui obsède, tourmente de façon aiguë et persistante.

▸ **LANCINER** v. (1616), emprunté au latin *lancinare*, est d'usage beaucoup plus rare, tant avec son sens médical qu'avec son sens transitif figuré (1904). ➛ On en a tiré **LANCINATION** n. f. (1771) et **LANCINEMENT** n. m. (1840), un peu moins rare.

LANDAU n. m. est tiré (1791 ; 1829, *landaw*) du nom propre de la ville allemande de *Landau*, où ce genre de voiture a d'abord été fabriqué et baptisé en allemand *Landauer*, abréviation pour *landauer Wagen*. L'anglais a *landau* dès 1743.

♦ La voiture hippomobile suspendue qu'il désignait a disparu, mais le nom est resté pour désigner, par analogie, une voiture d'enfant à grandes roues, à capote pliante et à caisse suspendue.

▸ Le diminutif **LANDAULET** n. m. (1836) qui a désigné une petite voiture hippomobile puis, les premiers carrossiers d'automobiles étant d'anciens carrossiers de voitures à cheval, une petite voiture automobile, est sorti d'usage en même temps que ces véhicules.

LANDE n. f. est issu (v. 1118) d'un gaulois °*landa* que l'on restitue d'après l'irlandais *land, lann*, le cymrique *llan*, le cornique *lan* qui signifient, le plus souvent dans des composés, «plaine, espace dégagé» et «pièce de terre clôturée, enclos». À ces mots se rattachent le germanique °*landa-* «terre», que l'on retrouve dans l'allemand *Land* (→ landgrave), l'anglais *land*, et aussi le néerlandais, le suédois et le danois. Une racine indoeuropéenne pourrait se dégager, la variante °*lendh-* étant représentée par le vieux slave *lędina* «lande, désert» (russe *ljadá, ljadina*) et dans le suédois *linda* «terre en friche». Le type °*landa* est attesté dans une grande partie de l'ancien domaine gaulois : ancien italien *landa*, catalan *landa*, aragonais *landa* «champ, terre cultivable», navarrais *landa* «champ, pièce de terre» ; le domaine gascon connaît également cette racine dans plusieurs toponymes (*Lanepla* dans les Pyrénées-Atlantiques, Xe s.).

♦ Le mot, dans le domaine d'oïl, a d'abord désigné un terrain boisé, sens conservé dans le toponyme *les Landes,* puis (1778, à Bordeaux) s'est étendu à toute espèce de terrain inculte, résultant généralement de la dégradation de la forêt, dans la zone tempérée. La monotonie de ce type de paysage, sans relief, a inspiré un emploi métaphorique littéraire, en particulier, au pluriel, à propos des parties ennuyeuses d'un livre, d'un récit.

▶ Les dérivés, **LANDIER** n. m. (1840) et **LANDAGE** n. m. (av. 1867), sont en usage dans l'ouest de la France comme dénomination d'un ajonc, plante de la lande, et, par métonymie, du lieu où poussent ces ajoncs.

◈ voir LANSQUENET, NO MAN'S LAND.

LANDGRAVE n. m., d'abord altéré en *andegrave* (v. 1195), puis transcrit *landegrave* (1245), avant *landgrave,* est emprunté au moyen haut allemand *landgrave* (allemand moderne *Landgraf*), titre de certains princes germaniques. Ce mot signifie proprement «comte du pays»; il est composé de *Land* «pays» (→ lande) et de *grave* (allemand *Graf*) «comte» (→ burgrave, margrave, rhingrave).

♦ Le mot correspond au titre porté à l'époque du Saint Empire romain germanique par certains princes possesseurs de terres, relevant directement de l'Empereur (comtes d'Alsace, de Thuringe, de Hesse). Il a désigné le magistrat qui rendait la justice au nom de l'Empereur.

▶ **LANDGRAVIAT** n. m. (1575), qui a évincé *landgravie* (av. 1514), se rapporte à la dignité de landgrave et, par métonymie, désigne la principauté d'un landgrave.

LANGAGE → LANGUE

LANGE n. m. est la substantivation (v. 1170) de l'ancien adjectif *lange* «de laine» (XIIe-XVIe s.), lui-même issu du latin *laneus,* adjectif tiré de *lana* (→ laine).

♦ Le mot a désigné une robe de chambre en laine, une étoffe de laine (1429). Employé en particulier à propos de l'étoffe en laine dont on enveloppait les enfants au maillot (1538), il s'est spécialisé pour «étoffe dont on enveloppe le nourrisson», perdant tout rapport étymologique avec *laine.* ◇ Le déclin récent de cette pratique entraîne celui de ce sens, mais *lange* se maintient d'une part dans ses emplois techniques en gravure pour le drap dont se servent les graveurs en taille douce (1694), d'autre part au pluriel, avec le sens figuré de «commencements, débuts», notamment par la locution ***être dans ses langes*** (v. 1800); cf. *lin / linge* pour un rapport analogue à celui qui existe entre *laine* et *lange.*

▶ **LANGER** v. tr. (1869) «emmailloter un enfant» se fait plus rare depuis le déclin de la pratique.

LANGON → ANGON

LANGOUSTE n. f. est emprunté (v. 1120, *languste*) à l'ancien provençal *langosta* «sauterelle» (v. 1180) et «langouste, crustacé» (XVe s.). *Langosta* est issu, avec une nasalisation secondaire, d'un latin tardif °*lacusta* qui est lui-même probablement une forme altérée par dissimilation vocalique du mot classique *locusta.* Celui-ci possède aussi le double sens d'«insecte» et de «crustacé», de même que le grec *karabos* désigne à la fois l'escargot, un coléoptère, et la langouste (→ carabe). L'origine de *locusta* est incertaine mais on rapproche le lituanien *lekiú, lëkti* «voler», le grec *lêkan* «sauter», *laktizein* «ruer, frapper du talon». Dans ce cas, le nom de l'animal viendrait d'une caractéristique de ses mouvements.

♦ *Langouste* se rencontre jusqu'au XVIIe s. avec son sens de «sauterelle». La valeur moderne apparaît à la fin du XIVe s. (1393) par l'expression *langouste de mer* (cf. *araignée de mer* pour un autre crustacé). ➡ L'ancien français a eu une forme savante **LOCUSTE** (v. 1120), empruntée au latin classique, qui servait surtout à désigner la sauterelle jusqu'au XVIIe s. (Furetière renvoie encore de *locuste* à *sauterelle*) et que les naturalistes ont reprise au XIXe s. au latin de même sens.

▶ De *langouste* sont dérivés **LANGOUSTIER** n. m. (1769) «filet à langouste» et «bateau pour la pêche à la langouste», ainsi que le diminutif **LANGOUSTINE** n. f. (1802) désignant un petit crustacé également appelé *homard de Norvège.* La langouste et le homard sont deux espèces zoologiquement différentes, mais les deux mots ont des connotations alimentaires très voisines; d'où, pour *langoustine,* cette dérivation, aberrante en sciences naturelles. ◇ Les deux noms de crustacés, *langouste* et *langoustine,* sont employés argotiquement pour désigner (v. 1930) la prostituée, la maîtresse (on dit aussi *sauterelle*).

LANGUE n. f., d'abord *lingua, lingue* (v. 980), est issu du latin *lingua* qui a les deux grandes acceptions d'«organe situé dans la bouche» et de «système d'expression commun à un groupe», ainsi que le sens métaphorique d'«objet en forme de langue». *Lingua* appartient à un groupe de désignations indoeuropéennes apparentées, mais qui présentent de grandes divergences : sanskrit *jihvā́,* vieux slave *językŭ,* gotique *tuggo* (d'où allemand *Zunge*), irlandais *tenge,* anglais *tongue,* le grec *glôtta* étant aberrant (→ glose, glotte).

♦ *Langue,* dès le Xe s., est attesté avec son sens anatomique, spécialement pris comme organe de la parole; en ce sens, il a donné une phraséologie abondante où il réalise aussi bien le sens métonymique de «personne (bavarde, médisante)» : ***mauvaise langue*** (attesté 1260) signifie en ancien français «mauvais propos» puis (1528) «personne médisante» ***avoir la langue bien pendue*** «être bavard» (1424), ***tirer la langue*** (1611, *sur qqn*), «faire ce geste de dérision», ***donner sa langue au chat*** «avouer son ignorance» (1845, *aux chats*), anciennement *jeter sa langue aux chiens* (XVIIe s.), ***tenir sa langue*** «se retenir de parler» (1636), ***langue de vipère*** (1690; *d'aspic,* v. 1670), intensif de *mauvaise langue,* ***n'avoir pas sa langue dans sa poche*** «être bavard» (1768), etc. ◇ S'agissant d'animaux, notamment de mammifères, d'oiseaux et de reptiles, le mot est usuel, au sens propre (par exemple en cuisine : *langue de bœuf,* absolt *de la langue, langue de mouton*) comme au figuré (voir ci-dessus *langue de vipère*).

Le second sens du mot est lui aussi relevé dès les premiers textes ; il est généralement synonyme de «langage» à moins qu'il ne subisse une restriction apportée par un complément de détermination ou un adjectif. Au début du XXe s. (Saussure), *langue* a pris en linguistique la valeur de «système d'expression potentielle» par oppos. à *parole* et *discours*. Les emplois analogiques au sens d'«objet en forme de langue» sont nombreux depuis le XIIe s., surtout dans un syntagme déterminé, tel ***langue de terre*** (av. 1350 ; 1636, «péninsule») et, avec un nom d'animal, dans les dénominations de végétaux, de ***langue de bœuf*** (v. 1240) à ***langue de chat*** (1765), ce dernier désignant aussi un petit gâteau sec (1867). ◇ Enfin, *langue-de-serpent* a désigné une amulette (voir ci-dessous *languier*).

▸ Le dérivé le plus ancien est aussi le plus important et se rapporte à l'acception linguistique de *langue*. ◆ **LANGAGE** n. m., d'abord noté *lentguage* (v. 980), désigne spécifiquement la faculté propre à l'homme de s'exprimer et de communiquer au moyen d'un système de signes produits par la parole ou par une écriture et, par analogie mais de manière abusive, les formes d'expression des animaux (v. 1130). Dès le XIIe s. et jusqu'à l'époque classique, le mot a désigné la parole, le discours (v. 1131), parfois avec la valeur péjorative de «bavardage, verbiage» (XIVe s.), avant de céder cet emploi à *parole*. Il a aussi désigné la manière de s'exprimer propre à un peuple, à un pays (v. 1138) avant de reculer dans cet emploi devant *langue*, tout en se maintenant à propos de la manière de s'exprimer propre à un individu (fin XIIe s.), un groupe (1669), une profession, d'où, au propre et au figuré, des syntagmes tels que *langage diplomatique* (XXe s.). ◇ Il concerne spécialement l'emploi particulier d'une langue envisagée sous son aspect formel (v. 1361), du point de vue de la correction, du registre, et (1587) par rapport aux idées exprimées et au contenu de la communication : *tenir tel langage à qqn* (1647), *le langage de*, suivi d'un nom abstrait. ◇ Défini linguistiquement au XVIIe s. comme un système de signes plus ou moins complexe servant à l'expression et à la communication (1662), *langage* s'emploie par extension, d'une manière plus ou moins flottante, à propos d'un ensemble de signes formant système (1867), par exemple dans *le langage des parfums, des couleurs*. ◆ Son dérivé **LANGAGIER, IÈRE** adj. (1382) a été employé au sens de «bavard» jusqu'au XVIIe s. ; il a été repris à une date récente dans l'acception didactique «relatif au langage, à l'emploi que l'on en fait» (1941) et, substantivé, d'abord au Québec, pour «spécialiste des problèmes de langage et de terminologie (dans un organisme, une entreprise)». ◆ L'adjectif a produit **LANGAGIÈREMENT** adv. (attesté 1978).

LANGUETTE n. f. (v. 1193, *languete*), proprement «petite langue», s'est spécialisé dans des sens concrets analogiques : il désigne (1314) un objet en forme de langue, en particulier l'aiguille du fléau d'une balance (1530), le tenon d'une planche entrant dans une rainure (1573), la lame mobile d'un instrument à anche, d'un tuyau d'orgue (1611). ◆ Son dérivé ② **LANGUETER** v. tr. signifie «faire une languette à la rive d'une planche» (1867 ; 1812, *langueté*). ◇ Il a pour homonyme l'ancien français ① **LANGUETER** v. intr. (XIIIe s.), de *langue*, «bavarder, médire».

LANGUEYER v. tr. (XIIe s., *langoiier*) «agiter la langue» est sorti d'usage. Le verbe a été repris avec la valeur technique d'«examiner la langue d'un porc pour voir s'il est ladre» (1564, probablement antérieur). ◇ Le sens de «délier la langue, faire parler» (fin XVIe s.) est sorti d'usage après le XVIIe siècle. ◆ **LANGUEYEUR** n. m. (1378, *langoieur*) et **LANGUEYAGE** n. m. (1465, *languaige*) ont trait à l'inspection de la langue du porc.

LANGUIER n. m. (1353) dénomme une ancienne pièce d'orfèvrerie en forme d'arbre, sur laquelle on plaçait au moyen âge des ***langues-de-serpent*** (n. f. ; déb. XIVe s.) «amulettes pour déceler la présence éventuelle de poison dans les mets». ◆ *Languier* a été recréé (1573) en charcuterie pour désigner la langue et la gorge de porc fumées.

LANGUÉ, ÉE adj. (1450) est un terme de blason qualifiant un oiseau dont la langue est d'un autre émail (couleur) que le corps.

◈ voir LINGOT, LINGUISTE.

LANGUEUR n. f. est issu (av. 1130) du latin *languor* «faiblesse, abattement, lassitude, inactivité, mollesse», de *languere* (→ languir).

♦ Le premier sens, «affaiblissement physique réduisant les forces de qqn», le cède en grande partie aux sens recouvrant une notion moins physique : depuis 1180, la langueur se définit comme un état d'abattement dû à la passion amoureuse et s'exprimant dans l'attitude et les regards (1670, Racine). ◇ Vers 1580, Montaigne emploie le mot au sens de «mollesse, paresse» et, depuis 1765 (Rousseau), *langueur* indique un état de tristesse douce, vague et rêveuse. ◇ Par métonymie, il s'est appliqué à une chose qui inspire ce sentiment (paysage, climat) et, péjorativement, à une œuvre de l'esprit manquant de force et de chaleur (v. 1700) ou à une activité économique qui stagne (1780). Tous les emplois sont d'un usage soutenu.

▸ Son dérivé **LANGOUREUX, EUSE** adj. (XIIIe s. ; 1050, *langerus* «malade, souffrant») se réfère le plus souvent à un état de langueur amoureuse (v. 1375), s'appliquant soit à un être, soit à une chose qui suscite ou évoque la langueur amoureuse (1704). ◆ Il a pour dérivé **LANGOUREUSEMENT** adv. (fin XIVe s.). De nombreux dérivés et préfixés, en usage entre le XIIe et le XVIIe s., ont disparu, remplacés par *languide** et le groupe de *languir**.

◈ voir LANGUIDE, LANGUIR.

LANGUIDE adj. est emprunté (1523) au latin *languidus* «affaibli, mou, inactif, amollissant», de *languere* «être nonchalant» (→ languir).

♦ Le mot qualifie d'abord une personne faible, en état de langueur, puis (1596) ce qui est empreint de langueur. Il a signifié aussi «paresseux en amour» (1583). Son usage actuel, assez archaïque, est marqué stylistiquement par rapport à celui de *languissant*, moins littéraire.

LANGUIR v. intr. est issu (XIe s.) du latin tardif *languire* (apr. le VIe s.), altération du verbe classique *languere* «être languissant, abattu, nonchalant, mou», issu d'une racine indoeuropéenne exprimant un relâchement, que l'on retrouve à la base de *lâcher** et de *laisser**.

♦ *Languir* a vieilli avec son sens premier, «être abattu par une peine épuisante, affaiblissant le corps et l'esprit», pour s'employer spécialement au sens de «souffrir les tourments de l'amour, dépérir» (1140), en relation avec *langueur, langoureux,* et dans ***faire languir*** (1288) «faire souffrir (l'être qui aime)». ➛ Depuis le moyen français (1350), il signifie aussi «manquer d'ardeur, de force», en parlant d'une chose et, en particulier (1660, *languissant*), d'une œuvre de l'esprit. Appliquée à une personne, l'idée de «s'ennuyer» (1636) a vieilli; le mot entrait dans la construction qui précise ***languir d'ennui*** (1694). ◇ Seul ***faire languir*** «faire attendre longtemps» (1645) survit, avec l'idée de «désirer fortement», dans les constructions ***languir de*** (1465) et ***languir après*** (1671), également ***se languir de*** dans le sud de la France «souffrir de l'absence de (qqn)». Loin du «relâchement» étymologique, le mot exprime alors un état psychologique fait de tension entre le désir et l'absence; il est assez littéraire, sauf régionalement.

▸ Son participe présent adjectivé **LANGUISSANT, ANTE** (1180, *languissan*) reprend les sens principaux du verbe: «qui se languit d'amour» (v. 1280), «qui manque d'animation» (1487), plus rarement «qui est anémié, sans zèle» (1487) [→ languide]. Son sens le plus actif, «tourmenté par une violente passion» (1538), est sorti d'usage. ◇ Il a produit **LANGUISSAMMENT** adv. (1573), de nos jours très littéraire ou archaïque. ➛ **LANGUISSEMENT** n. m. (XIVe s.) «état de celui qui languit» a, comme d'autres noms d'état (*languis* n. m., *languison* n. f.), disparu au profit de *langueur*.
Le préfixe *a-* a servi à former **ALANGUIR** v. tr. (1539) «rendre languissant», «rendre langoureux» et à la forme pronominale «se remplir de langueur». ➛ Il a produit **ALANGUISSEMENT** n. m. (1552, en médecine) qui semble avoir été inusité au XVIIe et repris au XVIIIe s. (Rousseau). ➛ Plus vivant au participe passé **ALANGUI, IE** adj., ce verbe et son dérivé sont eux aussi d'un usage littéraire ou du moins soutenu, et parfois ironique.

LANIÈRE n. f. est dérivé (1160), à l'aide du suffixe *-ière,* de l'ancien français *lasne* de même sens (XIIe s.), mot issu par métathèse, sous l'influence de *laz* «lacet», de l'ancien °*nasle.* Celui-ci, restitué par le wallon *nale* «ruban» et le dérivé *nalière* (XIIIe s.) «lacet de cuir», représenterait le francique °*nastila* «lacet» (allemand de même sens *Nestel*) dont la racine °*nast-* se retrouve dans le latin *nodus* (→ nœud). P. Guiraud propose d'y voir plutôt le dérivé du latin *lacinia* «morceau d'étoffe», de *lacere* «déchirer» (→ lacérer).

♦ Le mot, qui désigne une longue et étroite bande de cuir et de toute autre matière, est employé par extension à propos de toute bande longue et mince.

LANOLINE n. f. est emprunté (1890) à l'allemand *Lanolin* (O. Leibreich, av. 1885), mot formé du latin *lana* (→ laine), de *-ol,* du latin *oleum* (→ huile), et *-in.* L'anglais *lanolin,* attesté en 1885, a pu servir de modèle.

♦ Le mot désigne une matière grasse extraite du suint de la laine des moutons et utilisée en pharmacie et cosmétologie.

LANSQUENET n. m. est emprunté (v. 1490), avec francisation de la finale, à l'allemand *Landsknecht* «fantassin», littéralement «serviteur, compagnon du pays» (Commynes, VIII, 21: «Lansquenetz, qui vault autant à dire comme compaignons de païs»). Le mot est composé de *Land* «terre, pays» (→ lande) et de *Knecht* «valet, serviteur», terme correspondant à l'anglais *knight* et au néerlandais *knecht,* et dont l'étymologie reste obscure.

♦ Nom d'un fantassin allemand servant en France comme mercenaire aux XVe et XVIe s., *lansquenet* est devenu par métonymie celui d'un jeu de cartes (1542): ce jeu a été introduit en France par les lansquenets et il a connu une certaine vogue dans les milieux populaires jusque vers 1870.

LANTERNE n. f. est issu (1080) du latin *lanterna,* lui-même emprunté, peut-être par un intermédiaire étrusque à en juger par le suffixe *-erna,* au grec *lamptêr* «vase à feu où l'on brûlait des torches de résine ou du bois sec», d'où «flambeau», et «lampe», de *lampein* «être lumineux, briller» dont un dérivé à donné *lampe**.

♦ *Lanterne,* employé dès les premiers textes avec son sens usuel, entre dans quelques locutions dont ***prendre des vessies pour des lanternes,*** déjà attestée sous la forme *vendre vecies por lanternes* vers 1210, et qui a subi l'influence d'un sens figuré de *lanternes* «contes absurdes, ridicules» très vivant entre le XVIe et le XVIIIe siècle. ◇ D'anciens sens particuliers se conservent dans des expressions, tel celui de «fanal placé sur une potence pour l'éclairage de la voie publique» (XVIe s.), réalisé dans le refrain révolutionnaire *les Aristocrates à la lanterne!,* et dans ***mettre à la lanterne*** (1789) «pendre qqn (en se servant des cordes des réverbères)». ◇ L'emploi du mot pour désigner l'appareil d'éclairage d'un véhicule (1835), désuet depuis le succès de *phare,* subsiste dans l'expression ***lanterne rouge*** qui fait allusion à la lanterne rouge à l'arrière du dernier véhicule d'un convoi. ◇ Le mot désigne aussi (1685) un ancien appareil de projection (***lanterne magique***). ➛ Depuis le XVIe s., *lanterne* a reçu quelques emplois analogiques, notamment en architecture (1546) où il désigne une sorte de tribune d'où l'on voit sans être vu et (1559) un dôme vitré surmontant un édifice pour l'éclairage par en haut. ◇ Certains sens techniques sont vieillis mais on peut signaler en zoologie ***lanterne d'Aristote*** (1805, Cuvier, *lanterne*), dénomination de l'appareil masticatoire des oursins, dont Aristote avait noté la ressemblance avec une lanterne.

▸ Le mot a produit des dérivés aux valeurs particulières: **LANTERNIER** n. m. (v. 1260) «fabricant de lanternes», qui a pris sous l'influence de *lanterne* «conte absurde» le sens figuré de «débiteur de fadaises» (fin XVIe s.) et «homme irrésolu» (1587), disparu après le XVIIe siècle.

Le verbe familier **LANTERNER** v. intr., employé en moyen français au sens érotique de «se livrer à la sodomie» (1392), d'après *lanterne* «pénis» (Rabelais), a été très vivant aux XVIe et XVIIe s. avec les sens figurés d'«être irrésolu, indécis à agir» (1546), surtout régional, puis «faire attendre qqn en lui contant des futilités» (av. 1660). Ces valeurs proviennent du sens figuré de *lanterne* (ci-dessus). ◇ Le verbe a pris, pendant la Révolution, le sens de «pendre à la lanterne» (1790), lié à la Terreur. ➜ Il a produit **LANTERNERIE** n. f. (1542) et le synonyme plus récent **LANTERNEMENT** n. m. (1869) «fait de faire attendre, de traîner».

On a appelé **LANTERNISTES** n. m. pl. (1696) les membres d'une Académie de Toulouse qui se rendaient avec une lanterne à leurs réunions nocturnes. ➜ **LANTERNEAU** n. m., diminutif masculin de *lanterne* (qui a donné le féminin *lanternelle*, 1556), est enregistré en 1721 au sens technique de «chaussée pratiquée dans les marais salants», sorti d'usage au XIXe s. (apr. 1856). ◇ Il s'est spécialisé en architecture pour une petite tourelle à colonnettes au-dessus d'un dôme (1840), une petite cage vitrée au-dessus d'un escalier (1894). ➜ Il partage ces sens avec **LANTERNON** n. m. (1758), doublet d'usage moins technique que littéraire.

◈ voir LAMPADAIRE, LAMPE.

LANTIPONNER v. intr. est composé (1666) de *lent**, avec influence de *lanterner**, et de *ponner*, représentant transformé du latin *ponere* «poser» (→ ponant, pondre, poser).

♦ Le verbe, relevé pour la première fois chez Molière *(Le Médecin malgré lui)*, a eu le sens de «faire les choses maladroitement, harceler en tiraillant» (jusqu'au XVIIIe s.). Il s'est implanté avec la valeur de «perdre son temps en discours inutiles, en «lanternes», tenir des propos sans intérêt» (1718), quelquefois avec la nuance de «tergiverser, faire des difficultés». Il est alors synonyme de formations dialectales telles que *lanticaner*, *lantibardaner* (Lyon, Macon), et *lantiberner* (Chablis, Villeneuve-sur-Yonne), et il a vieilli, puis disparu au XIXe siècle.

▸ Le vieillissement de *lantiponner* entraîne celui de ses dérivés, **LANTIPONNAGE** n. m. (1666) et **LANTIPONNIER** n. m. (1694).

LAPALISSADE n. f. est dérivé (1861, Goncourt) du nom de Jacques de Chabannes, seigneur de *La Palice* ou *La Palisse* (1470-1525) sur lequel on fit, à une époque mal déterminée, une chanson de forme naïve qui finissait ainsi : «Un quart d'heure avant sa mort, il était encore en vie».

♦ Le mot est synonyme de l'expression ***vérité de La Palisse*** «vérité trop évidente». La notion correspond naïvement au concept logique de jugement analytique.

LAPER v. tr. est dérivé (v. 1165) d'une onomatopée *lap-* traduisant le bruit du lapement. L'hypothèse d'un emprunt aux langues germaniques (allemand *lappen*, moyen néerlandais *lapen*, anglais *to lap*) n'est pas nécessaire, le mot existant également dans plusieurs langues romanes (génois *lappa* «boire», andalou *lapo* «gorgée»).

♦ Le verbe est employé à propos d'un animal et, par analogie (v. 1200), d'un homme qui boit en aspirant avec la langue. Il comporte alors souvent la nuance familière de «boire avidement (de l'alcool)» (v. 1200), assumée plus tard par *lamper* (ci-dessous).

▸ En sont dérivés **LAPEMENT** n. m. (1611), le nom d'agent **LAPEUR, EUSE** (XXe s., aussi **LAPPEUR**) et **LAPÉE** n. f. désignant une quantité de liquide qu'on peut boire en une fois.

La variante nasalisée **LAMPER** v. tr. (1642), d'usage d'abord familier au sens de «boire avidement» est aujourd'hui spécialisée et démotivée par rapport à *laper*. Il a subi l'influence de *lampe**, attesté un peu plus tard pour «estomac (qui reçoit un liquide)». ➜ Le verbe et son dérivé **LAMPÉE** n. f. (1678) «gorgée bue avidement» sont probablement influencés par le sens figuré de *lampe* «estomac» *(s'en mettre plein la lampe)*.

LAPEREAU → LAPIN

LAPIDAIRE n. m. et. adj. a été formé savamment comme nom (v. 1121) selon un type latin *lapidarius* attesté au XIIIe s. comme dénomination d'un traité sur les propriétés des pierres précieuses. Ce mot, qui désignait aussi le tailleur de pierres, est la substantivation de l'adjectif *lapidarius* «de pierres, chargé de pierres, taillé dans la pierre», dérivé de *lapis* «pierre» et «objet en pierre» (→ lapis-lazuli), mot qui a été supplanté par *petra* (→ pierre).

♦ Le nom désigne d'abord un traité sur les propriétés des pierres, dans le cadre des grandes compilations encyclopédiques médiévales (cf. *bestiaire*). ◇ De nos jours, il désigne la personne qui taille les pierres précieuses et semi-précieuses (1263-1270) et, depuis 1840, un instrument, une meule dont se servent les polisseurs d'acier. ➜ L'adjectif, repris (XVIe s.) au latin avec le sens de «relatif aux pierres», a développé ultérieurement, par l'intermédiaire de ***style lapidaire*** (1704) «style des inscriptions gravées sur la pierre», le sens figuré de «concis, succinct» (1797). Par glissement, celui-ci a reçu la valeur supplémentaire de «frappant, percutant» (1840), évoquant à la fois une formule nerveuse, bien frappée, et l'image du jet de pierres (→ lapider).

▸ Le mot a produit **LAPIDAIRERIE** n. f. (v. 1876) «industrie du lapidaire» et l'adjectif **LAPIDAIREMENT** adv., tous deux rares.

◈ voir LAPIDER, LAPILLI.

LAPIDER v. tr. est emprunté (v. 980) au latin *lapidare* «tuer à coups de pierres», de *lapis* «pierre» (→ lapidaire, lapilli).

♦ Le sens initial de «tuer à coups de pierres» se rapporte d'abord, d'après la Bible, à un type de peine capitale autorisé par la loi juive. Par affaiblissement, *lapider* signifie aussi «frapper avec des pierres, attaquer en jetant des pierres», mais son sens figuré, «maltraiter en paroles, injurier» (1549), est sorti d'usage au profit de la locution équivalente ***jeter la pierre.*** Son extension à d'autres pratiques violentes, «dévaster» (v. 1380) et «torturer», a tourné court.

▸ Les dérivés **LAPIDEMENT** n. m. (XIIe s.) et **LAPIDEUR, EUSE** n. (1611, *lapidour*) ont eu du mal à

s'imposer, concurrencés par **LAPIDATION** n. f. (XIIe s.) «massacre», puis (1611) «action de lapider», et **LAPIDATEUR, TRICE** n. (1487), empruntés respectivement au latin *lapidatio* et *lapidator*. Tous ces mots sont didactiques.
Le composé **DILAPIDER** v. tr. (1220) a été emprunté au latin *dilapidare* qui, peu employé au sens propre de «cribler de pierres», avait développé le sens figuré de «gaspiller», très répandu à basse époque et dans la langue de l'Église : la métaphore est analogue à *jeter, lancer* (par les fenêtres) avec l'idée de dissémination. ◆ *Dilapider*, comme ses dérivés **DILAPIDATEUR** n. m. (1433, rare av. fin XVIIIe s.) et **DILAPIDATION** n. f. (1465, rare av. 1762), également empruntés au latin, réalise seulement cette idée de «gaspillage».

LAPILLI n. m. pl. (1756), rare av. le XIXe s., d'abord *lapillo* au singulier (1824) puis *lapilli* avec généralisation du pluriel (1834), est emprunté à l'italien *lapillo* employé en vulcanologie dès le XVIe s. par spécialisation du sens de «petite pierre». Ce mot est emprunté au latin *lapillus*, diminutif de *lapis* «pierre» (→ lapidaire, lapider, lapis-lazuli). *Lapillus* avait donné le français *lapille*, latinisme très rare, attesté en 1568 et 1628.

♦ Le mot a été repris à propos des petites pierres projetées par un volcan. Il désigne aussi les tufs ponceux désagrégés.

► Il a pour composé **LAPILLIFORME** adj. (1873), formé avec l'élément *-forme** pour qualifier des matériaux dont la structure et la forme rappellent les lapilli.

◈ **LAPIN, INE** n. est issu en moyen français (v. 1450) de *lapereau* par changement de finale, l'élément *-in* pouvant provenir de *connin*, variante de *connil* «lapin». **LAPEREAU**, d'abord *lapriel* (1330), *laperiaus* au pluriel (1376) puis *lappereaux* (v. 1393), est issu d'un thème ibéro-roman °*lappa* «pierre plate», à l'origine du portugais *lapa* «roche saillante, caverne, grotte» (907 dans un texte latin) et d'autres formes du domaine ibérique que l'on trouve à la base du portugais *laparo* «lapereau», dialectal *lapouço*, etc. La localisation des premières attestations du mot dans l'extrême nord du domaine gallo-roman, et non en Ibérie, a été expliquée par le fait qu'on y faisait probablement commerce par voie de mer des peaux de lapin, ces animaux étant très abondants sur le territoire ibérique. L'évolution de sens résulte d'une métonymie, du nom du terrier à celui d'«animal de terrier». P. Guiraud, contestant cette hypothèse, rattache le mot à l'ancien français *lapriel*, au portugais *laparo*, du latin *leporellus* «levreau» (→ lièvre), le petit lapin étant assimilé au petit lièvre ; il invoque pour la forme *lapin* un croisement avec le verbe *laper** au sens de «manger avidement». ◇ Le mot s'est substitué à l'ancien français *connin*, d'abord *connil*, issu du latin *cuniculus*, mot de forme diminutive qui, selon Pline, serait d'origine espagnole, et qui vit dans l'espagnol *conjo* et l'ancien provençal *conilh*. Le mot a disparu au XVIIe s. à cause des jeux de mots obscènes qu'il occasionnait depuis le XIIe s. (→ con) et ne s'est maintenu que dans certains patois (Alpes-Maritimes, Suisse romande).

♦ *Lapin*, nom d'un petit mammifère rongeur très prolifique, a définitivement éliminé *connin, connil* au XVIIe siècle. Il a récupéré une partie des valeurs symboliques de *lièvre*, évoquant un comportement peureux, fuyard. ◆ C'est aussi à partir du XVIIe s. qu'il a développé quelques valeurs métaphoriques : le féminin *lapine* y a commencé de s'appliquer à une femme particulièrement féconde (1649, Scarron) ; le masculin *lapin* s'est dit en parlant d'un homme gaillard, actif, résolu (1790), spécialement dans l'argot militaire (1809). ◆ Par allusion aux cages exiguës dans lesquelles on entasse les lapins, le mot a désigné un voyageur pris en surnombre dans les voitures publiques (1783), d'où au XIXe s. un voyageur dont le déplacement n'est pas inscrit à un compteur et dont le conducteur empoche les six sous (1876). Ce sens argotique, sorti d'usage, est à l'origine de l'ancienne locution *faire cadeau d'un lapin à une fille* «ne pas payer ses faveurs» (1878-1879), modifiée en ***poser un lapin*** (1881), variante qui s'est répandue dans l'usage familier avec le sens de «ne pas être au rendez-vous convenu» (1888). ◆ La fécondité de l'animal a inspiré l'emploi de *lapin* dans un contexte érotique, d'abord dans l'argot du collège (1858) puis dans l'expression populaire ***chaud lapin*** (1928), probablement favorisée par l'existence antérieure de la locution *chaud de la pince* (1866), de même sens, où *pince* représente le membre viril. ◆ La référence à la rapidité de l'animal poursuivi par les chasseurs a suscité ***courir comme un lapin*** (1809), et la façon dont on tue un lapin en l'assommant par un coup derrière la tête l'expression ***coup du lapin*** (1850).

► **LAPINER** v. intr. (1732) «mettre bas, en parlant d'une lapine» a reçu en argot le sens métaphorique d'«accroître démesurément sa famille» (1907). ◆ **LAPINIÈRE** n. f. (1762) désigne le lieu peuplé de lapins et (1873) l'endroit où on en élève, le clapier. ◆ **LAPINISME** n. m. a été formé ironiquement sur le modèle des termes didactiques en *-isme* (XXe s.) pour indiquer la fécondité excessive d'un couple, d'un groupe humain.
Quant à **LAPEREAU** n. m., dont on a vu qu'il était à l'origine de la série, il a reculé devant l'usage très courant de *lapin*, mais s'est maintenu en français moderne, dès lors senti comme un dérivé diminutif, pour «jeune lapin». Il est usuel en cuisine.

LAPIS-LAZULI n. m. est emprunté (XIIIe s.) au latin médiéval *lapis lazuli* (XIe s.). Le premier élément de ce composé est *lapis* «pierre» (→ lapidaire, lapider, lapilli), «objet rappelant la pierre», mot sans correspondant dans les autres langues indoeuropéennes, éliminé par *petra* (→ pierre). Le second élément est le génitif du latin médiéval *lazulum* «pierre fine d'un bleu azur», lui-même emprunté à l'arabe populaire °*lāzūrd*, correspondant à l'arabe classique *lāzaward, lāzuward* de même sens, emprunt au persan *lāžward* (→ azur).

♦ Le mot désigne une pierre fine d'un bleu azur employée en bijouterie ; la forme abrégée **LAPIS** n. m. (1580) est aussi employée avec une valeur adjective pour la nuance de couleur bleue évoquant celle de la pierre.

▸ **LAZULITE** n. f. (1795), dérivé de *lazuli*, désigne cette même pierre.

LAPON, ONE adj. et n. est emprunté au latin médiéval *Lapo, onis,* lui-même pris au suédois *lapp,* pris à cette langue.

♦ Le mot (attesté dès 1584) qualifie ce qui appartient à la Laponie, région du nord de la Norvège, de la Suède et de la Finlande peuplée par des finno-ougriens. *Le lapon* est le nom de leur langue.

LAPS n. m. est emprunté (1266) au latin *lapsus* (→ lapsus) «mouvement de glissement, d'écoulement, de course rapide», spécialement en parlant du temps (*lapsus temporis,* IVe s.).

♦ Le mot est très rare en emploi isolé, mais ***laps de temps*** «durée» (1266), d'ailleurs non analysé et démotivé, reste usuel. Les sens non temporels d'«écoulement (d'une fontaine)» (1564) et de «chute» (1611) sont sortis d'usage à l'époque classique.

LAPSUS n. m. est emprunté savamment (1826; peut-être 1630 dans *lapsus calami,* selon Bloch et Wartburg) au latin *lapsus,* proprement «action de trébucher», au figuré «erreur» dans *lapsus calami, memoriae, linguae,* génitifs des mots *calamus* «roseau» (→ calame, chalumeau), *memoria* (→ mémoire) et *lingua* (→ langue). *Lapsus* est le participe passé substantivé de *labi* «glisser, tomber», «commettre une faute». Aucune des parentés auxquelles on a pensé pour ce verbe ne satisfait, à moins de recourir à un groupe de mots expressifs, à fortes variations de forme et de sens, ce qui permettrait peut-être de le rapprocher de *labor* «travail» («charge sous laquelle on chancelle»?) [→ labour].

♦ Le mot a été introduit pour désigner une défaillance de la mémoire *(lapsus memoriae)* puis, plus couramment, une faute que l'on commet par inadvertance, en écrivant (*lapsus calami,* 1836; peut-être 1630) ou en parlant (1855, *lapsus linguae*). La vulgarisation de la psychanalyse freudienne, où le lapsus est un symptôme important, assure le succès du mot, employé absolument, au XXe siècle.

▸ **COLLAPSUS** n. m. est un emprunt médical (1785) du latin *collapsus,* participe passé de *collabi* «tomber d'un bloc, s'affaisser», composé de *con-* et de *labi.* Le mot s'emploie en pathologie pour une chute subite des forces provoquant un état proche de la syncope. Par extension, il renvoie à un état de grande faiblesse physique ou morale.

◈ voir LABILE, LAPS, LASSE.

◈ **LAQUAIS** n. m., d'abord attesté dans le sud-ouest de la France (1470, *laquaiz* au pluriel), en particulier sous des variantes préfixées (1477, *halagues, alagues, alacays*), est d'origine obscure : en s'appuyant sur les formes *laquet* «valet de pied» et *halague,* on a invoqué un emprunt au turc *ulaq* (*vlak* en orthographe moderne) «courrier», peut-être par l'intermédiaire du grec byzantin *oulakês.* Cette origine exotique exigerait des preuves plus convaincantes. Bloch et Wartburg y ajoutent l'influence de l'ancien provençal *lecai* «gourmand» (voir ci-dessous) pour expliquer le suffixe *-ai,* mais cette hypothèse se heurte à un problème chronologique. On a aussi proposé d'y voir un emprunt au catalan *alacay,* qui serait lui-même issu de l'arabe *al qā'id* «le chef» (→ caïd); le mot est en effet ancien en catalan (1470, *lacayo;* 1490, *alacayo*) ainsi qu'en espagnol (déb. XVe s., *lacayo*) mais la forme catalane *alacay* n'est attestée qu'en 1558 au sens de «domestique», et l'étymon arabe fait difficulté d'un point de vue phonétique. Enfin, on y a vu un emprunt à l'ancien provençal *lecai* «glouton, avide», de *lec(h)ar* «lécher» (→ lécher), en s'appuyant sur une intéressante documentation dialectale (essentiellement basque); mais il y a là aussi un problème phonétique, le *a* initial des formes anciennes ne pouvant s'expliquer que par des contaminations. Les premiers emplois du mot appuient l'hypothèse catalane.

♦ Le mot a d'abord désigné un soldat catalan, un arbalétrier, puis un courrier dans l'armée (1527). Il s'est fixé avec son sens moderne de «valet» (1547), donnant parfois lieu à des emplois péjoratifs : *menteur comme un laquais* (1736) a disparu, *avoir une âme de laquais* est archaïque. Le mot a eu le sens de «nègre littéraire». Il est aujourd'hui connoté comme historique et ne s'applique, sauf métaphore, qu'aux XVIe, XVIIe et XVIIIe s., à l'exception des ***laquais en livrée,*** ou ***à la française*** dont on parle encore pour le XIXe et le début du XXe s. (en concurrence avec *valet,* qui le remplace).

▸ **LAQUÉISME** n. m. (1704), antérieurement *laquaïsme* (1610), «condition de laquais», est inusité.

LAQUE n. f., réfection (1500) de *lache* (XIVe s.), est un emprunt à l'arabe *lakk,* lui-même pris au persan *lāk,* lequel est emprunté au sanskrit *lākṣā.* Ce dernier est glosé par «tache, marque» et aussi «cent mille» (pour «symbole de cette quantité»); par suite, il désigne la cochenille-laque par allusion à son pullulement et, par métonymie, la sécrétion résineuse rouge de certains arbres d'Extrême-Orient provoquée par la piqûre de cet insecte. L'ancien provençal a le mot *laca* dès le XIIIe s.; on notera que les deux sens du sanskrit se sont maintenus dans les emprunts faits par l'anglais au hindi *lac* pour la matière résineuse (XVIe s.) et *lac* ou *lakh* pour «cent mille» (*a lac of rupees* «cent mille roupies»).

♦ Le mot désigne une résine d'un rouge-brun, produite par la piqûre d'un insecte, qui s'échappe de certains arbres de la famille des Térébinthacées, quelquefois en apposition dans *gomme-laque.* ◇ Par métonymie, il désigne (1718, alors le plus souvent au masculin) un vernis noir ou rouge préparé en Chine ou au Japon avec cette résine et appliqué sur des objets et par métonymie (1738, au féminin; 1803, au masculin) cet objet d'art enduit. ◇ Par analogie, il s'applique dès le XVIe s. à un vernis coloré, une peinture transparente utilisée comme la laque (1548) puis aussi une préparation culinaire de couleur rouge qui enduit un mets (1896), et un produit capillaire qui fixe la chevelure (1957), ce produit ayant été inventé aux États-Unis en 1955 et employé en France en 1956.

▶ **LAQUÉ, ÉE** adj. (1830) qualifie ce qui est recouvert de laque (avec tous les sens de ce mot); par analogie, il décrit ce qui est brillant comme de la laque (1895), s'appliquant spécialement, dans la cuisine chinoise, à une viande enduite d'un caramel rouge brillant (1907, *canard laqué*). ◆ Le verbe **LAQUER** v. tr., enregistré en 1867, correspond à «enduire de laque ou d'un vernis brillant». ◆ **LAQUEUR, EUSE** n. (1875), nom d'ouvrier-artisan (on dit aussi **LAQUISTE**, 1924) et ① **LAQUAGE** n. m. (1881) ont trait à l'opération consistant à laquer un objet d'art. ◆ ***Sang laqué*** (1900), «dont l'hémoglobine a été libérée par hémolyse», a donné un nouveau dérivé ② **LAQUAGE** n. m. (1920, *laquage des hématies*) désignant cette opération.

LARBIN n. m., (1827) est d'origine obscure, peut-être issu d'une altération, avec agglutination de l'article défini, de l'argot *habin* «chien» (1460), lui-même variante de *hapin* (1725) dérivé de *happer** «attraper par la gueule». L'évolution sémantique est normale, mais l'écart chronologique et la forme sont inexpliqués. Cette hypothèse fait rapprocher le terme d'*hubineux* désignant une catégorie de gueux qui prétendaient avoir été mordus par des bêtes enragées et qui disaient faire un pèlerinage à Saint-Hubert (1561). On note en effet *hubins* (1626) en ce sens, et *hubin* «chien» (1728), puis *lubin* «domestique». P. Guiraud évoque une forme *labrin* avec métathèse du *r*, forme de *labrit* (XXe s.; 1877, *labry*) «chien de berger du midi de la France», de *Labrit*, nom du chef-lieu du canton des Landes. En fait, aucune explication n'est satisfaisante.

♦ En moins d'un demi-siècle, le mot est passé du sens de «mendiant» à celui de «domestique» (1829), prenant comme *laquais** la valeur péjorative d'«homme servile» (1872), usuelle.

▶ Il a produit **LARBINAGE** n. m. (XXe s.) et **LARBINISME** n. m. (attesté 1962), d'usage rare. La série est populaire, puis familière.

LARCIN n. m., d'abord *larrecin* (1130), puis *larcin* (1246), est issu du latin *latrocinium* «vol à main armée, brigandage», lui-même dérivé de *latro* (→ larron).

♦ Le mot désigne un vol, surtout de nos jours un vol minime, et par métonymie l'objet volé. Il a donné l'ancienne locution *en larcin* «en cachette, furtivement», employée du XIIe au XVe siècle. Les sens figurés de «faveur obtenue auprès d'une femme» (av. 1566, *les larcins d'amour*) et d'«emprunt à un auteur, plagiat» (1615) ont disparu après l'époque classique.

LARD n. m. est issu (v. 1180, *lart*) du latin *lardum*, contraction de *laridum* «graisse entre la peau et la chair des mammifères», sans étymologie éclaircie.

♦ Le mot désigne plus particulièrement la graisse ferme qui se trouve entre la chair et la peau du porc, dont on fait un usage alimentaire. Dès le XIIe s., il est employé familièrement à propos de la graisse humaine (v. 1180), surtout dans des locutions comme ***frotter son lard*** «faire acte charnel» (1534), ***faire du lard*** (1611) «grossir» et dans des appellations injurieuses croisant deux métonymies : la graisse, comme la peau, sert en effet à désigner l'individu et le mot, de plus, désigne le porc, valeur dont témoigne la locution ***tête de lard*** «tête de cochon». Le sens de «cochon» est encore vivant en français du Canada. ◇ Les syntagmes culinaires *lard gras* (XVe s.), *petit lard* (1680) et ***gros lard*** (1867) sont techniques; le dernier est connu par un emploi métaphorique injurieux à l'adresse d'un homme. ◆ Par analogie, le mot s'applique à la graisse des cétacés, à la partie de l'arbre sous l'écorce, à un talc blanc (1765, *pierre de lard*).

▶ Le dérivé **LARDER** v. tr. (v. 1155) est employé en cuisine pour «introduire dans (une viande) des morceaux de lard» et par analogie (1393) «piquer d'ingrédients divers». ◇ Il a développé dès l'ancien français quelques acceptions analogiques; le sens de «piquer, transpercer» (1176-1184) s'est longtemps employé dans l'usage familier, au propre et (v. 1230) au figuré. Celui de «garnir» (v. 1200) s'est maintenu en style littéraire, en particulier avec la valeur péjorative «émailler (un texte) de citations trop fréquentes» (XVIIIe s.). Tous ces emplois ont vieilli. ◆ À partir du XVIIe s., le verbe a reçu plusieurs sens spéciaux procédant du sens de «piquer» et de «garnir» : il s'est employé en marine (1678; 1694, *larder la bonnette*), au jeu dans *larder une carte* «l'introduire frauduleusement dans un paquet» (1690), puis dans des techniques comme le tissage (1765), la rubanerie (1765) et la typographie (1794, *copie lardée d'italiques*), ainsi que pour «piquer (une pièce de bois) de multiples clous pour faire tenir le plâtre qu'on y applique» (1867). ◆ Le verbe a produit **LARDOIRE** n. f. (1389), nom d'une petite broche servant à larder une viande, employé par analogie et en technique pour un fer en forme de sabot dont on arme un pieu (1730) et un éclat de bois qui reste parfois fixé à la souche d'un arbre abattu (1867). ◆ **LARDAGE** n. m. (1331), nom d'un ancien droit féodal perçu sur le lard, est devenu le nom d'action de *larder*, acception qui paraît tardive (1902). ◆ **LARDURE** n. f. (1530) a eu le sens de «morceau de lard» qui a disparu; il a été repris (1785) avec l'acception technique de «défaut dans un étoffe de laine», d'après *larder* spécialisé en tissage. Le préfixé verbal **ENTRELARDER** v. tr. (XIIe s.) a suivi la même évolution sémantique que *larder*, acquérant dès le XIIIe s. le sens figuré d'«intercaler, entremêler» qui est resté plus vivant que l'acception correspondante de *larder*. ◇ Il a produit **ENTRELARDEMENT** n. m. (1532), rare. ◆ **DÉLARDER** v. tr. (1690) signifie «ôter les lards de (une pièce lardée)».

Un autre dérivé ancien de *lard* est **LARDON** n. m. (XIIIe s.) «petit morceau de lard (surtout employé pour larder la viande)». Ce mot a développé plusieurs sens techniques, notamment au jeu (1713). ◆ Parmi ses sens figurés, celui de «raillerie, brocard» (1466) est sorti d'usage après l'époque classique. ◇ Celui d'«enfant» (v. 1878, en argot) est vivant dans l'usage populaire. ◆ **LARDONNER** v. tr. (1422), employé anciennement au sens de «garnir», s'est limité aux sens de «garnir de lardons» (1606) et de «couper en lardons» (1803), en cuisine.

LARE n. m., le plus souvent au pluriel *les lares* (1488), est emprunté au latin *Lares,* pluriel de *Lar,* nom d'esprits tutélaires considérés comme les âmes des morts, chargés de protéger la maison, la cité, les rues, et employé par métonymie pour la maison elle-même. Il semble qu'avant d'avoir été des divinités bénéfiques, les *lares* étaient des divinités infernales qui poursuivaient les vivants : ce sens originel rend probable une parenté avec *larva* (→ larve), mot dont le suffixe, qui rappelle celui de *Minerva* «Minerve» (→ minerve), est emprunté à l'étrusque ; les deux mots pourraient également venir de l'étrusque, où la religion accorde une grande importance au culte des morts et des divinités infernales.

♦ Le mot, repris comme terme d'antiquités romaines, est quelquefois employé au sens métonymique de «foyer» (1678, La Fontaine) dans quelques expressions comme *transporter, installer ses lares,* plus littéraires et rares que celles qui sont formées avec *pénates.*

▸ **LARAIRE** n. m. (av. 1570), emprunté au latin *lararium* «chapelle pour les dieux lares», a été repris à partir de 1732.

◈ **LARGE** adj., adv. et n. est le féminin devenu épicène (1050) de l'ancien adjectif *larc,* au cas sujet *lars,* dont on possède seulement quelques attestations entre 1188 et la fin du XIIIe siècle. Ce mot est issu du latin *largus* «abondant (surtout à propos des fleuves)» d'où «qui donne en abondance, généreux», mot sans étymologie claire ; on n'évoque plus l'ingénieux rapprochement avec *indulgere* (→ indulgent). *Largus* a supplanté le latin *latus* de sens physique (→ lé), probablement grâce à l'appui de *longus* (→ long) avec lequel il formait couple par l'identité de sa finale.

♦ Le mot est passé en français avec le sens moral de «généreux, qui traduit la générosité» et le sens physique de «qui a une étendue importante, vaste, grand». Ce dernier, conservé par l'anglais *large,* emprunté au français, s'est restreint en «qui a une grande étendue, dans la dimension la moins importante» (1080), formant un couple complémentaire avec *long,* seul ou suivi par un complément prépositionnel (*large de,* 1585). ◇ Il n'est pas toujours facile de distinguer si le sens extensif «qui n'est pas rigoureux, tolérant» (v. 1135) se rattache au sens moral ou, par figure, au sens physique ; en revanche, l'acception de «qui ne serre pas, lâche» (1478-1480), en parlant d'un vêtement, procède du sens concret. ➛ Le mot est substantivé dès le XIIe s. dans la locution ***au large*** (1176-1180), dont le sens primitif qui correspondait à «en liberté» (*mettre au large,* plus tard remplacé par *élargir*) a évolué d'après l'emploi de *large* pour désigner la largeur, l'ampleur (v. 1200), en particulier la partie de la mer loin des côtes (1395). Le contexte maritime domine aujourd'hui dans les emplois de ***au large*** et de ***prendre le large*** (1409), concurrencé par l'italianisme *prendre le largue* (→ larguer), cette locution s'entendant aussi avec une valeur figurée de «s'éloigner à la hâte» (v. 1470). ➛ L'adverbe *large* correspond d'abord au sens physique (1376), spécialement dans le contexte vestimentaire (1683, *habiller large*) et dans les locutions ***en large*** «dans la dimension de la largeur» (1580), ***en long et en large*** (1807), ***de long en large,*** surtout employé avec *marcher* (1811). La locution familière ***ne pas en mener large*** (1866) «être mal à l'aise, peu rassuré» procède d'un emploi particulier de l'adverbe pour «à l'aise, d'une façon ample».

LARGESSE n. f. (v. 1155), en s'établissant au sens moral de «générosité» et, par métonymie, de «don généreux» (1373), se sépare de l'autre dérivé nominal *largeur.* ➛ **LARGEUR** n. f. (fin XIIe s.) a surtout la valeur physique, spatiale, de *large,* avec quelques extensions figurées (1564) comme dans ***largeur de cœur*** (av. 1715), ***de vue, d'esprit.*** ➛ **LARGEMENT** adv. (1176-1184) correspond à tous les sens de l'adjectif, exprimant l'idée d'abondance, en particulier devant une indication numérique, avec la valeur de «au moins» (1216, *largement trois mois*). ◇ Sur le plan moral, il correspond à «libéralement» (fin XIIe s.), «avec tolérance» (XIIIe s.). ➛ **LARGET** n. m., homonyme d'un ancien adjectif signifiant «un peu large» (v. 1210), a été repris comme substantif par la langue technique dans l'industrie textile (1765), sens tôt disparu, puis comme dénomination de la barre de fer destinée au relaminage des tôles ou au forgeage à chaud en métallurgie (1867).

Le préfixé verbal **ÉLARGIR** v. tr. (v. 1210) «rendre plus large physiquement» a reçu, d'après la locution *mettre au large,* le sens particulier de «rendre sa liberté à qqn» (XVe s.). ➛ Les deux sens sont réalisés dès le XIVe s. par son dérivé **ÉLARGISSEMENT** n. m. (1314). ➛ **ÉLARGISSEUR** n. m., attesté une fois en 1568, a reçu tard dans le XIXe s. (attesté 1888) le sens technique de «trépan servant à élargir un puits» et (1902) celui d'«appareil servant à augmenter la largeur des tissus traités sur les machines d'apprêt des tissus». ➛ **RÉLARGIR** v. tr., enregistré en 1690 après *rélargi* (1470, *reslargi*), et **RÉLARGISSEMENT** n. m. (1834) ont trait à l'action de rendre encore plus large ; ils sont peu employés.

◈ voir LARGO, LARGUER.

LARGO adv. est emprunté (1705) à l'italien *largo* «large», «largement», spécialement en musique «lentement, majestueusement», terme correspondant au français *large** et attesté en musique comme adjectif (*tempo largo,* 1605 Frescobaldi).

♦ Le mot a été repris avec sa spécialisation musicale, comme adverbe et (1722, Rameau) comme substantif.

▸ **LARGHETTO** adv. est emprunté (1765) à l'italien *larghetto,* terme de musique et diminutif de *largo.* Il est aussi substantivé et dénomme (1834) un mouvement musical à interpréter un peu moins lentement et majestueusement que le largo.

LARGUER v. tr. est dérivé (1609) de l'adjectif moins répandu *largue,* employé en moyen français adverbialement dans *faire largue* «céder la place» (1533, en art militaire) et substantivement dans *prendre le largue* «s'éloigner vers la haute mer» (1559), locutions enregistrées jusqu'au XIXe s. et qui ont disparu au profit de *prendre le large**. Cet adjectif s'est maintenu comme terme de marine en parlant d'un vent oblique par rapport à la mer (1560), pour désigner l'allure d'un navire à voiles lorsque les voiles ne sont pas tendues (1643) et pour qualifier un cordage lâche (1845). Il est emprunté à l'italien *largo* (correspondant au français *large**) dans les expressions *stare de la larga* «être éloigné» (XIIIe s.), *andare, stare largo* (1306) et *fare largo* (1338) «céder la place», également spécialisé en marine (*mare largo* «haute mer»).

♦ Le verbe est d'abord un terme de marine employé intransitivement pour «recevoir le vent largue et y conformer sa voilure» et «s'éloigner» (1616), ce dernier sens disparaissant au profit de la locution *prendre le large*, antérieure à la variante *prendre le largue* (ci-dessus) et qui lui a survécu. Par extension, mêlant la référence maritime au contexte militaire, il a eu le sens de «se servir d'un vent favorable pour échapper au combat» (1690) jusqu'au XVIIIe siècle. Le sens transitif moderne, toujours en marine, dans *larguer les manœuvres, les amarres* (1678), est emprunté à l'espagnol ou au portugais *largar* «lâcher», existant avec cette valeur depuis 1525 en espagnol et 1541 en portugais (alors qu'il n'est pas aussi ancien en italien). Le verbe s'est appliqué par analogie aux amarres d'un aérostat. ➜ Par extension, le mot s'est répandu en argot (1886) puis dans la langue familière au sens de «se débarrasser (de qqn), abandonner», en particulier dans un contexte amoureux (1901) [cf. *lâcher*] et «lâcher (qqch.)» (1908).

▶ Les quelques dérivés modernes, apparus au XXe s., ont trait à une activité aéronautique : ce sont **LARGABLE** adj. (1931), en technique aérienne, **LARGAGE** n. m. (v. 1950) et **LARGUEUR, EUSE** n. et adj. (1976), ces deux mots étant aussi employés au sens figuré de *larguer* «abandonner».
ALARGUER v. intr., emprunté (1420) à l'italien *allargare* «gagner le large», «manœuvrer de façon que le vent devienne plus large», ne s'est pas maintenu.

LARIGOT n. m. est tiré (av. 1518) d'un ancien refrain «*Larigot* va, *Larigot* Mare, tu ne m'aimes mie» (1403) et s'est appliqué à une flûte. L'hypothèse d'une formation à partir de *larynx** est peu probable vu l'apparition plus tardive de ce mot.

♦ Le mot apparaît dans l'expression *boire à tyre Larigault* «boire d'un trait en vidant une bouteille l'une après l'autre», emploi métaphorique analogue à celui de *flûter* «vider des verres, boire beaucoup», d'après le nom de la petite flûte rustique. Ce dernier n'est attesté qu'en 1563 sous la forme *harigot*, puis (fin XVIe s.) *larigot*. Le nom de la flûte est tombé dans l'oubli, mais non la locution, dont est sortie la locution adverbiale familière ***à tire-larigot*** «en grande quantité» (1585, *à tirelerigot*).

LARME n. f., d'abord *lerme, lairme* (1050) puis *larme*, est issu du latin de même sens *lacrima* (→ lacrymal), *lacruma* (surtout au pluriel), anciennement *dacruma*, probablement emprunté, d'abord en langue poétique, au grec *dakruma* «ce qui est pleuré», de *dakruein* «pleurer», lui-même de *dakru*, nom usuel de la larme. Le mot, d'origine indoeuropéenne, a des correspondants en celtique, arménien et germanique et, sans la consonne initiale, en indo-iranien.

♦ *Larme* a fourni de bonne heure en français des expressions encore usuelles comme ***pleurer à chaudes larmes*** (v. 1180, *plort à chaudes lermes*), ***fondre en larmes*** (v. 1200, *en larmes fondre*), auxquelles s'ajoutent ***larmes de crocodile*** (→ crocodile), ***larme à l'œil*** (1501) dans *avoir la larme à l'œil* «être prêt à pleurer», en général péjoratif. ◇ Par métonymie, dès le XIIe s., il est pris au sens figuré de «chagrin, affliction» en style littéraire, notamment dans l'expression ***vallée de larmes*** (v. 1120), expression traduite de l'antienne *Salve Regina*. ➜ Par analogie, il désigne une goutte, une petite quantité (déb. XIIIe s.), familièrement en parlant d'une ***larme d'alcool***. ➜ Il s'applique aussi à un motif ornemental (v. 1462), à la sève (1538, *larme de la vigne*), et, en pharmacie, à une petite masse de suc ou de résine de forme analogue à celle d'une larme (1575), d'après un emploi connu du grec et du latin. ◇ Par analogie, le mot a développé des emplois poétiques dans *larmes de l'aurore* (1810), *larme du matin* (1803) «rosée». *Larme* entre dans ***larme-de-Job*** (1752), ancien terme de botanique qui se maintient régionalement.

▶ **LARMER** v. intr. (XIIIe s. ; 1155, *lermer*), bien attesté en ancien et moyen français au sens de «pleurer», est déclaré «vieilli» dans le dictionnaire de Trévoux en 1752 ; il se maintient seulement dans les dialectes de l'Ouest, et Huysmans le reprend (1887) au sens de «couler comme une larme».
LARMOYER v. (fin XIIe s., *larmoier*) est parfois employé avec une connotation péjorative (en parlant de personnes) depuis 1567. Par extension, il signifie également «se lamenter» (v. 1695) et transitivement «dire avec une intonation larmoyante». ➜ Ses dérivés **LARMOYANT, ANTE** adj. (1470) et **LARMOIEMENT** n. m. (1538) sont plus usités que **LARMOYEUR, EUSE** (1700).
LARMIER n. m. (1321), créé en architecture pour la corniche extérieure d'un édifice servant à faire égoutter la pluie, a été reformé (1606) en médecine vétérinaire à propos de la veine la plus rapprochée de l'œil du cheval, désignant au pluriel les tempes du cheval (1680). ◇ Il a reçu en vénerie le sens de «sac à parois glanduleuses situé près de l'œil du cerf» (1665) et, en anatomie, celui d'«angle interne de l'œil» (1835).

◈ voir LACRYMAL.

LARRON n. m. est la réfection (v. 1176) de *ladron* ou *ladrun* (v. 980) «brigand», mot issu du latin *latro, -onis* «soldat, mercenaire grec» et, par la suite, «brigand, voleur de grand chemin». *Latro* est le dérivé péjoratif en *-o* d'une base grecque *latr-* qui apparaît dans *latron* «salaire», *latreia* «service de mercenaire», *latris* «serviteur» et *latreuein* «servir» (en revanche °*latrôn* «mercenaire» n'est pas attesté), groupe sans étymologie claire. Cependant, l'étymologie populaire l'a rapproché en même temps de *latere* «être caché» (→ latent), ce qui a pu influer sur le sens du mot en latin populaire, à en juger par un ancien sens du français.

♦ *Larron* n'a gardé le sens de «brigand» que dans le contexte biblique (dès la première attestation, dans une *Passion*) des deux brigands crucifiés en même temps que le Christ. Il est également vieilli au sens de «celui qui prend furtivement le bien d'autrui» (XIe s.), la notion de «secret» ayant donné l'ancienne locution *a larron* «en cachette» (XIIe s.), «sans bruit». Le sens métonymique de «larcin» (v. 1155) est sorti d'usage en moyen français. ◇ En revanche, le mot se maintient bien dans les locutions proverbiales ***s'entendre comme larrons en foire*** (1656 ; 1594 *s'entendre comme larrons*), ***l'occasion fait le larron,*** et dans l'expression ***troisième larron,*** allusion à la fable de La Fontaine *Les Voleurs et l'âne*. ◇ Le féminin *larronnesse* est archaïque, mais *larronne* se dit et s'écrit. ◆ *Larron* a pris au XVIIe s. divers sens métaphoriques et techniques, tels «petit canal pratiqué pour l'écoulement des eaux d'un bassin, d'un étang» (1600) et «défaut dans la pâte à papier qui intercepte une partie de l'impression et pratique une fenêtre» (1765).

▸ **LARRONNEAU** n. m. (1487) «petit voleur» a disparu. ◆ **LARRONNER** v. tr. (apr. 1250) «voler» et **LARRONNERIE** n. f. (v. 1450) «repaire de voleurs» puis «vol» (déb. XVIe s.), sont également sortis de l'usage normal.

◈ voir **LARCIN, LATRIE.**

LARTIF, LARTON → ARTO-

LARVE n. f. est emprunté (1495) au latin impérial *larva* «figure de spectre, fantôme», d'où aussi «épouvantail», «masque (en tant que représentation des vivants)» et «pantin en forme de squelette», les fantômes n'ayant pas d'autre corps dans la croyance populaire. Le mot se rattache probablement à *lar, laris* «esprit tutélaire considéré comme l'âme du mort et chargé de protéger les vivants» (→ lares), et *lar* comme *larva* pourraient être empruntés à l'étrusque.

♦ *Larve* signifiait d'abord «fantôme hideux», surtout en référence au monde antique. ◇ Le mot a pris, probablement d'après les marques de fantômes grimaçants du théâtre romain, le sens (1762) de «forme d'un insecte qui représente son premier état, avant la métamorphose», la chenille pouvant être considérée comme le «masque» de l'insecte ailé. ◇ De ce sens lui vient (1830) la valeur métaphorique de «premier rudiment de qqch.», qui a disparu. ◇ Une autre acception métaphorique (av. 1872) correspond à «être inférieur, incomplètement évolué», avec des valeurs péjoratives démotivées «individu mou et veule, méprisable».

▸ Le sens figuré est plus vivant dans ses deux dérivés adjectifs. ◆ **LARVÉ, ÉE** (1814, en médecine) se dit d'une maladie qui ne se manifeste pas, et s'emploie dans l'usage général (1824) pour «qui ne se déclenche pas, n'éclate pas». ◆ **LARVAIRE** (1845, en géologie), est employé en zoologie (1876) et (1916) au sens figuré de «qui n'existe qu'à l'état d'ébauche».
Larve, au sens zoologique, entre dans la formation d'autres adjectifs d'usage didactique : **LARVIPARE** (1867), **LARVIVORE** (1873) et **LARVICIDE** (1962), qui semblent peu usités.

LARYNX n. m., réfection (1538) de *laryngue* (1532), est emprunté au grec *larunx, larungos* «gosier» (notamment en parlant des gloutons chez les auteurs comiques), ingénieusement supposé issu d'un croisement de *pharunx* (→ pharynx) et de *laimos* «gorge, gosier», mot expressif sans étymologie connue.

♦ Le mot désigne l'organe de la phonation, situé entre la partie buccale du pharynx et la trachée.

▸ Deux adjectifs didactiques en sont dérivés. **LARYNGÉ, ÉE** adj. (1743) s'emploie surtout en anatomie. ◆ **LARYNGIEN, IENNE** adj. (1753) le concurrence, et s'applique aussi en phonétique au son produit par le larynx. ◆ Au XIXe s. apparaît **LARYNGITE** n. f. (1801), devenu courant pour désigner l'inflammation du larynx (suffixe *-ite,* du latin savant *-itis*). ◆ **LARYNGISME** n. m. (1898) désigne un syndrome caractérisé par des spasmes du larynx. ◆ **LARYNGAL, ALE, AUX** adj., dû à Niedermann (av. 1909), s'applique en phonétique aux sons articulés dans le larynx, au niveau de la glotte, d'où (1913) *une laryngale,* à propos d'un son laryngal.
Sous la forme de l'élément **LARYNGO-** ou **LARYNG-**, *larynx* a servi à former des termes didactiques en médecine et physiologie, apparus en grand nombre depuis 1850, tels **LARYNGOLOGIE** n. f. (déjà 1793, «traité sur le larynx» ; repris 1867), **LARYNGOLOGIQUE** adj. (1832), **LARYNGOSCOPE** n. m. (1860, Czermak) et **LARYNGOSCOPIE** n. f. (1851). ◆ **LARYNGOPHONE** n. m. désigne (1942, chez Saint-Exupéry en aviation) un microphone qui fonctionne par les vibrations du larynx. **LARYNGOTOMIE** n. f. est un emprunt savant de la Renaissance (1584) au grec *larungotomia* (cf. *-tome, -tomie*), pour désigner l'incision du larynx, distincte de l'ablation du larynx (**LARYNGECTOMIE** n. f. [1890]).

◈ voir **LARYNGOSPASME** (art. spasme), **OTO*-RHYNO-LARYNGOLOGIE.**

✻ **LAS, LASSE** adj. et interj. est issu (938-952) du latin *lassus* «harassé, fatigué, épuisé», peut-être primitivement «qui s'incline, tombe en avant», forme populaire qui semble avoir été évitée par les puristes au profit de *fessus* «fatigué». On en rapproche hypothétiquement le vieil islandais *lǫskr* «mou, lâche», peut-être le vieux slave *lěnŭ* «paresseux».

♦ Le mot a signifié «malheureux, misérable» jusqu'au XVIe s., sens qui a subsisté plus longtemps dans l'interjection *las !* (1050), abandonnée pour son composé *hélas !**. ◇ L'usage moderne a retenu le sens physique de «fatigué, qui ne supporte plus l'effort» (1080), absolument et dans la construction *las de* (v. 1170). Celle-ci, dès le XIIe s., réalise la valeur psychologique de «dégoûté». ◇ La forme féminine, dans l'expression ***de guerre lasse*** (v. 1750), s'explique soit par un transfert de la lassitude de la personne qui l'éprouve à la guerre qui en est la cause, soit (Grévisse) parce que le *-s* de *las* était anciennement prononcé à la pause.

▸ **LASSER** v. tr. est issu (1080) du latin *lassare* «fatiguer», de *lassus* (→ las). ◆ Alors que l'usage ancien employait le mot et ses dérivés avec une idée de «fatigue physique», en construction intransitive et (v. 1130) transitive, l'usage moderne privilégie l'idée morale de «fatiguer en ennuyant» (dès le XIIe s. au pronominal *se lasser*) depuis le XIIIe s. (v. 1265), quelquefois avec la valeur de «rebuter, décourager» (1485). La construction *se lasser de* a éliminé *se lasser à*, employé en langue classique avec indication de ce qui cause la lassitude. ➝ La même évolution se retrouve dans les participes adjectivés, **LASSÉ, ÉE** (v. 1160) et **LASSANT, ANTE** (1680).

Le préfixé **DÉLASSER** v. tr. (XIVe s., rare avant le XVIe s.) a produit **DÉLASSEMENT** n. m. (1475) et **DÉLASSANT, ANTE** adj. (v. 1860). Mais cette série de mots, dans l'usage courant, n'est plus symétrique de la série simple de *lasser*, et *se délasser* équivaut à «se distraire en se reposant», la distraction passant avant le repos (alors que *se lasser* et *lassant* insistent sur l'ennui, et non plus sur la fatigue).

INLASSABLE adj. (1869), formé à partir de *lasser*, a pour premier sens «incessant, inépuisable» et, depuis le XXe s. seulement (attesté 1933), signifie «infatigable» (d'une personne). ➝ L'adjectif et son dérivé **INLASSABLEMENT** adv. (1907) ont été critiqués par les puristes, qui auraient préféré des formes en *il-*, mais sont usuels.

LASSITUDE n. f. est emprunté (v. 1380) au latin *lassitudo* «fatigue». ➝ Le mot, comme nom correspondant à *las** et *lasser*, a remplacé les plus anciens *lassece*, de *las*, et *lassement*, dérivé (XIIe s.) de *lasser*. À l'état de fatigue physique, *lassitude* a ajouté celle d'une fatigue morale, affective ou psychique (1652, La Rochefoucauld).

◈ voir **HÉLAS**.

LASAGNE n. f., d'abord *lasaigne* (v. 1470), est emprunté à l'italien *lasagna* «pâte en forme de ruban» (fin XIIIe s.), mot d'origine incertaine. L'hypothèse d'une dérivation d'un latin populaire *°lasania*, dérivé du latin *lasanum* «trépied pour poser la marmite» (qui aurait aussi désigné la marmite), lui-même repris au grec *lasanon* «trépied de marmite», mot sans étymologie connue, fait difficulté pour le sens. Une autre hypothèse rapproche *lasagna* du français *losange** et du provençal *lausan*, et voit à l'origine de ces mots l'arabe *lawzīnağ* «gâteau aux amandes», d'origine persane ; en effet, *lasagna* et *losange* ont désigné des gâteaux de forme carrée et, d'autre part, la cuisine arabe a exercé une certaine influence sur la cuisine italienne ; des preuves historiques manquent encore pour cette hypothèse séduisante.

♦ Le mot, qui semble avoir désigné une sorte de beignet au XVIe s. (1596 selon Wartburg), s'emploie ensuite à propos d'une pâte taillée en forme de large ruban ondulé, aujourd'hui servie cuite au four et garnie d'une farce de viande. ➝ Par métaphore, il a reçu en argot les sens de «lettre» (1836) et de «porte-monnaie» (1900, au masculin).

▸ Le sens argotique de «lettre» a donné **LAZAGNER, LASAGNER** v. «écrire», d'où **LAZAGNEUR, LASAGNEUR** n. m. «celui qui écrit une lettre», mots argotiques et rares.

LASCAR n. m. est emprunté (1553), par divers intermédiaires, au persan *laškar* «armée, camp», peut-être employé également comme abréviation de son dérivé, l'adjectif *laškari* «militaire», substantivé au sens de «soldat». La forme *lascarin*, relevée en 1553 et employée jusqu'au XVIIe s., représente le portugais *lascarim* (pluriel *lascarins*), emprunté au dérivé du mot persan, et passé également dans l'anglais *lascarine* (1598, sorti d'usage). *Lascar*, attesté isolément en 1610 au sens de «matelot hindou», correspond à un emprunt au portugais *lascar* (1577), lui-même pris probablement par l'intermédiaire de l'hindoustani, au persan. Le mot, repris et diffusé à partir de 1769 *(lascard)*, a été réimporté de l'anglais *lascar* (1625, *laskayre*), lui-même repris au portugais.

♦ Le mot français a connu une évolution originale : le sens étymologique d'«armée, camp» n'a pas été repris, ni celui de «soldat hindou» spécialisé en «matelot hindou naviguant dans l'océan Indien». ➝ Cette acception a disparu au XIXe s. au profit du sens moderne, dérivation psychologique et quelque peu raciste en «vaurien, filou» dans l'argot des soldats (1769), puis «gaillard hardi, malin» (1830), seule acception vivante, aussi en appellatif *(mes lascars !)*.

LASCIF, IVE adj. est emprunté (1488) au latin *lascivus* «folâtre, joueur, pétulant» (des animaux et des enfants) et, de là «provoquant, agaçant», «qui provoque le désir, licencieux» (de personnes, de choses). Le mot se rattache à une racine indoeuropéenne *las-* «être avide» également représenté en germanique (→ loustic).

♦ *Lascif* a perdu son sens primitif, «enclin à folâtrer» (1512, poétique), gardant la valeur érotique de «qui excite aux plaisirs amoureux» (1488), réciproquement «enclin aux plaisirs amoureux» (1579). Le mot est littéraire ou plaisant.

▸ En ce sens, il a produit **LASCIVEMENT** adv. (1542), **LASCIVETÉ** n. f. (v. 1460), «comportement lascif», synonyme de **LASCIVITÉ** n. f. (1512), emprunté au bas latin *lascivitas* «humeur folâtre» et «libertinage», de *lascivus*. Dès les premiers textes, le nom a le sens de «caractère portant à la sensualité, à la luxure». Tous les mots de la série sont d'usage soutenu ou plaisant.

LASER n. m. est un emprunt (attesté 1962) à l'anglo-américain *laser* (1960, année de la réalisation du premier laser ou *maser optique* aux États-Unis par Th. Maiman). Le mot est formé des initiales de *Light Amplification by the Stimulated Emission of Radiations* «amplificateur de lumière par émission stimulée de rayonnement», et l'expression est née de la substitution de *light* «lumière» à *microwave* «micro-onde» qui entre dans *maser* (1954).

♦ Le mot désigne un appareil produisant un pinceau très étroit de rayonnement lumineux et infrarouge cohérent et monochromatique intense. D'abord didactique, il est entré dans l'usage par ses applications techniques (*imprimante [à] laser*, etc.) et par ses connotations militaires employées dans les récits d'anticipation. ◇ Il se dit abusivement d'un faisceau lumineux permettant des effets spéciaux.

▸ Il a produit le mot technique **LASERIE** n. f. (1970), utilisé par les diamantaires, et **LASÉROTHÉRAPIE** n. f. (1967) «traitement médical utilisant le laser».
Le jargon scientifique contemporain fait usage d'un verbe **LASER** v. intr. «se servir d'un laser», qui pourrait inciter à franciser le substantif en *laseur.*

LASSER, LASSITUDE → LAS

LASSO n. m., d'abord *lazo* en 1809 dans une relation de voyage en Amérique du Sud, puis *lasso* (1826), est emprunté à l'hispano-américain d'Argentine *lazo* au sens de «corde munie d'un nœud coulant pour attraper les bêtes, utilisée par les gauchos». Celui-ci, au sens propre plus ancien de «lien, attache» (XIIIe s.), en espagnol de la péninsule, est le correspondant de même origine que *lacs**.

♦ Le mot désigne une corde à nœud coulant utilisée dans les deux Amériques pour capturer les animaux. La graphie moderne *lasso* suppose un intermédiaire anglo-américain, le mot ayant été diffusé par les récits de voyage et les romans d'aventure nord-américains, le *lasso* lui-même étant fort utilisé par les cow-boys.

◈ voir LAZZI.

LATENT, ENTE adj. est emprunté (v. 1370) au latin *latens, latentis* «caché, secret, mystérieux», participe présent de *latere* «être caché, obscur, inconnu», mot qui correspond au grec *lanthanein* (aoriste *lathein*) «être caché», les autres rapprochements étant aventureux.

♦ *Latent,* «qui demeure caché», a développé fin XVIIIe-début XIXe s. des emplois spécialisés. Après un emploi vieilli en art vétérinaire (1690), il est passé en médecine (1814). ◇ Par calque de l'anglais *latent heat,* expression créée vers 1757 par le physicien écossais Joseph Black (1728-1799), il est employé en physique dans *chaleur latente* (1789). ◇ Il est passé en botanique (1834) où l'expression *œil latent* désigne un œil qui, dans les arbres cultivés, demeure à l'état rudimentaire et peu apparent (1867). ◇ Au XXe s., la psychanalyse l'a intégré à sa terminologie, l'allemand *latenter Inhalt* (1900, Freud, *Die Traumdeutung*) étant rendu par *contenu latent* (du rêve).

▸ Son radical a servi à former **LATENCE** n. f. (1885) probablement d'après l'anglais *latency* (1838, en médecine ; 1882, en physiologie). Le mot reprend toutes les spécialisations de l'adjectif, notamment en psychanalyse (1912, dans les *Annales de médecine*).

LATÉRAL, ALE, AUX adj. est emprunté (1315) au latin *lateralis* «qui tient aux côtés», dérivé de *latus, -eris,* «flanc, côté», dont le représentant en ancien français, *laz* (v. 980), *lez,* est encore employé comme préposition pour «près de» (1050) en toponymie *(Plessis-lez-Tours). Latus,* sans rapport originel avec l'homonyme *latus* «large» (→ lé), est rapproché de l'irlandais *leth* «côté», mais on ne trouve pas de formes apparentées en dehors de l'italo-celtique. Cf. en latin médiéval *legatus a latere* (→ légat).

♦ *Latéral,* «qui concerne le côté, du côté», connaît une grande vitalité dans des emplois spécialisés : si, en généalogie (1395), il a été évincé par *collatéral,* il est employé en architecture (1673), géographie (1835, *canal latéral*), géométrie et phonétique (1916, Saussure ; 1933, substantivé en *une latérale*). Le sens figuré d'«indirect, annexe» (1873) d'où «accessoire» est peu répandu en dehors du langage administratif.

▸ *Latéral* a produit **LATÉRALEMENT** adv. (1521), **LATÉRALITÉ** n. f. (1805), surtout utilisé en médecine (1846) et en psychologie, **LATÉRALISATION** n. f. (v. 1950), par l'intermédiaire d'un *latéraliser,* et **LATÉRALISÉ, ÉE** adj. (1960 ; en 1833 avec un autre sens).
Latéral fournit le second élément de quelques adjectifs. Outre *collatéral,* ils sont formés en *uni-, bi-, multi-.* ◆ **UNILATÉRAL, ALE, AUX** adj. (1778) «d'un seul côté» a été introduit comme terme de botanique ; il a développé, au début du XIXe s., le sens de «qui ne se fait que d'un côté», spécialisé en médecine, et le sens abstrait de «qui n'engage qu'une partie», en droit (1804). ◇ En ont été dérivés **UNILATÉRALEMENT** adv. (1778) et **UNILATÉRALITÉ** n. f. (1879). ◆ Le terme de géométrie **UNILATÈRE** adj. (XXe s.) a été formé sur le radical de *unilatéral* d'après *quadrilatère*.* ◆ **BILATÉRAL, ALE, AUX** adj. (1804), «qui se rapporte aux deux côtés», «qui a deux côtés symétriques», s'est spécialisé également en médecine et en phonétique, ainsi qu'en droit. ◇ Il a pour dérivés **BILATÉRALEMENT** adv. (1825), **BILATÉRALITÉ** n. f. ([illegible]), **BILATÉRALISME** n. m. (1936), ce dernier spécialisé en droit et en économie politique. ◆ **MULTILATÉRAL, ALE, AUX** adj. s'est d'abord employé en mathématiques (1928) puis en économie politique (1948) et en politique, en diplomatie. ◆ **LATÉRO-** a servi à former de nombreux termes de physiologie depuis la fin du XIXe s., tels **LATÉRODORSAL, ALE, AUX** adj. (1898), **LATÉROPOSITION** n. f. (1900).

◈ voir COLLATÉRAL.

LATÉRITE n. f. est un emprunt (1867) à l'anglais *laterite* (1807), mot créé par F. Buchanan à partir du latin *later* «brique» (terme technique sans étymologie établie), avec le suffixe *-ite* des noms de minerais, du grec *-itês.*

♦ Le mot désigne une roche très dure de couleur rouge vif ou rouge-brun, fréquente en zone tropicale.

▸ **LATÉRITIQUE** adj. (1908) qualifie ce qui est relatif à la latérite.

LATEX n. m. est emprunté (1706) au latin *latex* «liqueur, liquide», mot d'usage presque uniquement poétique et noble, employé par Lucrèce pour désigner toute espèce de liquide. *Latex* est regardé comme un emprunt au grec *latax* «reste de vin au fond de la coupe, que l'on jette au jeu du cottabe», bien que le passage d'un mot familier et de sens aussi précis et technique à un sens général et littéraire fasse problème. S'agit-il de deux emprunts parallèles ? Le rapprochement de mots celtiques et germaniques est jugé peu probable par Chantraine.

♦ Le mot a été introduit avec la spécialisation botanique de «suc visqueux sécrété par certains végétaux» (l'emprunt parallèle du mot latin en anglais a eu une spécialisation médicale aux XVIIe et XVIIIe s.). Rare avant le XIXe s., *latex* s'est répandu au sens métonymique de «caoutchouc obtenu à partir de ce suc coagulé ou de résines de synthèse».

▶ On a tiré l'élément *lati-* du radical du latin *latex* pour former le composé didactique **LATIFÈRE** adj. (1840) «qui contient, sécrète du latex», substantivé pour la cellule qui sécrète le latex.

LASTEX n. m. (1935), croisement de *latex* avec *élas*(tique), est une marque déposée de fil et de tissu élastique.

LATIFUNDIUM n. m. est l'emprunt savant (1596) du latin *latifundium*, composé de *latus* «large» (→ lé) et de *fundus* «fonds de terre, domaine» (→ fonds). Le mot désigne une grande propriété formée à la suite d'usurpation de terres de l'*ager publicus* «champ public», cultivé par des esclaves, et sur laquelle les riches Romains pratiquèrent une agriculture d'un type nouveau fondée sur l'élevage, l'oléiculture et la viticulture.

♦ Le mot, après une attestation isolée sous la forme adaptée *latifunde*, a été repris au XIXe s., d'abord au pluriel *latifundia* (1869) et au singulier *latifundium*. Il recouvre une réalité économique de l'antiquité et, par extension, s'applique à un vaste domaine agricole fondé sur une culture extensive pauvre, souvent en référence à une réalité sud-américaine.

▶ Le dérivé **LATIFUNDIAIRE** adj. (v. 1900) est didactique, moins cependant que **LATIFUNDISTE** n. (1960).

LATIN, INE adj. et n. est emprunté (v. 1119) au latin *latinus* «relatif au latin, originaire du Latium», en particulier «dans la langue du Latium», d'où le neutre substantivé *latinum* «langue latine». Le mot s'opposant à *barbarus* (→ barbare), l'ablatif *latine* a pris adverbialement la valeur de «en bon latin». *Latinus* est dérivé de *Latium*, nom d'une région d'Italie centrale qui, à cause de sa nature géographique, a été interprété «pays plat» et rapproché de la racine de *latus* «plat, étendu» (→ lé).

♦ Le mot et adjectif se rapportent dès les premières attestations à la langue pratiquée dans le Latium, puis dans toute l'Italie de l'Empire romain (voir l'encadré). L'ancien français a d'une part assimilé le mot au langage en général (XIIe s.), soulignant ainsi la longue suprématie du latin sur la langue vulgaire, le roman ; de l'autre, il l'a assimilé à un langage difficile, peu compréhensible, témoignant du clivage entre la langue parlée et la langue des clercs : il l'a rapporté au langage des oiseaux (v. 1150), employant *perdre son latin* (1338) à propos des oiseaux qui demeurent muets. ***Y perdre son latin*** «renoncer à comprendre» (1556) fait référence à la difficulté de la langue latine pour un Français. ◆ Par ailleurs les humanistes de la Renaissance ont assimilé *gens de latin* et «savants», *pays latin* et «monde des savants», l'adjectif s'employant pour «lettré, savant» (1298, *latin et sage*). Le mot y a gagné la valeur psychologique de «fin, expert» (1617) : l'argot des prisonniers, à cette époque, emploie *parler latin* pour «manœuvrer finement en tirant de l'argent aux nouveaux arrivants en prison» (1611). ◆ L'ancien français introduit également le sens large d'«occidental», par opposition aux peuples de Grèce et d'Asie Mineure (v. 1195, *gent latine*), correspondant à la division des deux empires romains. Cette valeur a été reprise avec un autre contenu, «qui a subi l'influence de la langue et de la civilisation latines» (1810, Staël) d'où, en linguistique au XIXe s., *langues **néo-latines***, «issues du latin», éliminé au XXe s. par *langues romanes*. Dans ce type d'emplois, *latin* s'oppose à *germanique*, *slave*, etc. ◆ Il reprend aussi le sens de «relatif à l'Église catholique d'Occident qui utilise le latin comme langue liturgique» (v. 1195). ◆ ***Voile latine*** (1573) rappelle l'héritage latin en matière de navigation. Voir aussi l'encadré pp. 1985 à 1990.

▶ *Latin* a produit **LATINISTE** adj. et n. (v. 1460) et **LATINISME** n. m. (1549), ce dernier perdant son sens d'«étude du latin» pour se spécialiser en «construction ou emploi propre au latin» (1584), d'où aussi «construction calquée d'une construction latine» (1602), «emprunt au latin» et «emploi d'un mot au sens du latin» (1899). *Latiniste*, «spécialiste du latin», s'est étendu à «étudiant en latin». ◆ **LATINITÉ** n. f. est emprunté (XVe s.) au latin *latinitas* «langue latine correcte» et «droit latin». Repris au sens restreint de «manière de parler, d'écrire latin», il a reçu au XIXe s. la valeur de «monde latin, civilisation latine» (1835). *Basse latinité* correspond à *bas latin*.

LATINISER v. est emprunté (1551) au bas latin *latinizare* «traduire en latin». Il est venu relayer l'ancien verbe dérivé de *latin*, *latiner* «parler, raisonner en général» (XVe s.), «dire des choses incompréhensibles», «parler latin» (XVIIe s.). *Latiniser* s'est dit pour «donner à (un mot) une forme latine», «affecter de parler latin» (v. 1580, Montaigne) et, en parlant d'un catholique de rite grec, «suivre le rite latin» (1718). ◇ Il a donné **LATINISATION** n. f. (1722), **LATINISANT, ANTE** adj. et n.

LATITUDE n. f. est emprunté (1314) au latin *latitudo* «largeur, étendue, ampleur», de *latus* «large» (→ lé).

♦ *Latitude* a été employé en ancien français au sens général du latin, avant d'être supplanté, comme *lé* et *laize**, par *largeur**; le sens figuré de «large extension ou acception» (1798), qui en procède, a vieilli au profit du sens abstrait actuel «faculté d'agir en toute liberté» (1762). ◆ Le mot s'est essentiellement spécialisé en géographie (v. 1525), où il désigne (en opposition à *longitude*) la distance d'un lieu à un autre, mesurée par l'arc du méridien terrestre ; par métonymie, il désigne aussi le climat considéré par rapport à la température (1575), d'où (1780) la région du point de vue du climat auquel elle est soumise par sa latitude. Par analogie, *latitude* est aussi employé en astronomie (1585).

▶ Le radical latin a servi à former **LATITUDINAIRE** n. et adj. (1696), peut-être d'après l'anglais *latitudinarian* (1662), nom didactique des partisans d'une doctrine étendant le salut à tout le genre humain.

(Suite page 1990)

LE LATIN : HISTOIRE DE LA LANGUE LATINE

1. LES DÉBUTS DU LATIN.

Origines indoeuropéennes.

Le latin est une langue indoeuropéenne qui fait partie des parlers italiques. Elle présente des affinités avec d'autres groupes indoeuropéens, notamment avec le celtique, si bien qu'on a longtemps soutenu l'existence d'une unité italo-celtique. Les découvertes du hittite et du tokharien au début de ce siècle puis celle, récente (1977), de la plus ancienne inscription latine connue, ont ébranlé cette hypothèse trop schématique : le latin présente en fait des traits communs avec les langues qui ont conservé les caractéristiques les plus archaïques dans l'ensemble indoeuropéen, comme le hittite, le tokharien, le celtique. Si l'on rejette aujourd'hui l'idée d'une unité italo-celtique, on évoque la possibilité que les Celtes et les futurs Latins ont pu vivre un moment dans une zone géographique voisine. Outre ces rapprochements, le latin présente des affinités surprenantes et non expliquées — indépendamment de la lointaine parenté indoeuropéenne — avec le sanskrit, dans le vocabulaire du droit et de la religion : *flamen* correspond à *brahman*, *augur* à *ojas*, etc.

On sait peu de chose des migrations des futurs Latins vers les terres qu'ils ont ensuite habitées : étant donné que leur langue est plus archaïque que les parlers voisins du même groupe, l'osque et l'ombrien, on est tenté de l'associer à une première vague indoeuropéenne venue, à la fin du deuxième ou au début du premier millénaire, recouvrir un substrat méditerranéen dont on ne sait pratiquement rien. Ensuite, cette invasion a été rejointe par d'autres séries d'envahisseurs.

Les textes littéraires latins les plus anciens datent seulement du IIIe s. avant notre ère, moment où la langue apparaît comme complètement formée. Entre le premier millénaire et cette période, on ne possède que quelques documents épigraphiques dont les plus anciens sont la dédicace du Satricum (fin du VIe s. avant J.-C.) découverte aux environs de Rome en 1977, la pierre noire du forum (Ve s.). On peut y ajouter une inscription sur la fibule de Préneste (VIIe s. avant J.-C.), écrite dans un parler italique très proche du latin.

Les parlers italiques.

Le latin, depuis ses origines et jusqu'au Ve s. avant notre ère au moins, est un tout petit noyau linguistique au milieu de nombreux parlers italiques, qu'il serait fastidieux d'énumérer. On divise ces langues en deux grands groupes, *(a)* l'osco-ombrien, comprenant l'osque et l'ombrien, le vestinien, le samnite, le marrusin, etc., et, moins proches, l'èque et le volsque, et *(b)* les parlers dialectaux de type latin comme le falisque et le prénestin, groupe auquel on tend à inclure le vénète.

De tous ces parlers, il reste peu de chose, excepté quelques inscriptions : l'ombrien est attesté par un texte important, le rituel d'une confrérie connu sous le nom de *tables eugubines*, document conservé à Iguvium (aujourd'hui Gubbio). L'osque est représenté par des inscriptions assez nombreuses, en particulier la *table de Bantia*, règlement municipal, et la *cippe d'Abella*, traité entre deux cités. Quant aux parlers de type latin, ils sont représentés par les inscriptions mentionnées ci-dessus.

L'influence du grec et de l'étrusque.

Avant de se former complètement, puis de s'étendre à l'ensemble de l'Italie ancienne, la langue latine a subi l'influence de deux grandes civilisations installées au centre et au sud de l'actuelle Italie, les Grecs et les Étrusques.

Les Grecs ont occupé le sud de l'Italie et la Sicile dès le VIIIe s. avant J.-C. avec, notamment, la fondation de Cumes. Même s'ils ont peu pénétré à l'intérieur des terres, leur influence sur la civilisation de la péninsule a été prépondérante. Ils lui ont donné un alphabet puisque, directement ou par l'intermédiaire de l'étrusque, tous les alphabets que l'on rencontre en Italie viennent de l'alphabet grec. Les emprunts lexicaux au grec ont été nombreux durant l'ensemble de la latinité : il est toutefois remarquable qu'avant d'enrichir la langue littéraire et philosophique, le grec, d'abord transmis par le petit peuple et les marchands, a servi à former jurons et mots familiers.

Les Étrusques, quant à eux, ont dominé Rome du VIIe au Ve s. avant notre ère. Ce peuple n'a pas à ce jour livré tout son mystère : venu très anciennement de l'Orient, comme le supposait déjà Hérodote, ou peuple autochtone, il parlait une langue non indoeuropéenne que l'on n'a pas encore totalement déchiffrée, malgré le millier d'inscriptions que l'on possède. Les Étrusques, qui avaient de nombreux contacts avec les Grecs, ont transmis l'alphabet grec à la plupart des peuples italiques, ainsi qu'un certain nombre de termes empruntés à cette langue. Il est plus difficile d'apprécier les emprunts directs du latin à l'étrusque (comme *populus*, repris par les langues romanes), dans la mesure où tout ce qui venait de ce peuple a été, dès la fin de la domination étrusque, énergiquement assimilé par les Latins, à la fois dans la forme et dans le fond.

2. L'EXPANSION DU LATIN.

Le domaine du latin proprement dit est donc au départ très restreint. Libérés du joug étrusque au Ve s. avant notre ère, les Latins n'imposent pas immédiatement leur civilisation et leur langue. Il leur faudra, lors des guerres dites «sociales», conquérir leurs voisins, puis petit à petit, l'ensemble de la péninsule, avant de s'attaquer à d'autres peuples, et c'est au fur et à mesure qu'avancent ces conquêtes que la langue de Rome se répand. La langue qui deviendra le latin est en effet au départ le parler de Rome, auquel s'ajoutent quelques mots des dialectes alentour : les termes comprenant un *f* intérieur comme *inferus* «qui est au-dessous» ou *infimus* «le plus bas, le dernier» en font partie. Au IIIe s., qui marque le début de la littérature latine, la syntaxe est déjà fixée, le système de la langue est établi.

Il est difficile de savoir quand les différentes langues parlées dans la péninsule italique ont disparu pour laisser place au latin. L'étrusque et l'osque ont probablement été parlés jusqu'au IIe s. avant notre ère. Le grec, implanté dans les régions côtières de l'Italie du Sud, n'a disparu que beaucoup plus tard ; en outre la connaissance du grec et son influence sur la civilisation latine sont restées importantes.

L'évolution du latin écrit jusqu'à la fin de l'Antiquité.

Il est nécessaire de faire, à partir du moment où le latin littéraire apparaît (IIIe s. avant J.-C.), la distinction entre un latin écrit, dont la norme restera sensiblement la même tant que l'on écrira en cette langue, et un latin parlé, qui, se diversifiant et se différenciant de plus en plus, surtout à partir du Bas-Empire, du latin écrit, donnera naissance aux langues romanes.

Pour le latin écrit, on distingue habituellement, jusqu'à la fin de l'Antiquité, une période archaïque, qui s'étend jusqu'à la fin du Ier s. avant J.-C., puis une période classique, qui finit à la mort d'Auguste (14 après J.-C.), puis le latin dit post-classique ou impérial, jusqu'au IIe s. de notre ère ; enfin apparaît le latin dit tardif, ou du Bas-Empire, ou bas latin.

Jusqu'à la période tardive au moins, morphologie et syntaxe changent peu ; seules ont lieu des transformations lexicales et stylistiques : aussi ces périodes, qui concernent plus l'histoire littéraire que celle de la langue (en dehors du lexique), seront-elles traitées brièvement.

Du latin archaïque au latin impérial.

Le latin archaïque, lorsqu'apparaissent les premiers textes littéraires, ceux d'Ennius, de Plaute et de Térence, se différencie peu du latin classique. Dans les articles de ce dictionnaire on parle en général de «latin», non qualifié, pour ces deux périodes, sauf par opposition avec un autre état de langue. L'époque classique voit la naissance de la prose littéraire avec Cicéron et César : les auteurs font alors preuve d'un purisme qui se manifeste notamment dans le choix des mots. C'est ainsi que César affirme qu'il faut éviter comme une honte toute parole insolite ou nouvelle.

Durant la période impériale, marquée par des écrivains comme Tacite, Sénèque ou Pline le Jeune, il n'y a pas de changements syntaxiques ou morphologiques notables. Le style devient plus recherché, avec un retour à l'archaïsme, des tournures plus affectées. Seul le lexique se transforme profondément : au premier siècle, qui voit naître une littérature scientifique abondante et variée, les écrivains, moins réservés que leurs prédécesseurs, utilisent couramment des néologismes latins, ou introduisent des termes empruntés à leurs sources, qui sont le plus souvent grecques. Pour le vocabulaire de la grammaire par exemple, Quintilien introduit *interjectio* et *quantitas*, emprunte au grec *barbarismus, etymologia, schema* «aspect, accoutrement» et «figure de rhétorique» etc. Ainsi, «latin impérial» peut constituer un repérage utile quant à l'apparition d'un mot.

L'expansion du latin impérial.

Avec les conquêtes de l'Empire romain et son organisation, la situation devient plus complexe. Ce qui est remarquable, c'est la façon dont la langue latine s'est imposée aux vaincus, tout au moins dans la partie occidentale de l'Empire, la partie orientale étant fortement hellénisée. Toute l'Italie, puis l'Espagne, la Gaule, ont vu disparaître peu à peu leurs langues d'origine. Un pays comme la Dacie (la Roumanie actuelle), qui n'a subi que deux siècles d'occupation romaine, est resté un îlot de langue romane parmi des peuples de langue slave. Le nord de l'Afrique, jusqu'aux invasions arabes, était entièrement romanisé ; une partie de l'actuelle Allemagne, le sud des îles Britanniques, ont été romanisés, mais les langues germaniques y ont triomphé. Plusieurs facteurs peuvent expliquer les succès, souvent durables, de la langue latine : elle s'est imposée non par la contrainte, mais par le prestige des vainqueurs. Elle a d'abord servi d'instrument de communication entre les autochtones et les Romains, avant de devenir le signe extérieur de la communauté romaine, et plus tard, celle du christianisme (voir ci-dessous). Les Latins ont peu à peu étendu le droit de cité à tous les sujets de l'Empire, et cette politique n'a pas peu contribué à augmenter leur prestige : être citoyen romain, c'était d'une certaine manière, jouir de la protection et des lois romaines, celle aussi de pouvoir mener une carrière administrative. Ainsi l'écrivain grec Polybe pouvait-il écrire au IIe s. avant notre ère : «Telle elle est la politique de Rome : elle opère avec une si grande adresse qu'elle paraît être la bienfaitrice des peuples qu'elle soumet.»

Le latin tardif ou bas latin.

Après ces siècles de relative stabilité linguistique, qui correspondent à l'extension de l'Empire, commencent à s'amorcer des changements qui se prolongeront aux époques ultérieures : ces transformations vont de pair avec une instabilité politique grandissante, à partir du deuxième siècle de notre ère.

Le changement le plus notable est le divorce qui commence à exister entre la langue cultivée et littéraire, enseignée par l'école, et la langue courante qui d'ailleurs varie selon les zones géographiques et les milieux sociaux. C'est ainsi qu'on voit apparaître dans certains textes et inscriptions des traces de la langue parlée alors : transformations syntaxiques et morphologiques, avec par exemple l'amorce de la disparition des cas ; transformations lexicales avec, entre autres, la tendance à créer et à choisir systématiquement les mots composés, qui s'imposeront dans les langues romanes, de préférence aux mots simples : *deambulare* pour *ambulare* (>français *déambuler*), *desubtus* pour *subtus* «en dessous» (>français *dessous*), *abante* pour *ante* (>français *avant*), etc. Mais la structure de la langue reste encore la structure latine «classique».

Le latin chrétien.

Si «bas latin» ne correspond qu'à une période, «latin chrétien» concerne à la fois un milieu de plus en plus influent, des institutions nouvelles et un contenu de pensée. Le latin a été le plus grand véhicule de la littérature et de la pensée chrétiennes, phénomène qui a grandement contribué à l'extension de cette langue. Il n'existe pas à proprement parler de «latin chrétien», mais un ensemble de sens et de mots qui furent plus particulièrement employés par les chrétiens et exercèrent sur l'ensemble de la langue latine une influence considérable.

Au moment où apparaissent les premiers textes chrétiens en latin, au deuxième siècle, ils se distinguent par leur style simple et proche de la langue parlée, opposé à la tradition rhétorique : c'est le cas des premières traductions latines de la Bible. Mais la littérature chrétienne n'a pas pour autant échappé à l'éloquence latine, surtout après la paix constantinienne du IVe siècle.

L'apport essentiel des chrétiens à la langue latine est un apport lexical : emprunts techniques à l'hébreu, comme *gehenna, hosanna,* ou au grec, tels que *baptizare, ecclesia, propheta, diabolus.* Ce qui est remarquable, c'est que ces emprunts au grec désignent la plupart du temps des institutions nouvelles ou des choses concrètes, introduites par le christianisme. Les notions abstraites ont au contraire été désignées par des mots latins anciens prenant alors un sens nouveau, comme *fides* «foi» ou par des formations nouvelles, souvent inspirées par des modèles grecs, tels *spiritalis, regeneratio,* etc. Les grands théologiens, comme Tertullien ou plus tard saint Augustin, ont contribué à enrichir ce lexique, notamment par dérivation, avec des mots comme *destructor, examinator, mediator, operator,* etc., passés dans les langues romanes.

3. LE LATIN MÉDIÉVAL.

La période du latin médiéval, qui comprend environ mille ans, s'étend de la chute de l'Empire romain (Ve s.) à la Renaissance. Alors que le latin écrit était jusqu'alors homogène, la langue a pris durant ces dix siècles des aspects variés suivant les époques et les pays.

Les transformations, depuis le bas latin, se sont faites lentement : il n'y a pas eu de rupture brutale lorsque les Wisigoths ont saccagé Rome, ou quand le dernier empereur romain a été déposé par Odoacre.

Le latin du haut moyen âge.

Du Ve au IXe s. environ, la connaissance du latin normalisé a peu à peu diminué dans les pays de langue latine, avec la disparition progressive des écoles antiques. Les écoles des clercs et les abbayes, seules formes d'éducation qui subsistèrent alors et qui ne prirent leur essor qu'avec la fin de l'école antique, ne conservent l'étude du latin que dans un cadre restreint. Les variations sont très nettes de pays à pays. En Espagne, où les Wisigoths, après leur conversion au christianisme (589), encouragent les lettres latines, des savants comme l'évêque Isidore de Séville (VIIe s.), maintiennent une forte tradition littéraire qui ne déclinera qu'au moment des invasions arabes. En Italie, le latin écrit a longtemps subsisté, mais il s'est fortement modifié aux environs de l'an mille. C'est en Gaule que le latin mérovingien s'est le plus altéré, après Grégoire de Tours et Fortunat (VIe s.), les derniers écrivains du haut moyen âge. On n'écrit alors presque plus, excepté des textes religieux ou des documents officiels, juridiques et notariaux. La langue de ces textes, très hybride, est une mine pour l'étude du latin parlé à l'époque : on y trouve pêle-mêle des réminiscences de la langue littéraire, des formules figées provenant des époques précédentes, des traits appartenant à la langue parlée, des écritures inverses ou des «hyperurbanismes» lorsque le scribe, au courant des fautes habituelles, corrigeait des graphies pourtant correctes. Une telle langue, qui prêtait à trop de confusions, ne pouvait plus être le moyen de communication d'un grand royaume. Pour ne prendre qu'un exemple, les finales n'étaient plus marquées, et *i* se confondait avec *e :* ainsi, la graphie *se* pouvait signifier indifféremment *sed* «mais», *si* «si», *sit* «qu'il soit». On se doute qu'un texte où se multiplient de telles ambiguïtés peut devenir difficilement lisible. De là sont nées les réformes de Pépin le Bref (milieu du VIIIe s.) et surtout celle de son fils Charlemagne.

Dans d'autres pays, le latin fait son entrée avec l'expansion de l'Église. C'est le cas, durant le haut moyen âge, de l'Irlande, ainsi que des parties celtiques ou déjà germanisées, de la Grande-Bretagne. En Irlande, convertie au christianisme au ve s., il a fallu enseigner le latin, pour avoir accès à la Bible et aux œuvres des Pères de l'Église, pour célébrer l'office chrétien. Cet enseignement s'est concentré dans les grandes abbayes comme Bangor (mot celtique qui signifie «monastère»); de même en Grande-Bretagne se distinguent les abbayes de Cantorbéry et d'York, d'où est sorti par exemple un savant comme Alcuin, appelé auprès de Charlemagne pour organiser la réforme.

Le latin, langue littéraire et savante.
La réforme carolingienne fut un net succès quant à l'enseignement de l'orthographe et de la prononciation, quant à la morphologie et la syntaxe de la langue savante. Même si cette réforme a peu touché l'Italie et l'Espagne, le latin a connu dans ces pays la même évolution, avec le florissement des écoles épiscopales surtout à partir du XIe s.; il acquiert alors un nouveau statut, celui d'une langue internationale, mais il ne correspond plus à aucun usage spontané. Du même coup, il peut devenir à nouveau relativement homogène. Sa vitalité est à cette époque très importante : les textes tant littéraires que savants se diversifient; on crée de nouveaux mots passés dans les langues romanes comme *ratificare, publificare, exemplificare,* etc. Le latin connaît également une nouvelle extension géographique, car l'Église catholique touche alors l'est et le nord de l'Europe : la Hongrie, la Bohême, la Pologne, le nord de l'Allemagne et les pays scandinaves entrent dans le monde de la culture latine. Dans les pays où une langue «vulgaire» s'est imposée, le latin demeure langue d'institution, de savoir, de gouvernement.
À partir du XIIIe s., moment où les grandes universités remplacent les écoles épiscopales, la situation de ce latin écrit et didactique change rapidement. La dialectique l'emporte sur la rhétorique, on se livre à l'étude théorique de la théologie, du droit, etc., tout en s'éloignant de plus en plus de la littérature et des auteurs antiques : c'est la naissance de la scolastique. Le lexique s'enrichit alors d'un grand nombre de mots abstraits, des dérivés pour la plupart, dont beaucoup passeront dans les langues européennes occidentales; pour n'en citer que quelques-uns, *prioritas* et *superioritas, organizatio* et *specificatio, actualitas, individualitas, realitas,* etc. voient le jour. Les emprunts au grec, à l'arabe *(algebra, alchimia...)* se multiplient.
Mais comme le latin scolastique, remarquable par ses créations lexicales, s'exprimait dans une syntaxe pauvre, dans un style monotone et qu'il ignorait les auteurs anciens, on regretta la grande éloquence classique restée présente par les textes littéraires. Dès le XIVe s., on se remet à traduire ces textes de l'Antiquité et certains engagent contre le latin scolastique une lutte implacable, qui aboutira à la victoire des idées de la Renaissance. Ainsi, avec les grandes traductions du moyen âge comme celles d'Oresme, le français alors bien affermi a largement puisé aux sources latines pour enrichir son propre lexique et pouvoir ainsi à son tour concurrencer le latin en tant que langue savante.

Le latin vulgaire, ou parlé, ou populaire.
Entre-temps étaient nées, dans les pays où on parlait latin, les langues romanes qui sont issues non pas du latin tel qu'on l'écrivait, comme on l'a longtemps cru, mais du latin parlé. Les expressions «latin vulgaire» ou «populaire» désignent les divers faits latins qui ne s'accordent pas avec la norme classique. Bien que le terme «latin vulgaire» soit consacré par les latinistes et les romanistes, il est souvent combattu et on a préféré dans ce dictionnaire parler de «latin populaire» ou «latin parlé», notamment pour éviter les connotations péjoratives de l'adjectif «vulgaire». D'autant que cet adjectif est par ailleurs employé pour qualifier ou désigner les langues nouvelles, opposées au latin (les «vulgaires romans»).
La découverte d'un latin populaire, en tant qu'usage distinct du latin, remonte au XIXe s., et résulte des études en grammaire comparée des langues romanes : on s'est aperçu que l'état de langue qui peut être considéré comme la source de ces langues était, tout en étant bien du latin, différent du latin de Cicéron ou de Virgile. Cette constatation avait d'ailleurs été faite beaucoup plus tôt par les érudits, en ce qui concerne les mots, et c'est le grand *Glossarium ad Scriptores mediae et infimae latinitatis* de Du Cange (publié un peu plus tard) qui permit à Ménage d'améliorer fortement l'étymologie du français. Ainsi, nombre de mots courants du latin classique ne se retrouvent dans aucune des langues romanes : pour ne citer qu'un exemple, le mot latin signifiant «manger» *edere* est remplacé par d'autres termes plus évocateurs, *manducare* (>fr. *manger,* ital. *mangiare*) ou *comedere* (>esp. *comer*). Il faut bien alors postuler des variantes du latin, différentes du latin littéraire écrit. Si certains des mots du latin populaire apparaissent dans une tradition écrite plus ou moins proche de la langue parlée, nombre d'entre eux, jamais écrits, doivent être reconstitués à partir des langues romanes et sont marqués, dans ce dictionnaire, du signe montrant que le mot est supposé : le français *barre* vient par exemple d'un latin populaire °*barra, bassin* est issu de °*baccinus,* etc. Ce sont les régularités d'évolution (dites lois phonétiques) et les comparaisons entre mots romans qui permettent ces «reconstructions». La publication, à partir du XIXe s., de textes latins jusqu'alors inédits et présentant de nombreux vulgarismes, a également accéléré la prise de conscience de ce phénomène.

Les sources.
Il n'est évidemment pas possible de reconstituer dans sa totalité ce latin populaire, puisque ne

nous sont transmis que des écrits qui, aussi incorrects soient-ils, tendent toujours à se rattacher à une norme. On ne peut que trouver des «vulgarismes», des tours de la langue parlée dans la langue écrite. Pour cela, on possède un assez grand nombre de sources. D'abord, les textes qui présentent un écart par rapport à la norme scolaire : des inscriptions latines et des passages d'auteurs, même classiques ; les traités techniques, souvent écrits dans un style plus «relâché», moins littéraire, surtout les ouvrages de basse époque ; les textes chrétiens écrits dans un style simple ; les textes du haut moyen âge, surtout ceux de la Gaule mérovingienne : lois et diplômes, chartes et formulaires. À ces écrits s'ajoutent à partir du Bas-Empire les commentaires de grammairiens, qui signalent les prononciations et les formes fautives ou jugées telles, et plus tard, les glossaires latins, traduisant en latin populaire les tours ou les mots du latin scolaire considérés comme étrangers à l'usage de l'époque (par exemple les gloses de Reichenau au VIIIe s., qui proviennent du nord de la France).

Quelques traits du latin populaire.

Un latin «populaire» ou «vulgaire» a théoriquement commencé d'exister dès qu'a existé une tradition littéraire, mais les premières informations que l'on en possède ne deviennent abondantes qu'à partir du premier siècle de notre ère. Son point chronologique final correspond au passage aux langues romanes ; lorsque celles-ci sont constituées, ce latin spontané disparaît.

Il n'est pas question ici de faire la longue liste des caractéristiques différenciant le latin populaire du latin écrit et normalisé : une description unitaire serait de toutes façons utopique, puisque le latin vulgaire, du premier siècle à la naissance des langues romanes, a évolué, à la fois dans le temps et selon les pays. Quelques exemples pris dans le domaine de la phonétique, de la morphologie, de la syntaxe et du lexique illustreront quelques tendances évolutives propres au latin populaire : cet intermédiaire n'apparaît d'ailleurs pas toujours, puisqu'il peut n'être que supposé par les langues romanes.

Les changements phonétiques sont importants : transformation des voyelles et des diphtongues (*ae* s'est très tôt prononcé *e* : lat. *Caesar* > fr. *César*), des consonnes : le son *[k]* s'est par exemple palatalisé dans une partie de la Gaule devant *a* d'où lat. *causa* > fr. *chose,* lat. *campus* > fr. *champ,* etc. Dans une partie de la Romania, une voyelle «prothétique» s'ajoute au *s* initial suivi d'une consonne (lat. *scribere* > anc. fr. *escrire* > fr. *écrire ;* lat. *sperare* > fr. *espérer*). Les syncopes, phénomène courant de la langue parlée, sont extrêmement fréquentes : lat. *domina* > lat. pop. *domna* > ital. *donna,* fr. *dame ;* lat. *laridum* > lat. pop. °*lardum* > fr. *lard.*

Le lexique utilisé par le latin populaire est souvent différent de celui du latin écrit et nombre d'exemples ont été donnés dans l'article concernant les langues romanes (voir Roman). On utilise un vocabulaire plus imagé : la métaphore *testa* «coquille» et «vase de terre cuite» (fr. *tête*) apparaît comme synonyme de *caput* «tête» (→ chef) au IVe siècle. Les diminutifs sont préférés aux intensifs (*cantare* plutôt que *canere* > fr. *chanter*), les formes dérivées ou composées prennent le pas sur les formes simples (*auricula* plutôt qu'*auris* > fr. *oreille*).

La morphologie nominale se simplifie avec la réduction du système des cas et la disparition progressive du neutre. Le système des pronoms, compliqué en latin, se transforme ; la morphologie verbale est par contre, mises à part quelques variations, assez proche en latin populaire de ce qu'elle est en latin écrit et normalisé.

Pour illustrer l'évolution syntaxique enfin, le changement majeur réside dans l'ordre des mots : très libre en latin, il devient plus rigide, ce que rend nécessaire la disparition progressive des cas, réduits à deux en ancien français.

Le passage du latin populaire aux langues romanes.

La question de savoir quand ce latin populaire est devenu une autre langue est controversée : le passage s'est fait lorsque la structure du latin parlé n'a plus été celle du latin normalisé. On a vu que sous le Bas-Empire, la langue que l'on parlait et écrivait était encore du latin. L'évolution était en tout cas pleinement réalisée avant le moment où l'on s'est aperçu, en Italie, en Espagne ou en Gaule (concile de Tours, 813), qu'il existait deux langues : dès la fin du VIIe s. ou au début du VIIIe s., la langue parlée maternelle appelée «vulgaire», c'est-à-dire «de toute la population», n'était plus du latin, avec des évolutions différentes selon les pays de la Romania. Ce qui a accéléré le passage du latin populaire aux langues romanes, c'est la disparition de l'éducation antique et, avec elle, celle des normes linguistiques qu'elle perpétuait.

En Gaule les Francs, à la différence des Wisigoths d'Espagne ou des Burgondes d'Italie du Nord, n'ont aucunement encouragé la culture antique et les écoles de rhétorique avaient disparu dès la fin du Ve s. : la vie urbaine se détériorait et les autorités municipales ne pouvaient plus payer de professeurs. L'éducation ancienne a survécu dans les familles aristocratiques, avec des professeurs privés, surtout au sud de la Loire, futur domaine occitan, puis s'est peu à peu éteinte. Les Francs, qui se sont mis à parler latin, ont contribué à transformer la langue en véhiculant des mots germaniques et en modifiant la prononciation. Plus rien alors ne pouvait retarder l'évolution de la langue et tout porte à croire que, dès le milieu du VIIe s., le latin de Gaule avait changé de structure, était devenu un ensemble de dialectes «gallo-romans».

4. LE LATIN À PARTIR DE LA RENAISSANCE.

La Renaissance a préconisé un retour au latin de l'Antiquité, à la fois dans le style et dans le vocabulaire, en éliminant par exemple les mots et les tournures qui n'avaient pas été employés par les auteurs anciens. Du même coup le latin n'évolue plus : il est devenu une langue «morte». La production littéraire en latin est encore abondante au XVIe s., surtout dans des pays comme l'Allemagne, les Pays-Bas, la Hongrie, la Pologne, puis décline peu à peu, d'abord en Italie, en France, en Espagne, en Angleterre.

Le latin langue savante internationale, langue de l'Église et de l'Université.

Cette langue morte n'en conserve pas moins une grande importance : elle reste longtemps, tout au moins jusqu'au XVIIIe s., la langue internationale des sciences et de la philosophie, celle aussi des échanges et de la correspondance entre savants. Descartes, Newton, Spinoza, Leibniz, écrivent encore en latin et déjà dans leur langue maternelle ou dans une langue moderne. Le latin demeure également la langue administrative de l'Église jusqu'au milieu du XXe s., et officiellement, celle de la liturgie chrétienne jusqu'au concile de Vatican II (1963); les textes doctrinaux fondamentaux sont encore de nos jours écrits en latin.

En France, le latin a été longtemps la langue de l'enseignement et plus longtemps encore celle de l'Université qui l'utilise au moins partiellement jusqu'au début du XXe s. : la «deuxième thèse» en latin, obligatoire dans les facultés de Lettres, ne disparaît qu'en 1908.

Le latin scientifique.

À côté du latin savant et didactique, pratiqué jusqu'au XIXe s., on parle aussi de «latin scientifique» (médical, zoologique, botanique). Il ne s'agit plus alors d'une langue, mais d'un ensemble de terminologies adoptées par les savants de la communauté internationale qui s'exprimaient partiellement en latin : ce sont des créations artificielles, expressions comme *pyrus malus* (le pommier) ou mots qui n'ont du latin que l'apparence grâce à une terminaison en *-ia*, *-ium*, etc. : *dahlia*, créé en 1804, est issu du nom du botaniste suédois *Dahl*. De telles formations ont été abondantes à partir de l'apparition des grandes nomenclatures scientifiques au XVIIIe s., comme celles de Linné et de Jussieu. En France, beaucoup de mots ainsi créés ont été rapidement francisés lorsqu'ils sont passés en français courant. Actuellement, les terminologies internationales pour la botanique, la zoologie et l'anatomie sont encore latines, et les emprunts au latin ou les formations latines, fréquentes dans les sciences, correspondent parfois à ce type d'habitudes. C'est le cas du nom des nuages (*cumulus*, *stratus*, etc.) et de bien d'autres termes savants. Mais on aborde là le problème de l'influence lexicale du latin par l'emprunt, abordé en d'autres lieux (→ emprunt, français [langue française], anglais).

C. Coulet

BIBLIOGRAPHIE

J. COLLART, *Histoire de la langue latine*, Paris, coll. «Que sais-je ?», n° 1281, P. U. F., 1967.

G. DEVOTO, *Storia della lingua di Roma*, Bologne, Licinio Capelli Editore, 1940.

J. HERMAN, *Le Latin vulgaire*, Paris, coll. «Que sais-je ?», n° 1247, P. U. F., 1967.

A. MEILLET, *Esquisse d'une histoire de la langue latine*, Paris, Klincksieck, 1913, réédité en 1977.

C. MOHRMANN, *Latin vulgaire, latin des chrétiens, latin médiéval*, Paris, Klincksieck, 1955.

D. NORDBERG, *Manuel pratique du latin médiéval*, Paris, Picard, 1958, réédité en 1980.

P. RICHÉ, *Éducation et culture dans l'Occident barbare*, Paris, Le Seuil, 1962.

V. VÄÄNÄNEN, *Introduction au latin vulgaire*, Paris, Klincksieck, 1981.

(Suite de la page 1984)

Par extension, le mot désigne une personne très large en matière religieuse (1704) et qualifie dans un style littéraire une personne tolérante à l'excès en matière de morale (1704). ◇ Son dérivé **LATITUDINARISME** n. m., d'usage didactique en religion, est attesté depuis 1817. ➜ **LATITUDINAL, ALE, AUX** adj. (1853), employé techniquement en marine et exceptionnellement au sens de «relatif à la latitude», est lui aussi sémantiquement éloigné de *latitude*.

LATOMIES n. f. pl. est emprunté (1515) au latin *latomia*, ordinairement au pluriel *latomiae*, lequel transcrit le grec *latomia* «carrière de pierre», au pluriel *latomiai* appliqué à une carrière de pierre servant de prison à Syracuse. Ce mot est dérivé de *latomos* «tailleur de pierre, carrier, formé de *laas* «pierre», mot d'origine obscure qui a été concurrencé par *petra* (→ pierre), originellement distinct, et d'un dérivé de *temnein* «couper, tailler» (→ tome).

♦ Le mot a été repris comme terme d'antiquité, à propos des carrières de Syracuse utilisées comme prison.

LATRIE n. f. est emprunté (1376) au latin chrétien *latria* «adoration», spécialement «adoration de Dieu». Lui-même est emprunté au grec *latreia*, mot désignant le service en général et celui des dieux en particulier, dérivé de *latreuein* «servir pour un salaire» d'où «servir», spécialement «rendre un culte à un dieu», dénominatif de *latron* (→ larron). De cet étymon viennent les éléments *-lâtre*, *-latrie*, représentant respectivement *-latrês* «adorateur», et *latreia* «adoration».

♦ Ce terme de théologie désigne l'adoration rendue à Dieu, surtout dans l'expression *culte de latrie* (1690; précédée par *honneur de latrie,* 1541, Calvin) qui s'oppose à *culte de dulie* «rendu aux anges et aux saints» (d'un mot grec signifiant «servitude»).

▶ **LATREUTIQUE** adj., emprunt didactique (1867) au dérivé grec *latreutikos* «concernant le culte ou l'adoration de la divinité», se dit du culte offert à Dieu en tant qu'Être souverain.

LATRINES n. f. pl. est emprunté (1437) au latin impérial *latrina* «lieux d'aisance», issu par contraction de *lavatrina* (de *lavare* → laver) qui, à une époque ancienne, désignait le bain qu'on appela plus tard *balneum* (→ bain). Lorsque l'usage des toilettes privées s'établit, on les plaça à côté de la cuisine parce que la canalisation était toute prête. *Lavatrina* puis *latrina* s'appliqua à cet ensemble, et à l'endroit par où s'écoulaient toutes les eaux de la maison. Lorsqu'au début du IIIe s. av. J.-C., on établit à Rome des bains publics, à l'exemple des Grecs, seul le lieu d'aisances resta à la cuisine, conservant le nom emprunté à celui du bain. Le mot s'appliquait aux toilettes publiques, à Rome (IIe s. av. J.-C.); cf. *vespasienne.*

♦ *Latrines,* au pluriel (le singulier est enregistré en 1606), a remplacé l'ancien français de même sens *longaigne,* et s'est spécialisé pour désigner des lieux d'aisances sommaires, notamment militaires.

LATTE n. f., d'abord *late* (v. 1155), est d'origine obscure : c'est peut-être un emprunt très ancien au germanique, les lattes ayant eu une grande importance dans la construction des maisons de bois des colons germaniques en Gaule. L'existence de cet étymon se dégage de l'allemand *Latte,* de l'anglais *lath,* du néerlandais *lat,* du danois *laegte.* Le mot germanique, peut-être apparenté à un celtique °*slattā* (irlandais *slat*), serait également à l'origine de l'italien *latta* et de l'espagnol *lata.* Pour P. Guiraud, l'origine du mot serait plutôt à rechercher dans le latin *latitare* «porter souvent», forme fréquentative du supin *latum* (→ tollé) de *ferre* «porter» (→ fère) et la latte serait donc proprement un support.

♦ *Latte,* écrit avec deux *t* à partir du XVIe s., est le nom d'une pièce de bois refendu, longue et mince, utilisée en charpenterie et en menuiserie. ◇ Ce mot était anciennement employé par analogie (1808) pour désigner un sabre de cavalerie, d'après la forme de sa lame; il conserve un sens analogique en Belgique où il désigne une règle plate graduée. ◇ En argot, son pluriel sert à désigner les chaussures (1803) et par extension (1937) les pieds. *Coup de latte* correspond à *coup de pied.*

▶ Le mot a produit quelques termes techniques. ◆ **LATTIS** n. m., d'abord *latiç* (XIIIe s.), désigne une garniture en lattes. ◆ **LATTER** v. tr. (1240-1280), d'abord «attacher, clouer», signifie «garnir de lattes» (1288) et spécialement dans *latter des planches* (1859) «empiler des planches en laissant du vide entre elles». Il s'emploie argotiquement pour «donner un coup de pied». ◇ Il a pour dérivés **LATTAGE** n. m. (1503), **LATTÉ, ÉE** adj. (XVIe s.) et **DÉLATTER** v. tr. (1412) «dégarnir de ses lattes», mot technique. ◆ **CHANLATTE** n. f., composé de *chant** et de *latte* (XIIe s.), désigne une latte mise de chant, horizontalement et au bord de quelque chose.

LAUDANUM n. m., (XIVe s.), d'abord *laudamum* (XIIIe s.), est une altération du latin *ladanum,* emprunt au grec *ladanon* «résine d'un arbuste, le ciste».

♦ Le mot a désigné l'opium, puis (1620) une teinture alcoolique d'opium employée en pharmacie, comme soporifique et calmant.

LAUDATIF, IVE adj. est un emprunt tardif (1787) au latin *laudativus* «qui concerne l'éloge, qui loue, exprime une louange», en particulier «démonstratif» (en rhétorique), dérivé de *laudare* (→ ① louer).

♦ Le sens est d'abord «qui contient un éloge» puis «qui fait ou implique un éloge».

▶ Au XVIe s., on employait **LAUDATEUR, TRICE** n. et adj. (1530), emprunté au latin *laudator* «celui qui loue» et juridiquement «celui qui fait une déposition élogieuse», lui aussi dérivé de *laudare.* ◇ Le mot, tombé en désuétude aux XVIIe et XVIIIe s., a été repris vers 1801 et est employé en histoire romaine avec son sens juridique (1845); il reste didactique, à la différence de *laudatif* qui sert d'adjectif à ① *louer,* en concurrence avec *louangeur* et *élogieux* (→ éloge).

LAUDES → **LOUER**

LAURÉAT, ATE n. et adj. est emprunté (1530) au latin *laureatus* «couronné de laurier», de *laurea* «laurier», forme féminine substantivée à l'époque impériale correspondant à *laurus* de même sens (→ laurier).

♦ Le mot, repris avec le sens du latin, entre spécialement dans l'expression ***poète lauréat*** (1705) désignant un poète qui, dans une cour, a reçu une couronne de laurier en consécration de son talent et se voit pensionner pour célébrer les événements remarquables (l'institution existe toujours en Angleterre). ◇ Depuis 1822, il est employé comme nom avec son sens moderne de «personne qui remporte un prix dans un concours».

▶ Le mot latin *laureatus* est également représenté par un terme de style plus littéraire, **LAURÉ, ÉE** adj. (1496-1498) «couronné de laurier» (1545) et, en numismatique, «orné de laurier» (1828), dont on a dérivé **LAURER** v. tr. (1888) «couronner de laurier».

◈ voir **BACCALAURÉAT.**

LAURIER n. m. est dérivé (1080) de l'ancien français *lor* (XIe-XIIIe s.), issu du latin *laurus* de même sens, emprunt probable à une langue méditerranéenne, de même que le mot grec *daukhna* (thessalien), *laphnê* (à Pergame). L'arbre, distingué pour son parfum puissant et sa capacité de brûler vert avec un fort crépitement, était considéré comme l'allié des forces de lumière et de feu et consacré à l'Apollon solaire. Il ne pouvait servir à aucun usage profane et était pris comme emblème de gloire et de victoire à Rome et en Grèce. L'usage de couronner les généraux triomphants d'une couronne de laurier est à l'origine de certains dérivés (→ lauréat) et d'une valeur symbolique passée en français.

♦ Le mot, désignant l'arbre, est employé avec son sens métonymique de «feuillage de l'arbre» (fin XIVe s.) pour symboliser la gloire du vainqueur (1550), plus généralement la gloire, le succès (av. 1663); il entre dans les locutions ***se reposer sur ses lauriers*** (v. 1700, sous une forme légèrement différente) et ***s'endormir sur ses lauriers*** (1791). ◇ Depuis 1834, il est employé moins noblement dans un contexte culinaire, pour «feuille d'une variété de laurier (le *laurier-sauce*) utilisé comme assaisonnement».

▸ Par analogie, il fournit le premier élément de noms d'arbustes qui n'appartiennent pas à la famille du *laurier*. **LAURIER-TIN** (1615, *laurier-tinus*), **LAURIER-ROSE** (1617), **LAURIER-CERISE** (1690). ◇ Formé ultérieurement, **LAURIER-SAUGE** (1803) est synonyme de *laurier commun* (le laurier antique). ➛ Le radical du latin *laurus* a servi aux chimistes à former **LAURIQUE** adj. (1867, *Littré*) et **LAURATE** n. m. (1873) désignant un sel.
En botanique, les dérivés latins savants de *laurus, laurineae* et *lauraceae,* ont donné les termes français **LAURINÉES** n. f. pl. et **LAURACÉES**, tous deux antérieurs à 1846 *(Dictionnaire universel d'histoire naturelle).*

LAUZE ou **LAUSE** n. f., attesté en français central chez Stendhal (1801), est emprunté à l'anc. provençal *lauza, lausa* «pierre plate» (1174). Ce mot semble issu du gaulois **lausa,* d'origine inconnue, peut-être préceltique (non indoeuropéenne).

♦ Le mot désigne une pierre plate servant de dalle ou de couverture *(un toit de lauzes).* Son usage s'étendait de la Provence à la Lorraine.

LAVABO n. m. est tiré (1503) de la formule du Psaume XXVI, 6 : *lavabo inter innocentes manus meas* «je laverai mes mains au milieu des innocents», prononcée par le prêtre en se lavant les mains après l'offertoire. Le mot est la première personne du futur de l'indicatif de *lavare* (→ laver).

♦ Les premiers emplois s'inscrivent normalement dans un contexte liturgique pour désigner le linge avec lequel le prêtre essuie ses mains (1560) et, par métonymie (1721), la prière commençant par *lavabo.* ➛ Ce n'est qu'au XIXe s. que le mot passe dans l'usage commun, désignant (v. 1801) une table de toilette puis (1805) par métonymie la cuvette, souvent placée dans un évidement de cette table et, par suite, la cuvette à eau courante, entrant dans le domaine de l'appareillage sanitaire. ◇ Par une seconde métonymie, le mot désigne également une pièce réservée à ce dispositif (sens plus ou moins éliminé par *cabinet de toilette*) et surtout (XXe s.), au pluriel et par euphémisme, les lieux d'aisances publics à proximité desquels il y a (parfois) un lavabo (cf. *toilette*). ➛ En ce sens, le français a aussi utilisé l'anglicisme **LAVATORY** n. m. (1894; 1890, «boutique de coiffeur avec cabinet de toilette»), mot anglais issu du bas latin *lavatorium.*

LAVALLIÈRE n. f. et adj. est tiré (1874 chez Mallarmé) du nom de la duchesse de *La Vallière* (1644-1710), favorite de Louis XIV, qui portait ces sortes de cravates à large nœud flottant.

♦ Ce terme d'habillement est employé seul ou en apposition après *nœud,* et *cravate.* La *cravate lavallière* ou *lavallière* était, au tournant du XXe s., typique des artistes, ou du moins du type social de peintre alors à la mode, le rapin. ➛ Comme adjectif signifiant «de couleur feuille morte», en parlant d'une reliure (1874), le mot vient cette fois du nom du neveu de la duchesse, L.-C. de la Baume Le Blanc, duc de *La Vallière* (1708-1780), célèbre bibliophile français.

LAVANDE n. f., d'abord *lavende* (v. 1300), est probablement emprunté, malgré la chronologie connue à l'italien de même sens *lavanda* (attesté au XVIe s.). Celui-ci est issu, par une transposition sémantique due à l'usage des sommités de lavande dans l'eau du bain et pour parfumer le linge frais lavé, de *lavanda* «action de laver» (XVe s.), lequel est emprunté à l'adjectif verbal, au pluriel neutre, de *lavare* (→ laver). L'ancienneté de l'anglais *lavender* (anglo-normand *lavendre,* v. 1265) et le latin médiéval *lavendula* (1250) font cependant douter du bien-fondé de l'hypothèse d'un étymon italien.

♦ Le mot désigne une plante de la famille des Labiées, arbrisseau aux fleurs bleues en épi, d'un parfum délicat. ◇ Il est employé en apposition au sens métonymique de «couleur de lavande, bleu-mauve» (1586) et sert à désigner l'essence de lavande utilisée en parfumerie et le parfum lui-même (déb. XXe s.).

▸ En sont dérivés un adjectif de couleur, d'usage régional, **LAVANDÉ, ÉE** adj. (1669, *gris lavendés*), ainsi que ② **LAVANDIÈRE** n. f. (1907) «terrain planté de lavandes», à ne pas confondre avec ① *lavandière* (→ laver), et **LAVANDIN** n. m. (XXe s.) «hybride de lavande et d'aspic».

LAVE n. f., précédé par *laive* «pierre volcanique» (1587), est emprunté (1739) à l'italien *lava* (av. 1712) «matière volcanique en fusion», d'origine napolitaine et sicilienne. Ce dernier, également «coulée» (au figuré), est issu du latin *labes* «écoulement», de *labi* «glisser, tomber» (→ labile, laps, lapsus).

♦ Le mot désigne la matière volcanique en fusion, par exemple dans *coulée de lave, lave en fusion.* ◇ Il s'applique aussi à cette matière une fois refroidie et pétrifiée, notamment utilisée comme pierre de construction. Cette acception, sous la forme *laive,* est plus ancienne.

▸ On en a tiré l'adjectif didactique **LAVIQUE**, enregistré en 1840.

✳ **LAVER** v. tr. est issu (v. 980) du latin *lavare,* verbe qui, à l'origine, marquait un état et s'employait absolument avec une valeur réfléchie. Le sens transitif de «baigner, nettoyer» était réservé à un verbe apparenté, mais au vocalisme différent, *lavere.* Par la suite, *lavare* a été traité comme un transitif et a fini par supplanter *lavere,* conservé par ses composés qui ont donné *ablution*, allu-*

*vion**, *diluer**. Sans que l'on puisse dégager une forme indoeuropéenne précise, la même racine se retrouve dans un nom d'instrument celtique, les verbes grec *louein* et arménien *loganam* «se baigner», des substantifs germaniques comme l'ancien haut allemand *louga* «lessive», le vieil islandais *lauăr* «lessive», *laug* «bain chaud».

♦ Le verbe exprime le fait d'enlever la saleté de qqch. avec un liquide, notamment de l'eau, et (1080) de nettoyer le corps ou une de ses parties. Dès le XIIe s., il est employé au figuré avec l'idée de «débarrasser (qqn) de souillures morales» (v. 1120) et de «réparer et faire réparer (un acte qui entache la réputation)», d'où *laver qqn de qqch.* (1691), *se laver d'un opprobre, d'un affront* (1718), sens réalisé en particulier dans *laver un affront, un outrage* (v. 1190). ***S'en laver les mains*** (1180) est une allusion biblique à Ponce Pilate dans l'Évangile, qui se lave les mains et se déclare innocent du sang de Jésus, et rejoint par une métaphore du sens concret la valeur figurée. ◇ La valeur symbolique purificatrice du fait de se laver, de laver, est elle-même à l'origine de l'emploi du verbe dans un contexte religieux (fin XIIIe s.). ◇ Le sens concret a donné plusieurs extensions et emplois particuliers dès le XIIe s., *laver une plaie* (v. 1170), en médecine, puis différents emplois techniques en chimie (1676), charpenterie (1676), traitement de la laine (1680), en orfèvrerie (1867), en prospection des minerais (1893). ◇ Par ailleurs, d'après l'idée de «couler le long de» (1538), le verbe a pris le sens d'«arroser» en parlant d'une forte pluie, d'un cours d'eau (1694). ◇ Il est employé en peinture avec l'idée de «délayer une couleur avec de l'eau et l'étendre à plat» (1660).

▶ La dérivation, importante, commence dès le XIIe s. avec **LAVURE** n. f. (v. 1155, *laveüre*), mot dont une forme antérieure *lavadure* (v. 1050) peut remonter au latin populaire °*lavatura* (v. 1125). ◇ Le mot désigne le liquide qui a servi à laver; il s'est employé en médecine dans l'expression *lavure de chair* en parlant de l'ensemble des tissus sanguinolents (1314). En reliure, il concerne l'opération consistant à laver les feuillets d'un livre avant de le relier (1690). ◇ L'expression *lavure de vaisselle* «eau qui a servi à la vaisselle» a été usitée (1849) comme terme dépréciatif populaire pour une personne; cf. *rinçure*. ◆ ① **LAVANDIÈRE** n. f. (1180) a été formé avec l'élément *-andière* dérivé de *-ande* (du latin *-andus*) pour désigner une femme qui lave le linge par profession. Il a été repris pour dénommer un petit oiseau qui fréquente le bord des cours d'eau (1555), à cause des mouvements de sa queue comparés à ceux d'une blanchisseuse battant le linge. ◆ **LAVOIR** n. m. (fin XIIe s.) a désigné un bassin à ablution et un évier (1283) avant de s'appliquer spécifiquement au bassin où on lave les draps (1465) et, par métonymie, à l'édifice qui l'abrite (1611). Il s'est spécialisé en technique pour le dispositif permettant de laver le minerai (1714). ◆ **LAVEMENT** n. m. (déb. XIIIe s.) n'a jamais été courant au sens général d'«action de laver» : il s'est spécialisé dès les premières attestations en liturgie (*lavement des pieds*, etc.). ◇ Dès l'ancien français (XIIIe s.), le mot s'est spécialisé à propos de l'injection d'un liquide dans le gros intestin (1628), en concurrence avec *clystère*, en français classique, avec des syntagmes comme *poire à lavement;* c'est de cette acception que provient le sens figuré de «personne importune» (1877). ◆ **LAVEUR, EUSE** n. et adj. (1390) «celui qui lave» se dit spécialement de celui ou celle qui lave la vaisselle (1680, *laveur d'écuelles*) et, au masculin, du *laveur de cendres d'orfèvre* (1832), du *laveur d'or* (1849). ◇ Au XIXe s., il s'applique à divers appareils effectuant les opérations de lavage dans diverses industries (1867, d'abord en papeterie). ◇ Par ailleurs, il s'emploie en apposition dans *raton** *laveur*. ◆ **LAVAGE** n. m. (1432) assume le sens général d'«action de laver» qui fait défaut à *lavement;* il a reçu quelques acceptions métonymiques concrètes (1547, *lavage de chaux*) et des spécialisations correspondant à celles du verbe, dans l'industrie (1740) et en médecine (1890, *lavage d'estomac*). ◇ L'usage familier l'emploie au figuré en parlant d'une vente au rabais d'effets, de meubles (1839), sens archaïque, et d'une réprimande (1890, *lavage de tête*), sens correspondant à un emploi du verbe. ◇ ***Lavage de cerveau*** désigne (1959) une action psychologique exercée sur une personne pour lui faire renier ses habitudes et convictions; l'expression est calquée sur l'anglais *brain washing*. ◆ **LAVASSE** n. f. (1447), formé avec un suffixe péjoratif, a désigné une pluie torrentielle avant de se dire d'un aliment liquide sans saveur (1829), en particulier d'un mauvais café trop étendu d'eau (1866). ◆ **LAVABLE** adj. «qu'on peut laver» date lui aussi du XVe siècle. ◆ **LAVERIE** n. f. (1584) signifie d'abord «action de laver», et aussi «petit local où l'on lave la vaisselle» (dès 1555), sens disparus. ◇ Puis, il se réfère comme terme technique à l'endroit dans lequel on fait des lavages industriels, en particulier de minerais (1776). ◇ Le sens de «pièce où on lave le linge» (1857) en a fait un synonyme de *blanchisserie*, spécialement en parlant d'un établissement commercial en libre-service (1951), sens aujourd'hui usuel, par exemple dans *laverie automatique*. ◆ **LAVETTE** n. f. (1636) désigne un petit torchon pour laver la vaisselle et, en Suisse, pour faire sa toilette. ◇ Par le même type de métaphore que *chiffe*, le mot s'applique familièrement à une personne sans énergie, sans courage (1862). ◆ **LAVIS** n. m. correspond (1676) à la spécialisation du verbe en termes d'arts pour une technique proche de l'aquarelle. ◆ **LAVÉE** n. f. (1752), «quantité de ce qu'on peut laver en une fois», est parfois employé spécialement en relation avec *laver* à propos de la laine.

L'élément verbal **LAVE-** a servi à former une série de noms d'objets courants, de **LAVE-MAINS** n. m. (1471) à **LAVE-PIEDS** n. m. (1775), **LAVE-PINCEAUX** n. m. (1907), utilisé par les peintres, **LAVE-PONT** n. m. (1962) et **LAVE-VAISSELLE** n. m. (1925, répandu v. 1969), ce dernier usuel depuis la diffusion de cet appareil électroménager (→ lave-dos*, lave-glace*, lave-linge*, lave-phares*).

Le verbe a donné dès l'ancien français deux séries de préfixés verbaux. **RELAVER** v. tr. (v. 1175), à valeur itérative, est employé en Suisse comme synonyme de *laver* depuis 1670. ◆ Il a produit **RELAVAGE** n. m. (1878).

DÉLAVER v. tr. (XIIIe s.), d'abord au sens de «salir» et (1398) «purifier», signifie encore aujourd'hui «éclaircir à l'eau» (v. 1585), produisant à son tour **DÉLAVÉ, ÉE** adj. plus courant que le verbe pour «d'une couleur trop éclaircie, passée», **DÉLAVAGE** n. m. et **DÉLAVURE** n. f. (XXe s.), techniques ou rares.

◈ voir **ABLUTION, ALLUVIUM, COLLUTOIRE, DÉLUGE, DILUVIUM, LATRINES, LAVABO, LAVANDE, LISIER, LOTION.**

LAXATIF, IVE adj. et n. m. est emprunté (XIIIe s.) au latin médiéval *laxativus* «émollient», dérivé de *laxare* «relâcher» (→ lâcher).

♦ Le mot, introduit comme adjectif et quelquefois abrégé en *laxif* au XVIIe s. (1611), est également employé comme substantif. Bien que de formation savante, il s'est plus répandu que son synonyme *relâchant**.

LAXISME n. m. et **LAXISTE** adj. sont deux termes didactiques formés tardivement (1895 et 1908 respectivement) sur le latin *laxus* «lâche, desserré» (→ lâcher).

♦ Ces mots sont apparus dans un contexte théologique, à propos d'une doctrine qui tend à supprimer les interdits et à les limiter, et de là, se sont étendus couramment à toute tendance à la tolérance excessive, notamment dans un contexte sociopolitique.

LAYETTE n. f., d'abord *liette* (1378) et *laiette* (av. 1400), est le diminutif en *-ette* de l'ancien français ② *laie* (1357) «boîte, coffret», encore utilisé avec des sens spécialisés, notamment en musique pour désigner la partie inférieure du sommier de l'orgue. *Laie* est en général considéré comme emprunté au moyen néerlandais *laeye* «petite caisse», qui correspond à l'allemand *Lade* de même sens et appartient à un groupe de mots germaniques. La racine verbale (anglais *to lade* «charger», allemand *laden*) se retrouverait dans des mots slaves comme le vieux slave *kladą, klasti* «mettre, poser» (→ lest). P. Guiraud propose d'y voir plutôt le déverbal de l'ancien *laier* «laisser un espace vide», variante de *laisser**.

♦ À l'origine, le mot désignait un coffret ou un tiroir servant à ranger des papiers, des vêtements, de menus objets personnels. ◇ Par une métonymie du contenant au contenu, il a pris (1671) le sens, aujourd'hui courant, d'«ensemble des vêtements d'un nouveau-né».

▸ **LAYETIER** n. m. (1582), nom de celui qui fabrique, qui vend des boîtes, des caisses, et **LAYETERIE** n. f. (1765), nom de l'industrie correspondante, n'ont pas suivi l'évolution de *layette,* et ne conservent que le premier sens de *layette.*

LAZARET n. m. est emprunté (1577) à l'italien *lazzaretto* «lieu de quarantaine pour les malades atteints de maladies incurables et contagieuses», mot attesté dans le Journal du Vénitien G. Priuli (1494-1512). Ce mot est la corruption, probablement sous l'influence de S. *Lazzaro* «saint Lazare», patron des lépreux, de Santa Maria di *Nazaret, Nazareto* au XVe s., nom d'une île vénitienne où l'on mettait en quarantaine, depuis 1348, les malades contagieux revenus de Terre sainte.

♦ Le mot a désigné une léproserie (sens encore répertorié en 1771) avant de s'appliquer au bâtiment où se font le contrôle sanitaire et la mise en quarantaine des contagieux dans un port (1690), au XXe s. dans un aéroport, et, ultérieurement, au local d'un hôpital destiné aux enfants suspects d'affections contagieuses (XXe s.).

◈ voir **LADRE.**

LAZZI n. m. est emprunté (1700, *Théâtre italien* de Gherardi) à l'italien *lazzi,* pluriel de *lazzo,* attesté depuis 1660 au sens de «jeu de scène bouffon». L'hypothèse selon laquelle *lazzi* viendrait d'une abréviation de *l'azzi* pour *l'azzioni* «les actions» (du latin *actio,* → action), employé dans les indications scéniques des jeux bouffons, est très contestable d'un point de vue phonétique. Le mot italien pourrait plutôt être emprunté à l'espagnol *lazo* «ruse, artifice trompeur» (XIIIe s.), proprement «lacet» (→ lacs, lasso).

♦ *Lazzi* a pénétré en France comme un terme de la Commedia dell'arte; par extension (1732), il désigne des plaisanteries bouffonnes et moqueuses (surtout au pluriel, ce qui est le cas du mot italien). Le français admet le pluriel *lazzis* à côté de *lazzi.*

① **LE, LA, LES** art. déf. (881) continuent *illum, illam* et, pour le pluriel, *illos, illas,* formes de l'accusatif (au singulier et au pluriel) du latin *ille* «celui-là, celle-là, lui, elle», avec chute de la première syllabe due à la fréquence de ces emplois en position proclitique. *Ille* s'opposait à *hic* et *iste* dans le système des trois démonstratifs latins (→ ce) : si on ne peut, sans arbitraire, analyser *ille,* on y retrouve une racine contenant *l* indiquant l'objet éloigné (→ aliéner, ultra). *Ille* désignait ce qui est loin par opposition à *hic* et possédait une valeur emphatique. Sa valeur était cependant moins nette que celle des autres démonstratifs et a tendu à s'affaiblir, notamment dans la langue parlée où il jouait souvent le rôle de pronom personnel. Quand le système s'est disloqué, *ille* a tendu à remplacer *is,* sans doute pour substituer une forme plus pleine à un monosyllabe, et l'a finalement évincé. Près d'un substantif, il en est venu à se réduire à la valeur d'article, postposé ou antéposé en roman (le latin de Gaule a adopté l'antéposition après 271, date de la séparation de la Dacie, la postposition latine s'étant conservée en roumain, langue où l'article est postposé).

♦ Dans l'ancienne langue, l'usage du déterminant était beaucoup plus restreint qu'aujourd'hui : on le trouvait rarement devant un nom abstrait ou, sans extension, devant un nom propre. Il nous reste des traces de cet usage dans les proverbes, locutions verbales stéréotypées et autres syntagmes figés (groupes du type *us et coutumes*).

▸ **AU, AUX** sont issus de *à* le, à les; au* a absorbé une ancienne forme *ou* (encore chez Villon), issue de *en le* (d'où *el, eu, ou*) comme on le voit dans *jeter au (en, dans le) feu.* Du fait que, devant voyelle, on employait simplement *en,* on a aujourd'hui *au Por-*

tugal mais *en Espagne, au printemps* mais *en été*. *Aux* a éliminé une ancienne forme *ès* (f. et m.) qui subsiste dans les formules du type *docteur ès-lettres* et dans les parlers de l'Est et du Sud-Est.

◈ voir LE, LA, LES, pronoms personnels, DE et DES *(de le; de les)*, plupart.

② **LE, LA, LES** pr. pers., attesté dès les premiers textes romans (842, *lo, l'* devant voyelle), est de même origine que l'article défini *le, la, les*.

♦ En fonction d'attribut devant un verbe (XIIIe s.), le pronom a soulevé un problème d'accord en genre avec l'adjectif qu'il représente : l'usage ancien était de faire l'accord quand il reprenait un mot du genre féminin, mais Vaugelas, puis Th. Corneille ont imposé au XVIIe s. la règle actuelle de *le* invariable.

LÉ n. m. est la substantivation d'abord sous la formé *led* (v. 1170), puis *lé* (XIIIe s.), de l'ancien adjectif *lé* (1080) «large» et «spacieux, vaste» (XIVe s.), employé jusqu'au XVIe siècle. Ce mot, supplanté par *large*, est issu du latin *latus* de même sens. L'existence, auprès de *latus*, d'une forme populaire à consonne géminée intérieure, *stlatta*, donne lieu de supposer une initiale ancienne °*stl-*. Celle-ci amène à rapprocher le verbe slave *stĭlati* «étendre», le latin *sternere* «coucher, étendre» (→ consterner, strate) et, plus loin par le sens et la forme, le groupe du sanskrit *tala-* «surface».

♦ Le mot a eu le sens général de «largeur» autrefois réalisé dans la locution *de long en lé* (XIIIe s., sous d'anciennes variantes); cette acception a disparu au XVIIe siècle. ◇ Il s'est spécialisé pour désigner la largeur d'étoffe comprise entre deux lisières (1412), désignant par métonymie une bande de tissu dans toute sa largeur. Par analogie, il désigne (1690) la largeur d'un chemin de halage puis, par métonymie, le chemin de halage lui-même (1812). Il s'applique également (1930) à la largeur d'un papier peint ou d'un revêtement souple en rouleau.

◈ voir ALAISE, DILATER, LAIZE, LATIFUNDIA, LATITUDE.

LEADER n. m. est emprunté (1822) à l'anglais *leader* «celui qui mène, dirige, conduit», attesté dès le moyen âge pour désigner les chefs de troupes, les meneurs d'hommes, et dérivé de *to lead* (v. 825) «conduire», verbe correspondant au néerlandais *leiden* et à l'allemand *leiten*, au suédois *leda* et au danois *lede*. Tous ces mots sont issus d'un verbe germanique dérivé d'un nom désignant le chemin, le convoi.

♦ La multiplicité des sens en anglais devait faire adopter le mot en français, non seulement en politique (1822; 1829 dans le contexte français), mais bientôt dans d'autres domaines de la vie sociale : vocabulaires du hippisme (1833), de la mode, du journalisme (1852, *leader article*, d'après l'anglais *leader*, 1844), du sport (1882), etc.

▸ **LEADERSHIP** n. m. (1875; 1864, au féminin) est emprunté à l'anglais *leadership* (1821) avec *-ship*, suffixe indiquant «l'état, la condition», apparenté à la racine germanique °*skap-* «créer, façonner» que l'on retrouve dans l'anglais *to shape* «former, façonner». ➛ Le mot a été introduit en français en parlant de la fonction de leader à la chambre des Communes britannique et est resté plus longtemps que *leader* réservé à une réalité anglo-américaine. Cependant, sa fréquence dans la langue actuelle de la politique et de l'économie marque sa renaissance, suscitée par l'intérêt pour la dynamique des groupes.

◈ voir LEITMOTIV.

LEASING n. m. est emprunté (1963) à l'anglo-américain *leasing*, néologisme apparu en 1952 dans la dénomination d'une société, *The U. S. Leasing Corporation*. *Leasing*, équivalent superflu et de nos jours disparu du substantif *lease* «location à bail», est dérivé de l'anglais *to lease* «donner en location» (XVIe s.), lequel est issu, dans un emploi spécialisé, de l'anglo-normand correspondant à l'ancien français *lessier, laissier* (→ laisser).

♦ Le mot s'emploie en commerce pour la location de biens d'équipement à une société financière qui se charge de l'investissement; après avoir connu une certaine vogue, il tend à reculer au profit de *crédit-bail* (1966), plus transparent.

LÉCHER v. tr. est issu (v. 1120) d'un verbe francique de même sens °*lekkôn*, postulé d'après le moyen néerlandais *licken, lecken*, l'ancien haut allemand *lecchon* et l'allemand *lecken*. Les mots germaniques appartiennent à la même racine indoeuropéenne que le latin *lingere* «lécher», le grec *leikhein*, (→ électuaire, lichen), le vieux slave *lizǫ* «je lèche». ◇ P. Guiraud, sans exclure la possibilité d'une influence francique, y voit cependant un mot roman, doublet de *lisser** (latin *lixicare*), le passage du *i* au *e* pouvant s'expliquer par l'influence fermante d'un yod (le son [j]).

♦ Le mot signifie «passer la langue sur (qqch.)» et particulièrement (1170) «enlever à coups de langue». Il a développé quelques sens figurés : l'idée de «flatter», relevée dans quelques textes au XIVe s., a été reprise en 1798 par la locution ***lécher le cul à qqn*** (cf. ci-dessous *lèche-cul*). ◇ L'idée d'«exécuter avec un soin minutieux» est attestée depuis 1690, dès 1680 par le participe passé *léché*, devenu usuel en peinture, et quelque peu péjoratif. ◇ ***Ours mal léché*** (1678) a pris son sens figuré d'«homme mal fait et grossier» un peu plus tard (attesté v. 1718), par allusion à la tradition populaire selon laquelle l'ourson naît informe, sa mère le léchant longuement pour lui façonner le corps (d'où le sens d'«enfant mal fait», en 1694). ◇ Le XIXe s. a vu apparaître le sens analogique d'«effleurer de près» (1826) et le XXe s. la locution ***lécher les vitrines*** (substantivé en *lèche-vitrines*, → vitre).

▸ **LÉCHERIE** n. f. (v. 1155) a désigné jusqu'au XVIe s. la luxure, la vie désordonnée et débauchée. Il se dit encore, familièrement, d'une extrême gourmandise (XIIe s.), sens tombé dans l'oubli après le XVIIe s. mais repris dans la seconde moitié du XIXe s., avant de disparaître. ◇ À la même époque, le mot a aussi reçu ses sens d'«action de lécher» (1884) et «flatterie» (av. 1885), tous deux rares. ➛ **LÉCHEUR, EUSE** n. (v. 1138) a suivi le même type d'évolution : il n'a pas gardé le sens injurieux d'«homme impudique» qu'a conservé l'anglais *lecherous* et a aussi signifié «gourmand» (v. 1278), sens repris au XIXe s. puis disparu. ◇ Le mot a pris alors de nouvelles acceptions d'après des emplois spéciaux de *lécher* : «personne qui aime à embrasser» (1873), «personne qui achève un ouvrage avec minutie» (av. 1872) et «personne qui flatte bassement» (1894). ➜ **LÈCHEMENT** n. m. (une fois au XIIIe s., puis déb. XIVe s.) a changé son sens figuré initial de «flatterie» pour le sens d'«action de lécher» (fin XVe s.). ➜ **LÈCHE** n. f. (XIVe s.) a disparu au sens de «gourmandise». Le mot est repris fin XIXe s. pour une touche délicate et minutieuse en peinture, sens disparu, à la différence de *lécher*. ◇ Familièrement, *lèche* désigne l'action de flatter servilement (1878, *piquer la lèche*), courant dans ***faire de la lèche à qqn.*** ➜ **LÉCHAGE** n. m. (1894) complète la série avec la plupart des sens du verbe. ➜ De nombreux dérivés ont été créés pour l'essentiel au XIXe s. et, pour la plupart, sans lendemain, tels que **LÉCHADE** n. f., les dérivés fréquentatifs et diminutifs **LÉCHOTER, LÉCHOUILLER** v. et leurs dérivés, et enfin **LÉCHURE** n. f.

Une série parallèle double *lécher* dans l'usage populaire et familier : il s'agit de **LICHER** v. tr. (av. 1486), dont le *i* (noté dans certains dérivés de *lécher* dès le XIIe s.) est probablement dû à l'influence de *lisser**, sémantiquement et formellement voisin. ➜ *Licher*, à partir du sens propre «lécher», a développé les sens de «manger, boire avec gourmandise» (1772, «boire») et de «flatter» (1880), spécialement «chercher à obtenir une place auprès d'un supérieur» (1930), deux emplois relevés au Canada. ➜ **LICHEUR, EUSE** n. et adj. (XIIe s.), variante de *lécheur*, désigne surtout la personne qui aime la bonne chère (1240-1280) ; le mot semble être sorti d'usage, et avoir été repris au XIXe siècle. ➜ **LICHÉE** n. f. (1885), participe passé féminin substantivé de *licher*, désigne une petite quantité de liquide ou de nourriture.

La dérivation de *lécher* s'est accrue de plusieurs substantifs composés formés avec l'élément verbal *lèche*. ➜ **LÈCHEFRITE** n. f. (v. 1193, *leschefrite*), nom d'un ustensile de cuisine placé sous la broche pour récupérer la graisse et le jus de la viande, est probablement l'altération, sous l'influence du participe passé féminin de *frire**, de *lechefroie*, mais ce dernier est attesté seulement à partir du XIVe siècle. Il est composé de *lèche* et de *froie*, forme de *froiier* «frotter» (du latin *fricare*, → frayer), et signifie proprement «lèche-frotte (ce qui dégoutte de la broche)». ➜ **LÈCHE-CUL** n., attesté dès 1581, mais repris au XIXe s. d'après la locution verbale *lécher le cul* pour «flatteur et bas», est usuel dans l'usage familier. ➜ **LÈCHE-BOTTES** n. m. (1901), d'après *lécher les bottes* (1848), en constitue une variante atténuée.

POURLÉCHER v. tr., surtout fréquent à la forme pronominale attestée la première (XVe s., *se pourlecquer*), a été formé de *pour**, pris comme préfixe à valeur intensive, et de *lécher*, pour exprimer la gourmandise puis, abstraitement, la vive satisfaction à l'idée de qqch. (1767). ◇ Le transitif, attesté plus tard (1837), s'est employé pour «fignoler» et se dit concrètement au sens de «lécher soigneusement» (1869). ➜ Le déverbal **POURLÈCHE** n. f. (1923), avec sa variante dialectale *perlèche* (de *perlécher*, 1903), désigne une inflammation de la commissure des lèvres. ◇ Formé sur *licher*, le préfixé populaire **POURLICHE** n. m. est synonyme de *pourboire*.

◈ voir LÈCHE-VITRINES (art. VITRE).

LÉCITHINE n. f. a été formé en français par N. T. Gobley (1850) à partir du grec *lekithos* «jaune d'œuf», également «purée de légumes ou de céréales», mot sans étymologie établie, et du suffixe *-ine*.

♦ Le mot désigne un lipide complexe présent dans les tissus animaux et végétaux, abondant dans le jaune d'œuf et le tissu nerveux, et un mélange commercial formé de ce lipide, de phosphatides et de lipides, par exemple extrait du soja.

LEÇON n. f. est emprunté (v. 1135) au latin *lectionem*, accusatif de *lectio* «lecture» (au sens concret et abstrait), dérivé du supin de *legere* (→ lire).

♦ Dans les premiers textes, *leçon* a le sens particulier de «texte de l'Écriture ou des Pères de l'Église lus ou chantés aux offices nocturnes» (*leçons de ténèbres**). ➜ Il a pris (fin XIIe s.) le sens aujourd'hui courant de «ce qu'un élève doit apprendre et réciter» et, par métonymie, désigne aussi l'enseignement d'un maître (v. 1160), spécialement dans ***leçon particulière*** (1845), expression qui témoigne contrastivement de l'importance prise par l'enseignement collectif. ➜ Parallèlement, dès la fin du XIIe s., le mot a développé le sens figuré de «conseil, règle de conduite», surtout réalisé dans la locution ***faire la leçon,*** passée du sens de «dicter une règle de conduite» (1558, *faire leçon*) à l'acception moderne de «réprimander» (1754 ; 1690). En ce sens, elle est concurrencée par ***donner une leçon*** (1833), à distinguer de ***donner des leçons*** «montrer sa supériorité». Depuis le XVIIe s. (1668), *leçon* a le sens d'«enseignement tiré d'un événement», cette fois du point de vue de l'élève, non plus du maître. ➜ L'idée première de «lecture» se maintient indirectement dans le sens didactique (1680) de «texte tel qu'il a été lu par un copiste, un éditeur, variante».

LECTEUR, TRICE n., qui a remplacé une forme populaire *litre, leiteur* (XIIe-XIIIe s.), est emprunté (1307) au latin *lector* «qui lit pour soi, lit à haute voix pour le compte de qqn» et à époque chrétienne «le second des ordres mineurs chargé de lire les leçons dans le culte» (cf. *leçon*). Le mot est dérivé de *legere* (→ lire).

♦ *Lecteur* désigne d'abord le clerc chargé de lire les leçons dans le culte chrétien, puis, dans un tout autre contexte, celui qui lit à haute voix (1330). Dès le XIVe s., le mot se spécialise notamment dans l'enseignement : il désigne sous l'Ancien Régime un professeur de cours publics (1376), puis de nos jours, par emprunt à l'allemand *Lektor*, un professeur adjoint dans une université pour l'enseignement des langues vivantes (1842), et (1923) un assistant étranger à l'université. ➜ Il s'applique aussi (1379) à la personne qui lit pour elle-même et a développé au XIXe s. une autre spécialisation dans les métiers de l'édition : il concerne alors la personne qui lit et corrige les épreuves typographiques (1867) et celle qui lit les manuscrits (1890). ◆ Au XXe s. est apparu (n. m.) le sens d'«instrument servant à reproduire des sons enregistrés» (1934), suivi par des sens spécialisés en technique de la documentation et en informatique.

▶ **LECTORAT** n. m. (1939), dérivé savant du latin *lector,* au sens d'«action de lire les manuscrits dans une maison d'édition», désigne aussi la fonction de lecteur à l'université (1968) et, récemment, l'ensemble des lecteurs d'une publication ou d'un livre.

LECTURE n. f. est emprunté (1350) au latin médiéval *lectura* «fait de lire», «études, érudition, commentaire juridique» (XIVe s.), dérivé comme *lector* du supin de *legere.* ◆ Les premières attestations du mot réalisent le sens de «récit, instruction, enseignement» et la spécialisation religieuse de «texte liturgique» (1380). Le sens courant, «action matérielle de lire à voix haute», n'est attesté que depuis 1445, suivi au XVIe s. par celui d'«action de prendre connaissance d'un texte en le lisant pour soi (pour l'instruction, le plaisir)» (1561) ; par métonymie (1676), *lecture* désigne aussi ce qu'on lit. Le sens extensif, «déchiffrement de toute espèce de notation», ont apparu au XVIIIe s. (v. 1741) en musique. ◆ Sous l'influence de l'anglais *lecture* «conférence» (lui-même du latin médiéval ou du mot français), le mot a pris le sens particulier de «discours, sermon», puis «conférence» (1536), sens archaïque, parfois repris par anglicisme (mais le mot normal reste *conférence**). ◆ En relation avec *lecteur*,* il a développé ultérieurement le sens technique de «première phase de la reproduction de sons enregistrés» (1959, ***tête de lecture***) et des emplois correspondants en informatique et en documentologie (d'où **MICROLECTURE**, n. f., 1969). ◆ Le composé **RELECTURE** n. f. (fin XVIe s.) a été repris vers 1801 sous l'influence de *relire** (→ lire).

LÉGAL, ALE, AUX

LÉGAL, ALE, AUX adj. est emprunté (1365, *legal*) au latin *legalis,* adjectif dérivé de *lex, legis* (→ loi), proprement «relatif à la loi» et en latin chrétien «conforme à la loi divine», employé à l'époque médiévale au sens de «fondé en la loi Mosaïque» (v. 830) et aussi «loyal» (v. 1130).

♦ L'adjectif, qui a supplanté l'ancien français *leial* (1080), forme populaire, correspond donc à *loi* dans son sens juridique (1365) et théologique (1374) ; en outre, il a longtemps assumé un sens moral, aujourd'hui disparu, fonctionnant comme doublet de *loyal** jusqu'au XVIIe siècle.

▶ **LÉGALEMENT** adv. (v. 1371) a suivi la même évolution : le sens de «conformément à la loi» (au figuré ; 1690, au propre) l'a emporté sur la valeur psychologique de «loyalement» (av. 1621).

LÉGALISER v. tr., d'abord attesté par *légalisé* (1668) «rendu authentique, certifié», assume le double sens d'«attester l'authenticité de» (1681) et de «rendre conforme à la loi» (1789). ◇ Il a produit **LÉGALISATION** n. f. (1690). ◆ Ultérieurement sont apparus deux termes didactiques d'usage religieux : **LÉGALISME** n. m. (av. 1868) et **LÉGALISTE** n. (1908), à propos du respect absolu des termes de la loi, auparavant en politique (1894) «socialiste modéré».

LÉGALITÉ n. f. serait soit dérivé de *légal,* soit plutôt emprunté (v. 1370) au latin médiéval *legalitas* «ensemble des droits qui se rattachent à une propriété ou à une fonction» (1011) et «capacité d'ester en justice» (1100), également «loyauté», dérivé de *legalis.* ◆ Comme pour l'adjectif, les sens d'«avantage légalement accordé» — qui a ensuite vieilli — et de «conformité à la loi» (1609) ont eu raison du sens moral de «loyauté» (fin XVe s.).

ILLÉGAL, ALE, AUX adj. a été emprunté (1361) au latin *illegalis,* et a produit **ILLÉGALITÉ** n. f. (v. 1361) et **ILLÉGALEMENT** adv. (1789) ; les trois mots sont usuels. ◇ **ILLÉGALISME** n. m. (1920), en revanche, est rare.

LÉGAT

LÉGAT n. m. est emprunté (v. 1155) au latin *legatus* «ambassadeur, envoyé d'un général ou d'un gouverneur de province», participe passé substantivé de *legare* pris au sens d'«envoyer», sens conservé non par son représentant *léguer** mais par le préfixé *déléguer*.*

♦ Le mot est apparu comme terme de droit canonique, désignant le délégué du pape chargé d'administrer une province ecclésiastique, d'après un sens du latin chrétien. Le titre de *légat a latere* a été donné au cardinal chargé de représenter le pape dans les grandes solennités religieuses (1480), calqué du latin médiéval *legatus a latere* (1191) «légat de l'entourage [du côté : *latus*] → latéral. ◇ Depuis 1284, *légat* est aussi utilisé comme terme d'antiquités romaines.

▶ **LÉGATION** n. f., d'abord *lecaciun* (v. 1138) puis *légation* (v. 1165), est emprunté au latin *legatio* «ambassade, mission particulière», du supin de *legare.* ◆ Il a été employé au sens général de «mission» jusqu'au XVIIIe s., puis spécialisé comme terme de droit pontifical. ◇ Son emploi au sens juridique laïque de «représentation diplomatique auprès d'une puissance où il n'y a pas d'ambassade» est peut-être suscité par l'anglais *legation* (en ce sens, depuis 1756). Dans ce dernier sens, le mot, séparé de *légat,* entre dans le vocabulaire de la diplomatie, sur le même plan que *consulat* et *ambassade.*

LÉGATAIRE

LÉGATAIRE n. est emprunté (XIVe s., comme adj.) au latin juridique *legatarius* «celui à qui on fait un legs», attesté comme adjectif en bas latin au sens de «stipulé par testateur», formé sur le supin *legatum* de *legare* (→ léguer).

♦ Depuis son abandon comme adjectif au sens de «fait par legs» (XIVe-XVIe s.), *légataire* est seulement employé comme nom (1463) au sens de «celui à qui on fait un legs», en particulier dans ***légataire universel*** (1607). ◇ Il a concurrencé et évincé au XVIIIe s. l'emploi au même sens de *légateur* (1438), notamment au féminin dans *legatteresse universelle* (1529).

LÉGENDE

LÉGENDE n. f. est emprunté (fin XIIe s.) au latin médiéval *legenda* «vie de saint» (v. 1190), emploi substantivé de l'adjectif verbal neutre pluriel de *le-*

gere (→ lire), interprété comme un féminin singulier, proprement «ce qui doit être lu».

♦ Le mot désigne d'abord le récit de la vie d'un saint qu'on lisait au réfectoire, dans les couvents et, en concurrence avec *leçon**, le texte qu'on lisait à l'office des matines et qui contenait le récit de la vie du saint du jour (déb. XIIIe s.). Ces vies de saints étaient relatées par le *Martyrologe* de saint Jérôme, le recueil de Syméon le Métaphraste, la *Légende dorée* de Jacques de Voragine (XIIIe s.), les *Acta martyrum et sanctorum* de Ruinart et des Bollandistes. La monotonie de ces récits avait suscité un sens figuré, «longue énumération» (v. 1400), sorti d'usage en français classique et voisin de celui de *litanie*. ◇ Par extension, *légende* s'applique à tout récit merveilleux d'un événement du passé, fondé sur une tradition plus ou moins authentique, sens attesté selon certains dès la fin du XIIe s., selon d'autres à partir du milieu du XVIe s., après un emploi concernant le récit de la vie et des faits d'un prince (v. 1460). ➛ Vers la même époque, le mot a été réinterprété strictement avec sa valeur de «chose à lire», désignant l'inscription sur une monnaie, une médaille (1579) et s'étendant au texte accompagnant une image et lui donnant un sens (1598). En cartographie (1797), il se dit de la liste explicative des signes conventionnels. C'est dans cette acception qu'il a produit *légender* (ci-dessous). ➛ Le sens devenu courant de «représentation déformée de faits ou personnages réels» est noté pour la première fois (1853) dans l'*Histoire de la Révolution française* de Michelet ; sa valeur est voisine de celle de *mythe*.

▶ **LÉGENDAIRE** n. m. et adj. désigne d'abord (1558) un compilateur, un auteur de légendes, puis un recueil de légendes (1606), se substituant ainsi au plus ancien *légendier* (XIVe s.). ◇ L'adjectif est seulement attesté à partir de 1836, qualifiant ce qui relève de la légende et (1848) ce qui est entré dans la légende, d'où (XXe s.) ce qui est universellement connu. ➛ Il a produit **LÉGENDAIREMENT** adv. (1894). ➛ **LÉGENDER** v. tr. (1884) signifie «accompagner une carte, un document iconographique d'un texte explicatif» ; il est surtout utilisé au participe passé *légendé*.

◈ ✱ **LÉGER, ÈRE** adj. est issu (1080) du latin tardif *°leviarius*, par lequel on est amené à supposer une forme *°levius* (d'ailleurs attestée par l'ancien français *liége*) à côté de l'adjectif classique *levis* «peu pesant» (au propre et au figuré), «de peu d'importance», et psychologiquement «frivole, inconstant», antonyme de *gravis* (→ grave).

♦ Tout comme le mot latin, *léger*, au sens concret de «qui pèse relativement peu», qualifie fréquemment les pièces d'armement, dans ses premières attestations. Un de ses autres emplois particuliers, ***monnaie légère*** (1589), «qui n'a pas le poids requis», est sorti d'usage. ◇ Par analogie, *léger* qualifie un repas, un mets qui ne pèse pas sur l'estomac (1690), une chose qui donne l'impression d'être peu chargée (notamment une partie du corps). ◇ Par glissement de sens, *léger* signifie aussi «qui se meut avec rapidité» (1080), d'où ***pas léger*** (XIIe s.), et aussi «qui a peu de matière, de substance» (1690), s'opposant alors à *épais ;* il correspond également à «qui a peu de force (d'un thé, d'un parfum)» (1732), s'opposant à *fort*. Une autre nuance, beaucoup plus ancienne, est «qui a de la délicatesse dans la forme» (XIIe s.). ◇ Depuis la fin du XIIe s., l'adjectif est employé avec un sens affaibli pour exprimer une idée de petitesse, de ténuité. ➛ Ses sens figurés sont eux aussi apparus très tôt (1174), à propos d'une personne qui a peu de profondeur, de sérieux, quelquefois avec une nuance d'inconstance (déb. XIIIe s.) qui n'est plus réalisée, de nos jours, qu'en parlant des choses de l'amour (1573). ◇ Depuis l'ancien français (1210), il s'applique aussi à un esprit qui a de la grâce, de la délicatesse et (1692) à une production artistique (musique, poésie) facile à comprendre, gaie. Au début du XVIIIe s. (av. 1711), s'y ajoute le sens de «trop libre» (de propos, de mœurs). ◇ *Léger* entre dans la locution adverbiale ***à la légère*** (1544), qui est passée de son sens premier «de façon peu pesante» à «sans réfléchir» (1668). ◇ Appliqué à une chose, il la définit comme «facile à supporter» (v. 1165), «facile à apprendre» (1280), «de peu d'importance» (XIIIe s.) et, en termes médicaux, «qui agit légèrement» (v. 1278, *dépuration légère*). ◇ Avec une nuance dynamique, il qualifie un esprit délié, subtil (v. 1210), puis également une conversation (1690), un ouvrage plaisant, agréable, peu profond (1751, *ouvrages légers*, en bonne part). ➛ Au sens concret, une spécialisation en athlétisme et surtout en boxe, correspond à *poids léger*, catégorie située entre *plume* et *mi-moyen* (autour de 60 kg). De cet emploi vient **SUPERLÉGER** adj. et n. m. (1960) à propos d'athlètes, de boxeurs pesant entre 60 et 63,5 kg.

▶ **LÉGÈREMENT** adv. (v. 1131), «d'une manière légère», a signifié «facilement» en ancien et moyen français (XIIe-XVe s.), ainsi que «rapidement, sans tarder» (v. 1360 - v. 1600). ◇ Il correspond surtout à la valeur physique de «sans lourdeur» (v. 1131), et, à propos des actions, des processus, d'«un peu, faiblement», «d'une manière qui donne une impression de souplesse» (fin XVe s.). ◇ Le sens abstrait, «inconsidérément» (fin XVe s.), empiète alors sur l'emploi de la locution adverbiale *à la légère*.

LÉGÈRETÉ n. f., dont la forme est issue (1355) de *legerté* (1150) par substitution de suffixe, correspond à tous les sens de l'adjectif ; le sens abstrait de «caractère de ce qui est inconsidéré», attesté dès les premiers textes, a donné lieu à un emploi métonymique *(une, des légèretés)* pour «acte irréfléchi» (av. 1778).

Deux verbes correspondent à *léger*. ➛ Le plus courant est **ALLÉGER** v. tr. (XIe s.), issu du bas latin *alleviare*, de *levis*, et qui a produit **ALLÉGEMENT** n. m. (XIIe s.), le déverbal de sens technique **ALLÈGE** n. f. (XVIIe s., au sens ancien d'«allègement») et ② **ALLÉGEANCE** n. f. (XIIe s.), vieux mot qui signifie «soulagement», à ne pas confondre avec l'anglicisme *allégeance* (→ ① allégeance). ➛ Le second est **ÉLÉGIR** v. tr. (XIIIe s., *eslegier*), de *é-* et du bas latin *leviare*, qui signifie d'abord «rendre plus léger», mais a été éliminé dans ce sens par *alléger*. ◇ La variante **ÉLIGIR** s'est conservée avec le sens technique de «réduire les dimensions d'une pièce de bois» (1694), aujourd'hui rare.

◈ voir ALEVIN, ÉLEVER, ENLEVER, LEVER, LÉVITATION, LIÈGE, PRÉLEVER, RELIEF, SOULAGER, SOULEVER.

LEGGINGS n. m. pl., attesté une première fois en 1803 transcrit *leguins* (Volney), puis en 1844 sous la forme moderne, est emprunté à l'anglo-américain *leggings* «jambières» (1751), dérivé de *leg* «jambe» (XIIIe s.). Ce mot est emprunté à l'ancien norrois *leggr* «membre», également employé dans les dénominations de la jambe, du bras.

♦ Le mot, qui désigne des jambières de cuir ou de forte toile, se réfère d'abord à l'habillement des Indiens d'Amérique (glosé *guêtre* ou *culottes de peau*), puis à une pièce de l'équipement des joueurs de cricket, des chasseurs et sportifs. Il ne s'est pas répandu en français avant 1860.

LÉGIFÉRER v., d'abord *législférer* (1796), est dérivé savamment du latin *legifer* «qui établit des lois» et en latin chrétien «législateur», de *lex, legis* (→ loi).

♦ Le verbe, d'abord donné comme un néologisme, puis enregistré avec sa graphie actuelle par l'Académie (1840), a supplanté le verbe *législater* (1799) de même sens. Outre son usage juridique, il est employé au sens figuré (1873) de «dicter des règles» (par exemple en grammaire).

▸ On en a tiré l'adjectif rare **LÉGIFÉRABLE** (1938).

LÉGION n. f. est emprunté (v. 1155, *legiun*) au latin *legio*, dérivé de *legere* «recueillir, choisir, lire» (→ lire), proprement «choix, faculté de choisir». Le mot a pris concrètement le sens de «division de l'armée romaine», soit parce que les hommes y étaient recrutés au choix, soit parce que chacun pouvait se choisir un compagnon d'armes.

♦ Emprunté au XIIe s. comme terme d'histoire romaine, *légion* s'est appliqué par analogie au corps de l'armée française créé par François Ier (1534). ◇ En 1792, a été créée la *légion franche étrangère* qui désignait tout régiment de volontaires étrangers au service de la France. Cependant, la ***légion étrangère*** moderne, qui a été instituée par la loi du 9 mars 1831, fut cédée à l'Espagne en 1835 et peu à peu recréée pour participer à la conquête de l'Algérie. ◇ La ***Légion d'honneur*** est le nom d'un ordre national hiérarchisé créé en 1802 par Napoléon Bonaparte pour récompenser les services civils et militaires. ◆ Par analogie, *légion* avait pris très tôt (v. 1170) le sens de «grand nombre de personnes formant une sorte de troupe», d'abord en contexte biblique à propos des anges et démons *(célestes légions, légions infernales)*, puis (av. 1191) dans un style assez familier pour «grand nombre» (1903, ***être légion***).

▸ **LÉGIONNAIRE** adj. (v. 1213) et n. (1290), est emprunté au latin *legionarius* comme terme d'histoire romaine. ◆ Son histoire suit celle de *légion*, du sens de «soldat de corps d'armée française» (1534) à celui de «soldat de la légion étrangère» (1902). Le langage officiel et juridique l'emploie pour désigner un membre de la Légion d'honneur (généralement au grade de chevalier) [v. 1802]. ◆ Après la maladie qui frappa en 1976 les participants au Congrès de la Convention de l'*American Legion*, association d'anciens combattants américains, on parla de *maladie du légionnaire* ou **LÉGIONELLOSE** n. f. (1938) en latin scientifique *legionella pneumophila*.

LÉGISLATEUR, TRICE n. est emprunté (v. 1370) au latin juridique *legislator* «celui qui propose des lois», de *legis*, génitif de *lex* (→ loi), et de *lator* «celui qui propose», formé sur *latum*, supin de *ferre* «porter» dans l'expression *legem ferre* (→ légiférer).

♦ Le mot signifie en général «personne qui fait les lois», puis désigne historiquement (1790) un membre du corps législatif sous la Révolution ; il est surtout employé avec son sens figuré, dans le contexte de la philosophie kantienne, ou au sens de «pouvoir qui légifère».

▸ Les autres mots du même groupe ont été empruntés au latin avec influence de l'anglais. ◆ **LÉGISLATION** n. f. (v. 1361), emprunté une première fois au bas latin *legislatio* «proposition de lois» pour désigner un ensemble de lois relatives à un pays, à un domaine, a été repris (1721) par emprunt à l'anglais *legislation* (av. 1655) «droit de faire des lois, exercice de cette puissance», mot de même origine que le français. Depuis 1848, il signifie aussi «science, connaissance des lois». Il a reçu une acception philosophique dans le cadre de la pensée kantienne (déb. XIXe s.). ◆ **LÉGISLATURE** n. f., apparu (1636) comme synonyme du précédent, a été formé sur lui et sur *législateur* par substitution de suffixe, sous l'influence de mots comme *magistrature*. Son sens de «pouvoir législatif» (1776) est un emprunt à l'anglais *legislature* (av. 1678), lui-même formé sur *legislator*. Le sens le plus courant du mot aujourd'hui, «durée d'un mandat d'une assemblée législative», est attesté depuis 1791. ◆ **LÉGISLATIF, IVE** adj., attesté une première fois comme nom féminin *(la legislative)* pour «science du législateur» (v. 1370), a été repris comme adjectif (1652) d'après l'anglais *legislative* «qui fait des lois, qui a la fonction de législateur» (1651) et «relatif à la législation» (1641). ◇ Le mot français a repris ces sens (respectivement 1652 et 1803), son usage normal datant de la seconde moitié du XVIIIe s., puis de la Révolution, notamment avec l'***Assemblée législative*** (1791), substantivement *la législative* (id.).

LÉGISTE n. m. et adj., réfection (av. 1300) de *legistre, legitre* (1210), est emprunté au latin médiéval *legista* «homme de loi» (1188), dérivé de *lex, legis* (→ loi).

♦ Historiquement, le mot désigne les conseillers juridiques des rois de France, plus spécialement sous les Capétiens qui employaient toutes les ressources du droit pour justifier et accroître l'autorité de la monarchie, notamment contre la féodalité. ◆ Il est employé en apposition dans ***médecin légiste*** (1833) «chargé d'expertises en matière légale et s'occupant notamment des victimes de meurtres».

LÉGITIME adj. est emprunté (1266) au latin *legitimus*, de *lex, legis* (→ loi), «établi par la loi», «conforme aux règles», substantivé en latin médiéval au féminin pour désigner l'épouse (av. 1081), et au masculin pour désigner l'héritier légitime (av. 1250).

♦ *Légitime,* «fondé en droit», est synonyme de *légal* dans certaines expressions juridiques, moins nombreuses aujourd'hui qu'autrefois. Dans le domaine juridique, il est employé notamment en parlant d'un lien de parenté reconnu par la loi (v. 1300), par exemple un mariage (v. 1398), et, depuis le XVIe s., signifie aussi «conforme à l'équité, au droit naturel», spécialement ***légitime défense*** (v. 1810). ◇ Plus couramment, il correspond à «juste, justifié par le bon droit» (1588), s'opposant alors à *légal,* et indiquant l'existence d'un droit supérieur pouvant ne pas coïncider avec le droit positif. Ce droit supérieur a pu être identifié au droit divin au cours de l'histoire (notamment au XIXe s., par exemple dans *monarchie légitime*); cf. ci-dessous *légitimité, légitimiste.* ◇ Le féminin substantivé (1562) a désigné l'institution destinée à protéger les héritiers légitimes, sens avec lequel il a produit **LÉGITIMAIRE** adj. (1579) «qui appartient à la réserve légale», mot sorti d'usage. ◇ Depuis 1845, le nom féminin *la, sa légitime* est employé populairement comme synonyme d'*épouse* (par opposition à *maîtresse, concubine*), elliptiquement pour *femme, épouse légitime,* retrouvant ainsi un sens du latin médiéval.

▸ *Légitime* a produit **LÉGITIMEMENT** adv. (1266) «conformément à la loi» et (XVe s.) «avec raison». ◆ **LÉGITIMER** v. tr. (v. 1280) signifie d'abord «reconnaître (un enfant naturel) comme digne des droits de l'enfant légitime», puis «rendre légitime, reconnaître pour légitime» et (1694) «reconnaître pour authentique». ◇ Les sens plus courants, dans l'usage moderne, de «justifier au nom du droit naturel» (v. 1780) et «rendre légitime (un état de fait)» (1821) sont apparus les derniers. ◆ **LÉGITIMATION** n. f. (1340) a suivi le même développement juridique et (1855) courant.

LÉGITIMITÉ n. f. (1694), précédé par le latin médiéval *legitimitas,* «naissance légitime» (1220), est apparu au sens de «qualité de ce qui est juste»; il est devenu à la fin du XVIIIe s. un terme du vocabulaire politique, par exemple sous la plume de Chateaubriand, ardent défenseur du droit fondé sur le principe de l'hérédité de la couronne dont devaient se réclamer les princes de la branche aînée des Bourbons. ◆ En ce sens, il a entraîné la formation des termes idéologiques **LÉGITIMISTE** n. et adj. (1830, Balzac) et **LÉGITIMISME** n. m. (1839, Baudelaire), relatifs aux partisans de la branche aînée des Bourbons après la révolution de 1830.

Le préfixe *il-* a servi à former les vocables antonymiques **ILLÉGITIME** adj. (1458, emprunt au latin juridique *illegitimus*), **ILLÉGITIMEMENT** adv. (XVe s.) et **ILLÉGITIMITÉ** n. f. (av. 1615), ce dernier plus rare. La nuance entre cette série et celle de *illégal* est celle qui existe entre la notion de loi écrite et celle de droit naturel (cf. ci-dessus).

LEGS n. m. ne se rattache pas à *léguer* comme on le croit spontanément, mais à *laisser**: c'est en effet l'altération (1466), à la suite d'un faux rapprochement étymologique avec le latin de même sens *legatum* (→ légat), de l'ancien français *lais* «ce qu'on laisse à un héritier», déverbal de *laisser**.

♦ Tandis que *lais* s'est maintenu avec d'autres sens, *legs* s'est imposé comme terme juridique et a développé la valeur figurée de «ce qui est transmis, héritage» (1830) qui correspond à *léguer.*

▸ **PRÉLEGS** n. m. a été formé (1690) comme déverbal de *préléguer* (→ léguer), pour désigner en droit un type de legs particulier avant le partage.

LÉGUER v. tr., d'abord *leghier* (XIIIe s.), est emprunté au latin *legare,* dérivé de *lex, legis* (→ loi), dont le premier sens a dû être «fixer par contrat» ou «charger par contrat». Le rapport avec le nom a vite cessé d'être perçu et *legare* a pris le sens de «déléguer à qqn (une charge)», en particulier, en droit privé, «déléguer à ses héritiers l'exercice d'une autorité posthume, la charge d'un legs» et parallèlement «déléguer, députer (qqn) pour faire qqch.».

♦ Le verbe a reçu du latin le sens du droit privé et la valeur extensive, qui s'est conservée dans le composé *déléguer** et le dérivé *légat**, mais *léguer* est surtout vivant avec son acception juridique, liée à *lais* devenu *legs**, à partir de laquelle il a développé la valeur figurée de «transmettre» (1821), «laisser comme bien sacré, confier» (1840).

▸ **PRÉLÉGUER** v. tr., emprunté (1508) au latin *praelegare,* de *prae* (→ pré-) et *legare,* se rapporte au fait de léguer qqch. à qqn avant le partage (→ prélegs, art. legs).

◈ voir ALLÉGUER, DÉLÉGUER, LÉGAT, LÉGATAIRE, LEGS, RELÉGUER.

LÉGUME n. m., d'abord *lesgum* (XIVe s.), *legum,* puis *légume* (1530), est emprunté au latin *legumen,* mot qui semble avoir d'abord désigné les plantes dont le fruit est une cosse (pois, fève, etc.) par opposition à *(h)olus,* mot désignant les légumes verts, en particulier le chou. Par suite, *legumen* a désigné dans l'usage courant toute espèce de plantes potagères (voire chez certains auteurs, des plantes fourragères) et est passé dans les langues romanes. L'étymologie populaire l'a rapproché de *legere* «cueillir» (→ lire), mais on est plutôt en présence d'un mot non indoeuropéen, emprunt à une langue inconnue. En français, *légume* a éliminé l'ancien doublet populaire *leüm, leun,* attesté de 1170 au XIVe s. et conservé dans quelques parlers du domaine franco-provençal (suisse *lion*) et une partie du domaine occitan.

♦ Jusqu'au XVIIe s., le mot est resté très proche du sens originel du latin *legumen,* recouvrant toutes les plantes potagères cueillies pour servir d'aliment, mais plus particulièrement les graines comestibles venant en gousses (pois, fèves, lentilles, plus tard haricots). ◆ L'acception moderne s'est esquissée au XVIIe et au XVIIIe s., avec l'introduction de l'adjectif *légumineux,* et le déclin d'*herbe* au sens de «légume». D'abord masculin, puis féminin en langue classique, *légume* commence au XVIIe s. à être employé aux deux genres; le masculin s'est imposé presque partout sauf pour le sens métaphorique, argotique puis familier, de «personnage important» (1832, *une grosse légume;* 1903, *une légume*). ◇ Divers syntagmes comme *légumes verts, légumes secs* (au XVIIIe s. : «les légumes se mangent verds ou secs», *Encycl.*) précisent l'emploi du mot au sens propre. ◇ L'emploi du singulier à valeur collective *(de) la légume* (XIXe-XXe s.), abandonné parce qu'il était senti comme populaire et fautif, réactive en fait les premiers emplois du mot, sous la forme *leum, leun*.

▸ Le dérivé ① **LÉGUMIER** n. m. (1715), «jardin où l'on plante des légumes», fournit également un adjectif **LÉGUMIER, IÈRE** «relatif aux légumes» (1790). ◇ ② **LÉGUMIER** n. m. se dit d'un plat couvert dans lequel on sert les légumes (1873). Le mot s'emploie en Belgique pour «maraîcher», sens attesté dans l'Anjou au XIXe siècle. ◇ ③ **LÉGUMIER, IÈRE** n. semble récent (att. 1998) pour «producteur de légumes», plus général que *maraîcher*. ◆ **LÉGUMISTE** n. (1767) est tombé dans l'oubli, tant au sens de «maraîcher» que comme dénomination d'une secte végétarienne anglaise (1867). ◆ **LÉGUMINE** n. f. est enregistré en 1845 comme nom scientifique de l'albumine végétale contenue dans les graines de légumineuses; il est sorti d'usage.
LÉGUMINEUX, EUSE adj. et n. f. pourrait être emprunté (1570) au latin médiéval *leguminosus*, pour qualifier les plantes dont le fruit est une gousse comestible. En ce sens, il a été substantivé dans la classification botanique (1763, *les légumineuses*), succédant à l'ancien *légumage* (1549-1660) et captant le sens le plus ancien de *légume*.
Légume est entré au XIXe s. dans les noms d'ustensiles de cuisine **COUPE-LÉGUMES** n. m. (1845) et **HACHE-LÉGUMES** n. m. (1866).

LEITMOTIV → MOTIF

LÉMURE

LÉMURE n. m. est un emprunt savant (1488) au latin *lemures*, au pluriel, «spectres qui reviennent la nuit tourmenter les vivants», mot que l'on rapproche sans certitude du grec *lamia*, nom d'un démon femelle vorace, supposé dévorer les vivants, mot encore usité en grec moderne et donnant lieu à l'emprunt *lamie**.

♦ Le mot se limite à l'évocation des mythes de l'antiquité romaine.

▸ **LÉMURIENS** n. m. pl. est issu (1804) du latin scientifique *lemur*, nom donné par Linné au maki, animal qui ne sort que la nuit, comme un lémure. ◇ Il désigne un sous-ordre de mammifères primates, aussi appelés *paresseux*. ◆ **LÉMUR** n. m. a été adopté en français (1873) pour désigner le maki.

LENDEMAIN → DEMAIN

LENDIT

LENDIT n. m. est issu (v. 1120), avec agglutination de l'article défini *l'*, du latin médiéval *indictum* «ce qui est fixé, annoncé», attesté en latin chrétien au sens de «commandement, notification», et employé au moyen âge pour désigner les foires publiques (1096) en tant qu'elles sont proclamées, annoncées par le ban. Le mot désigne en particulier les fêtes célébrées le 8 juin 1048 en l'honneur des reliques de la Passion reçues en 1047 par l'abbaye de Saint-Denis, ces fêtes ayant entraîné la création de foires dans le bourg. Une foire extérieure, résultat de l'extension de la première, a été créée et cédée par Louis VI aux moines (charte de donation du 3 août 1124). Peu après, *indictum* désigne la foire elle-même (1138-1145). Le mot est la substantivation du participe passé neutre de *indicere* «déclarer publiquement, notifier, fixer», formé de *in-* (→ in-) et *dicere* «montrer, désigner, dire» (→ index).

♦ Après une attestation isolée au sens général de «notification, commandement», le mot a été repris comme désignation de la foire qui se déroulait une foi l'an à Saint-Denis au mois de juin (1176-1181). Par métonymie, il s'est appliqué au congé accordé au Parlement et aux Universités pour se rendre à cette foire (1690, Furetière écrit *landi* et signale que la foire existe encore, moins solennelle qu'autrefois).

LÉNIFIER

LÉNIFIER v. tr. est emprunté (XVe s.) au bas latin *lenificare* «adoucir» (en médecine), du latin classique *lenis* «doux» (au toucher puis en général), mot sans étymologie connue éliminé par *dulcis* (→ doux), et de *fecere (-ficere)* (→ faire).

♦ Terme de médecine, *lénifier* a développé vers 1845 le sens figuré d'«apaiser, calmer», d'usage soutenu.

▸ Son participe présent **LÉNIFIANT, ANTE** adj. est employé en médecine (1850) et au figuré (1890). ◆ Le nom correspondant, **LÉNIFICATION** n. f. (XIVe s.), formé sur le radical du verbe latin, est plus rare.
D'autres mots se rattachent au même groupe. ◆ **LÉNITIF, IVE** adj. (1325), emprunté au latin médiéval *lenitivus* (1250), attesté avec un sens figuré dès 1574 et substantivé, en médecine (XVIe s.), puis au figuré (1696). ◆ Le terme de phonétique **LÉNITION** n. f. (1933) «affaiblissement articulatoire d'une consonne» est dérivé du supin de *lenire* «adoucir, calmer», lequel était représenté en moyen français par *lénir* (XVe s.).

✳ LENT, LENTE

✳ **LENT, LENTE** adj. est issu (1080) du latin *lentus* «souple, élastique, flexible» d'où «mou» au physique et au moral, «indolent, nonchalant»; sous l'Empire, le mot a même pris la valeur de «persistant, tenace» et de «visqueux». L'origine de *lentus* est obscure : il peut s'agir d'un emprunt à l'étrusque, le rapprochement avec l'ancien haut allemand *lindi* «doux, tendre», lui-même isolé, ne permettant pas de proposer une origine indoeuropéenne (germanique).

♦ Le champ d'emploi du mot, plus vaste en ancien français, s'est considérablement simplifié au XVIe, puis au XVIIe s., au profit du sens de «mou, qui manque de rapidité», attesté dès les premiers textes en parlant d'un être, puis aussi d'une chose (v. 1250), et, à partir du XVIe s., de l'esprit (1580), d'une maladie (v. 1580), puis du pouls (1680), sens à la fois physique et psychologique. ◇ D'autres valeurs, reprises au latin aux XVe et XVIe s., ont été abandonnées, par exemple «flexible, souple» (XVe s.), «humide, moite» (v. 1580), «visqueux, gélatineux» (v. 1550), qui sont des latinismes savants. ◇ Les connotations concrètes ayant disparu, l'adjectif a aujourd'hui une valeur surtout temporelle, parfois psychologique, et s'oppose à *rapide*.

▸ **LENTEMENT** adv. (v. 1155) n'a pas suivi le même type d'évolution : il n'a pas dévié de son sens initial, «de manière lente», dans l'espace et (v. 1265) dans le temps, sinon pour exprimer psychologiquement l'idée de «mollement, sans ardeur» (v. 1220; puis v. 1600). Il s'oppose à *rapidement* et à *vite*. ◆ **LENTEUR** n. f. semble recouvrir à la fois le dérivé de *lent* (1355) et le représentant savant du latin *lentor* «flexibilité, souplesse, viscosité». Le sens de «manque de rapidité dans l'action» d'où «manque de rapidité dans la compréhension, la réflexion» (1671, *lenteur d'esprit*), d'où au pluriel *des lenteurs* «retard dans l'accomplissement d'une chose» (1679), s'est imposé. ◇ En revanche, d'autres valeurs, concrètes, «moiteur, viscosité» (v. 1560-1636) et abstraites, «paresse, manque d'ardeur» (1606-1715), ont disparu.

RALENTIR v. a été formé (v. 1550) par préfixation en *re-* de l'ancien *alentir*, lui-même variante de *allenter* et attesté jusqu'au XVIIIe siècle. Le verbe signifie «rendre plus lent (un mouvement, un déplacement)», dans l'espace, puis aussi (1580) dans le temps. ◇ Par extension, il s'emploie avec la valeur de «rendre moins intense» (v. 1580). ◇ L'emploi intransitif (1774) a quasiment éliminé le pronominal *se ralentir* (1653), devenant très courant avec le développement des transports (chemins de fer, puis automobile) comme antonyme d'*accélérer*. ◆ **RALENTI, IE**, son participe passé, a été adjectivé (1690) puis, ultérieurement, substantivé au masculin (1921) en technique cinématographique, et s'est répandu dans la locution ***au ralenti*** (1935), au propre et au figuré. ◆ **RALENTISSEMENT** n. m. (1584) lui sert de nom d'action. ◆ **RALENTISSEUR** n. m., d'introduction plus récente (1903), est le nom d'un dispositif servant à réduire la vitesse. ◇ En physique, le mot s'applique à une substance utilisée dans un réacteur nucléaire pour ralentir les neutrons émis au moment de la fission des noyaux de matière combustible (1962 dans les dictionnaires généraux).

◈ voir LANTIPONNER, RELENT.

① **LENTE** n. f., d'abord *lentres* (v. 1100), puis *lente*, est issu du latin populaire °*lenditem* «œuf de pou», accusatif pris pour un nominatif, du latin classique *lens, lendis*, terme populaire qui a été déformé de manières diverses (on relève *lendis, lendix, lendina* et le pluriel *lendines* auxquels remontent l'italien *lendine* et l'espagnol *liendre*). Sans pouvoir reconstituer un terme originel commun, on note des formes voisines (*n* + dentale) dans plusieurs groupes indoeuropéens, le baltique °*gninda*, le gallois *nedd*, le grec *konides*, ou même l'ancien haut allemand *hniz*, l'arménien *anic* : elles incitent à poser un type populaire déformé de diverses manières.

♦ Le mot, désignant l'œuf du pou, est demeuré en usage dans la mesure où ce parasite est combattu par l'hygiène.

① **LENTILLE** n. f. est issu (v. 1170) du latin populaire *lentīcula*, autre forme du classique *lentĭcula* «lentille, plante et graine» et, de là, tout objet en forme de lentille (tache de rousseur, etc.). C'est le diminutif plus répandu de *lens, lentis*, mot de même sens, probablement emprunté (nom indoeuropéen ou italique).

♦ *Lentille*, d'abord employé comme un singulier à valeur collective, désigne la plante et (v. 1170) sa graine comestible. Il ne s'emploie plus qu'au pluriel, le singulier désignant une graine. ◆ Son ancien sens de «tache de rousseur» (1300, *lantille*) est aujourd'hui vieilli tout comme l'adjectif qui lui correspond, **LENTILLEUX, EUSE** adj. (XIIIe s.; fin XIe s., *lentileus*). ◆ Par une autre analogie de forme avec la graine, *lentille* a fourni le nom d'une plante aquatique (XVe s., *lentille d'eau*). ◆ Le mot est passé au XVIIe s. dans le vocabulaire de l'optique (dès 1637, Descartes parle de *verre en forme de lentille*), tant pour les instruments d'optique qu'en lunetterie et, beaucoup plus tard, par analogie, en optique électronique. D'autres emplois techniques ont suivi (1743, *lentille de pendule*). ◇ Aujourd'hui, le nom de la légumineuse et celui du verre optique sont deux homonymes, sémantiquement séparés. Le second désigne aussi des formes géométriques (*lentille biconvexe, biconcave*, etc.).

▸ Le dérivé **LENTILLON** n. m. (1835) désigne une variété de lentille à petite graine rouge.

LENTICULAIRE adj. est emprunté (1314) au latin *lenticularis* «de lentille», dérivé de *lens*. ◇ Le mot a été employé substantivement comme nom d'un instrument de chirurgie à l'extrémité en forme de lentille. Adjectivé dès le XIVe s., il entre au XVIIe s. dans le vocabulaire de l'optique (1690, *verre lenticulaire*), probablement d'après l'anglais (1658, *lenticular optick glasses*). Il s'est aussi spécialisé en anatomie (1735, *os lenticulaire*) et en géologie (1765, *pierre lenticulaire*). ◆ Au XVIIIe s., la botanique a emprunté **LENTICULE** n. f. (1803), par le latin scientifique *lenticula* (1763), au latin classique *lenticula*. Dès le XVIe s., le mot figure dans une glose (1541) et est attesté chez A. Paré au sens de «bouton, pustule en forme de lentille». Il désigne aujourd'hui la lentille d'eau. ◆ **LENTICELLE** n. f. a été dérivé savamment (1825) du latin *lens, lentis* d'après les diminutifs en *-cellus, -cella* pour désigner une tache rouge ovale qui se forme sous l'épiderme des arbres. ◇ En est dérivé l'adjectif **LENTICELLÉ, ÉE** (1847).

LENTISQUE n. m., réfection (1538) de *lentisce* (XVe s.), est probablement emprunté, étant donné l'aire géographique où l'on trouve l'arbre, à l'ancien provençal *lentiscle* (XVe s.), issu d'un latin populaire °*lentisculus*, diminutif du latin classique *lentiscus* de même sens. Ce dernier, vraisemblablement emprunté (avec un suffixe rappelant les noms grecs en *-iskos*), est à l'origine de l'ancien français *lentisc* (XIIIe s.), probablement lui aussi par l'intermédiaire de l'ancien provençal *lentisc* (XIVe s.).

♦ Le mot désigne un arbuste des régions méditerranéennes et arides, utilisé notamment pour sa résine ou mastic.

① **LÉONIN, INE** adj. est emprunté (v. 1160) au latin *leoninus* «de lion, propre au lion», spécialement employé dans la langue juridique à basse époque, dans l'expression *societas leonina* «société dont un membre prend la part du lion», allusion aux fables latines où le lion, ayant fait association avec d'autres animaux, s'adjuge toutes les parts du butin. Le mot est dérivé de *leo, leonis* (→ lion).

♦ L'adjectif qualifie ce qui rappelle le lion et, plus strictement, (déb. XIIIe s.) ce qui est propre au lion. ◇ Par allusion aux fables de Phèdre, puis de La Fontaine (I, 6), il qualifie (1680) une affaire, un contrat dans lesquels une personne se taille la «part du lion».

② **LÉONIN, INE** adj. est l'adjectif formé (v. 1175, *rime lionime*) sur le nom de *Léon (Leo)* de Saint-Victor, chanoine ayant vécu à Paris au XIIe s. et qui avait mis à la mode des vers latins dans lesquels une même assonance est répétée plusieurs fois. Une influence secondaire de ① *léonin** est probable, la richesse des vers étant rapprochée du caractère noble et altier du «roi des animaux».

♦ Ce terme de poétique qualifie des rimes très riches dans lesquelles plusieurs syllabes sont identiques et (1680) des vers (latins ou français) dont les deux hémistiches sont assonancés ou riment.

LÉOPARD n. m., réfection (*leopart*, v. 1200) des formes semi-populaires *leupart* (1080), *liepart* (v. 1170), est emprunté au bas latin *leopardus* de même sens. Ce dernier est composé de *leo* (→ lion) et de *pardus*, nom du mâle de la panthère, que l'on rapproche du grec *pardos* dans le groupe de *pardalis* «panthère, léopard» lui-même emprunté à une langue orientale non déterminée. On a vu dans *pardus* l'emprunt du mot grec, mais Chantraine fait de *pardos* l'adaptation de *pardus*, tout comme le mot tardif *leopardos* serait, selon lui, adapté du latin *leopardus*.

♦ Le mot désigne un grand carnassier félin à robe marquetée des régions tropicales, pris quelquefois en poésie, à cause des blasons, comme symbole de l'Angleterre (fin XIVe s.). Le mot est employé spécialement en héraldique (XVIe s.) à propos d'un lion représenté «passant», et non «rampant». ➡ Par analogie, il se dit d'un poisson, anciennement le merlu (1611), et de nos jours, dans l'expression ***léopard de mer*** (XXe s.), d'un phoque carnivore des mers australes. ➡ Par une métonymie habituelle, le mot désigne la fourrure du félin utilisée en pelleterie (1924) et, dans ***tenue léopard*** (1968), une tenue militaire de camouflage tachetée.

▶ **LÉOPARDÉ, ÉE** adj. (1501) qualifie une robe, une peau mouchetée comme celle du léopard, spécialement en blason (1502) le lion passant.

LÉPID(O)-, élément savant, est tiré du grec *lepis, lepidos* «écaille», «coquille», «éclat de métal» (→ lépiote), dérivé de *lepein* «éplucher, enlever l'écorce», également par métonymie «manger» et, dans les comédies, par métaphore «battre» (→ lèpre). Le verbe grec n'a pas de correspondant dans les langues indoeuropéennes, mais il existe quelques thèmes nominaux qui répondent formellement aux formes grecques, comme le lituanien *lāpas* «feuille», l'albanais *lapë* «lambeau, feuille», le lituanien *lōpas* «pièce, lambeau».

♦ L'élément entre dans la formation de termes des sciences de la nature. Le plus ancien est aussi le plus important et le plus courant. **LÉPIDOPTÈRES** n. m. pl. (1754) est l'adaptation du latin scientifique *lepidoptera* employé par Linné (1744) et composé de *lepis, lepidos* et de *pteron* «plume d'aile» d'où «aile» (→ -ptère). Le mot dénomme un ordre d'insectes aux quatre ailes couvertes de minuscules écailles, dénommés couramment, sous leur forme adulte, *papillons*. ➡ Il a produit quelques termes d'usage didactique, tels **LÉPIDOPTÉRISTE** n. (1860), **LÉPIDOPTÉROLOGIE** n. f. (1873), **MICROLÉPIDOPTÈRES** n. m. pl. (1873) et **MACROLÉPIDOPTÈRES** n. m. pl., ce dernier formé au XXe s. comme antonyme du précédent.
Lépido- a été productif au XIXe s. en minéralogie : — **LÉPIDOLITHE** n. m. «mica blanc» (1803), en paléontologie : **LÉPIDODENDRON** n. m., proprement «arbre à écailles», désignant un arbre fossile de l'ère primaire (1828), — et surtout en zoologie avec **LÉPIDOPE** n. m. (1808, par le latin scientifique *lepidopus*), proprement «pied écailleux», **LÉPIDOSIRÈNE** n. f. (1873), **LÉPIDOSTÉE** n. m. (1875, par le latin scientifique *lepidosteus*), termes qui dénomment tous des poissons.
LÉPISME n. m. est l'adaptation du latin scientifique *lepisma* (Linné, 1767), repris au grec *lepisma* «écorce ou écaille enlevée», dérivé de *lepis*. ➡ Le mot, après avoir désigné momentanément (1803) un poisson du genre du sciène, désigne un insecte appelé communément *poisson d'argent*.

◈ voir **LÉPIOTE**.

LÉPIOTE n. f. est la francisation (1816) du latin scientifique *lepiota* (1801) formé sur le grec *lepion*, plus souvent *lepis* «écaille, croûte, coquille, éclat de métal», par allusion aux écailles couvrant le chapeau de ce champignon. Le mot est dérivé de *lepein* «éplucher, enlever l'écorce» (→ lépid(o)-).

♦ Le mot désigne un champignon caractérisé par un long pied fibreux, un anneau et un chapeau écailleux, le plus souvent comestible.

LÈPRE n. f., d'abord *liepre* (v. 1120), puis *lèpre* (1283), est emprunté au latin *lepra* «maladie qui ronge», dit au figuré de ce qui s'attaque aux objets, et répandu par la langue de l'Église avec le sens métaphorique de «péché, hérésie». *Lepra* est emprunté au grec *lepra*, de *lepein* «éplucher, enlever l'écorce», verbe dont on rapproche plusieurs formes nominales, comme le lituanien *lāpas* «feuille», l'albanais *lapë* «lambeau», le russe *lapotĭ* «chaussures d'écorce».

♦ Le mot, qui désigne anciennement toute maladie contagieuse rongeant les chairs (chancre, etc.) et, de nos jours, une maladie infectieuse provoquée par le bacille de Hansen (sens ancien, seulement précisé par la science), s'applique aussi par extension à un ensemble de taches qui rappellent les macules de la lèpre (1837). ➡ Dès le XVIe s., il a développé le sens figuré de «mal qui s'étend de proche en proche», emploi archaïque relayé de nos jours par *cancer*. ➡ En horticulture, le mot désigne une maladie des arbres provoquant l'apparition de croûtes blanchâtres sur les feuilles et les bourgeons (1767).

▶ Le mot est resté sans dérivés jusqu'à la fin du XIXe s., lorsqu'il a donné, en médecine, **LÉPROME** n. m. (1888) puis **LÉPROLOGIE** n. f., **LÉPRO-**

LOGUE n. et **LÉPROLOGISTE** n., ainsi que **LÉPRIDE** n. f. (XXe s.).
L'adjectif correspondant au nom, **LÉPREUX, EUSE**, est emprunté sous la forme *leprous* (1050), *lieprous* (XIIe-XIIIe s.), refait en *lépreux* (XIVe s.), au latin chrétien *leprosus* «lépreux» et, dans le domaine moral, «hideux». ◆ Il a évincé d'autres désignations médiévales du malade atteint par ce mal, *ladre** et *mesel*. ◇ Il a pris la valeur figurée de «paria» (1844; déjà en locution, 1524, *lépreux en ame*). ◇ Par analogie, il qualifie (1863) une matière, une surface (un mur, un plafond) dont les altérations évoquent les croûtes et les taches de la lèpre. ◆ L'hospice où l'on soigne les lépreux est dit **LÉPROSERIE** n. f., emprunt (1568, *leprosarie*) au latin médiéval *leprosaria* (XIIIe s.), de *lepra*.

◈ voir **LÉPIDO-, LÉPIOTE.**

LEPTO- est un élément savant tiré du grec *leptos* «mince» et que l'on trouve dans des composés scientifiques formés en grec, en latin moderne (empruntés) ou formés en français.

▸ **LEPTURE** n. m. est le nom (1770) tiré de *leptos* et *oura* «queue» pour désigner un coléoptère. ◆ **LEPTOCÉPHALE** n. m. (1809), de *-céphale*, désigne la larve de l'anguille. ◆ **LEPTOSPIRE** n. m. (1945; de *spire*) est le nom d'une bactérie qui peut causer une maladie infectieuse, la **LEPTOSPIROSE** n. f. (1945). **LEPTON** n. m., emprunt (mil XXe s.) à l'angl. *lepton* (1948; du grec *leptos* et electr*on*) désigne les particules élémentaires légères et s'oppose à *hadron*.

LEQUEL → **QUEL**

LÉROT → **LOIR**

LESBIEN, IENNE adj. et n. (surtout féminin) est dérivé (1640, *Lesbin*, n.) de *Lesbos*, nom d'une île de la mer Égée (Mytilène), patrie de la poétesse Sapho, célèbre pour ses mœurs homosexuelles *(saphisme)*.

♦ *Lesbien*, nom masculin, apparu au sens de «mignon, amant d'un homme», a pris son sens moderne «homosexuelle» comme adjectif féminin (1784) et, vers 1867, comme nom féminin. ◆ Parallèlement, il est quelquefois employé au sens propre de «relatif à l'île de Lesbos, à son ancien dialecte» (1832).

▸ Il a pour dérivé **LESBIANISME** n. m. (1936, Gide) ou **LESBISME** n. m. (1952) «homosexualité féminine».

LÈSE adj. f. inv. antéposé, d'abord *leze* (1344), est l'élément tiré du latin juridique *crimen laesae majestatis* «crime de majesté lésée» où *laesae* est le génitif féminin du participe passé de *laedere* (→ léser) : c'est donc à l'origine un adjectif, bien qu'on ait tendance à le percevoir aujourd'hui comme l'élément verbal «qui lèse».

♦ Apparu dans *meffait de leze majesté*, puis *criesme* [crime] *de lese majesté* (1354), expression calquée sur la formule latine, il entre depuis dans des constructions formées sur le modèle de *lèse-majesté* et qui ressortent soit du style littéraire soit du style plaisant (1673, *crime de lèse-faculté*, Molière).

◈ voir **LÉSER.**

LÉSER v. tr. est dérivé (1538), d'après l'expression *lèse-majesté*, du latin *laesus* (→ lèse), participe passé de *laedere* «frapper, blesser» au physique et au moral, d'où «faire injure ou dommage», mot sans étymologie connue. Un latin populaire °*laesiare*, dérivé de *laesus*, a donné l'ancien français *laisier* (XIIIe s.), parallèlement à l'espagnol *lisiar* (d'où catalan *lesiar*, portugais *lesar*).

♦ Le mot a d'abord été employé dans la locution *léser la majesté*, avant d'étendre ses emplois avec le sens d'«offenser» (1611), abandonné après la période classique. Il a pris alors le sens toujours usuel d'«atteindre qqn dans ses droits» (1636). ◇ Depuis 1834, il est employé spécialement en médecine, d'après *lésion*, au sens concret de «causer une lésion à (un organe vivant)».

▸ **LÉSION** n. f. est emprunté dès le XIIe s. (v. 1175) au latin *laesio* «dommage, tort» (juridiquement) et «blessure» (médicalement), nom d'action surtout employé à basse époque, dérivé de *laedere*. ◇ Le sens général de «dommage» a cédé la place aux spécialisations juridique (1261) et surtout médicale (1314), reprises au mot latin. La seconde valeur est la seule à être entrée dans l'usage général. ◆ Tardivement, *lésion* s'est doté d'un adjectif juridique, **LÉSIONNAIRE** adj. (1872), et d'un adjectif médical, **LÉSIONNEL, ELLE** adj. (1921).

◈ voir **COLLISION, ÉLIDER.**

LÉSINE n. f., d'abord écrit sans accent *lesine* (1604), aussi *lezina* (1609), est emprunté à l'italien *lesina*, proprement «alêne» (de cordonnier), attesté dans le titre d'une satire de la fin du XVIe s., *Della famosissima Compagnia della Lesina*, où l'auteur, Vialardi, décrit une société d'avares qui raccommodent leurs chaussures eux-mêmes et ont pris pour emblème une alêne. Le succès de cette satire fut tel qu'elle fut traduite très rapidement en français (1604, *La Contre-Lésine*). Le mot italien remonte au même étymon germanique que le français *alêne**.

♦ C'est à la vogue de cette satire italienne que l'on doit *lésine*, nom donné à une épargne sordide poussée jusqu'aux moindres détails. Qualifié de «burlesque» de 1680 (Richelet) à 1759, le mot, archaïque après 1650, est encore connu, sinon employé.

▸ Le dérivé **LÉSINER** v. intr. (1604) «épargner sordidement» est resté plus courant, surtout dans la construction *lésiner sur*, au propre comme au figuré pour «ne pas donner toute l'extension souhaitable à (une chose)». ◆ Il a produit **LÉSINEUR, EUSE** n. (v. 1650, *lezineur*). ◆ **LÉSINERIE** n. f. (1604), dérivé de *lésine* ou emprunté à l'italien *lesineria*, désigne la propension à lésiner et, au pluriel, des marques d'avarice.

LESSIVE n. f., d'abord *lissive* (v. 1200) puis *lessive* (fin XIIIe s.), est issu du latin *lixiva* «solution cendreuse qui sert à laver». C'est la substantivation au féminin de l'adjectif *lixivus,* dérivé de *lix, licis* «solution qui lave», mot emprunté (étrusque ?). *Lixiva* a donné le sarde *lissía,* le roumain *leşie,* l'italien *lisciva,* l'espagnol *lejía,* tandis que le substantif neutre *lixivum* a donné l'ancien et moyen français *lessu, lessif* n. m. «solution cendreuse pour laver». Cette alternance de genre est due à l'hésitation en latin du genre de *cinis* (→ cendre), auquel l'adjectif *lixivus* était associé avant d'être substantivé. La forme régulière *loissive* d'où *leissive,* n'apparaît qu'en ancien français, supplantée par *lessive* qui pourrait être une forme dialectale de l'Ouest. Son concurrent *buée**, usuel jusqu'au XVIe s., ne survit plus que dans les dialectes.

♦ *Lessive,* d'abord attesté dans le contexte de la toilette, est employé (fin XIIIe s.) pour désigner une solution alcaline (d'abord préparée avec de la cendre) qui nettoie le linge. Les progrès de la chimie lui valent de désigner aujourd'hui une poudre à dissoudre dans l'eau (1926). ◆ Par métonymie, il sert à désigner l'action de laver le linge (v. 1460, *faire la lessive*), une opération technique de nettoyage (1690) et s'applique aussi au linge sur le point d'être nettoyé ou venant de l'être (XVe s.; *étendre, faire sécher la lessive*). ◆ Il est employé familièrement au sens figuré, pour «purification», d'abord dans *lessive du genre humain* (trad. de Tertullien, chez Balzac 1829), puis au figuré (XXe s.) «action d'éliminer les personnes indésirables» (surtout dans ***faire la lessive***).

▸ Son dérivé **LESSIVER** v. tr. (v. 1300) est moins employé que *faire la lessive* en parlant du linge et réservé à des valeurs plus techniques (1701, en chimie; 1792). ◇ Il signifie familièrement «perdre au jeu» (1866, ***se faire lessiver***), «vendre par besoin d'argent» (1888), «éliminer d'une compétition» (1922). Au passif, *être lessivé* (XXe s.) correspond à «être épuisé» ou «ruiné».

Les autres dérivés, à part **LESSIVAGE** n. m. (1779), sont apparus au XIXe siècle ◇ **LESSIVEUR, EUSE** adj. (1842), est surtout utilisé comme nom des deux genres, avec une spécialisation au masculin en papeterie (1867) et au féminin **LESSIVEUSE** n. f. (1892) pour l'ustensile servant à lessiver le linge, aujourd'hui supplanté par *machine à laver.* ◇ **LESSIVABLE** adj. (XXe s.) est rare. ◆ S'y ajoutent, tirés de *lessive,* les mots techniques **LESSIVIER** n. m. (1845), aujourd'hui «fabricant de produits détersifs» et au figuré «gros annonceur» dans le jargon de la publicité, et **LESSIVIEL, ELLE** adj. (1951), dans ***produits lessiviels.***

◈ voir LISSER.

LEST n. m., d'abord sous les formes *last* (1208) et *less* (1282) dans le nord du domaine d'oïl, puis *lest* (1351), est emprunté au moyen néerlandais *last* «poids, charge», et à sa variante frisonne *lest.* L'ancien gascon et le français régional du sud-ouest ont emprunté le mot à l'anglais *last, lest,* terme de même sens (v. 1000), qui remonte, comme le mot néerlandais et l'allemand *Last,* à une racine verbale germanique signifiant «charger» (→ layette).

♦ Le mot a désigné une sorte de poids, en particulier une mesure pour le hareng (1282, Saint-Omer; v. 1440, Lille) d'où, par métonymie, une certaine quantité de harengs (entre 1690 et 1771). ◇ Il s'est spécialisé à propos du poids dont on charge un navire pour en assurer la stabilité (1473, *last* dans le sud-ouest de la France), donnant lieu au sens figuré de «ce qui sert à assurer l'équilibre» (1748). ◇ Par analogie (1837), il sert aussi à désigner le corps pesant que les aéronautes emportent avec eux pour régler le mouvement ascensionnel d'un ballon : de là, la locution figurée ***jeter du lest*** (1907) «faire des sacrifices pour rétablir une situation compromise». ◆ Il est pris familièrement pour désigner la nourriture (1907) et, en diététique, pour un aliment peu nutritif assurant une bonne digestion des nutriments.

▸ **LESTER** v. tr., d'abord *laster* (1366), pourrait, au sens de «charger (un navire)», être emprunté directement au moyen néerlandais *lasten.* Il a suivi l'évolution de *lest,* prenant la valeur générale de «charger» (1771) et le sens métaphorique familier de «manger» (dès 1787, ***bien lesté*** «repu»; 1828-1829 *se lester*). ◆ À son tour, il a donné **LESTAGE** n. m., d'abord *lastage* (1366), et **LESTEUR** adj. m. et n. m. (1366) «homme chargé de disposer le lest à bord» et, par ellipse pour *bateau lesteur* (1681), «bateau portant le lest aux navires» (1710).

Le préfixé **DÉLESTER** v. tr., d'abord *delaster,* (1593) correspond à «décharger (un navire) de son lest» et par extension «alléger (qqn) de qqch.» (1870), parfois familièrement «déposséder» (*se faire délester de qqch*). ◆ Il a produit **DÉLESTAGE** n. m. (1660), **DÉLESTEMENT** n. m. (1671), plus rare, et **DÉLESTEUR, EUSE** adj. (1723), employé elliptiquement comme substantif masculin (1845).

LESTE adj. est emprunté (1578) à l'italien *lesto* (mil. XVe s.) «rapide, agile» et (mil. XVIe s.) «bien équipé», lui-même d'origine incertaine, l'hypothèse d'une origine germanique étant difficilement recevable, tant pour des difficultés chronologiques que phonétiques.

♦ Cité au XVIe s. par Estienne parmi les italianismes à la mode, *leste* y est employé dans un sens aujourd'hui sorti d'usage, «élégant, plein de grâce, bien vêtu» (1584), encore attesté tout au long du XVIIe siècle. ◇ D'après certains emplois où *leste* qualifie une armée bien équipée, agile (1585), il a glissé vers la valeur actuelle, «agile, prompt» au début du XVIIe s. (1611), et a développé (1765) l'acception figurée de «qui fait preuve d'une liberté excessive vis-à-vis des convenances», plus particulièrement dans le domaine érotique. ◇ Le sens figuré classique, «apte à trouver des expédients pour se tirer d'affaire», est sorti d'usage.

▸ Le dérivé **LESTEMENT** adv. (1605) a pris les sens successifs de l'adjectif.

LÉTAL, ALE, AUX adj. est emprunté au XVe s. (apr. 1450) au latin *letalis* «qui cause la mort, mortel», dérivé de *letum* «trépas», mot archaïque conservé par la poésie comme terme noble, supplanté dans la langue courante par *mors* (→ mort) et d'origine incertaine. La graphie *lethal* relevée au XVIe s. est due à un rapprochement erroné avec *Lé-*

thé, terme de mythologie désignant le fleuve des Enfers dont les eaux procuraient l'oubli.

♦ Le mot, rare ou littéraire au sens de «qui provoque la mort», s'est spécialisé au XVIe s. dans le langage médical (1555); il est employé plus particulièrement en pharmacie *(dose létale)*, puis en génétique (1905) notamment dans *facteur létal* (1921) et *gène létal* (1936). Les sciences humaines en ont fait au XXe s. l'adjectif correspondant à *mort*.

▶ **LÉTALITÉ** n. f., d'abord fautivement *léthalité* (1814), recouvre en médecine l'ensemble des conditions faisant qu'une lésion est mortelle. Le mot est employé, comme *létal*, en génétique (1875; 1936, *léthalité génétique*) à propos de la mortalité due au fait que certaines combinaisons génotypiques ne sont pas viables, ainsi qu'en démographie.

LÉTHARGIE n. f., d'abord *litargie* (XIIIe s.), refait savamment en *léthargie* (1538), est emprunté au bas latin *lethargia*, terme médical emprunté au grec tardif *lêthargia* «état de sommeil profond et prolongé ou de mort apparente». Ce dernier est dérivé de *lêthargos* «oublieux», puis en médecine «léthargique», peut-être proprement «qui ne bouge pas parce que son esprit est plongé dans l'oubli». Cette valeur hypothétique justifierait la thèse de la composition sur *lêth-*, radical de plusieurs mots (dont *lêthê* «oubli», personnifié et appliqué à l'un des fleuves des Enfers) du groupe de *lanthanein* «faire oublier, oublier, être caché», verbe rapproché du latin *latere* (→ latent); le second élément représente *argos* «paresseux, inactif», privatif (d'abord *aergos*) dérivé de *ergon* «travail, œuvre» (→ -ergie, orgue). Cependant, certains tirent *lêthargos* de l'analogie avec *podargos* «aux pieds agiles», de *pous* (→ podo-) et *argos* «rapide, agile», épithète des chiens chez Homère (d'où *Argos*, nom du chien d'Ulysse) et, avec la valeur de «blanc, brillant», nom du gardien d'Io (→ argus).

♦ Le mot, d'usage médical, est employé par extension avec la valeur figurée de «torpeur, engourdissement» (1652). Par analogie, il se réfère à l'hibernation (1805).

▶ **LÉTHARGIQUE** adj. est emprunté (1325) au latin *lethargicus*, lui-même emprunté au grec *lêthargikos*, de *lêthargos*. ◆ Introduit comme nom, puis employé adjectivement (XVe s.) en médecine, il a développé la valeur figurée d'«indolent, apathique» (1604).

LETTRE n. f., d'abord *letre* (v. 980), est issu du latin *littera* «lettre de l'alphabet» qui, sous l'influence du grec de sens correspondant *grammata* (→ grammaire, gramme), a pris les sens de «missive» (au pluriel), «ouvrage écrit» et par suite «littérature», d'où plus généralement «culture, instruction». Étant donné que les sens de *littera* sont calqués sur le grec et que l'alphabet latin est emprunté au grec (par un intermédiaire étrusque), il n'est pas exclu que *littera* soit d'origine grecque, directement ou indirectement. Des gloses évoquent le grec *diphthera* «peau travaillée, cuir, fourrure» appliqué à des peaux travaillées pour écrire, au parchemin (→ diphtérie); l'hypothèse est séduisante mais non démontrable.

♦ Les principales valeurs du mot sont vivantes avant la fin du XIIe siècle. Le premier sens de *lettre* est abstrait; c'est celui de «connaissance que procure l'étude des livres», mais il s'est surtout développé au XVIe s., comme un des mots clés de l'humanisme renaissant, donnant lieu à l'expression ***homme de lettres*** (1580, Montaigne) et, au XVIIe s., à ***belles-lettres*** (1666) et *lettres humaines* (1671), de sens voisin et aujourd'hui archaïque. ◇ Son évolution va dans le sens d'une opposition à *sciences (professeur, études de lettres)*. ◆ Depuis 1130, *lettre* a repris au latin le sens initial de «signe graphique», appliqué aussi à un caractère typographique depuis 1486. Par métonymie, il se dit du phonème représenté par un caractère (1265); cet emploi crée des ambiguïtés, et le mot désigne spécialement une lettre non prononcée (1650). ◇ Très tôt, *lettre* désigne, par une figure allant de la partie au tout, un texte en tant que composé d'une suite de lettres (v. 1160). Précédé de l'article défini, il prend la valeur particulière de «sens littéral» (v. 1170), réalisé dans des locutions comme ***à la lettre*** (v. 1278) et ***au pied de la lettre*** (fin XVIe s.). ◇ En revanche, le sens qu'il a dans la locution ***avant la lettre*** relève de sa spécialisation en gravure où il désigne la légende inscrite au bas d'une estampe et qui en indique le sujet : on parle ainsi d'***estampe avant*** ou ***après la lettre*** (1794). ◆ Le sens de «missive» est lui aussi apparu en ancien français (v. 1170), mais il est toujours assumé par le pluriel, conformément au latin. Aujourd'hui, ce pluriel s'applique particulièrement à une correspondance publiée, genre littéraire très prisé aux XVIIe-XVIIIe siècles. ◇ En ce qui concerne le singulier, le XIXe s. a vu apparaître la locution familière ***passer comme une lettre à la poste*** «passer très facilement» (1825) et l'expression ***lettre ouverte*** «texte polémique qu'on est censé adresser au public» (1835). ◇ La diversité des fonctions de la correspondance est à l'origine de l'emploi métonymique du mot pour désigner un écrit officiel (1234) dans les domaines de la diplomatie, de l'administration, du commerce et de la banque (***lettre de change***, 1671).

▶ *Lettre* fournit le second élément de **CONTRE-LETTRE** (XIIIe s.), qui a désigné un acte secret modifiant ou annulant une lettre officielle, et **PORTE-LETTRES** un messager (1636), puis une sorte de portefeuille. ◆ **CARTE-LETTRE** n. f. (1890) désigne un feuille qui, pliée, peut être expédiée comme une lettre. ◆ **PÈSE-LETTRES** n. m. se dit (1873) d'une petite balance pour peser les envois postaux.

Lettre a pour dérivés **LETTRER** v. (XIIe s., *letrer*) «rédiger une lettre» puis, techniquement (XVIe s.), «disposer des caractères, des lettres», et **LETTRAGE** n. m. (1873), terme technique signifiant «action de disposer des lettres». ◆ Autres dérivés de *lettre*, les termes d'histoire littéraire **LETTRISME** n. m. et **LETTRISTE**, n., formés en 1942 par Isidore Isou qui érigeait en principe esthétique l'attention accordée à la matérialité de la lettre.

LETTRÉ, ÉE n. et adj. est dérivé (v. 1135) de *lettre* sur le modèle du latin *litteratus* «couvert de lettres» et «savant, instruit». Apparu au sens concret, pour «couvert de lettres, d'inscriptions», il a été réservé en moyen français au sens abstrait, qualifiant une

personne instruite, savante (v. 1150). ◇ Cette valeur est reprise par le substantif masculin (1174), spécialement (1605) à propos d'un homme cultivé qui exerçait un emploi public dans la Chine ancienne, comme synonyme de *mandarin*.
Son antonyme **ILLETTRÉ, ÉE** adj. et n. est un emprunt du XVIe s. (1560) au préfixé latin *illiteratus*. ◇ Malgré l'existence de *lettré*, ce mot a eu du mal à s'imposer avant le XVIIIe s.; de nos jours vieilli au sens de «non cultivé», il est employé pour «qui ne sait ni lire, ni écrire», sens avec lequel il a produit **ILLETTRISME** n. m. (v. 1983) «incapacité à maîtriser la lecture d'un texte simple», mot recouvrant une notion distincte de celle d'analphabétisme.

◈ voir **LETTRINE** et les mots issus du latin sur la base *littera-* : **ALLITÉRATION, LITTÉRAL, LITTÉRATURE, OBLITÉRER.**

LETTRINE n. f. est emprunté (1625) à l'italien *letterina* (XVIIe s.), diminutif de *lettera* (→ lettre) «petite note mise à côté d'un mot pour renvoyer à une note (appel de note)».

♦ Le mot s'est détaché de son sens d'emprunt pour désigner une lettre d'un corps supérieur à celui du texte, dans un dictionnaire (1762), et une lettre ornée ou non placée au début d'un chapitre (1889), d'un manuscrit enluminé. Ces lettres, soulignées de rouge, étaient proprement des *rubriques* (cf. ce mot, et aussi *miniature*); elles comportaient souvent des enluminures, mais, après que Jean de Pucelles (déb. XIVe s.) eut pris l'habitude de faire figurer la scène décorative au début de la page, elles furent dégagées du décor figuré et ornées de motifs floraux.

LEUCO- est un élément savant tiré du grec *leukos* «blanc lumineux, blanc éclatant», mot remplacé en grec démotique par *aspros* qui avait pris ce sens par dérivation de celui de «rugueux» (→ âpre). *Leukos* entre dans la grande famille indoeuropéenne de mots ayant trait à la lumière, avec le latin *lux* (→ luciole) et le grec *leussein* «diriger son regard vers»; il répond formellement au sanskrit *rocá-* «brillant», à l'irlandais *luach*, au lituanien *laũkas*, dit d'animaux ayant une tache blanche sur le front.

♦ La vitalité de l'élément est importante dans le domaine des sciences de la nature à partir de la seconde moitié du XVIIIe siècle. ➜ **LEUCITE** n. m. et f. (1796), terme de minéralogie, est emprunté au mot créé en allemand par Werner. ➜ **LEUCOME** n. m., d'abord et aussi *leucoma* (1701), représente le bas latin *leucoma*, lui-même repris au grec *leukoma* qui l'a formé sur *leukoun* «rendre blanc», dérivé de *leukos*. ◇ Le mot, qui désigne une tache blanche sur la cornée de l'œil, inaugure la série des composés en *leuco-* en médecine, biologie et pathologie. ➜ Au XIXe s., **LEUCOCYTE** n. m. (1855), formé avec *-cyte** «cellule», donne son nom au globule blanc du sang. ◇ Il a produit plusieurs dérivés, **LEUCOCYTOSE** n. f. (1863), **LEUCOCYTAIRE** adj. (1897), et quelques composés en *leuco-* comme *leucogramme, leucose, leucophlegmasie, leucopénie*. ➜ C'est comme représentant de *leucocyte* que *leuco-* figure dans **LEUCÉMIE** n. f. (1856), francisation de *leukémie* (1855), lequel est l'adaptation de l'allemand *Leukämie* (1845), formé des éléments grecs *leukos* et *haima* «sang» (→ -émie), cette maladie, parfois appelée *cancer du sang*, étant caractérisée par une prolifération anormale des globules blancs, ainsi que par leur altération. ◇ Le mot a pour dérivé **LEUCÉMIQUE** n. et adj. (1856) qui désigne un malade atteint de leucémie et qualifie ce qui se rapporte à la leucémie (1866, *rétine leucémique*).

① **LEUR** pron. pers. inv. est issu (v. 980, *lor*) du latin *illorum*, génitif masculin pluriel du démonstratif *ille* (→ il, le). L'existence d'un correspondant roumain de forme *lor* permet de dater l'aphérèse du mot latin (chute de l'initiale) comme antérieure à 271. ◈

◈ voir **LUI.**

② **LEUR, LEURS** adj. et pron. poss. est issu (av. 950, *lor*) du même mot que le pronom personnel ① *leur** : en effet, en latin populaire, *illorum*, employé comme génitif possessif, a tendu à remplacer le possessif *suus* (→ son). ◈

♦ Le mot est employé comme adjectif possessif de la troisième personne du pluriel aux deux genres. Il garde une trace de son ancien emploi tonique (1050, avec détermination par l'article défini, *le leur voile*) dans deux cas : le plus courant, appelé «pronom possessif», consiste dans l'emploi de *leur* précédé de l'article défini *(le leur, la leur)* et non suivi du substantif (1080). Il assume quelques valeurs particulières, le pluriel *les leurs* se référant implicitement aux hommes d'un même clan, d'un même groupe (1080), le singulier *le leur* (v. 1165) désignant le bien, l'avoir. ◇ Le second emploi de *leur* procédant de l'emploi tonique de l'adjectif correspondant à l'attribut du sujet ou du complément d'objet (v. 1155), dans la syntaxe littéraire *(faire leur, être leur)*. Ces emplois sont parallèles à ceux de *sien* (et de *mien, tien*).

LEURRE n. m., d'abord *loire* (1202), est issu d'un francique *lôþr (lôthr)* «appât» (reconstitué à partir du moyen haut allemand *luoder* «appât, ce qui attire en général»), allemand *Luder*. Le mot francique est probablement apparenté à un verbe °*laþon* «inviter» dont plusieurs langues germaniques ont un représentant (vieil anglais *laþian*, allemand *laden*, moyen néerlandais *laden*). ◈

♦ D'abord employé, semble-t-il, au sens général de «ce qui attire», le mot s'est rapidement spécialisé en fauconnerie, désignant (v. 1225) un morceau de cuir rouge en forme d'oiseau garni de plumes, utilisé pour faire revenir l'oiseau de chasse sur le poing du fauconnier. Par analogie de fonction, il est employé comme terme de pêche et désigne une amorce munie de plusieurs hameçons (1769). ➜ Vers 1580, le mot a développé la valeur figurée d'«artifice qui sert à attirer pour tromper», utilisée au XVIIe s. et devenue aujourd'hui plus abstraitement «ce qui trompe, abuse».

▸ Son dérivé **LEURRER** v. tr. (v. 1119, *luirié* «rusé»; 1266, *loirier* «instruire») est employé en fauconnerie (av. 1300) puis au sens figuré d'«attirer», d'abord sans péjoration (1415-1418) puis avec une valeur défavorable, pour «attirer trompeusement par des apparences séduisantes» (1609). ◇ Depuis 1808, on rencontre la forme pronominale *se leurrer* avec son sens moderne «être victime d'illusions» (1637, au sens de «se flatter de»). ➙ L'ancien composé **ALEURER, ALEURRER** v. (XIIIe s.), employé de façon isolée au XIIIe et au XVIIe s. comme synonyme de *leurrer,* en fauconnerie et en général, survit dans l'anglais *to allure* «attirer, entraîner» (XVe s.) qui l'a emprunté au français, de même que *lure* n. et *to lure* v. (de *leurre* et *leurrer*).

◈ voir DÉLURÉ, LUREX.

LEVAIN n. m. est issu (v. 1176-1181) d'un bas latin °*levamen* «morceau de pâte qui fait lever la pâte à pain», spécialisation de sens du mot classique de sens psychologique *levamen* «soulagement», de *levare* (→ lever). Les gloses de Reichenau attestent déjà *levamentum.*

♦ Le mot désigne un morceau de pâte que l'on incorpore à la pâte fraîche pour la faire lever, puis aussi une substance ayant la même propriété (1690) avec influence réciproque de *levure* (→ lever). ◇ Avant la fin du XIIe s., le mot a développé le même sens figuré que *ferment,* désignant un principe qui stimule les idées et les passions.

✱ **LEVER** v. est issu (v. 980) du latin *levare,* dénominatif de *levis* (→ léger), proprement «rendre léger». De là, le sens figuré de «soulager» et, en argot des voleurs, «dérober». De là également, par métonymie, le sens de «soulever, élever» qui s'est développé sous l'Empire, supplantant *surgere* (→ surgir), *tollere* (→ tollé) et *oriri* (→ orient), donnant le sens particulier de «gonfler, en parlant de la pâte» à basse époque et passant dans les langues romanes : roumain *lua,* italien *levare,* espagnol et catalan *llevar,* portugais *levar.*

♦ Le premier sens attesté en français est «placer verticalement (ce qui était penché ou horizontal») ou «porter (une chose) plus haut qu'elle n'était». Il est réalisé dans un grand nombre d'emplois particuliers, dont ***lever l'ancre*** (1292, *les ancres*), «prendre la mer» (cf. *démarrer*), aussi au figuré, ***lever l'étendard, la bannière*** (fin XVe s., sous diverses variantes), «prendre parti pour». ◇ La nuance de «déplacer vers le haut pour découvrir ce qui était caché» (v. 1278) se manifeste notamment dans deux locutions, ***lever le masque*** (1629) et, au théâtre, ***lever le rideau*** (1835) après ***lever la toile*** (1765). ◇ Le complément du verbe est souvent le nom d'une partie du corps (fin XIVe s.) : *lever les yeux* (v. 1360), *la tête* (fin XIVe s.), *le nez* (1611), *la jambe* (1651), *le pied* (1835), *le coude* (1752), *les épaules* (1867), tous gestes révélateurs d'un trait psychologique ou d'un comportement imagé ; ainsi ***lever le pied*** correspond à «partir, fuir» ; ***lever le coude*** à «boire». Certains syntagmes forment locution, tels ***lever la main sur qqn*** (1538) «s'apprêter à le frapper», ***lever les bras au ciel*** (1690), geste d'impuissance, de réprobation, ***lever les yeux sur qqch. ou qqn*** (1690), ***ne pas lever les yeux de*** «attacher son regard sur» (1538), ***lever le poing*** (1923), pour menacer ou par signe de fraternité révolutionnaire, ***ne pas lever le petit doigt*** (1936 ; 1935, *le doigt*) «ne rien faire (pour qqn)». ➙ La notion de «mouvement vers le haut» est également assumée par le pronominal ***se lever*** (1080), d'abord en parlant d'un bruit, de la voix, type d'emploi qui a souffert de la concurrence de *s'élever,* puis en parlant d'une personne qui se met debout (XIIe s.), spécialement qui sort de son lit après le réveil *(se lever tôt).* ◇ *Se lever* exprime aussi le mouvement de l'astre qui commence à paraître à l'horizon (XIIIe s.), celui du brouillard ou du vent qui commence à se faire sentir (XVe s. ; dès le XIIe s., *lever* intransitif), puis du temps qui se dégage (1640), de choses qui se déplacent vers le haut (1694) et, au figuré, qui apparaissent (1881). ➙ L'emploi intransitif de *lever* partage les mêmes valeurs, mais son champ d'usage a été restreint au profit du pronominal : il se rapporte à une pâte qui fermente sous l'action du levain ou de la levure (1256) et à des choses qui se déplacent vers le haut, par exemple des plantes (XVe s.). ◇ La locution *le cœur lui lève,* employée dès 1160 au sens de «se gonfler de colère ou de joie», parallèlement à *lever le cœur* «réjouir» (XVIe s.), a été reprise dans la langue littéraire avec la même valeur que *lever le cœur* «soulever le cœur, écœurer», au XXe siècle.

Dès le XIe s., le verbe transitif exprime l'idée de «faire sortir de sa place, en soulevant» (1050), et surtout «en enlevant», cette notion prenant le pas sur la notion physique de «faire aller vers le haut». Il signifie alors «prendre (une partie) d'un tout» (XIIIe s.) dans les quelques emplois que lui laisse prélever, par exemple *lever l'aile, la cuisse d'une volaille* «découper», ou «percevoir (un impôt, un tribut)» (XIIIe s.). ◇ Par abstraction, on passe à «faire disparaître» (1536) dans des expressions comme *lever un doute, un obstacle* et, en termes commerciaux, *lever une option* «y mettre fin en acceptant le contrat» (XXe s.). ➙ Avec la notion voisine de «mettre un terme», *lever* s'emploie dans un contexte guerrier (v. 1360, ***lever le siège ;*** 1564, ***lever le camp***) et juridique ou administratif *(lever une séance, une interdiction),* se rapprochant parfois du champ d'emploi de *enlever.* ◇ Plus concrètement, l'idée de «prendre en enlevant, en retirant» est réalisée en dessin (1596), par exemple dans *lever un plan,* en horticulture (1690), au jeu de cartes (1680, *lever les cartes ;* absolument *lever,* 1873) et en typographie (1867, *lever la lettre*).

Dès le XIIe s. enfin, *lever* réalise l'idée de «faire sortir, mettre en mouvement (un animal à la chasse)» (v. 1175). Dans le même contexte, l'expression ***lever un lièvre*** a développé un sens figuré (1663) «soulever une difficulté» et a donné l'expression *lever une femme* (1776), par transfert du vocabulaire de la chasse à ceux de la galanterie, voire de la prostitution pour «racoler» (XXe s.). On passe figurément à l'idée de «mobiliser» dans le contexte de la guerre (fin XVe s.) : *lever des troupes, une armée.*

▸ La richesse sémantique de *lever,* ses nombreux sens particuliers, se reflètent dans le nombre de ses dérivés. ➙ **LEVANT, ANTE,** son participe présent, est employé adjectivement (1080) en parlant d'un astre qui se lève, en particulier du soleil, l'ancien nom de l'Empire japonais étant ***Empire du Soleil levant.*** ◇ Substantivé pour désigner le côté de l'horizon où le soleil apparaît (v. 1265), *levant* désigne aussi, par métonymie, un vent d'Est (1343) et avec la majuscule, les pays qui bordent la côte méditerranéenne, Syrie et Liban (1528). ◆ Dans cette acception, il a produit **LEVANTIN, INE** adj. et n. (1575) «originaire du Levant», mot repris au XIXe s. avec une coloration xénophobe, et dont le féminin **LEVANTINE** fournit le nom d'une étoffe (1744) et d'une sorte de dague (1902) originaires du Levant. ◇ *Levant* (en couple avec *ponant*) et *levantin* tendent de nos jours à disparaître au profit du couple *orient-occident* (et *oriental-occidental*).

LEVÉ, ÉE, participe passé de *lever*, a été substantivé dès l'ancien français au féminin **LEVÉE** n. f., pour exprimer l'action de recueillir, le résultat de cette action : d'après les emplois correspondants du verbe, il désigne l'impôt (XIIIe s.), l'enrôlement militaire (1559), d'où pendant la Révolution *levée en masse* (1793). ◇ Il se dit aussi du fait de prendre les cartes sur la table de jeu et, par métonymie, de ces cartes (1680), de l'action de prélever les lettres dans la boîte (1829) et de la somme retirée dans une banque ou un établissement de crédit (1867). ◆ Quelques emplois particuliers réalisent l'idée de «disparition, action de faire cesser» (1549), tel *levée de la séance* (1680), celle de l'enlèvement dans ***levée de corps*** (1690, *du*) et l'idée de «suppression» (1765), comme en psychanalyse l'expression *levée des résistances* (XXe s.). ◆ Le sens concret, «action de soulever verticalement», attesté dès l'ancien français (XIIIe s.), s'est mieux implanté dans quelques sens métonymiques concrets : *levée* désigne un matériau levé et entassé sur une même ligne, soit un remblai de terre et de maçonnerie (1269), puis une digue élevée le long d'un cours d'eau (1537), enfin un amas d'alluvions ou de galets (XXe s.). ◆ Le sens dynamique, vieilli après l'époque classique, se maintient dans quelques emplois particuliers, tels ***levée de boucliers*** (v. 1389, avec une valeur figurée), ou *levée de la pâte*. ◆ Le masculin **LEVÉ** n. m. (1534), s'il a perdu au profit de *levée* le sens de «cartes qu'on ramasse», et au profit de l'infinitif substantivé celui d'«action de se lever» (1666, Molière : *le levé du roi*), a pris ses sens modernes aux XVIIIe et XIXe s. : il s'emploie en musique pour l'action de lever la main ou le pied en battant la mesure (1823 ; dès 1705 au sens métonymique de «temps sur lequel on bat la mesure»), et en topographie dans *levé* ou *levé de plan* (1832 ; av. 1853 au sens métonymique de «plan ainsi relevé»). ◇ Par ellipse de *personne levée*, on parle en politique (1800) de *vote par assis et levés*. ◆ **LEVER** n. m., infinitif substantivé de *lever* (v. 1175), correspond à l'action de soulever vers le haut et à celle de se lever du lit ; le mot a développé quelques emplois particuliers, désignant l'apparition d'un astre à l'horizon (1364), d'où le point du jour (av. 1648), le moment où le roi recevait dans sa chambre après s'être levé (1664), *le levé* et *le lever* n'étant pas distingués. *Le lever du rideau* désigne le moment où le rideau du théâtre se lève (1798) d'où par métonymie ***lever de rideau*** «petite pièce que l'on joue avant la pièce principale» (1826). Il dispute à *levé* son emploi en topographie (1840).

LEVURE n. f., d'abord *lieveure* (av. 1188), rappelle le latin médiéval *levatura* qui se disait d'un mélange d'herbes employé pour la fermentation de la bière (1042). D'après *lever*, le mot a d'abord désigné une élévation de terrain, une éminence. ◆ Son sens moderne de «substance provoquant la fermentation», réemprunt du latin, est plus tardif (1419) et probablement influencé par *levain** ; il a donné quelques emplois déterminés (*levure de bière*, 1611) et une spécialisation en médecine à propos d'un champignon microscopique se reproduisant par bourgeonnement. ◇ *Levure*, alors dérivé de *lever*, ne s'est pas maintenu aux sens de «ce qu'on lève de dessus et de dessous le lard» (1642, *levure de lard*) et de «fait de lever un filet», en pêche et chasse (av. 1680). ◆ Son sens le plus vivant a produit les termes techniques **LEVURIER** n. m. (1803), **LEVURER** v. tr. (1909) d'où **LEVURAGE** n. m. (1909) et **LEVURERIE** n. f. (1949).

LEVIER n. m., autre dérivé apparu au XIIe s. comme nom d'outil (v. 1130), se définit (v. 1160) par sa fonction, qui est de permettre de soulever un poids. Il a développé le sens figuré de «moyen d'action» (1684, en parlant d'une personne ; 1754, d'une chose) et différentes spécialisations techniques, en chirurgie obstétrique (1812) et dentaire (1820), ainsi qu'en technique pour l'organe de commande d'une machine (1867), en particulier d'un véhicule automobile (1899, *levier de changement de vitesse*). Le sens technique a donné lieu à un sens figuré, à propos d'un poste de direction, de contrôle (1931), notamment dans ***levier de commande*** (1936). ◆ **LÈVE** n. f., déverbal de *lever* (1242), a vieilli dans la plupart de ses emplois. Il ne s'est maintenu que comme nom technique de la lame soulevant le maillet qui retombe sur les chiffons broyés dans un moulin à papier (1788 ; 1765, sens attribué à *levée*), aujourd'hui archaïque.

D'autres dérivés ont gardé un rapport plus net avec le verbe. ◆ **LEVEUR, EUSE** n. (1253), nom d'agent, «personne qui lève», se limite à quelques-uns des emplois spéciaux du verbe : il a cessé de dénommer le percepteur des droits seigneuriaux, puis des impôts, pour désigner en technique l'ouvrier qui déballe le chanvre pour le faire peser (1260), celui qui lève qqch. en papeterie (1723), en imprimerie (1823), en topographie et, au féminin, en dentellerie (1867). Il s'est employé dans la langue populaire pour désigner un séducteur (1858), en relation avec *lever une femme*, et, dans l'usage commun, dans l'expression ***leveur de sort*** qui répond à *jeteur de sort*. ◆ **LEVAGE** n. m., autre terme apparu à propos de la perception des impôts seigneuriaux (1289), s'est fait une place à côté des autres substantifs d'action de *lever* à partir du XVIIe siècle. Il a reçu des acceptions spécialisées en architecture (1819), en boulangerie (1893), en pêche (1873) et en dentellerie (1840) et s'est répandu en argot pour «action de séduire, de racoler» (1861). L'emploi concret le plus usuel, pour «action de soulever», est le syntagme ***appareil de levage*** (cf. *manutention*). ◆ À plusieurs siècles de distance, **LEVADE** n. f. est attesté avec le sens concret de «pré situé sur une hauteur» (1875, *pré de levade*), surtout vivant dans le Centre et certainement très antérieur dialectalement. Le mot a été repris dans le vocabulaire de l'équitation (XXe s.).

On ne compte pas les formations composées faites avec l'élément verbal *lève-* tant dans l'usage technique, **LÈVE-GAZON** n. m. (1842), **LÈVE-VITRE**, etc., que dans l'usage familier, **LÈVE-PIEDS** «échelle» en argot (1836); **LÈVE-TÔT** et **LÈVE-TARD** (v. 1967), cf. aussi *lève-glace**.

◈ voir ALEVIN, ÉLEVER, ENLEVER, LEVAIN, LÉVITATION, PONT-LEVIS, PRÉLEVER, RELEVER, SOULEVER.

LÉVITATION n. f. est un emprunt du vocabulaire de l'occultisme (1864) à l'anglais *levitation*. Celui-ci a été formé (v. 1668) sur le modèle de *gravitation* à partir du latin *levis* (→ léger) au sens d'«action de s'élever en raison de sa légèreté», et s'est spécialisé en spiritisme (av. 1874).

▶ **LÉVITER** v. intr. est plutôt dérivé (1930) du radical de *lévitation* qu'emprunté à l'anglais *to levitate* (1673). Attesté chez H. Michaux (sans doute antérieur dans les textes spécialisés), il est d'un usage beaucoup plus rare que le nom.

LÉVITE n. m. est emprunté (v. 1170) au latin de la Vulgate *levita, levites,* transcription du grec des Septante *levitês,* dérivé au moyen du suffixe *-itês* du nom propre *Levi* (de l'hébreu *Lēvī*), pour traduire le mot hébreu *lēvī*.

♦ Le mot est introduit dans la traduction du *Livre des Rois* au sens de «membre de la tribu de Lévi (troisième fils de Jacob) voué au service du temple sans avoir accès à l'autel». Son extension pour «prêtre, clerc, séminariste» (1690) emprunt sémantique au bas latin chrétien *levita* «clerc de rang inférieur, diacre», est rare et d'usage littéraire. ➛ En référence au costume que portaient les lévites représentés sur les tableaux et au théâtre, *lévite* a donné son nom à une robe longue, simple et austère, portée dans la seconde moitié du XVIIIe s. par les femmes (1781). Il a aussi désigné, à la même époque, une redingote d'homme ample et descendant à mi-mollet (1782).

▶ **LÉVITIQUE** adj. et n. m., d'abord sous la forme latine *Levitici* (v. 1265), puis sous sa forme francisée (1295), est emprunté au latin de la Vulgate *Leviticus* n. m., également *leviticus* adj. Le latin transcrit le grec des Septante *to Levitikon* et le grec du Nouveau Testament *levitikos,* dérivés de *levitês.* Le substantif a été introduit le premier, comme nom du troisième livre du Pentateuque, contenant principalement les lois des lévites et les règles des sacrifices. ◇ L'adjectif (1541, Calvin) qualifie ce qui est relatif aux lévites, notamment dans *loi lévitique* (1867) «ensemble des prescriptions de Moïse sur les fonctions sacerdotales».

◈ **LÈVRE** n. f., d'abord *lavras* (v. 980) au pluriel, puis *levres* (1090), est issu du latin populaire *labra,* pluriel pris comme singulier féminin du neutre *labrum* «lèvre, bord», employé techniquement à propos du bord d'un vase, d'un fossé. Il n'y a pas de nom indoeuropéen commun pour la lèvre; cependant, on peut en rapprocher un groupe de mots germaniques expressifs : ancien haut allemand *leffur* (→ balafre), ancien anglais *lippa* (anglais *lip,* passé en français dans *lipstick*), moyen néerlandais *lippe* (→ lippe). Le latin employait, surtout dans la langue parlée, la forme apparentée *labia* (→ labial).

♦ Le mot, employé au pluriel dès les premiers textes, désigne les parties charnues des contours de la bouche humaine : ce sens, le plus courant, a donné la phraséologie ***du bout des lèvres*** (1677) «sans conviction (de la parole)», ***avoir sur les lèvres*** (1538, *entre les lèvres;* 1635, *sur le bord des lèvres*) «être prêt à dire, à prononcer». ➛ L'expansion du sens s'est faite par analogie : *lèvre* désigne les bords d'une plaie (1314), les replis charnus de la vulve (1680) d'où *grandes* et *petites lèvres,* les commissures de la bouche d'un animal (1690), les bords d'un coquillage univalve (1752). ◇ D'autres extensions plus techniques, apparues au XIXe s., concernent une réalité non organique : comme le mot latin, *lèvre* désigne le bord d'une cassure, d'une faille, en géographie (1834) et en géologie (1877), le bord de l'orifice d'un vase (v. 1840); il dénomme aussi les bords aplatis de la bouche d'un tuyau d'orgue (1893).

▶ **BALÈVRE** n. f., réfection (v. 1220) de l'ancien français *baulivre* (fin XIIe s.), *baulevre* (XIIIe, jusqu'au XVe s.), est formé sur un élément initial d'origine germanique, le francique °*balu* «mauvais» (ancien haut allemand *balo*). ➛ Le mot désigne d'abord une grosse lèvre, avant de prendre des valeurs techniques par métaphore «saillie d'une pierre» (1694), «saillie du métal moulé à l'endroit des joints» (1751).

◈ voir LABRE.

LEVRETTE, LÉVRIER → LIÈVRE

LEVURE → LEVER

LEXIQUE n. m., d'abord *lexicon* (1563), francisé en *lexique* (1721), est emprunté au grec *lexikon* (sous-entendu *biblion*), proprement «livre de mots», «dictionnaire». Ce mot est le neutre substantivé de l'adjectif *lexikos,* «qui concerne les mots», dérivé de *lexis* «parole, mot, style». Lui-même est le nom d'action de *legein* «rassembler, cueillir», d'où «raconter, dire» (→ logique).

♦ Avec son premier sens de «dictionnaire», *lexique* a longtemps été en concurrence avec la forme plus ancienne *lexikon* (ci-dessous), avant d'être lui-même évincé par *dictionnaire.* Il s'est maintenu au sens particulier, voisin de celui de *glossaire,* de «dictionnaire succinct (d'une science, d'une technique, d'un domaine spécialisé)» (1838), antérieurement réservé à *lexicon,* puis de «recueil des mots employés en propre par un auteur dans une œuvre littéraire» (1846), ce dernier sens repris lui aussi à *lexicon* et synonyme de *vocabulaire.* Le sens didactique d'«ensemble des mots — des unités analogues — d'une langue» est attesté chez Baudelaire en 1861 mais est certainement antérieur.

▶ **LEXICON** n. m., emprunt au grec (1563), a eu le sens de «dictionnaire succinct» (1697) et de «recueil des mots d'un auteur» (1587). Dans tous ses emplois, il a été éliminé par *lexique.* ➛ **LEXICAL, ALE, AUX** adj. est attesté une fois en 1804 dans une traduction de W. von Humboldt et repris au XXe s., par exemple dans ***champ lexical.*** ➛ L'adjectif a produit **LEXICALISÉ, ÉE** adj. et **LEXICALISATION** n. f. (v. 1927) puis **LEXICALISER** v. tr.

(1950), termes qui concernent le processus par lequel une suite de mots se figent et constituent un élément du lexique, du code de la langue. ➛ **LEXICALISTE** n., employé en grammaire générative-transformationnelle *(hypothèse lexicaliste)*, est pris à l'anglais.
Le grec *lexikon* se retrouve sous la forme de l'élément **LEXICO-** dans deux groupes de mots. ➛ Après **LEXICOGRAPHE** n. (1578), emprunt au grec *lexikographos*, de *lexikon* et *graphein* «écrire» *(-graphe)*, on a formé **LEXICOGRAPHIE** n. f. (1757, article «grammaire» de *L'Encyclopédie*, par Douchet et Beauzée) qui a eu le sens de «science de la graphie des mots» avant de prendre son sens moderne «technique des dictionnaires» vers 1824 et de produire **LEXICOGRAPHIQUE** adj. (1801). ➛ Le composé **MÉTALEXICOGRAPHIE** n. f. (v. 1975) semble emprunté à l'allemand et désigne l'étude critique des dictionnaires. ➛ L'autre nom de discipline, **LEXICOLOGIE** n. f., a été formé (av. 1748) avec *lexiko-* et *-logie**; le sens en est fixé dans l'article «grammaire» de *L'Encyclopédie* «science du lexique». ◇ Il a entraîné la création de **LEXICOLOGIQUE** adj. (1827) et de **LEXICOLOGUE** n. (1840).
Au XXe s. sont apparus les termes de linguistique **LEXIS** n. m. (1926), emprunt savant à *lexis*, tout comme **LEXIE** n. f. (1962) et **LEXÈME** n. m. (1950), d'après l'anglais *lexeme* (1940).

LÉZARD n. m. au masculin (v. 1460) précédé par d'autres graphies (XIIIe s., *lesard;* 1290, *lezart*), a remplacé l'ancienne forme féminine *lajjsarde* (av. 1100), *laisarde* (v. 1125), plus fréquente en ancien français. Toutes deux sont issues du même mot latin, attesté au masculin et au féminin : *lacertus, lacerta*, dont le masculin semble le même mot que *lacertus* (surtout au pluriel) «muscle du bras supérieur», «muscle de l'épaule» et «muscles» en général (cf. *musculus* et son sémantisme), mot sans étymologie connue. Le latin s'est conservé sous des formes très variées dues à des altérations d'origines diverses, marquées par l'influence de *lux* «lumière» : *lucerta* en italien, par ailleurs *lagarto* en espagnol (→ alligator).

♦ Le mot, désignant comme en latin un petit reptile agile, qui s'immobilise souvent au soleil, a donné l'expression ***faire le lézard*** «paresser au soleil» (1832) [cf. ci-dessous *lézarder*]. Par métonymie, il désigne la peau de l'animal, utilisée en peausserie (1922), comme celle du crocodile. ➛ Un emploi figuré récent (v. 1980) reprend un dérivé argotique de *léser* ou *lésiner, lésard* «escroc, faux ami». *Lézard* correspond alors à «difficulté» et fait aussi allusion à ① *lézarde.*

▸ **LÉZARDEAU** n. m. «petit du lézard» (XVIe s.) a éliminé l'ancienne forme *laisardin, lizardin* (XVIe s.). ◇ **LÉZARDET** n. m. (1817) se dit d'une espèce de vaurien du genre monitor, puis (1931) du jeune lézard.
① **LÉZARDE** n. f. n'est pas à proprement parler le dérivé de *lézard*, mais continue (1676) la forme archaïque féminine du mot, *laisarde*, spécialisée pour «crevasse étroite dans un mur», par analogie dit-on avec la forme allongée d'un corps de lézard et probablement par une métonymie suscitée par l'observation, le lézard se cachant volontiers dans les fissures de la pierre. Depuis 1819, il est employé avec le même sens figuré que les mots de valeur voisine, *fissure, crevasse*, etc. *Littré* atteste des emplois analogiques dans les domaines de la passementerie et de la typographie. ② **LÉZARDE** n. f. (1803) «femelle du lézard» est dérivé du masculin. ➛ Au XIXe s. sont apparus deux verbes homonymes. ① **LÉZARDER** v. tr. est dérivé de ① *lézarde. Se lézarder* correspond à «se couvrir de lézardes» (1829) et le transitif à «couvrir de lézardes» (1845-1846). ➛ ② **LÉZARDER** v. intr., de *lézard* dans la locution ***faire le lézard***, se dit pour «se chauffer paresseusement au soleil» (1872).

LIAIS n. m., d'abord *liois* (v. 1112), est probablement dérivé au moyen du suffixe *-ais*, de *lie**, employé dans certaines régions de France au sens de «dépôt limoneux», cette variété de pierre rappelant la lie par sa couleur grisâtre.

♦ Le mot désigne une espèce de pierre calcaire dure, résistante, fréquemment utilisée au moyen âge pour les travaux sculpturaux.

LIANE n. f. a été emprunté (1640, au pluriel *lienes*) au français des Antilles qui doit probablement le mot aux dialectes de l'ouest de la France : en effet, on relève dans ces régions les formes *liene, liane, lienne* pour désigner diverses plantes, la plupart grimpantes (armoise, clématite, liseron, chèvrefeuille). Ce sont probablement des dérivés régressifs du verbe dialectal *liener* «lier des gerbes», lui-même dérivé de *lien**, qui alterne avec *lian* dans les dialectes de l'Ouest, avec la désinence *-er*. Le mot n'est donc exotique que par un détour par les «îles».

♦ En français moderne, *liane* s'applique surtout aux plantes de la forêt tropicale ou équatoriale.

LIARD n. m., relevé pour la première fois le 20 février 1383 dans les archives de l'Isère (Chambre des Comptes du Dauphiné), est d'étymologie controversée. L'hypothèse qui le tire du nom de *Guigues Liard*, censé avoir frappé cette monnaie en 1430, pose un problème chronologique et semble anecdotique. La source communément admise est la substantivation de l'ancien adjectif *liart* (1150) «grisâtre» pour qualifier la robe d'un cheval et, plus rarement (XIIIe s.), la chevelure. L'origine de *liart* est elle-même discutée, certains le tirant du moyen irlandais *liath* «gris», d'autres le faisant dériver de *lie** (de vin), le marc de raisin blanc étant lui aussi de couleur jaune grisâtre. Selon P. Guiraud, l'élément de sens commun à *liard* et *liart* ne serait pas tant une notation de couleur qu'une idée d'«alliage» (de métaux dans un cas, de teintes dans l'autre) et *liart* viendrait de *lier** au sens d'«allier, mêler».

♦ Le mot a désigné une petite pièce de bronze valant le quart d'un sou, en usage du XIVe au XVIIIe siècle. Il n'est plus vivant que dans quelques expressions où il exprime une valeur minime, dérisoire (1526), à la manière de *sou* en français moderne (*pas un liard*, etc.). Il connote toujours le passé.

▸ Le dérivé **LIARDER** v. intr. (1611) «mendier, gagner misérablement» est déjà considéré comme vieilli par Furetière (1690). Le sens de «lésiner» (1801) a également vieilli, tout comme le dérivé **LIARDEUR, EUSE** adj. et n. «avare» (1798).

LIASSE → LIER

LIBATION n. f. est un emprunt de la langue religieuse (1491) au latin *libatio*, nom formé à partir du supin de *libare* «répandre un liquide (lait, vin, eau, etc.) en l'honneur d'un dieu». Le fait remarquable est que le grec possède un verbe *leibein* «verser goutte à goutte», également spécialisé dans le domaine religieux (pas nécessairement funèbre). On en rapproche aussi des mots slaves ou baltiques signifiant «verser» (vieux slave *líti*, lituanien *líeti*). La racine pourrait être la même que l'indoeuropéen °*lei-k*ʷ- «laisser».

♦ Seul le sens religieux du mot, qui, de là, avait pris la valeur laïque de «prendre une part de, goûter», a été repris par *libation*. ◇ Son pluriel se prête à un emploi familier (1750), au sens de «fait d'absorber de l'alcool de façon abondante et répétée» *(faire des libations)*.

LIBELLE n. m. est un emprunt juridique (1283) au latin *libellus*, diminutif de *liber* (→ ② livre) «petit livre» et, dans les domaines littéraire et juridique, «pamphlet, mémoire». Dès 1262, on relève la forme *libel*, en usage jusqu'au XVIᵉ s., au sens de «requête écrite présentée par le demandeur», valeur reprise par *libelle*.

♦ Par extension de son sens juridique, le mot est passé dans le langage littéraire (1465) où il désigne un écrit court et diffamatoire contre qqn, et par métonymie, le genre correspondant, avec un sens voisin de celui de *pamphlet*.

▸ Le dérivé **LIBELLER** v. tr. (1451) signifie «rédiger dans les formes légales ou requises» et en particulier «remplir en indiquant un ordre de paiement». ◇ Le sens plus général de «rédiger, formuler» (1796) est surtout réalisé par la forme passive, et détache sémantiquement le verbe de *libelle*. ➛ Son participe passé **LIBELLÉ, ÉE** a été substantivé (1832) avec des sens correspondant à ceux du verbe. ➛ **LIBELLISTE** n. (1640) désigne l'auteur d'un libelle ; il est rare.

LIBELLULE n. f. apparaît en 1798 chez Cuvier. Il est emprunté au latin scientifique *libellula* (1758, Linné), lui-même dérivé du latin *libella* «niveau», par allusion au vol plané horizontal de l'insecte. *Libella* est dérivé de *libra* «objet servant à peser» d'où «poids de douze onces» et «balance» (→ ① livre).

♦ Le mot désigne un insecte à corps allongé, aux ailes translucides et nervurées, qui vole souvent au-dessus de l'eau. Sa sonorité évoque un monde de poésie champêtre.

▸ Avec le suffixe *-idés* indiquant une famille, on a formé **LIBELLULIDÉS** n. m. pl. (v. 1902), après *libellulides* (1873).

LIBÉRAL, ALE, AUX adj. et n. a été emprunté (v. 1175) au latin *liberalis*, dérivé de *liber* (→ libre) qui, comme *ingenuus* (→ ingénieux) et *generosus* (→ généreux), est passé du sens propre «qui concerne un homme libre» au sens figuré, psychologique de «digne d'un homme libre», c'est-à-dire «bienfaisant, généreux».

♦ *Libéral* est apparu avec ce sens psychologique, encore en usage mais supplanté par *généreux*. Son sens étymologique, «digne d'un homme libre» (v. 1190), est sorti d'usage, mais reste réalisé dans les syntagmes ***arts libéraux*** (v. 1210 ; traduction de *artes liberales*), ***éducation libérale*** (1755) et surtout ***profession libérale*** (1845). ➛ Comme terme politique, *libéral* est attesté pour la première fois en 1750 (d'Argenson) ; cependant, le concept reçoit véritablement son acte de naissance avec la Révolution et le mot se répand vers 1800. Il s'applique aux partisans des libertés politiques et joue un grand rôle au XIXᵉ s., époque où le *parti libéral* s'oppose aux conservateurs et aux monarchistes puis également aux socialistes (1848). De nos jours, il est employé spécialement en parlant de la vie politique anglaise. ◇ Par extension, *libéral* qualifie aussi un état d'esprit large, tolérant en matière sociale et politique. ◇ Il recouvre enfin un concept économique né d'une réaction envers les contraintes du colbertisme (cf. *concurrence*), élaboré par les physiocrates (1758, Quesnay) et modelé par la réflexion d'Adam Smith (1776). Au XXᵉ s., sa valeur est modulée en fonction des valeurs politiques et économiques prises par *libéralisme* (ci-dessous).

▸ **LIBÉRALEMENT** adv. (XIIIᵉ s.), rapidement supplanté par *librement* au sens de «de son plein gré», puis «généreusement» (v. 1370) signifie plus rarement, «conformément à la liberté» (1800) notamment en politique (1835). ➛ Les autres dérivés de *libéral* se rapportent tous au sens politico-économique du mot. Le premier apparu est **LIBÉRALISER** v. tr. (1785), probablement influencé par l'anglais *to liberalize* (1774), qui s'est répandu au XXᵉ siècle. ◇ Il a produit **LIBÉRALISATION** n. f. (v. 1950), déjà proposé par Richard de Radonvilliers en 1842, peut-être d'après le mot anglais correspondant (1835). ➛ **LIBÉRALISME** n. m. (1816 ; 1818 chez Maine de Biran), a d'abord défini la doctrine des libéraux français avant de prendre son sens moderne en politique et en économie par opposition à *étatisme* et *socialisme*. ◇ Par extension, il désigne un état d'esprit libéral, subissant alors parfois l'influence de *libéralité*. ➛ Le développement d'une opposition au libéralisme a entraîné la création de **ANTILIBÉRAL, ALE, AUX** adj. (1815) et **ANTILIBÉRALISME** n. m. (1842), ainsi que d'un péjoratif **LIBÉRÂTRE** n. et adj. (1866, «personne qui idolâtre la liberté») qui s'est appliqué aux partisans et membres du Tiers Parti d'Émile Ollivier, sous le Second Empire, puis a disparu.
En marge de cette évolution, l'emprunt **LIBÉRALITÉ** n. f. (1213), représentant du dérivé latin *liberalitas* «générosité, don», correspond à la notion psychologique de générosité et désigne concrètement (v. 1500) un don généreux. ◇ Au XIXᵉ s., il s'est étendu, d'après *libéral*, à l'idée d'«attitude tolérante, ouverture d'esprit» (1802).

LIBÉRER v. tr. a été emprunté (v. 1495, au participe passé) au latin *liberare*, dérivé de *liber* (→ libre), «affranchir un esclave», «rendre libre» et «délivrer qqn d'une dette, d'une obligation».

♦ On relève d'abord *libérez de* au sens d'«affranchi de, exempt de», puis le verbe transitif (1541) pour «mettre (un prisonnier) en liberté». ◇ Par extension, le verbe prend le sens de «délivrer de ce qui gêne, entrave» (1585) et au figuré (1690) «décharger d'une dette, d'une servitude». Au XIXe s., d'après le sens particulier de «renvoyer (un soldat) dans son foyer» (1834), il a reçu la valeur plus générale de «rendre à (qqn) sa disponibilité après l'exercice de ses fonctions». ➛ Le sens de «délivrer un pays de la tutelle étrangère» est attesté pour la première fois en 1942 chez le général de Gaulle, en relation avec le sens pris alors par la *libération.*

▸ Sont issus de *libérer* les adjectifs **LIBÉRATOIRE** (XVIe s.) «qui libère d'une obligation, d'une dette», dérivé savant de *libérer* d'après le radical latin *liberat-*, et **LIBÉRABLE** (1931, proposé dès 1842 par R. de Radonvilliers), surtout en contexte militaire. ➛ Tous les sens de *libérer* sont repris par **LIBÉRATION** n. f. (v. 1398, *liberacion*), emprunt au dérivé latin *liberatio* et qui s'est spécialisé comme nom propre historique à propos de la délivrance de la France envisagée en 1942 et obtenue en 1944 (emploi attesté en 1942). ➛ **LIBÉRATEUR, TRICE** n. et adj. a été emprunté (1500) au latin *liberator, -trix* formé sur *liberare* avec un suffixe indiquant l'agent. Il a remplacé le plus ancien *délivreur* dans le même sens.

◈ voir **LIBERTIN, LIVRER** et **DÉLIBÉRER, DÉLIVRER.**

LIBERTÉ → LIBRE

LIBERTIN, INE adj. et n. a été emprunté (v. 1468) au latin *libertinus* «affranchi, rendu libre», diminutif de *libertus* de même sens, lui-même formé sur le supin de *liberare* (→ libérer).

♦ Le mot, introduit avec le sens d'«affranchi» en droit et en histoire romains, a connu une évolution originale. ◇ Au XVIe s., il a pris le sens de «membre d'une secte juive au temps des apôtres» (v. 1525), probablement à la suite d'une mauvaise interprétation des *Actes des Apôtres* (II, 9) par Lefèvre. De là, il a désigné également le membre d'une secte hérétique fondée vers 1525 dans le nord de la France et dans les Pays-Bas (1542), ainsi que celui d'une secte politico-religieuse qui s'est dressée contre l'autorité de Calvin à Genève (1544). ◇ Par extension (av. 1555), *libertin* désigne une personne qui s'affranchit de toute religion, un libre-penseur, d'abord avec des connotations injurieuses. Son sens évolue au cours du XVIIe s., le libertin se livrant à un épicurisme plus pratique que spéculatif et se caractérisant davantage par une propension à la débauche (1625) que par son irréligion. Progressivement, le nom correspond à un type littéraire au XVIIIe s. (de Crébillon à Laclos) et recouvre une réalité plus flottante. ➛ L'adjectif qui en est tiré (1568) au sens premier d'«épris d'indépendance, qui hait la contrainte sans s'écarter de l'honnêteté», a évolué, d'une part vers l'acception péjorative de «qui se dispense de ses devoirs, indiscipliné» (XVIIe s.) et, d'autre part, a suivi le glissement de sens du nom, d'«irréligieux» à «débauché». ➛ Hors de ce contexte dominant, le mot a reçu en fauconnerie la valeur spéciale de «qui ne revient que difficilement à l'appel», en parlant d'un oiseau de proie (1812). ◇ Il s'est dit aussi d'un poète qui s'affranchit des règles de la versification (1859, Baudelaire).

▸ L'histoire de **LIBERTINAGE** n. m. (1603) retrace l'évolution complexe de la notion. Apparu au sens d'«attitude d'affranchissement à l'égard des croyances religieuses», le mot désigne au XVIIe s. une attitude d'indépendance vis-à-vis de toute sujétion (1680). ◇ Ces deux sens se sont effacés au profit de l'acception moderne (1674) qui met l'accent sur l'inconduite des mœurs, la débauche. Historiquement, le mot recouvre deux mouvements de pensée : l'un qui s'est développé autour de Théophile de Viau dans la noblesse de cour, vers 1620, l'autre qui s'épanouit au XVIIIe s. et dont l'expression romanesque a connu un grand succès. ➛ **LIBERTINER** v. intr. (1734) «vivre dans le libertinage, la débauche», s'est employé également en parlant d'un enfant qui se dissipe (1762). ◇ Il est peu usité, de même que l'adverbe **LIBERTINEMENT** (1866).

LIBIDINEUX, EUSE adj. et n. est emprunté (XIIIe s., *libidineus*) au latin *libidinosus* «qui suit ses désirs, voluptueux», dérivé de *lubido* (forme archaïque) ou *libido* «désir, envie», pris dans son acception érotique. Ce nom est issu du verbe *lubere, libere* «avoir envie de», surtout utilisé à la forme impersonnelle *lubet, libet,* «il me plaît de», à laquelle remontent *lubie** et *quolibet**.

♦ *Libidineux,* relevé au XIIIe s., puis vers 1485, est rare avant le XVIIIe s. ; de nos jours, il est réservé à un usage religieux, littéraire ou plaisant.

▸ Le nom correspondant **LIBIDINOSITÉ** n. f. (XVe s.), encore enregistré en 1611 et repris au XIXe s., relève soit d'un usage didactique, soit d'un usage littéraire archaïsant.
Le nom latin **LIBIDO** n. f. est passé en français en 1913 à la suite de son emprunt par Freud au latin en des sens qui ont varié avec l'élaboration de sa théorie des pulsions : la libido consiste en la manifestation dynamique de la pulsion sexuelle dans la vie psychique. En ce sens, le terme a remplacé *aimance ;* il est employé couramment (au pluriel ou au singulier) au sens de «recherche instinctive du plaisir sexuel». ◇ Sont formés sur *libido* **LIBIDINAL, ALE, AUX** adj. (1923, par ex. dans *objet libidinal*) et le terme plus rare **LIBIDINISATION** n. f. (v. 1950) «érotisation».

LIBRAIRE n. est un emprunt ancien (1284) au latin *librarius,* substantivation de l'adjectif correspondant à *liber* (→ livre) signifiant «relatif au livre», pour désigner un copiste et, à époque impériale, quelqu'un qui fabrique et vend des livres.

♦ Avant l'apparition de l'imprimerie, *libraire* désigne un auteur de livres (1284) et un copiste de manuscrits (XIVe-XVe s.). À partir de 1460, l'invention de techniques d'impression donne une impulsion à un marché et à une politique du livre : les centres typographiques se multiplient ; *libraire* commence alors (1491) à désigner un marchand de livres. Pendant longtemps, cependant, les fonctions d'imprimeur, d'éditeur et de libraire demeurent solidaires et le mot s'applique à ce qu'on a appelé *imprimeur-libraire* (1538) et, plus tard, avec l'apparition des mots *éditeur, édition* au sens moderne, *libraire-éditeur* (1813). Le libraire est encore décrit par Furetière (1690) comme «un artisan et un marchand qui imprime, qui vend et qui relie les livres». On peut donc dater l'acception moderne du XVIIIe s. ; l'évolution du commerce des imprimés a modifié les connotations du mot.

▸ **LIBRAIRIE** n. f. est lui aussi un emprunt (1365, *liberarie*) au latin impérial *libraria* «bibliothèque», pluriel pris comme féminin singulier de *librarium*, neutre de l'adjectif tiré de *liber*. ◆ Le mot a gardé son sens latin jusqu'au XVIIe s. (c'est ainsi que l'emploie Montaigne), avant de le céder à *bibliothèque* et de se réserver au sens de «commerce des livres» (1544) sous l'influence de *libraire*, très répandu à partir du XVIe siècle. Cette évolution n'a pas eu lieu en anglais où *library* (emprunté au XIVe s. au français) continue à désigner la bibliothèque par opposition à *bookshop*, proprement «magasin de livres». ◇ Par métonymie, *librairie* désigne la corporation des libraires, «le monde de l'édition». ◇ Depuis le XIXe s. (1846), le mot s'applique à un magasin où l'on vend des livres, le même commerce pouvant réunir, en France, les fonctions de *librairie-papeterie*, qui sont plus indépendantes mais s'expriment aussi dans le vocabulaire d'autres langues (anglais *bookshop-stationery ;* italien *libreria-cartoleria*).

⟐ voir LIVRE.

LIBRE adj., d'abord *liure* (v. 1200), est emprunté au latin *liber*, terme plus vaste qu'*ingenuus* (→ ingénu), dit de personnes, de cités, de peuples, d'abstractions, quelquefois avec la valeur péjorative de «trop libre». On rapproche le grec *eleutheros* «libre» et, sans certitude, des désignations du peuple en ancien haut allemand, en lette et en vieux slave.

♦ Au moyen âge, *libre* signifie «qui dépend de soi, n'est soumis à aucune autorité» et (1339) «qui n'appartient à aucun maître». ◇ Le sémantisme du mot s'étend considérablement au XVIe s. : il prend alors la valeur de «qui n'éprouve pas de gêne» (1538), particulièrement dans ***libre de*** et substantif (1558), et «non prisonnier, non captif» (1552). Il développe son acception philosophique de «qui a le pouvoir de se déterminer» (1541, Calvin) en même temps que son acception politique : il est appliqué à un territoire jouissant de la liberté politique (1564) et à une personne qui n'est pas soumise à des entraves de la part des autorités (v. 1580 chez Montaigne). ◆ Toujours au XVIe s., il commence à qualifier les choses qui s'effectuent sans contrainte extérieure (physique ou morale), entrant notamment dans ***air libre*** (1559), surtout dans *à l'air libre* «à l'extérieur», ***vers libre*** (1549), ***accès libre*** (1681). ◇ Le sens péjoratif de «désinvolte, familier» d'où «trop libre, qui tend à la licence» est apparu au XVIIe s., tout comme celui de «sans occupation, sans engagement» (1680) qui a produit les expressions ***avoir l'esprit libre*** (av. 1695) et ***être libre*** (1690) «n'être pas marié». ◇ L'époque du libertinage religieux a introduit ***libre penseur*** (1659), d'après l'anglais *free thinker*, mais ***libre pensée*** est attesté ultérieurement (1848, Michelet, *Journal*). ◆ Au XIXe s., procédant de la valeur «qui n'est pas assujetti et peut se mouvoir» (v. 1560), sont apparus des emplois didactiques en botanique (1819) et en chimie (1845, *cristaux libres*). ◇ À la même époque, avec son acception politique, le mot s'est étendu à de nouveaux objets (institutions, activités économiques, juridiques, syndicales), entrant dans quelques syntagmes du type ***enseignement libre*** (1864), et, plus près de nous, ***radio libre***. ◆ Deux adaptations de l'anglais ont fourni *libre-échange* (→ échange) et *libre-service* (→ service). Pour *libre arbitre*, voir *arbitre*.

▸ Le dérivé de *libre*, **LIBREMENT** adv. est attesté depuis 1339 sous la forme *liberement* et refait au XVIe s. (1546) en *librement*.

Le nom correspondant, **LIBERTÉ** n. f. (v. 1190) a été emprunté au dérivé latin *libertas*, nom correspondant à *liber* avec tous les sens de celui-ci. ◆ Il est apparu sous la forme *livreteit* avec le sens philosophique de «libre arbitre». Son pluriel *libertés* a développé (1266) le sens particulier de «franchises, immunités accordées à une ville» dans le cadre de l'affranchissement des villes à l'égard du pouvoir seigneurial. ◇ Depuis le XIVe s., le mot désigne l'état d'une personne juridiquement autonome, en opposition à *esclavage, servitude*, puis l'état d'une personne non captive (1365) et définit aussi l'état d'une personne qui n'a pas d'engagement (1393) ; ces emplois, antérieurs aux valeurs correspondantes de *libre*, ont influé sur l'adjectif. Dès cette époque, le nom entre dans la locution ***liberté de*** et infinitif. ◇ Au XVIe s., il y ajoute les sens d'«absence de contrainte sociale ou morale» (1538), de «hardiesse en parole», d'où l'expression ***prendre des libertés*** (1694 en contexte galant). ◆ La valeur de «jouissance des droits politiques accordés à tout citoyen» (1538) est une spécialisation parallèle à celle de l'adjectif. Mais les significations politiques du mot se développent surtout pendant le XVIIIe s., dans la France prérévolutionnaire qui voit apparaître les expressions ***liberté politique*** (1748, Montesquieu), ***liberté de la presse*** (1753, d'Argenson), ***liberté de penser*** (1763, Voltaire) et ***liberté individuelle*** (1787). La revendication *liberté ! liberté !* apparaît alors dans les écrits (1835, *Liberté ! Libertas*). ◆ Le composé **LIBERTICIDE**, formé sur *liberté* avec le suffixe *-cide* «qui tue» (→ suicide), est apparu sous la Révolution (1791, Babeuf) au sens de «qui attente aux libertés». Depuis 1829, il est seulement employé comme substantif. ◆ *Liberté* a aussi produit **LIBERTAIRE** adj. et n. (1858, Proudhon), terme didactique et idéologique synonyme d'«anarchiste», qui a donné son nom (1892) à une revue et a gardé cette valeur très spécifique.

⟐ voir LIBÉRAL, LIBÉRER, LIBERTIN ; DÉLIVRER, LIVRER, ainsi que LIBRE-ÉCHANGE*, LIBRE ARBITRE*, LIBRE-SERVICE*.

LIBRETTO n. m. est un emprunt de la langue musicale du début du XIXe s. (1819, au pluriel *libretti* chez Stendhal) à l'italien *libretto*, proprement «petit livre» (diminutif de *libro*, correspondant de *livre**). *Libretto* est attesté au sens de «livret d'opéra» depuis le XVIIIe siècle.

♦ Le mot a vieilli au profit de *livret*.

▸ On continue d'employer son dérivé **LIBRETTISTE** n. m. (1844, Gautier) pour désigner un auteur de livrets d'opéra.

① **LICE** n. f. est issu (v. 1155) du francique °*listia* «barrière», dérivé de °*lista* «bordure, bande» qui est représenté par *liste* (1150) «bordure», conservé comme terme d'hippologie depuis 1600. L'anglais *list*, le néerlandais *lijst*, l'allemand *Leiste* viennent du même étymon. Cette origine germanique est contestée par P. Guiraud, qui préfère apparenter le mot aux dérivés du latin *licium* (pluriel *licia*), terme technique d'origine inconnue, «fil de trame», par analogie fonctionnelle autour d'une idée de «séparation».

♦ *Lice*, en ancien et moyen français, désignait le champ clos où se déroulaient les joutes, les tournois (1278) et, plus généralement, l'espace circonscrit par une clôture et destiné aux courses de chevaux et aux compétitions (1538). ◇ Il s'est conservé au sens de «clôture entourant un champ de courses, de foire, etc.», et surtout dans la locution ***entrer en lice***, originellement «combattre» (1564) et au figuré «intervenir dans un débat» (1622).

② **LICE** ou **LISSE** n. f. est issu (XIIe s.) du lat. *licia*, pluriel neutre (*licium*) pris en latin populaire pour un féminin.

♦ Le mot désigne la pièce du métier à tisser dans laquelle passe le fil de chaîne. Les loc. ***haute lice*** «lice à chaîne disposée verticalement» et ***basse lice*** (où les fils sont horizontaux) sont surtout connues par *tapisserie de haute lice*.

▸ Le dérivé **LICIER** ou **LISSIER** n. m. (1532 écrit *ss-*) désigne l'ouvrier qui monte les lices, et ***haut licier, haut lissier*** la personne qui fait des tapisseries de haute lice.

③ **LICE** n. f. est issu (XIIe s.) du lat. pop. °*licia*, du lat. class. *lycisca*, du grec *lukos* «loup» → lycée.

♦ Ce terme de vénerie désigne la femelle d'un chien de chasse.

✳ **LICENCE** n. f. est emprunté (v. 1170) au latin *licentia* «faculté, pouvoir de faire librement», employé à basse époque avec diverses spécialisations, par exemple «permission de se marier» en droit, «autorisation d'enseigner en faculté» dans l'éducation, et avec le sens dérivé de «loisir». Le mot est dérivé de *licere* «être permis» (→ loisir).

♦ Le sens originel de «liberté de faire qqch.» a vieilli au XVIIe s. dans sa généralité au profit de sens dérivés et de spécialisations. Le mot s'est implanté dans le domaine de l'éducation, d'abord à propos de l'autorisation d'enseigner en faculté (av. 1350) puis comme nom d'un grade universitaire et de l'examen nécessaire pour l'obtenir (1530) et, par métonymie, du temps passé sur les bancs de la faculté avant d'acquérir ce diplôme (1680). ➛ Dans l'usage commun, *licence*, avec l'idée de «liberté», a reçu une coloration psychologique défavorable dès le moyen français, impliquant une certaine insolence (v. 1460), puis l'insubordination (1512) et le dérèglement des mœurs (1550), valeur surtout vivante dans l'adjectif correspondant, *licencieux* (ci-dessous). ➛ Une spécialisation technique donne au mot le sens de «liberté prise par un écrivain à l'égard des règles» (1521, *licence poétique*). ◇ Ultérieurement, la valeur juridique de «permission accordée» a été réactivée dans le domaine des échanges commerciaux (1780), par exemple dans *licence d'importation*. Cet emploi a perdu de son importance avec la modification des règles administratives, sauf en français du Canada où le mot, outre la *licence de boissons* des établissements publics, se réfère aussi à ce qu'on nomme en France *plaque minéralogique* d'un véhicule et *carte grise* d'un conducteur.

▸ **LICENCIÉ, ÉE** adj. et n. est emprunté (1349) au latin médiéval *licentiatus*, «auquel a été accordée l'autorisation d'enseigner» (1231). Le mot correspond d'abord à la spécialisation de *licence* dans le domaine de l'enseignement supérieur. ◇ Il a reçu deux autres acceptions techniques en droit commercial et fiscal (1876) et en sport (1919).

LICENCIER v. tr. est emprunté (v. 1360) au latin médiéval *licentiare* «congédier» (XIIe s.), par une évolution de sens à partir de «rendre sa liberté», et aussi «permettre» (av. 1240). ➛ Le sens de «renvoyer, congédier», d'abord appliqué au renvoi d'un haut personnage disgracié, puis (1565) à des domestiques, accapare l'usage actuel du verbe, particulièrement vivant dans un contexte professionnel (XXe s.). ◇ Cependant, dans l'usage classique, *licencier* avait aussi développé, sous l'influence de *licence* «abus de liberté», le sens propre de «rendre trop libre» (1611 au pronominal). Il s'employait également au sens figuré de «repousser, refuser (qqch.)» (1655). ➛ Le sens de «pourvoir d'une licence», attesté une fois en moyen français par l'infinitif substantivé, n'est guère réalisé qu'en sport (XXe s.), les emplois avec cette valeur étant réservés à *licencié* (ci-dessus). ➛ **LICENCIEMENT** n. m. (av. 1592) correspond au sens de «renvoi», dans un contexte militaire et professionnel; cette valeur exclusive rend parfois nécessaire le recours à **LICENCIAGE** n. m. et **LICENTIATION** n. f. pour exprimer d'autres valeurs correspondant à celles du verbe ou de *licence*. ➛ On relève aussi **LICENCIEUR, EUSE** n. depuis peu (v. 1970) pour «personne qui accorde une licence».

LICENCIEUX, EUSE adj. est emprunté (1537) au latin *licentiosus* «libre, déréglé, sans retenue». Le mot assure le maintien du sens psychologique légèrement archaïque de *licence* : avec l'idée de liberté excessive, il qualifie une personne qui offense la pudeur par son comportement (v. 1590), se montre libertine (1671) et, par métonymie, un acte ou un propos jugé trop libre (av. 1704, *conversations licencieuses*). ➛ **LICENCIEUSEMENT** adv., attesté chez Calvin pour «en prenant trop de liberté» (1541), se rencontre encore quelquefois pour «de manière débauchée» (1671).

◈ voir LICITE.

LICHEN n. m. est emprunté sous la forme *lichine* (1363) au latin *lichen*, lui-même emprunté au grec *leikhên* «lèpre, dartre» et «lichen». Le mot est dérivé de *leikhen* «lécher» qui remonte à la même racine indoeuropéenne que *lécher** : la maladie, comme la plante, semble lécher son support.

♦ Historiquement, le premier sens de *lichen* est celui d'«éruption sur la peau», conservé par la dermatologie moderne dans une acception moins générique. Le sens courant en botanique, attesté depuis 1546, se prolonge dans les dérivés.

▸ La dérivation consiste en adjectifs didactiques créés au XIXe s. : **LICHÉNOÏDE** (1823, n. ; 1840, adj.) et son synonyme **LICHÉNIFORME** (fin XIXe s.), **LICHÉNIQUE** (1846) et **LICHÉNEUX, EUSE** (1861). ➛ **LICHÉNIFICATION** n. f. (1900) est le seul dérivé ayant trait à l'emploi de *lichen* en dermatologie.

LICITE adj. est emprunté (v. 1310, mais antérieur) au latin *licitus* «permis, autorisé, légitime», de *licere* «être permis» (→ loisir).

♦ D'usage didactique ou soutenu, le mot est parfois employé dans la locution impersonnelle ***il est licite de,*** calque du *licet* latin, également rendu par *il est loisible de.*

▸ **LICITEMENT** adv. (1266), et surtout **LICÉITÉ** n. f. (1907), dérivé savant du latin *licere,* qui reprend le sémantisme du moyen français *licicité* n. f. (1530), sont d'un usage plus didactique.
ILLICITE adj. (1364) a été emprunté au préfixé latin *illicitus* «non autorisé». Le mot est plus courant que *licite* lui-même, de par ses emplois à connotation juridique. ➛ Il a produit **ILLICITEMENT** adv. (1491) et **ILLICITÉ** n. f. ou *illicéité* (fin XIXe s.), terme technique et rare.
◈ voir LICENCE.

LICOL, LICOU → COL, COU

LICORNE n. f., attesté pour la première fois en 1349 (*la Dame à la lycorne*), est un emprunt, avec mauvaise coupure de l'article défini élidé, à l'italien *alicorno* (XIVe s.) qui a aussi produit *alicorne* en français (1674) et *alicorn* en béarnais (XVIe s.). Le mot italien représente lui-même une forme altérée par dissimilation du latin chrétien *unicornis* «licorne», proprement «qui a une corne» (d'où l'anglais *unicorn*), de *unus* (→ un) et *cornu* (→ corne), calque du grec *monokéros.* Une forme isolée *locorne* (XIIIe s.) est probablement une altération de l'italien *liocorno* (XIVe s.) qui est lui-même une altération de *lunicorno* (XIIIe s.), issu d'*unicorno* avec agglutination de l'article.

♦ Le mot désigne un animal fabuleux, représenté à l'image d'un cervidé ou d'un cheval, avec une longue corne rectiligne au milieu du front, et symbole important dans les légendes médiévales, où il figure comme allégorie de la pureté difficile à atteindre. ➛ On appelle *licorne* (1664), puis ***licorne de mer*** (1694) le narval, cétacé dont la longue défense était vendue en pharmacopée sous le nom de *corne de licorne.*

LICTEUR n. m. est emprunté (v. 1355) au latin *lictor,* nom de l'officier au service d'un grand magistrat ayant pour attributs un faisceau de verges liées et une hache, et dont le rôle était de précéder ce magistrat dans ses sorties et d'exécuter ses sentences. Les Romains ne séparaient pas le mot de *ligare* (→ lier), par allusion au faisceau de verges liées de l'appariteur ; cependant, en l'absence d'un doublet *°ligere* à côté de *ligare,* cette étymologie pose un problème morphologique.

♦ Le mot a été repris comme terme d'histoire romaine.

LIDO → LITTORAL

LIE n. f. est en général considéré comme issu (v. 1120) d'un celtique *°liga* qui remonterait à la racine indoeuropéenne *legh-* «se coucher, être couché» (avec passage du *-e-* au *-i-* en celtique) ; par là, il s'apparenterait au latin *lectus* (→ lit), au grec *lektron* «lit» et à des formes slaves et germaniques. P. Guiraud, qui cherche toujours à réduire les apports non latins (ici, gaulois), préfère y voir un dérivé de *lier** pris au sens de «donner de la consistance». Dès la fin du VIIIe s., on relève *lias* en latin médiéval au sens de «résidu, couche», puis (v. 850) de «lie de vin». ◈

♦ *Lie* apparaît en français pour désigner un dépôt qui se forme au fond des récipients contenant des boissons fermentées, et notamment du vin. De l'idée de boire jusqu'aux parties en dépôt, vient l'expression ***jusqu'à la lie,*** au figuré «jusqu'au bout», avec des connotations pénibles, attestée d'abord dans l'expression *encuser jusqu'à la lie* «dénoncer misérablement jusqu'au bout» (v. 1180-1190). De nos jours, on l'emploie surtout dans l'expression ***boire le calice (la coupe) jusqu'à la lie*** (1495) par allusion évangélique. ◇ Régionalement, le mot a désigné un dépôt limoneux (d'où probablement *liais*). ➛ *Lie,* au figuré, exprime ce qu'il y a de plus vil, de plus trouble, et l'ancienne langue, ou aujourd'hui le style littéraire l'emploie spécialement à propos de la fraction la plus basse de la société (av. 1616), la «canaille». ➛ Le syntagme lexicalisé ***lie de vin,*** réduction de *couleur de la lie de vin* (1797), puis *couleur lie de vin* (1804) désigne une couleur vineuse et s'emploie aussi en adjectif de couleur.
◈ voir LIAIS.

LIE adj., **LIÉ** → LIESSE

LIED n. m. est emprunté (1833) à l'allemand *Lied* «chant, chanson», en ancien haut allemand *liod ;* mot correspondant à l'ancien saxon *-lioth,* au moyen néerlandais *liet,* au moyen anglais, à l'ancien norrois. Ces mots pourraient être apparentés au latin *laudare* (→ ① louer).

♦ *Lied* a été introduit en français sous l'influence de la musique romantique allemande, notamment celle de Schubert. Depuis 1841, il s'applique aussi à une chanson populaire germanique. À côté du pluriel *lieder* (conforme à l'allemand), le français admet la forme francisée *lieds.*

LIÈGE n. m. est issu (déb. XIIIe s.) du latin populaire *°levius,* «élargissement» du latin classique *levis* «peu pesant, léger», cette matière végétale étant ainsi nommée à cause de sa légèreté (→ léger). ◈

♦ En dehors de son sens initial, «écorce légère de certains arbres, notamment le ***chêne-liège***», usuel à cause des utilisations multiples de cette substance, notamment pour la fabrication des bouchons, importante dans toutes les zones vinicoles et cidricoles. Le mot est employé par extension en botanique (1902, *Nouveau Larousse Illustré*) en parlant d'un tissu secondaire recouvrant les tiges de certaines plantes et constitué de cellules mortes remplies d'air.

▶ Il a produit quelques dérivés techniques comme **LIÉGER** v. tr. (1492), **LIÉGÉ, ÉE** adj. (1492), d'où **LIÉGEUR** n. m. (attesté au XXe s.), et didactique comme **LIÉGEUX, EUSE** adj. (1803) «qui a le caractère, l'apparence du liège».

✻ **LIEN** n. m. est issu (v. 1120) du latin *ligamen* «ce qui sert à attacher, cordon», de *ligare* (→ lier). Les formes régulièrement issues par évolution phonétique étant *leien*, ou *loien*, *lien* s'explique par l'attraction de *lier**.

♦ *Lien*, attesté pour la première fois en emploi imagé, est employé en 1130 avec son sens propre. L'ancienne langue utilisait également le mot là où le français moderne emploie *laisse* (d'un chien). Plus particulièrement, *lien* a développé le sens d'«entraves d'un prisonnier» (aujourd'hui vieilli). ◇ Dès le XIIe s., il est employé au figuré avec, selon le contexte, la valeur de «ce qui unit affectivement (v. 1175), moralement», et de «contrainte résultant d'un vœu» (fin XIIe s. ; fin XIIIe s. pour ***lien du mariage***, aujourd'hui surtout au pluriel); il signifie aussi «ce qui maintient dans une étroite dépendance, en servitude» (XIIe s.). À l'époque classique, ce dernier sens était surtout réservé à l'expression d'un esclavage amoureux; puis, par atténuation il correspond à «relation affective» (*liens d'amitié*). ◇ D'autre part, il a reçu une acception juridique (1283), et une spécialisation logique (1851-1862, *lien du discours*).

▶ *Lien* a produit le dérivé inattendu **LIMIER** n. m., altération de *lïemier* (v. 1150), pour désigner un chien tenu en laisse, comme l'indique la formule latine relevée dès le VIe s. dans la Loi salique : «*canem qui ligamen nouit*». Le mot lui-même est apparu sous la forme *liemarius* (v. 1135). ◆ *Limier* désigne en vénerie le chien dressé à guetter et à lancer le gibier (cf. *lévrier*). Il est passé dans l'usage au sens figuré de «personne qui suit une piste» (1709), se spécialisant à propos d'un policier (*fin limier*), valeur répandue par les romans policiers au XXe siècle.

voir LIANE.

✻ **LIER** v. tr. est issu (v. 980) du latin *ligare* «attacher, bander, entourer, ceinturer, fixer, unir» (au propre et, d'abord dans la poésie impériale, au figuré). Sans pouvoir constituer une famille indoeuropéenne, on rapproche cependant *ligare* d'un verbe albanais et du vieil islandais *lite* «corde». ◇ Les formes régulières issues de *ligat* (3e personne du singulier) *-ligare* étant *lieie-leier* et *loieloier* (attestées en ancien français et conservées dans de nombreux dialectes du Nord-Est), le type très ancien *lie-lier* s'explique par analogie de *prie* (issu de *precat*), *scie* (issu de *secat*) et *nie* (issu de *negat*) avec extension du radical du présent à la conjugaison entière. On a aussi émis l'hypothèse d'un type latin *°līgat*, *°līgare* non attesté, mais que postuleraient aussi l'ancien provençal *liar*, *ligar*, le catalan *ligar* et le portugais *ligar*.

♦ *Lier* est attesté dans la plupart de ses sens avant la fin du XIIIe s. : «entourer (qqn) de liens», «attacher à qqch.» (v. 1130), «unir (différentes choses) par un lien» (v. 1150), «fermer par un lien» (fin XIIIe s.). ◇ Au figuré, le verbe apparaît dans un contexte biblique (1174) avec le sens de «refuser d'absoudre, imposer des obligations en relation avec le péché». Il s'emploie aussi avec l'idée d'établir un lien affectif, moral (1160-1174) ou juridique (1283), et pour «entraver, assujettir» (v. 1200). ◇ Certaines valeurs concrètes particulières ont disparu, par exemple «attacher les liens de (une femme)» (1160-1174) au profit de *lacer*, et «bander (une plaie)» (v. 1200). ◇ Par figure, il correspond à «rendre plus épais» en cuisine (v. 1393, *lier un potage, une sauce*), et aussi en maçonnerie (1396). ◇ Il se dit de l'écriture (1690, *lier ses lettres*) et en musique (1771, *notes liées*). ◇ L'expression familière ***fou à lier*** est issue par hyperbole de la locution verbale *lier un fou* (1668), qui correspond à l'ancien sens «attacher», d'abord «lacer, serrer par des liens», sorti d'usage. ◇ Avec une valeur abstraite, *lier* s'est étendu à l'expression d'un lien magique (1408) et d'un lien logique (av. 1563). ◆ *Se lier*, pronominal, s'emploie spécialement en parlant des personnes pour «contracter une relation, un lien d'amitié avec (qqn)».

▶ Du verbe sont issus plusieurs substantifs ; le plus ancien est **LIASSE** n. f. (1170 ; 1080, *lïatse*), dont la forme féminine actuelle l'a emporté sur le masculin *lïaz* attesté dans les mêmes textes. D'abord employé pour «assemblage d'objets de même nature», il s'est spécialisé au sens d'«assemblage de papiers» (1299), qu'ils soient attachés ou pas. Cette dernière acception l'a emporté.

Au XIIIe s. sont apparus trois noms. ◆ **LIAGE** n. m. (1243) s'est limité essentiellement à son sens technique en tissage (1765). ◆ **LIERNE** n. f. (1296 en marine), mot technique, s'est spécialisé en charpenterie (1561) et architecture «nervure de la voûte gothique (aboutissant à la clé)». ◆ **LIAISON** n. f. (1260, *loison*), est celui dont le champ sémantique est, de loin, le plus étendu. ◇ *Liaison* a probablement hérité de la polysémie du latin *ligatio, -onis* (de *ligare*) tout en exprimant les sens généraux et techniques de *lier*. Aux XVIe et XVIIe s. sont notamment apparus les sens abstraits : «ce qui lie logiquement les parties du discours» (1538), «rapport logique, psychologique» (1656) et «lien grammatical» dans ***mot de liaison***, (1649). ◇ Vers 1681, *liaison* a pris le sens affectif d'«attache, lien», souvent employé au pluriel avec une connotation péjorative (*Les Liaisons dangereuses*, célèbre roman de Choderlos de Laclos, 1781), dans une acception plus large que l'acception moderne de «relation amoureuse» (1694, *liaison amoureuse* ; 1768 absolument : *avoir une relation*). ◇ Ultérieurement, le mot est entré dans des vocabulaires scientifiques (chimie, mécanique), en psychanalyse, et a développé (1902) le sens de «relations établies entre formations militaires par la transmission de nouvelles, d'ordres», réactivant le sens de la locution ***en liaison*** (1725).

Vers 1950, le mot est passé dans l'usage courant au sens de «communication assurée régulièrement entre deux lieux». ➡ Son dérivé **LIAISONNER** v. tr. (1575), d'abord employé avec un sens général, s'est restreint de nos jours à un emploi technique en maçonnerie (1694).

Lier a produit le nom d'agent **LIEUR, EUSE** n. (1304, *lieour* «personne qui lie les bottes de foin»), dont le féminin, **LIEUSE**, dénomme (1894) l'outil qui assure cette fonction (en composition *moissonneuse*-lieuse*). ➡ *Lier* a aussi produit un adjectif et un nom à partir de son participe présent **LIANT, LIANTE** ; celui-ci, attesté depuis 1397 au sens de «qui donne de la consistance à une préparation culinaire», a développé le sens concret de «souple, élastique» avant de prendre la valeur moderne de «sociable» en parlant de personnes (1671). ◇ À la même époque, il a été substantivé *(le, du liant)* pour «disposition favorable aux relations sociales» et a ensuite repris le sens physique de «flexibilité» perdu par l'adjectif (XIXe s., repris v. 1950 en technique).

Formé par préfixation, l'antonyme **DÉLIER** v. tr. (v. 1160) entre dans les locutions classiques ***sans bourse délier*** et ***délier la langue*** «faire parler». ◇ Il a pour dérivé **DÉLIEMENT** n. m. (1596, d'abord 1190 en théologie). ➡ L'adjectif **DÉLIÉ, ÉE** (1181) n'est pas dérivé du verbe, bien qu'il soit tombé sous son attraction : c'est l'adaptation du latin *delicatus* (→ délicat). Il est employé dans un style soutenu au sens physique de «très fin» et, au figuré, «subtil, pénétrant» (1580). Son sens classique d'«impalpable, léger» est sorti d'usage. ◇ L'adjectif est substantivé (1706) pour désigner la partie fine d'une lettre, en opposition à *plein (les pleins et les déliés)*. ◇ Le participe passé de *délier,* parfois adjectivé, n'est qu'un homonyme de cet adjectif.

RELIER v. tr. (1185) n'est plus employé au sens de «lier une seconde fois» (1564) qui s'opposait à *délier*. ◇ Il partage avec *lier* son sens général, réalisé en technique à propos des douves d'un tonneau (1347), ainsi que les sens abstraits de «mettre en rapport avec» (1834), particulièrement dans le domaine de la communication (1842). ➡ Sa spécialisation pour «assembler les feuilles d'un livre», d'abord à propos d'un manuscrit, puis (XVIe s.) d'un livre imprimé est ancienne (fin XIIe s.) et est devenue un emploi autonome du verbe, détaché de *lier*. Il a alors une double valeur, générale et particulière, désignant alors l'opération finale par laquelle on donne au volume assemblé une couverture rigide. Ce dernier élément de sens oppose *relier* à *brocher**. ◇ Le participe passé *relié, ée* est adjectivé. ➡ Dans cette acception, *relier* a plusieurs dérivés. ◇ **RELIEUR, EUSE** n. est la réfection (XIVe s.) de *relierres* (cas sujet ; XIIIe s.). Le mot désignant d'abord l'artisan qui relie les livres *(relieur d'art, maître relieur)* se dit aussi (XXe s.) des ouvriers, du patron d'une entreprise industrielle de reliure. ➡ **RELIURE** n. f., apparu après l'invention de l'imprimerie (1548, *relieure*), désigne l'action de relier, puis l'art, la technique. À la *reliure artisanale* traditionnelle s'est ajoutée au XXe s. la *reliure industrielle*. ◇ Par métonymie, le mot s'applique au XVIIe s. (attesté 1680) à la manière dont un livre est relié, à la couverture d'un livre relié. Dans ce sens, il donne lieu à une riche terminologie, qui reflète la nature et l'évolution de cet art, tant du point de vue des matériaux (cuirs, vélin, maroquin, veau, basane, chagrin, etc., puis cartons, matériaux synthétiques...) que du décor *(reliure janséniste, aux armes, à la fanfare, à la cathédrale, mosaïquée,* etc.) ou du style d'un relieur *(reliure signée)*. Dans ce sens, le mot est moins usuel lorsqu'il s'agit de reliure industrielle, et on parle alors souvent de *couverture*.

RELIAGE n. m., dérivé (1328 ; attestation antérieure à celle du verbe dans ce sens) de *relier* employé en tonnellerie, est un terme technique ancien.

◈ voir ALLIER, ALOI, LIANE, LICOL (art. COL), LIEN, LIGAMENT, LIGATURE, LIGOTER, LIGUE, OBLIGER, RALLYE.

LIERRE n. m., d'abord écrit *lyere* (1372), est issu avec agglutination de l'article *le* de l'ancien français de même sens *iere* (v. 1180, *ierre*), forme évoluée de *iedre* (v. 1070), d'abord *edre* (av. 950). Celui-ci est issu du latin *hedera* ou *edera* «lierre», nom féminin qui serait devenu masculin en français par alignement sur le genre habituel des noms d'arbres et d'arbustes. Pour les Anciens, *hedera* se rattachait à **hendere,* «prendre, saisir», seulement attesté en composition (→ prendre, appréhender).

♦ Le mot désigne une plante ligneuse grimpante. *Lierre terrestre* (1549), après *hierre terrestre* (XIIIe s.), désigne une plante rampante de la famille des labiacées, dont les feuilles ont quelque analogie avec celle du lierre proprement dit.

LIESSE n. f. est issu (1050) du latin *laetitia* dont le français a seulement retenu le sens de «joie débordante, allégresse». *Laetitia* était à l'origine un mot de la langue rustique signifiant «fertilité, fécondité», dérivé de *laetare* «fumer, engraisser la terre», de *laetus* «gras» et, par une évolution qui correspond aux sentiments d'une société rurale et religieuse, «joyeux». L'origine de ce mot populaire (vocalisme en *a*) est inconnue. ◇ La forme française *liesse* (v. 1120, *lëece ;* XIIIe s., *lïesce*), qui a supplanté la forme primitive *ledece* (1050), est due à l'influence de l'ancien adjectif *lié, liée* (v. 980) «joyeux», qui représente le latin *laetus*. Ce dernier ne survit plus, incompris, que dans la locution *chère lie* (→ chère), où *lie* est la contraction d'origine picarde de *liée*.

♦ *Liesse* est considéré comme archaïque à partir du XVIIe siècle. Cependant, il continue d'être employé dans la locution ***en liesse*** (av. 1648), d'usage soutenu mais aussi plaisant.

① **LIEU** n. m., attesté en ancien français sous les formes *loc* (fin Xe s.), *leu* (1050) puis *lieu* (v. 1120), est issu du latin *locus* (forme ancienne *stlocus*) «lieu, place, endroit», qui sert à traduire le grec *topos* (→ topo- ; isotope, topique, utopie) et en a repris les sens techniques (médecine, littérature), y compris rhétorique. *Locus* a également reçu le sens figuré de «situation, rang». Son étymologie n'est pas claire. (Cf. ci-dessous *lieux communs*.)

♦ *Lieu,* apparu avec son sens général de «portion déterminée d'espace», est aussi pris spécialement dans ***lieu saint*** (v. 1150) «temple, église», dont le pluriel ***les lieux saints*** est attesté ultérieurement (1690) pour désigner les lieux de la vie de Jésus en Palestine. ◇ La plupart des sens particuliers du mot sont apparus au XVIe s. et en langue classique : il entre dans ***lieu public*** (v. 1538), est employé en géométrie (1690 ; 1691, *lieu géométrique*). ◇ L'expression ***haut lieu*** (1691) désigne proprement la hauteur sur laquelle les Juifs élevaient des autels et faisaient des sacrifices ; le sens figuré courant de «théâtre de hauts faits» *(un haut lieu de...)* étant très postérieur (1931). ➔ Le pluriel ***les lieux*** a fréquemment une valeur de singulier, dans la langue juridique (1538) et dans l'usage courant de la langue classique où il désigne un endroit considéré ou non dans ses parties (1643). C'est ainsi qu'il prend, par euphémisme (fonction qu'avait le pluriel grec et latin où *loci* se disait des parties génitales), le sens de «cabinets» (1640), aujourd'hui vieilli, aussi dans le syntagme ***lieux d'aisances*** (1801). *Les lieux* a aussi désigné la maison, la propriété (1690). ◇ Son usage spécialisé dans ***lieux communs*** (1562) est calqué sur la locution latine *loci communes*, elle-même prise au grec *koinos topos* terme de rhétorique désignant les sources où un orateur peut puiser des pensées et des preuves sur tous les sujets ; par extension (au singulier ou au pluriel), l'expression a pris son sens moderne de «banalité, platitude du discours» (1666). ➔ *Lieu* figure dans un grand nombre de locutions dès l'ancien français : on relève dans *La Chanson de Roland*, *es lius de*, forme ancienne de ***au lieu de*** (1531) ; dès 1155, *tens et leu* (pour le moderne ***en temps et lieu***) et au XIIIe s., ***en haut lieu*** et ***de haut lieu***, qui correspondent au sens spécial de *lieu* «place dans la hiérarchie sociale» (1165), hérité du latin, et employé au XIXe s. avec une idée de «milieu influent» (1863). ◇ Les autres locutions sont apparues aux XVIe et XVIIe s. ; après ***n'avoir nul lieu*** (v. 1500) «ne pas se produire», ***avoir lieu*** (apr. 1550) s'applique à des souhaits qui trouvent leur réalisation puis, plus généralement, par l'intermédiaire des formes *il y a lieu de* (1611), *avoir lieu de* (1636), à ce qui prend place dans le temps (1778). ◇ Le sens de «passage d'un livre» (XIIIe s.), repris au latin, a inspiré ***en premier, second... lieu*** (1538). ***Tenir lieu de*** (1534) est suivi de ***donner lieu de*** (1643) et ***donner lieu à*** (1656) qui expriment toutes deux une idée d'occasion.

Enfin *lieu* entre dans le terme juridique ***non-lieu*** (1836), le terme de topographie ***lieu-dit*** (1873), dans *chef-lieu* (→ chef), *milieu** et *lieutenant**. L'absence de dérivés s'explique par l'existence de termes empruntés directement au latin (→ local) et de mots scientifiques formés sur le grec. Voir aussi le schéma pp. 2020-2021.

◈ voir ACCOUCHER, COLLOQUE, COUCHER, DISLOQUER, ILLICO, LIEUTENANT, LOCAL, LOCATION, LOCOMOTIF, LOCOMOTION, ② LOUER, LOYER, MILIEU.

② **LIEU** n. m., d'abord *lief* (1431) puis *lieu* (1553), a été emprunté à l'ancien norrois *lýrr, lýr* qui désigne le même poisson.

♦ Le mot s'applique à un poisson de mer comestible, avec deux syntagmes usuels, *lieu jaune* et *lieu noir*, désignant deux variétés.

LIEUE n. f. est issu, sous la forme *liue* (1080), du latin *leuca, leuga*, donné par les auteurs latins pour un mot gaulois (qui a un correspondant dans l'arménien *leo*).

♦ *Lieue*, mesure de distance terrestre, est resté utilisé jusqu'au XXe s. mais se fait rare au profit de *kilomètre*, mesure différente imposée par la Révolution et longtemps critiquée. ◇ *Lieue* reste usité pour ***lieue marine*** (1704), dans quelques locutions figurées classiques où il exprime l'idée imprécise d'une «grande distance» (1671), y compris au figuré avec ***être à cent lieues de*** (+ infinitif) [1866], et dans les ***bottes de sept lieues***, par allusion au conte de Charles Perrault, *Le Petit Poucet*.

◈ voir BANLIEUE.

LIEUTENANT n. m., d'abord altéré en *luetenant* (1260), est composé de *lieu** et de *tenant*, participe présent de *tenir**, proprement «celui qui tient lieu de», «remplaçant».

♦ Le mot désigne celui qui tient la place du chef dans certains cas et le seconde ordinairement. Il se spécialise dans le domaine militaire, désignant un grade (1478), et entre dans quelques syntagmes correspondant à des fonctions militaires ou civiles ; ***lieutenant général*** (v. 1470) désigne celui qui, jusqu'à la fin de l'Ancien Régime, était investi du pouvoir suprême et remplissait les fonctions du roi en son absence (ou quand celui-ci n'était pas apte). ◇ Depuis 1538, *lieutenant* désigne aussi l'officier qui préside le tribunal d'une sénéchaussée en l'absence du sénéchal d'où, dans la terminologie juridique, *lieutenant civil* et *lieutenant criminel* (1549). ◇ Le sens moderne correspond à la hiérarchie des grades actuelle ; il correspond à l'officier subalterne au-dessous du capitaine (et au-dessus du sous-lieutenant). Cette valeur existe déjà en français classique où le mot a une valeur beaucoup plus large, mais où on parle déjà de *lieutenant de la compagnie* (1690, Furetière). ◇ On dit au lieutenant et au sous-lieutenant *mon lieutenant*. Le mot est abrégé en *lieut'* (1960). ◇ Dans la marine, le mot correspond au premier grade des officiers de pont. ***Lieutenant de vaisseau*** concerne un grade correspondant à celui de capitaine dans l'armée de terre et de l'air.

▸ **LIEUTENANCE** n. f. (1364), «emploi, fonction de lieutenant», spécialement dans l'armée (1587), ne s'emploie plus qu'en histoire, pour les dignités et fonctions de lieutenant sous l'Ancien Régime. ➔ Le féminin **LIEUTENANTE** n. f. (1462), d'abord «femme tenant lieu de remplaçante», a désigné (1529) l'épouse d'un magistrat portant le titre de lieutenant. ➔ *Lieutenant* est entré dans des noms de grades. ➔ **SOUS-LIEUTENANT** n. m. (1479) «remplaçant d'un lieutenant de justice», puis (1641) «officier servant sous les ordres d'un lieutenant», a suivi l'évolution de sens de *lieutenant*. Le grade est aujourd'hui le grade inférieur des officiers, avec un galon (armée française), l'aspirant (à qui l'on dit aussi *mon lieutenant*) étant assimilé aux sous-officiers. ➔ **LIEUTENANT-COLONEL** n. m. (1669) désignant un officier supérieur au-dessus du

LIEU : l'espace, l'argent, le lit…

latin
LOCUS
« lieu », « place », « endroit »

ancien français
loc
Xe s.

LIEU
Xe s.

milieu
XIIe s.

lieu-dit
XIXe s.

non-lieu
XIXe s.

« grade dans l'armée»
XVe s.

lieutenance
XIVe s.

sous-lieutenant
XVIe s.

lieutenant-colonel
XVIIe s.

lieutenant
« remplaçant »
XIIIe s.

lieutenance
XIVe s.

lieutenante
XVe s.

locare
« placer », « se placer, se louer »

locarium
« prix d'un emplacement »

locatio
« louage »

locat-

bas latin
localis
« qui a rapport à un lieu »

bas latin
localitas
« qui a rapport à un lieu »

latin populaire
°allocare
« mettre à sa place », « louer »

ancien français
aloer
« mettre, placer » XIe s.

latin médiéval **allocatio** « approbation de compte »

collocare
« placer, disposer », « marier une fille »

latin tardif « mettre au lit »

ancien français se colcer avec
« partager le lit de quelqu'un » XIe s.

collocatio
« disposition »

ilico
« sur le champ », « sur la place »

latin tardif
illico

illico
XVe s.

loco-
ablatif de
locus

latin des humanistes
locomotivum
« faculté de se déplacer »

locomotif
XVIe s.

locomotive
XIXe s.

locomoteur
XVIIe s.

locomotrice
XXe s.

locomotion
XVIIIe s.

« prendre à gages »
XIe s.

LOUER

« obtenir l'usage d'un bien contre paiement » XIIe s.

louageur
Belgique

louage
XIIe s.

loueur
XIIIe s.

relouer
XIIIe s.

louage
XIIe s.

loueur
XIIIe s.

louable
XXe s.

relouer
XVe s.

sous-louer
XVIIe s.

loyer
« salaire pour des travaux »
XIe s.

« prix de louage d'une chose »
XIIIe s.

location
« action de prendre ou de donner à louer »
XIIIe s.

location-vente
XXe s.

locataire
XVIe s.

sous-locataire
XVIe s.

sous-location
XIXe s.

colocataire
XIXe s.

« bâtiment »
XVIIIe s.

local
« qui occupe une portion de l'espace »
XIIIe s.

localement
XIVe s.

localiser
XVIIIe s.

localisme
XVIIIe s.

localier
XXe s.

localisé
XIXe s.

localisation
XIXe s.

localité
XVIIIe s.

allouer
« attribuer » XVe s.

« attribuer une somme d'argent »
XVIIe s.

allocation
XIXe s.

allocataire
XXe s.

COUCHER
XVIIIe s.

accoucher
XIIe s.

découcher
XIIIe s.

colloquer
« placer » XIIe s.

« placer une jeune fille en la mariant »
XVIe s.

« placer des créanciers sur une liste »
XVIIe s.

collocation « endroit où l'on s'établit » XIVe s.

collocation « fait d'être réalisé simultanément »

commandant et au-dessous du colonel, dans l'armée de terre.

◈ ✳ **LIÈVRE** n. m., d'abord *lèvre* (1080) puis *lièvre* (1155), est issu du latin *leporem*, accusatif de *lepus, -oris* «lièvre, hase». Ce mot est d'origine méditerranéenne : il n'existe pas de nom indoeuropéen du lièvre, probablement parce que l'animal était tenu pour de mauvais augure, et qu'on évitait de le nommer.

♦ En ancien français, le mot était fréquemment de genre féminin (v. 1280) et l'est resté dans de nombreux usages dialectaux. Il est resté usuel, malgré la raréfaction de l'animal recherché par les chasseurs, en partie à cause de son emploi en cuisine et en gastronomie (*civet de lièvre*, etc.). ◇ Dans la langue classique, il entrait dans plusieurs locutions figurées aujourd'hui sorties d'usage et inspirées des usages de la chasse. Il en reste deux expressions ***courir deux lièvres à la fois*** (1668) et ***lever un lièvre*** (1663), où *lièvre* incarne l'idée de «but, ce que l'on recherche». ➛ Par analogie, le mot qualifié sert à former des dénominations d'animaux différents : *lièvre de mer* (XIIIe s.) ou *lièvre marin* (v. 1560), appliqué à un poisson, *lièvre des patagons* ou *des pampas* (1873; 1867, *lièvre pampa*) «agouti», *lièvre sauteur* (1867), etc. ➛ D'après la qualité de vitesse communément reconnue à l'animal, il désigne (1899) le coureur qui se place en tête pour assurer un train rapide (les lévriers de course sont eux-mêmes entraînés par un lièvre électrique).

▸ Le dérivé le plus ancien — aujourd'hui démotivé — est **LÉVRIER** n. m. (v. 1135), nom d'une espèce de chien autrefois entraînée pour la chasse au lièvre (dès le VIIIe s., le latin a *canis leporarius*, «chien à lièvres»). Le mot a eu des sens figurés (1622), aujourd'hui vieillis partiellement au profit de *limier* (cf. étymologie de ce mot), et se dit en sport d'un coureur cycliste rapide (1901). ➛ *Lièvre* a servi à former **LEVRON** n. m. (1585), probablement issu par haplologie de **levreron*, comme *levrette* de *levrerette*, autre diminutif de *lévrier*, «jeune lévrier» et (1680) «lévrier de petite taille». ➛ **LEVRETTE** n. f. lui-même (v. 1380; puis 1554) désigne non seulement la femelle du lévrier mais, depuis la fin du XVIIe s., une variété de petite taille de lévrier d'Italie. Le mot est employé pour caractériser une position érotique dite ***en levrette*** depuis le XVIIe s. (déjà en latin *more canimo* «à la mode des chiens») : outre le fait que la femme est assimilée à une chienne, et que le diminutif peut atténuer la vulgarité de la comparaison, on peut s'interroger sur la présence étymologique du lièvre, en rapport possible avec les valeurs érotiques de *lapin**. ◇ Par analogie de forme, *levrette* a pris un sens technique : «rabot» (1902). ➛ On en a tiré l'adjectif rare **LEVRETTÉ, ÉE** adj. (1611) «qui a le ventre creux à la manière d'une levrette», et **LEVRETTER** ou **LEVRETER** v. intr. (1397) «mettre bas» en parlant de la femelle du lièvre. Un verbe homonyme (v. 1550) s'emploie en chasse au sens de «chasser avec des lévriers».
Lièvre a aussi produit **LEVRAUT** n. m. (déb. XIVe s.), réfection par changement de suffixe de *levrot* (1306, *levroz*) «jeune lièvre». ➛ Les variantes **LEVRETEAU** n. m. (1573) et liévreteau (1803), de même sens, sont rares.

◈ voir (BEC DE LIÈVRE).

① **LIFT** n. m. est emprunté (1885) à l'anglais *lift* «ascenseur», spécialisation concrète du sens général d'«action de soulever, d'élever», déverbal de *to lift* «lever, faire monter, soulever» (XIVe s.). Ce mot est emprunté (XIIIe s.) à l'ancien norrois *lypta* (suédois *lyfta*) et remonte à un verbe germanique dérivé des substantifs désignant l'air, le ciel (anglais *lift*, néerlandais *lucht*, allemand *Luft*). Le sens propre est donc «élever dans les airs».

♦ D'abord cité comme un anglicisme, le mot est appliqué en 1902 à une réalité française; par métonymie, il a désigné le garçon d'ascenseur (1914, Proust), appelé en anglais *lift-boy* (1904), *lift-attendant*. Le mot, avec des incertitudes phonétiques dues au snobisme anglicisant *(laïft)*, a été à la mode au début du XXe s., puis a vieilli.

▸ Seul le dérivé **LIFTIER** n. m. (1918, Proust) a conservé quelque vie, bien que *garçon d'ascenseur* semble plus usuel.
Le terme de sport ② **LIFT** n. m. (1909 en tennis), «coup consistant à frapper une balle de bas en haut», est une abréviation purement française de l'anglais *lifted shot* (1902) «coup soulevé», *lifted* étant le participe passé de *to lift*. ◇ Il a pour dérivé ① **LIFTER** v. tr. (1921) dans *lifter la balle, balle liftée*. ➛ L'autre emprunt d'une forme verbale de *to lift* a eu lieu au milieu du XXe s. en chirurgie esthétique où **LIFTING** n. m. (1955) représente l'anglais *face-lifting* (1922) puis *lifting*, de *to lift* pris au sens de «relever (une partie du visage affaissée en la refixant)». Un arrêté du 2 janvier 1975 recommande en France l'emploi de *lissage, remodelage* ou *déridage* en lieu et place de cet anglicisme. ➛ Le français a aussi dérivé un verbe ② **LIFTER** v. tr. (1968) au sens de «retendre la peau».

◈ voir LOFT.

LIGAMENT n. m. est un emprunt du vocabulaire anatomique (1520) au latin *ligamentum* «lien», spécialement en médecine «bande, bandage», formé sur le supin de *ligare* (→ lier).

♦ Le mot désigne un faisceau de tissu fibreux blanchâtre reliant les éléments constitutifs d'une articulation ou maintenant divers organes.

▸ Il a produit les adjectifs **LIGAMENTEUX, EUSE** (1503; 1478, *ligamental*) «de la nature des ligaments» et **LIGAMENTAIRE** (1903) «qui concerne les ligaments».

LIGATURE n. f., d'abord *ligadure* (1377), est emprunté au bas latin *ligatura* «action de lier», spécialisé en médecine et employé figurément au sens d'«empêchement, inhibition», dérivé de *ligare* (→ lier). La forme initiale du mot français est probablement due à l'influence du provençal *ligadura* (1465).

♦ Le mot a été introduit dans son acception médicale pour désigner une opération consistant à attacher, serrer avec un lien, afin de panser une plaie (1671), de lier un vaisseau, une tumeur (1690). ◇ Par métonymie, il désigne concrètement ce qui lie (XVIe s.), finissant de supplanter l'ancien français *liure* (fin XIIe s.), dérivé de *lier* avec les deux mêmes sens en chirurgie. ➡ Le sens imagé de «ce qui lie, inhibe» (1480), appliqué spécialement à l'impuissance sexuelle due à un maléfice (1584-XVIIe s.), est sorti d'usage sauf archaïsme littéraire ; cet emploi est en rapport avec l'expression ancienne *nouer l'aiguillette**. ➡ Le mot est employé concrètement dans l'usage commun (1538), mais ne s'est pas répandu, gêné par la concurrence de *lien*. Il a acquis d'autres sens techniques, désignant un caractère d'imprimerie qui joint deux lettres ensemble (1680), un bandage autour de la plaie d'un arbre en horticulture (1796), le morceau de filin avec lequel, en marine, on serre et on réunit provisoirement les pièces d'un mât, d'une vergue (1845).

▶ Le dérivé **LIGATURER** v. tr. (1800), «lier avec une ligature», est usuel en médecine, chirurgie.

LIGE adj. est issu (1080) d'un bas latin °*laeticus* ou °*liticus*, «qui a la position d'un *letus*», dérivé de *letus (Gloses de Malberg)* ou *litus (Loi salique)*. Ce mot, qui a donné la double forme *lète, lite* en ancien français, désignait des hommes dont le statut était intermédiaire entre la liberté et la servitude, chez certains peuples germains de l'époque des invasions : leur condition, semblable à celle des colons romains, était supérieure à celle des serfs puisqu'ils avaient la capacité juridique et pouvaient posséder un patrimoine ; par affranchissement, ils pouvaient devenir libres. *Letus, litus* est issu d'un francique °*lepu*, et appartient à la même famille de mots que l'allemand *ledig* «libre, disponible». Le bas latin connaissait déjà *laetus*, mot d'origine germanique, pour désigner un mercenaire établi sur la rive gauche du Rhin pour cultiver la terre et défendre la frontière : ce colon devait le service militaire en échange de l'allocation d'une terre et conservait les droits et usages de son pays, mais non son organisation politique.

♦ *Lige*, également *liege* en ancien français, est devenu un terme d'institutions féodales, qualifiant un vassal tenant un certain type de fief, qui était lié plus étroitement que d'autres envers son suzerain. Par métonymie, il qualifiait aussi le suzerain envers lequel le vassal était tenu par l'hommage lige (1080), et aussi le fief (1080), valeurs disparues en français classique. ➡ Par extension, l'adjectif est devenu un caractérisant psychologique signifiant «fidèle, dévoué», d'abord dans un contexte féodal (v. 1155), puis en parlant d'un amant (v. 1225). Ce sens s'est maintenu de nos jours dans des emplois plaisants, dans le syntagme ***homme lige*** (1837), réactivation d'une expression féodale (1165-1170). *Lige* et surtout *homme lige* ne s'emploient plus qu'en histoire et, au figuré, dans un style soutenu.

voir ① **ALLÉGEANCE**.

✻ **LIGNE** n. f. est issu (v. 1080, *lign*), du latin *linea*, féminin substantivé de l'adjectif *lineus, -a, -um* «de lin», de *linum* (→ lin), qui désigne proprement un fil de lin, puis toute espèce de fil textile ou de corde et, par analogie, une ligne tracée ou géométrique. À l'époque impériale, le mot se dit aussi de l'hérédité.

♦ *Ligne* a été jusqu'au XVIe s. un nom pour l'ensemble des membres d'une même famille, avant de céder cette signification à ses dérivés *lignage* et *lignée* (→ ci-dessous). ◇ Le sens concret de «fil tendu dans une certaine direction» (v. 1140) a bientôt donné des emplois techniques se rapportant au cordeau des maçons, des jardiniers, ainsi qu'à la ficelle munie d'un hameçon pour pêcher (1185). ◇ Au XIXe et au XXe s., de nouveaux emplois techniques sont apparus, liés à l'utilisation du courant électrique *(ligne télégraphique)*, puis *ligne à haute tension*, etc., emplois concrets à la différence de ceux que peut avoir *ligne* en transport (ci-dessous). ➡ L'accent étant moins mis sur la matérialité de l'objet que sur son aptitude à indiquer une direction, le mot désigne un trait continu (XIIe s.), en particulier formé par la plume ou le pinceau (v. 1119) d'où, par métonymie, l'ensemble des caractères (écrits, imprimés) rangés sur une ligne droite (XIIIe s.). ◇ Ce type d'emploi a produit les expressions ***à la ligne*** (1685), ***aller à la ligne*** (1845, après *mettre à la ligne* 1694), ***tirer à la ligne*** (1867) «écrire longuement et inutilement». La comptabilité, d'après l'ancien usage de présenter les résultats des comptes de gestion selon une forme réglementaire dite *ligne de compte* (1611), a donné la locution figurée *faire entrer* ***en ligne de compte*** (1835), dont on note déjà une variante chez Montaigne (dès 1580). ◇ Par analogie, *ligne* s'applique à une suite d'objets ou de personnes disposés sur le même plan et faisant face du même côté ; dans le domaine militaire (1654), il a inspiré les expressions techniques *arrière ligne* (1751), *ligne de direction, ligne d'opération* (1835). De l'idée de «ligne de troupes faisant face à l'ennemi» viennent la locution figurée usuelle ***être en première ligne*** (1829) et l'emploi dans ***troupe de ligne*** (1835). L'accent est encore mis sur la disposition et la direction, en escrime (1690) et en artillerie (1765, ***ligne de tir***). ◇ Avec un sens qui rejoint celui de *trait* et dans lequel se confondent les notions de «trace» et de «direction», *ligne* dénomme diverses réalités concrètes, depuis le sillon de la paume (v. 1555), spécialement en chiromancie dans ***les lignes de la main***, jusqu'au système de rails ou de fils électriques destinés au transport ou à la transmission (1845) et, par métonymie, le trajet emprunté par un service régulier (1889).

Cette idée de «voie» avait valu au mot dès le moyen français, le sens figuré de «conduite, direction dans laquelle on agit», par exemple dans les locutions *suivre la ligne droite* (1538), *ne pas s'écarter de la ligne*, spécialement, dans le domaine de la politique (1869). ◇ Ultérieurement, *ligne* a développé le même sens abstrait que *trait* dans l'expression ***les grandes lignes*** [*de qqch*] (1873). ◇ C'est encore le sémantisme de la direction qui est mis en œuvre en transport, concrètement dans *ligne de chemin de fer*, d'où *les grandes lignes, les lignes de banlieue*, abstraitement dans *lignes aériennes*. ➡ D'autres emplois indiquent surtout la capacité de la ligne à séparer deux choses contiguës, que celles-ci soient imaginaires et intellectuelles comme en géographie, *ligne équinoxiale* (1553) «équateur» d'où absolument *ligne* dans *le passage de la ligne*, ou concrètes (XVIIe s.). Cette dernière valeur est particulièrement féconde en marine, dans *lignes d'eau* (1835), après *ligne d'eau* (1690), en sport (1858, *ligne blanche, ligne de départ*) et dans le domaine de la signalisation routière (*ligne continue* et *discontinue, ligne jaune,* en France, etc.). ◇ Dans le prolongement de l'idée d'un trait qui sépare, *ligne* se réfère à un tracé qui limite un objet, un corps (1845), et s'étend, au singulier avec une valeur collective ou au pluriel, au dessin général du corps humain, d'où, familièrement, ***avoir la ligne*** «être svelte» (v. 1935).

▶ Créés au XIe et au XIIe s., deux dérivés prolongent le sens le plus ancien de *ligne* en généalogie : ① **LIGNAGE** n. m., d'abord *linage* (1050), recouvre, avec une valeur collective, l'ensemble des parents d'une souche commune, concept capital dans la féodalité, mais déjà confiné à des emplois spéciaux au XVIIe s., et aujourd'hui repris par les historiens et les ethnologues, tout comme son dérivé **LIGNAGER, ÈRE** n. et adj. (1411). ➜ **LIGNÉE** n. f. (v. 1120) s'oppose à *lignage* en ce qu'il désigne seulement la descendance d'une personne; il demeure vivant avec la valeur figurée de «descendance spirituelle» (en locution ***dans la lignée de***) et dans des spécialisations scientifiques en biologie (1907) et en ethnologie.

Le dérivé ancien **LIGNER** v. tr. (XIIe s.) procède d'autres sens de *ligne.* Il couvrait un champ d'emplois très vaste de «lancer» (XIIe s.) à «pêcher à la ligne» (1553 en ancien normand) et, au figuré, de «marquer moralement» (v. 1360) à «décider, décréter» (XIVe s.). De nos jours, à côté d'une valeur technique (XIIIe s.), il s'applique surtout à l'acte par lequel on trace des lignes parallèles sur le papier (1530). La marine l'emploie dans l'expression *ligner une voile* «la disposer pli par pli sur un de ses côtés» (1867). ➜ Le verbe a produit les dérivés **LIGNEUR** n. m., **LIGNÉ, ÉE** adj., ② **LIGNAGE** n. m. d'usage relativement technique, ainsi que **LIGNARD** n. m. (1848), mot d'abord péjoratif qui ne s'applique plus qu'au compositeur qui fait la ligne courante en typographie (1877), puis (XXe s.) aux électriciens des lignes à haute tension.

ALIGNER v. tr. (v. 1150) est d'un usage plus général que *ligner* avec le sens de «disposer sur une même ligne droite»; il compte plusieurs sens particuliers dont «écrire, tracer (des signes du langage, des mots) les uns à la suite des autres» (XVIIIe s., 1752 avec une valeur péjorative impliquant la prétention de celui qui écrit). ◇ Au XIXe s., le pronominal *s'aligner* a pris le sens familier de «se mettre en ligne pour se battre en duel» (1845). ◇ Employé concrètement pour «se mettre sur la même ligne», le verbe s'emploie au figuré, par exemple en politique pour «se soumettre aux exigences d'une puissance politique» (1948). ➜ Le dérivé **ALIGNEMENT** n. m., apparu dans un sens juridique ancien (1387), désigne l'action de disposer sur une ligne droite (1428), spécialement dans un commandement militaire (1774) et, au figuré, de se conformer aux opinions d'un plus puissant (v. 1950). ➜ **ALIGNOIR** n. m., nom d'un outil servant à fendre les blocs d'ardoise, remonte au moyen français (1410, *alignouer*) mais les autres dérivés sont postérieurs, que ce soit **ALIGNEUR, EUSE** (1842), le préfixé **DÉSALIGNER** v. tr. (1842) ou **ALIGNAGE** n. m. (1908), nom donné à la division d'un bloc en parties parallèles.

ENLIGNER v. tr. (1676), terme de charpentier, de relieur (1694) et de maçon (1735), se limite à un usage technique, avec son dérivé **ENLIGNEMENT** n. m. (1752).

En revanche, **SOULIGNER** v. tr. (1706; 1704, *sousligner*) est usuel, tant avec son sens propre «tracer une ligne au-dessous de (notamment de l'écriture)» qu'avec le sens figuré «signaler à l'attention en insistant» (1794). ◇ Le substantif d'action qui lui correspond hésite entre **SOULIGNEMENT** n. m. (1828) et **SOULIGNAGE** n. m. (v. 1850). ➜ **SOULIGNEUR** n. m. (1782), d'abord employé au sens figuré à propos d'un critique qui souligne ce qui lui plaît ou ce qui lui déplaît, puis qui s'attache aux détails (1842), a disparu. ➜ Sur le même modèle a été formé **SURLIGNER** v. tr. (1985), «recouvrir (une partie d'un texte) d'un trait de marqueur à encre transparente», dit **SURLIGNEUR** n. m. On emploie aussi **SURLIGNAGE** n. m.

Ligne a aussi produit deux diminutifs employés à la pêche : **LIGNETTE** n. f. (1723) plus ancien au sens propre de «petite ligne» aujourd'hui inusité, et **LIGNEROLLE** n. f. (1773).

Un certain nombre de composés en *-ligne* se rapporte à la suite de traits graphiques : ce sont les termes techniques **INTERLIGNE** n. f. (v. 1600), qui fut en concurrence avec *entreligne,* employé au XVIe et au XVIIe s., d'après le moyen français *entreligner* (1318), et **MIXTILIGNE** adj. (1732), de nos jours en minéralogie. ➜ Le premier a produit **INTERLIGNER** v. tr. (1579), dont on a tiré **INTERLIGNAGE** n. m. (1872). ➜ Toujours en typographie, *ligne* sert à former **TIRE-LIGNE** n. m. (1680) et, ultérieurement, **LIGNOMÈTRE** n. m. (1906) et **LIGNE-BLOC** n. f. (1953) en relation avec *linotype.* ➜ **CURVILIGNE** adj., réfection savante (1613) du type antérieur *courbeligne,* attesté une fois au XVIe s., prend *ligne* au sens de «trait» et appartient à la description didactique; il s'oppose à *rectiligne*.*

◈ voir ALINÉA, COLLIMATION, LIN, LINÉAIRE, LINÉAMENT, LINOTYPE.

LIGNEUX, EUSE adj. a été emprunté (v. 1505) au latin *lignosus* «semblable à du bois», de *lignum* «bois» et plus précisément «bois à brûler» par opposition à *materies* (→ matière) «bois de construction». Son pluriel *ligna* désignait les bûches (sens conservé dans l'espagnol *lena*) et *lignum* avait aussi des acceptions métonymiques de «noyau, écale (d'un fruit), objet en bois, planche, tablette». Il est issu — comme le savaient déjà les Anciens — par °*leg-no-m,* du verbe *legere* «ramasser, assembler, cueillir» (→ lire) parce que l'on ramassait les branches mortes pour le feu. Son représentant en ancien français, *leigne,* a été supplanté par *bois*.*

♦ Le mot est employé en botanique pour qualifier ce qui est constitutif du bois, en a les caractères et l'aspect (*racines ligneuses,* 1505; *plantes ligneuses,* 1814). Par analogie, il a été repris en médecine *(phlegmon ligneux)* avec l'idée de consistance.

▸ L'adjectif a pour dérivé savant **LIGNOSITÉ** n. f. (1845).
Lignum a servi par la suite à former **SE LIGNIFIER** v. pron. (1669) «prendre la nature, la consistance du bois», d'où **LIGNIFICATION** n. f. (v. 1840). ➙ Un autre dérivé savant est **LIGNITE** n. f. (1765, *Encyclopédie*) avec une valeur rapidement plus spécifique que «bois fossile», c'est-à-dire «type de combustible (charbon)». ➙ Quelques mots didactiques apparaissent au XIXe s. : **LIGNIVORE** adj. (1805, Cuvier) et **LIGNICOLE** adj. (v. 1840), en zoologie, **LIGNINE** n. f. (1813) en chimie.

LIGOTER v. tr. est dérivé (1605, *ligotter*) de *ligote* n. f. attesté dès l'ancien français au sens de «courroie intérieure du bouclier» (v. 1275). Ce mot se rattache évidemment au latin *ligare* (→ lier), probablement par un intermédiaire méridional. À ce titre, on peut évoquer le gascon *ligo* «lien, chaîne» (XIVe s.), déverbal de *liga* «lier», correspondant gascon de l'ancien provençal *liar* (av. 1150), d'abord attesté au sens figuré religieux de «retenir les péchés» et, au XIIIe s., au sens concret, «attacher, lier» (av. 1250). Ce mot gascon a donné un dérivé *ligot* (Landes) «lien (de gerbe, de fagot)», que le français a emprunté sous cette forme. ➙ **LIGOT** n. m. n'est attesté qu'à la fin du XVIe s. (1596) au sens de «jarretière», repris au XVIIIe s. (1750) pour désigner par métonymie un petit fagot (lié) servant d'allume-feu. La reprise en argot de **LIGOTE** n. f. (1837, Vidocq) à propos d'une cordelette servant à lier la ou les mains d'un malfaiteur peut provenir du verbe.

♦ Le verbe a d'abord été employé dans un contexte rural pour «émonder, tailler, nettoyer (la vigne)». Il doit être très antérieur, comme le suggèrent les mots occitans (ci-dessus). Le passage du mot à l'argot des malfaiteurs est obscur. Le verbe est attesté dès 1800 par son participe présent substantivé *ligotantes (ligotandes)*, puis à l'actif (1815) pour «lier, garrotter». Il s'est répandu avec la valeur de «lier étroitement» en relation avec *ligote* (ci-dessus), au cours du XIXe s., perdant toute connotation argotique ou familière et acquérant des emplois figurés.

▸ **LIGOTAGE** n. m., d'abord défini dans l'argot des malfaiteurs comme une technique consistant à enchaîner les mains avec une ficelle que l'on serre savamment jusqu'à ce que le sang jaillisse (1879), ce qui suppose cette valeur spéciale pour le verbe, sert aujourd'hui simplement de nom d'action à *ligoter*, au propre et (1883) au figuré.

LIGUE n. f. est emprunté (déb. XIVe s.) à l'italien *liga* (XIIIe s.) «alliance», forme ancienne et septentrionale de *lega*, déverbal de *ligare* (→ lier) qui est la forme primitive de *legare*.

♦ Le mot est apparu en français pour désigner une association d'États ayant des intérêts communs. Par analogie, il s'applique depuis le XVe s. à une association formée à l'intérieur d'un État pour défendre des intérêts religieux (la *Sainte Ligue* ou la *Ligue*, 1598, mouvement catholique pendant les guerres de religion) ou politiques. ◇ Il a développé le sens figuré, souvent péjoratif, de «coalition, complot» (1636), spécialisé à la fin du XIXe s., en France, à propos de mouvements d'extrême droite. Depuis 1863, il se dit aussi d'une association qui se propose de défendre des buts moraux, humanitaires ***(ligue des droits de l'homme)*** et intérêts divers.

▸ Son dérivé **LIGUER** v. tr. (1564) est, dès les premières attestations, surtout employé au passif ou au pronominal. ➙ Il a produit **LIGUÉ** n. m. «qui est de la Ligue» (1596) et **LIGUEUR** n. m. (1585, 1591, *ligueux*) dans le contexte des guerres de religion, au sens de «partisan de la Ligue». ◇ En dehors de ce sens historique, *ligueur* est employé depuis 1900 (Barrès) au sens de «membre d'une ligue politique» et s'est dit notamment de membres de ligues d'extrême droite hostiles au pouvoir.

LILAS n. m. et adj., altération (1651) de *lilac*, est emprunté, peut-être par l'intermédiaire de l'espagnol *lilac*, à l'arabe *līlak*, lequel vient du persan *līlak*, variante de *nīlak* «bleuté». Ce mot est dérivé de *nīl* «bleu, indigo», d'où l'anglais *nil* et *anil*, le français *anil* (cf. *aniline*). Le persan *nīl* est apparenté au sanskrit *nīla* dont vient l'hindi *līl*. Le turc a *leilaq*. La plante doit son nom à la couleur bleutée des fleurs de certaines variétés. L'anglais *lilac* (XVIIe s.) est emprunté à l'ancienne forme française ou à l'arabe.

♦ Le mot désigne un arbrisseau à fleurs en grappe blanches, roses, violacées, bleutées selon les variétés. ➙ L'adjectif de couleur (1757), quelquefois substantivé (1867), se réfère à la variété à fleurs mauve rosé.

LILIACÉES n. f. pl. est un emprunt (1718) au latin des botanistes *liliaceae*, lui-même tiré de l'adjectif bas latin *liliaceus*, dérivé de *lilium* (→ lis). ➙ Le mot désigne une famille de plantes monocotylédones comprenant le lis, la tulipe, la jacinthe, le muguet, **LILIACÉ, ÉE** adj. (1762) qualifiant ce qui est de la nature, de l'apparence du lis.

LILIAL, ALE, AUX adj. est un dérivé savant (1492) du latin *lilium* «lis» (→ lis).

♦ Cet adjectif semble inusité avant la fin du XIXe s., époque où il est repris par l'école symboliste pour qualifier au figuré ce qui est digne du lis, emblème de pureté.

LILLIPUTIEN, IENNE adj. et n., introduit en français en 1727 dans la première traduction des *Voyages de Gulliver*, le roman de Jonathan Swift (1726), par l'abbé Desfontaines, traduit *Lilliputian* désignant l'habitant du pays imaginaire de *Lilliput* mesurant seulement six pouces de taille. En anglais, le mot est employé hors du contexte swiftien dès 1727 (Fielding) pour le nom et 1728 (Morgan) pour l'adjectif.

♦ Employé par Diderot (1765) au sens de «celui qui est minuscule, insignifiant», le mot est aussi adjectif dans ce sens de «minuscule» depuis 1779. La renommée universelle du roman de Swift a effacé tout caractère d'anglicisme ressenti à ce mot, phonétiquement aussi évocateur en français que dans la langue d'origine, où *lill-* correspond à la prononciation relâchée de *little* «petit».

① **LIMACE** n. f. est issu (1181-1190), de même que l'espagnol *limaza* et l'italien du nord *lümasa*, d'un latin populaire °*limacea*, féminin d'un °*limaceus* de même sens qui serait dérivé du mot classique *limax, -cis* «limace» et, en concurrence avec *coclea*, «escargot». On admet généralement que *limax* est emprunté au grec *leimax*, mais le mot grec ne figure que dans Hésychius et peut n'être qu'une transcription de la graphie latine.

♦ *Limace* a éliminé l'ancien *limaz, limas* qui remonte au masculin °*limaceus* et qui, avec son diminutif *limaçon* (ci-dessous), servait à distinguer trois animaux, la *limace* rouge, sans coquille, le *limaçon*, petit et avec coquille, et l'*escargot*, grand et avec coquille. Depuis la fin du XIVe s., l'usage méridional de déguster ce dernier a gagné le Nord, ce qui a répandu en français le mot *escargot**, d'origine provençale. *Limace* a alors cessé d'être employé en ce sens dans la langue littéraire pour se réserver au gastéropode incomestible sans coquille (XVIe s.); cependant, il l'a gardé dans quelques dialectes avec une apposition au nom (comme dans *lima à coque*, Maine) [→ colimaçon]. ◆ Le caractère visqueux de la limace, sa lenteur et la répulsion qu'elle inspire souvent font que le mot se prête à des comparaisons à connotation péjorative. Dès le XIIe s., on disait *combattre à la limace* en parlant de qqn qui ne risque un combat qu'avec un adversaire très faible.

▸ **LIMAÇON** n. m. (v. 1120) a désigné une tortue, puis (v. 1200) un mollusque gastéropode à coquille. Par analogie avec la coquille de l'animal, il a acquis quelques acceptions spéciales au XVIIe s. : il a désigné un escalier en spirale (1640, *degré à limaçon*; 1690, *escalier à limaçon*) avant de reculer devant *colimaçon**. ◇ En anatomie (1684), le mot désigne la cavité de l'oreille interne et (1693) en géométrie la courbe inverse d'une conique propre par rapport à l'un de ses foyers. ◆ **LIMAÇONNER** v. tr. (av. 1590), «tailler en spirale», puis (1611) «tourner en spirale», est encore employé quelquefois au pronominal (av. 1755) avec la valeur figurée de «rentrer dans sa coquille».

◈ voir COLIMAÇON.

② **LIMACE** → LIME

LIMANDE n. f., apparu sous la forme *lumande* (v. 1225), est un mot d'origine incertaine : il peut être dérivé, avec le suffixe *-ande*, de l'ancien et moyen français *lime*, désignant ce même poisson (v. 1249). Dans ce cas, il serait, comme l'italien *lima*, à rattacher au latin *lima* (→ ② lime) : le poisson a reçu son nom d'après la rugosité de sa peau qui serait «bonne pour limer ou qui mériterait d'être limée».

♦ Le mot, nom d'un poisson ovale et plat, comestible, se prête à quelques emplois figurés populaires désignant (1808) une femme maigre et plate ou (sens disparu) un homme qui s'humilie (de *faire la limande* «s'aplatir»). ◆ Il semble que les sens techniques ne procèdent pas du nom du poisson, mais soient à rattacher à la même famille que ② *limon** «brancard» : son suffixe représenterait un gaulois *anta-, -anto* dont le groupe *-nt-* serait devenu *-nd-* peu avant la disparition de ce suffixe.
② **LIMANDE** serait donc un autre mot quand il désigne une pièce de bois plate et étroite (1319-1327), une bande de toile goudronnée dont on enveloppe un cordage (1831), une règle large et plate dont se servent les menuisiers (1840). Cependant, la confusion homonymique en fait dans l'usage une valeur figurée du nom du poisson, par l'idée de platitude.

▸ En ce sens, il a produit le verbe **LIMANDER** v. tr. (1363) «garnir de planches» puis «envelopper un cordage d'une limande pour le garantir du frottement» (1842).

① **LIMBE** n. m. a été emprunté (1415) au latin *limbus*, d'abord *lembus*, terme technique sans étymologie établie qui signifie «bandeau servant de bordure à une étoffe» et de là «bandeau zodiacal» d'où «marge, bord, zone». Le sens n'interdit pas tout rapprochement avec *nimbus, nebula* «nuage» (→ nébuleux, nimbe).

♦ Apparu au sens de «bord gradué d'un cercle servant d'instrument de mesure», *limbe* désigne aussi (1690) le bord du disque d'un astre. ◇ Par analogie, il est employé en botanique (1690) pour la partie large et aplatie d'une feuille, d'un pétale, de la corolle.

▸ Son dérivé **LIMBAIRE** adj. (1845) est un terme de botanique, et ① **LIMBIQUE** adj. (1850 au fig.) se rattache à l'emploi spécialisé du nom en anatomie.

◈ voir LIMBES.

② **LIMBES** n. m. pl. est emprunté (fin XIVe s.) au latin *limbus* (→ limbe) qui, dans la langue ecclésiastique médiévale, désigne le séjour des âmes avant la mort du Christ, celles-ci étant comme en «bordure» de l'enfer (XIe s., *limbus*; XIIIe s., *limbi patrum*) ainsi que celles des enfants morts sans baptême (*limbus, limbi puerorum*, XIIIe s.).

♦ *Limbes*, d'abord au singulier puis (1544) au pluriel, désigne le séjour des âmes des justes avant la rédemption du Christ ainsi que le séjour des âmes des enfants morts sans baptême (1608). ◇ Le mot, absent des Écritures, recouvre une notion longtemps discutée dans l'Église catholique. Déjà employé au XVIe s. avec l'idée d'un séjour sans souffrance, par allusion à l'Ancien Testament où les justes attendent l'avènement du Christ. ◇ Il a reçu la valeur figurée (av. 1741) de «région indéfinie», symbole d'un état d'incertitude.

▸ On en a tiré ② **LIMBIQUE** adj. «relatif aux limbes» (1873).

① **LIME** n. f. est issu (v. 1175) du latin *lima* «lame de fer striée servant à user les métaux par le frottement», abstraitement «retouche, correction, comme par le travail de la lime»; *lima* est d'origine inconnue.

♦ Le mot a été introduit avec son sens concret, mais dès ses premières occurrences, il présente des valeurs figurées qui sont sorties de l'usage après l'époque classique. En moyen français, ***lime sourde*** (XVe s.) s'est appliqué, par allusion au travail insidieux, sans bruit, de l'outil, à une femme hypocrite (XVe s.), à une personne sournoise (1532), et ***lime douce*** s'est dit (1640) d'une mauvaise langue employant la flatterie. Le sens figuré de «soins qu'on apporte à parfaire un ouvrage» (v. 1665), par exemple dans *travail **à la lime***, s'est maintenu plus longtemps, dans un style recherché. ➜ Par analogie, *lime* désigne en zoologie (1797) un mollusque marin à la coquille striée.

▶ L'ancien sens argotique de *lyme* (1527) puis *lime* (1597) «chemise» subsiste dans le dérivé argotique ② **LIMACE** n. f. (1725 *limasse*, 1821), aujourd'hui démotivé et rapproché de l'homonyme *limace*. Il s'agirait d'une évolution de sens également suivie par le catalan, l'espagnol et le portugais *lima*, du fait que la chemise frotte contre la peau. En français, l'influence du verbe *élimer*, relatif à l'usure d'un vêtement causée par le frottement, a dû également jouer.

LIMER v. tr. est issu (v. 1175) du latin *limare*, dérivé de *lima* «polir, user avec une lime» et, au figuré, «perfectionner». Comme le substantif, le verbe a eu des valeurs figurées qui ont disparu ou vieilli; le sens figuré médiéval «ronger, détruire, exciter, irriter» (v. 1175) est sorti d'usage au XVIe s.; ceux de «quereller, peiner» (1256), «corriger avec soin» (1532), ne se sont pas maintenus au-delà du XVIIe s. («chercher avec peine, mentalement», 1613). ◇ Il en va de même des extensions «lécher pour polir» (XIIIe s.), «ôter avec la langue les viscosités couvrant les nouveau-nés» (1387). ◇ D'autres spécialisations figurées, tel «user comme sous l'action d'une lime», attesté tardivement (1800), ce sont maintenues, surtout grâce au participe passé adjectivé *limé* (déb. XIXe s.), de même que le sens érotique, «coïter (longuement)», qui correspond à *frotter*.

Le déverbal ② **LIME**, employé aux sens figurés de «peine, tourment, application» (XIIe s.), a lui aussi disparu au XIVe siècle. ◇ **LIMEUR, EUSE** n. (v. 1130) désigne à la fois un ouvrier et, depuis le XIXe s., une machine utilisée pour le rabotage des métaux (1857 au féminin; 1877 au masculin).

LIMAILLE n. f. (XIIIe s.) désigne l'ensemble des parcelles métalliques détachées par l'action de la lime; le mot resté usuel est quelque peu démotivé. ➜ Il n'en va pas de même pour **LIMAGE** n. m. qui, après avoir dénommé (fin XVe s.) l'ouvrage d'un artisan dûment limé, désigne plus tard (par le hasard des attestations) l'action de limer (v. 1550).

ÉLIMER v. tr. (XIIe s.) est le seul préfixé verbal de *limer* à s'être maintenu; il a eu les sens figurés de «purifier, polir» (v. 1225), disparus. ➜ Le sens d'«user une étoffe par le frottement», d'abord et surtout au participe passé adjectivé *élimé* (1690) et le pronominal *s'élimer* (1694), puis aussi par la construction transitive (1826), est seul usuel. Cette valeur doit être antérieure aux attestations, une acception figurée pour «affaiblir l'intérêt de» (v. 1580) pouvant en provenir.

◈ voir LIQUETTE, peut-être LIMANDE.

③ LIME n. m. → ② LIMON

LIMIER → LIEN

LIMINAIRE adj. est emprunté (1548) au latin *liminaris* proprement «relatif au seuil» et, au figuré, «initial, placé au début». Le mot est dérivé de *limen* «seuil», employé pour le pas et le linteau de la porte d'entrée, rattaché par étymologie populaire à *limis* «oblique» et peut-être apparenté à *limes* «chemin bordant un domaine» (→ limite).

♦ En dehors de son usage didactique en parlant d'un livre, d'un discours (1548, *épître liminaire*), *liminaire* est employé au sens plus large de «qui forme le début», dans un style soutenu. ➜ Les psychologues l'emploient pour «au niveau du seuil» d'où «à peine perceptible»; mais *liminal* (ci-dessous) est plus fréquent dans ce sens.

▶ **PRÉLIMINAIRE** n. m. et adj. a été emprunté (apr. 1648) au latin *praeliminaris*, de *prae* (→ pré-) et *liminaris*, à l'occasion du traité de Westphalie, pour désigner au pluriel les négociations préparatoires au traité. Par extension, il se dit au singulier de tout ce qui prépare un événement plus important et il est devenu plus usuel que *liminaire*. Depuis 1671, on le rencontre employé comme adjectif. ➜ Il a produit **PRÉLIMINAIREMENT** adv. (1757), d'usage rare.

LIMINAL, ALE, AUX adj. est un emprunt (déb. XXe s.) à l'anglais *liminal* «au niveau d'un seuil», dérivé savant du latin *limen* spécialisé en psychologie, pour «à peine perceptible» (1884). Le mot tend à se substituer à *liminaire* dans cet emploi. ➜ **SUBLIMINAL, AUX** adj. est un emprunt à l'anglais, lui-même composé de *sub-* et du latin *limen*. Le concept semble créé par le psychologue allemand Herbart (1824) et a été diffusé par l'anglais Myers (*the subliminal consciousness*, 1892), calquant l'allemand *Unter der Schwelle*. Attesté en 1893 (Flournoy), ce mot qualifie ce qui n'atteint pas le «seuil» de conscience. On parle (d'après l'anglo-américain) de *publicité subliminale*. ◇ **SUBLIMINAIRE** adj. est une variante plus rare (v. 1960), alors que **SUPRALIMINAIRE** adj. (v. 1960) semble supplanter **SUPRALIMINAL, AUX** adj. (1893).

◈ voir LIMITE.

LIMITE n. f. a été emprunté (v. 1372) au latin *limes, limitis* «chemin bordant un domaine», «sentier entre deux champs», «limite, frontière», mot sans étymologie connue que l'on rapproche, à titre d'hypothèse, de *limen* «seuil» (→ liminaire).

♦ Apparu avec le sens concret de «ce qui borde un terrain, un territoire», «ligne de démarcation entre territoires contigus», *limite* a aussi développé un sens plus abstrait, tant spatial que temporel. Il est rare avant le XVIe s. et surtout de genre masculin (1513) jusqu'au XVIIe siècle. Depuis 1539, il est employé au figuré, au singulier comme au pluriel. ◇ À partir d'une acception scientifique «toute grandeur dont une autre grandeur peut approcher à l'infini sans jamais la rejoindre» (1765, *Encyclopédie*), il a produit les expressions courantes ***à la limite, cas limite,*** où il réalise l'idée d'un point vers lequel tend une chose. Il est devenu un terme du vocabulaire mécanique (1844, *limite de densité; limite d'élasticité*) et sportif (1924 en boxe) pour «limite de temps». ◇ Un usage récent fait du mot un épithète *(c'est limite)*.

▶ **LIMITER** v. tr. est un emprunt (v. 1310) au latin *limitare*, dérivé de *limes*, proprement «marquer les limites d'un territoire» et également employé au figuré. Le mot a été repris dans sa double acception, concrète et (v. 1350) abstraite. ◇ Le participe passé adjectivé **LIMITÉ, ÉE** possède en propre la valeur de «restreint, modique» (v. 1350) et s'applique familièrement à une personne (notamment à son intelligence), avec une connotation péjorative. ➛ De *limiter* sont issus **LIMITABLE** adj. (1845), **LIMITANT, ANTE** adj. (1925) et le terme technique **LIMITEUR** n. m. (1606) «celui qui limite», repris en technique (1912).

LIMITATION n. f. est emprunté (1304) au dérivé latin *limitatio, -onis* «bornage, délimitation», avec un sens concret, puis aussi (1322) abstrait. ➛ **LIMITATIF, IVE** adj. est emprunté (1545) au latin médiéval *limitativus* «restrictif» (v. 1300), formé sur le supin de *limitare*.

À partir de l'emprunt **ILLIMITÉ, ÉE** adj. (1611) pris au bas latin *illimitatus*, et qui correspond à «sans limite», ont été formés **ILLIMITATION** n. f. (avant 1622, repris en 1815), **ILLIMITER** v. tr. «faire durer» (v. 1792) et «rendre illimité» (1880), ainsi qu'**ILLIMITABLE** adj. (1807) et **ILLIMITANT, ANTE** adj. (1935). À l'exception de l'adjectif *illimité*, tous ces mots sont rares.

Sur la base de **DÉLIMITER** v. tr. «assigner des limites à», et de **DÉLIMITATION** n. f., «fait de délimiter», et «limite assignée à qqch.», tous les deux empruntés vers 1773 aux composés latins *delimitare* et *delimitatio, -onis*, a été formé **DÉLIMITABLE** adj. (1938 chez Gracq) et le terme d'informatique **DÉLIMITEUR** n. m. (1968) «caractère qui limite une suite de caractères et qui n'en est pas membre». ◇ *Délimiter* et sa série se sont spécialisés par rapport à *limiter* avec une idée de précision technique, qui est passée dans les emplois figurés, notamment avec le participe passé **DÉLIMITÉ, ÉE** adj.

◈ voir LIMITROPHE, LINTEAU.

LIMITROPHE adj. est emprunté (1467) au bas latin juridique *limitrophus*, composé hybride de *limes, limitis* (→ limite) et du grec *trephein* «nourrir» (représenté dans *atrophie**, *hypertrophie**) en parlant des régions frontalières assignées aux troupes pour leur entretien *(limitrophi fundi)*. Il s'agit étymologiquement d'une limite pour l'intendance d'une armée. En latin médiéval (1349), il est synonyme de *finitimus* «voisin, contigu».

♦ *Limitrophe*, apparu avec le sens strict de «frontalier», a développé (v. 1570) le sens de «contigu, voisin», au propre et au figuré, qui est resté courant, la valeur originelle du composé latin étant perdue quant à la partie grecque (aucun rapport n'est plus perçu entre ce *-trophe* et *atrophie*).

LIMOGER v. tr. est à l'origine un terme argotique de l'administration militaire, dérivé (1916) du nom de *Limoges*, ville où le généralissime Joffre assigna à résidence les officiers d'état-major qu'il avait relevés de leurs fonctions au début de la Première Guerre mondiale.

♦ Correspondant d'abord à «relever (un officier général) de ses fonctions», *limoger* est passé dans l'usage commun au sens plus général de «frapper (une personne haut placée) d'une mesure de disgrâce».

▸ Son participe passé est aussi substantivé (1934), et le dérivé **LIMOGEAGE** n. m. est attesté chez L. Daudet (1934).

◈ voir LIMOUSINE.

① **LIMON** n. m. est issu (fin XIe s.) du latin populaire °*limonem*, accusatif de °*limo* «boue», issu du latin classique *limus* «boue, vase» et aussi «lichen», et «aubier», à rapprocher du vieil islandais *slim*, de l'ancien haut allemand *slīm* «boue» et, sans doute, du grec *leimôn* «prairie humide», *limnê* «marais». *Limus* survit dans l'ancien français *lum, lun* (fin XIIe s., 1306), l'ancien provençal *lim*, l'espagnol et l'italien *limo*.

♦ Le mot désigne la boue, et plus spécialement la terre amollie ou dissoute et charriée par les eaux. ◇ Il a pris dès l'ancien français (v. 1280) la valeur figurée de «souillure morale», comme *boue, fange*, mais à la différence de ces derniers, il est à peu près sorti d'usage. ◇ Traduisant le latin de la Vulgate, il désigne en particulier (1664) la matière dont Dieu crée le monde, puis Adam, dans la Genèse.

▸ En sont dérivés **LIMONEUX, EUSE** adj. (1320 au sens figuré de «répugnant»; v. 1375 au sens concret), **LIMONITE** n. f. (v. 1840), mot de minéralogie équivalent de *fer limoneux*, et **LIMONAGE** n. m. (1868).

✳ ② **LIMON** n. m. est emprunté (v. 1314) à l'italien *limone* «sorte de citron acide et «arbre qui le produit» (XIVe s.), lui-même emprunté par l'intermédiaire de l'arabe *laymūn*, au persan *līmūn* de même sens, à rattacher au sanskrit *nimbū* désignant une variété d'agrume. La culture de ce fruit, introduite par les Arabes dans le bassin méditerranéen, a été importée en Italie lors des Croisades (comme on le lit dans les récits de voyage en Terre sainte, au XIVe s.).

♦ Le mot a désigné un citron acide à l'écorce fine, mais il est sorti d'usage.

▸ *Limon* se maintient dans deux dérivés : le plus courant est **LIMONADE** n. f. (1640, *limonnade*), peut-être influencé par l'espagnol *limonada* ou l'italien *limonata*. Ce mot a d'abord désigné une boisson faite d'eau, de sucre et de jus de citron (ce qu'on appelle aujourd'hui *citronnade*), puis une boisson gazeuse et sucrée où n'entre plus aucun citron ni parfum de citron. ◇ Le mélange de bière et de limonade (cf. *panaché*) est aujourd'hui l'usage le plus fréquent de cette boisson un peu archaïque. ◇ Par métonymie, il a désigné le commerce de ceux qui vendent de la limonade et d'autres boissons au détail (1867), c'est-à-dire des cafetiers. ➛ Son dérivé **LIMONADIER** n. m. (1666), après avoir désigné le marchand de citronnade, était naguère synonyme de *cafetier*, le *pâtissier-limonadier* étant le pâtissier qui vendait aussi des boissons rafraîchissantes. ◇ Techniquement, le mot s'applique au fabricant de limonade. ➛ **LIMONÈNE** n. m. (1905) désigne, en chimie, un hydrocarbure extrait de diverses essences, dont l'odeur rappelle le citron.

① **LIME** n. f. a été emprunté (1555) à l'espagnol *lima* ou au catalan *llima*, eux-mêmes repris à l'arabe du Maghreb *līma*. ◇ Le mot, désignant une sorte de citron doux, a produit **LIMETTE** n. f. (1782) et **LIMETTIER** n. m. (1845).

Les mots français *limon* et *lime* ont été empruntés par l'anglais où a eu lieu une nouvelle répartition sémantique : *lemon* (XIVe s., *lymon*) désignant le citron, tandis que *lime* (XVIIe s.) est appliqué à un fruit acide autrement appelé *citron vert*. ◇ ③ **LIME** n. m. est un réemprunt à l'angl. *lime*, pour «citron vert».

◈ voir **PAMPLEMOUSSE**.

LIMOUSINE n. f., attesté au milieu du XIXe s. (1841 ; 1836 selon Bloch et Wartburg) recouvre deux emplois lexicalisés du féminin substantivé de *limousin* (1383, *limosin*), adjectif et substantif ethnique tiré de *Limousin*, issu du bas latin *Lemovicinium*, lequel est dérivé du latin *Lemovices*, proprement «guerriers de l'orme», appellation métaphorique apparentée au nom gaulois de l'orme (*lema, leme*) et qui a donné le nom *Limoges*.

♦ Si le sens de «manteau en forme de pèlerine fait de poils de chèvre ou de grosse laine» est aisément explicable, d'après le vêtement des bergers limousins, celui de «sorte de voiture» (1902) n'est pas clair : on l'a expliqué par une comparaison entre le manteau protégeant de la pluie et la voiture bien fermée (cf. l'évolution de *capote/capot*) ; on a également attribué l'invention du type de carrosserie de la voiture à Charles Jeantaud, originaire de Limoges (1843-1906). Le mot désignait alors une automobile dont la carrosserie n'était entièrement fermée par des vitres latérales que pour les voyageurs de l'arrière ; de nos jours, il dénomme une grande voiture de luxe à conduite intérieure, avec une séparation entre le chauffeur et les places arrière.

LIMPIDE adj. est emprunté (1509) au latin *limpidus* «clair, transparent» et, avec une valeur morale, «pur, propre». La rareté de l'adjectif en latin et son apparition relativement tardive font pencher pour une origine dialectale, osco-ombrienne ; on a aussi émis l'hypothèse d'un croisement de *lympha* (→ lymphe) et *liquor* (→ liqueur).

♦ *Limpide* a eu du mal à s'imposer ; encore rare au XVIIe s., il est critiqué par Richelet (1680) qui le condamne comme un mot écorché du latin, et il n'est admis par l'Académie que dans la quatrième édition de son Dictionnaire (1762). Depuis, il est devenu courant au propre, puis (1834) au figuré.

▸ La lenteur avec laquelle l'adjectif s'est imposé explique peut-être l'apparition tardive du nom correspondant **LIMPIDITÉ** n. f. (1680), emprunt au dérivé bas latin *limpiditas*, et de **LIMPIDEMENT** adv. formé en français (1835). Le dernier est plus courant au sens figuré «de manière très claire, compréhensible» qu'avec sa valeur concrète.

✻ **LIN** n. m. est issu (v. 1155) du latin *linum* qui désigne une sorte de plante, par métonymie le fil (spécialement la ligne de pêche, le filet pour la chasse), et le tissu qu'on en fait. Beaucoup de langues indoeuropéennes ont un terme de forme voisine, le grec *linon*, le russe *lën* mais il faudrait connaître l'histoire de la culture de la plante pour pouvoir faire celle du mot. Les formes germaniques, anglais *line*, néerlandais *lijn*, allemand *Lein-* en composition, suédois *lin-*, remontent à un type °*lîno^m*, apparenté à *linum*.

♦ *Lin*, «plante textile» dès le XIIe s., désigne aussi le fil et le tissu de lin (v. 1180).

▸ *Lin* a produit **LINAIRE** n. f. (XIIIe s.) et **LINIÈRE** n. f. (1228) «champ de lin», **LINIER**, d'abord nom masculin (1260) «fabricant de toiles de lin» puis adjectif (1752) «relatif au lin», et, en botanique **LINACÉES** (1822) ou **LINÉES** n. f. pl. (1813) et l'adjectif rare **LINACÉ, ÉE** (1842).
Le mot a aussi servi à former **LINOTTE** n. f. (XIIIe s.), l'oiseau étant ainsi nommé parce qu'il est friand de graines de lin ; il a donné l'expression figurée courante ***tête de linotte*** «étourdi» et s'emploie au figuré dans ce sens. Dans tous ses emplois, *linotte* n'est plus senti comme venant de *lin*. ➛ Il en va de même pour le nom de plante **LINAIGRETTE** n. f. (1789), formé de *lin* et de *aigrette**, à cause de ses épis aux soies plumeuses en forme d'aigrette. ➛ Au XXe s., on a formé **LINICULTURE** n. f. sur le modèle d'*agriculture*, etc.

◈ voir **LIGNE, LINCEUL, LINGE, LINOLÉUM, LINON**.

LINCEUL n. m., d'abord *linçol* (v. 1050), *linçoel* (v. 1140), est issu du latin *linteolum* «petite pièce de toile de lin», diminutif de *linteum* «étoffe de lin», qui vient de *linum* (→ lin). En latin médiéval, *lintoleum* est relevé au sens de «suaire» (876) et de «drap de lit» (1096).

♦ *Linceul*, apparu avec ce dernier sens, «drap de lit», l'a conservé jusqu'au XVIIe s., voire plus longtemps dans les parlers gallo-romans (en portugais *lençol* signifie «drap», le suaire étant désigné par *sudaria*). ◇ Le sens moderne spécialisé de suaire, «drap où l'on place les morts avant de les enterrer», est attesté depuis le XIIIe s. et a éliminé le sens premier.

LINÉAIRE adj. a été emprunté (XIVe s. in *F. e. w.*) au latin *linearis* «relatif aux lignes», «qui se traduit par des lignes», «géométrique», de *linea* (→ ligne).

♦ Comme le mot latin, *linéaire* qualifie ce qui a rapport à des lignes, en a l'aspect, la forme, se fait au moyen de lignes. ◇ Il a reçu quelques spécialisations en géométrie, en algèbre (1743, *équation linéaire ;* 1752, *grandeur, fonction linéaire*) et la valeur abstraite de «qui peut être représenté par une ligne, suit un tracé de ligne», parfois péjoratif en parlant d'un récit «sans épaisseur». ◇ Il est substantivé en commerce (v. 1960) pour la longueur occupée par un produit sur des rayonnages et désigne la longueur de voie devant le bâtiment d'une gare, d'une aérogare, etc.

▸ En sont issus **LINÉAIREMENT** adv. (1465, *lignéairement*, rare av. déb. XXe s.), **LINÉARITÉ** n. f. (1910), mot didactique de sciences. ➛ **JUXTALINÉAIRE** adj. qualifiant une traduction en regard (1847, dans *Les Auteurs grecs expliqués d'après une méthode nouvelle par deux traductions, l'une littérale et juxtalinéaire*) et **BILINÉAIRE** adj. (XXe s.).
INTERLINÉAIRE adj., le plus ancien des termes de cette série, est emprunté (1389) au latin médiéval *interlinearis* «écrit dans l'interligne» (XIIe s.), de *inter* (→ inter-) et *linearis*. ➛ D'abord attesté isolément, en parlant d'un vent placé entre les quatre vents principaux qui composent la rose des vents,

le mot a été repris au XVIe s. (1564, *glose interlinéaire*) en relation avec *entreligne* et *interligne* (→ ligne); il a reçu une spécialisation en imprimerie.

LINÉAMENT n. m. est emprunté (1532, Rabelais) au latin *lineamentum* «ligne, contour, traits», dérivé de *linea* (→ ligne).

♦ Outre le sens propre, «ligne caractéristique dans la forme», *linéament* est employé (1642) au sens figuré de «premiers traits d'une chose encore à l'état d'ébauche».

▸ En sont dérivés deux termes littéraires : **LINÉAMENTAIRE** adj. (1886) «réduit à des linéaments», et **LINÉAMENTER** v. tr. (1918 chez Proust) «dessiner dans ses linéaments».

LINGE n. m. est la substantivation (v. 1125) de l'ancien adjectif *linge* «de lin, de toile» (entre 1125 et le XVIe s.), lui-même issu du latin de même sens *lineus,* adjectif tiré de *linum* (→ lin).

♦ L'évolution de *linge* est analogue à celle de *lange,* autre substantif tiré d'un ancien adjectif de matière, en l'occurrence de *laine :* il a désigné une toile de lin, puis un morceau d'une toile quelconque. ◇ Par métonymie, il a servi à dénommer la chemise (XIIIe s.), sens disparu en français classique (v. 1225), et collectivement les vêtements de dessous et les pièces détachables de l'habillement quand elles sont en tissu léger (cependant, pour les jeunes enfants, on emploie les termes spécialisés *layette, lange,* etc.). Ce sens, réalisé notamment dans ***linge de corps*** (1798), entre dans des locutions comme ***laver son linge sale en famille*** (XVIIIe s., Voltaire), «étaler ses dissensions», et, en argot, *linge fin* (1808) puis ***beau linge*** à propos de personnes élégantes; on a dit *avoir du linge* pour «être élégant» (av. 1861). ◇ Au XVIe s., *linge* prend aussi le sens de «morceau de tissu non travaillé pour frotter, nettoyer, etc.» (1570) et «ensemble des pièces de tissu (à l'origine en lin) employé pour la table, le lit» d'où ***linge de table*** (1587), *linge blanc, linge de couleur...*

▸ Certains de ses dérivés sont aujourd'hui tombés en désuétude, tels **LINGETTE** n. f. (XVe s., «toile de lin»), dit d'une flanelle de qualité inférieure, et **LINGEUR** n. (1292), disparu dans son premier sens de «personne qui confectionne et vend du linge», encore parfois employé au sens de «ouvrier en lingerie» et en apposition dans *frère lingeur* «personne chargée du linge dans une communauté» (1680). ➛ **LINGER, ÈRE** n. (1292, *lingier*) désigne la personne qui confectionne, vend du linge et (1680), surtout en apposition dans *frère linger,* la personne chargée de l'entretien du linge dans une communauté. ➛ **LINGERIE** n. f. (av. 1320) est le dérivé le plus vivant : les sens de «commerce, marché du linge fin» (av. 1320) et «ouvrage en linge, ensemble des pièces de linge» (1552) ont reculé, mais le mot se maintient au sens de «linge de corps pour une femme» et, par métonymie, «tissus employés pour la lingerie fine» (1844). ◇ Par une métonymie spatiale, *lingerie* désigne la pièce où l'on entretient le linge (et, dans une communauté religieuse, celle où l'on fait aussi des travaux de couture). ➛ **LINGÉ, ÉE** adj. attesté une fois au XIVe s. au sens «de lin, de toile», a été repris en argot avec celui de «bien vêtu, élégant». ➛ *Linge,* plus récemment, a produit les substantifs masculins **CHAUFFE-LINGE** (1753), **SÈCHE-LINGE** (v. 1966), **LAVE-LINGE** (1970).

LINGOT n. m. est d'origine inconnue (1392). On a avancé l'hypothèse d'un emprunt, avec agglutination de l'article défini °*l'ingot,* de l'anglais *ingot* attesté une fois chez Chaucer (v. 1386) puis, dans la seconde moitié du XVIe s., et qui signifie «moule dans lequel on coule une masse de métal» et «masse de métal». L'origine du mot anglais est elle-même douteuse, peut-être de *in* «dans» et du vieil anglais *goten,* participe passé de *geotan* «couler, verser (du métal)», verbe dont la racine est la même que celle du latin *fundere* (→ fondre); des formes parallèles existent en germanique avec l'allemand *Einguss,* le suédois *ingöte* et, pour les verbes, le néerlandais, le suédois. La pauvreté des dépouillements interdisant de tenir cette hypothèse pour sûre, on a aussi évoqué, inversement, la possibilité que l'anglais soit emprunté au français avec déglutination du *l-*, et que le français soit emprunté au provençal *lingot* (1403) «lingotière», lui-même issu de *lenga* «langue» (→ langue), par allusion à la forme allongée de ces morceaux de métal.

♦ Le mot désigne une masse de métal obtenue par coulée dans un moule et qui n'a pas encore été mise en œuvre, spécialement un bloc de métal précieux (1707, *lingot d'or*). ◇ Par analogie, il désigne un morceau de plomb ou de fer cylindrique dont on chargeait les fusils pour chasser du gros gibier (1721), sens disparu, et une pièce de métal employée par les typographes (1832).

▸ **LINGOTIÈRE** n. f. (1606), peut-être d'après le provençal *lingotiera* (1506), désigne le moule dans lequel on coule les lingots. ➛ Les autres dérivés datent du XXe s. : **LINGOTIER** n. m. (1902) pour le casier d'imprimeur où l'on range un lingot, **LINGOTER** v. tr. et **LINGOTAGE** n. m. (attestés 1931) pour l'opération consistant à couler du métal en lingots.

LINGUISTE n. est attesté bien avant le nom correspondant *linguistique* (ci-dessous) : c'est un dérivé savant (v. 1668, ou 1632 selon Bloch et Wartburg) du latin *lingua* (→ langue) avec suffixe *-iste* (l'anglais possède le mot *linguist* dès 1591 au sens de «celui qui étudie plusieurs langues», depuis 1641 au sens de «celui qui étudie la langue»).

♦ *Linguiste* a d'abord désigné celui qui étudie une langue ancienne; rarissime au XVIIe et absent des dictionnaires des XVIIe-XVIIIe, il a véritablement été repris au début du XIXe s. en relation avec *linguistique* pour désigner le spécialiste de l'étude scientifique des langues, d'une ou plusieurs langues particulières. ◇ Dans l'usage courant, il est encore employé pour qualifier une personne remarquable par sa connaissance des langues étrangères.

▸ **LINGUISTIQUE** n. f., dérivé savant du latin *lingua* ou de *linguiste* d'après l'allemand *Linguistik* (XVIIIe s.), est attesté en 1826 dans *L'Introduction à l'atlas ethnographique du Globe* par Adrien Balbi qui en impute la création à l'allemand. Il se trouve comme adjectif en 1832 dans le dictionnaire de Raymond et en 1833 dans *L'Introduction aux notions élémentaires de linguistique* de Charles Nodier, mais on peut penser qu'il est antérieur. Tout au long du XIXe s., *linguistique* est concurrencé par *philologie* et d'autres termes. C'est seulement à la fin du XIXe s. qu'apparaît le concept moderne, issu des travaux de l'Américain Whitney, des néogrammairiens et surtout de Ferdinand de Saussure. Le mot, chez les linguistes français (Hovelacque, Bréal), prend alors un sens différent, précisé par Saussure. Dès 1839, un autre Suisse, Töpffer, employait l'adjectif dans un sens quasi moderne. ➡ Son dérivé **LINGUISTIQUEMENT** adv. est attesté depuis 1877.

Le latin *lingua* se retrouve dans quelques termes didactiques : **LINGUAL, ALE, AUX** adj. (1735 ; 1694 en phonétique) a été formé savamment sur *lingua* ou emprunté au bas latin *lingualis*, après l'anglais *lingual* (v. 1400) «en forme de langue», spécialisé en anatomie (1650) et en phonétique (1668). ➡ **BILINGUE** adj. a été emprunté (XIIIe s.) au latin *bilinguis* «en deux langues» et «fourbe, à la langue fourchue» (Plaute), de *bi-* «deux fois» (→ bi-) et *lingua*. Le sens latin, attesté deux fois au XIIIe s., semble encore réalisé en 1618 lorsque le mot est glosé (au pluriel) «ceux qui parlent autrement en particulier qu'en public». ◇ Le sens actuel apparaît en 1826 *(ouvrage bilingue)*, donnant le dérivé **BILINGUISME** n. m. (1918). Ce dernier est employé par A. Meillet au sens de «fait de pratiquer deux langues». ◇ **BILINGUISER** v. tr. (1974) est employé au Canada pour «rendre bilingue», ce pays pratiquant sauf au Québec le bilinguisme officiel anglais-français. ➡ **TRILINGUE** adj. a été introduit par Marot en parlant d'un collège où l'on parle trois langues, emploi calqué du latin médiéval *collegium trilingue*. Il s'est répandu au XIXe s., qualifiant un locuteur, un ouvrage (1842), un lieu (1907). ➡ **UNILINGUE** adj. (1872), quelquefois concurrencé par le composé hybride **MONOLINGUE**, est une formation savante qui s'oppose à **PLURILINGUE** adj. (XXe s.) ; chacun de ces mots a produit au XXe s. un substantif en *-isme* d'usage didactique.

LINIMENT n. m. est un emprunt (XVe s.) au latin *linimentum* «enduit», dérivé de *linire* «enduire, oindre». Ce verbe est issu d'une racine indoeuropéenne signifiant «verser un corps gras» et «rester fixé», d'où «se reposer», reconstituée par les langues celtiques, germaniques, le grec, le sanskrit.

♦ Le mot désigne en pharmacie et médecine un médicament externe, gras, pour enduire et frictionner la peau.

LINOLEUM ou **LINOLÉUM** n. m. est emprunté à l'anglais *linoleum* (1864), mot forgé avec le latin *linum* (→ lin) et *oleum* (→ huile), ce tissu, inventé par l'Anglais F. Walton — qui en déposa le brevet le 25 avril 1863 —, étant enduit d'huile de lin.

♦ Le mot est employé couramment en ameublement, surtout sous la forme abrégée **LINO** (1936, d'après l'anglais *lino*, 1907) et, techniquement, en arts graphiques pour une gravure sur linoléum.

La forme abrégée *lino-* est entrée dans deux termes d'arts graphiques : **LINOGRAPHIE** n. f. (1884) et **LINOGRAVURE** n. f. (1948).

▸ **LINOLÉIQUE** adj. est emprunté (1873) à l'anglais *linoleic (acid)*, nom donné par Sacc vers 1857 *(Oxford dictionary)* à un acide oléique obtenu par saponification de l'huile de lin, et formé des éléments *lin-* (de *linum*), *ole-* (de *oleum*) et du suffixe *-ic* correspondant au français *-ique*. ◇ Le mot qualifie un acide constituant de la vitamine F existant dans les huiles siccatives. ➡ La terminologie scientifique a emprunté à sa suite **LINOLÉINE** n. f. (1873) à l'anglais *linolein* (1857) et **LINOLÉATE** n. f. (1873) à l'anglais *linoleate* (1865).

LINON n. m., d'abord *lignon* (1566), est issu par simplification du moyen français *linomple* de même sens (apr. 1449), mot probablement formé de *lin** et d'une seconde partie d'origine discutée : on a proposé de l'identifier avec l'adjectif ancien français *omple* qui qualifiait une étoffe unie, simple (1323, *omples draps*, dans les archives du Pas-de-Calais). Ce mot, localisé dans les parlers du nord et du nord-est de la France, le plus souvent pour qualifier *drap*, et jamais *lin*, est lui-même d'origine obscure. L'hypothèse l'identifiant avec *ample** au sens de «beau», avec une évolution de l'initiale propre aux dialectes du Nord, n'emporte pas plus l'adhésion que celle d'un latin populaire °*uniplus*, formé de *uniformis* (→ uniforme) avec la finale de *duplus* (→ double) et *triplus*.

♦ Le mot désigne une étoffe très fine de lin et, par analogie, de coton.

LINOTTE → LIN

LINOTYPE n. f. et adj. est l'emprunt (1889) du nom déposé en 1885 aux États-Unis par l'inventeur de cette machine à composer et à clicher ligne par ligne, Ottmar Mergenthaler (1854-1899). Le mot est la contraction de *line of types* «ligne de caractères». L'anglais *line* (XIIIe s.) résulte de la coalescence d'un mot vieil anglais issu, par le germanique, du latin *linea* (→ ligne) et d'un moyen anglais emprunté au français, *ligne**. *Type*, «emblème» (XIVe s.), «empreinte» (XVe s.), spécialisé en typographie (XVIIIe s.), est emprunté au français *type** ou vient directement du latin *typus*.

♦ Passé dans le *Gutenberg-Journal* du 20 novembre 1889, le mot est d'un genre mal déterminé (masculin en 1894) ; l'Académie est seule à en faire également un adjectif ; l'abréviation **LINO**, fréquente, est attestée depuis 1907. Le mot, qui s'oppose à *monotype (mono)* dans la composition au plomb, par *lignes-blocs*, a perdu de son importance depuis la photocomposition.

▸ Les dérivés **LINOTYPISTE** n. et adj. (1904) et **LINOTYPIE** n. f. (1911) correspondent respectivement à l'anglo-américain *linotypist* (1895) et *linotyping* (1902).

LINTEAU n. m., d'abord *lintel* (v. 1174), altéré en *licteau, luyteau* (1489) et refait en *linteau* (1530), est issu, par substitution du suffixe *-el* (du latin *-alem* à valeur diminutive), de l'ancien français *lin-*

ter (v. 1250 en anglo-normand). Ce dernier est issu du bas latin *limitaris* «seuil, entrée» (XVe s.). Ce mot est la substantivation, sous l'attraction sémantique de *limen* (→ liminaire), qui signifie «seuil, pas» *(limen inferium)* et «linteau» *(limen superum)*, de l'adjectif *limitaris* «relatif à la limite», de *limes, limitis* «frontière» (→ limite). En ancien français, on trouve aussi *lintier* (1200) et *lintueil* (fin XIIIe s.) d'après *seuil*, au sens de «seuil».

♦ Introduit au sens de «seuil» conservé par certains dialectes, le mot s'est spécialisé pour désigner la traverse formant la partie supérieure d'une porte, d'une fenêtre (v. 1250).

LION n. m., souvent *leon* en ancien français, a été emprunté (v. 1080) au latin *leo, leonis* de même sens, employé spécialement pour désigner une constellation, et au figuré une espèce de homard et une plante. *Leo* est emprunté au grec *leôn*, nom d'un fauve et d'un crustacé, lui-même sans étymologie connue : le rapprochement avec le sanskrit *ráuti, ruváti* «rugir» est abandonné ; par ailleurs, les formes sémitiques du nom du lion sont trop éloignées.

♦ Dès les premiers textes, *lion*, nom de fauve, entre dans des expressions comparatives, du type ***fier comme un lion*** et de là développe des valeurs figurées de courage, force, noblesse, générosité (et parfois cruauté), débouchant sur le sens métaphorique de «personne forte et courageuse». ◇ Parmi les quelques expressions figurées qu'il a inspirées, ***la part du lion*** (1832), d'abord *partage du lion* (1718) «totalité des parts que s'adjuge le plus fort» correspond à un emploi antérieur de l'adjectif *léonin**. ◇ Dès le XIIe s., *lion* s'applique aux représentations de l'animal, notamment en blason (1135) ; par métonymie, il désigne une monnaie frappée à l'effigie d'un lion (1346). ◇ Il a hérité du latin son emploi analogique comme nom d'une constellation (1130) et (1119) du signe zodiacal correspondant. ◇ Comme d'autres noms d'animaux, il entre dans des syntagmes déterminés formant des noms d'animaux (1611, *lion de mer*) et de plantes (1596, *dent* de lion*, mot calqué du latin médiéval et repris par l'anglais, adapté en *dandelion* «pissenlit» ; 1600, *pied de lion*). Avec une valeur symbolique (et peut-être une relation analogique peu claire), il est devenu le symbole du soufre en alchimie (1732, *lion vert, lion rouge*). ➜ Le sens figuré de «jeune homme ou jeune femme à la mode» qu'il a pris dans les années 1820 est un emprunt à l'anglais *lion* (à l'origine emprunté au français), attesté depuis le XVIIIe s. au sens de «personnalité remarquable, célèbre, à la mode». Celui-ci vient en anglais de l'usage de faire visiter aux curieux la Tour de Londres où étaient exposés des lions dans une ménagerie : *lion* a ainsi pris le sens de «ce qui mérite d'être vu» : *to have seen the lions*, proprement «avoir vu les lions», était employé au sens d'«avoir vu l'essentiel, connaître la vie» (fin XVIe s.). Ce sens figuré de «personne en vue, à la mode», notamment en usage de 1830 à 1860 (fréquent chez Balzac), est encore attesté au XXe s. (Proust).

▸ **LIONCEAU** n. m., d'abord *leüncel* (v. 1121), «petit du lion», est employé en héraldique (v. 1165) pour la représentation du lion, lorsqu'il est en nombre égal ou supérieur à trois. ◇ Employé par métaphore à propos d'un jeune enfant ou d'un jeune homme fougueux (1731-1738), il a suivi *lion* pour son sens de «jeune élégant» au XIXe s. ; ces acceptions ont disparu. ➜ **LIONNE** n. f., d'abord *lëune* (v. 1121) «femelle du lion», a développé quelques valeurs figurées connotant fierté dangereuse, jalousie et possessivité ; au XIXe s., il a désigné une jeune élégante à la mode (1830, Musset), comme correspondant féminin de *lion*.

◈ voir **CAMÉLÉON, LÉONIN, LÉOPARD.**

LIPIDE n. m., attesté en 1923 dans le *Bulletin de la société de chimie biologique*, est dérivé savamment du grec *lipos* «graisse d'animal» et «huile», dérivé de l'adverbe *lipa* «grassement, de manière à être bien gras ou huilé». Celui-ci a été rapproché de la racine sanskrite féminine *rip-* «fait d'enduire, de salir» et de formes verbales comme le lituanien *limpŭ* (infinitif *lìpti*) «être collant, visqueux», le vieux slave *prilĭpěti* «s'attacher, être collant».

♦ Le mot désigne, en biochimie, en diététique, un corps gras d'origine organique.

▸ Au XXe s., sont apparus le dérivé **LIPIDIQUE** adj. (1937) et quelques termes d'usage didactique (biochimie, médecine) créés avec l'élément **LIPO-, LIP-** (certains dès le XIXe s.) comme **LIPASE** n. f. (1890), nom de l'enzyme qui active l'hydrolyse d'un lipide.

◈ voir **LIPOPROTÉINE** (art. **PROTÉINE**).

LIPPE n. f., d'abord *lipe* (v. 1195), est emprunté au moyen néerlandais (ou du bas allemand) *lippe* «lèvre», mot appartenant à un groupe germanique contenant la même racine que le latin *labia* (→ labial) et *labra* (→ lèvre). Par l'intermédiaire du français, le mot a pénétré dans les parlers méridionaux et du nord de l'Italie.

♦ *Lippe*, spécialisé dès les premiers textes au sens de «lèvre inférieure épaisse et proéminente», se dit, par métonymie, d'un mouvement accusé de la lèvre traduisant l'insatisfaction, le mécontentement, surtout dans la locution familière ***faire sa*** ou ***la lippe*** (v. 1205, *Renart*), encore employée au Canada avec le sens de «pleurnicher».

▸ **LIPPÉE** n. f. (1316), proprement «ce qu'on prend avec sa lippe» d'où «bouchée», est employé par métonymie au sens de «repas, bon repas» (1492), spécialement dans *lippee franche* ou ***franche lippée*** «bon morceau qui ne coûte rien» (1585). Vieilli, il ne donne plus lieu qu'à des emplois plaisants. ➜ **LIPPU, UE** adj. (1539) qualifie, avec une connotation péjorative, la personne qui a une lèvre inférieure proéminente ; par métonymie, il a qualifié une moue (1830) et, non sans pléonasme, des lèvres épaisses (1837).

LIQUÉFIER v. tr. est emprunté au XIVe s. au latin *liquefacere*, proprement «faire fondre, rendre liquide», de *liquere* «être liquide» (→ liqueur, liquide) et *facere* (→ faire).

♦ Le sens de «faire passer (un solide) à l'état liquide» a progressivement reculé au profit de *fondre, faire fondre.* Le sens figuré qui en procède, attesté en 1656 dans le langage mystique, est aujourd'hui marqué comme plaisant. Seul le sens de «faire passer un gaz à l'état liquide» (1851) est usuel. ◇ Le pronominal, *se liquéfier* est plus courant au sens figuré de «perdre toute énergie» (1694; alors sans nuance familière), particulièrement «être en sueur sous l'effet du soleil».

▸ Les dérivés du mot se rapportent au sens technique. ◆ **LIQUÉFIABLE** adj. (1563, *liquifiable*) a été repris vers 1840 dans ce cadre, de même que le nom correspondant. ◆ **LIQUÉFACTION** n. f. emprunté (1314, *liquefacion*) au latin médiéval *liquefactio, -onis* «pleurs» *(liquefactio oculorum)* et «action de faire fondre le cœur» (XIIe s.). Le mot a été repris d'après l'acception moderne de *liquéfier,* pour «passage d'un corps gazeux à l'état liquide». ◆ De là, le nom d'appareil **LIQUÉFACTEUR** n. m. (1862). ◆ L'adjectif **LIQUÉFIANT, ANTE** est répertorié par *Littré* (1867).

◈ **LIQUETTE** n. f., attesté à Paris en 1870, est peut-être formé à partir de l'initiale de ② *limace* «chemise» (→ ② lime). Selon P. Guiraud, il viendrait plutôt du franco-provençal *liquer,* variante de *lisser**, pris au sens de «repasser» ou de «glisser sur soi».

♦ D'abord employé en argot comme désignation d'une chemise masculine, le mot s'est répandu couramment au sens de «chemisier féminin fendu sur le côté et analogue à la chemise masculine» (v. 1975), manifestant une tendance de la langue journalistique, publicitaire, à emprunter à tous les registres et parfois à l'argot populaire.

LIQUEUR n. f. est emprunté (v. 1160) au latin *liquor* «fluidité» et «liquide» (→ liquide), dérivé du verbe *liquare* «être clair ou liquide; être filtré» (→ délayer), verbe d'état appartenant à la racine de *linquere* «laisser, abandonner» d'où peut-être «couler, laisser aller en état liquide» (→ délinquant, relique).

♦ Le sens général de «substance liquide» encore attesté chez Chateaubriand et dans le dictionnaire de l'Académie en 1878, a disparu au profit de spécialisations : «liquide organique» (1682), sortie d'usage ou archaïque *(liqueur séminale),* et aussi «solution titrée ou non, en pharmacie» (1632). ◆ Spécialisé dès le XIVe s. dans le domaine de la boisson, il a désigné le caractère sucré et alcoolisé de certains vins (1372) d'où, par l'intermédiaire de syntagmes comme ***vin de liqueur*** (1674), des vins doux (1680) et (déb. XVIIIe s.) des boissons sucrées non alcoolisées vendues par les limonadiers. ◆ Le sens actuel le plus courant vient de *liqueur spiritueuse* ou de ***liqueur forte,*** spécialisé au sens de «fort en alcool» (*Encyclopédie,* 1765). Les *liqueurs,* au XIXe s., sont souvent associées au café en fonction de *digestif.* Les emplois absolus *(une liqueur, les liqueurs)* coexistent avec des locutions où *liqueur* a une valeur plus générale, par exemple dans *liqueur bachique* «vin», *liqueur spiritueuse.* Le mot est donc passé au XVIIe s. de la technique (distillation, pharmacie) et de l'usage littéraire (avec la valeur générale de «liquide») au domaine des boissons; ce dernier usage reprend plusieurs éléments de sens anciens (comme «distillé», «alcoolisé»), en les organisant selon les habitudes sociales : ainsi, vers 1670-1720, les liqueurs-boissons sont soit des vins doux, soit des rafraîchissements sucrés (*liqueurs fraîches,* encore dans Littré); après 1765, des eaux-de-vie et des alcools aromatisés.

▸ Le latin *liquor* a servi à former quelques dérivés savants. ◆ **LIQUOREUX, EUSE** adj. (1519), d'abord au sens de «liquide», a pris son sens moderne vers 1719 et s'emploie quelquefois au sens de «mêlé de sécrétions organiques» (1831). ◆ **LIQUORISTE** n. (1768), succédant à **LIQUEURISTE** (1753), adjectif dérivé de *liqueur,* désigne la personne qui fabrique des liqueurs.

◈ voir LIQUIDE.

✳ **LIQUIDE** adj. est emprunté (v. 1265) au latin *liquidus* «clair, limpide, transparent» et «qui coule, fluide», spécialisé en phonétique sous l'Empire dans *liquidae litterae.* Le mot est dérivé de *liquere* (1re personne *liqueo*) «être clair ou liquide». L'idée de clarté semble bien avoir précédé celle de liquidité, qui domine dans *liquare* (1re personne *liquo*) «filtrer, rendre plus clair» et «liquéfier». Rattaché à la racine de *linquere* «laisser» (→ liqueur), le verbe est aussi lié à *elixus,* à *prolixus* (→ prolixe) et peut-être à *limpidus* (→ limpide).

♦ L'adjectif qualifie proprement ce qui a la même consistance que l'eau et, par extension, ce qui est pâteux et plus ou moins fluide (1[illegible]). Il n'a pas gardé après le XVIIIe s. les sens de «limpide» (1509) et au figuré «clair, évident» (1540), repris au latin. ◆ Sa spécialisation dans le domaine de la finance (1539) est un emprunt à l'italien *liquido* (XIVe s.) qui avait pris ce sens dès le XVe siècle. D'abord strictement juridique, en parlant de biens qui ne sont pas sujets à contestation, sont libres de dettes *(biens liquides),* cette spécialisation s'est répandue dans l'usage courant par l'intermédiaire d'emplois classiques plaisants (1634). ◆ Le substantif, d'abord attesté en phonétique au féminin (1392) par emprunt savant au latin, a suivi l'évolution de l'adjectif, *le, du liquide* désignant une substance liquide, puis familièrement de l'argent en espèces disponible immédiatement (1651), une boisson (1672) et, par une nouvelle restriction dans l'usage populaire, le vin (1828). ◆ Le sens de «sécrétion organique» (1808) correspond au vieillissement de *liqueur.*

▸ **LIQUIDEMENT** adv. (1636), d'abord «clairement, manifestement», puis «de manière liquide, fluide» (1690), est le seul dérivé de *liquide* avec l'adjectif **LIQUIDIEN, IENNE** (1884), employé en chimie.

LIQUIDITÉ n. f. est emprunté (v. 1510) au dérivé latin *liquiditas* «caractère de ce qui est liquide», avec son sens propre. ◆ Ultérieurement, sous l'influence de la spécialisation financière de *liquide,* le mot a désigné en droit l'état d'un bien liquide (1873) et s'est répandu au pluriel *des liquidités* avec le sens concret de «sommes d'argent disponibles».

LIQUIDER v. tr. est très probablement emprunté (1520) à l'italien *liquidare,* emprunté au dérivé bas latin *liquidare* (Ve s.) au sens propre de «rendre fluide» et spécialisé (v. 1500) en termes de finance. ◆ Repéré dans les coutumiers, ce verbe exprime le fait de régler une situation financière par le paiement des dettes et l'attribution à qui de droit de l'actif restant. Au XIXe s., il connaît un regain de vitalité en droit commercial (1832 absolument) et dans l'usage courant. ◇ Il acquiert alors plusieurs significations figurées et familières : «régler définitivement (une question, un problème)» (1839) et, par extension, «se débarrasser de (qqch.)» (1866) ou (1928) «se débarrasser de (qqn) de manière expéditive» devenant un euphémisme pour «tuer». Ces emplois semblent postérieurs à ceux de *liquidateur* et être induits par eux. ◇ Parallèlement, *liquider* devient synonyme, dans le commerce, de «vendre à très bas prix» (1866). ◆ **LIQUIDATION** n. f. semble, au vu de la date de sa première attestation (1416), être emprunté à l'italien *liquidazione,* terme de finance (seulement attesté au XVIe s.), avant de se conformer à l'évolution du verbe français. ◇ D'abord employé pour «action de liquider des biens», il concerne également (1671) l'estimation du passif et de l'actif d'un compte puis aussi, dans la langue familière, le fait de se débarrasser brutalement de qqch. (1866), de qqn (1899), et aussi de vendre des marchandises à bas prix (1893). ◇ Sous l'influence de *liquide,* le mot désigne également une opération dans la fabrication du savon (1774). ◆ Les dérivés de *liquider* sont plus tardifs, que ce soit **LIQUIDABLE** adj. (fin XVIIIe s.), **LIQUIDATEUR, TRICE** n. (1777) ou **LIQUIDATIF, IVE** adj. (1845), tous correspondant aux emplois financiers de *liquide* et de *liquider.*

◈ voir **DÉLIQUESCENT, LIQUÉFIER.**

① **LIRE** v. tr. est issu (v. 1050) du bas latin *legere* «ramasser, cueillir», «rassembler, recueillir», «choisir» et, par une évolution de sens peu claire, «lire» : peut-être celle-ci s'est-elle faite par l'intermédiaire d'expressions comme *legere oculis* «assembler (les lettres) par les yeux», *scriptum legere* «recueillir comme étant écrit» ou, en politique, *senatum legere* «faire l'appel des sénateurs» d'où «lire la liste à haute voix» et, généralement, «lire». On peut dire que *legere* «lire» est devenu un verbe autonome qui est passé en ce sens dans les langues romanes et en celtique, les autres sens persistant dans les représentants des dérivés : *cueillir** et *colliger*, lier*, élire*,* etc. Une spécialisation intellectuelle voisine s'est maintenue dans *intelligent**. On rapproche de *legere* le grec *legein* «cueillir» et «dire», dont le développement indique l'existence d'un ancien sens technique, sans doute religieux et politique (→ dialectique, élégie, logique).

♦ Dès le XIIe s., *lire* signifie à la fois «lire des yeux ou à haute voix» (1050), «prendre connaissance d'un livre pour s'instruire» (1119) et «prendre connaissance d'une inscription par la lecture» (1165). Le sens d'«enseigner, professer» (v. 1150) s'est éteint au XVIIe s., mais se perpétue dans l'acception spécialisée de *lecteur**. ◇ Depuis le XVIe s., *lire* est employé avec un sens figuré, en locution ***lire dans les yeux de qqn*** (Montaigne, 1592) et, plus généralement (1636), au sens de «discerner, comprendre le sens de certains signes». La langue classique emploie l'expression *lire une langue* (1694) «la comprendre», d'après l'ancienne expression *lire aux langues* (av. 1630) et connaît un sens particulier, «expliquer un auteur en classe» (1654). ◆ Le XVIIIe s. enregistre des spécialisations dans les domaines de l'apprentissage technique (*lire un dessin,* 1723) et du déchiffrement musical (1765). D'autres ont suivi au XXe s. en informatique et en électronique (cf. *lecteur*). Voir aussi le schéma page ci-contre.

▶ Les dérivés de *lire* sont tous formés sur le radical *lis-* des formes conjuguées. ◆ **LISEUR, EUSE** n., apparu vers 1136 sous la forme *leisor* avec le sens aujourd'hui archaïque ou littéraire de «lecteur», est employé depuis 1680 avec la valeur plus particulière de «personne qui lit beaucoup» pour laquelle on a (très rarement) employé l'adjectif péjoratif **LISARD, ARDE** (Stendhal). Depuis le XVIIIe s., s'y ajoute un sens technique dans le domaine textile ; au XXe s., *liseur* désigne aussi des instruments aidant à lire (1902, *liseur à miroir*). ◆ Son féminin **LISEUSE** s'est spécialisé comme nom d'objet : après avoir désigné (1867) un couteau à papier servant de signet, il dénomme plusieurs autres objets liés au confort de la lecture : table où poser les livres (1889), veste féminine pour lire au lit (1909), couvre-lit (1930), petite lampe pour lire (1918). ◆ À partir de l'adjectif **LISIBLE** adj. (1464 au propre) qui a pris certaines valeurs figurées de *lire,* comme «digne d'être lu, agréable à lire», d'un texte (1824), on a formé **LISIBLEMENT** adv. (1543, *lysiblement*), **LISIBILITÉ** n. f. (1866), et leurs antonymes **ILLISIBLE** adj. (1778), précédé par *inlisible* (1671), d'où **ILLISIBLEMENT** adv. (1842) et **ILLISIBILITÉ** n. f. (1801). Ces trois mots sont employés au sens strict, avec l'idée d'«impossible à lire», et au sens extensif pour «très difficile, pénible ou même désagréable à lire» et «qui ne mérite pas d'être lu» *(un roman illisible),* en relation avec les valeurs correspondantes de *lisible* et de ses dérivés. ◇ *Lisible* et surtout *lisibilité* sont employés en politique à propos d'une action, d'un comportement clair et compréhensible par l'opinion (années 1980).

RELIRE v. tr. est formé (v. 1140) de *re-* et *lire.* ◇ Le verbe signifie «lire de nouveau», et a pris au XVIIe s. la valeur spéciale de «lire pour vérifier, corriger», par exemple dans *relire des épreuves* (d'imprimerie).

◈ voir **ACCUEILLIR, COLLECTE, COLLECTIF, COLLECTION, COLLIGER, CUEILLIR, DILECTION, DILIGENT, ÉLÉGANT, ÉLIRE, ÉLITE, FLORILÈGE, INTELLECTUEL, LEÇON, LECTEUR, LECTURE, LÉGENDE, LUTRIN, NÉGLIGER, RÉCOLTE, SACRILÈGE, SÉLECTION, SORTILÈGE, SPICILÈGE.**

② **LIRE** → ① **LIVRE**

LIS ou **LYS** n. m. est le pluriel (v. 1150) d'un singulier °*lil* qui ne semble pas attesté. Ce dernier est issu du latin *lilium* «lis», et «ouvrage de défense en forme de fleur de lis», lequel semble issu, comme le grec *leirion,* d'une langue méditerranéenne, peut-être le copte *hrêri, hlêli* (le lis apparaît fréquemment dans les décorations crétoises d'époque minoenne). L'orthographe *lys* (XIVe s.), inconnue aux XVIIe et XVIIIe, est redevenue courante depuis le XIXe siècle.

♦ Ce nom de plante a été pris de très bonne heure comme symbole de pureté, de vertu (v. 1223) et la fleur de lis symbolise la Vierge. ◇ Depuis le XIIIe s.,

LIRE

racine indoeuropéenne
°LEG-
« cueillir », « rassembler », « choisir »

latin
legere, lectus
« ramasser, recueillir », (au propre et au figuré) « parcourir », « lire »

- espagnol ***leer***
- italien ***leggere***
- portugais ***ler***
- occitan ***legir***

LIRE
- relire
- liseur
- liseuse
- lisible
- illisible

lector — ancien français leiteur ; litre
- lecteur
- lectorat

lectio « lecture » — leçon

bas latin
lectrum
« pupitre pour lire»
- **lectrinum** — lutrin

latin médiéval
lectura — lecture
- relecture

latin médiéval
legenda
« ce qui doit être lu » — légende

- **colligere, collectio,** etc. — cueillir, collection, etc.
- **eligere, electio,** etc. — élire élection, etc.
- **intelligere, intelligentia,** etc. — intelligence
- **neglegere, neglegentia,** etc. — négliger, etc.
- **spicilegium** — spicilège

fleur de lis est employé en héraldique (v. 1225) à propos d'une figure formée de trois fleurs de lis schématisées et unies. Les armoiries des rois comportant trois fleurs de lis d'or sur champ d'azur, *fleur de lis* a symbolisé la royauté et par métonymie a désigné la famille royale française (1350, absolument : ***les lis*** «royaume de France»). Depuis la fin du XVIᵉ s., l'expression a désigné spécialement la marque au fer rouge en forme de fleur de lis qu'on appliquait sur l'épaule de certains condamnés. Par analogie, *lis* est entré dans les dénominations d'autres plantes, de ***lis d'étang*** (1583) «nénuphar» à ***lis de mai, lis des vallées*** (1680) «muguet» peut-être calqué de l'anglais *lily of the valley,* et ***lis de Saint Jacques*** (1840) ou *lis Saint-Jacques* «amaryllis».

► *Lis* a produit **LISERON** n. m. (1538), nom d'une plante herbacée à tige volubile, lui-même employé dans le syntagme déterminé ***liseron épineux*** (1867) pour dénommer la *salsepareille.* ➛ Le syntagme *fleur de lis* (→ fleur) témoigne de sa relative autonomie par son dérivé *fleurdeliser.*

◈ voir **LILIACÉES, LILIAL.**

LISIER n. m., mentionné sous la graphie *lizier* dans un texte se référant à la Suisse, est un mot d'origine régionale, attesté en Lorraine et jusqu'au sud du domaine franco-provençal. Il est dérivé d'un représentant du latin *lotium* «urine», dérivé de *lotus* «lavé», adjectif dérivé de *lavare* (→ laver) en raison de l'emploi ancien de l'urine dans le lavage des vêtements; ce représentant n'est plus attesté que dans quelques formes franco-provençales et, vraisemblablement, dans le campidanien (dialecte sarde) *lúttsu* «urine de vache».

♦ Le mot désigne un mélange composé d'urine et d'excréments animaux destiné à l'épandage et recueilli dans des fosses couvertes.

◈ **LISIÈRE** n. f., attesté depuis 1244, est d'origine incertaine, peut-être d'un francique *°lisa* «ornière» que l'on peut restituer d'après le lituanien *lysẽ* «plate-bande d'un jardin» et l'ancien prussien *lyso* «plate-bande (d'un champ)». Cette forme *°lisa* a dû exister à côté du francique *°laiso,* de la même famille que l'allemand *Gleis, Geleise* «voie, ornière» et que le normand (dialecte gallo-roman) *alise* «ornière». Une autre hypothèse, qui dérive *lisière* du masculin de *lis* (issu du latin *licium* «lisière d'étoffe»), est infirmée pour une raison chronologique. P. Guiraud, très hypothétiquement, suggère un dérivé du latin *litus,* «rivage, bord», qui est à l'origine de *littoral**.

♦ Dans les premières attestations, *lisière* désigne le bord d'une étoffe. C'est seulement depuis le XVIᵉ s. qu'il est appliqué à la bordure d'autres objets : frontière d'un pays (1521), bord d'un terrain (1606). ◇ Par métonymie, il désigne une bande d'étoffe que l'on attachait au vêtement d'un enfant pour le soutenir quand il apprend à marcher (1680), sens avec lequel il a produit au XVIIIᵉ et au XIXᵉ s. des locutions figurées exprimant une idée de «soutien» ou de «tutelle», comme ***mettre, tenir qqn en lisières,*** toutes aujourd'hui vieillies ou mal interprétées. ➛ Le sens figuré de «bord, limite» (1767-1768) est plus vivant.

► Le dérivé **LISERER** ou **LISÉRER** v. tr. (1498, par le participe passé féminin *lezeree;* 1525, *lizerer*), proprement «border d'un liseré», est enregistré en 1867 au sens figuré «orner comme d'une lisière». ➛ Il est surtout vivant par son participe passé substantivé **LISERÉ** ou **LISÉRÉ** n. m. (1743) «ouvrage de broderie autour de qqch.» et «bande d'étoffe de couleur bordant une étoffe» (1797), attesté également depuis le XVIIIᵉ s. (1771) au sens figuré de «bande étroite qui borde qqch.». ◇ Le dérivé **LISÉRAGE** n. m. (1723) est rare et très technique.

LISSER v. tr., réfection (1553) de *lischier* (av. 1100), *licier* (XIIIᵉ s.), aussi *leucher* (1280-1290), est probablement issu d'un croisement entre le latin *lixare* «faire cuire dans l'eau», «extraire par lavage», attesté vers 800 au sens de «repasser, polir», et le latin *allisus* «élimé», en parlant d'un tissu qui prend un aspect lisse, luisant par le frottement, mot qui expliquerait la voyelle *i* en gallo-roman. ◇ *Lixare* est le dérivé de *lixa* «eau pour la lessive» d'où «eau (chaude) pour laver» (→ lessive), mot d'origine obscure peut-être emprunt à l'étrusque. *Allisus,* déformation d'*adlisus,* est le participe passé adjectivé de *adlidere* «heurter contre», composé de *ad* «vers, contre» (→ à) et *laedere* «frapper, blesser» (→ léser).

♦ Le contexte et le sens des premières attestations semblent confirmer la reconstitution étymologique : *lisser* a signifié «repasser au fer chaud» (encore dans les dialectes) et a pris le sens courant de «rendre lisse, poli» (1280-1290), surtout répandu à partir du XVᵉ siècle. Le verbe a pris de nombreuses spécialisations techniques se rapportant à la préparation des étoffes : il signifie «rendre lisse (une étoffe)» (1564), «donner l'uni à (du linge) en aplatissant les coutures» (1690), «ouvrer (la laine, la soie) dans la teinture» (1752). Étendu à d'autres activités techniques, il s'emploie en confiserie pour «couvrir d'un enduit de sucre», et dans l'industrie agroalimentaire.

► Le participe passé **LISSÉ, ÉE** a été adjectivé (1553), spécialement en confiserie (*amandes lissées,* 1671) où il est substantivé (1765), les syntagmes *petit lissé* et *grand lissé* distinguant deux états de cuisson de sucre formant un fil cassant ou extensible. Le dérivé le plus ancien, ① **LISSE** adj. (v. 1200, *lisce*), cependant rare avant le XVIᵉ s. (1546, *lize*), réalise le sens général de «poli, sans aspérité», quelquefois avec la valeur psychologique de «tranquille» et de «simple et clair, sans rien qui choque». ➛ Le substantif **LISSE** n. f., plutôt à considérer comme le déverbal de *lisser,* a fourni diverses dénominations techniques d'outils servant à lisser, de l'ancien fer à repasser (XIIIᵉ s.) aux instruments pour lisser le papier (1530, *lisse à papier*) ou le cuir (1606) et à l'outil du maçon servant à polir les enduits (1902). La majorité des dérivés du verbe dénomme des ouvriers ou des outils dont la fonction est de lisser : **LISSEUR, EUSE** n. (1445), **LISSOIR** n. m. (1514), nom d'instrument, **LISSETTE** n. f. (1767). ➛ Seul **LISSAGE** n. m. (1762), plus courant, réalise le sens général d'«action de lisser» tout en désignant diverses opérations de nature technique (peausserie, pyrotechnie, chirurgie esthétique, industrie alimentaire) et, au figuré, en statistiques (attesté 1957).

Le latin *lixa* «lessive», par le dérivé *lixivius,* a fourni quelques dérivés savants en science. ◆ **LIXIVIATION** n. f. (1699), d'abord «lavage des cendres (pour la lessive) pour en extraire des sels alcalins», s'applique au lavage d'un solvant à travers une poudre. ◇ De là **LIXIVIEL, ELLE, ELS** adj. (1890) et **LIXIVIER** v. tr. (1893).

◈ voir **ALIZÉ.**

② **LISSE ; LISSIER** (et *haute lisse, haut lissier*) → ② **LICE**

✳ **LISTE** n. f. est un emprunt (v. 1567) à l'italien *lista* (fin XIIIe s.), pris au sens de «série de noms ou de choses inscrites les unes à la suite des autres». *Lista* signifie proprement «bordure, lisière» et provient d'un germanique °*lista* restitué par l'allemand *Leiste* «bordure, bande», l'anglais *list,* le néerlandais *lijst,* et qui a donné l'ancien français *liste* n. f. (1150) «bordure», aujourd'hui restreint au sens technique de «bande de poils blancs sur le chanfrein de certains chevaux» (1600) en hippologie ; cf. ci-dessous ① *liteau.*

♦ Avec le sens repris à l'italien, *liste* entre dans plusieurs syntagmes dans les domaines de l'administration et du droit constitutionnel ; au XVIIIe s. sont ainsi apparus ***liste noire*** (1702), calque de l'anglais *black list* (1692) et, avec la Révolution, ***scrutin de liste*** (1789). ◇ Par extension, dès la fin du XVIe s., il a pris le sens de «énumération» (*liste de crimes*) souvent avec une idée de «longueur», comme dans *grossir la liste* (av. 1834). ◆ L'expression ***liste civile*** (fin XVIIe s.) a d'abord traduit l'anglais *civil list,* nom donné à la somme allouée annuellement au roi d'Angleterre après la révolution de 1688, parce qu'elle comportait une liste d'offices civils à rémunérer. Par extension, elle s'applique à la dotation annuelle du président de la République française (1873).

▸ *Liste,* en contexte électoral, a produit **COLISTIER** n. m. (XXe s.). ◆ Deux mots, formés en ancien français sur son homonyme *liste* «bordure», ont été repris récemment et sont passés dans l'attraction de *liste* par influence probable de l'anglais : ce sont **LISTER** v. tr. (v. 1920) et **LISTAGE** n. m. (v. 1950), spécialement employés en informatique. ◆ Ce dernier subit la concurrence de l'emprunt à l'anglais **LISTING** n. m. (1953), le seul à être usuel en informatique, et répandu dans le public non spécialisé.
① **LITEAU** n. m., réfection suffixale (1595) de *listiel* «bordure» (1229), est dérivé de l'ancien français *liste* «bord». ◇ Le mot, d'usage technique, désigne une baguette ou tringle soutenant une tablette et, figurément (1723), une raie de couleur parallèle à la lisière d'un linge. Au XXe s. il s'applique à une planche de bois de dimension normalisée (1931 dans les dictionnaires). ◆ **LISTEL** n. m. est, comme *liste,* un italianisme ; c'est un emprunt (1673) à *listello* (XVIe s.), dérivé de *lista* (ci-dessus). Le mot désigne une petite moulure (en bordure), puis (1873) une bande circulaire bordant une monnaie. Il s'emploie aussi en reliure. ◆ **LISTON** n. m., emprunt (1581) à l'espagnol *listón,* de même origine germanique que l'italien *lista,* a d'abord désigné la bordure d'un habit, avant de concurrencer *listel* au XVIIIe s. (1721), puis de désigner en marine (1840) une moulure le long de la muraille d'un navire et la bande ornementale peinte qui la remplace. ◇ En technique, le mot est revenu à son contexte initial, avec un sens différent «tissu de fil de métal utilisé en broderie décorative» (v. 1960).

✳ **LIT** n. m. est issu (v. 1050) du latin *lectus* «lit pour dormir» et, en syntagmes déterminés, «lit de table, lit nuptial, lit funèbre», mot relevant d'une racine indoeuropéenne °*legh-,* bien représentée, mais manquant en indo-iranien et en arménien. À la différence d'autres langues (celtiques, germaniques, slaves), le latin n'a pas conservé de formes verbales qui procèdent de cette racine : le groupe de *cubare* (→ incube) en a pris la place (avec une nuance de sens différente) en s'opposant à *sedere* «être assis» (→ seoir). ❶

♦ *Lit,* avec son sens courant «dispositif, meuble pour s'étendre», est entré dans nombre de syntagmes correspondant aux divers types de lit, dont plusieurs appellations, et dans plusieurs locutions verbales usuelles. On peut mentionner ***lit de camp*** (XVe s.), ***lit de travail*** (1640) et ***lit de douleur*** (XVIIe s. qui succède à l'ancien *lit de sa douleur,* v. 1120) pour «lit d'accouchement», ***lits jumeaux*** (1755) et ***lit double*** (1845) ; pour les locutions figurées ***coucher sur un lit de roses*** (1660) et, au propre, ***faire lit à part*** (1660). ◆ L'usage moderne garde une trace d'un ancien sens particulier, «dais sous lequel se tient le roi lors d'une séance au Parlement» (1318) dans ***lit de justice*** (1377) et ***tenir un lit de justice*** qui, historiquement, désigne la séance solennelle du Parlement par laquelle le roi ordonnait d'enregistrer les édits et les ordonnances refusés par cette assemblée. ◆ Plus d'un emploi insiste par allusion au lit nuptial et au lit conjugal, avec une valeur (1486) d'intimité sexuelle et de procréation, par exemple dans ***enfants d'un même lit,*** cf. *coucher.* ◆ Quelques sens analogiques sont apparus dès l'ancien français, tels «canal (d'un cours d'eau)» (1265), «couche horizontale (d'une matière)» (1306) et, depuis le XVIe s., «direction d'où souffle le vent», en marine : ***lit du vent*** (1573).

▸ Le dérivé le plus ancien, **LITIÈRE** n. f. (fin XIe s. «couche d'objets»), a désigné, de 1155 au XVIIe s., un lit ambulant couvert : le sens moderne de «brancard pour le transport des blessés» (fin XIXe s.) prolonge cet emploi. ◆ Le sens plus courant de «couche formée de feuilles sèches pour les animaux» (1150) a donné lieu (1680) à un sens particulier en sériculture. ◆ **LITÉE** n. f. (v. 1200), «ensemble des enfants nés d'une même grossesse», s'est limité à la portée d'un animal (v. 1255) et a disparu dans tous ses emplois.
LITERIE n. f., relevé une fois en 1614 avec son sens courant, est resté rare avant 1834 où il se diffuse pour désigner le matériel garnissant un lit de repos, matelas, sommier, etc. ◆ ② **LITEAU** n. m. (1655, *licteau*) appartient à la famille des dénominations des couches d'animaux, désignant en vénerie

l'endroit où le loup se repose. ◆ Le sens analogique de *lit*, «couche», a suscité deux dérivés techniques : **LITER** v. tr. (1723), «disposer en couches (des poissons salés)» puis aussi «appliquer qqch. sur (un lit de mortier, de sable)», et **LITAGE** n. m. (XXe s.), terme de géologie désignant l'inclinaison latérale d'une couche.
Le préfixé verbal **ALITER** v. tr., apparu au pronominal pour «se mettre au lit pour cause de maladie» (v. 1180), a développé quelques acceptions techniques correspondant à l'idée d'arranger, de disposer en couches, appliquée spécialement à des planches (1481), à des poissons (1829) [cf. ci-dessus *liter*]. ◆ Il a produit **ALITEMENT** n. m. (1549) qui, tombé en désuétude au XVIIe s., a été repris dans la seconde moitié du XIXe siècle.
DÉLITER v. tr. (1567) correspond aux sens analogiques de *lit* : apparu au pronominal *se déliter*, il signifie «se fendre naturellement dans le sens des couches de stratification» et, transitivement (1676), «diviser (une pierre) dans le sens de ses couches», en construction. ◇ Il se rapporte aussi au fait de mettre des vers à soie sur une nouvelle litière de feuilles de mûrier (1803). ◇ *Se déliter* correspond à «s'effriter sous l'effet de la gelée» (1863) et «se désagréger après absorption d'eau» (1932). ◆ Le déverbal ② **DÉLIT** n. m. (1694) s'emploie en construction pour la position d'une pierre dans un autre sens que celui de ses couches, et en géologie (1754). ◆ Le XIXe s. voit se former des noms d'action, **DÉLITEMENT** n. m. (1842); **DÉLITAGE** n. m. (1845), d'abord employés en sériculture, puis également en construction et, le dérivé savant, **DÉLITESCENCE** n. f. (1845) «phénomène par lequel un cristal perd son eau de cristallisation et se détache en parcelles». ◇ Ce dernier a entraîné **DÉLITESCENT, ENTE** adj. (1890).

LITANIE n. f., d'abord *letaine* (v. 1140) et *letanie* (v. 1160), est emprunté au latin ecclésiastique tardif *litania* «prière», lui-même emprunté au grec ecclésiastique tardif *litaneia* (conservé en grec moderne). Ce dernier est dérivé de *litaneuein* «supplier», issu, par l'intermédiaire de l'adjectif *litanos* «suppliant», de *lissomai* «supplier, demander à un dieu», terme de la langue religieuse employé aussi en poésie. Le latin *litare*, emprunté au grec, manifeste l'ancienne opposition rituelle entre le fait d'obtenir un présage favorable, de rendre propice, et la notion recouverte par *sacrificare* (→ sacrifier), ce qui fait dire à Benveniste que la famille de *lissomai* se rapporte d'abord à une prière pour obtenir réparation (à un homme, à un dieu). L'origine du mot est incertaine : on a supposé un °*lissomai* «effleurer, caresser pour approcher» en rapprochant le lituanien *lytësti, liësti* «toucher». L'acte religieux concerné pouvait consister en prières, mais aussi en processions sacrificielles.

♦ Introduit dans son acception religieuse (au pluriel liturgique v. 1160), usuelle notamment à propos de la Vierge Marie, le mot a développé dès l'ancien français le sens figuré de «longue énumération», surtout répandu à partir du XVIIe s. avec une connotation péjorative de monotonie (1671), réalisée dans l'expression *c'est toujours la même litanie* (1867). ◇ Le sens concret de «procession, théorie» (1690) a disparu sauf dans un usage très didactique; le grec moderne le réalise encore à côté du sens religieux.

LITCHI n. m. est un emprunt au chinois *li-chi* par l'intermédiaire de récits de voyages portugais et espagnols où il est attesté sous la forme *lechia* (respectivement 1541 et 1585). On le relève d'abord en 1588 sous la forme *lechia* dans une traduction de l'espagnol, puis en 1665 sous la forme *li-ci*, en 1696 sous la forme *létchi* et enfin *litchi* (1721).

♦ Le mot, qui désigne l'arbre, et surtout son fruit comestible, est parfois orthographié *letchi* ou *lichee* (graphie anglaise).

LITH-, LITHO-, -LITHE, -LITHIQUE sont des éléments tirés du grec *lithos* «pierre» employés à propos des pierres que lancent les guerriers, de la pierre comme matière, notamment pour la construction, distinct de *petra* (→ pierre). *Lithos* est d'origine inconnue.

♦ L'élément sert à former des termes de sciences naturelles, de médecine (au sens de «qui a rapport à la pierre, aux calculs») et de diverses techniques. ◆ Le plus courant d'entre eux se rapporte à la gravure sur pierre : **LITHOGRAPHIE** n. f. (de *litho-* et *graphie*) signifie d'abord «étude de la pierre» (1649) puis «art de graver la pierre» (1750). Le sens moderne en gravure est attesté en 1819 après l'invention du procédé par l'Allemand Senefelder à la fin du XVIIIe siècle. ◇ Par métonymie, le mot s'applique à l'estampe obtenue par ce procédé (1823), alors fréquemment abrégé en **LITHO** n. f. (XXe s.). ◆ *Lithographie* a produit **LITHOGRAPHIER** v. tr. (1818), **LITHOGRAPHIQUE** adj. (1795 au sens ancien de « minéralogique», puis 1816) et les composés **CHROMOLITHOGRAPHIE** n. f. (1837) et **PHOTOLITHOGRAPHIE** n. f. (1867).
Comme second élément, *lithos* prend la forme *-lithe* (n.) et *-lithique* (adj.) dans **PALÉOLITHIQUE** adj. (1866), terme d'archéologie emprunté à l'anglais *palaeolithic* ou *paleolithic*, du grec *palaios* «ancien» (→ paléo-) et *lithos* «pierre», mot créé en 1865 par sir John Lubbock. ◆ **MONOLITHE** adj. et n. m. est un emprunt du XVIe s. (1552, *monolythe*) au bas latin *monolithus*, lui-même repris du grec *monolithos* et qui signifie proprement «d'un seul bloc de pierre» (→ mono-). ◇ D'abord employé pour qualifier un vase, le mot a été repris (1803) en architecture. Il est substantivé au sens de «monument monolithique» et par extension se dit à propos d'une grosse pierre. ◇ Ses dérivés **MONOLITHIQUE** adj. (1868) et **MONOLITHISME** n. m. (1864) ont développé (1935 pour *monolithisme*) un sens figuré, d'abord neutre en politique (1926), puis à connotation péjorative «tout d'une pièce; sans nuance».

◈ voir BAKÉLITE, LITHARGE, LITHIUM, LITHOSPHÈRE (art. SPHÈRE), MÉGA.

LITHAM n. m. est emprunté (1831) à l'arabe *liṯām* «voile couvrant la partie inférieure du visage», mot également passé en anglais dans la première moitié du XIXe s. (1839).

♦ Le mot désigne un voile enroulé autour de la tête, porté par les Touaregs pour se protéger de la poussière de sable du désert.

LITHARGE n. f. est emprunté par les médecins du moyen âge sous des formes variées *litargerie* (v. 1240) puis *litargire, litargite, lutargie,* avant *litarge* (1314) et *litharge,* au grec *litharguros* désignant un mélange d'argent et de plomb, une sorte d'étain. Le mot est composé de *lithos* «pierre» (→ litho-) et *arguros* «argent» (encore en grec moderne), mot dont le thème se retrouve dans le sanskrit *árjuna-* «blanc, clair», le latin *argentum* (→ argent). Les variations du nom de l'argent dans le domaine indoeuropéen, où il est dénommé le métal blanc brillant, dans plusieurs langues, montrent peut-être que l'emploi de l'argent n'était pas essentiel chez les Indoeuropéens.

♦ Le mot désigne le protoxyde de plomb fondu, à demi vitrifié, qui sert à la préparation des sels de plomb et avec lequel on falsifiait certains vins pour en neutraliser l'acidité. De nos jours, la litharge est utilisée comme siccatif ou colorant de peinture et de vernis. Le mot désigne, plus récemment, l'oxyde naturel de plomb (1931).

▸ **LITHARGIRÉ, ÉE** (1762, *vin lithargiré*) ou **LITHARGÉ, ÉE** (1766), l'adjectif signifiant «qui se rapporte à la litharge, contient de la litharge», est vieilli,

LITHIUM n. m. est issu (1824) du latin scientifique *lithion,* (1818), nom créé par Jöns Jacob Berzelius pour rappeler que cet élément avait été découvert dans le règne minéral, formé de l'élément *litho-*, du grec *lithos* «pierre». Le lithium avait en effet été découvert en 1817 par Johann August Arfvedson dans un silicate d'aluminium naturel.

♦ Le mot désigne un métal blanc et brillant, utilisé dans la fabrication d'alliages, en chimie organique, en physique et en pharmacie.

LITIGE n. m. est emprunté (1394) au latin *litigium* «contestation, dispute, querelle», dérivé juridique de *lis, litis* appliqué à un débat juridique dans lequel chacune des parties produit ses témoins devant le juge et, par extension, dans la langue commune à tout débat, à toute querelle. *Lis* est sans étymologie connue : la forme ancienne *stlis, silis* suggère une origine non indoeuropéenne.

♦ Introduit avec son acception juridique, le mot s'est étendu à toute contestation sur un sujet quelconque (1798).

▸ **LITIGIEUX, EUSE** adj. est emprunté (1331) au dérivé latin *litigiosus.* ◇ Il qualifie juridiquement ce qui donne matière à procès et réalise quelquefois (dès 1361) la valeur psychologique de «qui se complaît aux procès» ; par extension, il se dit de ce qui peut être contesté, sens le plus courant en français moderne.

LITIGANT, ANTE n. (XIVe s.) du latin *litigans,* participe présent substantivé de *litigare* «plaider», dont le représentant *litiger* (1374) ne s'est pas maintenu au-delà du XVIIe s., a désigné et qualifié une personne qui est partie dans un litige ; il est archaïque depuis le XIXe siècle.

LITISPENDANCE n. f. (v. 1450) est emprunté au composé latin médiéval *litispendentia* (1409), formé de *lis, litis* et de *pendere* «être suspendu, en suspens» (→ pendre). ◆ Le mot, introduit en droit pour désigner l'état d'un procès en instance, est appliqué de nos jours et depuis le XVIIe s. (1690) à l'existence simultanée de deux actions, pour le même objet, devant deux tribunaux différents, notamment dans les syntagmes synonymes *exception de litispendance* (1842) et *déclinatoire de litispendance* (1902).

LITOTE n. f., d'abord *liptote* (1521), refait en *litote* (1730), est emprunté au bas latin des grammairiens *litotes,* lui-même pris au grec *litotês* «simplicité, absence d'apprêt», en rhétorique «figure laissant entendre plus que l'on ne dit». Le mot dérive de *litos* «simple», employé à propos de vêtements, de la nourriture (encore en grec moderne : «frugal»), de la manière de vivre, du style et même de personnes. Cet adjectif appartient au groupe de *lis* «lisse» (épithète de rochers), dont la racine *°lei-, li-* ne semble pas se retrouver dans d'autres langues.

♦ Le mot dénomme un procédé stylistique qui consiste à dire moins pour faire entendre plus et, par métonymie, l'expression qui applique ce procédé (1867).

▸ L'adjectif rare et didactique **LITOTIQUE** est employé par Roland Barthes (1953).

LITRE n. m., attesté depuis le 18 germinal de l'an III du calendrier révolutionnaire (1795), est dérivé du moyen français ① **LITRON** n. m. (1584, *literon*), nom d'une ancienne mesure de capacité égale au seizième du boisseau. Ce mot est issu du latin médiéval *litra* «mesure pour les liquides» (attesté une fois en 1254 dans un texte de Syrie), emprunt au grec de Sicile *litra* «livre de douze onces», correspondant au latin *libra* (→ ① livre).

♦ *Litre* a été formé avec les autres termes de métrologie de la Révolution ; il désigne l'unité de mesure de capacité pour les liquides promulguée par la loi du 18 germinal de l'an III et remplaçant le litron, équivalant à 0,813 litre. ◇ Par métonymie, le mot désigne un récipient ayant une contenance d'un litre (v. 1850) et le contenu de cette mesure (1867), plus particulièrement lorsqu'il s'agit du vin (dès 1805), plus tard opposé à *bouteille,* contenant de moindre capacité.

▸ L'introduction de *litre* a entraîné la création de noms de multiples, **DÉCALITRE** n. m., **HECTOLITRE** n. m., **KILOLITRE** n. m. et de sous-multiples **DÉCILITRE** n. m., **MILLILITRE** n. m., tous dès 1795. Sont ensuite apparus **CENTILITRE** n. m. (1803) et **DEMI-LITRE** n. m. (1846).

Le mot n'a que deux dérivés. ◆ **LITRER** v. tr. (1884), «mesurer en litres», est d'usage régional. ◆ ② **LITRON** n. m., qui n'est pas attesté avant le milieu du XIXe s. (1867), est plutôt dérivé de *litre* au sens spécifique de «litre de vin» que repris à l'ancien mot *litron* (ci-dessus) à moins que ce dernier n'ait survécu régionalement. ◇ Le nom moderne est d'usage populaire, puis familier, et s'applique en général à une bouteille de vin ordinaire et à son contenu : le litron fait partie de la panoplie du chemineau, puis du clochard.

LITTÉRAL, ALE, AUX adj. est emprunté (v. 1200) au bas latin *litteralis* «formé de lettres, relatif aux lettres de l'alphabet», l'un des deux adjectifs, avec *litterarius* (→ littéraire) dérivés de *littera* (→ lettre).

♦ Le mot, attesté une première fois au sens de «relatif aux lettres de l'alphabet», a été repris (déb. XIVe s.) pour «relatif à la littérature». Ce sens, réalisé dans l'expression *science littérale,* équivalent ancien de *belles-lettres,* a été abandonné lors du partage sémantique entre *littéral* et *littéraire**, au profit de ce dernier. *Littéral* s'est implanté avec la valeur, répandue par l'herméneutique et la traduction, de «conforme à la lettre, au mot à mot du texte» (v. 1450, *sens littéral*). ◇ Cependant, la frontière entre les deux adjectifs est de nouveau brouillée lorsque *littéral* qualifie un état de langue caractérisé par des textes écrits (v. 1560) en s'opposant à *parlé, vulgaire.* ◇ Le sens le plus concret, «qui utilise des lettres», a été introduit en mathématiques, avec le développement de l'algèbre* d'abord dite spécieuse (1730), et est réservé depuis à quelques emplois didactiques, en droit, en informatique. ◆ L'extension figurée pour «rigoureusement conforme à la vérité, à la réalité» apparaît dans la première moitié du XIXe s. (Balzac écrit *reproduction littérale*).

▶ **LITTÉRALEMENT** adv. (1465) correspond à «en prenant le mot dans son sens le plus rigoureux» et à (1577) «conformément à la lettre»; par extension, il s'emploie familièrement pour «rigoureusement, tout à fait» (déb. XXe s.). ◆ **LITTÉRALITÉ** n. f. (v. 1740) concerne la conformité à la lettre. ◆ Un dérivé plus récent, **LITTÉRALISME** n. m. désigne de manière critique (1866) une explication qui pèche par excès de littéralité, notamment dans l'interprétation de la Bible. ◇ Il a produit l'adjectif **LITTÉRALISTE** (1867).

LITTÉRAIRE adj. est emprunté (1527) au latin *litterarius* «relatif à la lecture, à l'écriture», de *littera* (→ lettre, littérature).

♦ Apparu avec le sens général de «relatif à l'érudition, au savoir écrit» dans *œuvre littéraire, littéraire* subit tout au long du XVIe s. la concurrence de *littéral**. Depuis le XVIIIe s., il a développé quelques acceptions particulières : «concernant les livres et le savoir qu'ils contiennent, en tant qu'activité sociale» (1752, *le monde littéraire*), «doué pour les lettres, en parlant d'une personne» (1775), et, au sens moderne de *littérature**, «qui convient à la littérature, répond à ses exigences esthétiques» (1831). ◇ Les linguistes se servent du mot pour qualifier ce «qui appartient au niveau de langue habituellement mis en œuvre dans les textes littéraires» (par opposition à *courant, familier,* etc.).

▶ On en a dérivé **LITTÉRAIREMENT** adv. (1810) et le terme de critique littéraire moderne **LITTÉRARITÉ** n. f. introduit en 1965 par T. Todorov pour traduire le russe *literaturnost'* proposé par R. Jakobson dans *La Poésie moderne russe* (1921). ◆ **PARALITTÉRAIRE** adj. avec *para-**, attesté depuis 1935, recouvre à la fois ce qui concerne les activités annexes à la littérature et ce qui se rapporte à la paralittérature (→ littérature).

LITTÉRATURE n. f. est emprunté (v. 1121) au latin *litteratura* «écriture», «ce qui concerne les lettres», et «production de livres par l'écriture», de *littera* (→ lettre).

♦ Le XIIe s. a employé le mot au sens de «caractère de ce qui est écrit», réservé par l'usage moderne à *littéralité.* ◇ Le moyen français, continuant en cela l'ancien doublet populaire *lettreüre* (du XIIe au XIVe s.), lui a donné le sens d'«érudition, connaissance acquise, savoir (issu des livres)» (1495). C'est encore la seule acception du mot répertorié au XVIIe s., avec le sens métonymique d'«ensemble des gens de lettres» (1680). ◆ Il faut attendre la seconde moitié du XVIIIe s., après l'évolution de *littéraire** et la reprise de *littérateur* (ci-dessous), pour voir apparaître le sens moderne d'«ensemble d'ouvrages publiés sur qqch.» (d'après l'allemand *Literatur,* 1758), et surtout celui d'«ensemble des œuvres, des textes relevant des belles-lettres» dont l'attestation précise demeure difficile à établir. ◆ Plus spécialement, le mot s'applique aux œuvres écrites dans la mesure où elles portent la marque de préoccupations esthétiques reconnues pour telles (1764) et, par la suite, s'applique au travail même de l'écrivain (av. 1841). ◆ Il commence alors à désigner ce que l'on trouve dans les romans par opposition à la réalité, parfois par péjoration (dans *Et tout le reste est littérature,* 1884, Verlaine), tout en se spécialisant didactiquement (1863) pour l'ensemble des connaissances concernant les œuvres littéraires et leurs auteurs. ◇ Au XXe s., il s'étend à tout usage esthétique du langage, même non écrit ***(littérature orale)*** avec un sens voisin de *littérarité.*

▶ *Littérature* a produit quelques dérivés plaisants sans lendemain : **LITTÉRAILLERIE** n. f., **LITTÉRATURISME** n. m., **LITTÉRATURER** v. intr. (1861, Flaubert). ◆ Avec l'essor des études littéraires, sous l'impulsion des sciences humaines, il a donné le didactique **PARALITTÉRATURE** n. f. «littérature en marge de la littérature établie» (1953 écrit avec un trait d'union), postérieur à *paralittéraire* (→ littéraire). ◆ **LITTÉRATEUR** n. m. est emprunté (v. 1460) au latin *litterator,* dérivé de *littera* (→ lettre) désignant celui qui enseigne la lecture et l'écriture, le grammairien, le philologue. ◇ *Littérateur,* dans sa première attestation, s'applique à celui qui compose un ouvrage littéraire (en l'occurrence un chroniqueur); il est repris (1716) avec le sens d'«homme de lettres, écrivain de métier», souvent dans une acception péjorative. ◇ Son féminin **LITTÉRATRICE** (1777) est rarement employé.

LITTORAL, ALE, AUX adj. et n. est un emprunt assez tardif (1752) au latin *lit(t)oralis* «du rivage, du bord», dérivé de *litus, -oris* «rivage de la mer, côte», concurrencé dans la langue populaire par *ripa* (→ rive) et conservé par le vénitien *lido. Li-*

tus est d'origine inconnue, peut-être non indoeuropéenne.

♦ D'abord employé pour «qui vit dans les eaux proches du rivage», le mot a pris son sens moderne de «situé au bord de la mer, relatif au bord de mer» (1793). Il est substantivé (1829) avec un sens voisin de *côté*.

▶ *Litus* survit également à travers deux termes de zoologie : **LITTORINE** n. f. (1818, du latin scientifique *littorina*), désignation du mollusque plus couramment dit *bigorneau*, et **LITTORINIDÉES** n. f. pl. (v. 1950).

LIDO n. m. est un emprunt au mot vénitien (ci-dessus), attesté en français en 1728-1729 pour la formation allongée située à l'extrémité de la lagune de Venise *(le Lido)*, et, en géographie *(un lido)*, une formation analogue.

LITURGIE n. f. est emprunté (v. 1580) au latin chrétien *liturgia* «service de Dieu, du culte», lui-même emprunté au grec hellénistique *leitourgia* désignant un service rendu au bien commun par les citoyens aisés, utilisé spécialement dans les *Septante* et le *Nouveau Testament* au sens de «service au temple des prêtres et des lévites». Le mot est composé de *leitos* «public», mot ancien et rare, qui apparaît chez Homère comme anthroponyme, dérivé de *laos* «peuple», terme d'origine inconnue conservé par le grec moderne, et de *-ourgia*, suffixe à rattacher à *ergon* «travail, œuvre» (→ énergie).

♦ *Liturgie*, essentiellement employé au sens de «cérémonie religieuse» et (1598) «forme officielle des cérémonies religieuses», a été réemprunté (1879) comme terme d'antiquités grecques pour désigner un service public dont l'exécution était confiée aux citoyens les plus riches.

▶ Le dérivé **LITURGISTE** n. (1752) signifie «personne versée dans l'étude de la liturgie». ◆ L'adjectif correspondant, **LITURGIQUE**, a été emprunté (1718) au dérivé grec ecclésiastique *leitourgikos* «propre au service du culte». ◇ Il a servi à former l'adverbe **LITURGIQUEMENT** (1887) ainsi que le préfixé **ALITURGIQUE** adj. (1752), qualifiant les jours qui n'ont pas d'office particulier. ◆ Le nom didactique **LITURGE** a été emprunté (1832) au grec *leitourgos* «qui remplit une fonction publique» comme terme d'antiquités grecques. Conformément à la spécialisation du mot en grec ecclésiastique, il a pris (1834) le sens de «chantre».

LIVIDE adj. est emprunté (1314, *livite*) au latin *lividus* «bleuâtre, noirâtre» et, moralement, «envieux», lui-même dérivé de *livere* «être de couleur bleuâtre, de plomb» et, dans la langue poétique, «être blême de jalousie» d'où «envieux de». On rapproche les deux mots de l'irlandais *li*, du gallois *lliw* «couleur», peut-être du vieux slave *sliva* «prune» (russe *sliva*) et de l'ancien haut allemand *slēha* «prune sauvage».

♦ Employé d'abord avec son sens étymologique en parlant des «bleus» de la peau, *livide* a pris couramment le sens de «d'une pâleur terreuse» (1830), par l'intermédiaire de l'association fréquente *pâle* et *livide* (XVIIIe s.) ; ce contresens a quasiment éliminé le sens originel. L'adjectif est aussi (1852) appliqué à une chose blanchâtre, pâle.

▶ **LIVIDITÉ** n. f. (1314) a suivi la même évolution, de «couleur plombée, bleuâtre», encore dans *lividités cadavériques* (1865) à «pâleur terne» d'abord en parlant de la peau (1840), puis dans d'autres contextes. Baudelaire l'emploie en 1860 à propos de l'atmosphère, mais très probablement au sens étymologique. ◆ **LIVIDIFIER** v. tr. (1859) et **LIVIDEMENT** adv. (1862) ne sont pas répandus.

LIVING-ROOM n. m. est un emprunt (1920) à l'anglais *living room* littéralement «pièce à vivre» (1825). *Room*, «espace» (XIVe s.), «pièce dans un bâtiment» (XVe s.), comme le néerlandais *ruim*, l'allemand *Raum*, l'islandais *rum-*, vient d'un substantif tiré de l'adjectif germanique °*rumaz* «spacieux», dont la racine est identifiée à celle du latin *rus, ruris* «pays» (→ rural). *Living* est dérivé de *to live* «vivre», mot apparenté à plusieurs termes des langues germaniques anciennes (saxon, norrois) et à l'allemand *leben*, permettant de dégager une racine germanique °*liƀ-* «vivre, demeurer» ; celle-ci se rattache à un thème indoeuropéen signifiant «coller, adhérer».

♦ Le mot est passé en français avec certains éléments du mode de vie britannique ; il a été abrégé en **LIVING** n. m. (1954), aujourd'hui plus courant. Son emploi correspond à la disparition dans les appartements bourgeois modernes des deux pièces traditionnelles à fonctions distinctes, le salon et la salle à manger. De tous les équivalents proposés, *salle à vivre, pièce de séjour, salle commune*, c'est *salle de séjour* qui s'est imposé en France, en concurrence avec *living*. ◇ Le Canada a connu le calque sémantique *vivoir*, mot créé pour remplacer l'anglicisme et à peu près inusité.

① **LIVRE** n. f., d'abord *livra* (v. 980), est issu du latin °*libra* «objet qui sert à peser», probablement d'un °*lipbra* d'origine inconnue appartenant à des civilisations antérieures à l'arrivée des populations de langue indoeuropéenne. On a aussi expliqué *libra* par °*loudhra*, adjectif féminin dérivé du nom du plomb en celtique °*loudya*, et en germanique °*laueta* (anglais *lead*). Le mot, attesté en latin depuis la *Loi des douze tables*, s'est spécialisé dans deux acceptions : il signifie d'une part «poids de douze onces (environ 333 grammes)», et de là désigne une unité de monnaie romaine et une unité de mesure pour les liquides (notamment l'huile) divisée en douze parties égales. D'autre part, il signifie «balance à deux plateaux ou à contrepoids, niveau» (→ niveau, libellule).

♦ *Livre* désigne une unité de poids qui varie selon les provinces de 380 à 552 grammes (489 à Paris) : elle s'est fixée à son poids actuel de 500 grammes en 1804 (au Canada, elle vaut cependant 453 grammes). ◆ Par métonymie, le mot s'applique (1080) à une monnaie de compte représentant un poids d'une livre d'argent ; ce sens a vieilli, même si le mot s'est employé pour «franc» au XIXe et au début du XXe s. en parlant d'une rente. ◇ En revanche, il est bien vivant pour désigner une unité monétaire anglaise (1653), par traduction de l'anglais *pound of sterling* (1297) où *pound* représente une forme germanique issue du latin *pondo* «en poids» (→ pondérer). Le syntagme ***livre sterling*** est calqué de l'anglais.

LIRE n. f., «unité monétaire italienne» (1592), est un emprunt à l'italien *lira,* représentant lui aussi du latin *libra.*

◈ voir ÉQUILIBRE, LIBELLULE, NIVEAU.

② **LIVRE** n. m. est emprunté (1080) au latin *liber,* mot qui désigne originellement la pellicule située entre le bois et l'écorce extérieure (dite *cortex* → écorce), sur laquelle on écrivait avant la découverte du papyrus. Par métonymie, il a désigné le livre, sens qui s'est conservé après l'abandon du liber au profit du papier fait avec des bandes découpées dans la tige du papyrus. C'est à ce sens que se rapportent la plupart des dérivés (→ libelle, libretto, libraire), le sens premier se retrouvant dans l'emprunt savant **LIBER** n. m. (1755), réfection de *livre* (1733) «tissu conducteur de la sève». L'origine du mot est inconnue : le lituanien *lupù* «j'écorce» et le vieux slave *lubŭ* «écorce» sont trop isolés pour fournir des correspondants fiables.

♦ Le mot, repris au sens large d'«assemblage de feuillets portant des signes (manuscrits ou reproduits) destinés à être lus», s'est trouvé naturellement désigner une subdivision d'un ouvrage (XIIIe s.) et, d'autre part, une unité, envisagée à la fois dans sa matérialité de volume et sa signification, d'où l'emploi absolu du mot, du XIIIe au XVe s., à propos de l'Évangile, continué par la valeur de «texte révélé, fondateur d'une croyance» *(les religions du Livre).* ➜ Le concept moderne de livre est postérieur à l'invention de l'imprimerie. Il semble que sa désignation se soit dégagée d'anciennes désignations, *livre d'impressure* (1418), *livre d'impression* (1488). Cette évolution vers le sens d'«écrit imprimé relativement important» a orienté toute l'histoire du mot, s'imposant dans des locutions figurées ***parler comme un livre*** (1665; 1606 sous une variante), souvent employé par ironie, ***à livre ouvert*** (1636), ou les expressions sorties d'usage ***livre du monde*** (1637), archaïque *on ferait un livre de* (1677) «c'est une histoire étonnante». ◇ Elle a déterminé l'emploi métonymique du mot au singulier pour désigner l'imprimerie et ses produits (1821) puis l'activité économique de production, distribution, édition des livres (XXe s., par exemple dans *industrie du livre, syndicat du livre, Salon du livre*). ◇ En marge de cette évolution, le mot s'est chargé de bonne heure d'une portée symbolique, d'abord dans des expressions religieuses comme *livre des vivants* «décret de Dieu touchant les élus» (v. 1120). ➜ D'autres valeurs concrètes dépendent de l'aspect matériel du livre, notamment depuis l'imprimerie; le mot désigne un cahier, un registre (1598) dans bon nombre de syntagmes de ***livre de compte*** (1598) à ***livre extrait*** (1675) en droit, et à ***livre de bord*** (1687) en marine. L'un d'eux, ***livre d'or,*** a évolué de «registre portant les noms des nobles vénitiens» (1740) à «répertoire des pairs de France sous la Restauration» (1842) puis à «registre destiné à recueillir les signatures et commentaires des visiteurs» (1928). D'autres expressions, *livre de musique* (1680) et *livre d'opéra* (1670), ont été abandonnées pour *partition, livret* ou l'italianisme *libretto**. ➜ Le pluriel *les livres* assume quelquefois, depuis Montaigne (v. 1580), la valeur abstraite humaniste de «culture, érudition», plus tard reprise par *littérature**. ◇ D'autre part, le mot, hors de ses valeurs concrètes, désigne un texte normalement présenté sous la forme matérielle d'un livre, avec une valeur intellectuelle et surtout esthétique; *un beau livre* est ambigu, entre «beau texte» et «livre ayant des qualités esthétiques, des illustrations, etc.».

▸ **LIVRET** n. m. (v. 1200), «petit livre, carnet», s'emploie essentiellement avec la valeur de «registre» (1690) dans un certain nombre de syntagmes, tels ***livret militaire*** (1845), ***livret de caisse d'épargne*** (1845, d'abord *livret* absolument), ***livret de famille*** (1884), ***livret scolaire*** (1907). ➜ Il s'emploie spécialement en musique (1822, Stendhal) comme traduction de l'italianisme *libretto**. Son sens de «catalogue d'exposition» (1872) a disparu sous la concurrence de *catalogue.*

LIVRESQUE adj., introduit par Montaigne (v. 1580) avec sa valeur péjorative, a été formé avec le suffixe *-esque* calqué sur l'italien *-esco* en vogue au XVIe s. *(pédantesque, farcesque, poltronesque).* Il est tombé dans l'oubli, puis a été repris au XIXe s., par exemple dans *une culture livresque.*

Au XXe s., *livre* a fourni le premier élément de substantifs composés comme **LIVRE-HORAIRE** n. m. «cahier de la scripte», au cinéma (1947), **SERRE-LIVRES** n. m. (1936) et **APPUI-LIVRES** n. m. (1970) et le terme d'esthétique **LIVRE-OBJET** n. m. (1970).

EX-LIBRIS n. m. a été formé (1840) avec les mots latins *ex,* préposition marquant la provenance (→ é-) et *libris,* ablatif pluriel de *liber,* signifiant proprement «(qui fait partie) des livres de (qqn)». Le mot désigne la formule qui, apposée sur un livre par son propriétaire, indique que le volume lui appartient (l'usage de cette formule, *ex libris X,* étant antérieur), puis la gravure portant le nom ou une image et que le propriétaire appose sur la page de garde.

LIVRER v. tr. est issu (v. 980) du latin *liberare* «rendre libre, affranchir» et, en langue populaire, «remettre à, fournir» qui, par voie d'emprunt, a donné *libérer*; liberare* est dérivé de *liber* (→ libre).

♦ *Livrer* est attesté dans les premiers textes au sens de «rendre libre», réservé depuis à *délivrer*,* et celui de «mettre (qqn) à la disposition de qqn». ◇ Dès 1080, il diversifie ses emplois, se dit d'une chose que l'on met à la disposition de qqn, sens conservé par le langage juridique, signifie aussi «confier (une partie de soi) à qqn», et entre dans la locution ***livrer bataille*** avec l'idée d'«engager». ◇ Au XIIIe s., apparaissent d'autres acceptions, «donner en proie à» et, plus couramment, «remettre à un acheteur (ce qui a été commandé et payé)» (1281). ◇ Par la suite, *livrer* a développé le sens de «remettre par trahison» (av. 1500), «confier un secret» (1669). ◇ La locution ***livrer passage,*** où *livrer* est très voisin de *laisser,* semble tardive (1882). ◇ Le pronominal *se livrer (à)* est attesté depuis le XIIIe s. au sens de «se mettre au pouvoir de». ➜ Les autres valeurs du verbe se sont développées entre la fin du XVIe et la fin du XVIIe s. : «effectuer (une tâche), s'adonner à», «faire don de soi» (vieilli sauf dans un sens galant, d'ailleurs apparu dès le XIIIe s.), puis, en langue classique : «se confier à» (1672), en particulier en emploi absolu, «dire ce à quoi on pense, ouvrir son cœur» (1669) et aussi «s'abandonner à un sentiment, à une idée, à une activité» (1680).

▸ La majorité des dérivés du verbe a trait au domaine du commerce. ◆ C'est le cas de **LIVRAISON** n. f. (v. 1140, *livreisun*), d'abord employé au sens de «salaire, rétribution» et, comme substantif, avec une valeur générale, pour «action de remettre qqch. à qqn» (1165-1170), spécialement dans *faire livraison de son corps,* qui correspond en ancien français (1176-1181) à *se livrer.* ◆ La spécialisation moderne dans un contexte commercial (1535) a décidé d'un emploi métonymique pour la marchandise livrée (1800). ◇ Une autre spécialisation, dans l'édition (1752), a trait à chaque partie d'un ouvrage livrable périodiquement. ◇ Récemment, la politique internationale a remis en vigueur l'emploi pour «action de remettre qqch. ou qqn entre les mains de qqn».

LIVRÉE n. f. (1290), participe passé féminin substantivé de *livrer,* désigne à l'origine les vêtements «livrés», «remis» par un seigneur aux personnes attachées à son service et, par extension (fin XIVe s.), les habits dont les galons, les boutons, l'étoffe rappelaient les armoiries du maître. ◆ Dès lors séparé de son origine, le mot a pris son sens actuel : «habit d'une couleur convenue (souvent galonné) porté par les domestiques d'une même maison» (1606). Par métonymie, ***la livrée*** désigne collectivement l'ensemble des domestiques (1669) et, dans un style littéraire, les signes caractéristiques d'une condition, les marques distinctives d'une chose. ◆ L'autre acception, «rubans distribués par la mariée lors de la noce» (1546), d'où ***livrée d'une dame*** «rubans, pièces d'étoffe à ses couleurs» (XVIIe s.), est aujourd'hui archaïque. ◆ Par analogie, le mot est employé en zoologie (1765) à propos du pelage, du plumage caractéristique d'un animal, notamment en vénerie, puis aussi (1950) de l'aspect extérieur d'un insecte.

LIVREUR, EUSE n., repéré au XIVe s. après une attestation isolée de *livere* (v. 1150) au sens religieux de «délivreur», désigne celui qui livre une marchandise. ◆ **LIVRABLE** adj., attesté une fois au XIVe s., est repris et répandu à partir de 1792 dans sa double acception, en commerce et dans l'édition.

◈ voir **DÉLIBÉRER, DÉLIVRER.**

LOB n. m. est emprunté (1893) à l'anglais *lob* (1851), terme de cricket désignant une balle lente frappée en dessous, puis de tennis : «envoi de la balle au-dessus et hors de portée de l'adversaire» (1890). Ce mot est dérivé de *to lob* «tomber» (XVIe s.), «se mouvoir ou lancer lourdement» (1819), lui-même dérivé de *lob,* ancienne dénomination d'un poisson, le lieu jaune (1357), puis «rustre, péquenaud, paysan» (1533), «chose qui pend» (1688), «gros morceau, tas, lingot» (1825) et «mélange grossier» (1839). Ce mot, dont les sens ont en commun l'idée d'une chose lourde, grossière ou lâche, recouvre divers emprunts à un mot bas néerlandais (moyen bas allemand, frison de l'Est) de structure onomatopéique.

⧫ Le mot, d'abord attesté entre guillemets puis acclimaté (1895), est employé au tennis, puis, par analogie, pour une trajectoire haute dans d'autres sports de balle et de ballon.

▸ **LOBER** v. «faire un lob» (1896, *lobber*) est une création française ; le verbe anglais correspondant, *to lob,* n'est attesté qu'en 1921.

LOBBY n. m. est emprunté (1843) à l'anglo-américain *lobby* «personnes qui fréquentent les couloirs d'une assemblée législative pour influencer ses membres dans leurs fonctions officielles» (1808) et, par extension, «groupe de personnes représentant des intérêts particuliers» (1952). Ces sens sont des spécialisations issues d'emplois métonymiques de l'anglais *lobby,* d'abord «allée couverte dans un monastère», puis «couloir» (1593) et spécialement «hall ouvert au public dans un corps législatif» (1640). Le mot anglais est issu, peut-être par l'intermédiaire de formes de latin médiéval (*lobium* ou *lobia*), du même étymon francique que le français *loge** (lui-même passé dans l'anglais *lodge*).

⧫ Les attestations du mot au XIXe s., dans la *Revue des Deux Mondes,* puis en 1857 dans la *Revue britannique,* concernent et décrivent une réalité américaine : des courtiers parlementaires «se tiennent sur l'escalier de marbre de l'édifice ou dans le vestibule, *the lobby;* aussi appelle-t-on communément cette compagnie interlope le *Lobby,* terme dont l'équivalent serait peut-être la *coulisse.* Le *Lobby* américain spécule sur tous les *bills* d'intérêt public et d'intérêt privé... Les députés eux-mêmes subissent l'influence du *Lobby* (...)». ◇ Le mot refait son apparition dans un contexte américain en (1940) *(le «Lobby»)* avant d'être acclimaté (1952) à propos d'une réalité française comparable, d'abord en milieu parlementaire, puis dans d'autres milieux influents, notamment les organes de presse.

LOBE n. m. est emprunté (v. 1370) au grec *lobos* «lobe du foie, de l'oreille, etc.» et «capsule des légumineuses», conservé en grec moderne dans les deux sens. Le mot a été rapproché de l'allemand *Lappen* «lambeau», de l'anglo-saxon *loeppa* «bout, lambeau» et du nordique occidental *lapa* «pendre» (→ lambeau), mais si l'on pense que le sens originel est celui de «cosse, gousse», on situe *lobos* à côté du latin *legumen* (→ légume), qu'il s'agisse d'emprunts parallèles à une même langue ou de mots issus d'une racine indoeuropéenne *°legw-*. Il n'est pas non plus exclu que les deux sens viennent de deux mots d'origine différente confondus par la suite.

⧫ Introduit en médecine pour désigner la partie arrondie de certains organes, *lobe* est entré dans l'usage courant (1611) dans *lobe de l'oreille.* Par analogie, il a pris des sens spécialisés en botanique (1675), architecture (1851) et zoologie.

▸ Plusieurs termes d'usage didactique en médecine et chirurgie sont dérivés de *lobe.* ◆ **LOBULE** n. m. (1690) «petit lobe» a produit ses propres dérivés au XIXe siècle. ◆ **LOBÉ, ÉE** adj. (1778), **LOBAIRE** adj. (1814, 1803 au pluriel «famille d'algues») sont employés en anatomie.

Le sens spécial de *lobe du cerveau* a suscité en chirurgie deux composés devenus relativement courants, **LOBECTOMIE** n. f. (attesté 1941) et **LOBOTOMIE** n. f. (attesté 1950), d'où **LOBOTOMISER** v. tr. «enlever un lobe du cerveau à», ces deux derniers avec des valeurs figurées. ◆ L'adjectif *lobé* entre comme second élément dans la série **BILOBÉ, ÉE** adj. (fin XVIIIe s.), **MULTILOBÉ, ÉE** adj. (1808), **UNILOBÉ, ÉE** adj. (1839).

LOCAL, ALE, AUX adj. a été emprunté (v. 1200) au bas latin *localis* «qui a rapport à un lieu», dérivé de *locus* (→ ① lieu).

♦ Apparu dans un sens aujourd'hui archaïque, «qui occupe une portion de l'espace», l'adjectif a pris (1314) le sens particulier de «qui n'affecte qu'une partie du corps» (en médecine), à propos d'une affection ou d'un traitement *(anesthésie locale)*, et alors opposé à *général*. ◇ Il y ajoute le sens didactique (1492) de «qui concerne la localisation, l'attribution d'une position», réalisé dans ***mémoire locale*** et dans la locution *couleur locale* (cf. *couleur*). ◇ En administration, il a pris une valeur spéciale, notamment dans le contexte des affaires coloniales (opposé à *central*, à *métropolitain*).

LOCAL n. m. en est la substantivation (1731) au sens aujourd'hui hors d'usage de «lieu considéré dans ses caractéristiques». Le sens moderne de «bâtiment, lieu servant à un usage déterminé» est attesté depuis 1789, au singulier comme au pluriel, où il entre dans plusieurs syntagmes, tels ***locaux disciplinaires*** (1902), ***locaux commerciaux*** (v. 1950).

▶ Les dérivés procèdent de l'adjectif. ◆ **LOCALEMENT** adv., d'abord *locaument* (v. 1330), a signifié «spatialement» et «par le corps, non par l'esprit» (1495). Il se dit aujourd'hui pour «dans le cadre d'un seul lien» (1611). ◆ **LOCALISER** v. tr. a été créé sous la Révolution aux sens de «mettre en ordre, ranger» (1796) et «adapter, rendre local» (1798). Il a changé d'emploi quelques années plus tard, avec l'acception de «situer, repérer dans l'espace» (1801), puis «situer dans le temps» (1818), et a développé un emploi médical (1826). ◇ Son participe passé **LOCALISÉ, ÉE** est employé comme adjectif (1827; par exemple *émeute localisée*, 1862). ◆ Du verbe ont été dérivés **LOCALISATION** n. f. (1803 «action d'adapter à un lieu») qui a pris son sens moderne d'après le verbe vers 1845 et est spécialement pris (1936) au sens d'«action de limiter un phénomène dans l'espace», **LOCALISATEUR, TRICE** n. et adj. (1865), terme de médecine étendu à d'autres types d'emplois (1878), et **LOCALISABLE** adj. (1873). ◆ Les préfixés **DÉLOCALISER** v. tr. et **DÉLOCALISATION** n. f., tous deux attestés au XIXe s. (1863) ont été repris dans les années 1970, puis en 1991 (époque de la diffusion du mot) par Mme Édith Cresson, à propos des déplacements d'entreprises ou de sièges sociaux pour des raisons économiques ou fiscales. ◆ **LOCALISME** n. m. a été créé pendant la période révolutionnaire (1798) pour désigner l'amour exagéré du lieu où l'on vit; il a eu aussi le sens de «état de ce qui est local» (1873), aujourd'hui disparu. ◆ **LOCALIER** n. m. est une création récente de l'argot des journalistes pour désigner le correspondant local d'un journal, en relation avec **LOCALE** n. f. elliptique pour *agence locale*.

LOCALITÉ n. f. est emprunté (v. 1590) au dérivé bas latin *localitas*. Il désigne d'abord en général un lieu, un endroit, jusqu'au XVIIe siècle. C'est pendant la Révolution, époque où apparaît le sens moderne de *local* n. m., et *localiser*, que *localité* commence à désigner, surtout au pluriel, les circonstances locales, les spécificités d'un lieu (1790). ◇ De nos jours, à côté d'un emploi technique en peinture (1803) correspondant à *ton local, couleur locale*, mais non maintenu, et en philosophie (1802), le mot désigne couramment une petite ville (1816) et, en botanique et zoologie, une région où se trouve une espèce (1816), sens qui a reculé devant *localisation*.

LOCATION n. f. est emprunté (XIIIe s.) au latin *locatio* «louage», dérivé du supin de *locare* (→ ② louer), pour fournir un nom correspondant à ② *louer*.

♦ *Location* signifie «action de prendre ou de donner à louer» et, plus couramment, «action de louer un logement, un local», d'où ***en location,*** (1885). ◇ Par métonymie, il est appliqué à la chose louée ou à louer, ainsi qu'au prix de la location. Depuis 1835 (dès 1830 dans ***bureau de location***), il désigne particulièrement l'action de retenir des places dans un théâtre. ◇ Récemment, le langage journalistique a osé l'expression ***location d'utérus*** en parlant des mères porteuses.

▶ Le mot, demeuré dans la dépendance de *louer*, n'a d'autres composés que *sous-location*, formé d'après *sous-locataire* (ci-dessous), et **LOCATION-VENTE** n. f. (1910). ◆ **LOCATAIRE** n., attesté depuis 1510 (peut-être 1435), est le dérivé savant du latin *locatum*, supin de *locare* (→ ② louer). ◇ D'abord employé dans un contexte juridique, *locataire* est entré dans l'usage courant depuis le milieu du XVIe s. (1566). Par extension, il est employé pour un occupant qui n'a pas le statut de locataire et, par plaisanterie, désigne les parasites, d'après les valeurs figurées du verbe *loger*. ◆ Il a servi à former le composé **SOUS-LOCATAIRE** n. (XVIe s.), mot à partir duquel on a fait **SOUS-LOCATION** n. f. (1804), et **COLOCATAIRE** n. (1875).

① **LOCH** n. m. est attesté en français chez les géographes depuis 1893, mais il est bien antérieur dans les récits de voyage qui parlent de l'Écosse. On le relève en 1708 comme nom propre, puis sous la forme *logh* dans *L'Encyclopédie* (1765) où il est traité comme un mot étranger. Il est emprunté à l'écossais *loch, locht, louch* (1375), lui-même emprunté au gaélique, désignant un lac de vallée ou un bras de mer très allongé en Écosse. Le gaélique *lough*, du moyen anglais *lowe, loze, lough*, correspond à l'ancien anglais *luh* et remonte à la même racine que le latin *lacus* (→ lac).

♦ Le mot se réfère à une réalité géographique écossaise, lac de montagne ou bras de mer resserré ou enclavé dans les terres. Il est rare, sauf dans des noms géographiques.

② **LOCH** n. m. est emprunté (1683, *lok*) au néerlandais *log* «bûche, poutre». Ce mot, de même que l'allemand *Log*, le danois *log* et le suédois *logg*, est emprunté dans sa spécialisation nautique à l'anglais *log* de même sens (XIVe s.). L'origine du terme est obscure, certains le faisant remonter à l'arabe *lauḥ* «tablette» pour le sens nautique.

♦ Le mot a été repris dans sa spécialisation technique désignant un appareil servant à mesurer la vitesse d'un navire en fonction du temps que met à se dévider une ligne comportant un certain nombre de nœuds espacés d'un cent-vingtième de mille. Il entre dans une phraséologie : *bateau de loch* (1867) désigne la pièce de bois triangulaire lestée qui fait dérouler ce qu'on appelle la *ligne de loch* (1867), soit la cordelette qui file quand on jette le loch ; *loch à hélice* ou *loch enregistreur* (1963) se rapporte à un loch muni d'une hélice qui, en tournant sous l'effet de la vitesse, fait enregistrer le nombre de tours sur un cadran gradué.

LOCK-OUT n. m. inv. est emprunté (1865, écrit *lock out*) à l'anglais *lock-out* (1854) «fermeture d'une entreprise ou d'un atelier par la direction, pour faire pression sur le personnel en grève». Lui-même est dérivé de *to lock out* «condamner sa porte à quelqu'un» (XVIe s.), composé de *to lock* «fermer (une porte)» à côté du substantif *lock* qui a donné *loquet**, et de *out* «hors de».

♦ Le terme a d'abord été employé à propos de l'Angleterre et de ses usines métallurgiques *(un lock out général, c'est-à-dire le chômage absolu)* avant d'être acclimaté.

▸ Au début du siècle, il a produit **LOCK-OUTÉ, ÉE** adj. (1902) et **LOCK-OUTER** v. tr. (1908), l'anglais ayant *locked out* pour «frappé de lock-out» (1854).

LOCOMOTIF, IVE adj. est issu (1583) du latin des humanistes *locomotivum* «faculté de changer de place, de se déplacer», composé de *loco*, ablatif de *locus* (→ lieu) et de *motivum*, neutre substantivé de *motivus*, «relatif au mouvement, mobile» (→ motif), lui-même issu de *motum*, supin de *movere* (→ mouvoir).

♦ Le mot a été introduit au XVIe s. en physiologie dans l'expression *faculté locomotive*. L'adjectif est devenu archaïque dès lors que cette expression a été remplacée par *locomotion* (ci-dessous) et que *locomoteur* s'est dégagé comme l'adjectif usuel. *Locomotif* s'est maintenu en se spécialisant dans le domaine des transports, notamment dans la dénomination *machine locomotive* (1825).

▸ Le substantif **LOCOMOTIVE** n. f., formé (1834) par ellipse de *machine locomotive*, évoque surtout une machine de traction à vapeur, l'usage technique recommandant *motrice* quand il y a traction électrique (mais on dit couramment *locomotive électrique*). Il est passé rapidement dans l'usage courant avec le développement des chemins de fer, comme en témoignent un emploi métaphorique à propos d'un élément moteur qui entraîne (1845), et un sens figuré à propos d'une personne ayant un rôle moteur par son dynamisme et son prestige (1846). ◇ Le XXe s. a apporté deux emplois figurés spécialisés en sport (1913), et en économie (v. 1950), en parlant d'un élément moteur dans un ensemble de produits de consommation. ◇ L'expression *bruit de locomotive*, cette fois par allusion directe au bruit de l'engin, s'emploie en médecine (1931) à propos d'un bruit de frottement péricardique. ➛ L'abréviation familière **LOCO** n. f. «locomotive à vapeur, puis électrique» a vieilli.

Locomotive, réduit à l'élément **LOCO-**, s'est combiné à *tracteur** dans la dénomination technique **LOCOTRACTEUR** n. m. (1921).

LOCOMOTEUR, TRICE adj. a été formé (1690) de *loco-* et de *moteur** sur le modèle de *locomotif*, qu'il a immédiatement concurrencé en physiologie (1690, *faculté locomotrice*). ◇ Puis il s'est employé en anatomie (1800) et en pathologie (1859, *ataxie locomotrice*). ◇ Son histoire est parallèle de celle de *locomotif*, et a été spécialisé en chemins de fer, par exemple dans *voiture à vapeur locomotrice* (1825). La substantivation en **LOCOMOTEUR** n. m. (1825) a été éliminée après 1840 par *locomotive*. ➛ **LOCOMOTRICE** n. f. (1949) désigne une locomotive diesel ou électrique de moyenne puissance, dans un usage technique.

LOCOMOTION n. f. a été formé savamment (1771) par combinaison de *loco-* et de *motion** «action de se mouvoir, mouvement», sur le modèle des adjectifs *locomotif* et *locomoteur*. ➛ Dès ses premiers emplois, le mot recouvre à la fois la notion de physiologie appelée également *fonction locomotrice* et l'idée d'un déplacement d'un lieu à un autre, d'un transport ; il n'a cependant pas suivi la spécialisation de *locomotif* et de *locomoteur* en chemins de fer.

LOCUSTE → **LANGOUSTE**

LOCUTEUR, TRICE n. a été emprunté par les linguistes (v. 1911) au latin *locutor* «celui qui parle», du supin de *loqui* «parler» (→ loquace).

♦ Le mot, utilisé pour désigner la personne qui emploie une langue, produit des énoncés, s'oppose à *auditeur*. Il est concurrencé dans d'autres terminologies par *destinateur* (en opposition à *destinataire*) et par *émetteur* (en opposition à *récepteur*).

▸ **INTERLOCUTEUR, TRICE** n. est très antérieur : on le relève dès 1549 au pluriel. Il est emprunté au latin des humanistes *interlocutores* (pluriel) «partenaires dans un dialogue» (XVe s.), également attesté dans les domaines anglais et italien du XVIe siècle. Le mot est probablement issu du bas latin *interloquuntur*, troisième personne pluriel de l'indicatif présent de *interloqui* «converser, discuter», de *inter* (→ inter) et *loqui*, employé une fois par Chalcidius (IVe s.) dans sa traduction du *Timée* de Platon pour rendre le grec *dialegein* «converser, dialoguer». ➛ *Interlocuteur* s'est étendu plus généralement (1791) à toute personne qui parle, converse avec une autre ; il a pris (v. 1952) le sens spécialisé de «personne avec laquelle on peut engager une négociation politique», notamment dans un syntagme un moment à la mode, *interlocuteur valable*.

◈ voir LOCUTION.

LOCUTION n. f. est emprunté (1342) au latin *locutio* «action de parler, manière de parler, expression», dérivé du supin de *loqui* «parler» (→ loquace).

♦ Le mot est apparu au sens de «parole, manière de parler», encore attesté au XVIe s. et évincé par *élocution**. ◆ Il a pris le sens moderne de «groupe de mots fixé par la tradition» (1680) en concurrence avec *expression, phraséologie,* et au XVIIe s. avec *proverbe,* et reçu ultérieurement, chez les linguistes, la valeur particulière de «groupe de mots ayant une fonction grammaticale donnée» *(locution adverbiale, prépositive).*

◈ voir **ALLOCUTION.**

LODEN n. m. est emprunté (1904) à l'allemand *Loden* «tissu de laine épais et imperméable». Ce mot est issu de l'ancien haut allemand *lodo,* moyen haut allemand *lode* «étoffe grossière», qui correspond à l'anglo-saxon *lótha* «manteau, couverture», à l'ancien norrois *lothi.*

♦ Le mot désigne un tissu épais dont on fait des manteaux et, par métonymie, un manteau fait dans ce tissu (1913). Senti comme emprunt, il s'applique souvent à des vêtements d'origine autrichienne ou bavaroise.

LŒSS n. m. est emprunté (1845) à l'allemand *Löss* «limon fin», formé dans la première moitié du XIXe s. par le géologue K. C. von Leonhard, probablement sur l'adjectif alémanique *lösch* «peu compact, meuble», lequel est apparenté à l'allemand *Los* «détaché, qui ne tient pas». Ce mot remonte à une extension germanique de forme *°lus-, °laus-, °leus-,* de la racine indoeuropéenne *°lou, °leu-, °lu-,* représentée dans le grec *luein* (→ -lyse dans analyse, catalyse, dialyse) et le latin *luere* «dissoudre» (→ diluer).

♦ Le mot désigne une terre limoneuse meuble et fertile que l'on trouve notamment en Chine, en Europe centrale, dans la vallée du Rhin et en Argentine.

✳ **LOF** n. m., terme de marine désignant la «partie de la voile frappée par le vent», est peut-être emprunté (v. 1155) au moyen néerlandais *loef* «côté du vent», seulement attesté au XVIe s. mais probablement bien antérieur. La localisation des premières attestations en ancien français (Normandie) fait plutôt penser à un étymon vieux norrois, mais celui-ci n'est pas attesté. L'allemand *Luv,* le danois *luv* et le suédois *luf* viendraient du néerlandais, dont l'origine est obscure.

♦ Le mot, introduit au sens de «coin inférieur de la voile du côté du vent», s'est conservé avec la valeur moins restrictive de «côté du navire exposé au vent» (1762), dans l'ordre : *aller au lof* (1680), elliptiquement *lof!,* et dans l'expression ***lof pour lof*** (1694), par exemple dans *virer lof pour lof.*

▸ *Lof,* également *louf* en moyen français (v. 1460), a produit **LOUVOYER** v. intr., d'abord *louyer* (1529), puis *lovoyer* (1621), «naviguer en zigzag pour utiliser un vent contraire en lui présentant alternativement chaque côté du bâtiment». Ce verbe, démotivé par rapport à *lof,* est le seul des mots du groupe à être passé dans l'usage courant (1762) avec le sens figuré de «tergiverser, biaiser». ◆ Son dérivé **LOUVOYAGE** n. m. (1845) réalise le sens technique, tandis que **LOUVOIEMENT** n. m. (1922) correspond au sens figuré.

LOFER v., enregistré en 1771, fournit un verbe équivalant aux locutions ***aller au lof, venir au lof*** et à l'ordre donné au timonier ***lof!*** ◆ Le composé *auloffer, oloffer,* verbe de même sens (1771), s'est maintenu dans le substantif **AULOFFÉE** n. f. (1771, *olofée*), nom du mouvement du bateau qui vient au vent.

◈ voir **LOVER.**

LOFT n. m. est un emprunt (1979) à l'anglo-américain *loft* «atelier, hangar, local spacieux à usage industriel», spécialisation de l'anglais *loft* «lieu élevé d'un bâtiment, grenier» (XIIIe s.), «fenil» (XVIe s.), antérieurement «air, ciel», mot issu de l'ancien norrois *lopt* (prononcé *loft*) de mêmes sens et dont le thème est le même que celui des verbes germaniques signifiant «élever» (anglais *to lift,* allemand *lüften*).

♦ Le mot désigne un local à usage commercial, artisanal ou industriel transformé en habitation. Lié à un nouveau type d'appartement new-yorkais (d'abord situé dans les ateliers de Soho), le mot — en français — et la chose connaissent une grande vogue dans les années 80, répondant au concept d'un «espace» décloisonné, à connotations artistiques *(lofts d'artistes).*

◈ voir **LIFT.**

LOGARITHME n. m. est attesté en français en 1628 dans la traduction de l'ouvrage de J. Napier : *L'arithmétique logarithmétique ou la construction et usage d'une table contenant les logarithmes de tous les nombres depuis l'unité jusqu'à 100 000.* Le mot est emprunté au latin scientifique *logarithmus,* terme créé en 1614 par le mathématicien écossais J. Napier à partir des éléments grecs *logos* «rapport» (→ logique) et *arithmos* «nombre» (→ arithmétique).

♦ Le mot désigne la puissance à laquelle il faut élever une constante pour obtenir un nombre donné ; il est familièrement abrégé en *log,* usuel dans certains emplois mathématiques.

▸ Son antonyme **ANTILOGARITHME** est attesté depuis 1740.

LOGARITHMIQUE adj. (1690, Furetière) est emprunté au latin scientifique *logarithmicus* (1624, Briggs), dérivé de *logarithmus.* ◆ Il entre notamment dans les syntagmes *courbe logarithmique* (1690), *échelle logarithmique* (1755) et *calcul logarithmique* (1873).

LOGE n. f. est issu (v. 1135) d'un francique *°laubja,* postulé par l'ancien haut allemand *louba* «auvent» (allemand *Laube* «vestibule, galerie intérieure»). Le mot francique viendrait, soit d'un germanique *°laubam* «feuille» (d'où anglais *leaf*) soit (Kluge) de l'ancien norrois *lopt* «air, galerie, balcon» (lui-même à l'origine de l'anglais *loft*). Le latin médiéval *laubia* est attesté dans le domaine français (IXe s.) au sens de «galerie, portique». Le mot existant dans toutes les langues romanes (par ex. italien *loggia,* provençal *lotja,* portugais *loja*), P. Guiraud récuse l'exclusivité d'une origine germanique et propose un emprunt au latin *logium,* terme d'architecture employé par Vitruve au sens de «tréteau, scène» et emprunté au grec.

♦ *Loge* désigne initialement un abri de branchages, par extension une construction rudimentaire pour loger un animal (v. 1200), c'est-à-dire une niche, ou un homme. ◇ Dès 1190, il est employé en architecture au sens de «galerie, tribune», sens aujourd'hui disparu, sauf en parlant d'une galerie située à l'étage, formée de colonnes et ouvrant sur l'extérieur (1573) : en ce sens, on emploie également l'italianisme *loggia* (ci-dessous). ➛ *Loge* a pris (1679) le sens de «petit local pour un seul individu», pour lequel on parle de nos jours de *cellule.* C'est cependant cette valeur de «petit local» qui est réalisée diversement par plusieurs des sens modernes : «compartiment à plusieurs sièges au théâtre» (1598) d'où au figuré ***être aux premières loges*** (1826), «pièce dans laquelle se change le comédien» (1647) et, dans d'autres domaines : «logement du gardien» (1660), «chambre isolant les candidats au prix de Rome» (1845). ◇ L'usage du mot en franc-maçonnerie (1740) est une traduction de l'anglais *lodge* lui-même emprunté au français. ➛ Après 1703, le mot est entré dans le domaine des sciences (botanique, anatomie) pour «cavité, compartiment».

▸ Le dénominatif **LOGER** v. est apparu (v. 1138) au sens intransitif aujourd'hui vieilli d'«établir son camp», à partir duquel se sont développées d'autres acceptions, «se trouver» (1280) et «demeurer provisoirement en un endroit» (1530 ; *être logé,* 1487). Le verbe est resté plus vivant en emploi pronominal, attesté depuis 1155 comme synonyme du sens intransitif militaire, et en emploi transitif (XIIIe s.) : il a alors le sens de «placer (qqn) quelque part», plus particulièrement «établir (qqn) dans une maison» (1390). Ainsi, les auberges d'autrefois portaient l'enseigne *Ici on loge à pied et à cheval* (1870, mais antérieur) et l'on disait figurément *être (bien, mal) logé* (1670) là où le français moderne emploie *être (bien, mal) loti* (cf. la locution de sens voisin ***être logé à la même enseigne,*** 1787). ◇ Depuis 1580 (Montaigne), *loger* signifie également «faire entrer (qqch.) quelque part», sens réalisé par exemple dans la locution moderne ***(se) loger une balle dans la tête*** (XIXe s.). ◇ Il admet aussi pour sujet un nom de bâtiment (1833) et signifie «recevoir, accueillir».

La dérivation du verbe s'est faite entre le XIIIe et le XVe siècle. ➛ **LOGEMENT** (1275), d'abord réservé au sens militaire de «campement des troupes», a développé ses valeurs modernes au XVIIe siècle. Fin XIXe s., se sont ajoutées des valeurs plus techniques et, au XXe s., *le logement* désigne généralement l'action de loger les habitants d'un pays (v. 1945 pour ***politique du logement***). ➛ **LOGIS** n. m., d'abord *logeis* (déb. XIVe s.), tend à vieillir avec son sens de «demeure, endroit où l'on habite» mais se maintient plaisamment dans ***la fée du logis*** et dans ***la folle du logis*** (1674, Pascal), locution appliquée à l'imagination. Depuis la fin du XVIe s., il désigne techniquement le corps principal du bâtiment. ➛ Son composé **SANS-LOGIS** n. inv. (1893) cède sous la concurrence de *sans-abri,* plus usuel. ➛ **LOGEUR, EUSE** n. (1461-1466), d'abord dans une acception militaire de «celui qui doit trouver où loger des troupes», désigne la personne qui offre un logement (1495), en particulier qui loue un garni (1798). ◇ Le sens de «locataire» (1636), originaire du nord de la France où *logeux* désignait un ouvrier en pension dans une famille, a vieilli. ➛ **LOGEABLE** adj., (v. 1460) «habitable», a produit au XXe s. le dérivé didactique **LOGEABILITÉ** n. f., synonyme peu fréquent de *habitabilité.*

Loger, par préfixation, a produit **DÉLOGER** v. (fin XIIe s., *deslogier*), rare en emploi intransitif (sauf en Belgique, au sens de «découcher») et employé transitivement (1657) au sens de «faire sortir, expulser», spécialement au jeu «déplacer». ◇ Son dérivé **DÉLOGEMENT** n. m., apparu fin XIVe s., s'est employé dans un sens militaire (1538) abandonné pour le sens général. ◇ **INDÉLOGEABLE** adj. se dit (1924) de ce qu'on ne peut pas déloger. ➛ **RELOGER** v. est attesté depuis le XIIe s. par sa forme pronominale *soi relogier;* il a pris son sens moderne au XVIe s. après avoir signifié «rétablir dans son ancien logement» (XVe s.).

Outre *loger, loge* a pour dérivé **LOGETTE** n. f., d'abord *logete* (fin XIIIe s.), qui a désigné un abri de feuillage. ◇ Il s'est spécialisé au sens de «petite cavité» en anatomie (XIIIe s., en parlant de l'orbite de l'œil) et en architecture (1379), valeurs disparues, de même que l'emploi en botanique (1538). ➛ **LOGISTE** n. m. (1845) a été formé ultérieurement pour dénommer le candidat entrant en loge afin de concourir au prix de Rome.

LOGGIA n. f. est un emprunt (1727) à l'italien *loggia,* lui-même emprunté au français *loge* et employé depuis le XIIIe s. pour désigner une galerie ouverte à colonnes construite sur un côté des palais italiens pour servir de lieu de loisir. Le mot figure dans un texte italianisant sous la forme *loggie* (pluriel) ; il est acclimaté depuis la fin du XVIIIe s. (1789) et, par extension, désigne un grand balcon recouvert.

◈ voir LOBBY.

-LOGIE, -LOGUE sont des éléments suffixaux tirés respectivement des mots grecs *logia* «théorie» et *logos* «discours» (→ logique) et entrant dans la formation de nombreux mots soit de création française, soit empruntés au latin et au grec, soit enfin à d'autres langues modernes (anglais *-logy,* allemand *-logie,* italien *-logia,* etc.)

♦ Le suffixe *-logie* forme des noms de sciences, d'études méthodiques, de façons de parler, de discours et de types d'ouvrages. Le suffixe *-logue* sert à former les noms de savants, de formes ou parties du discours, ainsi que des adjectifs. ➛ Le suffixe **-LOGIQUE** entre dans la formation des adjectifs correspondant aux mots en *-logie.* ◇ On rencontre aussi **-LOGIEN, -LOGIENNE** qui sert à former quelques noms de spécialistes et est en concurrence avec *-logue* et *-logiste* (l'usage seul faisant prévaloir une forme plutôt qu'une autre). ➛ L'usage courant tend à amputer certains noms de spécialistes (domaine médical) de leur suffixe et à dire *dermato, ophtalmo, oto-rhyno,* etc. pour *dermatologue,* etc.

◈ voir LOGO-.

LOGIQUE n. f. a été emprunté (v. 1245) au latin *logica* «science des lois du raisonnement», lui-même emprunté au grec *logikê* (sous entendu *tekhnê*), substantivation du féminin de l'adjectif *logikos* «qui concerne la raison» également «qui concerne la parole». *Logos*, forme de type ancien et de très grande importance, signifie «propos, paroles» et, en ionien-attique, «récit, compte, explication, considération, raisonnement, raison» ainsi que «parole». Il a fini par désigner la raison immanente et, dans la théologie catholique, la seconde personne de la Trinité, ou Dieu. Il est dérivé de *legein* «rassembler, cueillir, choisir» d'où «dire» et «compter, dénombrer» qui correspond au latin *legere*, de la même racine indoeuropéenne, et qui a donné le verbe *lire*.

♦ *Logique*, «science des lois du raisonnement», est employé par métonymie à propos d'un traité de cette discipline (1290) et s'applique également à l'analyse philosophique des lois et formes de la pensée.

Dans ce contexte, le mot est longtemps resté dépendant de la pensée aristotélicienne. Les premiers emplois en français, à l'image du latin *logica* et du grec *logikê*, concernent surtout cette théorie, axée sur l'analyse syllogistique, notamment dans le cadre de l'enseignement (XIIIe-XVIe s.). Les sources en sont les éléments connus d'Aristote, Galenus, Boèce, alors que la logique stoïcienne, transmise notamment par saint Augustin, connaît une faveur moins grande. Cependant, la logique médiévale, qui, en France, s'exprime en latin, d'Abélard à Buridan, intègre les deux problématiques, et manifeste nettement la proximité, voire l'amalgame de la logique grecque avec une sémantique. Kant considère encore que la logique, «système de la raison pure», n'est plus capable de progrès après Aristote. ◇ Cependant, la notion de logique avait évolué à partir de la science moderne et du développement des mathématiques (XVIIe s.). Après *La Logique ou l'art de penser* de Arnauld et Nicole (dite *Logique de Port-Royal*), c'est essentiellement l'œuvre de Leibniz (en partie écrite en français) et celle de Lambert (en allemand) qui préparent le développement d'une nouvelle logique. Celle-ci, nommée *logique mathématique*, parfois et vaguement *logique moderne*, ou encore *logique formelle*, dépend des travaux de Boole (inventeur de la *logique binaire*), Frege, puis, au tournant du XXe s., de Russell et Whitehead. Cette logique a été récemment (v. 1970) rebaptisée *logique classique*, par opposition à des formes plus récentes ou dont l'objet est plus large *(logiques d'ordre supérieur)*, mais *logique classique*, ambigu, s'emploie plus souvent en comparaison avec *logiques modernes*. Tous ces syntagmes, comme *logique des propositions, logique propositionnelle, logique des prédicats*, ne sont attestés qu'au XXe s. et sont didactiques. ◇ Depuis le début du XVIIIe s. (1718), le mot est employé avec le sens plus large de «manière de raisonner», en général «manière correcte», mais sans conformité nécessaire avec les règles de la logique formelle. ◇ *Logique* a aussi pris (1762) la valeur d'«enchaînement cohérent d'idées» et de «raisonnement juste». Depuis la même époque, le mot concerne aussi, par métonymie, une suite cohérente et régulière d'actes, d'événements. Récemment, cet emploi s'est répandu et généralisé pour désigner un type de régularité, d'enchaînement de faits attribué à certaines situations (*la logique de la crise, de la paix, une logique de crise*, etc.). ➔ L'emploi technique du mot s'est naturellement intégré au vocabulaire de l'informatique, pour une suite d'opérations destinées à obtenir un résultat, d'où *logiciel* (ci-dessous).

L'adjectif **LOGIQUE** est emprunté (1536) au latin *logicus* «logique, raisonnable», lui-même repris à l'adjectif grec *logikos* «qui concerne le raisonnement». ➔ Il est apparu avec le sens courant de «conforme au bon sens» (d'une chose, d'un être), développant tardivement (1821) la valeur didactique de «relatif à la science de la logique», puis de «conforme aux règles de la logique» (1833), d'où familièrement «cohérent, prévisible» et même «normal». ◇ La philosophie l'utilise au sens de «qui se rapporte à la raison» (1867), comblant ainsi l'absence d'un adjectif correspondant à *entendement*. ◇ Plus largement, *logique* qualifie ce qui se rapporte non seulement à l'entendement mais à l'intelligence (*intelligent* étant ambigu). Il est employé en grammaire dans ***analyse logique*** (1867); au XXe s., il est entré dans le vocabulaire de l'informatique ***(circuits logiques)***. ➔ En est dérivé **LOGIQUEMENT** adv. (1769), souvent employé à l'oral en tête de phrase au sens vague de «normalement, en principe» (av. 1854).

Par préfixation, l'adjectif a servi à former trois antonymes : **ALOGIQUE** adj., apparu le premier au sens de «déraisonnable» (1564), sorti d'usage au XVIIe, a été repris au XIXe s. en philosophie, probablement pour rendre l'allemand *alogisch* «étranger aux déterminations de la logique». ◇ Les deux autres sont apparus au XIXe s. : **ANTILOGIQUE** adj. chez Stendhal (1836), et **ILLOGIQUE** adj. (v. 1819), le seul à être entré dans l'usage général et qui correspond à *logique* au sens courant. ◇ Ce dernier entraîne la formation de **ILLOGIQUEMENT** adv. (1842), et du terme didactique **ILLOGISME** n. m. (1852, Proudhon) «manque de logique (d'une chose ou d'une personne)». ➔ **PRÉLOGIQUE** adj. est un mot plus récent (1910) employé par les sociologues et (1950) par les psychologues. ➔ D'après l'adjectif latin *logicus*, on a formé **LOGICIEN, IENNE** n. et adj. (1245) «personne versée dans l'étude de la logique» et, par extension, «personne qui raisonne avec rigueur» (1718; 1721 adj.). ➔ L'élément **LOGICO-** entre dans la formation de composés didactiques récents : **LOGICO-MATHÉMATIQUE** adj. (v. 1960), **LOGICO-POSITIVISME** n. m. et **LOGICO-SÉMANTIQUE** adj. (v. 1970).

LOGISTIQUE n. f. a été emprunté à plusieurs reprises depuis le XVIe s. (1546) au dérivé grec *logistikos*, «relatif au calcul», «qui concerne le raisonnement», substantivé avec le premier sens au féminin *logistikê*, avec le second au neutre *logistikôn*. Le mot est dérivé de *logizomai* «calculer, raisonner, réfléchir», lui-même formé sur *logos*. Le français l'a introduit comme nom propre de la raison dans la traduction du *Songe de Poliphile* et pour désigner «celui qui pratique le raisonnement» (1593). ◇ Il l'a repris une deuxième fois (1611) pour désigner la partie de l'arithmétique et de l'algèbre concernant les quatre opérations; ce sens disparu a fourni un adjectif (1765), «qui concerne le calcul». ◇ Depuis 1904, *logistique* est appliqué à la logique symbolique dans une volonté de différenciation des autres logiques (sens abandonné progressivement lorsque *logique* s'est appliqué normalement aux formalismes). ◇ C'est dans ce sens qu'il a produit **LOGISTICIEN, IENNE** adj. et n. (1908). ◆ Quant au sens militaire de *logistique*, «art de combiner des moyens de transport, de ravitaillement et de logement des troupes» (1840), il procéderait soit de *logistique*, soit (selon l'*Oxford Dictionary*) de *loger**. Par extension, le mot recouvre l'ensemble des moyens et méthodes concernant l'organisation (1960) et s'emploie aussi adjectivement au sens correspondant (1970). ◆ Du radical de *logique* (n. f.) est dérivé au XXe s. le terme didactique **LOGICISME** n. m. (1920) «attitude qui tend à faire prévaloir le point de vue ou les méthodes de la logique (dans un domaine de la connaissance)», d'où **LOGICISTE** n. (attesté 1930). ◆ Le terme d'informatique **LOGICIEL** n. m. a été formé (v. 1970) sur le radical latin de *logique* avec la finale de *matériel** pour remplacer l'anglicisme *software*. Il désigne l'ensemble des programmes, procédés et règles utilisés sur un matériel informatique. Le mot est, avec *ordinateur*, un des rares succès dans l'effort de francisation de la terminologie informatique, largement anglo-américaine. ◇ *Logiciel* a donné naissance, par son élément final, à de nombreux composés mal formés, comme *progiciel, ludiciel, didacticiel*.

◈ voir ANALOGIE, APOLOGUE, CATALOGUE, DIALECTIQUE, DIALOGUE, ÉGLOGUE, ÉLOGE, ÉPILOGUE, HOMOLOGUE, HORLOGE, LEXIQUE, -LOGIE, LOGO, MONOLOGUE, NÉCROLOGIE, PHILOLOGIE, SYLLOGISME.

LOGO- est l'élément préfixal tiré du grec *logos* (→ -logie), présent dans des composés gréco-latins et utilisé en français.

▶ **LOGOMACHIE** n. f. est un emprunt (1610) au grec *logomakhia*, de *logos* (→ -logie, -logue) et *makhia* «lutte, combat» (→ -machie). Le mot désigne d'abord une querelle portant sur les mots, puis (1783) un abus verbal correspondant à un discours sans contenu d'information suffisant, à une abondance de paroles inutiles. ◇ Il a pour dérivé **LOGOMACHIQUE** adj. (1838-1840). ◆ **LOGOGRAPHE** n. m., un emprunt (1615) au grec *logographos*, formé de *logos* et *graphein* «écrire» (→ -graphe), est d'abord un terme d'antiquité, appliqué aux premiers prosateurs grecs, surtout historiens, puis au XIXe s. à un rhéteur. Sous la Révolution, le mot s'est appliqué à celui qui notait les discours en logographie. ◇ **LOGOGRAPHIE** n. f., mot formé (1757) en théorie du langage, a reçu en effet (1790) le sens de «notation abrégée du discours», disparu avec l'apparition de *sténographie*. ◇ De là **LOGOGRAPHIQUE** adj. (1791). ◆ **LOGOGRAMME** n. m., mot créé par le poète surréaliste belge Christian Dotremont (1964 : *Logogrammes*, I), a été repris par les linguistes pour désigner une création graphique utilisant des signes «faisant image», à la manière des idéogrammes, mais hors du code de toute écriture.

D'autres composés sont formés en français, à partir du XVIIe siècle. ◆ **LOGOGRIPHE** n. m. est formé (1623) de *logo-* et du grec *griphos* «énigme», d'abord «filet (qui sert de piège)». ◇ Le mot désigne proprement une énigme portant sur des combinaisons de lettres; ce sens, malgré la mode des jeux de lettres de ce type, est resté didactique et rare. ◆ **LOGORRHÉE** n. f., formé (1823) de *logo-* et de l'élément grec *-rhée*, de *rhein* «couler», désigne un flux de paroles, irrésistible. ◇ Il a pour dérivé **LOGORRHÉIQUE** adj., attesté au XXe s. (Aragon l'emploie en 1941).

LOGOTYPE n. m. (1873), de *logo-* et *-type**, s'applique à un groupe de lettres liées, correspondant à un caractère unique en typographie, puis (mil. XXe s.) à un ensemble de signes formant une image publicitaire, sens répandu par l'abréviation **LOGO** n. m., diffusée vers 1970.

Logo- sert à former d'autres composés didactiques récents concernant le langage, tels **LOGOCENTRISME** n. m., **LOGOSPHÈRE** n. f. «la parole, en tant que milieu humain».

Le mot grec **LOGOS** n. m. lui-même a été emprunté en philosophie (1764, Voltaire) comme un des noms de la divinité, puis (1873) en théologie, à propos du verbe divin, et enfin (XXe s.) au sens premier du grec, «faculté humaine de penser et de parler».

◈ voir -LOGIE, LOGIQUE.

LOI n. f., d'abord *lei* (v. 980) puis *loi* (XIIe s.), est issu du latin *legem*, accusatif de *lex, legis* «loi religieuse» d'où «loi» en général. Si l'ancien caractère religieux du mot s'est conservé dans certaines formules, *lex* apparaît déjà en latin classique comme laïcisé; il désigne aussi bien les conventions passées entre particuliers que l'ensemble des préceptes de droit acceptés par l'assemblée des citoyens consultés par le magistrat et rendus publics par l'autorité compétente. À la base du mot, il y a l'idée de convention, de contrat exprès entre deux personnes ou deux groupes, qui le différencie de *jus* «formule dictée, droit» (→ juridique, etc.) et de la coutume, dite *mos, mores* (→ mœurs) et *consuetudo* (→ coutume), laquelle résulte d'une acception tacite, alors que le caractère spécifique de la «loi» exige qu'elle soit écrite et promulguée. La langue ecclésiastique a repris *lex* pour rendre les expressions hébraïques signifiant «lois de Moïse», «loi du Seigneur» et, de même que *fides* (→ foi), le mot s'est alors rechargé d'un sens religieux qui est passé dans les langues romanes à côté du sens juridique. ◇ Mot italique, et nom d'action de genre animé, *lex* a des correspondants d'une part en indo-iranien, et d'autre part en occident, et appartient peut-être à la même racine que *legere* (→ lire).

♦ Dans ses premières attestations, *loi* s'applique à la règle exprimant la volonté de Dieu (v. 1120, *lei divine*). À la même époque, il désigne plus généralement les règles d'une société, d'un peuple, émanant d'une autorité souveraine et sanctionnées par la force publique, *la loi* étant employé absolument (1210) à propos de l'ensemble des règles établies par le législateur. Vers 1130, est aussi attesté le sens non juridique de «règles, conventions établies, à observer dans la pratique d'un art, d'un jeu, des rapports sociaux», et, après 1150, le sens figuré aujourd'hui vieilli de «domination amoureuse». ◇ Au XVIe s., *loi* a développé la valeur de «règle imposée par les choses, les circonstances» (1587) et celle de «ce que prescrit à l'homme sa propre conscience», par exemple dans *loy de la nature* (1580) en opposition à *loi positive*. Le mot a étendu son champ d'emploi au XVIIe s., entrant dans plusieurs locutions juridiques ou de sens figuré et développant de nouvelles acceptions : il s'applique juridiquement à une disposition prise par le pouvoir législatif (1690), et aussi à la domination imposée par la victoire (1636), dans des expressions du type ***subir la loi de quelqu'un.*** ➜ Il prend le sens de «formule générale énonçant une corrélation entre des phénomènes physiques», acception qui se réalise au XVIIe s. dans les sciences (1677), mais qui ne se dégagera vraiment de l'idée d'une volonté transcendante ou de la nature des choses qu'avec la conception moderne de science, vers la fin du XVIIIe et au XIXe siècle. Par extension, *loi* désigne une condition sine qua non, un principe essentiel et constant (1668). ◇ À la fin du XVIIe s., le mot possède pratiquement toutes ses acceptions modernes, à l'exception du sens particulier de «condition de la perfection esthétique», apparu vers 1858, valeur réalisée dans l'expression ***c'est la loi du genre*** (1873).

► Le mot fournit le premier élément des termes juridiques modernes **LOI-CADRE** n. f. (v. 1950), **LOI-PROGRAMME** n. f. (1964).

◈ voir LÉGAL, LÉGIFÉRER, LÉGISLATEUR, LÉGISLATION, LOYAL.

LOIN adv., attesté pour la première fois en 1050 dans le syntagme *an luinz* «au loin», est issu du latin *longe* «loin, au loin, longuement» (au propre et au figuré) et, avec un verbe marquant la différence : «de beaucoup», dérivé de *longus* (→ long).

♦ *Loin* est d'abord employé (1080) avec son sens spatial, puis aussi (1225) temporel. Depuis le XVIIe s., il est pris abstraitement, donnant lieu à plusieurs emplois figés : ***aller loin*** (av. 1696), ***chercher trop loin*** (1672), ***voir loin*** (1660), ***aller trop loin*** (1661) ; ***ça va loin*** met l'accent sur la conséquence. ***Être loin*** (de qqn) avec une idée de distance, de froideur etc., est plus récent (v. 1887). ◇ Dès les premiers textes, *loin* s'emploie en combinaison dans des locutions prépositionnelles, adverbiales et conjonctives : dès 1050, on relève ***au loin*** puis (1080) ***de loin, loin de. De loin en loin*** est d'abord attesté sous la forme *luinz a luinz* (1119). Ces expressions ont un sens spatial et, seulement au XVIIe s. (1620), un sens temporel. Vers 1580, *de loin* a développé le sens de «beaucoup, par une grande différence», l'expression ***il y a loin*** (1530) ne réalisant cette idée qu'à la fin du XVIIIe siècle. ◇ Vers 1530 également, ***loin de*** a pris une valeur temporelle et à l'époque classique (v. 1672) a commencé d'être employé avec un pronom personnel, souvent en tête de phrase, pour indiquer le rejet d'une chose ***(loin de moi l'idée de...)***, ***loin de là*** n'apparaissant qu'au XIXe s. (v. 1862). ◇ Les locutions conjonctives ***d'aussi loin que, du plus loin que*** et, plus rarement, ***au plus loin que*** sont apparues au XIVe s. avec une valeur spatiale, et plus tard (1606) temporelle. ◇ Au XVIIe s., on a commencé d'employer aussi ***(bien) loin que*** (et subjonctif) [1606], réservé à l'usage soutenu.

◈ voir ÉLOIGNER, LOINTAIN.

LOINTAIN, AINE adj. et n. m. est issu (1140) d'un latin tardif °*longitanus*, également postulé par des représentants italien et catalan, dérivé de *longe* (→ loin) peut-être sur le modèle de °*subitanus* qui a donné *soudain*.

♦ *Lointain* se réfère dès l'ancien français à un plan spatial ou (1160) temporel. ◇ À partir de son emploi dans *lointain degré de lignaige* (1283), il a développé le sens abstrait plus général de «vague, indirect» (v. 1422). ◇ Depuis le début du XXe s., il qualifie une expression du visage avec la valeur psychologique de «distant, distrait». ➜ Après un emploi substantivé au sens de «pays lointain» (v. 1155 ; par ellipse de *pays*), il a été repris comme substantif, surtout au pluriel, *les lointains* (1640) dans le vocabulaire de la peinture, et de là, est passé dans l'usage général (1685). À la différence de l'adjectif, *un, des lointains* ont pris très tard leur sens temporel (1863), celui-ci restant d'usage rare et littéraire.

► **LOINTAINEMENT** est apparu (v. 1140) au sens temporel ancien de «pendant longtemps», d'après l'ancien sens de l'adjectif «qui dure longtemps» (1220). ◇ Devenu rare avec le sens spatial d'«au loin», dont on relève de nombreuses attestations entre 1155 et le XVIe s., il est surtout employé aujourd'hui au sens figuré de «vaguement».

LOIR n. m. est issu (v. 1202) d'un latin populaire °*glĭs, glĭris*, altération phonétique du latin classique *glīs, glīris* (*i* long) «loir» et peut-être aussi nom d'un poisson, qui survit dans l'italien *ghiro*, le moyen français *glir* (av. 1563). Le latin a été rapproché du sanskrit *girih* «souris» et, par étymologie populaire, de *gliscere* «grossir, engraisser», les loirs étant engraissés à Rome pour être mangés. La chute du *g-* est un phénomène qui s'observe aussi dans le portugais *leirao* et dans quelques mots d'ancien français dont les anciens noms de la pelote : *luissel*, du latin °*globuscellus*, de *globus* (→ globe) et *lemoisel*, issu de °*glomiscellus*, de *glomus*.

♦ Le mot désigne un petit rongeur. La locution usuelle ***dormir comme un loir*** est attestée dès les premiers textes, le sommeil et le loir étant associés dès le latin.

► D'une variante de *loir*, *leir*, est issu le dérivé normand **LÉROT** n. m. (1530, *leyrot*) «petit mammifère rongeur ressemblant au loir».

LOISIR n. m. est la substantivation (1080, *leisir*) de l'infinitif de l'ancien verbe impersonnel *loisir* «être permis» (v. 980, *lez*, «il est permis de», troisième personne du présent), en usage jusqu'au XIVe s. et issu du latin de même sens *licere* (→ licence).

♦ Originellement, *loisir* exprime la possibilité de faire qqch., sens encore réalisé dans ***le loisir de*** suivi de l'infinitif (1140). ◇ Dès les premières attestations, il entre dans la locution ***à loisir*** ***(a leisir)*** avec la nuance de «en prenant le temps qu'il faut, sans contrainte» qui annonce le sens de «temps qu'il faut pour faire qqch.» (v. 1165). ◇ Froissart (v. 1360) emploie le mot dans l'acception indéterminée de «temps libre permettant de faire ce que l'on veut, disponibilité». C'est ainsi qu'on parle au XVIe s. d'*homme de loisir* (v. 1550) (cf. *oisif*) et qu'au XVIIe s., on dit *être de loisir* pour «être disponible», et péjorativement «avoir du temps à perdre en bagatelles, en choses oiseuses». ➛ Le sens moderne, «temps dont on peut librement disposer en dehors du travail», émerge vers 1530 (singulier et pluriel), mais le concept moderne de loisir s'est fait jour après la révolution industrielle, à partir du moment où les activités de la société n'ont plus été réglées par des obligations rituelles et où le travail a été détaché des autres activités. Au regard de cette coupure historique, le mode de vie de certaines classes aristocratiques de la civilisation traditionnelle ne relève pas du terme de *loisir*, mais de celui d'*oisiveté*, qui suppose un autre rapport au travail. L'expression ***loisirs dirigés*** «activités récréatives organisées dans le cadre scolaire» (1936) ne s'est pas maintenue.

▶ L'ancien verbe *loisir* a produit l'adjectif **LOISIBLE**, d'abord *loisable* (XIIe s.) et, par changement de vocalisme, *lisible* (1295) et d'après *loisir*, *loisible* (1406) «permis», «laissé à la libre disposition de» (1406), et «agréable, plaisant» (1787). ◇ L'usage moderne en a restreint l'emploi à la forme impersonnelle *il est loisible de*, qui correspond à l'ancien verbe impersonnel *loisir* (du latin *licet*).

◈ voir **LICITE**.

LOMBES n. m. pl., d'abord *lumbe* au singulier (XIIIe s.), est emprunté au latin *lumbus* (surtout au pluriel *lumbi*) «rein, échine, dos», par métonymie «organes sexuels de l'homme», mot rapproché du vieil islandais *lend*, de l'ancien haut allemand *lentī*, et de mots slaves. Le diminutif latin *lumbuli* «rognons» a donné l'ancien et moyen français *lomble* (v. 1120, *lumbles*), ancien nom des reins et, au singulier, du filet de bœuf et de l'échine de porc (XIVe-XVe s.).

♦ Le mot, au sens de «reins», a reculé au profit de *reins*; il a reçu au XVIe s. son acception actuelle de «régions postérieures de l'abdomen situées de chaque côté de la colonne vertébrale, au-dessous de la cage thoracique» (v. 1560, Paré). ◇ Comme le mot latin, et le français *reins*, il donne lieu à un emploi littéraire au sens métonymique de «lieu de manifestation du désir sexuel».

▶ **LOMBAIRE** adj. a constitué l'ancien nom (1488, *lumbaire* n. m.) de la ceinture qui servait à cacher les organes génitaux. Il a été adjectivé (v. 1560) dans le sens anatomique de «relatif aux lombes», substantivé (1805, *les lombaires*) par ellipse du substantif désignant un élément anatomique, surtout les vertèbres. Il a été repris (1834) à propos des plumes qui garnissent la région des reins chez les oiseaux.
La dérivation a été relancée par l'élément **LOMBO-**, qui représente *lombes* ou *lombaire* dans quelques termes de médecine comme *lombo-costal, ale, aux* adj. (1805, Cuvier), aujourd'hui abandonné, **LOMBO-SACRÉ, ÉE** adj. (1867), de *sacrum** et, au milieu du XXe s., **LOMBALGIE** n. f. (1931), **LOMBALGIQUE** adj. (v. 1950), **LOMBARTHROSE** n. f. (1950), **LOMBOTOMIE** n. f., **LOMBOSTAT** n. m. (1962 dans les dictionnaires généraux).

◈ voir ② **LONGE, LUMBAGO, LUNCH**.

LOMBRIC n. m., d'abord au pluriel *lumbris* (fin XIIe s.) puis *lombrics* (1555), est emprunté au latin *lumbricus* «ver de terre, ver intestinal», mot rapproché du gallois *llyngyr* «vers intestinaux».

♦ Le mot est le nom scientifique du ver de terre.

▶ En référence à la forme du lombric, on a formé **LOMBRICAL, ALE, AUX** adj., immédiatement spécialisé en anatomie dans la dénomination *muscles lombricaux* (1562, Paré) pour les petits muscles fusiformes des phalanges des mains et des pieds. ◇ **LOMBRICOÏDE** adj. (1814) «en forme de lombric» s'emploie en médecine dans *ascaride lombricoïde* (ou *lombricale*), ainsi que **LOMBRICIFORME** adj. (1873). ◇ La zoologie a introduit le terme de classification **LOMBRICIENS** n. m. pl. au XXe siècle.

LONG, LONGUE adj., n. et adv. est issu (v. 980) du latin *longus* «étendu», qui est employé sur un plan spatial et temporel, comme son correspondant grec *makros* (→ macro-) dont il a tous les sens. Il se rattache à une racine représentée dans le gotique *laggs* «long», mais absente de la partie orientale de l'aire indoeuropéenne.

♦ *Long*, employé dans les premiers textes avec une valeur temporelle, est attesté depuis 1080 avec son sens spatial. Au féminin, la forme actuelle *longue* a remplacé au XIIe s. la forme primitive *longe*. Le mot possède ses sens les plus usuels avant le XIIIe siècle. Il qualifie (XIVe s.) la quantité d'une voyelle (par opposition à *brève*), et entre dans la construction *long à* et infinitif (1538). ◇ Au XVIIe s., il se dit d'une sauce (par opposition à *épais*). ◇ Il qualifie ce qui remonte loin dans le temps (1664), par exemple dans l'expression ***de longue date***, depuis longtemps. ➛ Son emploi substantivé au masculin remonte au XIIe s. (v. 1175) : il est toujours introduit par *de, au, en* pour décrire une chose envisagée du point de vue de sa longueur, notamment dans les locutions ***de long, en long***, et ***tomber de tout son long*** (1464). La locution ***de long en large*** apparaît au début du XIXe s. (v. 1811) au terme de l'évolution de l'ancienne locution *de lonc, de lé* (v. 1155), tandis que ***en long et en large*** (1676) marque l'aboutissement de *en lonc ou en lé* (1230) où *lé** représente le latin *latus*. ◇ Depuis le XIIIe s., *long* entre également dans ***tout au long, tout du long***; au féminin, ***à la longue*** signifie «après une certaine durée». ➛ *Long* est quelquefois employé adverbialement (1050, *longes* «longuement») après quelques verbes *(dire, savoir)* et dans le domaine de l'habillement (1499) où il s'oppose à *court*.

▶ *Long* a produit un assez grand nombre de dérivés. Le groupe le plus ancien est constitué de mots usuels. ➛ **LONGUEMENT** adv. (1050, *lungament*) est employé avec un sens temporel (→ longtemps) et, depuis le XIVe s., au sens d'«en exposant par le détail». ◆ **LONGUEUR** n. f., d'abord *lungur* (1199), *longor*, s'est d'abord employé au sens temporel, puis au XIIe s. (v. 1140), spatial. ◇ Le mot désigne à la fois la dimension de qqch. dans le sens de sa plus grande étendue, opposé à *largeur*, puis (v. 1170) la grandeur qui mesure cette dimension. ◇ Au sens d'«espace de temps», le mot entre dans des expressions du type ***à longueur de temps*** (v. 1500) et s'est spécialisé pour «longue durée» (fin XVe s.), *des longueurs* s'appliquant à de longs délais (1559). Il désigne la durée d'un discours, d'où *des longueurs* (1585), «passages trop longs». ◇ La valeur scientifique de «grandeur linéaire fondamentale», de nature spatiale, se développe au XVIIIe s. (1765); d'où, au XIXe s., le syntagme ***longueur d'onde****.

LONGUET, ETTE adj., réfection (1314) de *longet* (v. 1160), correspond à «un peu long, dans le temps». ◆ **LONGUET** n. m. désigne le marteau long et fin des facteurs de pianos (1765), puis, par une dérivation indépendante, (1922) un petit pain biscotté mince et long. ◆ ① **LONGE** n. f., ancien féminin de *long*, désigne (v. 1165) une corde ou courroie servant à attacher un cheval, et (v. 1200) une lanière qui retient la patte du faucon.

LONGER v. tr., d'abord attesté par son participe passé *longiez tissé, tressé* et depuis le XIVe s. sous la forme *longier* avec des sens passés depuis à *prolonger** et *allonger**, est rare avant le XVIIe siècle. ◇ Il est alors employé en vénerie dans ***longer le chemin*** (1655), d'abord en parlant d'un animal, puis d'une chose disposée le long d'un espace (1805).

Un second groupe de dérivés de sens plus restreint ou technique apparaît à partir du XVIIe s. avec ① **LONGUE** n. f., substantivation de l'adjectif féminin en musique (1690), le terme argotique ② **LONGUE** (1815) «année» par ellipse de *longue année* (dès 1725, *longe* en ce sens dans le milieu des forçats) et le terme technique **LONGOTTE** n. f. (1873) «calicot gros et lourd». ◆ Un autre terme technique, **LONGERON** n. m., attesté une fois en 1280 pour «poutre d'un moulin», a été repris vers 1767 dans un autre sens avant de se spécialiser en métallurgie au milieu du XIXe s. (v. 1873), avec l'idée de «poutre», notamment en construction automobile, puis aéronautique.

Au XIXe s. sont apparus des composés didactiques formés sur l'élément *longi-*, tels **LONGILIGNE** adj. (1888) et plusieurs termes de description zoologique : **LONGIPENNE, LONGIROSTRE, LONGICORNE**, adj., ainsi que des composés. ◆ **LONGUE-VUE** n. f. (1825), d'après *lunette de longue vue* (1667) désigne une lunette d'approche. ◆ **LONG-COURRIER** n. m., (1867) en marine et (1959) en aviation, désigne un bateau, puis un avion de transport desservant de longues distances, l'idée initiale de «transport du courrier» s'effaçant au profit de «transport de voyageurs».

ALLONGER v. tr. est formé (v. 1160) de ① *a-* et *long*, avec suffixe verbal. ◇ Il signifie «rendre plus long», au sens spatial, puis temporel. Parmi les emplois spéciaux, d'après «étendre, déployer (un muscle)», on trouve *allonger une botte* (en escrime, 1717), *un coup, une gifle*. *Allonger le pas* a une autre valeur. L'argot familier emploie le verbe pour «tendre (de l'argent)», «donner» (*il va falloir les allonger*). Le verbe est aussi intransitif. ◇ *S'allonger* pron., se dit notamment des personnes, pour «se coucher» et au figuré «avouer» (cf. *se mettre à table*). ◆ **ALLONGEMENT** n. m. (1209, *alongemens*) correspond au fait de devenir plus long (espace et temps). ◇ **ALLONGE** n. f., déverbal (*alonghe*, XIIIe s.) a deux valeurs : «pièce qui allonge, prolongement» (1541 en marine), d'où «crochet de boucherie» (1680) et par ailleurs «coup porté en allongeant le bras» (1893 en escrime) et «longueur du bras (pour frapper)», en boxe (1897). ◆ Le préfixé **RALLONGER** v. tr. (*ralongier*, 1266) ajoute à l'idée d'allonger celle d'une pièce ajoutée à cet effet. Mais l'intransitif (fin XIXe s., *les jours rallongent*) est synonyme du verbe simple. ◇ **RALLONGEMENT** n. m. (1329 au figuré; 1445 au concret) correspond au verbe. ◇ **RALLONGE** n. f., déverbal (1373 en Flandres, puis au XVIIIe s.) désigne une pièce ajoutée pour allonger, spécialement une table (1765), et s'emploie par métaphore (mil. XIXe s.), surtout pour «somme ajoutée, supplément». ◇ **RALLONGIS** n. m., formé (mil. XXe s.) d'après *raccourci*, concerne un trajet qui allonge un parcours.

ÉLONGER v. tr., d'abord *eslongier* (XIIe s.), signifiait «écarter de soi», d'après l'ancien sens de *long* «éloigné», comme dans *longue-vue*. Ses formes alternaient avec celles de *esloigner* (→ éloigner), y compris au pronominal (XIIe s.). ◆ Tombé dans l'attraction du sens usuel de *long*, il est devenu synonyme de *allonger* (fin XIIe s.), restreignant son usage à «étendre un câble dans le sens de la longueur», en marine (1797). Doublant *longer*, il s'est spécialisé en marine à propos d'un bâtiment qui navigue en longeant (1764). ◆ ② **ÉLONGATION** n. f. (1377) a eu une évolution originale puisqu'il a conservé le sens d'«éloignement qui résulte de la différence entre le mouvement de deux planètes», repris en astronomie au dérivé bas latin *elongatio*. Il l'a étendu en physique à la distance entre la position extrême prise par un élément vibrant et sa position d'équilibre, mais n'a pas gardé le sens général d'«éloignement», vivant au XVe siècle. ◇ En médecine, le mot s'applique à une plaie qui s'agrandit (1478), à la distension d'un muscle (1538), à une extension provoquée de nerfs, de la colonne vertébrale (1845).

◈ voir ALLONGER, BARLONG, ÉLOIGNER, LOIN, LOINTAIN, LONGANIME, LONGÉVITÉ, LONGITUDE, LONGTEMPS, OBLONG, PROLONGER.

LONGANE n. f. est emprunté (1616) au chinois *long-ien* ou *lumien*, littéralement «œil *(yen)* de dragon *(long)*», pris comme nom d'une espèce de fruit aux baies globuleuses et lisses. Ce mot est passé, par les récits de voyages, dans le latin du XVIe s. du jésuite italien Matthieu Ricci (mort en 1610) d'où vient la première attestation en français, dans le portugais *longana* (1688, sous la forme *longans*), dans l'anglais *longan, lungung, lungan*, parallèle à l'allemand *Longane*.

♦ La forme *longane* s'est imposée aux dépens d'adaptations exotiques comme *long-yen* (1735 et 1808) pour désigner ce fruit très voisin du litchi*, quelquefois en apposition dans *litchi longane* (1789). ◇ Par métonymie, le mot désigne aussi l'arbre produisant ce fruit (1789, Lamarck, comme traduction du latin des botanistes *euphoria longane*).

▶ En ce sens, il est concurrencé par **LONGANIER** n. m., attesté chez Lamarck (1789), qui cite M. Céré ; cf. *litchi longanier* (1873).

LONGANIME adj. est un emprunt de la langue littéraire, d'abord sous la forme *longuanime* (1487), au latin chrétien *longanimis* «patient avec indulgence», de *longus* (→ long) et *animi*, génitif d'*animus* (→ âme).

♦ Le mot est un synonyme plus rare de *magnanime indulgent*.

▶ Le nom correspondant **LONGANIMITÉ** n. f. a été emprunté le premier (fin XIIe s., *longanimiteit*) au dérivé bas latin et latin chrétien *longanimitas* «patience indulgente». ◇ Il a développé par extension (déb. XIIIe s.) le sens de «patience à endurer les souffrances morales» ; il est didactique.

① **LONGE** → **LONG**

◈ ② **LONGE** n. f. provient (v. 1165) d'un latin populaire °*lumbea*, féminin substantivé de °*lumbeus*, lui-même dérivé de *lumbus* «les reins» (partie du corps appelée vulgairement ainsi mais distincte de l'organe) [→ lombes].

♦ Ce terme de boucherie désigne une pièce prise dans le long de l'épine dorsale du veau ou du chevreuil et surtout du porc (v. 1278).

▶ Son dérivé **SURLONGE** n. f. (1393) a été repris pour désigner un morceau de bœuf, en relation avec l'anglais *sirloin*, lui-même emprunté à l'ancien français *surloigne*, forme archaïque de *surlonge*. *Surlonge* sert à traduire *sirloin* en français du Canada ; il ne s'emploie guère en France.

◈ voir **LUNCH**.

LONGÉVITÉ n. f. est l'emprunt tardif (1777) du bas latin *longaevitas* «longue durée de la vie», dérivé du latin *longaevus* «d'un grand âge», de *longus* (→ long) et *aevium* (→ âge).

♦ *Longévité* n'exprime pas toujours une notion de «longue durée» ; depuis 1839, il est aussi employé avec le sens plus général de «durée de la vie» (chez les démographes, les biologistes).

LONGITUDE n. f. est emprunté (1314) au latin *longitudo*, nom correspondant à *longus* (→ long).

♦ Introduit au sens général de «longueur» sur le plan spatial, puis aussi temporel (v. 1560), le mot s'est spécialisé (v. 1361) en astronomie dans *longitude du ciel* (d'après le latin tardif, VIe s.). Il a reçu son sens courant (1525) en géographie, s'opposant à *latitude*.

▶ L'adjectif didactique **LONGITUDINAL, ALE, AUX** (1314, *longitudinaus*), dérivé du latin *longitudo* au moyen du suffixe *-al*, a gardé son sens premier «dans le sens de la longueur», et perdu le sens de «relatif à la longitude» qu'il avait pris (1543) à la suite du nom. L'épistémologie l'emploie avec une valeur abstraite à propos des études menées sur un seul ou quelques individus suivis tout au long de leur développement. ◆ **LONGITUDINALEMENT** adv. (1732) est très didactique.

LONGTEMPS adv. et n. m. résulte (1498-1515) de la soudure des éléments de l'ancien adverbe *long temps* (v. 980), de *long** et *temps**.

♦ En tant qu'adverbe, *longtemps* signifie que la durée concernée est longue : il ne fait pas double emploi avec *longuement*, adverbe de manière (→ long), qui laisse entendre que l'on consacre au procès tout le temps nécessaire (ou trop de temps). ◇ Il est employé substantivement (v. 1145, *de lonc tens*) en complément d'une préposition *(avant, de, depuis, pour)*. ◇ Dans la langue classique, *de longtemps* «pour longtemps» était synonyme de ***depuis longtemps*** (on disait aussi *dès longtemps* au même sens). ◇ Depuis 1835, *longtemps* est employé avec un verbe au futur à la forme négative pour indiquer une longue durée dans l'avenir. ◇ *Longtemps* est entré dans quelques locutions, comme ***il y a longtemps*** (1563).

LOOK n. m. est un emprunt récent (v. 1980) à l'anglais *look*, proprement «regard», d'où «allure, aspect, apparence». Ce mot est dérivé (XIIe s.) de *to look* «regarder», «avoir l'air» (XIIIe s.), verbe correspondant à l'ancien saxon *lōkon*.

♦ Lancé par le langage de la mode, des média et de la publicité *look*, d'abord employé dans le domaine vestimentaire pour «apparence, style extérieur», s'est rapidement étendu à d'autres domaines, en paraissant, aux yeux de ceux qui l'emploient, comme la cristallisation d'un certain air du temps, d'une époque parfois appelée *âge du look*.

▶ La création de **SE LOOKER** v. pron., attesté vers 1983 (style journalistique) au sens d'«acquérir une image, se donner un look», témoigne de l'engouement pour le mot et son concept, qui serait aussi bien rendu par plusieurs mots français *(allure, aspect,* voire les mots familiers *tronche, bobine, etc.)*. ◆ **RELOOKER** v. tr. «donner une apparence nouvelle à (qqch., qqn)» (1985) manifeste la lexicalisation en français.

LOOPING n. m., apparu (1903) dans l'expression *looping the loop*, puis absolument *looping* (1911), est emprunté à l'anglais *looping the loop*, «exercice d'acrobatie consistant à décrire une boucle verticalement», de *to loop the loop* d'après lequel le français avait formé *boucler la boucle* (1814). La locution anglaise est formée de *to loop* «boucler» (1832) et du nom dont ce verbe est dérivé, *loop* «boucle, section de corde repliée sur elle-même» (v. 1400), mot sans étymologie connue.

♦ Les premiers «bouclages de la boucle» furent en 1903 des exercices d'acrobatie à vélo au music-hall (Folies-Bergères). ◇ Mais c'est de la figure de voltige aérienne que le mot devait recevoir son sens définitif (1911).

▶ **LOOPER** n. m. (1917), «aviateur qui effectue des loopings», n'a pas vécu.

LOPE n. f. est issu par abréviation (1899) de *lopaillekem* lui-même abrégé en **LOPAILLE** (1887), traitement en largonji de *copaille* «homosexuel» (1883), lequel est dérivé de *copain** avec substitution du suffixe péjoratif *-aille* à la finale.

♦ Le mot est argotique pour désigner un homosexuel, et, par préjugé, pour «homme lâche, mouchard» (1899).

▸ On en a dérivé **LOPETTE** n. f. «petite lope» (1889) dans la même double valeur d'«homosexuel passif» et d'«individu méprisable pour sa lâcheté».

LOPIN n. m. est dérivé (av. 1280, Rutebeuf) de l'ancien français *lope* (qui n'est cependant attesté au sens de «morceau» qu'au XVe s.), de même origine que *loupe**.

♦ Le mot s'est d'abord employé à propos d'un morceau de nourriture, en particulier de viande, spécialement un morceau empoisonné destiné au loup (1378). ◇ Il ne s'est maintenu qu'au sens particulier de «petite surface (de terre cultivable)», (v. 1430) notamment dans ***lopin de terre,*** et avec quelques acceptions techniques, comme «morceau de fer destiné à être façonné». ◇ On l'a utilisé argotiquement au sens de «crachat, postillon» (1867).

LOQUACE adj., apparu tardivement (1765, Voltaire), est emprunté au latin *loquax, loquacis* «bavard, verbeux, babillard», dérivé de *loqui* «parler», pris ici dans son acception péjorative. Ce verbe, qui ne s'est maintenu qu'à travers ses dérivés et composés (→ locution, éloquence, interloquer), est sans étymologie claire; on le rapproche sans certitude du celtique, avec l'irlandais *-tluchur* dans le vieil irlandais *atluchur* «je remercie», *duttluchur* «je prie», mais sans pouvoir établir une famille indoeuropéenne.

♦ *Loquace* est un synonyme recherché de *bavard* et exprime quelquefois la nuance d'«éloquent, expansif», qui en atténue la valeur péjorative.

▸ Son dérivé **LOQUACEMENT** adv. (1866) est d'usage plus littéraire. ➛ Le nom correspondant **LOQUACITÉ** n. f., emprunté au dérivé latin *loquacitas,* est attesté une première fois en 1486 et a été repris au XVIIIe s. (Voltaire).

LOQUE n. f. est emprunté (v. 1460) au moyen néerlandais *locke* «boucle, mèche de cheveux» qui a aussi donné au français l'ancien *lok* «mèches de laine grossière» (1274-1300) et l'adjectif *locu* «ébouriffé, hirsute» (v. 1200-XVe s.). *Locke* (aujourd'hui *lok*) correspond par exemple à l'anglais *lock,* à l'allemand *Locke,* au suédois *lock,* au danois *lok.* Ces mots se rattachent à un germanique °*lokkaz,* °*lukkaz,* lui-même apparenté à une racine indoeuropéenne se rapportant à l'idée de «plier». On rapproche aussi le grec *lugos* «branche flexible que l'on peut tresser», le latin *luctari* (→ lutter).

♦ Le passage au sens de «chiffon», en français, s'explique parce que la mèche, comme le chiffon, pend de façon informe. Ce premier sens vit encore dans le nord de la France (la *loque à reloqueter* «chiffon à poussière») et en Belgique, mais il a été évincé par celui de «vieux vêtement usé» par l'intermédiaire de la locution usuelle ***tomber en loques*** (1832). Il s'est dit, dans le langage argotique puis familier, pour «vêtement» (1886). ◇ Employé au XVe s. avec le sens figuré de «mou» (adj.), *loque* a pris (1880) le sens figuré de «personne sans énergie, sans ressort». ◇ Par analogie, il désigne en Belgique la peau du lait; par spécialisation, il se dit pour «maladie infectieuse du couvain de l'abeille» (1863).

▸ **LOQUETEUX, EUSE** adj. est dérivé (v. 1500) du moyen français *loquet* «frange» (v. 1461), diminutif de *loque.* Il qualifie une personne misérable, en guenilles (parfois substantivé), et plus rarement un vêtement (1803). ➛ **LOQUEUX, EUSE** adj. (1863) qualifie spécialement un couvain atteint de la loque.
Le préfixé **DÉLOQUETÉ, ÉE** adj. (1455), formé à partir de l'ancien *loqueté* «déchiré», est encore employé quelquefois dans le style littéraire. ◇ L'argot a formé la série **LOQUÉ, ÉE** adj. «habillé», dans *bien, mal loqué,* **SE LOQUER** v. pron. (v. 1930), **SE DÉLOQUER** v. pron. «se déshabiller» et **DÉLOQUÉ, ÉE** adj. «dévêtu».

◈ voir **BRELOQUE.**

LOQUET n. m., attesté depuis la fin du XIIe s., est, soit le diminutif de l'anglo-normand et normand *loc* «système de fermeture des portes et fenêtres» (1174-1176), lui-même emprunté à l'ancien anglais *loc* (anglais *lock* «serrure», *to lock* «fermer à clef»), soit le diminutif du moyen néerlandais correspondant *loke.* Les mots anglais et néerlandais remontent, de même que l'allemand *Loch* et l'ancien norrois *lok,* à une racine germanique commune.

♦ Le mot désigne un système de fermeture de porte, spécialement (1643) la barre fermant une écoutille. Il entre dans la dénomination *couteau à loquet* (1834).

▸ *Loquet* a produit le verbe archaïque **LOQUETER,** autrefois construit intransitivement au sens d'«agiter le loquet pour indiquer que l'on veut entrer» (fin XIVe s.) et employé quelquefois de nos jours au sens transitif de «fermer au loquet». ➛ Le diminutif **LOQUETEAU** n. m. (1676) est d'usage technique.

LORD n. m., attesté en français depuis 1547 (1528, dans *lord-chambellan*), est emprunté à l'anglais *lord,* proprement «maître, souverain, seigneur» (IXe s.), du vieil anglais *hláford, hláfweard,* littéralement «celui qui garde (*weard*) le pain (*hláf*)», pour traduire le latin *dominus,* en particulier dans son sens religieux. Devenu l'équivalent de *nobleman* «gentilhomme», il a pour corrélatif le féminin *lady**. Comme titre, il est attaché au rang nobiliaire, à la dignité épiscopale, à certaines fonctions officielles, et se donne aussi par politesse. *The lords* se dit de l'ensemble des pairs, temporels et spirituels, siégeant à la chambre des Lords, dont le rôle législatif d'abord essentiel est aujourd'hui très restreint.

♦ Le mot se réfère à une réalité anglaise, titre de certains fonctionnaires ou ministres dans l'exercice de leurs fonctions et titre de noblesse (1558). Il s'emploie en apposition au prénom (*lord Winston* ou *lord Winston Churchill*). Il entre dans de nombreux emprunts dont la forme est souvent mal

fixée : *lord-chambellan* (1528) pour *Lord Chamberlain, lord chef de justice* (1680) pour *Lord Chief Justice, lord député* (1695) pour *Lord Deputy, lord du trésor* et *lord trésorier* pour *Lord Treasurer.* Ces emplois sont archaïques.
La forme **MILORD** n. m. (XIVe s., *millour*), emprunt à l'anglais *my lord* «mon seigneur», a désigné du XVIIe au début du XIXe s. un lord anglais, puis un Anglais riche et parfois tout étranger fortuné (aussi en appellatif, et ceci jusqu'au XXe s., comme l'atteste la célèbre chanson d'Édith Piaf). ◆ Au XIXe s., on a appelé *milord* (1839) ou *cabriolet-milord* un cabriolet à quatre roues et à siège surélevé pour le conducteur.

LORGNER v. tr. est dérivé (v. 1400) de l'ancien adjectif *lorgne* «qui louche» (v. 1175-XIVe s.), remplacé par *louche*. Lorgne* est en général considéré comme issu d'un germanique °*lurni,* dérivé du radical °*lūr* «guetter, espionner». Celui-ci se dégage du moyen haut allemand *lūren* (allemand *lauern*), de l'anglais *to lour* «avoir l'air en colère, renfrogné», du suédois *lura,* danois *lure* «attendre tapi en embuscade». P. Guiraud évoque plutôt le latin *luscinius,* de *luscus* «borgne» (→ louche) qui aurait donné °*losgne* devenu *lorgne* par «rhotacisme» (substitution de la consonne *r* à une autre, spécialement *s*).

♦ L'usage moderne de la construction transitive date du XVIIe s., époque où *lorgner* a pris le sens de «regarder, observer d'une façon particulière» (1645), spécialement dans une intention galante (1655). ◇ Dès 1683, il a développé un sens figuré, issu de la valeur «regarder avec jalousie, envie», «avoir des vues sur qqch.». ◇ Le sens particulier de «regarder au moyen d'une lorgnette» (1752) ne s'est pas maintenu.

▸ Presque tous les dérivés de *lorgner* sont apparus aux XVIIe et XVIIIe s. : **LORGNEUR, EUSE** n. (1660 ; 1604, *lorneur*) est rare ou spécialisé pour «celui qui lorgne les femmes». ◆ **LORGNEMENT** n. m. (1656), **LORGNERIE** n. f. (1713, XIIIe s. une fois au sens de «mauvaise vue») et **LORGNADE** n. f. «œillade» (1713) sont inusités de nos jours.
LORGNETTE n. f., formé sur le modèle de *lunette* (1694), désignait à l'origine une petite ouverture pratiquée dans un éventail et permettant aux dames d'observer sans être vues, puis une petite lunette. La lorgnette fut un objet très en vogue tout au long du XVIIIe s. : on en faisait qui, grâce à un agencement spécial, permettaient d'observer tout en ayant l'air de regarder ailleurs (dites *lorgnettes de jalousie*). À l'origine, son emploi au théâtre était autant, sinon plus, dirigé vers l'observation des spectateurs que de la scène. ◆ Vers 1812 est apparu **LORGNON** n. m. au sens aujourd'hui vieilli de «lentille correctrice» (d'ailleurs souvent portée par souci d'élégance, en face-à-main [av. 1792]), qui désigne de nos jours (1850) deux lentilles correctrices et leur monture sans branches. L'objet et, à sa suite, le nom ont vieilli au profit des *lunettes.*

LORIOT n. m. est l'altération (fin XIVe s., *lorios*), par substitution de suffixe, de °*loriol,* attesté de nos jours dans divers patois. Ce mot est issu, par agglutination de l'article défini, de l'ancien français *oriol* (1140, *orïoel*), lui-même issu du latin *aureolus* «d'or, de couleur d'or» (→ auréole), dérivé d'*aurum* (→ ② or), à cause de la couleur jaune d'or du plumage de l'oiseau. Le latin désignait cet oiseau par *chlorion, -onis,* emprunté au grec *khlôrion,* de *khlôros* «jaune-vert» (→ chlore), et le français le désigne également par *merle d'or* ou *grive dorée.*

♦ Le mot désigne un passereau dont le plumage est jaune chez le mâle et vert chez la femelle. ◆ Pour le sens d'«orgelet» dans l'usage populaire (1834), cf. *compère-loriot,* art. *compère.*

LORS adv., d'abord *lur* (1080) et *lores* (1119), est issu du latin tardif *illa hora,* proprement «à cette heure», ablatif circonstanciel de temps (→ heure, ① or), avec constitution d'une diphtongue *-ao-* aboutissant par *-au-* à *-o-*. La disparition du *-e* final peut s'expliquer par le fait qu'il s'agit d'un mot accessoire ; il a reçu un *-s* adverbial.

♦ *Lors,* «à ce moment-là», a quasiment cessé d'être employé de manière autonome au XVIIe s. au profit d'*alors*.* Depuis, il s'est maintenu dans trois emplois : dans la locution prépositionnelle ***lors de*** (1599) à laquelle Vaugelas reprochait son inélégance, dans les locutions adverbiales ***dès lors*** (XIIIe s.), ***pour lors*** (1472) d'abord employé dans un sens temporel puis (1688) dans un sens logique et ***depuis lors*** (1677), enfin dans les locutions conjonctives ***dès lors que*** (1080, *des l'ore que*), ***lors que*** (v. 1200).

▸ **LORSQUE** conj. de temps, résulte (1454) de la soudure de *lors que* (ci-dessus) et a d'ailleurs longtemps continué de s'écrire en deux mots (encore au XVIIe s.) : de nos jours, c'est encore le cas quand on intercale *même : lors même que...* (1675), ou *donc : lors donc que...* La prononciation du *-s-* est tardive (on relève *lorke* en 1632) ; la prononciation populaire tend à ajouter un *-e-* de renforcement et à dire [lorsekə] : L. Dumas, en 1733, met cette tendance au compte d'une prononciation parisienne, influencée par *parce que* (cf. même phénomène pour *puisque, jusque*). À la valeur temporelle du mot, la langue classique a ajouté, en style littéraire, une expression d'opposition-simultanéité qui lui donne la fonction de *tandis que.*
ALORS adv. résulte du renforcement expressif (XIIe s.) de l'adverbe *lors* au moyen de la préposition *à*.* Cette hypothèse, soutenue par l'exemple parallèle de *adonc* (*à + donc*) et de l'ancien français *ilors* (avec le *i* de l'ancien français *iluec* «là» v. 1119), est préférée à celle d'une dérivation phonétique d'une locution latine °*ad illam horam* «à cette heure-là» (le latin attestant seulement *ad horam*).

♦ *Alors,* relativement rare jusqu'au XVe s., s'est répandu ensuite aux dépens de *lors.* Il a d'abord une valeur temporelle : «à ce moment-là» s'appliquant à une action en train de se dérouler, puis aussi en référence au passé (XIIIe s.) et exprime parfois la durée, «à cette époque-là, en ce temps-là» (v. 1225). La locution ***alors comme alors*** (v. 1460) équivaut familièrement à «nous verrons alors comment nous en tirer». ◇ À partir du XIIIe s., *alors* exprime aussi un lien logique de conséquence, «dans ce cas» (v. 1271).

Celui-ci se distend dans l'usage oral, en interrogation *(alors?; et alors?)* et en exclamation *(alors!* 1866; *ça alors!*), au profit de valeurs expressives allant de l'indignation *(et alors?)* à l'étonnement et à la joie *(chic alors!)*. ◇ Dès le XIIe s., *alors que* constitue une locution conjonctive dont le sens correspond à «à l'heure où..., lorsque» (1167, *a l'ore que*). Toutefois, ce sens temporel a été évincé par *lorsque (lors que)* conformément aux prescriptions de Vaugelas qui signale aussi la disparition de l'ancienne interprétation graphique *à l'heure* pour *alors*. ◇ *Alors que* s'est maintenu au sens adversatif de «tandis que, au lieu que» (1422).

LOSANGE n. m. est relevé à partir de 1225 mais semble antérieur vu la première attestation de *losangé* (v. 1220). Le mot est d'origine controversée bien qu'indiscutablement à dissocier de son homonyme ancien français *losenge* «flatterie, mensonge» (du francique °*lausinga*), très courant ainsi que ses dérivés, dont le principal est *losengier* «flatteur». L'hypothèse d'un rattachement au gaulois °*lausa* «dalle de pierre, pierre plate» (passé dans *lauze*) satisfaisante sémantiquement, pose un problème géographique, les représentants gaulois étant groupés dans les domaines provençal et franco-provençal. M. Rodinson a émis l'idée d'une origine orientale avec l'arabe *lawzīnag* ou *lawzīne*, mot désignant un gâteau, lui même du pehlvi *lawzēnak*, de *lawz* «amande», mais on manque d'informations sur le cheminement du mot, et de plus, le sens de «gâteau» n'est attesté en français que fin XIVe s. et pourrait n'être qu'une analogie de forme sur le losange. À l'appui de cette hypothèse, on a avancé l'idée d'une origine arabe commune pour les mots *losange* «gâteau», *lasagne** et son synonyme provençal *lausan* (1505), et pour l'anglais *lozen, lozeyn*.

♦ *Losange* a été de genre féminin jusqu'au XVIIIe s., le masculin s'imposant progressivement au XIXe siècle. ➛ Apparu comme nom de figure géométrique, «parallèlogramme à côtés égaux, dont les angles ne sont pas droits (distinct de *carré*)», surtout en parlant d'un dessin sur un tissu, il est d'usage courant en ce sens (surtout pour la figure orientée verticalement), et compte quelques emplois spécialisés en héraldique (1294) et en musique (1855; 1767, Rousseau, *noire en losange*).

▸ En est dérivé **LOSANGÉ, ÉE** adj. (v. 1200, *losengié*), l'adjectif didactique **LOSANGIQUE** (1803, Cuvier) et le verbe technique **LOSANGER** v. tr. (1842).

LOT n. m. est issu (v. 1140) du francique °*lot* «partie d'un tout partagé en plusieurs personnes», postulé d'après le gotique *hlauts* «sort, héritage», l'ancien haut allemand *hlôz* «sort» (d'où l'allemand *Los* «sort, billet de loterie»). Les langues germaniques ont toutes le mot : anglais *lot*, néerlandais *lot*, ancien norrois *hlutr, hluti* (→ loterie, loto).

♦ À partir du sens initial, *lot* a développé (v. 1245) le sens figuré de «ce qui échoit à qqn par le fait du hasard, de la nature, de la destinée». ◇ De là, en relation avec *loterie**, il a désigné ce qui échoit au gagnant d'une loterie (1680), et par métaphore, ce qui échoit par hasard (1805). En termes de finance, *obligations, valeurs à lots* (1890) se dit d'obligations, de valeurs participant à des tirages au sort périodiques. ◇ Parallèlement à cette évolution, il a pris (1429) le sens concret d'«ensemble d'objets, de marchandises (réunis pour la vente)». ◇ Ultérieurement, pour rendre l'anglais *batch*, il est entré dans la terminologie de l'informatique pour désigner un ensemble de programmes.

▸ Son dérivé **LOTIR** v. tr., apparu (fin XIIe s.) au sens de «partager par lots», s'en est éloigné, bien qu'il reste une trace de son ancien sens juridique, «pourvoir (qqn) d'un lot dans une succession» (av. 1615), dans l'expression figurée ***être bien, mal loti*** (1666). Il a connu un développement récent en urbanisme avec l'idée de «partager un terrain en parcelles pour y construire des habitations» (1907, *lotir un terrain*). ➛ Ses dérivés **LOTISSEUR, EUSE** n. (XIIIe s.) et **LOTISSEMENT** n. m. (v. 1300) sont surtout employés de nos jours dans le domaine de l'urbanisme; ce dernier désignant par métonymie le terrain loti (1919) et l'ensemble d'habitations construites dessus. ➛ **LOTISSAGE** n. m. (1723), synonyme de *lotissement* au sens de «action de lotir», est spécialisé depuis 1762 au sens technique de «tri du minerai».

Le composé **ALLOTIR** v. tr. (1611; 1304, *aloter*) et son dérivé **ALLOTISSEMENT** n. m. (1866; 1577, *allotement*) sont deux termes juridiques se rapportant à la répartition des lots aux héritiers.

◈ voir LOTERIE, LOTO.

LOTERIE n. f. a été emprunté (1538, document de Béthune) au néerlandais *loterij* (*loteria*, dans une lettre en latin de 1513). Ce mot est soit dérivé de *lot*, correspondant au français *lot**, soit emprunté à l'italien *lotteria*, lui-même de *lotto* (→ loto). Il semblerait que la pratique de la loterie se soit répandue en France avec les Italiens venus à la suite de Catherine de Médicis (également sous le nom de *bianque, blanque*); elle a fait l'objet d'un édit de François Ier en 1539.

♦ Désignant proprement un système où l'on gagne des lots, *loterie* s'applique à un jeu de tirage au sort organisé pour les particuliers et, très tôt dans son histoire, exploitée par les gouvernements. Il a reçu la valeur figurée de «ce qui est gouverné par le hasard» (1658) et, par métonymie, s'entend parfois de la baraque foraine organisant des jeux de tirage au sort (XXe s.). Le mot s'est référé couramment en France à la *Loterie nationale*, instituée par la loi du 31 mai 1933, mais ce jeu de hasard officiel, qui n'est pas perçu comme un impôt consenti, ce qu'il est depuis le XVIe s., est concurrencé par d'autres jeux analogues, tiercé, loto*, etc., et l'emploi du mot s'en ressent. Au figuré, *c'est la loterie* insiste sur le caractère de pur hasard d'un processus présenté comme rationnel ou contrôlé.

LOTION n. f. a été emprunté (XIVe s., *loccion*) au latin *lotio* «action de laver le corps, une de ses parties», de *lautus, lotus*, participe passé de *lavare* (→ laver).

♦ *Lotion* était donc un doublet partiel de *lavage* avant d'être spécialisé à propos de l'application thérapeutique d'un liquide sur le corps ou une de ses parties. Par métonymie, il a pris le sens courant de «liquide pharmaceutique ainsi utilisé» (1690). ◇ L'ancien sens de «lavage» a persisté plus longtemps avec une valeur technique aujourd'hui vieillie : «action de laver une substance à l'aide d'un liquide dissolvant pour en séparer les matières qui y adhèrent» (v. 1785).

▸ Son dérivé **LOTIONNER** v. tr., attesté une fois au XIVe s. au sens de «battre par plaisanterie» (cf. aujourd'hui *savonner*) et repris vers 1835 avec son sens moderne, est peu usité.

LOTIR → LOT

LOTO n. m., attesté pour la première fois en 1782 dans un texte qui range ce jeu parmi les divertissements à la mode, est emprunté à l'italien *lotto* «jeu de hasard, souvent géré par l'État, où l'on parie sur des numéros allant de un à quatre-vingt-dix» (1673). Ce mot italien a lui-même été emprunté au français *lot**, à l'origine pour désigner un impôt extraordinaire institué à Florence en 1530 et dont la perception se faisait au moyen d'un jeu de hasard obligatoire.

♦ Le mot désigne un jeu ; les petits cylindres de bois qu'on y emploie ([illegible]) ont inspiré la locution familière ***yeux en boule de loto*** (1893) et l'emploi absolu de *loto(s)* au sens d'«œil, yeux», aujourd'hui sorti d'usage. ◇ Tandis que le jeu de société tombe progressivement en désuétude, *loto* a été relancé depuis 1976 pour désigner un jeu public avec tirage au sort de numéros ; le succès de ce jeu a incité la création d'un jeu analogue, inspiré par les paris des courses (*tiercé, quarté,* etc.) et du sport (le *totocalcio* italien) : le *loto-sportif.*

◈ voir LOTERIE.

LOTTE n. f., attesté depuis 1553, est probablement un mot d'origine préromane, peut-être d'un gaulois °*lotta* : cela expliquerait le maintien anormal du *t* dans une forme héritée, non empruntée. Le mot est aussi attesté en latin médiéval sous la forme *lota,* par une glose du Xe siècle. Littré proposait d'y voir le représentant du latin *lotum* «boue», ce poisson étant visqueux, gluant (comme la boue).

♦ Le mot désigne un poisson de mer à corps cylindrique, à chair estimée et, par analogie, la baudroie (dite aussi *lotte de mer*).

LOTUS n. m. est emprunté, sous la forme francisée *lote* (1512) puis *lotus* (1537), au latin *lotus, lotos,* lui-même emprunté au grec *lôtos,* qui désigne diverses plantes fourragères, trèfles ou mélilots, trèfle-fraise, lotus aquatique sauvage, jujubier sauvage, ainsi que le micocoulier qui fournissait le bois pour les flûtes. *Lotos* est un terme méditerranéen d'origine obscure, pour lequel on a évoqué un rapprochement avec l'hébreu *lôṭ,* dans la *Genèse,* traduit par le grec *staktê* «huile parfumée». Il s'agirait alors originellement d'un arbre distillant une huile, ce qui s'appliquerait par exemple au micocoulier.

♦ Le mot désigne une plante du littoral africain produisant un fruit auquel les Anciens attribuaient la propriété de faire oublier leur patrie aux étrangers qui y goûtaient. Rendue célèbre par un épisode de l'*Odyssée* (IX) où Ulysse et ses compagnons se voient offrir du lotus par les *lotophages* («mangeurs de lotus»), la plante a longtemps été identifiée avec le jujubier ; il semble qu'il s'agissait plutôt du caroubier, dont la gousse se développe avant que la fleur ne soit fanée (d'où l'appellation homérique «mets fleuri»). En ce sens, on emploie aussi **LOTOS**, conformément à l'étymon. ◆ *Lotus* s'applique aussi (1553) à différentes espèces (d'Afrique, d'Asie orientale) de la famille des Nymphéacées, ce qui est devenu l'acception usuelle du mot, qui évoque les motifs décoratifs orientaux et certains thèmes religieux (bouddhiques) d'Extrême-Orient.

▸ L'utilisation de la fleur de lotus dans l'art égyptien a fait créer l'adjectif d'usage didactique **LOTIFORME** (1873) «en forme de fleur de lotus» (lotos).

LOUBARD, ARDE n., attesté depuis 1973, semble issu de **LOULOU** (1973), de même sens et d'origine incertaine (le *loulou* provenant de *loup* semble n'être qu'un homonyme), avec un élément argotique *-bard* d'origine obscure (cf. *crobar,* pour *croquis*). On écrit également *loubar* et on abrège le mot en *loub.* Une autre origine serait *loubé* (n. m.) «enfant», largonji de *bout* (Esnault) attesté dès 1892, avec le suffixe *-ard,* mais le sens est différent. Enfin, l'italien *balordo* ayant pris le sens de «voyou», un verlan des milieux italiens en France n'est pas impossible.

♦ Le mot désigne un jeune délinquant des grandes villes et des banlieues urbaines.

① **LOUCHE** n. f. est la forme normanno-picarde (v. 1250, encore regardée comme régionale par Nicot en 1606 et Cotgrave en 1611) de l'ancien français *louce, loce* et *lousse* (dans les dialectes de l'Ouest). *Louce* est issu du francique °*lôtja* «grande cuiller» que permet de restituer le moyen néerlandais *loete, loet,* nom donné à divers instruments en forme de cuiller à long manche pour creuser ou puiser.

♦ Nom d'un ustentile de cuisine en forme de grande cuiller, *louche* a pris dès l'ancien français quelques sens techniques fondés sur une analogie de forme : il a désigné (fin XIIIe s.) une bêche (cf. ci-dessous *louchet*) et une vrille pour percer les tonneaux (1464), avant d'être repris au XIXe s. comme nom d'un outil servant à agrandir les trous déjà commencés (1803). ◇ Il fournit une désignation familière de la main (1455), surtout réalisée dans la locution ***serrer la louche*** (1889). ◇ Par métonymie, il désigne le contenu d'une louche (1803).

▸ En ce sens, il est concurrencé par **LOUCHÉE** n. f. (1273), mot originaire de Flandres et de Picardie, d'abord appliqué à une mesure à céréales, puis (XVe s.) au contenu d'une louche, rare avant 1822. ◆ **LOUCHET** n. m. (1342), utilisé jusqu'au XVIe s. uniquement dans le nord de la France, désigne techniquement une bêche étroite pour fouiller les terres meubles et, spécialement, un des instruments utilisés pour dépecer la baleine.

② **LOUCHE** adj. est la généralisation (v. 1200, *lousche*) de la forme féminine *losche* (1188) issue du latin *lusca*, féminin de *luscus*, mot d'origine inconnue, attesté au sens de «borgne» mais dont les dérivés signifient aussi «qui a la vue courte» et «qui voit mal le soir». Le mot n'a pas été conservé au sens de «borgne» par la plupart des langues romanes, donnant l'ancien français *lois* (adj.) [v. 1185] «qui voit mal». Il a dû subir un élargissement de sens en latin populaire et signifier «qui a la vue faible» : en témoignent le sarde *luscu* et l'espagnol *lusco* «myope», ainsi que le mot des dialectes du nord de l'Italie *losc*.

♦ *Louche*, presque exclusivement employé en ancien français pour qualifier une personne, signifie alors «qui ne voit pas très bien» (la nuance n'est pas toujours aisée à définir). Il a changé de valeur en moyen français (vers 1300), qualifiant d'abord les yeux affectés de strabisme, puis (v. 1380) une personne, emploi aujourd'hui perdu, en supplantant *lorgne* (→ lorgner). ◆ Par analogie, depuis le XVIIe s., il est appliqué à une chose trouble, concrètement pour qualifier le vin et (1676) un émail. ◇ L'adjectif a pris (1747) le sens figuré de «qui n'est pas très clair, ambigu» (d'une phrase, d'une construction). ◇ L'acception moderne péjorative de «suspect, trouble» s'est développée au XVIIIe s. (v. 1740) d'abord dans l'usage familier, entraînant la substantivation du mot avec une valeur de neutre (1784, ***il y a du louche***).

▶ **LOUCHER** v. intr., apparu au sens transitif ancien de «regarder du coin de l'œil avec dégoût» (1599) [cf. *lorgner*], s'est fixé avec son sens moderne intransitif «avoir du strabisme» (1611). Au XIXe s., il a développé des emplois figurés : ***faire loucher qqn*** (1859) «provoquer l'envie, le dépit», ***loucher sur*** (1896), ***loucher vers*** (1904) «convoiter». ◆ Il a produit quelques dérivés peu usités : **LOUCHEMENT** n. m. (1611, *louschement*), **LOUCHERIE** n. f. (v. 1740), **LOUCHEUR, EUSE** n. «personne qui louche» (1823), adjectivé au XXe s. (1936). ◆ *Louche* a aussi produit au XIXe s. le verbe technique **LOUCHIR** v. intr. «perdre sa limpidité, se brouiller» (1867), ainsi que **LOUCHON, ONNE** n. et adj. (1866), mot familier pour «personne qui louche» employé par Proust dans sa correspondance au sens de «qui fait loucher, ahurit par son ridicule» (le même Proust en avait tiré **LOUCHONNERIE** n. f.).

① **LOUER** v. tr., apparu au XIVe s. après les formes *lauder* (v. 980) et *loer* (1080), représente l'aboutissement d'une évolution du latin de même sens *laudare*, dérivé de *laus, laudis* «éloge, louange, mérite, gloire», spécialisation favorable du sens primitif de «fait de citer, de nommer» : cette évolution a pu être favorisée par le fait que *laus, laudare* et *laudatio* servaient à désigner l'appel suprême que l'on adressait au mort, puis l'éloge funèbre qui s'est ajouté à cet appel. L'étymologie du mot latin n'est pas éclaircie.

♦ *Louer* a conservé le sens initial de «faire l'éloge de, féliciter» mais non celui de «conseiller», vivant entre le XIe (1080) et le XVIe siècle. Le sens juridique intermédiaire d'«approuver» (1248) est sorti d'usage dès le XIVe siècle. ◇ Le verbe actif est précédé par le pronominal *se louer* (1080) «se glorifier de» ou (v. 1160) «être satisfait de».

▶ *Louer* a produit ses principaux dérivés dès le XIIe siècle. ◆ ① **LOUABLE** adj. (v. 1120, *loable*), était employé spécialement en médecine (1314) au sens de «satisfaisant, de la qualité requise»; la langue classique l'appliquait à des personnes, dans la construction *louable de* (avec *de* causal) «digne d'estime pour» (1695). ◆ ① **LOUEUR, EUSE** n. (XIVe s.; v. 1180, *loeres*) n'est plus guère employé, soit à cause de l'homonymie qu'il présente (comme *louable*) avec un dérivé de ② *louer* (de *locare*), soit à cause de la concurrence des synonymes du même groupe.

LOUANGE n. f. (v. 1120, *löange*) a perdu son sens initial, «titre de gloire, mérite», sauf dans quelques expressions, comme ***chanter les louanges, c'est tout à sa louange.*** ◇ Il a bientôt (v. 1160) pris le sens d'«action de louer» (dans l'usage soutenu), concurrençant et éliminant l'ancien français *los* (n. m.) [1080] représentant du latin *laus* au pluriel *laudes*, déjà marqué comme vieux ou burlesque dans les dictionnaires du XVIIe siècle. ◇ *Louange* est courant au sens métonymique de «témoignage d'admiration» (v. 1278), au singulier et surtout au pluriel. ◆ Il a produit **LOUANGER** v. tr. (1475; v. 1155, *loengier*) «louer» (Dieu) et ce dernier **LOUANGEUR, EUSE** n. (1570) qui fournissent à ① *louer* et ① *loueur* deux doublets d'usage plus littéraire, souvent employés avec une notion péjorative d'«excès».

Les dérivés latins de *laudare* ont eux-mêmes fourni le terme liturgique **LAUDES** n. f. (v. 1112), du latin ecclésiastique *laudes*. ◆ **LAUDATEUR, TRICE** n. (XVIe s., repris 1801) emprunté au dérivé latin *laudator*, et **LAUDATIF, IVE** adj. (1787), au dérivé latin *laudativus*, d'usage soutenu, sont assez courants, en l'absence de dérivés usuels de *louer*, les adjectifs *laudatif, laudateur* étant concurrencés par *louangeur*.

◈ voir LIED.

② **LOUER** v. tr., d'abord *luer* (1080), est issu par évolution phonétique du latin *locare* «placer, situer», spécialisé dans la langue juridique dans des expressions telles que *locare se, locare operam suam* (ou au pluriel *operas suas*) «se placer», «placer ses services moyennant salaire» d'où «se louer», et *locare res* «offrir des biens en location». Cette valeur a éliminé le sens premier de «placer», pour lequel le latin a eu recours à un composé marquant l'aspect déterminé : *collocare* (→ coucher); tous ses dérivés se réfèrent au sens juridique (→ location, locataire, loyer). Le verbe est dérivé de *locus* (→ lieu).

♦ *Louer*, apparu au sens de «donner un salaire à (qqn), prendre à gages», est aussi employé (1165) au sens d'«obtenir l'usage de (un bien) contre paiement». L'inconvénient de cette polysémie n'a pas empêché le verbe de subsister dans ces deux emplois complémentaires, ambiguïté partagée par *location* et *locataire*. ◇ Depuis 1268, *louer* est attesté à la forme pronominale.

▶ En sont issus dès l'ancien français **LOUAGE** n. m. (v. 1170, *lowage*), vieilli au profit de *location* et *loyer*, mais maintenu dans l'expression juridique ***contrat de louage***, et ② **LOUEUR, EUSE** n. (1283), doublé partiellement par le belgicisme **LOUAGEUR, EUSE** n. «loueur de véhicules, de sièges, de chevaux», dérivé de *louage*. ➔ ② **LOUABLE** adj., attesté en 1606 au sens «qu'on prend à louage», et au XXe s. pour «qu'on peut louer», est peu usité à cause de l'homonymie avec ① *louable*. ➔ *Louer* a produit **RELOUER** (1267, avec son sens moderne depuis 1431) et **SOUS-LOUER** v. tr. (1557; 1609 selon T.L.F.).

◈ voir ALLOUER.

LOUFIAT n. m., d'abord *lofiat* (1808), puis *loufiat* (1866), est probablement dérivé de *loffe* «nigaud» (1790), mot contenant l'onomatopée *loff-* suggérant le souffle du vent, le vide, avec le suffixe *-iat*. Le développement de sens peut s'expliquer soit par une extension du sens de «vesse, pet», soit par l'influence de celui d'«individu suffisant, fou», et se comparer à celui de l'italien *loffione* «péteur» et «personne suffisante», cf. le français *péteux*. L'hypothèse de la substantivation du patronyme (ou du sobriquet) d'un garçon de café auteur d'un meurtre célèbre n'a jamais été vérifiée et paraît relever de l'anecdotisme étymologique.

♦ Le mot s'est d'abord employé par péjoration pour un homme simple d'esprit. Ce sens a disparu, et le mot s'est appliqué par mépris à un valet (1866), puis est devenu une dénomination argotique et populaire du garçon de café (1868-1875). La paronymie avec *loupiat* «paresseux» (de ① *loupe*) a pu jouer un rôle.

LOUFOQUE adj., attesté depuis 1873, est la transformation de *fou** en largonji (1848, *louf-louf*), peut-être avec une finale empruntée à *phoque*.

♦ Le mot s'applique familièrement aux gens et aux choses pour «un peu fou», avec la nuance de «bizarre et amusant».

▶ Plus familièrement, on emploie **LOUF** et **LOUFTINGUE** adj. (1885), tiré de *louf* par suffixation argotique. ➔ Le dérivé **LOUFOQUERIE** n. f. «caractère, chose loufoque», est attesté depuis 1878-1879.

LOUIS n. m., nom de monnaie, est précisément attesté le 31 mars 1640 *(Recueil général des lois de France)*. ◇ Le mot est issu du nom de *Louis XIII* (1601-1643), roi de France qui fit frapper cette monnaie.

♦ *Un louis* désigne proprement une pièce d'or ou d'argent à l'effigie des rois de France (de Louis XIII à Louis XVI) et, par analogie, la pièce d'or de vingt francs à l'effigie de Napoléon (on dit aussi *napoléon*). ◇ Le mot est encore employé, bien qu'il ne désigne plus de monnaie ayant cours, en termes de jeux d'argent.

LOUKOUM n. m. est la forme abrégée (peut-être *lokoum* en 1853) et devenue plus courante de *rahat-loukoum* (1854, sous les deux formes chez Edmond About, *Grèce*). Le mot est emprunté au turc *rahat-lokum* (abrégé lui aussi en *lokum*), lui-même emprunté à l'arabe *rāḥat al-ḥulqūm* de même sens, littéralement «repos *(rāḥa)* du gosier *(ḥulqūm)*».

♦ Le mot désigne une confiserie orientale, pâte sucrée et parfumée.

✱ **LOUP** n. m. est issu, d'abord sous les formes *lu* (1080), *leu, lou,* puis avec un **p** étymologique, *loup* (1180), du latin *lupus*. Ce dernier remonte à une racine indoeuropéenne qui a plusieurs variantes, °*luk^wo-* d'où vient le grec *lukos* et le latin, °*wl^uk^wo* (d'où le germanique, cf. allemand *Wolf*, anglais *wolf*). *Lupus,* comme les mots de même origine, désigne un mammifère sauvage voisin du chien, et aussi par analogie un poisson vorace, des objets comparés aux crocs du loup : grappin, scie, mors. Il s'agit d'un mot fondamental du vocabulaire indoeuropéen, largement utilisé dans l'onomastique (grec *Lycurgue,* allemand *Wolfgang,* français *Loup, Leleu, Louvel,* etc.) et jouant un grand rôle dans les croyances (→ lupercal, lycanthrope) et proverbes populaires. La forme latine vient probablement de parlers osco-ombriens et serait, comme *bos* (→ bœuf) un de ces mots sabins introduits dans la langue de Rome.

♦ L'ancienne forme régulière *leu* a disparu au XVIe s. mais s'est maintenue dans l'expression *à la queue* leu leu* et dans les noms de lieux (*Saint-Leu*). La forme actuelle *loup* est probablement une forme dialectale de l'Ouest qui s'est imposée avec le concours du féminin *louve*. ◇ *Loup,* dès le XIIIe s., entre dans plusieurs proverbes et locutions tels ***regarder comme le loup blanc*** (1200, *comme blanc leu*) «comme une chose extraordinaire», ***entre chien et loup*** (1230, *chien et leu*) «le soir, au crépuscule» (quand on ne distingue pas un loup d'un chien). Beaucoup font allusion à la cruauté et à la voracité proverbiales de l'animal, tels ***la faim chasse le loup du bois*** (1317), ***tomber dans la gueule du loup*** (forme analogue avant 1467), ***avoir vu le loup*** (1599, souvent par allusion sexuelle). Les dictionnaires du XVIIe s. enregistrent le proverbe ***qui parle du loup en voit la queue*** (1606) et ses variantes; ***à pas de loup*** (1611, *en pas de loup*) «en marchant sans bruit» et ***enfermer le loup dans la bergerie*** avec le sens particulier de «fermer trop vite une plaie qui n'est guérie que superficiellement» (1680), sorti d'usage. ***Froid de loup*** «froid extrême» ne fait son entrée dans les dictionnaires qu'au XIXe s. (1835). ➔ Appliqué métaphoriquement (v. 1165) à un homme cruel et avide, *loup* entre aussi dans le syntagme ***loup de mer*** (1758) pour désigner un vieux marin expérimenté et bourru. ◇ Accompagné d'un adjectif possessif, il forme un appellatif affectueux (1890, *mon loup*) et, alors que le thème traditionnel de la peur du loup a décliné avec la disparition de l'animal, la notion de «danger» reste active dans ***jeune loup*** (1966).

Par analogie avec une caractéristique (physique, morale) du loup, le mot dénomme, seul ou le plus souvent dans un syntagme déterminé, quelques espèces animales ou végétales. Dès le XIIe s., il est attesté dans **LOUP-CERVIER** n. m. (XIVe s.; 1113, au féminin *leue cervière*), proprement «loup qui attaque les cerfs» qui désigne le lynx, et dans **LOUP-GAROU** n. m., sous la forme *leu warou* puis (XIIIe s.) *leu garroul*. Ce dernier réalise un renforcement pléonastique puisque *garou* lui-même signifie «homme-loup», conformément au francique °*wariwulf* dont il est issu. ◇ Employé seul, *loup* désigne — comme en latin — un poisson vorace (1453), un phoque (1705). ◆ Le mot entre aussi dans des syntagmes désignant des plantes : ancien français *herbe aux loups* «aconit», moyen français *herbe de loup*, et aussi **VESSE-DE-LOUP** n. f. (1530), **GUEULE-DE-LOUP** n. f. (1809), allusion à la forme des fleurs → lupin.

Dès le XIIIe s., le mot a développé plusieurs emplois métaphoriques et métonymiques : si les anciens sens de «chancre» (on dit aujourd'hui *lupus*) et «grappin de guerre» pris au latin, ont disparu, certains subsistent : ainsi, *loup* désigne un masque carré de velours noir que les femmes portaient autrefois pour se préserver du hâle (1680) puis un demi-masque de mascarade (1859). ◆ Plus techniquement, il se réfère à une défectuosité dans un ouvrage (1832), d'où l'expression *faire un loup* (1835) «rater une pièce» (cf. *louper*, à ① *loupe*), dénomme une machine employée pour le cardage de la laine (XVIIIe s.) et une forte pince pour ôter les clous (XIXe s.).

▶ Le féminin de *loup*, **LOUVE** n. f. (XVe s. ; 1175, *love* et *lue*) est issu du latin *lupa* dont le sens figuré de «prostituée» a précédé celui de «femelle du loup» : dans ce dernier sens, les Latins disaient *lupus femina*, mais, le caractère de lubricité étant attribué seulement à la femelle, le besoin s'est fait sentir de créer une forme spéciale en ce sens. L'identité des deux sens était certaine pour les Romains, et Messaline, lors de ses débauches, prenait le surnom grec de *Lycisca* «la (chienne)-louve». Ce sens figuré est attesté en français dès 1265, cependant après le sens propre «femelle du loup», mais il s'est éteint dans la seconde moitié du XVIIIe s. ; l'emprunt *lupanar** en garde le témoignage. ◆ *Louve* a développé quelques sens analogiques irréductibles à ceux de *loup*, mais tout aussi techniques : il désigne un outil de fer utilisé pour le levage des pierres (v. 1460), un filet de pêche (1680), un manchon de gouvernail.

Si l'on excepte **LOUPIOT** n. m. (1875), désignation populaire de l'enfant créée sur le terme d'affection *loup*, la totalité des dérivés procède morphologiquement, mais non sémantiquement, du type féminin *louve*. ◆ Dès le XIIIe s., **LOUVET** n. m. désigne le petit de l'animal ; supplanté en ce sens par un autre diminutif, il est repris comme adjectif de couleur (1640), qualifiant la robe d'un cheval jaunâtre mêlée de noir, analogue à celle du loup. ◆ **LOUVETEAU** n. m., dérivé (1331) de *louvet*, s'est imposé comme le nom courant du petit loup, éliminant également l'ancien français *lovel* (1174-1177). ◇ Au XIXe s., il a fourni une appellation figurée du fils d'un franc-maçon (1840), puis a désigné un apprenti (1907), avant de devenir le nom d'un jeune scout de moins de onze ans (1931). ◆ C'est aussi de *louvet* que dérive **LOUVETERIE** n. f., d'abord *lovetrie* (v. 1250), au sens ancien de «tanière d'une louve». ◇ Par l'intermédiaire du moyen français *loveteur* (1394), nom d'un officier de la maison du Roi chargé de la destruction des loups, lui-même remplacé par **LOUVETIER** n. m. (1413), *louveterie* désigne depuis le XVIe s. la chasse au loup (1583-1585) et, par métonymie (dès 1513), l'équipage utilisé pour celle-ci. ◆ **LOUVAT** n. m., attesté au XIVe s. sous la forme *lovat* puis aussi sous les variantes *louvard* (1778) et *louvart*, désigne non le petit du loup, mais le jeune loup. ◆ **LOUVETER** v. (XVIe s.) exprime l'action de la louve qui met bas. Au XIXe s. (1845), sous l'influence d'un sens technique de *loup*, il est passé dans le langage des ouvriers du textile, décrivant une action précédant celle du cardage de la laine et produisant **LOUVETEUR, EUSE** n. (1845) et **LOUVETAGE** n. m. (1877). ◆ Le préfixé **ALLOUVI, IE,** ou **ALOUVI, IE** adj. (1342), mot rare après le XVIIIe s. pour décrire une personne animée d'une faim de loup ou, au figuré, d'une passion dévorante, a produit **ALLOUVIR, ALOUVIR** v. enregistré en 1660 au pronominal pour «s'affamer», et qui ne subsiste de nos jours que dans les dialectes ou le style littéraire. ◆ Enfin, le nom propre *Louvre* signifie à l'origine «lieu où il y a des loups».

LUPUS n. m. représente l'emprunt (v. 1370) du latin *lupus* pris dans sa spécialisation médicale, à époque médiévale (av. 916), de «maladie cutanée chronique» en raison du caractère dévastateur et envahissant de cette maladie. Cf. l'image de *cancer, chancre*. ◇ Le mot, rare avant 1826, a produit quelques dérivés didactiques en médecine : **LUPIQUE** adj. (1896), **LUPOÏDE** adj. (1925), **LUPOME** n. m. (1931).

◈ voir LUPANAR, LUPERCAL, LUPIN ; (du grec) LYCANTHROPE, LYCÉE.

✳ ① **LOUPE** n. f. est d'origine incertaine, peut-être issu (1328) d'un radical *lopp-* créé en français pour désigner un morceau informe qui pend lâchement (dans *faire la loupe* «tirer la langue», *Roman de Renart*, 1180). On a aussi proposé, en s'appuyant sur le rhénan *luppe* «morceau», un francique °*luppa* «grosse masse informe d'une matière caillée», lequel appartiendrait, selon P. Guiraud, à une «structure onomatopéique» *lipp-, lopp-, lapp-*.

♦ *Loupe* désigne d'abord une pierre précieuse présentant un défaut ; par une extension métonymique, il dénomme un défaut dans une masse de métal (1358) et une masse de fer que l'on passe au marteau (1450). Il s'est spécialisé en pathologie (1549) à propos d'un kyste sébacé indolore (souvent au niveau de la tête) et, par analogie, désigne (1685) une excroissance ligneuse sur certains arbres. ◆ Le sens aujourd'hui courant, «instrument d'optique», apparu le dernier (1680), par une analogie de forme (bombement) analogue à celle de *lentille**, donne lieu à des expressions métaphoriques comme ***regarder à la loupe*** «dans le détail».

▶ En sont issus les dérivés techniques **LOUPEUX, EUSE** adj. (1690) et **LOUPEUR** n. m. (1879) en arboriculture.

Dès le XIIIe s., on relève un verbe argotique ① **LOUPER** «se livrer à la boisson, manger goulûment», que l'on ramène généralement à la même structure onomatopéique que *loupe*, voire à *loupe* au sens ancien de «langue». Par extension, ce verbe, qui a disparu au sens initial, a pris la valeur argotique de «paresser, fainéanter» (1838) et produit ① **LOUPEUR** n. m. qui signifie d'abord (1839) «bambocheur» puis «paresseux» (1843), **LOUPIAT** n. m. (1866) «paresseux, flâneur», ainsi que le déverbal ② **LOUPE** n. f. (1842) «fainéantise», tous mots aujourd'hui disparus.

Quant au verbe familier et moderne ② **LOUPER** v. tr. «mal exécuter un travail», d'abord relevé dans l'argot des typographes (1835), P. Guiraud propose de le comprendre d'après *loupe* «morceau», le travail mal fait étant entendu comme «bosselé, irrégulier»; il a dû s'y greffer une influence de l'ancien verbe ① *louper* avec l'idée de paresse. Cependant, une autre hypothèse le rattache plutôt à *loup**, pris avec son sens figuré de «pièce mal faite, ratage». ◇ À partir du sens de «mal faire», *louper* aurait pris le sens général de «manquer, rater», y compris «laisser échapper» (1915). ➛ En sont issus **LOUPÉ, ÉE** adj. (XXe s.), ② **LOUPEUR** n. m. (1920) et **LOUPAGE** n. m. (1920).

Moins claire est l'étymologie de **LOUPIOTTE** n. f., d'abord employé par les poilus à propos d'une bougie (1915) et d'une fusée éclairante (1916), puis répandu dans la langue familière en parlant d'une lampe qui éclaire modestement (1918). Si certains n'excluent pas un rattachement à *loupe* «instrument d'optique», on ramène généralement ce mot à un autre emploi de *loupe* qui serait attesté en poitevin au sens «chandelle de résine», en 1867. L'origine dialectale d'un mot attesté d'abord parmi les fantassins réunis en 1914 est très plausible.

◈ voir **LOPIN**.

◈ **LOURD, LOURDE** adj., à la différence de son antonyme *léger,* est d'origine incertaine et d'évolution sémantique complexe. Le terme latin signifiant «lourd» étant *gravis* (→ grave), on est amené à supposer pour *lourd* (v. 1165, *lorz*) un latin populaire °*lurdus,* attesté dans les gloses de Rhaban et traduit par *fûl* «pourri, gâté» (cf. anglais *foul*). Ce mot serait l'altération du latin classique *luridus* «jaune pâle, blême», «qui rend livide» (anglais *lurid,* ancien provençal *lur* «sale», italien *lordo* à côté de *lurido* «sale»), dérivé de *luror* «teint blême ou jaunâtre», mot ayant trait à la bile et sans étymologie connue. Cependant, l'évolution qui mènerait au sens initial de *lourd* «abasourdi, endormi, pataud» est peu naturelle, sauf à supposer le sens intermédiaire de «pris de vertige, troublé» d'où «maladroit, pataud», sur la base du sens dialectal (wallon, périgourdin, suisse) de *lourd* «atteint du tournis». En revanche, l'hypothèse sémantique de P. Guiraud, qui propose une dérivation du latin *lura* «outre» par un adjectif °*luridus* «gonflé comme une outre», soulève des problèmes formels.

♦ Le sens probablement étymologique de «grossier, massif» s'est maintenu dans un certain nombre d'emplois, au physique comme au moral. *Lourd* qualifie une personne stupide, niaise (XIIe s.), maladroite (XVe s.), lente intellectuellement (1530) et, aux XVIe-XVIIe s., rustre, sans éducation (1530). ◇ Ultérieurement, il est employé pour caractériser au physique un visage sans finesse (1758), un corps trapu et sans grâce (1873). Appliqué à un nom de chose, il correspond jusqu'au XVIIe s. à «mal conçu, grossier» (1530) avant de glisser vers une appréciation esthétique, dans la critique d'un style littéraire (1522), pictural, architectural (1762). ◇ Il entre dans l'expression juridique *lourde faute* (1559) «faute grave». Il semble que l'expression ***avoir la main lourde*** (XIVe s.) «frapper fort», puis surtout au figuré «donner plus de marchandise qu'il n'en faut» (1866), procède du sens historiquement premier de «rude».

Par l'intermédiaire d'une valeur figurée, «difficile à supporter en raison de sa massiveté, de son importance» (v. 1278), le mot a progressivement développé le sens courant concret de «pesant» au XVIe s., d'abord en qualifiant des choses difficiles à transporter en raison de leur poids. Il a supplanté *grave* et a fourni un mot plus usuel et général que *pesant,* suscitant de nombreux emplois particuliers, surtout à partir du XIXe s. dans *artillerie lourde* (1863, d'où absolument *la lourde,* 1916), *industrie lourde,* ***poids lourd*** (1910) spécialisé pour désigner un camion automobile, *eau lourde, hydrogène lourd* en chimie. Par analogie, il s'emploie en économie dans *produits lourds, investissements lourds* (1973) qui caractérisent l'importance des moyens mis en œuvre. ◇ Accompagné d'un complément de détermination introduit par *de,* il revêt le sens de «chargé, lesté», au propre (1884) et au figuré (déb XXe s.). ➛ Le sens de base s'accompagne souvent d'une valeur dépréciative, diversement sensible, par exemple dans ***terre lourde*** (1690) et ***piste lourde*** (1873, en turf puis en sport). ◇ Si l'on excepte *sommeil lourd* (1575) qui semble surtout motivé par l'opposition à *sommeil léger,* plusieurs emplois tournent autour de l'idée plus abstraite de «pénible, difficile à exécuter» (1690), voire (1810) «oppressant, accablant», en parlant du temps, de l'atmosphère. Il n'est alors pas toujours possible de distinguer ce qui participe du sens de «pesant» et ce qui est dû à l'influence de la valeur plus ancienne, «massif, maladroit». Un emploi familier et récent correspond à «pénible, laid ou bête». ➛ L'usage adverbial du mot se limite à quelques emplois : *il fait lourd* (qui correspond pour l'adjectif à *un temps lourd*) et, familièrement, avec une idée d'«importance quantitative», ***ne pas en faire lourd*** (1901).

▸ **LOURDEMENT** adv. (v. 1185) a suivi l'évolution de l'adjectif : d'abord synonyme de «maladroitement, gauchement» et, en art, «grossièrement» (1538), il a commencé à s'employer concrètement pour «pesamment», en décrivant la démarche de qqn (1549), et a développé une valeur figurée. ➛ **LOURDAUD, AUDE** adj. (v. 1445, *lourdault*) est issu par changement de suffixe de l'ancien diminutif de *lourd, lourdel* (XIIIe s., *lordel*) «niais», et procède tout entier du sens de «maladroit, gauche», physiquement et (1530) intellectuellement. Il est aussi substantivé. ◇ Ses dérivés anciens ne se sont pas maintenus, évincés par les noms de qualité dérivés de *lourd* que sont **LOURDERIE** n. f. (1512), **LOURDISE** n. f. (XVIe s.) et **LOURDETÉ** n. f. (XVIe s.), eux-mêmes archaïques et inusités de nos jours. ➛ **LOURDE** n. f. est le féminin substantivé (1628) de l'adjectif pris comme désignation de la porte. Plutôt qu'au poids de la porte, il ferait allusion au fait que cette dernière exclut avec brutalité les intrus ; on a pu aussi y voir une trace du sens dialectal de *lourd,* «qui a le tournis», par allusion au fait que la porte tourne sur ses gonds. ◇ Passé dans l'usage populaire au XIXe s., il a produit le verbe **LOURDER** v. tr. «mettre à la porte, licencier» (XXe s.), homo-

nyme du moyen français *se lourder* «faire des bêtises» (XVIe s.). ◆ **LOURDEUR** n. f. (1765), qui correspond à la fois à la grossièreté dans l'expression, à la pesanteur et (1835), au manque d'élégance dans le dessin, est étonnamment tardif. ◆ **LOURDINGUE** adj., avec une terminaison argotique (v. 1940), enchérit sur *lourd* «pesant», en particulier à propos d'aliments, au concret, et de l'esprit, à l'abstrait.
Le préfixé **ALOURDIR** v. tr. (fin XIIe s.) semble être rare jusqu'au XVIIe s.; il correspond aux divers sens de l'adjectif: «rendre gauche, niais», «rendre plus pesant», «rendre une démarche plus lente», «un dessin moins élégant». ◆ Il a produit **ALOURDISSEMENT** n. m. (XVe s.).

◈ voir **BALOURD**.

LOUSTIC n. m. a été emprunté à deux reprises à l'allemand *lustig* «gai, joyeux, amusant» qui se rattache à la même racine indoeuropéenne populaire que le latin *lascivus* (→ lascif), le grec *lilaiomai* «je désire vivement», le vieux slave *laska* «flatterie», le sanskrit *lásati* «il joue».

♦ Le mot a d'abord été introduit en français au XVIIIe s. (1759, *loustig*; 1764, *loustic*) par les régiments suisses de l'ancienne monarchie française. Le *loustic* était le bouffon du régiment chargé de distraire les soldats menacés du mal du pays. Par extension, le mot a pris le sens de boute-en-train, dans une caserne (1834) et dès le XVIIIe s. (1764), il est entré dans l'usage courant au sens de «personne qui a pour rôle d'amuser une société par ses plaisanteries»; il s'est appliqué ensuite à tout individu facétieux (v. 1832). De nos jours, la méconnaissance de son étymologie le fait souvent employer avec une valeur péjorative, ***un drôle de loustic*** étant l'équivalent de *drôle de type*. ◆ *Loustic* a été emprunté une seconde fois à l'allemand *lustig* comme adjectif en 1862 au sens de «plaisant, enjoué» par les régions de France frontalières des Pays-Bas et de l'Allemagne; cependant, dans cet emploi, il est régional et aujourd'hui quasiment inusité.

LOUTRE n. f., d'abord *lutre* (v. 1112), est issu du latin *lutra* de même sens, mot qui serait issu du croisement d'un °*udra*, — à rapprocher du sanskrit *udrah*, de l'ancien haut allemand *ottar* — avec *lutum* «boue», à cause de l'habitat de l'animal. Le maintien du *-t-* dans le mot actuel s'explique probablement par l'influence du mot francique correspondant à l'ancien haut allemand *ottar, otter*, influence confirmée par le genre masculin de *loutre* dans les premiers textes. La forme *loirre*, également attestée (1174) à côté de l'ancien type régulier *leurre* (1290), provient d'un °*lutria* qui s'expliquerait par un croisement entre *lutra* et le grec *enubris, -ibos* (l'influence grecque s'étant fait jour à travers les dialectes italiens).

♦ *Loutre*, nom d'un mammifère bon nageur, est employé par métonymie pour désigner sa fourrure très prisée (1260).

► C'est la recherche de la fourrure de la loutre qui est à l'origine du dérivé **LOUTRIER** n. m. (v. 1330, après *lotrier*, XIIIe s.), aujourd'hui vieilli.

LOUVE → LOUP

LOUVOYER → LOF

LOVER v. tr. est un emprunt tardif du vocabulaire de la marine (1678) au bas allemand *lofen* «tourner», lui-même dérivé de *luven* «aller au lof», de la même famille que le français *lof**.

♦ Employé au sens de «ramasser en rond (un cordage, un câble)», et par extension «plier (une ligne de pêche) en spirale pour éviter qu'elle s'emmêle», le mot est entré dans l'usage général à la forme pronominale *se lover*, «s'enrouler sur soi-même» (1772).

► Il a produit **LOVEUR** n. m. (1867, *Littré*), d'usage technique tout comme **DÉLOVER** v. tr. (1845) et **LOVEMENT** n. m. (XXe s.), rarement employés.

LOYAL, ALE, AUX adj., d'abord *leial* (1080), est issu par évolution phonétique du latin *legalis* «conforme à la loi» qui, par emprunt, a donné *légal**.

♦ *Loyal* apparaît avec le sens de «qui a le sens de l'honneur, de la probité», dans le contexte des valeurs de la chevalerie. Rare au XVIIe s., où il relève du style burlesque, il a été repris fin XVIIIe s., fixant définitivement la distinction sémantique *loyal-légal*. ◇ Son ancien sens juridique attesté dès le XIIe s. (1188-1189) est réservé depuis à *légal*, mais survit dans quelques expressions du droit commercial. ◇ Par extension du sens psychologique, le mot a été repris à propos d'un cheval docile (1678). ◇ Le sens politique de «légitimiste» (1827, Chateaubriand), emprunt sémantique à l'anglais *loyal* (1531) [→ loyaliste], n'a pas vécu. ◇ La locution adverbiale ***à la loyale*** «sans tricher», de connotation populaire et faubourienne ***(se battre à la loyale)***, est attestée en 1926.

► Tous les dérivés sont apparus au XIIe s. dans le vocabulaire de la chevalerie : **LOYAUTÉ** n. f., sous les formes *loiauté* (1080), *léauté, lealted*, désigne la qualité et le comportement d'une personne loyale. **LOYALEMENT** adv. (v. 1160) correspond au sens initial et psychologique de *loyal*. ◆ Une série antonymique en *dé-* date également du XIIe siècle. **DÉLOYAL, ALE, AUX** adj. (v. 1175, *desleal* refait d'après *loyal* au XVe s.), d'où **DÉLOYALEMENT** adv. (1170, *desleialment* puis *desloiaument*) et **DÉLOYAUTÉ** n. f. (XIIe s., *deslauté*, refait en *déloyauté*, XIVe s.) correspondent au sens psychologique de *loyal* et concernent une attitude sans honneur, sans probité. Comme *loyal* et ses dérivés, ces mots sont d'usage soutenu et noble.
LOYALISTE adj. et n. est emprunté (1701) à l'anglais *loyalist* «celui qui est loyal, partisan du souverain ou de l'autorité établie» (peu après 1650). Celui-ci est dérivé de l'adjectif *loyal* «fidèle», en particulier «fidèle dans l'allégeance au souverain», lui-même emprunté (XVIe s.) au français *loyal*. Le dérivé *loyalism* «principes, action d'un loyaliste, fidélité au souverain ou au gouvernement» est répertorié par les dictionnaires depuis 1837. ◆ Le mot, ainsi que **LOYALISME** n. m. (1839), a d'abord été employé exclusivement à propos de l'Angleterre et des États-Unis. Puis, les deux mots ont pris un sens plus général (1869), *loyalisme* en venant à

désigner un dévouement à une cause quelle qu'elle soit (politique ou non), reprenant une partie des emplois de *loyauté*.

LOYER n. m., sous les formes *luer* (1080), *loier* (1160), avant *loyer* (v. 1300), est issu par évolution phonétique du latin *locarium* «prix d'un emplacement», dérivé de *locare* (→ louer).

♦ Le mot est apparu avec le sens figuré de «salaire, récompense d'une chose», aujourd'hui vieilli en dehors de quelques emplois littéraires, de même que celui de «salaire pour des travaux, des services». Le sens propre (1266) «prix de louage d'une chose» (en droit commercial) a vieilli sous la concurrence de *location* mais reste courant à propos de la redevance pour l'usage temporel d'un local.
Le syntagme *habitation à loyer modéré* a donné le sigle *H. L. M.* (→ habiter).

L. S. D. n. m. est un emprunt (v. 1960) à l'anglo-américain *LSD* (v. 1950), lui-même emprunté à l'allemand. C'est l'abréviation de *Lyserg Säure Diäthylamid* «acide lysergique diéthylamide», nom d'un produit synthétisé en 1938 à partir de la diéthylamide et de l'acide d-lysergique par les chercheurs des laboratoires Sandoz (Bâle) qui travaillaient sur les alcaloïdes de l'ergot de seigle et qui appelèrent LSD 25 ce vingt-cinquième composé d'une série de 27. L'un de ces chercheurs, Albert Hofmann, découvrit par accident en 1943 les propriétés psychotropiques du L. S. D. Celui-ci fut alors étudié dans plusieurs pays, notamment en France par J. Delay et Ph. Benda (1958), mais c'est la vogue du L. S. D., utilisé comme drogue aux États-Unis à partir de 1960, qui introduisit le mot en français.

♦ Le mot, écrit avec ou sans points (LSD est plus récent), désigne une substance hallucinogène tirée d'alcaloïdes présents dans l'ergot de seigle.

▸ On a construit quelques dérivés assez instables, comme **LSDIQUE** adj. (1967), **LSDISÉ, ÉE** adj. (1969), *élesdéique* adj. (1969), *LSD-party* n. f. (1969).

LUBIE n. f., attesté pour la première fois en 1636, est d'origine incertaine : il s'agit peut-être d'une création savante (dans le langage des collèges) à partir du verbe impersonnel latin *libet, lubet* «il plaît, il est permis de» (→ quolibet, libidineux), avec une finale *-ie* sous l'influence de *fantaisie, envie*, etc., qui serait à rapprocher de l'ancien français *lubauwe, lubave* «fantaisie, bizarrerie» (1270). Selon une autre hypothèse, *lubie* serait emprunté à l'italien *ubbia* «préjugé» (XIVe s.) avec agglutination de l'article défini *l'*. Enfin, pour P. Guiraud, il se rattacherait au moyen français *hubir* «croître» et au figuré «se réjouir», considéré par Wartburg comme d'origine francique. Ce verbe, qui a aussi signifié «résister contre une contrainte», aurait pu donner lieu à un dérivé °*hubie*, corrompu en *lubie* par agglutination de l'article.

♦ Le mot a désigné une forme de trouble, d'embarras, avant d'indiquer (1642) une fantaisie soudaine et passagère, sens où il est demeuré usuel.

LUBRIFIER v. tr. est une formation savante (1363) sur l'élément *lubri-* tiré du latin *lubricus* (→ lubrique) pris avec son sens propre de «glissant», et sur *-fier*, représentant du latin *-ficare* (→ faire).

♦ Le mot est employé dès l'origine dans le vocabulaire médical au sens de «rendre glissant, oindre (un organe)»; au XIXe s., il a développé un emploi technique en parlant d'un mécanisme (1861).

▸ Son participe présent **LUBRIFIANT, ANTE** est employé comme adjectif depuis 1874 et comme nom masculin depuis 1890 (par ellipse de *produit*). ◆ Par préfixation, il a donné lieu à **AUTOLUBRIFIANT** (déb. XXe s.). ◆ Au XIXe s., le verbe a aussi produit **LUBRIFICATION** n. f. (1842) — dont la variante **LUBRIFACTION** (1877, *Supplément de Littré*) est sortie d'usage —, et **LUBRIFICATEUR, TRICE** adj. et n. m. (1890) tous deux techniques.

LUBRIQUE adj. est emprunté (1450, *lubricque*) au latin *lubricus* «glissant», «qui s'échappe, mal assuré», mot probablement expressif, mais d'origine obscure, qui a développé le sens figuré d'«incertain, dangereux» à basse époque et, par l'idée de «tomber dans le péché», le sens spécial d'«impudique, lascif» chez les auteurs chrétiens. Seule cette valeur sexuelle est passée en français.

♦ *Lubrique*, et avant lui le type populaire *lubre*, a repris la polysémie du mot latin avant que l'usage moderne n'impose au cours du XVIIe s. sa restriction au sens de «paillard» (apparue dès 1450).

▸ Il a pour dérivé **LUBRIQUEMENT** adv. (v. 1360), d'abord «d'une manière équivoque», puis (XVe s.) «d'une façon lubrique». ◆ Le nom correspondant **LUBRICITÉ** n. f. est un emprunt (v. 1370) au dérivé bas latin *lubricitas* «nature glissante, inconstance», puis «impudicité» (1283). D'usage plus didactique que l'adjectif, il fait aussi l'objet d'emplois plaisants au sens de «penchant paillard» et, concrètement, «action luxurieuse» (fin XVIe s.).

◈ voir **LUBRIFIER**.

LUCANE n. m. est emprunté (1789) au latin scientifique *lucanus* de même sens (1735, Linné), lui-même emprunté au latin *lucanus*, leçon fautive pour *lucauus* «sorte de scarabée», mot attesté chez Pline.

♦ Le mot fournit le nom scientifique d'un insecte appelé communément *cerf-volant*.

LUCARNE n. f., d'abord *lucanne* (1261) dans un contexte latin puis *luquarme* (1335), est issu d'un francique °*lukinna* «ouverture pratiquée sur le toit d'une maison». Ce mot est un dérivé en *-inna* de °*luk*, mot que permettent de postuler le néerlandais *luik* «trappe, contrevent, volet» et le moyen bas allemand *luke* «hublot, lucarne» (allemand *Luke*). Le maintien du *k* en français révèle une introduction assez tardive. La forme initiale *lucanne* a persisté jusqu'au XVe s. et est conservée par certains dialectes; la forme moderne (1531) est due au croisement avec les représentants français du latin *lucerna* «lampe» et «lucarne» à époque médiévale, notamment l'ancien français *luiserne* «flambeau, lumière» (→ luzerne).

♦ *Lucarne*, «petite fenêtre dans le toit», désigne aussi par analogie (1813) une ouverture pratiquée dans un mur, une paroi ; il a donné (1840) un emploi métaphorique avec l'idée d'«ouverture restreinte» et un sens technique en horlogerie où il désigne (1893) une ouverture dans le cadran d'une pendule. ◇ Il est passé récemment (v. 1965) dans le vocabulaire des sports pour désigner chacun des angles supérieurs formés par les poteaux des buts (au football).

▸ Le nom de **LUCARNEAU** ou **LUCARNON** n. m. a été donné à une petite lucarne (v. 1902).

LUCIDE adj. est emprunté (1478) au latin *lucidus* «clair, brillant, lumineux», au figuré «manifeste, évident» dérivé de *lux, lucis* «lumière». *Lux* est un nom racine de genre animé désignant la lumière considérée comme une activité, une force agissante et divinisée. Différent de *lumen* (→ lumière) auquel il est apparenté, il s'est appliqué à la lumière du jour et au jour lui-même (→ luire). Au centre d'une importante famille (→ élucubrer, lune, lustrer), il se rattache à la racine indoeuropéenne *°leuk-* «briller» et correspond au vieux slave *lŭči* «lumière», à l'irlandais *lóche* «éclair», au vieil islandais *loge* «flamme», à l'arménien *loys* «lumière». Cette racine est aussi présente en grec (→ lumignon, lynx).

♦ Le sens concret de «lumineux» a décliné au profit du sens figuré qui se fait jour avant 1690, quand Furetière parle des *intervalles lucides* (des furieux) comme d'une expression en usage au Palais de justice (supplantée depuis par des *moments de lucidité*) : c'est déjà presque l'acception médicale du mot qui se développera vers 1848, en opposition à *délirant*. ◆ Le sens général et psychologique, «qui manifeste une clarté d'esprit» apparaît (1785) à propos d'un raisonnement, pour être appliqué un peu plus tard à une personne (1825). ◆ La spécialisation en parapsychologie (*somnambule lucide*, 1832) ne s'est pas implantée, évincée par le composé *extralucide* (→ ci-dessous).

▸ *Lucide* a produit **LUCIDEMENT** adv., attesté une fois au XVe s. au sens isolé de «nettement» et repris en 1834 avec sa signification moderne. ◆ Le nom correspondant **LUCIDITÉ** n. f., dérivé de *lucide* d'après le bas latin *luciditas* «clarté, splendeur», a suivi une évolution analogue : il est passé du sens premier, «aspect brillant» (1478), d'où par métaphore «gloire», aux sens figurés modernes (XVIIIe s. d'un raisonnement, d'une idée, et XIXe s. d'une personne). ◇ Son usage au sens de «voyance» (d'un médium, d'un somnambule, 1867) a décliné.

EXTRA-LUCIDE adj., formé (1857) sur l'augmentatif *extra-*, signifie d'abord simplement «très lucide», avant de s'appliquer couramment à une voyante prédisant l'avenir (sens spécial de *lucide*) d'où (1897, Courteline) *une extra-lucide*.

◈ voir ÉLUCIDER, LUCIFÉRIEN, LUCIOLE, LUIRE, TRANSLUCIDE.

LUCIFÉRIEN, IENNE adj. est dérivé, au moyen du suffixe *-ien* (1740-1755) de *Lucifer* (1288), nom du prince des démons dans la tradition chrétienne. Celui-ci est emprunté au latin *Lucifer*, substantivation d'un adjectif signifiant «qui apporte la lumière, qui donne de la clarté», composé de *luci-*, élément tiré de *lux* «lumière» (→ lucide) et de *-fer*, issu de *ferre* «porter» (→ -fère). *Lucifer* a d'abord dénommé la planète Vénus — parfois nommée *étoile du matin* —, puis le chef des démons déchu du ciel. Cette appellation, attestée chez les Pères de l'Église à partir du Ve s., repose sur une interprétation du passage d'Isaïe (14, 12) où ce nom est donné au roi de Babylone dont on prédit la chute. ◇ *Lucifer*, outre son emploi comme nom propre, a été un moment lexicalisé au sens de «personne insupportable, remuante» (1867) comme substitut plaisant de *diable, démon*. ◇ En outre, le moyen français a eu un adjectif *lucifer* «qui porte la lumière», repris au latin.

♦ *Luciférien* est quasiment synonyme de «diabolique, démoniaque», strictement et avec le sens extensif de «qui rappelle Lucifer, en est digne» (*orgueil luciférien*, 1740-1755). En emploi substantivé, il se rapporte au membre d'une secte qui rend un culte au démon.

LUCIOLE n. f., d'abord *lucciole* (1704), francisé en *luciole* (1723) est un emprunt à l'italien *lucciola* (1300, Dante), dérivé diminutif de *luce* «lumière» qui remonte au latin *lux, lucis*.

♦ Le mot désigne un coléoptère quelquefois confondu avec le *ver luisant* ou *lampyre* (du latin *lampyris* d'origine grecque).

LUCRE n. m. est emprunté (v. 1460) au latin *lucrum* «profit, avantage», souvent opposé à *damnum* (→ dam), d'où «amour du gain, avarice». Ce mot a donné l'ancien français *loir* «avoir; argent» (av. 1250) et l'ancien occitan *logre* «bénéfice, récompense, cadeau». On en rapproche, avec une alternance vocalique, l'irlandais *lóg, luag* et le vieil islandais *laun* «salaire».

♦ *Lucre*, rare avant le début du XVIIe s. (1615), est sorti d'usage au sens de «gain, profit»; il s'emploie encore avec le sens péjoratif de «profit plus ou moins licite recherché avec avidité» (1771) dans les expressions ***l'appât, la passion du lucre.***

▸ En revanche, l'adjectif correspondant, **LUCRATIF, IVE**, emprunté (v. 1278 comme nom) au dérivé latin *lucrativus* «qui procure un gain», est plus vivant, notamment en droit (1845), dans la formule juridique *association créée dans un but (non) lucratif*, et n'a pas la nuance péjorative attachée au nom. ◆ Son dérivé **LUCRATIVEMENT** adv. (1829) est peu employé.

LUCTUEUX → LUGUBRE

LUDIQUE adj. est le dérivé savant (av. 1910, Lalande) du latin *ludus* «jeu» (dont le *u* représente une ancienne diphtongue *-oi-* attestée par les formes épigraphiques *loidos, loedos*) qui pourrait être, comme pour d'autres termes latins ayant rapport au jeu (*persona, histrio*), un emprunt à l'étrusque. *Ludus* servait, notamment au pluriel *ludi*, à désigner les jeux de caractère officiel ou rituel donnés en l'honneur des morts, et plus généralement le jeu en acte, par opposition à *jocus* «jeu en paroles» (→ jeu). Il a été évincé par *jocus* qui a repris ses sens, probablement au moment de la disparition des jeux publics.

♦ Le mot a été introduit par le vocabulaire descriptif des sciences humaines, avant de se répandre dans l'usage courant, faute d'un adjectif dérivé de *jeu*. C'est devenu un mot à la mode, au moins dans les milieux cultivés.

► À la suite de *ludique* sont apparus **LUDISME** n. m. (1940, Sartre, *L'Imaginaire*), **LUDOTHÉRAPIE** n. f. (v. 1950), **LUDOTHÈQUE** n. f. (v. 1970) sur le modèle de biblio*thèque*, «collection de jeux, système de prêts de jeux», etc., et **LUDICIEL** n. m. (v. 1980), mot-valise formé de *lud(ique)* et *(log)iciel*. Le français possède (depuis 1787) un représentant d'un dérivé de *ludus* avec **LUDION** n. m. : celui-ci a curieusement repris le latin *ludio* «histrion, baladin», et «gladiateur» pour servir de dénomination à un appareil de physique lesté d'une figurine qui monte et descend comme une sorte de funambule. Il a donné lieu à des emplois métaphoriques dans ***faire le ludion, être un ludion,*** avec une valeur métaphorique proche de celle de *jouet*.

◈ voir **ALLUSION, COLLUSION, ÉLUDER, ILLUSION, INTERLUDE, PRÉLUDE.**

LUETTE n. f. est issu, avec agglutination de l'article défini (fin XIIIe s., *luete*) de l'ancien français *uete* (XIIIe s.) qui provient d'un latin populaire °*uvitta*, diminutif du latin classique *uva* «raisin» et, par analogie «luette», cet organe étant comparé à un petit grain de raisin (→ uvée).

♦ La luette, saillie charnue prolongeant le voile du palais, porte aussi le nom d'*uvule* (n. f.) (1314) dérivé d'un autre diminutif d'*uva*, le latin scientifique *uvula*.

► *Uvula* a servi à former **UVULAIRE** adj. (1735) «qui a rapport à la luette».

LUEUR n. f., d'abord *luur* (1119) puis *lueur* (1223), est issu du bas latin *lucor, lucoris* «éclat», nom correspondant à *lucere* (→ luire) de *lux* (→ lucide).

♦ Comme le mot latin, *lueur* exprimait en ancien français l'idée d'un éclat qui pouvait être très intense; il est employé (fin XIVe s.) au sens figuré de «splendeur». ◇ Depuis le XVIe s. (1585), il a pris son sens moderne de «lumière ténue, diffuse»; il lui arrive encore de désigner une lumière vive et durable, mais seulement lorsqu'il s'agit d'une lumière réfléchie et pour des raisons stylistiques ou en parlant de l'expression vive (mais éphémère) du regard. ◇ *Lueur* a pris (1668) le sens figuré de «trace, illumination soudaine et passagère» (négativement *pas la lueur de*); son pluriel partage avec celui de *lumière* le sens abstrait d'«intelligence, connaissances» (av. 1742, Massillon).

LUGE n. f., attesté en moyen français (1398), est un mot franco-provençal, suisse romand et savoyard, peut-être d'origine gauloise. Il serait issu d'un °*slodia* (attesté par le bas latin des gloses *sclodia*) du même groupe que l'allemand *Schlitten* «traîneau» et que l'anglais *to slide* «glisser». P. Guiraud, qui récuse cette origine, propose de rattacher *luge* au latin *lubricare* «glisser» (→ lubrique) par un substantif *lubrica* «glissante».

♦ Le mot conserve le sens de petit «traîneau servant au transport des charges» en Savoie et en Suisse romande. Le sens courant de «petit traîneau pour glisser sur la neige» (1537) s'est répandu à la fin du XIXe s. avec la vogue des sports d'hiver (*faire de la luge*, 1910).

► Il a produit **LUGER** v., d'abord au pronominal (1744), repris comme intransitif (1901), mot suisse romand et savoyard, d'où on a tiré **LUGEUR, EUSE** n. (1905).

LUGUBRE adj. est emprunté (v. 1300) au latin *lugubris* «de deuil, sinistre, plaintif», dérivé de *lugere* «se lamenter, être dans le deuil», puis généralement «pleurer (qqn, sur qqch.)». Ce dernier remonte très probablement, de même que le grec *lugros* «triste, digne de pitié», à une racine indoeuropéenne signifiant «briser», par allusion aux violentes manifestations rituelles du deuil. Cette racine est en effet représentée par le sanskrit *rujáti*, le lituanien *láužiu* «je brise», *lúžtu* «je me brise» et dans le latin *luxus* «disloqué» qui a donné en français *luxé* (→ luxer).

♦ *Lugubre* garde son sens propre, «qui a le caractère du deuil» (1300) dans l'usage littéraire, mais il est surtout courant au sens large de «qui marque ou inspire une profonde tristesse» (1666).

► Son seul dérivé est **LUGUBREMENT** adv. (1606).
◆ Un autre adjectif, **LUCTUEUX, EUSE** (XVe s.) a été emprunté au latin *luctuosus*, de *luctus* «deuil, chagrin, douleur», substantivation du participe passé de *lugere*, mais il est d'usage rare et spécialisé en médecine.

LUI pron. pers., attesté dans le premier texte roman sous la forme *li* (842), puis *lui* (v. 881), est issu d'un latin tardif *illúi*, réfection de *illi*, datif singulier du démonstratif latin *ille* (→ il, le) sous l'influence de *cui*, datif singulier du relatif *qui* (→ qui). *Illúi* a subi l'aphérèse de la première syllabe non accentuée — fait probablement antérieur à 271, date de la séparation de la Dacie, puisque le roumain a également *lui*. L'ancien *li*, pronom atone masculin et féminin régime indirect («à lui, de lui»), est issu avec le phénomène d'aphérèse de *illi*, datif singulier de *ille* (le pronom roumain qui lui correspond est *li*). À partir du XIIIe s., *lui* a remplacé de plus en plus souvent et dans tous ses emplois *li* masculin atone, et a fini par le supplanter complètement en moyen français.

♦ Tous les emplois modernes du mot existent déjà en ancien français, avant même le XIe siècle.

◈ voir **LEUR**, pron. pers.

LUIRE v. intr. est issu (1080) du latin *lucere*, dénominatif de *lux, lucis* «lumière» (→ lucide, lumière), qui signifie «briller» et, au figuré «être apparent, évident». La forme actuelle remonte à une forme altérée *lucĕre* (avec *e* bref), la forme *lucēre* ayant donné régulièrement l'ancien français *luisir* (1080), rapidement éliminé par son doublet savant.

♦ *Luire* exprime les idées de «briller de sa lumière propre» et de «réfléchir la lumière». ◇ Dès le XIIe s., il était employé au sens figuré de «se manifester avec éclat», sorti d'usage après le XVIIe s., sauf dans le style biblique. ◇ Cependant, il continue de signifier «apparaître, se manifester», dans quelques emplois, en particulier en parlant des yeux dans lesquels s'exprime un sentiment (1830).

► La dérivation se borne aux adjectifs tirés des participes, l'un avec un sens actif, **LUISANT, ANTE** comme dans ***ver luisant*** (av. 1577), l'autre avec un sens passif, *lui.* ◆ Le participe présent a fourni un substantif dénommant la qualité de ce qui est luisant (1676) et qui a évincé de l'usage courant **LUISANCE** n. f. (XVe s.), absent des textes entre le XVIIe s. et 1848, et repris par la langue poétique, puis archaïque. ◆ Le composé **ENTRE-LUIRE** v. intr. «luire très faiblement» (XVIe s., Du Bellay) est peu usité.

RELUIRE v. intr., apparu comme *luire* vers 1080, est emprunté au préfixé latin *relucere,* de *lucere,* adapté d'après *luire,* dont il est en français moderne le préfixé. Réservé au sens de «luire en réfléchissant la lumière», il empiète partiellement sur le verbe simple mais se dit particulièrement d'une chose soigneusement frottée et astiquée (d'où, la locution figurée moderne ***passer la brosse à reluire*** : «flatter»). ◆ Son ancien sens figuré, «se manifester avec éclat» (v. 1190), est, comme celui de *luire,* archaïque ; en revanche, il est réactivé dans le participe présent adjectivé **RELUISANT, ANTE** (déb. XIIe s.), fréquemment employé au sens figuré de «brillant, fameux» depuis le XIXe s., en tournure négative (*c'est pas reluisant,* 1908).

LUMBAGO n. m. est un emprunt de la langue des médecins (1776, peut-être 1756) au bas latin *lumbago* «faiblesse des reins», dérivé de *lumbus* «reins» (→ lombe).

♦ Le mot désigne une douleur musculaire au bas du dos, appellée familièrement *tour de reins.*

◈ voir ② LONGE, LUNCH.

LUMIÈRE n. f. ne remonte à aucun des deux noms du latin classique désignant la lumière, *lux* (→ lucide) et *lumen,* mais à un mot tardif du même groupe qui les a remplacés en héritant de leurs sens : il est issu (1080) de *luminaria,* neutre pluriel de *luminare,* nom et adjectif dérivé de *lumen* et qui a donné *luminaire**. *Luminaria,* d'abord employé pour les cierges, les flambeaux et les astres, est devenu féminin singulier en latin populaire et en latin d'Église au sens d'«éclairage, illumination», spécialement «cierge» et, au figuré «étoile, guide». Il a alors supplanté *lux* et *lumen* dont il a repris les sens : le premier, *lux,* nom racine de genre animé, désignait la lumière en tant que force agissante, parfois divinisée, notamment la lumière du jour. *Lux* survit dans les prénoms *Luce, Lucie, Lucien,* dont le sens est «qui est né(e) avant ou à la lumière du jour», le premier élément de *Lucifer**, ainsi que dans *lucide, luciole* et *luire.* Le second, *lumen,* analysable en *°leuk-s-men,* lui aussi de la racine *°leuk-* «briller éclairer», devait d'abord désigner une lumière d'éclairage, et au pluriel des lumières. Il était employé dans des acceptions techniques, comme terme d'éloge (de même que *lux*) à l'imitation du grec *phaos,* et son pluriel *lumina* désignait particulièrement les yeux (qui nous éclairent).

♦ Le premier sens attesté en français, celui de «fenêtre (laissant passer le jour)» semble avoir été inconnu du latin. Après avoir désigné en ancien français l'embouchure d'un cor (1080) et l'œillère d'un casque (v. 1228), le mot, dans cet emploi, s'est maintenu dans une série technique : on nomme *lumière* l'ouverture dans le canon d'une arme à feu (1475), dans un tuyau d'orgue (1680), dans un corps de pompe (1694), dans le fût d'un outil à corroyer le bois (1803), dans le cylindre d'une machine à vapeur (1873). ◆ Attesté au XIIe s., le sens beaucoup plus courant de «clarté, jour» est d'abord réalisé dans un contexte théologique avec la valeur figurée de «rayonnement divin, source de vérité» (v. 1120), dans des expressions comme *ange de lumière, fils de lumière, enfant de la lumière,* puis également avec sa valeur physique (v. 1176). ◇ Avant la fin du XIIIe s., le mot s'applique concrètement à une source de lumière artificielle, continuant d'abord le premier sens du latin *luminaria* dans le syntagme *lumière de cire* (v. 1225) «bougie», puis s'étendant à diverses lampes (1260) et, au XIXe s., à l'électricité, *lumière électrique** (1864 ; l'expression elle-même est plus ancienne : 1749, Nollet) désignant plutôt la clarté que la source lumineuse. ◆ Si le sens de «vue, yeux» (v. 1225) ne s'est répandu que dans le style précieux et poétique, la valeur figurée de «lucidité» (XIIIe s.), devenue archaïque, s'est prolongée d'une part sur la métonymie pour «personne d'un mérite éminent dans un certain domaine» (v. 1400), dans un contexte religieux puis, de nos jours, dans l'usage plaisant *(ce n'est pas une lumière !),* d'autre part sur le sens de «connaissance, capacité intellectuelle innée ou acquise» (1637). ◆ Cette dernière valeur, surtout au pluriel *les lumières* (1665), a acquis une acception philosophique (1761, Voltaire : *les lumières d'un siècle éclairé*) correspondant à l'*Aufklärung* allemand et à l'*Enlightenment* anglais. L'expression, ainsi que celle de *siècle des lumières* pour désigner le XVIIIe s., ou *philosophie des Lumières,* s'est imposée par référence au programme laïc des philosophes et hommes de science qui travaillaient selon l'expression employée par Descartes à la «seule lumière naturelle» (non plus théologique et surnaturelle).

► L'usage n'a pas retenu le composé **ENLUMIÈRER** v. tr. «rendre la vue à» (v. 1120), le dérivé **LUMIÈRETÉ** n. f. (1495) ni **CONTRE-LUMIÈRE** n. m., employé au XVIe s. au sens de «reflet». ◆ Le syntagme ***année de lumière*** (1877) «distance parcourue en une année par la lumière» a reçu une variante contestée avec **ANNÉE-LUMIÈRE** n. f. (1946) unité de distance astronomique. ◆ Le sens technique premier de *lumière* se maintient dans le terme d'artillerie **COUVRE-LUMIÈRE** n. m. (déb. XXe s.) en passe de sortir de l'usage.

◈ voir LUMIGNON, LUMINAIRE, LUMINEUX ; ALLUMER, ILLUMINER.

LUMIGNON n. m. est une variante de l'ancien *limignon* (1393), attesté dès le XIIe s. sous la forme *limeignon* (1165-1174) avec l'acception de «mèche de chandelle». Pour en arriver à celle-ci, il convient de retracer l'évolution à partir du latin populaire °*lucinium*, qui est passé en italien dans *lucignolo* «lumignon». Ce mot serait l'altération d'après *lux, lucis* «lumière» (→ lucide) du bas latin *licinium* (XIe s., glose), lequel serait une forme altérée du latin *ellychnium*, emprunt du grec *ellukhnion*. Ce dernier est le préfixé de *lukhnion* «lampe», dérivé de *lukh* «torche, lampe que l'on porte», lequel contient la racine indoeuropéenne °*leuk-* (→ lucide) avec un suffixe °*-sno*. Ce °*lucinium* aurait été refait en °*luminium* sous l'influence de *lumen* (→ lumière) — *lux* ayant disparu dans la France du Nord — et aurait donné un latin populaire °*luminio* dont *lumignon* représenterait l'accusatif °*luminionem*.

♦ *Lumignon* désigne le bout de mèche allumé d'une bougie ou d'une lampe à huile ; par extension, il se dit (1851) d'une lampe de faible intensité, le premier sens tendant à disparaître avec la diffusion de l'éclairage électrique.

LUMINAIRE n. m., apparu sous la forme plurielle *luminaries* (v. 1120), est emprunté au latin chrétien *luminare*, adjectif tiré de *lumen* «lumière» au sens de «qui éclaire, produit de la lumière», substantivé au sens d'«astre». Le latin chrétien employait surtout en ce sens le pluriel *luminaria* (→ lumière), ce qui explique la forme *luminaries*.

♦ *Luminaire* a d'abord signifié «astre», sens qui ne s'est conservé que par allusion biblique (spécialement pour le soleil et la lune). Depuis le XIIe s. (1176), il désigne l'ensemble des lumières servant à l'éclairage, tant dans l'usage courant qu'en liturgie, à propos des sources d'éclairage dans une église lors d'une cérémonie *(le luminaire)* et des sources artificielles de lumière *(un, des luminaires)*. ◇ Comme *lumière*, le mot a connu le sens figuré d'«yeux», vivant au XVIIe s. dans l'usage des précieux.

▸ Son dérivé **LUMINARISTE** n. (1859) est un terme d'histoire de l'art qui désigne un peintre attaché à rendre des effets de lumière ; on dit aussi **LUMINISTE**, ce dernier formé sur le latin *lumen* (v. 1877). ◇ Dans l'argot ancien du théâtre, *luminariste* désignait un allumeur de lampes (1867).

LUMINEUX, EUSE adj. est un emprunt (v. 1278) au latin *luminosus* «brillant, remarquable», et dans les textes chrétiens «clair, source de lumière», dérivé de *lumen* (→ lumière).

♦ Le mot qualifie ce qui répand de la lumière et, métaphoriquement, ce qui répand la vérité dans l'esprit ; il a éliminé l'ancien adjectif *lumiéreux*, formé sur *lumière*, et a développé progressivement un sens figuré (1486). Il est spécialement employé en optique (1801) au sens de «qui appartient à la nature de la lumière» *(rayons lumineux)*. ◇ Par ellipse d'un syntagme comme *voyant lumineux*, il est substantivé au masculin pour désigner le dispositif lumineux fixé sur le toit d'un taxi (appelé familièrement *bidule*).

▸ *Lumineux* a produit **LUMINOSITÉ** n. f. (v. 1200), de formation savante et de sens exclusivement physique ainsi que **LUMINEUSEMENT** adv. (1470), surtout employé au figuré. ◆ Le latin *lumen* ou le radical de *lumineux* ont servi à former quelques termes d'usage didactique (optique, physique) au XIXe et au XXe s., tels **LUMINESCENT, ENTE** adj. (1897), et **LUMINESCENCE** n. f. (1895), créé d'après *phosphorescence* pour désigner une émission de lumière déterminée par un facteur physique extérieur. ◇ Ce sens, par spécification, a entraîné la formation de composés, dont **PHOTOLUMINESCENCE** n. f. (v. 1930), **RADIOLUMINESCENCE** n. f. (1932). **ÉLECTROLUMINESCENCE** n. f. (1930). ◆ **LUMINANCE** n. f. (1948) désigne le quotient de l'intensité lumineuse d'une surface par son aire apparente ; il a remplacé *brillance* et il est probablement formé d'après ce mot.

LUMP n. m. est emprunté (1776) à l'anglais *lump* (XVIe s.), mot d'origine incertaine, peut-être du moyen bas allemand *lumpen*, correspond au moyen néerlandais *lumpe* (sur lequel on a formé le latin scientifique moderne *lumpus*). Ce mot pourrait être, par allusion aux formes lourdes du poisson, le même que le terme germanique désignant une masse compacte informe : norvégien et suédois dialectaux *lump* «bloc, masse, rondin», néerlandais *lomp*, bas allemand *lump* «rude, grossier», à l'origine de l'allemand *Lumpen* «haillon, chiffon». Ce dernier a été emprunté en français dans l'expression *lumpen prolétariat*, reprise à K. Marx, en allemand *Lumpenproletariat* (1850), qui l'applique à la partie la plus dégradée du prolétariat. — Il serait alors de la famille de l'anglais *lump* «morceau» (XIIIe s.) que le français a emprunté au pluriel *lumps* (1791) avec sa spécialisation «pains de sucre de qualité inférieure».

♦ Le mot, qui désigne un poisson de forme massive, a d'abord eu deux formes, *lump* et *lompe*, ce dernier (1799) obtenu par traduction du latin scientifique *lumpus* (Linné, *Cyclopterus lumpus*). Les *œufs de lump*, teints en noir à l'imitation du caviar, ont vulgarisé *lump*, diversement prononcé.

◈ voir LUNCH.

LUNAIRE, LUNATIQUE → LUNE

LUNCH n. m., sous cette forme *lunch*, attestée en 1817 dans une description de l'organisation anglaise des repas, a précédé de peu *launcheon* (1823), *luncheon*, aujourd'hui archaïques. Ces formes sont respectivement empruntées à l'anglais *lunch* et *luncheon* : *lunch*, à l'origine «morceau, tranche épaisse» (XVIe s.) est peut-être une altération de *lump* «masse informe», mot d'origine germanique désignant des morceaux de sucre de petite taille et qui a donné *lump**. On a aussi proposé d'y voir un emprunt à l'espagnol *lonja* (XIVe s.) «morceau de viande», emprunté au français *longe**. *Luncheon*, attesté en anglais bien avant *lunch* au sens de «léger repas pris entre le petit déjeuner et le dîner», semble en être le dérivé selon un mode de formation discutée, avec une spécialisation de sens que lui a reprise *lunch* au XIXe siècle.

♦ En français, le mot est appliqué au repas du milieu de la journée dans un contexte anglo-saxon et, depuis 1860, à une collation servie lors d'une réception. Sous le second Empire et la troisième République, par anglomanie, il était aussi employé pour désigner une collation prise entre deux repas, généralement à la place du déjeuner et en début d'après-midi.

▶ **LUNCHER** v. intr. (1856) «faire un repas léger», adaptation de l'anglais *to lunch* (1823, même sens), et **LUNCHEUR, EUSE** n. (1896), dérivé français, ont vieilli.

BRUNCH n. m. est un emprunt (v. 1970) à un «mot-valise» américain, de *breakfast** et *lunch.*

LUNDI n. m., d'abord *lunsdi* (v. 1119), puis *lundi* (1160-1174), est issu d'un latin populaire °*Lunis dies,* altération du latin classique *Lunae dies,* proprement «jour de la lune» de *luna* (→ lune) et *dies* (→ jour). Les jours de la semaine étaient désignés à Rome par les noms des sept planètes : *Saturnus, Sol, Luna, Mars, Mercurius, Jupiter* et *Venus,* le christianisme réussissant à éliminer *Saturnus* et *Sol* (maintenus en germanique, par exemple dans l'anglais *Saturday* «samedi», *Sunday* «dimanche») au bénéfice de *sabbatum* (→ sabbat, samedi) et de *dominicus* (→ dimanche). L'ordre courant des mots en latin paraît avoir été *dies Lunae,* concurrencé de bonne heure par *Luna dies* et par *lunae,* auxquels s'ajoute le type chrétien *secunda feria* «seconde fête» conservé par le portugais *segunda feira.* Le type *dies lunis* s'est maintenu dans le catalan *dil(l) uns,* l'occitan et le franco-provençal *diluns* puis *dilun,* l'ancien français *deluns* (du XIIIe au XVe s. en Wallonie, Hainaut et Picardie). Le type *lunis dies* vit en français, dans l'italien *lunedi;* la variante *lunis,* employée seule, est conservée par l'espagnol *lunes,* le provençal et le franco-provençal *luns* devenu *lun,* ainsi qu'en roumain, en sarde.

♦ Le mot désigne le premier jour de la semaine de travail, après le dimanche.

◈ voir MARDI, etc.

✳ **LUNE** n. f. est issu (1080) du latin *luna* qui appartient à un important groupe de mots issus de la racine indoeuropéenne °*leuk* «être lumineux, éclairer» (→ lucide, luciole, lueur, luire, lumière, lustre). *Luna* provient d'un °*leuk-s-na,* féminin substantivé d'un ancien adjectif en *-no,* féminin *-na,* signifiant proprement «la lumineuse», épithète qui, comme le grec *selênê,* s'applique à une puissance active. Il a remplacé l'ancien nom masculin de la lune (auquel s'attachait un tabou, la lune ayant pour les Anciens une action dangereuse) que l'on retrouve dans *mois*, menstrues**. La lune était divinisée chez les Romains : un temple lui était consacré sur l'Aventin (il fut brûlé par Néron) et un jour de la semaine lui était voué (→ lundi). Plus tard, elle a été confondue avec Diane, elle-même absorbée par l'Artemis grecque. *Luna* désignait donc à la fois l'astre, la divinité, le mois lunaire, et comptait quelques sens analogiques.

♦ *Lune,* apparu en français pour «astre satellite de la Terre», a pris le sens de «mois lunaire» (1556) mais l'a perdu au bénéfice de son dérivé *lunaison* (voir ci-dessous), sauf dans des évocations culturelles traditionnelles (notamment en emploi qualifié, dans certains décomptes chronologiques). ◇ Le mot exprime encore l'idée de «période» dans les syntagmes ***pleine lune*** (*plaine lune,* fin XIIe s.), ***nouvelle lune*** (1530), et les expressions figurées ***lune de miel*** (1748, *lune du miel*), calquée sur l'anglais *honeymoon* (1546), ***vieilles lunes*** «temps passé complètement oublié» (1873). ◆ Les anciennes croyances quant à l'influence de la lune sur le comportement humain sont à l'origine de l'ancien sens métonymique «époque des menstrues d'une femme» (1585) et de nombreuses locutions comme ***être dans la lune, avoir ses lunes*** «être mal luné» et, anciennement *tenir un quartier de lune* (1495) ou *tenir de la lune, sujet à la lune* «être insensé». Voir ci-dessous *lunatique.* ◇ À partir du XVIe s., on relève une abondante phraséologie tenant la lune pour le symbole de l'impossible avec ***promettre la lune*** (1537, sous une variante) et ***prendre la lune avec les dents*** «tenter l'impossible» (1532) qui annonce ***décrocher la lune*** et ***demander la lune*** (1867). ◆ Par analogie de forme, *lune* est employé populairement pour désigner un visage joufflu (*pleine lune,* 1640), ainsi que le derrière (1872). ◇ Il entre aussi dans la dénomination d'espèces animales et végétales de forme ronde : *poisson-lune, lune d'eau* «nénuphar» (1529). ◇ Le sens initial a été étendu à «satellite (d'une planète autre que la Terre)», par exemple dans les *lunes de Jupiter,* éliminant *lunule.*

▶ *Lune* a immédiatement servi à former **LUNAISON** n. f. (v. 1119) sur le modèle du bas latin *lunatio* de même sens. ◆ Ultérieurement, il a donné l'adjectif **LUNÉ, ÉE** (1579), vieilli avec son sens propre «influencé par la lune», mais conservé pour son sens figuré dans ***bien luné, mal luné*** (1867) «de bonne, de mauvaise humeur» (→ lunaire, lunatique), et techniquement, pour qualifier un bois atteint de lunures. ◆ **LUNURE** n. f. (1842) désigne un défaut sous la forme de couches ligneuses, de couleur différente de celle du bois environnant. ◆ Les autres dérivés de *lune* sont limités à un usage poétique rare **LUNEUX, EUSE** adj. «éclairé par la lune», **LUNERIE** n. f. chez Verlaine «folie», le verbe impersonnel **LUNER.**

Lune entre dans la formation de **DEMI-LUNE** n. f. (1553) qui a aussi quelques sens analogiques, comme «espace en demi-cercle» et s'emploie adjectivement (1925), par exemple dans *table demi-lune,* et dans **LUNI-SOLAIRE*** adj. (1732).

ALUNIR v. intr. et **ALUNISSAGE** n. m. (1923) ont été formés sur le modèle d'*atterrir, atterrissage,* à propos du fait de se poser sur la lune (l'Académie française recommandant de leur préférer ces derniers).

LUNAIRE adj. a été emprunté (XIIIe s.) au latin *lunaris* «de la lune», dérivé de *luna.* D'abord employé dans le domaine de l'astronomie *(an lunaire),* le mot a pris par extension le sens de «qui semble appartenir à la lune, l'évoque par sa forme» (1752). Il est devenu l'adjectif de *lune* et, d'après la valeur figurée de ce dernier, a reçu (1887, Verlaine) le sens figuré de «chimérique, rêveur» (→ lunatique), la lune étant associée traditionnellement à la poésie et à la folie (cf. aussi *jovial, saturnien*). ◆ Par composition, on a formé les adjectifs **SUBLUNAIRE** (1548) «au-dessous de la lune», réservé à *monde sublunaire* «la Terre» (employé pour traduire le concept aristotélicien d'un monde soumis à la génération et à la corruption, et opposé au monde céleste), *peuple sublunaire* (1680) «les Terriens», et **SEMI-LUNAIRE** (1721) «qui a la forme d'une demi-lune» (*ganglions semi-lunaires*).

LUNATIQUE adj. est emprunté (v. 1277) au dérivé bas latin *lunaticus* qui, outre le sens temporel «qui ne dure qu'un mois», signifiait «qui vit dans la lune», «maniaque, épileptique», et, substantivé, «fou». Cet emploi latin correspond à celui du grec *selêniakos* «épileptique», de *selênê* «la lune». ◆ En ancien et moyen français, *lunatique*, qui a évincé le terme plus ancien *lunage* (XIIIe-XVe s.), reste très lié à l'idée de l'influence pernicieuse de la lune («fou périodiquement»), idée à demi oubliée dans l'usage moderne du mot au sens atténué de «fantasque, capricieux» (1611). Depuis 1690, *lunatique* qualifie un cheval atteint d'ophtalmie, maladie autrefois associée au cours de la lune. Il est substantivé depuis 1718 *(un, une lunatique)*; cf. l'évolution de *fanatique*.

LUNULE n. f. est un emprunt (1694) au latin *lunula* «petite lune, petit croissant», diminutif de *luna* (→ lune). ◆ Le mot a quelques sens spécialisés, en géométrie, en liturgie (1867), en anatomie (1859), en description zoologique, tous par référence à la forme d'un petit croissant. ◇ Le sens de «satellite d'une planète autre que la Terre» (1704) a disparu.

◈ voir LUNETTE.

LUNETTE

LUNETTE n. f. est le diminutif (v. 1200) de *lune**, progressivement démotivé à mesure que sa spécialisation en optique a pris de l'importance.

♦ Le sens propre et initial de «petite lune» survit dans les emplois analogiques s'appliquant à des objets circulaires comme la plaque de verre ou de métal poli d'un miroir circulaire (v. 1280), concurrençant et évinçant *lune* en ce sens. Le mot s'est spécialisé en optique pour désigner un instrument grossissant la vue d'objets lointains avec des syntagmes rendus nécessaires par le succès de *lunettes* (ci-dessous) tels que ***lunette astronomique, lunette d'approche.*** ◆ Depuis 1676, il s'applique également à une ouverture plus ou moins ronde, désignant une fenêtre dans les toits, le siège d'aisance *(lunette de cabinets)* ainsi que la partie de la montre dans laquelle se met le cristal (1680). Il désigne aussi (1872) la partie évidée de la guillotine dans laquelle le condamné passait la tête et (XXe s.) la vitre (ronde à l'origine) placée à l'arrière de la voiture.

Le pluriel **LUNETTES** n. f. pl. est attesté depuis 1398 au sens d'«instrument destiné à améliorer la vue». L'invention d'un tel instrument a eu lieu en Italie vers la fin du XIIIe ou au début du XIVe s., peut-être à partir des travaux d'optique du moine Roger Bacon qui, dans son traité *Opus Majus*, propose l'usage d'un segment d'une *lunette* (sphère de verre) pour faciliter la lecture. *Lunettes* a tendu très rapidement à se séparer de *lunette* et à devenir un terme autonome. Plus général, il a évincé les autres termes employés en ce sens : le latin *spectacula* (1416) attesté en français sous la forme *expectacle* vers 1305 (anglais *spectacle-glass, spectacles* «lunettes»), et *béricle, bésicle,* qui s'est maintenu pour ce qu'on a appellé les *verres de lunettes. Lunettes* est très usuel, entre dans de nombreux syntagmes *(étui à lunettes, verres de lunettes, lunettes de soleil...)* et a des connotations figurées (*mettre des lunettes* «mieux voir»). Par analogie de forme, le mot entre dans les locutions descriptives, telle ***serpent à lunettes*** (1765, *serpent à lunette*).

▶ Il a produit **LUNETIER** ou **LUNETTIER** n. et adj. (1508) qui sera éliminé par *opticien* en emploi substantif mais utilisé comme adjectif (1907, *industrie lunetière*), et **LUNETTERIE** n. f. (1873).

♦ Les adjectifs **LUNETTEUX, EUSE** (familier et péjoratif) et **LUNETTÉ, ÉE** (XXe s.; dès 1867, en zoologie) signifient «porteur de lunettes».

LUPANAR

LUPANAR n. m. est emprunté (1532) au latin *lupanar* «lieu de débauche, maison de prostitution», dérivé de *lupa* «louve» (→ loup), dont le sens de «courtisane, prostituée», est attesté avant même celui de «femelle du loup».

♦ Le mot, attesté depuis Rabelais, est d'usage littéraire pour désigner une maison de prostitution.

LUPERCAL, ALE, AUX

LUPERCAL, ALE, AUX adj. et n. f. pl. est emprunté (1541) au latin *lupercalis* «de Lupercus, des Luperques», substantivé comme nom du lieu consacré au dieu Lupercus dans l'ancienne Rome où, selon la légende des origines de Rome, la louve aurait nourri Romulus et Rémus. Le mot est dérivé de *Lupercus* «le dieu-loup», et au féminin *Luperca* «la déesse louve», le pluriel *Luperci* désignant les prêtres chargés de célébrer le culte du dieu dans les *lupercalia* (neutre pluriel de *lupercalis*), fêtes annuelles célébrées à Rome le 15 février, comportant un sacrifice et un banquet. L'épisode le plus important était une course des prêtres. Ceux-ci, nus, revêtus d'une peau de loup, puis de bouc couraient autour du Palatin, flagellant les passantes avec des lanières de cuir, pratique censée assurer leur fécondité. Le dieu-loup romain correspond au *Zeus Lukaios* (de *lukos* «loup», → lycée) et se range parmi les dieux «thériomorphes» (de *thêrion* «bête sauvage»). L'étymologie de *Lupercus* est contestée. On y reconnaît indubitablement *lupus* (→ loup), mais certains évoquent *arcere* «contenir» (→ exercer) pour le second élément ou une formation juxtaposant *lupus* et *hircus* «bouc», mot d'origine inconnue.

♦ Le mot a été repris par les historiens de l'antiquité avec tous les emplois du mot latin, comme adjectif, comme nom féminin pluriel pour les fêtes consacrées à Lupercus (1605) et comme nom masculin singulier pour le lieu voué au culte de ce dieu (1721), ce dernier emploi étant beaucoup plus rare.

LUPIN

LUPIN n. m. est emprunté (v. 1256) au latin *lupinus,* littéralement «(herbe) aux loups», cette plante devant peut-être son nom à l'amertume de ses graines. C'est la substantivation de l'adjectif *lupinus* «du loup», dérivé de *lupus* (→ loup). L'ancien français a eu, par évolution populaire, le type *louvin* «qui appartient au loup», d'où «horrible, menaçant», lui-même substantivé comme terme de botanique *(lovain)*, et attesté jusqu'au XVIIe siècle.

♦ *Lupin* a été repris comme nom de plusieurs plantes contenant le nom du loup sous sa forme latine à côté du moyen français *lupule* «houblon» (XVe s.), et dans des syntagmes formés avec la forme française *loup**. ◆ L'adjectif correspondant, **LUPIN, INE** (fin XIIe s.), emprunt à l'adjectif latin appliqué à un païen «à tête de loup», puis à ce qui est fait comme par un loup (1556), est relatif au loup (1840); il est resté quasiment inusité.

LURETTE n. f. est une forme corrompue de *heurette* (v. 1119, *hurete*), diminutif d'*heure**, signifiant «petite heure». Dans le nord et l'est de la France, on emploie encore *il y a belle heurette* (1875). Le mot étant transmis oralement, dans les dialectes et patois, les attestations écrites, trop tardives, ne rendent pas compte de l'évolution.

♦ *Lurette* est aujourd'hui exclusivement employé dans l'expression familière ***il y a belle lurette (que)*** (1877), quelquefois ***depuis, voici belle lurette,*** et dès 1807 dans un parler local avec ***il y a belle lurette*** «il y a longtemps».

LUREX n. m. est emprunté (av. 1968) à l'anglo-américain *lurex,* nom déposé en 1945 d'un fil à tricoter gainé de polyester, ce qui lui donne un aspect métallique. Ce mot est formé, avec le suffixe publicitaire *-ex,* de *lure* «charme, attrait», également et originellement «leurre», emprunté comme terme de chasse à l'ancien français *luere,* français *leurre**.

LURON, ONNE n., mot populaire attesté vers 1500, se rattache, comme sa variante *lureau* (1532), à une série de formes régionales dont *à lurelure* «au hasard, sans intention précise» (1785, *à lurelure*), le picard *lures, lurettes* «sornettes» et *lurer* «dire des sornettes». Tous ont pour base des refrains de chanson populaire, tel *Avant lure, lurete, Avant lure, luron, Mon Dieu que je suis vrai luron* (v. 1500), et dégagent un radical onomatopéique *lur-* (également dans *turelure*). P. Guiraud propose de rattacher ce radical au mot latin technique et populaire *lura* «outre».

♦ *Luron* «joyeux compère, bon vivant» (généralement en emploi qualifié par *gai, joyeux*) et «homme hardi, gaillard» (sens aujourd'hui vieilli) a développé au XIXe s. la spécialisation «hardi en amour» (1829). Cette valeur est également réalisée par son féminin *luronne* (1832). L'emploi le plus vivant est ***joyeux luron.***

► Sainte Beuve emploie (1864) le dérivé **LURONNERIE** n. f. «qualité de luron».

① **LUSTRE** n. m. Ce terme d'antiquités romaines est un emprunt (1213) au latin *lustrum* «sacrifice expiatoire pratiqué à Rome tous les cinq ans lors du recensement». Comme on ignore la cause, le but et les rites du *lustrum,* il est malaisé de donner une étymologie à cet ancien terme rituel, sans rapport avec l'étymon de ② *lustre;* on l'a rapproché de *lavare* (→ laver) mais la présence d'un *-s-* devant le suffixe fait difficulté.

♦ *Lustre* désigne le sacrifice expiatoire latin. ◇ Par métonymie, il s'applique aussi à une période de cinq ans (1611) et, dans un usage plus courant, à une période indéterminée mais perçue comme beaucoup plus longue que ce à quoi renvoie strictement le mot : ***il y a des lustres, depuis des lustres*** correspondent à «il y a très longtemps».

► **LUSTRAL, ALE, AUX** adj. est emprunté (v. 1355) au dérivé latin *lustralis* avec son sens «qui sert à purifier, expiatoire». Le mot, d'usage littéraire et religieux, est également employé comme terme d'antiquités romaines (1642) avec le sens littéral de «relatif au lustre, dont la périodicité est de cinq ans».

② **LUSTRE** n. m. est un emprunt (1482) à l'italien *lustro* «gloire, renommée» et, concrètement «éclat, luminosité» (1336), déverbal de *lustrare* «rendre fameux, illustre» (mil. XIIIe s., apr. 1250) et aussi «illuminer, éclairer». Ce verbe est emprunté avec ce sens au latin *lustrare,* verbe d'usage poétique qui semble dérivé d'un °*lustrum* «lumière» issu, comme *lumen,* mais avec un autre suffixe, de la racine °*leuk-* «éclairer, briller» (→ lumière). La prose, sans doute pour éviter une confusion avec l'homonyme *lustrare* «purifier», de *lustrum* (→ ① lustre), employait le composé *illustrare* (→ illustrer).

♦ *Lustre* est passé en français au sens d'«éclat», au figuré (1482) et au propre (1489). ◇ Par métonymie, il désigne particulièrement l'apprêt des étoffes, des fourrures, qui leur donne de l'éclat (1586). ◆ Le sens concret et courant d'«appareil d'éclairage à plusieurs branches» est attesté depuis 1657, d'abord dans un contexte de cérémonies.

► Son dérivé **LUSTRER** v. tr., «donner de l'éclat» (1495), est employé exclusivement au sens concret. ◇ Son participe passé **LUSTRÉ, ÉE** est adjectivé (1586) au sens de «luisant, brillant». ◆ En sont issus **LUSTRAGE** n. m. (1670), le nom technique d'outil **LUSTROIR** n. m. (1723) et le nom d'agent, **LUSTREUR** n. m. (1671). ◆ Le verbe a aussi servi à former deux préfixés, **DÉLUSTRER** v. tr. (XVIIe s.) et **RELUSTRER** v. tr. (1743), employés à propos de l'apprêt des tissus.

LUSTRERIE n. f. désigne à la fois l'ensemble des lustres destinés à l'éclairage (1868) et le commerce des lustres et autres appareils d'éclairage (1873).

Vers 1730, on a emprunté le nom de tissu **LUSTRINE** n. f. à l'italien *lustrino* «drap de soie brillant fabriqué à Gênes» (attesté XVIIIe s.), de *lustro,* correspondant de *lustre.* D'abord appliqué à un drap de soie, le mot désigne (1853) une étoffe de coton apprêtée et glacée sur une face.

LUT n. m. est emprunté (v. 1185) au latin *lutum* «boue, limon, terre de potier, argile», terme technique également employé avec une valeur morale injurieuse. La racine de ce mot est attestée dans *polluere* (→ polluer) et *lustrum* «bauge», ainsi que dans le grec *luma* «souillure» et «ordure», le vieil irlandais *loth* «ordure».

♦ Le sens médiéval très large, «boue, saleté», a subi une restriction technique en «enduit de composition variable qui durcit en séchant» (v. 1500).

► **LUTER** v. (1532), emprunté au dérivé latin *lutare* «enduire de boue, d'argile», a connu la même spécialisation technique du sens de «garnir de boue» à celui d'«enduire de lut» (1558, *luté*). ◆ Il a produit

LUTATION n. f. (1555) «enduit» et, peut-être par le latin scientifique moderne *lutatio* (1747), lui-même précédé par l'anglais *lutation* (1611), «action d'enduire de lut» (1752). ◆ En ce sens, le mot est concurrencé par **LUTAGE** n. m. (1877), terme technique.

LUTH n. m., sous sa forme actuelle (1380), a remplacé la forme *le'z* (v. 1278) puis *luc* (1549). Le mot a été emprunté à l'arabe *al'ūd*, de l'article *al* et *'ūd* «bois, luth», soit directement, soit par l'intermédiaire de l'ancien provençal *lautz* (fin XIIIe s.) ou de l'ancien espagnol *alod* (1254), *alaut* (v. 1330) — avec l'article arabe —, *laud* (1343).

♦ À l'exemple de *lyre*, le mot, nom d'un instrument de musique à cordes pincées, a commencé à être employé en tant que symbole de l'inspiration poétique chez les poètes de la Pléiade (1549). ◆ Par analogie de forme, il est entré dans le vocabulaire de la zoologie pour désigner une tortue marine dépourvue d'écailles (1784), aussi appelée *tortue luth*.

▶ Ses dérivés se rapportent tous au sens d'«instrument de musique». ◆ **LUTHIER** n. m. (1649, *lutier*) a pris une valeur beaucoup plus générale que son étymon, «fabricant d'instruments à cordes», y compris la famille du violon et de la guitare, et même (1832) «facteur d'instruments de musique, en général». ◆ **LUTHERIE** n. f. (1767) a suivi cette évolution et s'applique surtout à la famille du violon. ◆ En revanche **LUTHISTE** n. (1895) reste lié précisément à *luth;* le mot reçoit, avec le renouveau de la musique ancienne, une nouvelle vitalité vers 1970. ◆ **ARCHILUTH** n. m. (1705), de l'italien *arcileuto*, désigne un instrument analogue au luth, mais dont certaines cordes sont tendues hors du manche, notamment le théorbe.

LUTIN n. m., d'abord *luitin* (v. 1176), représente, au terme d'altérations diverses, le latin *Neptunus* «Neptune», nom du dieu de l'eau et de la mer chez les Romains qui, à basse époque, a désigné un démon païen : un passage de la vie de saint Éloi (mort en 659) fait allusion à un Sermon où celui-ci blâme ceux qui gardent de vieilles superstitions païennes et mentionne Neptunus, Diana et Orcus. La forme issue régulièrement de *Neptunus* est *netun*, effectivement attestée en 1150 *(neitun)*. Celle-ci, sous l'influence de *nuit**, ces sortes de démons étant essentiellement nocturnes, a été modifiée en *nuiton* (1165) qui a été altéré à son tour en *luiton* (v. 1176) sous l'influence probable du verbe *luiter* (→ lutter), car les démons luttent et querellent. Le changement de suffixe, sous l'influence de mots comme *hutin* «entêté, querelleur», a donné *luitin* (v. 1176) devenu *lutin* vers 1558 (on relève encore *luiton* chez La Fontaine).

♦ En ancien français, *luitin*, *luiton* désigne un démon, un esprit mauvais. Vers le XIVe s., par affaiblissement, il a commencé à s'appliquer à un esprit plus malicieux que méchant, qui aime jouer des tours aux hommes et les tromper. De ses emplois figurés apparus au XVIIe s., seul se maintient ***petit lutin*** au sens de «petit enfant espiègle et taquin», *vieux lutin* «vieillard acariâtre» étant sorti d'usage. ◆ L'adjectif **LUTIN, INE**, employé au sens de «malicieux, éveillé» (1830), a été à peu près éliminé par *mutin*.

▶ Son dérivé **LUTINER** v. tr. a perdu son sens premier intransitif de «faire le lutin, le diable» (1585) pour le sens transitif atténué de «taquiner (qqn) comme le ferait un lutin» (1684), surtout employé de nos jours avec la spécialisation galante de «prendre des privautés avec (une femme)» (av. 1707), peut-être par attraction de *lutter*. ◆ Le dérivé **LUTINERIE** n. f. (1772) est rare et vieilli comme nom d'action ; il s'est employé (av. 1850) au sens de «caractère enjoué, facétieux».

LUTRIN n. m., d'abord *letrin* (1135), est issu du latin populaire °*lectrinum*, dérivé de *lectrum* «pupitre» (V^e-VIe s.), lui-même formé sur le supin *lectum* de *legere* (→ lire). La forme originelle, encore attestée au XVIIe s., est devenue *lutrin* (une fois au XIVe s.) sous l'influence phonétique de *lu*, participe passé de *lire*.

♦ À partir du sens de «pupitre d'église où l'on place le livre de chant», diffusé au XVIIe s. par le célèbre poème de Boileau, *lutrin* a aussi désigné par métonymie ceux qui chantent au lutrin (1835), sens aujourd'hui vieilli. Le mot, devenu archaïsant, a eu un regain de vie avec la diffusion de gros ouvrages de référence et la désignation quelque peu prétentieuse de présentoirs ou supports qui leur sont destinés.

LUTTER v. intr., d'abord *loiter* (1080) puis *luiter* (1274), n'a pris sa forme moderne par réduction d'*-ui-* à *-u-* qu'au début du XVIIe siècle. Il est issu du latin *luctare*, forme moins usuelle du déponent *luctari* «combattre», terme originellement employé en gymnastique et dont la forme indique probablement un fréquentatif. Le rapprochement le plus probable est celui du grec *lugidzein* «infléchir, assouplir ses membres», dérivé de *lugos* désignant un arbre (le gattilier), puis une branche flexible. Ce mot est peut-être apparenté à divers mots indoeuropéens relatifs à l'idée de «plier», tels le lituanien *lùgnas* «flexible,» l'ancien norrois *lykna* «plier le genou», l'allemand *Locke* «boucle» (→ loque).

♦ *Lutter*, d'abord employé dans le contexte d'une prise de corps entre deux personnes, a pris par extension le sens de «déployer toute son énergie pour franchir un obstacle» (1274), alors employé avec *contre* ou *avec*, et (1588) de «rivaliser avec qqn». ◇ Son emploi transitif (XVIe s.) au sens d'«affronter, combattre», est devenu archaïque, tout comme le pronominal *se lutter* au sens de «se battre», propre à la langue classique.

▶ **LUTTEUR, EUSE** n. (v. 1170, *luiteor*) a pris diverses valeurs spécialisées et métaphoriques au figuré d'après *lutter* et *lutte*. ◆ **LUTTE** n. f. (v. 1155, peut-être d'après le latin *lucta*) d'abord «corps à corps», a pris aussi le sens plus large (v. 1175) «opposition violente entre personnes, groupes» et abstraitement «tension pour obtenir un résultat». Il entre ainsi dans les locutions adverbiales ***de haute lutte, de vive lutte*** (XVIe s.). ◇ À la fin du XVIIIe s., *lutte* a développé le sens de «combat de guerre» (1797), et a commencé à s'appliquer à l'action en sens contraire de plusieurs forces (1801) ainsi qu'à l'action des hommes pour obtenir qqch. ou lutter contre un mal (1801). Il est entré spécialement dans le syntagme ***lutte des classes*** (1828 chez Guizot), entendu aujourd'hui dans le contexte de la pensée marxiste (1847; *lutte de classe à classe,* dans la traduction française de *Misère de la philosophie,* de Marx). ◇ L'expression ***lutte pour la vie*** traduit en biologie l'anglais *struggle for life* (une traduction de Darwin en 1859 donnait : *lutte pour l'existence*).

Le sens physique initial, qui ne s'appliquait techniquement qu'aux exercices antiques, se spécialise au XIXe s. comme nom d'exercice codifié, entrant dans la série des sports avec la boxe, plus tard le catch. Cette valeur, ainsi que les syntagmes qui l'utilisent — ***lutte à main plate*** (1883), ***lutte gréco-romaine*** (1896), ***lutte libre*** (1898) —, est surtout vivante vers la fin du XIXe et au début du XXe s., avec des prolongements pour la lutte et les lutteurs d'attractions foraines, actifs jusqu'en 1940 au moins.

Un sens très spécialisé de *lutter* «couvrir la brebis (en parlant du bélier)» (1342), appliqué à d'autres animaux, a produit l'ancien terme de vénerie **LUITES** n. f. pl. «testicules du sanglier» où subsiste l'ancien vocalisme *-ui-* du verbe.

◈ voir INÉLUCTABLE, LUTIN.

LUXE n. m. est un emprunt tardif (1607) au latin *luxus* «excès dans la manière de vivre, splendeur, faste» et «débauche», qui est peut-être le nom correspondant à l'adjectif *luxus* «mis de travers» (→ luxer). Le mot a dû avoir pour sens premier «fait de pousser de travers», et par suite «fait de pousser avec excès». Si *luxus* est seulement attesté au sens général d'«excès», le sens moral a été conservé par *luxuria* et *luxurians* (→ luxure, luxuriant).

♦ *Luxe,* «mode de vie caractérisé par de grandes dépenses pour faire montre d'élégance et de raffinement», s'applique en particulier au caractère d'une chose coûteuse et raffinée (1661) souvent dans le syntagme ***de luxe*** et, par métonymie, à un objet, à un plaisir coûteux et superflu (1797). ◇ Dès le XVIIe s., apparaît une critique de la notion de luxe, notamment poursuivie au XVIIIe s. par les philosophes des Lumières. *Luxe* en a tiré le sens figuré (1802) de «superfluité, inutilité» réalisé par exemple dans l'expression familière *c'est du luxe* «c'est inutile» (1867) et, de manière moins péjorative, dans l'expression *un grand luxe de détails* (1845). L'emploi négatif *c'est pas du luxe* «c'est nécessaire» est familier.

▸ L'adjectif correspondant, **LUXUEUX, EUSE,** attesté depuis 1771, est courant, notamment appliqué au logement, aux conditions de vie, à l'hôtellerie, etc. ◇ On en a tiré **LUXUEUSEMENT** adv. (1845).

LUXER v. tr. est un emprunt de la langue médicale (v. 1541) au latin *luxare* «disloquer, démettre, déboîter», de *luxus* «disloqué, démis», lui-même issu par élargissement de la même racine que le latin *lugere* «être en deuil» (→ lugubre), le grec *luein* et le latin *luere* «dégager» et juridiquement «payer, acquitter» (remplacé par son composé *solvere* (→ solution, solvable).

♦ *Luxer* «déboîter (un os)» a succédé à l'ancien français *esloissier* (XIIe-XIVe s.), représentant populaire du préfixé latin *exluxare,* et qui survit dans certains dialectes avec les sens dérivés de «disloquer, déchirer, effilocher». ◇ Depuis le XIXe s., le verbe est employé à la forme pronominale (1844) : *se luxer (une articulation).*

▸ Le nom correspondant **LUXATION** n. f. a été emprunté, lui aussi au XVIe s. (1538), au latin *luxatio* «déboîtement», formé sur le supin de *luxare.* Il est employé en parlant des os, et par analogie, en parlant du déplacement de certains organes (en particulier du cristallin, 1877, des dents, 1967).

◈ voir LUXE.

LUXURE n. f. est emprunté (v. 1119) au latin *luxuria,* dérivé de *luxus* (→ luxe) et d'abord appliqué à la végétation au sens d'«exubérance, surabondance». Par suite, *luxuria* a été appliqué aux animaux et aux hommes avec l'idée de fougue, d'ardeur excessive et, au figuré, de profusion ou de somptuosité, sens très proche de celui de *luxus.* Le sens premier demeure dans le dérivé *luxuriant** et l'idée de «faste, somptuosité» a été conservée par l'anglais *luxury* qui correspond pour le sens au français *luxe.*

♦ *Luxure* réalise dès l'origine un sens spécialisé d'«abandon déréglé aux plaisirs sexuels», notamment dans la langue de l'Église qui tient la luxure pour l'un des péchés capitaux et l'oppose à la chasteté et à la pureté. Les sens de «production abondante» et de «faste» (XVIe s.) sont des latinismes disparus au profit de *luxe.* Depuis 1850, *luxure* est parfois employé au sens figuré d'«usage déréglé de qqch.» *(luxure de la plume),* valeur très littéraire et rare.

▸ L'adjectif **LUXURIEUX, EUSE** (v. 1119), dont le sens de «surabondant» (1583) a été éliminé au profit de *luxuriant,* et celui de *fastueux* (XVIIe s.) au profit de *luxueux,* représente le latin *luxuriosus,* adjectif correspondant à *luxuria.* ◆ Il a pour dérivé **LUXURIEUSEMENT** adv. (XIIIe s.) d'usage rare.

◈ voir LUXURIANT.

LUXURIANT, ANTE adj. est emprunté (v. 1120) au latin *luxurians,* participe présent de *luxuriare* «être surabondant» et «s'adonner à la volupté» (représenté avec ces deux sens dans l'ancien français *luxurier,* XIIIe s.), dérivé de *luxuria* (→ luxure).

♦ *Luxuriant,* dans ses premières et rares attestations, signifiait «qui s'adonne à la luxure». Ce sens a disparu quand le mot a été repris au XVIe s. avec le sens dominant du latin, «qui pousse en abondance» (d'un végétal), et par métonymie (1835) «où la végétation pousse en abondance» (d'une terre, d'un lieu). ◇ Par analogie avec l'idée d'une végétation abondante, l'adjectif a développé au XVIIe s. le sens de «qui déborde de richesse et de vigueur», que l'on trouve chez Pascal (v. 1660).

▸ Le nom correspondant **LUXURIANCE** n. f. a été formé tardivement (1752); il était rendu nécessaire par le détachement sémantique de *luxuriant* par rapport à *luxure.* Il exprime au figuré un excès de détails dans une narration et, concrètement, une pousse excessive de la végétation, de la chevelure (1828).

LUZERNE n. f. (1600), réfection de *lauserne* (1566), est emprunté au provençal *luzerno* de même sens. Ce dernier est un emploi métaphorique de *luzerno* «ver luisant» (encore dans les patois) en raison de l'aspect brillant des graines de la plante. *Luzerno* lui-même est issu de l'ancien provençal *luzerna* «lampe», qui vient du latin *lucerna* (→ lucarne), issu de *lucere* (→ luire) et qui avait donné au français l'ancien *luiserne* «lampe» (v. 1120), «lumière, lueur» (1080).

♦ Le mot désigne une plante fourragère cultivée en prairie artificielle pour la nourriture du bétail et, par métonymie, un champ de luzerne.

▸ Avec ce dernier sens, il est concurrencé par le dérivé de sens spécialisé **LUZERNIÈRE** n. f. (1600). ◆ Avec **LUZULE** n. f. (1815), on a un autre exemple de nom de plante issu du groupe de *lux, lucis* «lumière» (→ lucide, luciole), par le biais de l'italien *luzziola* variante de *(erba) lucciola,* diminutif de *erba luccia,* déverbal de *lucciare* «luire», de *luce* «lumière».

LYCANTHROPE n., d'abord attesté sous la forme fautive *licautrope* (1558), est emprunté au grec *lukanthrôpos,* proprement «homme-loup», de *lukos* «loup» (→ lycée) et *anthrôpos* «homme» (→ anthropo-).

♦ Le mot dénomme celui qui se croit transformé en loup, appelé plus communément *loup-garou.* Il fut à la mode à l'époque romantique, et servit de surnom à Petrus Borel.

▸ **LYCANTHROPIE** n. f., emprunté (1564) au dérivé grec *lukanthropia,* appartient à l'ancienne terminologie médicale et se réfère à une forme de délire dans laquelle le sujet se croit transformé en loup. Ce type d'aliénation, qui relève de l'ancienne description médicale de la mélancolie, était considéré au moyen âge comme d'inspiration diabolique.

LYCÉE n. m. est l'emploi comme nom commun (1721) du nom propre *Lycée* (1568; *Lyceon,* 1534) «gymnase situé au nord-est d'Athènes, où enseignait Aristote». Ce nom est emprunté en ce sens au latin *Lyceum,* lui-même emprunté au grec *Lukeon* qui correspond au français *Louvre* au sens étymologique d'«endroit où il y a des loups» : il est dérivé de *lukos* «loup», mot correspondant au sanskrit *vṛ̥ka-,* au vieux slave *vlĭkŭ,* au gotique *wulfs.* Le latin *lupus* (→ loup) serait apparenté; on a aussi supposé que l'indoeuropéen avait deux noms pour le loup, du fait du tabou linguistique concernant l'animal : à côté de °*wl̥ᵘkʷo-,* °*lupo-* serait passé dans le latin *lupus; lukos* résulterait d'un croisement des deux thèmes.

♦ Au XVIIIᵉ s., *lycée* est employé dans le style soutenu au sens d'«endroit où s'assemblent les gens de lettres, dans les universités, etc.» ; il prend vers 1790 le sens spécialisé de «lieu consacré à l'instruction». ◆ Depuis 1802, par la loi du 11 floréal de l'an X (art. 41), il désigne en France un établissement secondaire destiné à recevoir des élèves masculins boursiers ou payants, souvent pourvu d'un internat et de classes élémentaires. On crée les premiers lycées pour jeunes filles à partir de 1888, époque où le mot prend son sens actuel : «établissement public d'enseignement secondaire». Par métonymie, il désigne la communauté comprise dans les murs du lycée et les années d'études faites au lycée *(pendant le lycée).* Terme institutionnel, dont la définition s'inscrit dans une terminologie (notamment par rapport à *collège*), *lycée* a des équivalents en francophonie non française (le *gymnase* suisse, etc.).

▸ Son dérivé **LYCÉEN, ENNE** n., apparu (1816) pour désigner l'élève d'un lycée, est employé également comme adjectif depuis environ 1950.

◈ voir LYCANTHROPE.

LYCRA n. m. est un nom (1960) déposé en anglais des États-Unis par la firme Dupont de Nemours en 1958 *(Official Gazette).* La nature du mot, probablement un sigle, n'est pas connue.

♦ *Lycra* désigne un fil synthétique conférant à un tissu une grande élasticité et, par métonymie, le tissu synthétique à réseau très élastique qui en résulte.

LYMPHE n. f., réfection graphique étymologique (1500) de *limphes* (1442), est issu du latin scientifique *lympha,* spécialisation de sens du latin *lympha,* synonyme poétique de *aqua* (→ eau), surtout employé au pluriel *lymphae,* personnifié et divinisé en *Lympha(e)* «Déesse(s) des eaux». Le *-y-* et le *-ph-* font penser qu'il s'agit de l'hellénisation d'une forme antérieure *lumpa, limpa,* sans doute d'origine dialectale (osque *diumpais*) et conservée dans la glose *lumpae.* Les poètes rapprochaient le mot du grec *numphê* (→ nymphe) et employaient indifféremment *Nympha* et *Lympha.* On peut aussi admettre que *lumpa* est un emprunt ancien au grec par voie populaire et représente *numphê* avec une dissimilation du *n-* en *l-,* phénomène déjà observé.

♦ Le français a repris *lymphe* comme terme de physiologie. Traditionnellement, dans la médecine ancienne, la lymphe était tenue pour une des quatre humeurs, avec le sang, la bile jaune et la bile noire (on disait aussi, à l'origine, *flegme;* cf. *flegme, flegmatique*).

▸ Fin XIXᵉ-début XXᵉ s., il a servi à former quelques termes médicaux, souvent sous la forme préfixale **LYMPH-, LYMPHO-.**

LYMPHATIQUE adj. (1546, Rabelais) a été emprunté au sens ancien, «qui délire», au latin *lymphaticus* «délirant», de *Lympha* «divinité aquatique et champêtre qui obsède l'esprit des humains». Avec le sens moderne qu'il a pris en anatomie (v. 1671), *lymphatique* est dérivé du latin scientifique *lymphaticus,* issu du latin médiéval où il signifie «relatif à l'eau». ◇ Depuis le début du XIXᵉ s. (1818, *constitution lymphatique*), il s'applique à celui qu'on qualifiait aussi de *flegmatique* dans l'ancienne théorie humorale. D'abord employé didactiquement, il qualifie couramment (1834) une personne de tempérament nonchalant, apathique, sans vigueur. ➛ En est issu **LYMPHATISME** n. m. (1852), aujourd'hui vieilli dans son acception médicale et employé au sens d'«apathie».

LYNCHER v. tr. est un emprunt (1861) à l'anglo-américain *to lynch* (1835) «exécuter sommairement sans jugement régulier» (et aussi «molester» puis, aujourd'hui «attaquer violemment qqn en paroles»). Ce verbe est formé sur *lynch* dans *lynch law* et originellement *Lynch's law* (1782), proprement «loi de lynch», du nom du Capitaine William *Lynch* (1742-1820) de Virginie, qui eut l'initiative de cette pratique.

♦ Le verbe, pris au sens de l'anglo-américain, s'applique souvent aux pendaisons sommaires et illégales pratiquées aux États-Unis lors de la conquête de l'Ouest, et concerne d'abord le contexte nord-américain, avec des emplois étendus au XXe siècle.

▸ Peu avant le verbe, l'expression anglo-américaine est passée en français dans ***loi de Lynch*** (1837), plus rarement *lynch*, qui a été concurrencé avec succès par **LYNCHAGE** n. m. (1883), lequel rend l'anglais *lynching* (1836). ➛ On a formé **LYNCHEUR, EUSE** n. (1871) pour rendre l'anglais *lyncher* n. m. (1835).

LYNX n. m. est une réfection du XVIIe s. : les formes anciennes *linz* (peu après 1150 dans le domaine anglo-normand), *linx* (XIIIe s.), *lins* (v. 1278) ont été refaites en *lynx* (1677) par souci étymologique. Le mot est en effet emprunté au latin *lynx*, lui-même emprunté au grec de même sens *lunx*. Celui-ci remonte à un nom indoeuropéen représenté sous des formes variées en arménien, germanique, baltique et slave. On retrouverait le même radical dans le verbe grec *leussein* «diriger son regard, voir», de la même famille que *leukos* «blanc, brillant» (→ leuco-) et que le latin *lucere* (→ luire), peut-être à cause de l'éclat des yeux de l'animal. Les Anciens, en effet, attribuaient au lynx, entre autres caractéristiques extraordinaires, une vue perçante lui permettant de voir à travers les murailles : ceci en partie d'après la paronymie entre *lunx* et *Lunkeos* «Lyncée», argonaute dont les yeux perçants voyaient à travers les nuages.

♦ En français, le mot, nom d'un félin haut sur pattes de la taille d'un gros chat, entre dans la locution ***œil de lynx*** (v. 1278) et désigne par métaphore (1690) une personne aux yeux perçants ou très perspicace. Furetière donne encore le lynx pour un animal que «la plupart des modernes croient fabuleux».

LYOPHILE adj. est composé (1926) des éléments d'origine grecque *lyo-*, celui-ci tiré de *luein* «dissoudre», également «délier», et spécialement «payer» (cf. *-lyse* dans *analyse*) et *-phile**.

♦ Le mot est employé en chimie pour qualifier des substances (en particulier colloïdales) qui ont la propriété de se dissoudre dans certains liquides. Il qualifie spécialement (1953) des substances qui peuvent subir une dessication à basse température et retrouver leur propriété par addition du volume d'eau enlevé.

▸ En est dérivé **LYOPHILISER** v. tr. (1953) qui, avec son dérivé **LYOPHILISATION** n. f. (1953), est devenu relativement courant du fait de son emploi relatif aux techniques de conservation de produits alimentaires (en particulier le café).

LYRE n. f. a été emprunté sous la forme *lire* (1155) — refaite par souci étymologique en *lyre* (1548) — au latin *lyra* «instrument à cordes», «chant, poème lyrique», d'où «poésie» en général. Lui-même est emprunté au grec *lura* de même sens, mot peut-être emprunté, conservé en grec moderne tout comme ses dérivés.

♦ *Lyre*, nom d'un instrument antique à cordes, a servi également à désigner un instrument des XVIe-XVIIe s., intermédiaire entre la viole et le violon (attesté 1680). Comme *luth**, il a pris, chez les poètes de la Pléiade, le sens métaphorique de «poésie lyrique» (1549), «inspiration poétique», et développé, dans la langue littéraire, au début du XIXe s. (Chateaubriand) le sens figuré d'«instrument qui reçoit les impressions et les traduit» (1803). ◇ Au XIXe s. sont aussi apparus des emplois analogiques, par allusion à la forme courbe caractéristique de l'instrument, en ornithologie (*oiseau lyre*, 1868) et en technique (1871) où le mot sert à désigner une pièce en forme de lyre.

▸ *Lyre* a pour dérivé rare **LYRISTE** n. m. «joueur de lyre» au XXe siècle.

L'adjectif correspondant, **LYRIQUE**, a été emprunté (1495) au latin *luricus* qui transcrit le grec *lurikos* «relatif à la lyre, propre à la lyre», de *lura*. ➛ Il s'est dit à l'origine (comme nom et comme adjectif) des poètes antiques qui composaient des poèmes déclamés avec accompagnement de lyre et de leurs compositions (par opposition à *épique, dramatique*, etc.). ◇ Depuis le XVIe s., *lyrique* est appliqué aux genres poétiques français issus des genres lyriques antiques. Par extension (1755), il est employé en parlant des poèmes qui expriment les sentiments intimes du poète, cependant qu'il fait son entrée (v. 1751) dans le vocabulaire du théâtre, à propos d'une œuvre mise en scène et chantée. ◇ Puis au XIXe s., il entre avec cette valeur musicale dans les syntagmes ***scène lyrique*** (1812), ***drame lyrique*** (1831, Musset), ***artiste lyrique*** (1897), tandis que dans le domaine littéraire, il s'étend aux œuvres de style poétique, qu'elles soient en vers ou en prose (1862, Baudelaire). En outre, il commence à être employé hors de toute référence artistique, avec une idée un peu péjorative d'«excessif dans son enthousiasme» (1801). Au XXe s., apparaît le syntagme ***art lyrique*** (1920, Proust), synonyme d'*opéra*. ➛ *Lyrique* a produit **LYRIQUEMENT** adv. (1555, «sur la lyre du poète»), repris au XXe siècle. ➛ Il entre sous la forme de l'élément composant **LYRICO-** dans les qualificatifs didactiques en critique artistique du type **LYRICO-COMIQUE** adj.

Le nom correspondant, **LYRISME** n. m., a été créé sur *lyrique* à l'époque romantique (1829, Vigny)

avec le sens de «mouvement lyrique du style, de l'expression». Par extension, il a pris, toujours chez les écrivains romantiques (1833, Musset), le sens d'«exaltation d'esprit analogue à l'enthousiasme des poètes lyriques». ➻ Le verbe qui en est tiré, **LYRISER** v. tr. (XXe s.) «vanter sur le ton lyrique», est rare et d'usage littéraire (le moyen français avait *lyriquer*).
LYRIC n. m., généralement au pluriel *lyrics* (1923), est emprunté à l'anglais *lyric* (pluriel *lyrics*), substantivation de l'adjectif *lyric* emprunté au français ou au latin. En anglais, le mot désigne des écrits ayant un caractère lyrique, plus spécialement (1876) des paroles écrites pour une musique et, fréquemment au pluriel, les paroles de chansons populaires.

-LYSE, élément de mots savants, est tiré du grec *lusis* «solution».

♦ Il sert à former des composés, tels *électrolyse, dialyse* et s'emploie de manière autonome dans **LYSE** n. f. (1918) «destruction de structures organiques».

▸ Le dérivé **LYSAT** n. m. (1927) désigne le produit d'une lyse et l'adj. **LYTIQUE** (1924) signifie «qui provoque une lyse».
LYSINE n. f. est le nom (1891) d'un acide aminé, puis d'un anticorps ou toxine provoquant la lyse cellulaire.
Parmi les composés, une *enzyme* est nommée **LYSOZYME** n. m. (1935) et un composé de l'*ergot* de seigle, *acide* **LYSERGIQUE** (calque de l'allemand *Lysergsäure,* 1955) ou LSD → L. S. D.

M

MABOUL, MABOULE adj. et n. est emprunté, par l'intermédiaire du sabir (1830), à l'arabe d'Algérie *mahbūl* «idiot, sot, stupide», dérivé du verbe *habila* «devenir fou, être fou, déraisonner».

♦ *Maboul* s'est répandu dans l'usage familier (1860) par le canal des soldats d'Afrique et de récits algériens. Synonyme de «fou», il est employé aussi adjectivement (1879).

▸ Le nom dérivé, **MABOULISME** n. m. (1902), est vieilli. ◇ La forme populaire **MABOULOF** adj. et n. (1893), liée aux manifestations franco-russes, a disparu après 1918.

MAC → MAQUEREAU

MACABRE adj. et n. m. semble être une erreur de lecture (1811) pour *macabré* dans *danse Macabré* (1376, Jean le Fèvre, *le Respit de la Mort*). Le mot est d'origine controversée : on a proposé des étymologies orientales (arabe *maqbara, maqbura,* pluriel *maqābir* «cimetière», syriaque *m^{e}qabb^{e}rēy* «fossoyeurs», mais elles manquent de fondement. Il semble préférable de voir en *Macabré* une variante du nom propre d'origine biblique *Macchabée* (1190 ; v. 1250, Judas Macabrés) → macchabée. ◇ Quatre cheminements ont été avancés : selon le premier, *Macabré* serait le nom d'un peintre ayant représenté la Danse de la Mort dont Jean le Fèvre se serait inspiré pour un poème intitulé *la Danse de Macabré,* composé avant *le Respit de la Mort*. On peut s'appuyer sur le témoignage du *Journal d'un Bourgeois de Paris* (1405-1449) qui fait allusion aux peintures murales du cimetière des Innocents de Paris (1425) et parle d'un cordelier qui aurait prêché aux Innocents en 1428, le dos tourné vers les Charniers «encontre la Charonnerie, à l'endroit de la Danse Macabré». Cette hypothèse se heurte à l'objection qu'au moyen âge, les œuvres d'art n'étaient jamais désignées par le nom de leur auteur. Une deuxième analyse interprète *Macabré* comme le nom du poète ayant composé le texte accompagnant des œuvres picturales représentant une danse de la Mort : on aurait ainsi désigné la danse de la Mort par l'expression *danse de Macabré,* inventeur supposé du thème ; de fait, on relève les noms de famille *Makabré, Maquabré* à partir de 1333 à Porrentruy (Suisse). ◇ Selon H. Sperber, l'auteur d'une danse de la Mort (peut-être Jean le Fèvre) en aurait attribué le prologue à un «prédicateur» identifié avec *Judas Macchabée,* en raison du passage du livre biblique des *Macchabées* (II, 12, 38-46) où est mentionnée la prière pour les morts. On a encore supposé (Littré) que la danse Macabré serait à l'origine une danse liturgique, une procession dansée ou un mystère représentant le martyre des sept frères Macchabées, qui moururent l'un après l'autre pour leur foi (*Macc.*, II, 7) et où les danseurs disparaissaient tour à tour pour signifier que chaque être humain doit subir la mort, mais cette hypothèse se heurte au fait que *Macabré* n'est jamais au pluriel (alors qu'on relève *danse des sept Macchabées* au XVIIIe s. pour un jeu particulier de la jeunesse de Namur). ◇ Enfin, Jacob Burckhardt a apporté un élément nouveau en soulignant l'importance, dans la danse macabre, du motif de l'ermite familier du monde des morts : à cet égard, le *Macarius* Alexandrinus des *Vitae Patrum* (Vies des Pères de l'Église) et de la *Légende dorée,* auquel fait allusion Vasari à propos des fresques du Campo Santo de Pise, est particulièrement représentatif dans la tradition médiévale ; la danse macabre serait une °*chorea Macarii.* Ce rapport est plus assuré que celui qu'on suppose avec les Macchabées, sinon que les formes françaises impliquent probablement une contamination avec un produit de la racine sémitique (arabohébraïque) *qbr* «ensevelir».

♦ Jusqu'au XIXe s., l'usage du mot est étroitement lié à celui du syntagme *dance (danse) macabré,* puis (1811) *danse Macabre*. Celui-ci se réfère à une danse des morts dans sa représentation littéraire ou picturale, selon la tradition médiévale sortie d'une amplification du poème *Vado mori,* composé dans la France du Nord au XIVe siècle. Tout juste s'en affranchit-il en désignant par figure la mort, dans la locution *aller à la danse de Macabré* «mourir» (apr. 1433) et absolument (1611-1640). ◆ Il faut attendre le milieu du XIXe s. pour rencontrer *macabre* dans son extension moderne, «lugubre, morbide» (1843, Gautier), aussi substantivé (1853, Goncourt) avec une valeur de neutre équivalant à *genre macabre* dans le domaine esthétique.

▶ **MACABREMENT** adv. (1887, Goncourt) et **MACABRERIE** n. f. (1896, Verlaine) ne se sont pas répandus.

MACACHE adv. a été emprunté (v. 1861, *makach*), par le biais du sabir *macach* (apr. 1830), à l'arabe maghrébin *mā kān š*. Celui-ci correspond à l'arabe classique *mā kāna šay*, littéralement «il n'y a pas», de *mā...s* négation, «ne pas», et *kān* «il y a, il existe».

♦ Le mot est employé argotiquement puis familièrement comme expression marquant le refus, la négation. La locution adverbiale plaisante ***macache bono*** pour exprimer le refus, proprement «pas bon du tout», formée en sabir avec l'italien *bono* (→ bon), est à peu près sortie d'usage, après l'époque coloniale.

MACADAM n. m., attesté en 1826 dans un *Mémoire sur les routes anglaises dites routes à la Mac-Adam*, puis en 1829 dans *pavé à la Mac-Adam*, enfin sous la forme *le macadam* vers 1840, vient du nom de l'ingénieur écossais *John Loudon Mac Adam* (1756-1836), chargé de l'administration des routes d'Écosse et, plus tard, de la direction générale des routes de Grande-Bretagne (1827), qui fit remplacer le pavage traditionnel par un revêtement en pierre concassée. Le mot est d'abord attesté en anglais comme épithète (1824) et, à l'origine, avec une majuscule. Le macadam, perfectionnement d'un procédé d'empierrement inventé en 1775 par le Français Trésaguet, marque une étape importante de l'histoire de la route, tant par sa diffusion que par la série de progrès techniques qu'il a permis. Son succès au XIXe s. est directement lié au développement de la circulation routière (à Paris, il fut adopté en 1849). Le revêtement au macadam rendait possible une accélération sensible de vitesse, mais le passage des véhicules produisait d'épais nuages d'une poussière toxique : dès 1850, les fondations de certaines routes furent recouvertes directement de bitume ou d'asphalte (cf. *asphalte*, *asphalté*) et, après 1900, le macadam fut remplacé par le *tarmacadam* (1907, de *tar* «goudron», de l'anglais *tar-macadam*, 1882), mélange de pierres concassées et de goudron. On continue toutefois de désigner abusivement celui-ci par *macadam*.

♦ Le mot désigne une méthode de pavage ; par métonymie, il désigne la chaussée elle-même (1845) et plus particulièrement, dans un registre familier, le trottoir où se trouvent des prostituées (1864), notamment dans ***faire le macadam*** (1888) ; cf. *trottoir*.

▶ Les mots relatifs à l'opération de revêtement de la route ont été empruntés à l'anglais. ◆ **MACADAMISATION** n. f. (1875 ; 1830, *mac-adamisation*) adaptant l'anglais *macadamization* (1824) et **MACADAMISER** v. tr. (1828) *to macadamize* (1825). ◇ Le verbe a produit le dérivé **MACADAMISAGE** n. m. (1827), concurrent de *macadamisation*. ◆ **MACADAM-CIMENT** n. m. est attesté depuis 1960.

MACAQUE n. m., d'abord *mecou*, forme caraïbe (1654), puis *macaco* (1680), *macaq* (1698) et enfin *macaque* (à partir de 1766) est un emprunt au portugais *macaco* (1555), lequel a été emprunté au sens de «singe d'Asie tropicale» aux langues bantoues où il avait les sens de «bête sauvage», «quadrumane» et spécialement «cynocéphale». Les Portugais ont emprunté le mot au XVIe s. pour l'appliquer à un singe analogue du Nouveau-Monde.

♦ Par analogie avec le singe qu'il désigne, *macaque* s'applique familièrement à une personne très laide (1867). ◇ Il entre comme second élément dans le terme d'entomologie *(ver) macaque* «larve d'un insecte d'Asie tropicale».

▶ Son dérivé **MACAQUERIE** n. f. a été créé (v. 1950) sur le modèle de *singerie* avec le même sens que ce dernier ; il est resté rare.

MACAREUX → MACREUSE

MACARON n. m. a une histoire assez étrange : il est emprunté (1552) à l'italien du Sud *mac(c) arone*, qui a donné *macaroni**. Le sens de ce mot italien a évolué de «plat de pâtes au fromage» à «gnocchi» (du XIVe au XVIIe s.), les gnocchi pouvant avoir la forme ronde du gâteau nommé *macaron*. En italien, l'origine du mot a été fort débattue : il viendrait du grec byzantin *makaria* «soupe d'orge», et ce serait alors la consistance du plat qui aurait donné le sens «pâtes au fromage». *Makaria* signifierait en grec «banquet funèbre», d'où «plat servi à un repas de funérailles» ; il dérive de *makar*, qui signifie à l'origine «bienheureux», puis «défunt». Cette origine funèbre et religieuse étonne cependant pour un mot de cuisine, puis de pâtisserie.

♦ Le mot possède dès les premières attestations le sens de «petit gâteau rond à base d'amandes, de sucre et de blanc d'œuf», lequel a éliminé le sens repris à l'italien, «pâte alimentaire» (1557), au cours du XVIIe siècle. ◇ À partir du XVIIIe s., *macaron* a pris des sens analogiques dans *peigne à macaron* (1753) devenu elliptiquement *macaron* (1802) et comme désignation d'une natte roulée sur l'oreille (1923). Il dénomme un ornement rond (1833) en technique et, dans l'usage familier, une distinction de forme ronde (spécialement l'insigne d'officier de la Légion d'honneur) [1909] ; cela lui a valu d'être recommandé pour remplacer l'anglicisme *badge*, ce qui est le cas en français du Canada.

▶ Son dérivé **MACARONÉ, ÉE** adj. (1840) qualifie une pâte évoquant celle du macaron.

◈ voir MACARONI, MACARONIQUE.

MACARONI n. m. (le plus souvent au pluriel) est attesté pour la première fois en 1505 dans *macarons en potaige* et en 1690 sous la forme actuelle *macaroni*. Le mot a été emprunté à l'italien du Sud *mac(c)arone* «sorte de pâtes alimentaires», qui correspond à la forme littéraire *maccherone* (v. 1350), et qui est déjà relevée en 1279 dans le latin médiéval de Gênes, *maccaroni*. L'origine du mot italien, encore débattue, est expliquée par deux hypothèses d'ailleurs liées, et très imprévisibles : la première fait venir *maccherone* du grec byzantin *makaria* «banquet funèbre» et «soupe d'orge» (→ macaron). La seconde hypothèse reste à l'état de conjecture : on suppose l'existence d'un *makarôneia* de même sens que *makaria*, par le rapprochement de deux termes fréquents dans les cérémonies funéraires, *makarios* «bienheureux» et *aiônios* «éternel». On trouve en effet aujourd'hui en Thrace orientale *makarônia* «mets servi dans les cérémonies funéraires».

♦ En français, *macaroni* n'a gardé aucune trace de ses origines funèbres supposées, et a désigné des pâtes «faites de farine et de fromage, qu'on cuit dans le pot avec la viande» (1690, Furetière), «dont on fait des potages et autres mets» (1721, Trévoux), avant de prendre son sens moderne de «pâte alimentaire moulée en tube long et creux» (XIXe s.). ◇ Depuis 1776, le mot est employé péjorativement, comme *spaghetti*, au sens d'«Italien» (elliptiquement pour ***mangeur de macaroni(s)***), allusion aux goûts culinaires des Italiens.

◈ voir MACARON, MACARONIQUE.

MACARONIQUE adj. est emprunté (1552) à l'italien *maccheronico*, anciennement *maccaronico*, qui qualifie un style de vers mélangeant le latin, les formes dialectales (Brescia et Mantoue), l'italien et les langues imaginaires à terminaisons latines. Ce genre burlesque s'inspire des compositions des Goliards, et passe pour avoir été inventé par le Padouan Odasi di Bartolomeo avec la *Macharonea* (v. 1490), rapidement imitée. Le *Baldus* (1517) du bénédictin T. Folengo fit bientôt figure de modèle ; ces textes furent notamment la source des récits rabelaisiens : la première traduction française (1605) s'intitule *Histoire maccaronique de Merlin Coccaie Prototype de Rabelais*. Le mot est issu de *maccherone* (→ macaron, macaroni) pris dans le sens de «nourriture grossière et composite» (par le type d'images parfois utilisées pour *ragoût, macédoine, pot-pourri*...).

♦ Lié à une veine poétique exploitée aux XVIe et XVIIe s., le mot se maintient plaisamment avec le sens de «peu sérieux, parodique».

▸ Une composition de ce genre porte le nom de **MACARONÉE** n. f. (1550, titre) et le procédé a reçu ultérieurement le nom de **MACARONISME** n. m. (1721).

MACASSAR n. m., d'abord dans l'expression *huile de macassar* (1817, avec majuscule), puis en emploi absolu (1837, avec majuscule), du toponyme *Macassar*, qui désigne un port des îles Célèbes en Indonésie.

♦ Le mot désigne une huile de coco utilisée au XIXe s. comme cosmétique. ◇ Il a également été choisi comme nom de l'idiome malayo-polynésien parlé au sud-ouest de Célèbes (1873) et d'une précieuse variété d'ébène brun originaire d'Indonésie (1925).

MACCHABÉE n. m., emprunté à plusieurs reprises depuis le XIIIe s. et d'abord altéré en *Macabier* (v. 1200, *des le tans Macabier* «il y a fort longtemps»), représente le latin *Macchabaeus*, patronyme de héros bibliques, chefs juifs qui, ayant résisté par les armes à la tentative d'hellénisation d'Antiochus Épiphane, ont été martyrisés par celui-ci (martyre relaté dans le second livre des *Macchabées*).

♦ Les emplois les plus anciens du mot se réfèrent à ces personnages bibliques. Après le type dérivé *macabious* n. m. pl. attesté en Suisse (1534, Genève) pour désigner les prêtres desservant la chapelle dite des Macchabées, le mot a été le nom familier (1747) des chapelains de Notre-Dame d'Annecy. Ces usages se réfèrent alors au culte des Macchabées, attesté en Occident dès le Ve et très vivant en Bourgogne au XVe s., des reliques étant présentes dans les églises sous leur invocation (spécialement à Vienne, Genève et Annecy depuis la fin du XIVe s.), et les desservants recevant le nom de *macchabées* d'après le latin *Macchabei*. Il demeure des traces de cette appellation dans les dialectes et dans l'argot avec des emplois péjoratifs mal expliqués, concernant les Israélites (1878) et des personnages d'honnêteté douteuse. ◆ L'usage moderne du mot a trait à la mort et procède à la fois du culte des Macchabées, lié à celui des morts (*Macc.* II, 12, 43-46), et de l'influence de *macabre**, peut-être lui-même issu de *Macchabaeus*. *Macchabée* a désigné en argot (1850) le cadavre d'un noyé (trouvé dans la Seine par les mariniers) puis, par extension, un cadavre humain (1867), en particulier dans le jargon des étudiants en médecine qui l'abrègent fréquemment en *macchab, macab*. ◆ La dénomination zoologique *macchabée* pour un papillon (1840) est relative aux couleurs funèbres de l'insecte (cf. l'allemand *Totenschwanz*, le néerlandais *Doodkopsvlinder*).

◈ voir MACABRE.

MACÉDOINE n. f. est l'emploi comme nom commun (1740) du toponyme *Macédoine*, Empire d'Alexandre, considéré en tant que pays où s'affrontent différents peuples de provenance diverse.

♦ Le mot est apparu au XVIIIe s. dans le domaine culinaire *(macédoine à la paysanne)* et a pris ensuite deux valeurs aujourd'hui vieillies : la macédoine était une suite de parties de cartes dans laquelle chaque joueur, quand il prend la main, fixe l'espèce de jeu que l'on doit jouer (1782), et la *macédoine littéraire* (1780) un assemblage de différents genres littéraires dans un livre. ◇ Depuis 1850, le mot est employé familièrement au sens figuré d'«assemblage hétéroclite» (de même que *salade russe, pot-pourri* et l'ancien *olla podrida*).

MACÉRER v. est un emprunt (1450) de la langue de l'Église au latin *macerare* «rendre doux, amollir en humectant», spécialement, chez les auteurs chrétiens, «mortifier sa chair par esprit de pénitence» (d'après l'idée d'affaiblissement). Le verbe latin remonte à une racine indoeuropéenne °*mag*- «pétrir» qui a donné ① *masse** et son groupe (→ magma), par emprunt au grec *mattein* (ou *massein*), et *maçon**, par voie germanique.

♦ Introduit avec son sens moral de «mortifier» par la langue religieuse, *macérer* a pris (1505) le sens concret de «faire tremper, faire mariner» : une attestation du mot en ce sens dès 1298 dans une version du *Livre de Marc Pol* (Marco Polo) de R. de Pise, fortement italianisée, suggère un emprunt à l'italien. ◇ Le verbe est employé intransitivement au sens de «mariner», au propre et (1887) au figuré.

▸ Il a produit deux mots d'usage technique. ◆ **MACÉRATEUR** n. m. (1835) est un nom de dispositif et **MACÉRAGE** n. m. (déb. XXe s.) le nom d'action de *macérer*. ◆ **MACÉRATION** n. f. est emprunté (fin XIIe s.) au latin *maceratio*, du supin de *macerare*, avec son sens chrétien de «mortification». ◇ Comme le verbe, il a pris (1555) le sens concret et technique d'«opération par laquelle on fait mariner une substance», avec une spécialisation en métallurgie (1765). ◇ Par métonymie, ce nom désigne le liquide chargé des matières dissoutes pendant l'opération (1845), dit aussi, plus rarement, **MACÉRÉ** n. m. (participe passé substantivé de *macérer*).

MACH n. m. est tiré (1949) du nom du philosophe et physicien autrichien *Ernst Mach* (1838-1916) qui, à la fin du XIXe s., mit en évidence le rôle de la vitesse du son en aérodynamique.

♦ L'expression *nombre de Mach*, elliptiquement *mach* (1962), désigne une unité de mesure déterminant le rapport entre la vitesse d'un mobile à l'endroit où il se déplace et la vitesse du son. Il est en général suivi d'un nom de nombre (*voler à Mach 2* : à deux fois la vitesse du son).

▸ **MACHMÈTRE** n. m. (1949), formé avec l'élément *-mètre**, désigne l'instrument qui, à bord d'un avion, mesure le rapport entre la vitesse de l'appareil et celle du son.

MACHAON n. m. est tiré (1823) du latin scientifique *Machaon* (1817), lequel est emprunté, pour des raisons mal éclaircies, au latin *Machaon*, emprunt au grec *Makhaôn*. Ce dernier est le nom d'un des fils d'Esculape, frère de Podalire, célèbre pour sa science médicale miraculeuse et sa hardiesse lors de la guerre de Troie, qui finit par lui coûter la vie. Le nom de ce combattant se rattache au verbe *makhestai* «combattre, lutter», d'origine obscure.

♦ Le mot désigne un grand papillon diurne aux ailes jaunes zébrées de noir et de bleu.

① **MÂCHE** n. f. est probablement issu (1611) par aphérèse et sous l'influence de *mâcher**, de son synonyme *pomâche* (peut-être XVIe s.). Ce mot, attesté dans plusieurs dialectes (Bourgogne, Champagne), est issu d'un latin tardif °*pomasca*, de *pomum* «fruit» (→ pomme), peut-être en raison du goût légèrement sucré de la mâche (appelée aussi *doucette*) avec le suffixe *-asca* indiquant l'origine, et, ici, l'analogie.

♦ Le mot désigne une plante potagère comestible, dont les feuilles sont consommées en salade, et aussi cette salade.

② **MÂCHE** → ① MÂCHER

MÂCHEFER n. m. (déb. XIIIe s.) est d'origine obscure, peut-être de *mâche*, forme dérivée du verbe ② *mâcher** «écraser», et de *fer**, pour «amas de choses pressées et comme pétries ensemble». Le rapport avec l'ancien provençal *merdafer* «n'est pas éclairci» (Bloch et Wartburg).

♦ Le mot désigne des résidus solides provenant principalement de la fusion de minerais ferreux et de la combustion de la houille.

① **MÂCHER** v. tr., *maschier* (v. 1185), puis *mâcher*, est issu par évolution phonétique du bas latin *masticare* (→ mastiquer), forme populaire en *-icare* qui s'est substituée en ce sens aux verbes classiques *mandere*, *manducare* (→ manducation, manger).

♦ *Mâcher*, «écraser avec les dents (une substance comestible)», a développé des sens figurés dès le XIIIe s. : cependant, le sens de «se pénétrer d'une chose, l'assimiler» est sorti d'usage, sauf avec les nuances «expliquer pour faciliter l'assimilation», et «dire franchement» dans *ne le querre maschier* (XIIIe s.) puis *ne pas mâcher* (1669) et, de nos jours, ***ne pas mâcher ses mots.*** ◇ Depuis le XVIe s. (1580, *mâcher les morceaux à qqn*), *mâcher* signifie aussi (1611) «expliquer dans le détail pour faciliter la compréhension». ◇ Il s'applique, par analogie, au cheval qui mordille son mors (1306), contexte d'où est issu le sens figuré «ruminer, repenser sans cesse à» (XIVe s.). ◆ Techniquement, il signifie «réduire une substance (souvent non comestible) en pâte», comme dans ***papier mâché***, désignant une substance dure, faite de papier ou de carton ainsi travaillée, et que l'on trouve employé dans un sens figuré chez Voltaire (1773, *organes de papier mâché*). Dans cet emploi les verbes ① et ② *mâcher** sont plus ou moins confondus.

▸ **MÂCHOIRE** n. f. (1549 ; fin XIIe s., *machouere*) est le dérivé le plus ancien et le plus usuel (familièrement *jouer des mâchoires* «manger», v. 1650) ; il désigne plus particulièrement le maxillaire inférieur quand il est précédé de l'article défini (1690) et compte plusieurs emplois techniques par analogie de forme (1680). ◆ Son dérivé **MÂCHOIRON** n. m. (1873, *machoiran*) est le nom donné aux Antilles, en Afrique et en Guyane, à un poisson d'une grande avidité.

À diverses époques, *mâcher* a une grande vitalité dans la création de verbes familiers tournant autour de l'idée de «mordre, mastiquer» : certains comme **MÂCHILLER** v. tr. (XIIIe s., *machiller*) et **MÂCHOTER** v. tr. (1509) étaient à l'origine employés en parlant du faucon avant d'être repris au XIXe s. en parlant d'une personne. ◇ Ils sont plus ou moins synonymes de **MÂCHONNER** v. tr. (XVe s.), plus usuel, dont sont tirés **MÂCHONNEMENT** n. m. (1832 ; 1867 en médecine) et **MÂCHONNEUR** n. m. (1877). ◆ Deux autres verbes sont de formation dialectale : **MÂCHOUILLER** v. tr. attesté depuis 1894 à Paris, et qui a pour dérivés **MÂCHOUILLEMENT** n. m. et **MÂCHOUILLEUR, EUSE** n. (XXe s.), et le verbe normand **MACHICOTER** v. tr. «mâcher lentement», qui a produit les mots de sens figuré : **MACHICOT** n. m. (1694 ; 1391, *macicot*) «office des chœurs dans une église», et

MACHICOTAGE n. m. (1694) en musique. ◆ Au XVIe s. sont apparus quelques dérivés rares de *mâcher*. ◇ **MÂCHEMENT** n. m. (1538), **MÂCHEUR, EUSE** n. (v. 1560) employé dans quelques contextes. ◆ **MÂCHE-LAURIER** n. m. (1552), composé plaisant, stigmatisait celui qui court après la gloire poétique et signifiait au XVIe s. «mauvais poète». Il est sorti d'usage au XVIIe siècle. ◆ S'y ajoutent ultérieurement le régional **MÂCHON** n. m. (Lyonnais) «petit repas léger» et «petit restaurant», et deux termes techniques : **MÂCHE-BOUCHON** n. m. (1850) ainsi que ② **MÂCHE** n. f., vieilli au sens primitif d'«action de mâcher» (1743) et repris au XXe s. au sens de «richesse en tanin d'un vin».

REMÂCHER v. tr. (1538) «mâcher sans arrêt» est employé essentiellement avec le sens abstrait de «ruminer», où il concurrence fortement *mâcher*, tout comme son dérivé rare **REMÂCHEMENT** n. m. (1538).

◈ voir ② MÂCHER.

② MÂCHER

② **MÂCHER** v. tr. a été formé (XIIIe s.) sur le radical onomatopéique *makk-* «presser ensemble». Celui-ci est représenté d'une part dans l'allemand *matsch*, populairement «écrasé, pulpeux, bourbeux», au figuré «battu, défait», substantivé au sens de «pulpe, bouillie, boue», ainsi que dans le verbe correspondant *matschen* «réduire en bouillie, écraser» et «défaire, battre», d'autre part en gallo-roman, dans plusieurs verbes dialectaux de l'Italie et de la péninsule Ibérique, aux sens de «frapper, meurtrir (un fruit)», «broyer (le chanvre, le lin)», «battre (les gerbes)» et au figuré «écraser, frapper de stupeur, exténuer de fatigue». On retrouve le même radical dans l'ancien provençal *macar* «frapper, meurtrir» (XIIe s.), *macatz* «yeux cernés, battus» (v. 1225), *macat* «brisé de fatigue», et dans l'ancien picard *maque* n. f. «masse d'armes».

♦ Le verbe, dont la forme a subi l'influence de ① *mâcher**, est essentiellement employé au sens de «déchirer sans section nette», «user ou marquer de façon irrégulière» (1840) et «meurtrir (les fruits, la chair)». Les emplois techniques de ① *mâcher** se sont plus ou moins confondus avec ② *mâcher*.

▸ Il a produit **MÂCHURE** n. f. (1472, *macheure*) «contusion, meurtrissure», que le suffixe *-ure* fait rapprocher de l'ancien provençal de même sens *macadura* (XIVe s.). Pour P. Guiraud, il y aurait bien pour *mâchure* une influence de ② *mâcher*, mais le mot appartiendrait à la famille de ① *mâcher* et viendrait d'un roman °*masticare*, de *mactare* «accabler, détruire». ◇ *Mâchure* a été repris au XIXe s. avec le sens technique de «défaut de tissage dans le velours ou le drap» et le sens médical de «lambeaux de chair écrasés sur les bords d'une plaie» (1867), à partir duquel il a retrouvé son sens premier de «contusion, meurtrissure». ◆ À son tour, il a produit ② **MÂCHURER** v. tr. (XVe s.) «déchiqueter en écrasant» et, par attraction de ① *mâcher* «mordre», «entamer en mordant, en mâchant» (1873). Toute la série est, dans l'usage moderne, sentie comme dérivée de ① *mâcher*, son sémantisme s'y prêtant.

◈ voir MÂCHEFER, MÂCHICOULIS, ① MÂCHURER, MACQUER, peut-être ① MAQUEREAU.

MACHETTE

MACHETTE n. f. est emprunté (1704) à l'espagnol *machete* «coutelas à lame courbe en usage dans les régions tropicales comme arme et comme outil» (déb. XVIe s.). Ce mot est dérivé de *macho* «massue, enclume», lui-même probablement variante du mozarabe *mazo* (de même sens) qui remonte au latin populaire °*mattea* (→ ② masse).

♦ Le mot désigne d'abord un coutelas utilisé par les boucaniers de Saint-Domingue pour abattre les cochons et les bœufs sauvages, puis un grand coutelas servant à de multiples usages dans les régions tropicales (ouvrir des passages en forêt, couper la canne à sucre) ; cette définition entre dans les dictionnaires à partir de 1902. La graphie *machete*, à l'espagnole, existe aussi en français.

MACHIAVÉLIQUE

MACHIAVÉLIQUE adj. est dérivé (1578, écrit *machiavellique*) du nom de *Machiavel*, homme d'État florentin (1469-1527), célèbre par ses écrits (*Le Prince*) et ses théories politiques séparant l'efficacité, en matière de gouvernement, des questions morales.

♦ Rare au XVIe s., cet adjectif péjoratif, qui signifie «cynique, en matière de politique», a été repris vers 1791 et s'est répandu après 1803.

▸ En dérive **MACHIAVÉLIQUEMENT** adv. (1836), d'emploi littéraire. ◆ Le nom de Machiavel a aussi servi à former des termes didactiques se rapportant à sa doctrine politique : **MACHIAVÉLISTE** adj. (1581) ; **MACHIAVÉLISME** n. m. (1602, *Catéchisme des Jésuites*), employé depuis le XVIIIe s. avec son sens didactique moderne (1748) ainsi qu'avec le sens courant de «caractère subtil et cynique». ◆ **MACHIAVÉLIEN, IENNE** adj. (XXe s.) concerne la doctrine de Machiavel, sans jugement éthique porté sur elle. ◆ Quant au nom *un* **MACHIAVEL**, il est quelquefois employé dans un style littéraire pour désigner un homme (d'État) sans scrupules, généralement avec une majuscule (1831).

MÂCHICOULIS

MÂCHICOULIS n. m., d'abord *machecoleis* (1402-1404), est dérivé, avec le suffixe *-is*, d'un moyen français °*machecol*, terme d'architecture militaire, induit par l'existence attestée de *machecop* (1358) à Tours, le latin médiéval *machecollum* (1387) et l'ancien provençal *machacol* (1358-1359, emprunt au français). Ce mot est composé de ② *mâcher** «meurtrir, écraser», et de *col, cou**, d'après la fonction du *mâchicoulis* qui permet de lancer des projectiles en tir plongeant de manière à «écraser le cou» des assaillants.

♦ Le mot désigne une galerie à encorbellement située en haut d'un ouvrage de fortification médiéval, percé de meurtrières par où on envoyait des projectiles et des matières brûlantes sur l'ennemi. Par métonymie, il désigne la meurtrière.

-MACHIE

-MACHIE est l'élément de composition tiré du grec *-makhia*, de *makhê* «combat, lutte» (parfois utilisé avec un sens figuré), nom d'action de sens plus général que *polemos* (→ polémique) et correspondant au verbe *makhesthai* «combattre», au figuré «être contradictoire». L'étymologie de ce verbe n'est pas établie, malgré de nombreuses hypothèses.

♦ *-machie* entre dans la formation de mots, soit issus du grec, soit construits plaisamment en français, désignant des sports de combat, des combats mythologiques *(gigantomachie, titanomachie)* et fournissant des termes techniques ou fantaisistes. Le plus répandu est *tauromachie* (→ taureau).

MACHIN, MACHINAL → MACHINE

MACHINE n. f. est emprunté (v. 1377) au latin *machina* «invention, machination» et surtout, concrètement, «engin», spécialisé techniquement en parlant d'un engin de guerre et d'un dispositif pour soulever et remuer les objets pesants. Le mot, également attesté aux sens de «structure de l'univers» et «ouvrage composé avec art», est un emprunt ancien au grec *mākhāna,* forme dorienne de *mêkhanê* (→ mécanique) qui signifie «moyen (en général)» d'où, matériellement, «engin», notamment dans le langage de la guerre et du théâtre. *Mêkhanê* désigne aussi toute espèce de combinaison, d'invention, parfois avec une valeur péjorative qui le rapproche de *dolos* «objet servant à tromper», «ruse, artifice» (→ dol).

♦ *Machine,* apparu en français dans le syntagme *machine corporelle* avec la valeur analogique «ensemble d'éléments ayant la complexité d'une machine», a pris son sens technique et courant au XVIe s. (1559). Son champ sémantique s'est notablement enrichi au XVIIe s. : il y prolonge la valeur initiale en désignant, depuis Descartes (1637), la combinaison des organes du corps animé (d'où la théorie célèbre des *animaux machines*), puis abstraitement, chez Pascal (1658), ce qui chez l'être humain procède de l'automatisme et non de la réflexion. Son sens technique concret donne lieu à des emplois métaphoriques, aux syntagmes spécialisés ***machine de guerre*** (1671), ***machine hydraulique*** (1690), et à son usage dans le vocabulaire du théâtre (1664), où les machines peuvent produire l'illusion, et parfois même un dieu *(deus ex machina).* ◇ Toujours au théâtre, *machine* prend le sens figuré de «ce qui fait progresser l'action», et passe dans l'usage courant à propos d'un ensemble de moyens combinés pour donner une certaine direction aux affaires (1656). Ce sens, tout comme celui de «ruse, artifice ingénieux» (1639) a vieilli, puis disparu, mais tous deux restent vivants par les dérivés *machiner* et *machination* (voir ci-dessous). ◇ Au XVIIIe s., apparaissent ***machine infernale*** (1704), alors dans le contexte des batailles navales, puis (XIXe s.) au sens d'«engin explosif (dans un attentat)», et ***machine à feu*** (1770), lequel amorce ce que le XIXe s. nommera ***machine à vapeur*** (1818) en traduisant l'anglais *steam engine.* De nombreux emplois apparaissent au XIXe s., parallèlement au développement de l'industrie et du machinisme, notamment des syntagmes du type ***machine à*** et infinitif, comme ***machine à carder*** (1801), ***machine à écrire*** (1857), abrégé en *machine* (1899), par exemple dans *taper à la machine,* ***machine à laver*** (XXe s.), etc. ◇ Le mot désigne spécialement un véhicule comportant un mécanisme (1817), qu'il soit automobile (auto, moto...) ou volant (avion). Son pluriel est appliqué à l'appareil propulsif d'un navire (1867), notamment au pluriel *(salle des machines),* ainsi qu'à son emplacement. Il entre ainsi dans *faire machine en arrière* (1867), aujourd'hui usuelle sous la forme ***faire machine arrière*** (1890), au propre puis au figuré (1920). ◇ *La machine* a aussi (1873) la valeur collective de «machinisme, mécanisation». ➛ C'est aussi au XIXe s. que le mot a commencé d'être employé au figuré pour désigner qqn, qqch. dont le nom échappe (1807), d'où le dérivé masculin *machin* (ci-dessous).

Au XIXe s., il a produit des composés désignant des mécanismes employés dans l'industrie, notamment **MACHINE-OUTIL** n. f. (1857), répandu dans les dernières décennies du XIXe s. et devenu essentiel et autonome dans la terminologie industrielle, puis au XXe s., **MACHINE-TRANSFERT,** etc. ◇ Au XXe s. aussi, de nouveaux syntagmes du type ***machine à...*** concernent des machines de bureau ***(machine à calculer).*** Le mot est employé en cybernétique, puis en informatique, en apposition dans ***langage machine*** et en mathématiques dans ***machine de Turing*** (v. 1937). ◇ Dans l'usage professionnel, *machine,* et son synonyme argotique *bécane,* est utilisé très couramment pour «ordinateur», comme il l'était pour désigner les mécanismes essentiels à l'exercice d'un métier technique, ces machines étant très souvent désignées, dans la pratique quotidienne, par des noms propres de marque.

▸ *Machine* est à l'origine d'une importante famille morphologique. ➛ **MACHINISTE** n. (1634, comme n. m.) est surtout usité de nos jours au théâtre (1678), aux spectacles, et comme terme administratif pour désigner le conducteur (la conductrice) d'un véhicule collectif (*défense de parler au machiniste,* dans les autobus). ➛ **MACHINAL, ALE, AUX** adj. (fin XVIIe s.) signifie d'abord «des machines», puis (1730) «comme une machine ou un mécanisme», en référence au concept cartésien de l'organisme-machine, de l'animal-machine. L'adjectif, dans ce sens extensif, est devenu courant et non scientifique avec l'apparition d'une psychophysiologie et du concept de réflexe. ◇ *Machinal* a pour dérivé **MACHINALEMENT** adv. (1718). ➛ D'autres dérivés de *machine* sont **MACHINISME** n. m. (1742), terme de philosophie cartésienne dont le sens moderne date de 1808, et le didactique **MACHINIQUE** adj. au XXe siècle.

Le verbe **MACHINER** v. tr. (XIIIe s.) est emprunté au latin *machinari* «combiner, imaginer qqch. d'ingénieux» et, en mauvaise part, «ourdir, comploter», de *machina.* Il tend à vieillir, y compris dans son participe passé adjectivé **MACHINÉ, ÉE,** sauf avec les sens techniques pris au XIXe s. sous l'influence de *machine.* ➛ À son tour, il a produit **MACHINATION** n. f. (XIIIe s.), bien vivant au sens d'«ensemble de menées secrètes déloyales», et **MACHINEUR, EUSE** n. (1247), vieilli au profit de son doublet **MACHINATEUR, TRICE** n., emprunté (v. 1409) au latin *machinator* de même sens. ➛ Dérivé de *machiner,* **MACHINERIE** n. f. (1492) a eu le sens de «complot»

qui a disparu au profit de *machination.* ◆ Il a été reformé comme dérivé de *machine* au XIXe s., désignant collectivement un ensemble des machines, et a développé par extension le sens de «lieu où sont les machines» (1907) et, au théâtre, «ensemble des appareils utilisés pour mettre en place des décors» (1881).
Enfin, l'emploi de *machine* pour désigner un référent qu'on ne peut ou ne veut désigner par son nom a produit le masculin **MACHIN** n. m. (1807), usuel et familier pour «chose», comme *truc* et plus tard *bidule.* ◇ Comme *Machine,* ce mot sert de nom propre de personne, avec une fonction péjorative d'anonyme.

voir MÉCANIQUE.

MACHO n. m. est l'emprunt (attesté 1971) d'un mot hispano-américain, usuel au Mexique (1928), emprunté lui-même à l'espagnol *macho* «mâle» (déb. XIIIe s.), issu du latin de même sens *masculus* (→ mâle, masculin).

♦ Le mot est employé familièrement à la fois en parlant d'un homme latino-américain (notamment mexicain) conforme à l'idéologie virile de ces sociétés, et, par extension, de tout homme phallocrate.

▸ Dans les années 1970, on a également introduit en français **MACHISME** n. m. (1971), emprunt à l'espagnol du Mexique *machismo* (v. 1959), dérivé de *macho* et vulgarisme pour *virilidad* (correspondant à *virilité*). ◇ Il a pour dérivé **MACHISTE** n. et adj. (v. 1972), concurrencé par *phallocrate,* plus répandu.

MÂCHOIRE, MÂCHONNER → ① MÂCHER

① **MÂCHURER** v. tr., d'abord *mascurer* (v. 1200), est une altération mal expliquée de l'ancien francais *mascherer* (v. 1200), issu d'un latin gallo-roman *mascarare* «barbouiller de suie» (→ mascara) dont on a aussi des représentants en corse, aragonais, catalan et portugais. *Mascarare* a pu subir l'influence sémantique de *maculare.* Ce verbe viendrait d'un adjectif °*mascaro-* «noir, barbouillé de suie», dérivé pré-roman d'un substantif °*maska* (→ masque). Pour sa part, P. Guiraud analyse °*mascarare* comme le composé de *massa* «pâte» (→ ① masse) et *cara* «visage» (→ chère), signifiant «s'enduire le visage avec une pâte», et influencé par *masque.* La modification de *mascherer* en *mascurer* s'est peut-être faite sous l'influence de l'ancien *oscurer* (v. 1119), dérivé d'*obscur** qui a aussi le sens de «souiller», et, dans un second temps, de *mâcher**.

♦ *Mâchurer* «noircir, barbouiller de noir», est employé techniquement en imprimerie (1690) au sens de «tirer une feuille sans netteté» (cf. *maculature*). ◇ Son sens figuré (1240) «noircir qqn par calomnie» est sorti d'usage. Ce verbe est mal distingué de son homonyme ② *mâchurer,* de ② *mâcher** «écraser».

② **MÂCHURER** → ② MÂCHER

MACIS n. m., d'abord *mascie,* puis *macie* (XIIIe-XIVe s.), est emprunté au latin médiéval *macis* «écorce entourant la noix muscade» (VIe s.), peut-être apparenté au latin *maccis, -idis,* hapax créé probablement par Plaute pour désigner un condiment. Le mot latin est considéré comme une altération de *macir,* transcription du grec *makir* qui désigne la résine odoriférante d'un arbre indien et dont la variante *maker* est à l'origine de l'emprunt *macer* en moyen français (1562).

♦ Le mot désigne l'écorce de la noix muscade utilisée comme aromate ou condiment.

MACLE n. f. est un mot d'origine obscure, peut-être issu (1293), malgré des difficultés phonétiques, du francique °*maskila,* diminutif de *maska* «maille», mot reconstitué d'après le moyen néerlandais *masche, maesche* «maille, filet» et son diminutif *maschel,* l'ancien haut allemand *māsca* (allemand *Masche*) «maille».

♦ Le mot est passé en français dans le vocabulaire de la pêche pour désigner la maille d'un filet d'où, en termes de marine, un losange (1573) et, par métonymie, un filet à larges mailles, sens encore vivant dans les parlers régionaux. Par analogie de forme, il a reçu deux acceptions spécialisées : il est employé en héraldique (1298) pour un «meuble» en forme de losange percé d'un autre losange en son milieu, et en minéralogie (1690) pour une variété de pierre dont les cristaux se présentent en forme de losange ou de croix. L'accent étant mis sur la structure de ces cristaux, il se rapporte à une association de deux ou plusieurs cristaux de même espèce formant une croix (1765, *Encyclopédie*).

▸ Le dénominatif **MÂCLER (SE)** v. tr., d'usage essentiellement pronominal pour «se cristalliser sous forme de macles» (1807), prolonge l'adjectif **MACLÉ, ÉE** relevé en ancien français en héraldique (1298) puis employé en minéralogie (1795, *cristal maclé*) et refait en *mâclé, ée.*

MAÇON, ONNE n. m. et adj. est issu (v. 1155) du francique °*makjo* «ouvrier exécutant des travaux de maçonnerie», dérivé de °*makôn* «faire» (correspondant à l'allemand *machen,* à l'anglais *to make*). Ce verbe se rattacherait à l'indoeuropéen °*mag-* représenté en grec par *massein* «pétrir» (→ ① masse), et en latin par *macerare* (→ macérer). Le mot est attesté dès le VIIe s. chez Isidore de Séville sous les formes latinisées *macio, machio.* Selon P. Guiraud, il est préférable d'invoquer un roman °*mattio, -onis* «gâcheur de mortier» qui remonterait au latin *madidus* «gorgé d'eau», de *madere* «être mouillé, imprégné», rapproché de verbes grec et irlandais, mais de racine inconnue.

♦ Le mot, qui désigne un ouvrier du bâtiment, a eu la valeur péjorative de «mauvais ouvrier» (1671). Il est employé adjectivement (1606, *équerre maçonne*), spécialement en zoologie à propos d'oiseaux, d'insectes, qui construisent leur habitation avec de la terre (1752).

▸ Le verbe **MAÇONNER** (fin XIIe s.) «construire en maçonnerie» et, particulièrement, «boucher en maçonnerie» (v. 1200), «revêtir de maçonnerie» (1873), a reçu la valeur figurée de «travailler grossièrement» (1640), analogue à l'emploi figuré de *gâcher.*

et qui est sortie d'usage. ◇ Par analogie, le verbe signifie «construire son habitat», en parlant de certains animaux. ➛ Il a lui-même produit **MAÇONNAGE** n. m. (1240) «action de maçonner» et «ouvrage maçonné». ➛ Dans ce dernier sens *maçonnage* est en concurrence avec **MAÇONNERIE** n. f. qui désigne d'abord (v. 1230, *machonerie*) le travail du gros œuvre et des revêtements, en construction, puis (apr. 1250) un élément de construction maçonné, fait d'éléments assemblés et joints.

◈ voir **FRANC-MAÇON.**

MACOUTE → **TONTON** *(tonton macoute)*

MACQUER v. tr. est la variante picarde de ② *mâcher**, enregistrée en 1723 par Savary des Bruslons.

♦ Le verbe, d'usage technique, exprime le fait d'écraser le chanvre et le lin avec une masse cannelée pour en isoler les fibres textiles.

▸ Le déverbal **MACQUE** n. f. (1732), spécialisé comme nom de l'outil servant à cette opération, du temps où elle était artisanale, est un emploi technique du picard *make (maque)*, attesté dès l'ancien français (1200) au sens de «masse d'armes» et encore vivant dans le patois moderne pour «petite masse». ➛ Au XIXe s., le verbe a aussi produit le nom d'action **MACQUAGE** n. m. (1840) et le nom d'outil **MACQUOIR** n. m. (1877), synonyme de *macque*. ➛ La série s'écrit aussi, aujourd'hui, **MAQU**...

MACRAMÉ n. m. est un emprunt (v. 1892) à l'italien de Gênes *macramè* «serviette, toile de lin, tissu ouvré à franges et broderies pour essuyer mains et visage» (1876), lui-même emprunté, par l'intermédiaire du turc, à l'arabe *maḥrama* «mouchoir, serviette, toile garnie étendue sur une table». Dès 1869, l'anglais possède *macramé* «serviette de toile ouvrée à franges».

♦ Le mot désigne un ouvrage à jours en fils tressés et noués.

MACREUSE n. f. est l'altération par substitution de suffixe (1642) du normand *macrolle* «foulque noire» (v. 1306), également *marquerolle* (1552) et, sous les formes *macroule* (1555), *macreule* (1690), «diable de mer». On suppose, malgré les attestations tardives relevées en germanique par rapport à celles du gallo-roman, que le mot est emprunté au frison *markol* «poule d'eau» (XVIIe s.) ou au néerlandais septentrional *meerkol*, variante de *meerkot*. Le premier élément de ces mots est le correspondant germanique (anglais *mere*, allemand *Meer*) de *mer** (→ marsouin); le second, d'origine inconnue, est apparenté avec l'anglais *coot*, nom d'oiseau dont l'acception, d'abord assez large, s'est restreinte à «foulque noire».

♦ Le mot désigne un canard boréal migrateur, au plumage noir, dont plusieurs espèces séjournent en France en hiver et dont la chair possède un goût sauvage et marin. Au XVIIe s., la viande de macreuse qui, écrit Furetière, «passe pour poisson à cause qu'(elle) a le sang froid», était autorisée par l'Église les jours d'abstinence. ➛ *Macreuse*, nom de viande maigre donc, est passé dans le vocabulaire de la boucherie comme désignation d'une pièce de viande maigre située sur l'os de l'épaule du bœuf et utilisée pour le pot-au-feu (1893).

▸ **MACAREUX** n. m. (1760, Brisson), nom d'un oiseau palmipède des mers boréales, noir, à ventre blanc, pourrait être issu, par déformation, de *macreuse*. Cette hypothèse est plus satisfaisante, étant donné la couleur du plumage des deux oiseaux et leur localisation géographique, que celle qui a cherché à l'apparenter au nom de la ville de *Macao*.

MACRO- est l'élément de composition tiré du grec *makros* «grand, long» et aussi «mince», de sens spatial et temporel (correspondant au latin *longus*, → long), «élevé» et «profond», et qui a concurrencé très tôt le vieux mot *dolikhos*. *Makros* remonte à un radical indoeuropéen *°māk-*, *°mak-* que l'on retrouve dans le latin *macies* «maigreur» (→ émacié) et *macer* «maigre» (→ maigre), de même qu'en germanique dans l'ancien haut allemand *magar*, ancien norrois *magr*. En grec même, *makros* entre comme premier ou second terme de composés.

♦ En français, l'élément a produit plusieurs centaines de composés, le plus souvent en position initiale, quelquefois médiane (seuls les plus usuels sont rappelés ici). La forme *macr-* est rare et surtout relevée dans des composés anciens, à la différence de *macro-*, particulièrement productif dans les domaines de la biologie, de la pathologie (dès le XIXe s.), et plus récemment en embryologie, en chimie et en biologie moléculaire (cf. *macromolécule*, etc.). Aujourd'hui, il est aussi très productif en sciences humaines (linguistique, économie, sociologie), dans les sciences de l'information et en géophysique. ◇ La plupart des mots ainsi composés ont un antonyme préfixé par *micro-*, parfois en concurrence avec l'élément *méga-* «très grand».

MACROBIOTIQUE n. f. et adj. est emprunté (1808) à l'allemand *Makrobiotik*, dérivé savant du grec *makrobiotês* «longévité», formé en 1796 par le médecin allemand Chr. W. Hufeland *(Makrobiotik oder die Kunst, sein Leben zu verlängern)* pour désigner l'art de prolonger la vie par l'observance de règles d'hygiène stricte. Le mot se réfère aujourd'hui à une forme d'alimentation qui exclut la viande (1969) et s'emploie aussi comme adjectif, par exemple dans *zen macrobiotique*, qui témoigne du détour de ce concept par le bouddhisme japonais.

◈ voir composés en **MACRO-** à **ÉCONOMIE, ÉVOLUTION, GAMÈTE, INSTRUCTION** (art. **INSTRUIRE**), **MOLÉCULE, SÉISME, SOCIÉTÉ, SPORE**; **MACROCOSME** (art. **MICROCOSME**) et **MACROSCOPIQUE** (art. **MICROSCOPIQUE**).

✳ **MACULER** v. tr., attesté depuis 1488, dès le XIIe s. par le participe passé *maculé* (v. 1120), est emprunté au latin *maculare* «marquer, tacher, salir, souiller», de sens propre et figuré, dérivé de *macula* «tache» (sur la peau à l'origine), mot sans étymologie sûre.

♦ *Maculer*, d'usage littéraire avec son sens général, est employé spécialement en typographie (1636), en construction transitive et, quelquefois, intransitive (1680).

▶ Ses dérivés sont surtout vivants en typographie. ◆ **MACULATURE** n. f. date des premiers temps de l'imprimerie (1567) et désigne une feuille mal imprimée qui sert à faire des enveloppes, en particulier une feuille intercalée entre les bonnes feuilles pour éviter le maculage et un gros papier gris d'emballage (1680). ◇ Il désigne aussi une tache (1846), surtout en imprimerie. ◆ **MACULATION** n. f., anciennement «souillure» (1551), a été repris (1802) avec le même sens actif spécialisé que **MACULAGE** n. m. (1819) en typographie.
Le nom latin *macula* a fait l'objet de deux emprunts. ◆ **MACULE** n. f., introduit avec le sens ancien de «souillure» au XIVe s., a pris ensuite celui de «tache» (v. 1488) et développé des emplois spécialisés en anatomie (1627), astronomie (1690) et zoologie. ◆ **MACULA** a été emprunté sous la forme latine en ophtalmologie (v. 1868) au sens de «tache jaune». ◆ Vers la même époque, on a formé le mot didactique **MACULIFORME** adj.
IMMACULÉ, ÉE adj. est emprunté (v. 1400) au latin *immaculatus* (de *in-*, *im-* à valeur négative, privative, et *maculatus*), avec le sens religieux de «sans tache (au figuré), sans péché». Il entre dans l'expression ***Immaculée Conception*** (v. 1520) pour désigner la nature de la Vierge Marie. ◇ Par extension, depuis environ 1550, il est employé au sens de «sans souillure morale», développant seulement la valeur concrète de «sans tache» au XIXe s. (v. 1835, Balzac), spécialisé dans la description zoologique (1845).

◈ voir ① MAILLE, MAQUETTE, MAQUIS.

MADAME → DAME

MADELEINE n. f., employé à partir du XIIIe s. (1223), est tiré du prénom *Madeleine,* issu du latin chrétien *Magdalena,* dans *Maria Magdalena* «Marie de *Magdala*», nom d'un bourg de Galilée, pécheresse repentante de l'Évangile.

♦ Les premiers emplois se rapportent à la pécheresse repentante de la Bible, et sont l'équivalent, dans la phraséologie, d'une tradition picturale très forte à partir de la Renaissance. La locution *faire la Madeleine* (1223) a été remplacée beaucoup plus tard par la comparaison ***pleurer comme une Madeleine*** (1833 dans Balzac), d'abord *se lamenter* (av. 1827 Désaugiers) et *fondre en larmes* (1829 Vidocq) *comme une Madeleine.* ◆ L'emploi autonome de *madeleine* sans majuscule (1579) à propos d'une courtisane ou (1867) d'une femme repentie de sa vie immorale, ne s'est pas répandu. ◆ Par l'intermédiaire du sens métonymique «fête de sainte Madeleine, le 22 juillet» (1260), le mot est devenu la dénomination commune (1701) d'espèces de fruits (poires, pommes) qui parviennent à maturité à l'époque de la Sainte-Madeleine. ◇ Quant au nom du gâteau, que l'on relève en 1769 sous la forme *gâteau à la Madeleine,* puis en 1807 *Magdeleine* et en 1842 *gâteau(x) madeleine,* il vient du prénom ; la recette en est attribuée par G. de La Reynière à *Madeleine* Paumier, pensionnaire et ancienne cuisinière de Madame Perrotin du Barmond. Les autres hypothèses proposées sont sans fondement. Le mot est quelquefois employé par allusion à l'expérience de la madeleine de Proust *(Du côté de chez Swann)* où la dégustation de «petites madeleines» trempées dans le thé éveille chez le narrateur le flux de la mémoire.

▶ Le diminutif **MADELONNETTE** n. f., (1690, *magdelonnette*), d'abord pris au sens métonymique de «couvent pour les filles de mauvaise vie», a désigné (1721) les filles retirées dans ce genre d'établissement. ◆ **MADELEINEAU** n. m. (1769), nom d'un jeune saumon, se rattache au nom de la fête patronale, ce poisson étant pêché en juillet.

MADEMOISELLE → DEMOISELLE

MADÈRE n. f. est la lexicalisation (1803-1804, *le Madère*), par l'intermédiaire de l'expression *vin de Madère* (1765), de *Madère* (portugais *Madeira*), nom d'une île de l'Océan atlantique où est produit ce vin, avec un cépage de raisins noirs et sucrés.

♦ Le mot désigne un vin originaire de Madère, dont la fermentation est arrêtée avant que tout le moût ne soit transformé en alcool, et qui s'emploie dans plusieurs préparations culinaires, notamment la *sauce madère* (1955 ; 1938 *sauce au madère*).

▶ **MADÉRISER** v. tr. (1902) «donner à un vin le goût, la couleur du madère», son participe passé adjectivé **MADÉRISÉ, ÉE** et **MADÉRISATION** n. f. (1902), sont surtout employés à propos de la transformation d'un vin blanc par oxydation.

MADONE n. f. est un emprunt de la langue des beaux-arts du XVIIe s. (1648, Poussin, *madonne*) à l'italien *madonna.* Ce mot, avant de se spécialiser comme terme d'art (v. 1547), est la désignation de la Vierge Marie (XIe s.) et, à l'origine, l'appellatif de respect envers les femmes, composé de *mia* «ma» et *donna* (→ dame).

♦ *Madone,* dans les arts, est principalement appliqué à des peintures et sculptures italiennes, surtout des Vierges à l'enfant. Par extension, il désigne la Vierge Marie (*la Madone,* 1823), et signifie quelquefois «femme» (1801), seulement dans quelques emplois marqués tel *La Madone des sleepings,* titre d'un roman de Maurice Dekobra.

MADRAGUE n. f. est emprunté (1679) au provençal *madraga,* lui-même repris à l'hispano-arabe *maḍrába* (XIVe s.), l'arabe *máḍraba* «lieu, endroit où l'on frappe», spécialisé en pêche pour le piège fixe formé par une enceinte de filets et de pieux disposés en compartiments parce que les bancs de poissons ainsi capturés sont assommés. Le mot est dérivé de la racine verbale *ḍ-r-b* «battre».

♦ Le mot, senti comme provençal, a été repris dans le cadre de la pêche au thon en Méditerranée.

▶ Le pêcheur à la madrague a reçu le nom de **MADRAGUEUR** n. m. (1873).

MADRAS n. m., attesté depuis 1797, vient de *Madras,* nom propre de la ville de l'Inde où cette étoffe à chaîne de soie et trame de coton était à l'origine fabriquée.

♦ Le mot désigne cette espèce d'étoffe et, par métonymie, un mouchoir (1798), un foulard de madras servant de coiffure féminine (1812). Il est extrêmement vivant en français des Antilles.

MADRÉ, ÉE adj. est issu (XVe s.) de l'ancien français *madre* (1190), nom d'un bois veiné utilisé au moyen âge pour faire les coupes, les vases à boire, et qui est le cœur ou la racine de tous les bois. Par métonymie, *madre* était anciennement employé au sens de «verre à boire» (1200) et désignait aussi les pierres précieuses servant à faire les coupes (onyx, agate). Le mot vient du francique °*maser* «excroissance rugueuse de l'érable» qui correspond à l'ancien haut allemand *masar*, au moyen néerlandais *maser*, à l'ancien scandinave *mösur* «érable».

♦ *Madré* qualifie proprement un bois veiné, tacheté. ◆ Par comparaison entre l'aspect du bois madré et la variété des ressources d'une personne rusée, il s'applique (1591) à une personne rusée sous des apparences de bonhomie, de simplicité. Le mot évoque le comportement paysan; il s'emploie rarement comme nom, depuis le XVIIe s. (1664).

MADRÉPORE n. m. est emprunté (1671), par l'intermédiaire du latin scientifique *madrepora* (1651), à l'italien *madrepora* (1599), nom d'un genre d'Anthozoaires des mers chaudes à polypier calcaire perforé. Le naturaliste Ferrante Imperato a probablement formé le mot sur le modèle de *madreperla* «nacre» (XIVe s.) à partir de *madre* (correspondant italien de *mère**) et de *poró*, issu soit du latin *porus* emprunté au grec *pôros* «tuf» (terme technique de construction), soit du grec *poros* «passage» (→ pore).

♦ Ce terme de zoologie reflète les connaissances anciennes sur ce type d'organisme, d'abord assimilé à une plante, puis à un «zoophyte».

► Le mot a pour dérivés un adjectif de détermination qui hésite entre les formes **MADRÉPORIQUE** (1812), **MADRÉPOREUX, EUSE** (1859) et **MADRÉPORIEN, IENNE** (1867), le premier semblant l'emporter, et le terme de classification **MADRÉPORAIRES** n. m. pl. (1870) désignant un ordre d'Anthozoaires dont le squelette constitue un polypier calcaire.

MADRIER n. m., d'abord *madier* (1379), a reçu son *r* sous l'influence de l'ancien français *madre* (→ madré), devenant *madret* (1382) puis enfin *madrier* (1542). Le mot est emprunté comme terme de marine à l'ancien provençal *madier*, attesté au XIVe s. au sens de «couvercle de pétrin», ou à un dialecte de l'Italie du Nord, région où semble s'être développée l'acception maritime du mot (*maderium* en latin médiéval à Venise, en 1319; *mader* au XIVe s. en vénitien). Il provient du bas latin et latin médiéval *materium* «bois de construction» (VIe s.), issu du latin classique *materia* de même sens (→ matière, et cf. *bois, ligneux*).

♦ *Madrier*, d'abord employé dans un contexte maritime, est plus généralement aujourd'hui un mot de charpenterie désignant une planche épaisse, ceci dès le XIVe s. (1384).

MADRIGAL, AUX n. m., attesté pour la première fois vers 1542 au pluriel *madrigales*, puis en 1578 au singulier *madrigal* (pluriel *madrigals*), est emprunté à l'italien du Nord *madrigale* «petite poésie galante». Le mot italien, attesté depuis le XIVe s., est également utilisé en musique. Son origine est obscure : on a proposé, en s'appuyant sur une forme latine médiévale *matricale* (v. 1320), le latin *matricalis*, proprement «qui se rapporte à la matrice» (de *matrix*, → matrice), pris spécialement dans *(carmen) matricalis* «(chant, poème) en langue maternelle» par opposition aux compositions faites en latin. Certains philologues remontent également à *matricalis*, mais le prennent au sens de «naïf, ingénu» (comme celui qui vient de naître, de sortir de la matrice). D'autres, prenant en compte le fait que la forme la plus ancienne en italien est *madriale*, pensent que *matricale* est peut-être une réfection latinisante par étymologie populaire; ils invoquent pour *madriale* l'étymon latin *materialis* (→ matériel), au sens figuré de«bâtard» (*filius materialis*, «bâtard», à Florence en latin médiéval), le madrigal faisant figure de genre bâtard, entre musique et poésie. D'autres encore prennent *materialis* au sens de «simple, familier, sans complication» (italien *materiale* «rustique»), sens qui correspond mieux à la spécificité du madrigal. La forme *madrigale* serait due dans ce cas à un phénomène phonétique très répandu en Italie du Nord.

♦ Le madrigal a été introduit en littérature française par Marot et Mellin de Saint-Gelais et cultivé au XVIIe s. par les poètes mondains, *La Guirlande de Julie* étant le recueil le plus célèbre. Sa vogue, entretenue au XVIIIe et renouvelée au XIXe s. (Musset), a décliné. ◇ La spécialisation musicale a été introduite par Rousseau (1768) à propos de musique italienne; les musicologues l'emploient surtout à propos des XVIe et XVIIe siècles.

► *Madrigal*, avec ses deux sens, a produit quelques dérivés spécialisés qui ne sont plus employés de nos jours qu'en histoire de la musique : **MADRIGALIQUE** adj. (1768, Rousseau), remplacé par son synonyme **MADRIGALESQUE** (1800) sur le modèle de l'italien *madrigalesco* (1636), **MADRIGALISER** v. intr. (1797) et **MADRIGALISTE** n. (1802) plus courant que les autres mots de la série en matière de musique ancienne.

MAELSTRÖM n. m. est l'emploi comme nom commun (1840) de *Maelstrom*, nom d'un tourbillon situé près de la côte norvégienne (1765). Celui-ci est emprunté au néerlandais de même sens *Maelstrom* (1595), à présent écrit *Maalstroom*, de *malen, maalen* «tourner, tourbillonner» et *strom, stroom* «courant», mot correspondant à l'anglais *stream* et à rattacher à la même racine indoeuropéenne que le grec *rheuma* (→ rhume).

♦ Le mot désigne un tourbillon marin très rapide et, au figuré (1856), un mouvement d'agitation intense. On écrit aussi *malstrom*.

MAESTRO n. m. a été emprunté (1817, Stendhal) à l'italien *maestro*, correspondant à *maître**, pris spécialement au sens de «compositeur de musique» (XVIe s.).

♦ Le mot est employé en parlant d'un compositeur d'œuvres musicales importantes, d'un chef d'orchestre renommé ou en s'adressant à l'un d'eux (on dit également *maître*).

▶ **MAESTRIA** n. f. a été emprunté (1842-1843, G. Sand) à l'italien de même sens *maestria*, dérivé de *maestro*; à la différence de *maestro*, il s'est étendu hors du domaine de la musique, indiquant l'aisance, l'habileté dans l'exécution, qu'il s'agisse d'art ou non.

MAFIA ou **MAFFIA** n. f. est emprunté (1866) au sicilien *mafia*, mot désignant à l'origine la grâce, l'allure, l'audace, spécialisé comme dénomination d'une société secrète fondée en Sicile entre 1820 et 1848 (sens peut-être attesté pour la première fois en 1838 dans un rapport des autorités judiciaires de Trapani). L'origine du mot est obscure et controversée : on a invoqué un vieux terme toscan, *maffia* «misère», mais l'orthographe *maffia* n'est pas d'usage sicilien. On a proposé un nom de lieu, celui d'un champ de courses ou d'une région riche en cavernes dans les environs de Trapani. On a aussi évoqué une origine arabe, soit un mot signifiant «vantard», soit une incantation utilisée pour se protéger contre «la mort rôdant la nuit», enfin une expression signifiant «protection des faibles». ◇ Le développement sémantique du mot se suit mieux, le nom de la société criminelle s'identifiant à une manifestation d'audace, de bravade, d'exaltation de «l'idée exagérée de la force individuelle, arbitre unique de tout différend, conflit d'intérêts et d'idées» (G. Pitré). Phénomène lié à l'origine à un mythe populaire individualiste et chevaleresque (le banditisme d'honneur), la mafia est devenue une société secrète protégeant les intérêts économiques liés à la structure terrienne sicilienne, puis une association criminelle internationale, passée aux États-Unis avec l'immigration sicilienne, et souvent nommée alors *cosa nostra* «notre cause».

♦ L'expansion du mot en français suit l'évolution historique de la société secrète sicilienne et italienne : *mafia* s'applique par extension à une coterie secrète servant des intérêts privés plus ou moins illicites (1930) et, par analogie, au figuré, à une clique, un groupe occulte (1950).

▶ **MAFIOSO** n. a été emprunté (1902 au plur. *maffiosi*; *mafioso* 1930) à l'italien *mafioso* dérivé de *mafia*, nom du membre de cette association, personnage longtemps représenté de manière ambivalente, déconsidéré depuis la fin du XIXe siècle. ◇ Le français emploie le mot avec son pluriel italien *mafiosi*, l'adaptant quelquefois en **MAFIEUX, IEUSE** n. et adj. (style journalistique 1969 écrit *maffieux*). ➡ Le style journalistique a répandu récemment **MAFIOSISME** n. m., **MAFIEN, IENNE** adj., quelquefois écrit, comme toute la série, avec *-ff-*. ◇ Les autres noms de la mafia sicilienne (*cosa nostra* par exemple) ou d'autres mafias (la *Camorra* napolitaine) peuvent apparaître en français.

MAFFLU, UE adj., d'abord *maflu* (1668), est issu par substitution de suffixe de *maflé* «joufflu» (1666), participe passé de *mafler* «manger beaucoup» (1642), lui-même emprunté au moyen néerlandais *maffelen* «remuer les mâchoires, mâchonner» (→ moufle).

♦ Le mot qualifie, avec une nuance péjorative, une face ou une personne joufflue.

MAGASIN n. m. est emprunté, sous la forme *maguesin* (v. 1389), à l'arabe *maḫāzin*, pluriel de *maḫzan* «entrepôt», d'un verbe signifiant «assembler, amasser», soit par l'intermédiaire de l'italien *magazzino* (1308), soit par le provençal : en 1228, on relève le latin médiéval *magazenum* dans une loi sur les contrats permettant aux Marseillais d'établir des entrepôts dans les ports du Maghreb.

♦ Le premier sens, «entrepôt», s'est maintenu jusqu'à nos jours, spécialement dans un contexte militaire, à propos du local où sont stockés vivres, munitions, etc. (1669). ◇ Avant 1615, *magasin* commence à désigner un lieu destiné à la vente des marchandises, mais se distingue de *boutique* en s'appliquant exclusivement à un lieu de vente en gros. Dès le XVIIIe s., la distinction n'est pas toujours respectée (1723), mais c'est seulement au XIXe s. que se fait la confusion et que *magasin* supplante *boutique* lorsqu'il s'agit d'un vaste local (avec luxe de façades, d'enseigne, d'étalage...). ***Grand magasin*** apparaît (attesté 1883) après la création à Paris du Bon Marché (1852), du Louvre (1855) et du Printemps (1865). ➡ Le XIXe s. fournit également au premier sens, «entrepôt», un nouvel emploi technique : le mot désigne la partie d'une arme à feu recevant l'approvisionnement en cartouches (1873) et s'étend au XXe s. à propos d'un appareil-photo (1912), d'une caméra.

▶ *Magasin* a produit ① **MAGASINAGE** n. m. (1675) «action de mettre en dépôt», **MAGASINIER** n. m. (1692) «personne gardant les marchandises déposées en magasin» — le féminin *magasinière* est récent —, synonyme de **GARDE-MAGASIN** n. m. (1634), également employé avec d'autres sens correspondant à ceux du *magasin*, et **ARRIÈRE-MAGASIN** n. m. (1865), cependant moins courant qu'*arrière-boutique*. ➡ **EMMAGASINER** ajoute à son emploi strict de «mettre en magasin» (1762), le sens plus général de «mettre en réserve, accumuler» (1844) et, dès 1807, le sens figuré «mettre en mémoire, en pensée». ◇ À son tour, ce verbe a donné **EMMAGASINAGE** n. m. (1781), **EMMAGASINEMENT** n. m. (1781) et **EMMAGASINEUR** n. m. (1795).
Le verbe simple **MAGASINER** v. intr., après un emploi sans lendemain (1773, «gérer des réserves en magasin»), est une création plus tardive (1894) et canadienne qui correspond à l'anglais *to shop* «faire des emplettes dans les magasins». ◇ Son dérivé ② **MAGASINAGE** n. m. (1909) sert d'équivalent à l'anglicisme *shopping*, lequel est employé couramment en France.

◈ voir MAGAZINE.

MAGAZINE n. m. a été emprunté (1776) à l'anglais *magazine*, lui-même emprunté vers 1583 au français *magasin**. C'est l'Anglais Edward Cave qui donna au mot le sens de «publication périodique» en fondant en 1731 sa revue *The Gentleman's ma-*

gazine à partir du sens figuré, apparu vers 1639, d'«ensemble, arsenal d'informations», aujourd'hui oublié. Ces innovations anglaises ont été rendues en français, aux XVIIIe et XIXe s. par le mot *magasin* (*Magasin charitable*, 1741; *Magasin pittoresque*, 1833, etc.), aujourd'hui sorti d'usage dans ces emplois.

♦ *Magazine* est apparu en français au sens de «publication périodique» dans le *Journal anglais*, d'abord au féminin par alignement sur les autres mots en *-ine*. ◇ De nos jours, il est parfaitement intégré dans ses deux sens de «revue» et «émission périodique de radio, de télévision sur un thème déterminé» (1959).

MAGE n. m. est emprunté (v. 1474) au latin *magus* «prêtre chez les anciens Perses», «magicien, sorcier», emprunt au grec *magos* d'origine iranienne, du vieux perse *magu* «prêtre», tenu pour un emprunt au Mède (puisque Hérodote pensait qu'il s'agissait d'une tribu mède). *Magos* est appliqué à la réalité grecque au sens de «sorcier, charlatan». Le mot est entré en français une première fois en 1265 *(mague)* par emprunt à l'italien *mago*, du latin *magus*.

♦ Introduit dans l'expression *les trois Rois mages ou magiciens*, le mot s'applique d'abord à ces personnages venus à Bethléem pour adorer Jésus, commémorés par la galette des rois et dans la tradition iconographique. ◇ Le sens historique de «prêtre de la religion de Zoroastre en Médie, savant en astrologie», noté chez Rabelais (1546), a précédé de peu le sens péjoratif de «sorcier» (1579). ◇ Depuis 1612, *mage* désigne une personne spécialisée en sciences occultes et en magie, personnage auquel les poètes romantiques (Novalis, Hugo) ont identifié le poète.

▸ Son dérivé MAGISME n. m. (1697) est un terme d'histoire orientale désignant la religion des Mages consignée dans l'Avesta.

◈ voir MAGIE.

MAGENTA n. m., emprunté (1862) à l'anglais, vient du nom de la ville de *Magenta*, en Italie, où les troupes françaises et italiennes vainquirent les Autrichiens le 4 juin 1859. Les Anglais nommèrent ainsi un colorant qu'ils découvrirent en 1860 (*Magenta red* «rouge Magenta») en souvenir de la bataille particulièrement sanglante qui venait de se dérouler.

♦ Le mot désigne un colorant rouge violacé, également nommé fuchsine; d'abord employé en chimie, il s'est répandu dans l'usage pour une nuance de rouge (en apposition, avec une valeur adjective) et a été repris en photographie pour désigner le colorant qui absorbe le vert.

MAGHRÉBIN, INE adj. et n. (1847; altéré en *magriblau*, 1643), est dérivé de l'emprunt à l'arabe *Maghreb, al Maghrib* «l'occident», de la racine verbale *gharb* «aller, s'en aller», ici appliquée au soleil.

♦ Des pays du nord-ouest de l'Afrique, de la Libye au Maroc, en passant par l'Algérie et la Tunisie. Voir l'encadré pp. 2090-2091.

MAGICIEN → MAGIE

MAGIE n. f. est un emprunt (1535) au latin *magia*, du grec *mageia* «religion des mages perses» et «sorcellerie», dérivé de *mageuein* «être un mage», lui-même de *magos* (→ mage).

♦ Le mot, apparu avec son sens historique antique, est synonyme de *magisme* (cf. ci-dessous *magique*). ◇ Depuis le XVIe s., il désigne l'art de produire par des procédés occultes des phénomènes sortant du cours ordinaire de la nature (attesté 1579; 1555 au figuré chez Ronsard), notamment dans ***magie naturelle*** (1512), ***magie noire*** et ***magie blanche*** (1630) restés usuels, alors que *magie divine* (1671) et *magie démoniaque* (1692) ne s'emploient plus, et a développé un sens figuré (1665) dont participe son emploi dans une expression comme *la magie de l'art* (1757). L'expression ***(comme) par magie*** semble récente.

▸ L'adjectif correspondant, MAGIQUE, est emprunté au latin *magicus* (du grec *magikos*) dans *art magike* «sorcellerie (des anciens Perses)» (v. 1265), étendu à la sorcellerie en général (1427). ◇ Depuis le XVIe s. (1555, Ronsard), l'adjectif qualifie ce qui tient de la magie, entrant dans plusieurs syntagmes, dont ***baguette magique*** (1840). ◇ Au figuré, *magique* correspond à «surnaturel, extraordinaire» (1640) et, récemment, à «très beau, étonnant» (mot à la mode, en partie dû aux emplois de *magic*, adj., et *magics*, n., en anglo-américain). ◇ Ultérieurement, le mot est utilisé par plusieurs langages spécialisés (sociologie, psychologie) dans la description de comportements collectifs ou individuels dont la démarche suppose l'intervention de forces mystérieuses. ◆ De *magique* a été dérivé MAGICIEN, IENNE n. et adj. (1370-1380), nom d'une personne pratiquant la magie, en concurrence avec *mage* et, anciennement, avec *enchanteur*; également employé au figuré (1718). ◇ *Magicien, ienne* adj. (XVe s.) a décliné, puis a été repris (1822, Hugo). ◆ MAGIQUEMENT adv. (1521, repris 1769) s'emploie aux sens propre et figuré de l'adjectif. ◆ *Magique* entre aussi sous la forme du composant MAGICO- dans des termes d'usage didactique *(magico-religieux)*.

MAGISTER → MAÎTRE

MAGISTÈRE n. m. est emprunté (v. 1170) au latin *magisterium*, dérivé de *magister* (→ maître), employé dès l'époque classique avec les sens, d'une part de «pouvoir, fonction de chef, de président», «fonction de maître, de précepteur», d'autre part «art, manière» et «talent» selon les domaines de la vie politique, publique, professionnelle et privée. L'ancien français a eu la forme adaptée *maiestire, maistire* aux XIIe et XIIIe s. au double sens d'«autorité, puissance» et «art, habileté, talent».

♦ Le mot, emprunté à plusieurs reprises, concerne une autorité, un pouvoir sur le plan doctrinal, moral et intellectuel, quelquefois avec une nuance péjorative de tyrannie (1907); les emplois sont archaïques et littéraires. Il s'est spécialisé comme nom d'une dignité militaire, celle du Grand Maître de l'Ordre de Malte (1694) et, par métonymie, de la durée d'exercice de cette dignité (1694), emploi aujourd'hui historique. ◆ Quelques usages techniques (pharmacie, chimie) ont pris au XVIIe s. le sens concret de «substance ayant des propriétés souveraines» (v. 1610); en alchimie, on emploie le mot à propos de la pierre philosophale (1765) et de chaque phase de l'opération du grand œuvre. ➛ La terminologie universitaire française a introduit un emploi se référant à un enseignement et à un grade spécifique, créé en 1985, par calque de l'anglais *master* (dans *master of art*), à côté de l'emprunt *mastère* qui désigne un autre grade créé en 1986 et de l'anglicisme *master (master class; les masters)*.

◈ voir MAGISTRAL, MAGISTRAT.

MAGISTRAL, ALE, AUX adj., une première fois sous la forme héritée *maistral* (1265), rare en langue d'oïl mais courante et vivace en langue d'oc (→ mistral), est emprunté (v. 1405) au bas latin *magistralis* (IVe s.), adjectif correspondant aux divers sens de *magister* (→ magistère, maître).

♦ Le mot est d'abord employé pour qualifier ce qui est fait avec art, digne d'un maître, relatif au maître, puis il décrit aussi, objectivement, ce qui est du maître, relatif au maître, spécialement dans le domaine de l'enseignement (v. 1495, *chaire magistrale*). Ces deux valeurs, qui correspondent aux emplois de *maître* et de son ancien doublet *magister* (antérieurement *magistre*), ont donné des emplois à connotation psychologique : il reste une trace de l'ancien sens, «autoritaire, impérieux» (1449, jusqu'au XVIIe s.), dans la valeur hyperbolique de «grand, important», attestée chez Rabelais et reprise familièrement dans la langue moderne (depuis Flaubert). En outre, il reste une trace du sens de «docte, compassé» (v. 1580) dans certains emplois ironiques (1787), où l'adjectif est concurrencé par *doctoral, professoral.* ➛ Le mot s'est spécialisé en pharmacie (1574, *sirop magistral*) pour une préparation confectionnée selon la formule donnée par le codex ou le médecin. ➛ Par une évolution analogue à celle de *principal*, le mot est passé en architecture où il qualifie la ligne principale d'un plan, d'un tracé sur le papier ou sur le terrain et, en fortification, la ligne formée par l'arête supérieure du mur d'escarpe (1823; elliptiquement *la magistrale*, 1867).

▸ **MAGISTRALEMENT** adv., dont la forme actuelle (1528) a été précédée par *magistraument* (1404-1405), n'a presque jamais le sens de «relativement au maître», mais possède les autres valeurs de l'adjectif : «d'une façon experte» (surtout en art), «d'un ton, d'un air magistral» (1532) et, par hyperbole, «de façon massive, intensément» (Flaubert, par ironie).

MAGISTRAT n. m. est un emprunt (v. 1355) au latin *magistratus*, dérivé de *magister* (→ maître), proprement «maîtrise (du peuple)» dans *magistratus populi*, d'où par suite «charge publique de juge, etc.» et par métonymie «personne assumant cette charge». À l'époque médiévale, le mot s'est spécialisé dans l'enseignement.

♦ *Magistrat*, apparu au sens de «charge publique, magistrature», sorti d'usage après le XVIIe s., et «ensemble des titulaires de ces charges», a pris ensuite son sens moderne, «officier civil» (1538) et, peu après, celui de «membre de l'ordre judiciaire ayant pour fonction de rendre la justice» (1548). Avec celui-ci, il entre dans les titres ***magistrat consulaire*** (dans un tribunal de commerce), ***magistrat militaire*** (v. 1950), etc. ◇ Le fém. régulier *magistrate* commence à se répandre dans les années 1990.

▸ Son dérivé **MAGISTRATURE** n. f. est apparu (1472) au sens de «dignité conférée par le gouvernement municipal» et, plus largement, «charge de magistrat» (endossant ainsi le sens ancien de *magistrat*). Par métonymie, il est appliqué (1636) à la durée des fonctions de magistrat et (1681) au corps des membres de l'ordre judiciaire (valeur collective assumée par *magistrat* entre le XVe s. et le XVIIIe s.). Au XIXe s., sont apparus les syntagmes ***magistrature assise*** «les juges» et ***magistrature debout*** (1839) «les procureurs, les avocats généraux».

MAGMA n. m. a été emprunté assez tard (1694) au latin *magma* «résidu d'un parfum», lui-même emprunté au grec *magma* «masse pétrie, onguent», de la famille de *mattein* «pétrir», à rattacher à la racine indoeuropéenne °*mag-* que l'on retrouve dans *macérer**, ① *masse** et *maçon**.

♦ *Magma*, employé au XVIIe s. au sens de «lie, marc (d'un onguent)» en pharmacie, a pris au XVIIIe s. celui de «masse épaisse, visqueuse et gélatineuse» en chimie (1773). ◇ L'acception qu'il a acquise en géologie (v. 1879) s'est imposée comme le sens le plus courant du mot (surtout en volcanologie), et a bientôt donné lieu à un emploi figuré pour «mélange confus» (1883).

▸ On a formé sur *magma*, **MAGMATIQUE** adj. (1899, *bassin magmatique*) et **MAGMATISME** n. m. (v. 1960). ➛ Avec le sens figuré de *magma*, on a formé **MAGMATEUX, EUSE** adj., attesté dans le style journalistique vers 1973 (d'après *pâteux*), mais demeuré rare.

MAGNAN n. m. est un emprunt (1721) au provençal moderne *magnan* «ver à soie», lui-même d'origine obscure. On l'a rapproché de noms italiens dialectaux désignant le chat — et par métaphore, le ver à soie, la sangsue —, d'un radical expressif en *min-*, *man-* (cf. *minet*). L'italien *magnatto*, probablement de même origine, aurait fourni le moyen français *maignat* (1551).

♦ Ce mot régional du sud de la France signifiant «ver à soie» est moins connu que ses dérivés.

▸ **MAGNANIER, IÈRE** n. (1763, *magnagnier*) désigne l'éleveur de vers à soie. ◇ **MAGNANERIE** n. f. (1823, écrit *magnagnerie*, 1763) a éliminé *magnanière;* c'est un emprunt adapté au dérivé provençal *magnanarié*, pour «entreprise d'élevage des vers à soie». ◇ **MAGNANARELLE** n. f. (1859, Mistral, *Mireille*) reste très provençal et est devenu archaïque; c'est un emprunt au provençal *magnanarello* «femme employée dans une magnanerie».

MAGNANIME adj. est emprunté (v. 1265) au latin *magnanimus*, proprement «qui montre de la grandeur d'âme», d'où «noble, généreux», de *magna*, féminin de *magnus* «grand» (→ magnat, majeur) et *anima* (→ âme), à l'imitation du composé grec *megalothumos*.

LE MAGHREB (LA QUESTION DES LANGUES AU MAGHREB)

La situation linguistique du Maghreb, à la fin du XXe s., se caractérise par une accumulation d'héritages anciens (les langues berbères ; ni le latin, ni le vandale — langue germanique — n'ayant laissé de traces) et historiques. L'arabe s'est introduit au VIe s. avec les conquérants venus de l'Est, d'abord en Tunisie ; le turc ne semble pas avoir eu d'effet autre que des emprunts ; le français enfin est venu avec les colonisateurs.

La pratique linguistique essentielle des trois pays du Maghreb actuel consiste en parlers arabes oraux et populaires différenciés, plus ou moins éloignés de l'arabe classique et, aujourd'hui, de l'arabe moderne normalisé, de type égyptien. Les parlers arabes de Tunisie, proches de ceux de Libye, eux-mêmes proches de l'arabe égyptien, correspondent chez les locuteurs cultivés à une meilleure connaissance de l'arabe classique. Celui-ci, conservé par l'école coranique et l'Université islamique, n'est pas une langue morte pour les Maghrébins, mais une langue liturgique de très haut prestige, partiellement connue ou réduite à des formules (la connaissance du latin par les catholiques français du XIXe s. peut en donner une idée). Les parlers berbères (non sémitiques) sont très vivants en Algérie (le kabyle) et au Maroc, mais minoritaires et sans l'arrière-plan culturel et littéraire, international, de l'arabe.

Quant au français, c'est en 1830 qu'il a débarqué à Alger, avant de se répandre, d'abord par l'armée, puis par les colons et l'Administration, en Algérie, la Tunisie et le Maroc étant dans des situations politiques et culturelles différentes (protectorat français en Tunisie : 1881-1956 ; au Maroc : 1902-1956). À une francisation linguistique, de plus d'un siècle pour l'Algérie, succède depuis les indépendances une arabisation de plus en plus complète, qui laisse au français une place variable et incertaine.

Le lieu essentiel de l'évolution — et de l'équilibre entre les parlers arabes dialectaux, l'arabe standard écrit, l'arabe classique lu et récité, les parlers berbères et le français — est évidemment l'école. Ainsi, la scolarisation francophone est le facteur le plus important pour le maintien de cette langue d'origine coloniale, aujourd'hui avec les médias (journaux, radios, télévision, laquelle bénéficie des fameuses antennes paraboliques). L'Algérie nouvellement indépendante, pour maintenir l'enseignement, a paradoxalement employé 6 000 coopérants français en pleine période d'arabisation et d'exode des pieds-noirs. Ces francophones de langue maternelle avaient donné au français d'Algérie, surtout après 1900, une couleur régionale particulière, faite d'influences italienne, espagnole et arabe, avec une phonologie, une syntaxe, un vocabulaire et surtout une rhétorique méditerranéenne très typiques, ajoutant au tableau linguistique de l'Algérie un parler populaire qui eut son heure de vitalité (voir A. Lanly).

La scolarisation du Maghreb, beaucoup plus forte que celle de l'Afrique noire, va de pair avec l'alphabétisation des adultes. L'urbanisation et l'explosion démographique accentuent les évolutions — et aussi les adaptations et les problèmes. La pratique du français, dans ce milieu culturel où l'islam et le nationalisme se conjuguent, est articulée sur la maîtrise de l'arabe — ce qui, entre autres problèmes, inclut l'apprentissage de deux écritures. Or, la coupure entre pratiques spontanées de l'Orient (Arabie, Égypte, Émirats, Irak, Jordanie, Liban, Syrie...), qui se pense le seul détenteur de l'arabe véritable, et dialectes du Maghreb (avec le «pont» que constitue l'arabe tunisien) est un obstacle à la normalisation de la langue moderne. La référence religieuse à l'arabe coranique, qui considère que la modernisation linguistique, pourtant indispensable aux enseignements secondaire et supérieur, à la technique et à la science, est un danger par rapport à une pureté religieuse de plus en plus revendiquée, devient paradoxalement un argument en faveur d'une langue empruntée pour exprimer la modernité. Ainsi, l'anglo-américain, dans les pays les plus théocratiques de l'islam (Arabie Saoudite et certains émirats), ou bien le français au Maghreb, aujourd'hui encore, jouent ce rôle de protecteur de l'intégrité de l'arabe, langue de la révélation religieuse. On peut d'ailleurs penser que le programme de la charte algérienne, «récupération totale de la langue nationale», «adaptation (de l'arabe) à tous

♦ *Magnanime,* employé anciennement au sens de «qui a de la grandeur et de la force d'âme» (en parlant de personnes et, depuis 1553, d'actions), a pris sa valeur moderne «enclin à pardonner, bienveillant» au XVIIe s. (v. 1669). Celle-ci a éliminé le sens de «fanfaron» (1657-1771), issu par ironie de celui d'«orgueilleux» (1545), lui-même venu de la notion de «généreux». Le mot est d'usage littéraire, de même que *longanime**, *équanime* (→ équanimité) de formation analogue, tout en étant plus courant qu'eux.

► On en a tiré **MAGNANIMEMENT** adv. (XVe-XVIe s.).

◆ Le nom correspondant, **MAGNANIMITÉ** n. f. est aussi un emprunt (v. 1265) au dérivé latin *magnanimitas,* et a suivi l'évolution de l'adjectif, prenant son sens moderne au XVIIe s. (1689).

MAGNAT n. m. a été emprunté (*magnates,* au pluriel, 1541) au pluriel latin *magnates* «les grands, les puissants» dans la Vulgate, formé sur *magnus* «grand» (→ majeur), adjectif qui comporte souvent

les besoins de la société» et «acquisition des langues étrangères», est quelque peu abstrait et volontariste. Autant dire que la loi d'arabisation entrée en vigueur en juillet 1998, et qui promeut l'arabe classique, écartant les dialectes arabes et berbères comme le français, semble inapplicable à l'observateur objectif.

Il faut distinguer, pour le français au Maghreb, deux statuts. D'abord, une pratique spontanée, entretenue par les relations avec les travailleurs immigrés de France (leurs enfants, les «beurs», ont le plus souvent perdu la langue arabe). Cet usage du français concerne l'important reliquat d'analphabètes (ils étaient estimés à 80 % en 1962; encore à 50 % dans les années 1980). Cette pratique se perd (ou s'est perdue) dans les campagnes au profit de l'unilinguisme arabe, mais l'urbanisation la ranime. Elle correspond à un français fort éloigné de la norme, appauvri par rapport au modèle écrit, enrichi d'apports de l'arabe : un «franc-arabe» est né. Selon J. Picoche : «Il s'agit moins d'une langue en évolution que d'une variété déjà ossifiée qu'il faut connaître pour perfectionner en français les adultes du cours du soir.» Cela dit, les évolutions spontanées de cet usage sont prévisibles et sa «variété ossifiée» (qui semble comparable au *black English* en milieu anglophone américain, au statut de langue maternelle près) risque de perdre de son importance si les adultes du cours du soir sont alphabétisés exclusivement en arabe. En Tunisie, une autre langue romane, l'italien, acquiert aussi ce type de statut, au moins dans le nord du pays, télévision aidant.

À côté de ces usages spontanés, le français de l'école, puis de l'université — en net recul —, celui des milieux cultivés, jusqu'à la maîtrise des journalistes et écrivains maghrébins francophones (parfois isolés de la communauté nationale) et à celle des techniciens, des scientifiques, des professions libérales, des milieux d'affaires, se distingue du français de France comme une variété «régionale» parmi d'autres. Ce français a incontestablement cédé du terrain, plus encore en Algérie qu'en Tunisie et au Maroc. Sa survie, son développement ou son recul sont fonction des décisions en matière de politique scolaire, à la fois sur le plan quantitatif et qualitatif. Or, l'arabisation, généralisée dans les intentions, est modulée par les circonstances et les besoins. L'enseignement primaire se fait majoritairement en arabe; le secondaire est largement bilingue. En 1980, les enfants marocains faisaient neuf heures de français par semaine à partir de la troisième année du primaire, les jeunes Algériens et Tunisiens, dix heures à partir de la quatrième année. Puis, quatre à huit heures dans le secondaire entretiennent et perfectionnent la connaissance de cette langue étrangère un peu particulière. L'université s'arabise, mais les sciences, la technique continuent souvent de s'enseigner en français, avec une concurrence de l'anglais.

Les conflits sociaux de l'Algérie — entre néo-bourgeoisie du pouvoir, de l'économie, de la technique, et peuple urbain et rural, entre culture arabo-occidentale et culture islamiste à tendance intégriste — sont aussi des conflits sociolinguistiques où s'affrontent, d'une part, un arabe normalisé proche de l'arabe littéraire et un français régional, d'autre part, des dialectes spontanés (arabes et berbères) auxquels peuvent s'ajouter, dans les villes, le «franc-arabe» non moins spontané et altéré par rapport à la norme.

L'équilibre instable d'aujourd'hui dépend des attitudes politiques. C'est dire que l'avenir francophone du Maghreb, et en particulier de l'Algérie, est à peu près imprévisible. En termes de besoins, ces trois nations tireraient avantage d'un multilinguisme maîtrisé, tant en ce qui concerne la normalisation des dialectes maternels que le maintien ou l'acquisition d'une langue internationale. Cette dernière opération, compte tenu de la situation historique et géographique de la région, serait moins coûteuse à effectuer avec le français qu'avec l'espagnol (solution imaginable pour le Maroc) ou qu'avec la tentation universelle de la langue anglaise, qui inciterait à nier de fortes et riches habitudes culturelles.

A. Rey

BIBLIOGRAPHIE

M. GIRARD et Ch. MOREUX, «La Langue française en Algérie», in *Le Français hors de France* (A. Valdman), Paris, Champion, 1979.

G. GRANDGUILLAUME, *Arabisation et politique au Maghreb*, Paris, Maisonneuve et Larose, 1983.

A. LANLY, *Le Français d'Afrique du Nord*, Paris, P.U.F., 1962.

J. PICOCHE [et C. MARCHELLO-NIZIA], *Histoire de la langue française*, chap. V, Paris, Nathan, 1989.

une idée accessoire de «force, puissance, noblesse» en faisant une épithète honorifique et laudative (cf. *grand*).

♦ *Magnates* apparaît seulement dans quelques textes du XVIe s. au sens de «grands, puissants», le terme usuel étant *grands*. Il a été repris (1732) comme titre porté par les membres de la haute noblesse en Pologne et en Hongrie, d'après le latin administratif de Pologne et de Hongrie *magnates*. ➔ Depuis 1895 (après une attestation chez Mirabeau, 1760-1770), il a le sens péjoratif de «gros capitaliste», souvent dans un *magnat de (la finance*, etc.), par emprunt à l'anglo-américain *magnate* «gros capitaliste» (1852 au pluriel), spécialisation de sens de ce mot anglais, lui-même emprunté au français *magnat*.

SE MAGNER v. pron. est une forme populaire issue phonétiquement (1907) de *se manier**, attesté au sens de «se mouvoir, s'activer» en parlant d'un bateau depuis le début du XVIIe s., et au XVIe s. en parlant des personnes. L'ancien français avait déjà *se manoier* «se remuer» (v. 1185), emploi pronominal de *manier** «faire aller».

♦ Le verbe, répandu par l'argot des poilus (1916, *s'manier la fraise;* 1918, *magne-toi*), est passé dans l'usage familier, également écrit *se manier* (1916), le rattachement à *manier* étant encore senti par le locuteur.

MAGNÉSIE n. f., une fois adjectivement dans *roche magnésie* (1497), puis au milieu du XVIe s. (1554), est emprunté au latin médiéval *magnesia* (Xe s.), féminin substantivé de *magnesius.* Ce dernier est l'adjectif de *magnes (lapis),* nom donné à la pierre d'aimant, correspondant au grec *magnês lithos,* littéralement «pierre de Magnésie» (→ magnétique). Le mot est tiré du nom de la ville d'Asie Mineure, *Magnesia,* sans doute parce que l'on y trouvait quantité de minerais aimantés. Les expressions grecque et latine s'appliquent aussi, par analogie, à un minéral brillant, argenté (peut-être le talc).

♦ L'attestation du XVIe s. est de valeur douteuse et semble recouvrir le sens alchimique de «mercure philosophal», clairement attesté en français de 1721 à 1873, mais déjà attesté par le moyen anglais *(magnesia* ou *magnasia),* par exemple chez Chaucer (v. 1386). Le mot a désigné le corps chimique (peroxyde de manganèse) aussi nommé *magnésie noire* (1779) et, par dérivation savante du latin, *magnes, magnese* et *magne* (1698 à 1771). ➛ Le passage de la magnésie noire (peroxyde de manganèse) à la blanche (carbonate de magnésium hydraté, puis oxyde de magnésium) est enregistré au XVIIIe s. par le mot *magnésie* employé seul (1762) et l'expression *magnésie blanche,* calquée du latin scientifique *magnesia alba* (1722, Hoffman). Selon le dictionnaire d'Oxford, ce sens correspondrait à un réemprunt au latin et non à une évolution de sens; en effet, Cardan avait nommé la seconde substance *magnes carneus* «aimant de la chair» (v. 1550), expression évoquant une terre blanche qui «happe» à la langue comme l'aimant s'attache au fer.

▸ L'adjectif dérivé **MAGNÉSIEN, IENNE** concerne successivement ces deux corps (1620 pour la magnésie noire, puis 1782, Guyton de Morveau). Tous les dérivés et composés, au XIXe s., concernent la magnésie blanche (oxyde de magnésium); c'est le cas de **MAGNÉSITE** n. f. (1797) «silicate, puis carbonate naturel de magnésium», **MAGNÉSIQUE** adj. (1840), **MAGNÉSIFÈRE** adj. (1823). ➛ Quant au mot **MAGNÉSIUM** n. m. apparu en 1780 (Guyton de Morveau) pour désigner la *magnésie noire* (peroxyde de manganèse), il a rapidement perdu ce sens. ◇ Réapparu plus tard (1818, dans une traduction de l'anglais Thomson), il a été formé en anglais par H. Davy (1812) qui avait découvert l'élément en 1807, à partir de *magnesia* «magnésie blanche». Son usage pour produire de brillants éclairs, qui remonte à 1860, a fait passer le mot de l'usage chimique à la langue générale, par la photographie.

◈ voir MAGNÉTIQUE, MANGANÈSE.

MAGNÉSIUM → MAGNÉSIE

MAGNÉTIQUE adj. est un emprunt (1617) au bas latin *magneticus* «relatif à l'aimant», issu de *magnes (lapis)* «aimant», adaptation du grec *magnês (lithos),* de même sens; → magnésie.

♦ Le développement de *magnétique* est indissociable de celui de **MAGNÉTISME** n. m. apparu peu après (1666; l'anglais *magnetism* est repéré dès 1616) au sens d'«influence occulte régnant dans le monde» et qui a pris en physique le sens de «puissance d'attraction propre à l'aimant» (1720, trad. Newton). Les propriétés de la pierre d'aimant étaient déjà connues des Anciens (dès Thalès de Milet) et l'application des aimants à la navigation remonte aux XIe et XIIe siècles. Cependant, la première théorie du magnétisme, si l'on excepte celle de P. de Maricourt (1269), est due à l'Anglais W. Gilbert vers 1600. Aux XVIIe et XVIIIe s. apparaissent ainsi les syntagmes ***force magnétique*** (1670) et ***pôle magnétique*** (1750), mais il faut attendre Ch. de Coulomb (1785) pour connaître les lois d'attraction des charges magnétiques en fonction de la distance (cf. *coulomb*), et D. Poisson (1781-1840) pour l'amorce de la théorie des ***champs magnétiques***; ces recherches se sont développées aux XIXe et XXe s., en relation avec la théorie de l'électricité. ➛ À la fin du XVIIIe s., le nom et l'adjectif acquièrent une nouvelle acception en relation avec les théories (fantaisistes) du fluide universel de F. A. Mesmer *(mesmérisme) :* on voit alors apparaître les expressions ***magnétisme animal*** (1775; absolument *magnétisme,* 1784) et ***fluide magnétique*** (1784). Ces thèses déclenchèrent des discussions passionnées si bien que Louis XVI nomma en 1784 une commission de savants qui condamna la thèse de Mesmer en concluant à l'inexistence du fluide. Cette thèse fut réfutée définitivement en 1843 par les théoriciens de l'hypnose (cf. *hypnose*). Cependant, *magnétisme* et *magnétique* en conservèrent le sens figuré de «charme fascinant» (fin XVIIIe s.) et, pour l'adjectif, de «fascinant» (1835).

▸ Un certain nombre de dérivés apparut au plus fort des débats sur le magnétisme animal, à commencer par **MAGNÉTISER** v. tr. (1771) qui a pris par suite le sens figuré de «charmer» (1835) et a été employé en physique (1907). ◇ Ont suivi **MAGNÉTISANT, ANTE** adj. (1781), **MAGNÉTISEUR, EUSE** n. (1784), **MAGNÉTISATION** n. f. (1784) et, plus tard, **MAGNÉTISABLE** adj. (1857). ➛ **MAGNÉTIQUEMENT** adv. (1634; à nouveau fin XVIIIe s.) a suivi l'évolution sémantique de l'adjectif.
Les autres dérivés concernent le sens scientifique : ce sont **MAGNÉTITE** n. f. (1878), emprunt à l'allemand *Magnetit* (Haidinger, 1845), **DÉMAGNÉTISER** v. tr. (1870), d'où **DÉMAGNÉTISATION** n. f. (1870) et de nombreux composés dont *magnétique* et *magnétisme* constituent le second élément *(anti-, bio-, électro-, géo-, dia-, para-).* ➛ Les composés **DIAMAGNÉTIQUE** adj. (1846) «dont l'aimantation est de sens opposé à celui du champ inducteur» et **DIAMAGNÉTISME** n. m. (1849) «propriété d'une substance diamagnétique» sont courants en physique, comme **FERROMAGNÉTIQUE** adj. (1883) et **FERROMAGNÉTISME** n. m. (1881)

«propriété des métaux et alliages fortement magnétiques».
L'élément **MAGNÉTO-**, tiré du grec *magnês, magnêtos,* a lui-même servi à former plusieurs mots savants. Ces composés relèvent de deux registres, la science et la technique. Parmi les mots scientifiques, **MAGNÉTOMÈTRE** n. m. (1780), puis les dérivés **MAGNÉTOMÉTRIE** n. f. et **MAGNÉTOMÉTRIQUE** adj. (1903). ➛ **MAGNÉTOÉLECTRIQUE** adj., d'abord écrit avec un tiret (1837), emprunt à l'anglais *magneto-electric* (Faraday, 1831), a trouvé une application technique avec *machine magnétoélectrique,* abrégé en **MAGNÉTO** n. f. (1889), pour «génératrice de courant continu», usuel pour désigner la petite dynamo produisant le courant d'allumage d'un moteur à explosion. ➛ **MAGNÉTOTHÉRAPIE** n. f. (1889) a vieilli. ➛ **MAGNÉTOSTRICTION** n. f. (1900), terme international, désigne la déformation d'un corps ferromagnétique lorsqu'il est aimanté. ➛ **MAGNÉTOSPHÈRE** n. f., emprunt (av. 1966) à l'anglais *magnetosphere* (Gold, 1959), concerne la partie éloignée de l'atmosphère terrestre soumise à l'influence prépondérante du champ magnétique terrestre. ➛ **MAGNÉTOCHIMIE** n. f. (1931, dans les dictionnaires), **MAGNÉTODYNAMIQUE** adj. (mil. XXe s.), **MAGNÉTON** n. m. (1931, dans les dictionnaires) et beaucoup d'autres sont restés strictement didactiques. ➛ En revanche, des composés techniques sont devenus usuels. C'est le cas de **MAGNÉTOPHONE** n. m., mot formé au XIXe s. (1888), abandonné, puis repris au sens connu aujourd'hui après 1945 et correspondant à l'anglais *tape-recorder;* le *magnétophone à cassette** est appelé **MAGNÉTOCASSETTE** n. m., mot mal formé (1974). ◇ *Magnétophone* est abrégé en **MAGNÉTO** n. m. (1970). ➛ **MAGNÉTOSCOPE** n. m. semble avoir été créé en français du Canada (à Ottawa, 1961), éliminant ensuite un concurrent, *vidéographe.* Il est devenu extrêmement courant, et a pour dérivé **MAGNÉTOSCOPIQUE** adj. (1956) et **MAGNÉTOSCOPER** v. tr. (*magnétoscopier,* 1961 au Canada, d'après *copier,* puis *magnétoscoper,* v. 1969).

MAGNIFIER v. tr. est emprunté (v. 1120) au latin *magnificare,* de *magnificus* (→ magnifique), proprement «faire grand cas de», d'où «vanter, exalter, glorifier», largement employé dans la langue chrétienne, par exemple au passif *magnificari* «exulter» (cf. ci-dessous *magnificat*).

♦ Le mot, introduit par la langue religieuse du moyen âge au sens fort, «célébrer, louer de façon éclatante» appliqué à Dieu et, par extension, à une personne (v. 1223, selon *T. L. F.*) est considéré comme vieilli au XVIIe s. (Vaugelas). ◇ Il est resté plus courant avec la valeur de «rendre plus beau, élever» (1549), parfois réalisée par le pronominal *se magnifier* «devenir plus grand, se glorifier», d'abord chez Calvin.

▶ **MAGNIFICENCE** n. f. est un emprunt (v. 1265) au dérivé latin *magnificentia* «noblesse, grandeur d'âme», quasi synonyme de *magnanimitas* (→ magnanimité), et «splendeur, grandeur d'une chose». ➛ D'un usage littéraire ou soutenu, il désigne la disposition à dépenser sans compter, à faire de grandes libéralités (la langue classique l'emploie aussi concrètement : *une, des magnificences,* 1616). ◇ Appliqué à une chose, il exprime la qualité de ce qui est magnifique, grand, imposant (v. 1355), spécialement en parlant d'un style, du discours (1693).
MAGNIFICAT n. m. est un emprunt (v. 1320) de la langue liturgique au latin *magnificat,* troisième personne de l'indicatif présent de *magnificare.* C'est le premier mot du chant d'action de grâces au Seigneur prononcé par la Vierge Marie en réponse à sa cousine Élisabeth la saluant après l'Annonciation (*Luc,* I, 47-55) : *Magnificat anima mea Dominum* «Mon âme magnifie le Seigneur». ➛ Le mot désigne le cantique chanté aux Vêpres du rite catholique et à l'occasion de certaines actions de grâces et, plus particulièrement, ce cantique considéré comme une œuvre musicale ; par extension, il est employé dans un style littéraire en parlant d'un chant de reconnaissance.

MAGNIFIQUE adj. est un emprunt (v. 1265) au latin *magnificus,* proprement «qui fait de grandes choses», de *magnus* «grand» (→ majeur) et *facere* «faire». *Magnificus* était appliqué à une personne qui fait de grandes dépenses, aime le faste, a grande allure, et à une chose somptueuse, de grand air, ou encore à un style pompeux, grandiose.

♦ *Magnifique* a repris au latin les sens de «généreux, prodigue» et (v. [illegible]) «emphatique, pompeux (du style)», tous deux aujourd'hui archaïques, sauf dans des emplois historiques *(Laurent le Magnifique).* Il s'applique ensuite (1504) à ce qui est somptueux, grandiose (d'une réalisation de l'homme) et, par extension, à ce qui est très beau dans son genre, sans idée de somptuosité (1600, rare avant le XIXe s.). ◇ De nos jours, l'adjectif est couramment employé avec le sens banalisé de «très beau» (1835), selon la même évolution que *superbe, splendide.* Il prend familièrement une valeur antiphrastique (1808).

▶ Son dérivé **MAGNIFIQUEMENT** adv. (v. 1355) présente la même histoire sémantique ; toutefois il garde la valeur de «généreusement, avec faste», présente dès les premiers emplois et répandue à partir du XVIe siècle.

◈ voir MAGNIFIER.

MAGNITUDE n. f. est emprunté (1370) au latin *magnitudo* «grandeur, étendue», dérivé de *magnus* «grand» (→ magnat, majeur).

♦ Le sens propre de «grandeur, taille», utilisé dans *magnitude de...* (1550), *être en magnitude* «en nombre» (1545), a été abandonné au XVIIe s. au profit de *grandeur* ou, avec une valeur quantitative, d'*abondance.* De même, les emplois figurés du mot pour désigner un homme éminent (1370) et, abstraitement, la noblesse (XVe s.), la puissance (v. 1540), l'intensité (1574), l'orgueil (1545), ont disparu au XVIIe siècle. ◇ *Magnitude* a été repris en astronomie (1892) en parlant de la grandeur apparente d'un astre, notamment d'une étoile, calculée par divers procédés et classée de 1 à 6 pour les étoiles visibles à l'œil nu, les chiffres supérieurs caractérisant les flux lumineux plus faibles.

MAGNOLIA n. m. est un mot du latin scientifique créé en 1703 par le botaniste Charles Plumier en l'honneur du botaniste français Pierre *Magnol* (1638-1715). La forme francisée *magnolier* n. m. (1785) a disparu.

♦ Le mot désigne un arbre ou un arbrisseau à grandes fleurs blanches ou roses, souvent cultivé pour l'ornementation.

▸ Sur *magnolia*, on a formé (1817) le nom de famille botanique **MAGNOLIACÉES** n. f. pl.

MAGNUM adj. et n. m. est l'emprunt sans modification (1884) du latin *magnum*, neutre de l'adjectif *magnus* «grand» (→ magnat, majeur), probablement sous l'influence de l'anglais qui atteste l'emploi de ce mot dès 1788 en parlant d'une grosse bouteille.

♦ Le mot désigne une bouteille dont la contenance équivaut au double de celle d'une bouteille normale. ◆ Son emploi adjectivé (1965, *un fusil magnum*) en armurerie est repris à l'anglo-américain où il désigne une cartouche ayant une charge de poudre élevée ou une vitesse initiale supérieure à celles des cartouches standard (1935, *Magnum for revolvers*, marque déposée de la firme Smith et Wesson). L'emploi substantivé du mot pour désigner un fusil ou un pistolet qui tire ces munitions a un équivalent antérieur en américain.

◈ voir MAGISTÈRE, MAGISTRAL, MAGISTRAT, MAGNANIME, MAGNAT, MAGNIFIER, MAGNIFIQUE, MAJESTÉ, MAJORDOME, MAJUSCULE, MAXIME, MAXIMUM.

◈ ① **MAGOT** n. m., attesté en 1640, est d'origine incertaine : on a proposé d'y voir une altération inexpliquée de l'ancien français *mugot* «trésor caché» (1423), qui est le même mot que l'ancien français *musgot, musgode, musjoe* «provision de vivres» (v. 1050) et «lieu où l'on conserve les fruits», lui-même probablement issu d'un germanique °*musgauda* (→ mijoter). On a évoqué un croisement avec l'ancien français *macaud, magaut* (1549; 1440 au pluriel *macaux*) «bourse, poche, besace», lui-même d'origine inconnue. P. Guiraud invoque l'ancien *mague* «gésier», issu du latin *magis* «huche à pain» (qui a donné *maie*, autre nom du pétrin).

♦ Le mot est d'abord enregistré par Oudin dans le syntagme *magot d'argent*, glosé «quantité d'argent caché en quelque lieu», puis employé seul; il est familier.

◈ voir MIJAURÉE.

② **MAGOT** n. m., d'abord *magos* (1476) puis *magot* (1542-1549), est tiré du nom propre biblique *Magog, Magos*, employé en association à *Gog, Gos* dans les légendes et romans médiévaux pour désigner des peuples barbares souvent représentés comme des êtres horribles, et, en particulier, leurs chefs. Ces deux noms sont tirés de la Bible où *Gog* est le nom du roi du pays de Magog, en Asie Mineure, qui devait venir à la tête de nombreuses armées pour détruire Jérusalem et la Terre sainte (*Ézéchiel*, 38 et 39); *Gog* et *Magog* désignent ensuite des peuples conduits par Satan contre Jérusalem (*Apocalypse*, 20, 7-10).

♦ Le mot est introduit comme désignation d'un singe sans queue du genre macaque, vivant à Gibraltar et en Afrique du Nord. Par référence à l'aspect repoussant des peuples barbares et à la laideur de ce singe (comme l'indique la comparaison *semblable à un grand magot* en 1542-1549 chez Marguerite de Navarre), il s'applique à un homme très laid (1517) ou gauche et grossier dans ses manières (1798). ◆ Il est passé dans le vocabulaire des arts décoratifs (1698, *magau*; 1733, *magot*) à propos d'une figurine de porcelaine grotesque, originaire ou imitée de l'Extrême-Orient. De là, *magot de Chine* pour un homme laid et contrefait (1808). Tous les emplois du mot sont archaïques.

▸ Le féminin **MAGOTTE** n. f. «femme laide», employé par Marivaux (1730) et par quelques écrivains du XIXe s. (Balzac, 1822), n'a pas eu de succès.

MAGOUILLER v. intr., introduit récemment (1930) est peut-être le représentant du gaulois °*marga* «boue» (→ marne), répandu sur presque tout le territoire gallo-roman : les dialectes attestent *margouiller* «patauger, salir, tripoter» et *margouille, margouillat* «petite mare, flaque d'eau sale». Tant sur le sens que sur la forme de début du mot, il y a pu avoir une influence de *maquignon**, *maquignonner* ou de *manœuvrer**. On a aussi émis l'hypothèse d'un croisement de l'élément initial *mag-* et des descendants dialectaux du francique °*gulija* «mare», avec *grenouiller* (→ grenouille). Mais la date récente et l'absence de variante en *mar*plaide pour une formation spontanée sur *mag-* (*magot*?) et *grenouille*. ◈

♦ Le verbe est employé familièrement dans les domaines de la politique, des affaires, pour «se comporter de manière malhonnête, faire des manœuvres».

▸ Le verbe a produit **MAGOUILLE** n. f. (1968), devenu courant pour «combine, manœuvre malhonnête», **MAGOUILLAGE** n. m. (v. 1960) et **MAGOUILLEUR, EUSE** n. et adj. (v. 1970).

MAGRET n. m. est l'emprunt tardif en français central (1975), aussi sous la forme adaptée *maigret* (1976), du gascon *magret*, dérivé diminutif de *magre*, correspondant au français *maigre**.

♦ Le mot, répandu avec la mode de cette préparation culinaire, désigne la partie maigre de la poitrine des canards engraissés.

MAHARAJAH n. m., d'abord *marrajah* (1758) puis *maha-rajah* (1830), *maharajah*, est emprunté à l'hindi *mahārājā* «grand roi», formé de *mahā* «grand», de la même racine indoeuropéenne que le latin *magnus* (→ majeur) et de *rājā* «roi», de la même racine que le latin *rex* (→ roi). Le français emploie aussi les graphies *maharadjah* (1878) et *maharadja*.

♦ Le mot est le titre donné en Inde aux rois et empereurs, puis aux princes feudataires.

▸ **MAHARANI** ou **MAHARANÉ** n. f. est emprunté (1895 *maharanee*) par l'anglais à l'hindi *mahārānī* «grande reine», formé de *mahā* et de *rānī* «reine», du même type indoeuropéen que le latin *regina* (→ reine). ◆ Le mot désigne l'épouse du maharajah.

MAH-JONG n. m. est l'emprunt (1926) du chinois *ma-ch'iao,* dont la variante dialectale à Shangaï est *ma-tsiang,* proprement «moineaux», de *ma* «chanvre» et *tsiang* «petits oiseaux», employé comme nom d'un jeu chinois ancien. Ce jeu a été introduit en Europe et en Amérique au début des années 1920 et l'anglais atteste le mot sous les formes *Ma-cheuk* et *Mah-Jongg* (1922).

♦ Le mot désigne un jeu chinois qui serait la plus ancienne forme de jeu de dominos.

MAHOMÉTAN, ANE adj. a remplacé (v. 1538, *mahumétan*) la forme ancienne *mahométiste ;* comme cette dernière, il est dérivé de *Mahomet* (aussi *Mahom*), francisation de l'arabe *Muhammad,* nom du prophète de l'islam.

♦ Ce mot aussi, substantivé (1578), courant en français classique, a cédé la place à *musulman**.

MAI n. m. est issu (1080) du latin *Maius (mensis)* «(mois) de *Maia*», adjectif dérivé du nom d'une divinité italique, fille de Faunus et femme de Vulcain, identifiée plus tard à la divinité grecque de même nom, fille d'Atlas et de Pléioné, mère d'Hermès et l'une des Pléiades (cf. *pléiade*). Le mot a été conservé par les langues romanes, germaniques (allemand *Mai,* anglais *may*), celtiques (irlandais *mái*). *Maius, Maia* peuvent représenter °*magio-s* et s'apparenter à *magnus* «grand» (→ majeur), ce que les Romains avaient déjà observé.

♦ En ancien français, *mai,* nom du cinquième mois, était employé par métonymie pour désigner les branches vertes qui poussent en mai (XIIe s.), et le jeune arbre planté en signe de fête le premier mai devant la porte d'une personne que l'on veut honorer (XVIe s.), d'où la locution de sens figuré *planter le mai à qqn* «le fêter, le gâter» (aussi par dérision, 1532). ◇ Le mot, qui symbolisait le plus beau mois de l'année (1210) en opposition avec *février,* symbole de l'hiver, entrait dans plusieurs locutions avec une idée de bonheur, de prospérité comme *avoir bon mai* (XIIe-XIIIe s.). On l'appelle encore plaisamment ***le joli mois de mai*** (expression attestée en 1690). Ces valeurs ont décliné, sauf dans les dialectes, avec l'abandon des coutumes correspondantes. ◆ Le mot est parfois utilisé spécialement par allusion à la période insurrectionnelle de mai 1968 et par analogie *(un mai étudiant).*

MAIE n. f., attesté en ancien français (1389, *maye*) avec diverses variantes, est la resuffixation de *mait, maiz* (fin XIe s., Raschi), désignant une partie du pressoir ainsi que le pétrin. Ce terme est issu du latin *magis, magidis,* à l'accusatif *magidem,* emprunt au grec *magis, -idos* «pâte à pain», doublet de *magida, ae* «grand plat», lui-même emprunt au grec *magida* (accusatif de *magis*).

♦ Ce mot désigne un pétrin, puis une huche à pain et techniquement la table de pressoir. Ces emplois ruraux sont devenus archaïques, le premier restant vivant grâce au goût pour les meubles rustiques anciens.

MAÏEUR → MAIRE

MAÏEUTIQUE n. f., terme de philosophie antique, est attesté pour la première fois en 1867 (Mérimée) ; il est emprunté au grec *maieutikê (tekhnê)* «(art) d'accoucher qqn», employé spécialement en parlant de la méthode d'enseignement de Socrate. Socrate en effet, d'après Platon, «faisait accoucher» l'esprit de ses interlocuteurs, parce qu'il leur faisait trouver eux-mêmes la vérité. *Maieutikê* est le féminin substantivé de l'adjectif *maieutikos* «relatif à l'accouchement», issu de *maieuesthai* «être sage-femme, mettre au monde». Ce verbe vient de *maia,* hypocoristique familier construit avec le suffixe *-ya* sur le radical *ma-* (→ mère), «petite mère», employé en grec ancien pour s'adresser à une vieille femme, à la mère (de l'enfant), à la grand-mère, servant de nom à la sage-femme.

♦ Le mot est employé en histoire de la philosophie ; par extension, il se réfère à une méthode heuristique, spécialement en pédagogie.

MAIGRE adj. et n., d'abord *meigre* (v. 1175) puis *maigre* (1225), est issu du latin *macer* (accusatif *macrum*) «chétif, mince, maigre» et, en parlant d'une terre, «peu productif» ; il correspond au grec *makros* (→ macro-). La forme attendue phonétiquement serait *maire ;* elle est attestée dans quelques parlers franco-provençaux des Alpes ; le groupe consonantique *-gr-,* attesté partout ailleurs, est dû à un développement particulier analogue à celui qui a donné *aigre* à partir du latin *acer,* ou représente une forme semi-savante résultant d'un emprunt, le mot étant employé dans la langue des médecins et de l'Église.

♦ *Maigre,* apparu avec son sens le plus courant pour décrire une personne qui a peu de graisse (en opposition avec *gros*), qualifie également une nourriture cuite ou préparée sans graisse (1225, à propos de la viande, en opposition à *gras*). Par métonymie, il est appliqué aux aliments où n'entre ni graisse ni viande, selon les préceptes de l'Église, d'où ***jour maigre*** (XVIe s.), ***faire maigre*** (1680). Il est alors toujours postposé au nom, tandis qu'il exprime une idée différente lorsqu'il lui est antéposé, comme dans ***maigre chère*** «repas peu copieux» (1611). ◆ Par analogie, il a développé ultérieurement une acception technique, qualifiant ce qui est privé de composant gras ou mou dans ***mortier maigre*** (1771), ***argile maigre*** (1845), ***toile maigre*** (1867) et ***bois maigre*** (XXe s.). ◆ Depuis le moyen âge, et ne faisant plus alors couple antonymique avec *gros* ou *gras,* il a été appliqué à une végétation peu fournie (XIIIe s.), et, par métonymie, s'est dit d'une terre peu productive (1265). Cette idée de pauvreté, d'indigence est diversement réalisée, tant au propre qu'au figuré : *maigre* qualifie une parole, un style dépourvu d'agrément, de force d'expression (XIIIe s.), un sujet d'étude qui ne se prête pas à de grands développements, insuffisamment traité (1636), en art, la touche d'un peintre qui manque de vigueur (1767). Avec la valeur morale d'«insuffisant, mesquin» (XVe s.), il caractérise par exemple ce qui est donné chichement (1613). ◆ *Maigre* est substantivé depuis 1175 au sens de «partie maigre de la chair» et désigne (1559) une personne maigre *(un grand maigre ; une maigre, une fausse maigre).* ◇ Il a fourni un nom de poisson que sa chair blanche fait paraître maigre (fin XIVe s.).

▸ **MAIGRIR** v. (av. 1188) «devenir maigre», ne s'emploie quasiment plus au sens transitif de «rendre maigre» (1290), sinon dans l'usage littéraire et technique et avec la valeur dérivée de «faire paraître plus maigre» (1835), relativement courante *(cette robe la maigrit).* On lui préfère, dans l'usage transitif et au sens propre, le composé **AMAIGRIR** v. tr. (v. 1200), employé au pronominal (1538), et dont procèdent les dérivés **AMAIGRISSEMENT** n. m. (v. 1300, *amesgrissement*) et **AMAIGRISSANT, ANTE** adj. (1542). ➛ Dans l'usage technique, on tend plutôt à employer **DÉMAIGRIR** v. tr. (attesté 1680 mais antérieur) et **DÉMAIGRISSEMENT** n. m. (1676), à ne pas confondre avec l'ancien *démaigrir* (1798) «devenir moins maigre» où *dé-* réalise une autre signification. ➛ Au XIIIe s., *maigre* a produit **MAIGREMENT** adv. «chichement», de sens exclusivement figuré et **MAIGRET, ETTE** adj., rare et familier pour «un peu maigre» depuis 1740 (→ magret). ➛ **MAIGREUR** n. f. (1372), nom de qualité qui a supplanté l'ancien français *maigreté* et *maigresse,* en usage du XIIIe au XVIe s., correspond au sens propre, «état d'un corps peu gras» et, dans l'usage technique, à «défaut d'un terrain stérile» (1800), abstraitement, à «défaut d'ampleur d'un style» (1835). ➛ **MAIGRELET, ETTE** adj. (1553), puis aussi **MAIGRICHON, ONNE** adj. (1869) et **MAIGRIOT, OTTE** adj. (1876), diminutifs familiers, se répartissent selon l'usage, le premier plus littéraire, les deux plus récents usuels, tous trois assez péjoratifs.

◈ voir ÉMACIÉ, MACRO-, MAGRET.

◈ **MAIL** n. m. est issu (1080) du latin *malleus* «marteau, maillet», mot technique de formation populaire (avec géminée intérieure) qui rappelle le vieux slavon *mlatŭ* (d'où le russe *mólot* «marteau») et le vieil islandais *miǫllnir* désignant le marteau du dieu Thor.

♦ *Mail* a perdu son sens premier de «gros marteau de fer» *(mail de fer)* au bénéfice du sens moderne (1636) spécialisé en jeu pour «maillet à long manche pour pousser la boule de bois (au *jeu de mail*)». ➛ Par métonymie, il sert à désigner ce jeu (1630) et a développé le sens de «promenade publique» (1680) parce qu'on y jouait au mail, surtout dans les villes de la vallée de la Loire. ➛ Le sens initial survit dans l'usage technique à propos d'un gros marteau de carrier (1803).

▸ La vocation technique de *mail* s'est aussi conservée dans son diminutif **MAILLET** n. m., apparu au sens de «heurtoir» (v. 1190) et spécialisé (1230) pour désigner un marteau de bois. Lui aussi possède un sens spécialisé en jeu (1879) ; son sens d'«espèce d'arme contondante» (1306), partagé avec *mail* entre le XIIIe et le XVe s., a été repris par les historiens de l'armement du moyen âge. ➛ En sont issus **MAILLETER** v. tr. (v. 1350) d'où **MAILLETAGE** n. m. (1771) et ① **MAILLETON** n. m. (1551), d'usage beaucoup plus technique. ➛ *Mail* a aussi produit un augmentatif avec **MAILLOCHE** n. f. (1409) «gros maillet de bois» et spécialement «baguette terminée par une balle de peau pour frapper la grosse caisse» (1873). ◇ Ce dernier a donné **MAILLOCHER** v. tr. «frapper avec une mailloche» et, figurément, «faire, élaborer» (1793), d'où en argot ancien «travailler» (1881). D'un sens technique de *mailloche,* «fer chaud employé dans la fabrication des chaussures», vient l'emploi spécialisé en chausserie de **DÉMAILLOCHER** v. tr. (1962).

◈ voir CHAMAILLER, MALLÉABLE, MALLÉOLE, MARTEAU.

MAILING n. m. est un emprunt (v. 1970) à l'anglais *mailing,* participe présent du verbe *to mail* «poster», détourné de sa fonction et de sa valeur en français, où il semble formé de l'anglais *mail* «poste» et de la finale empruntée *-ing.*

♦ Ce faux anglicisme appliqué à la prospection commerciale au moyen de messages envoyés par la poste, a résisté aux tentatives de francisation officielles (par *publipostage*). S'agissant des résultats que sont les ventes, il est néanmoins concurrencé par le sigle, *V. P. C.* (vente par correspondance). Sur le modèle de *mailing* a été formé **COUPONING** n. m., usuel chez les professionnels.

▸ L'anglais *mail,* en composition avec *coach* «voiture» (→ coche), avait fourni l'emprunt **MAIL-COACH** n. m. (1802), pour une berline à quatre chevaux, mot employé au XIXe siècle et au début du XXe siècle.

① **MAILLE** n. f. est issu (av. 1100, Raschi) du latin *macula,* proprement «tache» (→ macule, à maculer) qui, par suite, avait pris le sens de «maille de filet» parce que le dessin et la disposition des mailles rappellent la tacheture de certains animaux. ◈

♦ En français, le sens de «tache», réalisé dans les premiers textes, s'est maintenu dans quelques spécialités techniques : pour la taie de l'œil (av. 1100), la petite tache du plumage d'un oiseau (fin XIIe s.) et la tache précédant le bourgeon à fruit sur certaines plantes (1704). ➛ Ces valeurs ont été généralement évincées par le sens de «boucle de fil servant à faire un tissu, un treillis, un grillage», d'abord employé en parlant d'une armure (1080, *Chanson de Roland*), d'où ***cotte de mailles,*** puis aussi d'un tissu (fin XIIe s.), sens usuel à propos du tricot *(maille à l'endroit, à l'envers),* des bas, etc. ➛ Par métonymie, *maille* désigne également chacun des espaces vides laissés entre les fils métalliques d'un treillis (1216), notamment en parlant de la dimension des trous d'un tamis, de l'ouverture des lisses du métier à tisser (1765). Un emploi technique en fait le nom de l'anneau de métal d'une chaîne (1867), en dépit de la concurrence du dérivé *maillon* (ci-dessous).

▸ L'adjectif **MAILLÉ, ÉE** (XIIe s.) «formé de mailles», puis «armé d'une cotte de mailles» (XVIe s.), s'est confondu avec le participe passé de ① **MAILLER** v. tr., seulement enregistré en 1611 dans l'acception historique «armer d'une cotte de mailles». ◇ Au cours du XVIIe s., ce verbe a commencé à s'employer en vénerie à propos d'un animal qui se prend dans le filet (1655, *se mailler*) et avec le sens technique «faire avec des mailles» (1680) dont procède sa spécialisation en marine (1845). ➜ D'après le sens étymologique de *maille* «tache», il s'applique au perdreau qui se couvre de mouchetures (intransitivement 1694). Sa dérivation se borne au nom d'ouvrier **MAILLEUR, EUSE** n. (1551) et aux termes de pêche **MAILLAGE** n. m. et **MAILLANT, ANTE** adj. créés au XXe siècle. ➜ Il semblerait qu'un sens particulier de *maille* «anneau» ait produit le verbe ② **MAILLER** v. tr. «tordre», proprement «tordre pour former une maille» (1556), régional (Suisse), en emplois concrets et figurés (*se mailler de rire*). ➜ **MAILLON** n. m. (1542) désigne un chaînon, spécialement en filature l'anneau tenant la lice du métier à tisser (1752), et en marine l'élément d'une chaîne d'ancre (1867). L'expression ***être le maillon d'une chaîne*** a développé une valeur figurée (déb. XXe s.). Un autre sens, «petite maille», n'est guère réalisé qu'en viticulture, pour un lien servant à accoler la vigne appelé aussi ② **MAILLETON** n. m. (1902), et en marine (1845) pour un nœud coulant permettant de saisir un objet dans l'eau. ➜ **MAILLURE** n. f. (1671) se rattache à la notion de «tache», désignant une moucheture sur le plumage d'un oiseau et (1859) une tache dans le bois. ➜ **MAILLAGE** n. m. (XXe s.), plutôt dérivé de ① *mailler* que de *maille*, correspond à la façon dont un filet est maillé et, par extension, à une structuration en réseau (v. 1968), valeur qui a développé une nuance abstraite à partir de l'observation des réseaux de communication, de lignes de transport.

Le préfixé verbal **DÉMAILLER** v. tr. (1080) «défaire en rompant les mailles» est directement tiré de *maille*. Il a développé quelques acceptions techniques en marine (1754) et a produit **DÉMAILLAGE** n. m. (1906). ➜ **EMMAILLER** v. tr. (v. 1160), resté dans l'usage technique, et son préfixé **REMMAILLER** v. tr. (1829), beaucoup plus courant, concernent l'assemblage et la réparation des mailles d'un tissu, d'où **REMMAILLAGE** n. m. (1829).

Les mots de cette série s'écrivent parfois avec un seul *m*, devenant homographes de termes techniques de peausserie, d'étymologie différente (*remailler*, pour *ramailler*, du latin *ramus*).

◈ voir CAMAIL, MACULER, MAILLOT, MAQUETTE, MAQUIS, TRÉMAIL.

② **MAILLE** n. f. est issu (v. 1135) du latin médiéval *medalia* (IXe s.) «demi setier», issu par dissimilation de °*medialia*, pluriel neutre pris comme féminin singulier (→ médaille) de *medialis* «qui est au milieu», de *medius* «demi» (→ mi-).

♦ Le mot a désigné une monnaie de très faible valeur en usage sous les Capétiens. Il est entré dans deux locutions figurées : la première, ***sans sou ni maille*** «sans argent» (1174, sous une variante) a quasiment disparu, mais la seconde, ***avoir maille à partir*** (d'abord *à départir*, 1616), est restée usuelle pour «avoir un différend», malgré la démotivation des deux mots *maille* et *partir* (ici «partager»).

MAILLET → MAIL

MAILLON → ① MAILLE

MAILLOT n. m. provient (1538), par changement de suffixe, de l'ancien et moyen français *mailloel, maillol* (1278, *mailluel*) «pièce de toile, bande de linge enveloppant le corps des nouveau-nés», dérivé de ① *maille** (par une analogie entre les bandes lacées du maillot et les bandes entrelacées) plutôt que de l'ancien verbe *mailloler* (XIe-XIIIe s.) «mettre au maillot», qui serait alors dérivé lui aussi de *maille*.

♦ *Maillot*, «pièce de toile, d'étoffe enveloppant le corps des nouveau-nés», a décliné après le XVIIIe s. avec l'abandon de cette technique pour langer les enfants, critiquée notamment par J.-J. Rousseau. Si le sens métonymique, «enfant nouveau-né» (1688) est vieilli, on continue de dire ***être au maillot*** pour «être dans la petite enfance» et d'utiliser certains dérivés relatifs au fait de langer (ci-dessous). ➜ *Maillot* a pris au début du XIXe s. le sens de «pantalon ou caleçon que les danseurs mettent pour paraître au théâtre», soit par analogie avec le premier sens, d'après l'idée de «vêtement serrant le corps», soit, selon Talma qui emploie le mot le premier, par lexicalisation du nom d'un célèbre bonnetier de l'Opéra de Paris au XVIIIe s. (étymologie très douteuse). Par extension, le mot désigne un vêtement souple moulant le corps (1841), en particulier le haut du corps (1883), que ce soit un sous-vêtement (1892, ***maillot de corps***) ou un chandail de sportif (1919, dans ***maillot jaune***). Depuis 1900, il s'applique également, seul ou dans l'expression ***maillot de bain***, à ce qu'on appelait anciennement *costume de bain* et qui enveloppait une grande partie du corps.

▸ Le dérivé **MAILLOTER** v. tr. «mettre un bébé au maillot» (1424) a supplanté l'ancien *mailloler*, mais a lui-même été éliminé par le préfixé **EMMAILLOTER** v. tr. (v. 1200) au même sens. Ce verbe s'est étendu à l'idée de «serrer étroitement (dans des couvertures, des vêtements)» (1670), et s'emploie parfois avec la valeur figurée de «brimer, gêner dans son activité» (1829). ◇ Il a, au XVIe s., produit **EMMAILLOTEMENT** n. m. (v. 1580), **EMMAILLOTEUR, EUSE** n. (v. 1580), et les préfixés **REMMAILLOTER** v. tr. (1549) et **DÉSEMMAILLOTER** v. tr. (XVIe s.), ce dernier doublant **DÉMAILLOTER** v. tr. (v. 1260) «ôter du maillot». ◇ **EMMAILLOTÉ, ÉE** adj. a lui-même reçu un sens spécial en entomologie (1845).

MAILLURE → ① MAILLE

✱ **MAIN** n. f., *man* (v. 980), puis *main* (1080), est issu du latin *manus*, mot italique qui se rattache à une racine indoeuropéenne °*mn̥-*, représentée sous des formes très variées dans plusieurs langues comme le vieil islandais *mund* «main», le vieil anglais *mund* et l'ancien haut allemand *munt* «main» et «tutelle, protection». *Manus*, terme d'anatomie humaine désignant un organe essentiel sur le plan fonctionnel (travail) et symbolique, est aussi pris comme symbole de la force et de l'autorité (par exemple du mari sur la femme, du maître de maison). Il est également utilisé comme l'instrument de la lutte ou du travail, entrant dans plusieurs locutions juridiques, militaires et techniques. Par extension, il désigne les deux côtés du corps et, par analogie, tout objet dont la forme évoque celle d'une main, en particulier dans les expressions techniques traduites du grec où il représente le grec *kheir, kheiros* (→ chiro-). En tant que synonyme de *vis* «force», *manus* sert aussi à désigner des forces militaires, des troupes. Enfin, il sert à fournir le premier ou le second élément de composés dont certains sont passés en français.

♦ *Main* désigne la partie du corps humain située à l'extrémité du bras et servant à la préhension. Dès le Xe s., se produisent des extensions de sens métonymiques, métaphoriques et analogiques ; comme l'abondante phraséologie, ces extensions anciennes rendent compte de l'importance extrême de la main dans l'activité humaine, en relation avec *bras, doigt* et, en tant qu'extrémité, avec *pied*. ➜ Le sens de «côté (du corps humain)» (v. 1170) est sorti d'usage, sinon dans les expressions ***à main gauche*** (v. 1225-1230, *a main senestre*), ***à main droite,*** qui reflètent le rôle joué par la main dans l'orientation et dans la construction de la notion d'espace. ◇ *Main* a par ailleurs servi (comme *pied, doigt, pouce*) à exprimer la mesure (v. 1375). ➜ Le sens également métonymique de «personne envisagée par son activité manuelle» (1377) s'est mieux maintenu, donnant tardivement une désignation comme ***petite main*** (1910) pour l'apprentie couturière.

Dès les premières attestations, *main* est employé dans son contexte d'organe du tact (v. 980) et, avec diverses implications symboliques, comme organe de préhension.» ◇ Le mot symbolise notamment l'autorité et le commandement (v. 1155, ***avoir en main***), spécialement, sous l'Ancien Régime, l'autorité de la justice (1385, dans ***main de justice***) et le pouvoir royal, dans la dénomination du sceptre terminé par une main d'ivoire que le roi porte dans les grandes cérémonies (1611). ◇ La phraséologie moderne en a retenu ***haut la main*** (1670), pour *haut à la main* (1657), qu'il faut entendre à l'origine au sens fort d'«autoritairement» : on disait d'une personne impérieuse, violente, qu'elle était *haute à la main* (1611). ◇ *Soubz main (sous main)* loc. adv. «secrètement» (1548) a été repris dans l'expression ***en sous main*** (fin XIXe s.). ◇ *Main* symbolise aussi la prise de possession, depuis ***prendre en main*** (v. 1160), ***mettre la main sur*** (v. 1160), et la possession qui en résulte dans ***avoir en main*** (v. 1170), ***entre les mains de*** (1306) ainsi que l'échange (apr. 1208) d'où ***de main en main*** (1488). ◇ Il exprime l'activité sous diverses formes, en premier lieu le travail (v. 1176, *mettre ses mains à* avant ***mettre la main à***)..., fournissant même en ancien et moyen français une dénomination occasionnelle du peuple, envisagé comme la masse de «ceux qui font le travail, l'ouvrage» (cf. *main d'œuvre*, ci-dessous). Dans ce domaine, des expressions comme ***de main de maître*** (v. 1539) «réalisé comme par un maître», ***fait main, cousu main*** insistent en le valorisant sur le professionnalisme de l'action de l'artisan. ◇ *Main* exprime aussi le secours dans *prêter une de ses mains* (av. 1277), disparu au profit de ***prêter la main*** (1636), et la solidarité (1694, ***se donner la main***), mais tout aussi bien l'hostilité. ◇ Ce sémantisme ancien (v. 1208) vient de celui de la préhension, mais aussi de celui du coup (comme pour *poing**, qui s'oppose par ailleurs à *main*). Il s'incarne dans des expressions comme ***en venir aux mains,*** «se battre», aboutissement, au XVIe s., de *venir main à main* (v. 1360), ***faire main basse sur...*** «s'emparer de» (1611), ***homme de main*** (1640 ; antérieurement à propos d'un homme hardi), ***ne pas y aller de main morte*** «agir avec force, sans retenue» (1640). ◇ Dans ***forcer la main à qqn*** (XVIIIe s., av. 1755), *main* correspond à «faculté d'agir», en général. ◇ Les gestes sociaux de la main donnent lieu à des expressions : *serrer la main* (pour saluer), *baiser la main* (d'une dame) ; → baise-main, ci-dessous. ◇ Par ailleurs, le thème des *mains propres* et des *mains sales* symbolise la responsabilité ; il suscite l'expression *opération mains propres* (calque de l'italien *mani puliti*).

Dès l'ancien français, nombre d'emplois lexicalisés font allusion à des gestes expressifs ou symboliques du code culturel, que ce soit la prière (1080, *joindre les mains*), la soumission politique (1080, par le même geste des mains jointes), l'accord (1549, *toucher en la main*), la réjouissance collective dans *frapper les mains* (1549), variante de *battre des mains* qui correspond à *applaudir,* la quête (1606, *tendre la main*), le don du mariage dans *donner la main d'une fille* (1629), *demander sa main,* etc. ➜ Par analogie concrète, *main* dénomme les pieds des oiseaux de fauconnerie (av. 1573) et, plus généralement, les extrémités des animaux quand il y a un pouce distinct des autres doigts (1636). ◇ En botanique, il est employé figurément à propos des filaments par lesquels les plantes grimpantes s'attachent aux corps voisins (1704). ➜ Dès le XIVe s., on franchit un degré de plus dans le lien analogique, le mot s'appliquant, souvent en technique, à des objets en forme de main, de croc (1369, *main de fer*). Le lien est de nature métonymique (ce qu'on peut tenir dans la main, assembler, etc.) pour «assemblage de feuilles de papier» (XIVe s.), «levée de cartes» au jeu (1534, une fois en moyen français), domaine où on emploie ***avoir la main*** pour «jouer le premier» (1690 ; 1660 avec un autre sens), et pour «partie de la rampe d'escalier où l'on pose la main». De là ***main courante*** (1842-1846) qui a suscité **MAINCOURANTIER, IÈRE** n. «employé(e) qui tient la main courante» (XXe s.).

▸ *Main* a fourni le premier élément de quelques composés, à commencer par plusieurs termes juridiques. ➜ Le premier traduit un emploi du latin *manus:* c'est **MAINMORTE** n. f. (1252), ancien terme de féodalité désignant le droit qu'avaient les seigneurs sur les propriétés de leurs serfs, rendant le latin médiéval *mortua manus* (1070), calqué au début du XIIIe s. sous la forme *mortes meins* (1213). *Mainmorte* s'est maintenu dans la terminologie juridique pour décrire la situation des biens non aliénables (notamment ceux des hôpitaux, communautés religieuses, etc.), avec les expressions *biens de mainmorte, gens de mainmorte* (1506, dans les coutumiers). ◇ Le dérivé **MAINMORTABLE** adj. (1372) «assujetti au droit de mainmorte», se dit (1694) de biens exclus des droits de succession. ➜ **MAINMISE** n. f. (1342, *main-mise*), autre terme de féodalité, est dérivé de l'ancien verbe *main-*

mettre «affranchir» (1324); il recouvre les idées de saisie et de prise de possession (v. 1480) et, avec une autre valeur, l'affranchissement d'un serf (1636). ◇ Il se maintient avec l'acception dérivée de «domination exclusive (sur qqn, qqch.)». ➡ **MAINLEVÉE** n. f., attesté dans un Acte de Louis XI (1468), est employé en droit civil pour l'acte judiciaire par lequel on suspend les effets des mesures prises à l'encontre d'une personne. ➡ **MAIN-FORTE** n. f. (v. 1486) est apparu dans un contexte judiciaire pour désigner le secours que l'on prête à la justice afin que la force demeure à ses agents. L'idée d'«aide, secours» s'est étendue à d'autres situations (1541), dans la locution ***prêter main-forte**** (1636), et a triomphé de la notion divergente de «violence armée» (av. 1501 et jusqu'au XIXe s.).

Parallèlement, *main* fournit le second élément de quelques composés se référant à un usage social, tel **BAISE-MAIN** n. m. (1306), ou, plus souvent, dénommant des objets : **ESSUIE*-MAIN** n. m. (1555) désignant une variété de serviette; **SOUS-MAIN** n. m. (mil. XIXe s., *in* Littré 1870) pour un accessoire de bureau, surface plane placée sous le papier, pour écrire; **APPUIE-MAIN** n. m. (1680), voire, en anatomie, des portions de la main, par exemple **AVANT-MAIN** n. f. (1575).

MAIN-D'ŒUVRE n. f. (1702) a désigné le travail d'un ouvrier et, par métonymie, s'est étendu à la désignation collective de l'ensemble des salariés, plus particulièrement des travailleurs manuels (dans un décret paru en 1900); il appartient au même sémantisme que l'ancien français (ci-dessus) et que l'ancien provençal *man* «travail, main-d'œuvre».

La terminologie scientifique a introduit l'usage de l'élément ① **-MANE** (symétriquement à *-pède*) dans **BIMANE** n. m. (1627), *quadrumane* (voir ce mot) et **PÉDIMANE** n. m. (1797) en zoologie.

◈ voir MAGNER, MAINTENANT, MAINTENIR, MANAGER, ① ② et ③ MANCHE, MANCHOT, MANDER, MANÈGE, MANETTE, MANIER, MANIÈRE, MANIFESTE, MANIGANCE, MANIPULE, MANIVELLE, MANŒUVRE, MANQUER, MANSUÉTUDE, MANUCURE, MANUEL, MANUFACTURE, MANUMISSION, MANUSCRIT, MANUTENTION, MÂTIN.

MAINATE n. m. est probablement l'emprunt (1775) du portugais des Indes *mainato*, nom d'un oiseau chanteur originaire de Malaisie, issu par métaphore de *mainato* «homme dont le métier consiste à laver le linge des autres» parce que cet oiseau est fréquent au bord des sources et des rivières. *Mainato*, usité dans l'Inde portugaise à la fois pour désigner un métier et une caste (1525), est emprunté au malayalam (langue dravidienne du sud de l'Inde) *maṉṉaṭṭan, maṉṉaṭṭi* (l'hindi a *mainā*, appliqué à plusieurs oiseaux).

♦ Le mot (d'abord dans *mainate des Indes orientales*) désigne un passereau originaire d'Indo-Malaisie ayant la particularité d'imiter la voix humaine.

MAINLEVÉE, MAIN-FORTE, MAINMISE, MAINMORTE → MAIN

MAINT, MAINTE adj. ind. et pron. ind. pl. est probablement issu (v. 1121) par évolution phonétique du germanique °*manigipô* «grande quantité», postulé par le moyen néerlandais *menichte* «foule, grand nombre» (aujourd'hui *menigte*), le moyen bas allemand *mennichte* «quantité» (allemand *manch*), l'anglo-saxon *menigdu* (anglais *many*) et le danois *mœngde*. Le mot, par suite de son emploi devant des substantifs, est devenu adjectif.

♦ En français, *maint*, très usité du XIIe au XVIe s. comme adjectif et comme pronom (v. 1165), était considéré comme burlesque et vieux au XVIIe siècle. Rare au XVIIIe, il a repris au XIXe s., selon les termes de Littré, «une juste faveur» (1874). ◇ De nos jours, il est surtout employé dans la langue littéraire, essentiellement comme adjectif pluriel, quelquefois redoublé dans ***maint et maint*** (1577) par souci d'intensité, et plus couramment dans certaines locutions, comme ***à maintes reprises***, et ***maintes fois*** qui perpétue l'ancien *meinte feiz* (1140) au singulier, *maintes feiz* (v. 1195).

MAINTENANT adv. est issu (v. 1135) du latin *manu tenendo*, gérondif de *manu tenere* (→ maintenir), proprement «pendant que l'on tient qqch. dans sa main». De là, l'expression a développé une idée de rapidité du geste, de promptitude ou, plus probablement, de proximité spatiale extrême qui a abouti au sens d'«aussitôt». L'ancien français exprimait diversement celle-ci dans *manois, demanois*, les expressions *main à main, mainnemain, de main à main, tout à main, de la main* (→ main) et le français moderne utilise encore *en un tour de main*.

♦ L'adverbe signifie «au moment présent» et a perdu tout rapport conscient avec *main*. On a d'abord utilisé *de maintenant* (1135) et *sempres maintenant* (1165) avant d'employer absolument *maintenant*, avec le sens temporel qu'il avait en latin : «aussitôt, dans un moment». ◇ Le sens moderne d'«actuellement, en ce moment» (v. 1200), s'est répandu au XVIe s., éliminant *or* en ce sens. ◇ De même, *maintenant que*, anciennement «aussitôt que» (v. 1176), a pris sa valeur moderne au XVIe s. (1572). ◇ Depuis 1230, *maintenant* se réfère aussi à un moment qui vient de s'écouler et, précédé d'une préposition, signifie «désormais» en se référant au futur (1538). ➡ Son emploi en tête de phrase ou de proposition pour marquer un temps de réflexion, une réserve, date du XXe s. ; il en fait le synonyme de *cela dit*.

MAINTENIR v. tr. est issu (v. 1135) du latin populaire °*manutenere*, altéré en °*manutenire* «tenir avec la main», de *manu*, ablatif de *manus* (→ main) et *tenere* (→ tenir). Les autres langues romanes, à l'exception du roumain, ont des formes analogues, ce qui montre bien que le mot existait déjà à l'époque latine.

♦ L'éventail des sens de ce verbe était beaucoup plus large en ancien français que dans l'usage moderne : il signifiait, comme *soutenir*, «protéger, défendre, avoir sous sa garde» (v. 1135), «tenir pour vrai, croire» (1176), et s'employait à la forme pronominale aux sens de «se porter, être dans tel état» (v. 1200), «s'y prendre», tous sens sortis d'usage au

XVIe siècle. ➛ L'usage moderne a seulement gardé le sens de «conserver dans le même état, faire ou laisser durer» (v. 1160) et, en parlant d'un discours, d'une parole, «affirmer avec constance» (1306). ◇ Depuis le XVIIe s. (1690), le verbe est appliqué à une chose concrète, au sens de «tenir dans le même état, la même position, empêcher de tomber», qui réactive le sens étymologique.

▶ **MAINTENANCE** n. f. (v. 1155) est un mot qui, au XVIIe s., avait complètement disparu de l'usage, après avoir eu plusieurs sens : «protection, soutien», «action de conserver une possession» (1474) et «soutien, maintien» (1532). ◇ Au XXe s., c'est un emprunt à l'anglais *maintenance*, lui-même emprunté au moyen français (1396) au sens de «soutien», et employé depuis 1460 avec une acception concrète. Le mot se rapporte au maintien à leur nombre normal des effectifs et du matériel d'une troupe au combat (1953), puis au maintien d'un matériel en bon état de fonctionnement (1962).

MAINTENEUR, EUSE n., d'abord *mainteneour* (v. 1155), correspondait à tous les sens du verbe en ancien français ; il se rencontre encore en style littéraire au sens de «conservateur» (1842).

MAINTIEN n. m. (fin XIIIe s.) est le dérivé le plus courant et le plus indépendant du verbe. Il procède d'abord de l'emploi pronominal et signifie «fait d'être dans tel état», d'où «manière de se tenir, posture». Dans cet emploi concret, le mot s'est spécialisé au XIXe s. pour «façon aisée de se tenir en société» d'où *leçon, cours de maintien*. Avec la valeur générale «action de maintenir, de faire durer» (1538), *maintien* s'est substitué à *maintenance*. Il s'emploie avec un complément introduit par *de*, donne lieu à des emplois spécialisés comme *le maintien de l'ordre* (public) ou *maintien* (d'un soldat appelé) *sous les drapeaux*. La langue du droit connaît le *maintien dans les lieux* d'un locataire.

MAINTENUE n. f., d'abord «fait de loger chez qqn» (1466) et (1473) «administration», a gardé le sens juridique de «confirmation par jugement dans la possession d'un bien ou d'un droit litigieux» (1549). ➛ **MAINTENAGE** n. m. a été introduit au XXe s. en foresterie pour «boisage destiné à retenir le terrain» (1931).

MAIRE n. m. est la substantivation (v. 1170) de l'ancien adjectif *maire* «plus grand» (v. 1165), issu du latin *major*, comparatif de *magnus* «grand», qui a donné par emprunt *majeur** et *major**. Dès le IVe s., selon l'idée de «respect, autorité» contenue dans *magnus*, *major* est attesté au sens de «chef, principal personnage» à partir duquel il est spécialisé aux sens d'«officier commandant» (VIe s.) puis «juge local, maire de village» (977) et «maire de commune» (1136).

♦ En ancien français, *maire* désigne le premier officier dirigeant le corps municipal dans les «villes de commune» et se trouve en concurrence avec la forme *maieur* (ci-dessous), issue de l'accusatif *majorem*, jusqu'à ce que ces formes perdent leur valeur casuelle. Au XVIe s., apparaît l'expression ***maire du Palais*** (1573), titre donné au premier intendant de la maison du roi sous les Mérovingiens. ➛ Le sens institutionnel moderne du mot en France date de 1789 (décret du 14 décembre) ; à Paris, *maire* a désigné spécialement, entre 1873 et 1975, l'officier municipal nommé par décret et remplissant les fonctions d'agent du pouvoir central dans chaque arrondissement (on dit aujourd'hui *maire adjoint*). L'importance du maire, à la tête du conseil municipal, est considérable. De nombreuses expressions utilisent le mot, par exemple *passer devant (monsieur) le maire* «se marier».

▶ Les dérivés sont apparus au XIIIe siècle. **MAIRESSE** n. f. a perdu le sens de «femme d'un maire» (encore par plaisanterie) pour celui de «femme maire» (concurrencé par le masculin : les femmes remplissant cette charge sont normalement dénommées, en France, *madame le Maire*). ➛ **MAIRIE** n. f., «territoire soumis à l'autorité du maire» (1255), a pris rapidement son sens moderne de «charge de maire» (1265). ◇ Outre ses sens historiques, il désigne le bâtiment de l'administration municipale (1790) et cette administration elle-même.

Par ailleurs, *majeur*, emprunt de *major* (ci-dessus), a pour variante **MAÏEUR** n. m. (fin XIIIe s.) qui, à côté de *magin* (v. 1155), a signifié «maire». *Maïeur* ou *mayeur* est quelquefois synonyme de *bourgmestre*, en français de Belgique.

MAIS adv. et conj. est issu (v. 980), de l'adverbe latin *magis*, qui est probablement l'adaptation, influencée par *magnus* «grand» (→ majeur), d'un ancien °*mais* (forme connue en osque) issu comme *magnus* d'une racine indoeuropéenne signifiant «grand» (→ méga-). *Magis* signifiait «plus», mais se différenciait de *plus* (→ plus), lequel exprimait surtout le nombre, la quantité (servant de comparatif à *multum*, → moult), alors que *magis* assumait généralement la nuance qualitative de «plutôt». Il servait normalement, dans l'usage classique, à former les comparatifs périphrastiques (*magis sanus* «plus sain»), tout comme *maxime* servait à former les superlatifs. D'abord réservé aux adjectifs en *-uus*, *-eus*, *magis* s'est étendu à tous les autres et s'est généralisé aux dépens des formes de comparatif en *-ior* (→ junior, senior) dont la valeur allait s'affaiblissant. Cependant, *magis* a subi dès le latin la concurrence de *plus* qui l'a évincé en français (mais non en espagnol, où l'on dit *más*). Il était aussi joint à *sed* «mais» avec le sens de «mais plutôt» pour indiquer une action qui s'accomplit de préférence à une autre ; par suite, il lui est arrivé d'être employé seul avec cette valeur adversative, remplaçant de plus en plus *sed* dans la langue parlée et assumant seul ce rôle dans les langues romanes.

♦ *Mais*, en ancien français, assumait une fonction d'adverbe quantitatif (Xe s.) au sens de «davantage» : il en reste ***n'en pouvoir mais*** (v. 1165) «n'en pouvoir pas plus» (et non, comme on le croit souvent, «n'en plus pouvoir»). ◇ Appliqué à une quantité de temps, le mot était également employé comme adverbe temporel (Xe s.), le plus souvent en combinaison avec d'autres adverbes de temps *(onques, hui, toujours)* avec des sens aussi différents que «à partir de ce moment» (→ désormais), «maintenant», «jamais» (→ jamais). Cette valeur de renforcement du sens du mot précédent est responsable de son emploi dans *mais oui, mais voyons!* (1594) lors d'une conversation animée. ◆ En tant que conjonction de coordination, à valeur adversative (v. 980), *mais* a de plus en plus concurrencé, à partir du moyen français, l'ancien *ainz* surtout employé dans les antithèses dont le premier terme est négatif pour énoncer le second sous une forme positive et a fini par le supplanter définitivement au XVIe siècle. Il connaît la plupart de ses emplois avant le XIIIe s., marquant une rectification (v. 1160), une préférence (v. 1200), introduisant une intervention répondant à une mise en doute, un étonnement (1176-1184) sauf l'emploi substantivé (***avec des si et des mais***), qui date du XVe siècle. ◇ Il est renforcé dans ***mais enfin*** (1735) pour exprimer l'impatience. ◆ Son ancien emploi comme conjonction de subordination dans *mais que* semble issu, d'abord avec une valeur restrictive (v. 980), du tour comparatif signifiant «pas plus ... que» (latin *non magis ... quam*) d'où on est passé à «seulement, rien, si ce n'est que» *(ne ... mais que, mais que)*. De l'emploi restrictif seraient issus l'emploi hypothétique «sous la réserve que, pourvu que» (v. 1080), et l'emploi concessif (v. 1165) «sans tenir compte du fait que, bien que». Tous sont sortis d'usage avant le XVIIe siècle.

⊕ voir **MAÎTRE**, peut-être **MEC**.

MAÏS n. m. a été emprunté, d'abord écrit *maiz* (1519), cité en 1525 comme «indigène», puis *maizi* (1533) et *mais* (1568), enfin *maïs*, à l'espagnol *maiz* (1500; 1493 en latin), lui-même emprunté au taino, langue des Arouaks d'Haïti où il devait avoir la forme *mahiz* (attestée en 1555). Le maïs, qui s'était répandu dans toute l'Amérique (Cartier en a vu en 1535 dans la région du Saint-Laurent), fut introduit en Espagne et se répandit rapidement en Europe. Les parlers gallo-romans ont des désignations variées : *blé de Turquie* (abrégé en *turki*), *blé d'Espagne, d'Italie, blé indien, blé d'Inde* (archaïque en français, encore courant en français du Québec). En outre, on utilise le type *mil* ou des dérivés de ce mot dans le midi de la France.

♦ D'abord mot exotique, *maïs* a pris de l'importance en français avec le développement de la culture de la plante, au XIXe et surtout au XXe siècle. ◇ On trouvera un indice de cette diffusion dans l'emploi du mot en apposition comme adjectif de couleur (1848) qualifiant une teinte d'un blond orangé.

▸ Il a produit les dérivés techniques **MAÏSERIE** n. f. (1931) et **MAÏSICOLE** adj. (1972) ainsi que le terme médical **MAÏDISME** n. m. «maladie due à la consommation de maïs avarié».

⊕ voir **MAÏZENA**.

MAISON n. f. est issu (v. 980) du latin *mansionem*, accusatif de *mansio*, nom correspondant au verbe *manere* «demeurer» (→ manoir), qui désigne le fait de rester ou de séjourner, d'où le lieu de séjour, la halte, l'étape à l'époque impériale et, plus tard, la maison (où l'on fait halte). *Mansio* est passé en ce sens en gallo-roman et dans les parlers septentrionaux, concurrençant *casa* (→ case, chez) représenté en italien, en espagnol et en portugais (*casa* signifie «maison» dans ces trois langues). Les deux mots ont supplanté les désignations de la maison en latin classique : *aedes* «foyer, pièce où l'on fait le feu» et par suite «bâtiment d'habitation», et *domus*, passé en français par l'intermédiaire de l'italien dans *dôme**, avec un sens spécialisé.

♦ *Maison* est apparu avec son sens usuel de «bâtiment servant de logis» ; l'usage ancien disait *en sa maison* (1130) et *a maison* (1150) pour «chez soi» selon qu'il y avait immobilité ou mouvement, alors que l'usage moderne dit *à la maison* dans les deux cas. ◆ Dès le XIIe s., le mot inspire une phraséologie figurée, souvent proverbiale dont il ne reste à peu près rien et, à partir du moyen français, des locutions qui mettent l'accent sur la façon de tenir son ménage, d'après un sens secondaire de *maison* «ensemble des affaires domestiques» (v. 1300) : ainsi parle-t-on encore de *tenir la maison* (1556), de *faire les honneurs de la maison* (av. 1600), d'une ***bonne maison*** (1675), l'idée d'hospitalité étant développée dans ***la maison du Bon Dieu*** (familièrement, 1867). ◆ L'expansion sémantique s'est faite selon deux axes, dès les XIe-XIIe s. : par des métonymies et par des emplois mettant l'accent sur diverses utilisations du bâtiment. ◇ Dès 1080, *maison* se dit du personnel qui assure le service domestique de l'Empereur, avant de s'étendre à la domesticité des grands personnages (1606) et aux domestiques en général, par exemple dans ***gens de maison*** (1835). Aujourd'hui, il est encore employé en ce sens à propos des fonctionnaires attachés personnellement au président de la République (v. 1950). ◆ Toujours par métonymie, et, semble-t-il, d'après la Bible, *maison* recouvre la notion de «race, famille, descendance» d'abord dans l'expression *maison d'Israël* «les Juifs» (v. 1120) et aussi en parlant de la noblesse (v. 1120), par exemple dans ***être de bonne maison*** «d'une famille noble» (XVe s.), puis «d'une famille riche et de bonne renommée». En ce sens, *maison* a remplacé l'ancien *maisnie, maisniée* (d'origine populaire) issu du latin tardif °*mansionata*. ◇ Le sens de «famille» en général (1174), entendu comme «ensemble des parents qui vivent sous le même toit», est en concurrence avec le dérivé *maisonnée* (ci-dessous); il entre dans les expressions ***fils de la maison*** (1669), ***être de la maison*** (1747) en parlant d'un intime de la famille. ◆ Un autre sens de *maison*, «bâtiment à usage spécialisé» (XIIe s.), a donné lieu à un grand nombre d'expressions apparues en ancien français, puis à nouveau aux XIXe-XXe s. : les plus anciennes se fondent sur l'assimilation entre la maison et le temple de Dieu (v. 1120, *maison Dieu*) : l'hôpital où sont logés et soignés les pauvres reçoit aussi le nom de *Maison Dieu* (1165), analogue à *hôtel-Dieu**, et les couvents et monastères celui de *maison* (1165). Les autres syntagmes anciens ont été remplacés par des désignations plus précises : *maison de chartre* s'est effacé devant *prison*, *maison estagiere* (1466) a disparu au profit de *boutique*, et *maison de ville* (1270) a été évincé par *hôtel de ville* et par *mairie*. ◇ Les dénominations actuelles les plus usuelles si l'on excepte ***maison de campagne*** (1655), lequel continue l'ancien *maison de plaisance* (v. 1460), sont postérieures à 1700 et se réfèrent à des lieux de détention, de prostitution, à des locaux de commerce ou d'association. Leur maintien à côté d'une dénomination plus concise est parfois dû à une intention euphémistique : l'idée de «prison» est exprimée dans ***maison de correction*** (1721), ***maison centrale*** (1848), ***maison pénitentiaire*** (1838) et ***maison de force,*** apparu (1704) au sens de «prison pour les femmes de mauvaise vie». L'idée de «lieu de prostitution» est réalisée par plusieurs dénominations apparues au XIXe s., de ***maison publique*** (1821) à ***maison de prostitution*** (1824), ***maison de passe*** (1829), ***maison de tolérance*** (1840) et ***maison close*** (1899). ***Maison de jeux*** est relevé à partir de 1829. ◇ Le sens d'«entreprise commerciale» se développe au début du XIXe s. (1810) ; il se réfère plus particulièrement à l'entreprise dans laquelle on travaille (1893). ◇ Au XXe s. sont apparus ***maison de repos*** et ***maison de retraite*** (1931) dans la ligne de la vocation médicale et hospitalière de la maison au moyen âge. À la suite des maisons d'associations apparues au XVIIIe s., on a créé ***maisons de la culture*** et ***maisons de la jeunesse et de la culture*** (M. J. C.). ➜ Par extension, *maison* a désigné divers habitacles (cage, cercueil) et, dans le langage technique, des boîtes, des loges. Il en reste une trace dans l'emploi du mot en astrologie pour chacune des divisions du ciel (1331), emprunt d'une spécialisation médiévale de *mansio* (XIIIe s.). ➜ L'adjectivation du mot, au XXe s., réalise la valeur de «fait à la maison» (1935), généralement positive *(pâté maison, tarte maison),* et de «particulier à une maison de commerce» dans ***esprit maison*** (1939).

▶ **MAISONNETTE** n. f., d'abord écrit *meisonete* (v. 1175), l'a emporté sur un autre diminutif, *maisonnelle* (v. 1190, *mesonnelle*), pour désigner, avec une coloration affective, une petite maison. ➜ **MAISONNÉE** n. f. (1611) s'est imposé difficilement ; il est qualifié de «vieux» en 1660 et de «familier» de 1690 à 1798, à côté de *maison* pour l'ensemble des membres d'une famille. La notion était exprimée en ancien français par le type *mesnie* (1050). On n'emploie quasiment plus l'adjectif ***maisonnier, ière*** (1505), antérieurement nom de l'habitant d'une maison (1312).

MANSION n. f. (v. 1155) assure le maintien, dans le langage technique, du représentant savant du latin *mansio* : supplanté dans l'usage courant par *maison.* ➜ Le mot désigne la partie du décor servant de cadre à une scène dans le théâtre médiéval (XIIIe s. ; à nouveau 1855), une «maison» en astrologie (1273), et en histoire antique un gîte d'étape (1596).

◈ voir MANSE, MAS, MASURE.

◈ ✻ **MAÎTRE, MAÎTRESSE** n. et adj., d'abord *maistre, mestre* (1080), est issu du latin *magister* «chef, maître», mot probablement dérivé de *magis* «plus» (→ mais), employé dans la langue juridique et religieuse, ensuite, dans toutes sortes d'acceptions selon les catégories auxquelles il était appliqué (armée, marine, magistrature civile, école, vie privée, etc.). Il a supplanté le mot classique *dominus* «maître de maison» qui s'est maintenu dans *dom**, au féminin *domina* (→ dame), ainsi que dans quelques dérivés (→ dominical, dominer). En français, *maître* a éliminé l'adaptation savante *magistre* (v. 980), courante jusqu'au XVIe s., et l'emprunt **MAGISTER** n. m., employé du XVe au XVIIIe s. au sens de «maître d'école», quelquefois avec la valeur péjorative de «pédant dogmatique» (1701).

♦ Dès les premières attestations, *maître* est employé en apposition avec une valeur adjective. Apparu dans l'ancienne locution *le plus maître* «le plus important», il n'a conservé ce sens que dans quelques emplois particuliers : en architecture religieuse dans ***maître-autel*** (v. 1160), en marine dans ***maître couple*** (1765), couramment dans *maître-mot, maître-livre,* et au jeu de cartes dans *maîtresses cartes* (1902 ; 1845 autre sens) devenu aujourd'hui ***cartes maîtresses.*** L'usage littéraire l'emploie également, postposé au nom, avec la valeur qualitative d'«essentiel» (1580, *idée maîtresse*). ◇ Toujours comme adjectif, *maître* s'est maintenu en emploi antéposé pour désigner le chef de ceux qui exercent une même profession (1150) ; on dit encore *maître maçon* (1835), ***maître coq**** (cuisinier) et ***maître chanteur*** (1786, variante *maître-chantre* 1740 ; calque de l'allemand *Meistersinger*), ce dernier ayant pris le sens figuré de «personne qui menace de divulguer un secret et en tire profit» d'après *faire chanter.* ◇ Cet emploi de *maître* semble connaître un regain de faveur depuis 1960 pour former les désignations d'artisans qualifiés. ◇ Quelques emplois lexicalisés réalisent le sens de «qui a les qualités d'un maître», dont ***maîtresse femme,*** au féminin (1669).

L'emploi du mot comme substantif, postulé par les emplois en apposition qui le précèdent, est clairement attesté au milieu du XIIe siècle. *Maître* se réfère à celui qui a autorité sur d'autres dans quelque domaine que ce soit ; il connaît immédiatement la même diversification d'emplois que le latin *magister.* Il s'emploie plus particulièrement dans le domaine de l'enseignement, à propos d'un précepteur (v. 1155), seul ou, ultérieurement, dans des syntagmes comme ***maître d'école*** (XIIIe s.) en concurrence avec *magister* du XVe au XVIIIe s., et ***maître de conférences*** (1845 ; 1893 «adjoint d'un professeur en titre à l'Université»). ◇ Les désignations périphrastiques *maître d'armes,* d'abord *maître en fait d'armes* (1538), lui-même en remplacement de *maître* employé seul (v. 1460) et *maître d'escrime* (1549), *maître danseur* (1636), *maître tambour* (1867) se sont généralement implantées avec succès en parlant d'enseignants. ◇ L'expression ***maître ès arts*** (1432, *maître en arts*) se définit comme le grade universitaire qui donne le droit d'enseigner certaines matières. ◇ Dans d'autres secteurs de la vie professionnelle, le mot a désigné le médecin (fin XIIe-XIVe s.) et lui a servi de titre, précédé dans cet emploi par l'ancien languedocien. ◇ Il désigne celui qui, après avoir été apprenti, est reçu dans un corps de métier (XIIIe s.), acception avec laquelle il tend à reculer au profit de *patron,* mais qui a donné la locution figurée *faire passer maître* (1740), puis ***être passé maître dans*** (1867 ; dès Marot *être maître passé dans*). Certains emplois en artisanat (charpenterie) ont débouché sur la spécialisation dans la hiérarchie franc-maçonne (1765, *grand maître*). ◇ Depuis le XIIIe s., *maître* donne une foule de dénominations de métiers, en ancien français ***maître d'hôtel*** (v. 1225), d'où en cuisine, *à la maître d'hôtel* (1803) ; *maître des comptes*

(1297), et ***maître d'œuvre*** (1350, *maître de l'œuvre* en architecture), en français classique *maître du chœur* (1690), ***maître des cérémonies*** (1721), ***maître d'équipage*** (1835; 1688 avec une valeur voisine), et au XIXe s. ***maître de ballet*** (1835). ◇ Sa spécialisation professionnelle lui vaut de servir de titre à l'adresse de certains métiers, de nos jours surtout les avocats, les notaires (v. 1460), du XVIIe au XVIIIe s. également les membres du Parlement, les prêtres et les titulaires d'un grade dans l'université. ◇ Ce type d'emploi a donné lieu à l'appellatif *maître* devant le prénom d'une personne de la classe moyenne *(maître Pierre)*; on en garde trace dans les appellations plaisantes données aux animaux par La Fontaine. ◆ La valeur politique du mot est illustrée pendant la féodalité (v. 1190) en parlant du seigneur par rapport au vassal, du roi par rapport à ceux qui sont chargés de le représenter (1530), et dans l'expression redondante ***seigneur et maître*** (1690) appliqué par ironie au mari. *Maître* a servi aussi à désigner des grades militaires aux XVe et XVIe siècles. Avec le même sémantisme, plus général, *maître* est entré dans les locutions ***trouver son maître*** (XIIIe s.), ***se rendre maître*** *de* (XVe s.), ***être maître de soi*** (1538), et la construction *être maître de* suivi de l'infinitif (1667). Absolument, *être maître* s'emploie au jeu, d'abord dans *être maître dans une couleur* (1893), par allusion à la supériorité du joueur. ◆ L'idée de supériorité s'applique aussi en religion à propos de Dieu, dénommé *maître des seigneurs* (XVe s.), *maître des rois* (1645, Corneille) ou *maître du monde* (1685, La Fontaine). ◆ *Maître* assume dès le XIIe s. la valeur de «patron, chef» dans la sphère des intérêts domestiques, s'appliquant au propriétaire, ***maître de maison*** (1532, *de la maison*), ou sa variante ancienne *maître de famille* (1588), le chef de famille.

Le mot se rapporte aussi (XIIe s.) à la personne qui est experte, qui excelle en qqch., donnant la phraséologie *n'avoir [ne pas avoir] son maître* «être le plus habile dans son domaine» (v. 1190), ***de main de maître*** (1538), *coup de main de maître* (1636) et ***coup de maître*** (1636). ◇ De cette valeur, croisée avec l'acception professionnelle du mot, procède le sens de «grand peintre reconnu qui fait école» (1690), conjointement à *petit maître*, appliqué au maître spécialisé dans la production de toiles de petites dimensions.

Le féminin **MAÎTRESSE** (v. 1180), tout en constituant le féminin de *maître* dans certains de ses sens (1673, ***maîtresse du logis***), possède des acceptions qui lui sont propres. Depuis le XIIIe s., il s'emploie spécialement dans le langage amoureux pour la femme aimée d'un homme, à cause de l'empire qu'elle exerce sur lui, en corrélation avec *amant*. Le sens moderne, «femme qui s'est donnée à un homme qui n'est pas son époux» (1660), concurrence puis élimine au XIXe s. le précédent, qui n'impliquait ni n'excluait les relations charnelles. L'évolution est parallèle à celle de *amant**.

▸ Le dérivé **MAÎTRISE** n. f., d'abord *mestrise, maistrise* (v. 1165), exprime la qualité de maître dans différentes acceptions de ce mot : d'abord attesté au sens de «commandement d'un vaisseau», il a développé au XIIe s. le sens figuré de «perfection dans la technique digne d'un maître» qui s'est surtout répandu depuis le XIXe siècle. ◇ Dès l'ancien français (XIIIe s.), le mot est appliqué à la fonction de maître dans certains métiers, particulièrement (XVe s.) dans une corporation. Par analogie, il désigne un grade de la hiérarchie maçonnique (1873). À la différence de *maître*, il n'a développé que récemment certains sens, s'appliquant (1907) à la domination de soi-même, puis (1930) à la possession d'une chose dont on use à son gré. ◇ Enfin, il désigne en France (1966) un grade universitaire situé après la licence. ◆ *Maîtrise* a pour dérivé **MAÎTRISER** v. tr. (fin XIIe s.) dont le sens premier, «dominer, gouverner», a décliné au bénéfice de «dominer (une passion)» (1559), «se rendre maître de (un phénomène naturel)» (1665) et «réduire par la force (une personne)» (1867). ◇ Le verbe a pour dérivé l'adjectif **MAÎTRISABLE** (1845) auquel s'oppose **IMMAÎTRISABLE** adj. (1845), mot rare.

MAISTRANCE n. f., apparu sous la forme *mestrance* (XIIIe s.) au sens ancien de «fonction de magistrat», a été repris comme terme de marine pour désigner l'ensemble des «maîtres» d'un arsenal (1559), puis des maîtres d'équipage (1627) par emprunt à l'italien *maestranza*, auquel il doit d'avoir conservé son *s*.

La dérivation de *maître* s'est enrichie de quelques noms de grades. ◆ **CONTREMAÎTRE** n. m. (1404) a aussi eu un emploi en marine; l'importance du mot s'est accrue avec l'économie industrielle, au sens de «chef d'une équipe d'ouvriers». Le féminin **CONTREMAÎTRESSE** n. f. (1863) n'est usuel que dans les professions féminines. ◆ **QUARTIER-MAÎTRE** n. m., calque (1637) de l'allemand *Quartiermeister*, désigne après *contremaître*, qui a eu une valeur voisine en moyen français, un marin de premier grade au-dessus du simple matelot. ◆ Enfin **SOUS-MAÎTRE** n. m. s'est dit (1410 *soubmaistre*) d'un remplaçant du professeur, d'un contremaître, le féminin **SOUS-MAÎTRESSE** n. f. (1800) «surveillante», prenant la valeur figurée (1860) de «surveillante dans une maison de tolérance»

◈ voir MAESTRO, MAGISTÈRE, MAGISTRAL, MAGISTRAT, MISTRAL, MISS, peut-être MASTROQUET.

MAÏZENA n. f. a été emprunté (1853, selon Bloch et Wartburg) à l'anglais *maizena* (v. 1850) dérivé de *maize* «maïs» (1555), correspondant pour le sens à l'anglo-américain *corn* (→ cornflakes) et morphologiquement au français *maïs**. Il est comme lui issu de la forme espagnole *maiz*, anciennement *mahiz, mahis, mayz* (dialecte cubain).

♦ Il s'agit d'une marque de fabrique ayant obtenu de hautes récompenses (1862, à Londres; 1867, à l'Exposition Universelle de Paris) et déposée en France le 22 février 1929.

MAJESTÉ n. f., successivement écrit *majested* (v. 1118) et *majestet* (v. 1120), *majeté* (1180) puis *majesté* (1365), est emprunté au latin *majestas*, dérivé de *major* (→ majeur, major, maire). *Majestas* a d'abord signifié «grandeur, dignité», au figuré «noblesse, dignité d'un style, d'un lieu, d'une personne», d'où particulièrement «souveraineté de l'État, du peuple romain» et, en latin médiéval, «souveraineté» (996). Le mot a aussi servi de titre honorifique pour un empereur, un roi, un pape, à partir du VIe s., et, en contexte religieux, désigne l'image du Christ en trône (v. 1031).

♦ *Majesté,* qui a supplanté en moyen français le doublet populaire *maesté, maïsté* (XIIe s.), a été introduit dans son acception religieuse. Il se rapporte à la grandeur suprême de Dieu dans *Dieu de majesté* (v. 1120), *roi de majesté* (v. 1120) et s'applique spécialement à une représentation de saint (1140), sens conservé en iconographie *(en majesté).* ➛ Par réemprunt au latin, le développement de sens étant motivé par le caractère sacré du roi, il se rapporte à la grandeur suprême du roi de France (v. 1360), désigne le roi lui-même (v. 1380) et lui fournit un appellatif qui, au pluriel, s'adresse à la fois au roi et à la reine (1575, *leurs majestés;* 1835, *vos majestés*). *Crime de majesté* «commis à l'encontre d'un roi» (1548) a été supplanté par *crime de lèse-majesté* (→ lèse). ➛ Au XVIe s., *majesté* se répand dans l'usage général, exprimant le caractère de grandeur d'une personne ou de son attitude qui force le respect (1547), la grandeur dans le style (apr. 1550) et dans l'aspect extérieur d'une chose (1690, de bâtiments, de fleuves).

▸ **MAJESTUEUX, EUSE** adj., apparu ultérieurement (1605), est la réfection, sur le modèle des adjectifs en *-ueux* (type *voluptueux, somptueux*), du moyen français *majesteux* (av. 1589), dérivé de *majesté.* Une influence de l'italien *maestoso,* de *maesta* «majesté», parfois invoquée, est improbable ce dernier étant seulement attesté depuis 1626. ◇ Le mot et son dérivé **MAJESTUEUSEMENT** adv., apparu sous la forme *maiestueusement* (1609), échappent aux déterminations religieuses et politiques de *majesté.*

MAJEUR, EURE adj. et n. m., d'abord *majour,* (v. 1354), est un emprunt au latin *major,* comparatif de *magnus* «grand» (analysable en °*mag-yo-s*), lui-même issu d'un élargissement de l'adjectif radical conservé dans le hittite *mekki* «nombreux», le vieil islandais *mjǫk* «beaucoup», l'arménien *mec* «grand». *Magnus* a été supplanté par *grandis,* de sens plus physique, mais subsiste dans quelques représentants de dérivés (→ magnat, magnitude, magnum, mai). ◇ *Major,* proprement «plus grand», signifie généralement «grand par la qualité, la force ou l'âge», «important» et, en latin médiéval, «qui a atteint l'âge de la majorité» (1225); il s'est spécialisé en logique (av. 1250) pour le terme d'un syllogisme qui sert de prédicat à la conclusion. Il est malaisé de préciser quand on a commencé à prononcer la consonne *j* intermédiaire écrite *i* jusqu'au XVIe s.; l'ancien français a aussi la forme *maieur, maïeur* qui, à côté du sens principal de «plus grand», possède des sens hérités du latin, tels «les Anciens» (de *majores,* VIe s.).

♦ Le mot a évincé l'ancien doublet populaire *maire* (dont le cas sujet s'est conservé dans *maire**), *maieur, maior* (cas régime continuant l'accusatif latin *majorem*). Une série de spécialisations qui ont leur pendant dans l'antonyme *mineur* ont limité son emploi. Introduit en logique, où *la majeure* désigne la première proposition d'un syllogisme, il s'est employé en musique (1377) en parlant d'un ton, d'un mode qui en surpasse un autre d'un demi-ton, emploi repris et répandu dans *mode majeur* (1671), *tierce majeure* (1690). ➛ Le sens de base, «plus grand, plus considérable», au figuré (XVIe s.), ne concurrence *plus grand* que dans l'expression *la* ***majeure partie*** (1564), d'où *en majeure partie* (XXe s.). Dès le XVIIe s., *majeur* est réservé à des emplois spécialisés, en religion *excommunication majeure* (1636) et *ordres majeurs;* au jeu dans *tierce majeure* (1690). La valeur d'«essentiel, d'une importance exceptionnelle» s'incarne dans ***force majeure*** «force supérieure contre laquelle on ne peut lutter» (1690). ➛ Conformément à une spécialisation du latin *major,* et comme son antonyme *mineur, majeur* appliqué aux personnes, a pris le sens de «qui a atteint la majorité, l'âge adulte» (1549). Cet emploi continue le latinisme *les majeurs* (v. 1120) «les ancêtres, les anciens», emploi disparu après le XVIIe siècle. ➛ L'emploi récent de *le majeur* comme nom du plus grand doigt de la main (1907) réactive une valeur physique que semble n'avoir jamais eue l'adjectif, mais qu'avait l'ancien français *maire.*

▸ **MAJOR** adj. et n. m. est apparu vers 1592 comme un terme militaire emprunté à l'espagnol *mayor* «plus grand» (1140), du latin *major* (→ majeur) qui, associé à d'autres termes, désigne plusieurs grades et fonctions. Le moyen français avait la forme *sergent*-majeur* (fin XVIe s.), évincée par **SERGENT*-MAJOR** (1592). ◇ D'autres noms composés de grades ont suivi, avec **MAJOR-GÉNÉRAL** n. m. (av. 1679), **AIDE*-MAJOR** n. m. (XVIIIe s.), **TAMBOUR-MAJOR** n. m. (1651), etc. ◇ *Major* est lui-même substantivé (1672); dans la seconde moitié du XVIIIe et jusqu'au XXe s., il était appliqué à des infirmiers, médecins et chirurgiens militaires (1756); par analogie, il a été repris dans l'argot de Saint-Cyr pour le candidat reçu dernier au concours d'entrée, appelé dérisoirement ***major de queue*** (1871), puis s'est appliqué normalement (1893) au candidat reçu premier dans toute grande école. ◇ En Suisse, il compte quelques autres emplois, dont le sens d'«animateur d'un banquet de mariage, d'une fête» (***major de table***). ➛ **MAJORER** v. tr. a été formé tardivement (1870) sur le latin *major* pour s'opposer à *minorer* au sens de «porter à un chiffre plus élevé» en parlant d'une évaluation, d'un compte, et aussi (1893) d'un prix. Il est pris familièrement au figuré pour «donner une importance excessive à (une chose)» et il est employé spécialement en mathématiques, de même que les dérivés tirés de ses participes **MAJORANT** et **MAJORÉ, ÉE** adj. (v. 1950). ◇ Son dérivé **MAJORATION** n. f. (1867) est employé particulièrement comme synonyme d'*augmentation (des prix)* [attesté 1930].

Quelques autres mots proviennent du latin *major* par l'intermédiaire d'autres langues. ➛ L'ancien terme **MAJORAT** n. m. (1701; 1679, *majorasque*), «bien inaliénable et indivisible attaché à la possession d'un titre de noblesse et transmis au fils aîné», est emprunté à l'espagnol *majorasco.* ➛ **MAJORETTE** n. f. est emprunté (1956) à l'américain où il existe depuis 1941 par ellipse de *drum-majorette,* formation hybride correspondant au français *tambour-major,* avec un diminutif féminin.

MAJORAL n. m., attesté en français en 1847, est un emprunt au provençal et désigne le «berger major» d'un grand troupeau.

◈ voir MAIRE, MAJORDOME, MAJORITÉ et MAJUSCULE.

MAJOLIQUE n. f., relevé dans la traduction d'un ouvrage italien lui-même traduit de l'arabe, sous la forme *maiolique* (1556), est emprunté à l'italien *maiolica* «céramique émaillée» (XVe s.), attesté antérieurement en latin médiéval sous la forme *Majolica* (1368). Ce mot est l'altération de *Majorica,* nom de l'île de *Majorque,* car l'Italie centrale (la Romagne notamment) importa la technique de cette faïence de Majorque, où les autochtones la tenaient des Arabes. On trouve dès le XVe s. (1447) l'expression *platz de terre de Mailloresque.*

♦ Le mot, aussi écrit *maïolique* jusqu'au XIXe s., désigne une faïence italienne de l'époque de la Renaissance, recouverte d'une glaçure à l'étain.

MAJORDOME n. m. est emprunté au XVIe s., sous les formes plus ou moins altérées *maiour dosme* (v. 1515), *majeur dome* (1596), à l'italien *maggiordomo* (XIIIe s.) «chef du service des domestiques d'une maison seigneuriale» et (1571) «officier qui a la charge des vivres sur un navire». Le mot italien est un emprunt, de même que l'ancien provençal *majordome* (XIVe s.), l'espagnol *mayordomo* (1120) et le catalan *majordom* (XIIIe s.), au latin médiéval *major domus* «chef des serviteurs» (VIe s.) et proprement «maître (→ majeur, maire) de la maison» (→ dôme).

♦ Le mot a été introduit en français pour désigner l'officier chargé des vivres sur une galère (peut-être d'après le provençal). Il a pris (1596) le sens de «chef du service intérieur de la maison d'un souverain» avec sa forme actuelle au début du XVIIe s. (1609). ◇ Il n'est guère employé qu'avec le sens, pris par extension, de «maître d'hôtel d'une grande maison» (1835).

MAJORETTE → MAJEUR

MAJORITÉ n. f. représente, par emprunt (1290), le latin médiéval *majoritas* «supériorité en nombre» (v. 1091), «âge majeur» et «charge de maire» (v. 1119), dérivé de *major* (→ majeur, maire).

♦ Le mot a fait l'objet d'emprunts successifs : les sens de «supériorité en nombre» (1290, en philosophie), de «supériorité» (XIVe s.) et de «rang le plus élevé» (XVe s.) sont restés isolés et se sont éteints avec les sens correspondants de *majeur,* issu de l'ancien adjectif *maire* (→ maire). ◆ Par un nouvel emprunt au latin médiéval, *majorité* a pris (1510) une valeur juridique : «état d'une personne considérée comme majeure». Au XVIIe s. (1690), il a reçu la spécialisation militaire de «charge de major», d'après *major;* ce sens a disparu. ◆ Quant au sens politique du mot (1760 ; 1735, en parlant de l'Angleterre), il est emprunté à l'anglais *majority,* lui-même emprunté au français *majorité* au XVIe et spécialisé au XVIIe s. avec la valeur de «plus grand nombre» (avec ou sans idée de vote). Jusqu'au XVIIIe s., c'était le mot *pluralité* qui exprimait ce sens en français ; *majorité* reste rare avant le XIXe s. où il est consacré par l'usage, comme une bonne partie du vocabulaire parlementaire venu d'Angleterre. Outre ses sens métonymiques de «groupement qui l'emporte par le nombre dans un vote» et (1789) de «groupe, parti, qui réunit la majorité des suffrages» *(la majorité),* il signifie plus largement «le plus grand nombre dans une collectivité» (1802), par exemple dans un groupe d'actionnaires. ◇ L'expression ***majorité silencieuse*** (1970) est le calque de la formule *silent majority* employée par R. Nixon en 1969 lors de son premier mandat de Président ; elle s'est rapidement étendue à la France et à d'autres réalités que la politique américaine (où elle s'opposait à *active minority* «minorité agissante»).

▸ *Majorité* a donné **MAJORITAIRE** adj. (av. 1911) qui se dit d'un système électoral dans lequel la majorité l'emporte, sans qu'il soit tenu compte des suffrages de la minorité, et qui signifie, par extension, «relatif à une majorité quelconque» (1959). ◇ Le langage du droit commercial l'applique spécialement (v. 1950) au détenteur de la majorité des actions, des parts d'une société. ◆ **MAJORITAIREMENT** adv. (v. 1950) «par une majorité», s'emploie par extension avec la valeur de «pour la plupart».

MAJUSCULE n. f. et adj. a été emprunté au XVe s. au latin *majusculus,* proprement «un peu plus grand», diminutif en *-usculus* de *major* (→ majeur, major), au neutre *majus,* comparatif de *magnus* «grand».

♦ Le mot est employé comme adjectif et, par ellipse pour ***lettre majuscule,*** comme nom (1718). Il se réfère à un type de lettre introduit dans l'usage grec et latin, d'abord à titre ornemental. En français, les premières majuscules apparaissent dans l'écriture «caroline», créée sous Charlemagne et se trouvaient dans les titres et les débuts de vers (d'où leur ancien nom de *versales*). Leur emploi se développa aux XIVe-XVe s. dans l'usage des praticiens (notaires, avocats, greffiers) pour marquer les débuts de mots : la majuscule faillit ainsi devenir la marque distinctive des noms communs (comme ce fut le cas en allemand jusqu'au XXe s.) et des prénoms ; les noms propres, au contraire, gardèrent la minuscule jusqu'au XVIe siècle. Le développement de l'imprimerie a fixé, au XVIe et au XVIIe s., l'emploi moderne de la majuscule. ◆ Dès 1611, Cotgrave enregistre le sens figuré d'«important, capital», de nos jours plaisant et littéraire.

▸ On trouve les créations **MAJUSCULER** v. tr. et **MAJUSCULAIRE** adj. chez les écrivains du XXe siècle.

MAKI n. m. est emprunté (1751) au malgache *máka* ou *máky.*

♦ Le mot, passé du français en anglais au XVIIIe s., désigne un mammifère de la famille des Lémuriens vivant à Madagascar, également appelé *lémur.*

MAL adj., adv. et n. m. est issu (881) du latin *malus* «mauvais, funeste, méchant», adverbialement *male* «autrement qu'il ne faut, de manière fâ- ◈

cheuse», et *male-*, premier élément de nombreux composés. C'est un ancien terme religieux rapproché de plusieurs formes indoeuropéennes, lituanien *m̃elas* «mensonge», irlandais *mellaim* «je trompe», grec *mekos* «vain», avestique *mairya.*

♦ *Mal,* adjectif dans *mals conseillers,* a considérablement décliné au bénéfice de *mauvais**; de nos jours, il subsiste essentiellement dans les locutions ***bon gré mal gré*** (1230), ***bon an, mal an,*** en emploi attribut dans ***il est mal de*** (1649) et surtout, dans un certain nombre de composés (→ malchance, malfaçon, malheur, au second élément). ➛ *Mal,* adverbe, est apparu au XIe s. (1080). Signifiant «de manière défavorable, fâcheuse», il entre notamment dans la locution ***de mal en pis*** (fin XIIe s.). D'abord placé devant un adjectif (1155) et devant un verbe (1200) avec une valeur de négation totale, il n'exprime plus dans ces emplois qu'une idée de négation affaiblie (1273), et s'emploie depuis le XIIIe s. pour «de façon imparfaite, incomplète», en parlant d'une chose et (av. 1654) d'une personne. Au XIVe s., il se définit moralement par «d'une façon contraire à la morale» comme dans *mal faire* (1361, *faire mal*). La locution ***mal en point*** (1536) a pris le sens de «en mauvais état» et ***pas mal*** (XVIIe s.), d'abord appréciation de nature quantitative (1661), est devenue aussi qualitative (1761), équivalent à «assez, relativement beaucoup». Usuelle et familière, elle s'emploie sans *ne* dans la langue orale *(y en a pas mal). Pas mal* est lexicalisé en réponse, pour «assez bien» *(Ça va? Pas mal, et toi?).* ➛ *Mal* entre comme élément préfixal dans plusieurs antonymes : *maladroit*, malavisé*, malappris*, malaisé*,* etc. Il est parfois concurrencé par l'élément *mé , més *.*

MAL, MAUX, nom masculin, est plutôt la substantivation de l'adjectif *mal* que le représentant du latin *malum* (adjectif *malus* substantivé), dont l'évolution phonétique se confond avec celle de l'adverbe *male* et qui n'a pas été conservé dans les autres langues romanes : il a été remplacé par l'adverbe substantivé (italien *male,* espagnol, portugais, catalan *mal*). ➛ *Mal,* dès les premiers textes où il apparaît sous les formes *mel, miel* (v. 980, *Jonas*), recouvre la notion morale qui s'oppose au bien. Il est particulièrement employé dans un contexte chrétien, renforcé par le nom du diable, le *Malin,* en référence à la concupiscence, au péché, par exemple dans ***faire le mal*** «pécher» (au XVIIe s.). En contexte laïc, il entre de bonne heure dans des locutions comme *donner le mal pour le bien* (fin Xe s., *ben per mal;* aujourd'hui *rendre le bien pour le mal*), ***à mal, au mal,*** *mettre qqn à mal* signifiant alors «pousser à faire le mal». *Mal* désigne aussi l'opinion négative qu'on a d'une personne, après des verbes de parole et de jugement. ◇ Ses autres sens sont, pour la plupart, apparus aux XIe et XIIe s. : ainsi, il a reçu (1050) le sens de «maladie», supplanté par *maladie,* mais maintenu dans des dénominations : l'épilepsie n'en compte pas moins de cinq dont ***le haut mal,*** et un panaris superficiel est appelé ***mal blanc.*** ➛ *Mal* est resté plus vivant dans l'acception «douleur physique» (1080), réalisée au pluriel *(les maux)* ou au singulier, dans les locutions ***avoir mal à*** (autrefois *avoir mal en, ès*), absolument ***avoir mal*** «souffrir», ***faire mal*** (v. 1175), ***mal de*** (v. 1175) suivi d'un nom d'organe. *Mal* désigne aussi la cause du mal, dans ***mal de mer*** (XVIe s.), et dans ***être en mal d'enfant*** (v. 1225) «être dans les douleurs de l'accouchement». Au XIIe s. (1155), il prend l'acception morale de «souffrance, douleur»; cependant les locutions ***mal du pays*** et ***mal du siècle*** sont apparues dans le contexte romantique, l'une chez Chateaubriand (1803), l'autre chez Musset (1833), infléchissant le sens de *mal* du côté de la nostalgie d'une part, et de la mélancolie, de l'ennui, d'autre part. Au XXe s. est apparu ***être en mal de*** avec l'idée de «souffrance causée par une absence». ➛ Depuis 1080, *mal* exprime l'idée de «tort, dommage matériel» *(faire du mal),* puis aussi de «mauvais côté, mauvais sens» (v. 1170). Le sens affaibli d'«inconvénient» (*il n'y a point de mal à cela* d'où *il n'y a pas de mal!* 1756), de même que celui de «difficulté, effort, peine» datent du XVIIe s.; ce dernier devenant très courant par exemple dans ***avoir du mal*** (1690), ***se donner du mal.***

◈ voir MALADE, MALARIA, MALÉDICTION, MALÉFICE, MALENCONTREUX, MALICE, MALIN, MALINGRE, MALOTRU, MALVEILLANCE, MALVERSATION, MANILLE, de nombreux composés sous leur second élément et les composés où MAL entre sous la forme MAU- (MAUDIRE, MAUVAIS, MAUSSADE...).

MALABAR n. m. et adj. est emprunté (1911), par l'argot des marins (1903), de *Malabar,* nom appliqué à une catégorie de mercantis des ports francs (Beyrouth, Tunis, Gibraltar, Portugal, Gorée). Le mot vient peut-être du nom ethnique *Malabar* (1663) «Indien de l'État de Kerala», tiré de *Malabar,* nom d'une région côtière du sud-ouest de l'Inde. ◇ Il a probablement subi pour le sens l'influence de *mâle* et celle de *malin* auquel il sert de synonyme dans une attestation de 1916 (argot des Poilus).

♦ Le mot, d'abord employé adjectivement puis aussi substantivement, correspond à «fort physiquement, costaud» (1911). La notion seconde de «fort mentalement, malin» (1916) s'est moins bien maintenue que pour certains synonymes *(fort, costaud...).*

MALACHITE n. f., d'abord *melochite* (av. 1150), puis d'après le grec *malakhê, malaquite* (déb. XIVe s.) et d'après le latin *molochite* (1562), la forme en *a* étant orthographiée *malachyte* (1683) puis *malachite* (1684), est emprunté au latin *molochitis* (Pline), lequel est emprunté au grec *molokhites* ou *molokhitis* «sorte de pierre précieuse». Ce mot est dérivé, d'après la couleur de la pierre probablement comparée à celle des feuilles de la plante, de *molokhê,* variante de *malakhê* «mauve», mot parallèle au latin *malva* (→ mauve).

♦ Le mot, introduit par des lapidaires médiévaux, désigne une espèce de pierre d'une belle couleur verte nuancée de teintes diverses.

MALADE adj. et n., d'abord *malabde* (v. 980) puis *malade* (1155), est issu du latin impérial *male habitus* «en mauvais état, malade», de l'adverbe *male* (→ mal) et de *habitus,* participe passé de *habere* «être dans tel état» (→ avoir). Ce mot a concurrencé et évincé le mot classique *aeger* (*aegrotus* en langue postclassique) qui insistait sur l'idée de «peine, souffrance causée par la maladie» (représenté en français dans l'ancien adjectif *égrotant**, de *egrotans*, participe présent d'*egrotare* «être malade»), et l'adjectif *morbidus*, dérivé de *morbus* «maladie» (→ morbide).

♦ *Malade* désigne et qualifie la personne qui souffre d'une altération de la santé ; comme adjectif, il est entré dans les expressions usuelles ***être malade*** (employée au XVIIe s. pour «avoir ses règles»), ***tomber malade*** et ***(être) malade de*** (1357, avec un sens figuré). Par analogie, il se dit aussi depuis le XVIe s. en parlant d'animaux, de plantes (1563). ◇ Au figuré, il s'applique aussi à une entreprise dont le fonctionnement est perturbé (1549), à la raison (1552). ◇ Au XVIIe s. apparaissent de nouveaux emplois dans lesquels l'adjectif qualifie concrètement un organe altéré dans sa constitution (1611), une chose détériorée (1640), en particulier un vin (1690).

▸ Son dérivé **MALADIE** n. f. (v. 1150) désigne l'altération de la santé chez l'homme, et, en emploi déterminé, une affection précise, par exemple *maladie obscure* «épilepsie» (1389), *maladie bleue* «cyanose» (1840) aujourd'hui *maladie bronzée*. (1867), etc. ◆ Dès le XIIIe s., *maladie* prend la valeur figurée de «trouble, embarras», s'étendant du plan individuel au plan collectif (1530) et fournissant une appellation classique des passions : les *maladies de l'âme* (1671). Par hyperbole, il s'applique (1670) à une passion excessive pour qqch. ◇ Comme l'adjectif, il se réfère aussi à l'altération de la santé d'un animal (1538), d'un végétal (1538) et à la corruption de produits végétaux (1867). ◆ *Malade* a servi à former un autre adjectif : **MALADIF, IVE** (1223, *maladis*) «sujet à être malade», employé également pour «qui dénote la faiblesse physique» (1580) et, avec la valeur intensive d'«excessif, anormal» *(curiosité maladive)* [1588]. Un autre sens attesté en moyen français, celui de «malsain, insalubre, qui rend malade», est sorti d'usage. ◇ Il a pour dérivé **MALADIVEMENT** adv. (1769). ◆ D'une façon générale, le groupe de *malade* s'est restreint depuis le moyen âge, perdant les verbes *maladier, malader, maladir* «être malade», l'adverbe *maladement*, l'adjectif *maladieux* ainsi que *maladive* n. f. «maladie». *Maladerie* n. f. (1175) «hôpital pour lépreux», a survécu sous la forme **MALADRERIE** n. f. (1572) laquelle manifeste l'influence de *ladre** «lépreux».

MALADROIT → ADROIT

MALAGA n. m. est l'emploi comme nom commun (1761) de *Malaga*, nom d'une province d'Andalousie qui produit un cépage noir à gros grains d'un goût muscat.

♦ Le mot désigne à la fois le vin liquoreux fait avec ce cépage cueilli très mûr et (1873) le raisin sec de Malaga consommé comme dessert.

MALAISE → AISE

MALANDRIN n. m. est emprunté (fin XIVe s.) à l'italien *malandrino* «bandit, voleur» (av. 1350), précédé par une forme *malandrenus* en latin médiéval à Venise (1280). Celle-ci est dérivée du latin impérial *malandria* «maladie des chevaux qui se traduit par des pustules au cou», mot dans lequel on a vu une déformation populaire du grec *melandruon* «cœur du chêne», sans grandes preuves. *Malandria* est à l'origine de l'italien *malandra* «plaie au jarret du cheval» (XVIe s.) et du français **MALANDRE** n. f. (v. 1393), précédé par l'anglo-normand *malant* (av. 1150). Le développement du sens de «lépreux» à celui de «brigand» s'est probablement effectué par l'intermédiaire de *malandreux* «mendiant lépreux» (attesté par le latin médiéval *malandresus* en 1362 dans une lettre de Jeanne, reine de Naples, aux Marseillais).

♦ Le mot a désigné les membres des bandes de pillards qui ravageaient la France au XIVe siècle. De cette acception, de nos jours historique, procède un emploi extensif pour «brigand, voleur de grand chemin» ; comme d'autres dénominations anciennes de la criminalité, le mot a vieilli ; il est aujourd'hui historique.

MALAPPRIS → APPRENDRE

MALARIA n. f., attesté pour la première fois en 1821 dans la traduction d'un récit de voyage anglais en Albanie, Sicile et Grèce, est emprunté par l'anglais (1740), à l'italien *mal'aria* pour *mala aria* «air mauvais, vicié» (XVIIe s.) composé de l'adjectif féminin *mala* «mauvais, insalubre» (→ mal) et de *aria* (→ air).

♦ Le mot a désigné les émanations provenant des marécages, que l'on tenait pour responsables des accès périodiques de fièvre dont souffraient les habitants (cf. *paludisme*) ; par métonymie, il désigne cette affection, dont la cause est aujourd'hui reconnue comme étant la piqûre d'un anophèle.

▸ Il a pour dérivés **MALARIQUE** adj. (1903), sa variante **MALARIEN, IENNE** (1903), ainsi que les termes didactiques **MALARIOLOGIE** n. f. et **MALARIOLOGUE** n., formés sur le modèle de *paludologie, paludologue*.

MALAVISÉ → AVIS

MALAXER v. tr. est un emprunt (1495) au latin impérial *malaxare* «amollir», formé sur l'aoriste grec *malaxai*, de *malassein* (attique *malattein*) «amollir, adoucir», lui-même dérivé de l'adjectif *malakos* «doux, mou», apparenté au latin *mollis* (→ mou).

♦ *Malaxer* a été introduit en pharmacie au sens de «manier, pétrir des onguents pour les amollir et les rendre homogènes». Sorti d'usage au XVIIe s., le verbe a été repris ; l'usage moderne l'emploie au sens plus général de «pétrir (une matière) pour la rendre plus homogène» (XVIe s. ; puis 1843). Appliqué à une partie du corps humain (1845), il est synonyme de *masser*.

▸ On en a tiré **MALAXATION** n. f., attesté une fois en pharmacie (1610), puis repris avec un sens général (1812), et les termes techniques **MALAXAGE** n. m. (1858, en céramique) et **MALAXEUR, EUSE** n. et adj. (1868) «ouvrier ou appareil chargé de malaxer».

MALCHANCE → CHANCE

MALCOMMODE → COMMODE

MALDONNE → DONNE

MÂLE adj. et n. m., d'abord *masle* (v. 1119), est issu du latin impérial *masculus* «mâle, masculin, viril», diminutif du latin classique *mas, maris* de même sens et qui vient d'une racine *mas,* sans correspondants dans les autres langues. *Masculus* a complètement éliminé *mas* à son bénéfice.

♦ *Mâle,* «être de sexe masculin», s'est d'abord dit d'un animal, puis d'un être humain (1170, dans un contexte juridique), par opposition à *femelle.* ◆ Adjectivé depuis 1160, il se rapporte à un homme, spécialement dans le vocabulaire juridique (1283), puis familièrement avec l'idée de puissance sexuelle (1616), mais aussi à un animal et (1555) à un végétal. ◇ À partir du XVIe s., il signifie «où se manifeste beaucoup d'énergie, de vigueur», dans l'appréciation esthétique (v. 1553), picturale (1762), et le jugement moral (1638); de nos jours surtout par plaisanterie. ◆ Par allusion à la complémentarité du principe mâle et du principe femelle, il est appliqué en électricité à un dispositif qui pénètre dans un autre *(prise mâle).* ◇ Depuis le XIXe s. (1840), on parle de *proportions mâles* en architecture par référence aux proportions de l'ordre dorique empruntées au corps de l'homme (celles de l'ordre ionique étant modelées sur le corps féminin).

▸ Le mot a donné **SURMÂLE** n. m. (1902), d'emploi ironique, lancé et illustré littérairement par Alfred Jarry.

L'adjectif **MASCULIN, INE** a été emprunté (v. 1220) au latin *masculinus* «de mâle, d'homme», de *masculus.* Apparu au sens de «propre à l'homme», il signifie spécialement «relatif à l'homme» (1690), «qui évoque l'homme» (1775), et «qui est composé d'hommes» (1826). ◇ Il est utilisé spécialement en grammaire (1550) comme adjectif et comme nom, pour désigner un des deux genres du français (un des trois dans d'autres langues qui connaissent un neutre), ainsi qu'en versification (1690). ◆ Il a donné **MASCULINITÉ** n. f. (v. 1278), **MASCULINISER** v. tr. (1521) d'où **MASCULINISATION** n. f. (1918, répandu vers 1950), ainsi que l'adverbe rare **MASCULINEMENT** (1612). ◇ La série est symétrique à celle des dérivés de *féminin;* cependant **MASCULINISME** n. m. (av. 1931), terme de pathologie, n'est pas le symétrique de *féminisme.*

◈ voir ÉMASCULER, MACHO.

MALÉDICTION n. f. a été emprunté (1375) au latin chrétien *maledictio* «exécration, paroles appelant la colère divine sur qqn» (IVe s.), employé comme antonyme de *benedictio* (→ bénédiction), par dérivation du sens classique de «médisance», mot composé de *male* (→ mal) et *dictio* «fait de dire, parole» (→ diction).

♦ *Malédiction,* nom d'action qui correspond à *maudire** (et non à *médire*), a supplanté les doublets populaires plus anciens *maleiçon* (v. 1120) et *maudiçon,* ce dernier employé jusqu'au XVIIe s. en style burlesque. ◇ Par hyperbole, et dans une vision du monde substituant la fatalité à la vengeance divine, il recouvre l'idée de «malheur, revers de fortune» (une fois au XVIe, puis XVIIe s.), glissant vers un usage familier dans la locution *c'est une malédiction* (1808) et dans l'exclamation *malédiction!* (1808).

MALÉFICE n. m. est emprunté (1213) au latin impérial *maleficium* littéralement «méfait, mauvaise action» et, surtout à basse époque, «mauvais charme, sortilège», par métonymie «poison de sorcier». Le mot est dérivé de *maleficus* «malfaisant», d'où «nuisible, criminel» et «magicien», de *male* (→ mal) et *-ficus,* de *facere* (→ faire).

♦ *Maléfice,* qui a supplanté *maleviz* (v. 1140), a eu jusqu'au XVIIIe s., le sens de «méfait, crime», quelquefois affaibli en «dommage» (1636) et alors presque symétrique de *bénéfice.* ◇ Il a seulement gardé la spécialisation magique (1279), parfois banalisée en «charme, influence puissante» (Mirabeau) avec une coloration négative.

▸ Son dérivé **MALÉFICIÉ, IÉE** adj. (1508) «atteint par les effets d'un maléfice», a eu au XVIe s. plusieurs sens dérivés correspondant à ceux que recouvre *maladif.* Il n'est pratiquement plus usité et confondu avec le participe passé de **MALÉFICIER** v. tr. (av. 1525), verbe peu répandu malgré certains emplois littéraires (Hugo, Huysmans) et l'enregistrement sans lendemain (1798) du sens d'«écorcher, mettre à mal».

MALÉFIQUE adj., emprunté (v. 1480) au latin *maleficus,* qualifie encore aujourd'hui ce qui exerce une influence nuisible par des moyens surnaturels, spécialement en astrologie (1564). Il n'a gardé ni le sens de «criminel» (1488), plus faiblement «nuisible» (1551), ni celui de «malade», attesté isolément en moyen français.

MALENCONTREUX, EUSE adj. est dérivé (v. 1400) du nom archaïque *malencontre* n. f. (1174), formé du féminin *male* de l'adjectif *mal** et de *encontre** «rencontre» (v. 1165), déverbal d'*encontrer* «trouver qqn sur son chemin» (v. 980), verbe éliminé par *rencontrer.*

♦ Si *malencontre* est aujourd'hui archaïque, tant au sens de «mauvaise rencontre» qu'à celui de «malheur, contretemps, accident», *malencontreux* est usuel en parlant d'une chose «mal venue» (v. 1400). ◇ En revanche, l'adjectif a cessé d'être appliqué à une personne malchanceuse (1568) ou causant de l'embarras, de l'ennui.

▸ On en a tiré **MALENCONTREUSEMENT** adv. (1618) «mal à propos».

MALENTENDU → ENTENDRE

MALFAÇON → FAÇON

MALFAISANT, MALFAITEUR → FAIRE

MALFRAT n. m. est probablement — comme l'indique la définition donnée par Delvau en 1866 : «*homme qui mal fait, ou gamin qui mal fera*» — un emprunt au languedocien *malfaras, maufaras* «malfaiteur». Ce mot est dérivé de *maufare, maufaire* «mal faire», correspondant à l'ancien provençal *malfar,* composé de *mal* et *far,* mots de même étymologie que *mal** et *faire**.

♦ Argotique, puis familier, le mot désigne un malfaiteur, un voyou.

MALGRÉ → GRÉ

MALHABILE → HABILE

MALHEUR → HEUR

MALHONNÊTE → HONNÊTE

MALICE n. f. est emprunté (v. 1120) au latin *malitia* «mauvaise qualité, stérilité», «nature mauvaise, méchanceté» et «ruse», employé au moyen âge d'une part pour le malheur subi, d'autre part pour le péché, le crime commis (v. 864). *Malitia* est dérivé de *malus* (→ mal).

♦ Jusqu'au XVIIe s., le mot a le sens fort de «méchanceté, inclination à nuire», notamment en contexte théologique, et «disposition à faire le mal» (v. 1155), d'où *une malice* «action faite par méchanceté» (v. 1155). Comme en latin, il désigne également la ruse, l'habileté, la finesse (XIIIe s.). ◇ Son sens s'est affaibli dans l'usage classique pour celui de «taquinerie sans conséquence» (av. 1648), *malice* n'exprimant plus une idée de «mal», sinon avec la valeur très affaiblie de «penchant à dire de petites méchancetés pour amuser autrui». Un sens plus fort se maintient dans les expressions ***sans malice*** «sans méchanceté» (v. 1652) et ***sans y entendre malice*** (1869), forme moderne de *sans entendre la malice* «sans arrière-pensée» (XVe s.). ◇ L'idée de «ruse» reste active dans ***sac à malice*** (1875), référence à l'attribut du prestidigitateur, quelquefois appliqué à une personne espiègle, taquine (1935).

▸ L'adjectif correspondant, MALICIEUX, EUSE emprunté au XIIe s. *(malicios)* au latin *malitiosus*, «méchant, fourbe», de *malitia*, a suivi la même évolution : il est passé du sens primitif (1155) de «trompeur, pervers, méchant» au sens d'«enclin aux railleries» (1690). Ce n'est que depuis le début du XIXe s. (*sourire malicieux*, 1821) qu'il signifie «qui dénote un esprit enclin aux taquineries». ➛ Son dérivé MALICIEUSEMENT adv. (v. 1275) a pris son sens moderne à la même époque que l'adjectif (1823).

MALIN, MALIGNE adj. et n. est un emprunt (v. 1120) au latin *malignus* «méchant, perfide, de nature mauvaise», dérivé de *malus* (→ mal).

♦ Le mot, en ancien français, est employé aux deux genres sous la forme *maligne;* ce n'est qu'au XVe s. (1460) que, sur le modèle des adjectifs en *-in, -ine*, on a formé un masculin *malin* (*maligne* étant réservé au féminin) puis, par conformation, un féminin *maline* (XVIe s.), celui-ci ne s'imposant que dans les patois et le parler oral, et *maligne* se répandant comme forme correcte au XVIIe siècle. ➛ Sémantiquement, le mot a suivi le même type d'évolution que *malicieux**, issu lui aussi d'un dérivé latin *malus :* en ancien français, il signifie «qui se plaît à faire le mal», comme nom (v. 1120) et comme adjectif (1170). Il est particulièrement employé dans la langue religieuse dans ***les esprits malins*** «démons, diables» (1170) et dans ***le Malin*** (1530; v. 1190, *li maligne*), nom donné au Diable. *Malin comme un singe* doit se comprendre initialement dans ce sens, mais l'expression s'est conservée avec le sens moderne de *malin*, ce qui a modifié l'image du singe, animal diabolique à l'origine, devenu par l'effet des mots un animal rusé (K. Baldinger). Au XVIe s., *malin* se laïcise et, comme *malice, malicieux*, s'applique à une maladie nocive (1539) par opposition à *bénin, bénine*, à un sentiment malveillant (1536), et à une chose dangereuse, néfaste (1552), ce dernier emploi étant moins vivant de nos jours. ◇ Son sens aujourd'hui plus courant de «rusé, fin, habile» est apparu au XVIIe s. (1674) pour le nom et (1690) pour l'adjectif. Au XIXe s., il a donné lieu à des expressions familières : outre ***malin comme un singe*** (cidessus), ***faire le malin*** (1854) et ***ce n'est pas malin*** au double sens de «ce n'est pas difficile à faire ou à comprendre» (1831) et de «c'est stupide»; on dit aussi par antiphrase ***gros malin*** (1808), et ***c'est malin*** (1867) qui équivaut dans l'ironie à *c'est fin!*

▸ MALIGNEMENT adv., formé sur le féminin *maligne*, est attesté depuis le XVIe siècle. Il a perdu le sens fort de «méchamment» pour ceux de «avec ruse» (av. 1679) et «avec malice» (1829). ➛ Le nom correspondant, MALIGNITÉ n. f., a été emprunté, sous la forme *malignitet* (v. 1120), au latin *malignitas* «méchanceté, mauvaise disposition, malveillance», de *malignus*. Il a suivi au XVIIe s. la même évolution que *malin* mais, dans son cas, le sens de «caractère d'un être astucieux, espiègle» (1660) n'a pas duré.

MALINE n. f. est un emprunt (1580) au latin *malina* «marée, flot montant» qui est probablement d'origine gauloise, et sans rapport avec le groupe de *mal*. Le mot, attesté depuis M. Empiricus, vit plus tard dans l'espagnol *malina* et figure déjà chez Isidore de Séville.

♦ *Maline* désigne une grande marée d'équinoxe.

MALINGRE adj., une première fois comme nom propre *Malingres* en 1249, puis comme adjectif en 1598, est d'origine incertaine. On a invoqué le croisement de *mal** «malade» et de l'ancien français *heingre, haingre* «chétif, maigre» (1080), luimême d'origine obscure. P. Guiraud propose pour sa part le croisement du latin *malignus* (→ malin) avec le dérivé latin °*linicus* «mince» sous la forme d'un hypothétique °*malignicus*.

♦ Le mot signifie d'abord «mauvais, en mauvais état», puis (1677) «qui a du mal à retrouver ses forces à la suite d'une maladie». ➛ Il a pris son sens moderne de «délicat, chétif» (1690), peut-être par attraction paronymique de *maigre*.

▸ Son dérivé MALINGREUX, EUSE adj. (1628, *malingros*) est la réfection des plus anciens *malengos* (1225), *malengous* (1278); au XVIIe s., il servait à désigner les mendiants qui feignaient d'être en mauvaise santé. ◇ Depuis 1867, il est employé comme un doublet littéraire, aujourd'hui archaïsant, de *malingre*.

MALLE n. f., d'abord écrit *male* (av. 1100), devenu rapidement *malle* (v. 1200), est issu du francique °*malha*, reconstitué d'après l'ancien haut allemand *mal(a)ha* «besace, sacoche» et le moyen néerlandais *male* «sac de voyage, coffre, ventre d'un animal» (aujourd'hui *maal* «sac, sacoche, coffre»).

♦ *Malle,* d'abord employé à propos d'un sac de cuir, désigne en français moderne un coffre en bois, en cuir, etc. servant à emporter des affaires. Il a inspiré quelques locutions familières de sens figuré comme ***faire ses malles*** «se disposer à partir» (1745) et *troussé en malle* «mort» (1660) d'après *trousser en malle* «enlever par surprise» (XVIe s.). Dans le prolongement de ces valeurs, on a créé plus récemment *faire la malle à qqn* «l'abandonner» (1927), ***se faire la malle*** «filer à l'anglaise» (1935), et aussi ***faire sa malle*** «mourir» (1883; antérieurement *plier sa malle,* 1668), toutes d'usage familier et où *valise* peut se substituer à *malle. Malle,* avec son ancien sens spécial «valise du courrier» (1569), maintenu en français québécois par calque de l'anglais *mail,* est entré dans les syntagmes de sens spécialisé ***malle-poste*** «voiture de poste qui pouvait accueillir quelques voyageurs» (1793) et ***malle des Indes*** «ensemble du service assurant le courrier des Indes» (1850) d'après l'anglais *mail,* lui-même emprunté (v. 1205) à l'ancien français. De nos jours, *malle* désigne aussi par anglicisme le service maritime entre Calais et Douvres (1923). ◇ Par analogie de forme ou de fonction, le mot a désigné en argot le poste de police (1883) et le balluchon noué aux quatre coins (dit ***malle à quatre nœuds***). ◇ Il désigne encore parfois (couramment au Québec) le coffre d'une automobile ***(la malle arrière).***

► *Malle* a produit quelques dérivés. ◆ **MALLIER, IÈRE** adj. (v. 1250) s'est appliqué comme nom masculin (XIVe s.) au cheval qui portait la malle ou que l'on mettait dans le brancard d'une malle de poste. Il est sorti d'usage. ◆ **MALLETTE** n. f. (1294, *malette* «petit coffre»), usuel au sens de «petite valise rigide» (XVe s.), s'emploie en français de Belgique au sens de «cartable d'écolier, serviette». ◆ **MALLETIER** n. m. (1374) «celui qui fabrique, vend des malles» est technique ou archaïque.

MALLÉABLE

MALLÉABLE adj. est le dérivé savant (XIVe s.) du latin *malleus* «marteau» (→ mail). Bien que le verbe *malleare* «marteler» n'existe pas, il existe un adjectif *malleatus* «battu au marteau».

♦ Le mot est apparu avec le sens technique de «qui a la propriété de s'étendre sous le marteau, en parlant de métaux». L'idée de marteau, de martelage s'étant effacée, il s'est appliqué à une matière meuble (1600) et a pris le sens figuré de «souple, influençable» (1810).

► On en a tiré **MALLÉABILITÉ** n. f. (1668), **MALLÉABILISER** v. tr. (1801) [d'où aussitôt le nom **MALLÉABILISATION**], mot d'usage technique, qui s'est substitué au verbe plus ancien **MALLÉER** (1774) formé lui aussi d'après le latin *malleus.*

MALLÉOLE

MALLÉOLE n. f. est emprunté (1546) au latin *malleolus* «petit marteau», par analogie de forme «crossette (de vigne, d'arbre»), diminutif de *malleus* (→ mail).

♦ Le mot, passé en ancien provençal au sens de «bouture de vigne» dès le XIIe s., a été introduit en français au XVIe s. comme terme d'anatomie, désignant chacune des saillies osseuses de la cheville par assimilation de forme à un petit marteau. ◇ Le sens de «bouture de vigne», repris ultérieurement (1873), ne s'est pas acclimaté.

► **MALLÉOLAIRE** adj., d'abord relevé chez Cuvier en emploi substantif (1805), qualifie ce qui se rapporte à la malléole (1814).

MALMENER → MENER

MALODORANT → ODEUR

MALOTRU, UE

MALOTRU, UE n. et adj., d'abord *malostruz* (v. 1175), est une altération peu claire de °*malastru,* le passage du *-a-* au *-o-* restant inexpliqué. Ce dernier est issu d'un latin populaire °*male astrucus,* proprement «né sous une mauvaise étoile», formé avec *male* (→ mal) d'après le bas latin de même sens *astrosus,* dérivé de *astrum* (→ astre). Le suffixe *-ucus* qu'on est amené à postuler, forme quelques adjectifs très isolés; il est probablement tiré de *caducus* «enclin à tomber». Parallèlement à *malotru,* on relève *astrugo* en ancien espagnol, *astruc, benastruc* et *malostruc* en ancien provençal.

♦ *Malotru* est apparu avec son sens étymologique, «né sous une mauvaise étoile», d'où «malheureux», en emploi adjectif et (1534) substantif. ◇ Au XIIIe s., il prend, par extension, le sens de «défavorisé sur le plan physique comme sur le plan moral», encore relevé en 1690. ◆ La valeur moderne procède de sa spécialisation péjorative en «balourd, grossier» (v. 1200), considérée sous le seul angle moral. En français moderne, le mot évoque une impolitesse grossière.

MALPROPRE, MALSAIN, MALSÉANT, MALSONNANT → PROPRE, SAIN, SEOIR, ② SON

MALT

MALT n. m. a été emprunté (1702) à l'anglais *malt* (VIIIe s., *mealt*), qui s'applique à l'orge germée artificiellement et séchée, puis séparée de ses germes, employée dans la fabrication de la bière, du whisky et, grillée, comme succédané du café. Le mot répond au néerlandais *mout,* à l'allemand *Malz,* au suédois et danois *malt,* qui supposent un germanique °*maltaz.* Ce dernier est apparenté à °*malta* ou °*maltu-* «doux», d'une racine indoeuropéenne (sanskrit *mṛduh,* latin *mollis,* → mou).

♦ Le mot a d'abord été employé à propos de l'Angleterre, puis comme mot français (1745). Il entre dans l'expression ***(whisky) pur malt,*** par ellipse *un malt, un pur malt.*

► Au XIXe s., il a donné plusieurs dérivés. ◆ **MALTER** v. tr. (1808) d'où immédiatement **MALTÉ, ÉE** adj. ◆ Dans ***lait malté,*** *malté* a été emprunté ultérieurement, vers 1970, à l'anglais *malted* (1896); ce sens apparaît d'abord en américain (1887) dans la marque de commerce créée et déposée par W. Korlick (1846-1936), *Malted Milk* «lait malté», ou *MM,* pour désigner une poudre de lait évaporé et de céréales maltées, destinée à l'alimentation des enfants et des invalides. Le même nom, sans majuscule, désigne la boisson préparée avec cette poudre et, spécialement, la même boisson mélangée avec de la crème glacée (on dit surtout *milk-shake*, par un autre américanisme). ◇ De *malter* est dérivé **MALTAGE** n. m. (1808) et **MALTEUR** n. m. (1839). ➜ **MALTOSE** n. f. (1847) a été formé à l'aide du suffixe *-ose* tiré de *glucose* par Dubrunfaut, chimiste français qui observa en 1847 l'existence de ce sucre obtenu par saccharification incomplète de l'amidon au moyen du malt. Le mot est concurrencé par l'expression *sucre de malt*. ◇ **MALTASE** n. f. (1902) désigne l'enzyme qui active la décomposition de la maltose. ➜ **MALTERIE** n. f. (1872) «usine, magasin à malt» et «industrie du malt» est dérivé de *malt*.

MALTHUSIEN, IENNE adj. est dérivé (1841, Blanqui), probablement d'après l'anglais *malthusian* (1812), du nom de *Th. R. Malthus* (1766-1834), pasteur anglais et économiste célèbre pour ses études sur le rapport entre l'accroissement des populations et la production des subsistances et pour les implications de ses théories sur la limitation des naissances.

♦ Le mot est surtout employé avec la valeur caractérisante de «partisan des théories de Malthus, d'une restriction volontaire des naissances», avec des extensions parallèles à celles de *malthusianisme* (ci-dessous).

▸ **MALTHUSIANISME** n. m. (1849, Proudhon), probablement inspiré par l'anglais *malthusianism* (1848), recouvre la doctrine de Malthus en fait de limitation des naissances; par analogie, il a essaimé dans les domaines économique, social et culturel, à propos d'une attitude prônant la restriction. ◇ **NÉO-MALTHUSIANISME** n. m. (1907) s'applique à une doctrine dérivée de celle de Malthus et prônant la contraception et correspond à **NÉO-MALTHUSIEN, IENNE** ad. et n. ➜ **MALTHUSIANISER** v. intr. «pratiquer le malthusianisme», fait figure d'emploi d'auteur (1867, Goncourt).

MALTÔTE n. f. est la variante en *mal-* (*malestautes*, 1296; *malletoste*, 1340) de *mautoste*, formes correspondant au latin médiéval *malatosta* (1056). Ces composés sont formés de *mala* — *mal* et *mau* en ancien français — et de l'ancien français *tolte*, *taute* (mil. XIIe s.), latin médiéval *tolta* (v. 1019), latin populaire °*tollita*, °*tollta*, participes passés de l'ancien français *toldre* «enlever» (1080) et du latin *tollere*, dont *toldre* est issu.

♦ Ce mot désignait initialement de manière neutre une redevance, un impôt; il s'est appliqué — et s'applique encore en histoire — à un impôt extraordinaire levé sous Philippe le Bel (1292-1297) et considéré comme «mauvais», injuste. Par métonymie, étant un nom péjoratif de l'impôt, il s'est appliqué à sa perception (1662) et au corps des agents du fisc (mil. XVIIe s.).

▸ Le dérivé **MALTÔTIER** n. m. (1594, *maletostier*) désignait l'agent du fisc.

MALTRAITER → TRAITER

MALVACÉES → MAUVE

MALVEILLANT, ANTE adj., d'abord *mauvoillant, malvoillant* (v. 1165), *malvueillant* (v. 1310), puis *malveillant* (déb. XVIe s.), est, comme le montre l'évolution de ces formes, l'altération d'après *veillant* (→ veiller) d'un composé de *mal** et du participe présent de *vouloir**. Le mot correspond donc étymologiquement au latin *malevolens* «mal intentionné», lequel a donné l'ancien adjectif *malévole*, parallèle à *bénévole**.

♦ Le sens du mot, qui a supplanté le doublet *mesveillant* employé en moyen français, est resté stable pour «mal disposé envers (qqn), qui veut du mal».

▸ Son dérivé **MALVEILLANCE** n. f., réfection des anciennes formes *mauvoillance* (v. 1165), *malvoillance, male vuelance* (XIIIe s.), a éliminé le moyen français *mesveillance* (v. 1460). ➜ Dès l'ancien français, il exprime l'idée de «mauvais vouloir envers qqn», bien que certains de ses emplois réalisent les valeurs voisines de «mauvaise volonté» et «mauvaise humeur», disparues en français moderne. ➜ Il a pour dérivé **MALVEILLAMMENT** adv. (1596), d'usage littéraire.

◈ voir BÉNÉVOLE, BIEN (BIENVEILLANT).

MALVERSATION n. f. est dérivé (1387) du verbe aujourd'hui archaïque *malverser* «détourner des fonds dans l'exercice de ses fonctions», attesté en 1534 mais probablement antérieur. Ce verbe est emprunté au latin médiéval *malversari* «agir de manière malhonnête» (1348), de *male* «mal» (→ mal) et *versari* «s'occuper de, se mêler de» (→ verser).

♦ *Malversation*, employé presque toujours au pluriel, se rapporte essentiellement au détournement de fonds par un employé dans l'exercice de ses fonctions; un sens figuré apparu ultérieurement, «faute, erreur, inconduite», est aujourd'hui du style soutenu.

MAMAN n. f. est issu (XIIIe s.) du latin *mamma* signifiant à la fois «maman, grand-maman», «nourrice» et «mamelle», mot de formation expressive enfantine (cf. aussi *papa* et *bobine*). L'initiale *ma-*, exprimant probablement la succion, est celle de *mater* (→ mère). ◇ Le mot a un correspondant dans le grec *mammê*, de *maia* «nourrice, sage-femme, grand-mère» (→ maïeutique), et est représenté dans les langues romanes (italien *mamma*, espagnol, portugais, catalan *mamma*), en anglais (*mummy* → mamie) et dans les langues slaves (russe, polonais, bulgare *máma*). La forme a d'abord été instable en français puisqu'on relève au XVIe s. *mamme* et *mam-ma*.

♦ Le mot est l'appellatif et le nom de la mère dans le langage de l'enfant et dans celui de l'adulte à l'égard de sa propre mère. ◇ Par extension (1756), il est employé comme appellation affectueuse sans impliquer de lien de parenté; cet usage a vieilli.

▸ Il entre dans les composés **GRAND-MAMAN** n. f. (1690) et **BELLE-MAMAN** n. f. (1673), correspondant à *grand-mère* et *belle-mère*, ainsi que dans **BONNE-MAMAN** n. f. (1821), appliqué à la grand-mère. Le type italien **MAMMA** n. f. est entré en français vers 1950 pour désigner la mère de famille italienne notamment d'Italie méridionale, envisagée comme type social.

◈ voir MAMELLE, MAMIE, MAMMIFÈRE, et aussi TANTE.

MAMELLE n. f., d'abord écrit *mamele* (av. 1100) puis *mamelle* (1119), est issu du latin de même sens *mamilla,* dérivé de *mamma* au sens de «sein, mamelle», la première acception étant passée en français dans *maman**.

♦ *Mamelle,* employé dès les premiers textes en parlant du sein de la femme, a vieilli en ce sens sauf dans des expressions comme ***enfant à la mamelle*** (1675), et la locution disparue *dès la mamelle* (XVIe s.), littérairement «dès l'enfance». C'est en revanche le terme normal en anatomie. Tout autre emploi commun a une connotation plaisante ou péjorative. ◇ Le mot a également vieilli appliqué à l'anatomie masculine (v. 1170), l'expression *sur la mamelle gauche,* «à l'endroit du cœur», restant en usage jusqu'au XIXe s., mais s'est maintenu en parlant des femelles des animaux. ➛ Depuis 1553, il a le sens figuré de «ce qui alimente, est source de richesse» (comme dans la phrase célèbre de Sully, «labourage et pasturage...», et souvent par allusion à cette dernière). ➛ Par analogie de forme, le mot a développé quelques emplois techniques relatifs au cheval, désignant le rembourrage du collier (1690) et chaque partie de la pince d'un fer à cheval (1867).

▶ Vers 1560, après une attestation isolée sous la forme *memellon* (fin XIVe s.), est apparu **MAMELON** n. m. «extrémité amincie du sein». ◇ Celui-ci a pris (1611) par analogie le sens de «protubérance de forme arrondie», d'abord en parlant de la peau puis également (1797) d'une petite colline. Le mot compte plusieurs sens techniques en mécanique, serrurerie (1676), marine et botanique. ➛ En sont dérivés **MAMELONNÉ, ÉE** adj. (1753) et le verbe **MAMELONNER** v. tr. (1835, *se mamelonner,* d'un sol). ➛ *Mamelle* a servi à former plusieurs adjectifs : **MAMELU, UE** adj. «qui a de grosses mamelles» (1549), tombé dans l'usage burlesque (Scarron) et encore d'usage plaisant, et **MAMELLÉ, ÉE** (1772) ou **MAMELÉ, ÉE** (1907) à peu près inusité. ➛ **MAMMAIRE** adj., dérivé savant du latin *mamma* (1654) est un terme d'anatomie (*glandes mammaires,* etc.). ➛ Les composés formés sur *mamelle* (tel **MAMELLIFORME** adj. [1834]) et le dérivé **MAMELLAIRE** adj. (1845) sont rares ou archaïques. ➛ Au XXe s., le nom latin *mamma* a servi à former quelques termes scientifiques comptant l'élément **MAMM-, MAMMO-**, tels **MAMMOGRAPHIE** n. f. (1945), devenu usuel dans le contexte du dépistage des cancers du sein, **MAMMOPLASTIE** n. f. (v. 1950), terme de chirurgie esthétique, **MAMMECTOMIE** n. f. (XXe s.).

Un autre dérivé savant du latin *mamma* est **MAMMALIEN, IENNE** adj. «relatif aux mammifères, de mammifère» (1942), dont l'élément radical *mammal-* a été tiré du latin scientifique *mammalia* «animaux à mamelles» (1758, Linné).

MAMILLAIRE adj. et n. f. pl. a été emprunté (1521) au latin *mamillaris,* dérivé de *mamilla.* ◇ Employé en anatomie pour qualifier ce qui a la forme d'un mamelon, le mot a été repris au XIXe s. en botanique pour décrire des plantes portant des tubercules en forme de mamelon (1834); il a été substantivé (1845, *les mamillaires*) comme nom d'une variété de cactées à la tige couverte de petites protubérances.

◈ voir MAMMIFÈRE.

MAMELOUK ou **MAMELUK** n. m. est emprunté (1611, *mameluk*), après des formes altérées (*mamelon,* v. 1195; déb. XIIIe s. *memeloc; mamelu,* 1432), à l'arabe d'Égypte *mamluk* «celui qui est possédé»; qualificatif appliqué aux esclaves blancs, du verbe *malaka* «posséder», les membres de cette milice étant à l'origine des esclaves venus d'Asie centrale.

♦ Ce mot désigne le membre d'une ancienne milice turque fournissant les gardes du corps du sultan et devenue toute puissante en Égypte. Le mot fut à la mode après l'expédition de Bonaparte en Égypte et un escadron de la garde impériale a porté ce nom (1802). Au figuré, *mamelouk* s'est dit (1867) d'un partisan zélé et fanatique. Ce sens a disparu.

MAMIE ou **MAMMY** n. f. a été soit emprunté (1952) à l'anglais *mammy* (1523), *mummy* (1839) «maman», diminutif de *mam* (v. 1500), formation expressive parallèle à celle du latin (→ maman), soit formé en français sur le radical expressif qui est à la base de *maman**. Il pourrait également être emprunté à un type dialectal de même formation (*mami* dans le Centre, en lorrain et béarnais) avec influence de *m'amie* (→ ami, mie).

♦ Le succès récent de *mamie, mammy* correspond au vieillissement des appellatifs *mémé, bonne-maman* et *grand-maman* et au caractère populaire de *mémère.* Sa ressemblance phonétique avec un terme français a facilité son implantation alors que l'anglicisme *granny,* de même sens, reste un snobisme peu répandu; en outre, le parallélisme avec *papi* (anglicisé graphiquement en *papy*) contribue à son succès.

MAMMAIRE → MAMELLE

MAMMIFÈRE adj. et n., formé des éléments *mamm-* (du latin *mamma*) et *-fère** «qui porte», est apparu comme nom en 1791, puis comme adjectif (1803). Linné, dans sa dixième édition du *Systema Naturae,* en 1758, employait déjà le terme latin de *Mammalia* et l'étendait pour la première fois aux Cétacés et Chéiroptères (jusque-là classés dans les poissons pour les uns, les oiseaux pour les autres).

♦ Le mot, d'abord terme de zoologie, est devenu usuel au début du XIXe s., la notion, après Cuvier, se déplaçant de l'idée de «qui allaite ses petits» à des traits plus généraux.

MAMMOUTH n. m., d'abord sous la forme *mammut* en 1705, est un emprunt au russe *mamut* de même sens, variante vieillie de *mamont* employé de nos jours et responsable des formes françaises épisodiques *mammon* (1765) et *mammont* (1800). En russe, le mot est un emprunt à une langue sibérienne. Il fut intégré dans la terminologie scientifique par la traduction de Ludlof. La graphie moderne (1765) est probablement due à l'influence de l'anglais *mammouth* (1738; 1706, *mammuth*), lui-même emprunté au russe.

♦ *Mammouth,* nom d'un gigantesque éléphant fossile du quaternaire, est employé figurément pour une chose de grande taille (1867). En emploi adjectivé, le mot qualifie (1894) ce qui est énorme, éléphantesque, d'après un emploi de l'anglo-américain.

MAMOURS → ① AMOUR

MANA n. m. est l'emprunt didactique, en ethnologie (1902-1903, Hubert et Mauss) par l'intermédiaire de l'anglais (où *mana* est attesté en 1843, chez E. Dieffenbach), d'un mot maori recouvrant la notion de pouvoir, d'autorité, et désignant spécialement une force supérieure répandue dans la nature et logeant dans certains êtres et certains objets. Ce mot a été décrit par Hubert et Mauss comme «un substantif, un adjectif, un verbe» mais les deux ethnologues en ont surtout fait un substantif.

♦ Le mot, introduit en français par les travaux d'Hubert et Mauss sur la magie dans les sociétés primitives d'Océanie, désigne une force impersonnelle tenant du sacré et de la magie, associée à certains objets et à certaines personnes qui peuvent à leur tour la transmettre à un autre membre du clan. Il recouvre un concept religieux fondamental de l'Est mélanésien, étendu aujourd'hui à l'ensemble des croyances analogues, en histoire des religions et en ethnologie.

MANADE n. f. est un emprunt régional (1794, rare av. 1857) au provençal *manado* (1859, Mistral) «troupeau», dérivé de *mano* (→ main) au sens de «poignée, ensemble de choses» (ancien provençal *manada*).

♦ Ce mot s'applique aux troupeaux de chevaux et de taureaux de la Camargue.

► Le dérivé MANADIER n. m., seulement attesté en 1955 (*Dictionnaire des métiers*), désigne l'éleveur de taureaux, de bœufs ou de chevaux en Camargue. Comme *manade* (et *gardian*), il est très spécifique d'une réalité régionale. Le sens du mot était rendu en français, au XIXe s., par *meinagier* (att. en 1882) → ménage.

① **MANAGER** n. m. est un emprunt graphique (1785) à l'anglais *manager* «celui qui s'occupe de qqch.», «qui conduit», de *to manage* «diriger un cheval, mener» mot probablement emprunté à l'italien *maneggiare*, dont le déverbal *maneggio* a donné *manège**. En anglais, le mot est attesté depuis la fin du XVIe s. avec une valeur générale aujourd'hui rare, puis spécialement (1670) en parlant du responsable d'une entreprise ou d'une institution.

♦ *Manager* a été introduit en français en parlant d'un maître de cérémonie, d'un organisateur, dans un contexte anglo-américain. En 1857, toujours en contexte américain, il s'est appliqué à l'administrateur ou conseiller particulier d'une vedette du spectacle, du sport. ◇ Ce n'est qu'à la fin du XIXe s. (1896) qu'il est employé pour une réalité française, dans *manager cycliste*. ◇ En relation avec *management*, il est réemprunté (1961) et appliqué au dirigeant d'une entreprise.

► ② MANAGER v. tr. (1896; dès 1880, *ménagé*) est emprunté à l'anglais *to manage* (1561), et employé à l'origine en équitation au sens d'«entraîner, dresser». *Manager* a commencé par s'appliquer au domaine du sport (hippisme, vélo) avant de s'appliquer aussi à l'économie (1969). Il est souvent francisé phonétiquement. ◆ MANAGEMENT n. m. est emprunté (1921) à l'anglais *management* «action de conduire, de diriger, d'entraîner» (fin XVIe s.), employé particulièrement depuis la fin du XVIIIe s. en parlant d'un ensemble de personnes chargées de la gestion et de la direction d'une institution, d'un organisme ou d'une entreprise. ◇ En français, le mot recouvre l'ensemble des techniques de gestion et d'organisation d'une affaire, d'une entreprise. Il a été accepté par l'Académie qui en recommande cependant une prononciation francisée analogue à celle de *ménagement*.

◈ voir MANÈGE, MANIER.

MANANT n. m. est le participe présent substantivé (v. 1175) de l'ancien verbe *manoir** «demeurer, habiter». En ancien français, *manant* désignait, d'après le sens du verbe, d'une part celui qui était logé chez qqn pour le surveiller, mais aussi le riche (bien pourvu en terres), le puissant (par exemple dans *Dieu le manant*).

♦ Apparu au sens de «possesseur de grands biens», le mot a pris le sens plus général d'«habitant, résident» (1200); au moyen âge il s'applique (1287) à celui qui habite une circonscription et, en droit féodal, à un roturier habitant dans la circonscription d'une paroisse, ne bénéficiant pas du statut de bourgeois et dépendant de la juridiction du seigneur. ◇ Par extension, il est appliqué par péjoration (1579) par le même sémantisme que *paysan* et *habitant* (au Québec), à un homme de condition inférieure, à un rural. ◆ De là, il a développé dans l'usage classique le sens figuré d'«homme grossier, mal élevé» (1694), comme adjectif et comme terme d'insulte, en apostrophe. De nos jours, il n'est employé que par plaisanterie ou par allusion volontairement archaïque, les synonymes péjoratifs et injurieux de *paysan* s'étant renouvelés.

MANCENILLE n. f. est un emprunt (1527) à l'espagnol *manzanilla*, diminutif de *manzana* «pomme», appliqué au fruit d'un arbre d'Amérique. *Manzana* vient du latin populaire *(mala) Matiana* (féminin), du latin classique *(malum) Matianum* «pomme (ou fruit) de *Matius*», du nom d'un agronome latin du Ier s. avant notre ère.

♦ Ce mot, d'ailleurs très rare, a conservé le sens de l'étymon.

► Le dérivé MANCENILLIER n. m. (1658, écrit *-ilier*) est plus connu. Il désigne un arbre d'Amérique qui produit un latex très vénéneux. L'arbre, dont le contact est dangereux, a suscité des légendes, son ombre passant pour être mortelle.

✳ ① **MANCHE** n. f. est issu (v. 1150) du latin *manica*, dérivé comme *manicus* (→ ② manche) de *manus* (→ main) qui désigne une longue manche de tunique couvrant la main, un gant et aussi des fers pour les mains, des menottes.

♦ *Manche* est apparu avec le sens de «partie de vêtement dans laquelle on passe le bras», resté usuel, l'objet subissant au cours des siècles de nombreuses variations de taille et de forme, depuis la manche mérovingienne serrée et ajustée au poignet jusqu'aux manches évasées, longues, taillées en gigot à la mode au XVe s. (reprises au XIXe s.) et aux manches raccourcies dites *mancherons* (1515), en usage jusqu'au XVIIIe siècle. La phraséologie descriptive, *manche ridée* (v. 1180), *froncée* (v. 1300), *bas de manche* (1564), *tour de manche* (1690), s'est renouvelée avec la mode vestimentaire : *manches de chemise* (1873), *manches en aileron* (1931), etc. ◇ Le mot a inspiré quelques locutions figurées dont ***c'est une autre paire de manches*** (1611) peut-être par allusion aux *fausses manches* (1628) «demi-manches protégeant du coude au poignet» et ***avoir qqn dans sa manche*** (1690 ; 1611 sous une autre forme) «le tenir à sa disposition» par allusion à l'ancien usage de la manche comme poche. ➛ Par analogie de forme, le mot désigne un tube de toile ou de cuir en parlant d'un filtre à liquides (1575), en marine un tuyau servant à envoyer dans la cale l'eau et le charbon dont on fait provision (1678) ; la même valeur est réalisée en aéronautique (1904) par ***manche à air.*** ➛ Depuis 1611, *manche* désigne un bras de mer mais n'a conservé ce sens que dans le nom propre *la Manche* (1771), de *Manche* (détroit) *d'Angleterre* (1611). ➛ Par une analogie moins transparente, il a pris, au jeu, le sens de «tour de cartes» (1617) d'où «partie liée à une autre» (1803), les deux parties jouées étant comparées aux manches solidaires d'un vêtement. Ce sens a suscité des emplois figurés (1844, *gagner la première manche*).

▸ *Manche* a produit le diminutif **MANCHETTE** n. f., apparu à la fin du XIIe s. (1193) au sens de «manche d'habit» et qui a pris (1551) le sens spécialisé d'«ornement de linge cousu à la manche autour du poignet», aujourd'hui abandonné au profit de celui de «poignet à revers d'une chemise d'homme». ◇ Ce sens archaïque avait produit au XVIIIe s. (1726) l'expression ***chevalier de la manchette,*** désignant un homosexuel (d'où *être de la manchette,* 1738). ◇ Outre quelques emplois dans le domaine du vêtement, *manchette* a développé par analogie de forme, le sens de «partie rembourrée d'un accotoir» (1722) et, dans l'argot puis familièrement, celui de «menottes» (1743, *mettre les manchettes*). ➛ L'expression ***coup de manchette,*** en escrime, se réfère au coup de taille donné au poignet de l'adversaire (1840). En lutte (XXe s.) le sens de «coup donné avec l'avant-bras» correspond à une métonymie : c'est, cette fois, un coup porté par la manchette. ➛ Une valeur figurée, procédant du sémantisme initial «garniture latérale», fait employer le mot pour une addition, une note marginale en imprimerie (1765) ; au XIXe s., il désigne en journalisme (1878), d'après sa fonction qui est d'attirer l'attention du lecteur, un gros titre sur la largeur de la page. ➛ *Manche* a donné un autre terme d'habillement **MANCHON** n. m., (v. 1200), d'abord créé pour désigner une manche fourrée ajustée comme ornement sur la manche d'un vêtement. ◇ Le mot a pris son sens moderne «cylindre de tissu, de fourrure, pour protéger les mains», au XVIe s. (1561), la mode du manchon se répandant sous Henri III pour les hommes comme pour les femmes, et son usage féminin, habituel au XIXe s. (***chien de manchon,*** 1690, etc.) déclinant depuis 1918. ◇ Par analogie, le mot a développé quelques sens techniques à partir du XVIIIe s., s'appliquant à une pièce cylindrique dans divers domaines (marine, armurerie, anatomie et enfin mécanique). ➛ Il a pour dérivés **MANCHONNER** v. tr. (1888-1890) et **MANCHONNAGE** n. m. (1861). ➛ *Manche* est entré dans la formation de **SOUS-MANCHE** n. f. (1844).

Le substantif **EMMANCHURE** n. f. est formé (fin XVe s.) de *en-*, *manche,* n. f. et le suffixe *-ure* (cf. *encolure*), probablement d'après un ancien *emmancher,* éliminé ultérieurement (malgré quelques emplois techniques relatifs au canal de la Manche aux XVIIIe et XIXe s.), pour son homonymie avec le dérivé de ② *manche,* n. m. ◇ *Emmancher* (de ② *manche**) a subi l'influence de ① *manche.*

◈ voir ③ MANCHE.

② **MANCHE** n. m., d'abord *menche* (v. 1180), est issu du latin tardif *manicus* attesté dans une glose au sens de «poignée, partie d'un outil permettant de le prendre en main» et dérivé de *manus* (→ main), comme *manica* (→ ① manche).

♦ *Manche* qui, en ce sens, est antérieur à son attestation si l'on en juge par le composé *emmancher* (ci-dessous) a donné lieu à quelques locutions figurées : *branler au manche* (1611) puis ***branler dans le manche*** (1640), ***jeter le manche après la cognée*** (variante v. 1610), *être, se mettre* ***du côté du manche*** (1854) et, en référence au *manche à balai* (1764), ***manche à balai*** «personne longue et sèche» (1842). ➛ Par analogie de forme et de fonction, le mot sert à désigner la partie allongée de certains instruments de musique à cordes (1611) et, en boucherie, la partie par laquelle on tient le gigot en main pour le découper (d'où *manche à gigot,* 1834). ➛ Nom donné vulgairement au membre viril au XVIe s. (chez Rabelais), il est entré vers 1914 dans la locution ***tomber sur un manche*** (qui équivaut alors à *sur un os*) dans l'argot des Poilus «rencontrer un gros obstacle». ◇ Comme adjectif et nom, son sens familier de «maladroit, lourdaud» (1901 dans A. Bruant) est très probablement issu du croisement de *manche* «membre viril» (cf. *couillon*) et de *manchet, manchot* représentants régionaux du latin *mancus* «estropié» (→ manchot), souvent employés au sens figuré de «bon à rien» (cf. *à la manque*).

▸ *Manche* a donné **MANCHERON** n. m. (v. 1278), nom technique des tiges de direction placées à l'arrière d'une charrue, puis (XXe s.) d'un motoculteur. Par préfixation et suffixation, il a servi à former *emmancher* (ci-dessous) et **DÉMANCHER** v. réfection (v. 1549) de *desmangié* (XIIIe s.). Ce verbe, en dehors de son sens propre «enlever le manche», a développé un sens figuré «disloquer» (1588), le pronominal *se démancher* signifiant populairement «se donner du mal» (1808) avec diverses influences (*se démener,* le sens de *manche* «membre viril» cf. *se démancher le trou du cul*). ◇ Il a pour dérivé rare **DÉMANCHEMENT** n. m. (1511). ➛ **EMMANCHER** v. tr., d'abord *emmanchier* (v. 1160), signifie «munir d'un manche». Il a pris, comme *démancher,* une valeur érotique (v. 1550), mais *manche* y est plutôt pris au sens de «tube, tuyau» (il s'agit alors de ① *manche*) que par métonymie de *manche* «membre viril». *S'emmancher,* ou transitivement *emmancher une chose,* exprime l'idée d'«engager, entreprendre» (1682). ◇ Le verbe a produit une série de dérivés, avec **EMMANCHÉ, ÉE,** adjectif tiré de son participe passé (1536, avec une valeur obscure), souvent employé par figure (*bien, mal emmanché* «bien, mal entrepris» chez Sévigné), **EMMANCHEMENT** n. m. (1636), **EMMANCHEUR** n. m. «fabricant de manches de couteaux» (1260), repris dans un sens plus général (1660), **EMMANCHAGE** n. m. (1874), d'usage technique. ◇ **REMMANCHER** v. tr. (1549), est employé depuis 1587 (forme pronominale) au sens figuré et familier de «raccommoder des personnes».

③ **MANCHE** n. f. est un emprunt (1552) à l'italien *mancia* «don, gratification» (XIIIe s.) et «pourboire, aumône» (déb. XIVe s.), lui-même emprunté au français ① *manche**, probablement en raison de la coutume médiévale qui consistait pour les dames, à donner une manche de leur vêtement au chevalier qui joutait pour elles.

♦ Le mot a d'abord été employé au sens de «gratification». ◇ Tombé en désuétude après le XVIe s., il a été repris vers 1790 au sens de «quête», dans l'argot des saltimbanques. De nos jours, il est redevenu courant dans l'expression ***faire la manche,*** populairement «demander l'aumône» (1828), appliqué spécialement à la quête des musiciens ambulants dans les transports publics.

MANCHETTE → ① MANCHE

MANCHON → ① MANCHE

MANCHOT, OTE adj. et n. est dérivé (1502, *menchot*), de l'ancien français *manc* «estropié» (v. 1180) représentant le latin *mancus* «infirme de la main», d'où, plus généralement, «estropié, mutilé». Ce mot est issu de °*man-ko-s* avec l'élément *man-* signifiant «main» (→ main) et le suffixe caractéristique des noms de tares physiques (→ manque).

♦ Avant *manchot,* le français usait de mots formés avec d'autres suffixes : *menchaux* (1263), *manchet* (1380) conservé dans les dialectes, et *manchier* (2e moitié du XIIIe s.). *Manchot,* senti comme lié à *manche* («celui qui n'a qu'une manche»), est substantivé depuis 1553 en parlant de l'homme ; le féminin est assez rare. ➜ Comme nom masculin, le mot a été utilisé en 1760 par l'ornithologue Brisson pour nommer un oiseau remarquable par la brièveté de ses ailes et qui vit dans l'Antarctique, souvent confondu avec le pingouin (qui vit dans l'Arctique). ➜ Depuis 1680, l'adjectif est quelquefois employé familièrement par litote : ***n'être pas manchot*** signifiant figurément «être adroit, habile» ou «fort pour se battre».

◈ voir MANQUE.

-MANCIEN, -MANCIE Éléments, du grec *manteia* « divination », qui servent à former des termes désignant des sciences divinatoires (→ mantique).

MANDALA n. m. est emprunté (1873) au sanskrit *maṇḍala* «disque, cercle» appliqué à la représentation symbolique du cosmos, dans l'hindouisme et le bouddhisme, sous la forme d'un diagramme géométrique orienté. L'anglais a emprunté le mot au sanskrit sous la forme *mandala* dès 1859.

♦ Le mot se réfère au diagramme géométrique mystique et rituel des religions issues de l'Inde. Le psychanalyste C. G. Jung, dans son investigation des images archétypiques, y a vu une image visualisée par le rêveur et symbolisant sa recherche de l'unité et de la complétude.

MANDARIN n. m. est un emprunt (1581) au portugais *mandarim,* mot s'appliquant aux hauts fonctionnaires de Malaisie, de Chine et d'Annam (1514), et lui-même emprunté, avec altération d'après *mandar* «ordonner, mander» (→ mander), au sanskrit *mantrin* «conseiller d'État» par l'intermédiaire du malais *mantari.* Le mot sanskrit est dérivé de *mantra* «conseil», qui contient le radical *man* «penser». Celui-ci se rattache à la racine indoeuropéenne indiquant des mouvements de l'esprit (mémoire, réflexion), représentée en latin par *mens* (→ mental), *memini* (→ réminiscence) et, entre autres mots, dans le nom du conseiller, *monitor* (→ moniteur).

♦ Le mot, apparu en français au sens de «conseiller d'un roi, d'un ministre, en Asie», a pris sa valeur actuelle de «haut fonctionnaire chinois, indochinois ou coréen» au début du XVIIe s. (1604). ◇ Dès le XVIIe s., il est appliqué aussi à la langue littéraire chinoise parlée par les mandarins (1604), et est employé comme adjectif en ce sens (1697, *langue mandarine*). De nos jours, il se réfère au dialecte chinois parlé notamment à Pékin et constituant la norme linguistique du chinois (le *pu-tuong-ha*). ◇ Au XIXe s., le mot a pris le sens figuré (1830) de «lettré influent», en se référant, souvent avec une valeur critique, à une réalité française. ➜ Son emploi adjectivé dans *canard mandarin* (1872), d'où elliptiquement *un mandarin,* peut s'expliquer par une extension du nom à tout ce qui est chinois, ou par allusion à la richesse des couleurs des tuniques des mandarins (cf. ci-dessous *mandarine*), ce canard étant remarquable par la beauté de son plumage.

▸ *Mandarin* a donné **MANDARINAT** n. m. (1700), lui aussi adapté (1868) à une réalité française au sens de «corps social prétendant former une classe à part, une caste privilégiée» et plus particulièrement «corps recrutant ses membres par un système aussi fermé que celui des mandarins». ◇ On parle aussi de **MANDARINISME** n. m. (1842) à propos de ce système de recrutement. ➜ **MANDARINAL, ALE, AUX** adj. (1776) a acquis la valeur caractérisante de «qui relève du mandarinat politique, universitaire» dans la critique des institutions (1948, peut-être 1900, dans une lettre). ➜ **MANDARINE** n. f., nom de fruit qu'on relève pour la première fois en 1773 chez Bernardin de Saint-Pierre, est la substantivation de l'adjectif *(orange) mandarine,* soit parce que la couleur du fruit rappelle celle des tuniques des mandarins (généralement jaunes), soit parce qu'il était regardé comme une espèce choisie d'orange. ◇ Originaire d'Asie orientale, la mandarine s'est répandue jusqu'en Égypte et à l'île

Maurice (alors française). Le nom a dû exister en Asie avant d'arriver en Europe. ◇ Il a pour dérivé **MANDARINIER** n. m. (1867).

MANDAT n. m. est emprunté (1488) au latin *mandatum* qui désigne la mission de remplacer qqn dans une affaire (à l'origine sans idée de contrat), puis une charge, enfin un rescrit de l'empereur. *Mandatum* vient de *mandare* (→ mander).

♦ Apparu selon une spécialisation religieuse du latin, dans l'expression *mandat apostolique*, d'où absolument *mandat* (1492), le mot désigne le rescrit papal ordonnant de pourvoir qqn d'un bénéfice. ◇ Depuis le XVIIe s., sous la forme *mandate* (1628), peut-être de l'anglais *mandate* employé dans un contexte juridique depuis 1501, il désigne plus généralement le titre par lequel une personne donne à une autre le pouvoir de faire qqch. en son nom. En ce sens, d'abord limité à un acte verbal, par opposition à la procuration écrite, il a été étendu à cette dernière au XIXe s. (*in* Littré). Il a donné plusieurs emplois particuliers reflétés par les syntagmes ***mandat légal, mandat représentatif*** (1789), ***mandat impératif*** (1789), également ***mandat d'arrêt*** en droit pénal (1790), et, en droit commercial (1771), ***mandat de paiement*** (1840). On parle, avec le développement des techniques postales sous la IIIe République, de ***mandat postal*** ou ***mandat-poste*** (1873), de ***mandat télégraphique*** (1896), de ***mandat-carte*** (1901). ◆ Par emprunt au droit civil administratif, le terme de *mandat* a été choisi à contresens par la Société des Nations, en 1919 (en anglais ; 1921 en français) pour désigner le système consistant à attribuer à un État des compétences en vue de guider et d'assister un autre État, forme atténuée et linguistiquement discrète de colonisation, la France exerçant son «mandat» sur la Syrie et l'Irak, l'Angleterre sur la Palestine et la Transjordanie, après la liquidation de l'ancien Empire ottoman.

▸ *Mandat* a plusieurs dérivés au XIXe siècle. ◆ **MANDATER** v. tr. (1823) «payer par mandat», puis (1902) «investir (qqn) d'un mandat», verbe à partir duquel a été formé **MANDATEMENT** n. m. (1873), et le participe passé substantivé **MANDATÉ** (1935). ◆ **MANDATAIRE** n., nom donné à la personne chargée d'un mandat, a été emprunté (1528) au latin tardif *mandatarius* (VIIe s.), dérivé de *mandare* au participe passé. ◇ Apparu comme terme de droit ecclésiastique, il a développé un sens juridique plus général (1537) et quelques emplois particuliers sous la Révolution, notamment au sens d'«élu». Il s'oppose à **MANDANT, ANTE** n. participe présent de *mander**.

◈ **MANDER** v. tr. est issu (v. 980) du latin *mandare* «confier, donner mandat à, charger de, enjoindre à» et, à époque impériale, «charger qqn d'annoncer» et «faire savoir». Une étymologie par *manum dare,* proprement «donner *(dare)* en main *(manus)*» convient bien pour le sens, d'autant que la main se prête à certains mouvements de caractère rituel, et se trouve appuyée par certaines expressions grecques, mais on attendrait °*mandere* (comme *vendere* → vendre) : il faut alors supposer un changement de conjugaison.

♦ *Mander,* courant au moyen âge et encore dans la langue classique, est aujourd'hui marqué comme archaïque dans tous ses sens. Il signifiait (v. 980) «demander, commander», particulièrement «faire connaître une instruction, un ordre à qqn», et aussi «faire venir» et (1080) «faire venir par ordre ou par avis, convoquer». Son usage au sens de «faire savoir par message ou par lettre» (1080) est caractéristique du style épistolaire classique (notamment chez Mme de Sévigné, usage auquel Proust fait volontiers référence).

▸ Ses deux dérivés sont encore employés dans le langage juridique. ◆ **MANDEMENT** n. m. (v. 1120) «formule exécutoire» signifie spécialement en droit canonique «instruction donnée par un évêque aux fidèles de son diocèse» (1611). ◆ **MANDANT, ANTE,** participe présent substantivé (1789), désigne une personne conférant un mandat à une autre et d'abord un électeur (il s'oppose alors à *mandataire**). ◆ **CONTREMANDER** v. tr. (v. 1175) est archaïque au sens d'«annuler un ordre donné», tout comme son dérivé **CONTREMANDEMENT** n. m. «action de donner contrordre» ; il se rencontre encore dans le style littéraire au sens de «décommander».

◈ voir **COMMANDER, DEMANDER, MANDAT.**

✳ **MANDIBULE** n. f. est un emprunt (1314) au bas latin *mandibula* «mâchoire», dérivé de *mandere* «mâcher, manger» dont le dérivé *manducare* a donné *manger**.

♦ Terme d'anatomie humaine désignant le squelette de la mâchoire inférieure, *mandibule* est aussi employé par les ornithologues (1733) et les entomologistes (1834). ◇ L'usage familier l'a repris dans la locution ***jouer des mandibules*** «manger» (1866), comme synonyme de *mâchoire.*

▸ Le mot a donné l'adjectif d'usage didactique **MANDIBULAIRE** (1805, Cuvier). ◆ Il a aussi servi à former un verbe aujourd'hui difficile à identifier comme son dérivé en raison de son altération morphologique et de son changement de sens : **DÉMANTIBULER** v. tr. (1611, au participe passé) est en effet la modification de l'ancien *démandibuler* (1552, au participe passé) «rompre la mâchoire de qqn», le passage du *d* au *t* s'expliquant par l'influence de *menton* plutôt que par celle de *démanteler,* qui est postérieur à la première attestation de la forme *mantibule* (1532). Les deux formes ont coexisté au XVIIe s., *démantibuler* se maintenant, moins avec le sens propre, qualifié de «vieux» par Furetière (1690), qu'avec le sens figuré de «détruire, mettre en pièces» (1640), d'usage familier. Il reste cependant une trace du sens originel dans l'expression familière ***crier, bailler à s'en démantibuler la mâchoire.*** ◇ **DÉMANTIBULAGE** n. m. (1949) se rapporte au fait de démonter un objet.

MANDOLINE n. f. est emprunté (1745-1755) à l'italien *mandolino* n. m. (XVIIe s.), diminutif de *mandola* «instrument à cordes de la famille du luth» (1618). Ce dernier est à l'origine du français classique *mandole* n. f. (1685) et, sous sa forme primitive *mandora* (1584), qui a donné **MANDORE** n. f. (1576). Ces deux mots sont issus, comme l'ancien provençal *mandurar* «jouer de la mandore» (XIIIe s.), du latin *pandura* «luth à trois cordes», lui-même emprunté du grec *pandoura* (l'altération du *p-* en *m-* s'explique peut-être par un intermédiaire arabe). D'origine orientale, la mandore est probablement venue en pays d'oïl à partir du Midi.

♦ *Mandore* est un terme rare d'histoire de la musique, alors que *mandoline*, désignant un instrument italien typique, voisin du banjo, est un mot courant.

▶ Il a donné le dérivé **MANDOLINISTE** n. «joueur de mandoline» (1822).

◈ voir **BANJO**.

MANDORLE n. f. est un emprunt récent (attesté 1930) à l'italien *mandorla* «amande», altération de *amandola* (→ amande), employé en religion dans la terminologie des arts pour désigner, par allusion à sa forme, la «gloire» ovale où apparaît le Christ en majesté (v. 1550).

♦ Le mot appartient au vocabulaire de l'iconographie religieuse, où ce thème est courant, surtout au moyen âge, dans le répertoire roman et gothique.

MANDRAGORE n. f., d'abord *mandragora* (v. 1121), puis *mandragore* (v. 1265), est emprunté au latin *mandragoras*, pris au grec *mandragoras* désignant une plante de la famille des Solanacées dont la racine ressemble au corps humain, et à laquelle on attribue des pouvoirs surnaturels (thème de l'*homonculus*). Ce mot est d'origine obscure, ce qui est habituel pour les termes concernant la magie et la médecine. On a supposé que la plante tirait son nom de celui d'un médecin, car le mot est attesté dans l'onomastique ionienne ; on a aussi évoqué un nom perse de la plante : *mendum gija*, proprement «plante de l'homme» (en raison de la forme de la racine). Depuis l'Antiquité, la racine de mandragore (appelée par le même nom) est également réputée pour ses vertus narcotiques, stupéfiantes et aphrodisiaques.

♦ Le mot désigne la plante et sa racine. Certains emplois se réfèrent à la légende selon laquelle elle pousse sous les gibets, née du sperme d'un pendu. On l'appelait également *mandegloire* (fin XIIe s.) puis *maindegloire* (1436) et *main de gloire* (1752) par étymologie populaire. Furetière, dans le long article qu'il lui consacre, mentionne une espèce de mandragore chinoise aux extraordinaires propriétés revigorantes dans laquelle on reconnaît le ginseng.

MANDRILL n. m. est emprunté (1751) à l'anglais *mandrill*, donné en 1744 par le récit de voyage en Guinée de W. Smith comme un nom en usage chez les colons européens habitant cette région. Il pourrait être composé de *man* «homme» (→ mannequin) et de *drill*, mot d'origine inconnue désignant une espèce de babouin d'Afrique occidentale.

♦ Le mot désigne un grand singe d'Afrique caractérisé par ses callosités fessières qui présentent une coloration bleue et rouge.

MANDRIN n. m. est emprunté (1676) à l'occitan *mandrin* «tige de fer, poinçon du serrurier, instrument de tourneur», lui-même dérivé de l'ancien provençal *mandre* «pivot, tourillon» (1389) et «outil servant à percer» (1403), d'origine controversée. On a évoqué une forme latine °*mandar* en s'appuyant sur l'osque °*manfar*, °*manphar*, dont le bas latin *mamphur*, «partie du tour du tourneur», semble être une altération.

♦ Le mot, d'usage technique, désigne un poinçon pour percer le fer et l'arbre autour duquel le tourneur attache ce qu'il veut tourner (1676). Par la suite, il s'applique à d'autres outils, le plus souvent de forme cylindrique : le tube creux servant au bobinage du papier (1802), l'outil servant aux forgerons à agrandir les trous (1845), celui sur lequel on emboutit des feuilles de métal (1873), la tige métallique que le chirurgien introduit dans les sondes ou les aiguilles à injection (1873), la tige métallique servant d'axe au rouleau imprimeur dans l'impression sur étoffe (1902).

▶ Le mot a produit **MANDRINER** v. tr. (1765), lequel a donné à son tour **MANDRINAGE** n. m. et **MANDRINEUR, EUSE** n. (enregistrés en 1931 dans les dictionnaires généraux), série relative aux différentes opérations (façonnage, perçage, égalisation) réalisées à l'aide d'un mandrin.

MANDUCATION n. f. est un emprunt (1495) au latin chrétien *manducatio* «action de manger» (en particulier en parlant de l'Eucharistie), dérivé de *manducare* (→ manger).

♦ Le mot s'est spécialisé en français comme terme de théologie catholique (1541) puis (1793) de physiologie, et n'a jamais réussi, malgré son emploi didactique relativement usuel au XVIe s., à devenir le nom courant correspondant à *manger**.

▶ Les dérivés formés sur son radical, **MANDUCATOIRE** adj. (1805) et **MANDUCATEUR, TRICE** adj. (1873) appartiennent à la langue de la description physiologique. ◆ **MANDUCABLE** adj. (1735) a été évincé par *mangeable*.

① **-MANE** → MAIN

② **-MANE** → MANIE

MANÉCANTERIE n. f. est un emprunt tardif (1836) au latin médiéval *manecantaria*, du latin classique *mane* «le matin» et *cantare* (→ chanter).

♦ Le mot désignait une école de chant religieux pour les enfants de chœur, puis il s'est appliqué (1907) à une école de chant choral, conservant des connotations religieuses.

MANÈGE n. m. est un emprunt (fin XVIe s.) à l'italien *maneggio* attesté au sens de «dressage des chevaux» (1590) par spécialisation de son sens de «maniement, exercice». Lui-même est dérivé de *maneggiare* «manier» et spécialement «dresser un cheval» (XIVe s.), correspondant au français *manier**, et dérivé de *mano* «main» (→ main).

♦ *Manège* désigne d'abord l'action de dresser les chevaux et s'applique (1611) par métonymie au lieu où s'effectue le dressage, sens largement dominant depuis le XVIIe siècle. L'usage des manèges s'installe en France à la fin du XVIe s. : ce sont de vastes salles rectangulaires bordées de pistes. On continue d'en construire au XVIIIe s. pour répondre aux désirs de la noblesse, qui voulait acclimater en France les compétitions hippiques anglaises, ainsi que de la bourgeoisie désireuse d'imiter la noblesse. L'un d'eux, le manège bâti aux Tuileries en 1720 pour Louis XV, est devenu célèbre quand l'Assemblée législative y proclama la République le 21 septembre 1792. ◇ La virtuosité acquise dans les manèges donna l'idée d'y organiser des spectacles équestres d'où naquit le cirque (cf. *cirque*). ➛ Depuis le début du XVIIe s. (*manegge* 1606), le mot est employé au figuré au sens de «manière d'agir, de se comporter», souvent avec la valeur péjorative de «manière d'agir adroite et artificieuse», par allusion au fait que les chevaux dressés se plient à toutes les sollicitations. ➛ Par analogie, le mot s'applique aussi au bâtiment abritant une machine pour élever l'eau d'un puits dans un réservoir situé sous le toit d'une maison par l'intermédiaire d'un cheval qui, en tournant, entraînait l'arbre d'une poulie (1812). Le principe de la noria inspira le manège qui fait tourner des chevaux de bois (1893, *manège de chevaux de bois*) [cf. *carrousel*] et, par suite, des voitures, des vélos, etc.

▶ **MANÉGER** v. intr., moins courant, est emprunté (v. 1600) à l'italien *maneggiare* avec sa spécialisation en équitation. Son sens figuré «manœuvrer habilement» (av. 1755, chez Saint-Simon), d'ailleurs rare, est apparu à la suite de celui de *manège*.

◈ voir aussi MANAGER (par l'anglais *to manage*, d'origine italienne).

MÂNES n. m. pl. est emprunté (1488) au latin *Manes*, généralement interprété comme le masculin pluriel substantivé de *manis*, adjectif archaïque signifiant «bon» (→ demain) et issu de la racine °*ma-* comme *maturus* (→ mûr) et *matutinum* (→ matin). Les Mânes latins sont donc «les dieux bons» *(Di Manes)*, désignation euphémistique pour nommer, en se les conciliant, les esprits des morts, particulièrement ceux des parents. Par métonymie, *manes* désigne également le séjour des morts.

♦ En français, outre son emploi en mythologie romaine, le mot se rencontre dans le style littéraire pour désigner les morts (XVIe s.). Au XVIe et encore au XVIIe s., il était pris pour un féminin, en raison de sa terminaison.

MANETTE n. f. est un dérivé savant (1803) du latin *manus* (→ main) avec le suffixe français *-ette*. Dès 1447, par un procédé de formation analogue, le provençal a créé *maneta* «manivelle». L'ancien et le moyen français avaient *manete* «petite main» (1225-1611).

♦ Le mot désigne un petit levier que l'on manœuvre à la main et, en agriculture (1840), un appareil destiné à l'arrachage des plants.

▶ **MANETON** n. m. (1858), d'usage plus technique, concerne la poignée d'une manivelle et (1931) la partie du vilebrequin sur laquelle s'articule la bielle.

MANGANÈSE n. m. a été emprunté (1578) à l'italien *manganese* (v. 1300), lui-même d'origine incertaine : on a supposé une altération du latin médiéval *magnesia* «pierre brillante comme de l'argent» (Xe s.), issu de *magnes (lapis)* [→ magnétique] et qui a donné en français *magnésie*.

♦ *Manganèse*, apparu au sens de «magnésie» (→ magnésie), a été repris pour désigner (1787) le métal gris dur et cassant extrait de la magnésie noire, dont on sait aujourd'hui qu'elle est formée de peroxyde de manganèse.

▶ Au XIXe s., le mot, dans ce sens, a donné plusieurs termes de chimie, minéralogie, métallurgie, etc. : **MANGANEUX, EUSE** adj. (1831), **MANGANATE** n. m. (1840) désignant un sel de manganèse, d'où **PERMANGANATE** n. m. (1845) plus courant, **MANGANIQUE** adj. (1840), **MANGANÉSIEN, IENNE** adj. (1840), **MANGANIFÈRE** adj. (1873), **MANGANITE** n. f. (1872). Plusieurs composés ont été formés avec l'élément savant **MANGANO-, MANGANI-**.

✳ ① **MANGER** v. tr. est issu (v. 980) par évolution phonétique (*duc-* donnant *dj-*, puis le son *j-*), du latin *manducare*, formé à partir de *manducus* ou *manduco* «le baffreur», nom donné à un personnage à la fois terrible et grotesque, une sorte d'ogre devenu bouffon de comédie (depuis Plaute). Ce nom est dérivé de *mandere* «mâcher» (en parlant des animaux), de là «manger gloutonnement, dévorer» et, à partir de Pline, «manger», d'origine expressive. *Manducare*, «jouer des mâchoires» (→ manducation), s'est substitué dans la langue populaire à *edo* «je mange», *esse* «manger», verbe à flexion irrégulière remontant à la racine indoeuropéenne °*ed-* «manger» (→ comestible, dent, obèse) que l'on retrouve par exemple dans l'anglais *to eat*. C'est un exemple caractéristique de la substitution d'une expression forte et imagée à un mot devenu abstrait et usé (comme, par exemple, *tête* par rapport à *caput*), et du remplacement par une forme régulière d'une forme irrégulière, gênante pour l'homonymie entre son infinitif et celui du verbe «être» *esse* (homonymie qui existe en russe entre *iestj* «il y a» et *iestj* «manger»). *Manducare*, d'abord en usage chez les comiques et satiriques, a pénétré progressivement dans l'usage de la bonne société et est passé dans les langues romanes. La péninsule ibérique a cependant gardé le type *comedere*, composé d'*esse* rendu expressif au moyen d'un préverbe, à l'infinitif normalisé, et d'usage plus soutenu que *manducare* : d'où l'espagnol et le portugais *comer*.

♦ *Manger* est apparu avec son sens usuel de «mâcher et avaler des aliments». ◇ Dès le XIIIe s., il a développé les significations figurées «dépenser de l'argent en nourriture» (apr. 1250), «user, entamer, ronger» (1236) et «gratter, démanger» (apr. 1250), cette dernière seulement conservée dans le dérivé *démanger* (voir ci-dessous). Plusieurs valeurs médiévales sont sorties d'usage, mais, selon la même idée de «dévorer, ronger, dilapider», d'autres emplois métaphoriques et figurés sont apparus au XVIe («dépenser», 1538) et surtout au XVIIe s. : on parle de ***manger ses mots*** (1669), on emploie *manger* aux sens de «consommer, absorber de l'énergie» (1660) et de «faire disparaître, masquer» (1682, en marine). Selon une métaphore usuelle dans l'expression du sentiment amoureux, on dit ***manger des yeux*** (1694; 1640, *manger qqn à force de le regarder*) pour «regarder avidement», *manger qqn de baisers* (1873) et, absolument, *on en mangerait!* «c'est appétissant» (1850). L'ambivalence de l'acte se révèle avec des locutions qui mettent en avant l'agressivité : *manger qqn,* c'est le détruire, être violemment contre (1896, *manger du curé*). La peur du croque-mitaine sous-tend la locution *il ne vous mangera pas* (1868) et certains usages figurés en français d'Afrique *(manger le cœur de qqn)* se réfèrent à la sorcellerie et à l'envoûtement. ◇ *Manger,* au sens propre, est riche en expressions relatives à l'acte de se nourrir : ***l'appétit vient en mangeant*** (1636), ***manger pour deux*** (1640), ***comme quatre*** (1835) «beaucoup manger», ***manger à sa faim*** (1873) et en locutions figurées : *il y a* ***à boire et à manger*** (1835) «des choses variées, bonnes et mauvaises»; ***manger le morceau*** (1808) «avouer», ***manger les pissenlits par la racine*** (1867) «être mort et enterré», ***se manger le nez*** (1867) «se disputer». Dans ces expressions et en général, *manger* a pour synonyme familier *bouffer**.

▸ *Manger* n'a produit, parmi ses dérivés, aucun nom de portée générale. ◆ L'infinitif substantivé ② **MANGER** n. m. (v. 980) est vieilli ou d'usage populaire *(on peut apporter son manger),* sauf dans quelques expressions où il fait couple avec *boire.* ◆ **MANGERIE** n. f. (XIIIe s.) est un terme péjoratif d'usage littéraire. ◆ **MANGEAILLE** n. f. *(mainjaille,* fin XIIe s.; *mangeille,* 1264; *mangaile,* 1398), lui aussi péjoratif, appartient à l'usage familier. ◆ **MANGEOIRE** n. f. (v. 1175) désigne une auge contenant les aliments de certains animaux (bétail, chevaux). Le sens général «lieu où l'on mange» est familier et métaphorique (1867). ◆ L'adjectif **MANGEABLE** (v. 1190, *manjable*) et son antonyme **IMMANGEABLE** (1600) réalisent surtout une valeur hyperbolique. ◆ **MANGEURE** n. f., apparu (fin XIIe s.) au sens ancien de «mangeoire», s'est maintenu au sens de «pâture (du sanglier)» (XIVe s.) et au figuré pour «endroit d'une étoffe rongé» (1690). ◆ **MANGEUR, EUSE** n. (XIIIe s.) est surtout employé avec une épithète antéposée *(gros mangeur)* et dans *mangeur de...* avec un sens figuré, «dépensier», dès le XIIIe siècle.

Manger entre comme premier élément de trois noms composés. ◆ **MANGE-TOUT** n. m., au sens primitif de «qui mange tout» et «dissipateur» (XVIe s.); repris pour désigner une variété de pois ou de haricot dont on mange la cosse avec la graine (1812). ◆ **MANGE-MIL** n. m., nom donné couramment en Afrique francophone à une espèce de passereau (attesté v. 1950). ◆ **MANGE-DISQUE** n. m., apparu vers 1972 pour désigner un appareil (tourne-disque pour 45 tours) à la mode dans les années soixante-dix.

Avec le préfixe *re-,* il a produit **REMANGER** v. tr. «manger à nouveau» (v. 1200, *remangier*).

Quant à **DÉMANGER,** il apparaît au XIIIe s. (1227) au sens de «ronger», *dé-* ayant une valeur intensive. ◇ Le sens moderne (fin XIIIe s.) correspond à la valeur figurée prise par *manger* au XIIIe s., «gratter». *Démanger* correspond à «inciter à gratter *(manger)*». Comme *manger* a perdu cette valeur, *démanger* s'est détaché par le sens de son origine. Au figuré, le verbe signifie, au moins depuis le XVIIe s. «avoir une forte envie de...» ***(ça le démange).*** ◆ Le dérivé **DÉMANGEAISON** n. f. (1492) «sensation épidermique qui incite à se gratter» s'emploie aussi au figuré en parlant d'une envie (1762).

◈ voir MANDIBULE, MANDUCATION; BLANC (BLANC-MANGER), GARDER (GARDE-MANGER).

② MANGER → ① MANGER

MANGOUSTAN n. m., d'abord *mangostan* (1598) avant *mangoustan* (1604), est emprunté, par l'intermédiaire du portugais *mangostão* (XVIe s.), au malais *manggoestan,* nom d'un arbre et de son fruit.

♦ Le mot a été introduit comme nom de l'arbre et, simultanément, de son fruit, dont la pulpe blanche, sucrée et légèrement acidulée, rappelle le parfum de la framboise.

▸ Formé par dérivation régressive, ② **MANGOUSTE** n. f. dénomme spécifiquement le fruit (1798).

① MANGOUSTE n. f., noté comme un mot cinghalais dans sa première attestation (1694) sous la forme *mounggoutia,* est, sous sa forme actuelle (1703), la correction abusive d'une forme prononcée *mangousse,* probablement empruntée au portugais *mangus* (1716). Ce dernier, déjà attesté en 1685 sous la forme *mongús,* est lui-même un emprunt à *mangûs,* mot mahrātte (langue de l'État indien de Mahārāshtra).

♦ Le mot désigne un petit mammifère exotique apprivoisé pour sa capacité à détruire les animaux nuisibles, notamment les serpents.

▸ On en a tiré le dérivé régressif ② **MANGUE** n. f. (1840) pour dénommer un animal très voisin.

② MANGOUSTE → MANGOUSTAN

MANGROVE n. m. est emprunté (1789, altéré en *mangrore*) à l'anglais où *mangrove, mangrave* sont attestés depuis le XVIIe s. pour désigner le manglier, puis d'autres plantes. Le mot *manglier* lui est peut-être apparenté : il est dérivé de *mangle* n. f. (1556), emprunt par l'espagnol d'une langue caraïbe (le taïno d'Haïti). On a aussi évoqué *mangue,* d'origine tamoule (sud de l'Inde). L'élément *-grove* est peut-être en rapport avec l'anglais *grove* «bocage», de *to grove* «pousser» (par étymologie populaire).

♦ Le sens ancien, «arbre exotique (mal déterminé, manglier, etc.)» a disparu après de rares attestations. Le mot a été repris (1902) en géographie à l'anglais, pour «formation végétale complexe (palétuviers) croissant au contact de la mer et de la terre, en climat tropical».

① MANGUE n. f., noté *manga* en 1540, comme mot étranger, dans la traduction d'un ouvrage portugais, puis *mangue* (1604), est un emprunt au portugais *manga* (XVIe s.). Celui-ci est emprunté au tamoul *mān-gay* ou *mān-kay,* nom de fruit.

♦ Le genre du mot, indécis jusqu'au XVIIe s., s'est fixé à partir du milieu du siècle (1657). *Mangue* désigne un fruit exotique à chair jaune et parfumée, à odeur de térébenthine.

▸ Le nom d'arbre **MANGUIER** n. m. (1688) a éliminé *manga* (v. 1540).

② MANGUE → MANGOUSTE

MANIAQUE → MANIE

MANICHÉEN, ENNE adj. et n. est dérivé (1541) du bas latin *Manichaeus,* lui-même emprunté au grec *Manikhaios,* du nom de l'hérésiarque du IIIe s., *Mani* (ou *Manès*), auteur d'une doctrine fondée sur la coexistence et l'antagonisme de deux principes cosmiques égaux et éternels, le bien et le mal.

♦ *Manichéen,* d'usage didactique (philosophique, religieux), a éliminé *Manichée* (1575) lui-même emprunté au bas latin *Manichaei* (IVe s.). Il est devenu relativement courant au sens de «qui dénote une façon de voir, de juger en termes antonymiques de bien et de mal».

▸ Plus didactiques sont **MANICHÉISME** n. m. (1765), aussi employé par extension pour «manière simpliste de juger en termes manichéens» et son dérivé **MANICHÉISTE** n. et adj. (v. 1970), formés sur le radical du latin *Manichaeus,* le premier peut-être d'après l'anglais *manicheism* (1626).

MANICLE ou **MANIQUE** n. f. est emprunté, sous la forme étymologique *manicle* (v. 1165), au latin *manicula* «petite main», «mancheron de la charrue», diminutif de *manus* (→ main). La forme *manique* (XVIe s.) s'est répandue aux XVIIIe et XIXe s., concurrençant *manicle* dans l'usage moderne.

♦ Le mot, d'usage technique, désigne d'abord une protection de la main, depuis l'ancienne pièce d'armure couvrant l'avant-bras et la main (v. 1165) jusqu'au manchon de protection de certains ouvriers (1680, surtout le cordonnier) et, aujourd'hui, au gant de ménage protégeant de la chaleur excessive des casseroles, plats, etc. (cet emploi n'est pas usuel). ◇ Cette idée a inspiré en moyen français des emplois métonymiques «menottes» au pluriel, peut-être par reprise d'un sens latin (1384). Au figuré, avec l'idée d'adresse manuelle, le mot a correspondu à «spécialisation dans un métier, corporation» (1615), et, au figuré, «adresse» (1704); ces emplois ont disparu. ◇ Un second groupe de sens se rattache à l'idée d'un prolongement de la main : «manche que le tondeur de drap tient à la main» (1723), par exemple.

◈ voir MANIVELLE.

MANIE n. f. est emprunté (v. 1398) au bas latin médical *mania,* lui-même emprunté au grec *mania* «folie, fureur» et «passion, enthousiasme inspiré par la divinité». Le mot grec est issu d'un radical °*man-* également à l'origine du verbe *mainesthai* «être fou, pris d'une ardeur furieuse, de rage, de délire», employé en parlant de guerriers, d'hommes ivres et mis hors d'eux par la divinité. *Mainesthai* répond formellement au sanskrit *mányate,* à l'avestique *mainyeite* «penser», au vieux slave *mĭněti* «penser» et s'apparente au latin *mens* «esprit, pensée» (→ mental). Il a dû se séparer de la notion générale de «penser» pour s'appliquer spécialement à la notion d'ardeur ou de folie furieuse.

♦ *Manie,* dans l'usage ancien, signifiait généralement «fureur, démence»; supplanté par *folie* dans l'usage courant, il reste un terme clinique (psychiatrie) désignant un syndrome mental caractérisé par divers troubles de l'humeur (v. 1550). ◇ Le sens apparenté, repris au grec, «enthousiasme, fureur créatrice» (1656) est sorti d'usage au XVIIIe siècle. ➛ Au XVIIe s., par l'intermédiaire du sens de «trouble de l'esprit en proie à une idée fixe» (1628), il prend le sens courant de «passion excessive pour qqch.» (1660) [*la manie de* ..., v. 1665]. La valeur affaiblie, également courante, pour «habitude bizarre et tyrannique» *(une, des manies)* se dégage au XVIIIe s. (1750). ➛ À l'époque moderne, le mot est repris, comme *maniaque,* dans la terminologie psychiatrique, en contraste avec *dépression* (→ ci-dessous maniaque); on trouve ***manie délirante*** (1905), peu après ***manie éphémère*** (1899) ou ***intermittente*** (1900), syntagmes qui semblent avoir été créés en anglais (Clouston).

▸ *Manie* entre sous la forme de l'élément **-MANIE**, repris au grec *mania,* dans la formation de noms exprimant l'idée d'un «excès condamnable ou ridicule dans un goût, une habitude» ou dans des noms issus de l'ancienne nosologie psychiatrique (Esquirol), exprimant simplement l'idée d'un état pathologique. Cet élément joue quelquefois le rôle d'un intensif par rapport à *-philie* (*mélomanie,* 1781). ➛ Des noms et adjectifs correspondants sont formés sur l'élément **-MANE** (*mélomane,* 1823), certains étant directement empruntés au grec *(érotomanie, glossomanie)*.

MANIAQUE adj. est emprunté (v. 1300) au latin médiéval *maniacus* (1250), dérivé de *mania.* ➛ Il a connu la même évolution sémantique que *manie* : son sens clinique de «fou, égaré», usuel jusqu'au XIXe s., est encore vivant dans l'emploi comme nom : *un maniaque* (1546). ◇ Ses sens courants de «passionné jusqu'à la déraison pour une chose» et «passionné par une chose particulière» sont apparus, après les valeurs analogues de *manie,* l'un avant 1772, l'autre vers 1803 ***(maniaque de)***. Depuis la fin du XIXe s., l'adjectif qualifie, avec un affaiblissement de sens, une personne exagérément attachée à ses habitudes, à de petites choses. ◇ *Maniaque* a pris au XIXe s., à la suite de *manie,* une valeur terminologique précise en psychiatrie, notamment dans ***psychose maniaque dépressive*** (1900), désignation qui a remplacé *folie circulaire* puis *cyclothymie.* ➛ En ont été tirés **MANIAQUEMENT** adv. (1845), plutôt médical, et **MANIAQUERIE** n. f. (1888), surtout employé au sens courant et familier de *maniaque,* pour «caractère tâtillon». ➛ Le composé **MANIACO-DÉPRESSIF, IVE** n. et adj. est attesté en 1901 (*délire maniaco-dépressif;* aussi *psychose,* 1903); il est substantivé en concurrence avec *un* *maniaque dépressif* (1907). ◆ **HYPOMANIAQUE** adj. (1907) est formé d'après **HYPOMANIE** n. f. (1900), terme forgé en allemand par Kraepelin.

MANICHORDION → MONOCORDE

① **MANIER** v. tr., d'abord *maneier* (v. 1165) puis *maniër* (1180), est dérivé de *main** sous son ancienne forme *man*, avec le suffixe *-oyer*, réduit à *-eier* puis *-ier*.

♦ *Manier* est apparu au sens de «toucher avec la main», encore vivant à l'époque classique, spécialement en parlant d'une étoffe dont on veut éprouver la qualité, et aujourd'hui sorti d'usage. La valeur dérivée, «caresser», s'est également effacée au profit de la valeur moderne plus utilitaire «avoir en main qqch. (que l'on déplace, utilise)» (v. 1180). Celle-ci a donné des emplois techniques pour «façonner» en parlant d'une matière malléable (XIIIe s.), «utiliser un outil avec plus ou moins d'adresse» (v. 1200) et, par extension, «gérer, administrer» (1256), en particulier «brasser des fonds» (fin XIVe s., *argent mannyer*). ◇ Depuis le XVe s. (v. 1480), il a aussi le sens figuré de «diriger qqn, l'influencer», concurrencé par *manipuler*. Le sens de «faire évoluer, conduire (un animal)» (1559) introduit une notion de «mouvement» (→ se magner).

▸ *Manier* a donné **MANIABLE** adj. d'abord *maniable* «agile» (XIIe s.) puis «qui se prête à l'action de la main» (v. 1278). Ces valeurs ont disparu. Le sens moderne «pratique, peu encombrant» (1538) correspond de plus loin au verbe. **IMMANIABLE** adj. (1624) lui est opposé, mais est demeuré très rare. ◇ **MANIABILITÉ** n. f. (1878), «qualité de ce qui est maniable», est devenu usuel avec les engins motorisés. ◆ **MANIEMENT** n. m. (1237), substantif d'action qui correspond aux principaux sens du verbe, concrets et abstraits, est demeuré usuel, à la différence de **MANIAGE** (1694), uniquement conservé dans le sens technique de «modelage (de l'argile)» (1840) et pour désigner une opération du batteur d'or (1873). ◆ **MANIEUR** n. m. (fin XIVe s.) est réservé à quelques emplois particuliers *(manieur de fonds, d'argent, d'hommes)*. ◆ L'infinitif substantivé ② **MANIER** n. m. (fin XVIe s.) se rapporte essentiellement au maniement d'une étoffe.
REMANIER v. tr. (v. 1245), «arranger de nouveau», a signifié à la forme pronominale «se comporter» (v. 1300) ; à la différence de *manier*, il est peu employé aujourd'hui pour des travaux d'ordre matériel sinon en construction (1604) et en typographie (1680) pour «retourner le papier trempé en divers sens pour bien l'humidifier». En sont issus **REMANIEMENT** n. m. (1690 en typographie), puis «action de remanier* et son résultat» (1706) spécialement «modification d'un ouvrage d'esprit» (1845), **REMANIABLE** adj. (1870) et **REMANIEUR** n. m. (1832).

◈ voir **MAGNER**, aussi **MANAGER** et **MANÈGE**, emprunts à des correspondants étrangers.

② MANIER → ① MANIER

MANIÈRE n. f. est le féminin substantivé (v. 1119) de l'ancien adjectif *manier* «que l'on fait fonctionner à la main» (1140), «apprivoisé, bien dressé (d'un faucon)» (v. 1175) et aussi «habile» (1155), lui-même issu du latin *manuarius* «de main, que l'on tient en main», dérivé de *manus* (→ main). Les Latins exprimaient ce que l'on entend aujourd'hui par *manière* au moyen des termes *modus* «façon» (→ mode), *habitus* «façon individuelle de se comporter» (→ habit), *mores* «façon de se comporter en société» (→ mœurs) et *genus* «mode d'expression particulier» (→ genre).

♦ *Manière* s'est immédiatement séparé de *main* : d'après les emplois de l'adjectif relatifs à l'habileté, à l'action, il désigne la façon d'être, d'agir, de se comporter, à la fois dans sa généralité et dans toutes ses manifestations individuelles. Ce contenu sémantique très vague le rapproche de *façon* (mot à évolution comparable) et le dispose dès le XIIe s. à entrer dans un grand nombre de locutions : par exemple la locution conjonctive (1165) *en tel* [telle] manière que «de façon que» avec l'indicatif, et «de sorte que» avec le subjonctif, variante archaïque de ***de manière que*** (v. 1580). La variante *de la manière que* est aujourd'hui vieillie ; ***de manière à ce que*** jugé lourd par Littré, continue d'être utilisé. ◇ *Manière* entre dans les locutions adverbiales et prépositionnelles ***à la manière de*** (1395), ***manière de*** et infinitif (1370) aujourd'hui fortement concurrencée par *façon de*, ***en aucune manière*** (1540 ; antérieurement *en nulle manière*, v. 1160) et *en toutes manières* (1260) devenu ***de toute manière*** (1835). ◇ Avec le sens particulier de «façon, apparence» (1150), le mot est entré dans les locutions ***par manière de*** (fin XIVe s.) et ***en manière de*** (1480), d'usage littéraire. ◇ Il se rapporte particulièrement au mode d'expression propre à un artiste, à un groupe (1260), en architecture, puis également en peinture (1641). Dans le langage de la critique esthétique, il a développé une nuance péjorative (1690) de «recherche excessive, affectation» (ci-dessous *maniéré, maniérisme*).
Parallèlement, *manière* est appliqué (1170) aux personnes avec le sens de «comportement, apparence considérés en société». Cette acception a vieilli au singulier au profit d'*allure, air, contenance* et *tournure* au cours du XVIIe s., mais s'est maintenue au pluriel (1174-1178), *les manières* recouvrant l'ensemble des gestes et procédés de qqn en société (1662, ***les belles manières***). ◇ Employé absolument, *manières* oscille entre une valeur positive d'«usage du monde» ***(manquer de manières)*** et, depuis le XIXe s., une valeur dépréciative de «cérémonie», plus familière, par exemple dans ***faire des manières*** (1862), abrégé populairement en *faire des magnes* (1880).

▸ L'adjectif dérivé de *manière*, **MANIÉRÉ, ÉE**, a qualifié un cheval bien dressé (v. 1360) avant d'être repris au XVIIe s. avec le sens péjoratif moderne d'«affecté, manquant de naturel» (1679). Il s'est développé dans une double direction, esthétique d'abord, en parlant d'un goût, d'un style, d'une œuvre (Diderot, en 1767, emploie la forme substantivée *le maniéré* pour le caractériser), psychologique ensuite (1718) à propos des personnes, des actes, des paroles. ◆ **MANIÉRISTE** adj. et n. est relevé pour la première fois en 1662 chez Fréart de Chambray qui qualifie ainsi un groupe de peintres appartenant à un courant à l'honneur en Italie entre la Renaissance et le Baroque. ◇ Le nom de **MANIÉRISME** est apparu beaucoup plus tard (1806), pour se répandre au XXe siècle. Comme terme d'histoire de l'art, il est emprunté à l'italien *manierismo,* noté pour la première fois chez Luigi Lanzi en 1792, dans l'analyse critique qu'il consacre à ce mouvement artistique. Dès 1550, le peintre maniériste Vasari employait *maniera* «manière» avec deux acceptions distinctes : au sens général de «style» et, quand il opposait l'ancienne manière de Giotto à la manière moderne de Léonard, dans *bella maniera,* l'expression recouvrant des qualités d'harmonie, de mesure, d'imagination et de fantaisie. Peu après, avec le développement de l'idée d'une décadence de l'art du XVIe s. depuis l'idéal de perfection incarné par Michel-Ange, *maniera* a pris chez les critiques italiens une valeur péjorative, si bien que *maniériste* et *maniérisme,* en histoire de l'art, ont longtemps souffert de préjugés défavorables avant d'être réhabilités au XXe s., notamment par les travaux des historiens de l'art allemands (*Manierismus,* réemprunté avec cette valeur objective ou laudative, en français, anglais, italien, etc.). ◇ *Maniérisme* est aussi devenu, par spécialisation du sens courant, un terme de psychiatrie (1901) appliqué à une attitude affectée, rencontrée dans divers troubles mentaux. ➜ Le verbe pronominal **SE MANIÉRER** «se comporter d'une manière affectée» est attesté depuis le XVIIIe s. (Diderot) après **MANIÉRER** (1695) «devenir affecté» (intr.) et, au XVIIIe s., «rendre affecté» (tr.) ; il est sorti d'usage.

① **MANIFESTE** adj. est un emprunt (fin XIIe s.) au latin *manifestus,* variante de *manufestus,* expliqué par les Latins comme signifiant «pris à la main» d'où «pris sur le fait, patent» et «convaincu de». Cependant, si le premier élément représente bien *manus* (→ main), le second reste obscur.

♦ *Manifeste* caractérise une personne convaincue par les faits, avérée comme faussaire, criminel, traître. ➜ Depuis le XIIIe s. (1262), il est appliqué à une chose claire, évidente. Dans quelques emplois spécialisés, il prend le sens de «qui peut être vu, prend des formes extériorisées», autrefois avec la valeur littérale de «visible par l'œil», abstraitement en religion dans ***preuve manifeste,*** en psychanalyse par opposition à *latent.*

► L'adverbe **MANIFESTEMENT** «de façon notoire» (1190) a glissé, dans l'usage moderne, vers la valeur d'«évidemment» en fonction d'adverbe de phrase. ➜ Le verbe **MANIFESTER** est emprunté (v. 1150) au latin *manifestare* (de *manifestus*) «montrer, découvrir» et, à l'époque chrétienne, «révéler, se révéler aux hommes», en parlant du Christ. Apparu au sens transitif de «faire connaître publiquement», le verbe signifie par extension «indiquer, montrer» (fin XIVe s.). *Se manifester* est employé (v. 1200), en parlant d'une personne, puis aussi (1540) d'une chose concrète ou abstraite. ◇ Le sens intransitif de *manifester* «participer à une manifestation» apparaît dans le contexte des luttes de classes du XIXe s. (1868), après **MANIFESTANT, ANTE,** participe présent substantivé (1849, chez Proudhon), en relation avec *manifestation* (milieu XIXe s.). ➜ **MANIFESTATION** n. f. est un emprunt (1200) au latin chrétien *manifestatio* «révélation, apparition (du Christ)», dérivé de *manifestare.* ◇ D'abord appliqué à la révélation divine, il se répand au XVIe s. avec le sens général d'«action de rendre visible, perceptible, sensible» (1553), d'abord dans un contexte religieux. Ce n'est qu'à partir du XVIIIe s. (1749) qu'il est employé laïquement au sens général d'«action de se manifester». Il a pris avec ce sens des valeurs spéciales, par exemple en pathologie, en linguistique. ◇ D'après des emplois concernant l'expression publique d'un sentiment, d'une opinion (1749), il a pris, sous l'influence de *manifestant,* le sens de «rassemblement, démonstration collective publique d'une opinion» (1848 dans *contre-manifestation,* ci-dessous ; 1857, Mérimée parlant de l'enterrement de Béranger). Il s'applique aussi, plus rarement (1887), à une cérémonie publique commémorant un événement, en l'honneur de qqn. ◇ Au sens de «démonstration collective de protestation», on l'abrège familièrement en **MANIF** (1952). ◇ **CONTRE-MANIFESTATION** n. f. est attesté dès 1848, suivi par **CONTRE-MANIFESTER** v. tr. et **CONTRE-MANIFESTANT, ANTE** n. (1870).

② **MANIFESTE** n. m. (1574) est probablement un emprunt à l'italien *manifesto,* adjectif substantivé attesté depuis le XVe s. au sens de «dénonciation publique». ➜ Apparu au sens d'«écrit public par lequel un ou des responsables politiques font connaître leurs vues ou donnent des explications sur leur conduite», *manifeste* se dit par extension (1623) d'un écrit visant à faire connaître des idées nouvelles dans un domaine quelconque, spécialement en art (1828). C'est aussi un terme de droit commercial désignant le document obligatoire donnant état de la cargaison d'un navire (1723). En ce sens, il a été attesté une première fois en 1362, mais il s'agit alors probablement d'un emprunt au provençal *manifest* de même origine.

MANIGANCE n. f., attesté depuis 1543 (Calvin), est d'origine obscure. Une dérivation à partir du latin *manus* (→ main) est très probable, et le moyen français désignait l'ouvrier par *manigant* (1556). D'autres hypothèses rattachent le mot à l'ancien et moyen français *maniance* «administration, gouvernement, maniement», dérivé de *manier* attesté entre 1275 et le XVIe s., sans pouvoir en expliquer la terminaison *-gance.* On a cependant émis l'idée que celle-ci viendrait de l'occitan, langue qui possède un suffixe verbal *-igá* (du latin *-icare*). L'hypothèse d'une dérivation du provençal moderne °*manigo* «manche (d'habit)» ou de son dérivé verbal °*manigá* «faire disparaître dans sa manche», dans la langue des bateleurs, se heurte à un manque d'attestations. On ne peut pas y voir non plus le dérivé de *manique** (issu de *manica*), cette variante de *manicle* n'étant pas attestée avant le XVIIe siècle.

♦ Le mot est plus ou moins d'usage familier et surtout employé au pluriel à propos de manœuvres secrètes ou dissimulées.

► Il en va de même pour son dérivé **MANIGANCER** v. tr. (1691) «intriguer, tramer une manigance».

MANILLE n. f. est l'altération (1696), peut-être sous l'influence de *main*, de *malille* «neuf de carreau» (1660), emprunt à l'espagnol *malilla* «seconde carte maîtresse dans certains jeux de cartes» (1604). Celui-ci signifie proprement «petite malicieuse»; c'est le diminutif de *mala* «méchante, malicieuse», féminin de *malo* auquel correspond l'adjectif français de même origine *mal**. Son application à une carte à jouer vient de ce que cette carte, ordinairement l'une des moindres en valeur, peut devenir l'une des plus puissantes quand sa couleur est atout.

♦ En français, le mot désigne anciennement une carte maîtresse aux jeux d'hombre, d'hoc et de quadrille. À partir de la fin du XIXᵉ s., il désigne, dans le jeu appelé lui-même par métonymie *manille* (1883, populairement *manoche*), la carte la plus forte avant l'as (1893).

▶ Le mot a produit quelques dérivés apparus autour de 1900. ➛ **MANILLON** n. m. (1893) signifie «as, seconde carte maîtresse au jeu de manille». ➛ **MANILLER** v. intr. (1902) «jouer à la manille» a pour dérivé **MANILLEUR, EUSE** n. (1919) «joueur de manille».

MANIOC n. m., noté en 1555 *maniel* comme mot étranger, puis *manioc* (1556), est emprunté au tupi (langue indienne du Brésil) *manioch*. Une variante *mani(h)ot* a donné le français *manihot, maniot*, attesté dans la seconde moitié du XVIᵉ s., et une variante *mandihoca, mandioqua* a donné au XVIIᵉ s. les formes *mandoc, mandiaca, mandioque* et *mandihoca* (ainsi que *mandioca* en espagnol et portugais).

♦ Le mot fait l'objet, dans le dictionnaire de Furetière (1690), à l'entrée *manioque* n. f., d'un article mentionnant les vertus nutritives du manioc (sous la forme de pain et de farine) sur toute la côte du Brésil, et l'usage qu'en font les capitaines au long cours en lieu et place de biscuit pour ses qualités de conservation. Le dictionnaire de Thomas Corneille, à la même époque, préfère la forme *manioc* et en parle comme d'une plante brésilienne et africaine.

MANIPULE n. m. recouvre plusieurs emprunts au latin *manipulus*, dérivé de *manus* (→ main) avec un second élément obscur. Le mot latin est appliqué spécialement à la poignée de tiges que le moissonneur prend de la main gauche pour la couper avec la main droite. De la langue rustique, il est passé dans l'usage militaire, d'abord comme dénomination de l'étendard : une explication traditionnelle veut que, sous Romulus, l'enseigne ait été une botte de foin portée sur une pique, mais on peut aussi évoquer une plaisanterie de la langue militaire, la hampe tenue par le porte-étendard étant assimilée à une poignée qui emplit la main. Par métonymie, il a désigné la compagnie regroupée sous cette enseigne. À basse époque, le sens agricole a inspiré un sens religieux : *manipulus* est devenu (VIIIᵉ s.) le nom de l'ornement que les prêtres portent sur l'avant-bras gauche après avoir désigné le linge qu'ils utilisaient pour essuyer leur visage.

♦ *Manipule* a été introduit comme terme de la liturgie catholique. Il a été repris au XVᵉ s. en pharmacie pour désigner une poignée de plantes en graines entrant dans la composition d'un remède (1478), sens archaïque. Au XVIIᵉ s. (1660), peut-être par un nouvel emprunt, le mot a pris le sens de «sous-unité de la cohorte», en histoire romaine.

▶ *Manipule* est beaucoup moins vivant que son dérivé **MANIPULER** v. tr. (1765) «faire des manipulations en laboratoire», terme formé à partir de l'ancien sens de *manipule* en pharmacie. Le latin médiéval avait *manipulare* (1045) mais celui-ci signifiait «conduire par la main». ➛ Par extension, *manipuler* est employé couramment au sens de «manier et transporter»; il a pris (1842) le sens figuré d'«arranger par des moyens occultes et suspects» et, plus généralement, «influencer (qqn) à son insu»; dans ce sens, il s'est substitué à *manier*. ➛ Il a donné **MANIPULATEUR, TRICE** n. et adj. (1738), apparu avec son sens figuré dans un contexte politique, puis également employé (1762) comme synonyme d'*opérateur* en laboratoire, comme nom d'un instrument lançant des signaux (1868) et attesté récemment (milieu XXᵉ s.) comme adjectif. ➛ **MANIPULABLE** adj., de sens passif, est lui aussi récent (XXᵉ s.).

MANIPULATION n. f., apparu en 1716 dans *manipulation du minerai*, est, selon Corominas (in *T. L. F.*), un emprunt à l'espagnol à rattacher au latin *manipulus* et attesté dans la langue des mineurs en Amérique (1760, probablement antérieur vue son attestation en 1619 comme terme d'alchimie). ◇ Mais *manipulation* au sens de «manière d'opérer en chimie» (1760) est, malgré les données chronologiques, dérivé de *manipuler*. Depuis 1767, il signifie, au figuré, «manœuvre occulte, intrigue», sens que possède l'anglais *manipulation* dès 1628. Il est devenu un terme du langage des illusionnistes et prestidigitateurs (1931) et s'est répandu après 1968 dans la critique des idéologies, le sens correspondant du verbe étant antérieur.

L'abréviation familière **MANIP** n. f. née dans le jargon scolaire à propos des travaux pratiques en sciences (1880), s'applique par extension à des manœuvres obscures, tortueuses (XXᵉ s.), puis à toute manœuvre *(c'est le sens de la manip)*.

MANIQUE → MANICLE

MANITOU n. m., relevé en 1627 dans *Voyage et découvertes faites en la nouvelle France* de Champlain, est emprunté à l'algonquin *manitu* «grand esprit». Ce mot est dérivé de *manit*, participe passé d'un verbe signifiant «surpasser».

♦ Le mot désigne le grand esprit dans la croyance des Indiens algonquins d'Amérique du Nord, sens présent dans la littérature romantique. ◇ Par extension, il s'est appliqué à un fétiche, une amulette (1788) et aussi à un personnage très influent (1877), probablement par calembour sur *manie-tout*. C'est aujourd'hui le sens usuel et familier du mot.

MANIVELLE n. f. est issu (v. 1200) du bas latin °*manabella*, altération de °*manibula*, lui-même variante de *manicula* «mancheron de charrue»

(→ manique), dérivé technique de *manus* (→ main), avec suffixe diminutif.

♦ Le mot, d'abord attesté sous les formes *manevele* «poignée de bouclier» et *manevelle* (1449), a pris sa forme actuelle (1312) sous l'influence du *-i-* de *manier**. Il a pris au XIVe s. une valeur technique «bras perpendiculaire à un arbre et qui en détermine la rotation» (1312). Il a développé plusieurs sens techniques spécialisés à partir du XIXe s., entrant en apposition dans *arbre-manivelle* (1882), *plateau-manivelle*, etc. ◇ L'ancienne manivelle des caméras de cinéma a entraîné l'expression ***premier tour de manivelle*** «début du tournage d'un film».

MANNE n. f. est un emprunt ancien (v. 1120) au latin chrétien *manna* (variante *man*) qui désigne la nourriture que les Hébreux reçurent miraculeusement du Ciel pendant leur traversée du désert, alors qu'ils murmuraient contre Moïse en évoquant le pain et la viande dont ils jouissaient en Égypte (Exode XVI ; Deutéronome VIII, 3 ; Nombres XI, 7-8, etc.). Le mot latin, comme le grec *manna* (également *man*), est emprunté à l'araméen *manná*, de l'hébreu *mán* de même sens.

♦ *Manne*, par extension du sens biblique, a pris la valeur figurée de «nourriture abondante et inespérée» (v. 1350), «nourriture spirituelle» (1532) et «bienfait» (1842, *la manne du budget*). ◇ Par analogie, dès le début du XIVe s., il désigne le suc qui s'écoule de certains végétaux, naturellement ou après incision. Par métaphore, la locution *manne des poissons* désigne l'éphémère qui abonde en fin d'été sur les rivières et dont les poissons sont très friands (1755).

► Du terme de botanique sont dérivés au XIXe s. les termes de chimie : **MANNITE** n. f. (1815), d'où **MANNITÉ, ÉE** adj. (1894), et **MANNOSE** n. f. (1902 ; 1872, *mannitose*) «substance glucidique contenue dans les baies et les graines de certains végétaux».

MANNEQUIN n. m. est emprunté (1450) au moyen néerlandais *mannekijn*, proprement «petit homme», dérivé, avec le suffixe diminutif *-kijn* (anglais *-kin*, allemand *-chen*), de *man* «homme». Ce mot a des correspondants dans toutes les langues germaniques (anglais *man*, allemand *Mann*) et se rattache à la même racine indoeuropéenne que le sanskrit *mánu-* «homme».

♦ Le français l'a emprunté à la fois au sens de «petit homme» (v. 1475), qui a disparu, et de «figurine humaine». Au XVe et encore au XVIe s., *mannequin* désigne en particulier une figure (de bois, de cire) ; au XVIe s., il s'applique à des figures sculptées d'hommes et d'animaux. Il est appliqué depuis le XVIIe s. (1614) à une statue articulée à laquelle on peut donner diverses attitudes, utilisée par les peintres et sculpteurs comme modèle et sur laquelle on peut essayer les draperies. La malléabilité de cette figurine a inspiré le sens figuré encore vivant de «personne sans caractère que l'on peut mener à son gré» (1776). ◇ Par une autre spécialisation de fonction, le mot prend (1806) le sens de «moulage réduit à l'essentiel» et d'«armature servant de modèle aux couturières» (*Le Mannequin d'osier* d'Anatole France). Au XIXe s., avec l'usage des devantures vitrées de magasins, le mannequin devient aussi une forme complète que l'on habille et que l'on met en vitrine. ◇ Par extension, il est appliqué à des hommes sur qui on essaie les vêtements lors de la fabrication (1814), puis à des femmes (1862). Ce dernier sens s'étend (XXe s.) aux femmes employées pour présenter les collections de haute-couture, fonction étendue vers 1950 aux hommes. L'expression ***taille mannequin*** vient soit de ce sens, soit de la figurine habillée en vitrine.

► *Mannequin* a donné quelques mots d'usage technique : **MANNEQUINAGE** n. m. (1564) «sculpture grotesque», puis «décoration en plâtre et toile sur des armatures métalliques», **MANNEQUINER** v. tr. (1762), terme d'art signifiant «faire un dessin d'après un mannequin» et **MANNEQUINEUR, EUSE** n. (XXe s.) «personne fabriquant, exécutant un mannequin».

◈ voir MANDRILLE, BARMAN.

① **MANŒUVRE** n. f., d'abord *manuevre* (1248), puis *maneuvre* (1309) et *manœuvre* (1409), d'après *œuvre*, est issu du latin populaire *manuopera*, littéralement : «travail, activité» (*opera*, → œuvre) fait à la main (*manu*, ablatif de moyen de *manus* → main), mot attesté vers 800 au sens de «corvée».

♦ *Manœuvre*, qui correspond à l'ancien provençal *manevre* au sens d'«ouvrage» (v. 1180), est attesté en français depuis 1248 (en picard, *manuevre*) avec son sens moderne, «opération impliquant le mouvement de la main», alors «corvée manuelle». En ancien français, le travail manuel portait le nom de *manœuvre d'homme*. ◆ Au début du XVIIe s., le mot s'est spécialisé en navigation (1616) au sens d'«opération dirigeant le navire», désignant aussi, par métonymie, les cordages servant à cet usage (1643). ◇ Il passe ensuite dans le domaine militaire (1694) où le pluriel *manœuvres* s'applique à des exercices exécutés en temps de paix ou de guerre ; il a également pris le sens abstrait de «conduite, ensemble des moyens mis en œuvre pour atteindre un but» (1690), souvent déjà péjoratif. Au XIXe s., avec son sens militaire, il entre dans les expressions ***grandes manœuvres*** (1805, Napoléon), ***champ de manœuvres*** (1830) et dans le composé ***contre-manœuvre*** (1842). ◇ Avec son sens abstrait, il s'applique au domaine politique, dans ***manœuvres ministérielles*** (1792), ***politiques*** (1802), ***électorales*** (1835). ◆ Le mot s'applique aussi (1876) à la conduite d'un véhicule demandant des connaissances techniques.

► Le verbe correspondant, **MANŒUVRER** v. tr. est issu, d'abord sous la forme *manuvrer* (1080), du latin populaire *manuoperare* «travailler avec la main». Ses premiers sens, «placer avec la main, enchâsser» puis «travailler» (v. 1165), sont sortis d'usage au profit de sens apparus aux XVIIe et XVIIIe s. en relation avec ceux du nom : en navigation (1678) aussi comme intransitif, en stratégie militaire (1732) et, dans l'usage courant, pour «manier de façon à faire agir», au propre (transitivement, 1690) et au figuré (intransitivement, 1752). ◆ ② **MANŒUVRE** n. m., déverbal de *manœuvrer*, est apparu au sens de «travailleur manuel» (1449), puis est passé au sens moderne d'«ouvrier exécutant (par opposition à l'ouvrier qualifié) des tâches élémentaires» (1468). L'usage régional emploie avec un sens voisin **MANOUVRIER, IÈRE** n. (1189), dérivé de *manouvrer,* ancien infinitif de *manœuvrer.* La tentative pour imposer la forme *manœuvrier* (XVIe-XVIIe s.) conformée à la forme *manœuvrer,* n'a pas réussi. ◇ En revanche, on a reformé **MANŒUVRIER, IÈRE** n. et adj. (1583) pour caractériser une personne qui sait manœuvrer, au figuré et dans les domaines de la marine (1678), de l'armée (1765). ➛ Le participe présent **MANŒUVRANT, ANTE,** adjectivé (1867), qualifie un navire qui obéit plus ou moins à la manœuvre. ➛ *Manœuvrer* a aussi donné **MANŒUVRABLE** adj. (1902), (l'ancien français possédait *manouvrable* au sens de «corvéable»), d'où **MANŒUVRABILITÉ** n. f. (1934), en parlant d'un véhicule.

MANOIR n. m., d'abord *maneir* (1155) puis *manoir* (v. 1175), est l'infinitif substantivé de l'ancien français *maneir* ou *manoir* (v. 881), verbe signifiant «demeurer, habiter», issu du latin *manere* «rester», «demeurer un certain temps», «séjourner» et par suite «habiter». L'origine du verbe est incertaine ; la même racine semble exister dans le persan *māndan* «rester» et l'arménien *manm* «je reste».

♦ Le sens général de «demeure, habitation», usuel en ancien français, est sorti de l'usage courant, se confinant dès le XVIIe s. à des emplois poétiques ou burlesques. Entre différents sens spéciaux disparus dès le moyen français, *manoir* a gardé celui de «résidence fortifiée» (v. 1175), s'opposant du reste à *château* pour désigner la demeure modérément fortifiée d'un seigneur qui n'avait pas le droit de construire un véritable *château** avec tours et donjon. Le mot s'applique à l'ensemble de la maison d'habitation et des bâtiments d'exploitation des terres. À partir du XVIe s., quand château et manoir perdent leur utilité de système défensif, le mot devient synonyme de *gentilhommière* «résidence d'un gentilhomme» et ne se distingue de *château* que par ses dimensions plus réduites. ◇ Il a été repris pour désigner un petit château ancien situé à la campagne (1811).

◈ voir MAISON, MANANT, MANSE, MAS, MASURE, MÉNAGE, RÉMANENT.

MANOMÈTRE n. m. est formé (1705) à partir du grec *manos* «rare, peu dense» et de *-mètre**.

♦ Le mot désigne l'appareil servant à mesurer la tension d'un gaz, la pression d'un fluide dans un espace fermé.

▸ Les dérivés **MANOMÉTRIE** n. f. et **MANOMÉTRIQUE** adj. (tous deux 1836) sont rares. ◇ Sur *manomètre* ont été formés plusieurs composés, dont **MANODÉTENDEUR** n. m. (1895) par jeu sur le nom de l'inventeur *Mandet* et *détendeur,* et **MANOSTAT** n. m. (1963 dans les dictionnaires généraux).

MANOUCHE n., mot argotique, est un emprunt (1898 selon Esnault, puis 1901) au tsigane *manuch* «homme», par désignation collective de l'ethnie.

♦ Ce mot s'applique en général aux Gitans nomades, après de nombreux synonymes archaïques *(bohémien),* parfois péjoratifs *(romanichel).*

① **MANQUE** → MANQUER

② **MANQUE** n. f. est emprunté (1791), comme ① *manque* n. m. (→ manquer) à l'italien *manco,* attesté très rarement sous la forme féminine *manca* (fin XVIe-déb. XVIIe s.). Le genre féminin du français serait dû à sa finale. Cette hypothèse est plus satisfaisante que celle d'une reprise de l'ancien français *manc, manque* adj. «insuffisant» (1185), correspondant de l'adjectif italien, représentant de l'adjectif latin *mancus* «mutilé, estropié» et, au figuré «faible, défectueux» (→ manchot).

♦ Le mot toujours dans ***à la manque,*** est passé du sens physique d'«infirme, estropié», par exemple dans *bras à la manque* au sens large de «raté» (1847, *artiste à la manque*), sous l'influence de *manqué.* ◇ *Avoir à la manque* «haïr» (1821), et *être à la manque* «être capable de trahir» (1828-1829), expressions d'argot, ne s'emploient plus.

◈ voir MANQUER.

MANQUER v. est un emprunt de la Renaissance (1546) à l'italien *mancare* «faire défaut» (av. 1250), qui a tous les sens du français, de sorte qu'il est difficile de dire si *manquer* les lui a repris ou s'il y a eu évolution autonome à l'intérieur du français. *Mancare* est dérivé de *manco* «absent», «perdu» et «privé d'un bien matériel ou moral», issu du latin *mancus* «manchot, estropié» et au figuré «défectueux, incomplet» (→ manchot, ② manque).

♦ *Manquer* a été introduit au sens de «faire défaut», intransitivement, en parlant d'une personne ou (1559) d'une chose nécessaire. Ses autres sens sont apparus au XVIIe s. et réalisent l'idée d'une défaillance morale, qu'elle soit volontaire, «se soustraire à une obligation» (1604), ou involontaire, «faillir à ce à quoi on est tenu» (1611). Depuis la même époque, *manquer de qqch.* équivaut concrètement à «être privé d'une chose», et moralement à «être dénué d'une qualité morale». La construction avec la préposition *de* (1596) ou *à* (1645) introduisant un infinitif au sens de «négliger» ou «ne pas parvenir à» est sortie d'usage, mais la même idée est aujourd'hui exprimée dans l'expression négative ***ne pas manquer de, n'y pas manquer.*** ➛ En tournure positive, *manquer* remplit le même rôle que *faillir* et signifie «être prêt de, sur le point de», mais en se réservant aux choses désagréables et aux accidents. De plus en plus souvent, sous l'influence de *faillir,* il tend à être employé sans préposition (*manquer mourir* pour *manquer de mourir*), usage encore jugé fautif par Littré. ➛ Depuis le XVIIe s., le verbe est construit transitivement au sens de «ne pas réussir» (1647), c'est-à-dire, selon le type de contexte et de complément, «ne pas rencontrer (qqn)» (1661) et «ne pas assister à (qqch.)» (1668) ; mais il tend à subir la concurrence de *rater.* ◇ L'impersonnel *il manque* (1562, *il n'y manque rien* «c'est parfait», à la mode au XVIe s.) exprime le défaut et, en tour négatif, la complétude. ***Il ne lui manque que la parole*** se dit d'un portrait très ressemblant (1678) et, surtout, d'un animal qui donne l'illusion de l'intelligence (1808).

▸ Les dérivés du verbe sont presque tous apparus entre le XVIe et le XVIIe s., à l'exception de **MANQUEMENT** n. m. dont la première attestation sous la forme *manchement* «diminution, amoindrissement» (1300) fait supposer un emprunt à l'italien *mancamento* (déb. XIVe s.) «défaut, manque» et «diminution», dérivé de *mancare.* ◇ Repris au XVIe s. (1573) avec le sens de «défaut», aujourd'hui passé à *manque, manquement* s'est maintenu avec la valeur morale de «fait de manquer à ses obligations» (v. 1588). ◆ Le déverbal ① **MANQUE** n. m. (v. 1360), apparu dans la locution *à manque de* «faute de», a aussi signifié moralement «offense» (1594); il assume tous les sens correspondant à ceux du verbe depuis le XVIIe s. : il indique l'absence d'une chose nécessaire (1609), absolument ou dans *manque de (qqch.)* (1630) et, par métonymie, désigne la chose qui manque, abstraitement et dans quelques emplois techniques (1656). Il se construit avec *à* introduisant un infinitif à propos d'une faute commise au jeu, en équitation (1868), et, avec l'idée de «lacune», dans l'expression ***manque à gagner*** (1845). ◇ Depuis 1834, *manque* est employé au jeu de roulette par opposition à *passe.* ◆ **MANQUANT, ANTE** participe présent de *manquer,* est substantivé depuis 1572, *un manquant* désignant un absent. ◆ Le participe passé de *manquer,* **MANQUÉ** n. m., a donné son nom à un gâteau (1803), parce que, dit-on, il s'agissait d'un biscuit de Savoie «manqué» (pour n'avoir pas gonflé) auquel le pâtissier eut l'idée d'ajouter du beurre fondu et du pralin. ◆ Par préfixation et suffixation, on a créé **IMMANQUABLE** adj. (1652) «qui ne peut faillir», de nos jours en parlant d'une chose, en langue classique également à propos d'une personne qui ne peut manquer d'atteindre son but. ◇ Le dérivé **IMMANQUABLEMENT** adv. (1664), «inévitablement» est relativement courant.

MANSARDE n. f. est issu par ellipse (1676) de l'expression *comble à la mansarde* (1676), du nom de l'architecte François *Mansart* (1598-1666) qui mit en vogue ce système de construction vers 1650. On l'en considéra à tort comme l'inventeur, car Pierre Lescot le connaissait et l'utilisait déjà.

♦ Le mot désigne un comble brisé à quatre pans et, par métonymie, la pièce que l'on aménage dans ce comble (av. 1720), sens le plus usuel, ainsi que la fenêtre pratiquée dans la partie verticale d'un comble brisé.

▸ On en a tiré **MANSARDÉ, ÉE** adj. (attesté 1844, Balzac, *chambre mansardée*), d'une pièce, d'une fenêtre.

MANSE n. f. ou m. est emprunté comme terme d'histoire de la féodalité (1732) au bas latin et latin médiéval *mansus* «demeure, maison», «unité d'exploitation rurale» et «tenure domaniale». Ce nom est le participe passé masculin substantivé de *manere* «rester, demeurer, séjourner» (→ manoir), dont le neutre *mansum* a donné *mas**.

♦ Le mot désigne l'exploitation agricole médiévale comprenant une habitation rurale à laquelle se rattache une certaine étendue de terre; l'expression *manse seigneurial* (1873) se réfère à la partie du domaine que le grand propriétaire faisait exploiter directement, par opposition à celles qu'il concédait.

MANSION → MAISON

MANSUÉTUDE n. f., d'abord *mansuetume* (fin XIIe s.), est emprunté au latin *mansuetudo* «domptage» (rarement), «douceur, bonté, bienveillance». Celui-ci est dérivé de *mansuetus* (anciennement *mansues*) «apprivoisé, dompté» en parlant d'un animal, et par suite «doux, calme». Cet adjectif, passé dans l'ancien français *mansuet* (XIIe-XVIIe s.) signifie proprement «habitué à venir à la main» *(ad manum venire suetus)*; il est formé de *manus* (→ main) et de *suescere* (→ coutume). La forme initiale du français est due à l'attraction du suffixe populaire *-ume (enclume, coutume, amertume)*; elle a été refaite en *mansuétude* au XIIIe s. (v. 1200, *mansuetudine*; 1265, *mansuetudes*) d'après le latin.

♦ Le mot, rare après le XVIe s., est employé dans un style littéraire et dans le langage de la dévotion au sens de «disposition à pardonner généreusement».

◈ voir MÂTIN.

① **MANTE** n. f. est emprunté (1734) au latin des naturalistes *mantis,* attesté dès la première édition du *Systema Naturae* de Linné en 1735, lui-même repris au grec *mantis.* Celui-ci, qui signifie proprement «devin, prophète», est également le nom d'une plante, de divers animaux, et notamment chez Théocrite le nom d'un insecte, la mante religieuse, remarquable par le hiératisme de ses attitudes.

♦ La création française *mante religieuse* est donc un pléonasme étymologique rendu nécessaire par la brièveté et les homonymes de *mante.* ◇ Par référence aux mœurs de la mante femelle, qui dévore le mâle après l'accouplement, on appelle parfois *mante religieuse* une femme cruelle et dangereuse.

◈ voir MANTIQUE.

② **MANTE** n. f. est un emprunt (1404) à l'ancien provençal *manta* «manteau» (v. 1200 au XVe s.), «cape», «vêtement de femme sans manches, avec capuchon», qui représente soit le bas latin *manta* (800), féminin de *mantus* (→ manteau), soit un radical préindoeuropéen *mant-* avec suffixation.

♦ À l'origine, *mante* désigne une sorte de manteau court à capuchon, sans manches et porté par les voyageurs, à l'époque où *manteau* avait déjà pris une valeur générique. Au XVIIe s. (attesté 1690), il se spécialise à propos d'une cape de laine à capuchon portée par le pape et de l'habit de certains ecclésiastiques (1694). La *mante de cérémonie* (XVIIe s.) était une longue gaze allant jusqu'à terre et réservée aux princesses et duchesses le jour de leur mariage. Une mante analogue, mais de couleur noire, était revêtue dans les cérémonies funèbres (1688).

▸ Le correspondant espagnol de *mante, manto,* a donné, par son diminutif *mantilla,* l'emprunt **MAN-**

TILLE n. f. (1726). Ce dernier, qui désigne d'abord un grand fichu à trois pointes porté par les femmes de la haute société, concerne à la fin du XVIIIe s. (attesté 1799) une longue écharpe de soie, de résille ou de dentelle, généralement noire, dont les Espagnoles se couvrent la tête et les épaules. La mode s'en répandit en France après la venue, en 1721, de l'infante d'Espagne à Paris. ◇ *Mantille* désigne depuis le début du XIXe s. une coiffure analogue, dans le contexte français (1821).

❖ ✳ **MANTEAU** n. m., d'abord *mantel* (v. 980), *manteaul* (v. 1300), puis *manteau* (1514), est issu du latin *mantellum* «couverture, manteau», variante de *mantelum*, et apparenté à *mantelium* ou *mantilium* «serviette, nappe». Une formation régressive *mantus* (*mantum* au moyen âge) est passée dans ② *mante**.

♦ *Manteau* désigne dès les premières attestations un vêtement ample porté sur tous les autres. Si, de nos jours, le mot s'applique à un vêtement à manches longues, il a pu désigner un vêtement sans manches (v. 1180) porté par les grands personnages, nobles, avocats, ecclésiastiques, dames de la cour, maîtres et chevaliers des ordres militaires... *(manteau de femme, de cour, de cérémonie)*, ainsi que la traîne de certaines robes habillées et des robes de mariées. Il a aussi pu désigner un habit porté à l'intérieur, comme en témoigne encore *manteau de nuit* (1514) ou *de lit* (1740) éliminé par *robe de chambre*. ◇ Au figuré, il entre dans des locutions comme ***sous le manteau*** (1671), attestée antérieurement comme locution prépositionnelle (1580) au sens de «sous couvert de», et *garder les manteaux* (1694), sortie d'usage. ➛ Dès le moyen âge, *manteau* a développé quelques sens analogiques : il désigne en zoologie (1225) la région dorsale du pelage d'un animal lorsqu'elle est de couleur différente du reste. On l'emploie aussi en parlant d'un plumage (1636), réservant au pelage d'un chien le terme spécialisé de **MANTELURE** n. f. (1655). Il est aussi appliqué à la membrane charnue des mollusques (1803). ◇ D'autres usages figurés sont réalisés par les syntagmes *manteau de cheminée* (1332) et *faux manteau* (1690), en héraldique pour un type de draperie (1681), *manteau* désignant aussi l'encadrement d'une scène de théâtre à l'italienne figurant des rideaux relevés, notamment dans *manteau d'Arlequin* (1834). ➛ Son emploi en géographie pour désigner la partie de la sphère terrestre entre l'écorce et le noyau (1940) est une traduction de l'allemand *Mantel*, représentant du mot latin.

Manteau entre dans le nom d'objet courant **PORTEMANTEAU** n. m. (1547), d'abord «valise» ou «malle», sens conservé par l'emprunt qu'en a fait l'anglais mais disparu en français. Le mot désigne un ensemble de patères pour accrocher, suspendre les vêtements.

Tous les dérivés ont pris pour base l'ancienne forme *mantel*. ➛ Le plus ancien est le diminutif **MANTELET** n. m. (1138) qui a perdu sa valeur diminutive en désignant, entre autres, le grand manteau sans manches des prélats (1680). ➛ **MANTELINE** n. f. (1467 ; XIVe s., *mantelyne*) est tombé en désuétude avec ses deux sens de «petit manteau porté sur l'armure» et (1690) «petit manteau sans manches de paysanne». ➛ **MANTELÉ, ÉE** adj. (1767), terme utilisé en héraldique et en zoologie, a remplacé l'ancien *emmentelé* attesté en 1690 en zoologie.

DÉMANTELER v. tr. a probablement été formé (v. 1565) comme antonyme de *emmanteler* v. tr. (v. 1225) «couvrir d'un manteau» et, par analogie, «entourer d'une enceinte fortifiée» (1562), disparu au XVIIIe siècle. L'hypothèse qui y voit le préfixé de *manteler* ne repose que sur de très rares attestations de ce verbe aux sens de «couvrir d'un manteau», «abriter», «fortifier». ◇ *Démanteler*, spécialement «détruire les fortifications», est passé dans l'usage courant (1846) au sens figuré d'«abattre». ◇ Il a produit **DÉMANTÈLEMENT** n. m. (1576, *desmantellement*).

❖ voir ② MANTE.

MANTILLE → ② MANTE

MANTIQUE n. f. et adj. est emprunté (1578) au grec *mantikê* «art de la divination», féminin substantivé (elliptiquement pour *mantikê tekhnê*) de l'adjectif *mantikos* «de devin, prophétique». Lui-même est dérivé de *mantis* «devin, personne prédisant l'avenir» (→ ① mante). Ce nom est apparenté au verbe *mainesthai* «être pris d'une ardeur furieuse, de rage», ainsi qu'à *menos* «esprit conçu comme principe agissant, siège de la volonté». Ces mots reposent sur la racine indoeuropéenne **men-* qui concerne les mouvements de l'esprit (→ mental, par le latin).

♦ Le mot désigne l'art de la divination ; employé adjectivement (1587), il qualifie ce qui ressortit à cet art. ◇ Le substantif, attesté une première fois au XVIe s. *(mantice)*, a été repris à la fin du XIXe s. (1887).

① **MANUCURE** n. est composé (1877) du latin *manus* (→ main) et de l'élément *-cure*, tiré du verbe latin *curare* «soigner» (→ curer) sur le modèle de *pédicure*. Le vocalisme de *pédicure* a d'ailleurs suscité une forme *manicure* (1869) qui n'a pas vécu.

♦ Le mot désigne la personne chargée des soins esthétiques des mains, des ongles, notamment chez un coiffeur, dans un institut de beauté.

▸ Sur *manucure*, on a formé **MANUCURER** v. tr. (v. 1960) qui a produit le déverbal ② **MANUCURE** n. m. (v. 1967) «soin des mains», peut-être d'après l'anglais *manicure* (1887, en ce sens), et **MANUCURIE** n. f. (v. 1970) «profession, activité de manucure».

① **MANUEL, ELLE** adj. est emprunté (v. 1200) au latin *manualis* «de main», dérivé de *manus* (→ main).

♦ Le sens littéral de «qui se fait à la main» a vieilli, sauf dans quelques expressions et en référence à une opération technique *(correction manuelle)*, de nos jours souvent par opposition à *automatique*. ◇ La valeur de «qui implique une activité physique», également attestée dès les premiers textes, est devenue dominante, plus tard en opposition à *intellectuel*. ◇ *Un manuel* s'emploie comme nom

(XXe s.) pour désigner, après *manuel homme* (1532), le travailleur manuel.

▸ On en a dérivé **MANUELLEMENT** adv., d'abord «de la main à la main» (1334), puis «par un travail manuel». ➛ **MANUELLE** n. f. «seau à poignée» (1868) est à peu près sorti d'usage. ➛ **MANUALITÉ** n. f. (XXe s.), terme didactique, est employé en psychologie (*manualité gauche, droite,* des gauchers et droitiers).

◈ voir ② MANUEL.

② **MANUEL** n. m. est un emprunt (v. 1270) au bas latin *manuale,* neutre substantivé de l'adjectif *manualis* (→ ① manuel, adj.) «étui de livre» et (VIe s.) «livre portatif contenant un résumé de traités plus longs», peut-être par traduction du grec *enkheiridion* «livre portatif, manuel», titre d'un ouvrage d'Épictète, dérivé de *kheir* «main» (→ chiro-) et qui a donné le terme didactique *enchiridion.*

♦ Le mot a éliminé le syntagme *livre manuel,* d'ailleurs rare, et désigne un ouvrage didactique présentant l'essentiel d'une doctrine, d'une méthode, et de format maniable. Spécialement, il s'applique aux ouvrages pour les classes *(manuel scolaire).* ◇ Par extension, il se réfère à un guide pratique (1761).

MANUFACTURE n. f. est un emprunt (1443) au latin médiéval *manufactura* «construction» (1458, *manifactura* dans le domaine italien), décomposable en *manu factura* (→ facture), dérivé de la locution latine classique *manu facere,* de *facere* (→ faire) et de l'ablatif de *manus* (→ main).

♦ *Manufacture* a longtemps eu le sens actif de «fabrication» (encore au XXe s. dans *École centrale des arts et manufactures*), supplanté par l'acception concrète d'«établissement dans lequel on pratique la fabrication, grande fabrique» (1597). Les manufactures furent surtout créées au XVIIe s. par Louis XIV et Colbert à l'exemple d'Henri IV et Sully; elles tendaient à encourager une production artisanale française, à soulager les importations et à promouvoir les exportations, permettant également de créer de nombreux emplois à Paris et en province. Certains auteurs appliquent seulement le mot aux grands établissements industriels du XVIIe et du XVIIIe s., où le travail s'effectuait en grande partie à la main : en effet, à mesure que le travail se mécanise, *manufacture* est remplacé par *fabrique**. Cependant, l'usage ne fait souvent entre les deux mots qu'une différence d'importance. Le français moderne emploie surtout *usine* et *atelier,* réservant *manufacture* à un établissement industriel de tradition où la qualité de la main-d'œuvre est primordiale (*manufacture de tapisseries des Gobelins, de porcelaine de Sèvres,* etc.), et à des établissements d'État, des entreprises ayant conservé leur ancienne appellation *(manufacture des tabacs).*

▸ *Manufacture* a donné au XVIe s. **MANUFACTURÉ, ÉE** adj. (1538), spécialement dans *objet manufacturé* (1810), et **MANUFACTURER** v. tr. «fabriquer à la main» (1576) et par extension, dans l'usage moderne, «faire subir une transformation industrielle à (une matière première)». ◇ Ce verbe a pour dérivé **MANUFACTURABLE** adj. (1877). ➛ **MANUFACTURIER** n. m., ancien nom du directeur d'une manufacture (1664), est employé comme adjectif (f. *manufacturière*) dans l'usage moderne, aux sens de «relatif à une manufacture» (1766) et «où il y a de nombreuses manufactures» (1830).

MANUSCRIT, ITE adj. et n. m. est emprunté (1594) au latin *manu scriptus* «écrit à la main», de *manu,* ablatif de *manus* (→ main), et *scriptus,* participe passé de *scribere* (→ écrire). Le latin médiéval connaît le nom neutre *manuscriptum,* qui désigne seulement les chartes, les actes dont la signature fait foi (v. 1000) et ce qui est écrit de la propre main de qqn (1137).

♦ *Manuscrit* est d'abord employé au sens littéral, «(texte) écrit ou copié à la main». Le nom s'est spécialisé (1668) au sens de «texte copié avant l'invention de l'imprimerie» et (1690) d'«original d'un ouvrage non imprimé». ◇ Par extension de ce dernier sens, il est appliqué à un texte original, dactylographié ou non, plus ou moins annoté à la main par son auteur (XXe s.) : on n'utilise guère les termes appropriés *tapuscrit* et *dactylogramme.*

▸ À partir du latin *manuscriptum,* on a formé **MANUSCRIPTOLOGIE** n. f. (v. 1975) «étude scientifique des manuscrits de création, surtout littéraires», en relation avec la critique génétique.

MANUTENTION n. f. est un emprunt de la langue juridique (1478) au latin médiéval *manutentio* «protection, appui, aide», du latin populaire °*manutenere* (→ maintenir).

♦ Le mot a eu en droit le sens de «soutien, conservation», plus tard supplanté par *maintenance, maintien.* Il a aussi eu la valeur d'«administration» (1499), courante à partir du XVIIe s., évincée par *administration* et *gestion.* ◇ Il est aussi sorti d'usage pour désigner le lieu où l'on fabrique le pain pour l'armée, où l'on entrepose vivres et fournitures d'intendance (1812). ➛ L'usage moderne l'emploie exclusivement à propos de la manipulation de marchandises, sens apparu au début du XIXe s. (1820), et du lieu où se fait cette opération (1902).

▸ On en a dérivé **MANUTENTIONNAIRE** n., passé du sens de «chef d'une manutention des vivres à l'armée» (1788) au sens moderne de «personne employée à la manutention des colis, des marchandises» (1907). ➛ **MANUTENTIONNER** v. tr. (1819) a donné **MANUTENTIONNEUR** n. m., attesté une première fois en 1874 au figuré, spécialisé pour désigner la personne chargée de la manutention du produit textile (XXe s.).

MAOÏSME n. m. est tiré (1961) du nom de *Mao Ze-dong* (en transcription Wade *Mao Tsê-tung*), homme d'État chinois (1893-1976), principal chef de la révolution chinoise et dirigeant du parti communiste chinois qu'il contribua à fonder.

♦ Le mot recouvre strictement la doctrine de Mao Ze-dong et, par extension, le courant doctrinal inspiré des thèses de Mao, notamment vivace en Occident à l'époque où le mot a été formé en français.

▸ **MAOÏSTE** adj. et n. est attesté dans les deux emplois de *maoïsme* depuis 1952. Il a pour abréviation *mao* n. (surtout n. m.). ◇ Le composé plaisant **MAO SPONTEX**, pour «maoïste spontanéiste», joue sur le nom de marque commerciale *Spontex* sous laquelle sont vendues des éponges.

◈ **MAOUS(S)** ou **MAOUSSE** adj., attesté à partir de 1895, est d'origine incertaine, probablement dialectale : on a voulu le rapprocher de l'argot *mailloche* «gros, énorme», attesté seulement en 1916, lequel est peut-être dérivé de *maillé* «robuste, solide» dans les parlers angevins (1908). Ce dernier est le participe passé adjectivé de *mailler* «frapper à coups de maillet» (→ mail). On a aussi évoqué l'angevin *mahaud* «niais, nigaud, bêta», *mahou* «lourd, désagréable, obtus», tiré du nom propre de femme *Mahaut,* forme populaire de *Mathilde,* mais sans plus de preuve que pour la première hypothèse. Celle d'un emprunt au yiddish *mōauss* «monnaie, argent», de l'hébreu médiéval *mā'ōt* «monnaie, argent» en général, pluriel de *mā'ā* «monnaie, obole», est sémantiquement peu vraisemblable.

♦ Le mot semble provenir de l'argot militaire où il est employé jusque vers 1930 pour qualifier une chose énorme, remarquable en taille, qualité ou force. Depuis cette date, il est passé dans l'usage populaire, puis familier. On écrit aussi *mahous*.

MAPPEMONDE n. f., d'abord *mappamonde* (1150), puis *mapemonde* et *mappemonde* (XIIIe s.), est emprunté au latin médiéval *mappa mundi* (av. 890) «carte géographique», de *mappa* «serviette de table» en latin classique, (→ nappe) puis «carte» et *mundi,* génitif de *mundus* (→ monde). L'ancien français a également utilisé *mape del monde, mappe du monde*.

♦ Le mot désigne une carte plane représentant les deux hémisphères et, depuis 1843, également un globe représentant la sphère terrestre, emploi abusif mais assez répandu. Quelques emplois analogiques s'appliquent à une partie ronde du corps (1808).

MAQUER → ② MAQUEREAU

◈ ① **MAQUEREAU** n. m., apparu sous la forme *makerel* (1140) devenue *maquereau* (1400), est d'origine incertaine. Traditionnellement, on y voit un emploi figuré de ② *maquereau,* ce poisson ayant pour rôle, selon une croyance populaire qui ne semble toutefois attestée qu'à partir du XIXe s., ce qui rend cette étymologie bien douteuse, de rapprocher les harengs mâles des harengs femelles qu'il accompagne durant leurs migrations. Selon P. Guiraud, le mot se rattacherait plutôt à la famille de *maquer, macher* (→ ② mâcher) «frapper, contusionner» d'où «marquer de taches», le maquereau étant un poisson tacheté. Mais les dérivés de *makk-* au sens de «meurtrir» n'apparaissent en français qu'au XVe s. (bien que le provençal les connaisse vers 1200).

♦ Le mot désigne un poisson de mer au dos tacheté. ◇ Quant à l'expression ***groseille à maquereau*** (1752), elle pose le même problème étymologique : pour les uns, dont déjà Trévoux en 1752, le fruit recevrait cette appellation de ce qu'il entre dans la composition d'une sauce accompagnant le maquereau; pour P. Guiraud, il s'agirait encore d'un dérivé de *makk-* «tache», car le fruit est lui aussi tacheté. *Maquereaux,* au pluriel, a d'ailleurs désigné (1552) des tavelures de la peau (mais ce pourrait être une métaphore du poisson).

▸ *Maquereau* a donné **MAQUERAISON** n. f. «saison de la pêche au maquereau» (1873). ◆ Un autre dérivé est **MAQUEREAUTIER** n. m. (1940) «pêcheur ou bateau pêchant le maquereau», qui remplace un mot plus ancien, *maquilleur* (1680), dont l'emploi dans ce sens est obscur, et la forme aberrante; ni l'influence de *maquiller,* qui signifie alors «travailler» et «voler», ni le radical de *maquereau* ne sont satisfaisants, en l'absence d'une forme *maquill-*.

② **MAQUEREAU, ELLE** n., au féminin *makerele* et au masculin *maquereaus* (v. 1278), est un emprunt au moyen néerlandais *makelâre* «courtier, intermédiaire», également attesté en Flandre et en picard dans les textes français de la fin du XIIIe s. (1270, à Saint-Omer au sens de «courtier»). Ce verbe est dérivé de *makeln* «trafiquer», de *maken* «faire», correspondant à l'anglais *to make* (→ maquiller).

♦ En français, le mot désigne le tenancier d'une maison de tolérance, puis celui qui vit de l'argent des prostituées. Il est devenu vulgaire comme ses synonymes (*barbeau,* etc.), par rapport au mot savant *proxénète* et à *souteneur,* usuel et plus neutre. C'est aussi un terme d'injure vague, quelquefois avec la valeur d'«entremetteur» (v. 1700).

▸ Les dérivés sont assez nombreux. ◆ **MAQUERELLAGE** n. m. (XIIIe s., *maquerelage,* puis 1538) est concurrencé par **MAQUEREAUTAGE** n. m. (1867). ◆ **MAQUERELLER** v. tr. «placer dans une maison de tolérance» (1549) est rare. Le verbe a été repris comme intransitif (1867). ◆ Le féminin **MAQUERELLE** (dont la forme a été refaite récemment sur *maquereau*) est employée vulgairement comme juron sous la forme *macarelle,* du provençal *macarello* (de l'ancien provençal *macarela,* XVe s.). ◆ **MAC** n. m., abréviation argotique (1835) pour *maquereau,* s'applique surtout au type social. Il s'est répandu dans l'usage familier, à la différence du féminin *maqua* (fin XVIIIe s., Restif), et a produit **MAQUER** v. tr. (1883) «prostituer», surtout dans *se maquer* et *être maqué* (1898), quelquefois «être marié» *(maqué avec qqn)* et au figuré «être inséparable».

◈ voir MAQUIGNON.

MAQUETTE n. f. est un emprunt de la langue des beaux-arts (1752) à l'italien *macchietta* pris au sens d'«esquisse» (XVIIIe s.), par dérivation du sens propre de «petite tache», diminutif de *macchia* «tache», du latin *macula* (→ maculer, maille, maquis).

♦ *Maquette* désigne l'ébauche en réduction d'une sculpture et l'esquisse d'un panneau décoratif peint. Il a également été synonyme de *mannequin** par son sens de «modèle réduit servant à étudier les attitudes et les effets de draperie». ◇ Par suite, il désigne aussi (1875) le modèle réduit d'un décor de théâtre, d'un bâtiment; le langage des arts graphiques, de la presse et de l'édition l'emploie pour un projet graphique destiné à permettre le montage des pages d'un livre, d'un journal.

► Il a donné récemment **MAQUETTISTE** n. «spécialiste chargé des maquettes», en typographie et dans les arts graphiques (1936, dans *chef maquettiste*), et **MAQUETTISME** n. m. (av. 1973) «fabrication de modèles réduits de navires, automobiles, etc.». ➙ Le dérivé **MAQUETTER** v. tr. a donné **MAQUETTAGE** n. m. (mil. XXe s.).

MAQUIGNON, ONNE n., d'abord *maquignon de chevaux* (1280) et absolument *maquignon* (1538), est peut-être dérivé de ② *maquereau* pris dans son sens initial de «courtier», avec substitution de suffixe sous l'influence de *barguigner* «marchander» (mais il n'y a pas de verbe °*maquigner* attesté). Cette explication masque l'ignorance concernant les deux dernières syllabes du mot.

♦ Le mot, qui désigne le marchand de chevaux, est parfois employé péjorativement pour «marchand de bestiaux rusé, peu scrupuleux, désirant tirer le meilleur prix de ses bêtes» (1508). Cet emploi, de même que *maquignon de serfs* «marchand d'esclaves» (1538), a favorisé le passage au sens figuré de «négociateur ou entremetteur d'affaires louches» (1541).

► *Maquignon* a donné **MAQUIGNONNER** v. intr., vieilli au sens propre de «négocier un cheval ou une pièce de bétail en employant des stratagèmes de maquignon» (1543) et utilisé au sens plus général de «négocier une chose de façon malhonnête», ceci dès les premiers textes (1511). ➙ Sur *maquignon*, on a aussi fait **MAQUIGNONNAGE** n. m. (1507) «métier de maquignon», employé de nos jours avec ses sens dépréciatifs, «manœuvres frauduleuses ou indélicates» (dès 1585) et «moyens de maquignon pour vendre des bêtes» (1636).

◈ voir MAQUILLER.

MAQUILLER v. tr., d'abord *macquiller* (1455, Villon), est un terme argotique dérivé, avec le suffixe *-iller*, de l'ancien verbe picard *maquier* «faire» et «feindre» (dont on possède deux attestations en Artois au milieu du XIIIe s.), lui-même emprunté au moyen néerlandais *maken* «faire» (→ ② maquereau, maquignon). Ce verbe, comme ses correspondants germaniques — anglais *to make*, allemand *machen* — est probablement apparenté à une racine indoeuropéenne °*mag-* représentée en latin (→ macérer) et en grec (→ ① masse).

♦ *Maquiller*, vivant en argot au sens de «travailler» jusqu'au XVIIIe s., de «voler» au XVIIe et au XVIIIe s., et de «faire» (1790-1849), a pris le sens de «falsifier l'apparence d'une chose pour tromper» dans l'argot des joueurs de cartes (v. 1815), par exemple dans *maquiller une brême* «marquer une carte d'un signe spécial pour la reconnaître» (1847). ➙ Employé dans l'argot du théâtre à la forme pronominale au sens de «se grimer» (1840), il s'est, de là, répandu dans l'usage commun avec son sens moderne (1867), concurrençant *farder*. Son emploi figuré au sens de «dénaturer, fausser qqch.» (1891) renoue avec ses origines.

► La même évolution a eu lieu pour les dérivés. ➙ **MAQUILLAGE** n. m. (1628) est passé du sens argotique de «travail» à celui de «faux en écriture» (1847), développant l'idée de falsification. Il a été repris dans l'argot des joueurs en parlant d'une marque faite à une carte (1875). Puis, il s'est spécialisé au théâtre au sens d'«action de se grimer» (1858) pour passer dans l'usage courant (v. 1859) et devenir un des mots-clés du vocabulaire des soins de beauté féminine. ◇ Par métonymie, il y désigne l'ensemble des produits servant à se maquiller (1936). ➙ **MAQUILLEUR, EUSE** n. (à ne pas confondre avec l'homonyme désignant un bateau de pêche, tiré du radical de ① *maquereau* «poisson») est apparu dans l'argot des joueurs (1844), continuant l'ancien *macquilleux* «falsificateur» (1561). Il s'est répandu dans l'usage commun à propos de celui qui farde (surtout au féminin) dans les professions du spectacle, tout en demeurant la dénomination d'un faussaire (1900).
Le préfixe privatif *dé-* a servi à former **DÉMAQUILLER** v. tr., terme d'argot signifiant «défaire» (1832), passé (av. 1892) au sens d'«enlever le maquillage des comédiens» puis généralement d'«enlever le maquillage» (surtout pronominal). ➙ Ce verbe a produit à son tour **DÉMAQUILLAGE** n. m. (1913) et **DÉMAQUILLANT** n. m. (1950), substantivé par ellipse de *(produit) démaquillant*. ➙ **REMAQUILLER** v. tr., anciennement «refaire» en argot, a été repris (XXe s.) pour «farder à nouveau».

◈ voir MATCH, MICMAC, REMAKE.

MAQUIS n. m. est l'emprunt (1775), adapté avec la finale française *-is*, du corse *macchia* «ensemble touffu d'arbustes et de plantes diverses», sens dérivé de celui de «tache», les maquis formant des sortes de taches sur les flancs des collines. Ce mot est issu du latin *macula* «tache» (→ maculer, maille) et son correspondant italien *macchia* est attesté aux deux sens de «tache» et de «maquis». On l'a écrit successivement *mackis* (1775), *machies* (1791), *mâquis* (1829, Mérimée), puis *maquis*.

♦ Le mot désigne un type de végétation typique des régions méditerranéennes (notamment la Corse), analogue à la garrigue provençale, et par métonymie le terrain où croît cette végétation. Les Français ont eu connaissance du mot et de la chose à l'époque des expéditions contre les Corses qui ne voulaient pas reconnaître la domination française. La grande diffusion du mot est due en partie aux œuvres narratives de Mérimée (*Matteo Falcone*, 1829; *Colomba*, 1840). Elle suscite des emplois métaphoriques concernant une complication inextricable (1902). ◇ Au cours de la Seconde Guerre mondiale est apparue l'expression ***prendre le maquis*** (d'abord en Corse), par allusion aux lieux boisés, montagneux, peu accessibles (comme le maquis) où se réfugiaient les résistants. Par extension, le terme s'est appliqué à l'organisation de résistance qui avait pris le maquis (1942).

► Les membres de cette dernière reçoivent le nom de **MAQUISARD** n. m. (v. 1942), immédiatement détaché du contexte corse et généralisé pour «résistant qui a pris le maquis».

◈ voir MAQUETTE.

MARABOUT n. m. a été emprunté (1560) au portugais *maraboto* (1552), *marabuto* (1558), lui-même emprunté à l'arabe *murābiṭ* (*merābuṭ* dans la prononciation vulgaire à cause du *ṭ* emphatique) qui a donné *morabito* en espagnol. Le mot arabe désigne à l'origine un homme vivant dans un *ribāṭ*, couvent fortifié établi aux frontières de l'empire pour défendre celui-ci contre les infidèles. Le caractère religieux du «ribat» alla s'accentuant et, par suite, *murābiṭ* désigna un homme pieux, un saint, un ermite et, par métonymie, son tombeau.

♦ Le mot a été introduit en français sous les formes *moabite*, *morabuth* (1575) au sens de «musulman qui se consacre à la pratique et à l'enseignement de la religion» (en parlant d'une réalité algérienne), prenant, d'après le portugais, la forme *marabou* (1617) puis *marabout* (1628). ◇ Il a repris le sens de «tombeau à coupole d'un ermite» (1835) et, dès 1743, désigne une bouilloire ventrue à couvercle articulé, peut-être par analogie avec la forme de ce tombeau. ◆ Le naturaliste hollandais Temminck l'a choisi pour servir de dénomination à un échassier (1820, en français) d'après la qualification de *mrabṭ* (forme dialectale de *murābiṭ*) «sacré», appliqué à la cigogne dans les pays arabes. ◇ Par métonymie, le mot est appliqué à une plume de cet oiseau utilisée comme parure (1823, Balzac) et, par analogie avec la forme de celle-ci, désigne un ruban de gaze (1845), un organsin très fin et toute étoffe de cette matière (1873).

▶ Il a produit les termes d'usage didactique **MARABOUTIQUE** adj. (5 mars 1877) «relatif au maraboutisme» et **MARABOUTISME** n. m. «culte des marabouts islamiques», ainsi que **MARABOUTER** v. tr. et **MARABOUTAGE** n. m., employés en français d'Afrique au sens de «jeter un sort en recourant aux pratiques d'un marabout», le mot s'appliquant alors à un saint musulman crédité de pouvoirs magiques, voire à un sorcier.

◈ voir MARAVÉDIS.

MARAÎCHER → MARAIS

✳ **MARAIS** n. m., d'abord *mareis* (v. 1140), puis *maraiz*, est issu du francique de même sens °*marisk*, lui-même dérivé du germanique °*mari-* «mer, lac», du même groupe indoeuropéen que *mer**. °*Marisk* est reconstitué par le moyen néerlandais *mersch*, *maersch* «pré, terrain marécageux», le moyen bas allemand *mersch*, *marsch* «terre fertile au bord de la mer», l'anglo-saxon *merisc* «bourbe, boue» et l'anglais *marsh* «marais, marécage». Dès le VIIIe s., on relève en latin médiéval *mariscus*, *marescus* au sens de «marais», puis les formes *maresc*, *maresch* dans un texte latin (1086) du domaine anglais.

♦ Le mot désigne un terrain recouvert en permanence d'une nappe d'eau peu profonde; il a progressivement supplanté *palus* et *palude*. L'expression ***marais salant*** (1556), qui s'est imposée au dépens de *marais salins* (XVIIe-XVIIIe s.), désigne un terrain près du littoral aménagé pour que l'eau de mer l'inonde et s'y évapore. *Gaz des marais* (1855) a disparu au profit de *paludisme*, *malaria*. ◇ Par métonymie, le mot a servi à nommer un quartier de Paris (1643), aménagé et construit principalement au XVIIe s. sur d'anciens marais. *Marais* désigne particulièrement (1680) un terrain bas situé dans l'enceinte ou à l'entour de Paris et propre à la culture maraîchère, et par extension (1690) une région marécageuse. ◆ Par dérision, il a servi à nommer, sous la Révolution française, le Tiers-Parti, parce que ce parti modéré siégeait au centre de l'Assemblée (1792) [cf. *plaine*, et par opposition, *montagne*, correspondant à la *gauche*]. Il a acquis, en emploi figuré, une valeur péjorative associée à l'enlisement (av. 1850).

▶ Les deux dérivés les plus anciens, *marécage* et *maraîcher*, ont été formés sur l'ancienne forme picarde et normande de *marais*, *maresc*. ◆ **MARÉCAGE** n. m., d'abord *marescage* formé avec le suffixe *-age* (v. 1330), a donné l'adjectif **MARÉCAGEUX, EUSE** (*maresquageux*, 1532; *marescageux*, 1539) qui a supplanté l'ancien emploi adjectivé de *marécage* (1213, *mareschage*) et la forme réduite *marcageux* (1379). Apparu au sens de «de la nature du marécage», il signifie aussi (1668) «qui vit dans les marécages». ◆ **MARAÎCHER, ÈRE** n. et adj. a perdu le vocalisme de la forme régionale *maresc*, passant de la forme initiale *marequier* (1497) à *mareschier* (1660), puis *maraischer* (1690). À l'origine, le mot s'applique aux jardiniers cultivant un marais à l'intérieur ou à proximité de l'enceinte d'une ville. ◇ En tant qu'adjectif, il a le sens de «qui vit dans les marais» (1660). ◇ Progressivement, il s'est coupé de son étymologie en prenant le sens moderne de «jardinier cultivant des légumes (primeurs) pour les vendre». Il est employé comme adjectif en ce sens (1812, *cultures maraîchères*) et a donné son nom à une variété de melon (1873). ◆ On désigne spécialement la culture maraîchère du nom de **MARAÎCHAGE** n. m. (1884) avec le suffixe de *jardinage*. ◆ *Marais* a aussi donné **MARAÎCHIN, INE** n. et adj. (1840, peut-être au XVIIe s. «habitant du marais vendéen») «des marais vendéen et breton», qui a produit le terme de coutume régionale **MARAÎCHINER** v. tr. «flirter (d'un couple non marié) par des baisers prolongés», d'où **MARAÎCHINAGE** n. m. ◆ Le colon exploitant les marais salants a reçu le nom de **MARAYON** n. m. (1868).

◈ voir MARE.

MARASME n. m. est un emprunt de la langue médicale (1538) au grec médical *marasmos* «consomption, épuisement», dérivé tardif de *marainein*, verbe qui exprime à l'origine l'idée de «s'étouffer (en parlant d'un feu)», et plus généralement de «dépérir, se dessécher, se flétrir». Le mot est sans doute lié au latin *mori* (→ mourir) à rattacher à une racine indoeuropéenne °*mer-*.

♦ *Marasme* a désigné en médecine une très grave forme de dénutrition, et a pris son sens figuré moderne de «stagnation» (dans le domaine politique, puis aussi économique) à la fin du XVIIIe s. (1793). Depuis 1797 (Chateaubriand, *marasme de l'âme*), il s'applique aussi à un état psychologique d'abattement, d'apathie. ➛Par analogie, il dénomme un champignon qui présente la particularité de se dessécher sans pourrir (1923).

◈ voir AMARANTE.

MARASQUIN n. m. est emprunté (1739) à l'italien *maraschino*, nom d'une liqueur d'origine dalmate (XVIIIe s.), dérivé de *marasca* «cerise aigre» (XIVe s.), la liqueur étant fabriquée à partir de la distillation de ces fruits. *Marasca*, également *amarasca* (1618), est, comme *amarena*, autre nom d'une cerise acidulée (XIVe s.), peut-être issu d'un radical préroman, ce que semble indiquer le suffixe de ces mots, plutôt que dérivé de *amaro* «amer» (→ amer), lequel a cependant exercé une influence secondaire.

♦ Le mot désigne une liqueur obtenue à partir d'une variété de griotte acide des régions méditerranéennes.

▸ Le français a également repris à l'italien le nom de cette variété de cerise, **MARASQUE** n. f. (1818).

MARATHON n. m. est issu (1896) de *Marathon*, nom d'une localité et d'une plaine de l'Attique où les Grecs, en 490 avant J.-C., remportèrent avec Miltiade une victoire décisive sur les Perses et d'où partit un soldat qui mourut d'épuisement, après une course de 40 km, en arrivant à Athènes pour y annoncer la bonne nouvelle.

♦ En dehors de son emploi en sport, au sens d'«épreuve de course de fond la plus longue (42,750 km)», le mot est employé au sens figuré pour «épreuve longue et laborieuse exigeant beaucoup d'endurance» (1943) notamment à propos d'une séance, d'une négociation interminable (aussi en apposition, une *séance marathon*).

▸ Le coureur de marathon a reçu le nom de **MARATHONIEN, IENNE** (1896), l'adjectif de cette forme signifiant antérieurement «de la ville de Marathon, en Grèce» (1873).

MARÂTRE n. f. est issu (v. 1140) du latin populaire *matrastra* «femme du père», qui a supplanté le latin classique *noverca* «belle-mère» qui subsiste seulement dans le macédo-roumain *nueărcă* (l'espagnol et le portugais ont *mairastra*). *Matrastra*, dérivé de *mater* (→ mère), a pour pendant *patraster*, de *pater* et *filiaster*, *filiastra*, de *filius-filia* : ces derniers ont donné *parâtre* et *filiâtre* en français mais ce dernier ne s'est pas maintenu au-delà du XVIe siècle.

♦ La valeur péjorative qui s'attache à *marâtre* de nos jours était normale dès le XIIIe s. où un texte (v. 1220) oppose *marastre* à *mère*. Au cours du XVIe s., fortement concurrencé par *belle-mère* pour l'expression du lien de parenté, cette valeur s'est accentuée. ◇ Le mot a enfin été appliqué à la vraie mère des enfants avec un jugement critique de «mère dénaturée» (1626), l'exemple cité par Furetière étant celui de Médée (1690) ; ce sens est dominant en français contemporain. ➛En Afrique francophone, le mot est appliqué de manière neutre à l'épouse du père autre que la mère, pour les enfants d'un homme polygame.

MARAUD n. m., d'abord écrit *marault* (v. 1480), avant *maraud* (1549), est d'origine discutée. Pour certains, il s'agirait d'un emploi métaphorique de *maraud*, nom du matou dans les parlers du Centre et de l'Ouest, qui aurait été pris au sens de «mendiant, vagabond». Le mot serait formé sur le radical onomatopéique *mar(ou)* imitant le ronron ou le miaulement des chats en rut (→ marlou, marmonner) avec le suffixe péjoratif *-aud*. Cependant, C. Schmitt propose plutôt un rattachement au latin *marra* «sorte de houe» (→ marre) et l'hypothèse paraît plus convaincante étant donné d'une part que *maraudise* signifie «acte, travail de paysan» (apr. 1250, sens érotique par le sémantisme habituel de «faire»), et d'autre part que *marault* est attesté au sens d'«artisan qui travaille le bois et fabrique des coffrets» (une variante *marreux* est attestée au XVe s.). ◈

♦ Si l'on suit cette dernière hypothèse, la valeur péjorative prise par *marault* au XVe s. est peut-être due au fait que les personnes exerçant cette activité avaient une vie errante, ce qui suscitait un préjugé défavorable à leur égard : de là le sens de «mendiant, filou» (v. 1480) et, en appellatif, «homme de condition inférieure» (1580). Le mot n'est plus connu que par ses emplois dans le théâtre classique.

▸ Si *maraud* est tombé en désuétude, ce n'est pas le cas du dérivé verbal *marauder* et de ses dérivés. ➛**MARAUDER** v., d'abord «mendier» (1549), a pris son sens moderne vers 1700, en relation avec son déverbal **MARAUDE** n. f. (1679, selon Bloch et Wartburg ; 1680) «vol de denrées commis par des soldats en campagne» et (1754) par extension «vol de produits agricoles» (sens devenu archaïque). ◇ Par analogie, les deux mots sont employés particulièrement en parlant d'un fiacre (*marauder*, 1865) puis d'un taxi, qui charge des clients en évitant le contrôle du stationnement (1907, *être en maraude*). ◇ *Marauder* a aussi produit **MARAUDEUR, EUSE** n. et adj. (1679), également pour un cocher, un chauffeur de taxi qui maraude (1825), et **MARAUDAGE** n. m. (1775), entré dans le vocabulaire juridique des délits (1836).

◈ voir MAROUFLE.

MARAVÉDIS n. m., d'abord sous des formes altérées, *marvesins* (av. 1450), *malevedis* (1506), puis *maravedis* (1515), est emprunté, par l'intermédiaire de l'espagnol *maravedí* (1203), à l'arabe *murābiṭī*. Celui-ci est dérivé, au sens de «qui concerne les Almoravides», de *murābiṭūn*, nom de la dynastie qui domina le Maroc et l'Espagne de 1040 à 1147, lui-même pluriel de *murābiṭ* (→ marabout). Le mot espagnol, en souvenir d'une monnaie frappée sous les Almoravides, désignait une petite monnaie de cuivre.

♦ Le mot a été repris comme nom de l'ancienne monnaie de billon espagnole. Il donne quelquefois lieu, comme d'autres noms de monnaie de peu de valeur (*sou*, *kopeck*, etc.), à des emplois plaisants : *pas un maravédis* «pas un sou».

◈ **MARBRE** n. m. est issu (v. 1050) du latin *marmor* «marbre», «objet de marbre» et par métaphore «objet ayant la dureté ou la blancheur du marbre». Lui-même est emprunté au grec *marmaros* «pierre blanche, marbre», que les hellénistes rapprochent de *marmairein* «luire, étinceler», mot à redoublement expressif dont le radical *mar-* se retrouve dans plusieurs mots, et qui a un correspondant dans le sanskrit *márīci-* «rayon de lumière».

♦ *Marbre* désigne une pierre calcaire veinée, tachetée, employée en architecture et statuaire, et un morceau de cette pierre taillé et poli (1179, à propos d'une dalle funéraire), en particulier (1831) la plaque de marbre recouvrant certains meubles et cheminées. ◆ En imprimerie, on nomme *marbre* une surface plane (originellement en marbre) sur laquelle s'effectuent des opérations techniques (1522); le mot entre dans quelques expressions du métier, par exemple *sur le marbre* (1863), et désigne les manuscrits en attente prêts pour l'impression. ◇ L'expression *table de marbre* a assumé le sens de «juridiction» (av. 1615), par allusion à la table autour de laquelle se réunissaient, au Palais, différents tribunaux. ◇ On dénomme, par des emplois qualifiés du nom *(marbre artificiel, marbre feint)*, les imitations du marbre (1694). ◆ Les emplois métaphoriques ***être de marbre*** (1771), ***blancheur de marbre*** (av. 1799), ***rester de marbre*** apparaissent assez tard, l'emploi en comparaison (*plus dur que marbre,* 1280) étant ancien, en revanche.

▸ ① **MARBRÉ, ÉE** adj. (1228) «qui présente l'aspect du marbre» a produit **MARBRÉE** n. f. «ragoût de viande, ou de poissons variés» (1735) et, au masculin ② **MARBRÉ** n. m. qui s'applique à la graisse intramusculaire des animaux de boucherie (1911). ◆ **MARBRER** v. tr., attesté pour la première fois dans l'expression *li cuers li marbre* «se glace» (déb. XIVe s.), signifie «imiter le marbre, son aspect» et particulièrement «marquer la peau de teintes bleuâtres» (v. 1815). ◆ **MARBRIER, IÈRE** n. (1311) est le nom de l'ouvrier qui scie et polit le marbre, mais aussi de celui qui le taille (1666) et en fait spécialement des ouvrages funéraires (1821). ◇ On en a tiré **MARBRERIE** n. f. (1765). ◆ **MARBREUR, EUSE** n., autre nom d'ouvrier (1536) s'est spécialisé dans l'usage moderne en papeterie (1680). ◆ **MARBRIÈRE** n. f. (1562) désigne une carrière de marbre. ◆ **MARBRURE** n. f. (1680) «imitation du marbre», s'emploie au pluriel à propos de marques sur la peau (1800).

◈ voir MARMORÉEN.

① **MARC** n. m. est dérivé (v. 1330) de *marcher** pris au sens de «fouler, piétiner», d'où «écraser». Il n'a plus de rapport ressenti avec son origine.

♦ Le mot désigne le résidu obtenu après pressurage de plusieurs fruits et, par métonymie, l'alcool distillé à partir du résidu préparé avec du raisin (1879) d'après *eau-de-vie de marc* (1793). ◇ Le mot s'applique aussi au résidu d'une substance qu'on fait infuser, bouillir pour en extraire le principe, spécialement le ***marc de café*** (1755, dans un contexte divinatoire).

② **MARC** → MARK

MARCASSIN n. m. (1549), originellement *marquesin* (1496), est probablement dérivé de *marque** par allusion aux raies qui strient le corps de l'animal. La finale du mot pourrait être due à *agassin* et à *bécassin,* nom dérivé en *-in* de *bécasse,* proprement «oiseau au long bec».

♦ Le marcassin, jeune sanglier, serait donc un animal aux marques allongées.

MARCESCENT, ENTE adj. est emprunté (1798) au latin *marcescens,* participe présent de *marcescere* «se flétrir, se faner», inchoatif de *marcere* «être fané, flétri», au figuré «languir». Ce mot expressif à vocalisme radical *a* est rapproché du lituanien *mir̃kti* «s'amollir».

♦ Le mot est employé en botanique pour qualifier un organe des végétaux ligneux qui se fane et se dessèche sans se détacher de la plante.

▸ **MARCESCENCE** n. f. désigne cet état, pour une plante ou une partie de plante (1812). ◆ Antérieurement, le français a repris au latin *marcescibilis* l'adjectif **MARCESCIBLE** (1519, *marcessible*) «qui peut, qui doit se flétrir», surtout employé dans le style ascétique, par opposition à son antonyme **IMMARCESCIBLE** adj. (1482), lui-même repris du bas latin ecclésiastique *immarcescibilis* «qui ne peut se flétrir», au propre et au figuré.

MARCHAND, ANDE n. et adj., par les intermédiaires *marchedant* (v. 980), *marcheant* (v. 1140), enfin *marchant* (fin XIIIe s.), écrit *marchand* au XVe s. (1486), est issu du latin populaire °*mercatantem*. Celui-ci est l'accusatif de °*mercatans,* participe présent d'un verbe °*mercatare* «faire du commerce», reconstitué d'après l'italien *mercatare* et l'ancien provençal *mercadar* «acheter» (1140-déb. XVe s.), et issu de *mercatus* (→ marché, mercanti, mercantile). L'italien *mercatore,* le catalan *mercader,* passé en espagnol où il a éliminé *mercator,* remontent au latin *mercator* «marchand». ◈

♦ *Marchand,* «personne qui fait du commerce», au féminin *marchande* (1205, *marcheande*), a régressé dans ce sens très général au profit de *commerçant,* apparu assez tard (→ commerce). Le mot, dans l'usage moderne, a cessé d'être appliqué à des banquiers, des artisans, des producteurs, et d'être employé dans le langage économique, car il ne recouvre précisément ni une activité économique, ni une catégorie sociale. Il reste courant en emplois déterminés *(marchand de..., en...)* et à propos du commerçant chez qui on achète des denrées, des articles de consommation courante. Ainsi, on rencontre encore, à côté de *droguiste,* la dénomination ***marchand de couleurs*** (1634) qui ne s'est imposée qu'à Paris, et, à côté de ***maraîcher, marchand des quatre saisons*** (1840). *Marchand* entre aussi dans des locutions désignant certaines activités dépréciées en vertu d'un préjugé défavorable attaché au mercantilisme : ***marchand de chair humaine*** (1817), ***marchand de soupe*** (1867), appliqué à quiconque monnaye de manière mercantile un bien culturel, un enseignement. ◆ D'après le sens originel, «personne qui prend part à un échange commercial», le mot concernait également (v. 1200) le client, la locution ***trouver marchand*** signifiant «trouver acheteur» (1747). Ce sens a donné, au figuré, celui d'«amateur» dans certains dialectes.

Le mot est employé très tôt comme adjectif (1165), d'abord pour qualifier *nef* au sens de «qui fait les transports commerciaux», sens prolongé dans *marine marchande* (1765). ➛ Il signifie «affecté aux marchands» dans *rue marchande* (1208), aujourd'hui plus souvent *commerçante, ville marchande* (1340) et, récemment, *galerie marchande.* ◇ Plus généralement, il signifie «propre au commerce» et «que l'on trouve dans le commerce» (1611), spécialement en économie dans *valeur marchande* (1906, Larousse). ◇ L'usage ancien l'employait également à propos d'une chose ayant les qualités requises pour être vendue (1215), d'où le sens de «vendable, de bonne qualité» (1238), et, selon une appréciation péjorative au XVIIe s., vulgaire, peu distinguée (1659); cf. *bourgeois.*

Par aphérèse, *marchand* n. m. a donné l'ancienne forme de même sens *chand,* encore connue au début du XXe s. dans *chand d'habits* et qui a produit le composé *chandail**.

▸ *Marchand* a donné **MARCHANDISE** n. f. (v. 1165, *marcheandise*) «ce qui est meuble et objet de commerce». Dans l'usage ancien, le mot désignait également le commerce lui-même (1165), sens réalisé dans la locution ***faire état et marchandise de qqch.*** (1563), ainsi que le corps des marchands (1260). Par péjoration, il s'est appliqué à une prostituée (1640, *bonne marchandise*). ◇ Il est entré dans les locutions verbales usuelles ***étaler sa marchandise*** (1594), ***vanter sa marchandise*** (1873) après ***faire valoir sa marchandise.*** ➛ On en a tiré récemment les termes économiques **MARCHANDISAGE** n. m. (1974), adaptation de l'anglais *merchandising* — participe présent du verbe *to merchandise* (1382), utilisé parfois en français (*merchandising* n. m., 1961) — et de *marketing* dans certains emplois, et **MARCHANDISEUR** n. m. (1975) qui adapte l'anglais *merchandiser* (1597).

Le dérivé verbal **MARCHANDER** v. (d'abord *markëander,* v. 1230) signifiait à l'origine «faire du commerce, trafiquer» et (1262) «conclure un marché avec» avant de se fixer au sens de «débattre le prix en discutant» (1502), en construction transitive et intransitive *(avec, sur).* ◇ Avec la même idée de «discussion prolongée», il était autrefois employé au figuré comme *barguigner* pour «hésiter» (*marchander à,* apr. 1450). ➛ L'usage moderne donne encore le sens figuré de «chercher à obtenir qqch. moyennant certaines conditions» (1646, *marchander la main d'une femme*) et, surtout, «ne consentir à céder qu'après de longues discussions». ➛ *Marchander* a donné **MARCHANDAGE** n. m., relevé dans un décret du 2 mars 1848 en droit du travail et, ultérieurement, pour l'action de marchander, et **MARCHANDEUR, EUSE** n., repris (1836) après avoir été synonyme de *marchand* au XVIe siècle.

⊛ voir MARCHÉ, MERCANTILE, MERCENAIRE, MERCIER, MERCREDI, MERCURE, MERCURIALE; COMMERCE.

✳ ① **MARCHE** n. f. est emprunté (1080) au germanique °*marka* «signe marquant une limite», «frontière», restitué par l'ancien haut allemand *marcha* (allemand *Mark,* → mark), le gotique *marka* et l'anglo-saxon *mearc.* Dès le VIIIe s., on rencontre en latin médiéval *marcha, marca* «limite», «frontière» et, en particulier, «région frontière sous le commandement d'un marquis».

♦ Le mot désigne la province frontalière d'un État (souvent dite *marche-frontière*). Historiquement, il était appliqué au district militaire en marge d'un pays ennemi, ayant à sa tête des margraves ou des *marquis.* Par extension, il se rapporte à toute région en marge d'une région ou d'un pays voisin. En ancien français, il s'est dit pour «région, pays» (1212).

▸ **MARQUIS** n. m. a été emprunté (1225), comme titre de noblesse italienne, à l'italien *marchese* «seigneur gouvernant une région comportant plusieurs comtés» (XIIIe s.), d'abord proprement «gouverneur d'une marche», de *marca,* correspondant de *marche.* Le mot italien avait lui-même modelé sa finale *-ese* d'après l'ancien français *marchis* n. m. «gouverneur d'une marche», attesté entre 1080 et 1524 et supplanté par *marquis.* Ce dernier est devenu un titre seigneurial lié à la possession d'une terre (1661) que l'on a appelée **MARQUISAT** n. m. (1474), puis un titre situé entre *duc* et *comte* dans la hiérarchie nobiliaire. ◇ Au XVIIe s., il a été appliqué par dérision à un personnage ridicule à force de prétention et de fatuité, mis en scène par la comédie pour dénoncer les travers de certains courtisans (Molière); par extension, on appelait *marquis* (XVIIe s.), et *petit marquis* (XVIIIe s.) un homme raffiné, élégant et affecté. ➛ Le féminin de *marquis,* **MARQUISE** (1472; antérieurement *marchise, marcise,* XIIe s.), proprement «épouse d'un marquis» ou «femme noble titulaire d'un marquisat», a été pris pour symbole des raffinements et des prétentions nobiliaires. ◇ Aussi, le mot est devenu le nom de plusieurs objets raffinés ou élégants : une variété de poire (1690) [cf. *duchesse*], une toile tendue à l'entrée d'une tente militaire (1718) et, par extension, un auvent au-dessus d'une porte, d'un perron (1835) : ce dernier objet est très courant au XIXe s., époque qui découvre les ressources du fer et du verre conjugués. *Marquise* est aussi le nom d'une sorte de fauteuil (1770), d'une boisson (1858), d'un chapeau, d'un paletot féminin (1849), d'une ombrelle à la mode au XIXe s. (1849), et d'une bague d'époque Louis XVI (1902, Larousse).

MARGRAVE n. est emprunté à deux reprises à deux langues germaniques. Sous la forme *marckrave* (fin XVe s.), appliquée au gouverneur d'Anvers, il représente le moyen néerlandais *marcgrave* «gouverneur d'une marche». Il a été repris en histoire allemande (1549) à l'allemand *Markgraf,* correspondant du mot néerlandais, formé de *Mark* et de *Graf* «comte, gouverneur» (→ burgrave, rhingrave). ➛ Son féminin (1759) s'applique à la femme d'un margrave, appelée quelquefois **MARGRAVINE** n. f. (1721) par adaptation de l'allemand *Markgräfin* de même sens. ➛ Le mot a pour dérivé **MARGRAVIAT** n. m. (1752) et **MARGRAVIAL, AUX** adj. (1840).

⊛ voir ① MARCHER, MARGE, MARK, MARQUER.

② **MARCHE** → MARCHER

MARCHÉ n. m., d'abord *marched* (v. 980), puis *marchié* (1155) ou *marcié* (1160), enfin *marché* (XVe s.), est issu du latin *mercatus* au sens abstrait de «transaction commerciale» et au sens concret de «lieu où s'effectuent ces transactions». Celui-ci est dérivé de *merx, mercis* «marchandise» et, dans la langue familière, «chose, affaire» (→ merci, mercier, mercure).

♦ *Marché* désigne initialement une réunion de vendeurs et d'acheteurs dans un lieu où se débitent denrées et marchandises, emploi issu par métonymie du sens spatial dominant, «lieu public où se fait cette réunion» (1155). Dans ce sens, il constitue la désignation de divers types de marchés spécialisés, de *marché aux bestiaux* à *marché aux puces** (1904, au figuré; on a parlé antérieurement de *marché vieux* [XVIe s.]). ◇ Par métonymie, il est appliqué à ce que l'on ramène du marché (1160), donnant lieu au XIXe s. à l'expression ***faire son marché*** (1868, Littré). ◇ Par extension, le mot est appliqué au bourg, à la ville qui, anciennement, avait le droit de tenir un marché (1150), de nos jours à la ville, au pays qui est le centre d'importantes transactions commerciales (av. 1778). ◆ Dès le XIe s., peut-être par emprunt au latin, il recouvre la notion économique abstraite de «négociation, vente, achat à un prix débattu» (1080). Ce sens a donné plusieurs locutions, dont ***faire le marché d'autrui*** «agir pour son compte» (XVIe s.) et ***mettre à qqn le marché à la main*** (1690; 1570, sous une forme légèrement différente). ◇ ***Par-dessus le marché*** (1722) signifie «en plus». ◆ L'expression ***bon marché,*** issue de *a bon marché* (1178) «à bas prix» et (1360) «à bon compte», dont Littré et les puristes critiquaient la construction prépositionnelle, est aujourd'hui entrée dans le bon usage avec une valeur d'adjectif opposé à *cher. Bon marché* (1615), «marché avantageux», entre à son tour dans la locution ***faire bon marché de*** «faire peu de cas de». ◆ *Marché* exprime enfin l'idée d'«affaire» en général (1210) et, quittant la sphère des échanges économiques pour celle des relations humaines, celle de «pacte, accord, arrangement» (1671).
Ultérieurement, avec l'abstraction croissante des mécanismes d'échange, il est employé en parlant de l'état de l'offre et de la demande, en bourse (1853) et, plus généralement, de l'ensemble des relations commerciales, financières, concernant une catégorie de biens dans une zone géographique (en économie, en géographie, en finances). L'*économie de marché* correspond à celle qui est régie par la loi de l'offre et de la demande, en régime libéral. ◇ Le *marché* (d'abord en bourse) peut-être *officiel* ou *parallèle.* C'est dans cette acception que s'est imposée l'expression ***marché noir*** (1945), et que s'est développé le sens de «débouché, ensemble des consommateurs (potentiels et effectifs) d'un produit» (1934), d'où *mise en marché, études de marché,* dans le contexte de la commercialisation, du marketing.

▸ Le mot n'a pas donné de dérivé, le français ayant emprunté certains dérivés latins (→ commerce, marchand, mercantile). ◆ Il a cependant produit récemment le terme **MARCHÉAGE** n. m. (1974) qui recouvre les techniques d'application pratique de la vente, mais n'est guère utilisé.

◇ voir MARKETING, SUPERMARCHÉ.

MARCHEPIED → ① MARCHER

① **MARCHER** v. intr. est issu (1170) du francique °*markôn* «marquer, imprimer (un pas)», attesté par l'ancien haut allemand *marcôn* «limiter, fixer, mettre des bornes», et l'ancien nordique *marka* «marquer», du même groupe que *marquer**, ① *marche**, marge* et *mark**.

♦ Le sens de base du verbe en ancien français est «fouler aux pieds» (→ ① marc). Le sens moderne de *marcher* qui s'en rapproche le plus est celui de «mettre le pied sur», avec la préposition *sur* (1178), au propre et au figuré dans *marcher sur les pas de* (1640). ◇ *Marcher,* avec la valeur usuelle d'«aller, se mouvoir à pied» (1180), se construit souvent avec la préposition *vers* (v. 1225). Anciennement, il s'employait aussi transitivement au sens de «parcourir (une zone)» (1225). ◇ Il est employé particulièrement à propos de troupes armées qui se déplacent (fin XVe s.) et d'une chose qui se meut continuement (1607). ◆ De l'idée de «se mouvoir», on passe à celle de «fonctionner», à propos d'un mécanisme (1643) et, communément, d'une affaire qui se réalise de telle ou telle façon (1690). Cette acception est devenue extrêmement courante, sinon familière, et les emplois figurés (*ça marche,* etc.) font équivaloir le verbe à *aller.* ◆ Du sens de base procède la locution ***faire marcher qqn*** (1756) avec la valeur figurée d'«obtenir de lui ce que l'on veut» et, familièrement, «lui faire prendre une chose fausse pour vraie» (1852). ◇ Une extension de sens analogue a lieu dans *marcher* avec un nom de personne pour sujet : «adhérer, acquiescer» (1800) et, familièrement, «croire naïvement».

▸ Le déverbal ② **MARCHE** n. f., apparu au sens concret de «partie d'un escalier où l'on pose le pied» (v. 1360), s'est répandu au XVIe s. après avoir supplanté *degré.* ◇ *Marche* désigne aussi les traces de l'animal, en vénerie (1376), les pédales d'un métier à tisser (1514), les touches d'un clavier d'orgue (1547). ◆ Le sens actif, «action de se déplacer», n'est attesté qu'à partir de 1508, en relation avec l'évolution sémantique du verbe; il est appliqué au déplacement d'une troupe (1611) — en ordre *marche!,* sous la variante *arche!* 1851 — et, par métonymie, à un type de musique militaire incitant à la marche (1718). ◇ Le mot est employé plus généralement pour désigner le déplacement d'un groupe de personnes (1690), et celui de certains objets, pièces de jeu (1718), astre (1736), bateau, véhicule (1798). ◇ Au figuré, il correspond à «fonctionnement», d'après le sens pris par le verbe au XVIIe siècle. Il peut aussi avoir une valeur temporelle *(la marche du temps).* ◆ *Marche* a produit le diminutif **MARCHETTE** n. f. (1660; 1532, «touche d'un clavier d'orgue»), aujourd'hui sorti de l'usage. Avec le suffixe d'agent, *marcher* a donné **MARCHEUR, EUSE** n. et adj., apparu comme nom au sens ancien de «personne qui bat le pavé» (1500) et passé au XVIIe s. au sens de «personne qui marche bien» (av. 1655), aujourd'hui surtout dans (être) ***bon***

marcheur. ◇ Le mot compte quelques emplois familiers péjoratifs (fin XVIIIe-XIXe s.) du type *un vieux marcheur,* expression désuète (cf. *coureur*); il est couramment employé comme adjectif (1773), spécialement en zoologie (1791) dans les *oiseaux marcheurs.* ➛ **MARCHAGE** n. m. (1530) «action de marcher continuellement (sur qqch.)» a disparu. ➛ L'infinitif substantivé ② **MARCHER** n. m. (1538) ne concurrence *marche* que dans la langue classique et littéraire ; en basket-ball, il se dit de la faute consistant à faire plus d'un pas avec le ballon (déb. XXe s.). ➛ **MARCHANT, ANTE,** participe présent adjectivé (1781) de *marcher,* compte quelques emplois spécialisés (armée, 1781 ; chasse). Son homonymie avec *marchand* a dû bloquer sa diffusion.

L'élément verbal *marche* est entré avec le sens de «fouler» dans **MARCHEPIED** n. m. (1289), autrefois nom d'un filet de pêche, puis d'un degré fixe ou pliant servant à monter ou descendre dans une voiture (1375 ; rare avant le XIXe s.). D'après sa fonction, le mot a pris quelques acceptions techniques qui ont vieilli : il se dit toujours du chemin longeant un cours d'eau en face du chemin de halage (1867), après avoir désigné ce chemin en langue classique (1690). ◇ Métaphoriquement, *marchepied* correspond à «moyen d'accès» *(servir de marchepied à qqn).*

Par préfixation, *marcher* a produit **DÉMARCHER** v. qui signifiait «fouler aux pieds» (v. 1120-XVIe s.) et «commencer à marcher, marcher», à la forme pronominale *se démarcher* (1450-1653) et en construction intransitive (1654). ◇ L'usage moderne a conservé son déverbal **DÉMARCHE** n. f. non pas avec le sens premier d'«action de marcher», en usage du XVe (1465) au début du XVIIe s., et déjà assumé par *marche,* mais avec celui de «manière de marcher» (1545) que le nom simple n'exprimait pas. ◇ *Démarche* a développé un sens figuré, «manière d'agir» (1580), lui aussi vieilli, puis, par extension, les sens modernes abstraits de «manière de raisonner» (av. 1662) et, surtout au pluriel, de «tentative auprès de qqn pour en obtenir qqch.» (1671). En ce sens, dans le contexte de la vente à domicile, il a entraîné **DÉMARCHAGE** n. m. (1934) et **DÉMARCHEUR, EUSE** n. (1905, selon Wartburg; ou 1955), tout en redonnant à *démarcher* une certaine vitalité en emploi transitif dans ce contexte *(démarcher un client).* ➛ **REMARCHER** v. intr. (1549) correspond au sens itératif «marcher de nouveau».

② MARCHER → ① MARCHER

MARCOTTE

MARCOTTE n. f. est la généralisation (1532) du féminin de *marcot* (1397, *marquos de vigne* au pluriel), dont on relève quelques attestations isolées en moyen français. Ce mot est dérivé avec le suffixe *-ot* du latin *marcus,* donné par Columelle comme nom d'un cep de vigne utilisé en Gaule, mais dont l'origine gauloise n'est pas prouvée.

♦ Le mot, d'abord employé en viticulture à propos d'un sarment de vigne, désigne une branche tenant à la plante mère et couchée en terre afin de produire des racines adventives et de fournir un nouveau sujet.

▸ Le dérivé **MARCOTTER** v. tr., d'abord *marquotter* (1551), signifie «multiplier (une vigne, puis [1600] une plante quelconque) par ce procédé». ➛ Il a pour dérivé **MARCOTTAGE** n. m. (1835).

MARDI

MARDI n. m., d'abord *marsdi* (1119) puis *mardi* (1262), est issu du latin *Martis dies* (v. 100), «jour de Mars», tour poétique employé en face de l'ordre plus banal *dies Martis* (Ve s.), lequel s'est maintenu dans le catalan *dimars,* l'occitan et le franço-provençal *dimar* (anciennement *dimarz*), et l'ancien français *demars* (XIIIe-XIVe s. en Wallonie, Flandre et Picardie). Le type *Martis dies* vit en français et dans l'italien *martedi* (qui pourrait cependant être plus récent); la forme simple *Martis* dans l'espagnol *martes,* le provençal et le franco-provençal *mar* (anciennement *mars*), en sarde, en roumain.

♦ *Mardi* «second jour de la semaine» est employé spécialement dans ***Mardi gras*** «dernier jour du carnaval avant le carême» (1552, *Mardigras,* nom propre chez Rabelais) qui, par métonymie, a désigné une personne aimant boire, manger et s'amuser (1735).

◈ voir MARS, MARTIAL, MARTIEN, et aussi LUNDI, MERCREDI, etc.

MARE

MARE n. f. est emprunté (v. 1175) à l'ancien norrois *marr* n. m. «mer, lac», correspondant à l'ancien saxon *meri* n. f., ancien haut allemand *meri* (allemand *Meer*), et anglo-saxon *mere* «marécage, lac» qui a donné l'anglais *mere* «étang, lac». Cette famille germanique se rattache à la même racine indoeuropéenne que le latin *mare* (→ mer). Cette étymologie est appuyée par un certain nombre d'attestations de *mare* à époque ancienne en normand et en anglo-normand ; le genre féminin du mot en français pourrait venir de l'anglo-saxon.

♦ *Mare,* «petite nappe d'eau peu profonde», désigne par analogie une étendue de liquide répandu (1690). Le contexte initial est surtout rural, par exemple dans *mare aux canards.* ◇ Dans des emplois plaisants, il s'applique à une grande étendue d'eau (*la mare aux harengs,* 1926, l'Atlantique), retrouvant ainsi sa valeur originelle. Avec un complément prépositionnel *(de, à...),* il est quelquefois employé figurément comme un intensif avec une valeur péjorative d'«enlisement». ◇ L'expression *mares stagnantes* fait référence à un discours d'A. Briand le 10 octobre 1910 qui désigne ainsi les circonscriptions électorales restreintes sous le système de scrutin d'arrondissement.

◈ voir MARAIS.

MARÉCAGE → MARAIS

MARÉCHAL

MARÉCHAL n. m., d'abord *marescal* (1086, texte latin) puis *mareschal* (XIIe s.) et *maréchal* (1636), est, comme d'autres noms de grades (→ baron, sénéchal), d'origine germanique. Il est issu du francique °*marhskalk* «domestique chargé de soigner les chevaux», restitué par l'ancien haut allemand *marahskalk* (allemand *Marschall*). Le premier élément, *marh* «cheval», appartient à un groupe germanique (anglais *mare* «jument», néerlandais *merrie*) qui a des correspondants en celtique (irlandais et gaélique *marc,* gallois *march*). Le second élément, *skalk* «valet», n'est représenté que dans les langues germaniques (anglais *shalk*, aujourd'hui archaïque, ancien norrois *skalk-r*). Le mot, dès l'ancien francique, s'est développé en deux sens, d'une part «artisan chargé de ferrer les chevaux et les animaux de trait» et, d'autre part, «officier préposé aux soins des chevaux» d'où «officier». Le latin médiéval atteste *mariscalcus, marescalcus* aux sens de «valet d'écurie» (Loi Salique), de «chef d'une écurie et de l'armée» (IXe s.) et d'«officier chargé du logement» (XIe s.).

♦ La même évolution sémantique s'est produite en français, probablement par emprunt au latin : dès 1086, *marescal* désigne l'artisan qui ferre les chevaux, puis le vétérinaire des chevaux (sens conservé régionalement, dans les campagnes). ◆ Dès le XIIe s., il passe dans la terminologie de l'armée (v. 1155) désignant l'officier préposé au soin des chevaux, puis, par suite de l'importance de la cavalerie, le grand officier général d'armée (1213). ◇ En emploi déterminé, ***maréchal des logis*** (1549) désigne l'officier chargé originellement des logis, puis un gradé, sous-officier de cavalerie, de gendarmerie et d'artillerie. De là *maréchal des logis-chef.* ◇ Le ***maréchal de camp*** (1549, *du*) est un officier général (équivalant au général de brigade actuel), et le ***maréchal (de France),*** fonctionnaire royal second du connétable (1627) devient la dignité la plus haute de la hiérarchie militaire (le *maréchalat*). Cette dignité se nomme en français moderne *maréchal de France,* mais on dit absolument *le Maréchal X, bâton de maréchal,* etc. ◆ Le besoin de distinguer les deux sens a inspiré plus tard la création de **MARÉCHAL-FERRANT** n. m. (1611), du participe présent de *ferrer,* pour l'artisan.

▶ Deux dérivés concernent celui qui ferre les chevaux : **MARÉCHALERIE** n. f. (1533), «métier de maréchal-ferrant» (1752), «atelier de maréchal-ferrant» (1877), et ① **MARÉCHALE** n. f. (1864) «charbon pour la forge utilisé par le maréchal-ferrant».

Les autres dérivés se rattachent au sens militaire. ◆ **MARÉCHAUSSÉE** n. f., d'abord *mareschalcié* (v. 980) «écurie», puis *mareschaucie* (1282), *marescalcié* (1340), enfin *maréchaussée* par changement de suffixe (fin XVIe s.), a désigné la juridiction exercée par les maréchaux en collaboration avec les prévôts, et un corps de troupe chargé du maintien de l'ordre public qui en dépendait. ◇ De nos jours, il est employé, par un archaïsme plaisant, pour «gendarmerie» (1899).

② **MARÉCHALE** n. f. a glissé du sens primitif, «épouse d'un maréchal-ferrant» (1292), à celui de «femme d'un maréchal de l'armée» (1617), entrant dans la locution *à la maréchale,* employée en cosmétique (1842) et en cuisine (1874). ◆ **MARÉCHALAT** n. m. (1830) correspond à la dignité militaire du maréchal de France. ◆ Les positions politiques du maréchal Pétain ont donné lieu au dérivé historique **MARÉCHALISTE** n. et adj. (1941), contemporain de *gaulliste* auquel il s'oppose.

Maréchal des logis a produit en argot militaire **MARGIS** n. m. (1883).

◈ voir SÉNÉCHAL.

MARÉE n. f. est dérivé (v. 1260), avec le suffixe *-ée,* de *mar,* forme atone du radical de *mer**.

♦ Désignant d'abord le mouvement alternatif des eaux de la mer, le mot a été aussitôt employé dans un contexte de pêche *(quiconques ameine poissons de mer à Paris de deux marées),* et a développé (fin XIIIe s.) le sens de «poisson de mer vendu frais». Celui-ci est notamment réalisé dans l'expression *sentir la marée* (1611, au figuré, «avoir l'air d'une prostituée»), et dans le syntagme *train de marée* (1888). ◇ Le sens dominant a donné *marée haute* (1671, *la marée est haute*) et *marée basse* (1606, *basse marée*), puis *marée de morte-eau,* d'abord *marée morte* (1773), *grande marée* (1765), *marée montante* et *marée descendante* (1773). Il a aussi suscité quelques locutions figurées associant *vent* et *marée,* dont la plus courante est ***contre vents et marées*** (Sévigné). ◇ Par analogie, le mot a développé le sens figuré de «flot irrésistible» (de personnes [v. 1380], de choses abstraites). ◆ Par calque de l'anglais *black tide,* on a formé ***marée noire*** (1967) pour désigner une nappe d'hydrocarbures menaçant de polluer les côtes ; par métaphore, l'expression désigne un phénomène regrettable, difficile à endiguer.

▶ *Marée* a donné deux termes de commerce se rapportant à la pêche : **MAREYEUR** n. m. (XVIIe s. ; 1612, *mareyeux*) et **MAREYAGE** n. m. (fin XIXe s.). ◆ Le mot sert à former plusieurs composés. ◆ **CHASSE-MARÉE** n. m. (1260, *cacemarée*) «voiturier» et (XVIe s.) «voiture rapide pour apporter la marée». ◆ **CONTRE-MARÉE** n. f. (170[illegible]) s'applique à une marée contraire. ◆ Il sert aussi de premier élément *(maré-)* pour plusieurs termes techniques : **MARÉGRAPHE** n. m. (1846), d'où **MARÉGRAPHIQUE** adj. (1890), **MARÉOMÈTRE** n. m. (XXe s.), **MARÉGRAMME** n. m. (1912) et **MARÉMOTEUR, TRICE** adj. (v. 1950), pour qualifier la production d'énergie électrique par turbines mues par la marée *(usine marémotrice).*

MARELLE n. f. est la généralisation (av. 1100, *merele*) du féminin de l'ancien nom *merel, marel* «palet, jeton, pièce de monnaie» (XIIe s.) encore vivant dans bon nombre de dialectes sous la forme *méreau. Marel* est probablement dérivé d'un radical préroman °*marr-* «pierre, caillou», particulièrement répandu en Italie et en ibéro-roman (→ ① marron). La forme *merelle,* usuelle au moyen âge et encore dominante aux XVIIe-XVIIIe s. (on la trouve chez V. Hugo dans ses écrits d'inspiration historique), a disparu au profit de la forme altérée *marelle,* attestée au début du XVe s., mais alors rare.

♦ À l'origine, le mot désigne un jeton, spécialement (1288) un pion servant à jouer. ◇ Par métonymie, il désigne des jeux consistant à pousser des pions sur des carrés (XIIIe-XIVe s.) et dont la variante la plus répandue est également appelée *jeu de moulin.* ◇ Il désigne en particulier (1677) un jeu d'enfant où l'on se déplace en sautant sur une figure tracée par terre et, par métonymie, la figure utilisée dans ce jeu (1864).

MARENGO n. est la lexicalisation (1821) de *Marengo,* nom d'un village du Piémont où Bonaparte remporta une victoire en 1800. Selon l'anecdote, son cuisinier lui aurait à cette occasion préparé une recette avec les ingrédients qu'il avait sous la main : ne trouvant pas de beurre, il fit revenir son poulet à l'huile et l'accommoda avec du vin blanc, des champignons et de l'ail. Il est plus probable que la recette ait été dénommée sous la Restauration (av. 1836) par un admirateur de Napoléon, en hommage à la victoire.

♦ Le mot est d'abord attesté comme terme de mode pour une couleur *(couleur marengo)*, puis aussi un drap (1845, *drap marengo* d'abord écrit *maringo* [1829]; 1840, *Marengo*) au brun piqueté de petits points blancs peu apparents. Il a aussi désigné une nuance de gris (1837). ➛ Le mot s'est surtout répandu en art culinaire, dans des expressions comme *poulet à la Marengo* (1836) et, elliptiquement, comme nom masculin (dès 1825, au féminin, *une marengo*), à propos de la même recette.

MAREYEUR → MARÉE

MARGARINE n. f. a été formé par dérivation savante (1813) du grec *margaron* «perle», variante simplifiée de *margaritês* «perle» (→ marguerite), en raison de la couleur de ce mélange.

♦ D'abord terme de chimie, le mot est devenu usuel pour désigner une graisse alimentaire issue d'un mélange de corps gras d'origine végétale et animale (et où entrent la stéarine et la palmitine).

▸ Il a produit deux dérivés techniques relatifs à la fabrication de ce produit alimentaire : **MARGARINIER, IÈRE** adj. et n. m. (v. 1950) et **MARGARINERIE** n. f. (v. 1950).

✳ **MARGE** n. f. est issu (1225) du latin *margo* «bord, bordure», dérivé d'un thème °*mark-* dont le sens premier semble avoir été «signe» et dont le germanique a développé une forme en *-a-* dans le gotique °*marka* «frontière» (→ ① marche, ① marcher, marque).

♦ Le sens premier de «bord, bordure d'une chose» (cf. *margelle* ci-dessous) rare à partir du XVIIe s. a décliné, malgré sa reprise depuis le XIXe s., au bénéfice du sens particulier d'«espace blanc autour d'un texte écrit» (XIIIe s.), répandu après le XVIe siècle. Celui-ci a une valeur technique en imprimerie. ➛ Ultérieurement, le mot a pris le sens abstrait d'«intervalle de temps, de latitude dont on dispose entre certaines limites» (1790), par l'intermédiaire de la locution encore usuelle ***avoir de la marge*** (1747), ***laisser de la marge*** étant plus tardif (1835). L'expression ***en marge de*** est relevée pour la première fois en 1831 dans ***vivre en marge de*** (cf. ci-dessous *marginal*). ◇ Au XIXe s. s'est développée une spécialisation commerciale (1845, *marge bénéficiaire*).

▸ *Marge* a produit **MARGER** v. tr. (1542; dès 1363 par le participe passé *margiet* «muni d'un bord»). Ce verbe signifie «border», spécialement en imprimerie (1680), verrerie (1730), puis en dactylographie (1935) et traitement de texte. ➛ Il a donné, avec suffixe d'agent, **MARGEUR, EUSE** n. et adj. (1730), nom d'ouvrier, puis aussi de dispositif employé dans les mêmes domaines.

Le préfixe *é-* a servi à former **ÉMARGER** v. tr. (1611, *émargé*), d'usage administratif pour «signer en marge d'un compte, d'un état», d'où «toucher un traitement», et technique au sens de «priver (une feuille) de sa marge» (1805). ➛ Le verbe a produit **ÉMARGEMENT** n. m. (1721). **ÉMARGINÉ, ÉE** adj., terme de botanique qui signifie «légèrement échancré à l'extrémité», est un emprunt savant (1774) au latin *emarginatus,* participe passé d'*emarginare* «élargir des plaies», de *ex-* et *margo* «marge».

MARGELLE n. f., attesté sous les formes *marzele* (1165), puis *margele* (v. 1185), est issu d'un latin populaire °*margella,* dérivé de *margo,* seulement attesté en 1174 au sens de «rive, terrain en bordure d'une rivière», auquel correspond le roumain *mărdzeauă* «bord de l'œil». *Margelle,* d'abord «rebord d'un char», est réservé, dans l'usage moderne, au rebord d'un puits, d'une fontaine (v. 1185); il est quelquefois employé pour désigner la bordure saillante d'une chose (fenêtre, mur).

MARGINAL, ALE, AUX n. et adj. est un dérivé savant (av. 1598) du latin *margo* avec suffixe *-al* (dès 1400, on relève le nom *marginal* «bord d'une digue»). Pendant longtemps, le mot a seulement eu le sens objectif de «situé dans la marge d'une page» (av. 1598, pour *annotations marginales*). Il a développé le sens de «situé sur le bord d'une chose» en histoire naturelle (1804). ◇ Il est devenu un terme économique (1910) à la suite de la découverte de la théorie de l'*utilité marginale,* réalisée vers 1871-1874 par trois économistes travaillant séparément (un Anglais, un Autrichien et un Français) : l'expression *marginal cost* est attestée en anglais en 1887. ➛ Ce n'est que récemment (v. 1960, G. Balandier) que s'est développé le sens figuré courant de «qui est en marge, non conforme aux normes d'un système donné», *un marginal* désignant une personne vivant en marge de la société (v. 1960; répandu après 1968). ➛ Les dérivés français de *marginal* sont récents : tant **MARGINALEMENT** adv. (v. 1965), que les termes d'économie ① **MARGINALISME** n. m. et **MARGINALISTE** adj. et n. (XXe s.). ➛ D'autres dérivés de *marginal* correspondent à la valeur d'anomalie sociale prise par l'adjectif : **MARGINALITÉ** n. f. (v. 1965) et **MARJO** (v. 1970), abréviation familière de *marginal.* ◇ ② **MARGINALISME** n. m. rejoint *marginalité* pour désigner l'attitude, le mode de vie propre aux marginaux. ◇ **MARGINALISER** v. tr. (v. 1970) et son dérivé **MARGINALISATION** n. f. (att. 1968), outre la valeur sociale de *marginal,* peuvent correspondre à «rendre atypique, considérer comme secondaire, sans importance».

Par dérivation savante sur le latin *margo* ont été formés le terme de zoologie **MARGINÉ, ÉE** adj. (1799) «qui présente une zone marginale étendue», et le verbe d'usage didactique **MARGINER** v. tr. (1738, au p. p.) «annoter en marge».

MARGOULETTE n. f. est formé (1756) de *goule,* forme ancienne de *gueule*,* et d'un premier élément probablement repris au verbe *margouiller* «mâchonner» (1611), peut-être transformé à partir de *engouiller* «engloutir, avaler trop vite». Ce dernier est préfixé à partir du radical de *gula* «gueule». On a aussi fait intervenir l'influence de l'élément *mar-* issu du latin *mala hora* (→ malheur, à heur), ou encore le croisement avec le normand *margane* «mâchoire» (XVIe s.), mot sans étymologie connue. On a également évoqué un dérivé direct de *margouiller* sous l'influence de *goule* avec le suffixe *-ette* (qui indique l'instrument).

♦ L'usage populaire donne au mot le sens de «bouche, mâchoire» et l'étend par métonymie au visage, à la figure (1864, Flaubert, *se casser la margoulette*). Le glissement de sens est le même que celui de *gueule*. Le mot est typique de la langue familière de 1900 ; il a vieilli ou du moins a vu sa fréquence diminuer.

◈ voir MARGOULIN.

MARGOULIN n. m. est un mot populaire (1840) issu du verbe *margouliner*, d'usage régional, employé dans le Bas-Maine pour «aller vendre de bourg en bourg, surtout en parlant des femmes qui vendent des mouchoirs». Lui-même est dérivé de *margouline* «bonnet», à comparer aux variantes régionales *margulet, margulin* «bandeau sur la figure, bride d'un bonnet de femme» dans le Bas-Maine, lequel est une variante de *margoulette** «bouche, mâchoire», d'après le terme apparenté *gouline* «bonnet de femme», terme de l'Ouest dérivé de *goule*, variante de *gueule**.

♦ Le mot est passé du sens général neutre de «petit commerçant» au sens péjoratif de «commerçant peu scrupuleux en affaires» (1858) se spécialisant dans deux autres domaines professionnels, en parlant d'un mauvais ouvrier (1879) et, dans les milieux de la Bourse, d'un spéculateur sans envergure (1933).

MARGRAVE → ① MARCHE

MARGUERITE n. f. a été emprunté (v. 1130) au latin *margarita*, lui-même emprunté au grec *margaritês* «perle», mot d'origine orientale, qui désigne également une plante d'Égypte. On a pensé à une adaptation du sanskrit *mañjarī* «bouton de fleur» et «perle», mais les Grecs, qui ont connu la perle par l'intermédiaire d'Alexandre, ont dû la rencontrer d'abord en Iran : il faut donc partir de la forme pehlevie elle-même probablement empruntée, *marvārīt*, dont la finale a pu influencer le choix du suffixe grec *-itês*, d'ailleurs usuel pour les noms de pierres. Le latin *margarita*, utilisé comme prénom féminin dès l'époque impériale, a donné le prénom français *Marguerite* d'après le nom d'une martyre du IIIe siècle.

♦ En français, la forme populaire *margerie* (v. 1130) a été éliminée par la forme savante *margarite* (fin XIIe s.), puis *marguerite* (1340). Le sens initial de «perle», fréquent au moyen âge, subsiste dans la locution aujourd'hui archaïque ***jeter des marguerites aux pourceaux*** (v. 1185, *jeter sa margerie entre les porciaux*), par allusion à *Matthieu*, VII, 6, «ne jetez pas vos perles devant les pourceaux», où *perle* traduit le latin *margaritas*. ➛ Le mot a développé le sens de «fleur», d'abord dans *flors des margerites* (XIIIe s.), c'est-à-dire «fleur de perle», désignant la pâquerette à cause de sa couleur (cf. *margarine*). L'emploi absolu de *marguerite* dans ce sens apparaît au XIVe s. (1364). ◇ Le nom entre dans des emplois qualifiés pour désigner plusieurs variétés de plantes et a donné le composé **REINE-MARGUERITE** n. f. (1715). ➛ Par analogie de forme avec la fleur, *marguerite* a pris le sens technique de «cordage» en marine (1694), a désigné un instrument en bois muni de dents taillées à la scie (1841), et récemment un disque portant un ensemble de caractères de machine à écrire.

◈ voir MARGARINE.

MARGUILLIER n. m., d'abord *marreglier* (v. 1135) et *marguelier* (1295), puis *marguillier* (1510), est emprunté au bas latin *matricularius*, dérivé de *matricula* «rôle, registre» (→ matricule). *Matricularius* désigne une personne inscrite sur la liste des pauvres soutenus par une église (v. 615), un de ces pauvres employé comme serviteur pour l'entretien de l'église (v. 696), un serviteur laïc dans une église (v. 1038). Il s'applique aussi à un ecclésiastique, un clerc ayant la garde du sanctuaire, sert de désignation d'humilité à l'égard d'un moine ou chanoine (IXe s.) et se dit d'un chanoine de la cathédrale (v. 827). Les variantes et déformations secondaires du mot en moyen français s'expliquent probablement par le caractère populaire de la fonction.

♦ Le mot a désigné chacun des membres du conseil de fabrique d'une église paroissiale, notamment sous le régime du Concordat. ◇ Par extension, il désigne le laïc chargé de la garde et de l'entretien d'une église, en particulier, en Suisse, le sonneur de cloches, le sacristain (XIIIe s.).

MARI n. m. est issu (v. 1145) du latin de même sens *maritus*, d'abord employé comme adjectif dans la langue de l'agriculture au sens d'«accouplé, uni» (à la vigne, en parlant d'un arbre), puis au sens de «conjugal, nuptial» dans la langue poétique impériale ; l'emploi le plus fréquent était celui du nom, qui a supplanté *vir* «homme» (→ viril) au sens d'«époux» et sert également à désigner les animaux mâles. Si cette spécialisation semble indiquer une influence secondaire de *mas* (→ mâle), les deux mots n'ont rien de commun à l'origine : *maritus* serait apparenté au lituanien *martí* «jeune fille», au grec *meirax* «fille, garçon», au sanskrit *márya-* «jeune homme, amoureux», au vieux perse *marīka* «sujet», au gallois *merch* «fille», c'est-à-dire à une famille de mots désignant des hommes ou des femmes aptes à s'unir.

♦ *Mari* est l'équivalent usuel d'*époux* ; le sens du mot n'a pas varié, sinon par les connotations, qui ont évolué avec la signification sociale du mariage et les rapports hommes-femmes. Le vieillissement de la locution ***prendre mari*** (v. 1145) en témoigne. L'exclamation de la femme surprise : *ciel, mon mari !* fait aujourd'hui l'objet d'allusions plaisantes.

▸ **MARIER** v. tr. et pron. est issu, à la même époque (v. 1145) du latin impérial *maritare* «unir des arbres à la vigne» et «donner en mariage», dérivé de *maritus*. ➛ *Marier* est apparu au sens de «donner (une fille) en mariage». Au sens de «prendre pour femme», l'usage moderne a généralisé la construction réfléchie *se marier avec* (apr. 1170) aux dépens de l'ancienne construction transitive, *marier qqn* (1176), encore en usage dans certaines provinces

(Belgique, Nord, Canada) et considérée comme fautive ou rurale *(il, elle a marié X)*, le français «correct» employant *épouser*. ◇ Depuis 1220, *se marier* est attesté avec un sujet au pluriel. ◇ Par analogie, le verbe est appliqué à des choses au sens d'«unir étroitement, intimement» (1558), «allier ensemble (avec une idée d'harmonie)» (1672), spécialement en viticulture (1690), retrouvant, peut-être par emprunt, le sens du latin, et en apiculture (1752, *marier des ruches*). ➔ De *marier* a été tiré **MARIAGE** n. m. (1135) «action de se marier», d'abord entendu comme sacrement de l'Église catholique. Le mot désigne par métonymie l'état de personne mariée (fin XIVe s.) et la cérémonie du mariage (1643); avec le Code, apparaît le *mariage civil*. ◇ Par analogie, et comme le verbe, *mariage* est appliqué à des choses, d'abord à un jeu de cartes (1534) et plus généralement (1588) à un assortiment. Il est employé spécialement en marine (1773), pour désigner certains types d'amarrages, et en imprimerie (1932). ➔ *Marier* a aussi donné **MARIÉ, ÉE** participe passé adjectivé et substantivé (1155) au sens de «personne mariée» et (1690) «personne qui se marie». ➔ **MARIABLE** adj. (fin XIIe s.) et son antonyme **IMMARIABLE** adj. (1611) se sont surtout employés dans le contexte traditionnel de la fille à marier. ➔ **MARIEUR, IEUSE** n. et adj. (1585) «personne qui ménage, prépare les mariages» est devenu archaïque. ➔ La forme argotique **MARIDA** (1889) tient lieu à la fois de verbe, de nom du mariage et de nom des mariés.

Par préfixation, ont été formés **REMARIER** v. tr. (fin XIIIe s.; XIIe s. «se marier à son tour») et **DÉMARIER** v. tr. (v. 1220, *desmarier*), évincé par *divorcer*, avec son ancien sens de «séparer juridiquement deux époux», et maintenu dans une acception technique en agriculture (1873) «éclaircir un semis en arrachant certains plants». ◇ Ses dérivés **DÉMARIAGE** n. m. (1800) et **DÉMARIEUSE** n. f. (1922) sont eux-mêmes employés dans ce domaine.

Enfin **MARITAL, ALE, AUX** adj. est un emprunt (1531) au latin impérial *maritalis*, dérivé de *maritus*. ➔ Apparu au sens de «conjugal», il signifie plus couramment «qui concerne le mari, lui est propre» (1580), spécialement dans le vocabulaire juridique (1587, *puissance maritale*). ➔ L'adverbe dérivé **MARITALEMENT** (1694) correspond à «comme doit le faire le, un mari», également «en mari et femme» (1832).

MARIE-JEANNE → MARIHUANA

MARIE-SALOPE → SALOPE

MARIGOT n. m., pourrait être l'altération (1654), d'après *mare* ou *marais*, d'un mot caraïbe. P. Guiraud évoque plutôt les dérivés dialectaux de *mare**, *maresquet*, *maresquel* «petit marais» (normand, picard), mais la finale *-igot* reste inexpliquée.

♦ D'abord employé aux Antilles comme un toponyme *(Anse du Marigot)*, le mot s'est répandu comme dénomination d'un point d'eau alimenté par les pluies ou des nappes souterraines, en Afrique (1688) et plus généralement, en zone tropicale.

MARIHUANA, MARIJUANA n. f., vient (1933, noté *marignana* en 1920), par l'anglo-américain *marijuana* (1923), réfection de *mariguan* (1894) d'après les prénoms espagnols *Maria* et *Juana*, de l'espagnol d'Amérique *mariguana, marihuana*.

♦ Le mot, qui désigne un stupéfiant extrait du chanvre indien et qui se fume, est quelquefois adapté plaisamment en **MARIE-JEANNE** n. f. (v. 1968).

MARIN, INE adj. et n. m. est issu (v. 1118) de l'adjectif latin *marinus*, de *mare* (→ mer et maritime, d'un autre dérivé latin).

♦ Le mot est employé à la fois au sens strict de «qui vit dans la mer, de la mer» (v. 1155), par exemple dans *sel marin* (1611), et, par extension, de «qui relève d'un domaine proche de la mer» (v. 1170). Par spécialisation, il qualifie ce qui se rapporte à la navigation (fin XIVe s.), sens déjà en germe dans *étoile marine* «qui sert de guide aux marins», qualificatif ancien de la Vierge (XIIIe s.) d'après le latin *stella maris*. Dans la locution ***avoir le pied marin*** (1673), l'adjectif correspond à «digne d'un bon marin». ➔ Le masculin a été substantivé de bonne heure (v. 1118) mais en général, l'ancien français préfère *marinier* (ci-dessous), *notonier* ou *notinier* au sens de «navigateur». ◇ *Marin* a été repris (1718) pour désigner un officier de marine avant d'être étendu au sens d'«homme qui navigue» (1756), ironiquement dans ***marin d'eau douce*** (1911), dit au figuré d'une personne peu expérimentée. Plus spécialement, il désigne celui qui fait métier de naviguer en se mettant au service d'un bateau (1810) et entre dans *marin de commerce* (1845), *marin-pêcheur* (attesté XXe s.). C'est lui et non l'adjectif que le vocabulaire de la mode emploie dans *col marin* (1866), en apposition. ➔ Depuis 1573, *marin* désigne aussi un vent de mer tiède par emprunt à l'ancien provençal *marin*, lui-même issu du latin *marinus* pris substantivement au sens de «vent de la mer sur la côte africaine» (Ve s.).

► Le féminin de l'adjectif, ① **MARINE**, a lui aussi été substantivé (v. 1140) aux sens d'«eau de mer» et «côte, bord de mer», tous les deux sortis d'usage et correspondant à des calques du latin *aqua marina* et *loca marina*. ◇ Le second de ces emplois est probablement à l'origine du sens de «peinture ayant pour sujet la mer» (1669), genre apparu aux Pays-Bas au XVIe s. et développé aux XVIIe et XVIIIe s. en se dégageant progressivement des vues de ports. ➔ *Marine* a pris au XVIe s. le sens courant d'«art de la navigation». ◇ Par métonymie, il est appliqué à l'ensemble du personnel et du matériel constituant la puissance navale d'un pays (1616) et entre dans les syntagmes *marine marchande* (1765), *marine militaire* (1771). Dans le domaine des institutions, il s'applique à l'administration de la marine (1811, dans *ministère de la Marine*). ◇ De même que *marin*, *marine* est employé en apposition au sens de «couleur de l'uniforme de la marine» (1874, *bleu marine*).

L'adjectif *marin* a également donné un troisième nom et adjectif avec **MARINIER, IÈRE** n. (v. 1140); ce mot, pratiquement éliminé par *marin* avec son ancien sens de «navigateur», très courant au moyen âge, s'est maintenu comme terme poétique. ◇ Il reste usuel au sens particulier d'«homme qui navigue sur les canaux et les rivières» (1215), valeur avec laquelle il a supplanté *batelier.* ➜ Son féminin **MARINIÈRE** n. f. est encore utilisé au sens de «femme de marinier» (1530, *maronnière,* d'après *maronnier,* variante de *marinier*). ◇ À partir de l'expression *chausses à la marinière* (1532), ce nom est à son tour devenu un terme d'habillement, employé absolument au sens d'«ample blouse rappelant celle des marins» (1920). ◇ Il entre dans la locution ***à la marinière*** (1836), en natation et surtout en cuisine (1808, par ex. dans *moules à la marinière* d'où *moules marinière*).

L'adjectif *marin* a fourni le second élément de quelques composés. **SOUS-MARIN, INE** adj. (1555), «qui est sous les flots, au fond de la mer», est devenu un terme de navigation (militaire) qualifiant, dans *navire sous-marin* (1875), puis désignant *(un sous-marin)* un bâtiment pour la navigation sous-marine (1907). ◇ Au figuré, il se dit de celui qui a des visées secrètes. ◇ Il a pour dérivé **SOUS-MARINIER** n. m. (1934) «marin de l'équipage d'un sous-marin», aussi adj. ➜ Deux emprunts sont apparentés: ② **MARINE** n. m. est emprunté (1815) à l'anglais, où il abrège *Marine Corps* «infanterie de marine», pour désigner un soldat de l'infanterie de marine américaine ou anglaise. Le mot s'est répandu avec la Seconde Guerre mondiale. ◇ **MARINA** n. f. est un emprunt (1966) à l'anglais *marina,* lui-même pris à l'espagnol des États-Unis. Il désigne un ensemble touristique en bord de mer, avec un port de plaisance. L'italien (et provençal) *marina* «plage» a pu renforcer le mot en France.

◈ voir AIGUE-MARINE, MARINER, MARIN-POMPIER (art. ② POMPE); HÉLIO-.

MARINER v. est probablement emprunté (1546) à l'italien *marinare* «préparer des poissons ou des viandes en les faisant tremper dans de l'huile salée et aromatisée» (av. 1535, *marinato*). Ce verbe est formé à partir du latin *(aqua) marina* (→ marin), proprement «eau marine, eau de mer» (→ aigue-marine), relevé dès le IIIe s. au sens de «saumure». On a aussi évoqué une dérivation en français, d'après *marine* au sens ancien d'«eau de mer».

♦ Le verbe, d'abord attesté sous la forme du participe passé adjectivé *mariné* «trempé dans de la saumure, puis dans une préparation salée», est employé transitivement (1636) et intransitivement (1732). ◇ Au XIXe s., il a reçu le sens figuré et familier de «rester dans un lieu, une situation désagréable» (1889), d'où *faire mariner qqn* (1923) «faire attendre».

▸ On en a tiré **MARINADE** n. f. (1651) «préparation dans laquelle on fait mariner de la viande, du gibier» et **MARINAGE** n. m. (1868).

MARINGOUIN n. m. est emprunté (1566) au tupi et guarani *marui, maruim, mbarigui* «cousin, moustique». D'abord cité comme indigène sous la forme *Maringon,* le mot est repris sous la forme *marigoin* (1609), nasalisée en *maringouin* (1614, à nouveau comme mot exotique).

♦ Le mot désigne une sorte de cousin ou moustique des pays chauds. Il est resté usuel aux Antilles et au Canada.

MARINIER → MARIN

MARIOL, OLE ou **MARIOLLE** adj. et n., d'abord *marriol* (1553) puis *mariol* (1578), semble emprunté à l'italien *marivolo, mariolo.* Celui-ci, employé pour désigner et qualifier qqn qui vit d'escroqueries (déb. XVIe s.) et, au figuré, une personne pleine de malice, rusée (1556), est probablement dérivé de *Maria* «Marie» dans l'expression *far le Marie* «faire les Marie», c'est-à-dire l'innocent, la sainte nitouche (av. 1565). À l'appui de cette hypothèse, on a cité l'argot fourbesque *marietto* «coquin», emploi fondé sur la critique des représentations de l'attitude pieuse, de la dévotion. On évoque aussi l'ancien français *mariole* (v. 1223) «petite image de la Vierge Marie», employé dans certains dialectes pour une personne versatile, et *marjolet, mariollet, mariaulet* employé du XVe au XVIIe s. avec la valeur insultante de «jeune freluquet». Cette origine ne satisfait pas P. Guiraud qui, en partie à cause de formes comme *mariolet,* suppose un latin populaire *°mariolus,* de *mas, marem* «mâle» (→ mâle), lequel conviendrait mieux au sens moderne de l'adjectif *mariol.* Deux mots, l'un venu de *Marie* (→ marionnette), l'autre de *marem* «mâle», ont pu se télescoper.

♦ Le mot, employé au XVIe au sens de «filou», a été réintroduit en argot au XIXe s., à propos d'un homme rusé, malin (1827) et même un peu voleur. *Faire le mariol* (1888) «faire le malin, le fanfaron» et l'emploi adjectif correspondent au passage du mot dans le registre familier.

MARIONNETTE n. f. est une forme diminutive (1479) de *Marie,* soit par l'intermédiaire de *Marion,* soit par altération de *Mariole, Mariolette :* dès 1223, on rencontre *mariole* au sens de «Vierge» puis (1306) «petite image de la Vierge».

♦ *Marionnette* est relevé en 1489 (Cambrésis) pour désigner une monnaie à l'effigie de la Vierge et (1566) une statue ou une image de la Vierge. Aux XVe-XVIe s., le mot désigne aussi un instrument de musique, probablement un rebec (encore en 1549) et une sorte de danse (1517). Il a pris son sens moderne (1556) probablement en relation avec l'usage de petites statues de la Vierge, bien attifées et couvertes de bijoux, dans les processions de l'Assomption, et avec les spectacles de poupées donnés en remplacement des Mystères à cette occasion. De nos jours, le mot, totalement laïcisé, désigne toutes les formes de figurines utilisées en spectacle : *marionnettes à fils* (techniquement, *fantoches*), *à gaines (pupazzi), à tringles, sur bâtons* (ou *marottes*). Les plus célèbres marionnettes françaises sont Guignol (→ guignol) et Polichinelle (→ polichinelle). Par métonymie, le pluriel désigne l'endroit où l'on fait jouer les marionnettes et le spectacle lui-même (1584). ➜ Le mot a pris au XVIIIe s. le sens figuré de «personne sans caractère» (1738, Voltaire) [cf. *pantin, mannequin*], quelquefois «personne qui gesticule beaucoup, fait des singeries» (1787). ◆ Par analogie, il sert à désigner en technique une pièce de bois mobile employée par les tisserands (1763) et une réunion de poulies tenues par deux traverses entre lesquelles elles peuvent pivoter (en marine, 1831).

▸ De *marionnette*, est tiré **MARIONNETTISTE** n. (1852, Gautier), synonyme de *montreur de marionnettes*.

◈ voir MARIOLLE, MAROTTE.

MARITAL → MARI

MARITIME adj. est emprunté (1336) au latin *maritimus* «de mer, qui touche la mer», dérivé de *mare* (→ mer). Le mot est synonyme de *marin* qui vient d'un autre adjectif dérivé de *mare*, sans toutefois qu'il y ait confusion entre leurs emplois.

♦ *Maritime* signifie «qui se fait sur mer, par mer» (1690), «qui concerne la mer, la navigation» (1690) et «qui croît au bord de la mer» (1751, dans *pin maritime*). ◇ Il a été substantivé (XXe s.) pour désigner les gens dont le métier a trait à la marine, particulièrement la marine marchande.

MARITORNE n. f. est la forme francisée (1798) de l'espagnol *Maritornes*, nom propre d'une servante repoussante (mais généreuse et facile) du *Don Quichotte* (I, XVI) de Cervantes (1603), utilisé dès le XVIIe s. comme nom commun au sens de «servante ou femme laide et désagréable». Le mot espagnol, sous l'influence de *mal** et de *tourné**, avait déjà donné l'adjectif *malitorne* (1640) «gauche, balourd, trivial», substantivé (1670, Molière). Un autre nom d'héroïne du *Don Quichotte* est passé en français : *dulcinée**.

♦ Le mot s'emploie familièrement à propos d'une femme vulgaire, sans grâce ; il a vieilli.

MARIVAUDER v. intr. est dérivé du nom de *Marivaux* (1688-1763), écrivain célèbre pour le raffinement et la délicatesse de son style et des sentiments qu'il exprime.

♦ Le mot est attesté pour la première fois dans une lettre de Diderot à Sophie Volland le 26 octobre 1760 au sens de «s'exprimer à la manière de Marivaux». ◇ Par extension, il s'est répandu au sens de «badiner avec esprit», l'expression verbale le cédant au comportement galant (1838).

▸ Une autre lettre de Diderot, datée du 6 novembre 1760, atteste le dérivé **MARIVAUDAGE** n. m. au sens de «style raffinant le sentiment et son expression». Le mot a glissé lui aussi vers la notation d'un «badinage spirituel» (1812, *marivaudage sentimental*).

MARJOLAINE n. f. est l'altération (1393) de l'ancien français de même sens *majorane*, emprunté au latin médiéval *maiorana* (1250) d'origine obscure : on a invoqué une altération, sous l'influence de *major* (→ majeur), d'un latin populaire °*mezurana* «marjolaine» (grec *medzourano*), mot oriental dont le rapport exact avec le nom latin normal de la plante, *amaracus*, emprunt au grec *amarakos*, n'est pas éclairci.

♦ Le mot est synonyme d'*origan*.

MARK n. m. a été emprunté (1723, francisé en *marque* n. f.) à l'allemand *Mark* «unité monétaire des pays germaniques» (1500) qui désigne l'unité monétaire de l'Empire allemand (1873) et, de nos jours, celle de l'Allemagne. Le mot est issu du moyen haut allemand *marke, marc, march* «moitié d'une livre d'or, d'argent», lui-même du francique °*marka* «signe marquant une frontière» (→ ① marche, marquer) : l'évolution s'est faite du sens de «marque officielle sur une pièce de métal» à «poids de métal» et à «monnaie». Le francique a donné au français l'ancien terme de métrologie ② **MARC** n. m. (1130) «quantité d'or, d'argent pesant huit onces», qui survit en histoire, surtout dans ***marc d'argent***.

♦ Le mot allemand a été introduit en français sous la forme féminine *marque* (1723) «monnaie de compte des banquiers de différentes villes allemandes». ◇ Il est devenu masculin sous la forme *marc* (1847) puis orthographié à l'allemande, *mark* (1873), avec le sens actuel.

MARKETING n. m. est emprunté (1944) à l'anglais *marketing*, gérondif substantivé de *to market* «faire son marché», «acheter et vendre», dérivé de *market* «marché», lui-même emprunté à l'anglonormand correspondant au français *marché**. L'usage du mot dans le monde des affaires anglophone s'est établi à la fin du XIXe s. et a pris une extension particulière aux États-Unis, d'où il a été emprunté par le français.

♦ Employé dans les milieux du commerce et des affaires, le mot est concurrencé, pour certains de ses emplois, par les créations françaises *marchéage* (de *marché*), *marchandisage* (de *marchandise*) ainsi que *mercatique* (1974), création savante sur le latin *mercatus*. Malgré les injonctions officielles, il est très vivant en français, les équivalents francisés restant didactiques et rares.

MARLOU n. m. et adj., attesté dans l'argot de la première moitié du XIXe s. sous les formes *marloux* (1821) puis *marlou* (1829), est d'origine incertaine. On a évoqué un emploi figuré de *marlou* «matou», mot d'origine onomatopéique contenant le radical évoquant le ronronnement du chat (→ marmonner), mais l'hypothèse est fragile et le sémantisme n'est pas (ou plus) en rapport avec l'idée de «mâle».

♦ Le mot, employé comme adjectif et (1829) comme nom, réalise l'idée de «fin, filou, rusé». Entre autres hommes de ressource, il a désigné le souteneur, parallèlement à sa variante *marlousier* (1827) qui a disparu, et, par une extension de nature injurieuse, l'amant ou le concubin.

▸ Les variantes **MERLOU** n. m. (1829), **MARLOT** n. m. (v. 1840) ont disparu avant la fin du XIXe s. ; **MARLOUPIN** n. m. (1876) et **MARLOUPIAT** n. m. (1895), relatives au souteneur, ont vécu un peu plus longtemps. ◆ **MARLOUSERIE** n. f. (v. 1836) et

MARLOUTAGE n. m. (1890) se rapportent à la ruse et, spécialement, au proxénétisme. ➜ Le seul mot vivant de la série, outre *marlou*, est l'apocope **MARLE** n. m. (1884), argotique pour «homme à la fois fort et malin», avec une connotation de virilité. Ses emplois modernes, par exemple chez Jean Genet, en font une variante forte de *mec*, sinon de *mac*.

MARMAILLE → MARMOT

MARMELADE n. f. a été emprunté au XVIe s. au portugais *marmelada* «confiture de coings» (1521), de *marmelo* «coing», lui-même issu, par l'intermédiaire du latin populaire *melimellus*, du latin *melimelum* «sorte de pomme douce» et «coings imprégnés de miel, confiture de coings». Ce mot est un emprunt au grec *melimêlon*, de *meli* «miel» et *mêlon* «pomme» (→ melon, miel). Il n'est pas nécessaire de rattacher l'ancienne forme *mermelade* (1573) à l'espagnol *mermelada* «confiture de coings» (1570) et il faut plutôt y voir une variante de *marmelade* (1602), de même que *larme* a eu pour variante *lerme*.

♦ *Marmelade* a été introduit en français au sens large de «préparation de fruits écrasés en bouillie et cuits avec du sucre», la marmelade de coings recevant le nom spécifique de *cotignac*. Le mot a été emprunté par l'anglais *marmelade* que le français traduit souvent par *confiture*, la différence *marmelade-confiture* étant peu perçue. D'après l'anglais *orange marmelade*, le mot évoque surtout dans la langue moderne les marmelades d'oranges et d'autres agrumes. ◇ Par analogie, *marmelade* est appliqué, dans la locution ***en marmelade*** (1690), à toute préparation culinaire trop cuite et réduite en bouillie et, par extension, à une partie du corps contusionnée. ◇ Par métaphore, le mot se dit pour «situation confuse, gâchis informe» (1932). Verlaine l'avait employé (1877) pour «misère», par une métaphore analogue à celle de *purée*.

MARMITE n. f. est la substantivation inattendue (1388) de l'ancien adjectif *marmite* «hypocrite» (attesté aux XIIIe et XIVe s.), composé de l'élément onomatopéique *marm-* exprimant un murmure, le ronronnement du chat (→ marlou, marmonner, marmot) et de *mite*, nom de la chatte dans *Renart* (→ chattemite, mignon). L'évolution sémantique est incertaine; elle est peut-être due au fait que la marmite, profonde et fermée par un couvercle, cache son contenu aux curieux, par opposition à la poêle, plate et découverte. On a aussi pensé à un jeu de mots: il existait au XIIIe s. une *minette* «cuvette», diminutif de l'ancien *mine* «mesure de capacité» et homonyme de *minette*, femelle du *minet** «chat». Par opposition à *minette* «petite cuve», *marmite* a pu servir à désigner la grande cuve.

♦ Nom d'un objet autrefois usuel, le mot a donné lieu à quelques locutions figurées au sens de «contenu d'une marmite»: ***écumer la marmite*** (1694) «manger pour rien», et surtout ***faire bouillir la marmite*** (1622) où il symbolise la subsistance. ◇ *Marmite* a servi, en argot, à désigner par métonymie la prostituée qui fait vivre le souteneur (1841). ◇ Par analogie de forme, il entre dans la locution descriptive expressive ***nez en pied de marmite*** (1609). ◇ Les expressions *marmite de Papin* (1788) «machine à vapeur primitive» (inventée par Denis Papin) et *marmite de géant* (1868), dans la dénomination d'un type de relief, sont fondées sur une analogie de forme avec l'ustensile, de même que le sens de «bombe» (1847), «gros obus» dans l'argot de la guerre de 1914-1918 (1916). Celui-ci était annoncé par des comparaisons explicites, du genre *bombes ou grosses grenades... en forme de marmites de fer* (1637).

▸ *Marmite* a produit peu de dérivés. **MARMITON** n. m. (1523) «jeune aide de cuisine» reste assez vivant et a ses propres dérivés **MARMITONNER** v. tr. et **MARMITONNAGE** n. m. (1611), **MARMITONNERIE** n. f. (1843), archaïques ou rares. ➜ **MARMITÉE** n. f. (1590) «contenu d'une marmite» est aujourd'hui inusité. ➜ **MARMITER** v. tr. (1894), du sens d'«obus», s'est répandu dans l'argot des poilus pour «bombarder», également en emploi absolu (1919).

L'ancien adjectif *marmite* survit dans son dérivé **MARMITEUX, EUSE** adj. (v. 1225) «hypocrite, doucereux», encore utilisé au sens secondaire de «mal en point, misérable» (apr. 1450) mais lui-même marqué comme archaïque (il a été repris littérairement au XIXe, puis au XXe s. : Brassens, par exemple).

MARMONNER v. est dérivé (1501) de l'onomatopée *marm-* exprimant le ronron du chat, qui a de nombreux correspondants dans les langues indoeuropéennes (latin *murmurare*, [→ murmurer], allemand *murren*, norvégien *marma* «bruire», suédois *marra* «murmurer», etc.). Sa variante *marmotter* est attestée depuis le XVe s. (→ marmot, marmotte). Une autre variante *marmouser* v. (XVe s., *marmuser*) a disparu après le XVIIe s. en dehors des dialectes (→ marmouset).

♦ *Marmonner*, jugé «bas et populaire» par Furetière et qualifié de «vieux» par le *Dictionnaire général* (fin XIXe s.), est vivant de nos jours, au moins depuis le début du XXe s., au sens de «murmurer entre ses dents» (en particulier *marmonner contre*, avec une idée d'«hostilité»).

▸ Le dérivé **MARMONNEMENT** n. m. (1582) «ce que l'on marmonne», (v. 1590) «action de marmonner», a reçu pour doublet **MARMONNAGE** n. m. (v. 1950). ➜ **MARMONNEUR, EUSE** n. et adj. (v. 1590) désigne ou qualifie la personne qui marmonne.

◈ voir MARMITE.

MARMORÉEN, ÉENNE adj. est le dérivé savant tardif (1840) du latin *marmoreus* «de marbre, dur, blanc comme du marbre», de *marmor* (→ marbre).

♦ Le mot est employé dans l'usage littéraire au sens figuré de «blanc, froid, dur comme du marbre» (1852, Leconte de Lisle). On relève la variante *marmorin* chez Balzac (1835).

▸ Par dérivation savante, on a formé, sur le latin *marmor*, **MARMORISER** v. tr. (1845; une fois en 1584 au sens figuré d'«éterniser») d'où **MARMORISATION** n. f. (1845), termes de géologie, employés aussi en pathologie en parlant d'une condensation anormale des os.

MARMOT n. m. est probablement dérivé (1493) au sens originel, «singe», de *marmotter,* variante de *marmonner**, en raison des mouvements continuels que font les singes avec leurs babines (→ aussi marmotte). Cependant P. Guiraud y voit plutôt (ainsi que dans *marmotte* et *marmonner*) un dérivé de *mermer, marmer* «raccourcir», du latin *minimare,* à cause du museau camus et comme raccourci du singe (et de la marmotte).

♦ *Marmot* était, jusqu'au XIXe s., le nom donné à un gros singe à longue queue; il a eu dès le XIIe s. un féminin *marmote* «femelle du singe», attesté entre 1170 et le XIVe s., puis éliminé à cause de la confusion avec *marmotte.* Par extension, et référence à la laideur de l'animal, attestée par l'expression *aussi laid qu'un marmot* (1480), il a désigné une petite figure grotesque et grimaçante servant d'ornement architectural, notamment de heurtoir de porte (1548). ➛ Le sens familier courant de «petit enfant» a d'abord été employé à propos d'une fillette (1633), puis sans distinction de sexe (1640), puis réservé, au singulier, à un petit garçon (1668). ➛ Quant à l'expression figurée ***croquer le marmot*** (fin XVIe s.) «attendre en se morfondant», on l'a rattaché au sens de «heurtoir», par allusion, dit-on, à l'ancienne coutume féodale selon laquelle le vassal venu rendre visite à son seigneur devait, s'il le trouvait absent, réciter à sa porte les formules de l'hommage et baiser à plusieurs reprises le verrou, la serrure ou le heurtoir. En baisant ce marmot, il semblait vouloir le croquer : cette explication très anecdotique prétend trouver une confirmation dans l'existence, en italien, d'une expression équivalente : *mangiari i catucacci* «manger le cadenas, les verrous».

▸ Par changement de suffixe, *marmot* a donné **MARMAILLE** n. f. (1560), qui a — avant même *marmot* — le sens de «petit garçon», passé au sens collectif de «troupe d'enfants» (1611) et de là, à son sens moderne et familier «les gosses, les enfants» (1811).

Il est généralement admis que **MARMOUSET** n. m. (1292) est une variante de *marmot* d'après *marmuser* «marmotter entre ses dents», attesté du XIIIe au XVIIIe s. (1755), également *marmouser* (1480-XVIe s.). Ce verbe et sa variante sont des formations issues de l'onomatopée *marm-* exprimant un murmure (→ marmonner) avec des finales influencées par *museau, muser;* ils sont encore vivants dans les dialectes. Cependant, pour P. Guiraud, *marmouset* serait le dérivé en *-ouset* de l'ancien adjectif *marme, merme* «petit». ➛ Le mot, apparu au sens d'«ornement grotesque et bizarre» (dans la décoration des culs de lampes, des chenets), a suivi en partie le même type d'évolution que *marmot :* par métonymie, il désigne un chenet bas décoré d'une figure grotesque (déb. XVIIe s.). ➛ Il s'est appliqué aux favoris de Charles VI (fin XIVe s.). ◇ Le sens de «petit garçon» apparaît peut-être avant le XVIe s. dans une attestation difficile à interpréter (peut-être au sens de «figure, marionnette» ou «image pieuse»). Il est avéré en 1643 chez le burlesque Scarron, et donne, par extension, le sens péjoratif de «freluquet, personnage insignifiant» (1660, Molière). ➛ Le sens de «singe» (1537) a été repris au pluriel (1931) comme dénomination d'une famille de singes d'Amérique.

◈ voir MARAUD, MARLOU, MARMITE, MARMONNER, MARMOTTE, MAROUFLE.

MARMOTTE n. f. est en général considéré comme un dérivé (v. 1174) de *marmotter,* variante de *marmonner** (bien qu'elle soit attestée beaucoup plus tard, voir ci-dessous) en raison du mouvement des lèvres que fait cet animal en sifflant (cri d'alerte) ou en sifflotant (pour communiquer) : un tel mot a pu vivre dans les parlers populaires avant d'être enregistré dans la langue écrite. Comme pour *marmonner* et *marmot,* Guiraud préfère évoquer le sémantisme du nez aplati *(marm-). Marmotte* est donc sans rapport direct avec le nom latin de l'animal, *mus montanus* (Polemus Sylvius) «rat des montagnes», nom sur lequel ont été refaites les formes *marmontaine* et *marmotaine* au XVIe s. (→ musaraigne). L'italien *marmotta, marmotto* et l'espagnol *marmota* ont été empruntés au français.

♦ *Marmotte,* par allusion à la longue hibernation de l'animal qui porte ce nom, a inspiré la locution ***dormir comme une marmotte*** (1734). ◇ Au XVIIIe s., il s'est dit par métonymie de petits ramoneurs Savoyards qui montraient des marmottes en jouant de la vielle. ➛ Il a pris le sens de «coiffure de femme» (1800), en particulier «madras que les femmes du peuple se mettent sur la tête pour dormir» (1866), peut-être par allusion à la coiffure de ces petits Savoyards, à moins qu'il ne s'agisse d'une analogie entre les pointes de la coiffe et les oreilles de l'animal. ➛ Le sens de «coffret de facteur» (1812), d'où «boîte à échantillons de commis-voyageur», encore vivant aujourd'hui (1867), fait probablement allusion à la boîte dans laquelle ces mêmes Savoyards gardaient leurs marmottes, à moins que la boîte n'ait été en peau de marmotte. ➛ Le mot désigne aussi la fourrure de l'animal.

▸ *Marmotte* a donné le terme régional **MARMOTTIER** n. m. (1867) «prunier du Briançonnais», d'après le nom donné à l'huile tirée de l'amande de cette prune : *huile de marmotte* (1835), du nom de ce fruit.

MARMOTTER v. tr., variante de *marmonner** et *marmouser,* est attesté depuis le moyen français (v. 1480). ➛ Le verbe a les mêmes emplois que *marmonner.* ➛ Comme *marmonner,* ses dérivés sont des noms d'action, **MARMOTTEMENT** n. m. (1585) et **MARMOTTAGE** n. m. (1741), et un nom d'agent, **MARMOTTEUR, EUSE,** aussi adjectivé, attesté au XVIIe s. (1685), puis en 1800. ◇ Mais les principaux dérivés du verbe (si l'hypothèse est bonne) seraient *marmot** et *marmotte**.

MARMOUSET → MARMOT

MARNE n. f., d'abord *marna* (1266), puis *marne* (1287), semble être une altération de *marle,* attesté du XIIIe au XVIIIe s., issu d'un latin populaire °*margila,* dérivé de *marga.* Ce dernier semble emprunté au gaulois; on le retrouve dans le breton *merl, maerl* qui a donné par emprunt *merl* (1860), puis *maërl* (1874), *maërle.*

♦ Le mot désigne un mélange naturel d'argile et de glaise.

► Le dérivé **MARNIÈRE** n. f. (1373), qui succède à *marlière* (XIIIe s.), désigne une carrière de marne. ◇ **MARNER** v. tr. (1564), réfection de *marler* (1207), signifie «amender (la terre) avec de la marne». ◇ Il est probablement à l'origine du sens argotique «travailler dur» (1837), ce travail étant pénible. ➜ **MARNEUR** n. m., dérivé du verbe (1846), reprend le moyen français *margneux* (v. 1525), et désigne l'ouvrier qui emploie la marne, la répand sur les terres. Par métaphore, il a pris en argot le sens de «travailleur» (1881). ➜ **MARNAGE** n. m. (1641) désigne le travail du marneur. ➜ *Marne* a donné l'adjectif **MARNEUX, EUSE** (1567).

◈ voir **MAGOUILLER.**

MARONITE adj. est dérivé (1489, *les Chrestiens Maronites*), au moyen du suffixe *-ite,* du nom de l'anachorète *Maron* ou *Maroun* (IVe-déb. Ve s.) dont les disciples ont formé le premier noyau de l'église maronite dans les communautés monastiques de la vallée de l'Oronte (ouest de la Syrie). Cette église, constituée en patriarcat autonome vers le milieu du VIIIe s., s'est ensuite organisée dans les montagnes et hautes vallées du Liban; entrée en relation avec les chrétiens d'Occident à l'époque des croisades, elle a proclamé son attachement à l'Église catholique romaine et a accepté nombre d'usages disciplinaires, liturgiques et doctrinaires d'origine latine.

♦ Le mot désigne et qualifie la personne qui se réclame d'un peuple chrétien oriental catholique de rite syrien, constituant une des églises uniates, implanté au Liban et en Syrie.

MAROQUIN n. m., vient (1479) de *Maroc,* probablement par l'intermédiaire de l'espagnol *marroquin* «cuir» (fin XVIe s.), car ce sont les Arabes qui ont apporté la technique du cuir en Espagne (cf. *cordonnier*).

♦ Le mot est attesté pour la première fois en 1479 dans *peaulx de maroquins* «peaux de chèvre traitées avec du sumac ou de la noix de Galle», avant d'être employé absolument (1552) pour désigner une peau de mouton traitée de cette façon et de s'appliquer notamment en reliure (d'où *plein maroquin, demi-maroquin*). ◇ Par analogie, il est en apposition dans *papier maroquin* (1835) «papier de couleur imitant le maroquin». ➜ Par métonymie, *maroquin* se dit d'un carton couvert de peau dans lequel on range les papiers d'affaires sur les bureaux (1752); d'où le sens moderne de «portefeuille ministériel» (1901).

► Quelques dérivés techniques se rapportent à la préparation du cuir. ➜ **MAROQUINIER** n. m. (v. 1700; 1562, *marroquineor*) désigne aujourd'hui l'artisan, le commerçant qui tient une maroquinerie (ci-dessous). ➜ **MAROQUINER** v. tr. (1701), d'où **MAROQUINAGE** n. m. (1840) sont des termes techniques. ➜ **MAROQUINERIE** n. f. (1636, *marroquinerie*), apparu pour «ouvrage et art du maroquinier», a pris les sens d'«établissement où l'on fabrique le maroquin» (1723), «commerce du maroquin» (v. 1846), s'étendant plus généralement au magasin d'articles en cuir fin (1933), cette évolution étant accompagnée par *maroquinier.*

MAROTTE n. f. est le diminutif (1468) de *Marie* (→ mariole, marionnette). Le moyen français a eu la forme très voisine *mariotte* «image de la vierge» (1567) et «marionnette» (1576-1609), conservée par les dialectes.

♦ Le mot, attesté deux fois (1468, puis 1579) au sens d'«image de la vierge», a été appliqué à une poupée montée sur un bâton, et il est encore utilisé au sens de «poupée» dans les dialectes du Nord. ◇ Il désigne aussi le sceptre surmonté d'une tête à capuchon bigarré garni de grelots, l'un des attributs du fou de cour (attesté seulement en 1530, alors qu'il semble appartenir au vocabulaire des cours médiévales). ➜ Par analogie, *marotte* est devenu le nom du buste en carton qui servait à dresser les coiffes à la campagne (v. 1765), celui d'une tête de femme en bois (cire, carton) qui sert aux coiffeurs et modistes (1902) et celui du chevalet de tonnelier (1902). ➜ Le sens abstrait de «folie» se dégage (1618) de celui d'«attribut du fou», par l'intermédiaire d'une phraséologie abondante du XVIe au XVIIIe s. *(porter la marotte, il devrait porter la marotte, à chaque fou sa marotte).* Il s'est affaibli en «idée fixe, manie» (1639), sens demeuré vivant.

MAROUFLE n. f., d'abord *marouf* au masculin (1688), puis *maroufle* au féminin (1762), est probablement un emploi plaisant, dans le vocabulaire des peintres en bâtiment, de l'ancien *maroufle* n. m. «personnage grossier, malhonnête» (1534), et aussi «chat» (1611, *gros marroufle*), variante synonyme de *maraud**. La plaisanterie aurait consisté, selon Guiraud, en un jeu de mots sur *chat* et *chas,* qui était le nom d'une colle de farine servant précisément à maroufler. Toutefois, *maroufle* est rare au sens de «chat».

♦ Le mot désigne une espèce de colle forte très tenace.

► Il a pour dérivé le verbe technique **MAROUFLER** v. tr. «coller à la colle forte sur un support» (1746), employé en peinture et, par suite, en menuiserie (1858), qui a produit **MAROUFLAGE** n. m. (1787, en peinture; 1929, en aviation) et **MAROUFLEUR** n. m. (1955).

✳ **MARQUER** v. est une variante dialectale (1456) de l'ancien verbe anglo-normand, normand puis picard *merchier* (1121) «faire une marque sur (un objet) pour le distinguer d'un autre», encore usité au XVIe siècle. Ce verbe est dérivé de *merc* (cf. ci-dessous *marque*). La forme actuelle avec *-a-* est probablement due à l'influence de *marcher** au sens ancien de «fouler aux pieds, presser» et peut-être également à l'influence de l'italien *marcare* «marquer» (XIIIe s.), lequel est issu de *marca* qui remonte au germanique °*marka* (→ marge, mark).

♦ *Marquer* signifie dès les premiers textes «rendre reconnaissable au moyen d'une marque». Par extension, il a pris le sens intellectuel de «remarquer, apercevoir (une chose)» (1530), réservé dans l'usage moderne à son composé *remarquer**. Il a aussi développé le sens de «faire ou laisser une marque sur (qqch.)» (1531). On passe dès 1531 à «noter par écrit, inscrire», particulièrement «noter pour mémoire» dans l'expression *marquer un jour de craye blanche* (1557), supplantée par la variante *d'une pierre blanche.* ◇ L'idée d'«enregistrer (une chose importante)» s'est développée dans le langage des jeux (1690, ***marquer les points;*** au figuré ***marquer un point,*** 1876), des sports où *marquer* signifie (1900) «réussir un but» d'après l'anglais *to mark* (1887), et dans le langage argotique avec ***marquer le coup,*** d'abord «trinquer» (1866) puis, familièrement, «réagir» (1919). ◇ D'autres acceptions secondaires de *marquer* sont attestées dès le XVIe s., comme «signaler au moyen de repères» (1580), spécialement «fournir une indication», le sujet désignant un instrument de mesure (1756). ◇ L'idée est parfois celle d'«accentuer, souligner» (1669), en particulier en musique (1741), en parlant d'un vêtement qui souligne la taille (1762). ◆ Le sens plus abstrait de «fixer, déterminer (un lieu, une époque où une chose se fera)» est attesté depuis le XVIe s. (1553). ◇ Par extension, le verbe signifie «faire connaître, montrer, révéler par un signe» (av. 1662). Cette acception connaît en langue classique plusieurs emplois aujourd'hui sortis d'usage. ◆ C'est également au XVIIe s. que *marquer* commence à être employé intransitivement, d'abord dans l'ancienne expression *ne plus marquer* (1640) appliquée à une personne qui commence à vieillir, probablement d'après un emploi technique concernant la reconnaissance de l'âge d'un cheval (1680). ◇ À côté d'autres sens sortis d'usage au XVIIIe s., *marquer* correspond à «laisser une impression durable» (La Bruyère) en parlant de choses morales et, techniquement (1762), de choses matérielles. Dans le domaine du goût, ***marquer bien*** ou ***mal*** (1694) exprimaient jusqu'à la fin du XIXe s. la distinction ou la vulgarité.

▶ Le participe passé **MARQUÉ, ÉE** a été adjectivé (1538) dans *marqué comme d'un fer chaud,* locution modifiée en *marqué au fer rouge,* et dans un autre contexte, *marqué sur le livre rouge* (1690). Avant la fin du XVIIe s., il prend tous ses sens du verbe. ◇ L'emploi en linguistique de *marqué, non marqué* (1961) pour «chargé de connotations» et «neutre, banal, courant et normal», est un emprunt à l'anglo-américain *marked, unmarked* (Bloomfield, 1933). ◆ Le participe présent **MARQUANT, ANTE** a lui aussi été adjectivé, d'abord dans le vocabulaire du jeu (*cartes marquantes,* 1721) puis pour caractériser une personne remarquable à certains égards (1762).

MARQUE n. f., apparu en 1456 dans le même document du nord de la France que le verbe, est le déverbal qui a succédé à l'ancien français *merc* (v. 1119, en normand), *merche* et *marc,* lui-même emprunté à l'ancien norrois *merki* «marque, borne», apparenté au groupe de mots germaniques qui ont donné *marcher**, *marc**, *marche**, et au groupe latin à l'origine de *marge**. ◆ Le mot reste proche du sémantisme de base, «signe» : dès sa première attestation, il désigne un signe mis intentionnellement sur un objet pour le rendre reconnaissable, en indiquer la propriété. ◇ Il se répand au XVIe s., réalisant, à travers de nombreux emplois particuliers, le double concept de «signe apposé intentionnellement» ou de «trace naturelle, indice ou symptôme» : il se rapporte ainsi à une tache de naissance chez un homme ou un animal (1538), à la trace laissée sur un corps par des doigts (1553), au signe infamant en forme de fleur de lys que l'on imprime au fer sur la peau du condamné (1531, sens devenu archaïque ou historique avec l'abandon de cette pratique judiciaire en 1832). ◇ Il s'applique également aux armoiries (1538, au pluriel), à l'ornement distinctif d'une dignité (1553), valeur représentée dans les expressions ***homme de marque*** (1585), ***hôte de marque*** (fin XVIe s.) au signe matériel permettant l'identification d'un objet (1549, sur un livre) et, abstraitement, au caractère qui permet d'identifier une chose ou une personne dans ce qu'elle a d'original (1538). Cet ensemble de valeurs manifeste le lien entre la marque et la signature, manifesté par le sens particulier de «signe, croix qu'un illettré appose en guise de signature» (1690). ◆ Au XVIIe s., *marque* entre dans le langage commercial (1626), désignant l'empreinte que le gouvernement met sur les marchandises assujetties à une contribution, le signe par lequel les marchands notent le prix que leur a coûté un objet (1694).

À la même époque (2e moitié du XVIIe s.), il s'applique à une pratique professionnelle, désignant le signe distinctif apposé sur un objet par son fabricant (1690) d'où ultérieurement ***marque de fabrique*** (1846), après *marque de la fabrique;* puis aussi ***marque déposée*** (1948). Cette évolution aboutit à une identification entre le fabricant et sa griffe (1866) et à la valorisation économique et culturelle de celle-ci ; en témoignent les expressions *grande marque, de marque* (1896). ◆ Au XVIIe s., *marque* se spécialise dans le domaine du jeu, où il désigne un jeton (1676), puis le décompte des points de chaque joueur (1868). ◆ Dans d'autres spécialités techniques, il désigne une balise, en marine (1732) et en sports : le pluriel s'applique au dispositif assurant une bonne position des pieds des coureurs de vitesse qui vont prendre le départ (1924, *à vos marques*) et le singulier au repère fait sur le sol pour régler certains mouvements (1936). ◆ Au XXe s., l'emploi en linguistique, puis en informatique, etc., est, comme pour le verbe, un emprunt à l'anglo-américain.

Il semblerait que *marque* au sens ancien de «prostituée», en argot (1457-1460, Villon), d'où «maîtresse d'un voleur» (*marque franche,* 1836) et «femme», soit une spécialisation d'emploi du même mot, par allusion à la marque distinctive que devaient avoir les prostituées au moyen âge. Il est sorti d'usage.

CONTREMARQUE n. f. (1463) renvoie à la seconde marque que l'on fait sur certains produits et, spécialement (1762), au ticket donnant un droit d'entrée pour un spectacle. ◆ **SOUS-MARQUE** n. f. (XXe s.) appartient au vocabulaire du commerce.

Marquer a donné dès le XIVe s. le terme d'ébénisterie **MARQUETÉ, ÉE** adj. (1380), élargi en un verbe

MARQUETER v. tr. (1502); tous deux, par extension, sont employés avec la valeur de «tacheté» et «tacheter» dès le XVIe s. (1538). ◆ Le radical du verbe a servi à former **MARQUETERIE** n. f. (1416) «assemblage décoratif de pièce de bois et de diverses matières précieuses, incrustées ou plaquées sur un fond d'ébénisterie», qui désigne figurément (1538) un ensemble hétérogène — comme *mosaïque* —, s'emploie aussi (1868) pour «art des meubles marquetés». ◇ Un autre dérivé moins courant est **MARQUETEUR** n. m. (1502), dont le féminin *marqueteuse* semble récent, et qui a éliminé *marquetier* (1508).

Le nom d'agent correspondant à *marquer*, **MARQUEUR, EUSE** n. (1421), s'applique à différents ouvriers et agents techniques : jeu (1613), boucherie, mines (1773), numismatique, etc. Il dénomme également un objet ayant pour fonction de laisser une marque distinctive, en particulier un crayon-feutre (depuis 1970). ◆ **MARQUAGE** n. m. (1613), ancien terme de jeu de paume, a été repris comme substantif d'action de *marquer* dans certaines de ses spécialisations techniques (1873), commerce, jeu, mines, physiologie, informatique, sport. ◆ **MARQUOIR** n. m., nom d'un instrument destiné à marquer (1771), désigne spécialement un modèle alphabétique pour marquer le linge» (1832).

DÉMARQUER v., préfixé en *dé-** de *marquer*, est attesté une première fois dans un document de 1365 *(demerquier)* pour «enlever la marque de», sens repris et répandu à partir de 1585. ◇ Dans l'intervalle, Ronsard l'a employé au sens de «rayer, biffer, supprimer qqch. ou qqn» (1553), sorti d'usage dès le XVIIe siècle. ◇ L'époque classique apporte deux spécialisations : le verbe s'emploie intransitivement en parlant d'un cheval vieillissant qui cesse de présenter les marques (autrefois visibles) dans sa dentition (1680); il s'emploie aussi transitivement au jeu pour «retrancher les points qu'on a marqués» (1669). ◇ Probablement d'après *démarcation*, *démarquer* prend, avec l'idée de «distinguer, séparer», le sens figuré de «copier (une œuvre littéraire) en apportant quelques modifications» (1864). Ce sens est à l'origine du pronominal *se démarquer* «prendre ses distances, se différencier» (1904). ◇ À la même époque, le verbe s'emploie en sports au sens de «libérer (un partenaire surveillé, "marqué", par un adversaire)» [1909]. Il se spécialise en commerce pour «solder un article en en changeant la marque» (1930), *marque* pouvant s'entendre au sens de «prix marqué» ou de «griffe». ◆ Le déverbal **DÉMARQUE** n. f. (1687) a désigné aux XVIIe et XVIIIe s. l'action de démarquer les tonneaux ayant payé les droits; il a été repris dans deux spécialisations correspondant à des emplois du verbe : au jeu (1829) et dans le commerce des soldes (1907). ◆ Les deux autres dérivés de *démarquer* datent de la seconde moitié du XIXe s. : **DÉMARQUAGE** n. m. (1870) renvoie à l'action d'ôter une marque (spécialement une marque commerciale) et, figurément, d'abord métaphoriquement *démarquage du linge* (1877 en argot), aux légères modifications apportées à une œuvre que l'on plagie; **DÉMARQUEUR** n. m. (1867, *démarqueur de linge*), toujours péjoratif, désigne celui qui se livre à une falsification de marque et, au figuré, un plagiaire (1876).

DÉMARCATION n. f. a été emprunté, dans l'expression *ligne de démarcation* (1700), à l'espagnol *demarcación* (1609), dérivé de *demarcar* «marquer les limites d'un pays, d'un terrain» (1617), qui est l'intensif de *marcar*, le correspondant de *marquer*. ◆ En français, l'expression, un moment concurrencée par la variante *ligne de marcation*, dans le dictionnaire de l'Académie (1835-1878), s'est appliquée historiquement à la ligne tracée par le pape Alexandre VI sur la mappemonde pour séparer les possessions espagnoles des possessions portugaises. ◇ Dès le XVIIIe s., elle s'étend à toute ligne marquant la séparation de deux territoires et, au figuré, de deux pouvoirs (1770), concurrencée par l'emploi libre du substantif (1791, Volney). Pendant la Seconde Guerre mondiale, l'expression s'est appliquée entre 1940 et 1942, à la ligne qui délimitait en France la zone occupée par les Allemands et la zone libre.

◈ voir MARCASSIN, REMARQUER.

MARQUIS → ① MARCHE

MARRAINE n. f., attesté au XIIIe s. sous sa forme actuelle, après *marrene* (1080), est issu, par une très ancienne substitution du suffixe *-ana* au suffixe *-ina*, du latin populaire °*matrina*, lui-même dérivé du latin *mater*, *matris* (→ mère), d'après *patrinus* (→ parrain).

♦ Le couple *parrain-marraine*, qui met l'accent sur les rapports des parrains avec l'enfant, s'est substitué à l'ancien couple *compère-commère* qui exprimait davantage la relation des parrains entre eux ou des parrains avec les parents. Le mot désigne la femme qui assiste un baptême, qui tient un enfant sur les fonts baptismaux. ◇ Par extension, le mot est aussi appliqué à la femme qui préside au baptême d'une cloche (1690), au lancement d'un navire, à la dame qui en présente une autre en société (1868) et à la jeune fille ou jeune femme qui, pendant la guerre, adopte un militaire (dans *marraine de guerre*, 1916).

▸ Là où on attendrait logiquement un dérivé *marrainage* n. m., d'ailleurs attesté (1949) mais inusité, on a recours à *parrainage*.

MARRE adv., d'abord *maré* (1881), puis *marre* (1896), attesté tardivement, est d'origine incertaine : c'est probablement le déverbal de *marer*, *se marer* «s'ennuyer» (→ marrer), plutôt que le dérivé de *se marrir* (→ marri); d'ailleurs, l'ancien français atteste des dérivés de *marer* qui expriment une idée voisine, comme *marrement* «chagrin, déplaisir» (1050-XIIIe s.), *marissement* «déplaisir» (XIIIe-XVIe s.), *marance* «affliction, faute légère» et «infraction aux règles» (1200-1400). P. Guiraud préfère le rattacher à la famille de *marelle**, plus particulièrement aux formes *merel*, *mereau*, etc., qui désignent divers jetons : ainsi *meriau* «jeton servant de monnaie de convention» (1245-1400), *méreau* «jeton de présence servant à compter» (XVIe-XVIIe s.), *mérelle* «jeton» puis «gage, gain, part due» (XVe-XVIe s.). On partirait pour *mare* du sens de «jeton qui sert à attribuer la part due dans une distribution» (cf. *pied* dans *prendre son pied*) vers celui de «part», d'où *avoir son maré, avoir son mar* «avoir sa part», sémantisme exprimant ainsi la saturation, voire le dégoût et non pas la satisfaction comme dans *prendre son pied**.

♦ *Marre* est essentiellement employé dans ***en avoir marre***, qui succède à *j'en ai maré* (1883) avec une idée de dégoût, puis *j'en ai mar* «je suis excédé» (1895) et, adverbialement, en exclamation: *marre!* (1896), *c'est marre!*

◈ **MARRER (SE)** v. pron. est peut-être issu par antiphrase, avec son sens actuel (1883?; 1889), du verbe aujourd'hui sorti d'usage *se marrer* (1883, *se marer*) «s'ennuyer». Cette filiation semble confirmée par les attestations de *se marrer* dans les premiers textes (1916), au sens de «rire de qqch. qui n'appelle pas le rire en général». Quant à l'ancien *se marrer*, il est probablement emprunté à l'espagnol *mareo* «mal de mer» et «ennui» (XVIIIe s.), *marear* «ennuyer» (XVIIIe s.) et au pronominal *marearse* «avoir le mal de mer» (XVIIe s.), mots apparentés à *mar* (→ mer), dans lequel on constate le même type d'évolution sémantique que pour *noise*, issu du latin *nausea* «mal de mer» (→ nausée). Cette hypothèse semble plus probable que celle qui fait provenir *marrer* de *marre* «assez».

♦ Le mot est employé familièrement pour «s'amuser beaucoup, sans retenue», aussi dans *faire marrer (qqn)*.

▸ *Se marrer* a produit au participe présent l'adjectif **MARRANT, ANTE** (1901) «amusant» et, avec le double sens de *drôle*, auquel il fournit un synonyme plus familier, «bizarre». Il est quelquefois employé comme nom (1835), à propos d'une personne *(c'est un petit marrant)*.

◈ voir MARRE.

◈ **MARRI, IE** adj. est le participe passé adjectivé (v. 1130) du verbe d'ancien français *marrir* «perdre, égarer» (XIIe s.), *soi marrir* «se fâcher» (1160), «s'affliger» (1165). Ce verbe est issu du francique °*marrjan*, postulé par le gotique *marzjan* «fâcher», concrètement «faire trébucher», l'ancien saxon *merrian* «déranger, empêcher», l'anglo-saxon *mierran* (anglais *to mar* «empêcher, ruiner»), l'ancien haut allemand *marren, merren* «empêcher, déranger, fâcher». L'idée concrète de départ semble être celle de gêne, d'entrave, d'où le néerlandais *marren* (→ amarrer). L'italien a *smarrire* «égarer», l'espagnol *marrido* «blessé». ◇ Dès 1050, on relève *esmeriz* «troublé, désolé», du même groupe.

♦ *Se marrir* est tombé en désuétude au cours du XVIe s., mais *marri* s'est maintenu dans l'usage littéraire au sens d'«affligé, triste et fâché à la fois» (qualifié de «vieillissant» par les dictionnaires du XVIIIe s.).

① **MARRON** n. m. est emprunté (1526) à l'italien *marrone* «grosse châtaigne comestible» (déb. XIVe s.), probablement dérivé du radical préroman *marr-* «pierre, rocher» attesté de l'Italie au Portugal, dans les Alpes et dans les Pyrénées (→ marelle).

♦ Il est possible que le mot — aussi écrit *maron* avant le XIXe s. — ait pénétré en France par la région lyonnaise pour désigner la châtaigne. Il est entré dans la locution ***tirer les marrons du feu***, d'abord complétée par *avec la patte du chat* (1640), et répandu par la fable de La Fontaine *Le Singe et le Chat*. ◇ Par analogie, le mot désigne la graine non comestible d'un arbre tout différent du châtaignier, dans ***marron d'Inde*** (1718) ou *marron*. ➙ Il a donné un nom et un adjectif de couleur très courant (1750) par l'expression *couleur de maron* (1706). ➙ Au XVIIIe s., il prend quelques sens analogiques sortis d'usage de nos jours désignant un jeton (1752), un pétard (1752), le noyau non calciné d'une pierre passée au four à chaux (1777), un grumeau dans la pâte à pain (1782). ➙ Son sens familier de «coup de poing» (1881), précédé par un emploi plus général du pluriel pour «des coups, de la bagarre» (1821), s'explique par un transfert métonymique de la tête qui reçoit le coup *(un coup sur le marron)* au coup lui-même.

▸ Sur *marron* est formé **MARRONNIER** n. m. (1611), ellipse de *chastennier* [châtaignier] *marronnier* (1560) par confusion, en raison de l'aspect du fruit, entre deux espèces botaniques distinctes, le châtaignier et le marronnier appelé ensuite ***marronnier d'Inde*** pour éviter l'ambiguïté. ➙ Peut-être d'après les craquelures des marrons d'Inde, ② **MARRONNAGE** n. m., terme technique, désigne les craquelures d'un revêtement de route (v. 1950). ➙ Quant à l'adjectif familier invariable ③ **MARRON** «attrapé, fait» (1855; 1811, *marron paumé*), il est d'origine incertaine : un rapprochement a été fait avec l'expression ***rôti comme un marron*** «sorti du jeu, qui n'a plus d'argent» (1752), avec *paumé** au sens d'«attrapé, pris», mais son rattachement à ② *marron* semble plus vraisemblable.

② **MARRON, ONNE** adj. est emprunté (1640) au caraïbe *mar(r)on* «sauvage» (d'un animal, d'une plante), issu par aphérèse de l'espagnol *cimarrón* «élevé, montagnard», d'où «animal domestique échappé et redevenu sauvage» et «Indien fugitif» (1535). Celui-ci est dérivé soit de l'espagnol *cima* (→ cime), soit de l'ancien espagnol *cimarra* «fourré».

♦ D'abord en usage dans les Antilles françaises (1640), l'adjectif s'est employé à l'origine en parlant d'un animal domestique retourné à l'état sauvage et, par une analogie tristement révélatrice, d'un esclave noir qui s'est enfui dans les bois pour vivre librement (1658). Le sens d'«esclave fugitif» semble en effet être une création des colons par comparaison avec l'état d'animal retourné à l'état sauvage en s'enfuyant dans la montagne. ➙ En français de France, *marron* a développé le sens figuré de «personne qui exerce une profession sans titre», comme nom (1762) et comme adjectif, par exemple dans *médecin, avocat marron*, avec une idée d'illégalité, puis de malhonnêteté; on a appelé un ouvrage clandestin *un marron* (1775, *maron*).

▸ On en a tiré ① **MARRONNAGE** n. m. «état d'esclave marron» (1671), puis aussi «état de celui qui se livre illégalement à une profession» (XIXe s.), quasiment inusité de nos jours. ◆ Il en va de même de **MARRONNER** v. intr. (1812) «imprimer clandestinement» et (1874, *Larousse* XIXe s.) «exercer illégalement une profession», «être un esclave marron». ◆ L'adjectif familier ③ *marron* «attrapé» est rattaché à ① *marron**, mais a pu subir l'influence de ② *marron*.

MARS n. m. est issu (1119) du latin *martius (mensis)* «(mois) du dieu Mars», de *Mars*, nom d'origine inconnue désignant une ancienne divinité italique qui a été identifiée avec le dieu grec de la guerre, *Ares*. À l'origine, le mois de mars était le premier de l'année romaine.

♦ *Mars*, nom du troisième mois de l'année grégorienne, entre dans la locution ***venir comme mars en carême*** (1690) «ne pas manquer d'arriver régulièrement» : on employait antérieurement *estre tenu ferme comme mars en Quaresme* (1349) «être considéré comme une vérité entière» et *le moys de Mars faillit en karesme* (1542) «il arriva une chose impossible». ◇ Anciennement, en référence à ce qu'on plantait en mars, *les mars* se disait des grains semés en mars (1234, *marc*). ◆ Le mot sert aussi à dénommer un papillon diurne (1803).

◈ voir MARDI, MARTIAL et MARTIEN.

MARSOUIN n. m., observé une première fois en 1086 dans un texte latin d'Angleterre *(Domesday Book)*, est attesté de nouveau depuis 1393 (1385, à Dieppe, selon Bloch et Wartburg). Le mot est probablement emprunté au danois ou au suédois *marsvin*, proprement «cochon de mer», éventuellement par l'intermédiaire du moyen néerlandais *meerswijn*. L'exemple relevé en 1086 pourrait être une latinisation du terme anglo-saxon correspondant. Son premier élément est un représentant germanique (→ mare) de la racine qui se retrouve dans le latin *mare* (→ mer). Le second est une dénomination germanique du porc, apparentée à l'indoeuropéen *°s(u)wino-*, élargissement du thème *°su(w)-*, que le latin a dans *sus* «cochon» (→ soue), et le grec dans *hus* «porc» (→ hyène, jusquiame). Le latin nommait ce cétacé *porcus marinus* «porc marin», type passé dans l'espagnol *puerco marino*, l'italien *porco marino*. Un type roman *°porcopiscis* «poisson porc», a donné l'ancien français *pourpois*, *pourpeis* n. m. qui, éliminé par *marsouin*, se perpétue dans l'anglais *porpoise*. Le portugais *peixe porco* suppose un roman *°pisciporcus*, avec inversion des éléments.

♦ Le mot, qui s'applique à un petit cétacé, a servi à désigner figurément un homme laid et contrefait (1464), sens disparu. ◇ Il s'applique encore, familièrement, à un marin (1828) et à un soldat ou gradé de l'infanterie de marine (1858). ◇ Par analogie de forme, il est employé en marine pour la pièce de charpente reliant la quille d'un bateau à l'étrave (1758), puis la tente du gaillard d'avant (1840).

▸ Récemment, il a donné **MARSOUINER** v. intr. (v. 1968) «tanguer, en parlant d'un bateau, d'un avion à la manière d'un marsouin» et de là, **MARSOUINAGE** n. m. (v. 1975), utilisé surtout en aéronautique.

MARSUPIAL, ALE, AUX adj. et n. m. est dérivé savamment (1736) du radical du latin *marsupium* «bourse», lui-même calqué du grec *marsipion*, graphie tardive pour *marsippos*, mot étranger d'origine inconnue, peut-être d'Asie Mineure.

♦ Le mot s'emploie en zoologie pour qualifier les animaux présentant un organe en forme de bourse. ◇ Il est substantivé (*les marsupiaux*, 1806) pour désigner les mammifères aplacentaires dont la femelle possède une poche ventrale extérieure dans laquelle s'achève le développement embryonnaire des jeunes.

▸ Le dérivé **MARSUPIALISER** v. tr. a été créé en chirurgie (1924), probablement d'après l'anglais *to marsupialize* (attesté dès 1899), pour l'opération consistant à pratiquer une ouverture dans une cavité anatomique ou pathologique de manière à former une poche communiquant avec l'extérieur. ◆ Le nom de cette technique opératoire, **MARSUPIALISATION** n. f. (1900), peut être un calque de l'anglais *marsupialization*, attesté en 1889.

MARTEAU n. m., d'abord *marteals* (v. 1140), puis *marteau* (1389), est issu du latin tardif *martellus* (Isidore de Séville et les glossaires latins), resuffixation du latin impérial *martulus*, forme altérée de *marculus* «marteau». C'est là une forme hypercorrecte (en réaction contre le passage, normal en latin populaire, de *-culus* à *-clus*,) sur le modèle de *vetulus*, forme classique, en face du latin populaire *vetus* «vieux». *Marculus*, sur lequel aurait été refait *marcus* «marteau», s'apparenterait à *malleus* (→ mail, malléable).

♦ *Marteau*, courant au sens d'«outil propre à battre et à forger», entre dans des dénominations plus techniques dont *marteau à maçon* (1389, aujourd'hui *de maçon*), *marteau de tapisserie* (1453), *marteau d'assiette* (1676). ◇ Il est pris comme symbole du travail industriel (cf. aussi *faucille*). ◆ On dit au figuré ***être marteau*** «être fou» (1889), elliptiquement d'après ***avoir un coup de marteau*** (1587) par le sémantisme qui donne *toqué, frappé, dingue*, etc. ◆ *Marteau* a reçu quelques sens techniques ; par analogie de fonctionnement, dès le moyen français, il désigne divers outils à percussion : l'instrument qui imprime des marques sur les arbres à abattre (1306), un battant de porte (XIVe s.), une ancienne arme de choc (*marteau d'armes*, 1391 ; cf. *masse*), une pièce d'horlogerie (1453), la pièce de bois qui frappe une corde de piano quand on enfonce la touche correspondante (1751). On parle aussi du *marteau* d'un commissaire-priseur (1848). Par analogie de forme, le mot est employé spécialement en anatomie, formant couple avec *enclume* (1611). Il désigne un engin de lancer lourd, en sport (1900) et, par métonymie, la technique de lancer, le sport. ◆ Il sert aussi à dénommer un mollusque en forme de T et un squale appelé *requin* marteau*.

▸ Au sens propre, *marteau* sert à former des composés. Il fournit le premier élément des noms (masculins) d'outils **MARTEAU-PILON** (1867, *L'Exposition universelle illustrée*), d'abord dit *marteau-presse* (1839), **MARTEAU-PIOLET** en alpinisme (1941) et **MARTEAU-REVOLVER** (XXe s.).

Tous les dérivés sont formés sur le radical de *martel*, l'ancienne forme (XIIe s.) de *marteau*. ◆ Le dérivé verbal **MARTELER** v. tr. «frapper comme avec un marteau» (1170) et «battre à coups de marteau» (1176), a pris au XVIe s. (v. 1577) le sens figuré de «provoquer un ébranlement (comparable à un coup de marteau)» en parlant d'un souci qui obsède l'esprit. ◇ Par allusion au bruit cadencé du marteau sur l'enclume, il se rapporte à un phénomène auditif au sens d'«articuler fortement, prononcer avec force les syllabes d'un mot» (1798, *Académie*). ◆ Ses dérivés sont surtout d'usage technique : **MARTELEUR** n. m. (v. 1361 ; XIIIe s., *martellour*), **MARTELLEMENT** (1576) ou **MARTÈLEMENT** n. m. (1579) désignant aussi un bruit martelé, et **MARTELAGE** n. m. (1530) en métallurgie et eaux et forêts (1669). Sur la forme ancienne *martel*, on a formé le diminutif **MARTELET** n. m., employé d'abord (semble-t-il) au pluriel avec le sens de «testicules» (v. 1278) avant de prendre le sens moderne de «petit marteau» (fin XIVe s.). ◆ Le petit marteau de maçon a reçu son nom de **MARTELETTE** n. f. (1937) par emprunt au provençal moderne *martelo*. ◆ **MARTEL** n. m., dans la locution ***mettre martel en tête*** (1561), antérieurement *donner martel* (1554-1557), ne représente pas l'ancienne forme en *-eal, -el* (qui a donné les dérivés comme *marteler*), mais est emprunté à l'italien *martello* «marteau», au figuré «jalousie» et «souci» (XVIe s.) ; cette dernière prévaut en français, surtout au pronominal *se mettre martel en tête* (1718).

MARTIAL, ALE, AUX adj. a été emprunté (v. 1355) à deux reprises au latin *martialis* «de Mars», dérivé du nom de *Mars*, nom de dieu et nom de planète (→ mars).

♦ Le premier *martial* est le plus courant, qualifiant ce qui concerne la guerre et les armées. Appliqué à un nom de personne, il a eu la valeur de «brave, courageux» (1565) avant de qualifier un air belliqueux, d'apparence guerrière (1740). ◇ ***Cour martiale*** (1765) et ***loi martiale*** (1789) sont deux anglicismes du XVIIIe s., traduction des expressions *martial court* et *martial law* (XVIe s.) dans lesquelles *martial* est lui-même un emprunt au moyen français. *Cour martiale* fut d'abord employé en référence à une réalité anglaise avant de s'appliquer à un contexte français (1790). ◇ L'expression ***arts martiaux*** (v. 1960) est aussi un anglicisme qui traduit *martial arts* (1933) désignant les techniques sportives de combat d'Extrême-Orient.

♦ ② **MARTIAL** (1611) a été soit réemprunté au latin *martialis*, soit formé sur *Mars*, au sens de «qui appartient à la planète» (→ martien). Il a pris le sens spécialisé de «contenant du fer» (1694), dans le langage des alchimistes, selon l'habitude de donner des noms de planètes aux métaux (cf. *mercure*). Cette appellation est probablement due à la volonté d'employer à la fois le nom de la planète Mars et celui du dieu de la guerre : l'influence astrologique de la planète est marquée par le symbolisme attaché au dieu Mars, et le fer est le métal dont on fait les armes. *Martial*, terme d'alchimie, est passé dans le vocabulaire médical (1922, *fonction martiale*).

► L'adjectif courant a donné **MARTIALEMENT** adv. (1842), d'usage ironique, et **MARTIALITÉ** n. f., à peu près inusité.

◈ voir MARDI, MARS, MARTIEN.

MARTIEN, IENNE adj. et n. est dérivé (1514) du nom du dieu *Mars* (→ mars) avec le suffixe *-ien*.

♦ Le mot est d'abord employé au sens de «guerrier», où il a été éliminé par *martial* (→ martial), avant d'être attesté comme adjectif (1555) au sens de «qui fleurit en mars, est du mois de mars». Ce ne sont là que des emplois isolés avant que *martien* ne soit reformé sur le nom de la planète *Mars*, pour «de la planète Mars» (1839). Il est substantivé pour désigner un habitant présumé de cette planète (1900, *marsien*, chez Gide à propos de H. G. Wells). Depuis 1902, le nom et l'adjectif sont spécialement employés dans le discours astrologique au sens de «qui est sous l'influence de la planète Mars».

◈ voir MARS.

① **MARTINET** n. m., nom d'oiseau, est dérivé, à l'aide du suffixe *-et* (1375), du nom propre *Martin* pour des raisons inconnues, mais le procédé a d'autres exemples (cf. *sansonnet, jacquot, perroquet, perruche*). L'hypothèse de Wartburg, qui propose d'y voir une forme altérée de *martelet* «petit marteau» (→ marteau), par une comparaison entre le bec de l'oiseau et un picot, est difficile à retenir.

♦ *Martinet* désigne à l'origine le martin-pêcheur, aujourd'hui appelé **MARTIN-PÊCHEUR** n. m. (1573), après *martinet-pescheur* (1553). ◆ Le sens moderne de *martinet* «passereau ressemblant à l'hirondelle» est attesté depuis 1546. ◆ Divers sens techniques de *martinet* sont analogiques : le mot a désigné (1564) un chandelier, comparé au corps de l'oiseau, un cordage en marine (1677) et un fouet à lanières de cuir (1743) par analogie avec la forme de la queue étalée. ◇ Cette valeur, «petit fouet», pourrait aussi, selon Bloch et Wartburg, venir d'une autre valeur de *martin*, attestée dans *martin-bâton* (1521), formé avec le nom de l'âne (attesté 1485) et le mot *bâton*. De toutes façons, ces emplois sont distincts de ② *martinet*.

② **MARTINET** n. m., nom d'outil (1315), est dérivé du nom propre *Martin* selon un procédé fréquent dans la dénomination d'outils. Il s'agit probablement d'une allusion au nom traditionnel de l'âne (cf. *onagre*) ; on a ainsi *un martin* «lourde plaque de fer» (1873).

♦ Le mot désignait une forge, et (1369) un engin à contrepoids servant à lancer de grosses pierres.

MARTINGALE n. f. est probablement issu (1491), avec insertion d'un *-n-* (fréquent en langue d'oc), du provençal *martegalo*. Celui-ci est le féminin de *martegal* «habitant de Martigues», les Martigaux devant à la situation excentrique de leur ville (à l'embouchure de l'étang de Berre) une réputation régionale de naïveté et d'extravagance. On rencontre ainsi le provençal *martegau* «naïf, qui s'étonne de tout», *martegalado* «naïveté, badauderie».

♦ L'expression ***à la martingale***, attestée dès les premiers textes dans *chausses à la martingale* (1491), exprime une idée d'absurdité, ces chausses dont le pont était placé à l'arrière formant un vêtement conçu illogiquement. Le mot a désigné au XVIe s. le pont arrière des chausses (1542) avec des emplois comiques analogues à ceux de *braguette*. ◇ Par analogie, il se réfère à un élément de harnachement du cheval (1611), désigne un type de cordage en marine (1836) et une bande de tissu placée horizontalement dans le dos du vêtement pour en retenir l'ampleur (1902). ➛ Son emploi spécial au jeu de hasard (1760) réactiverait le sens étymologique péjoratif, ce coup consistant originellement à doubler la mise que l'on a perdue au coup précédent (ce qui peut sembler absurde) ; cette évolution sémantique est peu sûre. Cependant, depuis 1801, *martingale* s'emploie pour «combinaison plus ou moins scientifique destinée à assurer des gains», rompant avec toute idée d'absurdité ; on commence alors à concevoir une science du hasard.

MARTIN-PÊCHEUR → ① MARTINET

MARTRE n. f., d'origine germanique, est soit issu (1080) d'un francique °*martar*, soit d'un thème germanique °*marþr-* désignant la martre et restitué par l'ancien haut allemand *mardar*, allemand *Marder*. Une variante du thème, °*marþuz*, explique la variante française *marte* (1549), moins usitée de nos jours, l'espagnol *marta*, le provençal *mart-z*.

♦ Le mot désigne un petit mammifère carnassier et, par métonymie, la fourrure de celui-ci, très recherchée en pelleterie (v. 1170).

MARTYR n. a été emprunté (1050) au latin ecclésiastique *martyr* «celui qui a souffert de la torture et est mort pour attester la vérité de la religion chrétienne», employé à propos du Christ. Il s'agit d'un emprunt au grec *martur*, forme tardive pour *martus, marturos* «témoin» (dans la langue juridique) puis, chez les auteurs chrétiens, «celui qui témoigne de la vérité par son sacrifice». Le radical se rattacherait à un thème indoeuropéen signifiant «se souvenir» (sanskrit *smārati* «se souvenir», grec *merimma* «souvenir», latin *memoria* [→ mémoire]).

♦ *Martyr* a éliminé au XVIe s. la forme populaire ancienne *martre* (v. 1190) qui s'est maintenue dans le toponyme *Mont-martre* «Monts des Martyrs». ◇ Introduit avec son acception religieuse et chrétienne, le mot est employé au figuré (v. 1176) et se dit laïquement, par hyperbole, de qqn qui souffre beaucoup (physiquement, moralement) [1690], en locution ***le, un martyr de (une cause)***, etc. ◇ Le sens de «témoin», repris par hellénisme au XVIe s., ne s'est pas maintenu.

▸ Les autres mots du même groupe sont des emprunts au latin ecclésiastique. ➛ **MARTYRE** n. m. (1080, *martirie* ; 1119, *martire*) représente *martyrium* «action de témoigner le Christ dans la persécution» et, par métonymie, «lieu où est enterré un martyr». Le mot latin est un emprunt au grec *marturion* «témoignage, preuve» et, à l'époque chrétienne, «sanctuaire dédié à un martyr». ◇ En français, *martyr* est attesté dans *La Chanson de Roland* (1080) au double sens de «mort endurée par la religion chrétienne» et, laïquement, de «massacre, défaite sanglante». Par affaiblissement il est employé pour toute grande souffrance physique ou morale (1119), dans la locution ***souffrir le martyre*** et en parlant d'une situation très désagréable (1160). ➛ **MARTYRISER** v. tr., d'abord *martirizier* (v. 1138), est emprunté au latin médiéval et chrétien *martyrizare* «mettre à mort, livrer au martyre», de *martyr*. ◇ Rarement employé au sens de «persécuter (les chrétiens)» (v. 1138), il a pris, par extension, le sens courant de «faire beaucoup souffrir (physiquement, moralement)» (1600, d'Aubigné), évinçant le verbe tiré de *martyre*, *martyrer* (v. 1150), employé jusqu'au début du XVIIe siècle. ◇ Il a pour dérivé **MARTYRISANT, ANTE** adj., **MARTYRISATION** n. f. (une fois en ancien français puis 1616) et **MARTYRISEUR** n. m. (1840), tous trois d'usage rare. ➛ La crypte ou chapelle contenant le tombeau d'un martyr a reçu son nom de **MARTYRIUM** (1840), réfection de *martyrion* (1740), en remplacement d'un ancien emploi de *martyre* (1546). ➛ **MARTYROLOGE** n. m. «liste, catalogue des martyrs» est un emprunt (1350) au latin médiéval *martyrologium* (XIe s.) dérivé de *martyr* sur le modèle d'*elogium* (→ éloge). Par extension, le mot désigne la liste de ceux qui sont morts pour une cause (1600, d'Aubigné), au propre et au figuré. ◇ Il a servi à former trois termes didactiques en religion : **MARTYROLOGIE** n. f. (1611), **MARTYROLOGIQUE** adj. (1873) et **MARTYROLOGISTE** n. m. (1704).

Wartburg avait proposé de faire venir le verbe *tirer* de *martyr* par le verbe *martirier* «tourmenter, tripoter (sa barbe)», employé dans *La Chanson de Roland* à propos de Charlemagne. Interprétant ce verbe en *mar* (mal) *tirier*, les locuteurs auraient employé le second élément seul. Cette étymologie est à peu près abandonnée.

◈ voir TIRER.

MARXISME n. m. est dérivé (1882) du nom de Karl *Marx* (1818-1883), philosophe, économiste et homme politique allemand qui, avec Engels, formula les bases du matérialisme historique et rédigea entre autres le *Manifeste du parti communiste* (1848).

♦ Le mot, attesté depuis une brochure de P. Brousse, *Le Marxisme dans l'Internationale*, recouvre l'ensemble des conceptions élaborées par Marx et Engels à partir de 1845-1846, qui constitue le matérialisme dialectique et historique et le socialisme scientifique. L'étendue du concept a évolué chez les successeurs de Marx et d'Engels en liaison avec la lutte révolutionnaire et l'évolution des conditions de production.

▸ Le mot a été précédé dans les attestations par **MARXISTE** adj. et n. (30 avril 1872, *Le Conseil marxiste de Londres*), d'abord employé adjectivement, puis aussi (1882) substantivement pour le partisan des thèses de Marx. ➛ Le XXe s. a vu apparaître **ANTIMARXISME** n. m. et **ANTIMARXISTE** adj. et n. (déb. XXe s.) puis, après la révolution russe et la révision de la pensée de Marx par Lénine, **MARXISME-LÉNINISME** n. m. (1933) et **MARXISTE-LÉNINISTE** adj. et n., répandus vers 1965. ➛ L'étude de l'œuvre de Marx a suscité la création des termes didactiques **MARXOLOGUE** n. (1935 *in*

D.D.L.), d'après le russe (1925, Riazanov), et **MARXOLOGIE** n. f.

MAS n. m. est un mot provençal et languedocien attesté dès le xe s. puis à la fin du xive s. (v. 1390). Il correspond à l'ancien français *mes* «maison de campagne, ferme, habitation», que l'on trouve jusque dans les chartes et coutumes locales du xviie et du xviiie siècle. Ce dernier est encore appliqué à un clos de vigne, à un enclos, dans le Centre et dans les Vosges; il jouit d'une certaine importance dans la toponymie *(Metz, le Maix, le Mée, Odomez, Royaumeix, Mémillon). Mes* et *mas* sont également issus du latin *mansum,* (→ manse) de *manere* «rester, séjourner» (→ manant, manoir, et aussi maison, masure).

♦ *Mas* s'employait en moyen français dans les coutumiers à propos d'une ferme, d'un lèvement mainmortable, dans le cadre féodal. Son sens actuel de «ferme, maison de campagne» (1552) est un emprunt encore exotique en français d'oïl, jusqu'au xixe s. (1842) où la mode de la Provence, avec Daudet et d'autres, favorise ce genre d'emprunt.

▸ *Mas* a donné un diminutif **MASET, MAZET** n. m. «petit mas» (1109), repris récemment par suite de la vogue provençaliste.

MASCARA n. m., d'abord *mascaro* (1903), puis *mascara* (1929), est emprunté à l'anglais *mascaro* (1890), *mascara* (1922) «fard à cils». Il s'agit d'un emprunt probable à l'espagnol *mascara* qui correspond à l'italien *maschera,* à l'origine de *masque**.

♦ Le mot est partiellement concurrencé par son synonyme *rimmel* (1936) qui est une marque déposée.

◈ voir ① MÂCHURER.

MASCARADE n. f. est un emprunt (1554) à l'italien *mascherata,* forme septentrionale *mascarata,* «divertissement joué par des personnages masqués» et «défilé de personnes déguisées et masquées», dérivé (xvie s.) de *maschera,* qui nous a donné *masque**.

♦ Le mot a été introduit en français avec les sens de l'italien (respectivement 1554 et 1579). Historiquement, il a désigné un spectacle en travesti où alternaient figures de danse et récitation de vers galants et qui, à la fin du règne de Henri IV et sous Louis XIII, se confondit avec le *ballet-mascarade* tout en conservant son caractère burlesque. Il a développé (1690) le sens figuré d'«attitude hypocrite, mise en scène trompeuse». À la même époque, il servait à désigner une personne curieusement accoutrée : de nos jours, il n'est plus employé qu'en apposition au sens d'«accoutrement extravagant» (1821), par une image analogue à celle de *carnaval.*

MASCARON → MASQUE

MASCOTTE n. f. est un emprunt tardif (1867) au provençal *mascoto* «envoûtement, sortilège, ensorcellement au jeu» (av. 1850), dérivé de *masco* «sorcière, magicienne», lui-même de l'ancien provençal *masca* (1396), d'origine préromane (→ masque).

♦ Le mot a été répandu en français par l'opérette d'Audran *La Mascotte* (1880), et désigne une personne, un objet, un animal, considéré comme portant bonheur. Argotiquement, il a eu le sens d'«homme, fille vierge» censé porter bonheur au premier partenaire. ➔ Sans qu'on en connaisse la raison, le mot sert à désigner une sorte de génoise ronde recouverte de crème au moka.

MASCULIN → MÂLE

MASOCHISME n. m. est emprunté (1896, Raffalovitch) à l'allemand *Masochismus,* tiré par Krafft-Ebing (1886, *Psychopathia sexualis*) du nom de l'écrivain autrichien Leopold von Sacher-*Masoch* (1836-1895). Celui-ci, dans sa vie et dans son œuvre principale (*La Vénus à la fourrure,* 1870), a exprimé une forme particulière d'érotisme où la jouissance s'atteint dans l'humiliation et la souffrance. Ce terme de psychiatrie a été étendu par Freud (dès 1905, *Trois essais sur la théorie de la sexualité*) au-delà de la perversion décrite par les sexologues : il en reconnaît des éléments dans de nombreux comportements sexuels et en décrit des formes dérivées, notamment le masochisme moral dans lequel le sujet, en raison d'un sentiment de culpabilité inconscient, recherche la position de victime sans qu'y soit directement impliquée une jouissance sexuelle.

♦ Le mot français, d'abord employé strictement en psychiatrie et (1916) en psychanalyse, est passé dans le langage courant pour l'attitude consistant à rechercher la souffrance et l'humiliation (souvent par hyperbole). Dans ses différents usages, il est fréquemment complémentaire de *sadisme.*

▸ **MASOCHISTE** adj. et n., son dérivé (1896), a suivi la même évolution et est abrégé familièrement en **MASO**, surtout comme adjectif (v. 1970) avec son sens courant. ➔ Les deux mots entrent en composition dans **SADOMASOCHISME** n. m. et **SADOMASOCHISTE** adj. et n. (v. 1950) (→ sadisme), ce dernier étant abrégé familièrement en *sadomaso* (également *S. M.*).

MASQUE n. m. est un emprunt (1514) à l'italien *maschera* «faux visage» (v. 1350, Boccace), d'un radical préroman °*maska* «noir» qui est à l'origine de deux groupes de mots : un type *masca* signifiant «masque» en latin tardif, mais surtout «sorcière», «spectre, démon», est représenté en latin médiéval (643), en Angleterre, en Italie (Pise, Piémont, Sicile) et en gallo-roman (avec le composé *talamasca*) ainsi qu'en ancien provençal (→ mascotte) : tous ces mots attestent l'étroite association existant entre les notions de noirceur et de sorcellerie, démon, dans l'imagination populaire. °*Maska* est aussi à l'origine d'un type élargi °*maskara* très répandu dans les domaines ibéro-romans (catalan *mascara* «tache noire, salissure», aragonais, navarais, valencien et à Majorque, portugais *mascarra* «tache» → mascara). L'évolution sémantique en italien s'explique par le fait que les plus anciens déguisements consistaient à se noircir le visage et parfois le corps (→ mascarade). P. Guiraud préfère invoquer pour *masque* le latin tardif *mascha, masca,* peut-être issu d'un adjectif °*massica* «de pâte», dérivé de *massa* «pâte» (→ ① masse). Quant aux noms latins classiques du masque, *persona* et *larva*, ils sont passés en français avec d'autres sens (→ larve, personne).

♦ *Masque* est apparu au sens de «faux visage que l'on met pour se déguiser» (*Arrêté contre les masques*, 27 avril 1514). Par métonymie, il désigne à la fois la personne qui porte un masque (1542) et la pièce d'étoffe qui dissimule une partie du visage (1599) [cf. *loup*]. ◇ Il a développé le sens métaphorique d'«apparence trompeuse» (1535, au féminin), notamment dans l'expression ***lever le masque*** (av. 1615), d'abord *lever le masque devant le bal* (1598). ◇ Depuis 1540, il est employé à propos d'une représentation plastique du visage, en particulier en parlant des faces sculptées très à la mode dans l'art renaissant et baroque (ci-dessous *mascaron*). *Masque* désigne spécialement l'empreinte prise sur le visage (1718), notamment le masque mortuaire, et s'applique au visage lui-même considéré dans son aspect, son expression (1832), y compris d'un point de vue pathologique (*masque de grossesse*, 1836). ◇ Par analogie de forme, mais en changeant de fonction, il sert à désigner toute espèce de protection du visage, dans les domaines de l'apiculture (1587), de l'escrime (1839), de la chirurgie (1864), en technique pour le masque de certains ouvriers (1894) et le ***masque à gaz*** (1916). Il désigne enfin une couche de crème appliquée en esthétique sur le visage. ➛ Par extension de cette fonction de «protection» à un autre objet que le visage humain, le mot désigne un abri sur une côte protégeant les navires de la pluie et du soleil (1845) et un abri militaire (1873), artificiel ou naturel, qui protège du tir ennemi. Par analogie d'aspect, il est employé avec un sens précis en entomologie (fin XVIIIe s.) à propos de la larve de la libellule (cf. le développement sémantique de *larve*).

▸ Son dérivé **MASQUER** v. tr., d'abord attesté par le participe passé *masqué* au sens propre de «caché sous un masque» (1528), signifie plus généralement «dissimuler aux regards» (1553) et, au figuré, avec une notation psychologique péjorative, «dissimuler sous des apparences trompeuses» (transitivement et à la forme pronominale). ◇ Par la suite, il a développé des sens particuliers dans le domaine militaire (1718), en cuisine (1783) au sens de «recouvrir (un mets) d'une sauce épaisse» et «dissimuler (un goût)». ◇ Son emploi intransitif pour «aller masqué», «feindre», usuel au XVIIe s., est sorti de l'usage. ➛ *Masquer* a donné récemment **MASQUAGE** n. m. (1956) «action de masquer», surtout en emplois spécialisés (physiologie, photographie et linguistique sociologique), et **MASQUANT, ANTE** adj. d'usage littéraire. ➛ Il a servi à former l'antonyme **DÉMASQUER** v. tr. (1554) surtout usuel au sens figuré de «faire connaître, révéler» (1680), dont on a tiré **DÉMASQUEMENT** n. m. (1888) et **DÉMASQUABLE** adj. (1922 en chimie). Ces mots, disponibles en emploi général, sont rares ou se limitent à des emplois spéciaux, à la différence du verbe.

MASCARON n. m. est emprunté en architecture (1633) à l'italien *mascherone*, dérivé augmentatif de *maschera*, désignant un grand masque grotesque (1378-1395) et, en architecture, un motif ornemental constitué d'une figure grotesque (1550, Vasari).

◈ voir MÂCHURER, MASCARA, MASCARADE, MASCOTTE.

MASSACRER v. tr., attesté au XIIe s. (v. 1160) mais antérieur, cf. *massacre*, est issu d'un latin populaire °*matteuculare*, dérivé gallo-roman de °*matteuca* qui a donné *massue**.

♦ Sous la forme *macecler*, puis *masacrer* (1306), écrit *massacrer* au XVIe s. (1553), le verbe signifie d'abord «tuer en frappant avec acharnement; assommer». Il prend progressivement la valeur de «tuer des victimes sans défense» (1564) et, par extension, «tuer une seule victime» (1630). ◇ Il a aussi le sens figuré de «mettre (une chose) en très mauvais état» (v. 1550), et particulièrement «faire très mal (une besogne)» (1642), dans un registre familier.

▸ Le déverbal **MASSACRE** n. m., relevé peu avant 1100 sous la forme *macecre*, semble indiquer que le verbe existait déjà au XIe siècle. La forme actuelle *massacre*, réfection (peut-être d'après le verbe) [1564], succède à *macecre*, *marçacre* (1150). Les premiers textes attestent le mot au sens ancien de «boucherie (abattoir et boutique)»; il développe bientôt le sens correspondant à celui du verbe «mise à mort de beaucoup de gens» (1150) «ou de bêtes» (1588). ➛ Au XVIe s., il a reçu quelques sens techniques en vénerie désignant par métonymie la tête du cerf que l'on place sur la peau de l'animal après la curée (1551) et, par extension, le bois de cerf avec l'os frontal (1573) ou la tête gardée comme trophée et servant d'ornement. De là un emploi en blason (1581). Les sens connexes d'«action de démembrer un cerf» (1573) et de «curée» (1636, *sonner le massacre*) sont archaïques. ➛ En relation avec *massacrer*, il a pris le sens figuré d'«action d'exécuter maladroitement (une œuvre musicale)» (1675) d'où, plus généralement, «action d'endommager; travail mal fait» (1816), concrètement et abstraitement. Il entre particulièrement dans ***jeu de massacre*** (1889) qui, par métonymie, donne son nom à la baraque foraine où l'on joue à ce jeu. ➛ *Massacrer* a également donné **MASSACREUR, EUSE** n. et adj. employé au propre (1574) et au figuré (1834), ainsi qu'un adjectif tiré de son participe présent : **MASSACRANT, ANTE** (1777) essentiellement au sens figuré de «maussade, bourru» dans *humeur massacrante* (1807).

◈ voir ② MASSE.

✳ ① **MASSE** n. f. est issu (v. 1050) du latin *massa* «pâte» puis «objet formant un amas, un lingot». Ce mot est un emprunt au grec *maza* qui désigne à l'origine une grosse crêpe d'orge mêlée d'huile et d'eau, et plus tard une boule (en particulier de métal), un bloc. Le mot grec est dérivé du verbe *massein* (ou *mattein*) «pétrir» (→ magma) affilié à une racine indoeuropéenne de même sens, qui a des représentants en latin (→ macérer), en balto-slave, en celtique et en germanique (→ maçon, ② maquereau, maquignon, maquiller). Il a été conservé en grec moderne au double sens de «pâte» et de «masse, amas».

♦ En français, le mot est attesté pour la première fois en parlant de personnes dans la locution *grant masse de* «grande quantité de, foule». Cependant, ce sens ne se diffusera qu'à la fin du XVIIIe s. dans *la masse du peuple* (1789) «la majorité» et, absolument, dans le pluriel *les masses* (1810) «les couches populaires». ◇ Parallèlement, l'adverbe ***en masse*** (1351) «en grande quantité» est employé en parlant des personnes (1781), avec une idée insurrectionnelle dans ***se lever en masse*** (1793). ➡ *Masse,* depuis le XIIe s., est surtout employé dans son sens de «quantité relativement grande (d'une substance solide ou pâteuse), sans forme ou sans considération de forme» (v. 1170). Ce sens purement physique de «matière, substance» sous-tend les expressions usuelles ***taillé dans la masse*** (1788), ***tomber comme une masse*** (1824). ◇ Le mot exprime parfois cette idée de manière dépréciative dans l'appellation *masse de chair* (1690) «homme gros, sans esprit». ➡ Depuis le XIIIe s., il s'applique aussi à une accumulation d'éléments distincts nombreux réunis dans un ensemble (v. 1278) et par extension désigne une chose perçue globalement comme une unité, spécialement en parlant d'un édifice (1547). ◇ Il désigne l'ensemble d'une même chose qui peut exister sous une forme dispersée, en particulier en parlant de marchandises (1385), de sang (1680, *masse de sang*), d'argent au sens juridique «avoir, dans une liquidation» (1615), et dans plusieurs emplois particuliers (armée, beaux-arts, jeu). Par extension, il est employé familièrement au sens de «grande quantité», en particulier dans l'expression négative ***(pas) des masses*** (1885). ➡ Depuis le XVIIIe s., il est employé en physique et en mécanique à propos d'une quantité de matière d'un corps (1721) et se distingue alors de *poids,* notion liée à la gravitation. Cet emploi donne lieu à de nombreux syntagmes dont *masse atomique, masse moléculaire.* ◇ En électricité (1923, Larousse), il désigne la grandeur sur laquelle un champ électrique, magnétique exerce son action pour produire une force. ➡ Par ailleurs, *masse* désigne une somme de cotisations, notamment dans ***mettre à la masse*** «cotiser» (1829).

▶ *Masse* est à l'origine de plusieurs séries de dérivés. ➡ L'adjectif ① **MASSIF, IVE** est, sous sa forme actuelle (1480), la réfection du plus ancien *massis* (1150) «fait dans la masse» qui vient probablement d'un type °*massicius* en latin vulgaire (italien *massicio*); ce type de changement de suffixe se rencontre également dans *cles-clef, nais-naïf,* etc. ➡ *Massif* signifie proprement «fait dans la masse» (comme dans *or massif*). ◇ Par extension, il a le sens de «qui forme une masse», spécialement en qualifiant une partie du corps humain (*membres massifs,* 1503). Il a développé le sens figuré de «sans finesse, obtus» (1690) et, ultérieurement, celui de «en grande quantité» (1914, *dose massive*). ➡ Il a été substantivé en architecture dans ② **MASSIF** n. m. (1546), relayant l'emploi substantivé de l'ancien *massich* (1396) «construction massive». Par suite, ce nom est employé avec la même idée : «ensemble d'une pluralité d'éléments ou d'un seul tenant», en parlant de végétaux (1694), en particulier de fleurs (1832). En géographie physique, il se dit d'un ensemble de montagnes (1796). ◇ L'adjectif a donné **MASSIVEMENT** adv. au sens de «d'une façon massive» (1584) et a pris au XXe s. (1945) la valeur de «en grand nombre, en masse». Le nom **MASSIVITÉ** n. f. (1547 en architecture) est rare avant le XIXe s. (1863).

Masse a aussi pour dérivé ① **MASSER** v. tr. (apr. 1250) «entasser», rare avant le XIXe s., où il a développé en peinture le sens particulier de «disposer par masses» (1819). ➡ Avec son sens technique de «bloc de métal», et par suffixation diminutive, *masse* a produit **MASSELOTTE** n. f. (XIIIe s., *machelotte*) «petite masse». Repris en 1704 *(Trévoux),* ce nom désigne une portion de métal en excédent et (1919) une petite pièce agissant par inertie, dans un mécanisme. ➡ D'autres dérivés plus tardifs réalisent également un sens particulier de *masse.* ➡ **MASSIER** n. m. (1907; 1775 avec un autre sens) est un terme des Beaux-Arts désignant la personne chargée de recueillir la «masse» (les cotisations). ➡ **MASSIFIER** v. tr. signifie «uniformiser la masse du peuple» (1808) et s'emploie surtout de nos jours en parlant d'une chose abstraite pour «adapter à la masse» (1965). ◇ On en a tiré **MASSIFICATION** n. f. (1954) par dérivation savante en sociologie, et **MASSIFICATEUR, TRICE** adj. (v. 1970) [→ (mass)-media]. ➡ Au XXe s. est aussi apparu en physique l'adjectif **MASSIQUE** (1911).

Le groupe de *masse* s'est agrandi dès l'ancien français d'une série préfixée en *a-*, elle-même préfixée en *re-*. ➡ **AMASSER** v. tr. (v. 1160) «assembler» est employé particulièrement à propos de richesses (v. 1165). ◇ Son emploi avec un nom de personne pour complément (v. 1165) a décliné au bénéfice d'*assembler.* ➡ *Amasser* n'a véritablement donné aucun nom d'action, puisque **AMASSEMENT** n. m. (XIIe s.) reste rare et d'usage littéraire, et que **AMASSE** n. f. (v. 1350) est réservé au sens technique d'«action de cueillir la résine» (Landes). ➡ Il a aussi fourni **AMASSEUR, EUSE** n. (1530; 1223, *amassierre*) «personne qui amasse des biens». ➡ Le déverbal **AMAS** n. m., relevé pour la première fois dans *faire son amas* «lever des troupes» (fin XIVe s.), a vieilli au sens d'«action d'amasser» (XVIe s.); il est employé au sens métonymique de «réunion d'objets, apportés successivement, et faisant une masse imprécise» (1530), concrètement puis abstraitement, avec une valeur péjorative en parlant de personnes (1524), spécialement en astronomie et à propos d'un gisement minier. ➡ Créé ultérieurement, le nom d'outil **AMASSETTE** n. f. désigne la lame du broyeur de couleurs (1600) et un outil de pâtissier (1838). ➡ **RAMASSER** v. tr., où le préfixe *re-* a une valeur plus intensive qu'itérative (comme dans *rassembler*), est attesté initialement au sens de «rassembler (des troupes, des gens)» (v. 1213) dans un contexte militaire. Cette acception a disparu; il en reste une trace lointaine dans l'acception familière «appréhender (un coupable)» (1785), également *se faire ramasser* «se faire arrêter» (1867). ◇ Avec un complément au pluriel désignant des objets, le mot exprime le fait de «rassembler (ce qui est dispersé)», par exemple les éléments d'une œuvre littéraire (fin XIIIe s.) et, concrètement, des amendes (1535 en finances), des éléments convergeant vers un point central (1656, *se ramasser*). ➡ Lorsque s'y mêle l'idée accessoire de «recueillir des choses dispersées à terre» (1549), le verbe devient synonyme de «collecter, récolter» (1574), mais tolère aussi un nom au singulier (1559, *ramasser un anneau*), perdant alors son lien étymologique à la masse ou à l'amas. ◇ L'accent mis sur un mouvement de haut en bas et de bas en haut a suscité dans l'usage classique le sens pronominal «se relever après être tombé» (1640, *ramasse-toi* étant donné comme l'équivalent vulgaire de *relève-toi*); l'une des étapes s'est perdue, le mot signifiant de nos jours simplement «tomber» dans l'usage familier (1895 dans *ramasser une bûche;* 1920 au pronominal, *se ramasser*). ◇ Quand le complément désigne un être animé, *ramasser* indique l'idée de «faire monter avec soi» dans un carrosse (1694), de nos jours «prendre dans un véhicule», familier, et au figuré avec une connotation de désinvolture (1835, *où avez-vous ramassé cet homme-là?*). ➛ Le lien étymologique est réalisé de manière plus nette dans l'emploi du participe passé adjectivé **RAMASSÉ, ÉE** «massif, en largeur et en épaisseur» (1580; dès 1536 au figuré) et dans celui du verbe : au pronominal, *se ramasser,* qui signifie «se pelotonner sur soi-même» (1607, quelquefois au figuré, 1655). *Ramasser* se rapporte parfois à une activité technique (1723, *ramasser l'émail*). ◇ Au propre et au figuré, il réalise l'idée de «concentrer» (1572), par exemple dans *ramasser ses forces* (av. 1704, Bossuet) et, dès le XVIIe s., par une extension logique de la concentration à la réduction, l'idée de «contenir en résumé» (1675; av. 1704, *ramasser [sa pensée] en peu de mots*). ➛ Les dérivés de *ramasser* sont apparus à partir du XVIe s. : **RAMASSEUR, EUSE** n. (1509) se rapporte à la personne qui fait profession de ramasser qqch., autrefois absolument à propos du chiffonnier, de nos jours de diverses activités (1845, *ramasseur de cailloux;* 1879, *ramasseur de chiffons;* 1908, *ramasseur de mégots*). Il s'applique également à celui qui collecte, d'abord des impôts (1583-1590) puis des marchandises (*laitier ramasseur,* 1895; *ramasseur de porcs,* 1941). La fonction de recueillir étant assumée par des machines, le mot désigne aussi un appareil (1927, *ramasseur d'huile;* 1933, *ramasseur à fourrage*). ➛ Le déverbal régressif **RAMAS** n. m. (1538) a disparu en tant que substantif d'action, sauf en parlant du ramassage non autorisé des feuilles mortes (1869); il a également vieilli au profit d'autres dérivés avec son sens concret d'«assemblage d'éléments divers» (1544 en parlant d'une compilation littéraire; 1651 avec une nuance péjorative, *ramas de sottises*). ➛ **RAMASSEMENT** n. m., apparu au XVIe s. (1558) à propos d'un amalgame de langues, est peu employé avec sa valeur active (1636) et plutôt réservé à la description d'une position ramassée (1877), spécialement dans les sports de lutte. ➛ **RAMASSIS** n. m. (1674) a supplanté *ramas* (ci-dessus) dans sa valeur péjorative de «rassemblement disparate» appliquée à des personnes, à des choses (1690, à propos du petit bois restant dans les forêts), à des propos sans valeur (1706, d'une œuvre littéraire). ➛ **RAMASSOIRE** n. f. est un nom d'outil recueilli dans l'*Encyclopédie* (1765) comme terme de marbreur de papier. ➛ **RAMASSAGE** n. m. est venu tardivement (1797) fournir un substantif d'action d'usage technique, puis courant, concernant les choses, puis les personnes (1936, *ramassage des élèves par automobile*), d'où *ramassage scolaire, car de ramassage.* ➛ **RAMASSETTE** n. f. (1842) est un terme agricole pour le clayonnage adapté à la faux, d'après sa fonction : réunir en javelles les tiges de blé coupées; il est employé en wallon au sens de «pelle à poussière» (1942). ➛ Enfin, l'élément verbal **RAMASSE-** se trouve à partir du XIXe s. dans la construction de substantifs masculins désignant divers ustensiles : **RAMASSE-MIETTES** n. m. (1876) est courant; **RAMASSE-MONNAIE** n. m. (1904) est très rare; **RAMASSE-POUSSIÈRE** n. m. «pelle à poussière» est régional (nord de la France, 1912), en concurrence avec *ramassette.*

◈ voir MASTOC, (MASS) MEDIA.

② **MASSE** n. f. est issu (v. 1135) du latin populaire °*mattea* (italien *mazza,* espagnol *maza*), probablement tiré du latin *mateola* «bâton, manche de la houe», terme technique rare rapproché du sanskrit *matyám* «herse», du vieux slave *motyka* «houe». Il se peut également qu'il soit apparenté à *mattiobarbulus* «sorte de javelot» et à *mattiarius* «soldat armé de ce javelot» qui supposent un °*mattia* non attesté séparément et rapproché hypothétiquement par Ernout-Meillet de *mataris* «javeline gauloise», mot celtique.

♦ *Masse* désigne à l'origine une arme formée d'un manche et d'une boule métallique à pointes de fer utilisée avant les armes à feu dans *mace de fer* (1135) puis ***masse d'armes*** (1498). Il est entré dans *sergent à masse* (1306, *serjant a mace*) «huissier qui porte un bâton d'or, d'argent dans certaines cérémonies», ne désignant plus une arme mais un bâton de cérémonie. Depuis 1508, il désigne aussi, couramment, un gros maillet de bois, de métal. Il a donné ***coup de masse,*** pris figurément (1935) comme synonyme de *coup de massue* «addition trop élevée». ➛ Depuis le moyen français (1323), le mot désigne un bâton à tête de métal précieux porté par des huissiers dans un cortège solennel. ◇ Il a alors pour dérivé **MASSIER** n. m.
Au XVIIIe s. (1721), *masse* s'applique au gros bout d'une queue de billard. ◇ De là **MASSÉ** n. m. (1867) «coup où l'on "masse" la bille» et ③ **MASSER** v. tr. (1830) «frapper la bille verticalement, la faisant ainsi tourner sur elle-même».

▸ **MASSETTE** n. f., d'abord *macete* (1266), désigne une petite masse que l'on peut manier d'une main, arme de tournoi, puis (1802) un outil de mineur, de casseur de pierres (1877).

◈ voir MACHETTE, MASSACRER, MASSUE.

③ **MASSE** n. m., mot technique, est issu (1339) du lat. *mataxa* «écheveau».

♦ Après avoir désigné un écheveau, le mot, influencé par ① *masse,* désigne en commerce (1723) une grande quantité (spécialt, douze grosses, cent quarante-quatre douzaines).

MASSELOTTE → ① MASSE

MASSEPAIN n. m., d'abord *marcepain* (1544) puis, sous l'influence de ① *masse, massepan* (1545), *massepain* (1546), est emprunté à l'italien *marzapane* qui désigne à l'origine, sous la forme *mar-*

zapane, une mesure de capacité (une petite mesure de grains) sur la côte sud de l'Asie Mineure, chez des marchands venant d'Italie (1340). Par suite, il se serait appliqué à une petite boîte servant surtout à emballer la confiserie et, par métonymie, à son contenu : une pâtisserie faite d'amandes, de blanc d'œuf et de sucre (av. 1450). Le mot n'a probablement aucun rapport avec l'ancien vénitien *matapan* (1202) qui désignait une monnaie frappée entre 1193 et le XVe siècle. Son étymon pourrait (peut-être) être l'arabe *martaban* «vase servant à contenir médicaments, épices, confitures».

♦ En français, le sens de «boîte de luxe pour confiserie» ne s'est pas maintenu au-delà du moyen français et *massepain* désigne seulement la pâtisserie aux amandes.

① **MASSER** → ① MASSE ; ③ MASSER → ② MASSE

② **MASSER** v. tr. est un emprunt (1779) à l'arabe *massa* «toucher, palper», l'art du massage étant d'origine orientale. Le fait que le mot apparaît surtout dans les relations de voyage en Orient semble écarter l'hypothèse, avancée par certains, d'un emprunt au grec *massein* «pétrir» (→ ① masse).

♦ Le mot se rapporte au fait de presser, pétrir la peau de qqn dans un but hygiénique ou thérapeutique.

▸ De *masser* ont été dérivés **MASSEUR, EUSE** n. (1779) et **MASSAGE** n. m. (1818). D'abord empirique, le massage est pratiqué méthodiquement après 1850 dans les établissements hydrothérapiques, les stations thermales et les hôpitaux parisiens où ses partisans l'ont introduit. La kinésithérapie en a fait une de ses techniques principales (création en 1946 du diplôme de masseur-kinésithérapeute). Le mot est passé en anglais (1876) dans le dernier tiers du XIXe siècle. Il y a produit le verbe *to massage* (1887) et le nom d'agent *massagist* (1889). ◆ Au XXe s., apparaissent les composés **VIBROMASSEUR** n. m. (1912) et **VIBROMASSAGE** n. m. (v. 1960), ainsi que **AUTOMASSAGE** n. m. (v. 1950).

MASSETTE → ② MASSE

MASSICOT n. m. est tiré (1877) du nom de l'imprimeur Guillaume *Massiquot* (1797-1870) dont l'acte de naissance, conservé à Issoudun, porte *Massicot*, et qui a inventé une machine servant à couper les feuilles de papier disposées en piles.

♦ Le mot désigne une machine à couper les feuilles de papier et à rogner aux dimensions voulues la tranche des livres brochés.

▸ *Massicot* a aussitôt produit **MASSICOTER** v. tr. (1877) «rogner ou couper aux dimensions voulues (des feuilles, des matériaux minces),» et le nom d'ouvrier **MASSICOTEUR, EUSE** n. (1877). ◇ **MASSICOTAGE** n. m. est attesté en 1952.

① et ② **MASSIF** → ① MASSE

MASS MEDIA → MEDIA

MASSUE n. f., initialement *maçuge* (av. 1100), puis *maçüe* (v. 1155) et *massue* (1380), est issu d'un latin populaire °*matteuca*, que permet de restituer le dialecte roumain d'Istrie avec *maciuca* «masse, massue». Lui-même est dérivé de °*mattea* (→ ② masse) avec une finale d'après *festuca* «masse servant à enfoncer les pieux» (→ fétu).

♦ *Massue*, «bâton à grosse tête noueuse», est employé par extension pour désigner une arme contondante. Il entre dans ***coup de massue*** au propre, puis au sens figuré d'«événement imprévu, catastrophe» (av. 1615). ◇ Il est employé en apposition (v. 1930) dans *argument massue, mot massue*, etc., avec une idée de brutalité. ◆ Par analogie de forme, il a suscité quelques emplois en sciences naturelles où il désigne la partie aérienne de certains champignons (1845), le renflement de certains organes (1902). ◇ Il désigne aussi, par une analogie de forme très immédiate, un instrument de musculation employé en gymnastique.

◈ voir MASSACRER.

MASTIC n. m. est un emprunt (v. 1256) au bas latin *masticum*, forme altérée du latin classique *mastiche* ou *mastice* qui a donné *masticare* (→ mastiquer). *Mastiche* est un emprunt au grec *mastikhê* «gomme du lentisque (que l'on peut mâcher)», mot expressif de la famille de *mastazein* «mâcher», *mastax* «bouche (en tant qu'elle mâche)».

♦ *Mastic*, «résine du lentisque», a pris par métonymie le sens de «mélange pâteux et adhésif» (1580). De là, il est employé spécialement pour désigner la pâte servant à fixer les vitres aux fenêtres (1767, *mastic de vitrier*) et celle qui sert à plâtrer les dents (1834), remplacée plus tard par un amalgame métallique. ◇ Au cours du XIXe s., il est passé dans la langue populaire au sens figuré de «travail, besogne» dans les locutions *chier sur le mastic* «abandonner l'ouvrage en cours» (1855), *cracher sur le mastic* (1879), *s'endormir sur le mastic* (1896), toutes sorties d'usage. ◇ Il exprime également l'idée de «gâchis», «pagaille, confusion» (1857), s'appliquant spécialement dans l'argot des typographes à une erreur par inversion des caractères, mots, lignes (1867). ◇ Par analogie avec le mastic beige clair du vitrier, il est employé en apposition comme nom de couleur (1869) : *un pardessus mastic.*

▸ Certains de ses dérivés, parmi les termes techniques ② **MASTIQUER** v. tr. (1561, *mastiqué*) d'où **MASTICAGE** n. m. (1830), ② **MASTIQUEUR** n. m. (1868, Littré) sont homonymes de ① *mastiquer*, d'où certaines difficultés d'emploi. ◆ **DÉMASTIQUER** v. tr. (1669), d'où **DÉMASTICAGE** n. m. (1863), sans homonyme, est relativement plus courant.

① **MASTIQUER** v. tr., d'abord *mastiguer* (v. 1370), est un emprunt au bas latin *masticare* «mâcher», «méditer» (qui a donné ① *mâcher**), à rattacher au grec *mastazein* (→ mastic) de même sens.

♦ Synonyme de *mâcher* en physiologie, le verbe a eu le sens figuré d'«assimiler lentement et difficilement», d'abord «bien étudier» (1425).

▸ **MASTICATION** n. f. est emprunté (XIIIe s.) lui aussi au latin tardif *masticatio* «action de mastiquer». ◆ Les dérivés didactiques du verbe sont formés sur le radical *mastic-* : **MASTICATOIRE** adj. (1541) et n. (1549) est sorti d'usage avec son sens de «substance que l'on doit mâcher pour favoriser la salivation». ◆ **MASTICATEUR, TRICE** adj. et n. est employé en parlant des animaux (1805) et en physiologie humaine (1817); le nom désigne un ustensile servant à broyer les aliments (1902), un appareil broyant une substance (1931). ◆ Ont été formés sur le radical *mastiqu-* : ① **MASTIQUEUR, EUSE** n. (1888) et **MASTIQUAGE** n. m. (1909), d'usage plus courant, malgré l'homonymie avec les dérivés de *mastic.*

② MASTIQUER → MASTIC

MASTOC

MASTOC adj., d'abord *mastok* (1835) comme nom, puis *mastoc* (1850) comme adjectif, est d'origine incertaine : on l'a considéré comme emprunté à l'allemand *Mastochse* «bœuf engraissé», dont le premier élément se rattache à *Mast* «graisse», mot ayant des correspondants dans les langues germaniques, et dont le second, *Ochse* «bœuf», appartient à un thème germanique °*oχson* issu d'un indoeuropéen °*uksín-* (représenté en sanskrit et dans les langues celtiques). Cependant, une dérivation à partir de ① *massif** avec substitution de suffixe (cf. *toc*) est plus probable.

♦ Le mot, disparu comme nom péjoratif d'un homme trapu, lourd, est resté usuel comme adjectif au sens d'«épais, lourd», d'abord d'une personne (1852), puis d'une chose. ◇ Argotiquement, il est modifié en **MASTARD** adj. et n. m. (1873, comme nom du plomb), écrit surtout *mastar.*

MASTODONTE

MASTODONTE n. m. est composé (1812) des éléments formant *masto-*, du grec *mastos* «mamelle, sein» et, au figuré, «colline ronde», mot familier d'origine inconnue, et *-odonte,* du grec *odous, odontos* «dent», apparenté au latin *dens* (→ dent).

♦ Le mammifère préhistorique a donc été nommé pour ses «molaires mamelonnées». Par analogie d'aspect, le mot s'applique à une personne d'une taille, d'une corpulence énorme, à un objet gigantesque, à une nation puissante (1853).

▸ On en a dérivé plaisamment **MASTODONTESQUE** adj. (1920, Gide) et, en paléontologie, le synonyme de *mastodonte :* **MASTODON** n. m.

MASTOÏDE

MASTOÏDE n. f., est un emprunt médical (1580) au grec *mastoeidês,* de *mastos* (→ mastodonte) et *eidôs* (→ oïde).

♦ Le mot désigne la partie postéro-inférieure de l'os temporal. En apposition, il entre dans *apophyse mastoïde.*

▸ Le dérivé **MASTOÏDIEN, IENNE** adj. est régulier. ◆ **MASTOÏDITE** n. f. (1855 dans le dict. de Nysten) concerne l'inflammation de la muqueuse tapissant les cavités de l'*apophyse mastoïde.*

MASTROQUET

MASTROQUET n. m., mot populaire attesté pour la première fois en 1849, est d'origine incertaine : son rapprochement avec *mastoc* paraît impossible; on a aussi proposé un type dérivé du représentant germanique du latin *magister* (→ maître) : le néerlandais *meesterke* «petit patron», ou le flamand de même sens *meisterke* qui serait l'appellation usuelle d'un tenancier d'auberge, ou encore le rouchi (argot du Nord, parlé à Valenciennes) *mastricot,* apparenté aux précédents.

♦ *Mastroquet,* aujourd'hui vieilli, désignait un marchand de vin au détail, le tenancier d'un débit de boissons et, par métonymie, un débit de boissons, un café (1862).

▸ En ce sens, il est resté vivant par son aphérèse **TROQUET** n. m. (1873) «cabaretier» puis «café» (1883), senti comme apparenté à *bistrot**.

◈ voir BISTROQUET.

MASTURBER

MASTURBER v. tr. et pron. est un emprunt assez tardif (attesté v. 1787, Sade) au latin *masturbari,* également *masturbare,* «pratiquer l'onanisme», d'usage vulgaire. On a vu dans ce verbe une déformation possible du grec *mastropeuein* «prostituer», dérivé tardif de *mastropos* «entremetteur», composé avec un second terme obscur, de *maiesthai* «rechercher, poursuivre», «atteindre, toucher», sans étymologie connue.

♦ Le verbe, transitif et pronominal, exprime le fait de procurer (à qqn, à soi-même) le plaisir vénérien par des attouchements manuels. ◇ Il est employé figurément, par moquerie, en référence à un effort intellectuel infécond, complaisant. Son usage est relativement courant, mais des synonymes plus vulgaires, tel *branler,* sont beaucoup plus usités.

▸ **MASTURBATEUR, TRICE** adj. et n. (v. 1787, Sade), emprunt au latin *masturbator* «onaniste», existait antérieurement sous la forme *mastuprateur* (1765). ◇ De même, **MASTURBATION** n. f., attesté le premier dans cette série (1580, Montaigne), est un dérivé savant du latin *masturbari* par suffixation. ◆ Il a pour doublet rare **MANUSTUPRATION** n. f. issu de *manu* ablatif de *manus* (→ main) et *stupratio* «action de souiller» (→ stupre). ◆ Le radical du mot a servi à former, bien ultérieurement, **MASTURBATOIRE** adj. (av. 1970). Tous les mots du groupe sont également employés avec l'idée figurée péjorative d'une «complaisance intellectuelle à triturer son esprit ».

M'AS-TU-VU → VOIR

MASURE

MASURE n. f. est issu (v. 1180-1190) du latin populaire °*masura, mansura* «demeure», dérivé de *mansum,* supin de *manere* «rester» (→ maison, manant, manoir, manse, mas). Le latin tardif atteste l'existence de *mansura* aux sens de «tenure domaniale, manse» (av. 750) et de «demeure, maison» (950).

♦ Dans l'ancienne langue où il appartient surtout au domaine picard, *masure* signifie «demeure» et se dit des maisons et terres qui en dépendent dans le système féodal (v. 1213). ◇ Le mot a été appliqué au pluriel (v. 1360) à des baraquements servant de logement provisoire à des troupes. Par la suite, il s'est spécialisé aux sens de «ce qui reste d'un bâtiment tombé en ruines» (1454) et de «vieille maison qui menace ruine» (1611). ◇ Il reste un vestige du sens ancien en Normandie (Pays de Caux), où le mot désigne une habitation rurale, un ensemble de bâtiments agricoles et, par extension, un herbage clos planté d'arbres fruitiers (entourant les bâtiments de la ferme).

✳ ① **MAT, MATE** adj. et n. m., relevé à partir de la fin XIe s., est d'origine incertaine. On y voit généralement l'adjectif latin vulgaire *matus, mattus,* attesté chez Pétrone et dans les Gloses au sens d'«ivre, pris de boisson», rapproché d'un *mattus* «triste» (VIIe-VIIIe s.) auquel il est assimilé, par l'intermédiaire d'un sens reconstitué, «qui a le vin triste». L'origine en est obscure : l'hypothèse la plus répandue en fait la forme syncopée, par une prononciation dialectale, d'un °*maditus,* participe passé populaire (non attesté) de *madere* «être mouillé, humecté, imbibé», moralement «être imbu de», souvent employé dans la langue familière pour «être ivre», tous ses sens se retrouvant dans le dérivé *madidus* «mouillé, imprégné, ivre», et «gâté par l'eau». Ce verbe est lui-même rapproché du grec *madan* «être gâté par l'humidité ou la moisissure» d'où «tomber», et de l'irlandais *mad-* «faire irruption, se briser». Cette étymologie a le mérite de rendre compte de certains sens physiques de *mat* et de représentants romans comme l'italien *mattaione* «terre compacte», le génois *matta* «terrain argileux»; elle peut expliquer les anciens sens moraux du mot, «triste, sombre», «las», et, semble-t-il, l'italien *matto* «stupide, fou» qui peut aussi être rapproché de ② *mat.* En effet, l'existence, dès le XIe s., du sens moral de «vaincu, affligé», incite à invoquer un croisement (en latin médiéval) avec le groupe de l'arabe *māt,* persan *māt,* passé dans le terme d'échecs au XIIe siècle. Cette contamination se poursuit dans le verbe *mater* (ci-dessous).

♦ En ancien et moyen français, *mat* couvrait une aire d'emplois très étendue dont témoignent encore certains usages dialectaux. Avec une valeur négative, il s'employait pour «vaincu, abattu, accablé» (XIe s.), «triste» (XIIe s.) et au physique, «éreinté» (v. 1165), «ramolli par la chaleur, affaibli par la maladie», «flétri, grillé par le soleil» (1265). ◇ Abandonnant ces acceptions, l'usage moderne a valorisé la notation visuelle de «terne, sans luminosité», d'abord en parlant du temps (1424), de nos jours à propos d'une surface métallique non polie, qui ne réfléchit pas la lumière (1545; 1611, *or mat*), d'une couleur ou du teint (1621), de la qualité d'un verre (1833), d'un papier utilisé en photographie (1899). ◇ Quelques emplois techniques isolés assurent le maintien de l'idée de «compact, épais» : dans les travaux d'aiguille, on qualifie de *mate* une broderie (1718) ou une dentelle, *le mat* (1844) désignant l'ensemble des parties du dessin de la dentelle par opposition au réseau. En cuisine, on parlait d'une *pâte mate* (1782) lorsqu'elle est mal levée; la mer était dite *mate* (1783) quand ses lames sont lourdes. ◇ Il est malaisé de déterminer si le sens, la valeur auditive de «sourd, sans résonance» (1814 en médecine, 1829 en général) procède d'une transposition de la sensation visuelle sur le plan des sons, ou bien s'il est un nouvel avatar du sens de base du mot.

▸ **MATIR** v. tr. (1080) a suivi le même type d'évolution que *mat :* il a disparu au sens de «dompter, accabler», «éreinter, épuiser» (v. 1165) et «se flétrir» (v. 1220) pour se spécialiser techniquement en «rendre mat (l'or, l'argent)» [1676], et «faire disparaître (la trace d'une soudure)» [1765 comme terme d'arquebusier]. ◆ Il a produit le nom d'outil **MATOIR** n. m., terme d'orfèvre et de graveur (1676), d'arquebusier (1765) et de soudeur (1868). ◆ Un préfixé verbal à valeur intensive **AMATIR** v. tr. (XIIe s.) double le sens simple dans ses emplois techniques à partir du XVIIe siècle.

Le doublet ① **MATER** v. tr. (fin XIe s.) est plus complexe puisqu'il a gardé, peut-être dès le XIIe s. par croisement avec le dérivé de *mat*,* son sens moral de «vaincre, dompter», développant des spécialisations : «mortifier (son corps)» [fin XIIe s.], «dresser (un oiseau de proie)» et, par extension, «maîtriser, dominer» (fin XIIe s.). ◇ En revanche, le verbe a perdu les sens secondaires de «fatiguer, lasser», «flétrir, sécher», «ramollir» correspondant aux acceptions anciennes de l'adjectif, et qu'il partageait souvent avec un préfixé *amater.* ◇ Par *se mater* «s'obscurcir (en parlant du temps)», il a suivi *mat,* s'employant pour «rendre terne, sans éclat» en orfèvrerie (1752) et en verrerie. En technique, il rend également l'idée de «rendre compact, dense» par le sens de «comprimer, refouler un métal» (1782) ainsi qu'en cuisine (1847, *mater une pâte*). ◆ Il a pour dérivé le nom d'ouvrier ① **MATEUR** n. m. (1845-1846) et le nom d'action **MATAGE** n. m. (1852), qui correspond également à *matir.*

Le composé **MATEFAIM** n. m. (1540; 1542, *matafaim* chez Rabelais), nom d'une sorte d'omelette épaissie faite avec de la farine, puis d'une crêpe épaisse censée «mater la faim», est un mot lyonnais très répandu dans le domaine franco-provençal (→ faim).

MATITÉ n. f. est une création savante et tardive exprimant la qualité d'un son mat (1836, spécialement en médecine) et d'un ton, d'un teint mat (1842) : il correspond à la valorisation moderne de deux sens de l'adjectif *mat.*

MATTE n. f., écrit *mate* au XVe s. mais probablement très antérieur (comme l'indique son dérivé *maton,* ci-dessous) est, plutôt que la substantivation du féminin de *mat,* le représentant d'un emploi substantivé du bas latin *mattus,* attesté par des correspondants romans. ◇ Le mot réunit les idées d'humidité et de compacité dans son emploi pour «lait caillé» (comparer avec le basque *matoi,* le catalan *mató,* le dialecte italien de Brescia *matel* de même sens). Il s'emploie également en métallurgie où, après une attestation au sens de «métal brut» (v. 1500), il désigne la substance métallique ayant subi une première fonte et n'ayant pas encore atteint un degré suffisant de pureté (1627). ◆ Le dérivé ① **MATON** n. m., attesté dès la fin XIe s. dans les gloses de Raschi, réalise lui aussi l'idée de «caillot, grumeau» à travers son sens de «masse de lait caillé» (de nos jours surtout dialectal) et quelques sens techniques apparus au XIXe siècle.

◈ voir **MATADOR, MATAMORE** (emprunts à l'espagnol).

② **MAT** adj. inv. et n. m. est emprunté (v. 1155) à l'arabe *māt(a)* «mort», dans l'expression *aš-šāh* *māt(a)* «le roi est mort», employée aux échecs et composée de *aš-*, forme assimilée de l'article défini, de *šāh* «roi», lui-même emprunté au persan *šāh* de même sens (→ échec, shah) et de *māt(a)* «il est mort», en persan «sans issue, désespéré». L'expression est passée dans les langues romanes avec le jeu d'échecs : italien *scaccomato*, espagnol *jaque y mate* (vieil espagnol *xaquimate*), portugais *xaque mate*, provençal *escat mat*. En français, elle a donné *échec et mat* (d'abord *eschec mat*), locution seulement attestée au XIIIe s. et empruntée à son tour par l'anglais *checkmate*, avec aphérèse.

♦ Ce terme d'échecs désigne le coup par lequel le roi de l'adversaire est mis en échec, coup qui met fin à la partie. Il qualifie le roi (v. 1195) et, par métonymie, le joueur dont le roi est mis mat (v. 1175). ◇ Avant la fin du XIIe s., il est employé par métaphore dans d'autres situations que le jeu, seul (v. 1195) et dans la locution ***faire échec et mat*** (1316, v. 1224, *dire échec et mat*).

▸ Le dénominatif ② **MATER** v. tr. (v. 1155) «faire mat au jeu des échecs» se confond, surtout par ses emplois métaphoriques pour «mettre son adversaire dans la même position que le perdant du jeu d'échecs» (v. 1330), avec son homonyme ① *mater*, dérivé de *mat, mate**. Il est d'ailleurs possible que tous deux soient apparentés.

◈ **MÂT** n. m. est issu (1080), peut-être par un latin médiéval *mastus*, du francique °*mast* que permettent de reconstituer le moyen néerlandais, le moyen bas allemand et l'ancien haut allemand *mast*, de même sens. Ceux-ci, tout comme l'anglais *mast*, permettent de poser un germanique °*masta*, lequel se rattache à l'indoeuropéen °*mazdo-* que l'on retrouve (avec *l* issu de *d*) dans le latin *malus* «mât». L'ancien irlandais *ad-mat* «bois de construction», l'irlandais *maide* «bâton» sont apparentés.

♦ *Mât*, qui désigne le support vertical des voiles d'un navire, s'emploie seul et dans des syntagmes désignant différents types de mâts (1690, *grand mât*; 1859, *mât de charge*). ◇ Par analogie, il sert à désigner une longue perche ou un long poteau, en particulier dans un chapiteau (1680), dans ***mât de cocagne*** (1821), dans le domaine ferroviaire (1873), puis pour désigner le poteau qui porte des drapeaux à l'occasion d'une fête (1902), en gymnastique et en aviation (1922).

▸ Il fournit le second élément des composés **BAS-MÂT** n. m. (1831) et, d'après son ancien sens métonymique de «navire (caractérisé par ses mâts)» (1685-1752), **TROIS-MÂTS** n. m. (1835), **DEUX-MÂTS** n. m. (1864), etc. ◆ Ses dérivés sont peu nombreux : **MÂTER** v. tr., d'abord *master* (1382) «pourvoir (un navire) de mâts», a produit le nom d'action **MÂTAGE** n. m. (1792). ◆ L'antonyme **DÉMÂTER** (fin XVIe s.) est surtout employé au passif et au pronominal. ◇ En dérive **DÉMÂTAGE** n. m. (1783) après **DÉMÂTEMENT** n. m. (1680). ◆ L'ancien nom d'ouvrier **MÂTEUR** n. m. (XVIIIe s.) a été remplacé par **MÂTIER** (attesté milieu XXe s.), formé avec le suffixe normal de métier *(-ier)*. ◆ **MÂTURE** n. f. (1681) désigne l'ensemble des mâts d'un navire, l'atelier et les magasins établis pour confectionner et réparer les mâts (1687), le bois propre à faire les mâts (1718) ainsi que l'art de mâter les vaisseaux (1765). ◇ Le renouveau de la navigation à voile, par la plaisance, correspond à un regain d'usage pour *mât* et ses dérivés.

MATADOR n. m. a été emprunté successivement comme terme de jeu de cartes (1660), puis de tauromachie (1776), à l'espagnol *matador*, nom d'agent correspondant au verbe *matar* «tuer» (→ matamore). L'étymologie de *matar* est discutée. C'est peut-être le représentant d'un latin médiéval *mattare* (Xe s.) «tuer», interprété comme le dérivé de *mattus*, (→ ① *mat*) ou encore un emprunt à l'arabe *māt* «mort», persan *māt* «sans recours, désarmé», qui peut être parent de *mattus*. Enfin, certains font remonter *matar* au latin *mactare* «honorer les dieux», puis «honorer par des sacrifices, immoler» et «tuer, mettre à mort». Ce verbe est dérivé de *mactus*, mot du langage religieux employé dans la prière accompagnant une offrande ou un sacrifice, et sans étymologie claire. L'espagnol *matador* signifie proprement «tueur» (1155), puis spécialement «torero qui doit mettre à mort le taureau» (par opposition aux picadors, banderilleros, etc.); il a le sens figuré de «carte maîtresse au jeu de l'hombre».

♦ En français, le mot a été introduit au jeu (de cartes) de l'hombre; le sens aujourd'hui vieilli de «personnage haut placé, important, puissant» (1777, assez fréquent chez Balzac) vient d'un emploi figuré du sens de «carte maîtresse». Il reste vivant en français régional marseillais avec une influence probable de *matamore*. ◆ Le sens moderne de «torero» (1776), emprunt postérieur à l'espagnol, se diffuse au XXe s. lorsque *toréador* (archaïque en espagnol) a vieilli. *Matador* est en concurrence avec *torero*, plus général, et *espada* «épée», employé par certains aficionados.

MATAMORE n. m. et adj. est emprunté (1630, d'Aubigné) à l'espagnol *Matamoros*, nom d'un faux brave de comédie qui ne cesse de vanter ses prétendus exploits contre les Maures, et qui correspond au Capitan de la comédie italienne. Le mot signifie proprement «tueur de Maures», de *mata*, forme du verbe *matar* «tuer» (→ matador) et *Moros*, pluriel de *Moro* «Maure» (→ mauresque).

♦ Au XVIIe s., Matamore est un personnage populaire de la comédie, en France : le nom figure déjà dans le titre *Les Rodomontades espagnoles, où il est question des très épouvantables, terribles et invincibles Capitaines Matamores, Crocodille et Rajabroqueles* (1607). Corneille en fait un héros de *L'Illusion comique* (1636), auquel la diffusion durable du mot doit beaucoup; Mareschal donne *Le Véritable Capitan Matamore* (1637), Scarron *Les Boutades du Capitan Matamore* (1647); le personnage se retrouve chez Rotrou, Cyrano et Tristan. ◇ Le nom est passé dans l'usage courant comme nom commun, puis comme adjectif au sens de «faux brave, vantard».

▸ On en a tiré un terme de zoologie : **MATAMORISME** n. m. (1931, Larousse), nom du procédé de défense de certains animaux qui se font plus gros qu'ils ne sont afin d'effrayer leur adversaire.

◈ voir ① MAT.

MATCH n. m. est emprunté (1819) à l'anglais *match,* attesté au sens de «compétition sportive» depuis le XVIe s., issu du vieil anglais *ġemaeċċa* «partenaire» (v. 831), d'où «égal» (v. 975) et «rival» (v. 1400), employé comme nom d'action pour désigner le fait de comparer, de mettre en balance (v. 1400) et, de là, toute compétition. Le mot se rattache au participe passé substantivé d'un verbe germanique formé du préfixe *za-* et du thème °*mak-* que l'on retrouve dans *to make* (→ maquiller).

♦ Introduit comme terme de sports hippiques, *match* s'est solidement implanté (fin XIXe s.) dans le langage général du sport où il voisine avec *joute, partie, combat,* etc. Il n'est utilisé en français qu'au sens de «compétition», cependant étendu à beaucoup plus de réalités qu'en anglais.

▶ Son dérivé verbal **MATCHER** v. (1892) est vieilli tant avec son sens transitif, «affronter dans un match» (1892), qu'avec le sens intransitif de «disputer un match» (1893). Les sens de l'anglais *to match* les plus rapprochés de l'usage français étaient déjà sortis de l'usage anglais à l'époque où *matcher* a fait son apparition. ◇ Cependant, au Canada, *matcher* a repris à l'anglais l'acception d'«arriver à soutenir la comparaison avec», en l'adaptant en «assortir, appareiller deux choses» (tr. et intr.), en particulier «faire se rencontrer un jeune homme et une jeune fille» et, pronominalement, «flirter, se fréquenter». ➛ Le français a aussi emprunté à l'anglais deux termes de sport d'usage plus technique : **MATCHMAKER** n. m., «organisateur de match de boxe, de catch» (1931), représente un terme américain composé de *match* et *maker,* dérivé de *to make* (→ maquiller) «faire, arranger» (qui en anglais évoque d'abord un marieur, une marieuse, 1639). ◇ **MATCH-PLAY** n. m. (1914), «compétition de golf se jouant trou par trou», est emprunté à un composé anglais (1886) de *match* et *play* «jeu», utilisé en parlant du golf classique de l'Écosse. On dit aussi en français *partie par trous.*

MATÉ n. m. est un emprunt (1633, *mati*), par l'intermédiaire de l'espagnol *maté* «calebasse» (1570) et «herbe, infusion» (v. 1750), au quichua *mate, mati.* Celui-ci désigne une calebasse transformée en vase pour la préparation d'une boisson voisine du thé et, par métonymie, l'arbre dont les feuilles servent à préparer cette infusion, puis la boisson elle-même.

♦ En français, le mot est longtemps resté un terme de relations de voyage, désignant la calebasse (1633 ; 1716, *maté*), puis l'arbre (1718, *mathe*). Depuis 1770, il sert surtout à désigner la boisson faite avec les feuilles réduites en fragments de cet arbre d'Amérique du Sud ; c'est le seul sens actuel, d'ailleurs connoté comme exotique, à la différence de mots correspondant à des réalités devenues courantes, comme *thé* ou *café.*

MATELAS n. m., altération (1419) de *materas* (1306, encore au XVIIe s.), puis *martras* (1377), est probablement emprunté, par l'intermédiaire de la langue «franque» (lingua franca), à l'italien *materasso* «grand coussin pour garnir le lit» (av. 1306). Ce mot, attesté dès 1255 en latin médiéval à Venise *(mataracius)* puis à Bari et à Bologne (1274, *matarazum*), est un emprunt à l'arabe *maṭraḥ* «tapis, coussin» de *ṭaraḥa* «jeter», parce que les Orientaux «jetaient» tapis et coussins sur le sol pour s'asseoir ou se coucher.

♦ Cette origine explique le sens initial du mot en français : «tapis sur lequel on se couche». Le sens moderne, «grand coussin capitonné pour garnir le lit», est attesté au XIVe s. (1377). ◇ Par extension, *matelas* désigne une litière (de feuilles, etc.) et toute couche servant à amortir les chocs, offrir une protection, à la fois en emplois techniques et avec une valeur figurée (1854). L'argot familier l'emploie figurément au sens de «liasse de billets de banque» (1886), d'où «portefeuille» (1901).

▶ Sur *matelas* ont été formés le nom de métier **MATELASSIER** n. m. (1701), réfection de *materassier* (1615), et **MATELASSER** v. tr. (1678 au participe passé) «garnir de coussins, de matelas» et (1752) «rembourrer (à la manière d'un matelas)». ➛ Ce verbe a donné **MATELASSURE** n. f. (1867), nom technique de ce qui sert à rembourrer les matelas, et **MATELASSAGE** n. m. (1922).

MATELOT n. m. est un emprunt (XIVe s.) au moyen néerlandais *mattenoot,* littéralement «compagnon de couche», cette signification correspondant au fait qu'à l'origine, deux marins partageaient le même hamac et y dormaient à tour de rôle. *Matte* «couche» est une spécialisation, par métonymie, du sens propre «natte» (néerlandais *mat*) avec lequel le mot est issu, comme ses correspondants germaniques, du latin tardif *matta* dont la variante *natta* a donné le français *natte*. Noot* «compagnon» appartient, comme l'anglais dialectal *neat,* l'ancien haut allemand *noz* (allemand *Genosse* «compagnon»), à un thème germanique **naut-,* **nut-* «avoir la jouissance, l'usage», d'origine indoeuropéenne. Le mot français *matelot* a été réemprunté par le néerlandais *matroos,* lequel a notamment donné l'allemand *Matrose.*

♦ Le mot désigne d'abord l'homme d'équipage associé à un autre dans ses activités, notamment en alternance. Ce sens a disparu, mais subsiste dans le terme d'adresse familier *mon matelot* (1840) et, indirectement, dans *vaisseau matelot* (1690) ou *matelot* (1690), considéré par rapport à celui qu'il précède ou qu'il suit. ➛ L'usage dominant du mot correspond plus généralement à «homme d'équipage» (v. 1350). ◇ Par métonymie, le mot a été le nom d'un costume d'enfant imitant celui des marins (1840 ; cf. *marinière*). ➛ Le féminin **MATELOTE,** rare au sens propre de «femme de matelot», est d'abord attesté dans ***à la matelotte*** (av. 1573 écrit *mattelotte*) «à la manière des matelots». ◇ Il est employé en cuisine où *matelote* n. f. désigne un mets composé de poissons accommodés au vin rouge et aux oignons (1694, d'où *sauce matelote,* 1868). ◇ C'est aussi le nom donné à une danse de matelots (1776).

▶ Sur *matelot,* on a formé **MATELOTAGE** n. m. (1575) anciennement «métier de matelot», puis «art de la navigation» (1575), de nos jours «technique des nœuds et épissures» et «solde de matelot» (1690). ◆ **AMATELOTER** v. tr. (1643) se rattache au sens étymologique de *matelot,* exprimant l'idée de «mettre ensemble deux matelots» et (1949) d'«associer deux navires». ◇ Il a pour dérivé **AMATELOTAGE** n. m. (1835), concurrencé par **AMATELOTEMENT** n. m. (1836). La série est devenue archaïque.

① **MATER** → ① MAT

② **MATER** → ② MAT

③ **MATER** v. tr. est d'origine incertaine : il peut être dérivé de *mata* dans l'expression en français d'Afrique du Nord *faire la mata* «faire le guet» ou simplement *mata !,* exclamation de celui qui fait le guet pour donner l'alerte, emprunt à l'espagnol *mata* «buisson» par une évolution sémantique possible de l'idée de «buisson» à celle de «cache pour faire le guet», d'où «guet». L'espagnol a d'ailleurs les expressions *saltar de la mata* «se faire connaître (en parlant de qqn qui était caché)», *a salto de mata* «en fuyant et en se cachant», *andar a salto de mata* «être sur le qui-vive». *Mata* remonte à un prélatin °*matta* «buisson», largement répandu autour de la Méditerranée : sarde *matta,* catalan *mata,* portugais *mata;* le français a un *mate* «touffe d'herbe» (1611), dans les dialectes d'oc et du sud du domaine d'oïl. Quelques valeurs régionales, «banc de thons» (1827), «fond de mer inégal où l'on trouve des herbes entrelacées» (1831) ont été employées au XIXe siècle.

♦ Ce mot argotique puis familier vaut pour «regarder sans être vu» (spécialement en contexte érotique).

▸ *Mater* a donné ② **MATON** n. m. (1926 «mouchard») aujourd'hui usuel au sens, d'abord argotique, de «gardien de prison» (1946), sa variante **MATUCHE** (1936, «mouchard») passé aux sens d'«agent de police» et «gardien de prison» et ② **MATEUR, EUSE** n. (1935), dans le contexte tout différent du voyeurisme.

✷ **MATÉRIEL, ELLE** adj. et n. est un emprunt (1270) au latin *materialis* «constitué de matière», de *materia* (→ matière).

♦ Le mot a été introduit comme terme de philosophie scolastique dans *cause matérielle* (opposée à *cause formelle*). L'ancien langage médical parlait lui aussi de *cause matérielle* (1314), par opposition à *cause dispositive.* Le mot a pris le sens de «constitué de matière» au début du XIVe s., d'abord dans l'opposition du *feu matériel* (fait avec du combustible) au *feu céleste,* puis dans une acception plus générale par opposition à *spirituel* (v. 1360). Il s'y attache parfois la connotation dépréciative de «lourd, pesant» (1458) (→ matérialiste). ◆ L'adjectif a pris au XVIIe s. (1677) le sens courant de «qui s'exprime, se manifeste dans, par la matière», revêtant, lorsqu'il qualifie une personne, la valeur de «charnel, physique». ◇ À partir du XIXe s. il qualifie les aspects extérieurs, visibles des choses ou des êtres (1858) et les réalités de la vie quotidienne (1804), notamment dans *vie matérielle,* abrégé familièrement en *la matérielle* «ce qui assure la subsistance» (1880).

Matériel a été substantivé dès l'ancien français (1300, *material*) au sens philosophique de «ce qui est perçu par les sens», «apparences concrètes» (1461), alors opposé à *esprit.* ◆ Ce n'est qu'en 1822, dans un contexte militaire, que ***le matériel*** est attesté avec le sens collectif concret d'«ensemble des objets et de l'équipement nécessaire à une activité». On parle spécialement de *matériel roulant* en chemins de fer (1867) à propos des différents véhicules qui circulent sur la voie, et de *matériel,* en informatique (1974), pour l'ensemble des éléments physiques employés dans le traitement de l'information, traduisant alors l'anglicisme *hardware,* et en relation avec *logiciel* (→ logique). ◇ Dans le langage des ethnologues et sociologues, de même qu'en psychanalyse, *matériel* est employé pour l'ensemble des éléments soumis à un traitement (les données). Le mot étant collectif, le singulier est de règle, sauf dans quelques contextes appropriés. ◇ La première syllabe de *matériel* n. m. a donné par suffixation populaire **MATOS** n. m. (*s.* prononcé), attesté par écrit en 1972.

▸ De l'adjectif est dérivé **MATÉRIELLEMENT** adv. (1580, après *materialment,* 1314, et *materielment,* 1374) qui a suivi l'évolution de *matériel* en passant du sens didactique, «selon une cause matérielle» (en médecine), à «concrètement» et «effectivement, réellement» (1580). ◆ Le nom d'état **MATÉRIALITÉ** n. f. a été formé sur le latin (1470) au sens de «caractère concret d'une chose». Il a pris (1834) ultérieurement la valeur péjorative de «tendance à s'attacher aux valeurs matérielles». ◆ L'ancienne forme de *matériel, material,* s'est maintenue au pluriel *materials* ou *materiaus,* aujourd'hui **MATÉRIAUX** (1510). Employé pour désigner les différentes matières qui entrent dans la construction d'un édifice (en cela proche du sens étymologique de *matière*), il a pris par extension le sens de «matière première d'un objet fabriqué» (1636). ◇ Plus abstraitement, il s'applique aux éléments nécessaires à qqch. (1671), spécialement aux éléments de base pour écrire un ouvrage (1690). ◇ Quelquefois employé avec un article singulier (1867), emploi encore considéré comme anormal, il a produit un singulier **MATÉRIAU** (1923) «type de matière entrant dans la construction d'un objet fabriqué».

Par dérivation savante, *matière* a aussi donné **MATÉRIALISTE** n., nom donné anciennement (1555) à un marchand de drogues, probablement d'après l'ancien emploi de *matière* «médication». ◆ Ce mot a été reformé, ou emprunté à l'anglais (1698) pour désigner une personne dont la doctrine ramène tout à la matière (dès 1668, *materialist* en anglais). ◆ C'est en ce sens qu'il a été adjectivé (1700) et a entraîné **MATÉRIALISME** n. m. (1702, Leibniz), nom de la doctrine philosophique dont le principe est la matière, s'appuyant sur la théorie corpusculaire (Démocrite et Lucrèce) mais généralisant et systématisant des données scientifiques. L'opposition *matérialisme-idéalisme* est entrée au début du XVIIIe s. dans les mœurs et le langage de la littérature philosophique, le matérialisme se démarquant de tout souvenir des théologies et métaphysiques antérieures et élaborant un modèle épistémologique qui soumet à un déterminisme physique l'ordre moral, politique, religieux (La Mettrie, Diderot, Helvétius, d'Holbach). Ce matérialisme, appelé plus tard *mécaniste*, se distingue du ***matérialisme dialectique,*** association de termes qui apparaît probablement en allemand chez l'ouvrier J. Dietzgen avant d'être reprise en 1886 par Engels (titre de la IVe section de l'ouvrage sur L. Feuerbach) et de pénétrer en français (attesté v. 1930, certainement antérieur). ***Matérialisme historique*** est une autre désignation pour le marxisme. ◇ Dans le langage courant, *matérialiste* (1802) et *matérialisme* (1836) ont développé la valeur péjorative de «qui recherche les jouissances et les biens matériels». *Matérialiste* a donné **MATÉRIALISTEMENT** adv. (1917), très peu usité.

Le verbe correspondant à *matériel,* **MATÉRIALISER,** est relevé pour la première fois chez La Mettrie (1748, *L'Homme-machine*), dans le contexte de la philosophie matérialiste, au sens de «réduire au domaine de la matière». Le sens courant (1754) est «représenter sous une forme concrète» (1823 à la forme pronominale). ➜ Il a donné **MATÉRIALISABLE** adj., et **MATÉRIALISATION** n. f. (1832, Balzac dans *Louis Lambert*), employé spécialement en spiritisme. ➜ L'antonyme **DÉMATÉRIALISER** v. tr. signifie d'abord «séparer (une essence) des matières grossières» (1773) et idéologiquement, «détourner des doctrines matérialistes» (1826). ◇ Du sens acquis par le mot *matière* en physique moderne, viennent des valeurs nouvelles pour *matérialiser* «transformer (de l'énergie) en matière» (av. 1934), *matérialisation* (même date) et *dématérialiser* (av. 1938) qui n'a pas eu la fortune de *désintégrer**.

L'antonyme latin de *materialis,* le bas latin ecclésiastique *immaterialis* «incorporel», a été emprunté sous la forme **IMMATÉRIEL, ELLE** adj. (fin XIVe s.). Il a développé au XIXe s. des valeurs nouvelles : «étranger à la matière, ne concernant pas la chair» (1870) et «qui semble de nature non matérielle, par sa grâce, sa légèreté» (av. 1872). ➜ À sa suite, ont été formés **IMMATÉRIELLEMENT** adv. (1587), **IMMATÉRIALITÉ** n. f. (1648, Pascal), **IMMATÉRIALISTE** n. (1717, Fénelon) et, par emprunt à l'anglais, **IMMATÉRIALISME** n. m. (1753) en parlant de la doctrine philosophique qui nie l'existence de la matière (Berkeley 1713, en anglais *immaterialism*), ainsi que **IMMATÉRIALISER** v. tr. (1800), rare et didactique.

◈ voir peut-être MADRIGAL.

MATERNEL, ELLE adj. serait dérivé savamment (v. 1370) du latin *maternus* «de la mère» (lui-même dérivé de *mater* → mère), à moins qu'il ne soit emprunté au latin médiéval *maternalis,* dérivé de *maternus,* seulement attesté en 1380, mais au moins aussi ancien que son dérivé *maternaliter,* adv. (1122).

♦ Le mot qualifie ce qui vient de la mère, à l'intérieur de la communauté, du ménage, d'abord dans *langage maternel* évincé par ***langue maternelle*** (1538). ◇ Il correspond aussi à ce qui appartient à la mère, est transmis de son côté, spécialement en droit (1510 dans les coutumiers, après une première attestation isolée). ◇ Furetière enregistre l'acception de «qui évoque la mère», dans la peinture des sentiments (1690). ◇ Au XIXe s., apparaît la valeur sociale «destiné aux mères» (1840). ***École maternelle*** dénomme l'institution créée par l'arrêté du 28 avril 1848 de H. Carnot, d'où l'emploi substantivé de *maternelle,* n. f. (1904, *La Maternelle,* roman de Léon Frapié). ➜ L'argot en a fait autrefois une dénomination de la mère (1880).

▶ **MATERNELLEMENT** adv., relevé isolément sous la forme *maternalment* et avec un sens large glosé «selon la nature humaine» (XIVe s.), a été repris au XVIe s. avec la valeur normale de «selon le comportement d'une mère» (1510), par extension «selon un comportement qui évoque celui d'une mère» (v. 1580, Montaigne). ➜ **MATERNISER** v. tr. est enregistré dans le dictionnaire de Trévoux en 1743 au sens de «ressembler à sa mère». ◇ Le mot a été reformé, d'après *lait maternel,* pour «rapprocher la composition du lait d'origine animale de celle du lait de la mère» (1907). ➜ **MATERNER** v. tr. (1956) d'où **MATERNAGE** n. m. (1956) ont été créés pour traduire l'anglais *to mother* (de *mother* «mère») et *mothering;* introduits en psychothérapie dans le traitement des psychoses, ces mots se sont répandus dans le langage commun avec le participe passé adjectivé **MATERNANT, ANTE.** ➜ À côté de ces mots qui exploitent l'aspect psychologique du concept, on peut signaler **MATERNALISME** n. f. (1969), féminisation de la notion socio-économique de *paternalisme**.

MATERNITÉ n. f. est emprunté (v. 1460) au dérivé latin médiéval *maternitas* «qualité de mère» (v. 1300; dès 1122, en parlant de l'Église), formé sur le modèle de *paternitas* (→ paternité) et *fraternitas* (→ fraternité). ➜ Emprunté au sens du latin, qui reste le plus usuel, le mot a développé au XIXe s. les sens de «lien juridique entre la mère et l'enfant» (1804) et «fait de porter et de mettre au monde un enfant» (1855). ◇ À côté de ces emplois abstraits, il a reçu le sens concret de «maison hospitalière pour les femmes en couches» (1814), autrefois pour la maison où l'on recevait les enfants trouvés et les femmes enceintes de condition modeste, de nos jours pour une clinique d'accouchement.

MATHÉMATIQUE adj. et n. f. est emprunté (XIIIe s., *matematique*) au latin *mathematicus,* adjectif qui s'employait aussi substantivement pour désigner soit la science, soit son sujet. Le latin l'a repris au grec *mathematikos* «qui désire apprendre, scientifique» et spécialement «qui concerne les mathématiques», substantivé dans *ê mathematikê (tekhnê)* comme nom de science. Ce mot est dérivé de *mathêma* «ce qui est enseigné», employé au pluriel pour «connaissances», par opposition à *mathêsis,* qui met l'accent sur le fait d'apprendre. L'un et l'autre sont dérivés de *manthanein,* verbe passé de sa signification première, «apprendre, par l'expérience, apprendre à connaître, à faire», au sens plus abstrait de «comprendre». Le verbe, d'origine incertaine, est peut-être indoeuropéen : il a été rapproché de mots assez éloignés par le sens, comme l'albanais *mund* «pouvoir, vaincre», le lituanien *mañdras* «vif», l'ancien haut allemand *mendī* «joie».

♦ La langue des écoles introduisit en français les expressions synonymes d'*art mathématique* (XIIIe s.), *science mathématique* (fin XIVe s.) et le substantif *mathématique* (v. 1265), d'après le latin *ars mathematica* et *mathematica* «ensemble des sciences ayant pour objet les propriétés des grandeurs calculables». Le singulier, plus fréquent jusqu'au XVIe, est devenu relativement rare au XVIIe s. au profit de l'usage du pluriel *mathématiques* (1555), dû à un emploi scolastique du mot latin regroupant aussi la musique et l'astronomie, sans être délaissé en philosophie des sciences (Descartes, d'Alembert, Condorcet, etc.). Au XVIIe s., le concept est aussi exprimé par *géométrie, géométrique,* pris au sens large. Depuis Auguste Comte, l'emploi de *la mathématique* au singulier, correspond à l'intention de marquer l'idée d'unification et de systématisation des connaissances mathématiques. ◇ Le mot a donné une phraséologie relative aux branches de la science : par exemple *mathématiques pures* (1765); *mathématiques appliquées* (1834). Par métonymie, il dénomme des degrés de l'enseignement dans *mathématiques élémentaires* (1867) d'où *math élem* en argot scolaire, *mathématiques spéciales* (1867) d'où *math spé* (1893). ➛ L'usage de l'adjectif s'est généralisé à partir de la fin XIVe s. (v. 1370), énonçant strictement le rapport à la science et caractérisant, par extension, ce qui est précis, rigoureux, exact comme les nombres (1680), valeur qui a donné l'emploi familier de *c'est mathématique* pour «certain, inévitable» (v. 1950).

▶ Le dérivé le plus ancien, **MATHÉMATICIEN, IENNE** n. (v. 1370) «celui qui cultive la science des nombres», a désigné également au XVIe et au XVIIe s. l'astrologue (v. 1525), remplaçant un emploi de *un (le) mathématique* (1376), et l'astronome (1690). ➛ **MATHÉMATIQUEMENT** adv. (1552) a suivi le même type d'évolution que l'adjectif, ajoutant à son sens strict, «de façon mathématique», les sens figurés de «rigoureusement» et «inévitablement» (fin XVIIe s.). ➛ **MATHÉMATISER** v. tr. a eu cours au XVIe s. (1585) au sens de «faire des calculs astrologiques». ◇ Il a été reformé au XXe s. avec le sens transitif «introduire dans un domaine des méthodes mathématiques» (1934, Bachelard), alors que le type **MATHÉMATIQUER** v. tr. «se livrer à des spéculations abstraites sur les nombres» (1866, Goncourt) a disparu. ➛ *Mathématiser* a servi à former **MATHÉMATISABLE** adj. (v. 1950) et **MATHÉMATISATION** n. f. (1957). ➛ **MATHÉMATISME** n. m. (1872) est resté un terme de philosophe des sciences. ➛ En revanche, l'abréviation **MATHS** n. m. pl. (1880), d'abord employée dans les milieux scolaires pour la discipline, puis (1890) pour la classe où l'on enseigne les mathématiques, est devenue très usuelle. ➛ Il a donné **MATHEUX, EUSE** n. (1929), dans le jargon scolaire, «fort en maths».

En dehors de **PHYSIO-MATHÉMATIQUE** adj. (1630) et n. (1749) devenus archaïques, les composés didactiques faits sur *mathématique* datent du XXe s. : **MÉTAMATHÉMATIQUE** adj. (v. 1930 d'après l'allemand, chez Hilbert), **LOGICO-MATHÉMATIQUE** adj. (v. 1960), **EXTRA-MATHÉMATIQUE** adj. (1971) «qui ne relève pas du domaine des mathématiques», **PHYSICO-MATHÉMATIQUE** adj., qui exprime (milieu XXe s.) la mathématisation de la physique.

MATIÈRE n. f., forme stabilisée dans la seconde moitié du XIIe s. (v. 1175), succède à *mateirie, maiteire* (v. 1112) et *matire* (v. 1160), formes issues du latin *materia, -ae* (d'abord *materies, -ei*) qui possède tous les sens du français. *Materia* est un terme de la langue rustique qui signifie proprement «substance dont est faite la *mater*», le tronc de l'arbre considéré en tant que producteur de rejetons, et donc issu de *mater* (→ mère); *materia* désigne en effet la partie dure de l'arbre par opposition à l'écorce et aux feuilles. Comme cette partie fournit le bois, *materies* s'est appliqué au bois de construction, dans la langue des charpentiers, par opposition à *lignum* (→ ligneux), et a donné plusieurs dérivés se rapportant à ce sens. Il s'est ensuite dit, dans la langue commune, de toute sorte de matériaux et a servi à rendre le grec *hulê* «bois» pris au sens figuré d'«origine, cause, sujet». Il a fini par désigner la réalité sensible par opposition à l'esprit, dans la langue philosophique et religieuse et, à basse époque, a produit le couple *materialis-immaterialis* (→ matériel). De même que *mater* désignait parfois la nourrice, *materies* a eu le sens particulier d'«aliment».

♦ Le mot est apparu en français avec la valeur concrète de «substance dont est faite une chose». Il désigne particulièrement les substances sécrétées et évacuées par le corps (1256), en particulier les excréments solides, ultérieurement nommés *matière fécale* (1538). Cette valeur s'est étendue dans l'usage ancien aux ordures ménagères. ◇ Il désigne du XIIIe au XVIIe s. la substance d'une médication (1280), qualifié plus tard dans *matière médicinale* (1717), et entre dans *matières grasses* (1580) dont la définition moderne est toutefois récente. ◇ Techniquement, *matière* se rapporte à la substance que l'artisanat ou l'industrie met en œuvre (1681), d'abord en parlant des métaux précieux, en numismatique; le syntagme ***matière première*** apparaît au XVIIIe s. (1771). ◇ Le mot désigne aussi les éléments matériels de la création picturale (cf. *pâte*). Au XXe s. est apparu ***matière plastique*** (1913, *Larousse mensuel*), expression qui existait auparavant dans un sens plus vague (cf. *plastique*). Dès le XIIe s., *matière* avait pris au latin ses sens abstraits, recouvrant l'idée d'«objet, point de départ ou d'application de la pensée». Il désigne ainsi le sujet d'un ouvrage (v. 1125), par exemple dans les expressions ***entrer en matière*** (1655) et ***table des matières*** (1690). ◇ Il exprime dès le XIIe s. l'idée de «cause, circonstance déterminante» (v. 1175), réalisée dans l'expression encore usuelle ***donner matière à*** (v. 1225). ◇ Il signifie également «domaine d'étude, sujet» (1280), d'abord dans la langue juridique avec la valeur spéciale de «cas, affaire faisant l'objet d'un jugement» (v. 1480), puis dans toutes sortes de disciplines. Il entre ainsi dans la locution ***la matière de...*** (déb. XVIIe s.) et a pris par extension le sens de «contenu, sujet» en parlant d'une discipline étudiée (1868).

Le sens philosophique du mot s'est également développé en ancien français, dans la philosophie scolastique où il désigne le fond indéterminé de l'être que la forme organise, en opposition à *forme* (1270) et en relation avec *substance*, prenant dès le XIIe s. la valeur psychologique de «fond naturel (d'une personne)» (→ matériel). Depuis le XIIe s. (1155), *matière* a son sens le plus général de «substance constituant les corps, perçue par ses sens». Selon une longue tradition métaphysique, il s'oppose à *esprit* et entre communément dans l'expression *esprit enfoncé dans la matière* (1690) qui reformule l'expression philosophique *forme enfoncée dans la matière* (1659), issue des traductions d'Aristote, avec de fortes connotations péjoratives de «grossièreté, sensualité». Le contenu du concept varie selon les philosophies de Descartes, de Kant, de Marx, etc. ainsi qu'en logique, en philosophie morale où il signifie «acte effectivement accompli indépendamment de l'intention du sujet». ◇ En théologie, il s'entend spécialement de ce qui sert de base, de fondement aux sacrements spirituels (1690). ◆ Parallèlement à l'évolution des concepts philosophiques, la conception scientifique de la matière, assez stable à l'époque classique, a été révolutionnée par la chimie moderne, puis par la physique, avec son articulation aux notions de molécule et d'atome. Le rapport entre «matière» et «énergie» a bouleversé en retour le matérialisme philosophique. C'est dans ce contexte qu'apparaît le préfixé **ANTIMATIÈRE** n. f. (attesté 1958).

▸ *Matière* a donné **MATIÉRISME** n. m. (v. 1960), terme d'histoire de l'art désignant une tendance artistique caractérisée par l'importance qu'elle accorde à la matière picturale (Fautrier, Dubuffet, Tapies, Buro, etc.).

◈ voir MADRIER, MATÉRIEL, MERRAIN.

◈ **MATIN** n. m. est issu (v. 980) du latin *matutinum*, neutre de l'adjectif *matutinus* substantivé par ellipse pour *matutinum tempus* «le temps de la journée avant midi». *Matutinus* est dérivé de *Matuta*, nom d'une déesse italique identifiée avec l'Aurore, probablement féminin d'un ancien adjectif °*matuto-s* qui, comme *maturus* (→ mûr), constitue un composé abstrait en *-tu-* (°*matu-*) de la racine °*ma-* «bon», que l'on a dans l'adjectif archaïque *manis* (→ manes). Depuis Pline et Sénèque, *matuta* a remplacé *mane*, ancien neutre de l'adjectif *manis* «de bon matin», renforcé à basse époque en *demane* (→ demain), et passé dans l'ancien français *main* (1080), disparu, l'ancien catalan *man*, l'ancien pisan *mano*.

♦ Le mot désigne le commencement de la journée. En ce sens, il est employé adverbialement, autrefois seul (1080), encore dans la locution archaïsante *se lever matin* (1666), au figuré «être subtil et diligent». Cet adverbe, de nos jours, s'emploie surtout après un nom *(lundi matin)* et dans un groupe circonstanciel. Certains de ces groupes ont disparu, tels *par matin* (1080), *à matin, au plus matin, du matin, du plus matin*, remplacés par *le matin*, ***de bon matin*** (v. 1480), ***de grand matin*** (1549), ***au petit matin.*** Apparus ultérieurement, *être de ce matin* (Voltaire) «être récent», qui a disparu et *être du matin* «être matinal» (v. 1900) qui correspond à *du soir*, prolongent *du matin*. ◆ Dans le décompte des heures, le mot se réfère à la partie du jour comprise entre minuit et midi (v. 1225) ainsi qu'à la partie du jour comprise entre le point du jour et midi (déb. XVe s.). ◇ De manière plus vague, il s'identifie parfois à *jour*, par exemple dans ***un beau matin*** (v. 1500), ***par un matin*** (1522), familièrement ***un de ces quatre matins*** (1797). ◆ Dans l'usage littéraire, il exprime abstraitement l'idée de «commencement» (1568), par opposition à *midi* et *soir*, notamment dans la symbolique des trois âges de la vie. Le syntagme lexicalisé ***étoile du matin*** dénomme la planète Vénus (1553), d'ailleurs nommée aussi *étoile du soir*, et, dans le vocabulaire mystique, la Vierge (1873). ◆ Enfin, *matin* est abrégé familièrement en **MAT'**, d'abord argotique (1835), par exemple dans *trois heures (plombes) du mat'*.

▸ **MATINÉE** n. f. (v. 1119) double *matin* dans son sens de «partie de la journée entre le lever du jour et midi», et s'emploie spécifiquement dans la locution ***faire la grasse matinée,*** aboutissement des variantes *dormir grant matinee* (1220), *dormir crasse matinee* (1266); *gras* y correspond à «gros». ◇ Son sens second d'«après-midi» (1807), par opposition à *soirée*, correspond à un usage de la vie mondaine du XIXe s.; il a décliné, sauf dans le contexte du spectacle ayant lieu avant le dîner (1807; 1868 dans ***en matinée***). ◇ Par métonymie, *une matinée* s'est dit d'un déshabillé féminin porté le matin (1880). ◆ **MATINAL, ALE, AUX** adj., variante savante de l'ancien français *matinel* (v. 1120), qualifie ce qui est propre au matin, ou se produit le matin, dans quelques emplois particuliers. L'adjectif est d'abord utilisé dans un contexte liturgique *(hymne, messe, autel)*. ◇ Il qualifie aussi la personne qui se lève tôt le matin (XIIIe s., puis 1611) et, en botanique, une fleur qui s'ouvre le matin (1845). ◇ Son dérivé **MATINALEMENT** adv. (1800) est peu employé et comporte toujours la nuance intensive de «de bon matin». ◆ **MATINIER, IÈRE** adj. et n., relevé en 1312 comme nom du chantre ou du chapelain à gages qui assiste aux matines, a disparu dans cet emploi. ◇ Le mot a été reformé (fin XVIe s.) avec le sens de «qui appartient au matin», par exemple dans l'expression poétique *étoile matinière* «planète Vénus». ◇ Son féminin substantivé s'emploie quelquefois dans les Alpes du Nord et le Lyonnais à propos d'une brise nocturne de montagne. ◆ **MATINEUX, EUSE** adj. (déb. XIVe s., *matineus*) n'a pas réussi à s'imposer à côté de *matinal* pour qualifier la personne qui se lève tôt, ce qui a lieu le matin, sinon dans un style poétique (1690), chez des écrivains comme Gautier et Huysmans.

◇ **MATUTINAL, ALE, AUX** adj., dérivé savant du latin *matutinus* (v. 1190), «du matin», est rare avant la fin du XVIIIe s., très littéraire et parfois repris plaisamment.

RÉVEILLE-MATIN n. m., de *réveiller* (→ éveiller), est passé de l'ancien sens «branle-bas au réveil» (1497) à la valeur moderne de «pendule» (1515, *réveille matin garny de ses contrepoix*; 1680, *réveil-matin*), couramment abrégé en *réveil**. ◆ *Réveille-matin* a été repris en botanique pour désigner une espèce d'euphorbe (1538), soit parce qu'elle ferme ses fleurs le soir pour les rouvrir le matin (d'où son nom latin d'*helioscopia*), soit par allusion à une farce qui consistait à enduire le visage d'un dormeur avec le lait de cette plante : le dormeur se réveillait de bonne heure, le visage tuméfié et irrité. **MATINES** n. f. pl. (1080) est issu du latin médiéval *matutinae*, féminin pluriel substantivé de l'adjectif *matutinus* pour désigner la partie de l'office divin célébrée entre minuit et le lever du jour. Le mot est entré dans quelques locutions dont ***sonner les matines***, au figuré «faire une réprimande à qqn» (1586), sens disparu, alors que la forme est encore connue par la chanson «Frère Jacques». ◆ Par métonymie, le mot désigne le livre contenant les prières du matin (1392).

MÂTIN, INE n. et interj. est issu (v. 1119) d'un latin populaire °*mansuetinus*, °*masuetinus* «apprivoisé», dérivé du latin *mansuetus* de même sens (→ mansuétude) qui avait donné l'ancien français *mansuet* (XIIe s.) «doux, bienveillant», en particulier «apprivoisé, dompté, docile». Une forme contractée *mastinus* est relevée au IXe s. (cf. l'évolution *consuetudinem* → costume).

♦ Le mot est passé en français comme nom d'un gros chien puissant employé à la garde du bétail, des maisons. ◇ Cette valeur, qui vient d'un emploi substantivé de l'adjectif latin, par ellipse pour *canem mastinum*, a vieilli au profit d'un emploi métaphorique (première attestation) appliqué à un homme, connotant la grossièreté physique et morale (v. 1410), la rudesse, puis, comme intensif, la ruse et l'habileté dans divers domaines (1867). ◇ Cet emploi intensif est précédé par l'interjection exprimant l'admiration, l'étonnement : *mâtin!* (1808), d'abord adjectivement, par exemple dans *mâtine de cervelle!* (1655). ◇ Le mot a une grande vitalité dans les dialectes, de même que son féminin *mâtine*, autrefois «chienne, femelle du mâtin» (1573) et, dès 1570, «femme de mauvaise vie». ◇ L'ancien et moyen français ont également employé le mot au sens de «valet, domestique» (v. 1190-XIVe s.).

▸ **MÂTINER** v. tr. (v. 1175, *mastiner*) a eu le sens de «maltraiter, traiter de chien», «réprimander» (Montaigne) encore vivant dans les dialectes. Secondairement, il correspond à «vaincre (une maladie)» [1656] et concrètement «presser et broyer (le tabac)» [Colbert]. ◆ C'est le sens de «couvrir la femelle», en parlant d'un mâtin ou de tout autre chien d'une race différente de celle de la chienne (1561), qui s'est maintenu avec un développement figuré, «abâtardir», tiré du participe passé. En effet, cet emploi est surtout vivant par le participe passé **MÂTINÉ, ÉE** adj. (1858), appliqué à un chien de race non pure (1865-1866) et, dès les premières occurrences du mot, employé au figuré avec l'idée de «mêlé, hybride». ◆ **MÂTINEAU** n. m. «jeune mâtin» (XIVe s.) a disparu.

MATOIS, OISE n. et adj. est un mot de l'argot des voleurs du XVIe s. (av. 1573), dérivé de *mate* «lieu de rendez-vous des voleurs» (apr. 1450). Ce dernier est probablement emprunté à l'alémanique *Matte* «prairie» et «lieu de réunion» (XVIe s.), mot issu de l'ancien haut allemand *mata** et correspondant à l'anglais *mead* (de nos jours supplanté par *meadow*, représentant une forme fléchie), au néerlandais *mat*. Le radical de ces mots est apparenté à la racine indoeuropéenne qui se dégage du grec *amê* «faucille» et du latin *metere* «moissonner» (→ moisson), ainsi que de mots celtiques.

♦ Un *matois* est donc initialement un filou, un bandit. ◆ L'usage moderne emploie essentiellement l'adjectif qu'on en a tiré (1609) au sens de «rusé sous des dehors bonhommes» : ce sens provient de l'idée de fourberie pour voler ; il s'applique souvent, comme *madré*, à la ruse paysanne. ◇ Il a été à nouveau substantivé en ce sens (1611).

▸ On en a tiré **MATOISERIE** n. f. (1619), synonyme vieilli de *fourberie*, «tour matois», et (1640) «caractère de matois», et **MATOISEMENT** adv. (1718).

MATON → ③ MATER

MATOU n. m., d'abord *matoue* (XIVe s. en anglo-normand) puis *matou* (1571), serait formé sur *mat-*, variante de *mit-*, onomatopée servant à désigner le chat (→ marmite), par exemple dans *mitou* «gros chat» (1640, *faire le mitou* «faire l'hypocrite») et son dérivé *mitouard* (1555). La finale *-ou* pourrait provenir de *marcou* «chat» (v. 1515), tiré du nom propre *Marcou*, lui-même emprunté à l'allemand *Markolf*. L'hypothèse (Guiraud) d'une dérivation à partir de *mate*, forme jurassienne de *maître** (le sens propre étant «maître-chat»), est très incertaine et ne s'accorde pas à la localisation des premières attestations. Il en va de même pour celle d'une dérivation de *mater*, *matir* (de *mat**) «écraser, aplatir», à l'aide du suffixe *-ou* (latin *-oleus*) d'après la face camuse du chat.

♦ Les connotations du mot, au moins à l'origine, correspondent à l'idée du chat mâle actif. Elles expliquent des emplois métaphoriques relatifs à l'homme, «homme sauvage», «homme ardent en amour», en argot ancien «homme qui entretient une femme ou se laisse entretenir».

MATRAQUE n. f., attesté tardivement (1863), est un emprunt à l'arabe maghrébin *maṭraq*, pour l'arabe classique *miṭraq* «trique, rondin de bois brut, bâton dont se servent les Bédouins pour conduire leurs chameaux».

♦ Le mot, d'abord employé en se référant à une réalité d'Afrique du Nord, est appliqué en général à une arme contondante (1888). De même que *masse* et *massue*, il entre dans l'expression ***coup de matraque*** au sens figuré et familier d'«addition trop élevée».

▸ **MATRAQUER** v. tr. est d'abord relevé avec le sens figuré d'«assommer le client par un prix trop élevé» (1927), avant d'être attesté au sens propre (1939, probablement antérieur). ◇ Il a par la suite développé le sens figuré de «traiter durement» (1945), argotiquement «condamner au maximum» (1952). ◇ Depuis 1967, dans le contexte de la radio, de la télévision, il signifie familièrement «infliger avec insistance un message». ◆ Il a donné **MATRAQUAGE** n. m. (1947) «action de matraquer» à tous les sens du mots, spécialement «publicité intensive» (1967) dans *matraquage publicitaire*, et **MATRA-**

QUEUR, EUSE n. et adj. (1932) «personne qui matraque» et en particulier, en sport «sportif brutal» (1953).

MATRIARCAT

MATRIARCAT n. m. a été dérivé savamment (1894, *Grande Encyclopédie*) du latin *mater, matris* (→ mère) sur le modèle de *patriarcat** qui existait déjà.

♦ Le mot désigne un type de régime juridique ou social en vertu duquel la mère transmet son nom aux enfants. ◇ Par extension, il se dit abusivement d'une société, d'une situation familiale marquée par l'autorité prépondérante de la mère, de la femme.

▸ On en a tiré **MATRIARCAL, ALE, AUX** adj. (1894, *id.*) fait d'après *patriarcal*.

MATRICAIRE → MATRICE

MATRICE

MATRICE n. f., une première fois *matrix* (XIIIe s.) puis *matrice* (v. 1265), est emprunté au latin *matrix, -icis,* mot dérivé de *mater* (→ mère) sur le modèle de *genitrix* (→ génitrice) et *nutrix* (→ nourrice). Le mot désigne la femelle pleine ou qui nourrit, l'arbre produisant des rejetons, de là le tronc principal (→ matière) et, par suite, le registre, le rôle (→ matricule). À l'époque impériale, il a reçu une spécialisation en anatomie, peut-être calquée sur celle de son correspondant grec *mêtra,* dérivé de *mêtêr* «mère», et il est parfois synonyme de *genitrix* et de *mater,* partageant le sens figuré de ce dernier, «source, cause». ◇ L'ancien français a eu jusqu'au XVIe s. le type populaire *madris* (av. 1100), *marris* (v. 1300), issu par évolution phonétique du mot latin, et le type *amarri,* masculin formé sur les précédents (1538) par agglutination fautive du *-a* de l'article *la.* Les deux formes, employées en anatomie, ont survécu dans quelques dialectes.

♦ Le mot a été introduit en anatomie, de nos jours concurrencé par *utérus;* en français d'Afrique, il a reçu la valeur métonymique de «organes sexuels féminins». ◆ Par extension, il a développé le sens figuré de «milieu dans lequel un objet se produit et connaît son premier développement» (1770), notamment en sciences. ◆ Par analogie de fonction, les typographes lui ont donné le sens technique de «bloc de cuivre où se trouve frappée en creux l'empreinte d'un caractère typographique» (1520), emploi qui a suscité de nouvelles acceptions techniques, avec l'idée de «moule», «dessin en creux ou en relief», «poinçon» en numismatique (1611), en gravure (1845) et un emploi métaphorique comparable à celui de *moule* (d'Aubigné). ◆ Le sens de «registre servant à comptabiliser la liste des contribuables» est un emprunt du langage administratif (1836) au latin. ◇ La spécialisation en mathématiques à propos d'un tableau indéfini de nombres disposés en lignes et en colonnes et dont toutes les cases sont remplies par des nombres quelconques date du XIXe s. (1822, après *matrix* 1881, forme normale en anglais dès 1858). En linguistique, la grammaire générative a introduit le sens de «phrase dans laquelle une autre vient s'enchâsser» (1965). ◆ *Matrice* est employé adjectivement dans quelques emplois techniques avec la valeur «à l'origine de», d'abord dans le syntagme *matrice église* (1530) puis *église matrice,* que remplace *église mère,* puis dans *couleurs matrices* (1690), *taraud matrice* (1845), *pierre matrice, zinc matrice* en lithographie et métallographie (XXe s.).

▸ Le dérivé **MATRICIEL, IELLE** adj. correspond (1853) aux spécialisations du nom en administration fiscale (*loyer matriciel,* 1868) et en mathématiques. ◆ **MATRICER** v. tr. (1927) et son dérivé **MATRIÇAGE** n. m. (dès 1902) se rapportent à une opération technique consistant à reproduire une forme à l'aide de matrices.

MATRICAIRE n. f. a été emprunté (1539) au latin médiéval *matricaria (herba),* féminin substantivé de l'adjectif *matricarius* dérivé de *matrix,* cette plante passant traditionnellement pour faciliter les menstrues.

◈ voir MARGUILLIER, MATRICULE, peut-être MADRIGAL.

MATRICULE

MATRICULE n. f. est emprunté (1460) au bas latin *matricula,* diminutif de *matrix* (→ matrice) pris dans le sens de «registre». Le mot désignait le registre d'une église où étaient inscrits les clercs ayant droit à une rémunération périodique, et aussi la liste des pauvres secourus régulièrement par une église. Par métonymie, il s'appliquait à l'ensemble de ces pauvres, à la table à laquelle étaient distribuées les offrandes, au fonds pour les secours des pauvres, au trésor d'une église et à un droit à percevoir dans une paroisse (peut-être sur les offrandes faites à la fabrique ou sur le trésor).

♦ *Matricule* désigne le rôle, le registre où sont inscrits les membres d'une société, d'un corps et, par métonymie, l'extrait du registre délivré à la personne inscrite (1690) ainsi que l'inscription sur ce registre (1694). En histoire, on l'emploie par latinisme à propos de la liste des pauvres dont s'occupe une église, de la maison qui les accueille et de l'église à laquelle est rattachée cette maison (1690). ◆ Au XIXe s., le mot s'est spécialisé dans l'administration militaire, désignant le registre d'inscription des soldats (1825), leur numéro d'inscription, appelé aussi *numéro matricule* (1868) et, au masculin, par ellipse pour *numéro matricule,* le soldat lui-même (1877). ◇ Ce dernier emploi a donné des expressions argotiques *(ça va barder, chier pour ton matricule)* et, par extension, une désignation familière pour un individu quelconque (1929).

▸ Le dérivé **MATRICULER** v. tr. (1550), «inscrire sur une matricule» et «marquer d'une matricule (par exemple des vêtements)» (1907), est rare de nos jours, malgré certains emplois figurés en argot militaire. ◆ Il a été évincé par le préfixé **IMMATRICULER** v. tr. emprunt (1485) au latin médiéval *immatriculare* (v. 1138, Lausanne) «incorporer sur un registre». ◇ Le verbe a produit **IMMATRICULATION** n. f. (1636), devenu usuel dans ***plaque d'immatriculation*** (v. 1950), et **IMMATRICULE** n. f. (1690) «enregistrement dans un registre matricule», spécialement «numéro d'ordre d'un huissier sur la liste de ceux qui instrumentent près d'un tribunal» (1835), aujourd'hui archaïque.

◈ voir MARGUILLIER.

MATRIMONIAL, ALE, AUX

MATRIMONIAL, ALE, AUX adj. est emprunté (XIVe s.) au latin impérial *matrimonialis* «relatif au mariage», dérivé de *matrimonium* «mariage», et au pluriel *matrimonia* «femmes mariées». Ce dérivé de *mater* (→ mère) sur le modèle de *patrimonium* (→ patrimoine), a donné l'ancien français *matremuine* (v. 1155), *matremoine* (1356), *matrimoigne* (1380), *matrimoine* (1408) «biens maternels» et «mariage». Contrairement à l'italien où *matrimonio* est le mot usuel pour «mariage», il a vieilli, étant considéré comme un terme burlesque au XVIIe s., puis a disparu. ◇ Il refait son apparition de manière isolée (1968, titre d'un roman de H. Bazin), comme pendant de *patrimoine*.

♦ Le mot, signifiant «qui concerne le mariage», s'emploie spécialement dans le langage juridique (1518, *héritages matrimoniaux*), en démographie et en ethnologie. Son emploi le plus courant est ***agence matrimoniale*** (1867).

▶ **MATRIMONIALEMENT** adv. (1495) se limite à l'usage didactique.

MATRONE n. f. est emprunté (v. 1223) au latin *matrona* «femme mariée, mère de famille» qui, comme *mater* (→ mère) dont il est dérivé, comporte une idée accessoire de noblesse ou de dignité. Son correspondant morphologique masculin, *patronus*, a un sens différent (→ patron).

♦ En français, *matrone* désigne une femme d'âge mûr, de caractère grave. ◇ Il est employé spécialement comme terme d'antiquités romaines (v. 1355) et désigne aussi une sage-femme (1340). Ce dernier sens est encore usuel à la fin du XVIIe s., puisque Furetière emploie *en termes de matrone* pour «en gynécologie». Depuis le début du XVIIIe s. (1718) le mot est employé satiriquement pour «maquerelle». ◇ L'usage courant, tout en conservant trace des sens antérieurs, est péjoratif et met l'accent sur l'idée de femme d'un certain âge, corpulente, moins caractérisée par la gravité que par une certaine vulgarité (1835).

▶ Son dérivé **MATRONAL, ALE, AUX** adj. (déb. XVIe s.), «des dames, des matrones», est littéraire, tout comme **MATRONIEN, IENNE** employé par V. Larbaud.

✳ **MATURE** adj. est emprunté (v. 1240) au latin *maturus* «qui se produit au bon moment, à l'heure favorable», «qui se produit de bonne heure» d'où, par deux développements devenus contradictoires, «à son plein développement, opportun», par litote, «vieux» et aussi «hâtif, précoce». Le mot, dont l'évolution phonétique a donné *mûr**, est dérivé d'un thème °*matu* non attesté, que l'on retrouve dans *Matuta* «déesse de l'aurore» d'où *matutinus* «du matin» (→ matin). Lui-même contient le radical indoeuropéen *ma-* «bon» (→ demain, manes).

♦ L'adjectif, tant avec le sens moral de «réfléchi, posé», qu'avec le sens de «parvenu à son plein degré de développement» (1495), est sorti de l'usage courant au profit de *mûr**. ◇ Il a été repris avec deux acceptions techniques, à propos d'un poisson prêt à frayer et, par emprunt à l'anglais *mature* de même origine, en biologie animale, végétale, parfois même, d'après *immature*, en psychologie.

▶ **IMMATURE** adj. a été emprunté ultérieurement (1504-1509) au préfixé latin *immaturus* «qui n'est pas mûr, qui n'a pas l'âge». ➡ Le mot, d'abord employé dans *mort immature* avec la valeur qu'a prise depuis *prématuré**, s'est maintenu avec le sens «qui n'est pas mûr» (1576). Ces emplois proprement français ont vieilli, puis disparu. ➡ Par emprunt à l'anglais *immature* de même origine (1641), l'adjectif a été repris en biologie (1897), puis (XXe s.) en psychologie.

MATURATION n. f. est emprunté (v. 1300) au latin *maturatio*, dérivé du supin de *maturare* (ci-dessous *maturer*), d'abord «hâte, célérité» puis, à basse époque, «action de mûrir». ➡ Le mot a été introduit en médecine à propos de l'évolution d'un abcès vers la maturité. Il a été repris en botanique (1756, *maturation des fruits;* peut-être 1611) et a développé un certain nombre d'emplois techniques en métallurgie (1762), dans la culture du tabac (1874), dans la fabrication des fromages et du beurre (1895), en biologie (1893, *maturation de l'ovule*). ◇ Le sens figuré de «temps et processus mental requis dans l'élaboration d'un projet, d'une pensée», d'abord relevé chez les philosophes (1839-1842), est devenu assez usuel. ➡ *Maturation* a produit **MATURATEUR** n. m. (1897) en biologie et (1902) en apiculture. ➡ Le préfixé **SURMATURATION** n. f. (1968) se limite à un emploi technique en viticulture.

MATURATIF, IVE adj. et n. m. est l'emprunt (1314) du latin scientifique médiéval *maturativus* «qui fait mûrir» (av. 1250), dérivé du latin *maturare* «faire mûrir». ➡ Le mot est employé en médecine à propos d'un médicament qui accélère la maturation des abcès.

MATURER v. tr. est emprunté (fin XVe s.) au latin *maturare* «faire mûrir, amener à son terme», de *maturus*. ➡ Introduit en médecine au sens de «rendre mûr (un abcès)», le verbe a été repris par la langue technique au XIXe s. avec des acceptions spéciales liées à celle de *maturation*, dans la culture du tabac (1874) et en métallurgie (1902 avec une valeur sortie d'usage). ◇ En biologie, c'est le calque de l'anglais *to mature*.

MATURITÉ n. f. est un emprunt (v. 1485) au dérivé latin *maturitas* «état d'un fruit mûr, plein développement», «perfection», «opportunité», dérivé de *maturus*. ➡ Le mot a évincé l'ancien *maürted, meürté* (v. 1120), issu du latin par évolution phonétique, pour «état d'un fruit, d'un organisme parvenu à la plénitude de son développement». Introduit en botanique où, par métonymie, il se réfère aussi (1845) à l'époque de l'année à laquelle les fruits deviennent mûrs, il désigne à partir du XVIe s. l'état physique et psychique d'un être vivant ayant atteint son plein développement (av. 1525) et, avec une valeur temporelle, l'époque de la vie caractérisée par cet épanouissement (1580, Montaigne). Au cours du XVIe s., il s'étend aux productions et aux activités humaines approchant de leur point de perfection (1546). ◇ Ultérieurement, en relation avec les emplois techniques des mots du même groupe, *maturation* et *maturer*, il s'emploie en médecine (1765), à propos de l'état du bois bon à couper (1867) et en topographie au sujet d'un état du relief en voie d'érosion (XXe s.). ➡ En Suisse francophone, ***maturité fédérale*** désigne une épreuve correspondant à la fin des études secondaires, où l'élève est supposé avoir atteint sa maturité intellectuelle ; l'étudiant qui la prépare ou l'a obtenue est appelé *maturiste* (XXe s.). Le mot est souvent abrégé en **MATU** n. f. (attesté 1931).

IMMATURITÉ n. f. est emprunté (XVIe s.) au préfixé latin *immaturitas* «défaut de maturité (pour le mariage)» et «précipitation, hâte». ➜ Introduit en botanique, le mot s'est répandu pour servir d'antonyme à *maturité* dans son acception figurée (1783), spécialement en psychologie et en psychopathologie (1953, *immaturité affective*).

◈ voir **MÛR, PRÉMATURÉ.**

MAUDIRE v. tr., d'abord *maldire* (1080), puis *maudire* (v. 1170), est emprunté au latin chrétien *maledicere* «réprouver par des paroles de malédiction», composé de *male* (→ mal) et *dicere* (→ dire), proprement «dire du mal, parler en mal». Le mot est passé dans l'italien *maladire, maledire,* l'espagnol *maldecir,* le portugais *maldizer.* En français, la forme *maudire* a évincé les formes populaires *maleïr* (v. 1150), *malir* (fin XIIe s.).

♦ Le sens religieux, «vouer (qqn) à la malédiction divine» et, avec *Dieu* pour sujet, «vouer à la malédiction éternelle», a donné, par extension profane, «vouer (qqn) au mal, à des malheurs en l'injuriant» (1180), d'où aussi «exprimer sa vive contrariété contre (qqch.)» (1590). ◇ Cependant, l'usage du mot ne s'est pas confondu avec celui de *médire,* entièrement laïc et plus spécialisé. L'évolution du verbe est comparable à celle de *bénir.*

▶ **MAUDIT, ITE,** le participe passé adjectivé (1080, *maldit*), a suivi l'évolution du verbe. Il est substantivé avec sa valeur sacrée pour désigner celui qui est réprouvé de Dieu (fin XVIe s.), spécialement Satan, le Malin (d'Aubigné). ➜ Le mot connaît une grande vitalité en français du Québec, en relation avec l'emploi familier à l'origine blasphématoire des références religieuses (les «sacres»). Outre l'adjectif en emploi extensif pour «mauvais, insupportable» et en intensif pour «rusé, habile», *maudit* s'emploie comme interjection, appellatif insultant, et dans la locution ***en maudit*** «en colère», «de manière désagréable» et, avec une valeur intensive, «sacrément». ➜ Les autres dérivés de *maudire* ont décliné : **MAUDISSON** n. m. (XIIe s.) qui a disparu, et **MAUDISSEMENT** n. m. (v. 1515, *maldissement*) ont été éclipsés par *malédiction**. ➜ **MAUDISSABLE** adj. (1295) et **MAUDISSEUR, EUSE** n. (v. 1375, *maudicheur* en picard, puis *mauldissour* v. 1515) ne sont guère usités.

MAUGRÉER → **GRÉ**

MAURESQUE adj. et n. est emprunté (1349) à l'espagnol *morisco* «maure» (v. 1140), employé comme nom propre ethnique dès 966, lui-même issu du latin médiéval *mauriscus* «noirâtre». Ce mot est dérivé du latin *maurus,* employé comme nom propre pour désigner l'habitant de Mauritanie (région du nord de l'Afrique) d'ethnie berbère et pris dans la langue populaire au sens de «brun foncé», lui-même passé dans le français **MAURE** n. et adj. (1176-1181, *Mor*). Le latin est parallèle au grec *mauros* de même sens et d'origine controversée : certains font remonter le nom ethnique aux Phéniciens ou à une ancienne langue du nord de l'Afrique ; d'autres le rapprochent d'un adjectif de même forme signifiant «brun, noir» (encore «noir» en grec moderne), lui-même probablement issu par dérivation inverse de *amauris* «sombre, difficile à distinguer» (à propos de fantômes, de morts) et «aveugle, sans défense». Il n'est pas exclu que l'épithète caractérisante (limitée à des textes tardifs) soit un développement secondaire du terme ethnique. À son tour, elle a été concurrencée par la forme moderne qui apparaît vers 1640 et reçoit l'assentiment de l'Académie à partir de 1835.

♦ Le mot, d'abord *moresche* (1349), *morisque* (1379), devenu *moresque* dès le XIVe s., probablement sous l'influence des adjectifs en *-esque,* a orienté le sens de base, «propre aux Maures, à l'Afrique du Nord» vers des emplois à valeur caractérisante, spécialement dans le domaine des arts : dès le XIVe s., la mandore est appelée *guiterne moresche* et la locution (1379) *à la morisque* qualifie un reliquaire d'argent orné de ramages et de feuillages de fantaisie, par allusion au style architectural des anciens Maures d'Espagne. Le mot s'écrit *mauresque* d'après *maure* (1640 ; enregistré par l'Académie en 1835). ➜ Le féminin est substantivé (1448, *la morisque*) en chorégraphie pour une danse populaire espagnole d'origine arabe, en vogue en Europe du XVe au XVIIe s. ; on continue de la distinguer, en lui réservant la graphie *moresque* (ou *moresca* à l'espagnole), de la *mauresque,* danse provençale exécutée à l'époque du carnaval (enregistré par Larousse en 1874). Le nom féminin, qui désigne proprement une femme maure (1611), a eu plusieurs emplois spécialisés pour des choses noires en habillement (1572), en botanique (1667), en conchyliologie (1736) et en minéralogie (1803) ; ils ont disparu avec la mode orientalisante, exception faite d'un emploi familier pour «mélange de pastis et de sirop d'orgeat».

◈ voir **MATAMORE, MORDORÉ, MORELLE, MORICAUD, MORILLE.**

MAUSOLÉE n. m. a été emprunté (1544) au latin *Mausoleum,* proprement «tombeau de Mausole» et par extension «tombeau magnifique», emprunt au grec de même sens *Mausôleion,* dérivé du nom propre *Mausôlos* «Mausole». Ce dernier était un roi de Carie à qui sa femme, Artémise II, fit élever à Halicarnasse, en 453 av. J.-C., un magnifique tombeau qui comptait parmi les Sept Merveilles du monde. On rencontre aussi au XVIe s. les formes *mausole* (depuis 1405) et *mauseole* (1507).

♦ *Mausolée* est employé pour désigner un tombeau somptueux et, par suite, un tombeau ayant les dimensions d'un bâtiment. ◇ Par extension, il désigne un monument funéraire à fonction religieuse.

MAUSSADE adj., d'abord *malsade* (v. 1170) puis *maussade* (av. 1493), est l'antonyme, formé par adjonction de *mal**, de l'ancien adjectif *sade** «agréable au goût, savoureux» et «agréable, gentil». Ce mot est issu du latin *sapidus* «savoureux» qui a donné par emprunt savant *sapide** et, par l'intermédiaire d'une forme populaire altérée, *sage**.

♦ Le mot, s'opposant d'abord à l'adjectif *sade* dans tous ses emplois, a qualifié un être grossier, malappris, quelquefois avec la nuance très forte de «cruel» (XVe s.); il a qualifié physiquement une personne désagréable à voir, c'est-à-dire laide, malpropre (v. 1450). ◇ Au XVIe s., il a reçu la valeur étymologique de «non savoureux» (1549), répertoriée par les dictionnaires jusqu'en 1700. ➜ L'usage moderne a retenu la nuance psychologique de «qui laisse paraître de la mauvaise volonté, de la mauvaise humeur» (v. 1588, Montaigne) et l'a étendue, par métonymie, à ce qui inspire ennui et mauvaise humeur (1762, Rousseau), en particulier au temps (1832).

▶ **MAUSSADEMENT** adv. (1530) «malproprement, grossièrement» jusqu'au XVIIe s., puis «avec mauvaise humeur» (1718), et **MAUSSADERIE** n. f., enregistré en 1740 avec l'ancienne valeur physique et la valeur psychologique moderne, n'ont qu'une vitalité réduite.

MAUVAIS, AISE adj., d'abord *malveis* (1050), *malvais* (1080), est issu du latin populaire *malifatius* attesté à basse époque (23 apr. J.-C.), composé de *malum*, neutre de l'adjectif *malus* (→ mal) et de *fatum* «oracle, destinée» (→ fado, fée). Le mot forme un couple antonymique avec *bonifatius* (*bonum + fatum*) «affecté d'un sort heureux, fortuné», passé en français dans le prénom *Boniface* (latin *Bonifatius*), d'abord donné comme nom de bon augure. Ce couple correspond à celui du grec *kakomoiros-eumoiros*, formé sur *moïra* «destinée». En ancien français, on trouve à côté de *malveis* une forme contractée *maes, mais* (v. 1190) qui s'est conservée jusqu'au français moderne en wallon et en picard.

♦ Le mot a connu dès l'ancien français le même type d'évolution sémantique que *méchant* et possède presque toutes ses acceptions actuelles avant le XIVe siècle. ◇ Le sens étymologique, «infortuné, malencontreux» (1080), «funeste» (1080), est resté vivant, notamment dans des contextes comme ***en mauvaise posture*** (*être en mauvais point*, v. 1260), ***en mauvaise part*** (1596; 1538, avec *partie*), ***de mauvais augure*** (1671). ◇ Il a pris la valeur de «nuisible, malveillant» dès les premiers emplois (1080), qualifiant, souvent en opposition à *bon*, une disposition défavorable à l'égard de qqn, de qqch. (v. 1180; v. 1200, *mauvaise volonté*), une vie de débauche dans *mauvaise vie* (v. 1274), surtout *femme* ***de mauvaise vie*** (1690). Le même sens, atténué, est réalisé dans ***mauvais temps*** (1538), synonyme de «temps vilain, nuisible», d'où adverbialement *il fait mauvais* (1640); les *temps mauvais* s'étant dits d'une période troublée, d'une époque de disette, d'oppression (1539). ➜ Dès 1080, le mot caractérise un être enclin à faire le mal et forme des expressions comme ***mauvaise femme*** (v. 1370), ***mauvais garçon*** (1521), d'abord *mauvais garnement* (v. 1330), ***mauvais sujet*** (v. 1740), ***mauvaise graine***, avec les connotations variées de «débauché», «criminel, délinquant». Le langage religieux a fourni ***mauvais esprit*** (v. 1310), ***mauvais ange*** (1539) qui a connu le même développement sémantique que *démon* vers le sens de «diable» (1690); ***mauvais riche*** (1669) est une allusion évangélique (*Luc* XVI, 19-31). ◇ Certains emplois témoignent d'une certaine dévaluation de la notion morale vers le sarcasme et la médisance, comme pour *malicieux* et *malin*, par exemple dans ***mauvaise langue*** (1530), ***mauvais plaisant*** (1680), ***mauvaise bête*** (1740). ➜ Parallèlement à cet axe de sens, l'adjectif s'applique dès les premiers emplois (v. 1050) à une chose qui n'est pas telle qu'elle devrait être, mais présente une imperfection, un défaut. ◇ D'abord employé à propos d'une réalité abstraite sur laquelle on porte un jugement moral, en parlant d'un règne, d'un succès, etc., il qualifie aussi une personne qui n'a pas les qualités requises pour exercer son rôle, sa fonction : combattant (v. 1155), ouvrier (fin XIIIe s.), parent (*mauvais père, fils*, etc.). ◇ Il s'affranchit tout à fait de la notion de «malveillant, nuisible» et même de toute valeur morale en qualifiant l'état défectueux d'un objet (v. 1200), la mauvaise qualité d'une denrée, d'une marchandise (1320), d'un chemin peu commode (1538), une défaillance de santé dans *mauvaise santé* (1636), *être en mauvais état* (1690), *mauvaise graisse* (1858). Toujours en opposition avec *bon*, *mauvais* s'applique aux sensations, surtout le goût et l'odorat (*mauvaise haleine*, 1280); dans cet emploi, il est fréquemment adverbe *(sentir mauvais)*. ◇ Dans le même groupe d'emplois, mais appliqué aux personnes, la nuance de «maladroit, incapable» a eu une existence fugitive (XIIIe s.). En revanche, celle de «faux, falsifié» s'est développée en parlant d'un conseil (v. 1250), d'un jugement (1339), d'un document, de l'écriture d'une lettre (1294). Substantivé, *mauvais* (v. 1550) exprime ce qui est mauvais et désigne (de nos jours avec la même valeur plaisante que *méchant*) une personne malveillante.

▶ Les dérivés **MAUVAISEMENT** adv. (1080, *malvaisement*) et **MAUVAISETÉ** n. f. (v. 1120, *malvaistié*) ont quasiment disparu, évincés par la concurrence de *méchamment*, *méchanceté*. *Mauvaiseté*, constate Ménage, a fini par être «banni des romans, des madrigaux, des élégies, des sonnets et des comédies» au XVIIe s., et La Bruyère déplore sa perte. Il est repris comme terme médiéval dans la littérature du XIXe siècle.

MAUVE n. f. et adj., d'abord *mave* (v. 1256), puis *maulve, mauve*, est issu du latin *malva*, nom d'une plante dont les Anciens consommaient les feuilles pour leur saveur et leurs propriétés émollientes. Le mot, comme son correspondant grec *malakhê, malokhê* (dont un dérivé a donné *malachite**), est probablement pris à une langue méditerranéenne.

♦ Le mot désigne une plante réputée pour ses propriétés émollientes et, au moyen âge, pour d'autres vertus : c'était l'une des plantes des jardins potagers et médicinaux de Charlemagne. ➜ Il s'est appliqué à une couleur (1804) en référence à la couleur rose violacé des fleurs de la plante et est devenu usuel dans ce sens comme adjectif (1829). ➜ Une analogie de forme avec ces fleurs en a fait le nom populaire d'un parapluie de coton rouge (fin XIXe s.), emploi vite disparu.

▶ Le mot a produit **MAUVÉINE** n. f. (1878), nom d'un groupe de colorants violets dérivés de l'aniline. ➜ On a formé **MALVACÉES** n. f. pl. (1747), en classification botanique, sur le radical du latin *malva*.

◈ voir GUIMAUVE.

MAUVIETTE n. f. est dérivé, avec le suffixe diminutif *-ette* (1651), de **MAUVIS** n. m. (v. 1165), nom d'un oiseau du genre merle à chair délicate, vivant dans le nord de l'Europe (v. 1165). Lui-même est probablement dérivé de *mauve* n. m., autre nom régional d'oiseau, employé notamment en Haute-Bretagne pour la mouette (v. 1119, *mave*), d'après une ressemblance du plumage du mauvis que sa couleur claire distingue des autres grives, avec celui de la mouette. En anglo-normand, *mauve* a désigné un autre oiseau marin, la foulque. La finale de *mauvis, -is,* pourrait représenter une suffixation expressive ou analogique avec la finale de *perdrix*. *Mauve* est lui-même emprunté, par l'anglo-normand, au vieil anglais *maew* (anglais *mew*), dont on retrouve des correspondants dans les langues germaniques : néerlandais *meeuw*, allemand *Möwe*, ancien norrois *már*. P. Guiraud, qui conteste cette étymologie, voit dans *mauvis* le dérivé de l'ancien adjectif *malvis* (→ mauvais), la grive étant réputée pillarde.

♦ *Mauviette*, «alouette commune», s'emploie par extension à propos de tout oiseau analogue quand il est gras et bon à manger. Par analogie (petite taille, saveur délicate), le pluriel *mauviettes* désigne un plat fait de petites escalopes recouvertes de jambon fumé (on dit aussi *alouettes sans tête*). ➛ Le même type de transfert métaphorique que pour d'autres noms d'oiseaux (cf. *mazette*) en fait l'appellation péjorative d'une personne faible et craintive, d'une «poule mouillée» (1808). Par allusion aux brochettes de mauviettes, il s'est rapporté, dans l'usage populaire, à une brochette de décorations (1901, Bruant).

MAXILLAIRE adj. et n. m. est emprunté (1370) au latin *maxillaris*, adjectif dérivé de *maxilla*, d'abord «mâchoire inférieure», puis, dans *maxillae superiores* (Pline), «mâchoire supérieure». Lui-même est dérivé de *mala*, mot désignant la mâchoire supérieure et, par métonymie, la partie supérieure des joues, et dont l'origine est inconnue.

♦ Le mot s'emploie en anatomie comme l'adjectif correspondant à *mâchoire*, notamment dans *os maxillaire* (v. 1560), *artère maxillaire externe, interne, glande maxillaire* (1873). ➛ Il s'emploie aussi et surtout comme substantif (1805), d'abord pour chacun des os formant les mâchoires *(maxillaire inférieur, maxillaires supérieurs)* puis pour la moitié droite ou gauche de la mâchoire supérieure.

▸ Il entre en composition dans **SOUS-MAXILLAIRE** adj. (1745). ➛ L'élément savant **MAXILLI-, MAXILLO-** représente le latin *maxillo* ou *maxillaire* dans une dizaine d'adjectifs et de substantifs.

MAXIME n. f. est un emprunt du vocabulaire scolastique (1330) au latin médiéval *maxima* (sous-entendu *sententia*), proprement «(sentence) la plus grande», d'où «la plus générale, universelle». *Maxima* y est le féminin substantivé de l'adjectif classique *maximus* (→ maximum).

♦ *Maxime*, d'abord «expression d'une idée», est passé dans l'usage commun au sens de «précepte, règle générale de conduite ou de jugement» (1485). L'époque classique, mettant l'accent sur la formulation du précepte, lui a rajouté le sens de «formule lapidaire» (1657, Pascal) et en a fait, avec les *Réflexions ou Sentences et Maximes morales* de La Rochefoucauld (1665), un genre littéraire, illustré au XVIIIe s. par Vauvenargues et Chamfort. ◇ Dans la philosophie kantienne, le mot reçoit le sens de «règle de conduite considérée par celui qui l'adopte comme valable pour sa volonté propre, sans référence à celle d'autrui» (1873 en français).

▸ De *maxime* est dérivé le verbe d'usage didactique et rare **MAXIMER** v. tr. «donner la valeur d'une règle générale à qqch.» (1859).

MAXIMUM n. m. et adj. a été emprunté par les mathématiciens (1706) au latin *maximum*, neutre substantivé de l'adjectif *maximus* «le plus grand» (qui s'oppose à *minimum*), superlatif de *magnus* «grand» (→ magnat, major).

♦ *Maximum*, d'abord limité au vocabulaire scientifique, s'est répandu dans l'usage courant à la suite de la loi de 1793 sur le *maximum* du prix des grains. Il est employé spécialement dans le domaine juridique dans *maximum (d'une peine)* [1810], absolument dans *condamner*, etc. *au maximum* (1857). ◇ Il a été adjectivé (1830) au sens de «qui constitue un maximum», entrant dans la locution adverbiale ***au maximum*** (1846) «tout au plus» et (1906) «au plus haut point». ◇ Le nom est familièrement abrégé en **MAX** (1969), mot à la mode, par exemple dans *ça coûte un max*.

▸ Son dérivé **MAXIMISER** v. tr. «donner la plus haute importance» est relevé pour la première fois dans la traduction (1828) d'un ouvrage de Bentham pour traduire l'anglais *to maximize* (1802 chez Bentham), de l'anglais *maximum*. ➛ Par changement de suffixe, *maximum* a donné l'adjectif **MAXIMAL, ALE, AUX** (1877), lequel a servi à former **MAXIMALISER** v. tr. (1963) qui fait double emploi avec *maximiser*, et deux termes d'idéologie : **MAXIMALISME** n. m. (1910) et **MAXIMALISTE** adj. et n. (1917). Tous deux sont apparus dans le contexte de la révolution russe pour désigner le bolchévisme et ses partisans, parce qu'ils réclamaient le plus de revendications au sein du parti ouvrier social-démocrate russe ; mais l'emprunt *bolchévisme, -ique* l'a emporté. Ils ont pris (1957, Jankélévitch) le sens plus large de «tendance aux revendications extrêmes», «partisan d'une théorie radicale». ➛ De *maximum*, on a tiré l'élément formant **MAXI-** qui entre dans plusieurs néologismes apparus après 1966 et qui appartiennent aux vocabulaires de la mode et de la publicité (style journalistique). **MAXI** est substantivé *(une maxi)* par ellipse d'un nom de vêtement, mais moins usuel que son contraire *mini*.

MAYONNAISE adj. et n. f. est d'origine controversée, probablement tiré (1806) de *Mahón* dans *Port-Mahón*, nom de la capitale de Minorque aux Baléares, en souvenir de la prise de cette ville par le duc de Richelieu, en 1756. La tradition, qui n'est pas sans rappeler celle de l'invention de la recette *à la marengo,* veut que le cuisinier du duc ait inventé la recette de cette sauce avec les moyens du cru (œuf, huile). Cependant, l'hiatus chronologique entre 1756 et la première attestation du mot, ainsi que l'absence de *mahonnaise* comme graphie initiale, ont conduit à proposer une orthographe vicieuse pour *bayonnaise,* adjectif tiré de *Bayonne,* qui s'est dit, dans la locution *à la bayonnaise,* d'autres préparations culinaires. On a aussi évoqué un dérivé (°*moyeunaise)* de *moyeu,* l'ancien nom du jaune d'œuf représentant le bas latin *mediolum,* dérivé de *medius* «central» (→ mi-). D'autres ont proposé un rattachement à un radical verbal, *manier** (d'où la graphie *magnonaise*) ou (P. Guiraud) à *mailler* «battre» (→ mail).

♦ Le mot, d'abord attesté au début du XIXe s. dans *saumon à la mayonnaise,* s'emploie seul (1855) et adjectivement (1855, *sauce mayonnaise*). ◇ Il donne lieu à des emplois figurés : *faire monter la mayonnaise, la mayonnaise prend,* etc.

MAZAGRAN n. m. est tiré (1866) de *Mazagran,* nom d'un village d'Algérie près de Mostaganem. Du 4 au 6 février 1840, cent vingt-trois Français, sous le commandement du capitaine Lelièvre, y soutinrent un siège contre douze mille Algériens. L'idée, outre l'intention de célébrer un fait d'armes, est celle d'un «café bu à la va-vite, comme à Mazagran en 1840».

♦ Le mot désigne d'abord un café chaud ou froid, mêlé d'eau et de sucre, parfois d'eau-de-vie, servi dans un verre profond et, par métonymie (1879), un récipient profond en forme de verre à pied pour boire le café. Il a vieilli dans les deux acceptions.

MAZETTE n. f. est généralement interprété (1622) comme un emploi métaphorique du dialectal *mesette* «mésange» (normand, franc-comtois), issu de *mésange** par changement de suffixe. Ce type de transposition d'un nom d'oiseau à une désignation péjorative d'animal ou d'homme a d'autres exemples avec *criquet, linotte, mauviette.* P. Guiraud préfère cependant voir dans *mazette* le diminutif de l'ancien français *maez, maes, maïz, mais* «mauvais» (du latin *malifatius*), mais son hypothèse, cohérente avec son interprétation de *mauvis* (→ mauviette), manque d'une base observée.

♦ Le mot a désigné, par péjoration, un mauvais petit cheval et, familièrement (1640), une personne malhabile, un homme sans courage (1648). ◇ Il n'est plus guère employé qu'en interjection (1834, *mazette !*) pour marquer surprise ou admiration.

MAZOUT n. m., d'abord *mazoute* (1895), *mazou* (1899) puis *mazout* (1902), est emprunté au russe de même sens *mazut.* Celui-ci remonte probablement, par une langue turco-tatare, à l'arabe *mahzūlāt* «restes, résidus, déchets». Cependant, il existe en russe dialectal le type *mazutina* «tache, tache de graisse», issu du russe *mazatj* «graisser, enduire». Le mot russe est passé en anglais à la même époque (1897, *masut;* 1924, *mazout* et *mazut*).

♦ Dans la langue technique, *mazout* est concurrencé par l'anglicisme *fuel* francisé en *fioule,* en particulier pour les emplois industriels. Il n'est pas usité en français du Canada.

▸ *Mazout* a donné **MAZOUTER** v. (v. 1945) «faire le plein de mazout, en parlant d'un bateau» et «polluer de mazout», surtout au passif *(plage mazoutée).* ➝ Le verbe a produit **MAZOUTAGE** n. m. (v. 1950), **MAZOUTEUR** n. m. (v. 1950) qui se rapporte au navire spécialisé dans le transport du mazout, et **DÉMAZOUTER** v. tr.

MAZURKA n. f., apparu au XIXe s. sous des formes diverses, *mazourka* (1829), *mazurka* (1834), *masurka* (1836), *masourque* par francisation (Littré), *mazurke,* est emprunté au polonais *mazurka,* accusatif singulier de *mazurek,* proprement «danse de Mazurie», du nom polonais de cette province du nord-est de la Pologne (dès 1788, on relève *mazour* dans les *Mémoires sur la Pologne* du prince de Ligne).

♦ Le mot désigne une danse rapide à trois temps et, par métonymie, une courte composition musicale s'en inspirant (1868 ; certainement antérieur à propos de Chopin).

▸ Sur *mazurka,* on a formé **MAZURKER** v. intr. (1869 ; 1846, *mazourker*) «danser la mazurka», aujourd'hui démodé comme la danse, dont la vogue a précédé celle d'une autre danse d'origine polonaise, la *polka**.

ME → MOI

MÉ-, MÉS-, MES- préf. est issu de la particule francique °*missi-* restituée par l'ancien haut allemand *missi-, missa-,* le moyen haut allemand *misse-* (allemand *miss-*). L'ancien norrois *mis-,* le gotique *missa-,* l'anglais *mis-* et le néerlandais *mis-* dégagent un type germanique commun °*misso-* qui représente une forme participiale à suffixe *-to.* °*Misso-* a deux sens : «mutuel, en alternance», qui serait la valeur de base et que l'on a dans le gotique *misso* «réciproquement», et «divergent, erroné, fautif». Le mot germanique est apparenté à une racine indoeuropéenne °*meith-,* élargissement de °*mei-* (→ commun) qui exprime la différence ou la mutation. Cette racine est représentée dans plusieurs mots sanskrits : *mith* «rencontrer un ami ou un adversaire, alterner», *mithu* «tour à tour, à tort, de manière incorrecte», *mitháḥ* «réciproquement», *mithya* «à l'envers, à l'inverse» ; on rapproche également le latin *mutare* «changer, déplacer» (→ muer, muter) et, avec une autre extension du radical, *migrare* (→ migrer), ainsi que le vieux slave *mitě, mitŭsi* «en alternance».

♦ Ce préfixe sert à construire les formes négatives ou péjoratives de nombreux verbes, plus rarement de substantifs ou d'adjectifs. Il a cessé d'être productif, l'usage courant lui préférant des périphrases avec *ne pas, mal* (devant un verbe), *mauvais* (devant un substantif ou un adjectif). Par ailleurs, il subit la concurrence de *dé- (déplaire/méplaire)* ou *mal-(malaise/mésaise ; malfaire/méfaire).* Tous les mots apparus aux XIXe et XXe s., à l'exception de *méforme, mésemploi, mécompréhension* sont des créations isolées.

◈ voir à l'ordre alphabétique et dans les dérivés.

MEA CULPA → COULPE

MÉANDRE n. m. est un emprunt (1552) au latin *Maeander*, lui-même emprunté au grec *Maiandros*, le Méandre, nom d'un fleuve d'Asie Mineure au cours très sinueux, d'où «repli tortueux, sinuosité», spécialement en architecture et en sculpture.

♦ Le français a emprunté le mot avec le sens de «détour sinueux d'un cours d'eau». Le pluriel est attesté pour la première fois en 1623 avec la valeur figurée de «divagations, détours dans le discours». Par analogie de forme, le mot a d'autres emplois en horticulture et en art, où il désigne un dessin d'ornementation formé de lignes diversement entrecroisées (1721).

▶ Son dérivé **MÉANDREUX, EUSE** adj. (1690) est le doublet littéraire du peu usité **MÉANDRIQUE**, emprunté (1813, Stendhal) au bas latin *meandricus* «du Méandre. ◆ *Méandre* a donné aussi un terme de zoologie, **MÉANDRITE** n. f. (1765), refait par substitution de suffixe en **MÉANDRINE** n. f. (1801) «genre de polypier dont les polypes sont fusionnés en lignes sinueuses».

MÉAT n. m. est emprunté (1575) au latin *meatus* «chemin, passage», dérivé de *meare* «aller, passer, circuler». *Meatus*, mot rare et littéraire, repose sur la même racine que *migrare* (→ migrer) et *mutare* (→ muer); il est indirectement représenté en français par les composés *congé** et *imperméable**. Le moyen français a *meate* en parlant du conduit, du canal de la voix (1500); l'ancien provençal *meat* s'emploie en anatomie dès le XIVe siècle.

♦ Le mot a été introduit en anatomie pour désigner un canal, un conduit et, par métonymie, son orifice, notamment dans *méat urinaire*. ◇ Il est passé dans la terminologie botanique (1813) en parlant d'une petite cavité intercellulaire remplie d'air, de gaz ou de liquide.

▶ On en a tiré l'élément formant *méato-*, combiné à *-tome, -tomie** dans les termes de chirurgie **MÉATOTOME** n. m. (av. 1914), **MÉATOTOMIE** n. f. (1926), noms de l'instrument et de l'opération concernant l'incision d'un méat, notamment en vue d'augmenter son diamètre.

◈ **MEC** n. m., mot d'argot apparu dans le premier quart du XIXe s. sous les formes *mecque* (1821), *mec* (1827), également *mèque, meck* et *meg* (→ mégot), est d'origine obscure : P. Guiraud propose d'y voir la conjonction *mais que* (introduisant une conditionnelle, une concessive) que l'on trouve substantivée dans certains dialectes, par exemple dans le Quercy avec *mesque* «motif» et *douna per mes-que* «donner pour motif» (→ mais). On aurait formé un *M. Mecque* «M. l'Important» sur le modèle de *Mlle J'Ordonne, M. Veto, M. Je Sais Tout* (cf. dans le *Zazie* de R. Queneau, *Mme Moique*). L'hypothèse est ingénieuse et, en tout cas, plus vraisemblable que l'origine par *meg* du grec *mega* «grand» (→ méga-) ou par l'arabe égyptien *mek* «sultan» (?).

♦ Outre la valeur peu attestée de «roi», rapportée par Balzac, (le *meg des megs* «Dieu»), *mec* désigne d'abord un homme énergique, faisant figure de chef, et comporte une nuance plutôt religieuse (admirativement *quel mec !*). ◆ Par extension, il s'est banalisé en «individu quelconque» (1848), en particulier «homme, garçon» (1897, Méténier), récemment par opposition à un nom désignant des femmes, des filles *(nana)*. Il comporte assez souvent une connotation péjorative. ◇ Son sens de «souteneur» (1870) est à rapprocher de l'argot *mac* (→ ② maquereau). ◇ Son emploi actuel, seulement familier, en fait un équivalent de *type* au sens d'«homme, garçon».

▶ **MECTON** n. m. (1888), diminutif méprisant de *mec*, se rapporte à un jeune type, un «petit mec». À la différence de *mec*, il est resté très familier.

◈ voir peut-être MÉGOT.

Le verlan modifié **KEUM** n. m. ne s'emploie qu'au sens général de «gars, type, homme».

MÉCANIQUE adj. et n. f. a été emprunté comme adjectif (1268) au latin *mechanicus*, emprunt au grec *mêkhanikos*, dérivé de *mêkhanê* (→ machine) qui signifie «apte à combiner», «à faire des travaux d'ingénieur», plus généralement «qui concerne la machine».

♦ En ancien et moyen français, le mot caractérise une classe de travailleurs : on parlait de *mestiers mécaniques* (1268) à propos des métiers comportant l'usage d'instruments et l'action de la main, d'*arts mécaniques* (1374) par opposition à *arts libéraux*. ◇ Substantivé, *mécanique* n. m. désigne (XIIIe s.) un ouvrier manuel artisan. L'adjectif qualifie toute personne qui fait un travail manuel (1382), parfois avec la connotation dépréciative de «servile». ◆ C'est la Renaissance qui a réemprunté le mot comme nom *(la mécanique)* au latin *mechanica* pris dans l'acception scientifique du grec *mêkhanikê* (sous-entendu *teckhnê*) «(art) de construire une machine». Le mot est attesté en français dès 1559 pour désigner la partie des mathématiques qui a pour objet la connaissance des lois du mouvement et la théorie de l'action des machines. ◇ En relation avec ce nom, l'adjectif change alors de sens et signifie «relatif aux lois qui régissent le mouvement des corps» (1680). Tous deux se développent au XVIIe et au XVIIIe s. dans le cadre de la science positive dominée par le modèle de la science mécanique naissante. ◆ Le nom *(une mécanique)* désigne aussi tout système de pièces et de mouvements constituant une machine (1690) et, selon la théorie qui conçoit le corps humain et animal comme une machine (Descartes), un système de processus naturels dans un corps vivant. *Mécanique* évolue alors vers l'idée de «mécanisme», les pièces mises en mouvement à l'aide d'un mécanisme étant nommées *pièces mécaniques* (XVIIe-XVIIIe s.). ◇ Le nom entre dans le langage courant au sens métaphorique de «structure, rouage» (en parlant d'une administration éprouvant sa force, 1727). Au sens concret, le mot a été repris en argot dans l'expression ***rouler des mécaniques*** «rouler les épaules de manière avantageuse» et au figuré (v. 1940) «se vanter». Sous l'influence du développement des techniques industrielles, il est appliqué à toute espèce de machine (1791), et l'adjectif qualifie les objets dont le mouvement est produit par un agencement artificiel, et non pas par un processus chimique ou biologique (1786). ◇ C'est aussi au XVIIIe s. qu'apparaissent les noms des différentes branches de la science : *mécanique rationnelle* (1749), *mécanique céleste* (1749), *mécanique analytique* (1788, titre), etc. ➜ Dès cette époque, l'adjectif commence à être employé au sens figuré de «machinal, sans l'aide de la réflexion» (1762), fréquent dans la langue non technique.

▶ Sur l'adjectif a été formé **MÉCANIQUEMENT** adv. (1500) qui, dans les premiers textes, a le sens ancien de «comme un ouvrier, un artisan» et, au figuré, «de manière basse, vile» (av. 1500). ➜ Il a ensuite pris le sens moderne «du point de vue de la mécanique» (1679) et au figuré «sans l'intervention de la volonté, machinalement» (1753).

Sur le radical de *mécanique* est formé **MÉCANISER** v. tr., apparu dans les premiers textes au sens d'«exercer un métier manuel» (1571), figurément «avilir» (1580). ➜ Les sens modernes datent du XIXe siècle : «rendre semblable à la machine» (1823), «introduire l'emploi des machines et des moyens mécaniques dans une activité» (1846). Au XIXe s. le mot a été pris populairement au sens d'«ennuyer, taquiner» (1834). ➜ Il a servi à former **MÉCANISATION** n. f. (1870) avec les sens de «fait de rendre semblable à une machine» et (1949) «emploi général de la machine comme substitut de la force humaine». ➜ **MÉCANICIEN, IENNE** n. (1696) désigne la personne qui possède la science de la mécanique et celle qui invente, calcule, construit des machines (1738), avec une valeur alors voisine d'*ingénieur* et d'*industriel*. ◇ Dans l'usage moderne, le nom désigne généralement celui ou celle qui monte et entretient des machines (1840). Spécialement, il se dit du conducteur d'une locomotive (1834). Il s'emploie en apposition dans *ouvrier mécanicien* (1845), *ingénieur mécanicien* (1845), *officier mécanicien* en marine (1932) et *mécanicien-dentiste* (1955). ◇ Le féminin **MÉCANICIENNE** a désigné (1877) l'ouvrière couturière travaillant à la machine à coudre. ➜ Le mot est familièrement abrégé et suffixé *(-o)* en **MÉCANO** n. m. (1907).

MÉCANISME n. m. a été emprunté assez tard (1701) au latin *mechanisma*, ou dérivé à partir du radical de *mécanique*. ➜ Il signifie d'abord «agencement des pièces d'une machine» et, par extension, «machine» (1791). Dans le cadre d'une conception mécaniste de l'être, il a pris les sens figurés de «processus moral ou psychique révélant le fonctionnement des sentiments» (1758), «mode de fonctionnement qui échappe à la volonté» (1755), «action concertée en vue d'un résultat» (1760). Il se rapporte, dans l'usage didactique, à une théorie philosophique admettant qu'une classe de faits peut être ramenée à un système de déterminations mécaniques (1747) [cf. *machinisme*]. Sa spécialisation en musique pour «habileté musculaire dans le jeu d'un instrument, notamment le piano» est répertoriée par Littré (1867). ➜ Avec son acception philosophique, il a produit **MÉCANISTE** adj. (1875), n. (1889, Bergson), auparavant employé au sens de «médecin professant la médecine mécanique» (1687), et **MÉCANISTIQUE** adj. (1907, Bergson). ➜ On parle également de **MÉCANICISTE** adj. et n. (1953) et de **MÉCANICISME** n. m. (1962 ; 1836, en médecine) dans les mêmes sens.

L'élément **MÉCANO-**, tiré du grec *mêkhanê*, a servi à former quelques mots savants dont la série **MÉCANOGRAPHIE** n. f. (1832), **MÉCANOGRAPHE** n. (1832) et **MÉCANOGRAPHIQUE** adj. (1947). Au XIXe s., les deux premiers mots se référaient au mécanisme consistant à écrire sans plume et sans l'avoir appris. Depuis le milieu du XXe s., ils concernent une industrie englobant la fabrication et l'entretien du matériel de bureau puis, en rapport avec les progrès techniques, l'utilisation de techniques, moyens et supports mécanisant le traitement de l'information, notamment à l'aide de cartes et bandes perforées (1963, dans les dictionnaires généraux).

MÉCÈNE n. est emprunté (1526) au latin *Maecenas*, nom d'un chevalier romain du Ier s. avant J.-C., descendant d'une noble famille étrusque, conseiller d'Auguste et protecteur des Belles-Lettres (en particulier de Virgile et d'Horace). Naturellement, dans l'Antiquité comme en France, il existait des mécènes et un mécénat avant la lettre, pratiqué par les souverains, les prêtres puis, à partir des XIIIe-XIVe s., par des laïcs.

♦ L'apparition du mot en français, d'abord sous la forme latinisante *mécénas*, au pluriel *mecenate* chez Budé, puis *mécène* (1680), est à mettre en rapport avec le climat favorable aux arts de la Renaissance et avec le développement d'une politique de mécénat sous l'impulsion de François Ier, sur le modèle des grands mécènes italiens du quattrocento (Les Médicis, Strozzi, etc.). Le grand mécénat d'État, poussé au XVIIe s. par Louis XIV et Charles Le Brun en une tentative d'organisation de la production artistique en fonction d'une politique, a décliné au XVIIIe s. au bénéfice de celui des «curieux», des amateurs (principalement en musique). Le XIXe s. et la société issue de la révolution industrielle consomment la rupture entre artiste et mécène jusqu'en 1870, lorsqu'apparaît un nouveau type de mécène lié à l'entreprise commerciale et industrielle. Depuis la Première Guerre mondiale, il convient de souligner le rôle des grands collectionneurs, notamment américains, et le rôle de l'État et de l'industrie.

▶ **MÉCÉNAT** n. m. (1867), d'abord terme d'antiquité, a suivi l'évolution de *mécène*. L'usage de la commandite publicitaire, le succès de l'américanisme *sponsor* et de ses dérivés donnent à *mécène* et à *mécénat* la possibilité de nouveaux emplois.

MÉCHANT, ANTE adj. et n. est le participe présent adjectivé (v. 1165, *mescheant*) de l'ancien verbe *mescheoir*, composé de *mé-**, *mes-* et de *cheoir* (→ choir), qui signifie en construction impersonnelle «arriver malheur» (v. 1130).

♦ En ancien français, *méchant* signifie «qui tombe mal», d'où «qui n'a pas de chance ; misérable» ; l'adjectif est en cela très proche du sens premier de *malheureux.* ◇ Appliqué à un nom de chose, il signifie «sans valeur, chétif» (1176, encore aujourd'hui dans le style littéraire : *un méchant stylo*) et semble en être ainsi venu au sens moderne de «mauvais» en parlant d'une chose dépourvue de bonnes qualités, d'une chose abstraite (air, regard) [v. 1365] puis d'une personne (1549 en picard). ◇ Ce sens de «mauvais» a éliminé l'ancien sens au XVIe s., mais c'est le sémantisme de ce dernier qui est inversé en argot (1922, sports) où il est pris par antiphrase pour «formidable, extraordinaire».

Le mot a été substantivé (v. 1365) au sens de «personne qui cherche à faire le mal», d'abord au sens fort, souvent en contexte religieux, aujourd'hui littéraire ou plaisant (du langage enfantin). Cet emploi était encore très usuel au XVIIe s. et ***faire le méchant*** (1690) y avait la valeur de «laisser éclater sa colère, s'emporter» : la locution est toujours usitée, mais surtout appliquée à un enfant, par hyperbole et souvent avec une connotation d'indulgence affectueuse.

▸ *Méchant* a servi à former **MÉCHAMMENT** adv., d'abord *mescheandement* (1280) «malheureusement, misérablement», qui a évolué vers son sens moderne «avec méchanceté» (XVe s.) et sa forme actuelle (XVIIe s.) par amuïssement du *t* (v. 1370, *mescheantment*). Comme l'adjectif, le mot a pris une valeur intensive, à la manière de *vachement.* ◆ En ancien français, le nom correspondant à *méchant* était son dérivé *mescheance* (1165) «fâcheux incident», et abstraitement «malheur, infortune» (jusqu'au XVIe s.) ; physiquement «action de tomber, chute» (1200). Lorsque l'adjectif a développé son sens moderne de «mauvais», le besoin s'est fait sentir de créer un autre nom. ◆ L'existence de noms de qualité en *-té (mauvaiseté, malëurté, fausseté)* a pu alors favoriser la création de **MÉCHANCETÉ** n. f. (déb. XVe s., *meschanceté*) «action, parole méchante», qui a d'abord assumé aussi le sens de «malheur» (fin XVe s.). Ce nom a éliminé *mescheance,* déjà concurrencé par *malchance* (→ chance), puis *méchanceté* a pris son sens général de «penchant à faire le mal» (1596). Contrairement à l'adjectif, il a totalement perdu l'acception de «piètre qualité, médiocrité» (1621). ◆ On relève chez certains écrivains modernes les archaïsmes *méchance* (Jouve) et *méchantise* (Giono). Cf. aussi l'évolution de *mauvais* entre le latin et le français.

① **MÈCHE** n. f., d'abord *mece* (v. 1160) puis *mesche* (1393), est issu d'un latin populaire °*micca* de même sens, dans lequel on voit une altération gallo-romane, influencée par le latin classique *muccus, mucus* «morve, mucus nasal», du mot classique *myxa* «lumignon». Ce dernier est emprunté au grec *muxa* «mucosité» et métaphoriquement «mèche d'une lampe», le même rapport métaphorique existant en français avec *moucher une chandelle* et *avoir une chandelle au nez. Muxa* se rattache à la racine indoeuropéenne °*(s)meu-k-* qui exprime l'idée de moisissure ou de mollesse et que l'on trouve à la base de *moisir*, moucher*, moite*, muqueux*.*

♦ Le sens premier de *mèche* est celui de «cordon de fils de coton ou de chanvre que l'on fait brûler». Par extension, le mot désigne une matière préparée pour prendre feu aisément (XIIIe s.). Il entre dans l'expression ***éventer la mèche*** qui signifie proprement «découvrir avec une contre-mine l'endroit où la mine a été pratiquée et enlever la mèche qui devait la mettre à feu» (1580) et qui est passée dans l'usage courant avec le sens figuré de «dévoiler le secret d'un complot» (1690) ; on dit aussi ***découvrir la mèche*** (1594) et ***vendre la mèche*** (1830). ◆ Par analogie d'aspect, *mèche* désigne une bande de toile servant dans un traitement médical (1266), plus précisément pour drainer les foyers purulents (1478).

Le mot a pris le sens collectif usuel de «réunion d'une certaine quantité (de cheveux)» (1300), très courante, ainsi que quelques acceptions techniques en marine (1691), technique (1676), et sert à désigner la ficelle d'un fouet (1835).

▸ Il a donné les dérivés spécialisés **MÉCHER** v. tr. (1743) «désinfecter (un tonneau)» et (1949) en chirurgie, **MÉCHEUX, EUSE** adj. (1846) qualifiant la laine brute qui se présente en mèches.

Son composé **ÉMÉCHER** v. tr. (1576), proprement «débarrasser (une bougie) des extrémités charbonnées de la mèche», a été quasiment évincé par *moucher.* ◇ Il est encore employé avec le sens figuré de «rendre légèrement ivre» (1859) dans un registre familier. Cette valeur vient probablement d'un sens assez rare (1826) «mettre (des cheveux) en mèches» ; la métaphore serait alors sur «ébouriffer», «décoiffer». ◆ Le participe passé **ÉMÉCHÉ, ÉE** adj. «un peu ivre» est plus courant que le verbe.

② **MÈCHE** n. inv., employé seulement dans quelques locutions familières (1791), est d'origine incertaine : Sainéan le fait remonter au provençal *mech* «demi» et Esnault y voit un emprunt à l'italien *mezzo* «demi» et «moyen» (du latin *medius;* → mi) qui entre dans des expressions ayant un correspondant exact en français *esser di mezzo con* «être de moitié avec» et *non c'è mezzo* «il n'y a pas moyen». Cependant, ces deux hypothèses sont difficilement recevables pour des raisons phonétiques. Wartburg propose un rattachement à ① *mèche** pris au sens de «matière préparée pour prendre feu aisément», l'idée d'«arrangement conclu» marquant le début d'une activité.

♦ *Mèche* figure dès les premières attestations dans une expression de l'argot des typographes, *à mèche d'affut* dans lequel il faut probablement lire *à mèche d'affur* «à partage égal», s'agissant du bénéfice des pages blanches et de la mise en pages dans une coopérative d'imprimeurs. ◇ On relève ensuite la locution usuelle ***être de mèche*** «être complice» (1793) et, encore chez les typographes, ***y a-t-il mèche ?*** «y a-t-il du travail à produit partagé ?» (1807), la réponse étant ***(il n'y a pas mèche*** (1808) «pas moyen, pas de possibilité», aujourd'hui dans la langue courante «c'est impossible».

MÉCHOUI n. m. est emprunté (1912) à l'arabe maghrébin *mešwī* «rôti grillé ; mouton rôti à la broche», participe passé de *šawā* «rôtir, griller».

♦ Le mot désigne un mouton entier rôti à la broche, procédé de la cuisine arabe dont l'usage s'est répandu en Europe, avec la métonymie «réunion où l'on mange le méchoui».

MÉCOMPTE → COMPTER

MÉCONNAÎTRE, MÉCONNAISSABLE, MÉCONNU... → CONNAÎTRE

MÉCONTENT → CONTENT

MÉCRÉANT → CROIRE

MÉDAILLE n. f. est un emprunt (1496) à l'italien *medaglia* de même origine que le français ② *maille** (dans *maille à partir*). *Medaglia* désignait une ancienne monnaie d'environ un demi-denier, en usage dans le nord de l'Italie, dans les États pontificaux et à Malte (apr. 1250), ainsi qu'une pièce de métal frappée à l'effigie d'un personnage illustre et servant d'ornement (fin XVe-déb. XVIe s.).

♦ *Médaille,* d'abord employé à propos d'une monnaie d'or utilisée en Italie et au Levant, a pris son sens moderne au XVIe s., désignant une pièce frappée à l'effigie d'un personnage illustre ou pour commémorer un événement (1536). Il est entré dans la locution figurée ***le revers de la médaille*** (1640), avec des variations, *toute médaille a son revers* (1680), et dans ***profil de médaille*** (1881). L'association d'idées qu'exprime cette locution est ancienne : on appelait *belle médaille* la représentation harmonieuse d'un objet, au XVIIe siècle. ◆ Comme *médaillon*,* le mot a reçu quelques sens analogiques : il désigne un ornement rond sculpté, en architecture (v. 1545), une petite pièce de métal bénite portée à une chaîne au cou (v. 1570), une pièce antique conservée pour son intérêt historique (1599), une pièce de métal donnée en récompense au lauréat d'un concours, d'une exposition (1758) et, par métonymie, ce prix. ◇ Par extension de ce sens, il se dit d'une distinction honorifique (1852) et de la plaque de métal numérotée dont le port est obligatoire dans certaines professions (1828, Vidocq). ◇ Enfin, il est employé spécialement dans le vocabulaire de la franc-maçonnerie pour désigner une somme d'argent (1873, Larousse). ◆ Par analogie de forme, il désigne une plante, la lunaire bisannuelle (1765).

▸ Le dérivé **MÉDAILLIER** n. m., d'abord relevé comme adjectif dans une attestation isolée («relatif aux médailles», 1571), a été repris comme nom pour une table à compartiments destinée à ranger les médailles (1671) et, plus largement, tout ce qui sert à les ranger (1677). Depuis 1756, le mot signifie également «collection de médailles». ◆ *Médaille* a aussi donné **MÉDAILLISTE** n. m. (1609) «amateur de médailles» et «graveur de médailles», concurrencé en ce dernier sens par **MÉDAILLEUR** n. m. (1808). ◆ Un verbe **MÉDAILLER** v. tr. est attesté après **MÉDAILLÉ, ÉE** adj. (1611) «décoré d'une médaille», lui-même substantivé pour «personne qui a été honorée d'une médaille» (1845).

MÉDAILLON n. m. est emprunté (1554) à l'italien *medaglione* (XVIe s.), augmentatif de *medaglia.* C'est un terme de numismatique appliqué à une grosse médaille, employé par analogie de forme en architecture pour un bas-relief circulaire représentant une effigie (1740), en imprimerie et en art culinaire (1934). Dans le sens de «bijou de forme circulaire ou ovale renfermant un portrait ou des cheveux» (1795 ; dès 1611, «petite médaille, boucle, broche»), il faut plutôt y voir un dérivé de *médaille* avec suffixe diminutif.

MÉDECINE n. f., d'abord *medicine* (v. 1121), est emprunté au latin *medicina* «art de guérir, remède, potion», féminin substantivé de l'adjectif *medicinus* «de médecin» (→ médicinal), dérivé de *medicus* «médecin». Ce dernier est la substantivation de *medicus, a, um* «médical» (→ médical), de *mederi* «soigner, donner des soins à», qui appartient à une importante famille indoeuropéenne (→ méditer), également représentée en grec (→ méduse).

♦ *Médecine* a éliminé l'ancien type populaire *mecine* qui avait surtout le sens de «remède» (1050) ; lui-même signifie d'abord «remède», sens aujourd'hui vieilli sous la double concurrence de *remède* et de *médicament.* Il en reste une trace dans l'emploi figuré du mot appliqué à une chose désagréable (1656) et dans les expressions ***avaler la médecine, médecine de cheval*** (1690). Depuis le moyen français (1314), le mot désigne la science qui a pour objet la conservation et le rétablissement de la santé, donnant quelques emplois déterminés pour désigner différentes spécialités, de *médecine vétérinaire* (1796), *légale* (1765) jusqu'à *médecine du travail* (1950), *médecine sociale* (1950), et des techniques médicales. ◆ Par métonymie, il se rapporte à la profession du médecin (1715), aux études de médecine et au corps des médecins (1866). Voir aussi l'encadré pp. 100 à 103.

▸ De *médecine* est tiré l'ancien verbe **MÉDECINER** v. tr. (1155, *mediciner*) «guérir», qui a supplanté le type populaire *meciner* (1176) et qui ne s'emploie plus guère qu'avec le sens péjoratif (v. 1580) de «mal soigner».

Médecine a donné par dérivation régressive **MÉDECIN** n. m. que l'on relève d'abord sous les formes picardes *medechin* (1358) et *medicin* (1458), enfin au XVIe s. sous la forme actuelle (1580). ◆ Ce nom a remplacé l'ancien français *mire* n. m. (v. 1150) encore attesté jusqu'en 1660, mot essentiellement normand et picard ; on a encore *mière, mire* en normand et la variante dialectale *mège, meige* (→ mégis) pour une personne exerçant la médecine sans titre. Il a aussi remplacé *physicien* (alors *fisicien*) dans son ancien sens (XIIe s.), conservé par l'anglais *physician* qui l'a emprunté. ◆ En relation avec *médecine,* le mot est entré dans des syntagmes qui en précisent l'extension, tels *médecin légiste* (1833), *médecin militaire* (1835), *médecin-major* (1825), *médecin traitant* (1872), *médecin généraliste* (1962). ◆ Il a eu le sens figuré de «chose qui soigne» (fin XIVe s.) et sur un plan moral de «personne qui guérit les douleurs de l'âme» (1656). Ainsi, le prêtre, le confesseur est parfois appelé *le médecin des âmes* (1680). ◇ On emploie figurément les locutions *médecin, guéris-toi toi-même* (1550) et *après la mort, le médecin* (1611). Le mot est de nos jours en concurrence avec *docteur.*

Quelques composés en *-médecine* désignent des techniques médicales. C'est le cas, par exemple, de

(Suite page 2178)

MÉDECINE ET CHIRURGIE : DEUX VOCABULAIRES TYPIQUES

La formation du vocabulaire de la médecine et de la chirurgie est intimement liée à l'histoire de ces deux sciences, qui commande aussi le vocabulaire de la botanique, de la pharmacie et de la chimie. Jusqu'au XVIIe s. en effet, la médecine regroupe botanique, chimie, physique, pharmacie, soins de beauté, hygiène de vie ainsi qu'anatomie, physiologie, pathologie et chirurgie. Ce n'est qu'au début du XVIIIe s. que ces différentes disciplines deviennent des sciences autonomes. Le cas de la médecine et de la chirurgie peut être toutefois traité à part, les deux activités étant distinguées. Les conflits incessants qui opposent médecins et chirurgiens du moyen âge à la fin du XVIIe s. suffisent à justifier cette option. Nous retracerons tout d'abord l'histoire de ces conflits, puis celle des différentes traditions médicales et de leurs tenants. Nous nous arrêterons au seuil du XVIIIe s., car cette période marque la naissance de la médecine moderne, et, d'autre part, la formation du vocabulaire de ces deux sciences présente les mêmes évolutions et modes de création que la terminologie des autres sciences.

La médecine ne possédait pas de place bien définie parmi l'ensemble des savoirs médiévaux : elle ne faisait pas partie des sept arts libéraux, mais utilisait certains d'entre eux. Reprenant le classement d'Isidore de Séville (VIIe s.), on propose au XIIe s. de ranger l'art de la médecine dans la «seconde philosophie». Son aspect pratique et «mécanique» gêne toutefois. On oppose alors une *physique*, comprise comme une philosophie des faits de nature, et une *médecine*, comprise comme une technique spécialisée et ressortissante aux arts mécaniques. Mais les médecins, qui se veulent «physiciens» donc philosophes, dédaignent la pratique de la chirurgie, alors qu'au début du moyen âge le *medicus* était et médecin et chirurgien. Une élite se crée ainsi au début du XIIIe s. et le fossé entre médecins et chirurgiens se creuse. Un autre facteur vient renforcer ce mouvement : jusqu'au début du XIIIe s., la science et la pratique médicales étaient réservées aux moines, la tradition manuscrite étant conservée dans les monastères. Dès le début du XIIe s. cependant, l'Église, qui «abhorre le sang», juge que l'exercice de la médecine et de la chirurgie est incompatible avec la mission religieuse des moines, cet exercice les exposant en particulier au danger de donner la mort. Elle leur interdit de ce fait d'étudier la médecine (1130), de pratiquer la chirurgie (1163) et ordonne enfin que la médecine soit laissée aux laïques (1215). La médecine deviendra alors l'apanage d'une élite de clercs, la chirurgie, en revanche, sera abandonnée à des laïques en grande partie illettrés. Le conflit qui divise médecins et chirurgiens s'amorce donc au début du XIIIe siècle.

C'est à la même époque que deux écoles, représentant deux traditions différentes, sont fondées en France. Tout d'abord, l'université de Montpellier (1220) : laïque, innovatrice, elle propage le patrimoine gréco-latin enrichi et légué par les médecins arabes, tels Avicenne, Albucassis ou Averroès, transmis par les traductions de Constantin l'Africain (XIe s.), Gérard de Crémone (XIIe s.), les traducteurs tolédans ou Arnaud de Villeneuve (XIIIe s.) ; elle dispense un enseignement aussi bien médical que chirurgical et anatomique. Suit, en 1253, la fondation de la faculté de médecine de Paris : rebelle à toute innovation, fortement tenue sous le joug du dogmatisme religieux (le pape contrôle l'Université), elle pratique un enseignement livresque et traditionnel, fidèle aux préceptes et aphorismes des médecins grecs, tels Hippocrate ou Dioscoride — dont la transmission est assurée par les médecins latins Pline ou Celse —, mais surtout à ceux du Grec Galien (IIe s.). Les préceptes établis par ce dernier sont adoptés par le christianisme et resteront intangibles pendant plus de mille ans ; ils survivront jusqu'au XVIIe siècle. Fait significatif pour cette faculté : les docteurs sont appelés *physici*. En conséquence, les chirurgiens, ravalés au rang de simples *barbiers*, créent leur propre école : en 1268, le chirurgien parisien Pitard fonde la confrérie des chirurgiens de saint Côme. En 1515, les chirurgiens sont reconnus étudiants de l'Université, la confrérie de saint Côme s'élève au rang de collège, les *barbiers-chirurgiens* deviennent des *chirurgiens-barbiers* et sont enfin consacrés *maîtres-chirurgiens* à la fin du XVIIe s. : hommes de terrain et de pratique, ils jouissent de la faveur du public et surtout du soutien de la Cour. Ce siècle voit également se développer une autre querelle, qui oppose la médecine traditionnelle et officielle enseignée à la faculté de Paris et une médecine indépendante exercée par les empiriques. Ces derniers semblent l'emporter car les découvertes essentielles en médecine sont faites par eux. La pratique l'emporte sur la théorie, l'expérimentation sur les raisonnements, la physique cartésienne fait pièce à la physique aristotélicienne. Ces différents facteurs poussent la médecine officielle à se libéraliser ; elle évince la médecine indépendante des empiriques. Vers 1670, la médecine moderne s'affirme ; au début du XVIIIe s., le processus de transformation est achevé.

La langue médicale.

À ce processus, à ces luttes d'influence correspond une évolution du discours et du vocabulaire médicaux. Dès l'origine, la langue de la médecine — au sens large du terme — est le latin. Il faudra attendre le début du XVIIIe s. pour qu'il disparaisse définitivement de la production strictement médicale. À Paris, la faculté de médecine est alors obligée de céder insensiblement du terrain au français, langue qu'elle avait abandonnée dès le début du XVIe s. aux chirurgiens. Cependant, en 1636, Cureau de la Chambre plaide pour l'introduction du français dans les sciences en général. Plusieurs faits incitent le médecin à opter peu à peu pour la langue vulgaire. Les tenants de la médecine traditionnelle et officielle tiennent leurs discussions théoriques dans un jargon latin pédantesque qui rebute le patient ; ce dernier préfère le parler plus clair des praticiens. En outre, il se détourne du médecin qui lui ordonne des médicaments fort coûteux, à acheter tout prêts chez l'apothicaire (au cours du XVIe s., le français est de rigueur dans leurs officines). En 1625 paraît l'*Apothicaire du médecin charitable* de Guybert ; cet ouvrage, qui connaît 26 rééditions au cours du siècle, met à la portée de tous des recettes de remèdes simples que l'on peut préparer chez soi. Pour garder sa clientèle, le médecin est contraint de poser son diagnostic et de rédiger ses ordonnances en français (v. 1650). Un autre facteur social vient se greffer sur les deux faits précédents : la société, curieuse de science et soucieuse de son bien-être, ouvre les portes de ses salons au médecin, qui se transforme en mondain ; il met son savoir à la portée de ce public cultivé, qui fréquente assidûment les académies privées. Les femmes, en particulier, contribuent à la transformation de la langue médicale ; elles en ont fait «disparaître ce qui pouvait sentir le collège, rappeler le pédant, le jargon gréco-latin de l'ancienne science, bref le *style sauvage*» (Quémada, *Introduction à l'étude du vocabulaire médical*, p. 32). Le savoir des spécialistes se vulgarise, la langue se polit, le vocabulaire de la médecine pratique est rendu accessible au public. Vers la fin du XVIIe s., outre le fait que le français évince le latin, une nouvelle terminologie se fait jour, qui se retrouvera dans la médecine populaire ; parallèlement, une terminologie scientifique sera réservée aux spécialistes. R. Barry écrit en 1662 dans l'*Esprit de Cour* (Préf., p. 3) : «un médecin, par exemple, ne doit pas parler médecin, quand, par des expressions familières il peut être entendu ; l'on ne s'assemble pas pour les mots, l'on s'assemble pour les choses ; et outre que la présence des Dames doit bannir le langage des Maîtres, ceux-mêmes qui sont savants, n'ont pas toujours les idées présentes de tous les termes de l'Art, et c'est quelquefois jetter un Bel-Esprit dans la confusion que de lui parler Escole».

Le français des chirurgiens.

Nous avons déjà fait remarquer qu'au XVIe s. la chirurgie — de même que l'anatomie — s'exprime en français. Le mouvement part de l'université de Montpellier, centre de la médecine en français et de tradition arabiste. Au XIVe s. déjà, cette université avait accueilli et formé deux célèbres médecins et chirurgiens : Henri de Mondeville (1260-1320) et Guy de Chauliac (XIVe s.). Henri de Mondeville rédige en latin de 1306 à 1312 sa *Chirurgie ;* elle est traduite dès 1314 en français. Il est le premier à intégrer un chapitre sur l'anatomie qu'il illustre de figures. Guy de Chauliac, considéré comme le père de la chirurgie, écrit, probablement en latin et en français, *La Grande Chirurgie* (1363). Son œuvre fera autorité jusqu'au XVIIIe s. et sera retraduite et éditée à plusieurs reprises. Au XVIe s., Champier, Canappe et Joubert, tous trois de l'université de Montpellier, donneront tous leur édition de Chauliac. Symphorien Champier mérite d'être cité pour la raison suivante : il réussit à convaincre les docteurs de l'université de Pavie de recevoir docteur le chirurgien picard Hyppolyte d'Aultreppe, qui ignorait le latin et avait donc besoin d'un interprète. L'argument qu'il emploie sera repris par tous les chirurgiens et médecins qui publient en français, par Ambroise Paré par exemple : refuserait-on le grade de docteur à Galien ou Avicenne, sous prétexte qu'ils s'exprimaient dans leur langue et non en latin ? non ; «Galien estoyt grec, et Asiatique, n'aprint oncque la langue latine. Avicenne estoyt Arabe et ne l'entendoyt pas [...] Sy doncques Avicenne, arabe, venoyt a vous avec sa langue barbare et arabique, seriés contrainctz, sy le vouliés interroguer, que ce fut par truchement et interpreteur.» Depuis Laurent Joubert, chancelier de l'université de Montpellier, médecin et chirurgien, le français est utilisé pour vulgariser. Joubert publie en 1578 les *Erreurs populaires au fait de medecine et de santé* qui lui valent l'opprobre de ses collègues parce qu'il divulgue leurs secrets. Le nombre des productions originales en français augmentera vers la fin du XVIe siècle. À Paris, Louis XIV confie à Dionis l'enseignement en français de l'anatomie au Jardin Royal. Ce n'est qu'en 1720 que la faculté aura recours au français pour l'enseignement chirurgical.

Les vocabulaires.

La transmission du savoir médical de l'Antiquité a suivi un chemin semé d'embûches : les traductions du grec à l'arabe, de l'arabe au latin, du latin à l'ancien français obscurcissent le sens des mots, favorisent les contresens et les fausses interprétations, conduisent parfois à des erreurs scientifiques. La production se poursuit ensuite en deux langues : latin et français. Tout ceci explique en partie l'établissement tardif d'une terminologie univoque. Dès le moyen âge, le savant est confronté à plusieurs systèmes linguistiques et donc à une synonymie proliférante accrue par les différents courants de la pensée scientifique médiévale (aristotélicienne et platonicienne). Henri de Mondeville note par exemple «qu'apostème, (duhelech), tumeur, éminence, élévation, grossissement, enflure contre nature, sont sept termes qui désignent la même chose et sont synonymes» : grec, arabe, latin, langue vulgaire permettent ainsi la coexistence d'une langue savante et d'une langue populaire. Le français, qui ne possède pas de vocabulaire adapté à la pensée scientifique, emprunte donc au grec, au latin ou à l'arabe, adapte, ou bien se sert de périphrases, de métaphores pour dénommer. Notons en passant qu'à la fin du XVIIe s., les médecins étendront l'usage de la métaphore pour édulcorer leur discours, le latin, qui permettait de cacher des détails scabreux, n'étant plus utilisé que par les spécialistes. Ce flottement synonymique sera en partie résolu lorsque les différentes disciplines s'autonomiseront et se spécialiseront. Le mot *placenta*, par exemple, néologisme des chirurgiens-accoucheurs du XVIIe s., entre en concurrence avec *arrière-faix*, utilisé par les médecins ou chirurgiens, et avec *délivrance, lit* ou *secondine*, employés par les matrones. Cette synonymie se réduira à deux termes au XVIIIe s., l'un scientifique, l'autre populaire. Les termes d'origine arabe, qui sont venus enrichir au XIIIe s. le vocabulaire de l'anatomie, ont disparu au XVIe siècle. Seul a survécu *nuque* qui désignait la moelle épinière ; l'arabe a toutefois légué au français quelques noms de plantes médicinales qui ont subsisté.

Les procédés de formation du vocabulaire médico-chirurgical sont valables pour d'autres sciences. Le réservoir auquel a puisé le français est le grec et le latin, deux langues qui lui ont fourni un grand nombre de mots, mais aussi et surtout des éléments qui forment un véritable «jardin de racines grecques et latines». Elles lui ont permis — et lui permettront — de créer à volonté des termes. L'étude du lexique scientifique du XVIe au XVIIIe s. met en évidence un phénomène que lexicologues et étymologistes n'ont pas toujours su reconnaître : la création d'un terme en latin scientifique ou moderne, adapté quelques années plus tard en français ; tel est le cas, par exemple, de *chlorose*. Une autre caractéristique de ce vocabulaire est, en particulier au XVIIe s., l'hésitation morphologique : *artériel* à côté d'*artérial, temporel* et *temporal*, etc.

Les principaux jalons, qui illustrent les plus grands mouvements du vocabulaire de la médecine et de la chirurgie, correspondent aux quelques dates ponctuant l'entrée dans la langue d'un terme de médecine : 1256, traduction en français du *Regime de Santé* d'Aldebrandin de Sienne ; 1314, la *Chirurgie* de Henri de Mondeville ; 1363, *La Grande Chirurgie* de Guy de Chauliac ; au XVIe s. revient souvent la date de 1585, celle des *Œuvres complètes* d'Ambroise Paré, dernière édition revue et corrigée du vivant de l'auteur. L'apport le plus important s'est constitué au XVIe siècle. Aux XVIIe et XVIIIe s. (vers 1750) apparaissent les premiers dictionnaires de médecine, à côté de l'*Encyclopédie ;* puis les dictionnaires de langues accorderont alors une plus grande place aux termes médicaux, des néologismes de forme mais surtout de sens sont créés. À partir de la fin du XVIIIe s., les progrès scientifiques fulgurants, qui rejaillissent sur les différentes disciplines, accélèrent la néologie terminologique. Des termes d'apparence latine, grecque ou gréco-latine sont forgés en français, mais aussi en anglais ou en allemand ; le français les emprunte et les adapte.

◈ voir **NÉOLOGIE** et **NÉOLOGISME, TERME** et **TERMINOLOGIE.**

M.-J. Brochard

BIBLIOGRAPHIE

B. QUÉMADA, *Introduction à l'étude du vocabulaire médical (1600-1710)*, Besançon, Annales littéraires de l'université de Besançon, 2e série, tome II, fasc. 5, Langue et Littérature française, 1955.

BIOMÉDECINE n. f. ◇ Cependant, les branches de la médecine portent des noms spécifiques, souvent en *-logie* (avec un nom de maladie) ou en *-iatrie*.

◈ voir **MÉDICAL, MÉDICAMENT, MÉDICATION, MÉDICO-, MÉDIC-** (**MÉDICINAL**, etc.), **MÉGIS.**

MÉDIA n. m. est l'abréviation devenue très courante (1964) de *mass media* (1953), emprunt à l'anglo-américain *mass media* (1923), composé de *mass*, emprunté initialement au français ① *masse** (1675 en ce sens), et de *media*, pluriel de *medium* (XVIe s.) [→ médium].

♦ Le mot est employé par les sociologues et les publicitaires pour désigner l'ensemble des techniques et des supports de diffusion massive de l'information et de la culture. Des décennies de recherche sociologique en Amérique sur ce qu'on appelle, à la suite de McLuhan, «la civilisation de l'image», ont contribué à répandre cet emprunt. L'abréviation en *media* (en anglais, 1923) tend à devenir plus fréquente que la forme initiale *mass media*. L'emploi régulier de *medium* au singulier (qui apparaît en anglais en 1967 chez le Canadien McLuhan) est rare ; l'emploi au singulier d'*un media* a entraîné une francisation du pluriel en *medias* et l'usage fréquent de ces mots avec l'accent aigu *(média[s])*. La forme *media/medium de masse*, si elle reste rare en français, est normalisée au Canada.

▸ Sur *média* ont été formés **MÉDIATHÈQUE** n. f. (v. 1970) d'où **MÉDIATHÉCAIRE** n. (1974) sur le modèle de *bibliothèque-bibliothécaire*. ◆ **MÉDIATIQUE** adj. (1982) avec *-t-* de soutien, mot devenu usuel, signifie «relatif aux médias» et, par extension, «qui utilise efficacement les médias». ◇ Il a donné **MÉDIATIQUEMENT** adv. (1986). ➜ ② **MÉDIATISER** v. tr. (1983) «rendre médiatique» a donné ② **MÉDIATISATION** n. f. (1983), **MÉDIATISEUR** n. et adj. ➜ La seconde moitié de la décennie a vu apparaître, dans le discours des médias, une foule de dérivés plus ou moins durables, pour la plupart calques de l'anglais, certains reflétant le malaise dû à l'inflation du domaine, tels **MÉDIATISME** n. m. (1990), **MÉDIACRATE** n. et adj. et **MÉDIACRATIE** n. f. (1990), **MÉDIAPHOBE** adj. et n. (1990) analogue à *publiphobe*.

MULTIMÉDIA n. m., empr. à l'anglo-américain répandu dans les années 1990, désigne l'ensemble des procédés et techniques informatiques permettant l'intégration d'informations diverses, textes, sons, images et leur transmission simultanée.

MÉDIAN, ANE

MÉDIAN, ANE adj. et n. f. a été emprunté par les médecins (1425) au latin *medianus* «du milieu», dérivé postclassique de *medius* de même sens (→ mi-), et dont l'évolution phonétique régulière a donné *moyen**.

♦ Le mot a d'abord été employé comme nom féminin (*médiaine*, puis *médiane*, 1560) pour désigner la veine de l'avant-bras, dite aujourd'hui *veine médiane*. ➜ Le nom n'a plus dans l'usage moderne que le sens spécialisé en géométrie (1868) de «segment de droite qui joint les milieux des deux côtés opposés d'un parallélogramme ou le sommet d'un triangle au milieu du côté opposé». Il est aussi employé en statistique (le concept est différent de celui de *moyenne*). ➜ L'adjectif est passé du sens de «demi» (1540) à la valeur moderne de «placé au milieu» (1607, dans *ligne médienne;* 1812, *médian*). Il est réservé à des usages spécialisés en anatomie, géométrie, linguistique et musique.

MÉDIAT, ATE

MÉDIAT, ATE adj. est issu par aphérèse (1478) de son antonyme *immédiat**.

♦ Il signifie proprement «qui agit par intermédiaire», d'abord dans le langage juridique puis dans diverses spécialités (botanique, logique, psychologie, linguistique).

▸ On en a tiré **MÉDIATEMENT** adv. (1546), mot assez rare, et un verbe plus courant. ➜ ① **MÉDIATISER** v. tr. apparaît au sens historique de «faire qu'un prince, un pays ne relève plus immédiatement d'un suzerain de l'Empire» (1819), surtout au participe passé ***prince médiatisé***, puis employé au sens général de «rendre médiat» (1893) en sciences politiques, en philosophie. ◇ Le verbe a donné ① **MÉDIATISATION** n. f. (1842), surtout usité avec son sens historique d'«incorporation à un état vassal d'un pays germanique relevant directement de l'Empereur».

MÉDIATION

MÉDIATION n. f. représente par emprunt (XIIIe s.) le bas latin *mediatio*, nom correspondant au verbe *mediare* «être au milieu», de *medius* «au milieu» (→ mi-).

♦ En ancien français, le mot a le sens de «division» (XIIIe s.). ➜ Il a pris au XVIe s. sa valeur moderne d'«entremise destinée à concilier des personnes, des partis», d'abord en religion dans une relation entre l'homme et Dieu (1541), puis surtout en droit et en diplomatie (1878). ◇ Par extension, il s'applique au fait de servir d'intermédiaire, dans des emplois didactiques (particulièrement en philosophie). ◇ C'est également un terme d'astrologie pour le moment de la culmination d'un astre (1691) et un terme de musique (1701) désignant la pause faite au milieu d'un verset de plain-chant.

▸ **MÉDIATEUR, TRICE** adj. et n. est emprunté (v. 1265) au bas latin *mediator*. ➜ Il est apparu en français dans un emploi spécialisé en théologie chrétienne, Jésus étant dit *médiateur* entre Dieu et l'homme. ◇ Puis, il a pris le sens plus général de «personne qui s'entremet pour effectuer un accord» (v. 1355), spécialement en droit international (1437) où l'acception moderne doit beaucoup (1973) au modèle de l'*ombudsman* suédois. ◇ Son usage en parlant d'une chose relève d'un langage didactique (1860) en sciences, et en géométrie où il est employé au féminin **MÉDIATRICE** n. f. (1923). ➜ Le latin a fourni sans modification **MÉDIATOR** n. m. (1902) «plectre pour jouer de certains instruments à cordes».

MÉDIATIQUE → MÉDIA

MÉDIATISER → MÉDIAT

MÉDIC-

MÉDIC- Outre *médecine**, une série de mots se rattache, par emprunt et dérivation savante, au radical de *medicus* et à ses dérivés.

▸ **MÉDICINAL, ALE, AUX** adj. est un emprunt (v. 1225) au latin *medicinalis* «médical, de médecin», dérivé de *medicina* (→ médecine). Le mot est d'abord relevé en picard (*medichinaus* «qui sert à la guérison» et *médicinal*, 1326). ◇ Il a développé le sens figuré de «qui sert de remède à l'âme» (apr. 1350), comme *médecine* et *médecin*, et le sens large de «relatif à la médecine» (1485, encore au XVIIIe s.). Il a ainsi évincé les anciens *mecinnel, mecinal* (fin XIIe s.), correspondant à *mecine*, la forme populaire de *médecine*, de même que *médecinal* (fin XIIe s.), dérivé de *médecin*. ◇ À son tour, il a subi la forte concurrence de *médical* et reste seulement usité au sens de «qui a des propriétés curatives». ➜ Son dérivé **MÉDICINALEMENT** adv. (v. 1390, «médicalement») est employé rarement au sens de «sous l'action des remèdes».

MÉDICATION n. f. est emprunté (1314) au latin *medicatio* «emploi d'un remède», dérivé de *medicari* «soigner, traiter», de *medicus*. ➜ Apparu au sens collectif d'«ensemble des remèdes traitant une maladie», il est encore usité pour désigner l'emploi de médicaments dans un but thérapeutique déterminé.

MÉDICAMENT n. m. a été emprunté (1314) au latin *medicamentum* «remède, drogue», variante de *medicamen* et synonyme de *remedium* (→ remède), dérivé de *medicus* «propre à soigner» (→ médecine). ➜ *Médicament* a supplanté la forme populaire issue par évolution phonétique, *megement* n. m. (XIIIe-XIVe s.). ◇ En français d'Afrique, le mot s'applique aussi aux remèdes traditionnels (drogues, potions) des marabouts et sorciers. ◆ Il a donné **MÉDICAMENTEUX, EUSE** adj. (1549), formé d'après le latin *medicamentosus* «qui soigne, guérit», et un verbe aujourd'hui archaïque : **MÉDICAMENTER** (1518), l'un des termes à valeur péjorative créés au XVIe s. pour critiquer les mauvaises pratiques médicales.

MÉDICATEUR n. m. (1555), dérivé savant du latin *medicatum*, supin de *medicari*, a été formé avec une valeur péjorative (cf. *médeciner, médicastre*). Il a pris plus tard un sens neutre «qui a la propriété de guérir» (1812), mais n'est plus guère employé.

MÉDICAL, ALE, AUX adj. est un emprunt au latin médiéval *medicalis* «salubre, guérissable», altération du latin classique de même sens *medicinalis* qui a donné *médicinal**. La première attestation, chez Rabelais (1534), semble un latinisme isolé (*doigt médical*, l'annulaire); le mot est réattesté en 1660, mais, comme *médicalement*, il a dû s'employer depuis le début du XVIIe siècle. ◆ *Médical* s'est généralement imposé face à *médicinal*, tant au sens de «propre à guérir» que, plus largement (1752), de «relatif à la médecine» et «relatif aux médecins» (*corps médical*, 1834). ◆ En ont été tirés **MÉDICALEMENT** adv. (1606) et, récemment, **MÉDICALISER** v. tr. (v. 1970), **MÉDICALISATION** (v. 1960) d'où **DÉMÉDICALISER** v. tr. et **DÉMÉDICALISATION** n. f. (1974), ainsi que le composé **BIOMÉDICAL, ALE, AUX** adj. (v. 1970).

MÉDICO- est l'élément tiré du latin *medicus* «médecin» pour former des adjectifs d'usage didactique ayant trait à la médecine : ainsi **MÉDICO-LÉGAL, ALE, AUX** adj. (1767) «relatif à la médecine légale», entré dans l'appellation *Institut médico-légal* (déb. XXe s.) désignant la morgue de Paris et l'établissement scientifique qui lui est rattaché, **MÉDICO-CHIRURGICAL, ALE, AUX** adj. (1800), **MÉDICO-SOCIAL, ALE, AUX** adj. (v. 1960), etc.

MÉDIÉVAL, ALE, AUX adj. est le dérivé savant, à une date récente (1874), du latin *medium aevum* (→ moyen âge), à l'aide du suffixe *-al*. L'existence en anglais de *mediaeval* dès 1827, mot courant chez Ruskin (1856) de même que *mediaevalism* et *mediaevalist*, incite à voir dans le français un emprunt à l'anglais.

♦ *Médiéval* est un mot du langage technique employé avec la valeur déterminative de «du moyen âge». ◇ Il assume rarement la valeur caractérisante (déb. XXe s.), celle-ci étant plutôt réservée à *moyenâgeux* (→ moyen) qui a vieilli.

▶ Le spécialiste d'histoire ou de littérature médiévale a reçu le nom de **MÉDIÉVISTE** n. (1867), du latin *medium aevum*, qui a remplacé *moyenâgiste* usité vers 1840-1850. ◆ À l'aide d'un autre suffixe, on a formé **MÉDIÉVISME** n. m. (av. 1890).

MÉDINA n. f. est emprunté (v. 1897) à l'arabe *madīna* «ville», antérieurement enregistré par le dictionnaire de Trévoux (1721-1771) comme nom propre de villes d'Espagne.

♦ Le mot désigne la ville indigène ancienne dans les agglomérations d'Afrique du Nord.

MÉDIOCRE adj. et n. est emprunté (1495) au latin *mediocris* «moyen, du point de vue de la grandeur, de la qualité» et «ordinaire (de personnes et de choses)», dérivé de *medius* «qui est du milieu» (→ mi-).

♦ Le sens premier en français est celui de «ni petit ni grand par ses dimensions ou son importance» : d'un point de vue éthique, il correspond à «modéré, raisonnable» (1552); d'un point de vue social, à «de condition moyenne» (1586); dans le domaine artistique, il situe une œuvre entre le sublime et le bas (v. 1580). ◆ Le sens moderne, qui porte un jugement dépréciatif «au-dessous de la moyenne», s'est dégagé (v. 1580) de jugements esthétiques constatant l'absence de génie, en poésie (1587, Ronsard), et s'est répandu au XVIIe s., appliqué à une personne, une chose (1663). ◆ Depuis 1658, le mot est employé comme nom (d'abord au pluriel) pour les personnes. ◇ Il a été substantivé (*le médiocre*) sans idée péjorative à propos d'une catégorie esthétique classique, correspondant alors à l'ancien usage de l'adjectif (1674, Boileau, *Art poétique*).

▶ L'adverbe formé sur l'adjectif, **MÉDIOCREMENT** adv. (1542), a connu une évolution analogue, du sens premier de «moyennement, modérément» (encore dans le style littéraire) à «assez peu» (1580) et, qualitativement, «assez mal» (1810). ◆ Le nom correspondant, **MÉDIOCRITÉ** n. f., a été emprunté (1314) au dérivé latin *mediocritas* «état moyen, juste milieu» et «infériorité, insignifiance». ◇ Apparu au sens neutre, il a pris la valeur spécifique de «condition sociale moyenne ou basse» (1540), puis péjorativement le sens d'«insuffisance de talent» (1669), «insuffisance de qualité, de quantité (de qqch.)» (1674, Boileau). ◇ Il est quelquefois appliqué collectivement, par métonymie, à un ensemble de personnes médiocres (1762, pl.). ◆ Sur le modèle de *démocratie, aristocratie*, etc., on a formé **MÉDIOCRATIE** n. f. (1844) au sens de «gouvernement des classes moyennes» (*Les Paysans*, Balzac) puis, par péjoration, de «pouvoir politique aux mains des médiocres» (1869). ◇ Son dérivé **MÉDIOCRATE** adj. et n. (1870), créé sur le modèle de *démocrate, aristocrate*, etc., joue lui aussi de l'ambiguïté de *médiocre*, le sens de «partisan d'une politique du juste milieu» passant spontanément à «partisan d'un gouvernement de médiocres». ◇ On relève **MÉDIOCRATISATION** n. f. (1973) dans le style journalistique.

MÉDIRE v. tr. est composé (1160, *mesdire*) de *mé-**, *mes-* et de *dire**, proprement «dire du mal de (qqn)».

♦ À la différence de l'emprunt *maudire*, verbe actif, *médire* se construit avec *de* (autrefois aussi avec *sur*) et correspond à «dire de qqn le mal qu'on sait, qu'on croit savoir», *calomnier* supposant que le mal dit de qqn peut être totalement infondé. *Médire* s'emploie aussi absolument.

▶ Son participe présent **MÉDISANT, ANTE** a été substantivé (1229, *mesdisant*) pour désigner qqn qui a tendance à médire. ◆ Il a servi à former **MÉDISANCE** n. f. (1559, *mesdisance*) «action de médire» et, par métonymie, «parole médisante», qui a supplanté l'ancien *mesdiz* (v. 1160 et jusqu'en 1605) et les doublets *mesdison, maledicence*, n. f., en usage au XVIe siècle.

MÉDITER v. est emprunté (1330) au latin *meditari,* fréquentatif de *mederi* «donner des soins à», spécialisé dès l'origine dans la langue médicale au sens de «porter remède à» (cf. la spécialisation de *curare* à *curer**). Il contient la racine °*med-* attestée d'un bout à l'autre du domaine indoeuropéen et qui, d'après Benveniste, a le sens de «prendre avec autorité des mesures appropriées», d'où ses différentes valeurs dans les langues indoeuropéennes : «penser, réfléchir», avec l'idée d'une pensée qui règle, ordonne (grec *medein;* → méduse), «gouverner, régner», «mesurer», «juger», et aussi «soigner un malade», le médecin réglant, dominant la maladie. Le sens de «juger», conservé dans les dialectes italiens, n'est pas passé en latin mais, tandis que *mederi* se spécialisait techniquement avec tous ses dérivés (→ médecine, médical, médicament, etc.), *meditari* tendait à s'en détacher et prenait très tôt le sens général de «s'exercer, préparer, avoir en vue qqch.», «réfléchir, penser à».

♦ L'ancien français atteste seulement *méditer* comme substantif verbal *(le méditer)* signifiant «action de réfléchir profondément» (encore chez Montaigne, 1580), en particulier dans une acception religieuse (av. 1414). ◆ Ce n'est que vers la fin du XVe s. que *méditer* est employé comme verbe, d'abord avec le sens de «projeter, préparer (qqch.) par une longue réflexion» (1495). ◇ Il prend son sens moderne de «soumettre à une longue réflexion» sous l'influence de *méditation,* surtout dans la construction transitive *méditer un projet,* etc. (1525), aujourd'hui sentie comme littéraire. L'usage moderne utilise couramment la construction intransitive (v. 1664) et absolue (1647), en particulier dans une acception pieuse (1482). ◇ En construction transitive indirecte, le verbe a également le sens de «préparer par une longue réflexion, projeter de», par exemple dans ***méditer de faire*** (1718).

▸ **MÉDITATION** est un emprunt (v. 1120) au dérivé latin *meditatio* «préparation d'un discours, à écrire», «réflexion». ◆ Très fréquent en ce dernier sens chez les auteurs chrétiens, il a été repris en français au sens religieux de «contemplation», puis est passé dans l'usage laïc pour «action de réfléchir profondément» (1380). ◇ Par métonymie, il a donné son nom à un genre littéraire (1626), appliqué à saint Augustin, illustré par Descartes et Bossuet au XVIIe s. et en poésie par Lamartine au XIXe s., *les méditations* étant définies comme un écrit sur un sujet religieux ou philosophique. ◆ **MÉDITATIF, IVE** adj. est emprunté (1320) au latin médiéval *meditativus* (XIIe s.) «relatif à la méditation», dérivé de *meditatum,* supin de *meditari* et déjà attesté comme terme grammatical en bas latin avec le sens de «désidératif» (d'un verbe). ◇ Le mot est rare en français avant le XVIIe s., si l'on excepte un emploi en moyen français dans *méditatif de* (v. 1400) et une acception grammaticale (v. 1400). Repris au XVIIe s., il se dit d'une personne, d'une pensée qui «s'applique à méditer» (Furetière). ◇ D'abord religieuses, les connotations de l'adjectif changent avec le préromantisme, comme celles de *méditation,* et le rapprochent de *rêveur, pensif.* ◇ Il a pour dérivé **MÉDITATIVEMENT** adv. (1823).

◈ voir **PRÉMÉDITER.**

① **MÉDIUM** n. m. est un emprunt (1542) au latin *medium* «milieu, centre», neutre substantivé de l'adjectif *medius* «au milieu, au centre» (→ mi-). Le latin médiéval atteste *medium* comme terme de logique et, en Angleterre, au sens de «substance, milieu dans lequel a lieu un phénomène».

♦ Le mot a désigné une plante dont la fleur est semblable à celle de la campanule et a été employé par B. Palissy dans une acception technique en alchimie. ◇ Le sens général de «moyen terme, milieu» (v. 1583) a vieilli au profit de *milieu,* plus usuel. *Médium* est employé en logique pour désigner le moyen terme d'un syllogisme (1636) et a développé quelques sens particuliers en musique (1701) où il se dit du registre de la voix entre le grave et l'aigu, et en peinture (1934) où il désigne une substance intermédiaire entre le liant et le diluant. ◇ Le sens classique plus flou de «milieu, champ d'action» (1643), réalisé quelquefois sur un plan abstrait (1933), est sorti de l'usage moderne. ◇ Enfin *médium* a eu le sens de «doigt du milieu» (1836), mais a été éliminé par un autre emprunt au latin, *médius.*

▸ **MÉDIUS** n. m., nom du doigt médian (1520), est l'emprunt de l'adjectif latin *medius* «médian, du milieu» (→ mi-), substantivé par ellipse de *medius (digitus).*

◈ voir ② **MÉDIUM, MÉDIA.**

② **MÉDIUM** n. m., terme de spiritisme, est un emprunt (1854, *Comment l'esprit vient aux tables*) à l'anglo-américain. Le terme a été lancé par le Suédois Emmanuel Swedenborg (Stockholm 1688 - Londres 1772) qui eut de nombreux disciples, surtout à Londres, pour la partie mystique de son œuvre. C'est un emprunt au latin *medium,* également représenté en français (→ ① médium) et en anglais (XVIe s. au sens de «central, intermédiaire»).

♦ Le mot a été repris comme terme d'occultisme pour désigner la personne réputée douée du pouvoir d'entrer en communication avec les esprits, presque simultanément en anglais (1852 aux États-Unis) et en français.

▸ Il a produit les dérivés français **MÉDIUMNIQUE** adj. (1900) [l'anglais a *mediumistic,* 1869] et **MÉDIUMNITÉ** n. f. (1872 ; *médiumité* 1862) «état de médium».

MÉDULLAIRE adj. est emprunté (1515), avec francisation de la finale, au latin *medullaris* «qui pénètre jusqu'à la moelle des os», dérivé de *medulla* dont l'évolution phonétique a donné *moelle**.

♦ Le mot est employé en anatomie et, par analogie, en botanique (1835). Il est quelquefois pris dans un sens figuré (Th. Gautier employait en 1863 *suc médullaire,* peut-être par allusion littéraire à *l'os médullaire* du prologue de *Gargantua,* 1534, où Rabelais joue déjà du sens propre et du sens figuré).

▸ L'adjectif **MÉDULLEUX, EUSE,** emprunté (1500) au latin *medullosus* «moelleux, rempli de moelle», n'est plus employé en anatomie, mais reste usité en botanique (1840). ◆ Le latin *medulla,* écrit **MÉDULLA** n. f., a été emprunté (fin XIXe s. sans référence) comme terme d'anatomie et d'embryologie.

➜ Sous la forme de l'élément **MÉDULLO-**, il entre dans la formation de quelques termes de médecine récents ayant trait à la moelle osseuse ou épinière, ou à la partie centrale de qqch.

◈ voir MÉDULLO-SURRÉNALE (art. REIN).

MÉDUSE n. f., terme de zoologie, est un emprunt (1754) au nom propre *Méduse,* emprunt, par l'intermédiaire du latin *Medusa,* au grec *Medousa,* nom d'une des trois Gorgones (cf. *gorgone*), la seule qui soit une mortelle, et dont la tête hérissée de serpents a fourni une comparaison avec les tentacules de l'animal marin. Méduse était aussi caractérisée par sa laideur épouvantable et son regard qui avait le don de pétrifier quiconque osait la regarder. Le nom *Medousa* est le participe présent féminin de *medein* «songer, être préoccupé» qui se rattache à la racine indoeuropéenne °*med-* (→ médical, méditer, mode, etc.). Elle est donc proprement «celle qui médite» (d'après la fixité de son regard).

♦ L'emploi de *méduse* pour désigner une classe d'animaux marins, aujourd'hui rangés dans l'embranchement des Cnidaires, donne lieu à des composés savants *(hydroméduses, scyphoméduses, automéduses...)* et à un usage en apposition, depuis que la nature de cette forme animale (dite *forme méduse*) a été élucidée : chez les hydrozoaires elle alterne avec la forme polype, alors que les *automéduses* et les syphonophores ont toujours cette forme. Cependant, l'allusion mythologique originelle est toujours présente en français dans l'expression ***tête de Méduse,*** qui s'emploie en parlant d'un être, d'un concept qui frappe de stupeur et d'épouvante, et avec son dérivé (ci-dessous).

▸ **MÉDUSER** v. tr. (1607, rare avant 1838) conserve la valeur étymologique du nom grec et signifie «frapper de stupeur»; il est surtout courant au participe adjectivé **MÉDUSÉ, ÉE.** ◇ Le participe présent adjectivé **MÉDUSANT, ANTE** (1945, Gracq) est littéraire.

MEETING n. m. est un emprunt (1733) à l'anglais *meeting* (XIIIe s.) «entrevue, assemblée, réunion» (en ancien anglais *ġemeting* «convention, assemblée»), dérivé de *to meet* (XIIIe s.) «rencontrer, rejoindre», issu de l'ancien verbe *metan, ġemetan* de même sens. Le verbe anglais répond à l'ancien saxon *mōtian* (néerlandais *moeten*), l'ancien norrois *m̃œta,* sans que l'on puisse identifier la racine commune de ces mots. *Meeting* est un mot courant en anglais où le sens général de «réunion publique» (1513) précède celui de «réunion du culte» (1593).

♦ Le mot est introduit en français par Voltaire au sens religieux (1764; 1733, adapté en *mitine*). On trouve ensuite le sens de «réunion publique» en 1786 chez Chastellux. ◇ Son emploi pour des réalités françaises suppose toujours une importante réunion de personnes (alors qu'il peut concerner en anglais une réunion de service, une rencontre professionnelle). Le mot fait partie des vocabulaires politique (1845) et sportif; il est spécialement employé pour une démonstration aérienne (1909).

MÉFAIT → FAIRE ◇ SE **MÉFIER** → FIER

MÉGA-, MÉGALO- sont les éléments repris au grec *mega-, megalo-,* tirés de *megas, megalou* «grand», d'abord dans un sens physique puis aussi au sens abstrait d'«important, considérable», parfois même avec le sens social de «puissant». *Megas* se rattache à une importante famille indoeuropéenne à laquelle appartiennent l'arménien *mec* et le sanskrit *máhi* «grand» (cf. *maharaja*), ainsi que le latin *magnus* «grand», *magis* «plus» (→ magnat, magnifique, maire, mais, majeur, etc.).

♦ En français, l'élément entre dans la formation de nombreux noms d'unités de mesure et de noms savants dans diverses sciences; en physique, en métrologie, il exprime l'idée d'«une quantité égale à un million (d'unités ainsi formées)», par exemple dans *mégatonne* (→ tonne). ◇ Il sert également à caractériser en zoologie des animaux remarquables par la taille d'un organe. En pathologie, il exprime l'idée d'«anormalement développé».

▸ C'est dans ce domaine qu'il a servi à former **MÉGALOMANIE** n. f. (1865), **MÉGALOMANIAQUE** adj. (1900) et **MÉGALOMANE** adj. et n. (1896) [→ manie], proprement «goût maniaque des grandeurs». Les deux mots sont entrés dans l'usage commun où *mégalomane* est souvent abrégé familièrement en **MÉGALO** n. et adj. (1949) pour exprimer un orgueil excessif, une ambition démesurée.
MÉGALITHIQUE adj. semble emprunté à l'anglais *megalithic,* attesté en 1839 et formé sur *mega-,* correspondant au français *méga-,* et *lithic,* du grec (→ lith-, litho-). Le mot français, attesté en 1865, a été adopté par le Congrès d'archéologie préhistorique de 1867. ◇ Il s'applique aux monuments pré- et protohistoriques formés d'une seule ou de plusieurs grandes pierres (cf. *dolmen, menhir,* etc.).
➜ **MÉGALITHE** n. m., plus tardif (1867, *in* Cottez) paraît lui aussi emprunté à l'anglais *megalith* (1853).

◈ voir MÉGÈRE.

MÉGARDE (PAR) → GARDER

MÉGÈRE n. f. a été emprunté comme nom propre mythologique (1480) au latin *Megaera* «Mégère», une des Furies (→ furie), nom emprunté au grec *Megaira* désignant l'une des Érinyes, déesses de la vengeance qui correspondent aux Furies. Son nom a été rapproché de *megairein,* verbe formé sur *megas* «grand» (→ méga-) qui signifie «regarder comme excessif» d'où «refuser par jalousie».

♦ *Mégère* serait en conséquence proprement «celle qui refuse, la jalouse». Le mot, repris comme nom propre en mythologie, s'est lexicalisé avec le sens courant de «femme acariâtre, hargneuse» au XVIIe s. (1637) [cf. *furie, harpie*]. L'anglais *shrew,* tel qu'employé par Shakespeare, a été traduit par *mégère* *(La Mégère apprivoisée).*

MÉGIS n. m. et adj. m., d'abord *miege* (1260) puis *megis* (1359), est dérivé de l'ancien français *megier* «soigner médicalement» (fin XIIIe s.) qui représente par voie populaire le latin *medicare* (→ médecin, médical, mire) et qui a dû être spécialisé au sens de «traiter le cuir» (ganterie, etc.).

♦ *Mégis* désigne la peau assouplie à cet effet dans un bain d'alun, d'eau et de cendre (1260) ; c'est aussi le nom donné par métonymie à ce bain (1350). En tant qu'adjectif, il qualifie la peau plongée dans ce bain.

▸ On en a tiré le verbe *mesguichier* v. tr. (1430), refait en **MÉGISSER** (1759) et concurrencé par la variante **MÉGIR** v. tr. (1720), dérivée par régression de *mégis*. ◆ Avec les suffixes appropriés, on a formé **MÉGISSERIE** n. f. (fin XIVe s. ; v. 1295, *mesgeicerie*) «métier et commerce de peaux mégies» ainsi que (1636) «lieu où ils s'exercent», **MÉGIE** n. f. (v. 1360) «préparation des peaux», évincé en technique par **MÉGISSAGE** n. m. (v. 1950), et le nom d'ouvrier **MÉGISSIER** n. m. (1260 ; v. 1210, *megicier*).

MÉGOT n. m., mot familier (1876), est d'origine incertaine. L'hypothèse la plus probable est celle d'une dérivation avec suffixe *-ot* du type *meg*, variante de *mec** «bonhomme» : cette hypothèse semble confirmée par l'existence de *petit meck* «mégot», relevé en 1862. De même, P. Guiraud propose le provençal *meg* «petit homme», du latin *medius* (→ mi-), le mégot étant une demi-cigarette. La seconde hypothèse consiste à voir en *mégot* un déverbal de *mégauder* «sucer le lait de la mère (en parlant du nourrisson)», par comparaison entre le fumeur qui s'évertue à tirer les dernières bouffées de son mégot et le nourrisson qui cherche à obtenir les dernières gouttes de lait. *Mégauder* est dérivé de *mégaud* «petit lait qui sort du moule à fromage», de *mesgue* «petit lait», représentant le gaulois °*mesigu* et supplanté par *laitée* et *petit lait* dans la plus grande partie de la France.

♦ Le mot désigne familièrement le bout d'un cigare, d'une cigarette partiellement consumé (cf. *clope*).

▸ *Mégot* a donné le populaire **MÉGOT(T)ER** v. intr. (1902) «parier un cigare» et (1925) «ramasser des mégots», sens disparus. Le mot est encore employé au sens figuré de «lésiner» (transitivement et intransitivement) [1932]. ◆ Ce verbe a lui-même produit **MÉGOTAGE** n. m. (1960) «profit dérisoire» et «attitude mesquine».

MÉHARI n. m. est un emprunt (1637) à l'arabe d'Afrique du Nord *mahrī*, au pluriel *mahārä*, mot qui signifie proprement «de la tribu de Mahra, dans le sud de l'Arabie». En français, le mot s'est écrit diversement : *el mahari* (1637, adaptation de l'espagnol), *meihari* (1753), *meherry* (1822, traduction de l'anglais) avant de se stabiliser en *méhari* (1849). Pour le pluriel, l'usage accepte le pluriel arabe *méhara* et surtout la francisation en *méharis*.

♦ Le mot désigne un dromadaire de selle très rapide, dressé pour les courses et utilisé par l'armée coloniale, en Afrique du Nord.

▸ Il a servi à former **MÉHARISTE** n. «personne qui monte un méhari» (1895), nom des troupes montées servant naguère au Sahara, et **MÉHARÉE** n. f. «randonnée à dos de méhari» (av. 1945).

MEILLEUR, EURE adj., adv. et n. est issu (v. 980) du latin *melior*, comparatif de *bonus* (→ bon) qui est formé sur la même racine que *multus* «beaucoup» (→ moult) et a dû avoir pour sens premier «plus grand, plus fort».

♦ En français, *meilleur* (1080, *meillor*), cas régime issu de l'accusatif latin *meliorem*, a éliminé *mieldre* (v. 980), cas sujet représentant le nominatif latin *melior*. Le mot est apparu comme comparatif de *bon*, l'emploi de *plus bon* étant incorrect (sauf dans quelques cas où *plus* est séparé de l'adjectif). Son emploi en locution impersonnelle (1165, *il fera meillor* et infinitif) est fortement concurrencé par *il est préférable de*, sauf dans *il fait meilleur* (1873, Larousse) en parlant du temps, encore que certains puristes condamnent cet emploi. ◆ Depuis 1050, *meilleur* est employé comme superlatif de *bon*. ◇ Il est substantivé (1080) pour désigner celui (celle) qui est supérieur(e) par ses qualités et (1170) ce qui est le meilleur. L'expression *pour le meilleur* (1377) est surtout employée dans l'usage moderne dans ***pour le meilleur et pour le pire*** (XXe s.), employé dans le contexte du mariage. *Meilleur* entre aussi dans la locution ***le meilleur de*** (1759) et ***avoir le meilleur, prendre le meilleur sur*** (1910), anglicisme de la langue des sports qui rappelle, sans aucun doute par une rencontre fortuite, l'ancienne expression *le meilleur avoir* (1170) «avoir le dessus, l'emporter». ◇ Le mot s'emploie aussi à propos des personnes, par exemple dans ***que le meilleur gagne***.

⊛ Voir AMÉLIORATION, AMÉLIORER, MIEUX.

MÉJUGER → JUGER

MÉLANCOLIE n. f. est un emprunt (v. 1176) au latin *melancholia*, transcription du grec *melankholia* «bile, humeur noire» dont le premier élément représente *melas* «sombre, noir», adjectif souvent employé dans la formation de termes techniques et poétiques (→ mélano-) ainsi que dans les noms propres *Mélanie* et *Mélanésie*, proprement «région insulaire des Noirs», rapproché de quelques mots baltiques indiquant une couleur sombre ou bleue. Le second élément, *-kholia*, est tiré de *kholê* «bile», dit également pour la vésicule biliaire, l'encre de la seiche, un poison (de plantes ou de serpents) et quelquefois pris au sens de «courroux» dans la langue poétique. Cette forme existe à côté de *kholos*, pris rarement au sens de «bile», mais surtout employé au sens figuré «amertume, colère, ressentiment». Ces mots se rattachent à une racine indoeuropéenne exprimant la couleur d'une végétation nouvelle, d'où le jaune et, en grec, la bile (→ chlore, fiel). Très tôt en grec, la dualité des formes *kholos, kholê* a permis une distinction entre la notion médicale de bile et la notion psychologique d'humeur (bien que les composés se rapportent pour la plupart à la notion de «bile»). Le mot s'est répandu dans toute la Romania occidentale, y subissant diverses altérations formelles sous l'influence du latin *male, malus* (→ mal) ou du latin *cor* (→ cœur).

♦ En français, pour *mélancolie* (anciennement aussi *mélancholie* et *mérancolie*), le sens psychologique a précédé le sens médical (1256) parce que le mot était entré dans le vocabulaire littéraire courtois, recouvrant un registre d'états et de sentiments allant de la tristesse profonde à l'inquiétude, et même à la folie et au délire. L'idée de tristesse finit par prévaloir sur celles de dépit, d'irritabilité (v. 1190) et de folle rêverie (déb. XIIIe s.), effaçant aussi le sens secondaire de «minauderie amoureuse» (v. 1250). Ce développement est propre au français et témoigne de l'évolution du goût, la mélancolie faisant l'objet d'une histoire complexe de valorisation-dévalorisation depuis l'Antiquité (Aristote). ◇ Le mot s'est répandu dans l'usage commun, entrant par litote dans la locution familière ***ne pas engendrer la mélancolie*** (1669, ...*de la mélancolie*). Le sens affaibli et courant de «tristesse douce et vague» attesté au XVIIe s. (1669) s'est répandu depuis le préromantisme (Rousseau, Chénier) et le romantisme. Avec une majuscule, le mot désigne la personnification de l'état mélancolique. Par métonymie, il est appliqué au caractère de ce qui inspire cet état (1802, Chateaubriand). ◇ Depuis 1816, dans la tradition pluriséculaire de la définition médicale de la mélancolie, il est défini cliniquement comme une maladie mentale caractérisée par un profond abattement (cf. *dépression, neurasthénie*).

▸ **MÉLANCOLIQUE** adj. et n. est un emprunt (apr. 1250) au latin *melancholicus*, transcription du grec *melankholikos* «atrabilaire» et «qui engendre la bile noire». ➛ Introduit en français au sens déterminatif de «relatif à la bile noire», il a pris la valeur de «qui a un excès de bile noire», de là «bilieux» (1306), sens avec lequel il a été substantivé (déb. XIVe s.). L'acception psychologique de «triste» n'est attestée qu'à partir de 1532 (Marot) mais le mot est, avant le nom *mélancolie*, appliqué à un lieu qui inspire la tristesse (1545, *lieu mérencolique*). ◇ Le mot a influencé le nom de la fleur exprimant la mélancolie (→ ancolie) et *mélancolie* a été en retour interprété en *male* (mauvaise) *ancolie*; ce va-et-vient sémantique repose sur une symbolique que l'on retrouve pour *souci*. ◇ Depuis 1816, *mélancolique* est également défini en termes cliniques, à la fois comme adjectif et comme nom. ➛ En ont été dérivés **MÉLANCOLIQUEMENT** adv. (1549, *mélancholiquement*) et le verbe d'usage littéraire aujourd'hui archaïque **MÉLANCOLISER** (1620, *se mélancoliser* «s'affliger»). Celui-ci a remplacé l'ancien *mélancolier* (XIIIe-XIVe s.); après être tombé en désuétude lui-même entre le XVIIe et le XVIIIe s., il a été repris en construction transitive (1767). ➛ Chez quelques écrivains, on rencontre encore quelquefois le doublet littéraire de *mélancolique*, **MÉLANCOLIEUX, EUSE** adj. (1209), vieilli dès le XVIe s. dans son acception médicale et son acception psychologique (attestée dep. 1268); il a été repris avec cette dernière au XIXe s. (1844, *Rancé* de Chateaubriand).

◈ voir CHOLÉRA, COLÈRE.

MÉLANGE → MÊLER

MÉLANO- est l'élément tiré du grec *melas, melanos* «sombre, noir», lui-même très fréquent sous la forme *melano-*, comme premier terme de composés poétiques et techniques et rapproché de termes baltiques exprimant la couleur noire et le bleu (→ mélancolie).

▸ *Mélano-* entre dans la construction de substantifs appartenant aux vocabulaires de l'anthropologie et de la zoologie, où il exprime la couleur noire (notamment celle de la peau); il est également productif en biochimie, biologie et pathologie où il implique la présence, normale ou pathologique, d'un pigment noir. ➛ Ce pigment a reçu le nom de **MÉLANINE** n. f. (attesté 1855), probablement emprunté à l'anglais *melanin* (1843); on a aussi formé **MÉLANIQUE** adj. (1840), d'après l'anglais *melanic* (1822), et **MÉLANISME** n. m. (1840) «aptitude à fabriquer des pigments mélaniques en abondance», spécialement «pigmentation anormalement foncée de la peau due à un excès de mélanine», concept également exprimé par **MÉLANODERMIE** n. f. (1867).

MÉLANÉSIEN, IENNE adj. et n. (1837) est dérivé de *Mélanésie*, formé du grec *melas* «noir» et *nêsos* «île». Le mot qualifie les ethnies à forte pigmentation («noires») de Nouvelle-Guinée et des archipels occidentaux de l'Océanie. Il s'emploie aussi à propos des langues et des cultures et, comme nom, désigne les personnes appartenant à ces ethnies.

MÉLASSE n. f.

MÉLASSE n. f. est issu, sous la forme *mellaci* (1441, probablement traduite de l'italien), puis *meslache* (1508) et *melasse* (1588), d'un latin médiéval °*mellacea*, pluriel signifiant «résidus sirupeux non cristallisables qui restent après la cristallisation de la canne à sucre». Ce sens s'est développé au moyen âge lors de l'expansion de la canne à sucre : celle-ci, longtemps produite par les Arabes du Proche-Orient, s'est ensuite répandue dans les îles tropicales par les Portugais, les Espagnols et autres colonisateurs des Amériques. °*Mellacea* est issu du bas latin *mellacium* «vin cuit jusqu'à la réduction de la moitié», du classique *mellaceum*, neutre substantivé de *mellaceus*, adjectif dérivé de *mel* (→ miel). Une autre hypothèse fait de *mélasse* un emprunt à l'espagnol *melaza*, dérivé du latin *mel*.

♦ *Mélasse*, «matière sirupeuse résultant du résidu de la fabrication du sucre», a développé au XIXe s. le sens de «brouillard épais» (par analogie de consistance, d'aspect), au figuré «situation embarrassante dont on ne peut se dépêtrer» (1871), par exemple dans ***tomber dans la mélasse*** (1878).

MELBA → PÊCHE

✳ MÊLER v. tr., d'abord *mescler* (v. 980) puis *mesler* (1080, encore en 1690), est issu du latin populaire °*misculare* (IXe s.). Ce dernier est l'élargissement du latin *miscere* «mélanger, troubler, bouleverser», à la forme pronominale *se miscere* «se mélanger, se joindre à, s'accoupler». La racine du verbe latin correspond à celle du sanskrit *miçráḥ* et du lituanien *mìšras* «mêlé», du slave *měsiti* «mêler», du grec *misgein* «mêler» et de formes germaniques; elle est donc indoeuropéenne.

♦ *Mêler* signifie «mélanger plusieurs choses et les confondre en un tout», concrètement (v. 980) et abstraitement (1180), en parlant de sentiments. Il exprime aussi bien l'idée d'une réunion homogène que celle d'une mise en désordre (XIIIe s.) [→ emmêler], en particulier au jeu de cartes (Sévigné), ou celle d'un ajout. Il prend, en parlant d'une personne, le sens de «faire participer à une affaire» (1538), souvent avec une connotation péjorative (du XIIe au XIVe s., il s'employait là où le français contemporain emploie *brouiller des gens*). ◇ À la forme pronominale, *se mêler* a signifié «s'embrouiller» (v. 1185), sens aujourd'hui réservé au composé *s'emmêler*. ◇ Le sens qu'il assume avec un sujet animé dépend de la préposition qui l'accompagne : en ancien français, il s'est employé absolument (1080, *se mesler*) pour «se prendre de querelle». Puis il s'est construit avec *de* (1160) au sens de «s'occuper de», «s'aviser de» et, péjorativement, «s'intégrer mal à propos» (v. 1250), sens toujours vivant. ◇ *Se mêler à* signifie «participer à, avoir affaire» (1530) et, par suite, sans valeur péjorative, «fréquenter, aller parmi» (1585, dans un contexte social). Les différents sens du verbe sont repris par son participe passé adjectivé **MÊLÉ, ÉE.**

▶ Sur *mêler*, on a formé trois noms. ◆ Le plus ancien, **MÊLÉE** n. f. (1080, *meslée*), est la forme substantivée du participe passé adjectivé au féminin. Son sens aujourd'hui usuel est aussi le premier attesté : le mot signifie «querelle» (1080), «lutte, combat» (1155) et au figuré «vive contestation de propos, d'écrits» (1694). ◇ On peut y rattacher le sens particulier pris ultérieurement en sports (rugby) pour traduire (1888) l'anglais *scrumage*. ◆ Le sens concret de «mélange de choses», souvent avec une idée accessoire d'«agitation» (1230), ne s'est jamais imposé et semble être tombé en désuétude vers la fin du XVIIe siècle. ◆ **MÊLEMENT** n. m. (v. 1190) a disparu au XIVe s. et, bien que repris en 1552, ne s'est pas diffusé.

MÉLANGE n. m., moins ancien, a été formé à l'aide du suffixe d'origine germanique *-inge, -ange*, d'abord sous la forme *meslinges* (1380, encore au XVIe s.) puis sous sa forme actuelle (1538). Le mot, attesté au masculin depuis 1584, a longtemps été féminin (encore au XVIIe s.). ◆ Il exprime l'idée d'un «ensemble d'éléments divers», concrètement puis (1549) abstraitement. ◇ Avec une valeur active, il signifie «action de mêler» (1538), spécialement en parlant des races (1694). ◇ Au pluriel, *mélanges* désigne particulièrement un recueil d'écrits (1555, au féminin ; 1704, au masculin) et plus précisément un recueil d'articles offert en hommage à un professeur (1895). ◆ Ce nom correspond donc à *mêler*, mais également au verbe qu'on a formé à sa suite : **MÉLANGER** v. tr. (1539). Celui-ci sert de doublet à *mêler*, tout en étant plus usuel au sens concret d'«unir des choses de manière à former un tout». Il implique souvent une idée d'ordre et d'intention qui est étrangère à *mêler*. Inversement, l'usage familier l'emploie au sens de «mettre en désordre» (1611). Il est aussi employé à la forme pronominale (1829). ◆ On en a tiré tardivement quelques dérivés : le participe passé adjectivé **MÉLANGÉ, ÉE** «qui constitue un mélange» (1760) et «qui entre dans un mélange» (1777), ainsi que trois mots apparus au XIXe s., qui sont sans correspondant dans la série de *mêler* : **MÉLANGEABLE** adj. (1845), **MÉLANGEUR** n. m., nom d'agent (1611), reformé (1867) comme nom technique d'appareil (électro-ménager, sanitaire) [→ mixer], et **MÉLANGEOIR** n. m. (1846), vieilli au sens de «récipient où s'effectuent certains mélanges».

Le groupe de *mêler* s'est enrichi de plusieurs composés préfixés. ◆ **EMMÊLER** v. tr. (XIIe s.), «embrouiller (des fils, etc.)», est également employé dans un sens figuré (1611) pour «rendre confus, inextricable». ◇ **EMMÊLÉ, ÉE** correspond à *embrouillé* et son dérivé **EMMÊLEMENT** n. m. (fin XIIIe s.) signifie «action d'emmêler» et «ce qui est emmêlé». ◆ **ENTREMÊLER** v. tr. (1155) et **ENTREMÊLEMENT** n. m. (v. 1176) évoquent des éléments moins concrets et moins filiformes qu'*emmêler*. ◆ **REMÊLER** v. tr. (1549) «mêler ce qui était démêlé» est rare.

DÉMÊLER v. tr. (v. 1170, *desmedler*) sert d'antonyme à *mêler* et à *emmêler* à la fois concrètement et abstraitement, dès l'ancien français. ◆ En langue classique, ce verbe était employé particulièrement au sens de «comprendre, pénétrer (une chose compliquée)» (1521 ; puis 1643), *démêler qqch. d'avec, de...* signifiant «le discerner» (1644) et *démêler qqn de...* «le distinguer» (av. 1654). ◇ Une spécialisation concrète concerne les cheveux. ◇ Un sens littéraire, «discuter, débattre» (1195), inspiré par l'ancien emploi de *se mêler* «s'engager dans un combat» (1080), est plus courant dans le participe passé substantivé **DÉMÊLÉ** n. m. (1474) «affaire compliquée dans laquelle chacun veut avoir raison», surtout au pluriel «difficultés dues à une opposition entre personnes». ◆ Le verbe a donné, outre *un démêlé*, quelques dérivés. ◇ **DÉMÊLEMENT** n. m. (1606, *démeslement*) aujourd'hui réservé au sens abstrait de «dénouement». ◇ Le nom d'agent **DÉMÊLEUR, EUSE** n. (1803) s'applique aussi à un instrument. ◆ **DÉMÊLAGE** n. m. (1836) compte quelques emplois techniques. ◆ Deux dérivés se rapportent au démêlage des cheveux : **DÉMÊLOIR** n. m. (1771), qui désigne un peigne à dents largement séparées, et **DÉMÊLURE** n. f. (1900 ; 1877, *démêlures*) «cheveux tombés sous le démêloir».

Mêler entre aussi dans le régionalisme **MÊLE-TOUT** n. m., équivalent belge du français *touche-à-tout*, et dans **MÉLI-MÉLO** n. m. (1851), altération de *pêle*-mêle* par redoublement de l'élément *mêl-* avec variation vocalique. ◇ Cet emploi reprend l'ancien français *mesle mesle* (v. 1176) et le moyen français *melli-mello* (fin XVe s.), onomatopée exprimant un bruit de bavardage.

◈ voir (S')IMMISCER, MÉTEIL, MÉTIS, MISCELLANÉES, MIXER, MIXTE, MIXTURE, PÊLE-MÊLE, PROMISCUITÉ.

MÉLÈZE n. m. a été emprunté comme nom féminin (1552) à l'ancien dauphinois *melese* (1313) et il est devenu masculin (1765) par analogie avec les autres noms d'arbres. *Melese* remonte à une forme °*melice* issue, avec changement d'accent, d'un mot préroman °*melix, -ice* qui a donné l'ancien provençal *melse* (1540), d'où en français *melze* chez Rabelais, qui le dit mot des «Alpinois». °*Melix* provient lui-même du croisement d'un radical gaulois *mel-*, s'appliquant au mélèze, avec le mot latin *larix* qui le désignait (d'où le nom d'espèce *lariccio* en Corse). On a émis, à titre d'hypothèse, l'idée que °*melix* pourrait venir du latin *mel, mellis* «miel» (→ miel).

♦ Le mot désigne un conifère à feuilles caduques.

MÉLILOT n. m. a été emprunté (v. 1300, *mellilot*) au latin *melilotus, melilotum,* transcription du grec *melilôton,* de *meli* «miel» (→ miel) et *lôtos* (→ lotus), tardivement *melilôtos.* On relève au XVIIe s. la forme altérée *mirlirot,* encore dans quelques patois.

♦ Le mot désigne une plante fourragère à fleurs mellifères très odorantes.

MÉLISSE n. f. est emprunté (v. 1256, *melise*) au bas latin *melissa* (IXe-Xe s.) issu de *melissophyllon,* emprunt au grec *melissophullon,* composé de *melissa* «abeille» (de *meli* «miel»; → hydromel) et de *phullon* «feuille» (→ -phylle) : la plante est dite proprement «feuille à abeilles» parce qu'elle les attire (une de ses désignations en français est *piment des abeilles*).

♦ La mélisse, réputée depuis l'Antiquité mais surtout chez les médecins arabes du moyen âge (Avicenne, XIe s.) pour ses propriétés thérapeutiques, fournit une essence appelée ***eau de mélisse*** (1694), composée par les Carmes déchaussés au début du XVIIe siècle.

▸ La *mélisse des bois* (1764) est aussi nommée **MÉLITTE** n. f. (1826; 1803, *mélite*), emprunt au latin scientifique *melittis melissophyllon,* pléonasme puisque le premier élément est un emprunt au grec *melitta* qui est la forme attique pour *melissa* «abeille».

MELLIFLU, UE ou **MELLIFLUE** adj. est emprunté au XVe s. (apr. 1450) au bas latin *mellifluus* «qui a la suavité du miel» (v. 300), proprement «d'où coule le miel», de *mel* (→ miel) et *fluere* «couler» (→ flux, refluer).

♦ *Melliflue* a été emprunté avec le sens figuré latin; il entre, en style burlesque, dans des expressions comme *cohorte melliflue* désignant les abeilles (1653, Scarron). Le sens propre n'est attesté qu'en 1803 et peu représenté. ◇ Le mot comporte souvent une nuance péjorative de fadeur doucereuse (1803).

▸ On rencontre en moyen français, le doublet **MELLIFLUENT, ENTE** adj. (1485) «doux comme le miel», emprunté au bas latin *mellifluens* (de paroles, d'un discours).

MÉLO-, élément, est tiré du grec *melos.* Ce mot désigne originellement les membres en tant qu'ils sont le siège de la puissance corporelle, souvent au pluriel. Par dérivation, il a pris le sens de «membre de phrase musicale, développement musical», d'où «poésie lyrique, air musical». Il a fourni les éléments *-melês* et *melo-*, ce dernier comme premier élément de mots se rapportant presque tous à la musique. Le mot a été rapproché de plusieurs noms celtiques de la cheville (breton *mell,* gallois *cym-mal* «articulation»). Il s'est maintenu en grec moderne avec son double sens (on retrouve le même phénomène sémantique dans l'irlandais *alt* «articulation» et «manière d'être, poème»).

♦ En français, *mélo-* a formé plusieurs noms et adjectifs (*mélographe, mélophone, mélodrame**, *mélomane* (à *manie**)) ayant trait à la musique. Seuls quelques-uns se rapportent, avec le sens de «membre», à la médecine (*mélotomie, mélomèle*). Il ne faut pas le confondre avec les éléments homophones *mélo*, l'un issu du grec *mêlon* «pomme», «rondeur» (→ melon), l'autre tiré d'un homonyme *mêlon* «mouton, brebis».

◈ voir MÉLODIE, MÉLOPÉE.

MÉLODIE n. f. est emprunté (v. 1112) au bas latin *melodia* «air musical, harmonie, accord», lui-même emprunté au grec *melôdia* «chant d'un homme, d'un oiseau, chant accompagné de musique» et «poésie lyrique», de *melôdos* «qui chante, mélodieux», composé de *melos* (→ mélo-) et de *adein* «chanter» (→ ode).

♦ *Mélodie,* attesté dans les premiers textes au sens de «chant», désigne plus précisément une succession de sons ordonnés de façon à constituer une forme, une structure perceptible et agréable (v. 1120). ◇ Au XVIIIe s., il a pris également le sens technique de «courbe de variation de hauteur, d'intensité (dans le discours)» (1765) et la valeur figurée de «ce qui est agréable à entendre, à écouter» (1765). ◇ Depuis 1844, il désigne une pièce vocale composée sur le texte d'un poème avec accompagnement. ◇ En théorie musicale, le mot désigne la succession ordonnée des sons, par opposition à *harmonie* et à *rythme.*

▸ En sont issus deux adjectifs. ➛ Le plus ancien, **MÉLODIEUX, EUSE** (1280, *voiz mélodieuse*), réalise le sens d'«agréable à entendre, doux». ◇ On en a tiré **MÉLODIEUSEMENT** adv. (fin XIIIe-déb. XIVe s.). ➛ L'autre, **MÉLODIQUE** (1733; 1600, écrit *melodic*), peut-être fait sur le modèle du grec *melodikos,* correspond à *mélodie* dans tous ses sens techniques. Il est spécialement employé en linguistique depuis 1933 (*accent mélodique*). ◇ **MÉLODISTE** n. a été formé (1811) pour désigner le musicien qui compose des mélodies, ou donne plus d'importance à la mélodie qu'aux autres éléments, rythme et harmonie.

MÉLODRAME n. m. est composé (1762) de *mélo-** et de *drame**.

♦ Ce terme d'histoire du théâtre désigne à l'origine une sorte de drame parlé dont certaines scènes comportent un accompagnement musical. Le mot, qui apparaît en France au moment de la querelle des bouffons, est alors emprunté à l'italien *melodramma* qui désigne (XVIIe s.) un drame entièrement chanté. Voisin d'*opéra* et plus particulièrement d'*opéra-comique* en ce sens, il en est venu à désigner (1788) un drame de ton populaire qui accumule des procédés poussés à outrance et accentue les effets pathétiques, souligné par une musique expressive. Ce sens se répand avec la vogue du genre au XIXe siècle; les œuvres sont signées par Guilbert de Pixérécourt (1773-1884), sacré «le Père du mélodrame» et «le Corneille des boulevards», Louis Caignez, Joseph Bouchardy, Paul Féval; elles sont données en représentation dans les salles des boulevards, notamment du «boulevard du Crime». ➛ Le mot entre dans l'usage commun pour caractériser un discours, une attitude à la sentimentalité excessive ; il est parfois employé avec une nuance péjorative (1840, *héros de mélodrame*).

▸ *Mélodrame* a donné quelques dérivés formés sur le modèle de ceux de *drame*. ◆ **MÉLODRAMATIQUE** adj., aussi nom de l'auteur de mélodrames (1814) supplanté en ce sens par **MÉLODRAMATURGE** n. m. (1829), n'est plus employé que comme adjectif aux sens de «qui a rapport au mélodrame» (1802) et surtout «qui rappelle le mélodrame par l'outrance des sentiments et des attitudes» (1833). ◆ **MÉLODRAMATISER** v. tr. (1876) est resté rare. ◆ *Mélodrame* et *mélodramatique* sont familièrement abrégés par apocope en **MÉLO** n. m. (1872), qui s'emploie surtout au figuré.

MÉLOMANE → MANIE

MELON n. m. est issu (v. 1256) du bas latin *melonem*, accusatif de *melo* «fruit d'une cucurbitacée». Ce dernier est l'abréviation du latin classique *melopepo*, emprunt au grec *mêlopepôn*, de *mêlon* «fruit», «pomme» ou «coing», mot méditerranéen qui s'est substitué au nom indoeuropéen de la pomme, et *pepôn* «cuit par le soleil, mûr» (→ pepsie).

♦ *Melon* est relevé pour la première fois dans une recette de décoction médicale avec son sens botanique. Par extension, il entre dans ***melon d'eau*** (1600), autre nom de la pastèque. ◆ Selon une métaphore usuelle pour les noms de fruits renflés (cf. *citron, fraise, pomme*), il est employé familièrement au sens de «tête» (1833, probablement antérieur) et au sens d'«imbécile» (1827). Par extension de ce sens, il désigne ironiquement un élève de première année à Saint-Cyr (v. 1838). ◇ Par analogie de forme, il a fourni le nom d'un chapeau d'homme rond et bombé, dit ***chapeau melon*** (1877) ou absolument *melon* (1880). ◆ Son emploi xénophobe et injurieux au sens d'«Arabe» (1962) est obscur, peut-être dû à une métaphore sur la coiffure (calotte, chéchia) des Arabes.

▸ Avec le suffixe *-ière*, on a formé **MELONNIÈRE** n. f. (1534, *meloniere*) pour un terrain planté de melons. ◆ *Melon* a produit **MELONNÉ, ÉE** adj. (1840), substantivé au féminin pour désigner une sorte de courge à limbe droit (1839).

◈ voir CAMOMILLE, MARMELADE.

MÉLOPÉE n. f. est emprunté (1578) au bas latin *melopoeia*, lui-même du grec *melopoiia* «musique, mélodie» et «théorie musicale», de *melo* (→ mélo-) et *-poiia* tiré de *poiein* «faire, fabriquer» (ici dans le domaine artistique) [→ poète].

♦ *Mélopée*, «chant rythmé et mesuré dont on accompagne la déclamation parlée», est employé dans le contexte de l'Antiquité grecque pour l'ensemble des règles de composition du chant et, par métonymie, pour une déclamation notée avec accompagnement musical (1690). D'après l'emploi qu'en ont fait les romantiques pour un récitatif monotone irréductible à la mélodie (1867), il a pris (1901) le sens courant de «chant monotone de caractère mélancolique».

MELTING-POT n. m. est emprunté (1927) à l'anglais *melting-pot*, attesté dès 1545 *(meltynge pottes)* au sens propre de «creuset», puis employé en 1887 figurément, à propos de la refonte des institutions, et en 1908 par l'écrivain Israël Zangwill comme titre d'un roman portant sur les problèmes d'immigration, plus tard adapté par le théâtre (et traduit en français par *Le Creuset*). Le premier terme du composé est dérivé de *to melt* «fondre», verbe ayant des correspondants dans le groupe germanique et dont la racine est commune au latin *mollis* (→ mou) et au grec *meldein* «faire fondre». Le second terme, *pot*, est de même origine que le français *pot**.

♦ Le mot se rapporte au brassage et à l'assimilation des éléments démographiques divers qui ont composé le peuplement des États-Unis au XIXe s. et, par extension, dans d'autres pays. ◇ Il s'emploie figurément (1966) à propos d'un milieu favorisant le mélange d'éléments très variés, sens inspiré par l'évolution du terme aux États-Unis.

MEMBRANE n. f. est un emprunt du langage anatomique (v. 1370) au latin *membrana*, dérivé de *membrum* (→ membre) au sens de «peau qui recouvre les membres» et, par suite, de «tissu qui tapisse les organes, la peau» et «parchemin».

♦ *Membrane*, introduit en anatomie, est employé particulièrement en embryologie, au pluriel (1749, *les membranes, les membranes fœtales*), et en pathologie dans *fausse membrane* (1840, avec un autre sens, 1690). Il s'est appliqué très tôt aux végétaux (1505). ◇ Par la suite, il a développé quelques sens techniques en acoustique (1877) et en physique-chimie où il désigne une mince cloison capable de laisser passer certaines substances et d'en arrêter d'autres.

▸ Il a pour dérivé l'adjectif **MEMBRANEUX, EUSE** (1538), utilisé en description anatomique, botanique (1783), minéralogique (1840) et zoologique (1859). ◇ L'usage didactique recourt aussi à **MEMBRANÉ, ÉE** adj. (1799) et à **MEMBRANIFORME** adj. (1836), proprement «en forme de membrane». ◆ Le diminutif rare **MEMBRANULE** n. f. (1532) est un emprunt au latin *membranula*, de *membrana*.

✱ **MEMBRE** n. m. est emprunté (1080) au latin *membrum* qui désigne toute partie du corps (pas seulement les bras et les jambes) et, par suite, les parties d'un tout, les individus pris par rapport à un ensemble, et, pour traduire le grec *kôla*, les membres d'une période, d'une phrase. Avec son sens initial de «partie du corps», le mot latin pourrait être apparenté (comme le grec *mêninx* ; → méninge) à des mots indoeuropéens signifiant «viande» ou «chair» (sanskrit *māṃsám*, irlandais *mír* «morceau de viande», russe *miasso* «viande»).

♦ Le premier sens repris en français est celui de «partie du corps servant à la préhension (bras), à la locomotion (jambes)» avec une restriction par rapport au sens latin. Toutefois, on rencontre quelques emplois de *membre* au sens plus large de «corps» en ancien et moyen français (1080). ◇ Il en reste une trace dans le sens spécial d'«organe génital masculin» (1170, pl. ; 1225, sing.) pour lequel on précise ensuite ***membre viril*** (1598). Ultérieurement, il est employé en entomologie (1845). ◆ Depuis 1200, le mot se rapporte aussi par métaphore à la personne qui fait partie d'un groupe, d'abord dans le contexte religieux du corps mystique de l'Église, puis laïquement, dans celui d'une corporation (1432) ou d'une communauté (v. 1570), aujourd'hui d'une association, etc. (*membre actif, membre honoraire,* etc.). ◇ Toujours avec l'idée de «partie d'un tout», il a développé quelques sens plus techniques désignant en termes de féodalité la partie d'un fief, d'une seigneurie (1240-1280) et, comme en latin, l'élément d'une phrase (1250), la partie constitutive d'un ensemble architectural (v. 1479). ◇ Il est également employé en marine (1541) [ci-dessous *membrure*] et en mathématiques où il s'applique à chaque partie d'une équation (1691). ◇ Récemment, il entre en apposition dans *État membre* (1938, *Conseil de la Société des Nations*).

▶ Parmi les quelques dérivés qu'il a donnés, l'adjectif **MEMBRÉ, ÉE** (1135), assez rare dans son sens général, est employé particulièrement au sens de «bien ou mal pourvu quant au pénis» (1785, Sade). ◆ Il est doublé par **MEMBRU, UE** adj. (1135) «qui a les membres vigoureux». ◆ Le verbe **MEMBRER** v. tr., tombé en désuétude au sens initial de «prendre forme humaine (de Dieu)» (1223), s'est maintenu comme terme de marine au sens de «pourvoir de membrures». ◇ Son usage dans l'argot militaire ancien au sens de «travailler, manœuvrer dur» (1874) vient probablement d'un emploi métaphorique d'une valeur sexuelle.
Le collectif **MEMBRURE** n. f. (1200, *membreüre*) est également employé avec un sens technique en marine (1786) et au figuré. ◆ Le dernier apparu, **MEMBRON** n. m. (1676), est un terme d'architecture désignant la baguette qui sert d'ourlet dans un faîtage.
Membre a également suscité la formation de deux groupes de composés. ◆ **DÉMEMBRER** v. tr. (1080, *desmembrer*) est employé avec son sens propre et (fin XIIe s.) au figuré. ◇ Il a donné **DÉMEMBRÉ, ÉE** adj. (1575) et le nom d'action **DÉMEMBREMENT** n. m. (1538 ; 1260, *desmembrement*), tombé dans l'usage burlesque au XVIIe s. et surtout employé par péjoration en parlant de la désagrégation d'un tout organique, déjà en termes de féodalité (1337) puis dans le domaine de l'action politique et sociale et de la répartition des terres. ◆ Sur le modèle de *démembrement,* on a formé ultérieurement **REMEMBREMENT** n. m. (1907) «reconstitution de domaines agricoles dans le but de faciliter leur exploitation». ◇ Par la suite est apparu **REMEMBRER** v. tr. (1933) en écho à *démembrer* (toutefois les antonymes des deux termes sont plutôt *morcellement* et *morceller*).

◈ voir MEMBRANE.

MÊME adj., n. et adv. est issu, par les formes *medisme, medesme* (1050) puis *meesme,* du latin populaire *metipsimu(s),* composé de la particule emphatique *-met* servant à renforcer les pronoms personnels *(nosmet, egomet)* et du démonstratif intensif *ipse (ipsus).* Ce dernier (→ ipse, ipso facto), par une double insistance, accompagnait fréquemment le pronom personnel renforcé en bas latin (*egomet ipse* «moi-même en personne»). Le rapprochement de *-met* et *ipse* a donné au Ve s. *metipse.* Il y eut alors suppression du pronom personnel initial et nouveau renforcement au moyen de la désinence du superlatif *-imus.* Le latin tardif a aussi *metipsimu,* prononcé °*metissimu,* qui a donné l'ancien français *medesme.* La forme *meïsme* (1080) peut s'expliquer comme analogique du nominatif pluriel latin °*metissimi.*

♦ Dès les premiers textes, *même* est employé comme adjectif avec une valeur d'insistance (1050), placé derrière le nom pour indiquer qu'il s'agit bien de la personne ou de la chose en question ; à la différence de l'usage moderne, il s'employait également devant le nom (v. 1121-XVIIe s.). En cela, *même* reflète les emplois d'*ipse* en bas latin : ce dernier, pronom intensif en latin classique («moi et pas autrui»), a tendu, à partir du latin impérial, à remplacer *idem,* pronom d'identité. Dans la langue moderne, le sens de *même* (*ipse* ou *idem*) est indiqué par l'ordre des mots *(ce même homme ; cet homme même),* mais dans l'usage ancien, l'ordre des mots n'étant pas rigoureusement fixé, de nombreux emplois sont ambigus. ◆ *Même* exprimait l'identité non seulement lorsqu'il se plaçait derrière le nom (1080) mais aussi devant (1165). Il reste un vestige de cet usage dans la locution prépositionnelle ***être à même de*** (1160, *a meïsme de* «près de» ; 1195, *a meimes le*). ◆ Le mot est aussi employé comme pronom indéfini (av. 1473) avec les mêmes valeurs. Autrefois, il avait un sens neutre et l'on disait *le même* (XVe s.) pour *la même chose* (cf. *autre*) : c'est encore le cas dans la locution ***cela revient au même*** (1671) et, familièrement, ***c'est du pareil au même*** (1867). L'emploi du neutre *le même* s'est répandu dans les années 1980 par l'expression *le même et l'autre* en philosophie. ◆ *Même* adverbe (d'abord *meïsmes* avec le *s* adverbial de l'ancien français, 1080) assume également les deux valeurs. Avec la valeur d'*ipse* «même, justement», il est placé derrière le nom, le pronom personnel (1170), d'où l'expression *idiot toi-même!* (1537, *matin toy-mesme!*), ou l'adverbe de lieu (1170) qu'il précise, comme dans *ici même* (v. 1176, *ci meïsmes*). ◇ Avec la valeur de *idem,* il est également placé derrière le nom (1170) et, indifféremment, devant l'article et le nom. Il a aussi le sens d'«aussi, également» (1170) devant le déterminant et le substantif (en ancien français il se place également derrière le nom, lorsqu'il s'agit d'un nom de personne). ◇ *Même* exprime aussi (1170) une idée de gradation, la mise en relief d'un élément par rapport à un ensemble, d'où sa valeur à partir du XIIIe s. (apr. 1250) en langue ancienne, «surtout, particulièrement». ◆ Il a servi à former dès le XIe s. des locutions adverbiales et prépositionnelles (1080, *de meïsme*). ***Tout de même*** et ***quand même*** sont beaucoup plus récentes (respectivement 1831 et 1839). En revanche, les locutions prépositionnelles ***à même*** (+ nom ; 1160), et ***à même de*** (v. 1176) apparaissent dès l'ancien français. ◇ Les locutions conjonctives remontent aux XVIe et XVIIe siècles : on relève d'abord l'ancienne construction *de même à* (av. 1514) au sens de «comme, de même que», puis *tout de même que* (1606), réduit à ***de même que,*** et ***quand même*** introduisant une concessive (1671). ***Même que*** (v. 1585) «et même, bien plus», d'abord normal, est devenu d'usage populaire dans la langue moderne (1836).

▸ Sur *même*, on a formé l'adverbe **MÊMEMENT** (v. 1121, *meïsmement;* 1150, *meimement*) avec le sens primitif de «de la même façon, aussi». ◆ Cet adverbe vit encore au XVIe s. avec le sens de «surtout, principalement» (1150), qui procède d'une confusion avec l'ancien adverbe *maismement* (du latin *maxima mente*). Au XVIe s., *mêmement* remplissait aussi les fonctions réservées depuis à *de même;* il a décliné.

MÉMÉ → MÈRE

MÉMENTO n. m. est un emprunt savant (v. 1377) au mot latin signifiant proprement «souviens-toi», seconde personne de l'impératif du verbe *meminisse* «se souvenir, avoir présent à l'esprit». Ce verbe est l'infinitif passé formé sur le parfait (à redoublement et à valeur de présent) *memini*, de *minisci*, verbe archaïque qui est seulement attesté dans des gloses (→ réminiscence). Il contient la racine indoeuropéenne °*men-* qui indique une activité mentale (→ dément, mental, mention, mentir, moniteur, monnaie, montrer, monument, semonce, véhément, etc.).

♦ Le mot a été introduit au sens ancien de «mémoire» (1375) et s'est immédiatement spécialisé en théologie catholique pour désigner la prière du canon de la messe qui commence par le mot *memento* (1377). ◇ Par métonymie, il a fourni ultérieurement le nom d'une image mortuaire destinée à rappeler le souvenir d'une personne décédée (1931). ◇ De manière analogue, l'expression *memento mori*, proprement «souviens-toi de la mort», désigne un objet de piété propre à susciter une méditation sur la mort, en faveur notamment du moyen âge au XVIIe s. (comme *vanité*). ◆ À partir de 1641, le mot a développé le sens commun de «note destinée à rappeler qqch.» et, par extension, a reçu celui d'«agenda» (1836). Il désigne également un ouvrage où sont consignées les notions élémentaires d'une science, d'une technique (1882).

⟐ voir aussi, de la même racine, les mots issus du grec : AMNÉSIE, AMNISTIE, AUTOMATE, MANIE.

MÉMÈRE → MÈRE

⟐ ✳ ① **MÉMOIRE** n. f. est issu (1050) du latin *memoria* «aptitude à se souvenir» et aussi «ensemble des souvenirs», employé au pluriel *memoriae* au sens de «recueil de souvenirs» en latin ecclésiastique «monuments commémoratifs». Le mot est dérivé de *memor* «qui se souvient», «qui fait se souvenir», mot expressif dont la valeur se serait atténuée, contenant la racine indoeuropéenne °*(s)mer-* «préoccupation, souvenir» : on en rapproche le sanskrit *smárati* «il se souvient», le gotique *maurnan* «avoir soin de», l'anglais *to mourn* «déplorer». La forme et le sens ont fait rapprocher *memor, memoria, memorare* du groupe de *memini* «se souvenir» (→ réminiscence).

♦ *Mémoire* est d'abord relevé avec son sens de «champ mental des souvenirs», et dans la locution usuelle ***avoir qqch. en mémoire.*** La locution ***de mémoire d'homme*** (v. 1420) est la forme moderne de *en mémoire d'homme* (fin XIVe s.). ◇ Dès le XIIe s., le mot signifie aussi, avec une valeur active, «action de se souvenir (de qqn ou de qqch.)» (v. 1135). L'ancienne locution *faire mémoire de* «faire que le souvenir soit gardé» est employée plus tard au sens liturgique d'«évoquer dans les prières de la messe» (1655, Bossuet). ◇ Le sens particulier de «souvenir durable», attesté depuis la seconde moitié du XIIe s., a lui aussi donné lieu à quelques locutions : ***de bonne/de sinistre mémoire*** (1260), ***à la mémoire de*** (1690), formule d'inscriptions et d'épitaphes. ◇ Le mot désigne aussi la faculté de se souvenir (v. 1170), sens réalisé dans la locution ***de mémoire*** (1671; d'abord *par mémoire*, fin XIIIe s.). ◇ Plus récemment, on a donné le nom de *mémoire* à un dispositif technique de traitement (conservation et disponibilité) de l'information dans les calculatrices et les ordinateurs (1951). Dans ce sens, plusieurs syntagmes calqués de l'anglo-américain ont cours (*capacité de mémoire, mémoire vive, morte*, etc.). Enfin la locution ***pour mémoire,*** employée couramment au sens de «à titre de renseignement» (v. 1950), est à l'origine une formule de comptabilité (1690) utilisée pour signaler qu'un article, une valeur ne sont mentionnés qu'à titre de renseignement.

▸ *Mémoire* a donné deux dérivés formés en français. **AIDE-MÉMOIRE** n. m. (1853) désigne un abrégé ou des notes censés rappeler les points essentiels d'une question. Le sens est voisin de *mémorandum* (ci-dessous). ◇ ② **MÉMOIRE** n. m. procède de ① *mémoire* par changement de genre. D'abord attesté (v. 1190) pour «relation par écrit», il s'est spécialisé en droit (1358 «description d'une cause à juger»). En moyen français, il a pris le sens d'«écrit contenant des renseignements, des indications sur une affaire» (1477) et celui de «relevé de comptes, facture» (1551). ◆ Au XVIe s., dans le titre *Mémoires de messire Philippe de Commines* (rédigés à la fin du XVe s.; revus et corrigés en 1552), le mot, au pluriel ***mémoires,*** a pris le sens d'«ouvrage faisant le récit des événements dont on a été le témoin» (le latin employait le pluriel *memoriae* au sens d'«annales, monuments historiques»), formant l'appellation d'un genre littéraire. ◇ Depuis le XVIIe s. (1671), *un mémoire* désigne aussi une dissertation sur un sujet d'étude précis, d'abord au pluriel puis (1789) au singulier.

Les autres mots de la série sont empruntés à des dérivés du latin *memoria*. ◆ **MÉMORIAL** n. m. est emprunté (1279) au latin impérial *memoriale* «souvenir concret, monument», neutre substantivé de l'adjectif *memorialis* «qui aide à se souvenir». Le mot a d'abord été employé à propos d'un témoignage concret qui rappelle le souvenir de qqch., avant de prendre son sens moderne de «monument commémoratif» (fin XVe s.). ◇ Il s'applique à un livre où est écrit ce dont on garde le souvenir (1549), puis à un livre où sont consignés les souvenirs de celui qui les écrit (1823, dans le *Mémorial de sainte Hélène* de Las Cases). ◇ L'adjectif latin *memorialis*, pris au sens d'«historiographe», a servi de base à **MÉMORIALISTE** n. «auteur de mémoires à caractère historique» (1726).

MÉMORANDUM n. m. est la forme substantivée du neutre de l'adjectif latin *memorandus* «qui doit être rappelé», adjectif verbal de *memorare* «rappeler, évoquer» (→ commémorer). ➜ D'abord attesté en ancien gascon (1399), le mot est relevé pour la première fois en français en 1777 (Beaumarchais) comme un terme diplomatique, probablement par emprunt à l'anglais (XVe s.). ◇ Le sens courant de «petit carnet où l'on inscrit les choses dont on veut se rappeler» est attesté depuis 1840 (cf. *mémento*), fournissant son titre à un recueil de notes de Barbey d'Aurevilly.

MÉMORABLE adj. a été emprunté (fin XVe s.) au latin *memorabilis* «vraisemblable, digne d'être raconté, digne de mémoire», dérivé de *memoria*. Le sens a glissé vers «important, remarquable (d'un événement)», en concurrence avec d'autres adjectifs, comme *historique*. ◇ En sont dérivés **MÉMORABLEMENT** adv. (v. 1780; fin XVe s., «en gardant une bonne mémoire») et le terme didactique **MÉMORABILITÉ** n. f. (1906), défini par le psychologue Ed. Claparède comme une capacité de fixation exacte. ➜ Du côté des antonymes, il y a concurrence entre trois adjectifs à préfixe *im-* : **IMMÉMORABLE** a été emprunté (apr. 1450) au latin *immemorabilis* «qui ne mérite pas d'être rapporté», prenant en français le sens de «qui sert à perpétuer la mémoire». Il signifie ensuite «dont l'origine est trop lointaine pour que l'on puisse s'en souvenir» (av. 1622) et «qui ne mérite pas d'être rapporté» (1636). Le mot semble très peu usité avant 1840. ◇ Il tend alors à se confondre partiellement avec **IMMÉMORIAL, ALE, AUX** adj.(1507), lui-même emprunté au latin médiéval *immemorialis* «qui manque de souvenir, de mémoire» (XIIIe s.), antonyme de *memorialis* (→ mémorial), ayant pris en français une des valeurs de *immémorable* «très ancien». ◇ Il faut aussi faire mention du doublet littéraire **IMMÉMORÉ, ÉE** adj. (1848, Chateaubriand) formé sur *memoratum*, supin de *memorare* «rappeler» dont un composé a donné *commémorer**. *Immemoratus* est relevé en latin médiéval en 1500.

MÉMORISER v. tr. est dérivé de *mémoire* sur le radical du latin *memoria*. Attesté une fois en 1488 au sens de «rappeler à la mémoire», il a été repris au XVIIIe s. par les pédagogues de Suisse romande avec son sens moderne de «fixer dans la mémoire, apprendre exactement». ◇ Par analogie, et en relation avec le sens pris par *mémoire*, il est employé en informatique au sens d'«enregistrer des données» (1965). ➜ Son dérivé **MÉMORISATION** n. f., lui aussi relevé une fois en 1488 au sens d'«action de rappeler», a été repris en 1789 en Suisse romande avec la valeur psychologique de *mémoriser*. ◇ Il est passé récemment dans la terminologie informatique (1964). ➜ L'adjectif correspondant **MÉMORISATEUR, TRICE** est attesté au début du XXe s. (1911, dans les dictionnaires).

◈ voir COMMÉMORER, REMEMBRANCE, REMÉMORER.

② MÉMOIRE → ① MÉMOIRE

MÉMORIAL, MÉMORISER → ① MÉMOIRE

MENACE

MENACE n. f., d'abord *manatce* (v. 881), puis *manaces* (1080) et enfin *menace* (1160), est issu du latin populaire °*minacia* «manifestation de violence signifiant à autrui l'intention de lui faire du mal». C'est un dérivé, par l'intermédiaire de l'adjectif *minax*, du latin classique de même sens *minae* (pl.) qui désigne à l'origine une saillie, l'avancée d'un mur, d'un rocher, d'un surplomb (→ éminent). On est passé de cette notion de «choses suspendues» au sens abstrait de «menaces» (→ imminent; cf. *insistance*); l'image est exactement celle de l'épée de Damoclès. *Minae*, probablement apparenté à la racine °*men-* «être saillant» que l'on a dans *mons* (→ mont), a été remplacé par *minacia* qui est aussi passé dans l'italien *minaccia*, le catalan *menassa*, *manasa*, l'espagnol *(a)menaza*, le portugais *ameaça*. Le *a* des premières formes s'explique par l'assimilation de *e* placé avant l'accent tonique à un *a* accentué.

♦ *Menace* s'est d'abord dit uniquement de paroles ou de gestes émanant de personnes (1662, *menaces en l'air*). ◇ Par extension, il se rapporte à l'éventualité d'un événement fâcheux (v. 1580).

► Le verbe correspondant, **MENACER** (XIIe s., *manecier*; *menacier*, 1135), est issu d'un latin populaire °*minaciare*, de *minacia*. °*Minaciare* a remplacé le verbe classique *minari* «menacer» et *minare* «conduire les animaux en les menaçant» qui a donné *mener**. °*Minaciare*, comme *minacia*, est passé dans les langues romanes : roumain *ameninta*, italien *minacciare*, espagnol *amenazar*, portugais *ameaçar*. ➜ En français, le verbe correspond à «proférer des menaces à l'égard de qqn» (1135; dans la construction *menacer qqn de...*, v. 1155) et, dès 1200, à «constituer un danger, un risque». En ce sens, il entre dans *menacer de* et infinitif, précédé par *menacer* et nom d'action (1200, *manecier trebuchement*). Il s'emploie, absolument, en parlant du temps (v. 1890). ➜ Les deux participes **MENAÇANT, ANTE** adj. (1380) «qui tâche de faire peur», puis aussi «qui fait prévoir un orage prochain» (1762) et «qui fait craindre un malheur» (1762), ainsi que **MENACÉ, ÉE** adj. (v. 1580) sont usuels.

◈ voir MENER, MENTON.

✻ MÉNAGE

MÉNAGE n. m., d'abord *maisnage* (v. 1165), *mainage* (1210) et *ménage* (XIIIe s.), est dérivé de l'ancien verbe *manoir* «demeurer» (→ manoir n. m.). Les formes initiales sont dues à l'influence de l'ancien français *maisnée* (1050, *maisnede*), *mesnie* «famille», lui-même issu du latin populaire °*mansionata*, dérivé du latin classique *mansio* (→ maison).

♦ Le mot est attesté dans les premiers textes au sens de «demeure, séjour, logis», doublet de *manoir* et bien vivant en ancien et moyen français. À partir du XIIIe s., il a évolué dans deux directions, se référant d'une part aux aspects matériels de la vie au foyer, et de l'autre à ses aspects humains. ◇ Dès 1210, il signifie «administration des biens», particulièrement avec la valeur positive de «bonne gestion, économie» (1546); cf. *économie*. ***Faire son ménage*** a alors le sens large de «faire ses affaires». Le mot entre dans la locution ***de ménage*** (XIIIe s.) qui s'applique à tout ce qui est fabriqué à la maison. La notion couvre également l'ensemble des biens, meubles, objets qui constituent l'habitation d'une personne (v. 1350), sens qui ne s'est conservé que dans ***monter son ménage*** (1665) et dans le vocabulaire des jouets, où le mot désigne un ensemble des petits meubles (1523), d'où un *ménage de poupée* (1853). Particulièrement, on appelait *ménage de campagne* les charrues, harnois et outils de labourage servant à l'exploitation manuelle de la ferme. ◆ Le sens moderne, «tout ce qui concerne la vie matérielle du foyer, notamment les soins matériels qui assurent l'ordre et la propreté de l'intérieur», est relevé au tournant du XVIe siècle. C'est en ce sens qu'on emploie de nos jours ***faire le ménage*** (1659). Parallèlement, depuis le XIIIe s., le mot désigne la cohabitation entre un homme et une femme dans le cadre du mariage, et fournit la locution ***être en ménage*** (XIVe s.). ◇ Le sens s'étend dès l'ancien français à tous ceux qui vivent sous le même toit (fin XIIIe s.), non seulement la famille mais aussi les serviteurs (comme pour *maison*). À nouveau, il se restreint au couple seul, constituant une communauté domestique (1588), le sens large de «famille» subsistant cependant dans le langage des économistes *(consommation des ménages)*. Par extension, *ménage* exprime une idée de «vie commune» dans ***faire bon, mauvais ménage (avec qqn)*** (1611).

▶ Indépendamment de dérivés usuels (ci-dessous), *ménage* se retrouve au second terme du composé **REMUE-MÉNAGE** n. m. (1585), seul vestige des locutions anciennes *remuer ménage, remuement de ménage* où *ménage* réalise l'idée d'«agitation, bouleversement» (1571) ; → remuer.

Ménage est à l'origine de plusieurs dérivés importants. ◆ ① **MÉNAGER, ÈRE** adj. et n. f. est attesté dans les premiers textes comme nom masculin (1281, *maynagier*) pour désigner une personne de situation modeste, notamment un travailleur journalier. Ce sens, très vivant en ancien et moyen français, a disparu, de même que celui d'«organisateur, gestionnaire» et spécialement de «petit propriétaire agricole» (1550). ◇ Dans l'usage moderne, seul le féminin *une ménagère* est employé comme nom (fin XIVe-déb. XVe s.) pour désigner la femme qui s'occupe des soins et de la gestion du ménage. ◇ **MÉNAGÈRE** désigne également le service complet de couverts de table dans son coffret spécial (1931, dans les dictionnaires). ◇ Comme adjectif, *ménager, ère,* après une attestation isolée au sens de «médiocre» c'est-à-dire «économique» (fin XVe s.), a été repris à propos des personnes pour «qui administre en dépensant le moins» (1583). Il a pris son sens moderne de «qui concerne les soins du ménage» (1594), surtout développé à partir du XIXe s., dans des emplois comme *appareil ménager* qui a entraîné la création de **MÉNAGISTE** n. (1956) «personne qui fabrique et vend les appareils ménagers». ◇ Dans la seconde moitié du XXe s., l'adjectif a aussi pris le sens de «qui provient du ménage» *(ordures ménagères)*.

MÉNAGIER n. m. (fin XIVe s.) est un terme dont les historiens se servent pour désigner un traité d'économie domestique assorti de considérations morales.

MÉNAGERIE n. f. a d'abord désigné l'administration d'une maison, surtout d'une ferme (1530-1677), et servi par métonymie à désigner le lieu qui renferme tout ce qui appartient à la ferme, y compris les animaux (v. 1585). ◆ Par spécialisation, il a pris son sens moderne d'«endroit où sont rassemblés les animaux dangereux, exotiques ou rares» (1664), alors que Louis XIV en installe une à Versailles. L'usage de collectionner des animaux est cependant bien antérieur pour les oiseaux de proie utilisés à la chasse, dès le XIIe s., et pour les mammifères, avec la collection organisée par les ducs de Bourgogne (XIVe s.) et qui servira de modèle au roi René d'Anjou et aux princes de la Renaissance. ◇ Par métonymie, le mot s'applique à l'ensemble des animaux ainsi rassemblés (1812) et il est quelquefois pris par métaphore pour «rassemblement d'êtres vivants», avec une nuance ironique (1831). Le mot tend aujourd'hui à décliner, concurrencé par *jardin zoologique* et *zoo,* sauf dans le contexte du cirque et des forains.

② **MÉNAGER** v. tr., dérivé de *ménage,* a d'abord signifié «habiter» (1309) et «vaquer aux soins du ménage», sens courant en ancien et moyen français. ◆ Les sens modernes ont en commun l'idée d'«arranger, préparer avec soin», au propre et au figuré : *ménager* est attesté au XVe s. puis à nouveau à partir de 1587 au sens de «gérer (un bien), administrer», en particulier «disposer avec soin et prudence» (1570), «tirer le meilleur parti» (1571), valeurs devenues archaïques, et dans les expressions usuelles *ménager le temps* (1605), *ménager les forces* (1679). ◆ Les autres sens du mot, pour la plupart conservés en français moderne, sont tous enregistrés au XVIIe s., d'abord «régler, prendre des dispositions» (1621) et, à la forme pronominale, *se ménager qqch.* (av. 1654). ◇ Avec un objet animé, le verbe a le sens de «traiter (qqn) avec égard» (v. 1628), «avec indulgence et bonté» (v. 1650). Il signifie également «épargner à (qqn) le danger, la fatigue» (1646), en constructions transitive et (1662) pronominale. La valeur de «réserver la place nécessaire pour (qqch.)» (1690) est aussi exprimée par *aménager* (ci-dessous). ◆ Le dérivé du verbe, **MÉNAGEMENT** n. m. (1551), a perdu ses sens premiers, «art de bien diriger la maison», ainsi que «bon exercice de l'administration domestique» (1587) et «mesure et économie dans la gestion et le comportement» (déb. XVIIe s.). ◇ L'usage moderne l'a restreint à la valeur figurée de «mesure, réserve dont on use envers qqn» (1665).

Par préfixation, *ménager* a donné trois séries de sens matériel. ◆ **AMÉNAGER** v. tr. a été formé de *a-* et du moyen français *ménasgier* «ménager», dérivé de *ménage* pris au sens particulier de «bois de construction, ustensiles de bois», sens très vivant au XIVe siècle. ◇ Il a d'abord signifié «loger» (fin XIIe s.) et «pourvoir de bois pour réparer, construire» (1327) avant de prendre son sens moderne au XVe siècle. ◇ Il a donné **AMÉNAGEMENT** n. m. (1327, *amesnagement*) qui est passé de l'ancien sens de «construction, réparation en bois» à celui de «manière de disposer» (1669), en particulier dans un contexte administratif et avec une spécialisation en sylviculture (1771). *L'aménagement du* *territoire.* ◇ **AMÉNAGISTE** n. (1876) «spécialiste de l'aménagement des forêts» et **AMÉNAGEABLE** adj. (1960) sont de formation récente. **AMÉNAGEUR, EUSE** n. «personne qui aménage» (1906) s'est spécialisé pour «personne chargée de l'aménagement» (1959).

EMMÉNAGER v. tr. (1424), d'abord construit transitivement, a développé plus tard un usage intransitif (1694). Il était autrefois employé à la forme pronominale *s'emménager* (1425) «s'installer, se pourvoir d'un mobilier». ◇ On en a tiré **EMMÉNAGEMENT** n. m. (1493).

DÉMÉNAGER v. (1611) réalise le sens propre de «porter hors de la maison» (d'après le sens initial de *ménage*) en construction transitive, puis (1668) intransitive. Dans cet emploi, il s'est spécialisé pour «transporter ses meubles d'un logement à un autre». ◇ Il a donné lieu à des emplois figurés et familiers, en particulier «perdre la raison» (d'abord transitivement *déménager la tête,* 1798). ➛ Au XIXe s. sont apparus **DÉMÉNAGEUR** n. m. (1852) et l'helvétisme **DÉMÉNAGEUSE** n. f. (1881) qui signifie «fourgon de déménagement». Le premier, outre sa valeur propre, professionnelle, sert à évoquer la force physique (*une carrure de déménageur,* etc.); son féminin est rare en parlant des personnes.

◈ voir ÉLECTR- (ÉLECTROMÉNAGER).

MÉNAGER, MÉNAGERIE → MÉNAGE

MENCHEVIK → BOLCHEVIK

MENDIER

MENDIER v., d'abord *mendeier* (1080) puis *mendier* (v. 1120), est issu du latin *mendicare* «demander l'aumône». Ce verbe est dérivé de *mendicus* «pauvre, indigent», lui-même de *mendum* (également *menda* au féminin) «défaut physique, faute dans un texte, incorrection» (→ amender); le premier sens de *mendicus* a dû être celui de «qui a des défauts physiques, infirme», d'où «pauvre» et «mendiant». L'étymologie de *mendum* est inconnue; le gallois *mann* «tache (corporelle), défaut» est le seul rapprochement indoeuropéen que l'on puisse faire.

♦ *Mendier,* apparu en français comme intransitif au sens de «demander l'aumône», a pris quelques valeurs particulières en construction transitive : il signifie d'abord «demander humblement, supplier» (av. 1248), puis «demander comme aumône» (1553), développant la valeur péjorative de «s'abaisser à demander qqch.» (av. 1563). Cette péjoration est absente de l'ancien français où le sémantisme de *mendier, mendiant* est étroitement dépendant de la conception de la charité chrétienne.

▸ Le participe présent **MENDIANT, ANTE** a été adjectivé (av. 1191) et substantivé (fin XIIe s.) avec le sens de «personne qui mendie». Il s'emploie spécialement dans ***moine mendiant*** (v. 1278), désignant le membre de l'un des quatre ***ordres mendiants*** (1350, *ordenes Mendians*) apparus au XIIIe siècle : Augustiniens, Franciscains, Carmes, Dominicains, car ceux-ci vivaient exclusivement de quêtes et d'aumônes dans une exigence de pauvreté. ◇ Dans son sens général, le mot s'est substitué à *truand* (repris plus tard avec une autre valeur) et à *gueux.* ➛ Par allusion à la couleur de la robe des moines mendiants, on a donné le nom de *mendiant,* d'après ***les quatre mendiants*** (1640, *lis quatres mendiants*), aux fruits secs servis comme dessert : amandes, figues, noisettes et raisins. ➛ *Mendiant* est altéré populairement en **MENDIGOT, OTE** n. (1875) qui a servi de base à **MENDIGOTER** v. intr. (1878) «mendier». ➛ *Mendier* a aussi donné **MENDIEUR** n. m., attesté isolément au XIIIe s. au sens de «quémandeur», courant entre 1565 et 1571 aux sens de «mendiant, pauvre, souffreteux» et, au figuré, «emprunteur» (*mendieurs de latin*), repris en 1898 (Mallarmé).

MENDICITÉ n. f. est emprunté (v. 1278) au latin *mendicitas* «état d'indigence extrême, état de celui qui demande l'aumône», lui-même dérivé de *mendicus.* ➛ L'emprunt a éliminé la forme populaire *mendistiet* (1080); il correspond à un état, puis (1672) à l'acte de mendier; par métonymie, il s'est appliqué collectivement aux mendiants (1810, *dépôt de mendicité*).

MENEAU

MENEAU n. m., *mayneaulx* au pluriel (1398) puis *meneau* (1402), est issu d'un °*meienel* ou °*meieneau,* diminutif de *meien,* forme ancienne de *moyen**. On relève d'ailleurs *fenestre a moyen* (1409) à côté de *fenestre a meneau* (1402).

♦ Le mot désigne le montant qui divise la baie d'une croisée; il s'agit d'un montant de pierre, faisant partie du décor architectural. Par une analogie qui semble tardive (1903), le mot sert à nommer chacune des barres, transversales ou verticales, d'une fenêtre (1903). Sauf dans cet emploi technique, il évoque surtout l'architecture du moyen âge ou de la Renaissance.

MENER

✳ **MENER** v. tr. est issu (v. 980) d'un latin *minare,* forme active qui s'est substituée à la forme classique *minari* «menacer» (→ menacer). Le changement de sens s'explique par l'usage du mot dans la langue rurale et populaire : on est passé du sens initial de «menacer les bêtes du fouet pour les faire avancer» à la valeur extensive de «conduire les animaux». Ce sens s'est d'ailleurs perpétué dans le roumain *mîno* «conduire le bétail», le calabrais *minare* «aiguillonner les bêtes» et, jusqu'en français, dans le sens spécialisé en vénerie de «poursuivre, harceler l'animal» (v. 1160).

♦ Cependant, dès ses premières attestations, *mener* a un sens plus général, «accompagner (qqn) en le dirigeant», qui tend depuis l'époque classique à céder du terrain à son composé *emmener.* L'idée de direction est plus ou moins colorée par l'idée accessoire de fermeté ou de contrainte (1080), comme dans *mener qqn à la potence.* Toujours avec la notion de «direction dans un déplacement», le verbe signifie «faire avancer en marchant à la tête» (1170), que l'objet soit un animal, un groupe, un cortège, notamment (v. 1120) dans le contexte de la danse (*mener le bal*). Le verbe est alors quasi synonyme de *conduire.* La valeur figurée de «commander» s'ajoute à celle d'«aller le premier» en sports où *mener la course* (1892) et, absolument, *mener* (1937), c'est «être en tête, avoir l'avantage». ➛ Cette valeur est ancienne (XIIIe s.) dans le contexte général et abstrait de «commander, diriger» (et réciproquement «être commandé» dans *se laisser mener*) en parlant d'un comportement humain, par exemple dans les locutions ***mener à la baguette, par le bout du nez*** (déb. XVIIe s.). ◇ Le verbe exprime aussi l'idée de «contrôler, faire aller (une chose) en la contrôlant» (v. 1175). ◇ Concurrencé par *conduire* en parlant des véhicules, il a subsisté dans des emplois figurés *(mener la barque)* et abstraits avec l'idée de «faire évoluer sous sa direction» (1663; dès 1283, au sens de «faire commerce»). ➡ L'action est envisagée plus particulièrement sous l'angle de son résultat dans ***mener (qqch.) à bien, à son terme*** (v. 1200). ◇ Sans idée de «déplacement» ni de «direction», le verbe s'emploie pour «assurer l'exécution de, participer à (une activité)», de manière très générale dans *mener une vie (sainte, scandaleuse)* [v. 1180], plus restreinte dans *mener de front* (1722), et parfois avec la nuance de manifestation bruyante, désordonnée. Cette valeur est aussi ancienne que les autres puisqu'on trouve dès 1050 *grand duel (deuil) mener* «exprimer ostensiblement une grande douleur». La locution ***mener grand train*** «vivre luxueusement» est beaucoup plus récente (1835), mais prolonge *mener un (tel) train* «se conduire de telle façon» (v. 1550).

▪ *Mener* n'a pas produit de nom d'action de sens général : les dérivés (*menée* et *menage*) se sont spécialisés.

MENÉE n. f., apparu avec le sens de «signal prolongé qui accompagne la poursuite d'une troupe ennemie» (1080), propre à l'ancien français, s'est restreint à quelques sens particuliers. Employé en vénerie au sens de «poursuite de la bête» (1190), il y a pris le sens moderne de «voie où la bête mène les chasseurs» (apr. 1250). ◇ Le pluriel *menées* est employé couramment au sens d'«actions, pratiques» (1458), souvent avec une valeur péjorative de perfidie, de secret (1461). ◇ En Suisse et en Franche-Comté, *menée* a le sens métonymique d'«amas de neige amoncelée (amenée, menée) par le vent» (1644, en patois; 1868, Littré, qui le donne comme régionalisme); cf. *congère* et *banc de neige*. ➡ *Mener* a aussi donné au XIIe s. **MENABLE** adj. (1198, *mesnable*) et **MENEUR, EUSE** n. (1145, *menëor*); ce dernier, à partir de son sens initial «celui qui conduit les animaux», désigne en particulier celui qui mène la danse (1465), valeur que continue aujourd'hui l'expression ***meneur de jeu*** (1949). ◇ En se référant au comportement humain, *meneur* a développé le sens psychologique de «personne qui a de l'influence sur les autres» (1669), repris à la fin du XVIIIe s. (1790), par exemple dans *meneur d'hommes,* et fréquemment entendu dans un contexte de revendications socio-politiques (souvent péjorativement, dans le discours de ceux qui s'y opposent). Cette valeur est comparable à celle qu'ont prise des mots signifiant «conducteur» (l'italien *duce*), «guide» (l'allemand *Führer*), avec des connotations très différentes. ➡ **MENAGE** n. m., formé en moyen français (1508), a échoué à pourvoir *mener* d'un nom d'action, se limitant à désigner la conduite d'un attelage.

Le groupe de *mener* s'est enrichi de composés dès l'ancien français. ➡ Le premier est **AMENER** v. tr. (1080; v. 980, *amenar*), employé proprement pour «mener, conduire vers (qqn, soi, qqch.)» et, dès 1200, au figuré dans *amener à*. Il se construit aussi bien avec un objet animé qu'avec un objet inanimé (1361) et compte quelques emplois techniques en marine (1529). ➡ Il a donné deux noms issus de son participe passé : le masculin **AMENÉ**, employé en droit ancien là où nous disons *mandat d'amener,* et le féminin **AMENÉE** «action d'amener» qui a développé par métonymie le sens technique de «conduit, canalisation». ◇ **AMENEUR** n. m. (v. 1274), autrefois employé en droit et en vénerie, n'est plus guère employé. ➡ Le préfixé d'*amener,* **RAMENER** v. tr. (1115, *rameiner*), fait partie des itératifs courants souvent employés pour le verbe simple. Il a développé un sens figuré dans ***la ramener*** (1908, argot), d'usage familier, équivalent elliptique de *ramener sa fraise* (sa tête, sa personne).

SE DÉMENER v. est lui aussi un composé très ancien, démotivé, d'abord employé transitivement (1050) au sens de «manifester un sentiment» (encore v. 1750). Il procède d'une nuance de *mener* «conduire à son résultat en s'agitant». Seul le sens moderne de «s'agiter» et la construction pronominale sont encore vivants (1150 au propre et 1558 au figuré). ➡ Son dérivé **DÉMÈNEMENT** n. m. a d'abord eu le sens de «façon d'agir, de se conduire» (XIIIe s., jusqu'en 1611) et n'a pris son sens moderne qu'au XIXe siècle; il est assez rare.

EMMENER v. tr. (1155; 1080, *enmeinat*) «mener dans un autre lieu», comporte comme *mener* une idée secondaire d'«autorité» (1831). Au XIXe s., ce verbe a aussi développé un emploi figuré (1839) et le sens abstrait de «transporter par la pensée, l'imagination» (1853).

MALMENER v. tr. (1160) est attesté dès 1150 par son participe passé *mal mené* au sens figuré de «mené à sa perte, dans le péché». L'usage moderne ne comporte aucune idée morale, le verbe signifiant «traiter rudement en parlant (qqn, qqch.)» (fin XIIIe s.), alors avec l'idée de «détériorer». ➡ Son dérivé **MALMENAGE** n. m. est récent et s'est spécialisé en parlant des cordes vocales (1966, «fait de malmener qqn»).

SURMENER v. tr. (XIIIe s.; 1160, *sormener* «entraîner») s'est surtout répandu au XIXe s. au sens physique de «fatiguer (une bête) outre mesure» puis plus couramment pour «éreinter, exténuer (qqn)». ***Se surmener*** est attesté plus tard (1870). ◇ Il a produit **SURMENÉ, ÉE** adj. (XIIIe s.; v. 1175, *sormené*) et **SURMENAGE** n. m., d'abord «action de surmener» (1845 en médecine vétérinaire), plus souvent employé avec son sens médical d'«état d'une personne surmenée» (1864), devenu usuel.

PROMENER v. tr. (XIVe s.; XIIIe s., *pourmener*) est employé concrètement et abstraitement (XVIe s.) pour «mener dans une direction déterminée». La construction intransitive (1530), fréquente en langue classique, est devenue régionale ou marquée comme désuète. Elle a reculé au bénéfice de la forme pronominale **SE PROMENER** (v. 1465) «marcher pour le plaisir», que l'on rencontre aussi au sens de «se déplacer» (1669, concrètement; dès 1600, abstraitement). ➡ De *promener* ont été dérivés **PROMENOIR** n. m. (1679; 1538, «lieu où l'on se promène», appliqué à l'espace où l'on restait debout, dans une salle de spectacle) et **PROMENADE** n. f. (1557, *pourmenade*) «action, trajet que l'on fait pour se promener», très courant, et par métonymie «lieu aménagé pour se promener» (1559). ➙ **PROMENEUR, EUSE** n., réfection (1600) de *pourmeneur* (v. 1560), désigne une personne qui se promène ou (1808) qui est chargée de promener qqn, un enfant. ➙ Le langage enfantin a produit par apocope et redoublement l'infinitif **MENER-MENER** *(on va mener-mener)* pour *se promener*.

MÉNESSE → MINESTRONE

MÉNESTREL n. m. est issu (1050) du bas latin *ministerialis* «chargé d'un service», dérivé de *ministerium* «fonction de serviteur, service» (→ ministère), de *minister* «serviteur, instrument, agent» (→ ministre).

♦ *Ménestrel* a eu le sens général de «serviteur, artisan» jusqu'au XVIe siècle. ➙ Il a pris au XIIe s. (1170) le sens spécialisé de «poète ou musicien allant de château en château». Le mot, disparu ou archaïque dès le moyen français, a été repris à l'époque romantique, au moment où le moyen âge devient à la mode (1814).

▶ La variante de *ménestrel*, **MÉNÉTRIER** n. m. (1260; 1235, *ministrier*), outre son sens historique, synonyme de «ménestrel», a désigné un musicien populaire qui faisait danser les villageois au son du violon (cf. *violoneux*) à l'occasion des noces de village.

MENHIR n. m. relevé en 1807 dans les *Mémoires de l'Académie celtique*, en pleine vogue de la mythologie celtique (Nodier, Chateaubriand) a été introduit par Legrand d'Aussy (1798), qui avait également adopté *dolmine*. Il est emprunté au breton *menhir*, composé de *men* «pierre» (que l'on trouve également dans *dolmen**) et de *hir* «long».

♦ Le mot désigne, comme en breton, une pierre allongée dressée verticalement (dans divers points de la France, on dit aussi *pierre fiche* et *pierre fitte*, d'où le nom propre *Peyrefitte*).

MENIN, INE n. est emprunté (1606) à l'espagnol *menino, menina* qui désigne le gentilhomme ou la demoiselle attaché(e) au service d'un prince ou d'une princesse d'Espagne. Lui-même est emprunté (XVIe s.) au portugais *menino* «enfant» (XIIIe s.), dérivé du radical *men-* qui exprime la petitesse dans plusieurs langues romanes, par exemple sous la forme *min-* en latin (→ menu).

♦ Le mot se réfère surtout à une institution historique espagnole, spécialement par allusion à un célèbre tableau de Vélasquez *Las Meninas (Les Menines)*. ◇ Le masculin *menin* (1680), acclimaté à propos du page du dauphin en France, est devenu archaïque.

MÉNINGE n. f. est emprunté au XIVe s. au latin médical de basse époque *meninga*, emprunt au grec *mêninx, mêningos* «peau, membrane», en particulier «membrane qui enveloppe l'encéphale et la moelle épinière», terme technique d'origine obscure. On a émis l'hypothèse d'une dérivation de °*me(m)s-n-*, d'une racine indoeuropéenne signifiant «chair, viande» (→ membre).

♦ Le mot a été emprunté avec son sens actuel, sous la forme altérée *miringue* (1370), corrigée au XVe s. en *méninge* (1478). ◇ Il est entré dans l'usage familier au pluriel avec le sens de «cerveau, intelligence» (1860), dans des locutions comme *s'écarteler les méninges* (1908), disparue, ***se casser les méninges*** (1936), etc.

▶ On en a tiré **MÉNINGÉ, ÉE** adj. (1776) «relatif aux méninges», spécialement en pathologie dans *syndrome méningé* (1949), et **MÉNINGIEN, IENNE** adj. (1836). ➙ **MÉNINGITE** n. f., terme de pathologie (1829) précédé par *méningité* (1793), entre également dans quelques expressions familières (*méningite aiguë* suscitant le composé plaisant *flemmingite*, de *flemme*), où il exprime le fait qu'un individu refuse ou évite tout effort intellectuel (1922). ◇ Il a donné **MÉNINGISME** n. m. (1894), **MÉNINGITIQUE** adj. (1867) «relatif à la méningite» et (1869) «atteint de méningite» (aussi *méningiteux, euse*). ➙ **MÉNINGIOME** n. m. (1929) pourrait être calqué sur l'anglais *meningioma* (attesté en 1922). ➙ L'élément **MÉNINGO-** entre dans la formation de quelques termes d'anatomie, de physiologie et de médecine (XIXe-XXe s.), tels **MÉNINGOCOQUE** n. m. (1900), **MÉNINGO-ENCÉPHALITE** n. f. (1867).

◈ voir REMUER, (REMUE-MÉNINGES).

MÉNISQUE n. m. est emprunté (1671) au grec *meniskos* «petite lune, croissant», dérivé au sens de «lune» du radical *mên* «mois».

♦ Le mot est emprunté en optique pour désigner une lentille convergente, convexe d'un côté, concave de l'autre. Il a pris en anatomie (1832) la valeur de «formation fibro-cartilagineuse courbe adaptant l'une à l'autre deux surfaces articulaires», puis (1840) un ornement en forme de croissant.

▶ Il a en anatomie un dérivé, **MÉNISCAL, ALE, AUX** adj. (1949).

MÉNOPAUSE n. f. est un emprunt (1823) au latin médical *menopausis*, formé sur le grec *mêniaia* «menstrues», pluriel neutre substantivé de l'adjectif *mêniaios* «qui dure un mois» (cf. *menstrues*), de *mên* «mois» (correspondant au latin *mensis*; → mois) et *pausis* «fin, cessation», de *pauein* «faire cesser» (→ pause).

♦ Le mot désigne donc proprement la cessation des menstrues ou des cycles menstruels.

▶ On a formé par la suite **MÉNOPAUSIQUE** adj. (1922) et **MÉNOPAUSÉE** adj. et n. f. (1952).

◈ voir CATIMINI, EMMÉNAGOGUE.

MENOTTE n. f. est le diminutif de *main** formé (1474) à l'aide du suffixe *-otte*.

♦ Dès les premières attestations, le mot est employé au pluriel avec son sens courant «entraves qu'on met aux mains des prisonniers». L'expression *mettre les menottes à qqn* est aussi employée au sens figuré de «paralyser qqn dans son action»

(1868). ◆ Le sens propre de «petite main», attesté peu après 1481, est surtout réservé au langage affectif (en parlant d'un petit enfant).

▶ Le verbe correspondant **MENOTTER** v. tr. (v. 1600) reste rare, sauf au participe passé adjectivé **MENOTTÉ, ÉE** (1839). ◆ On lui a préféré le composé **EMMENOTTER** v. tr. (XVIe s.), lui-même vieilli.

MENSONGE n. m., d'abord *mençunge* (1080), *mençonge* (1160), fait supposer un latin populaire °*mentionica*, dérivé du bas latin *mentio* «mensonge». Celui-ci, attesté au VIe s., paraît plutôt continuer le latin classique *mentio* (→ mention), par l'intermédiaire du sens de «mention mensongère», qu'être issu par haplologie de *mentitio*, formé sur le participe passé de *mentiri* (→ mentir). L'italien *menzogna* conduit à supposer un autre type °*mentionia*, de même que l'ancien français *mensoigne*.

♦ *Mensonge* a été considéré comme féminin jusqu'au XVIIe s., époque où le genre masculin, attesté à partir de 1530, s'est imposé. Le changement de genre est peut-être dû à l'influence de *songe*, avec lequel il est lié dans la littérature dès le XIIe s. (proverbialement : *songe, mensonge*, sous une forme moins concise, 1611). Définissable par «affirmation contraire à la vérité dans le but de tromper», il signifie plus généralement «acte de mentir» (1273). Il reste encore quelques traces, dans la langue, des distinctions entre le *mensonge par omission* (ou *obreptice*) et le *mensonge effectif*, par assertion, entre le *mensonge joyeux* (1874, en théologie), le *mensonge officieux* (1694) et le ***pieux mensonge*** (1826), cette dernière expression étant entrée dans l'usage général. ◇ Par extension, le mot est aussi appliqué à ce qui est illusoire, trompeur (v. 1120); prolongeant la confusion antique entre mensonge et imagination, il a été appliqué à la fiction en art (v. 1120).

▶ L'adjectif dérivé, **MENSONGER, ÈRE** (v. 1120, *mençungier*), a été supplanté par *menteur* (de *mentir**); il a seulement conservé le sens de «qui n'est pas exact, inventé» (v. 1175). Il semble toutefois être tombé en désuétude au XVIIe s. et avoir repris faveur dans la seconde moitié du XVIIIe s., dans la poésie et le style soutenu. ◇ Son dérivé **MENSONGÈREMENT** adv. (1599) est resté d'usage littéraire. ◆ Pour des raisons sémantiques, la série de *mensonge* reste fortement liée à celle de *mentir*, et le nom est senti comme une sorte de dérivé irrégulier du verbe.

MENSTRUES n. f. pl. est un emprunt médical (1314) au latin *menstrua*, pluriel neutre substantivé de l'adjectif *menstruus* «mensuel», de *mensis* (→ mois), probablement sur le modèle du grec *mêniaia* «menstrues» (→ ménopause), pluriel neutre dérivé de *mên* «mois».

♦ Le mot est devenu archaïque ou du moins marqué, tant dans le langage médical que dans l'usage commun. ◆ Dans l'histoire de l'alchimie, le singulier *menstrue* (d'après le latin *menstrua*, *menstruum*) a servi à nommer un dissolvant des corps solides, d'abord au féminin (fin XIVe s.) puis au masculin (1690) car on attribuait autrefois une vertu dissolvante au sang menstruel.

▶ **MENSTRUATION** n. f. (1761) a supplanté *menstrues* dans le langage didactique. ◆ L'adjectif **MENSTRUEL, ELLE**, emprunté (1268, *sanc menstruel*) au dérivé latin *menstrualis* «mensuel», est resté usuel en français. ◇ Le sens de «mensuel» (1759) fait figure de latinisme isolé.

MENSUEL, ELLE adj. et n. m., attesté assez tard (1795), est soit emprunté au bas latin de même sens *mensualis*, dérivé (de même que *menstrualis* ; → menstruel) de *mensis* (→ mois), soit dérivé de *mensis* sur le modèle d'*annuel*.

♦ Le mot signifie «qui a lieu tous les mois» et en particulier «calculé pour un mois et payé chaque mois» (1893). ◇ En ce sens, il a été substantivé (1968) pour désigner le travailleur salarié d'une entreprise, payé au mois. ◇ Le nom sert à désigner un journal paraissant chaque mois.

▶ *Mensuel* a produit **MENSUELLEMENT** adv. (1835), courant à propos de la périodicité de parutions, de versements, etc., **MENSUALITÉ** n. f. (1845), dit surtout d'une somme payée chaque mois et, plus rarement, d'une somme touchée chaque mois (1929). ◆ **MENSUALISER** v. tr. (1967) et **MENSUALISATION** n. f. (1967) sont relatifs à la périodicité des rémunérations et des paiements.
Mensuel entre dans les adjectifs **BIMENSUEL, ELLE** (1847) dont le sens ancien de «qui paraît tous les deux mois» est passé à **BIMESTRIEL, ELLE** adj. (1899, de **BIMESTRE** n. m. ; 1831, emprunt didactique au latin *bimestris*). Avec son sens moderne, moins logique, de «qui paraît, qui se fait deux fois par mois», le mot est synonyme de **SEMI-MENSUEL, ELLE** adj. (1877), rare.

MENSURATION n. f. est emprunté (1520) au latin *mensuratio* «action de prendre des mesures, arpentage», de *mensurare* (→ mesurer).

♦ Après avoir été attesté au XVIe s., *mensuration* semble être tombé en désuétude jusqu'au XVIIIe s. (1776). Il est alors repris en sciences, spécialement en anthropométrie, zoologie et topographie, médecine (1836). Son emploi en esthétique (XXe s.) est plus courant, notamment appliqué aux mesures du corps féminin.

MENTAL, ALE, AUX adj. est emprunté (1374, *mentele*, au féminin) au bas latin *mentalis* «de l'âme, de l'intellect», mot blâmé par saint Augustin, dérivé de *mens, mentis* «principe pensant, activité intellectuelle, intelligence», sur le modèle de *spiritualis* (de *spiritus*), *corporalis* (de *corpus*). *Mens* lui-même, issu de la racine indoeuropéenne °*men-* «penser» (→ mémento), n'est pas passé en français, où le sens chrétien de *spiritus* «souffle» a pris sa place (→ esprit), sauf dans le suffixe d'adverbes *-ment* et dans les composés *dément** et *véhément**.

♦ *Mental*, «qui se fait dans l'esprit», signifie aussi «qui a rapport aux fonctions intellectuelles», spécialement en psychologie (par ex. dans *âge mental*) et en pathologie (1801, *aliénation mentale*). ◇ Il est substantivé *(le mental)* au sens d'«ensemble des facultés psychiques» (1893), emploi devenu très courant, d'abord en sports (v. 1970-1980) et tendant à remplacer *le moral* pour «disposition psychologique en tant que facteur de succès».

▸ Il a donné **MENTALEMENT** (1457), adverbe courant par suite de la spécialisation différente de *spirituellement* et de l'absence d'adverbe courant lié à la notion d'esprit. ➛ À partir du XIXe s., *mental* a produit quelques nouveaux dérivés. ➛ **MENTALISATION** n. f., proposé en 1842 par l'intermédiaire de **MENTALISER** v. tr. (1842), est employé pour la première fois par le psychologue Ed. Claparède au début du XXe siècle. ➛ **MENTALISME** n. m. (1842), «système de mentalisation», a été repris dans une acception psychologique (1948). ◇ **MENTALISTE** adj. et n. est plus récent (1967, Piaget) et doit être emprunté à l'anglais *mentalist*, terme de psychologie (1900).

MENTALITÉ n. f., proposé en 1842 par Richard de Radonvilliers au sens propre de «qualité de ce qui est mental», a subi l'influence de l'anglais *mentality* (1691), lui-même dérivé de *mental*, emprunté au français. ➛ Il a pris le sens d'«état mental» (1877) et s'est répandu à la fin du XIXe s. dans le vocabulaire des sciences humaines. ◇ Son usage courant, d'abord critiqué, correspond familièrement à la valeur psychologique d'«attitude mentale» *(mauvaise mentalité)*. ◇ Le mot signifie spécialement en argot «loyauté aux règles du milieu».

◈ voir COMMENTER, DÉMENT, MÉMENTO, MENTION, MENTIR, VÉHÉMENT.

MENTHE

MENTHE n. f. correction graphique par emprunt, est issu sous la forme *mente* (v. 1200) du latin *menta* ou *mentha* qui remonte, comme le grec de même sens *minthê*, à une langue non indoeuropéenne. La forme actuelle (1538) s'explique par une réfection étymologisante. L'ancien français avait également *mentastre*, issu du latin *mentastrum*, dérivé de *menta*, pour désigner la menthe sauvage ; le mot s'est conservé dans les parlers provençaux, franco-provençaux et en Saintonge.

♦ *Menthe*, nom d'une plante aromatique très utilisée dans l'alimentation, s'applique aussi à l'essence (1868), puis à la liqueur de menthe (1874). ◇ Une variété de chrysanthèmes porte le nom de **MENTHE-COQ** n. f. (1771).

▸ *Menthe* a servi à former les termes de chimie **MENTHOL** n. m. (1874), «alcool extrait de l'essence de menthe poivrée utilisé comme anesthésique local», d'où **MENTHOLÉ, ÉE** adj. (1929), ce dernier relativement courant, **MENTHANE** n. m. (1931), **MENTHANOL** n. m. (1931) et **MENTHANONE** n. f. (1931).

MENTION

MENTION n. f. est un emprunt (v. 1165, *mencion*) au latin *mentio, -onis* «mention, appel à la mémoire ou à la pensée» (→ mensonge), de même origine que *mens, mentis* «esprit, pensée» (→ mental). Le mot était surtout employé en latin dans l'expression *mentionem facere* à laquelle correspond exactement en français *faire mention* et dont É. Benveniste a montré le sens juridique spécialisé de «faire des ouvertures de mariage».

♦ *Mention*, «action de faire remarquer», était autrefois employé dans les locutions verbales *faire honorifique mention* (1549), *faire honorable mention* (1671), par enrichissement de ***faire mention*** (v. 1165) «faire une référence à, dire qqch. à propos de, signaler le nom ou l'existence de ...». Le qualificatif *honorable* lui est resté (1786, *mention honorable*) parmi d'autres, dans le sens de «distinction lors d'un concours, d'un examen» (1935). ➛ Depuis le XVIIe s. (1690) *mention* désigne par métonymie une courte inscription, une note donnant un renseignement, une précision, spécialement dans un contexte juridique, une énonciation ajoutée au corps d'un acte (1690).

▸ Le dérivé **MENTIONNER** v. tr. (1432) a mis longtemps à se répandre ; il est encore concurrencé aujourd'hui par la locution verbale *faire mention*. À l'époque classique et postclassique, son usage était limité au participe passé *mentionné* (réservé par Vaugelas au domaine juridique). Cette réticence des grammairiens à admettre le verbe tendrait à faire penser qu'il s'agit d'un emprunt à l'italien *menzionare, menzonare* (attesté depuis le XIIIe s.). ➛ L'adjectif **MENTIONNÉ, ÉE** «cité, nommé» (1549) a produit, avec une précision spatio-temporelle propre aux langages juridique et administratif, **PRÉMENTIONNÉ, ÉE** adj. (1587) et surtout **SUSMENTIONNÉ, ÉE** adj. (1555) «mentionné auparavant».

✳ ① MENTIR

✳ ① **MENTIR** v. intr. est issu (v. 980) du latin populaire *mentire*, réfection du latin classique *mentiri*, dérivé de *mens, mentis* «esprit, intelligence» (→ dément, mental, etc.). Le verbe latin était employé intransitivement aux sens de «ne pas dire la vérité», «se tromper» et «manquer de parole», transitivement au sens de «dire (qqch.) mensongèrement». Dans la poésie et en prose impériale, il était également pris au sens d'«imaginer, inventer (des fictions)», par suite «feindre» et «imiter, contrefaire». Il est d'ailleurs probable que son premier sens ait été celui d'«imaginer» et qu'il ait pris le sens de «ne pas dire vrai» par litote. Les Grecs eux-mêmes n'ont jamais fait une distinction très nette entre «imaginer, feindre» et «mentir».

♦ *Mentir* est d'abord relevé dans l'épithète *le bons qui non mentid* «l'homme bon qui ne mentit jamais», accolée au nom de Jésus-Christ : il y exprime l'idée de «manquer à sa parole», encore réalisée dans les locutions ***bon sang ne peut mentir*** (sous une variante archaïque, v. 1150), ***faire mentir le proverbe*** (1690) et dans l'usage transitif (direct ou indirect) du mot (v. 1112), vivant jusqu'au XVIe siècle. Le sens dérivé «tromper» est parvenu jusqu'au XIXe s. dans *mentir un sentiment* «le représenter faussement» (1829) mais s'est éteint au XXe siècle. ➛ Le sens de «dire comme vrai ce que l'on sait être faux» (1080), également au figuré (1170), s'est imposé comme le seul sens du verbe dans l'usage moderne. Il a donné lieu à la locution ***sans mentir*** (1160) et, ultérieurement, par l'intermédiaire de *cet homme ment comme les autres respirent* (1852), à *il ment comme il respire* (1921). ◇ *Mentir* recouvre également l'idée de «ne pas dire la vérité» (v. 1776), ce qui équivaut à un mensonge par omission ; il est employé à la forme pronominale *se mentir* (1838) au sens réfléchi de «refuser de s'avouer la vérité». ◆ En ancien français, *mentir* s'appliquait aussi à une chose refusant de servir (v. 1175), sens dont il reste trace dans les dialectes.

▶ *Menteur, euse* adj. et n. est d'abord attesté par l'ancien féminin *menteresse* (v. 1135), désignant une femme parjure, puis adjectivé au sens de «fausse, mensongère» (1306). Ce féminin correspond à l'ancien masculin *menterre,* en usage en ancien français, qui remonte peut-être à un latin populaire *mentitor,* formé à partir du supin de *mentiri* et dont on n'a d'attestation qu'à date tardive (1306). Le latin classique utilisait en effet un adjectif d'une autre famille, *mendax* «menteur, mensonger», qui n'a rien donné dans les langues romanes, de même que son dérivé *mendacium* «mensonge», si l'on oublie les *mendacieux, mendacité* de la Renaissance. ◆ *Menterre* a été remplacé par le dérivé français **MENTEUR** (1155, *menteür*), nom et (1200) adjectif. *Menteresse,* supplanté progressivement par **MENTEUSE** adj. et n. f. (1594) qui s'est imposé au XVIIe s., est encore en usage dans certains parlers régionaux. ◆ Les substantifs **MENTERIE** n. f. (1214), «propos mensonger» et (1643) «mensonge», et ② **MENTIR** n. m. (1580), sont tous deux supplantés par *mensonge** dans l'usage moderne ; le premier est vivant régionalement.

Le préfixé **DÉMENTIR** v. tr. (1080) a connu une évolution sémantique analogue à celle de *mentir :* il a perdu le sens de «se conduire d'une façon indigne vis-à-vis de sa race, de son honneur» (1080 ; à nouveau en 1550) au bénéfice des sens modernes «accuser (qqn) de mentir» (1080), «prétendre faux» (1563), «ne pas être conforme à ce qui était attendu» (d'un événement, 1550), «être en contradiction avec» (de choses, 1564). ◆ La forme pronominale *se démentir* (1176) a été employée au sens physique de «se briser, se rompre» jusqu'au XVe siècle. Depuis 1188, on la relève également comme doublet de *mentir* au sens ancien d'«être impropre au service, manquer à son devoir», en usage jusqu'au XIVe siècle. ◇ Le sens moderne de *se démentir* «cesser d'être, se relâcher» (en parlant d'une qualité) remonte au XVIIe s. (1643, Corneille). ◆ Le participe passé **DÉMENTI, IE** est substantivé au masculin pour servir de nom d'action (av. 1450, *desmenteys* au pluriel), autrefois avec une valeur injurieuse (1680). Par métonymie, *un, le démenti* se rapporte à ce qui contredit une chose admise ou attendue (1789), aujourd'hui avec l'acception officielle de «déclaration contraire, affirmant qu'une déclaration antérieure n'a pas eu lieu».

◈ voir MENSONGE.

② **MENTIR** → ① MENTIR

MENTON n. m. est issu (v. 980) du latin populaire °*mentonem,* accusatif de *mento, -onis,* qui a dû signifier à l'origine «au menton proéminent», et s'est substitué à basse époque au latin classique *mentum* «menton», nom du vocabulaire occidental de l'indoeuropéen attesté par le gallois *mant,* le gotique *munps,* l'ancien haut allemand *munt,* et probablement d'une racine °*men-* «être saillant» (→ éminent, menace, mont).

♦ *Menton,* qualifié dans *menton en galoche* (1704, *de*) et ***double, triple menton*** (1718), syntagmes enrichis en *avoir un menton à double* (1701), *à triple étage* (1835, familier), est employé par analogie pour certains animaux (1664). Il ne reste rien de la riche phraséologie médiévale du mot, sauf peut-être ***lever le menton*** (1607) «lever la tête». ◇ Il a un sens particulier en entomologie et en ornithologie (1845).

▶ Par dérivation, le mot a donné le diminutif **MENTONNET** n. m. (1370), autrefois «petit menton», de nos jours nom technique d'une pièce saillante (1660) en armurerie, artillerie, chemins de fer, mécanique et serrurerie. ◆ L'adjectif d'usage didactique **MENTONNIER, IÈRE** (1580) a été précédé par **MENTONNIÈRE** n. f. (1373) qui désignait la partie du vêtement recouvrant le menton. Le mot est devenu un terme d'armurerie (1562) ; il désigne également la partie des coiffes féminines qu'on attache sous le menton (1669) et la bande de cuir qui passe sous le menton pour assujettir un casque (1832), à l'origine distincte de la jugulaire. Il est employé avec un sens particulier dans un contexte médical (v. 1750). ◇ Il a aussi le sens analogique de «dispositif rappelant le menton par sa forme» (1845) dans quelques emplois techniques, spécialement en typographie et en gravure.

MENTOR n. m. est l'emploi comme nom commun (1749) du nom propre *Mentor* (en grec *Mentôr*) d'un héros de *L'Odyssée* d'Homère, ami d'Ulysse, dont Athéna emprunta les traits pour accompagner et instruire Télémaque. Fénelon a contribué à faire connaître ce nom propre en France avec ses *Aventures de Télémaque* (1699).

♦ Le mot s'emploie à propos d'une personne servant de conseiller sage et expérimenté, spécialement, de la personne qui prend soin de l'éducation d'un jeune homme (dans Saint-Simon).

✷ ① **MENU, UE** adj. est issu (1050, *menude*) du latin *minutus* «petit, mince, fin», qui a tendu à remplacer *parvus* «petit» dans la langue populaire. *Minutus* est le participe passé adjectivé de *minuere* (→ amoindrir, diminuer), qui contient la base latine °*min-* issue de la contamination de deux racines indoeuropéennes exprimant la notion de «petitesse» °*men-* et °*mei-*. *Minutus* est passé dans l'adjectif anglais *minute.*

♦ *Menu* est d'abord relevé dans l'expression *gent menude* «le bas peuple» (remplacée par ***menu peuple*** «petit peuple») où il exprime dans un contexte social l'idée figurée de «qui compte peu, modeste». Cette valeur a presque entièrement disparu au profit de celles de «de peu d'importance» attestée très tôt (1080) et, sur un plan physique (1080), «de petites dimensions», en parlant du bétail, de choses et (1135) d'une personne. Il comporte alors une idée accessoire de faible épaisseur, minceur. Il ne reste presque plus rien des syntagmes qualifiés formés avec *menu,* en dehors de *menue monnaie* (1546), *menus plaisirs* (1564), lequel a désigné aux XVIIe et XVIIIe s. les dépenses de la couronne affectées aux fêtes (1680), et, concrètement, de *menu plomb* (1690), *menu grain.* ◆ Le mot est

employé adverbialement pour «fréquemment» (1080, *menut et souvent*) puis avec son sens moderne de «finement» (1150) : il entre dans la locution usuelle ***hacher menu*** (1314) et, plaisamment, dans ***gent trotte-menu*** (1668), expression par laquelle La Fontaine désigne les souris. Une expression familière récente utilise l'archaïsme relatif de *menu* à des fins plaisantes, dans *tu nous les brises menu* «tu nous les casses; tu nous ennuies».
Menu a été substantivé (fin XIVe s.) avec le sens particulier de «foies, gésiers de volailles dont on fait des fricassées», entrant dans la locution adverbiale ***par le menu*** (1538) «en détail» (voir ② *menu*, ci-dessous). ◇ Le nom *(du, un menu)* compte quelques emplois techniques plus récents tels «petit diamant taillé en brillant ou en rose» (1803) et «charbon en menus morceaux» (1874).

▸ *Menu* n'a guère produit de dérivés, si l'on excepte un emploi substantivé ayant acquis son autonomie. ② **MENU** n. m. (1718) signifie «liste détaillée, par le menu, des plats composant un repas» et, par métonymie, «carte sur laquelle est écrite cette liste» (1851). Il désigne aussi le repas lui-même (1868). ◇ Le langage de l'informatique l'a intégré pour «liste d'opérations disponibles». ➝ En outre, le mot entre dans **MENU-VAIR** n. m. (1352; 1306, *menu ver*), calque du latin médiéval *varius minutus* (1202), pour désigner la fourrure du petit-gris, très prisée au moyen âge, spécialement en héraldique (1549). ➝ Il fournit aussi le premier élément du mot technique **MENU-GRIS** n. m. (1874, Larousse) «morceaux plus ou moins gros de métal précieux retirés des cendres après lavage».
MENUAILLE n. f. (1332) est issu du bas latin *minutalia* «menus objets», pluriel du neutre *minutal* «hachis» et «chose menue», de *minutus*. Le mot, autrefois synonyme de «populace», désigne le menu fretin (1718), après avoir désigné un poisson (1322) et une quantité de menues choses (1611), en particulier de petite monnaie (1718). Il a vieilli dans tous ses emplois.

◈ voir MENUET, MENUISIER, MINCE et aussi, de la même base latine *min-*, MÉNESTREL, MÉTIER, MINEUR, MINIME, MINIMUM, MINISTRE, MINUS, MINUTE, MINUTIE, MOINS.

② **MENU** → ① MENU

MENUET n. m. est relevé pour la première fois en 1671 dans *Le Bourgeois gentilhomme.* C'est un emploi substantivé de l'ancien et moyen français *menuet, ette,* adjectif (av. 1188), «fin, mince, délicat», forme diminutive de *menu**.

♦ La danse doit son nom au fait qu'on la dansait «à pas menus», ainsi que le note Furetière. Par métonymie, le mot désigne l'air sur lequel on danse le menuet (1674). ◇ Alors que la danse était tombée en désuétude, après avoir été à la mode aux XVIIe et XVIIIe s., le mot a pris en musique la valeur technique de «forme instrumentale intégrée dans la suite, la sonate» (1859).

MENUISIER n. m. est dérivé (v. 1223), avec le suffixe *-ier,* du terme technique *menuise,* nom féminin, «petit poisson» (1197), «menu bois» (1724) et aussi «menu plomb» (1752). Ce nom est issu du latin *minutia* «petitesse, exiguïté» et à basse époque, concrètement, «parcelle, poussière», dérivé de *minutus* (→ menu).

♦ *Menuisier* a d'abord réalisé cette notion de petitesse en désignant l'ouvrier que son talent et son aptitude portaient à l'exécution des ouvrages les plus délicats, les plus menus (en or, en argent). ◇ Par spécialisation, il a pris au XVe s. (1457) son sens moderne d'«ouvrier exécutant des travaux de bois de faible équarrissage» et s'en est trouvé démotivé. Cependant, le mot évoque encore un travail précis du bois, une utilisation des objets fabriqués comme meubles (à la différence de *charpentier*), mais l'idée de «travail délicat» s'est trouvée transférée à *ébéniste.*

▸ Ses dérivés ont tous connu une évolution analogue. ➝ **MENUISERIE** n. f. a d'abord signifié «fabrication de menus ouvrages, particulièrement d'or et d'argent» (1411) et désigné par métonymie les petits ouvrages d'or et d'argent (1495), en opposition à *grosserie.* Au XVIIe s., il a pris ses sens modernes d'«objet en bois fabriqué par un menuisier» (1606), «travail du bois pour la fabrication de mobilier, de pièces en bois dans le bâtiment» (1636) et «atelier de menuiserie» (1669). ➝ **MENUISER** v. tr., apparu avec son sens moderne (1483), a éliminé le plus ancien *menuiser* (fin XIe s.) «réduire en petits morceaux», puis aussi «rendre mince (le bois)» (XVIe s.). Ce dernier est une réfection analogique d'après les formes accentuées sur le radical (3e personne *menuise,* latin *minutiat*) de *mincier* (→ mince), issu du bas latin °*minutiare* «rendre menu», de *minutus* (→ menu).
L'ancien verbe *menuiser* survit dans le préfixé **AMENUISER** v. tr. (v. 1120), d'abord «rendre plus petit, plus menu», surtout employé de nos jours au sens figuré de «rendre moins important» et à la forme pronominale «devenir plus menu». ➝ Il a donné **AMENUISÉ, ÉE** adj. (v. 1190) et **AMENUISEMENT** n. m., attesté avec un sens abstrait (déb. XIIIe s.) puis également concret (1248). ➝ *Menuiser,* avec son sens moderne, a produit **MENUISAGE** n. m. (1856).

MÉPHISTOPHÉLIQUE adj. est dérivé (1833, Gautier) de *méphistophélès* n. m., lexicalisation (1827, Stendhal), du nom du diable dans la légende allemande de Faust, déjà attesté en allemand en 1587 sous la forme *Mephostophiles,* rendu célèbre par le drame de Goethe (1790) et en français par la traduction qu'en donna Nerval en 1828 (puis par l'opéra de Gounod). Ce nom du diable, souvent abrégé en *Méphisto* depuis Goethe, est d'origine inconnue. Il se pourrait que Stendhal ait repris le mot de l'anglais *mephistopheles* (1818), nom propre sous la forme *Mephastophilis* vers 1590 (dans le *Faustus* de Marlowe).

♦ Le mot est synonyme de *diabolique.*

▸ Il a produit la variante **MÉPHISTOPHÉLÉTIQUE** adj. (1831, Sue) et **MÉPHISTOPHÉLISME** n. m. (1890), mots rares d'usage très littéraire.

MÉPHITIQUE adj. est emprunté (1564) au bas latin *mephiticus* «dont l'exhalaison est malfaisante, toxique, sulfureuse», dérivé de *mephitis,* hellénisation pour *mefitis* «exhalaison sulfureuse», également sous la forme *Mefitis,* nom d'une déesse des exhalaisons pestilentielles volcaniques. La conservation du *f* intervocalique et le sens même du mot indiquent que ce mot peut être d'origine préitalique.

♦ Le mot, qui a gardé le sens d'emprunt, est limité à un usage littéraire plus ou moins archaïsant, par exemple dans *vapeurs méphitiques,* quelquefois avec les mêmes valeurs figurées que *toxique, sulfureux.*

▸ **MÉPHITISME** n. m., de sens propre (1782) et figuré (1804, Stendhal), et **MÉPHITISER** v. tr. (1814) sont d'un usage encore plus restreint.

MÉPLAT, ATE adj. et n. m., une première fois *mesplat* dans une liste de rimes (1432), est composé (1676) de *mé-*, mes-* et de *plat*.*

♦ L'adjectif qualifiait ce qui a plus d'épaisseur d'un côté que de l'autre, spécialement en gravure (1758), peinture (1812), sculpture (1858). ◆ Il a été substantivé (1691) pour désigner une pièce de bois qui a plus d'épaisseur d'un côté que de l'autre. Ce nom compte quelques emplois techniques, s'appliquant à chacun des plans par lesquels on représente et on suggère le modelé des formes (1762). Il est plus courant au sens de «partie relativement plate (du corps)» (1752) et, par extension, «partie plate (d'un objet quelconque)».

MÉPRENDRE (SE) v. pron. est dérivé (v. 980) de *prendre* avec le préfixe *mé-*, mes-.*

♦ Il est d'abord relevé au participe passé *mespraes* et construit intransitivement avec l'ancien sens moral de «commettre une faute». L'usage moderne de la forme pronominale *se méprendre,* «commettre une erreur en prenant qqch. ou qqn pour qqch. ou qqn d'autre», est attesté depuis 1225. ◇ Le verbe commandait le préposition *à,* abandonnée pour *sur,* usage dont il reste une trace dans la locution ***à s'y méprendre*** (1689). ◇ Il est employé absolument (1582) comme doublet d'usage soutenu de *se tromper.*

▸ Son participe passé féminin **MÉPRISE** a été substantivé (1174, *mesprise*) au sens moral de «mauvaise action». ◆ Par affaiblissement, il a pris le sens moderne d'«erreur, inadvertance» (1464; à nouveau 1656), entrant ultérieurement dans la locution adverbiale ***par méprise*** (av. 1848). Dans ce sens, il est encore lié à *se méprendre,* mais détaché de *prise* et plus encore de *prendre* dans la conscience linguistique.

MÉPRISER v. tr. est composé (1180) de *mé-*, mes-* et de *priser** avec l'idée étymologique de «mésestimer».

♦ Le verbe signifie «dédaigner (une personne, une chose)» et par extension «faire peu de cas de, négliger» (1552).

▸ Ses dérivés penchent généralement vers la notion morale. ◆ **MÉPRISEUR** n. m. (XVIe s.) est aujourd'hui archaïque; **MÉPRISANT, ANTE** adj. (v. 1220, *mesprisant*) est en revanche resté usuel, notamment pour qualifier une attitude psychologique, une personne ou son apparence *(un air méprisant).* ◆ **MÉPRISABLE** adj. a été formé (mil. XIVe s.) sur le radical du verbe, au sens fort de «qui inspire le mépris», affaibli ensuite (1671) en «négligeable, sans importance». ◇ Il a pour dérivé **MÉPRISABLEMENT** adv. (v. 1355), employé avec son sens moderne depuis 1803.
Le déverbal **MÉPRIS** n. m. reprend les deux notions : on relève d'abord *mespris* (v. 1225) au sens de «faute, tort», par confusion, semble-t-il, avec *méprise,* le dérivé de *méprendre*;* puis le mot signifie concrètement (XIIIe s.) «prix inférieur à la valeur réelle». Il prend ensuite (1339) son sens moderne, «sentiment qui fait juger une personne, une chose, indigne d'égards, d'estime». En langue classique, on utilisait le mot avec un article indéfini *(un, des)* au sens de «paroles de mépris» (1604). Son autre sens, «attitude d'une personne qui s'élève au-dessus de ce qui est recherché ou redouté par les autres», est attesté au XVIe s. (1558), notamment dans la locution ***au mépris de*** (un danger, un risque) «sans en faire cas».

MER n. f. est issu (1050) du latin *mare* «mer», qui se rattache à un ancien thème indoeuropéen dont on connaît des dérivés depuis le slave jusqu'à l'italique, et qui devait signifier à l'origine «lagune» (→ mare, marais [par le germanique] et aussi morue). *Mare* était le terme usuel du latin à côté des termes poétiques *sal* (→ sel), *aequor* et des emprunts au grec *pontus* (→ pont) et *pelagus* (→ pélagique).

♦ *Mer,* avec son sens propre courant, entre dans plusieurs syntagmes dont *haute mer* (1145, *halte mer*), *basse mer* (1607), qui concernent la marée, *pleine mer* (1691) «la mer, loin du rivage», *mer d'huile* (1849) «très calme». Il a fourni quelques locutions comme ***prendre la mer*** (1671), ***mettre à la mer*** (1677), ***un homme à la mer*** (1831) et, au figuré, ***ce n'est pas la mer à boire*** (1808) «ce n'est pas impossible, pas très difficile». ◇ *Mer* s'oppose parfois à *océan* au sens particulier de «bassin océanique», notamment dans *mer intérieure* (1691), *mer polaire* (1865), *mer équatoriale* et *tropicale* (1874). ◆ Par analogie, le mot sert aussi à désigner une vaste étendue d'eau non salée (1721), voire simplement une étendue plane : on parle ainsi de *mer des glaces* (1786) puis de ***mer de glace*** (1791). ◇ Par extension, il s'applique à une grande quantité d'une chose comparée à un liquide et, dans l'usage littéraire, exprime le caractère houleux d'un sentiment (v. 1460, Charles d'Orléans, *Mer de Desplaisance*); cet emploi est cependant concurrencé par celui d'*océan,* plus normal en français moderne. ◆ Comme le latin *mare* qui, par métonymie du contenu pour le contenant, désignait aussi un récipient, *mer* a désigné spécialement un grand vase de terre empli de vin, que l'on remplissait à mesure que l'on y buvait (1798). Voir aussi le schéma p. 2201.

▸ Par préfixation, *mer* a servi à former **AMERRIR** v. intr. (1912), sur le modèle d'*atterrir* (de *terre*), qui s'applique d'abord à un hydravion. L'Académie n'a admis ce mot qu'en 1932.

◈ voir MACREUSE, MARAIS, MARE, MARÉE, MARIN, MARINER, MARITIME, MARRE, (SE) MARRER, MARSOUIN, MORUE, OUTRE-MER, TRÉMIÈRE.

MERCANTILE adj. est emprunté (1551) à l'italien *mercantile* «qui se rapporte au commerce» (XIVe s.), de *mercante* «marchand». Ce dernier est emprunté au latin impérial *mercans, -tis* (→ marchand), participe passé substantivé de *mercari* «faire du commerce», dérivé de *merx, mercis* «marchandise» (→ mercier).

♦ *Mercantile* a progressivement décliné au sens de «propre au commerce, qui pratique le commerce; marchand» mais il reste usité au sens péjoratif de «poussé par l'appât du gain» (1776, d'Holbach).

▶ **MERCANTILISME** n. m. (1811), «âpreté au gain», s'est spécialisé en histoire économique (1833), recouvrant l'ensemble des doctrines systématisant les politiques économiques adoptées par les États européens du XVIe au XVIIe s. qui se caractérisent par quelques idées-forces : rôle essentiel de la richesse matérielle, nationalisme économique, protectionnisme, interventionnisme étatique, etc. Ce sens est en rapport avec la valeur déterminative première de *mercantile*. ◇ **MERCANTILISTE** adj. et n. (1846), formé à sa suite, désigne le partisan du mercantilisme. Ces deux mots didactiques échappent à la péjoration.
Il n'en va pas de même pour **MERCANTI** n. m. (1859, Fromentin), emprunté au sabir de l'Afrique du Nord où il désignait un marchand dans un bazar (1780, *mercanti du bey*). Le mot représente le pluriel pris comme singulier de l'italien *mercante* «marchand» (du latin *mercans;* → marchand). Le mot italien avait donné deux emprunts isolés, l'un en 1298, l'autre en 1585, avec le sens de «marchand italien». L'introduction de *mercanti* au XIXe s. correspond à une réalité orientale et (1863) au marchand qui suit les troupes en campagne; il s'est répandu avec une valeur dépréciative pour «homme d'affaires âpre au gain et sans scrupules» (1897), également comme injure.

◈ voir MARCHAND, MARCHÉ, MERCIER.

MERCENAIRE adj. et n. est emprunté (v. 1225, *mercennaires,* adj.) au latin *mercenarius* «loué, payé» puis, à basse époque (v. 1131), «qui exerce un métier, qui fait un commerce ou une industrie», substantivé pour désigner un militaire, un domestique à gages, puis un employé de commerce, un locataire, un mercier (XIIe s.). Le mot sert d'antonyme à *gratuitus* (→ gratuit) et provient de *merces* «prix payé pour une marchandise», spécialement en parlant d'un travail «salaire, gage» et au figuré «récompense» ou «punition» (→ merci).

♦ *Mercenaire* a évincé l'ancien français *mercennier*, représentant moins savant de *mercenarius*. Il est d'abord employé comme adjectif, fréquemment avec la valeur péjorative de «vénal, corrompu», déjà connue en latin : il est appliqué à une personne qui ne travaille que pour de l'argent (v. 1250, *mercenneres*), à une œuvre inspirée par l'appât du gain (fin XIVe s.). ◇ Il a été substantivé (fin XIVe s.) en parlant d'ouvriers journaliers travaillant pour un salaire puis, surtout, des étrangers qui servent dans une armée pour de l'argent (1495), valeur la plus vivante aujourd'hui, notamment dans le contexte d'opérations militaires dans les pays du tiers monde. ◇ Par extension, il se dit péjorativement d'un homme intéressé, aisé à corrompre (1694).

▶ Le dérivé **MERCENARITÉ** n. f. (av. 1704) et son remplaçant **MERCENARIAT** n. m. (1861), «qualité, état de mercenaire», ne sont pas usuels.

MERCERIE → MERCIER

MERCERISER v. tr. est un emprunt (1878) à l'anglais *to mercerize,* tiré (1859) du nom de *John Mercer* (1791-1866), chimiste anglais auquel revient l'invention du procédé.

♦ Le verbe se dit à propos d'une opération technique par laquelle on donne au fil, à un tissu de coton un aspect brillant, grâce à une solution de soude.

▶ Le verbe a donné **MERCERISÉ, ÉE** adj. *(coton mercerisé),* **MERCERISAGE** n. m. (1900) et **MERCERISEUSE** n. f. (1935). En français, la famille est plus ou moins sentie comme dépendant de *mercier-mercerie.*

MERCHANDISING → MARCHAND

MERCI n. et interj., d'abord *mercit* (v. 881) puis *merci* (v. 980), est issu du latin *mercedem,* accusatif de *merces* «salaire, récompense, solde, intérêt» qui a développé à basse époque le sens de «prix» et de «grâce, faveur que l'on accorde à qqn en l'épargnant». Les auteurs chrétiens l'ont notamment employé au sens de «bienveillance, pitié, grâce (céleste)» et concrètement pour «œuvre pieuse, donation». *Merces* est apparenté à *merx* «marchandise» (→ mercier).

♦ Dès les premières attestations, *merci* signifie «grâce, miséricorde, pitié» : il en reste une trace dans les locutions ***demander merci*** (v. 1176), ***crier merci*** «demander grâce» (XIIe s.), qui ne sont plus clairement comprises. ◇ Il a aussi eu le sens de «faveur», notamment dans le langage amoureux (v. 1200) où l'on appelait *le don de merci* (1462, jusqu'au XVIIe s.) ce qui a été plus tard nommé *les dernières faveurs.* ◇ Les autres emplois anciens du nom ont laissé des traces dans les locutions : ***sans merci*** (1180-1190) réalise l'idée de pitié, la locution adverbiale ***Dieu merci*** (1080) exprime celle de grâce, et l'on dit encore ***à la merci de*** (1538) au sens d'«à la discrétion de», qu'il s'agisse de qqn, de la fortune (1559) ou d'une chose naturelle (1608). ◆ L'usage de *merci* comme interjection utilisée pour *remercier* (voir ci-dessous) est attesté depuis 1135 dans l'expression *grand merci* (elle-même empruntée par l'anglais *gramercy*). À l'origine, cet emploi procède de la valeur de «grâce» également réalisée dans plusieurs autres langues du groupe indoeuropéen (italien *grazie,* espagnol *gracias,* anglais *thanks,* russe *spacibo,* de *spassatj* «sauver» et *bog* «Dieu» : «que Dieu te sauve». Le mot, longtemps féminin (1165), est devenu masculin (1539) à la suite d'une interprétation incorrecte du genre dans la locution figée ***grand merci*** où *grand,* ancien adjectif des deux genres (cf. *grand rue,...*), n'a pas pris la

Les mots de la MER

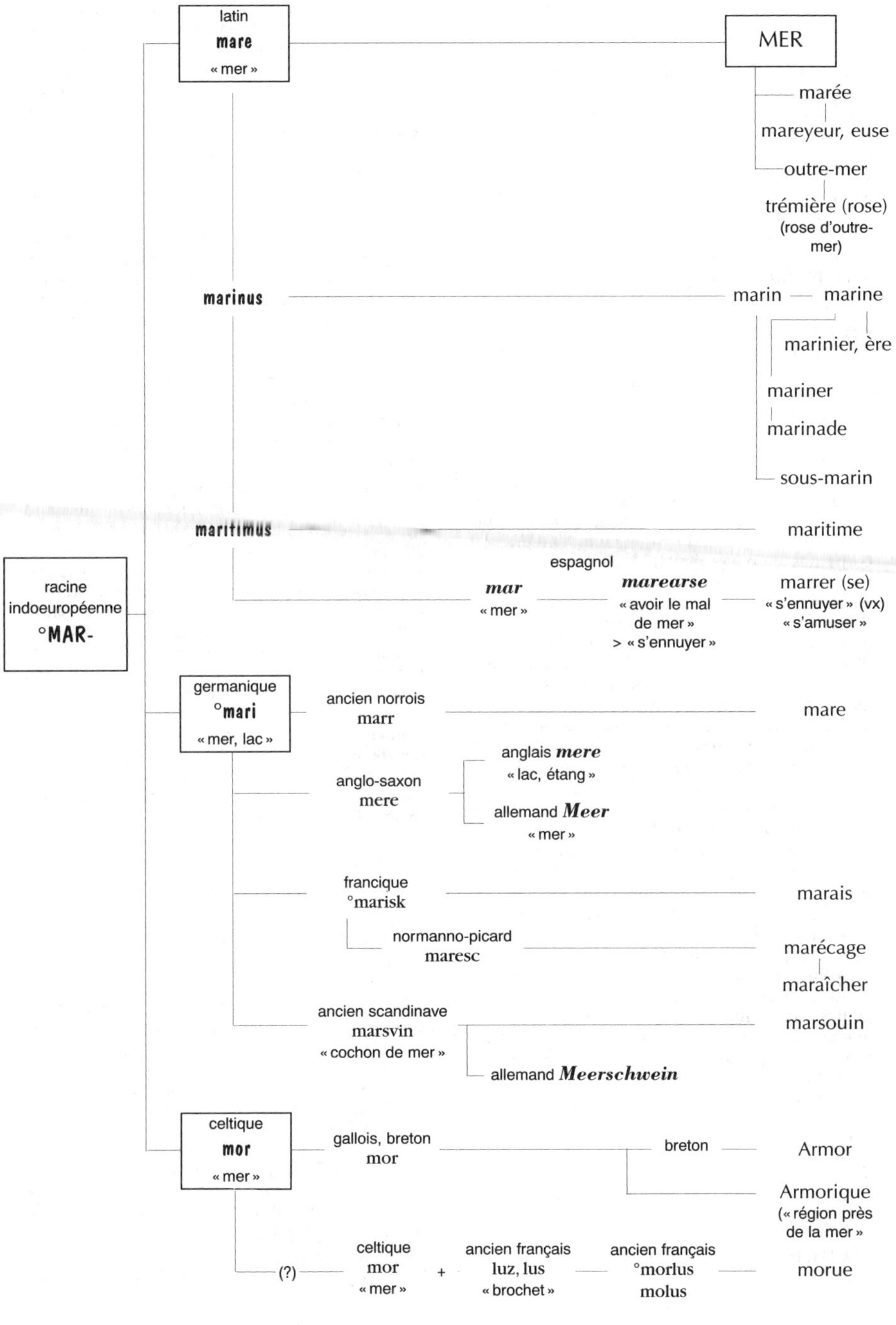

marque du féminin. Des usages polis renforcent le mot : *merci beaucoup, merci bien, infiniment.* ◇ L'usage de *merci* comme formule de politesse exprimant un refus est attesté depuis 1897 (parfois plus explicitement *non merci*).

▸ *Merci* a donné, par l'intermédiaire de l'ancien français *mercier* (1080), un préfixé **REMERCIER** v. tr. (v. 1174), qui a développé un emploi figuré par antiphrase (1668), et a pris, par litote, le sens de «licencier» (1687) ainsi que le sens particulier de «refuser poliment» (1690). ➛ Son dérivé **REMERCIEMENT** n. m. (fin XIVe s.) «action de remercier», «paroles (ou actes) par quoi on remercie», est employé spécialement à propos du discours prononcé par le récipiendaire à l'Académie française (1690). ➛ **REMERCIEUR** n. m. est plus récent (1903) et plus rare.

MERCIER, IÈRE n. est dérivé (fin XIe s.) de l'ancien français *merz* (v. 980) «marchandise», qui représente le latin *merx, mercis* de même sens, également «affaire, chose» dans la langue familière (→ commerce, marché, mercantile, mercure). L'origine de *merx* est inconnue mais on y apparente *merces* (→ merci).

♦ À l'origine, le mercier est, conformément à l'étymologie, un marchand : le mot est d'abord relevé à propos d'un importateur d'étoffes d'Orient, puis (XIIIe s.) d'un membre du corps de la mercerie. Le corps des merciers était le troisième corps des marchands, divisé en vingt classes; il comprenait les marchands de drap et de toile, les marchands de pelleterie, mais aussi les quincailliers, les chaudronniers, les marchands de miroirs, de tableaux, d'ornements d'appartement. On a bientôt distingué entre les gros marchands merciers et les *menus* ou *petits merciers*, marchands ambulants qui parcouraient villes et villages en vendant toutes sortes de marchandises (1225), contexte d'où vient le sens moderne du mot, «commerçant qui vend des accessoires de couture, d'habillement, d'ornements d'intérieurs». ◇ Le féminin *mercière* est attesté depuis 1243 *(mersière)*.

▸ Le dérivé **MERCERIE** n. f. a suivi la même évolution : à l'origine (fin XIIIe s. ; 1187, *mercherie*), il s'applique à toutes les marchandises dont les merciers ont le droit de faire commerce (bijoux, meubles, vêtements, etc.). Cependant, dès l'ancien français, on distingue par *mercerie meslée* (1227), puis *petite mercerie* (1497), les marchandises débitées par les petits ou menus merciers (rubans, fil, gants, aiguilles, etc.). ◇ Au XVIIe s., après avoir parlé de *menue mercerie* (1675), on commence à employer absolument *mercerie* avec son sens moderne; cet emploi est enregistré par Furetière (1690). ◇ Par métonymie, le mot désigne la boutique (apr. 1250) et le commerce du mercier (1507), d'abord au sens ancien du terme. ➛ Le diminutif **MERCEROT** n. m. «petit mercier» (XIIIe s.) était souvent employé par commisération, jusqu'au XVIIIe siècle : la même valeur minorante se retrouve dans la locution ancienne *à petit mercier petit panier.*

MERCREDI n. m., d'abord *mercresdi* (v. 1119) puis *merkredi* (1339), est issu du latin populaire °*Mercuris dies*, altération d'après les noms des autres jours de la semaine du latin classique *Mercuri Dies*. Celui-ci signifie proprement «jour (*dies*; → jour) de Mercure *(Mercurius)* [→ mercure, mercuriale]». Le type *dies Mercuris* s'est maintenu dans le catalan *dimecres*, l'occitan et le franco-provençal *dimecre*, ainsi que dans l'ancien français *demerkes* (XIIIe s.), noté en Wallonie et en Flandre. Le type *Mercuris dies* a donné le mot français, et l'italien *mercoledi ; Mercuris*, employé seul, survit dans l'espagnol *miércoles*, le provençal et le franco-provençal *mecre* (anciennement *mecres*), le roumain, le sarde.

♦ *Mercredi*, «troisième jour de la semaine», est parfois prononcé populairement *mécredi :* cette prononciation, condamnée par Vaugelas, était, selon Corneille, la plus fréquente au XVIIe siècle. ➛ Le mot est aujourd'hui un euphémisme de bon ton pour *merde*, en interjection.

MERCURE n. m. est un emprunt (XVe s.) au latin *Mercurius* «Mercure», dieu protecteur des marchands (probablement rattaché à *merx* «marchandise»; → mercier), dieu de l'éloquence, des poètes et messager des dieux.

♦ Le mot a été introduit en alchimie. Le métal, jusque-là dénommé *vif-argent* (encore en allemand *Quecksilber*), a probablement reçu le nom de *mercure* par analogie entre sa mobilité et celle du messager des dieux. En outre, les métaux, en alchimie, sont mis en rapport avec les noms des planètes (cf. *Martiale*, de *mars*). ◇ Le mot est devenu par la suite un terme de chimie désignant ce métal reconnu comme un corps simple, un élément; cette conceptualisation coïncide avec la disparition de l'appellation ancienne, *vif-argent*, et rend possible au XIXe s. l'apparition de dérivés nouveaux en chimie. ➛ Autrefois, le nom de *Mercure*, messager des dieux de l'Olympe, était employé dans le langage galant au sens d'«entremetteur, messager d'amour» (1581); il a donné son titre à l'un des premiers périodiques français : *Le Mercure galant* (1672).

▸ Avant que ne se forme le concept moderne en chimie, *mercure* avait donné le dérivé **MERCURIAL, ALE, AUX** adj. (1413), refait en **MERCURIEL, ELLE** (1626), qui a suivi l'évolution du concept. ➛ Les autres dérivés sont formés en chimie moderne : ce sont les adjectifs **MERCURIQUE** (1787) et **MERCUREUX, EUSE** (1840). ➛ Enfin, **MERCUROCHROME** n. m. est un nom déposé, probablement emprunté à l'anglais où il est attesté en 1919, formé de *mercuro-*, élément tiré de *mercure*, et de *-chrome*, tiré du grec *khroma* «couleur» (→ chrome, chromatique). En français, il est dans les dictionnaires depuis 1931.

◈ voir MERCREDI, MERCURIALE.

MERCURIALE n. f., terme d'histoire, a été emprunté (1535) au latin *mercurialis* «de Mercure», pris comme adjectif correspondant au nom latin de mercredi (→ mercredi).

♦ En effet, la mercuriale était au XVIe s. l'assemblée générale des chambres d'un parlement convoquée tous les quinze jours, le mercredi. L'avocat et le procureur général y faisaient à tour de rôle un discours sur les réformes et la discipline du Parlement, et dénonçaient les fautes commises par les magistrats. C'est pourquoi le mot a pris par métonymie le sens de «discours prononcé par un des membres du ministère public à la rentrée des tribunaux» (1539). Cette pratique avait été prescrite par Charles VIII en 1493, puis par Louis XII en 1498. L'ordonnance de Villers-Cotterêts (1539), célèbre pour d'autres raisons, décida que ces réunions n'auraient plus lieu qu'une fois par mois. Au cours du XVIe s., elles furent limitées à une par semestre (1579). ◇ Dans certains cas, le discours prenait la forme d'une réprimande, ce qui explique l'extension à «remontrances privées» (1672), «privées» car la réunion avait lieu à huis clos. Les dix-neuf discours de l'avocat, puis procureur général d'Aguesseau au parlement de Paris (1698-1715) sont demeurés célèbres : ses *Mercuriales* ont pris valeur de code du bon magistrat. ➜ Le mot est également pris au sens de «tableau officiel portant les prix courants des denrées» depuis 1793 (une première fois en 1701) : il s'agit alors d'un nouvel emprunt au latin *mercurialis* «membre du collège des marchands», en référence à Mercure, Dieu des marchands.

◈ voir MERCURE.

MERDE n. f. et interj. est issu (1179, *Renart*) du latin *merda* «fiente, excrément», mot du langage vulgaire sans étymologie sûre. Cependant, des verbes baltes (lituanien) et vieux slaves de forme voisine (*smird-*, etc.), signifiant «puer», et un mot gotique *smarnos* ont été évoqués.

♦ Le mot, dans ses emplois comme interjection, a longtemps servi à exprimer la colère, le mépris, l'indignation, le refus ; depuis le XIXe s., il exprime également l'étonnement, la surprise et même l'admiration. Considéré comme vulgaire (bien que très courant), il est parfois dissimulé par euphémisme dans *mercredi* et dans des périphrases : *le mot à (de) cinq lettres, les cinq lettres, le mot de Cambronne,* allusion à une réplique du général de Napoléon aux Anglais qui le sommaient de se rendre. ➜ En tant que nom, à côté du sens initial d'«excrément solide», il a développé de bonne heure un sens figuré (1179), servant notamment à caractériser avec mépris des gens sans valeur et, dans la locution ***de merde*** (1547), ce que l'on veut déprécier. Dès l'ancien français, il a fourni plusieurs locutions encore usuelles : ***plus on remue la merde plus elle pue*** (1606), continuation de l'ancien français *con* [comme] *plus esmuet on la merde et ele plus put* (1180), ou encore ***être dans la merde jusqu'au cou,*** relevée sous une autre forme dès la fin du XIIe siècle. ➜ Au XXe s., le mot a pris quelques sens analogiques : «temps bouché sans visibilité» (1917) et, par traduction de l'anglais *shit* (1950), «héroïne, drogue dure», en argot.

▸ *Merde* a donné lieu à un certain nombre de dérivés et composés, marqués comme plus ou moins vulgaires. Quelques-uns sont attestés dès l'ancien français. ➜ **MERDEUX, EUSE** adj. et n. est une des formations les plus anciennes, puisqu'on le relève dès 1180 avec un sens propre ; il est surtout employé au figuré (XVIIIe s.), substantivé (1808) au sens de «jeune blanc-bec, gamin insupportable». ◇ On en a tiré récemment **MERDEUSEMENT** adv. ➜ **MERDIER** n. m. (1223), «excrément» puis «lieu rempli d'immondices» (XIVe s.), est récemment employé au figuré à propos d'une situation difficile (1951). ➜ **MERDAILLE** n. f. (1223) a d'abord désigné une troupe de gens méprisables avant de se dire d'un enfant importun (1643) et, collectivement, d'une troupe de jeunes enfants (1680), emplois disparus. ◇ On en a tiré **MERDAILLERIE** n. f. (1606), aujourd'hui vieilli, **MERDAILLON** n. m. (1808), assez usuel au sens injurieux de «petit merdeux», ainsi que **MERDAILLEUX, EUSE** adj. (XIIIe s.) ➜ **MERDER** v. intr., d'abord utilisé dans un sens concret (1596 ; cf. *chier*), a développé son sens moderne de «ne pas réussir» dans le contexte scolaire d'un examen (1909), probablement d'après *merdoyer,* antérieur (ci-dessous), avant d'être généralisé au sens de «ne pas marcher, échouer» (v. 1950). ➜ La langue classique a donné *merde d'oye,* adjectif (1617), d'après la couleur des excréments de l'oie, contracté aujourd'hui en **MERDOIE** adj. (1875), concurrencé communément par *caca d'oie.* ➜ Les autres dérivés sont plus récents. **MERDOYER** v. intr. est relevé d'abord dans l'argot scolaire au sens d'«échouer» (1884), repris plus tard par *merder* (ci-dessus). ◇ Avec une idée voisine, ont été formés le doublet **MERDOUILLER** v. intr. (1932) et son déverbal **MERDOUILLE** n. f. (v. 1950). ➜ Ultérieurement a été formé **MERDIQUE** adj. qui correspond aux sens figurés de *merde* et de certains dérivés et s'emploie pour «très mauvais, raté, nul».

Par préfixation, deux verbes ont été formés. ➜ Le plus ancien est **EMMERDER** v. tr., attesté à la fin du XIVe s. au sens concret de «salir de merde» (cf. *conchier*) et passé au sens figuré moderne (fin XVIIIe s.) comme synonyme expressif d'*ennuyer,* devenu très usuel en concurrence avec *faire chier* dont le sémantisme originel est complémentaire. ◇ Il a produit **EMMERDEMENT** n. m. (1867), familièrement abrégé en **EMMERDE** n. f. (à moins qu'il ne s'agisse d'un déverbal de *emmerder*), et **EMMERDEUR, EUSE** n. (1873). Toute la série est d'un usage fréquent dans la langue parlée familière. ➜ Le second préfixé, **SE DÉMERDER** v. pron., est attesté depuis 1900 au sens de «se débrouiller» ; d'où **DÉMERDE** n. f., notamment dans *système démerde,* d'après *système D.*

MÈRE n. f. est issu, par les formes *madre* et *medre* (v. 980), puis *mere* (v. 1050), du latin *mater* «femme qui a mis un enfant au monde». Ce terme de portée générale peut, à la différence de *genitrix* (→ génitrice, à géniteur) et de *mamma* (→ maman), s'employer en parlant des animaux. Il signifiait aussi «branche mère, tronc principal». Par image, il exprimait la cause, l'origine, la source d'une chose ou d'un phénomène et s'appliquait aussi à la nourrice. Comme *pater* (→ père), *mater* comporte une nuance de respect et s'ajoute au nom d'une déesse pour l'honorer, sans que l'idée de «maternité» soit nécessairement impliquée par l'appellation. Sur le modèle de *pater,* il s'emploie dans *mater familias* «mère de famille», titre aux significations diverses

(Suite page 2206)

MÈRE

L'expression indoeuropéenne de la maternité

racine indoeuropéenne **°MATER-**

Fonction religieuse et sociale

latin **mater** « mère » (aussi des plantes, animaux) ; spécialt. « mater familias » et épithète des déesses — **MÈRE**

matrix « tronc principal » ; « femelle, reproductrice »

« sein, matrice » (latin impérial) — matrice

« registre, rôle » — **matricula** — matricule

materies, materia (substance dont est faite la *mater)* « tronc de l'arbre » > « bois (charpente) » — matière

maternus — **maternalis** — maternel

latin médiéval **maternitas** « qualité de mère » — maternité

matrimonium ; matrimonia (plur.) « maternité légale » ; « femmes mariées »

matrimonialis — matrimonial

matrona « femme mariée » — matrone

matrastra « femme du père » — marâtre

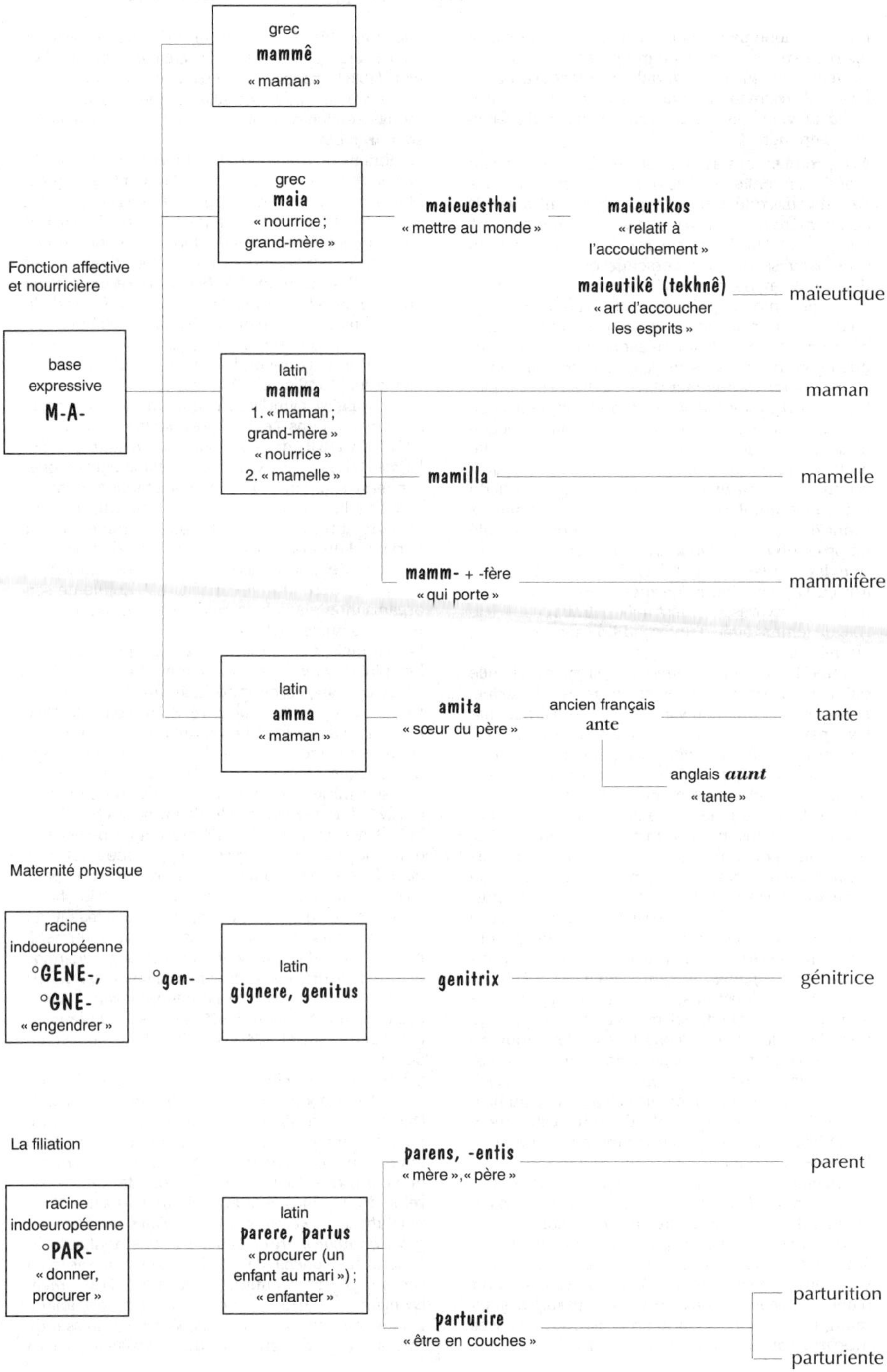

Fonction affective et nourricière
base expressive M-A-
grec mammê « maman »
grec maia « nourrice ; grand-mère »
maieuesthai « mettre au monde »
maieutikos « relatif à l'accouchement »
maieutikê (tekhnê) « art d'accoucher les esprits »
maïeutique
latin mamma 1. « maman ; grand-mère » « nourrice » 2. « mamelle »
maman
mamilla
mamelle
mamm- + -fère « qui porte »
mammifère
latin amma « maman »
amita « sœur du père »
ancien français ante
tante
anglais aunt « tante »
Maternité physique
racine indoeuropéenne °GENE-, °GNE- « engendrer »
°gen-
latin gignere, genitus
genitrix
génitrice
La filiation
racine indoeuropéenne °PAR- « donner, procurer »
latin parere, partus « procurer (un enfant au mari) » ; « enfanter »
parens, -entis « mère », « père »
parent
parturire « être en couches »
parturition
parturiente

qui n'implique pas toutefois l'idée d'une puissance exercée sur d'autres. Comme *pater*, c'est un mot du fond indoeuropéen à valeur religieuse et sociale ; il correspond par exemple au sanskrit *mātā*, au vieux slave *mati*, à l'irlandais *máthir* et au lituanien *móti*.

♦ Le premier sens attesté est «femme qui a mis au monde un enfant». Quelques locutions ont mis l'accent sur cette notion de génitrice ; *il n'est fils de bonne mère que*... «il n'y a pas d'homme bien né qui...» (av. 1450), bien que reprise (1835-1878), au sens banalisé «il n'y a personne qui...», est sortie d'usage de même que *vouloir apprendre à sa mère à faire des enfants* «prétendre enseigner à autrui ce qu'il sait mieux que vous» et *on ne la trouve plus, la mère en est morte* «la chose est devenue très rare» (toutes deux attestées au XVIIe s., chez Furetière). *C'est le vendre de ma mère* (XVIIe s., d'abord complétée par *je n'y retourne plus*) a évoqué un endroit où l'on ne veut pas retourner ; la locution a évoqué jusqu'au XIXe s. le désir de régression et la difficulté à quitter le giron maternel. La phraséologie descriptive a retenu ***mère de famille***, calque (1510) du latin *mater familias*, ***fille mère*** «femme non mariée ayant des enfants» (1848), expression qui a reculé au profit de *mère célibataire* (1961), plus neutre, et ***fête des Mères*** (v. 1935). ◇ La mère d'un roi régnant a reçu l'appellation ***reine mère*** (1690 ; 1570, *roine mère*). ◇ L'expression *mère noble* (1874) recouvre le rôle de femme âgée d'une condition sociale élevée, au théâtre.

Comme le latin *mater*, *mère* a désigné aussi celle qui tient lieu de mère au sens nourricier du terme, la nourrice (1324), non sans un risque d'ambiguïté levé par la précision *mère nourrice* (1552), *mère nourricière*. *Mère adoptive* vient mettre un nom (1893) sur celle qui tient lieu de mère pour un orphelin. ◇ D'autres syntagmes mettent en relief le rôle de la figure maternelle dans les relations humaines et les institutions : *mère* est employé à propos d'une personne qui veille sur d'autres personnes comme sur des enfants, d'abord dans un contexte scolaire (1616), sens sorti d'usage, puis dans un contexte charitable (1675). ◇ Dans le cadre des institutions ecclésiastiques, il désigne la religieuse professe (1612) et la supérieure d'un couvent (1664, *mère supérieure*) ; cette valeur est restée vivante. Le mot s'est aussi employé à propos de la femme (ou de l'homme) qui tenait une auberge pour loger les compagnons lors de leur tour de France (1790), puis de la personne tenant une auberge de jeunesse (v. 1929, *mère aubergiste*). ➡ Comme pour *père*, la déférence attachée au titre se fait ironique ou se teinte de familiarité : *mère* s'emploie dans l'usage populaire puis familier à l'adresse d'une femme du peuple dont on ne sait pas le nom, qualifié dans *ma bonne mère* (1721), disparu, ou *ma petite mère* (1756 ; glosé en 1874, «usage de marchandes s'adressant à leurs clientes»). *La mère (Unetelle)* s'est dit populairement pour une femme du peuple un peu âgée (1798), avant de devenir un appellatif familier. *Mère aux écus* s'est dit d'une femme fort riche et fort avare (1690). L'argot a multiplié les expressions figurées irrévérencieuses avec *mère au bleu* «guillotine» (1867), *mère de petite fille* «bouteille de vin» (1888), *mère à tous* «vieille courtisane» (1881) et *mère d'occasion* (1867) ou *d'occase* (1881), «pseudo-mère d'actrice qui lui sert de chaperon» et «mère de fille galante qui tient son ménage et débat les prix» ; ces expressions imagées sont archaïques.

La dimension religieuse du latin *mater* est réalisée par *mère* dès l'ancien français. Le mot s'applique à Marie, la Sainte Vierge, appelée *mere Deu* (v. 1196), puis *mère-Dieu* (v. 1280) et *mère de Dieu* (1690). Cet usage débouche sur des implorations et des jurons (déformé *marguienne*, vieux juron des XVIIe et XVIIIe s.). Il rend compte de ***bonne mère***, expression attestée dans le Centre, à propos de la fée ou de la divinité bienveillante qui veille sur les enfants, et à Marseille pour la Vierge, spécialement celle de Notre-Dame-de-la-Garde. *Bonne mère !* est une exclamation familière. ➡ À partir du XIIe s., *mère* recouvre l'Église catholique elle-même envisagée par ses fidèles, dans l'expression *nostre mere Sainte Eglise* (v. 1180), de nos jours *notre sainte mère l'Église* (attesté au XIXe s.). L'expression figurée ***maison mère*** s'applique d'abord à un établissement religieux à la tête de certains couvents (1877), avant de faire fortune dans le langage commercial en parlant d'un établissement à la tête d'un certain nombre de succursales (1923). ◇ La franc-maçonnerie reprend *mère* dans la hiérarchie de son organisation, dans *loge mère* «loge qui en a fondé plusieurs autres» (1845).

Le parallèle avec le latin *mater* se poursuit avec l'emploi de *mère*, inspiré du latin plutôt que d'une figure en français, pour désigner un principe générateur : plus encore que *père*, *mère* coïncide avec l'idée d'«origine» et s'identifie au lieu d'origine dans l'expression *mère des arts, des lois* (1558, Du Bellay). Il s'applique à la terre (fin XVIe s.), à la contrée considérée comme le terreau d'une race, d'une nation (fin XVIe s., *notre mère hardie* «la France», chez D'Aubigné), accompagné d'un déterminant possessif ou dans ***mère patrie***, expression appliquée à un pays qui a fondé une colonie (1812), puis répandue pour «patrie» (où *pater* n'est plus senti) dans la rhétorique nationaliste. ◇ C'est également à partir du XVIe s. que *mère* renvoie à la cause d'un sentiment, par exemple dans la locution *l'oisiveté est mère de luxure* (1546, Rabelais), dont la variante *l'oisiveté est mère de tous les vices* est demeurée vivante. ◇ On parle de *langue mère* (1690) et aussi d'*idée mère* (surtout au pluriel, 1745) pour les idées-forces d'un ouvrage.

Comme *mater*, *mère* s'applique à la femelle d'un animal qui a des petits (v. 1200), *mère artificielle* (1867) ayant désigné par extension la couveuse pour les jeunes poulets. ◇ À l'intérieur du règne animal, le mot a été employé pour des dénominations presque toutes tombées en désuétude (la reine des abeilles était appelée *mère abeille*, 1751 ; puis *abeille reine-mère*, 1829). ◇ Dans le règne végétal, *branche mère* désigne, probablement d'après le latin, la souche d'un arbre coupé à ras d'où sortent plusieurs autres branches (1721, *mère branche*). ◇ Parmi de nombreux emplois analogiques concrets qui se sont succédés sans laisser de traces, *mère* a désigné la lie du vin (1260) ; ce sens a disparu mais est partiellement réactivé par *mère de* ou *du vinaigre* (1767) «membrane gélatineuse qui se forme à la surface des récipients contenant du vinaigre». ◆ Le sens de «prototype» (1694) a suscité un certain nombre d'acceptions techniques : *mère* s'emploie en peinture dans *mères couleurs* puis *couleurs mères* pour des couleurs matrices (1621) ; il est employé en chimie dans ***eau mère*** à propos d'une eau saline sursaturée qui ne donne plus de cristaux (1755). En poterie, *mère* désigne une contre-épreuve en plâtre du modèle type qui, par le surmoulage, sert à faire les moules destinés à la fabrication des pièces de poterie. Voir aussi le schéma pp. 2204-2205.

▶ La dérivation de *mère*, limitée par les emprunts des dérivés du latin *mater*, consiste en quelques termes de parenté. ◆ **GRAND-MÈRE** n. f., forme aboutie (v. 1435) de *grant mere* (v. 1270), écrit *grand mere* (1299), s'est imposé aux dépens de la forme *grand'mère* (1533). Au pluriel *grand'mères* a succédé *grands-mères*. Le mot, qui désigne la mère de la mère ou du père, a évincé le type **MÈRE-GRAND** n. f. (v. 1435), tombé en désuétude mais figé par l'allusion au conte du *Petit Chaperon rouge*. Par extension, *grand-mère* s'applique familièrement à une femme âgée, concurrencé par *mamie*, *mémé*. ◆ Il a produit **GRAND-MATERNEL, ELLE** adj. (XXe s.), terme didactique fait sur le modèle de *maternel* ; il est entré dans **ARRIÈRE-GRAND-MÈRE** n. f. (1787) «mère de la grand-mère ou du grand-père».
BELLE-MÈRE n. f. (1530) désigne la seconde femme du père par rapport aux enfants d'un premier mariage, emploi qui a évincé celui de *marâtre**. ◇ Il se dit aussi de la mère de la femme par rapport au mari ou à celle du mari par rapport à la femme (1538). Ses connotations familières sont péjoratives.
MÉMÈRE n. f. est formé (1844) sur *mère* par redoublement affectueux («hypocoristique») de la première syllabe. Relevé pour la première fois au sens de «femme d'un certain âge» (1844, comme équivalent de *mère*), le mot a fourni une appellation de la grand-mère par les petits-enfants (1842 ; cf. *mamie*). ◇ L'usage tend surtout à l'employer au sens de «grosse femme d'un certain âge» par péjoration (1881). ◆ Au Canada, où il est synonyme de *commère*, on emploie les dérivés **MÉMÉRER** v. intr. et **MÉMÉRAGE** n. m. pour «commérer» et «commérage». ◆ En français de France, on en a dérivé **MÉMÉ** n. f. (XIXe s.), variante dialectale de *mémère* prise comme appellatif affectueux de la grand-mère. Quelquefois, ce mot, parfois écrit *mémée*, est pris au sens péjoratif de «femme d'un certain âge» (v. 1950), en corrélation avec *pépé*.

◈ voir COMMÈRE, DURE-MÈRE, MADRÉPORE, MADRIER, MARÂTRE, MARGUILLIER, MARRAINE, MATÉRIEL, MATIÈRE, MATRIARCAL, MATRICE, MATRICULE, MATRIMONIAL, MATRONE, MERRAIN, PIE-MÈRE et, du grec, MÉTROPOLE.

MERGUEZ n. f. est un emprunt (1953) à l'arabe maghrébin *mergāz*, *merkāza* «saucisse» (XIXe s.). Le mot est connu en arabe d'Espagne sous les formes *mirkās* ou *markās* «saucisse» (XIIIe s.), *merquíç-al-kanzír (mirkās alḫanzīr)* «boudin de porc», *merquíze* «saucisse» (1505). On a proposé de rattacher le mot arabe à l'espagnol *morcilla* «boudin», *morcón* «gros boudin» ou au grec *mazês kreas* de même sens.

♦ Le mot désigne une petite saucisse de mouton fortement épicée, devenue populaire en France avec la vogue de certains plats maghrébins et à cause de son prix modéré.

MÉRIDIEN, IENNE adj. et n. m. est emprunté au début du XIIe s. (v. 1120) au latin *meridianus* «de midi», dérivé de *meridies* «midi», «sud», lui-même formé sur le locatif *meridie* issu par dissimilation de °*mediei die* «au milieu du jour» (→ jour, mi-).

♦ Le mot a d'abord été employé comme adjectif, avec une valeur figurée dans *diable méridien* (remplacé plus tard par *démon de midi*) et au sens propre dans *eure (heure) méridienne* (v. 1260). De nos jours, son emploi adjectif se limite à un usage didactique en astronomie, avec *hauteur méridienne* (1691), *plan méridien* (1706) et *lunette méridienne* (1834). ◆ Le mot est substantivé (1377, *meridian*) pour désigner le demi-cercle imaginaire qui passe par les pôles et, spécialement en astronomie, le grand cercle imaginaire de la sphère céleste. On parle de *premier méridien* (1671) «méridien qui sert de repère pour compter les degrés de longitude» (aujourd'hui, celui de l'observatoire de Greenwich). Le mot est spécialement employé en physique (1751, *méridien magnétique*) et en mathématiques (1872). ◆ Son féminin **MÉRIDIENNE** compte lui aussi quelques emplois spécialisés, en physique (1718), en géologie (v. 1750) et en mathématiques. ◆ Il est également passé dans l'usage commun pour désigner la sieste que l'on fait vers le milieu du jour (1680) : on relève dès 1213 *dormir à la méridienne* ; le latin, qui avait *hora meridiana* «heure de midi», avait formé *meridi* «faire la sieste». ◆ *Méridienne*, de nos jours désuet au sens de «sieste», s'est maintenu par métonymie comme terme d'ameublement pour un meuble qui fut en vogue entre 1750 et 1820 (mais le mot n'est attesté qu'en 1841, chez Balzac).

▶ *Méridien* a donné **ANTIMÉRIDIEN** n. m. (1922), nom donné à un demi-cercle joignant les pôles, opposé au méridien de ce lieu.

◈ voir MÉRIDIONAL.

MÉRIDIONAL, ALE, AUX adj. est emprunté (1314) au bas latin *meridionalis* proprement «situé au midi, au sud», de *meridies* «sud, midi» (→ méridien).

♦ *Méridional* a d'abord gardé l'acception latine et fonctionné comme doublet de *méridien*, adjectif. Son sens moderne courant «qui est du Midi, du Sud» est attesté depuis 1549. De même l'italien a *mezzogiorno*. ◆ Le mot comporte souvent en France l'idée caractérisante de «propre aux gens du Midi (notamment de Provence et de la région de Marseille)», avec des connotations d'«exubérance», «accent chantant», etc. Cette valeur n'a pas d'équivalent chez son antonyme *septentrional*.

MERINGUE n. f., terme culinaire (1691), est d'origine controversée : pour A. Dauzat, à la suite ◈

de A. Vaillant, il viendrait du polonais *murzynka* «négresse» et figurément «meringue au chocolat», variante de la recette originale de la meringue (le français a lui aussi *nègre* et *nègre en chemise,* pour un gâteau au chocolat entouré d'une crème blanche). Toutefois, il paraît peu vraisemblable qu'un tel mot ait pu s'introduire en français sans donner lieu à de multiples graphies hésitantes; or, on n'en observe aucune. Wartburg propose de faire remonter *meringue* à l'allemand *Meringel,* mais son hypothèse a été abandonnée pour un problème de chronologie (c'est l'allemand qui a été emprunté au mot français, car il est attesté beaucoup plus tard). O. Jänicke, partant du bas latin *meringa,* forme altérée de *merenda* «collation du soir», attestée dans un texte originaire de l'Artois, n'exclut pas la possibilité d'une origine germanique, étant donné la localisation du mot et sa finale. Selon lui, *meringue* remonterait au moyen néerlandais *meringue* «collation du soir» (moyen haut allemand *merünge,* moyen allemand *meringe,* tous deux de *mëren, mern* «tremper du pain dans du vin ou dans de l'eau pour le dîner»). Cette hypothèse est douteuse car il n'y a aucune attestation de *meringue,* «collation», en picard ou dans le Nord-Ouest. Le même philologue rattache, avec plus de vraisemblance, le mot au latin *merenda* «collation», dérivé de *merere* «recevoir comme part ou comme prix», «mériter sa ration» (→ mérite), à l'origine de *maringue* «miche du berger» et du wallon *marinde* «provision qu'on emporte». La distinction entre les sons notés *an* et *en* (ou *ain, in*) étant restée sensible en picard et en wallon, et la substitution de *g* à *d* n'y étant pas inconnue, *merenda* a pu aboutir à *merinde* et *meringue.* D'un point de vue sémantique, le passage de *merenda* «collation du soir» au sens de «gâteau léger» peut s'expliquer par une métonymie dans les parlers gallo-romans; ainsi *morande* signifie «provision emportée aux champs» et «gros morceau de pain». Cependant, les contextes bien différents et l'attestation tardive de *meringue* rendent ces hypothèses savantes plus douteuses encore que celle qu'adoptait Dauzat.

♦ Le mot désigne une pâtisserie légère à base de blancs d'œufs et de sucre.

▶ Sur *meringue,* on a formé **MERINGUÉ, ÉE** adj. (1739, *crème meringuée*), **MERINGUER** v. tr. (1874) et, à sa suite, **MERINGAGE** n. m. (1931).

MÉRINOS n. m. a été emprunté (av. 1781) à l'espagnol *merinos,* masculin pluriel de l'adjectif *merino* qui sert à désigner une race de mouton à laine fine (mil. XVe s.), également dans *lana merina* (1442; 1457). Cette race fut introduite en France par Colbert et Daubenton. Le mot espagnol est lui-même d'origine obscure, peut-être à rapprocher de l'arabe *merīnī,* nom ethnique porté par la dynastie marocaine des *Benî Merîn,* issue d'une tribu de Berbères nomades éleveurs de moutons. On a aussi proposé d'y voir un dérivé du latin *merinus,* adjectif correspondant à *merus* «mouton de pure race», de l'adjectif *merus* «pur, sans mélange» rapproché du grec *amarussein* «étinceler, briller».

♦ *Mérinos,* «mouton de race espagnole», désigne par métonymie la laine de ce mouton (1820) et le tissu qu'elle sert à tisser (1824). ◇ Le mot entre dans la locution figurée plaisante ***laisser pisser le mérinos*** (1867) «laisser courir», sans explication satisfaisante (c'est en tout cas un renforcement de *laisser pisser* pour «laisser faire»).

MERISE n. f. est issu par aphérèse (v. 1278) de °*amerise,* lui-même dérivé d'*amer** avec la terminaison de *cerise**. Le *a* initial aurait été pris pour la voyelle de l'article défini *la* (*la merise* pour *l'amerise*). L'italien calabrais atteste en effet *amarella,* le vosgien *amrel* et *emrol* et le latin médiéval *amarina* et *amarella.* Du Cange cite même le latin tardif *amarenus* au sens de «merisier» (1300).

♦ *Merise* désigne une cerise sauvage légèrement acide.

▶ *Merise* a donné **MERISIER** n. m. (1388), nom de l'arbre qui produit les merises, employé aussi pour le bois (1748), par ellipse de *bois de merisier* (1708).

◈ voir AMER.

MÉRITE n. m. est emprunté (v. 1118) au latin *meritum,* dérivé de *merere* «gagner», «recevoir comme part ou comme prix», d'où communément «être digne de», verbe rapproché du grec *meros* «part», *moïra* «destin, lot», peut-être de la même racine que *memor* (→ mémoire). *Meritum* signifie «gain, salaire», «service (bon ou mauvais) vis-à-vis de qqn» et «acte, conduite méritant une récompense ou un châtiment». En bas latin, le mot a pris le sens positif de «valeur» et, spécialement en latin chrétien, celui de «valeur spirituelle, fait d'être digne de la miséricorde». Il était souvent employé au pluriel *merita* en latin médiéval, ce qui explique son interprétation comme nom féminin au moyen âge.

♦ En ancien français, le mot, héritier de tous les sens latins, a un sémantisme beaucoup plus vaste que dans l'usage moderne. Dans les premiers textes, il a le sens de «salaire, punition ou récompense»; celui de «pouvoir, valeur» se trouve réalisé dans les locutions anciennes *être de tel mérite* «avoir le pouvoir de» (déb. XIIe s.) et *par sa mérite* (1181-1198) «par sa valeur». ◆ Le pluriel est employé avec un sens religieux en parlant d'un saint (v. 1200) et, ultérieurement, de Jésus-Christ (1680). Avec la valeur ambivalente du mot latin, il correspond à ce qui donne droit à une récompense ou un châtiment, et son pluriel est employé au sens de «remerciements», par exemple dans la locution *rendre grâces et mérites.* ◇ On le rencontre aussi, au singulier ou au pluriel, au sens de «moyen employé dans une affaire, un procès; justice, bon droit d'une cause» (1470). ◆ L'usage moderne s'établit au XVIIe s. lorsque *mérite* correspond à «qualité, ensemble des qualités estimables (d'un ouvrage, d'une œuvre d'art)» (1611) et «ensemble de qualités intellectuelles et morales estimables» (1628; en particulier chez Corneille, 1636). Plus spécialement, il désigne le talent, l'habileté (1668, *gens de mérite*). Par extension, on passe à la notion d'«avantage» (*les mérites du célibat*). ◇ Au XVIIIe s., le mot a fourni le nom d'ordres, de décorations qui récompensent des services rendus.

▸ *Mérite* a donné **MÉRITER** v. tr. (déb. XIVe s.) qui a évincé l'ancien *mérir* (du XIIe au XVIe s.), représentant du latin *merere* «gagner, mériter», en locution *bene, male merere* «être bien, mal méritant», c'est-à-dire «se comporter bien ou mal vis-à-vis de». ◆ *Mériter* apparaît en français au sens de «récompenser», quelquefois «punir» (absolument et transitivement), propre à l'ancien français. La valeur moderne d'«encourir» (récompense ou châtiment, l'ambivalence étant là conservée) est attestée au XVe s. à propos d'un châtiment (1480) et d'une récompense (1495). Puis le verbe correspond à «être digne de qqn» (1636) et à «avoir du mérite, des mérites» en emploi absolu (v. 1662), surtout d'usage religieux. ◆ L'adjectif tiré de son participe présent, **MÉRITANT, ANTE** (1636), est fréquemment employé avec une valeur ironique.

L'adjectif **MÉRITOIRE** a été emprunté (v. 1278) au dérivé latin *meritorius* «qui procure un gain, rapporte un salaire», avec le sens de «qui a du mérite, est digne de récompense», d'après *mérite*.

Mérite et *mériter* s'opposent à **DÉMÉRITE** n. m. (fin XIVe s.) et **DÉMÉRITER** v. intr. (1524), préfixés créés à l'époque où *mérite* est devenu exclusivement positif et ne peut plus désigner le fait d'encourir la réprobation. Tous deux sont restés d'usage littéraire ou religieux. ◆ Avec un autre préfixe, on a créé **IMMÉRITÉ** (fin XVe s., rare avant 1754), par opposition à *mérité*.

ÉMÉRITE adj. (XIVe s.) est emprunté au latin *emeritus* «qui a accompli son service militaire», participe passé de *emerere*, de *merere* «gagner, mériter», spécialisé dans le langage militaire au sens de «servir à l'armée», d'où «gagner sa solde». ◆ *Émérite* a été repris (av. 1762) avec la valeur de «qui a terminé sa carrière» *(professeur émérite)*. Il y a joint le sens qualificatif de «qui a une longue pratique de qqch.» (1830), souvent par plaisanterie. ◇ La distinction de *professeur émérite*, institutionnalisée en Belgique avant la France, a donné lieu au dérivé **ÉMÉRITAT** n. m. (1824).

◈ voir peut-être MERINGUE.

MERLAN n. m. est une simplification (1580) de *merlenc* (XIIe s.), dérivé de *merle** à l'aide du suffixe *-ange* (°*merlange)* d'origine germanique (cf. *mésange* et *cormoran*). *Merle* lui-même a désigné un poisson de mer (1554) et son étymon latin *merula* désignait à la fois l'oiseau et un poisson.

♦ *Merlan*, mot qui désigne un poisson de mer comestible de la famille des Gadidés, sert aussi, en emploi qualifié, à désigner d'autres espèces de poissons. ◆ Il a pris métaphoriquement le sens familier de «perruquier» (1744) parce que ceux-ci étaient blancs de poudre comme des merlans enfarinés avant de passer à la poêle, et il est encore usité familièrement pour désigner un coiffeur. ◆ Une autre métaphore culinaire a produit la locution ***des yeux de merlan frit*** «révulsés, ahuris» (1888) : *merlan frit* s'était employé au XVIIe s. (1640) au figuré, à propos d'une personne désagréable (cf. les figurés péjoratifs de *merle**), et le syntagme a dû conserver une valeur péjorative.

◈ voir MERLE, MERLU(S).

MERLE n. m. est issu (v. 1165) du latin de même sens *merula* qui désigne aussi un poisson (→ merlan), mot populaire d'origine occidentale. Le latin a aussi la forme *merulus*, plus tardive, mais c'est *merula* qui est passé dans les langues romanes (roumain *mierla*, italien *merla*, catalan *merla*, espagnol *mierla*). Ainsi s'explique le fait que le mot ait été féminin en ancien français et que le masculin (fin XIIIe s.) ne se soit imposé qu'au cours du XVIe siècle.

♦ Le mot, qui désigne une espèce d'oiseau, passereau au plumage noir et, en emploi qualifié, d'autres espèces (1765, *merle d'eau* «martin-pêcheur»), servait déjà de surnom en latin et il entre dans l'onomastique française pour nommer des personnes aimant chanter ou siffler. De même, l'expression ***siffler comme un merle*** (1690) est usuelle. ◇ Par métaphore, le mot désigne aussi ironiquement un homme, particulièrement un homme laid, désagréable, peu recommandable (déb. XVIIIe s., *un vilain merle*). ◇ On emploie quelquefois ***merle blanc*** (1562) avec l'idée d'«oiseau rare» (1723; dès 1611, dans *je vous donnerai un merle blanc*), comme *loup blanc*, le merle commun étant de couleur noire.

▸ **MERLETTE** n. f. (v. 1360) prolonge d'abord le sens spécialisé de *merle* en héraldique (fin XIIIe s.) «oiseau sans bec ni pattes»; plus communément, il sert aussi à désigner la femelle du merle (1840). ◆ On a dit aussi **MERLESSE** n. f. entre le XIVe s. et 1771, encore dans quelques parlers régionaux. ◆ **MERLEAU** ou **MERLOT** n. m. (1775) désigne à la fois un poisson du genre labre et (1842) un jeune merle. ◇ Par allusion à la couleur de l'oiseau, il dénomme un cépage à raisin bleu-noir du Bordelais (1861).

◈ voir MERLAN.

MERLU ou **MERLUS** n. m., d'abord *mellus* (1333) puis *merlus* (1393), vient peut-être du croisement de *merlan** avec l'ancien français *lus, luz* «brochet» (1160), issu du bas latin *lucius* (IVe s.), du surnom romain *Lucius* ou de *lux* «lumière» (→ lucide). Wartburg suggère plutôt d'y voir un emprunt à l'ancien provençal *merlus*, attesté dès le milieu du XIIIe s., mais dans ce cas, l'origine de l'ancien provençal reste obscure, *merlan* n'étant attesté en provençal qu'à époque moderne. L'autre nom du merlu, mot de l'aire occitane, est *colin*.

♦ Le mot désigne, dans la moitié sud de la France (notamment Sud-Ouest) et en zoologie, un poisson de mer comestible voisin de la morue (Gadidés) au corps allongé.

▸ On emploie aussi la variante **MERLUCHE** n. f. (1603), antérieurement *morlusse* (1589), surtout pour désigner une morue, ou un autre poisson du même genre, séchée mais non salée.

MÉROU n. m., d'abord *mero* (1752) puis *mérou* (1808), est emprunté à l'espagnol *mero* (1611), d'origine obscure.

♦ Le mot dénomme un gros poisson marin de la famille des Serranidés, comestible et typique de la Méditerranée.

MERRAIN n. m., d'abord *mairien* (v. 1155), *marrien* (1389) et *merrien* (fin XIVe s.), est issu d'un latin populaire °*materianem*, dérivé de *materia* (→ matière) au sens propre de «bois de construction», et attesté à époque médiévale (VIIIe s.).

♦ Le mot, introduit au sens de «bois de construction», est employé à propos du bois (chêne, châtaignier) débité en planches et utilisé en tonnellerie. ◇ En moyen français, il a aussi désigné un douvain (1389). ➜ À la même époque, il s'est spécialisé en vénerie (fin XIVe s.) pour désigner la tige axiale du bois du cerf et des animaux dont la tête est ornée d'un bois.

MERVEILLE n. f. est issu (1050) du latin populaire °*mirabilia* ou °*miribilia*, forme altérée phonétiquement (par assimilation de *a* aux deux *i* qui l'entourent) du latin classique *mīrābilia*. Ce dernier est le pluriel neutre substantivé, au sens de «choses admirables, étonnantes» et, surtout en langue de l'Église, «miracles», de l'adjectif *mirabilis* «admirable, merveilleux». Il s'agit d'un dérivé de *mirus* «étonnant, étrange, merveilleux» que l'on a rapproché de plusieurs mots du domaine indoeuropéen signifiant «sourire» comme le sanskrit *smáyate* «il sourit», le vieux slave *smijati sę* «rire», l'anglais *to smile* «sourire» (le sens du latin n'en est toutefois que médiocrement expliqué) [→ mirer].

♦ Le mot, quelquefois relevé en ancien français sous sa variante *mervoille*, possède tous ses emplois actuels dès le moyen âge. Cependant, l'usage moderne insiste davantage sur la notion de «chose qui remplit d'admiration», par exemple dans *les Sept Merveilles du monde* (v. 1155), que l'usage ancien pour lequel la notion de «chose qui étonne» (1050) était essentielle (cf. l'évolution du groupe d'*admirer*) et pouvait aussi être liée à l'horreur (XIIe-XIIIe s.). *C'est merveille* signifiait en ancien français «c'est très surprenant, extraordinaire». C'est d'ailleurs cette valeur qui est réalisée dans le titre *Alice au pays des merveilles*, traduction de l'anglais *Alice in Wonderland* (L. Carroll). ➜ En revanche, l'ancien adverbe *merveilles*, avec *s* adverbial (XIIe s.), a disparu avec son sens premier d'«étonnamment» : il a subsisté dans la locution ***à merveille*** (d'abord *à merveilles*) avec le sens moderne d'«admirablement, parfaitement», par l'intermédiaire de celui d'«extrêmement» (XVIe s.). ➜ Par métonymie, le substantif *(une, des merveilles)* désigne aussi une action extraordinaire, en bonne et aussi, en ancien français, en mauvaise part (v. 1165). Les quelques locutions verbales dans lesquelles il entrait avec une idée d'«étonnement» ont disparu; certaines se sont maintenues en changeant de sens (XVIIe s.), s'ajoutant au groupe de *faire merveille* (au pluriel, v. 1175), *conter* ***monts et merveilles*** (v. 1580). ➜ Le sens particulier de «beignet léger» est attesté à partir de 1761. Il reste courant régionalement (notamment dans le sud-ouest de la France).

▸ *Merveille* a donné **MERVEILLEUX, EUSE** adj. (1080) qui conserve souvent, à côté de l'idée d'«admirable», pleinement valorisée à partir du XVIIe s., une idée accessoire d'«étonnant» et, dans l'usage littéraire, de «surnaturel». Les valeurs médiévales qui correspondent à «étonnant, fascinant», «violent, terrible, extrême» (1080), «bizarre, singulier» (v. 1160) et aussi «frappé de stupeur» (v. 1190) ont vieilli puis disparu. ◇ L'adjectif a été substantivé au masculin avec une valeur de neutre (1684), spécialement pour désigner un genre littéraire (La Fontaine) proche du fantastique. ◇ Au masculin et au féminin, le nom a servi à désigner (1795) les élégants à la mise excentrique à la mode sous le Directoire et au début du XIXe s. (cf. *incroyable*). Ce sens, dans le prolongement de celui de «petit maître, personne affectée et prétentieuse» (v. 1740), reprend d'anciennes nuances d'arrogance, de narcissisme et d'originalité (dès le XIIe s.); ainsi, on disait *faire du merveilleux*, au XVe s., pour «faire le malin». Il correspond à une prononciation affectée où le *r* n'est pas marqué, et qui fut à la mode autour de 1800. ➜ Sur *merveilleux*, on a formé **MERVEILLEUSEMENT** adv. (1080) «d'une façon qui frappe d'étonnement». Celui-ci, moins usuel que l'ancien français *merveilles*, l'a supplanté par la suite avec le sens moderne d'«excellemment». ➜ L'ancienne langue avait *merveilleuseté* n. f. «magnificence, bizarrerie, arrogance» et *merveilleté* n. f. «arrogance» (cette idée étant très vivante au XVIe s.); le premier a été refait sans succès en **MERVEILLOSITÉ** «caractère merveilleux» (XIXe s.).

Par préfixation, a été formé **ÉMERVEILLER** (v. 1165, *soi esmerveiller*), pronominal et (XIIIe s.) transitif, qui a absorbé l'ancien verbe *merveiller* qui fut très usuel au pronominal pour «s'étonner» *(moult me merveille...)* et dont les participes sont tous deux employés comme adjectifs. ➜ Il a donné **ÉMERVEILLEMENT** n. m. (v. 1200) qui a remplacé *merveille* au sens actif d'«étonnement, surprise, admiration» (très courant encore au XVIe s.). ◇ Par métonymie, le mot s'applique à ce qui provoque ce sentiment (fin XIIIe s.).

◈ voir ADMIRER, MIRACLE, MIRADOR, MIRER.

MÉSALLIER → **ALLIER**

MÉSANGE n. f. est issu (v. 1180) du francique °*meisinga* de même sens, dérivé d'un mot de base attesté par l'ancien haut allemand *meisa* (allemand *Meise*), le moyen néerlandais *mese* (néerlandais *mees*), le suédois et le norvégien. Ce groupe germanique est apparenté à un groupe celtique de dénominations du merle. Dès le Xe s., on relève *mesenga* en latin médiéval. Le nom latin de l'oiseau, *merops*, emprunté au grec *merops*, n'est pas passé en français.

♦ Le mot désigne un petit oiseau de l'ordre des Passereaux.

MÉSAVENTURE n. f. est le seul dérivé vivant de l'ancien verbe *mésadvenir* ou *mésavenir* (1130), composé de *mé-**, *mes-* et de *advenir** «se produire». Ce verbe était employé en ancien français pour «arriver malheur à» (en tournure impersonnelle); d'après l'ancien sens d'*avenir*, il signifiait également en construction intransitive «ne pas seoir à qqn» (1165). Son participe présent *mésavenant, ante* (1210) servait d'antonyme à *avenant** au sens de «qui manque d'agrément, laid» et, depuis 1590, signifiait «qui ne sied pas à qqn». On en avait tiré *mésavenance* (1588, *mesadvenance*).

♦ À la différence de ces mots, marqués comme archaïques, *mésaventure* (v. 1130), formé d'après *aventure**, est resté courant au sens d'«incident fâcheux», «aventure désagréable».

MESCALINE n. f., attesté tardivement en français (1934, *Le Mois,* mars-avril), pourrait être emprunté à l'anglais *mescaline* (1896, *mezcaline*), lui-même pris à l'allemand, ou directement à l'allemand *Mezcalin* (1896, A. Heffter), puis *Mescalin.* Dans ces deux langues le mot apparaît dans des journaux scientifiques l'année même où cet alcaloïde a été isolé comme principe actif du peyotl, cactus du Mexique et du sud-ouest des États-Unis. Il est dérivé savamment avec le suffixe *-in* (français *-ine*) de l'espagnol *mezcal,* transcription du nahuatl et aztèque *mexcalli,* nom d'un agave dont on utilise les feuilles charnues pour en faire des aliments et les racines pour en faire une eau-de-vie (fin XVIe s.).

♦ Le mot désigne l'alcaloïde extrait du peyolt, doué de propriétés hallucinogènes (reconnues dès la fin du siècle dernier).

▸ L'espagnol *mezcal* a lui-même donné **MESCAL** n. m. (1874), dénomination de la boisson en usage au Mexique (on écrit aussi *mezcal*).

MÉSENTÈRE n. m. est emprunté (v. 1370) au grec *mesenterion,* terme d'anatomie désignant la membrane qui enveloppe l'intestin grêle, formé de *mesos* «au milieu» (→ méson) et de *enteron* «intestin» (→ entér-, entéro-).

♦ Le mot désigne la membrane formée par un repli du péritoine qui enveloppe l'intestin grêle.

▸ **MÉSENTÉRIQUE** adj. (1541) en a été dérivé pour qualifier ce qui se rapporte au mésentère.

MÉSON n. m., enregistré en janvier 1948 *(Larousse mensuel),* mais antérieur, est emprunté à l'anglais *meson.* Le mot a été formé en 1939 de l'élément *meso-* «au milieu, intermédiaire» (du grec *mesos* qui répond au latin *médius;* → ② mi-) et de la finale *-on,* reprise à *électron, neutron.* Cette dénomination a été adoptée en remplacement de celle de *mesotron,* proposée en novembre 1938 par Anderson et Neddermeyer: *"We should like to suggest... the word «mesotron» (intermediate particle)." Mesotron* était formé sur *meso-* avec la finale d'*électron, neutron* (c'est un mot-valise).

♦ Les mésons ont été ainsi nommés du fait que les premières de ces particules connues (observées, en 1935, par Yukawa) avaient une masse intermédiaire entre celle de l'électron et celle du proton. L'un des premiers étudiés, le *méson* χ *(pi),* a donné lieu au dérivé de *pi, pion.*

MÉSOSPHÈRE → ATMOSPHÈRE

MESQUIN, INE adj. est un emprunt (1604) soit à l'italien *meschino* «qui manque de grandeur», «chiche, ladre» (XIIIe s.), proprement «pauvre, chétif» (déb. XIVe s.), soit à l'espagnol *mezquino* «pauvre, indigent» (v. 950) puis aussi «chiche, ladre» (1526). Tous les deux sont empruntés à l'arabe *miskīn* «pauvre», qui est à l'origine de l'ancien provençal *mesquin* «pauvre» et de l'ancien français *meschin* «jeune homme, serviteur» qui a disparu avant le XVIe siècle.

♦ Le mot a été introduit avec le sens péjoratif de «qui manque de grandeur» (au figuré); il a pris très tôt le sens de «ladre, un peu avare» (1645). L'usage ancien l'employait aussi au sens physique de «pauvre d'apparence, restreint de proportions» (en parlant de choses concrètes), en particulier «qui manque d'ampleur, de consistance» à propos d'une œuvre littéraire ou musicale. Ces emplois sont aujourd'hui sentis comme figurés.

▸ L'adjectif a produit **MESQUINEMENT** adv. (1608) et **MESQUINERIE** n. f. (1624) «parcimonie excessive» et «manque d'élévation des pensées, des sentiments» (1770).

MESS n. m. a été emprunté (1831) à l'anglais *mess,* emprunt ancien (XIIIe s.) au français *mes,* ancienne forme de *mets**. Le mot anglais signifie à l'origine «plat, mets»; par métonymie, il a développé au XVe s. le sens de «réunion de personnes prenant ensemble leurs repas» et s'est spécialisé (1536), dans l'armée et dans la marine, au sens de «réunion des membres d'une même unité qui prennent leurs repas en commun». Par suite, il a pris le sens de «lieu qui sert de salle à manger, de club pour les officiers et les sous-officiers».

♦ C'est avec ce dernier sens qu'il est repassé en français, où il a reçu quelques valeurs métonymiques, désignant l'ensemble des officiers et sous-officiers, le service chargé du fonctionnement de ce restaurant, le personnel et le matériel qui y sont affectés.

MESSAGE n. m. est dérivé (1050) à l'aide du suffixe *-age* de l'ancien français *mes* «envoyé, messager» (v. 980, *meis*). Celui-ci est issu du bas latin *missus* «envoyé», participe passé de *mittere* «envoyer» (→ mettre).

♦ Dès les premières attestations, le mot a son sens actuel de «contenu d'une communication faite à qqn». Il signifie particulièrement «communication faite par un messager considéré comme inspiré» (v. 1225), sens vivant dans l'usage moderne mais surtout avec la valeur large de «leçon, exemple». ◇ Les sens métonymiques de «mission, ambassade» (v. 1155) et de «messager» (de 1080 au XVIe s.) sont sortis de l'usage. ◆ D'après le mot anglais correspondant, *message,* spécialisé en politique (1625) et lui-même emprunté au français, *message* a pris le sens particulier de «communication officielle du souverain au Parlement anglais» (1704), puis s'est appliqué en général à une communication officielle des autorités (1823). ◆ Au XXe s., il a reçu quelques définitions scientifiques relatives à son usage dans les sciences de l'information, en sémiotique, en biologie *(les messages de l'A. D. N.)*; dans ces terminologies formées en anglais, *message* désigne les réalisations d'un code commun dans un processus de communication. Le message est transmis par un médium.

▸ Son dérivé **MESSAGER, ÈRE** n. (1080), formé avec le suffixe *-ier (messagier),* réduit ensuite à *-er* après le *g*, a supplanté *message* au sens de «celui qui porte les messages». Il est aussi employé avec le sens métaphorique de «ce qui transmet un message» (v. 1225) et au sens figuré de «ce qui annonce, est avant-coureur de qqch.» (v. 1278). Il est entré dans quelques expressions, de *messager des dieux* (1668), périphrase qui désigne Mercure, à *messager d'État* (1795). Dans l'histoire des transports, *messager* désigne la personne qui se chargeait de transporter des colis, des lettres d'une ville à l'autre (1696). ◆ Le mot est employé spécialement en zoologie pour désigner le serpentaire (1791) et qualifier un pigeon voyageur (*pigeon messager*, déb. XIXe s.). ◆ Son dérivé **MESSAGERIE** n. f. a perdu son premier sens de «mission dont on est chargé, ambassade» (v. 1250) et est devenu un terme d'histoire des transports, désignant l'ancien service de transport des lettres et colis (1651) et, par métonymie, la voiture et l'établissement concernés par ce service. ◇ De nos jours, il désigne le service chargé du transport rapide des colis et des marchandises (1868) par chemins de fer, bateau, camion, avion. Au XXe s. sont apparus l'expression *messagerie de presse* «société commerciale distribuant les publications de presse dans les points de vente» et, plus récemment (v. 1980), le sens de «réseau (téléphone, minitel) permettant de transmettre un message».

MESSE n. f. est issu (v. 980) du latin chrétien *missa*, participe féminin substantivé de *mittere* «laisser aller, renvoyer» (→ mettre, missile, mission, missive). *Missa* est attesté au sens de «congé après un office» (av. 450), spécialement en parlant du rendu des catéchumènes après les premières prières et le sermon (fin IVe-déb. Ve s.), et pour le renvoi des fidèles à la fin de la messe (fin VIIe s.) : l'expression latine *ite missa est* est entendue au sens de «allez *(ite)*, c'est le renvoi» (Dauzat la lit comme : «allez, [la prière] est envoyée [à Dieu]»). *Missa* désigne aussi le saint sacrifice (IVe s.) et la messe en général. Le bas latin juridique l'atteste au sens d'«action de laisser partir, congé» (av. 450).

♦ Le mot, en français, s'est immédiatement employé dans son sens liturgique actuel. Il est entré dans de nombreuses expressions comme ***grand-messe*** (XIVe s.), ***messe basse*** (1636), ***messe des morts*** (1690), ***messe votive*** (1721), ***messe de minuit*** (fin XVIIe s.), ainsi que dans des locutions verbales. ◇ La parodie sacrilège du saint sacrifice a reçu le nom de ***messe noire*** (XIXe s.). ◆ Le mot sert aussi par métonymie à désigner la somme versée à un prêtre pour dire une messe (1690) et (1740) la musique composée pour une grande messe. ◆ **GRAND-MESSE** n. f. a été repris au figuré, à propos d'une réunion de célébration ou d'une assemblée à caractère symbolique (congrès politique, etc.).

▸ Il n'a donné aucun dérivé, les familiers *messer*, *messoyer* étant inusités.

Selon Nyrop, le nom **TALA** ou **THALA** créé dans l'argot de l'École normale supérieure (1883) viendrait de «ceux qui vont *à la* messe». Sainéan y voyait un abrègement de *talapoin* «moine bouddhiste». Le mot désigne un catholique militant.

◈ voir MISSEL.

MESSÉANT, ANTE → SEOIR

MESSIANISME → MESSIE

MESSIDOR n. m. est un mot créé en 1793 par Fabre d'Églantine (1750-1794), le conventionnel auquel est dû le calendrier révolutionnaire, avec sa nomenclature des mois. C'est un hybride composé du latin *messis* (→ moisson) et du grec *dôron* «présent» (→ fructidor, thermidor).

♦ *Messidor* désignait le dixième mois (du 19 [ou 20] juin au 19 [ou 20] juillet). Il a été adjectivé comme terme de beaux-arts, dans *style messidor* (attesté 1840), style qui fait la transition entre le style Louis XVI et le Directoire, caractérisé par une laborieuse imitation de l'Antique, l'importance des motifs champêtres et patriotiques.

MESSIE n. m. est emprunté (1224) au latin chrétien *Messias* (*Évangile selon saint Jean*, 1-41, 4-25), lui-même emprunté, comme le grec chrétien *Messias*, à l'araméen *meš̌īḥā* «oint (du Seigneur)». Ce dernier est emprunté à l'hébreu biblique de même sens *māšīaḥ*, d'un verbe signifiant «oindre». Dans l'Ancien Testament, le mot est appliqué à ceux qui sont investis d'une mission divine, confirmée par onction, les prêtres, les rois d'Israël et, plus tard, le messie à venir. L'équivalent grec du mot hébreu est *khristos* (→ Christ).

♦ Le mot est apparu en français au sens de «celui qui est attendu comme le libérateur désigné et envoyé par Dieu». L'expression *faux messie* est enregistrée par Furetière (1690). ◇ *Messie* est passé dans l'usage courant au sens figuré de «sauveur, homme providentiel» (1500 ; rare avant le XIXe s.) et dans ***attendre qqn comme le Messie*** (1690).

▸ Par dérivation savante avec le suffixe *-isme*, élargi en *-anisme* d'après *christianisme*, on a formé **MESSIANISME** n. m. (1831). Le mot est d'abord attesté au sens religieux d'«enseignement qui promet le développement de la parole du Messie». Au cours du XIXe s., il prend celui de «croyance en la venue du Messie» (1863, Renan) et, par extension en contexte laïque, «attente d'un salut ou d'une libération» (1848, Michelet). Il est appliqué spécialement à la doctrine de Karl Marx (1920, ironiquement chez L. Daudet). Au XXe s., il est employé par les ethnologues. ◆ Par substitution de suffixe, il a servi à former **MESSIANIQUE** adj. (1839 ; l'anglais a *messianic*, av. 1834) et **MESSIANISTE** (1877 ; 1842, *messianite*), employé comme nom et récemment comme adjectif (1960).

MESSIRE → SIRE

MESURE n. f. est issu (1080) du latin *mensura* «action de mesurer», «estimation, évaluation» au propre et au figuré, «quantité, degré» et, d'après l'idée d'une quantité considérée comme légale, «norme», «modération». *Mensura* est issu du supin *mensum* de *metiri* «mesurer, évaluer, estimer» et «parcourir». Le verbe est dérivé d'une racine indoeuropéenne °*mēti-* «mesure, combinaison mentale» qui se retrouve dans le grec *mêtis* «prudence, ruse» et le sanskrit *māti-* «connaissance exacte, mesure».

♦ *Mesure* a ses sens principaux dès l'ancien français : il est apparu avec le sens concret actif de «détermination, évaluation d'une grandeur» (1080), fournissant les locutions *trover a sa mesure* «trouver qqn de même valeur» (fin XIIe s.) et ***prendre la mesure de*** *qqn, qqch.* (1538, au propre). ◇ Dès 1080, il exprime l'idée plus abstraite de «proportion» dont le français a seulement retenu quelques locutions : ***dans quelle mesure*** (1080, *en quel mesure*), ***à mesure*** «petit à petit» (XIIIe s.), *à la mesure que* (1280) devenue ***à mesure que*** (1379), ***au fur et à mesure*** (1379 ; cf. *fur*) avec une nuance temporelle et, plus récemment, ***dans la mesure où*** (1876). ➛ Dès les premiers textes, il exprime aussi la notion morale de «modération» issue du latin, essentielle dans la pensée médiévale et l'idéal courtois, et entre dans les locutions ***sans mesure*** (déb. XIIe s.) et ***sans (aucune, commune...) mesure*** (cf. ci-dessous *démesure*). L'ancienne langue employait d'ailleurs le mot avec une valeur normative de «dimension considérée comme souhaitable» (v. 1165), dont les locutions ***juste mesure, dépasser la mesure, outre mesure*** portent le témoignage. ➛ Par métonymie, *mesure* a acquis au XIIe s. le sens de «quantité contenue dans un récipient adopté par l'usage pour mesurer un volume» (1150), d'où «récipient ainsi utilisé» (v. 1200, pour les graines). C'est en ce sens qu'il est entré par la suite dans des locutions figurées comme ***faire bonne mesure*** (1550) ou encore ***la mesure est comble*** (1671). ➛ C'est aussi autour de 1200 que *mesure* reçoit le sens de «grandeur prise comme terme de comparaison» (fin XIIe s., au figuré ; 1231, au propre), réalisé dans la locution figurée ***avoir deux poids, deux mesures*** (1718) et dans ***n'avoir aucune commune mesure,*** héritée du langage mathématique. ➛ Quelques autres sens techniques sont attestés ultérieurement, à commencer par celui de «rythme divisant la durée d'une phrase musicale» (1538), qui semble provenir de l'expression *par mesure* dans *aller et chanter par mesure* (1375). De cette acception, proche de celle de *cadence,* vient ***en mesure,*** en musique. L'emploi du mot en versification (1557) est un réemprunt au latin *mensura.* ➛ Au XVIIe s. est apparu le sens spécialisé en escrime de «distance convenable pour porter un coup d'épée» (1626, *être en mesure, hors de mesure*). ◇ Par extension, le mot est entré dans l'usage commun dans les expressions ***mettre hors de toute mesure*** (1668) «pousser à bout» et, plus couramment, ***être en mesure de*** «capable de» (1780), qui ne fait plus référence à l'escrime. Le point commun de la plupart des locutions figurées, de quelque sens qu'elles procèdent, est l'expression d'une norme. ◇ Par l'idée de proportion entre un acte et ses effets recherchés, le mot a pris au XVIIe s. la valeur de «manière d'agir». Il est alors souvent au pluriel, par exemple dans *prendre les mesures qui s'imposent* ou dans *mesures disciplinaires.* De là les composés *contre-mesure* et *demi-mesure* (ci-dessous).

L'histoire des usages et contextes du mot rend compte de l'importance croissante du concept en sciences. D'abord terme de technique, *mesure* prend sa place en mathématiques, surtout à partir du XVIIe s. (1606, *in* Wartburg) ; puis la physique s'en empare, notamment au XVIIIe s., siècle à la fin duquel la chimie de Lavoisier en fait un élément non seulement méthodologique (pour l'observation), mais heuristique. C'est au XVIIIe s. aussi que l'on commence à parler d'*instrument pour mesurer* certaines quantités, en relation avec le suffixe *-mètre,* et que la mesure s'applique à l'électricité (1749, Le Ray, dont l'article *électromètre* dans *L'Encyclopédie* [1755] emploie constamment *instrument,* mais pas encore *instrument de mesure*). La mesure de précision s'instaure avec la balance de torsion de Colomb en 1784. Après l'adoption du système métrique (1799), apparaissent les *dynamomètres, accéléromètres* pour les *mesures mécaniques,* puis les *mesures optiques, thermiques, acoustiques* (le microphone en 1877), *magnétiques* et *magnéto-électriques,* enfin *électroniques...* avec des étalons de plus en plus précis. La science de la mesure *(métrologie)* est devenue au XXe s. un auxiliaire indispensable pour toutes les sciences d'observation.

▶ *Mesure* entre dans **DEMI-MESURE** n. f. (1580), employé spécialement en musique (1768), puis avec son sens courant de «mesure insuffisante» (1800). ➛ Avec le sens de «disposition, manière d'agir», il a donné **CONTRE-MESURE** n. f. (1931 ; peut-être dès le XVIe s.), précédé et annoncé par la locution adverbiale ***à contre-mesure*** en musique (1833). ➛ L'antonyme préfixé **DÉMESURE** n. f. (1130 ; 1120, *a demesure* «à l'excès») est tout entier centré sur l'expression d'une idée morale d'excès, par opposition à celle de norme, de juste milieu exprimée par *mesure.* Tombé en désuétude au XVIIe s. (on ne le trouve plus après 1606), le mot a été repris au début du XIXe s. (1826) et il est resté courant, de même que *démesuré* (ci-dessous) auquel il se rattache.

Le verbe correspondant à *mesure,* **MESURER** v. tr., est issu (1080) du bas latin *mensurare* «estimer, évaluer, prendre les mesures», dérivé tardif de *mensura* bien attesté à partir du IVe s., qui a ainsi évincé le mot classique *metiri,* lequel se maintient dans l'espagnol et le portugais *medir.* ➛ *Mesurer* «trouver la mesure de» est employé au figuré (1190) et depuis le XIIIe s. (1220) avec l'idée plus abstraite de «juger (d'une qualité, d'une expression, d'une valeur morale)». Dans le cadre d'une comparaison, il signifie «être proportionné à» (1597). ➛ ***Se mesurer à*** comporte souvent une idée de combat (1636), ou d'appréciation réciproque et hostile dans ***se mesurer des yeux*** «se jauger réciproquement» (1671). ➛ Avec une valeur normative, *mesurer* est d'abord attesté au participe passé au sens de «qui agit avec modération», puis à l'infinitif au sens de «régler avec sagesse» (1611). ◇ Il suscite des emplois plus concrets au sens de «distribuer, employer avec modération» (XIIIe s.) et est pris spécialement en musique (1377) et en versification (1674). ◇ *Mesurer,* enfin, a suivi *mesure* dans sa spécialisation scientifique, surtout depuis le début du XIXe s. (voir ci-dessus *mesure*). ◇ Son participe passé **MESURÉ, ÉE** est adjectivé avec les différents sens du verbe. ➛ On en a tiré **MESURÉMENT** adv. (déb. XIVe s.) supplanté en musique par la locution ***en mesure,*** et archaïque au sens de «modérément» (v. 1380). ➛ *Mesurer* a donné **MESURABLE** adj. (apr. 1150) d'après le latin *mensurabilis,* **MESUREUR** n. m. (1180) «arpenteur» et, surtout de nos jours, «appareil, dispositif qui mesure qqch.» (1861), adjectivement dans *verre, vase mesureur,* et **MESURAGE** n. m. (1205) «droit seigneurial prélevé sur chaque mesure» et (1260) «action de mesurer». ➜ À *mesuré* s'oppose **IMMESURÉ, ÉE** adj. (XVe s.) «qui n'a pas été mesuré du fait de son immensité», sorti d'usage. ➜ **DÉMESURÉ, ÉE** adj. (1080, par son dérivé *desmesureement*) signifie «extrêmement grand, intense, etc.» avec une idée d'excès. Son caractère courant a pu jouer pour remettre en usage *démesure* (ci-dessus), au début du XIXe siècle. ◇ Il a pour dérivé **DÉMESURÉMENT** adv., attesté dès le XIe s. (1080) pour «hors des bornes de la raison, de la justice, de la vertu». Ce sens a vieilli au profit de la valeur intensive «excessivement». Considéré comme vieillissant au XVIIe s., l'adverbe est redevenu usuel. L'ancien verbe pronominal *soi démesurer* «dépasser la mesure» n'a pas vécu.

◈ voir DIMENSION, IMMENSE, INCOMMENSURABLE, MENSURATION et les mots d'origine grecque apparentés : mètre, dérivés et composés.

MÉTA-, élément formant, est tiré du grec *meta,* adverbe et préposition d'origine obscure que l'on a rapproché de mots germaniques (anglo-saxon *mid[i],* ancien haut allemand *mit[i]*). *Meta* a probablement signifié en grec ancien «au milieu de», mais il a divergé dans de multiples directions : avec le génitif et le datif, il signifie «parmi», d'où avec le génitif «avec» et avec le datif «entre». Par extension du sens dynamique de «pour se rendre au milieu de», il a pris celui de «vers, à la recherche de», d'où «à la suite, derrière», y compris avec une valeur temporelle. Comme adverbe, il signifie aussi «au milieu» et «derrière, ensuite». Déjà en grec, *meta-* est très fréquent en composition avec diverses idées de «participation», «action en commun», «situation au milieu», «succession dans le temps» et, souvent, «changement».

♦ En français, *méta-* assume plusieurs sens dans la formation de noms savants (en biologie, médecine, physique, chimie, philosophie et sciences humaines) : il exprime la postérité temporelle, la succession, ce qui est à la fin (par opposition aux mots préfixés en *pro-, proto-, méso-*), un stade quelconque dans une suite, une transcendance (en philosophie), un statut logique englobant un changement, le résultat d'un processus, une proximité, une ressemblance (surtout en chimie et minéralogie).

▸ Les composés formés en français sont mentionnés au second élément. Outre quelques mots traités à part, les principaux emprunts aux composés grecs en *méta-* sont les suivants. ➜ **MÉTAPHORE** n. f. est un terme de rhétorique emprunté (v. 1278) au latin *metaphora,* emprunt au grec *metaphora,* proprement «transport» et, depuis Aristote, «changement, transposition de sens», de *meta-* (→ méta-) et *phora* «action de porter, de se mouvoir», de *pherein* «porter, supporter, transporter» qui contient la même racine indoeuropéenne *°bher-* «porter» que le latin *ferre* (→ -fère). ➜ Nom d'une figure de rhétorique, le mot, depuis la traduction des théories des formalistes russes (particulièrement Jakobson, v. 1935), tend à fonctionner en couple avec *métonymie* dans ce que G. Genette appelle «une rhétorique restreinte» (à ces deux figures). En effet, consacrée par les poéticiens modernes comme la figure de style par excellence, la métaphore tend à absorber plusieurs autres figures de style. ➜ *Métaphore* a produit **MÉTAPHORISER** v. (v. 1550), vieilli puis repris en sémiotique moderne, qui a donné **MÉTAPHORISATION** n. f. ➜ **MÉTAPHORIQUE** adj. (v. 1361) a été emprunté au grec *metaphorikos,* mais on relève *metaphoricus* en latin médiéval au XIIe siècle. ◇ On en a tiré **MÉTAPHORIQUEMENT** adv. (1504), synonyme de *par métaphore.*

MÉTONYMIE n. f. est la réfection savante au XVIIe s. (attesté 1690) de *méthonomie* (1521), emprunt au bas latin de même sens *metonymia,* calque du grec *metônumia,* formé de *meta-* et de *onoma* «nom», apparenté au latin *nomen* (→ nom), qui est représenté en français dans de nombreux mots en *-onyme,* ainsi que dans *onomatopée**. ➜ *Métonymie* signifie proprement «changement de nom», le procédé consistant en effet à prendre un mot pour un autre auquel il est lié par un rapport logique. Depuis les formalistes russes et spécialement Jakobson (v. 1935), il désigne toute figure par laquelle le sens est transféré d'un signifié à un autre, lié par un rapport de contiguïté ou de dépendance logique. Il tend à fonctionner en couple avec *métaphore* (ci-dessus) et à absorber lui aussi des figures de rhétorique analogues. ➜ L'adjectif correspondant **MÉTONYMIQUE** (1843) était attesté indirectement par son dérivé **MÉTONYMIQUEMENT** adv. au XVIe siècle : cette attestation suscite l'hypothèse d'un emprunt au bas latin *metonymicus* (Ve s.), représentant du grec *metônumikos.*

MÉTALEPSE n. f., terme de rhétorique qui désigne la figure consistant à opérer un transfert de signification (ex. *entendre* pour *comprendre*), est emprunté (1585) au grec de même sens *metalêpsis,* qui signifie plus généralement «changement, échange», dérivé de *metalambanein* «recevoir sa part, échanger», de *lambanein* «prendre». Il est possible que le latin impérial *metalepsis* ait servi d'intermédiaire, mais l'époque d'emprunt rend possible l'emprunt direct au grec.

MÉTATHÈSE n. f. est emprunté (1587, selon Bloch et Wartburg, ou 1606) au bas latin des grammairiens *metathesis* (IVe s.) de même sens. Celui-ci est emprunté au grec *metathesis* et plus généralement «transposition», d'où «changement» et «transport», dérivé de *metatithenai* «changer de place». Ce verbe est formé de *meta-* et de *tithenai* «mettre, poser» (→ thèse). L'idée de transposition se retrouve dans plusieurs noms de figures de rhétorique *(métalepse, métaphore, métonymie).* ➜ Le mot dénomme une substitution de sons à l'intérieur d'un mot. ◇ Il a été repris en médecine (1747) à propos du déplacement intentionnel d'un corps ou d'une substance d'une région de l'organisme où ils sont nuisibles à une autre. ◇ En philosophie logique, le mot désigne (1840) une transposition dans une opération de raisonnement.

D'autres mots sont formés en français ou dans une langue moderne, l'élément *méta-* y ayant acquis une autonomie. Parmi ceux dont le second élément n'est pas libre, **MÉTAMORPHISME** n. f., terme de géologie, désigne la transformation profonde d'une roche, d'un terrain ; il est formé (1823) du préfixe *méta-* et du nom *morphê* «forme» (→ amorphe), d'après *métamorphose**. ◇ En sont dérivés **MÉTAMORPHIQUE** adj. (1823 ? ; 1834) et **MÉTAMORPHISER** v. tr. (1894, au participe passé). Le composé chimique **MÉTALDÉHYDE** n. m. (de *méta-* et *aldéhyde*) a pour abrégé **MÉTA** n. m. nom de marque (1925) pour un combustible solide.

◈ voir ① MÉTABOLE (MÉTABOLISME), MÉTAMORPHOSE, MÉTAPHYSIQUE, MÉTEMPSYCHOSE, MÉTÉORE, MÉTHODE, MÉTOPE et, au second élément, MÉTADISCOURS, MÉTALANGUE, MÉTAPSYCHIQUE, MÉTATARSE.

① **MÉTABOLE** n. f. est emprunté (1553) au latin impérial *metabola, metabole* «changement», employé comme terme de rhétorique et de musique chez Quintilien. Lui-même est calqué du grec *metabolê* «déplacement», d'où «changement, échange», quelquefois en mauvaise part «inconstance, mobilité» ; le mot est formé de *meta* (→ méta-) et de *ballein* (→ baller).

♦ Le mot est introduit au XVIe s. dans sa double spécialisation : il est employé en rhétorique pour un changement dans les mots ou dans les phrases, et en musique (1578) pour une transformation dans l'ordre du rythme ou de la mélodie. ➜ Un emprunt postérieur au grec a introduit ② **MÉTABOLE** adj et n. m. (1834), terme d'entomologie appliqué à des insectes (et, par extension, à d'autres animaux) dont le développement post-embryonnaire comporte des métamorphoses. Certaines classifications regroupent sous le substantif pluriel l'ensemble des insectes à métamorphoses.

▸ Seul le terme de zoologie a une certaine vitalité dans la formation, au XXe s., d'adjectifs en *-métabole* définissant diverses catégories d'insectes et, par métonymie, leur développement *(amétabole, paurométabole, hétérométabole, hémimétabole, holométabole).*

MÉTABOLISME n. m. a été formé savamment (1858) sur le grec *metabolê* avec le suffixe *-isme*. Conçu en chimie pour recouvrir l'ensemble des changements de nature moléculaire à l'intérieur d'un corps, il reçoit un peu plus tard (1903) sa définition physiologique, produisant une phraséologie relative aux différents aspects du processus : *métabolisme basal* (1925) ou *de base, métabolisme des glucides, lipides, protides* (1963, dans les dictionnaires généraux). ◇ Le mot a produit **MÉTABOLITE** n. m. (1954) pour le produit de la transformation d'un corps chimique organique au sein d'une cellule et (1963) le produit simple et assimilable de la digestion d'un aliment. ➜ Les séries d'*anabolisme* (→ ana-) et **CATABOLISME** n. m. (1896), **CATABOLIQUE** adj. (1905), **CATABOLISER** v. tr. (XXe s.) et **CATABOLITE** n. m. (v. 1960) ont été formés, par substitution du premier élément, sur *métabolisme* pour désigner spécifiquement les phases du métabolisme comprenant les phénomènes d'assimilation et de dégradation. ➜ En revanche, il semble que **MÉTABOLIQUE** adj. (1855) ne soit pas dérivé de *métabolisme,* mais formé comme lui sur le grec *metabolê,* peut-être d'après l'anglais *metabolic* attesté dès 1743 en physique, au sens de «qui constitue un changement de nature». Comme terme de physiologie (1924, *troubles métaboliques*), l'adjectif est emprunté, comme l'anglais (1845), à l'allemand *metabolisch* (1839, *Schwann*).

MÉTAL, AUX n. m. a été emprunté (v. 1140) au latin *metallum* «mine», par suite «production métallique» et, au figuré, «matière», emprunt au grec *metallon* «mine», notamment «mine de sel, d'argent», «carrières de marbre» et «produit qu'on en extrait», d'où en grec tardif «minéral, métal». Ce nom est très probablement apparenté au verbe *metallan* «interroger, enquêter, s'informer de», bien que le passage sémantique soit surprenant, mais explicable par la nécessité de rechercher les gisements cachés. On a évoqué également un emprunt.

♦ *Métal,* apparu avec le sens demeuré vivant, a perdu le sens étymologique de «mine» que l'on trouve quelquefois du XIIIe au XVIe siècle. ◇ Son sens figuré de «matière» (1225) est seulement réalisé dans la locution d'usage littéraire ***être d'un métal pur, trempé.*** ◇ Le sens usuel a reçu en chimie moderne (v. 1830, Berzelius) une valeur précise, en opposition avec *métalloïde* puis (mil. XXe s.) avec *non-métal,* employé comme nom. ➜ Par métonymie, le mot est employé en héraldique pour les couleurs or et argent (1690). ◇ Il désigne l'argent, la monnaie (1665) par opposition à *billet* (cf. *métallique*).

▸ Il a donné quelques dérivés : l'adjectif ***métallin, ine*** (XIVe s.), «qui a la teinte, l'éclat du métal», a disparu au bénéfice de *métallique** (ci-dessous). ➜ **MÉTALLISER** v. tr. est attesté depuis le XVIe s. (au participe passé) aux sens de «transformer en métal» et (1868) «garnir d'une couche de métal», d'où «donner l'aspect du métal». ◇ Ce verbe a produit **MÉTALLISATION** n. f. (1753, dans un texte traduit de l'allemand ; en anglais *metallization,* dès 1669) et **MÉTALLISEUR** n. m. (v. 1950). ➜ *Métal* a aussi servi à former **MÉTALLOÏDE** (1824), terme de chimie dont la définition moderne, en opposition à *non-métal,* est récente (1960).

MÉTALLIQUE adj. est un emprunt (XVe-XVIe s., en alchimie) au latin *metallicus* «de métal», lui-même emprunté au grec *metallikos,* dérivé de *metallon* (voir *métal* ci-dessus). Le mot a supplanté l'ancien dérivé de *métal, métallin,* attesté du XIVe au XVIe s. au sens de «qui a la teinte du métal». ◇ *Métallique* y ajoute les valeurs de «propre aux métaux», «qui est en métal» et «qui évoque le métal». Anciennement, il était employé au sens particulier de «relatif aux médailles» (par métonymie) et l'on appelait *Histoire métallique* l'histoire attestée par les médailles. ◇ L'adjectif, dans *monnaie métallique,* concerne l'or et l'argent. ◇ *Métallique* a donné **MÉTALLIQUEMENT** adv. (1828).

MÉTALLURGIE n. f. est composé savamment (1666) de *métal** ou de *métall(o)-* et de l'élément *-urgie** qui représente le latin *-urgia,* lui-même du grec *-ourgia,* de *ergon* «action, œuvre», par l'intermédiaire du grec *metallourgos* «mineur». ➜ Attesté une première fois (1611) au sens de «recherche des minerais dans la terre», *métallurgie* a été recréé pour désigner l'ensemble des procédés de fabrication des métaux, le travail des métaux et l'ensemble des entreprises fabriquant des métaux. ◆ Il a donné **MÉTALLURGIQUE** adj. (1752, dans une traduction de l'anglais) et **MÉTALLURGISTE** n. m. (1718) appliqué plus tard à l'ouvrier qui travaille les métaux et alors abrégé familièrement en **MÉTALLO** n. m. (v. 1921), avec le suffixe populaire *-o*. ◇ Le préfixé **ÉLECTROMÉTALLURGIE** n. f. apparaît au milieu du XIXe s. (1843, écrit avec un tiret : *électro-*).

MÉTALLO- est l'élément que l'on a tiré du grec *metallon*, lui-même employé comme premier terme de composés. Il est toujours productif en français pour former des mots ayant rapport avec le métal en technique et en médecine. ◆ Il entre dans **MÉTALLOGRAPHIE** n. f. (1771) «science des métaux» (1548, au sens ancien de «traité ou description des métaux»), **MÉTALLOGRAPHE** n., **MÉTALLOGRAPHIQUE** adj. (1824). ◆ Parmi d'autres composés technoscientifiques, on peut mentionner **MÉTALLOCHIMIE** n. f. (1868), **MÉTALLOTHÉRAPIE** n. f. (1878), **MÉTALLOCHROMIE** n. f. (v. 1888), **MÉTALLOGÉNIE** n. f. (1904) «formation des gîtes métallifères et leur étude», **MÉTALLORADIOGRAPHIE** n. f. (1928) «radiographie sur plaque métallique» et (1963) «radiographie d'un métal», aussi **RADIOMÉTALLOGRAPHIE**, **MÉTALLOPROTÉINE** n. f. (1968). ◆ **MÉTALLIFÈRE** adj. est formé savamment (1827) à partir du latin *metallum* avec l'élément *-fère*.

MÉTALEPSE, MÉTAMORPHISME et dérivés → MÉTA-

MÉTAMORPHOSE n. f. est emprunté (v. 1365) au latin *metamorphosis* «changement de forme», transcription du grec tardif *metamorphôsis*, dérivé de *metamorphein* «se transformer», de *meta* (→ méta-) et *morphê* «forme» (→ amorphe, morphème).

♦ Le mot est relevé pour la première fois en français dans le titre des poèmes mythologiques d'Ovide, *Les Métamorphoses*, qui relatent 246 fables de métamorphoses choisies dans le répertoire de la tradition grecque et dans les fables romaines. Plusieurs ouvrages antiques exposaient sous le même titre les transformations d'hommes en animaux, végétaux, sources et objets, thème mythique, probablement universel, en tout cas commun à tout le monde indoeuropéen. ◇ Toujours par référence au monde antique, *métamorphose* a pris le sens de «changement d'une forme en une autre» (1493). Au XVIIe s., il commence à se répandre, s'appliquant à un important changement survenant dans la fortune, le caractère de qqn (1668) et à la transformation qu'éprouvent les substances par des causes naturelles. ◆ En ce sens, il est passé dans la terminologie zoologique (1736) où il pourrait aussi être dérivé du verbe *se métamorphoser*, appliqué aux phases de la vie des insectes. ◇ Il s'emploie quelquefois en botanique (1874).

▸ Le dérivé **MÉTAMORPHOSER** v. tr. (1571) est employé lui aussi pour une transformation surnaturelle et, par analogie, au sens courant de «changer l'extérieur, le caractère de (qqn)» (1690). ◇ Le pronominal (1665) s'est d'abord imposé en zoologie à propos des phases de la vie des insectes et, depuis 1671, dans l'usage commun pour «changer complètement». ◆ Son dérivé **MÉTAMORPHOSABLE** adj. est attesté depuis 1840.

◈ voir ci-dessus MÉTAMORPHISME (art. MÉTA-).

MÉTAPHORE → MÉTA-

MÉTAPHYSIQUE n. f., d'abord écrit *métaphisique* (v. 1282) puis corrigé en *métaphysique* (1639), est emprunté au latin scolastique *metaphysica* (1070-1142), formation savante à partir de la locution grecque *meta ta phusika* «après les choses de la nature». On rencontre cette expression en tête du traité d'Aristote qui fait suite à son traité de physique *ta phusika*, pluriel neutre substantivé de *phusikos* «qui concerne la nature ou l'étude de la nature» (→ physique). La notion de métaphysique, entendue comme «science de l'au-delà de la nature», résulte d'un contresens sur le sens de *meta* (→ méta-) employé en grec dans son sens temporel. Mais ce contresens n'est pas conceptuel, car la notion existait dès Platon.

♦ *Métaphysique*, en philosophie, désigne la partie de la réflexion qui s'attache à la recherche des causes, des premiers principes, en particulier un système propre à une école ou un philosophe et, par extension, une réflexion systématique qui se propose de dégager les bases de l'activité humaine, de l'art et de la religion (XVIIIe s., d'abord en allemand *Fondements de la métaphysique des mœurs*, Kant). ◇ Depuis 1689, le mot est quelquefois employé par péjoration à propos d'un abus de considérations abstraites qui obscurcit la pensée ; il est alors quasi synonyme de *philosophie* et d'*abstraction*.

▸ On en a tiré **MÉTAPHYSICIEN, IENNE** (v. 1361, *-phisicien*) comme nom et comme adjectif (1579, *métafisicien*). ◆ L'adjectif **MÉTAPHYSIQUE** est emprunté (1546) au latin scolastique *metaphysicus* (1267). Terme du langage philosophique dont les acceptions varient selon les systèmes, il est employé couramment au sens d'«abstrait» (1637), fréquemment avec une valeur péjorative (surtout depuis le XVIIIe s.). ◇ Il a donné **MÉTAPHYSIQUEMENT** adv. (1671).

MÉTASTASE n. f. est un emprunt médical (1586) au grec *metastasis*, en rhétorique «déplacement, changement», dérivé d'après *stasis* du verbe *methistemi* «déplacer», de *meta* (→ méta-) et *istemi* «placer».

♦ Le mot a signifié en médecine «changement de forme ou du siège d'un mal» ; il s'est spécialisé pour «foyer secondaire d'une affection», notamment en cas de cancer (XIXe s.). ◇ *Métastase* est repris au grec en rhétorique (1840), puis en phonétique (1933, Grammont).

MÉTATHÈSE → MÉTA-

MÉTAYER, ÈRE n. est la réfection (1480) de *moitoier* (1150), dérivé de *moitié** avec le suffixe *-ier*. Dès 860, on relève en latin médiéval *medietarius*.

MÉTAPHORE ET MÉTONYMIE

La lexicalisation des figures de rhétorique appelées «tropes» (voir Figure), en particulier de métaphores et de métonymies, ne modifie pas la forme des mots mais leur signification et constitue un élément essentiel d'enrichissement, parallèlement à la formation d'unités selon des règles (voir Néologie) et à l'emprunt de mots à d'autres langues (voir Emprunt).
La rhétorique classique définit les tropes comme des «figures par lesquelles on fait prendre à un mot une signification qui n'est pas précisément la signification propre du mot» (Dumarsais, *Les Tropes*, I, IV); ce point de vue suppose qu'à une réalité donnée correspond une et une seule dénomination normale et que les autres relèvent d'emplois «figurés». On verra par ailleurs les problèmes posés par cette opposition *propre/figuré* (voir Figure) et l'on renvoie à des ouvrages spécialisés pour les débats sur les classements des tropes et leur définition.
La métaphore implique que la relation entre un mot ou un groupe de mots et ce qu'il désigne habituellement disparaît. Quand Molière écrit «À te revoir, j'ai de la joie au cœur», le dernier mot ne se réfère pas à un organe de l'appareil circulatoire mais au siège supposé des sentiments et des émotions; après avoir symbolisé, au moyen âge, la force d'âme au point que le mot a pour dérivé *courage*, *cœur* est devenu le symbole de l'affection et la nouvelle métaphore est la trace d'un changement important dans l'histoire de la culture. Que le cœur ait été conçu comme l'organe de la vie, étant le seul qui manifeste constamment sa présence par ses battements, a permis en l'opposant à la *tête* et au *ventre* la métaphore de la «force d'âme» et celle du «siège des affections»; l'oubli progressif du caractère imagé dans les échanges — l'usure de la métaphore — conduit à une lexicalisation des emplois. On a alors affaire à un nouveau sens : «Ce processus joue un rôle considérable dans la création et l'évolution du vocabulaire, puisqu'une part importante des mots dont nous nous servons est constituée par l'ensemble des apports successifs fournis par la lexicalisation des métaphores» (M. Le Guern).
Dès que l'on étudie le processus de métaphorisation dans la durée, c'est l'histoire des mentalités, plus largement de la culture, qui apparaît. L'emploi de *flamme* pour «passion» apparu en ancien français et déjà connu en latin *(flamma)*, puis à partir du XVIIe s. pour «passion amoureuse», était soutenu par les emplois métaphoriques de *brûler* (*arder* auparavant), *feu, enflammer, ardeur,* etc.; cependant cet usage de *flamme,* très fréquent à l'époque classique et encore courant dans les textes au XIXe s., ne se maintient au XXe s. qu'avec une intention plus ou moins parodique *(déclarer sa flamme)* ou par référence à une façon ancienne de désigner les sentiments, ce que note l'emploi de guillemets chez S. de Beauvoir dans *La Force de l'âge* : «Colette Audry surtout inspirait de nombreuses 'flammes'»; quant à l'acception «passion amoureuse», elle n'est restée que dans la locution familière *retour de flamme.*
Une métaphore lexicalisée peut par ailleurs éliminer l'emploi courant d'un mot ou d'une expression; si *percer à jour* a signifié au XVIe s. «transpercer quelqu'un», la disparition de *à jour* pour «de part en part» a laissé à la locution le seul sens métaphorique, où *percer* équivaut à «découvrir». La lexicalisation, en latin, reprise dès l'ancien français, de l'emploi métaphorique de *testa* «pot de terre» pour *caput* «tête», a conduit en français à répartir les acceptions de *caput* «partie du corps» et par métaphore «personne qui dirige», et l'origine métaphorique de *tête* «ne pourrait même pas être soupçonnée par quelqu'un qui ne connaîtrait pas son étymolo-

♦ En français, le premier sens est «celui qui partage par moitié», puis par spécialisation «celui qui fait valoir une terre en donnant la moitié des fruits au propriétaire». Ce mode d'exploitation agricole était extrêmement répandu avant l'époque contemporaine (par opposition à *fermage*). Selon les époques et les régions, il ne consistait pas toujours en un partage par moitié.

► L'ancien français avait *moitoiage* «convention par moitié», dérivé de l'ancien verbe *moitoier* «partager, diviser par moitié» (1155), de *meitié, moitié.* Ce nom en *-age* a été refait au XIXe s. en **MÉTAYAGE** (1840) d'après *métayer.* ◆ Enfin, l'ancien *moitierie* (v. 1200) a été refait en *mestairie* (1500), **MÉTAIRIE** n. f. (1509), correspondant au latin médiéval *metaria* «tenure héréditaire à demi-fruit» (1115) et plus anciennement *medietaria* (1084). ◇ Le mot désigne le domaine exploité par un métayer et les bâtiments (v. 1500) formant celui-ci. Ce sens métonymique est beaucoup moins usuel que celui de *ferme,* qui lui correspond sémantiquement.

MÉTEIL n. m., d'abord attesté en français par son dérivé en *-on* (XIIIe s., *mestilun ;* 1291, *mestillon*), puis sous la forme simple *mesteil* (XVe s.) devenue *méteil* (1600), est issu d'un latin tardif °*mistilium,* proprement «mélange», dérivé de *mixtus* (→ mixte) devenu *mistus* par l'intermédiaire d'un adjectif °*mistilis* (sur le modèle de *coctus-costilis*).

♦ Le mot désigne en agriculture un mélange de froment et de seigle. Il a éliminé d'autres dérivés synonymes en ancien français : *mestoil* (1260), *mestuel* (1260), *mestan* (1282), *mestueil* (1328-1330).

gie» (M. Le Guern). Cependant cette métaphore est toujours vive dans les emplois analogues mais plus restreints de *cafetière, carafe, fiole, tirelire,* etc., où la tête est assimilée à un récipient. Pour la métonymie, elle repose sur un déplacement de la référence que le contexte permet d'expliciter : «rencontrer Montaigne dans ses lectures» est spontanément entendu pour «rencontrer la pensée ou l'œuvre de Montaigne». Il s'agit bien d'une «extension de sens qui consiste à nommer un objet au moyen d'un terme désignant un autre objet uni au premier par une relation constante» (K. Nyrop, *Grammaire historique de la langue française*). La métonymie est donc fondée sur un rapport entre des réalités extralinguistiques, indépendamment des éléments linguistiques qui l'expriment; dans chaque cas, il y a ellipse (*boire un verre,* c'est *boire le contenu d'un verre*).

Du même côté de ce jeu sur la référence est la figure appelée *synecdoque,* où le changement de relation entre le mot et la chose est plus marqué (*la voile* pour *le navire*); la rhétorique classique définissait la synecdoque comme une espèce de métonymie et certains spécialistes, à la suite de Jakobson, ne conservent aujourd'hui que le couple métaphore et métonymie, c'est-à-dire l'opposition entre une relation de similarité et une de contiguïté. Dans ce dictionnaire, les changements de sens par synecdoque sont le plus souvent considérés comme relevant d'une métonymie.

Le processus métonymique pris au sens large apparaît de même importance que la métaphorisation pour la néologie sémantique; là encore, l'histoire des mots permet d'évoquer celle de la civilisation, les significations contemporaines d'un mot ayant fait perdre toute trace des premiers emplois. Que l'on pense à *bureau* qui désigna d'abord une étoffe de *bure,* puis par métonymie un tapis de cette étoffe recouvrant une table et la table ainsi recouverte; ces emplois sont sortis d'usage avec l'évolution du mobilier et le changement des habitudes sociales : par de nouvelles métonymies, *bureau* est devenu le nom d'une table à écrire, de la pièce où elle se trouve, d'un établissement ouvert au public, la désignation d'un lieu de travail, etc., mais le lien entre le sens de «table», toujours vivant, et celui d'«établissement» est ténu; la dérivation a fourni *bureaucratie* où la relation avec le sens de «table» n'est plus perceptible. On ferait des remarques analogues en suivant l'évolution du mot *étude,* désignant d'abord l'application de l'esprit qui cherche à comprendre quelque chose (sens qui s'est maintenu) et qui, par une série de métonymies, s'emploie aussi pour la charge du notaire avec son personnel. Ce qu'indique cet exemple, c'est que la relation entre le premier sens et les emplois métonymiques n'est pas de même nature que dans le processus métaphorique : «elle n'est pas une relation de signification : elle porte sur la référence et non sur le code» (M. Le Guern).

La lexicalisation des tropes apparaît beaucoup plus complexe que ne le laisseraient supposer les quelques exemples ci-dessus; dans les faits, les divers processus se succèdent et s'imbriquent, et aux changements de sens par métaphore et par métonymie s'ajoutent des emplois extensifs et analogiques. L'usager n'a pas conscience des transformations qui ont affecté les mots qu'il emploie et que seul le recours à l'histoire lui permet de reconstruire, même quand il arrive, par exemple pour *couvre-chef* où *chef* conserve le sens de «tête», que «des restes du passé traîn(...)ent çà et là, en vrac» (R. Queneau, *Les Fleurs bleues*).

T. Hordé, C. Tanet

BIBLIOGRAPHIE

M. LE GUERN, *Sémantique de la métaphore et de la métonymie,* Paris, Larousse, 1978.

MÉTEMPSYCHOSE n. f. a été emprunté (1562) au bas latin *metempsychosis,* calque du grec tardif (IIIᵉ s. apr. J.-C.) *metempsukhôsis* «passage d'une âme d'un corps dans un autre», formé de *meta* (→ méta-) et de *empsuchôsis* «action d'animer», dérivé de *psukhê* «âme» (→ psyché). Aux XVIIᵉ et XVIIIᵉ s., il est écrit *métempsycose.*

♦ Le mot désigne la doctrine de la transmigration des âmes. Par métonymie, le pluriel se rapporte aux incarnations successives d'une âme après la mort.

▸ Deux dérivés rares sont apparus ultérieurement : **SE MÉTEMPSYCHOSER** v. pron. (1860) et **MÉTEMPSYCHOSISTE** adj. et n. (av. 1787, Galiani).

✳ **MÉTÉORE** n. m., d'abord *metheores* (1270) puis *météore* (1585), a été emprunté au grec *meteôra* «phénomènes ou corps célestes», pluriel neutre substantivé de l'adjectif *meteôros* «qui est en haut ou qui s'élève dans les airs», de *meta-* (→ méta-) et *aeirein* «lever» (→ aussi aorte).

♦ *Météore* n'a conservé le sens grec de «phénomène se produisant dans l'atmosphère» que dans l'usage didactique. ◇ Il est passé dans le langage courant au sens particulier de «petit corps céleste généralement lumineux qui passe dans le ciel ou tombe sur la terre» (1672, *Meteore Ignée*), avec une valeur figurée de grande vitesse (1821), analogue à celle d'*étoile filante,* de *bolide.* ◆ Il a donné un terme de mode en usage autour de 1900, *satin météore,* elliptiquement *météore* ou *météor* (1907).

▸ **MÉTÉORITE** (1822), nom féminin souvent pris pour un masculin, a donné **MÉTÉORITIQUE** adj.

(fin XIXe s.). ◆ Le dérivé **MÉTÉORIQUE** adj. (1537) «atmosphérique» se dit en botanique d'une plante dont l'épanouissement dépend de l'état de l'atmosphère (1803). ◇ Son sens général étant très didactique, il a été repris pour «relatif à un astéroïde» (1803). ◆ La tradition consistant à voir des présages dans la manifestation de certains météores a entraîné la formation de **MÉTÉOROMANCIE** n. f. (1765) et **MÉTÉOROMANCIEN, IENNE** n. (1836) avec les suffixes des sciences de divination et de ceux qui les pratiquent (→ météorisme).

Le sens général et ancien de *météore* s'est surtout conservé dans **MÉTÉOROLOGIE** n. f., emprunt (1547) au grec *meteôrologia* «recherche ou traité sur les phénomènes ou sur les corps célestes», de *meteôros*. Le mot désigne en français moderne la science qui étudie les phénomènes atmosphériques pour prévoir le temps. *Les Météorologiques* d'Aristote ont fait loi en la matière pendant près de vingt siècles. Il faut attendre la découverte et la mise au point d'instruments de mesure pour que la météorologie devienne une science physique (XVIIe-XVIIIe s.), avec d'importants perfectionnements au XIXe s., où l'étude des couches de l'atmosphère, des nuages, des vents devient scientifique, et au XXe s. avec l'observation par satellites artificiels. ◇ Par métonymie, *météorologie* désigne le service chargé d'établir et de communiquer les prévisions météorologiques (1949). ◆ Il est abrégé familièrement et couramment en **MÉTÉO** n. f. (1917, argot des tranchées), mot devenu très usuel avec les médias de masse. ◆ **MÉTÉOROLOGIQUE** adj. est emprunté, à la même époque que *météorologie* (1547), au dérivé grec *meteôrologikos*, et lui aussi couramment abrégé en **MÉTÉO** (1931). ◇ On en a tiré **MÉTÉOROLOGIQUEMENT** adv. (1922), d'usage rare. ◆ Le spécialiste de météorologie a reçu le nom de **MÉTÉOROLOGISTE** n. (1797), par dérivation de *météorologie*, et celui de **MÉTÉOROLOGUE** n. (1783) par emprunt au grec *meteôrologos* «qui s'occupe des phénomènes célestes» (dès 1775, on le relève pour désigner un instrument). ◆ Quelques termes didactiques ont suivi : **BIOMÉTÉOROLOGIE** n. f. (v. 1970), et en médecine **MÉTÉOROPATHOLOGIE** n. f. (1928) et **MÉTÉOROPATHIE** n. f. (1959).

◈ voir MÉTÉORISME.

MÉTÉORISME n. m. est un emprunt de la langue médicale (1590) au grec *meteôrismos* «action de lever», d'où «gonflement», dérivé de *meteôrizein* «s'élever en l'air», au figuré «exalter», dérivé de *meteôros* (→ météore).

♦ Le mot désigne un gonflement de l'abdomen dû à des gaz intestinaux.

▸ **MÉTÉORISER** v. tr., attesté depuis 1755 (d'abord par son participe passé *météorisé*), a été emprunté au grec *meteôrizein* dont le participe passé était déjà employé au sens de «qui souffre de flatulence». Le mot est entré également dans le vocabulaire de la chimie (1620, *mercure météorisé*). ◇ En est dérivé **MÉTÉORISATION** n. f. (1811).

MÉTÉOROLOGIE → MÉTÉORE

MÉTÈQUE n. m., d'abord écrit *mestèque* (1743) puis *métèque* (1840), est un emprunt des historiens de l'Antiquité au grec *metoikos*. Le mot était employé à Athènes à l'époque classique pour désigner une catégorie d'étrangers qui, moyennant certaines obligations, avaient le droit de résider sur le territoire de la cité et de s'y livrer à leurs activités professionnelles sans être toutefois citoyens. Le mot est formé de *meta* (→ méta-) et de *oikos* «maison, lieu où l'on habite, patrie» (→ économie, œcuménique). Le mot signifie donc proprement «qui change de résidence».

♦ En francais, *métèque*, introduit par les historiens de la Grèce antique, a pris par extension un sens péjoratif : «étranger dont l'allure, le comportement n'inspirent pas confiance» (1894, Maurras) avec une valeur nettement xénophobe. Cet usage extensif correspond à la réaction de défense nationaliste (et souvent raciste) contre le cosmopolitisme, vers la fin du XIXe s. (cf. aussi *rastaquouère*, le vocabulaire antisémite, etc.).

MÉTHADONE n. f. est emprunté (1971) à l'anglo-américain *methadone* (1947), composé de *methylamine* (→ méthylène), *diphenyl*, du radical *phen* (→ phéno-) et *heptanone*.

♦ Ce terme chimique désigne un dérivé synthétique de la morphine pouvant être utilisé comme produit de substitution de la morphine et de l'héroïne dans les cures de désintoxication.

MÉTHANE → MÉTHYLÈNE

MÉTHODE n. f. est un emprunt (1537) au bas latin *methodus*, terme scientifique employé en médecine, en géométrie et en rhétorique, emprunt au grec *methodos*, formé de *meta* (→ méta-) et de *hodos* «route, voie», «direction qui mène au but». La racine indoeuropéenne est *°sed-* «marcher» sans que l'on puisse l'identifier sûrement à *°sed-* «s'asseoir» (→ seoir). *Methodos* signifie proprement «cheminement, poursuite», mais l'on est passé du concept constatif (le chemin suivi) au concept normatif (le chemin à suivre) : de là, le sens de «recherche, traité, doctrine scientifique».

♦ *Méthode* a été introduit en médecine au sens de «manière particulière d'appliquer une médication», mais il a pris très tôt celui de «procédés raisonnés sur lesquels reposent l'enseignement, la pratique d'un art» (1546), en particulier en pédagogie (1547). Le sémantisme du mot s'enrichit au XVIIe s. tant dans un contexte intellectuel (1637, Descartes, *Discours de la méthode*) que technique, où il est un quasi-synonyme de *procédé*, de *moyen* au sens de «manière de faire» (1647). Sous l'influence cartésienne, il se répand dans la langue courante et y subit un affaiblissement, se chargeant quelquefois d'une nuance péjorative. ◇ Par métonymie, il désigne un livre exposant une méthode (1680). ◇ Au XVIIIe s., il a pris le sens spécialisé de «système de classification» (1793) dans le domaine des sciences naturelles et, par extension, se réfère à l'ordre réglant une activité, à l'arrangement qui en résulte *(avec/sans méthode)*. Plus récemment, il a diversifié ses emplois selon les sciences (formelles et déductives, empirico-formelles, naturelles), l'expression même de *méthode expérimentale* étant vague et recouvrant des concepts différents suivant les domaines.

▶ L'adjectif **MÉTHODIQUE** a été emprunté (1488) au dérivé bas latin *methodicus* «qui procède d'après une règle, une méthode», substantivé pour désigner les médecins attachés à la pratique méthodique de Galien (par opposition à la pratique empirique). Le latin le tient du grec *methodikos* de même sens, dérivé de *methodos.* ➛ Comme *méthode,* le mot a été introduit en français en tant que terme de médecine qualifiant un nom inanimé et une personne (*chirurgien méthodique,* 1575). ◇ Il s'est répandu dans d'autres domaines (dont la philosophie cartésienne) et dans l'usage courant au sens de «qui requiert l'application d'une méthode, qui se comporte de façon réfléchie» (XVIIe s.). ◇ On en a tiré **MÉTHODIQUEMENT** adv. (1550). ➛ Par emprunt à l'anglais *methodist,* on a formé **MÉTHODISTE** n. et adj. (1760) «partisan du mouvement protestant religieux créé par John Wesley en 1729» et **MÉTHODISME** n. m. (1761), lui aussi adaptation de l'anglais (1739, *methodism*). ➛ Ce nom, employé (1835) au sens d'«attitude d'esprit qui privilégie la méthode», est dérivé en français de *méthode.*

Le terme didactique **MÉTHODOLOGIE** n. f. (1829) est peut-être également un emprunt à l'anglais *methodology* (1800), tout comme **MÉTHODOLOGIQUE** adj. (1877) pourrait être l'adaptation de l'anglais *methodological* (1849).

◈ voir ÉLECTRODE, EXODE, ① PÉRIODE, SYNODE.

MÉTHYLÈNE n. m. a été formé (1834) par Dumas et Peligot avec les mots grecs *methu* «boisson alcoolisée», ancien appellatif indoeuropéen pour le miel, également représenté dans les langues baltiques, slaves et celtiques, et *ulê* «forêt», «bois de construction» (terme sans étymologie connue), avec le suffixe *-ène.* Cette dénomination répond au besoin de traduire en langue savante le nom vulgaire d'*esprit-de-bois* ou *liqueur spiritueuse du bois;* l'anglais l'a immédiatement reprise (1835, *methylene*).

♦ Le mot désigne un radical bivalent dérivé du méthane par suppression de deux atomes d'hydrogène; la dénomination ***bleu de méthylène*** (1896), employée en pharmacie et en teinturerie, recouvre un désinfectant et un colorant bleu vif extrait de la houille. ➛ Le langage commercial et industriel entend par *méthylène* un mélange d'alcool méthylique et d'acétone employé pour dénaturer l'alcool (1903).

▶ De *méthylène* a été dérivé dans un premier temps **MÉTHYLE** n. m. (1839), résultat de l'association de *méthyl-,* élément tiré de *méthylène,* et de *-yle.* Ce nom s'applique à un radical monovalent dérivé du méthane, présent dans de nombreux corps organiques. ◇ Il a produit une dizaine de dérivés en chimie, tels **MÉTHYLIQUE** adj. (1835, *liqueur méthylique;* 1844, *alcool méthylique*), **MÉTHYLÉ, ÉE** adj. (av. 1878), **MÉTHYLATE** n. m. (1878), **MÉTHYLER** v. tr. (1903) d'où **MÉTHYLATION** n. f. (1903), et quelques composés en *méthyl-* comme **MÉTHYLAMINE** n. f. (1873) «amine méthylée». ➛ Dans un second temps, le groupe de *méthylène* s'est enrichi de **MÉTHANE** n. m., indirectement attesté dans *nitrométhane* en 1873 (mais relevé en anglais dès 1868), dénomination d'un hydrocarbure saturé présent sous la forme d'un gaz incolore et inodore, principal constituant du gaz naturel. ◇ Celui-ci a produit quelques dérivés au XXe siècle : **MÉTHANOL** n. m. (1892, angl. *methanal,* Conférence intern. de nomenclature chimique), **MÉTHANIQUE** adj. (1931), plusieurs étant en relation avec l'exploitation technique du méthane, par exemple **MÉTHANIER** n. m. (av. 1960) «navire effectuant le transport du méthane liquéfié» et, par un verbe virtuel, °*méthaniser* (*méthanisé* est attesté en 1953), **MÉTHANISATION** n. f. (1968).

◈ voir ÉTHYLÈNE, MÉTHADONE.

MÉTICULEUX, EUSE adj. est emprunté (1547, Budé) au latin *meticulosus* «craintif, timide» et, en langue archaïque, «effrayant», adjectif formé sur le modèle de *periculosus* «dangereux» (italien *pericoloso*) sur *metus* «crainte» et, dans le langage juridique, «contrainte morale imposée à qqn pour lui faire accomplir un acte». *Metus* survit en piémontais, espagnol, provençal, portugais, mais n'a rien donné en français; il n'a pas d'étymologie connue.

♦ *Méticuleux,* introduit avec le sens étymologique de «timide, craintif», et rare au XVIe s., a été repris à la fin du XVIIIe s. avec des sens dérivés affaiblis : on est passé à l'idée d'«empreint de scrupules» en parlant d'une personne (av. 1813) puis au sens moderne de «qui a le goût du petit détail» (1817). Le mot a servi, par métonymie, à qualifier un acte, un comportement, un travail, etc. qui est le fruit d'un esprit minutieux (1821).

▶ *Méticuleux* a donné deux dérivés au XIXe siècle : **MÉTICULEUSEMENT** adv. (1831), relativement usuel, et **MÉTICULOSITÉ** n. f. (1828), resté rare.

MÉTIER n. m., d'abord *menestier* (v. 881), *mistier* (v. 980) et *mestier* (v. 1135), est le doublet populaire de *ministère* :* il est issu du latin *ministerium* (dérivé de *minister;* → ministre) «fonction de serviteur, service, fonction». Spécialement pris au sens de «service divin» à l'époque classique, il a désigné le service de Dieu et le «ministère» de ce service à l'époque chrétienne. Un croisement probable avec le latin *mysterium* (→ mystère) a dû aboutir à une forme tardive °*misterium,* favorisée par la proximité sémantique des deux mots en latin chrétien : *mysterium* signifiait «rite, célébration, saints mystères, messe», et le *ministerium* et le *mysterium* se sont confondus dans la personne du prêtre, serviteur de Dieu qui renouvelle le mystère du Christ.

♦ Le mot est d'abord attesté en français dans l'expression *lo Deo menestier* «le service divin (spirituel, liturgique, pastoral)»; par extension, il a pris le sens de «fonction, service» (1050), appliqué à des situations très diverses, par exemple à la femme de mauvaise vie, dite *femme de mestier* (1170), et aussi à la fonction royale (v. 1225). ➛ Au cours du XIIe s., *mestier* s'est appliqué à l'exercice d'une profession, d'un art, d'abord en parlant du métier des armes (v. 1165), puis aussi d'un service procurant une rémunération (v. 1200). La locution *gens de mestiers* désigne alors ceux dont le métier exige des connaissances, c'est-à-dire les lettrés (1180), avant de prendre le sens d'«artisans» puis d'«ouvriers» entre le XVe et le XVIe siècle. ◇ Le pluriel *les mestiers* recouvre les différentes corporations (1316; dès 961, en latin médiéval). Le singulier *(du métier)* se charge d'une valeur accessoire de «savoir-faire» (v. 1300), surtout vivante dans le domaine des arts et de la littérature (Diderot). ➜ D'après le sens d'«usage, besoin» pris par le latin médiéval (861), *métier* a pris (1080) la valeur de «besoin, utilité», très vivante encore en langue classique (1690). En ce sens, il entrait dans plusieurs locutions (*avoir mester de* «avoir besoin», *être de métier* «être nécessaire») aujourd'hui sorties de l'usage. ◇ Par métonymie, il a désigné concrètement un objet utile : le sens d'«ustensile» (vase, vaisselle, mobilier, sorte de flambeau) a décliné après le XVIe s. mais celui d'«instrument» s'est maintenu en parlant de la machine à tisser les textiles (v. 1200), dite ***métier à tisser.*** ◇ *Métier* entre dans plusieurs syntagmes, avec le développement de la technique. En ce sens, le mot est pris avec une valeur figurée dans l'expression ***mettre sur le métier*** (1640, Boileau). ➜ Si, dès l'ancien français, *métier* possède tous les sens développés par le latin classique et le latin médiéval, l'usage moderne est plus récent puisque le sens courant de «profession que l'on choisit» n'est passé en tête dans les articles de dictionnaires qu'à partir de 1690.

MÉTIS, ISSE adj. et n., d'abord *mestis* (XIIIe s.), *métis* au XVIIe s. (1669), est issu du bas latin *mixticius* «né d'une race mélangée», dérivé de *mixtus* (→ mixte et aussi méteil). La prononciation du *s* final de *métis* s'explique par l'influence des formes *metice, mestice,* courantes au XVIIe et au XVIIIe s. et qui sont probablement des adaptations du portugais *mestiço* «sang mêlé» (XIVe s.) ou de l'espagnol *mestizo* (1600) de même origine. On rencontre aussi la forme *me(s)tif, me(s)tive* du XVIe au XVIIIe s. par substitution de suffixe.

♦ *Métis* a d'abord qualifié ce qui est fait moitié d'une chose, moitié d'une autre, valeur maintenue dans quelques emplois techniques (*toile métisse,* toujours usuel, *fer métis*). Il a servi de qualificatif aux êtres animés dans une description à valeur sociale, pour «de basse extraction» (1288). ➜ La valeur moderne a d'abord été réalisée en parlant d'un animal «engendré de deux races» (1338) avant de l'être à propos d'un humain (1559). ◇ C'est à partir du portugais *mestico* que *métis* a pris le sens aujourd'hui courant (1615) de «dont le père et la mère sont de race différente», d'abord donné comme mot indigène désignant au Brésil une personne née d'une Indienne et d'un Blanc ou le contraire. Dès la même époque, il a été substantivé (1615), emploi aujourd'hui usuel.

► Il a donné plus tard **MÉTISSAGE** n. m. (1837) «croisement des races», employé également en zoologie et botanique, et au figuré *(métissage culturel).* ➜ **MÉTISSER** v. tr. (1874; 1868, au participe passé) s'emploie en parlant d'animaux, puis d'humains. Les deux mots se prêtent de nos jours à des emplois abstraits dans le domaine des idées, de la culture, et ont été valorisés, notamment par L. S. Senghor.

MÉTIVE → MOISSON

MÉTONYMIE → MÉTA-

MÉTOPE n. f. a été emprunté (v. 1530) au latin *metopa,* lequel est pris au grec *metopê.* Ce mot est formé de *meta* (→ méta-) et de *opê* «ouverture», «trou; trou dans le toit» pour laisser passer l'air, la lumière, employé surtout au pluriel à propos des trous dans les frises qui reçoivent les extrémités des poutres. Le mot remonte à la racine indoeuropéenne °*okw-* «voir» (latin *oculus;* → œil) avec le développement particulier de l'idée de «vue» à celle d'«endroit par lequel on voit, orifice». Cette racine se retrouve dans de nombreux mots français venus du grec et du latin (→ atroce, autopsie, aveugle, féroce, inoculer, monocle, myope, ocelle, oculiste, œil, ophtalmo-, optique, synopsis).

♦ Le mot est employé en architecture antique à propos de l'intervalle carré qui, dans une frise dorique, sépare deux triglyphes.

① **MÈTRE** n. m., terme de versification, est un emprunt (fin XIIe s.) au latin *metrum* «mètre, mesure d'un vers» et «vers», emprunt du grec *metron* «mesure» (→ ② mètre) pris spécialement comme terme de versification.

♦ Le mot est employé en versification gréco-latine avant d'être appliqué à un type de vers français caractérisé par le nombre et la nature des syllabes et la coupe.

► ① **MÉTRIQUE** adj. et n. f. a été emprunté (1495, *metricque*) au latin *metricus* (du grec *metrikos*) avec son sens d'«écrit en vers». Il a été réemprunté au sens moderne depuis 1529, puis comme nom de la science étudiant les éléments des vers (1672), alors pris au bas latin *metrica* (Ve s.), transposition du grec *metrikê,* substantivation du féminin de *metrikos.* Depuis 1827, il désigne également le système de versification, l'ensemble des règles qui s'y rapportent.

② **MÈTRE** n. m., mot adopté par une loi du 26 mars 1791, est un emprunt au grec *metron* «mesure, toute quantité mesurée, limite, juste mesure» et, en poésie, «pied» (→ ① mètre). Il semble que, parallèlement à *metron,* il existait un radical à vocalisme long *mêtra,* qui trouve son correspondant exact en sanskrit *mītrā-* «mesure» et qui remonte à la même racine indoeuropéenne que *mesure**. Le bas latin atteste *metron, metrum* «instrument» (Ve s.) et «espace mesuré» (déb. Ve s.) et l'ancien français connaît *metre* «mesure de capacité» (1367).

♦ Emprunté au sens d'«unité de longueur, base du système de mesures de longueur», *mètre* entre dans ***mètre carré*** et ***mètre cube*** (1803), unités de surface et de volume, et, par métonymie, désigne un instrument gradué servant à mesurer (1868). Ce sens est distinct de l'emploi concret du mot dans *mètre-étalon;* il donne lieu au composé **DOUBLE-MÈTRE** n. m.

► ② **MÉTRIQUE** adj., dérivé à l'époque révolutionnaire (1795, *système métrique*) de *mètre,* qualifie ce qui est relatif au mètre et aux unités de mesure auxquelles il sert de base. ◆ L'adjectif ③ **MÉTRIQUE**, dérivé savamment de *metron* dans la langue didactique moderne au sens général de «mesurable» (1905), est spécialisé en mathématiques avec la valeur de «relatif aux distances, à la géométrie». ◆ *Mètre* a donné **MÉTRER** v. tr. (1832) «mesurer au mètre», qui a donné lui-même **MÉTRÉ** n. m. (1840) «mesure d'un ouvrage, d'un terrain» en construction et **MÉTREUR** n. m. (v. 1845). ◆ Un autre dérivé, **MÉTRAGE** n. m. (1824), apparu au sens d'«action de mesurer», désigne par métonymie la longueur mesurée d'un objet (1832) et, spécialement, d'une pièce de tissu (1883). ◇ Il est employé spécialement à propos de la longueur de pellicule d'un film (1907), en emploi qualifié dans ***long métrage*** (1911), ***court métrage*** (1924) et ***moyen métrage.***

Plusieurs mots ont été formés à l'aide des suffixes ① **-MÈTRE**, **-MÉTRIE** et **-MÉTRIQUE**, et du préfixe **MÉTRO-**. ◆ **MÉTROLOGIE** n. f. (1780) signifie «science de la mesure». ◆ L'élément représente à la fois le grec *-metron* «instrument de mesure» (→ chronomètre), le grec *-metros* «ce qui se mesure» (→ paramètre) et *-metrês* «celui qui mesure» (→ géomètre). Un élément ② **-MÈTRE**, représentant le nom français *mètre*, entre dans la construction de noms masculins pour des unités de longueur (→ centimètre, décimètre, kilomètre, millimètre) et en physique pour des unités pratiques de mesure (*-mètre* étant pris au sens de «au mètre»).

◈ voir DIAMÈTRE, MÉTRONOME, SYMÉTRIE.

MÉTRONOME n. m. a été emprunté (1765) au grec *metronomos* «magistrat contrôleur des poids et mesures à Athènes», composé de *metron* (→ ① et ② mètre) et de *-nomos* (→ nome, -nomie).

♦ Le français a emprunté le mot en histoire grecque. ◆ Il a été repris pour désigner un instrument d'étude musicale marquant le rythme, en 1815 (14 septembre, brevet d'invention).

▸ On en a tiré l'adjectif **MÉTRONOMIQUE** «de métronome» (1837), au figuré «d'une régularité absolue».

MÉTROPOLE n. f. est un emprunt (XIIIe-XIVe s.) au bas latin *metropolis* «capitale d'une province» (IVe s.), «ville d'un siège épiscopal» (av. 420) et «métropolite» (VIe s.). Le latin est pris au grec *mêtropolis*, littéralement «ville mère», de *mêtêr*, *mêtros* «mère», de la même racine que le latin *mater* (→ mère), et *polis* «ville» (→ police, politique). *Mêtropolis* a pris la valeur de «ville qui a fondé ou colonisé d'autres villes» et «ville principale, capitale».

♦ Le mot a été introduit en administration religieuse avec le sens de «ville ayant un siège archiépiscopal» ; il entre en apposition dans *église métropole* «église archiépiscopale» (1493). Les historiens de l'Antiquité l'emploient (1679) au sens qu'il avait chez les Grecs et à Rome. ◇ Depuis 1701, *métropole* désigne en France une grande ville de province, quelquefois avec le sens figuré de «centre le plus important de». ◇ Il désigne aussi l'État considéré par rapport à ses colonies (1748, Montesquieu), à des territoires extérieurs (on recourt parfois à son équivalent *mère patrie*).

▸ **MÉTROPOLITAIN, AINE** adj. et n. m. a été emprunté comme adjectif (1294) au dérivé bas latin *metropolitanus* «d'une capitale» (IVe s.), «d'une cité ecclésiastique» (av. 553) et «d'un évêque» (av. 430), substantivé (av. 420) pour un évêque métropolitain. ◆ Le mot a été introduit en français dans le vocabulaire de l'administration religieuse pour «qui a un siège archiépiscopal». Il a été substantivé sous la forme (incorrecte étymologiquement) *maistre politan* (XIVe s.) et repris pour désigner un dignitaire de l'Église orthodoxe (1759, Voltaire à propos de la Russie). ◆ En relation avec les autres sens de *métropole*, il signifie également «qui a les caractères d'une capitale» (1588), puis (1777) aussi «relatif à la métropole (par opposition aux colonies)». Substantivé, courant dans le français d'outre-mer, il est abrégé en ② **MÉTRO** n. (av. 1939). ◆ *Chemin de fer métropolitain* (1873), elliptiquement *métropolitain* (1874), est couramment abrégé en ① **MÉTRO** n. m. (1891) avant même la réalisation de ce système de transport à Paris. Il s'agit très probablement d'un anglicisme fait sur *metropolitan railway* au sens de «chemin de fer urbain», s'agissant d'abord de Londres, puis de Paris. ◇ *Métro*, très courant, a des connotations de vie urbaine, d'encombrement, de transports pénibles au lieu de travail, dont rend compte le slogan : *métro, boulot, dodo*.

MÉTROPOLITE n. m. a été emprunté (1679 ; bien après l'anglais *metropolite*, 1591), mais 1525 sous la forme *métropoliti*, au bas latin *metropolita* «évêque métropolitain», emprunté au grec *mêtropolitês* «métropolitain», dérivé de *mêtropolis*. Le mot fournit le titre donné à un archevêque dans l'Église orthodoxe.

METS n. m. est issu (v. 1140, *mes*) du latin *missum*, accusatif de *missus*, participe passé substantivé de *mittere* «envoyer» (→ mettre). *Missus* a eu d'abord le sens actif d'«action d'envoyer, de lancer» (passé en ancien français où *mes* est attesté au sens de «lancement d'une arme de jet» en 1140). Par métonymie, on passe au sens de «chose envoyée», d'où «service à table» et «chose mise sur la table» (IVe s.). Le mot est passé sous l'ancienne forme *mes* en anglais d'où il nous est revenu dans *mess**. Il a pris sa forme actuelle avec un *t* sous l'influence de *mettre*.

♦ Le mot désigne un aliment préparé entrant dans la composition d'un repas. Il appartient à l'usage soutenu.

▸ Il a pour préfixé **ENTREMETS** n. m., proprement «ce qui est entre les plats» (1170), d'abord attesté au figuré en parlant d'un intermède, d'un divertissement. ◇ À partir du XIIIe s., *entremets* désigne un plat d'accompagnement servi entre les mets principaux ; son sens moderne est issu de sa spécialisation (1668) en «plat sucré servi entre le fromage et le dessert proprement dit».

✳ **METTRE** v. tr. est issu (av. 950) du latin *mittere*. Ce verbe expressif à consonne géminée intérieure, sans étymologie sûre, signifie proprement «laisser aller, laisser partir, lâcher» et «lancer, jeter dans un mouvement rapide (d'armes de trait)». Avec un infinitif, *mittere* signifie «omettre de, cesser de» et, moralement, «omettre, passer sous silence». Par suite, peut-être à partir d'emplois comme *equos mittere* «laisser aller, lâcher les chevaux», il a développé le sens d'«envoyer». La notion de rapidité s'est peu à peu effacée et divers emplois de l'ancien français se laissent discerner dès l'époque impériale, *mittere* se rapprochant de *ponere* (→ poser) et se spécialisant à basse époque pour «envoyer à table, mettre à table» (→ mets). Le sens de «faire pousser, se revêtir de» remonte au latin classique où *mittere* est synonyme de *induere,* d'abord en parlant des plantes, puis d'une personne. Une autre valeur, «ajouter (un ingrédient à un autre)», se relève à basse époque et le latin médiéval connaît «causer, porter, susciter» *(mittere bellum)* «porter la guerre» (VIe-VIIIe s.), «consacrer, passer du temps à (qqch.)» (856), «mettre par écrit» (Xe s.), «dépenser, payer» (XIe s.).

♦ Étant donné la richesse sémantique du mot latin, il n'est pas surprenant que *mettre* ait dès l'ancien français (entre le Xe et le XIIe s.) la quasi-totalité de ses sens et produise une phraséologie très abondante. Un premier groupe d'emplois se rattache à l'idée de «faire passer en un lieu» : dès les premiers textes, le verbe exprime l'idée de «porter, provoquer, produire», par exemple dans ***mettre le feu*** (v. 1160-1174) et plus abstraitement ***mettre fin*** (1160-1174). ◇ Avec un nom d'animé pour complément, il concerne l'acte par lequel on attribue à une personne une affectation déterminée (v. 980), par exemple dans ***mettre qqn en prison*** (v. 980, sous une forme différente) ou ***mettre en sûreté*** (v. 1170), *mettre en la voie* (1178), *mettre sur le bon chemin.* La locution ***mettre à l'école*** (v. 1150, sous une forme différente) est synonyme d'«envoyer à l'école». À propos d'objets, ***mettre en vente*** (1283) implique l'idée de «proposer, soumettre». ◇ La notion de mouvement (pour placer qqch. ou qqn dans un lieu) est particulièrement sensible dans ***mettre dehors*** (v. 980, dans l'ancien composé *forsmedre,* de *fors* «dehors» et *mettre*), souvent avec une nuance de rapidité, de violence qui disparaît dans ***mettre en terre*** (v. 1050), ***en bière.*** ◇ Abstraitement, ***mettre en mémoire*** (v. 1155) évoque le fait de placer pour retrouver. ◇ Dans d'autres cas, la nuance est celle de «s'activer à la préparation, à la disposition de» : ***mettre la table*** (v. 1165, au pluriel ; v. 1155, *metre le manger*) correspond à «préparer sur la table ce qui est nécessaire au service du repas», ***mettre en rang*** (1080) à «disposer selon un rang, une ligne et selon un ordre». La valeur dynamique est également très sensible lorsque le mot se construit avec le nom d'une partie du corps (1080, *mettre la main à l'espee ;* 1377, ***mettre pied à terre***) et avec le nom d'un objet (bijou, vêtement) que l'on destine à une partie du corps (1080). ◆ Selon les secteurs de l'activité humaine, *mettre* revêt les valeurs d'«employer un certain laps de temps» (v. 1118), «consacrer son énergie, ses moyens» (v. 1170) dans ***y mettre du sien*** (v. 1175) «dépenser, engager une somme d'argent» (v. 1210), d'où ***mettre qqch. en jeu*** (1656, pour le sens moderne), ***y mettre*** *(telle somme).* ◇ Un second groupe de sens partage l'idée d'une transformation, de l'avènement d'une situation nouvelle (1050). Celle-ci affecte le corps et l'esprit dans ***mettre qqn en colère*** (XIIIe s., sous la forme *mettre en ire*), mais aussi l'existence d'une chose, *mettre à néant* (1174-1176) ayant cependant décliné au profit de *réduire à néant,* ou celle d'un être, dans les locutions ***mettre à mort*** (v. 1170), ***mettre en vie*** (1130-1140), disparue, et ***mettre au monde*** (1671 en ce sens). Le même sens global résulte de l'idée de «faire changer dans l'espace» dans ***mettre bas*** (d'une femelle, d'un animal). ◇ La modification s'attache à la structure de la chose désignée par le complément dans *mettre en,* par exemple ***mettre qqch. en cendres*** (v. 1160), ***en feu*** (v. 1200). ◇ La transformation concerne le mode d'expression (v. 1118) dans ***mettre par écrit*** (v. 1170, *en*), ***mettre en français*** (v. 1175), ***mettre en pages*** (1765). Dans tous ces emplois, *mettre* a une valeur faible et correspond à «faire être (dans un état)». *Mettre à* et *en* forment notamment avec des substantifs des verbes complexes *(mettre à prix, au point ; mettre en scène, en cause, en demeure...)* auxquels correspond souvent un nom complexe avec *mise* (ci-dessous).

◇ Le pronominal *se mettre* recouvre à peu près les mêmes aires d'emplois que *mettre :* il signifie «venir occuper une place, une situation abstraite déterminée» (1050), par exemple pour se mettre en relation avec autrui, occuper un lieu (v. 1118), s'insinuer quelque part (v. 1180), prendre une certaine posture : *se mettre à terre* (1080), *se mettre sur pieds* (1080), *se mettre à genoux* (v. 1170) ou, ultérieurement, une certaine position dans la société (1670, *se mettre à un rang*). Comme *mettre,* il indique le commencement d'un processus dans les deux constructions *se mettre en* (1080) et *se mettre à* (1130-1140). ◇ Il assume aussi l'idée d'une transformation de soi-même dans *se mettre en* «s'habiller, se déguiser» (v. 1460).

Parmi les emplois absolus, probablement issus de syntagmes verbaux avec le sémantisme que l'on a dans *mettre en français, mettons que* (v. 1278) correspond à «disons, supposons que».

▸ *Mettre* a donné son dérivé le plus fécond dans le participe passé substantivé féminin **MISE** n. f. (1165). Celui-ci a d'abord signifié «dépense, emploi de l'argent que l'on a dépensé», sens d'où vient la locution ***être de mise*** (av. 1558) «avoir cours (pour une monnaie)», encore usuelle aujourd'hui au sens figuré «être valable, convenable». On emploie alors surtout la forme négative (av. 1564, *n'estre ne de mise ne de recepte* «n'être pas valable»). *Mise* correspond à d'autres emplois de *mettre* et exprime par exemple l'idée de «gageure, pari» (1225), surtout vivante dans le domaine des enchères (1495, *mise à prix*) et celui du jeu (1611). ◆ *Mise,* dès le XIIe s. (1180-1190), réalise également l'idée d'«action de mettre en prison», emploi aujourd'hui disparu, et, plus largement, exprime l'action de mettre une chose quelque part (1262). ◆ Certains emplois particuliers du verbe *mettre* se retrouvent dans ceux du nom, par exemple dans ***mise bas*** (1835) et dans les syntagmes figés ***mise en liberté*** (1795), ***mise en cause*** (1832), ***mise en demeure*** (1839), ***mise en scène*** (1800), ***mise en train*** (1834). Ont suivi ***mise en œuvre*** (1835), ***mise à la retraite*** (1868) et ***mise au point*** (1872), ce dernier relevé dans le domaine de la sculpture avant de l'être en photographie (1903).

Certains de ces syntagmes (avec *en*) correspondent à *metteur en...*, tous à *mettre en...* ➜ Enfin, depuis le XVe s., parallèlement à un emploi particulier de *mettre, mise* a le sens d'«allure physique», d'abord mêlé à une idée de «commerce agréable, spirituel», puis seulement relatif à la manière de se vêtir (1781). ➜ Le mot a aussi reçu quelques sens techniques, à partir de l'idée d'«endroit où l'on met» et d'«objet concret qu'on met». ➜ Il a produit **MISER** v. tr. (1669) d'abord intransitif pour «enchérir dans une vente aux enchères». Le verbe est devenu d'usage transitif pour le sens de «mettre en jeu» (1839-1845), également employé dans le domaine des jeux et, couramment, avec un sens figuré, par exemple dans la locution ***miser sur les deux tableaux*** (1935). ◇ Tout comme *mettre*, l'argot l'emploie vulgairement dans le sens sexuel de «pénétrer» (1895), y compris avec une valeur figurée «tromper», «avoir».

METTABLE adj. a subi un déplacement et une restriction de ses anciennes valeurs morales de «capable, courtois et officieux» (v. 1165), «convenable, satisfaisant» (XIIIe s.) au profit de la notation physique de «présentable», encore en parlant d'un visage, d'un esprit aux XVIIe et XVIIIe s., de nos jours essentiellement à propos d'un vêtement portable. ◇ Il a produit **IMMETTABLE** adj. (1803) avec sa valeur moderne. ➜ **METTEUR, EUSE** n., apparu (v. 1270) sous la graphie *meteur* en parlant du fauconnier qui met le chapeau au faucon, se réfère à celui qui met en place (1305, *meteres en le balanche* «celui qui pèse»). Il n'est guère répandu avant le XVIIe s., si ce n'est en cynégétique et à propos d'une personne qui engage une somme d'argent, se montre dépensier (XVe s.). ◇ L'usage actuel du mot consiste surtout en syntagmes correspondant à des emplois du verbe *mettre* (ci-dessus) avec *à* et *en*. On peut citer ***metteur en œuvre*** (1680) qui se rapporte à l'ouvrier qui monte les pierres fines ou les perles, avant d'être étendu (1764) à celui qui réalise un projet dans d'autres domaines d'activité. On le rencontre aussi en emploi figuré (1835) à l'époque où apparaissent ***metteur en pages*** (1823) en typographie, ***metteur au point*** (1868) en sculpture puis également (1931) pour le spécialiste de l'assemblage d'éléments mécaniques ou électriques, *metteur en cartes* (1873), à propos d'un dessinateur de tissus qui indique sur papier l'emplacement de chaque fil, et ***metteur en scène*** (1874) au théâtre et abusivement, au cinéma (XXe s.), en concurrence avec *réalisateur;* puis ***metteur en ondes*** à la radio. ◇ Le féminin *metteuse* est évité sauf lorsqu'il concerne l'ouvrière qui forme les paquets (ou *mains*) de soie dans le textile (1845, *metteuse en mains*). ➜ **METTAGE** n. m. (1433), employé en moyen français comme nom d'action de *mettre* pour le fait de mettre une chose quelque part, a été repris au XIXe s. en technique à propos de la préparation de certains travaux (1812), surtout dans *mettage en mains* (1845) en industrie textile.

Le préfixé **DÉMETTRE** v. tr. (1080) a perdu le sens ancien de «fondre, dissoudre», pour celui de «disloquer, luxer» (v. 1270), surtout vivant à la forme pronominale et au participe passé **DÉMIS, ISE**. Celui-ci a été adjectivé pour qualifier une partie du corps sortie de son articulation.

◈ voir ADMETTRE, COMMETTRE, COMPROMETTRE, DÉMISSION, ÉMETTRE, ENTREMETTRE, OMETTRE, PERMETTRE, PROMETTRE, REMETTRE, SOUMETTRE, TRANSMETTRE; et aussi KERMESSE, MESSAGE, MESSE, METS, MISSEL, MISSILE, MISSION, MISSIVE, PRÉTERMISSION.

✳ **MEUBLE** adj. et n. m., d'abord *moeble* (v. 1165) et *moble* (v. 1170), puis *meuble* (1238), est issu du latin *mobilis* (→ mobile) dont le *o* long est devenu bref en latin populaire sous l'influence de *movere* «bouger, se déplacer» (→ mouvoir). *Mobilis*, «qui peut être mû, déplacé», au figuré «changeant, inconstant», s'est spécialisé en droit dans *res mobiles* «biens meubles» puis, à basse époque, *mobile, mobilia* substantivé au neutre (singulier et pluriel).

♦ En ancien français, l'adjectif signifie d'abord «qui se laboure bien, instable» encore dans *terre meuble* (1606), antérieur dans ce sens puisqu'on a *ameubler* au XVe s. et *ameublir* au XVIe s. (voir plus loin). ➜ Depuis 1176, l'adjectif qualifie aussi des objets qui peuvent être déplacés, notamment dans l'usage juridique. Les *biens meubles* sont opposés aux *biens non meubles* (dits *immeubles*, voir ci-dessous) et incluent les vêtements, les ustensiles, les armes ainsi que le bétail (appelé *catel* [cheptel] *meuble*, 1283). *Meuble* est substantivé (*moebles* au singulier collectif, 1165) et désigne alors un bien transportable, sens réservé depuis le XVIIe s. à *mobilier**. Il s'est employé au figuré au sens de «richesse, bien» (v. 1365) et désigne tout ce qui garnit la maison (1464, en parlant d'une personne). ◇ Par une première restriction, le nom s'applique à ce qui est destiné au service d'une maison (1530), d'abord avec une valeur collective (là où nous employons aujourd'hui *mobilier*). Il est également usité au singulier (aux XVIe et XVIIe s.), désignant des objets plus variés qu'aujourd'hui, par exemple du linge, un mouchoir, un vase, une coupe d'argenterie. ◇ C'est par une nouvelle restriction de sens qu'il a pris au XVIIe s. son sens actuel; la désignation des «meubles» n'allait pas de soi pour les Romains qui employaient spécialement *res* «chose». Il en est résulté une nouvelle difficulté pour les juristes qui, lorsqu'ils veulent parler des meubles proprement dits, doivent avoir recours à l'expression *meubles meublants* (ci-dessous). Dans l'usage courant, *meuble* s'applique aux objets mobiles, le plus souvent rigides, qui servent à aménager logements et locaux; le mot donne lieu à des locutions *(sauver les meubles; faire partie des meubles)* et s'emploie collectivement *(l'industrie du meuble)*. ◇ ***Mettre dans ses meubles*** (1732) «installer» signifiait spécialt «installer et entretenir (une femme)».

▶ *Meuble* a donné plusieurs dérivés, les plus anciens présentant le même type d'évolution sémantique. ➜ L'adjectif **MEUBLÉ, ÉE** (1260-1311) sert à qualifier un nom de personne et un nom de chose, qu'il soit abstrait ou (1530) concret. Son sens premier, «qui a des meubles», en parlant d'une personne (1559), a été supplanté par «pourvu de meubles», en parlant d'un local (1580) : on dit spécialement en œnologie qu'une cave est *meublée* pour dire qu'elle est pourvue en vins. ◇ L'adjectif a été substantivé dans *un* **MEUBLÉ** n. m. (1808) «local qui se loue meublé». ◆ L'autre adjectif de sens actif **MEUBLANT, ANTE**, d'abord réservé à l'usage juridique dans les expressions *choses mueblanz* (1273) puis *meubles meublans* (1690), a pris la valeur d'«apte à meubler» (1835). ◆ **MEUBLER** v. tr. est d'abord relevé à la forme pronominale au sens ancien de «s'enrichir, se doter, se pourvoir de» (1350). ◇ À partir de 1580, le verbe exprime la même idée en construction transitive mais ne s'imposera qu'avec la valeur plus précise de «garnir de meubles» (1549). ◇ Par analogie, il est employé en parlant d'une personne qui fait office de meuble (1812) et il prend le sens figuré de «combler un vide affectif, une période creuse» (1839).

Sur *meubler* ont été formées deux séries de composés. ◆ **AMEUBLER** v. tr. a perdu son sens initial de «rendre la terre meuble» (1479), réservé ensuite à *ameublir*, au bénéfice de celui de «pourvoir de meubles» (av. 1562), avec lequel il a donné **AMEUBLEMENT** n. m. (1585) qui ajoute à *meuble* et *mobilier* une idée d'organisation, de style. ◆ Quant à **DÉMEUBLER** v. tr., employé en ancien français au sens de «dépouiller de ses biens» (XIIIe s., *desmobler*), il a pris également son sens moderne au XVIe s., donnant lieu à **DÉMEUBLEMENT** n. m. (1636). ◆ Le sens premier d'*ameubler* est alors passé à ① **AMEUBLIR** v. tr. (XVIe s.), mais celui-ci, d'usage agricole, a un homonyme dans ② **AMEUBLIR** v. tr., terme juridique attesté depuis 1409 pour «rendre meuble». La même ambiguïté porte sur le nom d'action **AMEUBLISSEMENT** n. m. (1603 en droit ; 1836 en agriculture).

L'antonyme de *meuble*, **IMMEUBLE** adj. et n. m. (v. 1200, *immoble*), a connu une évolution parallèle à celle de *meuble*. Emprunté au latin *immobilis* «qui ne bouge pas» (→ immobile), il a d'abord le sens latin, réservé depuis à *immobile*. ◇ Dès 1258, l'adjectif est attesté dans l'expression juridique *biens immobles* (*immeubles*, 1475), puis *possessions immeubles* (1475) ; *immobilis* avait pris en latin médiéval (1162) cette valeur juridique. ◆ *Immeuble* est substantivé pour désigner les fonds de terre et les bâtiments (1319), avant d'être supplanté en ce sens par *immobilier*. ◇ Par le même phénomène de restriction de sens que *meuble*, il a pris son sens moderne de grande maison (1835, Balzac), sens encore absent de Littré, puis de «bâtiment urbain à plusieurs étages».

◈ voir IMMOBILE, MOBILE.

MEUGLER v. est antérieur à la première attestation connue (1549, *mugler*) puisque son dérivé *meuglement* se trouve en 1539 (*muglement*). Il est emprunté avec adaptation au latin *mugilare*, variante rare de *mugire* (→ mugir) employée par Suétone en parlant du cri de l'onagre. En français, il a évincé le représentant populaire dérivé du latin, *mullier* (XIIIe s.), *mueller* (XIVe s.), et a pris sa forme actuelle en *meu-* au XVIIe s. (1690).

♦ Le mot est appliqué au cri des bovidés et, comme beaucoup de verbes de cris d'animaux, est employé familièrement en parlant des humains (1690), puis comme transitif au sens de «crier (qqch.) à la manière d'un bovidé» (av. 1848).

► Il a produit **MEUGLEMENT** n. m. (1539, *muglement*) «cri de bovin» et, par extension, «son grave et prolongé rappelant le cri des bovins (déb. XXe s.). ◆ L'onomatopée **MEUH !**, qui évoque en français le meuglement de la vache, est probablement issue elle aussi du radical du latin *mugilare*. ◇ Le langage enfantin emploie la réduplication **MEUH-MEUH** n. f. pour désigner la vache ; comme adjectif, *meuh-meuh* a fonctionné comme intensif, probablement d'après *vachement* et *bœuf*. Il a signifié (v. 1940-1960) «très bien, excellent».

✳ **MEULE** n. f., d'abord *moeule* (1155), *muele* (v. 1170), puis *mole* (XIIIe s.) et *meule* (1390), est issu du latin *mola*. Ce dérivé de *molere* (→ moudre) désigne le cylindre broyeur dans un moulin (→ moulin) et, par métonymie, le moulin lui-même, ainsi que la farine dont on saupoudrait les victimes animales avant de les sacrifier (→ immoler). Sur le modèle de son correspondant grec *mulê*, de même sens et de même origine, il désigne l'embryon avorté (→ môle). Enfin, son pluriel se rencontre dans la Vulgate à propos des dents qui broient la nourriture (→ molaire).

♦ Le sens de base, «cylindre servant à moudre et à broyer en tournant» (v. 1170), a donné quelques acceptions fondées sur une analogie de forme ou de fonctionnement : c'est, dans l'usage courant, le sens de *meule* pour «dent molaire» (XIIIe s.), rapidement évincé par *molaire**, mais reparu en argot avec une extension à la dent en général (1867). C'est, avec l'idée d'un mouvement giratoire, le sens technique de «morceau de verre restant attaché au bâton du souffleur de verre quand il en a détaché l'objet soufflé» (1765) et celui de «pierre entraînée par le cours d'eau et creusant une marmite de géant» (1903). ◇ Dans d'autres domaines techniques, *meule* s'applique couramment à une roue servant à aiguiser, à polir ou à rectifier (1380). Par analogie de forme, il s'applique couramment à un disque de fromage très épais (1653). ◇ Par allusion au moteur qui tourne comme une meule, le mot fournit une dénomination familière du motocycle (v. 1970).

Le sens de «tas de bottes de foin, de gerbes de blé dressé dans les champs», attesté dès les premiers textes (XIIe s., *moule*), s'explique par une pure analogie de forme. Bien que ce développement fasse défaut au latin *mola*, il se trouve dans le mot *meta* «objet en forme de cône», appliqué par suite à une meule de foin. ◇ Ce sens, répandu à partir du XVIe s. et demeuré très vivace dans les dialectes, a lui aussi donné des acceptions secondaires analogiques : dès le XIIe s., *meule* (*moeule*) désigne la racine dure et raboteuse du bois des cerfs ; ultérieurement, avec l'idée de tas, il désigne la couche de terreau et de fumier servant à la culture des champignons de Paris (1715) et le tas de bois recouvert de terre et de gazon que l'on carbonise en plein air (1868).

► Les différents sens de *meule* ont donné des dérivés spécifiques. ◆ L'ancienne forme *mole* s'est maintenue dans le diminutif aujourd'hui démotivé **MOLETTE** n. f., d'abord relevé (1285, *moleste*) dans le vocabulaire du blason et (1313) de l'ornementa-

tion avec un sens correspondant à celui de «rondelle d'acier étoilée fixée aux éperons», lui-même attesté chez Froissart (v. 1360). ◆ L'évolution du mot, d'usage technique, s'est faite selon trois axes. ◇ Par analogie de forme et de fonction avec une meule, il désigne un pilon de forme conique (1396), spécialement destiné à broyer les encres, les couleurs (1580), les médicaments, et dont certains types servent à polir le verre ou le marbre (1680), puis les miroirs (1723). ◇ Il s'applique aussi à une poulie (1442) telle qu'en utilisent les passementiers pour retordre les fils (1680) et les mineurs pour enrouler le câble d'extraction (1753, *machine à molettes*). ◇ Enfin, il se dit d'outils en forme de roue crantée, striée ou dentée servant à actionner un mécanisme mobile (1752, en horlogerie), à graver (1840, dans la fabrication de toiles imprimées), à fixer des ornements sur une poterie encore molle (1840), etc. On appelle *clef à molette* (XXe s.) une clef à mâchoire mobile commandée par un dispositif à vis striée pour faciliter l'adhérence sur la pièce à serrer. Cette dernière série d'acceptions est la plus vivante. ◆ Certains sens techniques de *molette* ont produit **MOLETER** v. tr. (1582), qui a pour dérivé **MOLETOIR** n. m. (1765), nom spécifique du polissoir des miroitiers, et **MOLETAGE** n. m. (1840).
Un autre diminutif de *meule*, **MEULEAU** n. m. (XIIIe s., *moeliau*), se rapporte à une meule de moyenne dimension, de nos jours surtout appelée **MEULARDE** n. f. (1723), mot précédé par *moularde* (1543) «meule de moulin». ◇ **MEULARD** n. m. (1803) est le synonyme partiel de *meuleau*.
① **MEULIER** n. m., relevé au XIIIe s. sous la forme *molier*, a été repris (1803) comme nom de l'ouvrier qui façonne les meules. ◆ **MEULERIE** n. f., rapporté en moyen français (1462) à l'art de faire des meules, a été repris comme nom du local où l'on taille les meules à broyer et à aiguiser (1840). ◆ **MEULIÈRE** n. f., par l'intermédiaire du nom de la carrière d'où l'on tire les pierres pour faire les meules (1499, *mollière*), est devenu le nom d'une pierre siliceuse et calcaire (*pierre de moullere*, 1545; *[pierre] meulière*, 1701) servant aussi de matériau de construction. ◆ ② **MEULIER, IÈRE** est l'adjectif de détermination de *meule* (1611), d'ailleurs rare.
MEULER v. tr., relevé sous la forme *mouler* dans *L'Encyclopédie* (1765) et enregistré seulement en 1903, exprime l'idée de «passer à la meule», spécialement en dentisterie. ◇ Il a produit **MEULAGE** n. m. (1903).
Meule «gerbe» a formé, à l'écart de cet ensemble, ses propres dérivés. ◆ **MEULON** n. m. «petite meule provisoire» (1530) se limite surtout à un usage régional et s'emploie, par analogie, pour désigner le petit tas de sel extrait d'un marais salant (1690); dès 1330, on relève la forme latinisée *molonus* dans une charte provençale de Marseille, à mettre en rapport avec l'ancien provençal *molon* «tas» (v. 1225). ◆ **MEULETTE** n. f. (1611) «petite meule de foin» est rare. ◆ Le verbe préfixé **AMELONNER** v. tr. (1808) «mettre en meule» s'est peu répandu.

MEUNIER, IÈRE adj. et n. est issu (1174) du bas latin *molinarius* de même sens, dérivé de *molinum* (→ moulin). Le mot, d'abord attesté sous la forme *molnier*, a pris sa forme actuelle (1260) sous l'influence de mots comme *meule* et *meut*, ancienne forme de *mouche*. Le féminin *munoiere* (1237) a été refait pareillement en *meunière* (1636).

♦ Le mot, désignant la personne possédant ou exploitant un moulin, a reçu, depuis une date assez ancienne, quelques sens spécialisés qui exploitent une analogie de couleur (le blanc de la farine) : il désigne une espèce de poisson (1530; dès la seconde moitié du XIVe s., sous la forme *molier* pour *molnier*). ◇ Il est aussi employé à propos d'une mésange à longue queue (1767, *meunière*; 1573, *monnier*). ◇ Enfin, il désigne une maladie des végétaux causée par un champignon (1765) et une variété de raisin dont les feuilles sont garnies d'un duvet blanc (1832). ◆ Depuis 1611, il est employé comme adjectif au sens de «qui se rapporte au moulin ou au meunier» et (1874) «qui se rapporte à la meunerie». Il sert spécialement en gastronomie à qualifier des préparations impliquant l'usage de la farine (1884, *sauce meunière*; 1933, *truite meunière*).

► Le dérivé **MEUNERIE** n. f. signifie «industrie de la fabrication des farines» (1767) et «ensemble des meuniers» (1868).

MEURETTE n. f., d'abord *murrette* (XVe s.) puis *meurette* (1582), est un terme dialectal bien attesté en Bourgogne, Franche-Comté et Lorraine, dérivé avec le suffixe diminutif *-ette* de l'ancien français *muire* (1249), *meure* «eau salée sortant des sources salines et des puits». Ce mot est issu du latin *muria* «saumure, eau salée», mot technique sans étymologie (→ saumure).

♦ Le mot désigne en cuisine une sauce au vin dans laquelle on cuit le poisson (XVe s., *murrette de poisson*; 1582, *meurette poissonnière*) et les œufs (1614, *œufs à la murette*). Comme le mot, la recette est liée à un terroir régional (Bourgogne, Poitou, Anjou, vallée du Rhône); en français actuel, *meurette* est surtout attesté dans *œufs en meurette* «œufs pochés accompagnés de cette sauce» aussi *œuf meurette*, en apposition.

MEURTRIR v. tr. est issu (1135) du francique °*murthrjan* «assassiner», restitué d'après l'ancien haut allemand *murd(r)jan*, le moyen haut allemand *morden*, l'allemand *morden* de même sens. L'existence de l'anglais *to murder*, de l'ancien norrois *morð*, du néerlandais *moord* permettent de dégager un verbe germanique, lui-même rattaché à la racine indoeuropéenne signifiant «mourir», que l'on a dans le latin *mors* (→ mort). En français, le mot est d'abord attesté avec la voyelle *u* refaite en *eu* d'après les formes en *eu* de *mourir* (il *meurt*, etc.). Dès le XIIe s., on relève des formes en *d* à côté de celles en *t* (*mordrir* à côté de *mortrir*) : il n'est pas nécessaire de supposer une influence de *mort* (dont le *t* était alors prononcé) car le mot a très bien pu passer du francique en roman à différentes époques, le *th* francique donnant en français deux articulations différentes.

♦ Le premier sens du verbe est celui de «tuer, commettre un meurtre»; par une évolution propre au français, il a été progressivement affaibli en «contusionner à mort» et «contusionner» (1456, au participe passé), le sens initial disparaissant et le verbe se séparant alors de *meurtre*. ◇ Dès le milieu du XVe s., le mot est attesté également au sens figuré de «blesser, déchirer» (Charles d'Orléans; cf. l'évolution de *blesser* et de *navrer*). Depuis 1690, *meurtrir* est employé spécialement en parlant d'un fruit, au sens d'«endommager».

▸ Son déverbal **MEURTRE** n. m. (1530), aboutissement phonétique de *murtre* (1090), *mortre* (XIIe s.), n'a pas suivi l'évolution sémantique du verbe et a conservé le sens étymologique d'«homicide». ◆ Il a pour dérivé **MEURTRIER, IÈRE** n. et adj. (v. 1165) «assassin», qui se présente en ancien français sous diverses formes : *mordrëor, murdrëor, murtrëor* (déb. XIIIe s.), *mordrissëor, murtrissor* (fin XIIe s.). Le mot est adjectivé (XVe s.) au sens de «qui commet, a commis un ou des meurtres», «qui sert à perpétrer le meurtre» (1500) et «qui incite au meurtre» (1675). ◆ Son féminin **MEURTRIÈRE** a été substantivé (1573; 1480, *murtriere*) pour désigner la fente d'un ouvrage fortifié destinée au lancement de projectiles sur les assaillants. Dans cet emploi, la forme n'est en général plus sentie comme venant de *meurtrir*. ◆ Ainsi, le groupe de *meurtrir*, cohérent à l'origine, s'est scindé en deux et le besoin s'est fait sentir de créer un nom d'action correspondant au nouveau sens de *meurtrir* «blesser, contusionner» (dont les deux sens coexistent encore au XVIe s.) : ce fut **MEURTRISSURE** n. f. (1531; XVe s., *meurtrisseure*) «marque sur le corps contusionné» et spécialement «marque sur un fruit endommagé» (1690).

◈ voir groupe de **MOURIR** issu, par le latin, de la même racine indoeuropéenne.

◈ ✻ **MEUTE** n. f. est issu (1150, *muete*) d'un latin *movita*, féminin substantivé de °*movitus*, participe passé de *movere* (→ mouvoir) refait sur le radical du verbe à côté du classique *motus*. C'est ainsi que le latin médiéval a *movita* au sens de «soulèvement, expédition», l'ancien italien *motta* «mouvement, ébranlement d'une masse de terre», l'ancien espagnol *muebda* «foule, mouvement».

♦ *Meute* est attesté dès les premiers textes avec son sens de «troupe de chiens courants dressés pour la chasse à courre». Cependant, du XIIe au XVIe s., il a également signifié «soulèvement violent, expédition armée» (→ émeute), sens d'où procède *mutin* (ci-dessous). ◇ Les expressions techniques *chiens de meute* (v. 1180), *chasser une bête de meute à mort* (1788) participent de l'ancien sens actif «action de lever un animal». ◆ L'ancienne forme (métathèse) *muete* a été conservée au sens métonymique de «logis pour les chiens de chasse» (1423) dans *le Château de la Muette* («du chenil») au bois de Boulogne. ◆ Par extension, *meute* signifie «bande de chiens, d'animaux attachée aux pas de qqn» et, au figuré, «bande, troupe de gens attachée à la poursuite, à la perte de qqn» (1812).

▸ Avec son ancien sens de «soulèvement», *meute* a donné **MUTIN, INE** adj. (1470) et n. (1471), «séditieux, révolté», sens affaibli en «d'un caractère taquin, espiègle, badin» (1782), par exemple dans *un air mutin*. Le sens fort s'est mieux conservé dans les dérivés de *mutin*, d'ailleurs détachés de lui par l'usage, comme les dérivés de *meute* s'en sont détachés. ◆ **MUTINER** v. est surtout employé à la forme pronominale (dès 1396, *soi meutiner*) au sens de «se révolter contre une autorité». ◇ L'usage de la construction transitive (1485) a disparu, de même que le sens de «s'irriter, s'exaspérer» (1557) pour le pronominal. ◆ **MUTINERIE** n. f. (déb. XVIe s., *meutinerie*) signifie «rébellion, révolte» et, au figuré, «résistance opiniâtre à une autorité». ◇ Son sens affaibli, refait sur *mutin*, «caractère de ce qui est espiègle» (1836) est propre à l'usage littéraire et archaïque.

Le verbe préfixé fait sur *meute*, **AMEUTER** v. tr., est à l'origine un terme de vénerie signifiant «réunir des chiens en meute» (1375). ◇ Par extension, il a pris son sens moderne de «provoquer l'attroupement de (personnes)», particulièrement pour une sédition (v. 1600, d'Aubigné). L'usage de la forme pronominale *s'ameuter* «se joindre à qqn pour une attaque» (1616-1620) est vieilli. ◆ Avec une nouvelle préfixation, on a formé **RAMEUTER** v. tr., d'abord employé à la forme pronominale en vénerie (fin XVIe s.), spécialement (1763) «ramener les chiens en meute en arrêtant ceux qui se sont éloignés de la meute». ◆ Au figuré et d'après *ameuter, rameuter* (des personnes) signifie (fin XVIIe s.) «rassembler pour provoquer des troubles». ◇ Il a pour dérivé **RAMEUTEMENT** n. m. relevé pour la première fois chez Saint-Simon.

◈ voir **ÉMEUTE, MICMAC.**

MEZZANINE n. f. est un terme d'architecture emprunté (1676, *mezanine*) à l'italien *mezzanino* «entresol» (av. 1574), dérivé diminutif de *mezzano* (1554), substantivation de l'adjectif *mezzano* de même origine que *moyen*.

♦ Le mot, pris au sens d'«entresol», est employé spécialement en apposition dans *fenêtre mezzanine* (1694), elliptiquement *mezzanine* «petite fenêtre d'entresol». ◆ Par analogie, il désigne, dans l'architecture d'une salle de spectacle, le petit étage entre le parterre et le premier balcon (1944, d'abord au masculin). Cette valeur, réanimée par un emprunt à l'anglo-américain, s'est élargie en «étage occupant une partie de la surface d'une pièce, d'un atelier».

MEZZO-SOPRANO → **SOPRANO**

MI n. m. est une syllabe (v. 1223) tirée arbitrairement, par Gui d'Arezzo (995-1050), de *Mira gestorum* dans l'hymne latin de saint Jean Baptiste (cf. *gamme* pour le texte de la première strophe de cette hymne).

♦ Le mot désigne la troisième note de la gamme de do.

MI- est l'élément formant tiré (1080) du latin *medius* «qui est au milieu», «moyen, intermédiaire» (de sens local ou temporel), par suite «qui ne penche ni d'un côté ni de l'autre, indifférent, indéterminé» et quelquefois «demi». *Medius*, comme le grec *mesos* «qui est au milieu» (par ex. dans le toponyme *Méso-*

potamie), se rattache à la racine indoeuropéenne °*medhyo-* de même sens (cf. le sanskrit *mádhya-*).

♦ Le français *mi-* entre dans la formation de noms et de locutions adverbiales, d'adjectifs et locutions adjectives désignant le milieu ou — moins correctement — la moitié de la réalité exprimée par le second élément. ◇ Il est parfois répété devant deux ou plusieurs adjectifs successifs (ou des noms, en locution : ***mi-figue, mi-raisin***) pour indiquer que la personne, la chose ainsi qualifiée participe des différentes qualités à la fois. Il a servi à former sans trait d'union certains composés anciens.

◈ voir DEMI, IMMÉDIAT, INTERMÈDE, INTERMÉDIAIRE, ② MAILLE, ② MÈCHE, MÉDAILLE, MÉDIA, MÉDIAN, MÉDIAT, MÉDIÉVAL, MÉDIOCRE, MÉDIUM, MENEAU, MÉRIDIEN, MÉRIDIONAL, MÉTAYER, MEZZANINE, MIDI, MILIEU, MIMOLETTE, MINUIT, MISAINE, MITAN, MITOYEN, MOITIÉ, MOYEN, PARMI, TEMPS.

MIAM-MIAM interj., seulement attesté dans les textes depuis le XXe s., noté *mniam,mniam, mniam* (1914, Feydeau) et *mia mia miam* (1937), est une onomatopée enfantine redoublée évoquant le bruit des mâchoires et la manducation (→ manger).

♦ Le mot, familier à l'écrit, marque l'envie ou le plaisir de manger; il est quelquefois substantivé (1914, *un petit «mniam mniam» de la bouche*).

MIAOU → MIAULER

MIASME n. m. est emprunté (1695) au grec *miasma*, nom correspondant à *miainein* «souiller (de sang, de poussière, de larmes)», employé en prose attique et chez les tragiques au figuré, sans étymologie connue. *Miasma*, qui a une valeur religieuse et se trouve surtout dans la tragédie, se dit notamment de la souillure par le sang versé, le crime, le sacrilège, le contact avec un mort.

♦ Le mot a été introduit en français à propos des effluves auxquels on attribuait les maladies infectieuses (malaria, paludisme et bien d'autres) avant les découvertes pastoriennes. L'usage moderne l'entend avec un sens plus large, «émanation dangereuse pour la santé, résultant de la décomposition des matières animales et végétales» (1806), et l'applique péjorativement à une entité abstraite. ◇ Par extension, il est employé à propos d'une odeur malsaine et désagréable (1842).

▸ Son dérivé **MIASMATIQUE** adj., «qui renferme ou produit des miasmes» (1797), se cantonne à un usage littéraire ou médical (1847).

◈ voir AMIANTE.

MIAULER v. intr. est dérivé (1288) du radical onomatopéique *miau-* qui évoque le cri du chat.

♦ Le verbe, d'abord attesté indirectement au XIIIe s. par le dérivé *miauleis, miaulis* «miaulement» (1223), entre dans les dictionnaires à partir de 1549. Comme la plupart des mots exprimant le cri d'un animal, il est appliqué à des cris humains évoquant ceux du chat (1684).

▸ Il a donné **MIAULEMENT** n. m. (1564), également dit du bruit qui rappelle le cri du chat (1845), **MIAULEUR, EUSE** adj. (XVIe s.), «qui a coutume de miauler», et **MIAULARD** n. m., nom donné régionalement à un oiseau marin (goéland, mouette) au cri strident (1840). ◆ On rencontre aussi, en argot militaire ancien, **MIAULE** n. m. et **MIAULANT** n. m. «obus allemand de 77 fusant» (1918).
Le cri du chat est d'abord désigné par *miault* (1552), puis **MIAOU** n. m. (1619). Le langage enfantin emploie aussi le mot par métonymie pour «chat».

MICA n. m. est emprunté (1735) au latin *mica*, proprement «parcelle, miette» (→ mie), en raison de la structure feuilletée de ce minéral.

♦ Le mot désigne un minéral formé de silico-aluminates, constituant des roches volcaniques et métamorphiques, et formant des paillettes brillantes dans la roche, particulièrement dans la pierre en tant que matériau, dans *feuille, lame de mica* (1891).

▸ Il a donné quelques dérivés d'usage didactique. ◆ L'adjectif **MICACÉ, ÉE** adj. (1755), «de la nature du mica», est également employé au sens de «qui ressemble au mica» (1843) et, par analogie d'aspect, en botanique dans *agaric micacé* (1845). ◆ **MICANITE** n. f. a été formé (1916) sur *mica* avec le suffixe *-ite* au moyen d'un *n* de liaison. ◆ *Mica* entre dans la formation du nom de roche **MICASCHISTE** n. m. avec *schiste** en deuxième élément, «roche mixte constituée essentiellement de quartz et de mica» (1807). ◇ De là **MICASCHISTEUX, EUSE** adj. (1845).
Par ailleurs, le latin *mica*, au sens de «parcelle», a servi à former en allemand *Micell* (1877, Naegeli) pour désigner un agrégat de grosses molécules. Adopté en plusieurs langues (1888, anglais *micella*), le terme a donné en français **MICELLE** n. f. (fin XIXe s.), avec pour dérivés **MICELLAIRE** adj. (1908, *Revue générale des Sciences*) et **MICELLIEN, IENNE** adj. (attesté 1931), tous deux pour «relatif aux micelles».

MICHE n. f. est issu (1172-1190) du latin populaire °*micca*, forme renforcée de *mica* «parcelle, miette» (→ mica, mie). L'hypothèse d'un emprunt au moyen néerlandais *micke* «pain de froment» ne semble pas nécessaire.

♦ À l'origine, *miche* désigne un petit pain blanc, mais il a aussi le sens de «miette», au propre et au figuré, d'où l'expression ***ne pas valoir miche*** par dépréciation. Progressivement, il en est venu à désigner un petit pain de grosseur suffisante pour nourrir un homme à son repas (1690) : Furetière indique qu'on donnait des miches aux étudiants et aux pauvres qui assistaient aux enterrements. ◇ Puis, il a pris son sens moderne de «gros pain rond». ◆ Par analogie de forme, il est employé argotiquement puis familièrement au sens de «fesse» (1875).

▸ Il a donné trois noms par suffixation diminutive : **MICHETTE** n. f. (v. 1250, *micheite* en ancien picard) et **MICHOTTE** n. f. (1461) désignent proprement une petite miche. ◆ **MICHON** n. m. (1650) désignait une tranche de pain épaisse, après avoir eu en argot le sens d'«argent» (1628) et de «richesse, bien» (1690). Tous les sens du mot ont disparu.

MICHÉ n. m. et adj. est la lexicalisation ((1732, Caylus) d'une forme populaire du prénom *Michel* avec amuïssement de la consonne finale. Le moyen français avait les types suffixés *michaut* «nigaud» (v. 1510) et *michon* «sot» (1611). *Michel* lui-même a donné lieu à certains emplois dépréciatifs dans *un Michel Morin* «un factotum dans une maison» (1808), *faire le michel* «l'ivrogne, bon à voler» (1895). L'usage d'un prénom courant comme sobriquet péjoratif a d'autres exemples (→ jacques, jules).

♦ *Miché*, dans l'usage populaire et familier, désigne un homme qui se laisse duper. Dans le milieu des proxénètes et des prostituées, il désigne tout naturellement le client d'une fille (1764). Au XIXe s., il a eu le sens très différent de «souteneur» (1850), peut-être par extension d'une valeur plus normale «homme qui entretient une femme». Le mot a vieilli.

▶ *Michet*, variante de *miché*, a donné **MICHETON** n. m. (v. 1810) «amant payant», dans l'argot des filles, puis (1867) également «individu sans références», dans l'argot des soldats (1915). ◆ On en a dérivé **MICHETONNER** v. (1898) «lever des clients», d'abord dans l'argot des prostituées.

◈ voir hypothèse sur **GODEMICHÉ**.

MICHELINE n. f. est tiré (1931) du nom de la firme *Michelin*, constructrice de cet autorail sur pneumatiques.

♦ Le mot est contemporain des premiers essais de cet autorail. Il a vieilli.

MICHETON → **MICHÉ**

MICMAC n. m., écrit *micquemacque* (déb. XIIe s.) jusqu'au XVIIe s. (1640, *micmac*), semble issu, par application d'un modèle phonétique expressif, du moyen français *mutemacque* «rébellion, émeute» (1462) et *meutemacre* «mutin, séditieux» (mil. XVe s.). Ce dernier mot est issu de la locution verbale du moyen néerlandais *muyte maken* «faire une émeute», de *muyte*, apparenté à *meute**, *émeute*, et de *maken* «faire» (→ maquiller). Le français a également emprunté *meutemacre* «mutin, séditieux» au moyen néerlandais *muytemaker* de même sens. Le changement de forme en français s'explique par l'attraction de mots expressifs contenant la succession de voyelles et la même consonne *i/a : bicquebacque* «bascule de puits», *cric-crac, fric-frac, tic-tac, trictrac, zigzag*.

♦ Le mot a gardé son sens premier d'«intrigue, agissement suspect, manigance» tout en prenant par extension celui de «grand désordre jugé inextricable» (1876). Il n'a aucun rapport avec le nom d'une tribu indienne du Canada, les *Micmacs*.

MICOCOULIER n. m., nom d'un arbre très répandu dans le midi de la France, est un mot provençal (1557; 1547, *micacoulier*), issu avec adaptation du grec moderne *mikrokoukouli*, mot d'origine obscure, où le premier élément semble être *mikro-* «petit» (→ micro-), par dissimilation du troisième *k* en *l*, perte du *r* (peut-être par dissimilation en face du *l* dégagé), et adjonction du suffixe *-ier* propre aux noms d'arbres.

▶ Par dérivation régressive, *micocoulier* a donné le nom de fruit **MICOCOULE** n. f. (1557).

MICRO n. m. est l'abréviation usuelle (1915) de **MICROPHONE** n. m., lui-même peu usité et emprunté (1721) à l'anglais *microphone*, de *micro-* et *-phone* (→ micro- et -phone) avec son sens «instrument qui augmente l'intensité des sons de manière à les rendre perceptibles». Cet instrument acoustique, ainsi désigné en anglais (1683), a produit au XVIIIe s. le mot français. Le terme a pris son sens moderne en anglais (1878) à la suite de l'invention en 1877 d'un appareil qui transforme les ondes sonores en oscillations électriques; cette invention était due à l'ingénieur américain d'origine anglaise D. E. Hughes (1831-1900); ce sens est passé en français en 1878.

♦ *Micro*, attesté en 1915 dans un emploi métaphorique familier pour «gueule» *(ferme ton micro!)*, tend à supplanter *microphone* dans les domaines de la radio, de la télévision, du spectacle et tend à s'employer par métonymie au sens de «station de radio, émission». ◆ Cette abréviation coexiste avec celles qui correspondent à *micro-ordinateur** et à *micro-informatique* et qui deviennent extrêmement usuelles.

MICRO-, élément formant, est tiré du grec *mikros* «petit, en petite quantité», «sans importance», mot expressif et familier que l'on rapproche du latin *mica* «miette, parcelle» (→ mica, miche, mie). Le sémantisme de *mikros*, antonyme de *makros* «grand» (→ macro-), recoupe partiellement celui de l'adjectif *oligos* «peu», mais il présente un sens plus expressif, concret, parfois familier, et ne comporte pas la valeur numérique d'*oligos* (→ oligarchie).

♦ *Micro-* (relevé dans plus de 1100 termes) est de plus en plus productif dans les domaines où les investigations à petite échelle se développent, comme la biologie, l'embryologie, la chimie, la physique nucléaire, ainsi que dans ceux où l'on parvient à une grande miniaturisation, comme l'informatique ou l'électronique. Dans le domaine des sciences humaines, il se rencontre souvent, en opposition à *macro-*, dans le cadre des analyses comparatives entre le plan individuel et le plan global d'un phénomène (voir les radicaux). ◇ Depuis 1966, il subit dans le langage courant la concurrence de *mini-**. En métrologie, il a le sens spécial de «division d'une unité par un million».

◈ voir **MICROBE, MICROCOSME, MICRON, MICROSCOPE; MICRO** n. m.

MICROBE n. m. est un terme de biologie formé par Charles Sédillot (1878, *Compte rendu hebdomadaire des séances de l'Académie des sciences*) sur le grec *mikros* «petit» (→ micro-) et *bios* «vie» (→ bio-, biologie), avec le sens littéral de «petite vie, petit organisme vivant».

♦ *Microbe* a d'abord été appliqué à tous les organismes invisibles à l'œil nu, responsables de maladies ou de putréfactions, là où l'usage moderne dit *micro-organisme*, mot contemporain (1876) [cf. *organisme*]. Dans la terminologie moderne, il est réservé à un micro-organisme unicellulaire pathogène. ◆ Il est employé familièrement au sens figuré de «personne de petite taille; enfant» (1888).

► La plupart de ses dérivés et composés sont apparus avec le développement de la microbiologie, autour des découvertes de Pasteur. ◆ Le nom de la science qui se propose d'étudier les microbes, **MICROBIOLOGIE** n. f. (1883), tend à être analysé incorrectement en *micro-* et *-biologie* alors qu'il s'agit d'un composé de *microbe*. Il a supplanté *microbie* n. f. (v. 1880), disparu au début du XXe siècle. ◇ La même décennie voit apparaître **MICROBIOLOGIQUE** adj. (1886, Pasteur), **MICROBIOLOGISTE** n. (1890, chez Maupassant). ◆ De *microbe* est aussi dérivé **MICROBIEN, IENNE** adj. (1888), précédé par *microbique* adj. (1884), et qui est resté vivant peut-être plus que *microbe*. ◆ **MICROBICIDE** adj. «qui tue les microbes» (1889) est aujourd'hui désuet. ◆ Les antonymes de *microbien* sont attestés depuis 1889 pour **ANTIMICROBIEN, IENNE** adj. et depuis 1897 pour **AMICROBIEN, IENNE** adj. ◆ Les progrès de la microbiologie et ses applications dans le cadre d'autres disciplines ont permis la formation de **MICROBISME** n. m. (1973) «présence de micro-organismes dans un tissu» et de **MICROBIURGIE** n. f. (1959) «utilisation technique des micro-organismes».

MICROCOSME n. m. est un emprunt de la langue philosophique (1314) au latin médiéval *microcosmos, microcosmus* «homme considéré comme un petit univers, une image réduite du monde auquel il correspond partie pour partie». Lui-même est emprunté au grec de même sens *mikros kosmos* «petit (→ micro-) monde (→ cosmos)».

♦ Le mot, qui s'oppose à **MACROCOSME** n. m. (emprunté à la même époque, 1314, au latin médiéval *macrocosmus*), s'est répandu au XVIe s. quand la notion de microcosme pénètre la littérature, la philosophie, la science et l'art (Paracelse, G. Bruno, Cardan, Campanella). Cependant, dès la fin du XVIe s., la correspondance *macrocosme-microcosme* est gravement compromise par la conception d'un univers infini, et elle ne persiste plus que dans les courants ésotériques. ◇ *Microcosme* est encore vivant au sens métaphorique pour «abrégé, image réduite du monde, de la société» (1552, Rabelais), notamment dans une perspective sociologique.

► Son dérivé **MICROCOSMIQUE** adj. est attesté depuis 1765 et répandu au XIXe s. (1840). ◇ Il s'oppose à **MACROCOSMIQUE** adj. (1865), lui aussi relativement récent pour qualifier ce qui se rapporte au macrocosme et (1948) ce qui est relatif à des ensembles englobants.

MICRON n. m. est emprunté (1880) au grec *mikron*, neutre de l'adjectif *mikros* «petit» (→ micro-).

♦ Ce terme de métrologie est synonyme de **MICROMÈTRE** n. m. (1959) et désigne un millionième de mètre.

► On en a tiré **MICRONISER** v. tr. et **MICRONISATION** n. f. (v. 1970) utilisés en sciences pour la réduction d'un corps solide en particules de très petites dimensions.

MICROSCOPE n. m. est emprunté (1656) à un composé savant formé en latin moderne, *microscopium* (1618), fait sur le modèle de *télescope**, avec les éléments grecs *micro-* «petit» (→ micro-) et *-scope**, tiré de *skopein* «examiner» représenté aussi dans *évêque, écueil, sceptique*.

♦ L'invention du microscope optique remonte à 1590 et on l'attribue au Hollandais Van Leeuwenhoek (découvreur, grâce à cet instrument, du spermatozoïde) ou à son prédécesseur Zacharias Jansen. ◇ Depuis 1678, *microscope* est attesté au sens figuré «ce qui exagère, grossit, fait apparaître des détails cachés» (*voir tout au microscope* «exagérer», 1678; *observer qqn au microscope* «l'observer avec la plus grande minutie», 1785). Ces emplois attestent la diffusion rapide de l'appareil et de sa désignation. ◇ Les progrès de la microscopie ont entraîné les syntagmes *microscope solaire* (1756, invention allemande) et, beaucoup plus tard, *microscope électronique* (1935), *microscope polarisant* (mil. XXe s.).

► *Microscope* a donné au XVIIIe s. **MICROSCOPIQUE** adj. (v. 1700) «qui se fait à l'aide du microscope», valeur scientifique toujours vivante. ◇ Le mot a pris dès le XVIIIe s., la valeur extensive de «seulement visible au microscope» (1754) d'où, par extension courante, «minuscule» (1836). ◇ Une autre acception «qui a une vue très perçante, ne voit que les petits détails» (1797) a disparu. ◆ **MICROSCOPISTE** n., attesté depuis 1749 (Buffon), est demeuré rare. ◆ **MICROSCOPIE** n. f. est attesté en 1832. ◆ Au XXe s., *microscope* est entré dans **ULTRAMICROSCOPE** n. m. (1904) et ses dérivés.
Par substitution de l'élément *macro-** à *micro-*, *microscopique* a été doté de l'antonyme **MACROSCOPIQUE** adj. (1865) «qui se voit à l'œil nu», terme didactique employé avec des acceptions spéciales en physique et en chimie, également répandu avec la valeur figurée de «global», à propos de phénomènes sociaux, culturels, idéologiques. ◇ On en a dérivé **MACROSCOPIQUEMENT** adv. (attesté 1941).

MICROSILLON → SILLON

MICTION n. f. est un emprunt de la langue médicale (1618) au bas latin *mictio* «action d'uriner», variante de *minctio, -onis*, lui-même dérivé du latin *minctum*, supin de *mingere* «pisser», mot à la fois technique et populaire. Il est probable que le latin, qui correspond à l'ancien lituanien *minžu* «j'urine», au sanskrit *méhati*, au vieil islandais *míga*, remonte à une racine indoeuropéenne.

♦ *Miction*, attesté une fois au XVIIe s., a été repris avec le sens du latin à partir de 1814; il est resté didactique.

MIDI n. m. est composé (1080) de l'ancien français *mi* «qui se trouve au milieu de» (1080; → mi-) et de l'ancien français *di* «jour» (842), représentant du latin *dies*, conservé dans tous les noms des jours de la semaine.

♦ Par extension de son sens propre, «milieu du jour», *midi* est quelquefois pris au sens de «milieu de qqch., en particulier de la vie». La locution usuelle ***chercher midi à quatorze heures*** (1622) est précédée par *cercher midy à unze heures* (1585), qui semble marquer l'erreur et non pas encore la complication inutile. ◇ En 1585 également, on relève ***démon de midi*** «tentation du milieu du jour» (en opposition au *démon des ténèbres*) pour traduire le latin *daemonius meridianus*, également rendu par *diable méridien** (XIIe s.). Par spécialisation, cette locution a pris son sens actuel de «tentation affective et sexuelle des humains vers le milieu de la vie». ◆ Dans quelques-uns de ses sens, *midi* a une valeur spatiale, non temporelle : très tôt, il a pris le sens d'«un des quatre points cardinaux, le sud» (1140). ◆ Par l'intermédiaire du sens de «lieu en face de ce point» (1308), il a aussi pris le sens de «région, partie d'un pays située dans le Sud». L'époque classique l'employait de manière absolue au sens de «pays méridionaux» (1687); l'usage moderne, depuis 1793, l'entend au sens plus restrictif de «sud de la France» (*les gens du Midi, l'accent du Midi*). Dans cet emploi, le mot correspond exactement à l'italien *mezzogiorno*. ◆ Au XIXe s. sont apparus les quelques emplois argotiques, avec une notion de «fatalité, irrémédiabilité», dans *midi!* «trop tard!» (1866) et *il est midi (sonné)* [1867]. ◇ *Marquer midi*, par l'idée de verticalité de l'aiguille des minutes et de celle des heures, correspond à «être en érection» (1824).

► *Midi* entre dans **APRÈS-MIDI** n. f. ou m. (1549; 1704, n. f.; cf. *matinée*) et **AVANT-MIDI** n. m. (1777, Vaud), ce dernier étant resté rare à la différence du premier. La cause en est la différence entre *après-midi* et *soirée*, marquée par l'heure normale du repas du soir, alors que *matinée* suffit pour la période d'avant midi.

MIDINETTE n. f. est composé (1890) de *midi** et de *dînette**, avec le sens littéral de «qui se contente d'une dînette à midi». ◆ Le mot a désigné une jeune ouvrière ou vendeuse travaillant dans une grande maison de couture ou de mode à Paris. Par extension, il a pris le sens (1922), encore vivant, de «jeune fille simple et frivole, à la sentimentalité naïve» (cf. *grisette, lorette*).

✳ ① MIE

MIE n. f. est issu (1080) du latin *mica* «parcelle, miette» (→ mica, miche), mot sans étymologie connue, que l'on rattache hypothétiquement au groupe de *minor* (→ mineur) et, en grec, à celui de *mikros* (→ micro-).

♦ Au sens ancien de «petit fragment de pain» (v. 1170), attesté jusqu'en 1660, le mot a été supplanté par son dérivé *miette*, *mie* ne conservant que la valeur de «partie molle du pain» attesté dès 1160 (par opposition à *croûte*). L'idée figurée de «manque de consistance» a donné lieu à la locution *en mie de pain* (1886), disparue, puis ***à la mie*** *(de pain)*, en argot. ◆ C'est avec son ancien sens que *mie* a donné dès l'ancien français la particule renforçant une négation *ne : mie* (1080). Celle-ci a vieilli à partir du milieu du XVIIe s., demeurant en usage jusqu'au XIXe s. dans certains parlers régionaux. Cette évolution est similaire à celle de *ne... goutte*, alors que *ne... pas* et *ne... point* demeuraient usuels.

► Le diminutif de *mie*, **MIETTE** n. f. (XIIe s., *miate* en dialecte lorrain) «parcelle qui tombe du pain lorsqu'on le rompt», a pris par extension le sens de «petit morceau» (1537), entrant dans ***mettre en miettes*** (av. 1755) «briser en nombreux morceaux». ◇ Alors que *mie* a conservé jusqu'aux XVIIIe-XIXe s. le sens de «miette» dans les dialectes, *miette* a pris dans plusieurs parlers celui de *mie* «partie molle du pain» (XIVe s., *miate*).

Il a produit le composé **ÉMIETTER** v. tr. (1572) «mettre en miettes» (notamment du pain, une pâte cuite), qui a développé au XIXe s. les sens figurés très usuels de «disperser» (1818) et «morceler à l'excès» (1838). Son participe passé a été substantivé au féminin *(une émiettée)* pour désigner les miettes de pain que l'on trempait dans le lait (1887, Zola). ◆ Le nom correspondant, **ÉMIETTEMENT** n. m. (1611) «action de réduire en miettes», a pris le sens figuré d'«action de disperser» (1875).

Mie a aussi donné un dérivé plus inattendu avec le mot populaire **MIOCHE** n. m. (1567), qui a concurrencé la formation plus ancienne *mion* «miette» (1604) et «petit garçon» (1628), mot formé sur le modèle de *croûte-croûton*. *Mioche*, primitivement employé au sens de «mie», a eu, entre 1611 et 1660, le sens de «parcelle d'un élément quelconque». ◆ Il s'est détaché du groupe de *mie* en prenant, d'après l'idée de «petit être», le sens de «jeune garçon» (1721) puis «tout petit enfant» (1801, *avoir des mioches*). Resté en usage, il est aujourd'hui en concurrence avec de nombreux mots familiers, parfois plus vivants (gosse, *mouflet*).

◈ voir MITONNER.

② MIE

② **MIE** *(ma mie)* → AMI

MIEL

MIEL n. m. est issu (980, *mel*) du latin *mel* de même sens, également «charme, douceur» au figuré, employé comme terme de tendresse pour une personne (*mel meum* «mon miel»). *Mel* ne se trouve que dans une partie du domaine indoeuropéen, avec le grec *meli* (→ mélisse, hydromel), parallèlement à une famille plus répandue désignant à la fois le miel et l'hydromel (grec *methu*, irlandais *mid*, etc.), puis le vin et l'ivresse qui en résulte.

♦ *Miel* avec son sens propre a donné l'ancienne dénomination de l'abeille, ***mouche à miel*** (v. 1350), encore vivante dans certains dialectes, et, par métonymie, le nom de quelques préparations pharmaceutiques à base de miel (*miel rosat*, 1314). ◆ Comme en latin, le mot a pris de bonne heure le sens figuré de «chose douce, agréable» (v. 1176, en parlant de Dieu), souvent à propos de paroles et de comportements humains, par exemple dans la locution ***être tout sucre tout miel*** (1661; de nos jours avec une valeur péjorative). ◇ Cf. aussi *Lune* de miel*. ◆ On le rencontre quelquefois employé par euphémisme (1866) pour l'interjection vulgaire *merde*.

► Le dérivé **MIELLÉ, ÉE** adj. (fin XIIe s., «doux comme du miel») assume à la fois le sens propre, également «sucré avec du miel» (1562), et le sens figuré de «doux», péjorativement «doucereux». Il empiète sur l'aire d'emploi de **MIELLEUX, EUSE** adj. mais celui-ci, formé d'après le bas latin *mellosus* «de miel», a vu son sens propre initial (1278) reculer au profit du sens figuré (fin XIIIe s.), connoté péjorativement avec une idée d'«hypocrite» (av. 1590). ◆ Il a produit **MIELLEUSEMENT** adv., attesté entre 1552 et 1660, puis repris à la fin du XVIIIe s. avec une valeur péjorative. ◆ *Miel* a produit le nom technique **MIELLAT** n. m. (1671) «exsudation qui suinte des feuilles de certains arbres» (en ancien français et jusqu'au XVIIe s., il existait un *miellat* au sens de «maladie des céréales, nielle»). ◆ Le nom féminin **MIELLÉE** n. f. (1225) est partiellement synonyme du précédent et signifie également «fabrication du miel» (1751) et «période de l'année où les abeilles travaillent activement à la fabrication du miel» (1920). ◆ **MIELLAISON** n. f. est lui aussi un terme d'apiculture (1868, Littré) pour l'époque de la floraison des plantes *mellifères*, qui sont propices à la production du miel.

Par préfixation et suffixation, on a formé **EMMIELLER** v. tr. (1220, *emmiellé* «doux comme du miel» en parlant de la Vierge Marie), employé spécialement en médecine vétérinaire au sens d'«enduire le pied du cheval d'un tonique à base de miel» (1379). ◇ Par euphémisme pour *s'emmerder*, on emploie **S'EMMIELLER** v. pron. au sens de «s'ennuyer» (1818). ◆ Son dérivé **EMMIELLURE** n. f. (1445, *emmelleure* ; XVe s., *emmieslure*) n'est guère employé qu'en médecine vétérinaire. ◆ **DÉMIELLER** v. tr. est un terme d'apiculture (1771).

◈ voir MÉLASSE, MÉLILOT, MELLIFLUE.

MIEN, MIENNE adj. et pron. poss., relevé dès 842 sous la forme *meon*, est la forme tonique de l'adjectif possessif, issue du latin *meum*, accusatif de *meus* (→ mon). *Meus* signifie «mien, qui est à moi, m'appartient» ; il est substantivé au neutre *meum* au sens de «mon bien, ce qui est à moi», et au pluriel *mei* «les miens». En ancien français, on relève *meon*, puis *mens* (1050) et *mien* dès *La Chanson de Roland*. Au féminin, la forme actuelle *mienne* (1340) est refaite par analogie sur *mien* et a évincé l'ancienne forme *meie*, *moie*, issue du latin *mea* et en usage de 1080 au XVe siècle. Le dialecte picard avait une forme *mieue*, probablement modelée sur un masculin *mieus*.

♦ D'un point de vue syntaxique, *mien* adjectif n'est plus usité comme épithète, si ce n'est par archaïsme dans quelques expressions stéréotypées de caractère plaisant, comme l'emploi précédé d'un article indéfini *un mien filz* (1080), déjà qualifié de «vieilli» par l'Académie en 1694. ◇ Son emploi en fonction d'attribut (v. 1160) est un peu plus vivant, et cependant littéraire, notamment dans l'expression *je le fais mien* et dans le *sois mienne* de la rhétorique amoureuse traditionnelle (fin XIIe s.). ◇ Son usage est très courant comme pronom précédé de l'article défini (1080), seul ou en coordination avec un substantif précédé d'un adjectif possessif d'une autre personne. ◆ L'usage de *mien* comme substantif au sens de «mon bien» (1140) est marqué comme archaïque, mais non son emploi accompagné par un article partitif : *du mien*, au pluriel *des miennes* (1690) ; dès 1668, *j'y mets du mien* s'emploie pour «j'ajoute des choses de mon propre cru», puis «je fais un effort» (v. 1770). ◇ Le masculin pluriel *les miens* se réfère à un animé «les proches, les parents» (XIVe s.). ◇ Cf. *tien, sien, notre, votre, leur.*

MIETTE → MIE

MIEUX adv. est issu (881), par évolution phonétique, du latin *melius*, neutre substantivé de *melior* (→ meilleur). D'abord relevé sous la forme *melz*, il a pris au XIIIe s. les formes *mius* (1216), *miex* (1221) et *mieuz* (1260).

♦ Comparatif de *bien*, il est dès les premiers textes employé en corrélation avec *que* et aussi employé seul. Dans l'ancienne langue, il lui arrivait d'exprimer une idée de quantité, *et mieux* placé après un chiffre signifiait «et plus encore» (1080, *e mielz*). ◇ Il a fourni plusieurs locutions dont ***à qui mieux mieux*** (1489), attestée dès 1170 sous la forme *qui mialz mialz* : il semblerait qu'il y ait eu là contamination de deux tours bien distincts, *à qui mieux* et *qui mieux mieux*, l'adjonction de *à* à ce groupe traduisant une idée d'aspiration, de tendance. ◆ Depuis 1150, *mieux* est employé comme superlatif de *bien*. On le rencontre dans la locution *al miels que* et le verbe *pouvoir*, qui prend (1216) sa forme actuelle ***du mieux que*** et le verbe *pouvoir* «de la meilleure façon (possible)». Il entre dans quelques locutions adverbiales dont ***pour le mieux*** (v. 1225), ***au mieux*** (déb. XIIe s.), celle-ci entrant à son tour dans ***être au mieux avec qqn*** (1828) «être en très bons termes, s'entendre parfaitement», précédée par ***être le mieux du monde avec*** (1732), et dans ***au mieux de*** (1902).

Dès l'ancien français, il est aussi employé comme adjectif (1080) dans ***qui mieux est*** et comme nom (1080), sans qu'il soit aisé de décider si l'on a affaire au comparatif ou au superlatif (ce qui est meilleur ou ce qui est le meilleur) ; ce substantif n'est pas précédé de l'article dans quelques expressions : *en attendant mieux, faute de mieux* (1835), *mériter mieux* (1874). ◇ Au XIIe s. apparaît la locution ***faire de son mieux***, sous la forme ancienne *faire son mialz*, sans préposition (1176). ◇ Depuis le XVIIe s., *mieux*, qui se construit le plus souvent avec l'article défini, tolère l'article indéfini (1676) à propos de la conduite, de l'état d'une personne ou d'une chose *(ressentir un léger mieux)*.

▶ *Mieux* entre dans la formation de noms et adjectifs apparus au XVIIIe siècle. ◆ **MIEUX-DISANT, ANTE** adj., «qui parle mieux que les autres» (→ dire), s'est mieux maintenu que **MIEUX-DIRE** n. m. «manière de mieux parler que les autres». Il est passé récemment au langage financier, avec une valeur voisine de *plus offrant*, d'après l'expression *dire mieux* «faire une offre plus élevée». La métaphore du *mieux-disant culturel* (F. Léotard, 1986) a eu un certain succès de mode. ◆ **MIEUX-FAISANT, ANTE** adj. (v. 1770) est peu usité, et **MIEUX-ÊTRE** n. m., que l'on commence à rencontrer sous la Révolution (1787-1790) guère plus. ◆ Seul **MIEUX-VIVRE** n. m., «amélioration des conditions de vie», est de formation moderne (1924), à mettre en rapport avec une conception de la qualité de la vie et l'augmentation du niveau de vie (cf. *tant* pour *tant mieux*).

MIÈVRE adj. est probablement issu (v. 1250) de l'ancien scandinave *snaefr* «rapide, leste, agile», avec dégagement du *m* par accommodation de l'*n* à *v*, issu du *f* germanique. Cette étymologie est appuyée par l'existence de l'ancien français *esmievre* «empressé» (1210) et du normand *nièvre* «qui a de la vivacité mêlée de quelque malice, en parlant d'un enfant» (1694). ◇ Furetière (1690) le note encore avec un accent aigu, qui disparaîtra au profit de l'accent grave à partir de l'édition de 1762 du dictionnaire de l'Académie, et le qualifie de «populaire».

♦ L'évolution sémantique de *mièvre* présente un étonnant phénomène de retournement : à partir du sens originel de «léger, volage» (v. 1250), «vif et malicieux» (1288), «effronté» (1442) et enfin «mutin» (1663), le mot a développé au XVIIe s. une idée de puérilité (1673, «vif, malicieux, pour un enfant»). ➛ L'accent mis sur la puérilité a infléchi l'adjectif vers son sens moderne dépréciatif de «doué d'une affectation puérile, d'une gentillesse prétentieuse» (1801), d'abord pour une œuvre d'art, puis à propos d'un style (1867) et d'une personne (1874, d'un enfant).

▸ *Mièvre* a donné, outre **MIÈVREMENT** adv. (1842) peu usité, **MIÈVRERIE** n. f. (1480, *mivrerie*), passé du sens premier de «bagatelle» à celui de «tour malicieux» (1718) et supplantant alors le plus ancien **MIÈVRETÉ** n. f. (v. 1401) «petite niche d'un enfant malicieux». ➛ *Mièvrerie* a pris son sens moderne de «grâce affectée» au XIXe s. (1839) d'après *mièvre*.

MIGNARD → MIGNON

MIGNON, ONNE adj. et n. est dérivé (v. 1160) avec le suffixe *-on* d'un radical expressif *mign-* exprimant originellement la gentillesse, la grâce (distinct de celui que l'on a dans *minet*). On a aussi fait l'hypothèse d'une origine celtique sur la base de l'ancien irlandais *min* (avec *i* long) «petit, tendre, doux», et d'une origine germanique d'après °*minnja* «amour» (allemand *Minne*), mais on sépare ainsi le groupe en plusieurs éléments sans raison suffisante.

♦ *Mignon* est d'abord attesté comme nom masculin, déjà probablement à propos de celui qui se prête au plaisir d'un autre, notamment avec le sens péjoratif d'«homosexuel passif» d'où on passe à celui d'amant (première moitié du XVe s.) ; il est spécialement employé pour désigner les jeunes gens favoris de l'entourage de Charles VII (1446), puis les favoris efféminés de Henri III (1594). ◇ On trouve le féminin *(ma) mignonne* au sens d'«amante» également au XVe s. (1460). ➛ L'adjectif est attesté depuis 1478-1480 avec le sens de «gracieux, joli, agréable» ; dès la même époque, il est substantivé avec la même valeur, sans connotation érotique, servant d'appellatif affectueux (1530). ◇ À partir du XVIe s., le mot a développé quelques emplois particuliers qui ont en commun une idée de petitesse, de gentillesse, s'appliquant à un corps typographique (1561), à des variétés de fruits (1690, *pesche mignonne*), à des souliers d'enfants (1831). En boucherie, l'adjectif sert à qualifier un morceau de viande coupé à la pointe du filet, dans *filet mignon* (1833), substantivé en *un mignon de veau*. ◇ Il est employé en particulier dans *péché mignon* «faute sans gravité et fréquemment commise» (1718).

▸ *Mignon* et son adverbe **MIGNONNEMENT** (1690) ont supplanté dès le XVe et le XVIe s. *mignot, ote* (1225) et *mignotement* (1228), plus anciens et largement répandus dans les dialectes, notamment de l'Est. ➛ Du groupe de *mignot*, il nous reste le verbe **MIGNOTER** (1400) d'abord intransitif «prendre un air languissant, se dorloter», puis transitif au sens moderne de «dorloter, entourer de soins délicats» (1530) et à la forme pronominale «se bichonner» (1718). ◇ Celui-ci a donné **MIGNOTERIE** n. f. et **MIGNOTAGE** n. m., archaïques, mais utilisés par les historiens du sentiment maternel pour désigner les pratiques de pouponnage de la seconde moitié du XVIIIe siècle. ➛ *Mignon* lui-même n'a pas donné de nom courant : **MIGNONNERIE** n. f., attesté en 1530 et au début du XVIIe s. au sens d'«état de mignon, de favori», a été repris avant 1765 au sens de «grâce mignonne». ◇ **MIGNONNESSE** n. f. «caractère de ce qui est mignon» (1787) est rare de nos jours. ➛ En revanche, on trouve deux adjectifs à côté de *mignon* : le diminutif **MIGNONNET, ETTE** (1480), substantivé au féminin *mignonnette* (1687) comme désignation de divers objets de petit format (dentelle 1689, œillet 1721, poivre concassé 1750, etc.), et **MIGNARD, ARDE** formé avec un autre suffixe sur le radical expressif *mign-* (1524 ; dès le XIIIe s., l'ancien provençal atteste *mignart* au sens d'«enfant gâté»). ◇ *Mignard*, originellement «mignon, gentil», a eu tendance (1609) à s'infléchir vers le sens péjoratif de «d'une grâce affectée», sous l'influence de son suffixe *-ard*. Le sens initial s'est conservé pour qualifier des choses concrètes, touchant aux petits enfants (*mignard* étant une dénomination populaire du petit enfant). ◇ Ses dérivés **MIGNARDEMENT** adv. (1538) et **MIGNARDER** v. tr. (1544), à la mode au XVIe s., ne sont guère employés. ➛ Mais un autre dérivé, **MIGNARDISE** n. f. (1539), «gentillesse mignarde», péjorativement «manque de naturel» (1567), reste un terme de critique artistique et est relativement courant au sens concret de «paroles, gestes mignards». ◇ Comme *mignonnette*, il sert à désigner plusieurs objets délicats : il partage avec ce dernier le sens de «variété d'œillet» (1660), désigne aussi un galon (1868) et, au pluriel, de petites friandises servies à la fin du repas. ◇ Dans la seconde moitié du XVIIe s., un rapport est établi avec les œuvres du célèbre peintre Mignard.

MIGRAINE n. f. est issu par évolution et aphérèse (fin XIIe s.) du bas latin médical *hemicrania* «mal de tête». Ce mot est emprunté au grec *hêmikrania* «moitié de tête» puis, médicalement, «mal de tête affectant un seul côté de la tête», de *hêmi* «demi» (→ hémisphère) et *kranion* (→ crâne, par le latin).

♦ En français, le mot est d'abord attesté au sens figuré de «dépit» (de fait on dit encore *donner la migraine* [1690] au sens d'«agacer, ennuyer»). ◇ On relève ensuite *fièvre migraine* (1240-1280) et, à la fin du XIVe s., *migraine* au sens médical fort, et couramment avec la valeur atténuée de «mal de tête, céphalée».

▸ Le mot a donné ultérieurement le verbe rare **MIGRAINER** v. tr. (1882) et **MIGRAINEUX, EUSE** n. (1889) et adj. (1890), usuel.

MIGRATION n. f. est emprunté (1531) au latin *migratio* «passage d'un lieu à un autre», dérivé de *migrare* «s'en aller d'un lieu, changer de résidence, sortir», «se changer» et quelquefois «transgresser» (voir ci-dessous *migrer*). Ce verbe a été interprété comme le dérivé d'un adjectif °*migro,* d'une racine indoeuropéenne °*mei-* «changer» que l'on retrouve dans le grec *ameibein* «échanger». Cette racine est à la base d'un important groupe de mots dont *muer, congé, perméable, commun, immunité, munificence* et leurs dérivés, et aussi *amibe* (par le grec).

♦ Dès le XVIe s., *migration* a le sens de «déplacement d'une population qui quitte un pays pour un autre»; il s'est substitué à *transmigration,* plus ancien (cidessous). Le mot est contemporain du premier grand mouvement de migration qui suivit la découverte de l'Amérique et vit des Français «migrer» vers les Antilles, la Guyane, la Louisiane, le Canada, des années 1530-1540 jusqu'au XVIIIe siècle. La mise en valeur des Amériques entraîna au XVIIIe s. un second mouvement de migration massif, forcé et scandaleux : la *traite** des Noirs. C'est surtout au XIXe et au XXe s. que les migrations internationales atteignirent une ampleur sans précédent, jusqu'à la fin de la Seconde Guerre mondiale. *Migration* recouvre aussi un phénomène de déplacement de population à l'intérieur des frontières d'un même État, longtemps mal connu et dont on commence, à partir de la seconde moitié du XIXe s., à évaluer le sens et l'importance. C'est de ce sens que procèdent les syntagmes récents *migration professionnelle, migration journalière, migration vacancière.* → Parallèlement, à partir du XVIIIe s., le mot est appliqué spécialement aux phénomènes de déplacement périodique de diverses espèces animales (1770) et, par extension, à l'expansion d'espèces végétales par dissémination. Il est également passé en médecine (1872) pour le déplacement d'une cellule, d'un organe parasite au cours de sa métamorphose. ◇ Le sens ancien de «métempsycose» (1585) s'est éteint au profit de *transmigration*.*

▸ L'adjectif correspondant **MIGRATOIRE** (1840) s'emploie didactiquement en parlant de personnes (spécialement en démographie). → On emploie aussi **MIGRATEUR, TRICE** adj. (1801, *oiseau migrateur*), spécialement quand il s'agit d'animaux (1845, comme nom), en biologie et médecine (1896, *cellule migratrice*). → **MIGRER** v. intr. est un emprunt tardif (1876) au latin *migrare;* d'abord employé au sens particulier de «se déplacer par une action physique» (en parlant d'un corps liquide, d'un fluide), il a pris sa valeur courante «effectuer une migration» (1934). ◇ Son participe présent **MIGRANT, ANTE** a été adjectivé (1951, *travailleur migrant*) et substantivé (1961).

TRANSMIGRATION n. f. est emprunté dès l'ancien français (v. 1190) au composé latin *transmigratio,* de *transmigrare.* Il a désigné un déplacement de population, puis (1519) le passage d'une âme, d'un esprit, d'un corps vivant à un autre. Le premier sens a ensuite été exprimé par *migration* (cidessus), qui a cessé d'être employé dans cette acception. → **TRANSMIGRER** v. intr., emprunté (1538) au latin *transmigrare,* a d'abord eu le sens d'«émigrer», puis la valeur religieuse ou ésotérique correspondant à celle de *transmigration* (1767), la première acception disparaissant.

◈ voir les composés **ÉMIGRER** et **IMMIGRER**, qui ont pris des valeurs spéciales.

MIJAURÉE n. f. (1640) est un mot dialectal de l'Ouest, probablement issu par altération de *l* en *r* d'un substantif °*mijolée.* Ce dernier est dérivé du bas manceau *migeoler* «cajoler», proprement «achever de mûrir, mûrir», qui est une variante dialectale de *mijoter*.*

♦ *Mijaurée* désigne d'abord une jeune femme ou jeune fille laide et sotte; à lire Furetière, le mot semble populaire et injurieux à l'époque classique. ◇ Il est employé de nos jours et depuis le XVIIe s. au sens de «jeune fille, femme prétentieuse, affectée, ridicule» (1660), valeur où il est simplement péjoratif.

MIJOTER v., attesté relativement tard (1742), est un emprunt du français général à un mot dialectal de l'Ouest qui signifie à l'origine «faire mûrir» (1583, *faire migeotter les pommes* «les faire mûrir sur la paille»), sens encore vivant dans certaines régions. *Mijoter, migeotter* est lui-même une variante (Basse-Normandie, Bas-Maine et Anjou) de *migoter* (Haute-Normandie), dérivé du nom ancien *migoe* ou *migeot* (Maine, Anjou) «lieu où l'on conserve les fruits» (1350). Ce dernier est une variante de *musjot, musgot* (→ ① magot), probablement issu d'un germanique °*musgauda* dont le premier élément *mus-* peut être rapproché du flamand *muize* «souris» (on relève *muizegote* «cachette pour les pommes») et se rattache au nom indoeuropéen de la souris (→ musaraigne, myosotis, mygale). Le second élément reste obscur, un suffixe *-gote* ne convenant pas pour des raisons phonétiques.

♦ *Mijoter* a été introduit en français simultanément en construction intransitive et transitive pour «cuire à petit feu». ◇ Le sens familier de «traiter de façon câline, caressante» (1798, *mijoter un enfant*) est archaïque (cf. *mignoter*). → Au XIXe s., le verbe a développé le sens figuré, d'après la cuisine longuement préparée, de «se préparer lentement (pour une vengeance)», transitivement dans *mijoter une affaire* (1808) et à la forme pronominale *il se mijote qqch.* (1802).

▸ En sont issus les noms synonymes **MIJOTEMENT** n. m. (1876) et **MIJOTAGE** n. m. (1926), ainsi que le nom d'appareil de cuisson **MIJOTEUSE** n. f. (1925). → Le nom de sens figuré **MIJOTERIE** n. f. «mignotage» (XIXe s.) est archaïque.

◈ voir **MIJAURÉE.**

MIKADO n. m. est un emprunt (1803) au japonais *mikado* «souverain», composé du préfixe honorifique *mi-* et de *kado* «porte», spécialement «porte du palais impérial» d'où, par métonymies successives, «palais» et «empereur, majesté impériale».

♦ Le mot a été introduit en français avec le sens erroné de «chef de la religion au Japon»; il est attesté au sens de «souverain» depuis 1872 : le mikado est en effet chef spirituel du shintoïsme et révéré comme un dieu par ses sujets. Il est à noter que les Japonais et les spécialistes emploient *tenno* «souverain». ◇ *Mikado* s'est répandu en français comme nom d'un jeu de jonchets d'inspiration japonaise (1903).

① **MIL** n. m. est issu (av. 1100) du latin *milium* de même sens, attesté depuis Caton (le mil était employé à Rome dans les sacrifices). C'est un nom de céréale probablement indoeuropéen dont on a trois formes qui semblent dériver d'un ancien nom radical avec des vocalismes variés : *e* dans le grec *melinê*, *o* dans le lituanien *malnos*, zéro dans le latin *milium*.

♦ *Mil* s'est seulement maintenu dans les parlers méridionaux, en Afrique et dans l'ouest de la France.

▶ Partout ailleurs, il a reculé au profit de son dérivé **MILLET** n. m. (1256). Celui-ci, par analogie de forme, est employé spécialement en pathologie, désignant une éruption comparable à des grains de millet (1786) et un petit kyste de la paupière (1865). ➡ L'ancien provençal *milhada* «bouillie» et le béarnais *milhoda* de même sens sont passés en français dans **MILLADE** n. f. (1858), nom donné régionalement à une bouillie de millet destinée à engraisser les volailles (Sud-Ouest). ➡ **MILIAIRE** adj. et n. f., emprunté (1575) au latin *miliarus* «relatif au mil», a été introduit en pathologie *(herpès miliaire)* et en anatomie (1701, *glande miliaire*) pour décrire un phénomène ou un organe ayant l'apparence de grains de mil.

② **MIL** → ① **MILLE**

MILAN n. m., d'abord *millan* (1500), est emprunté à l'ancien provençal *milan* (XIIIe s.) «rapace», du latin populaire °*milanus* (d'où l'espagnol *milano*), altération de °*milvanus*, dérivé du latin classique *milvus*, mot d'origine non établie, qui désigne à la fois un oiseau et un poisson. ◇ L'ancien français disait *escoufle* (av. 1150, *escufle*) pour ce rapace, nom emprunté à une forme de bas breton °*skouvl* que le breton moderne *skoul* permet de restituer.

♦ Depuis 1546, *milan*, «rapace diurne», désigne aussi un poisson du genre trigle, appelé aussi *milan de mer*.

▶ *Milan* a donné **MILANIÈRE** n. f. (1685) «endroit où l'on élève des milans pour la chasse» et **MILANEAU** n. m. (1803) «jeune milan».

MILIAIRE → **MIL**

MILICE n. f. est emprunté (1578) au latin *militia*, dérivé de *miles, -itis* «soldat», qui désigne le service militaire et une campagne militaire. *Miles*, d'origine inconnue, est peut-être un emprunt étrusque. En latin ecclésiastique, *militia* a été appliqué particulièrement aux puissances célestes, aux Anges.

♦ *Milice* a supplanté l'ancienne forme *milicie* «organisation militaire» (1371). Lui-même a d'abord eu le sens de «maniement des armes» (1578), puis d'«art militaire» (1611), aujourd'hui sorti d'usage. ◇ On le relève dans l'expression *milice céleste*, emprunt au latin pour désigner l'ensemble des anges (1611). ➡ Il a aussi servi à désigner un corps de troupes armé (1617) et différentes troupes de citoyens levées dans les communes pour renforcer l'armée régulière; ces troupes existent depuis le XIVe s. au moins, mais ce sens n'est pas attesté avant 1636. ◇ Le sens moderne «troupe de police supplétive, formation militaire ou paramilitaire levée par appel ou enrôlement pour renforcer l'armée régulière» apparaît à propos des pays sans armée permanente (1874), puis dans le cadre de la guerre civile espagnole (1937, Malraux). ◇ *Milice* a servi à désigner, d'après l'italien *milicia*, la formation paramilitaire créée par Mussolini en Italie en 1922 et l'organisation analogue décrétée par Vichy (3 janvier 1943). ◇ Il est également appliqué à une formation sans caractère officiel, effectuant des opérations de surveillance ou d'intervention pour un mouvement politique, des chefs d'entreprise, etc.

▶ Il a donné **MILICIEN, IENNE** n. avec le sens ancien de «soldat d'une troupe de citoyens levée pour renforcer l'armée» (1725). Celui-ci a suivi l'évolution de *milice*. On le relève dans le contexte de la guerre civile espagnole (v. 1937) et dans celui de la milice vichyssoise (30 juin 1943).

◈ voir **MILITAIRE, MILITER**, de même origine.

MILIEU n. m. est composé (v. 1120) de *mi-** et de *lieu**.

♦ On le relève d'abord dans la locution prépositionnelle *el milliu des* «au sein d'un groupe de personnes» avec le sens spatial d'«espace occupant une position entre plusieurs autres». Avec plus de précision, il désigne aussi la partie d'une chose située à égale distance des bords (v. 1175) et le centre d'un espace (fin XIIe s.), entrant dans la locution ***au milieu de*** «au centre de» (1140). ➡ À partir du XVIe s., il exprime la même idée sur un plan temporel (1555, en parlant du milieu de la nuit) et désigne l'endroit d'un développement situé entre le début et la fin (1585). La locution ***au milieu de*** réalise cette valeur temporelle (av. 1573) que l'on trouvait déjà dans l'ancienne locution *el milliu d'ans* «au cours des ans» (déb. XIIe s.). ◇ Valeur temporelle et valeur spatiale se conjuguent dans la locution ***au beau milieu de*** (1585) où *beau*, avec la valeur d'«exact», précise *milieu*, comme *plein* dans *plein milieu*. ➡ Les premiers emplois figurés du mot, à propos de ce qui occupe une position intermédiaire, apparaissent au début du XVIIe s. (1613). En rapport avec les idéaux classiques, *milieu* assume fréquemment une idée qualitative de «bonne moyenne, sage médiocrité» (cf. *mesure, médiocrité*), aujourd'hui vieillie, sauf dans ***juste milieu*** (av. 1662, Pascal) spécialisé en politique pendant la Restauration (cf. *centre*). ◇ *Milieu* concerne un comportement humain qui choisit le moyen terme, le compromis (1656, *tenir le milieu entre*) et entre dans l'expression *point de milieu* (1656, Pascal) pour exprimer l'absence d'alternative.

C'est à la même époque que *milieu* commence à être employé dans le langage scientifique pour l'élément physique dans lequel un corps est placé (1639, Descartes), explicité en «ce qui est interposé entre plusieurs corps et transmet une action physique de l'un à l'autre», acception courante dans le langage scientifique du XVIIIe siècle. Cette notion s'est développée au XIXe s. à la fois dans le domaine de la zoologie (1809, *milieux ambians*), de la biologie (1831) et, peu après, dans une perspective sociologisante (1842, Comte). La même année, Balzac emploie le mot dans son *Avant-Propos de la Comédie humaine* pour parler de l'ensemble des conditions extérieures dans lesquelles vit et se développe un individu. De façon plus restrictive, l'écrivain l'emploie aussi au sens d'«entourage matériel ou moral proche d'une personne» (1846). Cette acception a connu ensuite un grand succès. ➜ Depuis 1921, le mot est employé absolument, souvent écrit avec la majuscule, pour désigner le monde de la pègre (on dit aussi *le Mitan*), d'où *argot du Milieu* et diverses expressions.

MILITAIRE adj. et n. est emprunté (v. 1355) au latin *militaris* «qui concerne le soldat, l'armée», «guerrier», de *miles, -itis* «soldat» (→ milice).

♦ Introduit en français aux sens de «qui appartient à l'armée» et «qui concerne l'armée» (1508; cf. *armée*), *militaire* entre dans les syntagmes *art militaire* (1690), *service militaire* (1794). ◇ Depuis le milieu du XVIIIe s., il qualifie ce qui est aménagé pour l'armée, par exemple dans *école militaire* (1790), d'abord *École royale militaire* (1re moitié XVIIIe s.), et *musique militaire* (1801). ◇ Selon le contexte, il signifie parfois «fondé sur la force militaire» (1743). ➜ Il a été substantivé au cours du XVIIe s. (1658), avec une valeur voisine de *un soldat.* ◇ *Le militaire,* au sens collectif d'«ensemble des militaires, état de militaire» (1755), relève d'un style littéraire.

▶ À côté de l'adverbe **MILITAIREMENT** (1552) «de manière militaire» et «par la force armée» (1743), dérivé de l'adjectif, le radical latin *militar* a donné des dérivés savants au XIXe et au XXe siècle : **MILITARISME** n. m. (1815) «prépondérance exagérée de l'élément militaire dans une nation» et «doctrine favorable à l'extension du rôle de l'armée dans la société» (1862); **MILITARISTE** adj. et n. (1870) «partisan du militarisme» et, comme adjectif, «relatif au militarisme». ➜ **MILITARISER** v. tr. (1843) signifie «rendre militaire» et «inculquer l'idéologie militaire» (1870), d'où **MILITARISATION** n. f. (1875) «organisation militaire» et «action de faire prédominer les habitudes militaires» (1907).
Au XIXe s., tandis que ces mots sont eux-mêmes employés dans un contexte critique et péjoratif, on commence à relever les composés préfixés exprimant une idée d'hostilité à l'élément militaire, avec **ANTIMILITAIRE** adj. (1842), puis d'hostilité à l'idéologie militariste avec **ANTIMILITARISME** n. m. (1907) et **ANTIMILITARISTE** adj. et n. (1897), mots usuels dans les luttes d'idées du XXe s., en relation avec *pacifisme* et *pacifiste.* ➜ Le préfixe *dé-* aide à former **DÉMILITARISER** v. tr. (1871) et **DÉMILITARISATION** n. f. (fin XIXe s.), cependant que *para-* sert à former **PARAMILITAIRE** adj. (v. 1920), qui se dit d'organisations n'appartenant pas à une armée régulière, mais en empruntant les méthodes (cf. *milice*). ➜ Récemment, on a forgé quelques composés avec l'élément *militaro-* «qui touche au domaine militaire» : **MILITARO-INDUSTRIEL, ELLE** adj. (1967), **MILITARO-POLITIQUE** adj. (1973).

MILITER v. intr. est emprunté (1234, *in* F. e. w.) au latin *militare* «être soldat, faire son service militaire», dérivé de *miles, -itis* «soldat» (→ aussi milice, militaire).

♦ *Militer,* emprunté au sens de «faire la guerre» très proche du latin, a pris par extension au XVIIe s. la valeur abstraite de «témoigner en faveur de qqch.» (1669, dans un contexte juridique). Le sens plus courant d'«agir, lutter pour une cause, notamment pour une conviction politique» s'est dégagé sous la Révolution (12 ventôse 1794).

▶ Son participe présent **MILITANT, ANTE** a été adjectivé (1370) au sens propre de «qui combat, qui lutte», dans un contexte religieux. Au XVe s. apparaît l'expression ***Église militante*** «ensemble des fidèles qui luttent pendant leur vie terrestre». ➜ C'est seulement au XIXe s. que le mot a pris la valeur de «qui a une attitude combative pour faire triompher une cause» (1832) et qu'il a été substantivé, d'abord au masculin (1848, Sainte-Beuve, *Port-Royal*). ◇ Par la suite, adjectif et nom ont pris leur sens aujourd'hui le plus courant en rapport avec les partis politiques et les syndicats (d'où *militant de base,* v. 1950, etc.). ➜ Les dérivés **MILITANTISME** n. m. (1962) et **MILITANTISTE** adj. (v. 1970) appartiennent au vocabulaire de la vie politique.

MILK-SHAKE n. m. est emprunté (1946) à l'anglo-américain *milk-shake,* nom d'une boisson sucrée aromatisée, composée de lait et de crème glacée battus ensemble. *Milk* «lait» se rattache au groupe germanique du néerlandais *melk* et de l'allemand *Milch,* et repose au-delà sur la racine indoeuropéenne représentée dans le latin *mulgere* (→ émulsion). *To shake* «secouer» remonte à une base germanique °*skakan* que l'on a comparée au sanskrit *khajati* «agiter».

♦ Cet emprunt alimentaire reste lié à une boisson typiquement américaine servie, notamment en France, dans ces deux institutions d'importation que sont les milk-bars (autre américanisme attesté en 1947) et les fast-foods.

① **MILLE** adj. numéral cardinal est issu (1050) du latin *mille* «un millier, mille», spécialement nom d'une mesure de longueur (→ ② mille), également employé pour désigner un grand nombre indéterminé. Le mot latin, sans origine connue, d'abord déclinable, a été considéré comme indéclinable, probablement d'après *decem* (→ dix) et *centem* (→ cent) dont il est le multiple dans la numération décimale. Le substantif qui l'accompagne lui a été apposé. Ainsi s'est établie la différence entre le singulier neutre *mille* et le pluriel *millia :* le premier a donné au français l'ancienne forme ② **MIL** et le second le pluriel *mille* (1208; antérieurement *millie,* 1080, et *mile,* 1145). Ce dernier l'a généralement emporté devenant un singulier vers 1360-1370, tout en reprenant au premier sa prononciation, mais on rencontre encore *mil* (dans *l'an mil*).

♦ *Mille* est employé absolument par ellipse du substantif d'accompagnement (1080). Il réalise également la valeur indéterminée d'«un grand nombre» (1538), notamment dans *trente-six mille* (1795) ou *des mille et des cents* (1808), qui concerne de grosses sommes d'argent, également dans des jurons (*mille bombes,* 1769). ◆ ***Je vous le donne en mille*** «vous n'avez pas une chance sur mille de deviner» est attesté en 1761. *Mille* est précédé de l'article (1611, dans la locution ancienne ***pour réduire le mille en un*** «pour résumer»), désignant particulièrement le chiffre *mille* (1690). La locution moderne ***mettre dans le mille*** (1866), «réussir», est tirée du jeu de tonneau où le palet qui tombe dans la gueule de la grenouille figurée sur la table du jeu amène le mille qui est le plus fort numéro.

▸ *Mille* fournit le premier élément de plusieurs noms composés. ◆ On le retrouve dans **MILLE-FEUILLE** (ou **MILLE-FEUILLE**) n. m., terme de botanique issu (1264, *milfoil*) du latin *mille folium* (de *mille* et *folium;* → feuille), calque sémantique du grec *muriophullon* (→ myriade, -phylle). Le mot a été refait en *milfuel* (1300) et *millefeuille* (1539) conformément à la réfection de *feuille.* ◇ Le terme de pâtisserie homonyme (1806 *gâteau de mille feuilles* et *mille-feuilles*) est dû à une métaphore d'après l'aspect d'une liasse de feuillets. ◆ Le terme de pharmacie **MILLE-FLEURS** n. f. (1663, *eau de mille-fleurs*) vient de ce que l'on prêtait à l'urine de vache les vertus des fleurs consommées par le ruminant. Son équivalent morphologique *millefiori* est un italianisme (1874) parfois traduit en *mille-fleurs* pour désigner un objet décoratif. ◆ Il faut aussi noter **MILLEPERTUIS** n. m. (1539) (→ pertuis), **MILLE-PATTES** n. m. (1853) qui a remplacé *mille pieds* (1562), **MILLÉPORE** n. m. (1798; 1742, *millepore;* → pore), **MILLE-RAIES** n. m. (v. 1900) désignant un tissu et **MILLE-TROUS** n. m. «fromage de gruyère» (1923) dans lesquels *mille* exprime l'idée de «très grand nombre».

Sur le latin *mille,* on a formé l'élément **MILLI-**, servant depuis la fin du XVIIIe s. à former des noms indiquant la division par mille d'une unité : après **MILLIMÈTRE** n. m. (1792), puis **MILLIMÉTRIQUE** adj. (1832), **MILLIGRAMME** (1795) et **MILLILITRE** (1795), sont apparus, à la fin du XIXe et au début du XXe s., **MILLIAMPÈRE** (1881), **MILLIBAR** (1917), **MILLITHERMIE** (1920), **MILLIMICRON**, **MILLIVOLT** et **MILLIGRADE** (1923, dans les dictionnaires) puis **MILLICURIE** (1956). ◇ Par ailleurs, de *millimètre* est tiré **MILLIMÉTRÉ, ÉE** adj. (déb. XXe s.) qui qualifie un papier quadrillé au millimètre.

MILLIER n. m. est issu (1080) soit de *mille,* soit probablement d'un latin *miliarius* attesté dans les inscriptions comme nom masculin au sens d'«ensemble de mille», au lieu du latin classique *milliarium.* Celui-ci est le neutre substantivé de l'adjectif *milliarius* «qui contient mille», de *mille* (→ ① mille). ◇ Comme *mille, millier* est employé par extension avec une idée plus ou moins vague de très grand nombre *(un millier de fois).* ◆ **MILLIÈME** adj. et n. m. est issu (1213) du latin *millesimus* «millième» (cf. ci-dessous *millésime*), également substantivé au féminin au sens de «la millième partie». ◇ D'abord attesté sous les formes *la millesme* (1213), *milleime* (1226), *milime* (XIIIe s.) et *milisme* (XIIIe s.), le mot a pris sa graphie moderne par dérivation sur *mille* au début du XIVe siècle. ◆ **MILLÉSIME** n. m. est emprunté (1515) au latin *millesimus,* emploi substantivé de l'adjectif *millesimus* «millième», de *mille* (→ ① mille). Le mot est apparu en français au sens de «chiffre des millièmes dans un nombre»; par spécialisation, il a pris celui de «chiffre exprimant le nombre mille dans une date» (1581) et s'est étendu à l'ensemble des chiffres indiquant l'année (après l'an 1000), spécialement en numismatique (1666) et en œnologie. ◇ En sont dérivés **MILLÉSIMER** v. tr. (1754, en numismatique), «marquer d'un millésime» et (1840) «prendre la millième part d'un tout», et **MILLÉSIMAL, ALE, AUX** adj. (1796) «qui a pour base le millième» (l'anglais a *millesimal,* depuis 1719, formé directement sur le latin *millesimus*).

◈ voir aussi ② MILLE, MILLÉNAIRE, MILLION.

② **MILLE** n. m., «unité de mesure», est de même origine (1213) que le numéral *mille* :* le latin *mille* désigne une mesure de longueur de mille pas par ellipse de *passus* (→ pas) dans les expressions *mille passus* «mille pas» et *mille passuum* «un millier de pas».

♦ Le mot, en français, a d'abord désigné la mesure itinéraire romaine de mille pas (1213). Par analogie, il a désigné toute mesure comparable à celle des anciens Romains, de longueur variable selon l'époque ou le pays (1245). Il est employé spécialement en navigation (1797), qualifié de *mille marin* pour éviter les ambiguïtés. ◆ Au Canada, il est synonyme de l'anglais *mile,* lui-même passé en français sous sa graphie *mile* (1859) et de même origine que *mille.*

▸ **MILLAGE** n. m. (XXe s.) a été formé en français du Canada, d'après *kilométrage* et l'anglais *mileage,* pour «nombre de milles parcourus par une voiture». ◆ **MILLIAIRE** adj. et n. m. (1506; 1245, *milaite;* 1414, *miliaire*) a été emprunté au latin *milliarium* «millier» (→ millier, à ① mille) désignant une borne, colonne ou pierre marquant la distance en milles. ◇ Depuis 1610, le mot est employé comme adjectif, appliqué à un repère, à une borne, à une colonne (en parlant des voies romaines).

MILLÉNAIRE adj. et n. m. est emprunté (v. 1460) au latin *millenarius* «qui contient mille unités», dérivé de *millenus* «mille, millier», de *mille* (→ ① mille). *Millenarius* a été substantivé au masculin à basse époque au sens de «commandant en chef de mille hommes, tribun militaire».

♦ Il est passé en français en ce sens dans un texte de Coquillart traduisant le passage correspondant à la traduction latine (attribuée à Cassiodore) de *L'Histoire de la guerre des Juifs* de Flavius Josèphe. Le mot a pris peu après son sens de «période de mille ans» (1584) et, ultérieurement, celui de «millième anniversaire» (1935; → centenaire). ◆ En tant qu'adjectif, *millénaire* signifie «de mille unités» (1617) et «qui existe depuis mille ans» (1802).

▸ En est dérivé **MULTIMILLÉNAIRE** adj. qui semble récent. ◆ Le nom a donné les termes d'histoire religieuse **MILLÉNARISME** n. m. (1840) et **MILLÉNARISTE** n. (1877), ce dernier remplaçant le plus ancien *millénaire* (1662, Pascal). Ces mots s'appliquent à la croyance selon laquelle le Messie régnera sur Terre pendant mille ans avant le jugement dernier, règne qui a reçu le nom de **MILLÉNIUM** n. m. (1765), forme du latin moderne faite sur le modèle de *triennum* «période de trois ans». Les idées millénaristes (que l'on rencontre dans d'autres religions que le judéochristianisme, notamment l'Islam, le Bouddhisme) ont connu en Occident une très grande vitalité dans le christianisme des trois premiers siècles, avant de devenir suspectes à l'orthodoxie depuis saint Augustin. Elles n'en ont pas moins été le moteur de nombreux mouvements hérétiques au moyen âge et de certains courants de la Réforme, et ont rejoué un rôle contestataire aux XIXe et XXe siècles.

MILLÉSIME → ① MILLE

MILLIARD → MILLION

MILLION n. m., d'abord *millon* (1266) puis *million* (1359), est emprunté à l'italien *milione* «mille fois mille» (av. 1350), formé sur *mille*, de même origine que le français *mille**, à l'aide du suffixe augmentatif *-one*.

♦ Par extension, *million* «mille fois mille» est aussi employé au sens indéterminé d'«une très grande quantité» (v. 1460), renforcé dans *mille millions de* (1790). Il exprime l'idée de très grande richesse dans *un, des millions* (de l'unité monétaire concernée) et dans quelques locutions : *avoir du bien à millions* (1694), disparue, puis ***être riche à millions*** (1762), ***ne compter que par millions*** (1694).

▸ Il a donné **MILLIONIÈME** adj. (1550). ◂ **MILLIONNAIRE** adj. et n. (1721) signifie «personne qui possède un million (de l'unité monétaire)», d'où *millionnaire en* (dollars, etc.), par extension «très riche». ◇ Il a pour composé **MULTIMILLIONNAIRE** adj. et n. (1898, *multi-millionnaire*) «personne très riche». ◂ Par changement de suffixe, on a formé sur *million* **MILLIASSE** n. f. (1505 ; 1479, d'après Bloch et Wartburg), terme familier et souvent péjoratif au sens d'«un très grand nombre», quelquefois «mille millions» (1723).
Ce dernier sens est aujourd'hui réservé à **MILLIARD** n. m. tiré de *million* avec le suffixe *-ard*, sous des formes variées *milliares* (1538), *miliart* (1544), *miliard* et *milliard* au XVIIe s. (1688). ◂ Lui-même a donné **MILLIARDIÈME** adj. (1923), **MILLIARDAIRE** adj. et n. et **MULTIMILLIARDAIRE** adj. et n. (1944) qui, comme *millionnaire* et *multimillionnaire*, concerne l'extrême richesse.
D'autres multiples de *million* ont été formés par substitution de préfixe ; apparus au XVe s., ils ont vu leur sens redéfini au XVIIIe s., puis lors de la Conférence des poids et mesures en 1948 : **BILLION** n. m. (1484) pour recouvrir «mille milliards» (1948) ; **TRILLION** n. m. (1484) pour «un milliard de milliards» (1948) ; **QUADRILLION** n. m. (1484) pour «un million de trillions».

MILORD → LORD

MIME n. m. est emprunté (1520) au latin *mimus* «acteur de bas étage» et «farce de théâtre», emprunt au grec *mimos* (depuis Eschyle) «mime, acteur qui chante, danse et récite», également «genre littéraire» et quelquefois «imitateur» (voir ci-dessous *mimesis*, etc.). *Mimos* n'est rattaché à aucune série indoeuropéenne ; l'hypothèse de Schulze, qui évoquait le sanskrit *māyā* désignant l'illusion qui crée en l'homme l'image du monde, semble malheureusement erronée.

♦ *Mime* est longtemps resté en français un terme d'antiquités désignant une sorte de petite comédie familière et bouffonne (1520), et aussi un acteur, un histrion (1560), puis un auteur antique de comédies bouffonnes (1752). ◂ Par extension, il s'est acclimaté et appliqué à une personne douée du talent de contrefaire les manières et les attitudes d'une autre (1783). ◇ Il est devenu un terme de théâtre moderne (1834), s'appliquant à un acteur s'exprimant sans paroles.

▸ Deux autres mots du même groupe ont fait leur apparition au XVIe s., comme termes d'antiquités : le composé **MIMOGRAPHE** n. m., emprunté au grec *mimographos* «auteur de mimes», n'est pas employé au-delà du XVIe s., mais il a fourni deux dérivés : **MIMOGRAPHIE** n. f. (1829) et **MIMOGRAPHIQUE** adj. (1832).
MIMIQUE adj., emprunté au grec *mimikos* «qui concerne les mimes» par l'intermédiaire du latin *mimicus*, a d'abord été attesté comme adjectif au sens de «relatif aux mimes antiques» (1585). Rare en ce sens, il a été repris au XIXe s. avec la valeur de «qui s'exprime par des gestes» (1823). ◇ Puis il a été substantivé *(la mimique)* [1824] au sens d'«art d'imiter au théâtre, action de mimer» et, par extension, a pris la valeur plus courante d'«ensemble des traits expressifs, des jeux de physionomie qui accompagnent le langage oral, se substituent à lui» (1868).
Le début du XIXe s., époque où l'expression dramatique muette est remise en honneur, a aussi vu former **MIMODRAME** n. m. (1819) «pièce mimée», de *mime* et *drame**. ◂ Il a été précédé par le terme didactique **MIMOLOGIE** n. f. (1721) «imitation de la voix, du comportement et des gestes d'un autre», puis «art de l'imitation par le comportement corporel». *Mimologie* s'est appliqué à la langue, ainsi que les dérivés **MIMOLOGIQUE** adj. et **MIMOLOGISME** n. m. Ces emplois sont restés rares et spécialisés, avant la reprise de *mimesis* au grec (cidessous) et l'emploi de *mimologique*, substantivé au pluriel, en critique littéraire (G. Genette), dans le cadre de la sémiologie.
MIMESIS n. f. est emprunté (1765) au grec *mimêsis*, du verbe *mimeisthai*, dérivé de *mimos* ; les équivalents latins, *imitatio* et *imitari* («imitation», «imiter»), sont rattachés à *imago* «image, ombre, apparence trompeuse» (→ image), lui-même employé pour le grec *eikôn* (→ icono-), mais aussi pour *phantasma* (→ fantasme). Aussi bien, l'emploi en français d'*imitation* pour rendre *mimêsis* (courant du XVIIe au XIXe s.) engendre-t-il maints contresens, *mimêsis* chez Aristote désignant la manifestation sensible des caractères cachés de l'homme : *êthos* «caractère» (→ éthique), *rhuthmos* (→ rythme), *har-*

monia (→ harmonie) et *logos* (→ logique), c'est-à-dire une expression ou une représentation, non une imitation. Ainsi les sons de la musique sont des *mimêmata* et non pas les images ressemblantes et imitées que sont des «signes» *(sêmeia)*. *Mimesis* a été repris en français au XXe s. pour éviter les contresens dus à *imitation*, et Marcel Jousse a créé **MIMISME** n. m. pour désigner la gestuelle corporelle du mime.

MIMÉTISME n. m. est dérivé savamment en éthologie, avec le suffixe *-isme* (1874), du grec *mimêteos*, adjectif verbal de *mimeisthai* «mimer, imiter», dénominatif de *mimos* (voir ci-dessus *mime*). Le mot désigne la faculté qu'ont certains animaux de se confondre avec leur milieu, pour échapper aux prédateurs. Le concept est désigné par *mimicry* en angl. (1861). ◇ Par extension, *mimétisme* est employé couramment à propos d'un comportement humain qui reproduit les attitudes, le langage, les idées d'un modèle (1906, Barrès). ➜ L'adjectif correspondant, **MIMÉTIQUE**, a été emprunté ultérieurement (1912, Durkheim) au grec *mimêtikos* «qui a le talent d'imiter, imitateur», probablement avec l'influence de l'anglais qui a *mimetical* dès 1637 en général et dès 1851 comme terme de zoologie et de botanique.

voir aussi **MIMOSA, PANTOMIME.**

MIMI

MIMI n. est dérivé par redoublement expressif du radical *mim-* à valeur diminutive et hypocoristique (1823, *mon cher petit mimi*).

♦ Dans l'argot des artistes et de la bohème du XIXe s., le mot a servi à désigner la maîtresse d'un homme, par allusion à H. Murger *(Scènes de la vie de bohème)* qui l'avait emprunté au conte de Musset *Mimi Pinson* (paru dans un recueil collectif en 1845). ◇ Le mot a pris le sens de «chat» depuis 1851 d'après *minet** (→ minet) et partage avec *minette* et *minou* un sens érotique en argot (*faire mimi*, 1888). ◇ Il est employé familièrement comme adjectif au sens de «mignon, adorable» (1890).

MIMIQUE → MIME

MIMOLETTE

MIMOLETTE n. f. est probablement composé (1962) de *mi-** et de *mollette* «un peu mou», féminin de l'adjectif *mollet* (→ mou).

♦ Le mot désigne un fromage hollandais, à pâte demi-tendre.

MIMOSA

MIMOSA n. m. est relevé pour la première fois dans *herbe mimosa, herbe mimose* (1602), dans une traduction du latin par de L'Escluse qui adapte lui-même un texte espagnol. Il s'agit d'un mot du latin des botanistes (1557, L'Escluse), tiré de *mimus* (→ mime), par allusion au fait que certaines espèces de fleurs se contractent lorsqu'on les touche (de là, les dénominations populaires *herbe sensible, sensitive, herbe vive*). On a aussi dit *mimeuse* (fin XVIIIe s.).

♦ Ce nom de plante est surtout employé pour désigner la fleur et sa couleur. ◇ Par analogie de couleur et de forme, il entre en apposition dans *œuf mimosa* «jaune d'œuf cuit et écrasé», en art culinaire (XXe s.).

▸ Le suffixe savant *-acées* a servi à former **MIMOSACÉES** n. f. pl., réfection du plus ancien *mimosées* (1840).

MINABLE → ② MINE

MINARET

MINARET n. m. est emprunté (1606, *minerest*), par l'intermédiaire du turc, à l'arabe *manāra* «phare, candélabre», d'où «tour de mosquée» (on s'est demandé s'il n'y a primitivement pas eu un signal à feu sur les mosquées), de *nāra* «luire, briller».

♦ Le mot désigne, comme son étymon, la tour d'une mosquée du haut de laquelle le muezzin appelle les musulmans à la prière.

MINAUDER

MINAUDER v. intr. (v. 1625 mais antérieur, voir *minauderie* ci-dessous) est dérivé de ① *mine** pris au sens d'«attitude, manière affectée», peut-être par l'adjectif *minaud* «gracieux, gentil» qui n'est attesté qu'au XIXe s. dans les dialectes du Centre mais doit être ancien oralement.

♦ Le mot se rencontre d'abord à la forme pronominale *se minauder* «se moquer». ◇ Il prend ensuite à l'intransitif son sens moderne «faire l'agréable, faire des petites mines pour avoir un air charmant» (1680).

▸ On en a tiré **MINAUDERIE** n. f. (1580) dont la date fait supposer que le verbe existait avant le XVIIe s., et l'adjectif **MINAUDIER, IÈRE** (1691), d'usage littéraire, de même que son dérivé **MINAUDIÈREMENT** adv. ➜ On lui a refait un synonyme plus courant **MINAUDEUR, EUSE** adj. et n. (v. 1950).

MINCE

MINCE adj. et interj. est le déverbal (1305) de l'ancien verbe *mincer* (fin XIe s., *mincier*), issu d'un latin populaire °*minutiare*, forme altérée du bas latin *minutare* (Ve-VIe s.), dérivé de *minutus* «petit, menu» (→ menu); cf. aussi *menuise*, de *minutia*, d'où *menuisier*. En ancien français, *mincer* «couper en petits morceaux» était surtout d'usage culinaire. Sauf régionalement, il a cédé la place à *émincer* (ci-dessous).

♦ *Mince* désigne d'abord une petite pièce sans valeur (1305), d'après le latin médiéval *minutum* et *minuta* «petite monnaie». On le rencontre encore au XVIe s. au sens argotique d'«argent», et l'adjectif qui en est tiré (1480) a signifié «dénué d'argent». ➜ C'est seulement au XVIe s. que cet adjectif a reçu le sens concret de «qui a peu d'épaisseur» et a commencé d'être employé comme épithète de caractérisation physique d'un objet, d'un corps (1560). On peut supposer que, parallèlement à *une mince*, on a pu parler d'une *pièce mince*, à la fois de faible valeur et de peu d'épaisseur. ◇ Depuis le XVIIe s., l'adjectif est également appliqué à une réalité abstraite peu importante (av. 1646). ◇ En langue classique, il signifiait particulièrement «qui a peu de force, peu de pouvoir» et (en parlant d'une personne) «qui mérite peu de considération» (1652). ➜ L'interjection *mince !* «zut !, merde !» procède probablement de l'argot *mince que...* (1878), qui correspond à *un peu que*, puis *mince de*... (et nom) par antiphrase «beaucoup, bien de...» (1881). Mais l'évolution n'est pas claire.

▸ *Mince* a donné un diminutif peu usité **MINCET, ETTE** adj. (1535) et, ultérieurement, le nom d'état **MINCEUR** n. f. (1782). Ce dernier, d'abord attesté en technique *(minceur du ciment)*, a développé des sens correspondant à ceux de l'adjectif, y compris au figuré (1866). ◆ Au cours du XIXe s. est apparu **MINCIR** v. intr. (1877), au participe passé dès 1857.

Le composé **AMINCIR** v. tr. (XIIIe s., en parlant d'une mesure) est le doublet de l'ancien français *amenuisier* (→ menuisier) dont il représente probablement la forme à radical demi-savant. L'ancien français avait aussi *amencer* «faire maigrir» (v. 1150) et *amenir* (1313). ◇ *Amincir*, à la différence de *mincir*, a donné quelques dérivés : **AMINCISSANT, ANTE** adj. (1690) «qui rend plus mince» et «qui fait paraître plus mince», **AMINCISSEMENT** n. m. (XVIIIe s., «diminution d'épaisseur») et **AMINCISSEUR, EUSE** adj. (1866).

ÉMINCER v. tr. (1575), «couper en tranches très minces», a repris la spécialisation culinaire de l'ancien français *mincer*. Il sert quelquefois, au pronominal *s'émincer*, à exprimer l'idée de «diminuer l'épaisseur» (1701). ◇ Son participe passé a été substantivé, d'abord au féminin *une émincée* (1762), puis *un* **ÉMINCÉ** n. m. (1798) à propos d'un plat composé de tranches très fines de viande.

◈ ① **MINE** n. f. est peut-être emprunté (XIVe s., manuscrit du XVIe s.) au breton *min* «bec, museau». P. Guiraud propose l'ancien français *mine* «minium», du latin *miniare* «colorer en rouge», la mine étant d'abord dans ce cas l'aspect, la couleur du visage (→ minium). L'allemand *Miene* «mine, air» est lui-même un gallicisme.

♦ Le mot, d'abord relevé dans l'expression *faire mines* «faire des grimaces», a engendré un grand nombre de locutions correspondant à ses différents sens. Il désigne l'apparence naturelle du visage et de tout le corps qui révèle sentiments, qualités, fortune, rang social (1452, *myne*). L'usage ancien, à la différence de l'usage moderne, impliquait autant le corps que le visage. Dès le XVIe s. (1538), *mine* signifie plus particulièrement «mimique du visage par laquelle on exprime ses sentiments». Ces deux sens ont été féconds en locutions : *faire bonne mine* «avoir l'air gai» (fin XVe s.), puis «faire bon accueil» (1639), est archaïque, mais on dit encore ***faire grise mine, faire triste mine*** (1649). *Faire la mine* (1573), avec une idée de «mauvaise disposition d'esprit», a été évincé par *faire la tête*. ◇ Le pluriel *mines* se dit spécialement de jeux de physionomie par lesquels on veut attirer l'attention (v. 1545) et ***faire des mines*** est passé de la valeur d'«exprimer ses sentiments par une mimique adaptée» (1525) à son sens moderne péjoratif (1558) [→ minauder]. ◆ Dans quelques expressions, *mine* exprime encore une idée plus générale d'«apparence», par opposition à la nature profonde de qqn (1616). Ainsi, l'usage classique disait *avoir la mine de, avoir la mine d'être* et adjectif, au sens de «paraître, avoir l'air de», là où l'usage moderne emploie *avoir la mine de qqn qui...*, cette idée d'aspect extérieur se restreignant à l'air du visage. L'idée d'apparence reste seulement perceptible dans ***ne pas payer de mine*** (1835), autrefois employé positivement pour «avoir une apparence qui prévient en sa faveur» (1669). L'expression ***avoir bonne mine,*** quand elle n'est pas à entendre au sens d'«avoir l'air en bonne santé» (1644), est prise ironiquement au sens familier d'«être ridicule» (1954).

▸ *Mine* a donné **MINOIS** n. m. «visage, mine» (déb. XVe s.), quelquefois employé plaisamment au sens d'«expression du visage» (1552), mais plus courant en parlant du visage d'une jeune fille «plus jolie que belle», comme le dit l'Académie en 1694, et de celui d'un enfant, avec une expression aimable et gaie, parfois moqueuse.

◈ voir **MINAUDER.**

✷ ② **MINE** n. f. est peut-être issu (v. 1220) du gaulois **meina* «minerai, métal brut» (cf. l'irlandais *mein*, le gallois *mwynn*), mot passé du français dans les langues voisines (italien et espagnol *mina*, anglais *mine*, allemand *Mine*).

♦ En ancien français, outre les lieux souterrains où gisent les métaux et les minéraux, *mine* désignait aussi une substance minérale ou fossile enterrée (1300), là où on emploie en français moderne *minerai*. Il reste une trace de cet emploi ancien et étymologique dans *mine de crayon* (1680). Furetière (1690) note qu'on appelle le crayon noir *pierre de mine*, *mine* étant à prendre ici pour «minerai de plombagine» (1636). L'exploitation minière a connu un certain essor à la fin du XIIe s.) sous l'influence de l'Allemagne et de l'Europe centrale. Elle fait de grands progrès au XVIe s. avec l'utilisation de l'énergie hydraulique et le machinisme, mais il est toujours difficile de procéder à la séparation des métaux. C'est essentiellement au XIXe s., avec l'utilisation de matériaux métalliques (fonte, acier), la mécanisation et la concentration de l'exploitation (notamment pour la houille), qu'elle se modernise. ◆ Depuis le XVIIe s., le mot est employé par figure avec une idée de source inépuisable de richesse (1694, *mine d'or*) ou d'idées (av. 1778), par exemple dans ***une mine de savoir, d'érudition*** (1835) et dans *c'est une (véritable) mine* «un réservoir inépuisable». ◆ Par métonymie, le sens premier a donné lieu à des emplois dans le domaine administratif, social et commercial (en France, *les Mines, l'École des Mines*). Par ailleurs, l'importance économique du charbon a fait que *mine*, indépendamment des emplois qualifiés (*mine de sel, de fer, de cuivre*, etc.), s'est spécialisé pour «mine de houille» d'où, absolument, *travailler à la mine;* cf. aussi *mineur*. ◆ Parallèlement, depuis la fin du XIVe s., le mot exprime l'idée de «cavité» en sous-sol, probablement d'après *miner* «creuser» (voir ci-dessous); ce serait alors un déverbal. On le relève d'abord au sens militaire ancien de «cavité pratiquée sous les murailles pour les faire tomber» (v. 1360). ◇ Puis, il désigne également une cavité souterraine sous des remparts, un roc, pour les faire sauter avec des explosifs (1578). Par le biais d'expressions du type *éventer la mine* (1559) «pénétrer un dessein secret et l'empêcher de réussir» et *faire jouer la mine* «mettre le feu à» (1618) et «exécuter un complot» (1697), il a pris le sens figuré de «complot, machination» (1666), aujourd'hui disparu. ◇ Pendant la Première Guerre mondiale, il est entré dans les syntagmes *drague-mine* (1915) et *mine flottante* (1918) qui supposent l'existence d'une nouvelle acception, «engin explosif», développée pendant la Seconde Guerre mondiale *(mine antichars, antipersonnel)* et devenue usuelle au point que les emplois militaires anciens ne sont plus compris. Voir ci-dessous *déminer*.

▶ La plupart des dérivés de *mine* se rapportent à son sens dominant et ancien. ◆ Le verbe **MINER** est attesté vers 1200 *(Aiol)* au sens de «creuser le terrain pour faire écrouler une muraille»; on le considère en général comme dérivé de *mine*, ce qui pose un double problème, de chronologie et de sens, et avait déjà incité les étymologistes du XIXe s., notamment F. Diez, à écarter l'origine celtique pour faire venir ce verbe de la série du latin *minare*, qui a donné *mener** («conduire une tranchée»). Quoi qu'il en soit, *miner* est sans rapport de sens avec *minerai* et *mine* au sens initial, le sens de *mine*, «creusement» puis «explosif», pouvant être un homonyme, déverbal de *miner*. En outre, le latin médiéval connaît *minare* «creuser des terriers» (Du Cange), qui semble sans rapport avec l'idée de minerai, même souterrain. L'idée présente dans *minare* (→ mener) recouvre d'ailleurs un autre sémantisme, celui du latin classique *minere* «faire saillie, pencher» (d'où *éminent**), et de son origine *minae, -arum* «saillie, surplomb». La solution au problème posé par *mine-miner* se trouve probablement dans l'évolution tardive du latin *minare* et dans une confusion probable avec les mots issus du celtique et concernant les minéraux souterrains. ◇ Par extension, *miner* est employé en parlant d'une érosion naturelle (XVe s.), de l'action d'un insecte ou d'un animal. ◆ En art militaire, au sens de «garnir de mines» (1680), le verbe, alors clairement dérivé du nom, a suivi son évolution, de «faire un travail de sape» à «disposer des engins explosifs». Dès le XIVe s., il a pris le sens figuré de «détruire, ronger progressivement», en parlant d'une maladie et, plus abstraitement, d'un sentiment, d'une situation. Il est également employé à la forme pronominale *se miner* (1350).

L'adjectif **MINABLE**, apparu avec le sens propre de «susceptible d'être miné» (1411), relève du sémantisme «creuser»; il s'est séparé du groupe de *mine* quand il a cessé d'être employé en ce sens. ◇ Cependant, il participe encore du sens figuré de *miner* par son sens d'«usé (par la maladie, la misère), qui révèle la pauvreté» (1807). La valeur propre au suffixe *-able* y est alors oblitérée et *minable* est synonyme de *miné*. ◆ Par extension, *minable* a développé tardivement le sens familier de «très médiocre, de pauvre apparence» (1913) dans lequel l'accent s'est déplacé du processus au résultat. Il est substantivé en parlant d'un individu, avec une valeur très péjorative. ◇ On en a tiré **MINABLEMENT** adv. «d'une manière qui fait pitié» (1842), aujourd'hui, dans un registre plus familier, «de façon très médiocre, lamentable» (XXe s.).

Miner ou *mine* a donné le nom d'agent ② **MINEUR** n. m. (1200, *minëor*), qui a évincé l'ancien doublet *minier* n. m. (1337). *Mineur*, qui employé absolument est devenu équivalent à *mineur de charbon, de houille* (d'où *lampe de mineur*, etc.), est spécialement employé en entomologie (1668) pour désigner un insecte qui creuse des galeries dans la terre ou le tronc des arbres. ◇ Cet emploi a été précédé par celui de l'adjectif *mineux* (1611) «fouisseur».

MINIÈRE n. f. (1210) est emprunté au latin médiéval *minera* «mine» (XIe s.) [→ minéral] ou dérivé de *mine* avec le suffixe *-ière*. D'abord employé pour «lieu d'où l'on tire les métaux», supplanté par *mine*, *minière* est réservé à une mine à ciel ouvert (1810, loi du 21 avril; cf. *carrière*). ◇ Sur la base de *minière*, a été formé **MINERAI** n. m., d'abord avec le suffixe *-ois* (*minerois* en 1314) refait en *-ai* (1721, *minerai*). Le mot, qui désigne toute substance extraite du sol renfermant un métal susceptible d'être exploité, a été synonyme de *mine* avant qu'un partage sémantique ne lui réserve ce sens. Son importance date de l'exploitation industrielle des mines, au XIXe siècle.

MINIER, IÈRE a été reformé comme adjectif (1859) aux sens de «qui a rapport aux mines» et «où se trouvent les mines» (1874, *région minière*). ◇ Au XIXe s. est apparu ① **MINETTE** n. f., diminutif de *mine* «minerai» et désignant le minerai de fer phosphoreux de Lorraine (1836).

De *mine* au sens militaire vient le composé **CONTRE-MINE** n. f., réfection (1520) de *contermine* (1380), désignant un travail de sape, de fouille destiné à annuler les effets d'une mine adverse. ◇ **CONTRE-MINER** v. tr., formé sur *contre-mine*, semble récent et correspond à la valeur moderne de *mine*. ◆ Il en va de même pour **DÉMINER** v. tr. «débarrasser (un lieu) des mines (explosifs) qui y sont disposées» et ses dérivés **DÉMINEUR** n. m. et **DÉMINAGE** n. m., tous trois attestés à partir de la Deuxième Guerre mondiale. ◆ Ce dernier correspond au dérivé de *miner* dans son emploi militaire moderne, **MINAGE** n. m. (1922), lui-même peu usité.

◈ voir MINÉRAL.

③ **MINE** n. f. est issu (v. 1160) du bas latin *mina* (Xe s.), nom d'une mesure pour les grains, altération du latin classique *hemina*, passé dans le français *hémine* n. f. (1671), de même sens. Celui-ci est emprunté au grec *hêmina* «demi-setier», dérivé de *hêmi-* «à demi, à moitié» (→ hémi- à hémisphère).

♦ Le mot recouvre une ancienne mesure de capacité employée pour les grains et les matières sèches, correspondant à un demi-setier (environ 78 litres).

▶ Son dérivé **MINOT** n. m. (1260), «moitié d'une mine», désignait aussi, par métonymie, la quantité de grains contenue dans cette mesure et (1690) la superficie que l'on pouvait ensemencer avec elle, ainsi que la farine blutée utilisée pour fabriquer les pâtes et nourrir le bétail (XVIIIe s.). Le mot a disparu ou est aujourd'hui historique, mais il survit par ses dérivés. ◆ **MINOTIER** n. m. (1791) est passé du sens de «marchand de grains, de farines» à celui d'«industriel dirigeant une entreprise qui transforme les céréales en farine» (1840). ◆ Ce type d'entreprise a alors reçu le nom de **MINOTERIE** n. f. (1842), qui équivaut à «moulin industriel».

MINÉRAL, ALE, AUX adj. et n. m. est emprunté (v. 1278) au latin médiéval *mineralis*, adjectif qui correspond à *minera* «mine» (XIe s.), dérivé du mot, peut-être gaulois, qui a donné ② *mine**.

♦ *Minéral* possède à la fois une valeur déterminante et une valeur caractérisante, avec les idées d'immobilité, de froideur, d'éclat. Il est employé particulièrement dans *sels minéraux, eau minérale* (1679) et *règne minéral,* lequel désigne une des trois grandes divisions des corps de la nature (1765, à côté de *règne animal, végétal*). ◆ Il a été substantivé au sens de «corps qui se trouve dans l'intérieur de la terre ou à sa surface» (1538), à côté de *minerai* (d'abord *minerois*) et de *roche*.

▶ Ses dérivés, d'usage didactique ou technique, sont apparus à partir du XVIIIe siècle. ◆ **MINÉRALISER** v. tr. (1751), également employé à la forme pronominale *se minéraliser* pour une source (1847), a produit **MINÉRALISATION** n. f. (1751) «transformation d'un métal en minerai», employé aussi à propos de la qualité d'une eau qui contient des substances minérales (1801) et en biologie (*minéralisation organique,* 1903). ◆ **MINÉRALISATEUR, TRICE** adj. (1776, dans *principes minéralisateurs*) est formé d'après *minéralisation.* ◆ Les antonymes **DÉMINÉRALISER** v. tr. (fin XIXe s.) et **DÉMINÉRALISATION** n. f. (1890) sont uniquement employés en biologie et en médecine. ◆ **MINÉRALITÉ** n. f. (1874), terme didactique, désigne le caractère d'une eau qui contient des sels minéraux. ◆ *Minéral* a aussi donné **MINÉRALIER** n. m. et adj. (1960) «bateau transportant des minerais»; le mot existait depuis le XVIe s. (1565, *mineraillier;* 1611) désignant alors un ouvrier en métaux. ◆ **MINÉRALOGIE** n. f., composé savant de *minéral* et de *-logie,* a d'abord eu le sens restrictif de «sciences des sels minéraux» (1649), avant de recouvrir la science des minéraux (1753). Il n'est pas impossible que le mot soit issu par haplologie d'une forme non attestée *minéralologie,* formée sur l'élément *minéralo-.* ◇ Avec son sens moderne, il a produit **MINÉRALOGIQUE** adj. (1751) qui, outre sa valeur normale «relatif à la minéralogie», s'est spécialisé en France. ◇ Il a pris le sens particulier de «qui concerne le service des Mines, chargé de s'occuper des mines, des carrières et de l'enregistrement des véhicules automobiles», d'où les expressions ***plaque minéralogique*** et *lettres minéralogiques* (1949). ◇ Le nom de spécialiste, **MINÉRALOGISTE** (1753), présente un doublet plus rare : **MINÉRALOGUE.** ◆ Récemment, sur le modèle de *sidérurgie,* on a formé **MINÉRALURGIE** n. f. (v. 1980) et son composé **HYDROMINÉRALURGIE** n. f.

MINERVE n. f. est l'emploi comme nom commun (1564) de *Minerve,* du latin *Minerva* «déesse romaine de la sagesse et de l'intelligence», dont le nom, bien que rattaché par certains à la racine °*men-* «penser» (→ mental), serait d'origine étrusque.

♦ Le mot, employé par Rabelais au sens d'«explication, intelligence», est repris au XVIIe s. comme désignation de la tête en tant que siège des facultés intellectuelles (1626), acception perpétuée dans un usage familier devenu archaïque. ◆ Il a désigné une femme belle et remarquablement intelligente (1812) chez les écrivains du XIXe siècle. ◆ Seule une acception concrète, pour «appareil orthopédique destiné à soutenir la tête» (1840), allusion au port de tête majestueux de la déesse, s'est maintenue. ◆ On peut y ajouter l'emploi du mot comme nom déposé d'une petite machine à imprimer (1903; mais antérieur, l'anglais ayant *minerva* dès 1883).

▶ **MINERVIEN, IENNE** adj., d'abord attesté comme nom pluriel à propos des Athéniens, citoyens protégés par Minerve (1832), qualifie (1840) ce qui se rapporte à Minerve et, par une métaphore littéraire, à l'intelligence. ◇ Il succède à l'ancien adjectif *minerval* (v. 1530), peu usité bien que repris par l'Académie en 1840. ◆ L'emploi en imprimerie a produit **MINERVISTE** n. (1903), à propos d'un typographe utilisant la presse nommée *minerve.*

MINESTRONE n. m. est emprunté (1930) à l'italien *minestrone* «soupe à base de pâtes ou de riz et de légumes» (1635). Celui-ci est le dérivé augmentatif (suffixe *-one*) de *minestra* «soupe», déverbal de *minestrare* «servir à table» qui représente le latin *ministrare* «servir» en général et, en particulier, servir à table (→ administrer, ménestrel, ministre).

♦ Cet emprunt culinaire, désignant un type de soupe, est resté typique de la cuisine rurale italienne.

▶ Au XIXe s., on rencontre en argot **MÉNESSE** n. f. «prostituée» (1841) et «femme» (1841), dans lequel on voit en général une altération de *menestre* «sorte de potage», par la même métaphore qui a donné (fin XIXe s.) à *marmite* le sens de «prostituée» (elle fait manger l'homme, le souteneur). Ce *menestre,* attesté dès 1515 dans la *Première chanson sur la bataille de Marignan,* est lui-même emprunté à l'italien *minestra* «potage» (1125), mais a disparu au XVIIe siècle. L'hypothèse d'une formation de *ménesse* à partir d'un radical *men-,* exprimant l'idée de petitesse, est moins satisfaisante.

MINET, MINETTE n. est formé, à l'aide du suffixe diminutif *-et, -ette* (1573), sur le radical expressif *min-* qui est à la base de noms familiers du chat dans plusieurs parlers gallo-romans et correspond pour l'initiale à l'onomatopée évoquant le cri de l'animal (→ miauler).

♦ On relève d'abord le féminin *minette* «petite chatte» (1573), le masculin n'étant attesté en ce sens que depuis 1718, puis comme terme d'affection (1779, *mon cher minet*). Il est attesté en revanche depuis 1689 pour désigner un jeune homme; ce sens figuré est resté dans l'usage courant, tant au masculin qu'au féminin (1808, d'une petite fille), mais en changeant de connotations. Il s'applique de nos jours à des jeunes gens et jeunes filles de la bourgeoisie aisée. Selon le contexte, il peut être senti comme péjoratif ou mélioratif. ◇ Le féminin, par équivalence avec *chatte,* est employé dans un sens érotique, pour *cunnilinctus.*

▸ *Minet* a pour variante **MINOU** n. m. (1844, Balzac, par métaphore), également utilisé en argot dans un sens érotique et régionalement (Bourgogne) pour désigner les chatons de certains arbres, par allusion à leur douceur comparable à celle de la fourrure du chat (cf. *chaton*). ◇ Le mot a donné quelques termes régionaux ou familiers : ainsi **MINOUCHET** n. m. et, au Canada, **MINOUCHE** n. f. (dans *faire minouche* «caresser»), son dérivé **MINOUCHON** n. m. et **MINOUNE** n. f. «vieille voiture». ◆ D'autres noms formés sur le radical *min-* servent à désigner le chat dans le langage familier : **MINON** n. m. (fin XIVe s., *mynon*), le plus ancien, a cependant reculé, sinon comme régionalisme à propos d'un chaton d'arbre (1596) et d'un petit rouleau de poussière (comme *chaton* et *mouton*). ◇ On trouve également *minonnet* dans l'Aisne pour désigner (au pluriel) les chatons du saule (1890).

◈ voir MIMI ; POTRON-MINET.

① **MINEUR, EURE** adj. et n. est emprunté (v. 1340) au latin *minor* «plus petit, plus jeune», spécialement en droit «qui n'a pas la majorité», comparatif irrégulier de *parvus* «petit». Le mot, antonyme de *major* (→ maire, majeur, major), a donné par évolution phonétique *moindre**, tandis que son accusatif *minorem* est passé dans l'ancien français *menur* (qui a été absorbé par *moindre* et, sémantiquement, par *mineur*). La forme neutre de *minor* est *minus*, qui a donné *moins**.

♦ L'histoire du mot est en grande partie celle d'une distinction d'avec les mots d'origine populaire *moindre/menur* en moyen français. Le sens général de «plus petit», d'abord réalisé en emploi substantivé (v. 1340) puis adjectivement (XVe s., puis 1535), est entièrement sorti de l'usage, sauf dans *Asie Mineure* (1549). Sa disparition a entraîné celle du sens figuré «moins puissant, inférieur socialement» ; on parlait encore de *noblesse mineure* au XVIIe siècle. ◆ Cependant, *mineur* «inférieur» s'est spécialisé en religion, qualifiant dans ***frère mineur*** (v. 1360) un religieux franciscain et désignant dans *les quatre mineurs* (1680), elliptiquement pour *les quatre ordres mineurs*, les quatre ordres inférieurs de la hiérarchie ecclésiastique (*portier, lecteur, exorciste* et *acolyte*). Avec cette valeur, il a supplanté l'ancien français *menur, menor,* dans *frere menor* (XIIIe s.). ◇ Dans d'autres contextes, l'usage du mot en matière religieuse s'étend à *excommunication mineure* en droit (1636) et à *thèse mineure* «la thèse la plus courte que soutiennent les étudiants en théologie». ◆ *Mineur* a aussi le sens juridique de «qui n'a pas encore atteint la majorité» (1437, n. ; 1467, adj.), évinçant à la fois *menor* et *moindre* (*moindre d'âge,* 1350). ◆ Il a reçu par opposition à *majeur* sa spécialisation musicale, qualifiant un intervalle plus petit d'un demi-ton chromatique que l'intervalle majeur : *tierce mineure* (1671), *mode mineur* (1680), substantivé dans la locution ***en mineur*** (1812), employée par extension (XXe s.) avec la valeur figurée de «sans tapage, discrètement». ◆ La valeur péjorative de «secondaire, peu important» semble relativement récente (XXe s.) et sujette à révision dans le jugement esthétique : les *romantiques mineurs* sont objectivement moins importants que les «grands» écrivains de cette école, mais peuvent être jugés positivement.

La substantivation du mot en logique, au masculin (1373), puis au féminin *la mineure* (1664), désigne dans un syllogisme la proposition formée avec le petit et le moyen termes dans un cas, et le petit terme (qui a la plus petite extension) dans l'autre.

▸ Les dérivés ① **MINORÉ, ÉE** adj. (1845), qui a remplacé le moyen français *minorique* (1566), et **MINORAT** n. m. (1845) se rattachent au sens religieux de *mineur* dans le cadre des ordres mineurs et sont formés sur le latin *minor.* ◆ **MINO** n. et adj. est l'abréviation argotique, puis familière, de *mineur* en parlant d'un délinquant mineur (v. 1950) ; il est parfois écrit *minot.*

Par ailleurs, les dérivés latins de *minor* ont donné par emprunt plusieurs mots usuels. ◆ **MINORITÉ** n. f. a été emprunté (1376) au latin médiéval *minoritas,* dérivé juridique de *minor* au sens de «situation d'une personne mineure» (1188). ◇ Le mot apparaît au sens juridique du latin. Au XVIIIe s., il prend la valeur de «partie la moins nombreuse d'un groupe» (1727), par emprunt à l'anglais *minority ;* ce dernier est lui-même un emprunt au français ou directement au latin médiéval aux sens aujourd'hui archaïques de «situation d'une personne mineure» (XVIe s.) et «infériorité». Il a développé le sens de «moindre nombre» au début du XVIIIe s. (1734), avec ou sans idée de vote. ◆ En français, *minorité* a pris le sens de «groupe le moins important dans un ensemble» (1776) et de «plus petit nombre d'un groupe», sans idée de suffrage (1784). Avant la Révolution, il est moins fréquent dans le vocabulaire politique que *majorité* ;* il s'implantera dans l'usage courant au cours du XIXe siècle. ◇ Au XIXe s., apparaît également le concept juridique de «groupement de personnes liées par des affinités religieuses, linguistiques, ethniques, politiques et englobées dans un ensemble plus important» (1850, au pl., *l'oppression des minorités*). Ce sens s'est répandu au XXe s. avec les locutions du type ***minorité nationale*** (1908), ***minorités ethniques*** (1931). ◆ Avec son sens politique, *minorité* a donné **MINORITAIRE** adj. (fin XIXe s.), qui s'oppose à *majoritaire* et qui est substantivé depuis 1920 (Congrès socialiste de Tours).

MINORER v. tr. est emprunté (1489) au bas latin *minorare* «rendre plus petit, diminuer», dérivé (déb. IIIe s.) de *minor.* ◆ Il est attesté dès les premiers textes avec son sens moderne, «diminuer l'importance de (qqch.)», mais semble très rare avant le XIXe s. (1842). Il est employé spécialement en comptabilité (1903) au sens d'«évaluer (une chose) au-dessous de sa valeur réelle exprimée en monnaie de compte». ◆ Son participe passé ② **MINORÉ, ÉE** est adjectivé en mathématiques (1960), de même que son participe présent **MINORANT, ANTE** y est substantivé (1964, *minorantes ;* 1968, *minorant*). ◆ *Minorer* a donné **MINORATIF, IVE** adj. (1515) comme terme de médecine au sens de «qui purge sans effets violents», substantivé au même sens (1575). Le latin médiéval *minorativus* «qui diminue» (870-877), formé sur *minoratum,* supin de *minorare,* avait lui-même donné par emprunt le moyen français *minoratif* «modéré» (1370-1372). ◆ **MINORATION** n. f., emprunté (v. 1370) comme terme médical au dérivé bas latin *minoratio, -onis* «diminution, amoindrissement» (IVe s.), n'est plus employé qu'avec le sens assez récent (1903) d'«évaluation d'une chose inférieure à sa valeur réelle», où il est senti comme le dérivé de *minorer*.

◈ voir MENU, MINIME, MINIMUM, MINUS, MINUSCULE, MINUTE, MINUTIE, MOINDRE, MOINS, etc.

② **MINEUR** → ② MINE

MINI- → MINIMUM

MINIATURE n. f. a été emprunté comme terme de beaux-arts (1653; d'abord écrit *mignature*, 1645) à l'italien *miniatura* «figure de petites dimensions, peinte de couleurs vives et servant à orner les livres, parchemins et petits objets», par métonymie «art de peindre cette sorte de figures» (av. 1342). C'est un dérivé de *miniare* «décorer avec des figures de petites dimensions», lui-même emprunté au latin *miniare* «peindre en rouge, enduire de minium», de *minium* (→ minium). L'évolution sémantique s'explique par l'emploi du rouge de minium dans les enluminures.

♦ *Miniature*, passé en français avec les sens de l'italien, désigne spécialement une peinture illustrant missels et manuscrits. La graphie classique *mignature* est probablement due (Furetière) à l'influence de *mignon, mignard* qui partagent le même contenu de «délicatesse, petitesse». Le sens didactique de «lettre ornée de couleur rouge tracée au minium pour commencer les chapitres d'un manuscrit», qui réactive le sens étymologique, n'est répertorié que depuis 1842. ◇ Par analogie, le mot, plus ou moins rattaché par erreur au latin *minor* ou *minus*, est employé couramment au sens de «reproduction en réduction» (1835), puis de «chose petite» à propos de bibelots, puis aussi de personnes, fournissant la locution adjective ***en miniature*** (1829).

▶ Le mot a produit quelques termes d'histoire de l'art dont **MINIATURISTE** n., relevé pour la première fois en 1748 (en italien dans le texte) à l'époque où la peinture décorative de taille réduite atteint son apogée. ◆ Les autres dérivés sont plus récents : **MINIATURER** v. tr. «peindre en miniature» (1801) d'où **MINIATURÉ, ÉE** adj. (1843). ◆ Deux dérivés récents ne concernent plus que le sémantisme de la petitesse, de l'objet de petite taille : **MINIATURISER** v. tr. (1950, *miniaturisé*) «réduire au maximum un objet dans ses proportions» et, de là, **MINIATURISATION** n. f. (1950), ces derniers devenus courants avec l'évolution de techniques telles que l'électronique.

MINIME adj. et n. est emprunté (1363-1364) au latin *minimus* «le plus petit», mot appartenant à une famille indoeuropéenne exprimant la petitesse avec *minor* et *minus* (→ mineur, moins), et ayant supplanté le très rare *parvissimus*, qui sert de superlatif à *minor* (→ mineur) et à *parvus* «petit», mot apparenté de manière obscure à *paucus* (→ peu) et à *pauper* (→ pauvre). ◇ L'ancien français avait un mot «populaire» issu par évolution phonétique de *minimus, merme*, attesté dans les expressions *doit merme* «auriculaire» (XIIe-XIIIe s.) et *merme d'aage* «mineur».

♦ *Minime* s'est employé comme nom féminin avec le sens de «minute», puis en musique (v. 1445) pour une note de moindre durée. Il a été adjectivé (1372-1374) avec son sens moderne de «très petit» (en parlant de choses concrètes) mais semble rare avant 1804. ◆ Il en va de même de son usage pour qualifier des noms de choses abstraites «de peu d'importance», dont on a une attestation isolée en 1611 et à nouveau en 1787. ◆ Dans l'intervalle, le mot a développé une spécialisation ecclésiastique (1505, *frère mynyme*), en parlant de l'ordre monastique fondé par saint François de Paule (XVe s.), distinct de *mineur**. ◇ Il est substantivé en ce sens (1609) et, comme adjectif, s'applique à la couleur des robes, d'un gris sombre tanné, de ces moines (1596). ◆ Ultérieurement, sont apparus le sens d'«élève des plus petites classes» (XIXe s.), aujourd'hui vieilli, et l'emploi pour une catégorie sportive enfantine (1908).

▶ Avec son sens de «très petit», *minime* a donné **MINIMISER** v. tr. (1842) «réduire au minimum», peut-être d'après l'anglais *to minimize* (1802). Ce verbe est rare avant le XXe s., époque où il prend le sens abstrait de «présenter en minorant l'importance» (1933), relevé en anglais depuis 1884. ◇ Il a produit **MINIMISATION** n. f. (1845), d'après l'anglais *minimization* (1802) «action de réduire à l'extrême», plus récent dans sa spécialisation en politique économique (1960) et son emploi abstrait courant (1975), où il est dérivé de *minimiser*.

◈ voir MINIMUM.

MINIMUM n. m. est un emprunt du français classique (1705) au latin *minimum*, neutre substantivé de l'adjectif *minimus* «le plus petit» (→ minime).

♦ Le mot a été introduit en français par les mathématiciens au sens de «fonction inférieure à celles qui la précèdent ou la suivent immédiatement» (en opposition à *maximum*). Au XVIIIe s., il se dit de la valeur la plus petite atteinte par une variable (1762) et de la plus petite quantité déterminée nécessaire (1771, Turgot). Au XIXe s., il a été adjectivé (1830). Par ailleurs, le nom, avec plusieurs syntagmes dont *le strict minimum*, est entré dans la locution ***au minimum*** et est passé dans le langage du droit pénal pour désigner la peine la plus faible (1810). ◇ L'adjectif, par abréviation de *salaire minimum vital*, a fourni un autre emploi substantivé, ***minimum vital*** (1901, Jaurès). ◆ Son emploi pour désigner un maillot de bain réduit (v. 1950) n'a pas réussi à s'implanter, peut-être du fait de la concurrence de *bikini*.

▶ Par changement de suffixe, on en a tiré **MINIMAL, ALE, AUX** adj. (1877, Littré) qui s'oppose à *maximal*. Cet adjectif s'est spécialisé comme terme d'arts dans *art minimal* (1969), pour traduire l'anglais *minimal art*. ◇ À la même époque est apparu **MINIMALISME** n. m. (1967), calque de l'anglais *minimalism*, qui a également pris le sens de «doctrine consistant à demander le minimum de choses» (1976). ◇ **MINIMALISTE** adj. et n. est plus ancien ; on le trouve dès 1918 pour rendre le russe *menchévik* (cf. *maximaliste*) ; ultérieurement, il désigne une personne se contentant du minimum dans une discussion (1966) ; d'après l'anglais *minimalist,* il est devenu aussi un terme d'arts (v. 1970). ◆ *Minimum* a aussi produit les deux termes de mathématiques **MINIMANT, ANTE** adj. (1866) et **MINIMAX** n. m. (v. 1950), emprunt à l'anglais *minimax* (1928), de *mini*mum et *max*imum. ◆ *Minimum* est réduit en **MINI** adj. et n., attesté en argot en 1894 et repris dans le langage de la mode (1967) où il fait pendant à *maxi.*

On a aussi tiré de *minimum* l'élément formant **MINI-** qui entre dans la construction de noms appartenant aux domaines de la mode, de la publicité et de la presse. Introduit vers 1965 dans le vocabulaire spécialisé des modes féminines avec l'apparition de *mini-jupe* (→ jupe), ce préfixe s'est rapidement répandu dans un nombre important de domaines (publicité, vie artistique, mondaine, vie sportive, technique, économique et politique) et a envahi toutes les couches du vocabulaire, à l'exception du vocabulaire scientifique et technique qui utilise *micro-,* quand il ne distingue pas *mini-* et *micro-* (comme c'est le cas en informatique). Il s'oppose en général à *maxi-.*

MINISTRE n. m., puis n. est emprunté (v. 1120) au latin *minister, ministri,* formé d'après *magister* auquel il s'oppose, comme *serviteur* s'oppose à *maître.* Le mot est apparenté à plusieurs termes latins (→ diminuer, menu, mince, mineur, minime, minute, moins) issus par contamination, en langue italique, de deux racines indoeuropéennes exprimant la petitesse et l'amoindrissement. *Minister* désigne en latin le serviteur, le domestique, le prêtre d'un dieu, l'instrument, l'agent, l'intermédiaire. En latin chrétien, il est employé au pluriel à propos des serviteurs de Dieu, soit les anges (déb. IVe s.) et les serviteurs humains de Dieu et de la religion (fin IVe s.). On le relève aussi en latin tardif avec les valeurs institutionnelles de «dignitaire du palais royal» (663) et «officier public» (VIIIe-IXe s.).

♦ En ancien français, où on le rencontre d'abord avec le sens général aujourd'hui archaïque de «personne qui accomplit une fonction pour qqn», il fonctionne comme le doublet de *menestrier**, de même origine, dont il s'est différencié par une double spécialisation, politique et religieuse. ◇ Dès 1174-1176, il se dit de celui qui est au service du roi, en détient une charge ; puis, il a pris au XVIe s. le sens de «conseiller d'un souverain» (1509) et a reçu sa définition moderne (1611) lorsque ce conseiller eut acquis une part du pouvoir exécutif, entrant dans plusieurs syntagmes tels *ministre d'État* (1671), dont l'équivalent moderne est *ministre sans portefeuille* (1835), ou *Premier ministre* (1747). Cependant, au XVIIe s., il s'applique aux principaux responsables du gouvernement : chefs de départements comme garde des Sceaux, surintendant des finances ou secrétaires d'État. Le surnom *ministre officieux* concerne des conseillers du roi très influents. Le mot prend une autre valeur avec la monarchie constitutionnelle, puis avec la République parlementaire, quand les ministres forment un gouvernement, un *ministère* conduit par un ***Premier ministre.*** ◇ Quelques emplois en apposition, comme *bureau ministre, papier ministre* (1835), témoignent d'une extension. ◆ Depuis le XVIIe s., le mot est également employé en droit international à propos de l'envoyé d'un gouvernement auprès d'un gouvernement étranger (1683), de nos jours à propos de l'agent diplomatique de rang immédiatement inférieur à l'ambassadeur.

Parallèlement à ces emplois politiques, le mot connaît dès le XIIe s. une spécialisation religieuse (1174-1176) avec l'idée de «personne qui est au service de Dieu». Il désigne ainsi celui qui a la charge du culte divin (1250), spécialement dans le culte protestant (1527, *ministre de l'Évangile ;* 1536, absolument).

▸ **MINISTRESSE** n. f., apparu au sens ancien de «servante» (av. 1399), a été spécialisé au sens de «femme d'un ministre du culte protestant» (1619). ◇ Au XIXe s., le mot a désigné familièrement une femme de ministre (1835). ◇ Les efforts des féministes n'ont pas réussi à l'imposer pour désigner une femme ministre : la forme officiellement recommandée au Canada est *ministre* au féminin *(la, une ministre) ;* avant le gouvernement socialiste de Lionel Jospin (1997), on disait plutôt en France *femme ministre* et *le (un) ministre,* s'agissant d'une femme. Depuis 1997, en dépit de l'opposition de l'Académie française, *ministre* possède les deux genres et l'usage accepte *la, Madame la ministre.* Un Premier ministre femme (1991) est ainsi appelé *madame le Premier ministre* en France et, en général, *la Première ministre* en français québécois. ◆ *Ministre* entre dans **SOUS-MINISTRE** n. m. (1679 «ministre en second»), auparavant *soubministre* «serviteur» ; aujourd'hui courant au Canada, là où on dit en France *secrétaire d'État.* ◇ Il a donné **MINISTRABLE** adj. et n., attesté depuis 1885 (le moyen français avait *ministrable,* au sens de «que l'on peut administrer», d'après le latin médiéval *ministrabilis* «salutaire, secourable») ; l'adjectif s'est répandu au sens de «susceptible de devenir ministre».

MINISTÈRE n. m. est emprunté (1200, *ministere*) au dérivé latin *ministerium* «fonction de serviteur, service», «serviteur», «office, aide, assistance» ; au pluriel, le mot latin désigne les différents services ou départements établis auprès des empereurs et, comme *minister,* s'est spécialisé en latin chrétien au sens de «service de Dieu» (av. 430), «fonction de diacre» (av. 258) et, à l'époque médiévale, «charge de prêtre» (855). ◆ Apparu en français avec la valeur de «charge à remplir», *ministère* a connu une évolution analogue à celle de *ministre* avec un décalage chronologique : la spécialisation religieuse est attestée la première (1536), d'abord à propos du culte protestant, puis en parlant de la fonction de prêtre (1545). ◇ La spécialisation politique est attestée à partir du XVIIe s. pour l'ensemble des ministres, le cabinet (av. 1679) et les fonctions d'un ministre, la durée de ces fonctions (av. 1679). Plus tard, le mot englobe aussi (par métonymie) les employés, les bureaux, l'hôtel d'un ministre (1834). Comme pour *ministre,* le mot change de contexte

avec les régimes constitutionnels (1815) et surtout avec la République et le parlementarisme (1871). ➛ ***Ministère public,*** qui désigne d'abord, probablement dès le XVIIe s., le corps des officiers inamovibles chargés de la défense des intérêts fiscaux du roi, du maintien de l'ordre public (1762), est appliqué de nos jours à un corps de magistrats hiérarchisés et amovibles ayant pour fonctions de représenter et de défendre les intérêts généraux de la société, de veiller à l'application des lois (cf. *procureur*).
Le dérivé **MINISTÉRIEL, ELLE** adj. (1593) est formé d'après le bas latin *ministerialis,* attesté en latin chrétien comme adjectif au sens de «qui est au service de Dieu» (av. 470). ◇ Il a évincé *ministerial,* attesté comme nom au sens d'«officier de la justice» (1284) et comme adjectif pour «chargé d'administrer» (1524). ➛ *Ministériel* signifie d'abord «qui se rapporte à un office, à une fonction». Ce sens a disparu au profit des acceptions correspondant à celles de *ministre :* «relatif au gouvernement» (av. 1622) et «relatif à un ministre, au ministère» (1766). ◇ Il a eu le sens de «pro-gouvernemental, partisan du ministère» (1775). ➛ À la fin du XVIIIe s., on relève également les mots **MINISTÉRIALISTE** adj. et n. (1796) et **MINISTÉRIALISME** n. m. en parlant des partisans du pouvoir des ministres. ➛ On a formé par préfixation **ANTIMINISTÉRIEL, ELLE** adj. (1740) et **INTERMINISTÉRIEL, ELLE** adj. (1905 dans Péguy).

◈ voir ADMINISTRER, MÉNESTREL, MÉTIER.

MINITEL n. m. est un nom déposé (1980), composé de manière anarchique avec les éléments *min-* pour *terminal*,* rapproché arbitrairement de *mini-*, et de *-tel* pour *téléphone**.

♦ Le mot désigne un système de communications informatisé, avec écran et clavier, fonctionnant à l'aide du téléphone, ainsi que l'appareil.

▸ Il a un dérivé récent, **MINITÉLISTE** n. «personne qui utilise le minitel».

MINIUM n. m., altéré en *miniem* au XIVe s. puis *minium* (1547), est emprunté au latin *minium* «cinabre, vermillon», mot et chose étant originaires de la péninsule Ibérique selon Properce, qui rapproche *minium* du nom du fleuve *Minho* (anciennement *Minius*).

♦ *Minium* «pigment rouge constitué par un oxyde de plomb» a supplanté l'ancienne forme francisée *mine,* attestée entre 1200 et 1771. L'emploi pour «couleur rouge décorative» a donné, par l'italien, *miniature**. ◇ Par métonymie, le mot désigne une peinture antirouille au minium de plomb (1867, Littré).

◈ voir MINIATURE.

MINOIS → ① MINE

MINORER, MINORITÉ → ① MINEUR

MINOT → ③ MINE

MINOTAURE n. m., terme de mythologie grecque, est emprunté (1671) au grec *Minôtauros* (latin *Minotaurus*). Ce mot, nom d'un monstre mi-homme, mi-taureau, est composé de *Minôs,* nom d'un roi légendaire de Crète, et de *tauros* (→ taureau), la créature étant fils de Minos et de Pasiphaé. Le moyen français avait *minotaur* (apr. 1450).

♦ Le mot, introduit en mythologie grecque, s'applique par extension à un fléau destructeur, dévorateur (emploi très littéraire).

▸ Depuis Balzac (1826, *Physiologie du mariage*), on rencontre quelquefois un verbe **MINOTAURISER** v. tr., d'usage plaisant pour «faire porter les cornes à qqn, cocufier».

MINOU → MINET

MINUIT n. m., d'abord au féminin comme *nuit* (1155, *mienuit*), puis sous sa forme actuelle au masculin (1530), est composé de *mi-** et de *nuit**.

♦ Apparu au sens de «milieu de la nuit», le mot désigne aussi (1554) très précisément l'heure du milieu de la nuit, la douzième après midi, symétriquement à *midi.* ◇ Il évoque souvent l'heure tardive, dangereuse *(minuit, l'heure du crime...).*

MINUS n. est l'abréviation courante (1934) de ***minus habens*** n. m. (1836, Stendhal ; 1833 *minus habentes*), expression latine signifiant proprement «ayant moins (sous-entendu : d'intelligence que la moyenne)» et composée de *minus* (→ moins) et de *habens,* participe présent de *habere* (→ avoir).

♦ *Minus habens* étant devenu désuet, *minus* s'applique familièrement à une personne incapable, peu intelligente, quelquefois avec une valeur adjective *(il, elle est un peu minus).*

MINUSCULE adj. et n. f. a été emprunté (1634) au latin *minusculus* «un peu plus petit, assez petit», diminutif de *minor* «moindre, plus petit» (→ mineur), employé comme comparatif de *parvus* «petit».

♦ Le mot sert à qualifier des lettres plus petites de forme particulière, faisant pendant à *majuscule ;* il a été substantivé en ce sens (1690). ◇ L'acception courante et extensive, «très petit, tout petit», n'est attestée que depuis 1859.

▸ Le mot n'a donné aucun dérivé, si ce n'est l'adverbe rare **MINUSCULEMENT** et **MINUSCULISÉ, ÉE** adj. «rendu minuscule», que l'on relève chez les Goncourt mais qui ne s'est pas répandu, non plus que le verbe virtuel qui lui correspondrait.

① **MINUTE** n. f. est emprunté (v. 1275, *minuce*) au latin médiéval *minuta,* féminin substantivé de *minutus* (→ menu, mince), participe passé de *minuere* «rendre plus petit, diminuer», lui-même dérivé de *minus* (→ moins).

♦ Le mot, d'abord attesté au sens de «la plus petite subdivision du temps», a pris la valeur précise de «soixantième partie de l'heure» avec la forme actuelle depuis le dernier quart du XIVe s. (1392). Par extension, il a pris la valeur indéterminée de «bref laps de temps» (1541), en particulier «bref moment remarquable par son contenu affectif» (1792, *une minute d'inquiétude;* 1826, *la minute fatale*). Au XIXe s., après *dans la minute* (1779) «sur-le-champ», sont apparues plusieurs locutions adverbiales comme ***d'une minute à l'autre*** «dans très peu de temps et de façon imprévisible» (1803), ***de minute en minute*** (1813), ***à la minute*** «dans un temps très bref» (1815) et ***à une minute près*** (1835), ainsi que l'interjection *minute!* (1808). Plus récemment, d'après des expressions comme *perdreau, côtelette à la minute* (1755), le mot est employé en apposition après un nom culinaire (*bouillon-minute,* 1922), puis pour une opération rapide (*talon-minute* «ressemelage rapide»). ➔ Outre son sens temporel, *minute* est employé en géométrie et en astronomie, d'abord pour la soixantième partie du degré de la sphère céleste (1377, *minut*), puis pour la soixantième partie de chaque degré d'un cercle (1636). ◇ Il fournit une unité de mesure en architecture (1691) et en peinture (1803).

▸ Le mot a donné quelques dérivés modernes, le plus ancien étant **MINUTERIE** n. f., attesté depuis 1786 pour désigner un train d'engrenages dont les axes portent l'aiguille des minutes et celle des heures, puis également la partie d'un mouvement d'horloge servant à marquer les divisions des heures (1840). ◇ Aujourd'hui, le mot s'applique surtout à un appareil servant à couper un courant électrique et à actionner un signal sonore ou lumineux au bout d'un certain temps (1912). ➔ Au XXe s. sont apparus ① **MINUTER** v. tr. (1909) «compter en minutes», et surtout par extension «évaluer, organiser selon un horaire rigoureux» (1963), d'où **MINUTAGE** n. m. (1930), lui aussi surtout au sens d'«horaire rigoureux» (1963), **MINUTEUR** n. m. (v. 1960).

◈ voir ② MINUTE.

② **MINUTE** n. f. a été emprunté (fin XIVe s.) au latin médiéval *minuta* «note, brouillon d'un écrit» (1387), spécialisation de sens de *minuta* (→ ① minute) car ces textes étaient généralement écrits en petits caractères.

♦ Introduit en français au sens d'«original sur lequel se font les copies», *minute* se spécialise en droit pour «original d'un acte notarié gardé par le notaire» (1549, *minute de contrat*) et «original des procès-verbaux qui demeure au greffe» (1690). Le sens originel, «écriture menue» (1582), n'a pas vécu audelà du XIXe siècle. ◇ Par analogie, *minute* est employé en cartographie pour désigner le document original servant de base à un plan, une carte (1812).

▸ Le dérivé ② **MINUTER** v. tr. (1382), «rédiger un brouillon de lettre» et «faire la minute de (un écrit, un contrat)» (1552), s'est aussi employé aux XVIe-XVIIe s. avec le sens figuré de «méditer, faire des projets» (1535). ➔ S'y ajoutent, au XIXe s., **MINUTAIRE** adj. (1867, Littré) reprend une forme substantive ancienne (1588 «protocole») et **MINUTIER** n. m. (1893) «registre contenant les minutes des actes d'un notaire». ◇ Dans *minutier central* (1931), le mot désigne par métonymie ou nouvelle dérivation le local affecté au dépôt des archives notariales.

MINUTIE n. f. est un emprunt de l'époque classique (1627) au latin impérial *minutia* «petite parcelle, poussière», dérivé de *minutus* «petit» (→ menu).

♦ Le XVIIe s. l'a seulement employé au sens de «petite chose sans importance, petit détail qui ne mérite pas qu'on s'y arrête», lequel est de nos jours limité à l'usage littéraire (au pluriel *des minuties*). ◇ Le sens moderne de *la minutie* est une extension métonymique, avec l'idée d'«attention accordée aux détails», et date du XVIIIe s. (1748).

▸ Le dérivé **MINUTIEUX, EUSE** adj. signifie (1742) «qui se fait, doit être fait avec une grande attention» et «qui s'arrête à des détails» (1764). Il s'est en grande partie dégagé de la valeur péjorative de «vétilleux» avec laquelle il a été substantivé (1777), emploi sorti d'usage. ➔ On en a tiré **MINUTIEUSEMENT** adv. (1798).

MIOCÈNE adj. et n. m. est emprunté (1834) à l'anglais *miocene* (également *meiocene*), terme de géologie (1831) formé par Lyell à partir de deux éléments grecs : *meiôn* «plus petit, moindre», et adverbialement «moins», sert de comparatif à *mikros* (→ micro-) et est tiré de la même racine indoeuropéenne que le latin *minor* (→ mineur, moindre); *kainos* «nouveau, récent» est issu d'un vieux radical indoeuropéen en *-n-* attesté en sanskrit dans *kanīnām* «les jeunes filles», *kanīna-* «jeune» (→ éocène, pliocène).

♦ Signifiant proprement «moins récent», le mot concerne la période qui marque le milieu de l'ère tertiaire, entre l'oligocène et le pliocène. Il fait partie d'une série en *-cène* établie par Lyell.

MIOCHE → MIE

MIRABELLE n. f. ne semble pas, comme on l'a cru, un emprunt (1628) à l'italien *mirabella,* altération de *mirobolano* (→ mirobolant) : le mot aurait été tiré du nom de la localité provençale *Mirabel,* toponyme composé de *mirer** et de *bel*, beau*,* réservé à une hauteur d'où l'on voit loin et assez répandu dans le sud de la France (Drôme, Ardèche, Tarn-et-Garonne), où le fruit aurait été d'abord cultivé. On relève en effet *prune de mirabel* en 1649.

♦ Le mot désigne une petite prune ronde jaune et, par métonymie (XXe s.), l'eau-de-vie faite avec ce fruit.

▸ Avec le suffixe habituel des noms d'arbres fruitiers, a été formé **MIRABELLIER** n. m. (1857).

MIRACLE n. m. est emprunté (1050) au latin *miraculum,* dérivé, par l'intermédiaire de *mirari* «s'étonner» (→ admirer, mirer), de *mirus* «étonnant, étrange, merveilleux». *Miraculum* «chose étonnante» a tendu à prendre une valeur laudative et a été employé dans la langue religieuse (païenne, puis chrétienne) au sens de «prodige».

♦ À l'origine, le mot est très proche de *merveille,* qui exprime aussi l'étonnement. Le français l'a emprunté au sens religieux de «fait ne s'expliquant pas par des causes naturelles et attribué à une intervention divine». ◇ Depuis le XIIIe s. (1258), par métonymie, *miracle* désigne particulièrement une composition dramatique populaire issue du drame liturgique et mettant en scène les miracles de la Vierge ou des saints; c'est un genre majeur du théâtre médiéval. ➡ Par extension, le mot a pris le sens profane de «fait extraordinaire» (v. 1278), entrant dans les locutions ***c'est un miracle*** (1579), ***crier au miracle*** (1659), ***tenir du miracle*** (1688). ➡ Il a repris au latin (fin XIIe s.) la valeur de «chose digne d'admiration», très proche, on l'a vu, de *merveille*, au XVIe s., par exemple dans *les sept miracles du monde* et dans *par miracle* (fin XVe s.) ou *faire grand miracle de* «tenir pour merveilleux» (1580). Cependant, cette valeur et son extension hyperbolique en «réussite exceptionnelle, inattendue» sont senties, au moins à partir du XVIIe s., comme métaphoriques du sens religieux, évolution inverse de celle de *merveille*.

► Le radical de *miraculum* a donné savamment l'adjectif **MIRACULEUX, EUSE**, de sens actif (1314) et passif (1380) avec toutes les nuances de *miracle*, y compris la valeur d'«admirablement» (1580) ; le latin avait l'adverbe *miraculose*, attesté au IVe siècle. *Miraculeux* a été substantivé avec une valeur neutre de «surnaturel» (1835). ◇ Il a servi à former **MIRACULEUSEMENT** adv. (1377) «par un miracle» et (1585) «d'une manière heureuse, comme par miracle». ➡ Le verbe rare **MIRACULER** v. tr. «guérir par un miracle» est surtout vivant au participe passé adjectivé **MIRACULÉ, ÉE** dès les premières attestations (1755, n. f.).

◈ voir ADMIRER, MERVEILLE, MIRADOR, MIRER.

MIRADOR n. m., attesté pour la première fois dans la traduction du *Voyage en Espagne* de Swinburne en 1787, est emprunté à l'espagnol *mirador* «belvédère» (1590 ; 1492, *miradero*). Le mot espagnol est emprunté au catalan *mirador* «balcon, galerie, terrasse ou autre partie d'un édifice d'où l'on peut regarder vers l'extérieur» (XVe s.), de *mirar* «regarder» qui correspond au français *mirer**.

♦ Le mot a pénétré en français au sens de «belvédère au sommet d'une maison (en contexte espagnol)». ◇ Il a développé par spécialisation son sens aujourd'hui le plus courant, «poste d'observation, de guet (notamment dans un camp de prisonniers)» (1903).

① et ② **MIRAGE** → MIRER

MIRAILLER → MIRER

① **MIRE** n. m., nom du médecin au moyen âge et à la Renaissance, est issu (1155, aussi sous la forme *mirie*) du latin *medicus* «médecin» (→ médecin, médic-) avec une évolution particulière du *d* en *r*, caractéristique des mots d'influence savante, à côté des doublets obtenus par évolution phonétique «populaire» *miège* et *mie*.

♦ Le mot, qui vieillit au cours du XVIe s., est archaïque au XVIIe s. et a disparu au bénéfice de *médecin* et (Furetière) de *chirurgien*.

MIREPOIX n. (1833 ; *à la mirepoix* 1808) est d'origine incertaine, probablement issu du nom du maréchal de France, créé duc de *Mirepoix* en 1751.

♦ Le mot désigne une préparation culinaire à base de légumes, d'aromates et (dans le cas du *mirepoix gras*) de jambon ou de lard, qui sert à accommoder une viande ou un poisson et à confectionner une sauce *(sauce mirepoix)*.

✱ **MIRER** v. tr. est issu (v. 1165) du latin *mirari* «s'étonner, être surpris» d'où «regarder avec étonnement, admirer», de *mirus* «étonnant, étrange, merveilleux». Ce mot est d'origine incertaine, les rapprochements avec le sanskrit *smáyate* «il sourit», le vieux slave *smizati sę* «rire», l'anglais *to smile* «sourire» n'étant guère plausibles sémantiquement. *Mirari* est passé dans les langues romanes avec le sens de «regarder attentivement», excepté en roumain où il a conservé le sens de «s'étonner».

♦ *Mirer* apparaît avec les sens de «regarder attentivement, contempler» et «admirer», perdant progressivement cette notion d'admiration au profit du verbe *admirer*. L'idée de «regarder» a vieilli, sauf dans le sens technique particulier de «regarder les œufs à contre-jour» (1694), qui a produit **MIRE-ŒUF** n. m. (1907), et dans celui de «regarder pour surveiller», encore réalisé au début du XXe s. en argot et, quelquefois, dans le sens figuré de «briguer, convoiter». ➡ Il a pris ses sens les plus vivants sous l'influence de ses dérivés : d'après *miroir*, *se mirer* signifie «se regarder dans un miroir» (1172-1190) et a développé la valeur figurée de «s'identifier à, se projeter dans» (1170). ◇ En retour, *mirer* a pris transitivement le sens de «refléter, renvoyer l'image de» (1552). ➡ D'après le déverbal *mire* (ci-dessous), il a également pris le sens de «viser avec une arme à feu» (1562, absolument ; 1574, transitivement), aujourd'hui disparu.

► Le plus ancien de ses dérivés est **MIROIR** n. m., attesté (v. 1119) sous la forme *mirêur* puis (1260) sous sa forme actuelle. ◇ Au moyen âge, l'objet que désigne le mot était en acier ou en cristal de roche ; à partir du XIVe s., il est en verre recouvert de plomb ou d'argent. L'invention du tain a eu lieu au XVe s. mais le secret, transmis aux verriers de Murano, était jalousement gardé avant le XVIIe siècle. Jusqu'à cette époque, le miroir était un objet de luxe, figurant dans les plus riches cadeaux princiers. À partir du milieu du XVIIe s., la technique, améliorée, permit d'obtenir des glaces (cf. *glace*) de plus grande dimension. ➡ Dès l'ancien français, *miroir* a développé les sens figurés de «modèle, type idéal» (1165) et (1266) «ce qui offre l'image des choses et des gens, représentation idéale de». En ce sens, à l'instar du latinisme *speculum* (→ spéculaire) de même sens, il est employé spécialement dans les titres d'ouvrages didactiques (d'édification sur les sujets théologiques ou moraux). Le genre en remonte à l'époque carolingienne et a pris son nom (fin XIIe s., *speculum* ; puis *miroir*) sans doute à partir d'un passage de saint Augustin disant que l'Écriture renvoie à chacun son image. La métaphore s'est répandue après la décision du quatrième concile de Latran (1215) de rendre obligatoire pour chaque fidèle la confession annuelle (rendant facile l'examen de conscience). Enfin, la notion d'image du monde *(imago mundi)* s'exprime aussi à l'aide de *speculum* et de *miroir* (le *miroir historial* «descriptif», etc.). Cette valeur a été refusée en français moderne dans des titres de publications. ◇ Par ailleurs, au XVIe s. (1573), *miroir* devient spécialement le nom d'un objet réfléchissant la lumière, employé à la chasse pour tromper les oiseaux; il est passé en ce sens dans le langage commun avec une valeur figurée (1844), notamment dans l'expression ***miroir aux alouettes*** (1846, au propre; 1898, au figuré). ◇ Les emplois du mot en locutions et ses emplois spéciaux s'échelonnent entre le XIVe s., pour la valeur usuelle de «surface réfléchissant la lumière et l'image des choses», et le XVIIe s., pour ***œufs au miroir*** (1680), locution toujours courante au Québec (alors que l'on dit en France, *œufs sur le plat*), et pour le sens technique de «tache chatoyante de la robe du cheval» (1611). *Miroir magique,* en divination, est ultérieur (1803). ➛ *Miroir* a produit ses propres dérivés : les noms techniques **MIROITIER** n. m. (1564), «artisan qui fait les miroirs», et **MIROITERIE** n. f. (1701), les termes descriptifs **MIROITÉ, ÉE** adj. (1732; 1595, *mirouettee*), **MIROITEMENT** n. m. (1622), qui s'applique à une surface qui miroite, produit des reflets changeants, **MIROITANT, ANTE** adj. (1824), employé au propre et au figuré pour «brillant, qui engendre l'illusion». ◇ **MIROITER** v. intr., au propre et au figuré, est attesté plus tard (1831). Il est courant au figuré dans la locution ***faire miroiter qqch.*** (1874) «faire briller (un avantage promis)».

Mirer a aussi donné le déverbal ② **MIRE** n. f. (1325) qui, du sens abstrait d'«image idéale, modèle», a pris diverses spécialisations en balistique (1552, *prendre sa mire* «viser»). Il entre notamment dans ***point de mire*** (1668), passé dans l'usage courant (1812). Cette spécialisation est peut-être à mettre au compte de l'italien *mira,* attesté depuis le XIVe s. au sens de «but, cible» puis «visée», substantif verbal de *mirare,* correspondant de *mirer.*

Au XVIIIe s. apparaît un autre dérivé de *mirer,* passablement détaché de son origine, le terme d'optique ① **MIRAGE** n. m. (1753), nom d'une illusion d'optique (faux reflet) évoquant surtout les effets du soleil dans le désert et dont le sens figuré est attesté depuis 1829 avec la valeur d'«illusion trompeuse». ◇ Le mot a servi à nommer un type d'avion militaire construit en France par la firme Dassault (1955). ➛ ② **MIRAGE** n. m. «action de mirer les œufs» résulte d'une nouvelle dérivation (1931). Il faut ajouter, au XIXe s., le nom argotique puis familier de l'œil, ① **MIRETTE** n. f. (1856). ➛ Un homonyme technique ② **MIRETTE** n. f. est le diminutif de *mire* (1903) et désigne un dispositif servant pour le nivellement. ➛ À la même époque, on commence à relever **MIREUR** n. m. (1840; anciennement au XVIe s., «celui qui se propose un but») et, plus tard, le familier **MIRO** ou **MIRAUD, AUDE** adj. (1928) «myope, qui voit mal», peut-être par l'intermédiaire du moyen français *mirauder* (1405) et du berrichon *miraude* «personne ou animal qui se tient immobile, frappé de stupeur». ➛ Enfin, le verbe régional **MIRAILLER** v. intr. (1918), synonyme de *miroiter,* est emprunté à un terme du sud de la France attesté sous de nombreuses variantes (dauphinois *miralà,* niçois *miraiá,* gascon *mirahlâ, mirailhá*). Ces formes viennent de *miralh,* correspondant occitan de l'ancien et moyen français *mirail* «miroir», issu du latin *miraculum* (→ miracle), dont vient directement le terme d'héraldique **MIRAILLÉ, ÉE** adj. «ocellé» (1615).

◈ voir ADMIRER, MERVEILLE, MIRACLE, MIRADOR, MIRIFIQUE; peut-être MIROTON.

MIRIFIQUE adj. est emprunté (1430), comme l'ancien italien *mirífico* (XIIIe s.), au latin *mirificus* «étonnant, extraordinaire», formé de *mirus* «étonnant, merveilleux» (→ mirer) et de *-ficus,* de *facere* (→ faire).

♦ Les premières attestations, *mirelifiques, mirlifiques* (1433), présentent un *-l-* difficile à expliquer, issu peut-être d'un croisement avec *mireli,* élément de sens indéterminé, fréquent dans les chansons populaires (→ mirliton). Le mot a d'abord été employé comme un nom féminin pluriel, désignant en moyen français des parures, des bagatelles et, abstraitement (Charles d'Orléans), des babioles, au figuré des tromperies et des tours de bateleur (1611). Il semble qu'il y a eu très tôt croisement avec un représentant de *°figicare* (→ afficher «agrafer», colifichet), en l'occurrence le moyen français *mirlifiches* «colifichets, ornements de toilette».

L'usage adjectif du mot pour «étonnant, merveilleux» (fin XVe s.; également *mirlifique, mirelifique* aux XVIe et XVIIe s.) a vieilli, puis a été repris avec une valeur ironique aux XVIIIe et XIXe siècles. Son emploi est alors voisin de celui de *mirobolant.*

▸ **MIRIFIQUEMENT** adv. (1539; également *mirlifiquement* au XVIe s.), «admirablement», a été repris avec sa nuance ironique au XIXe siècle.

MIRLIFLORE n. m. est considéré comme une altération (XVIIIe s.), d'après les mots issus du latin *mirare,* d'une forme latinisée de *mille*-fleurs,* appliquée à un élégant parfumé. Une variante *mistiflor* (XVIIIe s.) utilise peut-être l'élément *mist-* «chat» que l'on retrouve dans *mistigri*.*

♦ Le mot désigne un élégant, un gandin, subissant l'influence du moyen français *mirlifiches* «colifichets» (→ mirifique) par l'adjectif *mirlifique* encore vivant au XVIIe siècle. On écrit aussi *mirliflor.*

MIRLITON n. m., attesté depuis le XVIIIe s., est d'origine incertaine; il paraît tiré d'un ancien refrain de chanson populaire. ◈

♦ Il semble d'abord désigner une monnaie (1738), sens disparu, puis signifier «flûte à l'oignon» (1745). Par allusion aux airs joués sur l'instrument, il prend au XIXe s. le sens de «refrain populaire» (1829) et acquiert une valeur péjorative dans *air, vers, poésie de mirliton* (1862, Littré). ➛ Par analogie de forme, il fournit le nom d'une petite pâtisserie roulée à la crème (1846), d'une coiffure de cheveux courts roulés en boucles mise à la mode vers 1740 (mais ce sens n'est attesté qu'au XIXe siècle : 1861-1864) et du shako des soldats et cavaliers pendant la révolution (attesté 1899); tous ces emplois ont disparu.

▸ On a formé dessus **MIRLITONNISTE** n. (1866), **MIRLITONNER** v. intr. (1833), «jouer du mirliton» et «faire de mauvais poèmes», et, plus courant, l'adjectif péjoratif **MIRLITONNESQUE** (1904) «qui rappelle le mirliton» d'où «ridicule».

MIRMIDON → MYRMIDON

MIRO → MIRER

MIROBOLANT, ANTE adjectif familier assez tardif (1836), précédé par *mirobolard* (1707, en parlant d'un médecin), est peut-être issu, avec influence de *mirer**, de *Mirobolan*, nom d'un médecin dans la comédie de Hauteroche, *Crispin Médecin* (1680). Celui-ci est tiré de **MYROBOLAN** n. m. (1256, *mirabolan;* XIIIe s., *mirobolan*), nom de plusieurs espèces de fruits desséchés servant dans les préparations pharmaceutiques, avec jeu de mots sur *mire** «médecin». *Myrobolan* est emprunté au latin *myrobalanum, myrobalanus* en latin chrétien, emprunt au grec *murobalanos* «gland parfumé», composé de *muron* «parfum», peut-être d'une racine indoeuropéenne signifiant «gras», et de *balanos* «gland», mot indoeuropéen correspondant au latin *glans* (→ gland).

♦ L'adjectif qualifie ce qui est merveilleux, mais trop beau pour être vrai, avec une valeur voisine de *mirifique**, l'origine médicale n'étant plus perçue.

▸ **MIROBOLAMMENT** adv. (v. 1840, Balzac) n'a qu'une vitalité réduite.

MIROIR → MIRER

MIROTON n. m., mot attesté à la fin du XVIIe s. (1691), est d'origine incertaine. On a évoqué un dérivé du radical du latin *mirare* (→ mirer) comme dans les régionalismes *mirauder, miroder,* s'agissant d'un plat mijoté qui doit être «surveillé». Sa forme populaire ① **MIRONTON** (1853) a subi l'influence du refrain *mironton mirontaine,* connu par la chanson *Malbrouck s'en va en guerre* qui se chantait depuis le début du XVIIIe siècle.

♦ Le mot désigne une préparation de bœuf bouilli et s'emploie en apposition dans *bœuf mironton.* ◇ Un autre sens attesté depuis 1831, lui aussi en cuisine, pour «entremets de fruits», ne s'est pas maintenu.

▸ *Miroton, mironton* a probablement influencé le mot argotique ② **MIRONTON** n. m. «homme quelconque» (1901) et plus spécialement «drôle d'individu, zigoto» (1936), dont l'origine est inconnue.

MIS-, MISO- est l'élément formant tiré du grec *mis(o)-*, de *misein* «ne pas accepter, haïr», exprimant plus une attitude qu'un sentiment, mot sans étymologie bien établie. Dès le grec, *miso-* fournit le premier élément de plusieurs composés dont certains sont passés en français (→ misanthrope, misogyne) et qui ont un antonyme en *philo-*.

♦ En français, *miso-* entre dans la construction de termes savants, principalement des noms exprimant une attitude d'hostilité dans des domaines touchant à la psychologie sociale, à la psychopathologie et à la psychiatrie. Il exprime aussi en philosophie une tendance à la répulsion systématique à l'égard d'une chose, signifiant «haine de, qui hait (ce que le second élément exprime)».

▸ Le second élément est un élément ou un nom d'origine grecque : ainsi dans **MISANDRE** adj. et n. «qui hait les hommes» (avec *-andre,* du grec *anêr, andros* «homme»), mot créé (1970) pour servir de pendant à *misogyne,* et **MISANDRIE** n. f. (1974) qui s'oppose à *misogynie* (→ andro-).

MISAINE n. f. a successivement présenté les formes *misane* (1463), *mysenne* (déb. XVIe s.), *mysayne* (1530) puis *misaine* (1636). Le mot est l'altération, sous l'influence de l'italien de même sens *mezzana* (av. 1350), de *migenne,* attesté en français depuis le XIVe s. (1382-1384) et emprunté au catalan *mitjana* (1354, *migana*). Le mot italien et le mot catalan sont des féminins substantivés, le premier de l'adjectif *mezzano,* le second de *mitjan* (→ peut-être mitan), issus l'un et l'autre du latin impérial *medianus* «du milieu» (→ médian). La forme *méjane* relevée en 1552 (Rabelais) est un emprunt isolé au provençal *mejano* (1525) de même sens.

♦ Le mot désigne dès les premiers textes la voile placée entre le beaupré et le grand mât et, par métonymie, le mât qui porte la misaine, appelé aussi *mât de misaine* (1636).

MISANTHROPE n. et adj., relevé pour la première fois comme nom (1548) et comme adjectif (1564) chez Rabelais, est emprunté au grec *misanthrôpos* «qui hait les hommes», de *miso-* (→ mis-) et *-anthrôpos* «être humain, homme» (→ anthropo-).

♦ Rabelais emploie le mot avec son sens plein de «personne qui hait le genre humain», en citant *Timon le misanthrope* (dont l'histoire est contée par Plutarque dans sa *Vie de Marc-Antoine*) et en l'expliquant dans le glossaire qui suit le *Quart-Livre.* Par suite, le sens du mot s'est affaibli en «personne peu sociable, d'humeur sombre, sévère envers l'espèce humaine» (1622, Sorel). Les deux sens coexistent encore au XVIIe s., dans *Le Misanthrope* de Molière et dans le dictionnaire de Furetière qui glose «avare, bourru qui ne veut voir personne», *misanthrope* n'étant pas (ou plus) senti comme contraire de *philanthrope**. ◇ Par métonymie, le mot a aussi désigné (1634) une chaise roulante étroite sur laquelle on ne pouvait se tenir qu'à une personne.

▸ **MISANTHROPIE** n. f. (XVIe s.) est soit dérivé de *misanthrope,* soit emprunté au dérivé grec *misanthrôpia;* il a suivi le même type d'évolution, de «haine du genre humain» à une valeur psychologique, «humeur chagrine» (1651). ◆ À son tour, il a servi à former **MISANTHROPIQUE** adj. (1771, Trévoux) qui fournit un synonyme plus recherché à *misanthrope* et permet de qualifier des noms abstraits.

MISCELLANÉES n. f. pl. est un emprunt (1570, en parlant de l'ouvrage de Politien qui porte ce titre) au latin *miscellanea* de même sens. Celui-ci signifie proprement «choses mêlées» et a servi à désigner spécialement la nourriture grossière des gladiateurs. C'est le pluriel substantivé de l'adjectif *miscellaneus* «mêlé, mélangé», dérivé de *miscellus* de même sens, lui-même de *miscere* «mélanger» (→ mêler).

♦ Le mot est un terme littéraire désignant un recueil d'écrits divers, littéraires ou scientifiques.

MISCIBLE adj. est un dérivé savant (1757, mais antérieur) du radical du latin *miscere* «mêler, mélanger», issu d'une racine indoeuropéenne de même sens (→ mêler, et immiscer, méteil, métis, miscellanées, mixte, mixtion, mixture, promiscuité).

♦ *Miscible* signifie «qui peut se mêler à une autre substance».

▸ Il a donné **MISCIBILITÉ** n. f. (1753, *Encyclopédie*). ◆ Aussitôt, ces mots ont été dotés d'antonymes en *im-*, **IMMISCIBLE** adj. (1765) et **IMMISCIBILITÉ** n. f. (1771). Ils sont tous didactiques, et les substantifs sont rares.

MISE → **METTRE**

MISÈRE n. f. a été emprunté (v. 1120, *miserie*) au latin *miseria* «malheur, adversité, souci, peine», souvent employé au pluriel avec un sens concret, et dérivé de *miser* «malheureux, misérable, qui rend malheureux», adjectif expressif dont les rares représentants romans (par ex. l'ancien français *mezre*, 1050) n'ont pas vécu.

♦ En français, le sens général du mot (1165, *misere*) est «malheur, disgrâce, état malheureux», réalisé beaucoup plus tard dans la locution ***collier de misère*** «tâche astreignante, sort pénible» (1690) et les exclamations ***misère de moi!*** (1849) ou ***misère!*** «malheur!» ◆ Au début du XVIIe s., *misère* a pris le sens de «condition pénible de nature physique», mieux conservé au pluriel qu'au singulier dans l'expression ***faire des misères à qqn*** (1868, Littré) qui a pour variante ***chercher misère*** (Belgique). ◇ Avec l'idée de douleur, ***lit de misère*** (1798) a désigné le lit où s'étend la femme qui va accoucher. ◆ L'idée d'«indigence» est interprétée dans sa portée morale par un sens religieux aujourd'hui disparu (1460; rare av. le XVIIe s., Pascal) et dans sa portée matérielle (1611), par exemple dans ***crier misère*** (Sévigné; rare av. 1808); elle est appliquée par métonymie à l'ensemble des gens dans le besoin (av. 1710). Cette acception semble dépendre de l'emploi correspondant de *misérable*. ◆ *Une, des misères* a une valeur péjorative de «chose moralement petite, mesquine» (1677) et surtout de «chose futile, vétille» (av. 1719). C'est peut-être ces connotations qui ont incité Hugo à modifier le titre de son grand récit, de *Les Misères* en *Les Misérables*.

▸ *Misère* a deux adjectifs dérivés. ◆ Le plus ancien, **MISÉRABLE** (fin XIIe s.), est emprunté au latin *miserabilis* «touchant, triste, déplorable», dérivé de *miserari* «avoir pitié, compassion de» (→ miserere). ◇ Le mot a d'abord eu le sens physique actif de «qui fait mal, blesse (en parlant d'une lance)». À partir du XIVe s. (1336), il a été appliqué à une personne au sens général de «qui est malheureuse», et il est substantivé (1549); ce sens est dominant dans l'anglais de même origine *miserable*. ◇ Bien avant que *misère* n'ait le sens correspondant, il signifie aussi «qui est dans une grande pauvreté matérielle» (v. 1450), sens dans lequel il est aussi substantivé (1616). Au XVIe s., il a acquis une valeur péjorative qui fait défaut aux mots du même groupe, «avare» (1550) et «vil, méprisable» (1560), également comme nom (1638, f.; 1655, m.) notamment dans des tours interpellatifs. ◆ Sur *misérable*, on a formé **MISÉRABLEMENT** adv. (1370-1372) et deux termes récents d'usage didactique : **MISÉRABILISME** n. m. (1937, en esthétique) et **MISÉRABILISTE** adj. et n. (av. 1948; 1945 en arts). ◆ *Misère* a donné un autre adjectif qui assume sa signification matérielle : **MISÉREUX, EUSE**, attesté à quelques reprises en moyen français (Chr. de Pisan, texte de 1493) et répandu depuis 1884 (comme nom) et 1894 (comme adjectif), pour «qui est dans une extrême pauvreté», substantivé pour désigner une personne sans ressources. ◇ On en a tiré **MISÉREUSEMENT** adv. (1894). ◇ L'ancien français avait eu *misérin* «misérable, malheureux» et un mot proche sémantiquement mais non morphologiquement : *meseüros* «malheureux», formé de *mes-* et de *-ëuros* (→ heureux) [XIIe s.].

◈ voir **COMMISÉRATION, MISERERE, MISÉRICORDE.**

MISERERE n., féminin (déb. XIIe s.) puis masculin (av. 1150), est emprunté à un mot latin signifiant «aie pitié», seconde personne du singulier de l'impératif présent de *misereri* «avoir pitié de» (→ misère), qui commence le psaume cinquantième *miserere mei, Deus* «aie pitié de moi, mon Dieu».

♦ Le mot, nom du psaume cinquantième et, par métonymie, du chant composé sur ses paroles (1840), a fourni des locutions figurées du type *avoir du miserere jusqu'à vitulos* (1546) «être bien battu, étrillé», par allusion aux moines qui se donnent la discipline en disant le psaume miserere dont le dernier mot est *vitulos* (de *vitulus* «veau»). ◇ Il a désigné également un laps de temps très bref (1662), juste ce qu'il faut pour dire un miserere. On l'a employé en médecine pour désigner les douleurs provoquées par l'occlusion intestinale (1687, *colique de miserere*). Tous ces emplois extensifs ont disparu.

MISÉRICORDE n. f. est emprunté (v. 1120) au latin *misericordia* «compassion, pitié», dérivé de *misericors* «qui a le cœur sensible au malheur», de *miseria* (→ misère) et *cors* (→ cœur).

♦ Le mot est d'abord attesté avec un sens religieux, «bonté par laquelle Dieu pardonne aux hommes, clémence divine», à l'origine de l'interjection *miséricorde!* (1664) et de locutions comme ***crier miséricorde*** (1640) ou ***à tout péché miséricorde*** (1680). ◆ Par métonymie, il sert à désigner la petite saillie sous une stalle, qui permet de s'appuyer quand le siège est relevé (1250; dès le XIe s., *misericordia* en latin médiéval), et le repas moins frugal que de coutume que font les Chartreux une fois la semaine (1680). ◆ Le mot est employé hors du domaine religieux à propos de la compassion à la misère d'autrui (1268). Au moyen âge, il servait aussi à désigner une dague utilisée pour menacer l'ennemi et le forcer à demander miséricorde (1180); cf. *coup de grâce*.

▸ L'adjectif **MISÉRICORDIEUX, IEUSE** (1524), réfection de formes antérieures, *misericordious* (v. 1120), *misericordieus* (v. 1225), est emprunté au latin médiéval *misericordiosus* (XIe s.), dérivé de *misericordia*. D'usage religieux ou littéraire, l'adjectif a pour dérivé rare **MISÉRICORDIEUSEMENT** adv. (v. 1450; 1160, *misericordiosement*).

MISOGYNE adj. et n. a été emprunté (1564, Marconville, dans *Bonté et Mauvaisté des femmes*) au grec *misogunês* «qui hait les femmes», de *misein* «haïr» (→ mis-) et *gunê, gunaikos* «femme» (dans *gynécée*, gynécologie**).

♦ Le mot est très rare avant le XIXe s., époque à laquelle il se répand et acquiert les valeurs sociales qu'il a conservées depuis. On le relève toutefois au XVIIIe s. dans le *Journal étranger* de mars 1757 qui mentionne la comédie de Lessing, *Le Misogyne ou l'ennemi du beau sexe.*

▸ Au XIXe s., lorsque l'adjectif devient usuel, est apparu **MISOGYNIE** n. f. (1812), emprunté au grec *misogunia* «hostilité envers les femmes», suivi au XXe s. par **MISOGYNIQUE** adj. (v. 1950). ◇ *Misogyne* a été abrégé en **MISO** n. et adj. (att. 1976).

◈ voir MIS-, MISO- pour MISANDRE.

MISS n. f. est un emprunt à l'anglais *Miss, miss* (XVIIe s.), contraction de *Mistress,* peut-être sous l'influence de l'abréviation écrite *Mis* ou *Mis*. *Mistress* est attesté depuis le XVIIe s., au sens de «maîtresse, concubine» et comme appellatif devant les noms de jeunes filles ou de femmes non mariées (1666-1667), puis comme substantif (1667). C'est un emprunt, d'abord sous la graphie *maistresse,* à l'ancien français *maistresse,* d'où *maîtresse* (→ maître).

♦ Il a été introduit en français comme titre précédant le nom d'une jeune fille anglaise (comme *mademoiselle* pour une jeune fille française), puis comme nom au sens de «jeune fille anglaise» (1713). Ultérieurement, il a servi à désigner une gouvernante anglaise employée dans une famille française pour l'éducation des enfants (1892), surtout en appellatif. ◇ Son emploi dans les titres de concours de beauté (1927, *Miss Espagne*) est un emprunt à l'américain (1922, *Miss America*).

◈ voir MISTER, MISTRESS.

MISSEL n. m. est emprunté, sous la forme *missael,* au latin ecclésiastique *missalis* (sous-entendu *liber*) «(livre) de messe», issu de *missa* (→ messe). Antérieurement (1119) et jusqu'au XVIIIe s., on relève la forme *messel,* puis *misel* (XVe s.).

♦ Le mot désigne le livre qui contient les prières de la messe pour les différents jours de l'année.

MISSILE n. m. est un emprunt de l'époque classique (1636) au latin *missilis* «que l'on peut envoyer», dérivé de *mittere* «lancer» (→ mettre), et substantivé au neutre *missile* au sens d'«arme de trait, flèche». Le moyen français possédait un adjectif *missile* «de trait» (fin XVe s.) qui a été repris au XIXe s. (1840, *armes missiles*) avant de disparaître.

♦ Le nom, très rarement employé au sens de «projectile», n'a pas vécu. ◆ L'usage moderne du mot pour «projectile autoguidé ou téléguidé» (1949) est un emprunt à l'anglais *missile* (1945), employé pour désigner ce que le français nommait souvent *engin (spatial).* Le mot anglais vient lui aussi (XVIIe s.) du latin *missile,* mais ne semble pas avoir été emprunté au moyen français.

▸ *Missile,* dans ses emplois modernes, entre dans les composés **LANCE-MISSILES** adj. et n. m. (1971) et **ANTIMISSILE** adj. et n. m. (1960). ◇ Il a aussi donné **MISSILIER** n. m. «militaire spécialiste des missiles».

MISSION n. f. est emprunté (v. 1350) au latin *missio* «action d'envoyer» et en particulier «renvoi, congé», dérivé de *mittere* pris au sens d'«envoyer» (→ mettre). L'ancien français avait déjà emprunté le mot sous la forme *meission, mission* (de 1188 à 1500) avec le sens de «frais, dépense», sens pris par *missio* en latin médiéval (av. 1058), et produit un verbe *meissionner, missionner* «dépenser».

♦ Dans l'ancienne langue, *mission* se borne au sens religieux de «délégation de Jésus-Christ». Les dictionnaires du XVIe s. mentionnent seulement les sens de «libération» et «effusion» (sens qui sera assumé par *émission**), d'usage médical. ◆ Il faut attendre le XVIIe s. pour qu'apparaissent les valeurs modernes du mot : on le rencontre, d'abord en politique internationale, aux sens de «tâche confiée à une personne» (1656) et «action d'accomplir une tâche» (avec ou sans idée de déplacement), d'où, tardivement, des syntagmes comme ***chargé de mission*** (1949) et le sens métonymique d'«ensemble de personnes que l'on envoie accomplir une tâche» (1842). Depuis 1831, *mission* signifie aussi «raison d'être, fonction (d'une chose)».
Sa signification religieuse s'est épanouie au XVIIe s. en parlant de l'évangélisation des pays non chrétiens et de l'organisation religieuse (1611), de l'ensemble des religieux chargés de cette évangélisation (1680) ainsi que des bâtiments où ils logent (1690). C'est l'époque où Grégoire XV fonde la Congrégation *De propaganda fide* pour reprendre en main cette œuvre d'évangélisation et en centraliser l'action, l'époque de la *Société des Missions étrangères,* fondée en 1658, et de l'œuvre gigantesque des Jésuites.

▸ Au XVIIe s. apparaît le dérivé **MISSIONNAIRE** n. et adj. (1631), «prêtre qui prêche pour l'instruction des chrétiens» et (1670) «prêtre envoyé en mission dans les pays lointains», le mot étant employé dès 1685 avec une valeur figurée, comme nom et comme adjectif. Au XVIIIe s., par analogie, il a pris le sens d'«agent, propagateur d'une doctrine» (1773, Voltaire). ◇ Les emplois de l'adjectif aux sens de «qui appartient à une mission religieuse» et «relatif aux missions religieuses» sont attestés à partir de la seconde moitié du XIXe siècle. ◆ Peu après, on commence à relever **MISSIONNER** v. tr. (v. 1895), notamment au participe passé adjectivé **MISSIONNÉ, ÉE** (1891), qui a aussi pris (1939) le sens d'«envoyer en mission scientifique», ainsi que **MISSIONNARIAT** n. m. (1874), formé sur *missionnaire,* qui a lui aussi cette valeur administrative, avec une nuance par rapport à *chargé de mission.*

◈ voir ADMETTRE (ADMISSION), COMMISSION, DÉMISSION, ÉMISSION, OMETTRE (OMISSION), PERMETTRE (PERMISSION), RÉMISSION, SOUMETTRE (SOUMISSION).

MISSIVE n. f. est un dérivé savant (1454) du latin *missus,* participe passé de *mittere* pris avec le sens d'«envoyer» (→ mettre).

♦ Passé en français comme adjectif *(lettre missive),* le mot est substantivé depuis 1465. Terme du vocabulaire juridico-administratif, il désigne une lettre destinée à un correspondant officiel, mais est passé dans l'usage courant au sens général de «lettre» (1580). Il est alors marqué (1680, «vieilli») et souvent plaisant (1694, «par raillerie») par rapport à son synonyme usuel *lettre*.

MISTER n. m. a été emprunté (1903) à l'anglais *Mister* (1551), appellatif devant le nom des hommes anglais qui n'ont droit ni au titre de *sir* ni à celui de *lord*. Ce mot est issu de *master* «maître», du vieil anglais *maegister, magister*, emprunté au latin *magister* (→ maître), avec influence de l'ancien français *maistre*, forme ancienne de *maître*.

♦ Le mot correspond à l'appellatif *monsieur* pour un Anglais ou un Américain.

◈ voir MISS, MISTRESS.

MISTIGRI n. m. est probablement composé (1822, *mistigris*) de *miste*, variante de *mite* (1205-1250), nom populaire du chat (d'origine onomatopéique ; → marmite, mitaine), et de l'adjectif *gris**. P. Guiraud y voit la forme altérée d'un composé de *miste* «petit, délicat» en ancien français et de *gouri* «paillard» ou de *grip*, de *gripper** «griffer».

♦ Le mot, nom familier du chat, a fourni le nom du valet de trèfle dans quelques jeux de cartes (bouillotte, brelan ; 1827) et, par métonymie, dénomme un jeu de cartes où le valet de trèfle est la carte maîtresse.

MISTON, ONNE n. est probablement dérivé, avec le suffixe *-on* (1790), au féminin *-onne* (1844), du moyen français *miste* «doux (de caractère)» (XVe s.), adjectif tiré d'un nom affectueux du chat, *mite* (→ marmite, mistigri).

♦ D'abord attesté en argot au sens de «jeune homme», le mot désigne populairement un gamin, un jeune homme et, au féminin, une jeune fille plaisante, jolie. De nos jours, il est vieilli ou régional (sud de la France ; cf. *Les Mistons*, titre du premier film de F. Truffaut d'après une nouvelle de Maurice Pons), avec la variante *niston*.

MISTOUFLE → MITAINE

MISTRAL n. m. est emprunté (1525, *mestral*) à l'ancien provençal *maestral* (XIIe s.), adjectif correspondant au français *magistral**, proprement «vent maître (soufflant du Nord-Ouest)». Le provençal moderne a la forme *mistral*, mais on relève également l'ancien provençal *maïstre* (XIIe s.), le catalan *mestral*. Il s'agit d'un représentant du bas latin *magistralis* (→ magistral) «du maître» (IVe s.), de *magister* (→ maître).

♦ Le mot a été introduit en français au sens de «Nord-Ouest» (attesté aussi par l'ancien provençal *maestral* [fin XVe s.] et par le catalan *mestral*), extension métonymique de celui de «vent du Nord-Ouest». Ce sens-ci est attesté à partir de 1544 sous la forme *mestral*, puis à partir de 1625 sous la forme actuelle. Le mot est toujours réservé à un vent soufflant en Provence. On l'associe parfois à *tramontane*.

MISTRESS n. f. a été emprunté (1776, *Mistriss*) à l'anglais *Mistress* attesté depuis le XIVe s. comme féminin de *master* «maître» (→ Mister) et emprunté au français *maistresse (maîtresse*)*.

♦ Le mot, en français, a servi d'appellatif et de nom pour une dame anglaise, mais il s'est moins bien maintenu que *Miss**. La forme *Mistress* est attestée depuis 1871.

◈ voir MISS.

✷ **MITAINE** n. f. est dérivé (av. 1188), à l'aide du suffixe *-aine*, de l'ancien français *mite* de même sens (1350), encore vivant régionalement, lequel est sans doute un emploi métaphorique de l'ancien *mite*, nom de la chatte (→ marmite, mistigri), probablement onomatopée issue d'une imitation de la voix du chat (→ miauler). Le sens du mot s'explique par allusion à la fourrure douce de cet animal.

♦ *Mitaine* signifie d'abord «moufle» (sens conservé au Canada). ◇ Dans l'usage moderne de France, il s'est différencié de *gant* et de *moufle* (sauf en argot, où il a désigné le gant de boxe) pour désigner un gant qui laisse les deux dernières phalanges découvertes (1718). Les locutions *prendre sans mitaines* «sans précautions» (v. 1550), *y aller avec des mitaines* (1787) procèdent clairement de l'ancien sens de «gant» : elles ont disparu au profit de locutions similaires formées avec *gant*.

▸ Au XVIIe s., *mitaine* a été modifié, sous l'influence de *moufle**, en **MITOUFLE** n. f. ◇ Ce mot a disparu mais a laissé le dérivé courant **EMMITOUFLER** v. tr. (1547, *emmitouflé*), formé sur l'ancien *mitouflé* «qui porte des mitaines» (1534, Rabelais, peut-être avec le sens figuré d'«hypocrite»), au moyen du préfixe *en-*. ➛ Ce verbe signifie «entourer de vêtements chauds». Il s'emploie souvent au pronominal. ➛ **EMMITOUFLEMENT** n. m. (1904, Huysmans) reste rare. ➛ Il est probable que **MISTOUFLE** n. f., synonyme argotique et populaire de *misère* (1866, *faire des mistoufles*), soit le dérivé régressif d'*emmitoufler*, ou plus exactement d'une variante *emmistoufler* (1808), due à l'influence de l'ancien adjectif *miste* «joli, élégant, bien mis» (v. 1490), qui survit dans des dialectes. Cependant, le sémantisme (cf. *coup fourré*) s'expliquerait mieux par *misère**, même si la finale *-toufle* reste obscure.

◈ voir CROQUEMITAINE.

MITAN n. m., d'abord *moitan* (v. 1190, en Bourgogne) et *moitant* (1290, en franc-comtois), puis *mitan* (XIIIe s.), est d'origine discutée, même si le sens et la forme de la première syllabe indiquent formellement un rattachement à la famille de *mi-**. Les hypothèses partant du catalan *mitjan* (la forme *mitant* est attestée en 1461), ce dernier continuant le latin *mediante* (→ misaine), ou d'un latin populaire °*medietaneus* ne sont pas convaincantes. Wartburg, se fondant sur la chronologie et l'aire géographique du mot, y voit le produit de l'évolution du composé très ancien *mediu tantu*, de *mediu*, ablatif de *medius* (→ mi-) développé comme un mot autonome, et *tantu*, ablatif de *tantus* (→ tant).

♦ Lors de la diffusion du mot sur tout le territoire français, la forme régionale a été modifiée en *mi-*

tan sous l'influence de *mi-**. ◇ *Mitan* s'est superposé à *milieu* entre le XVe s. et, surtout, le XVIe siècle ; puis il a reculé au profit de celui-ci, auquel il fournit un équivalent, dans le sens argotique de «pègre» (1924).

MITARD n. m. est un dérivé argotique (1884) de l'ancien argot ② *mite* «cachot» (1800), dont l'origine n'est pas sûre. Il pourrait s'agir (Esnault) de l'apocope de *cachemitte* n. m. (1725), dérivé argotique, avec un élément *-mite*, lui-même obscur, de *cachot**. L'influence de *miteux* a pu jouer, mais n'explique pas la forme.

♦ Le mot est synonyme de «cachot, cellule» et correspond à une punition supplémentaire pour les prisonniers.

① **MITE** n. f. est un emprunt (fin XIIIe s., écrit *mitte*) au moyen néerlandais *mîte* (cf. l'anglais *mite* de même sens), dérivé de la racine germanique *mit-* «couper en morceaux» (du fait que la mite est un insecte qui ronge). Cette origine germanique est aussi celle de l'ancien français *mite*, désignant une petite monnaie, spécialisation probable du même mot, d'où *mitaille* qui a produit *mitraille**.

♦ *Mite* désigne un petit insecte qui ronge les étoffes, s'attaque au fromage, à la farine. ➛ L'emploi de *mite* pour «chassie», dans ***avoir la mite à l'œil***, est attesté bien après *miteux*, en 1867, et pourrait donc venir de l'adjectif. Le passage d'«insecte» à «chassie» est obscur, même si l'on fait appel au sémantisme «qui ronge». Il pourrait s'agir d'un autre mot ou, plus simplement, de la reprise d'une valeur dialectale étymologique, «petit morceau, miette», que l'on retrouve dans l'ancien dérivé *mitaille* (→ mitraille).

▸ *Mite* a donné **MITÉ, ÉE** adj. «troué par les mites» (1743) et ensuite **MITER** v. tr. (1931, *se miter*). ➛ Le composé **ANTI-MITE** ou **ANTIMITE** adj. (1875) est usuel.
Un adjectif **MITEUX, EUSE** apparaît en argot au sens de «chassieux» (1808) ; comme pour *mite* «chassie», il pourrait s'agir d'un autre mot. ◇ Par la même image de la personne mal soignée, sale, il a pris le sens familier courant «d'apparence misérable» (1873, d'un vêtement, puis d'une personne). Il est substantivé pour désigner une personne miteuse (1893) et, par le même phénomène que *morveux*, est employé péjorativement pour désigner un enfant. ➛ On en a tiré **MITEUSEMENT** adv. (1944), d'usage rare, de même que le nom **MITEUSERIE** n. f. (XXe s.).

② **MITE** → MITARD

MITEUX → ① MITE

MITHRIDATISER v. tr. et pron. est un dérivé savant (1878) du nom propre *Mithridate* avec le suffixe *-iser*. Ce mot transcrit le grec *Mithridatês*, nom du roi du Pont (mort en 63 av. J.-C.) qui se serait immunisé contre les poisons en s'habituant à en prendre des doses progressivement croissantes. En grec, son nom a donné *mithridateios* «contrepoison», que le latin a emprunté tardivement sous la forme *mithridatium* (Ve s.), altérée en *mithridatum* à époque médiévale. Le mot est passé en français sous la forme *metridat* (1425), refaite savamment en *mithridat* (av. 1514) puis en *mitridate* (1580), *mithridate* pour désigner une drogue renommée comme antivénéneuse.

♦ Le verbe, transitif et pronominal, s'emploie en médecine et, littérairement, avec la valeur figurée de «rendre insensible à» (XXe s.).

▸ On rencontre quelquefois **MITHRIDATISME** n. m. ainsi que **MITHRIDATER** v. tr., tous les deux relevés pour la première fois chez Claude Bernard, comme *mithridatiser*, puis le nom **MITHRIDATISATION** n. f. (1906).

MITIGER v. tr. a été emprunté (v. 1355) au latin *mitigare* «amollir, rendre doux, calmer», dérivé de *mitis* «doux (d'une saveur, en particulier d'un fruit)» et «mûr, tendre», également au moral, souvent associé à *placidus* (→ placide). L'adjectif se rattache à une racine indoeuropéenne attestée par l'irlandais *móith* «mou», le gallois *mwydion* «parties molles».

♦ *Mitiger* apparaît au sens de «calmer, apaiser (une personne)», vieilli après le XVIIe siècle. Il est employé spécialement en droit pénal (1558, *mitiguer une peine*), et son participe passé *mitigé* a été substantivé au sens de «personne qui a des opinions modérées» (1714), aujourd'hui vieilli. ➛ Par extension, il a pris celui de «varier, rendre moins uniforme» (1850), courant par le participe passé adjectivé **MITIGÉ, ÉE** «mêlé, mélangé» (1893) : cette évolution peut s'expliquer par les tours du type *mitigé de* et par l'attraction double de *mi-* «moitié» (dans *mi-figue mi-raisin*) et de *mixte*. ➛ Le sens physique de «rendre moins acide, édulcorer» (1812) est demeuré rare, puis a disparu.

▸ À date récente, on en a tiré **MITIGEUR** n. m., mot technique désignant un robinet mélangeur à une seule manette (1968). ➛ **MITIGATION** n. f., emprunt ancien (1495) au latin *mitigatio*, s'emploie spécialement en droit pénal et n'a pas suivi l'évolution du verbe dans l'usage courant.

MITONNER v. tr. est emprunté (1546) à un parler de l'Ouest où il a été tiré de *mitonnée* n. f. «panade» qui, avec le suffixe *-ée*, vient lui-même de *miton* «mie de pain», bien attesté en normand et dérivé de *mie**.

♦ *Mitonner*, par extension du sens initial «laisser cuire longtemps à feu doux (surtout en parlant de la soupe)», a pris la valeur figurée de «préparer doucement (une affaire) afin d'en assurer le succès» (1649). ◇ Au XVIIe s. apparaissent également la forme pronominale *se mitonner* (1694) et l'application du verbe aux personnes, au sens de «dorloter, cajoler (souvent dans un but intéressé)» (1651).

▸ Les attestations des dérivés **MITONNAGE** n. m. (1735), **MITONNADE** n. f., **MITONNÉ, ÉE** adj. (XVIIe s.), substantivé au féminin dans *une* **MITONNÉE** n. f., mot régional récemment mis en l'honneur en restauration, et **MITONNEMENT** n. m. (XXe s.) sont rares.

MITOSE n. f. est un terme scientifique (1893-1894), emprunté à l'anglais *mitosis* (1887) ou directement à l'allemand où il a été formé (1882) par W. Flemming à partir du grec *mitos* «fil». Ce terme technique d'origine obscure désignait proprement le cordon employé pour séparer les fils de la chaîne en tissage.

♦ Le mot désigne le mode de division le plus fréquent de la cellule vivante, au cours de laquelle le noyau se dédouble avant le corps cellulaire.

▸ L'adjectif **MITOTIQUE** (1897) a supplanté *mitosique* (1897), probablement par alignement sur l'anglais *mitotic* (1888). ◆ **MITOGÉNÉTIQUE** adj. «qui provoque des mitoses» (*mitogenetic* en anglais, en 1927) a été créé, avec *génétique**, après la description par Gurwitsch, en 1923, de radiations provenant de tissus vivants.

MITOYEN, ENNE adj. et n., réfection graphique (1571), d'après *moyen**, de *mittoen* (1355), est l'altération, d'après *mi-*, *milieu**, de l'ancien français *moitoien* «de moitié» (déb. XIVe s.), signifiant aussi «qui est entre deux choses, appartient à deux éléments». C'est un dérivé tardif en *-en* de *moitié** (*blé moitéen* «sorte de méteil»).

♦ *Mitoyen* exprime une idée de milieu, de situation intermédiaire, souvent avec une préposition *(avec, entre, à, de)*. ◇ Il entre dans la locution courante ***mur mitoyen*** (1571), réfection de *murs moictoiens* (déb. XIVe s.), également employée en droit.

▸ On en a tiré tardivement **MITOYENNETÉ** n. f. (1804), employé dans une acception juridique (1829) pour la copropriété d'un mur, d'une clôture.

✳ **MITRAILLE** n. f. est une altération (1375, *mistraille*) de l'ancien français *mitaille* que l'on relève aux sens de «petit morceau de métal» (1295) et «petite monnaie» (XIVe s.). Celui-ci est dérivé, avec suffixe *-aille*, de l'ancien français *mite* «monnaie de cuivre de Flandre» (1288) qui est probablement le même mot, avec une spécialisation sémantique différente, que ① *mite** «insecte» et en argot «chassie». Tout comme lui, mais avec une idée passive («qui est coupé en petits morceaux»), il est emprunté au moyen néerlandais *mite*, qui provient de la racine germanique *mit-* «couper en morceaux».

♦ De fait, le premier sens de *mitraille* est «morceau de métal». L'évolution des techniques de guerre, et notamment des projectiles pour armes à feu de gros calibre, a donné au XVIIe s. une spécialisation en artillerie : «morceaux de ferraille dont on charge les canons» (1667). Par suite, le mot a désigné les balles de fer mêlées de ferraille qui servaient au même usage (1765), puis un projectile nommé *boîte à mitraille*, enfermé dans une petite boîte ronde en fer blanc (1872). Depuis la même date, *mitraille* désigne une décharge collective d'artillerie et, en particulier, un tir nourri d'obus, de balles. ◇ Le mot a pris dans ce sens des emplois métaphoriques. Le sens populaire de «menue monnaie» (1701), probablement par allusion plaisante à sa signification en artillerie, s'inscrit néanmoins dans le prolongement de l'ancien sens de «petite monnaie de cuivre», qu'avaient *mite* et *mitaille*.

▸ Le mot a pour dérivé **MITRAILLER** v. tr., employé à l'origine au sens de «tirer à mitraille sur» (1796), puis de «tirer le canon chargé à mitraille» (1803) et «prendre pour objectif d'un tir à mitraille» (1823), en parlant d'une arme. ◇ D'après les noms d'armes *mitrailleuse* et *mitraillette*, il signifie couramment «tirer par rafales à l'aide d'une arme automatique» (XXe s.). ◇ Par extension au figuré, le verbe est couramment employé au sens de «bombarder» de photographies (1927), mais aussi de questions, de reproches, etc. ◆ *Mitrailler* a donné **MITRAILLADE** n. f. (1794), fortement concurrencé par **MITRAILLAGE** n. m. (1937), ainsi que **MITRAILLEUR** n. m. (1795), d'abord «celui qui fait tirer à mitraille sur des rassemblements», puis nom d'une fonction militaire dans l'infanterie (aussi dans *fusilier-mitrailleur*). ◆ Son féminin **MITRAILLEUSE**, «arme automatique à tir rapide» (1867, brevet déposé le 26 mars), a pris par analogie (1953) plusieurs sens techniques. ◇ Par changement de suffixe, il a donné **MITRAILLETTE** n. f. (1937) et, en composition, **AUTOMITRAILLEUSE** n. f. (1922, *auto-mitrailleuse ;* auparavant, 1898, *mitrailleuse automobile*). ◇ *Mitrailleur* lui-même a subi l'influence de *mitrailleuse* lorsqu'il a désigné (1873) le tireur à la mitrailleuse. ◆ Le composé **FUSIL-MITRAILLEUR** n. m. (déb. XIXe s.) [→ fusil] est plus technique que *mitrailleuse* et *mitraillette*, mais usuel dans le langage militaire, où le mot est souvent abrégé en **F. M.** n. m.

✳ **MITRE** n. f. a été emprunté (1170) au latin médiéval *mitra* de même sens, mot issu du latin classique *mitra* (Cicéron) «coiffure orientale», hellénisme. Le grec *mitra* désignait aussi bien une partie de l'armure, la ceinture d'une jeune fille, d'un pugiliste, que différentes coiffures (bandeau, turban, serre-tête, diadème). On a pensé naturellement à le rapprocher du sanskrit *mitrá-* «ami», originellement «amitié», de l'avestique *mithra* «contrat» et «ami», personnifié dans le dieu *Mithra*. Le sens premier est celui de «lien», et l'on pose une racine °*mei-* «lier». Ce sens convient bien pour rendre compte des différentes valeurs du mot grec et l'on a pu faire remonter ces termes à l'indoeuropéen. Toutefois, il se pourrait que *mitra* soit un emprunt à une source indo-iranienne et il faudrait alors postuler dans certains parlers iraniens ou indiens le sens matériel de «lien», pour le moment non attesté.

♦ *Mitre* désigne la coiffure en hauteur, de forme oblongue, portée par les évêques. ◇ Par analogie de forme avec la coiffure ecclésiastique, il se dit du couronnement de section rectangulaire d'un conduit de cheminée (1763), d'un croupion de grosse volaille, d'un mollusque gastéropode. ◆ Par un emprunt parallèle au latin, il est employé en antiquités romaines pour désigner une coiffure en usage chez les dames romaines (1690) et s'emploie rarement en termes de mode.

▸ Il a donné quelques dérivés. ◆ **MITRÉ, ÉE** adj. (v. 1225) signifie «qui porte la mitre». ◆ **MITRAL, ALE, AUX** adj. (1673, *valvule mitrale*) est resté spécialisé en anatomie, par une analogie de forme. ◆ D'après la forme primitive du bonnet des garçons boulangers, le terme **MITRON** n. m. correspond à «garçon boulanger» (1610). Celui-ci, aujourd'hui démotivé par rapport à *mitre*, a donné le diminutif **MITRONNET** n. m. ◇ En relation avec les emplois techniques de *mitre* en bâtiment, *mitron* a désigné une toile de forme spéciale (1874) puis un appareil de terre cuite placé à l'orifice d'un conduit de cheminée pour supporter la mitre (1903).

MIXER v. tr. est un emprunt moderne (1934) à l'anglais *to mix* «mélanger, mêler» (1538; d'où un verbe *mixer*, au Canada avec ce sens, depuis 1930), attesté comme terme de technique cinématographique (1922) et de radiodiffusion (1929) aux États-Unis. *To mix* est une formation régressive à partir de *mixed*, variante de l'ancien adjectif *mixt* (XVe s.), lequel est emprunté au français *mixte**.

♦ Le verbe est passé en français dans le domaine de l'audiovisuel (musique, radio, cinéma) pour «élaborer une bande sonore en combinant différents sons». Il est également employé en cuisine pour «mélanger à l'aide d'un mixeur».

▸ Il a pour dérivé **MIXABLE** adj. (v. 1950). ➛ D'autres mots de la même famille ont pénétré en français à la même époque : **MIXAGE** n. m. (1934) est l'adaptation, avec suffixe *-age*, de l'anglais *mix*, substantif verbal de *to mix*, attesté comme terme de technique cinématographique à propos de la fusion des images (1922) et de celle des sons (1934). ◇ Comme *mixer*, *mixage* est quelquefois employé au sens de «mélange de deux ou trois choses» (domaine culinaire, d'après *mixer*; entités abstraites). ➛ **MIXER** ou **MIXEUR** n. m. a été emprunté en même temps que le verbe *mixer* (1934) à l'anglais *mixer* (de *to mix*), qui désigne depuis 1876 un appareil servant à mélanger divers ingrédients, spécialisé en cuisine (1877) sous la forme *cake mixer*, puis *electric mixer* (1933), et abrégé couramment en *mixer* (emploi attesté seulement en 1957). ◇ Le mot est d'abord passé en français dans sa spécialisation technique en audiovisuel (1929). Le sens d'«appareil électro-ménager qui broie» se rencontre à partir de 1952 (1953, pour *mixeur*). ◇ Au Canada, *mixeur* désigne, comme *mixer* en anglo-américain, une bétonnière, un malaxeur et même, au figuré, une personne ayant de l'entregent (1930).

MIXTE adj. et n. m. est emprunté (v. 1120) au latin *mixtus*, participe passé adjectivé de *miscere* «mêler, mélanger» (→ mêler).

♦ Le mot, qui signifie «composé de deux ou plusieurs éléments de nature différente», s'est répandu dans les vocabulaires spécialisés, en droit avec *action mixte* (1465), *cause mixte* (1474), *juridiction mixte* (1477), puis en mathématiques (1721, *figure, nombre mixte*), en navigation (1868, *bâtiment mixte*), en bourse. ◇ Couramment, l'adjectif est employé au sens de «formé de personnes des deux sexes» (1887, *école mixte*). ➛ Il a été substantivé à date ancienne (1250, *miste*) pour désigner le repas qui consistait, à Cîteaux, en un quart de livre de pain et un tiers d'hémine de vin; ce sens religieux a disparu. Le nom a aussi servi à désigner un corps composé, en chimie ancienne (1642). ◇ L'usage moderne le réserve à un ensemble formé de parties différentes, dans l'usage didactique, et à l'équipe formée d'un joueur et d'une joueuse, au tennis (1931), emploi qui correspond à celui de l'adjectif dans *double mixte*.

▸ *Mixte* a donné **MIXTILIGNE** adj. (1723), ancien terme de géométrie pour qualifier une figure formée de lignes droites et de lignes courbes, aujourd'hui usité en minéralogie. ➛ **MIXITÉ** n. f. est l'altération (1842), sous l'influence de mots tels que *fixité*, d'une forme non attestée °*mixtité*, tirée de *mixte*; il est essentiellement employé à propos de personnes considérées du point de vue du sexe, de la race.

◈ voir MÉTEIL, MIXER, MUSTANG.

MIXTION n. f. est la réfection graphique (déb. XIVe s.) de *mixcion* (v. 1278), emprunt au latin *mixtio* «mélange» (→ mixture), dérivé de *miscere* «mêler, mélanger» (→ mêler).

♦ *Mixtion*, avec son premier sens de «mélange», est fortement concurrencé par *mixture*. Il reste employé avec la valeur active d'«action de mélanger plusieurs drogues dans un liquide» (1561) en pharmacie, en arts décoratifs (gravure, 1745; vernissage, céramique, 1874) et, par métonymie, désigne le produit de cette opération.

▸ Son dénominatif **MIXTIONNER** v. tr. (1530) est rare.

MIXTURE n. f. vient, par emprunts successifs en ancien français (1220; fin XIIe s., *misture*) puis au XVIe s., du latin *mixtura* «mélange, fusion» et aussi «accouplement», dérivé de *mixtus* (→ mixte). L'ancien français avait la forme héritée *mesture* «mélange» (1230) et spécialement «méteil» (1200, conservé en ce sens dans certains dialectes).

♦ *Mixture* l'a remplacé, prenant au XVIe s. le sens plus concret de «mélange» (1530), spécialement en pharmacie (1575). Le mot semble rare avant le XVIIIe s. (Encycl. 1765) et surtout le XIXe s., époque où il reçoit le sens courant, plus ou moins péjoratif, de «mélange comestible difficile à identifier» et, au figuré, de «mélange complexe et bizarre». ◇ Il entre aussi dans les vocabulaires techniques avec les valeurs de «mélange de céréales qu'on sème» (1868, Littré; cf. *méteil*) et de «jeu d'orgue composé de plusieurs tuyaux à bouche par note» (1852, *jeu de mixture*). ◇ Lorsqu'il désigne un enduit des graveurs et céramistes (1902), il fait double emploi avec *mixtion*.

▸ Au XIXe s., *mixture* a donné le dénominatif **MIXTURER** v. tr. (1898; 1878, *mixturé*) de sens propre et figuré, peu usité.

MNÉMOTECHNIE n. f. est composé (1823) des éléments formants *mnémo-*, tiré du grec *mnêmê* «mémoire» (qui contient la racine indoeuropéenne °*men-* «penser»; → mental), et *-technie**.

♦ Le mot désigne les techniques mentales pour faciliter une opération de mémoire. Il a vieilli.

▸ Son dérivé **MNÉMOTECHNIQUE** adj. (1825) est resté vivant dans des syntagmes comme *procédé, moyen mnémotechnique*. ➛ *Mnémotechnie* et surtout *mnémotechnique* ont fortement concurrencé **MNÉMONIQUE** adj. (1807), d'abord attesté comme nom (1806), emprunt au grec *mnêmonikos* «qui a une bonne mémoire», substantivé au pluriel neutre *ta mnêmonika* «art de se souvenir», de *mnêmôn* «qui se souvient, qui a une bonne mémoire», dérivé de *mnêmê*. ◇ Cet adjectif a vieilli.

Au même groupe se rattachent **MNÉSIQUE** adj. «qui est relatif à la mémoire» (1923) et le terme de psychologie **MNÊMÊ** (v. 1930) «mémoire, au sens le plus général du mot», emprunté à l'allemand *Mneme* (1904), lui-même emprunté au grec. ➛ L'adjectif correspondant, **MNÉMIQUE** adj., a été emprunté dans le même temps (v. 1930) à l'allemand *Mnemische*. Il est très didactique.

◈ voir **AMNÉSIE** (et **ANAMNÈSE**), **AMNISTIE** et, de la même racine en grec, **AUTOMATE**, **MANIE**.

✳ **MOBILE** n. m. et adj. vient par emprunt (1301) de l'adjectif latin *mobilis*, forme abrégée de °*movibilis*, dérivé de *movere* «bouger» (→ mouvoir) et qui, par évolution phonétique, a donné *meuble**. *Mobilis* signifie proprement «qui peut bouger, être déplacé» et, avec une valeur psychologique, «inconstant, changeant»; il est employé au pluriel dans *res mobilis* «biens meubles», substantivé en ce sens à basse époque au neutre singulier *mobile*, au pluriel *mobilia*. En latin scolastique, *mobilis* est attesté dans l'expression *mobile primum* «mobile premier, la première des sphères célestes» (v. 1250).

♦ *Mobile*, comme nom, présente d'abord en français le sens de «bien meuble», qui a disparu après être passé à *meuble*. Il est aussi employé en astronomie médiévale, *(le) premier mouvable* «première des sphères célestes» (1380) y cédant la place à *mobile premier* (1448) ou *premier mobile* (1516), calques du latin. ➛ Par extension de ces emplois, par le latin moderne et sous l'influence de l'adjectif (ci-dessous), l'expression a été appliquée couramment à ce qui pousse, incite qqn à agir (1682), et *mobile*, employé seul, à une personne exerçant la principale influence (1662). C'est là l'origine de l'usage moderne du nom (1740), employé particulièrement au sens de «tendance impulsive et affective» (en opposition à *motif*), dans le langage juridique (1835), par exemple dans *le mobile du criminel* (1885). Par la suite, ses emplois se sont étendus au domaine commercial (1968, *mobile d'achat*). ➛ L'autre sens du nom, celui de «corps en mouvement», est apparu à l'époque classique (1639, dans *Les Nouvelles Pensées de Galilée*) et a développé des emplois spécialisés, en horlogerie (1752), typographie (1892), mécanique et art (1946, Sartre, *Les Mobiles de Calder*), les sculptures mobiles de Calder ayant été baptisées ainsi par l'artiste français M. Duchamp en 1932 (*Calder, ses mobiles*, titre d'exposition); cf. *stabile*.

Par ailleurs, l'emploi adjectif de *mobile* remonte au XIVe s. (1377) avec le sens littéral de «qui peut être mû», idée physique spécialement réalisée en typographie (1761) et en menuiserie (1785). Beaucoup plus tard, un emploi figuré de la même acception est attesté dans le syntagme *échelle mobile (des salaires)* [1952]. ◇ Dans le domaine militaire, on relève d'abord *colonne mobile* (1823, Las Cases) et ***garde mobile*** (1829, au féminin; 1865, *un garde mobile*) qui a donné *moblot* (ci-dessous), puis *gendarmerie mobile* (1877), d'où *gendarme mobile*. ➛ À partir de 1448, *mobile* adj. est également attesté avec le sens abstrait de «variable, sujet au changement», quelquefois avec une nuance psychologique, «inconstant, instable», aujourd'hui disparue. ◇ Au XVIIIe s. apparaît l'idée d'«animé d'un mouvement incessant, qui donne la sensation du mouvement» (1749), d'où procède le sens abstrait de «qui change constamment d'aspect» (1803) et «qui n'est pas fixe, se déplace sans cesse» (1854).

▸ *Mobile* a produit **MOBILIER, IÈRE** adj., d'abord employé spécialement comme terme juridique (1509), en relation avec *meuble**. En ce sens, il s'est substitué au moyen français *mobiliaire* adj. (1315), ce dernier étant à rapprocher du latin médiéval *mobiliaria* «biens meubles» (862). ➛ L'usage de **MOBILIER** n. m. avec son sens courant est ultérieur (1762) et correspond à l'évolution parallèle de *meuble*. Le mot, dans ce sens, donne également lieu à un emploi juridique et, dans un contexte administratif, désigne des équipements servant à aménager (*mobilier urbain*, v. 1980).

Pour servir d'antonyme à *mobilier* (comme *immeuble* à *meuble**), on a formé par préfixation **IMMOBILIER, IÈRE** adj. (1721), terme d'usage juridique signifiant «qui est composé de biens meubles» et qui a évincé le moyen français *immobiliaire* (1453). ◇ Le mot qualifie aussi ce qui est relatif à un immeuble (1804) et s'emploie substantivement en parlant d'un tel bien (1867) et, au XXe s., du commerce (vente et location) de maisons et d'appartements *(agence immobilière)*.

Le verbe tiré de *mobile*, **MOBILISER** v. tr. (1787), est lui aussi un terme juridique synonyme d'*ameublir* «rendre meuble un bien» et s'oppose au verbe *immobiliser* (→ immobile). Au XIXe s., il est passé dans le vocabulaire de la défense militaire pour «mettre sur le pied de guerre», sens auquel le participe passé **MOBILISÉ, ÉE** a été adjectivé (v. 1845) et substantivé (1880). ◇ Par extension, il a pris le sens de «réquisitionner, utiliser» (1879) et plus largement «mettre en œuvre» (1893), «faire appel à, sensibiliser (qqn)» (1898), «requérir l'aide ou le concours de (qqn)». ◇ Le sens physique de *mobile* est réalisé par le verbe en médecine (1944) et en chirurgie (1963, Larousse). ➛ *Mobiliser* a donné plusieurs dérivés. ◇ **MOBILISATION** n. f. (1771), mot juridique à l'origine, a développé au XIXe s. ses emplois en finances (1843) et en défense militaire (1834) selon l'évolution de *mobiliser*. ◇ **MOBILISABLE** adj. (1836) s'est spécialisé au sens militaire, où il est aussi substantivé (1915). ◇ **MOBILISATEUR, TRICE** adj. s'emploie dans le même contexte (1924) avant de se rattacher au sens figuré du verbe (1949) pour «qui sensibilise, fait agir». ➛ Par préfixation, la série s'est dotée des antonymes **DÉMOBILISER** v. tr. (1826, en droit; 1870, dans un cadre militaire), d'où **DÉMOBILISATION** n. f. (1870) et **DÉMOBILISATEUR, TRICE** adj., tous trois employés couramment avec la notion de «baisse de combativité militante» au XXe s., spécialement en politique.

De *mobile* sont également dérivés, au XIXe s., la forme populaire **MOBLOT** n. m. (1848), appliquée aux gardes mobiles de 1848 et de 1868, et les deux termes d'élevage **MOBILISME** n. m. (1896), **MOBILISTE** adj. et n. (1868-1869), ayant trait à un type d'apiculture utilisant des ruches à cadres mobiles. **MOBILITÉ** n. f. est emprunté (v. 1200, *mobiliteit*) au latin *mobilitas, -atis* «facilité à se mouvoir», «inconstance, humeur changeante», dérivé de *mobilis* (voir *mobile* ci-dessus). ◆ *Mobilité* sert de nom d'état et de qualité à *mobile* et a d'abord le sens abstrait psychologique d'«inconstance, instabilité», vieilli mais prolongé par celui de «facilité à passer d'un état à l'autre» (1667), plus neutre. ◇ Le sens concret est attesté à partir de 1380 et celui de «caractère de ce qui change rapidement d'expression ou d'aspect» au XVIIIe s. (av. 1787). L'emploi spécialisé du mot en art militaire est relevé depuis 1823. ◆ La valeur de «caractère des personnes qui se déplacent souvent» est une création moderne (1921) qui correspond à un trait de la société contemporaine; elle a inspiré plusieurs syntagmes en sociologie : *mobilité sociale* (1957), *mobilité de la main-d'œuvre* (1958), *mobilité professionnelle* (1966). ◇ Le mot est employé spécialement en physique (1904, *mobilité de l'ion*) et en philosophie, où, en relation avec *mobilisme,* il se réfère au caractère de ce qui varie, de ce qui est en mouvement.

◈ voir **IMMOBILE** (et **IMMOBILITÉ**); **AUTOMOBILE, HIPPOMOBILE, MOBYLETTE.**

MOBYLETTE n. f., nom de marque déposé en 1955, est issu du croisement de *mobile** et de *bicyclette**.

♦ Le mot, d'abord appliqué strictement à un cyclomoteur provenant de la Société des Ateliers de la Motobécane, désigne couramment un cyclomoteur.

► Il est familièrement abrégé en **MOB** n. f. (1968), mot sur lequel on a formé récemment le familier **MOBEUX, EUSE** n. «jeune qui pratique la mobylette».

MOCASSIN n. m. est issu de l'algonquin *makisin.* Attesté en français depuis 1615 sous la forme *mekezen,* le mot est passé dans le français du Canada comme emprunt direct, mais s'est répandu en français au milieu du XIXe s. par l'intermédiaire de l'anglais, où la forme actuelle *moccasin* a été précédée par diverses variantes américaines en *mo-* à partir de 1612 *(mockasins, mockasans, moggizons).* En français, on rencontre les formes *moccassin* et (selon Bloch et Wartburg) *mocassin* en 1707, *mackisin* en 1728. En 1801, Chateaubriand emploie dans *Atala* le nom féminin *moccassines.*

♦ Le mot a longtemps désigné la chaussure montante et fourrée des Indiens d'Amérique du Nord; par analogie, il s'est acclimaté et a pris au XXe s. le sens de «chaussure de marche souple et sans attache». ◆ Une tout autre acception, «serpent aquatique vivant en Amérique du Nord et en Asie» (1876), est directement emprunté à l'anglais d'Amérique *moccasin* (1784), par ellipse pour *moccasin snake* (1765) «serpent mocassin», expression d'origine obscure mais certainement apparentée à *mocassin.*

MOCHE adj. est à l'origine un mot argotique (1878), formé sur le verbe *amocher* «défigurer», lui-même peut-être dérivé de *moche* «écheveau de fil», variante de l'ancien français *moque* «mie de pain» (1223) qui représente un francique °*mokka* «masse informe» (→ amocher). Le nom *moche* reste très répandu en Normandie et dans la Haute-Bretagne avec les sens de «boule de beurre» et «grappe d'oignons».

♦ L'adjectif moderne signifie «laid» (physiquement), «fâcheux» (d'un événement) et, dans une perspective morale, «antipathique, malhonnête, méprisable».

► On en a dérivé **MOCHEMENT** adv. (XXe s.), **MOCHARD, ARDE** adj. (1898), assez usuels dans l'usage familier, **MOCHERIE** n. f. (1910) «laideur morale», vieilli de nos jours, **MOCHETÉ** n. f. (1911; 1926, *mochetée*), substantif de qualité, fréquent dès ses premiers emplois aux sens de «chose laide» et «personne laide». ◇ Plus récemment, on relève **MOCHARDISE** n. f., formé (1972) sur *mochard.* ◇ *Amocher**, d'origine incertaine et probablement à l'origine de *moche,* a subi en retour l'influence sémantique de *moche.*

① **MODE** n. f. est emprunté (v. 1393) au latin *modus,* nom masculin signifiant «mesure» et spécialement «mesure de surface» (la mesure de capacité s'exprimant par le dérivé *modius;* → muid), puis «modération», sur un plan moral et abstrait, et «mesure rythmique, rythme», dans la langue de la rhétorique et de la musique (→ modérer, modeste, modique). Du sens de «mesure», *modus* est passé à «limite» et à «manière de se conduire, de se diriger», d'où, par généralisation, «manière de faire, façon», sens avec lequel il sert à former plusieurs locutions adverbiales (→ comme). Dans ce sens, *modus* interfère parfois avec *mores* (plur. de *mos*) [→ mœurs]. En grammaire, *modus* désigne la voix et le mode verbaux; en logique, une forme du syllogisme. ◇ Le mot latin est issu de la contamination de deux noms différents : l'un de sens abstrait et de genre animé, à vocalisme *-o : modus;* l'autre de sens concret, de genre inanimé, à vocalisme en *-e :* °*medos,* attesté indirectement par le dérivé *modestus* (→ modeste) et par le verbe *moderari* (→ modérer), le *o* de la première syllabe étant dû à l'influence de *modus.* Le mot appartient au groupe de *mederi* «soigner, porter remède à» (→ médecin) mais la parenté n'était déjà plus sentie par les Latins.

♦ *Mode* est apparu en français comme nom féminin (v. 1393), en raison de sa terminaison en *e,* avec le sens premier de «manière collective de vivre, de penser, propre à un pays, une époque», lequel a vieilli sauf dans la locution ***à la mode de,*** dont procèdent *neveu, nièce **à la mode de Bretagne*** (v. 1600) et l'expression culinaire *bœuf à la mode* (1651), puis ***bœuf mode*** (1893). ◇ L'emploi du mot pour désigner plus particulièrement la façon de penser, de vivre, propre à une personne (1452), a laissé des traces dans les parlers régionaux où *mode* est synonyme de *façon.* ◆ Le moyen français avait également repris au latin le sens de «mesure, modération» (v. 1460), qui est sorti d'usage avant l'époque classique. ◇ L'usage moderne a essentiellement retenu un sens dérivé, celui de «goûts collectifs passagers en manière d'habillement» (1482, dans *s'habiller à mode nouvelle*) et «pour tout ce qui touche aux apparences», réalisé dans l'expression usuelle ***à la mode*** (1549) et dans ***passer de mode*** (1747). ◇ Le français comprend donc sous le même mot les phénomènes généraux d'engouement pour ce qui concerne les apparences dotées d'un pouvoir d'expression et, plus particulièrement, les canons changeants de l'élégance. Il est à noter que l'anglais distingue *fashion* (→ façon), «mode semi-institutionnalisée dont le type est la mode vestimentaire», et *fad* «engouement futile et généralement subversif». Le phénomène de la mode vestimentaire n'a fait que s'amplifier au XIXe s., par exemple avec le dandysme, et au XXe s., à mesure que le vêtement se libérait des contraintes de symbolisation du statut social qu'il assumait traditionnellement. ◇ Le mot est aussi employé comme adjectif ou apposition depuis 1849 *(des vêtements mode)*. ◇ L'emploi du pluriel, établi au XVIIe s. avec le sens ancien de «vêtements féminins» (1692), se poursuit avec le sens de «chapeaux féminins» (1827); en revanche, au sens de «commerce de la toilette féminine» (1845), il a été évincé par le singulier (1860). Au XXe s., la mode est devenue une industrie.

▶ *Mode* a produit ① **MODISTE** n. f., apparu avec le sens ancien de «personne qui aime à suivre la mode» (1636). ◇ Le mot a pris le sens moderne de «commerçante de vêtements féminins» (1777) en suivant l'évolution du sens du substantif pluriel et en évinçant *marchande de modes* (1692). ◆ **MODEUX, EUSE** adj. et n., créé au XVIe s. au sens d'«habituel», a été recréé dans les milieux de la mode avec la valeur ironique de «créateur de mode» (v. 1980).

DÉMODER v. tr. est attesté depuis 1856 (surtout au pronominal) après **DÉMODÉ, ÉE** adj. (1827), parfois substantivé avec une valeur de neutre.

◈ voir ACCOMMODER, AMODIER, COMBIEN, COMME, COMMENT, COMMODE, INCOMMODER, ② MODE, MODÈLE, MODÉRER, MODERNE, MODESTE, MODIFIER, MODIQUE, MODULER, MOULE, MOYEN, MUID.

② **MODE** n. m., attesté au XVIe s. (1547), est le même mot que le féminin ① *mode :* ce masculin a été réintroduit au XVIe s. sous l'influence du latin *modus* (→ ① mode) pour assumer des valeurs techniques. *Mode* a ainsi évincé le type populaire de l'ancien et moyen français *moet, moeuf, meuf,* employé en grammaire et en musique et encore signalé par Furetière et Trévoux comme un mot «du collège».

♦ *Mode* est d'abord relevé comme terme de musique ancienne en parlant de la disposition de l'échelle des sons, d'abord au féminin (1547), puis au masculin (1598). Il est appliqué à la musique moderne tonale depuis le XVIIe s. (1636, Mersenne), en particulier dans les locutions ***mode majeur, mineur*** (1705), à l'origine *mode de majeur, de mineur*. ◆ Dès le XVIIe s., le mot est employé spécialement en grammaire (1611 ; antérieurement au féminin), où il fournit les locutions ***mode personnel, impersonnel*** (1765), et aussi en philosophie pour la façon d'exister qui change sans que le sujet ne cesse d'être ce qu'il est (1647), et en logique (1690) à propos de la manière dont les propositions d'un syllogisme se combinent. ◆ Par extension, il désigne plus couramment la forme particulière sous laquelle s'accomplit une action, se présente un fait (1789), notamment dans ***mode de vie*** (1797), ***mode d'emploi*** «description de la façon d'utiliser qqch.» (1872). ◇ En ce sens, il développe au XIXe et au XXe s. des sens spécialisés en droit (1840), à propos de la clause qui modifie l'effet d'un acte d'après un événement incertain dépendant de la volonté du bénéficiaire, en statistique (1909), en informatique.

▶ Par dérivation, *mode* a donné **MODAL, ALE, AUX** adj. (1546), employé en logique, également substantivé au féminin (1585) par ellipse de *proposition modale* (1607). Cependant, l'expression *logique modale* ne semble pas employée avant 1960. ◇ Au XVIIe s., *modal* s'est étendu à d'autres spécialités, musique (1636) et philosophie (1647), mais c'est seulement au XIXe s. que l'on commence à relever les locutions ***notes modales*** (1829), ***échelle modale*** (1892), et c'est bien plus tard que l'on a parlé de ***musique modale,*** lorsque s'opposent la *musique tonale* et la *musique atonale*. Au XIXe s., *modal* est employé en droit (1840) et en linguistique (1874, *formes modales, valeurs modales*). ◆ On a tiré de cet adjectif **MODALISER** v. tr. (1913) «différencier, faire apparaître sous divers aspects», d'usage didactique ou littéraire. ◇ Le mot est spécialement employé en linguistique (1927, *terme, style modalisant*), où il a produit **MODALISATION** n. f. (1969) et **MODALISATEUR** n. m. (1969).

Quant à **MODALITÉ** n. f. (1546), il a pris ses sens spécialisés avec l'adjectif *modal :* en logique (1607) et en philosophie (1697) d'abord, puis en musique (1840), en droit (1893) et en linguistique (1898). ◇ Plus que *modal* et *modaliser, modalité* est employé au sens large de «qualité propre d'une chose concrète, forme particulière dans laquelle se présente un phénomène» (v. 1890).

Par un emprunt tardif au latin médiéval *modista* (XVe-déb. XVIe s.), dérivé de *modus* pris dans *modi signandi* et *modi significandi* («manières de signifier», XIIIe s.), on a formé le terme ② **MODISTE** n. m. (1869) «grammairien médiéval pour lequel les catégories du langage ne coïncident pas avec celles de la logique».

La langue juridique a introduit deux locutions latines au XIXe siècle : la première, **MODUS VIVENDI** n. m. inv. (1866), formée avec le génitif du gérondif de *vivere* (→ vivre), désigne la transaction mettant d'accord deux parties en litige ; elle est devenue relativement usuelle pour indiquer un compromis, un équilibre. ◇ La seconde, **MODUS OPERANDI** n. m. inv. (1892), formée avec le génitif du gérondif de *operari* (→ opérer), ne réalise le sens de «manière d'opérer» qu'en criminologie.

◈ voir MODIFIER, MODIQUE.

MODÈLE n. m. est un emprunt fait par le langage des arts (1542, *modelle*) à l'italien *modello* «figure destinée à être reproduite» (av. 1550), issu du latin tardif °*modellus,* altération du latin *modulus* (→ module, moule).

♦ *Modèle,* à partir du sens initial de «figure à reproduire», s'est étendu (1563) à toute représentation réduite d'une construction, d'un objet destiné à être reproduit en plus grand. Sur un plan abstrait, il a été appliqué à une chose (1576), à un être (av. 1680) présentant au plus haut degré les caractéristiques d'une espèce, d'une catégorie, d'une qualité. L'idée est réalisée dans la locution courante ***le, un modèle du genre*** et dans l'emploi de *modèle* en apposition avec le sens de «parfait en son genre» (1837). L'époque classique met l'accent sur l'idée normative de «ce qui doit être imité» en parlant d'une personne remarquable, exemplaire (av. 1648), idée réalisée dans des locutions comme ***servir de modèle*** (1689), ***sur le modèle de*** (1690) et, ultérieurement, ***prendre modèle sur*** (1847). ◆ Cependant, le mot a continué d'être employé dans le vocabulaire des arts avec le sens de «personne qui pose pour un peintre, un sculpteur» (1676) à partir duquel il a pris celui de «personnage réel dont s'inspire un écrivain» (1785). Il est passé dans le vocabulaire de la mode où il a été éclipsé par *mannequin.* ◆ Au XIXe s. apparaît le sens de «type de fabrication» (1841), contemporain de l'avènement de la production industrielle en série. ◆ Le dernier sens est celui de «système représentant les structures essentielles d'une réalité», d'usage didactique en physique, en économie (1940, en anglais, *model*), dans la plupart des sciences humaines et en mathématiques, par exemple dans *théorie des modèles* (d'où *modéliser,* ci-dessous). L'anglais *model* est attesté dans ce sens dès 1913 (N. Bohr) ; l'emploi en français a dû suivre peu après.

▶ Dès le XVIe s., *modèle* a donné le dénominatif **MODELER** v. tr. (1585, *modeler sur*) «rendre semblable à», d'où concrètement «façonner une substance molle» (1600) et, en peinture, «rendre le relief des figures», sens à partir duquel s'est développé, sur un plan abstrait, celui de «déterminer la forme, la nature de (qqch.)» (1765). L'usage de la forme pronominale est attesté depuis 1764 pour «prendre modèle sur qqn». ◆ *Modeler* a produit à son tour **MODELEUR** n. m. (1598), terme didactique de sculpture et (1845) relatif à la fabrication technique, et **MODELAGE** n. m. (1834). ◇ Son participe passé **MODELÉ** a été substantivé comme terme d'arts (1822) ; par analogie, il est passé dans l'usage commun, et spécialement en géologie où il désigne la configuration du relief (1868, Littré). ◇ **REMODELER** v. tr. «modeler de nouveau» (1836) s'emploie spécialement en art.
Ultérieurement, *modèle* a donné **MODÉLISTE** n. (1832, *modelliste* d'après l'italien) «personne qui fait des modèles», spécialisé comme terme de couture (1931) et au sens de «personne qui fait des modèles réduits». ◆ **MODÉLISME** n. m. (v. 1950) ne s'applique d'ailleurs qu'à la fabrication de modèles réduits et fournit l'élément *-modélisme* qui entre dans les noms de différentes activités *(aéromodélisme, radiomodélisme).* ◆ Plus récemment, en relation avec l'emploi didactique en sciences de *modèle,* on a formé un second verbe, **MODÉLISER** v. tr. (1975), et **MODÉLISATION** n. f. (1975) ; le verbe anglais *to model* et le nom *modelling* apparaissent en ce sens en 1965.

MODEM → **MODULER**

MODÉRER v. tr. est emprunté au XIVe s. (1357 ; antérieur au participe passé *modéré,* 1348) au latin *moderari* «tenir dans la mesure» d'où «imposer une limite à, régler, diriger, conduire», de *modus* «mesure», (→ ① et ② mode).

♦ Le premier sens attesté en français est celui de «diminuer la valeur, l'intensité de», également au pronominal depuis le XVIIe s. (1690) et, ultérieurement, dans l'appellation *Habitation à Loyer Modéré* (1950) (→ H. L. M.). ◆ Le verbe et le participe passé adjectivé sont aussi employés en parlant d'une personne avec une idée morale de «modération dans les propos et les jugements, le comportement» (1370-1371), y compris à la forme pronominale (1485). ◇ **MODÉRÉ, ÉE** adj. est substantivé au masculin pour désigner une personne éloignée de toute opinion extrême, d'abord en religion (av. 1704) et, depuis la Révolution, en politique (1790 ; 1789, comme adjectif). ◇ Pour le verbe, la valeur administrative de «gouverner, régler» (1530-1580), empruntée au latin, est sortie d'usage.

▶ Sur *modéré,* on a formé l'adverbe usuel **MODÉRÉMENT** (fin XVe s. ; 1370-1372, *modereement*). ◆ *Modérer* a produit pendant la Révolution **MODÉRANTISME** n. m. (1793) et **MODÉRANTISTE** n. (1796), tous deux historiquement liés à la doctrine des modérés pendant la Terreur, et, plus récemment, deux termes techniques : **MODÉRABLE** adj. (1963) et **MODÉRABILITÉ** n. f. (1931). ◆ **MODÉRATION** n. f. est un emprunt (1327, *moderacion*) au latin *moderatio* «action de tempérer, de mesurer», dérivé de *moderari.* ◇ Comme *modérer,* il exprime d'abord l'action de diminuer (en parlant de finances) et prend de bonne heure le sens psychologique de «caractère d'une personne modérée» (1355). ◇ Il est employé particulièrement dans le langage juridique en parlant de l'adoucissement d'une peine, d'une amende (1771). ◆ **MODÉRATEUR, TRICE** adj. et n. est lui aussi un emprunt au latin *moderator* «celui qui dirige, qui gouverne, modère, tempère», de *moderari.* Son premier sens en français concerne, en droit et administration, celui qui administre, gouverne (1416). Cette valeur a vieilli, mais il en reste une trace dans le sens d'«arbitre, médiateur» (1623) dans l'usage soutenu, d'où récemment *modérateur d'un débat.* ◆ L'acception de «personne qui cherche à modérer ce qui est excessif» est attestée tardivement comme nom (1803) puis comme adjectif (1830). ◇ Le mot désigne spécialement, dans la langue technique, un organe régularisant le fonctionnement d'un mécanisme (1812), au même titre que *régulateur,* et, en physiologie, un nerf ayant un effet ralentisseur sur un organe (1879). Au XXe s. sont apparus l'emploi spécialisé du mot en physique nucléaire (1953) ainsi que l'expression ***ticket modérateur*** (1936 ; cf. *ticket*).
Les antonymes **IMMODÉRÉ, ÉE** adj. (av. 1500 ; antérieur, puisque **IMMODÉRÉMENT** adv. est relevé dès 1282) et **IMMODÉRATION** n. f. (1595 ; 1500, *immoderacion*) sont empruntés respectivement au latin *immoderatus* «sans mesure» et *immoderatio, -onis* «défaut de mesure». ◆ Ils se rattachent uniquement, avec une nuance critique de «démesure», aux sens moral et psychologique.

Le terme de musique **MODERATO** adv. et n. m. est un emprunt (1834; 1833, au figuré) à l'italien *moderato* (lui-même du latin), attesté en ce sens depuis le début du XIXᵉ s. et signifiant proprement «modéré». ◇ Il indique un temps modéré, entre l'andante et l'allegro, seul et avec un autre terme de musique dans les indications *moderato cantabile, allegro moderato.*

MODERNE adj. et n. est emprunté (av. 1455; XIVᵉ s., *moders,* nom au cas régime pluriel) au bas latin *modernus* «récent, actuel», dérivé, d'après *hodiernus* «d'aujourd'hui» (→ aujourd'hui), de l'adverbe *modo* «justement, seulement, naguère, peu après» (→ comme), de *modus* (→ ① mode).

♦ Le mot a été introduit dans le langage didactique et dans la perspective des arts libéraux, comme nom pluriel pour désigner les hommes des époques récentes, par opposition aux Anciens. L'adjectif est attesté au milieu du XVᵉ s. (av. 1455) au sens de «qui est du temps présent, actuel», particulièrement en parlant de l'état de la langue (av. 1550). Le mot et la notion se répandent au XVIIᵉ s., toujours étroitement liés aux arts et aux sciences, à l'époque où éclate la querelle des Anciens et des Modernes en littérature, et où l'on commence à parler de *poètes modernes* (1000), d'*architecture moderne.* L'adjectif qualifie un art ou une science dans l'état auquel l'ont porté les découvertes récentes (1690), et il est substantivé au féminin à propos d'un ouvrage d'architecture moderne (1694), emploi vieilli de nos jours. ◆ L'usage du masculin substantivé avec valeur de neutre pour désigner ce qui est moderne, dans le goût moderne, est attesté depuis 1756 (Voltaire) et fait l'objet d'une valorisation croissante aux XIXᵉ et XXᵉ siècles. ◆ En relation avec la spécialisation vestimentaire de *mode, moderne* s'est appliqué à une personne «à la page» (1554; peut-être d'abord par plaisanterie sur le sens didactique du substantif); il a été substantivé pour désigner un élégant à la mode (1852), emploi disparu de nos jours. ◆ Le syntagme *enseignement moderne,* dans lequel *moderne* s'oppose à *classique,* sur la base de l'enseignement des langues vivantes ou anciennes, est relevé depuis 1906.

▶ L'adverbe **MODERNEMENT** (1523, «de nos jours»; 1581, «d'une façon moderne») est peu usité, mais *moderne* a donné plusieurs dérivés à partir du XVIIIᵉ siècle. ◆ Le plus ancien est **MODERNISER** v. tr. (1754; peut-être formé d'après l'anglais *to modernize,* dès 1748), qui a supplanté *moderner* (1758) au XIXᵉ s. et a produit ultérieurement **MODERNISATION** n. f. (1876) et **MODERNISATEUR, TRICE** n. (v. 1950), ce dernier éliminant *moderniseur* (1859). ◆ **MODERNISTE** n. et adj. est employé depuis 1769 (Rousseau) pour désigner le partisan de ce qui est moderne. Depuis la fin du XIXᵉ s., il est employé en parlant d'un peintre qui prétend innover un genre (1883) et adjectivé avec le sens de «relatif aux temps modernes» (1895). Son acception religieuse est attestée depuis 1909. ◆ **MODERNITÉ** n. f. est relevé pour la première fois chez Balzac (1823) pour désigner ce qui est moderne en littérature et en art, annonçant le culte esthétique de cette notion, de Baudelaire (*Le Peintre de la vie moderne*) à Walter Benjamin. ◆ Il est suivi par **MODERNISME** n. m. (v. 1879; une fois en 1845) qui exprime d'abord, avec une nuance critique, l'idée de «manie du moderne». Lui aussi est spécialement employé dans le langage religieux (1908), dans le cadre du renouveau de la théologie et de la foi catholiques au tournant du XIXᵉ-XXᵉ s., et fonctionne comme synonyme de *modernité* depuis 1931. ◆ En histoire de l'art, **MODERN STYLE** n. m. et adj. est l'emprunt (1896) d'une expression anglaise composée de *modern* (correspondant à *moderne*) et de *style,* emprunté au français *style**. Cette expression est attestée depuis 1883 avec son sens littéral de «style moderne» sans désigner, comme en français, un style particulier (en l'occurrence le style 1900). Cette appellation a d'ailleurs été peu utilisée en dehors de la France, celle d'*Art Nouveau* ayant depuis le début un usage plus général, surtout dans les pays anglo-saxons et germaniques (précisée par autant d'étiquettes nationales, tels *Jugenstil, sezessionstil, Arte Joven,* etc.). ◆ Les adjectifs à valeur superlative **ULTRAMODERNE** (1891), de nuance vague, et **MODERNISSIME** ont suivi. ◆ La terminologie actuelle de l'art fournit en outre un sens particulier pour *moderniste* adj. (d'après l'anglais *modernist* chez le critique américain A. Greenberg, 1945), d'où viennent **POSTMODERNE** adj. (1979; anglais *postmodern,* 1949) et **POSTMODERNISME** n. m. (v. 1980; emprunt à l'anglais *postmodernism,* 1979), formés de *post-,* qui correspond au français *post-,* et de *modern, modernism,* ou **APRÈS-MODERNISME** (1981), formé avec le préfixe *après,* moins employé. Ces termes recouvrent un mouvement artistique contemporain, notamment architectural, fondé sur la remise en cause des théories modernistes (au sens américain) et du style international dominants dans la première moitié du XXᵉ siècle. L'art *postmoderne* est devenu un concept fourre-tout; il est parfois précisé et opposé à *high-tech* («haute technologie»), en architecture.

MODESTE adj., attesté en 1370-1372, mais au moins aussi ancien que *modestement,* est emprunté au latin *modestus,* dérivé de *modus* «mesure» (→ ① mode), «qui observe la mesure» d'où «calme, modéré, tempéré, honnête, réservé, discret».

♦ En français, le premier sens du mot est comme en latin «modéré, éloigné de tout excès»; cette acception est vivante jusqu'à la fin du XVIIᵉ s. (maintenue depuis par l'Académie); et l'on rencontre le pluriel substantivé *les modestes* en style biblique (1560) pour désigner les pauvres, les petits. Au XVIIᵉ s., sous l'influence de *modestie,* apparaissent les sens de «modique, ne dépassant pas une faible mesure» (1649), «médiocre, sans éclat» avec une valeur péjorative (1686) et, dans une perspective morale, «humble, exempt de vanité» (1611), «honnête, sage, pudique» (1607). ◇ Le langage des précieuses du XVIIᵉ s. disait *la modeste* pour désigner la première des trois jupes de dessous (la seconde étant dite *la secrète* et la troisième *la friponne*). ◇ Le masculin a été substantivé lui aussi comme terme d'habillement au XVIIIᵉ s. pour un petit mouchoir placé à l'encolure d'un corsage et destiné à voiler le décolleté (1706). Ces emplois substantifs ont disparu au début du XIXe s., *le modeste* étant remplacé par *la modestie* (ci-dessous).

▶ Tous les mots du même groupe ont suivi une évolution analogue dans le passage de l'ancien français au français moderne. ◆ **MODESTEMENT** adv. (1352-1356) «avec modération» a pris ses sens modernes d'«avec modestie» (1673) et «sans luxe, sans éclat» (1771), ce dernier tirant parfois vers l'idée de «pauvrement» (1845).

MODESTIE n. f. (1352-1356), emprunté au latin *modestia,* était encore senti au XVIIIe s. comme un latinisme pour le sens de «retenue, réserve, modération», mais il a pris dès le XVIe s. ses valeurs actuelles, l'acception morale étant issue (1553) de l'usage biblique. ◆ Depuis 1850, le mot est employé pour une pièce de dentelle ou de tissu voilant un décolleté, remplaçant *le modeste* du XVIIIe siècle.

Les antonymes **IMMODESTE** adj. et **IMMODESTIE** n. f., apparus un peu plus tard (respectivement attestés depuis 1541 et 1543) ont été empruntés au latin *immodestus* et *immodestia.* L'adjectif a pris son sens moderne au XVIIe s. (1611). ◆ Il a donné **IMMODESTEMENT** adv. (1545) qui a suivi la même évolution. *Immodestie* «manque de modération» a pris immédiatement son sens moderne en relation avec *modestie;* celui de «manque de retenue, de pudeur», moins courant, est attesté depuis 1611.

MODIFIER v. tr. est emprunté (1355) au latin *modificare* «régler, ordonner» et, à la forme réfléchie, «se modérer», de *modus* «mesure» (→ ① mode) et *-ficare* pour *facere* (→ faire).

♦ Le verbe est d'abord attesté au sens juridique de «transformer une peine en la réduisant»; par extension, sous l'influence de *modification,* il a pris l'acception plus générale de «changer sans altérer la nature de l'objet» (1690) en perdant l'idée étymologique de «mesurer, modérer».

▶ On en a tiré les adjectifs **MODIFIABLE** (1611), d'où **IMMODIFIABLE** (1845), et, dans l'usage didactique, **MODIFIANT, ANTE** (v. 1830). ◆ **MODIFICATION** n. f. a été emprunté (1376) au dérivé latin *modificatio* «disposition mesurée» et, à basse époque, «changement dans la manière d'être, sans altération de nature». Ce dernier sens est passé en français, le mot prenant aussi le sens juridique de «transformation restrictive d'une peine» (1385). ◇ La valeur plus générale de «changement, transformation» est ultérieure (1868). ◆ Par changement de suffixe, on a formé **MODIFICATIF, IVE** adj. (1490), également substantivé par ellipse du nom (1803, en grammaire). ◆ Avec le suffixe d'agent, a été formé **MODIFICATEUR, TRICE** n. et adj., d'abord comme nom au sens de «réformateur» (1797), puis en médecine (1845), et comme adjectif depuis 1840.

MODILLON → MOELLON

MODIQUE adj. est emprunté (v. 1461) au latin *modicus* «modéré, modeste, parcimonieux», quasiment synonyme de *modestus* (→ modeste) et dérivé comme lui de *modus* «mesure» (→ ① mode).

♦ En passant en français, dans des textes de caractère plus ou moins administratif, le mot s'est spécialisé au sens de «médiocre, en parlant d'une somme». On le rencontre plus rarement au sens figuré de «médiocre, petit, modéré» (1680).

▶ **MODIQUEMENT** adv. (1680) présente la même spécialisation. ◆ **MODICITÉ** n. f., représentant (1584) du latin *modicitas,* correspond lui aussi à *modique* au sens financier. ◇ L'antonyme latin *immodicus* «démesuré, extravagant» n'a rien donné en français.

MODULE n. m. est un emprunt (1547) au latin *modulus* «mesure», également attesté comme terme d'architecture et de musique et dérivé de *modus* «mesure» (→ ① mode, ① moule).

♦ D'abord employé en architecture, le mot s'est généralisé (1611) et appliqué à différents domaines techniques, se disant du diamètre de la médaille (1762), de la ligne prise pour sous-tangente et des logarithmes en mathématiques (1765). ◇ Plus récemment, il s'est employé à propos de petits ensembles assurant une fonction déterminée en électronique (1963), en architecture, en astronautique pour l'élément d'un train spatial (1967), etc. En ce sens, il est emprunté à l'anglo-américain *module,* de même origine que le français, «petit élément s'intégrant dans un ensemble» (1955) employé spécialement depuis 1961.

▶ *Module* a donné l'adjectif **MODULAIRE** (1845-1846) en architecture et (1867) en mathématiques, puis aussi en informatique (l'anglais a *modular* depuis 1798 en mathématiques et depuis 1842 en architecture). ◆ De *module* sont aussi dérivés le terme de mathématiques **MODULO** n. m. «opérateur donnant le reste de la division d'une variable par un nombre constant», créé par Gauss (1801), et le terme d'architecture **MODULOR** n. m., nom du système de mesure employé par Le Corbusier pour harmoniser les proportions des ouvrages d'architecture (créé entre 1942 et 1948).

◈ voir MODULER.

MODULER v. tr. est un emprunt (1458) au latin *modulari,* de *modulus* (→ module, ① moule), signifiant proprement «mesurer, régulariser», et spécialement en musique «soumettre à des règles, à un rythme».

♦ Passé en français au sens de «rendre par des inflexions variées de la voix», *moduler* est rare avant le XVIIIe siècle. Sa spécialisation en technique musicale est attestée depuis 1703. Par extension, il a développé le sens général de «varier» (1884; 1876, *modulé*). Ultérieurement, il a reçu une valeur spécialisée en radiophonie, «faire varier une caractéristique d'un courant électrique, d'une onde par modulation» (1902). ◇ Le sens courant, «adapter (qqch.) à différents cas particuliers», est récent (v. 1967).

▶ Son participe présent **MODULANT, ANTE** est adjectivé (1875) en musique, et employé par métaphore en peinture (Cézanne avait introduit l'emploi de *moduler* au sens d'«exprimer des valeurs plastiques par des variations picturales»). ◆ **MO-**

DULATEUR, TRICE n. et adj. a été créé en musique (1769). Le latin avait *modulator* au sens de «celui qui mesure, règle» et «musicien», et le moyen français avait *moduliseur* «celui qui module» (1578). ◇ Au xxe s., le terme a été spécialisé en radioélectronique (1925, adj.), peut-être d'après l'anglais *modulator* employé dans ce domaine depuis 1919. ◆ En électronique, on a formé par préfixation **DÉMODULER** (mil. xxe s.), **DÉMODULATION** (v. 1930) et **DÉMODULATEUR**, d'où **MODULATEUR-DÉMODULATEUR**. L'équivalent anglais *modulator-demodulator* a été abrégé en *modem* (1961), emprunté en français : **MODEM** n. m. pour désigner l'appareil servant à connecter un ordinateur et une ligne téléphonique.
Le nom d'action **MODULATION** n. f. est emprunté (1365) au dérivé latin *modulatio* «action de mesurer» et spécialement «mesure rythmée, mélodie». ◆ Comme *moduler*, il a d'abord été employé en parlant d'un changement d'intonation dans l'émission de la voix d'où, par extension, le sens de «variation» (1784). Se sont ensuite développées des spécialisations en musique, arts plastiques et électronique (1924), cette dernière peut-être d'après l'anglais *modulation* (1919). ◇ ***Modulation de fréquence*** (en anglais *frequency modulation* depuis 1931) est passé dans le langage courant (abrégé en **F. M.**, d'après l'anglais, ou en **M. F.**) depuis que la radiodiffusion utilise largement et la télévision exclusivement, ce procédé qui permet une excellente qualité de reproduction sonore. En relation avec *moduler, modulation* a aussi le sens d'«action d'adapter à différents cas particuliers» (v. 1973).

✳ **MOELLE** n. f. est l'altération par métathèse (fin xiie s., *moêle*) de l'ancien *mëule* (1121-1148), issu régulièrement du latin *medulla;* la variante *moule* est antérieure à 1150. Le mot latin, sans étymologie établie, était surtout employé au pluriel collectif *medullae* pour parler de la moelle osseuse (parce qu'il y a une moelle pour chaque os), usage conservé dans une certaine mesure par le français. Le singulier n'était employé par les Latins que pour la moelle épinière, pour celle d'un arbre, ou encore dans une acception figurée à l'imitation du grec *muelos* (→ myél[o]-), mot ayant évincé le nom indoeuropéen et lui aussi sans étymologie établie.

♦ *Moelle* est apparu au sens de «substance grasse et molle des os», employé absolument dans certains cas pour désigner la substance nerveuse du rachis, dite aussi ***moelle épinière***, d'abord *mouelle spinale* (1534) qui devient *mouelle espiniere* au xviie siècle. ◆ Dès la première moitié du xiie s., le mot, d'abord sous la forme *moule*, a commencé d'être employé dans un sens figuré, particulièrement et concrètement en parlant de la mie du pain (1387-1397, *moele de pain*), sens disparu avant l'époque classique. ◇ L'usage ancien l'appliquait aussi à une personne avec une valeur laudative (1223, de la Vierge) et c'est à la fin du xiie s. qu'est apparu le sens moderne abstrait «ce qu'il y a d'essentiel, de profond», en particulier à propos d'une œuvre de l'esprit (v. 1278), sens rendu célèbre par Rabelais dans l'expression *substantifique moelle* (1534, prologue de *Gargantua*). ◆ En outre, *moelle* est employé comme le latin *modulla* en botanique à propos de la substance molle au centre de la racine et de la tige d'une plante (déb. xive s., *moeule;* 1240, par le dérivé *möelette*). C'est en ce sens qu'il a donné *chou moellier* (1869), avec l'adjectif *moellier* que l'on relève antérieurement dans *os moellier* (v. 1770), appellé en français moderne ***os à moelle.***

▸ L'adjectif moderne tiré de *moelle*, **MOELLEUX, EUSE**, a d'abord le sens de «qui contient de la moelle» (1490), également en botanique (1554), comme le latin *medullosus*. ◇ Par extension, *moelleux* a pris le sens général de «plein, vigoureux, excellent» (1554, *vers moelleux*), puis la valeur devenue la plus courante, «doux» au toucher (1664), au palais (1694), à l'oreille (1694). L'adjectif est aussi employé en peinture (1690) et à propos de courbes, de formes douces et pleines (1836), ainsi qu'en chorégraphie où l'on dit, substantivement, qu'un danseur *a du moelleux* (1836). ◆ L'adverbe **MOELLEUSEMENT** est attesté depuis 1765.

◈ voir **MÉDULLAIRE.**

MOELLON n. m., terme technique (bâtiment), est la réfection (1504), d'après un sens ancien de *moelle**, de l'ancien *moilon, moillon* «gros morceau de pain» (fin xiie s.). Celui-ci est issu d'un latin tardif °*mutulio, -onis*, altération du latin classique *mutulus*, terme d'architecture désignant une saillie qui s'avance au-delà de l'alignement d'un mur. Ce dernier, comme terme technique d'architecture, est peut-être emprunté à l'étrusque.

♦ *Moellon*, en français, est attesté comme terme de bâtiment depuis 1200; il est aussi employé par analogie pour désigner la pierre à polir des glaces en miroiterie (1752).

▸ On en a tiré **MOELLONNAGE** n. f. (1873; 1752, *moilonage*), réfection de l'ancien *mollonnaige* (v. 1400), ainsi que **MOELLONNEUR** n. m., réfection de l'ancien *moilonneur* (1387).
MUTULE n. f. (1546) a été emprunté au latin *mutulus* comme terme d'architecture dorique, désignant un ornement placé sous le larmier d'une corniche. Il est contemporain et quasiment synonyme de **MODILLON** n. m. (1545), adaptation de l'italien *modiglione* (déb. xvie s.), issu du latin tardif °*mutilio, -onis*. *Modillon* ne se réfère pas à un style architectural précis.

MŒURS n. f. pl. est issu (xiiie s.; déb. xiie s., *murs*) du latin *mores*, pluriel du nom masculin *mos, moris* désignant la manière de se comporter, la façon d'agir (physique ou morale) déterminée non par la loi, mais par l'usage. Souvent employé au sens de «coutume», le mot s'unit et quelquefois s'oppose à *lex* (→ loi). Il s'emploie aussi au sens de «caractère», le plus souvent au pluriel *mores*, notamment avec la valeur péjorative de «fantaisie». Parce qu'il allitère avec *modus* «mesure» (→ ① mode), *mos* est aussi employé en poésie et en prose tardive avec le sens de celui-ci, «mesure, mode»; enfin, en poésie, il est souvent employé abusivement comme synonyme de *leges* «lois». Il s'agit peut-être d'un mot indoeuropéen, mais il n'a de correspondant qu'en irlandais (*mós, moroil* de même sens). Il n'est passé dans les langues romanes qu'en français et dans l'ancien provençal *mors* (f. pl.).

♦ En français, le mot a changé de genre, mais on le relève quelquefois au masculin au XVIe siècle. La prononciation (fautive dans la norme cultivée, mais fréquente aujourd'hui) de l'*s* final est due à l'influence de l'orthographe et au fait que *mœurs* est toujours resté en contact avec le latin écrit. ◇ *Mœurs* a d'abord le sens de «manière de se comporter, conduite», spécialement par rapport à la pratique du bien et du mal, dans les expressions *bones mors* (1155) et *mals murs* (v. 1175), devenues *bonnes* et *mauvaises mœurs*, et absolument dans *avoir des mœurs* «de bonnes mœurs» (1718). ◇ Il s'entend spécialement dans l'expression *brigade des mœurs* (1890, *police des mœurs*), qui désigne la police chargée de la répression des infractions aux lois sur la prostitution, d'où absolument *les mœurs*. ➛ Le mot a aussi le sens plus objectif (le rapport avec *moral* n'est alors plus senti) d'«habitudes relatives à la manière de vivre, usages» (1265, *les mœurs et les us*). Il s'applique aux habitudes propres à un peuple (1549) et plus particulièrement, dans l'usage classique, se réfère au savoir-vivre (1688, *être sans mœurs*). ◇ Par analogie, depuis le XVIe s., il est appliqué aux habitudes et au genre de vie des espèces animales (av. 1577) et végétales. ◇ L'emploi particulier du mot en littérature (1701) au sens de «ce qui convient au caractère des personnages, des temps et des lieux mis en scène dans l'œuvre», a décliné après la vogue du *roman de mœurs* au profit de *couleur locale*.

◈ voir MORAL, MORIGÉNER, ① MOROSE.

MOHAIR → MOIRE

MOI, ME pron. pers. *Moi* est le représentant attesté dès le IXe s. (842, *mi*; 1080, *mei*; 1150, *moi*) du latin *me* «moi» en position accentuée, le même pronom en position inaccentuée ayant donné *me* (ci-dessous). *Me* est l'accusatif de *ego* (→ ego, je) et se rattache à un groupe de pronoms personnels indoeuropéens comme l'irlandais *mé* «moi», le grec *eme*, le sanskrit *mā*, le vieux slave *mę*, le gotique *mi-k*.

♦ En tant que pronom personnel de la première personne du singulier, *moi* connaît toutes ses possibilités d'usage dès l'ancien français. La forme renforcée ***moi-même*** est attestée depuis 1080 (*mei meïsme*). ➛ L'emploi de *moi* comme nom apparaît plus tard (1581) avec le sens de «ce qui constitue la personnalité, l'individualité d'un être humain». Au XVIIe s., il prend plus particulièrement le sens de «personnalité dans sa tendance à ne considérer que soi et à ne connaître que soi» (av. 1662, chez Pascal, *le moi est haïssable*). À la même époque, le nom reçoit sa définition philosophique de «sujet pensant» chez Descartes (1640). ◇ Au début du XXe s. (1900), il assume en psychanalyse la valeur de l'allemand *Ich* (Breuer et Freud), l'une des trois instances psychiques avec le Ça et le Surmoi.
Me (842) assure la fonction d'objet indirect et direct (v. 980), également sujet d'un infinitif devant les verbes *faire*, *aller* et les verbes de perception (v. 980, *me laisse entrer*). Outre ses fonctions les plus usuelles, marquant un rapport d'attribution, *me* sert à souligner l'importance que le locuteur attribue à l'action ou à l'accomplissement d'un ordre (1080), emploi dit «datif éthique». Avec un verbe pronominal, il renvoie au sujet *je* (1050), élément d'un verbe réfléchi ou non réfléchi.

▸ *Moi* entre dans **QUANT-À-MOI** (1585), forme classique refaite en *quant-à-soi** (1798), **CHEZ-MOI** (1690), variante de *chez-soi*, et dans le terme philosophique **NON-MOI** n. m. (1801) qui traduit l'allemand *Nicht-ich* (1794, Fichte). ➛ **SURMOI** n. m. (1926; d'abord *sur-moi*, 1923), terme de psychanalyse, est la traduction de l'allemand *Über-ich* (1923, Freud) formé avec *über* «au-dessus de». ◇ Le français a créé le dérivé **SURMOÏQUE** adj. (v. 1950).

◈ voir MIEN, MON.

MOIGNON n. m. est dérivé (v. 1200) de l'ancien français *moing*, nom masculin qui signifie «mutilé, estropié» (seulement attesté en 1275; en ancien provençal vers 1180). Ce mot est issu d'un radical pré-roman °*munnio-* «émoussé», lui-même dérivé de °*munno-*, lequel est représenté en français par l'adjectif *monaut* «qui a une oreille coupée (chien, chat)».

♦ Le mot est entré en français au sens de «ce qui reste d'un membre coupé, entre la coupure et l'articulation» et, par analogie d'aspect, a pris le sens de «reste de branche coupée ou arrachée» (1690). ◇ Par extension, il s'applique aussi, depuis le XIXe s., à un membre difforme ou rudimentaire dû à une malformation congénitale (1853, en parlant d'une personne) et au membre rudimentaire propre à certaines espèces animales (1868).

MOINDRE adj. est l'ancien cas sujet (déb. XIIe s., *meindres*) issu du nominatif latin *minor* (→ mineur), qui sert de comparatif à *parvus* «petit». Le cas régime était *meneur*, issu de l'accusatif latin *minorem*, mais dès la fin du XIIe s. *moindre* (alors *meindre, mendre*) a été employé au cas régime singulier (dans *des dous maus le mendre eslisum* «entre deux maux il faut choisir le moindre») puis aux cas sujet et régime pluriel, évinçant *meneur*.

♦ Le mot sert de comparatif de supériorité à l'adjectif *petit* dès les premiers textes, en parlant d'une chose et d'une personne. Dans l'usage ancien, il pouvait correspondre à l'idée de «plus jeune» (déb. XIIe s.; → mineur), d'«une taille inférieure» (1170) et, dans une perspective sociale, «d'un rang social moins élevé» (XIIIe s.). ➛ À partir de 1215, *moindre* est employé précédé de l'article défini ou d'un autre déterminant (*le moindre de...*), avec la valeur de superlatif relatif de *petit*. Son sens ancien de «subalterne, homme de peu de mérite» s'est maintenu dans quelques expressions du type *des hommes et non des moindres* (1280, *qui ne sont mie ore des menres*).

▸ Le dérivé de *moindre*, **MOINDREMENT** adv. (fin XIVe s., *mainrrement*) «de la moindre manière, le moins du monde», est rare et d'usage littéraire, généralement employé avec une négation ou avec *sans*. ◇ Avec une nuance de préciosité, on dit *pas*

le moindrement (1726) pour «pas le moins du monde».
Par préfixation et suffixation, on a formé sur *moindre* **AMOINDRIR** v. tr. (1340), réfection de *amanrir, amenrir* «rendre moindre» (fin XIIe s.). ◇ **AMOINDRISSEMENT** n. m. (1349; fin XIIe s., *amanrissement*) est formé sur le radical du participe présent **AMOINDRISSANT, ANTE** adj. ◇ Ces mots s'emploient au concret et à l'abstrait, le participe passé du verbe, **AMOINDRI, IE** adj., étant particulièrement appliqué aux possibilités physiques et mentales défaillantes d'une personne.

✱ **MOINE** n. m. est issu par évolution phonétique, et d'abord sous les formes *monie* (1080), *muine* (1121), du bas latin *monachus* «anachorète solitaire» (av. 375) et «cénobite» (av. 430), emprunt au grec *monakhos*. Ce dernier signifie d'abord «unique», de *monos* «seul, unique» (→ mono-), et a été employé dans le vocabulaire chrétien pour désigner le religieux qui vit seul, produisant quelques dérivés tardifs. Il n'est pas absolument nécessaire de passer par l'intermédiaire d'un type latin tardif *monicus*, attesté dans une inscription de Gaule et qui est à l'origine des formes germaniques (comme l'allemand *Mönch*).

♦ Le mot, pour «religieux vivant retiré du monde», est attesté sous sa forme moderne depuis le XIIIe siècle; il entre dans la locution figurée ***l'habit ne fait pas le moine*** (v. 1278), usuelle pour «il ne faut pas se fier aux apparences». ◇ Par analogie, il est employé en parlant de qqn qui vit comme un moine et, par extension, de tout religieux régulier, vivant le plus souvent en communauté, ce qui est contraire à l'étymologie. ◆ Par allusion à la forme du capuchon du moine, *moine* est employé spécialement pour désigner diverses espèces de phoques (1605), un squale (1705) et, par analogie de couleur, un oiseau : le moineau (ci-dessous). ◆ En arts ménagers, *moine* sert de dénomination à un ustensile qui chauffe le lit (1604). ◇ En imprimerie, il désigne aussi, par allusion à la robe blanche de certains religieux, une feuille mal imprimée (1621).

▶ *Moine* compte quelques dérivés : le féminin **MOINESSE** n. f. (1291, *moignesse*; 1423, *moynesse*), sorti d'usage; **MOINILLON** n. m. (1612), encore connu; le péjoratif **MOINERIE** n. f. (XIXe s., *moignerie*), archaïque, et le verbe plaisant à valeur péjorative **SE MOINIFIER** (1846, Balzac) «vivre comme un moine», lui aussi disparu.
L'ancienne forme de *moine, monie,* a servi à former **MONIAL, ALE, AUX** adj. «monacal» (1155, *munial*), dont le féminin a été substantivé en **MONIALE** n. f. (1530, *monyalle*) pour désigner une religieuse contemplative vivant généralement cloîtrée.
Moine a aussi donné, dès l'ancien français, le nom d'oiseau **MOINEAU** n. m., attesté dès 1200 sous la forme *moinnel* et au pluriel *moinaus* (XIIIe-XIVe s.), également *moinel, moisnel* et au pluriel *moinniaus, moigniaus,* etc. La spécialisation sémantique s'explique par une comparaison entre la couleur brune de la robe du moine et celle des plumes de l'oiseau. On ne possède pas d'attestation sûre de l'emploi de *moine* en ancien français dans ce sens; en revanche, le diminutif est fréquent pour désigner les petits oiseaux (cf. *roitelet*). L'ancienne forme *moisnel* est peut-être due à l'influence du synonyme ancien *moisson, muisson* (1140), conservé dans les parlers du Nord-Est et de la Normandie, et qui vient du latin *muscio, -onis,* proprement «moucheron», dérivé de *musca* (→ mouche). *Moineau,* nom d'oiseau devenu très usuel, est aujourd'hui détaché de son origine. ◆ Le mot est aussi employé familièrement avec le sens péjoratif de «type, individu louche». ◇ Par une autre métaphore, il désigne en moyen français, une tourelle basse et crénelée construite au milieu des fossés d'une fortification; on disait aussi *moinet* (fin XVe s.) et *moine* (1534). ◆ Le moineau femelle a reçu le nom (rare) de **MOINELLE** n. f. (1903).

◈ voir MONACAL, MONADE, MONASTÈRE, MONO-.

MOINS adv. est issu, d'abord sous la forme *meins* (1135) puis *moins* (1170), du latin *minus,* neutre employé adverbialement de *minor* (→ mineur, moindre), servant de comparatif à *parvus* «petit». *Minus* sert de comparatif à *parvum* «peu» et s'oppose fréquemment à *plus,* avec lequel il rime, plutôt qu'à *magis* (→ mais). Il est souvent employé avec des négations (*non minus quam* «non moins que», *nihil minus* «rien moins») et comme forme atténuée de la négation, *si minus* étant équivalent à *si non.*

♦ *Moins* connaît, à ce dernier emploi près, les mêmes usages que le latin *minus.* Il fournit le comparatif de *peu,* modifiant le sens d'un verbe (1135), d'un adverbe (1170) ou d'un adjectif (1174-1176). ◇ Depuis le XIIe s. (1155), il est employé avec un nom de nombre à retrancher d'un autre au sens d'«enlevé, étant enlevé». ◇ Il entre dans le tour *moins de* (suivi du nombre), à l'origine de l'emploi de *moins* comme préposition exprimant la soustraction (v. 1762). ◇ Il a servi à former un grand nombre de locutions adverbiales, ***ne plus ne meins*** étant la plus ancienne (1160); la plupart sont apparues aux XVIe et XVIIe siècles. On a ainsi *de moyns en moyns* (1530), ***ne... rien moins que*** (1534) aux sens de «ne... nullement» et de «bel et bien» (1608), ***plus ou moins*** (1595; 1538, après un chiffre), ***n'en... pas moins*** (av. 1628, *ne... pas moins*). ◆ L'usage de ***le moins,*** comme superlatif de *le peu,* est attesté depuis 1135 dans la locution *al meins* (c'est-à-dire ***au moins***) et depuis 1165 dans *a tot le meins* ***(à tout le moins).*** Ont suivi ***du moins*** (v. 1375), devant un nom de nombre et pour exprimer une restriction (1512), et ***pour le moins*** devant un nom de nombre (av. 1514). ◇ Depuis le XIIe s., *moins* est également employé nominalement dans un certain nombre de locutions : ***en moins de*** avec un sens temporel (1155), ***à moins de*** suivi du nom du montant d'une somme (1549), puis au sens de «sans cette condition» (1630). La langue classique admettait *à moins que* (et nom) là où l'usage moderne a imposé ***à moins de*** (1644), et ***à moins que*** (et infinitif) là où nous le faisons suivre d'une proposition dont le verbe est au subjonctif (1668, avec *ne*). ◇ La locution adverbiale ***à moins*** remonte elle aussi au XVIIe s. (1636); elle subit alors la concurrence de ***pour moins.*** ◆ *Moins* «d'une qualité moindre» (1160-1174) est substantivé depuis 1174-1176 *(le moins);* il est quelquefois adjectivé (v. 1225) au sens de «moindre» comme attribut.

▸ *Moins* n'a pas donné de dérivés mais a fourni le premier élément de deux ou trois composés : **MOINS-VALUE** n. f. formé comme antonyme de *plus-value* (→ value à valoir), **MOINS-PERÇU** n. m. (1838), terme juridique s'opposant à *trop-perçu* (→ percevoir), et l'adjectif **MOINS-DISANT, ANTE** (1970), employé en droit administratif au sens de «qui fait l'offre la plus basse», opposé à *mieux-disant*.

◈ voir DIMINUER, MÉNESTREL, MENU, MENUISIER, MÉTIER, MINCE, MINESTRONE, MINEUR, MINIME, MINIMUM, MINISTRE, MINUS, MINUTE, MINUTIE, MOINDRE.

MOIRE n. f. est l'adaptation (1639), selon la prononciation en usage à l'époque, de l'anglais *mohair*. On trouve aussi *mouaire* (1650). *Mohair*, attesté en anglais depuis 1619, représente peut-être une altération, sous l'influence de *hair* «poil», mot germanique d'origine inconnue, du mot anglais *mocayares* (1570) qui désigne à l'origine le tissu en poil de chèvre angora. L'anglais a ensuite réemprunté au français la forme *moire*, pour ce tissu ainsi que pour d'autres sortes d'étoffes ayant reçu un aspect ondoyant après passage à la calandre. L'ancien anglais *mocayares* est lui-même un emprunt à l'italien *mocajardo*, pris à l'arabe *muḫayyār* «tissu en poil de chèvre», probablement dérivé de *ḫayyara* «choisir». Ce mot arabe, par l'intermédiaire de l'italien, avait aussi donné au français les formes *moucacayar* (1553), *moucauard* (1565), *mocaiar, mocayar* (1568), *moncaiar* (1575) qui n'ont pas vécu, évincées par *moire*.

♦ Ce dernier a été introduit avec le sens d'«étoffe chatoyante de diverses matières (de soie, de laine, de poil de chameau)». En 1650, Ménage définit *mouaire* comme «une espèce de camelot» et le présente comme un emprunt à l'anglais. On distinguait, écrit-il, les *moires lisses* et les *moires tabisées* qui étaient soumises au passage de la calandre, avant que l'usage du mot ne soit réservé à ces dernières. ◆ Au XVIIIe s., *moire* a pris par extension son sens figuré d'«aspect chatoyant» (1765), se disant par métaphore (1784) de tout ce qui présente les aspects ondoyants de ce tissu.

▸ Le mot a produit quelques dérivés : **MOIRÉ, ÉE** adj. (1740 ; une attestation de 1540 concerne en réalité *moré* «brun», apparenté à *maure*), **MOIRER** v. tr. (1765, *mohérer, moërer*) qui tend à supplanter *tabiser*, d'où les termes techniques **MOIRAGE** n. m. (1763), **MOIREUR** n. m. (1829), **MOIRURE** n. f. (1888). *Moiré, moirer* et *moirure* sont courants au sens figuré. ◆ Le sens originel de *moire* «poil de chèvre angora» est passé à **MOHAIR** adj. et n., nouvel emprunt (1860) à l'anglais *mohair*, aussi employé en apposition *(laine mohair)*.

◈ voir peut-être MOQUETTE.

MOIS n. m. est issu régulièrement (1080, *meis*) du latin *mensis* de même sens, employé au pluriel *menses* au sens de «menstrues» (→ menstrues). Le sens originel du latin est celui de «mois lunaire», le nom du mois se confondant à l'origine, dans les langues indoeuropéennes, avec celui de la Lune, qui a ensuite reçu d'autres appellations, tels le grec *selênê* ou le latin *luna* «la brillante» (→ lune). *Mensis*, comme *mên* en grec, se rattache à une racine indoeuropéenne °*me-* (souvent élargie en °*me-n-* et °*mens-*) qui est probablement celle de *metiri* «mesurer» (→ mesurer), la Lune étant l'astre qui mesure le temps.

♦ *Mois*, «douzième division de l'année», a pris aussi le sens latin de «menstrues» au pluriel (1535), de nos jours archaïque *(avoir ses mois)*. En revanche, il est resté courant avec une valeur apparue au début du XVIIe s. (av. 1614), «salaire dû pour un mois de travail» *(être payé au mois ; toucher son mois)*.

◈ voir MENSTRUES, MENSUEL et, du grec, CATIMINI, MÉNOPAUSE.

MOÏSE → ② MOSAÏQUE

MOISIR v. est issu (1176-1181) du latin *mucere*, avec *u* long, «être moisi» (employé par Caton à propos du vin), mot issu d'une racine indoeuropéenne signifiant «être gluant, visqueux», représentée dans le grec *muxa* «morve» (→ mucus, d'un mot latin peut-être apparenté). Le verbe latin a donné l'ancien français *muisir* par une forme altérée en °*mucere* (avec *u* bref), sans doute sous l'influence de *musteus* «doux comme le moût, riche en jus», dérivé du latin *mustum* (→ moite, moût) et passé dans l'ancien français *moise* ou *mouise* «moite, humide, moisi» que l'on relève dans les dialectes de Bourgogne, Lorraine et Dauphiné, ainsi qu'en provençal ; il a aussi donné l'ancien nom *moyse* «terre humide» (1580, Loiret) et pourrait avoir joué un rôle pour le substantif argotique *mouise**. D'autre part, l'influence de *mucidus* «morveux, moisi» (→ moite) a pu également jouer, expliquant le type en *-oi-*.

♦ *Moisir*, employé concrètement, est d'abord attesté par son participe passé *moisiz* (également *moussiz*, 1228), substantivé *(le moisi*, av. 1465), avant de l'être comme verbe transitif (1690). ◇ Depuis 1200, il est aussi employé au sens figuré de «rester improductif (d'une chose)». Il est appliqué familièrement à une personne au sens d'«attendre, rester longtemps quelque part» (v. 1460).

▸ De *moisir* est dérivé **MOISISSURE** n. f. (v. 1400 ; fin XIVe s., *moisisseure*) «altération d'une substance organique» et, par métonymie, «partie d'une substance atteinte de moisissure» (1694). ◇ Le mot désigne un phénomène déjà interprété au XVIIe s., après la *Micrographie* de Hooke (1665), comme végétal. L'identification à une végétation cryptogamique correspond aux développements de la mycologie (fin XVIIIe-déb. XIXe s.). Ce mot, en concurrence avec *mucor*, s'emploie (mil. XIXe s.) pour désigner les champignons microscopiques.

MOISSON n. f. est issu (1170) du latin *messio* «action de récolter les céréales» et «époque, produit de la récolte», employé à basse époque au sens figuré de «ce que l'on recueille» (VIe s., Grégoire le Grand). Ce nom est dérivé de *messis*, de même sens, dérivé de *metere* «faire la moisson, récolter, couper», qui remonte à une racine probablement indoeuropéenne °*met-* «couper une récolte», seulement attestée en italo-celtique. Le sens appelle aussi un rapprochement avec le grec *amê* «faucille» et avec l'ancien haut anglais *mâen*, ancien anglais *mawan* «moissonner».

♦ *Moisson*, d'abord attesté sous les formes *meissun*, *moison* (fin XIIe s.), *messon* (v. 1225), possède les mêmes sens que le latin dès le XIIIe s., y compris le sens figuré de «grande quantité de choses, collecte» (v. 1225). ◇ Par analogie, il concerne la récolte de produits autres que des céréales (1845) et, au figuré, le fait de recueillir qqch. en abondance.

▸ **MOISSONNER** v. tr. (v. 1200), également employé avec un sens figuré depuis la même époque que le nom, a produit **MOISSONNAGE** n. m. (1458, *messonnaige*) et **MOISSONNEUR, EUSE** n. (1200, *meissonor*) dont le féminin primitif, *mossonneresse* (1247), a été refait en **MOISSONNEUSE** (1680). Cette forme, qui désignait une personne, a développé au XIXe s. le sens d'«instrument destiné à moissonner» dans *moissonneuse destinée à couper le blé* (1834). ◇ Il est entré dans les noms de machines dénommées d'après leur double fonction, **MOISSONNEUSE-BATTEUSE** (1906) et **MOISSONNEUSE-JAVELEUSE**, précédés par **MOISSONNEUSE-LIEUSE** (1887). ◆ Dans l'ouest de la France, on rencontre encore **MÉTIVE** n. f. (1226-1230, *mestive*) et **MÉTIVIER** n. m. (1234) pour désigner la moisson et le moissonneur; *métive* est issu du latin *mestiva*, formé de *messis* «moisson» (passé dans l'ancien français *mes*) et *aestiva* «été» (→ estival).

◈ voir **MESSIDOR**.

MOITE adj., d'abord *muste* (fin XIIe s.), puis *moiste* (1213) et *moite* (1690), est généralement considéré comme issu du croisement du latin populaire °*mucidus* (avec *u* bref), de *mucidis* (avec *u* long) «morveux, moisi, gâté», dérivé de *mucus* «morve» (→ moucher, muqueuse), avec les représentants du latin °*mustum* (→ moût). P. Guiraud n'accepte pas cette hypothèse et propose le latin archaïque *muscitare* «mélanger» d'où «mouiller d'eau le vin». Quoi qu'il en soit, °*mucidus* (*u* bref) a donné l'ancien français *moide* «qui donne une sensation d'humidité» (XIIIe s., en dialecte franc-comtois), éliminé par *moite*, et le provençal *mouide* «jaune pâle».

♦ *Moite* «humide» est employé particulièrement (XIVe s.) en parlant du temps qu'il fait. Furetière (1690) note que le langage poétique employait le mot pour l'humidité en général et désignait la mer par la périphrase *le moiste element*.

▸ **MOITIR** v. (*moistir*, v. 1265) est la réfection d'une forme en *mest-* (*mestie*, v. 1165) et s'est employé en ancien français pour «devenir humide». Comme transitif (v. 1283), il correspond à «imprégner d'eau»; éliminé par *humidifier*, il s'emploie encore en technique (papeterie). ◆ Avec le suffixe *-eur*, on a formé le nom d'état et de qualité **MOITEUR** n. f. (1690), réfection de l'ancien français *moistor* (XIIIe s.), *moistour* (1265).

◈ voir **MOISIR**.

MOITIÉ n. f. est la réfection (v. 1225) de *meitiez* (1080), du latin *medietas, -atis* «milieu», «centre» d'où, à basse époque, «moitié», formé à partir de *medius* (→ mi-) et utilisé par Cicéron pour traduire le grec *mesotês* au sens de «moyen terme, moyenne» (en mathématiques). Le mot latin semble avoir été du langage familier; Cicéron s'excuse de l'employer.

♦ Le mot apparaît pour désigner l'une des deux parties égales d'un tout, ce tout étant d'abord non dénombrable (1080), puis dénombrable (1165). Il oscille très vite entre une notion lâche, par exemple dans *la moitié du temps* (1690), et une définition rigoureuse (1340-1380) notamment en mathématiques. ◆ Au XVIe s., *moitié* a développé le sens figuré de «personne aimée», peut-être par allusion au mythe platonicien de l'androgyne, très connu à la Renaissance. Dans cet emploi, d'abord poétique et littéraire, il est devenu plaisant et familier pour l'«épouse», faisant son entrée dans le vocabulaire de la comédie (1662). ◆ Dès l'ancien français, *moitié* a servi à former des locutions adverbiales comme *de la mité* (1170) refaite en ***de moitié*** (1596), qui entre à son tour dans la locution ***être de moitié avec qqn*** (1671; → ② mèche). On rencontre aussi, à partir du XIIe s. ***moitié... moitié...*** (1179), puis ***moitié-moitié*** (1318), lui-même précédé par la forme *moitié à moitié* (1283). ***À moitié***, attesté en 1216 au sens propre, s'emploie depuis le XIIIe s. pour «imparfaitement» et «en partageant les bénéfices par moitié» (1232). La locution prépositionnelle ***à moitié...*** (et nom) [av. 1646] est concurrencée dans certains cas par *à mi* : on dit *à moitié prix*, mais *à mi-chemin*.

◈ voir **MÉTAYER, MITOYEN**.

MOKA n. m. est tiré (1720) de *Moka* (arabe *al-Muḫā*), nom d'une ville du Yémen, sur la mer Rouge, qui fut aux XVIIe et XVIIIe s. le port principal du pays, grand centre d'exportation du café, abandonné depuis au profit d'Aden.

♦ Le mot a été introduit en français comme toponyme avant d'être employé comme nom commun (1762), elliptiquement pour *caffé de Moka* (1751). Il a donné son nom à la boisson obtenue avec les grains du café moka et à une liqueur à base de moka dénommée *crème Moka* (1823) puis *crème de Moka* (1852), ainsi qu'à un gâteau parfumé au café (1879).

MOL → MOU

① **MOLAIRE** n. f. et adj. f. est emprunté (1478) au latin *(dens) molaris*, proprement «(dent) en forme de meule», de *mola* (→ meule, ② môle). Dès le XIIIe s., on relève *molar, dent molar* en ancien provençal.

♦ Le mot qualifie et désigne (v. 1560) les dents qui servent à broyer les aliments.

▸ Sur *molaire*, on a fait l'adjectif didactique **MOLARIFORME** avec *-forme*. ◇ Par préfixation a été formé **PRÉMOLAIRE** n. f. (1859) «dent située entre la canine et la molaire» (avant la molaire).

② **MOLAIRE** → MOLÉCULE

① **MOLE** → MOLÉCULE

② **MOLE** → ② MÔLE

① **MÔLE** n. m. est emprunté (fin XVe s.) à l'italien *molo* (XIVe s.) «masse, digue», lui-même emprunté au grec *môlos* «peine, effort», et aussi «bataille, lutte». Celui-ci correspond au latin *moles* «masse, digue» et au figuré «chose écrasante» (→ molester) qui a donné l'ancien français *mole* «moellon, grosse pierre» (1174).

♦ *Môle* désigne un ouvrage de maçonnerie construit à l'entrée d'un port et destiné à le protéger des vagues trop fortes. Depuis 1694 (*le môle d'Adrien*), il est employé spécialement en antiquités romaines au sens de «tombeau». ◇ Il est passé en géologie à propos du compartiment rigide de l'écorce terrestre qui forme un obstacle au développement des mouvements orogéniques (1866).

◈ voir MOLÉCULE.

② **MÔLE** n. f. est emprunté (1554) au latin *mola*, proprement «meule» (→ meule), spécialisé en médecine pour «faux germe».

♦ Le mot désigne d'abord un poisson dont la forme massive évoque celle d'une meule. Il a été repris (1575) comme terme médical désignant une tumeur généralement bénigne qui se développe dans l'utérus de la femme enceinte.

▸ Sur *môle* en physiologie a été formé l'adjectif rare **MÔLAIRE**, dans *grossesse môlaire* (1883). ◆ Par ailleurs, le latin *mola* s'est spécialisé dans la langue des botanistes et a été adapté en ② **MOLE** n. f. (1903) pour désigner la masse boursouflée que forment certains champignons atteints d'une maladie et cette maladie.

MOLÉCULE n. f. est emprunté (1674) au latin moderne *molecula*, attesté chez Gassendi (1592-1655), diminutif du latin *moles* «masse» (→ ① môle).

♦ *Molécule*, dont le sens primitif est celui de «très petite masse, minuscule partie d'un corps», a reçu une définition précise en chimie au début du XIXe s. après la détermination du concept dynamique de masse et la formulation de l'hypothèse d'une limite à la divisibilité de la matière (Avogadro et Ampère). Le concept, essentiel, a évolué à mesure que la théorie atomique s'est construite et complexifiée (→ atome).

▸ **MOLÉCULAIRE** adj. (1797) a évolué selon les valeurs de *molécule* et est entré dans des noms composés où le premier élément indique le nombre de molécules mises en cause. Il est devenu usuel en chimie dans la seconde moitié du XIXe s. *(masse, poids moléculaire)* et s'est étendu au XXe s. à la biologie, par exemple dans *biologie moléculaire* (v. 1950), *génétique moléculaire*... ◆ *Molécule* entre dans **MOLÉCULE-GRAMME** n. f. (1923; *gramme-molécule*, 1900) en chimie, qui a vieilli au profit de la forme abrégée ① **MOLE** n. f. (1903; *mol* en 1900), emprunt à l'allemand *Mol* (W. Ostwald, 1900), sur lequel ont été créés ② **MOLAIRE** adj. (déb. XXe s.?; l'anglais *molar* est attesté en 1902) et **MOLARITÉ** n. f. ◆ *Molécule* fournit le second élément du composé **MACROMOLÉCULE** n. f., proprement «grande (→ macro-) molécule», emprunt à l'allemand *Makromolekel* (1922); le composé existait déjà en anglais dans un sens plus vague (1866). Il a pour dérivé **MACROMOLÉCULAIRE** adj. (1949).

MOLESKINE n. f., d'abord attesté sous la forme *mole-skin* (1838) puis *moleskine* (1858), est emprunté à l'anglais *moleskin* (1668), proprement «peau de taupe», de *mole* «taupe» et *skin* «peau»; le passage du sens de «peau de taupe» à celui de «tissu» (1803) vient de ce que la surface de l'étoffe est rasée au cours de la fabrication. *Mole* appartient à un groupe germanique dont la racine se retrouve dans l'anglais *mould* «humus, terreau». *Skin*, de l'ancien norrois *skinn*, a des correspondants en néerlandais *(schinden)* et en allemand *(Schinden)*.

♦ Employé pour désigner un velours de coton servant à doubler des vêtements d'hommes, *moleskine* ou *molesquine* désigne couramment (1874) une toile de coton enduite imitant le grain du cuir.

MOLESTER v. tr. est emprunté (v. 1200) au bas latin *molestare* «fatiguer, ennuyer, inquiéter», fréquemment employé en contexte juridique. Ce verbe est dérivé de *molestus* «qui est à charge», puis «pénible, désagréable» (d'où l'adjectif ancien français *moleste* en ce sens), dérivé de *moles* «masse», employé figurément pour une chose écrasante (→ ① môle).

♦ Le mot est d'abord attesté comme participe dans *cuer molesté* «tourmenté, accablé», puis comme verbe avec le sens moral du latin (1223) «importuner, tracasser». ◇ Il est employé dans un contexte juridique pour «troubler (qqn) dans la jouissance de son droit» (XIIIe s.). L'acception concrète de «malmener, brutaliser» est attestée depuis 1690, mais semble rare avant le XIXe siècle; elle est aujourd'hui dominante.

▸ **MOLESTATION** n. f. (XIVe s.), emprunté au dérivé latin *molestatio* au sens d'«ennui, vexation» et repris au XIXe s. avec celui d'«action de molester» (1840), est peu usité, de même que son dérivé **MOLESTATEUR** n. m. (1598).

MOLETTE → MEULE

MOLLAH n. m. est emprunté (1605) à l'arabe *maul^an*, *maulā* «maître, seigneur», mot également passé en turc *(molla)* et en persan *(mullā)* et dérivé de *waliya* «administrer, gouverner, régir». Le mot s'est acclimaté sous diverses formes : *meulane*, *mola* (1624, Mola Cadi), *mullat* (1653) et *molla* (1655), avant *mollah* (1670), *mullah* (1742), encore donnée comme variante par les dictionnaires des XIXe et XXe siècles

♦ C'est un terme de civilisation musulmane (Iran, Turquie, Égypte, Pakistan, nord de l'Inde), désignant un docteur en droit musulman qui exerce de hautes fonctions juridiques, religieuses ou pédagogiques. La forme *mollah* l'a emporté au XXe siècle.

MOLLARD, MOLLET → MOU

MOLLO → MOU

MOLLUSQUE n. m. est emprunté (1763, E. Bertrand) au latin scientifique moderne *mollus-*

cus (1650, au neutre pluriel *mollusca*), créé par Jonston d'après le latin impérial *mollusca* (sous-entendu *nux*) «sorte de noix *(nux)* dont l'écorce est tendre, spécialement la châtaigne», lui-même dérivé de *mollis* (→ mou).

♦ *Mollusque,* qui reste motivé par *mou, mol,* est, en dehors de son emploi en zoologie (ci-dessous), employé au figuré pour désigner une personne peu intelligente (1836), remarquable par sa mollesse (physique ou intellectuelle). ◆ En zoologie, le mot latin a été appliqué par Linné (1758) à un groupe complexe d'invertébrés (comprenant aussi des échinodermes, des annélides, etc.). Le sens moderne est essentiellement issu de la classification de Cuvier (av. 1800); *mollusques* correspond chez lui à un sous-règne comprenant gastéropodes, scaphopodes, céphalopodes, lamellibranches (d'autres classes ont été exclues plus tard). La classification complémentaire des invertébrés par Lamarck (1801) distingue les *mollusques céphalés* et *acéphalés.* ◇ Dans la langue courante, *mollusque* s'applique surtout aux invertébrés marins.

▸ Il a donné le terme d'usage didactique **MOLLUSCICIDE** ou **MOLLUSCIDE** n. m. (XXe s.), fait avec *cide** pour désigner une substance qui détruit les mollusques.

MOLOCH n. m. est l'emploi comme nom commun (1860) de *Moloch* (v. 1450), antérieurement *Molóth* (v. 1170), nom d'une divinité ammonite représentée par un homme à tête de taureau à qui l'on sacrifiait par le feu des victimes humaines (surtout des nouveau-nés). Ce mot est l'emprunt de l'hébreu *Mōlekh* de même sens.

♦ Par allusion à la cruauté du dieu ammonite, le mot est devenu, par le biais du latin scientifique *Moloch* (1841, chez le naturaliste anglais Gray, 1800-1875), le nom d'un reptile saurien recouvert d'écailles épineuses. ◇ Il est appliqué figurément à une personne ou une chose barbare, exigeant des sacrifices (1874).

▸ À côté de *molochisme* n. m., *molochiste* adj. et *molochique* adj., termes didactiques à valeur déterminative apparus au XIXe s., puis disparus, **MOLOCHIEN, IENNE** adj. s'emploie avec la valeur caractérisante de «qui aime la violence, le sang» (1890, Goncourt); il est rarissime.

MOLOSSE n. m. est emprunté (1515) au latin *molossus (canis)* «chien» et «chien de berger, de garde», emprunté au grec *Molossos* (attique, *Molottos*), proprement «de Molossie», cette contrée d'Épire étant réputée pour ses chiens de chasse et de garde. On rencontre en grec *Molossikoi (kunes)* «chiens de Molossie».

♦ Le mot désigne un chien de garde, d'abord dans un contexte antique, quelquefois en apposition dans *chien molosse* (1840). ◆ Par analogie, il sert à désigner une chauve-souris des régions méditerranéennes et d'Amérique du Sud au museau renflé comme celui d'un dogue (1817); cet emploi est emprunté au latin scientifique *molossus* chez Geoffroy Saint-Hilaire (1805). ◆ Le français a aussi emprunté le terme de versification grecque et latine *molosse* (1611), de même origine, désignant un pied de vers composé de trois syllabes longues.

▸ Avec ce dernier sens, il a produit **MOLOSSIQUE** (1840), adjectif qualifiant un type de vers antique. ◇ La même forme, comme nom, avait servi à désigner un drame antique (1564).

MOLTO → MOULT

MÔME n. est probablement tiré (1821) d'un radical expressif *mom-* exprimant les sons peu articulés que fait entendre l'enfant et que l'on retrouve dans plusieurs autres mots (*marmonner,* peut-être *momerie*).

♦ Le mot, d'usage populaire et familier, a le sens de «jeune garçon, adolescent», en particulier «enfant par rapport aux parents». ◇ Il s'est appliqué en argot à un jeune homosexuel (1841). ◇ Son féminin se réfère plus particulièrement à une jeune fille (1845) et quelquefois, avec le possessif, à la maîtresse (1864).

▸ Il a produit au XIXe s. quelques dérivés expressifs, tous disparus de nos jours : *momacque* (1850), *momichard, momignard, mômichon, momillon.* ◆ **MOMINETTE** n. f. (1880), «fillette» et, dans l'argot ancien, «absinthe servie dans un petit verre» (1894), est encore en usage pour «petite bouteille de vin blanc» (cf. *fillette*).

MOMENT n. m. est emprunté (1119) au latin *momentum,* issu par contraction de °*movimentum,* dérivé de *movere* «bouger, se déplacer» (→ mouvoir). Ce nom signifie proprement «mouvement, impulsion, changement» et désigne concrètement le poids qui détermine le mouvement et l'impulsion d'une balance. Par suite, il a pris divers sens, signifiant sur un plan moral «cause qui détermine une action dans un sens, influence, motif» et, du fait que le *momentum* est un poids léger, «point, parcelle, petite division», spécialement dans une acception temporelle.

♦ De tous les sens latins, le français a essentiellement retenu cette spécialisation temporelle (1119, *momenz*), soit avec le sens de «très petit laps de temps», soit en mettant l'accent sur l'aspect indéterminé d'une durée (1604). Au XVIIe s. apparaissent la locution ***dernier moment*** (1635) «moment qui précède la mort» et l'emploi de *moment* pour «occasion, circonstance» (1654-1659). ◇ L'emploi absolu pour «temps présent, période dont on parle» est relevé à partir de 1770 *(l'impulsion du moment),* et le sens didactique, «phase d'un développement», depuis 1863 (Taine). ◇ Avec ces différents sens, le mot a fourni plusieurs expressions et locutions adverbiales très usuelles comme ***en un moment*** (v. 1160; v. 1490, avec son sens moderne «très rapidement»), ***d'un moment à l'autre*** (1694), ***à tout moment*** (1690; 1665, au pluriel), ***dans un moment*** «dans peu de temps» (1664), ***dès ce moment*** (1689), ***n'avoir pas un moment*** «être très occupé» (1696), ***avoir de bons moments*** (1700), ***pour le moment*** (1755). Il a aussi donné les locutions conjonctives ***du moment que*** (1655), ***au moment où*** (fin XVIIe s.), ***au moment de*** (1787). Dans la plupart de ces emplois, il est synonyme d'*instant.*

Avec sa valeur scientifique, «produit d'un bras de levier par la force qui lui est appliquée perpendiculairement», le mot a été réemprunté (1634) au latin *momentum* «poussée, action d'un poids». Ce sens s'est répandu dans le vocabulaire scientifique du XVIIe s. en italien, avec *momento* chez Galilée et en anglais avec *momentum* (1669), puis *moment* (1706). Au XVIIIe et au XIXe s., ce terme entre dans un certain nombre d'emplois particuliers : *moment d'inertie* (1786), *moment d'une force* (1786), *moment d'un couple* (1869), *moment magnétique* (1875), *moment cinétique* (XXe s.). Depuis la fin du XIXe s., il est employé spécialement en mathématiques (probabilités). ◆ L'expression didactique *moment psychologique* «instant décisif susceptible de déterminer l'action» (1864) est le calque de l'expression allemande *das psychologisches Moment* attestée dans la *Neue Preussische Kreuzzeitung* du 16 décembre 1870 à propos du bombardement de Paris par les Allemands. Elle recouvre l'idée de «facteur psychologique» (destiné à agir sur le moral des Parisiens assiégés et à obtenir leur capitulation), mais a pris en français le sens de «moment opportun, approprié» à la suite d'une erreur d'interprétation sur l'allemand *das Moment* «la raison décisive, le facteur», confondu avec *der Moment* «le moment».

▶ L'adjectif correspondant à *moment*, **MOMENTANÉ, ÉE** (1376 ; également *momentené*, 1388), est un emprunt au dérivé bas latin *momentaneus* «passager», qui a donné l'ancien et moyen français *momentain* (1300), évincé par *momentané*. Ce dernier est apparu au sens de «qui ne dure qu'un temps». ◇ Son féminin a été substantivé en argot avec le sens de «femme galante pour une relation sans durée» (1881), sorti d'usage. ◆ L'adjectif a pour dérivé **MOMENTANÉMENT** adv. (1763) qui a succédé au moyen français *momentainement*, dont on ne possède qu'une seule attestation (1517).

MOMERIE n. f., attesté depuis 1440 *(mommerie)*, est d'origine incertaine : il est peut-être dérivé avec le suffixe *-erie* de l'ancien et moyen français *momer, mommer* «se masquer, faire des mascarades» (1262), mot d'origine expressive évoquant les sons sourds et déformés (→ marmonner, môme) qu'émettent des personnages masqués. Selon une autre hypothèse, il viendrait de l'ancien et moyen français *mahumerie, mahommerie,* dérivé au moyen du suffixe *-erie* de *Mahomet*, nom propre du prophète de l'Islam qui, employé comme nom commun, a signifié en ancien français «mosquée» (1080) et, par extension, «temple païen», «pratique superstitieuse, idolâtrie».

♦ *Momerie* est relevé dans les premiers textes au sens de «divertissement dansé, mascarade». Ensuite s'est développée une spécialisation pour «pratiques religieuses jugées ridicules», d'où au XVIIe s., par renforcement de la valeur péjorative, «bigoterie, affectation religieuse» (1673). ◇ En Suisse romande, le mot désigne spécialement la piété outrée ou affectée et la dissidence de sectes ou d'Églises séparées de l'État (1824). ◆ Par figure, *momerie* a aussi pris le sens de «comédie, mascarade» (1574), d'où moralement «hypocrisie, affectation de sentiments» (1671). ◆ Sous l'influence de *môme*, il tend à s'écrire *mômerie* et désigne des enfantillages.

▶ Le même radical se retrouve dans **MOMIER, IÈRE** n. et adj. (1793) «protestant dissident de Suisse romande», également «bigot, puritain» comme adjectif (av. 1842) et comme nom (1895 ; 1883, au féminin). ◆ L'ancien et moyen français *momer* est à l'origine de **MOMON** n. m. (1480, *mommon*), nom d'un jeu de dés auquel on jouait masqué sans parler, également employé aux sens de «mascarade» (1528, *mommon*) et de «compagnie de gens masqués» (1611). Le mot est sorti d'usage au XVIIIe siècle.

MOMIE n. f. est emprunté (XIIIe s.), d'abord sous la forme aberrante *nommie*, au latin médiéval *mum(m)ia* «substance extraite des corps embaumés utilisée comme drogue médicinale» (av. 1150), emprunt à l'arabe *mūmiyā'* «mélange de poix et de bitume, substance dont les Égyptiens se servaient pour embaumer leurs morts», de *mūm* «cire».

♦ *Momie*, dont la forme actuelle n'est attestée que depuis 1563 après *mommie* (XIIIe s.) et *mummie* (XVe s.), a disparu en ce sens, dont il reste une trace en arts, la *momie*, dite *baume de momie*, entrant comme pigment dans la préparation de peintures de palette, encore au XIXe siècle. ◆ Par un nouvel emprunt à l'arabe *mūmiyā'* «cadavre embaumé», il a pris son sens actuel (1582) en parlant des momies de l'Ancienne Égypte et, par extension, d'un cadavre desséché et embaumé (1690). ◇ Dès 1651, il est employé au sens figuré de «personne malade», puis de «personne maigre et sèche» (1732), «vieille personne» (1760) et aussi, sur un plan moral, «personne figée dans les conventions, le passé, l'inaction» (1831).

▶ À l'aide du suffixe *-ifier*, a été formé **MOMIFIER** v. tr. (1789) «transformer en momie», peut-être d'après l'anglais *to mummify* (1628). Par analogie, ce verbe est employé à la forme pronominale aux sens de «devenir très maigre» (1840) et surtout «se figer dans l'immobilisme» (1843). ◆ On a formé **MOMIFICATION** n. f., relevé pour la première fois comme le verbe dans le *Rapport sur les exhumations du cimetière et de l'Église des Saints-Innocents* (1789), le nom didactique **MOMIFICATEUR, TRICE** (1840) et l'adjectif tiré de son participe présent **MOMIFIANT, ANTE.**

MON, MA, MES adj. poss. sont issus des anciens cas régimes employés en latin médiéval, eux-mêmes dérivés des formes réduites (VIIe s.) des adjectifs possessifs latins atones à l'accusatif. *Mons*, précédé par les formes *mo* (fin Xe s.) et *mum* (1050), représente le latin *meum* contracté en *mum ; ma* (1050) le latin *meam* contracté en *mam*. Le pluriel *mes* (fin Xe s., *mos* au masculin, *mas* au féminin ; 1080, *mes*) représente le latin *meos* réduit en *mos* au masculin et le latin *meas* réduit en *mas* au féminin.

♦ L'usage de l'élision devant voyelle (1080, *m'espée* «mon épée») est propre à l'ancien français (→ mie «amie» à mamie ; mamours à amour). ◇ L'usage de *mon* précédant un substantif féminin à initiale vocalique est attesté à la fin du XIIe s. (v. 1180, *mon arme;* av. 1250, *mon âme*) et s'est maintenu.

MONACAL, ALE, AUX adj. est un emprunt (av. 1528, *monachal*) au bas latin *monachalis* «monastique» (av. 431), dérivé de *monachus* (→ moine).

♦ Cet adjectif de détermination est également employé avec une valeur caractérisante «qui évoque la vie des moines (par son austérité)» et dans *écriture monacale* (1840) «écriture gothique», ancien terme de diplomatique.

▶ On en a tiré **MONACALEMENT** adv. (1552), devenu rare. ➜ **MONACHISME** n. m. (1554) est dérivé du radical du latin *monachus* sur le modèle du latin médiéval *monachismus* «profession monastique» (fin XIe s.).

MONADE n. f. est un emprunt de la langue philosophique (1547) au bas latin *monas, monadis* «l'unité», lui-même emprunté au grec *monas, monados,* adjectif féminin tiré de *monos* «seul» (→ mono-). Substantivé *(ê monas),* c'est un terme philosophique qui signifie «l'unité» (le feu dans la théorie pythagoricienne).

♦ L'emploi de *monade* fait d'abord référence à la philosophie pythagoricienne, désignant dans la première attestation l'unité première, le principe des êtres. Depuis la publication des œuvres de Leibniz, le mot est surtout employé dans ce contexte, désignant (1752) l'élément le plus simple des êtres et des choses. ◇ La langue littéraire en a dérivé le sens d'«individualité solitaire». ➜ Le mot a été repris en zoologie (1809, Lamarck) à propos d'une infusoire dont le corps ne présente aucun organe décelable, avec l'idée d'«organisme élémentaire».

▶ On en a tiré quelques dérivés didactiques à partir du XVIIIe siècle : sont d'abord attestés **MONADISTE** adj. et n. (1771), **MONADOLOGIE** n. f. (1783), mot adopté par Ezdmann (1840) pour servir de titre à l'œuvre de Leibniz dont le texte original était encore inédit en France à cette époque, et **MONADOLOGIQUE** adj. (1783). ◇ **MONADOLOGISTE** adj. et n. (1864), **MONADISME** n. m. (1840), puis **MONADIQUE** adj. (1931) et **MONADOLOGUE** n. (1957) ont suivi. Tous se rapportent essentiellement au système leibnizien.

MONARQUE n. m. est emprunté (v. 1370, *monarch*) au grec *monarkhos* «souverain» (adj. et n.), formé de *mon(o)-* «seul, unique» (→ mono-) et de *arkhos* «celui qui guide, chef», dérivé de *arkhein* «guider» d'où «commander» (→ archi-, -archie). Le mot est passé en latin tardif, sous la forme *monarchus* «monarque, chef unique», au VIe siècle.

♦ En français, il est d'abord attesté comme adjectif *(monarch, monarche),* substantivé sous la forme *monarche* (1480) qui devient au XVIe s. *monarque* (1548). Par extension du sens de «souverain», il se prête parfois à des emplois figurés (fin XVe s.), Dieu étant appelé *Monarque du ciel, Monarque suprême.*

▶ Le nom de fonction correspondant, **MONARCHIE** n. f., a été emprunté, semble-t-il avant *monarche* (1270), au bas latin *monarchia* «gouvernement d'un seul» (déb. IIIe s.), lui-même emprunté au dérivé grec *monarkhia* «commandement d'un seul» d'où «pouvoir monarchique», de *monarkhos.* D'abord relevé au sens littéral de «gouvernement d'un seul», *monarchie* s'est spécialisé avec la valeur de «régime politique où le chef de l'État est un roi héréditaire» (1330), entrant dans la locution ***monarchie absolue*** (1704). Celle-ci recouvre un concept et une réalité étroitement liés à l'histoire de France entre 1515 et 1789; le règne de Louis XIV en est la réalisation parfaite. Par métonymie, il est appliqué à un État gouverné par un seul chef (v. 1370), un roi. ➜ Sous la Révolution, on en a tiré **MONARCHIEN, IENNE** adj. et n. m. (1790) qui correspond au bas latin *monarchianus* «théologien partisan de la suprématie du père» (déb. IIIe s.). ➜ **MONARCHISER** v. tr. (1556), après avoir signifié «gouverner monarchiquement» puis, à la forme pronominale, «être partisan de la Monarchie» (1792), a pris son acception moderne de «rendre monarchique» (1802). Ces deux mots sont archaïques. ➜ *Monarchie* a également donné les termes de doctrine politique **MONARCHISME** n. m. (1738, d'Argenson) et **MONARCHISTE** adj. et n. (1550, n.; 1780, adj.). Quant à **MONARCHIQUE** adj., c'est un emprunt (v. 1372-1374) au grec *monarkhikos* «qui concerne le pouvoir d'un seul», «partisan de la monarchie», dérivé de *monarkhos;* on relève au même sens le latin médiéval *monarchicus* (1610).

MONASTÈRE n. m. est emprunté (1279) au bas latin *monasterium* «institution chrétienne regroupant des moines ou des moniales vivant isolés du monde» (v. 450). Celui-ci est emprunté au grec ecclésiastique *monastêrion* «cellule de moine; monastère», dérivé de *monazein* «vivre seul», de *monos* «seul» (→ mono-; moine). ➜ Une forme latine altérée °*monisterium* a donné l'ancien français **MOUSTIER** n. m. «couvent», d'où «église», conservé en ce sens dans les parlers wallon, lorrain, franc-comtois et de la Suisse romande et dans des noms de lieux.

♦ Outre son sens strict, *monastère* désigne couramment l'établissement où vivent des religieux ou religieuses d'un ordre quelconque. Par métonymie, il est employé à propos de l'ensemble des religieux groupés dans un monastère et les bâtiments où ils résident.

▶ L'adjectif correspondant, **MONASTIQUE**, est emprunté (1380) au bas latin *monasticus* (apr. 450), du grec *monastikos,* issu de *monastês* «moine». Il est synonyme de *monacal,* avec les mêmes valeurs positives et négatives. ◇ **MONASTIQUEMENT** adv. en est dérivé (XVIe s.). ➜ **MONASTÉRIEN, IENNE** adj. (1874), «qui concerne les monastères» et substantivé pour «habitant d'un monastère» (1874), n'a pas réussi à s'implanter.

MOUSTÉRIEN, ENNE adj. et n. m. a été tiré, par G. de Mortillet (1872, n. m.), du nom de *Moustier* (Dordogne) pour désigner une période du Paléolithique, caractérisée par un grand développement de l'outillage de pierre.

MONCEAU n. m. est issu par évolution phonétique (v. 1120, *muncel;* 1165, *monceaus*) du bas latin *monticellus* «monticule», dérivé diminutif de *mons, montis* (→ mont).

♦ Le mot a rapidement perdu son sens originel «petit mont» (conservé dans les noms propres *Montceau* ou *Monceau*) au profit du sens moderne d'«amas, tas» (v. 1120), également employé avec une valeur abstraite comparable à celle de *montagne, tas,* en particulier dans *des monceaux de* (1667).

▸ Son dérivé le plus courant **AMONCELER** v. tr. «entasser» est attesté depuis 1125. ◇ Il a pour dérivés **AMONCELLEMENT** n. m. (fin XIIe s.), d'abord attesté au sens figuré, puis également au sens concret (av. 1250?) et, semble-t-il, abandonné au XVIIIe s., avant de redevenir usuel, et **AMONCELEUR** n. m. (1298), plus rare.

MONDAIN, AINE adj. et n. est un emprunt (1225) au latin ecclésiastique *mundanus* «de ce monde, séculaire, terrestre» (IXe s.), issu par spécialisation de sens du latin classique *mundanus* «de l'univers, du monde», de *mundus* (→ monde).

♦ *Mondain* est passé en français avec les deux acceptions, religieuse et laïque. Cependant, la valeur non religieuse, «du monde terrestre», ne s'est maintenue que dans l'expression didactique d'*ère mondaine* «ayant pour point de départ la création du monde» (1840). ◇ En revanche, le sens religieux, «qui concerne la vie séculière», s'est bien implanté, à la fois comme adjectif et comme nom (1480), d'abord en parlant d'une personne attachée aux plaisirs de ce monde, souvent en opposition à *religieux*. Furetière le donne également avec le sens particulier de «vain, glorieux, ennemi de l'humilité» (des *habits mondains* étant des habits trop éclatants, trop riches), emploi qui témoigne de la critique classique de la vie de cour et retourne le sens médiéval de «généreux, parfait». ➜ À partir du XIXe s., le mot s'étend aussi, indépendamment de toute connotation religieuse, à une personne qui aime la société des gens en vue (1839) et à ce qui concerne la haute société (1844). ◇ Il est substantivé pour désigner une personne qui goûte les mondanités (1868) et entre spécialement au féminin dans **DEMI-MONDAINE** n. f. (1866), dérivé de *demi-monde**; le masculin *demi-mondain* (1870-1900) et l'adjectif (1866) n'ont pas vécu longtemps. ◇ Par ellipse de *brigade,* le féminin *la Mondaine* sert à désigner la section de police chargée des affaires de drogue et de mœurs (1925). ◇ Au XXe s., le mot a pris un nouveau sens didactique non religieux, «relatif à l'univers matériel», pour lequel on emploie aussi **INTRAMONDAIN, AINE** adj.

▸ *Mondain* a donné **MONDAINEMENT** adv. (fin XIIIe s., *mundainement,* avec un sens religieux), **MONDANISER** v. tr. (1510) «rendre mondain» et «mettre à la portée des gens du monde», et un substantif. ➜ **MONDANITÉ** n. f. (fin XIVe s.) a suivi l'évolution de *mondain,* le sens religieux reculant au profit de celui d'«usage du monde» (v. 1460). Il a reçu, chez les auteurs classiques l'opposant à la religion, la valeur péjorative de «vanité mondaine». ◇ Il est particulièrement employé au pluriel, *les mondanités,* pour désigner les événements de la vie mondaine (1917).

MONDE n. m. est emprunté (1135) au latin *mundus* dont l'évolution phonétique avait donné l'ancien français *mont* (IXe s.), doublet populaire encore très usité aux XIIe-XIIIe s., puis évincé par la forme empruntée, notamment à cause des homonymies. En latin, *mundus* couvre en réalité deux (ou trois) mots différents : un adjectif *mundus* «propre, élégant» (→ émonder, immonde, monder) et deux noms résultant de la scission d'un mot unique par spécialisation sémantique. Il faut partir du nom *mundus* qui désignait à l'origine un coffre, une cassette, et spécialement le coffre dans lequel la mariée apportait son trousseau. L'étymologie de ce mot serait à chercher, selon certains étymologistes, dans le nom d'une déesse étrusque *Munthukh, Munthkh, Munthu* dont le rôle est de parer et d'orner, et qui figure sur plusieurs miroirs étrusques. Puis, *mundus* aurait pris le sens de «toilette, parure féminine», sans doute sous l'influence de l'adjectif *mundus,* auquel les Anciens l'identifiaient. Par la suite, il semble que ce nom ait été choisi pour désigner l'univers, à l'imitation du grec *kosmos* (→ cosmos) qui suivit le même type d'évolution. Désignant d'abord l'ensemble des corps peuplant le ciel, la voûte céleste en mouvement, *mundus* s'est restreint à l'époque impériale au sens de «monde terrestre, terre», désignant par métonymie les habitants de la Terre, l'humanité. Dans la langue de l'Église, il a subi, à l'imitation du grec *kosmos,* une nouvelle restriction : il désigne alors le monde terrestre par opposition au ciel, avec la connotation péjorative de «profane, mondain» (les *auctores mundi* étant les auteurs profanes).

♦ *Monde* est d'abord relevé dans un sens général pour «ensemble des choses et des êtres créés», réalisé notamment dans des locutions comme ***depuis que le monde est monde*** (1549) et ***ainsi va le monde*** (1640). ◇ À partir du XVIIe s., le mot est appliqué plus abstraitement à un ensemble complexe et important (1651), à un ensemble de choses formant un domaine particulier (1657-1662, *le monde visible*), puis à tout corps céleste, considéré comme un tout (1672). ➜ Dès les premiers textes, *monde* désigne aussi le globe terrestre. C'est en ce sens qu'on l'emploie dans les locutions ***c'est le bout du monde*** (1672) et ***courir le monde*** «voyager partout» (1690). Le mot se restreint à l'acception «partie du globe terrestre», d'abord dans l'expression ***le Nouveau Monde*** (1516), laquelle correspond aux premières grandes découvertes géographiques par l'Europe de la Renaissance et produira, par opposition, celle d'***Ancien Monde*** (1690). Il renvoie plus particulièrement à la Terre considérée comme lieu de la vie humaine : la naissance est exprimée par les locutions ***venir au monde*** (1560) et ***mettre au monde*** (1671), tandis que la mort suscite à la fois l'expression ***autre monde*** (1585) et la locution *n'être plus au monde* (1671), devenue ***...de ce monde.*** ➜ Dès le XIIe s. (1145), *monde* est employé par métonymie pour désigner la communauté humaine vivant sur Terre. Il désigne aussi, de façon plus restrictive, une catégorie d'êtres humains (1589) et plus spécialement, avec le développement de la société de cour et en relation avec *mondain,* la société prise sous son aspect de luxe et de divertissement (1584).

Ce sens se répand au XVIIe s., époque où apparaissent les locutions *savoir son monde* (1612) aujourd'hui disparue, ***le grand monde*** (1640) et ***homme du monde*** (1644). ◇ Parallèlement, *monde* exprime l'idée neutre et vague de «personnes» dès 1135 dans *toz li mon* «chacun», forme archaïque de ***tout le monde*** (fin XVe s. dans Commynes). La même expression réalise aussi l'idée de «n'importe qui, le premier venu» (1585) dont procède ***Monsieur Tout-le-Monde*** (1881). C'est à partir de ces valeurs que les créoles français, formés aux XVIIe-XVIIIe s., ont *timoun* («petit monde») pour «enfant». ➛ À partir du XVIe s., *monde* est donc pris pour «les gens», précédé du partitif *du* (1530). Il désigne une société plus choisie dans *avoir du monde* (chez soi) [1689] «avoir des invités», mais aussi, soit les domestiques avec un article possessif (1605, emploi classique), soit les amis, la famille (1645). Cet emploi peut être qualifié (*le, du beau monde, du drôle de monde,* familier). ➛ Enfin, le sens religieux, par lequel *monde* s'entend, en relation avec *mondain,* pour «le siècle, les activités profanes opposées à la vie spirituelle», est également attesté depuis l'ancien français (apr. 1250).

▸ *Monde* a produit l'adjectif **MONDIAL, ALE, AUX** (déb. XVIe s.), d'abord avec une valeur religieuse, «du monde profane», sur le modèle du latin ecclésiastique *mundialis* «terrestre, profane» (VIe s.). ◇ Le sens moderne, «relatif à la terre entière», semble récent (1904) et est concurrencé par *planétaire.* ◇ Il a quelques dérivés, **MONDIALISER** v. tr. (1928), **MONDIALISME** n. m., **MONDIALISTE** adj. et n. (tous deux dans les dictionnaires depuis 1963). ➛ *Monde* entre comme second élément dans **DEMI-MONDE** n. m. (1789) «ensemble des femmes de mœurs légères», lesquelles seront appelées plus tard *demi-mondaines* (→ mondain). ➛ L'invention du composé **TIERS-MONDE** n. m., formé par Alfred Sauvy (1952) d'après *tiers* état,* correspond à «troisième monde entre les deux blocs, américain et soviétique», puis à «ensemble des pays en voie de développement». ◇ Il a donné lieu à des dérivés, **TIERS-MONDISME** n. m. et **TIERS-MONDISTE** adj. «relatif aux pays pauvres» et surtout «qui est concerné par la situation de ces pays». ➛ **QUART-MONDE** n. m. a été suscité (1965) par *tiers-monde,* mais s'applique aux couches sociales défavorisées et misérables des pays développés. ◇ L'expression n'a aucun rapport avec l'ancien argot *quart de monde* (1861) qui renchérissait sur *demi-monde* et désignait une société vulgaire et dévergondée.

◈ voir **MONDAIN.**

MONDER v. tr. est un ancien emprunt (1155) au latin *mundare* «purifier, nettoyer» (au propre et au figuré), lui-même dérivé de *mundus* «pur» (→ monde, immonde).

♦ Le sens initial de «nettoyer, purifier» (1155) s'est restreint à la valeur de «nettoyer certaines plantes dont on enlève les pellicules et les impuretés» (1393). ◇ Le participe passé est adjectivé dans *orge mondée.*

▸ La notion de «purification» s'est conservée dans le terme de chirurgie **MONDIFIER** v tr. (v. 1270; v. 1265, *mondefier*), qui représente le latin *mundificare* (*mundus* et *-ficare* «faire»), dans **MONDIFICATIF, IVE** adj. (1606) et dans le terme de pharmacie récent **MONDATION** n. f. (1931). Celui-ci, emprunté fin XVIe s. avec le sens ancien de «purification» au dérivé latin *mundatio,* formé sur le supin de *mundare,* désigne le triage qui débarrasse une drogue des éléments inutiles ou nuisibles.

◈ voir **ÉMONDER.**

MONÉTAIRE adj. est un emprunt (1596) au bas latin *monetarius* «relatif à l'argent, aux monnaies» (Ve s.), dérivé de *moneta* (→ monnaie).

♦ L'adjectif, qui qualifie ce qui a rapport aux monnaies, entre dans plusieurs locutions modernes en économie, comme *système monétaire* (1828), *masse monétaire, marché monétaire, serpent monétaire.*

▸ On en a tiré au XXe s. **MONÉTAIREMENT** adv., ainsi que **MONÉTARISER** v. tr. (v. 1965) et **MONÉTARISME** n. m. (v. 1970), deux termes se référant à l'attitude qui consiste à donner la priorité aux problèmes monétaires en économie. ➛ **MONÉTISER** v. tr. est un dérivé savant (1818) du latin *moneta* (→ monnaie) au moyen du suffixe *-iser.* Le verbe est apparu au sens de «donner la valeur, le cours des monnaies» et a pris au figuré celui de «juger (qqn) d'après ses revenus» (1825), tous deux disparus. ◇ Le sens moderne de «transformer en monnaie» est relevé à partir de 1874. ◇ Il a pour dérivés **MONÉTISATION** n. f. (1823) et les antonymes **DÉMONÉTISER** v. tr. (1793), surtout au participe passé, et **DÉMONÉTISATION** n. f. (1793), deux termes d'abord employés à propos des assignats. ➛ **MONÉTIQUE** n. f. est créé (1983) à partir du radical *monétaire,* avec l'élément final de *informatique,* pseudo-suffixe très employé pour les applications de l'électronique (*bureautique,* etc.).

MONGOLIEN, IENNE adj. et n., adjectif correspondant au nom propre *Mongolie,* est attesté depuis 1767 sous la forme *mongalien* (1874, *mongolien*). L'ethnique *Mongol* est attesté depuis le XVIe s. (*mongal* 1540).

♦ Le mot, adjectif et substantif ethniques, est spécialisé comme terme de pathologie (1925), d'après *mongolisme* (ci-dessous) et peut-être l'anglais *mongolian* (1892, en ce sens). En tant que nom, *mongolien* tend à être remplacé par *trisomique,* seul terme scientifique exact.

▸ **MONGOLISME** n. m., employé à l'origine au sens de «religion des Mongols» (1907), s'est spécialisé en pathologie (1907), d'après l'anglais *mongolism* (1900) pour désigner les personnes atteintes d'une anomalie chromosomique (un chromosome surnuméraire), à cause du faciès que présentent les malades qui en sont atteints (face ronde, yeux bridés). ➛ **MONGOLOÏDE** adj., formé sur *mongol* et attesté à l'origine en anthropologie (1868), est devenu un terme de pathologie (1938, n. ; 1965, adj.), probablement d'après l'anglais *mongoloïd* (1899, en ce sens ; en anthropologie, 1868).

MONIAL → **MOINE**

MONITEUR, TRICE n. est un emprunt (v. 1455) au latin *monitor* qui, à côté du sens technique de «souffleur au théâtre», présente souvent celui de «conseiller, guide, instructeur». Ce mot est dérivé de *monitum,* supin de *monere,* verbe qui contient la racine indoeuropéenne °*men-* «avoir une activité mentale» (→ mental) et qui signifie «faire penser, souvenir», et par suite «appeler l'attention sur, avertir».

♦ *Moniteur,* emprunté au XVe s. au sens général de «personne qui avertit, donne des conseils», semble avoir été peu employé avant le milieu du XVIIIe siècle. Depuis le *Moniteur universel,* fondé en 1789 par Panckoucke, il entre dans la formation de titres de journaux avec le sens de «conseiller». ➜ Il a été spécialisé dans l'éducation et en sports (1899), après avoir été employé dans l'armée (1864). ➜ Récemment, d'après l'anglais *monitor* qui lui correspond, il a développé des spécialisations en sciences et techniques (notamment en médecine et en informatique), et désigne un appareil de surveillance électronique (1960) souvent appelé par emprunt *monitor.*

▸ La fonction de moniteur en sports et auprès d'enfants, abrégé en **MONO** n. (1975), a reçu le nom de **MONITORAT** n. m. (1960). ➜ On rencontre aussi **MONITOR** n. m. en zoologie pour une espèce de saurien (1805), par emprunt au latin scientifique *monitor* (1758), parce que le cri de ce saurien «avertit» l'homme de la présence des crocodiles. Cette dénomination a été reprise depuis par tous les traités de sciences naturelles européens. ➜ Depuis 1863, le mot a également le sens de «cuirassé de guerre», par emprunt à l'anglo-américain *monitor,* lui-même emprunt au latin (1862, John Ericsson, lors de la guerre de Sécession) ; l'américain avait déjà le mot depuis 1715 dans un sens politique, pour désigner celui qui est chargé de maintenir l'ordre dans une assemblée législative. ➜ **MONITORING** n. m. est emprunté comme terme des sciences et techniques (1967) à l'anglais *monitoring* (1924, dans ce domaine), substantif verbal de *to monitor* «contrôler la partie technique de» (1924), de *monitor.*

MONNAIE

MONNAIE n. f. est issu (1170), sous la forme *monoie,* puis *monnoye,* encore en usage au XVIIe s., du latin *moneta.* Celui-ci est à l'origine le surnom *(Moneta)* de Junon «mère des Muses» qui a servi à Livius Andronicus à traduire le grec *Mnêmosunê* «dont on conserve le souvenir» ou «conseillère» (→ mnémotechnie). Par métonymie, le nom s'est appliqué au temple de Junon où elle était adorée et où l'on frappait la monnaie. Par suite, il a pris les sens de «frappe des pièces» et «pièces de métal servant de moyen de paiement», passant avec ce dernier dans les langues romanes, en germanique et en celtique (irlandais *monad*). Toutefois, pour le sens d'«argent», on a avancé une origine phénicienne.

♦ En français, la forme actuelle (1549) l'a emporté peu à peu sur *monoie* (1170), *monnoie* (1216) et *monnoye.* Le mot signifie d'abord «argent», désignant spécialement la pièce de métal frappée par une autorité souveraine et servant aux échanges (1181-1190). La fabrication des pièces parvient à sa perfection technique au XVIIe s., d'une part avec la mécanisation (1640-1645), d'autre part avec la gravure de la tranche (1687-1690). Par métonymie, il a pris les sens «permission de battre monnaie» (1245) et «lieu destiné à la fabrication des monnaies» (1671). ◇ Dès l'ancien français il entre dans un certain nombre d'expressions, dont les principales sont encore vivantes : ***monnaie courante*** (1296), ***fausse monnaie*** (apr. 1250, au figuré), ***petite monnaie*** (1365). ◇ Le sens particulier «ensemble de pièces représentant la valeur d'une seule» est attesté depuis la fin du XIVe siècle. Il est réalisé dans la locution figurée ***rendre à qqn la monnaie de sa pièce,*** dont l'idée se trouvait déjà dans l'ancienne locution *payer en la même monnaie* «donner en retour une chose de même nature» (1653). ➜ Depuis le XVIIe s. (1690, dans les dictionnaires), le mot désigne aussi en général et plus abstraitement l'instrument de mesure et de conservation de la valeur, de moyen d'échange des biens, d'abord en droit civil.

▸ *Monnaie* entre dans **PORTE-MONNAIE** n. m. (1856), «petit contenant, sac où l'on place l'argent de poche, les pièces de monnaie», et dans le nom de fleur **MONNAIE-DU-PAPE** n. f. (1845) parmi d'autres dénominations populaires d'espèces végétales et animales utilisant *monnaie.* ➜ Son radical a été pris pour former **MONNAYER** v. tr., réfection (1800) de *moneer* (1135, au participe passé *moneez ;* 1174-1176, *munée*), devenu *monoier* (1260) puis *monnoyer.* Le latin médiéval avait déjà *monetare* au sens de «convertir en monnaie» (805), lequel est le sens courant de *monnayer,* également employé au figuré pour «tirer un profit pécuniaire de (qqch.)» (*monoier,* 1670). ◇ Le sens financier, «convertir en argent liquide», semble récent (1935). ◇ Le verbe a produit **MONNAYAGE** n. m. (1296, *monoiage ;* spécialement dans *faux monnoyage,* 1802) pour lequel le latin médiéval avait déjà *monetagium* (1086), **MONNAYEUR** n. m. (1530 ; 1332, *monnoueurs*), spécialement dans ***faux monnayeur*** réfection (1332) du plus ancien *faux monniier* (v. 1240), et, ultérieurement, **MONNAYABLE** adj. (1879, chez Mallarmé).

◈ voir MONÉTAIRE, PAPIER (PAPIER-MONNAIE).

MONO-

MONO- est l'élément de composition tiré du grec *mono-,* de *monos* «seul, unique, solitaire», mot sans étymologie claire, rapproché sans certitude du groupe de *manos* «relâché, rare», de sens très éloigné. En grec, *mono-* a servi à former de nombreux noms et adjectifs (→ monarque, monocorde, monogame, monopole, monotone), notamment dans les domaines techniques.

♦ En français, *mono-* est également très productif dans les domaines techniques et scientifiques où il exprime l'idée de «caractère unique» dans la formation de noms, d'adjectifs et de verbes. Dans la langue didactique, il se joint à des radicaux savants (en principe grecs) et aussi à des éléments français (ex. : *monophasé, monoprix, monorail,* voir les radicaux). En chimie, il indique spécialement que le radical, que le nom suit, n'est substitué qu'une fois dans la molécule. Synonyme d'*uni-,* il s'oppose à *bi-, pluri-, poly-.*

▸ **MONISME** n. m. est emprunté (1875) à l'allemand *Monismus* (Wolff, mort en 1754), formé à partir du grec *monos* et du suffixe *-ismus* (cf. *-isme*). ◇ Le mot désigne un système philosophique recourant à un principe unique, soit causal, soit moral. ➜ **MONISTE** adj. et n. (1877, Littré) correspond à *monisme*.

◈ voir **MOINE, MONACAL, MONADE**, les mots d'origine latine **MONOCLE, MONOCORDE, MONOGAME, MONOGRAMME, MONOLITHE** (art. **LITH-**) et les composés français **MONOLOGUE, MONOTYPE**.

MONOCLE n. m. a été emprunté (1596; une fois au déb. XIIIe s.) au latin de basse époque *monoculus*, composé de *mono-*, élément tiré du grec *monos* «seul, unique» (→ mono-), employé en bas latin dans la formation de noms hybrides, et du latin *oculus* (→ œil) pour traduire le grec *monophtalmos* (→ ophtalmo-); Plaute employait *unoculus* en ce sens.

♦ *Monocle* a vieilli avec son sens d'origine, «qui n'a qu'un œil», encore répertorié dans quelques dictionnaires au XIXe s. et éliminé par *borgne*. ➜ Il a été substantivé au sens de «petite lunette pour un seul œil» (1671), qui a disparu et à partir duquel il a pris sa valeur moderne de «petit verre optique qui se place sous l'arcade sourcilière» (1746). La vogue du monocle, surtout à la fin du XIXe et au début du XXe s., le faisait porter par simple souci d'élégance. ➜ Depuis 1805, en zoologie, le mot sert à désigner un genre de crustacé dont les yeux sont si rapprochés qu'ils paraissent réunis.

▶ L'adjectif familier **MONOCLÉ, ÉE** (1902) n'est plus usité.

MONOCORDE n. m. et adj., d'abord altéré en *manocorde* (v. 1125) et *monacorde* (v. 1155), puis *monocorde* (v. 1165), est emprunté au latin tardif *monochordon*, lui-même repris au grec *monokhordon* «instrument de musique à une seule corde», composé de *mono-* (→ mono-) et de *khordê* «boyau» (→ corde).

♦ Le mot a désigné en ancien français divers instruments de musique à corde unique, puis spécialement un instrument en faveur aux XVIe-XVIIe s., composé d'une caisse de résonance graduée, tendue d'une corde de métal ou de boyau. Enfin, il renvoie à un instrument à plusieurs cordes, mais toutes à l'unisson, servant à mesurer les tons des instruments et à marquer la mesure. En moyen français, il a été altéré en *manicorde* (1471-1472), forme attestée dès 1200-1240 en ancien provençal *(manicorda)*, et ce sous l'influence du latin *manus* (→ main). ➜ Cette forme s'est maintenue à côté de *monocorde* pour désigner un nouvel instrument à clavier en vogue entre 1450 et 1650. Cet instrument à cordes multiples, proche de l'épinette, répond aussi au nom de *clavicorde;* on emploie également la forme savante **MANICHORDION** n. m. (1694; *manicordion*, 1471).

L'adjectif est attesté ultérieurement, soit par emprunt au grec *monokhordos* «à une seule corde», soit par une extension d'usage du substantif français. Il est d'abord employé avec la valeur caractérisante figurée, pour «un seul ton, monotone» (1872, Hugo, *uniforme et monocorde*), puis dans le domaine musical, pour qualifier un instrument à corde unique (déb. XXe s.).

MONOGAME adj. et n. vient par emprunt (1495) du bas latin *monogamus* «celui qui ne s'est marié qu'une fois», lui-même du grec tardif *monogamos* «qui n'a qu'une femme (littéralement, un seul mariage)», de *mono-* «seul» (→ mono-) et *-gamos*, de *gamein* «épouser» (pour un homme), verbe d'origine inconnue.

♦ Le mot a pénétré en français avec le sens du latin, rare avant le XIXe s. et aujourd'hui archaïque. Il est surtout employé en sociologie au sens large de «qui n'a qu'une seule femme à la fois» (1721), en opposition à *polygame*. ➜ Par métaphore, en référence au système sexuel de classification des plantes par Linné, il est employé en botanique (1832). Il est aussi appliqué aux animaux (1840), cette fois par extension de son usage pour les humains. Le mot anglais correspondant, *monogamous*, est employé en zoologie (1798) et en botanique (1821), et les sens équivalents en français sont probablement antérieurs aux attestations connues.

▶ **MONOGAMIE** n. f. vient, par emprunt (1526) au latin *monogamia*, du grec *monogamia* et se rapporte à la condition du mariage où l'homme épouse une seule femme. ◇ Par un nouvel emprunt au latin botanique *monogamia* (1735), il est attesté comme terme de botanique (1749). En zoologie, on le note à partir de 1840. ➜ Il a pour dérivé **MONOGAMIQUE** adj. (1823, *Dictionnaire des termes de médecine*). Ces deux mots s'opposent à *polygamie* et *polygamique*.

MONOGRAMME n. m. est un emprunt de la Renaissance (1578) au bas latin *monogramma* «chiffre formé de la combinaison des lettres initiales du nom». Ce nom est formé des éléments d'origine grecque *mono-* «seul, unique» (→ mono-) et *-gramma* «lettre» (→ -gramme). Le latin, dès la République, connaissait l'adjectif *monogrammus* «fait uniquement de lignes, ébauché» et «décharné».

♦ *Monogramme*, d'abord employé à propos du signe apposé par certains artistes au bas de leur ouvrage, a pris (1610) le sens général de «chiffre formé de la combinaison des lettres initiales du nom».

▶ On a formé au XIXe s. **MONOGRAMMATIQUE** adj. (1812) et **MONOGRAMMISTE** n. m. (1868) «peintre identifié par une signature en monogramme».

MONOGRAPHIE n. f. est composé (1800 ou, selon Bloch et Wartburg, 1793) de *mono-** et de *-graphie**.

♦ Signifiant littéralement «écrit sur un sujet unique», *monographie* désigne une étude extensive sur un sujet limité ou un personnage.

▶ En ont été dérivés **MONOGRAPHIQUE** adj. (1800), assez usuel, **MONOGRAPHISTE** n. (1883) et **MONOGRAPHIER** v. tr. (1889), plus rares.

MONOLITHE → **LITH-**

MONOLOGUE n. m. est composé (1508), d'abord sous la forme altérée *menologue* (v. 1500-1503), des éléments *mono-** et *-logue**, sur le modèle de *dialogue*.

♦ Le mot désigne au théâtre le discours qu'un personnage seul en scène se tient. Les autres sens du mot sont apparus au XIXe siècle : toujours dans le domaine théâtral, il désigne aussi, par métonymie, une pièce à un personnage, généralement comique ou fantaisiste (1884). ◇ Il est passé dans l'usage général (1811) au sens de «long discours d'une personne qui oublie la présence de ses interlocuteurs». Il est appliqué également, sans péjoration, au discours d'une personne seule qui parle tout haut (1826, Balzac) et à une longue suite de pensées et de rêveries (1834, Balzac). ◇ L'expression ***monologue intérieur***, en littérature, est relevée pour la première fois dans la préface que consacre Valery Larbaud au roman d'E. Dujardin *Les Lauriers sont coupés*, qui fut le premier à utiliser ce procédé littéraire en français (1925). On trouve son équivalent en russe dès 1856 chez Tchernychevski, et en allemand chez Schnitzler en 1901.

▸ Le dérivé **MONOLOGUER** v., d'abord attesté en emploi intransitif pour «parler seul» (1842), a aussi pris la valeur transitive de «dire (qqch.) sous la forme d'un monologue» (1907). ➛ On en a tiré **MONOLOGUEUR** n. m. «celui qui parle seul» (1876) et **MONOLOGUISTE** n. (1893), qui désigne un comédien qui débite des monologues.

MONÔME → **BINÔME**

MONOPHASÉ → **PHASE**

MONOPOLE n. m. est emprunté (1343) au latin impérial *monopolium*, lui-même emprunté au grec *monopôlion* «droit de vendre seul certaines denrées», composé de *mono-* (→ mono-) et de *pôlein* «vendre», verbe qui a des correspondants dans les langues du groupe indoeuropéen (notamment dans l'allemand *feil*).

♦ En français, le sens premier, qualifié de «vieilli» depuis l'édition de 1694 du dictionnaire de l'Académie, est celui de «conjuration, complot». ➛ Le sens économique, attesté depuis le XIVe s. (1358), a prévalu. Le mot a pris de l'importance à la fin du XVIIIe s. et pendant la Révolution. ◇ Depuis le XIXe s., il a développé la valeur figurée de «possession exclusive de qqch.» (1821). Il compte quelques emplois spécialisés en marine : *monopole du pavillon* (1952), *monopole de la pêche*.

▸ *Monopole* a donné quelques dérivés. ➛ L'ancien **MONOPOLER** v. tr. (fin XVIe s. ; déb. XVIe s., *monopolier*) «jouir d'un monopole» s'est effacé mais a laissé **MONOPOLEUR, EUSE** n. (1552, «celui qui accapare les denrées»), qui a son sens moderne, «celui qui détient un monopole», depuis 1780, dans un contexte péjoratif qui s'est développé pendant la Révolution et a donné au mot, comme à *monopole*, sa vitalité. ➛ Le verbe *monopoler* a subi la concurrence de **MONOPOLISER** v. tr., attesté une première fois au sens ancien de «conspirer» (1599) et repris avec son sens économique (1770). ◇ Dès 1784, on le trouve employé dans un autre domaine (en administration) puis, au XIXe s., avec une valeur extensive «s'approprier de manière exclusive (qqch.)». ◇ Il a donné **MONOPOLISATEUR, TRICE** n. (1845), de sens moins étroit que *monopoleur*, et **MONOPOLISATION** n. f. (1845). ➛ De *monopole* sont aussi dérivés les termes économiques **MONOPOLAIRE** adj. «qui a le caractère d'un monopole» (1771), sorti d'usage et **MONOPOLISTE** n. et adj. (1828-1829, une fois au XVIIe s., au sens d'«accapareur de denrées»), d'où **MONOPOLISTIQUE** adj. (1949, *phase monopolistique du capitalisme*) peut-être pris à l'anglais *monopolistic* (1903).

MONOTONE adj. est un emprunt tardif (1710) au bas latin *monotonus* «uniforme, qui se suit sans interruption», emprunté lui-même au grec tardif *monotonos*, formé de *mono-* (→ mono-) et de *tonos* (→ ton).

♦ *Monotone* est d'abord relevé avec son sens littéral, «qui parle toujours sur le même ton». ◇ Par extension, il est appliqué à d'autres objets, exprimant la notion de «fade, uniforme» (1757, Diderot), généralement avec l'idée péjorative de «lassant».

▸ On en a tiré **MONOTONEMENT** adv. (1803), peu usité, et **SE MONOTONISER** v. pron., équivalent rare et littéraire (1891) de *devenir monotone*. ➛ Le nom correspondant, **MONOTONIE** n. f., a été emprunté avant l'adjectif (1671) au grec *monotonia*, dérivé de *monotonos*. ◇ Comme *monotone*, il a d'abord été employé à propos d'une voix, puis étendu au sens de «manque de variété» (1790).

MONOTYPE adj. et n. est composé (1840) des éléments *mono-** «seul» et *-type* «marque, élément» (→ type).

♦ L'adjectif, en sciences naturelles, qualifie ce qui ne contient qu'un seul élément. ➛ L'emploi du féminin substantivé en imprimerie, en parlant d'une machine à composer (1903), est un emprunt à l'anglo-américain *Monotype*, nom déposé par Lanston pour sa machine à imprimer (1893), de même formation que son correspondant français. ➛ À partir de 1935, le masculin est substantivé à son tour à propos d'un procédé d'impression artistique qui ne permet d'obtenir qu'un seul exemplaire; il s'agit probablement encore d'un anglicisme (1882, en anglais). ➛ On emploie aussi *monotype* en marine, à propos de bateaux faisant partie de séries aux caractéristiques uniformes (1952), emploi usuel en navigation de plaisance.

▸ *Monotype* a produit dans chacun de ses domaines d'emploi : **MONOTYPIQUE** adj., synonyme de *monotype*, employé comme adjectif en sciences pour «qui présente un seul type», **MONOTYPIE** n. f., en marine pour «caractère d'une série de monotypes», et **MONOTYPISTE** n., «personne travaillant sur une monotype» en imprimerie; la révolution informatique dans la composition des textes entraîne le vieillissement de *monotype* et *monotypiste*.

MONSEIGNEUR → **SEIGNEUR**

MONSIEUR → **SIEUR**

MONSTRE n. m. vient par emprunt (v. 1120) du latin *monstrum,* dérivé de *monere* «faire penser, attirer l'attention sur», d'où «avertir» (→ moniteur, montrer, monument, prémonition). *Monstrum* est un terme du vocabulaire religieux désignant un prodige avertissant de la volonté des dieux, un signe divin à déchiffrer. Par suite, il est appliqué à un objet de caractère exceptionnel ou à un être surnaturel. À basse époque, il se dit par hyperbole d'un homme *(monstrum hominis)* et d'une femme *(monstrum mulieris)* dans un langage de comédie; dans la langue religieuse, il concerne spécialement les démons.

♦ En français, le sens premier est celui de «prodige, miracle» (encore bien attesté au XVIe s.), puis «action monstrueuse, criminelle» (1541, Calvin), «chose prodigieuse, incroyable» (1580) et, par hyperbole, «chose mal ordonnée, mal faite» (1690), dans une optique classique d'ordre préétabli. ◆ Cet emploi général a décliné par rapport aux emplois, d'ailleurs anciens, où *monstre* désigne des êtres et d'abord des êtres mythologiques, de légende (1160, *mostre*). Depuis le XVIe s. (1562), on le relève dans l'expression encore usuelle ***monstre marin,*** appliquée par exemple à la baleine puis, au XVIIe s., aux gros poissons que l'on servait à table (carpes, brochets, saumons, turbots) [1678]. Racine, dans *Phèdre* (1677), l'emploie pour parler d'un animal féroce. ◆ Son application à un être humain remonte aussi au XIIe siècle. À partir de cette époque, on parle de *monstre* à propos d'un homme au physique et aux mœurs étranges (1165), d'un homme défiguré par la lèpre (1223) ou contrefait (1225), d'un castrat (1380) et, par hyperbole depuis le XVIIe s., d'un homme très laid (1690). ◇ Le mot témoigne également d'une appréciation morale (1223), en parlant d'un païen (sens propre au moyen âge) et d'un être repoussant, dans la locution ***un monstre de*** (1562, *monstre de femme* à propos de Messaline) que le XVIIe s. semble avoir prisée: *monstre de cruauté, d'avarice* (1690), même en contexte positif, *monstre de mémoire* (1636). ◆ Son emploi antiphrastique comme terme affectueux date du XVIIIe s. (1727), époque où l'on commence à dire d'une chose *c'est un monstre!* au sens de «c'est adorable!» (1779). ◇ L'emploi adjectivé du mot à valeur intensive, pour «énorme, immense» dans l'usage familier, n'est pas attesté avant 1841.

▸ L'adjectif **MONSTRUEUX, EUSE** est emprunté, un peu plus tard que le nom (1330), au latin *monstruosus* «bizarre, extraordinaire, prodigieux», de *monstrum.* Il a évincé l'ancien adjectif *monstreux* (1250-1275) que l'on relève encore au XVIe s. et chez quelques auteurs du XIXe s. (1839-1842, A. Comte). ◆ *Monstrueux* a pour premier sens «qui a les caractéristiques d'un monstre», en parlant d'un animal (1563, *monstrueuse baleine*) et d'un monstre biologique (1575, *monstrueux enfans*). ◇ Dès le XIVe s., *monstrueux* est employé avec une idée morale, appliqué à une action contraire aux lois de la nature ou à la volonté divine (1370-1380). Depuis 1540, il est également employé avec un sens voisin de *prodigieux, extraordinaire.* ◇ L'emploi substantivé du mot à valeur de neutre *(le monstrueux)* date de l'époque romantique et de la remise en honneur d'une esthétique du chaos (Hugo), puis du bizarre (Baudelaire). ◆ *Monstrueux* a formé **MONSTRUEUSEMENT** adv., attesté (apr. 1350) pour «à la manière d'un monstre» et généralement employé, depuis 1515, avec une valeur hyperbolique, parfois dans le langage à la mode. ◆ **MONSTRUOSITÉ** n. f. (1488) est aussi dérivé de *monstrueux,* mais le latin médiéval avait *monstruositas* «monstre logique, aberration» (XIIe s.) et aussi «chose monstrueuse» (1200). ◇ En français, le mot est d'abord employé en parlant d'une anomalie dans la conformation du corps humain. Depuis le XVIe s. (1554), il signifie plus généralement «caractère de ce qui est monstrueux». Comme les autres mots de la famille, il est souvent employé au XVIe s. en parlant de la baleine (1575). Depuis 1762, il est employé au figuré. ◆ On relève récemment des dérivés de *monstre* peu courants: **MONSTRELET** n. m., diminutif, et **MONSTRESSE** n. f. «femme monstrueuse» (peut-être d'après l'anglais *monstress*).

◈ voir DÉMONTRER, MONTRER, REMONTRER.

MONT n. m. est issu (v. 980) du latin *montem,* accusatif de *mons* «montagne» que l'on rattache à la racine indoeuropéenne °*men-* «être saillant», représentée dans *éminent, menacer, mener, menton, monceau* et *monter.*

♦ *Mont* signifie «élévation, hauteur»; dès l'origine, il est employé dans des expressions géographiques. Il est alors synonyme de *montagne* tout en s'en distinguant quant à l'usage, étant réservé soit à des noms géographiques, soit à l'usage poétique ou littéraire. ◆ Depuis le XIIe s. (1176), il exprime l'idée figurée de «tas, monceau» et, plus largement (1180-1190), de «grande quantité». Dans la langue classique, le syntagme *des monts d'or* (1690) entrait dans quelques locutions avec la valeur figurée d'«avantages considérables»; de nos jours, l'expression ***monts et merveilles*** correspond à une idée très voisine. Depuis le XIIIe s., le mot entre dans la locution *et mont et val* (1245), devenue *par monts, par vaux* et (1611) ***par monts et par vaux.*** Celle-ci, dans *faire croire monts et vaux* notamment, participait aussi de l'idée de «choses impossibles et merveilleuses» en moyen français. Elle a absorbé l'ancienne locution *amont et aval* (v. 1175). ◆ Par analogie, *mont* désigne une petite éminence charnue en chiromancie (1564) et en anatomie féminine, dans l'expression ***mont de Vénus*** (1640). Les poètes de la Pléiade et du XVIIe s. l'ont employé comme dénomination métaphorique du sein.

▸ *Mont* entre dans deux noms composés, **MONT-BLANC** n. m. qui désigne une pâtisserie (1863) par analogie d'aspect avec une montagne neigeuse, et **MONT-D'OR** n. m., nom d'un fromage du Doubs (1874).

Le mot a servi à former **AMONT** n. au moyen de la préposition *à,* d'abord sous la forme *amunt* (1080) au sens adverbial de «par en haut» (usage conservé dans l'Ouest et au Canada). On relève aussi *d'amunt* (1160) «d'en haut», en usage jusqu'en 1771. ◆ L'emploi du mot (surtout dans la locution adverbiale ***en amont*** et la locution prépositionnelle ***en amont de***) au sens de «vers la partie supérieure (d'un cours d'eau)» est attesté dès 1160-1174, en opposition à *aval* (→ val). *En amont* s'emploie au figuré pour «avant, dans un processus». ◇ *Amont* signifie en marine «qui vient de l'intérieur des terres vers la mer», d'où «de l'Est» (1379, en parlant des côtes exposées à l'Ouest). Il est employé spécialement en fauconnerie à propos d'un oiseau qui se contient en l'air en guettant sa proie (1690, *tenir amont*). ➜ En marine, on emploie l'adjectif **AMONTAL, ALE, AUX** «qui vient de l'Est». ➜ *Mont* entre aussi dans le terme de géographie physique **AVANT-MONT** n. m. (1899, *avants-monts*) «petite chaîne montagneuse en avant de la chaîne principale».

◈ voir MONCEAU, MONTAGNE, MONT-DE-PIÉTÉ, MONTER, MONTICULE, MONTUEUX, PROMONTOIRE, SURMONTER, TRAMONTANE.

MONTAGNE n. f. est issu (1080) du bas latin *montanea,* féminin substantivé de l'adjectif bas latin *montaneus,* variante du latin classique *montanus* «relatif à la montagne», de *mons* (→ mont).

♦ *Montagne* désigne une importante élévation de terrain et sert de synonyme courant à *mont.* Dès 1080, il est employé *(la montagne, les montagnes)* au sens métonymique de «région de forte altitude». ◇ Ses emplois particuliers sont tous assez tardifs : le sens figuré de «tas, amoncellement» n'est pas relevé avant le XVIIe s. (1644); il entre dans la locution proverbiale ***la montagne a accouché d'une souris*** (1690; 1668, sous une forme légèrement différente) «une cause grandiose produit un effet ridicule» (en latin *ridiculus mus*), et prend la valeur de «grande difficulté» (1689) dans la locution ***se faire des montagnes de tout*** (1874). ◇ Au XVIIIe s., le mot a pris en Savoie, en Suisse et dans les Alpes le sens de «pâturage des hautes alpes appartenant à une collectivité en particulier» (1761). ➜ Pendant la Révolution française, il a été appliqué par métaphore aux députés de gauche qui siégeaient sur les bancs les plus élevés de l'Assemblée conventionnelle (1792) par opposition à *marais.* ➜ L'expression ***montagnes russes*** est attestée depuis 1816, cette attraction foraine ayant fait fureur au début de la Restauration; depuis 1945, elle est également prise au sens figuré de «suite de montées et de descentes». ➜ La concurrence entre *montagne* et *mont* s'est résolue au profit de ce dernier dans le domaine de la chiromancie (1549) et en anatomie féminine (1812-1842, *montagne de Vénus*).

▸ *Montagne* entre dans la formation de **TRANCHE-MONTAGNE** n. m., mot littéraire ou vieilli qui désigne un fanfaron (1389, comme nom propre; 1608, comme nom commun). ➜ Le diminutif **MONTAGNETTE** n. f. (déb. XVe s., *montaignete*) est employé au sens de «petite montagne» dans le sud-est de la France et appliqué à l'alpage de faible altitude dans les Alpes. ➜ *Montagne* a aussi produit **MONTAGNEUX, EUSE** adj. (v. 1265, *montaingneus*) et **MONTAGNARD, ARDE** adj. et n. (1510), appliqué à qqn qui habite les montagnes, comme adjectif et (1549) comme nom. Depuis 1765, ce mot est aussi appliqué à une chose caractéristique de la vie en montagne. ◇ En relation avec le sens historique de *montagne,* il désigne les membres du parti qui siégeaient à la Montagne sous la Convention nationale (1793-1794; dès 1792, comme adjectif dans *patriotisme montagnard*). ◇ En sports, depuis 1955, il s'applique à un cycliste qui grimpe bien. ➜ Enfin, le composé **PASSE-MONTAGNE** n. m. (1859) désigne un couvre-chef tenant la tête au chaud et ne laissant libre que le visage. Il est en concurrence avec *cagoule.*

MONT-DE-PIÉTÉ n. m. est la traduction littérale (1576) de l'expression italienne *monte di pietà, pietà* ayant à la fois le sens de «piété» et celui de «pitié» (→ piété, pitié), laquelle désigne une institution charitable qui prête de l'argent gratuitement ou à des taux modiques, moyennant un gage de faible valeur (XVe s.). *Monte* y est pris au sens d'«endroit où l'on prête sur nantissement», par métonymie spécialisée du sens de «somme d'argent due». Le mot italien *monte* a désigné (1348-1363) un établissement autonome gérant la dette publique d'une commune ou d'un État et, par suite, un établissement public exerçant des fonctions bancaires (1470, document florentin). De là, une expression comme *luoghi di monte* «titres de crédit», que le français a traduit *lieux de mont* au XVIIIe s. à propos de la réalité italienne.

♦ *Mont-de-piété* a d'abord été employé dans un contexte italien avant de l'être en général (1611). Dès le XVIIe s. et pendant le XVIIIe s., on avait fait divers projets pour les instituer; ainsi, des lettres patentes de Louis XIII témoignent de l'installation d'un mont-de-piété à Paris en 1626, mais la décision en avait été révoquée. Les monts-de-piété créés en 1618 dans les villes des possessions espagnoles de Flandre, du Hainaut, du Cambrésis et de l'Artois, cédées à la France, y furent maintenus (traités des Pyrénées, 1659 et d'Aix-la-Chapelle, 1668). Paris ne fut doté du sien qu'en 1777. Aujourd'hui, le mont-de-piété semble appartenir à une imagerie révolue, mais l'institution est toujours active sous l'appellation de *Crédit Municipal* (1918). L'une de ses activités les plus importantes consiste en prêts aux fonctionnaires et retraités, dont le remboursement est assuré par des délégations sur les traitements et pensions.

✳ **MONTER** v. est issu (v. 980) du bas latin °*montare,* dérivé de *mons* (→ mont), qui a remplacé le latin classique *ascendere* (→ ascendant) dans le domaine gallo-roman, à cause de l'appui que lui donnait l'abondante dérivation de sa famille de mots. *Ascendere* a survécu dans l'italien *ascendere,* l'espagnol *ascender,* l'ancien provençal *ascendre* et l'ancien français *ascendre,* dans quelques textes religieux ou techniques.

♦ *Monter* est noté dans les premiers textes au sens intransitif de «se déplacer de bas en haut» (d'un animé), auquel se rattachent le sens «d'assaillir» (*monter à l'assaut,* 1680) et celui de «s'élever à une certaine hauteur, en l'air» (1265), d'un oiseau, d'un aérostat puis d'un avion, d'une fusée, etc. ◇ Le verbe a aussi, dès la même époque, le sens particulier de «se déplacer sur le dos d'un animal», absolument (1080) et dans *monter à cheval* (1538). ➜ De nombreux emplois sont figurés. Par analogie, il est employé sur un plan abstrait avec une idée d'«ascension sociale» (1140), de progression hiérarchique dans *monter en grade* (1829). Dans le domaine des jeux de cartes, le verbe intransitif exprime une surenchère de valeur (1963). ◇ Le sens psychologique de «se mettre en colère» (1174, *monter en ire*), absolument *monter* (1866), *faire monter qqn* «l'irriter», est peu vivant dans cette construction intransitive. ◇ Au contraire, l'emploi à propos d'un inanimé, très ancien (1080) au sens d'«augmenter, atteindre un degré supérieur» (d'une chose non mesurable), puis à propos d'une chose mesurable (1690), est usuel. ◇ Le verbe est employé pour un liquide dont le niveau augmente (1155) et, au figuré, dans ***monter à la tête*** (1668) qui succède à *monter en la teste* «enivrer» (1178). *Monter* se dit aussi des émotions et réactions qui affectent la partie supérieure de l'organisme. ◇ Dès le XIIe s., il signifie encore «passer du grave à l'aigu» (en musique, 1155), puis, au XIIIe s., «s'élever à un certain chiffre» (d'une somme). ➝ Plus tard, *monter* est employé plus concrètement pour un végétal qui croît, pousse (1553), une odeur ou un son qui se propage (1689), un lieu ou un terrain qui s'étend vers le haut (1690) et un vêtement qui atteint une certaine hauteur (1690). ◇ Une autre figure correspond à «aller du Sud vers le Nord» (1949).

L'usage transitif du verbe remonte au XIIe siècle. *Monter* est d'abord attesté au sens de «parcourir de bas en haut, gravir» (1140) et, peu après, «mettre un ton plus haut (un instrument de musique)» (1170). L'acception «utiliser un animal comme monture» (1185), dans *monter un cheval*, est concurrencée à partir du XVIe s. par *monter à* cheval (ci-dessus). Au participe passé, un *homme bien (ou mal) monté* désigne un homme pourvu (bien ou mal) d'une monture (1223). ◇ Le sens de «placer une chose à une plus grande hauteur» (1230) est peu usité avant le XVIIe s. (attesté 1690). ➝ En moyen français, apparaissent les sens de «tendre le ressort d'(une arbalète)» (1306) et, plus abstraitement, «pourvoir (qqn) des choses nécessaires» (1400) d'après cette notion de «préparer, confectionner».

Au XVIe s., *monter* commence à être employé avec le sens technique d'«assembler, joindre les différentes parties d'une chose pour permettre de l'utiliser» (1576), avec des emplois particuliers en horlogerie (1690) et en joaillerie (1718); cf. ci-dessous *montage*. ➝ Par extension de ce dernier sens, *monter* prend le sens figuré d'«organiser, combiner, mettre sur pied», en parlant d'une pièce de théâtre (1798) et avec une valeur générale (1802). De là ***coup monté***, pour «affaire mûrement préparée afin de nuire».

Le sens psychologique, «exciter, mettre en colère», est réalisé dans la locution classique *se monter de paroles* «s'emporter» (1608), qui a disparu et à laquelle ont succédé ***monter la tête (à qqn)*** (1796) et ***être monté contre...*** (1798).

▸ *Monter* a produit plusieurs noms exprimant le fait de monter avec les divers sens du verbe. ➝ Son participe présent **MONTANT, ANTE**, qui présente de nombreux emplois adjectivés, a été substantivé avec une valeur active, «action de s'élever vers le haut» (XIIe s.), qu'il n'a gardée qu'en fauconnerie et en parlant du mouvement ascendant de la marée. ➝ **MONTANT** n. m. désigne concrètement une pièce verticale dans un ouvrage de charpente (1296). Depuis le XVIIe s., il signifie aussi «chiffre auquel s'élève un compte» (1675; dès 1514, «excédent»). Il prend la valeur de «goût relevé, saveur piquante» dans le domaine culinaire (1694), survivance du sens classique plus large de «piquant» appliqué figurément à l'entrain, à l'agrément très vif d'une personne ou d'une chose (1695). ◇ Son féminin *montante* a été substantivé en argot pour nommer la culotte (1800), en relation avec le masculin *montant* «pantalon» (1835). *Une montante* a désigné aussi une échelle (1836). ➝ Quant au participe passé *monté*, lui aussi a été substantivé au féminin en **MONTÉE** n. f. (1150) avec le sens général d'«action de monter», d'abord appliqué à une note musicale puis restreint à quelques syntagmes de sens précis tels *montée du lait* (1801), *montée de la fonte* (1868). ◇ Depuis le XIIe s., *montée* est appliqué par métonymie à la pente que l'on gravit (1176-1181); dans l'ancienne langue, il désignait aussi bien la marche de l'escalier (1333) que l'escalier lui-même (1334). ◇ Ultérieurement, il a développé le sens actif correspondant au verbe, «action de gravir (une colline...)» (1671) et, à date récente, celui d'«action de monter (un objet)» (1913).

MONTE n. f., le dérivé régressif de *monter*, date lui aussi du XIIe s. (1135) au sens particulier de «valeur, montant». Il a perdu ce sens, de même que l'acception médiévale d'«union sexuelle» (1190) seulement conservée en parlant de l'accouplement de certains animaux, équidés, bovidés (XVIe s.). ◇ Le sens moderne de *monte* est plus récent : il concerne le fait, pour un cavalier, de monter un cheval de course (1872) et, par métonymie, de prendre part à une course hippique, la manière de monter particulière à un cavalier (1903). Par métaphore, il est passé dans le vocabulaire du cyclisme. ➝ **MONTAISON** n. f., d'usage technique, est attesté une première fois en 1532 (Rabelais) au sens de «fermentation du vin» (dans l'expression plaisante *fol de montaison*, peut-être par jeu de mots avec *montaison* «vendange» [XIIe-XVe s.], qui vient de *moût*). Il est employé dans les domaines de l'ichtyologie (1773) et de l'agriculture (1963).

MONTAGE n. m. est le dernier des noms d'action produits par *monter*. Il a perdu son sens premier et isolé, «action de s'élever, de monter» (1603), pour exprimer l'action d'assembler des pièces de mécanisme (1765), particulièrement en imprimerie, au cinéma (1914) et dans l'audiovisuel, en relation avec un sens vivant du verbe «assembler les éléments d'un film, d'une bande» → aussi *photo-*. ◇ Il conserve trace de l'ancien sens «action de faire monter une chose» (1680) en parlant de certains matériaux liquides. ➝ *Monter* s'est aussi doté du nom d'agent **MONTEUR, EUSE** n., réfection de l'ancien français *muntedur* (v. 1150) «cavalier», spécialisé au sens d'«ouvrier qui monte les ouvrages» (1765) et également dit d'une personne qui combine, prépare (un coup) (1820-1840). ➝ **MONTABLE** adj. est attesté depuis 1906 après *démontable*.

Au XIVe s., *monter* a donné **MONTURE** n. f. (1348) «bête de somme». ➝ Avec une autre valeur du verbe, le mot signifie (1690) «partie d'un objet qui sert à fixer», ainsi qu'«action de monter un ouvrage» en orfèvrerie (1718), sens aujourd'hui concurrencé par *montage.* ◆ Le nom d'instrument **MONTOIR** n. m. (1368) se dit d'une grosse pierre qui sert à monter à cheval, puis aussi, d'après la valeur du verbe qui correspond à *montage, monteur, monture,* d'un outil servant à monter des pièces métalliques (1872).

Monter a donné par préfixation trois verbes usuels. *Surmonter** s'est passablement détaché du verbe simple, mais les deux autres sont étroitement liés à son évolution sémantique. ◆ **DÉMONTER** v. tr., d'abord *desmonter* (fin XIIe s.), préfixé en *dé**, réalise d'abord physiquement l'idée d'un mouvement vers le bas dans le contexte de l'équitation : le sens de «faire descendre qqn de cheval» est sorti de l'usage au XVIe s. avec le sens intransitif correspondant de «mettre pied à terre» (XIIIe s.), mais il s'est maintenu avec la valeur forte de «désarçonner» (XIIIe-XIVe s., puis 1718) et une acception spéciale, «faire faire le service à pied à des troupes à cheval» (1718) dans l'armée. ◇ Par la même métaphore que *désarçonner, démonter* a acquis dès l'ancien français le sens moral de «déconcerter, abattre» (v. 1225), accentué à l'époque classique en «faire perdre à qqn ses moyens, le mettre dans la confusion» (1654) et partagé par le pronominal *se démonter* «perdre sa présence d'esprit» (1735). ◆ Le sens matériel de «défaire pièce par pièce ce qui formait un tout» (v. 1575, Paré), annoncé par l'ancien sens de «détrousser (en ôtant, en prélevant des éléments d'un tout)» (v. 1360), s'est répandu dans l'usage courant et dans l'usage technique, influant à son tour sur le sens moral par la métaphore d'une machine mise en pièces, hors de service. Ainsi, l'emploi du mot en artillerie dans *démonter un canon* «le séparer de son affût» (1564) a débouché sur l'idée de «mettre hors de service» (1611) et sur la locution figurée *démonter les batteries de qqn* «faire avorter ses projets» (fin XVIIe s.). ◇ *Démonter une porte, une roue* et, en bijouterie, *démonter des pierreries* (1722) insistent sur le fait d'ôter un objet de son point d'attache. La locution familière *bâiller à se démonter la mâchoire* (1835), remplacée plus tard par *bâiller à se décrocher la mâchoire,* procède de ce sens.

Seul le participe passé adjectivé **DÉMONTÉ, ÉE** (1624) réalise le sens moral de «troublé, abattu», à côté du sens de «mis sens dessus dessous» surtout accompli en parlant d'une mer houleuse, très agitée (1863). ◆ Les autres dérivés, apparus ultérieurement, s'ordonnent au sens matériel du verbe : ce sont **DÉMONTAGE** n. m. (1838) «action de démonter» qui s'oppose à *montage,* **DÉMONTEUR, EUSE** n. (1877), nom d'ouvrier et de machine, et **DÉMONTABLE** adj. (1870), auquel on oppose **INDÉMONTABLE** adj. apparu avec le sens psychologique «que l'on ne peut déconcerter» (1773), et répandu avec sa valeur concrète (1948) «que l'on ne peut démonter». ◆ Le déverbal *démonte* n. f. présente une évolution originale : attesté une première fois et isolément en ancien français au sens moral de «peine, chagrin» (v. 1200), il a été employé au sens de «chute» (1510) avant d'être repris en français de Suisse dans l'expression *mettre, mise à la démonte* pour une enchère descendante avec adjudication au moins offrant.

Le composé **DÉMONTE-PNEU** n. m. (1901) se dit d'un instrument formant levier pour retirer un pneu de la jante; le mot s'est répandu dans le contexte de la bicyclette. ◆ Avec une autre valeur du verbe, **DÉMONTANT, ANTE** a été adjectivé (1893) pour «qui décontenance»; il est plus rare que *déconcertant.*

REMONTER v. est d'abord intransitif et correspond à «monter de nouveau à cheval» (v. 1140), puis à «monter de nouveau», en général (1176-1184). ◇ Il se dit de choses qui vont à nouveau plus haut (1175, Chrétien) et acquiert des valeurs spéciales, comme «aller vers la source (d'un cours d'eau)» (1559), puis en marine (1797, La Pérouse, ***remonter au vent***), «se mettre trop haut (d'un vêtement)» (1690). ◇ Par métaphore et figurément, il se dit de ce qui a son origine, sa «source» en quelque chose (1550), puis de ce qui va vers le passé ou vers son origine (1669), par exemple ***remonter au déluge*** (1718; d'abord *jusqu'au déluge,* 1694).

L'emploi transitif est aussi ancien (1165), d'abord pour «remettre en selle», puis (1260) «pourvoir (un cavalier) d'une nouvelle monture»; de là *remonter qqn* «lui fournir de nouveau ce dont il a besoin» (1377). ◇ Au sens spatial, «faire aller de nouveau vers le haut», «mettre à un niveau plus élevé» (v. 1190) et «gravir de nouveau» (v. 1200), s'ajoutent les emplois où le verbe correspond à «aller vers la source de (un cours d'eau)» (cf. ci-dessus, en intransitif), tel *remonter un fleuve* (1680); la métaphore ***remonter la pente*** apparaît au XIXe s. (Lamennais, Hugo). Par extension, le verbe signifie en sports «rattraper» (1855). ◆ Une valeur figurée du moyen français «réconforter (qqn)» (1549) disparaît au XVIIe s., puis est reprise (1814) dans l'usage familier. Cependant, *se remonter* est attesté dans ce sens chez Fontenelle (déb. XVIIIe s.), ce qui incite à penser que cet emploi n'était pas inconnu du français classique. Par extension, on emploie *remonter le courage* (1798), *le moral* (1842) *de qqn.* ◆ D'après le sens concret technique de *monter, remonter* signifie «réassembler les pièces d'un mécanisme, d'un objet» (1411, à propos d'orgues). Un emploi lié à *monter,* mais non à ses dérivés, est *remonter une montre, une horloge* (1590, dans un contexte peu clair; XVIIe s., «tendre à nouveau le ressort»). ◆ On parle de *remonter une pièce de théâtre* «la monter une seconde fois» depuis le XIXe s. (1839, Nerval).

Outre une attestation isolée de *remontée* (voir plus loin), les dérivés du verbe remontent au moyen français. ◆ **REMONTE** n. f. est d'abord employé en navigation (1424) pour «fait de remonter un cours d'eau». Puis, il s'est spécialisé pour «fait de fournir de nouvelles montures (à des cavaliers)» (1678), sens aujourd'hui dominant qui donne lieu à des expressions comme *cheval de remonte, service des remontes* (de l'armée). ◇ Par extension, il s'applique à l'action de se réapprovisionner (1848), au recrutement des figurantes au théâtre (1879), puis des prostituées (av. 1890, Bruant). ◇ Au sens spatial, *remonte* a désigné le fait de remonter hommes et matériel du fond à la surface d'une mine (1885, Zola). Le mot est parfois en concurrence avec *re-*

montée. ◆ **REMONTAGE** n. m. s'emploie d'abord pour «équipement d'un navire» (1543, *remontaige*), puis (1660) en cordonnerie. Au sens spatial du verbe, il signifie (1715) «action de remonter un cours d'eau». ◇ Les sens aujourd'hui dominants concernent la mécanique (1778) et l'horlogerie (1870). ◆ Les deux participes ont été substantivés. **REMONTÉE** n. f., malgré une attestation ancienne (*remuntee,* 1119) pour «cinquième heure canoniale», en termes de comput, est un mot du XIXe siècle. Il exprime l'action d'aller de nouveau vers le haut (1853), s'appliquant au XXe s. par métonymie au dispositif qui permet aux skieurs de remonter une pente (***remontées mécaniques,*** 1952) ; cf. ci-dessous *remonte-pente.* ◇ Il s'emploie aussi en parlant de l'action de remonter un fleuve (1868) et au figuré pour «réapparition, retour» (1876). ◆ **REMONTANT** n. m. a désigné (1680) le haut de la bande d'un baudrier, qui le remonte. ◇ Une nouvelle dérivation du sens de «réconforter», pour le verbe, a fourni *remontant* «boisson qui remonte» (1852), attesté plus tard comme adjectif : *un vin remontant* (1912). ◆ Le composé **REMONTE-PENTE** n. m. a succédé (1941) à *monte-pente* (1938) qui ne s'est pas imposé, pour désigner un dispositif qui fait remonter les pentes aux skieurs (cf. ci-dessus *remontée*). Il a pour synonyme familier *tire-fesses.* ◆ **REMONTEUR** n. m. est attesté une fois au XVIe s. (1577), puis au XVIIIe s. (1701) à propos d'un ouvrier qui assemble un mécanisme d'horlogerie. Le mot s'emploie aussi pour celui qui remonte les horloges. ◆ **REMONTOIR** n. m. (1641) s'est spécialisé pour désigner le mécanisme qui tend le ressort d'une horloge, d'une montre, d'abord avec une clé. Le remontoir moderne a été inventé par l'horloger Bréguet (mort en 1823) ; avec les montres à quartz, ce dispositif tend à disparaître. ◆ **REMONTABLE** adj. (1845) semble disponible pour plusieurs valeurs du verbe.

Monter entre sous la forme de l'élément **MONTE-** dans la formation de quelques noms techniques, généralement avec le sens physique d'«élever une chose» : c'est le cas pour **MONTE-CHARGE** n. m. (1862) et **MONTE-PLATS*** n. m. (1876), les deux composés de loin les plus courants, et pour **MONTE-COURRIER** n. m. (1973), **MONTE-SAC** n. m. (fin XIXe s.), **MONTE-GLACES** n. m. (1963) et **MONTE-PENTE** n. m., auquel on tend à préférer *remonte-pente* (voir ci-dessus *remonter*).

◈ voir SURMONTER.

MONTGOLFIÈRE

MONTGOLFIÈRE n. f. est tiré (1784 ; 1782, selon Brunot sans référence) du nom des frères Joseph-Michel (1740-1810) et Étienne-Jacques (1745-1799) de *Montgolfier.* Ces derniers sont les inventeurs du premier aérostat en 1783.

♦ Le mot désigne un aérostat à air chaud et, par extension, un ballon sphérique. Devenu terme historique au XIXe s., le mot a un relatif regain de vie avec la mode des ballons à air chaud (v. 1975), mais on dit plutôt *ballon.*

MONTICULE

MONTICULE n. m. est emprunté (1488) au bas latin *monticulus* (IVe s.), diminutif de *mons, montis* «montagne» (→ mont).

♦ Le mot a connu le même type d'évolution sémantique que *monceau**, lui aussi issu d'un diminutif de *mons :* il a rapidement perdu le sens étymologique de «petite montagne» (1488) pour désigner simplement une petite élévation de terrain (1762) et, par extension, une proéminence constituée par un amas de matières diverses (1863).

MONTRE → MONTRER

✳ MONTRER

✳ **MONTRER** v. tr. est issu, d'abord sous la forme *mostrer* (av. 950) puis *mustrer* (1080), du latin populaire *mostrare* ou *monstrare* (d'où la variante *monstrer*), dérivé de *monstrum* (→ monstre). En passant dans la langue commune, le mot a perdu tout sens religieux et signifie seulement «désigner, indiquer», «conseiller». Il semble que certains auteurs classiques l'aient évité, le jugeant trop familier. En français, le *n* a été rétabli d'après le latin (v. 1225 ; fin XIIe s., *monstrer*), mais cette forme moderne est rare avant les XVIe-XVIIe siècles.

♦ Le premier sens est celui de «mettre devant les yeux, exposer aux regards», également réalisé à la forme pronominale *se montrer* (1130-1140) avec un sujet animé et (XIVe s.) inanimé. ◇ De bonne heure, *montrer* a pris les sens de «faire paraître aux regards» (1135) et de «désigner aux regards, indiquer de façon à attirer le regard» (1160), d'où *se montrer* «paraître en société». ◇ Depuis 1210, dans la locution *mostrer au doi,* qui annonce ***montrer du doigt,*** ainsi que dans ***montrer les dents*** (1611, *la dent*), il réalise ce sens avec une valeur particulière péjorative. ◆ Les sens plus abstraits sont tout aussi anciens : dès les premières attestations, *mostrer* signifie «manifester, donner des signes de» et *se montrer* (1330) «se révéler pourvu de certaines qualités». ◇ Depuis 1050, le verbe signifie également «exposer à l'esprit, expliquer», d'où, avec une valeur plus didactique, «démontrer, prouver» (→ démontrer) et «enseigner» (1376). ◇ Dans un contexte plus ésotérique qui évoque encore le contexte religieux de *monstrum,* il signifie «révéler, faire connaître» (déb. XIIe s.). Avec un nom de chose pour sujet, il correspond à «signifier, exprimer» (1121-1134) et, à la forme pronominale, à «se révéler, se confirmer» (fin XVe s.).

▸ *Montrer* n'a produit aucun nom d'action général. ◆ **MONSTRANCE** n. f. (1175, *mostrance*), anciennement investi de ce rôle et fréquent dans les textes juridiques, a décliné à partir du XVIe siècle. Il a pris sa forme moderne à cette époque (1520, *monstrance*). Par le sens particulier d'«action de montrer, signe, prodige» (v. 1150) et, comme chez Claudel, «action d'apparaître, d'être révélé aux regards», il renoue avec le sens étymologique de *monstrare-monstrum.*

Le dérivé régressif **MONTRE** n. f., d'abord relevé au sens de «modèle, exemple» (1210), a vieilli dans la plupart de ses sens initiaux, notamment les plus concrets. Il était employé dans le domaine commercial pour désigner la partie de la marchandise que l'on montre au public, et, par métonymie, la tasse qui servait à essayer le vin (1397). Il désignait aussi la foire en tant qu'exposition de marchandises (1267), l'entrepôt à marchandises (1530) [l'italien *mostra* a le sens d'«exposition»] et (1611) la boîte vitrée où l'on exposait celles-ci; l'expression *en montre,* encore en usage, correspond à *en vitrine.* ◇ Ce nom était également employé dans le domaine militaire (1376) aux sens d'«inspection» et (1570) de «solde». ➜ C'est le sens abstrait, «action de se montrer, de paraître» (v. 1278), qui s'est le mieux maintenu dans la locution ***faire montre de*** «manifester» (1549), d'usage soutenu.

Cependant, l'une des valeurs de *montre* a fait fortune au point de devenir autonome dans la conscience des locuteurs : *montre* a commencé par se dire du cadran de l'horloge (1474-fin XVIe s.) en tant qu'il montre l'heure; l'ancien provençal *mostra* avait déjà ce sens, avant 1450. De cette acception vient l'emploi moderne le plus usuel du mot, «horloge portative» (1529-1531, dans *monstre d'horloge*). Le mot est souvent employé en locutions dans *montre sonnante* (1595), *montre a pendule* (1680), *montre de poche* (1690), sorties d'usage — lorsque la petite horloge perfectionnée au XVIIIe s. se nomme simplement *montre* — et enfin ***montre-bracelet*** (1922) : cette dernière est devenue caduque à partir du moment où la montre portée au poignet s'est généralisée (absolument *montre*). La terminologie s'est renouvelée avec l'apparition de nouveaux mécanismes (*montre à quartz,* etc.) et de systèmes protecteurs (*montre étanche...*). ◇ L'expression *courir contre la montre* (1885, en cyclisme) est le calque de l'anglais *to run against the watch* (*watch* «montre» venant lui-même de *to watch* «regarder»). *Montrer* a aussi donné dès l'ancien français **MONTRABLE** adj. (XIIIe s.; XIIe s., *mustrable*), aujourd'hui surtout employé au négatif (*pas montrable*). ➜ **MONTREUR, EUSE** n., d'abord «personne qui explique, commente» (1180-1190), correspond à «personne qui montre» (1328), spécialement dans *montreur de phénomènes* (1866).

◈ voir DÉMONTRER, REMONTRER.

MONTUEUX, EUSE adj. est emprunté (XIIIe s.) au latin *montuosus* «qui présente des monts, des hauteurs» (en parlant d'un pays, d'une ville), dérivé de *mons, montis* «montagne» (→ mont).

♦ En français, l'adjectif a d'abord servi à qualifier une ville située dans les montagnes avant de reprendre le sens du latin (1355). Depuis le XVIe s. (1580), on le trouve particulièrement appliqué à un chemin qui présente des montées et des descentes.

▸ Il est d'usage littéraire, de même que son dérivé **MONTUOSITÉ** n. f. (fin XIXe s.).

MONTURE → MONTER

MONUMENT n. m. est emprunté (v. 980) au latin *monumentum,* de *monere* «faire penser, faire se souvenir de», verbe qui contient la racine °*men-* «penser», également représentée dans *mental, moniteur, monstre, prémonition.* En latin, le mot s'applique à tout ce qui rappelle le souvenir, en particulier celui d'un mort : inscription, tombeau, statue, etc. En ancien français, à côté de *monument,* on relève la variante ancienne et rare *monimenti* (de la variante latine *monimentum*), ainsi que *munement* qui a subi l'attraction phonétique de *munimentum* «rempart, protection».

♦ *Monument* a d'abord le sens spécial de «tombeau». Cet emploi était devenu rare et littéraire à l'époque classique; il est qualifié par Richelet (1680) de «poétique ou de la prose sublime» et par le dictionnaire de l'Académie (1694-1798) comme n'appartenant pas au discours ordinaire. ◇ Au XVIe s., à côté de cette valeur étendue par métonymie à celle de «mort», le mot prend l'acception de «document écrit» (1534, Rabelais). ◇ Au cours du XVIIe s., il commence à désigner un ouvrage d'architecture ou de sculpture qui transmet un souvenir à la postérité (1636), Furetière donnant en exemple les pyramides d'Égypte et le Colisée, «monuments de la grandeur des rois d'Égypte et de la République romaine». La notion et l'expression de ***monument historique*** (1790, Millin, probablement de l'anglais) se répandent à l'époque où Guizot, devenu ministre de Louis-Philippe, veut appliquer au patrimoine artistique les soins de recensement et de préservation qu'il souhaitait aussi pour les archives. L. Vitet, puis P. Mérimée en 1834 sont nommés *inspecteurs généraux des monuments historiques,* ce dernier animant, à partir de sa création, la *Commission des Monuments Historiques* (1837) avec le concours de Viollet-le-Duc. À partir de cette époque, qui coïncide avec les amorces de la révolution industrielle, tous les problèmes de conservation et de restauration sont posés en termes modernes, aujourd'hui inclus dans les questions complexes de l'architecture et de l'urbanistique et liés à la notion de patrimoine. ◇ Le mot est employé par figure dans la locution ***monument de*** (1855) et en parlant d'une œuvre littéraire. ◇ Plus récemment, il est employé familièrement en parlant d'une personne très forte (*c'est un monument*).

▸ Son dérivé **MONUMENTAL, ALE, AUX** adj. est d'abord relevé (1802) au sens de «qui concerne les monuments archéologiques», dans une relation de voyage en Égypte à propos des campagnes de Bonaparte. ◇ Dès 1805, il est employé avec le sens figuré, «qui a une grandeur majestueuse» (chez Chateaubriand comparant la majesté d'un pin à celle des pyramides), puis «qui a les proportions d'un monument» (1813, *statues monumentales*) et, par hyperbole, «très grand» (1825). Quelques emplois familiers à valeur péjorative ont suivi (1874). ➜ *Monumental* a produit **MONUMENTALEMENT** adv. (XXe s.) et **MONUMENTALITÉ** n. f. (1909; une fois en 1845), ainsi que **MONUMENTAIRE** adj. (1901), plus didactique.

MOQUE n. f. est un mot d'origine régionale (ouest de la France), d'abord attesté au Québec (1776) et dans un glossaire du patois rochelais (1780). Il couvre une aire allant de la Normandie à la Gascogne et correspond au bas allemand *mokke* «cruche, pot», au moyen néerlandais *moken* «petite mesure de capacité» (néerlandais *mok* «tasse en fer blanc») et à l'anglais *mug* «cruche, pot, tasse à anse» (1570). Il est difficile de déterminer laquelle de ces langues est à l'origine du mot français et de préciser l'étymologie du mot (peut-être du scandinave, le norvégien ayant *mugge* et le suédois *mugg,* par la Normandie, mais il faudrait alors supposer une grande ancienneté au mot).

♦ *Moque* désigne un vase servant à boire ou à mesurer, un gobelet ; il est enregistré dans les dictionnaires généraux en 1800. ◇ De nos jours, il n'est en usage que sur le littoral de la Manche et de l'Atlantique, son sens argotique «tinette aux nécessités», né dans l'argot du bagne (1931), ne s'étant pas maintenu.

MOQUER v. tr. et pron., attesté depuis le XIIe s. (1174-1177), est d'origine obscure : il s'agit probablement d'une formation expressive, d'un roman °*moccare* contenant le radical *mokk-* indiquant le mépris, comme semblent le montrer les correspondants du français (vénitien *mocar* «moquer, dire des paroles inutiles», piémontais *moca* «grimace», espagnol *mueca* «grimace», portugais *moca* «dérision»). L'hypothèse d'un rattachement au grec *môkan* «railler» pose des problèmes d'ordre phonétique ; celle qui évoque l'ancien nordique *moka* «remuer du fumier» n'est pas suffisamment étayée quant à son évolution sémantique et à son origine normande.

♦ *Moquer,* d'abord attesté en construction transitive et en emploi absolu (fin XIIIe s.), est généralement employé aujourd'hui à la forme pronominale, d'ailleurs ancienne (XIIIe s., *soi moquer de*). Depuis 1539, on relève aussi la construction passive *se faire moquer de soi.* ◇ Par extension de l'idée de «plaisanter, railler», le verbe a développé le sens de «dédaigner, ne faire aucun cas de» (1267) et celui de «ne pas parler, ne pas agir sérieusement» (1538). ◇ Au XVIe s., *se moquer,* suivi d'un infinitif, prend le sens de «s'abstenir de» (1590) et, en langue classique, le sens plus intellectuel de «considérer comme ridicule, déraisonnable». L'acception «tromper, leurrer» (XIIIe s.) est sortie d'usage au XVIIe s., même si le pronominal en évoque encore quelquefois l'idée.

▶ **MOQUERIE** n. f., dérivé du verbe avec le suffixe *-erie* (1275), a remplacé *moquement* (du XIIIe s. à 1500) et *moqueis* (1225-1230). Dès les premiers textes, il signifie «action, parole par laquelle on se moque», «action, habitude de se moquer d'autrui» (1280). Ce dernier sens, évincé au profit d'*absurdité,* reste vivant en anglais dans *mockery,* de *to mock,* lui-même emprunté au français. ◆ Quant à **MOQUEUR, EUSE** n. et adj., il est d'abord attesté comme nom (1280) sous la forme *moqueour,* puis comme adjectif (1559). L'ancien féminin *moquerresse* (1330) a été refait en *moqueuse.* ◇ Le mot correspond à la fois à «qui se moque», «qui est inspiré par la moquerie» et «porté à la moquerie (d'un caractère)». ◇ Le nom sert spécialement à désigner un passereau d'Amérique (1676, *mocqueur* en même temps que l'anglais *mocking-bird ;* dès 1649, *mock-bird*) qui imite le chant et les cris d'autres espèces. Il est employé en apposition dans *merle moqueur.* ◇ L'adverbe **MOQUEUSEMENT** est attesté depuis 1531. ◆ L'adjectif de sens passif **MOQUABLE** (av. 1544, *mocquable*), bien attesté au XVIe s. et repris en 1819, a vieilli au profit de *risible.*

MOQUETTE n. f. est l'aboutissement d'une série ancienne. Avant la forme actuelle (1608), le mot est attesté au XVIe s. sous la forme *mosquet* (1587), *mosquette* (1585) et, antérieurement, *mocade* (1578). Son origine est obscure : il convient probablement de le rapprocher de l'anglais *mockado* désignant une étoffe très utilisée au XVIe et au XVIIe s. pour l'habillement (1543, *mockeado*). Celui-ci serait une forme corrompue de l'italien *mocajardo* ou une variante de ce mot, correspondant aux anciennes formes françaises *mocayart, mocaiart* (→ moire). Selon une autre hypothèse qui s'appuie sur les anciennes formes de *moquette, mosquet* et *mosquette,* le mot serait le même que *mosquée**, par les variantes disparues *mosquet, mosquette* et *musquet.* Dans ce cas, il aurait pour valeur initiale «tapis de mosquée» ; de ce fait, on relève bien *mosquette* au sens de «tapis d'Orient» en 1585 (sous réserve d'une confusion entre les formes homographes). Signalons aussi l'hypothèse de P. Guiraud qui remonte à *moche* «écheveau» (→ moche), du latin *muticus,* doublet de *mutilus* «tronqué» qui a donné *mutilé.*

♦ *Moquette,* «étoffe à chaîne et trame de fil, veloutée de laine», a pris son sens moderne de «revêtement de sol vendu au mètre» (XXe s.) par l'intermédiaire de celui de «tapis que l'on cloue au sol dans un appartement» (1836, Chateaubriand, *Littérature anglaise*).

▶ Le dérivé récent **MOQUETTER** v. tr., «recouvrir de moquette», est attesté depuis 1972 ; il est d'origine publicitaire.

MORAILLE n. f. est emprunté (1607, *moraille de mareschal*) au provençal *moralha* ou *morralhia,* qui désigne une pièce de fer adaptée au battant d'une porte pour la fermer (v. 1240) et, en ancien dauphinois, les tenailles servant à pincer les naseaux d'un cheval (1530). C'est un dérivé du provençal *morre* «museau, groin» (1222-1232), encore en usage au sud de la ligne allant des Vosges à l'embouchure de la Gironde, et issu d'un type préroman (peut-être celtique) °*murr-* de même sens (→ morfondre, ① morgue, mornifle) dont l'idée de base est celle d'«éminence».

♦ *Moraille* est surtout employé au pluriel (1690), comme *tenailles,* et désigne les tenailles du maréchal-ferrant. Depuis 1723, il sert, par analogie, à désigner des pinces de verrier.

▶ Le mot avait déjà été emprunté (XIIIe s.) au provençal pour désigner une visière ou une pince de fer à charnière fixant la visière du casque (1285) et on en avait tiré **MORAILLON** n. m. (1457 ; 1360, *morillon ;* 1380, *moreillon*), encore usité de nos jours avec le sens du provençal *moralha, moralhia.* Cette acception vient du fait que cette pièce s'applique sur une porte de la même façon qu'un bâillon contre le museau d'un animal.

◈ voir MORAINE.

MORAINE n. f., terme de géographie physique, est emprunté (1779, Saussure, *Voyage dans les Alpes*) au savoyard *morêna* de même sens, par extension de l'acception «renflement de la lisière inférieure d'un champ en pente par suite de la descente de la terre». Le mot est dérivé d'un type *mor(r)e* apparenté à *moraille**, du radical préroman °*murr-* «tertre, éminence». Ce radical est représenté par le toscan *mora* «tas de pierres», le catalan *morro* «tertre» et l'espagnol *morón* de même sens. Le suffixe *-ena* est probablement lui aussi préroman : on le retrouve dans le piémontais *morena* «terreau» et l'espagnol *moreña* «tas de pierres, moraine». De son côté, P. Guiraud invoque une dérivation en latin populaire du latin *mora* «obstacle» (→ moratoire).

♦ Le mot désigne un amas de blocs et de débris rocheux entraînés par le glissement d'un glacier.

▶ Sur *moraine*, on a formé l'adjectif **MORAINIQUE** «relatif aux moraines, formé de moraines» (1875), d'usage didactique.

MORAL, ALE, AUX adj. et n. est emprunté (1212) au latin *moralis* «relatif aux mœurs», spécialisé en scolastique, de *mores*, pluriel de *mos* (→ mœurs).

♦ Apparu dans la traduction de *Li moralia in Job*, *moral* est d'abord employé en philosophie dans l'expression *vertu morale* pour désigner la vertu qui suit la lumière de la raison (1270). Puis il qualifie ce qui concerne les mœurs, est conforme à l'éthique (1370-1372) et (XVe s.) ce qui concerne l'étude philosophique de la morale (1403, *philosophie morale*). Ce n'est qu'à l'époque classique qu'il prend le sens pratique de «conforme aux bonnes mœurs, propre à les favoriser» (1694) et «qui a de bonnes mœurs» (1764). ➛ Aux XVIIe-XVIIIe s., s'ajoutent des sens nouveaux : celui de «fondé sur l'opinion, la croyance (et non les faits rigoureux ou le raisonnement)» (1694), aujourd'hui vieilli, et, dans l'opposition esprit-matière, celui de «relatif à l'âme, à l'esprit par opposition au physique» (1746). ➛ C'est à la même époque que le mot est substantivé au masculin *le moral* pour désigner l'ensemble des facultés morales, spirituelles (1752), valeur qui subsiste par la locution ***au moral*** (par opposition à *au physique*). Le sens d'«éthique» (1775) a également vieilli et *le moral* correspond aujourd'hui psychologiquement à l'état d'esprit, à l'énergie permettant de supporter les difficultés (1823).

▶ L'adverbe qui correspond à tous ces sens, **MORALEMENT**, a signifié «dans un sens allégorique» (1325) avant de se lier (v. 1370) à *moral* en philosophie et de s'étendre au domaine de l'opinion (1636). ➛ De même, le dérivé **MORALISER** v. tr. est d'abord relevé dans *moralizé* (1340) «interprété de façon allégorique» (par ex. dans *Ovide moralisé*). Le sens usuel de «rendre moral» est postérieur (1596), de même que «faire des réflexions morales» (1611) et «reprendre qqn en lui faisant la morale» (1756). ➛ *Moraliser* a produit **MORALISANT, ANTE** adj. (1778), **MORALISEUR** n. (1611 ; 1375, pour «celui qui interprète allégoriquement»), vieilli au profit de **MORALISATEUR, TRICE** adj. et n. (1839, «propre à moraliser» ; 1852, comme nom), lequel a souvent une valeur péjorative (1931, *ton moralisateur*, Gide), et enfin **MORALISATION** n. f. (1823).

MORALE n. f., dégagé par ellipse d'une expression comme *philosophie morale*, date du XVIIe s. (1637), c'est-à-dire d'une époque où la morale se laïcise et où *mœurs* et *moral* entrent dans l'usage courant. Le mot s'applique à la doctrine ou science déterminant les règles de conduite et, plus concrètement, à l'ensemble des règles de conduite admises inconditionnellement et considérées comme applicables (1658, Pascal). À la même époque, le mot se dit des traités de philosophie morale (1688) et désigne la leçon morale se dégageant d'une œuvre (1688, La Fontaine) ; toutefois, l'expression *leçon de morale* n'est pas relevée avant 1769. ◇ Dès la fin du XVIIe s., *morale* peut aussi s'appliquer à une doctrine plus ou moins nuisible aux mœurs (1694, *morale lubrique*). Il signifie «réprimande, remontrance» dans l'expression ***faire la morale*** (1752), souvent péjorative. ➛ Au XVIIe s., grand siècle de la morale, *morale* produit **MORALISTE** n. (1690) «auteur qui écrit et traite de la morale». Au XVIIIe s., ce mot est appliqué particulièrement, dans les Flandres, aux jansénistes (1701). ◇ Par extension, il se dit d'une personne qui, sans être écrivain, fait des réflexions morales (1762) ; on le trouve adjectivé à partir de 1758. ➛ **MORALISME** n. m. (1771) a d'abord été pris au sens de «système de forces sprirituelles» (par opposition à *mécanisme*). Depuis 1830, il a la valeur didactique de «système philosophique s'attachant uniquement à la morale». ◇ Le sens commun péjoratif, «attachement formaliste et étriqué à la morale», est postérieur (1929).

MORALITÉ n. f. est un emprunt scolaire ancien (1180) au bas latin tardif *moralitas* «caractère, caractéristique», dérivé de *moralis*. Il est d'abord relevé dans l'expression *par moralité* «en vue d'un enseignement». Au XIIIe s., il s'applique au sens moral que l'on peut tirer d'une œuvre littéraire. C'est aussi le nom d'un genre dramatique médiéval qui représente une action à l'aide de personnages allégoriques (1426). ➛ Depuis 1270, *moralité* est pris dans l'acception didactique de «caractère moral, valeur au point de vue éthique» ; on parle ainsi de *certificat de moralité* (1865). ◇ À partir du XVIIe s., le mot, par affaiblissement de sa valeur doctrinale, désigne plus particulièrement la valeur d'une personne, selon qu'elle est conforme ou non aux exigences de la morale. ➛ Le sens neutre, «rapport d'une chose, d'un acte avec les règles de la morale», est attesté depuis 1759.

Le groupe de *moral* s'est enrichi de termes préfixés en *dé-*, *im-*, et *a-* avec valeur antonymique, tous postérieurs au XVIIe siècle. ➛ Le premier attesté est **IMMORAL, ALE, AUX** adj. (1622, «contraire à la morale» ; à nouveau 1770), suivi de **IMMORALITÉ** n. f. (1777), **IMMORALISME** n. m. (1845) et **IMMORALISTE** adj. et n. (1874, Barbey, *les Diaboliques* ; plus tard illustré par Gide). ➛ On relève ensuite **DÉMORALISER** v. tr., mot révolutionnaire (1795), surtout courant au sens psychologique de «faire perdre le moral, abattre» (1800), d'où **DÉMORALISANT, ANTE** adj., usuel, **DÉMORALISATEUR, TRICE** adj. (1796) et **DÉMORALISATION** n. f. (1796) avec la même double signification. ➛ Plus récemment, sont apparus **AMORAL, ALE, AUX** adj. (1885), **AMORALITÉ** n. f. (1885), **AMORALISME** n. m. (1905) et **AMORALISTE** adj. et n. (1912) qui ne concernent plus l'hostilité mais l'indifférence à la morale dominante, et sont surtout employés dans le langage philosophique.

MORATOIRE adj. et n. m. est un emprunt relativement tardif de la langue du droit (1765, *Encyclopédie*) au latin juridique *moratorius* «qui retarde». Celui-ci est dérivé de *morari* «retenir, retarder», de *mora* «retard, délai, arrêt» (→ demeurer, ② morose). Dès 1410, le latin médiéval présente la forme féminine substantivée *moratoria* «lettre moratoire, accordant, formulant un délai».

♦ En français, l'usage du mot se limite à quelques expressions, dont *lettres moratoires* (1765) et *intérêts moratoires* «qui résultent d'un retard» (1812). ◆ Le nom juridique *moratoire* (1931) est la francisation de *moratorium* (janvier 1915), mot du latin moderne formé à partir du neutre substantivé de *moratorius*. Ce terme juridique est passé dans le langage politique. On le rencontre quelquefois dans le style littéraire (Daudet) avec l'idée étymologique de «délai, retard».

① **MORBIDE** adj. est emprunté par la langue médicale (1486) au latin *morbidus* «malade, malsain», et en bas latin «mou, souple» (→ morbidesse), dérivé de *morbus* «maladie de tout le corps», mot sans étymologie connue. *Morbus* était distingué à la fois de *aegrotatio* (→ égrotant) et de *vitium* (→ vice) autres noms latins de la maladie.

♦ *Morbide*, attesté une première fois avec le sens de «malade», a été repris au début du XIXe s. (1810) avec la valeur restreinte de «qui a rapport à la maladie, la caractérise ou en résulte». ◆ Peu après (1836), il a reçu le sens figuré de «malsain, qui a un caractère anormal» et, par extension, «qui indique un goût pour l'inquiétant, l'anormal».

▸ On en a tiré **MORBIDEMENT** adv. (1839, en médecine), mot rare, et **MORBIDITÉ** n. f. (1849) «état caractéristique de la maladie» et (1923) «caractère malsain (d'une œuvre littéraire, artistique)». Le mot est spécialement employé au sens étymologique dans les statistiques démographiques *(tables de morbidité)*.
Deux termes de médecine sont apparentés. ◆ **MORBILLEUX, EUSE** adj., «relatif à la rougeole», est un emprunt (1812) à l'anglais *morbillous*, dérivé de *morbus*. On relève déjà *morbilles* au XVIIe s. en français (1655, Oudin) avec le sens de «marques de petite vérole», formé sur le latin scientifique *morbillus* (1250). ◆ **MORBIFIQUE** adj. (1590), «qui peut causer la maladie», représente le latin tardif *morbificus*, de *morbus* et *-ficus* «qui fait» (→ faire); il est aujourd'hui archaïque (on dit plutôt *morbigène*).

◈ voir MORBIDESSE.

② **MORBIDE** → MORBIDESSE

MORBIDESSE n. f. est emprunté (1588) à l'italien *morbidezza* «caractère doux, moelleux (d'un objet, d'un matériau)» (XIVe s.), spécialement «grâce nonchalante, délicatesse de teint (des femmes et des enfants)» (1340-1342) et, en arts, «moelleux, délicatesse de coloris» (av. 1556, L'Arétin). Ce nom est dérivé de l'adjectif *morbido* «doux, souple, malléable» (XIIIe s.) et «beau, harmonieux (du corps et du visage des femmes et des enfants)», «caractérisé par le raffinement des coloris, l'harmonie des proportions» (1550, Vasari). Il s'agit d'un représentant du latin *morbidus* (qui a donné le français *morbide**) d'après l'évolution sémantique, à basse époque, de «malade» à «mou, souple» (VIIIe s.).

♦ *Morbidezza* a pénétré en français sous sa forme italienne au sens de «grâce nonchalante» (chez Montaigne). Au XVIIe s., il est passé dans le langage de l'art (1666) où il a été francisé (1771). ◇ Depuis 1801, il est aussi employé au sens figuré de «douceur alanguie, suavité, délicatesse», notamment en parlant d'une œuvre littéraire ou musicale. Il est aujourd'hui archaïque dans tous ses emplois.

▸ L'adjectif italien était également passé en français dans ② **MORBIDE** adj. (1660), terme de peinture exprimant une qualité de «velouté, souple et délicat (des chairs)», aujourd'hui disparu, gêné par l'existence de son homonyme.

MORBLEU → MORT

MORCEAU n. m. est le dérivé démotivé de *mors** «action de mordre» à l'aide du suffixe diminutif *-el* (1120-1150, *morsel*), puis *-eau* (1480, *morceau*).

♦ *Morceau* a repris à *mors* le sens de «partie d'un mets solide que l'on détache en mordant; bouchée». En ancien français et encore au XVIe s., *mors* et *morsel* étaient fréquents au sens de «morsure», mais cette idée s'efface déjà dans le sens métonymique de «partie séparée d'une chose comestible» (1155), puis complètement dans celui de «partie d'un corps, d'une substance» (XIIIe s.) qui n'a plus de rapport avec le verbe *mordre*. La locution figurée ancienne *avaler un morcel* est attestée au XVIe s. avec l'idée de «subir un ennui», peut-être d'après *morceau* «morsure venimeuse, poison». Il n'est pas impossible que la locution moderne ***manger le morceau*** (1798) procède de cet emploi, même si elle est sentie comme équivalent de *se mettre à table*, avec une autre cohérence métaphorique. ◆ *Morceau* exprime aussi la notion de partie distincte mais non séparée du tout (1672, *morceau de terre*), oblitérant définitivement le lien à *mordre* et à *mors*. Le XVIIe s. a vu se développer l'idée de «fragment» (d'une œuvre artistique), en littérature (1666), dans ***morceaux choisis*** (1835), et en musique où le mot désigne un fragment complet d'une œuvre instrumentale qui en compte plusieurs (1694). ◆ Ainsi s'amorce le procédé métonymique qui consiste à prendre la partie pour le tout, réalisé notamment en boucherie *(bas morceaux)* et dans divers domaines. Furetière note que le mot exprime l'idée d'un «tout excellent», accompagné d'une épithète laudative, que ce soit en parlant d'un ouvrage d'architecture, de sculpture ou d'une jolie fille, dans *bon morceau* (1640) puis ***morceau de roi*** (1666, La Fontaine). ◇ C'est au XIXe s. que l'on relève les locutions familières ***casser le morceau*** (1844) «parler, agir violemment» et ***emporter le morceau*** (1866) «gagner une partie disputée».

▸ Les anciens diminutifs du mot, *morcelet* n. m., *morcille* n. f., *morcillon* n. m., ont disparu. ◆ **MOR-**

CELER v. tr. «diviser en morceaux» (1573) présente immédiatement la valeur de «démembrer un terrain». Au XIXe s., ce verbe a développé le sens figuré de «désagréger», surtout réalisé par son participe passé adjectivé. ◇ Il a produit **MORCELAGE** n. m. (1793) en philosophie, le nom d'action **MORCELLEMENT** n. m. (1789) et, ultérieurement, **MORCELABLE** adj. (1907). ➜ Au XXe s., le radical de *morceau* a servi à former son équivalent argotique **MORCIF** n. m. «morceau à manger» (1957).

MORDACITÉ n. f. est emprunté (1490) au latin *mordacitas* «aptitude à piquer, saveur piquante», au figuré «paroles mordantes, virulence du langage», de *mordax* «mordant, caustique», lui-même de *mordere* (→ mordre).

♦ Le sens concret de «qualité d'une substance corrosive» (en médecine, puis en parlant de l'eau-forte en gravure) et le sens figuré de «causticité» (1512) ont également vieilli.

▶ Du même radical latin, par le bas latin *mordicans*, de *mordicare* «irriter», vient par emprunt **MORDICANT, ANTE**, attesté comme participe (1314) puis adjectif (1539) en médecine pour «irritant, corrosif», puis au figuré (1674) «caustique».
Le nom correspondant **MORDICATION** n. f. est un emprunt (1300) au bas latin *mordicatio, -onis*, de *mordicare*. Bien qu'il ait été repris au XIXe s., il est, comme l'adjectif, archaïque.

MORDANCER → MORDRE

MORDICUS adv. est l'emploi (1690, Regnard) du mot latin *mordicus*. Celui-ci, dérivé de *mordere* (→ mordre), signifiait proprement «en mordant, avec les dents», et était déjà employé au sens figuré de «sans en démordre».

♦ Cette dernière valeur seule est passée en français avec une valeur familière.

MORDORÉ, ÉE adj. est la forme soudée (1771) de *more doré*, attesté comme nom à propos d'un tissu teint en brun-rouge (1669). Le mot est composé de *more*, variante de *maure* «habitant de Mauritanie», qui a inspiré plusieurs termes exprimant la notion de «couleur brune» (→ moreau, morelle, moricaud, morille), et de *doré**.

♦ Comme tout adjectif de couleur, *mordoré* est substantivé pour désigner une teinte mordorée (1778).

▶ Par la suite, on a formé **MORDORURE** n. f. «couleur mordorée, reflets mordorés» (1829) et le verbe **MORDORER** (v. 1850).

✱ **MORDRE** v. est issu (1080) d'un latin populaire °*mordĕre* (avec *e* bref), postulé par l'italien *mordere*, l'espagnol, le catalan et le portugais *morder*. C'est l'altération phonétique du latin classique *mordēre* (*e* long) «entamer avec les dents», employé au figuré à propos de paroles et de l'action du froid, et pour «tourmenter, piquer, chagriner». Le mot latin se laisse seulement rapprocher de façon plausible du sanskrit *mardati*, védique *mrādate* et *mardayati* «il broie»; mais on ne trouve aucune racine indoeuropéenne signifiant «mordre».

♦ *Mordre* est apparu au sens propre usuel d'«entamer avec les dents». Dès 1165, il est employé avec un sens figuré, surtout dans les locutions ***se mordre la langue*** (1566), ***mordre la poussière*** «être tué dans un combat» (XVIIe s., Malherbe). ◇ À partir du XIIIe s. (1205-1250, *Roman de Renart*), on relève son emploi indirect dans la locution ***mordre à qqch.*** «se laisser prendre à», développée explicitement dans *mordre à l'appât* (v. 1600), ***mordre à l'hameçon*** (1669). Au XIIIe s., le verbe est employé particulièrement au sens de «blâmer, critiquer», aujourd'hui vieilli; il signifie aussi «avoir prise sur» (1268) d'où, concrètement, «saisir et retenir (en parlant de tenailles)» (1314). ➜ Au XVIe s. apparaît un autre sens figuré, celui de «comprendre» (familièrement dans *mordre à*, 1532). ➜ La valeur de «ronger en usant», «attaquer» (1690) est riche d'applications techniques dans divers domaines (gravure, lithographie, teinture, 1723).

▶ **MORDU, UE**, participe passé de *mordre* qui s'est imposé aux dépens de *mors**, forme primitive, compte quelques emplois adjectifs particuliers, techniques (en marine; en couture, 1868) et familiers : en relation avec *mordre* «avoir goût à» (1636), il signifie «amoureux, passionné» (1876) et est substantivé pour désigner une personne passionnée (1927, *les mordus du cross*), récemment concurrencé par des adjectifs plus actuels *(accro, allumé)*. ➜ Parallèlement, le participe présent est employé comme adjectif, **MORDANT, ANTE** (1174), avec le sens actif de «qui mord» au propre et au figuré, où il prend la place de *mordicant**. Il connaît quelques emplois techniques et est substantivé (1200) pour désigner une pièce de métal de la ceinture, en archéologie, puis aussi une substance corrosive et une substance permettant de fixer l'or ou l'argent (1743). On le rencontre également à propos d'une saveur âcre (1636), et en musique où il exprime une qualité particulière de timbre (1798). ➜ Avec son sens technique, il a produit **MORDANCER** v. tr. et son dérivé **MORDANÇAGE** n. m. (tous deux en 1841), employés en teinture textile et, par analogie, en photographie (1931).
Sur *mordre*, on a formé **MORDEUR, EUSE** n. et. adj. (1486; XIIIe s., *mordeor*) «caustique», le diminutif à valeur itérative **MORDILLER** v. tr. (av. 1555) et ses dérivés **MORDILLURE** n. f. (1594; à nouveau depuis 1863), à peu près abandonné, **MORDILLAGE** n. m. (1840) et **MORDILLEMENT** n. m. (1867), ainsi que **MORDILLONNER** v. intr. (1584; repris en 1849). ➜ *Mordre* a aussi produit deux termes d'entomologie **MORDELLE** n. f. (1768) et **MORDETTE** n. f. (1828), ainsi que le nom d'action **MORDAGE** n. m. (XXe s.), limité au domaine de la pêche.
Enfin, il entre sous la forme de l'impératif (2e personne du singulier) *mords* dans la locution adverbiale familière ***à la mords-moi-le-doigt*** (1916, par calembour ***à la mords-moelle-d'oie***) et ses variantes ***à la mords-moi-le-nœud, la chose,*** «inepte, peu sérieux», par un euphémisme de nature sexuelle utilisant le verbe *mordre* (*c'est à se la prendre et se la mordre*, etc.).
Le groupe de *mordre* s'est enrichi de deux verbes préfixés **REMORDRE** v. tr. (1170), peu employé, et

surtout **DÉMORDRE** v. tr. ind. (XIVe s.), dont le sens propre «lâcher ce que l'on mord, desserrer les dents après avoir mordu» a brièvement existé (1583-1671) en marge du sens figuré attesté dès les premiers emplois et surtout à la forme négative *ne pas en démordre.* Cette valeur se rapporte principalement à une ligne de conduite et à une opinion, après avoir aussi exprimé (1587) la reddition d'une place assiégée, de prisonniers (D'Aubigné). ◇ L'ancien français avait formé un autre *demordre* «mordre» (1223) avec le préfixe intensificateur *de-.*

◈ voir AMORCE, MORCEAU, MORDACITÉ, MORDICANT, MORDICUS, MORPION, MORS, REMORDS.

MORELLE n. f. est emprunté (v. 1250, *morele*) au latin médiéval *maurella* de même sens, dérivé de *Maurus* «Maure» (→ mauresque) pris au sens de «brun foncé».

♦ Le mot, qui désigne une plante de la famille des Solanacées, est passé en zoologie pour désigner la foulque (1781) comme dérivé diminutif de *more,* variante de *maure.*

► Quant à l'adjectif **MOREAU, ELLE** (1180, *morel*), il vient d'un latin populaire °*maurellus* «brun comme un Maure», lui aussi dérivé de *Maurus.* De fait, on relève le nom propre *Maurellus* en latin d'Espagne au VIIIe siècle. En français, *morel* désignait un cheval noir (1180), et, à date plus ancienne, on trouve *destrier moreis* et le nom *moreis* (1130). ◇ Par la suite, *morel* a été adjectivé au sens de «brun foncé, noir (de la robe d'un cheval)» (av. 1250) et a pris sa forme actuelle *moreau* (v. 1455-1457). En dehors de l'hippologie, il est très représenté en onomastique dans les noms de famille *Morel, Morin, Morot,* etc.

◈ voir MAURESQUE, MORDORÉ, MORICAUD, MORILLE, MORILLON.

MORESQUE → MAURESQUE

MORFALER v. intr. est probablement une variante tardive (1951, *se morfaler,* mais antérieur; cf. *morfalou*) de *morfalier* «manger gloutonnement» (1834), lequel est la variante d'un plus ancien *morfailler* (1636), dérivé de *morfer* (1623), variante de *morfier* (1566) qui a donné *morfler**. *Morfailler* remonte au moyen bas allemand *murfen* «ronger», comme sa variante *morfiailler* «boire ou manger avidement» (1534, Rabelais).

♦ Le mot, d'usage argotique puis familier, signifie «manger gloutonnement».

► Quant à **MORFAL, ALE** adj. et n. (1935), il est dérivé par apocope de **MORFALOUX** n. m. «glouton, goinfre» (1902), également **MORFALOU** (1920), lui-même de *morfaler.* Les deux mots se sont répandus par l'argot militaire.

◈ voir MORFLER.

MORFLER v. tr. est une variante avec transposition de sens (1926) de *morfiler* «manger» (1821; 1800, *morfiller*). Celui-ci est issu soit de *morfier* «manger gloutonnement» (→ morfaler), soit, par changement de suffixe, de *murfel(e)n,* forme diminutive, germanique et néerlandaise, de *murfen* «ronger», d'un radical lombard passé en fourbesque *(smorfire),* en roumain *(morfoli)* et en argot argentin.

♦ Ce verbe argotique signifie «encaisser, subir (des coups, des ennuis)». Le sémantisme est celui d'avaler, pour «subir».

MORFIL → ② MORT

MORFONDRE (SE) v. pron. est emprunté (fin XIVe s.) à l'ancien provençal *marfondre, morfondre* «devenir catarrheux, en parlant du cheval» (1359-1360). Celui-ci est composé de *mor, more* «groin, museau», particulièrement attesté dans le Midi (→ morailles), et de *fondre**.

♦ *Morfondre* a été introduit en médecine vétérinaire, où l'on parle d'un *cheval morfondu* (1407), ce qui suppose un transitif. Par extension, il a pris le sens intransitif de «prendre froid» (1460-1466) et son participe passé celui de «transi de froid» (1524). ◇ C'est en ce sens qu'il a commencé d'être employé à la forme pronominale (1512). Par dérivation, on est passé à la valeur de «rester, attendre longuement dans l'ennui, perdre du temps à qqch. d'inutile» (1574) et, par une extension psychologique, à «se tourmenter, être insatisfait». ◆ Depuis 1690, il est employé spécialement en boulangerie au sens de «fermenter mal, insuffisamment». Il a exprimé l'état d'un aliment qui se gâte lorsqu'on tarde à le manger (1704). ◆ En français du Canada, il a conservé une idée physique de «s'épuiser, se ruiner la santé».

► **MORFONDU, UE** adj., en dehors des emplois correspondant aux sens du verbe, est employé spécialement en parlant des œufs morts de vers à soie (1845). ◇ En marine, il désignait anciennement les cordages faits avec de vieux câbles détordus. ◆ *Morfondre* n'a pas donné de nom de sens général (*morfondement,* 1655, Oudin, repris par Claudel en 1908, est resté exceptionnel). ◆ **MORFONDURE** n. f., terme de médecine vétérinaire (1393), synonyme en moyen français de «froid pénétrant», est plus ou moins sorti d'usage.

◈ voir ① et ② MORGUE.

MORGANATIQUE adj. vient par emprunt (1609) du latin médiéval *morganatica* «(femme) qui reçoit un douaire» (v. 1250), féminin de l'adjectif *morganaticus* (1310). Ce dernier est issu par changement de suffixe de formes plus anciennes : *morganegyba* (VIe s.), *morgincap* (901), *morgincaput* (938), *morganatio, morganatus* (976) «donation faite à une femme par son mari au lendemain de ses noces». C'est un emprunt au mot germanique °*morgangeba* qui correspond à l'allemand *Morgengabe* de même sens, littéralement «don du matin», de *Morgen* «matin» et *Gabe* «don», deux mots ayant des correspondants dans diverses langues germaniques.

♦ Le passage de «donation faite le lendemain des noces» à l'acception juridique moderne «mariage d'un souverain, d'un prince avec une personne d'un rang inférieur, excluant des prérogatives de caste et d'héritage l'épouse et les enfants nés de cette union» (1608, en latin juridique) procède d'une métonymie, le douaire étant une compensation offerte à l'épouse. Par extension, *morganatique* est employé dans l'usage didactique pour qualifier une union illégitime (1835, Balzac).

▸ **MORGANATIQUEMENT**, l'adverbe correspondant, est attesté depuis 1844 et a quelquefois le sens figuré d'«illégalement, sans légitimité».

① **MORGUE** n. f. est, en dépit de son antériorité attestée, le déverbal (v. 1450) du verbe transitif *morguer* (1575-XVIIIe s.) «traiter qqn avec arrogance», encore chez Voltaire et Chateaubriand, emprunté aux patois occitans du Sud (le mot est encore vivant dans le domaine provençal et languedocien). *Morguer* est issu d'un type °*murricare* qui a pu avoir le sens de «faire la moue» et qui est lui-même dérivé de °*murr-* «museau, groin» (→ moraille, morfondre). Le verbe a probablement été introduit en français à la fin de la guerre de Cent Ans par les mercenaires du Midi.

♦ *Morgue,* en ancien français, a le sens large de «mine, attitude, façon d'agir» et entre dans les locutions *tenir morgue* «faire bonne mine, bonne contenance», *faire la morgue, tenir sa morgue,* de même sens. ◆ Le sens moderne péjoratif, «attitude, contenance hautaine et orgueilleuse» (1538), est une spécialisation, par l'intermédiaire de *bonne morgue* (employé dans les locutions précitées) «mine fière, assurée, hautaine».

▸ ① **MORGUEUR, EUSE** n. et adj., «arrogant, insolent» (v. 1600), est tombé en désuétude (Trévoux l'enregistre encore comme un terme «hardi») de même que **MORGUEUX, EUSE** «qui fait la mine, affecté» (Haute-Normandie, etc.).

◈ voir MORAINE, ② MORGUE, ② MORNE, MORNIFLE.

② **MORGUE** n. f. procède (1532) de ① *morgue** par une dérivation sémantique que les valeurs modernes du mot ne permettent plus de comprendre.

♦ *Morgue,* d'abord attesté au figuré (1532), désigne originellement l'endroit d'une prison où les guichetiers examinaient les prisonniers avant de les écrouer, le passage de sens s'expliquant probablement par le fait que les gardiens dévisageaient, toisaient les prisonniers avec un mélange d'arrogance et de mépris. ◇ Par une nouvelle dérivation de sens, il a pris au XVIIe s. son sens moderne de «lieu où les cadavres sont exposés pour être identifiés» (1674; non répertorié par Furetière en 1690). Par extension, il désigne la salle (dans un hôpital, une clinique, un hospice) où reposent les morts avant l'inhumation (attesté 1943).

▸ Le dérivé ② **MORGUEUR** n. m. «employé chargé du service de la morgue» (1831) n'appartient pas au langage écrit de l'administration qui emploie *garçon d'amphithéâtre.*

MORIBOND, ONDE adj. et n. est emprunté (1466-1483, *vie moribonde*) au latin *moribundus* «qui est près de mourir», adjectif verbal archaïque de *mori* (→ mourir) en *-bundus,* ce suffixe marquant l'action en train de s'accomplir (comme dans *nauséabond, pudibond, vagabond*) et appartenant à une racine indoeuropéenne °*bhū* «être, devenir». Ces formes lourdes étaient évitées par la prose classique, mais non par la poésie, et les langues romanes en ont emprunté quelques-unes. En moyen français, on relève *moribonde* en emploi épicène, c'est-à-dire aussi pour qualifier un nom de genre masculin *(visage moribonde).*

♦ Le mot, signifiant «qui est près de mourir», est substantivé en ce sens depuis 1701, et développe au XVIIIe s. le sens figuré de «près de disparaître».

▸ Son dérivé **MORIBONDER** v. intr. (1886, Huysmans), synonyme d'*agoniser,* est très peu employé.

MORICAUD, AUDE adj. et n. est dérivé (1563, comme nom; 1583, *moricault* comme adjectif) de *more,* variante de *maure,* à l'aide du suffixe *-aud* et avec un élargissement de forme d'origine incertaine, probablement par influence du latin médiéval *moriscus* (→ mauresque). Dès 1481-1490, on note *Moricault* comme nom propre pour un chien de chasse.

♦ *Moricaud* a d'abord le sens de «basané, brun», aujourd'hui disparu, par allusion au teint foncé des Maures. Par extension, le nom a été employé avec une intention péjorative raciste pour un homme ou une femme de couleur (1843, Sue). ◆ Il a également désigné en argot ancien un broc pour servir le vin dans les pots de terre dits *petits pères noirs* (1836) et le café noir (v. 1883).

MORIGÉNER v. tr., d'abord *moriginer* (1485), puis *morigéner* (1671), est dérivé de l'adjectif *morigéné* (1350; dès 1270, *bien morigéné* «bien élevé»). Le mot est emprunté au latin médiéval *moriginatus, morigenatus* «complaisant, docile», forme altérée du latin classique *morigeratus,* participe passé de *morigerari* «être complaisant pour, essayer de plaire à qqn». Ce verbe, d'usage plutôt familier, est tiré de l'expression *morem gerere alicui* «supporter l'humeur de qqn, accomplir ses fantaisies», de *mos* au sens de «caractère, humeur» (→ mœurs) et *gerere* «administrer» (→ gérer). *Morigenatus* a pris le sens de «rendu docile, éduqué», peut-être sous l'influence de *morigerus* «complaisant, docile, soumis», lui-même de *mos* et *gerere.* À la Renaissance, quelques auteurs tentèrent d'emprunter la forme antique *morigerari,* d'où *morigérer* (XVIe s.), mais cette forme étymologique ne parvint pas à modifier l'usage.

♦ *Morigéner* correspond d'abord à «éduquer, instruire aux bonnes mœurs»; par extension, il signifie «gronder, réprimander» (1718), sens nettement plus courant de nos jours, parfois avec la nuance péjorative de «réprimander avec insistance et pédantisme». Il est également employé à la forme pronominale *se morigéner* (1690) «se reprocher».

▸ On en a tiré l'adjectif **MORIGÉNATEUR, TRICE,** d'usage littéraire (employé par Queneau).

MORILLE n. f. est emprunté (1552) à un bas latin °*mauricula,* dérivé de *maurus* «Maure», pris populairement au sens de «brun foncé» (comme dans *mordoré*, morelle*, moricaud**).

♦ Ce nom de champignon fait allusion à la couleur brun foncé de l'espèce qu'il désigne. Par analogie d'aspect, *morille* désigne une excroissance charnue sur le bec de certains pigeons (1909).

► On en a tiré **MORILLON** n. m., nom usuel de certains champignons voisins des morilles. Le même mot existe dès l'ancien français comme un dérivé de *more,* désignant un canard de couleur noire (1280) et une variété de cépage noir (1283), puis aussi, en joaillerie, une petite émeraude brute vendue au poids (1723).

MORMON, ONE n. est emprunté (1832) à l'anglo-américain *Mormon* (1830) et *Mormonite* (1831), du nom que s'est attribué Joseph Smith Jr, auteur du livre intitulé *Book of Mormon* «le livre de Mormon» (1830) et fondateur de la secte religieuse américaine appelée *The Church of Jesus Christ of Later-day Saints'* «Église de Jésus-Christ des saints des derniers jours». *Mormon* est le nom d'un prophète mythique qui aurait été selon Smith l'auteur des *Annales* ou *Livre d'or* qu'il disait avoir traduit de l'égyptien en anglais, mais qui pourrait être le nom d'un personnage de roman.

♦ Le mot a été introduit en français sous la forme *mormonite* mais c'est *mormon* (1850), l'altération *marmon* (1843) ayant disparu, qui s'est imposé comme nom et comme adjectif (1854). La secte des mormons a tenu une grande place sur le plan religieux (avec son espérance de résurrection générale) et aussi sur le plan social (ils pratiquaient la polygamie) et historique, intimement liée à la colonisation de l'Ouest américain (Utah et États voisins).

► **MORMONISME** n. m. a été repris (1851) à l'anglo-américain *mormonism* (1831) «religion des mormons».

① **MORNE** adj., relevé en anglo-normand sous la forme *murne* (1140), avant de l'être en français (*morne,* 1160), est probablement dérivé d'un ancien verbe *morner* qui n'a pas laissé de traces dans les premiers textes, et dont on pose l'existence d'après les composés *amorner* «se mortifier» (XIIIe s.), *amorné* «triste» (apr. 1250), *amornir* «devenir morne» (v. 1165) et *amorni* «triste». ◇ Du reste, le français a conservé le participe passé adjectivé *morné* (→ ③ morne). ◇ L'ancien verbe *morner* serait emprunté à un francique °*mornôn* correspondant au gotique *maurnan* «être occupé, inquiet». L'anglo-saxon possède *murnan,* d'où l'anglais *to mourn* «être triste, affligé»; l'ancien haut allemand atteste *mornên* «se soucier» et l'ancien norrois *morna* «affligé, attristé». Ces mots germaniques se rattachent probablement à la racine indoeuropéenne °*(s)mer-* que l'on a dans le sanskrit *smárati* «réfléchir», le grec *mérmeros* «anxieux», le latin *memor* «qui se souvient» (→ mémoire).

♦ *Morne* exprime une idée de tristesse passive, en parlant d'une personne, de l'expression d'un visage (1181-1190). Appliqué à une chose, il qualifie ce qui inspire la lassitude, l'ennui par son manque d'éclat, notamment le temps (1549), une couleur (1572).

► Son dérivé **MORNEMENT** adv. (v. 1175) est d'usage plus littéraire.

◈ voir ③ MORNE.

② **MORNE** n. m., attesté en 1640 dans la *Relation de l'establissement des François depuis l'an 1635 dans l'Isle de la Martinique,* est un mot originaire des Antilles, étendu par la suite aux créoles de la Réunion, d'Haïti et dont l'étymologie fait défaut. En se fondant sur son sens de «colline, éminence», on a évoqué une altération de l'espagnol *morro* «monticule, rocher» (1591), lequel se rattache à un type °*murrum* contenant le radical préroman °*murr-* «éminence» (→ moraine).

♦ Le mot désigne une petite montagne de forme arrondie, aux Antilles.

③ **MORNE** n. f. est le dérivé régressif (1478) de l'adjectif **MORNÉ, ÉE,** disparu au sens figuré d'«émoussé (en parlant d'un sentiment)» (1250-1300), mais conservé pour qualifier une arme courtoise dont la pointe est rendue moins meurtrière (av. 1550, *lance mornée*) et, en héraldique (1658), un animal représenté sans dents, bec, griffes, ongles, langue ou queue. Ce *morné* est le participe passé adjectivé d'un ancien verbe °*morner* (→ ① morne).

♦ Le mot désigne l'anneau dont on garnissait la pointe d'une arme courtoise dans les tournois.

MORNIFLE n. f. est d'origine incertaine, peut-être issu (1530) d'un verbe °*mornifler* «gifler le museau», composé de *morre* «museau, groin» (du radical préroman °*murr-* «saillie, éminence»; → moraille, moraine, morfondre, ① morgue) et de *nifler* «donner un coup sur» (1637), verbe usuel sous sa forme préfixée *renifler**. ◈

♦ Le premier sens du mot, qui désigne une réunion de quatre cartes, est obscur mais on peut le comprendre d'après le sens de «gifle» (probablement plus ancien, en dépit des attestations disponibles) : on peut supposer que le fait de savoir que l'adversaire a réuni quatre cartes est ressenti comme une «gifle» par le joueur. ◇ Du sens propre de «gifle, coup donné sur le visage», et par l'intermédiaire de la locution figurée *bailler mornifle sur les livres du roy* (1611) «faire de la fausse monnaie», le mot a pris en argot le sens de «monnaie» (1821, également *mornife*).

► Le mot a donné **MORNIFLER** v. tr. «gifler» et, par métaphore, «payer» (1926), **MORNIFLEUR** n. m. «faux monnayeur», dans *mornifleur tarte* (1836), et **PORTE-MORNIF** n. m. (1876) «porte-monnaie». Ces emplois ont tous disparu. ◇ Par changement de suffixe, *mornifle* a donné **MORNINGUE** n. f. (1878) «monnaie, sous» et sa variante *morlingue,* tous deux employés dans *porte-morningue* (1878) et *porte-morlingue,* d'où elliptiquement **MORLINGUE** n. m. (1889) «porte-monnaie», seul mot de cette série argotique à être toujours en usage.

① **MOROSE** adj. vient, par emprunt assez tardif (1618, *moroze*), du latin *morosus* «dont l'humeur est difficile, pénible», dérivé de *mos, moris* (→ mœurs) pris au sens de «humeur, caractère fantasque».

♦ *Morose,* «triste, chagrin», est rare jusqu'au XVIIIe s.; son sens est parfois affaibli en «sans gaîté» (XXe s.).

▶ Il a été précédé par **MOROSITÉ** n. f. (1486), emprunté au latin *morositas, -atis* «humeur chagrine», de *morosus,* et lui aussi rare avant le milieu du XVIIIe siècle. ◇ Ce nom a connu récemment un regain d'usage; il est particulièrement employé au sens de «climat politique terne, manque de dynamisme dans un groupe social» (1971).

② **MOROSE** adj., terme de théologie, dans *délectation morose* (1863, Littré; certainement antérieur), est un emprunt tardif au latin *morosus* «qui dure longtemps», d'où en bas latin «lent, tardif» (av. 366) et, en latin chrétien, «indolent, paresseux, engourdi», dans *delectatio morosa. Morosus* est dérivé de *mora* «retard, arrêt, pause (dans le discours)», «délai», dont le groupe est peu représenté dans les langues romanes (→ demeurer, moratoire), et que l'on a rapproché du verbe dérivé irlandais *marain* «je reste». Le moyen français avait *morose* «fâcheux, qui apporte du retard» (1343) et *morosif* (1599, normand) «lent à faire qqch.» (en droit dans *débiteur morosif*), dérivé de *morose* ou formé savamment à partir du latin *morosus.*

♦ ***Délectation morose*** recouvre la complaisance coupable avec laquelle on pense à une mauvaise chose, sans intention de la commettre. L'expression, interprétée par ① *morose,* n'est plus comprise.

MORPHÈME → MORPHO-

MORPHINE n. f. est dérivé savamment, avec le suffixe *-ine* (1817, *Journal de pharmacie*), du nom propre *Morphée* (latin *Morpheus,* grec *Morpheus*) «dieu du sommeil et des songes», cet alcaloïde de l'opium ayant des propriétés soporifiques. Le grec *Morpheus* est dérivé de *morphê* «forme» (→ morpho-) parce que Morpheus, l'un des mille enfants du sommeil (Hupnos; → hypnotique), était chargé de prendre la forme d'êtres humains et de se montrer aux hommes endormis durant leurs songes.

♦ Le mot désigne l'alcaloïde principal de l'opium, aux propriétés hypnotiques, employé comme stupéfiant. Son isolement date du début du XIXe s. et des travaux des pharmaciens français F. Derosne (1803) et A. Seguin (1804). C'est au pharmacien allemand F. W. Sertürner que reviennent son identification et sa dénomination (1816, selon le dictionnaire d'Oxford).

▶ Sur *morphine,* on a formé quelques dérivés au XIXe siècle : **MORPHINER** v. tr. a succédé à *morphiné* (1852). On le relève à la forme pronominale *se morphiner* (1894), en concurrence avec la forme **SE MORPHINISER** (1885; l'anglais a *morphinized* dès 1856). **MORPHINIQUE** adj. (1891), **MORPHINISME** n. m. (av. 1877, thèse du docteur Calvet) et **MORPHINOMANE** adj. et n. (1883, adj.; 1885, n.), la variante *morphiomane* (1890) ayant disparu, complètent la série. ◆ S'y ajoutent les composés **APOMORPHINE** n. f. (1872), **DIACÉTYLMORPHINE** n. f. (1929) et **DIAMORPHINE** n. f. (1953) en chimie.

MORPHO-, -MORPHE, -MORPHIE, -MORPHIQUE, et aussi **-MORPHISME, -MORPHOSE** sont tirés d'éléments grecs issus de *morphê* «forme», mot probablement lié au latin *forma* (→ forme) par métathèse.

♦ *Morpho-* entre dans la construction de mots savants appartenant notamment au vocabulaire de la biologie, des sciences de la Terre et de la linguistique (→ morphologie). *-morphe,* correspondant également à *morphê,* fréquent dès le grec comme second terme de composés, sert à former des mots, le plus souvent des adjectifs appartenant eux aussi au vocabulaire de la biologie, des sciences de la Terre et des mathématiques. *Morpho-* et *-morphe* produisent fréquemment des dérivés (n. f.) en *-morphie* et des dérivés (n. m.) en *-morphisme* qui, lorsqu'ils coexistent, sont synonymes ou fonctionnent dans des domaines d'emploi différents. ◇ À ces substantifs répondent des adjectifs en *-morphique,* synonymes dans certains cas des adjectifs en *-morphe* correspondants (*endomorphe,* etc.). ◇ *-morphose* est tiré du grec *morphôsis* «action, fait de donner une forme» (de *morphê*) entrant dans la formation de quelques noms féminins désignant des processus de transformation ou de développement morphologiques.

▶ Outre *morphologie,* un certain nombre de composés sont en usage. ◆ **MORPHÈME** n. m. désigne d'abord en linguistique (1921) un élément de formation conférant un aspect grammatical à un élément dit *sémantème.* Ce sens a été éliminé par une valeur empruntée à l'anglo-américain *morphem* (Bloomfield) «élément minimal de signification», qu'il soit lexical ou grammatical. La linguistique fonctionnelle française (A. Martinet) réserve ce dernier sens à *morphème,* employant *monème* pour le «morphème» de Bloomfield. ◆ De *morphème* vient **MORPHÉMATIQUE** adj. (v. 1965). Plusieurs composés en *morpho-* apparaissent autour de 1900. ◆ **MORPHOGENÈSE** n. f., avec *-genèse**, succède (déb. XXe s.) à *morphogénie* (1867) pour désigner les lois qui président au développement des formes vivantes. ◇ Il a produit **MORPHOGÉNÉTIQUE** adj. (1903). ◆ **MORPHOMÉTRIE** n. f. (1909, De Martonne) est un terme de géomorphologie. ◆ **MORPHOPSYCHOLOGIE** n. f. (v. 1950) désigne l'étude psychologique des formes physiologiques; il a pour dérivé **MORPHOPSYCHOLOGIQUE** adj. (1950). ◆ D'autres mots en *morpho-* viennent de *morphologie**.
DIMORPHISME n. m. (1834 en chimie) est tiré de **DIMORPHE** adj. (1826) «qui prend deux formes; qui peut se cristalliser dans deux systèmes». ◇ *Dimorphisme* est surtout répandu en zoologie et en botanique, à propos des espèces qui se présentent sous deux formes différentes (ex. *dimorphisme sexuel*).

◈ voir AMORPHE, ISOMORPHE (art. ISO-), MÉTAMORPHOSE, POLYMORPHE.

MORPHOLOGIE n. f. est formé (1822, Blainville) des éléments grecs *morpho-** et *-logie**. Le terme a d'abord été créé en allemand par Goethe

(1790), passionné de sciences naturelles, dans un sens général et philosophique.

♦ En français, il désigne d'abord la science qui étudie la forme et la structure des organismes, puis les formes des visions du rêve, sens disparu. ➛ Il est également employé en linguistique (1868, Littré) à propos des modifications grammaticales subies par les mots et de la formation des mots par dérivation, composition, etc. Le concept s'est précisé, au XXe s., après Saussure, en rapport avec *syntaxe*. ➛ Il a reçu d'autres applications en géologie (attesté XXe siècle : *in* Académie, 1935), et dans les sciences de l'homme (sociologie, etc.). ➛ Par métonymie, le mot s'applique aussi aux formes étudiées, et non plus à leur structure représentée par des modèles (attesté déb. XXe s.).

▸ Son dérivé **MORPHOLOGIQUE** adj., apparu (1832) au sens de «qui a rapport à la morphologie», c'est-à-dire alors aux formes des visions du rêve, est précédé par l'anglais *morphologic* dès 1830 (en biologie). ◇ On en a tiré **MORPHOLOGIQUEMENT** adv. (1863) précédé par l'anglais *morphologically* (1859). ➛ *Morphologie* a aussi permis de former **MORPHOLOGISTE** n. (1929) ou **MORPHOLOGUE** n. (1962), le premier en biologie, le second dans les sciences de la Terre (l'anglais a *morphologist*, dès 1845).
De *morphologie*, employé en linguistique, viennent plusieurs composés. ➛ **MORPHOPHONOLOGIE** n. f. est formé par le Cercle de Prague (1929), sous les deux formes *morpho-phonologie* et *morphonologie*, pour désigner l'utilisation morphologique des différences phonologiques. ➛ **MORPHOSÉMANTIQUE** adj. et n. f. semble formé en français (1963, B. Pottier). ➛ **MORPHOSYNTAXE** n. f. est probablement emprunté à l'anglo-américain (où le mot est attesté en 1961).

◈ voir GÉO- (GÉOMORPHOLOGIE).

MORPION n. m. est composé (1532, Rabelais) de *mords*, impératif de *mordre**, et de *pion** «fantassin» (→ piéton), *pion* étant relevé au sens de «pou» en wallon dès le XVe siècle : le morpion serait donc soit le «pou du soldat», soit un «pou qui mord»; à moins, qu'avec P. Guiraud, on ne fasse intervenir le verbe *pionner* «piquer», doublet de *piocher**, *pioter*, pour en faire un «pou qui pique».

♦ *Morpion*, «pou du pubis», sens toujours vivant, a pris en argot les sens de «gueux» et aussi «adolescent» (1654). Repris au XIXe s. pour désigner un gamin importun (1866), il est passé dans l'usage familier à propos d'un jeune homme, d'un enfant. ◇ Depuis 1924, d'abord dans l'argot scolaire, il sert à dénommer un jeu d'écolier consistant à tracer une suite de cinq signes sur un papier.

MORS n. m. est issu (1120) du latin *morsus* «morsure» (au propre et au figuré), substantif verbal de *mordere* (→ mordre ; morceau).

♦ À l'origine, *mors* sert de nom d'action à *mordre* et signifie «action de mordre, morsure»; par métonymie, il a pris l'acception de «morsure de choses envenimées» et signifie également «morceau (mordu en une fois)» (1176), sens qui ne subsiste plus (fin XVe-déb. XVIe s.) que dans son dérivé *morceau** dont l'origine n'est plus perçue. ◇ *Mors* s'est maintenu dans quelques sens techniques analogiques : «agrafe retenant la chape sur la poitrine» (1160) et surtout «levier de la bride qui passe dans la bouche du cheval» (1370) dont procède la locution ***prendre, avoir le mors aux dents*** (1547), encore usuelle avec le sens figuré de «se mettre énergiquement à la tâche» (1694). On disait déjà, en ancien français, *prendre le frein as dents* avec la même idée (1225-1230). ➛ D'autres sens techniques ont suivi avec l'idée de «mâchoires» et de «saillie, charnière» (1680, *mords d'étau ;* 1765, *mords des livres* en reliure, avec une ancienne graphie évoquant l'origine, *mordre*). ◇ *Mors* entre dans la dénomination *mors du diable* (1573) pour désigner la scabieuse (plante).

▸ De *mors* est dérivé **MORSURE** n. f. (1213) qui lui a repris son sens premier, «action de mordre» (au propre et au figuré). ◇ Par analogie, *morsure* est employé comme *mordre* à propos de l'action corrosive d'une substance (1736); en effet si *mors* et *morceau* se sont sémantiquement détachés du verbe *mordre*, *morsure* est toujours senti comme son substantif verbal.

◈ voir MORCEAU.

① **MORSE** n. m. a été emprunté au XVIe s. au russe du même sens *morž*, lui-même emprunté au lapon *moršša* (finnois *mursu*) qui paraît être une onomatopée (imitation du cri de l'animal), cette explication pouvant ne recouvrir que notre ignorance.

♦ Le mot s'est répandu au XVIe s. en Europe occidentale, grâce aux traductions des relations de voyages. On le relève en français sous les formes successives *mors* (1540), *morce marin* (1570) et *morse* (1618). Rare jusqu'à la fin du XVIIIe s., il s'est répandu grâce à Buffon (dans son *Histoire naturelle des Quadrupèdes*). L'expression *morce marine*, relevée au XVIe s., est probablement empruntée à l'anglais *mors marine* (1482) où *mors* (de nos jours *morse*) est emprunté au lapon par l'intermédiaire du finnois *mursu* et non du russe.

② **MORSE** n. m. est tiré (1856) du nom du physicien américain S. F. B. *Morse* (1791-1872), inventeur de l'alphabet portant son nom et qui fit breveter en 1838 l'emploi des électro-aimants dans la télégraphie.

♦ Le mot, attesté en anglais dès 1847 dans *Morse's telegraph*, est passé en français dans *alphabet morse ;* il est également employé comme nom depuis 1869.

MORSURE → MORS

① **MORT** n. f. est issu très anciennement (881) du latin *mortem*, accusatif de *mors* «cessation de la vie ; peine de mort». Ce nom, avec le verbe *mori* (→ mourir), remonte à la racine indoeuropéenne °*mer-* «mourir»; dans une partie du domaine indoeuropéen, le verbe a toutefois disparu, remplacé par des euphémismes. En latin, *mors*, qui désigne aussi la Mort personnifiée, est employé au sens figuré de «ruine, déficience, perte» (*mors memoriae* «perte de la mémoire») et, dans le langage religieux et philosophique, de «vie terrestre»; en latin chrétien il désigne la mort spirituelle (par le péché).

♦ Le premier sens est celui de «cessation de la vie (humaine)», avec lequel il entre dans les locutions *aller à la mort* (fin xe s.), *u a mort u a vie* (1170), qui prépare *mort ou vif,* et *ne por vie ne por mort* (1160-1174). Le mot entre aussi dans la locution adverbiale ***à mort*** (1080), employée par hyperbole dans ***en vouloir à mort*** *à qqn* (d'abord *en vouloir de mort,* v. 1590) et dans l'interjection *par la mort Dieu* (fin XIIIe s.), transformée par euphémisme (ci-dessous). ◇ Dès le XIIe s., le mot est employé avec une majuscule pour la Mort personnifiée, évoquée par ses attributs, massue, fronde (1165), avant la faux symbolique encore connue. ◇ Il est employé spécialement dans un contexte juridique dans l'expression ***mort d'homme*** (1283) et pour désigner la peine capitale (XIVe s., *jugiez a mort,* en parlant du Christ). L'expression moderne ***condamné à mort*** (1606) a évincé *criminel de mort* plus ancien (1559). ➜ Dès le XIIe s., *mort* a aussi le sens figuré de «séparation, mise à l'écart», dans le contexte religieux de la damnation éternelle (1190). Le vocabulaire chrétien distingue d'ailleurs *la seconde mort* (1223) de *la première,* consistant dans la séparation du corps et de l'âme (1275). Plus tard, l'expression *mort spirituelle* (1600, d'Aubigné) exprime la séparation d'avec l'Église (par bannissement, excommunication), tandis que le langage spirituel parle de *mort au monde* (av. 1719) pour la séparation d'avec le monde, ce dernier mot étant pris dans son acception religieuse. ➜ Dans un contexte laïc, *mort* exprime figurément l'idée de «difficulté, ruine» (1223). Si les locutions *a grant mort, a grant peine* et *a male mort* (XIIIe s.) ont disparu avant l'époque classique, l'idée de souffrance, de peine s'est conservée, par exemple dans *souffrir de mille morts* (v. 1350) puis ***souffrir mille morts.*** ◇ Dans le langage médical, l'expression ***petite mort,*** utilisée à l'origine pour désigner une syncope (1572), concerne de nos jours l'orgasme. ➜ Depuis 1670, *mort* exprime aussi l'idée plus générale et abstraite de «déclin».

► Le mot entre dans la formation de l'ancien terme de droit féodal **MORTAILLE** n. f. (XIIIe s.), de *mort** et *taille*,* remplacé par *mainmorte* (→ main) et dans **MORT-AUX-RATS** n. f. (1594) «arsenic destiné à détruire les rongeurs».

MORT DIEU, «mort de Dieu», a fourni par euphémisme les déformations populaires qui furent très vivantes comme jurons, **MORBLEU** (1633), altération de *morbieu* (1430), *morbeuf* (1612), **MORGUIENNE** (1649) et **MORGUÉ** ou encore **MORDIENNE** (1548). La forme la plus transparente, **MORDIEU,** est aussi attestée dans la langue classique (1672). À part *morbleu,* encore vivant au XIXe s., ces formes, réservées aux XVIIe-XVIIIe s. à l'usage populaire rural, ont disparu.

MORTIFÈRE adj. est emprunté (fin XVe s.) au latin *mortifer* (de *mors* et *-fer;* → -fère) dont il reprend le sens de «qui provoque la mort», avec une intention didactique ou plaisante.

◈ voir **IMMORTEL, MORIBOND,** ② **MORT, MOURIR; AMORTIR, MEURTRIR** et aussi, du grec, **AMBROISIE.**

✷ ② **MORT, MORTE** adj. et n. est issu (v. 980) du latin *mortuus,* contracté tardivement en *mortus,* participe passé de *mori* (→ mourir). Les sens de l'adjectif sont «qui a cessé de vivre», au figuré «qui demeure sans vie, dont la vie s'est retirée», dans *mare mortuum* «mer morte» (IIIe s.) et *carbo mortuus* «charbon mort»; il s'emploie aussi en parlant d'une plante qui ne porte pas de fruits (1113). *Mortuus* signifie aussi «où rien ne se passe», au figuré dans *cuneus mortuus* «angle mort» (1192); comme *mors* (→ ① mort), il est pris par la langue chrétienne comme terme de spiritualité.

♦ En français, le sens premier est «qui a cessé de vivre» puis, en parlant d'une chose, «dont la vie s'est retirée» (1170), comme dans ***bois mort*** (1348). ➜ L'adjectif est aussi employé par hyperbole avec la valeur de «qui est comme mort» (1080) dans un contexte de danger (à la guerre), de faim extrême (1200, *mort de faim*). ◇ Dans un contexte religieux, il signifie particulièrement «perdu au monde» (1200, *morz al munde*), la même expression signifiant aussi «exclu par le monde» (1480) dans une autre perspective. ➜ Par extension, l'adjectif qualifie également ce qui donne une impression de mort par son immobilité, et ce dès le XIIe s. dans l'expression *une mer morte,* attestée comme toponyme *(la mer Morte)* depuis 1395. ◇ On dira d'un élément en combustion qu'il est *mort* (déb. XIVe s., *mort charbon,* calque du latin), et le mot correspond à «stérile» dans les expressions ***morte saison*** (1382), *argent mort* (1690), sortie d'usage, ***angle mort*** (1690, en fortification), ***temps mort*** (1773).

L'emploi substantivé du mot *(un, des morts, une morte)* est attesté dès la fin du xe s. dans la perspective religieuse de l'être humain qui vit dans l'au-delà, puis avec l'idée matérielle de cadavre (1080). Les morts sont également évoqués comme présents à la mémoire humaine (1170), considérés dans un cadre juridique (1270) ou envisagés par référence à la mythologie des Anciens (1586). ➜ Depuis 1765, le nom est employé aux cartes pour désigner l'exclu, le joueur mis hors de la partie ou qui, momentanément, ne joue pas (whist, bridge). Au XXe s. on appelle explicitement *place du mort* la place (dangereuse) qui est à côté du conducteur d'une automobile.

► *Mort,* adjectif substantivé, entre dans la formation des composés **CROQUE-MORT** n. m. (1788) familier pour l'employé des pompes funèbres, au figuré «personne lugubre» (1866), et **MORT-VIVANT, ANTE** n. (1924). ➜ Comme adjectif, il entre en composition dans des expressions où il réalise généralement une idée de «stérilité» : c'est le cas dans **MORT-BOIS** n. m. (1263) «bois de petite dimension sans usage», traduction du latin médiéval *mortuum lignum* (1080) auquel correspond le bas latin *arbor infelix* (*felix,* «heureux», ayant le sens de «qui porte des fruits»). Le sens est le même dans **MORT-GAGE** n. m. (1283; 1267, *gage mort*), traduction du latin juridique *mortuum wadium* (1185), et dans **MORTS-TERRAINS** n. m. pl. (1875; 1872, *mort-terrain*) employé dans les industries minières pour les terrains improductifs. ◆ **MORFIL** n. m., composé (1611) de l'adjectif *mort* et de *fil**, désigne la légère dentelure qui subsiste au tranchant d'une lame après l'affûtage. Les graveurs l'emploient à propos des barbes métalliques sur les bords du corps du burin et sur la plaque de cuivre. ◇ La série formée avec le préfixe *é-* à valeur privative, **ÉMORFILER** v. tr. (1808), d'où **ÉMORFILAGE** n. m. (1870), est entrée en concurrence avec **MORFILER** v. tr. (1903) et son dérivé **MORFILAGE** n. m. (1931). Dès 1874, Larousse enregistrait le verbe simple au sens figuré de «marquer frauduleusement une carte à jouer sur sa tranche». ◆ L'idée est différente dans **MORTE-EAU** n. f. (1484) «marée faible» et «époque de marée à faible amplitude» (1845); elle correspond à «qui a cessé de vivre» dans **MORT-NÉ, MORT-NÉE** adj. (→ naître; aussi mainmorte, saison).

MORTEL, ELLE adj. et n. est un emprunt précoce (1050; fin xe s., *mortal*) au latin *mortalis*, adjectif correspondant à *mors* (→ ① mort), et signifiant «périssable, sujet à la mort» d'où «humain», également substantivé. Il est aussi employé avec le sens actif de «qui donne la mort», notamment dans les locutions chrétiennes *crimen mortalis* et *delicta mortalia* «péché mortel». ◆ En français, *mortel* est d'abord attesté avec un sens passif comme adjectif *(om* [homme] *mortal)* et comme nom (1160), ce dernier emploi étant marqué comme littéraire sauf dans l'expression familière ***heureux mortel*** (1694). ◇ Il est appliqué à des noms d'inanimés depuis 1050 (*mortel vithe;* 1278, *richesses mortes*). ◇ Le sens actif est lui aussi attesté de bonne heure (1080), en parlant d'une chose *(mortel bataille)* et d'un homme *(ennemi mortel)*, puis aussi d'un sentiment (1155, *mortel haïne*). ◆ L'adjectif est également employé comme en latin dans un contexte religieux (v. 1225, *pekié mortal*) et appliqué à une substance mortifère (1572, *mortel poison*). ◇ Le sens didactique de «qui concerne la mort, s'y rapporte» (1130-1140) est propre au moyen âge. ◇ Enfin, de «qui fait souffrir cruellement» (v. 1131), on est passé à «ennuyeux à mourir», d'usage familier. ◆ Son dérivé **MORTELLEMENT** adv. (1155), «de façon à entraîner la mort», est employé spécialement dans un contexte religieux (fin XIIIe s., *pechier mortieusement*). Il signifie également, en relation avec l'adjectif «au point de souhaiter la mort» (1160-1174) et avec une valeur intensive «extrêmement, au plus haut point» (1570; 1690, *offenser mortellement qqn*); cet affaiblissement est encore plus net dans *mortellement ennuyeux*.

MORTALITÉ n. f. vient par emprunt (1140) du dérivé latin *mortalitas* «nature, condition mortelle, sujétion à la mort» et, à basse époque, «quantité d'individus qui meurent, épidémie, peste, carnage». ◆ Le mot exprime dès les premiers textes l'idée d'un ensemble de morts dans un laps de temps donné, notamment dans le contexte d'une épidémie (1140), d'un massacre (1180-1200). ◇ Le sens de «condition mortelle des hommes», relevé fin XIIe s. en parlant du Christ fait homme, a disparu. ◆ Depuis 1749 (Buffon), le mot est employé spécialement en démographie parallèlement à *natalité*. ◇ C'est dans ce domaine qu'il a produit **SURMORTALITÉ** n. f. (1963).

MORTIFIER v. tr. est emprunté (av. 1120) au latin *mortificare*, de *mors, mortis* (→ ① mort) et *-ficare, facere* (→ faire). Le verbe latin signifie «tuer, mettre à mort (physiquement et spirituellement)», passivement «être mort à, délivré de»; en ancien français, il est employé spécialement en médecine pour «déterminer la gangrène» (1150) et en alchimie (XIIIe s.). ◆ *Mortifier* a d'abord le sens physique de «tuer, donner la mort» (propre à l'ancien français), avant de prendre (fin XIIe s.) un sens spirituel. Dans ce contexte, il est employé transitivement, en particulier dans l'expression *mortifier sa chair* (XIIIe s., *mortefier sa char*). Le sens psychologique élargi de «faire souffrir, humilier» date de l'époque classique (1636). ◆ À la fin du XVe s., le mot est aussi devenu un terme d'alchimie signifiant «modifier la forme extérieure d'un mixte». ◇ Au XVIe s., il est spécialisé en médecine pour «provoquer la décomposition d'un tissu» (1552, à la forme pronominale), et passe en art culinaire avec le sens d'«attendrir (une viande) en la faisant rassir; faisander (un gibier)» (1588, *viandes mortifiées*). ◆ Son participe présent **MORTIFIANT, ANTE** est adjectivé (1598) au sens figuré de «qui fait mourir», dans un contexte religieux. Depuis 1694, il signifie également «qui humilie». ◆ Le nom correspondant, **MORTIFICATION**, est un emprunt de la langue religieuse (1200) au latin chrétien *mortificatio, -onis* «mise à mort, mort spirituelle», «répression», spécialisé en médecine à l'époque médiévale (1250). L'évolution en français a suivi celle du verbe, mais l'emploi en art culinaire semble tardif (1845).

MORTUAIRE adj. a été emprunté (1213) au latin *mortuarium*, attesté une fois dans un sens figuré, puis en latin médiéval au sens juridique de «mainmorte» (1090) et de «somme due à l'Église sur l'héritage d'un mort» (XIIIe s.). Le mot est issu par substantivation au neutre de l'adjectif bas latin *mortuarius* «funèbre (en parlant des jeux)», dérivé de *mors* (→ ① mort). ◆ L'ancien français a introduit *mortuaire* comme nom, essentiellement avec le sens de «mortalité, épidémie» (1213) et, par métonymie, pour désigner un grand nombre de cadavres (1213), puis un cadavre (1316). ◇ Le moyen français donnait à *mortuaire* le sens de «funérailles» (1458) et, dans le langage juridique, lui faisait désigner le droit que chaque curé prélevait sur un paroissien décédé (1302). Spécialement, dans l'ordre de Malte, le mot se rapportait au revenu d'une commanderie, échu depuis la mort du titulaire jusqu'à la nomination de son successeur (1401). ◆ L'usage moderne du mot se borne à l'adjectif, attesté depuis 1416-1422 dans *lit mortuaire* au sens de «qui concerne le mort, le décès». Il n'est plus guère en usage que dans les expressions *maison mortuaire* (1548), *draps mortuaires* (av. 1549) et, dans le domaine juridique, *registres mortuaires* (1657). ◆ L'adverbe dérivé, **MORTUAIREMENT**, est peu employé.

MORTADELLE n. f. est emprunté (1505) à l'italien *mortadella* qui désigne une grosse saucisse aromatisée avec des baies de myrte ou de genièvre

(XIVe s., dans un livre de cuisine toscan). C'est le représentant d'un diminutif du latin *murtatum*, forme plus latinisée de *myrtatum* «farce aux baies de myrte», dérivé de *murta, myrta* (→ myrte).

♦ Furetière, au XVIIe s., nous apprend que la saucisse en question portait aussi le nom de *moustardelle*, probablement par attraction de *moustarde, moutarde*.

MORTAISE n. f. (fin XIIIe s.) est d'origine obscure. L'hypothèse d'un emprunt à l'espagnol de même sens *mortaja* qui remonterait lui-même à l'arabe *murtazza*, participe passé de *razza* «introduire une chose dans une autre», est peu vraisemblable. En effet, l'ancienne forme *mortoise* et l'ancien provençal *mortaiza, mortaissa* (XVe s.) ne s'accordent pas, phonétiquement, avec le mot arabe; de plus l'espagnol *mortaja* n'est attesté que depuis 1734. P. Guiraud propose de faire dériver le mot d'un latin populaire °*moritare*, issu de *morari* «arrêter» (→ moratoire, ② morose) par un adjectif *moritensis*.

♦ Le mot est un terme technique désignant une entaille rectangulaire dans une pièce de bois pour recevoir le tenon d'une autre pièce. Il est également employé en serrurerie où il désigne l'ouverture faite dans une gâche pour recevoir le pêne (XIXe s.).

▸ On en a tiré **MORTAISER** v. tr. (1555, *mortaisee;* 1302, *mortissier*) qui a lui-même donné **MORTAISAGE** n. m. (1846) et le nom de machine-outil **MORTAISEUSE** n. f. (1868, Littré). ◆ Le composé **EMMORTAISER** v. tr. «faire entrer dans une mortaise» est attesté depuis 1289, longtemps sous la forme *emmortoiser* (encore dans *Trévoux*, XVIIIe s.).

MORTEL → ② MORT

MORTIER n. m. est issu (1160) du latin *mortarium*, mot sans étymologie sûre désignant un récipient où l'on pile une substance, puis tout objet y ressemblant et, par métonymie, la substance triturée dans un mortier, une pommade. En latin médiéval, le mot a aussi pris par analogie de forme le sens de «coiffe de tissu garnissant le heaume» (1191) et celui de «luminaire d'une église» (1175).

♦ En français, le premier sens de *mortier* est «agglomérat reliant les pierres d'une construction», dont procède par extension la valeur de «matière pâteuse et épaisse» (1668), restée usuelle. ◇ Peu après (1170), le mot est attesté au sens latin de «récipient où l'on pile une substance». Par analogie de forme, il se réfère à un vase rempli d'huile ou de cire d'où émerge une veilleuse (XIIIe s.) et, dans un autre domaine, à la toque portée par certains dignitaires (1461). C'était en particulier la coiffure du chancelier de France et des présidents des parlements : on appelait ces derniers *présidents de mortier* (1595), puis *à mortier* et simplement *mortiers* (1694). C'est encore la coiffure des magistrats de la Cour des comptes et de la Cour de cassation. ◆ Depuis 1450, également par analogie de forme, le mot désigne une pièce d'artillerie de fort calibre (*faire tirer le mortier,* 1470); il se réfère de nos jours à une arme à tir courbe, spécialement une pièce portative utilisée dans l'infanterie, ce qui correspond à l'une des deux acceptions courantes.

MORTIFÈRE → ① MORT

MORTIFIER → ② MORT

MORTUAIRE → ② MORT

MORUE n. f. est peut-être issu (1260) d'un type antérieur aux premiers textes °*molus* ou °*morlus*, composé du celtique *mor* (→ mer) et de l'ancien français *luz, lus* «brochet» (→ merlu). À l'appui de cette hypothèse, on cite généralement le diminutif °*moruel* attesté sous la forme *muluel* (1140); cependant, l'exemple de *moluel* donné comme antérieur (1036) est très postérieur : il est tiré du cartulaire de Saint Vaast d'Arras publié d'après une copie du XVIe siècle. P. Guiraud propose plutôt de faire de *morue* un emprunt au provençal *morrude* «grondin», de *mourrut* «lippu» issu de *moure* «museau» (→ moraille).

♦ *Morue* désigne un grand poisson de mer du genre gade faisant l'objet d'une pêche intensive pour sa chair et pour l'*huile de foie de morue*, employée en thérapeutique et comme fortifiant. ◆ Au XIXe s. (1849), sans autre explication que la métaphore animale appliquée à des noms de poissons, peut-être par les injures des Halles, le mot désigne une femme de mauvaise vie, avant de devenir un terme très injurieux adressé à une femme, sans contenu précis.

▸ Le dérivé **MORUYER, ÈRE** n. et adj. (1606) a été refait au XIXe s. (1874) en **MORUTIER, IÈRE**, comme nom («marin pêcheur de morues» et aussi «bateau de pêche à la morue») et adjectif *(industrie morutière)*.

MORULA n. f. est emprunté (1877) à un mot latin moderne désignant divers corps en forme de mûre et employé depuis 1874 en embryologie, date où Haeckel l'a repris du latin médiéval *morula* «petite mûre» (Xe s.). Ce dernier est le diminutif du latin *morum* «mûre» (→ mûre).

♦ Le mot désigne la première ébauche de l'embryon, une petite masse ayant la forme d'une mûre. Il est souvent associé aux noms des autres stades *blastula* et *gastrula*.

MORVE n. f., attesté depuis 1380, est d'origine incertaine : c'est peut-être la forme altérée par métathèse, forme née dans le domaine d'oc, de *vorm* «morve du cheval» (1240), forme méridionale de *gourme**.

♦ *Morve*, à côté de son sens courant, «humeur visqueuse s'écoulant du nez de l'homme», est d'ailleurs employé en médecine vétérinaire pour désigner une maladie des équidés (1495). Par analogie, il désigne aussi une maladie qui fait couler les laitues (1701) et, en technique culinaire, l'état d'un sirop parvenu à une certaine consistance (1896), la péjoration attachée au mot empêchant cette acception de se répandre.

▸ Son dérivé **MORVEUX, EUSE** adj., attesté avec son sens concret depuis 1223 (ce qui laisse penser que *morve* serait plus ancien), est aussi employé en médecine vétérinaire (XIIIe s.). ◆ Il est substantivé dès l'ancien français comme terme injurieux adressé à un poltron (1238-1239). Au XVIIe s., il s'étend à un garçon, une fille jeune qui se donne des airs d'importance (1640) et, de là, prend le sens général de «gamin, gamine» (1662) dans l'usage familier, souvent en appellatif injurieux.

① **MOSAÏQUE** n. f. et adj. est emprunté (1529; 1498, *musayque*) à l'italien *mosaico*, antérieurement *musaico* (1308-1348), lui-même emprunté au latin médiéval *musaicum (opus)* «mosaïque» (IXe s.), altération par confusion de suffixe du latin impérial *musivum (opus)*. Ce dernier est emprunté au grec *mouseion* «lieu où résident les Muses» *(mousa)* et, en grec byzantin, «mosaïque», ce mode de décoration ayant d'abord été utilisé dans les grottes dédiées aux Muses (→ muse, musée, musique).

♦ En français, le mot, relevé une première fois dans *faict de musayque*, est ensuite employé par Commynes (XVe s.) à propos de Saint-Marc à Venise. ◇ Il est employé au sens figuré pour «ensemble composé d'éléments disparates» (1765). ◆ Il a reçu quelques sens spécialisés par analogie, notamment en botanique (1925) où il désigne une maladie des plantes cultivées se manifestant par des taches jaunes. ◆ Il est adjectivé (1509) par l'intermédiaire d'expressions où le nom est en apposition, comme *œuvre musaïque*. Comme le nom, cet adjectif est employé techniquement (on parle d'*hybride mosaïque*, en biologie, depuis 1907).

▶ L'autre adjectif **MOSAÏQUÉ, ÉE** «fait de mosaïque», par extension «qui rappelle la mosaïque», est attesté depuis 1845 et le nom de l'artiste qui fait des mosaïques, **MOSAÏSTE**, depuis 1812. ◆ **MOSAÏCULTURE** n. f. a été fait sur *mosaïque* avec l'élément *-culture** pour désigner (1892) une méthode d'ornementation des jardins, utilisant des plantes de différentes couleurs pour former des dessins réguliers.

② **MOSAÏQUE** adj., d'abord *moysaique* (1507) puis *mosaïque* (1521), est tiré du nom de *Moïse* (en latin *Moses, Moyses*), chef (IIIe s. av. J.-C.) qui, d'après l'Ancien Testament, a conduit les Israélites hors d'Égypte et leur a donné leur loi, la Tōrah.

♦ Cet adjectif didactique se rapporte à Moïse, principalement dans les syntagmes *doctrine mosaïque* (1507), *loi mosaïque, tradition mosaïque*.

▶ **MOÏSE** n. m. lui-même est employé comme nom commun (1889); on a dit *berceau moïse*, 1881 pour désigner une corbeille de vannerie capitonnée servant de berceau, allusion à la corbeille dans laquelle Moïse fut exposé sur le Nil (*Exode*,II, 1-10).

MOSCATEL → MUSCADE

MOSQUÉE n. f. est emprunté (1351) à l'italien *moscheta* «temple du culte musulman» (XIVe s.), antérieurement *meschita* (déb. XIIIe s., chez Dante) et *meskita* en latin médiéval. Celui-ci est emprunté à l'espagnol de même sens *mezquita* (1140), qui correspond à *meschita* (fin XIe s.) en latin médiéval. Ce dernier a été emprunté à l'époque de la première croisade, par l'intermédiaire du grec byzantin *masgidion* ou de l'arménien *mzkiṭ*. Ces deux formes orientales correspondent en Occident à l'espagnol. Toutes remontent à l'arabe *masǧid, masjid* «lieu où l'on pose la tête en faisant la prière, endroit où l'on adore», de la racine *s-g-d* «adorer».

♦ La première forme attestée en français est *musquette* dans la traduction d'un texte latin rédigé par un moine italien ; elle est suivie par une pléiade de formes : parmi elles, *muscat* (1395), *mesquite* (de 1380 à 1654), *musquée* (1457), avant la forme actuelle *mosquée* (1550). La forme *mousquaie* (1423) correspond à un emprunt à l'italien *moschea* (XVe s.), altération de *moscheta*, et les formes en *u* s'expliquent probablement par l'attraction de *musc*, allusion au parfum de certains lieux de culte. ◆ Le mot désigne le temple consacré au culte musulman, caractérisé par une salle de prière à colonnes, une chaire à prêcher *(minbar)*, une vaste cour fermée, un minaret et un mihrab.

◈ voir aussi MOQUETTE.

✱ **MOT** n. m. est issu (v. 980) du bas latin *muttum* «son émis», dérivé régressif de *muttire*, proprement «produire le son *mu*» d'où «souffler mot, grommeler». Il s'agit d'un terme de la langue parlée que l'on relève chez les auteurs archaïques et à nouveau dans la Vulgate ; il se rattache au groupe de l'onomatopée *mu*, et plus spécialement à *mutus* «son, bruit de voix qui n'a pas de signification» (→ muet). Le mot latin, qui a donné *mouche* par l'idée de bourdonnement, pourrait se rattacher au même radical. On note chez Apulée la locution *mutmut facere* «émettre un son à peine distinct», attestée depuis le IVe s. et en latin médiéval (VIIIe s.). À basse époque, *muttum* est employé dans des phrases négatives, avec le sens littéral de «ne pas (émettre)... un son».

♦ Il en va de même des premiers emplois de *mot* en français, attesté dans les locutions *ne soner mot* «ne rien dire» (v. 980), *n'en savoir mot* (1080) «ne se douter nullement de». Ces emplois négatifs se sont conservés dans ***ne dire mot;*** l'exclamation *mot!* (1480), pour *pas un mot!* «taisez-vous», a cependant disparu (cf. ci-dessous *motus*). *Mot* garde une trace de son origine onomatopéique en ancien français où il désigne spécialement, en vénerie, le son de la trompette (1180, *quatre moz corne*). ◇ Cependant, il est employé dès le XIe s. en dehors de ces tournures négatives avec le sens collectif de «discours, parole» (1080), en particulier dans ***à ce mot*** *(a icest mot)* qui signifie alors «aussitôt». C'est de cette idée que procèdent les locutions encore usuelles ***dire deux mots à qqn*** (1718), prolongement de l'ancienne forme *faire mot à qqn* (1246) «attaquer verbalement», et continuée par ***avoir des mots avec qqn*** (1866, alors argotique). ◆ Le sens courant d'«élément signifiant et désignatif du langage» est lui-même attesté dès la fin du XIIe s., mais semble longtemps limité à la locution ***mot à mot*** (1170) qui implique une segmentation du discours (probablement par l'écriture). Cette acception s'impose difficilement à côté de l'emploi de *verbe*, investi au moyen âge de valeurs religieuses. Elle reste minoritaire par rapport aux sens où *mot* correspond à un élément plus long dans le discours (phrase, conversation), spécialement «paroles d'une pièce chantée» (v. 1225); au pluriel «propos, bavardages» (fin XIVe s.), et, au singulier dans ***bon mot*** (1205-1250), «trait plaisant». ◇ Le XVIe s., très productif on locutions, conserve l'usage ancien : si le sens précis est impliqué par la locution ***traduire mot à mot*** (1549), c'est la valeur large et plus vague de «parole» qui est réalisée dans *mot du guayet* (1530) «mot du gué», devenu plus tard *le mot* (1604), puis ***le mot de passe*** (1829), et dans *le petit mot pour rire* (1549), conservé dans *avoir le mot pour rire* «plaisanter». ◇ *Mot* se dit notamment d'une parole expressive (1585) et d'un billet, d'une courte lettre (1578). ◇ Depuis 1464 *(Farce de Maître Pathelin)*, il est aussi employé pour «prix que l'on offre ou que l'on demande pour une chose»; ce sens, encore vivant au XVIIe s., a laissé des traces dans les expressions ***prendre au mot*** (1549, au propre), ***se payer de mots*** (av. 1715), ***c'est votre dernier mot?*** (1793). ◇ C'est également au XVIe s. que l'on relève *mot* comme synonyme de *verbe* dans un contexte théologique. ◆ Le sens d'«élément signifiant du langage spontanément senti comme distinct», amorcé dans l'expression *mot à mot* (ci-dessus), devient dominant dans la lexicographie classique, où il est défini comme «parole de une ou plusieurs syllabes» par Furetière (1690). ◇ Cependant, c'est encore la valeur de «parole ou énoncé particulier» qui est réalisée dans les locutions ***se donner le mot*** (1674), ***le mot de l'énigme*** (1690), *en un mot autant comme en cent* (1690), aujourd'hui ***en un mot (comme en cent).*** ◆ Au XXe s. apparaît l'expression ***mots croisés*** (1921 dans le roman de Caumery, *Bécassine* [...], où c'est une Irlandaise qui a «la passion des mots croisés» [D. D. L.]), qui succède à *mots en croix*, probablement calquée sur l'anglais *crosswords (puzzle)*, diffusé aux États-Unis en 1913 (A. Wynne). ◇ Par la suite, on a nommé l'amateur de mots croisés **MOTS-CROISISTE** n. (XXe s.), moins prisé que **CRUCIVERBISTE** n. (XXe s.). ◇ L'expression ***mot-valise***, forgée par G. Ferdière (av. 1953) pour rendre le *portmanteau word* de Lewis Carroll, s'est imposée pour désigner un composé formé avec un élément (syllabe, initiale...) prélevé à plusieurs mots.

▸ Le seul dérivé de *mot* est son diminutif **MOTET** n. m. (fin XIIe s., *in sol motet sonner*), proprement «petit mot», sens rare et cependant encore relevé au XVIIe siècle. ◇ Dès 1270, il se dit spécialement pour un petit poème, d'inspiration religieuse ou non, destiné à être chanté à deux, trois ou quatre parties distinctes. En musique, il a évolué au XVIIe s. où il désigne un morceau de musique composé sur des paroles religieuses et destiné à être exécuté à l'église sans faire partie de l'office (1690).

MOTUS, interjection familière, est la latinisation plaisante (1560) de *mot** qui est lui-même attesté en 1480 au sens de «pas un mot!», par allusion à l'emploi de *mot* pour renforcer une négation *(ne dire mot, plus un mot)*. *Motus* sert souvent à renforcer la locution *bouche cousue*, de même sens, déjà chez Molière *(George Dandin)*.

◈ voir AMUÏR, MUET, MUTISME.

MOTARD → MOTOCYCLE

MOTEL

MOTEL n. m. est emprunté (1947) à l'américain *motel* (1925), créé par télescopage (mot-valise) de l'anglais *motor*, forme abrégée de *motor-car* (1895) «automobile», composée de *motor* (→ moteur) et de *car* (→ car), et *hotel*, lui-même emprunté au français *hôtel** au sens d'«établissement d'hébergement» au XVIIIe siècle. Le mot a été formé par l'architecte qui créa le premier «motel» à San Luis Obispo, en Californie, pour une chaîne de la Milestone Interstate Corporation.

♦ Le mot a été introduit en français en parlant de la réalité américaine; il figure au *Journal officiel* du 14 avril 1953 et, depuis la création du premier motel français en 1955, s'applique aussi à une réalité française (ou plus généralement non américaine). Cependant, ce type d'hôtel reste moins répandu en France et en Europe qu'en Amérique du Nord et il est plus courant en français du Canada.

▸ Sur le principe *hôtel-hôtelier*, on a formé **MOTELIER, IÈRE** adj. et n. (1973, *Le Monde*), peu usité.

MOTET → MOT

MOTEUR, TRICE

MOTEUR, TRICE adj. et n. est emprunté (1377) au latin *motor* «celui qui remue», dérivé de *motum*, supin de *movere* (→ mouvoir). En latin médiéval, *motor* est employé en philosophie dans l'expression *motor primus* «celui qui imprime le mouvement (en parlant de Dieu)» (XIIe s.) et au féminin *motrix* «celle qui donne le mouvement» (1250).

♦ *Moteur* a concurrencé et éliminé l'ancien français *mouveur* (de 1380 à 1572) et le féminin *mouveresse* «instigatrice» (fin XIIIe s.), formés sur le verbe français *mouvoir*. *Moteur* signifie proprement «ce qui cause le mouvement» et, appliqué à une personne, «celui, celle qui fait agir, dirige» (1377). Il est adjectivé au XVIe s. (1558) au propre et au figuré. ◆ Au XVIIIe s., il entre dans le langage de l'anatomie (1771, *muscle moteur, nerfs moteurs*) et, en plein essor de la pensée machiniste, commence à désigner une machine destinée à utiliser une source d'énergie pour produire un mouvement (1744). Cependant, ce n'est qu'au XIXe s. qu'il prend sa définition actuelle, avec les progrès techniques du *moteur à gaz* (1826) et du ***moteur à explosion*** (1884), dit aussi *moteur à quatre temps* (1886). ◇ En français d'Afrique enfin, il sert à désigner un vélomoteur, un cyclomoteur. ◇ En informatique, le mot désigne (v. 1990) un logiciel de recherche et de décision selon divers paramètres.

▸ Sur le féminin de l'adjectif, **MOTRICE**, lui-même substantivé (av. 1931, Larousse) pour désigner une machine tractrice ou *voiture motrice* (1902), on a formé **MOTRICITÉ** n. f. (1825, Flourens), terme de physiologie désignant la faculté motrice, puis **PSYCHO-MOTRICITÉ** n. f. (v. 1950), en réponse à **PSYCHOMOTEUR, TRICE** adj. (1877), et **PSYCHOMOTRICIEN, IENNE** n. (av. 1975), employés en psychologie.

Un grand nombre de noms et d'adjectifs ont été formés avec le premier élément **MOTO-** pour désigner des engins et véhicules mus par un moteur, dans les domaines de la mécanique : **MOTOCULTURE** n. f. (1909), **MOTOCULTEUR** n. m.

(1920), usuel en agriculture, **MOTOPROPULSEUR** n. m. (1925, en deux mots). ◆ Le second élément **-MOTEUR** sert à former des mots de psychologie, de médecine (*psychomoteur*, etc.).
De *moteur* est dérivé savamment l'adjectif **MOTORISÉ, ÉE** (1923), puis le verbe **MOTORISER** v. tr. (1931) «munir d'un moteur», plus souvent «munir de véhicules à moteur» et aussi «disposer d'une voiture (personnes)» (1941). L'anglais a *to motorize* (1901, en psychologie; 1913) et *motorized* (1922). ◇ **MOTORISATION** n. f. est attesté depuis 1931, après l'anglais *motorization* (1901, en psychologie; 1913). ◆ *Moteur* a aussi servi à former **MOTORISTE** n. d'abord (1917) «conducteur de véhicule à moteur», repris (1966) pour désigner le constructeur de moteurs d'avions ou d'automobiles et (1968) le mécanicien chargé de la réparation, de l'entretien des moteurs et des automobiles.

◈ voir **MOTOCYCLE, VÉLOMOTEUR.**

MOTIF

MOTIF n. m. est le masculin substantivé (1370-1372) de l'ancien adjectif *motif, motive* (1314), lui-même emprunté au latin *motivus* «relatif au mouvement», de *movere* (→ mouvoir).

♦ L'adjectif, usuel en ancien et moyen français aux sens de «qui pousse au mouvement, excite» et de «vif, mobile», a décliné aux XVIe-XVIIe s. sous la double concurrence de *moteur** et de *mobile**. ◆ En revanche, le nom s'est maintenu avec son sens premier «raison d'agir», d'usage général et juridique (1377), puis aussi psychologique. ◇ Ultérieurement, il est entré dans le langage des arts au sens de «sujet qui domine un ouvrage, une œuvre», d'abord en musique (1703), puis en peinture (1824) et dans les autres arts.

▸ Il a produit des dérivés relativement tard. ◆ Le premier est **MOTIVER** v. tr. (1721) «justifier par des motifs» et «servir de motif» (1790), dont l'emploi en psychologie et psychopédagogie (XXe s.) est devenu le plus courant. ◇ Ce verbe a donné **MOTIVATION** n. f. (1899; proposé en 1845), lui aussi employé spécialement en linguistique (1916) «rapport non arbitraire entre deux formes» (cf. ci-dessous la série de *démotivé*) et en psychologie, domaine dans lequel on a formé l'adjectif **MOTIVATIONNEL, ELLE** (1959). ◆ *Motif* a donné trois adjectifs : **MOTIVÉ, ÉE** (1766), «dont on donne les motifs» et «qui a des motifs (1776) ou des motivations» (XXe s.), et les didactiques **MOTIVAL, ALE, AUX** (1829) en droit et **MOTIVIQUE** (v. 1950) en musique. ◆ **IMMOTIVÉ, ÉE** est relevé pour la première fois en 1866 (Amiel). ◆ La série **DÉMOTIVER** v. tr., **DÉMOTIVANT, ANTE** adj., **DÉMOTIVATION** n. f., **DÉMOTIVÉ, ÉE** adj. date du XXe s. et a fait fortune dans le langage de la psychopédagogie, à côté d'un emploi spécial en linguistique, où *motivé* «dont le rapport avec son radical est perçu» (par ex. *pommier* par rapport à *pomme*) s'oppose à *non motivé*, à *démotivé* (*morceau* est démotivé par rapport à son origine, *mordre*) et aussi à *arbitraire*.
LEITMOTIV n. m. (1850) est un emprunt à l'allemand, de *leit*, de *leiten* «conduire, diriger» et *motiv* «motif», désignant un motif musical significatif, qui réapparaît dans une partition. Le mot s'est diffusé avec l'œuvre de Wagner, à la fin du XIXe s., époque où *leitmotiv* a pris le sens figuré (1892) de «formule qui revient à plusieurs reprises».

MOTILITÉ

MOTILITÉ n. f. est dérivé savamment (1801, Bichat) d'un type latin fictif °*motilis*, dérivé du supin (*motum*) de *movere* (→ mouvoir) avec le suffixe *-(i)té*. Les termes *mobile/mobilité* ont dû servir de modèles.

♦ Le mot a été formé en physiologie pour dénommer la faculté de se mouvoir d'un corps ou d'une partie du corps. Il a pris place à côté de *motricité*, mais renvoie à une fonction globale de l'organisme. En biologie, il concerne la propriété de la substance vivante douée de mouvement.

MOTION

MOTION n. f. est emprunté (1225) au bas latin *motio, -onis* «mouvement», d'où «impulsion» et «insurrection, révolte», dérivé du supin de *movere* (→ mouvoir).

♦ *Motion* a d'abord le sens propre physique de «mouvement, action de mettre en mouvement», sorti de l'usage général mais conservé dans quelques emplois techniques, par exemple dans les manufactures de tulle à propos du mouvement alternatif du métier (1877). ◇ Le mot a été repris en psychanalyse freudienne (XXe s.) dans l'expression *motion pulsionnelle*. ◆ Le sens de «conspiration, insurrection» attesté à partir de 1360, s'est totalement éteint après le XVIe s., de même que l'acception psychologique, «émotion, mouvement de l'âme». ◆ Le sens moderne, en politique, de «proposition faite dans une assemblée délibérante par un de ses membres» a été repris (1775, *Journal de Bruxelles*) à l'anglais *motion*, lui-même emprunté au français avec le sens d'«impulsion, incitation» (XIVe s.) et ayant pris une valeur politique au XVIe siècle.

▸ Avec son sens politique, *motion* a produit deux dérivés sous la Révolution : **MOTIONNER** v. intr. (1789) et **MOTIONNAIRE** n. m. (1789), lequel a pour doublet **MOTIONNEUR** n. m. (1790), au féminin **MOTIONNEUSE** n. f. (1793).

◈ voir **COMMOTION, ÉMOTION, LOCOMOTION.**

MOTOCYCLE

MOTOCYCLE n. m. est composé (1891, brevet d'invention) des éléments formants *moto-* (→ moteur) et *-cycle**.

♦ Employé comme terme générique pour divers véhicules automoteurs à deux roues, *motocycle* a vieilli au sens particulier de «motocyclette», éliminé par *motocyclette* et surtout *moto* (ci-dessous).

▸ **MOTOCYCLETTE** n. f. (1898), qui a éliminé *motocycle* probablement à cause de sa finale et du parallélisme avec *bicyclette*, est lui-même désuet par rapport à son abréviation **MOTO** n. f. (1898), devenue très courante et entrant dans de nombreux syntagmes et composés. ◆ *Motocycle* a aussi donné **MOTOCYCLISME** n. m. (1898), formé sur le modèle de *cyclisme** pour désigner l'ensemble des activités sportives disputées sur motocyclettes et side-cars, ainsi que **MOTOCYCLISTE** n. (1896) qui a été usuel et qui a vieilli. ◆ *Moto*, pour sa part, a produit **MOTARD** n. m. (1939-1940), concurrent plus courant de *motocycliste*, rarement employé au féminin *motarde* et désignant spécialement les motocyclistes de la gendarmerie et de la police nationale.

Moto(cyclette) est devenu un premier élément de composés dans **MOTOBALL** n. m. (1931), faux anglicisme, croisement de *moto* et de *football**, **MOTOCROSS** n. m. (attesté 1949 ; → cross). ◆ **MOTODROME** n. m. semble être le premier de la série (1900), mais pourrait correspondre à l'élément *moto-* de *moteur*.

MOTTE n. f. vient probablement (1165) d'un radical prélatin °*mutt(a)* (→ ④ mousse, moutard) ; le latin médiéval atteste *motta* dès 836 (domaine italien) pour «amas de terre» ; en 1040 (France ; cartulaire vendômois), *motta* signifie «tertre», enfin, en 1112, «château». Le mot s'est conservé sous des formes variées dans un grand nombre de toponymes et de noms de personnes dans les différentes régions françaises *(Mote, Mothe, Motte, Lamotte, Delamotte, Mottaz, Motier, Mottet, Moton)*.

♦ *Motte* est d'abord attesté avec le sens ancien (encore très vivant dans les dialectes) de «monticule de terre, tertre» et, par métonymie, «château seigneurial bâti sur une butte» (1160-1174). ◆ Son sens moderne, «petit morceau de terre compacte comme on en détache en labourant la terre», est attesté depuis 1213. ◇ Par analogie de forme, il a pris assez tôt le sens familier d'«éminence pubienne» (1370) désignant, par extension, le sexe de la femme. ◆ Au XVIIe s., il a commencé à se dire d'une masse de beurre (*motte de beurre*, 1635) et, en technique, de la masse de résidu de tan servant de combustible (1680). On l'emploie également en poterie pour la petite masse de terre que l'on pose sur le tour du potier (1765) et en parlant du massif de pierres qui fait partie de la machine à pilons d'un moulin à poudre (1867), valeurs techniques devenues archaïques.

▶ *Motte* a donné quelques dérivés et composés au sens limité. ◆ **MOTTAGE** n. m. «terre utilisée pour préparer les fossés» (XIVe s., *motage*) a été repris (v. 1950) en technique pour l'agglomération du ciment, des engrais granulés. ◆ **MOTTER** v. tr. et pron. (1622, *se motter* «se cacher derrière une motte») est issu par élargissement de suffixe de l'ancien adjectif *motté, ée* (1555) «caché derrière une motte de terre». Le verbe est employé en vénerie en parlant d'un animal qui ramasse la terre autour de ses pieds dans les terrains argileux (XXe s.). ◇ En français du Canada, il a pris la valeur familière de «s'envoyer des boules de neige». ◆ On a nommé **MOTTEUX** n. m. un oiseau qui a coutume de se percher sur les mottes de terre (1759), le mot étant attesté antérieurement (dès 1516) comme adjectif au sens de «où il y a beaucoup de mottes de terre», encore en 1660. ◆ On peut également citer les mots régionaux **MOTTON** n. m. «boule que forme la farine délayée dans une trop grande quantité de liquide» (1867), vivant au Canada au sens métaphorique de «somme d'argent», et **MOTTEREAU** n. m. «hirondelle de rivage qui niche dans un trou qu'elle creuse au bord de l'eau» (1842).

Motte entre dans **BRISE-MOTTES** n. m. (1796), nom d'un appareil agricole, et **RASE-MOTTES** n. m. (1926), terme d'aviation pour «vol au ras du sol», également employé avec un sens figuré péjoratif «personne très petite». ◆ **EMMOTTER** v. tr. (1690) signifie «entourer d'une motte de terre».

◇ voir **MOUTARD** (par des dérivés dialectaux).

MOTUS → **MOT**

✱ **MOU, MOL, MOLLE** adj. et n. m. est issu (1150) du latin *mollis* «tendre, mou» (de sens physique et moral), par opposition à *durus* (→ dur), et par extension «souple, sans rudesse». *Mollis* provient de °*moldwis*, qui repose sur une base indoeuropéenne que l'on retrouve par exemple dans le grec *malakos* «mou» (→ malaxer) ainsi que dans l'anglais *mild* «doux» et *malt* (→ malt).

♦ *Mou* (cf. *fou-fol*) a peu à peu évincé *mol*, forme courante en ancien français et jusqu'au XVIIe s., puis réservée à l'usage poétique (par euphonie, devant voyelle). Son premier sens est «de consistance non dure au toucher» *(terre mole)*, d'où «confortable, moelleux» (1170) et «tendre, fragile», en parlant de la chair (1200). ◇ Il s'est employé à propos de paroles dites avec douceur, ménagement (1174-1175), valeur disparue en moyen français. Lorsque, depuis le XVIIe s., il est appliqué à des paroles, c'est avec une idée péjorative de «languissant et affecté» (1690). ◇ Cette péjoration affecte d'ailleurs certains des emplois dès l'ancien français : appliqué à un caractère, *mou (mol)* signifie «lâche, faible» (1200), par exemple dans ***mou comme une chiffe*** (v. 1714) ; en parlant d'un objet, il signifie aussi «qui commence à se gâter» (en parlant d'un fruit, XIIe s.), «trop souple, manquant de fermeté» (v. 1225) et, appliqué à un inanimé abstrait «qui porte à la mollesse, efféminé» (1585, *mols plaisirs*). À la différence de *souple* et de *moelleux*, il est toujours dépréciatif lorsqu'il est appliqué à une œuvre d'art (1690), par exemple dans les expressions *touche molle* (1762), *pinceau mou* (1798). ◆ Il est substantivé au masculin, d'abord dans *mol de la jambe* (1324) puis avec son sens moderne de «poumon (d'un animal de boucherie)» (1393), surtout dans *mou de veau*. ◆ Dans certaines locutions familières, il désigne une partie charnue du corps, le «cerveau» dans ***bourrer le mou à qqn*** ou l'ensemble des parties molles dans ***rentrer dans le mou.*** Depuis peu, médecins et chirurgiens opposent *le mou* et *le dur*. ◆ *Mou* est également pris avec une valeur de neutre pour la qualité de mollesse (*l'un veut du mol l'autre du dur*, 1640). ◇ En marine, il désigne spécialement la portion lâche d'une manœuvre (1821), notamment dans ***donner du mou*** «diminuer la tension».

▶ Les dérivés sont tous dépendants de la forme *mol*. **MOLLESSE** n. f., formé (1200) avec le suffixe *-ece*, puis *-esse*, coexiste d'abord avec d'autres formes relevées en moyen français : *molicie* (XVe s.), *molice* (déb. XIVe s.), *mollicie* (1551) et *mollice* (av. 1570), adaptations du latin *mollitia* «mollesse». ◆ *Mollesse* signifie d'abord «manque de vigueur, de fermeté du caractère». À partir du XVe s. il a pris le sens de «confort» (déb. XIIe s.), puis devient synonyme de «mœurs relâchées, voluptueuses» (XVe s.) et, au pluriel, se dit de faits qui manifestent un relâchement moral (1551). ◇ Le singulier est aussi appliqué à l'expression verbale avec une notion de «souplesse» (1570) qui s'est perdue pour l'idée péjorative de «manque de vigueur, relâchement» (1652). ◇ Au XVIIe s., *mollesse* prend aussi le sens de «paresse, engourdissement physique et intellectuel» (1690). Ce n'est qu'au XVIIIe s. qu'il entre dans le vocabulaire de la critique artistique mais, à la différence de *mou,* il s'y trouve généralement employé avec une valeur positive de «douceur, délicatesse dans l'expression» (1764) où il n'est pas éloigné de *morbidesse*,* et il sert de substantif à *moelleux* avec le sens de «caractère d'une forme souple, arrondie, douce, parfois imprécise» (1845). ◆ **MOLLIR** v. (XIIIe s.) est employé à la fois au sens physique de «rendre mou» et au sens moral de «rendre faible» d'où «faire céder (qqn)» (1555 ; Ronsard, qui, dès 1552, l'emploie par métaphore : *mollis un peu le roc de ton courage*). Depuis le XVe s. (1462), il est également employé intransitivement avec les mêmes sens physiques et moraux (XVIIe s.). Le verbe intransitif et transitif est aussi spécialisé en marine (1691 ; 1820, *mollir la barre*). ◇ Cependant, et bien qu'on en ait tiré **MOLLISSEMENT** n. m. (1599), il reste moins courant que les préfixés *amollir* et surtout *ramollir.*

AMOLLIR v. tr. apparaît au XIIe s. comme transitif au sens de «diminuer dans son énergie ou sa résistance» (v. 1170), par exemple dans *amollir la volonté, le courage,* sens encore bien vivant au XIXe siècle. Il a eu la valeur intransitive de «devenir plus mou» (fin XIIIe s.), remplacée en français moderne par *s'amollir.* Le transitif et le pronominal s'emploient concrètement pour «rendre (plus) mou» et, au figuré, pour «diminuer la force, l'énergie de...». ◇ En français du Canada, *s'amollir* se dit en marine pour *mollir* «devenir plus faible (du vent, des éléments)». ◆ Les participes sont adjectivés, **AMOLLISSANT, ANTE** adj. (1425) s'étant spécialisé pour «qui enlève de l'énergie». ◆ Le dérivé **AMOLLISSEMENT** n. m. (1539) correspond aux sens transitifs concret et abstrait du verbe. ◆ **AMOLLIE** n. f. (attesté XXe s.) est spécialisé en marine pour «état du vent qui faiblit, mollit».

La série a subi un relatif recul, notamment par rapport au préfixé **RAMOLLIR** v. tr., formé en moyen français avec *re-* intensif (v. 1360, *ramoulier*) au sens abstrait de «rendre moins résistant, moins fort ou moins ferme», où il tend à remplacer *amollir.* ◇ Il en va de même pour la valeur concrète (*ramollier,* 1422) sous la forme moderne *ramollir* (1520), aussi au figuré (1585), assumée aussi par le participe passé **RAMOLLI, IE** adj. (1560) qui, par l'expression *cerveau ramolli* et l'idée psychologique de mollesse, s'est spécialisé dans l'usage familier à propos d'une personne dont les facultés mentales sont devenues faibles (1867), avec une valeur voisine de *gâteux.* ◇ De là, le nom d'un personnage comique, le Colonel *Ramollot* (Ch. Leray), qui a donné naissance par un procédé de formation populaire d'ailleurs usuel (en -o) à un nom (*un ramollo* «militaire, officier sénile, inepte») puis à un adjectif d'emploi général (1883), **RAMOLLO** «ramolli». ◆ **RAMOLLISSANT, ANTE** adj., terme de médecine (1549), d'où *un ramollissant* n. m. (1694), est sorti d'usage. ◆ **RAMOLLISSABLE** adj. (1842) est peu usité. ◆ **RAMOLLISSEMENT** n. m., d'abord *remolissement* (1393, à propos du temps qui se radoucit) puis *ramolliement* (XVe s.), est attesté sous la forme moderne au concret (1552) et, semble-t-il, beaucoup plus tard à l'abstrait (1852), de même que *ramollissement de cervelle* (1853, Flaubert), *du cerveau,* qui correspond à un emploi de *ramolli.*

Par ailleurs, *mol* a fourni d'autres dérivés. ◆ L'adverbe **MOLLEMENT** (1175-1180), «sans vigueur, sans y mettre son énergie», est aussi employé sans intention péjorative au sens d'«avec douceur, confortablement» (fin XIIe s.). ◇ Il est abrégé familièrement en **MOLLO** (1933) probablement par imitation des termes de musique d'origine italienne terminés en *o,* notamment dans *vas-y mollo* (aussi *vas-y mou,* adverbial). ◆ *Mol, mou* a donné deux adjectifs : le premier est **MOLLET, ETTE** (v. 1225) «un peu mou, léger, sans trop de consistance» et, avec une valeur positive, «moelleux, doux au toucher». *Mollet* est particulièrement appliqué à l'œuf (1480 ; fin XIVe s., *euf molet*) et à un pain à la mie légère. ◆ Cet adjectif est substantivé sous la forme **MOLLET** n. m. (fin XIIIe s.), désignant d'abord la partie tendre de l'oreille, la partie charnue de la main (1611), sens disparus, et enfin, probablement par l'intermédiaire de l'expression *mollet de la jambe* (1560), le «gras de la jambe», sens développé au XVIIe siècle. Ces valeurs, enregistrées par Cotgrave, doivent apparaître à la fin du XVIe siècle. ◇ *Mollet* «gras de la jambe» a produit **MOLLETIÈRE** n. f. (1863) «jambière», en apposition dans *bande molletière* (1914). ◆ Par ailleurs, *mollet* adj. a fourni **MOLLETON** n. m. (1664) qui désigne un tissu feutré ou rembourré (l'ancien français avait *mollé* pour une étoffe et *molete* pour un vêtement) et **MOLLETTERIE** n. f. «cuir souple» (1777), sorti d'usage. ◇ À son tour, *molleton* a donné **MOLLETONNÉ, ÉE** adj. (proposé en 1845), **MOLLETONNEUX, EUSE** adj. (1846), **MOLLETONNER** v. tr. (1903), et **MOLLETONNAGE** n. m. (v. 1950).

L'autre adjectif dérivé de *mol-mou,* **MOLLASSE** (1551), a la valeur péjorative de «trop mou, inconsistant» (choses) et, au moral, de «qui manque d'énergie, de vivacité» (1559). L'hypothèse d'un emprunt à l'italien *mollaccio* n'est pas nécessaire. Il est substantivé au féminin (1866) et au masculin (1869) pour désigner une personne. ◇ Il a pour dérivés **MOLLASSEMENT** adv. (1582), resté rare, **MOLLASSERIE** n. f. (1838) et le diminutif plus courant **MOLLASSON, ONNE** adj. (1880) et n. ◆ Il semble que ce soit bien le même mot qui ait donné le terme technique **MOLLASSE** n. f. (1669) désignant un gros calcaire argileux utilisé comme pierre à bâtir, mot d'origine franco-provençale, attesté en Suisse romande dès le XVe siècle. Une autre hypothèse rapproche toutefois ce mot du franco-provençal *mole,* correspondant au français *meule*,* en raison de l'usage que l'on peut faire de ce type de pierre quand il s'agit d'un grès. ◇ Au XIXe s., ce nom a produit **MOLLASSIQUE** adj. (1874), d'usage didactique. ◆ **MOLARD** ou **MOLLARD** n. m. (1865) est employé en argot et vulgairement pour «crachat». Il a produit **MOLLARDER** v. intr. (1866) «cracher».

Enfin, **MOLLIFIER** v. tr. est emprunté (XIVe s.) au latin *mollificare* «assouplir», de *mollis* et *ficare* (→ faire). Le mot, limité au domaine médical, est archaïque, de même que son dérivé **MOLLIFICATION** n. f. (XVIe s.).

◈ voir BÉMOL, ÉMOLLIENT, MIMOLETTE, MOLLUSQUE, MOUILLER.

MOUCHARABY, MOUCHARABIEH

n. m. est l'adaptation en *musharabyeh* (1840), *moucharaby* (1846) et *moucharabieh* ((1828 Champollion ; 1847, *moucharabié*), de l'arabe *mas'rabiya* «fenêtre grillagée en bois, saillante au-dehors». Ce terme d'architecture orientale vient des cruches poreuses *(mas'raba)* que l'on place derrière ces grillages et qui servent à rafraîchir l'eau par évaporation.

♦ Le mot a été repris pour désigner ce type de fenêtre orientale. Par analogie de forme, il est passé dans le vocabulaire de l'architecture militaire à propos de balcons placés au-dessus d'une porte et percés de mâchicoulis. P. Mérimée et A. Lenoir, dans leur *Architecture militaire du moyen âge* (1843), écrivent : «Nous avons donné le nom de *moucharabi* à ces balcons munis d'un parapet qui paraissent empruntés à l'Orient.»

MOUCHARD → MOUCHE

◈ ✳ **MOUCHE** n. f. est issu (v. 1120, *musche*) du latin *musca* «mouche (insecte)» dérivé diminutif en *-co/-ca* d'une racine indoeuropéenne, qui est sans doute une onomatopée, °*mu*, représentant le bourdonnement et dont on a d'autres dérivés dans de nombreuses langues du groupe, comme le lituanien *musià*, le grec *muia*, le vieux slave *múcha*, le vieil islandais *my*, etc. L'onomatopée latine qui a donné *mot, muet*, est peut-être la même.

♦ Jusqu'au XVIIe s., le mot désigne non seulement la mouche, insecte diptère appartenant à une famille distincte, mais d'autres insectes, volants ou non, n'appartenant pas à cette famille des Muscidés : ainsi, dès 1213, il est attesté avec le sens d'«abeille» pour lequel on emploie aussi ***mouche à miel***, longtemps resté vivant dans de nombreux dialectes, puis dans des syntagmes déterminés comme *mousches guespes* «guêpe» (1552), *mousche aus beufs* et *mousche aus chevaus* (1636) «taon», *mouche-araignée* (1768). Furetière compte encore parmi les «mouches» les bourdons, frelons, lucioles, cantharides, cousins et éphémères ; le scarabée est appelé *mouche cornue* et la tique *mouche à chien*. C'est avec cette grande extension que le mot est passé dans de nombreuses locutions où il est aujourd'hui compris au sens moderne : ***prendre la mouche*** «s'énerver, se formaliser de qqch.» est la forme moderne (1640) de *prendre mouskes* (1350) ; ***quelle mouche l'a piqué ?*** (1605) prolonge *quel mouche le point ?* (1485) et pourrait expliquer la première de ces locutions. Plus tard, on relève *on prend plus de mouches avec le sucre qu'avec le vinaigre* (1718) et ses variantes, ***on eût entendu voler une mouche*** «le silence était absolu» (1836) et ***ne pas faire de mal à une mouche*** «être incapable de nuire» (1844). L'écriture en ***pattes de mouches*** (1798) était antérieurement appelée *pieds de mouche* (1616). ➜ Dès le moyen français, le mot a développé des sens figurés par analogie avec les caractéristiques des petits insectes. Par allusion à leur vivacité, on parle de ***fine mouche*** (1486) pour une personne fine et astucieuse. ◇ En mauvaise part, on appelle *mouche* un espion, en argot (1574 ; voir ci-dessous *mouchard*). Le mot, avec cette idée, a donné son nom à un petit navire de guerre (1814) et à un petit bateau à vapeur (1867) dit usuellement ***bateau-mouche***, désignation pour laquelle l'évocation d'un nom propre est de pure fantaisie. ➜ D'autres sens, plus nombreux encore, font allusion à la forme de petit point noir qu'a l'insecte : *mouche* désigne le petit morceau de taffetas que les femmes se collaient sur le visage (*mousche* 1609) et qui fut en vogue aux XVIIe et XVIIIe s., puis aussi une éclaboussure sur un habit (1759), des points de broderie sur un vêtement (1759). ➜ Au XIXe s., il est employé en pêche pour un appât artificiel (1801, *mouche artificielle*), en médecine à propos d'un emplâtre à base de cantharides (1824). ◇ Le mot s'emploie aussi à propos du point noir au centre de la cible (1834) : c'est là l'origine de l'expression ***faire mouche***. ◇ *Mouche* désigne aussi la petite marque indiquant l'endroit où placer la boule de billard (1874). ◇ Enfin, le mot se dit de la petite touffe de poils au-dessous de la lèvre inférieure, à la mode sous Henri III et sous le second Empire (1840).

▸ La multiplicité des emplois du mot se retrouve dans le nombre de ses dérivés. ➜ *Mouche* avec son sens propre a produit le diminutif **MOUCHERON** n. m. (1538 ; 1300, *mouceron*), «petit insecte volant», sens resté vague. Le mot est appliqué familièrement à un petit garçon (1844). ◇ Il est à l'origine de **MOUCHERONNER** v. tr. (1903), d'où **MOUCHERONNAGE** n. m. (v. 1950), deux termes de pêche concernant le poisson qui bondit hors de l'eau pour happer les insectes. ➜ *Mouche* a servi à former le nom d'un oiseau qui se nourrit de mouches, appelé **MOUCHEROLLE** n. f. (1555) et **GOBE-MOUCHES** n. m. (1611 ; 1547, *gobemouches* comme surnom), ce dernier pris familièrement au sens figuré de «homme crédule, naïf» (apr. 1759). ➜ Il entre dans les noms d'objets destinés à se débarrasser des mouches : **CHASSE-MOUCHE** n. m. (1555) désignant un instrument pour chasser les insectes, **ATTRAPE-MOUCHE** n. m. (1700, également nom de plante) et **TUE-MOUCHE** ou **TUE-MOUCHES** adj. m. (1872), qualifiant un ruban de papier adhésif pour attraper les mouches et autres insectes, en usage notamment en milieu rural et qui tend à disparaître. ➜ Le radical du latin *musca* a été employé pour former le terme de classification zoologique **MUSCIDÉS** n. m. pl. (1892), réfection du plus ancien *muscides* n. m. pl. (1818.)

Une idée analogique était réalisée anciennement dans ② **MOUCHER** v. intr. (1467) «courir pour fuir les mouches», sens en usage jusqu'au XVIIe siècle. Depuis, le mot a eu le sens analogique de «voltiger comme une mouche» (fin XVIIe s.) et a reçu le sens technique en pêche de «monter à la mouche (d'une truite)» (1907). ➜ Ce verbe a vieilli, mais l'idée primi-

tive a été conservée dans le composé **ÉMOUCHER** v. tr. (1456; 1190, *esmocher*) et ses dérivés **ÉMOUCHETTE** n. f. (1690; 1549, «ombelle»), **ÉMOUCHEUR** n. m. (XVIIe s.) et **ÉMOUCHOIR** n. m. (XVIIe s.; XIIIe s., *esmecheor*).
L'ancien nom donné à l'attrapeur de mouches, ② **MOUCHEUR** (1611), désigne de nos jours celui qui pêche à la mouche. ◆ Le sens figuré de *mouche,* «espion», a suscité **MOUCHARD** n. m., avec un suffixe péjoratif, désignant (1567) un espion de police et (1571) celui qui espionne une autre personne, un délateur. ◇ Dans la langue argotique et populaire du XIXe s., le féminin **MOUCHARDE** a pris le sens de «police» (1889) et familièrement de «rapporteuse» (1850). ◇ *Mouchard* a désigné également en argot un réverbère (1847, *mouchard à gaz*) et, techniquement, divers appareils de contrôle (1894). ◇ On a formé dessus **MOUCHARDER** v. tr. (1596) d'où **MOUCHARDAGE** n. m. (1796) d'usage familier.
D'autres dérivés de *mouche* évoquent par analogie un oiseau qui forme une petite tache noire comparée à une mouche. ◆ **MOUCHET** n. m. (1536; 1175, *moschet*) désigne un petit épervier, dit plus souvent **ÉMOUCHET** (1598) formé par préfixation. ◆ **OISEAU-MOUCHE** n. m. (1632) se dit du colibri.
En moyen français est apparu **MOUCHETER** v. tr. (1453; 1340, au participe passé *mosquetee*) «parsemer de petits points (une étoffe, une fourrure d'hermine)», spécialement employé en héraldique (1681). Le même verbe signifie aussi «parsemer de petits trous» (1606), «garnir de mouches de soie» (1701) et «salir d'éclaboussures» (1859). ◇ Au XIXe s., il est entré dans le vocabulaire de l'escrime où *moucheter une épée* signifie «garnir la pointe d'une épée pour la rendre inoffensive» (1835), entraînant la création d'antonymes préfixés, **ÉMOUCHETER** v. tr. (1838) au participe passé et, plus fréquemment, **DÉMOUCHETER** v. tr. (1838). ◆ *Moucheter* a produit **MOUCHETURE** n. f. (1539, *mouscheture*) «ensemble de taches d'une autre couleur que celle du fond», employé particulièrement pour un pelage d'animal (1606) et la fourrure de l'hermine (1644). ◇ Ultérieurement, ont été formés **MOUCHETAGE** n. m. (1889) et le terme technique **MOUCHETIS** n. m. (1903) «enduit de mortier, plâtre granuleux à petites saillies». Certains de ces dérivés sont homonymes à ceux du verbe ① *moucher.*

◈ voir **MOUSQUET** (par l'italien), **MOUSTIQUE**.

① **MOUCHER** v. tr. et pron. est issu (fin Xe s.) du latin tardif *muccare* dérivé (VIe s.) de *muccus,* variante de *mucus* «morve» (→ mucus).

♦ Le verbe est d'abord attesté en construction transitive, puis il est pris absolument (1190); cet emploi est évincé par *se moucher,* forme pronominale utilisée dans le proverbe *qui se sent morveux se mouche.* ◆ Par analogie, *moucher* a développé le sens de «couper le bout de la mèche consumée de (une chandelle)» (1380) qui a lui-même donné lieu à quelques emplois techniques (1752, *moucher les cordages* en marine). ◆ Son sens figuré de «remettre à sa place» (familièrement) est relevé dès 1464 *(Farce de Maître Pathelin)* mais s'est surtout répandu au XIXe s., époque où l'on relève *se faire moucher* (1839).

▶ Les dérivés se partagent entre le sens courant et celui de «couper la mèche». ◆ Le premier est réalisé dans **MOUCHOIR** n. m. (1460-1466, *mouschouer*), précédé par *mouscoirs* «mouchette» (v. 1275), mot très usuel passé dans la locution figurée, aujourd'hui archaïque, *jeter le mouchoir à une femme* (1690), par allusion, dit-on, à l'usage des sultans qui désignaient ainsi leur favorite d'un soir. Par allusion à la petite taille de l'objet, apparaissent la locution comparative ***grand comme un mouchoir (de poche)*** (1883) et, en sports, la locution ***finir dans un mouchoir*** (1895), calquée sur la locution anglaise *in a handkerchief.* ◇ Par analogie, le mot désigne aussi un morceau d'étoffe noué autour du cou (1651; 1627, *mouchoir de col*). ◆ Le sens concret de *moucher* est également réalisé dans **MOUCHERIE** n. f. (1689) «flux de mucosités s'écoulant par les narines», devenu archaïque, mais il s'est perdu dans **MOUCHURE** n. f. (1690), qui a eu le même sens, au profit de l'autre acception du verbe «bout de la chandelle que l'on mouche» (1812). ◆ Les deux notions coexistent dans ① **MOUCHEUR** n. m. «personne qui était chargée de moucher les chandelles dans un théâtre» (1547) et, plus rarement, «personne qui se mouche souvent» (1611). ◆ En revanche, **MOUCHERON** n. m. (1409; déb. XIIIe s., *moceron de candoile*) désigne uniquement le bout de la chandelle d'une bougie qu'il faut moucher et **MOUCHETTE** n. f. (1399), au pluriel, l'instrument avec lequel on mouche les chandelles (1523; 1399, *moichottes*). ◇ Par analogie, ce mot a développé des sens techniques en menuiserie où il désigne une espèce de rabot (1676), en architecture (1676) et en construction (1868).

② **MOUCHER** → MOUCHE

MOUCLADE → ② MOULE

MOUDJAHIDDIN n. m. pl. est emprunté, au sens de «combattants d'une armée de libération islamique» (1903), à un mot arabe, pluriel de *muǧāhid* «combattant de la guerre sainte» (*ǧihād,* en transcription *djihad*).

♦ En français, le mot n'est répertorié dans les dictionnaires qu'à partir de 1968; il s'est répandu par l'intermédiaire des médias au moment de la révolution khomeiniste en Iran (1979), notamment dans *les moudjahiddin du peuple.*

MOUDRE v. tr. est issu, d'abord au participe passé *moluz* (1135), du latin *molere* «tourner la meule, réduire (des grains) en poudre», dérivé de *mola* (→ meule).

♦ Le mot est d'abord attesté avec le sens ancien d'«aiguiser», dans *fers mouluz* «bien aiguisés» (→ émoulu). ◇ Le sens de «broyer» apparaît (XIIe s.) à propos de l'or réduit en poudre pour la dorure sur bois ou sur métaux (1165, *or molu*) et surtout à propos (1174) de grains de céréales, puis de café. ◆ Par analogie avec le traitement subi par le grain moulu, *moudre* s'est employé figurément au sens de «rouer de coups (qqn)» (av. 1300, au participe passé). ◆ Au XIXe s., par allusion au mouvement du moulin, il signifie plaisamment «jouer (un air) sur un instrument à manivelle» (1867). Il est quelquefois pris péjorativement dans *moudre du vent, du vide* «agir sans effet».

▸ On en a tiré un nom d'action peu usité, ① **MOULAGE** n. m. (1254, *mosrrage*; 1325, *molage*), également employé en droit féodal pour désigner la taxe perçue par le seigneur sur ceux qui faisaient moudre leur grain au moulin (1325).
Moudre a aussi donné le composé itératif **REMOUDRE** v. tr. (1549) [→ remous] et le composé *vermoulu**.

◈ voir **ÉMOLUMENT, ÉMOULER, IMMOLER, MEULE, MEUNIER, MOLAIRE, MOULIN, MOUTURE, VERMOULU.**

MOUE n. f. est issu (1176, *faire la moe*) du francique °*mauwa* «grimace que l'on fait en allongeant les lèvres par dérision ou mécontentement», restitué d'après le moyen néerlandais *mouwe*. Le mot est peut-être d'origine onomatopéique. On trouve en effet l'interjection *moue!* dans une sottie du XVIe siècle.

♦ *Moue*, en ancien français, avait surtout, à côté du sens repris du francique, la valeur de «lèvre, bouche» (on disait aussi *jouer des moes* «faire des grimaces, montrer les dents»). ◇ Les sentiments exprimés par la moue, en français moderne, vont du doute et de l'hésitation à la désapprobation, mais l'idée de laide grimace a disparu au XVIIe s., et le mot est devenu usuel dans ***faire la moue*** (1608). Du XVIIIe au XIXe s., il s'applique fréquemment à une petite grimace gracieuse (la «petite bouche»).

MOUETTE n. f. est le diminutif (fin XIIIe-déb. XIVe s.), avec le suffixe *-ette*, de l'anglo-normand *mave, mauve*. Ce dernier, attesté depuis le début du XIIe s. (1121-1134) et encore usité au XIXe s. en Haute-Bretagne, est lui-même emprunté au vieil anglais *maew* (anglais moderne *mew*), terme germanique propre aux contrées maritimes et apparenté au néerlandais *meeuw*, allemand *Möwe*.

♦ En français, on relève d'abord le mot sous la forme *moette*, puis *mouete* (1422) et *mouette*. Dans l'usage général, le mot, usuel, sert à désigner inexactement d'autres oiseaux marins, comme les goélands. ➛ Le pluriel a servi, par analogie de forme, à désigner une pince en bois pour arracher les chardons (1835, altéré en *moittes*).

◈ voir **MAUVIETTE.**

MOUFLE n. f. ou n. m. est issu (1200) du bas latin *muffula* «mitaine» (817, dans un capitulaire d'Aix-la-Chapelle), mot d'origine incertaine, qui représente peut-être le francique °*molfëll* «peau molle» ou, plus probablement, le francique °*muffvël*, composé du radical du germanique *muffel* «museau» qui aurait eu aussi le sens d'«enveloppe» (→ camouflet) et de *vël* «peau d'animal».

♦ *Moufle* n. f., d'abord attesté au pluriel avec le sens de «menottes (d'un prisonnier)», a pris peu après le sens conservé en français moderne de «gant épais sans séparation entre les doigts sauf pour le pouce» (1223). ➛ Par analogie de fonction (enveloppe), il est employé techniquement au singulier pour désigner un système de poulies assemblées dans une même chape (1464) et, par métonymie, une barre de fer noyée dans la maçonnerie d'une maison et servant à empêcher l'écartement des murs (1765). ◇ Le mot désigne ou a désigné aussi la couverture ronde dont on couvre une coupelle (1579), la coupelle de terre des orfèvres et des émailleurs (1611) et un petit four ou récipient en terre servant à exposer des corps à l'action du feu (1723). Ce dernier groupe de sens a été isolé du premier en adoptant le genre masculin.

▸ Les dérivés reprennent le sens technique. ➛ **MOUFLETTE** n. f., apparu avec le sens propre de «petite moufle, gant» (fin XVe s.), l'a perdu au profit de son sens technique (1903; 1501, «assemblage de poulies»). ➛ L'adjectif **MOUFLÉ, ÉE** (1507) «ganté de moufles» est surtout employé avec un sens technique, en parlant de poulies (1743); et le nom **MOUFLAGE** n. m. (1911) désigne un dispositif de câbles ou de chaînes sur une moufle et l'ensemble des poutres assemblées en moufle.

◈ voir **CAMOUFLER, MAFFLU, MOUFLET, MUFLE.**

MOUFLET, ETTE n. semble issu (1866) du radical expressif *muff-* qui exprime une idée de gonflement et correspond à «rebondi et joufflu». Ce radical serait également représenté dans *moufle* n. m., ancien nom familier d'un visage rebondi (1624), soit formé directement en français, soit emprunté à l'allemand *Muffel* «museau» de même origine (→ moufle, mufle). Cependant, de nombreux mots populaires désignant l'enfant ont pour initiale *mo-* ou *mou-* (→ moutard), ce qui rend plausibles des surdéterminations.

♦ *Mouflet, mouflette* est le nom donné populairement au petit garçon et à la petite fille.

MOUFLON n. m. a été emprunté à deux reprises (1557, *mufle;* puis 1764, *mouflon*) au sarde *muvrone* ou au corse *mufrone, muvrone,* l'animal étant originaire de Corse et de Sardaigne. Les deux mots remontent au latin tardif *mufro, -onis,* probablement d'origine préromane. La première forme est le signe d'un emprunt écrit et de l'influence de *mufle,* sensible dans le remplacement de *fr-* ou *vr-* par *fl-*.

♦ Le mot désigne un mammifère sauvage des montagnes, ruminant et ongulé.

MOUFTER ou **MOUFFETER** v. intr. est peut-être la variante (1896) de *mouveter* «remuer, bouger» (v. 1550, encore dans les parlers régionaux), dérivé de *mouvoir**, également *mouver* en ancien et moyen français. Une autre hypothèse fait de *moufter* une formation expressive sur le radical *muff-* que l'on trouve dans *mouflet*, mufle*, moufle**, mais elle n'explique pas le *t*.

♦ Le verbe, d'usage populaire et familier, signifie «protester, prendre la parole pour manifester son mécontentement»; il ne s'emploie guère qu'en phrase négative, *ne pas moufter* correspondant à «rester tranquille», «ne pas réagir».

MOUILLER v. est issu (1050) du latin tardif °*molliare* «amollir (le pain en le trempant)» et par suite, plus généralement, «imbiber, humidifier», dérivé du latin *mollia* «mie de pain» (pour *mollia panis*), dérivé de l'adjectif *mollis* (→ mou), qui a désigné la mie de pain en ancien français.

♦ En français, le verbe a pour sens premier «imbiber, rendre humide» en construction transitive *(moillier)* et à la forme pronominale (1165). Au XIIe s., il prend le sens de «rendre humide» le sujet désignant un liquide (1165), spécialement les larmes (1155). ◆ Il est aussi employé intransitivement (fin XIVe s.) avec un nom de personne pour sujet, signifiant «être mouillé de sueur à cause de la peur», d'où familièrement «avoir peur», souvent compris comme lié à *pisser dans sa culotte, mouiller* (transitif) ayant pris ce sens au XIXe s. (voir ci-dessous). ◇ Au XVIe s., le transitif entre dans l'expression *mouiller les lèvres* «les tremper sans boire ou à peine» (1550). D'après l'emploi du participe passé adjectivé *mouillé* au sens de «pluvieux» (XIIIe s.), il a eu en langue classique le sens de «pleuvoir», y compris à la forme impersonnelle (1636), conservé dans l'usage familier et enfantin *(il pleut, il mouille...)*. ◆ Son emploi en marine est relevé à partir de 1598 dans *mouiller l'ancre* «jeter l'ancre» et donc «s'arrêter (d'un navire)», aussi par métaphore, et à dater de 1667 en construction intransitive *(le navire mouille)*. Il a suscité ultérieurement des emplois particuliers, comme *mouiller une sonde* (1866), *mouiller une bouée* (1903), *mouiller une mine* (1915) et, en pêche, *mouiller une ligne* (1963). ◇ C'est aussi au XVIIe s. que *mouiller* commence d'être employé en phonétique (1690) pour «articuler (une consonne) avec palatalisation» et en cuisine au sens d'«additionner de liquide à la cuisson» (1691). ◇ Au XVIIIe s., le verbe entre dans le vocabulaire des sculpteurs, des métiers textiles (1765, *mouiller du drap*) et des papetiers (1767, au participe passé substantivé). ◇ Plusieurs sens particuliers remontent au XIXe s., dont, figurément par l'image de «se mettre à l'eau» pour «se compromettre», celui de ***se mouiller,*** en argot «prendre des risques» (1866). ◆ Le verbe transitif est entré dans le vocabulaire de la physique au sens de «se relever au contact d'un solide» (en parlant d'un liquide) [1867] et dans la distinction *corps mouillés-corps non mouillés* (1903). ◇ Le verbe actif s'emploie aussi pour «étendre (son vin) d'eau» (1874), «mouiller d'urine (ses vêtements...)» (1885) et, comme intransitif dans l'usage vulgaire, puis familier, «être excité sexuellement (d'une femme, puis aussi d'un homme)» (1887) et aussi «avoir peur» (1936).

► Son participe passé **MOUILLÉ, ÉE** est adjectivé avec le sens général du verbe (1165) puis substantivé (1801). Par la suite, *mouillé* a développé la plupart des sens particuliers correspondant à ceux du verbe, notamment en phonétique à propos de consonnes dont l'articulation se termine par le son [j] *(ye)*, la langue se rapprochant du palais. Il est spécialement employé en géographie (1925) dans *périmètre mouillé, section mouillée,* à propos d'un périmètre qui dépend du niveau de l'eau.

Mouiller a entraîné la création d'un grand nombre de dérivés dont l'apparition s'échelonne de l'ancien français au XXe s. pour les sens les plus techniques. ◆ Le plus ancien est **MOUILLURE** n. f. (v. 1225, *moilleüre*) «état de ce qui est mouillé, humidité», plus vivant avec des sens techniques correspondant à quelques emplois du verbe et apparus depuis le XVIIe s. en imprimerie (1690), en jardinage (1701) et en phonétique (1868), désignant le résultat du mouillement (ci-dessous). ◆ **MOUILLOIR** n. m. (1452, *mouillouer*) a perdu son sens primitif de «petit vase dont se servent les fileuses pour tremper leurs doigts» et désigne depuis le XVIIIe s. un récipient utilisé pour mouiller, en papeterie (1765), fonderie (1765) et blanchisserie (1963). ◆ **MOUILLEMENT** n. m. (1553) est rare au sens général d'«action, résultat de mouiller», mais s'emploie spécialement en phonétique (1801) [cf. ci-dessus *mouillé*] et en cuisine (1829). ◆ On relève aussi au XVIe s. **MOUILLEUR** n. m. (1576), proprement «celui qui mouille», employé techniquement en marine (1831 ; 1914, dans *mouilleur de mines*) et pour désigner un appareil servant à mouiller (1874, à propos de feuilles de tabac ; 1903, à propos de timbres, d'étiquettes). *Mouilleur* fait double emploi avec *mouilloir* n. m. en blanchisserie (1963). ◆ Au XVIIe s. apparaissent **MOUILLE-BOUCHE** n. f. (1628) «variété de poire fondante», emploi disparu, et **MOUILLAGE** n. m. (1654) «lieu où mouillent les navires» d'où «manœuvre exécutée pour jeter l'ancre» (1828), ce dernier ayant développé quelques sens techniques aux XVIIIe et XIXe siècles. ◇ Par traduction de l'anglais *watering of stock* (1884), il est employé (1958) en économie dans l'expression *mouillage du capital* «fait de diluer le capital d'une société». ◆ **MOUILLETTE** n. f. (1690) désigne le morceau de pain long et mince que l'on trempe dans les œufs à la coque. ◆ Le terme technique **MOUILLADE** n. f. est attesté depuis 1765 pour l'action de mouiller les feuilles de tabac pour les amollir, les assouplir. ◆ Au XIXe s., on rencontre le déverbal **MOUILLE** n. f. (1840) avec les sens concrets de «source qui ne fait que suinter dans une prairie» et «endroit où l'eau a une grande profondeur dans une rivière» (1855), puis «avarie causée par l'eau à bord d'un navire» (1855). ◆ Au XXe s., sont attestés **MOUILLOIRE** n. f. (déb. XXe s.) qui désigne la cuve où l'on fait tremper l'orge avant de l'envoyer au germoir, **MOUILLON** n. m. (1909) «chiffon de flanelle pour humecter le linge à repasser», puis **MOUILLABLE** adj. et **MOUILLABILITÉ** n. f. (v. 1950), terme de sciences appliqué à la propriété d'une surface qui laisse les liquides s'étaler sur elle et la mouiller également.

MOUILLÈRE n. f. (1845), «partie d'un champ constamment humide», est une altération d'après *mouiller* du type ancien *molière* n. f. (1300) «terrain marécageux», formé sur *mol* (→ mou). Dès 1132, le latin médiéval atteste un *mollaria* «terrain cultivé où l'on voit sourdre de petites sources ; terrain creux où croupissent les eaux».

Le composé **REMOUILLER** v. tr. (1549) a produit **REMOUILLAGE** n. m. (1875) «opération technique consistant à mouiller de nouveau».

◈ voir PATTEMOUILLE.

MOUISE n. f., répandu en argot (1821), est à l'origine un mot dialectal de l'Est, si l'on en juge par *mouesse* (Montbéliard) «confiture grossière, raisiné» et par *mousse* (Doubs) «confiture». Il est peut-être emprunté à l'allemand dialectal du Sud *Mues* «bouillie» (→ müesli). Celui-ci correspond à l'allemand *Mus* «marmelade, bouillie», lequel est rapproché de mots des langues germaniques occidentales permettant de dégager une racine °*mosa-* «nourriture». Cette origine est incertaine, et on pourrait suggérer, par voie dialectale, un rapport avec le latin *mustum* (→ moût), d'où l'adjectif ancien français *moise, mouise* «moisi» (→ moisir).

♦ *Mouise,* d'abord employé au sens de «soupe économique, de basse qualité», a pris le sens d'«excréments» (1888, aujourd'hui disparu) puis la valeur générale de «pauvreté, misère» (1892) par le même type de cheminement sémantique que *panade* et *purée,* si l'on ne retient pas l'élément «moisi», assez vraisemblable.

▸ Il a pour dérivé **MOUISARD, ARDE** adj. et n. «personne dans la mouise» (1901), sorti d'usage.

◈ voir MÜESLI.

MOUJIK n. m. est emprunté (1845 *movjick*), d'abord sous la forme *mousique* dans un récit de voyage en Moscovie (1727), laquelle trahit un emprunt oral, au russe *moujik* «paysan», de *mouj* «homme», mot qui provient d'une racine indoeuropéenne signifiant «être humain». Celle-ci est représentée dans le sanskrit *mānu* et dans les langues germaniques (anglais *man,* allemand *Mann;* → mannequin). Dès le latin de Germanie, on relève le nom propre *Mannus* (Tacite, *Germania*) et les anciens noms tribaux *Alamanni,* proprement «tous les hommes» (d'où *Allemands*), et *Marcomanni* «hommes des frontières, des marches» (les *Marcomans*). En français, la graphie actuelle est attestée depuis la fin du XVIIIe s. (av. 1794), mais on relève encore *mouzik* au XIXe s. (v. 1823).

♦ Le mot se rapporte à un paysan russe, notamment avant la Révolution de 1917.

◈ **MOUJINGUE** n. m., attesté en 1915, est d'origine discutée. On évoque d'une part une suffixation libre en *-ingue* de *mouchachou* «enfant», lequel est emprunté (1830) à l'espagnol *muchacho* de même sens (1570; 1251, *mochacho*), lui-même dérivé de *mocho* «tondu» (→ ④ mousse). D'autre part, on évoque *moujasse,* terme régional (Ouest) désignant une fillette et qui serait issu d'un préroman °*mugia* «génisse».

♦ Le mot, apparu dans l'argot de la Première Guerre mondiale puis (1921) des ouvriers, désigne un jeune garçon.

✷ ① **MOULE** n. m. est un emprunt ancien, d'abord sous la forme *modle* (fin XIe s.) puis *molle* (1165), au latin *modulus,* proprement «petite mesure», dérivé de *modus* «mesure» (→ mode et muid) et qui, par un autre emprunt, a donné *module*,* tandis qu'une forme altérée est à l'origine de *modèle*.*

♦ Le premier sens de *moule* en ancien français est «modèle», éliminé par *modèle* mais dont l'idée sous-tend plus ou moins les sens modernes du mot. ➝ Dès le XIIe s., *moule* a pris une valeur concrète et désigne un corps creusé dans lequel on verse une substance liquide qui, en se solidifiant, conserve la forme prise dans la cavité, puis également (1260) un modèle plein sur lequel on applique une matière malléable pour qu'elle en prenne la forme. Ce dernier sens a produit plusieurs acceptions techniques : *moule* désigne un objet servant à réparer les mailles d'un filet (1260), la partie solide du bouton que l'on recouvre de tissu (1664) et, régionalement (Lyonnais, Suisse, Ouest), le cadre de bois servant à mesurer du bois de chauffage (1316). ◇ D'autres sens particuliers, plus courants, s'ordonnent à l'idée de «modèle creux» : ainsi par analogie, le mot se réfère à un ustensile utilisé en cuisine (pâtisserie) [1737]. ➝ *Moule* a pris le sens plus général et abstrait de «modèle, type» (XVIIe s.) dans des locutions comme ***être jetés dans le même moule*** (1678) et ***le moule est rompu*** (1718), ***brisé*** (1764), ***perdu*** «on n'en trouvera plus de ce genre, de cette qualité». ◇ Abstraitement, on nomme *moule,* en art et littérature, une forme fixe qui s'impose à l'artiste, à l'écrivain (1926).

▸ Le dérivé dont le sémantisme est le plus large est **MOULER** v. tr., attesté dès 1080 par la forme archaïque de son participe passé *mollet* «qui semble fait au moule (d'une personne)». L'infinitif et les formes actives sont attestés depuis 1210 au sens de «reproduire un objet à l'aide d'un moule creux». Le verbe donne lieu à deux emplois techniques en imprimerie, surtout au participe passé (1484, *livre moulé*) et en typographie (1668, *lettre moulée;* 1857, substantivé au féminin *la moulée*). Plus couramment, on qualifie une écriture de *moulée* (1691) lorsqu'elle frappe par sa régularité. ➝ Au XVIe s., *mouler* prend le sens figuré d'«ordonner, façonner selon un modèle» (1580) et, au XVIIe s., le sens technique de «prendre l'empreinte de (un objet) au moyen d'une substance qui en épouse les formes» (1669). L'usage extensif pour «épouser la forme d'un corps (d'un vêtement)» est attesté au XVIIIe s. (1767). ◇ Au XIXe s. apparaît le sens argotique de «donner (un coup)» (1821), par métonymie «le recevoir» (sens disparus). ➝ *Mouler* a produit plusieurs dérivés concernant les domaines de la sculpture et de l'architecture. ➝ **MOULEUR** n. m. (1268; 1260, *moleur*), «fondeur de petits objets en métal», désigne plus largement l'ouvrier chargé de la confection des moules (1931); le féminin *mouleuse* désignant une machine chargée de ce travail. ◇ ② **MOULAGE** n. m. (1415, *mollage* «droit des mouleurs de bois») est devenu au XVIIe s. un terme de potier désignant les carreaux moulés, puis (1723) la façon que le potier donne à la terre en la mettant dans des moules. Le mot signifie plus généralement «action de mouler» (1765). ◇ Au XIXe s., il se spécialise à propos de l'action de prendre une empreinte digitale (1845) et la reproduction à partir d'une empreinte (1865).

MOULURE n. f. (1423, *mollure*) s'est spécialisé dès les premières attestations au sens concret d'«ornement saillant d'un ouvrage d'architecture». Par analogie, depuis 1927, il est employé en électricité à propos des lattes de bois creusées de rainures servant à dissimuler les conducteurs électriques. ➝ Ce nom a lui-même donné quelques dérivés : **MOULURER** v. tr. (1874; 1872, au participe passé), **MOULURIER** n. m. (1868), **MOULURAGE** n. m. (1927), **MOULURATION** n. f. (1907), **MOULUREUSE** n. f.

(1931 en menuiserie et 1963 en marbrerie) et **MOULUREUR** n. m. (1955) dans les mêmes domaines que le précédent. ◆ **MOULERIE** n. f., tiré de *mouler* pour lui servir de nom d'action (1580), s'est limité dans l'usage moderne au sens technique d'«atelier où l'on coule les pièces de fonte dans des moules» (1765). ◆ Le substantif tiré du participe passé féminin, **MOULÉE** n. f. (1868) «bois à brûler que l'on mesure au moule», recouvre de nos jours collectivement un groupe d'objets en matière plastique moulés en une seule fois (attesté 1965). ◆ **MOULISTE** n. (1878) désigne l'ouvrier fondeur qui construit les moules. ◆ Enfin, le participe présent adjectivé **MOULANT, ANTE** (fin XIXe s.) est usuel pour qualifier un vêtement ajusté le long du corps.

Quant au composé **DÉMOULER** v. tr., il est apparu relativement tard (1534, *demouller*), après **DÉMOULÉ, ÉE** adj. (XIIIe s., *desmollé*), avec le sens figuré ancien d'«abîmer, disloquer». Depuis 1611, ce verbe signifie concrètement «casser le moule, gâter la forme d'une chose» et ne prend son sens moderne de «retirer du moule» qu'au siècle suivant (1765). Il a produit **DÉMOULAGE** n. m. (1838) avec son sens moderne. ◆ Les composés **CONTREMOULER** (1863) et **SURMOULER** v. tr. (1760) «mouler sur un moulage», leurs déverbaux **CONTREMOULE** (1771) et **SURMOULE** (1803) n. m., les dérivés **CONTREMOULAGE** (1845) et **SURMOULAGE** (1760) n. m. sont réservés au langage technique. On n'appelle plus **SURMOULEUR** n. m. l'écrivain qui en imite d'autres (1867).

② **MOULE** n. f., nom de mollusque, est issu (1240-1280, *moulles*) du latin de même sens *mŭsculus* avec premier *u* bref, attesté depuis Pline et sans étymologie sûre. On considère généralement que le mot se confond avec *mūsculus* avec *u* long (→ muscle), dérivé de *mus* «souris» (→ musaraigne) : le correspondant grec *mus* ayant les sens de «rat» et de «moule», il n'est pas impossible de supposer, de *mŭsculus* à *mūsculus* une variation en quantité vocalique de type populaire.

♦ *Moule,* nom d'un mollusque, est employé au sens figuré (1887-1889) de «personne molle, sans énergie» par attraction de *mou* et de *mollusque.* ◇ Par analogie, il est employé en argot pour le sexe de la femme (1878-1879).

▶ En sont dérivés **MOULIÈRE** n. f. «bassin naturel de moules», «installation d'élevage des moules» (1681), **MOULIER, IÈRE** adj. (1876) «relatif aux moules» et **MOULAIRE** n. m. «pêcheur de moules et autres coquillages» (1955). ◆ Le terme de gastronomie **MOUCLADE** n. f. est un mot régional de l'Ouest, de l'Aunis, dérivé de *moucle,* variante dialectale de *moule* (1289, La Rochelle) avec le suffixe *-ade.*

MOULIN n. m. est issu (1140) du bas latin *molinum,* dérivé de *molere* (→ moudre). Le mot désigne une machine à moudre le grain et le bâtiment où se tient cette machine.

♦ Dès l'ancien français, on distingue entre le ***moulin à vent*** (*molin a vent,* 1195) et le moulin à eau, appelé *molin d'awe* (1285) puis ***moulin à eau*** (1558). Les locutions figurées suscitées par le mot ne semblent pas antérieures au XVIIe siècle : c'est le cas de ***on ne peut être ensemble (en même temps) au four et au moulin*** (1611), ***se battre contre des moulins (à vent)*** (1787) par allusion littéraire à *Don Quichotte,* ***on entre ici comme dans un moulin*** «sans se gêner» (1840), ***amener, apporter (de) l'eau au moulin de qqn*** (1891). ◆ Par analogie de fonction, le mot désigne diverses machines : on parle ainsi de *moulin à papier,* d'abord *molin a papier* (1381-1382), puis au XVIIe s. des machines à broyer les oléagineux (1641), à mouliner la soie (1678), à moudre le café (1690, ***moulin à café***). ◆ En argot, *moulin* désigne la mitrailleuse (1869) et le moteur d'une voiture (1908). ◆ Le sens familier de «personne très bavarde», dans l'expression ***moulin à paroles*** (1778), est une extension métonymique du sens de «langue» qu'avait antérieurement l'expression (1676).

▶ **MOULINET** n. m., le diminutif de *moulin,* désigne d'abord proprement un petit moulin (XIIIe s.). Par analogie, il désigne un petit moulin à vent servant de jouet d'enfant (1390) et développe plusieurs acceptions techniques spécialisées, entre le XVIe et le XIXe siècle : il désigne un treuil en marine (1527), la petite croix manœuvrée comme un treuil qui serrait la corde du garrot et étranglait le condamné (1701), l'assemblage en forme de croix qui donne le mouvement aux presses lithographiques (1812). ◇ Depuis 1623, il est attesté dans l'expression *faire le moulinet* (avec un bâton), d'après le moyen français *mouliner* «bâton à deux bouts pour faire le moulinet» (1418). ◇ Par suite, l'expression est employée en parlant de mouvements des bras (1651), sens toujours usuel, et *moulinet* désigne une figure de danse (1594, de contre-danse ; 1850, de quadrille) et d'escrime. ◆ Le féminin **MOULINETTE** n. f. est une création moderne (1957), faite d'après *moulinet,* pour désigner un petit broyeur à légumes. À l'origine, c'est le nom d'une marque déposée (27 septembre 1934) par la société Mantelet et Boucher pour un modèle de presse-purée. L'expression figurée ***passer qqn à la moulinette,*** d'usage familier, est attestée depuis 1969. ◆ *Moulin* a aussi suscité le verbe **MOULINER** tr. et intr., attesté indirectement depuis le XIIIe s. par son dérivé *moulineure* «vermoulure». Lui-même est attesté à la fin du XVe s. (1498-1502) au sens intransitif de «tourner, en parlant des ailes du moulin». ◇ L'emploi de la construction transitive (1611) correspond à «travailler au moulin» et à «moudre (le grain)». ◇ Ses sens analogiques et figurés, correspondant à ceux de *moulin,* se sont développés à partir du XVIIIe siècle. La valeur de «passer en entier, faire défiler (un texte, une bande, une suite d'informations)» est courante en informatique et a produit l'itératif **REMOULINER** v. tr. ◇ **MOULINAGE** n. m., dérivé de *mouliner* au sens féodal de «droit sur la mouture» (1495), s'est spécialisé en «opération de consolidation de la soie grège» (1675), le sens général d'«action de mouliner» n'étant attesté que plus tard (1803). Par métonymie, le mot désigne l'établissement où l'on mouline la soie (1859), dit également **MOULINERIE** n. f. ◇ **MOULINEUR** n. m. est apparu au sens d'«ouvrier qui mouline la soie» (1723), pour s'étendre (1875) à l'ouvrier qui charge le charbon amené du fond d'une mine.

◈ **MOULT** adv. est issu (v. 980, *mult*) du latin *multum* «très, beaucoup», neutre de l'adjectif *multus* «nombreux, abondant», qui contient la racine, probablement indoeuropéenne, également représentée dans *melior* (→ meilleur) et dans le grec *mala* «beaucoup, tout à fait».

♦ En français, *moult* est sorti de l'usage général au XVIe s., évincé par *beaucoup*. Il a survécu longtemps dans le nord-est de la France et ne s'emploie plus que plaisamment dans quelques contextes et par intention archaïsante (en style troubadour).

▸ **MOLTO** adv., emprunt musical (1837) à l'italien *molto* «beaucoup, très» (XIIIe s.), refait vivre le latin *multum;* il s'emploie dans des locutions adverbiales indiquant un tempo *(molto allegro)*.

◈ voir **MULTIPLE, MULTITUDE** et les composés formés sur **MULTI-**.

MOUQUÈRE n. f. est emprunté (1863) au sabir d'Algérie *moukera, mouchera* «femme» (1830), lui-même emprunté à l'espagnol de même sens *mujer*. Ce dernier est issu du latin *mulier* «femme (au sens général du mot)», qui, à la différence de *femina* (→ femme), ne pouvait être appliqué à la femelle d'un animal. *Mulier*, d'origine inconnue, n'a rien donné en français.

♦ Le mot a pénétré en français par les troupes de l'Algérie, d'abord sous la forme *moukeiras* (pl.) et *moukères* (1863), également *mouqueires* (1885) et enfin *mouquère* (1888). Employé pour désigner une femme maghrébine, de manière condescendante ou méprisante, dans le contexte colonial, il s'est aussi employé en argot au sens large de «femme, maîtresse, prostituée» (1878).

◈ ① **MOURIR** v. intr. est issu (881, *morte;* fin Xe s., *murir*) du latin *mori*, dérivé comme *mors* (→ ① mort) de la racine indoeuropéenne °*mer-* «mourir». À côté de *mori*, on relève un infinitif *moriri* à l'époque archaïque et dans la langue vulgaire (Plaute), devenu *morire* à basse époque. Le verbe latin signifie proprement «cesser de vivre» et, au figuré, «dépérir, se consumer»; il est aussi employé à propos des choses au sens de «s'éteindre, finir» et par extension, en langue chrétienne, pour «renoncer à, se détacher de».

♦ En français, on relève d'abord *se mourir* «cesser de vivre», puis «être mourant, agoniser» (1170) et «dépérir», que ce soit d'amour (1160) ou de chagrin (1165), usage étendu à des choses inanimées de manière métaphorique (1580). ➛ Son emploi moderne en construction intransitive est attesté depuis la fin du Xe s. au sens propre de «cesser de vivre» en parlant d'un être vivant, puis (v. 1200) d'un végétal. ◇ Dès le XIIe s., *mourir* exprime également l'idée de «dépérir, être sur le point de mourir» (1165, *morir de fain*, en parlant de Tantale), notamment «dépérir (d'amour, de chagrin, d'un autre sentiment)» dans la littérature courtoise (1188). ◇ Toujours avec un sujet animé, le verbe correspond à «désirer ardemment» (dans la locution *mourir après*, 1540). Les premiers emplois hyperboliques modernes sont relevés au XVIIe s., par exemple dans la locution familière ***à mourir*** (1671). Plus récemment, le verbe s'emploie figurément dans *mourir de rire* (cf. *crever*); cette valeur d'intensif se retrouve dans une expression qui semble calquée de l'italien, *plus..., tu meurs!* ➛ En relation avec *mort, mourir* est spécialement employé comme terme de spiritualité dès l'ancien français au sens de «renoncer définitivement à», dans *morir al munde* (1200), *mourir au péché* (1651), *mourir à ses passions* (1675). ➛ Depuis le XIIIe s. également, il exprime l'idée figurée de «décliner». ➛ Son emploi avec un sujet inanimé remonte au XVIe s., qu'il s'agisse d'un objet concret (1556), par exemple une étendue de terrain (1616), ou d'un objet abstrait (1580, Montaigne). ➛ Il faut signaler que l'ancienne langue employait aussi *mourir* en construction transitive à la fois dans *être mort*, au passif, «être tué» (1080) et *avoir mort* «avoir tué» (1080). ◇ *Mourir* est encore relevé au XVIIe s. au sens actif de «tuer», mais cet usage est complètement éteint.

▸ *Mourir* a peu de dérivés: l'infinitif substantivé, ② **MOURIR** n. m. (v. 1200) «le fait de mourir», est d'usage littéraire et rare. ➛ Le participe présent **MOURANT, ANTE** est adjectivé (1380) et substantivé (1260) pour désigner une personne qui va mourir, un moribond*. En langue classique, cet adjectif a pris le sens de «marqué par l'agonie» (1635) et «qui s'arrête, finit» en parlant d'une chose (1630). Il a pris assez récemment le sens familier de «à mourir (d'ennui, de rire)» (déb. XXe s.), plus souvent réservé à *mortel*. ➛ *Mourir*, sous la forme conjuguée *meurt*, est entré dans **MEURT-DE-FAIM** n. inv. (1604), ancienne dénomination des nécessiteux (cf. *crève-la-faim*). ➛ Au XIXe s., il a servi à former **MOUROIR** n. m., au moyen du suffixe *-oir* et peut-être sur le modèle de *dortoir*. D'abord relevé au sens de «lit de mort» (1812), d'emploi très rare, le mot a pris par extension celui de «local qui recueille les mourants» (1893). Il est employé péjorativement au figuré à propos d'un hospice de vieillards où règne une grande misère physique (1966). ➛ **MOUREUR** n. m. (précédé d'un adjectif évaluatif) se rencontre chez J. Rostand en 1973.

◈ voir **IMMORTEL, MORIBOND,** ① et ② **MORT, MORTEL** et, du grec, **AMBROISIE**.

MOURON n. m. est probablement un emprunt (XIIe s., *morun*) au moyen néerlandais *muer* (*muur* en néerlandais moderne) «petite plante commune de la famille des Primulacées», mot d'origine inconnue et connaissant plusieurs variantes dialectales (*miere, mier;* au sud *moer*).

♦ Le nom d'une des variétés de la plante, *mouron blanc* ou *mouron des petits oiseaux* (1768), désigne une espèce de morgeline que l'on donne à manger aux petits oiseaux de volière. ➛ Par analogie, le mot est employé argotiquement au sens de «cheveux» (1768, *ne plus avoir de mouron sur la cage* «être chauve») et entre tardivement dans la locution figurée et familière ***se faire du mouron*** (1948), d'usage assez courant, équivalant à *se faire des cheveux*.

MOUSCAILLE n. f. est composé (1570) de *mousse* «excrément» (1570, en argot), peut-être emprunté au breton *mous* «excrément» (cf. aussi *mouez* «puanteur»), et de °*-caille* suffixe libre d'origine inconnue, peut-être avec une influence de *mouise**. ◇ La variante argotique ⑤ **MOUSSE** n. f. reprise au XIXe s. est un abrègement oral, influencé par les synonymes plus que par la forme ancienne.

♦ *Mouscaille* équivaut en argot à «excrément», d'où la locution figurée ***être dans la mouscaille*** «dans une situation désagréable» avec une valeur de «misère, pauvreté» (1880); cf. *être dans la merde*, et *mouise*.

► **EMMOUSCAILLER** v. tr. (1883), préfixé en *em-* (*en-*), est un euphémisme pour *emmerder*; le dérivé **EMMOUSCAILLEMENT** n. m. (fin XIXe s.) est resté rare, à la différence d'*emmerdement*.

MOUSMÉ n. f. est la transcription (1877) du japonais *musume* «jeune femme, jeune fille».

♦ Le mot, d'abord attesté dans *Mme Chrysanthème*, roman japonisant de Pierre Loti, se rapporte à une jeune fille japonaise. ◇ L'argot l'a repris à propos d'une fille facile, d'une maîtresse (XXe s.).

MOUSQUET n. m. est emprunté au XVIe s. (1568, *mosquet*) à l'italien *moschetto* «arme à feu portable» (déb. XVIe s.). Celui-ci est le masculin de *moschetta* «flèche de l'arbalète» (déb. XIVe s.), spécialisation métaphorique sur «petite mouche», ce mot étant le diminutif de *mosca* (→ mouche).

♦ *Mosquet* (également *musquet* au XVIe s.) désigne une arme à feu qui succéda à l'arquebuse et précéda le fusil, et qui était en usage dans l'infanterie aux XVIe et XVIIe siècles.

► Les dérivés sont tous attestés depuis la fin du XVIe siècle; plusieurs ont survécu à *mousquet*. ◆ **MOUSQUETON** n. m., le diminutif de *mousquet*, a désigné une arme plus courte que le mousquet (1578) et, par analogie (1840), un fusil léger à canon court qui fut employé pendant la Première Guerre mondiale dans la cavalerie, puis dans l'artillerie jusqu'en 1940, et s'emploie encore dans la gendarmerie. ◇ Par métonymie, *mousqueton* désigne (1872) une boucle à ressort, un système d'attache métallique, par abréviation probable de *porte-mousqueton*. ◆ **MOUSQUETADE** n. f. «décharge d'un ou de plusieurs mousquets» est d'abord attesté sous la forme *mosquetade* (1568) qui correspond à *mosquet*, puis *mousquetade* (1587). ◆ Encore employé au sens large de «décharge ou feu roulant d'armes à feu» il est quasi synonyme de **MOUSQUETERIE** n. f. (1679; 1628-1630, *musqueterie*), lequel a perdu son sens collectif premier, «ensemble des mousquets d'une troupe», pour désigner une décharge de mousquets (1679) et, par extension, de fusils.

MOUSQUETAIRE n. m., créé pour désigner les soldats armés d'un mousquet (1583-1590), a désigné spécialement les membres des cavaleries d'élite de la maison du roi. Henri IV avait déjà créé une compagnie de gentilhommes armés de carabines; Louis XIII remplaça celles-ci par des mousquets : ainsi naquit, en 1622, la première compagnie de mousquetaires, dissoute par Mazarin en 1646, reconstituée par Louis XIV en 1657 et désormais connue sous le nom de *mousquetaires gris* par allusion à leurs chevaux à robe grise. Une seconde compagnie, créée en 1663, devint celle des *mousquetaires noirs*. A. Dumas popularisa les mousquetaires à travers son grand roman *Les Trois Mousquetaires* (1844), qui sont Athos, Porthos et Aramis. Dumas s'inspirait pour son héros de Charles de Baatz qui avait adopté le nom maternel de d'Artagnan et fut en effet l'un des premiers commandants des mousquetaires gris. ◇ Les compagnies des mousquetaires furent abolies en 1775 par le comte de Saint-Germain, reconstituées à la première Restauration (1814), licenciées pendant les Cent Jours et dissoutes définitivement en 1815. ◇ Le mot est entré dans le vocabulaire de la mode par évocation de l'uniforme des mousquetaires du XVIIe s. (1773, *galon mousquetaire;* 1874, *revers mousquetaire, poignets mousquetaire* «poignets de chemise à revers», toujours en usage).

◈ voir MOUSTIQUE.

MOUSSAKA n. f. est l'emprunt, en cuisine, du turc *musaka*, lequel est repris à l'arabe d'Égypte *musaqqa'a* «plat à base d'aubergines, de hachis de mouton ou de bœuf et de tomates, épicé et cuit au four». Du turc, le mot est passé (avec le mets qu'il désigne) dans plusieurs langues balkaniques : roumain *musaca*, grec moderne *mousakas*, albanais, serbo-croate et bulgare *musaka*.

♦ Le mot désigne le même plat oriental, diffusé en France par les cuisines grecque et roumaine notamment.

① **MOUSSE** → ÉMOUSSER

② **MOUSSE** n. f., d'abord *molse* (fin XIe s.) et *mosse* (1176-1181), puis *mousse* (v. 1225), est issu du francique °*mosa* «mousse (plante)», représenté dans le moyen néerlandais *mos* (néerlandais *mos*) et l'allemand *Moos*. Le mot a été latinisé en Gaule en *mossa* (le dérivé *mussula* «petite mousse» est chez Grégoire de Tours). Cependant, certaines formes comme le judéo-français *molse*, l'ancien provençal *molsa* (XIIIe s.), *mulso* (à Prades) et *mursa* (Saugues) remontent au latin *mulsa*, qui a le sens propre d'«hydromel» (*mulsum vinum* et, par ellipse, *mulsum* désignant un vin mêlé de miel). *Mulsa* est dérivé de *mel* (→ miel); ce mot a dû être employé par métaphore pour désigner la plante. On peut donc admettre que les deux étymologies, francique et latine, sont à l'origine du français. Quant à l'italien et l'espagnol *musco*, ils continuent un latin *muscus* «mousse», dérivé d'un autre thème indoeuropéen représenté également dans le lituanien *mūsaĩ* «moisissure» et le vieux russe *mŭxŭ* (*mukhu*), d'où le russe *mokh* «mousse».

♦ *Mousse*, outre son sens propre «végétal cryptogame qui pousse sous les arbres, sur la pierre et forme un tapis moelleux», exprime dès le moyen français une idée figurée de «richesse» dont témoigne l'ancienne locution *ne jamais cueillir mousse* «ne jamais devenir riche» (1480); cette valeur est encore réalisée dans le proverbe moderne ***pierre qui roule n'amasse pas mousse*** (1823) dont on relève des variantes au XVIIe siècle. ◇ Par analogie, *mousse* désigne une végétation qui se forme sur les eaux stagnantes (1791, *mousse aquatique*).

Mousse de Corse (1810) désigne un mélange d'algues employé en pharmacie comme vermifuge. ◆ En argot, *mousse* fournit par métaphore l'une des dénominations des cheveux, d'où populairement ***se faire de la mousse,*** variation sur *se faire des cheveux (blancs)*; cf. *mouron.*

▶ Les dérivés sont **MOUSSU, UE** adj., attesté depuis 1160 *(mossu)* «couvert de mousse», et ① **MOUSSEUX, EUSE** adj. depuis 1550 avec le sens de «qui ressemble à la mousse» et celui de «couvert de mousse», vieillis à cause de l'homonymie avec ② **MOUSSEUX.** Ce dernier s'est maintenu dans l'expression *rose mousseuse* (1819). ◆ ② **ÉMOUSSER** v. tr. (1549) s'emploie pour «débarrasser (un arbre) de ses mousses».

◈ voir ③ MOUSSE, MUSCINÉES, TRÉMOUSSER.

③ **MOUSSE** n. f. est un emploi métaphorique (1680) et quasiment démotivé de ② *mousse.*

♦ Le mot désigne un amas de bulles serrées qui se forme à la surface d'un liquide. Par analogie, il est employé en cuisine avec l'idée de «préparation légère, vaporeuse» (1755, en parlant de la *mousse au chocolat*; plus tard dans *mousse de foie gras*). ◇ Au XIXe s., se sont développés quelques sens techniques avec l'idée de matière spongieuse : on relève d'abord *mousse* en chimie (1875) dans *mousse de platine,* puis *mousse carbonique* (1949), plus couramment dans *mousse de nylon* (XXe s.). *Mousse à raser* désigne un produit de toilette moussant. ◆ Parallèlement, le mot est employé avec un sens figuré dans la locution ***faire de la mousse*** «faire des embarras», «chercher à briller», «faire grand étalage de toilette» (1878) puis *(se) faire mousser.*

▶ Ses dérivés sont apparus aux XVIIe et XVIIIe siècles. ◆ ② **MOUSSEUX, EUSE** adj. (1671) signifie «qui produit de la mousse» et, par analogie, «qui a l'aspect de la mousse, léger, vaporeux»; *vin mousseux* (1718), désignant un type de vin, est substantivé en *du mousseux* (1845).

MOUSSER v. intr., apparu au sens de «produire de la mousse» (1680), a développé dès la fin du XVIIIe s. des sens figurés recoupant ceux du nom. ◇ *Faire mousser* s'est répandu dans l'usage familier avec la valeur de «faire valoir une chose au-delà de sa valeur, exagérer» (1795). L'emploi de *se mousser* «se montrer hautain, prendre le dessus» (1856) a disparu; les sens de *mousser,* «avoir du succès» (1866) puis «se mettre en colère, écumer de rage» (1843), en relation avec *faire mousser* «mettre en colère» (1844), sont archaïques. *Se faire de la mousse* «se mettre en colère» (1920) correspond à un croisement avec ② *mousse**. ◆ Le participe présent **MOUSSANT, ANTE** est adjectivé (1713) dans *bière moussante* et s'étend au XXe s. à *bain moussant, produit moussant* désignant des produits de toilette.

◈ voir ② MOUSSE, TRÉMOUSSER.

④ **MOUSSE** n. m. est emprunté (1512-1522) à l'espagnol ou au catalan, peut-être par l'intermédiaire de l'occitan. L'espagnol a *mozo* «garçonnet» (1182) puis, par l'intermédiaire des sens de «jeune homme» (1330-1343) et de «serviteur» (1350, document aragonais), «apprenti marin» (1492). Quant au catalan, il a *mosso* «jeune homme» (1342) et «apprenti marin» (1406), lui-même emprunté à l'espagnol, de même que l'italien *mozzo* (1602). ◇ Le mot espagnol est issu d'un latin populaire °*muttiu* «émoussé», de °*muttius,* dérivé du radical préroman *mutt-* (→ motte, moutard), probablement à cause de la coutume qui faisait raser la tête des garçonnets et jeunes gens. °*Muttius* (→ ① mousse à émousser) représente le même radical que *mutilis* (→ mutilé; et, par l'italien mozarella). Un cheminement sémantique analogue s'est produit pour le latin *tonsus* «tondu» (→ tonsure) qui a donné l'ancien provençal *tos* «jeune homme», d'où *tosa* «jeune fille». *Mousse* lui-même est attesté une fois au sens de «jeune fille» (au féminin) dans une chanson de Gascogne, par adaptation de l'espagnol *moza* de même sens, féminin de *mozo* «jeune homme».

♦ Le mot, sous la forme *mosse* puis *mousse* (1547-1550), désigne un jeune apprenti marin; il est employé particulièrement avec une majuscule pour désigner un type de petit yacht à voile. ◇ Par extension, il se rapporte à un jeune ouvrier des métiers du bâtiment, et d'abord à un apprenti commis (1866).

▶ Son dérivé diminutif **MOUSSAILLON** n. m., d'usage familier, est attesté depuis 1842, après la variante *moussaille n. f.* (1834).

◈ voir MOUJINGUE, MOZARELLA.

⑤ **MOUSSE** → MOUSCAILLE

MOUSSELINE n. f. a été emprunté une première fois sous la forme *mosulin* n. m. au sens de «brocart fabriqué à Mossoul» (1298, dans la traduction de *Marco Polo*). Il était pris à l'italien *mosolino* «brocart d'or», emprunté à l'adjectif arabe *mawṣilī* «originaire de *al Mawṣil* (Mossoul)» ville sur le Tigre célèbre pour la toile fine qu'on y fabriquait, en rendant le suffixe *-ī* par le suffixe italien *-ino. Mousseline* a été emprunté une seconde fois, comme nom féminin (1656), à l'italien *mussolina* «tissu, toile de coton ou de laine importé de Mossoul» (1629), féminin qui s'explique par sa combinaison avec *tela* «toile» (→ toile). Les deux emprunts ont très probablement eu lieu par l'intermédiaire de Venise, important centre d'échanges commerciaux avec le Levant.

♦ *Mousseline* s'est implanté au XVIIe s. comme nom d'une toile de coton très légère. Le mot a développé quelques sens métaphoriques qui réalisent une idée de transparence diaphane, spécialement dans le domaine culinaire, où il a désigné une pâte composée de gomme adragante mêlée d'eau et de jus de citron (1712) puis diverses préparations fouettées *(pommes mousseline, sauce mousseline),* ainsi qu'en verrerie (1846, *verre-mousseline*; 1857, *verres mousseline*). Dans ces syntagmes, son statut est celui d'un adjectif invariable.

MOUSSER → ③ MOUSSE

MOUSSERON n. m. est issu (1225, *moisserons*) d'un bas latin °*mussario,* mot reconstitué par le catalan *moixaruo* et indirectement attesté au VIe s. par la forme *mussiriones* (certains manuscrits qui contiennent ce passage attestent également la forme *musariones*). Le mot a pris sa forme moderne *mouceron* (1380) puis *mousseron* (1542), sous l'influence de ② *mousse*.

♦ Le mot désigne une espèce de champignon comestible de la famille des Agarics.

MOUSSON n. f. vient par emprunt (1598, *mouçones*, et aussi *monçon* dans une traduction du néerlandais) du portugais *monção* ou *moução* (déb. XVIe s.), emprunt à l'arabe *mawsim* «saison», d'où «fête qui a lieu à époque fixe», «saison du pèlerinage à La Mecque» et, chez les marins arabes, «saison des vents favorables à la navigation vers l'Inde sur l'océan Indien». Le nom est tiré du verbe arabe *wasama* «marquer, désigner». Le mot, en français, a été emprunté à plusieurs reprises. Après les premières formes venues par le néerlandais *monsoen*, on relève *mouçan* (1608), directement pris au portugais (emprunt oral), puis *mousson* (1622, traduction de l'espagnol), emprunté à l'espagnol *monzón* (lui-même du portugais); le *-ou-* semble indiquer une attraction paronymique de ② et ③ *mousse*. La forme *mousson* s'est définitivement implantée à partir de Thévenot (1663, *Relations de divers voyages*). Cependant, Furetière enregistre encore les graphies *monson* et *monçon*.

♦ Le mot désigne un vent saisonnier soufflant six mois dans une direction, six mois dans l'autre, responsable d'importants changements climatiques, ainsi que la saison où souffle ce vent. Il évoque l'Asie et notamment les Indes.

MOUSTACHE n. f. est emprunté, d'abord dans l'expression *barbette moustache* (1511), au napolitain *mustaccio*, correspondant à l'italien *mostaccio* «museau» (1329), «visage» (XIVe s.) et «partie de la barbe qui croît au-dessus de la lèvre supérieure» (av. 1450). Ce dernier est issu du grec byzantin *mustakhion*, diminutif de *mustax* «lèvre supérieure» et «moustache» (encore usité en grec moderne), formé sur une syllabe expressive *mu* qui a fourni plusieurs dérivés, dont *mulla* «lèvres». L'hypothèse d'un intermédiaire latin tardif *mustaceum* se heurte au fait que ce mot n'est attesté que dans les gloses anglo-normandes et qu'il n'a pas d'autres descendants dans les langues romanes.

♦ Le mot a dû être emprunté par le français à l'occasion de la campagne de Charles VIII en Italie du Sud. Il est usité au singulier (1549) comme au pluriel (1585) et entre au XVIIe s. dans la locution plaisante *sous sa moustache* (1626), équivalent devenu archaïque de *à sa barbe*. Alors qu'en moyen français, comme en français classique, la barbe inclut la moustache, une opposition s'établit dans l'usage moderne entre *moustache* et *barbe* pris dans un sens restrictif. ◇ Par analogie, *moustache* sert à désigner les grandes soies tactiles que de nombreux mammifères, notamment le chat, portent au-dessus de la bouche (1575, *mostache* n. m.) et les barbillons de certains poissons (1845). ◇ Par métonymie, le nom a été appliqué à un soldat ayant beaucoup d'années de service (1745), par la métaphore usuelle portant sur la pilosité (cf. *barbe, poil*). ◇ Par analogie, il désigne le duvet brun au-dessus de la bouche d'une femme (1832), la trace colorée laissée au-dessus des lèvres par une substance (1910). ◆ Il compte parallèlement quelques emplois analogiques en technique, où il désigne la manivelle du tireur d'or (1690), la pince du doreur (1840), en marine (1773, au pluriel) puis en technique («filament formé de monocristaux»), et en aviation (v. 1970) pour «aileron rétractable (d'un avion supersonique)».

▶ Il a pour dérivé **MOUSTACHU, UE** adj. et n. (1842); les adjectifs **MOUSTACHÉ, ÉE** et **MOUSTACHEUX, EUSE**, «disposé en moustaches», sont tombés en désuétude.

MOUSTIQUE n. m. vient par emprunt (1601-1603, *mousquitte*) de l'espagnol *mosquito* (v. 1400), dérivé (diminutif) de *mosca* «mouche», correspondant à *mouche** et de même origine.

♦ En français, la forme actuelle *moustique* (1654), pour *mousquito*, est due à une métathèse, peut-être influencée par *tique**, nom d'un autre insecte importun. Au XVIIe s., le mot est indifféremment masculin et féminin, de sorte qu'il est difficile de déterminer le genre dominant à cette époque. *Moustique* s'est longtemps dit en parlant de moustiques des pays tropicaux, l'insecte français étant appelé *cousin* ou simplement *mouche*. ◆ Par analogie, il a pris le sens figuré et familier de «homme de petite taille, enfant minuscule» (1925).

▶ On en a tiré **MOUSTIQUAIRE** n. f., d'abord masculin (1768) puis féminin (1798-1799), désignant un dispositif protégeant des moustiques (et parfois son support).

◈ voir MOUSQUET.

✳ **MOÛT** n. m. est issu (1256) du latin *mustum* «jus de raisin non encore fermenté», d'où «vin nouveau», substantivation du neutre de l'adjectif *mustus* «nouveau», mot de la langue rustique sans étymologie claire.

♦ *Moût*, «jus de raisin non encore fermenté», désigne aussi, par analogie (1611), le jus de certains fruits (pommes, poires) et végétaux (betterave, orge) avec lequel on prépare des boissons alcoolisées.

▶ Il a servi à former **MOUTARDE** n. f. (1223, *moustarde*, d'où l'anglais *mustard*) pour désigner un condiment, fabriqué à l'origine avec du moût de raisin (pour obtenir odeur et saveur fruitées). Par suite, le mot est appliqué à la plante qui sert de base au condiment (v. 1278) et à sa graine. Il prend ainsi place à côté de *sénevé* et du nom savant d'origine gauloise *brassica* (*brassica nigra* aux graines brun-noir, *brassica juncea* «moutarde à port de jonc»). Dès le moyen âge, les moutardes figurent sur toutes les tables, des plus riches aux plus pauvres, et Richelet (1680) rappelle le proverbe : «*De trois choses Dieu nous garde/Du bœuf salé sans moutarde...*» Aussi l'étymologie fantaisiste et plaisante, par *moult me tarde* attribuée à un personnage du XVe s., pèche d'abord par anachronisme : le mot existait depuis plus de deux siècles. ◇ Au XVIe s., parmi une phraséologie très abondante dès le moyen français, on disait *aller à la moutarde* «aller chercher la moutarde pour le repas du soir» et l'on chantait les *dictz pour aller à la moustarde* «chansons d'actualité», si bien que l'expression *on en va à la moutarde* avait pris le sens figuré de «tout le monde en parle» (v. 1550) et *traîner par la moutarde* signifiait «railler, critiquer». La seule locution encore en usage, ***la moutarde me (lui) monte au nez,*** attestée depuis 1640, est probablement influencée par ces contextes. ◇ Ultérieurement, le mot entre en apposition dans le nom de préparation culinaire *sauce moutarde* (1935; dès 1658, *sauce moutard* «galantine»). ◇ Il est employé comme nom de couleur (v. 1780; puis 1916) et entre dans la dénomination *gaz moutarde* «ypérite» (1931). ➜ *Moutarde* a produit **MOUTARDELLE** n. f. avec le suffixe diminutif *-elle* pour une plante forte d'Allemagne servant de condiment (cf. *raifort*), **MOUTARDER** v. tr. «assaisonner de moutarde» et **MOUTARDIER** n. m. (1292). Ce dernier désigne le fabricant et le vendeur de moutarde, ainsi qu'un petit récipient utilisé pour servir la moutarde à table (1311-1312). Il ne semble pas que l'expression relevée dans Trévoux (1772), *se croire le premier moutardier du pape* «être imbu de soi», se réfère, comme on l'a cru, à une quelconque charge de *grand moutardier* créée par Jean XXII au XIVe siècle. ➜ Le sens populaire de «derrière» (1847), par allusion scatologique, est vieilli.

◈ voir ÉMOUSTILLER.

◈ **MOUTARD** n. m. est d'origine incertaine : il se rattache peut-être (1827), de même que le franc-comtois et le franco-provençal *mottet* «petit garçon, jeune homme» (1633, Dauphiné), au franc-comtois et au franco-provençal *moulte, mote* «(chèvre) sans cornes» (les chèvres sans cornes étant les plus jeunes) de même origine que le français *motte**. Le fait que les aires géographiques de *mottet* «petit garçon» et de *moutte* «(chèvre) sans cornes» sont identiques témoigne pour cette hypothèse, mais d'autres ont été avancées. Le féminin *moutarde* semble évité à cause de l'homonymie avec *moutarde* (de *moût*).

♦ *Moutard* est l'une des nombreuses désignations familières en *m-* de l'enfant (1827) et, plus particulièrement, du petit garçon (1834). Plusieurs mots à initiale *mou-* désignent le jeune enfant (cf. *mouflet**, *moujingue,* le provençalisme *moutchatchou,* l'espagnol *muchacho*).

MOUTIER → MONASTÈRE

◈ **MOUTON** n. m. est probablement issu (v. 1120) d'un mot gaulois °*multo,* que l'on déduit d'après l'ancien irlandais *molt* et le breton *maout* «mâle châtré destiné à la boucherie»; °*multo* a dû avoir pour sens premier «mâle châtré» mais il en est venu (IXe s.) à désigner d'une part le bélier (sens conservé dans l'Ouest et le Midi), et d'autre part le mouton, la bête ovine, comme terme générique. Le latin avait *ovis,* employé à l'origine au sens générique de «mouton» et, par suite, au sens de «brebis» (on sacrifiait les mâles en bas âge). Ce mot *ovis* s'opposait à *vervex* «mâle châtré» et à *aries* «bélier», mots conservés par le roumain avec leur sens latin. Le système paraît cependant avoir été déstabilisé par la ressemblance formelle d'*ovis* et d'*ovum* (→ œuf) qui a amené la disparition d'*ovis* et son remplacement par *ovicula* (→ ouaille), *feta* «animal qui a mis bas», voire *pecora* (→ pécore). Le gallo-roman a utilisé *vervex* (→ brebis) comme terme générique à partir du Ve s. (sens conservé dans le nord de la France) et celui-ci a subi de bonne heure la concurrence du gaulois °*multo.*

♦ Le mot est passé en français sous la forme *multun* qui a évolué en *mutun* (1155), *multon* (1155) et *mouton* (1223), peut-être (d'après P. Guiraud) en subissant l'influence de *mout* «émoussé» du latin °*mutilus* (→ ① mousse à émousser, mutiler). ➜ D'abord attesté au sens de «bélier», *mouton* s'est spécialisé très tôt, d'une part au sens de «mâle châtré destiné à la boucherie» (1155), valeur qui pourrait être étymologique (voir ci-dessus), et de l'autre comme terme générique. ◇ La locution courante ***revenons à nos moutons*** (1480) fait allusion à *La Farce de Maître Pathelin* (1464) où le juge s'exclame *Sus! Revenons à ces moutons!* pour ramener les plaideurs à leur affaire de moutons volés. De même, l'expression ***moutons de Panurge*** (av. 1778, Voltaire) fait allusion à un épisode du *Quart-Livre* de Rabelais (1552) dans lequel tous les moutons du marchand Dindenault se jettent à l'eau une fois que l'un d'eux y a été poussé. ◇ Quant à l'expression ***mouton à cinq pattes*** «chose extraordinaire, introuvable», elle est précédée par l'expression *jamais saige ne va serchant les cinq piez de mouton* (fin XVe s.). ◇ Par métonymie, *mouton* sert à désigner la viande de mouton (1223) (contrairement au français, l'anglais a deux mots : *sheep* pour l'animal et l'emprunt *mutton* pour sa viande). *Mouton* désigne aussi le cuir de l'animal (1260) et la peau de mouton travaillée comme fourrure (1821). ➜ Dès 1155, se sont développés quelques sens analogiques et techniques : d'après son sens premier de «bélier», *mouton* a pris le sens de «boutoir» comme *bélier* (en latin, le même sens était réalisé par *aries*) et désigne aussi une lourde masse de fer, un gros billot de bois servant à enfoncer les pilotis et les pieux (1490). Par analogie encore, il se dit d'une armature de bois engagée dans les anses d'une cloche pour la suspendre (1690). ➜ Par allusion au caractère paisible que l'on prête à l'animal, *mouton* a depuis le XVIe s. le sens de «personne crédule, facile à manœuvrer et à duper» (1556) et, sans valeur péjorative, s'applique à une personne douce et simple (1611). L'idée de «douceur» est inversée dans l'expression ***mouton enragé*** (1803) et elle se change en tromperie hypocrite dans le sens argotique de *mouton* «faux détenu chargé de confesser celui qui partage sa cellule en le mettant en confiance» (1769). ➜ Enfin, par allusion à l'aspect laineux de l'animal, *mouton* désigne une petite vague crêtée d'écume (1690, au pluriel), un petit nuage (1807) et un amas de fils, de débris. ➜ Le mot était aussi adjectivé (1493) en parlant d'une personne «au caractère de mouton», «docile, malléable» (1763).

► Le plus ancien des dérivés de *mouton,* **MOUTONNAGE** n. m. (1247, *moutonaige*), désignait le droit perçu par le seigneur sur les moutons. ◇ Il a été reformé sur le verbe dérivé de *mouton* avec un sens argotique vieilli, «fait de recueillir les confidences d'un inculpé» (1797), aujourd'hui disparu; depuis 1953, il est employé avec un sens technique. ◆ **MOUTONNER** v. intr. est attesté depuis 1560 au sens de «s'agiter comme des vagues», notamment en parlant de la mer (1678). En construction transitive, il est employé au sens de «friser la chevelure» (1694). ◇ D'après *mouton,* il a pris la valeur argotique (1797) de «faire parler (un inculpé)», aujourd'hui disparue. ◆ Dans son emploi adjectif, *mouton* est concurrencé par le dérivé **MOUTONNIER, IÈRE** adj., d'abord attesté au sens propre, «de la nature du mouton» (1552; *ame moutonniere,* 1611), puis au figuré (av. 1672). Substantivé, *moutonnier* (1552) a désigné le berger, l'éleveur de moutons. ◆ Le féminin **MOUTONNE**, nom (attesté en 1690) d'une coiffure en usage jusqu'au XVIIIe s., désigne au Canada une brebis propre à la fécondation. ◆ Au XVIIIe s., sont apparus les dérivés de sens figuré **MOUTONNERIE** n. f. «tendance à se montrer moutonnier» (1750, Marivaux, *La Colonie*) et **MOUTONNEUX, EUSE** adj. «peu sérieux, folâtre» (d'une pièce de musique) [1783, Grimm]. Ce sens a disparu, mais l'adjectif a été reformé pour qualifier la mer (1826), dont le mouvement onduleux a reçu le nom de **MOUTONNEMENT** n. m. (1856, Baudelaire).

⇑ voir MUTILER.

MOUTURE n. f. est issu (1240) d'un latin °*molitura* «céréales amenées au moulin, salaire du meunier» et «blé de mouture», dérivé de *molere* (→ moudre).

♦ *Mouture* désigne d'abord, comme son étymon latin, le salaire du meunier, sens dont procède la locution ***tirer d'un sac deux moutures*** «tirer double profit, double utilité» (1542). Ce sens est aujourd'hui vieilli, tout comme celui de «taxe prélevée par le seigneur propriétaire d'un moulin», en droit féodal, repris par les historiens. ◆ Depuis 1254, le mot désigne l'action de moudre le grain et se rapporte, dans *blé de mouture* (1339), à un mélange par tiers de froment, d'orge et de seigle. ◇ En dehors de cet usage technique, le mot est courant avec le sens figuré de «nouvelle version présentée sous une forme différente améliorée» (1935, *seconde mouture* par opposition à *première mouture*), le plus souvent avec une valeur péjorative.

MOUVEMENT → MOUVOIR

✻ **MOUVOIR** v. tr. est issu (1080, *muveir*) du latin *movere* «remuer, bouger» et (surtout au participe présent et au parfait) «se déplacer», également employé au sens moral d'«exciter, émouvoir», comme le grec *kinein* (→ kinésithérapie) auquel il correspond par le sens. *Movere* peut être rapproché de termes signifant «pousser» ou «se déplacer», en grec, en sanskrit et en lituanien.

♦ En ancien français, le verbe a eu le sens moral de «causer (un mal)». Le sens physique de «mettre en mouvement» (déb. XIIe s.) est de nos jours marqué comme littéraire ou soutenu, sauf dans sa spécialisation technique pour «mettre en mouvement (une machine)» (1694). ◇ Le sens moral de «mettre en action, en activité» (1225-1230) est généralement réalisé par la voix passive *(être mu),* d'abord suivie de la préposition *de* (1225-1230, *estre meüz de*) puis, dans l'usage moderne, de la préposition *par* (1289). ◇ En ancien français, le verbe était aussi employé intransitivement aux sens de «se mettre en marche» (1080) et «bouger, se mettre en mouvement» (déb. XIIe s.), spécialement en droit féodal «dépendre d'un fief» (1236). ◇ À l'exception de la spécialisation féodale, témoin de l'ancien sens «dépendre de, relever de» (v. 1170), cet usage, encore vivant au XVIIe s., a disparu. Il a été remplacé par *se mouvoir,* aux mêmes sens (XIIe s.).

▶ Le participe présent **MOUVANT, ANTE** est adjectivé dès 1160 au sens ancien d'«alerte, vif», en parlant d'un cheval *(destrier movant).* Il a la valeur plus neutre de «qui est en mouvement» (1188-1191) et «qui s'agite, évolue sans cesse» (v. 1225, au figuré), sens réalisé proprement dans *sables mouvants* (1551). ◇ Au XVIIe s., il reçoit le sens didactique, aujourd'hui vieilli au profit de *moteur,* de «qui met en mouvement» (1666, *principe mouvant;* 1673, *force mouvante*). ◇ La valeur seconde de «qui change constamment d'aspect», en germe dans certains emplois isolés au XIIIe s., est attestée depuis 1795; à la même époque, on nommait *tableaux mouvants* (1729) des tableaux à ressorts qui présentaient successivement diverses figures. ◇ L'usage substantivé de *mouvant* s'est réduit à quelques emplois à valeur de neutre et à deux spécialisations, en vénerie (1840) et en boucherie, pour la partie de la tranche grasse que l'on débite en biftecks (1931). ◆ Le nom formé sur *mouvant,* **MOUVANCE** n. f., est originellement un terme de féodalité (1516) exprimant la dépendance d'un fief envers un autre. ◇ Par extension, il prend le sens de «dépendance» (1753), affaibli en «fait d'être dans la zone d'influence » (dans l'expression *être dans la mouvance de,* 1967). ◇ En relation avec le verbe, il a aussi acquis le sens de «caractère de ce qui est instable, changeant» (1897), plus rarement, avec une valeur dynamique, «changement de forme, d'état» (1917).

Mouvoir a aussi donné **MOUVEMENT** n. m. (fin XIIe s.) «faculté de se mouvoir», en particulier «action, manière de bouger une partie du corps, le corps» (1200). Par extension, le mot est également employé à propos de la marche de troupes armées (1772), de l'ensemble de déplacements de véhicules (1772) et, abstraitement, d'une modification rapide, d'une agitation (1796). ◇ Depuis le XIIIe s., il est appliqué à un inanimé, d'abord en parlant de phénomènes naturels (1247, «tremblement de terre»; 1377, *mouvements du ciel*). C'est dans ce sens que le mot se spécialise en physique, par ex. dans *mouvement simple, composé* (1592), *mouvement alternatif* (1732), *circulaire uniforme* (1848), *circulaire variable* (1849), etc. ◇ À partir du XVIIe s., *mouvement* prend en musique une valeur spéciale, «marche des sons du grave à l'aigu et de l'aigu au grave entre les parties concertantes» (1690); ce sens est resté très technique, du fait des autres valeurs de *mouvement* en musique (ci-dessous). ◇ Parallèlement, à partir du XVIe s., il a le sens métonymique de «mécanisme qui produit et entretient un mouvement» (1574), spécialement en horlogerie. ◇ Depuis le

XVIIe s., il est employé spécialement dans le langage de la critique artistique pour l'animation, la sensation de mouvement évoquée à la vue d'une œuvre d'art (1639), à la lecture d'une œuvre (1669), d'une phrase (1824). ◇ C'est aussi au XVIIe s. qu'apparaît le sens de «degré de rapidité de la mesure dans l'exécution d'une œuvre musicale» (1690) : par métonymie, le mot s'applique au morceau musical lui-même, notamment pour les parties de la forme sonate. ➛ L'usage du mot au sens moral, «impulsion qui pousse à agir d'une certaine façon», est attesté depuis 1260, également en emploi qualifié dans *bon mouvement* (1690). ◇ Dans une perspective sociale, le mot transmet l'idée de «révolte, émeute» dès le moyen âge (apr. 1250), mais d'autres valeurs, exprimant aussi une idée d'action collective se manifestent ultérieurement : depuis 1657, *mouvement* désigne une réaction collective se traduisant dans le comportement d'un groupe. Au XVIIIe s., peu avant l'époque révolutionnaire, le mot s'inscrit dans un contexte politique et social, désignant à la fois l'évolution dans le domaine social (1784) et une action collective visant à produire un changement (1790). ➛ Au XIXe s., il s'étend à la fois concrètemen, à propos des échanges économiques et financiers (*mouvement d'argent,* 1807), des déplacements de population et, abstraitement, au domaine intellectuel, dans des expressions telles que *mouvement d'idées* (1819), *mouvement littéraire* (1825), désignant par métonymie une école (avec l'idée de nouveauté, au moins au départ). On disait *être dans le mouvement* «au courant» (1844). ◇ Enfin, l'emploi du mot en philosophie est attesté depuis 1647 (Descartes). ➛ À son tour, *mouvement* a produit deux dérivés au XIXe siècle : le verbe **MOUVEMENTER** v. tr. (1833) et surtout l'adjectif **MOUVEMENTÉ, ÉE** (1845), de sens général et employé en particulier en parlant d'une œuvre de fiction, d'un récit riche en rebondissements.

On rencontre encore dans certains dialectes **MOUVER** v. tr. (1600), réfection de l'ancien doublet de *mouvoir, mover,* attesté entre 1230 et le XVIe s. au sens de «se déplacer, se mouvoir» (intransitivement). *Mouver* est employé en jardinage au sens de «remuer légèrement la terre» (1690; 1600, au participe passé). Depuis le XIXe s. il réalise le sens figuré d'«émouvoir, troubler» (1853) et il est quelquefois employé à la forme pronominale (1823) et en construction intransitive (1870) au sens de «se mouvoir, se déplacer»; cette valeur correspond à un usage régional dans l'Ouest, le Centre, le Nord.

◈ voir AMOVIBLE, COMMOTION, ÉMOUVOIR, LOCOMOTION, MEUBLE, MEUTE, MOBILE, MOMENT, MOTEUR, MOTIF, MOTION, MOTILITÉ, MOUFTER, MUTIN (art. MEUTE), PROMOUVOIR.

MOXA n. m. est emprunté (1694) au japonais *mokusa* (phonétiquement *mǫksa*), contraction de *moe kusa* «herbe qui brûle», nom d'une variété d'armoise dont le parenchyme sert de combustible. Le mot aurait été introduit en Europe sous la forme *moxa* par le médecin hollandais *Busshot* qui exerçait à Batavia (anglais *moxa,* dès 1677).

♦ Le mot désigne un bâtonnet, une branche d'armoise employé en médecine traditionnelle extrême-orientale, où il est brûlé au contact de la peau, comme anti-inflammatoire. Son emploi figuré au sens d'«excitation» (XIXe s.) a disparu.

▸ Le procédé de cautérisation consistant à utiliser le moxa a reçu la dénomination didactique de **MOXIBUSTION** n. f., emprunt très probable à l'anglais *moxibustion* (1910), mot-valise formé de *moxa* et de *combustion**.

① **MOYEN, ENNE** adj. est issu, par l'intermédiaire d'une forme en *mé-* (v. 1120, *meiens*), du latin impérial *medianus* «du milieu» qui, par emprunt, a donné *médian**.

♦ *Moyen* a d'abord le sens de «situé au milieu», aussi abstraitement dans l'expression *moyens termes* (av. 1150, *mëns termes*) calquée sur le latin *medios terminos* (accusatif pluriel) et employée spécialement en logique (1732) en parlant d'un syllogisme, par traduction du latin *medius terminus,* au singulier. ➛ Plus tard, le mot est pris en ce sens dans une perspective chronologique, en parlant de l'état intermédiaire d'une langue entre la période primitive et la période moderne (1827, *moyen allemand*) et en parlant d'une époque (voir ci-dessous *moyen âge* et à *français**, *moyen français*). ➛ Au cours du XIIIe s., l'adjectif prend aussi le sens de «qui tient le milieu entre deux extrêmes» (1260), en particulier d'un point de vue social, sens réalisé beaucoup plus tard dans l'expression *classe moyenne* (1895, Maine de Biran). ➛ Depuis le XIIIe s. (1270), il signifie aussi, qualitativement, «ordinaire, de type courant» sans impliquer la connotation péjorative qui l'accompagne souvent dans l'usage moderne et qui s'affirme au XIXe s. (1837, *intelligences moyennes*); cf. l'évolution similaire de *médiocre.* ➛ L'emploi spécial du mot en grammaire, à propos de la conjugaison, qui tient le milieu entre l'actif et le passif dans certaines langues comme le grec ancien, est attesté une première fois en 1530 et repris en 1655. ➛ Quant à l'emploi de l'adjectif en mathématiques, avec le sens «que l'on calcule en faisant une moyenne» (cf. ci-dessous *moyenne*), il est attesté dès 1377 *(nombres moyens selon une proportion)* mais s'établit au XVIIe s. (1690).

▸ *Moyen* adj. a produit **MOYENNEMENT** adv. (1456-1467; 1200, *moienement*) «de façon moyenne» et, par extension, «de manière ordinaire, quelconque». ➛ **MOYEN** n. m. est l'emploi substantivé (1370, *moien*) du masculin de l'adjectif pour désigner ce qui sert à parvenir à une fin, par exemple dans ***trouver moyen de*** (av. 1473). Dès les premières attestations, il a également le sens concret de «chose, procédé qui permet d'accomplir qqch.», notamment dans ***moyen de,*** construction très productive depuis la fin du XVIIIe siècle : *moyen de subsistance* (1794), *moyen de communication* (1801, au figuré) [→ médial, *moyen de transport* (1813), *moyens de production* (1832), *moyen d'action,* etc. ◇ Aux XIVe-XVe s., sont apparus le sens aujourd'hui disparu de «raison alléguée» (1381-1389) et celui de «pouvoir, possibilité de faire une chose» (1485), très usuel dans la locution ***il y a moyen de*** «on peut». ◇ Le pluriel *moyens* exprime particulièrement le sens matériel de «ressources, richesses» (1500). Par métaphore, il a développé celui de «capacités physiques et intellectuelles» (1580), entrant dans la locution courante ***par ses propres moyens*** (1587, *de ses propres moyens*) et, ultérieurement, dans l'expression ***perdre ses moyens*** (1836). ◇ *Moyen* a servi (fin XVe-déb. XVIe s.) à former les deux locutions prépositionnelles ***au moyen de*** (1495) et ***par le moyen de*** (1500, *de qqn*), surtout vivantes avec un complément inanimé (1508, *de qqch.*).

L'ancien dénominatif de *moyen*, **MOYENNER** v. tr. (fin XIIe s.) signifiait primitivement «atteindre le milieu de» (jusqu'à la fin du XIVe s.), proprement «diviser en deux» et, en relation avec le sens d'«intermédiaire», «procurer qqch. par un intermédiaire» (1225). ◇ Le verbe a disparu, sauf dans ***il n'y a pas (plus) moyen de moyenner*** («d'agir par un moyen»), d'usage familier et plaisant. ◆ Le sens d'«obtenir par un intermédiaire» s'est prolongé dans son participe **MOYENNANT**, à travers la locution prépositionnelle ***moyennant*** (1377) et la locution conjonctive ***moyennant que*** (1219). La première reste courante dans ***moyennant finance,*** avec une idée de «contrepartie» (1827), et dans ***moyennant quoi*** (1668); la seconde tolère seulement le subjonctif dans l'usage moderne (l'emploi de l'indicatif, avec le sens de «compte tenu que», est marqué d'archaïsme).

L'adjectif *moyen* a été substantivé au féminin dans **MOYENNE** n. f. (1248-1280), qui a perdu son sens initial de «milieu», propre à l'ancien et au moyen français, pour exprimer ce qui est également distant de deux extrêmes et correspond au type le plus répandu (1580, *taille un peu au-dessous de la moyenne*). ◇ Depuis 1690, il est employé en mathématiques dans l'expression *moyenne proportionnelle,* passée dans l'usage courant avec un sens figuré (1828), mais de nos jours archaïque par rapport à l'emploi absolu de *moyenne.* ◇ Celui-ci entre dans la locution ***en moyenne*** (1841), est employé elliptiquement pour «vitesse moyenne» (1843, Verne, *Le Tour du monde en quatre-vingts jours*), sens répandu au XXe s. par l'automobile. ◇ *Moyenne* signifie particulièrement «note égale à la moitié de la note maximale» (attesté 1900, Colette).

MOYEN ÂGE n. m. est l'adaptation (1640, dans *escrivains du moyen aage*) du latin de la Renaissance *medium aevum* (1604), de même que l'anglais *middle age* et l'allemand *Mittelalter.* Les premiers auteurs à employer l'expression hésitent entre *moyen temps* et *moyen âge,* hésitation qui se retrouve en anglais entre *middle time* et *middle age,* pour traduire les expressions forgées par les savants humanistes, telles que *media tempestas* (1409), *media aetas* (→ été) [1518] et *media antiquitas.* Le moyen âge est aujourd'hui déterminé chronologiquement et scolairement comme l'époque qui va de la chute de l'Empire romain à la prise de Constantinople en 1453, mais la plupart des dictionnaires des XVIIe et XVIIIe s. le limitent à l'époque carolingienne et mérovingienne; on parlera plus tard de *haut moyen âge* pour la période antérieure. ◇ L'expression était aussi employée dans un sens large, «entre l'Antiquité et les Temps modernes», Furetière définissant *un auteur du moyen âge* comme un auteur «ni ancien ni nouveau». ◇ *Moyen âge* a donné l'adjectif **MOYENÂGEUX, EUSE** (1863), d'abord avec le sens de «qui aime le moyen âge» par allusion à la vogue de cette époque pendant le romantisme (spécialement dans les années 1820-1840). Le sens moderne et didactique «qui se rapporte au moyen âge» est attesté au milieu du XIXe s. (1865), de même que la valeur caractérisante. Dans ce dernier sens, le mot implique souvent un jugement un peu péjoratif de «vétuste, rétrograde», à la différence de *médiéval**, neutre. On relève la variante *moyenâgé* en 1848 chez Chateaubriand. ◇ **MOYENÂGISTE** n. (1841) a été évincé par *médiéviste;* **MOYENÂGISME** n. m., «engouement pour le moyen âge», est un terme d'historien désignant le goût pour le style troubadour et gothique.

MOYEU n. m. est issu (1150, *moieus*) du latin *modiolus,* diminutif de *modius* «mesure» (→ muid) qui signifie proprement «petite mesure», «petit vase», et qui, par analogie de forme, a pris le sens de «partie centrale d'une roue où s'emboîtent les rayons», en particulier «essieu d'un pressoir à huile».

♦ *Moyeu,* dont la forme actuelle est attestée depuis le XVe s., a été introduit avec le sens second du latin «partie centrale de la roue, par où passe l'essieu». ◇ Il désigne aussi, par analogie, la partie centrale d'un assemblage destiné à tourner autour d'un axe (1874).

▸ Le mot n'a produit aucun dérivé mais, dans un tout autre domaine, le latin *modiolis,* par l'intermédiaire d'une variante féminine savante *modiola* (1801, Lamarck), a donné **MODIOLE** n. f. (1801) «mollusque comestible ressemblant à la moule».

MOZARABE n. et adj. est emprunté (1732), d'abord sous la forme *musarabe* (av. 1690), à l'ancien espagnol *moz'arabe,* lui-même pris à l'arabe *musta'rib* «arabisé».

♦ Le mot désigne en histoire un espagnol chrétien soumis (hormis en religion) à un chef musulman. Comme adjectif, il sert à former l'expression *art mozarabe,* «art chrétien d'Espagne influencé par l'art arabe» (XIIe-XIIIe s.). ◇ À cet art hybride succéda l'art **MUDÉJAR** (1722, *mudéjare*) empr. à l'espagnol, de l'arabe *mudayyan* «pratiquant», art des Musulmans sous domination chrétienne.

MOZARELLA n. f. est emprunté, semble-t-il récemment (v. 1960), à l'italien *mozzarella* (av. 1761) «fromage frais à pâte filée fait avec du lait de bufflonne *(bufala)*». Ce mot est dérivé, avec un suffixe diminutif, du napolitain *mozza* (av. 1466) qui désigne ce fromage recueilli dans une petite vessie. Le mot est dérivé de *mozzare* «couper, tronquer» (XIVe s.), dénominatif de *mozzo* (XIVe s.). Cet adjectif, qui signifie «coupé», correspondant à l'adjectif français ① *mousse* (→ émousser) et peut-être ④ *mousse* n. m., est issu, comme ces derniers, d'une altération du latin *mutilus,* dont le représentant savant est *mutilé**. L'anglais a emprunté le mot italien dès 1911 *(mozarelle).*

♦ Le mot désigne un fromage frais de lait de bufflonne *(buffala)* ou de vache, employé aussi en cuisine.

MU → MOUVOIR

MUCILAGE n. m. est emprunté en médecine (1314, *musillage*) au bas latin *mucilago* «substance visqueuse, humeur muqueuse», dérivé de *mucus* (→ mucus).

♦ Emprunté avec le sens de «substance visqueuse de végétaux», le mot est employé spécialement en pharmacie à propos du liquide visqueux formé par dissolution d'une gomme végétale dans l'eau (1690).

▸ L'adjectif correspondant, **MUCILAGINEUX, EUSE**, est emprunté (1495) au dérivé bas latin *mucilaginosus* «qui contient du mucilage». Il est substantivé (1800) en parlant d'un liquide médicamenteux qui contient du mucilage. ◆ On a formé récemment **DÉMUCILAGINER** v. tr. «éliminer les mucilages» (1961).

MUCUS n. m. est un emprunt tardif et savant (1750, peut-être antérieur; cf. *mucosité*) au latin *mucus* «morve» (→ ① mèche, moucher), dérivé de *mucere* «moisir, se couvrir de fleurs» et «filer, en parlant du vin». Le sens premier de *mucus* a dû être «être visqueux, gluant», le mot se rapprochant du grec *muxa* «morve» et peut-être du vieil anglais *smugan* «glisser», sans que l'on puisse établir une série indoeuropéenne.

♦ *Mucus* désigne une substance visqueuse sécrétée par les glandes muqueuses.

▸ *Mucus* a donné le terme didactique **MUCINE** n. f. «substance transparente semi-fluide élaborée par les cellules du tissu muqueux» (1871), peut-être d'après l'anglais *mucin* (1833-1855), de *mucus*, attesté en anglais dès 1661. ◆ Quant à **MUCOSITÉ** n. f., nom donné à une substance riche en mucine produite par les muqueuses, il est emprunté plus tôt (1539; XIVe s., *muschosité*) au latin médiéval *mucositas* «substance visqueuse constituée essentiellement de mucus», de *mucosus* (→ muqueux), dérivé de *mucus;* un manuscrit latin de 1300 atteste *muchositas*.

◈ voir MUQUEUX.

MUDÉJAR → MOZARABE

◈ **MUER** v. provient (1080), par la forme *muder* (1050), du latin *mutare*, qui a fourni par emprunt *muter**. *Mutare* signifie «changer, modifier, échanger» et «changer de lieu, déplacer». Parce que le verbe latin réalise à la fois les idées de «changement» et de «mouvement», on a cru que *mutare* était dérivé d'un latin populaire °*motivare*, dérivé de *movere* (→ mouvoir). Cependant, outre le fait que le fréquentatif de *movere* est *motare* (et non °*motivare*), le sens premier de *mutare* est bien «changer», comme le montrent son dérivé *mutuus* et ses composés *commutare, permutare* (→ commuer, commuter, permuter). Il convient de rattacher ce verbe à la racine indoeuropéenne °*mei-* «changer, échanger» représentée en latin dans un important groupe de mots (→ commun, congé, migrer, perméable), en grec dans *ameibein* (→ amibe) et en germanique dans °*missi*, qui est à l'origine du préfixe péjoratif *mé-**.

♦ *Muer* a perdu au profit de *changer* le sens général de «changer, modifier» (1050), sorti d'usage à l'époque classique. Il n'a conservé cette valeur que dans quelques domaines, notamment «changer de plumage, de pelage» (1080), à la fois en construction transitive, intransitive, pronominale, et dans *muer en...* (v. 1278). En vénerie, on dit d'un cerf qui quitte son bois qu'il *mue sa tête* (1394). ◆ En parlant de la voix humaine, *muer* signifie couramment depuis le XVIe s. (1575) «se modifier à l'adolescence (pour un garçon)». Il est employé en musique au sens de «changer de ton» (1690).

▸ L'adjectif tiré de *muer*, **MUABLE** (1080), est d'usage rare depuis le XVIe s., tant avec le sens de «sujet à la mue (d'un faucon)» qu'avec celui de «sujet au changement», apparu au XIIe s. (1155); il en va de même de son dérivé **MUABILITÉ** n. f. (XIIIe s., *muableté*). ◆ En revanche, leurs antonymes préfixés en *im-* sont relativement courants et correspondent à la négation de l'idée générale de «changement», qui s'est perdue dans les autres mots du groupe : **IMMUABLE** adj., attesté depuis 1327 au sens de «qui reste identique à lui-même», est formé d'après le latin *immutabilis;* il a pour dérivés **IMMUABLEMENT** adv. (1470) et **IMMUABILITÉ** n. f. (1701-1747).
Le verbe a produit deux noms. ◆ **MUE** n. f. a dès les premiers textes son sens demeuré usuel de «changement des plumes d'un oiseau» (1170) qui, par métonymie, a donné ceux de «dépouille de la bête qui a mué» (1636) et «époque de la mue». Techniquement, il désigne également la cage où l'on plaçait les oiseaux (en fauconnerie) pour qu'ils muent (1176-1181) et où, encore de nos jours, on place une volaille pour l'engraisser (1465). ◇ Le sens général «action de changer, transformation» (1380) n'a pas vécu. ◇ D'après le verbe, *mue* désigne aussi le changement dans la voix à l'adolescence (1690). ◆ Le second nom, **MUANCE** n. f. (1145), aujourd'hui archaïque, a perdu son sens premier de «changement, variation» pour se réserver au domaine musical et au système musical inventé par G. d'Arezzo (cf. *gamme*) [1573], ainsi qu'à l'altération de la voix d'un adolescent (1845).

◈ voir REMUER.

MÜESLI ou **MUSLI** n. m. est emprunté (fin XIXe s.) au suisse alémanique *Müesli* ou à sa variante allemande *Musli*, nom d'une préparation, inventée à la fin du XIXe s. par le diététicien suisse Max Bircher-Benner, consistant en un mélange de flocons d'avoine (puis d'autres céréales), de fruits frais et de fruits secs, consommée avec du lait. Le mot est le diminutif en *-li* (cf. l'allemand *-lei*) de *Mues* et de sa variante allemande *Mus* «compote, purée, bouillie», terme emprunté par les dialectes français pour désigner une confiture grossière faite sans sucre ou du raisiné (*mousse* dans le Doubs; *mouesse* à Montbéliard) et passé dans l'argot avec un développement figuré (→ mouise). L'allemand *Mus*, par l'ancien haut allemand *muos* «nourriture», est rattaché au germanique occidental °*mosa-* de même sens, lequel est apparenté à *Mast* «fruit du chêne et du hêtre servant à nourrir les cochons» (auquel répond l'anglais *mast* de même sens).

♦ Le mot, également sous la forme développée *bircher-müesli* (elle-même abrégée en *bircher*), conserve le sens de l'étymon. Le müesli est commercialisé parmi les céréales du petit déjeuner.

MUET, ETTE adj. et n. est le dérivé expressif (1174) de l'ancien adjectif *mue, mue* (1050, *muz*) «privé de l'usage de la parole», sorti de l'usage au XVIe s. mais conservé plus longtemps au féminin *mue*, en pathologie animale dans *rage mue* (1387-1389). *Mu* est issu du latin *mutus*, proprement «qui ne sait que faire "mu"», en parlant des animaux, puis des hommes, d'où «muet». Il existe des formes analogues dans d'autres langues indoeuropéennes (sanskrit *mūka-*, arménien *munǰ*, grec *mukos* et *mundos*) et l'on pose une racine commune °*mu-* qui est le symbole des lèvres fermées et qui exprime la notion de son inarticulé (→ mot).

♦ *Muet* est d'abord attesté comme nom désignant une personne privée de l'usage de la parole, puis comme adjectif au sens de «qui s'abstient volontairement de parler» (1176-1180) et de «privé de la parole» (1210), correspondant au nom. Dès l'ancien français, le mot oscille donc entre les notions de «silencieux» et de «privé de parole», mais il reste rare en ancien français par rapport à *mu*. Ce dernier, encore usité au XVIe s., est cependant qualifié par Ronsard de «vieux mot». ◇ Au XVIe s., *muet* commence d'être appliqué à des inanimés avec la valeur pleine de «qui a une signification, sans recours aux paroles» (1550), comme dans l'expression *douleur muette* (1558). ◇ Le nom s'est appliqué spécialement aux serviteurs des sultans ottomans qui ne devaient s'exprimer que par signes et qui étaient chargés d'étrangler quiconque avait déplu au souverain (1585). ➝ Au XVIIe s., on note les premières attestations du sens de «qui ne produit aucun son» (1676) et l'emploi didactique en phonétique pour les lettres non prononcées (1647, *h müette;* 1690, *consonnes muettes;* 1694, *e muet*). ◇ *Muet* est également employé au sens de «qui, sous le coup d'une violente émotion, est incapable de s'exprimer» (1647, *muet d'étonnement*). Par la suite, il est employé en parlant d'un lieu où l'on n'entend aucun bruit (1792). ➝ Le XIXe s. a apporté *carte muette* au jeu (1826), *médaille muette* (1874), c'est-à-dire «sans légende»; ***la grande muette*** (1899) est l'expression ironique par laquelle Clemenceau désignait l'armée, le droit de vote étant alors refusé aux militaires. ◇ C'est aussi à cette époque que *la muette* devient le nom argotique de la conscience (1836). ◇ Au XXe s., le mot est employé à propos du cinéma désigné comme *muet* dès l'apparition du cinéma *sonore*, puis *parlant* (1929), d'où substantivement *le muet*.

▸ *Muet* a servi à former *sourd-muet* (→ sourd) et **MUETTEMENT** adv. (1615), synonyme de la locution adverbiale ***à la muette*** «sans faire de bruit» (1780).

◈ voir AMUÏR.

MUEZZIN n. m. est l'adaptation, d'abord en *maizin* (1568), *muessin* (1605), *muezim* (1654), puis *muezzinn* (1788) et enfin *muezzin* (1805), du turc *meyzin, müezzin*. Ce dernier est repris à l'arabe *mu'aḏḏin* «musulman chargé d'appeler à la prière du haut du minaret», participe actif de *aḏḏana* «appeler à la prière», deuxième forme de *aḏina* «écouter».

♦ Le mot désigne le fonctionnaire musulman qui appelle à la prière, cinq fois par jour, du haut du minaret d'une mosquée. Il est le plus souvent remplacé, aujourd'hui, par un enregistrement diffusé par un haut-parleur.

MUFFIN n. m. est emprunté (1793) à l'anglais *muffin* «petit pain mollet rond et plat, dégusté chaud et beurré avec le thé» (1703), mot d'origine obscure. Certains étymologistes l'ont rattaché à l'ancien français *moflet, mouflet* «mollet, tendre (en parlant du pain)» (v. 1225), substantivé pour désigner un type de pain (XIVe s.), mais l'écart chronologique entre le mot anglais et l'ancien français soulève une difficulté.

♦ Le mot recouvre une réalité culinaire anglaise (associée au *scone* et au *bun*, autres pâtisseries servies avec le thé).

MUFLE n. m. est l'altération (1540), par croisement avec *museau**, de *moufle* «gros visage, gras et rebondi» (→ mouflet).

♦ Par extension du sens propre «extrémité du museau dépourvue de poils», *mufle* désigne par péjoration un gros visage laid, épais et aux traits lourds (1612). ➝ Par métonymie, il en a pris le sens familier, «personne grossière, vulgaire, sans délicatesse» (1840), après avoir signifié «lourdaud» (1824), «naïf, ahuri» (1830). Il est employé en apposition comme adjectif depuis le milieu du XIXe s. (1866). Le mot est toujours en usage, mais il était plus fréquent entre 1850-1860 et 1920 environ; ses dérivés ont vieilli.

▸ À la même époque, on a formé **MUFLERIE** n. f. (1843) «manque de délicatesse», en particulier *(une, des mufleries)* «actions, propos d'un mufle», ainsi que **MUFLISME** n. m. (1871, Flaubert), «attitude, état d'esprit du mufle», qui n'a pas vécu. ➝ Dans le langage populaire, on trouve **MUFLÉE** n. f. (1881) ou, à partir de la variante *muffle* (1856), **MUFFÉE** n. f. (1888) «grande quantité» et «soûlerie, beuverie», mot populaire typique de la fin du XIXe et du premier tiers du XXe siècle. ➝ *Mufle*, par analogie de forme avec un museau, a donné le terme de botanique **MUFLIER** n. m. (1778) pour la plante antérieurement appelée *mufle de lion* (1680) et connue depuis le XIXe s. sous le nom populaire de *gueule-de-loup*.

MUFTI, MUPHTI n. m. est un emprunt du XVIe s. (1546) à l'arabe *muftī* «théoricien et interprète du droit canonique musulman, jurisconsulte qui délivre les sentences *(fatwä)*». C'est le participe actif de *aftä* «donner une consultation, répondre à qqn par décision sur une question de droit». L'acclimatation du mot en français s'est faite par les formes *mofty* (1546), *muphti* (1559) et *mufti* (1560), ainsi que *moufti* (1608).

♦ Le mot désigne le jurisconsulte musulman qui donne des avis *(fetfas)* sur des questions juridiques et religieuses. *Grand mufti* correspond à un titre.

MUGIR v. est emprunté (fin XIIIe s.) au latin *mugire* «beugler, meugler», qui se disait des bovins et, par extension, de tout bruit sourd et profond (son de la trompette, tonnerre, tempête). Le mot est formé sur une onomatopée *mu-* qui exprime le mugissement du taureau et qui a suscité des formations différentes dans plusieurs langues.

♦ *Mugir* a évincé la forme héréditaire *muir, muire,* attestée du XIIe au XIVe siècle. Appliqué proprement à un animal, il a pris par extension le sens de «produire un bruit comparable à un mugissement» (1507). Comme tous les verbes de parole et de bruit, il est quelquefois employé transitivement (1744).

▸ Il a produit **MUGISSEMENT** n. m., attesté une première fois en 1210 et à nouveau en 1487. Cette forme a remplacé l'ancien *muiement,* en usage du XIIe au XIVe s. et dérivé de *muir, muire,* ainsi que le doublet *muis(s)ment* (XIIe-XVIe s.). *Mugir* avait produit plusieurs autres noms d'action en moyen français : *mugiment* (XVIe s.), *mugicion, mugitement* et *muit* (hapax, 1215).

◈ voir **MEUGLER**.

MUGUET n. m. est tiré (1200, *musguet;* XIIe s., selon Wartburg) de l'ancien français *(noix) muguette,* forme altérée pour *(noix) muscade** (également écrit *muguage, mugate, mugueite*), en raison du parfum de la fleur. On invoque aussi l'ancien français *mugue* «musc» (fin XIe s.), issu de *musc** par un développement inexpliqué.

♦ *Muguet* désigne une plante herbacée à fleurs blanches en grappes, en forme de clochettes. Le mot, souvent dans *brin de muguet,* est usuel dans le contexte du 1er Mai. ◇ Il est souvent employé dans les parlers de l'Est pour désigner le lilas. Il a servi aux XVIe et XVIIe s. à désigner les jeunes élégants, à cause de leur parfum (1538, adj. ; 1547, n. m.). ➜ Par analogie d'aspect avec les fleurs, *muguet* est entré dans le vocabulaire médical pour désigner une mycose de la bouche (1767), également appelée *blanchette* et *millet;* depuis la fin du XIe s., cette affection était nommée *musgue.*

▸ Au XVIe s., en relation avec le sens de «galant», on employait **MUGUETER** v. intr. (1528) «faire le galant» et, transitivement, «chercher à obtenir (qqch.), convoiter» (1587), ainsi que les dérivés **MUGUETTEUR** n. m., **MUGUETTERIE** n. f., les diminutifs **MUGUELET, MUGUETEAU** n. m. «jeune galant» et **MUGUETTEMENT** n. m. «élégance, parure» (cf. *muscadin*). Le verbe est encore connu, mais non les dérivés.

◈ **MUID** n. m. est issu (1135) du latin *modius* (mesure de capacité servant surtout pour le blé), également employé dans la langue nautique pour désigner le trou où s'emboîte le pied d'un mât (→ moyeu). Le mot fait partie de l'important groupe issu de la racine indoeuropéenne °*med-* exprimant l'idée de prendre avec autorité et réflexion des mesures d'ordre (→ médecin, méditer, méduse, mégis, mode, moule).

♦ En français, le mot s'est écrit *mui* puis *muid* (fin XVIe s.) avec un *d* étymologique. Il désigne le tonneau, la futaille pouvant contenir cette mesure (1135), sens métonymique qui a mieux résisté que le nom de l'ancienne mesure de capacité des grains et liquides (1160).

▸ On a formé **DEMI-MUID** n. m. au XVIe siècle.

MULARD → ① **MULET**

MULÂTRE adj. et n. est emprunté (1544), avec adaptation de la finale d'après les mots suffixés en *-âtre,* au portugais *mulato* «métis (d'un Noir et d'une Blanche, d'un Blanc et d'une Noire)» (1524). Ce mot d'origine castillane est dérivé de *mulo* (→ ① mulet), animal hybride (→ mule-jenny et l'anglais mule). En français, la graphie initiale du mot est *mullatre,* devenue *mulastre* puis *mulâtre;* au XVIIe s., on a aussi adopté les formes *mulate* (1672) et *mulat* (1690), conformes à l'étymon, notées toutes les deux à côté de *mulâtre* par Furetière.

♦ Le mot, d'abord appliqué en général à un métis, est réservé au métis né d'un Noir et d'une Blanche ou d'une Noire et d'un Blanc. Furetière le donne comme un terme de relations, donné aux «Indes», c'est-à-dire en Amérique du Sud, aux personnes nées de Noirs et d'Indiens, tandis que *métis* est alors réservé aux sangs mêlés d'Européens et d'Indiens. Dans l'usage moderne, le mot est synonyme de *métis,* qui tend à l'emporter.

▸ **MULÂTRESSE** n. f. (1681) a vieilli, étant senti comme dépréciatif; on emploie plutôt *une mulâtre.*

① **MULE** n. f. est attesté depuis 1314, mais a seulement son sens médical («engelures au pied») en ancien français. Si l'on admet que le sens de «pantoufle» existait déjà en ancien français, en dépit d'une absence d'attestations qui peut s'expliquer pour le nom familier d'une grossière chaussure d'intérieur, *mule* serait issu du latin *mulleus* «brodequin rouge», attesté vers 700 sous la forme *mule,* substantivation de l'adjectif *mulleus* «de couleur rouge, pourpre». Cet adjectif était employé dès l'époque classique dans l'expression *mulleus calceus,* qui concerne le brodequin rouge porté par les rois d'Albe, puis par les sénateurs qui avaient exercé la magistrature curule. Les Anciens rapprochaient ce mot du nom de poisson *mullus* (→ ② mulet), emprunté au grec *mullos. Mulleus* et *mullos* pourraient être deux représentants indépendants d'une racine indoeuropéenne °*mel-* «tacher, souiller», dont les dérivés ont servi à désigner des couleurs dans plusieurs langues du groupe indoeuropéen : grec *melas* «noir» (→ mélancolie, mélano-), gaulois (?) *melinus* «noir», gallois *melyn* «jaune», lituanien *mulvas* «rougeâtre, jaunâtre» et *melynas* «bleu». Cependant, comme la plupart des mots latins en *-eus* ne sont pas d'origine indoeuropéenne, *mulleus* pourrait aussi être un terme technique emprunté (comme *calceus;* → chausser). Si, d'autre part, l'ancien français n'avait pas *mule* au sens de «pantoufle», ce serait en ce sens un emprunt au moyen néerlandais *muil* «pantoufle», lui-même emprunté à un représentant français non attesté du latin *mulleus* et dont le sens propre aurait disparu à l'apparition du sens second en médecine.

♦ *Mule,* d'abord employé avec la valeur aujourd'hui sortie d'usage d'«engelures aux pieds» (au pluriel, puis, 1530, au singulier), est attesté au milieu du XVIe s. pour «pantoufle laissant le talon découvert» (1556). L'expression *baiser la mule du pape* est répertoriée depuis 1680.

② **MULE** n. f. est issu (1080) du latin *mula* «hybride femelle de l'âne et de la jument ou du cheval et de l'ânesse» (→ mulâtre), également employé comme terme d'injure. *Mula* et le masculin *mulus* (→ ① mulet) sont probablement comme *asinus* des noms méditerranéens, sans doute asiatiques (l'âne et le mulet étant des animaux importés dans les régions de langue indoeuropéenne).

♦ En français, *mule,* outre son sens propre, est employé comme symbole de l'obstination bornée dans quelques emplois familiers péjoratifs : ***testu (têtu) comme une mule*** (1690), *mule* (1840) et ***tête de mule*** (1899) «personne entêtée».

▸ De *mule* est dérivé **MULASSE** n. f. (1260), autrefois employé comme adjectif correspondant à *mule,* et qui est entré dans l'usage technique comme nom (XIVe s.) pour la jeune mule (1837). ◆ Ce mot a servi à former **MULASSIER, IÈRE** (1855, adj.; 1866, n. f. par ellipse du nom *jument*) «composé de mulets et de mules» et «relatif à la production de mulets et de mules».
MULE-JENNY n. f. (1803; 1801, selon Wartburg), est un emprunt à l'anglais (1792) où *mule* est emprunté au français *mule* et employé avec le sens figuré d'«hybride» pour désigner une machine qui combine des systèmes empruntés à deux machines différentes. *Jenny,* prénom féminin apparenté à *Jane, Janet,* est le nom familier de plusieurs machines, dont *spinning Jenny,* contemporain de *mule Jenny.*

◈ voir ① MULET, MULETA.

① **MULET** n. m. est dérivé (1080) avec le suffixe diminutif *-et* de l'ancien français *mul* (1080), disparu au XIVe s. et lui-même issu du latin *mulus* «hybride mâle de l'âne et de la jument», masculin de *mula* (→ ② mule).

♦ *Mulet,* correspondant au masculin de *mule,* entre dans le même type de locutions que *mule* : ***chargé comme un mulet*** (1690) [cf. *baudet*], ***entêté comme un mulet, tête de mulet*** (1808) qui équivaut à *tête de mule**. ◇ Par analogie, il s'est dit en parlant d'un végétal (1765) ou d'un animal provenant d'une hybridation (1768).

▸ Son dérivé **MULETIER, IÈRE** adj. et n., apparu comme nom masculin au sens d'«officier de la maison du roi chargé des bêtes» dans le syntagme *muletier des chiens* (1325), désigne, depuis la fin du XIVe s., celui qui garde les mulets. ◇ L'usage moderne a limité son emploi adjectif (1577) à l'expression *chemin, sentier muletier* (1868-1869) «sentier étroit censé n'être gravi que par les mulets». ◆ Par changement de suffixe, *mulet* a donné **MULARD** (1840, n.; 1874, adj.) «(canard, cane) hybride de la cane domestique et du canard de Barbarie». Le mot a remplacé l'expression *canard mulet* (1838.)

◈ voir MULÂTRE, MULETA.

② **MULET** n. m., nom de poisson, est dérivé (fin XIIe s.) de l'ancien français *mul* (1170) de même sens, issu du latin *mullus* «rouget» et «surmulet», rapproché par les Anciens de l'adjectif *mulleus* «de couleur rouge» (→ ① mule) et probablement emprunté au grec *mullos,* nom d'un poisson mal identifié (ombrine, mulet ?).

♦ Le mot désigne un poisson de mer fuselé à la chair blanche et délicate.

▸ *Mulet* entre dans le composé **SURMULET** n. m. (1470), autre nom du rouget de roche, forme refaite de l'ancien *sormulet* (v. 1170), composé de *mulet* et de l'ancien adjectif *sor* «jaune-brun» (→ saure). ◆ **MULETIÈRE** n. f., nom technique pour le filet qui sert à prendre des mulets, est attesté depuis 1765.

MULETA n. f., terme de tauromachie, est emprunté (1831; *moleta* 1828) à l'espagnol *muleta* de même sens (1616, Cervantes), diminutif de *mula* (→ ② mule) et signifiant proprement «jeune mule». Par la même évolution que le français *poutre,* il a pris le sens de «béquille, bâton» et, par métonymie et spécialisation, «bâton muni d'une étoffe rouge» en tauromachie (la muleta est toujours montée sur un bâton transversal).

♦ Le mot désigne le morceau d'étoffe rouge employé par le matador pour fatiguer le taureau en lui faisant effectuer des passes. Le travail de la muleta est esthétiquement, avec les passes de cape, la partie la plus importante de l'art de toréer ; le *tercio de muleta* prend place après l'intervention des picadors et la pose des banderilles ; il est suivi de la mise à mort.

MULOT n. m. est une variante (XIIIe s., *mulos* au pluriel) de l'ancien français de même sens *mulet* (XIIIe-déb. XVe s.), qui est probablement le diminutif de *mul.* Ce dernier, attesté au XIIIe s. avec le même sens, se trouve sous la forme *muli* dans les Gloses de Reichenau. Il est à rapprocher du moyen néerlandais *mol* «taupe» (anglais *mole*), qui remonte à un francique °*mul.* Le *u* en français est probablement dû à l'influence de ① *mulet**. On relève aussi la forme latinisée *mulotes* en 1120.

♦ Le mot désigne un petit rongeur à longue queue un peu plus grand que la souris.

▸ Le composé **SURMULOT** n. m. (1758), «rat commun», est contemporain de l'apparition de cet animal en Europe et en Amérique (XVIIIe s.).

◈ voir MOLESKINE.

MULTI-, élément formant, est tiré du latin *multus* «nombreux, abondant», (→ moult), entrant dans la composition de noms et d'adjectifs où il exprime une pluralité.

♦ *Multi-* est productif dans les domaines scientifique et technique, en concurrence avec *pluri-** et *poly-**.

▸ Il a donné deux termes importants dans le domaine des relations internationales : **MULTILATÉRAL** (→ latéral) et **MULTINATIONAL** (→ national).

➝ **MULTICOLORE** adj. est emprunté (1512) au latin *multicolor* «qui représente une grande variété de couleurs», de *multi-* pour *multus* et *color* (→ couleur). Le mot est peu employé avant 1823 (cf. *polychrome*). ➝ **MULTICULTUREL** et **MULTIETHNIQUE** adj. sont tous deux attestés en 1977. ➝ **MULTIFORME** adj. est emprunté (v. 1460) au latin *multiformis* «qui a plusieurs formes», «varié, changeant», de *multi-* et *forma* (→ forme). ◇ Plus didactique, **MULTIFORMITÉ** n. f. a été emprunté en même temps (v. 1460) au latin *multiformitas*. ➝ **MULTIPARTISME** n. m. (1952) désigne un régime politique où plusieurs partis concurrents sont autorisés (opposé aux régimes de parti unique).

◈ voir **MÉDIA, MULTIPLE, MULTITUDE; LOBE, MILLÉNAIRE, MILLION, PLACE, PROGRAMME, PROPRIÉTÉ, VALVE.**

MULTIPLE adj. et n. m. est emprunté (1572) au latin *multiplex*, proprement «qui a beaucoup de plis», formé de *multi-* (→ multi-) et de *-plex*, second élément d'adjectifs multiplicatifs (→ duplex, triplex), tiré de la racine °*plek-* «plier» (→ complexe, perplexe, plier; appliquer, compliquer, expliquer, impliquer, répliquer).

♦ Le latin médiéval atteste *multiplex, multiplice* (1390) et le français introduit le mot au XVIe s. comme terme de mathématiques le faisant entrer dans l'expression *nombre multiple* (1618). ◇ *Multiple* est employé en dehors des mathématiques avec le sens de «constitué de l'adjonction de plusieurs éléments semblables» (1765) en mécanique, en botanique (1798) puis en grammaire (1854, *sujet multiple*). ◇ Il est substantivé au masculin dans *un multiple* (1905), désignant un tableau de distribution utilisé dans les centraux téléphoniques. ➝ Au début du XIXe s. sont apparus les sens généraux «qui existe en plusieurs exemplaires» (1809) et «qui se présente sous des formes variées» (1823).

▸ *Multiple* a servi à former les adjectifs didactiques **SOUS-MULTIPLE** (1552, adj.; substantif 1691) et **ÉQUIMULTIPLE** (1667), ainsi que **MULTIPLET** n. m. (1932) employé en mathématiques et en technique, spécialement en optique.

MULTIPLIER v. tr. est emprunté (déb. XIIe s.) au dérivé latin *multiplicare* «multiplier, augmenter, accroître», d'abord «faire de nombreux plis». ➝ Il est d'abord attesté comme intransitif pour «augmenter, croître», plus précisément «augmenter en nombre par la reproduction» (1155), notamment en association avec *croître* par allusion biblique à l'expression *croissez et multipliez* (Genèse, XXXV, 11). Cet emploi a vieilli. ◇ L'usage transitif, de loin le plus vivant, est attesté dès les premiers textes au sens indéterminé d'«augmenter le nombre de» (déb. XIIe s.), «faire croître en nombre» (1200) et, en mathématiques, «faire la multiplication de» (1172-1174). ◇ L'usage intransitif est remplacé en français moderne par la forme pronominale *se multiplier* (XIIIe s.). Celle-ci a pris le sens de «se propager» (1590) et «faire preuve d'une activité extrême, être partout à la fois» (1687). ➝ De *multiplier* sont dérivés **MULTIPLIABLE** adj. (v. 1120) «qui se multiplie, fécond», employé avec son sens moderne de «qui peut être multiplié» depuis le XVIe s. (1549), et **MULTIPLIANT, ANTE** adj. (1119) «qui multiplie», spécialement employé en botanique (1819). ➝ Par préfixation, ont été formés sur *multiplier* deux composés techniques, employés en mécanique : **DÉMULTIPLIER** v. tr. (1901, en sports) a entraîné la formation de **DÉMULTIPLICATEUR, TRICE** (1896, n.; 1905, adj.) et de **DÉMULTIPLICATION** n. f. (1927). Tous trois sont également d'usage courant avec le sens figuré intensif de «multiplier». ➝ **SURMULTIPLIER** v. tr. (1911) et **SURMULTIPLICATION** n. f. (1932) sont d'usage technique et concernent le rapport entre un moteur et le mécanisme qu'il entraîne *(vitesse surmultipliée)*.

Le groupe de *multiple* s'est enrichi d'autres emprunts au latin. ➝ **MULTIPLICITÉ** n. f. (1190) est emprunté au dérivé latin *multiplicitas* «nombre considérable». Il a également pris celui de «caractère de ce qui est formé de plusieurs éléments» avec une notion secondaire de «diversité». ➝ **MULTIPLICATION** n. f. est un emprunt des mathématiciens (XIIIe s., *multiplicacion*) au latin *multiplicatio* «accroissement, augmentation», nom dérivé correspondant à *multiplex* et *multiplicare*. Il signifie aussi «augmentation en nombre» (1350), en particulier dans l'expression biblique *multiplication des pains* (qui n'est attestée qu'en 1838), et «augmentation des êtres vivants par la génération» (1372-1374). Par analogie, *multiplication* est employé en botanique (1754), en biologie (1942) et en mécanique. ➝ **MULTIPLICATIF, IVE** adj., «qui multiplie», est emprunté (1550) au dérivé latin *multiplicativus* «qui sert à multiplier». C'est à l'origine un terme d'arithmétique, également employé en botanique (1678). ➝ Quant à **MULTIPLICANDE** n. m., emprunté (1549) au latin *multiplicandus* «qui doit être multiplié», adjectif verbal de *multiplicare*, il désigne le nombre à multiplier. Le nom du nombre qui multiplie, **MULTIPLICATEUR, TRICE** n. et adj., a été emprunté (1515) au latin *multiplicator*, autre dérivé de *multiplicare*. *Multiplicateur*, employé comme adjectif en mathématiques (attesté 1903), a développé en tant que nom quelques emplois techniques et scientifiques aux XIXe et XXe siècles : il désigne un galvanomètre (1845) et est employé en mécanique (1927), puis en physique nucléaire (1956, *multiplicateur d'électrons*). ➝ **MULTIPLEX** n. m. (1896) est un réemprunt au latin, d'abord en télégraphie, aujourd'hui en radiotélévision, télécommunication (v. 1963). ◇ À sa suite, on a formé **MULTIPLEXAGE** n. m. (v. 1965) et **MULTIPLEXEUR** n. m.

MULTITUDE n. f. est emprunté (v. 1120) au latin *multitudo* «grand nombre de», «foule de gens» et, péjorativement, «la foule», de *multus* «nombreux, abondant» (→ moult, multi-, multiple).

♦ Le mot est d'abord attesté en français sous la forme *multitudine* qui a été réduite à *multitude* (1155) sur le principe *virgine-vierge, angele-ange*. Le sens est le même que celui du mot latin, en parlant de choses, de personnes (1155), dans la construction *une multitude de* (1175). ➝ Son emploi péjoratif au sens de «foule» est attesté depuis l'époque classique (1662, Corneille) et relève du style littéraire.

▸ Le dérivé **MULTITUDINAIRE** adj., «qui forme une pluralité, une multitude», est moderne (1904) et lui aussi littéraire. L'anglais atteste *multitudinarious* «nombreux, en grand nombre» dès 1810.

◈ voir FOULER (FOULTITUDE).

MUNICIPAL, ALE, AUX adj. est emprunté (1527; 1474, selon Bloch et Wartburg) au latin *municipalis,* adjectif de *municipium* «ville (du Latium ou de l'Italie) possédant le droit de cité romaine, tout en continuant à vivre selon ses propres lois». Ce nom est dérivé de *municeps, -ipis* «citoyen d'une de ces cités», extension du sens propre, «celui qui prend part aux charges». Ce mot est composé de *munia, munium* «fonctions officielles, charges d'un magistrat», archaïsme de la langue officielle pour *munus, -eris* «charge» (→ commun, immunité, munificence, rémunérer), et de *capere* «prendre» (→ capter, chasser) sous la forme *-ceps.*

♦ Dès les premières attestations, *municipal* a le sens de «relatif à l'administration d'une commune» (au sens qu'a alors ce mot). Il entre dans plusieurs syntagmes dont *officier municipal* (1690), elliptiquement substantivé en *municipaux* au pluriel sous la Révolution (1789), puis *conseil municipal* (1842), *agent municipal* (1845) et *maison municipale* (1874), remplacé par *mairie.* ➜ Depuis 1636 (peut-être une première fois en 1474), *municipal* est spécialement employé avec son sens latin par les historiens de l'Antiquité, en relation avec *municipe* (ci-dessous).

▸ Les dérivés de *municipal* sont apparus au XVIIIe s. témoignant d'une diffusion de l'adjectif à cette époque. ➜ C'est le cas de **MUNICIPALITÉ** n. f. (1758) «ensemble de personnes qui administrent une commune» et, par métonymie, «territoire ainsi administré» (1791). L'administration même de la commune — qu'on a proposé de nommer *communauté* — est définie par le décret de décembre 1789 qui impose aussi le mot *maire;* le mot a également servi à désigner le siège de cette administration (1798) avant d'être éliminé par *mairie.* ➜ **MUNICIPALISER** v. tr. est attesté une première fois sous la Révolution à la forme pronominale au sens de «se soumettre à un régime, à une administration municipale» (1789). Repris au milieu du XXe s., il est employé transitivement pour «placer sous le contrôle de l'autorité municipale, faire gérer par la municipalité» (1963; 1961, au participe passé). ◇ Son dérivé **MUNICIPALISATION** n. f., employé une première fois en 1793, a été repris au XXe s. (1936, Capitant). ➜ *Municipal* a aussi produit au XIXe s. deux termes d'usage didactique : **MUNICIPALISME** n. m. (1842) et **MUNICIPALISTE** n. (1842) «partisan de l'intervention des municipalités dans la gestion économique de la nation».
Les historiens de l'Antiquité ont emprunté **MUNICIPE** n. m. (1548) au latin *municipium* à propos de la ville, et directement à *municeps* pour le citoyen d'une telle ville (1636).
Garde municipal a été abrégé populairement en **CIPAL** n. m. (1842), plur. *cipaux,* en concurrence avec *un municipal,* et sorti d'usage avant 1900.

MUNIFICENCE n. f. est emprunté (1355), au latin *munificentia* «générosité, largesse», dérivé de *munificus* «libéral, généreux», proprement «qui accomplit les devoirs inhérents à sa charge». Le mot est formé de *munus* «charge, devoir» (→ commun, immunité, municipal), pris par extension au sens de «cadeau, présent» en relation avec le fait que les magistrats se devaient d'offrir au peuple des jeux, des spectacles. Le second élément *-ficus* est tiré de *facere* (→ faire).

♦ En français, le mot appartient au registre littéraire et désigne la disposition portant à faire de grandes libéralités.

▸ Il a produit le dérivé régressif **MUNIFICENT, ENTE** adj. (1840), lequel a relayé l'ancien *munifique* (XVIe s.-1700), représentant de l'adjectif latin.

✳ **MUNIR** v. tr. est issu (1330) du latin *munire,* terme technique du bâtiment signifiant «faire un travail de maçonnerie, bâtir, fortifier», d'où au figuré «fortifier, protéger». Ce verbe est le dérivé (dénominatif) de *moene,* surtout au pluriel *moenia* «murailles, enceinte, fortification», mot de sens plus large que *murus* (→ mur) et qui, comme *murus* et *urbs* «ville» (→ urbain), est sans étymologie sûre.

♦ *Munir* signifie d'abord «pourvoir d'une protection, protéger, garantir», au propre et au figuré (1350) et spécialement «approvisionner (une place forte)». Au XVIe s., le verbe est également employé au sens de «fortifier (un château, une place forte)» (1530) et, à la forme pronominale, «se retrancher, se fortifier». ➜ C'est aussi au XVIe s. que *munir* devient indépendant du domaine militaire, et prend le sens élargi d'«équiper, pourvoir de» (1588), y compris à la forme pronominale *se munir de.* Ce sens, devenu courant, a éliminé les premiers emplois. Au XVIIe s., se développent des emplois figurés (1672, *se munir de patience, de résolution*).

▸ L'antonyme préfixé **DÉMUNIR** v. tr. (1564), «dépouiller, dessaisir», semble avoir été rare entre 1675 et 1823 en ce sens; par ailleurs, son sens militaire d'«enlever les munitions d'une place forte» (1636) a disparu. ◇ Seul le participe passé adjectivé **DÉMUNI, IE** (1611) est usuel au sens général de «dépourvu».
Le nom correspondant à *munir,* **MUNITION** n. f., est emprunté (XIVe s.) au dérivé latin *munitio, -onis* «travail de terrassement, de fortification», et, au figuré, «action de consolider», puis, en latin médiéval, «provision de bouche» (1180). ➜ En français, le mot signifie d'abord «ouvrage de défense, fortification», sens sorti de l'usage après le XVIIe siècle. Il a alors pris deux sens dans le domaine militaire; celui d'«approvisionnement en vivres d'une place forte» (1538; généralement au pluriel sauf dans ***pain de munition,*** 1568). Cette acception a décliné sauf au sens plaisant de «provisions de bouche». ◇ Une autre valeur, «approvisionnement en armes» et par métonymie «poudre, cartouches, projectiles» (1552), elle aussi au pluriel, s'est imposée dans l'usage moderne. ➜ *Munition* a produit quelques dérivés aujourd'hui archaïques **MUNITIONNAIRE** n. (1572), **MUNITIONNER** v. tr. (fin XVIe s.), ainsi que les plus récents **AMUNITIONNER** v. tr. (1828), **AMUNITIONNEMENT** n. m. (1866).

◈ voir PRÉMUNIR.

MUNSTER n. m. est tiré (1895) de *Munster,* nom d'un chef-lieu de canton du Haut-Rhin réputé pour son fromage.

♦ Le mot désigne un fromage de vache à pâte molle, affiné en cave humide avec frottage à la saumure, qui est fabriqué sur les deux versants du massif vosgien.

MUQUEUX, EUSE adj. est emprunté (1520, *muscose*) au latin *mucosus* «qui a le caractère du mucus, qui en sécrète», dérivé de *mucus* (→ mucosité et mucus).

♦ *Muqueux* est employé en anatomie au sens de «qui contient du mucus, en sécrète» (1520) et, ultérieurement, «qui a le caractère du mucus» (1801). Il est fréquemment associé à *glande* (1762) et à *membrane* (1801). ➛ Dans certains contextes, l'adjectif a aussi le sens de «qui se rapporte à la muqueuse», comme dans *fièvre muqueuse* (1806) qui désignait une forme légère de typhoïde.

► L'adjectif est substantivé au féminin **MUQUEUSE** (1801) pour *(membrane) muqueuse,* cet emploi étant aujourd'hui le plus usuel. ➛ **SOUS-MUQUEUSE** n. f. est attesté depuis 1817.

MUR n. m. est issu (v. 980) du latin *murus* désignant l'enceinte d'une ville, à la fois distinct de *moene* (pluriel *moenia*) «rempart», de sens plus large (→ munir) et de *paries* «mur d'une habitation» (→ paroi). Il signifie aussi «mur de défense» d'où, au figuré, «défense, protection». *Murus* est généralement rattaché à *pomoerium* «espace consacré en dedans et en dehors de l'enceinte (de Rome)», puis «boulevard (d'une ville)», mais la forme du mot soulève des difficultés. En tout cas, les rites de la fondation d'une ville sont étrusques et *murus* a remplacé le mot indoeuropéen tiré de la racine °*dheigh-* «façonner de la terre», qui est représenté dans le grec *teikhos* et l'osque *feíhúss* «mur».

♦ *Mur* est d'abord employé en parlant de l'ouvrage de fortification qui enclot une ville. Par métonymie, il désigne la ville fortifiée, dans des expressions adjectives et adverbiales ***hors les murs*** (1200, *defors li mur*) et ***dans les murs,*** concurrencées tardivement par les latinismes ***extra muros*** (au fig. 1791) et ***intra muros*** (1805). ◇ Dès le XIe s. (1080), *mur* est aussi employé en parlant de l'ouvrage de maçonnerie d'une maison ou (déb. XIIe s.) d'un château. Il entre, ultérieurement, dans un certain nombre de syntagmes d'usage technique précisant la destination du mur, dont *mur mitoyen* (1690), *mur de clôture* (1690), *mur d'appui* (1694), *mur de soutènement* (1721), *mur de fondation* (1874), *mur de dossier* (1868) ou *mur dosseret* (1874). ◇ Dans la langue classique, le mot sert à former des locutions figurées encore usuelles : *se battre (donner de) la tête contre un mur* (1640) annonce ***se cogner (taper) la tête contre les murs,*** récente (1935); *être au pied du mur sans échelle* (1544) sera abrégé en ***au pied du mur*** (1590), le sens évoluant. ***Les murs ont des oreilles*** (1690) a remplacé *les parois ont des oreilles* (1627). Apparaissent ensuite ***entre quatre murs*** «enfermé» (1758), ***raser les murs*** «se dissimuler» (1890), ***faire le mur*** (1903) en parlant d'un soldat qui s'échappe de sa caserne, ***coller au mur*** (pour fusiller; 1903). ➛ Dès l'ancien français, *mur* est employé avec le sens figuré d'«obstacle infranchissable» à propos d'un ensemble de soldats faisant corps pour résister (1165), sens que prolonge au XXe s. des emplois en sports. Ultérieurement, il est employé en parlant d'une seule personne (1676). Figurément, il exprime aussi une idée de séparation entre deux personnes (1718) et des notions de fermeté inébranlable (1833) et d'insensibilité (1883, *un mur de glace*). ◇ Au XXe s. apparaissent les expressions techniques d'aéronautique *mur de l'air* (1947), *mur du son* (1949) la plus usuelle, *mur de chaleur* (1959), toutes procédant de cette idée d'obstacle.

► *Mur* entre dans **CONTRE-MUR** n. m. (1153-1173), ancien terme de fortification qui a pris le sens de «petit mur le long d'un autre pour le renforcer» (1371).

MURAILLE n. f., dérivé suffixé en *-aille* (1200), a évincé l'ancien français masculin en *-ail, murail* (1119, *muralz*); le latin médiéval *muralia,* neutre pluriel, étant attesté dès 873. Le mot entre dans la dénomination ***la Grande Muraille*** (1758) à propos de l'immense construction chinoise protégeant le royaume des Han des invasions. ◇ Le mot partage avec *mur* certains emplois figurés. ➛ On en a tiré **MURAILLER** v. tr. (1451) qui a pris au XVIe s. le sens technique de «pourvoir de murailles, soutenir par des murs contre l'éboulement», surtout employé au participe passé adjectivé *muraillé, ée* à propos de mines (1879, *galeries muraillées,* J. Verne). ◇ À son tour, ce verbe a donné **MURAILLEMENT** n. m. (1773). ➛ L'idée de «petit mur» est exprimée par les diminutifs **MURET** n. m. (1230) et **MUREAU** n. m. (1757) «petit mur d'un foyer de forge», terme technique. ➛ Le féminin **MURETTE** n. f. (1508), d'usage régional (Limoges, Auvergne, Dordogne), est emprunté au provençal *mureta* «rempart, mur d'enceinte» (1418) [surtout Cantal, Aveyron, Périgord et Limousin], lui-même dérivé du provençal *mur* de même origine.

Le dénominatif **MURER** v. tr. (1174-1187) signifie «fermer, condamner par un ouvrage de maçonnerie» (au propre et, depuis la seconde moitié du XVIIe s., au figuré) ainsi que «entourer de remparts» (1180). C'est ce dernier sens qui est le plus couramment réalisé au figuré, à la forme pronominale (1263) ou en construction transitive, avec l'idée de «dérober aux regards» (1829). ➛ *Murer* a produit **MURAGE** n. m. (1225), employé aux XIIIe et XIVe s. avec le sens de «muraille», acception disparue à l'époque classique; il a été repris au XIXe s. avec ses sens modernes : «état de ce qui est enclos de murs» (1829) et «action de murer» (1868). ◇ Un homonyme *murage,* employé comme terme de féodalité au sens de «corvée pour la réparation des murs d'une ville ou d'un château» (1299), représente le latin médiéval de même sens *muragium* (XIIe s.). ➛ *Murer* a entraîné la création de l'antonyme **DÉMURER** v. tr. (XIIIe s.; fin XIIe s., «sortir des murs»). ➛ Quelques composés verbaux ont été formés par préfixation et suffixation sur *mur* : **EMMURER** v. tr. (1176-1184, *enmuré*), «entourer de murs, enfermer», est employé en particulier à propos des supplices réservés aux hérétiques au moyen âge et de certains rites sacrificiels. On en a tiré **EMMUREMENT** n. m., bien plus tard (1900), et **EMMURAGE** n. m. (1903).

◈ voir ARMURE, CLAQUEMURER (art. CLAQUER), MURAL.

◈ **MÛR, MÛRE** adj. est issu (1165) par évolution phonétique du latin *maturus,* proprement «qui se produit au bon moment», d'où «parvenu à maturité (au propre et au figuré)», mot emprunté par le français sous la forme *mature* (→ maturité). *Maturus* se rattache aux mots *mane* (→ demain), *manes* (→ mânes) et *matutinus* (→ matin) qui contiennent tous la racine °*ma-* «bon».

♦ En français, le sens propre est attesté le premier, mais on trouve le mot dès le début du XVe s. dans la locution métaphorique *en bailler de belles, de vertes et de meures,* forme archaïque de la locution moderne ***en voir de vertes et de pas mûres.*** ◆ Le sens figuré est également attesté dès l'ancien français, *mûr* qualifiant une personne qui a du jugement et de la réflexion (1176-1184), ainsi que ses pensées (1200, *mäures penses*). Ultérieurement, on relève les expressions *après meüres délibération* (1588) et *mûr pour...* «prêt à...» (1646). ◆ Le mot, par analogie avec le processus de développement d'un fruit, est aussi employé avec une valeur temporelle pour «d'un certain âge» (1223), souvent par euphémisme pour «vieux»; il s'emploie spécialement en médecine pour «près de percer (abcès, etc.)» (1256). À l'époque classique, il se dit d'un vêtement qui a perdu sa fraîcheur (1640), sens aujourd'hui vieilli. ◆ L'argot (1919) lui donne spécialement le sens d'«ivre, soûl (personnes)», par l'idée d'une ivresse «avancée».

▸ Le verbe correspondant, **MÛRIR** (av. 1267, *mëurir*), est issu par changement de conjugaison de l'ancien français *meürer* «devenir mûr» employé au propre et au figuré (1119), lequel continue le latin *maturare* de même sens. ◇ La forme moderne *mûrir* (XVIe s.) s'impose progressivement. Le verbe est employé absolument (ou en construction factitive avec *faire*) à propos d'un végétal et, par analogie, d'un furoncle (1538), d'un vin (1690), d'une personne qui prend de l'âge (1846). ◇ À partir du XIe s., *mûrir* est aussi employé avec la valeur d'«atteindre un certain degré de qualité», d'abord à la forme pronominale *se mûrir,* aujourd'hui sortie de l'usage (1352-1356), puis (1580) en construction intransitive. Celle-ci est employée à propos des choses et, depuis le XVIIe s.(1636), des personnes qui acquièrent de l'expérience. Avec ses divers sens, le mot est également employé depuis les XVIe-XVIIe s. en construction transitive. ◆ De *mûrir* sont dérivés le participe présent adjectivé **MÛRISSANT, ANTE** (1669, *meürissant*), le nom d'action **MÛRISSEMENT** n. m. (1587, *meurissement*), également employé au sens figuré (1896), et le nom technique **MÛRISSERIE** n. f. (v. 1950) désignant le lieu où l'on fait mûrir les fruits qui ne supportent le transport que verts (comme les bananes).

MURAL, ALE, AUX adj. et n. m. est emprunté comme terme d'antiquités romaines (v. 1355) au latin *muralis* «de mur», adjectif correspondant à *murus* (→ mur). Cet adjectif était notamment employé dans les expressions *muralis herba* «pariétaire» et *muralis corona* «couronne que l'on donnait au soldat qui avait escaladé le premier les murailles de la ville assiégée».

♦ C'est avec ce dernier sens qu'il a été emprunté par le français, dans l'expression calquée du latin *coronne murail,* puis *couronnes murales* (1547). ◇ Au XVe s., *mural* entre, également par emprunt savant au latin, dans le vocabulaire botanique pour qualifier une plante qui pousse sur les murs; substantivé au féminin, *la murale* désignait comme en latin la pariétaire. ◇ Au XVIIIe s., le sel qui se forme sur les vieux murs reçoit l'appellation *sel mural* (1783-1788). L'adjectif entre aussi dans le vocabulaire de l'astronomie (1765, *arc mural*). ◆ Le sens courant, «apposé à un mur», date seulement du XIXe s. (1845, *carte murale*). ◇ Récemment, l'anglais *mural,* lui-même emprunté à l'ancien français, a été emprunté comme terme artistique dans *un mural* pour une peinture réalisée sur un mur extérieur.

▸ Cette forme d'expression artistique par fresques est très vivante au Mexique, d'où nous viennent **MURALISME** n. m. (v. 1970) et **MURALISTE** n. (1963), emprunts à l'espagnol *muralismo* et *muralisto :* ceux-ci se rapportent au mouvement artistique (v. 1920) qui recourt à la figuration sur de vastes surfaces et dont les principaux représentants sont Rivera, Orozco et Siqueiros.

MÛRE n. f., sous la forme *meure* (1165) puis *more* (1174-1187), est issu du bas latin *mora,* pluriel collectif devenu singulier féminin du neutre *morum* «fruit du mûrier, mûre sauvage» et «fruit du sycomore». Ce nom est soit emprunté au grec de même sens *moron,* soit emprunté comme lui à une langue méditerranéenne comme d'autres noms de fruits (cf. *figue*). Cependant, Chantraine n'exclut pas la possibilité d'une origine indoeuropéenne, en rapprochant les deux mots de l'arménien *mori* «mûre», *mor-i, mor-eni* «buisson de mûriers». ◈

♦ En français, le mot désigne le fruit du mûrier ainsi que le fruit de la ronce (XIIIe s.), parfois appelé *meure* (puis *mûre*) *sauvage* (XVe s.) et aussi *more noire* (1464-1467). Pour rendre compte de la forme actuelle *mûre,* qui commence à s'employer au XVIIe s. (Ménage, en 1672, signale la prononciation *meure* en Anjou, mais *mure, murier* à Paris), diverses hypothèses ont été avancées : soit l'influence du dérivé *meurier (mûrier)* où *-eu-* se serait fermé en *-u-,* soit l'influence de l'ancien français *meur* «mûr», issu de *maturu* et prononcé de bonne heure *mur* à Paris (→ mûr). Cet usage aurait entraîné dans les provinces limitrophes une prononciation hypercorrecte *mûre* (pour le fruit) qui aurait été ensuite véhiculée à Paris.

▸ *Mûre* a quelques dérivés. ◆ **MÛRIER** n. m. est attesté dès la fin du XIe s. en judéo-français sous la forme *morier* (ce qui tend à faire avancer la datation de *mûre*); la fermeture de *o* a en effet engendré les formes en *u, ou : murier* (v. 1120) et *mourier* (1303). Le mot désigne un arbre de la famille des morées (XIIe s.) et le mûrier sauvage (1303). ◆ **MÛRAIE, MÛRERAIE** n. f., «plantation de mûres», s'est longtemps écrit *meurei* (xve s.), forme qui remonte au singulier *moretum* en latin ; la forme moderne n'est attestée que depuis 1845. ➜ Enfin, la description médicale a créé un adjectif didactique **MÛRIFORME** «en forme de mûre» (1868 ; 1836, *moriforme* d'après le latin ; cf. aussi *morula*). ➜ Quant à **MÛRON** n. m., synonyme régional (Centre) de *mûre*, il est attesté depuis 1390.

◈ voir **MORULA**.

MURÈNE n. f. est emprunté (av. 1100, *morayne* en judéo-français) au latin *muraena*, emprunt au grec *muraina*, à rattacher à une famille indoeuropéenne de mots exprimant l'idée de «gras, lisse». *Muraena* semble sans rapport avec le cognomen (nom de famille) fréquent dans la gens Licinia, dont la transcription grecque est *mourenas* et qui semble étrusque. La forme populaire *moreine*, *moraine* remonte à une forme latine *murena* ; elle a été évincée par la forme moderne *murene* (v. 1265).

♦ Le mot désigne un poisson marin au corps mince et allongé, à la morsure dangereuse.

MUREX n. m. succède à la forme médiévale *murique* (1265), emprunt à l'accusatif *muricem* du latin *murex, -icis*. Celui-ci désigne à la fois le coquillage dont on tire la pourpre, puis, par métonymie, la pourpre et, par analogie, tout objet dont la forme évoque celle du murex : rocher dentelé, mors garni de pointes, chausse-trappe, etc. Il est probablement d'origine méditerranéenne, peut-être apparenté au grec *muax* «moule» (hypothèse d'Ernout-Meillet, rejetée par Chantraine). Sous sa forme actuelle, *murex* a été réemprunté (1505) au nominatif latin.

♦ Le mot désigne un mollusque univalve dont les Anciens tiraient la pourpre.

MURIATE n. m. est dérivé savamment (1782) du latin *muria* «saumure» (→ saumure) avec le suffixe *-ate*.

♦ Le mot, proposé par Guyton de Morveau dans son *Mémoire sur les dénominations chimiques*, a été remplacé par *chlorure*.

▶ L'adjectif correspondant **MURIATIQUE** (1714) est emprunté au dérivé latin *muriatica* «mets confit dans la saumure» ; il a été évincé par *chlorhydrique* (*acide muriatique* a cédé la place à *acide chlorhydrique* et *acide muriatique oxygéné* à *chlore*).

MURIDÉS n. m. pl. (1892) a été formé savamment, avec le suffixe *-idés*, sur le radical du latin *mus, muris* «souris» (→ musaraigne) ; il a remplacé la dénomination *murides* (1834) faite avec le suffixe *-ides*.

♦ Ce terme de classification zoologique recouvre une famille de petits rongeurs à museau pointu et longue queue arrondie (hamster, mulot, rat, souris).

MURMURER v. est emprunté (v. 1120) au latin *murmurare* «parler à voix basse, chuchoter», dans la langue biblique «se plaindre sourdement», dit également des choses au sens de «gronder, crépiter». Ce verbe est dérivé de *murmur, -uris* «grondement, bruit sourd», mot expressif qui a des correspondants dans l'arménien, le grec *mormurein* «murmurer, gronder» et *mormuros*, désignant un poisson de mer qui émet une espèce de grognement (cf. *grondin*), ou dans le sanskrit *marmarah* «bruyant».

♦ *Murmurer* s'inscrit d'abord dans le prolongement des valeurs du mot latin par son sens de «se plaindre, protester sourdement», surtout d'usage littéraire et biblique (1200, *Livre de Job*). ➜ Cependant, dès le XIIe s., par un affaiblissement de sens que l'on retrouve dans le latin et l'italien *mormorare*, il signifie «parler à voix basse» (1176), en emploi transitif et (XIIIe s.) intransitif, et, par analogie, «émettre un bruit léger (d'un ruisseau)» (v. 1200), sens très fréquent chez Ronsard. Cet affaiblissement s'explique probablement par le changement de prononciation du *u*, du son latin *ou* au français *u*.

▶ En dehors du participe adjectivé **MURMURANT, ANTE** (xve s.), les dérivés, **MURMURATEUR** n. m. (1531) «détracteur» et **MURMUREMENT** n. m. (1175, *murmuremenz*) «plaintes, récriminations» puis aussi «murmure léger» (1280), ont vieilli. ➜ Ce dernier a subi la forte concurrence de **MURMURE** n. m. (1170), que l'on interprète, soit comme le déverbal de *murmurer*, soit comme le représentant du latin *murmur*. Il est attesté avec le sens d'«expression indistincte émise par plusieurs personnes» et aussi, en style biblique, appliqué à une plainte sourde (1200, Job). ◇ À la différence du verbe, *murmure* réalise encore parfois le sens fort étymologique de «bruit sourd et confus» (1230 ; en français moderne par archaïsme chez Leconte de Lisle), spécialement à propos du cri de certains animaux. ◇ Ce sens est cependant nettement supplanté par celui de «bruit léger» (1555, Ronsard, en parlant du vent léger). Depuis 1690, il se dit de commentaires à mi-voix dans une circonstance particulière *(un, des murmures de...)*.

MUSARAIGNE n. f. est emprunté (xve s.) au latin *musaraneus* n. m. «petit mammifère carnassier de la taille d'une souris». Le premier élément représente *mus, muris* «souris, rat», mot indoeuropéen qui a des correspondants dans le grec *mus*, le sanskrit *mūṣ-*, le persan *mus*, le vieux slave *mysi* et le vieil allemand *mus*, mais qui est peu représenté en roman (cf. les mots *rat, souris*), sauf dans des dérivés et par le grec (→ ② moule, muscle, mygale, myo-, myosotis). Le second élément est l'adjectif *araneus* «propre à l'araignée», de *aranea* (→ araignée). Cet animal doit son nom au fait que sa morsure est réputée venimeuse comme celle de l'araignée. À basse époque, *musaraneus* est devenu °*musaranea* n. f., probablement sous l'influence de *aranea*, ce dernier mot étant utilisé par Isidore de Séville pour désigner la musaraigne. Le mot est d'abord noté en français *mesirengne* dans un traité de fauconnerie, puis *mesiraigne* (1547) et enfin, par relatinisation de la première syllabe, *musaraigne* (1552) [cf. *aragne* à araignée].

♦ Le mot désigne un petit mammifère insectivore, dont les dix espèces sont de la taille d'une souris ou d'une taille inférieure (la *musaraigne* ou *pachyure étrusque* est considérée comme le plus petit mammifère connu — entre 1,5 et 2 g).

▸ Le nom régional de l'animal, ② **MUSETTE** n. f. (1529), est le féminin de l'ancien français *muset* «musaraigne» (1180), probablement formé sur le latin *musaraneus* par substitution du suffixe *-et* à l'élément *araneus*.

◈ voir MURIDÉS.

MUSARDER → MUSER

MUSC n. m. est emprunté (1256) au bas latin de même sens *muscus* (IVe s.) qui désigne aussi l'animal cervidé (Ve s.). C'est un emprunt au grec *moskhos*, emprunté au persan *mušk* qui viendrait soit du sanskrit *muṣká-* «testicule», en raison de la forme de la glande, soit d'un terme iranien apparenté.

♦ *Musc* désigne la substance brune sécrétée par les glandes abdominales d'un petit cervidé mâle, voisin du chevrotain, puis aussi, par métonymie, le parfum que l'on fabrique avec elle, le cervidé qui la sécrète (1644), et une couleur analogue brun-gris d'abord appelée *couleur de musc* (1639). ◇ Par analogie, on parle de *musc végétal* (1855), pour une huile essentielle utilisée dans la médecine ancienne et appelée également *herbe au musc*, et de *musc artificiel* pour un produit de synthèse utilisé en parfumerie.

▸ Son dérivé **MUSQUÉ, ÉE** adj. est d'abord relevé dans l'expression médicale *galle muschee* (XIVe s.) «médicament à base de musc», calquée sur le latin *gallia muscata* (1165; 1256, *galia muscate* en français), devenu *galle muscate* au XIIIe s., et dont le premier élément est emprunté à l'arabe. ◇ Depuis le XVIe s. (1530), *musqué* signifie «qui rappelle l'odeur du musc», d'où la dénomination *rat musqué* (1725), et, depuis 1590, «qui est parfumé au musc». ◆ Au XVIIe s., l'adjectif qualifie un fruit à la saveur de musc (1600, de poires) et développe quelques emplois figurés aujourd'hui sortis de l'usage comme «doux, agréable, flatteur» (paroles), entrant dans *fantaisies musquées* (1640) «petits objets inutiles» et, au figuré, «extravagances, imaginations sans fondement». Ce sémantisme se retrouve dans *muscadin**. Par suite, *musqué* a pris le sens d'«affecté, recherché» et quelquefois «piquant, poivré», tous ces emplois étant devenus archaïques.

◈ voir MUSCADE, MUSCADIN, MUSCARI, MUSCAT et aussi MUGUET.

MUSCADE n. f. est emprunté (1165, *nois muscade*) à l'ancien provençal *nots muscada* (XIVe s.) «noix musquée», dérivé de l'ancien provençal *musc*, correspondant à *musc**.

♦ Le mot, du XIIe au XVIIIe s. au moins, a connu une vogue qui reflète l'importance de la substance qu'il désigne. La muscade, inconnue des Anciens, apparaît en Europe au début du moyen âge, importée par les Arabes. Sa faveur ne cesse de croître, tant pour son usage culinaire que pour ses propriétés pharmaceutiques. L'épice connaît son apogée aux XVIIe et XVIIIe siècles : en 1681, une monographie en fait une panacée et, en 1704, une étude sur la muscade atteint près de neuf cents pages. Au XVIIe s., on servait volontiers des noix de muscade confites importées des Indes pour accompagner le thé. À cette valorisation correspondent des légendes; on croyait encore au XVIIIe s., avec Furetière (1690), que la muscade ne pouvait être plantée mais qu'elle venait de «certains oiseaux qui en avalent plusieurs tout entières et qui les rendent sans les avoir digérées, lesquelles étant alors couvertes d'une matière visqueuse, venant à tomber à terre, y prennent racine et produisent un arbre qui ne viendrait pas, si on le plantait à la manière des autres». ◆ Le mot, par analogie de parfum, entre dans *rose muscade* (1554), dénomination d'une rose au parfum légèrement épicé. ◆ Par analogie de forme, *muscade* désigne une petite boule de liège dont se servent les escamoteurs dans leurs tours de passe-passe (1701). De là l'expression ***passez, muscade !*** «le tour est joué», au propre (1798, d'abord *partez, muscade !*) et au figuré (1906), d'où *passer muscade* pour «escamoter».

▸ **MUSCADIER** n. m., «arbre qui produit un fruit dont la graine est la muscade», est attesté depuis 1665 après la désignation *arbre muscadier* (1604). ◆ *Muscade* a aussi produit quelques dérivés par analogie avec le parfum ou la forme de la muscade : au moyen du suffixe *-et*, on a formé **MUSCADET** n. m. (1415), proprement «vin de goût musqué». Auparavant, on relève *(vin) muscadé* (fin XIIIe s.) et vin *muscadel, muscadeau* (XVe s.), lui-même emprunté au provençal *muscadel* «raisin, vin musqué» (XIVe s.), dérivé de *muscat : muscadet* pourrait en être une réfection (1473) avec changement de suffixe. ◇ Il désigne aujourd'hui (XIXe s. ?) un vin blanc et un cépage blanc cultivé dans la région de Nantes. ◆ **MUSCADELLE** n. f. (1544; 1528, *poyres muscadelles*), «poire au goût musqué» et «cépage blanc donnant un vin très parfumé», est également un emprunt à l'ancien provençal *muscadela* «poire au goût musqué». ① **MUSCADINE** n. f. (1802) a désigné une variété de vigne du Canada et le vin qu'elle produit. ◆ **MOSCATEL** n. m. (1903) est emprunté à l'espagnol *moscatel* «raisin, vin muscat», lui-même issu du latin tardif *moscatellus* «raisin muscat». ◆ Dans un autre domaine, on a appelé ② **MUSCADINE** n. f. (XXe s.) un chocolat dont la forme imite celle de la noix de muscade.

◈ voir MUSCADIN, MUSCARI, MUSCAT.

MUSCADIN n. m. est emprunté (1616) avec des variantes (*moschardin*, 1611; *muscardin*) à l'italien *moscardino* (XVIe s.) «pastille parfumée au musc» et «personne parfumée et élégante», lui-même dérivé de *moscado* «musc» (XVIe s.); → musc.

♦ Le mot, emprunté au sens de «pastille de musc», a servi à désigner un élégant, un petit-maître (1747) et, tout particulièrement, sous la Révolution, les royalistes qui se distinguaient par leur élégance recherchée (1790) (cf. *incroyable, merveilleuse*; → muguet).

▸ En ce sens, le féminin ③ **MUSCADINE** était lui aussi en usage. ◆ Le même mot italien a fait l'objet d'un emprunt indépendant pour «mammifère rongeur à odeur musquée» (1753).

MUSCARI n. m. est emprunté (1694) au latin scientifique *muscarium* (1542), lui-même dérivé de *muscus* (→ musc) en raison du parfum musqué des fleurs de la plante.

♦ Le mot désigne une petite plante ornementale bulbeuse de la famille des Liliacées.

◈ voir MUSCADE, MUSCADIN, MUSCAT.

MUSCAT adj. et n. m. est emprunté (1372) au provençal *muscat* dont on n'a aucune attestation à date ancienne, dérivé de *musc*, correspondant au français *musc**.

♦ *Muscat*, «vin parfumé extrait d'une variété de raisin très sucré», est adjectivé (1538) comme épithète de *vin* et (1606) de *raisin*. Il a été de nouveau substantivé pour désigner ce raisin à odeur musquée (1624) et, par analogie, une variété de poire parfumée (cf. *muscadelle* à *muscade*). Le féminin de l'adjectif, *muscade*, est inusité ; Colette avait adopté la variante provençale *muscate* en baptisant sa maison méditerranéenne *La Treille muscate*.

◈ voir MUSCADE, MUSCADIN, MUSCARI.

MUSCIDÉS → MOUCHE

MUSCINÉES n. f. pl. est dérivé savamment (1855), à l'aide du suffixe *-inées*, du radical du latin *muscus* «mousse», terme issu d'un thème indoeuropéen confirmé par des représentants en lituanien, vieux russe et ancien haut allemand (le français ② *mousse* est lui-même issu d'un terme francique apparenté).

♦ Le mot, en classification botanique, recouvre un groupe de petites plantes vertes, sans racines ni vaisseaux, comprenant les mousses et les hépatiques.

MUSCLE n. m. est emprunté (1314) au latin *musculus*. Celui-ci, diminutif de *mus* «souris» (représenté dans *musaraigne**), signifie proprement «petite souris». Par le même type de développement sémantique que son correspondant grec *mus* «souris» (→ my-, myo-), que d'autres mots du même groupe indoeuropéen et que le latin *lacertus* (→ lézard), il a pris le sens anatomique avec lequel il est passé en français.

♦ *Muscle*, en dehors de cet emploi imposé par la médecine, est employé (surtout au pluriel) comme indice de la force physique (1695). ◇ De là, il est également pris au sens figuré de «force, vigueur» (1827), par exemple dans *avoir du muscle* (1874).

► En dehors de l'emprunt *musculeux* (ci-dessous), les dérivés du français sont relativement tardifs : MUSCLÉ, ÉE adj. (XVe s.) est le plus ancien, pour «qui a des muscles forts ou saillants» ; du sens figuré, «qui montre de la vigueur» (1803, du style), on passe à «autoritaire, énergique» en contexte politique (attesté pour la première fois en janvier 1957), souvent avec une nuance péjorative de violence d'État. ◆ MUSCLER v. tr., répertorié par le *dictionnaire de Trévoux* (1771) qui le dit inusité, est repris au sens de «développer les muscles» (1868, Littré) et par extension, depuis 1972, au sens de «renforcer». MUSCULAIRE, formé savamment (1698) sur le latin *musculus* avec le suffixe *-aire*, se dit à l'origine d'artères et de veines de muscles postérieurs du cou, des lombes et de la cuisse. ◇ Son sens moderne plus général, «qui se rapporte aux muscles», est attesté au XVIIIe s. (1765). Le mot entre au XIXe s. dans *système musculaire* (1805) et *sens musculaire* (1855). ◇ On en a tiré MUSCULAIREMENT adv. (1919) et un nom didactique peu employé, MUSCULARITÉ n. f. ◆ Toujours sur le latin *musculus*, ont été formés MUSCULATURE n. f. (1798) «ensemble des muscles» et MUSCULATION n. f. (1865), ce dernier d'abord pour «ensemble de la musculature», emploi disparu, puis (1922) «entraînement physique visant à développer la musculature». ◆ L'élément MUSCULO-, tiré du latin *musculus*, entre dans la formation de quelques adjectifs en anatomie, dont *musculo-cutané* et *musculo-membraneux* (1903).

MUSCULEUX, EUSE adj. est emprunté (1314) au dérivé latin *musculosus* «formé de muscles». Le mot, d'abord sous la forme *muscleux*, puis *musculeux* (1370), signifie «qui est de la nature des muscles», et il est en cela synonyme de *musculaire*. ◇ Au XVIe s., il prend un sens physiologique «où le tissu musculaire est abondant» (1576) et une valeur plus courante, «qui a des muscles très saillants» (1548, *muscleux* ; 1690, *musculeux*). L'adjectif fonctionne alors comme le synonyme à valeur intensive de *musclé*. ◇ Son dérivé MUSCULEUSEMENT adv. (XXe s.) est rare et d'usage littéraire.

◈ voir ② MOULE.

① **MUSE** n. f. est emprunté (XIIIe s.) au latin *Musa*, nom propre désignant l'une des neuf Muses, et nom commun *(musa)* de l'activité littéraire ou artistique, signifiant aussi «chant, poème». C'est un emprunt latinisé au grec *Mousa*, terme de mythologie généralement employé au pluriel pour désigner les Muses et servant d'appellatif avec le sens de «poésie, culture, musique». Les Muses, déesses des champs et des montagnes, font don aux hommes de l'inspiration poétique ainsi que de la connaissance ; elles sont filles de Mnêmosunê (Mnémosyne) et de Zeus ou, selon d'autres interprétations, d'Harmonia (→ harmonie), ou encore d'Ouranos et de Gê (le Ciel et la Terre). À partir de l'époque classique, en latin, leur nombre est fixé à neuf : Calliope (la poésie épique), Clio (l'histoire), Érato (la lyrique chorale), Euterpe (la flûte), Melpomène (la tragédie), Polymnie (la pantomime), Terpsichore (la poésie légère et la danse), Thalie (la comédie) et Uranie (l'astronomie) [→ uranium].

♦ Le mot a pénétré en français pour désigner ces neuf déesses chez les traducteurs de Boèce en ancien français et en ancien provençal (où l'on a *musa* au XIe s. et *la mias musas* «mes poésies»). ◇ À la Renaissance, le mot a pris par extension le sens de «belles lettres» (1548), spécialement «poésie» (1559, Du Bellay). L'ensemble de la poésie française a reçu l'appellation *les muses françaises* (1548) et l'inspiratrice d'une œuvre poétique celle de *muse* (1552), emplois marqués aujourd'hui comme archaïques ou plaisants, par exemple dans *taquiner la muse* «faire des vers». ◇ Au XVIIe s., *muse* s'est étendu à l'inspiration propre à chaque poète (1665, Boileau), souvent évoquée sous les traits d'une femme (au vocatif, avec un complément introduit par *de*, un possessif), emploi très vivant à l'époque romantique.

◈ voir ① MOSAÏQUE, MUSÉE, MUSIQUE.

② **MUSE** → MUSER

MUSEAU n. m. est dérivé avec le suffixe *-el* (*musel*, 1210), puis *-eau*, de l'ancien mot non attesté °*mus*, postulé par l'ancien gascon *mus* (XIIIe s.) «face, visage», le béarnais *mus* «museau, mine de mauvaise humeur», l'italien *muso* «museau» et des formes dialectales de l'Italie septentrionale. Ces différents types remontent au bas latin *musus*, *-us* (784), mot d'origine obscure pour lequel on a avancé l'hypothèse d'un étymon expressif (→ muser, hypothèse de P. Guiraud).

♦ *Museau*, employé proprement en parlant de la gueule et du nez d'un animal, s'est immédiatement dit familièrement, par mépris ou plaisanterie, à propos de la bouche et du visage d'un homme (1225). L'image est restée plus littéraire et moins marquée que celle de *gueule**. ◆ Par analogie, *museau* a pris quelques sens techniques au XVIIe s., désignant la partie antérieure d'un panneton de clef (1676) et aussi l'accoudoir d'une stalle, souvent sculpté en forme de mufle d'animal (1694).

► *Musel* a quelques dérivés dès l'ancien français. ◆ **MUSELIÈRE** n. f. (XIIIe s.), «dispositif pour tenir fermée la gueule d'un animal, spécialement d'un chien», a pris ultérieurement (1827) le sens figuré d'«entrave». ◆ **MUSELER** v. tr. (1389-1391), proprement «mettre une muselière à (un animal) pour l'empêcher de mordre», assume aussi un sens figuré «empêcher de parler, d'agir» dès 1740-1755. ◇ L'antonyme préfixé **DÉMUSELER** v. tr. est attesté pour la première fois sous la Révolution au sens figuré de «délivrer, déchaîner» (1791, *démuseler le peuple*, Mirabeau). Il a pris le sens propre d'«enlever une muselière» (1821). ◇ *Museler* a aussi servi à former **MUSELEUR** n. m. (1873, Corbière; repris 1941) et le nom d'action **MUSELLEMENT** (1848, *musèlement*), dont le sens propre (1863) semble postérieur au sens figuré. ◆ *Museau* est également à l'origine de deux mots techniques. ◇ Le premier, **MUSOIR** n. m. (1757) «pointe extrême d'un môle» et «tête d'écluse» (1828), pourrait aussi être dérivé de *muser*. ◇ Le second est relativement moderne : c'est le diminutif **MUSELET** n. m. (1903) qui sert à désigner l'armature métallique coiffant et maintenant le bouchon des bouteilles de champagne.

EMMUSELER v. tr., formé sur *musel* avec le préfixe *-en* et le suffixe verbal, a d'abord eu le sens de «voiler, masquer» (1230, *enmuselé*), attesté jusqu'au XVIe siècle. Son sens propre, «mettre une muselière à un animal» (1342), a vieilli sous la concurrence du simple *museler*.

◈ voir CAMUS, CORNEMUSE, MUSER, ① MUSETTE.

MUSÉE n. m. est l'adaptation (XIIIe s.) du latin *musaeum* «grotte, lieu consacré aux Muses», emprunt latinisé au grec *mouseion*, dérivé de *mousa* (→ muse), proprement «lieu consacré aux Muses», spécialement «temple des Muses sur le Parthénon», également «lieu où l'on s'adonne aux arts littéraires, académie», notamment, à l'époque hellénistique, en parlant de la bibliothèque d'Alexandrie.

♦ En français, *musée* est jusqu'au XVIIIe s. un terme d'antiquités qui désigne un collège, une académie où les Anciens cultivaient les arts, la poésie. Au XVIe s., on emploie aussi en ce sens le terme latin *musaeum*. À partir de 1721, le mot est employé également en se référant à la partie du palais royal d'Alexandrie consacrée aux Muses, dans laquelle Ptolémée Ier regroupe les savants et les artistes les plus célèbres. Par analogie, le mot prend à la même époque les sens, aujourd'hui disparus, de «cabinet d'un homme de lettres» et de «société savante dont les membres se réunissent dans un lieu particulier» (1733). Le sens de «lieu de conservation et d'étude de collections artistiques et scientifiques» est d'abord réservé à la forme latinisante **MUSÉUM** n. m. (1746), qui reste usuelle jusqu'à la fin du XVIIIe s., *musée* (1762) l'emportant progressivement. On relève en 1797 la dénomination *musée central des arts* à propos du Louvre : le projet de transformer les anciennes galeries et collections royales en musée est en effet l'œuvre de la Convention (1793) qui crée ce «musée» dans le Salon carré et la Grande Galerie. Le célèbre *Musée des monuments français* de Lenoir date de 1796. La première administration des musées, en France, fut créée par Napoléon Ier qui la confia à Vivant Denon (1801). À la même époque, l'Europe et les États-Unis connaissent une démarche analogue : au XVIIIe s. sont créés le musée du Belvédère à Vienne, le Prado à Madrid, le British Museum à Londres, l'Ermitage à Leningrad. Napoléon crée ensuite les musées municipaux (au nombre de trente en 1815). ◇ Quant au mot *muséum*, il s'est maintenu avec le sens spécialisé de «musée destiné à l'étude appliquée des arts ou des sciences» (1778, Condorcet), notamment pour le *Muséum d'histoire naturelle*, créé à Paris par Lakanal et Daubenton, amis de Buffon alors intendant au Jardin des plantes (créé en 1635). Par analogie, on emploie aujourd'hui la locution ***de musée*** (1893) au sens de «digne de figurer dans un musée».

► L'importance accrue de l'institution se marque par les dérivés. **MUSÉOGRAPHIE** n. f. est attesté depuis 1824, entraînant **MUSÉOGRAPHE** n. et **MUSÉOGRAPHIQUE** adj. (1840; *muséographic* avait été proposé en 1742), auxquels s'ajoutent **MUSÉOLOGIE** n. f. (1931) et **MUSÉOLOGIQUE** adj. (1950) correspondant aux termes employés dans les pays anglo-saxons. Cependant, la science que ces mots didactiques recouvrent est véritablement née au XVIIIe siècle : dès 1727, on relève le titre latin *museographia* pour un traité consacré à ce domaine par un marchand de Hambourg. ◆ Le terme **ÉCOMUSÉE** n. m., formé sur *éco-* (cf. *écologie*), a été créé au milieu du XXe s. (av. 1960) par G. H. Rivière pour un type de musée ethnographique présentant une collectivité dans son contexte.

◈ voir MUSIQUE, MOSAÏQUE.

MUSELER, MUSELIÈRE → MUSEAU

✱ **MUSER** v. intr., bien moins courant que son composé *amuser,* est dérivé (1160-1174) de l'ancien français non attesté °*mus* (→ museau) au moyen de la désinence verbale *-er.* P. Guiraud avance cependant l'hypothèse ingénieuse d'un latin °*musinari,* variante de °*muginari,* lui même dérivé de *mugire* (→ mugir), et qui serait passé en roman sous la forme °*musare.* Mais on peut aussi évoquer le dérivé verbal de °*mus* «museau», qui signifie au XIIe s. «flatter (qqn)» comme plus tard *amuser,* puis (XIIIe s.) «jouer de la *muse*» (→ cornemuse, ① musette). Le sémantisme du nom de l'instrument de musique apparenté à celui de *fol, fou* (l'instrument est un sac d'air gonflé) pourrait colorer divers emplois de *muser* et de ses dérivés.

♦ *Muser,* à partir d'un sens propre «rester le museau en l'air», a développé deux sens différents et également archaïques de nos jours : celui de «perdre son temps à des bagatelles, flâner» (passé à *musarder* et à *amuser*) et, dans *muser à,* celui de «réfléchir mûrement à, s'appliquer à» (passé en anglais dans *to muse* «réfléchir»), d'où «aspirer, prétendre à, chercher à» (à partir de 1174-1187). ◇ Au XVIe s., d'après l'idée de «perdre son temps» interprétée littéralement, il a signifié également «regretter une occasion perdue». ➜ Un sens technique encore vivant correspond, en cynégétique, à «entrer en rut, en parlant du cerf», d'après l'idée de «fréquenter, flâner avec la femelle» (1354-1376).

▸ Certains des dérivés du verbe ont décliné avec lui : c'est le cas de **MUSEUR** n. m. (1280, *museor*) «celui qui perd son temps, tarde, diffère», de **MUSERIE** n. f. «action de muser, baliverne» et de ② **MUSE** n. f. «attente, perte de temps» qui s'est conservé au sens cynégétique de «rut du cerf» (1561). ➜ **MUSARD, ARDE** n. et adj., d'abord relevé comme nom de personne (*Musard,* 1086) puis comme nom commun (1150, *musart*) au sens de «niais, sot», s'est mieux conservé. Il a aussi pris le sens de «paresseux» (av. 1480), «flâneur, oisif, qui passe sa vie à des riens» (1530; 1611, comme adjectif). ◇ Ses dérivés sont inégalement vivants : l'ancien *musardie* (1174-1187), encore bien attesté au XVIe s., a été supplanté par **MUSARDERIE** n. f. (1546) «caractère paresseux» puis «action de musarder» (1642), et ce dernier l'a été à son tour par **MUSARDISE** n. f. (1834) «caractère de musard» et «flânerie» (1840). ◇ Le dérivé le plus vivant, bien postérieur, est le verbe **MUSARDER** (1825-1827, comtesse de Ségur) qui a entraîné les adjectifs et noms **MUSARDEUR, EUSE** (1909) et **MUSARDIER, IÈRE** (1917).

Quant au préfixé **AMUSER** v. il est attesté dès 1167 en emploi transitif pour «repaître de vaines espérances», sens propre à l'ancien français. Le sens de «distraire d'une passion, d'une affection» (1580) est lui aussi archaïque. ◇ À la même époque, le verbe commence d'être employé à la forme pronominale (1516) avec le sens de «s'occuper à qqch. en perdant son temps», sous l'influence sémantique de *muser.* Par extension, il signifie «faire durer une chose sans arriver au fait, afin de faire perdre de vue le but de l'entreprise» (1664), sens réalisé familièrement dans ***amuser le tapis.*** Cette locution a pris par la suite le sens de «jouer petit en attendant la partie sérieuse» et a rejoint le sens dominant de «divertir» par sa valeur «divertir les autres». ◇ Au XVIIe s., *s'amuser à* signifie «s'arrêter à» (1606) et non pas encore «se divertir à» (1718). ➜ Cependant, c'est à la même époque qu'apparaît le sens moderne de «divertir», en construction transitive (1606, *amuser un enfant*) et pronominale (av. 1654), par une évolution analogue à celle de *divertir, distraire.* Par extension, *s'amuser de* signifie également «se moquer de qqn» (1759). Après cette évolution, et *muser* ayant vieilli, le rapport n'est plus ressenti entre les deux verbes et *amuser* devient autonome. ➜ Le sens ancien de «détourner» a laissé un témoin dans le sens technique en arboriculture (1767, *amuser la sève*). ➜ Parmi les dérivés d'*amuser,* les plus anciens présentent le même type de changement de sens. ➜ **AMUSEMENT** n. m. (1472, *admusement*) a d'abord signifié «retard, perte de temps» et «promesses trompeuses» (1497), sens disparu. Il correspond depuis le XVIe s. à «ce qui sert à passer le temps» (1580), puis (déb. XVIIIe s.) «ce qui distrait et réjouit». ◇ Depuis le XVIIe et jusqu'au XIXe s., il est spécialement entendu avec une signification galante, en parlant d'une aventure peu sérieuse (1691). ➜ **AMUSEUR, EUSE** n. (1545), initialement «personne qui retient l'attention par de fausses promesses», a pris son sens moderne avant 1695, puis a suivi le verbe dans son évolution. ➜ Ont suivi **AMUSOIRE** n. f. (1580), remplacé plus tard par **AMUSETTE** n. f. (1653) «petit passe-temps» et (1668) et aussi «jouet», **AMUSABLE** adj. (1770), rare. ➜ En revanche **AMUSANT, ANTE** adj., tiré du participe présent, attesté tard dans le XVIIe s. (1694), signifie non seulement «qui amuse, distrait», mais aussi «de nature à distraire plaisamment», de là (XVIIIe-XIXe s.) *physique amusante* à propos d'expériences plaisantes. ◇ Il se dit aussi des personnes et, depuis le XIXe s., prend la valeur passive de «qui distrait et plaît par des caractères propres», s'affaiblissant jusqu'à correspondre à «bizarre, saugrenu». ➜ Le participe passé **AMUSÉ, ÉE**, lui aussi adjectivé, avait produit **AMUSÉMENT** adv. (XVIe s., Montaigne) qui a vieilli. ➜ Le dérivé le plus récent, **AMUSE-GUEULE** n. m. (1946) «petit hors-d'œuvre», se laisse analyser au sens de «leurre pour tromper la faim». ◇ Certains restaurants soucieux de bien dire le remplacent par **AMUSE-BOUCHE** (1955 dans le *Larousse ménager,* répandu v. 1985).

◈ voir CAMUS, CORNEMUSE, ① MUSETTE.

① **MUSETTE** n. f., nom d'un instrument de musique à vent de la famille des cornemuses (→ cornemuse), est dérivé (av. 1259) de l'ancien français *muse,* déverbal de l'ancien verbe *muser,* attesté (av. 1120) au sens figuré de «flatter» puis avec le sens propre de «jouer de la muse» (1223). Ce verbe, peut-être le même mot que *muser**, est lui-même dérivé de °*mus* (→ museau), parce que le joueur de *muse* doit fortement gonfler ses joues pour tirer des sons de son instrument.

♦ *Musette* désigne d'abord un instrument à bourdon, dont la faible tessiture permet seulement de tirer une douzaine de notes. C'est au XVIIe s. qu'est créée la musette, pour laquelle de nombreux compositeurs écrivent pendant deux siècles : une cornemuse perfectionnée dont le soufflet remplace l'ancien «porte-vents», les anciens bourdons y étant réduits et enroulés. ◇ Par métonymie, le mot désigne aussi une composition musicale dans le style joué par l'instrument, donc de caractère pastoral (1765). Cette musique de rythme ternaire fournit à son tour le nom d'une danse en vogue au XVIIIe s. et prend place dans la suite instrumentale (Bach, Haendel, Couperin, Rameau). ◆ Enfin, on a donné le nom de ***bal musette*** (1893) ou *musette* aux bals populaires où l'on dansait au son de l'accordéon. Le mot est employé adjectivement pour qualifier les instruments *(accordéon, orchestre musette)* et le genre musical (le *genre musette, valse musette...*) liés à l'usage de l'accordéon dans les réjouissances populaires, typiquement parisien et en vogue dans la première moitié du XXe siècle. ◇ *Le musette* désigne le type de musique populaire correspondant. ◆ En dehors du domaine musical, le même mot est à l'origine du sens courant de «sac en toile (pour transporter des provisions)» (1812, contexte militaire), par analogie avec le sac en toile de l'instrument. Le mot, dans son contexte militaire, a suscité diverses locutions, comme ***avoir son bâton de maréchal dans sa musette*** et ***ce n'est pas dans une musette*** «c'est extraordinaire». Il a servi par extension à désigner le cartable des écoliers (1871), emploi disparu, et la mangeoire portable que l'on suspend au cou d'une bête de somme (1825).

② MUSETTE → MUSARAIGNE

MUSÉUM → MUSÉE

MUSIQUE n. f. est emprunté (1150) au latin *musica*, lui-même emprunté au grec *mousikê* (sous-entendu *tekhnê*), proprement «l'art ou technique des Muses», dérivé de *Mousa* (→ muse) car les Muses, sous la conduite d'Apollon, surnommé en grec *mousêgetês* «conducteur des muses», mot passé en latin puis, de là, en français dans **MUSAGÈTE** adj. (1552), intervenaient comme musiciennes dans les banquets des dieux et charmaient Zeus.

♦ *Musique*, «art de combiner les sons», est employé particulièrement pour désigner un genre, une forme technique de composition (XVe s.) dans des syntagmes comme *musique instrumentale* (XVe s.), *musique d'église* (1785) et, d'après l'italien, *musique de chambre* (1855) [cf. *chambre*]. ◇ À partir du XVIe s., le mot a pris divers sens métonymiques, dont certains ont vieilli : il a été ainsi appliqué au groupe de musiciens (1553) avant d'être évincé par *orchestre* (puis *formation, groupe*...); cependant, il reste des traces de ce sens dans l'expression ***en avant la musique !*** et dans l'emploi du mot pour désigner une fanfare militaire ou civile (1860). ◇ Le mot s'est aussi appliqué à l'interprétation d'une œuvre musicale (1636), avant d'être supplanté par *concert*. ◇ Son sens de «production de cet art, œuvre musicale» (1553) a disparu, mais demeure dans l'expression ***mettre en musique*** (1690). ◇ Une autre valeur, «notation écrite d'airs musicaux» (1669), se retrouve dans *note de musique* (1669) et *papier à musique* (1690). Ce dernier entre dans la locution ***être réglé comme du papier de musique*** (1690), à propos d'une chose puis (1694) d'une personne. La préposition *de* y a été remplacée au XIXe s. par *à*, par un retour au sens initial de «composition musicale». ◆ Quelques sens analogiques se sont développés également depuis le XVIe siècle : *musique* se dit de tout ce qui affecte l'oreille, de façon agréable ou, ironiquement, désagréable (1560-1565, *la musique d'un asne*). ◇ Il a des connotations nettement péjoratives dans ***c'est toujours la même musique*** et ***je connais la musique*** (1880). ◇ À la fin du XVIIIe s., il commence à se dire de l'harmonie du langage, d'un texte (av. 1778) puis, plus abstraitement, de celle des pensées, des rêveries (1800, Chateaubriand).

▸ **MUSICIEN, IENNE** adj. et n. (1370 ; v. 1350, *musecien*) désigne celui, celle qui s'adonne à la musique, et plus particulièrement un ou une instrumentiste (XVIIe s.). Dans l'usage classique, il se disait aussi d'un chanteur. ◇ Au XIXe s., il a pris le sens de «personne qui a des dispositions pour la musique» (1810), sens précédé par des emplois de l'adjectif (fin XVIIIe s., *avoir l'oreille musicienne*), et, par analogie, celui d'«artiste doué de musicalité» (av. 1850). ◆ Le dérivé **MUSIQUER** v. tr. (1392, au participe présent adjectivé, *instruments musicans*) ne s'est imposé ni pour «jouer de la musique, rendre un son (d'un instrument)», ni pour «mettre en musique» (av. 1574), «émettre d'une façon mélodieuse» (1857). Marqué au XIXe s. comme archaïsme littéraire, il est également d'usage régional (Ouest, Centre) au sens intransitif de «jouer de la musique».

L'adjectif usuel **MUSICAL, ALE, AUX** est emprunté (XVe s.) au latin médiéval *musicalis* relevé dans le domaine anglais (on note aussi l'adverbe *musicaliter*, 1267). Il existe en provençal dès 1350 *(muzical)*. ◇ Apparu en français avec le sens de «propre à l'art de la musique», «qui porte sur la musique», il a pris ultérieurement des valeurs caractérisantes, «qui a les qualités propres à la musique, harmonieux» (1508) et «qui a des dispositions pour la musique» (1700, *avoir l'oreille musicale*), empiétant sur le domaine de *musicien* pris adjectivement. ◇ On en a tiré **MUSICALEMENT** adv. (XVe s.) «de façon conforme aux règles de la musique» et (1837) «relativement à la musique» et, au XIXe s., le nom didactique **MUSICALITÉ** n. f. (1835) «qualité de ce qui est musical» en musique. ◇ Au XXe s. sont apparus **MUSICALISME** n. m. (1922), **MUSICALISTE** adj. et n. (1942), le verbe **MUSICALISER** (1906, *se musicaliser*) et son dérivé **MUSICALISATION** n. f. (1968), tous didactiques et rares.

Au XIXe et au XXe s. sont apparus des dérivés plus didactiques et des noms et adjectifs construits sur l'élément **MUSICO-** : après *musicomane* (1777) et *musicomanie* (1779) qui n'ont pas vécu (cf. *mélomane*), on relève **MUSICOGRAPHE** n. m. (1850 ; 1846, «instrument pour écrire de la musique»), **MUSICOGRAPHIE** n. f. (1907) et **MUSICOGRAPHIQUE** adj. (1907 ; 1843, «relatif à la notation musicale»), emplois archaïques. ◇ En revanche, **MUSICOLOGUE** n. (1889), **MUSICOLOGIE** n. f. (déb. XXe s.) et **MUSICOLOGIQUE** adj. (XXe s.) se sont imposés.

À la fin du XIXe et au XXe s. sont apparus quelques termes populaires et familiers : l'abréviation de *musique* avec réduplication enfantine en **ZIZIQUE** n. f. (XXe s.), par exemple dans *en avant la zizique,* le diminutif **MUSIQUETTE** n. f. (1798), et l'abréviation de *musicien* en **MUSICOT** n. (déb. XXe s., *musico,* d'abord en argot militaire).

MUSIC-HALL n. m. est emprunté (1862) à l'anglais *music hall.* Ce dernier, attesté chez Dickens en 1842, est composé de *music* (XIIIe s., du français *musique*) et de *hall* «salle» (→ hall); il signifie proprement «salle de musique». Il est entré dans le nom d'un cabaret londonien, le *Canterbury Music Hall,* qui eut l'idée de présenter sur une scène des chanteurs professionnels. Le terme est alors lancé et fera le tour du monde comme nom commun. ◆ En français, le mot est d'abord attesté dans un contexte américain, l'emprunt se faisant à partir de l'anglais des États-Unis, puis étant appliqué à une réalité française (1893, l'Olympia). Il succède à *café-chantant* et à *café-concert ;* les établissements ainsi désignés s'étaient répandus dans la seconde moitié du XIXe s., mais ils ne présentaient que des artistes en costume de ville et successivement. La Belle Époque est témoin des développements du genre appelé *music-hall,* avec la création du Ba-Ta-Clan, de la Gaîté (Bobino aujourd'hui), des Folies-Bergères et du Moulin-Rouge. Le mot a beaucoup vieilli avec l'évolution de la musique populaire après 1945.

MUSOIR → MUSEAU

MUSQUÉ → MUSC

MUSTANG n. m. est emprunté (1840) à l'anglo-américain *mustang* (1808) qui désigne un petit cheval à demi sauvage des pampas d'Amérique du Sud et des prairies d'Amérique du Nord. Ce mot est emprunté à l'espagnol, avec confusion entre *mestengo* (de nos jours *mesteño*) et *mostrenco,* deux mots désignant également des troupeaux sauvages ou libres. Le premier vient de *mesta,* représentant du latin *mixta,* participe passé féminin substantivé de *miscere* «mélanger» (→ mêler, mixte), qui recouvre une association de propriétaires chargée de prendre possession des animaux sauvages qui se mêlent aux troupeaux.

♦ Le mot a gardé le même sens que le mot américain ; par extension, il s'applique au poney des cow-boys d'Amérique du Nord.

MUSTÉLIDÉS n. m. pl. est formé savamment (1892), avec le suffixe *-idés,* sur le radical du latin *mustela* «belette, fouine», également nom d'un poisson (la lotte ?), terme sans étymologie claire. Le mot figure dès 1835 sous la forme *Mustelidae* en latin scientifique ; il a remplacé *mustélins,* enregistré en 1818 par le *Nouveau Dictionnaire d'histoire naturelle.*

♦ Ce terme de classification zoologique recouvre une famille de mammifères carnivores, au corps étroit et allongé, au nombre desquels sont la belette, le furet, le blaireau, la loutre, le putois, l'hermine.

MUSULMAN, ANE adj. et n., adapté sous la forme *Montssoliman* (1551), puis *mussulman* (1553) et *musulman* (1562), est emprunté directement ou par l'intermédiaire du turc *müslüman,* au persan *musulmān* ou *musliman* (n. m. pl.) «adeptes de la religion islamique». Lui-même est repris à l'arabe *muslim* de même sens, avec adjonction de la terminaison persane *-ān* marquant le pluriel des noms animés. L'arabe *muslim* (emprunté par l'anglais *Muslim, Moslem*) est le participe actif du verbe *aslama* «se confier, se soumettre, se résigner (à la volonté de Dieu)». Le nom d'action de ce verbe est *islām.*

♦ D'abord employé comme un substantif masculin pluriel, conformément à l'usage persan, le mot désigne puis qualifie (1660) un adepte de l'īslām. Il correspond aussi à la valeur déterminative de «relatif à l'īslām et à la communauté islamique» (1680, *troupes musulmanes*), en concurrence avec l'adjectif *islamique.* Le mot a peu à peu éliminé *mahométan.*

▸ La dérivation, négligeable par rapport à celle d'*islām,* ne compte guère que *musulmanisme* n. m. (1697), quasiment supplanté par *islamisme.* ◇ **MUSULMANIE** n. f. (1910, Péguy) fait figure de néologisme isolé.

MUTER v. tr. est emprunté (1481) au latin *mutare* «changer, échanger, modifier», qui, par évolution phonétique, a donné *muer**.

♦ Introduit avec le sens économique de «vendre», propre au moyen français, et qui correspond à l'idée d'échange du verbe latin, *muter* présente dès 1498 le sens de «changer, transformer». Cependant, il a subi la forte concurrence des verbes *changer, transformer* et *modifier* et s'est essentiellement maintenu avec trois valeurs spécialisées. L'une est réalisée au participe passé dans l'expression juridique *parcelles mutées* (1874) «parcelles qui ont subi un changement de propriétaire», d'ailleurs vieillie. L'autre, «changer d'affectation (un fonctionnaire, le titulaire d'un poste)» (1921), issue de *mutation* (ci-dessous), est le seul sens courant du mot aujourd'hui. ◇ Enfin, en relation avec une autre valeur de *mutation,* le verbe est employé en biologie (1909) comme intransitif pour «être le siège d'une mutation».

▸ **MUTATION** n. f. (v. 1278) est emprunté au latin *mutatio, -onis* «changement, altération», dérivé de *mutare.* Il s'est implanté plus tôt que le verbe et dans des domaines plus nombreux : au sens de «changement, transformation», il est employé spécialement en parlant d'un changement politique (1377, *mutacions de royaumes*). ◇ Attesté dès 1465 pour «changement de personne à la tête d'une institution, d'un territoire», il a pris et développé plus tôt que le verbe l'acception moderne de «changement d'affectation du titulaire d'un emploi» (1794). Parallèlement, *mutation* était entré dans la terminologie musicale (1598) et dans celle du droit fiscal pour désigner la transmission du droit de propriété d'un bien (1690). ◆ Dès 1766, le mot est employé en biologie par Buffon à propos du changement qui survient dans la physiologie d'une espèce ; mais il ne s'agit alors que d'un contexte particulier pour le sens général. ◇ En effet, la définition moderne du concept, «modification génétique brusque et permanente», est plus récente (1903) et vient de l'allemand par la théorie du botaniste hollandais De Vries (en allemand *Die Mutationstheorie,* t. I 1901). La notion est essentielle et a conduit à un réexamen du transformisme darwinien; Lamarck avait déjà employé *mutation* à propos des espèces animales (1801). ◆ Tous les dérivés de *mutation* se rapportent à ce sens : **MUTATIONNEL, ELLE** adj. «de la mutation», **MUTATIONNISME** n. m. et, avec changement de suffixe, **MUTATIF, IVE** adj., sont tous trois relevés en 1931 chez J. Rostand *(État présent du transformisme).* ◇ Pour *mutatif,* d'ailleurs abandonné, il s'agissait d'une recréation, le mot ayant existé en moyen français avec le sens de «changeant, inconstant, léger» (1493, éd.). ◇ **MUTATIONNISTE** n. et adj. (1921) a été fait sur l'anglais *mutationist* attesté dès 1904 à l'époque où l'interprétation des mutations entraîne une nouvelle théorie de l'évolution et déclenche les progrès de la génétique. ◇ Plus récemment sont apparus **MUTAGÈNE** adj. (1955) et **MUTAGENÈSE** n. f. (1965). ◆ Le participe présent de *muter,* **MUTANT, ANTE,** a été adjectivé (1909) puis substantivé (1931) vers la même époque dans le domaine des sciences de la vie, fournissant un correspondant à l'anglais *mutant* (1901, comme nom) et à l'allemand *mutante,* tous deux formés savamment sur le latin *mutans,* participe présent de *mutare.* ◇ *Mutant* a connu une fortune particulière dans la littérature de science-fiction, pour désigner des êtres supposés parahumains ou surhumains ou des espèces animales transformées spectaculairement.

L'ancien français a emprunté le nom d'état **MUTABILITÉ** n. f. (1175) au latin *mutabilitas* «aptitude à changer, inconstance», dérivé de *mutabilis* «changeant, variable», de *mutare.* Ce nom a évincé l'ancien doublet *muableté* (de l'adjectif *muable*) avant de prendre le sens général de «caractère de ce qui est sujet au changement, instabilité», qui est devenu archaïque. ◇ Il a été repris en biologie pour «aptitude à être l'objet de mutations» (1903, De Vries). ◆ De la même façon, **MUTABLE** adj. (1576; repris 1801) représente le latin *mutabilis;* il a évincé l'ancien doublet *muable* (1155) conservé dans son antonyme *immuable.* ◆ La locution adverbiale **MUTATIS MUTANDIS** (1633) est un latinisme qui signifie littéralement : «les choses ayant été changées *(mutatis)* qui devaient l'être *(mutandis)*».

◈ voir COMMUER, COMMUTATION, EMPRUNTER, IMMUABLE, MUER, MUTUEL, PERMUTER, REMUER, TRANSMUTATION (et TRANSMUER, TRANSMUTER).

MUTILER v. tr. est emprunté (1334) au latin *mutilare* «retrancher, couper (notamment un membre, une partie du corps)», «estropier (un mot)», «diminuer, amoindrir». Ce verbe se rattache à l'adjectif *mutilus* appliqué originellement à des animaux au sens d'«écorné» et, plus généralement, à des choses, des personnes pour «mutilé, tronqué» (au propre et au figuré). Cet adjectif est lié à la forme populaire °*muttiu,* représentée dans *émousser**, ④ *mousse** et, par l'italien, dans *mozarella**. ◇ Un rapprochement avec l'irlandais *molt* «bélier» fait supposer que le mot serait apparenté au celtique °*multo* (→ mouton). Il est également employé comme nom propre en latin comme en osque (dans les noms propres *Mutil, Muttilicis*).

♦ *Mutiler,* «retrancher un membre, une partie du corps», est moins employé à l'actif qu'au pronominal, *se mutiler* ayant pris la valeur spéciale de «se châtrer» (1680) et plus généralement de «s'estropier» (1823). ◇ Le sens figuré «dégrader (une œuvre d'art)» est attesté depuis 1559. ◆ Les valeurs abstraites du verbe sont plus tardives : «porter atteinte à (la vérité)» (av. 1702), «faire des retranchements dans (un texte)» (1765).

▸ Son participe passé **MUTILÉ, ÉE** est fréquemment adjectivé; à la fin du XIVe s. *mutilé des deux yeux,* «aveugle», correspond à «privé». L'adjectif s'est spécialisé au sens de «privé d'une partie extérieure du corps : membre, partie du visage»; c'est dans cette acception qu'il est substantivé (1845). Il a pris une valeur quasi administrative à propos de blessés et des blessures de guerre après 1914-1918 *(place réservée aux mutilés).* ◆ Le participe présent **MUTILANT, ANTE** est également employé comme adjectif en médecine (1845). ◆ **MUTILATEUR, TRICE** (av. 1525) est d'un usage plus littéraire pour «auteur de mutilations» et, au figuré, «de dégradations» (1874). ◆ **MUTILATION** n. f. (1340), qui a suivi la même évolution sémantique que le verbe, est emprunté au dérivé latin *mutilatio.* ◇ Il a pour préfixé **AUTOMUTILATION** n. f. (1902).

MUTIN, MUTINERIE → MEUTE

MUTISME n. m. est dérivé savamment (1741) du latin *mutus* (→ muet) avec le suffixe *-isme.*

♦ Anciennement employé pour désigner l'état d'une personne muette, il s'est restreint, dans l'usage moderne, à l'attitude d'une personne qui ne parle pas, s'impose le silence (1801), troquant la notion d'un empêchement physiologique en silence volontaire (deux notions qui coexistent chez *muet*), quitte à redonner une valeur pathologique à ce silence (1883).

▸ Depuis le début du XIXe s., l'incapacité physiologique de parler est appelée **MUTITÉ** n. f. (1803), formation savante à partir du latin *mutus* d'après *surdité* (le bas latin atteste *mutitas* au IXe s., mot employé en latin médiéval). ◇ On distingue **AUDIMUTITÉ** n. f. (1909) et **SURDI-MUTITÉ** n. f. (XXe s.). ◆ L'adjectif **MUTIQUE**, «qui garde le silence», «est affecté de mutisme pathologique», est récent (v. 1970) et très didactique.

MUTUEL, ELLE adj. est un dérivé savant (1329), à l'aide du suffixe *-el,* du latin *mutuus* «réciproque, qui s'échange», dérivé de *mutare* «changer, échanger» (→ muer, muter).

♦ *Mutuel,* «réciproque entre deux ou plusieurs personnes» et «entre deux ou plusieurs choses», est employé spécialement dans les domaines du droit et (XIXe s.) de l'enseignement; on parle d'*enseignement mutuel* (1827) et, par ellipse d'*(école) mutuelle,* de **MUTUELLE** n. f., sorti d'usage (1841). ◇ Au

XIXe s. apparaît également l'expression *assurance mutuelle* (1829), d'où une autre valeur pour *mutuelle* n. f. (1868). Le nom de *mutuelle* est appliqué aussi à une société de secours mutuel (1845-1846) et à une société d'aide coopérative (1931).

▸ En moyen français *mutuel* a produit **MUTUELLEMENT** adv. (1495), usuel pour «réciproquement», et **MUTUALITÉ** n. f. Ce dernier, attesté une fois en 1599 au sens de «caractère de ce qui est mutuel», a été repris en 1784, entrant dans le vocabulaire du droit social (1829), pour désigner un système de solidarité à base d'entraide mutuelle et, collectivement, l'ensemble des associations de secours mutuel (1907). ◆ D'autres dérivés apparaissent au XIXe s., contemporains du développement des organisations ouvrières : **MUTUELLISME** n. m. (1828), d'abord employé pour l'association d'entraide des tisseurs de soie lyonnais, est un terme de doctrine politique qui s'applique au système économique et social de Proudhon. ◇ **MUTUELLISTE** n. et adj. (1828) s'est d'abord dit, en relation avec *mutuellisme*, d'un membre d'une société d'entraide lyonnaise, aussi comme adjectif (1835, *ouvrier mutuelliste*), et au sens de «relatif à la doctrine du mutuellisme». ◆ Le couple *mutuellisme-mutuelliste* tend à être supplanté par les dérivés savants **MUTUALISME** n. m. (1840) et **MUTUALISTE** (1824, n. ; 1907, adj.). Dans un tout autre contexte, *mutualisme* se dit en biologie (1890) de l'association de deux animaux ou de deux végétaux.

MUTULE → MOELLON

MYCO, MYCÉT(O)- est un élément tiré du grec *mukês* et de son génitif *mukêtos* «champignon», d'où «excroissance sur des arbres», «excroissance purulente sur une blessure» en médecine, «mouchure d'une mèche de lampe». Ce mot est probablement dérivé d'un substantif comparable au latin *mucus* (→ mucus).

♦ L'élément est productif dans les domaines de la médecine et de la botanique.

▸ En botanique, il a servi à former **MYCOLOGIE** n. f. (1831), d'après le latin scientifique *mycologia* (1922), pour dénommer la partie de la botanique qui traite des champignons, antérieurement appelée **MYCÉTOLOGIE** n. f. (1783). ◇ Le mot a produit **MYCOLOGIQUE** adj. (1840) et **MYCOLOGUE** n. (1840), ce dernier l'emportant sur **MYCOLOGISTE** (1840) et **MYCÉTOLOGUE** (1841). ◆ En médecine, le composé le plus important et le plus répandu est **MYCOSE** n. f. (1832) désignant l'affection parasitaire causée par des champignons microscopiques dans l'organisme. ◇ De là **MYCOSIQUE** adj. (1896) et une dizaine de composés (noms féminins) en **-MYCOSE** (médecine, médecine vétérinaire) où le premier élément indique l'organe affecté (**ONYCHOMYCOSE** «mycose des ongles» ; **PHARYNGOMYCOSE** «mycose du pharynx») ou bien la forme du symptôme (**BOTRYOMYCOSE** «mycose granulomateuse, en forme de grappe de raisin»).

MYÉL(O)- est l'élément tiré du grec *muelos* «moelle». Ce mot, également employé figurément (à propos d'une nourriture excellente et au sens de «vigueur»), est propre au grec et a éliminé l'ancien nom indoeuropéen ; son origine est inconnue malgré un rapprochement hypothétique avec *muôn* «muscle» (→ myo-).

♦ L'élément entre dans la construction de termes savants, notamment dans le domaine de la médecine où il indique une relation avec la moelle épinière ou osseuse.

▸ Les termes de pathologie sont les plus nombreux, avec **MYÉLITE** n. f. (1831), mot recouvrant toute inflammation de la moelle, **MYÉLÉMIE** n. f., **MYÉLOCYTOSE** n. f., **MYÉLOME** n. m., **MYÉLOPATHIE** n. f., **MYÉLOSE** n. f., **MYÉLOSARCOME** n. m. Dans ce domaine, l'élément terminal **-MYÉLITE** sert lui-même à former des noms d'affections inflammatoires de la moelle épinière, dont *poliomyélite**.

MYGALE n. f. est l'adaptation tardive (1802, Latreille) du latin *mygale* «musaraigne» (cf. *musaraigne*), lui-même emprunté au grec *mugaleê* de même sens. Ce dernier est formé de *mus* «souris» (→ myo-, myosotis) et de *galeê*, mot désignant divers petits animaux (belette, martre, etc.) que l'on rapproche du latin *glis* «loir», ce dernier étant apparenté au sanskrit *giri-*, *girikā* «souris».

♦ La mygale doit probablement son nom, outre le fait que cette grande araignée velue peut évoquer un petit mammifère, au fait qu'elle habite dans un terrier comme nombre de petits rongeurs.

MYO- est un élément formant tiré du grec *mus, muos* pris avec son sens métaphorique de «muscle». *Mus* signifie proprement «souris, mulot» (et non «rat», car cet animal fait son apparition en Europe plus tard). Le mot grec vient d'une racine indoeuropéenne de même sens °*mūs-*, également représentée dans le latin *mus*, non conservée en français (cf. *souris*), sauf dans *musaraigne**, mais vivante dans l'anglais *mouse* «souris». Par analogie de forme, *mus* a pris le sens de «moule» (également pris par le diminutif *musculus* ; → ② moule) et celui de «muscle» (→ muscle) d'après la forme et le mouvement des muscles du bras : outre le latin, ce dernier développement se retrouve dans l'ancien haut allemand *mūs*, le sanskrit *mūṣ-*, l'arménien *mukn*, le vieux slave *myšica* «bras».

♦ *Myo-* entre en français dans la formation de termes d'anatomie et de médecine ayant un rapport sémantique avec «muscle».

▸ La plupart des composés sont apparus après 1850. ◆ Le plus ancien, **MYOGRAPHIE** n. f., est relevé en 1750 au sens de «description des muscles d'un animal» ; il est précédé par l'anglais *myography* (1721), antérieurement en latin scientifique *miographia* (1681-1684). ◆ Parmi les plus courants, **MYOCARDE** n. m. (1877, Littré, *Supplément*, certainement antérieur ; cf. *myocardie*), «tissu musculaire du cœur», est formé avec l'élément *-carde* pour le grec *-kardios*, de *kardia* «cœur» (→ cardiaque). ◇ Il a pour dérivé **MYOCARDIE** n. f. (1855). ◆ **MYOPATHIE** n. f. (1884) «maladie du système musculaire» est formé de *myo-* avec l'élément *-pa-*

*thie** «maladie», peut-être d'après l'anglais *myopathy* (1849) ou du latin scientifique *myopathia* (1856).

MYOPE adj. et n. est emprunté (1578) au bas latin *myops, -opis* «qui a la vue basse», du grec *muôps, -ôpos.* Ce mot signifie proprement «qui ferme à demi les yeux» : il est formé de *ôps* «œil» (→ optique) et de *muein* «se fermer», notamment employé en parlant des yeux. Ce verbe se rattache à l'important groupe de mots ayant trait aux cultes à mystères (→ mystagogue, mystère, mystique) et vient probablement de l'onomatopée *mu* (→ meugler, mugir), généralement appliquée à une bouche fermée (→ mot, muet) et qui aurait suivi ici un développement sémantique particulier.

♦ En français, on relève dès 1552 le moyen français *myope* (Rabelais) pour désigner par métonymie un serpent à la vue courte. ◇ *Myope* comme adjectif, pour «qui a la vue basse», est attesté peu après (1578), aussi substantivé. Il est aussi employé au sens figuré de «qui manque de perspicacité» (1753).

▸ Le nom correspondant, **MYOPIE** n. f. (1721 ; peut-être dès 1650), est soit dérivé de *myope*, soit directement emprunté au grec *muôpia* «courte vue», de *muôps*. Il évoque aussi, au figuré, l'étroitesse de vue (1801).

MYOSOTIS n. m. est emprunté (1546, Rabelais) au latin *myosota, myosotis,* emprunt au grec *muosôton* (ou *muosôtis*) de même sens. Ce dernier signifie proprement «oreille de souris», en raison de la forme des feuilles de la plante (également dénommée *oreille de souris* en français, 1823). Il est formé de *muos,* génitif de *mus* «souris» (→ mygale, myo-; ② moule, musaraigne, muscle), et de *ôton,* pour *ôta,* pluriel de *ous, ôtos* «oreille» (→ otite).

♦ En français, le mot, d'abord relevé sous la forme *myosote,* acquiert sa forme actuelle au milieu du XVIe s. (1562; dès 1545, comme citation du grec). Il désigne la plante, sa fleur et la couleur de celle-ci.

MYRIA-, élément formant, est tiré du grec *murias, muriados* «nombre de dix mille, très grand nombre», dérivé de l'adjectif *murios* «innombrable, immense», essentiellement au pluriel *murioi,* spécialement (avec un accent marquant la nuance) au sens numérique de «dix mille». Il s'agit d'une création du grec (parce qu'il n'y a pas de nom unique pour le nombre 10 000 en indoeuropéen), sur l'origine de laquelle l'hypothèse la plus plausible fait état d'un mot expressif signifiant «vaste comme les flots de la mer».

♦ *Myria-* est peu productif en français; il entre dans la construction de quelques noms désignant des unités de mesure valant dix mille fois l'unité de base désignée par le second élément *(myrialitre, myriagramme);* ces noms ne semblent pas avoir eu un usage réel. ◇ Rarement, il exprime une valeur non numérale (dans *myrionyme* adj. «qui a un très grand nombre de noms», il est abrégé en *myri-*).

▸ Quant au nom plus courant **MYRIADE** n. f., il est emprunté (1525) au grec *muriades* «nombre de dix mille» et «nombre infini», pluriel de *murias* (le bas latin atteste *myriades* aux mêmes sens, aux IIIe-IVe s.). ➔ *Myriade* signifie à la fois «dix mille» en se référant au système numérique antique et, couramment, «un très grand nombre (de)» (1557).

MYRMIDON, MIRMIDON n. m. est emprunté (v. 1165) au latin *Myrmidones,* lui-même emprunté au grec *Murmidones* n. m. pl., nom d'un peuple de Thessalie dont Achille était le chef (au singulier *Murmidôn*). L'étymologie populaire a rapproché ce mot de *murmêx* «fourmi», en l'expliquant par plusieurs légendes : selon l'une, ce peuple devrait son nom à la métamorphose de fourmis en humains (Ovide, *Métamorphoses,* VII, 654) : Éaque, roi d'Égine, voyant son royaume dévasté par la peste, obtint de son père Zeus que les fourmis soient changées en hommes. Une autre légende invoque le fait que les Myrmidons creusaient la terre et vivaient dans des abris souterrains à la façon des fourmis. Enfin, Servius, dans son *Commentaire de Virgile* (IV, 402), raconte qu'une jeune Athénienne du nom de *Myrmex* s'était fait passer pour avoir inventé la charrue et qu'Athéna, créatrice de l'outil, la transforma en fourmi pour la punir; plus tard, Zeus la retransforma en être humain ainsi que tout le peuple des fourmis.

♦ Les attestations du mot en ancien français se réfèrent au peuple des Myrmidons (*Mirmidoneis,* v. 1165-1464). *Myrmidon* est repris au XVIe s. avec son sens figuré de «personne de petite taille» (1586) par allusion aux légendes rapprochant les Éginètes et les fourmis. L'idée de petitesse donne fréquemment lieu à la valeur morale de «peu de force, de crédit, ridicule» (1665). Le mot est un archaïsme littéraire ou plaisant.

MYROBOLAN → MIROBOLANT

MYRRHE n. f. est un emprunt ancien (v. 980, *mirra;* 1080, *mirre*) au latin *murra, myrr(h)a* «arbrisseau d'où provient une gomme résine aromatique», employé par métonymie pour désigner cette gomme odorante. C'est un emprunt au grec *murra* (remplacé par *smurnê* chez Hérodote, d'où le grec moderne *smurna* «myrrhe» et le latin *smyrna*). *Murra* est lui-même emprunté à un terme de racine *mrr* «être amer» attestée dans toutes les langues sémitiques anciennes (hébreu *mōr*).

♦ Le mot désigne à la fois la gomme aromatique et l'arbrisseau qui la produit. Dans la liturgie chrétienne, il est associé à l'encens, notamment dans la légende des Rois mages.

MYRTE n. m. est emprunté (1256) au latin de même sens *myrtus, murtus,* ancien emprunt latinisé au grec *murtos.* Celui-ci, proprement «myrte, branche de myrte», désigne également le clitoris; il est à la source de nombreux dérivés (en botanique, médecine, alimentation) et de plusieurs noms de lieux et de personnes (dont *Murto*). On a voulu y voir un emprunt au sémitique sur la base d'une vague ressemblance avec *murra* (→ myrrhe) qui est lui-même d'origine sémitique, mais l'existence de *Mursilos* à Lesbos, de *Mursilis* en hittite fait supposer que ce groupe de mots viendrait d'Asie Mineure.

♦ *Myrte* désigne à la fois l'arbuste et, dans l'usage littéraire, son feuillage; il est employé comme symbole de l'amour (1552, Ronsard, *Amours*) par allusion au fait que les Anciens consacraient l'arbuste à Vénus. Au XVIe s., il est attesté sous de très nombreuses formes (*myrtre, meurte* et même *meurtre, murte*, et au féminin, *mirthe*) et on relève des adjectifs dérivés : *myrthin, myrté, myrteux*, prisés par les poètes de la Pléiade (Ronsard, Belleau, Baïf). Furetière (1690) décrit le myrte comme un arbrisseau «fort estimé des curieux» et évoque son usage en parfumerie, en médecine et, anciennement en cuisine, dans la confection des sauces. Jusqu'au XVIIIe s., il a occupé une place de choix dans les pharmacopées, notamment méridionales.

▸ *Myrte* a donné le poétique **MYRTAIE** n. f. (1640), «plantation, bois de myrtes», et l'adjectif **MYRTIFORME** (1721; 1704, *mirtiforme*), spécialement employé en anatomie (1845, n. m.) pour un muscle qui a la forme lancéolée des feuilles de myrtes. ➛ Il a aussi produit **MYRTACÉ, ÉE** adj. (1832), au féminin pluriel **MYRTACÉES** comme nom de la famille des plantes (1834), du latin des botanistes (le latin attestait un adjectif *myrtaceus* «de myrte»).

MYRTILLE n. f. est emprunté (1256) au latin médiéval *myrtillus*, diminutif du latin *myrtus* (voir ci-dessus *myrte*). En français, le mot est d'abord écrit *mertille* puis *mirtille* (XIIIe s.), *mirtil* et enfin *myrtille* (1565); il est souvent employé dans des traités de médecine du XIIIe au XVe s., en raison des propriétés attribuées aux baies de myrtille. Le même mot désigne l'arbrisseau et le fruit, ce dernier également nommé *brimbelle* (Est) et *luce* (Bretagne). cf. *airelle*; le *bleuet* canadien est une autre variété.

◈ voir MORTADELLE.

MYRTILLE → MYRTE

MYSTAGOGUE

MYSTAGOGUE n. m. est emprunté (1564, comme nom féminin) au latin *mystagogus*, lui-même emprunté au grec *mustagôgos* «celui qui initie aux mystères sacrés», formé de *mustês* «initié», qui a été emprunté par le français *myste* n. m. (1543, traduction de Plutarque) [→ mystère]. Le second élément est *-agôgos*, de *agein* «conduire» (→ pédagogue).

♦ *Mystagogue* a été emprunté comme terme d'antiquités religieuses pour «prêtre chargé d'initier aux mystères sacrés». Il est aussi employé (1861) pour désigner celui qui tente d'expliquer les choses mystérieuses, parfois avec une valeur péjorative (1874). Le mot est didactique.

◈ voir MYOPE, MYSTÈRE, MYSTIQUE.

MYSTÈRE

MYSTÈRE n. m. est emprunté (1174-1184) au latin *mysterium* «cérémonies en l'honneur d'une divinité accessible aux seuls initiés», d'où «chose tenue cachée, secrète». Le mot latin est un emprunt au grec *mustêrion*, terme désignant un culte à initiation, parfois secret, qui se rattache à l'important groupe des dérivés de *muein* «se fermer» (→ myope) ayant trait aux cultes secrets, notamment celui de Déméter à Éleusis (→ mystagogue, mystique). *Mustêrion* désigne dans la littérature chrétienne les mystères de cette foi.

♦ En ancien français, *mystère* a d'abord des significations religieuses, prises au latin et au grec chrétiens : il exprime le caractère profond, la vertu inhérente d'une chose (1174-1184), un secret dans le domaine de la foi chrétienne (1240). ◇ Le sacrifice de la messe est appelé *le Saint Mystère* (XIIIe s.) et l'office lui-même *mystère* (XIIIe s.). Ce dernier sens, comme les autres acceptions médiévales de «service» et «cérémonie, festin d'apparat» (av. 1453) ou «métier (demandant une initiation)» (1334) et, par métonymie, «ouvrage fait avec art», témoigne d'une confusion en latin médiéval entre *mysterium* et *ministerium* (→ métier, ministère) et d'un jeu d'influences sémantiques réciproques. ➛ L'emploi du mot pour le genre dramatique médiéval d'inspiration religieuse qui mettait en scène la Nativité, la Passion, la Résurrection et des scènes de la vie des saints (1405) procède également de *ministerium;* cette influence explique la graphie didactique *mistère* destinée à distinguer le représentant de *ministerium* de celui de *mysterium-mustêrion.* ➛ Par extension du sens initial, *mystère* a servi à nommer ce qu'il y a d'inexplicable pour la raison humaine (1452), dans un contexte religieux puis plus général. ◇ Au XVe s., il est repris d'après le latin et le grec comme terme d'antiquités religieuses. Puis se développe, dans le domaine profane, le sens de «chose obscure, secrète, réservée à des initiés» (1643) et celui de «soin que l'on prend pour dissimuler qqch.» (1656-1657). La locution ***faire mystère de qqch.*** (1551) «attacher de l'importance à» prend au XVIIe s. la valeur de «cacher avec soin» (parfois ironiquement, 1690), qu'elle a conservée; en langue classique, elle a eu aussi le sens de «faire des difficultés à (dire une chose)» (1672). ➛ Récemment, le mot a servi de nom de marque pour un avion de combat supersonique (1965). ◇ Enfin, *mystère* désigne un dessert glacé (dont le centre est caché) [1970, marque déposée].

▸ **MYSTÉRIEUX, EUSE** adj. (av. 1475) est attesté indirectement par son dérivé **MYSTÉRIEUSEMENT** adv. (1461); il a d'abord ses sens usuels laïcs et c'est seulement au XVIIe s. que s'y ajoute celui de «relatif aux mystères religieux» (1675, Bossuet). ◇ L'adjectif est quelquefois substantivé au masculin avec une valeur de neutre (1803, Chateaubriand).

MYSTIFIER

MYSTIFIER v. tr. est dérivé plaisamment (1764; 1760, au participe passé) du grec *mustês* «initié aux mystères» (→ mystagogue, mystère, mystique) avec le suffixe *-ifier* (→ faire).

♦ L'introduction du mot s'est faite dans les sociétés plaisantes du XVIIIe s. où l'on pratiquait des initiations burlesques aux dépens de personnes crédules. Le sens en est «tromper (qqn) en abusant de sa crédulité pour s'amuser»; l'usage actuel le prend généralement avec la valeur de «tromper collectivement, sur un plan intellectuel, moral» (1831, Balzac).

▸ Il a donné plusieurs dérivés aux XVIIIe et XIXe siècles. ➛ **MYSTIFICATION** n. f. (1768), «action visant à tromper qqn pour rire à ses dépens» et «chose vaine et trompeuse» (1832), a pris la même

nuance de «tromperie collective d'ordre intellectuel, moral» que le verbe (1845). ◆ Il a été suivi par **MYSTIFICATEUR, TRICE** (1770, n.; 1858, adj.) et par les adjectifs **MYSTIFIANT, ANTE** (1845; à nouveau v. 1950) et **MYSTIFIABLE** adj. (1845).
La série antonymique **DÉMYSTIFIER** v. tr. (1948, Sartre), **DÉMYSTIFICATION** n. f. (1945), **DÉMYSTIFICATEUR, TRICE** n. et adj., **DÉMYSTIFIANT, ANTE** adj. et **DÉMYSTIFIABLE** adj. (tous attestés apr. 1950) s'est développée dans un contexte idéologique postmarxiste, *mystifier* et ses dérivés étant passés de l'idée de «tromperie plaisante et individuelle» à celle de «tromperie collective consciente» puis à celle d'«aliénation idéologique», par confusion partielle entre *dé-mystifier* et *mythe (dé-mythifier).*

MYSTIQUE adj. et n. est emprunté (1380) au latin *mysticus* «relatif aux mystères», très vivant dans la langue des auteurs chrétiens, et lui-même emprunté au grec *mustikos,* proprement «qui concerne les mystères» d'où «caché, secret», dérivé de *mustês* «initié», parfois francisé en **MYSTE** n. m. dans l'usage didactique (→ myope, mystagogue, mystère).

♦ *Mystique* est d'abord attesté comme adjectif au sens de «relatif aux mystères», spécialement en parlant des mystères de la foi, dans un contexte chrétien. Il entre dans *corps mystique* (1480, écrit *mistique*) qui désigne le Christ et l'Église. ◆ Son sens courant, «qui a trait à l'expérience directe de Dieu», est apparu plus tard (1704), d'après les sens pris au XVIIe s. par les noms qu'on en a tirés : le féminin, ***la mystique***, désigne la connaissance, l'étude du mysticisme (1601), le masculin, ***le mystique,*** l'ensemble des pratiques du mysticisme (1689). ◇ *Un, une mystique* désigne la personne se livrant au mysticisme (1690). ◆ Au XIXe s., est apparu, par extension, dans le contexte romantique, le sens laïc de «qui montre une passion extrême dans la défense de ses idéaux» (1850, Nerval dans *Illuminés et Illuminisme*). Depuis 1910 (Péguy), *la mystique* recouvre tout sentiment exalté et absolu centré sur une représentation privilégiée quasi mythique. ◆ Quelques emplois sporadiques ont pris le sens grec dans le cadre des mystères dionysiaques (v. 1585) et le sens général de «secret» (en droit dans *testament mystique,* 1759).

▶ Le mot n'a guère produit que **MYSTIQUEMENT** adv. (1470) et **MYSTICITÉ** n. f. (1718), ce dernier supplanté par l'autre nom savant **MYSTICISME** n. m. (1804, B. Constant) qui a tous ses sens, religieux et laïcs (dans le domaine de la philosophie, de l'art, de l'idéologie) avant 1850.

MYTHE n. m. est emprunté tardivement (1803) au bas latin *mythos* «fable, récit fabuleux», emprunt au grec *muthos,* qui signifie d'abord «suite de paroles qui ont un sens» d'où «discours, propos», souvent associé à *epos* qui désigne le mot, la parole (→ épique, épopée). *Muthos* désigne aussi le contenu des paroles, l'avis, la pensée, mais il tend à se spécialiser au sens de «fiction, mythe, sujet d'une tragédie». Le passage sémantique, qui conduit de l'idée de «paroles dont le sens importe» à celle d'«histoire inventée, récit», est réalisé par ses nombreux composés. Le mot est d'origine obscure : on pense à un terme populaire et expressif issu de l'onomatopée *mu* (celle du latin *mutus, muttum* qui ont donné *muet* et *mot*), mais le sens, dès les plus anciens textes, ne correspond pas à cette hypothèse.

♦ Le mot a été emprunté en français, longtemps après l'adjectif *mythique,* avec sa valeur de «fable, récit imaginaire de la mythologie», concurrençant *fable**; il désigne en particulier l'expression d'une idée, d'un enseignement sous une forme allégorique (1840). ◇ Au XIXe s., il se dit également d'une représentation idéalisée d'un état passé de l'humanité (1874), d'un homme ou d'une idée. Il prend aussi les sens de «construction de l'esprit sans relation avec la réalité» (av. 1865) et d'«image simplifiée, souvent illusoire», dans un contexte sociologique (av. 1865). Le mythe est conçu comme jouant un rôle déterminant dans le comportement, l'appréciation des choses, d'un individu ou d'une collectivité. L'importance de son étude en histoire des religions et en anthropologie est allée croissante au XIXe s., puis au XXe s. jusqu'au structuralisme (Lévi-Strauss).

▶ L'adjectif correspondant, **MYTHIQUE**, est emprunté bien antérieurement (1570) au latin *mythicus* «relatif à la fable, fabuleux». D'abord employé dans un contexte religieux *(théologie mythique),* il acquiert au XIXe s. des sens dérivés de *mythe* : «qui appartient à un mythe, se fonde sur un mythe» (1831) en tirant, par extension, la valeur caractérisante de «fabuleux». ◆ En sont dérivés **MYTHIQUEMENT** adv., **MYTHISME** n. m. (1834) «science des mythes» et «abus des explications mythiques» (1840). ◇ Une autre série de mots procède du dérivé verbal **MYTHIFIER** v. tr. (v. 1929), «transformer en mythe»; ce dernier a produit un préfixé antonyme, **DÉMYTHIFIER** v. tr. (1959) dont on a tiré **DÉMYTHIFICATION** n. f. (1961), **DÉMYTHIFIANT, ANTE** adj. (1963), **DÉMYTHIFICATEUR, TRICE** n., cette série étant parfois en concurrence avec *démystifier* et ses dérivés, mal interprétés (→ mystifier).
L'élément **MYTHO-**, tiré du grec *muthos,* fournit le premier terme de quelques mots didactiques. ◆ **MYTHOGRAPHE** n. est directement repris au grec *muthographos* «qui écrit des récits fabuleux», mais il a pris son sens moderne (1838) en relation avec **MYTHOGRAPHIE** n. f. (1845-1846) «description des fables» et, depuis 1874, «étude des contes, science qui étudie et explique les mythes». ◆ Au XXe s., on a formé **MYTHOMANE** adj. et n., avec *-mane* (→ manie), et **MYTHOMANIE** n. f. (1905 tous les deux) en pathologie puis dans l'usage courant, d'où **MYTHOMANIAQUE** adj. (1911) sur le principe de *maniaque.*

◈ voir MYTHOLOGIE, STICHOMYTHIE.

MYTHOLOGIE n. f. est emprunté (1403) au bas latin *mythologiae* n. f. pl. «mythes, mythologie», titre d'un ouvrage de Fulgence (fin Ve s.). Le mot est emprunté au grec *mutholologia* «histoire ou étude des choses fabuleuses», «récit fabuleux», «conte», formé de *muthos* (→ mythe) et *-logia* (→ -logie).

♦ En français, *mythologie* désigne d'abord collectivement l'ensemble des ouvrages racontant des légendes héroïques ou divines, spécialement et couramment en parlant de l'antiquité gréco-romaine. La valeur didactique d'«explication des fables» est répertoriée en 1694, avant que le mot ne prenne au XIXe s. les sens d'«étude scientifique des mythes» et de «système des mythes propres à une civilisation».
▶ **MYTHOLOGISER** v. tr. (1580) en a été tiré sur le modèle du bas latin *mythologizare*. Il est sorti d'usage. ◆ **MYTHOLOGIQUE** adj. est emprunté (1480) au latin *mythologicus*, employé dans une variante du titre de l'ouvrage de Fulgence, *Mythologicae*, lui-même emprunté au grec *muthologikos* «habile à composer des fables». ◇ Le mot signifie «qui traite de mythologie» *(poètes mythologiques)*, puis «qui se rapporte, qui appartient à la mythologie» (1694) et, par extension, «fabuleux, extraordinaire, inventé» (1866, Baudelaire). Dans cet emploi, il est concurrencé par *mythique*. ◇ L'adjectif a pris avec *mythologie* une valeur scientifique. Il est substantivé dans *Mythologiques*, titre d'une série d'ouvrages de Claude Lévi-Strauss. ◇ On en a dérivé **MYTHOLOGIQUEMENT** adv. (1611; repris 1845). ◆ **MYTHOLOGUE** n. (1740; 1546, *mythologe*) est emprunté au grec *mutholologos* «qui compose des fables». ◇ D'abord employé pour désigner l'auteur d'un récit mythique, il est réservé, dans l'usage moderne, à celui qui l'étudie. Il a aussi une valeur spéciale, désignant un historien des religions qui considère un récit, une suite d'événements comme un mythe (par exemple à propos de la Bible, des Évangiles). ◆ **MYTHOLOGISME** n. m. est le dernier apparu (1823) au sens de «système de pensée qui utilise la mythologie».

◈ voir STICHOMYTHIE.

MYTILI-, élément, est tiré du latin *mytilus*, grec *mytilos* «coquillage, moule», pour former des composés savants tels **MYTILICULTURE** n. f. (1890) et **MYTILICULTEUR, TRICE** n. (v. 1903) qui ont trait à l'élevage des moules.

N

NA interj., attesté pour la première fois en 1826, est une onomatopée du langage enfantin.

♦ L'interjection sert à renforcer une affirmation ou une négation (souvent avec une valeur d'insistance coléreuse). Quelquefois, elle s'emploie pour exprimer une application insistante, pour inviter à l'attention, à la patience (avec une valeur proche de *allons !, là, là !*). ◇ Répétée plusieurs fois, elle remplace les paroles de l'air qu'on fredonne (1923). Elle semble avoir quelque peu vieilli dans l'usage moderne.

NABAB n. m. est emprunté d'abord sous la forme *nauabo* (1614), puis par le canal du portugais *nababo*, à l'hindoustani *nawwāb, nabāb* «vice-roi, gouverneur». Ce mot est emprunté à l'arabe *nuwwāb*, pluriel de *nā'ib* «lieutenant, vice-roi», proprement «remplaçant, représentant», participe actif de *nāba* «prendre la place de (qqn), remplacer, représenter». Il n'est pas rare que l'hindoustani ait emprunté des pluriels arabes et en ait fait des singuliers, comme ici.

♦ En français, *nabab* (1653) est employé pour désigner le titre donné en Inde musulmane aux grands officiers des sultans et gouverneurs des provinces. Au XVIIIe s., il s'est dit également d'un Européen qui avait fait fortune aux Indes (1777) et, de là, a pris au XIXe s. le sens de «personnage fastueux et très riche» (1836), emploi popularisé par le roman d'A. Daudet *Le Nabab* (1877). Ces deux derniers sens sont des emprunts à l'anglais *nabob* (1764) qui existait depuis 1612 sous la forme *nawbab* «grand officier en Inde musulmane».

▸ De *nabab*, est dérivé **NABABIE** n. f. (1765) «territoire gouverné par un nabab» (dans une traduction de l'anglais) et «dignité de nabab» (1778). Il est sorti d'usage.

NABI n. m. est emprunté (1853, Renan) à l'hébreu *nābī'* «prophète, homme inspiré par Dieu».

♦ C'est avec le pluriel francisé *nabis* (le pluriel hébreu est *n^ebī'īm*) que le mot est devenu, à la fin de 1888, le nom d'un groupe d'artistes désireux de régénérer la peinture comme les prophètes avaient régénéré Israël. Le terme a été révélé à Paul Sérusier, Maurice Denis, Pierre Bonnard, Édouard Vuillard, etc. par leur ami Auguste Cazalis, au moment où Paul Sérusier, subjugué par sa rencontre avec Gauguin, avait décidé d'annoncer au monde ce qui était à ses yeux le nouvel évangile de la peinture. Le groupe, de 1888 à 1900, rechercha la sacralité de l'œuvre d'art, puisant son inspiration dans les vitraux du moyen âge, les estampes japonaises et l'œuvre de Gauguin. Les nabis ouvraient la voie à ce qu'on appellera un peu plus tard le fauvisme (→ fauve).

▸ Le mouvement pictural des nabis reçut le nom de **NABISME** n. m. (1954).

NABOT, OTE n. est probablement la forme dénasalisée (1549 au masculin ; 1611, *nabote* au féminin) de *nain bot*, d'où *nimbot* (1549), *nambot* (1597), composé de *nain** et de *bot**. L'ancien français atteste quelques rares emplois de *bot* pour des objets, des êtres de petite taille (1170). Régionalement, on relève aussi *bota* (liégeois) «petite femme», *boté* (vaudois) «petit bout d'homme», et *botaso* (vaudois, fribourgeois) «enfant de petite taille».

♦ Le mot désigne péjorativement une personne de très petite taille et mal conformée.

NACELLE n. f. est issu (1050, *nacele*) du bas latin *navicella*, altéré en *naucella* «petit bateau», diminutif de *navis* «bateau» (→ nef).

♦ En français, le sens premier, «petite embarcation à rames», a vieilli au XVIIIe s. pour se réserver à l'usage poétique. À partir du XIVe s., sont apparus plusieurs sens analogiques : en architecture, *nacelle* désigne une moulure creuse en forme de demi-ovale (1409-1411 ; 1321, par le dérivé ancien *nachelé* «à moulure concave») ; il s'est dit de différents récipients en forme de navire (1512, par le dérivé *nasselier*, avec la graphie *-ss-* en usage jusqu'au XVIe s.), vase à boire et vase à encens, et désigne de nos jours un petit récipient utilisé en chimie pour chauffer une substance. ◇ Le mot a ensuite été repris pour désigner un mollusque gastéropode (1757). ◆ Depuis 1783, il est employé en aéronautique et désigne la partie suspendue en forme de panier ou de coque de navire d'un ballon pathologieaérostatique (*nacelle aérostatique*, dès 1784). ◆ Enfin, il est entré dans le vocabulaire de l'ameublement avec l'expression *lit en nacelle* (1813), elliptiquement *nacelle*.

NACRE n. f. est emprunté (1347) à l'italien *naccaro, naccara, nacchara, nacchera* qui désigne à la fois un instrument à percussion (XIVe s.) et la matière blanche à reflets irisés qui se forme dans certains coquillages (1295, latin médiéval *naccara*). C'est un emprunt à l'arabe *naqqāra* «petit tambour» (d'où directement, l'ancien français *nacaire*, 1276) qui a dû désigner par la suite une sorte de cor de chasse. C'est par analogie de forme que le mot a pris le sens de «coquillage en forme de corne», à Minorque et sur les côtes de Catalogne. Par métonymie, il a désigné la matière blanche tapissant ce coquillage.

♦ Après la forme *nacrum* en latin médiéval, on relève en France *nacle de perles* (1389), puis *nacre de perles* (1538), *de perle* (1561) et, absolument, *nacre*. Le mot désigne à la fois la matière et le coquillage. ◇ Par analogie, le mot est employé avec la valeur de «reflet semblable à celui de la nacre» dans le style littéraire (1866).

▶ **NACRÉ, ÉE** adj., le plus ancien dérivé (1667), signifie «qui renferme de la nacre», puis plus couramment «qui a l'éclat de la nacre» (1734). ◇ Le mot est substantivé au masculin pour désigner un papillon diurne aux ailes couvertes de taches argentées (1803). ◆ Au XIXe s. sont apparus l'adjectif poétique **NACREUX, EUSE** (1871, Rimbaud), l'adjectif technique **NACRIER, IÈRE** (1855, *ouvrier nacrier*) qui signifie également «qui se rapporte à la nacre» (1903), et aussi **NACRER** v. tr. (1846), **NACRURE** n. f. (1876), et **NACROCULTURE** n. f. (1874). Seul *nacré* est usuel.

NADIR n. m. est emprunté (1366) à l'arabe *naẓīr, našr*, «opposé, vis-à-vis», pris par ellipse de *naẓīr aš-šams* «opposé au soleil» (→ zénith). Le latin médiéval atteste *nadir* dès 1233 et l'italien *nadir* (av. 1350).

♦ Le mot est un terme d'astronomie désignant le point de la sphère céleste opposée au zénith.

▶ On en a tiré l'adjectif **NADIRAL, ALE, AUX** «relatif au nadir» (1868), d'usage rare et didactique.

NAEVUS, plur. **NAEVUS** ou **NAEVI** n. m. est un emprunt (1611) au latin *naevus* «tache sur le corps, envie, verrue», mot dont l'étymologie reste inconnue.

♦ À la différence de l'italien où le représentant du mot latin *(neo)* est très vivant, le français a eu du mal à acclimater le terme : après une forme francisée *nève* restée isolée au sens de «tache de rousseur, grain de beauté», on a réintroduit *maternus naevus* «tache naturelle sur la peau» (1819), puis *naevus* (1836). Le mot s'est implanté avec les progrès de la dermatologie, synonyme didactique de *grain de beauté*.

▶ **NAEVIEN, IENNE** adj. (1897) qualifie ce qui se rapporte à un naevus (quelquefois concurrencé par *naevique*). ◇ *Naevus* entre sous la forme de l'élément **NAEVO-** dans le terme de pathologie **NAEVO-CANCER** ou **NAEVOCARCINOME** n. m. (1914, *Revue gén. des sc.*) pour un cancer de la peau souvent développé au niveau d'un naevus.

NAGER v. est issu par évolution phonétique (1080) du latin *navigare* «naviguer, voyager sur mer» (qui a donné l'emprunt *naviguer**).

♦ *Nager* a d'abord le même sens que le latin et s'emploie également en construction transitive au sens de «conduire un bateau» (1150). Cependant, dès la fin du XIIe s., il prend son sens moderne, «se déplacer dans l'eau par des mouvements appropriés (personnes)», avec lequel il concurrence et évince l'ancien français *nöer* «nager» (1160-1174), encore largement employé au XVIe s. au propre et au figuré et lui-même issu du bas latin °*notare*, forme dissimilée du latin classique *natare* «nager» (→ natation). ◇ En ancien français, l'éviction de *nöer* par *nager* serait due à la collision homonymique du premier avec l'ancien *nöer*, issu du latin *nodare* et forme primitive de *nouer*. La proximité formelle avec *noyer*, sémantiquement gênante, est aussi à envisager. La nouvelle signification de *nager* a rendu difficile son emploi au sens premier de «voyager sur mer» et rendu nécessaire l'emprunt de *naviguer*. Toutefois, la langue moderne conserve plusieurs traces de ce sens dans des locutions antérieures au XVIIe s., comme ***nager entre deux eaux*** (av. 1370) «refuser de s'engager», toujours en usage mais qui n'est plus comprise, *nager en plus grande eau* (1588) «jouir d'une situation importante», aujourd'hui mal interprétée. ◇ En outre, dans l'usage des marins, *nager* signifie encore «ramer». ◆ *Nager*, avec son sens moderne usuel, est employé depuis le XVIe s. à propos des choses au sens de «flotter sur un liquide» (1530), et «baigner, tremper dans un liquide» (1532). Au XVIIe s., ce sens s'est étendu aux êtres humains dans les expressions du type ***nager dans son sang*** (1671), le mot commençant aussi à être pris au figuré au sens d'«être au large dans ses habits» (1680). ◆ C'est le sens figuré de «se maintenir, se déplacer sans couler» qui est réalisé dans la locution populaire ***savoir nager*** (1914), mais c'est celui de «ne pas se débrouiller», peut-être par l'idée de «ne pas arriver, ne pas sortir de l'eau», qui l'est dans l'emploi populaire et familier de *nager* (1916), à l'instar de *ramer*.

▶ **NAGE** n. f. (1155), le déverbal de *nager*, a perdu son sens initial d'«action de ramer», sauf en marine, pour celui d'«action de se mouvoir dans l'eau par des mouvements coordonnés» (1480). ◇ La locution courante ***à la nage*** a été précédée par la forme archaïque *a nage* (XIIIe s.) au sens ancien de «en ramant, en navigant». Celle-ci avait aussi le sens figuré de «en sueur» (1556), encore vivante dans la langue classique, avant d'être remplacée par ***en nage*** (1690). Le mot, s'il n'empiète pas sur *natation* (réservé à la technique et au sport), désigne en particulier une manière de nager (1908, date de l'institution de la première épreuve de *nage libre* aux jeux Olympiques de Londres). Outre de tels syntagmes, le vocabulaire de la nage est riche (cf. *brasse, crawl,* etc.). ◆ **NAGEUR, EUSE** n. et adj. a lui aussi perdu son sens premier de «rameur» (1174-1187), «navigateur» (1200), pour le sens moderne de «personne qui sait nager» (1350). Le féminin *nageuse* (1690) est une réfection de l'ancien *nageresse* (XVe s.). ◇ Le mot est employé adjectivement au sens de «conformé pour la nage, propre à la nage» (1768, en parlant d'un animal) et, ultérieurement, substantivé au sens technique de «flotteur», en brasserie (1876). ◆ En moyen français, apparaît **NAGEOIRE** n. f. (1458, *nagouere*) exprimant d'abord l'idée de «ce qui permet de nager» par son sens ancien de «piscine». ◇ L'acception moderne, «appendice membraneux grâce auquel se meuvent les poissons», est attesté depuis 1555. ◇ Par analogie de forme avec cet appendice, *nageoire* a reçu le sens technique de «couvercle de bois flottant sur des seaux pleins» (1765) et les valeurs métaphoriques populaires de «longs favoris» (Balzac donne la date de 1799 pour cette mode), «mains» (1842) et «bras» (1852). ◆ Depuis 1668, on emploie **NAGÉE** n. f., substantivation du participe passé féminin de *nager,* pour désigner l'espace parcouru en nageant et, réactivant le sens premier, un petit déplacement à la rame. Mais ce mot est aujourd'hui rare. ◆ Quant au participe présent **NAGEANT, ANTE,** adjectivé au sens de «qui a l'habitude de nager» (v. 1580), il est employé spécialement en héraldique (1765) et dans la description de végétaux qui se maintiennent sur l'eau (1803). ◆ Au XIXe s., on a créé le diminutif verbal **NAGEOTER** v. intr. (1868), d'usage familier et généralement dépréciatif.

Le composé **SURNAGER** v. intr. (1378) est la réfection de l'ancien *sornoer* (XIIIe s.), de *sor, sur* et *noer.* ◇ Pendant longtemps, il s'est également employé en construction transitive, dans *surnager un liquide* (encore fin XVIIIe s.). ◇ Son sens figuré, «se maintenir en surface», est attesté à partir du début du XVIIe s.. (av. 1622).

NAGUÈRE adv. est la contraction (1376, *nagaires*) de *n'a guaire* (1165), forme elle-même réduite de *il n'y a guères* «il n'y a pas longtemps, récemment» (→ guère). La forme non soudée *n'a gueres* était encore très vivante au XVIe s., notamment dans les locutions adverbiales composées *puis n'a gueres* et *depuis n'a gueres* (même sens).

♦ L'orthographe *naguères* a vieilli. Furetière s'interrogeait déjà sur le vieillissement du mot, mais il est encore vivant au XXe s. dans l'usage soutenu. La distinction entre *jadis* et *naguère,* autrefois bien sentie (cf. le recueil de Verlaine), tend cependant à s'estomper.

NAÏADE n. f. est emprunté comme terme de mythologie (1491, *nayade*) au latin *naias, naiadis,* pris au grec *naias, naiados* «divinité des cours d'eau». Le mot est dérivé de *naein* «couler» (en particulier pour l'eau, les sources), d'origine obscure.

♦ *Naïade,* en dehors de la mythologie, est employé par extension au sens de «baigneuse» (1768), dans un usage littéraire ou plaisant. ◇ Depuis 1803, le mot désigne spécialement une plante aquatique croissant dans les eaux douces de l'Europe centrale.

► Le terme de botanique **NAÏADACÉES** n. f. pl. (1903), antérieurement *naïadées* (1834, Jourdan), recouvre plus de cent espèces largement dispersées sur toute la surface du globe.

NAÏF, IVE adj. et n. est issu par évolution phonétique (v. 1120) du latin *nativus,* dérivé du supin de *nasci* (→ naître), «qui a une naissance, un commencement», d'où «reçu en naissant, inné, naturel»; *nativus* a été emprunté par le français (→ natif).

♦ Dans l'usage ancien et jusqu'au XVIIe s., *naïf* a une pluralité de sens que l'usage moderne a perdue : dès les premières attestations, il signifie «autochtone, indigène», comme nom et, suivi de la préposition *de,* comme adjectif; *natif* a pris cette valeur. ◇ Dès 1150, l'adjectif a aussi le sens de «disposé naturellement» en parlant d'une chose de la nature (roc, montagne); il prend en outre les valeurs caractérisantes de «ferme, solide» (1160, *roche naïve*), et aussi «non altéré, brut» (1200) : on appelle alors *naïf* un drap dont la chaîne et la trame sont unies, un diamant que l'on qualifierait aujourd'hui de *brut.* ◆ L'adjectif correspond aussi à «inné, naturel» et s'applique à un être humain, spécialement dans *fol naïs* (1165) «véritable fou, fou de naissance»; il est sorti d'usage dans ce sens. Depuis le XVIe s., *naïf* exprime particulièrement l'idée de «vrai, sincère, ressemblant» avec une connotation favorable : il est employé dans le langage des beaux-arts avec le sens de «qui imite, rend le naturel» (1549), dans la locution *au naïf* (1565), synonyme de *au naturel;* appliqué à un caractère humain, il a la valeur morale de «sans détour, authentique» (1607). Ces valeurs ont vieilli au XIXe s. ◆ C'est au XVIIe s. que l'adjectif acquiert la nuance moderne et péjorative de «trop ingénu, qui manque de perspicacité» (1642), sens qui se rattache aux origines par l'idée de «manque d'expérience», voire de «niaiserie» (cf. *niais*) qui était déjà en germe dans certains emplois du XIIIe s., par exemple dans *dame naïve* «sotte», mais elle semble s'être répandue au XVIIe s., particulièrement dans la description des comportements rustiques et campagnards par les écrivains de la Cour et de la ville. ◇ Cette acception n'a pas évincé le sens de «naturel, sans apprêt», conservé notamment dans les arts, élevé au rang de genre (1845, *le naïf*), puis appliqué à un courant d'art populaire et spontané pratiqué fin XIXe-déb. XXe s. par des peintres autodidactes dont le plus célèbre est le «Douanier» Rousseau.

► L'adverbe **NAÏVEMENT** (1180) a été remplacé par *naturellement* avec son sens premier de «d'une manière originelle, native». ◇ Dans l'usage moderne, il signifie à la fois «exactement, fidèlement» (1543), «sans détour, avec candeur» (1610) et, avec une nuance péjorative, «avec une ingénuité niaise» (1694). ◆ Le nom correspondant, **NAÏVETÉ** n. f. (1240-1280), d'abord employé au sens de «vérité, caractère de ce qui est naturel», a pris le sens de «simplicité, pureté» (1579), «caractère d'une personne franche, sans artifice» (1615) et enfin «simplicité un peu niaise» (1680). ◇ Depuis 1680, le nom est employé particulièrement *(une, des naïvetés)* pour des actes, des paroles.

NAIN, NAINE adj. et n. est issu (1170) du latin *nanus,* au féminin *nana* «homme, femme de très petite taille», emprunt au grec *nanos, nannos* de même sens, mot expressif (peut-être emprunté) qui désignait aussi un gâteau à l'huile et au fromage. En latin, où il a concurrencé puis évincé *pumilio,* il est relevé pour la première fois au sens de «vase grotesque» (probablement en forme de nain); il se disait aussi de mulets et de chevaux nains. Le mot passait pour vulgaire.

♦ *Nain* désigne une personne de très petite taille, homme ou femme; le féminin est attesté au XIIIe s. (également sous la forme *nine,* fin XIIIe s.). De bonne heure, le substantif est adjectivé avec un sens figuré dépréciatif, «de peu de valeur, de peu de considération» (1210). Dès le XIIIe s., cet adjectif est employé pour qualifier un végétal (v. 1278, *cèdre nain*). Le nom a pris le sens moral de «personne de peu d'envergure» (XVIIIe s.). ◇ Le nom du jeu, ***nain jaune,*** de ce qu'un nain jaune était figuré sur le carton du jeu, est attesté depuis 1838. ◇ Le sens initial concernait tout être humain de taille très inférieure à la moyenne et spécialement une conformation pathologique; mais le concept médical précis s'est dégagé au XVIIIe et surtout au XIXe s. (où il est précisé avec l'apparition du dérivé *nanisme,* ci-dessous). Récemment, le mot, considéré comme dépréciatif, a été dénoncé par les intéressés, qui préfèrent être nommés *personnes de petite taille.* ◇ À côté des êtres humains, *nain* sert à désigner des personnages mythiques, notamment issus des croyances germaniques et celtes, souvent liés à la garde des trésors souterrains et aux mines (→ nickel). ◇ L'expression ***nain de jardin,*** calque de l'allemand, désigne des représentations traditionnelles de nains de contes, pour orner les jardins. ◇ Très récemment (v. 1990), *nain* est devenu un adjectif dépréciatif voisin de *nul* et, comme terme insultant, de *bouffon.*

▸ Sur la forme latine, on a fait **NANISME** n. m. (1834, dict. de Jourdan). ➡ Quelques noms sont formés savamment sur le premier élément **NANO-** (du grec *nanos*) en pathologie et en physique : **NANOCÉPHALIE** n. f. (1868), **NANOMÉLIE** n. f. (1868), **NANOPLANCTON** n. m. (v. 1970), **NANOSECONDE** n. f. (1968).

◈ voir NABOT.

NAÎTRE v. intr. est issu (v. 980) du latin tardif *nascere* «naître» et au figuré «prendre son origine». C'est une forme postérieure du verbe classique déponent *nasci,* de *°gnasci,* qui repose sur une base *°gna-* apparentée, bien que cette origine ne soit plus sentie en latin même, à la racine indoeuropéenne *°gen(e-), °gne-* «engendrer» et «naître», largement représentée dans les langues congénères, sauf en slave et en balte. En latin, la base *°gen-* apparaît dans un important groupe de mots bien représenté en français (→ engendrer, engin, générer, génie, géniteur, genre, gens, germe, ingénu, etc.). Cette base exprime surtout la descendance, en particulier la descendance authentique, la parenté reconnue, puis un groupe social fondé sur la parenté. Les mots issus de la forme *°gna-* de cette racine (→ naïf, noël, nature, natif, natal, nation, prégnant, imprégner) expriment plutôt le fait de la naissance. Le participe passé correspondant à *nascere* est *natus* (antérieurement *°gnatus*), «né»; il est adjectivé au sens d'«âgé de» (suivi d'un nom de nombre et d'un nom de mesure du temps comme *annus, mensis, dies, hora,* à l'accusatif) et signifie aussi «né pour, désigné pour» (avec la préposition *ad*). *Natus* est substantivé au sens de «fils», au féminin *nata* «fille» et au pluriel *nati* «les enfants» (par rapport aux *parentes* «les parents»). Cependant, ces mots, d'une forte valeur affective (par exemple dans *gnate mi* «enfants nés de moi», au vocatif), sont bannis de la prose classique. Enfin, à basse époque, *natus* désigne un être humain, une personne.

♦ En français, *nestre, naistre* puis *naître* signifie d'abord «venir au monde, en parlant d'un humain» (au participe passé *nez, nés*), et s'oppose à *mourir.* Il a la plupart de ses sens et valeurs actuels dès l'ancien français : il est employé dans l'expression *nez de, naz de* avec un attribut indiquant les conditions de la naissance, les dispositions innées (1170), l'origine géographique (fin XIIe s., *nés de France*), la condition sociale (fin XIIIe s., *bien née*). Il est employé également en parlant d'un animal (1160) et d'un végétal (1180-1200). ➡ Dès le XIIe s., il a aussi le sens figuré de «surgir, apparaître», en parlant d'un objet (1174-1187), de l'aube (1180), d'un sentiment (1176-1181), puis également d'un fleuve pour «prendre sa source» (1265), et en médecine des manifestations d'une maladie (XIVe s.).

▸ **NAISSANCE** n. f. (déb. XIIe s.) est dérivé de *naître* d'après le latin *nascentia* «nativité», de *nasci* «naître». ➡ Les sens chronologiquement premiers sont ceux d'«origine, extraction d'un homme», employé au XVIIe s. absolument pour une illustre origine (*la naissance,* 1651), et de «venue au monde», réalisée dans l'expression ***prendre naissance*** (1165). ◇ Dès 1200, *naissance* est employé également avec le sens figuré de «moment où apparaît, où commence qqch.», «début, origine». Ce sens succède de peu à la valeur correspondante du verbe *naître.* ◇ Parmi ses emplois abstraits et concrets, *naissance* est employé spécialement en bâtiment, à propos de la base d'une construction (1561), et dans *naissance de la gorge,* d'abord à propos d'un oiseau (1770-1783). ◇ L'expression figurée ***seconde naissance*** vient du langage religieux (1670), où elle est employée en parlant du baptême. ➡ Le terme technique **NAISSAIN** n. m. (1863) désigne les embryons des huîtres et des moules d'élevage. ➡ *Naître* a aussi produit récemment **NAISSEUR, EUSE** n. et adj. (1936), qui s'applique à un éleveur choisissant particulièrement les reproducteurs pour un animal déterminé. ➡ Ses participes présent (**NAISSANT, ANTE**) et passé (**NÉ, NÉE**) sont employés comme adjectifs avec toutes ses valeurs, propres et figurée, *né* entrant en particulier dans les adjectifs et noms composés **MORT-NÉ** (v. 1283, *morné*), **PREMIER-NÉ** (XIIIe s.), **NOUVEAU-NÉ** (1225), **DERNIER-NÉ** (1691). ◇ En outre, depuis le XVIe s., *né* se construit après un adjectif, pour «depuis sa naissance», par exemple dans *aveugle né* (1580) et au figuré *esclave né* (1667).

◈ voir **AÎNÉ, INNÉ, PUÎNÉ, RENAÎTRE** (et **RENAISSANCE**), et aussi les mots apparentés issus du grec : **-GÈNE, GÉNÉALOGIE, GENÈSE, GÉNÉTIQUE, -GONIE.**

NAJA n. m. est, dans sa première attestation connue (1525), écrit *nagha*, variante éphémère de *naja* transmise par les traductions de récits de voyage. Le mot est emprunté à un dérivé de l'hindi *nag* «serpent». Il a été repris au XVIIIe s. sous sa forme actuelle *naja* (1734), prise au latin des zoologistes *naia* (1693) ou *naja* (1712). Ce mot a été emprunté par les savants hollandais du XVIIe s. à un parler – indoeuropéen, et non dravidien – de Ceylan : on relève *noya* en 1693 dans la *Relation ou Voyage de l'isle de Ceylan* de R. Knox.

♦ Le mot désigne un serpent très venimeux originaire d'Asie et d'Afrique tropicales, aussi appelé *cobra.*

NANA n. f. semble correspondre au diminutif du prénom *Anne* ou *Anna*, pris comme nom commun (1949). Il a été popularisé par l'héroïne du roman d'É. Zola *Nana* (1879) et appuyé par l'existence du radical onomatopéique *nann-* que l'on a dans *néné**, *nénette** et *nanan**.

♦ D'abord argotique au sens de «femme, concubine d'un souteneur», *nana* est devenu d'usage familier et très répandu au sens général de «femme, fille» (1952), notamment en opposition avec *mec* «homme; garçon». Ce mot, au moins dans l'usage oral, est aujourd'hui neutre, à peine familier. Il s'emploie encore pour «femme, amie (d'un homme)».

NANAN n. m., mot d'usage familier, est issu (1640) d'un radical onomatopéique *nann-*, qui appartient essentiellement au langage enfantin, ou *nam-*, à l'origine de nombreux termes dialectaux.

♦ On relève d'abord le mot avec une majuscule dans *du Nanan... de la viande*, puis comme nom commun (1649-1650) signifiant «friandise». Par suite, il est employé dans l'expression familière *c'est du nanan* (1727) «c'est très bon», et absolument avec le sens figuré de «chose délicieuse, régal» (1835). ◇ Au Canada, on emploie la forme *nanane* (n. m.) au sens de «friandise» et au sens figuré de «délice, chose recherchée».

NANAR ou **NANARD** n. m., mot du langage argotique puis familier, est issu (1900), par redoublement de la seconde syllabe, de l'argot *panard* «vieillard» (1847), dérivé de *panet* «chiffon, loque», dérivé de *pan**.

♦ *Nanar* exprime une idée de «vieillerie sans valeur»; il est spécialement employé dans l'argot du commerce, dans l'argot du cinéma (d'un mauvais film archaïque) et dans l'argot de l'automobile (d'un vieux moteur).

NANDOU n. m. est emprunté (1817, chez Cuvier), par le canal de l'espagnol d'Amérique *nandú*, variante de *ñandú* (1745), au tupi et guarani de même sens *nandú*. Au XVIIe s., on relève la forme *yandou* (1614) dans l'*Histoire de la mission des Pères Capucins en l'isle de Maragnan*, directement reprise au guarani *ñandú* (notation espagnole), variante de *nandú.*

♦ Le mot désigne un grand oiseau coureur d'Amérique du Sud de la famille des Ratites, plus petit que l'autruche.

NANKIN n. m. est l'emploi comme nom commun (1760) du nom propre *Nankin* «ville de Chine où cette étoffe en coton a d'abord été fabriquée». L'anglais a parallèlement *nankeen*, d'abord *nankein*, depuis 1755.

♦ Cette étoffe étant généralement de couleur jaune, le mot est quelquefois employé en apposition au sens de «jaune clair» (1845).

NANTIR v. tr. est originellement un terme juridique, dérivé (1255) de l'ancien français *nant* «gage, caution», répertorié dans les dictionnaires jusqu'au XVIIIe s., et refait sur le pluriel *nans* de la forme primitive *nam* (1150), empruntée à l'ancien nordique *nam* «prise de possession». Celui-ci est dérivé du verbe *nema* «prendre», lequel a des correspondants dans les autres langues germaniques. Sa racine pourrait être la même que celle du grec *nemein* «faire une attribution régulière de» (→ -nome).

♦ Le mot signifie d'abord «saisir (les garants)» dans l'expression *nantir les pleges*, et «déposer (les lettres) auprès de qqn», dans *nantir les lettres* (1283). ◇ À la fin du XVe s., il prend le sens de «mettre (un créancier) en possession d'un gage pour sûreté de sa dette» (1495). ◇ Le pronominal *se nantir de* «se munir de, s'octroyer» (1694), aujourd'hui archaïque, précède le sens transitif de «munir, octroyer» (1823). ◇ Le verbe est moins courant que son participe passé adjectivé **NANTI, IE** (1495), surtout employé au sens large de «riche» (1785), y compris comme nom (1922).

▸ **NANTISSEMENT** n. m., nom d'action, a été dérivé avec l'acception d'«objet consigné» (1283) et a pris le sens d'«action de munir ou de se munir d'un gage» (1418). Il n'est guère employé, de nos jours, qu'en droit civil, pour le contrat par lequel le débiteur remet au créancier la possession d'un bien pour sûreté de sa dette.

NAOS n. m. est emprunté (1567) au grec *naos* «lieu où réside un dieu».

♦ Le mot désigne la partie centrale, close, d'un temple grec, où se trouvait la statue divine.

▸ **PRONAOS** n. m., emprunt au grec par le latin (1683), s'applique au portique placé devant le naos.

NAPALM n. m. est l'emprunt (v. 1945) de l'anglo-américain *napalm*, mot-valise composé (1942) de l'anglais *Na*, symbole chimique du sodium dans *naphtenate*, la première syllabe étant celle de *natron* «carbonate naturel de sodium cristallisé», correspondant au français *natron* (1665), et de *palm*, première partie de *palmitate* «sel ou ester de l'acide palmitique, substance grasse qui est l'un des constituants de l'huile de palme» (→ palme). Le napalm a été inventé le 13 avril 1942 à l'université de Harvard en collaboration avec le service de l'armée américaine chargé de l'étude des armes chimiques. Cette substance gélifiée, qui a pour effet d'augmenter considérablement l'intensité de la chaleur en ralentissant la durée de combustion de l'essence, a fourni aux Alliés une arme puissante à la fin de la Seconde Guerre mondiale.

♦ Le mot a été introduit en français après la Seconde Guerre et a été enregistré dans les dictionnaires dès 1949. Il s'est répandu avec l'emploi des *bombes au napalm* utilisées en Corée et au Viêtnam, qui atteignaient de très vastes rayons d'action, carbonisant des troupes et des régions entières.

► Il a produit **NAPALMISER** v. tr., «attaquer au moyen de napalm» (correspondant à l'anglais *to napalm*), surtout employé au participe passé **NAPALMISÉ, ÉE** (adjectivé chez R. Barthes, *Mythologies*, 1954-1956).

◈ voir NAPHTE.

NAPHTE n. m. est emprunté (1213, *naptes*) au latin *naphta* «bitume», lui-même emprunté au grec *naphtha* de même sens. Ce dernier est emprunté à l'akkadien *napṭu* «naphte» par l'intermédiaire de l'araméen *naphṭā, nephṭā*.

♦ En français, où la forme moderne est attestée à partir de 1555, le mot a été considéré comme féminin jusqu'à l'édition de 1835 du dictionnaire de l'Académie. ◇ Nom d'un bitume liquide, il a pris (1874) son sens courant de «produit obtenu par distillation du pétrole ou d'autres corps riches en matières organiques, servant de combustible et de dissolvant». À la même époque, il est entré dans le vocabulaire de la chimie, dans *naphte minéral* (1874) et *naphte de schistes* (1874), produisant quelques dérivés dans ce domaine.

► **NAPHTALINE** n. f. est emprunté (1821) à l'anglais *naphtaline* de même sens, créé par le chimiste anglais John Kidd (1775-1851) en 1821 sur *naphta* «naphte» avec le suffixe *-ine*. L'insertion du *-l-* répond à des motifs euphoniques à moins qu'il ne faille partir (Cottez) d'un élément *naphtal-* issu de la combinaison de *naphte* et de *asphalte**, ces substances étant fréquemment associées dans la nature. ◇ Le mot désigne une substance utilisée comme antimites sous forme de boules blanches placées dans les penderies de vêtements. Son usage a fortement diminué. ◇ Sur *naphtaline*, on a formé plaisamment **NAPHTALINARD** n. m., terme d'argot militaire (1945) pour l'officier en retraite qui reprend du service (par allusion à son uniforme qui a longtemps séjourné dans une penderie). ➛ Par substitution de suffixe, on a formé **NAPHTALÈNE** n. m. (1836) à partir de *naphtaline*. ➛ Quant à **NAPHTOL** n. m. (1873; 1843, *naphtole*), nom d'un phénol utilisé dans l'industrie des colorants et en pharmacie, c'est encore un emprunt à l'anglais *naphthol*, mot créé par le même John Kidd à partir de *naphtaline* au moyen du suffixe *-ol*.

◈ voir NAPALM.

NAPOLÉON n. m. est tiré (1807, Stendhal) de *Napoléon* (Ier) [1769-1821] puis de *Napoléon* (III) [1808-1873]. Le prénom italien *Napoleone*, rendu célèbre par Buonaparte-Bonaparte, est d'origine germanique et, assez curieusement, apparenté à *Nibelung*.

♦ Le mot est le nom d'une pièce d'or à l'effigie de Napoléon Ier ou de Napoléon III.

► Le nom de Napoléon Ier a suscité quelques créations au XIXe siècle. ➛ **NAPOLÉONIEN, IENNE** adj. (1815; après *napoléonéen*, 1809), son homonyme disparu; **NAPOLÉONISTE** adj. et n. (1831), ainsi que **NAPOLÉONISME** n. m. (1836). ➛ À partir de la fin du XIXe s., on relève plusieurs termes péjoratifs ou plaisants dans le langage politique polémique : après **NAPOLÉONCULE** n. m. (1848, Michelet), qui correspond au *Napoléon le Petit* que Hugo applique à Napoléon III, se succèdent **NAPOLÉONISER** v. tr. (1891), **NAPOLÉONERIE** n. f. (1939), **NAPOLÉONADE** n. f. (1947). La productivité du mot semble éteinte; elle a toujours été freinée par la concurrence des dérivés de *Bonaparte*.

NAPPE n. f. est issu (1140) du latin *mappa* «serviette, serviette de table» (→ mappemonde), en particulier «étoffe que l'on jetait dans le cirque pour donner le signal des jeux». Le *-m-* de *mappa* est devenu *-n-* (par dissimilation), sous l'action du *-p-* suivant. Le mot, d'abord écrit *nape*, a repris deux *p* par conformation étymologique (1445).

♦ *Nappe* apparaît avec le sens usuel et moderne de «linge étendu sur la table avant de dresser le couvert», avec lequel il entre dans quelques locutions disparues ou vieillies : *mettre la nappe* «recevoir des gens» (1538), aujourd'hui employé au sens concret, *trouver la nappe mise* «dîner chez les autres» (1654) et au figuré «faire un riche mariage» (1690); *servir la nappe à qqn* «lui préparer la réussite» (1772). ◇ Dès l'ancien français, le mot a pris quelques valeurs analogiques : il désigne d'abord, dans la liturgie catholique, le linge que l'on met sur l'autel (1319), puis en pêche, l'étendue de filet que l'on tend à plat (1445, *nappe à paischeurs*). ◇ Par la suite, il désigne en vénerie la peau du cerf étendue à terre pour la curée (1665) et, toujours dans le domaine de la chasse, le filet à tissu uni qui sert à prendre le gibier à plumes (1680). ◇ Par allusion à la forme et à la disposition d'une nappe, il se dit aussi (fin XVIIIe s.) d'une cascade dont les eaux retombent comme les bords d'une nappe (surtout dans *nappe d'eau*) et d'une étendue de fluide à la surface du sol ou sous terre, spécialement en géologie où *nappe* désigne aussi certains terrains. ◇ Enfin, il est aussi employé en mathématiques pour la portion illimitée et d'un seul tenant d'une surface courbe (1819-1820).

► En sont dérivés deux diminutifs. ➛ **NAPPETTE** n. f. (1200, *napette*) s'est employé en ancien français au sens propre de «petite nappe», et a été repris (XXe s.) au sens technique d'«assemblage de peaux, de fourrures de petite dimension». ➛ **NAPPERON** n. m. (1391), qui désignait anciennement une nappe plus petite que l'on plaçait sur la grande pour la préserver des taches, a pris son sens moderne au début du XXe s. (1912). ◇ On en a tiré **NAPPERONNER** v. tr. «garnir d'un napperon», d'usage rare.

Nappe a aussi produit **NAPPER** v. tr. (1845), surtout employé au participe passé **NAPPÉ, ÉE,** adjectivé (1895) au sens de «couvert d'une couche horizontale», notamment en art culinaire (1909). ◇ Le sens de base, «couvrir d'une nappe» (1910, au participe passé), est beaucoup moins courant. ➛ On en a dérivé **NAPPAGE** n. m. (1807), rare au sens collectif d'«ensemble des nappes et serviettes de table», et surtout employé en cuisine pour l'action de napper (1973). ➛ Enfin, le composé **SOUS-NAPPE** n. f. apparaît au milieu du XIXe s. (1872).

NARCISSE n. m. est emprunté (1363) au latin *narcissus* désignant une fleur, de *Narcissus* «Narcisse (personnage mythologique)», emprunt au grec *Narkissos, -ou,* mot que sa finale *-issos* pourrait signaler comme un emprunt. Le rapprochement fait par Plutarque avec *narkê* «engourdissement, torpeur» (→ narcotique), à cause de l'effet calmant du narcisse, est probablement une étymologie populaire. Selon la version la plus connue du mythe, relatée par Ovide (*Métamorphoses,* III), Narcisse, n'ayant plus d'intérêt au monde, se laissa mourir en contemplant son image et, à sa mort, poussa une fleur qui prit son nom.

♦ *Narcisse,* en français, est d'abord relevé dans *narciz ynde,* probablement «jaune», calqué sur l'expression latine *Narcissus Yndus.* Depuis 1500, il est employé absolument (à propos du narcisse blanc) ou bien accompagné d'un déterminant (*narcisse des poètes* calquant le latin *narcissus poeticus*). ➛ Au XVIe s., chez les écrivains de la Pléiade (1552, Ronsard), le nom propre *Narcisse,* personnage de la mythologie grecque, beau jeune homme tombé amoureux de son reflet, donne lieu à un emploi comme nom commun. ➛ Au XVIIe s., le mot désigne par généralisation un beau garçon (av. 1648) et un homme amoureux de lui-même (1668).

▸ C'est encore par allusion au mythe que *narcisse* a donné lieu à quelques termes de psychologie et de psychanalyse. ➛ **NARCISSISME** n. m. est relevé dès 1894 (avant son emploi en psychanalyse) au sens de «très grand amour de soi» (l'anglais a *narcissism* dès 1822). ◇ Son acception psychanalytique est attestée depuis 1914 (P. Janet). Freud aurait repris le terme *Narzissmus* à P. Näcke (1899), qui l'employait avant lui pour désigner une perversion, dans son commentaire de l'ouvrage de Havelock Ellis (1898), sexologue anglais, décrivant un comportement évoquant le mythe de Narcisse. L'œuvre de Freud sur la *Théorie de la libido et du narcissisme* a été traduite en français en 1922 par V. Jankélévitch. ➛ **NARCISSIQUE** adj. semble plus tardif que *narcissisme* (1923, Hesnard), de même que **NARCISSISTE** adj. et n. (1926). ◇ Les variantes *narcisme* n. m. (1918) et *narcistique* adj. (1923) n'ont pas vécu.

NARCOTIQUE adj. et n. m. est emprunté par les médecins (1314) au grec *narkôtikos* «qui provoque le sommeil, a la propriété d'endormir», dérivé de *narkê* «engourdissement, torpeur (provoquée par le froid, la peur, la paralysie) et par métonymie «poisson dont la décharge électrique provoque la torpeur de sa proie» (cf. *torpille*). *Narkê,* avec son vocalisme et l'accent sur le radical, évoque *pathê* (→ pathos) et pourrait, en conséquence, être dérivé d'un verbe radical non attesté en grec, et remplacé par son dérivé *narkan* «être engourdi». Il est rapproché de mots du domaine indoeuropéen exprimant l'idée de «lier, nouer», comme l'ancien haut allemand *sner(h)am,* le norrois *snara* «lacet».

♦ En français, il est employé comme adjectif et comme nom dans le domaine médical. ◇ Depuis 1833, s'y ajoute le sens figuré de «ce qui fait dormir», partiellement concurrencé par l'adjectif *soporifique,* lorsqu'il assume la valeur caractérisante péjorative d'«endormant, ennuyeux».

▸ Le radical du mot sert à former des termes du vocabulaire médical et chimique. ➛ **NARCOTISER** v. tr. (1835, *vin narcotisé;* dès 1495, *choses narcotizans* «narcotiques») est rare. ➛ **NARCOTISME** n. m. (1806) est didactique pour «engourdissement, empoisonnement par les narcotiques». ➛ **NARCOTINE** n. f. (1814) est le nom de l'alcaloïde le plus important de l'opium. ➛ **NARCOSE** n. f. «sommeil artificiel, anesthésie» est emprunté à la même époque (1823) au grec *narkôsis* «action d'engourdir», dérivé de *narkê* par l'intermédiaire du verbe *narkan.* ◇ **SUBNARCOSE** n. f. (1959) désigne une somnolence plus légère que la narcose. ➛ Le grec *narkê* est représenté en français par l'élément formant **NARCO-** qui entre dans la construction de plusieurs noms et adjectifs du domaine médical et psychanalytique, tels que **NARCOLEPSIE** n. f. (1880), d'où **NARCOLEPTIQUE** adj. et n. (v. 1926), **NARCOSYNTHÈSE** n. f. (v. 1950), **NARCOTHÉRAPIE** n. f., par emprunt à l'anglais (1959), **NARCO-ANALYSE** n. f., etc. ➛ Le contexte du trafic international de la drogue, appelé *narcotics* en anglo-américain, a suscité des composés tels **NARCO-DOLLAR** n. m. (1981) désignant le dollar en tant qu'«argent de la drogue» ou **NARCO-TRAFIQUANT** n. m. (1983).

NARD n. m. est emprunté (fin XIIe s.) avec la variante *nardus* (1180-1190) au latin *nardus,* lui-même emprunté au grec *nardos.* Ce dernier est un emprunt à une langue sémitique : on évoque l'hébreu biblique *nērd* (Cantique I, 12), l'araméen *nirdā,* l'akkadien *lardu.* Le mot vient du sanskrit *nalada* «nard», cette plante aromatique étant originaire de l'Inde.

♦ Le mot, surtout employé en parlant du nard indien, entre aussi dans la dénomination *nard celtique* (1538; av. 1300, *narde celtique*) empruntée au latin *nardus celtica,* calque du grec *nardos keltikê.* Il désigne non seulement la plante mais aussi, par métonymie, le parfum capiteux que l'on extrait du rhizome de certaines variétés (1669). Le genre féminin, dominant au moyen âge, est celui du mot en latin.

NARGUER v. tr., attesté depuis 1562, mais certainement antérieur à 1552, date où l'on trouve le dérivé *nargue,* est d'origine incertaine : il est probablement issu d'un latin tardif °*naricare,* dérivé du latin impérial *narus,* plus souvent *nares, narium* «narines, nez» (→ narine). Cette hypothèse, reprise par Wartburg, s'appuie sur l'existence de *naricare* en latin médiéval (1483) pour «avoir la goutte, la morve au nez». *Narguer,* qui n'est pas attesté dans la langue littéraire avant le milieu du XVIe s., semble être parvenu en français par le franco-provençal et l'occitan, dont les représentants offrent des sens proches de celui de l'étymon. On relève ainsi le stéphanois *nargoussâ* «nasiller», le haut dauphinois de même sens *nargusyé* (du dauphinois *nàrgèi* «morve au nez»), le dialecte de Vinzelles (Puy-de-Dôme) *narchelya* «nasiller», le provençal *nargous* «qui nasille» (XVIIIe s.). De l'idée de «nasiller», on serait passé à celle de «se moquer, railler avec insolence et mépris», encore largement attestée dans les dialectes du domaine franco-provençal et occitan.

♦ Dès les premières attestations, *narguer* signifie «se moquer de» (anciennement à la forme pronominale *se narguer de*), évoluant ensuite vers la nuance moderne de «braver avec insolence et mépris» (1740-1755) par l'intermédiaire du moyen français «être fâcheux, désagréable à qqn». ◇ Une évolution sémantique analogue a eu lieu pour *nachard* «moqueur, railleur» (d'où *nacharder* «se moquer de»), forme dialectale de l'ancien français *nascier* «renifler, flairer» (1260-1280) et «nasiller» (fin XIIIe s.). Ce verbe est issu du latin tardif °*nasicare,* dérivé de *nasus* (→ nez); son évolution renforce l'origine reconstituée de *narguer.*

▸ Le déverbal de *narguer,* **NARGUE** n. f., d'abord attesté comme une interjection marquant le dédain, la moquerie (1552), puis au sens de «raillerie, mépris» (1632, *faire nargue à*), est tombé en désuétude.

NARGUILÉ n. m. est emprunté (1773) au persan de même sens *nārgīl* «cocotier», «noix de coco» parce que, au lieu du flacon de verre ou de cristal destiné à contenir l'eau qui traverse la fumée, on employait souvent une noix de coco ou une boule de métal de même forme. Le mot persan est probablement emprunté au sanskrit *nālikera* «cocotier, noix de coco».

♦ En français, où l'on relève d'abord la graphie aberrante *nardsjil* dans une traduction de l'allemand, le mot a successivement hésité entre les formes *nerguil* (1787), *narguile* (1795), *narguillé* (1819) pour se fixer en *narguilé* (1834). Il désigne une pipe orientale à long tuyau dans lequel la fumée passe par un flacon d'eau parfumée. C'est alors l'un des symboles de l'Orient cher aux Romantiques.

NARINE n. f. est issu (déb. XIIe s.) d'un latin tardif °*narina,* dérivé de *naris,* génitif singulier de *nares, narium* (n. m. pl.) «narines» d'où «nez» et au figuré «flair», qui se rencontre à l'époque impériale comme nominatif. Le mot latin est à rapprocher de *nasus* (→ nez) et provient comme lui, mais avec un autre vocalisme radical, de la racine indoeuropéenne °*nas-* «nez».

♦ En français, le mot est d'abord employé en parlant des orifices olfactifs d'un monstre, d'un dragon, etc., puis (fin XIIe s.) d'un humain. Il a été en concurrence avec *narille,* dont une altération, *nazille,* a donné *nasiller**.

NARQUOIS, OISE adj. et n. m., attesté depuis 1590 comme nom, est d'origine controversée : selon F. Michel, suivi par L. Sainéan, ce serait une variante de *narquin* attesté en 1530 au sens de «soldat voleur» et lui-même altération de *arquin* par agglutination de l'article indéfini *un. Arquin,* dérivé d'*arc**, désignait primitivement un archer; par une extension de sens comparable à celle de *matois** (d'ailleurs fréquemment associé à *narquois* dans les premiers textes), *narquois* et *narquin* seraient passés du sens initial de «soldat» au sens de «filou, voleur».

♦ De fait, *narquois,* dans sa première attestation, a le sens de «soldat vagabond». ◇ Par métonymie, le mot a désigné ensuite le jargon, l'argot des voleurs (1611) : on disait *parler narquois,* à l'époque classique, au sens de «parler un certain jargon entendu seulement par les initiés» (1636), jargon où *narquois* était synonyme de *voleur* (1620). Au XVIIe s., le mot est adjectivé par le biais de *langage Narquois* (1653). cf. *argot* et *jargon.* ➛ Tandis qu'il disparaît dans ce sens et comme nom, l'adjectif, par un affaiblissement de sens analogue à celui de *drille,* prend son sens moderne de «qui aime railler et tromper» (1694) puis «qui emploie une raillerie légère; ironique et moqueur» et, en parlant d'une chose, de paroles, «qui exprime la raillerie» (1842).

▸ C'est avec ce sens qu'il a produit ses dérivés **NARQUOISEMENT** adv. (1846) et **NARQUOISERIE** n. f. (1866), ce dernier réservé à l'usage littéraire.

NARRER v. tr. est emprunté (1388) au latin *narrare* «faire connaître, raconter» puis, familièrement, «dire» dans les formules *quid narras?* «que dis-tu?», *narra mihi* «dis-moi». Ce verbe est probablement dérivé de *gnarus* «qui connaît», avec une gémination expressive du *r* qui le range dans les formations populaires. Ce *gnarus,* passé en français par ses composés (→ ignare, ignorer), remonte à la racine indoeuropéenne °*gnē-,* °*gnō-* «connaître», à l'origine d'un groupe de mots très important en latin et en grec (→ connaître).

♦ *Narrer* occupe en français la place restreinte de synonyme littéraire de *raconter,* qu'il partage avec *relater.* Le verbe est resté beaucoup plus rare que le substantif *narration.*

▸ Son participe passé substantivé **NARRÉ** n. m. a été employé (1453) au sens d'«écrit qui raconte»; évincé en ce sens de l'usage courant (mais non des dialectes) par *narration,* il fournit aujourd'hui (v. 1970-1975) aux narratologues un terme désignant ce qui est narré par opposition à l'activité de narration.

NARRATION n. f. (v. 1200) est emprunté au latin *narratio, -onis* «action de raconter, récit», dérivé de *narrare.* ◇ Il signifie «récit», spécialement en rhétorique «partie du plaidoyer où l'on raconte les faits de la cause» (1680), et compte quelques sens particuliers dans le domaine des exercices scolaires (av. 1867) et en sémiotique (XXe s.). ◇ Son emploi dans les coutumiers pour désigner l'action intentée en justice (1690) a disparu. ➛ **NARRATEUR, TRICE** n. est emprunté (1500) au latin *narrator* «celui qui raconte». Outre ce sens général, *narrateur* sert à désigner, en théorie littéraire (mil. XXe s.), celui qui, dans une fiction romanesque, fait le récit (instance distincte de celle de l'auteur). ➜ **NARRATIF, IVE** adj. est emprunté (1380) au dérivé bas latin *narrativus* «qui relève du récit». D'abord attesté comme nom (féminin et masculin) au sens d'«exposé», vivant jusqu'au XVIIe s., le mot a aussi eu, dans l'usage classique, celui de «faculté de narrer» (1671, n. f.), disparu au XVIIIe s. (apr. 1771). ◇ L'usage moderne l'emploie seulement comme adjectif (depuis 1452); ce dernier est apparu dans le syntagme d'usage juridique *narratif de* «qui expose (les faits)», avant de prendre au XVIIIe s. le sens de «qui se rapporte à la narration, lui appartient» (1751, *poésie narrative*). ◇ L'usage de tous ces termes dans le vocabulaire des sémioticiens, autour des années 1960-1970, a relancé leur productivité. ➜ *Narrateur*, par changement de suffixe, a fait former **NARRATAIRE** adj. (1966, Barthes) sur le modèle *destinateur-destinataire*. ◇ *Narratif* a donné **NARRATIVISER** v. tr. (1969), **NARRATIVISATION** n. f. (1969) et **NARRATIVITÉ** n. f. (1969), devenu usuel en critique littéraire. On a créé **NARRATOLOGUE** n. et **NARRATOLOGIE** n. f. (1972, G. Genette) dans le cadre de l'étude scientifique des structures du récit.

INÉNARRABLE adj. est un emprunt (v. 1480) au latin *inenarrabilis* «qu'on ne peut raconter», formé de *in-* et *enarrabilis*, adjectif dérivé de *enarrare* «dire explicitement», lui-même préfixé de *narrare* par *ex-* à valeur intensive. Introduit avec le sens latin, qui est sorti d'usage, il s'applique à ce dont on ne peut parler sans rire (apr. 1850, Huysmans). ◇ Son dérivé **INÉNARRABLEMENT** adv., attesté plus tôt (1835), est littéraire et rare.

NARTHEX n. m. est un emprunt (1680) au grec *narthêx*, nom botanique d'une plante résineuse, la férule commune, utilisée comme thyrse, baguette, éclisse; à une époque plus tardive, le mot s'applique à une boîte, un étui, et entre dans des titres d'ouvrages, notamment médicaux. C'est par analogie de forme avec un étui qu'il désigne le portique élevé en avant de la nef dans les basiliques chrétiennes. Malgré des rapprochements avec le sanskrit *naḍá-* «roseau» et le lituanien *néndré*, son étymologie n'est pas déterminée.

♦ Le mot a été repris dans sa spécialisation en architecture chrétienne. Par analogie, il se réfère parfois au porche fermé dans certaines églises, emploi abusif, les véritables narthex étant des portiques ouverts.

NARVAL n. m. a d'abord été emprunté (1598, *nahual* dans un texte d'Anvers), à travers des traductions latines, à l'islandais ou à l'ancien norrois *nárhvalr*, formé de *nár* «corps» et de *hvalr* «baleine» par allusion à la couleur de la peau de l'animal. Une forme *narhual*, attestée en 1647, est donnée comme islandaise, *narhval* en 1652 est alors donné comme mot français; il est emprunté au danois *narhval*. D'autres formes à *-w-*, *narwal* (1676 comme mot étranger; 1690 comme mot français) sont empruntées à une forme dano-hollandaise ou dano-allemande contenant le *-w-* de *wal* «baleine» (correspondant du second élément); cf. aussi *walrus* «phoque» en anglais. La graphie moderne *narval* est attestée à partir de 1723.

♦ Le mot désigne un grand cétacé de l'océan Glacial Arctique qui possède une très longue canine en forme d'éperon, confondue aux XVIe et XVIIe s. avec une corne, ce qui a conféré à l'animal une certaine importance symbolique.

NASAL, ALE, AUX adj. a d'abord été un substantif désignant la partie du heaume protégeant le nez; il est alors dérivé (1080, *nasel*) de l'ancien français *nes* (→ *nez*). L'adjectif moderne est un dérivé savant (1538) du radical du latin *nasus* (→ nez) avec le suffixe *-al*.

♦ Signifiant «qui se rapporte au nez», *nasal* est employé spécialement en phonétique à propos d'un son caractérisé par une vibration de l'air dans les fosses nasales (1721, *nazal*). ➜ Le féminin substantivé **NASALE** n. f. (1845) désigne une voyelle ou une consonne nasale.

▶ Les dérivés se rapportent tous à ce sens, en phonétique et en musique : **NASALITÉ** n. f. (1765; 1760, *nazalité*), **NASALEMENT** adv. (1798), **NASALISER** v. tr. (1868), qui remplace *nasaler* (1781), **NASALISATION** n. f. (1868) et les antonymes préfixés **DÉNASALISER** v. tr. (1838), qui se substitue à *dénasaler* (1819), **DÉNASALISATION** n. f. (1906), usuels en phonétique.

◈ voir NEZ.

① **NASE** ou **NAZE** adj., mot argotique et aujourd'hui familier, est probablement dérivé (1917) de *nase*, *faux nase* «maladie des chevaux et des moutons, morve», dérivé du radical latin de *nasus* (→ nez). On relève d'abord le nom *nazi* (1878; dès 1836 sous la forme altérée *lazi*) «syphilis».

♦ Le mot a été adjectivé au sens de «syphilitique» et de là a pris son sens moderne de «gâté, de mauvaise qualité» (mil. XXe s.) et aussi «en mauvais état, cassé», etc. ◇ Il est également appliqué à une personne, surtout au sens d'«ivre» ou de «très fatigué, crevé».

② **NASE** n. m. → NEZ

NASEAU n. m. est dérivé (1520) avec le suffixe *-eau* d'une variante en *a* de *nez**.

♦ D'abord employé pour désigner les narines d'un homme (au pluriel *nazeaulx*), il est réservé dans l'usage moderne à celles d'un animal (1573, d'un taureau), notamment d'un cheval. *Les naseaux* s'emploie familièrement pour *le nez*.

NASILLER v. intr. a été formé deux fois, en moyen français et en langue classique. Au sens de «renifler» (XVe s., *nazillier*), il est dérivé du moyen français *nazille* «narine» (XVe s.), altération de l'ancien et moyen français *narille*, issu d'un latin tardif °*naricula*, diminutif de *naris* «narine» (→ narine).

♦ Attesté une première fois au XVe s. pour «renifler», *nasiller* a été repris comme terme de vénerie (1561, *naziller*) au sens de «fouiller avec le nez, le groin» (en parlant du sanglier, etc.). ➜ Avec son sens moderne de «parler du nez» (1680), *nasiller* a été créé une seconde fois sur une variante en *a* de *nez** avec le suffixe *-iller*.

▸ C'est avec ce sens qu'il a produit **NASILLARD, ARDE** (1654, n.; 1690, adj.), attesté indirectement par **NASILLARDEMENT** adv. (1650), et aussi **NASILLONNER** v. intr. (1718) «nasiller un peu» et **NASILLEMENT** n. m. (1741), employé en phonétique et pour le cri du canard. ◆ La série parallèle **NASONNER** v. intr. (1743) «parler du nez», **NASONNEMENT** n. m. (1834), **NASONNANT, ANTE** adj. est devenue archaïque.

NASSE n. f. est issu (1194-1197) du latin *nassa* «instrument de pêche que l'on pose au fond de l'eau» et au figuré «situation embarrassante, mauvais pas», terme technique que l'on pense pouvoir rapprocher du groupe de *nectere* «enlacer, lier, attacher» mais sans cheminement très clair (→ annexe, connecter).

♦ *Nasse*, repris comme terme de pêche, est attesté dès 1200 au sens figuré de «difficulté», dans l'expression *mettre en sa nasse*, sortie d'usage, et remplacée par ***tomber dans la nasse, être dans la nasse*** (1671, *demeurer*), d'usage familier, aujourd'hui elles aussi archaïques.

NATAL, ALE, ALS (*nataux* au XVIe s.) adj. est emprunté (av. 1514) au latin *natalis* «de naissance», «relatif à la naissance» (employé avec *dies* «jour» et *locus* «lieu»), dérivé de *natum*, supin de *nasci* (→ naître). *Natalis* est substantivé elliptiquement pour *natalis (dies)* «jour de naissance, relatif à la naissance», employé en latin chrétien pour désigner la nativité du Christ *(Natalis Christi)* (→ noël), la fête d'un martyre, d'un saint, le jour anniversaire de sa mort qui est une naissance à la vie éternelle. C'est ainsi qu'en latin médiéval, les fêtes religieuses étaient désignées par *natale* (VIIe s.) «fête annuelle», au pluriel *natales* (XIIe s.) «les quatre principales fêtes religieuses», et que l'ancien français avait emprunté en ce sens le nom *natal* (1241), en usage jusqu'au XVIe siècle.

♦ Au XVIe s., réemprunté comme adjectif, *natal* signifie «relatif à la naissance» et «où l'on est né», donnant les syntagmes *maison natale* (av. 1514), *jour natal* (1542), remplacé par *anniversaire*, *pays natal* (1584, *pays nataux, natelle terre*). Il entre dans le syntagme *langue natale* avec l'idée de «qui est appris dès la naissance» (1780).

▸ À partir du XIXe s., *natal* a servi à former quelques termes de démographie. ◆ **NATALITÉ** n. f. était déjà attesté en moyen français (1424) comme terme juridique au sens de «droit, statut du lieu où l'on est né», probablement par francisation d'un latin médiéval °*natalitas*. ◇ Le mot moderne (1868), dérivé de l'adjectif *natal*, signifie «ensemble des naissances» et correspond à *mortalité*. ◇ Il a donné à son tour **DÉNATALITÉ** n. f. (1918), **MORTINATALITÉ** n. f. (1874) «ensemble des morts des très jeunes enfants», dérivé de *mort-né*, **SOUS-NATALITÉ** n. f. (v. 1950) et **SURNATALITÉ** n. f. (1966). ◆ De *natal* sont aussi dérivés, dans le débat sur une politique visant à favoriser l'accroissement des naissances, **NATALISTE** adj. et n. (1929), son antonyme **ANTINATALISTE** adj. et n. (v. 1960) et **NATALISME** n. m. (XXe s.), d'où **ANTINATALISME** n. m. (v. 1960). ◆ L'adjectif entre dans des composés modernes d'usage didactique, **PRÉNATAL, ALE, ALS** adj. (1901), opposé à **POSTNATAL, ALE, ALS** adj. (XXe s.), et **NÉO-NATAL, ALE, ALS** adj. (1963) ; ce dernier, formé d'après *nouveau-né*, a fourni **NÉONATALOGIE** n. f. (1970) désignant l'ensemble des connaissances relatives au nouveau-né.

NATATION n. f. est emprunté (1550) au latin médiéval *natatio, -onis* «art et pratique de la nage», «action de nager», dérivé du supin de *natare*. Celui-ci, bâti sur un adjectif °*nato-s*, a été confondu par les Latins avec une forme fréquentative et, sous l'Empire, a tendu à remplacer le verbe *nare*. *Natare*, représenté dans les langues romanes (y compris avec la variante inexpliquée °*notare*), remonte à un thème indoeuropéen de même sens, représenté dans le védique *snā́ti* «il se baigne». En moyen français, les représentants du verbe latin, *nöer, noer*, et l'emprunt savant *nater*, ont été évincés par *nager**.

♦ *Natation* sert donc partiellement de nom d'action à un verbe d'une autre série, sans empiéter sur l'aire d'emploi de son déverbal *nage*. Il s'est répandu au milieu du XIXe s., par exemple avec les *écoles de natation*, puis est devenu usuel au XXe s. avec le développement de ce sport.

▸ L'adjectif correspondant **NATATOIRE** (1567) est emprunté au dérivé latin *natatorius* «qui sert à nager», substantivé dans la langue chrétienne sous la forme *natatorium*, surtout employé au pluriel, notamment pour désigner la piscine de Siloë (*Jean* IX, II). C'est de là que vient l'ancien nom *natatoire* (1190, *natatoire de Siloë*) relevé jusqu'en 1603, et employé au sens de «piscine, bains» (1534 ; répertorié en 1611, de nouveau au XIXe s.), aujourd'hui archaïque. ◆ L'adjectif *natatoire*, d'abord employé dans *lieux natatoires* «piscines», a disparu. Il a été reformé au sens didactique de «qui sert à nager» à propos des poissons (1787-1798) et, quelquefois, de «relatif à la natation».

NATIF, IVE adj. et n. est emprunté (v. 1125) au latin *nativus* qui, par voie populaire, a aussi donné *naïf**.

♦ Le mot a d'abord le sens d'«originaire d'un lieu», en franco-provençal *(natiz)* puis en français central (1409, *natif de*), comme adjectif et depuis 1560 comme nom. ◆ Au XVIIIe s. apparaît le sens de «que l'on apporte à sa naissance» (1762, Rousseau), par adaptation de l'italien *natio, natia* «inné, naturel» (XIIIe s.), issu du latin *nativus*. ◇ Dans l'usage didactique, *natif* signifie aussi «brut, à l'état pur» en minéralogie (1762, *or, argent natif*), sens anciennement réalisé par *naïf*. ◆ Comme nom, *natif* est spécialement employé pour une personne originaire d'un pays peu civilisé, un indigène : c'est alors un emprunt (1829) à l'anglais *native* de même origine, qui correspond à «celui qui est dans la servitude» (1450) et à «celui qui appartient à une race peu civilisée».

▸ De *natif* sont dérivés **NATIVEMENT** adv. (1554), peu employé, et les didactiques **NATIVISME** n. m. (1876) et **NATIVISTE** adj. et n. (1888), ou **NATIVISTIQUE** chez Bergson (1889), d'après l'allemand, employés en physiologie et en philosophie dans une théorie considérant la perception de l'espace comme une donnée immédiate de la sensation.

◈ voir NATIVITÉ.

NATION n. f. est emprunté (v. 1120, *naciuns*) au latin *natio, -onis,* dérivé du supin de *nasci* (→ naître) : «naissance» puis, par métonymie et spécialisation, «ensemble d'individus nés en même temps dans le même lieu». À l'époque chrétienne, le mot est pris au pluriel *nationes* pour désigner les populations païennes, par opposition au «peuple de Dieu». Au moyen âge, *natio* présente aussi le sens de «division de l'université de Paris».

♦ En français, le mot connaît d'abord la graphie *naciuns* (pl.), puis *nascion* (1175) et enfin *nation* par latinisme (1470). Le premier sens, chronologiquement, est, au pluriel, celui de «païens» (par opposition aux juifs et aux chrétiens dans l'Ancien Testament). ◇ Le mot signifie aussi «naissance» (v. 1165), en particulier «nativité», valeur propre à l'ancien français, et «extraction, rang, famille, lignée» (XIIIe s.), acception sortie d'usage au XVIIe s., et employé par archaïsme chez La Fontaine, qui l'applique à une race animale (1668). ➛ Avec un autre sens du latin, *nation* renvoie à un ensemble d'êtres humains caractérisés par une communauté d'origine, de langue, de culture (1175), en concurrence avec *race, gent.* ◇ En moyen français, il se dit aussi, d'après le latin médiéval, de la division de l'université de Paris, faite selon un découpage linguistique (1470) en «Anglais» (incluant les Allemands), Picards, Normands et «Français» (incluant les Espagnols et les Italiens). Le mot est aussi appliqué à une colonie de marchands se trouvant en pays étranger (v. 1475). ➛ Au XVIIe s., par extension, *nation* englobe l'ensemble des individus unis par une communauté d'intérêts, de profession (1651-1657), avec une connotation péjorative que souligne Furetière (1690). ◇ La notion moderne de «nation» émerge véritablement au XVIIIe s. : avec la Révolution, la nation devient une entité politique identifiée au tiers état (1789, Sieyès), au peuple révolutionnaire, et prend sa définition de «personne juridique constituée par l'ensemble des individus composant l'État» (arrêté du 23 juillet 1789, avec l'expression *crime de lèse-nation* où le mot se substitue à *royauté*). La nation ne se confond cependant pas avec l'État dans la mesure où elle n'implique pas une institution juridique, où elle implique une idée de spontanéité, et la volonté de vivre en commun, sentiments qui s'affirment au XIXe siècle. *Nation* suppose une détermination spatiale, psychosociologique, économique et culturelle, parfois linguistique et ethnique. Les connotations du mot le rapprochent de *patrie,* mais, au XXe s., l'évolution des emplois de *national* modifient ses contenus, selon qu'il est question de politique intérieure ou extérieure, domaine où le mot est plus neutre. Il s'emploie en droit international dans l'expression *clause de la nation la plus favorisée* (v. 1899) pour une clause stipulant que l'État signataire d'un traité s'engage à accorder aux ressortissants de son cocontractant tous les avantages déjà accordés à un pays tiers. Il est entré dans les dénominations *Société des Nations* (1919) et *Organisation des Nations Unies* (1945).

▸ De *nation* est dérivé **NATIONAL, ALE, AUX** adj. et n. (1534), employé dans les premiers textes avec le sens de «relatif à une nation» en référence à une organisation religieuse *(concille national).* ◇ Le sens général, attesté au XVIe s. (1550), se répand au XVIIIe s., dans la période prérévolutionnaire, puis pendant la Révolution. Les ressortissants d'une nation reçoivent le nom de **NATIONAUX** n. m. pl. (1769). ◇ L'adjectif *national* assume le sens de «qui concerne l'ensemble de la nation», entrant dans l'expression ***assemblée nationale*** pour désigner les états généraux (1756), puis l'assemblée proclamée le 17 juin 1789. À la même époque, ***garde nationale*** désigne le corps des citoyens armés chargés de maintenir l'ordre et de veiller à la défense du territoire (1789-1791). Une valeur dérivée pour «qui représente la nation, en est l'émanation» est également attestée depuis 1789 *(volonté nationale).* ➛ Au XIXe et au XXe s., le mot entre dans nombre de syntagmes avec le sens de «qui appartient à l'État, est géré par lui» (et non par une collectivité territoriale comme le département), dans *route nationale* (1875), elliptiquement *une, la nationale* n. f. (1933). ➛ Les valeurs ironiques et familières du mot, en parlant d'une chose ou d'un être adopté par une communauté, datent du XIXe s. (1866 ; 1922, après un nom propre, *notre Jean national,* etc.). ➛ En relation avec *nationalisme,* l'adjectif, en politique, connote une attitude de sauvegarde ou de revendication par rapport à la nation. Dans le second cas, *national,* comme pendant la Révolution, est en rapport avec une politique d'indépendance et d'identité ; dans le premier, lorsque la nation correspond déjà à un État souverain, *national* peut correspondre à une idée conservatrice de la nation, parfois liée à une défense contre les éléments extérieurs ou jugés indésirables. Cette opposition se manifeste surtout après 1870, en relation avec la valeur que prend alors *nationalisme.* L'adjectif entre dans des désignations de partis (en France, *Front national,* 1972, correspondant à la notion de *droite nationale*). ➛ L'adverbe **NATIONALEMENT** «d'une façon nationale» est attesté depuis 1739 et répond aussi au sens de «par ordre de la nation» (1821, Saint-Simon).

Trois autres dérivés de *national* sont apparus pendant la période révolutionnaire. ➛ **NATIONALITÉ** n. f. est relevé (av. 1778) au sens de «sentiment national», après l'anglais *nationality* et l'espagnol *nacionalidad* qui existent depuis le XVIIe siècle. ◇ Il désigne au XIXe s. l'état, la situation d'une personne qui appartient à une nation (1835), évinçant de cet emploi *naturalité* (mais *naturaliser* a conservé cette acception ; → naturel). ➛ **NATIONALISME** n. m. (1798) se confond d'abord avec la conscience nationale révolutionnaire, et, au XIXe s., développe le sens d'«exaltation du sentiment national», dans une acception tantôt valorisante (1836, Lamartine), tantôt péjorative (1849, Proudhon). Cependant, il est relevé pour la première fois chez Proudhon avec une autre valeur laudative, celle d'«aspiration à l'indépendance politique, économique, d'une communauté opprimée» (av. 1865). ◇ Après 1870, et surtout aux approches de 1914, *nationalisme* suggère en France une attitude de défense patriotique et souvent de conservatisme politique. Dès lors, le nationalisme, qui était révolutionnaire, puis populaire, enfin, autour de 1848, lié à la requête d'indépendance, devient essentiellement bourgeois et petit bourgeois; il est revendiqué par les partis de droite. ◆ **NATIONALISTE** adj. et n. désigne à la fois le partisan du nationalisme (1830, n.; 1874, adj.) et celui qui lutte pour l'indépendance de son pays (1878, à propos des nations serbes et roumaines). ◆ Par préfixation, on a formé les antonymes **ANTINATIONAL, ALE, AUX** adj. (1743), **ANTINATIONALISME** n. m. (1914, Jaurès) et **ANTINATIONALISTE** adj. (1927).

Autre dérivé attesté depuis la Révolution, **NATIONALISER** v. tr. (1792) correspond à «rendre national, identifier avec la nation» et «déclarer propriété de l'État» (1793, à propos des biens du clergé). Cependant le fait d'assimiler une personne à une nation est rendu par *naturaliser* (→ naturel). ◇ Son emploi en économie est relevé une première fois en 1842 *(socialiser et nationaliser tous les instruments de travail)* et de nouveau à partir de 1948, à l'actif comme au participe passé *(entreprise nationalisée)*. ◆ Le nom correspondant, **NATIONALISATION** n. f., a connu la même évolution, du sens premier «fait de rendre national» (1796, à propos des biens des émigrés), emploi disparu, à «action de transférer du privé au public un secteur de l'appareil productif, du système bancaire ou financier» (1869, *nationalisation du sol*). ◇ Depuis le milieu du XXe s., on emploie **NATIONALISABLE** adj. ◆ Le préfixé antonymique **DÉNATIONALISER** v. tr. a d'abord eu le sens de «priver de sa nationalité» (1808; peut-être fin XVIIIe s. avant de devenir comme le verbe simple un terme d'économie (1918). ◇ Il en va de même de son dérivé **DÉNATIONALISATION** n. f. (1848), employé depuis 1918 en économie (l'anglais a *denationalization* dès 1814 et l'italien *denazionalisazione* dès 1812, avec le premier sens).

NATIONAL-SOCIALISME n. m. est la traduction littérale (1932) de l'allemand *Nationalsozialismus,* composé de *national* (de même origine) et de *Sozialismus* (→ socialisme), **NATIONAL-SOCIALISTE** adj. et n. (1923) correspondant à l'allemand *Nationalsozialist* «membre du *Nationalsozialistiche Deutsche Arbeitpartei* (Parti ouvrier allemand national-socialiste)», nom donné lors de sa fondation (1920) à ce parti dirigé par Hitler. L'abréviation allemande *nazi* (pour *Nationalsozialist*) a été empruntée par le français **NAZI, IE** n. (1931) et adj. (1933). ◇ La même décennie 1930-1940 a vu apparaître les dérivés **NAZISME** n. m. (1933), **NAZISTE** adj. (1934) qui n'a pas vécu, **NAZIFIER** v. tr. (1940) puis **ANTINAZISME** n. m. (1934), **ANTI-NAZI, IE** adj. et n. (1936), qui témoignent de la lutte, interne pour les Allemands, puis internationale, contre le régime nazi et ses actions. Après la victoire des Alliés et la disparition de ce régime, apparaît **DÉNAZIFIER** v. tr. (v. 1945). ◇ **NÉO-NAZI, IE** adj. et n. (1952) correspond à la réapparition de tendances politiques et idéologiques du même type. ◆ **NAZILLON** n. m. est un dérivé plaisant et péjoratif de *nazi,* d'après le verbe *nasiller.* ◇ Toute la série, courante immédiatement après la Seconde Guerre mondiale, est concurrencée par les dérivés de *fascisme-fasciste,* qui ont un sens plus général et plus vague.

En français, probablement d'après *national-socialisme, national* sert de premier terme à quelques composés en politique, du type **NATIONAL-POUJADISME** n. m. (1973).

INTERNATIONAL, ALE, AUX adj., de *inter-**, apparaît au début du XIXe s. (1802) dans la traduction d'un ouvrage de Jeremy Bentham, publié en Angleterre en 1780. L'adjectif français est donc un anglicisme; il s'applique à ce qui concerne les rapports des nations entre elles, puis qualifie (1836) ce qui a lieu de nation à nation entre plusieurs nations. Le mot entre dans la dénomination *Association internationale des travailleurs,* abrégée (1868) en **INTERNATIONALE** n. f.; cette association, fondée à Londres en 1864 sous la présidence de Karl Marx, désigne le groupement de prolétaires de diverses nations, unis pour défendre leurs revendications. Après sa dissolution en 1876 ont été fondées la *IIe Internationale* (à Paris, 1889) à laquelle se rattachait en France la *Section française de l'Internationale ouvrière* (abrév. *S. F. I. O.*), ancêtre du *Parti socialiste,* puis la *IIIe Internationale* (à Moscou par Lénine, 1919), enfin la *IVe Internationale* (par Trotski, 1939). ◇ Dans ce cadre, *international, ale,* n., a désigné (1871, n. m.) un partisan de la première Internationale et *l'Internationale* n. f. est le titre (1871) d'un hymne révolutionnaire, écrit sur des paroles d'Eugène Pottier et mis en musique par Pierre Degeyter; exécuté pour la première fois en 1888, ce chant est resté l'hymne des partis socialistes et communistes. ◆ L'adjectif s'applique aussi (1870) à une réunion qui rassemble les représentants de plusieurs nations, acception d'abord relevée en sports; par extension il se dit de lieux *(territoire international)* et de personnes, notamment dans *joueur international* ou *international* (1901). ◆ Plusieurs dérivés avaient été proposés par Richard de Radonvilliers (1845); **INTERNATIONALISER** v. tr., effectivement employé en 1911, peut-être d'après l'anglais *to internationalize* (1864), son dérivé **INTERNATIONALISATION** n. f. (repris en 1902) et **INTERNATIONALEMENT** adv., attesté en 1870. Ces mots sont devenus courants après 1945, avec la création d'institutions qui engagent l'ensemble des nations et l'interdépendance des économies. ◆ **INTERNATIONALITÉ** n. f. (1845, Radonvilliers; puis 1871) est un terme de droit. ◆ **INTERNATIONALISME** n. m., lui aussi proposé par Richard de Radonvilliers, effectivement employé depuis 1876, peut-être d'après l'anglais *internationalism* (1851), et **INTERNATIONALISTE,** attesté comme nom en 1871 et comme adjectif en 1872, sont d'abord relatifs à la doctrine qui préconise l'union des peuples par-delà les frontières *(internationalisme prolétarien)*. ◇ Ils s'opposent ensuite (fin XIXe s.) à *nationalisme* en économie et en politique.

SUPRANATIONAL, ALE, AUX adj. (1901, écrit *supra-national*) s'applique en droit à ce qui est placé au-dessus des institutions nationales et qualifie ce qui concerne le regroupement de plusieurs nations. ◇ Répandu avec les débats sur la formation de l'Europe, le mot a fourni en politique **SUPRANATIONALISME** n. m. (1964), **SUPRANATIONALISTE** adj. et n. (v. 1970) et **SUPRANATIONALISATION** n. f. (1968), rare. **SUPRANATIONALITÉ** n. f., terme administratif (1963), formé sur *nationalité*, se rattache à *supranational* pour le sens.
Enfin, par adjonction de l'élément *multi-*, a été formé **MULTINATIONAL, ALE, AUX** adj. et n. f. (1928). Employé dans le vocabulaire diplomatique pour qualifier ce qui englobe plusieurs nations ou nationalités, cet adjectif est entré dans le domaine économique au sens de «qui exerce ses activités dans divers pays» (1966). ◇ *Entreprise multinationale* est substantivé au féminin en *une multinationale* (1972) pour «très grande entreprise à caractère multinational (par le financement, les activités)», symbole du grand capitalisme. ◇ **PLURINATIONAL, ALE, AUX** adj. (1931) est demeuré rare.

NATIVITÉ n. f. est emprunté (v. 1120) au bas latin *nativitas* «naissance», dérivé de *nativus* (→ naïf, natif). En latin chrétien, le mot a pris le sens particulier de «génération» (spécialt en parlant de la génération du verbe), «production» d'où par métonymie «récolte», et en religion «anniversaire de la naissance du Christ» dans l'expression *nativitas Domini*.

♦ *Nativité* a concurrencé et éclipsé l'ancien doublet populaire *naïté* (1175) «lieu de naissance» et «naissance, origine» (1200), issu de *nativitas* par évolution phonétique. ➜ Il signifie d'abord «action de produire, production, récolte», valeurs propres à l'ancien français, mais prend rapidement celui de «jour de naissance», dans le contexte religieux de la naissance du Christ ou de la Vierge (1130-1140). Par métonymie, *nativité* désigne le jour où l'on célèbre la naissance du Christ (1140) (→ noël). Plus tard, il s'emploie pour la fête de la naissance de saint Jean-Baptiste (1375-1379, *la veille de la nativité Sainct Jehan Baptiste*). ➜ À côté de ces emplois religieux, le sens commun de «naissance, anniversaire» (1176-1181) ne s'est pas maintenu, sinon dans quelques emplois du langage médical et, en astrologie, dans l'expression *thème de nativité* (XVIe s.) pour *thème de naissance* (on dit aussi *thème natal*).

NATTE n. f. est issu (1050, écrit *nate*) d'un latin °*natta* : celui-ci n'est pas attesté chez Grégoire de Tours comme on l'a cru, mais on trouve le latin médiéval *natta* au début du IXe s., et l'espagnol, le catalan et le portugais *nata* «crème du lait», spécialisation du sémantisme de la surface plane, qui postulent bien une forme °*natta*. Celle-ci serait issue du latin chrétien *matta* (déb. Ve s.), mot d'origine sémitique, probablement punique, que les Romains auraient donc reçu des Carthaginois. *Matta* a en effet des correspondants dans l'hébreu *miṭṭāh* «lit», de *nāṭāh* «incliner, être penché».

♦ En ancien français, *natte* a seulement le sens de «pièce de tissu formée de végétaux entrelacés». ◇ À partir du XVIe s., par extension, il s'applique à une tresse de fils, de soie (1525) et de là, au XVIIe s., à une tresse de cheveux (1690), avec sa graphie moderne. Au XVIIIe s., se sont développés quelques sens particuliers, en pêche (1769), en botanique (1773, *bois de natte ;* puis, 1874, *natte*) et en zoologie (1786), emplois métaphoriques («surface plane» ou «apparence nattée») aujourd'hui disparus. ◇ D'autres valeurs apparues au XIXe s. se sont maintenues : «ornement architectural» (1856); «petit pain formé de trois bandes tressées» (1874; 1872, «petite pâtisserie en forme de natte»).

▸ *Natte* a donné **NATTIER, IÈRE** n. (1536; 1292, *natier*) «artisan qui fabrique et vend des nattes». ➜ **NATTER** v. tr. (1505; 1344, *nater*) a suivi la même évolution que le nom : «revêtir (un sol, un mur) d'une natte», puis «tresser du jonc, des fils ou fibres» (1606), enfin «mettre en nattes les cheveux» (1654, *cheveux nattez*), les crins des chevaux (1741). ➜ Son participe passé adjectivé **NATTÉ, ÉE** sert particulièrement à qualifier un nom de tissu (1902, *soie nattée*); il est quelquefois employé comme nom masculin (1970) pour un petit pain natté. ➜ Le nom tiré du verbe, **NATTAGE** n. m. (1834), est peu utilisé; il est doté de l'antonyme **DÉNATTER** v. tr. (1771; 1606, *desnater*). ➜ **NATTEUR** n. m. s'est employé dans les prisons en parlant de celui qui tissait la toile destinée à fabriquer les chaussons.

NATURALISER, NATURALISTE
→ **NATUREL**

NATURE n. f. est emprunté (1119) au latin *natura*, dérivé de *natus* «né», participe passé de *nasci* (→ naître). *Natura* signifie proprement «fait de naître, action de faire naître» et de là «origine, extraction, caractère inné, naturel» (également au figuré). Par suite, le mot désigne aussi plus largement l'ordre des choses (dans l'expression *natura rerum* employée par Lucrèce) traduisant alors le grec *phusis* (→ physique). En philosophie, *natura* traduit également le grec *phusis* au sens d'«élément, substance». Enfin, il est employé par métonymie pour désigner les organes de la génération.

♦ *Nature*, dans les premiers textes, a le sens de «force active qui a établi et maintient l'ordre de l'univers», souvent personnifiée avec une majuscule ainsi que dans certains emplois, comme la locution ***payer le tribut à la nature*** «mourir» (1668). Le mot entre en philosophie avec cette valeur active dans l'expression *nature naturante* (1253), calquée sur le latin scolastique *natura naturans* (XIIe s.) chez les traducteurs d'Averroès, par opposition à *nature naturée* (1253), de sens passif, du latin scolastique *natura naturata* dans les mêmes sources. ◇ Dès le XIIe s., le mot désigne l'ensemble des caractères, des propriétés qui définissent les objets (v. 1120) et les attributs propres à l'être (1165). C'est en ce sens qu'il entre dans l'expression ***nature humaine*** (XIIIe s.) qui servira de modèle au XVIIIe s. à *nature animale* (1755) et à *nature végétale* (1761). ➜ Dès le XIIe s. et en parlant de l'être humain, le mot se réfère à la tendance innée (1170, *par nature*); par suite, il désigne plus particulièrement la complexion, le tempérament propre à chacun (1480) et, par métonymie, la personne elle-même (1559), sens vieilli, sauf dans quelques expressions comme *une de ces natures, quelle nature!* et familièrement *une petite nature* (XXe s.). ◆ Au début du XIIIe s., *nature* commence à se dire, sur le plan physique, de la constitution du corps humain, du principe de vie qui l'anime et le soutient; depuis le XVe s., le mot désigne l'organisation physique propre à chaque individu, le mouvement qui le porte vers les choses nécessaires à sa conservation. C'est surtout à partir de la Renaissance que le concept de nature s'enrichit, entraînant pour le mot de nouveaux emplois. C'est d'une part à cette époque que *nature* acquiert le sens théologique d'«état naturel de l'homme» (en opposition à *grâce*), notamment dans l'expression *état de nature* (XVIIe s.) qui sera reprise au XVIIIe s. avec une autre valeur (ci-dessous). D'autre part, c'est au XVIe s. que se fait jour la conception moderne de la nature comme «ensemble du monde, des êtres et des choses, univers ordonné par des lois» (1580). Les concepts de loi* et de nature évoluent d'ailleurs parallèlement, de la théologie à la science, de la volonté (divine) à la nécessité. ◇ À la même époque (1580), le mot est quelquefois pris avec la valeur normative de «modèle», et en particulier de modèle artistique en peinture dans ***d'après nature*** (*peindre d'après nature,* 1663), ainsi que de modèle moral dans l'expression ***contre nature*** (1535), dans une perspective où il prend la valeur de «faculté innée de discerner le mal et le bien» (1580). ◇ Au XVIIe s., *nature* s'applique spécialement aux affections naturelles créées par les liens du sang (1603), usage propre à la langue classique. Il prend aussi le sens de «productions de la nature (et non de la culture ou de la civilisation)» (1690) et de «monde physique excluant l'homme et ses œuvres» (1696), surtout en tant que spectacle offrant un paysage, emploi resté très vivant. Ces usages se développent au XVIIIe s., dans une perspective confondant les idées d'instinct inné et d'ordre (ou loi) extérieur à l'action humaine, les valeurs morales et esthétiques. L'expression ***état de nature*** s'y laïcise (1738), envisagée par les philosophes et l'anthropologie naissante par opposition à l'état de société. ◆ C'est également au XVIIIe s. qu'on commence à employer l'expression ***en nature*** «en objets réels, dans un échange», par opposition à ***en espèces,*** dans un échange économique puis, par extension, familièrement, en parlant d'une femme qui accorde ses faveurs en échange d'un service rendu (1874).

L'emploi adjectivé du mot, propre à l'usage familier, est relevé à partir de 1808; il correspond à «conforme à la nature», objet d'une valorisation ambiguë en «spontané, authentique» en parlant d'une personne (1860) : *il, elle est nature.* ◇ Depuis 1865, il est attesté dans le domaine culinaire, en parlant d'une préparation. Depuis 1914, le mot est aussi employé adverbialement dans l'usage populaire comme synonyme de *naturellement,* adverbe d'opinion.

▶ *Nature,* dont le groupe s'est enrichi d'emprunts au latin (→ naturel) et de formations savantes (*naturaliser* à **naturel**), a lui-même produit **NATURISME** n. m. (1778) pour désigner une doctrine philosophique d'après laquelle on considère la nature comme auteur d'elle-même. Au XIXe s., le mot a pris d'autres sens didactiques en médecine (1821) et en esthétique, à propos de l'art qui prône une fidélité absolue dans la reproduction de la réalité (1896) (→ naturalisme). ◆ Depuis 1930, *naturisme* désigne aussi un système d'hygiène qui recommande de vivre aussi près de la nature que possible, notamment en pratiquant le nudisme. ◆ Sur le même modèle, on a formé **NATURISTE** n. et adj., en médecine (1821), en philosophie (1842) et en art (1896). ◇ Après 1930, *club naturiste* et le substantif *un, une naturiste* concernent surtout le nudisme. ◆ Plus récemment, l'adepte du traitement par des moyens naturels a reçu, mal à propos, le nom de **NATUROPATHE** adj. et n. (1972), *-pathe** désignant ici le thérapeute et non le patient.

Tandis qu'il n'existe pas de verbe *naturer,* sinon épisodiquement dans quelques textes des XIIIe et XIVe s., on a formé de bonne heure, par préfixation et suffixation sur *nature,* le verbe **DÉNATURER** v. tr. (apr. 1174, *desnaturer*), d'abord employé à la forme pronominale pour «avoir une attitude contraire à la nature, changer de nature, dégénérer». En ancien et moyen français, ce verbe a signifié particulièrement «renier l'hommage fait à son seigneur, à son pays». Le sens normatif et moral de «gâter les sentiments naturels de qqn» est enregistré en 1611. Au XVIIIe s., le verbe actif prend les sens de «changer la nature de (qqch.)» (av. 1718), «changer l'apparence de (qqch.)» (1735-1743) et spécialement en chimie «modifier la nature d'une substance» (1779). ◇ Au XIXe s., par rapport à la fonction technique d'un instrument, il signifie aussi «rendre impropre à la destination ordinaire» (1845-1848). ◆ Son participe passé **DÉNATURÉ, ÉE** est adjectivé et substantivé avec le sens de «dépouillé de sentiments naturels» (fin XIIIe s.). Il acquiert une valeur concrète en chimie (1873, adj.; 1927, n.) et en parlant d'un produit rendu impropre à sa destination ordinaire (1863). Les coutumiers du XVIe s. l'appliquaient déjà à un objet détourné de sa destination. ◇ En ce sens, son participe présent **DÉNATURANT, ANTE** adj. et n. est substantivé (1964). ◆ **DÉNATUREMENT** n. m., attesté au XVe s. au sens de «déshéritement, félonie», a été repris avec le sens général d'«action de dénaturer» (av. 1878) mais reste peu usité. ◆ **DÉNATURATION** n. f. (1846), outre les sens correspondant à ceux du verbe, est employé spécialement en physique nucléaire pour l'opération par laquelle on dénature le combustible d'un réacteur (1959).

NATURE MORTE n. f., expression employée d'abord dans les milieux académiques du XVIIIe s. (1752), désigne la représentation d'objets inanimés en peinture et, par métonymie, les tableaux les représentant. On a dit aussi *nature inanimée* (1763) et antérieurement *vie coye* (→ coi), traduisant les expressions néerlandaise *still leven,* et anglaise *still life,* littéralement «vie immobile, paisible», formules utilisées par les peintres flamands et anglais. À l'origine, la composition représente des animaux morts (surtout des gibiers), puis par extension des objets inanimés pouvant avoir une valeur symbolique. L'histoire de la nature morte remonte aux tableaux religieux qui, dès le XIIIe s. et surtout aux XIVe et XVe s., accordent une place privilégiée à l'observation de l'objet. La Hollande a grandement participé au dégagement du genre hors des cadres religieux de la peinture gothique. Ce sont souvent des «vanités» (cf. *vanité*). La découverte à Rome de la Domus Aurea de Néron, en révélant la nature morte antique, a donné l'impulsion au développement du genre. Celui-ci reçoit sa dignité de l'exaltation de la nature (XIIIe-XIVe s.), de la possession enthousiaste du monde par les artistes de la Renaissance et, au XVIIe s., de l'idée cartésienne que l'homme doit se rendre maître de la nature. La pratique s'étend à toute l'Europe, mais le débat académique sur la valeur du genre se poursuit au XVIIIe s. en France, époque où le genre trouve sa dénomination moderne, trouvant en Diderot (salon de 1763, sur Chardin) un de ses partisans. Le XIXe s. la pratique assidûment et y expérimente ses recherches sur la couleur, la lumière et la forme. ◆ Le dérivé **NATUREMORTISTE** n. (1886) est didactique.

◈ voir NATUREL, SURNATUREL.

NATUREL, ELLE adj. et n. m. est emprunté (1119, *naturalz*) au latin *naturalis* «de naissance», «qui appartient à la nature» et «inné, conforme aux lois de la nature», dérivé de *natura* (→ nature).

♦ *Naturel* signifie d'abord «qui est le fait de la nature», dans *jour naturel* «jour astronomique» emploi disparu, puis dans *mort naturelle* «qui se produit selon l'ordre de la nature» (1256). Dès le XIIe s., l'adjectif exprime l'idée de «produit par la nature sans l'intervention humaine» (v. 1120), s'appliquant ultérieurement à un vin non frelaté (XIVe s.), à la musique, au paysage (1721) avec l'idée accessoire souvent valorisée de «qui n'a pas subi d'altération». ◆ Dès le XIIIe s., il est employé avec le sens d'«inné, natif» (1210), en opposition aux notions d'«acquis» et de «cultivé» (1510). Comme *nature*, il est pris individuellement pour qualifier ce qui est particulier au caractère de chacun (v. 1278). ◇ Dans l'expression ***enfant naturel*** (1398), il s'oppose juridiquement à *légitime*. ◆ Au XVIe s. apparaît le sens normatif de «conforme à la raison, à l'usage commun» (1538), réalisé dans l'emploi usuel de *Il est naturel de* (1580), *c'est naturel, tout naturel*. ◇ L'adjectif est spécialisé en héraldique, où il correspond à «avec des couleurs naturelles» (1581). ◆ À la même époque, le mot développe les sens de «qui concerne la nature» (1549) et «qui vient de soi-même à l'esprit, qui exclut la réflexion, qui se trouve dans la nature» (1580); c'est la valeur qu'il a en mathématiques dans *nombres naturels* (1675) et *logarithmes naturels* (1765). ◆ Le XVIIe s. insiste sur l'opposition entre *naturel* et *artificiel* à propos d'un caractère humain franc, sans affectation (1664, La Rochefoucauld), et de la toilette, de l'aspect physique (1690).

L'emploi du mot substantivé au masculin, *le naturel*, date de la fin du XIVe siècle. Il exprime l'idée de «complexion corporelle», puis aussi de «propriété inhérente à la nature d'une chose». Il entre dans l'expression ***au naturel*** (1540) «d'après nature», surtout réservée au domaine culinaire dans l'usage moderne. ◆ ***Un naturel*** a désigné un habitant originaire d'un lieu (1587), avant d'être supplanté en ce sens par *natif;* cet emploi est parfois conservé (*Les Naturels du Bordelais*, pièce de J. Audiberti). ◆ Au XVIIe s., en relation avec l'adjectif, *le naturel* commence à exprimer l'idée d'«absence d'affectation, état de choses normal» (1671).

▶ L'adverbe dérivé **NATURELLEMENT** (1130-1140, *naturalment*) a pour premier sens «selon les principes de la nature». En ancien français il signifie ensuite «conformément au caractère d'une chose» (1160), «de façon à imiter la nature» (1210). ◆ Au XVe s., il correspond à «spontanément» (1480) et, depuis le XVIIe s., à «comme il est normal» (1681), ou à «sans artifice» (1694), en relation avec l'évolution de *nature* et *naturel*. ◆ Pris couramment comme adverbe d'énonciation au sens de «bien sûr» (1874), il est plaisamment doublé par *nature**, adverbe et **NATURLICH** adv., emprunté à l'allemand *natürlich*, lors de la guerre de 1914-1918. ◆ Le composé **ANTINATUREL, ELLE** adj. se dit de ce qui est contraire à la nature (1789) et de ce qui est contre nature (av. 1838).

Le latin *naturalis*, outre *naturel*, a donné naissance à trois autres mots. ◆ **NATURALISER** v. tr. est un dérivé savant (1471) du latin *naturalis* (→ naturel) dans son sens juridique «rendre légalement citoyen d'une nation». Le rapport entre *natura* et *natio* (idée de «naissance») est ainsi conservé (*nationaliser* eût été normal). ◇ Par extension, le verbe est également employé à propos d'une forme du langage (1553, en parlant de la nécessité de franciser un mot latin). ◇ Depuis la fin du XVIe s. (1599), il est employé avec une autre valeur, «acclimater (une espèce végétale, puis aussi animale)». ◇ L'emploi de la forme pronominale *se naturaliser avec*, «se familiariser avec» (av. 1704), a disparu. ◇ Le participe passé **NATURALISÉ, ÉE** est employé comme adjectif (1552, *estranger naturalisé*) et, depuis 1874, comme nom. ◆ De *naturaliser* est dérivé **NATURALISATION** n. f. (1566) avec son sens juridique correspondant à *naturaliser* et virtuellement à *nationalisation*. Depuis le XIXe s., le nom, comme le verbe, est employé à propos d'un mot (1835), de plantes et d'animaux (1845) et se dit spécialement de l'opération consistant à empailler des animaux morts (1893). ◆ L'antonyme **DÉNATURALISER** v. tr. (1834) est essentiellement réservé au sens juridique, de même que **DÉNATURALISATION** n. f., formé antérieurement sur *naturalisation* au sens ancien de «fait de changer de naturel» (attesté de 1578 à 1613), et repris (1743) avec son sens moderne.

NATURALISTE adj. et n., formé savamment sur le latin *naturalis* au moyen du suffixe *-iste*, est un mot de la Renaissance (1527): son premier sens est «personne qui étudie l'histoire naturelle». Il se rapporte aussi à celui qui suit la nature, l'instinct (1571). Au XVIIe s., il est employé par l'Académie des beaux-arts à propos d'une personne qui estime nécessaire l'imitation de la nature en toutes choses. ◇ Il entre dans le vocabulaire de la philosophie matérialiste en même temps que *naturalisme* au XVIIIe s. et devient au XIXe s. un terme d'histoire littéraire chez Zola (1866), consacré par la création de *l'école naturaliste*, le 16 avril 1877 à Trappe, au cours d'un dîner réunissant Zola, Flaubert, Ed. de Goncourt et le futur groupe de Médan. ✦ Quant à **NATURALISME** n. m., c'est un dérivé savant (1719) du même radical latin avec le suffixe *-isme,* au sens ancien d'«interprétation mythologique des faits de la nature». ◇ Dans le contexte de l'histoire des idées du XVIIIe s., il désigne le système qui considère la nature comme principe fondamental, pour lequel rien n'existe en dehors de la nature (1746, Diderot), concept voisin de celui de *matérialisme.* ◇ Le XIXe s. en a fait un terme d'esthétique picturale (1839) puis littéraire (1858, Taine à propos de Balzac). C'est un peu plus tard, avec Zola et le groupe de Médan (cf. ci-dessus *naturaliste*), que le mot prend son acception littéraire stricte de «doctrine caractérisée par la volonté de peindre la réalité sociale dans tous ses aspects et en recourant aux méthodes de la science».

◈ voir SURNATUREL.

NAUFRAGE n. m. est emprunté (*naffrage,* 1414) au latin *naufragium* «perte d'un vaisseau en mer» et au figuré «ruine, destruction», formé de *navis* (→ nef) et *frangere* «briser» (→ enfreindre, fraction). Le mot latin s'emploie spécialement dans le langage juridique médiéval au sens de «droit d'épave» (881).

♦ *Naufrage* «ruine d'un vaisseau en mer» est pris spécialement dans l'expression juridique *droit de nauffraige* (1461) mais est noté comme mot rare par Calvin. Il redevient usuel au XVIIe s., et le reste. ◇ Au XVIe s. se développe le sens figuré, peut-être repris du latin, de «destruction, ruine complète» (1501-1504), avec lequel le nom entre dans l'expression figurée ***faire naufrage au port*** (1643) «échouer quand toutes les difficultés paraissent vaincues». On a dit de même que *la vieillesse est un naufrage.*

▸ **NAUFRAGER** v. intr. date probablement du XVIe s. (av. 1526); on l'a cru attesté dès 1300 par le participe passé *nauffragé* «qui a fait naufrage (d'une personne)». Cependant, l'ancienneté de l'attestation incite à lire cette forme comme le substantif *nauffrage,* emprunté au latin *naufragus* «naufrage» et fréquent au XVIe siècle. Le pronominal *se naufrager* (1530) reste moins courant dans l'usage moderne que la locution ***faire naufrage.*** ◇ Le verbe a pris au XIXe s. la valeur correspondant à *naufrageur* (ci-dessous). La forme la plus courante du verbe semble être le participe passé **NAUFRAGÉ, ÉE,** adjectivé (1600, *navire naufragé*) et substantivé. ✦ Au XIXe s. est apparu **NAUFRAGEUR** n. m. (1874) désignant un habitant des côtes qui provoquait le naufrage d'un navire pour s'emparer des épaves; ce mot est également employé au figuré (1886) et en apposition avec une valeur adjective par laquelle le féminin *naufrageuse* est attesté.

◈ voir NAVRER (hypothèse).

NAUSÉE n. f. est emprunté (1494) au latin *nausea* «mal de mer», d'où en général «envie de vomir», mot qui a donné *noise** par voie populaire. *Nausea* est, dans le groupe de *navis* (→ nef), un emprunt au grec *nautia* ou *nausia* «mal de mer», «vomissement» (Aristote), dérivé de *naus* «bateau». Il fait partie de ces termes de navigation empruntés par le latin au grec, les Latins ayant appris la navigation des Grecs et des Étrusques.

♦ *Nausée* désigne proprement l'envie de vomir due au mal de mer (1573) pour laquelle on recourt aujourd'hui plutôt à la périphrase *mal de mer.* Il s'étend plus généralement à toute envie de vomir. ◇ Depuis 1752, le mot est employé au sens figuré de «sensation de dégoût insurmontable», suscitant quelques locutions usuelles. Une valeur philosophique de «malaise devant l'être» lui a été conférée par Sartre (1938, *La Nausée*).

▸ En est dérivé **NAUSÉEUX, EUSE** adj. (1793) «qui donne la nausée», au propre et au figuré (1824). ✦ **NAUSÉABOND, ONDE** adj. est un emprunt tardif (1762) au composé latin *nauseabundus* «qui éprouve le mal de mer, qui a des nausées», dérivé de *nauseare* «avoir le mal de mer» avec le même type de suffixe que *moribundus* (→ moribond). ◇ Le mot signifie proprement «qui cause des nausées» (d'abord en parlant du goût de l'eau des marais), d'où par métonymie «qui a de mauvaises odeurs». ◇ Dès 1773, cet adjectif est employé au sens figuré de «qui rebute» (personnes), puis (1831) «qui excite le dégoût» (choses).

NAUTES → NAUTONIER

NAUTILE n. m. est emprunté (1562) au latin impérial *nautilus* «mollusque céphalopode à coquille cloisonnée». Celui-ci est emprunté au grec de même sens *nautilos,* proprement «marin», de *naus* «navire», correspondant au latin *navis* (→ nef), parce que ce mollusque étend ses tentacules comme une voile pour naviguer.

♦ Le mot, introduit en zoologie, est également pris par métonymie pour désigner un vase fait d'une conque marine polie et montée sur pied d'argent (1664, *notille*). Autrefois, il désignait aussi un autre céphalopode appelé aujourd'hui *argonaute;* au XIXe s., il s'est dit (1846) d'une ceinture gonflée d'air servant de bouée. ◇ Jules Verne a pris le nom latin *nautilus* pour désigner le sous-marin du Capitaine Nemo dans *Vingt Mille Lieues sous les mers.*

NAUTIQUE adj. est emprunté (déb. XVIe s.) au latin *nauticus,* lui-même emprunté au grec *nautikos* «qui concerne les marins, les bateaux», de *naus* «navire». Ce mot a des correspondants dans de nombreuses langues indoeuropéennes : le sanskrit *náuḥ,* le persan *nāv,* l'arménien *naw,* en celtique l'ancien irlandais *nau,* en germanique le vieux norrois *nor* «navire», *naust* «garage de bateaux», l'anglo-saxon *nowend* «marin»; enfin, en latin même, le groupe de *navis* (→ nef).

♦ *Nautique* a signifié «des marins» *(clameur nautique);* cet emploi a disparu au XVIIe siècle. ◇ Il prend au XVIe s. (1556) sa valeur moderne, «qui appartient à la navigation, concerne la navigation». ◇ Ultérieurement, il a pris le sens de «qui concerne les sports de l'eau» (1779, *joutes nautiques*), valeur devenue usuelle au XIXe s. (avec le canotage, par exemple) et surtout au XXe s. avec la navigation de plaisance.

▸ On en a tiré récemment, par changement de suffixe, **NAUTISME** n. m. (1966) «ensemble des sports nautiques», en particulier «navigation de plaisance».
L'élément **-NAUTIQUE**, tiré du grec *nautikos*, sert à former des noms et adjectifs relatifs à différents types de navigation. ◆ Il entre dans le nom et l'adjectif composé **AÉRONAUTIQUE** (1784) par transposition du syntagme *nautique aérienne* sous la forme inversée et savante *aéro-nautique*, d'après *aérostat* et *aérostatique* (→ aérer). ◆ Cet adjectif, d'abord lié à l'aérostation et aux premiers ballons ou montgolfières, a été rattaché plus tard au domaine de l'aviation (→ aviateur, aviation).

◈ voir NAUSÉE, NAUSÉABOND, NAUTONIER, NOCHER, NOISE, -NAUTE dans ASTRONAUTE (art. ASTRO-), COSMONAUTE (art. COSMOS).

NAUTONIER, IÈRE n. est emprunté (1119) à l'ancien provençal *nautanier* «personne qui conduit une barque» (déb. XIIe s.), lequel est dérivé d'une forme °*nauto* supposée d'après l'ancien français *noton* «matelot» (1200). Il est formé sur °*nautonem*, accusatif d'un latin populaire °*nauto, -onis*, doublet du latin de même sens *nauta* (décliné *nauta, -anis*), d'où le *-a-* de l'ancien provençal. Celui-ci, représenté en français dans l'élément *-naute* (→ argonaute, astronaute, cosmonaute [à astro- et à cosmos]), est emprunté au grec *nautês* «matelot», de *naus* «navire», correspondant au latin *navis* (→ nef).

♦ En français, tandis que la forme *noton* et, par évolution phonétique régulière, *noon* (v. 1120) a disparu au sens de «matelot», *nautonnier* (1494), après *notunier* (1119) et *notonier* (1188-1191), s'est maintenu comme terme poétique. Il est employé dans l'expression *nautonier des Enfers* comme surnom de Charon, personnage de la mythologie grecque chargé de faire traverser aux morts le fleuve des enfers, l'Achéron (cf. *nocher*).

▸ Par un nouvel emprunt au latin *nauta*, on a formé **NAUTES** n. m. pl. (1810, Chateaubriand), employé par les historiens pour désigner les bateliers des fleuves de la Gaule romaine (aussi *naute*, au singulier).

◈ voir NAUTIQUE.

NAVAL, ALE, ALS adj. est un emprunt (déb. XIVe s.) au latin *navalis* «de navire, de vaisseau», dérivé de *navis* «navire» (→ nef).

♦ En français, le premier sens du mot est «qui concerne les bateaux». À côté de *nautique* et de *maritime*, cet emploi se retrouve dans *chantier naval, construction navale*. Il se distingue par le sens de *nautique*, comme *navire* de *navigation*. ◇ Au cours du XIVe s., l'adjectif s'est spécialisé en parlant de la guerre sur mer, entrant dans le syntagme *bataille navale* (1580). C'est avec ce sens que le mot entre dans *École navale* (1842) «école qui forme les officiers de la marine nationale», substantivé par ellipse du nom en *Navale* n. f. (1879). Ainsi, l'usage courant a spécialisé *naval, nautique* et *maritime*, sans éviter toutefois les chevauchements d'emploi.

▸ Le dérivé de *naval*, **NAVALISER** v. tr. (v. 1950), est employé techniquement au sens d'«adapter (un appareil) à une utilisation sur les navires», d'où le nom d'action **NAVALISATION** n. f. (v. 1950). ◆ Avec l'élément *aéro-* (→ aérer), *naval* entre dans **AÉRONAVAL, ALS** (1861) adj., substantivé au féminin dans **AÉRONAVALE** n. f. (1956), probablement à cause du genre féminin des mots désignant la plupart des autres corps militaires (*artillerie, infanterie, marine*), ou par condensation des syntagmes *aviation navale, aéronautique navale*.

NAVARIN n. m., terme de cuisine, est un calembour (1847) qui transforme en un dérivé de *navet* le nom propre *Navarin*, ville grecque auprès de laquelle eut lieu une bataille célèbre en 1827, à moins qu'il ne s'agisse de plat de la *Navarre*, l'étymologie navale n'étant pas des plus sûres.

♦ Le mot est attesté en 1847 en argot au sens de «navet». Par métonymie, il a pris son sens moderne de «ragoût de mouton» (1866), ce plat étant préparé avec des navets, des pommes de terre, des carottes et des oignons.

NAVEL n. m. est un emprunt (mil. XXe s.) à l'anglais *navel* «nombril», qui se rattache à la même racine germanique que le néerlandais *navel*, l'allemand *Nabel* et repose sur le radical indoeuropéen du latin *umbilicus* (→ nombril, ombilic).

♦ Le mot désigne une variété d'orange de table caractérisée par un ombilic très marqué.

NAVET n. m. est dérivé à l'aide du suffixe *-et* (fin XIIe s., *navez*) de l'ancien français de même sens *nef* (1174-1176), issu du latin *napus* «navet», terme méditerranéen d'origine obscure qui rappelle *rapum* (→ rave) de sens voisin. Un emprunt au grec *napu* «moutarde» (→ sinapisme) est peu vraisemblable, du fait de l'éloignement de sens. *Nef* n'a pas survécu à l'homonymie avec *nef** «navire».

♦ *Navet* «plante à racine pivotante comestible», désignant par métonymie cette racine (v. 1398), est resté usuel en cuisine (*canard aux navets*, etc.). ◆ Le mot est employé très tôt (v. 1278) pour exprimer une valeur figurée de «nullité, valeur minime», entrant en moyen français dans des locutions péjoratives comme *pet de navet*. ◇ Cette idée est reprise au XIXe s., quand le mot désigne familièrement un très mauvais tableau (1853) et, aujourd'hui, un mauvais film (XXe s.). ◇ Elle est également sensible dans l'expression familière ***sang de navet*** «anémique, sans énergie» (1920).

▸ Un autre diminutif de l'ancien français *nef*, *navel* (1200), refait en **NAVEAU** n. m. d'après le pluriel *naviaus* (1260), s'est maintenu dans les parlers régionaux (Centre, Canada), la toponymie (*Nièvre, Naviau*) ainsi que l'anthroponymie (*Navel, Naveau*). Au XVIe s., *navel* désignait particulièrement les gros navets et était employé au sens figuré de «très peu de chose», servant également à indiquer la négation dans *des naveaulx!* (la langue populaire du XIXe s. atteste aussi *des navets!* comme expression de refus; cf. *des raves, des nèfles*, etc.). ◆ ① **NAVETTE** n. f. (1323, Artois), diminutif féminin de l'ancien *nef*, désigne une plante voisine du colza, et surtout sa graine oléagineuse. ◆ Par apocope, *na-*

vet a donné **NAVE** n. f. (1872), terme argotique pour désigner un niais. Dans ***fleur de nave***, *fleur* joue sur la valeur figurée intensive (cf. *fleur de farine*).

◈ voir NAVARIN.

① NAVETTE → NAVET

② NAVETTE

② **NAVETTE** n. f. est dérivé de *nef** d'après l'étymon latin *navis* au moyen du suffixe diminutif *-ette* (XIIIe s.).

♦ Le mot, par l'image du «petit bateau», désigne la pièce mobile, allongée en forme de bateau, qui fait passer le fil de la trame entre les fils de la chaîne puis, dans une machine à coudre, la pièce qui contient la canette (1868). ◆ Par une autre analogie, il a servi à désigner un petit récipient allongé en matière précieuse *(navette à sel, à encre, à épice)* et spécialement, en liturgie (XIVe s.), le petit récipient qui contient l'encens. Il se dit aussi pour un petit pain au lait (1792). ◆ D'autres sens exploitent l'idée d'un mouvement de va et vient, par allusion à la navette de fils : l'expression *jouer de la navette,* d'abord relevée avec un sens libre pour «faire l'amour» (1566), est passée dans l'usage courant au sens de «faire des allées et venues» (1718) et est devenue *faire la navette* (1740-1755) dans l'usage moderne. *Navette* est appliqué ultérieurement, par métonymie, à un véhicule ou à un service de transport en commun reliant régulièrement deux points assez proches (1801, par métaphore; répandu XXe s.), puis à un engin *(navette spatiale)* assurant la liaison entre la Terre et des stations orbitales. Dans le domaine politique français, *la navette* désigne l'aller et retour d'un projet de loi entre l'Assemblée nationale et le Sénat (1935).

► En Belgique, on emploie le dérivé **NAVETTEUR, EUSE** n. (XXe s., att. 1971) à propos d'une personne qui voyage régulièrement en chemin de fer entre son domicile et son lieu de travail, mot qui pourrait traduire l'anglais *commuter.*

NAVIGUER

NAVIGUER v. intr. est emprunté (fin XIVe s.) au latin *navigare* «voyager sur mer, sur eau», dérivé de *navis* (→ nef) qui a donné le doublet *nager** par évolution phonétique.

♦ Le verbe est attesté dès les premiers textes, plus tardifs que ceux qui attestent *navigation,* au sens de «voyager sur mer, sur les rivières», le sujet désignant un navire ou ses occupants. Employé avec le même sens en construction transitive comme *marcher, courir...* (1516, *naviguer la mer*), il a vieilli puis disparu. ◆ *Naviguer* se rapporte particulièrement à l'art de diriger le bateau (1678, *naviguer au nord*), notamment en parlant du pilote (1704), de pratiquer la navigation (1661, *art de naviguer*) et, en parlant d'un bâtiment, de se comporter sur mer (1718), avec des adverbes comme *bien* et *mal.* ◆ Comme la plupart des termes de marine, le verbe est employé en aéronautique, à propos d'un avion (aéronef) ou d'un aérostat (1863). cf. ci-dessous les dérivés. ◆ Au XVIe s., hors du domaine de la navigation, apparaît le sens figuré de «diriger les affaires habilement en évitant les périls» (1550), valeur qui se répandra surtout au XIXe siècle. ◇ C'est aussi au XIXe s. que *naviguer* prend le sens familier d'«aller et venir» (1842), «se promener, aller quelque part avec un véhicule» (1874), et par image «se dandiner» (en parlant des oies, 1899; puis d'un véhicule, 1926).

► Le nom correspondant, **NAVIGATION** n. f., est emprunté plus tôt que le verbe (1284) au latin *navigatio* «voyage sur mer, sur les eaux», dérivé du supin de *navigare.* ◇ Le mot se dit d'un voyage sur mer et, depuis le XVIe s. (1538), sur toutes les eaux, ainsi que du métier de navigateur (1538). ◇ Dès 1742 (Rousseau), il est entré dans le syntagme ***navigation aérienne,*** d'abord en parlant d'un aérostat, puis d'un aéroplane (1875). Au XXe s., il suit les progrès de l'aéronautique et entre dans *navigation interplanétaire* (1932), *navigation spatiale* (1962). ◆ *Naviguer* a donné quelques dérivés. **NAVIGABLE** adj. (1448) est formé sur le modèle du latin impérial *navigabilis,* de *navigare.* Il signifie «où l'on peut naviguer» mais n'a pas gardé son sens de «qui peut naviguer» (1542). ◇ Par préfixation, on a formé l'antonyme **INNAVIGABLE** adj. (1530), demeuré rare (on dit *non navigable*). ◆ Au XIXe s. est apparu **NAVIGABILITÉ** n. f. (1823) à propos d'un cours d'eau sur lequel on peut naviguer, puis activement, d'un navire (1863) et d'un avion (1870). ◆ **NAVIGABILISER** v. tr. est d'usage très rare (1833). ◆ **NAVIGANT, ANTE** n. et adj., employé en ancien français au sens de «navigateur» (1473), est repris (1812) en marine, puis (XXe s.) en aviation, notamment en fonction d'adjectif *(personnel navigant).*

NAVIGATEUR, TRICE n. (1529) a été formé d'après le latin impérial *navigator* «celui qui navigue», fait sur le supin de *navigare.* ◇ Il est employé en particulier à propos de celui qui fait un voyage au long cours (1557), comme nom et comme adjectif (1770), avec pour féminin *navigatrice.* ◇ Il désigne aussi la personne qui voyage en aéronef (av. 1834). Au XVIIIe s., se développe le sens particulier de «marin apte à conduire un navire» (1718) et, transposé dans le contexte de la navigation aérienne, de «personne qui fait suivre à un appareil aérien un itinéraire précis» (mil. XXe s.). ◇ Il se dit aussi pour l'appareil permettant de déterminer automatiquement le point d'un navire ou d'un avion (1959, *navigateur par inertie*). ◇ Depuis 1990 environ, le mot s'applique à un logiciel permettant de consulter de manière unifiée un ensemble d'informations sur un réseau télématique, un cédérom, etc.

NAVISPHÈRE n. f., formé (1879) sur l'initiale de *naviguer* avec *sphère**, est le nom d'un instrument servant à la navigation. ◆ Pendant la Seconde Guerre mondiale, est apparu le terme juridique **NAVICERT** n. m. (1940, de Gaulle), «sauf-conduit en temps de guerre pour un navire de commerce», emprunté à l'anglais *navicert* (1923), de *navi-* pour *navigation* et *-cert* pour *certificate,* tous deux d'origine française (→ certificat).

NAVIRE

NAVIRE n. m. est la simplification (1140) de l'ancien français *navirie* (1080), lui-même altération de *navilie* (1080) «flotte», emprunté au latin populaire °*navilium,* altération du latin classique *navigium* «flotte», de *navigare* (→ naviguer). L'ancien provençal a aussi *navili* «flotte, navire»; en outre, le latin *navigium* a donné au français les anciens termes *navoi* (n. m.) et *navie* (n. m. et f.) «flotte» et aussi «navire».

♦ *Navire* présente en ancien français la même ambiguïté sémantique que le latin entre les sens de «flotte» (1140) et de «vaisseau» (1160). Le genre du mot est resté indécis jusqu'au XVIIe s., l'usage du masculin devenant prépondérant au XVIe siècle. On a voulu voir dans l'usage féminin une spécialisation sémantique, *la navire* réalisant plutôt le sens de «flotte» et déclinant avant le XVIIe s. avec ce sens. Au sens de «bateau», le mot s'est peu à peu substitué à *nef.* ➝ *Navire* est consacré par l'usage pour désigner un bateau d'un certain tonnage; il est souvent déterminé par un adjectif (*navire marchand,* 1690) ou un complément introduit par *de* (*navire de guerre,* 1690). En français moderne, il est en concurrence avec *bateau.*

▸ Il entre dans quelques noms composés dont **NAVIRE-HÔPITAL** (1868), **NAVIRE-ATELIER** (1868), **NAVIRE-USINE** (1932), **NAVIRE-CITERNE** (1973), tous noms masculins. ◇ On le trouve au premier terme de quelques composés sous la forme abrégée *navi- :* **NAVIPORT** n. m., **NAVIPLANE** n. m. (1965), nom déposé créé sur le modèle de *aéroplane, aquaplane.*

NAVRER v. tr. est la forme altérée (1130) de l'ancien français *nafrer* «blesser en transperçant, en coupant» (1080), mot d'abord attesté dans les anciens textes normands et anglo-normands, et dans les parlers de l'Ouest. *Nafrer* est entré, comme terme de chevalerie, en provençal et franco-provençal (*nafrar,* fin XIIe s.). Son origine est incertaine : il est peut-être emprunté, par les dialectes normands, à l'ancien norrois °*nafra* «percer avec une tarière», que l'on postule d'après l'ancien norrois *nafarr* «tarière». Le glissement de sens en gallo-roman s'expliquerait par une mauvaise compréhension du verbe, en raison de l'absence de nom correspondant. Le point faible de cette hypothèse est que le nom de l'ancien norrois n'a pas de représentant en gallo-roman, alors que, réciproquement, le verbe exigé par la reconstruction manque en ancien norrois. ◇ Selon une autre hypothèse, *nafrer* est issu du latin *naufragare* «faire naufrage» (→ naufrage) qui avait pris les sens figurés de «ruiner, endommager» (VIIe-VIIIe s.), d'où «subir un dommage corporel» (fin IXe s.). Cette évolution de sens a eu lieu dans l'ancien espagnol *nafregar(e), navargar* «désoler, détruire» (v. 950), blesser (un cheval)» (1129), «maltraiter» (XIIe s.), ainsi que dans l'ancien portugais *ana(u)fragar* (1123). L'évolution phonétique conduisant de *naufragare* à *nafrer* s'expliquerait par une réduction de *naufragus* (analogue à celle qui aboutit à *rêver*) ou par une formation régressive de *nafregare,* issu de *naufragare* par changement de suffixe (le cas se présentant en espagnol avec *doblar/doblegar, desdentar/desdentegar*). On pourrait aussi l'expliquer par l'influence des formes verbales accentuées sur la syllabe initiale (*naufragat*). En français, la sonorisation de *nafrer* en *navrer* s'explique aisément par le passage du mot normand au parler de Paris où le groupe *-vr-* est fréquent.

♦ Ce verbe a connu le même type d'évolution sémantique que *mortifier* ou *meurtrir :* transposition au figuré et affaiblissement de sens. Il est passé du sens premier de «blesser en transperçant, en coupant» au sens figuré d'«atteindre (qqn)», le sujet désignant un sentiment vif, notamment l'amour (1176), puis de «causer une très grande peine, affliger» (1538; 1562 au participe passé). ◇ Par affaiblissement de sens, *navrer* s'emploie aussi au sens de «contrarier, décevoir (qqn)», surtout au passif et au participe passé (1773, *navré*), notamment dans les formules de politesse : *je suis navré; navré, désolé,* etc.

▸ Seuls les dérivés les plus récents du mot sont encore en usage. ➝ Le participe présent **NAVRANT, ANTE** est adjectivé (1787) au sens de «qui cause une profonde affliction», également «contrariant, ennuyeux» (1856). ➝ **NAVREMENT** n. m., nettement plus littéraire, désigne l'état d'une personne navrée (1831; une fois en 1773); il existait en moyen français avec le sens figuré de «mal, comparé à une blessure» (1624). ➝ **NAVRANCE** n. f. est signalé par Littré (1868) comme ayant été proposé mais non adopté; c'est un mot littéraire et précieux que l'on rencontre par exemple chez Gide.

NAZI adj. et n. → NATION

NE adv. de négation est issu (842) du latin *non* (→ non) avec un développement particulier dû à la position proclitique de ce mot accessoire. *Non* s'est affaibli en *nen* (1050) devant voyelle, forme qui ne s'est maintenue après le moyen âge que dans *nenni**. *Non* a aussi perdu sa finale nasale, donnant *no* (881) et *ne* (av. 950) : c'est cette dernière forme qui est restée, remplaçant peu à peu les autres et devenant la négation usuelle.

♦ Dès le XIe s. (1050), le simple *ne (il ne vient)* a été senti comme trop faible pour exprimer la négation et, par besoin d'expressivité, il a été renforcé par des noms positifs signifiant une quantité minime, devenus peu à peu des mots grammaticaux teintés de négativité (cf. *goutte, mie, pas, mot, point, rien, néant*), et par des adverbes de temps et de quantité (cf. *guère, jamais, plus*). L'usage de la négation simple s'est toutefois maintenu dans certains cas; au contraire, dans l'usage familier, *ne* tend à disparaître au profit de ces particules, qui sont plus expressives et qui portent l'accent (notamment *pas*). Tous les emplois du mot sont fixés dès le XIIe siècle.

◈ voir NENNI, NI, NON.

NÉANMOINS adv. → NÉANT

NÉANT n. m. apparaît en ancien français, écrit *neient, noient* et *nient,* la forme actuelle *néant,* attestée dès 1050, l'emportant au XVe siècle. On a proposé pour origine un latin *nec entem,* formé de la particule négative *nec* (→ ni) et de *ens,* participe présent de *esse* «être», mais il est peu probable qu'un terme créé dans la langue philosophique soit devenu populaire, surtout à la fin de l'Empire. Il faut plutôt supposer un latin tardif °*ne gentem* «pas un être vivant», de *gens* (→ gens). Ce syntagme est à rapprocher des syntagmes classiques formés avec *gens*, comme *ubique gentium* «partout», *ubinam gentium* «en quel endroit», *nusquam gentium* «nulle part», *minime gentium* «pas le moins du monde, très peu». Cet emploi d'un nom désignant des êtres vivants pour former une négation se rapportant à des choses a son parallèle dans l'allemand *nicht* «ne...pas», du moyen allemand *niht*, contraction de l'ancien haut allemand *niwiht* (composé de *ni* et de *wiht* «démon»), et dans l'espagnol *nada* «rien», issu du latin *nata*, participe passé féminin de *nasci* «naître».

♦ En ancien français, le mot était employé comme pronom indéfini marquant à lui seul la négation totale au sens de «nulle chose, rien», souvent en renforcement de *ne*. Comme *rien*, il était employé dans des locutions prépositives avec les prépositions *de* et *à* : il en reste quelques traces dans le langage juridique et dans la locution usuelle ***réduire à néant*** (1155, *metre a nient*). *Néant* pouvait, comme *goutte, mie, rien*, etc., avoir une valeur positive lorsqu'il était employé sans *ne*, notamment dans une complétive ou une hypothétique. ◆ Son ancien emploi adverbial a reculé au profit de *rien*, sauf dans le style administratif ou familier, et son ancien emploi adjectif au sens de «sans valeur, inexistant» (1174-1176) a totalement disparu, sauf dans quelques parlers régionaux du Nord et de la Normandie, au sens de «paresseux» (→ fainéant). ◆ En tant que nom, *néant* (1160-1174) a le sens figuré moral de «vanité, illusion»; par extension, il exprime l'idée de mensonge, chose sans fondement. Il est spécialement employé dans un contexte religieux pour désigner tout ce qui n'est pas Dieu, le vide absolu (fin XIIe s.), en particulier l'homme dans son infime petitesse (1608, saint François de Sales). ◇ Depuis le XVIIe s., il exprime l'idée philosophique de «non-être» (1647, Descartes), spécialement en parlant de ce qui précède l'être (1646) ou de la mort considérée comme l'aboutissement de l'être (1670). Le concept a été étudié dans le cadre de l'ontologie, s'articulant avec *non-être* (→ être), notamment dans la philosophie existentialiste (voir les dérivés).

▶ Sur *néant*, on a fait **NÉANTIR** v. tr. (fin XIVe s., *niantir*) «réduire à néant», verbe très rare avant qu'il ne soit repris au XXe s. dans le langage philosophique (1931) pour traduire l'allemand *nichten*, spécialisé comme terme de philosophie chez M. Heidegger (1929). ◆ En ce sens, on dit aussi **NÉANTISER** v. tr. (1936), employé également pour traduire l'allemand *nichten*, à la forme pronominale *se néantiser* (1943, Sartre, *L'Être et le Néant*). ◇ C'est chez Sartre que l'on relève également les dérivés **NÉANTISATION** n. f. (1943), **NÉANTISANT, ANTE** adj. (1943), **NÉANTISATEUR** n. m. ou adj. (1940, *L'Imaginaire*) et **NÉANTITÉ** n. f. (1943), à peu près inusité.

L'usage courant dispose depuis l'ancien français de **ANÉANTIR** v. tr. (1260), antérieurement sous les formes *anientir* (1170-1180), *anoiantir* (1236) et *aniantir* (1190-1200). ◇ Ce verbe est d'abord attesté en emploi intransitif au sens ancien de «retomber au néant (des créatures)» et, au figuré, «prendre conscience de son néant devant Dieu» (1190-1200), en contexte religieux. La construction transitive exprime l'idée de «réduire à néant» (av. 1188), y compris dans un cadre religieux (1236). ◇ Depuis le XVIIIe s. (1731-1741), le verbe signifie également au figuré «plonger (qqn) dans l'abattement». ◆ Le dérivé **ANÉANTISSEMENT** n. m. (1309) a d'abord été un terme juridique se rapportant à l'action d'annuler un accord, sens attesté jusqu'en 1680. ◇ Au cours du XIVe s., le mot prend le sens de «destruction, réduction à néant», d'abord à propos d'une nation, d'un peuple, puis aussi d'une réalité physique, d'une créature (1585). ◇ À la différence du verbe *anéantir*, l'emploi religieux est attesté plus tard (1648), en même temps que le sens figuré d'«état d'abattement, de fatigue extrême» (av. 1654), antérieur à l'attestation du sens correspondant chez le verbe.

Néant entre aussi dans **NÉANMOINS** adv. «malgré ce qui vient d'être dit» (apr. 1250, *nenmains*; 1304, *neemains*), lexicalisation du syntagme *niënt meins* «pas moins» (1165) de *néant* et de *moins**. ◆ Le mot, qui correspond à *cependant* avec plus de force adversative, est littéraire ou didactique. ◇ Il a eu de nombreuses variantes en ancien français et on a employé *néantmoins* du XVe au XVIIe siècle. La locution ***ce néanmoins*** «malgré cela» (1544) appartient à l'usage classique.

NÉBULEUX, EUSE adj. est emprunté (1270, *nebuleus*) au latin *nebulosus* «où il y a des brouillards», «qui ressemble à un nuage», au figuré «obscur, difficile à comprendre», dérivé de *nebula* «brouillard, brume», «fine substance» et au figuré «style brumeux, obscur». *Nebula* est à rapprocher de nombreux termes indoeuropéens : le grec *nephelê* «nuée», en germanique le vieil islandais *niól* «obscurité», l'ancien haut allemand *nebul* «brouillard» (allemand *Nebel*), en celtique l'irlandais *nel*, le gallois *niwl* et, sous une autre forme, le sanskrit *nábhas-* «nuage», le grec *nephos* «nuage» et le vieux slave *nebo* «ciel». Une racine indoeuropéenne commune en *n-b*, pour «nuage», est donc très vraisemblable.

♦ *Nébuleux* est d'abord attesté au sens propre de «chargé de nuages» et plus tard de «qui rappelle les nuages» (1478). ◇ Aux XVIe et XVIIe s., se développent les sens figurés de «confus» (av. 1565) et dans l'usage classique «assombri, triste (du visage)» (1651, Scarron); seul le premier a survécu.

▶ On en a tiré **NÉBULEUSEMENT** adv. (1736) de sens propre et figuré (v. 1870). ◆ Le féminin **NÉBULEUSE** n. f. est substantivé en astronomie (1642) par ellipse du syntagme *étoile nébuleuse* (1642), pour désigner un objet céleste présentant un aspect diffus et nuageux, par analogie un amas flou, diffus et, au figuré, ce qui constitue l'atmosphère de qqch. ◇ En astronomie, depuis la découverte des *nébuleuses spirales*, immenses amas d'étoiles analogues à la Galaxie* (*nébuleuse*, 1921, in *Revue gén. des sc.*), le mot a donc deux valeurs très différentes. ◆ Par changement de suffixe, *nébuleux* adj. a servi à former **NÉBULAIRE** adj. (1877) «relatif aux nébuleuses» (l'anglais a *nebular* depuis 1856, mais pour «ce qui se rapporte aux nuages»). ◆ Quelques termes didactiques sont empruntés ou issus du latin *nebula* : **NÉBULOSITÉ** n. f. est un emprunt

(1488) au dérivé bas latin *nebulositas* «obscurité, nuage» (IIIe-IVe s.). Attesté une première fois au sens de «nuage sans contour défini», il est repris au sens de «nuage, obscurcissement» (1684) et employé en météorologie (1890). ◇ L'emploi figuré, attesté depuis 1495 en parlant de ce qui obscurcit la conscience, correspond de nos jours (1845-1846) à l'idée de «ce qui manque de clarté». ◆ Au XXe s., on a formé **NÉBULISER** v. tr. (av. 1970) «disperser en fines goutelettes» et **NÉBULISATION** n. f. (1970). ◇ Ce verbe et ce nom d'action pourraient procéder de **NÉBULISEUR** n. m. (1963) «appareil pour vaporiser sous pression un liquide médicamenteux» (l'anglais a *nebulizer* dès 1874 et, du reste, la série semble empruntée à l'anglais), avec des substitutions de suffixes. ◆ Antérieurement, on relève **NEBULIUM** n. m. (1911, chez Poincaré), formé sur le radical de *nébuleuse* avec le suffixe *-ium* pour désigner l'élément imaginaire auquel on a cru attribuer deux raies du spectre des nébuleuses. L'anglais a eu *nebulium* dès 1898. Ce terme a disparu, sauf en histoire des sciences.

◈ voir NIMBE.

NÉCESSAIRE adj. et n. m. est emprunté (1119) au latin *necessarius* «inévitable, inéluctable, pressant», et aussi «indispensable», substantivé d'une part au pluriel neutre *necessaria* pour désigner l'ensemble des choses nécessaires et, de l'autre, au masculin singulier pour désigner un proche, un ami intime. Le nom latin vient de *necesse*, forme neutre d'un adjectif non attesté °*necessis*, surtout employé dans la locution impersonnelle *necesse est* «il est nécessaire, indispensable». On a avancé l'idée qu'il s'agirait d'une formation de la négation *ne* (→ ne) et de °*cessis*, nom dérivé de *cedere* «marcher» (→ céder) : en ce cas, la notion de «nécessité» serait issue de celle d'«immobilité» ou d'«impossibilité de se mouvoir ou d'être mû», à moins qu'en ne prenant *cedere* au sens de «s'en aller», on ne parte de la notion d'«impossibilité de reculer».

♦ *Nécessaire* signifie dès le XIIe s. «dont on a absolument besoin». Il est substantivé en ce sens au féminin pluriel (v. 1190, in *F. e. w.*), puis au masculin singulier *un nécessaire* (1530) pour l'ensemble des choses essentielles dans un mode de vie déterminé. Ultérieurement (1718), le nom sert, par affaiblissement et spécialisation, à désigner un assortiment ou un coffret renfermant ce qui est nécessaire pour une activité donnée, celle-ci étant précisée par un complément (1835, *nécessaire à toilette*, puis *de toilette;* 1890, *nécessaire à ouvrage*). ◆ Depuis le moyen français, l'adjectif entre dans des locutions impersonnelles analogues à celles du latin : ***il est nécessaire de*** (1436), ***il est nécessaire que*** (1495) puis ***il est nécessaire de*** avec un nom (1692). ◆ Il est appliqué aussi à un être vivant (1480) et, dans la langue classique, était substantivé pour désigner un laquais et, par dérision, une personne qui se croyait indispensable (1655), d'où *faire le nécessaire* «faire l'important». ◆ Dès l'ancien français, il signifie également «qui ne peut pas ne pas être» (1220) d'où «inévitable, inéluctable» (1554). Ce sens est réalisé dans *un mal nécessaire* (1676) et, depuis le XVIIe s., dans l'acception philosophique du mot (1657-1662, Pascal). Depuis le XVIIIe s. (1743), *nécessaire* est employé spécialement en logique *(vérité nécessaire)*.

▸ Le dérivé **NÉCESSAIREMENT** adv. (1150) possède toutes les valeurs de l'adjectif; elles se développent du XIIe au XVIIe s., où il prend son sens philosophique «d'une manière qui interdit le libre arbitre» (1657-1662, Pascal).

◈ voir NÉCESSITÉ.

NÉCESSITÉ n. f. est emprunté (v. 1120) au latin *necessitas* «nécessité, l'inévitable, l'inéluctable», «besoin impérieux, obligation de faire une chose» et au sens logique «caractère nécessaire», dérivé de *necesse* (→ nécessaire) à côté d'un autre nom, *necessitudo*, surtout employé pour les relations de parenté, d'amitié.

♦ Le premier sens de *nécessité* est celui de «misère, pauvreté», réalisé dans la locution *être en nécessité* (1540) et dans le dérivé *nécessiteux* (voir ci-dessous), la notion de «manque» s'entendant en moyen français dans *nécessité de qqch.* (v. 1360). ◆ Dès 1155, *nécessité* signifie également «besoin impérieux, caractère de ce dont on ne peut se passer», dans la locution ***de nécessité*** (1370-1372), ***de toute nécessité*** (1694), ***de première nécessité*** (1776). ◇ Le mot désigne aussi les besoins naturels tels que manger, dormir (v. 1278) et l'on disait autrefois *aller à des nécessités* par euphémisme (1300), en correspondance avec *un nécessaire* «cabinet d'aisances» (1230), là où le français moderne emploie *aller faire ses besoins*, avec le même sémantisme. ◇ Au moyen âge, le mot s'appliquait aussi au besoin d'argent éprouvé par une corporation, un gouvernement (1333, au pluriel) et à l'ensemble des choses nécessaires pour vivre. ◆ En moyen français (1480), il commence à désigner la fatalité, un événement inéluctable, quelquefois avec une majuscule pour la personnification de la déesse antique, fille de Fortune représentée avec des mains de bronze tenant des chevilles et des coins de fer. L'idée de «contrainte», liée à la précédente, est réalisée dans la locution proverbiale ***faire de nécessité vertu*** (v. 1278) et dans ***nécessité est mère d'industrie*** (1740), proverbe archaïque. ◆ Au XVIIe s., *nécessité*, comme *nécessaire*, entre dans le vocabulaire de la philosophie et de la logique avec deux valeurs différentes : «état de contrainte qui restreint ou annule le libre-choix de l'homme» (1656, Pascal) et «enchaînement nécessaire des causes et des effets» (par opposition à *hasard, contingence*). C'est dans ce sens que les hommes de sciences, tel J. Monod, l'opposent à *hasard*.

▸ Son dérivé **NÉCESSITEUX, EUSE** adj. (déb. XIVe s.) est d'abord attesté au sens ancien de «dénué de». Depuis 1422, il a le sens de «qui est dans la misère, dans le besoin», avec lequel il est substantivé (1546). ◆ On a aussi tiré de *nécessité* un autre adjectif, **NÉCESSITAIRE** (1857, n. ; 1864, adj.) employé spécialement en philosophie, sur lequel a été formé **NÉCESSITARISME** n. m. (1907).

Quant au verbe **NÉCESSITER** v. tr., il est emprunté (XIVe s.) au latin médiéval *necessitare* «contraindre, obliger», dérivé de *necessitas*. Aujourd'hui vieilli avec le sens hérité du latin, il est employé en philosophie au sens d'«impliquer nécessairement» (1694), et dans l'usage courant avec celui de «rendre nécessaire» (1757). ➞ Son participe présent **NÉCESSITANT, ANTE** est employé comme adjectif en philosophie et en théologie (1544) dans l'expression *grâce nécessitante* à propos d'une grâce qui contraindrait l'homme à suivre son inspiration. ➞ Le nom d'action **NÉCESSITATION** n. f. (1787; déb. XVIIIe s. selon Féraud), didactique, s'applique au fait de déterminer logiquement qqch.

◈ voir **NÉCESSAIRE.**

NEC PLUS ULTRA n. m. inv., attesté v. 1714, est une expression du latin scolaire moderne qui signifie littéralement «pas plus loin au-delà, rien au-delà» (→ plus, ultra). Elle aurait été gravée, selon la légende, sur les Colonnes d'Hercule, c'est-à-dire les monts Calpé et Abyla qu'Hercule sépara pour joindre l'Océan à la Méditerranée, et qui étaient considérées dans la mythologie comme les bornes du monde. Les expressions anglaises *non plus ultra* (1608), *ne plus ultra* (1638), ainsi que l'expression française *non plus ultra* (1638), sont reprises à d'autres formes latines.

♦ Le mot, rarement employé au sens littéral de «degré, limite à ne pas dépasser», exprime généralement l'idée intensive de la qualité insurpassable. Il est relativement courant.

NÉCRO- est l'élément formant tiré du grec *nekros* «mort, cadavre». Il existe en grec une forme archaïque *nekus* «mort, cadavre», surtout employée dans le langage poétique, notamment chez Homère, mais le terme courant est *nekros*, qui, dans les textes anciens, ne se dit que d'êtres humains, en particulier de soldats tués au combat. *Nekros* a produit dès le grec un certain nombre de composés. Il vient d'un vieux nom racine *°nekes*, auquel répondent exactement des formes de sens différent : le latin *nex, necis* «mort violente» (→ pernicieux), l'avestique *nas-* «malheur». Il existe aussi des verbes correspondant au verbe grec *nekrousthai* : le latin *necare* «tuer» (→ noyer), le sanskrit *náśyati*, l'avestique *nasyeiti*.

♦ *Nécro-* sert à construire des noms et des adjectifs du vocabulaire savant en minéralogie, biologie et pathologie.

► **NÉCROLOGIE** n. f. est composé (1704) de *nécro-** et *-logie**. Le mot a désigné le livre conservé dans les églises où l'on écrit les noms des bienfaiteurs et le temps de leur mort. Par extension, il a pris le sens de «courte notice biographique consacrée à une personne morte récemment» (1797) et, dans le cadre d'un journal, «liste des personnes notables décédées en un temps déterminé» (1918). On l'abrège familièrement en **NÉCRO** n. f. (att. 1968). ◇ On en a tiré **NÉCROLOGIQUE** adj. (1784) et **NÉCROLOGUE** n. (1828). ➞ **NÉCROLOGE** n. m., mot très didactique, est emprunté (XVIe s.) au latin de la Renaissance *necrologium* «nécrologie» (XVIe s.), de *necro-* et *-logium* sur le modèle d'*elogium* (→ éloge). ◇ Le mot désignait le registre où l'on inscrivait le nom des morts d'une communauté religieuse, ainsi que la date de leur décès. Au XVIIIe et au XIXe s., il a pris deux sens assez voisins de ceux de *nécrologie*, s'appliquant à un ouvrage consacré à la mémoire d'hommes célèbres récemment disparus (1762) et à la liste des personnes mortes dans une catastrophe (1868). Il est cependant moins courant que *nécrologie*.

NÉCROSE n. f., terme de pathologie, est l'adaptation (1695) du grec médical *nekrôsis* «mortification», dérivé de *nekros* «mort». ◇ Il est employé en pathologie animale et humaine pour un processus d'altération aboutissant à la destruction d'un tissu, d'une cellule, puis (1825) en pathologie végétale pour la nielle des grains de céréale. ➞ Dans le même domaine, a été formé **NÉCROSER** v. tr. (1780) «frapper de nécrose», également à la forme pronominale *se nécroser* (1840). Les participes passé et présent de ce verbe sont employés comme adjectifs (respectivement 1814 et 1897). ➞ **NÉCROSIQUE** adj. (1853) et **NÉCROTIQUE** adj. (1892) sont rares.

NÉCROMANCIE n. f. est emprunté (1546, Rabelais) au latin *necromantia*, lui-même emprunté au grec tardif *nekromanteia*, de *nekro-* «mort» et *manteia* «divination», qui entre dans plusieurs noms de sciences divinatoires (→ cartomancie). À date plus ancienne, le français atteste *nigromance* n. f. (1119), emprunté au bas latin *nigromantia* (VIe s., adj.; XIe-XIIe s., n.), issu de *necromantia* sous l'influence de *niger* (→ noir); cf. en français *magie noire*. ◇ *Nécromancie*, proprement «divination par l'évocation des morts», recouvre parfois plus largement la magie (1701). ➞ De *nécromancie* est dérivé **NÉCROMANCIEN, IENNE** n. (1546, Mellin de Saint-Gelais) «personne qui pratique la nécromancie», par extension «personne qui se livre à la magie». ➞ Avec le même sens et à la même époque, apparaît **NÉCROMANT** n. m. (1565), emprunté au grec *nekromantis*. À date plus ancienne, on rencontre *nigromancien* n. m. (1245), dérivé de *nigromance* et, par emprunt au grec, *nigromant* (av. 1442) et *negromant* (1543), influencé par les mots en *nigro-*.

NÉCROPHORE n. m. (1802), d'abord *nicrophore* (1790), est emprunté au grec *nekrophoros*, de *phoros* «qui porte» (→ phosphore). ◇ Le mot désigne un insecte coléoptère qui enfouit des charognes pour y pondre ses œufs. On l'a utilisé par plaisanterie (apr. 1850) pour un employé des pompes funèbres.

NÉCROPOLE n. f. est emprunté (1828; var. *nécropolis*) au grec *nekropolis*, proprement «ville des morts», de *nekro-* et *polis* «ville» (→ police). *Nekropolis* est employé par le géographe Strabon à propos de la nécropole d'Alexandrie. ➞ En français, le mot est employé comme terme d'antiquités pour désigner un vaste cimetière antique de caractère monumental (d'abord à propos de la nécropole d'Alexandrie, à l'occasion de la campagne de Napoléon en Égypte). Il s'est acclimaté avec le sens de «cimetière de grande ville, important groupe de tombes» (1834) et, dès cette époque, il est employé par métaphore (1844) pour un lieu où la mort a frappé de façon massive, un lieu qui manque de vie ou est rempli de choses oubliées.

Au XIXe s. sont aussi formés, après **NÉCROPHOBIE** n. f. (1793) «crainte phobique de la mort et des cadavres», **NÉCROPHILIE** n. f. (1863), d'où **NÉCRO-**

PHILE adj. et n. (1884, Maupassant), concernant une perversion sexuelle qui consiste à éprouver une attirance pour les cadavres. ➝ **NÉCROPHAGE** adj., créé en zoologie (1802), s'emploie aussi, d'après **NÉCROPHAGIE** n. f. (1891), en psychiatrie, pour «sadique qui mange la chair des cadavres». ◇ **NÉCROPHAGIQUE** adj. (1891) est attesté dans ce contexte. ➝ D'autres composés, comme *nécrose* (ci-dessus), concernent la biologie, par exemple **NÉCROBIOSE** n. f. (*in* Littré, 1867) et **NÉCROBIOTIQUE** adj. *(id.)* ou plus récemment **NÉCROHORMONE** n. f. (attesté 1941), **NÉCROBACILLOSE** n. f. (mil. XXe s.).

NECTAR n. m. est un emprunt de la Renaissance (1524) au latin *nectar* «breuvage des dieux» et aussi «boisson ou mets doux et agréable». Le latin est emprunté au grec de même sens *nektar*, neutre dont la structure en *-ar* suggère l'archaïsme. L'étymologie en est obscure : on y a vu un composé de °*nek-*, radical lié à la notion de «mort» (→ nécro-), et d'un second membre que l'on croit retrouver dans le sanskrit *tarati* «traverser» et, avec vocalisme zéro (réalisé par *tur*), dans les composés *āp-tur-* «qui franchit les eaux» et *viśva-tur* «qui triomphe de tout». Il s'agirait alors d'un terme religieux et poétique qui désigne la boisson d'immortalité, de même qu'*ambrosia* (→ ambroisie) désigne la nourriture d'immortalité. D'autres hypothèses font état d'un emprunt sémitique ou à une langue d'Asie Mineure.

♦ *Nectar* est introduit en français comme terme de mythologie grecque pour désigner la boisson des dieux, à base de miel (comme l'hydromel), et qui confère l'immortalité à tout humain qui en boit. ◇ Par analogie, il est employé couramment à propos d'une boisson exquise, d'un vin réputé (1550) et, dans le style poétique, avec le sens figuré de «ce qui est doux, enivrant». ◇ C'est aussi le nom donné spécifiquement au suc mielleux que sécrètent les nectaires d'une plante et que les abeilles butinent pour en faire du miel (1769).

▸ Les dérivés se partagent entre le domaine poétique et surtout celui de la botanique : **NECTARÉEN, ÉENNE** adj. (1838) a les deux sens ; **NECTARIFÈRE** adj. (1821) «qui porte des nectaires», «sécrète du nectar» (1827) est uniquement employé en botanique, de même que **NECTAIRE** n. m., emprunté (1769) au latin scientifique *nectarium* (1749), fait sur *nectar*. ➝ **NECTARINE** n. f. (1870), nom d'une variété de pêche, est emprunté à l'anglais de même sens *nectarine* (1664), probablement emploi substantivé de l'adjectif *nectarine* «de la nature du nectar, doux comme le nectar», au féminin.

⟐ **NEF** n. f. est issu (1050) du latin *navis* «navire, vaisseau» et tardivement «nef d'une église», par analogie de forme et sous l'influence du terme grec *naos* «temple». *Navis*, dont les dérivés sont représentés en français (→ naviguer, navire), a des correspondants dans plusieurs familles de langues indoeuropéennes, tels le grec *naus* «bateau», le celtique et l'irlandais *nau*, le vieil islandais *nor* «bateau», l'arménien *naw*, le sanskrit *náuḥ*.

♦ *Nef*, en français, a seulement conservé ce sens générique de «bateau» (1050), qu'il partageait avec l'italianisme *nave* n. f. (XIIIe-XVIIe s.), dans le langage poétique et, historiquement, en parlant d'un grand navire à voiles en usage au moyen âge. Le mot a été progressivement remplacé par *navire**. ➝ Par analogie de forme, il a désigné un grand vase à boire (1130) et un réceptacle en forme de navire dans lequel on rangeait les assaisonnements et épices, notamment à la table royale (1372), deux sens historiquement limités (cf. *nacelle*).
Depuis l'ancien français (1150), d'après le sens du latin tardif, *nef* désigne la partie de l'église entre le portail et le transept, dont la forme générale rappelle celle d'un vaisseau (cf. *vaisseau*). Par analogie, il se dit de toute forme architecturale analogue (1889).

▸ C'est avec son sens archaïque de «navire» que le mot a servi à former en français moderne les noms de vaisseaux spatiaux **AÉRONEF** n. m. (1844) et **ASTRONEF** n. m. (av. 1956) qui semblent s'être rapidement démodés.

◈ voir NAGER, NAUFRAGE, NAUSÉE, NAUTIQUE, NAUTONIER, NAVAL, ② NAVETTE, NAVIGUER, NAVIRE, NOCHER, NOISE.

NÉFASTE adj. est emprunté (1355) au latin *nefastus*, composé de la particule négative *ne* et de *fastus* (→ faste). *Nefastus* a d'abord le sens religieux d'«interdit par la loi divine, contraire à la permission des dieux», spécialement appliqué à *dies* «jour» en parlant d'un jour durant lequel aucun jugement ne pouvait être rendu. Par extension, il a pris le sens courant de «malheureux, non favorable, funeste, maudit».

♦ En français, il a suivi la même évolution, introduit dans *jour néfaste*, calque du latin, «jour où il est défendu de vaquer aux affaires publiques», en référence à l'Antiquité. ◇ Il s'est répandu dans un sens affaibli, «qui a des conséquences fâcheuses» (1838) et, en parlant d'une personne, «nuisible» (1894).

NÈFLE n. f., d'abord sous diverses formes, *nesples* (av. 1100), *nesfles* (1225-1230) et par ailleurs *mesle* (fin XIIe s.), est issu du latin *mespila* «épine blanche» et «nèfle» (Pline). C'est un emprunt au grec *mespilon* qui se dit du fruit et exceptionnellement de l'arbre, de *mespilê* «néflier», «épine blanche», mot emprunté d'origine inconnue. En français, le type *mesle* (d'aire très étendue de la Picardie à la Saintonge, de la bordure septentrionale du domaine d'oc à la Lorraine) est dû à la syncope ancienne d'un *-t-* intervocalique entraînant l'amuissement du *-p-* entre consonnes. Le type *mesple* maintient le *-p-* en raison d'une syncope plus tardive de la voyelle. Le type à *n-* initial, commun aux régions du Nord et de l'Est et à l'ancien provençal (*nespola*, XIIIe s.), vient de la forme *mespula*, issue de *mespila*. La première forme latine en *-f-* se trouve à Montpellier (IXe s., *mesfila, mesfylon*) ; elle correspond au grec tardif *mesphullon* qui pourrait s'expliquer dans ce domaine méditerranéen, par le croisement de *mespilon* avec *phullon* «feuille» (→ -phyle). Cette hypothèse peut trouver une confirmation dans le fait que *nesfle* a une certaine vitalité en Provence et dans les régions voisines.

♦ En français, le mot désigne le fruit et quelquefois exprime figurément l'idée d'une chose sans valeur (av. 1615, *de neffles* «sans valeur»). Il fournit comme d'autres noms de fruits et légumes (cf. *noix, navet*, etc.), l'expression familière ***des nèfles!*** (1640), employée en guise de négation, de refus ; cf. *pour des prunes**.

▸ On en a dérivé le nom d'arbre **NÉFLIER** n. m. (1314 ; 1198, *nesflier*) qui l'a emporté sur les types anciens correspondant à ceux du nom du fruit (*mellier*, 1177 ; *nesplier*, 1190).

NÉGATIF, IVE adj. et n. m. est emprunté (XIIe s.) au latin *negativus* «qui nie», substantivé à basse époque au féminin *negativa* «négation», dérivé du supin *(negatum)* de *negare* (→ nier).

♦ L'adjectif signifie d'abord «qui sert à nier» (dans *paroles négatives*) en opposition à *affirmatif*, d'où en grammaire «qui exprime la négation» (1550). Il est substantivé au féminin (1283), *la négative*, pour une proposition qui nie, spécialement en grammaire (1672). ◆ Les autres sens apparaissent entre le XVIIe et le XXe s. : à l'époque classique, *négatif* qualifie une personne qui a l'habitude de dire non, de refuser (1675), sens aujourd'hui disparu, mais dont procède une valeur psychologique, «critique, dépourvu de qualités positives» (1762), toujours vivante. Il entre dans quelques expressions juridiques, de *voix négative* (1687) à *peines négatives* (1701) et *conflit négatif* (1877), et s'emploie en théologie, dans l'expression *commandement négatif* (1771) «interdiction». ◆ À partir du XVIIe s., en sciences, *négatif* se définit également en opposition à *positif*, d'abord en mathématiques (1638, *valeurs négatives*, d'où au XIXe s. *nombre négatif*) puis en général, pour caractériser une chose par l'absence ou la privation de son contraire (1690). Il s'emploie, comme *positif*, et en opposition à ce dernier, dans les domaines spécialisés de l'électricité (1781), de la photographie (1847, *épreuve négative* d'où *un négatif*, 1867) et de la médecine où il indique ce qui ne se produit pas (1929, *réaction négative*).

▸ L'adjectif a produit quelques dérivés qui, en dehors de **NÉGATIVEMENT** adv. (XVe s.), datent des XIXe et XXe s., et sont d'usage didactique. ◆ Ce sont d'abord **NÉGATIVITÉ** n. f. (1834 Jourdan ; 1842, *negativeté*), employé en électricité, puis également en philosophie (1943, Sartre), en linguistique. ◆ **NÉGATIVISME** n. m. (1869) et **NÉGATIVISTE** adj. et n. (1906) s'appliquant à la tendance à nier de façon systématique, sont employés en psychiatrie (1900). ◆ **NÉGATON** n. m. «électron de charge électrique négative» (1936 ; *négatron* 1934), en physique (aujourd'hui vieilli), est formé de *négat(if)* et d'*(électr)on* sur le principe de *positon*. ◆ **NÉGATOSCOPE** n. m. (1957) désigne l'appareil permettant d'observer les épreuves négatives obtenues par radioscopie.

NÉGATION n. f. est emprunté (1174, *negatiun*) au latin *negatio, -onis* «négation, dénégation» et «particule négative», dérivé de *negatum*. ◇ *Négation* «action de nier» est à la fois employé couramment et dans les domaines de la philosophie, de la théologie, de la logique (1907), de la psychiatrie (1912). ◇ En grammaire (1370-1372), il désigne le mot ou le groupe de mots qui sert à nier, et la manière de nier. ◇ Après avoir eu le sens de «reniement» (1501) au XVIe s., *négation* exprime l'idée d'un état de contradiction avec l'existence d'une chose ou d'un être (1694). ◆ **NÉGATEUR, TRICE** n. est emprunté ultérieurement (1752) au latin *negator* «celui qui nie», de *negare*, pour désigner en histoire religieuse celui qui reniait le Christ au milieu des persécutions. ◇ Il a pris son sens moderne de «(personne) qui nie la valeur de (qqch.)» au XIXe s. (1835, adj. ; 1843, n.).

NÉGATIONNISME n. m. et surtout **NÉGATIONNISTE** adj. et n. s'appliquent (1990) à la négation de certains crimes contre l'humanité, en particulier l'extermination des Juifs dans les chambres à gaz par les Nazis (→ révisionnisme).

◈ voir **ABNÉGATION, DÉNÉGATION, RENÉGAT.**

NÉGLIGER v. tr. est emprunté (v. 1200) au latin *negligere*, plus souvent *neglegere* «ne pas s'occuper de, ne pas tenir compte de, ne pas faire cas de», «omettre de (avec infinitif ou proposition infinitive)». Le premier élément de ce verbe est *neg-*, forme renforcée de *ne*, particule négative que l'on a également dans *negare* (→ nier) et aussi dans *negocium* (→ négoce), à moins que *neg-* ne soit ici la forme sonorisée de *nec*, négation dérivée de *ne*. Le second élément est *legere* (→ lire) «recueillir, choisir».

♦ En ancien français, *négliger* a les sens de «ne pas prendre soin d'une chose», «ne pas tenir compte de, faire abstraction de» (1355), le complément désignant une chose, puis aussi (1559) une personne. ◇ Le champ de ses emplois est notablement élargi au XVIIe s. : avec son premier sens, il se construit avec une proposition infinitive introduite par *de* (1669). ◇ Le verbe est aussi employé à la forme pronominale *se négliger* (1671) au sens de «ne pas prendre soin de soi en ce qui concerne la propreté et l'ajustement». ◇ Le second sens, «ne pas tenir compte», est pris particulièrement au sens de «laisser échapper, ne pas saisir (une occasion)» (1677). ◆ Le participe passé **NÉGLIGÉE, ÉE** est adjectivé (1640) puis substantivé (1648) à propos d'une personne vêtue sans soin. ◇ *Un négligé* désigne aussi un vêtement léger que l'on porte dans l'intimité. ◇ L'adjectif *négligé* qualifie un style relâché (1671 ; 1674 chez Boileau). Au XVIIIe s., cette idée d'«aspect peu soigné», qui était dépréciée par les classiques, est valorisée avec l'esthétique du naturel (1762, *beau négligé*).

▸ *Négliger* a produit **NÉGLIGEMENT** n. m. (déb. XVIIe s.), aujourd'hui disparu, et **NÉGLIGEABLE** adj. (1843 ; dès 1840, *négligible*) qui est entré en sciences dans le syntagme *quantité négligeable* (1869), passé dans l'usage courant, spécialement en parlant d'une personne (fin XIXe s.). Quant à **NÉGLIGENCE** n. f., c'est un emprunt (v. 1120) au latin *negligentia* (souvent *neglegentia*) «indifférence, insouciance, oubli de ses devoirs», de *negligens*, participe présent de *negligere*. ◇ Son premier sens en français est «oubli de ses devoirs, manquement, faute», spécialement dans un contexte religieux. Mais l'idée laïque et non morale de «défaut d'application dans ce que l'on fait», réalisée dès le XIIe s. (1170-1180), a prévalu. Le mot est pris plus particulièrement au sens de «manque d'attention, de soin dans l'aspect extérieur» (1265) et, depuis 1680, appliqué spécialement à un discours, un style, en relation avec *négligé.* ◇ Dès 1175, *négligence* est aussi employé pour l'insuffisance d'intérêt témoigné à une personne, précédant alors *négliger.* ➛ L'adjectif **NÉGLIGENT, ENTE** (v. 1200) représente le participe présent latin *negligens* (plus souvent *neglegens*) qui exprime les idées d'indifférence, d'insouciance. ◇ Il a pour dérivé **NÉGLIGEMMENT** adv. (1265; 1200, *negligentement*) «avec indifférence, sans soin»; depuis 1684, cet adverbe s'applique au comportement des personnes, avec une nuance d'indifférence voulue, affectée, de désinvolture élégante (1699).

NÉGOCE n. m. est emprunté, d'abord sous la forme *negosces* (1200), puis *negoces* (1330), au latin *negotium* «occupation, affaire», et par suite «difficulté, embarras», également dans la langue parlée «chose, affaire», équivalant partiellement au grec *pragma* (→ pragmatique). Il s'emploie aussi par euphémisme pour une chose, voire quelquefois (comme *pragma*) pour ce que l'on ne tient pas à nommer expressément (cf. *affaire* en français). Le mot est tiré par contraction de phrases comme *mihi neg* (ou *nec*) *otium (est)* «je n'ai pas le loisir de», de *neg,* forme de la négation *ne* (→ négliger, nier), et *otium* «loisir, inaction, repos» (→ oiseux).

♦ *Négoce* a d'abord eu le sens très large d'«occupations, affaires, intérêts» (au pluriel), usuel jusqu'au XVIIIe s., quelquefois restreint aux menus travaux (XVIe-XVIIe s.). ➛ Depuis 1530, il est employé au singulier, d'abord avec le sens juridique de «discussion en vue de l'élaboration d'un texte» et, en diplomatie, «entremise» (1616), aujourd'hui réservés à *négociation.* ◇ Au XVIIe s., par spécialisation en économie, il a pris la valeur moderne d'«activité d'échange ou de commerce à petite ou grande échelle» (1617), surtout réservé aujourd'hui au commerce de gros, aux activités des organismes financiers, des intermédiaires commerciaux et de l'import-export. De plus en plus, *négoce* est remplacé par *commerce,* notamment en ce qui concerne les transactions à l'échelle nationale ou internationale, et il tend à devenir archaïque ou marqué. ◇ On le trouve quelquefois au sens figuré de «trafic louche», à connotation péjorative.

▸ **NÉGOCIER** v., attesté isolément en 1370 chez Oresme et repris à partir de 1484 pour se répandre au XVIe s., est d'une part un emprunt au latin *negotiari* «faire du commerce», de *negotium,* d'autre part un dérivé de *négoce* pris au sens d'«affaire, occupation», et peut-être (Wartburg) un mot répandu au XVIe s. sous l'influence de son correspondant italien *negoziare,* lui-même emprunté au latin. ➛ Le sens intransitif de «faire du commerce», employé une première fois par Oresme au XIVe s., réapparaît au XVIe s. (1556) mais ne se répand pas, à la différence de *négoce* et de *négociant,* en dehors de la terminologie professionnelle; il n'est plus usité. ◇ Après une autre attestation isolée chez le mathématicien Chuquet (1484) au sens d'«opérer, procéder», *négocier* se répand lentement au XVIe s. avec le sens de «discuter avec qqn pour arriver à un accord» (1559), dès cette époque dans le domaine des relations internationales. Au XVIIe s., il se spécialise comme transitif en économie pour «transmettre à un tiers (un effet de commerce), monnayer» (1675). ➛ Au XXe s., il prend en sports le sens de «manœuvrer habilement pour surmonter (un obstacle)» (1904, en cyclisme), d'après l'anglais *to negotiate,* lui-même formé savamment au XVIe s. sur le supin du verbe latin. Ce sens s'est répandu dans l'usage des automobilistes (1934, *négocier les tournants*). ➛ *Négocier* n'a produit directement que l'adjectif **NÉGOCIABLE** (1678) «qui peut être monnayé (d'un effet de commerce)», également au figuré (1941) et en parlant d'un accord qui peut être débattu, arrangé (1823). ◇ Cet adjectif a entraîné la formation de **NÉGOCIABILITÉ** n. f. (1771) et des antonymes rares **INNÉGOCIABLE** adj., **INNÉGOCIABILITÉ** n. f.

Négociation et *négociateur* sont empruntés à des dérivés du latin *negotium* spécialisés dans le commerce. ➛ **NÉGOCIATION** n. f. (1323) représente le latin *negotiatio, -onis* «commerce». Anciennement, il désigne une activité commerciale et, dans un cadre plus vaste, se dit d'une affaire, d'une occupation (1330), sous l'influence de *négoce.* ◇ L'usage moderne l'emploie essentiellement pour l'activité déployée en vue de parvenir à un accord concernant les activités publiques ou privées (1544). Depuis le milieu du XIXe s., c'est aussi un terme de bourse désignant le marché passé dans les bourses de commerce ou des valeurs. ➛ **NÉGOCIATEUR, TRICE** n. représente (1370) le dérivé latin *negociator* «banquier, celui qui se livre à une activité commerciale (le plus souvent d'une certaine importance)». ◇ En français, ce sens est aujourd'hui vieilli, sous la concurrence de *négociant.* De même, l'emploi pour «administrateur, régisseur des affaires de qqn» (1391) n'a plus cours. ◇ Le sens moderne, «celui qui négocie une affaire publique ou privée», est attesté depuis 1618.

Quant à **NÉGOCIANT, ANTE** n. (1599; 1550, adj., *marchans negociens*), plutôt que d'y voir le participe présent substantivé de *négocier,* il faut le considérer comme un emprunt à l'italien *negoziante* «marchand» (XIVe s.), dérivé de *negoziare.* ➛ Tandis que les autres mots du groupe sont surtout employés dans le domaine juridique, *négociant* est resté avec *négoce* un terme commercial. Cependant, il tend de plus en plus à se restreindre au commerçant en gros ou demi-gros. Au XIXe s., cette appellation est revendiquée comme valorisante par rapport à *commerçant* et *détaillant;* aujourd'hui, elle est plutôt spécialisée.

NÈGRE n. et adj. est emprunté (1529) à l'espagnol *negro* «personne de race noire» (XVe s.), sens spécialisé de l'adjectif signifiant en général «noir» (1140), lequel est dérivé du latin de même sens *niger* (→ noir).

♦ *Nègre* «homme de race noire» a pris au XVIIIe s. plus particulièrement le sens d'«esclave noir»

(1704), avec les locutions ***traiter (qqn) comme un nègre*** (1740-1755) et ***travailler comme un nègre*** (1812), cette dernière encore vivante. C'est aussi du XVIIIe s. que date le sens figuré (1757) de «personne qui ébauche ou écrit entièrement les ouvrages signés par un autre» *(le nègre de qqn)*. ◆ Adjectivé au sens de «qui appartient à la race noire» (1759), il entre dans les expressions *race nègre* (1814), aujourd'hui remplacé par *race noire,* et, au XXe s., *art nègre* (1922, chez Proust mais antérieur). ◇ Le mot est souvent évité pour sa valeur péjorative et raciste, sauf quand il est employé par les Noirs eux-mêmes, ceci surtout depuis la prise de conscience d'une spécificité culturelle, liée aux mouvements de décolonisation du milieu du XXe s. (cf. ci-dessous *négritude*). ◆ À partir du XVIIe s., le mot avait développé quelques sens analogiques : il est employé au sens de «brun foncé» (1611) comme adjectif et comme nom (1924). Dès le XIXe s., le nom entre dans le composé ***tête de nègre*** adj. et n. m. inv. (1822) «de couleur brun foncé» puis désignant spécialement un bolet à chapeau brun et une confiserie consistant en une bouchée de chocholat fourrée de blanc d'œuf. ◆ Au XIXe s., par allusion au français incorrect parlé par les Noirs dans les colonies d'Afrique, le mot prend le sens de «mauvais français» (1877) dans l'expression ***petit nègre*** (dès 1857, *parler nègre*), concurrencé en Afrique par *petit français.* ◆ Depuis le XXe s., il est employé dans la dénomination culinaire *nègre en chemise* (1932) pour un entremets au chocolat enrobé de crème fouettée.

▶ Outre le féminin **NÉGRESSE** n. f. (1637), formé en français et encore plus marqué que *nègre* dans la péjoration raciste (avec des emplois figurés anciens, «bouteille de vin rouge» [1862]), *nègre* a donné plusieurs dérivés, dont les plus anciens datent du début du XVIIIe siècle. ◆ **NÈGRERIE** n. f. (1707) désigne le lieu où l'on enfermait les Noirs réduits en esclavage pour les faire travailler. ◆ **NÉGRILLON, ONNE** n. (1714), senti comme péjoratif, est encore employé au figuré pour un enfant à la peau très brune (1868). ◆ **NÉGRIER, IÈRE** adj. et n., attesté dès la fin du XVIIe s. comme adjectif (1680), spécialement dans *navire négrier* (1730), a été substantivé (1801) pour désigner le navire faisant commerce des esclaves noirs, puis (1831) un marchand d'esclaves noirs. Dès la même époque, il prend le sens figuré de «chef d'entreprise qui traite ses ouvriers comme des esclaves».

Une seconde vague de dérivés a eu lieu au XIXe s. : d'abord **NÉGROPHILE**, attesté en 1800 comme nom, en 1808 comme adjectif, signifie proprement «ami des Noirs», et s'est employé pour les partisans de l'abolition de l'esclavage. ◆ **NÉGRILLE** n. m. (1879; déjà en 1677 comme nom propre pour un cheval noir) désigne la personne d'une ethnie à peau très sombre d'Afrique équatoriale. ◆ Le terme populaire **NÉGRO** n. m. (1888), d'abord familier, est, depuis que *nègre* lui-même est senti comme péjoratif, nettement insultant et raciste (comme *nigger* en anglais). ◆ **NÉGROÏDE** adj. (1870) est un terme d'anthropologie physique qui fut exploité par le racisme. ◆ **NÉGRITO** n. m. (1840), emprunté à l'espagnol *negrito,* diminutif de *negro,* a d'abord été synonyme de *négrillon,* puis s'est employé en anthropologie pour désigner le représentant d'une race noire de petite taille vivant dans l'archipel malais (1877). ◆ Au XXe s. sont apparus les composés **NÉGRO-AFRICAIN, AINE** adj. (1924), **NÉGRO-AMÉRICAIN, AINE** adj. et n. (1945). ◆ **NÉGRO-SPIRITUAL** n. m. (1926) est emprunté à l'anglo-américain *negro spiritual* (1867), de *negro* «Noir» (emprunt à l'espagnol *negro*) et *spiritual* «qui concerne la religion» (→ spirituel). Ce mot désigne un type de chant religieux des Noirs américains qui semble avoir été créé par les esclaves des troisième et quatrième générations, soit vers la fin du XVIIIe s., mais qui n'a reçu sa désignation que dans la seconde moitié du XIXe s. (1867). ◆ **NÉGRIFIER** v. tr. (1939, Vermeil, *Le Racisme allemand*) est sorti d'usage.

NÉGRITUDE n. f. (v. 1933) a été répandu par L.-S. Senghor pour désigner la spécificité noire, surtout psychologique et culturelle.

Témoin des classifications raciales européennes datant de l'expansion coloniale de l'Europe, à partir du XVIe s., puis de l'exploitation de la main-d'œuvre africaine, surtout au XVIIIe s., cette série de mots, à l'exception de *négritude,* est fortement connotée. Déjà au XVIIIe s., l'emploi de *nègre* chez les philosophes, qui étaient anti-esclavagistes, est marqué par une gêne sensible; au XIXe s., *nègre* et ses dérivés sont de plus en plus ressentis comme racistes. Il faut attendre l'emploi du mot par les Noirs eux-mêmes, surtout à partir de 1930, pour assister à une valorisation marquée, qui n'exclut pas les connotations racistes dans le discours des Blancs. Cette situation rend l'emploi du mot, par rapport à *noir*,* très délicate en français contemporain. Les emplois figurés et les dérivés eux-mêmes sont parfois évités.

① **NÉGUS** n. m. est emprunté (1556; la date de 1516 [Bloch et Wartburg] constitue probablement une erreur) à l'amharique *nĕgūsh* «roi (des rois)». Le mot est relevé pour la première fois dans l'*Historiale Description de l'Afrique,* traduction de la version italienne de l'*Histoire de l'Éthiopie décrite par Dom Francisque Alvarez.*

♦ Employé comme titre des souverains d'Éthiopie, le mot est rare avant le XVIIIe siècle. Il s'est répandu au XXe s. à propos de l'empereur Haïlé Sélassié.

② **NEGUS** n. m., «boisson anglaise de vin chaud épicé et sucré», est emprunté à l'anglais *negus* «boisson faite de vin, spécialement porto ou sherry, et d'eau chaude sucrée et parfumée» (1743), qui a pris le nom de l'inventeur de la boisson, le colonel Francis *Negus,* mort en 1732.

♦ En français, le mot fut employé au XVIIIe (1798 dans un dict.) et au début du XIXe s., parfois erronément mis en rapport avec le nom de l'empereur éthiopien.

NEIGER v. est issu (1165) d'un latin tardif °*nivicare,* forme fréquentative du bas latin *nivere,* attesté au IVe s. à la forme impersonnelle *nivit* «il neige», puis au VIe s. à la forme personnelle et au sens figuré de «devenir blanc comme neige». Ce verbe est dérivé de *nix, nivis* «neige» qui contient la racine indoeuropéenne °*nigwh-* ou °*snigwh-* «neige» (on retrouve la forme en *sn-* dans l'anglais *snow*). La création de °*nivicare* à côté du verbe classique *ninguere*, forme à infixe nasal, est due au fait que le rapport entre ce dernier et le nom *nix, nivis* n'était déjà plus perçu en latin. *Nivere* est continué par le type *nevre* dans le domaine franco-provençal et sa variante °*nivare* par *never* dans quelques dialectes du domaine gallo-roman et dans le provençal *nevar*, ainsi que dans le catalan, l'espagnol, le portugais *nevar*.

♦ *Neiger* est employé à la forme impersonnelle (1174-1187), plus rarement à la forme personnelle avec une idée analogique de «blanchir, tomber comme la neige» (av. 1850) et, transitivement, «faire descendre comme de la neige» (av. 1841).

▸ Le participe passé a produit l'adjectif **NEIGÉ, ÉE** «couvert de neige» (1559), dès le XIIe s. *negié* (v. 1160) «nouvellement tombé (de la neige)», mot éliminé par *enneigé*. ➛ Le dérivé diminutif **NEIGEOTER** v. impers. (1861) est moins usuel que *pleuvoter*.

Le dérivé le plus important est le déverbal **NEIGE** n. f. (1461), d'abord attesté sous la forme *naige* (1329), qui a évincé l'ancien français *noif* (1080, *neif*) en le repoussant vers les zones latérales du domaine gallo-roman. Ce *noif* représente le latin *nix, nivis*, également vivant dans l'ancien français *neu* (1171-1190), le catalan *neu*, l'espagnol *nieve*, le portugais *neve*, l'italien *neve*, le roumain *nea*. Le déclin de *noif* s'explique à la fois par son éloignement de *neiger* et par sa collision homonymique avec *noiz, noix** (du latin *nux*). *Neige* a aussi évincé *nive* (1350), relevé dans les domaines du Nord et du Nord-Est, se rattachant au latin *nivere*. ➛ Outre son sens propre réalisé en particulier dans *neiges éternelles* (1555, au singulier), *neige* a de nombreux emplois analogiques et symboliques dès le moyen français. Le mot entre dans la locution comparative ***blanc comme neige*** (XIVe s.) et se dit, par métonymie, d'une chose blanche (1555, de la barbe). Il exprime aussi une idée de fragilité et, plus précisément, de chose sans durée (cf. le thème des *neiges d'antan* [de l'année dernière], cher à Villon), dans l'ancienne locution *être de neige* (1455-1475) «ne produire aucun effet», *de neige* «de pacotille» (1531), et dans la locution encore vivante ***fondre comme neige au soleil.*** ◇ D'autres locutions, telle ***boule de neige*** (antérieurement *pelote de neige*, 1587), font allusion à la propriété qu'a la neige de s'agglomérer (d'où au figuré ***faire boule de neige*** «s'accumuler»), et d'autres, dont ***plus blanc que neige*** (1676, *que de la neige*), prennent la neige comme symbole d'innocence. ◇ Longtemps liées à l'aspect de la nature en hiver, les connotations du mot ont changé au XXe s. avec les *sports de neige* (ou *d'hiver*) et un vocabulaire technique très abondant, en rapport avec le ski, s'est élaboré : par exemple *neige compacte* (1910), *croûtée* (1913), *durcie* (1896), *fondante* (1896), *fraîche* (1896), *gelée* (1913), *glacée* (1903), *glissante* (1896), *mouillée* (1896), *poudrée* (1935) ou *poudreuse* (av. 1930, où l'on a *de la poudreuse*), *tassée* (1896), *tôlée* (d'abord *tôler de la neige*, 1935), *verglacée* (1896). ➛ *Neige* sert aussi à désigner quelques objets par analogie de blancheur ou de consistance depuis *neige de corne* (1501) jusqu'à *neige carbonique*, aussi en cuisine (1552, *neige de crème* «crème fouettée» ; 1798, *œufs à la neige*). ◇ Récemment, le mot désigne la cocaïne, d'abord dans l'argot des malfaiteurs (1921) [cf. *blanche*]. ➛ Le mot entre dans le nom de fleur **PERCE-NEIGE** n. m. (1660) et dans les noms composés de véhicules **CHASSE-NEIGE** n. m. (1834), **AUTONEIGE** n. m. (1934, Canada), **MOTONEIGE** n. m. (1960, Canada).

Par préfixation et suffixation, ont été formés **ENNEIGER** v. tr. (1150), plus fréquent au participe passé **ENNEIGÉ, ÉE** adj. en concurrence avec *neigeux*, d'où **ENNEIGEMENT** n. m. (1873), devenu courant par son emploi en météorologie.

DÉNEIGER v., a d'abord été formé au sens de «fondre» (1558) et repris pour «enlever la neige de...» (1906 au p.p.). ◇ Il a pour dérivé **DÉNEIGEMENT** n. m. (1951).

Quant à l'adjectif **NEIGEUX, EUSE** (1552) «sujet à la neige, abondant en neige», «relatif à la neige» (1559) et «pareil à la neige» (1574), il a devancé et éliminé l'ancien français *niveus* (XIIIe s.), emprunté au latin *nivosus* «abondant en neige». Il exprime les mêmes idées figurées de «blancheur», «fragilité», «pureté» que *neige*, et compte deux emplois techniques, en pathologie *(crépitation neigeuse)*, et en joaillerie pour une pierre dont la transparence est un peu altérée.

◈ voir NÉVÉ, NIVÉAL, NIVÔSE.

NENE n. m., d'abord *nénais* (1821, Balzac) puis *néné* (1842, *nénét*), est formé sur le radical expressif *nann-, nenn-, ninn-, no(u)nn-* du langage enfantin, exprimant le rapport du nourrisson à la mère et à la nourrice.

♦ *Néné* est un mot populaire pour désigner le sein.

◈ voir NANA, NÉNETTE.

NÉNETTE n. f., attesté depuis 1917, est d'origine incertaine : certains y voient l'hypocoristique de *Nana* (→ nana), d'autres un dérivé de *néné** «sein», d'autres le diminutif familier et populaire d'un prénom féminin *(Antoinette, Jeannette)*, d'autres encore le dérivé de *pon(n)ette* «jeune fille, prostituée», mot à la mode à la Belle Époque et considéré comme un féminin de *poney*. Plusieurs origines ont pu converger dans la formation du mot.

♦ Le mot, d'abord employé comme hypocoristique, s'applique familièrement à une jeune fille, à une jeune femme considérée comme facile et attrayante (1954). Il est devenu un quasi-synonyme de *nana*, pour «fille, femme».

NENNI adv. de négation est une ancienne particule négative (1135, *nenil*) s'opposant à *oïl* «oui». Elle est composée de *nen*, ancienne forme atone de *non** (→ ne) et du pronom personnel *il**, avec le sous-entendu d'une forme verbale, et signifie littéralement «il n'est, il n'a ou il ne fait pas (cela)». Les variantes *nénil, nennil* (XIIIe-XIVe s.) ainsi que *nannin* (XIIIe-XVe s., encore dans Littré) n'ont pas vécu.

♦ Le mot a été senti comme archaïque dès le XVIIe s. ; il s'est maintenu dans certains parlers régionaux et dans l'usage plaisant familier et archaïsant, parfois renforcé par *que*.

NÉNUPHAR ou **NÉNUFAR** n. m. est emprunté (XIIIe s.) au latin médiéval *nenuphar* (av. 1250), lui-même emprunté par l'intermédiaire de l'arabe au persan *nīlūfar*. Ce dernier est emprunté au sanskrit *nīlautpala* «lotus bleu», composé de *nīla* «bleu-noir» et *utpala* «fleur de lotus». En français, le mot est d'abord relevé sous la forme *neuphar, neufar, neuenufar* au XIIIe s., réécrit *nenuphar* (1350) d'après le latin médiéval (cf. *nymphea*), la graphie étymologique *nénufar* étant toujours employée (Littré, Proust) et faisant l'objet d'une recommandation officielle en 1990 (le mot est souvent cité dans les polémiques autour du projet de rectification orthographique).

♦ Le mot désigne une plante aquatique se développant à la surface des eaux calmes.

NÉO- est l'élément formant tiré du grec *neos* «jeune» (à propos d'enfants, de jeunes gens, plus rarement d'animaux ou de plantes), «récent» et quelquefois «qui cause un changement», de la racine indoeuropéenne °*nu-* «nouveau» (→ neuf). Le champ sémantique du grec est différent de celui des correspondants dans d'autres langues du groupe indoeuropéen (cf. latin *novus*, à *neuf*), du fait de l'absence d'une forme répondant au latin *juvenis* «jeune» (→ jeune, juvénil) : aussi *neos* signifie-t-il avant tout «jeune» (au figuré «récent»), laissant à *kainos* (→ miocène) l'idée de nouveauté.

♦ Cependant, *néo-*, en français, entre dans la construction de nombreux noms et adjectifs avec l'idée de «nouveau», «récent», «modernisé», «renouvelé». Très productif au XXe s., il donne lieu à des créations lexicalisées dans de nombreux domaines (arts, politique, philosophie, sociologie, sciences naturelles) et à de nombreuses créations idiolectales.

▶ **NÉOLOGIE** n. f. est formé (1758) des éléments *néo-* et *-logie**. Le mot recouvre la création de mots, de tours nouveaux dans une langue. ◇ Antérieurement, au XVIIIe s., ont été formés sur le même principe **NÉOLOGIQUE** adj. (1726) et **NÉOLOGISME** n. m. (1734), celui-ci d'abord pour «tendance fautive à abuser des mots nouveaux». On oppose ainsi vers la fin du XVIIIe s. la création nécessaire de modes d'expression nouveaux (la *néologie*) et l'abus des nouveautés par rapport à la norme (le *néologisme*), parfois associé au premier concept de «terminologie». Voir l'encadré page ci-contre. ◇ Au XIXe s., le mot *néologisme* entre dans le vocabulaire de la linguistique avec une valeur objective, «mot, locution récemment attesté». Il s'emploie aussi en psychiatrie (1900) pour «mot créé par un délirant». ➝ Avec le suffixe verbal *-iser*, on a formé **NÉOLOGISER** v. tr. (1837, Balzac), plus rare et d'usage familier.

NÉOPHYTE n. et adj. est emprunté (1639; 1495, *neofite*) au latin d'église *neophytus* «nouveau converti», lui-même emprunté au grec ecclésiastique *neophutos* de même sens, proprement «nouvellement planté», de *neo- (neos)* et *phuein* «faire croître» (→ -phyte). ➝ En français, le mot désigne, dans l'Église primitive, la personne nouvellement convertie au christianisme et récemment baptisée. Par analogie, il a pris le sens courant de «nouvel adepte (d'un art, d'une science)» (1639), parfois «novice».

◈ voir NÉON.

NÉON n. m. est emprunté (1898, dans le *Bulletin de la société de chimie*) au grec *neon*, neutre de l'adjectif *neos* «nouveau» (→ néo-), employé en anglais en 1898 par Ramsay et Travers pour dénommer un gaz «nouveau».

♦ Le mot désigne un gaz rare de l'atmosphère qui émet une lueur rouge orangé quand il est soumis à basse pression à une décharge électrique. Il entre dans le syntagme ***tube à néon*** (1912), ***tube au néon***, elliptiquement *un néon*, appliqué abusivement dans l'usage courant à toute source d'éclairage par tubes fluorescents. ➝ Le mot a pris une valeur symbolique évoquant l'éclairage artificiel et publicitaire abondant des métropoles modernes.

NÉPHRITE n. f. est l'adaptation comme terme médical (1802) du grec *nephritis (nosos)* «maladie des reins, gravelle», dérivé de *nephros* «rein». Le mot contient une racine indoeuropéenne °*nebh-* représentée en italique *(nefrones, nebrundines)*, dans l'ancien haut allemand *nioro*, allemand *Niere*, et dans l'ancien suédois *niūre*.

♦ Le mot, qui s'est substitué en partie à *gravelle*, désigne une inflammation aiguë ou chronique des reins. Il a remplacé les termes plus anciens *néphritide* (1538), *néphrésie* (1557), *néphrétie* (1772), tous rares et formés sur le grec *nephritis* par l'intermédiaire du latin médical.

▶ Quant à **NÉPHRÉTIQUE** adj. (XVe s., *nefretique* n.), il est emprunté au bas latin *nephriticus* (Ve s.), *nephreticus* «malade affligé de douleurs rénales», lui-même emprunté au grec de même sens *nephretikos* (adj. et n.), dérivé de *nephros*. ➝ En français, le mot est d'abord employé comme nom, puis (1520) comme adjectif avec le sens de «relatif au rein malade». Le féminin s'est employé comme nom (1574), elliptiquement pour *colique néphrétique* (1575). On a employé aussi la forme *néphritique* n. (1620) «personne atteinte de coliques néphrétiques». ➝ Anciennement, on désignait par *pierre néphrétique* une sorte de jade oriental qui passait pour guérir les maladies des reins (cf. *jade*).

NÉPHRECTOMIE n. f. (1888) «ablation d'un rein», succède à **NÉPHROTOMIE** n. f. (1753) «opération de la pierre»; **NÉPHRECTOMISER** v. tr. est attesté en 1915. ➝ **NÉPHRIDIE** n. f. (1895), empr. au lat. scient. *nephridium*, grec *nephridios* «du rein», désigne l'organe excréteur d'invertébrés; il a pour dérivé **NÉPHRIDIEN, IENNE**, adj. (1911). ➝ L'élément **NÉPHRO-** entre dans la formation de quelques termes d'anatomie, de médecine et de pathologie concernant le rein. Plusieurs sont fixés depuis le XVIIIe ou le XIXe s., mais l'élément reste productif dans les sciences médicales récentes (embryologie, radiologie, etc.). Certains ont un synonyme construit sur l'élément *réno-* (→ rein), tel *néphrogramme* à côté de *rénogramme*.

NÉPOTISME n. m. est un emprunt (1653) à l'italien *nepotismo* (attesté seulement en 1672) au sens de «faveurs excessives accordées par certains papes ou hauts dignitaires de l'Église à leurs ne-

LA NÉOLOGIE

L'observation la plus simple des échanges linguistiques fait prendre conscience des changements qui touchent le lexique, surtout aujourd'hui : les techniques se transforment rapidement, les métiers et l'outillage évoluent, des produits nouveaux apparaissent sur le marché ; autant de conditions qui modifient les vocabulaires. Plus vivement peut-être, la lecture d'une œuvre du XVIIe s. permet de constater des écarts avec l'usage contemporain ; des mots ont disparu, pour d'autres, les emplois ne sont plus les mêmes. Les processus d'enrichissement du lexique, qu'il s'agisse de l'introduction d'unités nouvelles à partir de règles *(néologie de forme)* ou de l'ajout de significations à des mots existants *(néologie sémantique)* répond à la nécessité de dénomination d'«objets» nouveaux, objets concrets ou abstraits, tels des comportements ou des sentiments. «Qu'il s'agisse d'une découverte scientifique, d'un progrès industriel, d'une modification de la vie sociale, d'un nuancement de la pensée, d'une manière nouvelle de sentir ou de comprendre, le néologisme est impérieusement demandé» (K. Nyrop, *Grammaire historique de la langue française*, Introduction). Ce renouvellement montre bien que la langue est aussi une «institution sociale», selon le mot de Meillet.

La néologie est un phénomène général, toujours à l'œuvre ; en suivre l'histoire serait en partie retracer l'histoire de la langue en la liant étroitement à celle de la civilisation, perspective qu'adopta Ferdinand Brunot dans son *Histoire de la langue française*.

«Le système des éléments est achevé mais le système des signes est productif; les éléments constituent une série close, les signes une série ouverte ; le nombre des éléments est invariable à l'intérieur d'une même langue, le nombre des signes peut être augmenté suivant les besoins et le bon plaisir de la société ou de l'individu» (Hjelmslev, *Le Langage*, p. 63). En français, la néologie de forme repose sur des règles syntaxiques (dérivation et composition) à partir d'une base le plus souvent française *(notion → notionnel)*, mais aussi latine *(simia → simiesque)*, grecque *hémophilie)* ou, surtout au XXe s., anglaise, déjà assimilée dans le lexique *(transistor → transistoriser)*. L'unité nouvelle peut aussi résulter de la combinaison d'éléments autonomes, qu'ils soient soudés *(désormais)* ou bien réunis *(quartier-maître)* ou non *(haute fidélité)* par un trait d'union. Elle est parfois construite à partir d'un sigle *(SMIC→ smicard)*, la siglaison constituant elle-même un procédé de création. La néologie par emprunt adapte un mot d'une autre langue, toujours phonétiquement (cf. *meeting*), jusqu'au XIXe s. aussi graphiquement *(redingote)*, et souvent pour le sens (voir l'encadré sur l'emprunt). Enfin la création de sens nouveaux n'affecte pas la forme ; elle s'effectue par changement de catégorie grammaticale (*épave* n. f. est d'abord adjectif), déplacement d'un vocabulaire spécialisé à un autre *(infrastructure)*, emprunt de sens à une autre langue *(programmer)* et, de manière plus apparente, par l'emploi dit *figuré* d'un mot selon des procédés répertoriés par la rhétorique (→ Figure, encadré).

L'ensemble de ces moyens est en œuvre dans la langue à tout moment, mais tel procédé formel sera plus ou moins privilégié à une époque donnée. Par ailleurs, l'activité néologique elle-même est diversement jugée selon des critères socioculturels et plus ou moins bien acceptée par la communauté linguistique. Le mot *néologisme* lui-même en est l'indice. D'abord péjoratif au XVIIIe s. et opposé à *néologie* pour désigner la création mauvaise, excessive, critiquable, de signes nouveaux, il en vient à désigner, de manière plus neutre, tout signe lexical considéré comme nouveau, le jugement péjoratif s'atténuant au cours du XIXe siècle. Cependant, vers 1900 encore et même dans une description objective, *néologisme* peut désigner tout mot n'appartenant pas à l'usage des classiques du XVIIe et du XVIIIe s. : tel est l'emploi de «néol.» dans le *Dic-*

veux et proches parents». C'est un dérivé de *nepote*, mot correspondant à *neveu**.

♦ Par extension de son acception stricte en histoire religieuse, *népotisme* a pris le sens plus large de «tendance à accorder des avantages aux membres de sa famille, à ses amis, à ses relations» (1800). L'anglais *nepotism* (XVIIe s.) est un emprunt au français.

NERF n. m. est issu (1080) du latin *nervus* «nerf, tendon, ligament», pris par métonymie pour désigner les cordes de la lyre, les lanières de cuir et employé au sens figuré de «vigueur, force, partie essentielle (d'une chose)». Comme son correspondant grec *neuron* (→ neuro-), il repose sur une racine indoeuropéenne °*snē-*, probablement apparentée à celle qui est à la base de verbes exprimant l'idée de «tordre, filer» comme le grec *neein* «filer».

♦ Le premier sens du mot en français est celui de «tendon, ligament», en particulier à propos des tendons de la viande (1202) et en général de ceux de l'animal (cf. ci-dessous *nerveux*), spécialement dans ***nerf de bœuf*** (1278), encore en usage. ◇ *Nerf* reprend également au latin le sens concret de «courroie de bouclier» (1268), «corde d'arc ou d'arbalète» (1282), «corde d'instrument de musique» (1552), au-

tionnaire général de Hatzfeld, Darmesteter et Thomas. L'acceptation des nouveautés lexicales sans critique due au simple fait de leur caractère récent a conduit plusieurs dictionnaires contemporains à abandonner cette qualification et à la remplacer par une date de première attestation, reconnaissant ainsi le caractère perpétuellement évolutif et mobile des vocabulaires et des phraséologies.

Le cas le plus simple de néologie concerne la désignation d'un objet nouveau ou une description plus adéquate d'une réalité connue ; ainsi à partir de la fin du XVIIIe s., la chimie a introduit des termes comme *hydrogène* et *oxygène* qui répondaient aux besoins de classement, en rupture avec l'ancienne chimie ; en même temps, elle redéfinissait des termes existants, comme *acide* ou *base.* On ferait les mêmes remarques sur l'évolution de maints vocabulaires scientifiques (voir Médecine, encadré).

Dans les domaines techniques, la néologie formelle peut aussi être liée à des facteurs sociologiques complexes : le terme lié à une découverte l'authentifie et en assure la propriété. Par exemple, entre le moment où apparaît, en 1825, le «prodige tournant», nommé *thaumatrope,* et la présentation par Démeny (1892) du *phonoscope,* l'invention du *cinématographe* des frères Lumière (le mot date de 1893) est préparée par divers appareils, de l'*héliocinégraphe* (1850) au *praxinoscope* (1877) de Reynaud ou au *chronophotographe* (1882) de Marey ; *cinématographe,* qui s'est imposé, a été concurrencé par d'autres unités formées notamment à partir de mots venus de domaines proches, comme *scène animée, photographie animée.*

Le statut des mots forgés à des fins stylistiques, qui suivent aussi généralement les règles de formation, est tout différent. Ils peuvent être commentés, cités dans des ouvrages spécialisés et même répertoriés dans des dictionnaires de langue, sans pour autant passer dans l'usage général. On connaît les néologismes d'un Huysmans — parfois reprise par de mots archaïques ou fruit d'une création morphologique normale —, ceux de Céline, résultats d'opérations formelles d'altération, ceux de Michaux ou de Queneau qui relèvent plus purement de ce que l'on a nommé la fantaisie verbale. Rares sont ceux qui sortent du cercle des commentateurs littéraires, comme *farfelu* repris par Malraux.

Dans l'histoire de la langue, une période essentielle dans la formation d'unités nouvelles commence au XIIIe s. ; elle correspond à un développement culturel intense. Les juristes puisent alors largement dans le vocabulaire du droit romain, en adaptant leurs emprunts ; les grammairiens et les médecins emploient le même moyen. À partir du milieu du XIVe s., les traducteurs qui travaillaient pour la cour de France et la cour de Bourgogne, par exemple Oresme, Bersuire, manquaient du vocabulaire nécessaire pour restituer les réalités de l'Antiquité, tant dans le domaine politique que moral ; ils recourent massivement à des calques, expliqués par un commentaire, suivis de leur contraire ou joints à des termes de sens proche. On a relevé dans les traductions d'Oresme plus de 300 néologismes français par calque du latin, comme *abnégation, économie, électeur, équivalence, évaluer, frauduleux, scientifique,* etc. (cf. Christiane Marchello-Nizia, *Histoire de la langue française aux XIVe et XVe siècles*). Cette forme particulière de néologie, qui existe dès les premiers textes, aboutit dans plusieurs cas à doubler d'un mot savant le mot hérité du latin par voie orale : l'emprunt adapté élimine alors le terme héréditaire (*subtil* s'est substitué à *soutil*) ou bien crée des différenciations sémantiques (*signe/seing, séparer/sevrer,* etc.).

Le XVIe s. n'a pas rejeté cette forme d'enrichissement du lexique, mais un certain nombre de lettrés prône plutôt un renouvellement à partir du fonds ancien ou des dialectes. C'est la position exposée par Du Bellay dans *La Defense et Illustration de la langue françoise* (1549), qui fut aussi au XVIIIe s. celle de Frain du Tremblay et qu'ont reprise au XXe s., avec des variantes, les adversaires des anglicismes. Parallèlement c'est l'adaptation des mots italiens qui est combattue,

jourd'hui disparus ; il désigne encore la cordelette au dos d'un livre relié à laquelle est cousu un cahier (1534) et une nervure en architecture (1671). ➛ *Nerf* a aussi développé ou repris au latin le sens figuré de «vigueur» (1534), au pluriel *(avoir des nerfs)* comme au singulier *du nerf* (1671).

Quant à l'autre valeur du mot, «élément fin (d'abord considéré comme un tendon) qui met les diverses parties du corps en communication avec le cerveau et la moelle épinière» (1314), elle est longtemps réservée à un emploi strictement didactique, anatomique et médical. ◇ À partir du XVIIIe s., le pluriel *nerfs,* dans ce sens, exprime couramment ce qui supporte les excitations externes, les tensions internes, notamment dans des locutions : on a dit ***maladie de nerfs*** (1755), toujours en usage dans le langage commun, et *ébranlement de nerfs* (1756) avant d'employer ***crise de nerfs*** (1825) ; et *avoir des nerfs* (1762-1779) avant ***avoir ses nerfs.*** Le XIXe s. multiplie les locutions : ***porter sur les nerfs*** (1817), ***taper sur les nerfs,*** plus familier (1871), correspondent à *énerver** ; ***passer ses nerfs*** (1876) signifie «se soulager, exprimer son énervement, sa colère» ; au XXe s., on relève en outre ***mettre les nerfs en pelotes*** «énerver» (1901) et ***à bout de nerfs*** (1929, *avoir les nerfs à bout*). ➛ La physiologie des nerfs est expar exemple dans le *Livre de la Précellence du langage français* (1579) d'Henri Estienne. Ce mouvement tend à multiplier aux dépens des emprunts les vocables de formation française, en particulier les composés du type *machelaurier* (Ronsard), créations rejetées au XVIIe s. par un Malherbe.

Les points de vue sur la néologie restent très tranchés après la création de l'Académie française (voir Académie française). Celle-ci défend une position minimaliste, explicitée par Vaugelas et par le père Bouhours qui n'accepte un mot nouveau que pour «exprimer une chose toute nouvelle», à la condition qu'il soit formé à partir du latin ou d'une langue romane ; mais «n'est-ce donc pas le seur [sûr], de ne rien innover dans la Langue». La seule exception concerne un objet étranger à la civilisation, introduit avec son nom *(café, thé)*. De l'autre côté, aussi bien les jansénistes que Bayle défendaient l'enrichissement du lexique, en distinguant la langue commune des vocabulaires spécialisés accueillis par Furetière dans son dictionnaire (1690), négligés dans celui de l'Académie (1694), mais décrits pour elle par Thomas Corneille. Fénelon, partisan de la néologie, marque à l'aube du XVIIIe s. dans sa *Lettre sur les occupations de l'Académie* (1713-1714) que la purification de la langue ne peut aboutir qu'à son appauvrissement.

Ce débat se poursuit au XVIIIe s. qui voit apparaître le mot *néologie* opposé à *néologisme* par le dictionnaire de l'Académie dans son édition de 1762 : «La néologie est un art, le néologisme est un abus», et aussi *néologien* et *néologue*. Le développement des sciences et des techniques à partir de la seconde moitié du XVIIe s., le rapport établi par les philosophes entre le progrès des connaissances et la création lexicale ont alors raison de l'idéal puriste : sous l'impulsion de Duclos, l'Académie accueille en 1762 les termes d'art. C'est à la fin du XVIIIe s. qu'est revendiqué le droit à la création de mots par analogie, en particulier avec Marmontel et Restif de La Bretonne, que le grammairien Urbain Domergue fonde la *Société des amateurs de la langue française* qui comprend un *Comité de néologie*, que L.-S. Mercier, créateur de mots nouveaux à partir du grec et du latin (*impavide, ébriété*, etc.), prône aussi l'emprunt aux langues étrangères vivantes (*Néologie*, 1801). À l'époque révolutionnaire le vocabulaire institutionnel anglais et les termes politiques, souvent introduits avant 1789, se répandent : *opposition, motion, majorité, minorité, impopulaire, ordre du jour*, etc. La Révolution, dans divers secteurs comme l'administration, la guerre, la vie politique et économique, renouvelle les vocabulaires — on en trouve le témoignage dans l'édition de 1798 du dictionnaire de l'Académie. Le XIXe et le XXe s., période d'intense créativité scientifique, technique, économique, idéologique, voient ces évolutions s'accélérer, alors que les relations internationales répandent, avec les coutumes et les modes issues des régions du monde les plus dynamiques, des vocabulaires entiers.

La situation de la néologie française au XXe s., surtout après la Seconde Guerre mondiale, ne s'est beaucoup modifiée quant aux procédés de formation que sur un point, les sigles et acronymes, et quant aux sources, par l'abondance des emprunts à l'anglo-américain, principalement pour la dénomination des découvertes et des applications techniques et industrielles qui les suivent. Le phénomène est évidemment lié à la puissance économique des États-Unis, aux pouvoirs techno-économiques de la langue et de la culture qui en découlent ; il est suffisamment important — et, ce qui est grave, unilatéral — pour que l'État se soucie de proposer, par la voie du *Journal officiel*, des équivalents français aux termes empruntés tels quels. Cependant, certains linguistes pensent «que le français contemporain renouvelle bien davantage son vocabulaire en puisant très largement dans ses propres ressources, notamment dans les dialectes, sociolectes et technolectes» (P. Gilbert, *Dictionnaire des mots contemporains*, préface).

T. Hordé, C. Tanet

BIBLIOGRAPHIE

L. GUILBERT, *La Créativité lexicale*, Paris, Larousse, 1975.

plorée au XVIIIe et au XIXe s., avec les notions de *système nerveux*, puis d'*influx nerveux* (voir ci-dessous *nerveux*). L'histoire du lexique témoigne d'une autre avancée scientifique à la fin du XIXe s. avec la neurologie (→ neuro-, neurone).

▶ Plusieurs termes sont dérivés savamment de *nerf* à partir du radical de *nervus* ou empruntés à des mots latins. ◆ **NERVÉ, ÉE** adj. (1353), lié au premier sens de *nerf*, est employé spécialement en orfèvrerie, en héraldique (1681) et en botanique (1817) avec l'idée de «qui présente des nervures saillantes». ◆ **NERVER** v. tr. (fin XIVe s.) correspond au sens technique de «garnir de nerfs de bœuf pour renforcer».

De tous les dérivés de *nerf*, seul **NERVURE** n. f. (1380) est courant, non pas avec ses sens techniques de «lien de cuir», «ligne en relief ornementale» (1514), «moulure en relief, en architecture» (1542), mais avec celui qu'il a pris en botanique d'«élément saillant» (1719), plus tard étendu à divers domaines. ◆ On en a tiré **NERVURÉ, ÉE** adj. (1875) et **NERVURER** v. tr. (1913, Proust) «garnir de nervures, en architecture». ◆ **NERVAL, ALE, ALS** adj. (1560) a été formé d'après le dérivé latin *nervalis* au sens de «relatif aux nerfs» (aujourd'hui sorti d'usage) puis «relatif aux nervures d'une feuille», en relation avec **NERVATION** n. f. (1800) «disposition des nervures». ➘ **NERVIN, INE** (1751, adj. m.; 1752, n. m.) est employé en pharmacie pour qualifier ou désigner une substance qui agit sur les nerfs. ➘ Plus récemment, **NERVISME** n. m. (1959) concerne la doctrine inspirée par les études du physiologiste russe Pavlov.

INNERVER v. tr., d'abord attesté au participe passé **INNERVÉ, ÉE** (1826), est formé sur *nervus*. C'est un terme didactique de physiologie et d'anatomie (fin XIXe s.) qui s'emploie par figure (XXe s.) au sens de «desservir (une zone) par des voies multiples». ◇ **INNERVATION** n. f., relevé avant le verbe (1824), a des emplois parallèles.

NERVEUX, EUSE adj. et n. est emprunté (XIIIe s.) au latin *nervosus* «musculeux, tendineux», au figuré «vigoureux» et en parlant d'une plante «plein de fibres», dérivé de *nervus*. ➘ Comme *nerf*, *nerveux* a d'abord les sens du latin, «fait essentiellement de tendons», au figuré «plein de vigueur et de force» (1549) d'où «solide, résistant (d'une chose)» (1672) et aussi «efficace (de qqn)» (1636). Il signifie aussi «qui présente des tendons», à propos de la viande. ➘ C'est seulement à la fin du XVIIe s., en relation avec le sens moderne de *nerf*, qu'il prend son autre sens, «qui a rapport aux nerfs» (1678; pas encore répertorié par Furetière en 1690). Il en découle une autre série d'emplois apparus au XVIIIe et au XIXe s. en médecine, en anatomie (1754, *système nerveux*) et en physiologie *(influx nerveux)*. ➘ Dans l'usage courant, *nerveux* qualifie une personne dominée par les nerfs, irritable (1789) et, en psychopathologie, ce qui est provoqué par une hyperexcitabilité des nerfs (1816). Dans le premier de ces deux emplois, *nerveux* est aussi substantivé *(c'est un grand nerveux)*. ➘ L'adverbe correspondant, **NERVEUSEMENT** (1583), signifie d'abord «avec vigueur (au physique et au moral)» et, depuis le XIXe s., «relativement au système nerveux» (1836), «de manière convulsive» (1857), et dans l'usage courant «impatiemment, avec agacement» (1859). ➘ Par dérivation savante, on a formé le nom d'état **NERVOSITÉ** n. f. (1829) et un terme médical aujourd'hui vieilli, **NERVOSISME** n. m. (1858) «maladie caractérisée par des troubles du système nerveux».

◈ voir ÉNERVER, NERVI.

NERVI n. m., relevé en 1804 dans un rapport du préfet de Marseille (d'après Dauzat), employé localement (par exemple dans *les Français peints par eux-mêmes*, 1840) et attesté en 1877 chez Daudet, est un mot originaire de Marseille. Il est issu par métonymie du provençal *nervi* «nerf, tendon» (dès l'ancien provençal) d'où «force, vigueur», lequel est issu du latin *nervium*, variante de *nervus* (→ nerf).

♦ Le mot, lié à une réalité marseillaise, désigne un personnage marseillais oisif, vivant d'expédients, assez comparable au *lazzarone* napolitain. Selon l'étymologie supposée, il aurait été d'abord appliqué à un travailleur de force, un portefaix, avec une idée péjorative de brutalité, mais son emploi régional, à Marseille, concernait plutôt le type populaire pittoresque. ➘ Par une évolution dans le contexte de la criminalité, il s'emploie quelquefois à propos d'un homme de main, d'un tueur (notamment à l'intérieur d'un commando organisé).

N'EST-CE PAS loc. adv., d'abord attesté sous la forme *n'est-ce pas que* (1722) puis *n'est-ce pas* (1723), est composé de la négation *ne**, de la troisième personne du singulier de l'indicatif présent d'*être**, du pronom démonstratif *ce**, et de l'auxiliaire de négation *pas**.

♦ La locution s'emploie pour appeler l'acquiescement de l'auditeur. Au XXe s., *n'est-ce pas que* introduit une phrase interrogative à valeur d'insistance.

NESTOR n. m. est l'emploi comme nom commun (1583-1590) du nom propre *Nestor*, emprunté par le latin au grec *Nestôr*, nom d'un roi légendaire de Pylos, un des héros de l'Iliade, renommé pour ses bons conseils et ses interventions modératrices et qui vécut trois générations d'hommes (→ nostalgie).

♦ En français, le mot, avec le sens de «vieillard respecté pour sa sagesse et son expérience», a été popularisé par Fénelon dans *Télémaque* (livre IX); il est aujourd'hui archaïque. ➘ Depuis 1827, c'est aussi le nom d'un oiseau de la famille des Psittacidés (dès 1790, *Nestor* en latin scientifique).

NET adj. inv., terme de tennis (1891), est emprunté à l'anglais *net* «filet de chasse» (IXe s.) et spécialement «filet de tennis» (1856), mot qui a de nombreux correspondants dans les langues germaniques, et vient peut-être d'une racine indoeuropéenne °*năd*- (un rapport avec le latin *nassa* [→ nasse] est possible).

♦ Les Français ont confondu *net* avec *let* «coup ou service à remettre en raison d'un obstacle», un *let* étant prononcé quand une balle de service heurte le filet. Le terme, archaïque, est souvent remplacé par l'emprunt *let* ou par l'expression française *à remettre*.

✳ **NET, NETTE** adj. et adv. est issu par évolution phonétique (v. 1120) du latin *nitidus*, adjectif correspondant au verbe *nitere* «être luisant, brillant, éclatant», souvent employé à propos de l'éclat de la santé, de la propreté, de l'embonpoint, de l'aspect riant ou plaisant d'un corps, d'un objet, d'un paysage. Ce mot semble induire une racine indoeuropéenne °*nei*- «briller», que l'on retrouve dans l'irlandais *niam* «éclatant» et peut-être dans le latin *renidere* «briller, resplendir, sourire (briller de joie)». *Nitidus* signifie «luisant, resplendissant, pur, limpide» (en emplois concrets et abstraits), «paré, élégant» et «soigné, poli (du style)». De la notion de «brillant» procède en roman celle très voisine de «propre». À basse époque, *nitidus* développe le sens de «pur, limpide», surtout dans la langue chrétienne (déb. VIe s.) où il s'oppose à *corruptus* (→ corrompu, à corrompre) et à *falsus* (→ ① faux).

♦ En ancien français, *net* a d'abord ce sens moral de «pur, sans souillure», d'où «loyal, intègre, droit» (1174-1176), en parlant d'une personne ou d'une chose, de la pensée, de l'expression (v. 1120). Il signifie également «sans ambiguïté, parfait, sans détour» (1195). Ce sens a disparu, mais on peut y rattacher l'emploi familier moderne du mot dans *il (n')est pas net, pas très net* «louche, pas franc». ◇ De même, le sens physique de «pur, non altéré, sans trouble» (1160-1174), appliqué à l'air (fin XIIe s.) et à des objets concrets exempts de tout mélange (poivre, sel, riz, vin) a disparu, cette valeur étant assumée aujourd'hui par *pur.* ◆ Le premier sens encore vivant du mot est celui de «non souillé» (1170), en concurrence avec *propre :* il est d'abord employé à propos d'une réalité physique (les mains) avant d'être aussi employé au figuré (1552); il est substantivé dans la locution ***mettre au net*** (1475) «faire une copie lisible». ◆ On passe à l'idée de «qui produit sur les sens une impression claire, précise», dans le domaine de l'intelligence qui conçoit (1535), de l'expression (1608), ainsi qu'en parlant d'un dessin aux contours précis (1645), de la vue (1679 au figuré) et de la voix (1690) : certains de ces emplois sont aujourd'hui réservés à *clair.* ◆ Au XVe s., *net* prend également le sens privatif de «débarrassé, délivré de (ce qui encombre)», au propre (XVe-XVIe s.), spécialement en commerce (XVIIIe s.) dans ***poids net*** «ce qui reste une fois enlevée la tare du poids brut de la marchandise». Cette acception est parfois opposée à *brut* (par exemple à propos d'un salaire). ◇ Depuis le XVIIe s., ce sens est aussi réalisé au figuré dans ***en avoir le cœur net*** «délivré d'un souci», et dans *net de* «exempt de, délivré de».

Net est employé adverbialement (déb. XIIIe s.), avec une valeur intensive, d'abord avec le sens de «tout à fait, complètement», sorti d'usage, puis avec la valeur moderne de «tout à coup, brusquement» (1530), parfois renforcé en ***tout net.*** ◇ Appliqué à une réalité langagière, il signifie «catégoriquement» (1636, *refuser net;* 1642, *trancher net*). ◇ Il s'est employé dans un contexte commercial dans des locutions comme *payer net et comptant* (1665), *marchandise pesée net* (1748).

▸ **NETTETÉ** n. f. (v. 1120, *neteted*) réalise d'abord l'idée de propreté, de pureté, sur un plan physique et moral. ◇ Depuis le XVIIe s. (1645), il exprime la qualité de ce qui se perçoit de manière claire, sans confusion (dans le domaine intellectuel et sensible) et (1653) de ce qui est clair, brillant, sans tache (de l'eau et, par analogie [1680], du cristal). ◆ L'adverbe dérivé en *-ment,* **NETTEMENT** (1174-1176), d'abord au sens moral ancien de «sans péché, conformément à la morale», est rarement en concurrence avec *net,* adverbe. ◇ Il signifie «avec propreté, avec soin» (1210), «clairement, sans ambiguïté» (1306), emploi très usuel, et «sans détour, franchement» (1651).

Le verbe correspondant à *net* est **NETTOYER** v. tr. (fin XIIe s., *nattïer;* XIIIe s., *netoïier*), réfection, d'après l'adjectif, de l'ancien français *noiier* «débarrasser, délivrer» (v. 1120), issu, de même que le catalan *nedejar,* d'un latin tardif °*nitidiare,* dérivé de *nitidus.* ◇ Les sens développés par *nettoyer* sont dérivés de l'adjectif; il sont tous attestés avant la fin du XIIIe s., exceptions faites de celui de «vider, dépouiller en emportant» (1538) et du sens familier moderne d'«éliminer en tuant» (1844). ◆ En sont issus **NETTOIEMENT** n. m. (1413; fin XIIe s., *nattiement*), **NETTOYAGE** n. m. (1419-1420), réfection de *nestiage* (1344), qui s'emploie au concret et aussi au figuré (1924 pour «épuration», puis dans l'expression *nettoyage ethnique*), **NETTOYEUR, EUSE** n. (1508-1517; XVe s., *nettoieur* au figuré), et le participe présent adjectivé **NETTOYANT, ANTE,** substantivé (1949) par ellipse de *produit nettoyant.* ◇ Ce dernier entre dans **AUTONETTOYANT, ANTE** adj. (1973). ◆ À l'adjectif **NETTOYABLE** (1546) correspond l'antonyme rare **INNETTOYABLE** adj. (1538).

① **NEUF, NEUVE** adj. et n. m. est issu (v. 980) du latin *novus* «nouveau», «récent», substantivé au neutre en *novum* «chose nouvelle» et au masculin pluriel en *novi* «écrivains nouveaux, modernes». *Novus* répond au grec *neos* (→ néo-), au hittite *newas,* à l'avestique *nava-,* au sanskrit *nava-,* au vieux slave *novŭ,* au lituanien *navas,* et fait supposer une racine indoeuropéenne °*nu-* «nouveau» (cf. anglais *new*). En français, le mot est d'abord attesté sous les formes *nous, nuef* (1170) puis *neuf* (1480).

♦ Dès les premiers textes, *neuf* a le sens toujours usuel de «qui n'a pas encore servi». Il entre dans la locution ***de neuf*** (1170) pour «avec qqch. de neuf», comme dans *habiller de neuf* (1636), puis aussi, de 1339 et jusqu'à la fin du XVIIe s., «de manière à donner l'aspect du neuf», sens que l'usage moderne réserve à ***à neuf*** (1585). ◇ Le mot a le sens de «nouveau par rapport à ce qui existait déjà» (1200), avec lequel il empiète sur le sémantisme de *nouveau,* dans l'expression *terre neuve,* à comparer avec *nouveau monde.* ◇ Dès le XIIIe s., il signifie aussi «original, fait pour la première fois» (1208); de là, aux XVIe-XVIIe s., l'émergence des sens aujourd'hui archaïques de «qui n'a pas encore subi l'atteinte des passions» (1560) et «sans expérience, novice» (1606). Le mot est substantivé au masculin avec le sens de «ce qu'il y a de nouveau» (1480), dans la locution ***quoi de neuf?,*** et avec la valeur neutre de «ce qui est neuf» (1808).

◈ voir INNOVER, NOUVEAU, NOVA, NOVATEUR, NOVICE.

② **NEUF** adj. numéral et n. m. inv. est issu, d'abord sous la forme *nof* (v. 1119), du latin *novem* «neuf», qui répond à l'irlandais *noin,* au gotique *niun,* au sanskrit *náva* et, avec altération, au grec *ennea* que le français a dans *ennéasyllabe* «vers en neuf syllabes». La finale nasale de *novem* était originellement *-n* (dans *nonus* «neuvième») et non *-m.*

♦ *Neuf,* adjectif numéral, est aussi employé comme nom (1690). Il entre dans la locution sortie d'usage *être dans son neuf* (1675) «être dans le neuvième mois de sa grossesse» avec une valeur ordinale. ◇ Dans l'usage ancien, le *-f* ne se prononçait pas quand *neuf* était suivi d'un mot à initiale consonantique.

▸ *Neuf* entre dans les noms de mesures musicales à trois temps : **NEUF-QUATRE** (1803), **NEUF-HUIT** (1803), **NEUF-DEUX** (1874), **NEUF-SEIZE** (1874), tous n. m. inv. ◆ On en a tiré **NEUVIÈME** adj. et n. (1140) qui a supplanté l'ancien français de même sens *nuefme, noefme* (de 1080 au XIIIe s.), encore usuel au XVIIIe s. en Bretagne pour désigner le droit qu'avaient les recteurs de prélever un neuvième sur les biens de leurs paroissiens décédés. Celui-ci était le représentant d'un latin populaire °*novimus,* réfection du latin classique *nonus* (→ none), d'après *decimus* «dixième» (→ décime). ◇ *Neuvième* s'est d'abord écrit *novime* puis *nuevieme* (fin XIIe s.), *neufiesme* (1611) et *neuviesme* (1721). Il est employé comme adjectif ordinal et aussi comme nom, spécialement dans le syntagme juridique ancien *droit de neufiesme, neufiesme* (1611) et en musique (1721, n. f.) pour désigner l'intervalle séparant neuf degrés. ➜ *Neuf* a aussi produit **NEUVAINE** n. f. (fin XIIIe s., *nofaine*) qui, avec son sens de «groupe de neuf personnes» (surtout en parlant des muses, de même que *novénaire*), est considéré comme burlesque depuis 1680. ◇ Depuis le moyen français (1377-1378), il a le sens religieux toujours vivant d'«exercices de piété que l'on répète pendant neuf jours consécutifs pour obtenir une grâce particulière ou honorer Dieu, un saint».

◈ voir NONAGÉNAIRE, NONANTE, NOVEMBRE.

NEUME n. m. et f. est emprunté (v. 1250) au latin médiéval *neuma* «note», «phrase musicale, en particulier mélodie sans paroles» (av. 1100), à côté du verbe *neumatizare* «munir de notations musicales» (1050). Le mot est l'altération du bas latin *pneuma* «souffle» (VIe s.), emprunté au grec *pneuma* de même sens (→ pneumatique).

♦ *Neume* a été repris par les musiciens : affecté à une partie du chant d'église émise d'un seul souffle (*Règle cistercienne*, 1465), il désigne comme nom féminin, dans le chant liturgique, la mélodie brève vocalisée sur la dernière voyelle du dernier mot à la fin de l'alleluia d'une antienne ou d'un répons (1606). ◇ L'emploi dans la notation musicale médiévale, cette fois comme nom masculin, est repris au XIXe s. : le mot désigne le signe final (1840), puis chacun des signes divers (lettres, traits, points) servant à noter le plain-chant (1847).

▸ **NEUMATIQUE** adj. (1868) est emprunté au dérivé latin médiéval *neumaticus* «des neumes».

NEUR-, NEURO-, NÉVR-, NÉVRO- est un élément savant tiré du grec *neuron* «tendon» qui se disait aussi du sexe de l'homme et, par métonymie, d'une corde (faite avec des nerfs ou des boyaux), du lien qui fixe la tête de la flèche, de la corde d'une lyre, des fibres d'une plante. Ce n'est que tardivement et dans le vocabulaire médical qu'il a pris le sens moderne de «nerf» en tant qu'organe de sensation. Avec son correspondant latin *nervus* (→ nerf), il repose sur une racine indoeuropéenne °*sne-*, induite par le nom sanskrit *snāvan-* «tendon», l'avestique *snāvara* de même sens. La variante *névro-* repose sur la prononciation byzantine de l'*u* grec adoptée par le latin médiéval.

♦ Les deux éléments, qui servent à construire des termes en anatomie, médecine, embryologie, pathologie, sont rarement en concurrence du fait que les composés récents dont le premier élément est libre sont généralement faits sur *neuro-*. Le sens est celui de «nerf», «système nerveux», sauf dans quelques formations plus rares en botanique et en zoologie où c'est celui de «fibre» et plus particulièrement de «nervure» qui est retenu.

▸ Le plus courant est **NEUROLOGIE** n. f. (1691) défini depuis le XVIIe s. jusqu'au XIXe s. comme la science étudiant les nerfs (au sens ancien du terme, c'est-à-dire les tendons, les ligaments), puis redéfini (1890) comme la branche de la médecine traitant les maladies du système nerveux. ➜ Ce dernier emploi a produit **NEUROLOGISTE** n. (1888), **NEUROLOGUE** n. (1907) et **NEUROLOGIQUE** adj. (1893). Tous ces mots ont évincé leur doublet en *névro-* (*névrologie* n. f., 1805 ; *névrologiste* n. et *névrologue* n., 1824 ; *névrologique* adj.).
D'autres composés, parmi de très nombreux, ont une certaine importance : **NEUROBIOLOGIE** n. f. (1913), d'où **NEUROBIOLOGIQUE** adj. (1920) ; **NEUROPSYCHIATRIE** n. f. (1910), d'où **NEUROPSYCHIATRE** n. (1913), et **NEUROPSYCHIATRIQUE** adj. (1918) ; **NEUROPSYCHIQUE** adj. (1908). **NEUROMUSCULAIRE** adj. (1881) s'emploie en physiologie, ainsi que **NEUROMOTEUR, TRICE** adj. (1907), **NEUROPHYSIOLOGIE** n. f. (1896) et **NEUROPHYSIOLOGIQUE** adj. ◇ **NEUROTOXINE** n. f. (1909) désigne une toxine agissant sur le tissu nerveux. ◇ **NEUROTROPE** adj. (1914) correspond à «qui se fixe sélectivement sur les tissus et les centres nerveux, par la propriété appelée **NEUROTROPISME** n. m. (1907). ➜ **NEUROLEPTIQUE** adj. et n. m. (1955), de *-leptique* «qui affecte en calmant», tiré du grec *lêptikos* «qui prend», désigne et qualifie en médecine et couramment un médicament à effet sédatif.
Une autre série a conservé la forme en *v*. ➜ **NÉVRITE** n. f. «lésion inflamatoire des nerfs» (1824), de *-ite*, a fourni **NÉVRITIQUE** adj. (1864), employé auparavant comme nom (1694) pour «remède contre les nerfs», et **POLYNÉVRITE** n. f. (1889). ➜ **NÉVROPATHIE** n. f. (1845) a été remplacé en médecine par *neurasthénie** et *névrose**. ◇ **NÉVROPATHE** adj. et n. a vieilli (1873), se spécialisant en histoire littéraire à propos d'une école décadente, mais **NÉVROPATHIQUE** adj. (1834) reste en usage.

◈ voir NEURASTHÉNIE, NEURONE, NÉVRALGIE, NÉVROSE ; et aussi CHIRURGIE.

NEURASTHÉNIE n. f. est formé (1880) de l'élément *neur(o)-** et de *asthénie**, probablement d'après l'anglais *neurasthenia* (1856).

♦ Le mot est d'usage psychiatrique et courant, reprenant en partie le champ sémantique traditionnellement réservé à *langueur*. Il désigne couramment un état de fatigue, d'abattement, en particulier une tendance au pessimisme, aux idées noires (1893).

▸ Son dérivé **NEURASTHÉNIQUE** n. et adj. (peut-être d'après l'anglais *neurasthenic*, 1876) est attesté depuis 1880 comme adjectif et depuis 1893 comme nom. Il est aussi d'usage médical et est couramment employé au sens d'«abattu» (1905, adj. ; 1909, n.).

NEURONE n. m. est le dérivé savant (1896) du grec *neuron* «nerf, fibre, tendon» sans qu'on puisse nettement tracer les voies d'emprunt (→ neur-, neuro-). L'anglais a *neuron* en 1884 et l'allemand *Neuron*, chez Waldeyer, en 1891, interprété au sens moderne de *nerf*.

♦ Le mot désigne la cellule des centres nerveux qui est l'unité fondamentale du tissu nerveux, formée d'un corps cellulaire et de prolongements.

▸ Il y a concurrence entre **NEURONIQUE** (1905) et **NEURONAL, ALE, AUX** adj. (1914, peut-être d'après l'anglais *neuronal,* 1901) pour l'adjectif de détermination, «qui se rapporte au neurone», la seconde forme l'ayant emporté.

NEUTRE adj. et n. m. est emprunté (v. 1360) au latin *neuter* «aucun des deux», spécialement en grammaire «ni féminin ni masculin», mot formé de la négation *ne* (→ ni) et du pronom interrogatif indéfini *uter* «lequel des deux», «celui des deux qui...». *Uter* peut être rapproché, dans d'autres langues du groupe indoeuropéen, du grec *poteros,* du sanskrit *katarā,* du gotique *hwapar,* etc.

♦ Le mot a été introduit au sens de «qui ne prend pas parti dans un conflit, une guerre», d'où «audessus de tout, indifférent» (1626), spécialement dans le langage du droit international (*lieu neutre,* 1652; *pavillon neutre,* 1835). ◇ Il est substantivé au pluriel (*les neutres*) en parlant des nations non belligérantes (1835). ◇ Plus couramment, il est employé à propos d'une personne impartiale (1550), qui ne prend pas parti (1626). ◇ Il a pris au XIXe s. le sens figuré et assez péjoratif de «fade, sans éclat, sans passion» (1853). ◆ Depuis le XIVe s., peut-être par emprunt au latin, l'adjectif compte quelques acceptions spéciales en grammaire (XIVe s., à propos du latin, aussi substantivé), ensuite en zoologie à propos d'insectes (1754) et en botanique (1766) avec l'idée d'«asexué», réalisée dès 1380, puis en chimie en parlant d'un corps ni acide ni basique (1743), en physique électrique (1821). ◇ Le sens qualificatif moral de «ni bon ni mauvais» (v. 1370) ne s'est pas maintenu.

▸ Le nom correspondant, **NEUTRALITÉ** n. f. (fin XIVe s.), est un dérivé savant du latin *neutralis* «neutre» (*neutralitas* n'est attesté qu'en 1408 en latin médiéval). ◇ En relation avec l'adjectif, il recouvre d'abord l'état d'une personne ou d'un groupe qui ne prend aucun parti, spécialement en droit international (1500; 1812, dans *neutralité armée*). Il est spécialement employé en chimie (1789) au sens de l'adjectif. ◇ Il renvoie, couramment, au caractère de ce qui manque d'éclat (1869, Mallarmé), spécialement dans le domaine littéraire et artistique. ◆ Le verbe **NEUTRALISER** v. tr. a été dérivé savamment (1564) du latin *neutralis* comme pronominal et au sens ancien de «rester neutre». ◇ Il n'a développé ses sens modernes qu'à partir de la seconde moitié du XVIIIe s. : «annuler» (1776) en chimie, puis «rendre inoffensif» dans l'usage général (1789, Sieyès) et, au pronominal, «s'annuler mutuellement» (1803). ◇ Dans un contexte militaire ou guerrier, il signifie «empêcher d'agir» (1812) et, en droit, «assurer la neutralité à (un territoire)» (1812). ◇ Depuis 1939, il est employé en linguistique. ◆ On en a tiré **NEUTRALISATION** n. f. (1783), d'abord en chimie, puis en politique internationale (1795) et au sens général d'«action d'annuler» (1939-1942). ◆ **NEUTRALISANT, ANTE,** le participe présent, est adjectivé (1800) et substantivé (1812) en chimie, puis employé également au figuré (1852). ◆ Au XXe s. sont apparus **NEUTRALISABLE** adj. (1922), **NEUTRALISATEUR, TRICE** (1929, n.; 1951, adj.) et deux termes de doctrine politique préconisant la neutralité, le refus d'adhésion à une alliance militaire : **NEUTRALISME** n. m. (1915) et **NEUTRALISTE** (1915, adj.; 1955, n.).

◈ voir NEUTRON.

NEUTRON n. m. est emprunté (1912) à l'anglais *neutron,* formé par contraction de l'adjectif *neutral* «neutre» (→ neutre), employé spécialement en électricité depuis 1896, avec le suffixe *-on,* sur le modèle d'*electron* (→ électrique). Le mot anglais a été créé par W. Sutherland (1899) avec la valeur vague de «particule neutre mais instable existant dans un gaz».

♦ C'est en ce sens qu'il est d'abord passé en français. Neutron a été repris en anglais par Glasson et Rutherford (1920), par Harkins, de Chicago (1921), puis par Chadwick en 1932 comme terme de physique nucléaire : à la suite d'un débat (1932) et des expériences menées en 1931 par les Français Irène et Frédéric Joliot, celui-ci fit prévaloir l'existence d'une particule dénuée de charge électrique dans tous les noyaux atomiques, à l'exception du noyau d'hydrogène normal. Le terme fait désormais partie du vocabulaire international de la physique nucléaire.

▸ On a aussi emprunté à l'anglais **ANTINEUTRON** n. m. (1956). ◆ Auparavant, a été créé **NEUTRONIQUE** adj. et n. f. (1935), substantivé au féminin pour la branche de la physique nucléaire qui s'attache à l'étude des neutrons (1957), peut-être d'après l'anglais *neutronic* (1937). ◆ Le composé **NEUTROGRAPHIE** n. f. «radiographie effectuée à l'aide de neutrons» est attesté depuis 1950 environ (le terme recommandé officiellement est *neutronographie*).

NEUTRINO n. m. est emprunté (1935, Joliot-Curie) à l'italien *neutrino,* création du physicien italien E. Fermi par dérivation diminutive (*-ino*) de *neutro* «neutre». Le mot désigne une particule élémentaire légère (comme l'électron), de masse très petite et de charge neutre. ◇ Il a servi à former **ANTINEUTRINO** n. m. (1958).

NE VARIETUR → VARIER

NÉVÉ n. m. est un mot (1840) d'origine provençale. Dans cette aire géographique, il a été dérivé de la forme dialectale représentant le latin *nix, nivis* «neige» (→ neiger). On rencontre également *névat* «chute, amas de neige» (1707); le latin a l'adjectif *nivatus* «rafraîchi avec de la neige».

♦ Le mot est à la fois régional (Alpes) et géographique; il désigne un amas de neige durci.

NEVEU n. m. vient de l'ancien cas régime *nevuld* (1080), également *nevold, nevod, nevolz,* correspondant à l'ancien cas sujet *niés* (1080). Ces formes sont respectivement issues de l'accusatif *nepotem* et du nominatif *nepos* en latin : «petit fils, descendant de parenté indirecte», qui, à basse époque, a pris le sens de «fils du frère ou de la sœur» (→ népotisme, nièce). En outre, *nepos* signifie «rejeton» en arboriculture et, avec une valeur péjorative, «débauché, prodigue, dissipateur d'héritage», soit selon le même phénomène que *fils à* *papa,* soit qu'il y ait eu confusion avec un homonyme *nepos* «débauché», peut-être d'origine étrusque. *Nepos* est un terme indoeuropéen désignant la parenté indirecte, et s'appliquant à tout descendant autre que le fils, donc le neveu, le petit-fils ou même le descendant d'une sœur. Il est bien représenté en sanskrit, vieux perse, avestique, vieux lituanien, en germanique occidental dans le vieil anglais *nefa* (mais le moyen anglais a *neveu,* par emprunt à l'ancien français d'où l'anglais *nephew*) ancien haut allemand *nevo,* irlandais *nia.* Les deux sens du latin coexistent en français, en italien et en sarde mais seul celui de «petit-fils» est usuel dans le domaine ibéro-roman où celui de «neveu» est attesté sporadiquement (l'espagnol dit *sobrino,* du latin *sobrinus* «cousin germain»).

♦ *Neveu* «fils du frère ou de la sœur» (1080) désignait aussi le petit-fils (1165) en ancien et moyen français. Le pluriel *neveux* (1500, *nepveux*) s'est employé spécialement (XVIe-XVIIe s.) au sens de «descendants», par calque de l'emploi poétique du pluriel *nepotes* en latin classique. Depuis le XVIIe s., cet emploi est limité à l'usage poétique ou littéraire. ◇ *Neveu* entre dans le syntagme *neveu à la mode de Bretagne* (1690) «fils du cousin germain ou de la cousine germaine» et dans la locution familière ***un peu, mon neveu !*** (1824), réponse affirmative emphatique fondée sur l'assonance.

► Il entre dans les composés **PETIT-NEVEU** n. m. (1598), **ARRIÈRE-PETIT-NEVEU** n. m. (1751).

◈ voir **NÉPOTISME, NIÈCE.**

NÉVRALGIE n. f. est formé (1801), en médecine, des éléments *névr(o)-* (→ neur-) et *-algie** «douleur».

♦ Le mot désigne une douleur siégeant sur le trajet d'un nerf sensitif.

► L'adjectif correspondant, **NÉVRALGIQUE** (1801, *Tableau synoptique de la névralgie*), entre dans *migraine névralgique* (1821) et *point névralgique* «endroit d'un nerf où la douleur est particulièrement aiguë». Ce dernier est employé couramment au sens figuré de «point sensible» pour une situation, un lieu, un phénomène, une personne (1932). ➜ Le contraire **ANTINÉVRALGIQUE** adj. et n. m. (1850) s'emploie en médecine.

NÉVROSE n. f. est un dérivé savant (1785, *neurose*) du grec *neuron* «nerf» (→ neuro-) à l'aide du suffixe *-ose,* tiré du grec *-ôsis* servant à former des noms de maladies non inflammatoires. Le mot est l'adaptation de l'anglais *neurosis,* terme créé par le médecin écossais William Cullen et qui figure dans le titre de la deuxième partie *(Neurosis or Nervous Diseases)* de son traité de médecine paru en 1777. C'est Pinel qui introduit en français le terme *neurose* ou *névrose* dans sa traduction de Cullen (*Institutions de médecine pratique,* tome II, p. 493).

♦ Chez Cullen, Pinel et jusqu'à la fin du XIXe s., le terme englobe tous les symptômes nerveux sans base organique connue. Gilbert Ballet, dans un ouvrage classique de la fin du XIXe s., range ainsi dans les névroses la maladie de Parkinson, l'épilepsie, les troubles mentaux des chorées. ➜ Le sens moderne du mot (1895) vient de l'allemand *Neurose* et de Freud qui élabora sa théorie des névroses à partir de l'observation des hystériques, dans le service du professeur Charcot, en reprenant certaines des intuitions de P. Janet. Cette théorie se dessine depuis *Obsessions et Phobies* (1895), *Psychonévroses de défense* (1895) jusqu'à *Inhibition, Symptôme et Angoisse* (1926). À la suite de la classification freudienne des névroses (en phobies, hystérie, obsessions et angoisse), d'où ***névrose obsessionnelle, névrose d'angoisse*** (les deux chez Freud en français, 1896), et de l'opposition entre névroses et psychoses, la psychanalyse moderne décrit d'autres types de névroses correspondant à des attitudes particulières : *névrose actuelle* (1924), *traumatique* (1900 ; allemand *Schreckneurose*), *caractérielle, dépressive.*

► La même évolution sémantique se retrouve dans **NÉVROTIQUE** adj. (1764), d'abord employé comme épithète avec les noms de remèdes bons pour les nerfs, attesté dans son sens freudien en 1922 (*Introduction à la psychanalyse,* mais antérieur) et pour **NÉVROSÉ, ÉE** adj. et n. (1857), qui appartient à l'usage général. ➜ *Névrose* fournit le second élément de **PSYCHONÉVROSE** n. f. (1895) en se soudant au mot auquel il s'oppose dans la théorie freudienne — d'où **PSYCHONÉVROTIQUE** adj. (1900) et n. ◇ **PSYCHONÉVROSÉ, ÉE** adj. et n. (1908) n'a pas vécu.

◈ voir **APONÉVROSE.**

NEZ n. m. est issu (1080, *nés*) du latin *nasus* (anciennement *nassus* avec géminée expressive) «nez humain», par métonymie «sens de l'odorat, finesse du goût» et, avec une valeur souvent satirique, «moquerie», également dit par analogie de forme d'un goulot de vase, d'une anse. Comme *nares* (→ narine), il contient la racine indoeuropéenne °*nas-* «nez», bien représentée dans les langues germaniques : allemand *Nase,* anglais *nose,* et slaves : russe *nos.*

♦ *Nez,* comme les autres noms des organes des sens, a inspiré de nombreuses locutions. Dès le début du XIIe s. (1121-1134), il entre dans *pendre devant le nez* «menacer», forme archaïque de ***pendre au nez*** (XIIIe s.). Fin XVe-XVIe s., apparaissent ***tirer les vers du nez à qqn*** «le faire parler malgré lui» (fin XVe s.), ***ne pas regarder plus loin que le bout de son nez*** (1585), locutions toujours usuelles, et *se laisser mener par le nez* (1559), remplacé par ***mener qqn par le bout du nez*** (1808). ◇ La longueur du nez, dotée de valeurs symboliques, fournit le *nez long d'une aune* et le *pied de nez* (où *pied* est l'unité de longueur), d'où ***faire un pied de nez*** (1640), geste culturel de dérision qui consiste à poser le pouce sur son nez et à écarter les doigts (le pied de nez, comme le fait de tirer la langue, fait partie du répertoire enfantin). ◇ Au XIXe s., on commence à relever ***à vue de nez*** «approximativement» (1821), ***se manger le nez*** «se disputer» (1857), ***avoir le nez long*** (1858), ***fin, creux,*** «être perspicace». Quant au belgicisme ***faire de son nez*** (1949), il est probablement calqué sur le néerlandais du Sud *van zijn neus maken,* mot à mot «de son nez faire». ◇ Le mot entre également dans des locutions exprimant le fait de

s'enivrer : ***se piquer le nez*** (1872) et surtout ***avoir un verre dans le nez*** (1934). ◆ Beaucoup d'autres locutions, attestées à partir du XVIe s., contiennent *nez* au sens métonymique de «visage, ensemble du visage», voire «personne» : ***fourrer le nez quelque part*** (1550), ***fermer la porte au nez*** (1579), ***au nez de (qqn)*** (1608), renforcé dans ***à son nez et à sa barbe*** (1852), ***nez à nez*** (1660). ◆ ***Avoir dans le nez*** (1821) «détester, ne pas supporter» fait allusion à l'odorat (cf. *ne pas pouvoir sentir*). Ce sens familier de «flair, odorat» s'est d'abord réalisé dans le domaine de la vénerie (1572) et particulièrement dans la locution courante ***avoir du nez*** (anciennement *avoir bon nez*, 1587).
Par analogie, *nez* se dit d'un mufle d'animal (1671-1681) et de différents objets ou parties d'objets saillants : proue d'un navire (1572), cap, en géographie (1831), petit bec soudé sur un tuyau de descente de gouttière (1903). ◇ En marine, il est entré dans la locution ***piquer du nez***, également transposée en aéronautique (1911) et dans l'usage commun, pour «tomber la tête en avant».

▶ L'équivalent très familier ② **NASE** n. m., seulement employé pour l'organe des sens, reprend le provençal ou l'italien *naso* (de *nasus*).

◈ voir **NASAL**, **NASEAU**, **NASILLER**, ainsi que **NARGUER** et **RENÂCLER**.

NI conj. de coordin. est issu (842) de la conjonction latine *nec*, variante de *neque* «et... ne pas (reliant deux mots ou deux propositions)» qui s'est d'abord employée devant les mots à initiale consonantique et qui a supplanté la forme pleine. *Nec* se rattache à l'indoeuropéen °*ne*, négation de phrase attestée dans le sanskrit *ná*, le vieux slave *ne*, le lituanien *ne*, l'irlandais *ni*. De nombreuses langues ont des formes élargies, la forme *ne* étant trop brève et manquant d'expressivité.

◆ *Nec* a d'abord donné *ne* (842). La forme *ni* apparaît timidement au XIIIe s. ; rare jusqu'à la fin du XVe s., elle se répand rapidement au XVIe s., écrite *ny*, et s'impose à côté de *ne* au XVIIe s. : Vaugelas, qui défend *ne* (contre Corneille et l'Académie), reconnaît que c'est «un vieux mot qui n'est plus en usage que le long de la rivière de Loire». *Ni* est probablement issu de groupes syntactiques où *ne* se trouvait en relation avec un ancien démonstratif du type *icel* (→ celui) ou avec le pronom personnel *il** : *n'icel*, *n'il*. Il est également possible que la généralisation de *ni* ait été facilitée, à travers les dialectes limitrophes du domaine occitan, par la tendance dans ce domaine à fermer en *i* le *e* en hiatus : ancien provençal *ni* (apr. 1150). Jusque vers la seconde moitié du XIIIe s., contrairement à la négation, *ne* conjonction ne s'élide qu'exceptionnellement devant voyelle, sauf devant les prépositions *en* et *a*. ◆ Dans l'ancienne langue, *ne* servait à relier une proposition négative à une autre proposition négative : dans la langue moderne, *ni*, sauf dans le style littéraire et dans ***ni... ni...***, est généralement remplacé par *et*. La négation n'avait d'ailleurs pas besoin d'être directement exprimée : une négation implicite suffisait à amener l'emploi de *ne*. L'usage reste flottant entre *ne/ni* et *et* jusqu'à la fin du XVIIe siècle. Actuellement *ni* s'impose après *sans*. ◆ Dans les anciens textes, *ne/ni* servait de liaison entre deux mots, deux propositions, dans des expressions positives, en particulier des interrogations, des phrases exclamatives, des propositions de condition ou de concession. Il équivalait parfois à *ou*. Autrefois également, *ne/ni* se plaçait uniquement devant le dernier terme ; la règle moderne de son emploi devant chaque terme, préconisée par Malherbe puis par Vaugelas, fut cependant lente à s'imposer.

◈ voir **NIER**.

NIAIS, NIAISE adj. et n. est issu (1210-1225) du latin *nidax*, *-acis*, lui-même dérivé de *nidus* (→ nid), proprement «pris au nid (en parlant du faucon)».

◆ Dans les premiers textes, le mot est employé, sous la forme archaïque *niés*, pour qualifier ou désigner un faucon qui sort du nid, d'abord comme adjectif, puis aussi comme nom (apr. 1250). Dès lors, il est employé par image pour désigner une personne sans expérience, trop naïve, et il prend le sens moderne de «sot» (XIIIe s., adj. ; 1275, n.). Par métonymie, il s'applique à un air qui fait présumer la sottise (v. 1640).

▶ On en a dérivé **NIAISEMENT** adv. (1585), **NIAISERIE** n. f. (1542, *nyeserie*) et **NIAISER** v. intr. (1549) «faire le niais», «s'amuser à des sottises» (1580). Ce dernier a vieilli, sauf au Québec, ou l'on trouve aussi l'adjectif **NIAISEUX, EUSE**, usuel.
Le composé **DÉNIAISER** v. tr. (1549) est passé du sens ancien de «leurrer, tromper» au sens moderne de «faire perdre à qqn son innocence» (1558), spécialement dans le domaine amoureux. Les protestants l'ont employé pour «convertir au protestantisme» (1623). ◆ Il a donné **DÉNIAISEMENT** n. m. (1636, au sens ancien de «tromperie») et **DÉNIAISEUR, EUSE** n. (1582, au sens ancien de «trompeur»), qui ont suivi la même évolution.

◈ voir **NIGAUD** (hypothèse 2).

① **NICHE** n. f., attesté depuis 1395, est soit le déverbal de *nicher**, soit l'emprunt (influencé par *nicher*) du terme d'architecture italien *nicchia*, seulement attesté depuis le XVe s. sous la forme *nicchio* (n. m.) et par le latin médiéval d'Italie *nichia* (1467-1471). Le mot est issu par dérivation de sens de *nicchio* «coquille» (déb. XIVe s.), lui-même d'origine incertaine ; il peut être issu avec aphérèse du latin tardif °*onicula* «sorte de mollusque», dérivé diminutif de *onycha* de même sens, féminin fait sur *onyx*, *onychis* désignant un mollusque et une pierre (→ onyx).

◆ *Niche* est longtemps resté uniquement un terme d'architecture et de décoration, désignant le renfoncement ménagé dans le mur d'une pièce pour y placer une statue, un objet, et par extension un décrochement ménagé dans le profil d'un mur pour recevoir un meuble (1669-1689). ◆ C'est à cette époque (1697) qu'il prend aussi le sens courant de «petite cabane pour un chien» puis, de là, le sens familier et vieilli de «refuge, demeure» (1760). ◇ L'idée de «renfoncement» est à la base du sens d'«abri naturel creusé dans une surface» (1836) et de sa spécialisation pour la dépression arrondie qui entaille un versant (XXe s.), ainsi que du sens de «cavité dans la paroi d'un organe au niveau d'une ulcération», en pathologie (*niche ulcéreuse,* v. 1950). ◇ L'emploi figuré dans *niche écologique* est un emprunt à l'anglais *niche* (1927 en ce sens), lui-même pris au français.

② **NICHE** n. f. (XVIe s.) est d'origine incertaine : une hypothèse en fait le déverbal de *nicher* «faire le niais, perdre son temps» qui serait une extension de sens de *nicher**, parce que, disent certains, la fabrication du nid représente un très long travail. Cependant, si *nicher* était vivant en ce sens en Champagne et en Hainaut, il n'apparaît qu'au XVIe s. sous la forme *niger* (de 1567 à 1611). Une seconde hypothèse en fait la prononciation hypercorrecte de *nique** que l'on aurait pris pour une forme picarde. Enfin, Pierre Guiraud interprète *niche* comme le représentant d'un °*negica,* déverbal d'un °*negicare* dérivé de *negare* (→ nier).

♦ Le mot désigne une farce malicieuse, généralement dépourvue de méchanceté. Il a vieilli.

NICHER v. est issu (1155) d'un latin tardif °*nidicare,* dérivé de *nidus* (→ nid) qui a remplacé sur le territoire gallo-roman la forme *nidificare* (*nidus* et *facere*), proprement «faire son nid».

♦ Le mot est d'abord attesté sous la forme *nigier* puis *niger,* encore vivante dans le Centre et dans l'Ouest, refaite en *nichier* (fin XIIIe s.), puis *nicher.* ➛ Par extension de l'acception de «faire son nid», il est employé au sens de «loger» (fin XIIIe s.), également à la forme pronominale *se nichier* (XVe s.) «se loger, s'installer». Depuis 1560, il est aussi employé transitivement au sens de «loger, placer, caser (une chose, une personne)».

▸ Son participe passé féminin **NICHÉE** est substantivé (1555; 1360-1370, *nicée*) pour désigner collectivement l'ensemble des oisillons d'une même couvée et, familièrement par analogie, l'ensemble des enfants d'une famille (1738). ➛ Les autres dérivés de *nicher* sont un peu postérieurs : c'est d'abord le terme rare **NICHEUR, EUSE** adj. (1660), appliqué à des oiseaux qui bâtissent des nids, et les noms d'objets techniques **NICHOIR** n. m. (1680) et **NICHET** n. m. (1752) «œuf factice que l'on met dans un nid pour inciter l'oiseau à pondre». ➛ Le nom familier et un peu vieilli pour le sein, **NICHON** n. m. (1858), vient du fait que les seins sont nichés dans le corsage, ou de ce que le nourrisson se niche contre la poitrine maternelle.

◈ voir **DÉNICHER**, art. **NID**.

NICKEL n. m. est emprunté en minéralogie (1765) à l'allemand *Nickel,* ou plus probablement à son correspondant suédois *nickel,* créé en 1754 par le minéralogiste suédois A. F. Von Cronstedt qui avait découvert ce métal en 1751. C'est une abréviation pour l'allemand *Kupfernickel,* de *Kupfer* «cuivre», mot germanique (anglais *copper,* néerlandais *koper*) issu du latin tardif *cuprum* qui a donné *cuivre**, et de *Nickel,* abréviation de *Nicolaus* (correspondant à *Nicolas*), nom donné à un lutin espiègle (→ nixe). *Kupfernickel* signifie donc littéralement «lutin du cuivre» et c'est le nom donné par les mineurs allemands au minerai de nickel qu'ils avaient d'abord pris pour du minerai de cuivre en raison de sa couleur rouge (cf. aussi *cobalt,* pour le rapport entre un nom de lutin et un nom de minerai).

♦ *Nickel* désigne un corps simple, métal blanc argenté. ◇ Par emprunt à l'anglo-américain, il est employé par métonymie pour une pièce de monnaie en usage aux États-Unis, faite d'un alliage de nickel (1895). ➛ Dans l'usage familier, il signifie adjectivement «irréprochable, d'une propreté impeccable» (1918), par allusion à l'aspect brillant et poli du métal.

▸ Dans son sens premier, *nickel* a produit plusieurs dérivés au XIXe s., époque où l'on a commencé à exploiter le minerai en France : **NICKELIFÈRE** adj. (1818), **NICKÉLINE** n. f. (1832), **NICKÉLIQUE** adj. (1873), **NICKELURE** n. f. (1857). ➛ **NICKELER** v. tr. (1853) signifie «recouvrir d'une couche de nickel». ◇ Il s'est employé au sens figuré familier de «rendre d'une propreté absolue» (1954). ◇ Il a pour dérivé **NICKELAGE** n. m. (1844), nom d'action. ◇ Son participe passé adjectivé **NICKELÉ, ÉE** (1846) reprend les mêmes sens. ➛ Mais dans la locution familière ***avoir les pieds nickelés*** (1898) «refuser de marcher, d'agir» d'où «être paresseux», répandue par *Les Aventures des Pieds Nickelés* de L. Forton (1908), *nickelé* est une altération de *pieds niclés* (1894), peut-être issu d'un dialectal *aniclé* «noué, arrêté dans sa croissance», correspondant régional d'*annihilé**, représenté dans la moitié sud de la France (*aniclé, anichilé, enequeli...* «bon à rien, exténué, mal développé»). Cette origine n'est pas connue et *nickelé,* dans cette expression, est interprété comme une métaphore plaisante (et obscure).

NICOTINE n. f. est dérivé (1818, dans une traduction d'un texte anglais de 1817), par changement de suffixe, de l'ancien terme de botanique *nicotiane* (1567) «genre de Solanacées parmi lesquelles le tabac ou herbe à Nicot». *Nicotiane* tire son nom de celui de Jean *Nicot,* célèbre érudit français, auteur du *Thrésor de la langue françoise* (1606), qui, ambassadeur de France au Portugal de 1558 à 1560, reçut en présent un plant de tabac venant de Floride. Il l'envoya à la reine Catherine de Médicis en l'honneur de laquelle cette herbe fut également baptisée *herbe à la reine.*

♦ Le mot désigne l'alcaloïde du tabac, excitant des nerfs centraux et périphériques.

▸ *Nicotine* a donné quelques termes de chimie et pharmacologie (XIXe-XXe s.). ➛ Il a servi à former les adjectifs **NICOTINEUX, EUSE** (1875) et **NICOTINIQUE** (1878), ce dernier remplaçant le type plus ancien *nicotique* (répertorié de 1842 à 1932), dérivé du radical de *nicotiane.* ➛ De la même façon, le verbe moderne **NICOTINISER** v. tr. «imprégner de nicotine» (1903) a remplacé *nicotiser,* repertorié dans les dictionnaires entre 1868 et 1903 (anglais *to nicotinize,* 1865 et *to nicotize,* 1867). *Se nicotiniser* a signifié (1859) «consommer du tabac»; *nicotinisé* adj. est attesté en 1866. ◇ Son antonyme **DÉNICOTINISER** v. tr. est attesté depuis 1868. ➛ Le nom donné en pathologie à l'ensemble des troubles dus à l'abus de nicotine, **NICOTINISME** n. m., est attesté depuis 1867, et sa variante **NICOTISME** au milieu du XXe s. ; on dit plutôt *tabagisme*.

NID n. m. est issu (1175, *niz*, au pluriel) du latin *nidus* «nid d'oiseau» et par métonymie «nichée». *Nidus* représente un indoeuropéen °*ni-zdo-* dont le premier terme est le préverbe *ni-* et le second une forme du groupe de *sedere* qui indique une station assise (→ seoir). Avec le sens de «nid», on trouve l'ancien irlandais *net* (irlandais moderne *nead*), l'ancien haut allemand *nest* et, avec des altérations, le lituanien *lìzdas* et le vieux slave *gnezdo* (de genre neutre). Le sens général de «lieu où l'on s'établit» apparaît dans l'arménien *nist* et le sanskrit *nīḍáḥ*. En tant que préverbe, °*ni-*, indiquant un mouvement de haut en bas, existe en indo-iranien et en arménien. La racine °*sed-* y était souvent jointe comme on le voit dans le sanskrit *ni-ṣīdati* «il s'assied», le vieux perse *niy-ašādayam* «j'ai établi», l'arménien *n-stim* «je m'assieds». De °*ni-*, le slave et le germanique n'ont gardé que des dérivés : le vieux slave *nicĭ* «penché en avant», *nizŭ* «en bas», l'ancien haut allemand *nidar* «vers le bas». En français, la graphie moderne (1480) a rétabli le *-d* par conformation au latin.

♦ Le mot a d'abord le sens d'«abri construit par les oiseaux», réalisé dans certaines locutions figurées comme *ne trouver que le nid* (1560), d'où les locutions ***trouver le nid vide, pondre au nid d'autrui*** (1704), archaïque, et ***trouver la pie* au nid.*** ◇ Par métonymie, il se dit de la nichée (1804). ◆ Par extension, le mot désigne l'abri où logent différents animaux et insectes (1551), également avec un sens figuré pour *nid de rats* (1680) «logement misérable». ◇ Le sens s'étend à l'habitation de l'homme dans son aspect d'intimité (1500 ; déjà en 1174 «endroit où l'on se réfugie»), d'où spécialement en français familier moderne, *petit nid, nid d'amour*. ◇ Au XVIe s. se développe le sens figuré abstrait de «milieu favorable à l'éclosion de qqch.» (1552, Ronsard). ◆ Au XIXe s. (1868), le mot est employé spécialement en géologie pour désigner une petite accumulation isolée du minerai.

► *Nid* a donné le dérivé régional **NITÉE** n. f. (1527) «nichée». ◆ Par préfixation et suffixation, on a formé **DÉNICHER** v. (1131) d'après *nicher*, d'abord attesté à la forme pronominale *se desnichier* «partir, se retirer d'un lieu», puis en construction transitive pour «déloger du nid» (v. 1225) et «débusquer» (1382). ◇ Au XVIIIe s. se développent le sens intransitif d'«abandonner son nid» (1704) puis le sens transitif figuré d'«enlever une jeune fille» (1775), et le sens courant de «trouver (qqch. qui était difficile à découvrir)» (fin XVIIIe s.).

Plusieurs termes didactiques ont été dérivés du latin ou dérivés savamment sur le latin *nidus*. ◆ **NIDIFIER** v. intr. prolonge (1174) le latin *nidificare* (→ nicher). ◇ De là **NIDIFICATION** n. f. (1778, Buffon) et plus tard (XXe s.) **NIDIFICATEUR, TRICE** adj. et n. ◆ Au XIXe s. apparaissent **NIDATION** n. f. «fixation de l'œuf fécondé dans la muqueuse intra-utérine» (1877), l'adjectif **NIDULANT, ANTE** (1838) emprunté au latin *nidulans*, participe présent de *nidulari* «nicher», et le composé **NIDICOLE** adj. (v. 1870). ◇ Au XXe s., on relève **SE NIDER** v. pron. «s'implanter par nidation» et **NIDIFUGE** adj. et n., tous deux très didactiques.

◈ voir NICHE, NICHER.

NIÈCE n. f. est issu (1155) du bas latin des gloses *neptia*, du latin classique *neptis* «petite fille» et, à basse époque, «fille du frère ou de la sœur», féminin de *nepos* «petit-fils» et «neveu» (→ neveu, népotisme). L'autre forme issue de *neptis* à basse époque, *nepta*, s'est prolongée dans le catalan, le portugais *neta*, l'espagnol *nieta* «petite fille» et l'ancien provençal *nepta* (av. 1250), puis *neta* (1272). La diphtongaison du *e* bref en *-ie-* en français peut s'expliquer par sa position devant un groupe consonantique avec palatalisation de *-tty-* : *neptia* donnant °*neptsya* puis °*nettsya* d'où *nièce*.

♦ *Nièce* «fille du frère ou de la sœur» (1155) a perdu son autre sens ancien de «petite fille» (1160-1174), attesté cependant jusqu'en 1700 dans les dictionnaires. Les acceptions sont symétriques de celles de *neveu**. ◇ Le mot entre dans le syntagme *nièce à la mode de Bretagne* (1694), «cousine issue de germain».

► Il se combine dans les termes de parenté **PETITE-NIÈCE** n. f. (1598), d'où **ARRIÈRE-PETITE-NIÈCE** n. f. (1866).

① **NIELLE** n. f. est issu (av. 1100, *neele* en «judéo-français») du latin *nigella* de même sens, féminin substantivé du latin *nigellus* «noirâtre», diminutif de *niger* (→ noir) : la plante a été ainsi nommée en raison de ses graines noires. La forme moderne *nielle* (XIIe s., *niele*) est la réfection de *neele* d'après l'étymon latin en *-i-* et l'on trouve également la variante *nigelle*.

♦ Le mot désigne une plante herbacée dont les graines vénéneuses, lorsqu'elles sont mêlées avec celles du blé lors de la mouture, altèrent les qualités de la farine.

► ② **NIELLE** n. f., nom d'une maladie des céréales, est issu par spécialisation de sens (1538) de ① nielle, par comparaison entre la couleur noire des graines de la plante et celle des grains de blé affectés par la maladie. Le mot désigne une maladie des céréales qui convertit l'épi en une poussière noirâtre. ◆ Il a donné ① **NIELLER** v. tr. (1507-1508, *bled nyelé*) «gâter par la nielle», et ① **NIELLURE** n. f. (1558) «effet de la nielle sur le blé».

◈ voir ② NIELLER.

② **NIELLER** v. tr. est dérivé à la fin du XIe s. (*neeler* dans les gloses juives) de l'ancien français *neel* «émail noir», attesté un peu plus tard et issu par substantivation du latin *nigellus* «noirâtre», diminutif de *niger* (→ noir). Après la forme du participe passé *nieslé* (1532), la forme actuelle de l'actif *nieller* n'est attestée que depuis 1676.

♦ Le mot s'emploie en orfèvrerie pour «orner d'émail noir».

► Au XIXe s., *nieller* a servi à former quelques dérivés techniques : d'abord ② **NIELLURE** n. f. (1812), qui correspond à l'ancien français *neelüre* (XIIe-XVe s.), ensuite *nelleure* (1611), puis **NIELLEUR** n. m. (1826). Le déverbal ③ **NIELLE** n. f. (1826) a comblé le vide laissé par l'ancien français *neel* et le nom d'action **NIELLAGE** n. m. (1843). L'homonymie entre *nielle* et les termes de botanique et d'agronomie ① nielle*, ② nielle* n'est pas sentie comme gênante, étant donné l'éloignement des domaines d'emploi.

NIER v. tr. est issu (v. 980, *neier*) du latin *negare* «dire non» (par opposition à *aiere*) et «dire que... ne... pas», «refuser une chose à qqn», enfin «nier l'existence de, ne pas reconnaître». Ce verbe est dérivé d'une forme *neg* de la négation *nec* (→ ni), que l'on retrouve dans *négoce** et *négliger**. En français, *ni-* l'a emporté à l'initiale (v. 1265) sur la forme régulière en *ney-* pour éviter toute confusion avec *noyer, neyer* et parce qu'elle rappelait ainsi la négation *ni.*

♦ *Nier* est d'abord employé dans un contexte théologique au sens de «déclarer qu'on ne reconnaît plus Dieu ou que l'on n'admet pas son existence», valeur où il est proche de *renier.* ◇ Répandu dans l'usage profane avec le sens de «démentir, déclarer qu'une chose n'est pas» (v. 1160), il a longtemps eu le sens de «refuser qqch. à qqn» (1180), condamné en 1704 par Trévoux comme «n'étant pas du bon usage», et réservé depuis à *dénier**. Son emploi en droit a souvent la nuance «refuser de reconnaître sa responsabilité» (*nier une dette,* 1538; *nier un dépôt,* 1718).

▸ Son dérivé **NIABLE** adj. (1662, Arnauld, *Logique de Port-Royal*) a un antonyme formé sur *dénier*, indéniable,* et s'emploie surtout en construction négative *(ce n'est pas niable).*

◈ voir ABNÉGATION, DÉNIER, RENÉGAT, RENIER.

NIGAUD, AUDE adj. et n., attesté à la fin de la Renaissance (1611; 1564, *Nigauld*), est d'origine controversée : une première hypothèse y voit le dérivé, avec le suffixe péjoratif *-aud*, du prénom *Nicodème* (forme populaire *Nigodème*), nom d'un personnage biblique, membre influent du Sanhédrin qui, à propos de la régénération spirituelle, posa au Christ des questions d'apparence ingénue (*Jean,* III, 4). Ce personnage étant mentionné dans le récit de la Passion (*Jean,* XIX, 39), son nom se transmit dans la littérature médiévale et il fut notamment représenté dans le *Mystère de la Passion* d'Arnoul Gréban (1458) comme un personnage borné. On relève également *Nicodème,* un peu plus tard (1662, *ce pauvre Nicodème;* 1690, *un Nicodème*), en parlant d'un homme simple et niais (→ niquedouille). Cette hypothèse assez anecdotique s'appuie sur le fait que les premières attestations de *nigaud* le donnent comme nom propre. La seconde hypothèse, plus simple, en fait le doublet de *niais,* formé sur °*nidicare* (→ nicher), et attesté dans les dialectes sous les formes *nigeot, nigon.*

♦ *Nigaud* désigne une personne qui fait preuve de maladresse, par sottise ou inexpérience. Il s'emploie en interjection (1881), souvent avec une nuance affectueuse. ➛ Il sert aussi à dénommer un petit cormoran lourd et maladroit (1781).

▸ *Nigaud* a donné **NIGAUDERIE** n. f. (1547) «action de nigaud» et «caractère de nigaud» (av. 1787), le verbe intransitif **NIGAUDER** (1587), sorti d'usage, et **NIGAUDEMENT** adv. (1780), peu employé. ➛ Il entre dans **ATTRAPE-NIGAUD** n. m. (1798), formé avec le verbe *attraper.*

◈ voir NIQUEDOUILLE.

NIGHT-CLUB n. m. est emprunté (1930) à l'anglais *night-club* (1894 en parlant de Londres), composé de *night* «nuit», mot se rattachant, comme ses correspondants germaniques, l'allemand *Nacht,* le néerlandais *nacht,* à la même racine indoeuropéenne que le latin *nox* (→ nuit), et de *club* (→ club).

♦ Le mot est attesté en français chez P. Morand, à propos des boîtes de nuit américaines puis de diverses villes étrangères. Il s'est étendu à la France.

NIHILISME n. m. est formé (1787) au moyen du suffixe *-isme* sur le latin *nihil* «rien», forme réduite habituelle de *nihilum,* lui-même de °*ne-hilom,* forme renforcée de la négation *ne* au moyen de *hilum.* Ce nom s'employait pour «tant soit peu», et il est d'étymologie inconnue. *Nihil,* mot expressif ancien signifiant «rien», a perdu de sa valeur au profit d'autres mots passés en roman (cf. *néant, rien*).

♦ En français, *nihilisme,* «négation de toute croyance», est introduit en philosophie et employé spécialement à propos de la doctrine qui nie toute vérité morale et spirituelle (1838). ◇ Le sens politique de «doctrine n'admettant aucune contrainte de la société sur l'individu», en référence à une réalité russe (1866), est emprunté au russe *niguilism* (1829), répandu par le roman de Tourgueniev, *Pères et Fils* (1862) et lui-même probablement emprunté au français.

▸ **NIHILISTE** adj. et n., formé (1761) sur le latin *nihil* au moyen du suffixe *-iste,* a d'abord été employé dans le sens religieux, aujourd'hui archaïque, de «hérétique qui croit que Jésus-Christ en tant qu'homme n'a pas eu d'existence véritable». Au XIXe s., il a pris le sens d'«adepte du nihilisme philosophique» (1801, n.; 1823, adj.) puis, dans un contexte russe, celui de «adepte du nihilisme politique» (1866, n.; 1871, adj.), en relation avec la notion de terrorisme.

◈ voir ANNIHILER, NICKELÉ dans PIEDS NICKELÉS, art. NICKEL.

NIMBE n. m. est emprunté (1692) au latin *nimbus,* proprement «pluie d'orage», «nuage de pluie». De là, le mot latin a pris le sens général de «nue, nuée» et, par une autre spécialisation de sens, celui de «nuage doré qui enveloppe les dieux, auréole» pour les divinités païennes (Virgile) et pour les saints (Isidore de Séville). Il s'agit d'un terme surtout poétique apparenté au groupe de *nebula* (→ nébuleux) et de *nubes* (→ noce, nue).

♦ *Nimbe* est d'abord employé pour désigner le cercle qui figure sur les médailles autour de la tête de certains empereurs (principalement ceux du Bas-Empire). À partir de 1740, il est aussi employé à propos du cercle de lumière entourant la tête de

Dieu et de saints, dans le vocabulaire de l'iconographie religieuse. ◆ Par extension, *nimbe* se dit de la zone lumineuse qui entoure une personne, une chose (1852, Leconte de Lisle), en emplois abstraits et poétiques.

► Son dérivé **NIMBER** v. tr. (1876, 1852 au participe passé) signifie proprement «entourer d'un nimbe»; il est aussi employé par analogie au sens d'«entourer comme un nimbe» (1863), dans le style littéraire. ◇ La forme latine *nimbus* a été reprise comme terme de météorologie, **NIMBUS** n. m. (1804), pour un nuage pluvieux d'un gris uniforme. ◇ Il entre en composition dans les noms de nuages **FRACTO-NIMBUS**, rare, **CUMULO-NIMBUS** (1891), **NIMBO-STRATUS** (1932; → strate), tous noms masculins invariables.

◈ **NIPPE** n. f., qui apparaît dans la traduction d'un ouvrage espagnol (1605), semble issu de *guenipe* au sens de «guenilles, vieux habits», peut-être forme dialectale de *guenille**, avec chute du groupe initial *gue-*, fait inhabituel en français.

♦ Le mot, employé au pluriel dès les premières attestations, désignait anciennement l'ensemble des objets de toilette et de parure (linge, bijoux, habits). Par spécialisation, il a pris le sens de «vêtements vieux et usagés» (1611). L'usage familier lui donne le sens général de «vêtements», en concurrence avec *frippe.* ◇ Son emploi en parlant de choses de peu de valeur (1611) relève de la langue classique et a disparu.

► Le dérivé **NIPPER** v. tr. (1718) est un verbe d'usage familier signifiant «procurer des vêtements»; il est surtout employé à la forme pronominale *se nipper* (1770) et au passif, *être (bien, mal) nippé* (av. 1755).

NIQUE n. f. est un terme expressif (fin XIIIe s.) issu du radical *nik-* exprimant l'indifférence, le dédain et la moquerie, représenté également en sicilien, dans la locution négative plaisante *nicheja* «offense, dispute». P. Guiraud invoque un croisement de la racine *nik-* avec le verbe issu du latin *negare* (→ nier). Par métonymie, on passe au sens d'«objet suscitant le dédain, la moquerie, l'indifférence» à celle d'«objet sans valeur» : on peut évoquer ici le composé plaisant *triquenique* «balivernes, bagatelle» et le portugais *nica* «choses insignifiantes, bagatelles».

♦ En français, le mot est d'abord écrit *nic* dans l'expression ancienne *dire nic* «ne pas se soucier de, se moquer de», puis *nique* dans la locution familière encore usuelle ***faire la nique à*** (1370) «se moquer avec mépris de». ◇ Son emploi au sens de «chose nulle, sans aucune valeur» (XIVe-XVe s. : *une sauce faite de nique por l'amor de quiqueliquique*), et son emploi argotique dans la locution *être nique de mèche* «n'être nullement complice», sont archaïques.

► Le dérivé ① **NIQUER** v. intr. (1792) ne s'employait qu'au jeu de dés pour «amener au premier jet le point que l'on a annoncé», le joueur chanceux semblant narguer son adversaire. Ce verbe est sorti d'usage; l'homonyme ② *niquer* en rend l'emploi impossible.

◈ voir **PIQUE-NIQUE** (sous **PIQUER**).

NIQUEDOUILLE, NIGUEDOUILLE adj. et n. est probablement l'altération (1654) du nom propre *Nicodème* (→ nigaud) au moyen du suffixe *-douille,* de *douillet** (avec influence possible d'*andouille** comme le montrent les variantes dialectales *niquedandouille, niguedandouille*).

♦ Comme *nicodème* et *nigaud,* le mot est d'abord attesté comme nom propre d'un personnage sot et ridicule, dans la bouche d'un paysan parlant patois *(Niquedoüille),* puis comme nom commun (1690), avec la variante *niguedouille* (av. 1763).

② **NIQUER** v. est un emprunt (1890) à l'arabe maghrébin *i-nik* (troisième personne indicatif présent), du verbe *nāka,* passé en sabir de l'armée d'Afrique, puis dans le français d'Afrique du Nord. Le radical sémitique du mot arabe a été rapproché d'un mot égyptien ancien.

♦ Le verbe signifie «posséder sexuellement», en argot et dans la langue vulgaire, emploi toujours vivant mais très marqué. ◇ Il a pris très vite (1898) le sens figuré d'«attraper» comme ses synonymes *baiser, avoir* et *posséder.* D'abord fortement marqué comme nord-africain — usage «pied-noir» —, le verbe s'est répandu au figuré sur le modèle de *baiser* et de *foutre,* notamment au participe *niqué* «foutu». ◇ Sa valeur initiale en français a pu être favorisée par la paronymie avec *forniquer.* ◇ Le verbe a perdu en français très familier ses connotations érotiques et s'emploie pour «endommager», *niqué* équivalant à peu près à *nase. Niquer* est souvent interprété (étymologie «populaire») par *faire la nique,* «narguer».

NIRVANA ou **NIRVÂNA** n. m. est emprunté (1826, *nirwana*) à un mot sanskrit *nirvāṇa* qui signifie littéralement «extinction», spécialisé dans le bouddhisme pour désigner un état échappant à la fatalité du devenir, où toute pensée, toute volonté et toute sensation sont abolies. C'est le neutre de l'adjectif verbal tiré de *nirvā* «souffler», «cesser de souffler, s'éteindre», de la racine *vā-* «souffler» que l'on retrouve à la base des noms du vent dans l'ensemble du domaine indoeuropéen (→ vent).

♦ En français, le mot s'est étendu de son acception religieuse au sens philosophique, «état de délivrance affective et intellectuelle obtenu par le renoncement au vouloir vivre», par l'emploi qu'en fait Schopenhauer en allemand. ◇ La doctrine freudienne l'a repris pour désigner la tendance de l'appareil psychique à supprimer toutes les tensions en vue d'atteindre la constance parfaite comme plaisir dernier.

► Il a produit **NIRVANISME** n. m. (1890) «doctrine du nirvana», et les adjectifs **NIRVANIEN, IENNE** «qui croit au nirvana» (1907) et **NIRVANIQUE** «propre au nirvana» (1912, Élie Faure), fort peu employés.

NITOUCHE (SAINTE) n. f. est issu par contraction (1534 en interjection ; 1545 une *Saincte Nytouche*) de la locution *n'y touche (pas)* (→ toucher).

♦ Le mot désigne familièrement une personne qui affecte l'innocence, et spécialement une femme de mœurs faciles qui affecte la pruderie.

NITRE n. m. est emprunté (fin XIIe s., *nytre*) au latin *nitrum*, nom donné à divers alcalis (en particulier soude et potasse) mais rarement, semble-t-il, au «nitre» des chimistes modernes. *Nitrum* est emprunté au grec *nitron* «natron, soude, carbonate de sodium», emprunté à l'égyptien *ntr*. Il s'agit d'un mot voyageur qu'ont également emprunté l'hébreu *neter*, l'arabe *naṭrun* (d'où le français *natron* n. m., 1653), le hittite *nitri*.

♦ En français, *nitre*, nom usuel du salpêtre, pris quelquefois poétiquement pour «poudre à canon», a été évincé par *nitrate de potassium*. Il est surtout vivant à travers ses nombreux dérivés et composés, apparus à partir de la fin du XVIIIe siècle.

▸ On relève d'abord , **NITRIQUE** adj. (1787), **NITRITE** n. m. (1787), **NITRATE** n. m. (1787), devenu courant de par l'usage de nitrates en technique agricole (engrais), **NITRIFIER** v. tr. (1797) et **NITRIFICATION** n. f. (1797), tous concurrencés au XIXe s. par des mots dérivés de *azote*. ◇ *Nitrate* a donné **NITRATÉ, ÉE** adj. (1797), qui correspond à l'anglais *nitrated* (dès 1694), puis **NITRATATION** n. f. (1840) et **NITRATER** v. tr. (1878). ◇ Au XIXe s. sont aussi apparus **NITRÉ, ÉE** adj., attesté une première fois en 1601, **NITRILE** n. m. (1844 ? ; 1848, *nitryle*) qui a introduit le suffixe *-ile* dans la nomenclature chimique et **NITRURE** n. m. (1832), d'où **NITRURER** v. tr. (1932) et **NITRURATION** n. f. (1932). ➜ Il faut ajouter à cette abondante famille de nombreux termes de chimie (adjectifs et surtout noms) formés avec le premier élément **NITRO-**, qui indique d'abord simplement la présence d'azote dans un composé puis (XIXe s.) un dérivé nitré du corps dont le nom suit, comme **NITROGLYCÉRINE** n. f. (1854), nom d'un explosif puissant, ou **NITROCELLULOSE** n. f. (1905). ➜ Il faut en outre mentionner des termes où *nitro-* prend des valeurs différentes comme **NITROGÈNE** n. m. archaïque pour «azote», **NITROMÈTRE** n. m., **NITROJECTION** n. f., **NITROPHILE** adj... On note une certaine concurrence de *nitro-* avec l'élément *azoto-*. ➜ Quant à **NITREUX, EUSE** adj., il est emprunté dès le XIIIe s. (1265, *eau nitreuse*) au latin *nitrosus*, dérivé de *nitrum*. En français, le mot est employé spécialement dans la nomenclature chimique depuis 1787 (en anglais, *nitrous* dès 1676). ◇ Par changement de suffixe, on a formé **NITROSÉ, ÉE** adj. (1903) et **NITROSATION** n. f. (1894).

NIVÉAL, ALE, AUX adj. est un dérivé savant, comme terme de botanique (1831), du latin *nix, nivis* «neige» (→ neiger) avec le suffixe *-al*. Antérieurement, on relève *nivial* «froid comme la neige» (1540).

♦ *Nivéal* signifie «qui fleurit en hiver» et aussi «que l'on trouve dans la neige» (1840) en parlant d'une plante. ◇ Il est plus rare au sens de «qui évoque la neige».

▸ Ce sens est réservé à l'adjectif **NIVÉEN, ENNE** (1840) d'usage littéraire, dérivé savamment du latin *niveus* «qui a la blancheur de la neige», de *nix, nivis*. ➜ En géographie, on emploie **NIVAL, ALE, AUX** adj. (1532), emprunt du latin *nivalis* «neigeux, couvert de neige», pour ce qui est formé de neige, qui concerne la neige (1949, *régime nival* en hydrographie).
L'élément **NIVÉO-**, variante **NIVO-**, tiré du dérivé latin *niveus* «de neige», entre dans la composition de quelques termes didactiques formés au milieu du XXe s., comme **NIVO-GLACIAIRE** adj., **NIVO-PLUVIAL, ALE, AUX** adj. et **NIVOSITÉ** n. f., d'après *pluviosité*, **NIVOMÈTRE** n. m., **NIVOMÉTRIE** n. f., d'après *pluviomètre, -métrie*.

◈ voir aussi NÉVÉ, NIVÔSE.

NIVEAU n. m. est la réfection assez tardive (1637) de *nyviel* (1311), *nevel* (1343), *nivel* (1429), altération, par assimilation de l'*n-* initiale à l'*-l* finale, de *livel, liveau*, attesté du XIIIe au XVIe s. (d'où l'anglais *level*). *Livel* est lui-même issu du latin populaire *°libellus*, dérivé du latin classique *libella* «instrument servant à mettre au niveau, à niveler», diminutif de *libra* «balance à deux plateaux ou à contrepoids» puis «instrument qui sert à donner l'horizontale» (→ ① livre).

♦ Le mot apparaît avec le sens technique d'«instrument servant à mesurer un plan horizontal par rapport à un autre plan», seul puis, dans la seconde moitié du XIXe s., dans ***niveau d'eau*** (1868), *niveau à équerre* (1874), *niveau de pente* (1874), puis *niveau à bulle, niveau de pointage* (1903). ➜ Par métonymie, il désigne le degré d'élévation, par rapport à un plan horizontal, d'un plan qui lui est parallèle (1429), dans les locutions ***mettre à niveau*** (1429) et ***au niveau de*** «à la hauteur de» (1690). Ce sens donne lieu aux XIXe et XXe s. à des acceptions techniques en géologie, géodésie, hydrographie et pétrochimie ; le mot désigne notamment la cote d'une galerie de mine et, couramment, l'étage d'un bâtiment (1965, probablement par calque de l'anglais dit *level*). ➜ Au XVIIe s., *niveau* commence à exprimer l'idée d'une valeur comparative dans le domaine intellectuel, artistique (1637, Descartes), valeur mesurée au XXe s. par des tests en psychologie (*niveau mental*, 1941) et souvent estimée spontanément comme «valeur moyenne d'un ensemble» (1896, Proust). ◇ Les écrivains classiques appliquent déjà le mot à une position sociale (1688, La Bruyère) et, au XVIIIe s., Condillac emploie le mot en économie politique (1776), domaine où le mot a servi à former les expressions ***niveau de vie*** (1932), *niveau des prix*. ◇ Les locutions ***au niveau*** (1688), ***au niveau de*** (av. 1778) suivent ces emplois abstraits. Elles sont devenues au XXe s. des emplois passe-partout, diffusés par le langage des ingénieurs, pour «dans le domaine de», «pour», et sont critiquées. ➜ D'autres acceptions didactiques apparaissent au XXe s., qui font souvent intervenir la notion d'un «degré d'intensité» (1874), en physique et acoustique. La stylistique et la linguistique confèrent à *niveau* la valeur de «place dans la hiérarchie», l'une dans l'expression ***niveau de langue*** (mil. XXe s.), l'autre dans une perspective structurale à propos d'un élément occupant une certaine place dans la structure hiérarchique de la langue (1968).

▶ La forme ancienne *nivel* a donné dès 1220 (avant la première attestation que l'on ait du nom) ① **NIVELER** v. tr. au sens ancien et très général de «mesurer, estimer». ◇ Depuis 1339, ce verbe s'emploie pour «mettre de niveau, rendre horizontal» au propre, à l'aide du niveau (1549), et au figuré, d'abord en économie (1775), puis en parlant des conditions sociales (1784) quelquefois avec une nuance péjorative. ◆ Le verbe a lui-même produit un certain nombre de dérivés : **NIVELLEMENT** n. m. (1538) reçoit également un sens figuré à la fin du XVIIIe s. (1793, *nivellement des fortunes*). ◆ **NIVELAGE** n. m., attesté au XVIIe s. (1636 à 1677), a été repris au XIXe s. (1863) et concerne exclusivement le fait de rendre plane une surface en comblant les creux. ◆ **NIVELEUR, EUSE** n. (1546) «géomètre, celui qui nivelle» désigne aussi une petite herse destinée à aplanir le sol (1903, n. m.). ◇ Au XVIIIe s., dans le contexte prérévolutionnaire, il a pris le sens figuré de «partisan du nivellement social» (1767) par emprunt sémantique à l'anglais *leveller* (1644), employé à l'origine en parlant d'un parti politique partisan de l'égalitarisme sous Charles Ier. Comme *niveler, niveleur* est généralement senti comme péjoratif en ce sens. ◇ Son féminin **NIVELEUSE** a été créé pour désigner un engin de terrassement automoteur servant à profiler la surface du sol (1948 dans les dictionnaires ; dès 1914 en apposition). ◆ Plus récemment sont apparus les dérivés **NIVÉLATEUR, TRICE** adj. «qui sert à faire des nivellements» (1914, *nivellateur* comme nom d'une espèce d'instrument) et **NIVELÉE** n. f. (v. 1950) «établissement d'un niveau».

Le verbe ② **NIVELER**, par un cheminement sémantique obscur, qui pourrait être analogue à celui de la locution figurée moderne *coincer la bulle*, tout en profitant des caractéristiques prêtées traditionnellement à la figure folklorique de *Jean de Nivelle*, a eu au XVIIe s. le sens figuré d'«hésiter» (v. 1610), «perdre son temps à des bagatelles». ◇ Ce sens a donné deux adjectifs, *nivelier* et *nivelleux*, et un nom, *nivellerie*, que l'on trouve chez La Fontaine. Il se maintient dans les dialectes de l'Ouest.

Par préfixation, on oppose à ① *niveler* **DÉNIVELER** v. tr. (1845) «provoquer une différence de niveau, rendre inégal», mot de sens concret sur lequel on a formé **DÉNIVELLATION** n. f. (1845) «inégalité de terrain», usuel, et par métaphore, «différence de niveau, de degré» (1870), plus rare.

NIVÔSE n. m. est le dérivé savant (1793) du latin *nix, nivis* «neige» (→ neiger). Fabre d'Églantine, auteur de cette réforme du calendrier, a mis un accent circonflexe au mot, anormalement (cf. aussi *ventôse, pluviôse*), pour éviter la prononciation méridionale du *-o-* ouvert (lui-même était originaire de Carcassonne).

♦ *Nivôse* est le nom du quatrième mois du calendrier républicain, commençant, selon les années, le 21, 22 ou 23 décembre.

◈ voir aussi **NÉVÉ, NIVÉAL.**

NIXE n. f., terme de mythologie germanique et scandinave, est emprunté (1832 *nix*, n. f.) à l'allemand *Nix* «génie des eaux» et *Nixe* «nymphe des eaux», issus du moyen haut allemand *nickes* (n. m.), *nickese* (n. f.), antérieurement *nichus, nihhus* (n. m.) et *nicchessa* (n. f.). Le mot repose sur le thème indoeuropéen °*nigw-* «laver» représenté dans le grec *nizein* «nettoyer en frottant», le sanskrit *nénekti* «il lave», l'ancien irlandais *nigid*.

♦ En français, la forme masculine, répertoriée dans plusieurs dictionnaires du XIXe s., a été éliminée par le féminin (1852), suscité par le sens dominant «nymphe des eaux». cf. *ondine*. Le mot doit sa diffusion à l'engouement des écrivains romantiques (Gautier, Nerval) à l'égard des mythologies nordiques.

NÔ n. m. est emprunté (1874) au japonais *no*, nom d'un drame issu de spectacles liturgiques et devenu un divertissement intellectuel à la formule esthétique raffinée. Le genre a été créé à la fin du XIVe s. par Kan-ami et son fils Motokyio (le futur Zeami, auteur d'un traité de composition du nô) : les personnages y sont ceux de l'histoire de l'Extrême-Orient et de la religion bouddhiste ; les acteurs, primitivement au nombre de deux, le *shite* (exécutant, à la fois chanteur et danseur) et le *waki* (celui qui donne la réplique), plus tard accompagnés de *tsure* (suivants, confidents), portent un masque sobre sur une scène elle-même nue. Un chœur prend part au déroulement de l'action. L'anglais a emprunté *noh, no* à la même époque que le français (1871).

NOBILIAIRE adj. et n. m. est dérivé savamment (1673) du latin *nobilis* (→ noble) au moyen du suffixe *-aire*.

♦ D'abord employé comme nom pour désigner le registre contenant le relevé des familles nobles, *nobiliaire* a été adjectivé (1796) au sens de «qui appartient à la noblesse, lui est propre, la concerne». Synonyme de *noble*, il est d'usage plus didactique, en particulier dans les syntagmes *titre nobiliaire* (1801), *caste nobiliaire* (1801), *particule nobiliaire*.

NOBLE n. et adj. est emprunté (1050) au latin *nobilis*, dérivé de *noscere* «commencer à connaître, connaître», d'où vient *cognoscere* (→ connaître). L'adjectif latin signifie proprement «connaissable», d'où «connu», puis, avec une restriction dans un sens favorable «très connu, fameux, illustre (d'un être, d'une chose)». Par extension, il a signifié «bien né» et s'est employé au pluriel substantivé *nobiles* pour les gens bien nés, membres de la *nobilitas*, classe comprenant les patriciens et les plébéiens arrivés aux magistratures curules, ainsi que leurs descendants. En bas latin et en latin médiéval, le mot est employé en parlant de l'aristocratie de sang chez certains peuples germaniques (501-518, *Lex Burgundionum*) et devient synonyme de *liber* (→ libre), et de *ingenuus* (→ ingénu) [720], avant de s'appliquer ensuite à la noblesse féodale (1012-1023).

♦ En ancien français, *noble* a évincé la forme ancienne *nobile* (1135), d'abord *nobilie* (1080), elle-même issue par voie demi-savante d'une variante latine °*nobilius*, ou bien issue de *nobilis* avec un changement d'accentuation en gallo-roman. Le premier sens attesté est le sens qualitatif «qui l'emporte sur les autres par sa qualité, sa valeur, son mérite», en parlant d'un être vivant (1050), sens où l'adjectif est substantivé (*un noble*, v. 1475), en parlant d'un animal (1160-1174, d'un cheval) et aussi d'un abstrait humain (1165, *noble chevalerie*). ➝ Il se dit en particulier d'un organe qui joue un rôle prépondérant dans l'organisme (1314, *membre noble*), d'une parole, d'une action inspirée par la grandeur morale (1210), d'un art et d'une science (1370-1372). Aujourd'hui ***noble art***, d'après l'anglais, désigne la boxe, et la publicité fait grand usage du mot (*matériaux nobles*, etc.), comme de *prestigieux*. ➝ *Noble* est aussi employé spécialement pour qualifier un langage (1370-1372), puis un style (1674, Boileau) et un genre littéraire élevé, dans le cadre classique de la hiérarchisation des genres (par opposition à *bas*). ➝ Son emploi substantivé en numismatique est un emprunt (1360) fait à l'anglais *noble*, nom d'une monnaie d'or établie par Edouard III vers 1340-1343. En ce sens, le mot a d'abord pénétré le français du Sud-Ouest et l'occitan des pays sous domination anglaise, ainsi que les régions limitrophes. ➝ Depuis 1580, *noble* est aussi employé comme nom avec une valeur de neutre pour désigner ce qui est beau et majestueux, renvoyant davantage à un concept esthétique qu'à une notion morale, ce qui était le cas chez Montaigne.

L'autre sens du mot, «qui appartient à la classe de la société réputée éminente» (1216, adjectif; 1369-1372 comme nom), est emprunté au latin médiéval. ◇ Par extension de ce sens, *noble* signifie aussi «qui appartient à la noblesse, lui est propre» (1495, en parlant d'une terre) et, autrefois, «qui est composé de nobles, occupé par les nobles».

▸ Le double sens de *noble* se retrouve dans **NOBLEMENT** adv. (1140) «de façon digne» et «à la manière des nobles» (XVe s.), et dans **NOBLESSE** n. f. Ce dernier, apparu en 1140 au sens ancien de «fête, réjouissance pompeuse», a aussi en ancien français (1155) la valeur correspondant à l'adjectif, «valeur, dignité», et (fin XIIIe s.) «qualité d'être noble par la naissance». *Noblesse* a aussi le sens collectif d'«ensemble des nobles» (1490); il entre dans quelques syntagmes (1607, *noblesse de robbe longue*; 1615, *petite noblesse*; 1678, *haute noblesse*, etc.). ➝ *Noble* et *noblesse* ont longtemps joué de l'ambiguïté entre appréciation morale et rang social, la «naissance» étant interprétée, dans les hiérarchies de l'Ancien Régime, et souvent encore au XIXe s., comme le «sang», garantie biologique d'une valeur supérieure. Ainsi le lion *Noble* dans le Roman de Renart allie la puissance à la noblesse morale, mise en doute dans ce contexte satirique. ➝ Deux termes péjoratifs ont été créés au XIXe s. pour désigner une personne de petite noblesse : **NOBLAILLON, ONNE** n. (1874) [dont la variante *noblilion* est antérieure (Stendhal)], par l'intermédiaire de *noblaille* «noblesse abâtardie» (1823) qui a également donné *noblaillerie*, n. f. (1937) «prétention à la noblesse», et **NOBLIAU** n. m. (1841), terme relevé notamment en Picardie, Normandie, Anjou et Sologne, formé avec le suffixe *-iau*, variante dialectale de *-eau*. ➝ Le composé **ENNOBLIR** v. tr. (1260) «rendre plus digne» et «rendre noble» (1456) a été supplanté, sauf au sens moral, par **ANOBLIR** v. tr. (1326) «conférer la noblesse à qqn». ◇ De même, le dérivé du premier de ces verbes **ENNOBLISSEMENT** n. m. (1345), attesté une première fois au sens d'«embellissement» et repris avec un sens moral au XVIIe s., a signifié «action de rendre noble» (1508), valeur éliminée par **ANOBLISSEMENT** n. m. (1345). ◇ Le participe passé **ANOBLI, IE** a été substantivé (1690) pour désigner une personne à qui l'on a conféré la noblesse. ➝ *Noble* est le second élément de **GARDE-NOBLE** n. m. (1509), ancien terme juridique désignant le droit accordé au survivant des époux nobles de jouir du bien de leurs enfants jusqu'à la majorité de ces derniers et synonyme d'un emploi de l'adjectif avec le nom *garde*.

◈ voir IGNOBLE, NOBILIAIRE.

NOCE n. f. est issu (déb. XIIe s.) d'un latin populaire °*noptiae* (n. f. pl.), altération du latin classique *nuptiae* «noces, mariage» et «commerce charnel» (→ nuptial) sous l'influence du latin tardif °*novius* «nouveau marié», de *novus* (→ neuf). *Nuptiae* est dérivé du supin de *nubere* «voiler (la tête)» d'où *nubere (marito)* : «se marier, pour une femme», littéralement «prendre le voile à l'intention du mari». Cette prise de voile, aujourd'hui réservée au mariage mystique que constitue l'entrée des femmes en religion, était en effet le rite le plus important du mariage romain, qui soustrayait l'épouse à la puissance de sa famille d'origine et symbolisait pour elle la perte de la liberté et la réclusion dans la demeure du mari. *Nubere* contient probablement la même racine que *nubes* «nuage» (→ nue), *nebula* (→ nébuleux) et *nimbus* (→ nimbe), en supposant à celle-ci le sens de «couvrir, voiler». ◈

♦ Le mot est presque toujours au pluriel, *noces*, avant le XVIe s., époque où le singulier l'emporte peu à peu dans le langage courant. Il apparaît avec les sens religieux issus du latin ecclésiastique médiéval : «mariage spirituel, noces mystiques du Christ et de l'Église» (VIIIe s.), d'«une créature avec le Christ» (1091-1092). ◇ Il désigne depuis le XIIe s. (1150) la cérémonie du mariage et les réjouissances qui s'en suivent et entre dans la locution ***épouser (espouser) en seconde noce*** (1680). ◇ Le sens métonymique de «couple de mariés» (1200) a disparu avant l'époque classique. ➝ Une autre métonymie donne à *noce* la valeur de «grande fête, réjouissance» (1200), emploi qui prend une certaine autonomie, notamment dans la locution ***faire la noce*** (1834; dès 1690 *faire nopces* «faire de grandes réjouissances», et *faire sa noce de qqch.* «dévorer», apr. 1250). Il exprime quelquefois plus particulièrement une idée de «débauche» (1719), la langue populaire ayant d'ailleurs adopté (fin XIVe s.) un sens du latin dans *faire les noces* «faire l'amour». ◇ Inversement, la locution ***ne pas être à la noce*** (1829) exprime, par litote, le fait d'être dans une situation pénible.

▸ Le dénominatif **NOCER** v. intr. (1170) signifiait autrefois «unir par le mariage» et en construction transitive «épouser» (1175). ◇ Son sens moderne familier de «faire la noce» est attesté depuis 1836. ➜ **NOCEUR, EUSE** n. apparaît vers la même époque (1834, n. f.; 1836 au masculin) devenant un mot typique des «folies bourgeoises» du XIXᵉ s. (aussi comme adjectif, 1841). ➜ **NOCEUX, EUSE** adj., «personne qui est du cortège d'une noce», est limité à un usage régional tout comme l'archaïsme **NOPÇAGE** n. m., figé sous sa forme ancienne, pour la rétribution qu'exige le clergé lors de la célébration d'un mariage (Bretagne) et le droit féodal du seigneur d'assister au mariage de ses vassaux.

NOCHER n. m. est emprunté, d'abord sous la forme *nochier* (1246), au génois, dialecte italien où l'on trouve la forme latinisée *naucherius, naucherus* dans les chartes latines dès le XIIᵉ s. et *nozher* aux XIIIᵉ-XIVᵉ s. (en italien *nocchiero*). Le mot génois est issu du latin *nauclerus* «patron d'un navire», emprunté au grec *nauklêros* «armateur, propriétaire d'un navire» (celui-ci loue son bateau pour transporter personnes et marchandises et peut également le commander). *Nauklêros* est issu de *naus* «navire», mot appartenant à une importante famille indoeuropéenne (→ nef). L'élément final serait béotien *(°kraros)* et se rattacherait à la racine signifiant «commander» (*crato* → aristocrate, etc.).

♦ *Nocher,* attesté sous sa forme actuelle depuis le début du XVIᵉ s. (1515-1522), désigne encore quelquefois le patron d'un navire dans la Méditerranée. ◇ C'est surtout un terme poétique employé en concurrence avec *nautonnier,* spécialement pour désigner Charon, le passeur de l'Achéron dans la mythologie grecque des Enfers.

NOCIF, IVE adj. est emprunté (déb. XVIᵉ s.; 1495 sous la forme *noxif*) au latin *nocivus* «nuisible, dangereux», dérivé de *nocere* (→ nuire).

♦ Le mot, attesté fin XVᵉ-déb. XVIᵉ s., est absent des dictionnaires jusqu'au XIXᵉ s. et n'a guère été employé à l'époque classique. Introduit en médecine avec le sens physique de «nuisible pour la santé», il est employé au sens figuré de «nuisible pour la santé morale, intellectuelle» (XXᵉ s., Gide).

▸ Son dérivé **NOCIVITÉ** n. f. est attesté depuis 1876. ➜ *Nocif* entre sous la forme courte *noci-* dans deux termes de physiologie modernes : **NOCICEPTEUR** n. m., de *(ré)cepteur,* et **NOCICEPTIF, IVE** adj., de *(ré)ceptif* (XXᵉ s.).

◈ voir NOCUITÉ.

NOCTAMBULE adj. et n. est formé (1701) à partir du latin *nox, noctis* «la nuit» (→ nuit) et *ambulare* «marcher, se promener», que l'on retrouve dans *déambuler, ambulance, somnambule.*

♦ Les deux mots *noctambule* et *somnambule,* sont d'ailleurs synonymes, à l'origine, avant que *noctambule* n'en vienne à désigner la personne qui a l'habitude de se promener la nuit de manière délibérée (1720) et, par extension, qui se distrait la nuit. ◇ Il est également employé adjectivement (1736) pour une personne, un animal, une chose en activité la nuit.

▸ On a formé dessus **NOCTAMBULER** v. intr. (1866) d'usage littéraire, qui a disparu. ➜ **NOCTAMBULISME** n. m. (1765) viendrait d'un latin médical moderne *noctambulus.* Le mot est passé de l'idée primitive de «somnambulisme» à «habitude de se promener la nuit» (1878), «de se distraire la nuit».

NOCTUELLE n. f. est dérivé savamment (1792) du latin *noctua* «chouette, hibou», lui-même dérivé de *nox* (→ nuit), au moyen du suffixe diminutif *-elle.*

♦ Le nom de *chouette* était encore donné au XVIIIᵉ siècle à ce papillon de couleur terne.

▸ Le même mot latin a servi à former **NOCTULE** n. f. (1760) pour désigner une chauve-souris d'assez grande taille, originaire d'Europe et d'Asie.

NOCTURNE adj. et n. est emprunté (1250) au latin *nocturnus* «de la nuit», «qui agit la nuit, dans les ténèbres» par opposition à *diurnus* (→ diurne), dérivé de *nox, noctis* (→ nuit) sur le même modèle.

♦ Dès 1250, *un nocturne* a le sens spécial, dans la liturgie catholique, de «chacune des trois parties de l'office des matines». ◇ Comme adjectif, *nocturne,* «qui a lieu la nuit, se fait la nuit» (1355), a pris aussi le sens de «propre à la nuit» d'où «sombre, ténébreux» (1581, en parlant de l'enfer). Il est particulièrement employé en zoologie et en botanique à propos de ce qui agit, vit la nuit (1767). ➜ Au XVIIIᵉ s., on rencontre le mot italien *nottúrno* et l'allemand *Nacht-musik* pour désigner, en musique, des suites instrumentales, divertissements, cassations, conçus pour la haute société, mais ce n'est qu'au XIXᵉ s. que *nocturne* commence à désigner une pièce d'intimité essentiellement destinée au piano. Le premier à utiliser le terme en ce sens a été le pianiste irlandais John Field (1782-1837) qui eut une carrière internationale. Plus tard, Chopin a brillamment contribué à la diffusion de ce sens. *Nocturne* a également servi à désigner une pièce vocale à deux voix (1812) interprétée la nuit. ➜ Depuis le XIXᵉ s., le nom désigne aussi un oiseau rapace nocturne (1805, *les nocturnes*). ➜ Au XXᵉ s., par ellipse de *réunion nocturne* (1896), *un* ou *une nocturne* se dit de réunions sportives en soirée (1924; 1932, *en nocturne*) puis de l'ouverture d'un magasin en soirée (1967).

▸ **NOCTURNEMENT** adv. «de nuit, pendant la nuit» (v. 1550) est rare. ➜ L'ancien adjectif **NOCTURNAL, ALE, AUX** «qui a lieu la nuit» (1118-v. 1590), repris pendant la Révolution (v. 1792), mais supplanté par *nocturne,* s'emploie substantivé au masculin pour désigner une des parties des matines (XIVᵉ s.).

NOCUITÉ n. f. est formé savamment (1823) sur le latin *nocuus* «nuisible», dérivé de *nocere* (→ nuire).

♦ Ce synonyme peu employé de *nocivité* s'est maintenu du fait de la plus grande vitalité de son antonyme *innocuité* (ci-dessous).

▸ **INNOCUITÉ** n. f. est formé (1806; 1783 selon Bloch et Wartburg) sur le latin *innocuus* «qui n'est pas nuisible». ➜ Le mot est employé dans le domaine médical et quelquefois, dans l'usage littéraire ou soutenu, en parlant de la qualité d'une chose qui ne cause aucun dommage, et qui est inoffensive.

◈ voir NOCIF.

NODAL, ALE, AUX adj. et n. est un dérivé savant (1515) du latin *nodus* (→ nœud) avec le suffixe *-al*.

♦ D'usage didactique, le mot est employé principalement en anatomie, en physique (1820 en acoustique, puis en optique), et en technique (1892) où l'on appelle *point nodal* la rencontre de plusieurs itinéraires de chemins de fer.

NODOSITÉ n. f. est emprunté par les médecins (XIVe s.) au latin *nodositas* «état de ce qui est noué», employé en médecine et au figuré, pour «complication», dérivé de *nodus* (→ nœud).

♦ Introduit en médecine comme synonyme de *nodus*, pour une production pathologique développée sur un organe et qui est arrondie et dure, *nodosité* est également employé par les botanistes pour désigner un petit tubercule globuleux sur une racine légumineuse, un nœud formé sur le bois d'un arbre (1823) [→ nodule].

► En médecine, on a aussi employé le latinisme **NODUS** n. m. (1370, traduction de *La Grande Chirurgie* de Guy de Chauliac).

NODULE n. m. est emprunté (1498) au latin *nodulus* «petit nœud», diminutif de *nodus* (→ nœud).

♦ Le mot correspond à l'idée de «petit renflement». Après sa première attestation isolée en médecine, il reparaît au XIXe s. en anatomie (1809) (→ nodosité) et en géologie (1821), où il désigne une concrétion.

► Au XIXe s., on en a tiré les deux adjectifs didactiques **NODULEUX, EUSE** (1812) «qui présente, contient des nodules» et **NODULAIRE** (1834, dict. de Jourdan) «chargé de nœuds».

◈ voir NODAL, NODOSITÉ.

◈ **NOËL** n. m. est issu (v. 1112) par évolution phonétique *(nael)* et modification vocalique du latin *natalis* (adj.) «de naissance, relatif à la naissance», employé particulièrement dans le syntagme *natalis dies* «jour natal» et substantivé par ellipse de *dies* au sens de «jour de naissance» (→ natal). En latin ecclésiastique, le mot se spécialise comme *nativitas* (→ nativité) pour désigner la nativité du Christ. L'-*o*- de *Noël*, à côté de l'ancien français *nael*, de l'italien *natale*, de l'ancien provençal *nadal*, s'explique par dissimilation des deux -*a*- de *natalis*, et le tréma (1718) note la diérèse.

♦ *Noël* désigne la fête de la nativité du Christ (→ natal, nativité), certaines réjouissances associées dans la culture à la fête religieuse (qui suscite elle-même : *messe, chant, crèche... de Noël*) reçoivent des désignations stables : ainsi *busche de Noel* (1694), et au XIXe s. ***arbre de Noël*** (1845). Un personnage correspondant au saint Nicolas des régions du Nord de la France, lui-même analogue au Santa Claus anglo-saxon, est associé aux *cadeaux de noël* destinés aux enfants ; il est nommé depuis le XIXe s. ***père Noël*** (1855, G. Sand), qui a donné la locution ***croire au père Noël*** (1949) «être naïf». Le *Père Noël* ou *Papa Noël* — anciennement *bonhomme Noël* — a remporté dans l'imagerie enfantine et populaire des pays francophones — sauf en Belgique et dans le Nord de la France — un très grand succès. Par métonymie, le mot désigne la période où l'on célèbre Noël (1178), par exemple dans le proverbe *Noël au balcon, Pâques au tison.* ◇ Aux XIVe et XVe s., il désignait aussi le cri de réjouissance que poussait le peuple pour saluer un événement heureux, naissance d'un héritier du trône ou arrivée d'un grand personnage (1300). ◇ Un *noël* désigne un cantique que l'on chante au moment de Noël (1548). ➛ L'emploi courant du féminin, dans *à la Noël* (noté comme fautif dans le *Dictionnaire du mauvais langage*, 1813), est sans doute dû à l'ellipse de *la fête de.* ➛ Dans le midi de la France, on rencontre *nadalet*, diminutif de *nadal* «Noël», pour désigner les neuf jours avant Noël pendant lesquels on sonne les cloches ; en Languedoc, le mot désigne les sonneries de cloches même. ➛ Un abondant vocabulaire est associé à cette fête chrétienne célébrée le 25 décembre et qui, avec celle du «nouvel an» (1er janvier), entièrement profane, constitue dans les civilisations marquées par le christianisme les fêtes par excellence.

NOÈME n. m. est un emprunt didactique (1824) au grec *noêma, -atos* «perception, intelligence, pensée», employé en philosophie pour désigner le concept par opposition aux sensations (Parménide, Aristote), également le projet, le dessein et, spécialement en rhétorique, la pensée par opposition au mot. *Noêma* est dérivé de *noein* «voir, percevoir, comprendre», «avoir dans l'esprit», «projeter» (→ noumène) ; les deux mots ont été conservés en grec moderne, le nom au sens «pensée», le verbe pour «comprendre». *Noema* avait été emprunté par le latin.

♦ Le mot a été introduit en rhétorique où il a dénommé, selon Quintilien, une figure par laquelle on fait entendre autre chose que ce que l'on dit ; ce sens ne s'est pas maintenu, les dictionnaires de rhétorique ayant retenu *noème* pour une figure de pensée par laquelle l'auteur présente une sentence générale (maxime, proverbe) dont il fait l'application méditative à un cas particulier servant d'illustration (1961, Morier). ➛ La philosophie, après l'avoir employé dans un sens général, «idée, produit de l'intelligence» (1840), en a précisé l'acception en phénoménologie pour l'objet de pensée, le contenu relatif à l'acte de connaissance (1936, Sartre). Au XXe s., la sémiologie a défini le noème comme l'unité minimum de sens conceptuel, inanalysable, indépendante de la forme linguistique et distincte du sème qui est lié au signe dans la structure signifiant-signifié (1969, K. Heger).

► **NOÉMATIQUE** adj. est la traduction, en philosophie, avec adaptation par la finale *-ique*, par G. Peiffer et E. Levinas, de l'allemand *noematisch* «relatif au noème, à l'acte de pensée conçu comme résultat». Le mot est employé par Husserl (1913, *Méditations cartésiennes*) qui l'a dérivé de *Noema* (du grec *noêma*).

◈ voir NOUMÈNE, PARANOÏA.

NŒUD n. m. est issu (1119) du latin *nodus* «enlacement serré de fils», également employé à propos de toute saillie en forme de nœud (nœud d'un arbre, bourgeon, nodosité, renflement, chignon), y compris du point d'intersection du Zodiaque et de l'Équateur. *Nodus* est aussi employé au figuré soit avec une idée de «lien (de la famille, de la religion)», soit avec celle de «difficulté, obstacle, complication». Il contient une racine indoeuropéenne °*nedh-* «lier», représentée également dans l'ancien verbe latin *nectere* «enlacer, lier, attacher», supplanté par *ligare* (→ lier) et *nodare* (→ nouer) mais passé en français dans les composés *annexe** et *connexe**.

♦ En français, le mot est d'abord écrit *nut* et *neu* (1175) puis *neud* (1530) et enfin *nœud* par restitution du *-d* étymologique. Il désigne un enlacement serré de fils, au propre *(faire, défaire un nœud)*, et au figuré par exemple dans la locution ***avoir un nœud dans la gorge*** (1672). ◇ Le mot désigne particulièrement un ornement vestimentaire (1172-1190), par exemple dans *nœud de cravate* (1690) [→ cravate]. ◇ L'expression ***nœud gordien*** (1552, Ronsard) se réfère à la tradition selon laquelle Alexandre le Grand aurait tranché le nœud inextricable qui attachait le joug au timon de Gordius, roi de Phrygie (en bas latin *nodus gordius*, de *Gordius*, transcription du grec *Gordios*). Elle s'est répandue à la fois pour exprimer une difficulté insoluble et dans ***trancher le nœud gordien*** «résoudre un problème avec détermination». ➛ Ultérieurement, *nœud* s'est spécialisé en marine pour une mesure de vitesse des navires (1721) d'après les nœuds placés à 50 pieds les uns des autres sur une corde ; de là *filer X nœuds*, en parlant d'un navire. ➛ Dès le XIIe s., il est employé avec le sens figuré moral de «lien, attachement entre personnes» (1175) et, depuis 1470, avec le sens abstrait de «point de rencontre d'éléments dans une affaire complexe et délicate», d'où procèdent le sens particulier de «point essentiel d'une intrigue» (1638) et celui de «difficulté, embarras» (1655), repris métaphoriquement par des emplois récents et familiers comme *sac de nœuds*, avec la même valeur que *embrouille*.
Le sens analogique de «renflement» est attesté dès l'ancien français en anatomie (1213, *neu de l'eschine*), notamment pour la pomme d'Adam (1314) et l'articulation des doigts (1552). ◇ En argot, puis dans l'usage familier, le mot désigne le membre viril, le gland (1832), d'où la locution figurée ***à la mords-moi-le-nœud*** (→ mordre) et le terme injurieux ***tête de nœud***. ➛ *Nœud* est employé spécialement en botanique en parlant d'un arbre (fin XIIIe s.) et d'une tige (1475), et en technique à propos du renflement formé par la soudure de tuyaux de métal (1684). ◇ C'est aussi un terme de géographie désignant le point de réunion de deux chaînes montagneuses (1840). ➛ Divers sens techniques réalisent l'idée d'un point d'intersection, en astronomie (1680), en mathématiques (1765), en acoustique (1765), en communication (1824) dans *nœud des routes*, plus tard *nœud routier*, et en informatique.

▸ *Nœud* n'a pas donné de dérivés propres (cf. les emprunts au latin *nodal**, *nodosité, nodule, nodulaire*, ainsi que *nouer, noueux*), mais l'ancienne forme *neu, nou* a fourni le diminutif **NOUET** n. m. (1298, *noet*). Ce mot a servi à désigner un morceau d'étoffe noué pour servir de sac, puis s'est spécialisé en pharmacologie (1539), en art culinaire (1690) et en teinturerie (1857) pour le linge noué dans lequel on enferme une substance que l'on fait bouillir.

NOIR, NOIRE adj. et n. est issu, sous la forme *neir* (1080), puis *noir* (1160), du latin de même sens *niger*, employé au physique et au moral comme le grec *melas* (→ mélancolie), à opposer à *candidus* et *albus* «blanc» (→ candide, aube). *Niger* n'a pas d'étymologie connue ; du reste, il n'existe pas de mot indoeuropéen commun attesté pour «noir».

♦ L'adjectif est employé dès les premiers textes avec son sens concret, «de teinte très foncée, qui ne réfléchit pas la lumière», et qualifie spécialement les vêtements de deuil (1393). Un emploi fréquent est *café noir* (opposé à *café au lait, café crème*) substantivé en *un noir* (1859, *un petit noir*). ➛ Outre ces emplois au sens initial, *noir*, dès les premiers textes, sert à qualifier une personne de race noire, emploi qui aboutit à une substantivation (1556) : *un Noir, une Noire*, en concurrence avec *Nègre**, mais qui l'emportent sur *nègre* en français moderne. ➛ Les autres valeurs concrètes sont attestées avant le XIIIe s. : *noir* exprime l'idée de «privé de lumière, plongé dans l'obscurité» (1120), par exemple dans la locution courante ***Il fait noir*** (av. 1350), dans ***cabinet noir*** (1835) et dans le vocabulaire de l'optique avec ***chambre noire*** (1758). ◇ Un autre emploi en physique est ***corps noir*** (1904). ➛ Par extension, il qualifie ce qui est très foncé (1160), par exemple dans ***œil au beurre noir*** (1546), voire très sale (1690, *noir de crasse*). L'idée de «noirci par une substance salissante» se retrouve par exemple dans *pied** *noir*. Il indique également ce qui est plus foncé dans son genre (1174) dans des expressions comme *pain noir* (1343) en opposition avec *blanc, savon noir* (1530), et aussi *bile noire* (apr. 1550), d'où figurément *humeur noire* (1604). ➛ Depuis 1898, il qualifie, alors dans l'argot des typographes, une personne ivre, peut-être parce que l'ivresse entraîne un obscurcissement des idées, plutôt que par renchérissement sur le synonyme *gris* qui, à cette époque, n'est plus d'un emploi populaire.
Les premiers emplois abstraits de *noir* remontent au XIIe s. : l'adjectif qualifie moralement ce qui est méchant, mauvais (v. 1120) en fonction d'une association du mal et de la couleur noire qui marque aussi bien l'antiquité païenne que le christianisme. Il entre ainsi avec la valeur de «blasphématoire et néfaste» dans ***messe noire*** (1630), ***magie noire*** (1857-1867), avec celle de méchanceté dans ***bête noire*** (1750), surtout *être la bête noire de qqn* «ce qu'il déteste» ; avec l'idée de malheur et de tristesse dans ***roman noir*** (1816), ***humour noir*** (1939). ◇ *Noir* qualifie également ce qui est triste, assombri par la mélancolie (1160-1174). ◇ L'adjectif peut avoir la valeur secondaire de «coléreux» selon la typologie du caractère mélancolique (cf. *bile*), dans *neire ire* (1175), devenu *cholère noire* (1563) puis ***colère noire*** et dans *regarder noir* (1640), ancienne forme concise de la locution moderne ***regarder d'un air,***

d'un œil noir. ◆ Les autres sens abstraits de *noir* sont apparus ultérieurement : ce sont «entaché dans sa réputation» (1678) et «mystérieux, caché, clandestin» (1702), ce dernier souvent avec une idée accessoire de suspicion, de clandestinité dans les syntagmes ***liste noire, caisse noire*** (1882), ***marché noir*** (1941), ***travail noir*** (1963), aussi ***travail, travailler au noir*** par substantivation.

Dès la première moitié du XIIe s., *noir* est substantivé pour désigner la couleur noire *(le noir)* et, plus spécialement, la couleur du deuil (v. 1375). ◇ Par métonymie, il désigne concrètement la partie noire d'une chose (1130), en particulier le centre de la cible (1704) et une matière colorante noire (1260, *noir de chaudière*). ◇ Il se dit aussi, en relation avec l'adjectif, pour les ténèbres, l'obscurité (v. 1200), par exemple dans *être, rester dans le noir.* ◇ Depuis le XVIIIe s. seulement (1756), il exprime comme l'adjectif une notion de «tristesse» dans la locution ***broyer du noir*** (cf. *cafard*). ◆ Concrètement *noir* n. m. désigne la partie noire d'une chose et spécialement une maladie des plantes (1818) (→ nielle). Il a désigné une meurtrissure (1851) avant d'être éclipsé par *bleu.* ◆ **NOIRE** n. f. désigne en musique (1633) une note à corps noir et à queue simple dont la valeur relative est déterminée par la mesure (opposé à *blanche* et à *croche*).

▶ Comme les principaux adjectifs de couleur, *noir* a produit quelques adjectifs à valeur affective : le péjoratif **NOIRÂTRE** (1395, *noirastre*), le familier **NOIRAUD, AUDE** (1680, 1538, *noirault*) également employé comme nom depuis 1680, et le diminutif **NOIRET, ETTE** aujourd'hui désuet, sauf comme nom propre de personne et d'animal (*Noirette* à côté de *la Noiraude*). ◆ *Noir* a aussi servi à former **NOIREMENT** adv. (v. 1220) aujourd'hui archaïque ou littéraire, et le nom de qualité **NOIRETÉ, NOIRTÉ** n. f. (déb. XIIIe s. ; fin XIIe s., *norté*) de nos jours limité à un usage régional avec le sens de «ténèbres». ◆ En effet, il a été généralement supplanté par **NOIRCEUR** n. f. (1487 ; 1175, *nerçor*), dérivé de *noir* au moyen du suffixe *-eur* avec consonne *-c-* d'après *noircir*. Noirceur,* «fait, qualité d'être noir», désigne concrètement une tache noire (1690). ◇ Il a perdu l'ancien sens de «ténèbres, obscurité», encore vivant au Canada. Au XVIIe s., il a reçu le sens moral de «méchanceté» (1651), se rapportant concrètement à une action, à une parole méchante (1680), et plus rarement celui de mélancolie, tristesse (1657-1662). ◆ Enfin, *noir* entre dans la formation de quelques composés : **GROS-NOIR** n. m. (XXe s.), nom d'un cépage, **ULTRANOIR** n. m. (v. 1950), désignant la partie d'un signal vidéo de télévision limitée par le noir.

◈ voir DÉNIGRER, NÈGRE, ① et ② NIELLE, NOIRCIR, PIED (*pied-noir*).

NOIRCIR v. est issu, d'abord sous la forme *neircir* (1130), d'un latin populaire *°nigricire,* altération du latin classique *nigrescere* «devenir noir, rendre noir», dérivé de *niger* (→ noir).

◆ *Noircir,* proprement «rendre noir», à la forme pronominale «devenir noir» (1549), a éliminé ses anciens doublets *noirçoier* (variantes *noirchoier, noircier, nercier*), *noirdir* et *noirir (neirir, nerir),* vivants en ancien français. Dès le XIIe s., il est employé au sens figuré de «s'assombrir (sous l'effet de l'émotion, de la tristesse)» (1160-1174), autrefois également en construction transitive «attrister» (1176-1181). ◇ Au XIIIe s., se développe l'idée péjorative de «dévaloriser» (v. 1225), disparue au profit de *dénigrer*, noircir* se réservant la valeur de «calomnier, charger, diffamer» (1470), spécialement dans *noircir la réputation de qqn* (1592). *Se noircir* a perdu l'emploi qu'il avait en moyen français pour «se rendre odieux» (1470). ◆ Au sens concret, mais avec une nuance dépréciative, il entre dans l'expression ***noircir du papier*** «écrire» (XVIIe s.). ◆ Dans le langage familier et en relation avec *noir, **se noircir*** a pris le sens figuré de «s'enivrer» (1918).

▶ *Noir* a produit deux noms d'action. ◆ **NOIRCISSEMENT** n. m. (1598 ; v. 1450, *nercissement*) de sens propre et figuré est pris techniquement en lithographie et en métallurgie (1868). ◆ **NOIRCISSURE** n. f. (1514) a cédé à *noircissement* le sens général d'«action de noircir» pour se réserver à celui d'«état de ce qui est noir» (1538), spécialement en œnologie. ◆ Quant à **NOIRCISSEUR** n. m. (1611, peut-être dès 1550), il est spécialement employé pour désigner l'ouvrier teinturier qui achève les noirs (1671). En relation avec l'expression *noircir du papier* (1698) «écrire», il est employé dans l'expression péjorative *noircisseur de papier* (1823). ◇ Son emploi adjectif est attesté depuis 1858. ◆ **NOIRCISSAGE** n. m. (v. 1950) est un terme de teinturerie.

NOISE n. f., d'origine incertaine, est généralement (1050) rapporté à l'étymon latin *nausea* «mal de mer» (→ nausée) qui a dû prendre dans la langue populaire des sens très variés, dus sans doute à des plaisanteries. On pense à une évolution sémantique du type de celle qu'atteste l'ancien provençal *nauza* qui a le premier sens dérivé de «chagrin, affliction, ennui» (1160-1180) (passé en moyen français, 1544). Cependant, le développement vers le sens de «bruit, tumulte» dès les premières attestations en français (1050) comme en ancien provençal (fin XIIe s.), et vers celui de «querelle, dispute» (1165) est peu explicable. Certains ont alors proposé le latin *noxia* «délit, faute, crime» (avec une fermeture du *-o-* sous l'influence du yod suivant), lui-même issu de *noxa* «faute, dommage causé» du groupe de *nocere* (→ nuire).

◆ *Noise,* «bruit, tumulte», puis «querelle, dispute» (v. 1165), a vieilli puis est devenu archaïque en français classique, sauf dans la locution ***chercher noise à,*** d'abord sous la forme pittoresque *cercher noises pour noisettes* «chercher querelle pour un rien» (1611). Furetière (1690) note que *noise* désignait autrefois toute sorte de bruit, y compris le bruit agréable fait par les violons à une noce, et que l'on disait *faire noise* en bonne part au sens de «se réjouir». ◇ L'anglais *noise,* emprunté au français, a conservé ce sens général de «bruit».

NOIX n. f. est issu, sous la forme *noiz* (1155) puis *noix* (XIIIe s.), du latin *nux, nucis* qui désigne en général tout fruit à écale et à amande (souvent avec une épithète), en particulier la noix et, par métonymie, au pluriel *nuces,* le noyer. Un rapprochement avec l'irlandais *cnù* «noix» et le vieil islandais *hnot* appuie l'idée d'une racine indoeuropéenne uniquement représentée dans les pays occidentaux.

♦ *Noix* désigne d'abord couramment le fruit du noyer et, avec une détermination, le fruit de divers arbres à enveloppe ligneuse (1179) : anciennement *noix de coudre* pour la noisette, puis *noix vomique* (XIIIe s., *nois vomike*), *noix de coco* (1610) (→ coco), *noix de cajou* (1694, *noix d'acajou*), *noix d'arec* (1721). ◆ En ancien français, *noix* servait à exprimer une idée de quantité minime en renforcement d'une négation (cf. *mie, miette, pas, goutte, point*), idée reprise dans le langage populaire moderne, mais sans continuité (fin XIXe-déb. XXe s.) dans la locution ***à la noix*** (1901) «sans valeur» et dans l'emploi familier du mot pour désigner une personne stupide (1915), ***vieille noix*** (1916) étant devenu un appellatif amical, à peine ironique. ◆ L'idée de «quantité minime» est encore réalisée, sans connotation dépréciative, dans la locution ***une noix de*** (***beurre,*** etc.) depuis 1931.

Noix a développé plusieurs sens techniques réalisant une idée de «renflement, partie saillante, demi-cercle», d'abord en armement, dès 1195 pour une pièce de l'arbalète, puis pour la pièce mobile des armes à feu à platine (1690). ◇ Il est employé spécialement en boucherie pour désigner la partie charnue du gigot de mouton (1690), du veau (1762) et d'autres viandes; il désigne aussi dans *noix de côtelette* (1861) la partie centrale de la côtelette, maigre et charnue. ◆ Il s'applique également, en menuiserie, à la gorge en demi-cercle dans le battant d'une croisée ou d'un châssis (1812).

▶ *Noix* entre dans la formation du terme de boucherie **SOUS-NOIX** n. f. (1872) et dans *casse-noix* (→ casser). ◆ Son dérivé **NOISETTE** n. f. (1225-1230, *noiseite*) est un mot de la France septentrionale : un autre dérivé, **NOISILLE** n. f., est également très répandu et, en outre, *noix* est employé pour «noisette» au nord-est et à l'est de la France (dans *noix de coudre,* → coudrier). ◇ Les parlers méridionaux, au sud de la ligne allant de l'embouchure de la Gironde à la Suisse romande, ont le type *abellana* (→ aveline). ◇ Comme *noix, noisette* n. f. «fruit du noisetier» désigne une petite quantité (de la taille d'une noisette). Il fournit un adjectif de couleur (1769, elliptiquement pour *couleur de noisette,* 1607). ◆ Il est employé spécialement en gastronomie pour une petite tranche ronde de viande (1822, *noisette de veau*) et dans l'industrie du charbon pour désigner un charbon criblé aux dimensions d'une noisette (1888). ◆ Son dérivé **NOISETIER** n. m. (1546; 1530, *noisettier*) est en concurrence avec les dérivés des autres noms régionaux du fruit, et surtout avec *coudre* (→ coudrier). Il entre dans la formation de *casse-noisette(s)* (→ casser).

Le nom de l'arbre qui produit des noix, ① **NOYER** n. m. (1487; 1150, *noier*) n'est pas dérivé de *noix,* mais est issu d'un latin populaire °*nucarius,* dérivé du latin classique *nux.* ◇ Le mot désigne à la fois l'arbre et, par métonymie, le bois de l'arbre utilisé en ébénisterie (1382-1384); il désigne aussi divers arbres de genre différent (1690). ◆ Il a servi de base à **NOISERAIE** n. f. (1812) «terrain planté de noyers» et, sous l'influence de *noisette,* «terrain planté de noisetiers» (1832).

◈ voir ÉNUCLÉER, NOUGAT, NOYAU, NUCLÉAIRE.

NOLI ME TANGERE n. m. inv. est tiré (1300) de l'expression latine *noli me tangere* qui signifie proprement «veuille ne pas me toucher» et qui est formée de *noli,* deuxième personne du singulier de l'impératif de *nolle* «ne pas vouloir», issu, avec la négation *ne,* de *velle* «vouloir» (→ vouloir), de *me,* accusatif d'*ego* «moi» (→ moi, me) et de *tangere* «toucher» (→ tangible). Il s'agit de la phrase prononcée par le Christ lors de son apparition à Marie-Madeleine, la pécheresse, après sa résurrection (*Jean,* 20, 17).

♦ L'expression a servi aux médecins à désigner une lésion cutanée de la face, trop sensible pour pouvoir être traitée par les topiques habituels sans être irritée. En ancien français, on trouve *ne me touche* (pas) pour désigner cette maladie. ◆ La botanique a repris le mot (1704; 1671 en latin botanique) pour la balsamine, ou impatiente, dont les capsules mûres éclatent dès qu'on les touche.

NOM n. m. est issu (v. 881) du latin *nomen* «dénomination; titre», distingué par les grammairiens de *verbum* (→ verbe) et appliqué aussi au nom d'un peuple. Par extension, *nomen* exprime la célébrité (→ renom), spécialement, dans le langage juridique, où il concerne le nom d'un accusé, d'un débiteur, le titre de créance. Dans la mesure où le nom s'oppose à la chose, il peut aussi désigner une vaine apparence, dans la locution *sub nomine, nomine* «sous le nom de», avec le sens de «sous prétexte de, sous couleur de». La présence de correspondants dans les autres langues du groupe indoeuropéen permet de dégager une racine commune. On peut mentionner le sanskrit *nā́ma,* l'arménien *anum,* l'anglais (germanique) *name,* l'irlandais (celtique) *ainm* et le vieux slave *imę.*

♦ En français, le mot est d'abord attesté dans l'expression *le nom christieen* «le christianisme», puis désigne la dénomination individuelle d'une personne (v. 980). Le mot entre ensuite dans l'expression *nom de baptême* (XIIIe s., *nom de bautesme*) et correspond aussi au prénom* (1555), par exemple dans *petit nom* (1862), tout en s'y opposant généralement, notamment dans l'expression ***nom de famille*** (1538). Il se dit aussi de la dénomination d'un objet (1080), d'un animal (1121-1134), de l'expression qui désigne une collectivité, une entité nationale, une réalité géographique (apr. 1170). ◇ Dès 1145, le *nom* est employé spécialement dans la locution *le nom de Dieu (el nom Dé),* désignation qu'il est interdit de profaner. Les jurons semblent beaucoup plus récents : ***nom de Dieu!*** (1790), par euphémisme *nom de nom!* (1840), *nom d'un nom* (1843), *nom d'un petit bonhomme!* (1799), ***nom d'un chien!*** (1869; dès 1744, *ventre-non d'un chien*), ***nom d'une pipe!*** (1790), ***crénom!*** pour *sacré nom!* (1847). ◆ Dès le XIIe s. (1176-1181) *nom* reprend au latin l'idée de «réputation, renom», notamment dans les locutions ***laisser un nom*** (1674), ***se faire un nom*** (1687). Une métonymie le rapporte à la famille, à la lignée à laquelle on appartient (1223) et plus spécialement à

la noblesse (1376-1377). ◇ L'emploi spécialisé du mot en grammaire (emprunt au latin) est attesté dès 1155 dans *propre nuns* ***(nom propre)*** auquel s'oppose ***nom commun*** (1550). L'ancienne appellation *nom de nombre* (1550) a été remplacée par celle d'*adjectif numéral cardinal.* ◇ *Nom,* surtout dans des locutions, désigne aussi le mot ou le groupe de mots qui sert à qualifier une réalité et à la situer dans une catégorie particulière (1170). Cette notion correspond au composé *nomenclature* et a été précisé par celle de *terme**. *Nom* désigne quelquefois l'appellation, la désignation dans son opposition à la chose nommée (1538), souvent dans la locution ***de nom.*** ◆ Il entre dans la locution prépositionnelle ***au nom de*** (1080, *el num de*) avec le sens de «en l'honneur de» ou «de la part de» (1337) et dans la langue classique «avec le concours, l'appui de» (1690). Dans un contexte religieux, la même locution signifie «en évoquant» (1145) et, en contexte laïc, «en considération de» (1667). ◇ En ancien français, on trouve aussi *en nom de (en nom du Pere et du Fils et du Saint-Esprit,* 1396).
Voir aussi le schéma page 2385 à 2387.

PRÉNOM n. m., attesté au XVIe s. (1556), est emprunté au composé latin *praenomen,* de *prae* et *nomen.* ◇ Le mot désigne comme en latin le nom individuel qui précède le nom «de famille», le patronyme. Il s'applique aussi (1701) à la Rome antique. Dans la culture française, chrétienne, le prénom est en général un nom de saint (parfois de fête chrétienne), coutume combattue pendant la Révolution et modifiée de nos jours par déformations et emprunts. ◆ Le dérivé **PRÉNOMMER** v. (1845) s'emploie surtout au pronominal (attesté chez Verlaine, 1896) et comme participe passé (substantivé depuis Littré, 1869). ◇ Un premier *prénommé* adj. est attesté au XVIe s. (v. 1570) pour «susnommé».

▶ Le composé **SURNOM** n. m. (v. 1298 ; v. 1119, *surnum* «dénomination») désigne à l'origine le nom ajouté au nom de baptême, au prénom d'une personne pour la distinguer par un caractère particulier, une circonstance. Au cours du XIIe s. (v. 1175, *sorenom*), il a pris le sens de «nom ajouté», le sens moderne courant de «désignation caractéristique se substituant au nom» n'étant attesté qu'au XVIIe s. (1690). ◆ De *surnom* est dérivé **SURNOMMER** v. tr. (v. 1155, *sornomer*) qui a signifié jusqu'au XVIe s. «nommer, appeler» avant de prendre son sens moderne. ◆ **PRÊTE-NOM** n. m. (1718) est apparu dans un contexte juridique pour nommer une personne qui intervient pour le compte d'une autre qui désire ne pas révéler la part qu'elle prend à une affaire.

SUSNOMMÉ, ÉE adj. «nommé plus haut, avant» (XVe s.) s'emploie aussi substantivement (1514) dans l'usage administratif.

◈ voir NOMENCLATURE, NOMINAL, NOMINATIF, NOMINATION, NOMMER ; DÉNOMINATION, IGNOMINIE, PRÉNOM, PRONOM, RENOMMER, et du grec **ONOMA**, les mots savants en ONOMA- *(onomatopée)* et -ONYM- *(synonyme).*

NOMADE adj. et n. est emprunté avec élargissement de sens (1540, n. m. pl.) au latin impérial *nomas, nomadis* «membre d'une tribu de pasteurs itinérants», surtout au pluriel *nomades* à propos des peuplades errantes d'Afrique du Nord. Le mot latin est emprunté au grec *nomas, -ados* «qui change de pâturages, qui erre à la façon des troupeaux d'un pâturage à l'autre», employé comme nom propre pour désigner les Numides. Il est dérivé de *nemein,* mot polysémique très important en grec ancien, qui signifie «attribuer, répartir selon l'usage ou la convenance», également «croire, reconnaître conforme à la vérité reconnue de tous» et, spécialement «faire paître (utiliser la part réservée à la pâture)» (→ -nome). Certains rapprochent le latin *numerus* (→ nombre) de ce mot.

♦ En français, *nomade* est d'abord employé pour désigner un peuple qui n'a pas d'habitation fixe. Absent des dictionnaires du XVIIe s., il est repris au XVIIIe s. et employé comme adjectif pour désigner une personne qui n'a pas d'habitation fixe (1730) et ce qui est propre à ces personnes (1799). ◇ Au XIXe s. apparaissent les emplois figurés du nom (1832) et de l'adjectif (1892), avec les valeurs de «errant, itinérant», l'emploi du nom à propos des Bohémiens (1847, Mérimée) et celui de l'adjectif pour qualifier un animal migrateur, qui change de lieu selon les saisons (1874).

▶ C'est au XIXe s. que *nomade* a donné **NOMADISME** n. m. (1845) «mode de vie des nomades» et «vie, caractère d'une personne qui se déplace constamment» (1895), ainsi que **NOMADISER** v. intr. (1845) «se déplacer à la façon des nomades», «mener la vie des nomades» (1874). ◇ Celui-ci a donné **NOMADISATION** n. f. (1924) «vie des nomades».

NO MAN'S LAND n. m. est l'emprunt (1916) d'une expression anglaise qui signifie littéralement «terrain *(land)* [→ lande] n'appartenant à personne» : *no man's* «pas un homme», désignant (1320) à l'origine un lieu d'exécution au nord de l'enceinte de Londres.

♦ L'expression est passée en français pendant la Première Guerre mondiale en parlant de la zone de terrain du front entre les lignes et sous le feu des troupes en présence. ◇ Par suite elle a pris le sens figuré de «zone neutre entre deux groupes opposés» (1948). ◇ Par analogie, elle désigne un terrain abandonné (1935), puis une zone vide, mal ou non exploitée.

NOMBRE n. m. est issu (v. 1119) du latin *numerus* «partie d'un ensemble classée à son rang, catégorie, compte, partie». À l'époque impériale, le pluriel *numeri* désigne les unités d'une armée. En outre, *numerus* a servi à rendre toutes les acceptions techniques du grec *arithmos* (→ arithmétique), «mesure, rythme», «nombre grammatical», «foule, quantité». Le pluriel *numeri* traduit spécialement *arithmoi* «la science des nombres». Le mot latin est d'origine inconnue, bien qu'on le rapproche parfois du grec *nemein* «distribuer, partager» (→ nomade).

♦ Le mot français, d'abord sous la forme *numbre,* indique (v. 1120) l'évaluation d'une pluralité d'êtres ou de choses dans la locution ***sans nombre*** (fin XIVe s.) et, anciennement, *par nombre* (1150) «au total, dénombrés». Il fournit au pluriel *les Nombres,* l'appellation du livre biblique qui relate le recense-

NOM : « Qu'y a-t-il dans un nom ? » (Shakespeare)

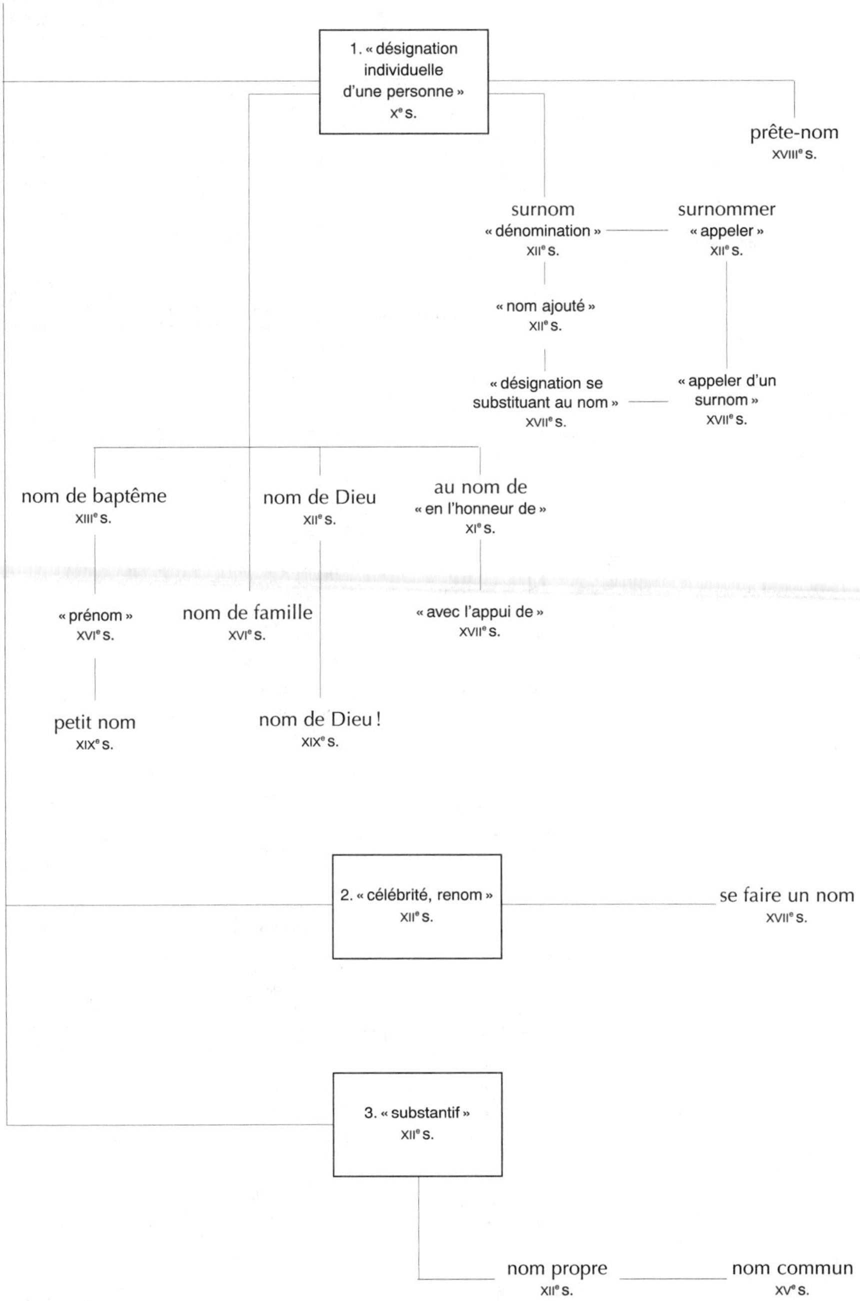

NOM

latin
NOMEN
« désignation », « titre »,
« célébrité », « substantif »

pronomen — PRONOM XIVe s.

pronominalis — pronominal XVIIIe s. — pronominalement XIXe s.

anglais *pronominal* — *to pronominalize*, *pronominalisation* — pronominaliser, pronominalisation XXe s.

prænomen « nom précédant le patronyme » — PRÉNOM XVIIe s. — prénommer XIXe s.

nominare « désigner par un nom », « proposer pour une fonction », « citer »

NOMMER Xe s. — nommé XVe s. — nommément XVIIe s.

susnommé « cité avant » XVe s.
prénommé « susnommé » XVIe s.
innommé « sans dénomination particulière » XIVe s.

nommeur XXe s.

nommable — innommable XVIIIe s.

renommer « célébrer » XIe s. — « blâmer, accuser » XIIIe s.
renommée XVIe s.
renom XIIe s.

anglais *to nominate* — nominer, nominé XXe s.

nominatio « action de nommer à une fonction », « appellation »

nomination XIVe s. — « fait de désigner par un nom » XVIIe s.
nominateur XVIe s.
nominataire XVIIe s.

anglais *nomination* — nomination XXe s.

NOM

- **nominare** « désigner par un nom », « proposer pour une fonction », « citer »
  - latin impérial **denominare** « nommer », « donner un nom » — dénommer « désigner un jour » XIIᵉ s. — « attribuer un nom à » XIIIᵉ s. — dénommé
    - dénommable
  - bas latin **denominatio** « désignation » — dénomination XIVᵉ s. — dénominé XIXᵉ s.
  - bas latin **denominativus** « dérivé » — dénominatif XVᵉ s. — « mot qui tire son origine d'un nom » XIXᵉ s.
  - bas latin **denominator** « celui qui nomme » — dénominateur XVᵉ s.
  - **nominativus** « cas exprimant la fonction de sujet » — nominatif XIIᵉ s.
  - **nominat-** — nominatif « qui dénomme » XVIIIᵉ s. — nominativement XVIᵉ s.
- latin impérial **nominalis** « qui se rapporte au nom » — nominal XVIᵉ s.
  - nominaliste XVIᵉ s. — nominalisme XVIIIᵉ s.
  - nominalement XVIIIᵉ s.
  - nominaliser XXᵉ s.
    - nominalisateur XXᵉ s.
    - nominalisation XXᵉ s.
- **nomenclator** — nomenclateur XVIᵉ s.
  - **nomenclatura** — nomenclature XVIIIᵉ s. — nomenclaturer XVIIIᵉ s.
  - russe ***nomenklatura*** — nomenklatura XXᵉ s.

ment des douze tribus d'Israël (XIIIe s.). ◇ *Nombre* exprime également, sans qu'il y ait recensement, une idée de quantité (XIVe s.), celle-ci étant précisée par un adjectif dans ***grand nombre*** (XIVe s.), mais *nombre* employé seul peut renvoyer à la multitude, comme dans *venir,* etc. ***en nombre*** (v. 1360). ◇ *Nombre* entre dans les locutions ***au nombre de*** (1478), ***du nombre de*** (1538), qui correspond à *parmi.* Dans certaines régions (Cher, Beauce), il désigne une quantité déterminée de douze unités. ◆ Dès le début du XIIe s. (1119), il est employé en mathématiques, d'abord pour désigner une proportion idéale, sens ultérieurement précisé dans le syntagme ***nombre d'or*** (XIIIe s.), puis pour n'importe quelle unité (1130-1140) ; de cet emploi découle une abondante phraséologie en mathématiques, en physique et en informatique. Ainsi la *théorie des nombres* est une branche importante de l'arithmétique théorique. ◇ Les sens techniques ont suivi, en grammaire (XIIIe s.), en rhétorique (1549, par un emprunt au latin chez les poètes de la Pléiade) et en musique (1685) avec une notion d'«harmonie fondée sur un rythme».

▶ Le dérivé **NOMBREUX, EUSE** adj. (1350, *nombreus*) signifie «qui est composé d'un grand nombre d'éléments». ◇ Le mot s'est spécialement employé en rhétorique en parlant de la langue, du style «bien rythmé», depuis les poètes de la Pléiade, probablement par emprunt (1552) au dérivé latin *numerosus.* ◇ Accompagnant un nom au pluriel, il a pris le sens de «en grand nombre» (1723). ◆ De l'adjectif est tiré **NOMBREUSEMENT** adv. «en grand nombre» et «harmonieusement» (1570), sens non attesté entre 1636 et 1842 ; cet adverbe est rare. ◆ Quant à **NOMBRER** v. tr. (1080, *numbrer*), il est probablement issu du latin *numerare* «compter, évaluer en nombre» et aussi «payer, mettre au nombre de», dérivé de *numerus.* ◇ En français, le verbe signifie «évaluer en nombre» et «énumérer» (1314) mais il a perdu du terrain au profit du composé *dénombrer* (voir ci-dessous). ◆ Il est à l'origine de **NOMBRABLE** adj. (v. 1120), d'après le latin *numerabilis* «que l'on peut compter», et du terme d'économie féodale **NOMBRAGE** n. m. (1282) «terre, terrage (parce que l'on calculait le champart d'après le nombre de gerbes gisant dans le champ)» et «impôt payé sur les gerbes» (1361), d'après le latin médiéval *numeragium* (1179).
Nombrable est beaucoup moins usité que son antonyme **INNOMBRABLE** adj. (1341) qui a remplacé l'ancien *innumérable* (XIVe s.) emprunté au latin *innumerabilis.* Il signifie d'abord «qui ne peut être compté» et assure souvent, par extension, la valeur «qui est infini, incommensurable» (1485). ◆ Son dérivé **INNOMBRABILITÉ** n. f. est vieux.
Nombrer a reculé au bénéfice de **DÉNOMBRER** v. tr. (v. 1120), emprunté, avec adaptation d'après *nombre,* au latin *dinumerare* «calculer, énumérer en comptant», de *di-* et *numerare,* avec influence phonétique de *nombrer. Dénombrer* correspond à «compter exhaustivement et précisément». ◆ Ce verbe a produit **DÉNOMBRABLE** adj. (XIIIe s.) avec l'ancien sens d'«innombrable», repris avec le sens moderne de «ce que l'on peut nombrer» au XXe s. (1929). ◆ **DÉNOMBREMENT** n. m. (1329) a d'abord été employé en droit féodal pour la déclaration détaillée qu'un vassal faisait à son seigneur de tout ce qu'il détenait de lui en fief. ◆ Au milieu du XIIIe s., on relève un autre *dénombrement* «diminution de nombre», dérivé de *desnombrer,* v. tr., «soustraire d'un nombre» (v. 1225) que son homonymie gênante avec *dénombrer* «énumérer» a fait éliminer. ◆ Enfin *nombre* entre dans **SURNOMBRE** n. m. (1857) employé dans la locution ***en surnombre*** «en excédent» (1872). ◆ **NUMERUS CLAUSUS** n. m. est une expression latine signifiant proprement «nombre fermé», formée (1908) avec *clausus* (→ clore) pour désigner une mesure discriminatoire limitant le nombre des sujets admis dans certaines fonctions.

◈ voir NUMÉRAIRE (et NUMÉRAL, NUMÉRIQUE), NUMÉRO ; SURNUMÉRAIRE.

NOMBRIL n. m. est issu, par une série d'altérations en *nomblil* (1155), *nombril* (1165), d'un latin populaire °*umbiliculus,* diminutif du latin classique *umbilicus* (→ ombilic). °*Umbiliculus* a donné régulièrement *umblil* (attesté en 1178) qui, par agglutination de l'article défini élidé *l',* a dû aboutir à une forme non attestée °*lonblil ;* d'où par dissimilation, *lonbril,* puis, par substitution du *-n* de l'article indéfini *un, nombril.*

♦ À partir du sens propre «ombilic de l'homme et des mammifères», s'est développée au XIXe s. l'idée figurée de «centre d'une chose» (1842), spécialement avec l'idée péjorative de «centre du monde», en locutions du type ***s'admirer le nombril*** (1869). ◆ Par analogie de forme, *nombril* est passé chez les botanistes, d'abord pour désigner la cavité où sont enfermés les pépins d'un fruit (1690), puis avec le sens moderne de «cavité d'un fruit opposée à la queue» (1721), aussi nommée *œil.*

▶ Le sens figuré du mot a inspiré la formation de **NOMBRILISME** n. m. (v. 1950) «attitude égocentrique» et de **NOMBRILISTE** n., relevé dans les années 1980 dans le style journalistique, peut-être antérieur en français québécois.

◈ voir NAVEL, OMBILIC.

-NOME, -NOMIE sont des éléments formants tirés du grec *-nomos, -nomia* issus de *nomos* «ce qui est attribué en partage, ce que l'on possède, usage, coutume, loi», lui-même dérivé de *nemein* «attribuer, répartir selon l'usage ou la convenance» (→ nomade).

♦ Les noms en *-nomie,* formés avec un premier élément généralement issu du grec, désignent une discipline, une fonction, une caractérisation. Les termes en *-nome* correspondants (noms et adjectifs) désignent ou qualifient le spécialiste de la discipline, le détenteur de la fonction ou de la caractéristique. S'il existe fréquemment un terme en *-nomie* en l'absence d'un terme en *-nome* correspondant, la réciproque est beaucoup plus rare. Aux noms en *-nome* et *-nomie* peuvent correspondre des adjectifs en *-nomique* et en *-nomiste* ainsi que des noms masculins en *-nomisme.* On note des emprunts au grec à côté de formations en français.

◈ voir AGRONOME, ANTINOMIE, ASTRONOME, AUTONOMIE, ÉCONOME, GASTRONOME, MÉTRONOME ; BINÔME (et MONÔME) ont probablement une autre origine.

NOMENCLATURE n. f. est emprunté (1559) au latin *nomenclatura* «inventaire des termes employés pour désigner les objets d'une étude ou d'une collection», de *nomenclator* (voir *nomenclateur,* ci-dessous), lui-même formé de *nomen* (→ nom) et *calare* «appeler, proclamer» (→ intercaler).

♦ Le mot français, apparu avec le sens du latin, est employé (av. 1718) dans le cadre d'une science, d'une technique, pour désigner un ensemble de termes classificateurs (taxinomie), surtout lorsque le système de classement n'est pas conceptuel (lorsqu'il l'est on parle de *terminologie*). Par métonymie, il est appliqué à la méthode de classement de ces termes elle-même (1758). ◇ En lexicographie, il était employé au sens de «catalogue des mots les plus ordinaires d'une langue» (1690), avant de recouvrir l'ensemble des mots faisant l'objet d'articles de dictionnaire (1798).

▸ Son dénominatif **NOMENCLATURER** v. tr. (1794), «inclure dans une nomenclature», est peu employé. ➛ Quant à **NOMENCLATEUR, TRICE** n. m. et adj., il est lui aussi emprunté au XVIe s. (1541) au latin *nomenclator,* proprement «celui qui s'adresse à qqn en l'appelant par son nom», spécialement à propos de l'esclave qui accompagnait le candidat à une magistrature et qui devait lui désigner discrètement les citoyens qu'il avait intérêt à saluer. *Nomenclateur,* emprunté avec le sens du latin en histoire romaine, a pris celui de «personne qui donne les noms aux choses et aux êtres vivants» (1674, La Fontaine, *Adam le Nomenclateur*), emploi sorti d'usage, puis désigne l'auteur d'une nomenclature scientifique (1749, Buffon). Il a également désigné (1845) un recueil de mots classés, présentés sans définitions ni exemples. ◇ Comme adjectif, le mot qualifie (1762) ce qui est relatif à une nomenclature. La forme **NOMENKLATURA** n. f. (v. 1980) est un emprunt au russe *nomenklatura* de même origine, au sens spécialisé de «liste des personnages du régime ayant droit à des prérogatives exceptionnelles». Il est quelquefois francisé en *nomenclature.*

NOMINAL, ALE, AUX adj. est emprunté (1520) au latin impérial *nominalis* «qui concerne le nom, se rapporte au nom», spécialisé en latin médiéval comme terme de scolastique (au pluriel substantivé *nominales,* XIIIe s.), dérivé de *nomen* (→ nom).

♦ Le mot est entré en français au sens de «qui se rapporte au nom et pas à la chose» et spécialement «dont l'existence se réduit à la désignation verbale» (par opposition à *réel*), valeur reprise au latin scolastique. Il est substantivé au pluriel *nominaux,* synonyme de *nominalistes,* sorti d'usage (1500), par opposition à *réaux* («réalistes»). ◇ *Nominal* a développé un sens spécialisé en grammaire (1521), se rapportant au nom et à sa catégorie, par opposition à *verbal* (d'où *phrase nominale*). ◇ Au XVIIIe s. sont apparus d'autres sens, également didactiques, «qui concerne le nom, est relatif au nom» (1770) et «relatif aux noms de personnes ou d'objets individuels» (1732, *prières nominales;* 1789, *appel nominal*). ➛ À la même époque, *nominal* est entré dans le vocabulaire des économistes (1770), dans ***valeur nominale*** appliqué à une valeur exprimée dans une unité monétaire courante, qui ne tient pas compte de la valeur réelle. Il est passé en technologie (XXe s.) avec la même notion de «déterminé théoriquement», en parlant d'une grandeur, d'une puissance.

▸ *Nominal* a produit les termes de doctrine philosophique **NOMINALISTE** adj. et n. (1590) et **NOMINALISME** n. m. (av. 1739), qui s'appliquent à plusieurs doctrines selon lesquelles les idées générales n'ont d'existence que dans les noms dont ils sont les signes, et plus spécialement à celle de Guillaume d'Ockham au XIVe siècle. Les deux mots sont aussi employés dans le cadre du débat scientifique moderne (XXe s.). ➛ Le dérivé **NOMINALEMENT** adv. est relevé pour la première fois dans une phrase de Sieyès qui l'oppose à *réellement* (1789). Il signifie aussi «à un prix nominal» (1838) et s'emploie spécialement en grammaire (1959).
Nominal a donné le terme de linguistique récent **NOMINALISER** v. tr. (1929; une première fois en 1585) d'où sont tirés **NOMINALISATEUR** n. m. et **NOMINALISATION** n. f. (v. 1967). ➛ *Nominal* entre dans **UNINOMINAL, ALE, AUX** adj. (1874) à propos d'un scrutin.

① **NOMINATIF** n. m. est emprunté par les grammairiens (fin XIIe s.) au latin des grammairiens *nominativus* «cas exprimant la fonction de sujet et d'attribut du sujet dans les langues à flexion», dérivé du verbe *nominare* (→ nommer).

♦ Le mot renvoie au cas du sujet et de l'attribut dans les langues flexionnelles.

② **NOMINATIF, IVE** adj. est dérivé savamment par suffixation (1789) du latin *nominare* (→ nommer) pour servir d'adjectif à *nom* (→ nominal).

♦ Le mot relève de l'usage didactique avec ses différents sens, d'abord «qui contient des noms, qui dénomme», puis également «qui porte le nom de, qui est destiné à la personne ou à la chose nommée», spécialement en économie (*action nominative,* 1849; *titre nominatif,* 1868). Il tend dans une certaine mesure à entrer en concurrence avec *nominal,* surtout de nos jours.

▸ **NOMINATIVEMENT** adv. (1547) semble, vu la date de sa première attestation, avoir été formé sur le nom ① *nominatif;* il signifie «en nommant expressément» et spécialement (1789), alors reformé sur ② *nominatif,* «en nommant les personnes ou les choses dont on parle».

NOMINATION n. f. est emprunté (1305) au latin *nominatio, -onis* «action de nommer à une fonction» et, à époque impériale, «appellation, dénomination», dérivé de *nominare* (→ nommer).

♦ Le mot désigne l'action qui consiste à nommer qqn à un poste (1305) et, plus particulièrement, le droit de faire cette désignation, d'où, par métonymie, le document qui notifie à l'intéressé sa désignation à une fonction (1813) et le fait d'être nommé (fin XIXe s.). ◇ Depuis 1376, il fournit un synonyme didactique de *nom,* sens où il a été éliminé par *dénomination,* et se rapporte, avec une valeur active, au fait de désigner par un nom (XVIIe s., repris dans la langue philosophique contemporaine). Cf. *nomenclature*.

▸ Il a produit deux termes juridiques : **NOMINATEUR** n. m. «celui qui a droit de nomination à un bénéfice» (XVIe s., latin *nominator*) et, réciproquement, **NOMINATAIRE** n. et adj. (XVIIe s.) «celui qui était nommé par le roi à un bénéfice». ➛ Quant aux récents **NOMINER** v. tr. «désigner comme candidat à un prix cinématographique» et **NOMINÉ, ÉE** adj., du participe passé, ce sont deux américanismes condamnés par l'Académie française (séance du 7.II.1985). Comme l'emploi correspondant de *nomination* (de l'anglo-américain *nomination*), qui coïncide à peu près avec le sens du mot français, *nominer* est emprunté au verbe anglais *to nominate*, qui vient du latin, et correspond au français *nommer**.

NOMMER v. tr. est issu, sous la forme *nomner* (v. 980), du latin *nominare* «désigner par un nom», «citer», «proposer pour une fonction», dérivé de *nomen* (→ nom).

♦ En français, le verbe signifie «donner un nom à (qqn)», spécialement au baptême (1549). Au XIIe s., il prend aussi les sens secondaires de «mentionner (qqn) en citant son nom» (1130), «désigner (une personne, une chose) par son nom» (1150), «donner un nom à (une chose nouvellement créée)» (1155), «désigner (une personne, une chose) par une appellation qui qualifie» (1195) et enfin «faire connaître (qqn) en révélant le nom» (fin XIIe s.). ◇ Au XIIIe s. est apparu le sens, également connu en latin, de «désigner à une charge, à une fonction» (1225), par extension «instituer en qualité de, déclarer» (1636, *nommer qqn son héritier universel*). ➛ L'usage moderne a éliminé d'autres acceptions, «énumérer» (v. 1119), «fixer (le montant d'une somme, un terme)» (1050), «dicter» (v. 1360), «annoncer» (v. 1465) au profit de verbes d'énonciation spécifiques. ➛ Au XVIIe s., *nommer* signifiait aussi «donner sa voix en faveur de (qqn), dans une élection», sens qu'il a perdu au profit d'*élire*. C'est une valeur très voisine qu'exprime l'anglais *to nominate* (voir l'emprunt *nominer*, sous *nomination**).

▸ Le participe passé **NOMMÉ, ÉE** est adjectivé, en particulier dans la locution ***à point nommé*** (1559), d'abord employée avec le sens spatial de «exactement à l'endroit désigné», témoin de l'ancien sens de *nommer* «convenir, déterminer», puis avec le sens temporel (1580) qu'il a gardé. On disait aussi, autrefois, *au jour nommé* (v. 1200) «au jour fixé». ◇ Le substantif renvoie à la personne qui répond au nom de qqn, dans l'usage courant (fin XVe s.) et dans les documents juridiques et administratifs (1535). ➛ Sur *nommé*, on a fait **NOMMÉMENT** adv. (XIVe s. ; 1170, *nomeement*) «en nommant par son nom la personne dont il est question», qui a eu également le sens de «notamment, précisément» (1174-1176). ➛ L'antonyme de l'adjectif, **INNOMMÉ, ÉE** adj. (1370-1372), est spécialement employé en droit romain dans l'expression *contrat innommé* «sans dénomination particulière» (1661).

À côté de *prénommer*, dérivé de *prénom**, on a créé le terme juridique **PRÉNOMMÉ, ÉE** n. «personne précédemment nommée dans un acte ou un document» (1869 ; v. 1570 «déjà cité»), synonyme de **SUSNOMMÉ, ÉE** adj. et n. (XVe s.) [→ sus].

De *nommer* sont dérivés **NOMMEUR** n. m. (1380) «personne qui nomme», à peu près sorti d'usage, et qui semble avoir été repris récemment au sens spécial de «personne qui nomme à une place» (1973), et **NOMMABLE** adj. borné à quelques emplois didactiques. ➛ L'antonyme de ce dernier, **INNOMMABLE** adj. est plus courant : attesté une première fois en 1584, il a été repris fin XVIIIe s. pour «à qui, à quoi on ne peut donner de nom». ◇ Il est surtout employé au sens intensif de «que l'on ne peut pas nommer pour des considérations d'ordre esthétique ou logique», c'est-à-dire «trop abject» (1854).

◈ voir DÉNOMMER, NOMINAL, ① NOMINATIF, ② NOMINATIF, NOMINATION, RENOMMER ; SURNOMMER (sous NOM).

NON adv. de négation est issu (842) de l'adverbe de négation latin *non* en position accentuée (→ ne, par affaiblissement en position atone). En latin *non* vient d'un renforcement de la négation *ne* par l'addition du neutre de *unus* (→ un) anciennement écrit *°oinos* : on a dû avoir une forme primitive *°ne oinom*, identifiable dans les formes anciennes attestées *noenum, noenu*. La formation de *non* est exactement comparable à celle de *nullum* (→ nul) issu d'un *°ne oinolom*, et de *nihil* «rien» (→ nihilisme), issu d'un *°ne hilum*. La chute de la finale *-um*, constatée aussi chez ce dernier, s'explique par la même raison. Quant au passage de *-oe-* à *-ō-* (long) entre deux *n*, il se retrouve dans *nonus* issu de *novenos*. ◇ En latin, *non* est surtout la négation du mode de la réalité, l'indicatif, et de la proposition principale, mais on le rencontre aussi devant le subjonctif à valeur conditionnelle. À l'époque impériale, il tend à se substituer à *ne*. Il peut aussi porter sur un mot particulier et exprimer une réponse négative.

♦ En français, les principaux emplois de l'adverbe *non* sont fixés avant la fin du XIIIe s., exception faite de la locution conjonctive ***non pas que*** (+ subjonctif) attestée au XIVe s., et de son emploi détaché devant une phrase négative pour annoncer ou souligner la négation (1666). ➛ Depuis le XIIIe s., *non* est également employé comme nom avec un déterminant, en particulier dans la locution usuelle ***pour un oui, pour un non*** (1690).

▸ *Non*, employé comme élément de formation devant un nom ou un adjectif, est productif dès l'ancien français avec **NON-SENS** n. m. (1210), **NON-VALEUR** n. f. (1295) puis **NON-ÊTRE** n. m. (1325), **NON-CROYANT, ANTE** n. (av. 1350) et bien d'autres (→ être ; fumeur, à fumer ; ① sens, etc.). Sa productivité est toutefois surtout remarquable aux XVIIIe-XIXe s. et depuis le milieu du XXe siècle. Généralement, les formes composées appartiennent à des vocabulaire spécialisés, notamment le droit, la philosophie, la linguistique. Plus généralement, elles apparaissent spécifiques du vocabulaire d'analyse théorique. ◇ En ce qui concerne les adjectifs, les composés en *non-* se différencient fondamentalement de ceux en *in-* et *a-* par le fait qu'ils peuvent être employés comme attributs. On relève quelques cas de concurrence *(non recevable/irrecevable)*. En ce qui concerne les noms, la dérivation en *non-* est normale à la différence de celle en *in-* sentie comme artificielle.

NONAGÉNAIRE adj. et n. est emprunté (1660) au latin *nonagenarius* «de quatre-vingt-dix» et, à basse époque, «de quatre-vingt-dix ans» (déb. vᵉ s.), dérivé de *nonageni* «au nombre de quatre-vingt-dix chacun», de *nonaginta* (→ nonante). Le premier sens du latin avait été emprunté par le moyen français *nonagénaire* (1380).

♦ Le mot, comme adjectif (1660) puis aussi comme substantif (1808), se rapporte à une personne âgée de quatre-vingt-dix à cent ans.

NONANTE adj. numér. card. est issu (v. 1112, *nunante*) du latin *nonaginta* «quatre-vingt-dix», dérivé de *novem* (→ neuf).

♦ En 1680, Richelet note que *nonante* a été remplacé généralement par *quatre-vingt-dix*, déjà prescrit par Vaugelas (1642); au XIXᵉ s., Littré (1868) signale que le mot reste très usité en Suisse, en Savoie, dans le midi de la France; de nos jours, seuls les usages belge et suisse le conservent, mais il y est très vivant et *quatre-vingt-dix* y est senti comme une anomalie (→ septante, octante).

▸ Il a pour dérivé **NONANTIÈME** adj. numér. ord. (1200, *nounantisme quart*; apr. 1250, *nonantiesme quarte* dans les traductions de la *Règle de saint Benoît*; v. 1300, *nonentiesme*), mot qui a vieilli dans l'usage de France, de la même manière, au profit de *quatre-vingt-dixième*.

voir NONAGÉNAIRE, NONE.

NONCE n. m. est emprunté (1527; 1521, *nunce*) à l'italien *nunzio*, proprement «messager» (1304), puis spécialement «prélat que le pape envoie comme ambassadeur auprès d'une Cour ou d'un État catholique». Ce mot est emprunté au latin *nuntius* «messager», à l'origine de *nuntiare* (→ annoncer). La forme *nuncius* (1518) est directement empruntée au latin médiéval, où le sens de «légat du pape» est attesté dès le XIIIᵉ siècle.

♦ Le mot désigne l'ecclésiastique ambassadeur du Saint-Siège auprès d'un gouvernement étranger.

▸ **NONCIATURE** n. f. reprend (1623) le dérivé italien *nunziatura* pour désigner la charge de nonce, puis l'exercice de cette fonction (1690), la résidence du nonce et les services administratifs qu'elle abrite (fin XVIIᵉ s.). En histoire, le mot désigne (fin XVIIᵉ s.) un territoire administré par un nonce apostolique.

INTERNONCE n. m. est un emprunt (fin XVIᵉ s.) au latin ecclésiastique *internuntius* «messager, intermédiaire» (IXᵉ s. au figuré), en latin classique «messager, négociateur, parlementaire», composé de *inter-* (→ inter-). Désignant d'abord une personne qui sert d'intermédiaire, sens disparu, il s'applique (1648) à un prélat chargé des affaires de Rome dans un pays où il n'y a pas encore de nonce, probablement d'après l'italien *internunzio*. Au XIXᵉ s. (1832, Balzac), il s'est dit du ministre chargé des affaires autrichiennes à Constantinople, pendant l'absence d'un ambassadeur. ◇ Le mot est repris dans le vocabulaire ecclésiastique (1902) pour «auditeur de nonciature ou secrétaire de légateur auprès du Saint-Siège». Par figure du sens étymologique, A. France l'a employé au féminin pour «entremetteuse» (1908). ◆ Le dérivé **INTERNONCIATURE** n. f. apparaît au XVIIIᵉ s. (1752).

NONCHALOIR n. m. est l'infinitif substantivé (v. 1160) de l'ancien verbe *nonchaloir* «négliger, tenir peu de compte de», composé de *non** et *chaloir* «importer». *Chaloir* est sorti d'usage en dehors de la locution archaïque ***peu me chaut*** et du participe présent substantivé *chalant* (→ ② chaland). *Nonchaloir,* relevé à la fin du XIᵉ s. dans les Gloses de Raschi *(nonchalayr, nonchaloyr),* était surtout employé au participe passé adjectivé *nonchalu* «méprisé» (1240-1280) et au participe présent adjectivé (ci-dessous, *nonchalant*); la forme personnelle (v. 1428, *vous nonchalez* «vous négligez») était exceptionnelle.

♦ *Nonchaloir,* d'abord dans l'ancienne expression *mettre en nonchaloir* «laisser à l'abandon», exprime le manque d'intérêt ou de zèle, l'indifférence (1160-1174); abandonné au début du XVIIᵉ s. sous la concurrence de *nonchalance* (ci-dessous), il a recouvré une certaine vitalité au début du XVIIIᵉ s. en style poétique et littéraire.

▸ Le participe présent **NONCHALANT, ANTE** est attesté en emploi adjectif au XIIIᵉ s. (v. 1278), mais l'existence de *nonchalance* dès le milieu du XIIᵉ s. indiquerait qu'il était déjà répandu à cette époque. ◇ Le mot se dit d'une personne qui manque de conviction, de zèle, par insouciance. La construction *nonchalant de* «indifférent à» (v. 1370) a disparu. L'accent est parfois mis, par métonymie, sur la caractéristique de «lent, sans entrain» (1668). ◇ Le mot qualifie aussi une chose qui dispose à la nonchalance (v. 1770) ou qui est empreinte de nonchalance (1838) avec la même insistance stylistique sur la lenteur d'un mouvement (1837). ◆ **NONCHALANCE** n. f. (v. 1150) a connu la même extension, de l'idée de manque d'énergie, d'ardeur à celle de mollesse, lenteur naturelle ou affectée (av. 1784), quelquefois avec une notion d'indolence gracieuse (av. 1784); l'idée de manque d'intérêt, d'indifférence (1541, Calvin), surtout dans un contexte religieux (*nonchalance du salut,* Pascal), a été oblitérée. ◆ **NONCHALAMMENT** adv. est relativement tardif (1429) et a évincé la forme *nonchalentement* (XVᵉ s.) faite sur le féminin.

NONE n. f. est emprunté précocement (980, *nona*) au latin *nona (hora)* «neuvième heure du jour» (soit l'équivalent de 15 h), dérivé de *nonus* «neuvième», de *novem* (→ neuf).

♦ Le mot a été emprunté une première fois comme terme d'antiquités romaines et une seconde fois (v. 1119, *nune*) comme terme de liturgie catholique, cette fois au latin ecclésiastique *nona* «office de la neuvième heure» (déb. vᵉ s.), par spécialisation de sens du mot classique.

NONNE n. f. est issu (1155, *nune*) du latin ecclésiastique *nonna* «religieuse», parallèlement au masculin *nonnus* «moine» (déb. vᵉ s.), mot employé par les moines pour s'adresser aux plus anciens d'entre eux, et qui signifie également «père nourricier», dans les inscriptions. Il s'agit sans doute d'un mot enfantin qui évoque le grec *nennos* (variante *nonnos*), *nannas* «oncle» et *nannê* «tante» (en grec moderne *nonnos, nonna* «grand-père, grand-mère» et, avec accent sur la dernière syllabe, «parrain, marraine»). En grec, c'est un mot de caractère familier qui répond à *mêtrôs* dans le vocabulaire noble. Il a des correspondants (essentiellement des féminins) dans le sanskrit *nanā* «petite mère», le persan *nana*, le serbo-croate *nana* «mère», le russe *njánja* «nourrice».

♦ *Nonne*, «religieuse vivant dans un couvent», à en croire Richelet (1680), ne se disait plus au XVIIe s. que dans le style burlesque le plus bas, de même que son ancien cas régime médiéval **NONAIN** n. f. (1080, *nunein*), mot normal en ancien français. ◇ De fait, *nonne* est marqué comme archaïque ou ironique par rapport à *moniale*, didactique et à *sœur* ou *bonne sœur*, familier. ➛ Le sens argotique disparu de «complice du voleur à la tire» (1828-1829) serait un emprunt à l'italien argotique *nonno* «compère, parrain» (1731), parce que le rôle de complice était dévolu à des associés âgés ne pouvant plus jouer un rôle actif; le terme italien existe antérieurement comme terme de bienveillance à l'égard d'un homme (1728) et au sens de «grand-père» (XVIe s.). Le mot est issu lui aussi du latin *nonnus* (qui n'a donné en français que l'ancien *nunne*, 1200).

▸ Le dérivé diminutif de *nonne*, **NONNETTE** n. f. (1263, *nonnete*) «jeune religieuse» («burlesque», selon Richelet, 1680), a donné son nom à une mésange brune (1512), par analogie de couleur avec le vêtement de certaines religieuses. ◇ Il désigne aussi (1803) un petit pain d'épice rond, originellement fabriqué par des religieuses (→ pet*-de-nonne).

NONOBSTANT prép. et adv. est composé (1336) de l'adverbe de négation *non** et de l'ancien français *obstant* (1377 dans l'ancienne locution conjonctive *ostant ce que;* 1398 en emploi prépositionnel) employé jusqu'au XVIIe s. dans une phrase négative ou avec un verbe à valeur négative, essentiellement dans le langage juridique. *Obstant* est emprunté au latin *obstans*, participe présent de *obstare* «faire obstacle», de *ob* «devant» (→ objet, obliger, etc.) et *stare* «être debout, se tenir devant» qui a donné plusieurs formes du verbe *être* (→ ester, obstacle).

♦ *Nonobstant* est d'abord employé comme préposition au sens de «malgré»; il entre dans la locution adverbiale ***nonobstant ce*** (fin XIVe s.), ou ***ce nonobstant*** (XVe s.) «malgré cela»; il était aussi employé en locution conjonctive (1374, *non obstant que;* 1344, *non obstant ce que*) et comme adverbe (1480, *non obstant*). Ces emplois ne subsistent (à l'exception du dernier) que dans le langage juridique, et se rencontrent quelquefois par plaisanterie, par allusion au «style gendarme».

NORD n. m., d'abord attesté en Normandie (1140, *north*) et de là passé dans l'usage des autres régions, est emprunté au vieil anglais *north* désignant la direction marquée par l'étoile polaire (IXe s.), conservé en anglais moderne. Celui-ci appartient à une famille germanique d'étymologie inconnue. Il est à l'origine de l'espagnol et de l'italien *norte*.

♦ En français, le mot, qui conserve le sens de l'anglais, s'est écrit *norht* (emploi adverbial, in *T. L. F.*), *north* (1155), *nort* (1174-1176) puis *nord* (1549). D'abord adverbe, il est employé comme nom (1155) et entre dans la locution figurée usuelle ***perdre le nord*** (1572) «ne plus pouvoir s'orienter» puis «s'affoler, perdre la tête» (XIXe s.). ◇ Dès le XIIe s., *nord* est aussi employé comme adjectif (1155). ◇ Par métonymie, il désigne le vent du nord (1160-1174), emploi aujourd'hui archaïque mais qui survit dans *noroit* (ci-dessous), de même que le sens de «contrées, pays nordiques» (1160-1174), dont il reste une trace dans la dénomination *le Grand Nord.* ➛ Depuis le XVIIe s., le mot désigne plus précisément la région septentrionale d'un pays, par opposition à Sud et à Midi en parlant de la France, alors écrit avec une majuscule.

▸ On en a tiré **NORDIQUE** adj. et n. (1898, adj.; 1927, n.) et le terme d'histoire américaine **NORDISTE** n. (1865; cf. *sudiste*) et, au Canada, une personne qui vit dans les régions boréales, en rapport avec le dérivé **NORDICITÉ** n. f.

Nord fournit le premier élément de plusieurs composés : les termes géographiques **NORD-OUEST** n. (1155), d'où régionalement **NOROÎT** n. m., nom donné au vent du nord-ouest, et **NORD-EST** n. m. (1175). ➛ *Nord* sert aussi à former des noms de peuples : **NORD-AMÉRICAIN, AINE** adj. et n. (1877, adj.; 1906, n.) est le calque de l'anglais *North American* adj. et n. (1766), dérivé de *North America* «Amérique du Nord». Darmesteter relève *nord-américain* en même temps que *sud-américain*, terme dont la création s'imposait pour distinguer ce qui a trait à l'Amérique du Sud et au sud des États-Unis. *Nord-Américain* se dit de tout habitant de l'Amérique du Nord (Américain, Canadien, et plus rarement Mexicain). ◇ Sont attestés ensuite **NORD-AFRICAIN, AINE** adj. et n. (1900) «d'Afrique du Nord» et «appartenant aux populations autochtones, arabophones et berbérophones du Maghreb» (→ maghrébin); abréviation familière (raciste) **NORDAF.** ◇ On trouve aussi **NORD-CORÉEN, ENNE** adj. et n. (1950), **NORD-VIETNAMIEN, IENNE** adj. et n. (v. 1955), **NORD-EUROPÉEN, ENNE** adj. et n. (v. 1960).

◈ voir NORMAND.

NORIA n. f. est emprunté (1792) à l'espagnol *noria* qui désigne une machine hydraulique servant à irriguer, faite de seaux attachés le long d'une chaîne sans fin. Ce dernier est l'altération de l'ancien espagnol *(a)nora*, emprunté à l'arabe *nā'ūra*, dérivé de *na'ara* «gronder».

♦ En français, *noria* désigne un système d'irrigation et, par extension, un monte-charge à godets (1858). ◇ Par analogie de processus, il a pris récemment le sens de «système de transport caractérisé par une très grande fréquence d'allers et retours»

(1968). Par extension, il se dit aussi d'allées et venues fréquentes (1970).

NORMAL, ALE, AUX adj. et n. est emprunté (1450-1465) au latin *normalis*, de *norma* (→ norme), d'abord «fait à l'équerre» puis, à basse époque, «correspondant à la prescription» et «conforme à la règle».

♦ En français, *normal* est attesté une première fois au XVe s. au sens de «régulier (d'un verbe)» puis repris au XVIIIe s. avec un sens technique en géométrie «qui forme un angle droit avec» (1753, *ligne normale* et *la normale* n. f., 1759). ◇ À la fin du XVIIIe s., l'adjectif qualifie en France les écoles où l'on forme des professeurs, d'abord dans *École normale*, établissement fondé par décret du 9 brumaire an III, puis dans la seconde moitié du XIXe s., dans la dénomination de diverses écoles de même destination. L'École normale initiale de la rue d'Ulm, à Paris, est alors appelée *École normale supérieure* et dans l'argot scolaire *Normale* substantivé au féminin (1885, Vallès) [aussi *Normale sup.*].
À partir du XIXe s., sous l'influence de *norme*, *normal* se répand dans l'usage avec le double sens de «qui sert de modèle, de règle» (1803) et «qui a une grande fréquence, conforme à la moyenne» (1839). Comme pour *norme*, il y a parfois confusion entre les concepts quantitatif et qualitatif, notamment dans le discours médical où l'on parle d'*état normal* (1823) au physique et au moral (1834). ➛ *Normal* est substantivé au féminin dans *la* **NORMALE** (1959) au sens de «la moyenne», en locution ***retour à la normale***.

▸ Au XIXe s., en sont dérivés **NORMALEMENT** adv. (1826), le terme de mathématiques **NORMALIE** n. f. (1874) «surface réglée dont les génératrices sont normales à une surface déterminée», et **NORMALITÉ** n. f. (1834) «caractère de ce qui est normal, conforme à une norme». ➛ De la dénomination *École normale supérieure* vient **NORMALIEN, IENNE** n. et adj. (1868) «élève de cette école», étendu (1903) à l'élève d'une autre école normale. ➛ **NORMALISER** v. tr. est seulement attesté depuis 1922 (dans *en normalisant la graphie*), longtemps après l'anglais *to normalize* (1865); cependant, la présence du dérivé **NORMALISATION** n. f., attesté en 1873, fait supposer que le verbe existait avant cette attestation. ◇ Les deux mots sont employés d'abord en industrie avec la même idée que l'anglicisme *standardiser*, puis en diplomatie, en politique (1950), avec celle de «revenir à l'état normal». *Normalisation* recouvre parfois l'idée d'«action de rendre conforme (un individu)» avec une idée péjorative de coercition. Par ailleurs, il s'est spécialisé en linguistique. ◇ Le verbe a pour dérivés **NORMALISABLE** adj. et **NORMALISATEUR, TRICE** adj. et n.
ANORMAL, ALE, AUX adj. et n. est emprunté (1236) au latin médiéval *anormalis* «contraire à la règle» (XIIe s.), lui-même formé sur *norma* «norme», avec influence sémantique probable d'*anomalus* (→ anomalie). ➛ L'adjectif signifie «contraire aux règles, aux habitudes», une première fois à propos d'une conjugaison et de nouveau repris au XIXe s. (l'Académie française ne l'admettant qu'en 1842). Il est employé spécialement en médecine pour qualifier une personne considérée comme non conforme au modèle habituel (1884), en psychopathologie (1922, *enfant anormal*); il partage avec *fou*, *malade*, *dérangé* la même valeur hyperbolique de «choquant, bizarre» dans l'usage familier. ➛ En sont dérivés au XIXe s. **ANORMALEMENT** adv. (1860, Baudelaire) et **ANORMALITÉ** n. f. (1845). ➛ Le composé **SOUS-NORMAL, ALE, AUX** adj. (1753) correspond au sens géométrique de *normal*. Il est substantivé au féminin, pour *ligne sous-normale*. ➛ **PARANORMAL, AUX** adj. (1920) qualifie les phénomènes qui, paraissant proches de la normalité, la dépassent. ➛ **SUPRANORMAL, AUX** adj. (1906, écrit avec un trait d'union) s'applique à ce qui dépasse la normalité.

NORMAND, ANDE adj. est l'emploi lexicalisé (1640) du nom et adjectif ethnique *Normand* (1080, *Norman*) en raison du caractère que l'on attribue aux habitants de la Normandie. *Normand* lui-même est emprunté à l'ancien norrois *nord man* «homme du Nord» (fin IXe s., *nortmannus* en latin impérial) désignant les Danois envahisseurs, et formé de *nord (north)* (→ nord) et de la racine de l'anglais *man* «homme».

♦ Le mot assume la valeur caractérisante de «rusé, adroit», substantivé (1664), comme dans la locution ***répondre en Normand*** (1678) «ne dire ni oui ni non», à laquelle correspond adjectivement ***réponse normande*** (1685) «réponse ambiguë». ➛ L'adjectif a reçu quelques spécialisations techniques en gastronomie (*sole normande*, pour *à la normande*), en versification où *la rime normande* (1701) a la particularité d'associer l'*-er* d'un infinitif et celui de *Lucifer* ou *mer* (c'est une rime pour l'œil), et en typographie où *la normande* (1882) désigne un caractère dont les pleins sont exagérés et les déliés très fins.

NORME n. f. est emprunté (v. 1165) au latin *norma* «équerre», terme technique employé également par image au sens moral de «règle, ligne de conduite» et souvent associé alors à *regula* (→ règle). Il s'agit probablement d'un emprunt au grec *gnômona*, accusatif de *gnômôn* (→ gnomon, gnome, gnomique) par l'intermédiaire de l'étrusque.

♦ Le français a seulement gardé le sens abstrait de «règle, état régulier» (1283), réalisé dès les premiers textes dans l'ancienne locution *mettre norme à* «régler une affaire» (v. 1165). Le mot semble avoir été rare jusqu'au XIXe s. (il est absent des dictionnaires du XVIIe et du XVIIIe s.). ➛ Il se dit également, sans jugement de valeur, de l'état habituel, régulier, conforme à la majorité des cas (1867) : ce sens a été diffusé sous l'influence de l'anglais *norm*, emprunté au XIXe s. au latin *norma* et employé par les sociologues anglo-saxons. ◇ Au XXe s. est apparu le sens technique de «formule qui définit un type d'objet, un produit, un procédé technique» (v. 1920). ◇ Des emplois spécialisés en mathématiques (v. 1930), en sociologie, en linguistique et en droit correspondent à la double notion de conformité au modèle majoritaire et de règle qu'il convient de suivre; cf. *normal*.

▸ **NORMATIF, IVE** adj., enregistré par Littré (1868), lui sert d'adjectif de détermination et s'emploie aussi pour «qui prescrit une norme», tant dans l'usage didactique (en grammaire, philosophie) que dans l'usage courant où il a souvent une valeur critique. ◇ Il a pour dérivés **NORMATIVITÉ** n. f. (1949), **NORMATIVISME** n. m. (1964), **NORMATIVISTE** adj. (1968), qui caractérisent une attitude normative systématique.

Norme a donné également au XXe s. **NORMÉ, ÉE** adj. (v. 1950), **NORMER** v. tr. (XXe s.) et **NORMABLE** adj. (v. 1960), surtout employés en mathématiques. ➜ Du latin *norma* a été tiré l'élément **NORMO-** qui entre dans la composition de quelques termes didactiques, notamment en hématologie avec **NORMOBLASTE** n. m. (1901) et ses dérivés, et **NORMOCYTE** n. m. (1906). ◇ **NORMOGRAPHE** n. m. désigne (v. 1950) une plaquette rigide dans laquelle ont été évidés des contours de lettres pour qu'on puisse en suivre le tracé.

◈ voir NORMAL.

NOSO- est l'élément formant tiré du grec *nosos* «maladie», d'où «malheur, désastre, folie», mot sans étymologie établie, à l'origine d'un assez grand nombre de dérivés.

♦ En français, *noso-* sert à former des noms dont le signifié a rapport avec la maladie. Il est productif à partir du XVIIIe s., avec la création de deux noms désignant la description et la classification des maladies d'après leurs caractères distinctifs, **NOSOLOGIE** n. f. (1747, James) et **NOSOGRAPHIE** n. f. (1798), tous deux attestés antérieurement en anglais (*nosology,* 1721, et *nosography,* 1654). ◇ Ces mots ont immédiatement produit des dérivés : **NOSOLOGIQUE** adj. (1742 dans une traduction de l'anglais, mais *nosological* n'est relevé dans cette langue qu'en 1777-1784), d'où **NOSOLOGIQUEMENT** adv. (1924), et **NOSOLOGISTE** n. m. (1765) d'une part; **NOSOGRAPHIQUE** adj. (1803), d'où **NOSOGRAPHIQUEMENT** adv. (1803), et **NOSOGRAPHE** n. (1810) de l'autre; les deux derniers sont sortis d'usage.

NOSTALGIE n. f. est emprunté par les médecins (1759) au latin scientifique moderne *nostalgia,* créé en 1678 par le médecin suisse J.-J. Harder avec les mots grecs *nostos* «retour» et *algos* «mal, souffrance», sur le modèle des mots médicaux en *-algie**. *Nostos* est le nom dérivé de *nesthai* «revenir, retourner (chez soi)», qui contient une racine indoeuropéenne dont le premier sens est «retour heureux, salut». On retrouve cette racine en grec dans le nom propre *Nestôr* «celui qui rentre heureusement, ou qui ramène heureusement son armée» (→ nestor). *Nostalgia* traduit le mot suisse alémanique *Heimweh* «mal du pays», appliqué aux Suisses à l'étranger, surtout aux mercenaires.

♦ *Nostalgie* a été précédé par les expressions *maladie du pays* (1718) et, plus tard, s'est employé en concurrence avec *mal du pays* (1827, Scribe). ◇ Il est passé au XIXe s. dans l'usage courant, se référant à un état de regret mélancolique du passé ou d'une chose idéale que l'on n'a pas eue (1834, Balzac, *La Recherche de l'absolu*).

▸ Son dérivé **NOSTALGIQUE** adj. et n. est d'abord un terme de psychopathologie (1800), qui passe dans l'usage courant vers le milieu du XIXe s. (1860, Baudelaire, *Les Paradis artificiels*); il a donné **NOSTALGIQUEMENT** adv. (1866, Gautier).

NOTA BENE n. m. inv. est un latinisme (1755), composé de *nota,* deuxième personne du singulier de l'impératif du verbe latin *notare* (→ noter) et de l'adverbe *bene* (→ bien), proprement «note bien».

♦ Le français atteste d'abord la forme simple *nota* n. m. (XIVe s.) «note, remarque», et ***nota bene*** (1755), comme locution, puis comme nom (1868, Littré), généralement abrégé en N. B.

NOTABLE adj. et n. m. est emprunté (v. 1278) au latin *notabilis* «digne d'être noté, remarquable (d'une chose)», «désigné, montré (d'une personne)», dérivé de *notare* (→ noter).

♦ Le mot est d'abord attesté comme adjectif en parlant d'une chose remarquable (v. 1278), d'où en droit *arrêt notable* «arrêt d'une cour souveraine fixant un point de jurisprudence» (1685), puis aussi d'une personne en vue, considérable (1393). ➜ Dès le moyen français (1355), l'adjectif est substantivé pour désigner une personne éminente, emploi qui s'impose aux dépens de «fait mémorable, chose d'importance» (v. 1380), sens disparu au XVIe siècle. Sous l'Ancien Régime, le pluriel *les notables* a désigné spécialement les membres les plus importants de la noblesse et du clergé (1685, *assemblée des notables*). Cette valeur reste vivante, notamment dans un contexte sociopolitique.

▸ En sont dérivés **NOTABLEMENT** adv. «considérablement» (1250), en moyen français également «avec dignité» (XIVe-XVe s.), et **NOTABILITÉ** n. f. (1260-1270) [d'après la forme latine *notabilitas*], «caractère de ce qui est important», employé spécialement par métonymie en politique au sens de «personne influente, notable» (1802).

NOTAIRE n. m. est emprunté, d'abord sous la forme *notarie* (1170), au latin *notarius* «secrétaire sténographe» puis, tardivement, «scribe de la chancellerie pontificale» (VIe s.), «scribe d'une chancellerie royale» (584), «notaire public» (1107, *notarius publicus*), qu'il soit investi par l'autorité épiscopale (1161 en Avignon) ou municipale (1192 à Carcassonne). Le mot latin est dérivé de *nota* (→ note) pris avec le sens particulier de «caractère abrégé, signe sténographique».

♦ En français, où il a remplacé le doublet ancien *notier* (1285), le mot désigne d'abord dans un contexte biblique un scribe, un secrétaire; en droit canonique, *notaires de la sainte Romaine Église* (1200), remplacé dans l'usage moderne par *notaire apostolique,* désigne les officiers établis pour les expéditions en cour de Rome et les affaires ecclésiastiques. ➜ Depuis 1265, il désigne le personnage attaché à un seigneur, une communauté, une juridiction, et chargé de la rédaction des actes (*clerc notère,* 1298). Depuis le XVIIe s. (attesté 1690), il est employé par les historiens de l'antiquité pour parler du fonctionnaire impérial chargé de rédiger les actes juridiques à Rome. ◇ C'est au XIXe s. que la charge moderne de *notaire* s'organise et que son titulaire, appelé *notaire,* emploie des *clercs**. Les femmes possédant cette charge sont également désignées par le mot *notaire* qui garde le genre masculin.

▶ De *notaire* sont dérivés **NOTARIÉ, ÉE** adj. (1450, *acte notarié*), **NOTARIER** v. tr. (1826) et **NOTARIAL, ALE, AUX** adj. (1669; 1571, *notairial*). Le féminin **NOTAIRESSE** n. f. (1841), formé en remplacement de *notaresse* (1730-1765), désignait la femme d'un notaire. ➜ **NOTARIAT** n. m. (1482, *notoriat*) est emprunté au latin médiéval *notariatus* (XIIIe s.).

Notaire entre comme second élément de **PROTONOTAIRE** n. m., emprunté (1390) au latin ecclésiastique *protonotarius,* pour désigner un prélat de la cour romaine ainsi qu'un dignitaire laïc du moyen âge (1869). ➜ Le dérivé **PROTONOTARIAT** n. m., attesté depuis 1845, est rare et didactique.

NOTE n. f. est un emprunt ancien (1155) au latin *nota,* participe passé féminin substantivé de *noscere* «apprendre à connaître» (→ connaître). *Nota* désigne une marque de reconnaissance imprimée ou empreinte; il est souvent associé à *vestigium* (→ vestige), exprime la façon de désigner et correspond en particulier à un caractère, un signe de copiste, une annotation, une ponctuation, un caractère abrégé, sténographique (→ notaire). Dans la langue du droit, *nota censoria* désigne la marque par laquelle les censeurs signalaient sur leurs registres les citoyens répréhensibles, d'où le sens de «flétrissure» et d'«infamie, ignominie». Au moyen âge, *nota* désigne un acte (1102), la minute d'un acte notarié (XIIe s.).

♦ En français, *note* est d'abord un terme du langage musical avec le sens disparu de «musique, mélodie correspondant au signe figurant un son» (*a diverses notes* «avec accompagnement de chant», 1360). Vers la fin du XIVe s., il se limite au sens moderne de «signe figurant un son musical» et «son qui correspond à ce signe», donnant lieu aux locutions figurées *en note basse* «à voix basse; modestement» (1593), *changer de note* (1613) là où nous disons aujourd'hui *changer de disque,* ***être dans la note*** (1879) «dans le ton». ➜ Depuis le XIIIe s. (1241), *note* désigne aussi ce qui est consigné par écrit, d'où la locution *mettre en note* (v. 1278) «décrire, consigner». Cependant, l'emploi du mot en ce sens semble avoir été limité jusqu'au XVIIe s. au domaine juridique et administratif, *note* s'employant notamment à propos de la minute, du brouillon d'un acte écrit (1370). À partir du XVIIe s. (1636), il désigne plus largement une brève indication recueillie par écrit (au singulier et au pluriel), une remarque écrite concernant un texte, un exposé succinct destiné à faire connaître qqch. (→ notule, notice). Le mot continue d'être employé spécialement dans le langage administratif, par exemple dans *note verbale* (1819), et dans la diplomatie où il désigne la communication entre agents (1824). ➜ Le sens particulier de «compte, montant à payer» est attesté depuis la seconde moitié du XVIIe s., d'où le sens courant, en comptabilité, de «détail d'un compte» (1723). ➜ D'après l'ancien sens figuré hérité du latin, «infamie, reproche, blâme» (fin XIIe s.), et concrètement «marque de flétrissure, tache» (1542), *note* a pris au XIXe s., comme *noter* (ci-dessous), le sens neutre d'«évaluation, appréciation donnée par un maître sur un élève» (1845) et, par métonymie, celui de «chiffre exprimant la valeur d'un travail» (1906). ➜ Deux autres sens vivants en ancien et moyen français, «tache» (1376, à propos du plumage d'un oiseau) et «notoriété, fait d'être connu» (apr. 1350, *de notte* «notable») qui survit dans *notoriété* et *notable,* sont sortis d'usage.

▶ *Note* entre dans quelques noms composés avec le sens d'«écrit, indication». ➜ **GARDE-NOTE(S)** n. m. a été créé une première fois au XVIe s. pour désigner la personne qui détenait certaines fonctions du notaire actuel, et une seconde fois au XIXe s. pour désigner un portefeuille (1838, Hugo); il est sorti d'usage dans les deux sens. ➜ **CONTRE-NOTE** n. f. est un terme de diplomatie synonyme de «contre-avis» (1869). ➜ **PIQUE-NOTES** n. m. (1879), qui a disparu, et **BLOC-NOTES** n. m. (1888-1890, *bloc(k)-notes*) désignent des accessoires de bureau. Le second est probablement issu par réduction du syntagme *bloc de papier à notes* ou de *bloc à notes;* il faut voir dans le *-k* occasionnel de *bloc* une anglicisation et non un anglicisme, ce syntagme n'existant ni en anglais ni en anglo-américain.

NOTER v. tr. est emprunté (1121-1134) au dérivé latin *notare* «marquer, faire une marque», spécialement «tracer des caractères d'écriture, sténographier» puis, en parlant d'un censeur «marquer le nom d'un citoyen coupable»; sans idée de critique, *notare* signifiait aussi «désigner, faire connaître, relever, consigner par écrit». ➜ En français, le verbe correspond d'abord à «être le signe de, désigner, représenter» (→ dénoter). ◇ Il développe la plupart de ses autres sens dès le XIIe s. : abstraitement «garder, retenir dans sa mémoire, dans sa pensée» (1155), «remarquer, attacher son attention à» (1160) et, dans le domaine de la perception visuelle, «percevoir, voir, relever» (1170). En ancien français, le participe passé **NOTÉ, ÉE** était adjectivé avec le sens d'«important, notable» (v. 1278), également réalisé par la forme populaire *noé* (XIIIe s., *sot noé* «sot caractérisé»). ◇ Dès le XIIe s. (1174-1176), *noter* signifie concrètement «consigner, mettre par écrit», sens dont procèdent les anciennes valeurs de «traiter de...» (1188) et «commenter, expliquer» (1205-1250). ◇ Une autre valeur, «faire connaître, exposer» (1188), a été absorbée par *notifier**. ➜ Comme *note, noter* a connu une évolution sémantique qui l'a fait passer du sens juridique, «accuser» (1160), au sens moderne neutre de «porter une appréciation sur le travail de qqn» (1855) dans un cadre pédagogique et professionnel. ◇ L'acception pour «marquer dans un écrit ce dont on veut garder la mémoire» est attestée depuis 1538. ◇ Dans le domaine musical, *noter* a dès le XIIe s., en relation avec *note,* signifié «chanter, accompagner en musique» (1165) avant de passer au sens moderne de «mettre en musique» (1175). ➜ Il a produit **NOTEUR** n. m. (fin XIIe s.), mot disparu tant pour «secrétaire, notaire» et «celui qui observe» que pour «copiste de musique» (XVIe s.), et **NOTA-**

TEUR, TRICE n. et adj. (1552), lui aussi vieilli. ➛ Le participe présent adjectivé *notant, ante,* aujourd'hui sorti d'usage, a servi à former **NOTAMMENT** adv. (1585), critiqué comme n'étant pas du bel usage par Vaugelas qui recommande *nommément, surtout, principalement* et *particulièrement,* mais de nos jours aussi usuel que ces derniers.

NOTATION n. f. est emprunté (1370) au dérivé latin *notatio, -onis* «action de marquer un signe», «action de noter, de relever, remarque, observation». ➛ Le mot a d'abord eu les sens, aujourd'hui disparus, de «nom d'un objet» et de «décision» (1531). ◇ Il est rare avant le XVIIIe s. où il est repris en arithmétique pour désigner le fait de marquer les nombres par les caractères qui leur sont propres (1765) et, plus généralement, pour le système de symboles servant à représenter une chose. ◇ *Notation* compte plusieurs emplois spécialisés, en musique (1819; 1835, *notation musicale*), en chimie (1842), en chorégraphie, en phonétique. Par métonymie, le mot désigne une brève remarque, ce qui est noté et, spécialement en peinture, une représentation de détails évocateurs (1879).

ANNOTER v. tr. est emprunté (XVe s.) au latin *adnotare* «consigner, remarquer par écrit» et «remarquer» en général, de *ad* et *notare.* ➛ Le verbe, introduit en droit pour «inventorier des biens saisis», est consigné comme terme d'ancienne pratique (1835). Le sens de «remarquer» (1550), vivant au XVIe s., a été supplanté par *noter*.* *Annoter* s'est réservé plus tard le sens précis d'«accompagner un texte de notes en marge» (1835). ➛ **ANNOTATION** n. f. n'a pas eu le même type de développement : repris au latin *adnotatio,* il possède dès les premières attestations (fin XIVe s.) son sens moderne. Le sens juridique correspondant à celui du verbe, repris au latin au XVIe s. (1514), a vieilli. ➛ **ANNOTATEUR** n. m., emprunté (1552) au latin *adnotator,* est resté isolé au XVIe s. au sens général de «celui qui remarque». Il a été repris (1706) pour celui qui fait des annotations sur un texte, valeur demeurée didactique.

◈ voir CONNOTER, DÉNOTER; NOTOIRE, NOTULE.

NOTICE n. f. est emprunté (1369) au latin *notitia,* dérivé du supin de *noscere* «apprendre à connaître», et dont les sens recoupent à la fois ceux de *notio* (→ notion), de *notabilitas* (→ notabilité) et du latin médiéval *notorietas* (→ notoriété) : *notitia* signifie «action de connaître», «connaissance (de qqch., de qqn)», «notion» et «fait d'être connu, notoriété». À basse époque, il a pris le sens concret de «rôle, registre, document» (VIe s.) en langage juridique et dogmatique.

♦ *Notice* a d'abord eu, comme *notification*,* le sens de «connaissance», vivant jusqu'au XVIIIe siècle. ➛ L'emploi moderne s'est dégagé au XVIIe s. (1680) par emprunt au latin tardif et probablement sous l'influence sémantique de *note; notice,* «bref texte destiné à présenter sommairement un sujet traité», est fréquemment accompagné d'une épithète qui précise le sujet traité (1789, *notice historique*). Il s'applique plus précisément à la préface d'un livre (1721), à un bref exposé écrit, à un ensemble d'indications sommaires (v. 1780) et, en commerce (1907), au résumé des conditions d'une émission de titres par une société.

NOTIFIER v. tr. est emprunté (1314) au latin des juristes *notificare* «faire connaître», de *notus* «connu», participe passé adjectivé de *noscere* «apprendre à connaître» (→ connaître) et *facere, -ficare* (→ faire).

♦ Le français a conservé le sens du mot latin et emploie surtout *notifier* dans le langage juridique au sens de «faire connaître dans les formes légales» (1406).

▸ On en a dérivé **NOTIFICATIF, IVE** adj. (1860). ➛ **NOTIFICATION** n. f. (1314) a été formé d'après le latin médiéval *notificatio, -onis* (1150). ◇ Attesté une première fois au sens large de «connaissance» qu'il a partagé avec *notice, notification* est surtout employé dans un contexte juridique (1468) pour l'acte par lequel on notifie qqch. à qqn.

NOTION n. f. est emprunté (1570) au latin *notio, -onis* dérivé de *notum,* supin de *noscere* «apprendre à connaître» (→ connaître). *Notio* désigne l'acte de prendre connaissance, l'examen (dans un sens général, plus techniquement en droit) et, dans la langue philosophique, l'idée, la conception que se fait l'esprit, enfin la signification d'un mot.

♦ Le français a introduit *notion* au sens large de «connaissance immédiate, intuitive (de qqch.)», surtout au pluriel *(avoir des notions de qqch.)* et spécialement dans un titre d'ouvrage. Depuis Descartes (1647, *notion de l'infini*), le mot a aussi le sens d'«idée générale et abstraite», en concurrence partielle avec *concept.* ◇ Au milieu du XXe s., il a été normalisé en terminologie pour éviter *concept,* alors considéré comme lié à l'anglais *concept;* mais *notion* correspond à une idée générale socialisée, plus vague et moins opératoire que *concept,* aujourd'hui marqué par la philosophie kantienne.

▸ *Notion* a produit, sur le modèle du latin médiéval *notionalis* «conceptuel» (1290), **NOTIONNEL, ELLE** adj. attesté une fois en 1485 et repris en 1701 comme terme de philosophie pour ce qui est relatif ou propre à une notion, qui consiste en notions. Depuis 1951, il est spécialement employé en linguistique (dans les expressions *champ notionnel, grammaire notionnelle*), en concurrence partielle avec *conceptuel.* ➛ *Notion* entre dans **PRÉNOTION** n. f. (1585) terme de philosophie antique emprunté au latin *praenotio, -onis* «connaissance spontanée antérieure à toute réflexion», mot de théologie, puis de psychologie (XIXe s.), également employé en sociologie par Durkheim (1893) en parlant d'un concept formé spontanément avant toute étude scientifique des faits.

NOTOIRE adj. est emprunté sous la forme *notore* (1226-1239), puis *notoire* (1283) au bas latin des juristes *notorius,* employé dans *notaria* (sous-entendu *epistola*) «lettre d'avis, lettre qui fait connaître» (→ notaire). C'est un dérivé de *notum,* supin de *noscere* «apprendre à connaître» (→ connaître; note). Le latin médiéval atteste le neutre substantivé *notorium* «offense, outrage constaté» (1188) et l'adjectif *notorius* «connu publiquement» (1192).

♦ En français, *notoire* signifie «qui est de connaissance publique», surtout dans la locution impersonnelle ***il est notoire que*** (1480). Dans le langage juridique, il possède la nuance de «rigoureusement constaté». ◇ Il sert aussi à qualifier une personne reconnue, avérée comme telle.

▸ On en a tiré **NOTOIREMENT** adv. (1283) «d'une façon bien constatée». ➛ **NOTORIÉTÉ** n. f. est une création savante (1404) d'après le dérivé latin médiéval *notorietas* (1280). Ce mot exprime le caractère de ce qui est connu de tous et, par extension, concerne l'opinion générale qui donne une chose pour connue (1690, *notoriété publique*). Il est employé juridiquement dans *acte de notoriété* (1690). ◇ Son sens courant de «fait d'être connu de tous (avantageusement)» à propos d'une personne, d'une œuvre, n'est attesté que depuis 1856 ; par métonymie, le mot désigne, peut-être sur le modèle de *notabilité*, une personne connue (av. 1922, Proust).

NOTRE, NOS adj. poss. est issu sous la forme *nostro* (842, *Serments de Strasbourg*) puis *nostre* (fin xe s.) du latin *noster*, dérivé de *nos* (→ nous) au moyen du suffixe qui marque l'opposition de deux notions (dans la plupart des autres langues indoeuropéennes, le suffixe a simplement la forme °*-ro*). Le possessif ainsi formé a servi à exprimer la notion du génitif qui n'avait pas de forme propre en indoeuropéen, non plus que l'instrumental et le datif. *Noster* exprime l'appartenance, le possesseur étant l'ensemble des personnes indiqué par *nos* (→ nous) ; il peut être employé comme attribut et faire office de pronom ; dès l'époque classique, il peut indiquer un rapport de proximité d'intérêt (*hic noster* «celui dont nous parlons», *nostri* : «nos compatriotes, amis, soldats»). Quant au pluriel français *nos* (fin xe s., *noz*), il représente probablement l'accusatif masculin pluriel latin *nostros* avec chute du *-r-* après par la chute du *-o-* final (°*nostrs*) et aboutissement de °*nosts* à *noz*.

♦ *Notre* et *nos* ont leurs emplois fixés avant la fin du xiie siècle. L'usage du pronom **LE (LA) NÔTRE**, au pluriel, *les nôtres*, est attesté depuis 1080 pour «ceux du même camp» (emploi latin) ; celui du singulier *le nôtre*, au sens de «notre bien, ce qui nous appartient» (1120-1150), est aujourd'hui archaïque. On dit encore *y mettre du nôtre* «participer» (1690), mais on a cessé d'employer *du nôtre* (1668) «de notre part, en ce qui nous concerne». *Le nôtre* correspond aussi aux emplois du *nous* de majesté (1241) ou de modestie (→ nous).

▸ *Notre*, adjectif, entre dans la formation de **NOTRE-DAME** n. f. (1130-1140), avec *dame* pris spécialement au sens de «Vierge Marie». *Notre-Dame* désigne la Vierge et, par métonymie, la fête en l'honneur de la Vierge (1680), familièrement une image, une représentation de Marie (av. 1695) et, sans article, une église consacrée à la Vierge (1732, *Notre-Dame d'Amiens*).

◈ voir PATENÔTRE.

NOTULE n. f. est emprunté (1495) au bas latin *notula* «petite marque» (ve s.) dérivé de *nota* (→ note). *Notula* a pris en latin médiéval les sens de «glose» (ixe s.), «petite note critique» (1174-1184), «document, notice» (1028), enfin «minute de notaire» (1328).

♦ Le mot a désigné, comme *notula*, une annotation dans un texte (1495), une petite remarque en marge d'un livre (1752) et une minute de notaire (xve s.). ➛ Aujourd'hui, il n'est plus guère employé, étant remplacé soit par *annotation*, soit par *minute*, sauf en philologie, en érudition.

NOUBA n. f. est emprunté (1897) à l'arabe maghrébin *nūba* correspondant à l'arabe classique *nawba* «tour, tour de rôle», d'où «service de garde» et «corps de troupe faisant à tour de rôle son service», puis, par métonymie, «concert de musique qui a lieu périodiquement devant la maison d'un officier ou d'un dignitaire», enfin «concert, fanfare, orchestre».

♦ Le mot est passé en français par l'armée coloniale d'Algérie, avec le sens de «musique des tirailleurs algériens». ◇ Il a pris le sens de «noce, fête» dans l'usage familier dès 1898 dans la locution ***faire la nouba***, et en emploi libre *(une nouba)* vers 1908-1912, ce sens étant diffusé par l'argot militaire pendant la guerre de 1914-1918.

① **NOUE** n. f., d'abord *noe* (1294), est issu du latin médiéval *nauda* «terrain marécageux» (ixe s. à Blois), lui-même emprunt d'un gaulois °*nauda* de même sens.

♦ Le mot, qui désigne une terre grasse marécageuse servant de pâture, est régional (Blois, Poitou) et particulièrement représenté dans l'ouest et le centre de la France. ◇ Par analogie, il a été repris en agriculture pour désigner l'intervalle entre deux sillons (1809), parce que les eaux de pluie y stagnent.

② **NOUE** n. f., d'abord noté *nohe* (1223) et *noe* (1287), puis *noue* (xviie s.), est issu d'un bas latin °*nauca*, forme contractée de °*navica* «petit bateau», diminutif du latin *navis* (→ nef).

♦ Le mot a désigné en général une gouttière avant de s'appliquer plus précisément à la gouttière à l'intersection de deux combles inclinés (1379) et à une tuile creuse formant rigole d'écoulement (1287). ➛ Ultérieurement, il se rapporte par analogie à l'angle rentrant par lequel deux combles se coupent (1676) et, en travaux publics, à la partie de pavé de forme triangulaire au droit d'un angle rentrant, composée de deux revers au milieu desquels est un ruisseau (1868).

▸ **NOUETTE** n. f. (1782) désigne une tuile bordée d'une arête.

NOUER v. est issu, d'abord sous la forme *noer* (1165), du latin *nodere* «lier, fixer par un nœud», dérivé de *nodus* (→ nœud) et qui a supplanté l'ancien *nectere* (→ connecter).

♦ En français, *noer*, *nouer* signifie «faire un nœud» et par extension «envelopper par un nœud» (xiiie s.). Il est employé spécialement à propos des fils de chaîne et pour «renouer un fil cassé» en tissage (1250) ; ce sens, vivant jusqu'au xive s., semble disparaître des attestations écrites et s'observe de nouveau à partir de 1765. ◇ Au xvie s. apparaissent les locutions figurées ***nouer l'aiguillette*** (1579) «rendre impuissant» (→ aiguillette, à aiguille), et *nouer les deux bouts* (1585) plus tard évincé par *joindre les deux bouts*. ◆ Depuis 1377, le verbe est employé intransitivement, d'abord au sens aujourd'hui disparu de «s'accoupler (d'un chien et d'une chienne)», puis au sens technique de «passer de l'état de fleur à celui de fruit», en agriculture (1520; 1539, *se nouer;* 1534, *être noué*). Cf. ci-dessous *novaison* et aussi *renouée*. ◆ Au XVIe et au XVIIe s., *nouer* a développé le même type de sens figurés que *lier :* «établir un lien moral» (1580), en particulier dans *nouer conversation* (1666) et *nouer amitié* (1671); il subit d'ailleurs la concurrence de *lier*, plus courant, mais reste usuel avec le sens de «former, organiser» (1658), spécialement à propos d'une intrigue au théâtre et dans une œuvre littéraire (1748).

► Le participe passé **NOUÉ, ÉE** a pris depuis le XVIe s. plusieurs sens particuliers comme adjectif. Il est d'abord employé en médecine (1538), dans l'expression *goutte nouée* «crampe», puis au sens physique de «rachitique» (1718). Il prend ensuite le sens figuré de «contracté, serré comme par un nœud», d'abord pour qualifier un esprit borné (1758) puis à propos d'une partie du corps (1854), en particulier de la gorge contractée par l'émotion (1909).
Nouer a produit quelques dérivés, dont quatre noms. ◆ Le plus ancien est **NOUEMENT** n. m. (1538; 1464, *neuement*) d'abord à propos de l'aiguillette. ◇ **NOUAGE** n. m. (1603) est lui aussi attesté à l'origine dans l'expression *nouage d'aiguillette*, et conservé avec des sens spécialisés en médecine (1812) et en industrie textile (1874). ◆ **NOUURE** n. f. a perdu son sens premier, «action de nouer» (1611), au profit de celui de «état de ce qui est noué», en médecine (1791) et dermatologie (1924). ◆ Quant à **NOUAISON** n. f., le dernier dérivé apparu (1948), il est spécialisé en arboriculture. ◆ Le nom d'agent **NOUEUR** est d'abord relevé dans *noueur d'aiguillette* (1580). ◇ Le mot s'est employé en diplomatie (1840); le latin médiéval atteste *nodator*, au XIe s., pour le témoin qui confirmait un acte en faisant un nœud sur la courroie au bas de la charte. ◆ Le féminin **NOUEUSE**, mot technique, se dit de l'ouvrière (1872) et de la pièce (1961) rattachant les fils aux bobines (en industrie textile).
Les préfixés verbaux de *nouer* sont attestés dès le XIIe siècle. ◆ Le préfixé **DÉNOUER** v. tr. (1170, *desnoer*) signifie «défaire ce qui était noué» au propre et au figuré (*dénouer l'intrigue*, 1549). ◇ Son dérivé **DÉNOUEMENT** n. m. (1580, *desnouement*) désigne lui aussi au figuré l'explication d'une difficulté (1636) et spécialement l'action qui met fin à une intrigue nouée, au théâtre (1663) et en littérature. ◆ Quant à **RENOUER** v. tr. (*renoer*, v. 1140), proprement «refaire un nœud», il est également employé au figuré pour «rétablir dans sa continuité» (fin XVe s.), et, absolument, «rétablir des liens brisés, interrompus» (fin XVIe s.). ◇ Il a produit quelques dérivés en moyen français : **RENOUEMENT** ou **RENOÛMENT** n. m. (XVe s.), «action de réconcilier», puis «action de renouer», a décliné. ◇ Le participe passé féminin **RENOUÉE** est substantivé (1545) pour désigner une plante à la tige noueuse, d'après ce sens de *nouer* en agriculture. ◆ Le nom d'agent **RENOUEUR** n. m. (1549), d'abord «celui qui remet en question des choses anciennes», est une ancienne désignation (v. 1560) pour le rebouteur, d'après l'ancien sens du verbe «remettre une fracture, une luxation» (v. 1175), par opposition à *dénouer* «luxer, déboîter (un membre)» (v. 1175).

NOUEUX, EUSE adj. est issu (déb. XIIIe s.) du latin *nodosus* «qui présente beaucoup de nœuds», «qui noue les articulations (en parlant de la goutte)», dérivé de *nodus* (→ nœud).

♦ Le mot, d'abord écrit *noous* puis *neueux* et enfin *noueux* (1530), signifie «qui présente des renflements» en parlant d'un bois et, par comparaison, de membres et de jointures (apr. 1550, *doigt noueux*). ◆ Par métonymie, il sert à qualifier une personne aux muscles saillants (1875) et, par un autre type de métonymie, une maladie qui noue les jointures (1575, *goute noueuse;* 1855, *rhumatisme noueux;* 1870, *érythème noueux*).

NOUGAT n. m. est emprunté (1595, *nogas*, pl.) au provençal *nougat* «confiserie faite de noix ou d'amandes et de miel» (attesté seulement au XVIIe s.), dérivé de l'ancien provençal *noga* «noix» (provençal moderne *nougo*). Ce mot est issu d'un latin populaire °*nuca* auquel remontent également l'ancien italien *noxa*, le roumain *nuca* et le catalan *noga*, issu par changement de suffixe du latin classique *nux* (→ noix).

♦ En français, le mot existe d'abord en confiserie sous les formes *nogas* (au pluriel), *nogat* (1597), *nouga* (1694) et enfin *nougat*. ◆ Par allusion à la consistance agréable de la confiserie, il a développé en emploi familier le sens de «chose facile à exécuter» (1928) et, par allusion à sa consistance molle, le sens péjoratif de «mou» dans l'expression *jambes en nougat* (1917). C'est à partir de cette dernière que *nougat* a pris son sens argotique de «pied» (1926), par exemple dans la locution ***casser les nougats*** (1936).

► De *nougat* est dérivé **NOUGATINE** n. f. (attesté en 1908) qui désigne des spécialités pâtissières inventées à Nevers sous le second Empire. Comme *nougat*, qu'il renforce par son suffixe, le mot est employé familièrement avec l'idée de «chose facile, sans risque», dans la locution ***c'est, c'est pas de la nougatine*** (1953), concurrencé par *c'est, ce n'est pas du nougat*.

NOUILLE n. f. est emprunté (1767) à l'allemand *Nudel* «pâte alimentaire» (v. 1550), lui-même d'origine incertaine. *Nudel* a aussi été emprunté par l'anglais *noodle* (1779).

♦ Le mot s'est écrit *noudle, nudeln* (1765) puis *nouille* (1767, au pluriel), Bloch et Wartburg signalant une forme *nulle* dès 1655. Il désigne une variété précise de pâtes, mais la langue familière tend à l'employer au sens plus général de «pâte alimentaire» (à l'exclusion des pâtes à potage). Dans la restauration, on tend à l'éviter au profit de *pâtes*, sauf en Alsace et dans l'est de la France. ◆ Par allusion à la consistance molle des pâtes, *nouille* est employé familièrement avec le sens figuré de «personne sans énergie, niaise» (1932). ◆ Son emploi dans le langage des arts décoratifs (1931), dans ***style nouille*** à propos du style 1900, fait allusion, d'abord péjorativement, aux exubérances serpentines de ce style qui rappelleraient des nouilles cuites.

▸ On a formé le diminutif **NOUILLETTE** n. f. (1932) pour une variété de nouilles petites et minces.

NOUMÈNE n. m., terme de philosophie, est emprunté (1801) à l'allemand *Noumenon* (pl. *Noumena*), mot créé par Emmanuel Kant (1724-1804) d'après le grec *nooumena*, employé par Platon dans le *Timée*, en parlant des Idées. Le terme grec signifie proprement «ce qui est pensé»; il s'agit du neutre substantivé de *nooumenos*, participe passif de *noein* «se mettre dans l'esprit, comprendre, penser»; ce verbe est dérivé de *noos* (*nous* en attique) «intelligence, esprit (en tant qu'il perçoit et qu'il pense)». En dépit de divers rapprochements ingénieux, l'étymologie de ce mot reste obscure.

♦ En français, d'après l'allemand, *noumène* est employé par référence au système kantien pour désigner une réalité intelligible qui ne peut être l'objet d'une connaissance empirique, c'est-à-dire une chose en soi (par opposition à *phénomène*).

▸ On a formé **NOUMÉNAL, ALE, AUX** adj. (1801, Ch. de Villers, *Philosophie de Kant*) «de l'ordre du noumène, de l'intelligence».

◈ voir **NOÈME**.

NOUNOURS → OURS

NOURRICE n. f. est issu (1140) du latin tardif *nutricia*, féminin de *nutricius* «qui nourrit, élève», dérivé du latin classique *nutrix* «nourrice». Ce dernier est employé au propre et au figuré, quelquefois à propos d'un homme (chez Plaute) et, par métonymie, se dit de la mamelle (Catulle). Il est formé, avec le suffixe *-trix* que l'on a dans *obstetrix* (→ obstétrique), sur la racine indoeuropéenne °*sneu-*, °*snŭ-* «allaiter», représentée par le sanskrit *snauti* «il sort goutte à goutte» (notamment à propos du lait maternel).

♦ En français, le mot est d'abord écrit *nurrice, nourice* (1283), *nourrisse* (1485), enfin *nourrice* (1675) et désigne la femme qui allaite un enfant. Il entre dans la locution ***mettre un enfant en nourrice*** (1283, *metre enfant a nourice*) et est employé en apposition dans *mère nourrice* (1485). L'expression classique *enfant changé en nourrice* (1675) se réfère aux substitutions d'enfants qui avaient lieu pendant qu'ils étaient en nourrice. Le mot est surtout usuel du XVIIe au XIXe s., la mise en nourrice des enfants des classes aisées chez des femmes de la campagne étant devenue un service usuel, et la nourrice un type de domestique courant. Le *bureau des nourrices* est vers 1850 une institution parisienne et la nourrice, avec la bonne d'enfants et le militaire, un type populaire de 1850 à 1914. ➛ On parle par extension de ***nourrice sèche*** (1876) pour la femme qui assure l'entretien et la garde d'un enfant contre un salaire. ➛ Le mot est aussi employé à propos d'une femme qui a servi de nourrice autrefois par rapport à ceux qu'elle a nourris et élevés (1578) et, au théâtre, pour le rôle de nourrice (1762, Rousseau). ➛ Autrefois employé par métaphore en parlant de choses au sens de «ce qui nourrit» (1485), il se dit d'une femelle qui allaite ses petits (1558) et, spécialement, en apiculture, de l'abeille qui élève ses larves (1845). ➛ L'idée d'«alimenter en liquide» est réalisée techniquement dans un nom d'instrument, à propos d'une pompe hydraulique aspirante (XVIIIe s.) puis d'un récipient servant de réservoir (1903), sens plus usuel aujourd'hui.

▸ *Nourrice* est familièrement réduit à **NOUNOU** n. f. (1857) par redoublement enfantin de sa première syllabe. ◇ Son dérivé **NOURRICERIE** n. f. (1334) «endroit réservé aux enfants» a été supplanté par l'anglicisme *nursery* (→ nurse). ◇ C'est aussi un terme d'agriculture (1829), lié à *nourrir**, qui désigne un lieu où l'on engraisse des bestiaux.

NOURRICIER, IÈRE adj. et n., d'abord *noriecier* (1190) et *norrecier* (1200), est considéré soit comme le dérivé par suffixation de *nourrice**, soit comme issu d'un latin populaire °*nutricarius*, dérivé de *nutricius*, dont le féminin est à l'origine de *nourrice*. ➛ En ancien français, le mot est uniquement employé comme nom pour désigner la personne qui élève un enfant qui n'est pas le sien, au masculin et au féminin *nourricière* (1190, *nurequiere*). ◇ Les sens apparus au XVIe s., «mari de la nourrice» (1567) et au figuré «celui qui fournit à une autre personne les moyens de subsister» (1562), sont eux aussi sortis d'usage. ➛ La langue moderne emploie essentiellement le mot comme adjectif au sens de «qui fournit la nourriture» (1568, *eaux nourricières*, 1688 *père nourricier*) et, dans un usage plus didactique, «qui contribue à la nutrition» (1703, *suc nourricier*), spécialement en anatomie *(artère nourricière)*.

NOURRIR v. tr., d'abord attesté sous la forme *nodrir* (av. 950), est issu du latin *nutrire* «alimenter, entretenir», forme moins ancienne, surtout répandue dans la langue impériale, que *nutricare* «allaiter» et plus généralement «alimenter», surtout employé à époque républicaine et du reste assez rare, mais conservé par certains dialectes italiens. Le mot se rattache à *nutrix* (→ nourrice).

♦ En français, sous les formes *nodrir, norir* (XIe s.) et enfin *nourrir* (XIIe s.), le verbe signifie d'abord de manière très extensive «élever un enfant», sens dont il reste quelque trace dans la locution poétique ***nourrir*** (aussi *réchauffer*) ***un serpent dans son sein*** «aider un ingrat» (1690) et dans l'emploi figuré pour «engendrer, produire» (1636). ➛ Le sens moderne et courant, «fournir les aliments nécessaires à (un être vivant)» (1225), fait suite à des valeurs plus limitées et encore vivantes, «allaiter (un enfant)» (v. 1050), «alimenter (un animal)» (1180) et «pourvoir à l'entretien de (qqn)» (1080). ➛ Au XVIe s. sont apparus les sens secondaires, avec un sujet pouvant désigner des choses, de «constituer un aliment pour l'organisme» (1500), «faire vivre» (1524-1527), «alimenter (une chose), faire durer plus longtemps» (1530), comme dans ***nourrir le feu***, et au figuré «former dans son esprit» (1580, Montaigne). ➛ Par extension, *nourrir* est aussi employé au sens de «approvisionner (un pays) en produits alimentaires» (1582). ➛ L'usage de la forme pronominale *se nourrir* est attesté depuis la seconde moitié du XIIIe s.

avec le sens de «prendre des forces», puis (1485) avec celui de «prendre de la nourriture» (au propre et au figuré).

▶ **NOURRISSEMENT** n. m. a perdu son sens initial de «nourriture, aliment» (1160, *nurissement*) au profit de *nourriture**, et cédé celui d'«action de nourrir» à *nutrition**. ◂ Il a été repris (1907) comme terme d'apiculture pour désigner l'action de fournir de la nourriture à une ruche pendant la mauvaise saison. ◂ Quant à l'autre nom d'action dérivé de *nourrir*, **NOURRISSAGE** n. m. (1562 ; 1482, *norrisaige*), il est lui aussi technique et concerne l'action et la façon d'élever des bestiaux, plus rarement le fait de nourrir un nourrisson. ◂ Le nom d'agent **NOURRISSEUR** n. m. (1372 ; 1175, *norrissere*), employé en ancien français pour «personne qui prend soin de qqn», a été repris au XIXe s. au sens technique d'«éleveur de bestiaux» (1800). ◇ Il a pris ensuite les sens argotiques de «voleur» (1828-1829), peu explicable, et de «restaurateur» (1866), qui ont disparu. ◂ Les participes de *nourrir* ont fourni deux adjectifs : **NOURRI, IE** adj. (déb. XVe s.) a d'abord eu le sens de «qui a de l'embonpoint». Il est spécialement employé à propos d'une plante qui a poussé sur une bonne terre (1575), au XVIIe s. pour qualifier un trait plein, en peinture (1688) et un style riche, en littérature (1694). ◇ ***Feu nourri*** (1771) désigne une succession de nombreux coups d'armes à feu. ◇ *Temps nourri* s'est dit en navigation d'un ciel garni de nuages (1773). ◂ Quant à **NOURRISSANT, ANTE** adj., il est employé au sens propre encore très vivant de «qui nourrit bien» (1314, *norrisante*) mais n'a plus guère, sauf intention stylistique, le sens figuré correspondant (1849) de «qui offre des ressources».

◈ voir NOURRICE, NOURRICIER, NOURRISSON, NOURRITURE, NUTRITION.

NOURRISSON n. m., d'abord féminin, est issu (1165) du latin tardif *nutritionem*, accusatif de *nutritio, -onis* «action de nourrir», «nourriture» (→ nutrition) avec influence de *nourrice** pour la consonne sourde écrite *ç*, puis *ss-*, à la place de la sonore *z* écrite *s*.

◆ Le mot est d'abord attesté au féminin sous la forme *norreçon ;* le passage de *-e-* à *-i-* que l'on constate dans *nourrisson* (1387, longtemps écrit *nourriçon*, encore en 1690) s'explique lui aussi par l'influence de *nourrice, nourrir*. ◂ L'évolution sémantique du mot est parallèle à celle de *nourriture** : en ancien français, *la nourriçon* désignait l'action de nourrir, sens assumé par *nourriture* et *nutrition*, et aussi l'action d'élever, d'entretenir, soit l'éducation (1165), plus particulièrement la manière d'agir, et enfin, concrètement, la nourriture (fin XIIe s.), ce dernier sens étant encore vivant au XVIe siècle. ◇ Par métonymie, il comprenait la famille et aussi les animaux qu'on élève, le menu poisson. ◇ Au XVIe s., il a aussi désigné celui qui nourrit, le père nourricier.

Nourrisson a pris son sens moderne d'«enfant allaité par une femme» à cette époque (1538), d'après la valeur active plus ancienne de «fait d'allaiter un enfant» (1387), entraînant le passage du mot au genre masculin. ◇ Par extension, il se dit du petit d'un mammifère que la femelle nourrit de son lait et au XVIe s. d'un disciple (1550), les poètes étant appelés *les nourrissons des Muses* (1559) jusqu'à la fin de la période classique.

NOURRITURE n. f. est issu (1119) du bas latin *nutritura* «action de nourrir», de *nutrire* (→ nourrir) avec influence du français *nourrir*.

◆ Le mot s'est écrit *nureture* (1119) et *norreture* (1170) avant *nourriture* (XIVe s.). Il a d'abord eu un sens actif très large : «action d'élever, d'éduquer (un enfant)», encore vivant au XVIIe s., et a désigné par métonymie l'animal (1119) et l'enfant que l'on élève (1170), valeur plus tard éliminée par la spécialisation de *nourrisson* (voir ce mot). On le relève encore au XVIIe s. au sens particulier de «action de nourrir un enfant» (av. 1630). ◂ La valeur concrète, pour «ce qui sert à l'alimentation des personnes», issue par métonymie du premier sens, est attestée depuis 1370 ; elle a éliminé les autres acceptions. ◂ Puis sont apparus au XVIe s. le sens analogique de «ce qui sert à l'alimentation des plantes» (1549), la valeur figurée de «ce qui enrichit le cœur ou l'esprit» (1555) et le sens particulier d'«entretien d'une personne du point de vue alimentaire» (1562) ; toutes ces significations se sont maintenues, mais le sens de «ce qui entretient, fait durer» (XVIe s.) a décliné au profit d'*aliment*.

NOUS pron. pers. est issu (881) du latin *nos*, pronom personnel de la première personne du pluriel tonique et atone, quelquefois employé au sens d'*ego* «moi» (→ je), notamment pour exprimer l'opposition. Depuis le haut moyen âge (Léon le Grand), *nos* est employé comme pluriel dit «de majesté» lorsque le locuteur est une autorité religieuse et civile, et comme pluriel dit «de narration» pour représenter l'auteur qui s'exprime (2me moitié du VIIIe s.) ou bien l'auteur et ses lecteurs (Xe s.). Le mot latin représente une ancienne forme de cas régime (comparable à la forme atone *naḥ* du sanskrit) qui a remplacé l'ancien nominatif appartenant à d'autres racines, du type du sanskrit *vay-ám*, gotique *weis*, ou du lituanien *mẽs*, arménien *mek'* «nous».

◆ En français, les emplois de *nous* comme pronom personnel sont fixés avant la fin du XIIe siècle. Il est associé en emploi renforcé à *même(s)* (fin XIIe s., *nos meïsmes*) et à *autre(s)* (XVIe s.) marquant une forte distinction. ◂ Des emplois stylistiques se sont développés au XIIIe s. : *nous* désigne le locuteur seul, non associé à d'autres personnes (1200), spécialement dans l'emploi dit «de modestie» (1213) et comme en latin médiéval, dans celui dit de «majesté», pour un grand personnage (1241). ◂ Au XVIIe s., on commence à rencontrer ***chez nous*** pour «dans notre pays» (1662), d'où familièrement ***bien de chez nous*** «bien français» (ironique), ou encore ***entre nous***, «sans sortir du groupe que nous formons» (1690). ◂ Le pronom est substantivé (1674) pour désigner l'ensemble formé par deux ou plusieurs personnes (sens aujourd'hui vieilli). Littré enregistre l'emploi de *nous* à la place de *tu, vous, il, elle* pour marquer la sympathie, l'affection, l'intérêt (1868).

▶ *Nous* a été déformé en argot ancien en *nosis* (1562) dans la série des pronoms personnels renforcés par *is*, n. m. pl. «personne» puis *nouzaillis* (1628), et **NOZIGUES**, dans la série en *-zigue* (1829).

◈ voir **NOTRE**.

◈ **NOUVEAU, NOUVEL, NOUVELLE** adj. et n. est issu, sous la forme *novel* (déb. XIIe s.) devenue *nouveau* au XIIIe s., du latin *novellus* «jeune, récent», diminutif de *novus* (→ neuf). *Novellus* a d'abord été usité dans la langue rurale à propos d'animaux et de plantes, avant de se répandre et d'entrer en concurrence avec *novus* à basse époque impériale.

♦ En français, l'adjectif qualifie ce qui est d'apparition, de création récente et qualifie d'abord un être jeune (1130) — emploi qui est à l'origine de **NOUVEAU-NÉ, NÉE** adj. et n. (v. 1225) —, une chose fraîche (1130-1140), une personne qui a acquis un titre ou une fonction qu'elle n'avait pas encore (1165), et une personne sans expérience (fin XIIe s.) [→ novice]. ➛ Dès l'ancien français, il reçoit une valeur caractérisante, avec les nuances d'«inédit, original, hardi» (fin XIIe s.), quelquefois «singulier, inattendu» (fin XIIe s.), comme dans l'exclamation familière *c'est nouveau !* Cette dernière valeur était beaucoup plus courante à l'époque classique que de nos jours, au point que le mot fonctionnait comme synonyme de *surprenant : il est nouveau de*... (1580), *que*... (1662). ➛ Dès le XIIe s., *nouveau* exprime également l'idée de succession à une personne ou à une chose de même espèce, la notion de nouveauté pouvant rester sensible derrière celle de substitution, de succession. Ainsi, l'adjectif qualifie une chose qui en remplace une autre arrivée à son terme, déjà en ancien provençal dans *temps novel* (1119), *lune novele*, une personne ou une chose venant après une autre de même nature (1165). ◇ Au XVIIe s. (1669), il est spécialement employé devant un nom propre au sens de «qui présente les mêmes caractéristiques qu'un personnage célèbre», souvent avec une intention ironique (*un nouveau Virgile*, etc.). ➛ Un emploi analogique devant un nom propre de lieu est à l'origine d'un certain nombre de désignations géographiques (*Nouvelle-Angleterre, Nouvelle-Écosse*, etc.) et de ***le nouveau monde***. ➛ Le mot entre dans la locution adverbiale ***de nouveau*** (1121-1134, *de nuvel*), d'abord avec le sens de «récemment, depuis peu» qui a disparu, puis avec la valeur moderne de «une fois de plus» (1160). ◇ La locution ***à nouveau*** (1835) est d'abord employée spécialement comme terme de banque au sens de «sur un nouveau compte» et se distingue de *de nouveau* en ce qu'elle signifie «une fois de plus, mais d'une façon différente» (1852). Cependant, cette nuance n'est pas toujours sentie par le locuteur, qui lui donne souvent le sens de «une fois de plus» (1884).

Nouveau est substantivé depuis l'ancien français (1198) à propos d'une terre nouvellement défrichée, sens ancien qui rappelle l'emploi substantivé du féminin *novella* en latin (→ ① nouvelle). ◇ Il est employé assez rarement avec une valeur de neutre pour ce qui est nouveau, inédit (1658). ➛ ***Un nouveau, une nouvelle*** sert couramment à désigner (1832) une personne nouvelle dans une collectivité déjà formée (d'abord dans un cadre scolaire).

▶ **NOUVELLEMENT** adv. (v. 1155, *novelment* puis *novelement*) s'est immédiatement limité au sens temporel de «depuis peu, récemment», en dépit de rares attestations aux sens de «bientôt» et «habilement» (XVe s.). ➛ **NOUVEAUTÉ** n. f. n'a jamais tout à fait éliminé, sous cette forme (1280), la forme archaïque *novelté* (1160), *noveliteit* (v. 1190), *novelité* (1339) qui se perpétue, écrite *nouvelleté* d'après *nouveau*, dans la langue de certains écrivains (Gide). Cette graphie correspond en outre spécifiquement au sens juridique, «entreprise de dépossession à l'encontre d'un héritier» (1283), probablement par l'intermédiaire du latin médiéval *novalitas* (XIVe s.), latinisation de l'ancien français, qui a donné à son tour **NOVALITÉ** n. f. (1312), terme de droit étendu, du XVe au XVIIe s., au sens général d'«innovation, chose nouvelle». ◇ *Nouveauté* désigne aussi une situation nouvelle, une chose nouvelle et, plus généralement (1280), le caractère de ce qui est nouveau. La valorisation de la notion est tardive (1830, Stendhal) et contemporaine de celle de *modernité* ; jusqu'au XVIIIe s., elle fait plutôt l'objet d'emplois critiques, se rapportant spécialement aux changements, aux bouleversements politiques, religieux, sociaux (1558), ou même aux troubles, aux révolutions (de 1289 à 1628, encore en 1678 chez La Rochefoucauld). ◇ Avec une valeur concrète, *une, des nouveautés* se dit d'une chose inusitée, extraordinaire (v. 1450) et s'applique en particulier à une œuvre inédite venant de paraître ou d'être représentée (1668), aux étoffes les plus nouvelles et les plus à la mode (1694). Cet emploi a décliné avec le renouvellement du vocabulaire de la mode qui a éliminé au XXe s. ***magasin de nouveautés*** (1835), ***haute nouveauté*** «dernière mode» (1868) et *nouveauté* «commerce et industrie de la mode» (1923) en les remplaçant par le seul mot de *mode*. ◇ Quant à l'emploi de *nouveautés* pour «fruits et légumes venant avant la période normale» (1690), il a été éliminé par *primeurs*.

Dès 1080, on relève le préfixé **RENOUVELER** v. tr. sous la forme *renuveler*, qui s'est imposé aux dépens du simple *nouveler, noveler* (1080) «se modifier», «changer» (v. 1180) et en moyen français «ourdir, machiner» (v. 1360), disparu avant le XVIIe siècle. ➛ *Renouveler* exprime l'idée de «faire de nouveau, recommencer» avec les valeurs particulières de «répéter» (1080), «recommencer (des vœux)» (XIIe s.), «remettre en vigueur (un procès, un traité, un bail» en contexte juridique (XIIIe s.). Au XVIIIe s., le verbe correspond à «reprendre contact avec qqn» dans les expressions *renouveler connaissance* (1776), disparue au profit de *refaire, renouveler avec* (1849). ◇ Le verbe signifie en outre «refaire sa communion solennelle un an après la cérémonie» (1914, absolument ; dès 1900 par le participe présent **RENOUVELANT, ANTE** n.). ➛ *Renouveler* réalise aussi l'idée de changement, de transformation (v. 1120) avec une valeur méliorative dès l'ancien français, tant au physique (avec l'idée d'un retour de santé, d'une vigueur nouvelle) qu'au moral, dans un contexte de régénération spirituelle. ◇ Dans tous ses emplois, il est doublé par une construction intransitive (v. 1119) que l'usage moderne a remplacée par l'usage du pronominal *se renouveler* (attesté depuis le XIIIe s.), employé aussi pour «se succéder, être remplacé» (1746) et, dans le domaine de la création artistique, «trouver une nouvelle inspiration» (1860). ➛ Le participe passé **RENOUVELÉ, ÉE** est adjectivé avec la double signification de «neuf, nouveau», spécialement en religion dans les expressions *Adam renouvelé* «Christ» et *homme renouvelé* «régénéré», et de «répété, reproduit»; les deux valeurs convergent dans l'expression *renouvelé de* (1800) appliquée à une chose imitée d'une autre avec un certain apport nouveau. ➛ **RENOUVELLEMENT** n. m., comme le verbe, assume les deux notions de «recommencement» (v. 1160) et de «remplacement par du nouveau» (1243); il s'emploie spécialement en droit comme synonyme de *prorogation* (1837) et en religion pour l'action de renouveler sa profession de foi (1877) le mot s'employant absolument pour *renouvellement des vœux de baptême.* ➛ Le déverbal **RENOUVEAU** n. m. (v. 1200, *renouvel*) a pris à *renouvellement* le sens de «renaissance de la végétation, retour à la vie» qui en fait par métonymie une désignation du printemps (v. 1480). Avec une valeur plus générale, il empiète sur l'aire d'emploi de *renouvellement* tout en insistant sur l'idée d'un regain de vigueur (1280), mais cède presque toujours à son concurrent le sens neutre d'«action de remplacer». ➛ **RENOUVELABLE** adj. est attesté depuis 1460.

◈ voir INNOVER, NOVATEUR, NOVOTIQUE.

① **NOUVELLE** n. f., d'abord *nuvele* et *novele,* est issu (1050) du latin tardif °*novella,* pluriel neutre de *novellus* (→ nouveau), pris comme nom féminin singulier avec les sens de «jeune pousse, jeune plant», «terre récemment mise en valeur» (v. 745) et aussi «annonce d'un événement» (XIIIe s.).

♦ Le mot désigne l'annonce d'une chose arrivée récemment et, surtout au pluriel *nouvelles,* des renseignements sur l'état d'une personne ou d'une chose dont on manquait d'informations depuis quelque temps, dès 1050 dans *bonnes nouvelles.* ◇ ***Bonne nouvelle*** a pris le sens spécial, en religion, de «prédication de l'Évangile par Jésus-Christ», au pluriel (1535), puis au singulier (v. 1850), et désigne par métonymie l'Évangile lui-même. ◇ La phraséologie usuelle comprend ***vous m'en direz des nouvelles*** (fin XVIe s.; puis 1765) «vous confirmerez mon opinion» d'où (1890) «vous m'en ferez compliment», ***vous aurez de mes nouvelles*** (1694) avec la valeur menaçante «je me vengerai de vous», ***envoyer qqn aux nouvelles*** dans un contexte militaire (1671) puis général (1851), et la locution proverbiale ***pas de nouvelles, bonnes nouvelles*** (1890). La langue classique employait *pas de nouvelles* pour «n'y comptez pas, rien à faire» (fin XVIe s.). ➛ À partir du XVIe et du XVIIe s., l'accent mis sur l'annonce d'un événement conduit le mot à désigner ce que l'on apprend par la rumeur publique (1549), puis les informations diffusées au public par divers canaux (1659), au premier rang desquels les journaux (1759). Les informations générales en politique, économie, arts l'emportent progressivement sur les anecdotes piquantes que colportaient les ***nouvelles à la main*** «manuscrites et distribuées de la main à la main» (1751), mais auxquelles renvoie encore l'acception d'«échos mondains publiés en quelques lignes dans un journal» (1867). ◇ Du fait de l'emploi du mot comme titre de diverses publications à partir du XVIIIe s., *nouvelles* a désigné les journaux (1845) avant d'être supplanté par *journal* et d'autres mots.

▸ Le dérivé ① **NOUVELLISTE** adj. et n. (1620) a décliné, tant avec son sens initial de «colporteur de nouvelles» (1620, adj.; 1657-1690, n.) qu'avec celui de «rédacteur de nouvelles» (1903), aujourd'hui réservé à *journaliste.*

◈ voir ② NOUVELLE.

② **NOUVELLE** n. f., pour désigner une œuvre littéraire et, par métonymie, un genre littéraire, est emprunté (1414) à l'italien *novella* «récit imaginaire» (1348-1353, Boccace, *Le Décaméron*), de même origine que le français ① *nouvelle,* et employé au sens de «récit concernant un événement présenté comme réel et récent».

♦ La traduction en français du *Décaméron,* œuvre constituée de cent récits répartis sur dix journées, et des *Facéties* du Pogge, fournit le modèle d'un genre qui, à la fin du moyen âge, remplace le fabliau et le «dit» en vers. Ce sont, par exemple, les *Cent Nouvelles nouvelles,* titre qui exploite l'homonymie avec ① *nouvelle,* l'*Heptaméron* de Marguerite de Navarre. En français moderne, *nouvelle* est plus précis que *récit, narration* et, en tant que genre littéraire, se distingue de *conte* par la nature du contenu et de *roman* par l'ampleur. ◇ On notera que l'anglais *novel,* repris lui aussi (XVIe s.) à l'italien *novella* à propos des récits de Boccace, a évolué vers le sens plus général de «roman, fiction» (XVIIe s.), le sens de «nouvelle» étant réalisé par *short story.*

▸ Le dérivé ② **NOUVELLISTE** n. «auteur de nouvelles» est attesté bien plus tard (1852) chez Baudelaire qui l'emploie à propos d'Edgar Poe. On a employé aussi *novéliste, novelliste* et **NOUVELLIER** n. m. (1847, Balzac) qui n'a pas vécu.

NOVA, au pluriel **NOVAE** n. f. est le féminin substantivé (fin XIXe s.) de l'adjectif latin *novus* «nouveau» (→ ① neuf) par ellipse du substantif dans le syntagme *stella nova* «étoile nouvelle». L'anglais *nova* est attesté depuis 1877 par Chambers qui attribue la paternité du mot à Herschel.

♦ Le mot désigne en astronomie une étoile non visible à l'œil nu qui présente brusquement un éclat très vif mais dont l'intensité décline ensuite.

▸ On a appelé **SUPERNOVA,** au pluriel **SUPERNOVAE** n. f. (mot enregistré dans *Larousse,* 1949) une nova de très forte magnitude. Il s'agit probablement d'un emprunt à l'anglais où le mot (attesté en 1934) est formé du latin *super* et de *nova.*

NOVATEUR, TRICE adj. et n. est emprunté (1578) au latin *novator* «celui qui renouvelle», formé sur le supin *novatum* de *novare* «changer, innover», de *novus* (→ neuf).

♦ En français, le mot est d'abord employé comme nom et, depuis 1770, également comme adjectif. Jusqu'au XVIIIe s., il était toujours péjoratif (de même que *nouveauté*) et s'appliquait presque exclusivement aux propagateurs d'idées nouvelles en matière religieuse. Furetière (1690) applique le mot à Calvin, à Luther, et l'associe au nom de *réformateur*. ◇ Son emploi s'est étendu dans la seconde moitié du XVIIIe s. cependant qu'il a perdu, lentement, sa valeur défavorable. Il est partiellement concurrencé par *innovateur*.

▶ Du même groupe latin, on a emprunté **NOVER** v. (1482), supplanté par *innover** mais repris comme terme de droit financier (1868), et **NOVATION** n. f., emprunt juridique (1307, *novacion*) au latin *novatio, -onis* également employé en droit et formé sur le supin de *novare*. La langue courante connaît surtout *innovation*. ➛ Enfin, aussi formé sur le supin de *novare*, **NOVATOIRE** adj. est un terme de droit (1874).

NOVEMBRE n. m. est issu (1119) du latin *november* (au génitif *novembris*), proprement «neuvième mois de l'année», de *novem* (→ neuf), parce que le calendrier romain commençait en mars.

♦ Le mot désigne le onzième mois de l'année.

NOVICE adj. et n. est un emprunt ancien (1176) au latin *novicius* «nouveau, récent», dérivé de sens technique tiré par renforcement (selon Alfenus) de l'adjectif *novus* (→ neuf). *Novicius* était notamment employé à propos de l'esclave dont la servitude était récente et, en latin chrétien, de celui qui prenait l'habit d'un ordre religieux et se formait à la vie conventuelle avant de prononcer ses vœux (déb. Ve s., adj. et n.). Il est substantivé au neutre *novicium* (par ellipse de *verbum*) pour désigner un néologisme, une innovation langagière.

♦ En français, le mot a d'abord le sens d'«inexpérimenté» (1176, adj.), puis s'emploie comme nom (XIIIe s.), perdant toute valeur caractérisante psychologique, spécialement dans un contexte monacal (v. 1278), puis aussi à propos d'un apprenti matelot de seize à dix-huit ans (1805). ◇ Il reprend un contenu psychologique d'inexpérience à propos d'une personne qui n'a pas l'expérience du monde (surtout dans le domaine de l'amour).

▶ **NOVICIAT** n. m. (1535) est d'abord un terme religieux qui correspond au latin médiéval de même sens *noviciatus* (1330). Par métonymie, il désigne la partie d'un couvent réservée aux novices (1609) et, par analogie, se dit littérairement de l'apprentissage que l'on fait d'une profession, d'une activité particulière (1611).

NOVOTIQUE n. f. a été formé (1980) avec la finale de *informatique* sur *novo-*, élément virtuel tiré du latin *novus* (→ neuf).

♦ Le mot désigne l'ensemble des techniques et des phénomènes économiques nouveaux liés à l'informatique, concept aussi inutile que le mot est mal formé.

NOYAU n. m. est issu (déb. XIIIe s.) du bas latin *nucalis*, adjectif dérivé de *nux* (→ noix) dont le diminutif *nucleus* a donné plusieurs mots en français (→ nucléaire). *Nucalis*, «de la grosseur d'une noix, semblable à une noix», a été substantivé en latin populaire pour désigner le centre dur et ligneux de certains fruits. L'ancien provençal en a tiré *nogalh, nogaill* avec un changement de suffixe (→ nougat).

♦ En français, le mot, sous la forme *noiel, noiaus* puis *noyau* (1530), désigne la partie dure d'un fruit; dans ce sens, il entre ultérieurement dans l'expression *eau de noyau* (1721) «liqueur à base d'amandes de noyaux, généralement d'abricots» d'où, elliptiquement, *du noyau* (1922). ➛ Par analogie, au cours du XVe s., *noyau* se dit de la partie compacte au centre d'un élément naturel ou artificiel, d'abord en architecture, à propos de l'axe central d'un escalier tournant sur lequel porte l'extrémité des marches (1475). Au XVIIe s., il prend les sens techniques de «partie pleine dans un moule» (1669) et de «masse (d'une sculpture)» (1690).
D'autres valeurs se sont développées dans les sciences depuis la seconde moitié du XVIIIe s.: *noyau* est employé en astronomie à propos de la partie la plus solide et la plus brillante d'une comète (1749), de la partie lumineuse des taches du soleil (1765) et, en géologie, pour désigner la partie centrale du globe terrestre (1791). Il est passé au XIXe s. dans le langage des médecins pour désigner un petit amas d'éléments nouveaux, un nodule (1847). ◇ En biologie, il désigne le corps sphérique observé dans presque toutes les cellules (av. 1855) et qui constitue le support des gènes. ◇ *Noyau* est également employé en électricité (1890) et, depuis 1915, en physique à propos de la partie centrale de l'atome, après l'anglais *nucleus*, employé en 1912 par Rutherford; dès 1844, Faraday avait employé le terme pour un concept hypothétique (→ nucléaire). ➛ *Noyau* entre aussi dans le langage des météorologues (1950) à propos des fines particules en suspension dans l'air ayant la propriété d'activer la condensation, et en linguistique dénomme l'unité minimale de la phrase de base, aussi en apposition dans *phrase noyau* (1966; anglais *nucleus* dès 1934).
L'emploi figuré de *noyau* à propos d'un petit groupe de personnes est attesté à partir de la fin du XVIIIe s., avec la valeur de «élément ou groupe d'éléments donnant vie à un ensemble» (av. 1781) et celle de «petit groupe de personnes qui a donné naissance à un groupe plus vaste» (1794). Il est parfois pris au sens particulier de «petit groupe de gens qui exerce une activité au sein d'un milieu hostile» (1844).

▶ Les dérivés sont apparus dans le premier tiers du XXe siècle. ➛ Le dénominatif **NOYAUTER** v. tr. (1920, *Congrès de Tours*) procède du dernier sens de *noyau*, de même que son dérivé **NOYAUTAGE** n. m. (1920, *Congrès de Tours*). ➛ **NOYAUTEUR, EUSE** adj. et n. (1932) est d'abord le nom de l'ouvrier fondeur qui exécute et pose les noyaux de moules.
DÉNOYAUTER v. tr. (1922), formé sur *noyau* par préfixation et suffixation, a exclusivement le sens propre de «enlever le noyau d'un fruit». ➛ On en a tiré **DÉNOYAUTAGE** n. m. (1929) et **DÉNOYAUTEUR, EUSE** n. (1929), spécialement employé au féminin *dénoyauteuse* pour une machine qui sert à dénoyauter les fruits.

◇ voir NUCLÉAIRE.

① **NOYER** → NOIX

② **NOYER** v. tr. est issu, sous la forme *neier* (1080) puis *noiier* (1176-1184), *noyer*, du latin *necare* «faire périr, tuer (avec ou sans effusion de sang)», en particulier «tuer sans arme» et par spécialisation en latin médiéval «faire périr par immersion dans l'eau» (590). Ce verbe est dérivé de *nex, necis* «mort violente, meurtre» (à distinguer de *mors* «mort naturelle» → mort), mot racine de genre féminin et animé. Selon Festus, *nex* désignerait spécialement la mort donnée sans blessure, à la différence de *caedes*, dérivé de *caedere* «abattre, massacrer» (→ -cide, occire). Cette restriction de sens n'apparaît pas dans les textes mais on la rapprochera de la spécialisation du verbe en latin médiéval (une autre valeur possible étant «étouffer»). La racine du mot est la même que celle de *noxa* «faute, dommage», de *nocere* (→ nuire), et du grec *nekros* (→ nécro-).

♦ En français, *neier, noier* a dès les premières attestations le sens transitif de «faire périr dans l'eau» et, à la forme pronominale *se noyer*, celui de «se donner la mort par immersion» (1174-1176). À la même époque, il est employé intransitivement au sens de «disparaître dans les eaux» (1174-1178), là où l'usage moderne emploie le pronominal *se noyer*. ◆ Au XIIIe s., par extension, *noyer* développe le sens de «recouvrir d'une quantité d'eau, de liquide suffisante pour éteindre, étouffer, faire disparaître», en particulier dans les locutions ***noyer dans le vin*** (1240-1280, *se noier de vin*), surtout ***noyer ses soucis dans** (le vin...)* (XVe s.), et ***noyer dans le sang*** (1673, le complément désignant une ville). ◆ Plusieurs sens particuliers apparaissent au XVIIe s. tels ceux de «envelopper complètement dans une maçonnerie (un objet de bois ou de fer)» (1605) et, dans l'usage général, «mouiller abondamment» (1607), *se noyer de pleurs le visage* continuant *noyer en plours* (fin XIIIe s.). ◆ La forme pronominale commence à être employée au figuré avec le sens de «se laisser submerger, perdre pied» (av. 1628), d'où la locution ***se noyer dans les détails*** (1831, Balzac) et par métaphore ***se noyer dans un crachat*** (1690), ***une goutte d'eau*** (Bossuet), ***un verre, un bol d'eau*** «se perdre dans les détails». ◆ *Noyer* exprime aussi avec une valeur péjorative l'idée de «faire absorber et disparaître dans un ensemble vaste et confus ; rendre indiscernable», spécialement en peinture (1676). ◇ Son sens classique figuré de «ruiner le crédit de (qqn)» (1680) est sorti d'usage. ◇ Ultérieurement, le verbe prend, toujours avec l'idée d'indiscernabilité, le sens de «rendre sa pensée confuse, insaisissable, par un langage prolixe», par exemple dans *se noyer dans des explications* (1770). ◇ La locution ***noyer le poisson*** (1932), d'abord employée techniquement en pêche (1888) pour «épuiser le poisson une fois ferré en lui élevant par moment la tête hors de l'eau», a été influencée par le sens figuré et correspond à «rendre incompréhensible, s'en tirer par des paroles confuses».

NOYÉ, ÉE, le participe passé, est adjectivé et substantivé avec divers sens du verbe : il désigne un mort par noyade (v. 1200) et une personne en train de se noyer (1690), au figuré, une personne ruinée, submergée (1546). ◆ L'adjectif qualifie aussi un regard brumeux (1832). On appelle techniquement **NOYÉ-D'EAU** n. m. une nébulosité dans la pâte à papier (1803).

Noyer a produit deux noms d'action. ◆ Le premier, **NOYADE** n. f., est apparu sous la Terreur (1794) au sens d'«action de noyer plusieurs personnes à la fois», à propos des exécutions sommaires et massives ordonnées par le conventionnel Carrier en 1793 à Nantes. ◇ La valeur étendue et plus neutre de «fait de se noyer par accident» n'est attestée qu'une cinquantaine d'années plus tard (1846). ◇ Le mot est aussi pris au figuré pour l'action de perdre l'honneur, de ruiner son crédit (1866). ◆ **NOYAGE** n. m. (1949, Larousse) est limité au sens technique d'«action de submerger, de recouvrir de liquide». ◆ Le préfixé **ENNOYER** v. tr. (1554, *ennoier* «submerger») est un terme de géographie signifiant «recouvrir (une zone terrestre)» en parlant de la mer ou de l'eau et évoquant un phénomène durable, à la différence d'*inonder*. ◇ Il a produit **ENNOYAGE** n. m. (1932 ; 1870, autre sens). ◆ **DÉNOYER** v. tr. «dégager (une galerie noyée)» et son dérivé **DÉNOYAGE** n. m. apparaissent au XXe s. dans l'usage technique.

NU, NUE adj. et n. m. est issu (1080) sous les formes *nud, nut* et *nu* du latin *nudus* «dévêtu», «dénudé de, dépouillé de», quelquefois employé comme le grec *gumnos* (→ gymn[o]-) et, peut-être à son imitation, aux sens de «légèrement vêtu» et «sans ornement, simple». Il semble qu'il y a eu un adjectif indoeuropéen représenté par un dérivé thématique à vocalisme radical long que l'on trouve dans le vieux slave *nagŭ*, le lituanien *nůgas*, et dans des dérivés pourvus de suffixes divers (en latin, dans les langues germaniques...).

♦ *Nu*, employé dans sa première attestation au sens figuré de «dépouillé de la chair» *(os nut)*, signifie «dévêtu» (déb. XIIe s.), souvent renforcé en ***tout nu*** (1530, *tout fin nu*), ***nu comme un ver*** (v. 1278) et, par extension, «mal et pauvrement vêtu» (1176-1181), sens devenu archaïque. ◆ Dès 1080, l'adjectif qualifie aussi une épée sortie de son fourreau, puis un cheval sans harnais ni selle (1590), un œil sans lunettes ou sans appareil optique, dans la locution *à œil nud* (1690), devenue ***à l'œil nu*** (1798). ◇ Il a en outre des emplois techniques en zoologie (1636) et en botanique (1763, *graine nue*). ◆ L'adjectif qualifie au figuré une chose dépourvue d'ornement, etc. (1155), notamment une terre, un terrain sans verdure ni arbres (1609), une habitation mal ou peu meublée (1690). ◇ Depuis le XVIe s., il réalise l'idée de «simple, dépouillé» à propos de réalités abstraites, notamment la vérité (1547), le style (1549), avec des connotations péjoratives ou favorables, selon les contextes. ◆ Il entre dans la locution adverbiale ***à nu*** (1174-1176) «sans vêtement» et en parlant d'un cheval que l'on monte sans selle ni harnais (1660), en concurrence avec *à poil* et *à cru*. ◆ Il est substantivé dans ***le nu, un nu*** (1535) pour désigner une partie du corps laissée nue et spécialement, en arts, pour la représentation du corps humain nu (1669).

► *Nu* entre dans quelques composés. ◆ **NU-PIEDS** n. m. (1951) désigne une sandale légère ; on disait (1937) *des pieds nus,* emploi aujourd'hui désuet. ◆ **NUE-PROPRIÉTÉ** n. f. (1765), terme de droit civil, aussi écrit sans trait d'union (Littré), s'oppose à *usufruit.* ◆ De *nu* est dérivé **NUEMENT, NÛMENT** adv. (1210) «en état de nudité», également au figuré «simplement» (1213) et «sans fard» (1350), rare et d'usage littéraire.
Le radical du latin *nudus* a servi à former **NUDISME** n. m. (1932) et **NUDISTE** n. et adj. (1929), ce dernier ayant très rarement le sens de «peintre de nus» et se rapportant à un naturiste (1932), également comme adjectif (1932 ; 1933, *camp nudiste*).

◈ voir NUDITÉ, DÉNUDER, DÉNUER ; VA (VA-NU-PIEDS).

NUBILE adj. est emprunté (1509) au latin *nubilis* «en âge d'être mariée (d'une jeune fille)», dérivé de *nubere* «se marier, pour une fille» (→ noce), étendu dans la langue populaire à l'homme, pour lequel l'expression propre était *domum ducere,* proprement «conduire à la maison».

◆ Le mot a été introduit avec la valeur juridique «en âge d'être marié» *(âge nubile),* en parlant d'une fille puis indifféremment des deux sexes (1611). Il reste attaché à la jeune fille qu'il qualifie comme «pubère, formée» (1509).

► Son dérivé savant **NUBILITÉ** n. f. (1750) désigne l'état d'une jeune fille (quelquefois d'un adolescent) en âge de se marier, d'où la puberté.

NUBUCK n. m., terme attesté en 1979, mais probablement antérieur à la Seconde Guerre mondiale, est d'origine incertaine. On évoque un emprunt à l'anglais où il résulterait de *new buck* «nouveau daim», de *new* «nouveau», mot germanique reposant sur la même racine indoeuropéenne que le latin *novus* (→ nouveau), et *buck* «daim», lui aussi d'origine germanique (peut-être apparenté à *bouc**).

◆ Le mot désigne en commerce un cuir de bovin tanné, poncé sur fleur pour lui donner une surface veloutée comme celle d'un daim véritable mais ne provenant pas d'un cervidé. Dans l'usage courant, l'appellation *daim* est souvent utilisée (abusivement en technique et en commerce) pour *nubuck.*

NUCLÉAIRE adj. est formé savamment (1834, dict. de Jourdan) sur le latin *nucleus,* diminutif de *nux* (→ noix) qui désigne le noyau, la partie dure d'un corps, la partie interne d'une chose (cf. les emplois de *noyau* en français).

◆ *Nucléaire* est d'abord employé par les botanistes au sens ancien de «relatif au noyau de la cellule végétale, à son contenu», avant d'entrer dans le vocabulaire de la biologie au sens de «relatif au noyau de la cellule» (1857, le noyau étant ainsi dénommé avant 1855). ◆ Depuis 1919, c'est un terme de physique qui signifie «relatif au noyau de l'atome» (l'anglais *nuclear* est attesté en ce sens depuis 1914). L'adjectif devient courant dans les années 1950 avec le sens de «qui concerne l'énergie du noyau atomique», entrant dans les syntagmes ***énergie nucléaire*** (1951), ***centrale nucléaire*** (1962) et substantivé en *le* **NUCLÉAIRE** n. m. (1966) pour désigner cette énergie. Le développement de cet emploi est partiellement dû au besoin de différencier le domaine de l'énergie atomique pacifique du domaine militaire, où l'on continue d'employer *atomique.* ◇ *Nucléaire* est également employé en sociologie dans la description de la famille restreinte moderne (1949 ; en anglais *nuclear family,* Murdoch) et en linguistique (1953) pour ce qui se rapporte au noyau de la phrase.

► L'adj. a pour dérivés **NUCLÉARISER** v. tr. (1915), d'où **NUCLÉARISATION** n. f. (1959).

À l'exception des couples **MONONUCLÉAIRE** adj. (1897) et **MONONUCLÉOSE** n. f. (1901), **POLYNUCLÉAIRE** adj. (1899) et **POLYNUCLÉOSE** n. f. (1903), termes de biologie et de médecine concernant des cellules à un seul ou à plusieurs noyaux, les dérivés et composés de *nucléaire* ont trait au sens du mot en physique et sont apparus après 1950. ◆ **THERMONUCLÉAIRE** adj. et n. m. (1950) est sorti de l'usage scientifique strict à cause de son emploi dans *bombe thermonucléaire.* ◆ En revanche, **ÉLECTRONUCLÉAIRE** adj. et n. m. (1962) et **ÉLECTRONUCLÉARISATION** n. f. (1972) ne sont que des termes techniques. ◆ **DÉNUCLÉARISER** v. tr. et **DÉNUCLÉARISATION** n. f. (tous les deux v. 1957). Les craintes concernant les dangers engendrés par l'exploitation de l'énergie nucléaire ont succédé à l'euphorie des années 1960, mais on relève **ANTINUCLÉAIRE** adj. dès 1960, avant son antonyme **PRONUCLÉAIRE** adj. (v. 1970). ◆ Du latin *nucleus,* on a tiré les éléments **NUCLÉO-, NUCLÉ-** qui entrent dans la construction d'un certain nombre de termes scientifiques en biochimie et en physique nucléaire ; par exemple, **NUCLÉO-ÉLECTRIQUE** adj. (1974) qualifiant l'électricité produite à partir de l'énergie nucléaire. ◇ Quant à **NUCLÉON** n. m., terme de physique nucléaire désignant chacun des éléments constituant le noyau atomique, il est formé (1923) de l'élément *nucléo-* et du suffixe *-on* de *proton* et *neutron.* ◇ Son dérivé **NUCLÉONIQUE** adj. et n. f. (1950) est probablement emprunté à l'anglais de même sens *nucleonic,* adj. (1946), dérivé de *nucleon* (1923) avec le suffixe *-ic.* Le mot a été introduit dans la terminologie scientifique française par les physiciens Théo Kahan et Claude Magnan. ◆ La chimie biologique connaît plusieurs autres dérivés et composés, dont **NUCLÉIQUE** adj. servant à qualifier les acides du noyau de la cellule (1896), essentiels dans la constitution du matériel génétique. ◇ L'adjectif emprunté à l'anglais *nucleic (acid)* a servi à former deux composés, **RIBONUCLÉIQUE** adj., qui succède à *acide ribose nucléique* (1949), et qui est formé sur *ribose* et *nucléique* d'après l'anglais *ribonucleic,* abrégé en **ARN,** et **DÉSOXYRIBONUCLÉIQUE** adj. (1960) dans *acide désoxyribonucléique* ou **ADN,** désignant les deux types d'acides porteurs des caractères génétiques. ◆ **NUCLÉASE** n. f. (1906) désigne l'enzyme qui catalyse la scission des acides nucléiques. ◆ **NUCLÉINE** n. f. (1882) a été remplacé par **NUCLÉOPROTÉIDE** n. m. (1903), «combinaison d'un acide nucléique et d'une protéine basique». Lorsque l'acide est ribonucléique, on parle de **NUCLÉOPROTÉINE** n. f. (1908, *Revue* *gén. des sc.*). ➡ **NUCLÉOSIDE** n. m., qui succède (1907) à *nucléosine* (1897), désigne la combinaison moléculaire qui est à la base des nucléotides. ➡ **NUCLÉOTIDE** n. m. «unité élémentaire des acides nucléiques» est attesté récemment (1963 dans les dictionnaires généraux).

L'élément *nuclé-* sert aussi à former **NUCLÉOLE** n. m. (1844) «organite des noyaux cellulaires», d'où **NUCLÉOLÉ, ÉE** adj. (1877) et **NUCLÉOLAIRE** adj. (1897).

Par ailleurs, le latin *nucleus* a fourni **NUCLÉUS** ou **NUCLEUS** n. m., d'abord en botanique (1834, Jourdan) pour «nucelle», puis en préhistoire pour désigner un noyau de roche dure taillé par éclats (1864). ◇ En physique (v. 1970) le mot, par réemprunt à l'anglais, s'applique au noyau atomique entouré des électrons. Le mot a d'autres valeurs didactiques, en concurrence avec *noyau;* il a servi à former **PRONUCLÉUS** n. m. (1897), terme de biologie. ➡ Enfin, on a formé sur *nucleus* le terme de biologie **NUCLÉÉ, ÉE** adj. «qui possède un ou plusieurs noyaux» (1855, *nuclé*).

NUDITÉ n. f. est emprunté (v. 1350) au bas latin *nuditas, -atis* «état d'une personne ou d'une partie du corps nue» et au figuré «défaut d'ornement (du style)», dérivé de *nudus* (→ nu).

♦ *Nudité* a supplanté les anciennes formes issues de *nuditas* par évolution phonétique, *nuiteit, nueté* (fin XIIe-XVe s.). Le mot désigne l'état d'une personne nue ou d'une partie du corps dénudée. ➡ Le pluriel est particulièrement employé dans la langue classique pour désigner les parties du corps nues ou presque nues qui sont habituellement couvertes (1687, Fénelon, *Traité de l'éducation des filles*), spécialement en peinture (1657) pour la représentation esthétique d'un sujet nu : Furetière le glose par «figures lascives ou sans aucune draperie» (1690). ➡ Depuis le XVe s. (1470), *nudité* est aussi employé au figuré pour l'état de ce qui est dépouillé d'ornements et, spécialement en littérature, du style (1840). Depuis le XVIIe s. (1663) il se dit aussi, avec une valeur morale favorable, de l'état d'une chose révélée dans sa vérité, sans fard ni dissimulation.

NUE n. f. est issu (v. 1112) d'un latin populaire °*nuba*, forme altérée du latin classique *nubes* «nuage, essaim, voile, obscurité» et «multitude» (de sens propre et figuré), qui survit dans l'ancien provençal *niu* «nuage» (av. 1250) et dans le portugais de même sens *nuvem* (d'après l'accusatif latin *nubem*). *Nubes* contient, de même que *nubere* «voiler» (→ noce) et *nebula* (→ nébuleux), *nimbus* (→ nimbe), une racine indoeuropéenne représentée dans le grec *nephelê* «nuée» et *nephos* «nuage», le vieux norrois *njōl* «ténèbres», l'ancien haut allemand *nebul* «brouillard» (d'où l'allemand moderne *Nebel*), le sanskrit *nábhas-* «nuage», le vieux slave *nebo* «ciel».

♦ En français, *nue* au sens de «nuage» a reculé au XIXe s. au profit de son dérivé *nuage;* il ne se maintient que dans les locutions figurées ***porter aux nues*** (1739) qui succède à *mettre jusques aux nues* (1538), et ***tomber des nues*** d'abord (1647) «arriver à l'improviste», qui a pris son sens moderne peu après (1666-1667). Le mot connote surtout l'élévation, ce qui le distingue, selon les critères d'usage, de ses dérivés *nuée* et *nuage*.

▶ Le dérivé en *-ée*, **NUÉE** n. f. (1180-1190) «gros nuage», n'est lui-même pas très courant : selon les synonymistes, la nuée se distinguerait du nuage par son contenu et par le fait qu'elle est grosse de pluie; en fait, dans l'usage, le mot appartient au style littéraire et ne s'emploie guère qu'au pluriel. Il se dit plus particulièrement d'une traînée de vapeur aux contours imprécis (1538), spécialement en vulcanologie dans l'expression ***nuée ardente*** (1902). ➡ Par réemprunt, il désigne une multitude d'hommes ou de choses (v. 1310; en parlant de projectiles, 1564), et en particulier une grande quantité d'animaux ou d'objets se mouvant dans l'air (1688, *nuées de sauterelles* dans un contexte biblique). Il s'agit alors plutôt d'une analogie. ➡ Depuis la fin du XIXe s. (1893), il se dit également pour des abstractions, avec la valeur péjorative d'«idées obscures, chimériques et inconsistantes», renouant avec l'ancien sens psychologique de «tristesse» qu'il partageait, chez Charles d'Orléans (XVe s.), avec *nue*.

Nue a ensuite produit **NUER** v. tr. (1356), par l'intermédiaire de l'adjectif *nué, nuée* (v. 1200) exprimant ce qui change de couleur en formant un dégradé. C'est un verbe peu usité qui signifie «assortir, unir harmonieusement les couleurs», spécialement en broderie où *or nué*, dès 1352, désigne le fil d'or travaillé en fond d'un ouvrage rebrodé de fils aux teintes délicatement assorties, et où *nuer* signifie «distribuer harmonieusement les couleurs» (1671). ➡ Le verbe est à l'origine de **NUANCE** n. f. (1380), plus usuel. Ce dernier, qui se dit proprement de couleurs, a développé ses emplois figurés au XVIIe et au XVIIIe s., en particulier à propos du langage (1668), pour désigner une différence sensible entre choses de même nature (1740) et ce qui s'ajoute à l'essentiel pour le modifier légèrement (1751, *une nuance de...*). Depuis le XIXe s. (1849), il est employé spécialement dans le vocabulaire musical. ➡ À son tour, *nuance* a donné le verbe **NUANCER** v. tr. (1680; av. 1630, **NUANCÉ, ÉE** adj. «qui offre plusieurs nuances de la même couleur»), qui a supplanté *nuer* dans l'usage courant. ◇ Au XVIIIe s., *nuancer* a développé des sens figurés «exprimer les nuances les plus subtiles» (1734) et «atténuer, adoucir» (1734), entraînant l'emploi de son participe passé (1810) au sens de «qui n'est pas net, pas tranché». ➡ Il a produit **NUANCEMENT** n. m. (1855), terme de phonétique pris aussi (1878) dans une acception générale. ◇ Enfin *nuance* a donné le terme technique **NUANCIER** n. m. (v. 1950) «présentoir de coloris».

Nue a aussi donné **NUAISON** n. f. (1529), mot qui a désigné la durée d'un même vent. ➡ Il a aussi pour dérivé **NUAGE** n. m. (1564) avec le suffixe collectif *-age*. Ce dernier, proprement «ensemble de nues», a peu à peu remplacé *nue* et *nuée* pour désigner en général toute formation bien délimitée de vapeur d'eau dans l'atmosphère. ◇ Il est employé par métaphore dans la locution ***être dans les nuages*** (1847) «être distrait». ◇ Par analogie d'aspect, on parle aussi de *nuage de poussière* (1717), de *nuage de lait* (1840). ◇ Vers la fin du XVIe s., le mot a développé le sens figuré de «ce qui obscurcit l'intelligence, la vue» (1576), se rapportant spécialement à un trouble de la vue dû à la fatigue (1619); il reste alors en concurrence avec *nuée.* Il est employé dans le domaine des sentiments et des émotions avec une idée de menace (1604), ainsi que dans le domaine des relations humaines (1669). ➛ *Nuage* a donné **NUAGEUX, EUSE** adj. (1564; 1549, *noageuse* au féminin) qui reprend les emplois analogiques et figurés (1767). ➛ L'autre adjectif **NUAGÉ, ÉE** (1576) «couvert de nuages» a vieilli, de même que **NUAGER** v. (1611) «couvrir de nuages», remplacé par **ENNUAGER** v. tr. (1611) qui, au figuré et littéraire, s'emploie pour «couvrir de choses vaporeuses» (av. 1890). ➛ On relève aussi les dérivés d'usage poétique **NUAGER, ÈRE** adj., **NUAGERIE** n. f. et les termes d'histoire de l'art **NUAGISME** n. m. (v. 1954), **NUAGISTE** n. (v. 1954) concernant un style de peinture abstraite suggérant des nuages.

◈ voir OBNUBILER.

NUIRE v. intr. est issu (1160) d'un latin populaire **nŏcere* (avec -o- bref), altération du latin classique *nōcere* (avec -o- long) «causer du mal, faire du tort», qui a lui-même donné l'ancien français *nuisir* (1119). *Nocere* se rattache à la racine indoeuropéenne °*nek-* «mettre à mort» (→ nécro-, ② noyer, pernicieux); il a d'abord signifié «causer la mort, préparer la mort de (qqn)», le complément étant au datif, avant de s'affaiblir en «faire du mal», le sens de «tuer» étant réservé à *necare* (→ noyer).

♦ *Nuire* a gardé ce sens, en construction intransitive et absolue (1228), en ancien français il est aussi employé transitivement (comme en latin tardif); ultérieurement, le verbe est employé à la forme pronominale *se nuire,* réciproque (1690) et réfléchie (1769).

▸ Son radical a servi à former **NUISANCE** n. f. (v. 1120) «tort, dommage, préjudice», plus rare à partir du XVIIe s. : Malherbe le taxe de «vieux mot sorti de l'usage» et Furetière (1690) note qu'il ne se dit plus guère qu'au Palais à propos d'un obstacle, d'une incommodité. ➛ L'usage actuel du mot au sens de «facteur de gêne ou d'insalubrité dans une zone donnée» (1863 en référence à l'Angleterre) est repris de l'anglais *nuisance,* lui-même emprunté au français (XVe s.) et employé depuis le XVIIe s. pour une cause de gêne dans l'environnement. Le mot semble inusité en français avant sa diffusion (1936, *nuisance industrielle*) en relation avec le vocabulaire de l'environnement et de la pollution (voir ces mots).

Quant à **NUISIBLE** adj. (1370-1372), c'est la réfection d'après le latin de même sens *nocibilis,* de l'ancien français *nuisable* (v. 1120), dérivé régulier de *nuire.* ◇ Il s'emploie au concret comme à l'abstrait, souvent dans la construction *nuisible à* (qqn, qqch.). Une valeur spéciale concerne les animaux, avec un emploi substantif *(les nuisibles)* qui paraît récent. ➛ Ses dérivés **NUISIBLEMENT** adv. (1549) et **NUISIBILITÉ** n. f. (fin XVIIIe s.) sont peu usités, ce dernier étant réservé à l'usage didactique. ➛ Récemment (av. 1970), on a commencé à employer le participe présent **NUISANT, ANTE** comme adjectif au sens de «qui cause une incommodité» en relation avec le sens moderne de *nuisance.* ➛ Le composé **S'ENTRE-NUIRE** v. pron. (XIIIe s.) est d'usage littéraire.

◈ voir INNOCENT, NOCIF, NOCUITÉ.

NUIT n. f. est issu, d'abord sous la forme *noit* (v. 980) puis *nuit* (1050) et *nuict* par latinisme (en ancien français), du latin *noctem,* accusatif de *nox, noctis* «nuit», «repos de la nuit», «obscurité», et «nuit éternelle, ténèbres» (→ nocturne). Ce nom contient la racine indoeuropéenne °*nokt-* «nuit», base servant à former le nom d'une force active, qui est féminin, comme *lux* «lumière» et *nix* «neige»; elle est également représentée en grec par *nux, nuktos* (→ nyctalope), en germanique avec un thème en *-t-* (allemand *Nacht,* anglais *night*), en baltique et en slave avec un thème élargi en *-i-* (vieux slave *noštĭ*).

♦ En français, le mot est apparu avec le sens de «temps qui s'écoule du coucher au lever du soleil» par opposition à *jour,* antonyme auquel il est associé dans l'expression ***nuit et jour*** (1170, *nuit e jor;* au Xe s., *e noit e di*) et, avec un autre ordre, *jour et nuit* (1538). ◇ *Nuit* entre dans la locution adverbiale ***de nuit*** (1160-1174, *de noit*) «pendant la nuit», en particulier dans *travailler de nuit* (1510), *être de nuit* (1959) dans un contexte professionnel. ◇ On dit couramment ***passer la nuit*** (1606), d'où ***il ne passera pas la nuit*** (1694) pour un malade qui va mourir, et ***passer une nuit blanche*** «sans dormir» (1774). ◇ *De nuit* fournit le complément de détermination de nombreux noms dans *bonnet de nuit* (XVIe s.), *chemise de nuit* (1632), *oiseaux de nuit* (16[illegible]6), *table de nuit* (1730), *vase de nuit* (v. 1820). ➛ Par métonymie, *nuit* a désigné le soir en ancien français (valeur qu'a l'anglais *night* dans *tonight* «ce soir»). ◇ Le mot suggère aussi le plaisir amoureux pris pendant la nuit (1655). ➛ Une autre métonymie correspond au prix d'une chambre d'hôtel pour une nuit (1868).

Dès les tout premiers textes, le mot a également le sens d'«obscurité» tout comme *jour* exprime l'idée de lumière et *nuit* est souvent associé à *noir.* ◇ La langue classique réalise ce sens par des emplois particuliers d'usage littéraire, avec la périphrase *la nuit du tombeau* (1604) «la mort», le sens de «ténèbres, aveuglement spirituel et moral» (1611) et celui de «condition socialement obscure» (1664) disparu au XVIIIe siècle. ◇ À la même époque, *nuit* se dit par métonymie d'un tableau qui représente une scène de nuit (1621) [on dit aussi *nocturne*]. ◇ L'expression ***la nuit des temps*** (1682) désigne un passé très lointain, indéterminé.

▸ *Nuit* a produit quelques dérivés de sens particulier. ➛ **NUITÉE** n. f. (1195, *nuitie;* 1561, *nuyctee*) désigne l'espace de temps que dure la nuit et, autrefois, se disait pour un travail d'une nuit (1366). Concurrencé par *nuit,* il n'a jamais eu dans cet emploi le même succès que *journée* par rapport à *jour,* ni *matinée* ou *soirée.* ◇ On l'a aussi employé pour le fait de passer une nuit quelque part, d'abord en parlant des animaux (1561) puis aujourd'hui en parlant des personnes, dans l'hôtellerie (v. 1960). ➛ **NUITEUX, EUSE** adj. et n., poétique au sens de «de la nuit» (1553, *nuyteuses étoiles*), a disparu au XVIIe siècle. ➛ Le mot a été reformé et substantivé en argot pour désigner le chauffeur qui travaille de nuit (1935) et, au féminin *nuiteuse*, une prostituée (sens qui semble sorti d'usage). ➜ Il est partiellement concurrencé par **NUITARD** n. (v. 1970) «personne travaillant la nuit» (spécialement à la poste). ➜ **NUITER** v. intr. (1614; déjà au XIIIe s. dans *nuiter la nuit*), signifie «passer la nuit, se coucher pour la nuit»; il est peu usité. ➜ **S'ANUITER** v. pron. «se laisser surprendre par la nuit» (1636), qui prolonge l'ancien français *anuiter* «faire nuit» (v. 1155), est sorti d'usage. On relève encore **AVANT-NUIT** n. f. (v. 1950). ➜ **NUITAMMENT** adv. «de nuit, à la faveur de la nuit» est l'altération (1328, *nuytamment*), d'après les adverbes en *-amment*, de l'ancien adverbe *nuitantre, nuitante* (XIIe s.), issu du bas latin *noctanter*, de *nox, noctis*.

NUISETTE n. f., hybride de *nuit* et *chemisette* (cf. *chemise de nuit*), a été formé publicitairement (1964) pour désigner un vêtement de nuit féminin, très court, appelé par anglicisme *baby-doll*.

◈ voir ÉQUINOXE, NOCTAMBULE, NOCTUELLE, NOCTURNE.

NUL, NULLE

NUL, NULLE adj. et pron. indéf. est issu (842) du latin *nullus* adj. et pron. «pas un, aucun», composé de la négation *ne* et de *ullus* «un quelconque, quelqu'un» et «aucun», en phrases négatives, interrogatives et conditionnelles, lui-même dérivé de *unus* (→ un). Dès les plus anciens textes latins, *nullus* se substitue à *nemo* «personne» à certains cas et tend à l'éliminer dans la langue parlée (le roumain seul a gardé *nemo*). Il est rare au neutre *nullum* «aucune chose», et remplacé alors par *nihil* (→ nihilisme). De même que *nullus sum* signifie «je ne suis plus rien», *nullus* peut se joindre comme une sorte d'apposition à un sujet (exprimé ou non) et au verbe de la phrase avec le sens de «du tout, pas du tout». Enfin, il est employé comme adjectif qualificatif au sens de «sans valeur, sans importance».

♦ *Nul* est d'abord employé comme adjectif indéfini (842) et comme pronom indéfini (v. 980), en combinaison dans ***nul autre*** (1170), avant d'être également pris comme qualificatif au sens juridique de «sans valeur légale». Il développe au XVIe s. son sens courant de «sans valeur» (1559), à propos d'une chose et, ultérieurement, d'une personne sans qualités intellectuelles (1769), dépourvue de connaissances dans certains domaines (1804, Senancour, *être nul dans...*). ➜ Des emplois didactiques ont suivi au XIXe s. en botanique (1823), en sports (1828) au sens de «qui ne vaut rien» et «qui reste sans résultat», et en mathématiques dans *nombre nul* «égal à zéro» (1903). ➜ Le mot est substantivé au féminin *nulle* (1640) avec le sens ancien de «zéro», puis pour désigner un caractère qui ne signifie rien et que l'on emploie dans les correspondances chiffrées pour les compliquer (1690). ◇ Le masculin est lui aussi substantivé avec une valeur de neutre au sens de «caractère de ce qui est sans valeur» (1874), en concurrence avec *nullité*. ➜ D'autre part, l'adjectif sert d'appréciation négative pour un exercice scolaire, d'où son emploi en parlant des personnes pour «très mauvais» *(un élève nul)*. De ce sens, vient l'emploi récent (v. 1985) dans la langue des jeunes, s'appliquant — *il est nul, c'est nul* — à tout aspect dévalorisé d'une personne (beauté, intérêt...), et aussi substantivé *(c'est un nul)*. Ces emplois croisent tous ceux qui concernaient les personnes, depuis le XVIIIe s., et en étendent la signification, cf. ci-dessous *nullard*. ➜ Voir aussi *part** pour *nulle part*.

▶ De *nul* est dérivé **NULLEMENT** adv. (v. 1280) «en aucune façon» et «de façon non valable» en droit (1586), également employé isolément dans une réponse négative au sens de «non» (1836). ➜ Plus récemment, *nul* a produit **NULLARD, ARDE** adj. et n. avec le suffixe péjoratif *-ard*, «tout à fait nul d'un point de vue scolaire ou intellectuel» (1953). Ce nom recule devant l'emploi substantivé de *nul* (ci-dessus). ➜ **NULLITÉ** n. f. est emprunté (1405) au latin médiéval *nullitas* «invalidité, caractère de ce qui est nul» (1332), dérivé de *nullus*. ◇ Le mot est d'abord employé dans une acception juridique dans *pronuncier de nullité* «déclarer sans valeur légale»; il prend son sens général de «caractère de ce qui est nul» ultérieurement (1747). Par métonymie, on dit d'une personne nulle : *c'est une nullité*. ➜ Le vocabulaire juridique a emprunté **NULLIFICATION** n. f. (1832) et **NULLIFIER** v. tr. (1834) à l'anglais *nullification* (1798) et *to nullify* (1595), mot emprunté au bas latin juridique *nullificare* «annuler». Mercier avait déjà introduit *nullifier* en 1801 *(Néologie)* au pronominal *se nullifier* «devenir plus nul».

ANNULER v. tr. est emprunté (av. 1250, *anuler*) au latin chrétien *adnulare* «considérer comme nul, mépriser», préfixé en *ad-* formé sur *nullus* et calqué sur le grec chrétien *ex-oudenein* (ou *ex-oudenoun*) «considérer comme rien, mépriser» (Bible des Septante), d'autre part spécialisé en droit dans les textes médiévaux. ➜ La valeur morale de «mépriser», attestée isolément, a été rapidement supplantée par la valeur juridique : «considérer comme nul, rendre nul» (1289). Celle-ci a déterminé l'emploi courant du verbe pour «supprimer, affaiblir jusqu'à faire disparaître». ➜ Les dérivés sont apparus dans le domaine juridique : **ANNULATIF, IVE** adj. (XVIe s.), **ANNULABLE** adj. (1823), d'où **ANNULABILITÉ** n. f. (1829); seul **ANNULEMENT** n. m. (1838) est spécialisé en marine pour désigner le signal qui annule le signal précédent. ➜ **ANNULATION** n. f., que son antériorité sur cette série de dérivés (1320, *annullacion*) incite à traiter comme un emprunt au latin chrétien *adnullatio* (IVe-Ve s.), bien représenté dans les textes juridiques médiévaux, est rare en ancien français (on le trouve uniquement au XIVe s.). Sa reprise et sa diffusion se sont faites au XVIIIe s. (1751) dans le langage de la justice, avant que le nom ne devienne le substantif normal du verbe *annuler*, dans son emploi général.

NUMEN

NUMEN n. m. (plur. **NUMINA**), est un emprunt (XIXe s., francisé en *nume* fin XVIe s., d'Urfé) au latin *numen, -inis* «puissance divine », d'abord «signe de tête (exprimant la volonté)».

♦ Repris didactiquement en histoire des religions, le mot fut employé par Baudelaire pour «la vérité emphatique du geste» et l'emphase picturale de son image.

▸ **NUMINEUX, EUSE** adj. adapte (1949) l'allemand *numinose* (Rudolph Otto, 1917), tiré de *numen* d'après *omen* «présage», *ominose*. Le mot concerne l'aspect sacré de l'expérience humaine, le sentiment diffus, à la fois effrayant et attirant, du *numen*.

NUMÉRAIRE adj. et n. m. est emprunté (1561) au latin tardif *numerarius* «relatif au nombre», «calculateur», substantivé au sens de «officier comptable», et dérivé du verbe *numerare* «compter», de *numerus* (→ nombre).

♦ Le mot français, emprunté comme adjectif pour «concernant les nombres», spécialement dans *calcul numéraire* (1738) «qui se fait par des nombres», a vieilli dans cet emploi. Cf. *numéral*. ◆ Le mot est substantivé (1720) pour désigner une espèce courante en or et en argent qui circule dans un État (la locution *en numéraire* équivalant à «en espèces», 1790), puis par extension toute monnaie ayant cours légal.

▸ **NUMÉRAL, ALE, AUX** adj. est emprunté (1475) au bas latin *numeralis* «qui indique un nombre, un rang (en grammaire)», dérivé de *numerus*. En français, le mot est d'abord employé en mathématiques dans l'expression *proporcion numerale* «proportion exprimée par des nombres, se faisant par des nombres». On trouve chez Rabelais l'expression ancienne *science numérale* pour «arithmétique» (1534) et, depuis 1690, celle de *lettres numérales* à propos des lettres employées comme chiffres romains. L'emploi du mot en grammaire est attesté depuis 1550. ◆ **NUMÉRATION** n. f. est emprunté (1435) au latin *numeratio, -onis* «action de compter de l'argent», de *numerare* «compter». ◇ Le mot a le sens de «dénombrement» dans l'ancien droit, puis de nos jours (1903) en biologie, et d'«action de compter» (1470), spécialement en hématologie *(numération globulaire)*. ◇ Il est également employé en arithmétique (1484) où il désigne la manière de rendre sensible la notion abstraite de «nombre». ◆ **NUMÉRATEUR, TRICE** n. m. et adj. est un terme d'arithmétique qui désigne le nombre indiquant, dans une fraction, combien celle-ci contient de parties de l'unité ; il est emprunté (1484) au bas latin *numerator* «celui qui compte», de *numerare*. ◆ **NUMÉRIQUE** adj. est dérivé savamment (1616) du latin *numerus* avec le suffixe *-ique*. Le mot signifie «qui a rapport aux nombres», «qui appartient aux nombres» est essentiellement employé en mathématiques (par exemple dans *extraction numérique*, 1756 ; *tableaux numériques*, 1868) et plus tard en informatique. Il est également employé avec le sens de «évalué en nombre» (1765). ◇ En sont dérivés **NUMÉRIQUEMENT** adv. (1697) «par le moyen de l'arithmétique» et «relativement au nombre» (1762) et deux termes d'informatique récents, **NUMÉRISER** v. tr. (v. 1970) et **NUMÉRISATION** n. f. (1974), francisations de *digitaliser* et *digitalisation*. ◆ **NUMÉRATIF, IVE** adj. est un dérivé savant (1823) sur le latin *numeratum*, supin de *numerare* ; il a été anciennement employé comme nom au sens d'«adjectif numéral» avant de qualifier ce qui sert à compter.

◈ voir ÉNUMÉRER, NOMBRE, NUMÉRO.

NUMÉRO n. m. est emprunté (1589) à l'italien *numero* «nombre», en particulier «nombre attribué à une chose dans un registre» et «chiffre avec lequel on joue à un jeu de loterie disparu, la *blanque*», emprunté au latin *numerus* (→ nombre).

♦ Le mot désigne d'abord le nombre apposé sur un objet pour le distinguer d'autres objets de la même espèce, surtout dans le langage du commerce : il se dit en particulier du chiffre mis sur une catégorie de marchandises pour en indiquer la grosseur, la longueur, la qualité (1723). C'est de ce sens que procèdent les locutions familières *c'est du bon numéro* (1808), *du premier numéro* (1833) et *de premier numéro* (1862), toutes désuètes, et ***numéro un*** (1836), cette dernière concurrencée par l'anglicisme *number one* (1979) en français qui a pris ce sens qualitatif en anglais au XIXe siècle. ◆ À partir du XVIIe s., *numéro* a reçu d'autres acceptions sans empiéter sur *nombre :* il se dit du nombre qui se trouve sur un billet de loterie (1611) et, comme en italien, d'un nombre dans un jeu de loterie (1621). Ultérieurement, il désigne par métonymie le billet portant un numéro et qui était tiré à la conscription (1842), sens qui a suscité les locutions ***avoir le bon numéro*** (1846) et ***tirer un*** (ou le) ***bon numéro*** (1871), aujourd'hui comprises dans le contexte général de la loterie, des jeux du hasard, le tirage au sort des conscrits ayant disparu. ◇ Au XVIIe s., *numéro* avait servi à former les expressions *entendre le numéro* (1621) «avoir de l'adresse» et *savoir le numéro* (1665) dont Furetière, citant Pasquier, fait remonter l'origine au jeu de blanque où *entendre le numéro*, c'est, pour un joueur, connaître le nombre sous lequel sa devise est enregistrée. ◇ À la fin du XVIIIe s., le mot commence à se rapporter à chacun des exemplaires d'une publication périodique, puis au chiffre indiquant la place d'une maison (1800), d'une chambre d'hôtel (1846) et, par métonymie, de son habitant (1846), par exemple dans *le numéro 6* (cf. à la fin du XVIIIe s., *Monsieur le Six*, numéro de prisonnier du marquis de Sade). *Numéro* s'applique aussi au nom d'un navire signalé au moyen des pavillons du code international (1848). ◆ Il passe dans le vocabulaire du spectacle, désignant une petite partie autonome dans un programme de variétés, de cirque, de music-hall (1879) et s'applique d'après cet emploi au comportement d'une personne qui veut se faire remarquer (1901, ***faire son numéro***). ◇ Le sens familier de «personne bizarre, originale» (1901), qui semble remonter à l'ancienne locution ***être un bon numéro*** (1844) «être ridicule», a probablement été influencé par la connotation du spectacle.

▸ De *numéro* est dérivé **NUMÉROTER** v. tr. (1680) par une fausse analogie avec les verbes faits sur les noms en *-ot* (*jaboter* sur *jabot*), qui signifie «donner un numéro d'ordre (à des objets)» et s'emploie spécialement dans la locution argotique ***numéroter ses abattis**** (1895), anciennement aussi *numéroter son squelette* (1802), *ses membres*, avec l'idée de «se préparer à être roué de coups». ◆ **NUMÉROTÉ, ÉE** adj. (1690), du participe passé, s'applique couramment à ce qui porte un numéro, employé spécialement dans *compte numéroté*. ◆ Le verbe a produit **NUMÉROTAGE** n. m. (1791) «action de numéroter», «ordre de numérotation» (1834), spécialement employé dans l'industrie textile (1845), et **NUMÉROTATION** n. f. (1834) qui désigne plutôt le résultat de l'action que l'action elle-même, bien que l'usage ne fasse pas toujours la distinction. ➛ Le nom d'agent **NUMÉROTEUR** n. m. (1791) désigne l'instrument servant à imprimer les numéros à la main.

NUMISMATIQUE adj. et n. f. est formé avec le suffixe *-ique* (1579) sur le latin *numisma, -atis* «pièce de monnaie», emprunté au grec de même sens *nomisma, -atos,* proprement «coutume, ce qui est reconnu et admis». Ce nom est dérivé de *nomos* «ce qui est conforme à la règle», «usage» (→ anomalie). Il s'agit d'un mot appartenant au groupe important de *nemein* «répartir selon l'usage ou la convenance, faire une attribution régulière» (→ nomade, -nome).

♦ *Numismatique* est d'abord employé comme adjectif au sens du latin *numisma* «qui concerne la monnaie», spécialement dans *science numismatique* (1740), d'où le substantif *la numismatique* (1803). Il se dit aussi plus particulièrement de la frappe, de l'émission des monnaies et médailles (1939). Après le développement de l'économie moderne et des valeurs de *monnaie* et de ses dérivés (*monétaire,* etc.), *numismatique* s'est spécialisé au sens de «relatif aux monnaies anciennes et aux médailles».

▸ Son dérivé régressif **NUMISMATE** n. «spécialiste des monnaies et médailles» (1819) a été formé sur le modèle de *diplomate;* au XIXe s., on relève également *numismatiste* n. m. (Littré).

NUPTIAL, ALE, AUX adj. est emprunté (déb. XIIIe s.) au latin *nuptialis* «de noces, qui concerne le mariage; conjugal», dérivé de *nuptiae* «les noces» (→ noce).

♦ En français, le mot signifie «relatif à la cérémonie du mariage» et, dans le langage juridique, «qui concerne le mariage» (XVIe s., *profits nuptiaux*); quelques syntagmes comme *marche nuptiale, cérémonie nuptiale* sont particulièrement fréquents. ➛ Il a pris en zoologie la valeur spéciale de «relatif à l'activité sexuelle des animaux» (1901 dans *vol nuptial*).

▸ Le dérivé **NUPTIALEMENT** adv. (1584) est peu usité. ➛ **NUPTIALITÉ** n. f. (1879) est un terme de démographie qui prend place à côté de *natalité* et de *mortalité* pour désigner le nombre de mariages célébrés pendant un certain temps dans une population. ➛ **ANTÉNUPTIAL, ALE, AUX** adj., «qui précède le mariage» (XVIe s.), est un terme de droit. ➛ **PRÉNUPTIAL, ALE, AUX** adj. a été introduit dans la langue de l'administration (1932) en parlant des examens, notamment sanguins, ayant pour but de contrôler l'état de santé des futurs époux.

NUQUE n. f., sous la forme *nuche* (1314) puis *nuque* (1377), est emprunté au latin médiéval *nucha* (XIe s.) «moelle épinière», emprunté à l'arabe *nuḫḫ* «moelle» par le médecin Constantin l'Africain (né à Carthage au XIe s.), qui enseigna à la fameuse école de Salerne.

♦ Le mot français désigne seulement la moelle épinière jusqu'au XVIe s., époque où il prend son sens moderne (1546) «partie arrière du cou», sous l'influence d'un autre nom arabe de forme voisine *nuqra,* signifiant «nuque (au sens moderne)» et rendu par *nocra, nucra* dans les textes médicaux en latin médiéval (qui auraient dû donner **nucre*). La substitution de *medulla* (→ moelle) à *nucha* en latin scientifique du XVIe s. pour désigner la moelle épinière a également joué. À son tour, *nuque* a favorisé le changement de sens de *chignon**, ancien nom de la nuque. ◇ Le mot, concernant seulement les humains dans l'usage général, a été étendu en zoologie.

▸ *Nuque* est entré dans deux noms d'objets se rapportant au confort de la nuque : **COUVRE-NUQUE** n. m. (1833) «pièce d'étoffe fixée à l'arrière d'une coiffure et protégeant la nuque» et **APPUI(E)-NUQUE** n. m. (XXe s.), rendu usuel à côté d'*appuie-tête* par l'automobile. ➛ Le dérivé savant **NUCAL, ALE, AUX** adj. (1837), est employé en anatomie et en zoologie (à propos des poissons, des vers, etc.).

NURSE n. f. est un emprunt (1855) à l'anglais *nurse,* attesté depuis le XIVe s. (1387) et dont le sens premier est celui du mot français *norrice, nourrice* auquel il a été emprunté sous les formes *norice* et *nurice,* avant de se spécialiser médicalement en «garde-malade» (1590) puis «infirmière», ceci à partir de 1860, date de la fondation d'une école d'infirmières par Florence Nightingale (1820-1910).

♦ Dans l'usage français, la nurse s'occupe d'un jeune enfant, mais elle ne le nourrit pas, à la différence de la nourrice; elle vit en général dans la famille de l'enfant qu'elle accompagne dans ses déplacements. On disait autrefois *bonne d'enfants,* qui est sorti d'usage en même temps que *bonne**, terme disqualifié, le mot *nurse* devenant à la fin du XIXe s. le seul disponible, au moins dans les milieux riches. ➛ *Nurse* est également employé avec le sens d'«infirmière, garde-malade» (1896) dans un contexte anglo-saxon en français du Canada.

▸ **NURSERY** n. f. est emprunté (1833, n. m., puis 1842) à l'anglais *nursery* (XVe s.), dérivé de *nurse,* peut-être sur le modèle de l'ancien français *noricerie, nourricerie* (qui sert à traduire l'anglais, 1763). Le mot anglais a d'abord signifié «art de nourrir, d'élever, de prendre soin des enfants», avant de désigner le lieu réservé aux enfants et à leur nourrice ou à leur gouvernante et, dès le XVIe s., l'école (lieu, institution, pratique), etc. ➛ Après le calque, attesté avant 1763 chez l'abbé Prévost, qu'est *nourricerie, nursery* ne paraît pas avoir été utilisé avant le milieu du XIXe s., époque de l'emprunt de *nurse;* on trouve aussi l'adaptation graphique *nurserie.* De nos jours, le mot semble en recul pour désigner la pièce ou partie de la maison réservée aux enfants, doublement concurrencé par *chambre d'enfants* et *salle de jeux.* ➛ Il vit aussi dans le composé anglais difficilement traduisible *nursery rhyme* (1823) «comptine, petit poème, souvent formel et de sens incohérent ou absurde, destiné aux enfants» et distinct du *limerick.*

NUTRITIF, IVE adj. est emprunté (1314) au latin médiéval *nutritivus* (1170) «qui a rapport à la nutrition», dérivé du verbe *nutrire* (→ nourrir).

♦ Le mot, introduit par les médecins, s'emploie à propos d'un organe ayant rapport à la nutrition puis, par ellipse, comme nom, emploi disparu. ◆ Il qualifie également ce qui nourrit, spécialement ce qui contient en abondance des éléments nourrissants (v. 1375).

► Le dérivé **NUTRITIVITÉ** n. f. (XXe s.) est didactique.

NUTRITION n. f. est emprunté (1370, *nuctricion*) au bas latin *nutritio, -onis* «action de nourrir», autre dérivé de *nutrire*. *Nutrition*, «ensemble des actes d'assimilation et de désassimilation dans l'organisme», ne semble pas avoir de dérivés en français. ◆ **NUTRITIONNEL, ELLE** adj. semble en effet être emprunté à l'anglais *nutritional* (1869), et **NUTRITIONNISTE** n. (1951) «médecin spécialiste de la nutrition» à l'anglais *nutritionist* (1926) en concurrence avec *diététicien* (cf. *diète*). ◆ En revanche, *nutrition* a des composés préfixés. ◇ **DÉNUTRITION** n. f. (1859) pour l'état d'un organisme dans lequel la désassimilation l'emporte sur l'assimilation, et **SOUS-NUTRITION** n. f. (v. 1960) équivalent didactique de *sous-alimentation*. ◆ Cependant **MALNUTRITION** n. f., «mauvaise adaptation des conditions d'alimentation aux besoins d'un individu ou d'une population», est un emprunt (1950) à l'anglais *malnutrition* (1862), composé de *mal* et *nutrition*, de même origine que le français. Il est relativement courant.

NYCTALOPE n. est emprunté (1562) au latin *nyctalops*, lui-même emprunté au grec *nuktalôps, -ôpos* employé dans les deux sens contraires de «qui voit bien la nuit» et «qui ne voit pas bien la nuit», comme adjectif et comme nom. Il est composé de *nukt-* pour *nux* «nuit», correspondant du latin *nox* (→ nuit), et de *-ôps* qui exprime l'idée de «vision» (→ cyclope, optique). Ce double sens ne doit pas être originel : selon Frisk, le mot comprend un *-l-* adventice et le sens originel serait celui de «qui voit la nuit» ; selon Bechtel, suivi par Schwyzer, ce serait la forme dissimilée de °*nukt-an-ôps* «qui ne voit pas la nuit», qui viendrait d'abord, hypothèse moins probable, bien que ce second sens soit lui aussi ancien.

♦ *Nyctalope* désigne d'abord celui qui ne distingue les objets que lorsqu'il fait jour, qui a une mauvaise vision nocturne, sens encore répertorié au XIXe s. (de 1803 à 1823, Boiste). ◆ Cependant, en 1611, Cotgrave note également le sens de «animal nocturne» et celui de «plante qui brille la nuit», d'où la définition moderne de «celui qui voit bien la nuit» (1765), qui rejoint le premier sens probable du grec.

► Le dérivé **NYCTALOPIE** n. f. (1666), lui aussi d'usage médical, a connu le même flottement sémantique, passant de l'incapacité à distinguer les objets le soir et la nuit à la pathologie consistant en un accroissement de l'acuité visuelle la nuit (1721). Le grec avait *nuktalôpia* «incapacité à distinguer les objets la nuit» et le bas latin *nyctalopia* dans les deux sens ; l'anglais possède *nictalopy* (1661) et *nyctalopia* (1684), également dans les deux sens.

NYLON n. m. est emprunté (v. 1938) à l'anglo-américain *nylon*, terme créé arbitrairement, peut-être avec le *nyl* de *vinyl* (français *vinyle*) et avec le *-on* de *cotton* ou de *rayon* (français *coton**, *rayonne**). C'est la marque déposée d'un polyamide découvert par le chimiste américain Wallace Hume Carothers (1896-1937) dans les laboratoires de la société Dupont de Nemours. Le brevet fut déposé en 1931 ; la production industrielle et la commercialisation sous le nom de *Nylon* furent entreprises par la même société en 1938 aux États-Unis d'abord pour des poils de brosses à dents, puis pour des bas (1939), et de la bonneterie (1940). Le Nylon a surtout remplacé la soie artificielle ou rayonne. Sa découverte est à l'origine du prodigieux essor des fibres synthétiques dont on dénombre aujourd'hui près de 2 500 noms commerciaux.

♦ Le mot désigne cette fibre synthétique et quelquefois, par métonymie, un vêtement, des bas de Nylon. En France, on connaissait déjà l'existence des *bas Nylon* avant leur apparition sur le marché (1945). Le mot s'est répandu rapidement dans la langue commerciale et dans l'usage général à propos d'autres polyamides protégés par des marques de fabrique distinctes, mais également à propos d'autres fibres synthétiques de formule ou de caractéristiques très différentes (polyester, acrylique, trivinyle, etc.). ◇ *Des nylons* s'est dit pour «des bas de nylon», en concurrence avec *des bas Nylon* (apposition) ; l'emploi substantif a vieilli.

NYMPHE n. f. est emprunté (apr. 1150) au latin *nympha*, lui-même emprunté au grec *numphê* «épousée, jeune fille ou jeune femme en âge d'être mariée», «belle fille», nom donné aux divinités de rang inférieur résidant surtout à la campagne près des sources (cf. *écho*). En outre, le mot latin a quelques sens métaphoriques : «poupée», «nymphe d'un insecte», «clitoris», etc. Son origine est obscure, mais certains, en partant du sens de «jeune fille, jeune mariée», l'ont rapproché du latin *nubere* «prendre le voile» d'où «se marier (pour une femme)» (→ noce). Mais il resterait à expliquer la nasale du mot grec.

♦ En français, le mot est d'abord employé comme terme de mythologie grecque et romaine dans un récit du mythe de Narcisse. Par analogie, il s'est appliqué à une fille galante, une courtisane (1630) et de nos jours à une jeune fille gracieuse. ◆ En anatomie, *nymphe* ne désigne plus, comme en latin, le clitoris, mais les petites lèvres de la vulve (1599). ◆ Il a développé d'après le latin un sens particulier en entomologie (1682) où il désigne une larve d'insecte (également appelée *pupe*).

► Il a produit quelques dérivés, la plupart d'usage didactique : le plus ancien est **NYMPHETTE** n. f. (1512), attesté avec le sens de «petite nymphe» jusqu'en 1611. ◇ L'emploi moderne est un emprunt à l'anglais *nymphet* (1955), lancé par l'écrivain V. Nabokov dans son roman *Lolita* traduit en français en 1959. ◆ Au XVIe s. est apparu **NYMPHAL, ALE, AUX** adj., «de nymphe (divinité)», devenu terme de zoologie. ◆ **NYMPHÉE** n. m. ou f. (1732) est un emprunt au latin *nympheum* avec son sens de «fontaine consacrée aux muses», lui-même du grec *numphaion* «lieu consacré aux nymphes». Dès 1688 le français atteste *nymphaeum* et, en 1840, *nymphum;* le mot a longtemps été considéré comme étant du genre féminin (encore par l'Académie en 1835). ◆ **NYMPHOMANIE** n. f. (1721) est formé de l'élément *nympho-*, tiré du grec *numphê* avec son sens de «jeune fille en âge d'être mariée», et de *-manie**. La formation du nom peut s'expliquer d'après le modèle du grec *numpholêptos* «possédé par les nymphes», d'où «rendu fou» (le grec a aussi un verbe qualifiant le cheval en rut), ou d'après *numphê* au sens de «clitoris», un euphémisme pour *fureur utérine.* ◇ De même que son dérivé régressif **NYMPHOMANE** n. f. et adj. (1819), il est à la fois d'usage didactique et courant (*nymphomane* étant abrégé familièrement en **NYMPHO**, 1969). ◆ **NYMPHOSE** n. f. (1872), terme d'entomologie, désigne l'état de nymphe et la période de transformation d'un insecte en nymphe. ◆ **NYMPHÉAL, ALE, AUX** adj. (XXe s.) est un terme d'anatomie.

◈ voir NYMPHÉA.

NYMPHÉA n. m. est emprunté (1704) au latin *nymphea* «nénuphar», lui-même emprunté au grec *numphaia*, nom de diverses plantes, notamment de nénuphars, et dérivé de *numphê* (→ nymphe). L'ancien français avait *nimpheie* (XIIIe s.), le moyen français *nymphée* (1545) et *nymphea* (attesté comme mot latin).

♦ *Nymphéa* (que Chateaubriand emploie au féminin) est le nom scientifique du nénuphar blanc, mais il est employé dans l'usage non technique pour tout nénuphar, quelle qu'en soit la couleur (Monet a intitulé *Les Nymphéas* sa célèbre série de paysages d'eau inspirés par Giverny, en 1900 et 1909). ◆ Le mot a joué un rôle dans l'adoption de la graphie *nénuphar* pour *nénufar.*

▶ Le latin *nymphea* a servi à former le terme de classification botanique **NYMPHÉACÉES** n. f. pl. (1816).

O

Ô interj. est emprunté (v. 980) au latin *o* (devant vocatif ou accusatif, plus rarement génitif, également devant particule), interjection servant à interpeller, à invoquer, et employée pour marquer une forte agitation de l'âme (surprise, indignation, joie, admiration, etc.). Le grec a lui aussi *ô* dans les mêmes emplois et en outre pour marquer le premier temps du rythme donné aux rameurs par le garde-chiourme. Dans le cas d'une émission vocale aussi simple et spontanée, il est impossible de faire la part de ce qui pourrait être «hérité» du grec par le latin. Le gotique a lui aussi *ô*.

♦ En français, on peut noter que l'emploi classique de *ô* optatif *(ô que n'ai-je encore la force, ô que plût à Dieu)* a décliné, au profit de *ah*.

◈ voir **OH, OHÉ**.

OASIS n. f. est emprunté (1561) au bas latin *Oasis*, nom propre de divers lieux du désert d'Égypte (déb. IIIe s.), emprunt au grec *Oasis* de même sens (ve s. avant J.-C., Hérodote), également *oasis* comme nom commun pour désigner un endroit du désert qui permet la culture grâce à un point d'eau. C'est un mot d'origine égyptienne, représenté en copte dans *ouahe*, proprement «lieu d'habitation» (de «habiter»), mot emprunté par l'arabe *wāḥa* «oasis».

♦ En français, le mot est d'abord le nom d'une région d'Arabie, puis un nom commun (1766) désignant un endroit du désert qui, grâce à un point d'eau, présente de la végétation et permet la culture. ◇ Il est employé (1811 au masculin) par comparaison, en parlant d'un lieu qui tranche sur son environnement par la fraîcheur et la verdure qu'il offre. Il est aussi employé au figuré pour désigner un endroit ou un moment de bonheur, de quiétude, qui fait contraste avec son contexte (1821).

▸ **OASIEN, IENNE** adj. et n. désigne l'habitant d'une oasis (1865) et qualifie ce qui est relatif à ce lieu (1868).

OBÉDIENCE n. f. est emprunté (1155) au latin *oboedientia* «obéissance, soumission», dérivé du participe présent de *oboedire* (→ obéir).

♦ Le mot est d'abord employé dans un contexte religieux au sens d'«obéissance à un supérieur». Par métonymie, il a désigné l'établissement religieux dépendant d'un monastère (1174-1180), le congé donné par écrit à un religieux pour partir en voyage (1617) et la charge particulière d'un religieux dans son couvent (1680). Ces emplois ont vieilli, à l'exception de *lettre d'obédience* (1850), expression recouvrant une lettre garantissant la compétence d'un religieux appartenant aux ordres enseignants (notamment sous la loi Falloux). ◇ Dans l'histoire de l'Église, le mot continue de se référer collectivement à l'ensemble des pays qui, dans les périodes de schisme, reconnaissaient l'autorité de l'un ou l'autre pape se disputant le pouvoir. On parlait d'*ambassade d'obédience* (1675), d'*ambassadeur d'obédience* (1690) à propos de l'ambassadeur qu'envoyait le roi au pape pour l'assurer de son obéissance filiale, et de *pays d'obédience* (1690) à propos du pays dans lequel le pape nommait aux bénéfices qui venaient à vaquer dans certains mois de l'année. ◇ Le sens commun d'«obéissance» (v. 1175) ne s'est pas implanté, gêné par la concurrence d'*obéissance*, non plus que les valeurs dérivées de «soin, attention» (v. 1380), «sagesse». ◇ De nos jours, le mot concerne essentiellement la soumission à une autorité, la fidélité à une doctrine spirituelle ou (XXe s.) politique.

▸ De *obédience* sont dérivés **OBÉDIENCIER** n. m. (1240), «religieux soumis à l'autorité spirituelle d'un supérieur» et «religieux qui n'est pas titulaire du bénéfice qu'il administre» (1310), ainsi que **OBÉDIENTIEL, ELLE** adj. d'abord employé par Bossuet (1636), dans l'expression *puissance obédientielle*, «disposition qui fait que le sujet obéit à une cause» en philosophie médiévale et qui signifie plus généralement «relatif à l'obédience» (1798).

OBÉIR v. tr. ind. est emprunté (v. 1112) au latin *oboedire*, proprement «prêter l'oreille à» d'où «être soumis à», de *ob* «devant» (→ objet) et *audire* «écouter» (→ ouïr), avec une diphtongue *-oe-* obscure, alors qu'on attendrait °*obudire*.

♦ *Obéir,* «se soumettre à la volonté de (qqn)», est appliqué aux personnes et aussi aux choses soumises à une action (1377); c'est dans ce sens que le verbe est le plus courant. Ultérieurement, il développe les sens particuliers de «se soumettre aux impulsions» (1550) et «exécuter un mouvement commandé par un homme (à propos d'une machine, d'un mécanisme)» (1671). ◇ Il ne reste de l'ancien emploi transitif *obéir qqn* (v. 1160), disparu au XVIIe s., que le passif *être obéi* (v. 1250). ◇ Différents sens seconds, «se déclarer d'accord avec» (1310), «s'occuper de», «consentir», ont disparu au XVIe siècle.

► Le participe présent **OBÉISSANT, ANTE** est adjectivé (1176-1181) au sens de «qui exécute docilement les ordres de qqn» et qualifie une chose qui se laisse manipuler (1314). ◆ Par changement de suffixe, on a formé **OBÉISSANCE** n. f. (1270), employé en ancien français avec les sens anciens de «juridiction» et «domination, autorité» (1283) (→ obédience). ◇ Le sens moderne, «fait de se soumettre aux volontés d'autrui» (1316) et, plus généralement, «soumission, disposition à obéir» (1393), est apparu en moyen français. *Obéissance passive,* en religion et en politique, semble un calque de l'anglais (1717). ◆ La série des antonymes préfixés en *dé-* apparaît fin XIIIe siècle. **DÉSOBÉIR** v. tr. ind. (fin XIIIe s.), précédé dans les attestations» par **DÉSOBÉISSANT, ANTE** adj. (1283), est d'emploi très usuel, souvent appliqué aux enfants. ◇ Il en va de même pour **DÉSOBÉISSANCE** n. f. (1283), employé en moyen français au sens fort de «rébellion», puis avec sa valeur générale (depuis 1303).

◈ voir OBÉDIENCE.

OBÉLISQUE n. m., d'abord *obelisce* (1520), puis *obelisque* (1537), est emprunté au latin tardif *obeliscus* «pyramide allongée» et, au figuré, «bouton de rose». C'est un emprunt au grec *obeliskos,* proprement «petite broche à rôtir», qui s'est appliqué par analogie de forme aux monuments égyptiens ainsi qu'à une pointe d'arme, une aiguille. *Obeliskos* est le diminutif de *obelos* «broche» (conservé en grec moderne), de la famille de *obolos* (→ obole).

♦ En français, le mot désigne seulement le monument égyptien. Il apparaît à une époque où l'obélisque prend une grande place dans l'urbanisme romain, quand les papes font relever les obélisques que les Romains avaient importés d'Égypte. Ce monument jouit d'une certaine vogue au XVIIIe s. dans l'ornementation des jardins et des tombeaux; la Révolution le reprend pour le mettre au service de ses fêtes, le Directoire et l'Empire l'emploient comme décor architectural ou intérieur (en paires de chandeliers). Au XIXe s., Paris (1831), Londres (1878) et New York (1881) importent chacune un obélisque égyptien, à des fins ornementales. ◇ Le mot est également employé par analogie, à propos d'un objet de forme pyramidale et allongée (1654 au figuré, en parlant d'un cyprès).

OBÉRER v. tr., terme d'usage administratif et littéraire, est dérivé (1690) de *obéré* avec la désinence verbale. L'adjectif est emprunté (1573) au latin *obaeratus* «endetté», de *ob* (→ objet) et *aes* «cuivre» d'où, par métonymies successives, «monnaie» et «dette» (→ airain).

♦ En français, *obéré* et *obérer,* respectivement «accablé», «accabler de dettes», sont souvent employés par pléonasme, accompagnés du complément *de dettes* (1772, *obéré de dettes*).

OBÈSE adj. et n. est emprunté tardivement (1825, adj. et n. chez Brillat-Savarin) au latin *obesus,* participe passé de *obedere* «ronger, miner» (de sens propre et figuré), composé de *ob* (→ objet) et de *edere* «manger, ronger» (→ comestible). *Obesus* signifie proprement «rongé» d'où «maigre, décharné», mais ce sens est très rare; à l'époque impériale, le mot a développé le sens actif contraire de «qui ronge» d'où «qui dévore» et, par métonymie, «gras, replet» (on a d'autres exemples de passage d'un sens passif à un sens actif dans *potus* «bu», «qui a bu» et *pransus* «qui a bien déjeuné»; cf. en français familier *chancre* «gros mangeur».

♦ Le mot s'emploie couramment et médicalement en parlant d'une personne anormalement grosse. Par analogie, il qualifie une chose exceptionnellement grosse.

► Le nom correspondant **OBÉSITÉ** n. f. a été emprunté dès le XVIe s. (1550) au latin *obesitas,* dérivé d'*obesus* avec le sens, passé en français, de «fait d'être très gras». ◇ *Obésité* a développé au XIXe s. le sens figuré d'«état de l'esprit lourd et épais», rare. Dans la terminologie médicale, il renvoie à une forme pathologique de grosseur très spécifique, distincte de l'embonpoint. ◆ On relève aussi chez Brillat-Savarin les composés **OBÉSIFUGE** adj. et **OBÉSIGÈNE** adj. (1825), demeurés très rares. ◇ **OBÉSIOLOGUE, OBÉSOLOGUE** n. (1978) désigne le spécialiste de l'étude et du traitement de l'obésité.

OBIT n. m., terme de religion, est emprunté (1165) au latin médiéval ecclésiastique *obitus* (1155) «service anniversaire pour un mort», spécialisation de sens du latin classique *obitus* «action de se présenter à qqn», «arrivée», «coucher des astres», «mort, trépas», enfin «accomplissement, exécution». C'est le participe passé substantivé de *obire* «aller au devant», de *ob* «devant» (→ objet) et *ire* «aller», verbe évincé en français par le représentant d'*ambulare* (→ aller) mais conservé dans le paradigme du futur j'*irai* et dans plusieurs composés (→ errer).

♦ Le mot a désigné jusqu'au XVIIe s. la mort, le trépas. Par métonymie, il s'emploie spécialement dans la liturgie catholique pour désigner le service anniversaire d'un mort (1238). Par d'autres métonymies, il s'est appliqué aux honoraires versés au prêtre qui célèbre un service funèbre (1868) et à la chapelle fondée pour la célébration perpétuelle d'une messe.

► On relève chez Chateaubriand un verbe **OBITER** «mourir», inusité. ◆ **OBITUAIRE** n. m. et adj. est emprunté (1671) au latin médiéval *obituarium,* neutre substantivé de l'adjectif *obituarius,* de *obitus* «mort», pour désigner le registre où l'on inscrit le nom des morts. *Obituaire* a été repris avec ce sens, seul et dans *registre obituaire* (1688); il s'applique également au lieu de dépôt où l'on place les cadavres en attendant l'inhumation (1883); on dit aussi *obitoire* n. m. (1907). ◇ Il a désigné, anciennement, celui qui était pourvu en cour de Rome d'un bénéfice rendu vacant par la mort d'un titulaire (1674-1798).

OBJECTAL → OBJET

OBJECTER v. tr. est emprunté, d'abord sous la forme *objeter* (1288), au latin *objectare* «mettre devant, opposer, jeter à la face», forme fréquentative de *objicere* (→ objet).

♦ Le mot est employé dès les premiers textes avec le sens figuré d'«opposer comme argument contraire», plus précisément «avancer un argument visant à prouver la fausseté d'une affirmation» (1549); ces valeurs se sont maintenues mais le verbe a perdu le sens concret de «placer devant, présenter» (1382), encore vivant au XVIe siècle. ◇ Au XVIIe s., il a éliminé l'ancien *objicier* «placer devant», «opposer, contredire» et «reprocher», représentant du latin *objicere*.

▶ *Objecter* a produit **OBJECTEUR, TRICE** n. (1777) «personne qui fait des objections», entré dans l'expression récente ***objecteur de conscience*** (1925), elliptiquement *objecteur* (1933), par calque de l'anglais *conscientious objector* (1000) «celui qui refuse, au nom de sa conscience, de se soumettre à certaines obligations imposées par l'État» (d'abord la vaccination obligatoire). C'est ainsi que furent appelés, en Afrique du Sud, les Asiatiques de toute religion — et parmi eux, Gandhi — qui prêtèrent en 1906 un serment de «résistance passive» à l'égard du gouvernement qui les persécutait. L'expression anglaise est composée de *conscientious* (1611) «qui obéit à la conscience morale» (lui-même emprunté au français *consciencieux*) et de *objector*, dérivé de *to object* «s'opposer à, protester contre», représentant, comme *objecter*, le latin *objectare*. ➜ **OBJECTION** n. f. est emprunté (1200) au bas latin *objectio, -onis*, «action d'opposer, de reprocher», d'où «reproche», dérivé de *objectum* (→ objet), supin de *objicere*. ◇ Le mot désigne la difficulté que l'on soulève contre une assertion, une proposition, plus particulièrement une observation faite pour blâmer (1840). ➜ L'adjectif **OBJECTIONNABLE** «contre quoi on peut faire des objections» est emprunté (1875) à l'anglais *objectionable* (1781), de *objection*, avec la gémination du *-n-* attendue en français.

① **OBJECTIF, IVE** adj. est un emprunt de l'époque classique (1642) au latin médiéval *objectivus*, terme de scolastique signifiant «qui appartient à l'objet de la pensée» et, chez Duns Scot, «qui constitue une idée, une représentation de l'esprit (et non une réalité subsistant en elle-même)». Le mot est dérivé de *objectum* (→ objet).

♦ *Objectif* est d'abord relevé chez Descartes en philosophie pour «qui constitue un concept, une représentation de l'esprit et non une réalité formelle». ◇ Après l'introduction de la pensée kantienne en France, l'adjectif prend le sens moderne de «qui a une réalité en lui-même, indépendamment de la connaissance, de la volonté d'un sujet» (1810, Staël, *De l'Allemagne*). Il qualifie un point de vue qui repose sur l'observation et l'étude des phénomènes, sur l'expérience (1814) et, en ce sens, s'emploie spécialement en médecine *(méthode objective, symptômes objectifs)*. ◇ Au cours du XIXe s., il passe dans l'usage courant, qualifiant une chose valable pour tous les êtres pensants et pouvant faire l'objet d'une connaissance universelle (1815), par exemple dans *lois objectives* (1823), puis une personne qui juge et décrit les choses et les êtres sans faire appel à ses préférences individuelles (1866, Amiel) et un jugement impartial (1890). ➜ Dans l'intervalle, il a acquis quelques sens techniques : en optique (1680) où il qualifie un verre destiné à être tourné vers l'objet que l'on veut voir, en géométrie, et en linguistique (1868, *cas objectif;* 1933, *génitif objectif*).

Il a d'abord été substantivé avec ② **OBJECTIF**, n. m. dans le domaine de l'optique (1611) par ellipse de *verre objectif*, pour désigner le système optique dirigé vers l'objet observé. Depuis le XIXe s., *un objectif* se dit du système optique d'un appareil de prise de vue (1839), et fournit le second élément de **TÉLÉOBJECTIF** n. m. «objectif à longue distance focale (grossissant l'objet)» (1903, en deux mots). ◇ Au XIXe s., *objectif* n. m. est employé par Flaubert pour désigner la matière du roman, par opposition à la forme (1850) et prend le sens plus général et usuel de «but que l'on assigne à l'action» (1071). ◇ Il est aussi employé en art militaire (1868), d'après les emplois de l'adjectif en stratégie (*point objectif*, sorti d'usage), en parlant du point que l'on se propose d'atteindre avec les troupes.

▶ **OBJECTIVEMENT** adv. est le plus ancien dérivé de ① *objectif* (v. 1460) mais il n'a que des emplois isolés en moyen français, pour «à titre d'objet de pensée, de représentation mentale». Ce sens, repris dans la philosophie cartésienne (1647) par opposition à *formellement*, est propre à la philosophie scolastique, puis cartésienne. ◇ Le mot ne se répand qu'au XIXe s., au sens de «concrètement, pratiquement» (1838) et, avec une valeur philosophique, «en tant qu'objet, indépendamment de l'esprit du sujet» (1889, Bergson). Par extension, il équivaut souvent à «sans parti pris» (1893). ➜ **OBJECTIVITÉ** n. f. (1801) se dit du caractère de ce qui existe indépendamment de la pensée et (1802) de ce qui existe comme représentation de l'esprit. D'abord défini en philosophie, le mot s'est répandu pour nommer le caractère de ce qui constitue un objet de pensée valable pour tous (1843, *objectivité de la science*), et plus couramment la qualité de ce qui est conforme à la réalité (1888), l'absence de partialité d'un jugement, d'une personne (1903). ➜ **OBJECTIVER** v. tr. (1817, Maine de Biran), lui aussi terme philosophique, exprime le fait de donner une réalité et, au pronominal, signifie «prendre le caractère d'une réalité indépendante du sujet» (1840, traduction de Fichte). ◇ Par l'intermédiaire du sens de «considérer comme objectif (ce qui est subjectif)» (1832), il a pris le sens de «traduire (ce qui est intérieur) par des manifestations extérieures» (1889, au pronominal, chez Bergson), valeur concurrencée par *extérioriser*, plus usuel. ◆ À son tour, il a donné **OBJECTIVATION** n. f. (1845), nom d'action réalisant les mêmes valeurs didactique et psychologique (1905; 1924, en psychanalyse : traduction de Freud), **OBJECTIVABLE** adj. (1909) et **OBJECTIVANT, ANTE** adj. (v. 1950). ◆ **OBJECTIVISME** n. m., attesté chez Baudelaire (1851) à propos de l'attitude pratique de l'esprit qui se veut objectif, recouvre la doctrine considérant que certaines réalités existent en dehors du sujet pensant (1864). ◇ À ces deux valeurs correspond **OBJECTIVISTE** n. et adj. (1914). Toute la série répond terme à terme à celle de *subjectif* et de ses dérivés.

OBJET n. m. est emprunté (1370-1372, *object*) au latin scolastique *objectum*, participe passé neutre substantivé du latin classique *objicere* «jeter devant, placer devant» et «opposer». Ce verbe est le préfixé de *jacere* (→ jeter) en *ob*, préverbe et préposition de sens local, «devant, au devant de», d'où «en vue de» (au physique et au moral) et «contre» (avec hostilité), «en échange de». L'étymologie de *ob* n'est pas établie. *Objectum*, proprement «ce qui est placé devant», est employé avec un qualificatif dans *objectum formale* «objet formel» par opposition à *objectum materiale* «objet matériel»; il entre dans la locution *objecto habere* «avoir pour objet» (Thomas d'Aquin). Il désigne aussi ce qui possède une existence en soi, indépendante de la connaissance ou de l'idée que les sujets pensants en peuvent avoir (Duns Scot), et s'oppose à *subjectum* (→ sujet). Il se dit également de l'objet d'un culte religieux.

♦ Le mot a été introduit par les philosophes médiévaux (Oresme) pour désigner ce qui affecte l'un des cinq sens. Cette acception s'est répandue au XVIe s. dans l'usage commun, essentiellement restreinte à «ce qui affecte la vue, le toucher» (1500), bien que Furetière (1690) englobe sous ce terme «ce qui frappe l'odorat, le goût, l'ouïe». Privilégiant la vue, le XVIe et le XVIIe s. ont fait de *objet* un synonyme de *aspect, apparence, spectacle* (d'un être ou d'une chose) et l'ont abstrait en «vision, image mentale» (v. 1587), par exemple dans la locution ***à cet objet*** «à cette vue» (1638). ◇ *Objet* est appliqué à des êtres ou à des choses suscitant un intérêt et un comportement d'ordre affectif (1635), valeur encore vivante et sensible dans des syntagmes déterminés (*être un objet digne de...*, av. 1848, Chateaubriand). ◇ Le XVIIe et le XVIIIe s. l'ont employé en particulier à propos de la femme (mil. XVIe s., poètes de la Pléiade), de l'amant ou de l'amante (1635, Corneille), aussi avec un déterminatif (1642), par exemple dans *objet de ma flamme, objet de mon cœur.* ◆ Dans le domaine abstrait, le mot semble d'abord se référer à une réalité mentale, désignant dès les premiers emplois ce qui occupe l'esprit, la pensée, sens introduit lui aussi par Oresme (1370-1372) et qui débouchera d'une part sur une définition philosophique dans son opposition à *sujet* (av. 1650, Descartes), de l'autre sur des emplois didactiques et courants : *objet* se rapporte à ce vers quoi tendent l'être humain, les désirs, l'action, la volonté (av. 1613), se rapprochant de *but* dans des locutions comme ***avoir pour objet*** (début XVIIIe s.), ***sans objet*** (1751) et ***remplir son objet*** (1769); il concerne ce sur quoi s'exerce l'action ou l'activité de la pensée (1690) dans ***être, faire l'objet de*** (1697). ◇ Il se réfère également à ce qui constitue la matière d'une science, d'un art, ce qui est étudié (av. 1662, Pascal, *objet de la géométrie*). ◆ Ce n'est qu'au siècle suivant (1784) que *objet* commence à se référer dans l'usage général à une chose concrète avec le sens courant de «chose de dimension limitée et destinée à un certain usage», entrant notamment dans l'expression ***objet d'art*** (1847, Balzac). ◆ Il se spécialise en grammaire où il désigne le complément, d'abord seul (1775, Condillac), puis dans l'expression ***complément d'objet*** (*direct, indirect*, 1922), remplaçant l'ancienne dénomination *cas régime*. ◆ Il est repris par les juristes (1804, *Code civil*) pour désigner ce sur quoi porte un droit, une obligation, un contrat, une demande en justice (après avoir été employé au XVIe s. au sens de «reproche, opposition», souvent au pluriel → objection). ◆ Au XXe s., il se spécialise en psychanalyse (1913) à propos de tout ce qui est en dehors du moi et vers quoi tend la pulsion; cette acception participe à la fois des sens abstraits et du sens courant et philosophique concret de *objet*. Le mot entre ainsi dans plusieurs locutions didactiques telles ***choix d'objet, relation d'objet, objet transitionnel*** (chez le psychanalyste anglais Winnicott, traduit en français dans les années 1970).

▶ La psychanalyse a introduit en français **OBJECTAL, ALE, AUX** adj., formé savamment (1926) sur le latin scolastique *objectum* avec le sens de «qui se rapporte à des objets indépendamment du moi du sujet», employé également pour qualifier ce qui est propre à l'objet, dans l'usage didactique (1961, Michaux).

PORTE-OBJET n. m. (1756) désigne spécialt le support sur lequel on place l'objet examiné au microscope.

◈ voir OBJECTER, OBJECTIF.

OBJURGATION n. f. est emprunté (XIIIe s.) au latin *objurgatio, -onis* «reproche, réprimande, blâme», formé sur *objurgatum*, supin de *objurgare* «réprimander, gourmander, blâmer». Ce verbe est formé du préverbe *ob* (→ objet) marquant ici la cause, l'échange, et de *jurgare* «être en conflit, se disputer», lui-même composé de *jus* «droit» (→ jurer) et de *agere* «faire, exprimer» (→ agir).

♦ Le mot a le sens de «reproche violent», et désigne en particulier une figure de rhétorique qui consiste à prononcer de vifs reproches au cours d'un discours (av. 1799). ◇ Dans l'usage littéraire, il est aussi employé (surtout au pluriel, 1876) pour des paroles vives prononcées afin de dissuader qqn, sens à partir duquel il désigne une prière instante, une supplication (1876).

▶ **OBJURGUER** v. intr. est emprunté (1546; 1520, *objurger*) au latin *objurgare*; d'abord employé transitivement au sens de «faire de violents reproches à qqn», il est tombé en désuétude au XVIIe s. (apr. 1637) avant d'être repris comme intransitif au XIXe s. (1803) demeurant d'usage très rare. ◆ **OBJURGATEUR, TRICE** adj., «désapprobateur» (XVIe s.), est peu usité.

OBLAT, ATE n., terme de religion, est emprunté (1549) au latin ecclésiastique *oblatus* «offert», participe passé de *offere* (→ offrir), substantivé pour désigner celui qui a été offert dès l'enfance au monastère.

♦ En français, où le mot a le même sens, on parle spécialement de *oblat de religion* pour désigner le laïque qui vit dans un couvent auquel il a donné ses biens et (1611) le novice. Le mot se disait aussi autrefois d'un soldat placé par le roi comme pensionnaire dans une abbaye de nomination royale (1607) et, au féminin *oblate*, d'une femme noble tombée dans la misère et placée dans une abbaye. ➛ Le féminin **OBLATE** est également un terme d'ancienne liturgie, emprunté au latin ecclésiastique *oblata*, participe passé féminin substantivé de *offere* qui désigne une offrande, notamment le pain donné pour l'eucharistie, l'hostie. Dès sa première attestation, le mot est donné comme «vieux» par Trévoux (1721) à propos du pain et du vin de l'eucharistie ; il est possible qu'il ait été ancien, mais on n'en a pas d'exemple. Huysmans a employé le pluriel *oblates* à propos des hosties (1898).

▸ On en a tiré **OBLATEUR** n. m. «celui qui fait une offrande» et **OBLATURE** n. f. «état d'oblat» (1903, Huysmans, *L'Oblat*). ➛ Le nom d'action **OBLATION** n. f. (v. 1120) est un emprunt ancien au latin ecclésiastique *oblatio, -onis* «action d'offrir» et, par métonymie, «offrande». En français, le mot désigne à la fois l'action d'offrir à Dieu et l'offrande pour un mort (1385-1396), distingué de *offrande* par l'accent mis sur le caractère religieux du don. Depuis le XVIe s. (1559), il est employé par analogie en parlant d'une offrande ayant le caractère d'un sacrifice consenti pour une cause supérieure. ◇ Au XVIIe s. apparaissent les sens religieux de «partie de la messe au cours de laquelle le prêtre offre le pain et le vin à Dieu» (1651) et «offrande, don fait à l'Église par les fidèles» (1660). Par extension, le mot se dit de tout don, de tout sacrifice, dans un style littéraire. ➛ Le vocabulaire de la psychanalyse l'a repris pour désigner un don de soi au profit d'autrui, et a emprunté **OBLATIF, IVE** adj. (1926, Laforgue) au latin *oblativus* «qui s'offre de soi-même, volontaire». ◇ On a aussi formé savamment **OBLATIVITÉ** n. f. (1926, Laforgue) sur *oblativus* pour désigner la propension à faire don de soi sans attendre de réciprocité (par opposition à *captativité*).

◈ voir OUBLIE.

✳ **OBLIGER** v. tr. est emprunté (1243) au latin *obligare* «attacher à, contre» et au figuré «lier, engager (par un contrat, un vœu, un bienfait, un service)», composé de *ob* «devant, à cause de, en échange de» (→ objet) et de *ligare* «attacher, lier» (→ lier).

♦ Le verbe est d'abord employé à la forme pronominale *s'obliger* et en construction transitive au sens de «(s')engager dans des liens, (se) donner comme caution», spécialement «(se) lier juridiquement» (fin XIIIe s.). Dès le XIIIe s., *obliger* signifie aussi «engager moralement» (1265) ; il s'emploie aussi pronominalement (1260-1311). ◇ Son sens courant de «contraindre, forcer à» est attesté depuis 1485 et construit avec *à* ou *de* (1530), *à* mettant l'accent sur l'action du sujet et *de* étant surtout employé de nos jours dans une construction passive *(être obligé de...)*. ◇ Le sens de «créer une dette de gratitude» (1538) relève du style littéraire dans ses différents emplois, la construction *obliger qqn de* (début XVIIe s.) étant classique. Aux XVIe et XVIIe s., l'accent était particulièrement mis sur le fait de plaire, d'être agréable (1538), l'idée de «dette» passant au second plan.

▸ **OBLIGÉ, ÉE**, participe passé de *obliger*, est adjectivé (fin XIIIe s.), d'abord dans la langue courtoise en parlant de celui qui engage un lien amoureux. Il s'applique à la personne liée moralement ou juridiquement (v. 1354) et, dans un style plus soutenu, à celle qui contracte une dette de reconnaissance, de gratitude (1559), entrant (v. 1670) dans des formules de politesse relativement usuelles. ◇ À ces valeurs correspondent des emplois substantivés, en droit (1468) et dans le domaine des relations sociales et affectives (1643) : *être l'obligé de qqn*. ◇ *Obligé* qualifie aussi une chose imposée par l'usage ou la nécessité (av. 1778) et, par analogie, s'emploie en parlant d'une personne (1825). ◇ Il sert en musique (1705) à traduire l'italien *obligato* (lui-même emprunté en français) au sens de «qu'on ne peut retrancher sans gâter l'harmonie ou le chant» *(fugue obligée, récitatif obligé, partie obligée)*. ➛ Le participe présent **OBLIGEANT, ANTE** est d'abord adjectivé (1378) avec l'ancien sens d'«empreint de reconnaissance». Au XVIIe s., il a pris ses sens modernes «qui a le caractère de l'obligeance (en parlant d'une chose)» et «qui aime à rendre service (en parlant d'une personne)» (1636). ◇ Il est ultérieurement substantivé (1828-1829) pour désigner une personne obligeante, souvent avec une nuance ironique. ➛ *Obligeant* a servi à former **OBLIGEAMMENT** adv. (v. 1650) et, dès le moyen français, **OBLIGEANCE** n. f. (1456 ; antérieurement *obliganche*, 1250), qui a signifié jusqu'au XVIe s. «engagement, obligation» puis, supplanté par *obligation*, s'est réservé depuis 1785 le sens de «disposition à rendre service, à faire plaisir».

La série possède des antonymes en *dé-*. ➛ **DÉSOBLIGER** v. tr. (1564 ; 1307, *desoblegier* avec un ancien sens juridique) «être indélicat envers quelqu'un», moins usité que le participe présent **DÉSOBLIGEANT, ANTE** adj. (1618) d'où vient **DÉSOBLIGEAMMENT** adv. (av. 1688) et **DÉSOBLIGEANCE** n. f. (1798) rare et archaïque. ◇ Ces mots sont tous centrés sur l'idée d'«heurter qqn dans sa délicatesse», par opposition au sens classique de *obliger* «causer de l'agrément».

Deux autres mots, empruntés au latin juridique, expriment l'idée de «contrainte». ➛ **OBLIGATION** n. f. est emprunté (mil. XIIIe s.) au dérivé latin *obligatio* qui désigne le lien juridique engageant une partie vis-à-vis de l'autre, et, en latin médiéval, la mise en gage d'un bien à titre de garantie, l'acte, l'engagement spirituel oral, le lien moral. ◇ Le mot français est d'abord employé avec des acceptions juridiques : «action d'engager un bien», «lien de droit» (1283), «dette contractée par un lien juridique» (fin XIVe s.), «acte authentique portant obligation», d'où «titre négociable» (1789). ◇ Ce sens s'est spécialisé au XIXe s. pour désigner un titre produisant un intérêt fixe, en contraste avec *action*. ◇ Aux XIVe et XVe s., apparaissent les sens plus généraux et courants de «lien moral» (1370-1372), «dette de reconnaissance» (1370-1372) et «contrainte, obligation» (1485). ◆ Sur *obligation*, on a formé le terme de droit commercial et financier **OBLIGATAIRE** n. (1867) «créancier dont le droit résulte d'une obligation négociable», qui s'emploie aussi comme adjectif, «relatif aux obligations». ◆ **OBLIGATOIRE** adj. est lui aussi un emprunt de la langue juridique (1319) au bas latin juridique *obligatorius* «qui a la force d'obliger». ◇ En français, en plus de son sens juridique, le mot signifie «qui oblige moralement» (1370-1372), mais ce n'est qu'au XIXe s. qu'il développe ses autres sens : «exigé par la loi, le règlement» (1815), «exigé moralement» (1823), «imposé par les usages, les convenances» (1842) et, familièrement, «fatal, inévitable» (1869). ◇ On en a tiré **OBLIGATOIREMENT** adv. (1846) «de manière forcée», et quelquefois, familièrement, «de façon inévitable» (1899), alors quasi-synonyme de *automatiquement*.

OBLIQUE adj. et n., d'abord écrit *oblike* (apr. 1250) puis *oblique* (1355), est emprunté au latin *obliquus*, de sens physique «allant de biais, de côté», et moral, «détourné, indirect (de paroles, de propos)», employé spécialement en grammaire pour un cas autre que le nominatif (par opposition à *rectus* ; → rectitude). Le mot, rapproché de la forme sans préfixe *liquis* «oblique», est sans étymologie claire, bien qu'on y reconnaisse le préfixe *ob* (→ objet).

♦ *Oblique* est employé dans les premiers textes avec son sens concret ; il est substantivé en géométrie (XIIIe s.), au masculin *un oblique* pour la déviation d'une ligne et, ultérieurement au féminin (1845-1846), par ellipse pour *ligne oblique*. ◇ À partir du XVIe s., on observe quelques emplois spécialisés en anatomie (1560, *muscles obliques* puis substantivement *le grand oblique* 1721) et en art militaire (1732, *ordre oblique*). ◇ L'ancien sens moral de «hypocrite, qui manque de droiture» (1316) a disparu à la différence de l'idée de «fait de façon indirecte, détournée» (XIVe s.) en parlant d'une chose. ◇ *Oblique* s'emploie spécialement par emprunt au latin en grammaire, comme nom (1324) et comme adjectif dans le syntagme *cas oblique* (1680). Il entre dans la locution adverbiale ***en oblique*** (1876).

▶ Cette dernière est moins courante que le dérivé **OBLIQUEMENT** adv. (1314), de sens physique et abstrait (1567), dans ce cas avec une valeur péjorative proche d'«insidieusement». ◆ **OBLIQUER** v. intr. est dérivé au XIIIe s. (après 1250) de *oblique* avec son sens courant de «prendre une direction oblique, aller en biais» employé une première fois au XIIIe s. et répandu à partir de 1825. ◇ En revanche, avec son sens factitif de «détourner» (1444), il semble emprunté au latin *obliquare* «faire aller de biais» (dérivé de *obliquus*), mais le verbe est rare avant 1835 et se répand par l'intermédiaire de l'usage militaire. ◆ **OBLIQUITÉ** n. f., d'abord *obliqueté* (apr. 1250), est emprunté au latin *obliquitas*, dérivé de *obliquus* ; il signifie «inclinaison» (en astronomie, puis en géométrie) ; le sens moral d'«absence de droiture» (1541, Calvin) est pratiquement sorti de l'usage.

OBLITÉRER v. tr. est emprunté (1512) au latin *oblitterare*, formé par préfixation en *ob* (→ objet) et suffixation sur *litterae* (→ lettre), rare au sens propre d'«effacer les lettres». Le verbe, qui a été rapproché de *oblitus* «oublié» et «oublieux», participe passé de *oblivisci* (→ oublier), a surtout le sens de «faire oublier, effacer le souvenir».

♦ Il est passé en français avec les sens d'«effacer le souvenir de (qqch.)», «faire disparaître progressivement» (1530) et, proprement, «rendre illisible, incompréhensible» (1530). ◇ Au XVIIIe s., il entre dans le langage médical et signifie «atrophier, faire disparaître (un organe)» (1754) puis «boucher, obstruer» (1798, au participe passé). ◆ Le sens technique aujourd'hui courant, «apposer une marque sur (un timbre-poste) afin qu'il ne puisse être réutilisé», est attesté depuis 1863 *(timbre oblitéré)*. Il a été élargi à d'autres contextes pour «marquer d'une empreinte afin de rendre impropre à toute utilisation».

▶ Le radical latin a servi à former **OBLITÉRATION** n. f. (1777), introduit en médecine à propos de l'état d'un vaisseau obstrué, et employé dans l'usage général en parlant de l'action d'effacer progressivement (1835). ◇ Il s'applique surtout à l'action d'oblitérer les timbres (1863) et, par métonymie, à l'empreinte apposée sur un timbre. ◆ Au XIXe s. sont aussi apparus **OBLITÉRANT, ANTE** adj. (1852) et **OBLITÉRATEUR, TRICE** adj. et n. m. (1857), ce dernier employé d'abord en médecine, puis substantivé (1903) pour désigner l'instrument qui oblitère les timbres et les reçus.

OBLONG, ONGUE adj. est emprunté (1520) au latin *oblongus* «allongé, plus long que large», dérivé par préfixation en *ob* (→ objet) de *longus* (→ long).

♦ Le mot, d'usage général, se dit spécialement en reliure (1762) d'un livre au format plus large que haut (on parle aussi de *format à l'italienne*).

OBNUBILER v. tr. est emprunté (1330) au latin *obnubilare* «couvrir de nuages», au figuré «perdre connaissance», dérivé tardif et poétique de *nubilare* «être nuageux, couvrir de nuages», de *nubes* (→ nue). Dès 1175, on rencontre l'adjectif *obnublé* au sens de «couvert de ténèbres» et, au XIIIe s., le type syncopé *obnubler* «couvrir de nuages» (v. 1270).

♦ Le mot signifie «obscurcir (les facultés de l'esprit)». ◇ Rare avec le sens concret de «couvrir de nuages, de brouillard» (1338), il est entré dans l'usage courant avec le sens dérivé d'«hypnotiser, obséder», attesté depuis 1905 au participe passé.

▶ **OBNUBILATION** n. f., emprunté (1486) au bas latin *obnubilatio*, formé sur le supin de *obnubilare*, est d'usage littéraire ou didactique : il est employé en médecine à propos de l'obscurcissement des facultés mentales, jusqu'au XVIIe s., puis repris au sens de «vertige, perception d'objets comme à travers un nuage» (1858). ◇ On le relève chez P. Valéry avec le sens étymologique de «fait de se couvrir de nuages, de brouillard» (1936), très exceptionnel.

OBOLE n. f. est emprunté (1262) au latin *obolus* désignant une monnaie grecque et employé par métonymie au sens de «poids»; c'est un emprunt au grec *obolos* «monnaie athénienne valant un sixième de la drachme attique», nom d'une mesure de capacité. *Obolos* est dérivé de *obelos* «broche» (→ obélisque), car c'étaient des barres de fer ou de cuivre qui, à l'origine, servaient de monnaie.

♦ En français, le mot a désigné jusqu'au XVIIIe s. une monnaie de cuivre de la valeur d'un demi-denier et, par extension, une sorte de poids (1350). Depuis 1567, *obole* est employé comme terme d'archéologie grecque. Au XVIIe s., par un phénomène d'extension courant pour les mots désignant une petite monnaie (cf. *sou, maravédis, kopek*), il s'est dit pour une somme d'argent minime (1668) et, en général, pour une petite quantité (1668). Le sens moderne de «don, présent de peu de valeur» est attesté depuis 1845.

OBOMBRER → OMBRE

OBSCÈNE adj. est emprunté (1534) au latin *obscenus*, terme de la langue augurale qui signifie «de mauvais augure, sinistre (d'oiseaux, de présages)», passé dans le langage courant au sens de «qui a un aspect affreux, que l'on doit cacher ou éviter» d'où «sale, immonde» et «indécent». L'étymologie du mot est inconnue; il peut s'agir d'un emprunt : la variation *obscenus, obscaenus* rappelle celle de *scena, scaena* (→ scène) qui semble supposer un intermédiaire étrusque entre le modèle grec et le latin mais l'origine souvent évoquée par *ob* (→ objet) «devant» et *scaena* «scène» est fictive; *obscenus* ne se laisse pas plus analyser en latin même que *obscurus* (→ obscur).

♦ Le mot a été repris avec son sens moderne «qui révolte la pudeur, indécent» en parlant d'une chose, d'un spectacle et (1694) d'une personne. Le sens étymologique de «sinistre» relevé chez Apollinaire (av. 1918) est un latinisme isolé.

▸ **OBSCÈNEMENT** adv. est attesté très tard (1922) et peu répandu. ◆ **OBSCÉNITÉ** n. f. est emprunté (1511) au dérivé latin *obscenitas* «indécence, objet indécent». Le plus souvent au pluriel, il désigne des paroles, des images inconvenantes dans le domaine sexuel, le singulier collectif exprimant (1663) le caractère de ce qui est choquant, impudique.

OBSCUR, URE adj., d'abord *oscur* (fin XIe s.), puis *obscur* (XIIe s.), est emprunté au latin *obscurus* «sombre, ténébreux», au figuré «difficile à comprendre, inconnu, caché, secret», correspondant sémantiquement au grec *skoteinos* et opposé à *clarus* (→ clair). Le mot, «qui ne se laisse pas analyser en latin» (Ernout-Meillet), reposerait cependant sur un élément °-*scurus*, à rapprocher du sanskrit *skauti* «il couvre», et, dans le groupe germanique, du vieil islandais *skuggi*, de l'ancien haut allemand *scuwo* «ombre», *scūr* et *scūra* «grange», d'où l'anglais *sky*, anciennement «nuage» puis «ciel (couvert)» et «ciel».

♦ *Obscur* a d'abord le sens physique de «privé de lumière»; il est substantivé en ancien français *(l'obscur)* pour désigner l'obscurité (1160-1174). Ultérieurement, il entre dans *chambre* obscure* et ***salle obscure*** (1917), en photographie et en cinéma. L'adjectif qualifie aussi une couleur sombre, qui manque de luminosité (1165), mais subit alors, y compris dans son emploi adverbial (1671), la forte concurrence de *sombre, foncé*, après le XVIIe siècle. Il est alors substantivé comme terme de peinture pour désigner les parties obscures d'un tableau (1690) [→ clair-obscur]. ◆ Dès le XIIe s. (1160-1174), il est employé avec le sens figuré de «difficile à comprendre» et il est substantivé en ce sens depuis 1549. ◇ Aux XVIe et XVIIe s., *obscur* a pris particulièrement le sens de «sans renom, inconnu» (1559) et, dans une perspective sociale, «de basse extraction» (1611). ◇ Au XVIIe s., il avait un sens actif, qualifiant un homme qui comprend mal (1662, *Logique de Port-Royal*).

▸ Le plus ancien des dérivés de *obscur* est **OBSCURÉMENT** adv. (1213), d'abord *oscurement* (1170), employé dès les premiers textes au sens figuré «d'une façon peu intelligible», d'où «d'une façon peu claire» (1280) et aussi «d'une façon peu précise, vague» (1306). ◇ L'adverbe est employé aussi pour «anonymement, sans éclat» (1460), et le sens physique «d'une façon sombre», apparu le dernier (1770-1783), est le moins courant. ◆ **OBSCURCIR** v. tr. (1165), d'abord *oscurir* (v. 1120), a pris sa terminaison actuelle sur l'exemple de verbes tels que *noircir* et *éclaircir;* d'abord employé au sens de «devenir obscur», au propre et (1350) au figuré, il est usité transitivement (déb. XVIe s.) au sens de «rendre foncé», puis de «troubler (la vue, le regard) [fin XIVe s.]. ◇ L'ancien sens intransitif a été repris par la forme pronominale *s'obscurcir* (1530). ◇ Après le sens figuré aujourd'hui archaïque de «ternir, déprécier» (1461), *obscurcir* a reçu les acceptions figurées modernes de «rendre peu intelligible» (1538) et «rendre aveugle intellectuellement» (1585). ◇ De ce verbe est dérivé **OBSCURCISSEMENT** n. m. (XIIIe s., *oscurcissement*) qui a d'abord le sens restreint d'«affaiblissement de la vue» mais qui, à partir du XVIe s., a pris d'autres valeurs : «affaiblissement de la lumière» (1538), «action de troubler la vue» (1636), «perte d'éclat (de la gloire)» [1694] et «perte de la clairvoyance» (1662, Pascal). ◆ *Obscur* a produit quelques dérivés de sens spécialisé. ◇ **OBSCURATEUR** n. m. (1680), créé avec le sens ancien d'«obscurcissement», est employé de nos jours techniquement (1878) pour l'enveloppe cylindrique opaque, percée d'un voyant, que l'on met autour d'un tube rempli d'un liquide que l'on veut observer. ◇ **OBSCURANT, ANTE** adj. (1781, Turgot) «personne opposée au progrès, réactionnaire» puis «qui rend obscur» (au propre et au figuré), est dérivé de *obscur* par l'intermédiaire d'un ancien verbe *obscurer*. Il est sorti d'usage, mais non ses dérivés. ◇ Au début du XIXe s., il a produit les termes polémiques **OBSCURANTISME** n. m. (1819) «hostilité aux lumières» et **OBSCURANTISTE** adj. et n. (1832), souvent appliqués de manière polémique aux traditionalistes. ◆ **OBSCURISME** n. m. (1927) «recherche de la difficulté, de la complication» (chez un écrivain), est un dérivé direct de *obscur;* il est d'usage littéraire et rare.
Quant à **OBSCURITÉ** n. f. (1305), attesté après les formes populaires *obscurtez* (1119) et *oscurté* (1265),

c'est un emprunt au dérivé latin *obscuritas* «absence de clarté», «affaiblissement de la vue» et «condition obscure, obscurité de la naissance». ◆ Le mot français a d'abord le sens concret, «absence de lumière», puis aussi le sens figuré, «manque de clarté dans les paroles» (1265), «état de ce qui est peu intelligible» (1305). Aux XVIIe et XVIIIe s., il développe d'autres emplois figurés : *une, des obscurités* se dit des passages difficiles d'un texte (1657-1662), *l'obscurité* renvoie à la condition d'un homme inconnu (1640), à la bassesse de l'origine sociale (1670). ◇ Au XVIIIe s., on le relève chez les Encyclopédistes avec le sens de «défaut de civilisation» (1751, d'Alembert), qui a disparu. ◆ Le terme technique **OBSCURATION** n. f. (apr. 1250), «occultation d'un astre», est emprunté au latin *obscuratio, -onis,* «obscurcissement, obscurité», spécialement employé en astronomie.

OBSÉCRATION n. f. est emprunté (déb. XIIIe s.) au latin *obsecratio, -onis* «demande instante, supplication», spécialement «supplication adressée aux dieux pour apaiser» et, en rhétorique, «figure correspondant à une supplication». Le nom latin est formé sur le supin *obsecratum* de *obsecrare* «prier au nom des dieux», couramment «conjurer, supplier», souvent employé en incise dans l'usage familier avec une valeur affaiblie ; le verbe est composé de *ob* (→ objet) et de *sacrare* (→ sacrer).

♦ *Obsécration* est employé didactiquement au sens de «supplication, formule par laquelle on implore l'assistance de Dieu». Il est spécialement employé en rhétorique (1737, Dumarsais) et, au pluriel, par les historiens de l'Antiquité pour désigner les prières publiques ordonnées afin d'apaiser les dieux lorsque la République était en danger ou lors d'un malheur public (1762).

▸ **OBSÉCRER** v. tr. (v. 1355), repris au latin *obsecrare,* ne s'est pas répandu au-delà du XVIe s. bien qu'on le trouve encore dans les dictionnaires du XIXe siècle.

OBSÉDER v. tr. est un emprunt (1613) au latin *obsidere* «assiéger, assaillir, envahir» (au physique et au moral) [→ obsidional], proprement «s'asseoir devant, s'installer autour», de *ob* «devant» (→ objet) et *sedere* «s'asseoir» (→ seoir).

♦ Dès les premières attestations, *obséder* est employé avec son sens figuré de «tourmenter sans cesse, s'imposer sans répit à l'esprit, à la pensée». Selon Furetière (1690), le verbe aurait d'abord été employé dans un contexte théologique, le sujet désignant les démons entrés dans le corps humain. De fait, le *-é-* de *obséder* (on attendrait régulièrement °*obsider*) semble dû à l'influence de *posséder,* verbe dont le sens est proche mais distinct de celui de *obséder.* ◇ Les autres sens du mot, apparus au XVIIe s., «assiéger qqn pour l'isoler» (1651), «importuner qqn par des demandes incessantes» (1663), plus proches de l'étymologie, sont sortis de l'usage.

▸ Le participe passé **OBSÉDÉ, ÉE** est adjectivé et substantivé à propos de la personne en proie à une obsession (1632) ; il est passé d'une part dans le vocabulaire de la psychiatrie et, de l'autre, dans la langue familière par allusion sexuelle (*obsédé* et ***obsédé sexuel,*** début XXe s.) d'où par plaisanterie l'*obsédé textuel* de Roland Bacri. ◆ Le participe présent **OBSÉDANT, ANTE** est adjectivé depuis 1845. ◆ Quant à **OBSESSION** n. f. (1470), il est emprunté au latin *obsessio, -onis,* «action d'assiéger, blocus», dérivé du supin de *obsidere.* ◇ Le mot français, d'abord employé au sens concret ancien de «siège», a pris une valeur morale (1590), d'abord en parlant d'une personne «obsédée» par des démons, puis, en langue classique, pour «action d'importuner qqn» (1690) et enfin, par métonymie, avec le sens moderne d'«image, idée qui obsède» (1799). ◇ Rare avant 1857, *obsession* se répand au XIXe s., spécialement dans le langage médical (1866, *Discussion sur la folie raisonnante*). ◆ De *obsession* sont dérivés au XXe s. **OBSESSIF, IVE** adj. (1900), anciennement formé en moyen français au sens de «de siège» (1444), et **OBSESSIONNEL, ELLE** adj. et n. (1933), spécialement employé en psychanalyse dans ***névrose obsessionnelle*** pour traduire l'allemand *Zwangsneurose* (1894), d'abord *névrose des obsessions* ou *névrose d'obsessions* chez Freud lui-même. ◆ On n'emploie guère **OBSESSEUR** adj. et n. m., emprunté (1546) au latin *obsessor* «celui qui occupe un espace ; assiégeant». Le mot est tombé une première fois en désuétude avec son sens étymologique, et il a vieilli dans l'acception de «qui obsède», comme nom (av. 1797) et comme adjectif (1838).

◈ voir OBSIDIONAL.

OBSÈQUES n. f. pl. est emprunté sous la forme *oseques* n. m. (1150), refaite en *obsèque* n. f. (1175), au latin chrétien *obsequiae* n. f. pl. «funérailles». Ce mot est la forme altérée par changement de préfixe du latin classique *exsequiae* n. f. pl. «pompes funèbres, funérailles, convoi», à l'origine de l'ancien et moyen français *exèques* «funérailles» (déb. XIIIe-mil. XVIe s.). Cette altération est due à un croisement avec *obsequia* «clients, suite, cortège», pluriel du neutre *obsequium* «complaisance, déférence, obéissance, service» (→ obséquieux). Le mot est dérivé de *obsequi* «céder aux volontés de, obéir», formé du préfixe *ob-* marquant la proximité, la cause, l'échange (→ objet), et de *sequi* «suivre» (→ suivre). *Exsequiae* est lui-même dérivé d'un autre composé de *ex-* et *sequi, exsequi* «suivre jusqu'au bout», «faire cortège (notamment à un mort)» et aussi «accomplir, achever, poursuivre en justice», d'où «juger» et «venger» (→ exécution).

♦ *Obsèque* (surtout employé au pluriel), outre le sens du latin chrétien «funérailles» — actuellement en recul devant *enterrement* — a eu en ancien et moyen français les sens aujourd'hui disparus de «respect, obéissance», «parole aimable, hommage». ◆ **OBSÉQUENT, ENTE** adj. «obéissant», **OBSÉQUER** v. intr. «obéir» (et «inhumer» v. tr.) et **OBSÉQUAL, ALE, AUX** adj. «respectueux», empruntés au latin *obsequi* et à ses dérivés, ont tous disparus.

OBSÉQUIEUX, EUSE adj. est emprunté (1500) au latin *obsequiosus* «plein de complaisance», dérivé de *obsequium* «complaisance, obéissance» (→ obsèques).

♦ Le mot français a été employé au XVIe s. avec le sens étymologique «attentif, respectueux (d'une attitude)», mais il est rare avant le XVIIIe s. où Rousseau le réintroduit (1765). ➜ À la fin du XVIIIe s., *obséquieux* prend son sens moderne, «qui porte à l'excès le respect, les égards», en parlant d'une personne (1798), d'un discours, d'un acte (av. 1799), et toujours avec une valeur péjorative.

▶ Il a produit **OBSÉQUIEUSEMENT** adv. (1819) et **OBSÉQUIOSITÉ** n. f., péjorativement «caractère d'une personne trop respectueuse, servile» (1823) et «complaisance poussée à l'excès» (1838).

OBSERVER v. tr. est un emprunt très ancien (v. 980) au latin *observare* «porter son attention sur», «surveiller», moralement «respecter», «se conformer à», formé de *ob* (→ objet) et de *servare* «préserver, sauver, assurer» (→ conserver, préserver, réserver).

♦ L'ancien français utilise seulement le verbe avec le sens moral «se conformer à (ce que prescrit une loi)». Les autres sens se développent aux XVIe et XVIIe siècles : au XVIe s., *observer* prend le sens de «s'imposer comme règle (telle attitude)», hors du contexte religieux de l'ancien français (1580, Montaigne, peut-être déjà chez Commynes, fin XVe s.). ◇ L'idée d'«obligation» passe au second plan avec le sens de «prendre de façon constante (une attitude, une position), se tenir à» d'où, en langue classique, «veiller à» (1677). Un emploi spécial, en art militaire, dans *observer les distances* «rester à la distance réglementaire» (1868), s'est répandu avec la valeur abstraite de «ne pas devenir familier avec» (1868), supplanté par *garder ses distances.* ➜ Au XVIe s., *observer* commence à signifier «considérer avec attention afin de connaître, d'étudier», d'abord dans un contexte divinatoire (1535, *observer les temps* «chercher à deviner l'avenir»), puis en général (1607) et en sciences (1690); cf. ci-dessous *observation.* ◇ L'accent est spécialement mis sur l'idée de «contrôler en examinant» (1549), «guetter» dans un contexte militaire (1681). ◇ Par métonymie, *observer* s'emploie au sens de «remarquer, constater (après avoir considéré avec attention)» (1559) et, en construction factitive, «faire remarquer» (1687). ◇ La forme pronominale ***s'observer*** est employée au sens de «se contrôler, se surveiller» (1671), d'où «étudier sa propre nature» (1808), ainsi qu'au sens réciproque de «se surveiller mutuellement» (1683).

▶ *Observer* a pour dérivé **OBSERVANT, ANTE** adj. et n. (1508), dit particulièrement d'un franciscain *de stricte observance* (1559) en concurrence avec son dérivé **OBSERVANTIN** n. m. (1544), archaïque. ➜ **OBSERVABLE** adj. (v. 1525) «qui doit être observé» et «qui peut être examiné» (1587), est peut-être un emprunt au latin *observabilis* «que l'on peut observer», à moins qu'il ne soit dérivé de *observer.* ➜ **OBSERVATOIRE** n. m. est un dérivé savant (1667) du radical de *observer-observation* pour désigner l'établissement scientifique destiné aux observations astronomiques ou (plus tard) météorologiques. Il désigne également tout lieu d'où l'on peut observer (1783), spécialement dans un contexte militaire (1892).

Les autres mots du même groupe sont des emprunts au latin : **OBSERVATION** n. f. est emprunté (1200) au dérivé latin *observatio, -onis* «remarque, attention», au pluriel «remarques», et en latin ecclésiastique «culte, religion», formé sur le supin de *observare.* ➜ Le mot désigne d'abord la loi que l'on observe et, par métonymie, l'action de suivre ce que prescrit une loi, une règle (1507). ◇ À partir de 1377, il est également attesté avec une valeur active : «action de considérer attentivement la nature afin de mieux la connaître» ; cette acception se précisera au XVIIe s. et le mot deviendra au XVIIIe s. un terme technique de science, désignant un procédé d'investigation distinct de l'expérience (1733, Fontenelle). ◇ De ce sens, pris généralement, découle par métonymie, dans *une, des observations,* celui de «remarque, écrit, exprimant le résultat d'une enquête attentive» (1549), «parole par laquelle on fait remarquer une chose à qqn» (1677), spécialement «reproche» (1821). ◇ À côté de sa valeur épistémologique, *observation* désigne une surveillance systématique en médecine (1814), et en sports (XXe s.).

OBSERVANCE n. f. est emprunté (1260) au latin *observantia,* formé sur *observans,* participe présent de *observare* et désignant spécialement l'action de suivre des devoirs religieux, même si l'on note une certaine confusion entre *observantia* et *observatio* en latin impérial. ➜ Le mot désigne l'action d'observer une règle religieuse, par métonymie, la règle religieuse elle-même (1281) puis, par extension, toute sorte de loi (1350). ◇ Par une autre métonymie, *observance* désigne également l'ordre religieux considéré par rapport à sa règle, à sa discipline (v. 1450), et la règle d'un ordre particulier (déb. XVIe s.).

OBSERVATEUR, TRICE adj. et n. est emprunté (1491) au dérivé latin *observator* «celui qui remarque» et, en latin ecclésiastique, «celui qui pratique un culte». ➜ Le mot a d'abord eu le sens de «celui qui accomplit ce qui lui est prescrit par la loi». ◇ Au XVIe s., il a pris sa valeur moderne, «personne qui observe attentivement, qui étudie les êtres, les choses, les événements» (1555), en particulier «personne qui s'adonne à l'observation scientifique des phénomènes naturels» (1690). ◇ Ultérieurement, il se dit d'une personne qui, dans certaines circonstances, assiste à un événement et l'observe (1819), et plus particulièrement de la personne dont c'est le rôle, en tactique militaire (1916) comme en diplomatie (1932). ◇ Dans la langue classique, *observateur* désignait un espion (1648) et aussi un critique littéraire chargé d'écrire ses «observations» (1690). De là, en plus des acceptions politiques ou diplomatiques, vient l'emploi du mot dans des titres de publications périodiques qui «observent» et commentent l'actualité. ◇ L'emploi adjectif de *observateur* est attesté depuis 1762 dans le syntagme *esprit observateur.*

OBSIDIENNE n. f. est emprunté sous la forme *obsidien* (1566), puis *obsidiane* (1644) et *obsidienne* (1765), au latin *obsidianus* «pierre éruptive très foncée». Le mot, attesté seulement dans les manuscrits tardifs de Pline, est l'altération de *obsianus* (sous-entendu *lapis* «pierre»), proprement «pierre d'Obsius», de *Obsius,* découvreur de ce métal en Éthiopie (selon Pline). Le moyen français *obsiane,* emprunté (1522) au latin classique, n'a pas survécu. On rencontre encore quelquefois la variante *obsidiane,* mais c'est *obsidienne* qui l'emporte (cf. *La Tête d'obsidienne,* Malraux).

♦ Le mot désigne une pierre d'origine volcanique, vitreuse, de couleur foncée, qui a été utilisée en sculpture.

OBSIDIONAL, ALE, AUX adj. est emprunté (XVIe s.) au bas latin *obsidionalis* «relatif au siège d'une ville» (IVe s.), attesté dès l'époque classique dans le syntagme *corona obsidionalis* «couronne honorant celui qui a délivré une ville assiégée». Le mot est dérivé de *obsidio, onis* «siège», de *obsidere* «assiéger», composé de *ob* «devant» (→ objet) et *sedere* «se tenir» (→ seoir).

♦ Le mot a supplanté le doublet *obsidionnaire* (1559, *couronne obsidionnaire*) disparu au XVIIe siècle. Terme d'antiquité romaine, il s'est spécialisé dans le contexte de la peur collective d'être assiégé ou du sentiment angoissé de l'être ***(fièvre obsidionale).*** Dans ce contexte, il est passé en psychopathologie, «sentiment d'être assiégé, contraint, en développant un fort système de défense» (*délire obsidional,* 1951).

OBSOLÈTE adj. a été emprunté à plusieurs reprises (1596 et 1677 sous la forme *obsolet;* 1750, *obsolete*) au latin *obsoletus* «passé de mode, vieilli», par suite, «commun, vulgaire, négligé» et aussi «flétri, souillé». C'est le participe passé adjectivé de *obsolescere* «passer d'usage ou de mode», d'étymologie et d'histoire obscures : ni l'explication par °*obs-olescere* (avec *olescere* «croître»), ni celle par °*ob-solescere,* avec l'inchoatif de *solere* «avoir l'habitude de», ne sont satisfaisantes. Il y a dû avoir, comme pour *exoletus, exolescere* «se faner, tomber en désuétude», de sens très voisin, des influences et des contaminations que l'on entrevoit sans pouvoir les préciser.

♦ Le mot signifie «tombé en désuétude», dans le style littéraire ou archaïsant, essentiellement en religion, en linguistique et, par plaisanterie, à propos d'une personne. ◇ Depuis 1868, il est employé spécialement par les zoologistes au sens de «peu marqué, peu accentué». ◆ Son emploi en économie avec la valeur de «périmé» (XXe s.) est emprunté à l'anglais *obsolete,* lui-même emprunté au latin *obsoletus.* Les emplois actuels du mot sont des extensions de ce dernier.

▸ Au XXe s. avec la reprise de cet anglicisme sont apparus deux termes d'usage didactique, eux aussi empruntés à l'anglais. ◆ **OBSOLESCENCE** n. f. (1955, R. Barre, *Économie politique*) représente l'anglais *obsolescence* (1828) formé savamment sur le latin *obsolescens.* ◇ **OBSOLESCENT, ENTE** adj. (1960) reprend l'anglais *obsolescent* (1755), formé sur le latin *obsolescens, -tis,* participe présent de *obsolescere.* ◇ Les deux termes sont employés en économie à propos du vieillissement de l'équipement industriel dû à l'apparition de matériel nouveau. Comme *obsolète,* ils peuvent avoir une valeur plus générale.

OBSTACLE n. m. est emprunté (1225) au latin *obstaculum* «empêchement, ce qui arrête, ralentit», dérivé de *obstare,* proprement «se tenir devant» (→ nonobstant, obstétrique).

♦ Le mot est d'abord employé en parlant d'une abstraction et (1260) d'une chose concrète. Il est courant et sert à former de nombreuses locutions usuelles, tant au figuré qu'en emploi concret, comme ***faire obstacle à*** «s'opposer à» (1694), ***tourner l'obstacle*** (1885), *franchir l'obstacle,* etc. ◇ Spécialisé en sports (1872, en hippisme), il donne lieu à l'expression ***course d'obstacles.***

OBSTÉTRIQUE n. f. et adj. est un dérivé savant (1803) du latin *obstetrix, -icis* «sage-femme» (depuis Plaute), dérivé de *obstare* (→ ôter) «se tenir devant», de *ob* «devant» (→ objet) et *stare* «être debout» (→ état, être), car la sage-femme se tient devant l'accouchée pour recevoir l'enfant. Le moyen français avait déjà emprunté ce mot sous la forme *obstétrice* n. f. (1515); la finale *-ique* de la forme moderne est due à l'influence de termes de sciences comme *botanique.* L'anglais a *obstetric* adj. depuis 1742 (*obstetrics* n. f. est postérieur au mot français).

♦ Le mot est d'abord employé comme adjectif, puis surtout comme nom désignant la technique, la science de l'accouchement (1834).

▸ *Obstétrique* a cédé son emploi adjectif à **OBSTÉTRICAL, ALE, AUX** adj. (1818), peut-être calqué sur l'anglais *obstetrical* (1775). ◆ Il a aussi produit **OBSTÉTRICIEN, IENNE** (1971, n. m.) qui désigne le médecin spécialisé en obstétrique, plus souvent appelé *gynécologue,* ce «médecin des femmes» s'occupant souvent des accouchements (l'anglais a *obstetrician* dès 1828). ◇ La difficulté de créer en français un masculin correspondant à *sage-femme* (on a proposé *maïeuticien*) serait facilement levée par *obstétrique* n. m., *obstétricien, ienne* étant retenu pour la désignation du médecin spécialiste.

OBSTINATION n. f. est emprunté (fin XIIe s.) au latin *obstinatio, -onis* «constance, persévérance, fermeté», dérivé de *obstinare* «persévérer (dans...)», verbe transitif et absolu, formé de *ob* «devant» (→ objet) et de °*-stinare,* forme à infixe nasal correspondant à *stare* «être debout» (→ état, être *[étant, j'étais...]*).

♦ Le mot exprime la ténacité avec laquelle on reste attaché à une résolution. Il est le plus souvent péjoratif.

▸ **OBSTINÉ, ÉE** adj. est un emprunt (v. 1180) au latin *obstinatus* «persévérant», participe passé adjectivé de *obstinare.* ◇ Il qualifie une personne tenace, une chose que l'on poursuit avec constance (1417) et une chose que l'on ne peut faire cesser (1669), par exemple une affection, une maladie. ◆ On a dérivé **OBSTINÉMENT** adv. (1355). ◆ **OBSTINER** v. tr. et pron., emprunté plus tard (1531) au latin *obstinare,* est employé au pronominal ***s'obstiner*** pour «persévérer dans son entreprise», absolument et avec la préposition *à* (1559); en revanche, la construction classique *s'obstiner de* (1636) est sortie d'usage. *S'obstiner* se construit également avec un nom introduit par *à* (1603), *dans, en faveur de, sur.*

◇ Le verbe était employé transitivement avec les sens de «faire qu'une personne s'attache avec ténacité à qqch.» (1535) et «buter qqn en le contredisant» (1555), mais seuls *s'obstiner* et *obstiné* sont usuels en français moderne.

OBSTRUER v. tr. est emprunté comme terme médical (1540) au latin *obstruere,* «construire (un mur) devant qqch.», d'où «fermer, boucher», de *ob* «devant» (→ objet) et *struere* «construire, édifier» (→ construire).

♦ *Obstruer* a évincé la forme *obstruire* (1531) et signifie «boucher, engorger (un canal, un vaisseau)». ◇ Au XVIIIe s., il entre dans l'usage commun au sens de «faire obstacle, embarrasser la circulation» (av. 1788) et, au figuré, «ralentir le fonctionnement d'une activité humaine» (1788, du commerce).

▸ **OBSTRUCTION** n. f. est lui aussi emprunté par les médecins (1538) au dérivé latin *obstructio, -onis,* «voile, dissimulation», puis proprement, à basse époque, «action d'enfermer». ◇ Le mot, d'abord employé au sens concret pour «engorgement», a développé au XVIIIe s. le sens figuré de «ralentissement (du commerce)». ◇ Ses emplois ultérieurs, dans les domaines de la politique (1890), pour le fait d'empêcher le jeu normal des institutions parlementaires, et en sports (1907), sont des emprunts à l'anglais *obstruction* (1626 au figuré et 1879 en politique). ◆ Les termes se référant à l'obstruction en politique, **OBSTRUCTIONNISME** n. m. (1892) et **OBSTRUCTIONNISTE** adj. et n. (1890), sont formés sur le modèle des mots anglais *obstructionism* (1879) et *obstructionist* (1846). ◆ Les autres dérivés du verbe sont des adjectifs employés en pathologie : **OBSTRUCTIF, IVE** adj. (dès 1539), auxquels se joignent au XXe s. **OBSTRUABLE** et **OBSTRUANT, ANTE** adj.

OBTEMPÉRER v. intr. est emprunté (1377) au latin *obtemperare,* proprement «se modérer», de *ob* (→ objet) et *temperare* (→ tempérer), par suite «se soumettre sans discuter, obéir».

♦ *Obtempérer* est passé avec ce sens en français; son usage est limité au langage de la police et de l'administration.

OBTENIR v. tr. est emprunté (1283), avec francisation d'après *tenir**, au latin *obtinere,* proprement «tenir fermement» d'où «posséder», «maintenir, conserver», de *ob,* préposition employée comme préverbe (→ objet) et *tenere* (→ tenir).

♦ Le verbe, sous la forme *optenir,* qui note l'assourdissement normal du *b,* puis *obtenir* (1355), signifie «parvenir à se faire accorder ce que l'on souhaite» puis «réussir à atteindre» (1500) et, spécialement en sciences, «parvenir à réaliser, à produire» (1787, chimie), en particulier «parvenir à (un résultat) par un calcul» (1762), en mathématiques.

▸ **OBTENTION** n. f. est un dérivé savant (1360, *obstencion*) du latin *obtentus,* participe passé de *obtinere,* avec le suffixe *-tion.* ◇ Le mot désigne l'action de se faire accorder ce que l'on désire et, aussi (Littré) l'action de produire, de réaliser (1868, Littré). ◆ Le radical de *obtenir* et *obtention* a servi à former **OBTENTEUR, TRICE** n. (1868), lequel a éliminé *obteneur* (1840) dérivé de *obtenir.* ◇ Le mot, vieilli pour «personne qui se fait accorder ce qu'elle désire», n'est guère plus vivant avec le sens de «personne qui réussit à atteindre un résultat, un but».

OBTURER v. tr. est emprunté, sous la forme *opturer* (1538) qui correspond à la prononciation, puis *obturer* (1544), au latin *obturare* «boucher», «fermer», et au figuré «rassasier». Ce dernier est un mot ancien, attesté jusque dans la Vulgate mais peu usité. *Obturare* est formé avec le préfixe *ob* (→ objet) que l'on retrouve dans *obstruere* (→ obstruer), *oblinere* et *oppilare,* tous mots qui signifient aussi «boucher», et avec un élément °*turare,* attesté dans le composé *returare* «déboucher».

♦ Le mot, avec le sens de «boucher (une ouverture, un conduit) avec une chose», est rare avant le XIXe s. (1826). Il a reçu la valeur figurée de «rendre hermétique» (1899).

▸ **OBTURATION** n. f. est emprunté (1507, *obturacion*) au bas latin *obturatio, -onis* «action de boucher» (déb. Ve s.), formé sur le supin de *obturare.* ◆ **OBTURATEUR, TRICE** adj. et n., est formé (1550) sur *obturer* avec le suffixe *-ateur,* ou sur le supin latin *obturatum,* de *obturare.* ◇ D'abord employé comme adjectif (au féminin *obturatrice*) en anatomie où il est aussi substantivé (1575), il désigne un objet artificiel servant à fermer, en chimie (1790), en gynécologie et en technologie (1973). ◇ Le sens le plus usuel de *obturateur* est celui qu'il a pris en photographie comme nom masculin (1858) : il s'applique au dispositif d'un appareil interceptant la lumière venant de l'objectif pour ne la laisser passer que lors de la prise de vue, durant le temps de pose choisi.

OBTUS, USE adj. est emprunté (1370) au latin *obtusus* «émoussé», «affaibli», «assourdi, sourd» et, au figuré, «stupide, hébété». C'est le participe passé adjectivé de *obtundere* «frapper contre», «émousser en frappant» d'où, surtout «émousser, affaiblir», «fatiguer». Le verbe est formé de *ob* marquant l'hostilité (→ objet) et de *tundere* «frapper» (→ contondant).

♦ L'adjectif signifie proprement «arrondi à son extrémité, non aigu» et s'emploie spécialement en géométrie dans le syntagme ***angle obtus*** (1542). ◇ Depuis le XVIe s. (1532), il est également employé avec le sens figuré de «qui manque d'acuité, de finesse», d'abord en parlant des sens, des sensations puis, dans l'usage moderne, seulement en parlant de l'intelligence humaine (XVIIe s.) par péjoration. Cette acception, où il qualifie des personnes, est appuyée par l'emploi familier de *bouché.*

▸ Les dérivés de *obtus* ne sont guère employés : ce sont **OBTUSÉMENT** adv. (1478, *obtusement*) puis **OBTUSITÉ** n. f. (1866, Amiel), **OBTUSISME** n. m. et **S'OBTUSER** v. pron. ◆ Le seul mot vraiment en usage, mais très didactique, est **OBTUSION** n. f., emprunté (1605) au bas latin *obtusio, -onis* «état de ce qui est émoussé», proprement «action de battre, coup», formé sur le supin de *obtundere.* ◇ *Obtusion,* rare à l'époque classique, est repris en 1773 et à nouveau en 1868 au sens figuré de «lourdeur», spécialement en psychiatrie. ◆ Le composé **OBTUSANGLE** adj., employé en géométrie, est formé (1671) de *obtus* et de *angle** peut-être d'après le latin médiéval *obtusangulus* (XIe s.).

OBUS n. m. est emprunté à deux reprises (1515, sous la forme *hoccbus*; puis 1697, *obus*) à l'allemand *Haubitze* (1611), antérieurement *Haubnitze* «canon court à tir courbe et plongeant» et, par métonymie, «projectile». Ce mot allemand est lui-même emprunté au tchèque *hōufnice*, composé de *houf* «volée, foule, grand nombre», peut-être du radical germanique de l'anglais *heap* «tas», et d'un élément *-nice*, probablement apparenté au verbe *ničit* «détruire». Le composé signifie d'abord «catapulte», et se répand au moment des guerres contre les Hussites.

♦ En français, le mot a d'abord désigné le canon, avant de céder ce sens à son dérivé *obusier*, et de s'appliquer au projectile (1797). Le nom s'oppose à *boulet*, et s'applique aux projectiles creux (ces derniers étaient apparus au XVe s.); perfectionnés du XVIe au XVIIIe s., ils prennent au XIXe s. une forme cylindro-ogivale caractéristique. Le mot est employé dans de nombreux syntagmes : *obus explosifs, à mitraille* (l'objet est inventé en 1880); au XXe s. *obus perforants, obus de rupture, obus à charge creuse, obus antichars*, etc., enfin *obus à charge nucléaire, obus flèche* (1981). ◇ ***Femme*** et ***homme obus*** (en concurrence avec *homme, femme canon*) se sont employés dans le domaine du cirque pour les acrobates propulsés hors de l'âme d'un canon par un ressort. ◇ *Obus* désigne aussi l'obturateur de la valve d'un pneumatique, à cause de la forme (1963, dans les dictionnaires généraux).

▶ Le dérivé **OBUSIER** n. m. a été formé au XVIIIe s. (1762), et a certainement contribué au changement de sens de *obus*, ayant pris sa place pour «canon» ou «mortier».

OBVIE adj. est emprunté (1889) au latin *obvius* «qui vient naturellement à l'esprit, qui va de soi», proprement «qui vient au devant», de *ob* «devant» (→ objet) et *via* «chemin» (→ voie).

♦ Le mot a été repris avec le sens du latin; il reste étroitement lié à un usage philosophique à la différence de son correspondant anglais *obvious* (1635) «évident» qui, lui, est usuel.

◈ voir **OBVIER**.

OBVIER v. tr. ind. est emprunté (v. 1180) au latin *obviare* proprement «aller au devant de, à la rencontre de», de *ob* «devant» (→ objet), et *viare* «faire route», de *via* (→ voie), d'où «s'opposer à», et de là «éviter» (IVe s.).

♦ Le verbe, construit avec *à*, a été emprunté successivement avec les trois significations du latin. La première «résister à», d'où, en moyen français «répondre à une objection» (v. 1370), «réfuter», est sortie d'usage au XVIIe siècle. ◇ Le sens physique «aller au devant de» (v. 1370), relevé sporadiquement aux XVIe et XVIIe s., s'est ensuite éteint. ◇ Seule l'acception figurée de «prévenir un mal, un inconvénient» (v. 1370) est demeurée.

◈ voir **OBVIE**.

OC adv. est emprunté (1373) à l'ancien provençal *oc* «oui», employé absolument (XIIe s.) et dans la locution *dire oc ni no* «ne dire ni oui ni non». Ce mot correspond à l'ancien français *o, oïl* dont est sortie la particule affirmative du français, *oui** : il remonte comme lui au latin *hoc*, neutre de *hic*, démonstratif de la première personne (→ ici), qui était employé au sens de *ita* «c'est ainsi». Dès la fin du XIIe s., *oc* est entré, avec une valeur linguistique ou géographique, dans les expressions latinisées *lingua d'oc* (1291), *lingua de hoc* (1295); au XIIIe s., l'ancien provençal a de même *lenga d'Oc* (1323). Cette expression correspond au nom de la région *Languedoc*, dont le dérivé *languedocien* a une valeur linguistique plus précise : «ensemble des dialectes *[d'oc]* parlés en Languedoc».

♦ Le mot a été spécialisé en linguistique dans ***langue d'oc*** (1373) pour désigner, symétriquement et par opposition à *langue d'oïl* (XIVe s.), l'ensemble des parlers des régions de France situées au sud de la Loire où l'on disait *oc*. Voir occitan (encadré, pp. 2427 à 2430).

OCCITAN, ANE adj. et n., attesté en français au XXe s., succède à *occitanique* (1803) et à **OCCITANIEN, IENNE** adj. (1839); le mot correspond au latin médiéval *lingua occitana*. Il signifie «relatif aux dialectes d'oc» et «de l'occitanie», comme adjectif et comme nom *(les Occitans)*. L'*occitan* n. m. est synonyme de *langue d'oc*. ◆ **OCCITANISME** n. m. et **OCCITANISTE** adj. et n. (attestés v. 1970) concernent la défense de la personnalité occitane.

◈ voir **QUÉSACO**.

OCARINA n. m. est un emprunt (1877) à l'italien *ocarina* (1867), dérivé de *oca* «oie» par l'inventeur de l'instrument, G. Donati.

♦ Le mot désigne un petit instrument de musique à bouche ovoïde — d'où son nom —, en matière dure, creux et percé de trous.

① **OCCASE** adj. est l'emprunt didactique, en astronomie (1713), du latin *occasus*, génitif de *occasus* «chute, déclin», «coucher des astres», dérivé de *occidere* «tomber» (→ occasion, occident).

♦ Le mot, interprété comme un adjectif, est employé dans l'expression *amplitude occase*, calque du latin *amplitudo occasus* «arc mesuré sur l'horizon entre la direction de l'ouest et celle de la position d'une étoile à son coucher».

② **OCCASE** → **OCCASION**

OCCASION n. f. est emprunté (1174) au latin *occasio, -onis*, proprement «ce qui tombe, ce qui échoit» d'où «temps favorable, propice», formé sur *occasum*, supin de *occidere* «tomber» (→ ① occase, occident).

♦ Le mot, d'abord écrit *occasiun*, a remplacé l'ancien français de formation populaire *ochaison, achaison, achoison* (XIIe-XVIe s.), fréquemment pris au sens d'«accusation, poursuite en justice», le *a*- initial étant dû à un rapprochement avec *accusation*. ◇ *Occasion* désigne dès les premiers textes une circonstance déterminante (avec une idée causale) et entre dans la locution ***à l'occasion de*** (1462) «à cause de». ◇ Il prend le sens plus général de «circonstance qui vient à propos» (fin XIVe s.), réalisé dans plusieurs locutions usuelles, telles ***par occasion*** «accidentellement» (1606), *aux occasions* (1671), sortie d'usage, et ***à l'occasion*** (1859). Le proverbe ***l'occasion fait le larron*** (1626) est la traduction littérale du latin médiéval *occasio facit furem*. ◆ Au XIXe s. apparaît la valeur particulière de «marché avantageux pour l'acheteur» (1826), à partir duquel le mot désigne concrètement l'objet de ce marché, d'où la marchandise ainsi achetée *(une occasion). Marchandise d'occasion* (1832) a d'abord désigné une marchandise de seconde main ou dont le marchand entend se défaire (Littré), avant de se borner au premier cas. ◇ En français d'Afrique, le mot se dit spécialement d'une possibilité de transport bon marché et, par métonymie, d'un véhicule de transport en commun.

► *Occasion* est abrégé familièrement en ② **OCCASE** n. f. (1849), surtout en contexte commercial. ◆ Il a produit **OCCASIONNEL, ELLE** adj., terme de philosophie employé par Malebranche (1674) dans *cause occasionnelle*, opposé à *cause efficiente ;* on relève aussi *occasion* chez le même auteur avec cette valeur. ◇ Le mot a pris le sens courant «que l'occasion seule fait naître» à la fin du XVIIIe siècle. ◆ L'adverbe **OCCASIONNELLEMENT**, écrit *occasionaument* (1306), avant de prendre sa forme actuelle (1546), est fait directement sur le latin *occasionaliter*. ◆ *Occasionnel* a lui-même donné les termes de philosophie **OCCASIONNALISME** n. m. (1845) et **OCCASIONNALISTE** adj. (1859), surtout employés à propos des cartésiens et de Malebranche en référence à la théorie selon laquelle Dieu est la seule cause. ◆ Quant à **OCCASIONNER** v. tr. (1303), il est dérivé de *occasion*, d'après le bas latin *occasionari* «chercher querelle à qqn, molester», dérivé de *occasio*. En français, *occasionner* a remplacé progressivement les anciennes formes héritées, *ochaisoner, achaisonner ;* il a perdu les valeurs héritées du latin, «chercher querelle à», spécialement dans le domaine juridique, d'où «presser (qqn) de faire qqch.» (1579), au profit du sens moderne «être la cause de, fournir l'occasion de» (1596) ; cette évolution s'est faite d'après *occasion*.

OCCIDENT n. m. est emprunté (1119) au latin *occidens*, participe présent de *occidere*, verbe composé de *ob* (→ objet) et *cadere* «tomber» (→ choir), qui signifie «tomber à terre», «succomber, périr» et, en parlant d'un astre (notamment du soleil), «se coucher». *Occidens* est adjectivé dans *occidens sol*, «soleil tombant, couchant», et substantivé pour désigner le point cardinal situé à l'endroit où le soleil se couche.

♦ Le français a repris ce dernier sens, aujourd'hui limité à l'usage littéraire, et le moyen français employait *occident* à propos du coucher d'un astre. À partir du XVIe s. (1575), le mot prend le sens figuré de «ruine, déclin», d'après une idée déjà réalisée par le verbe latin *occidere*. ◇ Parallèlement, dès le XIIe s. (1150), *occident* désigne toute la portion ouest de la Terre ; il est orthographié alors avec une majuscule. À l'époque classique, on appelait *Empire d'Occident* à la fois l'ancien empire romain et l'empire moderne d'Allemagne (1690, chez Furetière), et l'Occident se définissait déjà comme la partie ouest du continent européen avec les peuples qui l'habitent (Espagnols, Français, Italiens...), augmentée du nouveau monde, c'est-à-dire l'Amérique. Dans sa définition politique moderne, le mot englobe les États membres de l'O. T. A. N. (1952). Cette valeur, pour *occident* et ses dérivés, est appelée à devenir historique avec la disparition ou l'évolution des régimes des pays d'Europe orientale, en 1989-1990.

► **OCCIDENTAL, ALE, AUX** adj. et n. est emprunté, sous la forme *occidentel* (XIIIe s.), devenue *occidental* au XVIe s., au latin *occidentalis* «situé à l'occident», de *occidens*. ◇ L'adjectif sert à qualifier un habitant de l'Occident selon la définition qu'a alors ce mot, le sens actuel s'ébauchant au cours du XVIIe s. (1671, adj. ; 1680, n.). ◇ Par ailleurs, *occidental* qualifie ce qui est situé à l'occident (1314), plus particulièrement, dans l'usage ancien, un astre qui se couche après le soleil (1528). Il s'est spécialisé en joaillerie et en minéralogie pour qualifier une pierre, un joyau de moindre valeur (1723). ◆ Au sens géographique, il entre dans les composés récents **ANTI-OCCIDENTAL, ALE, AUX** adj. et **PRO-OCCIDENTAL, ALE, AUX** adj. dans le débat politique du XXe s. et a donné quelques termes se rapportant au rôle joué par l'Occident vis-à-vis de l'Orient, et, après 1945, vis-à-vis des pays socialistes d'Europe orientale et d'Asie. ◆ **OCCIDENTALISER** v. tr., «donner des habitudes de vie conformes à celles de l'Occident», est attesté depuis 1808, et son dérivé **OCCIDENTALISATION** n. f. en 1948 chez Malraux, qui parle à la fois de la Russie de Pierre le Grand et de l'Union soviétique. ◆ **OCCIDENTALISME** n. m. (1846), «tendance à privilégier les valeurs de l'Occident par opposition à celles de l'Est ou de l'Orient», est pris spécialement à propos de la tendance à préférer les valeurs politiques et intellectuelles de l'Occident (1907) ; il est employé par les historiens de la Russie à propos du courant réformateur qui se développa en Russie sous le règne de Nicolas Ier, au XIXe siècle. ◆ **OCCIDENTALISTE** adj. et n. a d'abord le sens de «partisan de la théorie selon laquelle la civilisation serait née en Occident» (1908) ; depuis 1921, il s'applique à un partisan du mouvement réformateur russe au XIXe siècle. ◆ **OCCIDENTALITÉ** n. f. (1943), «caractère occidental», avait été créé une première fois au XIIIe s. pour désigner le coucher d'un astre.

◈ voir ① OCCASE, OCCASION.

OCCIPUT n. m. est emprunté (1372) au latin de même sens *occiput*, de *ob* (→ objet) et *caput* «tête» (→ chef). *Caput*, dont le *-ut* «quoique ancien, n'est pas essentiel» (Ernout-Meillet), a de nombreux composés en *-ceps, -cipitis* (*biceps*, etc.) à côté de ceux en *-ciput*.

♦ Le mot est d'usage didactique en anatomie mais s'emploie aussi familièrement pour désigner la partie postérieure du haut du crâne *(un coup sur l'occiput)*.

► L'adjectif correspondant *occiputal*, emprunté (1370) au latin médiéval *occiputalis* «qui se rapporte à l'occiput», a disparu, puis a été repris (1478) sous la forme *occipitial* et **OCCIPITAL, ALE, AUX** et substantivé (1765) au sens d'«os occipital». ◇ Il est représenté par les éléments de composition *occipito-* et *-occipital* (XVIIIe s.), le premier dans **OCCIPITO-FRONTAL, ALE, AUX** (fin XVIIIe s.) et **OCCIPITO-MENTONNIER, IÈRE** adj. (1833), le second dans **SOUS-OCCIPITAL** (1753) et **SUS-OCCIPITAL** (1877); **CERVICO-OCCIPITAL, PARIÉTO-OCCIPITAL, SPHÉNO-OCCIPITAL, ALE, AUX** adj.

OCCIRE v. tr. est issu (v. 980) du latin populaire *°aucidere,* forme altérée du latin classique *occidere* «couper, mettre en morceaux», «tuer, faire périr» et au figuré «causer la perte de», lui-même formé de *ob* (→ objet) et *caedere* «frapper, abattre» et «tuer, massacrer» (→ -cide, ciseau). La corruption en *°aucidere* est probablement due à un croisement avec *auferre* «emporter» d'où «emporter, détruire, tuer».

♦ Le verbe, usuel du Xe au XVIe s. pour «tuer», n'est plus guère employé, sinon par archaïsme ou par plaisanterie. Sa déchéance, constatée au XVIIe s. par Richelet (1680, «burlesque»), peut s'expliquer par l'incertitude de sa conjugaison à côté de la régularité de celle de *tuer* qui a valu à ce dernier la préférence.

▸ **OCCISION** n. f. (1080, *ocisiun*), emprunté au dérivé latin *occisio, -onis* «meurtre» et **OCCISEUR** n. m. (1174-1176, *ociseur*), pris au latin *occisor* «meurtrier», ont connu le même sort que le verbe; *occiseur* ayant été momentanément repris au XIXe siècle. ◇ *Occire* avait donné le dérivé *ocieor* début XIIIe s. et *occident* n. m. «assassin», en ancien français.

OCCITAN → OC

OCCLURE v. tr. est emprunté (1440) au latin *occludere* «clore, fermer» de *ob* «devant» (→ objet) et *claudere* «fermer» (→ clore).

♦ Le verbe est d'abord employé pour «entourer, investir (une ville)»; il a été repris au XIXe s. d'après *occlusion* avec les sens modernes spécialisés de «fermer (un conduit, une ouverture)», en médecine (1858), et de «contenir, renfermer», en physique et chimie (1868).

▸ Le participe passé **OCCLUS, USE** est adjectivé dans *gaz occlus* (1903) «gaz contenu dans certains métaux ou certaines roches», et dans *front occlus,* en météorologie. ◆ Deux autres mots du même groupe sont apparus au XIXe siècle. ◇ **OCCLUSION** n. f. est emprunté (1808) au dérivé bas latin *occlusio, -onis* «action de boucher, obstruction» comme terme de médecine; il désigne l'opération qui consiste à occlure les paupières d'un malade atteint de kératite et (1812) la fermeture pathologique d'un conduit naturel, notamment celle des intestins (1832). ◇ Au cours du XIXe s., *occlusion* prend le sens général de «fermeture» (1868, Littré) et entre dans le vocabulaire de la physique et de la chimie (1868), par emprunt à l'anglais *occlusion,* attesté dès 1866 dans ce domaine. ◆ **OCCLUSIF, IVE** adj. est formé avec le suffixe *-if* (1876) sur le latin *occlusum,* supin de *occludere;* il est employé en médecine *(bandage occlusif)* ainsi qu'en phonétique (1885) où il est substantivé pour *consonne occlusive* «consonne qui met en jeu la fermeture momentanée du canal vocal». ◆ **OCCLUSAL, ALE, AUX** adj. (1972) qualifie ce qui est relatif à l'occlusion dentaire. ◇ **OCCLUSODONTIE** n. f. (v. 1970), formé avec l'élément *-odontie* (→ mastodonte), dénomme la branche de la médecine dentaire qui étudie les anomalies de l'occlusion dentaire.

OCCULTE adj. est emprunté (v. 1120) au latin *occultus* «caché, secret», participe passé adjectivé de *occulere* «cacher» qui repose sur un *°obkelere,* composé avec *ob* (→ objet) de *celare* (→ celer), surtout employé au participe passé.

♦ Le mot est d'abord attesté dans l'ancienne locution *en occulz* «en secret»; dès la même époque (milieu XIIe s.), il est employé comme adjectif (écrit *oculte*) avec son sens actuel «secret, mystérieux, caché». Il entre, en philosophie scolastique, dans l'expression de *qualités occultes* (1677) «propriétés considérées comme la cause cachée d'effets apparents et en constituant l'explication suffisante». L'expression ***sciences occultes,*** attestée depuis 1690, est restée usuelle. ◇ Il arrive que *occulte* soit employé comme nom avec une valeur de neutre *(l'occulte)* pour désigner ce qui est caché, mystérieux (1821). ◇ Quelquefois, l'adjectif s'applique aux personnes, avec le sens affaibli et péjoratif de «qui garde le secret, l'incognito» (1829). À l'époque classique, *ligne occulte* se disait d'une ligne destinée à être effacée une fois le projet achevé (1690).

▸ *Occulte* a produit **OCCULTEMENT** adv. (v. 1155, *ocultement*), synonyme littéraire et rare de *secrètement,* et les termes didactiques **OCCULTISME** n. m. (1842) «système occulte», surtout «ensemble des sciences occultes» (1884, Péladan) et **OCCULTISTE** n. et adj. (1891, Huysmans, *Là-bas*); seul le premier est usuel.

OCCULTER v. tr. est emprunté (déb. XIVe s.) au latin *occultare* «cacher, dissimuler», forme fréquentative de *occulere* qu'elle a plus ou moins remplacé. *Occulter* «cacher» est surtout employé en astronomie (1499 au pronominal, *soi occulter,* à propos d'une étoile). ◇ L'usage courant emploie essentiellement le verbe au figuré pour «cacher à l'esprit, dissimuler, rendre obscur». ◆ Quant à **OCCULTATION** n. f., il est emprunté (déb. XIVe s.) au dérivé latin *occultatio, -onis* «action de cacher». ◇ Comme le verbe dont il est contemporain, il s'est employé spécialement à propos d'un astre (1488), puis également en médecine à propos de la disparition rapide d'une tumeur (1515), et enfin avec une valeur plus générale «action de cacher à la vue», «action de se cacher (en parlant d'un animal)» (1778, Buffon). ◇ De nos jours, il se dit surtout de l'action d'occulter une source lumineuse (1936), spécialement en marine et en technique militaire, en parlant du camouflage des lumières pendant la nuit en temps de guerre (1941); ce sens est surtout vivant en Belgique. ◆ **OCCULTEUR, OCCULTATEUR** n. m. (v. 1960), désigne le dispositif utilisé pour dissimuler des lumières et signaux, afin d'éviter leur repérage. *Occultateur* s'était employé en moyen

(Suite page 2430)

L'OCCITAN (LANGUE D'OC)

Dans le *De Vulgari Eloquentia* (1304-1308), le poète Dante propose une vision sommaire «triparlière» du latin parlé en Europe : «[...] car certains pour affirmer disent *oc,* d'autres *oïl,* d'autres *si* [...]. Parmi ces peuples [Espagnols, Français, Italiens], ceux qui parlent en langue d'*oc* tiennent la région occidentale du midi de l'Europe, à partir des frontières génoises [...]. Quant à ceux qui parlent en langue d'*oïl,* ils sont en quelque manière au septentrion, eu égard à ceux-là» (éd. Pézard, p. 564). Les limites géographiques entre langue d'oc et langue d'oïl que pose Dante au temps des derniers troubadours demandent à être précisées. Les parlers de langue d'oc s'étendaient autrefois au sud d'une ligne partant de l'embouchure de la Loire et aboutissant aux Vosges méridionales; les provinces du Poitou et de la Saintonge, actuellement en domaine d'oïl, faisaient donc encore partie du domaine galloroman méridional. Depuis le moyen âge toutefois, la limite entre *oc* et *oïl* n'a guère varié : elle commence à l'embouchure de la Gironde, englobe les hauts plateaux du Limousin, le Massif central, traverse le Rhône entre Valence et Vienne et se perd dans les Alpes. À l'intérieur de ce domaine, les parlers d'oc se répartissent actuellement en trois grands groupes dialectaux : le *nord-occitan* (limousin, auvergnat et vivaro-alpin); l'*occitan moyen* ou *méridional* (languedocien et provençal) et enfin le *gascon,* qui constitue une entité ethnique et linguistique originale. Certains de ces dialectes ont des ramifications hors de France. Tel est le cas du provençal parlé dans quelques villages piémontais ou du gascon parlé en Val d'Aran; ont existé, en outre, des colonies occitanes plus récentes en Calabre (depuis le XIVe s.) et en Allemagne dans le Wurtemberg (depuis le XVIIe s.). Telle est aujourd'hui la répartition géographique des parlers d'oc. À ce groupe appelé le gallo-roman «occitan», ou encore l'occitano-roman, se rattache également le catalan, langue instituée, aujourd'hui en pleine renaissance du côté espagnol (Catalogne, Baléares, province de Valence). Voir CATALAN.

Plusieurs termes ont été utilisés ou proposés, à différentes époques, pour dénommer cette langue. D'abord, celui de *langue d'oc,* qui servait à désigner les pays appelés en latin *Occitania.* Ce terme que l'on a employé dès le XIIIe s. est devenu ambigu, puisqu'il désignait également la province du même nom, le *Languedoc;* d'autre part, l'adjectif correspondant, *languedocien,* est réservé exclusivement au dialecte. Au début du XIIIe s. également, cette langue est appelée le *lemosi* (limousin) par le troubadour catalan Raimon Vidal, et est opposée à la *parladura francesca;* ce terme est abandonné de bonne heure, le limousin étant un dialecte parmi ceux de langue d'oc. Une autre dénomination, usitée au moyen âge (dès le XIIIe s.), surtout par les Italiens, est celle de *provençal,* du nom latin des *Provinciales* qui se distinguaient des habitants du Nord, les *Francigenae.* Ce terme de *provençal,* qui eut cours jusqu'au milieu du XXe s. parmi les romanistes, est délaissé du fait de son ambiguïté, puisque *provençal* qualifie aussi le dialecte propre de la Provence. On préfère donc aujourd'hui celui d'*occitan,* plus adéquat pour désigner l'ensemble des parlers galloromans méridionaux aussi bien anciens (ancien occitan) que modernes.

Au contraire du français, l'occitan ne fut jamais une langue politique ou nationale — malgré les théories romantiques — ou même régionale — malgré la renaissance occitane et le félibre Frédéric Mistral, chantre de la Provence. C'est une langue ethnique, pour reprendre le terme de P. Bec (*La Langue occitane,* p. 6), reflet d'une culture et d'une civilisation véhiculées par la littérature d'une communauté humaine originale dont la conscience linguistique s'est éveillée très tôt et qui «a essayé, sans y parvenir totalement, à se définir» (Bec, op. cit., p. 64).

Cette langue d'oc est, dès ses premières manifestations au XIe s., une langue classique (jusqu'au XVe s.), sans prédominance d'un dialecte sur l'autre; elle présente, en outre, une grande unité, avec des variantes dialectales minimes. C'est la langue des troubadours et des trobaïritz (femmes troubadours), langue littéraire et poétique par excellence, formée probablement avant l'an mil. Tous les troubadours de l'âge d'or (XIIe-2e moitié XIIIe s.), tant italiens (le grand Sordel de Mantoue, par exemple) que catalans (comme Raimon Vidal de Besalú, auteur des *Razos de trobar,* l'un des plus anciens traités de grammaire et de rhétorique en langue vulgaire), et a fortiori *occitans,* adoptent cette langue commune, expression type de la lyrique courtoise qui atteint une sorte de perfection avec le premier des troubadours, Guillaume IX d'Aquitaine (1071-1127). La doctrine de la *fin'amor,* élaborée au cours du XIIe s., est celle de la passion à la fois pure et charnelle, fondée sur la transgression du sacrement du mariage, et le service d'amour à la *dona* (dame). Cette doctrine, cette vision apologétique de la femme, parfois idéalisée ou associée à la Vierge (en particulier chez Guiraut Riquier, v. 1230), se trouvera modelée ou transcendée par les épigones de ces troubadours, qui utiliseront alors leur propre langue vulgaire. Ce sont d'abord les trouvères artésiens et champenois, qui «trouvent» en langue d'oïl, tels Conon de Béthune, Gace Brûlé ou Chrétien de Troyes (fin XIIe s.) : avec eux, le fossé se creuse entre la dame et son amant, la passion devient respectueuse, la *fin'amor* chevaleresque. Les trouvères empruntent également les genres de la poésie lyrique occitane (chanson d'amour, aube, pastourelle, chanson de croisade, jeu-parti), sa forme et même ses mélodies, car, ne l'oublions pas, cette poésie forme un tout avec la musique qui l'accompagne. Puis, en Allemagne et en allemand (fin XIIe s.), ce sont les Minnesänger (*Minne* «*fin'amor*» et *Sänger* «chanteurs») : ils sont plus sensibles au caractère courtois — et érotique — de la lyrique occitane. Plus tard (fin XIIIe s.), enfin viennent les Italiens, représentants du *dolce stil nuovo*, comme Cavalcanti et Dante qui s'expriment en toscan ; ces deux derniers retiendront plutôt les aspects mystiques de cet héritage.

Plus de quatre cents noms jalonnent cet âge d'or de la lyrique occitane, de Guillaume IX à Guiraut Riquier. Les œuvres, parfois accompagnées de leur musique, sont conservées dans des manuscrits «anthologiques» datant de la fin du XIIIe s. ; leurs *Vidas* (XIIIe s.) racontent d'une manière parfois romancée leur biographie. Les plus grands sont Guillaume IX, troubadour libertin mais aussi chanteur d'un amour pur ; Cercamon et Marcabru (apr. 1130), auteurs de *canzos* et de *sirventès*, parodies satiriques critiquant le temps présent ; Jaufré Rudel, qui cultive l'*amor de lohn* (amour de loin, amour mystique) et qui, selon sa *Vida*, s'exprime par «des mots pauvres» et de «beaux sons» ; Bernard de Ventadour (mil. XIIe s.), peut-être le plus grand par sa poésie lumineuse et musicale ; Arnaut Daniel, spécialiste du *trobar clus* (poésie hermétique, opposée à la poésie transparente, le *trobar plan*) et de la rime rare, célébré par Dante, dans le *Purgatoire*, comme celui qui «fut du parler maternel le meilleur fèvre [forgeron]» (éd. Pézard, p. 1306) ; Peire Vidal et le moine de Montaudon (2e moitié XIIe s.), puis les trobaïritz : la comtesse de Die et Marie de Ventadour (déb. XIIIe s.), auteur de *tensons* (discussion poétique entre deux troubadours) ; enfin Guiraut de Calanson, premier théoricien de l'amour courtois, commenté vers la fin du XIIIe s. par Guiraut Riquier.

La lyrique occitane a marqué «une étape particulièrement brillante de la poésie et de la pensée universelles» (Bec, *op. cit.*, p. 68) ; son rayonnement a dépassé les frontières politiques. Cependant, le mystère plane encore sur l'origine de cette langue commune, d'une part, et de cette conception de la *fin'amor* (le mot *amour* est occitan, résultat du latin *amor*, qui donne *ameur* en langue d'oïl).

La littérature occitane de l'âge d'or ne se limite pas à la seule lyrique. L'épopée est représentée par des fragments de *Boeci*, l'hagiographie par la *Chanson de sainte Foy* (ces deux textes dateraient du Xe s.), le roman par *Flamenca* (env. 1235) et *Jaufre* (XIIIe s.), la littérature didactique et scolastique par *Lo Breviari d'Amor* de Matfré Ermengaud (fin du XIIIe s.), qui «représente à n'en pas douter la nouvelle civilisation née de la seconde partie du XIIIe s.» (Camproux, *Histoire de la littérature occitane*, p. 56) et les traités de grammaire par le *Donat proensal* (mil. XIIIe s.) d'Uc Faidit et les *Leys d'Amor*, du Toulousain Molinier, qui tente de restaurer littérairement la langue d'oc.

Décadence littéraire de l'occitan.

La croisade des albigeois (1208-1229), qui eut une répercussion sur la structure sociale et les cours méridionales, marque le déclin de la lyrique courtoise ; les troubadours s'expatrient et le centre d'attraction culturelle se déplace vers le nord de la France, vers le français. En témoigne la fondation à Toulouse en 1323 du *Consistori del Gai Saber*, pendant des jeux Floraux du nord de la France, et créé dans le but de remettre en honneur les anciennes valeurs troubadouresques. Après 1485 d'ailleurs, le *Collège de Rhétorique*, nouveau nom du *Consistori*, n'admettra que le français à ses concours. Les productions en occitan se poursuivent néanmoins, mais la langue littéraire se mêle de gallicismes dès le XVe siècle. En tant que langue administrative et juridique, l'occitan écrit ne se maintient, jusqu'à la fin du XVIe s., que dans les vallées pyrénéennes. Le Midi se «francise» au cours du XVIe s. par le biais de l'administration. L'occitan parlé, la langue populaire, en revanche, conserve toute sa vitalité. Cette situation de bilinguisme, effective vers 1550, se poursuivra jusqu'à la Révolution. Témoin, cette anecdote : en 1644, les dames de la société marseillaise sont dans l'incapacité de s'entretenir avec Mlle de Scudéry.

Au XVIe s., on constate une véritable renaissance littéraire, mais la littérature est alors celle de dialectes. Ceux-ci, dont la divergence est devenue sensible au milieu du XIVe s., sont consacrés par des textes et rehaussés au niveau d'une langue. Des poètes languedociens, mais surtout gascons, défendent et illustrent leur parler occitan et prennent conscience de leur particularisme ethnique (Garros, Gondolin, etc.). À la même époque, les relations entre l'occitan (surtout gascon) et le français sont évoquées sur le mode critique, par exemple à propos de Montaigne.

Au point de vue linguistique, cette période marque les débuts de l'occitan moderne. Jusqu'au XIXe s., la *langue d'oc*, écrite ou parlée, se maintient dans ses différentes variantes dialectales, sans trop évoluer. Les premiers ouvrages «cacologiques» paraissent au cours du XVIIIe s., ceux de Pellas (1723) ou d'Achard (1785) pour le provençal, ou les *Gasconnismes corrigés* de Desgrouaix (1768). Au XVIIIe s. également, se confirme et s'accentue un mouvement savant d'érudits qui redécouvrent les œuvres des troubadours : Lacurne de Sainte-Palaye, auteur d'un *Dictionnaire historique de l'ancienne langue française*, recueille plus de quatre mille pièces des troubadours ; et ce mouvement dépasse les frontières de la France. Le romantisme consacre ce regain d'intérêt pour les poètes disparus et du même coup pour la *langue d'oc* et ses dialectes. F. Raynouard publie entre 1816 et 1821 six volumes contenant une grammaire de l'ancien occitan et son *Lexique roman* (1830-1844) reste encore aujourd'hui un ouvrage de référence. Raynouard, que Goethe a lu, suscite la vocation de romaniste de l'Allemand F. Diez, auteur entre autres d'un *Dictionnaire étymologique des langues romanes* (1836-1838) et fondateur de l'étymologie romane, dont les travaux sont largement utilisés par Littré. Le *Dictionnaire provençal-français* du Dr Honnorat (Digne, 1848) marque un tournant décisif dans l'histoire de l'occitan. Rassemblant plus de 100 000 mots anciens et modernes, ce dictionnaire est une véritable encyclopédie occitane. Honnorat est le premier à tenter une normalisation graphique et à essayer de rendre cohérente la disparité dialectale que recouvre l'occitan. Il annonce une deuxième renaissance, entérinée par la création du Félibrige.

Le Félibrige.

En 1854, sept jeunes poètes provençaux, qui se donnèrent le nom de *félibres* — mot d'origine incertaine —, se réunissent dans le Vaucluse pour établir un véritable programme de restauration linguistique et littéraire provençale. La figure de proue de ce mouvement est, à côté de l'organisateur Roumanille, Frédéric Mistral. «De même que l'œuvre des troubadours a trouvé sa perfection et son achèvement dans l'œuvre de Dante, les œuvres du romantisme ont trouvé leur achèvement et leur perfection dans l'œuvre de Mistral.» (L.-G. Gros, *in* Camproux, p. 162). En 1859, Mistral publie le poème épique *Mirèio*, qui connaît d'emblée un succès national et international et asseoit ainsi la réussite du Félibrige naissant. En 1878 paraît, en outre, son *Tresor dou Felibrige ou Dictionnaire provençal-français embrassant les divers dialectes de la langue d'oc moderne*, inspiré en partie de celui d'Honnorat. Le «programme» de Mistral consiste en trois points essentiels : relever, raviver en Provence le sentiment de la «race» ; restaurer la langue naturelle et historique du pays, l'épurer de ses gallicismes ; rendre au provençal sa dignité par la consécration de la poésie. Cette conception de la langue et de la littérature d'oc, dont le domaine s'étend «*dis Aup i Pireneù* [des Alpes aux Pyrénées]» et inclut la Catalogne, Mistral la tient d'un de ses précurseurs, Fabre d'Olivet, natif des environs de Montpellier et surtout connu par ses œuvres en français. Celui-ci écrit des poésies *occitaniques*, «mot nouveau adopté pour exprimer à la fois le provençal et le languedocien, et généralement tous les dialectes dérivés de l'ancienne langue d'oc» (1803). La renaissance mistralienne se propage dans tous les pays d'Oc et Mistral sent le besoin de réorganiser en 1876 le Félibrige, dans le but de «réunir et stimuler les hommes, qui, par leurs œuvres, servent la langue du pays d'Oc ainsi que les savants et les artistes qui étudient et travaillent dans l'intérêt de ce pays». Cette réorganisation, dirigée par Roumanille, a pour but de regrouper les écoles locales sous l'égide d'un conseil général, constitué de cinquante *majoraux* dont le chef suprême est le *capoulié*. Mais au lieu de réunir toutes les forces, Roumanille les éclate et les disperse : on l'accuse de vouloir «monarchiser», avec ce que ce terme recouvre de connotations linguistique et politique. Alors que Mistral souhaitait une réforme linguistique et orthographique qui respectât la tradition de la langue d'oc, il cède à Roumanille, qui se contente d'une simple adaptation du système français à son parler avignonnais, provençal donc. Certains poètes mistraliens, en outre, tentent d'imposer le dialecte rhodanien de Mistral comme langue nationale et commune à tous les pays d'Oc. Catalans, Languedociens, Limousins et Gascons s'y opposent, les uns par tradition littéraire, les autres parce que leur dialecte est bien trop éloigné du provençal. Ce problème de normalisation graphique est la pierre d'achoppement à laquelle se heurte dès le départ la réforme félibréenne et il le demeurera jusqu'à nos jours. En 1876, le majoral limousin J. Roux propose une orthographe se rapprochant de celles des troubadours. Ce système sera repris et amélioré par les deux poètes languedociens Estieu et Perbosc et adopté enfin par l'*Escola Occitana*, fondée en 1919. Jules Ronjat, à qui l'on doit l'indispensable *Grammaire historique des parlés provençaux modernes*, publiée en 1930, après sa mort, la rédige dans «l'ortografe félibréenne». La solution quasi définitive sera trouvée par Louis Alibert, qui publie en 1935 sa *Gramatica Occitana segon los parlars lengadocians*. Cet effort d'unification graphique — et morphologique — ne s'applique alors qu'aux parlers languedociens, plus conservateurs et centraux que les parlers provençaux. L'*Institut d'Estudis Occitans (I. E. O.)*, créé en 1945, travaille à étendre cette réforme aux autres dialectes. Si cette graphie occitane normalisée est adoptée par la majorité des écrivains de langue d'oc, une faible partie des écrivains provençaux et gascons, en revanche, s'en tient aux principes félibréens. Ces dissensions et schismes nés au XIXe s. se sont traduits par un éclatement de la communauté occitane, la littérature, devenue une littérature de clocher, consacrant l'émiettement des dialectes. Mais aujourd'hui, la mise en place d'une *scripta* commune, portée et soutenue par le mouvement occitaniste, qui n'est pas formé exclusivement d'intellectuels, redonne à la langue d'oc sa place de langue de culture. Le foisonnement littéraire des XVIIIe et XIXe s. se poursuit et l'occitan écrit s'étend aujourd'hui à tous les domaines. Paradoxalement, la langue parlée, comme les autres dialectes et parlers de France, continue de se désintégrer. La nouvelle génération de locuteurs dialectophones, du fait de l'apprentissage de l'occitan à l'école, est en fait «réoccitanisée».

M.-J. Brochard

BIBLIOGRAPHIE

P. BEC, *La Langue occitane*, Paris, «Que sais-je?», n° 1059, 1973 (3e éd.).

Ch. CAMPROUX, *Histoire de la littérature occitane*, Paris, Payot, 1971 (2e éd.).

H. DAVENSON, *Les Troubadours*, Paris, Le Seuil, coll. «Le temps qui court», 1961.

R. NELLI, *L'Érotique des troubadours*, Paris, 10/18, 1974 (réimpr. de l'éd. de Toulouse, 1963).

J. ROUBAUD, *Les Troubadours. Anthologie bilingue*, Paris, Seghers, coll. «P. S.», 1971.

français pour «personne qui cache», alors emprunt au dérivé latin *occultator*.

OCCUPER v. est emprunté (v. 1180) au latin *occupare* «prendre avant les autres, le premier, d'avance», d'où «prévenir, devancer» et «se rendre maître de», au passif «être accaparé par». Le mot est composé de *ob* «devant» (→ objet) et de *capere* «prendre» (→ capter, chasser), lui-même employé au sens de «s'emparer de».

♦ Le verbe apparaît avec l'idée de «travailler à, passer son temps à», tout d'abord au passif *être occupé à* (v. 1180) puis également au pronominal *s'occuper à* (v. 1330). Au XVIIe s., les constructions et les valeurs se diversifient pour *s'occuper de* (1680) et, absolument, *s'occuper* (1677), d'abord «se porter sur un objet, en parlant d'une faculté», sens disparu, puis, avec un sujet nom de personne, «meubler son temps par un travail, une distraction» (1680); à la même époque, *s'occuper à* signifie quelquefois «s'abandonner à (un sentiment, au sommeil)» (1678); cet emploi ne serait plus compris. ◇ Au XVIIIe s., *s'occuper de* reçoit la nuance de «s'inquiéter de» (fin XVIIIe s.) que lui dispute avec succès son composé *se préoccuper**; il correspond également à «prêter attention à» (1760) et, en science, «avoir pour objet» (1765). ◇ La construction transitive *occuper qqn*, dans le contexte psychologique, ne semble s'imposer qu'en moyen français (début XIVe s.), d'abord pour «amener qqn à porter son attention sur qqch. ou qqn» puis «procurer des distractions à (qqn)» (fin XIVe s.) ou «procurer un travail, une tâche» (av. 1662). Le sujet peut être un nom abstrait (1538), en particulier, dans l'usage classique, celui d'un sentiment ou d'une personne qui règne sur le cœur de qqn, non sans rappel d'une métaphore militaire. ➛ Le sens concret, «investir (un espace)», a été repris au XIVe s. au latin, spécialement avec la valeur guerrière de «s'emparer militairement de (un lieu, une place)» (1306), puis «soumettre (un endroit) à un régime d'occupation militaire» (1679). ◇ Des emplois ultérieurs réalisent peu ou prou cette idée d'«invasion illégale, par la force», par exemple *occuper une usine* dans le cadre d'une grève (v. 1936). ◇ Dès le XVIe s., *occuper* commence à se dire pour «habiter» (1530) et, de manière plus abstraite, pour «exercer (un emploi) régulièrement» (1530). ◇ Par transposition au plan temporel, le verbe signifie aussi «remplir (un temps)» (1530).

▶ **OCCUPÉ, ÉE**, le participe passé de *occuper*, est adjectivé au sens spatial et concret dans *un lieu occupé* (XIVe s.); il qualifie figurément une personne absorbée, qui a beaucoup à faire (1538), absolument ou avec un complément introduit par *de, à*. Dans la langue classique, il était également employé pour «intéressé, absorbé, empoigné» et «soucieux» (→ préoccuper). ◇ En relation avec *occupation*, il se dit pour «soumis à un régime d'occupation militaire» (*la France, la zone occupée*, de 1940 à 1945). ➛ Son antonyme **INOCCUPÉ, ÉE** adj. a signifié «qui n'est pas investi par qqn», en parlant d'un lieu (1544); depuis 1717, il se dit aussi de qqn qui n'a pas d'occupation, qui est oisif. ◇ **SUROCCUPÉ, ÉE** adj. (1915, chez Gide) est familier pour «très occupé», en parlant d'une personne. ◇ Il a absorbé **DÉSOCCUPÉ, ÉE** adj. (1579) «qui n'est plus occupé à qqch.», dont le correspondant italien toujours vivant, *disoccupato*, s'applique au chômeur. ➛ *Inoccupé*, d'après *occupation* (ci-dessous), a produit **INOCCUPATION** n. f. (1761) «désœuvrement» puis «fait de ne pas occuper un local» (v. 1950), mot qui a chassé *désoccupation*, en usage aux XVIIe et XVIIIe siècles. ➛ Le participe présent de *occuper*, **OCCUPANT, ANTE**, est substantivé dans l'expression encore usuelle *le premier occupant* (1478-1480), et désigne en général la personne qui occupe un lieu, en a la possession (1480). ◇ Il est employé par métonymie avec une valeur collective ou au pluriel en parlant de ceux qui occupent militairement un État (1919, Barrès). ◇ Il est moins usuel au sens abstrait d'«absorbant, prenant» (1689). ➛ **OCCUPATION** n. f. est emprunté (1175) au latin *occupatio, -onis* «prise de possession» et «ce qui accapare, activité», dérivé du supin de *occupare*. ◇ Le mot désigne d'abord, parallèlement au verbe, ce à quoi on consacre son temps, son activité. Dans l'ancienne langue, il se disait plus particulièrement du soin, du souci que l'on prenait d'une chose (1343) avant de céder ce sens à *préoccupation*, sauf en français du Canada. ◇ À partir du XIVe s., toujours en relation avec le verbe, *occupation* a développé le sens concret d'«action de s'emparer de» (1360), s'appliquant juridiquement à la possession de fait d'une chose immobilière avec ou sans droit (1372). ◇ Ultérieurement, il a pris le sens courant de «fait d'habiter un local» (1690) et, depuis 1936, est employé particulièrement à propos du fait d'occuper illégalement un local lors d'une grève. ◇ La valeur militaire liée au verbe s'est réalisée spécialement en 1940, en France. ◇ On parle de **SOUS-OCCUPATION** n. f. (1969) à propos de l'occupation insuffisante d'un local. ◆ L'adjectif formé sur *occupation*, **OCCUPATIONNEL, ELLE** (1951), qualifie une thérapie qui utilise l'activité organisée et dirigée du patient.

Par préfixation sur le verbe, on a formé **RÉOCCUPER** v. tr. (1808), d'où, d'après *occupation*, **RÉOCCUPATION** n. f. (1836), mots qui expriment l'action d'«occuper de nouveau un lieu, une position».

◈ voir **PRÉOCCUPER**.

OCCURRENCE n. f. est formé savamment (1457-1476) avec le suffixe *-ence* sur le latin *occurrens*, participe présent de *occurrere* «courir à la rencontre de», de *ob* «devant» (→ objet) et *currere* (→ courir).

♦ Le mot désigne une circonstance qui se présente de manière fortuite, dans l'usage littéraire, plus couramment dans l'expression ***en l'occurrence*** (1896), quelquefois *selon l'occurrence, par occurrence*. Il compte quelques emplois spécialisés en liturgie catholique. ◇ En linguistique (1961), c'est un emprunt à l'anglais *occurrence* (1725), appliqué par les linguistes américains à l'apparition d'une unité dans le discours.

▶ **OCCURRENT, ENTE** adj. (1475) signifie d'abord «qui se présente de manière fortuite», puis, en liturgie (1690), «[fêtes] qui tombent le même jour». Le mot est repris avec *occurrence* en linguistique, domaine où l'on parle, là aussi d'après l'anglais, de **CO-OCCURRENCE** n. f. (v. 1960, en anglais) et de **CO-OCCURRENT, ENTE** adj. (v. 1970) pour des unités qui apparaissent ensemble dans le discours. ◇ *Occurrence* et *occurrent* sont les seuls mots restés vivants d'un groupe qui comptait aussi les verbes *occurir* «arriver, se présenter» et *occurre* «accourir».

◈ voir **RÉCURRENCE**.

OCÉAN n. m. est emprunté (v. 1112, *occean*) au latin *Oceanus*, lui-même emprunté au grec *Ôkeanos*, nom propre du fleuve mythique qui coule, sans source ni fin, autour du monde terrestre et le limite (Homère), puis de la mer extérieure qui, pour les Anciens, bordait le monde connu, notion appliquée notamment à l'Atlantique (par opposition à la mer intérieure). Dans la mythologie grecque, *Ôkeanos*, père d'Ouranos et de Gaia, est le dieu des eaux primitives, personnifiant le fleuve universel. Le caractère non indoeuropéen de ce mythe du fleuve originel et universel n'exclut pas la possibilité d'une étymologie indoeuropéenne pour le nom; mais celle-ci n'est pas connue. L'idée d'un emprunt peut s'appuyer sur l'existence de formes parallèles irréductibles (*ôgênos*, etc.).

♦ *Océan* est employé pour désigner l'étendue d'eau salée qui couvre une grande partie de la terre (cf. *mer*); il a été réemprunté au XVIe s. comme nom propre (1549, Ronsard) et, du XVIe au XVIIIe s., a reçu quelques valeurs analogiques : il entre dans l'expression métaphorique *un océan de misère et de peines* (1594) et dans *un océan de...*, exprimant l'idée d'une «grande étendue de (qqch.)» (1690). ◇ Il est également employé au sens figuré d'«étendue infinie» (à propos d'un sentiment, du temps), comme dans l'expression aujourd'hui archaïque l'*océan des âges* (1762).

▶ Parmi ses dérivés, **OCÉANE** adj. et n. f., dans l'expression *mer océane*, est emprunté (1268) au latin *mare oceanus*, plus rarement *mare oceanum* «l'Océan». On parle aussi de *porte océane*. ◆ Le dérivé **OCÉANIEN, IENNE** adj. (1716) est peu usité, et supplanté par **OCÉANIQUE** adj. (1548), emprunt au dérivé latin *oceanicus* «qui appartient à l'océan». ◇ *Océanique*, dont on n'a pas d'autres attestations avant 1611, a été réemprunté au XIXe s. (1813), notamment avec le sens didactique de «qui vit dans les océans» (1840), spécialement à propos d'un poisson (1845). ◆ Le terme de mythologie grecque **OCÉANIDE** n. f. est emprunté (1721) au bas latin *Oceanis, -idis* désignant une nymphe de la mer, fille d'Okeanos et de Thétys, emprunt au grec *Ôkeanis, -idos*. ◆ À la fin du XIXe s. et au XXe s., quelques termes scientifiques ont été construits avec le premier élément **OCÉANO-**. ◇ **OCÉANOGRAPHIE** n. f. a été créé à l'époque des grands navigateurs au sens de «description des océans» (1584, *en nostre océanographie et directoire marin*), mais c'est la seconde attestation du mot en 1876 qui constitue l'acte de naissance de cet ensemble de disciplines scientifiques spécialisées dans l'étude des mers et des océans. Cette science, rendue possible par l'établissement de cartes marines plus précises au XIXe s., avec l'œuvre de Beautemps-Beaupré, encore rudimentaire quant à l'évaluation des profondeurs, s'élabore autour de la première grande expédition océanographique, celle du navire anglais *Challenger* qui, de 1872 à 1876, parcourt toutes les mers du globe (l'anglais *oceanography*, attesté en 1859, se répand v. 1880) et dont les comptes rendus font date. Cette expédition en prépare beaucoup d'autres avant la Première Guerre mondiale (dont celle du prince Albert de Monaco dans l'Atlantique Nord subtropical et tropical) et entre les deux guerres (le navire allemand *Meteor* explore l'Atlantique Sud, l'anglais *Discovery II* l'océan Austral). À partir de 1945, la recherche s'intensifie considérablement, menée par des navires *océanographiques* (*La Calypso* de J.-Y. Cousteau), des sous-marins scientifiques (tel le bathyscaphe), des bouées-laboratoires et des scaphandres autonomes (dérivés du scaphandre Cousteau-Gagnan dont les premiers essais datent de 1943); elle s'effectue dans un cadre institutionnel mis en place autour de 1914 et en relation avec des instituts océanographiques à terre. ◆ *Océanographie* a produit **OCÉANOGRAPHIQUE** adj. (1892) — voir ci-dessus — et **OCÉANOGRAPHE** n. (1899); récemment, on a formé **OCÉANOLOGIE** n. f. (1966) qui recouvre l'ensemble des activités nées de la conjonction des connaissances océanographiques et de l'utilisation du domaine océanique. ◇ **OCÉANOLOGUE** n. est attesté également en 1966. Le spécialiste des expéditions sous-marines a été baptisé **OCÉANAUTE** n. (1964) par le commandant Cousteau, d'après *(astro)naute, (cosmo)naute.* Par préfixation, on a formé **INTEROCÉANIQUE** adj. (1855).

OCELLE n. m. est emprunté par les zoologistes du XIXe s. (1825) au latin *ocellus,* diminutif de *oculus* (→ œil), proprement «petit œil» (souvent avec une valeur affective «cher œil»), employé comme terme de tendresse et au sens figuré de «perle, bijou, joyau».

♦ Ces valeurs figurées n'ont pas été retenues pour *ocelle,* qui désigne l'œil simple des insectes et aussi (1840) une tache de forme arrondie sur le pelage d'un animal. ◇ Par extension, le mot est employé dans le style littéraire en parlant de toute tache de cette forme.

▸ *Ocelle* a donné quelques dérivés didactiques au XIXe siècle. ◆ **OCELLAIRE** n. m. et adj., nom d'un polypier fossile (1801), est plus tard adjectivé au sens de «qui a des taches rondes sur le corps» (1840). Le premier sens, attesté avant *ocelle,* pourrait venir d'un latin zoologique directement formé sur *ocellus.* ◆ **OCELLER** v. tr. (1897, *s'oceller*) signifie «parsemer de taches en forme d'ocelles», et **OCELLURE** n. f. (1877) «ensemble d'ocelles». ◆ **OCELLÉ, ÉE** adj. est emprunté par les zoologistes (1801-1802) au dérivé latin *ocellatus* «qui a de petits yeux», et qualifie un animal qui porte des taches en forme d'œil, et ce qui porte de telles taches (1893).

OCELOT n. m., terme de zoologie, est l'abréviation par Buffon (1765) du nahuatl *tlalocelotl,* composé de *tlalli* «champ» et de *ocelotl* «tigre, jaguar». *Ocelot,* peut-être par l'intermédiaire de l'espagnol *ocelote,* est déjà cité comme terme aztèque en 1640 dans l'*Histoire du Nouveau Monde* de J. de Laet.

♦ En laissant tomber l'élément déterminant, Buffon a repris le nom mexicain et espagnol du tigre, du jaguar, pour dénommer un autre félin, au pelage roux tacheté de brun ou gris moucheté de points fauves cerclés de noir.

OCHRACÉ → OCRE

OCRE n. f. et adj. est emprunté (1307-1309) au latin *ochra* «sorte de terre jaune», emprunté au grec de même sens *ôkhra.* Ce terme est issu de l'adjectif *ôkhros* qui qualifie une couleur instable et indéterminée, et se dit notamment du teint blafard, de la couleur de la bile, ainsi que du jaune de l'œuf. Le mot est d'étymologie inconnue, le rapprochement fait par certains avec le sanskrit *vȳ-ā-ghra* «tigre» étant invalidé par l'absence d'un préfixe *ô-* en grec, nécessaire dans la forme postulée °*ô-khros.*

♦ *Ocre* désigne un colorant minéral naturel ; il est employé comme adjectif de couleur (1859), renvoyant dans les deux cas à une teinte plus soutenue que le mot grec ne le faisait.

▸ *Ocre* a produit quelques dérivés techniques ou rares aux XVIIIe et XIXe siècles. ◆ **OCREUX, EUSE** adj. signifie, d'abord sous la forme *ochreux* (1762), «de la nature de l'ocre» puis «couleur d'ocre» (1819). L'anglais a *ochreous* aux mêmes sens (respectivement 1728 et 1758). ◆ **OCHRACÉ, ÉE** adj. (1812), «d'un jaune pâle», est le seul mot du groupe à avoir gardé le *-h-* étymologique ; l'anglais a *ochraceous* dès 1776. ◆ Le dernier adjectif **OCRÉ, ÉE**, «relatif à l'ocre, à sa couleur», est attesté depuis 1896 (une première fois en 1588). ◆ Enfin, **OCRER** v. tr. «passer à l'ocre» (dès 1833, au participe passé), semble postérieur en usage verbal actif (1935, dans les dictionnaires) ; l'anglais, là encore, a devancé le français avec *to ochre* (dès 1608, au participe passé *okered*). ◆ Quelques termes savants ont été créés en botanique et en pathologie à l'aide de l'élément formant **OCHRO-** «jaune pâle, pâle», tiré du grec *ôkhros.*

OCTANTE adj. numér. card. est la réfection latinisante (v. 1278) de l'ancien français *oitante* de même sens, issu du latin *octoginta* «quatre-vingts» ; le composé latin est formé de *octo* (→ huit) et d'un nom neutre dérivé de *decem,* nom du nombre dix, et signifiant «dizaine» (d'où l'italien *ottanta,* l'espagnol *ochenta*).

♦ À la différence de *nonante* «quatre-vingt-dix» et *septante* «soixante-dix», très usités en Belgique et en Suisse, *octante* «est bien mort» (Thérive) ; son synonyme vivant (Suisse) est *huitante* (→ huit).
Il en va de même de son dérivé **OCTANTIÈME** adj. «quatre-vingtième» (1530).

OCTAVE n. f. est emprunté (1208) au latin médiéval *octava,* féminin substantivé de *octavus* «huitième», de *octo* (→ huit), attesté depuis le IXe s. pour désigner la période de huit jours pendant laquelle on célèbre chacune des principales fêtes de l'année dans l'église catholique, et aussi, en musique, l'intervalle de huit degrés dans la gamme diatonique.

♦ *Octave* a repris les deux sens du latin médiéval, en liturgie (1208) et en musique (1534), domaine où, par métonymie, il désigne des jeux de l'orgue. ◇ Dans l'usage classique (attesté 1694), il s'applique aussi à la stance de huit vers en poésie, par adaptation de l'italien *ottava (rima)* [1618]. ◆ Le sens développé tardivement en escrime (1826), «huitième parade», est un réemprunt au latin *octavus* (cf. *quarte, quinte* dans des emplois analogues). ◇ On note des hésitations sur le genre du mot, employé au masculin par quelques écrivains dont Proust.

▸ *Octave* a produit **OCTAVIER** v. employé en musique (1737, J.-Ph. Rameau), pour «faire entendre accidentellement l'octave supérieure de ce qui est noté» et «jouer à l'octave supérieure de ce qui est noté». ◆ **OCTAVINE** n. f. (1703) «petite épinette d'une étendue d'une seule octave», **OCTAVAIRE** n. m. (1732), terme de liturgie romaine, et **OCTAVIN** n. m. (1803) «petite flûte» et «un des jeux de l'orgue» (1885) sont didactiques et rares.
Dans un autre domaine, **OCTAVON, ONNE** n. (1770) a été adapté de l'espagnol d'Amérique *octa-*

vón, dérivé de *octavo* «huitième» (du latin *octavus*) pour désigner un métis ayant un huitième de sang noir.

OCTET n. m. est composé (1920) de l'élément *oct-* «huit» (→ huit) et du suffixe *-et*. Il semble emprunté à l'anglais *octet*, attesté en 1919 chez I. Langmuir pour un ensemble de huit électrons formant la couche extérieure complète d'un atome («nous appellerons cet ensemble stable de huit électrons l'"octet"»).

♦ Le mot a été introduit en physique. ➛ Dans les années 1960, il est passé en informatique, par réemprunt (v. 1960) pour désigner la base composée de huit caractères binaires utilisée dans la plupart des langages machines.

OCTETTE → OCTUOR

OCTO- voir les suivants, et OCTET, OCTUOR

OCTOBRE n. m. est emprunté sous la forme *october* (1119) au latin *october* (sous-entendu *mensis* «mois»), dérivé de *octo* (→ huit), proprement «huitième mois de l'année», le calendrier romain commençant en mars. L'ancien français atteste la forme ancienne *uitovre* (1119-1369) où *uit* correspond à *huit*, et qui n'a guère eu de vitalité ; les autres formes anciennes, *witembre* (XIIIe s.) et *octembre* (du XIIIe au XVe s.) se rattachent au latin impérial *octember* (IIe s. avant J.-C.).

♦ *Octobre* désigne le dixième mois de l'année, avec des connotations automnales. ◇ L'allusion historique et culturelle la plus présente concerne la ***révolution d'octobre*** 1917 en Russie.

▸ **OCTOBRISTE** n. et adj., calque du mot russe dérivé du nom du mois (de même origine), est attesté depuis 1910 en référence aux partisans du manifeste du 31 octobre 1905 par lequel le tsar Nicolas II octroya un régime constitutionnel à la Russie.

OCTOGÉNAIRE adj. et n. est emprunté (1567), avec adaptation de la finale, au latin *octogenarius* «âgé de quatre-vingts ans», dérivé de *octogeni*, distributif, «chaque fois quatre-vingts» puis aussi «quatre-vingts», de *octo* (→ huit) et du suffixe °*-no* servant à former les démultiplicatifs.

♦ *Octogénaire* a gardé le sens du mot latin.

OCTOGONE adj. et n. m. est emprunté (1484) au latin *octogonum*, substantif neutre tiré de l'adjectif *octogonos* «à huit angles», lui-même emprunté au grec *oktagônos*, de *oktô* (→ huit), qui donne *okta-* en composition, et *gônos* (→ -gone).

♦ *Octogone* désigne un polygone à huit angles ; adjectivé (1547) il est concurrencé par son dérivé.

▸ **OCTOGONAL, ALE, AUX** adj. (1520) «de l'octogone» a éliminé l'emploi adjectif de *octogone*.

OCTOSYLLABE → SYLLABE

✳ **OCTROYER** v. tr. est la réfection (1372) d'après le latin juridique *auctor* «garant» (→ auteur) et le latin classique *auctorare* «louer, engager, garantir», de l'ancien français *otreier, otrier, otroier* «autoriser, consentir à» (1080), lui-même issu par évolution phonétique du latin médiéval *auctorizare* (→ autoriser).

♦ *Octroyer* «accorder, concéder à titre de faveur et de grâce» est également employé à la forme pronominale *s'octroyer* (1903) «s'accorder, s'offrir, s'attribuer». Le statut du verbe est à la fois littéraire ou didactique et familier, notamment au pronominal.

▸ Il a produit **OCTROIEMENT** n. m. (1374, *octroyemens* au pluriel), réfection de l'ancien *otroiement, otriement* (1150) «don, permission», et surtout *octroi*. ➛ **OCTROI** n. m. (XIVe s., *octroy*) est la réfection d'après *octroyer* de l'ancien *otreid* (déb. XIIe s.), *otrei, otri* «action d'accorder, de concéder», lui-même dérivé de la forme héritée *otreier, otroier*. La graphie moderne en *oct-* (difficile à distinguer de *ott-* dans les manuscrits) semble assurée à partir du XVe siècle. ◇ Le mot désigne généralement l'action de concéder, d'accorder ; il s'emploie par métonymie pour désigner la taxe qu'une municipalité était autorisée à prélever sur les produits introduits dans son enceinte (1611). La pratique de l'octroi dura du XIIIe s. à 1948. ◇ Par métonymie, *octroi* désigne l'administration chargée de cette contribution et le local où cette taxe était perçue (1868). Les locaux de l'octroi de Paris furent créés par Louis XIV et suscitèrent quelques œuvres d'art. Comme les murailles de la ville avaient été détruites sous Louis XIV et que la fraude s'en trouvait facilitée, la Ferme générale obtint de Louis XVI qu'un mur continu enfermât la ville. Elle chargea donc Ledoux de construire, aux soixante barrières qui s'ouvraient dans le mur, des pavillons qu'il appela Propylées de Paris ; leur monumentalité néo-classique mérite bien cette appellation (ceux de la place Denfert-Rochereau et de la place de la Nation subsistent). ◇ Parmi les employés d'octroi mémorables, on doit citer le peintre surnommé le «Douanier» Rousseau. ➛ On rencontre **OCTROYEUR, EUSE** adj. et n. depuis 1849, mot rare pour celui qui octroie et, anciennement, l'employé d'octroi.

OCTUOR n. m., terme de musique, est une formation savante (1878) sur le latin *octo* (→ huit) avec la finale de *quatuor**.

♦ Le mot désigne un morceau de musique à huit parties et, par métonymie, un ensemble vocal ou instrumental de huit musiciens.

▸ On dit plus rarement **OCTETTE** n. m. (v. 1965) d'après l'anglais *octet* (cf. *quintette, quartette*). On relève aussi *ottette* (1874), francisation sans lendemain de l'italien *ottetto*, de même sens.

OCULAIRE adj. et n. m. est emprunté (1478) au latin *ocularius* «qui concerne les yeux», dérivé de *oculus* (→ œil).

♦ L'adjectif, d'abord sous la forme *anculaire (sic)* puis *oculaire* (1520) qualifie ce qui appartient à l'œil, en anatomie (1611, *veine oculaire*). ◇ Il est aussi employé dans le langage juridique dès le XVIe s., dans les expressions ***preuve oculaire*** (1544) et ***témoin oculaire*** (1580). ➛ Substantivé en optique

(1667), *oculaire* désigne une lentille ou un système de lentilles formant la partie d'un instrument d'optique situé du côté de l'œil de l'observateur; il s'oppose alors à ② *objectif.*

▸ En sont dérivés **OCULAIREMENT** adv. (1534) et, du radical latin, **OCULARISTE** n. (1855) pour désigner la personne qui fabrique des appareils de prothèse oculaire. ➝ Le XIXe et le XXe s. ont vu apparaître un certain nombre de dérivés savants du latin *ocularis,* tant en botanique : **OCULIFÈRE** adj. (1838); **OCULIFORME** adj. (1838), qu'en médecine et en physiologie. ◇ L'élément **OCULO-** a notamment été fécond, entrant dans **OCULOMOTEUR, TRICE** adj. «relatif aux mouvements des yeux» (1903), **OCULO-CARDIAQUE** adj. (1922), **OCULOVERBAL, ALE, AUX** adj. (v. 1960) «relatif à l'écart entre un mot prononcé et lu au même moment». ➝ Récemment, on a formé **OCULARITÉ** n. f. (v. 1970) pour désigner la prédominance fonctionnelle d'un des yeux. ◇ Par préfixation, *oculaire* a donné **BINOCULAIRE** adj. (1681), substantivé pour désigner un instrument d'optique (surtout un microscope) binoculaire (1863), quelquefois abrégé familièrement en *bino* (1973).

OCULISTE n. (1575), d'abord écrit *occulliste* (1520), est formé savamment sur le latin *oculus* (→ œil) avec le suffixe *-iste.* ◇ Il désigne le spécialiste des troubles de la vision. ➝ On en a dérivé **OCULISTIQUE** n. f. (1838), «partie de la médecine qui étudie les maladies de l'œil» (*ophtalmologie* est plus courant), également employé comme adjectif (1876).

OCULISTE → OCULAIRE

ODALISQUE n. f., attesté en 1624 en même temps que la variante *odalique,* est emprunté avec adjonction d'un *s* parasite au turc *odalık,* dérivé de *oda* «chambre» avec le suffixe *-lik* qui exprime alors la destination. *Odalık* désigne proprement ce qui appartient à la chambre et s'est dit spécialement de la «chambrière», esclave admise et réservée à la chambre du maître, puis par extension, de la concubine.

♦ Le sens de «femme esclave de harem en Turquie» a été supplanté par celui de «femme d'un harem» (1765), lequel s'est répandu par le langage des arts, le mot s'appliquant dès le XVIIIe s. à un type de nu oriental voluptueux, illustré par Boucher (v. 1745-1746) puis Ingres (*l'Odalisque à l'esclave,* 1839 et 1842), Delacroix, en pleine vague orientaliste et, au XXe s., Matisse. ◇ L'extension en «maîtresse, courtisane» (XIXe s. chez Vidocq, Flaubert) a décliné à la fin de cette mode.

▸ Le dérivé **ODALISCAL, ALE, AUX** adj. est une création littéraire (Flaubert, Daudet) sans lendemain.

ODE n. f. est emprunté (1488) au bas latin *ode, oda* emprunté au grec *ọdê* «chant, poème lyrique», contraction de *aoidê,* de la famille de *aoidos* «qui chante» (→ aède), dérivé du verbe *ạdein* «chanter», complété par le thème chanté ou par le nom du personnage que l'on célèbre, et apparenté, encore que le détail de l'alternance ne soit pas clair, à *audê* «voix humaine» (distinct de *phônê* qui se dit aussi des animaux). Les deux mots grecs ont des correspondants dans les mots sanskrits en °*ved- : vádati* «parler», *váda-* «appel».

♦ *Ode* désigne d'abord un poème lyrique ou épique destiné à être chanté et s'applique à une réalité antique. À l'imitation de Pindare, les poètes du XVIe s. acclimatent le genre en France (1548) : les poèmes du premier livre des *Odes* de Ronsard (entre 1550 et 1553) adoptent l'allure alerte et vigoureuse du poète hellénique et la structure tripartie de l'ode antique : strophe, antistrophe, épode; mais dès le XVIe s., la forme de l'ode se modifie librement, et c'est l'ode moderne qui est vantée par Du Bellay *(Deffense).* Après Ronsard, Malherbe (1600-1627, *Grandes Odes*), J.-B. Rousseau (1712, *Odes*) et V. Hugo (1822, *Odes;* reprises dans *Odes et Ballades* en 1826) s'illustrent dans le genre de l'ode strophique.

▸ Le diminutif de *ode,* **ODELETTE** n. f., est attesté pour la première fois chez Ronsard (1555, comme titre) qui en a composé plusieurs dans le livre IV des *Odes.* ➝ On relève **ODIFIER** v. tr. chez Verlaine, dérivé sans lendemain.

◈ voir COMÉDIE, ÉPODE, MÉLODIE, PALINODIE, PARODIE, PROSODIE, PSALMODIE, RHAPSODIE, TRAGÉDIE.

ODEUR n. f., d'abord *udur* (v. 1112), *odur* (v. 1121), enfin *odeur* (v. 1380), est emprunté au latin *odor, -oris* «senteur, exhalaison», souvent employé avec la nuance favorable de «bonne odeur, parfum». Ce mot, qui existe aussi sous la forme *olor* (→ olfactif), contient une racine indoeuropéenne °*od-* de même sens, représentée dans le grec *ozein* «sentir» (→ ozone).

♦ Le mot a d'abord eu le sens de «parfum», aujourd'hui vieilli ou littéraire (surtout au pluriel *des odeurs*), conservé au Canada où la savonnette de toilette est appelée *savon d'odeur.* ◇ Très tôt (v. 1121), il désigne la sensation que produisent sur l'odorat les émanations d'un corps. Dès la fin du XIIe s., il est employé au figuré à propos de l'impression que produit une personne sur d'autres personnes *(odeur de).* Il entre dans les locutions *être en mauvaise odeur* (1585), *être en bonne odeur* (1611) disparues, et ***en odeur de sainteté*** (apr. 1650) «dans un état spirituel proche de la perfection», par allusion à l'odeur suave qu'exhalerait le corps de certains saints après leur mort. De là, au figuré ***mourir en odeur de sainteté*** (1672) et, familièrement, ***n'être pas en odeur de sainteté*** (1835) «être mal vu».

▸ Le verbe peu usité **ODORER** v. tr. est emprunté (v. 1120) au latin *odorari* «sentir une odeur», «flairer», dérivé de *odor* ayant éliminé l'ancien *olere* et ses composés *olefacere, olefactere* de même sens. ◇ *Odorer* signifie «aspirer une odeur» (absolument) et «flairer» (v. 1121), «parfumer» (déb. XIIIe s.). ➝ Peu fréquent par rapport à *sentir,* il est surtout représenté dans l'usage courant par son participe présent **ODORANT, ANTE,** adjectivé (1225) au sens de «qui répand une odeur agréable» et, avec une valeur neutre, «qui répand une odeur» (1765). ➝ Dans le cas d'une odeur franchement désagréable, on a recours à son composé préfixé **MA-**

LODORANT, ANTE adj. (1907). ◆ Dans le cas d'une odeur agréable, *odorant* est concurrencé, dans l'usage littéraire, par **ODORIFÉRANT, ANTE** adj. (1380), adaptation du latin médiéval *odoriferens,* du latin *odorifer,* terme poétique formé de *odor* et de *ferre* «porter, dégager» (→ -fère).

INODORE adj. est emprunté relativement tard (1765) au latin *inodoris* «qui ne sent rien», et aussi «privé de l'odorat». ◇ Le français n'a repris que le premier sens. La formule usitée dans la description chimique, *incolore, inodore et sans saveur,* a été reprise au figuré pour «insignifiant, sans intérêt».

◈ voir ODORAT, OLFACTIF, SUBODORER.

ODIEUX, EUSE adj. est emprunté (1376) au latin *odiosus,* «haïssable» puis, par affaiblissement dans la langue familière, «désagréable, ennuyeux», dérivé de *odi,* parfait à sens de présent : «je hais». Il s'agit d'un groupe ancien, comme permettent de le constater la forme *odi* et l'alternance *odi-osus sum* (cette dernière en langue archaïque). Aucune langue indoeuropéenne n'offre de correspondant exact, mais on peut évoquer l'arménien *ateam* «je hais» et le vieil anglais *atol* «laid», ainsi que le gotique *hatis* «haine», *hatan, hatjan* «haïr» (cf. l'anglais *hate* et le français *haïr*), le gallois *cas* et l'irlandais *cais* «haine».

♦ L'évolution du français *odieux* est analogue à celle du mot en latin : attesté pour la première fois dans l'expression ancienne *avoir odieus* «avoir en haine», il signifie d'abord «tenu en haine», et «qui mérite d'être haï». ◇ Au XVIe s., à côté du sens actif ancien «plein de haine» (1550, Ronsard), affaibli en «jaloux, envieux» (1540), il prend le sens passif de «détestable, désagréable, ennuyeux» (1549), devenu usuel. L'usage moderne du mot, uniquement passif, est fixé au XVIIe siècle.

▶ Son dérivé **ODIEUSEMENT** adv. (1539, Calvin) est assez rare. ◆ Le moyen français **ODIOSITÉ** n. f. «caractère de ce qui est haïssable» est sorti de l'usage.

◈ voir ENNUYER, HAÏR.

ODOGRAPHIE n. f. est composé (XXe s.) de l'élément *odo-,* tiré du grec *hodos* «route, chemin» (→ exode) et de *-graphie**.

♦ Le mot, enregistré dans les dictionnaires en 1932, est un terme didactique pour la description des voies de communication; il est peu usité.

▶ **ODOGRAPHIQUE** adj. (1932) lui sert d'adjectif *(poteau odographique).* ◇ Les deux mots s'écrivent également *hodographie, hodographique.*

ODONTO-, élément savant, est emprunté au grec *odous, odontos,* «dent», et sert à former de nombreux composés à partir du XVIe s. (*odontoïde,* 1541) et surtout du début du XIXe siècle. ◇ **ODONTOLOGIE** n. f. (1771) désigne la médecine dentaire.

◈ voir MASTODONTE.

ODORAT n. m. est emprunté (1551, D.D.L.) au latin *odoratus* «action de flairer, odeur, exhalaison», mot peu usité, formé sur le supin *odoratum* de *odorare* «parfumer», puis à basse époque «flairer, sentir». C'est un dérivé de *odor* (→ odeur).

♦ Le mot a évincé l'ancien *odoration* (n. f.) emprunté au latin *odoratio, -onis,* dérivé du verbe déponent *odorari* (→ odorer) pour désigner la fonction permettant de percevoir les odeurs. Plusieurs mots vivants en ancien et moyen français, représentant souvent des dérivés latins de *odor,* sont ainsi sortis de l'usage entre le XVIe et le XVIIe siècle.

▶ À partir de la fin du XIXe s. se manifestent des formations savantes, d'usage courant ou didactique, sur le latin *odor.* ◆ **DÉSODORISER** v. tr. a été formé par préfixation et suffixation sur *odor* (1890) après *déodoriser* que l'on relève peu auparavant chez Huysmans (v. 1880). ◇ Il a produit **DÉSODORISANT** n. m. (1929), distinct de **DÉODORANT** n. m., anglicisme récent (1955), de l'anglais *deodorant* (1869, dans un ouvrage de chimie) réservé au produit qui supprime les odeurs corporelles de transpiration. ◆ **ODORISATION** n. f. est attesté depuis 1896 (à propos de fleurs). ◆ Dans la seconde moitié du XXe s., sont apparus **ODORIGÈNE** adj. (1953), **ODORISANT** n. m. (v. 1960), **ODORISEUR** n. m. (v. 1960) et **ODORITÉ** n. f. (v. 1970), tous d'usage technique et didactique.

◈ voir ODEUR, OLFACTIF, SUBODORER.

ODYSSÉE n. f., pris comme nom commun (1798), est l'emploi extensif du nom propre l'*Odyssée,* pris au grec *Odusseia* par le latin *Odyssea,* titre d'un poème homérique célèbre consacré aux aventures d'*Odusseus,* en français *Ulysse.*

♦ Le mot, repris au sens de «récit de voyage aventureux», s'emploie surtout pour «voyage plein de péripéties» (1818, chez Nodier) et au figuré, comme *voyage,* par exemple dans *odyssée intérieure* (1885 in *T. L. F.*).

ŒCUMÉNIQUE adj. est emprunté, sous la forme *ecuménique* (1547 Budé) rectifiée en *œcuménique* (1599), au latin ecclésiastique *œcumenicus* «de toute la terre habitée» et «universel». Ce mot est dérivé de *œcumene* «la terre habitée, l'univers», lui-même emprunté au grec *ê oikoumenê* (sous-entendu *gê* «terre»), «la terre habitée». Il s'agit du participe substantivé de *oikein* «habiter», dénominatif de *oikos* «demeure, lieu où l'on habite», «patrie» et «patrimoine». Le mot grec appartient à une famille essentielle de l'indoeuropéen et répond au sanskrit *vesá* «maison», latin *vicus* «bourg, quartier» (→ vicinal) et *villa* (→ ville). Le sens de base est celui de «clan», unité sociale groupant plusieurs familles. En grec même, cette notion étant exprimée par *genê* (→ gène), *phulai* «tribus» et *polis* (→ police), la langue a utilisé *oikos* pour désigner la famille et la maison dans laquelle elle se rassemble : le mot répond sémantiquement au latin *domus* (→ dôme) dont le correspondant grec *domos,* a été évincé.

♦ *Œcuménique* signifie «universel, général», spécialement en religion, en particulier dans quelques expressions comme *patriarche œcuménique* (1599), *concile œcuménique* (XVIe s.) et *evesque œcuménique* (1694), où il exprime l'idée de «qui concerne ou rassemble tous les catholiques».

▶ Il a produit **ŒCUMÉNICITÉ** n. f. (1752, Trévoux) puis au XXe s., **ŒCUMÉNISTE** adj. et n. et **ŒCUMÉ-**

NISME n. m. (1927) «mouvement favorable à la réunion de toutes les églises chrétiennes en une seule».
Le terme de géographie **ŒKOUMÈNE** n. m. (1858, *œcuménée*), emprunté au grec *oikoumenê (gê)*, désigne l'espace habitable de la surface terrestre ou d'un vaste pays en partie inhabité (Canada, Sibérie).

◈ voir DIOCÈSE, ÉCONOME, MÉTÈQUE, PAROISSE.

ŒDÈME n. m. est un emprunt de la langue médicale (1478, altéré en *ydemeata*) au grec *oidêma, oidêmatos* «gonflement, tumeur», dérivé de *oidein* «être gonflé, enfler». Ce mot peut s'employer à propos d'un abcès, de troubles qui se préparent; il a ses correspondants les plus proches dans l'arménien *aytumn* «enflure» et on peut aussi en rapprocher l'ancien haut allemand *eiz* «abcès» (allemand dialectal *Eis*).

♦ *Œdème* (1540) est la réfection d'après le grec d'anciennes formes *ydemeata*, puis *udime, yndimia* (1520) pour désigner un gonflement des espaces intercellulaires d'un tissu.

▸ On en a tiré **ŒDÉMATEUX, EUSE** adj. (1549) «de la nature de l'œdème» et «attaqué d'œdème» (1721) d'après la forme du grec *oidêma, oidêmatos*, ainsi que le dérivé savant **S'ŒDÉMATIER** v. pron. «former un œdème» (1833), précédé par **ŒDÉMATIÉ, ÉE** adj. (1795).

◈ voir ŒDIPIEN.

ŒDIPIEN, IENNE adj. est dérivé de *Œdipe* dans *complexe d'Œdipe*. *Œdipe*, adaptation du grec *Oidipous*, est le nom du héros mythologique, meurtrier involontaire de son père et amant de sa mère, qui devina les énigmes du Sphinx et se creva les deux yeux après avoir appris la vérité. Son nom, en grec, signifie «pieds enflés», parce que son père Laïos, prévenu par Apollon du danger que constituerait son fils, l'avait fait exposer en lui liant les pieds. Il est composé de *oidein* «gonfler» (→ œdème) et de *pous, podos* (→ podo-).

♦ Après *complexe œdipien* (1916) qui céda la place à *complexe d'Œdipe* et à ***un œdipe*** (1929), l'adjectif qualifie ce qui concerne ce complexe (*conflit œdipien*, etc.). ◆ **ŒDIPE** n. m. (1929) s'emploie pour «complexe d'Œdipe». ◆ **ŒDIPISME** n. m. est le nom imaginé par Ch. Blondel pour désigner la mutilation par crevaison d'un ou des deux yeux (*Les Auto-Mutilateurs*, 1906).
PRÉ-ŒDIPIEN, IENNE adj. (1926) s'emploie en psychanalyse pour qualifier les stades antérieurs au complexe d'Œdipe.

◈ ✳ **ŒIL, YEUX** n. m. est issu (v. 980) par une série de formes propres à l'ancien français (voir ci-dessous) du latin *oculus* «organe de la vue», qui désigne aussi tout objet en forme d'œil : tache de fourrure, cerne de la queue d'un paon, bulbe de la racine du roseau, œil de la vigne, bourgeon. Le mot se dit figurément de la vue de l'esprit et s'emploie comme terme de tendresse, cependant moins que son diminutif *ocellus* (→ ocelle et cf. *pupille*); il est spécialement employé en architecture dans l'expression *oculus volutae* «œil de la volute» chez Vitruve. ◇ Ce mot latin appartient à une racine indoeuropéenne qui fournit d'une part un verbe sanskrit *íkṣate* «il regarde» et, d'autre part, le radical du nom de l'organe de la vue. De plus, il est possible qu'il figure dans les adjectifs latins en *-ox* tels que *ferox* (→ féroce), *atrox* (→ atroce), etc. On le note en outre dans un nom irlandais du visage *enech*, en grec avec *ôps* «vue» et «visage» (→ myope), *prosôpon* «personne» (→ prosopopée) et en sanskrit *ánikam* «face». Enfin, on reconnaît un dérivé thématique de ce nom dans les types *antiquus* (→ antique), *longinquus* «long, étendu» et *propinquus* «rapproché, voisin». ◇ Les variations de nom de l'œil d'une langue à l'autre tiennent en partie aux croyances attachées au mauvais sort transmis par l'œil (le «mauvais œil») : dans l'Avesta, le nom correspondant à l'ancienne forme neutre de la racine, avec élargissement en *s*, désigne l'œil d'êtres malfaisants. En vieux perse, l'œil est nommé *(h)u-čašma*, littéralement «bon œil»; dans la forme latine *oculus*, le suffixe *-lo- (-lus-)* indique un être actif de genre animé et n'a pas de valeur diminutive. Le grec *ophthalmos* (→ ophtalmo-) offre une formation volontairement altérée et l'irlandais a remplacé l'ancien nom de l'œil, probablement de mauvais augure, par celui du soleil *súil*. Par le même effet de tabou, pour exprimer l'idée de «voir», on a eu recours à des racines se rapportant à la connaissance (→ voir) et à l'observation (→ inspecter, spectacle).

♦ En français, le mot a d'abord les formes *ol, oil* (1050), *uel* (1170) et *œil* (1342) au singulier, la forme du pluriel se notant *ialz* (1170), *ieus*, puis *yeus* (XIIe s.), *yeulx* (1342) et enfin *yeux*. ◇ Nom de l'organe de la vue, et aussi de ses annexes (il désigne normalement la partie visible du globe oculaire, mais aussi cette partie et la paupière, voire ses entours immédiats), *œil* est entré, comme la plupart des mots désignant une partie bien perçue du corps humain, dans un grand nombre de locutions usuelles dont les plus anciennes sont ***œil pour œil*** (1265, *oil pour oil*) qui correspond à la formule de vengeance biblique complétée par *dent pour dent*, ***avoir bon pied bon œil*** «être alerte et vif» (*et bon œil*, XVe s. ...), puis ***avoir les yeux plus gros que le ventre*** «vouloir manger plus qu'on ne peut» (1580), ***s'en battre l'œil*** (1666) «s'en moquer», ***entre quatre-z-yeux*** (1740), notation d'une prononciation populaire fautive de *entre quatre yeux* (1690), «en tête à tête», *ne laisser à qqn* (puis *n'avoir*) ***que les yeux pour pleurer*** (1793), etc. ◆ Dès le XIe s. (1080) se développent plusieurs sens métonymiques très courants : le mot désigne la partie du visage comme élément de physionomie (1080), par exemple dans la locution ***pour les beaux yeux de qqn*** (1640). On désignait une belle femme par *bel œil*, dans la langue classique; cet emploi a survécu à propos d'un homme, dans le surnom *Coco Bel œil*. ◇ *Œil* est également pris pour exprimer la fonction de vision (1080), ainsi dans les locutions ***en croire ses yeux*** (fin XIIe s.), souvent à la forme négative de nos jours, ***voir de ses yeux*** (1203), ***regarder à l'œil nu**** (1690), qui renforce l'ancien *veoir a oil* (1208). La notion de «regard furtif ou rapide», d'abord exprimée par *trait d'œil* (1450-1465), correspond aujourd'hui à ***coup d'œil*** (1668) ; une nuance différente est exprimée par les locutions ***à vue d'œil*** (1562) et ***du coin de l'œil*** (1640). ◇ Dès 1080, *œil* renvoie aux mouvements des paupières, comme dans les locutions ***fermer les yeux à qqn*** (1550), appliquée notamment à un mort, ***fermer les yeux*** (1721) «mourir», ***ne pas fermer l'œil*** (1686) «ne pas dormir». ◇ *Œil* désigne le regard, la vue (dès 1080), par exemple dans les locutions ***devant les yeux*** (1534), ***couver des yeux*** (1649), ***sous les yeux de qqn*** (1701). ◆ Un second groupe d'emplois également important utilise le nom de l'œil en tant qu'il manifeste les traits permanents du caractère, les émotions, les sentiments, dans la mesure où ces traits psychologiques sont appliqués à la perception du monde. Il est ainsi qualifié dans ***voir d'un bon œil*** (1155, *de bon œil veeir*) et, symétriquement, *regarder de fort mauvais œil* (1558), locution qui n'est pas très éloignée du ***mauvais œil*** (1611) maléfique et de ***sortir par les yeux*** (1771). ◇ Le XVe s. emploie également *servi au doigt et à l'œil* (enregistré en 1611) qui anticipe sur la locution moderne ***obéir au doigt et à l'œil*** «obéir strictement» (1812) et dont l'origine médicale (on le trouve en contexte gynécologique au XVIe s.) est oubliée ; et avec des connotations galantes, ***faire les yeux doux*** (1605) et ***faire de l'œil*** (1665) «adresser des regards amoureux». Le langage muet des yeux est également exprimé dans ***se parler des yeux*** (1667).

L'œil est pris comme symbole de l'attention, de la perspicacité (1203), dans les locutions classiques et encore usuelles ***crever les yeux*** «être évident» (1640), ***n'avoir d'yeux que pour qqn*** (1631), ***fermer les yeux sur qqch.*** (1644 ; sous des formes légèrement différentes, fin XVIe s.). ◇ L'œil est le symbole de la vigilance ou de la méfiance (1188) dans ***avoir l'œil à tout*** «tout surveiller» (1470), ***ne dormir que d'un œil*** (1704), c'est-à-dire en gardant un œil ouvert, ***tenir qqn à l'œil*** «le surveiller étroitement» (1798 ; 1521, ***avoir l'œil sur qqn***). ◇ Par métonymie, le mot désigne quelquefois la personne qui observe, surveille (fin XIVe s.). ◇ ***À l'œil,*** apparu au XIXe s. (1827), signifie d'abord «sur l'apparence», d'où «en faisant crédit, sans faire payer» et, aujourd'hui, «gratuitement». ◇ De là vient le sens de *œil* «crédit» (1843). ◇ ***N'avoir pas froid aux yeux*** (1826) correspond à «être hardi», par l'idée de regarder en face. ◇ ***Mon œil !*** (1861) exprime l'incrédulité ; comme dans ***se mettre le doigt dans l'œil*** «se tromper», il s'agit probablement d'un masquage du sens argotique «anus», plus explicite dans ***œil de bronze, de Gabès*** (v. 1930 ?).

Comme le latin *oculus, œil* possède dès l'ancien français plusieurs sens analogiques : ainsi, par référence à l'éclat de l'œil, il désigne en ancien et moyen français ce qui éclaire, permet de voir (av. 1250), par exemple dans la périphrase poétique *le clair œil de la nuit* (1550, Ronsard) «la lune» ; il s'applique particulièrement dans le style poétique à ce qui sert de guide, (1572, Belleau, encore chez Chateaubriand). ◆ Dans l'usage moderne, *œil* désigne des objets circulaires comparés à un œil, tant en botanique (1393) qu'en architecture, où il désigne le milieu de la voûte d'un chapiteau ionique (1547, *œil de la volute,* traduit du latin de Vitruve), enfin l'ouverture en haut d'une coupole (1694). ◇ Il se dit aussi d'un trou circulaire dans le pain et dans le fromage (1660), de l'ouverture pratiquée dans certains outils : on parle ainsi de *l'œil d'une roue* (1721) et de *l'œil d'une aiguille* (1751) (cf. *chas*). ◇ La même métaphore se trouve dans ***les yeux du bouillon*** (1812) et dans le sens typographique «partie du caractère comprenant le dessin de la lettre formant relief» (1690). ◇ En arts, *œil* désigne le point d'où partent plusieurs plans de cassure dans une draperie (1868). ◆ Plus rarement, en référence à l'éclat de l'œil, le mot désigne le lustre d'une étoffe, le brillant d'une perle ou d'une pierrerie (1611) et une nuance, une teinte légère (1779), un léger voile, voire une couche fine dans l'expression *œil de poudre* (1798), qui a disparu.

▶ C'est avec un sens analogique qu'il entre dans plusieurs composés expressifs. ◆ Le plus ancien, **ŒIL-DE-BŒUF** n. m. (1160-1174), désignait en ancien français un reliquaire de forme ovale ; depuis le XVIe s. (1530), c'est l'appellation d'une lucarne dont la fenêtre est ovale ou circulaire puis, par métonymie, d'une salle munie d'un œil-de-bœuf (l'antichambre du grand appartement du roi à Versailles, 1798). ◇ Depuis 1605, ce composé constitue également un terme de botanique pour désigner quelques plantes dont le pissenlit. ◆ **ŒIL-DE-CHAT** n. m. (1416) désigne une pierre (variété de quartz chatoyant) ; dans l'Antiquité, la ressemblance évoquée avec l'œil d'un chat conférait à cette pierre une valeur magique et médicale. ◇ Au XXe s., l'expression a été reprise dans le vocabulaire technique du cinéma (1919) à propos de la fermeture réglable de l'objectif. ◆ On relève, aux XVIIe et XVIIIe s., **ŒIL-DE-PERDRIX** n. m. (1605), à propos d'une variété de figue, puis avec différents sens dans les arts de la décoration (tissu, broderie, ébénisterie) et en parlant d'un cor entre deux orteils (1839) ; **ŒIL-DE-PIE** n. m. (1678) s'emploie en marine, **ŒIL-DE-SERPENT** n. m. (1718) en joaillerie et **ŒIL-DE-PAON** n. m. (1759) en zoologie.

Œil a aussi produit quelques dérivés, pour l'essentiel des noms, à l'exception de **ŒILLÉ, ÉE** adj. (1581) «qui porte un dessin évoquant un œil», d'ailleurs concurrencé par *ocellé* et, plus rare *oculé.*

Le diminutif de *œil,* **ŒILLET** n. m., d'abord attesté avec son sens propre de «petit œil» (v. 1119, *oillet*), en usage jusqu'au XVIIe s., est resté vivant par ses acceptions analogiques. ◇ Depuis le milieu du XIIIe s., il s'applique à un petit trou rond dans une étoffe, un anneau de métal. Il est employé spécialement en marine (1694) et en technique (1731). ◆ Son emploi courant comme nom de fleur est attesté depuis 1493, avec des expressions comme *œillet d'Inde* (1545), *œillet de poète** (1605) et *œillet de mer* (1768). ◇ La ***Révolution des œillets*** est le nom donné à la prise du pouvoir par les socialistes, au Portugal. ◇ On appelle **ŒILLETTISTE** n. (1955) le spécialiste de la culture des œillets. ◇ Pris au sens de «bouton de fleur ou de feuille» (1530), *œillet* a servi à former le diminutif ① **ŒILLETON** n. m. (1554) «bourgeon que l'on met en terre pour qu'il prenne racine» lequel a produit **ŒILLETONNER** v. tr. (1652) «enlever les œilletons d'une plante» et «propager une plante par les œilletons» (1903), d'où **ŒILLETONNAGE** n. m. (1814). ◇ Au sens technique, *œillet* a servi à former (v. 1950) **ŒILLETAGE** n. m. et **ŒILLETEUSE** n. f., en contexte industriel. ◆ Par ailleurs, ② **ŒILLETON** n. m., reformé sur *œil*, désigne (1777) en optique une pièce percée d'un trou pour placer l'œil devant l'oculaire d'une lunette, puis (1900) une pièce analogue pour viser, sur un fusil.

① **ŒILLÈRE** n. f. (1188-1191, *œillière*) est à l'origine un terme d'armurerie désignant l'ouverture sur le devant du heaume pour les yeux. Au XVIIe s., il entre dans le vocabulaire de la sellerie, désignant un dispositif placé sur le côté des yeux du cheval (1611). De là, se développe au XIXe s. l'emploi métaphorique (1848, Chateaubriand) et figuré courant, surtout au pluriel *(avoir des œillères)*. ◆ Depuis 1814, c'est aussi un terme de médecine qui désigne le petit récipient qui sert aux bains d'yeux. ◆ Il est homonyme du terme technique ② **ŒILLÈRE** n. f. (1530) employé en parlant de chacune des canines supérieures qui peuvent occasionner des douleurs vers l'œil (on parle aussi de *dent de l'œil*).

ŒILLADE n. f. «coup d'œil furtif en signe d'amabilité, de séduction» est attesté depuis 1480 et a lui-même donné **ŒILLADER** v. tr. (1552, Ronsard), blâmé par Malherbe et abandonné après 1690. ◆ **ŒILLARD** n. m., d'abord attesté sous la forme ancienne *ocullard* (1554) pour désigner le trou, l'«œil» percé au centre d'une meule, a été repris en ce sens sous sa forme actuelle (1775). Il se dit aussi du trou pratiqué au centre d'une roue de moulin pour le passage de l'arbre (1868).

Le pluriel de *œil, yeux* (du latin *oculos*), a donné le verbe familier **ZIEUTER** v. tr. (1890), également *zyeuter*, avec le z matérialisant la liaison de *les yeux*. Ce verbe signifie «lorgner, regarder».

Démotivé par la forme et sémantiquement, **OUILLER** v. tr. est l'aboutissement (1750) de l'ancien français *aouller, aeuller* (XIIIe s.), lui-même contraction de *aouiller*, de l'ancienne forme de *œil*. Proprement «remplir jusqu'à l'œil», le verbe signifie «remplir un tonneau à mesure que le niveau baisse». ◆ Son dérivé **OUILLAGE** n. m. est la réfection (dès la fin du XVIe s.) des formes *eullage, heulliage, œillage*, attestée au XIVe siècle.

◈ voir **ANDOUILLER, AVEUGLE, BIGLE, BINOCLE, INOCULER, MONOCLE, OCELLE, OCULAIRE** (et **OCULISTE**), probablement **ATROCE, FÉROCE**.

ŒILLETTE n. f. est dérivé (1310-1340) de l'ancien français *olie* (→ huile) avec le suffixe diminutif *-ette*.

♦ Le mot signifiant proprement «petite huile», d'abord *olïette* jusqu'en 1552 ; il est devenu *euillette* (1732) puis *œillette* (1765) sous l'influence de *œil* (dans le sens analogique d'«objet rond») et de *œillet*. Il désigne une variété de pavot cultivé pour ses graines ; par métonymie, il est employé pour désigner l'huile comestible extraite des graines de ce pavot (1828).

ŒNANTHE n. f. est emprunté (1545) au latin impérial *oenanthe* (Pline), lequel transcrit le grec *oinanthê* «fleur et bourgeon de la vigne», par analogie «plante grimpante parfumée (diversement identifiée) qui évoque la vigne», également nom d'oiseau. Ce mot est formé de l'élément *œno-* représentant *oinos* «vin» (→ œnologie) et de *anthê* «fleur» (→ chrysanthème, anthologie).

♦ *Œnanthe* est un terme de classification botanique recouvrant un genre de la famille des ombellifères dont certaines espèces sont vénéneuses.

▸ **ŒNANTHIQUE** adj. est un terme de chimie proposé par Liebig et Pelouze (1836) traduisant savamment l'expression *bouquet du vin : œn-* «vin» s'y combine à *-anthe* «fleur, bouquet» et au suffixe *-ique*. Le mot signifie «relatif au bouquet du vin», dans *acide œnanthique* (1836) et *éther œnanthique* «substance huileuse, incolore, à laquelle les vins doivent leur bouquet».

ŒNOLOGIE n. f. est formé (1636) des éléments tirés du grec *œno-*, représentant du grec *oinos* «vin» correspondant du latin *vinum* (→ vin), et *-logie**.

♦ Le mot, attesté dans le titre d'un traité, *Œnologie ou discours du vin et de ses excellentes propriétés*, ne se diffuse qu'au début du XIXe s. avec le sens moderne de «science ayant pour objet l'étude et la fabrication de la conserverie du vin» (1807).

▸ Depuis sont apparus **ŒNOLOGUE** n. (1801), qui a supplanté **ŒNOLOGISTE** n. (1812), et **ŒNOLOGIQUE** adj. (1823). ◆ Quelques composés d'usage didactique ont été formés avec le premier élément **ŒNO-** (ou *œni-*). **ŒNOMÈTRE** n. m. (1803), **ŒNOMÉTRIE** n. f. (1838), d'où **ŒNOMÉTRIQUE** adj. (1846). ◆ **ŒNOPHILE** adj. et n. (1839) signifie «amateur de vins». ◆ La description des vins est rarement nommée **ŒNOGRAPHIE** n. f. (1903). ◆ **ŒNOLISME** ou **ŒNILISME** (1900) «alcoolisme dû à l'abus du vin» est inusité. ◆ **ŒNOTHÈQUE** n. f. «collection de bons vins» (milieu XXe s.) est formé d'après *bibliothèque*.

L'ancien terme de pharmacie *œnol*, «vin servant d'excipient pharmaceutique», a donné **ŒNOLIQUE** adj. (1846) «qui a le vin pour excipient», également employé en chimie *(acides œnoliques)* et **ŒNOLATURE** n. f. (1868), ancienne dénomination d'un médicament liquide dont l'excipient est le vin.

◈ voir **ŒNANTHE**.

ŒSOPHAGE n. m. est emprunté (1314) au grec *oisophagos* «segment du tube digestif conduisant les aliments dans l'estomac». Ce composé signifie proprement «qui transporte ce que l'on mange» ; il est formé de *oisein*, mot sans étymologie connue qui sert de futur à *herein* «porter», et de *phagein* qui sert d'aoriste à *esthiein* «manger» (→ anthropophage, phagocyte).

♦ En français où il a le même sens, le mot est d'abord écrit *ysophague* puis *ysophaguns* (apr. 1350), la forme en *œ-* apparaissant au XVIe s., latinisée en *œsophagus* (1549), puis *œsophage* (1538).

▸ Il a donné quelques termes d'anatomie et de médecine : **ŒSOPHAGIEN, IENNE** adj. (1701), **ŒSOPHAGISME** n. m. (1812), **ŒSOPHAGITE** n. f. (1822) et les composés **ŒSOPHAGESTOMIE** n. f. (v. 1962, après *œsophagotomie,* 1765), et **ŒSOPHAGOSCOPE** n. m. (1932).

ŒSTRUS n. m. est emprunté (1931) au latin *oestrus* «délire prophétique», transcription du grec *oistros* «taon», puis nom d'un oiseau insectivore mal identifié, enfin employé pour désigner tout ce qui pique, agite, d'où, au figuré, la folie, la frénésie. Ce mot (conservé en grec moderne où il signifie «verve», «inspiration», etc.) présente un suffixe mal expliqué ; son radical est apparenté à celui de *oima* «élan, attaque, rage», mot indoeuropéen auquel correspondent le latin *ira* (→ ire) et l'avestique *aēšma-* «colère». L'anglais a *oestrus* au sens figuré «passion, impulsion» (1850).

♦ Le mot apparaît en médecine (1806) dans *œstre vénérien* «désir sexuel intense» ; il a repris la forme latine *oestrus* à propos de la phase du cycle féminin correspondant à l'ovulation. ◆ **ŒSTRE** n. m. avait fait l'objet d'un emprunt antérieur au grec *oistros* pour «insecte parasite des animaux quadrupèdes ; taon» (1519).

▶ *Œstrus* a entraîné au sens gynécologique la formation de **ŒSTRONE** n. (1935), terme désignant la folliculine, hormone découverte en 1923 par Allen et Doisy, isolée en 1924 par Courrier, et nommée d'après sa propriété observée de provoquer l'œstrus chez la rate castrée. *Œstrone* est féminin lorsqu'il correspond à l'hormone, masculin quand il désigne un œstrogène. ◆ **ŒSTRAL, ALE, AUX** adj. est employé dans *cycle œstral* (attesté en 1945), cycle décrit par les travaux de Heap (dès 1900) et de Steinach (1913). ◆ **ŒSTROGÈNE** adj., composé (1951) de *œstro-* (représentant *œstrus*) et *-gène**, est employé en endocrinologie pour ce qui provoque l'œstrus.

ŒUF n. m. est issu, sous les formes *of* (1121, pluriel *os*), *oef* (XIIe s.), *uef, euf* et enfin *œuf* (XIVe s.), d'un latin populaire °*ovum,* résultant du latin classique *ovum* «œuf». Le mot latin paraît être, comme le grec *ôion* qui apparaît dans l'élément scientifique *oo**, un dérivé de type indoeuropéen d'un nom racine signifiant «oiseau» et qui est à l'origine de la famille du latin *avis* (→ oiseau).

♦ En français comme en latin, le mot se dit de l'embryon enfermé dans une coquille, produit par les femelles des oiseaux et des reptiles, sens dont procèdent directement les locutions figurées ***écraser une chose dans l'œuf*** «avant qu'elle ne se manifeste» (1830) et ***sortir de l'œuf*** «commencer à exister, à se manifester» (1846, Balzac). Plus particulièrement, il désigne l'œuf de la poule domestique utilisé comme aliment (XIIIe s.) et entre dans des expressions comme *œuf dur* (1306), *œuf coque, à la coque, œuf mollet.* Dans ce sens l'***œuf de (Christophe) Colomb*** se dit, par allusion à une anecdote, d'une trouvaille ingénieuse et qui semble aller de soi. ◆ ***Œuf de Pâques*** (1399) se réfère aux œufs que les enfants allaient demander à Pâques et qui sont censés correspondre aux cloches sonnant la fin de la semaine sainte et la résurrection du Christ. Avec l'évolution des coutumes, l'expression se dit au XVIIe s. des présents que l'on fait aux enfants et aux valets «parce qu'autrefois», explique Furetière, «on les faisait d'œufs en espèces comme on fait encore aux Curés en plusieurs lieux de la Champagne. Les pédants font en ce temps-là quelques compositions de vers qu'ils appellent *œufs de Pasques* pour s'attirer de pareils présents». L'*œuf de Pâques,* devenu œuf dur décoré, puis œuf en chocolat, reste une coutume vivante en Occident chrétien, fondée sur le symbolisme de la Résurrection. ◆ *Œuf* inspire un grand nombre de locutions, apparues pour la plupart aux XVIe et XVIIe s., comme *tondre sur un œuf* (1526) «faire preuve d'avarice», aujourd'hui archaïque, ***plein comme un œuf*** «complètement rempli» (1640), ***ne pas mettre tous ses œufs dans un panier*** (1680), ***marcher sur des œufs*** «avec d'infinies précautions» (1690). La locution familière et désobligeante ***va te faire cuire un œuf,*** peut-être allusion sexuelle masquée (*œuf* = testicule ?), est récente (1954). ◆ *Œuf* se dit aussi, depuis le XIVe s., du produit des femelles ovipares (v. 1375, au pluriel *œufvres*) et de la semence des mammifères (1690).

Le mot, qui par analogie désigne toutes sortes d'objets en forme d'œuf comme l'*œuf à repriser* (1845), a pris dans le langage populaire du XIXe s. le sens familier de «nigaud» (1860) par exemple dans *fais pas l'œuf!* (1932), ou *quel œuf!* ◇ Récemment, il désigne par analogie de forme une grenade offensive (av. 1946) et, dans la langue familière, l'ecchymose enflée du visage (1960).

▶ Il n'a guère de dérivés, sinon **ŒUVÉ, ÉE** adj., d'abord *ové* (fin XIIe s.) «plein d'œufs», employé dans l'usage moderne à propos d'une femelle de poisson contenant des œufs, et **ŒUFRIER** n. m. (1838), nom technique de l'ustensile servant à cuire les œufs à la coque.

Le radical du latin *ovum* a été plus productif en fait de termes didactiques : **OVÉ, ÉE** adj. (1226 en Flandre), après avoir exprimé la notion de «gros, plein», a été repris (1798) pour qualifier un objet en forme d'œuf. ◆ Le même sens est réalisé dans les formations **OVIFORME** adj. (1745), **OVOÏDE** adj. (1768) et, par dérivation de ce dernier, **OVOÏDAL, ALE, AUX** adj. (1800), ces trois adjectifs signifiant «en forme d'œuf». ◆ L'histoire des sciences retiendra **OVISME** n. m. (1838) et **OVISTE** n. m. et adj. (1814) à propos de la théorie biologique selon laquelle l'œuf contient, emboîtés, tous les germes des individus à naître.

◈ voir **OVAIRE, OVALE, OVIPARE, OVULE,** et, du grec, **OO-**.

✳ **ŒUVRE** n. m. et n. f. est issu (v. 1120) du latin *opera* (→ opéra), pluriel du neutre *opus, operis* utilisé depuis Plaute comme singulier féminin et subsistant dans presque toutes les langues romanes. *Opus* désigne le travail, l'ouvrage et surtout le produit concret du travail (comme le grec *ergon* → énergie). Le terme, très général, se spécialise dans des usages techniques : il se dit notamment du travail des champs (à côté de *labor* → labour), des ouvrages militaires, des écrits d'un auteur, de ce que fait un artiste, ainsi que des bonnes actions, dites *bona opera* par traduction du grec *kala erga,* dans la langue de l'Église. Quelquefois, *opus* est employé familièrement avec un sens affaibli, voisin de *res* «chose». Il a aussi servi à former des locutions adverbiales *(magno opere, tanto opere,*

ŒUVRE. L'expression indoeuropéenne du travail productif : labeur, valeur et création

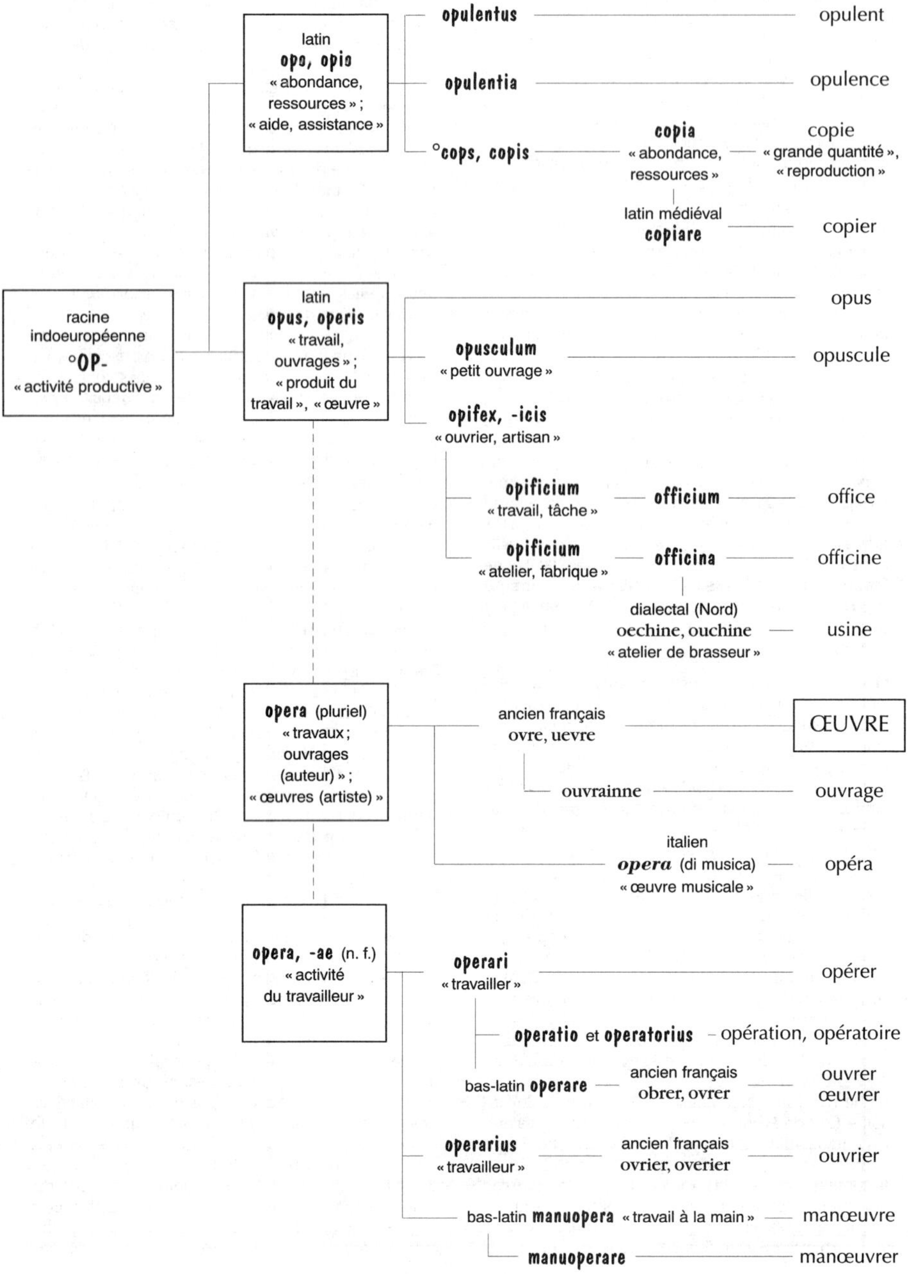

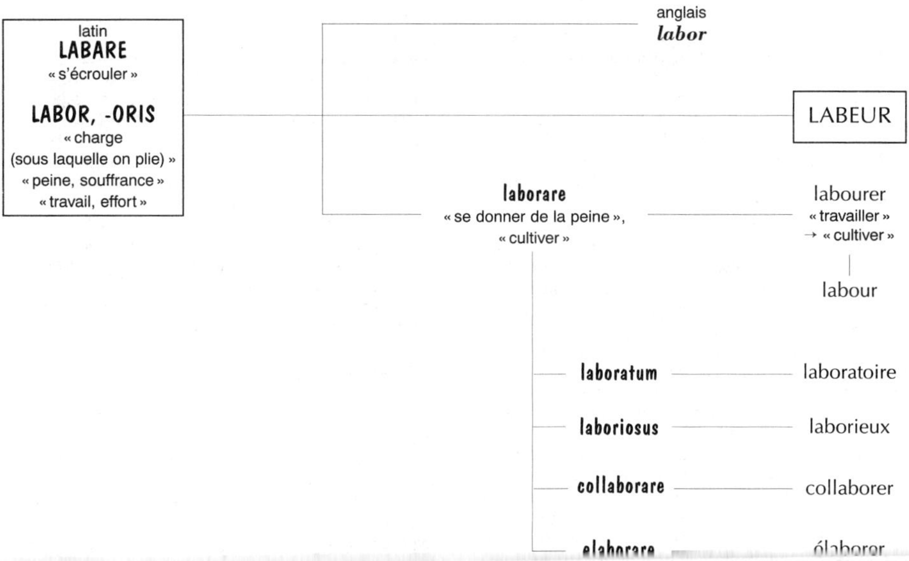
latin
LABARE
« s'écrouler »
LABOR, -ORIS
« charge
(sous laquelle on plie) »
« peine, souffrance »
« travail, effort »
anglais
labor
LABEUR
laborare
« se donner de la peine »,
« cultiver »
labourer
« travailler »
→ « cultiver »
labour
laboratum
laboratoire
laboriosus
laborieux
collaborare
collaborer
elaborare
élaborer

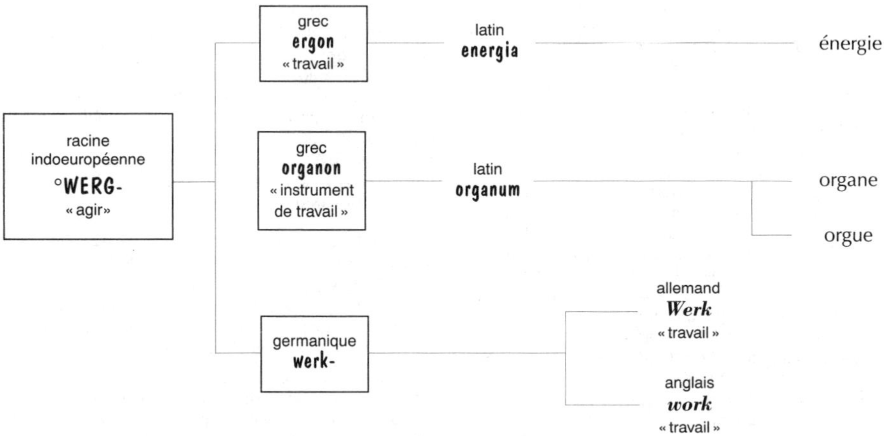
racine
indoeuropéenne
°WERG-
« agir»
grec
ergon
« travail »
latin
energia
énergie
grec
organon
« instrument
de travail »
latin
organum
organe
orgue
germanique
werk-
allemand
Werk
« travail »
anglais
work
« travail »

quanto opere) qui ne sont que des renforcements de *multum, tantum* et *quantum* (→ moult, quant, tant). ◇ Le nom féminin correspondant *opera,* souvent associé à *cura, studium* (→ cure, studieux), désigne l'activité du travailleur et est opposé à *otium* «repis» (→ oiseux). ◇ Concrètement, *opus* désigne une journée de travail agricole et aussi un journalier, un travailleur (surtout au pluriel) (→ manœuvre). ◇ *Opus,* mot ancien du parler rustique, a un correspondant dans le sanskrit *ápaḥ* «œuvre» et s'apparente au nom latin d'action *ops, opis* «abondance, ressources, richesse, forces» (→ copieux, opulent); il appartient à la même racine indoeuropéenne, féconde dans la langue religieuse, qui désignait l'activité productive.

♦ En français, le mot s'écrit *ovre, uevre* (1145), *euvre* (1160-1174), *oevre* (XIIIe s.) et enfin *œuvre* (1250). Il est d'abord de genre féminin : c'est seulement à la fin du XVe s. que, sous l'influence du neutre *opera,* on voit apparaître le masculin, et au XVIIe s. que les grammairiens, non sans hésitation, ont établi les distinctions actuelles, selon les acceptions du mot. ◆ *Œuvre* désigne d'abord l'objet créé par l'activité, le travail de qqn, ainsi que l'action, les opérations qui aboutissent à cet objet (1145). En moyen français, il entre avec ce sens actif dans les locutions ***mettre en œuvre*** (1409) «employer pour une réalisation pratique» d'où ***mise en œuvre*** (1852) et *mettre la main à l'œuvre* (1559), aujourd'hui disparue. ***Bois d'œuvre*** (1611) désigne, par opposition à *bois de chauffage,* le bois destiné à être travaillé. ◇ Dès le XIIe s. (1160-1174), le mot sert à désigner, comme *opus* en latin, une production artistique ou littéraire, par exemple dans ***œuvres complètes*** (1776, Voltaire) et ***œuvre d'art*** (1831, Balzac). De nos jours, ce dernier syntagme est distinct de *ouvrage d'art,* concret et mobilisant la valeur ancienne de *art**, «technique». Dès l'ancien français (fin XIIIe s.), *œuvre* avait le sens technique de «travail artistique d'orfèvrerie» (*rice* [riche] *œvre*), *mettre une pierre précieuse en œuvre* signifiant «la sertir et l'enchâsser» (1653). ◆ Le sens spécial d'«union charnelle entre l'homme et la femme» (1174-1177), aussi *œuvre de chair* (anciennement *ouvrage**) a laissé une trace au pluriel dans des expressions du type *être enceinte des œuvres d'un homme* (1567). ◆ Au XIIIe s., *œuvre* prend le sens d'«action considérée dans sa valeur morale ou religieuse», notamment dans ***bonnes œuvres*** (1225-1230, *bones ovres,* calque du latin), spécialement en théologie «actions méritoires pour le salut» (1457-1467). ◇ Par métonymie, il désigne au XIXe s. une organisation religieuse ou laïque ayant pour mission de venir en aide (1821, de Maistre, au singulier). Au XIVe s., le mot prend dans l'administration religieuse la valeur de «fabrique d'une église» (1379-1380), d'où le ***banc d'œuvre*** (elliptiquement *œuvre,* 1611) désignant le banc d'honneur occupé par les marguilliers. L'expression *maître des hautes œuvres,* dans le même domaine, est attestée depuis 1611. ◆ À partir du XVIe s., *œuvre* entre dans le vocabulaire de la marine où ***œuvres vives*** (1643) s'oppose à ***œuvres mortes*** (1567), ces expressions désignant respectivement la partie immergée et la partie non immergée de la coque d'un navire.

Les premières attestations de *œuvre* au masculin sont relevées dans le langage de l'architecture à propos de l'intérieur d'une maison (1490), surtout dans des locutions comme l'ancienne *par dehors œuvre* «détaché des murs d'une maison», puis ***hors d'œuvre*** (1597), en opposition à *dans œuvre* (1572) «dans le corps du bâtiment», ce dernier étant sorti d'usage (→ sous-œuvre). On dit aussi ***gros œuvre*** et ***à pied d'œuvre*** (1798), au propre et au figuré pour «sur place», et assez récemment (1922) «prêt à agir». ◆ Au cours du XVIe s., *un œuvre* s'applique à l'ensemble de la production d'un écrivain, d'un artiste (1529), redoublant l'usage du féminin avec un caractère plus technique et, quand il est question d'un écrivain, plus affecté, au moins en français moderne. ◇ Le sens plus général, «ensemble des travaux exécutés dans un même but» (1542), est archaïque ou littéraire. ◆ Le masculin est aussi employé en alchimie, dans les syntagmes ***grand œuvre*** (1626), répandu dans l'usage courant avec le sens figuré d'«entreprise capitale» (v. 1673), et ***œuvre au noir.***

◈ voir aussi le schéma pages 2040-2041.

▶ De *œuvre* est dérivé le diminutif **ŒUVRETTE** n. f. (XIIIe s., *œvrete*), également *ouvrette* (1510), repris au XIXe s. en parlant d'une petite œuvre théâtrale sans importance (1876). ◆ *Œuvre* fournit le second terme de quelques noms composés. ◆ **HORS-D'ŒUVRE** n. m. (fin XIVe s.) est d'abord attesté comme adjectif avec le sens ancien d'«incapable d'agir, d'accomplir son œuvre» puis, techniquement, «non travaillé, en parlant de pierres précieuses» (1545), par opposition à *en œuvre.* ◇ Il entre ensuite dans le vocabulaire de l'architecture, comme locution adverbiale (voir ci-dessus) et comme nom (1597) pour désigner la partie d'un édifice qui ne fait pas partie de l'ordonnance générale de l'ensemble. ◇ Au XVIIe s., la locution adverbiale est employée pour «en intermède» (1628) à propos d'une œuvre théâtrale, puis le nom est attesté avec le sens courant de «mets servi au début d'un repas» (1690), devenu usuel et donnant lieu à quelques emplois figurés ou métaphoriques. ◇ **SOUS-ŒUVRE** n. f. est à l'origine une locution adverbiale (1742) du langage de l'architecture qui signifie proprement «par les fondations, le fondement». Dès la même époque, cette locution est employée au sens figuré de «en reprenant les parties essentielles, en comblant les lacunes».

◈ voir CHEF (CHEF-D'ŒUVRE), MAIN (MAIN-D'ŒUVRE), ŒUVRER, ① OFFICE, OFFICINE, OPÉRER, OPTIMISTE, OPTIMUM, OPULENT, OUVRAGE, OUVRER, OUVRIER.

ŒUVRER v., d'abord écrit *oevrer* (1176) et *euvrer* (1260), est la forme altérée, sous l'influence de *œuvre**, de l'ancien français *ovrer* (v. 1120 ; antérieurement *obrer,* v. 980), issu du bas latin *operare,* «travailler, s'occuper de», à l'origine de l'emprunt *opérer**, et dérivé de *opera* (→ œuvre).

♦ Le verbe est surtout employé en construction intransitive avec le sens d'«agir, travailler», dans l'usage littéraire. Dans quelques emplois techniques, il est également construit transitivement au sens de «façonner». ◇ Longtemps inusité, il a été remis en usage au XXe s. et apparaît notamment dans les discours politiques.

◈ voir **OUVRER**.

OFF adj. inv. et adv. est un emprunt (1944) à l'anglo-américain *off*, adjectif et adverbe de lieu signifiant «hors de, en dehors», variante de *of*, préposition exprimant la séparation, l'éloignement et qui appartient, comme ses correspondants germaniques, à la même racine que le latin *ab* (→ ab-) et le grec *apo* (→ apo-). *Off* représente ici l'abréviation du terme *off screen* «hors de l'écran». Celui-ci est formé à l'imitation de *off stage* «dans les coulisses» et, littéralement, «hors scène» (1835), pouvant s'appliquer à tout élément de l'action, acte ou parole. *Stage* «scène» est emprunté au français *étage** et *screen* «écran» est emprunté au français *écran**, sous l'ancienne forme septentrionale *escren*.

♦ Ce terme de cinéma et de télévision, signifiant «qui ne vient pas de la bouche du personnage figurant à l'écran», a été très critiqué et la commission de terminologie de l'audiovisuel en préconise le remplacement par *hors champ*. ➛ *Off*, employé dans le domaine du théâtre (1964, *L'Express*), est la contraction du terme new-yorkais *off-Broadway* (1963), de *off* «à l'écart de» et *Broadway*, nom d'un quartier de New York célèbre pour ses salles de théâtre. Cette expression qualifie un théâtre moins conventionnel. Par renchérissement, un type de théâtre plus contestataire est appelé *off off Broadway* (1967). ◇ En français, *off* (1969, **absolument**) se dit d'une forme de théâtre d'avant-garde inspirée d'un mouvement américain; il s'emploie généralement comme un emprunt avec les guillemets et souvent dans *off festival* (1970) pseudo-anglicisme qui suit l'ordre des mots en anglais (on dit aussi *festival* «off»).

OFFENSE n. f. est emprunté (1225) au latin *offensa* «action de se heurter», d'où «gêne, incommodité, malaise» et, au figuré, «fait d'être mécontent, choqué». C'est la substantivation du participe passé féminin de *offendere* «heurter», par suite «choquer, blesser (les sens)» et, au figuré, «porter atteinte à, froisser, mécontenter». Le verbe est composé de *ob* «devant» (→ objet) et de *-fendere*, mot uniquement attesté dans des composés (→ défendre) et dont le sens devait être «frapper, heurter». Le parfait *-fendi* (sur lequel est bâti tout le groupe des formes latines) est le substitut d'un ancien radical conservé en indo-iranien (dans le sanskrit *handti* «il frappe», l'avestique *ǰainti*) et en hittite. D'autres rapprochements indoeuropéens sont à faire avec le grec, le slave, l'irlandais, certaines formes nominales de langues germaniques et de l'arménien.

♦ *Offense* a dès les premiers textes son sens moderne de «parole ou action qui blesse qqn dans son honneur», valeur réalisée dans la locution littéraire ***faire offense à qqn*** (fin XIIIe s.-déb. XIVe s.). Très usuel à l'époque classique, le mot a vieilli, sauf dans le langage juridique (1482), d'abord au sens ancien de «faute, délit», restreint de nos jours à l'insulte publique envers le chef de l'État français ou un chef d'État étranger (1819, du roi; 1881, du président de la République). Dès l'époque classique, le mot se dit aussi en diplomatie d'une insulte faite au prince en la personne de son ambassadeur (1694). ◇ Par ailleurs, également au XVIIe s. (attesté en 1690), *offense* est employé spécialement au sens religieux de «péché». ➛ Le sens physique ancien d'«attaque, action de heurter» (1295), puis «coup, lésion, dommage» (fréquent chez Montaigne), est sorti de l'usage après le XVIIe siècle. Certains écrivains font encore un usage ambigu du mot en mêlant idée physique et idée morale.

▶ **OFFENSER** v. tr. (1433) est dérivé de *offense* plutôt qu'emprunté directement au dérivé latin *offensare* «heurter, choquer», moralement «hésiter en parlant», fréquentatif de *offendere*. ◇ Il a éliminé l'ancien et moyen français *offendre* (1362), représentant du latin *offendere*, qui signifiait «contrevenir», «insulter l'honneur» (apr. 1350), souvent associé à *deffendre* (→ défendre) dans un contexte judiciaire (1507-1508) pour «attaquer», proprement «heurter» (1513). ➛ *Offenser* n'a pas repris tous les sens de *offendre*. Comme *offense*, il est surtout employé, et ceci dès les premières attestations, au sens de «porter atteinte à la dignité, à l'honneur» et, en religion, «pécher envers (Dieu)» (1552). Il n'est plus employé en français moderne avec ses sens physiques de «blesser, léser» (v. 1530), «incommoder, affecter désagréablement» (1546) et «enlaidir, endommager» (v. 1530). La langue classique l'employait souvent au sens métaphorique de «blesser», avec un grand nombre de compléments : ainsi, au figuré dans le proverbe *il n'y a que la vérité qui offense*, là où l'on emploie aujourd'hui *blesse*. ➛ Le participe passé **OFFENSÉ, ÉE** est substantivé dans la langue juridique pour désigner celui qui a subi un affront (1548). ➛ Le participe présent **OFFENSANT, ANTE**, anciennement employé comme nom et comme adjectif au sens d'«offenseur», a seulement gardé, adjectivement, la valeur de «qui offense» (1672). Son sens concret, «qui produit une impression désagréable (sur les sens)» (1850) est archaïque. ➛ Le mot a été remplacé dans son emploi substantivé par **OFFENSEUR** n. m. (XVe s.) «celui qui offense» (le latin médiéval atteste *offensor*). On relève *offençeur* en 1657 au sens ancien d'«assaillant» et Furetière nous apprend que le mot était critiqué au XVIIe s. avec son sens moral comme n'étant pas français; il le défend en invoquant l'autorité de Corneille qui l'emploie dans ses tragédies. ➛ **OFFENSIF, IVE** adj., avec son sens ancien de «qui offense» (1417), spécialement dans *offensif de* «offensant pour» (encore en 1690), est dérivé de *offenser* avec le suffixe *-if* (le latin médiéval a *offensivus*, 1357) ◇ En revanche, avec l'acception moderne de «qui attaque, qui sert à attaquer» (1538), le mot est dérivé, sur le modèle de *défensif*, de l'ancien français *offendre* (1362) (ci-dessus). Il continue de se rattacher sémantiquement à *offendre* plus qu'à *offenser* et qualifie un objet concret ou abstrait, souvent dans le contexte de la guerre, ainsi qu'une personne agressive, combative (1870). ➛ Son féminin **OFFENSIVE** est substantivé (1587 au pluriel, 1636 au singulier) à propos d'une attaque, d'une opération militaire généralement de grande envergure, en particulier dans la locution ***passer à l'offensive***; il s'oppose à *défensive*. ◇ Par extension, *une offensive* désigne une campagne, une attaque d'une certaine ampleur (1816) dans les domaines de la diplomatie puis au XXe s., de la publicité, et dans le style imagé du discours météorologique (1931, *l'offensive de l'hiver*). ◇ Il entre dans le terme militaire **CONTRE-OFFENSIVE** n. f. (av. 1596). ➡ De *offensif* est dérivé **OFFENSIVEMENT** adv. (1718), rare. ➡ **INOFFENSIF, IVE** adj. (fin XVIIIe s.), probablement emprunt au terme anglais correspondant *inoffensive* «non agressif, non offensant» (XVIIIe s.), est senti comme le préfixé français de *offensif,* malgré l'écart de sens. ◇ Le mot a évolué en français vers le sens affaibli de «qui n'a pas d'effet» ou même «insignifiant» (1807). ◇ Il a produit **INOFFENSIVEMENT** adv. (1838), peu usité.

OFFERTE → OFFRIR

OFFERTOIRE n. m. est emprunté (1250) au latin médiéval *offertorium,* dérivé de *offerre* (→ offrir), signifiant «offrande» (V^e-VIIe s.) et employé pour désigner des objets liturgiques avec, depuis le VIIIe s., tous les sens repris par le français.

♦ *Offertoire* s'est appliqué à plusieurs objets liturgiques : il a désigné notamment le linge sacré qui couvre le calice, puis une offrande (v. 1350). Concurrencé par *offrande* en ce sens, il n'est plus employé de nos jours qu'avec le sens d'«ensemble des rites et des prières qui accompagnent la bénédiction du pain et du vin» (fin XIVe s.). ◇ Par métonymie, il désigne l'antienne qui précède l'eucharistie (1690) et le morceau de musique qui se joue entre le Credo et le Sanctus pendant cette partie de la messe (1690).

① **OFFICE** n. f. est emprunté (1160-1174) au latin *officium,* contraction de *opificium* «exécution d'un travail, travail», de *opifex,* proprement «celui qui fait un travail», de *-fex,* tiré de *facere* (→ faire) et de *opus* (→ œuvre, officine). En se contractant ainsi, le mot a pris une acception spéciale et s'est détaché de *opus :* il a d'abord désigné les obligations d'une charge, les tâches d'un magistrat, et de là, le corps des magistrats eux-mêmes. Dans la langue philosophique, il traduit le grec *kathêkon* «le devoir». Par rapprochement avec *ops, opis* pris au sens de «ressource, assistance» (→ opulent), il se dit du service rendu (→ officieux). Il sert aussi à désigner la fonction d'un organe et, dans la langue de l'Église, l'office divin. En latin médiéval, *officium* a pris plusieurs sens particuliers : «fonction domestique», par métonymie, «serviteurs» (1150), «métier» et «corps de métier» (XIIe s.). Il s'applique à un officier (973), au territoire où celui-ci exerce son autorité (813), et, spécialement, à l'ensemble domanial régi par un agent (1052), à la circonscription judiciaire (1189) , etc. Au pluriel, *officia* est dès le VIIe s. un terme liturgique ; il désigne, outre le service divin, la prière liturgique, les heures, la prière pour le défunt (903, Milan), les vases sacrés et tout ce qui se rapporte au service divin (728).

♦ *Office* s'est d'abord employé dans ce dernier contexte pour désigner l'ensemble des prières et des lectures prévues pour une fête déterminée *(l'office des morts);* il désigne la messe dans l'expression ***office divin*** (1223). ➡ Dès les premiers textes, il s'applique également à la fonction, au rôle dont on doit s'acquitter et, en ce sens, entre dans les locutions ***faire son office*** (1384-1389) «remplir son rôle», et ***faire office de*** (fin XVe s.) «remplir la fonction de», d'où «tenir lieu de, remplacer» (1611, avec l'article défini). Dès la fin du XIIe s., il a le sens de «charge» et fournit le nom de certaines charges publiques sous l'Ancien Régime (1375) en relation avec *officier;* il est alors considéré comme faisant partie du langage administratif, «les gens du monde se [servant] toujours de *charge*» (1693, F. de Callières). *Office* désigne particulièrement une fonction publique conférée à vie (1816) par exemple dans *office ministériel, office public.* ➡ Il entre dans la locution adverbiale ***d'office,*** d'abord sous la forme *de son office* «en vertu des obligations de sa charge» (1285), puis sous sa forme actuelle (1338, *d'ofisse*) qui prend ultérieurement les valeurs modernes : «sans en être requis, de son propre chef» (1690) et «par l'effet d'une mesure générale et autoritaire» (1874). ➡ Le sens moral de «devoir, obligation» ne s'est pas maintenu, tandis que celui de «service rendu» (1467) ne subsiste qu'au pluriel, dans ***bons offices*** (1590), spécialement dans le domaine des relations internationales.
L'acception métonymique de «bureau, agence (où l'on accomplit les devoirs inhérents à sa charge)» (1863) est probablement un emprunt à l'anglais *office,* attesté en ce sens dès 1386, et lui-même emprunté au français au XIIIe siècle. ◇ En français, le terme désigne un établissement spécialisé dans une activité particulière ; il est rare et très critiqué au sens de «local de travail» (1876) où il n'existe plus que par anglicisme (notamment en français du Canada).

◈ voir ② OFFICE, OFFICIEL, ① et ② OFFICIER, OFFICIEUX, OFFICINE.

② **OFFICE** n. f. est un emprunt indépendant (1330) au latin *officium* (→ ① office).

♦ Sous l'influence de ① *office,* le mot tend à être considéré comme masculin ; le féminin, pourtant normal, semble archaïque. Il désigne la pièce attenante à la cuisine où l'on garde les provisions, la vaisselle et le linge de table. ◇ L'usage ancien employait également le mot au pluriel pour les lieux qui servent à tous les besoins d'une grande maison («la cuisine et la despense, mais aussi la sommelerie, fourrière et les escuries» précise Furetière, 1690). Par métonymie, *office* a désigné le service de la table (1740).

OFFICIEL, IELLE adj. est emprunté (1778) à l'anglais *official,* nom (1340), lui-même emprunté à l'ancien français *official,* emprunt au bas latin *officialis,* de *officium* (→ ① office). En anglais, le nom désigne une personne chargée d'une fonction particulière ; il est adjectivé au sens de «public ou communiqué en vertu d'une autorité» (XVIe s.) par emprunt direct au latin *officialis* «relatif à une charge, une fonction».

♦ Le mot a été introduit au sens de «qui émane d'une autorité reconnue, qui en a la garantie, la caution» dans un texte traduit de l'anglais ; dans ce sens toujours vivant, il s'oppose à *officieux.* ◇ Au cours du XIXe s., *officiel* prend par extension le sens de «qui est rendu public, conformément aux usages» (1822, Stendhal), comme dans *fiançailles officielles.* Dans le domaine de l'art, il qualifie ce qui est conforme à des règles établies, strictes (1825, Stendhal par péjoration), avec une valeur proche de *académique;* il se dit aussi en cuisine de ce qui fait autorité, est consacré par l'usage et la tradition (1825, Brillat-Savarin). ◇ Plus généralement, *officiel* caractérise ce qui est notoire, reconnu de tous (1829) et, péjorativement, ce qui est de commande, sans authenticité (1839). ◆ L'adjectif s'applique aussi à une personne qui est nommée par une autorité (1830, Stendhal), emploi responsable d'une substantivation courante *(un officiel, les officiels).*

▶ **OFFICIELLEMENT** adv. est d'abord attesté sous la forme *officialement* (1777), faite sur l'anglais *official,* puis sous sa forme actuelle contemporaine de *officiel* (1778). Il correspond à tous les usages de l'adjectif. Notons que l'anglais *officially* est seulement attesté en 1790. ◆ **OFFICIALISER** v. tr. (fin XIXe s. selon G. Robert, attesté 1949 dans les dictionnaires) «rendre officiel», est l'adaptation de l'anglais *to officialize* v. tr. (1887 ; 1850 comme v. intr.) et **OFFICIALISATION** n. f. (1933), celle du dérivé anglais *officialization* n. f. (1907). Ces termes ne sont plus sentis comme anglicismes. ◆ Pour exprimer le caractère officiel d'une chose, on recourt parfois à **OFFICIALITÉ** n. f. (1869), reprise d'un ancien terme (1285, *officialiteit*) de juridiction ecclésiastique. Sous l'Ancien Régime, le mot désigne le tribunal de l'official et la charge de l'official (1690). ◆ **OFFICIAL** n. m. est lui-même emprunté (v. 1225, *offichial*) au latin médiéval ecclésiastique *officialis* (XIIe s.) «juge ecclésiastique», spécialisation de sens du bas latin *officialis* «qui concerne le devoir», substantivé pour désigner l'appariteur.

① **OFFICIER** v. intr. est emprunté (1286-1290) au latin médiéval *officiare* «remplir sa charge, sa fonction» et «célébrer un office religieux», de *officium* (→ ① office).

♦ Le verbe a repris les sens latins : «remplir sa charge de manière quasi rituelle» et «célébrer un office religieux» (1558). ◇ Par extension, il est employé plaisamment, dans l'usage classique, dans l'expression *bien officier* (1680) «bien boire et bien manger». ◇ Il a pris au XIXe s. une valeur figurée, «agir avec cérémonie» (1868) et récemment «opérer, faire une opération un peu complexe (avec une solennité plaisante)».

▶ Son participe présent **OFFICIANT** est substantivé (1671) pour désigner celui qui célèbre un office religieux. Il est également employé comme adjectif en ce sens (1690). ◆ Son féminin **OFFICIANTE** désigne spécialement la religieuse qui est de semaine au chœur, dans un monastère de femmes (1868).

② **OFFICIER** n. m. est emprunté (1327) au latin médiéval *officiarius* «personne pourvue d'une charge», dérivé de *officium* (→ ① office). Le mot s'employait pour désigner le serviteur domestique, l'agent domanial (1098) et l'appariteur judiciaire (1075).

♦ *Officier* désigne celui qui détient un office, une charge, sens aujourd'hui archaïque ou historique, mais réalisé dans un certain nombre de titres, les uns archaïques, les autres encore en usage comme ***officier de justice*** (fin XIVe s.) «titulaire d'une fonction juridique». *Officier d'armes* (1470), «héraut», a disparu après le moyen français. ***Officier de santé*** (1680), «médecin», a été repris au XIXe s. pour désigner une personne autorisée à pratiquer la médecine sans avoir le diplôme de docteur (jusqu'en 1892). Sous la Révolution apparaissent *officier municipal* (1790, Robespierre) «personne ayant une tâche dans l'administration des communes», puis *officier de l'état civil* (1804). ◇ ***Officier ministériel*** (1807), à propos d'une personne ayant charge d'un *office ministériel* ou *public,* s'emploie surtout à propos du titulaire ; dans un sens étroit, elle concerne l'administration de la justice. L'***officier public*** s'en distingue, car il est investi d'un office auquel sont rattachées des fonctions indépendantes de cette administration. ◇ En dehors du domaine administratif, le mot a désigné un domestique de grande maison, spécialement celui qui s'occupait du service de la table. ◇ Le langage de la restauration l'emploie encore parfois pour le personnel affecté à l'office. ◆ Cependant, l'usage dominant en français moderne concerne les hiérarchies de police et militaire, d'abord en marine à partir du XVIe s., *officier* étant alors employé pour désigner le marin détenteur d'un grade lui permettant d'exercer le commandement (1520). ◇ Dans l'armée de terre, le titre est d'abord élevé. Ce n'est qu'au XVIIe s. qu'on parle de *bas officiers* (attesté 1690) à propos des sergents et caporaux dans l'armée de terre. Depuis l'organisation moderne de l'armée, *officier* recouvre les grades d'*officiers généraux* (→ général), *officiers supérieurs* (de colonel à commandant) et *officiers subalternes* (du capitaine au sous-lieutenant) ; au-dessous sont les *sous-officiers* (ci-dessous) et les *hommes (de troupe),* incluant les caporaux qui faisaient autrefois partie des *bas officiers.* Le mot désigne aussi le titulaire d'un grade dans un ordre honorifique (1704), notamment la Légion d'honneur.

▶ Il est resuffixé familièrement en **OFFICEMAR** n. m. (1894) et *offmar* (chez Cendrars) dans l'argot militaire, deux formes archaïques. ◆ Il entre dans **SOUS-OFFICIER** n. m. qui apparaît en histoire (1765) à propos d'un dignitaire allemand représentant un électeur, un grand officier. Le mot, au sens moderne, apparaît dans l'armée révolutionnaire (1791) ; on employait sous l'Ancien Régime *bas officier* (1680). Aujourd'hui les sous-officiers vont de l'adjudant au sergent. ◇ Le mot est abrégé familièrement en **SOUS-OFF** n. m. (1861). ◇ Le féminin **OFFICIÈRE** n. f. (XIVe s.) est rare sauf au sens particulier de «religieuse titulaire d'un office dans une communauté de femmes». ◇ Il désigne quelquefois la femme qui détient le grade d'officier dans l'armée du Salut, alors qu'on parle plutôt dans l'armée de *femme officier.*

OFFICIEUX, EUSE adj. est emprunté (1544) au latin *officiosus* «qui rend service» d'où «serviable», dérivé de *officium* (→ ① office).

♦ L'usage ancien employait le mot au sens moral de «serviable, obligeant», comme adjectif et comme nom (*un officieux,* 1630) avec la nuance péjorative de «personne importune à force de vouloir rendre service et de faire l'empressée». Le style littéraire a gardé une trace de ce sens en affectant le mot à une charge destinée à rendre service (1660). ◇ Pendant la Révolution, un *officieux,* comme *un officier,* désignait un domestique, un laquais (v. 1796) et, sous le Directoire, un maître d'hôtel dans un restaurant (1803). ➤ L'usage moderne emploie essentiellement le mot comme l'adjectif antonyme de *officiel,* pour qualifier une nouvelle, une personne, un organe de presse, qui exerce un rôle sans en avoir été officiellement investi (1848, Chateaubriand).

▸ Il a pour dérivé **OFFICIOSITÉ** n. f. (1610) «qualité d'une personne serviable, obligeante», mot qui a perdu sa vitalité quand l'adjectif a pris son sens moderne. ➤ **OFFICIEUSEMENT** adv. a survécu, troquant l'ancien sens «obligeamment» (XIVe s.), pour «de manière non officielle» (1859).

OFFICINE n. f. a été emprunté à deux reprises au latin *officina* «atelier, fabrique», «poulailler» et, dans un tout autre domaine, «atelier où l'on fabrique la monnaie». C'est l'altération (→ ① office) de *opificina,* dérivé de *opifex* «ouvrier, artisan», de *opus, -eris* (→ œuvre), et *facere* (→ faire).

♦ *Officine* est emprunté une première fois (1170) au sens de «dépendance (d'une abbaye, d'un monastère)». ◇ Au XVIe (1532) et au XVIIe s., il désigne aussi l'atelier, la boutique. ➤ Il a été réemprunté au XIXe s. avec son sens moderne «boutique de pharmacien, de droguiste, d'herboriste» (1812). ◇ Il a donné lieu, au XIXe s., au sens figuré péjoratif «endroit où se trame qqch.» (1824) et au sens plus général «boutique» (1831, Lamartine, *les officines des journaux*). Ces deux acceptions sont sorties de l'usage.

▸ Son dérivé **OFFICINAL, ALE, AUX** adj. (XVIe s.) a d'abord eu le sens ancien de «relatif à une boutique» (déb. XVIe s.). ◇ Depuis 1762, il qualifie ce qui est fait dans l'officine, et s'emploie en botanique en parlant des plantes qui entrent dans la composition de préparations médicamenteuses : l'expression ***plantes officinales*** (1783) est probablement due à Linné qui donnait le qualificatif latin *officinalis* à certaines espèces d'un genre (*fumaria officinalis,* etc.).

◈ voir **USINE** (issu de *officina*).

OFFRANDE n. f. est emprunté, sous la forme ancienne *offrende* (1080), au latin médiéval *offerenda,* substantivation dans le domaine religieux du féminin de *offerendus* «qui doit être offert», adjectif verbal correspondant à *offerre* (→ offrir). *Offerenda* désigne le don fait par les fidèles à l'Église (Xe s.) ainsi que l'offertoire (IXe s.) [→ offertoire].

♦ Le mot reprend le sens de «don que l'on offre à Dieu» et, en liturgie, d'«antienne précédant l'eucharistie» (1200). Il désigne surtout la cérémonie pratiquée lors de certaines messes, où le prêtre présente la patène à baiser et reçoit les dons des fidèles (1260). ➤ Par extension, il s'applique à un présent dont on gratifie qqn en signe d'attachement ou de dévouement (1270), concrètement et abstraitement (1661).

OFFRIR v. tr. est issu (v. 1112) du bas latin *offerire,* altération du latin classique *offerre,* composé de *ob* «devant» (→ objet) et *ferre* «porter» (→ -fère), qui signifie proprement «porter devant» d'où «présenter, exposer, montrer», souvent avec une nuance d'opposition, et «fournir, procurer».

♦ Le verbe signifie d'abord «proposer, présenter (qqch. à qqn) en mettant à la disposition». Il est employé à la forme pronominale *s'offrir* (1165), en particulier avec la préposition *à* suivie de l'infinitif (fin XIIe s.). ◇ La forme pronominale s'est spécialement employée avec le sens de «déclarer son amour (le sujet désignant une femme)» [1561] et surtout «être prête à se donner (à un homme)» [1865]. ◇ *Offrir* entre dans quelques constructions telles que ***offrir sa fille*** *à qqn* (1690), ***offrir son nom*** (par le mariage) *à une femme* (1854), et figurément, *offrir son cœur, offrir le combat* (1690), pour «proposer». ◇ Dès le XIIe s., le verbe signifie spécialement «donner qqch. (à Dieu) en offrande» (1140), avec ou sans complément d'objet. Il entre ainsi dans les expressions du langage religieux *offrir qqn à Dieu* (1165) «vouer à Dieu», *offrir le sacrifice* (1656) «dire la messe». ◇ Dès le XIIe s., *offrir* est employé généralement au sens de «donner en cadeau» (1170). ◇ Au XIIIe s., il prend également le sens de «présenter, exposer (à une chose dangereuse, pénible)», en construction transitive (1225-1230) et à la forme pronominale (1240). ◇ Il est employé à la forme pronominale passive (*l'occasion s'offre*) pour «se présenter par hasard» (1340). ◇ Au XIVe s., il prend le sens actif de «proposer (qqch.) en contrepartie d'autre chose» (1306) puis, au XVIe s., celui d'«exposer à la vue» (1552, *s'offrir à la vue;* 1670 en construction transitive).

▸ **OFFRE** n. f., déverbal de *offrir,* est attesté depuis 1140 (comme nom masculin) au sens d'«action d'offrir», et désigne par métonymie la chose offerte (XIVe s. au féminin). Il entre dans ***faire offre de*** (1585) et ***offre de*** (1604, *offre de service*). ◇ À partir du XVIIe s., il devient terme de droit et d'économie : il désigne juridiquement l'acte par lequel on propose d'acquitter une dette (1690, *offres réelles*) puis se dit du fait de proposer à qqn un contrat (1932), d'où *offre de concours* (1936), et ***appel d'offres*** (1959). Dans le langage économique, le nom désigne le montant offert pour un service ou une marchandise (1690) ainsi que la quantité de services ou de produits offerts sur le marché (1753). Au XXe s. apparaissent les syntagmes *offre publique* (v. 1965) et ***offre publique d'achat*** (v. 1965), abrégé couramment en **O. P. A.** n. f., ainsi que ***offre publique d'échange*** ou **O. P. E.** n. f., moins courant que O. P. A. ◇ Il entre dans le composé **SUROFFRE** n. f. (1810).

Offrir a aussi produit **OFFREUR** n. m. attesté une première fois en 1347 au sens général de «celui qui offre» et repris (v. 1950) en économie pour «celui qui offre un bien, un service», par opposition à *demandeur.* ➤ **OFFRANT, ANTE** n. m. et adj. a eu la valeur de «libéral, généreux» (1310-1410) qui a disparu en français classique. Il ne s'emploie plus que dans la locution ***le plus offrant*** (1365) «celui qui fait l'offre la meilleure», spécialement dans le cadre d'enchères (1384). ➛ **OFFERTE** n. f., participe passé féminin substantivé de *offrir,* a signifié «offrande» (1317) et «offertoire» (v. 1534) avant d'être supplanté par *offrande* et *offertoire.* Anciennement, il désignait l'offrande faite au prêtre pendant l'offertoire (1876).

◈ voir **OFFERTOIRE, OFFRANDE.**

OFFSET adj. inv. et n., attesté en 1931, est emprunté à l'anglais *offset* (1555), composé de *off-* «hors de» (→ off) et de *set,* participe passé de *to set* «poser, placer», mot ayant des correspondants dans les langues germaniques et d'origine indoeuropéenne, apparenté à la racine du latin *sedere* (→ seoir). *Offset* a pris le sens de «report» dans l'impression en 1888 et a été choisi par l'Américain Rubel comme nom du procédé mis au point en 1904.

♦ *Offset* désigne un procédé d'impression à plat par report sur caoutchouc. *Papier offset* s'applique au papier conçu pour la réalisation de ce procédé.

▸ **OFFSETTISTE** n. et adj. (1945) désigne le technicien spécialisé en offset. ➛ Le français a emprunté *onset* n. m. (v. 1960) à l'anglais *onset* composé de *on* «sur» et de *to set* «mettre» pour désigner un procédé d'impression sans contact, qui utilise les phénomènes électrostatiques.

OFFUSQUER v. tr. est emprunté (fin XIVe s.) au bas latin *offuscare* formé de *ob* «devant» (→ objet) et de *fuscus* «sombre, noir, indistinct» qui, à l'origine, devait s'appliquer à un homme, comme semblent l'indiquer les surnoms *Fuscus, Fuscinus.* Ce *fuscus,* apparenté au terme poétique *furvus* «sombre, noir», contient un élément radical que l'on retrouve dans l'anglais *dusk* «crépuscule, obscurité». *Offuscare* a d'abord le sens concret d'«obscurcir», d'où «gêner la vision» et, au figuré «diminuer l'éclat de (qqch.), assombrir, troubler».

♦ Le verbe a perdu le sens originel latin; il exprime pendant très longtemps l'idée de «gêne, empêchement», signifiant alors «arrêter dans son fonctionnement régulier», «empêcher (qqch.) d'être vu, en masquant» (déb. XVe s.), «empêcher, boucher la vue» (1485) et, abstraitement, «obscurcir (l'esprit)» (1485), «atténuer le prestige de (qqn)». ➛ Dans l'usage moderne, il est surtout courant au sens moral pour «indisposer (qqn) par des actes, des propos qui lui déplaisent» (1766), et notamment «choquer moralement». Dans ce sens, il est également employé à la forme pronominale (1832).

▸ **OFFUSCATION** n. f. est emprunté (XIVe s., *obfuscacion*) au bas latin *offuscatio, -onis* «action d'obscurcir (au figuré), de rabaisser», formé sur *offuscatum,* supin de *offuscare.* ➛ En français, le mot a perdu ses anciens sens concrets «affaiblissement de la vue» (1430), «action de se cacher, en parlant de la lumière du soleil» (1565), mais ce dernier se maintient dans une spécialisation en astronomie (1865). Ainsi, malgré les tentatives faites avec *offuscation* et *offusquement,* il n'existe pas de nom correspondant au sens moderne du verbe.

OGIVE n. f., attesté depuis 1260 (traité d'architecture de Villard de Honnecourt), surtout écrit *augive* (1347) en ancien français, est d'origine incertaine. Plutôt que d'évoquer le latin *augere* «augmenter» (hypothèse acceptée par Littré), il semble préférable d'y voir un emprunt à l'espagnol *algibe, aljibe* «citerne», lui-même emprunté à l'arabe *al-ǧubb* de même sens. Cette hypothèse s'appuie sur l'équivalence entre le français *croix d'augives, croisée d'augive* (XIVe s.) et l'espagnol *boveda de aljibe,* littéralement «voûte de citerne» et par extension «voûte d'ogive». En outre les formes anciennes *oegive, augive* semblent être des essais de transcription de l'espagnol *algibe.* Toutefois, l'espagnol *boveda de aljibe* n'est pas attesté avant 1661. ◇ La ressemblance du français avec l'anglais *ogee* «arc brisé» (1428-1429), lui-même probablement emprunté à un anglo-normand °*ogé,* du latin *obviatum* «qui va à la rencontre de», de *obviare* (→ obvier), a fait supposer que *ogive* serait un élargissement (type °*obviativa*) du latin *obviata,* féminin de *obviatum.* Mais les étymologistes anglais voient plutôt en *ogee* (de nos jours remplacé par *ogive,* calque du français) une contraction de *ogive* empruntée au français. En effet, l'ancienneté de l'ogive en France (fin XIIe s.) rend moins plausible l'hypothèse d'un emprunt, soit à l'espagnol, soit à l'anglo-normand.

♦ *Ogive* désigne dès les premiers textes l'arc diagonal bandé sous une voûte en arc brisé qui se diffuse au XIIIe s. et devient rapidement caractéristique d'un nouveau style qui recevra le nom d'abord péjoratif de *gothique** (cf. ci-dessous *ogival*). Le mot entre dans les syntagmes techniques ***croisée d'ogive*** (XIVe s.) et ***voûte d'ogive*** (attesté en 1676). Par extension, il désigne aussi l'arcade formée par deux arcs de cercle égaux qui se coupent en faisant un angle aigu (1688, encore écrit *augive*). ➛ Par analogie de forme, *ogive* se dit en armurerie de la partie antérieure des projectiles de forme oblongue (1890), et notamment de celle d'une arme atomique (1962), par exemple dans *ogive nucléaire.*

▸ On en a tiré **OGIVER** v. tr. (fin XIXe s.-déb. XXe s.) «donner à (une chose) la forme d'une ogive», mot inusité, et le diminutif **OGIVETTE** n. f. (1845). ➛ Le principal dérivé est **OGIVAL, ALE, AUX** adj. (1823) qui, dans *architecture ogivale* (1836), a servi tout au long du XIXe s. à désigner l'architecture *gothique,* mot alors justement critiqué, et qui l'a cependant emporté à la fin du siècle (→ gothique). ◇ Par analogie, *ogival* est employé au sens de «qui ressemble à une ogive» (1823).

OGRE n. m., attesté depuis le XIIe s. (1181-1190), est d'origine incertaine : c'est peut-être l'altération, par métathèse du *r* sous l'influence de mots comme *bougre,* de °*orc,* représentant non attesté du latin *Orcus.* Ce dernier est le nom d'une divinité infernale, également employé par extension pour désigner les enfers et la mort, lui-même d'origine inconnue, peut-être emprunté à l'étrusque. Cette hypothèse est appuyée par l'existence de représentants romans, comme l'italien *orco* «croque-mitaine», le sarde *orcu* «démon», le catalan *orc* «personne gênante». En outre, un sermon prononcé par saint Éloi et dirigé contre les superstitions païennes interdisait d'évoquer les noms de quatre dieux romains, *Neptune* (→ lutin), *Orcus, Diane* (à l'origine de l'ancien français *gene* «fée malfaisante») et *Minerve.* Cette hypothèse est préférable à celle qui fait remonter *ogre* à *Hongrois* en raison des dévastations causées par les «Hongrois» (Hongres, Oïgours) en Occident au moyen âge. Dans les deux cas, la forme actuelle est difficilement expliquée.

♦ *Ogre* est d'abord attesté en parlant d'un païen féroce, puis avec son sens actuel de «géant de contes de fées se nourrissant de chair humaine» (v. 1300). ◇ Le féminin **OGRESSE** s'est imposé depuis le conte du *Petit Poucet* de Charles Perrault (1697), supplantant la forme *ogrine,* qui semble antérieure (attestée en 1694). ◇ Au XVIIIe s., *ogre* a développé le sens figuré de «personne vorace» dans la locution comparative ***il mange comme un ogre*** (1740) puis métaphoriquement *(c'est) un ogre* (1819). ◇ Il s'est dit aussi d'une personne redoutable par sa cruauté, qui fait peur (1740). Cette valeur a été exploitée dans le surnom donné à Napoléon Ier par ses ennemis, *l'Ogre de Corse.* ◇ *Ogresse* s'est employé en argot au XIXe s. pour désigner la tenancière d'une maison close, d'un établissement mal famé.

OH interj., anciennement *ho,* est une variante (1559) de *ô*.* Le latin a lui-même *oh* à côté de *ô* qu'il utilise pour marquer les sentiments les plus divers, et le moyen français possède *oho* (surprise), (1538).

♦ *Oh* marque la surprise ou donne de l'énergie à une phrase. Il s'emploie aussi en combinaison dans *oh là oh* (1668), *oh là là,* et sous la forme redoublée *oh oh* (1659), avec diverses valeurs. On notera l'emploi de *oh* pour interpeller et attirer l'attention, spécialement en navigation (1903, *oh! du canot!*).

◈ voir **HOLÀ**, (art. HO), **OHÉ**, **Ô**.

OHÉ interj. et onomat. est un composé (1210) de *ô** et de *hé*.* La même interjection existe en latin (*ohe,* sans accent) pour interpeller, marquer l'impatience, et en grec sous la forme *ôê.*

♦ *Ohé* est employé pour signaler sa présence, interpeller, manifester une intention de communiquer (1210), spécialement avec un nom de lieu introduit par *de* indiquant l'endroit où se trouve l'interpellé. L'usage ancien ou archaïsant emploie *ohé* pour transcrire un cri de joie, d'amusement. ◇ ***Ohé, ohé*** a servi à caractériser une femme de mœurs légères : on dit plutôt *olé* et *olé olé* de nos jours.

OHM n. m. est tiré (1867) du nom du physicien allemand *Ohm* (1787-1854), lequel établit la loi qui porte son nom en montrant que la différence de potentiel entre deux points d'un conducteur est proportionnelle à l'intensité du courant.

♦ *Ohm* est le nom de l'unité de résistance électrique, correspondant à la résistance existant entre deux points d'un conducteur quand une différence de potentiel constante de un volt, appliquée entre ces points, crée un courant d'une intensité de un ampère.

▸ Le mot a produit **OHMMÈTRE** n. m. (1883) «instrument mesurant la résistance électrique», **OHMIQUE** adj. (1894), et les composés **MÉGOHM** n. m. (1874, trad. angl.) «un million d'ohms» (avec *méga-**), **MICROHM** n. m. (1888) «un millionième d'ohm» (avec *micro-**). ◇ Le premier de ces noms d'unité a produit **MÉGOHMMÈTRE** n. m. (1963) pour l'appareil mesurant les très grandes résistances électriques.

-OÏDE Élément final (suffixe), est emprunté au grec *-eidês,* de *eidos* «forme», courant pour former des mots scientifiques et techniques.

OÏDIUM n. m. est emprunté (1825) au latin scientifique *oïdium,* formé sur le grec *ôon* «œuf» avec le suffixe *-idium.*

♦ Le mot désigne un champignon parasite dont une variété s'attaque à la vigne et, par métonymie (1874), la maladie qu'il produit.

OIE n. f. est la modification (1175, *Chronique des ducs de Normandie*) d'après la première syllabe de *oiseau*,* de l'ancien français *oe, oue* «oie» (XIIe s.), issu du bas latin de même sens *auca* (IVe-Ve s.). Celui-ci est une contraction de °*avica,* de *avis* dont un autre dérivé a donné *oiseau*.* ◈

♦ *Oie* désigne un palmipède domestique élevé pour sa chair, et donne lieu à divers syntagmes, comme *gardeuse d'oies, plume* d'oie* et à des comparaisons *(se dandiner comme une oie).* ◇ Cet oiseau a dans l'ordre symbolique une importance considérable, surtout sous sa forme sauvage : l'oie est une messagère, elle avertit (cf. en latin, *les oies du Capitole*); dans le folklore français, en témoigne le personnage de *ma mère l'oie,* avec ses contes. ◇ Quant à ***jeu de l'oie,*** l'expression, attestée seulement en 1613 — on a dit *l'oie* (1612) —, désigne un jeu ancien, connu des Grecs et des Latins, et qui a reçu des interprétations ésotériques (labyrinthiques). ◇ Par métonymie, *oie* désigne la chair de l'oiseau, utilisée dans l'alimentation (de là *foie d'oie, confit d'oie*); il entre dans l'expression ancienne ***petite oie,*** désignant les abattis tranchés de l'oie que l'on sert à manger. Cette expression est à l'origine de trois emplois figurés aujourd'hui disparus : elle désigne au XVIIe s. des accessoires, de petits détails (1620), particulièrement l'ensemble des rubans et les garnitures ornant les habits (1637), ainsi que les petites faveurs accordées par une dame à son amant (1665). Par extension, *petite oie* s'appliquait aussi au prélude d'une action quelconque. ◇ Par analogie avec la réputation de bêtise que l'on prête à l'animal, *oie* désigne une personne très sotte et niaise (1835); association entre la bêtise et la candeur, ***oie blanche*** (1909), qui semble succéder à *petite oie* (*cette petite oie est blanche,* 1894), se dit d'une jeune fille pudibonde et niaise, ce qui explique son abandon comme désignation de l'oie sauvage sauf en français du Québec où la valeur figurée et péjorative est inconnue. ◇ Le mot fournit, dans ***oie de mer,*** un nom pour le dauphin, dont le museau allongé évoque le bec de l'oie. ◇ L'expression ***pas de l'oie*** caractérisant une marche de parade militaire, jambe tendue, est attestée depuis 1907; elle évoque en général l'armée prussienne, puis allemande.

◈ voir **AUSPICE, AUTRUCHE, AVION, MERDOIE, OCARINA, OISEAU, OISON, OUTARDE, PATTE* D'OIE.**

OIGNON n. m. est issu (v. 1190) du latin *unionem,* accusatif de *unio, unionis* «oignon sans caïeux». Il s'agit d'un mot dialectal, le terme courant étant *caepa,* lui-même passé en français dans *cive** et dans l'ancien provençal *ceba* (→ ciboule). En latin impérial on relève *unio, -onis* au sens de «perle grosse et de la plus belle eau» (Pline), dérivé de *unus* (→ un) selon un développement sémantique que l'on a en français dans *solitaire.* Il peut s'agir du même mot que *unio* «oignon» (→ ① union) : le cheminement sémantique s'expliquerait par le fait que l'oignon, à la différence de l'ail, a un tubercule unique ; mais cette explication peut aussi être une étymologie «populaire». Le mot latin est passé à la fois en germanique sous la forme °*unja* (vieil anglais *ynne* plus tard remplacé par *onion,* emprunté, par l'anglo-normand *union,* au français) et en celtique, où il a donné l'irlandais *uinnium.*

♦ En français, le mot est d'abord écrit *unniun* (v. 1190), *hunion* (v. 1200), *oingnun* (1260), *ognon* (1275), enfin *oignon* (1332). Il désigne une plante potagère à la racine bulbeuse utilisée en cuisine. Il entre dans quelques locutions aujourd'hui archaïques où il exprimait figurément l'idée négative de «très peu de choses» ou de «chose mauvaise» : *il y a de l'oignon* (1595) «il y a une mauvaise affaire là-dessous», était encore usuel dans l'argot du XIXe siècle. ◇ ***Se mettre en rang d'oignons*** (1611), peut-être pour *en rang d'union,* a d'abord signifié «s'agréger à une compagnie où l'on n'a pas sa place», et «se mettre en un rang où il y a des gens de plus haute condition que vous» (1690). Allusion y était faite à la manière dont on assemble les oignons en plaçant les plus gros les premiers et ensuite les autres. Une explication plus anecdotique y voit une allusion à un baron d'*Oignon,* maître de cérémonies aux états généraux de Blois en 1576 qui assignait à chacun son rang et sa place ; elle ne repose que sur une homonymie. C'est au XVIIe s. (1654) que la locution a pris son sens concret moderne de «se mettre sur une même ligne». ◇ *Oignon* est entré dans les locutions populaires ***aux petits oignons*** (1855), allusion à la cuisine mitonnée qui fait usage de jeunes oignons appelés *petits oignons,* ***c'est pas tes oignons*** (1922, 1901 au singulier), et ***occupe-toi de tes oignons !*** (1948). Cette dernière expression dissimule le sens d'«anus» (ci-dessous), cf. *occupe-toi de tes fesses.* ➝ Par analogie de forme, *oignon* sert à nommer la partie renflée de certaines plantes, un bulbe (1538) et, en médecine, la callosité qui se forme à la naissance du gros orteil (1611). ◇ En horlogerie, il désigne une montre rebondie (1834, 1824 écrit *ognon*). ➝ En argot, *oignon* désigne l'anus (1890), également appelé *oignon brûlé* (1883) et, par aphérèse, l'*oigne* (prononcé *wagne*).

▸ *Oignon* n'a guère produit de dérivés, sinon **OIGNONET** n. m. (1377) «petit oignon» et, par analogie, «poire précoce», **OIGNONIÈRE** n. f. (1546) «terrain où l'on cultive les oignons» et **OIGNONADE** n. f. (1552), nom d'une préparation culinaire.

OÏL → OUI

OINDRE v. tr. est issu (v. 1120) du latin *unguere* «enduire, parfumer, frotter (notamment avec de la graisse)» et, en latin chrétien, «enduire d'huile sainte» (déb. IIIe s.) d'où, par métonymie, «consacrer (un roi, un prêtre)» (déb. Ve s.). Le participe passé *unctus* est lui-même adjectivé au sens d'«élégant», puis «bien garni» (par opposition à *siccus* → sec) et «riche, copieux» ; il est substantivé au neutre *unctum* qui signifie «bonne chère». En latin chrétien, *unctus* (n. m.) désigne celui qui est oint, consacré par Dieu, c'est-à-dire le Christ (v. 350). *Unguere* est d'origine indoeuropéenne, à rapprocher du sanskrit *anákti* «il oint», *aktáḥ* «oint», de l'irlandais *imb,* du breton *amann,* du vieux prussien *anktan* «beurre».

♦ *Oindre* est d'abord employé dans un contexte religieux au sens figuré de «sacrer, conférer un caractère sacré (par les applications des saintes huiles sur le corps)» ; son participe passé est substantivé pour désigner celui qui a été consacré par une onction (XVe s.) et l'***oint du Seigneur*** s'applique comme en latin à Jésus-Christ alors que l'anglais emploie *The Lord's Anointed* (XVIe s.), formé avec le participe du verbe *to anoint,* lui-même emprunté à l'ancien français *anoint, enoint,* participe d'un ancien verbe *enoindre,* préfixé de *oindre.* ➝ Toutefois, dès 1120, le verbe est aussi employé au sens propre d'«enduire d'une matière grasse» et, par extension, «couvrir d'une substance quelconque», sens de nos jours délaissé au profit de *enduire.*

▸ **OING** n. m. est issu, sous la forme *oint* (1200) puis *oing* (1495), du latin *unctum* «huile pour frictionner, onguent», participe passé substantivé au neutre de *unguere.* ➝ C'est un mot archaïque qui désignait la graisse pour oindre (1636), d'abord *vieil oing* (1590) désignant spécialement la graisse de porc fondue servant à graisser les essieux d'un mécanisme.

◈ voir **ONCTION, ONCTUEUX, ONGUENT.**

OISEAU n. m., d'abord *oisel* (1080), puis *oiseau* d'après le pluriel *oiseaus* (1165), est issu du bas latin *aucellus,* forme syncopée de °*avicellus.* Ce dernier est le diminutif du latin classique *avis* «oiseau», forme simple peu représentée dans les langues romanes, sauf en espagnol et portugais *(ave).* En effet, *avis* a tendu à être remplacé par des formes plus pleines *(avicula, aucula, aucella, aucellus),* tout en se maintenant comme nom générique joint au nom d'espèce (→ autruche, outarde) ; ces diminutifs sont représentés par exemple en italien *(ucello). Avis* appartient à la racine indoeuropéenne °*aw-,* représentée également dans le védique *véḥ,* l'arménien *haw* «oiseau» et le grec *aietos* «aigle» (oiseau par excellence) (→ gypaète). En latin même, le nom de l'œuf (→ œuf) semble faire partie du même groupe.

♦ Le mot, nom générique d'un animal ovipare capable de voler, entre dans quelques locutions comparatives et métaphoriques comme ***oiseau de passage*** (1675 ; 1549 au propre), ***oiseau de mauvais augure*** (1761 ; 1690 au propre), ainsi que dans la locution adverbiale ***à vol d'oiseau*** «en ligne droite» (1771). ◇ Il est employé familièrement pour désigner un individu (fin XIVe s.), quelquefois déterminé dans ***oiseau rare*** (1829 ; 1665, *rare oiseau*), ***drôle***

d'oiseau (1883). L'idée d'injure liée à cette péjoration est quelquefois exprimée par ***se donner des noms d'oiseaux*** (1872). ◇ Dans des métaphores érotiques, *oiseau* se dit du pénis (1748, dans *retirer l'oiseau de son nid*), avant que le mot ne soit employé au figuré (*son petit oiseau*, etc.). ◆ Par analogie probable, *oiseau* désigne techniquement une sorte de caisse ouverte que les maçons emploient pour transporter le mortier (1358-1359) et une espèce d'auge dont se servent les couvreurs et les ardoisiers (1832). On a fait état pour ces acceptions d'une métaphore sur les deux ailes (qui évoquent ces instruments portés à dos d'homme).

▶ *Oiseau* entre en composition dans quelques dénominations. Ainsi, La Fontaine (1668) emploie *l'oiseau de Vénus* «la colombe», *l'oiseau de Minerve* «la chouette», *l'oiseau de Jupiter* «l'aigle». ◇ Certaines de ces dénominations sont de véritables noms composés. Le plus ancien est **OISEAU-MOUCHE** n. m. (1632, *oyseau mouche*) ainsi appelé à cause de la petite taille de l'oiseau, suivi de **OISEAU-MOQUEUR** n. m. (1676), d'après l'anglais *mocking-bird* (1676) et *mock-bird* (1649). ◆ **OISEAU-CHAMEAU** n. m. (1770) est l'ancien nom de l'autruche, que Buffon rapproche des dénominations de cet oiseau chez les Arabes, les Turcs, les Persans et les Grecs modernes. ◆ Au XIXe s. sont apparus **OISEAU-CHAT** n. m. (1827, Chateaubriand), d'après l'anglais *cat-bird* (dont l'ordre a été calqué dans *chat-oiseau*, 1731), et **OISEAU-LYRE** n. m. (1859), traduction plus usuelle de l'anglais *lyre-bird* (1834).
Oiseau, sous la forme *oisel*, a donné quelques dérivés avant le XVIe siècle. ◆ Le diminutif **OISELET** n. m. «petit d'un oiseau» et «petit oiseau» (1160-1174), aujourd'hui archaïque ou littéraire, a été supplanté par **OISILLON** n. m. (fin XIIe s., *oiselun*), formé sur le radical de *oisel* avec le suffixe *-elon*, *-illon*. ◆ **OISELER** v. est un terme technique de chasse, d'abord intransitif dans l'expression figurée *avoir mal oiselé* (1165) «n'avoir pas réussi dans son entreprise», attestée ensuite au sens propre, «mettre des gruaux pour prendre les petits oiseaux». Il est employé transitivement en fauconnerie (apr. 1450) au sens de «dresser (un oiseau) pour le vol». ◆ Du verbe est dérivé **OISELEUR** n. m. (v. 1120) «personne qui prend les oiseaux avec des filets ou des pièges», adjectivé beaucoup plus tard au sens de «qui capture les petits oiseaux» (1803) et «qui fait commerce des oiseaux» (av. 1872). ◆ Le féminin de l'ancienne forme *oisel*, **OISELLE** n. f. (1211, *oisele* «femelle d'oiseau») est sorti d'usage au sens propre, après avoir été un mot poétique; il est employé familièrement au sens figuré de «jeune fille sotte» (1881) avec une valeur très voisine de celle de *oie blanche*. ◆ **OISELLERIE** n. f. (v. 1275, *oiselerie*) a désigné la chasse aux oiseaux et la volière. Au XVIIe s., il a pris ses sens modernes de «commerce des oiseaux» (1680) et «métier d'oiselier» (1690). ◆ **OISELIER** n. (XVe s.), «personne qui fait métier d'élever et de vendre des oiseaux», est plus rare dans l'usage moderne que *oiseleur*.

◈ voir AUSPICE, AUTRUCHE, AVION, OIE, OISON, OUTARDE.

OISEUX, EUSE adj. est issu (1165-1170) du latin *otiosis* «qui a des loisirs (personnes)» et «qui ne sert à rien (choses)», dérivé de *otium, otii* «temps de repos, retraite, inaction», mot d'origine inconnue, seulement conservé en ancien provençal.

♦ En ancien français, cet adjectif est d'abord employé comme nom féminin *(une oiseuse)* pour désigner une chose vaine, inutile et, abstraitement, la paresse, l'oisiveté (fin XIIe s.), emploi proche de celui de *oisdive* (→ oisif). ◇ L'usage moderne a conservé le mot comme adjectif (1176-1181) avec le sens de «qui ne sert à rien, ne mène à rien» (*parole oiseuse;* v. 1278, *vie oiseuse*). ◇ Il est moins vivant qu'autrefois pour qualifier une personne qui, par goût ou par habitude, ne fait rien (1181-1190) car d'autres adjectifs l'ont remplacé *(fainéant, paresseux)*, notamment son dérivé *oisif**. Le sens étymologique de *oiseux* était encore perçu à l'époque classique où Furetière le glose par «fainéant».

▶ Le seul dérivé est **OISEUSEMENT** adv. (1320), anciennement «dans l'oisiveté», et depuis le XVIIe s. (1636), «d'une façon oiseuse». ◆ Chez certains poètes du XIXe s. (Verlaine, Baudelaire), on relève encore l'archaïsme **OTIEUX, OCIEUX, EUSE** adj. «inactif, oisif», emprunt adapté au latin *otiosus*. Il était usuel en moyen français où il qualifiait souvent *sommeil* et *chaos*, et s'était éteint au cours du XVIIe s. (on le relève encore en Lorraine au XVIIIe s.).

◈ voir NÉGOCE, OISIF.

OISIF, IVE adj. et n. est la réfection (1271), sous l'influence de *oiseux**, de l'ancien français *huisdif*, *oisdif* «qui ne fait rien, qui n'a pas d'occupation précise», «vain, futile». *Oisdif* est l'adjectivation (v. 1180) de *oisdive* (n. f.) «vanité, futilité; inaction» (1155). Ce dernier est formé sur *oiseux* d'après le couple ancien *voisos* «prudent, habile, avisé» (du latin *vitiosus* «gâté, corrompu») et *voisdie, voisdive* «subtilité, adresse», dérivé d'un représentant du latin *vitiare* «gâter, corrompre» (→ vice).

♦ Le mot apparaît sous la forme *wisive*, puis *ouesif* (1350) et enfin *oisif*. Il qualifie une bête improductive, qui ne sert à rien, puis également une personne dépourvue d'occupations, sans profession (v.1450), sens avec lequel il est substantivé : *un oisif* (1553). ◇ Le nom, désignant des personnes, a pris une valeur sociale au XIXe s. en relation avec la division de la société en deux catégories, travailleurs et oisifs (rentiers, etc.). ◇ L'adjectif qualifie aussi une chose inemployée (1553), la vie elle-même (1572) et l'argent dont on ne fait aucun usage (1690).

▶ **OISIVETÉ** n. f. qui a pris sa forme actuelle (XIIIe s.) après s'être écrit *oeusiveté* (av. 1252), est dérivé de *oisif* au moyen du suffixe *-eté*. Il a supplanté définitivement, au XIVe s., les anciens *uiserie* n. f. (1200), dérivé de *oiseux*, et *oidivesce* n. f. (1211), dérivé de *oisdif* (ci-dessus).

◈ voir NÉGOCE, OISEUX.

OISON n. m. est la réfection (1230) d'après *oiseau** de l'ancien français *osson* (XVe s.) «petit de l'oie» (conservé dans les parlers de l'Est), issu du bas latin °*aucio, -onis*, dérivé de *auca* (→ oie). Dès les VIIIe-IXe s., on relève *aucion* «petit de l'oie» dans les gloses de Cassel.

♦ *Oison* «petit de l'oie», puis «jeune oiseau», a développé au XVIe s. le sens figuré péjoratif de «personne très crédule, facile à mener» (1588), seul et dans les expressions *oison coiffé* (1585) et ***oison bridé*** (1611). Cette dernière fait allusion à l'oison auquel on a placé une plume dans les ouvertures de la partie supérieure du bec pour l'empêcher de passer à travers les haies. Les emplois figurés, évoquant la naïveté, sont apparentés à *niais, béjaune (bec*).*

▸ Le féminin peu usité **OISONNE** n. f. (1876, Huysmans) désigne parfois une jeune fille peu intelligente mais on dit plutôt *oie* ou *oiselle.* La valeur est analogue à celle de *oie* blanche.* ◆ **OISONNERIE** n. f. exprime une simplicité excessive confinant à la bêtise (le mot se trouve dans le *Journal* des Goncourt, 1877).

O. K. adv. est un emprunt (1869) à l'anglo-américain. A. W. Read a démontré (in *The Saturday Review of Literature,* 10 juin 1941) qu'il s'agissait du signe *oll korrect,* altération graphique de *all correct* (littéralement «tout bien, tout est bien»), équivalent familier de l'anglais *all right.* Ce type d'altération fantaisiste paraît avoir été usuel dès le début du XIXe s. sur la côte Est des États-Unis où l'on a écrit et dit *O. W.* pour *all right,* interprété *oll wright. O. K.* est d'abord attesté à Boston (1839); il est repris à New York lors de la campagne présidentielle mouvementée de 1840, comme symbole écrit et parlé du *O. K. Club* (23 mars 1840) ou *Kinderhook Club* (3 avril 1840), comité démocratique de New York rallié autour du Président en exercice, Martin Van Buren, appelé par ses partisans «Old Kinderhook», d'après le nom de son lieu de naissance. Le parti opposé, le Whig Party (1834-1854), d'origine bostonienne, s'empare du sigle et du symbole en en changeant la signification. Certains ont attribué au président Andrew Jackson (1767-1845) l'habitude d'apposer les lettres *O. K.* sur les documents *(all correct)* pour donner son accord, mais on n'en trouve aucune attestation. Le mot s'écrit aussi *okay* ou *okeh.* Certains, enfin, ont voulu y voir un mot d'origine hollandaise ou indienne : rien ne permet de l'affirmer. On a même évoqué une origine française, *au quai,* par une anecdote inventée longtemps après.

♦ En français, *O. K.* est d'abord employé comme attribut après le verbe *être,* puis comme interjection (1931). Malgré quelques attestations isolées, il est rare avant la guerre de 1939-1945. Aujourd'hui, il est répandu dans le monde entier, et, en français, a pris une fréquence énorme, se substituant à *d'accord, ça va, oui* et à tout type de réponse positive, dans la conversation. Il est éventuellement renforcé par un synonyme *(O. K. d'accord!).*

OKAPI n. m. est un emprunt (1901) à l'anglais *okapi* (1900), introduit par Sir H. H. Johnston (1858-1927) et emprunté à une langue d'Afrique occidentale.

♦ Le mot désigne un mammifère ongulé de la famille des Girafidés dont le pelage marron est zébré de blanc à la croupe et aux pattes antérieures.

OLÉ interj. est emprunté (1919) à l'espagnol *olé,* exclamation servant à encourager, en particulier dans des divertissements et dans les corridas (v. 1780). Il s'agit d'une onomatopée analogue au français *ohé!*

♦ En français, *olé* est redoublé familièrement en ***olé olé*** loc. adj. inv. «libre, leste dans ses manières» (av. 1922, Proust).

OLÉAGINEUX, EUSE adj. et n. m. est le dérivé savant, au moyen du suffixe *-eux* (1314), de l'adjectif latin *oleagineus, oleaginus* «d'olivier», lui-même dérivé de *olea, oliva* (→ olive).

♦ Cette formation fournit ainsi un adjectif didactique au nom *huile,* «qui est de la nature de l'huile», «dont on tire de l'huile» (1690); elle est substantivée (1868) pour désigner une substance qui contient de l'huile, en particulier dont on tire les matières grasses alimentaires ou industrielles.

◈ voir OLÉI-.

OLÉI-, OLÉO- est l'élément de composition français tiré du latin *olea* «olivier, olive» (→ olive) et du latin *oleum* (→ huile), servant à former de nombreux termes du vocabulaire scientifique et technique. L'élément est productif depuis le début du XIXe siècle.

▸ Parmi les plus anciens composés, on peut citer les termes de chimie **OLÉATE** n. m. (1816) et **OLÉIQUE** adj. et n. (1816), **OLÉIFÈRE** adj. (1812), **OLÉFIANT, ANTE** ou **OLÉIFIANT, ANTE** adj. (1823), **OLÉINE** n. f. (1824) et **OLÉOLAT** n. m. «huile essentielle» (1838). ◆ Le nom féminin pluriel **OLÉINÉES** (1833) ou **OLÉACÉES** (1843) recouvre une famille de plantes phanérogames angiospermes comprenant le jasmin, le lilas, le troène, l'olivier, etc. ◆ À la fin du XIXe s. apparaît **OLÉODUC** n. m. (1894) formé de *oléo-* d'après *pétrole** (et influence de l'anglais *oil*) et de la finale *-duc* sur le principe de *aqueduc**. L'emploi de ce mot a été recommandé pour éviter l'anglicisme *pipe-line.* ◆ Au début du XXe s., on note les premières attestations de **OLÉICULTURE** n. f. (1907) et **OLÉICULTEUR, TRICE** n. (1904), relatifs à la culture de l'olivier, de **OLÉIFORME** adj. (1907) «de consistance analogue à celle de l'huile», puis de **OLÉOGRAPHIE** n. f. «procédé imitant la peinture à l'huile» (1932).

◈ voir OLÉAGINEUX.

OLFACTIF, IVE adj. est dérivé (1520) avec le suffixe *-if,* du latin *olfactus* «action de flairer, de sentir», «odorat», dérivé de *ol(e)facere, ol(e)factere* «sentir une odeur, flairer», lui-même dérivé de *olere* «exhaler une odeur». Ce verbe se rattache à *olor,* forme parlée (dans les gloses) de *odor* (→ odeur).

♦ *Olfactif,* «relatif à l'odorat, qui concerne l'odorat», est rare avant le XVIIIe s. où il est de nouveau attesté (1721). Il a donné à la terminologie anatomique les dénominations *appareil olfactif* (1831), *organe olfactif* (1874), *cellules olfactives* (1903).

▸ **OLFACTION** n. f. est lui aussi un dérivé savant (1507), avec le suffixe *-ion,* du latin *olfactus.* Il signifie anciennement «odeur» puis «odorat, flair» (1530). Comme *olfactif,* le mot semble rare avant le XIXe s., où il prend le sens d'«exercice actif de l'odorat, action de sentir» (1825). ➜ Plusieurs termes scientifiques ayant trait à l'odorat (en médecine, physiologie) sont formés sur **OLFACTO-**, tiré de *olfactum,* supin de *ol(e)facere, ol(e)factere.* L'élément connaît un certain essor depuis le début du XXe s. avec les études et recherches sur l'odorat. ◇ Ainsi **OLFACTIQUE** n. f. a été proposé par Heyninxen en 1919 sur le modèle de *optique, acoustique,* mais ne s'est pas diffusé.

OLIBRIUS n. m. est tiré (1568) de *Olybrius,* nom de divers personnages de l'Empire romain : un empereur d'Occident de ce nom, incapable et qui régna peu, fut porté au pouvoir en 472 par le militaire Ricimer, allié des Barbares ; selon une légende répandue par la littérature hagiographique du moyen âge (1130-1140), c'était le nom d'un gouverneur d'Antioche, persécuteur de sainte Marguerite puis, sur ce modèle, celui d'un gouverneur des Gaules qui aurait fait mourir sainte Reine.

♦ L'image d'un homme bravache et cruel est sensible dans l'emploi du mot au XVIe s., à travers l'expression *faire l'Olybrius* «faire le méchant, le bravache» avec des connotations proches de celles d'autres noms, *Matamore, Rodomont*... ◇ L'usage moderne emploie le mot comme nom commun pour désigner simplement un individu au comportement bizarre, importun et ridicule (1732), emploi qui semble rare avant le XXe siècle.

OLIFANT n. m. est issu par un développement de sens métonymique (1080) de l'ancien français *olifant* (1165) «éléphant», variante de *éléphant**.

♦ On relève pour la première fois *olifant* dans *La Chanson de Roland* au double sens d'«ivoire» et de «petit cor d'ivoire». C'est cette seconde acception qui s'est maintenue, en référence à un cor médiéval. La graphie *oliphant,* employée par Flaubert (1877, *Saint Julien*), d'après *éléphant,* ne s'est pas imposée.

OLIG-, OLIGO- élément formant, est emprunté au grec *oligos* «petit», «peu nombreux», qui a servi à former *oligarkhia* (→ oligarchie).

▸ Du superlatif grec *oligistos* est emprunté **OLIGISTE** adj. dans *fer oligiste* (1801, Haüy) aussi n. m. ➜ De très nombreux composés savants, créés en français, anglais, allemand, ont suivi. ◇ **OLIGOCHÈTES** n. m. pl. est formé avec le grec *khaitê* «chevelure» (1862) pour désigner une classe d'annélides, **OLIGINE** n. f. (1877) après **OLIGOURÉSIE** (1843) «insuffisance de la sécrétion urinaire». ◇ En géologie, **OLIGOCÈNE** adj. et n. m., avec l'élément *-cène* (1881 ; emprunt à l'allemand *Oligocene,* créé par Beyrich en 1854) concerne le groupe de terrains tertiaires succédant à l'*éocène.* ◇ **OLIGOLÉCITHE** adj. (1888 *in* Cottez) qualifie un œuf pauvre en vitellus.
Plusieurs composés importants de chimie et surtout de biochimie sont plus récents : **OLIGOÉLÉMENT** n. m., composé hybride avec *élément* (→ élément) ; **OLIGONUCLÉOTIDE** n. m. est emprunté à l'allemand (F. G. Fisber, 1941) pour désigner une chaîne de nucléotides en nombre limité (opposé à polynucléotide) ; **OLIGOMÈRE** n. m. (av. 1970 ; 1952 en anglais *oligomer*) un polymère* comportant peu de molécules (moins de 12).
En économie, **OLIGOPOLE** n. m. est formé (1944) d'après *monopole ;* le mot, employé en anglais *(oligopoly)* depuis 1933, avait été proposé dans cette langue dès 1895 (J. H. Lupton). Il désigne la position d'un petit nombre de producteurs qui contrôlent un marché en principe concurrentiel (cf. *monopole*). Le mot avait eu de rares emplois, directement tirés des éléments grecs, à partir de la Renaissance (1550, puis 1780 en économie). ◇ **OLIGOPOLISTIQUE** adj. (1946) correspond à *monopolistique.*

◈ voir **OLIGARCHIE.**

OLIGARCHIE n. f. est emprunté (1370-1372) au grec *oligarkhia,* proprement «régime où commande un petit nombre», de *oligos* «petit», «en petit nombre», «peu», d'origine douteuse, et *-arkhia* (→ -archie). Le latin médiéval a *oligarchia* au XIVe s. (1343).

♦ Le mot français a gardé le sens du grec, et s'emploie par métonymie pour désigner le petit groupe qui domine.

▸ **OLIGARCHIQUE** adj. est emprunté en même temps que *oligarchie* (1370-1372) au grec *oligarkhikos,* dérivé de *oligarkhia.* Ce dernier est passé en français sous la forme rare *oligarche* n. m. (1588 ; 1562, *olygarche*) de nouveau attestée sous la forme *olygarque* (Bonald, 1800) puis **OLIGARQUE** n. m. ➜ *Oligarchique* se dit du régime, et *oligarque* désigne le membre d'un gouvernement de ce type, où un petit nombre exerce le pouvoir, et, par extension, celui d'un groupe dominant dans un secteur de l'activité sociale (av. 1850, Balzac).

OLIVE n. f. est issu (1080 ; probablement Xe s., cf. *olivier*) du latin *oliva* (à côté de *olea*) qui désigne l'olivier et son fruit qui fournit le produit principal. Celui-ci est emprunté au grec *elaiϝa* (puis *elaia*) et plus précisément à un dialecte qui conservait le ϝ (digamma, une lettre ancienne prononcée *v*) au moment de l'emprunt. *Elaia,* conservé en grec moderne, et à la base de multiples dérivés et composés témoignant de l'importance de l'olive dans le monde antique, est un emprunt à une langue méditerranéenne (parallèlement, l'arménien a emprunté *ewl*). Le neutre *elaion,* par l'intermédiaire du latin, est à l'origine de *huile** (→ oléo-).

♦ En français, *olive* a d'abord le sens d'«olivier», fréquent jusqu'au XVIe s. et seulement conservé dans l'expression poétique *rameau d'olive,* et dans *jardin, montagne des olives,* allusion biblique. ➜ Depuis 1200, *olive* se dit du fruit, et cette acception l'a emporté. ◇ Par analogie de forme, il désigne quelques objets oblongs et arrondis, en architecture ornementale (1694), en zoologie pour une sorte de mollusque (1800) et en anatomie où il dénomme un des deux noyaux bulbaires en connexion avec les voies vestibulaires (1878). ➜ Par référence à la couleur de l'olive verte, il fournit un adjectif de couleur invariable (1699) notamment dans *vert olive* et un nom de cette couleur (1740).

▶ Dès l'ancien français, il a donné un certain nombre de dérivés. ◆ **OLIVIER** n. m. (XIIe s.), attesté sous la forme *oliver* dès la fin du Xe s., fait penser que *olive* serait antérieur à la date de sa première attestation. Nom de l'arbre qui porte les olives, *olivier* était en concurrence avec *olive* et s'est imposé quand ce dernier n'a plus désigné que le fruit. Il est employé dans *rameau d'olivier* (1160, *raim d'olivier*) par allusion à la Genèse, 8, 11 comme symbole de paix. Il s'applique par métonymie au bois de l'arbre (1225). ◆ **OLIVETTE** n. f. (1228, *olivete*) a d'abord eu le sens de «petit olivier», avant de prendre la valeur moderne de «petite olive» (1611). ◇ Par analogie de forme, il a désigné une perle fausse dont on faisait commerce avec les Africains (1723) et, par emprunt au provençal *olivetto* de même sens, une variété de raisin de table (1829). ◇ Son sens particulier, «terrain planté d'oliviers» (1600), est un emprunt au latin *olivetum* qui a ce sens, avec passage au genre féminin sous l'influence des formes issues du type *oliveta*. ◆ C'est le cas de **OLIVAIE** n. f. (1630), emprunté à l'ancien provençal *oliveda* (apr. 1350), lui-même issu du latin *oliveta*, féminin de *olivetum* de même sens. ◆ La forme plus ancienne **OLIVERAIE** n. f. (1195, *olivereie*; 1606, *oliveraye*), fournit une troisième appellation pour un lieu planté d'oliviers. ◆ **OLIVERIE** n. f. (1290) «lieu où l'on fabrique l'huile d'olive» a décliné au profit de *huilerie*; il est lui-même relevé en 1350 avec le sens de «lieu planté d'oliviers». ◆ **OLIVAIRE** adj. «en forme d'olive», est emprunté (IVe s.) au bas latin *olivarius* «qui concerne les olives», de *oliva*. En français, il est d'abord employé spécialement en chirurgie *(cautère olivaire)* où il est substantivé dans ce sens (1598). ◇ Au XVIIe s., il prend le sens général de «relatif à l'olive, qui est comme une olive» (1611) et entre dans le vocabulaire de l'anatomie, où l'expression *corps olivaire* (1691) est synonyme de *olive bulbaire*. ◆ Le terme d'agriculture **OLIVAISON** n. f. est attesté depuis 1636 au sens de «cueillette des olives» et, par métonymie, «saison de la cueillette des olives» (1660). Ce sens correspond à *olivatio* attesté en latin des gloses. ◆ En Provence, on lui préfère **OLIVADE** n. f. (1869, A. Daudet, *Lettres de mon moulin*), emprunt au provençal *oulivado* «récolte des olives», de *ouliva* «ramasser, cueillir les olives» (en ancien provençal *olivar*, 1397). ◇ En même temps que *olivade*, le français a emprunté au provençal **OLIVER** v. «cueillir les olives» (1874) et **OLIVEUR, EUSE** n. (1874), francisation de *oulivaire* «celui qui cueille ou ramasse les olives» (Mistral), dérivé de *ouliva* (l'ancien provençal avait *olivador*). ◆ *Olive* a aussi servi à former **OLIVINE** n. f. (1798, également *olivinus* en latin scientifique); l'anglais possède *olivine* dès 1794, la dénomination ayant été créée en 1790. ◆ **OLIVACÉ, ÉE** adj. «d'une couleur vert olive» est attesté à partir de 1838, mais n'a pas supplanté *olivâtre* (ci-dessous).

OLIVÂTRE adj. est emprunté (1525, *olivastre*) à l'italien *olivastro* (1522), dérivé de *oliva*, correspondant au français *olive**. ◇ Le mot est attesté pour la première fois en français dans la traduction du *Voyage et navigation faict par les Espagnolz és Isle de Mollucques* par J. Fabre, et de nouveau en 1575. Il qualifie une teinte se rapprochant de celle de l'olive, jaune verdâtre, notamment celle de la peau humaine *(teint olivâtre)*.

OLOGRAPHE adj. est emprunté (1275) au bas latin *holographus* «écrit entièrement de la main de son auteur», lui-même emprunté au grec tardif *holographos* «écrit en entier», composé de *holos* «qui forme un tout, complet» (→ holo-) et de *-graphos* (→ -graphe).

♦ Le mot, d'abord noté par erreur *orograff* et repris en 1603 sous sa forme actuelle, présente une altération de la forme attendue qui serait *holographe*, du reste constatée en 1629. ◇ Il n'est guère employé que dans l'expression juridique *testament olographe*, où il a le sens du bas latin.

OLYMPIADE n. f. est emprunté (milieu XIIIe s.) au latin *olympias, -adis*, lui-même emprunté au grec *Olumpias, -ados* «célébration des jeux olympiques» et «période de quatre ans qui sépare deux célébrations», base de la chronologie grecque. Le mot est issu de *Olumpia*, nom de la ville d'Olympie près de laquelle se déroulaient ces jeux. La ville doit son nom au culte de Zeus Olympien *(Olumpios)*, dérivé de *Olumpos* «mont Olympe»; cf. ci-dessous *olympien*.

♦ Le mot désigne les jeux antiques en question et la période de quatre ans entre deux jeux. Depuis la création en 1894 par Pierre de Coubertin de rencontres sportives internationales placées sous les auspices de ces jeux antiques (ci-dessous *olympique*), *olympiade* est employé pour les désigner. Cet emploi a été condamné par l'Académie dans un communiqué du 5 novembre 1964.

▶ **OLYMPIQUE** adj. est un emprunt du début du XVIe s. (1504-1505) au latin *olympicus* «d'Olympie», lui-même emprunté au grec *olumpikos*, dérivé de *Olumpia*. ◇ En français, le mot est employé dans ***jeux olympiques***, d'abord en référence aux jeux que les Grecs pratiquaient tous les quatre ans (depuis 776 avant J.-C.) près d'Olympie, qui comportaient des cérémonies religieuses, des compétitions «sportives» et des représentations théâtrales. Depuis la fin du XIXe s. (1894, Pierre de Coubertin, voir ci-dessus), il désigne une réalité moderne. D'où son emploi extensif au sens de «relatif aux compétitions et aux grandes rencontres sportives appelées Jeux olympiques», ou dans l'expression *forme olympique* «forme digne de celle d'un champion». ◆ L'adjectif a produit **OLYMPISME** n. m. «ensemble des statuts qui règlementent l'organisation et le déroulement des jeux olympiques».

OLYMPIEN, IENNE adj., attesté pour la première fois chez les poètes de la Pléiade (1552, Du Bellay), est dérivé de *Olympe* (1512, *mont Olympe*), terme de mythologie grecque employé en poésie et emprunté au grec *Olumpos*, nom de diverses montagnes, en particulier d'une montagne en Thessalie où les Grecs plaçaient la résidence de Zeus et des principaux dieux. S'agissant d'un nom de montagne, ce pourrait être un terme de substrat préhellénique dont le sens primitif serait «montagne». ◇ L'expression propre au XVIe s., *jeux Olympiens* (1556, Ronsard), d'après le bas latin *olympianus* (IVe s.) «relatif aux jeux olympiques», a été supplantée par *jeux olympiques* (voir ci-dessus). ◆ *Olympien,* emprunté avec le sens didactique de «relatif à l'Olympe et à ses dieux», a pris au XIXe s. la valeur figurée de «noble, serein» (1836, Balzac) d'après les représentations de Zeus. ◆ L'adjectif s'est employé en pathologie (1897) pour qualifier un crâne proéminent, anormalement développé (dans les cas de syphilis congénitale).

OMBELLE n. f., terme de botanique, est emprunté (1558, du Bellay) au latin *umbella* «ombrelle, parasol» (→ ombrelle), diminutif de *umbra* (→ ombre).

♦ Le mot, d'abord écrit *umbelle* puis *ombelle* (1671), désigne un mode d'inflorescence, souvent dans la locution ***en ombelle.*** ◆ Par analogie de forme, il est employé spécialement en typographie où il désigne un astérisque à huit ou dix rayons (1752).

▶ Il a produit quelques dérivés d'usage didactique à la fin du XVIIIe siècle. ◆ **OMBELLULE** n. f. «ombelle partielle constitutive d'une ombelle composée» (1778, Lamarck) est formé par suffixation diminutive.

OMBELLIFORME adj. (1868; 1765, *umbelliforme*) «en forme d'ombelle» et **OMBELLÉ, ÉE** adj. «disposé en ombelle» (1797) sont des termes de description botanique. ◆ Quant à **OMBELLIFÈRE** adj. et n. f. (1701; 1698, *umbellifère*), il est formé savamment de *umbella* et de l'élément *-fère** «qui porte, qui produit»; il est substantivé au pluriel comme terme de classification en botanique; on parle également de **OMBELLIFÉRACÉES** n. f. pl.

OMBILIC n. m., d'abord *ombelic* (XIVe s.) puis, par réfection savante, *ombilic* (1520), est emprunté au latin *umbilicus* «nombril» (→ nombril), mot employé aussi pour désigner divers objets circulaires, tels le bout du cylindre autour duquel était roulé un livre, la tige métallique formant le milieu du cadran solaire, une espèce de coquillage. Il entre dans l'expression *Umbilicus Veneris* «nombril de Vénus», nom de plante. C'est le dérivé de *umbo, -onis* (n. m.) «pièce faisant saillie sur une surface, surtout ronde ou conique», d'où «bosse de bouclier», «pli de la toge faisant saillie sur la poitrine», «pierre de pavement, borne», etc. Il a des correspondants dans plusieurs langues du groupe indoeuropéen dont le grec *omphalos* (→ omphalo-), souvent sous des formes populaires comme les noms de l'ongle, quelquefois avec le double sens de «nombril» et de «moyeu».

♦ *Ombilic* est d'abord employé avec son sens anatomique, concurrencé dans l'usage courant par *nombril.* ◆ Il a développé plusieurs sens analogiques exprimant l'idée de «renflement»: en botanique, l'appellation *ombilic de Vénus* (1590, Paré) est calquée du latin (ci-dessus); le mot désigne aussi une dépression à la base ou au sommet de certains fruits (1762), une petite élévation au centre du chapeau d'un champignon (1868). ◆ Au XIXe s., il passe en géométrie pour désigner le point d'une surface courbe où toutes les sections par un plan normal ont le même rayon de courbure. ◇ Il est également employé pour désigner la saillie centrale arrondie d'un bouclier (1884), comme *umbo* en latin, d'un plat, d'une assiette (1889) et en géologie (1928), une dépression fermée peu étendue. ◆ Fin XIXe s., il commence à être employé au sens figuré de «point central, centre», fonctionnant comme synonyme recherché de *nombril,* par exemple dans *l'Ombilic des limbes* (A. Artaud).

▶ Il n'a guère de dérivés. ◆ **OMBILICAL, ALE, AUX** adj. (1490, *partie umbilicalle*) est employé spécialement en anatomie dans les syntagmes *arteres ombilicales* (1541) et, surtout, ***cordon ombilical*** (1754) qui a pris la valeur figurée de «lien originel»; il se retrouve également dans quelques langages spécialisés (géologie). Il qualifie ce qui est en forme d'ombilic à la différence de **OMBILIQUÉ, ÉE** adj. (1765) «pourvu d'un ombilic». ◆ Au XXe s. sont apparus, en pathologie, **S'OMBILIQUER** v. pron. «former une dépression au centre d'une pustule», et **OMBILICATION** n. f. «formation d'une dépression au centre d'une pustule ou vésicule». ◇ *Ombilical* entre dans **SOUS-OMBILICAL, ALE, AUX** adj. (1878).

OMBLE n. m. est une altération (notée *humble,* 1553) de *amble,* mot neuchâtelois issu du bas latin *amulus.* Le passage de *umble* (Littré) à *omble* est dû à l'attraction de *ombre.*

♦ Le mot désigne un poisson salmonidé (différent de l'ombre → ② ombre). La variété la plus connue est l'***omble chevalier.***

✳ ① **OMBRE** n. f., d'abord *umbre* (938-950 jusqu'au XIVe s.) puis *ombre* (1176-1181), est issu du latin *umbra* qui désigne l'ombre produite par un corps interposé entre la lumière et la terre et, par métonymie, l'ombrage, une place à l'ombre, un objet donnant de l'ombre et, par suite une protection, un abri. Le mot s'applique notamment à l'ombre par opposition au corps qui la produit: de là, les sens d'«image sans consistance, apparence, semblant», et «spectre, mort». Comme le grec *skia, umbra* s'est dit pour un personnage non invité amené par un convive (comme son ombre) et il a servi à désigner certains poissons (cf. en français *ombre, ombrine*). En latin chrétien, il signifie aussi «allégorie, préfiguration». ◇ On a émis, de façon plausible, l'hypothèse d'un rapprochement de *umbra* et du sanskrit *andháḥ,* védique *ándhaḥ* «obscurité».

♦ En français, *umbre, ombre,* souvent masculin avant le XVIe s., désigne la protection que donne l'ombrage contre les rayons du soleil, et l'espace privé de lumière par l'interposition d'un corps opaque. Il est employé au sens figuré d'«abri, protection» (v. 1120) dans la locution *en l'umbre de,* forme archaïque de ***à l'ombre de,*** et dans l'ancienne locution *faire ombre à* «autoriser, excuser». En revanche, à partir de ***faire de l'ombre*** «gêner la vue», la notion de «protection» s'inverse en «secret, anonymat» et le mot entre dans la locution figurée *porter ombre à...* (1640) «reléguer dans l'obscurité». ◇ Au XVIIe s., *ombre* devient un terme de peinture (1667), inspirant la locution figurée usuelle ***une ombre au tableau*** (1667). ◇ Depuis le XVIe s. (1562), il s'emploie également dans ***terre d'ombre*** (elliptiquement *ombre,* 1762) pour une couleur ocre servant notamment à ombrer. ◇ En argot, ***mettre qqn***

à l'ombre (XVIIIe s.) signifie d'abord «tuer» avant de prendre le sens familier de «mettre en prison», toujours en usage. ◆ Le sens abstrait de «vaine apparence», réalisé anciennement dans les locutions *par umbre de* (1160), «en prenant prétexte de», et *sous umbre de* (1280), «sous couleur de», s'est prolongé dans les acceptions «simulacre, image affaiblie» et «soupçon, faible quantité», par exemple dans ***une ombre de, pas l'ombre de*** (1690), ainsi que dans certains emplois figurés de *une ombre, l'ombre de...* «image réfléchie de (qqn)» (1165). Plusieurs valeurs sont mêlées dans la métaphore littéraire de l'*Ombre de la dame de Gournay,* titre d'un ouvrage de l'exécutrice testamentaire de Montaigne, qui exprime que l'œuvre, le texte, est comme l'ombre portée de son auteur. ◇ L'idée est déjà sensible et riche de toute une tradition folklorique dans ***avoir peur de son ombre*** (1176-1181); elle s'affirme aux XVIe et XVIIe s. dans les locutions ***combattre son ombre*** (1549), ***courir après son ombre*** (1611) et, par allusion à une fable de La Fontaine (*Fables*, VI, 7), dans le proverbe ***lâcher la proie pour l'ombre*** (seconde moitié du XVIIe s.). Quelques autres expressions, du type *c'est l'ombre et le corps* (1680, Sévigné), expriment l'idée d'une chose inséparable de soi. ◆ Au XVIe s., *ombre* a pris le sens d'«aspect pris par les morts» (1549, Du Bellay, en référence à la mythologie gréco-latine) prolongeant l'ancienne expression ***ombre de la mort*** (XIIe s.) désignant l'approche de la mort, puis (Pascal) la mort elle-même. ◆ Par allusion à l'antiquité, *ombre* traduit littérairement le latin *umbra* «invité amené avec lui par un convive» (1690), mais ce sens a rapidement disparu. ◆ Le mot désigne aussi le contour dessiné par une ombre volontairement projetée, par exemple dans *théâtre d'ombres.* ◇ L'expression ***ombres chinoises*** (1776) apparaît à l'époque où naît un grand engouement pour les spectacles d'ombres et où François-Séraphin Dominique obtient de Louis XVI l'autorisation de présenter au Palais-Royal un spectacle de figures «à la silhouette*», en 1784.

◆ Aux XVIIIe-XIXe s., *ombre* enrichit sa phraséologie avec ***ombre droite*** (1765), ***ombre portée*** (1835), ***ombre relative*** (1868), ***ombre absolue*** (1868).

▶ Le plus ancien des dérivés de *ombre* est **OMBRAGE** n. m. (1165) «ensemble de feuillages et de branches qui produit de l'ombre» et «ombre donnée par cet ensemble». Au cours du XVIe s., il a développé le sens figuré de «défiance, susceptibilité, jalousie», nommant un sentiment provoqué par la crainte d'être éclipsé, mal traité, etc. (1589). *Ombrage* entre ainsi dans les locutions ***porter ombrage, prendre ombrage*** (1604) et ***donner ombrage à qqn*** (1611) «indisposer, donner de l'effroi», s'appropriant la valeur morale de «tristesse, colère» réalisée par *ombre* dans la langue classique. ◆ *Ombrage* a produit **OMBRAGER** v. tr., anciennement employé intransitivement au sens de «s'assombrir» (1245) et dès la même époque, avec son sens transitif de «rendre sombre». Ce verbe est rare avant le XVIe s., où il élimine les anciens *ombroier, ombriier,* dérivés de *ombre.* ◇ C'est au XVIe s. qu'il devient un terme de peinture (1551) et prend le sens figuré de «rendre mécontent, offusquer» (pronominalement «être soucieux, contrarié»). ◇ Au XVIIe s., il reçoit des valeurs techniques (broderie, langage des organistes) aujourd'hui sorties de l'usage.

OMBRAGEUX, EUSE adj. est dérivé avec le suffixe *-eux* (apr. 1350) de l'ancien adjectif *ombrage,* attesté du XIIe au XVIe s., qui qualifiait une personne sombre, mélancolique, soupçonneuse et un cheval facile à effaroucher. ◆ *Ombrageux* n'a pas conservé l'ancien sens concret «qui donne de l'ombrage, qui a de l'ombre» (XIVe s.-1690), non plus que le sens figuré, «sans réalité, n'ayant que l'apparence» (XVIe s.). ◇ Il reste employé en parlant d'un cheval prompt à s'effrayer (apr. 1350) et d'une personne qui prend ombrage, est facilement offusquée (av. 1694). ◆ On en a tiré **OMBRAGEUSEMENT** adv. (1578), d'abord «obscurément, d'une façon indistincte», sens sorti d'usage, puis «d'une manière inquiète» (1606).

Quant à **OMBRER** v. tr., «donner de l'ombre», c'est un dérivé ancien (1175) de *ombre,* qui a éliminé l'ancien et moyen français *ombroier, ombrier* de même sens (on relève encore *ombroyer* au XVIe s.). ◇ En revanche, *ombrer* «marquer d'une teinte plus sombre» (1555), valeur aujourd'hui vieillie, et au sens encore vivant de «représenter les ombres d'un tableau, d'un dessin» (1622), est emprunté à l'italien *ombrare,* employé en peinture depuis 1550-1568 (Vasari), proprement «couvrir d'ombre». Ce verbe est soit dérivé de *ombra,* correspondant au français *ombre,* soit emprunté au latin *umbrare.* ◇ Le participe passé **OMBRÉ, ÉE** adj. reprend tous les sens du verbe; il est employé spécialement en peinture et en typographie.

Ombre, avec le sens qu'il a en peinture, a produit **OMBRETTE** n. f. (1775), terme d'ornithologie qui désigne un échassier au plumage couleur de terre d'ombre. ◆ Le dérivé **OMBRIÈRE** n. f. (1564) a désigné une ombrelle, et a été repris (1973) pour désigner un abri destiné à protéger la végétation du soleil. ◆ D'après *ombres chinoises* ou *théâtre d'ombres, ombre* a fourni le premier élément de **OMBROMANIE** n. f. (1932) «art de faire des ombres avec les doigts, les mains».

OMBREUX, EUSE adj. est issu (XIIIe s.) du dérivé latin *umbrosus* «ombragé, sombre», «qui donne de l'ombre», de *umbra.* ◇ *Ombreux* «où il y a de l'ombre» sert de synonyme littéraire à *ombragé.* Il est quelquefois employé avec les divers sens figurés de «sombre» (1542), «pudique, prompt à s'effaroucher», «indistinct, secret, ignoré», également dans un style littéraire. ◇ On relève **OMBREUSEMENT** adv. «de manière ombreuse» chez Gide (1924).

OBOMBRER v. tr. est emprunté (v. 1121) au latin *obumbrare* «ombrager, couvrir d'ombre» d'où «obscurcir, dissimuler, couvrir», de *ob* (→ objet) et *umbrare* «faire de l'ombre», de *umbra.* ◆ Le mot, tant au concret qu'avec les sens figurés «couvrir, recouvrir» (v. 1121) et «éclipser» (1512), a souffert de la plus grande vitalité de *ombrer;* il ne se maintient que dans l'usage littéraire, notamment au participe passé adjectivé *obombré.*

② **OMBRE** n. m. est issu (fin XIVe s.) du latin *umbra* au sens de «poisson de couleur sombre». Il désigne certains poissons sciénidés et un salmonidé différent de l'omble.

◈ voir **OMBELLE, OMBRELLE, PÉNOMBRE.**

OMBRELLE n. f., d'abord *unbrele* (1267-1275) et *onbrele*, est emprunté à l'italien *ombrello, ombrella* (XVe s.) «petit parasol», issu du latin médiéval *umbrella* de même sens (1177, dans le domaine italien), réfection de *umbella* (→ ombelle) par contamination de *umbra* (→ ombre). *Umbrella* a été emprunté par l'anglais, pour «parapluie».

♦ Le mot est d'abord attesté deux fois pour désigner un petit parasol porté au-dessus de la tête du doge de Venise, puis repris sous sa forme actuelle (1588), avec un flottement sur le genre du mot, reflet de l'italien, qui se résout au profit du féminin (1611). ➛ Par analogie, il est employé en zoologie (1840) pour désigner un genre de coquilles univalves et la masse arrondie qui constitue pour l'essentiel le corps de la méduse (1866).

OMÉGA n. m. est emprunté (XIIe s.) au grec *ô mega*, nom de la vingt-quatrième et dernière lettre de l'alphabet grec. Cette lettre, instituée en Ionie pour noter le *o* long (le mot signifie proprement «o grand», → méga-) par opposition à *o mikron* «o petit», avait d'abord reçu comme nom le son de la voyelle qu'elle notait, *to ô*, avant de s'appeler *ô mega* en grec tardif (IXe s. apr. J.-C.). Ce changement est dû au fait que les quantités perdant leur pertinence, *o* et *ô* en étaient venus à se confondre phonétiquement. En tant que dernière lettre de l'alphabet, *ô mega* a été employé comme symbole de la fin, par opposition à *alpha*, nom de la première lettre, et cela en particulier en référence au Christ dans l'expression *to alpha kaï to ô* qui symbolise la totalité.

♦ En français, *oméga*, nom de la dernière lettre de l'alphabet grec (généralement notée *ô*), est introduit dans le vocabulaire religieux, Jésus étant dit ***l'alpha et l'oméga du monde*** «le principe et la fin de toutes choses» (XIIe s., *alfa et omega*). ◇ Nom de la dernière lettre grecque (1535), il fournit aussi un symbole scientifique (Ω majuscule) servant en physique à noter l'ohm, plus tard une particule élémentaire ayant une masse presque double de celle du proton, et exprimant conventionnellement l'idée de «dernier» dans différents systèmes de numérotation (mathématiques, physique). ◇ La langue familière l'employait aux XVIIIe et XIXe s. pour désigner l'écolier dernier de la classe.

OMELETTE n. f., sous la forme *homelaictes* (Rabelais, 1548) puis *omelette* (1561), est l'altération, probablement d'origine méridionale, sous l'influence de mots issus du latin *ovum* (→ œuf), du moyen français *amelette* (n. f.) de même sens (1480), encore attesté à Paris au XVIIIe siècle. Il s'agit là d'une forme altérée par métathèse (d'où *alumelle* «omelette» v. 1375-1393) de °*alemette* pour *alumecte* (av. 1450), lequel est issu par changement de suffixe de *lemelle*, forme ancienne de *lamelle** «petite lame», avec agglutination du *-a* de l'article dans *la lemelle*. L'emploi de ce mot serait dû, selon Bloch-Wartburg, à une comparaison entre le plat d'œufs mêlés et «une lame, à cause de sa forme aplatie» de galette ou de crêpe. Le passage phonétique de *a* à *o* a pu se faire par des graphies en *au-*, comme *aumelette* (*Le Cuisinier français*, 1652). L'étymologie populaire par *œufs mêlés* est ancienne (*œufmelette, œufmeslete*, Hérouard 1607 et 1615).

♦ Le mot, qui désigne un plat d'œufs battus et cuits à la poêle avec un corps gras, recette connue dès l'Antiquité, s'est répandu dans les parlers gallo-romans où il revêt des formes diverses, notamment *amolette* qui semble dû à un croisement avec *mou*, mol*. Ainsi, *œuf molette* (1576) a pu s'opposer à *œuf dur*. Furetière mentionne encore l'existence de *amelette* à côté de *omelette* et cite l'étymologie populaire qui donne *omelette* pour une contraction du syntagme *œufs mêlés*, avec un suffixe diminutif. ◇ La locution proverbiale ***on ne fait pas d'omelette sans casser des œufs*** (v. 1850, Balzac) constitue un enrichissement de *faire une omelette* «casser des choses fragiles» (1732). ◇ La langue classique employait *d'omelette* (1672, Sévigné) comme qualificatif de couleur (jaune).

OMETTRE v. tr. est un emprunt (1337), adapté d'après *mettre**, au latin *omittere* «laisser échapper, renoncer à, oublier de», en latin chrétien «quitter», «pardonner». Ce verbe latin est formé de *ob* «devant» (→ objet) et *mittere* «envoyer, laisser aller», moralement «passer sous silence» (→ mettre).

♦ Dès les premiers textes, le verbe a le sens de «laisser de côté (un objet, une mention)» d'où, en particulier, «oublier de citer qqn dans un texte, une énumération» (1803), sens qui n'ont guère varié jusqu'à nos jours. ◇ Son participe passé **OMIS, ISE** est substantivé (1907) pour désigner, dans le contexte de l'armée, les jeunes gens qui, par omission, n'ont pas été portés sur les tableaux de recensement de leur classe.

▸ **OMISSION** n. f. est emprunté (1415) au bas latin *omissio, -onis* «action d'oublier» (fin IVe s.), formé sur *omissum*, supin de *omittere*. ◇ En français, le mot, quelquefois écrit *obmission* entre le XVe et le XVIIIe s., est rare avant le XVIe s., puis devient le substantif correspondant au verbe *omettre*. Il s'est spécialisé en théologie dans l'expression ***péché d'omission*** (1572) et en droit (fiscal, pénal).

OMNI- est l'élément formant tiré du latin *omnis* «tout, chaque», correspondant sémantiquement au grec *pas, pantos* et dont le neutre *omne* traduit dans le langage philosophique le grec *to pan* «le tout» (→ pan). Au singulier, *omnis* a le sens indéfini de «toute espèce de» (*omnis homo* «tout homme», «l'homme en général»). De «en général», on est passé au sens de «dans l'ensemble». S'il est distinct de *totus* «entier, total» (→ tout), *omnis* s'emploie souvent pour *totus*, même chez Cicéron et César. Cependant, en dehors des dialectes italiques, il a été éliminé au profit de *totus*. Le mot n'a pas d'étymologie claire, et il n'y a aucun rapprochement possible avec les langues indoeuropéennes où l'idée de «tout» est exprimée sous des formes très différentes d'une langue à l'autre. On pense, sans certitude, à un dérivé de *ops, opis* «abondance, richesses, ressources» (→ opulent).

♦ *Omni-* entre dans la construction d'un certain nombre d'adjectifs ou de noms dans lesquels il marque l'étendue des possibilités. En ce sens, il est d'une grande vitalité au XXe s. dans les domaines des sciences et techniques de grande diffusion, alors qu'avec le sens spatial de «partout» (dans *omniprésent*), il n'a donné lieu qu'à des créations d'auteurs formées librement.

◈ voir OMNIBUS, OMNIPOTENT, OMNISCIENT, OMNIUM, OMNIVORE.

OMNIBUS n. m. est issu par ellipse (1828; 1825 selon Bloch et Wartburg), de *voiture omnibus* (attesté seulement en 1835), proprement «voiture pour tous», formé avec le latin *omnibus*, datif pluriel de *omnis* «tout» (→ omni-).

♦ On sait que Pascal avait déjà imaginé d'établir dans Paris des transports en commun et qu'un premier essai fut fait en 1662; ces véhicules étaient alors appelés *carrosses*. ◇ À partir du début du XIXe s., *omnibus* désigne la voiture publique, d'abord hippomobile, puis automobile, qui servait au transport des voyageurs dans divers quartiers de la ville. ◇ Il est rapidement devenu un terme de chemins de fer comme nom (1836) et comme adjectif (1876), et son sens s'est modifié; il a été réinterprété en «qui dessert toutes les stations sur son passage» par opposition à *direct*. ◇ Ultérieurement, il est entré dans le vocabulaire de l'électricité (1963, *barre omnibus*) et de la banque (*chèque, chéquier omnibus*, substantivé en l'*omnibus*).

▸ Par abréviation syllabique et arbitraire, le mot est devenu couramment **BUS** n. m. (1893), d'où *autobus* (→ automobile). ◆ *Bus* a acquis une certaine autonomie comme élément formant, donnant **AÉROBUS** n. m. (XXe s.), **AIRBUS** n. m. (1966, nom propre d'un avion) et **ÉLECTROBUS**.

◈ voir TROLLEY (TROLLEYBUS).

OMNIPOTENT, ENTE adj. est emprunté (1080, *omnipotente*) au latin *omnipotens* «tout puissant», en parlant des dieux, puis, en latin chrétien, de Dieu. Le mot est formé de *omni-* (→ omni-) et de *potens* «puissant», participe présent de *posse* «pouvoir» conservé dans l'antonyme *impotent**.

♦ Le mot qualifie Dieu, notamment dans le syntagme *Dieu omnipotent* (1135) en concurrence avec *tout-puissant*. ◇ Au XIXe s., il est passé dans l'usage courant (1840), en parlant d'une personne ou d'un groupe de personnes dont le pouvoir et l'autorité sont absolus.

▸ **OMNIPOTENCE** n. f. a été emprunté (v. 1380) au latin chrétien *omnipotentia*, «toute puissance» en parlant de Dieu. ◆ Introduit dans un contexte religieux, le mot s'est répandu, plus tôt que l'adjectif, en parlant de la puissance sans limite d'une personne (1588). ◇ Au XIXe s., il commence à s'appliquer à un inanimé (1825), spécialement en politique (1825), dans les domaines militaire et juridique où l'on parle de l'*omnipotence du jury* (1835).

OMNIPRÉSENT, ENTE → PRÉSENT

OMNISCIENT, ENTE adj. est emprunté (1700) au latin médiéval *omnisciens* «qui sait tout», en parlant de Dieu, de *omni-* et de *sciens*, participe présent de *scire* «savoir» (→ escient, science; conscience).

♦ L'adjectif est d'abord employé pour qualifier Dieu (l'anglais *omniscient* attesté dès 1604, a pu servir de modèle), puis (1843), une personne qui sait tout. Cette évolution est analogue à celle de *omnipotent*.

▸ **OMNISCIENCE** n. f. est emprunté (1734, Voltaire) au latin médiéval *omniscientia* «science infinie que l'on attribue à Dieu», de *omni-* «tout» et *scientia* (→ science). ◆ Le mot a évolué comme l'adjectif: employé dans cette acception religieuse (l'anglais *omniscience* est attesté dès 1612); puis, par extension, pour «connaissance de toutes choses» (1831).

OMNIUM n. m., d'usage didactique (1776), est l'emprunt d'un mot latin signifiant «de tous», génitif pluriel de *omnis* «tout» (→ omni-). En français, le mot est passé par le vocabulaire financier anglais où il existe depuis 1760 comme terme de bourse, désignant la totalité des effets publics que le prêteur reçoit du gouvernement dans la formule d'emprunt public lancée en Angleterre en 1760. À partir de 1775, il coexiste avec l'expression ancienne (1530) *omnium gatherum* «collection, assemblage (de choses ou de personnes)» formée du latin *omnium* et de *gatherum*, pseudo-latin tiré de l'anglais *to gather* «réunir, rassembler».

♦ Introduit comme terme de finances britanniques, *omnium* a connu en français une évolution autonome en économie politique (1872), se disant d'une société financière ou commerciale qui centralise toutes les branches d'un secteur industriel ou commercial. ◆ Il est également employé en sports (1855) pour un handicap de chevaux de tout âge et, en cyclisme (1894), pour une compétition comportant plusieurs sortes d'épreuves. ◆ C'est enfin un terme d'édition (1920) qui fournit le titre de publications abordant tous les problèmes d'une spécialité (1920, fondation de *l'Omnium agricole*); cet emploi a vieilli.

▸ Il a produit **OMNIUMISTE** n. (1895) «coureur cycliste spécialiste de l'omnium».

OMNIVORE adj. est emprunté (av. 1788) au latin *omnivorus*, proprement «qui dévore tout», de *omnis* «tout» (→ omni-) et *vorare* «dévorer» (→ dévorer).

♦ L'adjectif qualifie un animal «qui mange de tout» (Buffon) et signifie par extension «conçu pour l'absorption d'aliments d'origine animale ou végétale» (1932, *régime omnivore*).

OMOPLATE n. f. est emprunté (1370) au grec *ômoplatê* «os triangulaire appliqué sur la partie postérieure et supérieure du thorax», proprement «palette de l'épaule». Le premier élément du mot grec représente en effet *ômos* «épaule avec le haut du bras» d'où «épaule d'un habit». C'est le nom indoeuropéen de l'épaule humaine et animale connu dans un grand nombre de langues, dont l'arménien *us*, le latin *(h)umerus* (→ humérus), le sanskrit *áṁsa*, le gotique *ams*. Le second élément représente *platê* «surface plate», mot qui a aussi des correspondants dans plusieurs langues du groupe indoeuropéen (→ plat) et qui est employé au pluriel pour désigner les omoplates.

♦ *Omoplate,* terme d'anatomie, est couramment employé par métonymie pour désigner la partie du dos qui recouvre chacune des omoplates (1680).

OMPHAL-, OMPHALO- est l'élément tiré du grec *omphalos* «nombril», «cordon ombilical», au figuré «bosse», également nom de plante (nombril de Vénus). Le mot correspond au latin *umbilicus* (→ ombilic) et, moins précisément, à des formes indoeuropéennes ayant un autre radical (surtout dans le domaine oriental), la variation étant liée au caractère populaire du mot.

♦ *Omphal-, omphalo-* entre dans la formation de termes de médecine et de biologie avec le sens d'«ombilic, cordon ombilical»; il a une productivité moindre en botanique.

ON pron. pers. indéf., d'abord *om* (842) puis *hom, hum* (1050) et enfin *on* (XIIIe s.), est issu du nominatif latin *homo* (dont l'accusatif *hominem* a donné *homme**) développé en position atone. À basse époque, *homo* est relevé dans quelques exemples comme sujet indéterminé, emploi aboutissant à sa fonction de pronom indéfini. Puisque tous les autres parlers romans, y compris l'italien et l'espagnol, connaissent aussi des représentants de *homo* comme pronom indéfini, il est peu probable que ce phénomène, également observé en allemand où *man* «on» s'est détaché de *Mann,* anciennement *man* «homme», soit influencé par le francique. Cependant, c'est peut-être grâce aux Francs que l'usage de *on* est devenu plus général et plus fréquent en français que celui des formes correspondantes dans les autres langues romanes. Les parlers occitans font par exemple une distinction inconnue du français : ils disent *on* quand la personne qui parle est comprise dans le nombre des personnes auxquelles on pense; sinon, ils se servent de la troisième personne du pluriel.

♦ L'usage de *on,* pronom personnel, est fixé pour l'essentiel avant le XIIIe siècle. L'usage consistant à le faire précéder de l'article défini (*le hom,* 1050), vestige de *hom* substantif, n'a plus cours que dans l'usage littéraire pour des raisons euphoniques, *l'on* étant en général plus soutenu que *on.* Vaugelas (1647), qui admet à la fois *l'on dit* et *on dit,* recommande toutefois *on dit* «au commencement de la période». Étymologiquement masculin, *on* est donc suivi d'un participe passé masculin singulier (attesté 1179); mais l'attribut peut exceptionnellement s'accorder en genre et en nombre avec la ou les personne(s) que *on* représente : depuis le XVIIe s., on le trouve ainsi suivi d'un masculin pluriel (1643), d'un féminin singulier (1659). ◇ En revanche, la possibilité d'accord du verbe au pluriel avec *on* sujet *(on chantent),* attestée en moyen français (XVe s.), ne s'est pas maintenue. ◇ *On* donne lieu à quelques emplois stylistiques; dans le discours direct, il peut se substituer à la seconde personne pour exprimer la distance entre le locuteur et autrui (1198-1202). Il se substitue aussi à la troisième personne (emploi prédicatif) (1253) et à la première personne, *je* (1340) ou *nous* (1455, avec un verbe au pluriel).

► *On* entre dans deux propositions substantivées qui ont trait à la rumeur publique avec une valeur différente : **QU'EN-DIRA-T-ON** n. m. (1690) «opinion publique critique», surtout dans des contextes du genre *se moquer du qu'en-dira-t-on.* ◆ **ON-DIT** n. m. (1749) est presque toujours employé au pluriel invariable *(mépriser les on-dit).*

ONAGRE n. m., d'abord *onager* (v. 1119) puis *onagre* (v. 1268), est emprunté au latin *onager, -gri* (Plaute) «âne sauvage» et «machine de guerre à lancer des pierres», lui-même emprunté au grec *onagros* de même sens. Ce mot est formé de *onos* «âne», de même origine que le latin *asinus* (→ âne), et de *agrios* «sauvage», dérivé de *agros* «champ, terrain» (→ agro-).

♦ Le mot a repris les deux acceptions du latin, désignant l'âne sauvage et une machine de guerre utilisée au cours des sièges (1284). ◆ Le même mot, sous la forme *onagra* (1615) puis *onagre* (1778), désigne une plante également dite populairement *herbe aux ânes.* En ce sens, il est emprunté au grec *onagra,* attesté dans cet emploi chez Dioscoride, par l'intermédiaire d'un latin botanique *onagra* ou *oenagra* (par rapprochement avec les termes en *œno-**, à cause de l'odeur de vin des racines séchées de la plante).

► *Onagre,* en botanique, a produit **ŒNAGRACÉES** n. f. pl. «famille de plantes» (1874, *onagracé*) et **ŒNAGRARIACÉES** n. f. pl. ainsi que **ONAGRARIÉES** n. f. pl. (1838).

ONANISME n. m. est dérivé (1760) au moyen du suffixe *-isme,* du nom de *Onan,* personnage de la Bible qui, contraint par la loi du lévirat d'épouser la veuve de son frère, refusa une postérité à celle-ci en «laissant perdre à terre» sa semence (Genèse, 38, 6-10). Dieu le fit mourir pour ce péché. Dans les langues voisines, l'allemand a *onanitische Sünde* «péché d'Onan» (1642), l'anglais *onania* (1710, titre d'un ouvrage du médecin londonien Bekker) et *onanism* (1727-1741).

♦ Le mot, qui a pris le sens de «masturbation masculine», apparaît dans le titre de deux dissertations médicales éditées à Lausanne : *L'Onanisme ou Dissertation physique sur les maladies produites par la masturbation* de S. A. Tissot, et *De l'onanisme* de J. Ph. Dutoit-Membrini. Alors que l'épisode de la Bible fait allusion à ce qu'on appelle le «coïtus interruptus», *onanisme* est en général employé avec le sens de «masturbation»; on parle cependant d'*onanisme conjugal* avec le sens initial. Comme *masturbation,* mais dans une moindre mesure, le mot est employé par métaphore.

► Par changement de suffixe, il a produit **ONANISTE** n. (1828) et adj. (1874), et **ONANIQUE** adj. (1903), d'usage didactique.

ONC, ONCQUES, ONQUES adv., d'abord sous les formes *omque* (v. 881) puis *unque* (v. 980), *unche, unc, unkes* (1080) et enfin *onkes* (v. 1160), *onc* et *onques* (tous deux v. 1175), est issu du latin *umquam* «un jour, quelquefois», employé dans des phrases négatives, des propositions interrogatives ou conditionnelles (*non umquam* «jamais», *nihil umquam, nemo umquam; si umquam*), et des phrases de forme affirmative, mais négatives par le sens, notamment après un comparatif suivi de *quam*. ◇ Le mot est composé par juxtaposition de *cum* (→ comme) et de *quam* «que, combien», particule tirée du thème du relatif-interrogatif (→ qui). Son composé *numquam (ne umquam)*, adverbe de temps signifiant «jamais», employé comme négation totale avec le sens de «pas du tout», est passé en ancien français dans *nonque* «jamais» (842).

♦ Le mot a repris les deux valeurs latines de «jamais» (essentiellement avec un verbe au passé) et de «ne... pas du tout; ne... absolument pas» (1080); il est employé dans une phrase contenant une négation pour «à quelque moment que ce soit, jamais» (1080), là encore comme en latin, dans une interrogative directe ou (v. 1160) indirecte, dans une hypothétique (v. 1175), et dans une phrase de forme affirmative mais de sens implicitement négatif (v. 1175) après un comparatif suivi de *que*. ◇ En moyen français, après une tentative de répartition d'emploi entre *onques, ne onques* et *ja, jamais* au XVe s., *onques/ne onques* étant toujours accompagné d'un verbe au passé, toutes les formes ont vieilli sauf *jamais* qui accompagnait aussi bien des verbes au passé, au présent et au futur. *Onques* se maintient encore au XVIe et au XVIIe s. à titre d'archaïsme de style (La Fontaine) mais, considéré comme «vieux et burlesque» à la fin du XVIIe s. (Furetière), il ne tarde pas à s'éteindre. Il a été repris (XIXe s., Balzac, Barbey puis Bourges, Goncourt, France) par le style troubadour ou archaïque dans un contexte évoquant le moyen âge et de manière très littéraire.

◈ voir **QUI (QUICONQUE)**.

① **ONCE** n. f., nom de mesure, est issu (v. 1112, *unce*) du latin *uncia* «douzième partie d'un tout», «douzième de la livre (monnaie)», «petite quantité». Ce nom d'unité fractionnelle est dérivé de *unus* (→ un).

♦ Le mot apparaît dans l'ancienne locution *ne unce (de)* «pas (de)», dont le sens est repris par la locution encore usuelle ***n'avoir pas une once de*** (1690) «n'avoir guère de». ◆ Il est employé spécialement en numismatique (1135, *once d'or*) domaine où il désigne une ancienne mesure de poids qui valait la douzième partie de la livre romaine et la seizième partie de la livre de Paris. ◆ De nos jours, il désigne une mesure de poids anglo-saxonne, également utilisée au Canada et valant la seizième partie de la livre (1839). En ce sens, il est emprunté à l'anglais *ounce*, lui-même repris (XIVe s., *unce*) à l'ancien français *unce, once*.

▸ **ONCIAL, ALE, AUX** adj. est emprunté (1586, *lettres onciales*) au dérivé latin *uncialis* «d'un douzième de pied, c'est-à-dire d'un pouce» (*unciales litterae*, saint Jérôme), spécialisation du sens propre, «d'un douzième, d'une once». ◇ *Onciale* est employé didactiquement pour qualifier une écriture médiévale (IVe-IXe s.), substantivé beaucoup plus tard en **ONCIALE** n. f. «écriture onciale» et «majuscule de forme ronde» (1840).

② **ONCE** n. f., provient probablement (1179) par aphérèse, de *lonce* «lynx», le *l* initial ayant été pris pour l'article défini *l'*. *Lonce* pourrait être issu d'une forme féminine °*lyncea*, dérivée du latin classique *lynx* (→ lynx), ou, plus vraisemblablement, emprunté à l'italien *lonza* «panthère» (XIIIe s.). Ce dernier semble avoir été formé au temps des premières croisades directement sur le grec *lunx* (→ lynx) prononcé *lúnx* [u] par les marchands d'Asie Mineure qui faisaient le commerce de la fourrure et des fauves vivants. L'aphérèse semble s'être également produite en catalan où l'on a *onça, unça* à partir du XIIIe s., en ancien espagnol *onza* (fin XVe s.) et en portugais *onca* (1516).

♦ Le mot désigne la panthère des neiges, félin originaire d'Asie centrale.

ONCLE n. m. est issu (1080), par évolution phonétique, du latin *avunculus*, avec chute du *u* central et affaiblissement du *v* (semi-consonne) de la première syllabe. En latin, le mot désigne seulement le frère de la mère, celui du père étant désigné par *patruus*, dérivé de *pater* (→ père), à rapprocher du grec *patrôs* et du sanskrit *pitṛvyá-*. *Avunculus* est le diminutif familier de *avus, avi* «grand-père, paternel ou maternel» (selon qu'il est qualifié par *paternus* ou par *maternus*) mot à l'origine de *aïeul**.

♦ *Oncle* désigne le frère de la mère ou du père, sauf dans les sociétés patriarcales où l'oncle paternel reçoit généralement le nom de «père». Ainsi *oncle*, en français d'Afrique, a la valeur et les connotations des mots correspondants dans les langues maternelles, retrouvant celles de *avunculus*. ◇ Dans son emploi européen, le mot entre dans quelques expressions comme ***oncle d'Amérique*** (1826) et ***oncle à héritage*** (XXe s.; 1841, *oncle à succession*) «parent fortuné vivant au loin». ◇ Par extension, il se rapporte familièrement à qqn dont le lien de parenté est flou ou de fantaisie (1611).

▸ *Oncle* a produit par composition **GRAND-ONCLE** n. m. (1531) et **ARRIÈRE-GRAND-ONCLE** n. m. (1866) pour lesquels le latin employait, toujours en parlant d'un parent du côté maternel, *avunculus magnus* (ou *major*) «grand» et *avunculus maximus* «très grand».

ONCTION n. f., d'abord *oncion* (v. 1150), puis *onction*, aussi écrit *unxion* (1458), est emprunté au latin *unctio, -onis* «action d'oindre», du supin de *unguere* (→ oindre).

♦ Le mot désigne d'abord le geste rituel qui consiste à appliquer de l'huile sainte à une personne dans l'administration de certains sacrements. Les expressions *mettre unxion* (1458) et *sainte onction des mourants* (1670) se référaient à ce qu'on nomme depuis le XVIe s. ***l'extrême-onction*** (1549), par emprunt au latin ecclésiastique *extrema unctio* (VIIe s.). ◆ Dès l'ancien français, employé comme *oindre* en dehors de toute signification religieuse, *onction* désigne l'action de frotter une partie du corps avec une substance (1314). ◆ Au figuré, *onction* désigne une attitude de douceur (1330-1332) et plus particulièrement ce qui, dans un écrit, touche le cœur (av. 1688, Port-Royal). Il a souvent une connotation péjorative de «douceur hypocrite» (XIXe s.).

▸ **ONCTUEUX, EUSE** adj. est emprunté (av. 1300, *savor unctuose*) au latin médiéval *unctuosus* (1250), dérivé de *unctum*, supin de *unguere* (→ oindre). ◇ L'adjectif qualifie un objet qui donne une impression de moelleux, par analogie avec la consistance d'un corps gras. Il signifie aussi «qui peut s'appliquer en onctions» (1314). ◇ À partir du XVIIIe s., il est employé, comme *onction*, au sens figuré de «doux, plein d'onction» pour qualifier le langage (1741) ou une personne (1763), de nos jours souvent avec une valeur péjorative (1863). ◇ Son dérivé **ONCTUEUSEMENT** adv. est attesté depuis 1582 au sens concret et aussi employé au figuré (1785). ◆ **ONCTUOSITÉ** n. f. est emprunté (1314) au latin médiéval *unctuositas* (XIIe s.); introduit par les médecins avec son sens concret, il exprime quelquefois la qualité d'un discours affable et doux (1834), emploi vieilli.

✱ **ONDE** n. f. est issu (1112) du latin *unda*, employé au singulier et au pluriel *undae*, surtout dans le langage poétique, pour désigner l'eau mobile, courante, les flots. *Unda* est aussi employé au sens figuré pour «agitation, tumulte», en parlant des mouvements de la foule et de l'air. Plus encore que le nom de l'eau considérée comme un objet (→ hydro-), son nom en tant qu'être actif se présente sous des formes variées dans les différentes langues du groupe indoeuropéen. L'indoeuropéen occidental a pour cela un mot réprésenté en latin par *aqua* (→ eau), mais on trouve aussi des dérivés de °*wed-*, °*ud-*, le plus remarquable étant le mot slave *voda* (→ vodka) avec le même suffixe que le latin *unda*. L'infixe de celui-ci provient sans doute d'un présent que connaît le sanskrit *unátti* «il se répand dans l'eau».

♦ Le mot, d'abord écrit *unde* puis *onde*, désigne les mouvements de l'eau agitée, la mer (1549, Ronsard), sens qu'il conserve dans le langage poétique. ◇ Par analogie, il se dit de ce qui rappelle le mouvement de l'eau (v. 1140, «soulèvement d'une matière en ébullition»). Ainsi, il est employé (v. 1325) à propos des cheveux (cf. *ondulation*), d'un tissu (1565). ◆ Au XIVe s., *onde* acquiert aussi le sens abstrait de «ce qui affecte la personne de manière intermittente»; il se dit au XVIIIe s. de l'émotion ou du sentiment qui se manifeste par intermittences chez une personne *(les ondes de la colère)*. ◆ C'est au XVIIIe s. que le mot entre dans le vocabulaire scientifique et technique à propos de la propagation d'un mouvement ondulatoire dans un liquide (1765). Par analogie, il se dit également de la propagation d'un tel mouvement dans l'air, comme dans *ondes sonores* (1690, Huyghens), ***ondes lumineuses*** (1821, Fresnel). L'usage du mot que fait la science moderne est une extension et une abstraction de ce sens (1894, *ondes électriques* et *électromagnétiques*). *Onde*, en physique, désigne alors l'un des deux aspects de la matière, en opposition à *corpuscule* (→ ondulatoire). Il est notamment employé dans le contexte d'une transmission radio, dans les expressions ***ondes hertziennes*** et ***longueur d'ondes*** (1899, Poincaré) d'où, au figuré et dans l'usage général, ***être sur la même longueur d'ondes*** (1957). *Longueur des ondes* était attesté dep. 1821 à propos des ondes sonores et *longueur d'ondes* (lumineuses) en 1858. Probablement par calque de l'anglais (*long waves* 1889, *quite short waves* 1902), on a parlé d'*ondes de courte longueur* et *de grande longueur* (1914), puis d'*ondes courtes, petites* et *grandes ondes, ondes moyennes. Ondes longues* a été abandonné. Par métonymie, il renvoie à la radiodiffusion elle-même, dans les expressions ***mettre en ondes, passer sur les ondes,*** relevées pendant la Seconde Guerre mondiale (v. 1940). ◇ Le syntagme ***ondes Martenot*** (1948) désigne par métonymie un instrument de musique électronique dont le son est produit par les vibrations de lampes du type radioélectrique.

▸ En dehors des termes techniques **ONDEMÈTRE** n. m. (1904) et **ONDOSCOPE** n. m. (v. 1960), tous les dérivés de *onde* existent dès l'ancien français ou le XVIe siècle. ◆ Les plus anciens (fin XIIe s.) sont les verbes *onder* et *ondoyer*. ◇ **ONDER** v. intr., peut-être formé d'après le latin *undare*, signifie «rouler des vagues, être agité» (1180, par son participe présent, dans *mer undante*) et «former des sinuosités»; il est également employé au sens figuré de «flotter, être hésitant» (1200), puis «arroser, inonder» (1507) et transitivement «former des ondes». Il n'est guère employé que dans un style littéraire. ◆ **ONDOYER** v. intr., d'abord *undeier* avec l'ancien sens neutre de «couler» (1175), signifie «remuer au gré du vent (en parlant de l'eau)» (1180), et par analogie «se mouvoir en décrivant des lignes sinueuses» (1549). ◇ Il est quelquefois employé au sens figuré de «manquer de constance, fluctuer» (1857) avec une nuance péjorative. ◆ Ces divers sens sont réalisés par le participe présent **ONDOYANT, ANTE,** adjectivé pour «qui s'élève et s'abaisse alternativement» (1175), «qui a l'apparence sinueuse des ondes» (1200), avec une notation de mouvement et de lumière (1393). ◇ Dès 1580 (Montaigne), *ondoyant* a le sens figuré d'«incertain, changeant, de caractère variable». ◆ Le nom correspondant, **ONDOIEMENT** n. m. (1175, *undeiement*), présente les mêmes valeurs, propre, analogique et figurée (1885). Le verbe (av. 1250) et le nom (1736) sont spécialement employés dans un contexte liturgique où ils se rapportent au simple baptême par ablution. ◆ **ONDÉE** n. f. est employé dès sa première attestation (fin XIIe s.) avec le sens concret de «chute brutale de pluie» *(undeie de ploge)*. Par extension, le mot s'emploie à propos d'un phénomène passager et subit (1204), en particulier dans l'expression classique aujourd'hui disparue *une ondée de coups* (1671).

◆ **ONDÉ, ÉE** adj. (1380), d'usage littéraire ou didactique, est à l'origine un terme d'héraldique *(escu ondeit)*. Il qualifie notamment une chevelure disposée en ondes (1553), une étoffe moirée (1586) et une pierre veinée (1636, du marbre). ◆ Au XVIe s. apparaît **ONDINE** n. f. (1569, Ronsard), plus fréquent que le masculin **ONDIN** n. m. (1699-1700), pour désigner des créatures de la mythologie germanique vouées aux eaux; cf. *nixe*. ◇ Ces mots ont servi à former un terme moderne de pathologie sexuelle **ONDINISME** n. m. (1951, Piéron) et, par changement de suffixe, **ONDINISTE** n. (1975); mais ceux-ci peuvent être qualifiés d'euphémismes, la perversion en question concernant plutôt l'urine que l'eau.

◈ voir **ABONDER, INONDER, ONDULATION, REDONDER.**

ON-DIT → ON

ONDULATION n. f. est un dérivé savant, au moyen du suffixe *-tion* (1680), du latin tardif *undula* «petite onde, légère ondulation», diminutif de *unda* (→ onde).

♦ D'abord terme de physique, le mot désigne le mouvement concentrique dans un fluide. ◇ Il passe dans l'usage courant pour désigner tout mouvement analogue à celui des ondes (1770). Il se dit ainsi du mouvement d'une phrase (av. 1799) et d'un mouvement musical (1854). ◂ À partir du XIXe s., *ondulation* est également employé à propos d'une chose statique, notamment le relief d'un terrain (1822) et la chevelure (1833), acception spécialisée devenue tout à fait usuelle, en relation avec *mise en plis.*

▸ Son dérivé régressif **ONDULER** v. (1746) signifie «avoir un mouvement sinueux» au propre, quelquefois au figuré (1768, Diderot), et «avoir une forme sinueuse» (1835 pour un relief, 1839 pour une chevelure). ◇ Ce verbe est parfois construit transitivement au sens de «rendre ondulé» (1868). ◂ Au XVIIIe s., il a produit plusieurs dérivés : **ONDULÉ, ÉE** adj. (1767; 1845, *cheveux ondulés*), **ONDULANT, ANTE** adj. (1761) «qui ondule» et «qui présente des ondulations», **ONDULEUX, EUSE** adj. (1735), ces deux derniers d'abord attestés comme épithètes de *pouls* en médecine. ◇ Les différences sémantiques entre les trois adjectifs sont peu tranchées, même si *ondulant* précise la nature d'un mouvement, *onduleux* la fréquence ou l'abondance des ondulations, et si *ondulé* est plus statique. ◂ Le dernier adjectif, **ONDULATOIRE** (1765, *mouvement ondulatoire*), est d'usage scientifique et a notamment pris une extrême importance en physique où il correspond à *onde,* notamment dans une opposition avec *corpuscule, corpusculaire,* par exemple dans *mécanique ondulatoire* (1925). ◂ *Onduler* a aussi produit les noms d'appareils techniques **ONDULATEUR** n. m. (1888) «appareil télégraphique récepteur très sensible utilisé dans l'exploitation des câbles sous-marins» et **ONDULEUR** n. m. (1948) «convertisseur d'énergie électrique produisant un courant alternatif à partir d'un courant continu».

ONE MAN SHOW → SHOW

ONÉREUX, EUSE adj., d'abord *honereux* (av. 1382), est emprunté au latin impérial *onerosus* «pesant, lourd» (au propre et au figuré), dérivé de *onus, oneris* «charge, fardeau». Cet adjectif vient d'un nom racine indoeuropéen qui a des représentants dans le sanskrit *ánaḥ* «voiture de charge», le grec *ania* «chagrin» et, en dialecte lesbien, *anios* «importun, fâcheux».

♦ Le mot a perdu après le XVIe siècle son sens étymologique «lourd, sans grâce» et, au figuré, «incommode, pénible, difficile à supporter». ◂ Il signifie aujourd'hui, depuis le XVIIe s., «qui coûte beaucoup d'argent» et a pour synonyme neutre l'adjectif *cher.* Le passage sémantique semble s'être produit en droit, dans les locutions ***à titre onéreux*** (1611) et ***inventaire onéreux*** (1615), l'usage courant retenant l'idée de «coûteux» plutôt que de «lourd à supporter».

▸ **ONÉRAIRE** adj. (XVIe s.), emprunt au latin *onerarius,* est un ancien terme de droit qui qualifie une personne qui exerce réellement une charge, une fonction (et non de manière honoraire). ◂ **ONÉRATIF, IVE** adj. «qui a rapport au commerce par terre» et **ONÉRER** v. tr. «charger», emprunt au latin *onerare,* avaient conservé la valeur de *onerosus ;* ils sont sortis de l'usage (on les relève dans le style littéraire au XIXe s. chez Chateaubriand [1848], Bloy). ◂ Le dérivé français **ONÉREUSEMENT** adv. (1781) est peu usité.

◈ voir **EXONÉRER.**

O. N. G. → ORGANISATION

✳ **ONGLE** n. m. est issu (v. 1112) du latin *ungula* «corne du pied des animaux, sabot», spécialement *ungula caballi,* littéralement «sabot de cheval», comme dénomination d'une plante, le tussilage. *Ungula* signifie aussi «ongle d'une personne» et, en latin médiéval, «instrument de torture en fer» ; c'est un dérivé de *unguis* «ongle» d'où «sabot, griffe, serre, ergot», employé par analogie à propos de tout objet en forme d'ongle ou de griffe : grappin, serpette, partie inférieure des pétales, rejeton de vigne, petite taie blanche à l'œil. Il s'agit d'un mot ancien et usuel, remplacé dans les langues romanes par son dérivé *ungula,* et qui appartient à une racine indoeuropéenne représentée sous des formes diverses d'une langue à l'autre : le grec a *onux* (→ onyx), le sanskrit *nakkáḥ,* le vieux slave *nogŭtĭ,* le vieil irlandais *inga,* l'ancien haut allemand *nagal* et le lituanien *nagas.*

♦ Le mot est appliqué à un animal, désignant la serre des oiseaux de proie, la griffe des mammifères carnassiers (v. 1119, du loup) et le sabot des ongulés (v. 1120). C'est de cet emploi que procèdent certaines locutions qui s'appliquent de nos jours à l'homme, comme ***(avoir) bec et ongles*** (1606). ◇ Cependant, dès 1130, le mot désigne aussi l'ongle humain. Il entre dans les locutions ***ronger ses ongles*** (1370), également au figuré «se faire du souci» (1580), et ***rogner les ongles à qqn*** (fin XIVe s.). ◇ La locution ***sur l'ongle*** (1606) «parfaitement, complètement», est la traduction du latin *ad unguem,* regardée par Érasme comme une métaphore empruntée des marbriers qui tâtent au moyen de l'ongle. L'expression, plus courante sous la forme ***sur le bout des ongles,*** variante moderne de *jusqu'au bout des ongles* (1694), subit la concurrence de *sur le bout des doigts* (cf. aussi *rubis*,* dans *rubis sur l'ongle*). ◇ *Avoir les ongles crochus* (1842), d'abord employé dans la description d'un usurier, est devenu synonyme d'«être avare, malhonnête» (1896), dans la langue familière. ◂ *Ongle* a développé quelques sens analogiques en art vétérinaire (déb. XIVe s.), dans la dénomination d'instruments de torture (1366), et plus généralement de crochets de fer.

▸ La quasi-totalité des dérivés apparaissent en moyen français. ➛ Le premier, est l'augmentatif **ONGLON** n. m. (fin XIIIe s.) «grand ongle», qui n'est plus usité qu'avec le sens de «sabot de la dernière phalange du doigt chez les ongulés ayant un nombre pair de doigts» (1846); à la fin du XVIe s. (av. 1593) on relève *les onglons* «les pieds de porc (comestibles)». ➛ **ONGLÉ, ÉE** adj. est à l'origine un terme d'héraldique (XIVe s.) qui qualifie un animal dont les ongles sont d'un autre émail que celui du corps. ◇ Il est également employé en fauconnerie en parlant d'un oiseau qui a des serres (déb. XVIe s.) et, plus généralement, d'un animal pourvu d'ongles ou de griffes.
Le diminutif **ONGLET** n. m. est attesté une première fois (1304) au sens de «crochet de fer», et de nouveau au XVIe s. (1558) avec le sens propre de «petit ongle», usuel jusqu'en 1660. ◇ Au cours du XVIIe s., il a reçu plusieurs sens techniques, désignant des objets, des figures de forme allongée, arrondie ou pointue dans le vocabulaire de la géométrie (1658), de la menuiserie (1676), de la reliure (1690), de la gravure (1690). ➛ En boucherie, il a désigné (1690) la partie de la fressure qui tient au foie et aux poumons; ce sens a disparu. Le mot a été repris (1903) à propos du morceau de viande constitué par les muscles piliers du diaphragme, très prisé pour les grillades. ➛ Le mot est également employé en botanique (1690), pour désigner la tache à la base des pétales de certaines fleurs (sens encore attesté en 1771), puis la partie inférieure et rétrécie d'un pétale (1762). ➛ *Onglet* est aussi employé à propos de divers objets entrant en relation avec l'ongle, ainsi une entaille où s'introduit l'ongle (1845). ➛ **ONGLÉE** n. f. (1456) est d'abord employé en art vétérinaire à propos d'une maladie de l'œil du cheval (également appelée *ongle*), puis avec le sens courant d'«engourdissement douloureux du bout des doigts» (1549), lié au froid. ➛ **ONGLETTE** n. f. (1573), autre diminutif de *ongle*, a perdu son sens primitif de «petit ongle» pour devenir un terme technique, désignant un outil de graveur (1621) et l'échancrure à plat d'une lame, deux emplois dans lesquels il est en concurrence avec *onglet*. ➛ Au XIXe s., *ongle* a donné **ONGLIER** n. m. (1872) «nécessaire à ongles», plus précisément «petits ciseaux à ongles» (1903). ➛ Quelques termes didactiques sont formés (entre 1750 et 1850) sur le radical du latin *unguis* parallèlement à d'autres en *onycho-*, élément qui représente le grec *onux, onukhos* (→ onyx).

◈ voir **ONGULÉ, UNGUÉAL** et, du grec, **ONYX, PANARIS**.

ONGUENT n. m., d'abord *onguant* (XIIIe s.) puis *onguent* (1478), est emprunté au latin *unguentum* «parfum liquide, huile parfumée, essence», qui a remplacé *unguen, -inis* «graisse, huile», mot archaïque et poétique, dérivé comme lui de *unguere* (→ oindre).

♦ *Onguent* désigne un médicament que l'on applique extérieurement pour guérir les plaies. *Onguent gris* (1651) désigne un médicament renfermant du mercure, utilisé essentiellement comme antiparasite. ➛ Par extension, le mot est employé en arboriculture pour un produit qui englue les plaies des arbres (1793). ➛ Il n'a pas conservé le sens de «parfum» (1512) au-delà du milieu du XVIIe siècle.

ONGULÉ, ÉE adj. et n. m. est l'adaptation (1756) du latin des naturalistes *ungulatus* «qui a un sabot, une corne», dérivé de *ungula* (→ ongle).

♦ L'adjectif qualifie un animal dont le pied est terminé par un ou plusieurs ongles épais. ◇ *Les ongulés* désigne (1826) un ordre de mammifères placentaires présentant ce caractère.

▸ En ce sens, *ongulé* a été concurrencé par **ONGULIGRADE** adj. (1816, *ongulograde*), proprement «qui marche sur des sabots», formé du latin *ungula* et de *-grade* (→ plantigrade).

ONIRO- est l'élément formant qui représente le grec *oneir(o)-*, tiré de *oneiros* (n. m.) «rêve». Ce mot est le dérivé de genre animé (le suffixe exprime une personnification) de *onar* «rêve», mot grec qui remonte sûrement à l'indoeuropéen mais pour lequel il est difficile de dégager une racine : on ne dispose que de deux correspondants clairs dans deux langues assez proches, l'arménien *anurj* et l'albanais *âdërrë, ëndërrë*. *Onar* et *oneiros* ont en grec des attributions distinctes : *onar* désigne surtout le rêve trompeur, l'image apparue en songe, *oneiros* (surtout au nominatif) est le rêve personnifié, la puissance qui pénètre en l'homme qui dort puis repart.

▸ En français, *oniro-* a notamment servi à former **ONIRISME** n. m. (1907), avec le suffixe *-isme*. Le mot aurait été créé par le médecin français E. Régis (1855-1918). ➛ C'est d'ailleurs sous la plume de ce médecin que **ONIRIQUE** adj. est relevé pour la première fois dans le syntagme *hallucination onirique* (1895). Ce mot s'est répandu au début du XXe s. avec le sens général de «relatif aux rêves» (1901), spécialement «relatif à l'onirisme» en psychiatrie (1903, *délire onirique*) et, par extension, «qui évoque un rêve» (1936). ➛ La plupart des termes construits avec *oniro-* datent du XIXe et du XXe s., mais dès le XVIIe s., on relève **ONIROMANCIE** n. f. (1622, *oniromantie*), sur lequel on a fait **ONIROMANCIEN, ENNE** n. (1836), et les emprunts au grec **ONIROCRITE** n. m. (1611, *in* Cottez) et **ONIROCRITIQUE** n. f. (1664), d'abord adjectif (1611), termes relatifs à l'interprétation des rêves. ➛ **ONIROLOGIE** n. f. (1816) puis **ONIROLOGUE** n. (1933), **ONIROGÈNE** adj. et n. m. (1961) et **ONIRO-ANALYSE** n. f. (1961) correspondent à une seconde époque d'intérêt pour les états oniriques.

ONOMASTIQUE adj. et n. f. est emprunté (1578) au grec *onomastikos* «propre à dénommer», «qui appartient au nom», «qui sert de nom», substantivé dans *ê onomastikê* (sous-entendu *tekhnê*) «art de dénommer». *Onomastikos* est dérivé de *onomastos* «nommé, nommable», adjectif verbal de *onomazein* «nommer, appeler», lui-même de *onoma* «nom» (→ onomatopée).

♦ Le mot est attesté une première fois avec le sens ancien d'«explication du sens des mots» (cf. *sémantique*), avant d'être repris au XIXe s. au sens de «liste des noms propres» (1868, Littré) puis avec son sens moderne «étude des noms propres» (1872, Littré). ◇ Il est également adjectivé (1819), qualifiant d'abord ce qui doit être nommé, désigné, puis ce qui concerne les noms propres.

▸ De *onoma* vient aussi, par l'allemand, **ONOMASIOLOGIE** n. f. (1904) «sémantique de la désignation» par opposition à *sémasiologie*. Le dérivé **ONOMASIOLOGIQUE** adj. (v. 1950) est comme le nom, très didactique.

ONOMATOPÉE n. f. est emprunté (1585, P. Thevenin) au bas latin *onomatopoeia*, lui-même emprunté au grec tardif *onomatopoiia* «création de mots», en particulier «création de mots par imitation de sons». Ce terme est formé sur le premier élément *onomato-*, dérivé de *onoma, -atos* «nom» (de personne puis en général). *Onoma* contient la racine indoeuropéenne du nom; son correspondant le plus proche est l'arménien *anun;* le latin *nomen* (→ nom) est apparenté, mais la relation est obscure. Le second élément de *onomatopoiia* est le grec *-poiia* «création», dérivé du verbe *poiein* «faire, fabriquer, créer» (→ poésie).

♦ *Onomatopée* désigne activement la formation de mots imitant un son ou un bruit et, par métonymie, le mot ainsi formé (1665, *onomatopeie*). ◇ Il a eu aux XVIIIe et XIXe s. (notamment chez Nodier : *Dictionnaire des onomatopées*) une signification étendue, s'appliquant à des mots dont la racine connue ou supposée est censée évoquer un son; cette valeur du mot correspond à l'une des thèses classiques sur l'origine du langage.

▸ On en a tiré **ONOMATOPÉIQUE** adj. «relatif à l'onomatopée, qui en présente les caractères», d'abord sous la forme *onomatopique* (1785) puis sous la forme actuelle (1826).

ONQUES → ONC, ONCQUES

ONTOLOGIE n. f., terme de philosophie, est emprunté (1692, Le Clerc, *Lettre à Locke*) au latin scientifique *ontologia* (1646) qui reprend le latin scolastique *ontologia,* ou bien est formé directement des éléments *onto-* (grec *to on, tou ontos,* participe présent neutre substantivé de *einai* «être») et *-logia* (→ -logie). *Einai* contient la racine °*es-* à la base de certaines des formes conjuguées du latin *esse* (*es* «tu es», *est* «il est»).

♦ *Ontologie* est employé en philosophie pour désigner la partie de la métaphysique qui s'applique à «l'être en tant qu'être», selon l'expression d'Aristote. ◇ Ultérieurement, il est aussi devenu un terme d'histoire de la médecine pour désigner la doctrine qui prétend étudier l'être de la maladie (des fièvres notamment) comme si la maladie existait conformément à un type bien défini, à l'essence. Raspail en est l'un des derniers représentants.

▸ Par substitution de suffixe, a été formé **ONTOLOGIQUE** adj. (1765, *Encyclopédie*) «qui concerne l'être, le fait d'exister»; le mot, d'abord rare, a reçu une valeur spéciale dans la pensée de Renan (1890). ◇ Il a pour dérivé **ONTOLOGIQUEMENT** adv. (1874). ◆ *Ontologie* a aussi suscité **ONTOLOGISTE** n. m. (1824) et **ONTOLOGISME** n. m. (1868). ◆ **ONTIQUE** adj. (1943) est la traduction de l'allemand *ontik* (Heidegger), dérivé savant du grec *ontos,* génitif de *on* avec le suffixe *-ik* (*-ique* en français). Dans la philosophie heideggerienne, *ontique* est opposé à *ontologique* et signifie «de l'être concret, de l'expérience, de l'étant».

◈ voir PALÉONTOLOGIE, PAROUSIE.

ONYX n. m. est emprunté (v. 1120, *onix*) au latin *onyx* «sorte d'agate», lui-même emprunt au grec *onux,* spécialisation de sens de *onux* «ongle, griffe, serre» à cause des zones brillantes de la pierre qui font penser à l'ongle. Le mot grec contient une racine indoeuropéenne °*nogh-* qui peut rendre compte de l'ancien haut allemand *negal* (allemand *Nagel*), de l'anglais *nail,* du vieux slave *noga* «pied» et du sanskrit *nakháḥ* «ongle, griffe». Le latin *unguis* (→ ongle) présente toutefois une forme différente qui amènerait à poser °*ongh-*.

♦ *Onyx,* introduit dans les *Lapidaires* médiévaux, a aussi été employé comme adjectif (1546) avant d'être supplanté dans cet emploi par la locution adjective ***d'onyx*** (1866, Verlaine). ◇ Comme tous les noms de matières, il s'emploie par métonymie pour des objets taillés dans l'onyx.

▸ Le mot grec a donné également l'élément **ONYCH(O)-** qui, avec le sens propre «relatif aux ongles», sert à former des termes didactiques en médecine et en pathologie aux XIXe et XXe siècles : **ONYCHOSE** n. f. (1868) «trouble de la croissance des ongles», **ONYCHOGÈNE** adj. (1903) «relatif à la croissance des ongles»; **ONYCHOPHAGE** adj. et n. (1904) et **ONYCHOPHAGIE** n. f. (1893) «habitude de se ronger les ongles».

◈ voir PANARIS.

ONZE adj. numér. card. et n. m. inv. est issu (1165) du latin *undecim* «dix plus un» de *unus* (→ un) et *decem* (→ dix).

♦ Le mot est également employé comme adjectif numéral (1688). ◇ Par analogie d'aspect avec le chiffre arabe 11, il a désigné populairement la paire de jambes (1833), valeur disparue. ◇ Précédé d'un déterminant, il est employé comme nom (1690, *tous les onze de chaque mois*), surtout pour désigner le chiffre qui, dans la numérotation écrite, figure onze unités (1694). ◇ Vers la fin du XIXe s., il est devenu un terme de sports (1898) où, par métonymie, il désigne une équipe de onze joueurs de football.

▸ Il a produit les dérivés habituels des noms de chiffres : **ONZIÈME** adj. numér. ord., d'abord attesté sous les formes anciennes *unzime* (v. 1119) et *onsieme* (apr. 1250), entre dans l'expression ***la onzième heure*** «le dernier moment» (1862) relevée chez Sainte-Beuve dans l'expression *Matthieu, l'apôtre de la onzième heure* par allusion biblique (*Matthieu,* 20, 1-16). Il est substantivé, d'une part au masculin pour la onzième partie d'un tout (1690), d'autre part au féminin pour désigner, en musique, l'intervalle de onze notes (1722). ◇ On en a tiré **ONZIÈMEMENT** adv. (1552, *onziesmement*). ◆ **ONZAINE** n. f. (XIIe s.), anciennement utilisé pour une «quantité de onze», désigne techniquement un chandelier à onze chandelles (1853). ◆ **ONZAIN** n. m. (1473), anciennement «monnaie valant onze deniers», est devenu un terme de poétique pour un poème de onze vers (av. 1661).

OO- est l'élément tiré du grec *ôo-*, représentant *ôon* «œuf» (surtout d'oiseau, mais aussi de reptile, de poisson), également «graine de plante» et «récipient en forme d'œuf». Ce mot remonte, comme le latin *ovum* (→ œuf), au nom indoeuropéen de l'œuf que l'on cherche depuis longtemps à mettre en rapport avec celui de l'oiseau.

▶ La productivité de l'élément est grande dans le vocabulaire de la biologie avec **OOCYTE** n. m. (1904) «gamète femelle» qui a remplacé *ovocyte* (de l'élément latin *ovo-*), **OOLYSE** n. f. (1932), «dégénérescence d'un œuf non fécondé». ◆ Elle est moindre avec un sens analogique «en forme d'œuf», mais a tout de même donné **OOLITHE** ou **OOLITE** n. f. (1752) en minéralogie pour un calcaire dont les grains sphériques sont comparés à des œufs de poisson. ◇ Le mot a pour dérivé **OOLITHIQUE** adj. (1818), par exemple dans *calcaire oolithique*.

O. P. A. → **OFFRIR (OFFRE)**

OPALE n. f., anciennement *optal* (av. 1150) puis *opale* (1562), est emprunté au latin *opalus*, emprunté par Pline au grec *opallios*, mot tardif qui semble provenir du sanskrit *úpalaḥ* «pierre».

♦ Le mot est longtemps considéré comme un mot masculin, le féminin datant du début du XVIIe s. (1609). Nom d'une pierre semi-précieuse, il est employé par métonymie au sens de «couleur de l'opale» (1769), surtout dans la locution adjective ***d'opale*** (1786) et comme adjectif (1797).

▶ Ses dérivés sont tous postérieurs à 1750; ce sont d'abord les adjectifs de couleur **OPALIN, INE** (1785) et **OPALESCENT, ENTE** (1788), ce dernier ayant donné à son tour **OPALESCENCE** n. f. (1862) «reflet opalin». ◆ **OPALISER** v. tr. et pron. (1867) est attesté antérieurement par son participe passé adjectivé **OPALISÉ, ÉE** «converti en opale» (1840) et «qui a pris la couleur de l'opale» (1851). ◇ On en a dérivé **OPALISATION** n. f. (1867), d'usage littéraire avec le sens de «reflet irisé de l'opale», et d'usage technique pour désigner l'action d'opaliser le verre (1949).

OPAQUE adj. est emprunté (entre 1464 et 1506) au latin *opacus* «ombragé, qui est à l'ombre» (par opposition à *apricus* «exposé au soleil»), et par extension «où la lumière ne pénètre pas». L'adjectif est distinct de *obscurus* (→ obscur) en ce qu'il n'a pas d'emplois figurés. On admet souvent qu'il s'agit d'un dérivé de la préposition *ob (op-)* (→ objet) avec un suffixe *°ako;* cependant un tel suffixe n'étant pas usuel en latin et ne s'ajoutant pas à des prépositions, cette étymologie est très douteuse.

♦ Le mot, au masculin, s'est écrit *opac* jusqu'au XVIe s. puis *oppacque* (début XVIe s.), enfin *opaque* (1516). Il signifie d'abord «obscur, sombre, très foncé», et acquiert le sens abstrait de «qui ne se laisse pas comprendre, obscur» (1590, Montaigne). ◆ Depuis 1516, il est également employé au sens de «qui ne laisse pas passer la lumière», devenu le plus courant, par opposition à *transparent, diaphane*.

▶ Son dérivé **OPAQUEMENT** adv., qui semble récent (1925), est d'usage littéraire. ◆ **OPACITÉ** n. f. est emprunté (1512) au dérivé latin *opacitas, -atis* «ombre» et, en latin médiéval, «qualité des corps qui ne transmettent pas certaines radiations» (1360). ◇ Le mot signifie «ombre, obscurité», au propre et au figuré; il désigne aussi la qualité des corps qui ne transmettent pas la lumière. ◆ Le radical de *opaque* et *opacité* a servi à former **OPACIFIER** v. tr. (1868) «rendre opaque», très probablement antérieur à la première attestation relevée puisque son dérivé **OPACIFICATION** n. f. est attesté dès 1810. ◆ **OPACIMÉTRIE** n. f. (1945) et **OPACIMÈTRE** n. m. (1923) sont deux formations techniques relatives à la mesure de l'opacité d'une substance.

OPE n. m. est emprunté (1547) au latin *ope*, lequel transcrit le grec *opê* «ouverture, trou, trou dans le toit par où passe la cheminée», employé au pluriel en architecture pour les trous dans la frise qui reçoivent l'extrémité des poutres. Le mot est tiré de la racine indoeuropéenne *°ok^w-* (→ œil, ophtalmo-), mais avec un développement particulier qui l'a mené du sens de «vue» (restauré par l'Alexandrin Cercidas en un passage mais rare) à celui d'«endroit par où l'on voit» d'où «trou».

♦ Le mot a été repris en architecture avec le même sens.

OPÉRA n. m. est emprunté (1659) à l'italien *opera*, mot correspondant au français *œuvre**, employé comme terme de musique depuis 1639 (L'*Orfeo* de Monteverdi, 1607, s'appelle *favola* [fable] *in musica*) par abréviation de *opera di musica* «œuvre musicale», également «chose difficile, chef-d'œuvre». C'est à Naples qu'on distingue, au milieu du XVIIe s., *opera seria* et *opera buffa*.

♦ En français, le mot est d'abord attesté avec le sens ancien de «chose excellente, chef-d'œuvre» (1657, Scarron) et de «chose difficile à réaliser» (1675). Cette valeur est réalisée au jeu de cartes où *faire opéra* signifiait «gagner tout ce qu'il y a au jeu» (1690, au piquet). ◆ Au XVIIe s., *opéra* passe dans le domaine du théâtre lyrique par réemprunt à l'italien, le premier opéra italien, *l'Orfeo* de Rossi, ayant été joué à Paris en 1647 (sans qu'on dispose d'attestation du mot à cette occasion). La première attestation pour «œuvre lyrique» (1669) correspond à la date du privilège accordé par le roi au musicien Perrin pour créer l'*Académie d'Opéra*. Au XVIIe s., le mot a deux valeurs bien différentes liées à l'influence italienne : il désigne aussi une comédie italienne écrite et «apprise mot à mot par les comédiens» (Furetière), s'opposant en cela à la commedia dell'arte; ce sens a rapidement disparu. ◇ En musique, le genre, introduit en France semble-t-il, par Mazarin, qui avait fait jouer une œuvre de Peri au mariage de Catherine de Médicis, s'impose grâce à Lully. Si les pièces ne portent pas encore ce titre, on en parle déjà vers 1670-1680 comme d'opéras. L'emploi du mot suppose une mise en scène spectaculaire et l'accompagnement du chant par «une grande symphonie, [des] danses, [des] ballets, avec des habits et des décorations [décors] superbes, et des machines surprenantes» (1690, Furetière). ◇ Le mot se diffuse dans la seconde moitié du XVIIe s. sous l'influence de l'école vénitienne (Cavalli, Cesti) puis napolitaine (A. Scarlatti), et grâce à Perrin, Cambert et surtout Lully, auteur de comédies-ballets et d'opéras. Au XVIIIe s., les sommets reconnus du genre sont dus à Rameau, puis à Gluck et Piccinni, héros de la «querelle des bouffons». Le mot n'est plus alors lié à son origine italienne et, bientôt, l'influence du monde germanique, croisée avec celle de l'Italie et transcendée par Mozart, va s'imposer. Au XIXe s., l'emploi du mot en français, avant la révolution wagnérienne, correspond à des connotations culturelles très différentes de celles du baroque : triomphe du bel canto, de la pompe historique ou de la légéreté, avec Meyerbeer, Auber, Ambroise Thomas. L'opéra, genre bourgeois, reste à l'écart des exigences et des nouveautés romantiques, avec la seule exception, mal perçue à l'époque, de Berlioz. Ensuite, le trio Gounod-Bizet-Massenet informe durablement le concept d'opéra, en France. Cet univers musical et spectaculaire rassurant va exploser avec l'influence de Wagner, puis celle de Debussy. Le concept d'opéra, au XXe s., bénéficie de l'ouverture musicale moderne (de Berg à Prokofiev, par exemple) et de la redécouverte du monde baroque. ◆ Le mot développe aussi des emplois métonymiques, désignant le genre artistique constitué par les drames lyriques, le lieu où ils sont représentés (1694) et les personnes qui les représentent. En France, le premier lieu destiné à l'opéra, au XVIIe s., est muni d'une machinerie qui permet d'élever l'orchestre et le parterre au niveau de la scène et d'avoir une salle de bal utilisée pour le carnaval (transformation également possible à l'opéra de Gabriel à Versailles et, plus tard, à l'opéra Garnier à Paris). Au XIXe s., Garnier dote Paris d'une salle dite *Opéra* ou *Palais-Garnier* en raison de son architecture somptueuse, de style Napoléon III.

▶ *Opéra* entre comme premier élément dans plusieurs composés dont **OPÉRA-BALLET** n. m., **OPÉRA-COMIQUE** n. m. (1721, Lesage) «genre de drame lyrique où alternent les airs chantés et les dialogues parlés» (cf. *ballet* et *bouffe*).
De *opéra* a été tiré **OPÉRATIQUE** adj. (1986).

◈ voir OPÉRETTE.

OPÉRANDE → OPÉRER

OPERCULE n. m. est un emprunt adapté (1736) au latin *operculum* «couvercle», employé à basse époque au sens de «coquille» (déb. Ve s.), dérivé de *operire*, altération de *aperire* «couvrir, recouvrir» (→ ouvrir).

♦ Le mot, introduit en zoologie, désigne l'organe, la membrane servant à fermer une ouverture artificielle ou naturelle, spécialement l'ensemble des pièces osseuses qui protègent les fentes des branchies chez certains poissons (1797), le couvercle qui ferme l'urne des mousses (1767), et celui qui obture les cellules des abeilles (1878). ◇ Il est également employé en technique pour désigner une pièce formant couvercle.

▶ En sont dérivés trois adjectifs d'usage didactique : **OPERCULÉ, ÉE** (1767), **OPERCULAIRE**, d'abord employé comme nom masculin (1803) et féminin (1824), puis comme adjectif (1815) en botanique, et **OPERCULIFORME** (1838) «en forme d'opercule».

OPÉRER v. tr. est emprunté (v. 1360) au latin *operari* (devenu *operare* à basse époque) «travailler, accomplir un travail», spécialement «accomplir une cérémonie religieuse (la tâche que réclament les dieux)». Ce verbe, dont l'évolution mène à *œuvrer** et *ouvrer**, est dérivé de *opus, operis* (→ œuvre).

♦ Le mot est d'abord attesté au sens de «faire» (et au passif «avoir lieu»); il signifie particulièrement «accomplir (qqch.), travailler» (1492), et s'emploie en mathématiques (1557) puis, ultérieurement, en finances (1890, *avis d'opérer*). ◇ En moyen français, apparaît le sens d'«agir, produire un effet conforme à sa nature» (1470), aujourd'hui archaïque sauf au sens absolu de «produire son effet» et dans une acception religieuse, en parlant de la grâce (dite *opérante*). ◇ Le verbe est employé spécialement en médecine au sens de «soumettre à une intervention chirurgicale» (1559), qui a suscité, plaisamment, les emplois argotiques récents «percer, crever (des pneus)», «posséder charnellement». ◇ L'usage de la forme pronominale *s'opérer* «avoir lieu, se produire» est attesté depuis 1770.

▶ Le participe passé **OPÉRÉ, ÉE** est adjectivé et substantivé *(un, une opéré[e])* pour désigner le patient qui s'est fait opérer par un chirurgien (1834). ◆ C'est aussi au XIXe s. qu'apparaissent **OPÉRABLE** adj. (1845 ; au XVe s. «qui pousse à agir») et son antonyme **INOPÉRABLE** adj. (1812) ainsi que l'antonyme de *opérant*, **INOPÉRANT, ANTE** adj. (1845-1846) «qui ne produit rien, vague», spécialement «qui n'a pas d'effets» en parlant d'un médicament. ◆ **OPÉRATOIRE** adj. est dérivé savamment (1784) de *opérer* au moyen du suffixe *-atoire* d'après le bas latin *operatorius* «qui opère, efficace» (apr. 350), formé sur le participe passé de *operari* (l'anglais *operatory* «capable de produire, efficace» est attesté av. 1556). ◇ *Opératoire* est d'abord employé en chirurgie (dans quelques syntagmes, dont *choc opératoire*, 1907) et en psychologie (1907). Il est également employé pour «qui concerne une opération méthodiquement ordonnée» (XXe s.), notamment en parlant d'une opération logique ou mathématique. ◇ C'est dans ce dernier domaine qu'il a produit **OPÉRATOIREMENT** adv. (1948). ◆ **OPÉRANDE** n. f. a été introduit en 1963 par le *Comité d'étude des termes techniques français* comme calque de l'anglais *operand* (1866), lui-même créé à partir du latin *operandum* (de *operare*). ◇ Le mot s'emploie en mathématiques pour la quantité entrant dans une opération, et en informatique à propos de l'élément entrant dans la constitution d'une instruction de programme. ◆ Autre création récente, **OPÉRON** n. m. (v. 1965) recouvre en biochimie l'ensemble des agents nécessaires à la synthèse d'une même protéine.

OPÉRATION n. f. est emprunté (fin XIIIe s.) au dérivé latin *operatio, -onis* «ouvrage», spécialement en latin chrétien «action, actes» (fin VIe s.), en philosophie «effet», en théologie «opération divine» (Ve s.) et «action du Saint-Esprit» (déb. Ve s.); *operatio* est également un terme d'alchimie en latin médiéval (av. 1235). Le mot est dérivé du supin de *operari*. ◆ *Opération* est d'abord attesté avec l'épithète *sainte* au sens d'«activité sacrée». ◇ Le sens moderne, «action d'un pouvoir qui produit un effet», apparaît au XIVe s. (1350), spécialement dans l'*opération de Dieu* (1370-1372), et surtout ***par l'opération du Saint-Esprit*** (*du Sainct Esperit*, 1508), expression qui acquiert au XIXe s. (1874) la valeur figurée et familière de «mystérieusement». ◇ Dès le XIVe s., *opération* désigne une intervention chirurgicale (1314), entrant ultérieurement dans les expressions *salle, table d'opération* (1855). ◇ Le mot prend d'autres valeurs spéciales dans le langage des mathématiques (1557), de la chimie (1631), et des finances (1770), plus particulièrement de la banque (1784, Necker). ◇ Depuis le début du XVIIIe s. (1701), il désigne aussi une action militaire organisée et, au pluriel, ces actions dans un conflit (*le théâtre des opérations*). ◇ Son antonyme **CONTRE-OPÉRATION** n. f. est attesté depuis 1861. ◆ **OPÉRATIONNEL, ELLE** adj. (1930) a été formé sur *opération* d'après l'anglais *operational* «propre à l'obtention des résultats» (1922), dérivé de *operation* «efficacité» (1509), lui-même emprunté (1386) au français *opération*. ◇ L'adjectif signifie «propre à atteindre un résultat» dans un contexte scientifique comme celui des mathématiques (1959, *recherches opérationnelles*) et dans le domaine militaire (1954). ◇ Il s'est répandu récemment dans l'usage général en parlant d'une chose apte à la mise en service (1968) et d'une personne adaptée à la fonction professionnelle à remplir. ◇ En dérive **OPÉRATIONNELLEMENT** adv. (1964).

OPÉRATIF, IVE adj. (1370-1372) est emprunté au latin chrétien *operativus* «efficace» (déb. Ve s.), formé sur *operatus*, participe passé de *operari*. ◇ L'adjectif, en philosophie, signifie «propre à produire des effets» et «qui exécute, accomplit» (1374); il est rare avant 1800. ◆ Par dérivation savante de *opérer*, il est spécialement employé en linguistique guillaumienne à propos du temps très court pendant lequel un système linguistique s'actualise dans le discours (1945, *temps opératif*).

OPÉRATEUR n. m., est usuel en mathématiques (1885, Hamilton).

OPÉRETTE n. f. est emprunté (1821) soit à l'italien *operetta*, proprement «petite œuvre», diminutif de *opera* (→ œuvre, opéra), soit à l'allemand *Operette* (XVIIIe s.), terme attribué à Mozart et créé d'après l'italien *operetta*.

♦ *Opérette* désigne un petit opéra comique de caractère léger et, par métonymie, le genre artistique correspondant. ◇ Il est employé couramment dans la locution ***d'opérette*** (1879) pour qualifier ce que l'on ne peut pas prendre au sérieux (*une armée, un État d'opérette* faisant allusion aux thèmes aristocratiques plaisants d'opérettes de la fin du XIXe s.).

OPHI(O)- est l'élément représentant le grec *ophis* «serpent», et «bracelet en forme de serpent», également nom de constellation et de poisson. *Ophis* doit correspondre au sanskrit *áhi-* «serpent» et, avec une variation de forme explicable pour un nom susceptible de tabou, au latin *anguis* (→ anguille).

▶ Les premiers composés en *ophi-* remontent au XVIIIe siècle. Ce sont **OPHIOLÂTRIE** n. f. (1721) «culte du serpent» et **OPHIOPHAGE** adj. «qui se nourrit de serpents» (1721). ◇ Au XIXe s., on a créé **OPHIURE** n. f. (1801) et *ophiurides* ou **OPHIURIDÉS** n. m. pl. précédés par *ophiurines* (1846) désignant une classe d'échinodermes marins dont la forme rappelle celle des étoiles de mer. ◇ **OPHIOLOGIE** n. f. (1823) en concurrence avec *ophiographie* n. f. (1838) constitue un synonyme archaïque de *herpétologie*. ◇ **OPHIOGLOSSÉES** ou *ophioglossacées* n. f. pl. (1846) traduit savamment, à l'aide de l'élément *-glosse**, la dénomination botanique populaire *langue de serpent*.

① **OPHITE** n. m. (1495) est emprunté au latin *ophites*, transcription d'un mot grec désignant une pierre dont les rayures évoquent une peau de serpent. ◇ Le mot désigne une diorite vert sombre rayée de filets jaunes qui se croisent.

Un homonyme ② **OPHITE** n. m. représente un emprunt ultérieur (1704) au bas latin *ophitae* (IIIe s.), nom d'un membre d'une secte gnostique du IIe s. qui vouait un culte au serpent et y voyait le symbole du Messie.

OPHTALMIE n. f. est emprunté (1370-1372) au bas latin *ophtalmia* «affection inflammatoire de l'œil», lui-même emprunté au grec *ophthalmia*, dérivé de *ophthalmos* «œil». Comme le latin *oculus* (→ œil), mais avec une altération, *ophthalmos* est tiré de la racine indoeuropéenne *°okw-* «œil» et «voir», représentée d'une langue à l'autre sous des formes très diverses s'expliquant par le tabou linguistique lié à la crainte du mauvais œil (→ œil).

♦ Le mot a pris sa forme moderne au XVIe s. (1538) après s'être écrit *obtalmie*. Il désigne une affection inflammatoire de l'œil et, qualifié, ses diverses formes.

▶ **OPHTALMIQUE** adj. est emprunté sous l'ancienne forme *obtalmique* (1478), refaite au XVIe s. d'après le grec et le latin, au bas latin *ophtalmicus* «qui concerne les yeux», lui-même emprunté au grec *ophthalmikos*, de *ophthalmos*. ◇ Le mot français a gardé le sens du latin et développé celui de «qui a trait à l'ophtalmie, qui est propre à la guérir» (1690).

OPHTALMO- est tiré de l'élément grec *ophthalm(o)-*, lui-même de *ophthalmos* «œil», employé aussi au figuré pour les «yeux» d'une branche et, parfois, pour désigner ce qui est le plus précieux. ◇ En français, *ophtalmo-* entre dans la formation de noms et d'adjectifs du domaine de la médecine (pathologie, chirurgie, appareillage médical). Les plus courants sont **OPHTALMOLOGIE** n. f. (1753), **OPHTALMOLOGIQUE** adj. (1808), **OPHTALMOLOGISTE** n. (1840) ou **OPHTALMOLOGUE** n. (1840), ce dernier abrégé familièrement en **OPHTALMO** n. (1965) et concurrencé par *oculiste.* ◇ Plus techniques sont **OPHTALMOMÈTRE** n. m. (1747) et **OPHTALMOMÉTRIE** n. f. (1874), **OPHTALMOPLÉGIE** n. f. (1878) et **OPHTALMOPLÉGIQUE** adj. (1905), **OPHTALMOSCOPE** n. m. (1854) et **OPHTALMOSCOPIE** n. f. (1840, reprise d'un terme classique désignant l'étude du caractère à travers l'examen des yeux), **OPHTALMOTOMIE** n. f. (1803) et **OPHTALMOSTAT** n. m. (1868). ➜ Le grec *ophthalmia* fournit au français le second élément **-OPHTALMIE** qui entre dans la formation de mots du vocabulaire médical désignant des défauts, des maladies de l'œil, plusieurs de ces mots étant directement empruntés au grec.

◈ voir OPE, OPTIQUE ; AUTOPSIE, DIOPTRIQUE, MÉTOPE, MYOPE, PROSOPOPÉE, SYNOPSIS.

OPIACÉ → OPIUM

OPIME adj. est emprunté (1558) au latin *opimus* «gras» (souvent joint à *adipalis* → adipeux, *altilis* et *pinguis* de même sens), par suite «riche, fertile». Ce mot est spécialement employé dans *spolia opima* qui désigne les dépouilles, le butin enlevés par un général romain à un ennemi mis à mort. L'expression est formée avec *spolia,* pluriel du neutre *spolium* «dépouille, butin» (→ spolier). *Opimus* est sans étymologie claire et semble sans rapport avec *ops, opis* «ressources, richesse» (→ opulent) malgré l'avis des étymologistes latins (Festus). Benveniste le rapproche du grec *pimelê* «graisse».

♦ Le mot, relevé une fois au sens de «fertile, riche», est employé seulement dans l'expression ***dépouilles opimes*** (1571) en histoire romaine, et avec le sens figuré de «riche profit que l'on recueille comme un butin». On relève quelques emplois littéraires et archaïsants de *opime* au sens de «riche, opulent, admirable» (1832).

OPINER v. est emprunté (av. 1450) au latin *opinari* «avoir tel ou tel avis, être d'avis que», souvent employé en incise dans *ut opinor* «comme je le pense». Il s'agit d'un mot d'étymologie obscure, souvent rapproché du groupe de *optare* (→ opter), de sens pourtant divergent.

♦ *Opiner,* «exprimer son avis» d'abord *opiner que* puis absolument, également construit avec la préposition *à* (1638, *opiner à*) a vieilli. ◇ Il reste utilisé dans le langage juridique et, plus couramment, dans la locution ***opiner du bonnet*** (1646) en référence aux docteurs de la Sorbonne, qui donnaient leur avis en levant leurs bonnets. On a dit aussi *opiner de la main* (1765) avec le même sens.

▸ Son participe présent **OPINANT, ANTE** était employé comme nom (1470) en parlant de personne qui donne son avis dans une délibération ; le participe passé **OPINÉ, ÉE** s'est employé comme adjectif au sens de «jugé, estimé» (1505).

Tout autre est la vitalité de **OPINION** n. f. (v. 1200), emprunté au dérivé latin *opinio, -onis.* ◇ Le mot est employé en philosophie, où il traduit le grec *doxa* (→ orthodoxe) ; en l'absence d'un nom correspondant à *credere* (→ croire), *fides* (→ foi) ayant une autre valeur, *opinio* a pris le sens de «croyance» souvent avec la nuance «croyance imaginaire ou fausse». Il est également devenu synonyme de *fama* (→ fameux) au sens de «renommée, réputation» ; en latin scolastique, il désigne l'assentiment de l'intelligence à une proposition. ➜ En français, *opinion* désigne le sentiment que l'on a de quelque chose, plus particulièrement la position intellectuelle adoptée dans un domaine donné (v. 1283). Il a signifié «hypothèse, théorie» (1314) avant d'être au contraire exclu du champ scientifique. ◇ Le sens initial ayant acquis une valeur collective, le mot, tout en conservant son acception psychologique individuelle, est entré dans les syntagmes modernes *liberté d'opinion* (1936) et *journal d'opinion* (XXe s.). ◇ En moyen français, dans un contexte juridique (XVe s.), *opinion* désigne l'avis d'une personne dans une délibération et, en logique, une assertion partielle (XVIe s.). ◇ L'usage courant lui donne aussi le sens de «jugement de valeur que l'on porte sur qqn, qqch.» (v. 1265), par exemple dans les locutions ***avoir mauvaise*** (1580) ou ***bonne*** (1656) ***opinion de qqn, avoir bonne opinion de soi*** (1656). ➜ Dans un second groupe d'emplois, à partir du XVIe s., *opinion* se réfère à l'ensemble d'idées, de jugements partagés par plusieurs personnes (1563), par une partie du groupe social, notamment dans des expressions comme ***opinion publique*** (1590), puis absolument (1762). Il est employé spécialement en sociologie politique pour désigner le type de pensée sociale qui consiste à prendre position sur les problèmes d'intérêt général (1580) et, absolument, l'ensemble des attitudes d'esprit dominantes dans une société.

◈ voir INOPINÉ, OPINIÂTRE.

OPINIÂTRE adj. est un dérivé savant (1431, *opiniastre*) du latin *opinio, -onis* (→ opiner), peut-être d'après *acariâtre* ou sur le modèle de *école-écolâtre.*

♦ À l'origine, le mot signifie littéralement «attaché à ses opinions» (avec une connotation péjorative). Dans l'usage moderne, qui s'établit au XVIe s., on passe au sens de «qui ne cède pas, irréductible (d'une chose)» [1572] et de «tenace, entêté dans son comportement ou ses idées (d'une personne)» [1585]. ◇ Dans la langue classique, l'adjectif qualifie une toux, un rhume qui résiste à tout (v. 1650) ; cf. *obstiné.* ◇ L'emploi substantivé de *opiniâtre* pour désigner une personne attachée à son opinion (1549, Du Bellay) est sorti de l'usage.

▸ Le mot a plusieurs dérivés. ➜ **OPINIÂTREMENT** adv. (1431, *ospiniatrement*) a les valeurs de l'adjectif. ➜ **OPINIÂTRER** v. tr., surtout pronominal, est restreint à un usage littéraire après l'époque classique (1538). ➜ **OPINIÂTRETÉ** n. f. (1528) a suivi la même évolution que l'adjectif, passant du sens premier, «attachement têtu à l'une de ses opinions» (1528), à celui de «persévérance tenace» (1559), et par extension «acharnement, persévérance (d'une chose abstraite)» (XVIIIe s.). ◇ Il se dit aussi (v. 1660) de la persistance acharnée d'une fièvre, d'un mal.

OPINION → OPINER

OPIUM n. m. est emprunté (XIIIe s.) au latin *opium* «suc du pavot», transcription du grec de même sens *opion,* dérivé de *opos* «suc d'une plante» (→ opoponax).

♦ Le mot désigne l'extrait des capsules du pavot blanc qui sert de sédatif ou de narcotique. ◇ Il est employé au figuré en parlant de ce qui produit les effets de l'opium, c'est-à-dire un engourdissement propre à écarter les problèmes et les difficultés (av. 1755, Saint-Simon), valeur qui se répand surtout dans la seconde moitié du XIXe siècle. Par traduction de l'allemand, une formule de Marx, *la religion est l'opium du peuple,* s'est imposée en français ◇ Littré indique qu'on a longtemps écrit et prononcé *opion.*

▸ L'élément *opio-,* tiré de *opium,* entre dans la construction de **OPIOMANE** n. et adj. (1897) et de **OPIOMANIE** n. f. (1909). ◇ À la même époque, celle des *mangeurs d'opium* (De Quincey a écrit ses *Confessions of An English Opium-eater* en 1821; Baudelaire les a adaptées dans *Un mangeur d'opium* dans *Les Paradis artificiels* en 1860), on a formé **OPIOPHAGE** n. (1868) et **OPIOPHAGIE** n. f. (déb. XXe s.). ◆ Par dérivation savante, *opium* a produit **OPIACÉ, ÉE** adj. (1812) «qui contient de l'opium». ◇ Celui-ci a donné **OPIACER** v. tr. (1845), verbe rare qui signifie «ajouter de l'opium à (qqch.)».

OPOPANAX ou **OPOPONAX** n. m., d'abord *opopanac* (XIIIe s.), puis *oppoponax* (1314), est emprunté au grec *opopanax,* transcrit dans le latin *opopanax.* Le mot grec est composé de *opos* «suc d'une plante» qui désigne notamment le suc acide de la figue employé pour faire cailler le lait, et de *panax,* nom d'une plante (→ panacée). On peut poser pour *opos* une racine indoeuropéenne °*sok^w^os,* permettant de le rapprocher de mots de même sens en lituanien *(sakaĩ),* en vieux prussien *(sackis),* en vieux slave *(soku),* etc. Le latin *sucus* (→ suc) est peut-être apparenté, mais présente une structure différente avec une diphtongue *eu* ou *ou.*

♦ *Opopanax* désigne à la fois la plante et son suc gommeux utilisé en pharmacologie et en parfumerie.

◈ voir **OPIUM.**

OPOSSUM n. m., d'abord *opassum* (1640) puis *opossum* (1704), est emprunté à un parler algonquin de Virginie, probablement par l'intermédiaire de l'anglais : en effet, celui-ci a *apossoum* (1610), proche du terme indien noté *aposon* dans un glossaire en 1615, puis *opassoun* (1612) et *oppossum* (1615), longtemps en concurrence avec *possum.*

♦ Le mot, nom d'un petit animal de la famille des Marsupiaux, désigne aussi par métonymie la fourrure de cet animal (1909).

OPPIDUM n. m. est un emprunt (1765) au latin *oppidum* «ville fortifiée» puis «ville» en général par opposition à *Urbs,* réservé à Rome (→ urbain), puis «barrières du cirque». Le mot est propre au latin et les rapprochements avancés sont purement hypothétiques.

♦ Le mot désigne une ville fortifiée, notamment d'époque romaine et gallo-romaine.

OPPORTUN, UNE adj. est emprunté (1355) au latin *opportunus,* proprement «qui pousse vers le port», de *ob* (→ objet) et *portus* (→ port), épithète appliquée au vent. Il s'agit d'un terme de la langue nautique qui, en passant dans l'usage courant, a pris le sens général de «qui vient à point, commode, utile, avantageux»; le rapport avec *portus* continuait toutefois à être senti par les Romains.

♦ Le mot signifie «qui vient à propos, convient à la situation du moment», spécialement dans les locutions impersonnelles ***il est opportun que..., de...*** ◇ Il est également employé au sens de «qui convient au bon déroulement d'une chose» en se référant au cadre temporel (1567, *temps opportun*), d'où l'expression ***en temps opportun*** (1863).

▸ En sont dérivés **OPPORTUNÉMENT** adv. (1428), **OPPORTUNISME** n. m. (1869, Deschamps, *De l'opportunisme*) et **OPPORTUNISTE** n. (1876) adj. (1878), ces deux derniers d'abord en politique et souvent avec une valeur péjorative.

Quant à **OPPORTUNITÉ** n. f. (1225, *oportunité*), il est emprunté au dérivé latin *opportunitas* «chance de faire qqch., condition favorable». ◇ *Opportunité* signifie «occasion», en particulier «occasion de faire une chose» avec un complément de détermination (1355). ◇ Il désigne généralement le caractère de ce qui est opportun (1690). ◆ Sous l'influence de l'anglais *opportunity* dérivé de *opportune,* repris au XVe s. au français *opportun,* il tend à être employé de plus en plus, par exemple en économie dans *coût d'opportunité* «manque à gagner d'une possibilité non exploitée», et même dans l'usage général pour «occasion favorable», bien que les puristes recommandent de l'y remplacer par *occasion, possibilité,* voire *perspective.*

INOPPORTUN, UNE adj. (XIVe s.) est emprunté au latin *inopportunus* «qui ne convient pas». ◇ Il a pour dérivé **INOPPORTUNÉMENT** adv. (1414). ◆ **INOPPORTUNITÉ** n. f. (1433) est plutôt dérivé par préfixation de *opportunité* qu'emprunté au latin chrétien *inopportunitas, atis* qui signifie «état de ce qui n'est pas propice». La série préfixée se répand surtout à la fin du XVIIIe siècle.

◈ voir **IMPORTUN.**

OPPOSER v. tr. est emprunté (v. 1165), avec francisation d'après *poser,* au latin *opponere* «placer devant», «placer contre», d'où «se dresser contre qqn» et «faire obstacle, faire objection». Ce verbe est formé de *ob* «devant» (→ objet) et *ponere* «placer» (→ pondre). L'ancien français a une variante *oposer, aposer,* passée en anglais sous la forme *to appose,* d'où *to pose* (→ puzzle).

♦ *Opposer* signifie d'abord «objecter», puis aussi «résister, se mettre en opposition» (1224). Par suite, il prend les valeurs de «placer de manière à faire obstacle» (1580) et de «mettre face à face (deux personnes) pour un combat» (1671). Il n'a que très rarement le sens étymologique concret de «placer (deux choses) face à face, vis-à-vis» (1321). Il se dégage fréquemment de la situation en question une idée de contraste, lorsqu'on parle d'*opposer des couleurs* ou *l'ombre et la lumière* (1762) et, au figuré, de comparer deux choses entièrement différentes (XVIIe s.). ◆ La forme pronominale ***s'opposer*** est attestée en ancien français avec le sens de «se rebeller, désobéir», puis aussi de «faire obstacle» (v. 1330), «agir contre» (XIVe s.), «refuser son accord à» (1480) et, en parlant d'une chose, «faire obstacle» (1667).

▶ **OPPOSANT, ANTE,** participe présent de *opposer,* est adjectivé (1331) et substantivé (1431) d'abord dans le langage juridique avec le sens de «personne qui s'oppose, qui s'élève contre». ◇ Depuis 1751, le nom est attesté en politique, plus particulièrement en parlant des hommes ou des femmes politiques qui s'opposent aux gouvernants (1848). ◆ **OPPOSÉ, ÉE,** le participe passé de *opposer,* est adjectivé (1549) au sens concret de «placé en face de, vis-à-vis de», spécialement en géométrie (1718, *angles opposés*), en héraldique (1690) et en botanique, à propos de la disposition des feuilles sur une plante (1868). ◇ L'adjectif signifie également «de sens contraire» (1743) : il est alors presque synonyme de *contraire,* tout en exprimant une idée de conflit. Il qualifie ce qui est aussi éloigné que possible dans le même ordre d'idée (1640). ◇ Il est substantivé au masculin *(l'opposé)* avec un sens abstrait (1681) ainsi qu'un sens concret (1873) et fournit les locutions ***à l'opposé*** (1845-1846) et ***à l'opposé de*** (1857).

Du verbe *opposer* est dérivé l'adjectif d'usage didactique **OPPOSABLE** (1805) «qui peut être mis face à face, vis-à-vis», notamment en anatomie. Il est également employé en droit avec le sens de «qui peut être donné comme argument contre un tiers» (1845-1846). ◇ On a formé sur *opposable* le nom correspondant **OPPOSABILITÉ** n. f. (1865), spécialement employé en droit (attesté 1936), et les antonymes **INOPPOSABLE** adj. (1845) et **INOPPOSABILITÉ** n. f. (1875).

Quant à **OPPOSITION** n. f. (1176), c'est un emprunt au latin *oppositio, -onis* «obstacle, contraste, antithèse», dérivé de *oppositum,* supin de *opponere.* ◆ Le mot désigne d'abord une réplique ayant caractère d'objection. Il se dit aussi de la position matérielle d'une chose vis-à-vis d'une autre (fin XIIe s.), spécialement en astronomie (v. 1278), en anatomie et, ultérieurement, en alpinisme et en équitation. ◇ Plusieurs autres sens se sont développés en moyen français : *opposition* désigne alors une contrariété entre deux choses, une différence considérable dans la manière de sentir de plusieurs personnes (1370-1372). Il est employé spécialement en rhétorique dans un sens très voisin de celui de *antithèse* (1567) ainsi qu'en logique (1868) et en linguistique (1951). ◇ À partir du XVe s., *opposition* se dit d'un antagonisme entre deux personnes (1480) et entre dans le langage juridique (1474). ◆ Au cours du XVIIIe s., il devient un terme de politique anglaise (1745) sous l'influence de l'anglais *opposition* et s'applique peu après (1772) à la politique française, où il ne se répand qu'avec le régime parlementaire, qui permet à ceux qui s'opposent à la tendance dominante, en principe majoritaire, de s'exprimer ; *opposition* a dès lors une valeur voisine de celle de *minorité.* ◆ L'anglais *oppositional* adj. (1857) a été adapté en **OPPOSITIONNEL, ELLE** adj. (1866, Amiel), également employé comme nom (1930) avec une valeur très proche de *opposant* en politique.

OPPOSITE adj. et n. m., emprunté (1314) au latin *oppositus* «placé devant, opposé», a été substantivé à propos de l'action d'opposer, du fait d'être opposé. Il a été employé au sens de «contraire, opposé» avant d'être évincé par *opposé* à partir du XVIe siècle. ◇ Il survit dans la langue littéraire, notamment dans la locution adverbiale et prépositionnelle ***à l'opposite*** (v. 1325) «en face» et au figuré «au contraire».

OPPRESSER → OPPRIMER

✱ OPPRIMER

OPPRIMER v. tr. est emprunté (1355) au latin, *opprimere* «presser, comprimer» et au figuré «faire pression sur, accabler», formé de *ob* (→ objet) et *premere* «presser», au physique et au moral (→ presser).

♦ D'abord écrit *obprimer* puis *oprimer* (1381) et, d'après le latin, *opprimer,* le verbe signifie «accabler par violence, par excès d'autorité», plus particulièrement «empêcher de s'exprimer, de se manifester» (1381). ◇ Il n'a pas conservé son sens physique, «accabler sous un corps pesant ou par une forte pression» (XVe s.), non plus que celui de «tuer» (1541). ◇ Dans l'usage littéraire, il est employé par métaphore avec l'idée d'«accabler sous un fardeau, faire cruellement souffrir, tourmenter» (1541).

▶ Le participe passé **OPPRIMÉ, ÉE** est adjectivé (fin XIVe s., *peuple opprimé*) et substantivé (1485) pour désigner la personne opprimée. ◆ Le participe présent **OPPRIMANT, ANTE** est employé comme adjectif (1771) avec les divers sens du verbe ; rare, il s'est surtout employé en politique avant d'être éliminé par *oppresseur.* Dans le cas d'une oppression matérielle, physique, et au sens figuré de «qui accable», il a été supplanté par *oppressant* (ci-dessous).

OPPRESSION n. f. est emprunté (1175) au latin *oppressio, -onis* «action de presser», abstraitement «destruction, action d'étouffer (les lois, la liberté)» et «action violente contre qqn, qqch.», dérivé de *oppressum,* supin de *opprimere.* ◇ En ancien français, le mot s'employait au pluriel avec le sens concret de «violences, dommages faits à qqn». L'usage moderne n'a pas retenu le sens de «contrainte» (av. 1250), ni l'emploi pour désigner le fait d'accabler par la violence et, par métonymie, l'état d'une personne ainsi accablée (1487). ◇ Au cours du XVIIe s., *oppression* prend le sens physique de «gêne respiratoire» (1659) et, par extension, se dit également d'un malaise psychique accompagné d'une gêne respiratoire (1747). ◆ **OPPRESSEUR** adj. et n. m. est emprunté (1350) au latin *oppressor* «destructeur», lui aussi formé sur le supin de *opprimere.* ◇ Il désigne une personne qui exerce une oppression, comme nom, puis comme adjectif (1516). ◆ Le radical d'*oppression* et d'*oppresseur* a servi à former **OPPRESSER** v. tr. (1350) qui, avec le sens d'«accabler par excès d'autorité», concurrence *opprimer.* ◇ Cependant, l'acception figurée de «tourmenter» (1485) lui est plutôt réservée, de même que le sens physique de «gêner la respiration» (1690). ➜ En sont dérivés **OPPRESSEMENT** n. m., nom rare spécialisé pour désigner le sentiment de gêne respiratoire, et **OPPRESSIF, IVE** adj. (1365, *servitude oppressive*). ➜ Ce dernier est moins utilisé que le participe présent adjectivé de *oppresser*, **OPPRESSANT, ANTE** adj. (1800) «qui pèse, crée une sensation d'accablement» (1887, *chaleur oppressante*). ◇ Le moyen français connaissait *oppressant* n. m. (1470) pour désigner celui qui assiège, opprime, mais il avait disparu depuis longtemps quand l'adjectif a été formé.

OPPROBRE n. f. est emprunté (v. 1120) au latin *opprobrium* «honte, déshonneur, outrage», en particulier «injure, parole outrageante». Ce mot est dérivé de *probrum* «reproche (fait à qqn)» et «acte digne de reproche, faute contre l'honneur», souvent synonyme de *stuprum* (→ stupre). Il s'agit du neutre substantivé de l'adjectif *prober, probra, probrum* «digne de reproche» et «reproché», qui représente probablement un composé °*pro-bher-os,* proprement «mis en avant contre qqn», avec *pro* (→ pro-, pour), et un second élément appartenant à la racine de *ferre* «porter» (→ -fère).

♦ *Opprobre* est un mot d'usage littéraire qui désigne le blâme, le déshonneur public, l'outrage, par exemple dans ***être l'opprobre de*** (1496). ◇ Il est employé par métonymie pour désigner un état d'abjection, de déchéance extrême (1737).

OPTER v. intr. est emprunté (1411) au latin *optare* «choisir» (sens ancien repris par la poésie impériale) et couramment «choisir dans son esprit, souhaiter». Ce mot, peu représenté dans les langues romanes, est le fréquentatif d'un verbe °*opiare* «choisir», lui-même non attesté mais dont une trace paraît subsister dans une glose. Des rapprochements hypothétiques et isolés ont été proposés avec le hittite *epmi* «je saisis» et le slave (tchèque *japati* «observé»), mais aucune famille indoeuropéenne ne s'en dégage.

♦ *Opter* exprime l'idée de «choisir entre plusieurs choses ou personnes»; le sens de «souhaiter» (1552) n'a pas vécu au-delà de 1611.

▸ **OPTION** n. f., plus courant, est emprunté (1200) au latin *optio, -onis,* substantif verbal de °*opiare,* signifiant «faculté ou liberté de choisir, libre choix», employé concrètement dans la langue militaire au sens d'«adjudant choisi par le centurion» (pour ce phénomène de passage de l'abstrait au concret, cf. par exemple *vigile*). ◇ Le mot français a d'abord eu le sens, hérité du latin tardif, de «sous-officier», encore vivant au XVIe siècle. ◇ Le sens moderne de «décision, choix» est attesté depuis 1350, et le sens actif «action d'opter» un peu plus tard (1411). *Option* est spécialement employé dans la langue juridique dans l'expression ***droit d'option*** (1765) «faculté de choisir entre plusieurs objets qui a été réservée par contrat» et plus particulièrement «faculté de choisir entre l'exécution et l'annulation du marché au jour de la liquidation» (1868). ◇ Au XXe s., le mot est devenu un terme d'économie, désignant une promesse de vente qui n'a pas valeur d'obligation (1918) et une commande conditionnelle devant être confirmée dans un certain délai. Enfin, il désigne l'amélioration qui peut être apportée à un modèle de série moyennant un supplément (1969). ➜ D'après l'anglais *optional* (1765), on en a dérivé **OPTIONNEL, ELLE** adj. (1960) «qui fait l'objet d'un choix» et, en commerce, «qui peut être obtenu contre un supplément» (1963). ➜ **OPTATIF, IVE** n. et adj. est un emprunt (1374) au bas latin *optativus* «qui exprime un souhait», dérivé de *optare* et substantivé en grammaire pour désigner le mode qui exprime le souhait. ◇ Le mot français a d'abord été employé comme nom avec le sens général de «souhait» et comme adjectif pour «qui exprime le souhait» (v. 1450). ◇ L'usage moderne l'utilise comme terme de grammaire pour désigner dans certaines langues (grec, sanskrit) le mode du souhait (1548). ➜ Sur le même radical a été formé **OPTATION** n. f. (1838), terme de rhétorique qui désigne la figure exprimant un souhait favorable sous une forme exclamative.

◈ voir ADOPTER, COOPTATION.

OPTICIEN → OPTIQUE

OPTIMAL → OPTIMUM

OPTIMISME n. m. est dérivé savamment avec le suffixe *-isme* (1737) de l'adjectif latin *optimus* «le meilleur» (→ optimum), superlatif de *bonus* (→ bon).

♦ C'est d'abord un terme du langage philosophique qui s'applique au système de Leibniz selon lequel tout ce qui existe manifeste le plus grand bien possible (critiqué par Voltaire dans *Candide ou l'Optimisme,* 1758). Le mot s'est ensuite étendu aux doctrines les plus diverses pour lesquelles le mal n'a pas d'existence réelle. ◇ Vers la fin du XVIIIe s., il passe dans l'usage courant pour désigner l'attitude qui consiste à voir le bon côté des choses (1788) et, dans une circonstance particulière, la confiance en l'issue heureuse d'une situation embarrassante. Dans tous ses emplois, il s'oppose à *pessimisme.*

▸ **OPTIMISTE** n. et adj., formé sur *optimisme* par changement de suffixe (1752), connaît la même évolution que ce dernier, du langage philosophique à l'usage commun (1788).

OPTIMUM adj. et n. m., une première fois en 1771, réattesté seulement en 1913, est le neutre de l'adjectif latin *optimus* «le meilleur», à rattacher au groupe de *ops, opis* «abondance, ressource» (→ opulent) et fournissant le superlatif de *bonus.*

♦ Le mot est employé comme nom (spécialement en démographie) et comme adjectif avec l'idée de l'«état le plus favorable dans des conditions données».

▸ Afin d'éviter les hésitations dans l'emploi de l'adjectif au féminin entre *optimum* et *optima,* et au pluriel entre *optimums* et *optima,* on emploie de préférence **OPTIMAL, ALE, AUX** «le meilleur possible». Ce dernier est dérivé (1906) de *optimum* d'après *maximal, minimal.* ➜ **OPTIMISER** v. tr. (1906) est emprunté à l'anglais *to optimize* (1844) «se comporter en optimiste» et «faire qqch. de manière optimale» (1857), lui-même dérivé de *optimus* d'après *optimism.* ◇ En français, le mot, attesté une première fois à la forme pronominale au sens de «devenir meilleur» (Léautaud), et alors probablement dérivé savant du latin, Léautaud étant très hostile à ce type d'anglicisme, a été repris (1959) au sens de «rendre (un programme) optimum» en technique, et notamment en informatique. ◇ Le nom correspondant, **OPTIMISATION** n. f. (1960) a été créé sur le modèle de l'anglais *optimization.* ◇ **OPTIMISEUR** n. m. a suivi (v. 1970). ◇ Ces anglicismes entrent en concurrence avec la série des dérivés propres de *optimal :* **OPTIMALISER** v. tr. (1966), **OPTIMALISATION** n. f. (v. 1966). ◆ L'adverbe latin **OPTIME** (1673) «très bien», superlatif de *bene,* s'est employé plaisamment aux XVIIe et XVIIIe siècles.

OPTION → OPTER

① OPTIQUE

① **OPTIQUE** adj. et n. f. est emprunté comme adjectif (1314, *nerfs optiques*) au grec *optikos* «qui concerne la vue», dérivé du radical verbal *op-* (dans des formes de *horan* «voir»), à rattacher à la racine indoeuropéenne °*ok*$^{w-}$ «œil» et «voir» (→ ophtalmo- ; œil).

♦ Le mot, employé en anatomie, signifie «relatif à l'œil» puis «relatif à la vision» (1749, *verres optiques*) comme dans *angle, cône, pinceau optique* (1868). ◇ Il concerne également ce qui a trait aux phénomènes lumineux (1557), en particulier dans *illusion* optique.* ◆ Quant au nom féminin ② **OPTIQUE,** il est emprunté au grec *ê optikê* (sous-entendu *tekhnê*) «art de voir, science de la vision», transcrit en latin par *optice, optices* (Vitruve). ◇ Ce nom désigne la science qui étudie la propagation du rayonnement lumineux (*optique géométrique,* 1886). Par métonymie, *une optique* désigne un traité sur l'optique (1721) et *l'optique* se rapporte à la fabrication, l'industrie des appareils d'optique (XXe s.). ◇ Aux XVIIIe et XIXe s., le mot servait à désigner une boîte dans laquelle on regardait à travers une lentille grossissante des estampes enluminées redressées par un miroir incliné. Au XIXe s., *une optique* correspond concrètement à la partie faite de verres optiques, lentilles, etc. dans un appareil, par opposition à la monture, au boîtier. Le nom s'applique particulièrement aux appareils grossissants, puis (2e moitié XIXe s.) à la photographie, (XXe s.) au cinéma, à la vidéo. ◇ Il se dit également de l'ensemble des conditions de la vision dans un cas particulier, notamment dans *optique du théâtre* (1746) et ***illusion* d'optique***. ◆ Dans l'usage courant, *optique* a aussi le sens figuré de «manière d'envisager les choses, point de vue» (1836).

▸ L'adverbe **OPTIQUEMENT** (1843), formé sur l'adjectif, se rapporte aux sens du nom et signifie «du point de vue de l'optique». ◇ **OPTICIEN, IENNE** n. s'est d'abord appliqué (1640) au physicien spécialiste de l'optique, puis (attesté 1765) à la personne qui fabrique et vend des instruments d'optique, notamment des lunettes. Le féminin est attesté en 1854. ◆ L'élément **OPTO-**, tiré du grec *optos* «visible» ou représentant *optique* n. et adj., entre dans la formation de noms savants exprimant une relation avec l'œil ou avec la vision, ainsi qu'un processus optique. ◆ On peut notamment citer **OPTOMÉTRIE** n. f. (1874), **OPTOMÈTRE** n. m. (1855), **OPTOMÉTRIQUE** adj. et n. f. (1874) et **OPTOMÉTRISTE** n. (1955) se rapportant à la mesure de l'acuité visuelle.

PANOPTIQUE adj. reprend (1802) l'anglais *panopticon,* formé par J. Bentham pour désigner un établissement carcéral aménagé de telle sorte que le surveillant puisse voir chaque détenu dans sa cellule, sans être vu lui-même.

OPULENT, ENTE

OPULENT, ENTE adj. est emprunté (1355) au latin *opulentus* ou *opulens, -entis* «qui a beaucoup de moyens, de ressources», «riche, somptueux» et «abondant», dérivé de *ops, opis* «richesses, ressources, forces», survivance d'un ancien nom radical apparenté à *opus* (→ œuvre).

♦ *Opulent* signifie «qui possède, déploie une grande richesse» et par analogie «qui indique un état de richesse» (1560). Il est employé également au sens d'«abondant, fourni» (1565, à propos des moissons) et décrit concrètement des formes amples et généreuses (1852, Gautier, *hanche opulente*).

▸ **OPULENCE** n. f. est emprunté (1464) au latin *opulentia* «richesse, magnificence», de *opulens.* Il exprime une idée de grande richesse matérielle et d'ampleur (1874), en particulier en parlant des formes du corps.

◈ voir COPIE, COPIEUX, ① OFFICE, OPIME, OPTIMISTE, OPTIMUM.

OPUS

OPUS n. m. (abrév. *op.*) est un emprunt au latin *opus,* dont le pluriel *opera* (→ opéra) a donné *œuvre*.*

♦ Comme indication du numéro d'œuvre musicale d'un compositeur, il est employé à partir du XVIe s. en Italie, du XVIIe s. en Allemagne. Les attestations dans la langue française sont très tardives (1882 in T.L.F.). *Opus* est aussi substantivé (XXe s.) pour «œuvre» *(numéro d'opus).* ◇ Des syntagmes latins avec *opus* s'emploient en architecture *(opus incertum, reticulatum).* Cet usage n'est attesté en français qu'au milieu du XIXe s. (selon T.L.F.).

OPUSCULE

OPUSCULE n. m. est emprunté (1488) au latin *opusculum,* diminutif de *opus* (→ œuvre, opus) qui désigne spécialement un petit travail, un petit ouvrage littéraire.

♦ Le mot garde le sens latin, mais il semble qu'il ne soit plus perçu comme un diminutif, étant donné la fréquence des pléonasmes tel *un petit opuscule.*

① OR, ORE, ORES

① **OR, ORE, ORES** adv. et conj. de coordination est issu (av. 950) du latin tardif *ha hora,* altération de *hac hora* sous l'influence probable de *illa hora* (IIIe s.), proprement «à cette (*hac,* ablatif de *haec* "cette") heure *(hora)*» [→ heure].

♦ Le mot s'est d'abord écrit *ore :* la forme actuelle *or* (1080) s'explique par le caractère accessoire du mot. Quant à la forme ancienne archaïsante *ores* (1176), elle présente l'*s* dit «adverbial». ◆ *Or* est d'abord employé comme adverbe au sens temporel de «maintenant, à cette heure, présentement», sens courant jusqu'au XVIIe s., époque où, critiqué par Malherbe, il commence à décliner. Il en va de même de la répétition *or... or* «tantôt... tantôt» (1155). ◇ L'usage ancien utilisait *or* abondamment en emploi interjectif dans une proposition exclamative (depuis 1080), notamment dans la locution *or du* devant un infinitif substantivé (1135), avec le sens de «maintenant, il s'agit de». ◇ *Or* était également employé dans une phrase interrogative (1080) avec une proposition exprimant une instance pressante, renforçant l'effet de la question (1176-1181) à la manière de *donc.* ◇ Associé à *que,* il fournissait la locution conjonctive *or que...* (1150) au sens temporel de «maintenant que», quelquefois avec la valeur oppositionnelle de «tandis que» (apr. 1250) et le sens concessif de «même si» (1546). ◇ Enfin, il a formé des locutions adverbiales, certaines sorties de l'usage à la fin du XVIIe s. comme *or tost! [tôt]* (1165), *or sus!* (v. 1225); *or cà!* (1174-1187) se maintenant plus longtemps. ◇ La locution ***d'ores et déjà*** (1615) «dès maintenant», annoncée par *d'ores a ja* (XIVe s.) et probablement d'origine juridique, s'est bien maintenue : elle est abondamment répandue dans la langue actuelle du journalisme et de la radio (abusivement, selon les grammairiens). ➜ L'usage moderne de *or* conjonction s'est dégagé de *or* pris comme adverbe de l'articulation du discours, marquant un point important dans l'enchaînement de la pensée, le passage d'une phrase à l'autre (succession logique) : *or* a d'abord le sens d'«alors, donc» (1176-1181), «assurément, comme chacun sait» (1210), «à la vérité, en réalité» (1210). Au XVIe s., il commence à être employé pour introduire un nouvel élément dans le récit, dans la suite d'un raisonnement (1580). Il est quelquefois associé à *donc* (1611, *or donques* «ainsi donc»).

◈ voir DÉSORMAIS (à DÈS), DORÉNAVANT, ENCORE, LORS.

② **OR** n. m. est issu (v. 880) du latin *aurum* «métal précieux de couleur jaune», en particulier «objet, monnaie de ce métal, or monnayé» et au figuré «richesse». Le *r* de *aurum* est issu d'un *s,* si l'on tient compte du sabin *ausom,* du vieux prussien *ausis* et du lituanien *áuksas.* Il y avait en indoeuropéen une autre façon de désigner l'or par des formations issues d'une racine °*ghel-* signifiant «jaune» (→ chlore) : c'est le cas du sanskrit, du gotique *gulp,* auquel correspond l'anglais *gold.*

♦ Le mot est employé dès les premières attestations avec le sens propre de «métal précieux de couleur jaune» et le sens figuré de «moyens matériels, richesse». Il entre ainsi de bonne heure dans la locution ***pour tout l'or du monde*** (1155; dès 1080, *pur tut l'or*). Par suite, il sert à former ***valoir son pesant d'or*** (XIIIe s.), ***c'est de l'or en barre*** «une valeur sûre» (1650), ***faire un pont d'or à qqn*** «le payer très cher» (1660), ***rouler sur l'or, nager dans l'or*** «être très riche» (1798), ***couvrir d'or*** (1835). ◇ Cependant, dès les premiers textes, l'accent est mis, dans un contexte religieux, sur le caractère vain et périssable de cette richesse (fin Xe s., écrit *aur* et par allusion biblique à *Pierre,* I, 18-19). ◇ Parallèlement, dès le XIIIe s., de très nombreux emplois expriment l'idée métaphorique de la vraie richesse opposée à la fausse, à commencer par le proverbe ***tout ce qui brille n'est pas d'or*** (1200, sous une autre forme) puis aussi ***le silence est d'or.*** En ce sens, le mot caractérise en particulier le style d'un écrivain (1559; 1583-1584, dans une expression qui annonce ***parler d'or***). Son emploi pour qualifier une chose heureuse a suscité les expressions ***âge d'or*** et ***siècle d'or.*** ➜ À partir du XIe s., *or* désigne concrètement le métal jaune dans divers emplois métonymiques : il se dit de pièces d'or (1050), souvent en association avec *argent,* de bijoux, souvent en association avec *gemmes* (1050). Le ***veau d'or*** (1174-1176) est une allusion biblique à une statue en or. ◇ Dès le moyen âge, *or* entre dans plusieurs syntagmes qualifiés, surtout d'usage commercial, pour désigner des alliages d'or utilisés en orfèvrerie. Les plus anciens sont *or moulu* (v. 1160) et *or battu* (1170), suivis par *or blanc* (1562), *or trait* (tiré), et *or bruni* (1690), ultérieurement *or vert* (1888), *or rouge, or gris* et *or anglais* (1874). ➜ Le mot entre aussi dans des syntagmes désignant des composés et des solutions de l'or, dont l'ancien *or potable* (1563), nom d'un élixir à base d'huile volatile versée dans une solution de chlorure d'or, considéré comme un cordial efficace. L'emploi du mot en peinture pour désigner un pigment est attesté depuis 1260.

Or renvoie à la couleur jaune de l'or (1273) en héraldique, puis poétiquement, dans des locutions : ***l'or de, d'or*** (1578, en parlant des cheveux). ➜ Plusieurs syntagmes récents utilisent le mot pour désigner par métaphore une matière précieuse tel ***or noir*** «pétrole», *or blanc* «neige» (v. 1970) et *or vert* «ressources procurées par l'agriculture».

◈ voir AURÉOLE, AURI-, DAURADE, DORER, LORIOT, ORFÈVRE, ORFROI, ORIFLAMME, ORIPEAU.

ORACLE n. m. est emprunté (1165) au latin *oraculum,* dérivé de *orare* «parler, plaider» et «prier» (→ adorer), dont le sens premier, selon Benveniste, serait celui de «lieu où l'on fait requête au dieu». Par suite, à l'imitation du grec *khrêstêrion* qui a ce double sens, *oraculum* désigne aussi la réponse de la divinité consultée. En latin chrétien, il est employé comme synonyme de *oratorium* (→ oratoire), désignant la chapelle, le monastère et, plus généralement, l'église. Il désigne également le diplôme royal, la partie intérieure du sanctuaire où se trouvait l'arche d'alliance et où l'on venait consulter.

♦ *Oracle* a le sens de «lieu où la divinité donnait ses réponses» dans un contexte antique et, ultérieurement, dans un contexte chrétien, celui de «chapelle, oratoire» (déb. XIVe s.), propre au moyen français. ◇ Il désigne aussi en ancien et moyen français la parole divine, celle de Dieu et des prophètes (v. 1278) et, selon les croyances des Anciens, la réponse donnée par une divinité à ceux qui la consultaient (1530). ◇ Par extension, il s'applique à toute parole proférée avec autorité (1546) et à la personne qui fait autorité dans un domaine (1549, Du Bellay). ◇ Il désigne aussi, dans un contexte antique, la divinité ou son interprète (1552, Ronsard), notamment dans la locution comparative ***parler comme un oracle*** (1668), relativement usuelle avec une intention ironique.

▶ **ORACULAIRE** adj. (1596), «qui procède d'un oracle», est emprunté au dérivé latin *oracularius* «qui émet des oracles». ◇ En français, si l'on fait exception de deux attestations, en 1596 et en 1611, le mot ne s'emploie guère avant le XIXe s. (1832, Balzac, *Louis Lambert*). ➜ Son synonyme rare, **ORACULEUX, EUSE** adj., est formé (1580) sur le radical du latin *oraculum* d'après le modèle des adjectifs latins en *-osus* (*-eux* en français).

◈ voir **ORAISON, ORANT, ORATEUR,** ① et ② **ORATOIRE.**

ORAGE n. m. est dérivé (v. 1112), avec le suffixe collectif *-age* que l'on retrouve dans *feuillage, ramage,* de l'ancien français *ore* «vent» (de 1165 au XIVe s.), à côté de *aure,* issu du latin *aura* «souffle, brise» (→ aura). Ce mot est attesté indirectement en 1050 par son dérivé *orez,* employé jusqu'au XIVe siècle. L'ancien provençal a *aura* «vent, souffle» (XIIIe s.), prolongé par le provençal *auro, oro* de même sens.

♦ *Orage* a d'abord désigné un vent favorable, sens sorti de l'usage dès le XIIIe siècle. ➜ Dès 1140, par renversement en «vent défavorable», il prend son sens moderne de «tempête, forte pluie» et exprime (1197) l'idée figurée de «malheur», dans ***un (l')orage de*** (1552, Ronsard). ◇ Les connotations de violence, malheur, tourmente... ont fait de *orage* un des mots clés du romantisme (avec le *levez-vous, orages désirés...* de Chateaubriand). ◇ Par extension, on parle d'*orage magnétique* (attesté 1869).

▸ Son dérivé **ORAGEUX, EUSE** adj. a, dès les premières attestations (1200), le sens figuré de «disposé à s'emporter, en parlant de qqn», puis également le sens propre correspondant à *orage* (1564, *temps orageux*). ◇ Le mot est rare avant le XVIIIe s.; depuis, il est usuel au concret *(temps orageux)* comme au figuré *(une explication orageuse)*. ➜ En dérivé **ORAGEUSEMENT** adv. (1868).

ORAISON n. f. est emprunté avec francisation de la finale (1050) au latin *oratio, -onis* «langage», spécialement «langage préparé, éloquence, style», par opposition à *sermo, -onis* qui désigne le langage sans art (→ sermon). Par suite, le mot désigne le discours, le plaidoyer, puis la prose et, en latin chrétien, la prière (déb. IIIe s.). Il est formé sur *oratum,* supin de *orare,* terme de la langue religieuse et juridique qui signifie «adresser une prière» *(orare deos)* et «plaider une cause» (absolument ou avec un complément), se rapprochant par là de *rogare* (→ rogaton). C'est le sens de «prier», le plus fréquent, spécialement en latin ecclésiastique (déb. IIIe s.), qui s'est maintenu dans les langues romanes. *Orare* était considéré par les Latins comme le dérivé de *os, oris* «bouche» (→ oral, orée) mais il s'agit probablement d'une étymologie populaire, bien que *os* désigne la bouche en tant qu'organe de la parole. *Orare* semble plutôt appartenir au groupe des mots qui désignent le fait de prononcer des paroles de caractère solennel (cf. *dire*) et il peut être apparenté à l'arménien *uranam* «je nie», au grec *areisthai* «nier», au hittite *ariya-* «interroger l'oracle» (→ adorer).

♦ Le mot est passé en français avec le sens religieux de «prière», d'où spécialement «courte prière» (1690). ◇ Dès le début du XIIIe s. (1210, *orison*), il est également employé en grammaire et en rhétorique : il désigne anciennement l'assemblage des mots dont est composé le discours et entre dans l'expression *partie d'oraison* «partie du discours», usuelle dans la langue classique. ◇ De là, il prend le sens de «discours, propos, style» (fin XIVe s.), plus spécialement «discours prononcé par un orateur» (1511). ◇ De nos jours, il a uniquement gardé ce sens dans ***oraison funèbre*** (1569), son emploi le plus fréquent.

◈ voir **ADORER, ORACLE, ORANT, ORATEUR,** ① et ② **ORATOIRE, ORATORIO, PÉRORER.**

ORAL, ALE, AUX adj. et n. m. est dérivé savamment au moyen du suffixe *-al* (1610) du latin *os, oris* «bouche», spécialement «bouche en tant qu'organe de la parole», mot supplanté par *bucca* (→ bouche) et dont le représentant le plus direct est *orée**.

♦ *Oral* signifie «qui se fait par la bouche», d'abord en parlant de la manducation, sens développé par l'anatomie au XIXe s. et repris par la psychanalyse (XXe s.) dans la description du développement de la sexualité infantile (le stade *oral* précédant le stade anal). ◇ *Oral* signifie également «qui se transmet par la bouche, par la parole» (1674, *loi orale*). ◇ C'est dans ce sens, en contexte scolaire, qu'il est substantivé au masculin, *un oral, l'oral et l'écrit* (1868), par ellipse de *examen oral.* ◇ Il est employé en phonétique (1765) en parlant d'un phonème, en opposition à *nasal.* ➜ Depuis 1805 (Cuvier), *oral* est employé spécialement en biologie, au sens concret de «qui appartient à la bouche»; cf. *buccal.*

▸ On en a tiré **ORALEMENT** adv. (1829) et **ORALITÉ** n. f., proposé en 1845 par Richard de Radonvilliers dans l'expression *oralité de la confession* et employé (XXe s.) avec le sens didactique de «caractère oral», spécialement en psychanalyse et en psychiatrie. ➜ On rencontre **ORALISATION** n. f. (XXe s.) avec le sens d'«expression orale, transposition orale». ➜ *Oral* entre en composition dans **AUDIO-ORAL, ALE, AUX** adj. (v. 1950), formé d'après *audiovisuel.*

-ORAMA, élément tiré du grec *horama,* entre dans la composition de mots didactiques (au moins à l'origine). Le succès de *panorama* a entraîné l'apparition du pseudo-suffixe **-RAMA**, dont Balzac fut le témoin privilégié, peu après 1830. → panorama.

ORANGE n. f. est issu par ellipse (1393, *orenge*) de l'ancienne appellation *pomme d'orenge* (1314), antérieurement notée *pume orenge* dans un manuscrit anglo-normand (1200). Ces expressions, qui désignent l'orange amère, la bigarade, calquent l'ancien italien *melarancio, -a* (XIVe s., Boccace), formé de *mela* «pomme» et *arancio* «oranger», «orange», lui-même emprunté avec déglutination au persan *nāranǧ* par l'intermédiaire de l'arabe. La disparition du *n* initial, pris pour le *n* de l'article indéfini, a aussi eu lieu dans le provençal *auranja,* mais non dans l'espagnol *naranja.* Le *o* du français est probablement dû à l'influence du nom de ville *Orange* (ancien français *Orenge*) et son *a* central à celle de l'italien *arancia :* la forme *orange* est en effet notée pour la première fois dans une traduction de l'italien, en 1515.

♦ En ancien français, le mot désignait l'orange amère, transmise par les Perses aux Arabes qui l'importèrent en Sicile d'où elle passa au reste de l'Europe méditerranéenne. L'orange douce, apportée de Chine par les Portugais au cours du XVIe s., a évincé la variété amère en héritant de son nom (1515). Furetière note encore la graphie *orenge* et précise que les variétés d'orange douce étaient appelées *orenge de Portugal,* en arabe vulgaire *bordogal,* transcription du nom de ce pays, ou *orenge de Chine* (cf. l'allemand *Apfelsine* «pomme de Chine») pour être distinguées des variétés amères. ➛ L'usage de *orange* comme adjectif de couleur est attesté depuis 1553. ➛ Au XVIIe s., le mot servait aussi à désigner l'arbre.

► Le dérivé **ORANGER** n. m. (1388, *orengier*) désigne l'oranger doux (sauf quand il est qualifié par l'adjectif *amer*); il entre dans les syntagmes *fleurs d'orangers* (1552), *couronne de fleurs d'oranger* (1826), symbole de la pureté virginale, à la mode au XIXe s. comme emblème des jeunes mariées, et *eau de fleurs d'oranger* (1796). ◇ Anciennement, on appelait le marchand d'oranges *marchand oranger* (1694), elliptiquement *oranger* (1805), et la marchande *orangère* (1713). ➛ *Oranger* est lui-même à l'origine de **ORANGERIE** n. f. (1605) «lieu fermé où l'on place les orangers pendant l'hiver» et «partie du jardin où sont placés les orangers pendant la belle saison» (dans Furetière, 1690). ◇ Il a aussi désigné la plantation d'orangers avant de céder ce sens à **ORANGERAIE** n. f. (XXe s.), *orangerie* ne désignant plus que le local où l'on pratique la culture des oranges, le plus souvent en caisses.

Orange a aussi donné **ORANGÉ, ÉE** adj., adjectif de couleur (XVe s.) substantivé depuis 1571, qui a donné le verbe **ORANGER** v. tr. (1845) et quelques termes culinaires. ➛ **ORANGEAT** n. m. (fin XIVe s.) désigne une confiture sèche à l'écorce d'orange et une dragée à l'écorce d'orange (1771). ➛ **ORANGEADE** n. f., qui se ressent probablement de l'influence de l'italien *aranciata* (cf. *limonade*), a désigné une confiture à l'écorce d'orange (1642) avant de prendre son sens moderne de «boisson aux oranges» (1680). ➛ **ORANGETTE** n. f., «petite orange que l'on cueille pour la confire au vinaigre» (1821), désigne aujourd'hui, en confiserie, une écorce d'orange entourée de chocolat. ➛ **ORANGINE** n. f. est d'abord noté par Littré comme le nom d'une sorte de coloquinte (1866), puis avec son sens moderne de «pâtisserie à l'orange».

◈ voir ORONGE.

ORANG-OUTANG n. m. est emprunté (1758, *oranoutang*) au malais *orang hūtan,* composé de *orang* «homme» et de *hūtan* «forêt, bois, jungle». Ce mot désigne des races indigènes, et il a été appliqué par erreur au singe par les Européens. Au XVIIe s., il est d'abord attesté dans des ouvrages latins (av. 1631, *orang outang* comme mot de Java), puis dans des ouvrages français comme mot étranger (1680, donné comme indien).

♦ Le mot, dénomination d'un grand singe anthropoïde originaire d'Asie, s'est répandu en français au XVIIIe s., quelquefois écrit *orang-outan.*

ORANT, ANTE n. est le participe présent adjectivé (1848, *anges orants,* Chateaubriand), puis substantivé, de l'ancien verbe *orer* «prier, se recueillir» (v. 881), emprunté au latin *orare* «prier, solliciter» (→ adorer, oraison, orateur, oratoire, oratorio).

♦ À la différence de *orer,* totalement sorti d'usage (sauf archaïsme stylistique d'un Huysmans par exemple), *orant* est employé en archéologie et en art pour une figure symbolique, sculptée ou peinte, représentée dans l'attitude de la prière. ◇ Le sens de «personne en prière» est relevé exceptionnellement dans un style littéraire (1903, Huysmans).

ORATEUR, TRICE n. est emprunté (1355) au latin *orator, -oris* «ambassadeur chargé d'un message oral» (sens ancien), puis «personne que sa fonction conduit à prononcer des discours en public», et chez les auteurs chrétiens, «celui qui prie pour le salut de l'autre» et «pèlerin». C'est un dérivé de *oratum,* supin de *orare* «parler» et «prier» (→ adorer, oraison).

♦ Le mot a longtemps désigné la personne qui présente une requête (jusqu'en 1611), spécialement, dans une acception religieuse, «celui qui prie, le suppliant». Depuis le XIVe s., il se dit d'une personne éloquente. ◇ Au XVIe s., il s'est employé avec un sens très voisin de celui d'«écrivain», désignant le prosateur par opposition à *poète,* auquel il est souvent associé chez les écrivains de la Pléiade. ➛ Le sens moderne de «personne rompue à la rhétorique, qui la met en pratique», particulièrement «personne qui harangue en public», s'est répandu au XVIIe s., en référence aux modèles des orateurs grecs (Démosthène) et romains (Cicéron). On a appelé *orateur* (1680), puis *orateur de la troupe* (1868), l'acteur chargé d'annoncer le spectacle et de haranguer la troupe. Couramment, *orateur* désigne une personne amenée occasionnellement à prononcer un discours (XIXe s.). Le féminin *oratrice* (1582) est peu usité.

① **ORATOIRE** n. m. est emprunté (1174-1176) au latin chrétien *oratorium* «lieu consacré à la prière» d'où «chapelle», «église non pourvue des pleins droits paroissiaux» et aussi «basilique», «église paroissiale», et «abbatiale». C'est un dérivé du supin de *orare* pris au sens de «prier» (→ adorer, orant).

♦ Le mot, d'abord sous la forme *oratur,* puis *oratoire* (1200), désigne un local réservé à la prière, une petite chapelle et, ultérieurement, un lieu où l'on peut se recueillir (1761). ◇ On a donné ce nom à une congrégation religieuse fondée par Pierre de Bérulle en France (1611, *l'Oratoire*) sur le modèle de la congrégation religieuse fondée en Italie par Philippe Neri en 1548 sous le nom de *Oratorio.* ◇ L'ancienne forme héritée *oreor* issue du latin (de même que l'ancien provençal *orador,* limousin *oradour*) a été évincée par *chapelle,* mais subsiste dans de nombreux toponymes.

► Le membre de la congrégation de l'Oratoire porte le nom d'**ORATORIEN** n. m. (1721).

② **ORATOIRE** adj. est emprunté (déb. XVIe s.) au latin *oratorius* «propre à l'art, au talent de l'orateur», dérivé comme *oratorium* de *orator, -oris* (→ orateur).

♦ En français où il est d'abord attesté dans ***art oratoire*** «éloquence», le mot signifie à la fois «propre à l'art, au talent de l'orateur» et «propre au genre littéraire auquel appartient le discours» (1680). Il entre dans l'expression ***précautions oratoires*** «préambule destiné à amadouer un auditoire en apaisant sa susceptibilité» (1798). ◇ Par extension, il qualifie des textes écrits ayant l'apparence de discours (1690) et, quelquefois, une personne qui s'exprime comme un orateur (XXe s.).

► Son dérivé **ORATOIREMENT** adv. (1565) est très rare.

ORATORIO n. m. est l'emprunt (1739-1740, De Brosses) du mot italien *oratorio* (1640), correspondant de ① *oratoire** employé par métonymie pour désigner un genre musical né dans les «oratoires» (en italien *oratorio*) de San Girolamo della Carità et de Santa Maria in Valicella, fondés par saint Philippe Neri.

♦ Le mot a été quelquefois francisé en *oratoire* (1743), mais la forme italienne a prévalu, désignant un drame lyrique sur un sujet sacré, destiné à être exécuté dans une solennité religieuse ou dans un concert.

① **ORBE** n. m. est emprunté (1225) au latin *orbis* «cercle creux ou plat» opposé à *globus* (→ globe), spécialement employé en astronomie où il désigne le cercle du zodiaque, et dans les expressions *orbis terrae* «le disque de la terre», et *orbis lacteus* «la voie lactée». Il est employé dans le langage militaire dans l'expression *orbem facere* «former le cercle» et se dit aussi du disque, de la roue, de l'orbite d'un astre et du poisson-lune. C'est un mot d'origine obscure et le rapprochement avec le grec *erephein* «couvrir», *orophê* «toit» n'est satisfaisant ni pour le sens ni pour la forme.

♦ *Orbe* est un ancien terme d'astronomie désignant le globe, l'espace dans lequel se meuvent les corps terrestres et, par métonymie, l'orbite (1273). ◇ Il est encore employé quelquefois dans la langue littéraire avec les sens de «corps circulaire», «courbe fermée» (1671 Pomey), «voûte du ciel», de «ligne, mouvement circulaire» (1804), et, au figuré, de «zone d'influence» (XXe s.).

► Il entre dans la composition de **ORBICOLE** adj. (1858) «qui peut vivre, se trouve sur tous les points du globe», mot didactique et vieilli. ◆ **ORBICULAIRE** adj. et n. m. (v. 1378) est emprunté au bas latin *orbicularis*, lui-même issu du latin *orbiculus*, diminutif d'*orbis*. Le mot qualifie ce qui décrit un cercle (XVe s.), ce qui a la forme d'un cercle. Spécialisé en anatomie (1690), il a désigné (1765) un muscle formant un cercle autour d'un orifice naturel et servant à le fermer par contraction (valeur prise par *sphincter*).

◈ voir ORBITE.

② **ORBE** → ORVET

ORBITE n. f. est emprunté (1314) au latin *orbita* «trace d'une roue» (→ ornière), puis «course, courbe fermée décrite par un corps céleste, révolution», dérivé de *orbis* «cercle» (→ orbe).

♦ Le mot est un terme d'anatomie qui désigne la cavité osseuse contenant l'œil et ses annexes. ◆ Ultérieurement, il est passé (1676) en astronomie, désignant le chemin que décrit une planète par son mouvement propre, et (XXe s.) en astronautique à propos de la courbe fermée décrite par un satellite artificiel, d'où les expressions ***mettre, placer sur orbite, en orbite*** (incorrect), également employées par métaphore et au figuré. ◇ Par analogie, il est employé en physique (1937), en parlant de la trajectoire suivie par l'électron dans une révolution autour du noyau de l'atome.

► Son dérivé le plus ancien est le terme anatomique **ORBITAIRE** adj. (1562, Paré), employé en composition dans **SOUS-ORBITAIRE** adj. (1765) et **SUS-ORBITAIRE** (1805 Cuvier). ◆ D'autres termes d'anatomie et de médecine sont formés avec l'élément **ORBITO-**. ◆ *Orbite* a aussi donné quelques dérivés en physique et en astronomie : **ORBITER** v. intr. (1886) signifie «tourner sur une orbite» et est également employé au figuré (1941); le latin tardif connaissait *orbitare* «s'écarter, diverger». ◇ **ORBITAGE** n. m. (1965) désigne le vol en orbite d'un véhicule spatial, sa durée. ◆ **ORBITAL, ALE, AUX** adj. (1875), terme d'astronomie, s'est répandu avec le lancement des satellites artificiels. Il est également employé en physique (1956) où il est substantivé au féminin (1956), *une orbitale* désignant la fonction d'onde d'un électron définissant son comportement spatial dans la configuration électronique d'un atome. ◇ Il entre dans **SOUS-ORBITAL, ALE, AUX** adj. (v. 1965).

◈ voir EXORBITER, ORNIÈRE.

ORCHESTRE n. m. est un emprunt de la Renaissance (1500) au latin *orchestra*, lui-même emprunté au grec *orkhêstra* désignant la partie du théâtre située entre les acteurs et les spectateurs, et où le chœur faisait ses évolutions. Ce nom est dérivé de *orkhêstêr* «danseur», nom d'agent correspondant au verbe *orkheisthai* «danser (le plus souvent en groupe)», mot d'étymologie obscure dont on rapproche le sanskrit *ṛghāyáti* «trembler, se déchaîner».

♦ Le mot, dont le genre s'est fixé très tard (il est souvent féminin), est d'abord un terme de théâtre antique désignant la partie du théâtre réservée aux évolutions du chœur (1500) et, à Rome, celle qui était réservée aux sénateurs (1520). ◇ Au cours du XVIIe s., *orchestre* a commencé à s'appliquer au théâtre français moderne, désignant la partie contiguë à la scène et un peu en contrebas où se placent les instrumentistes (av. 1679). ◆ À partir de ce sens se sont développées les deux acceptions modernes, l'une relative au théâtre, l'autre en musique. ◇ D'une part, le mot correspond à l'ensemble des places situées au rez-de-chaussée dans une salle de spectacle (1811 ; 1845, dans *une place, un billet d'orchestre*) et, par métonymie, à l'ensemble des spectateurs occupant ces places (1851). D'autre part, vers le milieu du XVIIIe s., *orchestre* se dit de l'ensemble constitué pour exécuter de la musique instrumentale collective (1754) et aussi, au

XIXe s., de l'ensemble d'instrumentistes spécialisé pour l'exécution d'un genre de musique (1836). Il entre alors dans des expressions du type *orchestre militaire* (1843), *orchestre à cordes* (1936), *orchestre de chambre,* etc. Selon les genres de musique, le mot peut désigner des formations très différentes. Employé absolument, sans complément, ou même qualifié, il désigne souvent l'orchestre de musique classique (par exemple dans *chef d'orchestre, l'orchestre baroque, romantique*...) par opposition à *orchestre de variétés, orchestre de jazz,* domaines où l'on emploie *grand orchestre.* ◆ Par métaphore, il se dit d'un ensemble de sons plus ou moins harmonieux et musicaux produit par les insectes, les oiseaux (1796) et, dans un style littéraire, d'un ensemble harmonieux qui charme la vue (1922, Valéry, *Cantique des colonnes*).

▶ Le dérivé **ORCHESTRER** v. tr. (1840) a signifié «composer (un morceau de musique) en combinant les parties instrumentales» et se dit surtout de nos jours pour «adapter pour un orchestre (une composition faite pour un seul instrument)» (1855). ◇ Par analogie, il est employé au sens de «composer (un ensemble non musical)» [1906] et «organiser de façon à donner le maximum de retentissement et d'ampleur» (1938, *campagne de presse orchestrée*). ◆ Il a lui-même produit **ORCHESTRATEUR, TRICE** n. (v. 1950) et **ORCHESTRATION** n. f. (1836). Ce dernier a développé quelques sens figurés à partir de la fin du XIXe s., se disant d'une combinaison harmonieuse et, plus récemment, de l'action entreprise pour une campagne (politique, publicitaire, etc.) [v. 1965]. ◆ Par préfixation, on a formé **RÉORCHESTRER** v. tr. (1850) et **RÉORCHESTRATION** n. f. (XXe s.). ◆ Sur *orchestre* ont été formés **ORCHESTRAL, ALE, AUX** adj. (1845, *œuvres chorales et orchestrales*) et son dérivé **ORCHESTRALEMENT** adv.

Le terme d'antiquités grecques **ORCHESTIQUE** (1721) ou **ORCHESTRIQUE** n. f. (1723) «art de la danse et de la pantomime chez les anciens» est emprunté au grec *orkhêstikê* (sous-entendu *tekhnê*) «art qui concerne la danse». Le mot avait été antérieurement emprunté comme adjectif au sens de «relatif à la danse» (1599), emploi repris en 1752.

ORCHIDÉE n. f. est dérivé savamment (1766) du latin *orchis, -idis,* lui-même emprunté au grec *orkhis,* qui, employé surtout au pluriel, signifie «testicules». Le mot a désigné la plante à cause de la forme de sa racine. Il s'agit du nom indoeuropéen de cette partie de l'anatomie masculine, bien conservé dans diverses langues comme l'irlandais *uirgge* et, avec le sens d'«étalon», le lituanien *eržilas* et le lette *ērzelis.*

♦ Le mot est employé comme terme générique pour une famille de plantes bulbeuses dont l'orchis (ci-dessous) est le type, et en particulier comme nom courant pour désigner diverses espèces (1870) et surtout leur fleur, exotique et coûteuse.

▶ On a formé par dérivation le terme de classification **ORCHIDACÉES** n. f. pl. (1850; d'abord adjectif, 1845). ◆ Le latin *orchis* a lui-même été emprunté tel quel en botanique (1546), *un* **ORCHIS** étant l'équivalent savant de *une orchidée.*

Quelques termes de chirurgie et de médecine comptent **ORCHI-** au sens initial de *orchis* «testicule» comme premier élément; citons en médecine surtout **ORCHITE** n. f. (1823; anciennement en emploi métaphorique «olive de forme sphérique» en 1551), **ORCHIALGIE** n. f. (1858), **ORCHIDECTOMIE** n. f. (XXe s.), etc.

ORD, ORDE → ORDURE

ORDALIE n. f. est emprunté (1693) au latin médiéval *ordalium* (Xe s., dans le domaine anglais) «jugement de Dieu», lui-même emprunté à l'anglo-saxon *ordal* «jugement» (anglais moderne *ordeal*). Il s'agit d'un mot issu d'un germanique °*uzdailjam* «adjuger comme sa part, juger, décider» par spécialisation du sens de «partager, distribuer», formé de la préposition °*uz-* «hors de» et de °*dailjam* «partager», que l'on trouve à l'origine de l'anglais *(to) deal* (→ dealer).

♦ *Ordalie* désigne le jugement de Dieu que l'on pratiquait au moyen âge sous la forme de diverses épreuves, notamment par le feu et par l'eau. L'attitude des autorités ecclésiastiques fut favorable à cette pratique jusqu'à ce que le douzième concile œcuménique, le quatrième du Latran, en 1215, interdise aux clercs toute bénédiction ou consécration à l'occasion de ces jugements. Le discrédit moral entraîna l'interdiction officielle de l'ordalie par Louis IX en France (et par Henri III en Angleterre). ◇ Le mot est également employé par les ethnologues (1936, Lowie), qui décrivent ainsi un phénomène existant dans la plupart des civilisations. ◇ À la différence du mot français, l'anglais *ordeal* se dit couramment, au figuré, d'une épreuve difficile, d'un supplice.

ORDINAIRE adj. et n. m. est emprunté comme nom (1260) au latin impérial *ordinarius* «rangé par ordre» et abstraitement «conforme à la règle, à l'usage», dérivé de *ordo, ordinis* (→ ordre). En latin chrétien, *ordinarius* s'est employé spécialement au sens de «régulier, attaché régulièrement à une église (en parlant d'un religieux)» et dans l'expression *liber ordinarius,* en doublon avec *liber ordinalis* (→ ordinal). Le mot est substantivé aux sens de «chanoine», «personne chargée de la juridiction ecclésiastique du lieu», «moine de semaine chargé du réfectoire» et «juge royal».

♦ En français, *ordenaire,* puis *ordinaire* (1335), désigne d'abord l'autorité ecclésiastique diocésaine ainsi que le livre contenant la messe habituelle (1328; *l'ordinaire de la messe,* 1718). ◆ Au cours du XIVe s., le mot est adjectivé au sens «conforme à l'ordre normal» (1348) et qualifie une personne remplissant régulièrement une fonction (1355, *juge ordinaire*). En ce sens, il était employé pour qualifier divers officiers de la maison du roi et substantivé pour désigner le prélat qui exerçait la juridiction ordinaire (1690). Au XVIIe s., il s'est dit du courrier partant et arrivant à date fixe (1636), servant par métonymie à désigner le jour de l'arrivée du courrier (1671, Sévigné). ◆ Les sens aujourd'hui courants, «employé habituellement» (1555) et «conforme à l'usage habituel» (1580) apparaissent au XVIe siècle. La langue familière en fait un équivalent de «normal, attendu», surtout dans des formules négatives *(c'est pas ordinaire!)*. ◇ Parallèlement, *ordinaire* est substantivé aux sens de «ce que l'on fait habituellement» (XVe-XVIe s.) et «ce qui est normal» (1559). Il semble que les premiers emplois du mot en ces sens soient ceux qui ont trait à la nourriture et aux habitudes alimentaires : dès 1489, *l'ordinaire* s'est dit de l'ensemble des mets constituant l'alimentation; il est aussi employé à propos de la ration quotidienne des chevaux (1690) et des troupes, de la communauté militaire (v. 1766). ➜ Au XVIIe s., l'adjectif a pris le sens de «commun à un grand nombre de gens» (av. 1615); de là se développe le sens qualitatif et péjoratif, «commun, de niveau moyen» (1675, *un homme ordinaire*); cf. *médiocre, moyen*. ◇ En parlant d'une personne, *ordinaire* exprime particulièrement une idée de condition sociale modeste (1864, *des gens ordinaires*). ◇ Avec le sens courant, «habituel», il entre dans plusieurs locutions comme ***à l'ordinaire*** (XVe s.) «habituellement», ***à l'ordinaire de*** (1607), ***comme à son ordinaire*** (1692), ***comme à l'ordinaire*** (1695), ***d'ordinaire*** «habituellement» (1601), très courant; *selon l'ordinaire* (1678) est la seule de ces locutions classiques qui ait vieilli.

▶ L'adjectif a produit **ORDINAIREMENT** adv. (1381), d'abord *ordeinerement* (déb. XIIIe s.) avec le sens ancien de «en ordre», puis avec les valeurs modernes de l'adjectif. ➜ Le pouvoir judiciaire de l'évêque diocésain a reçu le nom d'**ORDINARIAT** n. m. (1874).

◈ voir **EXTRAORDINAIRE.**

ORDINAL, ALE, AUX adj. et n. m. est emprunté (1442-1443) au latin des grammairiens *ordinalis* «qui exprime le rang d'un élément dans son ensemble», dérivé du latin *ordo, -inis* (→ ordre).

♦ Le mot français est attesté une première fois comme nom, au sens ancien de «service ordinaire», puis comme adjectif (1550) pour «qui marque le rang d'ordre (d'une personne, d'une chose) dans une série», en grammaire, en mathématiques et en droit. ➜ Il est employé spécialement comme nom masculin pour désigner le livre des prières et les formules d'ordination de l'Église anglicane (1868) : en ce sens, c'est un emprunt à l'anglais *ordinal*, lui-même pris (XIVe s.) au latin médiéval *(liber) ordinalis* «livre où est mise en ordre la façon de célébrer l'office divin, livre liturgique», par spécialisation du latin *ordinalis*.

ORDINANT → **ORDINATION**

① **ORDINATEUR, TRICE** n., contrairement au sentiment linguistique contemporain, est un mot ancien. Il est emprunté (1491) au latin impérial *ordinator*, formé sur le supin *ordinatum* de *ordinare* (→ ordonner) et qui désigne celui qui règle, qui met en ordre. En latin chrétien, *ordinator* a désigné celui qui procède à une ordination ainsi que le cérémoniaire, le chef supérieur, le régisseur («l'ordonnateur»).

♦ Le mot, d'abord employé pour «celui qui institue (en parlant du Christ)», s'est dit (v. 1600), de celui qui est chargé de régler les affaires publiques. Mot rare, il est encore répertorié en 1823 au sens de «celui qui met en ordre»; on le rencontre même dans les dictionnaires des XIXe et XXe s. au sens liturgique, «celui qui confère un ordre dans une église» (1703).

Cependant, l'usage contemporain a vu l'apparition d'un homonyme ② **ORDINATEUR** dans le domaine de l'informatique (1956) où le mot a été formé d'après le sens initial du latin «mettre en ordre», pour remplacer l'anglicisme *computer*, qui privilégie l'idée de calcul, à la demande de I. B. M.-France en 1954. *Ordinateur*, contre toute attente, l'a emporté sur l'anglicisme *computer* et sur son adaptation *computeur*.

▶ En ce sens, il entre dans les noms composés **MICRO-ORDINATEUR** n. m. (1971), familièrement abrégé en **MICRO** n. m. (1974) et concurrencé par l'anglicisme **PC** *(personal computer)*, et **MINI-ORDINATEUR** n. m. (1974) qui, désignant une machine relativement puissante, se trouve mal nommé. ➜ Avec l'élément *ordino-* de *ordinateur* et *-gramme**, on a formé **ORDINOGRAMME** n. m. (1968), terme d'informatique que l'on recommande de remplacer par *organigramme (de programmation)*.

ORDINATION n. f. est emprunté (v. 1200) au latin impérial *ordinatio, -onis* formé sur *ordinatum*, supin de *ordinare* (→ ordonner). *Ordinatio* «action de disposer, de mettre en ordre» est fréquemment employé par les auteurs chrétiens à propos de l'action de donner le sacrement de l'ordre et de l'installation d'un autel dans l'église (en parlant d'un évêque); il a également les sens dérivés de «mandat, mission», «portion monastique» et «testament».

♦ Le mot est passé en français comme terme de liturgie, désignant l'acte qui confère le sacrement de l'ordre. L'usage courant l'emploie surtout à propos des ordres majeurs, notamment de la prêtrise. ◇ En ancien et moyen français, il a aussi eu le sens plus général d'«ordonnance, règlement» (1281). ◇ Il est quelquefois employé dans le style littéraire avec une idée de «mise en ordre, organisation» (1671; très rare avant le XIXe s.). ➜ D'après *ordinateur*, il est rarement employé en informatique (1962) pour l'ensemble des opérations effectuées par un ordinateur.

▶ La liturgie a emprunté **ORDINAND** n. m. (1642) au latin médiéval *ordinandus* «celui qui aspire à recevoir les ordres» (dans le domaine anglais, v. 1220), emploi substantivé de l'adjectif verbal du verbe *ordinare*. ➜ À la même époque, **ORDINANT** n. m. «ministre de l'ordination sacrée» a été repris (1690) au latin *ordinans*, participe présent de *ordinare*.

✱ **ORDONNER** v. tr., réfection d'après *ordo* de *ordener, ordiner*, est emprunté (1119) au latin *ordinare* dérivé de *ordo, -inis* (→ ordre) : «mettre en ordre», «arranger», «disposer régulièrement» et spécialement «écrire l'histoire de qqn, qqch.». À l'époque impériale, le mot a développé le sens de «mettre de l'ordre dans», d'où «gouverner», «disposer de», «répartir»; puis il s'est employé dans la langue de l'Église au sens de «sacrer (un prêtre)» et dans la langue de la médecine pour «prescrire».

♦ *Ordonner* signifie dès les premiers textes «disposer selon un certain ordre» et «soumettre à une règle (ses actions, sa conduite)» (v. 1225). Il concerne en particulier le fait de régler les différentes phases d'une chose, d'en organiser le déroulement (1580) et ultérieurement de disposer, de classer méthodiquement dans un ordre satisfaisant pour l'esprit (1765). ◆ Comme son étymon latin, il est employé très tôt (v. 1120) avec un sens spécialisé, «établir (qqn) dans un état» et, en contexte religieux, «conférer le sacrement d'un ordre de l'Église», valeur appuyée par *ordination**. ◆ Il reprend également le sens de «commander» (1165), notamment dans les constructions *ordonner que...* (1524-1527), *ordonner de...* (1580). La construction *ordonner de qqch.* (1570-1574), «prendre des dispositions à propos de qqch.», est sortie de l'usage. ◇ Le sens particulier de «prescrire par ordonnance» remonte au XVIe s., d'abord en justice (1538) puis en médecine (1560; 1558 en emploi absolu). ◇ Le sens de «donner l'ordre de payer une somme» (1590), vivant à l'époque classique, ne s'est pas maintenu. ◆ Les deux valeurs principales de *ordre* «arrangement rationnel» et «commandement» se retrouvent dans *ordonner.*

▶ Le participe passé **ORDONNÉ, ÉE** est adjectivé (XIIIe s., *ordené*) avec les divers sens du verbe : il signifie «qui a des qualités d'ordre (d'une personne)», notamment pour qualifier un esprit clair et méthodique par exemple dans la locution ***tête bien ordonnée*** (1798), qui s'oppose à l'ancienne locution *mal ordonné de son cerveau* (apr. 1550). ◇ Il correspond également à l'idée de «soumis à une règle, organisé en fonction de règles données» (1701, *mœurs ordonnées*). ◇ Il qualifie ce qui est bien disposé selon un ordre défini ou fonctionnel, en particulier en mathématiques (1765, *équation ordonnée;* au XXe s., *ensemble ordonné fini*). ◆ Son féminin **ORDONNÉE** n. f. est substantivé (1639) en mathématiques pour la coordonnée verticale servant à définir la position d'un point.

▶ *Ordonner* a produit plusieurs dérivés. ◆ Le premier chronologiquement est **ORDONNANCE** n. f., d'abord *ordenance* (1260) et *ordrenance* (1287), qui exprime initialement l'idée d'une volonté, d'une décision émanant d'un supérieur. Le mot désigne, en droit constitutionnel, un texte législatif émanant directement du pouvoir exécutif et d'abord du roi (XIVe s.), ainsi qu'une prescription faite par ceux qui ont droit et pouvoir de la faire (1260); le contenu technique du terme évolue selon les époques jusqu'à sa valeur actuelle dans les régimes parlementaires. Il entre ainsi dans la locution ***d'ordonnance*** «conforme à ce qui est prescrit, réglementaire», spécialement dans le domaine militaire (1729, *habit d'ordonnance*). ◇ En moyen français, il pénètre dans l'usage de la finance (1462), de la justice en parlant d'une décision prise par un juge (1510; 1804, *ordonnance du tribunal* dans le Code civil). ◇ Un autre emploi concerne les prescriptions médicales (1558); il est usuel, par exemple dans *sur ordonnance.* Ultérieurement, il s'applique à un arrêté du préfet de police (1755). ◆ Dès la fin du XIIIe s., *ordonnance* commence à évoquer la disposition des éléments d'un ensemble en fonction d'un certain ordre (v. 1278). Il se dit de l'ordre dans lequel se déroulent les phases d'une cérémonie et, par métonymie, des êtres ou choses composant une suite (v. 1393). Au XVIe et au XVIIe s., il entre dans l'usage de l'architecture (1548) et de la peinture (1622), où il désigne d'abord l'esquisse d'un tableau, puis la manière d'en disposer les masses (1676), en concurrence avec *ensemble,* ainsi qu'en musique et littérature. ◆ Au XVIIIe s., par métonymie, le nom s'applique aussi à un messager, à un officier supérieur (1752), puis à un soldat attaché au service domestique d'un officier (1856), sens usuel jusqu'à la disparition de cette fonction, enfin, à l'officier qui remplit des fonctions auprès d'un officier général et qui s'appelait *officier d'ordonnance* (1812). Avec ces sens, de nos jours vieillis, le mot s'employait au masculin. ◆ *Ordonnance* a donné deux dérivés. **ORDONNANCER** v. tr. est relevé une fois avec le sens de «donner l'ordre de payer le montant d'un état» (1571), repris en 1784 et disparu, puis signifie «disposer de manière harmonieuse» (1801; 1905 à la forme pronominale) et, médicalement, «prescrire par ordonnance» (1841). ◇ Ce verbe a produit **ORDONNANCEMENT** n. m., attesté une première fois en 1495 avec le sens ancien de «disposition testamentaire» en relation avec l'ancien sens de *ordonnance* «rédaction (d'un testament)» (1329). Le mot a été repris au XIXe s. avec ses valeurs modernes, désignant l'acte par lequel un administrateur donne ordre à un comptable public de payer sur sa caisse (1832), et une disposition harmonieuse (1897-1900). ◆ **ORDONNANCIER** n. m., «registre sur lequel sont consignés les préparations magistrales et les produits prescrits sur ordonnance», est l'autre dérivé de *ordonnance.*

Ordonner a aussi produit **ORDONNATEUR, TRICE** adj. et n. (1504) «personne qui ordonne, met en œuvre». Au XVIIIe s., chez les philosophes des Lumières, il a particulièrement été appliqué à Dieu, appelé *le souverain ordonnateur* (1750) et qualifié de *ordonnateur du monde* (1784, Diderot). ◇ Il désigne particulièrement celui qui organise les funérailles (1823; 1832, *ordonnateur des pompes funèbres*) et s'emploie quelquefois avec le sens figuré de «personnage solennel, compassé». ◇ C'est également un terme de législation financière (1690), en apposition dans *commissaire ordonnateur* (1846), et de mathématiques (1874, *lettres ordonnatrices*). ◆ En 1845, Richard de Radonvilliers a proposé **ORDONNABLE** adj., mot antérieurement créé et disparu au sens d'«arrangé» (1300, *ordenable*) et dans la locution ***ordonnable à*** (1370) «qui peut s'accorder avec».

Par préfixation, on a formé **DÉSORDONNER** v. tr. (1080, *desordener*) avec le sens de «détrôner (des rois)», qui a disparu, puis avec ses valeurs modernes «mettre en désordre» (v. 1225) et, pronominalement, «vivre dans le désordre» (XIIIe s.), emploi archaïque. ◆ En français moderne, c'est surtout l'adjectif **DÉSORDONNÉ, ÉE,** formé (v. 1220) sur *ordonné,* qui est usuel. Il signifie d'abord «qui n'est pas conforme à l'ordre social ou moral», valeur courante dans la langue classique et aujourd'hui archaïque. Il se dit depuis le XVIe s. (1538) d'un lieu en désordre, mais le sens usuel de «qui manque d'ordre, ne range pas ses affaires», attesté une première fois au XIVe s., ne se répand qu'à la fin du XIXe siècle. Cet adjectif correspond au substantif *désordre* (→ ordre). ◇ Les dérivés de ce verbe, **DÉSORDONNEMENT** n. m., **DÉSORDONNANCE** n. f., **DÉSORDONNANCEMENT** n. m. et **DÉSORDONNÉMENT** adv., ne sont guère usités. ➜ **RÉORDONNER** v. tr. (1568) a vieilli avec son sens initial de «remettre en ordre», pour se réserver au sens religieux d'«ordonner un prêtre une seconde fois», produisant **RÉORDINATION** n. f. (1575) d'après *ordination**. ➜ **SUPERORDONNÉ, ÉE** adj. a été formé (1970) pour traduire l'anglais *superordinate* «qui inclut sémantiquement plusieurs autres mots» (syn. *hyperonyme*).

◈ voir ORDRE; COORDONNER, SUBORDONNER.

✳ **ORDRE** n. m., attesté depuis 1080, également sous la forme *ordene* au XIIe s., est emprunté au latin *ordo, ordinis* d'après les formes des cas obliques *ordinem* (accusatif), *ordinis* (génitif), etc. Le mot latin désigne d'abord techniquement l'ordre des fils dans la trame (appelée *series* → série) et, dans la langue commune, le rang, la rangée, l'alignement, d'où, abstraitement, la succession chronologique et le bon arrangement des choses, des éléments d'un tout. En droit, il désigne la classe à laquelle appartient le citoyen, le rang *(ordo senatorius, ordo equester, ordo plebeius)*; il est employé dans la langue religieuse *(ordo sacerdotum, ordo haruspicum)* avec une valeur conservée en latin chrétien (Vulgate), précisée en «règle monastique» (v. 546), d'où «communauté religieuse vivant sous l'observance d'une règle» (v. 1126). ◇ Dans la langue militaire, *ordo* désigne le poste, le rang, l'ordre de bataille, par suite, en vertu d'expressions du type *ordines ducere*, le commandement et, par métonymie, celui qui l'exerce. Il s'agirait d'un mot de la même famille que *ordiri* «ourdir une trame» (→ ourdir) et *ornare* (→ orner).

♦ En français, *ordre* a souvent été féminin jusqu'au XVIIe siècle. Il désigne d'abord, par calque du latin chrétien et dans un contexte religieux, les différents degrés auxquels élève le sacrement conférant le pouvoir d'exercer des fonctions ecclésiastiques, en particulier la prêtrise, par exemple dans la locution qui paraît relativement récente, ***entrer dans les ordres*** (1763), aboutissement de *antrer en ordre* (1280). ◇ Par métonymie, il se rapporte à tout groupe de personnes vivant en communauté sous l'observance d'une règle après avoir prononcé des vœux solennels (1135). ➜ Hors du contexte ecclésiastique, il s'applique dans une perspective sociale aux classes entre lesquelles sont répartis les citoyens de la société hiérarchisée (1155), en particulier à chacune des trois classes composant la société française de l'Ancien Régime (1355). Au cours du moyen âge, *ordre* a aussi désigné les compagnies de caractère religieux et militaire, surtout créées à l'époque des croisades pour soigner les pèlerins et combattre les infidèles (1174). ◇ *Ordre* désigne particulièrement chacune des classes hiérarchiques entre lesquelles sont répartis les anges (déb. XIIIe s.). ◇ Sur le plan profane, le mot s'applique à la compagnie d'honneur instituée par un souverain ou un État, dans laquelle on était admis du fait de sa naissance ou des services rendus (1360); par métonymie, il s'applique à la décoration remise aux membres de cette compagnie (fin XIVe s.), par exemple dans *ordre de la Jarretière* (1500). ➜ Dans le premier quart du XIIIe s., *ordre* prend le sens abstrait de «catégorie (de faits ou d'idées) que l'esprit distingue par des caractères propres», s'appliquant notamment à une catégorie de valeurs qui ne saurait être comparée aux autres (1657-1662). Ce sens est réalisé dans les locutions courantes ***de premier ordre*** (1654), ***c'est du même ordre*** (1851). ➜ Avec cette même idée de «classe, rang dans un ensemble», le mot se réfère à un organisme créé en vue d'assurer la réglementation et la défense d'une profession libérale (av. 1594), de là des expressions comme *conseil de l'Ordre, ordre des médecins,* etc. ➜ Sur le plan abstrait, l'idée de «classe logique» se retrouve dans l'emploi qui en est fait en histoire naturelle dans la classification des êtres vivants (1779, Buffon); cf. ci-dessous *superordre*. ➜ Dès le XIIe s., le mot connaît un autre type d'emplois où il exprime l'idée d'une relation intelligible; celle-ci revêt la forme d'une relation de succession selon une règle (1119, *ordre des questiuns*), soit hiérarchique (XVe s., *ordre hiérarchique*), soit temporelle (1534, *ordre chronologique*). ◇ Ainsi, l'expression ***ordre du jour*** (1771) désigne-t-elle par métonymie la liste des questions qu'une assemblée délibérante doit examiner, classées dans l'ordre dans lequel elles doivent être abordées; cette expression est passée dans l'usage courant (1818) en référence à une préoccupation actuelle ou, par extension, à une mode (1822), que l'on dit être *à l'ordre du jour* (cf. ci-dessous une autre valeur de l'expression).

➜ À partir du XIIe s., *ordre* désigne la manière d'arranger les choses d'une manière satisfaisante pour l'esprit (1145), ultérieurement dans les locutions ***mettre bon ordre à*** «réorganiser» (1609), choses ***mises en ordre*** (1727). ◇ Abstraitement, il désigne la relation intelligible que l'on peut saisir entre plusieurs termes (1155) et s'emploie couramment sur un plan spatial (fin XIIe s.), notamment dans le domaine militaire (1590; 1690 pour la locution ***en ordre de bataille***). ➜ C'est aussi depuis le XIIe s. qu'il se dit de l'ensemble de lois régissant la nature (1174-1176), suscitant au XVIe s. les expressions *universel ordre des choses* (1580) et *ordre naturel* (1580). ◇ Il s'applique à l'enchaînement des idées, des faits, qui obéit à des exigences logiques ou rationnelles (1314, *l'ordre de l'art*), spécialement en grammaire (1746, *ordre des mots*) et en mathématiques (*relation d'ordre,* dont le concept est récent). ◇ Une autre valeur, en ce qui concerne les formes du langage, concerne une présentation systématique selon les signes de l'écriture (par exemple, *ordre alphabétique*). ➜ À partir de 1500, *ordre* est attesté avec son sens courant de «qualité d'une personne qui aime les choses bien rangées», par exemple dans ***homme d'ordre*** (1690) et en relation avec l'adjectif *ordonné*. ◇ Il commence également à désigner le système des lois et des institutions qui régit une société (1500), qualifié dans les syntagmes ***ordre public*** (1725) et ***ordre social*** (1761, Rousseau).

◇ Par métonymie, il est appliqué au cours du XVIIe s. à la stabilité sociale qui résulte du respect des lois (1660, ***maintenir l'ordre,*** d'où ***maintien de l'ordre,*** 1776, Condillac). Couramment, il désigne le respect du règlement, la situation conforme à une règle (1665), entrant dans les locutions ***rentrer dans l'ordre*** (1751) et ***rappeler qqn à l'ordre*** (1754). L'expression ***ordre nouveau,*** employée à propos d'un nouveau régime politique prétendant rétablir ou faire régner l'ordre, est apparue avec Thermidor (att. 1794, Restif) et plusieurs fois reprise (Empire, Restauration, Vichy).
Un second groupe d'emplois se fait jour au XIIIe s., d'après *ordo* en latin militaire, et prend *ordre* au sens de «commandement» (1225). En ce sens, de nombreuses locutions apparaissent au XVIIe et surtout au XVIIIe s. : ***avoir ordre de*** (1679), de nos jours archaïsant, ***faire agir sur les ordres de*** (1720), ***avoir sous ses ordres*** (1734), ***être sous les ordres de*** (1734), ***avoir qqch.*** (1737), ***qqn*** (1752) ***à ses ordres.*** ◇ C'est également à l'époque classique que le mot développe une acception spéciale en finances, «acte déterminant une opération commerciale» (1675), d'où, au XXe s., les expressions *ordre de bourse* (1903), *ordre au mieux* (1936), etc. Il se dit de l'endossement d'un billet (1675) d'où *(mention) à l'ordre de...* (1903). ➛ Il sert aussi, par métonymie, à désigner la réunion au cours de laquelle les militaires viennent prendre leurs instructions (1684) et l'on nomme ***ordre du jour*** (1755) les instructions données par un chef militaire pour la journée puis, en général, le programme d'une réunion. ◇ Au XVIIe s., *un ordre* désigne (1686) ce qu'on nommera ultérieurement un *mot d'ordre* (1793), et s'applique à un document qui contient la mission à exécuter (1690), spécialement dans le domaine militaire (1690).

► Pour faire pendant au couple d'antonymes *ordonner-désordonner, ordre* a produit **DÉSORDRE** n. m. (fin XIIe s.), d'abord au sens limité d'«action contraire à la règle monastique», qui a disparu. Avec la même idée de «manquement à l'ordre établi», le mot est employé dans le domaine de la vie sociale (1377, au pluriel, «troubles») et de la vie morale (1535). ◇ Il est également employé, d'après *ordre,* pour «absence de rangement» (1530). ➛ *Ordre,* au sens de «commandement», entre dans les noms composés **CONTRE-ORDRE** n. m. (1680), écrit aussi *contrordre,* et **SOUS-ORDRE** n. m. (1690), d'abord dans la locution ***en sous-ordre*** «d'une manière subordonnée», puis comme terme de procédure (1704) et comme désignation d'un employé subalterne sans responsabilités (1762). ◇ Depuis la fin du XVIIIe s., il désigne aussi la division d'un ordre, dans une classification scientifique. ➛ **SUPER-ORDRE** n. m. prend *ordre* au sens de «classe logique» (ci-dessus) et désigne en sciences naturelles un vaste ensemble groupant plusieurs ordres à l'intérieur d'une classe.

◈ voir COORDONNER, EXORDE, EXTRAORDINAIRE, ORDINAIRE, ORDINAL, ORDINATEUR, ORDINATION, ORDONNER, ORNE, ORNIÈRE, OURDIR, PRIMORDIAL, SUBORDONNER, SUBORNER.

ORDURE n. f. est dérivé avec le suffixe *-ure* (v. 1119) de l'ancien adjectif **ORD, ORDE** «d'une saleté repoussante, immonde» (v. 1112) qui se disait des choses et des personnes, concrètement et abstraitement avec une valeur voisine de celle de *put, pute* (→ putain). Cet adjectif est encore en usage (archaïque) au XVIIe s., puis disparaît, éliminé par *sale* et d'autres synonymes. Il est issu du latin *horridus* «hérissé» d'où «à l'aspect sauvage, horrible», dérivé de *horrere* «se dresser» (→ horreur, horripiler).

♦ *Ordure,* dès les premières attestations, a la valeur concrète de «chose qui souille». Si depuis le moyen français, on l'emploie surtout au pluriel pour désigner les immondices (1327), l'usage ancien et classique lui donnait aussi le sens de «poussière, petit débris s'attachant aux meubles et aux habits» (1209) et «excrément» (1316). L'article que Furetière consacre à ce mot montre que la langue classique l'associait étroitement à l'organique, au «dedans du corps», et l'employait en combinaison avec *pus, vilaines humeurs, corruption* et *excréments.* ◇ Dès les premières attestations, *ordure* est également employé au sens moral de «souillure», aujourd'hui d'usage littéraire. ◇ Par métonymie, il désigne plus couramment un acte ou un propos grossier, malhonnête (déb. XVe s.) et une personne digne de mépris (1408, d'une femme de mauvaise vie; 1865, en emploi injurieux contre qqn; cf. *salaud* et *salope*).

► *Ordure* a produit **ORDURIER, IÈRE** adj., anciennement employé comme nom masculin pour «boîte à ordure» (1688) et aussi «homme qui dit des grossièretés» (1693). ◇ Dans l'usage moderne, le mot est seulement adjectif, pour qualifier une chose empreinte de grossièreté (1716) et une personne qui se plaît à dire des grossièretés (1718). ◇ Le dérivé **ORDURIÈREMENT** adv., relevé en 1948, est peu usité. ➛ *Ordure,* au sens concret du pluriel, fournit le second élément de **VIDE-ORDURES** n. m. (1935), d'abord technique, devenu courant avec la diffusion de ce dispositif dans les immeubles collectifs.

ORE, ORES → ① OR

ORÉE n. f. est dérivé, au moyen du suffixe *-ée* (1306), de l'ancien français *ore* «bord», attesté dans la locution ancienne *que d'ore en autre* (1165) «d'un bord à l'autre», en parlant d'un bouclier. *Ore* est issu du latin *ora,* probablement ancien pluriel neutre collectif désignant les bouches d'un fleuve, puis l'endroit où l'on aborde, le rivage et, plus généralement, le bord, les contours. C'est un dérivé de *os, oris* «bouche» (→ oral), évincé tardivement par *bocca,* et au figuré «embouchure, entrée» (→ orifice), forme relevant d'une racine indoeuropéenne qui a des représentants en sanskrit, en celtique et en germanique. Il s'agit d'un mot radical court qui ne persiste avec son sens propre de «bouche» qu'à date ancienne et dans des langues périphériques (hittite, indo-iranien, italo-celtique) comme une survivance, fournissant surtout des formes dérivées ou élargies.

♦ *Orée* a désigné le bord (d'un bois, d'un bassin, de la mer, d'un lit, d'un vêtement). ◇ L'époque moderne a restreint son usage au sens de «bord, lisière (d'un bois)», surtout dans la locution ***à l'orée***

de (1376, *a l'ouree du bois*). ◇ Il est quelquefois employé dans le style littéraire au sens temporel de «début, commencement» (av. 1615, *l'orée de l'hiver*).

◈ voir HUIS, ORAL, ORIFICE, OSCILLER, OSCULATION, OURLER.

✱ **OREILLE** n. f. (1080), précédé par *aurelia* (fin xe s.), est issu du latin populaire *auricula* «oreille», «ouïe» et «anse de cruche», employé en composition dans quelques noms de plantes *(auricula muris)*, également noté *oricula* et *oricla*. C'est le diminutif en *-icula* du latin classique *auris* «oreille», «attention, jugement de l'oreille» et «orillon d'une charrue», à peine représenté dans les langues romanes. *Auris* est d'origine indoeuropéenne, mais sa forme résulte d'un arrangement latin; la plupart des formes apparentées sont de genre neutre (l'oreille étant un organe non actif) et commencent par une diphtongue *ou-* ou *au-*.

♦ Le mot désigne la partie visible de l'organe de l'ouïe chez l'homme et chez l'animal (1080), et plus généralement l'organe de l'ouïe dans son ensemble (1145). Ultérieurement, on distingue en anatomie *oreille interne* (1690) et *oreille externe*, dénominations qui se sont imposées en supplantant *oreille extérieure* (1636) et *intérieure* (1690); *oreille moyenne* est plus tardif (1814). ◇ D'après le latin *auris*, le mot désigne l'attention prêtée à l'interlocuteur (1155), dès les premières attestations dans une forme archaïque de la locution ***faire la sourde oreille.*** ◇ À partir du xvie s., il développe une acception musicale, dans les expressions *oreille musicienne* (1547) et *avoir de l'oreille* (1690). ◇ Au xvie s., le mot commence également à exprimer, dans des expressions comme ***avoir l'oreille de qqn,*** l'idée de «confiance» (1559, *gagner l'oreille de qqn*). Par métonymie, il désigne quelquefois la personne qui écoute (1660). ◇ Par analogie de fonction, il entre au xxe s. dans les dénominations *oreille électronique* (1952) et *oreille artificielle* (1959). ◇ Dans **tirer les oreilles** *à qqn*, le mot désigne spécialement le lobe. Au figuré, **se faire tirer l'oreille** (1562) signifie "obéir avec réticence". ➝ Par ailleurs, dès l'ancien français, et d'après le latin, *oreille* possède des sens concrets, souvent techniques, exploitant l'idée d'une analogie de forme, d'aspect avec l'organe : ainsi, il se dit de l'anse d'un van (1247), de la partie de la chaussure où l'on passe les boucles ou les lacets (apr. 1250); de l'anse d'un récipient (1322), d'une pièce métallique (1388), de la partie du couvre-chef qui recouvre les oreilles (1478) et, comme *auris* en latin, d'un manche de charrue (xve s.). L'époque classique apporte les sens de «lame de plomb dans les jeux d'orgue» (1636), «pli fait à une marque de livre» (1642), et fournit en marine les dénominations *oreille de lièvre* (1606) et *oreille de l'ancre* (1678). Au xviiie s., le mot entre dans le domaine de la technique agricole pour désigner le versoir de la charrue (1721; cf. ci-dessous *orillon*), et dans celui de la mode où on donne à une coiffure le nom d'*oreille de chien* (1724), lequel, sous le Directoire servit de sobriquet à la jeunesse dorée (1797). ◇ Enfin, *oreille* désigne la partie latérale d'un dossier de fauteuil (1830), un outil passant dans l'anneau d'une clef (1876, *oreille d'âne*) et, ultérieurement, le conduit cylindrique d'une tôle permettant l'aération d'une cabine de navire (1952). ◇ À partir du xvie s., le mot est entré dans un certain nombre de syntagmes déterminés par un nom d'animal (type *oreille de souris, de lièvre*) qui désignent des plantes — comme en latin — et des animaux inférieurs, d'après leur forme.

▸ Il fournit le second élément de trois noms composés; après **CURE-OREILLE** n. m. (1416), il entre dans **PERCE-OREILLE** n. m. (v. 1560), antérieurement noté *persoreille* (1530), dénomination d'insecte venue concurrencer *perce-pain* et *oreillière*. L'animal est nommé par comparaison de la forme de sa queue et de la petite pince courbe qui sert aux orfèvres à percer les oreilles; mais on a cru que cet insecte perçait les oreilles : de là, de nouveaux termes dans les parlers gallo-romans et ailleurs. ➝ Enfin, **TOURNE-OREILLE** n. m. (1846) est le nom technique du versoir mobile d'une charrue.

La plupart des dérivés de *oreille* remontent à l'ancien français. ➝ **OREILLER** n. m. (1140) désigne une pièce de literie que le latin médiéval nommait *auriculare* (816) en se servant du neutre substantivé de l'adjectif *auricularis* (→ auriculaire). ◇ Avec ce sens, le mot, investi de la valeur d'intimité conjugale ou sexuelle autrefois assumée par *alcôve*, entre dans les locutions modernes ***confidences sur l'oreiller*** (1946; dès 1841 sous une autre forme) et ***se raccommoder sur l'oreiller*** (1912). ***Panne d'oreiller*** désigne plaisamment le fait de ne pas s'être réveillé à temps. ◇ Le mot est quelquefois employé avec la valeur figurée de «ce qui assure le repos, la tranquillité» (1266) et compte quelques emplois analogiques en architecture, marine, art culinaire et psychiatrie. ➝ **OREILLÈRE** n. f. (av. 1180) a perdu son ancien sens de «perce-oreille» et a été repris ou reformé au xixe s. pour la partie du casque recouvrant l'oreille (1840) et la partie d'une coiffure féminine remplissant la même fonction (1848). ➝ Le diminutif de *oreille*, **OREILLETTE** n. f. (1180, *oreillette*), anciennement «petite oreille», constitue un autre nom d'objet en rapport avec l'oreille : à partir du moyen français, il a un sens métonymique dans le domaine de la coiffure (1492) et reçoit quelques valeurs analogiques en anatomie (1654), botanique (1790), zoologie et art culinaire. ➝ **OREILLON** n. m. (1230, *orillon* «coup sur l'oreille») a lui aussi développé bon nombre de sens analogiques : il est employé avant *oreille* à propos du versoir de la charrue (1290) et prend des valeurs analogiques dans le langage de la fortification (1599), également sous la forme **ORILLON** n. m. (1676), en architecture (1691) et en zoologie (1760). ◇ Plus près de nous, il sert à désigner une moitié d'abricot (1938); la langue classique appelait déjà *oreilles d'abricot* «les abricots confits dont on a ôté les noyaux et dont on a rejoint les deux parties» (1690), et l'espagnol nomme *orejon* une tranche de pêche séchée au soleil (1737). ◇ Le sens le plus courant du mot, au pluriel ***les oreillons*** «maladie infectieuse», est attesté depuis 1549. ➝ Au xvie s., *oreille* a produit le dérivé **OREILLARD, ARDE** adj. (1560, *aureillard*, au figuré) qui qualifie une personne (1642), un animal (1678) ayant de grandes oreilles, puis vieillit. Il est substantivé au masculin pour désigner un animal remarquable par la taille de ses oreilles, soit une espèce de chauve-souris (1760) et même, populairement, l'âne (1836) et le lièvre (1903). *Oreillard* dispute aussi à *oreille*, *oreillon* et *oreillette* le sens de «partie du dossier du fauteuil» (1846, Baudelaire).

◈ voir AURICULAIRE, AUSCULTER, ÉCOUTER, HORION, MYOSOTIS, OTARIE, OTO-, PAROTIDE, SCOUT.

ORÉO → ORO-

ORFÈVRE n. m. est formé (v. 1210) avec ② *or** sur l'ancien français *fèvre* «ouvrier, artisan travaillant le métal, forgeron» (1170). Celui-ci est issu du latin *faber*, nom de l'ouvrier qui travaille les corps durs (métaux, pierres, bois, ivoire, etc.), mot dont le sens est généralement précisé par une épithète ou un contexte. Le plus souvent, le nom désigne un ouvrier travaillant le bois (charpentier, menuisier) ou le fer (forgeron), et c'est avec le sens de «forgeron» que *faber* est passé dans la plupart des langues romanes, de même que son dérivé *fabrica* (→ fabriquer). Il a aussi eu, moins souvent, un emploi adjectif avec le sens de «travaillé» (pas avant Ovide, mais l'adverbe *fabre* «de main d'ouvrier» est attesté chez Plaute). Il s'agit, comme la plupart des termes relatifs à la métallurgie, d'un mot d'étymologie incertaine. En ancien français, *fèvre*, avec le sens spécialisé d'«orfèvre», a supplanté le représentant du latin *aurifex*, formé de *aurum* (→ or) et de *facere* (→ faire), qui a subsisté dans le sud de la France, en Italie et dans la péninsule Ibérique (italien *orefice*, portugais *ourives*). À son tour, *fèvre* a été éliminé d'une part par *forgeron*, d'autre part par *orfèvre*, la forme simple demeurant seulement dans les noms propres *(Fèvre, Faure, Fabre, Lefèvre...)*.

♦ *Orfèvre*, «artisan travaillant les métaux précieux», est employé dans l'expression ***être orfèvre en la matière*** «s'y connaître» (XIXe s.) par allusion à la précision et à la qualité du travail de l'orfèvre. ◇ Moins transparente, l'expression *vous êtes orfèvre, Monsieur Josse* «votre conseil est intéressé» fait allusion à une scène de Molière, dans *L'Amour médecin* (I, 1), l'orfèvre M. Josse proposant de faire un cadeau de bijoux.

▸ *Orfèvre* a produit **ORFÈVRERIE** n. f., d'abord *orfavrerie* (1170) et *orfevrie* (1327) avant la forme actuelle (1364). ◇ Le mot désigne la fabrication d'objets de parure ou de décoration en métaux précieux, puis par métonymie la boutique de l'orfèvre (1294), les objets fabriqués par lui (1343-1452) et, dans le style littéraire, un ouvrage d'orfèvrerie (au propre et au figuré). En ancien français, le mot désignait aussi la corporation des orfèvres, l'un des six corps marchands de Paris. ◆ **ORFÉVRER** v. tr. (1957) est récent et précédé par **ORFÉVRÉ, ÉE** adj. (1859) qui a lui-même remplacé la forme ancienne *orfévri* (1751) «mis en œuvre, façonné par un orfèvre», formé avec le suffixe des participes passés des verbes en *-ir*.

ORFRAIE n. f., nom d'oiseau, est la forme altérée de *orfres* (1377) puis par suffixation *orfraye* (1493), issu d'un ancien français **osfraie*, probablement par suite d'une assimilation du *s* au *r* suivant. °*Osfraie* est issu du latin *ossifraga* (quelquefois *ossifragus* chez Pline), composé de *os*, *ossis* (→ os) et du participe passé de *frangere* «briser» (→ fraction) par allusion à la férocité de l'oiseau.

♦ Le mot désigne une espèce d'aigle piscivore (également appelé *aigle de mer*) ; cependant, ce dernier est souvent confondu avec une chouette au cri aigu et sinistre (1555), d'où la locution ***pousser des cris d'orfraie***, probablement sous l'influence de *effraie*. ◇ La variante *orpres* relevée dans un manuscrit (1377) doit être rapprochée de l'anglais *osprey*, généralement considéré comme un emprunt à l'ancien français °*osfraie*, peut-être (selon Wartburg) sous l'influence des représentants français du latin *praeda* (→ proie).

◈ voir EFFRAIE.

ORFROI n. m., écrit *orfrois* (v. 1160) puis *orfroi* (v. 1200), est issu de l'expression latine °*aurum phrygium*, seulement attestée à l'époque médiévale par diverses transcriptions (Du Cange signale *aurifrigium* au Xe s.). Cette expression est composée de *aurum* (→ or) et *phrygius* (→ phrygien) par allusion à la renommée des ouvrages phrygiens dans le domaine des étoffes brodées et brochées d'or. La forme en *s (orfrois)* remonterait à un °*aurum phryx*, *phryx* étant la transcription du *grec phrux* «de Phrygie».

♦ Le mot désigne une étoffe tissée d'or et la passementerie en fils ou lamelles d'or, d'argent et en fils de soie, employée dans le costume médiéval (seigneurs, riches) et, de nos jours, dans le vêtement liturgique.

ORGANDI n. m., d'abord écrit *organdy* (1723), est issu de *Organdi*, nom propre correspondant peut-être à la prononciation indienne de *Ourgandj* au Turkestan.

♦ Le mot désigne une mousseline légère et apprêtée.

▸ Le même nom de ville a été emprunté par le français **ORGANSIN** n. m. (XIVe s. ; antérieurement *orcassin*, v. 1150) par l'intermédiaire de l'italien *organzino*, dérivé de *Organzi*, adaptation italienne de *Ourgandj*. ◇ *Organsin*, nom donné au fil de soie torse destiné à former la chaîne des étoffes, est à l'origine de quelques dérivés techniques employés dans l'industrie textile : **ORGANSINER** v. tr. (1712), d'où **ORGANSINAGE** n. m. (1829) et **ORGANSINEUR, EUSE** n. (1842).

✳ **ORGANE** n. m. est emprunté (v. 1120) au latin *organum* «instrument» (en général), au figuré «ressort, moyen» et spécialement «instrument de musique» (→ orgue). C'est un emprunt au grec *organon* qui désigne un instrument de travail, de chirurgie, de musique, et qui s'emploie en anatomie pour désigner un élément du corps (Aristote). Le mot est aussi spécialisé en logique pour «instrument de connaissance» et plus rarement «résultat d'un travail». Comme *orgia* (→ orgie) et *eorgê* «cuiller», il appartient au groupe de *ergon* «travail, œuvre» (→ exergue).

♦ Le mot désigne d'abord comme en latin l'instrument de musique, sens disparu au profit d'*orgue*, mais dont on rencontre des traces jusqu'au XXe s. dans les ouvrages des spécialistes. ◇ En moyen français, après avoir désigné une première fois la voix humaine (v. 1190), il la caractérise en tant que moyen d'expression (1465) et, par métonymie, se dit de la personne qui sert de porte-parole, d'intermédiaire (v. 1550), puis, dans la période prérévolutionnaire, d'un journal exprimant les intérêts d'un parti, d'un groupe (1782).

Par ailleurs, le mot a été réemprunté au grec *organon* dans sa spécialisation anatomique, s'appliquant au corps humain considéré comme un instrument (1404). Après l'adjectif *organique,* il en est venu à désigner la partie du corps remplissant une fonction déterminée (1466, *orgain*). Cette acception correspond à l'évolution des concepts en médecine et en physiologie, et joue un rôle essentiel dans l'histoire des sciences de la vie, à partir du XVIIIe s. (voir les dérivés). ◆ Par l'intermédiaire de locutions du type ***organe de*** introduisant un nom de faculté ou de fonction (1668), par exemple dans *organe des sens,* le mot a développé au XIXe s. le sens figuré d'«agent, instrument», s'appliquant à chacun des éléments essentiels d'une machine (1860) et, plus abstraitement à une institution chargée de faire fonctionner certains services de l'État (1927).

▶ **ORGANEAU** n. m., attesté dès 1282 sous la forme *orgreneaux,* refait en langue classique d'après *organe* (1704), est un terme de marine qui désigne l'anneau de fer auquel on attachait un câble, et (1690) l'anneau de l'ancre. ◇ Par analogie, le mot a été repris dans l'argot du bagne pour l'anneau de la chaîne des forçats (1837).

Le dérivé verbal **ORGANISER** v. tr. (v. 1380) a d'abord eu le sens de «rendre apte à la vie» (disparu), avant de signifier «pourvoir (un corps) d'organes» (1510-1520). ◇ Le verbe a pris le sens figuré de «doter d'une structure» (1789, Sieyès) dans le cadre de l'organisation politique, d'où, particulièrement, «arranger, préparer (une composition artistique)» [1801] et «soumettre (qqn) à une façon efficace de vivre ou de penser» (1929), emploi rare en dehors du pronominal. ◆ *Organiser* a signifié «jouer de l'orgue» au XVIe et au XVIIe s. et «arranger (un instrument de musique) comme un orgue» (1614, au participe passé) par emprunt au latin chrétien et médiéval *organizare* «jouer d'un instrument de musique». ◆ **ORGANISÉ, ÉE**, son participe passé, est adjectivé (1606) pour qualifier ce qui a telle disposition physique ou morale et ce qui est doté d'une structure, spécialement en biologie en parlant des êtres vivants, formés de manière unitaire d'organes, comme chez Bonnet, *Considérations sur les corps organisés* (1762). Il qualifie aussi la personne ou la chose qui appartient à une organisation (1847, Michelet). ◇ **ORGANISANT, ANTE** participe présent, est adjectivé au XIXe s. mais peu usité avec le sens de «qui a pour effet d'organiser» (1814). ◆ Le verbe *organiser* a plusieurs dérivés : **ORGANISATION** n. f. (1488) s'est d'abord dit de l'état d'un corps organisé et par métonymie de l'ensemble des organes (il sera éliminé dans ce sens par *organisme*) et aussi de la manière d'être d'un individu, au physique et au moral (1761). ◇ Il est surtout courant avec les sens figurés «constitution (d'une institution, d'un établissement public, privé)» [1798], «action de préparer, d'organiser» (1807). ◇ Par métonymie, il désigne une association, régie ou non par des institutions (1908), et recouvre l'ensemble des personnes appartenant à un groupe organisé. Des noms d'organisations ont produit des syntagmes usuels, tel *Organisation des Nations unies,* d'où le sigle *O. N. U.*, et son dérivé **ONUSIEN, IENNE** adj. (1949). ◇ ***Organisation non gouvernementale,*** notamment en matière d'action humanitaire, est abrégé en **O. N. G.** n. f., sigle devenu usuel dans les années 1990. ◆ **ORGANISATEUR, TRICE** n. est relevé pour la première fois sous la Révolution, comme adjectif (1793) et comme nom (1795), dans le domaine de l'activité politique. ◇ Il est employé spécialement en biologie, comme adjectif dans *substance organisatrice* (1805) et comme nom masculin (1918). ◆ **ORGANISABLE** adj. est relevé pour la première fois en 1835.

Aux XVIIIe et XIXe s., *organe* a produit trois autres dérivés, employés en biologie. ◆ **ORGANISME** n. m. désigne un être vivant doté d'organes (1729) puis l'ensemble des organes qui constituent un être vivant (1802). Rare avant le début du XIXe s. (*l'Encyclopédie* l'ignore), il correspond alors à un concept essentiel en biologie, celui d'ensemble fonctionnel. ◇ Le mot a d'ailleurs développé alors son sens figuré : «ensemble composé d'éléments structurés» (en politique, économie) [1842]. ◆ Il entre dans le composé **MICRO-ORGANISME** n. m. (1876) qui se substitue très progressivement (XXe s.) à *microbe.* ◆ **ORGANICISME** n. m. (1846) est d'abord employé avec son sens philosophique de «doctrine qui fait remonter la vie aux organes du corps», puis en médecine, s'applique à la doctrine qui voit l'origine des maladies dans la lésion d'un ou de plusieurs organes (1855 ; peut-être d'après l'anglais *organicism,* 1853). Par métaphore, il est employé par les sociologues à propos de la théorie qui assimile la société à un être vivant (1901). ◇ Il a lui-même produit **ORGANICISTE** adj. et n., terme de médecine (1858) également employé en sociologie (1900), et **ORGANICIEN, IENNE** adj. et n., d'abord (1858) employé en médecine, puis pour désigner le spécialiste de la chimie organique (1931). ◆ Un autre dérivé, **ORGANITE** n. m. (1842), fournit le terme scientifique qui désigne chaque élément constituant la cellule spécialisée dans certaines activités du métabolisme cellulaire.

Aux XIXe et XXe s., *organe* a servi à construire, sous la forme de l'élément **ORGANO-**, un certain nombre de termes de médecine, physiologie et biologie. ◇ **ORGANOLOGIE** n. f. (1813) «science des organes» a vieilli ; apparu dans le même temps, **ORGANOGRAPHIE** n. f., réservé à l'étude des organes des plantes (1817), s'est maintenu avec **ORGANOGRAPHIQUE** adj. (1868, Littré). ◇ **ORGANOLEPTIQUE** adj., formé avec l'élément tiré du grec *lêptikos* «qui prend» (→ épilepsie), se dit en physiologie des propriétés qui affectent les organes des sens. ◇ **ORGANODYNAMIE** n. f. (1845) a disparu comme nom de l'étude de l'action des organes, mais il a laissé **ORGANODYNAMIQUE** adj. (1846), lequel sert d'adjectif à **ORGANODYNAMISME** n. m., terme de psychiatrie plus récent

(1936), liant la pathologie psychique à un trouble organique. ◇ **ORGANOGÈNE** adj. (1927) se dit de sédiments formés de débris animaux ; il est en cela dissocié de **ORGANOGÉNÈSE** n. f. (1904), réservé à la formation et au développement des organes en biologie.
La famille de *organiser* a aussi produit trois séries préfixées, dont les premières attestations remontent, avec une grande cohérence, à la période prérévolutionnaire et révolutionnaire : si on excepte **DÉSORGANISÉ, ÉE,** adj., relevé dès le XVIe s. dans le syntagme *passions désorganisées* (av. 1575) «passions désordonnées». C'est en effet au XVIIIe s. qu'apparaissent **DÉSORGANISER** v. tr. (1764), **DÉSORGANISATION** n. f. (1764) et **DÉSORGANISATEUR, TRICE** adj. et n. (1792). ➜ Il en va de même des antonymes en *in-* : **INORGANISÉ, ÉE** adj. (1769) et **INORGANISATION** n. f. (1794), suivis par **INORGANISABLE** adj. (av. 1847). ➜ Sous la Révolution apparaissent **RÉORGANISER** v. tr. (1791) et **RÉORGANISATION** n. f. (1791) précédant **RÉORGANISATEUR, TRICE** adj. et n. (1838). ➜ Ultérieurement, *organiser,* sous la forme *organi-,* s'est combiné avec l'élément suffixal *-gramme** pour former le terme **ORGANIGRAMME** n. m. (1952) «tableau schématique des différents services d'une administration, de leurs rapports mutuels».

◈ voir ORGANIQUE, ORGANON.

ORGANIER → ORGUE

ORGANIQUE adj. et n. f. est emprunté (1314), avec influence de *organe,* au bas latin *organicus,* emprunté au grec *organikos* «qui concerne les instruments», «qui agit comme instrument», de *organon* (→ organe).

♦ L'adjectif est introduit par les médecins avec son sens moderne de «qui concerne les organes d'un être vivant» (*organe* n'acquérant le sens correspondant que plus tard). ◇ Dans la seconde moitié du XVIIIe s., il reçoit en biologie et en chimie le sens particulier de «qui concerne la vie des êtres organisés», notamment dans les syntagmes *fonctions organiques* (1855), *substances organiques* (1805), ***chimie organique*** (1858) s'appliquant à la chimie des substances aptes à la vie, contenant du carbone. ◇ C'est également après 1750 qu'il prend le sens de «qui provient d'organismes vivants» (1769, Rousseau), réalisé spécialement au XXe s. en chimie et en géologie *(matière organique, roche organique).* Ces valeurs sont surtout productives depuis la diffusion du syntagme *corps organisés* au XVIIIe et du substantif *organisme* au début du XIXe s. (voir ci-dessus). ◇ Parallèlement, *organique* qualifie au figuré ce qui concerne la constitution d'un être, d'une chose (1765, dans *géométrie organique*) et ce qui est inhérent à sa constitution (1874). ➜ Par emprunt au latin médiéval *organica* n. f. «technique des instruments de musique», féminin substantivé d'*organicus* signifiant «de musique, mélodieux», *organique* est employé comme nom féminin en histoire de la musique (1567) pour désigner la musique instrumentale chez les Anciens.

▶ En sont dérivés **ORGANIQUEMENT** adv. (1547), puis **ORGANICITÉ** n. f. (1926) et **S'ORGANICISER** v. pr. (v. 1950), terme de médecine peu usité qui signifie «aboutir à une lésion organique». ➜ Par préfixation, *organique* a formé **ANORGANIQUE** adj. (1826) et **INORGANIQUE** adj., attesté une première fois en 1579 dans un *traité du ris* (rire) puis de nouveau en 1762 dans les *Considérations sur les corps organisés* de C. Bonnet.

ORGANISER → ORGANE

ORGANISTE → ORGUE

ORGANON n. m. est un emprunt moderne (XXe s.) au grec *organon* «instrument» (→ organe), utilisé spécialement comme titre de l'ensemble des écrits logiques d'Aristote (parce que la logique y est considérée comme un instrument du savoir).

♦ Le mot désigne un texte théorique et méthodologique destiné à servir de guide pour la réflexion philosophique.

ORGANSIN → ORGANDI

ORGASME n. m. est un emprunt de la langue pré-classique (1611) au grec *orgasmos* attesté tardivement dans les scolies d'Hippocrate. C'est un dérivé du verbe *organ* «être plein de suc, de sève», en parlant d'une terre fertile, de plantes, de fruits qui mûrissent et, plus généralement, «déborder d'ardeur, de désir» (notamment de désir amoureux). Le verbe vient de *orgê* «mouvement naturel, disposition, tempérament, caractère» et spécialement : «ardeur, passion, colère». *Orgê* est rapproché depuis longtemps du sanskrit *ūrjā* «nourriture» et «vigueur», mais leur correspondance morphologique imparfaite a suscité des critiques fondées à l'encontre de ce rapprochement.

♦ Cet hellénisme désigne d'abord un vif accès de colère, puis le plus haut degré d'une excitation physiologique (1623). Au XVIIIe et encore au XIXe s., il s'est dit d'un état de tension physiologique (chez Lamarck) et, au figuré, d'une effervescence psychique se traduisant par des phénomènes physiques, sorte de délire hystérique. ➜ Il est attesté pour la première fois en 1777 avec son sens moderne de «point le plus haut de l'excitation sexuelle», d'abord à propos de l'érection masculine, puis de l'émission du sperme, et ensuite en parlant de la femme, par exemple dans *avoir un orgasme.*

▶ **ORGASTIQUE** adj. «qui se rapporte à l'orgasme» en est le dérivé savant (1873, Littré). ◇ On relève l'antonyme **ANTIORGASTIQUE** adj. dès 1803.

ORGE n. f. est issu (v. 1119) du latin *hordeum* «céréale à épi barbu cultivée pour son fourrage précoce et son grain», mot très ancien que l'on a rapproché de l'ancien haut allemand *gersta,* de l'albanais *drith, drithe* et de l'arménien *gari.* On l'a aussi rattaché, probablement par étymologie populaire, au latin *horrere* «se dresser, être hérissé» (→ horreur).

♦ Le mot désigne la graminée et, par métonymie, son grain (1170). Son genre a été longtemps flottant, comme celui de nombreux mots à voyelle initiale terminés en *e;* il est aujourd'hui féminin, sauf dans les expressions traditionnelles *orge mondé* (1378) et *orge perlé* (1765). ◆ L'expression ***sucre d'orge*** (1644) est due au fait que cette confiserie était obtenue avec un sucre dépuré dans une décoction d'orge; elle désigne aujourd'hui une confiserie en forme de bâtonnet, caractérisée par son parfum qui ne doit plus rien à l'orge. ◆ Du XVIe au XVIIIe s., le syntagme *grain d'orge* a développé quelques sens analogiques : il est employé dans la locution ***à*** ou ***de grain d'orge*** à propos d'un tissu semé de points ressemblant à des grains de la céréale; il désigne par métonymie une étoffe croisée de qualité ordinaire (1723). En médecine, *grain d'orge* (1660) était synonyme de *orgelet.*

ORGEAT n. m. est un dérivé aujourd'hui démotivé de *orge* au moyen du suffixe *-at* (1370). ◇ Le mot a désigné un sirop préparé avec une décoction d'orge (d'où son nom), puis avec une émulsion d'amandes. Par métonymie, il désigne la boisson obtenue avec ce sirop étendu d'eau (1732), qui fut à la mode au XVIIIe et au XIXe s., notamment comme boisson enfantine (*sirop d'orgeat*). ◇ **ORGERIE** n. f. «champ d'orge» (1877) est un mot régional de l'ouest de la France; il continue l'ancien français *orgrerie* (fin XIIe s.).

ORGELET n. m. est dérivé (1570) du moyen français *orgeoul* (1492), *orgel* de même sens. Lui-même est issu du bas latin *hordeolus* (Ve s.), proprement «petit orge, grain d'orge», diminutif de *hordeum* (→ orge). ◆ Le mot désigne une petite inflammation au bord de la paupière.

ORGIE n. f. est emprunté (1469) au latin *orgia,* neutre pluriel qui désigne les fêtes solennelles en l'honneur de Bacchus, emprunté au grec *orgia* (le singulier *orgion* est rare et tardif). *Orgia* s'applique à des cérémonies du culte, mais s'est spécialisé pour les cultes à mystères et les cultes initiatiques, tels ceux de Déméter à Éleusis, des Cabires et de Dionysos. Le mot implique les éléments d'excès de ces cultes et, à l'occasion, désigne les objets du culte. Il est parfois employé au sens figuré de «mystères (de la philosophie)» et de «transports de l'amour». Sous l'influence du christianisme, *orgia* a pu être détourné de son vrai sens par péjoration antipaïenne, ce qui a abouti à la valeur prise par *orgie* en français. ◇ L'étymologie la plus probable tire *orgia* de la racine indoeuropéenne °*werg-* représentée en grec dans *ergon* «action, œuvre, travail» (→ énergie) et dans *organon* «instrument de travail» (→ organe, orgue), et aussi en germanique (→ boulevard) : il s'agit dans *orgia* des actes sacrés. Toutefois, il faut indiquer que, par étymologie populaire et notamment lorsqu'il s'agissait du culte de Dionysos, le mot a pu être associé à *orgê* (→ orgasme) de même source étymologique.

♦ *Orgie* est d'abord employé au pluriel comme terme d'antiquités (cf. *bacchanales*). Par extension, il a pris au singulier le sens courant de «fête accompagnée de débordements divers» et «partie de débauche» (1631). ◇ Il est employé au figuré dans ***une orgie de*** (1831, Balzac) pour désigner une consommation excessive (avec un complément concret ou abstrait) et, par extension, une grande abondance (av. 1867) [cf. *débauche*].

▸ L'adjectif correspondant **ORGIAQUE** est emprunté (1797) au grec *orgiakos* «qui concerne les mystères», de *orgia.* ◇ Le mot français, plus didactique que *orgie,* signifie «qui tient de l'orgie» d'où (1857) «prodigue, déréglé, débauché»; il est employé spécialement comme terme d'antiquités (1845). ◆ Dans ce domaine, il est concurrencé par le synonyme plus rare **ORGIASTIQUE** adj. (1634), emprunt au dérivé grec *orgiastikos* «qui convient à des cultes à mystères», d'où «porté à l'enthousiasme, excité». L'adjectif a d'abord repris le sens de «qui excite, qui porte à l'enthousiasme» avant d'être utilisé comme terme d'antiquités (1831, Michelet). ◇ Son dérivé **ORGIASTIQUEMENT** adv. est d'usage littéraire (1924, Gide); dès 1845, Richard de Radonvilliers proposait l'adverbe *orgiquement.*

ORGUE, ORGUES n. m. ou f. pl. est emprunté (1155) au latin ecclésiastique *organum* «orgue à vent» et aussi «chant». Ce mot était déjà employé en latin classique, surtout sous l'Empire, avec le sens d'«instrument de musique», et désignait en particulier l'orgue hydraulique par spécialisation du sens général d'*organum* «instrument» (→ organe). Le grec *organon* (→ organon), auquel le latin est emprunté, connaissait lui aussi cette spécialisation.

♦ *Orgue* désigne dès le XIIe s. un grand instrument à vent composé de plusieurs tuyaux. Le genre du mot, flottant du XIIe au XVIIe, a commencé à se fixer au XVIIIe siècle. Cependant, *orgue* est encore quelquefois employé au féminin, surtout dans *les grandes orgues,* le pluriel ayant ici une valeur emphatique par rapport à *grand orgue.* ◇ Le mot entre dans l'expression ***point d'orgue,*** riche d'effets métaphoriques et désignant proprement le signe placé au-dessus d'une note pour marquer un temps d'arrêt qui suspend la mesure (1636) et, par métonymie, le temps d'arrêt lui-même (1690). ◇ *Orgue* est employé par métonymie pour la tribune où se trouve l'orgue dans une église (1694). ◇ Dès le XIIIe s., il sert à dénommer plusieurs instruments de musique, dans les syntagmes *orgue portable* (v. 1278), puis *orgue portative* (1370), *orgue hydraulique* (1514), *orgue de Barbarie* (1702), *orgue expressif* (1811) et *orgue électrique* (1868). ◇ C'est à l'instrument à vent que se réfère la locution familière ***ronfler comme un tuyau d'orgue,*** qui a remplacé *jouer de l'orgue* (1860). ◆ Par analogie d'aspect, le mot a pris le sens technique aujourd'hui ancien de «pièce d'artillerie composée de plusieurs canons de mousquet montés sur un affût» (1485), avec un sémantisme que l'on retrouve dans la désignation d'un engin soviétique multitube, *orgues de Staline* (1949). ◇ Par analogie avec la forme des tuyaux, *orgue* est employé spécialement en géologie pour des coulées de basalte (XIXe s.); il entre dans la dénomination d'une espèce de madrépore, *orgue de mer* (1752).

▸ Le diminutif **ORGUETTE** n. f. (1482) a vieilli au sens ancien de «petit orgue»; il reste employé en Suisse où il désigne l'harmonica (aussi appelé *orgue à bouche*). ◆ **ORGANISTE** n. (1480), d'abord *orgenistre* (1225) est emprunté au latin médiéval *organista* «musicien qui joue de l'orgue» (1200), dérivé de *organum*. Par sa forme même, il manifeste la parenté et l'ancienne synonymie de *orgue* et *organe*. ➜ **ORGANIER** n. m. a été dérivé savamment (1844) du latin *organum* pour «facteur d'orgue».

ORGUEIL n. m., d'abord *orgolz* (v. 980, ancien cas sujet) et *orgoill* (1080, ancien cas régime), est issu d'un francique °*urgoli* «fierté», dérivé d'un adjectif signifiant «excellent, renommé», postulé d'après l'ancien bas allemand *urgol*, l'ancien haut allemand *urguol* et l'anglo-saxon *orgel*, *orgol* «fierté». L'anglais a remplacé *orgel*, *orghel* (v. 1023) par *orgueil* (v. 1200), lui-même emprunté au français mais employé, avant d'être évincé par *pride*, avec les mêmes fonctions de substantif et d'adjectif que le mot d'origine germanique.

♦ Le mot correspond d'abord à la notion de «sentiment exagéré que l'on a de sa valeur», et désigne particulièrement un sujet de fierté (1080). Il est assez fréquent dans *La Chanson de Roland*, mais moins que *fierté*, par rapport auquel il comporte souvent une nuance de blâme : la confiance en soi qu'il implique peut déboucher sur la témérité, être funeste et entraîner des malheurs ; il dénomme souvent un sentiment prêté aux ennemis (en l'occurrence les Sarrasins). ◇ Par métonymie, *un orgueil* s'est dit en ancien et moyen français d'une parole, d'une action outrecuidante, et désigne un homme présomptueux, extravagant. Son emploi pour caractériser un guerrier vaillant, énergique, est attesté, mais rare : le sentiment aristocratique d'une supériorité est alors compensé par l'idéal chrétien d'humilité. ➜ Au XVIIe s., Furetière définit négativement l'orgueil comme une «sotte gloire et présomption, le premier des péchés capitaux», mais n'en cite pas moins une phrase du *Cid* (Corneille) où *un noble orgueil* désigne positivement le sentiment justifié que l'on a de sa dignité. Ce sens ouvre la voie à d'autres emplois comme *orgueil national* (1782) et à l'usage moderne où les deux valeurs, négative et positive, sont disponibles.
Le mot a aussi, depuis le moyen français, le sens technique concret de «grosse cale de pierre ou de bois servant de point d'appui à un levier» (1376), soit par allusion au port de tête de l'orgueilleux, soit (Nicot) parce que cette cale fait mouvoir une masse cent fois plus pesante qu'elle. Il n'est pas évident qu'il s'agisse du même mot.

▸ Le dérivé **ORGUEILLEUX, EUSE** adj. (1080), «qui a de l'orgueil», est aussi employé comme nom (déb. XIIe s.). Avec la préposition *de*, il signifie «qui tire orgueil de», depuis la fin du XIIe siècle. À côté de son sens moral péjoratif, il était aussi employé en ancien et moyen français avec la valeur physique de «fort, vaillant, vigoureux» et qualifiait même une chose importante, très grande, un repas substantiel, un cheval ou un cours d'eau rapide, impétueux. ◇ Dans le style littéraire, l'adjectif sert parfois encore à qualifier un objet (mont, arbre) à l'aspect majestueux, fier (1165). ➜ Le dérivé **ORGUEILLEUSEMENT** adv. est d'abord attesté sous la forme ancienne *orgoillusement* (1080), employé avec des verbes comme *frapper*, pour «impétueusement, vigoureusement». Il est usité avec son sens moderne depuis la fin du XIIe siècle. ➜ Par préfixation et suffixation, *orgueil* a donné **ENORGUEILLIR** v. tr., surtout employé au pronominal (v. 1120), pour «devenir orgueilleux» et «tirer fierté de» (*s'enorgueillir de*). Ce verbe s'est lentement imposé face au verbe simple *orguillier* (XIIe s.), *orgoillir* (XIIe s.), également employé au sens d'«exciter, stimuler».

ORIEL n. m. est la reprise au XIXe s. (1879, Bosc) de l'ancien français *oriol*, *euriel*, *horieul* «porche, galerie, corridor» (1174-1176), mot emprunté par l'anglais *oriel* (XIVe s.) et qui a en outre le sens de «construction en saillie sur un bâtiment muni d'une fenêtre», d'où, par ellipse de *window* «fenêtre» dans *oriel window*, «fenêtre en saillie» (1805). L'origine de *oriol* est obscure : on a évoqué un emprunt demi-savant au bas latin *auleolum*, encore dans les textes médiévaux, pour «chapelle, petit sanctuaire», lui-même diminutif de *aulaeum* «rideau, tenture, baldaquin», mot rapproché de *aula* «cour» ; dans un premier temps, le mot aurait abouti à °*oliol* puis, par dissimilation, à *oriol*. On a aussi proposé un rapprochement par fausse étymologie avec *orare* «prier» (→ oraison, orant, oratoire), ce qui expliquerait le sens de l'attestation de 1879, «oratoire».

♦ Le mot figure en effet dans le *Dictionnaire d'architecture* de Bosc au sens de «très petit oratoire pratiqué dans l'épaisseur d'un mur». ◇ Son sens moderne, «fenêtre en encorbellement faisant saillie sur la façade», est, comme l'indique son attestation en contexte anglais (1888), un anglicisme. Cependant, comme le montre l'emploi du mot pour «portique, galerie, passage couvert» (1889, sous les formes *oriel*, *oriol*, *horieu*), le lien avec l'ancien français *oriol* était sensible à la fin du XIXe siècle.

✳ **ORIENT** n. m. est emprunté (1080) au latin *oriens* «un des quatre points cardinaux, l'est» et «pays du levant», participe présent de *oriri* «se lever», surtout à propos d'un astre, «s'élancer hors de, sourdre», puis «naître, tirer son origine de». Il s'agit d'un verbe de souche indoeuropéenne à rapprocher du grec *ornunai* «se lever» (→ oro-), du hittite *arai-* «se lever», du védique *ārta* «il s'est élevé». *Oriri* lui-même n'est pas passé dans les langues romanes, si l'on excepte des attestations isolées comme celle de l'anglo-normand *orir* au XIIIe s., supplanté par *surgire* (→ surgir).

♦ *Orient* est d'abord employé dans son acception géographique courante, «zone correspondant à l'endroit où le soleil se lève» (par opposition à *occident*) ; il est employé dans *La Chanson de Roland* en référence à l'Asie et à certains pays du pourtour méditerranéen. ◇ La zone à laquelle il se réfère est plus précisément désignée en français moderne par ***Extrême-Orient, Moyen-Orient, Proche-Orient.*** Autrefois, le commerce avec l'Asie éloignée était désigné sous le nom de *commerce d'Orient*, tandis que celui qui se faisait avec l'Asie proche de l'Europe s'appelait *commerce du Levant*. Aujourd'hui encore, l'usage de *Moyen-Orient* et de *Proche-Orient* est flottant. La notion d'«Orient» elle-même recouvre des définitions différentes au cours de l'histoire. ◇ Par métonymie, le mot sert à désigner les peuples d'Orient (1641, Corneille). ◆ Il entre dans la dénomination maçonnique ***Grand-Orient*** (1678) pour désigner l'une des principales loges maçonniques françaises, constituée initialement à Paris par des représentants des loges de province; l'usage du mot mobilise alors les traditionnelles valeurs symboliques (solaires, bibliques) de l'Orient. ◆ Dès le début du XIIe s., *orient* est aussi employé (avec minuscule) pour désigner une région située à l'est par rapport à un point donné, en particulier, dans un style littéraire, l'endroit où le soleil se lève (v. 1120) et, par métonymie, l'aube. ◆ Il a aussi reçu le sens figuré de «commencement, éclat naissant» (XVIe s.); l'idée d'«éclat» étant réalisée dans deux autres emplois particuliers : «éclat des yeux, reflet lumineux» (1573) en style poétique, et «éclat des perles» (1742), d'usage technique et général.

▶ Son dérivé **ORIENTER** v. tr. (1690) a été précédé par le participe passé adjectivé **ORIENTÉ, ÉE** (1485), employé avec *bien* à propos d'un lieu qui a une bonne disposition par rapport au soleil. ◇ *Orienter* signifie d'abord «disposer (une chose) par rapport aux points cardinaux, à une direction, à un objet déterminé», également à la forme pronominale. Différents emplois particuliers remontent au XVIIe siècle : en géographie, *orienter un plan, une carte* (1680), «y reporter les repères des points cardinaux» et *orienter,* absolument, «disposer la carte de façon à faire coïncider le nord indiqué et le nord géographique réel» (1690). En marine, *orienter les voiles* (1691) signifie «les disposer en fonction du vent». Ultérieurement, le mot est employé en géométrie, surtout au participe passé (1899, *droite orientée*). ◇ *S'orienter* (1694) correspond à «déterminer la position que l'on occupe par rapport aux points cardinaux, à des repères». ◇ Toutefois, l'emploi transitif du verbe au sens de «remettre sur le bon chemin, indiquer le chemin à prendre» n'est repéré qu'en 1862. ◇ Vers la fin du XIXe s., le mot reçoit la valeur métaphorique de «suggérer à (qqn) une direction d'activité, imprimer un certain cours» (1893), spécialement en sciences de l'éducation (1903), d'où *s'orienter* «diriger son activité» (1922, Proust). Son participe passé *orienté, ée,* adjectivé, présente quelquefois au figuré la valeur péjorative «qui a une certaine tendance doctrinale» (1959, de Gaulle).

Les dérivés d'*orienter* sont tous du XIXe ou du XXe siècle. ◆ **ORIENTEMENT** n. m. (1831, *orientement des voiles*) se réserve les sens techniques correspondant au verbe en marine, architecture (1840) et photogrammétrie. ◆ **ORIENTATION** n. f. «action de porter sur une carte les points cardinaux» (1834) correspond ensuite aux divers sens du verbe. Il désigne aussi la détermination des points cardinaux d'un lieu (1840), de l'endroit où l'on se trouve (1840) : *sens de l'orientation* (1890) et ***table d'orientation*** (1895) sont devenus relativement courants. Au cours du XIXe s., le mot entre dans le langage de la marine (1859) et prend (av. 1865) le sens figuré avec lequel il est employé dans le domaine de l'éducation d'où par exemple ***orientation professionnelle*** (1922), *orientation scolaire* (1936). ◆ **ORIENTEUR, EUSE** n. et adj. est le nom d'un appareil servant à déterminer l'orientation d'un lieu (1832), puis également celui d'une personne qui a pour rôle d'orienter la vie scolaire et professionnelle (1938). Dans l'armée, il désigne celui qui est chargé de diriger les mouvements d'une troupe (1944). ◇ C'est dans le domaine militaire qu'on relève **ORIENTATEUR-MARQUEUR** n. m. (v. 1975) «parachutiste qui saute en éclaireur pour disposer des instruments qui guideront les aéronefs». ◆ **ORIENTABLE** adj. «que l'on peut orienter» semble rare avant le milieu du XXe siècle. Il est devenu usuel avec l'usage des antennes mobiles de radio. ◆ Par préfixation, *orienter* a produit l'antonyme **DÉSORIENTER** v. tr. (1617), d'abord attesté avec le sens figuré de «déconcerter, surprendre», immédiatement usuel. Ce verbe signifie aussi «détourner de l'orient ou des autres points cardinaux de l'horizon» (1690), et plus couramment (1811) «faire perdre le sens de l'orientation, la direction». ◇ Il a produit **DÉSORIENTATION** n. f. (1876) qui compte une variante peu usitée, **DÉSORIENTEMENT** n. m.

◈ voir ABORIGÈNE, AVORTER, ORIENTAL, ORIGINE.

ORIENTAL, ALE, AUX adj. et n. est emprunté (1160) au bas latin *orientalis* «situé à l'orient», dérivé de *oriens* (→ orient).

♦ Le mot est employé adjectivement pour qualifier un lieu situé à l'est d'un point, et une personne originaire d'Orient (1245), sens solidaire de l'évolution du mot *orient* et avec lequel il est substantivé (XIIIe s.) : *un Oriental.* Il entre dans le syntagme *langues orientales* (1610-1630), désignation floue et archaïque de diverses langues, d'abord asiatiques, dont le seul point commun est de n'avoir pas été enseignées couramment en France au XIXe siècle. L'***École des langues orientales*** est appelée familièrement au XXe s. ***Langues o.*** ◇ À la fin du XVIIIe s., *oriental* commence à être employé avec la valeur caractérisante «qui évoque l'Orient, le rappelle dans l'esprit des Occidentaux (1797, Chateaubriand), d'où la locution ***à l'orientale*** (1817, Staël). Dans ce type d'emploi, l'adjectif mobilise des connotations exotiques vagues et ambiguës, variables selon les moments mais, à l'origine, préromantiques et romantiques, et dont les pôles actifs sont, d'une part les civilisations sémitiques, de l'autre la Chine et le Japon, l'unité se faisant par opposition au concept tout aussi indécis de *occidental.* ◇ Le mot est substantivé au masculin avec une valeur de neutre et au féminin *(une orientale)* comme terme d'histoire littéraire, pour le genre poétique imité au XIXe s. des *Orientales* de Hugo (1828).

▶ Tous les dérivés sont postérieurs à la fin du XVIIIe s., c'est-à-dire à l'époque préromantique. ◆ Le premier, chronologiquement, est **ORIENTALISTE** (1799), employé comme nom, puis comme adjectif (1803) pour désigner le spécialiste des langues et civilisations d'Orient. Dans la seconde moitié du XIXe s., *orientaliste* désigne le peintre qui peint des sujets d'inspiration orientale. Historiquement, ce goût pour l'Orient remonte à la Renaissance et ne se dément pas jusqu'au XVIIIe s.; toutefois, c'est à partir des expéditions de Bonaparte en Égypte que l'Orient prend une valeur sensible, exploitée par le romantisme, avec ses couleurs propres et ses mœurs. L'orientalisme en art se manifeste chez G. Decamps, E. Fromentin, E. Delacroix. Dans la seconde moitié du XIXe s., l'extension du tourisme, du commerce et l'expansion coloniale aidant, l'orientalisme est une source d'inspiration active en Europe ; en France, sa vogue aboutit par exemple au *Salon des peintres orientalistes français* en 1895. Le mouvement s'arrête au XXe s., l'Orient se banalisant par les voyages, les photos, etc. ➛ Le mot même de **ORIENTALISME** n. m. est d'abord, historiquement (1826), le nom du système de ceux qui prétendent que les peuples occidentaux doivent à l'Orient leur origine, leurs langues et leurs sciences. ◇ C'est au XIXe s. que se développent les sens de «science des choses de l'Orient» (1840), «goût des choses de l'Orient» (1846), spécialement en art, et «caractère oriental» (1846, Baudelaire). ➛ La vogue de l'Orient au XIXe s. a aussi entraîné l'emploi de **S'ORIENTALISER** (1801) à la forme pronominale pour «prendre des mœurs orientales» et de *orientaliser* pour «donner les caractères de l'Orient» (1828 Champollion). *Orientaliser* est même employé absolument par Flaubert pour «peindre des sujets orientaux, des scènes typiques» (1850). ➛ Les textes du XIXe s. attestent également **ORIENTALISANT, ANTE** adj. (1864), **ORIENTALEMENT** adv., **ORIENTALITÉ** n. f. ➛ À partir de *Extrême-Orient,* on a fait **EXTRÊME-ORIENTAL, ALE, AUX** adj. et n. (1902 ; 1904, Péguy).

ORIFICE n. m. est emprunté (1314) au latin *orificium* «ouverture», composé de *os, oris* «bouche, ouverture» (→ orée), et d'un élément tiré de *facere* (→ faire).

♦ Le mot est d'abord employé dans son acception anatomique, «ouverture étroite d'un organe» ; plus généralement, il dénomme l'ouverture qui fait communiquer une cavité (naturelle ou artificielle) avec l'extérieur (1500).

◈ **ORIFLAMME** n. m. est l'altération (v. 1200) d'après *flamme** de l'ancien français *orie flambe* (1080) «petit étendard», puis *oriflanbe* (1150), lui-même d'origine obscure. On y a vu un composé de l'ancien adjectif *orie* «doré» (→ oripeau) et de *flambe,* représentant le latin *flammula,* diminutif de *flamma* (→ ① flamme), employé pour désigner une bannière d'après le latin médiéval *aurea flamma, auriflamma* qui désigne d'abord la bannière du monastère de Saint-Denis puis une bannière en général (XIIe s.). En effet, la bannière de Saint-Denis ressemblait à une flamme avec sa soie rouge orangé et sa partie flottante découpée en pointe. Toutefois, la couleur de cet étendard n'étant pas proprement «dorée», H. et R. Kahane proposent un *laurea flammula* «étendard lauré», de *laurus* (→ laurier), aboutissant à *lorie flambe* puis *orie flambe* par chute du *l* initial et rapprochement avec l'ancienne forme *aur* «or» (→ or).

♦ Anciennement «petit étendard», le mot est employé comme terme d'histoire et pour désigner une bannière d'apparat ou d'ornement, souvent utilisée à l'occasion de fêtes, de cérémonies (1867). En sport hippique (1880), il désigne le pavillon que l'on hisse avant le départ de la course et que l'on amène après son départ.

ORIGAN n. m. est emprunté (XIIIe s., également *origanum*) au latin *origanum,* nom de plante emprunté au grec *origanon.* Ce mot est interprété par les Anciens comme issu de *oros* «montagne» (→ oro-) et *ganos* «éclat, aspect riant», et signifierait alors «qui se plaît sur la montagne», mais il s'agit d'une étymologie «populaire». C'est en tout cas un emprunt qui demeure inexpliqué (la plante est originaire d'Afrique).

♦ Le mot est régional (sud de la France), le synonyme le plus usuel étant *marjolaine.*

✳ **ORIGINE** n. f. est emprunté (1470) au latin *originem,* accusatif de *origo, -inis* «source» *(origo fontium),* figurément, surtout dans la langue poétique, «race», et, appliqué à une personne, «ancêtre ; fondateur». Au pluriel, *origines* donne son titre à un ouvrage historique de Caton. Le mot est dérivé de *oriri* «se lever (surtout d'un astre)», «s'élancer hors de» et «naître» (→ orient).

♦ *Origine* a supplanté l'ancien français *orine* (1138), son doublet hérité, de formation populaire. Il désigne le point de départ de la naissance d'un individu, d'une famille, d'une race, généralement en emploi qualifié, par exemple dans *d'excellente origine, de haut rang et royale origine* (1470). Par extension il s'applique à des animaux (1611) et, par figure, au temps, au milieu d'où vient une chose (ainsi dans *origine d'un mot,* 1677) et, spatialement, au point de départ de ce qui est envoyé (1811, *certificat d'origine*). Il est employé spécialement en géométrie à propos du point de référence à partir duquel on mesure les coordonnées (1679). ◇ Le mot désigne également le commencement, la première apparition ou manifestation d'une chose (1541, Calvin). En ce sens, il est aussi employé au pluriel, *les origines* désignant les commencements, les formes anciennes d'une chose qui se modifie (1650, Ménage, dans le titre *Les Origines de la langue françoise*). ◇ À partir du XVIIe s., le singulier désigne ce qui explique l'apparition, le formation de qqch., d'un fait nouveau (1611). Il est alors employé soit à propos d'une origine que l'on peut situer dans le temps (*être l'origine de,* 1671), soit avec une nuance causale qui le rend proche de *cause,* sans fixer un moment dans le temps.

▸ Le mot n'a pour dérivé français que le verbe moderne **S'ORIGINER** v. pron. (v. 1968) «faire remonter son origine à». ➛ Mais les dérivés latins de *origo* ont donné trois adjectifs usuels, dont deux restent en rapport sémantique étroit avec *origine.* ➛ **ORIGINAIRE** adj. est emprunté (1524) au dérivé bas latin *originarius* «indigène, qui vient de», également «dont la condition personnelle est déterminée par la naissance» et «primitif», adjectif substantivé pour désigner le tenancier héréditaire de condition servile. ◇ *Originaire* a d'abord eu le sens de «primitif, qui existait à l'origine», de nos jours surtout réservé à *originel.* Il signifie ensuite «qui tire son origine de» (av. 1565) en parlant d'une chose, d'une personne, d'une plante ou d'un animal, puis qualifie un caractère que l'on tient de son origine, de sa naissance (1636). ◇ Son dérivé **ORIGINAIREMENT** adv. (1532) est partiellement synonyme de *originellement*. ➜ **ORIGINEL, ELLE** adj. est emprunté (fin XIIIe s.) au latin impérial *originalis* qui a également donné *original* (ci-dessous), ce qui explique l'interférence des deux mots en français. ◇ *Originel* est d'abord attesté sous son acception religieuse, dans *faute originelle* et ***péché originel*** (fin XIVe s.). Il exprime l'idée de «qui date de l'origine, qui vient de l'origine». ◇ Son dérivé **ORIGINELLEMENT** adv. (1520), d'abord *originelment* (1369) «dès l'origine, à l'origine», synonyme de *originairement**, est plus usité.

Le troisième adjectif, **ORIGINAL, ALE, AUX,** a une vie sémantique plus complexe. Il est emprunté (1240) au latin impérial *originalis,* dérivé de *origo* qui signifie «qui existe dès l'origine, primitif» et, à basse époque chez les auteurs chrétiens, «péché originel», aussi «document authentique» et, comme *originarius,* «personne dont la condition juridique est déterminée par la naissance» d'où, par métonymie, «obligations caractérisant une telle condition héréditaire». En latin médiéval, il est substantivé au neutre *originale* (976). ➜ En français, l'adjectif est d'abord usité dans un contexte religieux comme épithète de *péché* avant de céder cet emploi à *originel* (ci-dessus). ◇ Son emploi pour «d'origine» en parlant d'une chose qui émane directement de l'auteur (1330) a pris une certaine vitalité dans les domaines de l'expression écrite et des arts, d'où les locutions ***copie originale*** (1594) et ***édition originale*** (1772). ◇ Au XVIIe s., il développe l'idée aujourd'hui dominante de «qui a sa marque propre, unique» (av. 1662, Pascal) et prend la valeur caractérisante de «qui s'exprime d'une manière qui lui appartient en propre» (1691, *un auteur original*). ◇ À côté de cette valorisation, il présente souvent, depuis le XVIIe s., la nuance péjorative de «bizarre, excentrique» avec laquelle il est substantivé (*un original,* 1657, chez Tallemant des Réaux). ➜ *Original* est employé depuis l'ancien français comme nom (1269) pour désigner le manuscrit primitif d'un écrit, à la fois par opposition à *copie, traduction* et *reproduction,* selon le contexte. Dans une conception de l'art comme imitation du réel *(mimésis),* il a désigné aux XVIe et XVIIe s. un objet ayant servi ou susceptible de servir de modèle à un peintre, à un sculpteur (1563), emploi supplanté par *modèle.* ◇ Par suite, il a pris le sens qualitatif de «modèle d'excellence, digne d'être imité», en parlant de personnes ou de choses. Ainsi Furetière cite-t-il Homère et Virgile comme des *originaux* et Molière comme *original* en son genre, la comédie. ◇ De l'adjectif est dérivé **ORIGINALEMENT** adv. (1376, *originalment*), d'abord employé au sens ancien de «primitivement» (cf. *originellement* et *originairement* ci-dessus) et seulement enregistré en 1798 avec son sens courant «d'une manière spécifique». ➜ Le nom dérivé, **ORIGINALITÉ** n. f., est attesté une première fois à la fin du XIVe avec l'ancien sens de «lignage, extraction», puis au XVIIe s. avec le sens de «qualité d'être original» (1699, d'un ouvrage). Il a conjointement la valeur ironique de «singularité, bizarrerie» (1722).

ORIGNAL n. m. est l'altération, attestée en 1664, de *orignac* (1605). Ce mot appliqué à un animal autochtone du Canada, y a été importé par des immigrants basques. En basque, *oregnac* est le pluriel de *oregna* «cerf».

♦ *Orignal, aux* désigne l'élan du Canada.

ORILLON → OREILLE

ORIPEAU n. m., d'abord *oripel* (1200), refait en *ouripeau* (1564), *oripeau,* est composé de l'ancien adjectif *orie* «doré» (1050), emprunté au latin *aureus* de *aurum* (→ or), et de *pel,* forme ancienne de *peau**.

♦ Le genre masculin du mot s'explique par l'influence du suffixe *-eau* à partir du moment où *oripeau* a cessé d'être perçu comme un composé de *peau.* Il s'est dit d'une lame de cuivre ou de laiton très mince ayant de loin l'éclat et l'apparence de l'or. Par suite, il est devenu le nom d'une étoffe, d'une broderie de fils ou d'ornements de faux or ou de faux argent (1564), prenant le sens figuré d'«apparence brillante et trompeuse» (1659), aujourd'hui archaïque. ◇ De nos jours, le mot n'est guère employé qu'au pluriel avec le sens de «vêtements défraîchis, démodés», voire de «haillons» (1544), souvent avec une allusion au reste de splendeur qui donne un aspect théâtral et ridicule. Le pluriel est également employé au sens figuré de «faux ornement, éclat trompeur» (*les oripeaux de la gloire, etc.*)

ORLE → OURLER

ORME n. m. est probablement l'altération (1165) de l'ancien *olme* employé entre la fin du XIe (av. 1100, Raschi) et le XVIe siècle. *Olme* est issu du latin *ulmus,* forme à laquelle remontent les correspondants romans, italien et espagnol *olmo,* ancien provençal *olm(e).* Le mot latin a des correspondants dans le vieil islandais *almr* et l'irlandais *lem* de même sens ; il est passé en germanique dans l'ancien haut allemand *ulmboum,* d'où l'allemand *Ulme,* auquel correspond l'anglais *elm.* En français, l'altération du *l* en *r* a été renforcée par le dérivé *ormeau,* attesté postérieurement, et qui n'a pas pu en être la cause. L'hypothèse d'une dissimilation du *l* qui aurait eu lieu après l'agglutination de l'article *l', (l'olme → l'orme)* est difficilement acceptable phonétiquement.

♦ *Orme,* «arbre ornemental à feuilles dentées», entre dans l'expression proverbiale ***attendre sous l'orme*** (1690) «attendre vainement la venue de qqn», popularisée par la pièce de Regnard *Attendez-moi sous l'orme* (1694), et qui fait référence à l'usage des juges de village (et, par dépréciation, aux magistrats et avocats médiocres qu'on laissait volontiers attendre), lesquels rendaient la justice sous l'orme planté sur la place publique. L'allusion est ancienne : on relève dès le XVIe s. l'expression *juges (pédanées) sous l'orme* (1552, Rabelais) et, dès le milieu du XIVe s., *festes dessous l'orme* dans un recueil de fabliaux.

▸ *Orme* a donné ① **ORMEAU** n. m. (1202, *ormel*), qui continue par dissimilation du *l* en *r,* l'ancien *ol-*

mel (1175, également *humel, ulmel*) «petit orme», diminutif de l'ancien *olme.* Le mot est employé dès le XIIIe s. comme concurrent de *orme,* notamment dans le style littéraire. ➜ **ORMAIE** n. f., d'abord *ourmaye* (1310), est dérivé de *orme* au moyen du suffixe *-aie.* Le latin des gloses atteste avec le même sens *ulmetum,* dérivé du latin *ulmus* (→ orme) et à l'origine de l'ancien et moyen français *ormoi,* attesté du XIIIe au XVe siècle. ➜ **ORMILLE** n. f. (1750) a été fait avec le suffixe *-ille* de *charmille.*

② **ORMEAU** n. m. est un emprunt adapté (XVIe s.) au latin *auris maris* «oreille de mer».

♦ C'est la désignation courante de l'haliotide, mollusque marin comestible.

ORNE n. m. est issu (1155, *urne*) du latin *ordo, -inis* «rang, ordre» (→ ordre).

♦ L'ancien français employait le mot dans la locution *a urne* (1155) «l'un après l'autre» et au sens de «chemin» (1225). ◇ Il a décliné, se maintenant au sens de «sillon» (1611) dans quelques dialectes du Centre et de l'Est. Il est employé spécialement en sylviculture dans la locution ***faire orne*** (1868) «abattre des arbres en droite ligne». ◇ Ce mot régional a influencé *ornière*.*

ORNER v. tr. est emprunté (XIIIe s.) au latin *ornare,* proprement «apprêter, équiper, préparer, garnir», et par suite «embellir, décorer», le sens initial, «équiper» étant alors réservé à *instruere* (→ instruire). Il s'agit d'un mot du groupe de *ordo* (→ ordre) et de *ordiri* (→ ourdir), mais la parenté n'était déjà plus sentie par les Latins.

♦ Le verbe signifie dès ses premières attestations «parer, embellir, agrémenter». Le sens originel du verbe latin était également réalisé en ancien et moyen français, surtout par le participe passé *orné* «bien équipé», *orné de* «composé de». La langue du XVIe s. employait aussi le verbe au sens de «gratifier, honorer par un présent» (Ronsard). ◇ Avec son sens actuel, *orner* couvrait d'ailleurs un champ d'emplois plus vaste : il s'employait avec un nom de personne pour sujet dans les domaines de l'habillement, des bijoux et des meubles ; on dit plutôt *parer* et *décorer.*

▸ *Orner* a éliminé l'ancien verbe *aorner* v. tr. (1160), issu du latin *adornare,* composé de même sens que *ornare,* refait au XIVe s. en **ADORNER** par conformation étymologique ; ce verbe archaïque a été repris dans les milieux littéraires au XIXe s. à la faveur de l'imitation du style Louis XIII (par exemple dans *Le Capitaine Fracasse* de Gautier). Il a souvent la valeur ironique d'«orner excessivement, de manière ridicule».

ORNEMENT n. m. est issu (1050) du latin *ornamentum* «ornementation», en particulier, à basse époque, «enluminure», dérivé de *ornare* (→ orner). ◇ Le mot s'est progressivement imposé en face de l'ancien *aornement* (1170, *aürnemenz*) plus courant en ancien et moyen français pour désigner la parure, l'habillement, les joyaux, et issu du latin *adornamentum* correspondant à *adornere* (voir ci-dessus *adorner*). ➜ *Ornement* a produit ses quelques dérivés au XIXe siècle : **ORNEMENTER** v. tr. est cependant relevé une première fois en 1532 avant d'être repris à l'époque romantique, d'abord au participe passé (1858, Gautier) puis à l'infinitif (1868, Littré). ◇ **ORNEMENTAL, ALE, AUX** adj. est attesté depuis 1840 ; la variante *ornamental,* employée par Rimbaud dans les *Illuminations* (1873), était influencée par l'anglais *ornamental* (1646, écrit *ornamentall*) de même origine. ◇ **ORNEMENTATION** n. f. est également attesté depuis 1840 ; plus que *ornement,* le mot réalise la valeur active d'«action de disposer des ornements». Il s'emploie spécialement en arts décoratifs pour la discipline artistique consacrée à la production et à la disposition de ce qui a valeur et fonction d'ornement, en relation avec les notions d'*art décoratif* et d'*art appliqué.* ➜ Le spécialiste du dessin ou de l'exécution des motifs décoratifs a reçu le nom de **ORNEMANISTE** (1800), la forme *ornementiste* (1835), régulièrement formée sur *ornement,* n'ayant pas vécu. Le mot est employé en apposition *(maître ornemaniste).*

ORNIÈRE n. f., attesté depuis la fin du XIIIe s., est probablement l'altération, sous l'influence de *orne** «rang, ligne», de l'ancien français *ordiere,* attesté dans les dialectes du Nord et de l'Est par des textes de la fin du XIIe s. transmis par les manuscrits du XIIIe siècle. *Ordiere* est issu du latin populaire °*orbitaria,* dérivé, au moyen du suffixe collectif *-aria,* de *orbita* (→ orbite) pris avec le sens particulier de «trace creusée par les roues de voitures». Cette hypothèse, qui s'appuie notamment sur l'existence en wallon des formes *oûrbîre, warbir,* est préférable à celle qui fait de *ornière* un dérivé direct du français *orne.*

♦ *Ornière,* outre son sens propre, «trace creusée par les roues des véhicules dans le sol», est quelquefois employé au sens figuré pour «voie ancrée dans l'habitude, routine», surtout dans les expressions ***être, rester dans l'ornière*** (1819, mais l'ancien français employait dès la fin du XIIe s. *droite ordiere* pour «droit chemin»).

ORNITHO- est l'élément formant tiré du grec *ornis, ornithos* «oiseau» qui désigne aussi bien l'oiseau domestique que l'oiseau de proie. *Ornis* était également employé dans le vocabulaire augural mais on lui préférait *oiônos* «grand oiseau de proie». Dès l'attique, le mot, précisé par un adjectif, est employé pour désigner la poule et le coq, puis, plus couramment, la poule. ◇ En grec même, il fournit, sous la forme *ornitho-,* le premier élément d'une quarantaine de composés et, sous la forme *-ornis,* le second élément de quelques mots. Le grec moderne l'a gardé, nommant *ornitha* la poule et *ornio* l'oiseau de proie, la buse. Il s'agit d'un mot indoeuropéen, dont le radical °*orn-* se retrouve par exemple dans le nom de l'aigle en hittite *(har-as)* et en germanique (gotique *ara,* vieux norrois *are,* anglo-saxon *earn*) ; les langues baltiques et slaves possèdent des formes en *l* avec divers vocalismes (russe *oriol*).

♦ *Ornitho-* entre dans la formation de termes relatifs aux oiseaux ou désignant des plantes et des animaux présentant des ressemblances avec les oiseaux. ◇ Certains mots, tel **ORNITHOMANCIE** n. f. (1717), ont été directement empruntés au grec.

▶ **ORNITHOLOGIE** n. f., nom de la partie de la zoologie qui étudie les oiseaux, est emprunté (1649) au latin scientifique *ornithologia* (1595) «ouvrage s'occupant des oiseaux», formé à partir du grec tardif *ornithologos* «qui parle des oiseaux». ◇ À sa suite, on a formé **ORNITHOLOGIQUE** adj. (1771, *traité ornithologique*). ◇ **ORNITHOLOGISTE** n. (1721 ; *ornithologist* en anglais dès 1677), concurrencé par **ORNITHOLOGUE** n. (1759), est directement repris au grec *ornithologos*. ◆ **ORNITHOMANCIE** n. f. (1717) «art de la divination par le chant ou le vol des oiseaux» et **ORNITHOPHILIE** n. f., **ORNITHOPHILE** n. et adj. (1755) «amour des oiseaux» et «personne qui aime les oiseaux», sont des créations didactiques du XVIIIe siècle. ◆ **ORNITHOSE** n. f. a été formé au XXe s. en médecine pour dénommer une maladie infectieuse de l'oiseau, transmise à l'homme.

ORNITHORYNQUE n. m., d'abord *ornithoringue* (1803) puis *ornithorhynque* (1805) et *ornithorynque*, est emprunté au latin scientifique *ornithorhync(h)us* (1800). Ce dernier est formé avec le grec *ornis, -ithos* (→ ornitho-) et *runkhos* «groin, museau, bec», terme expressif dans sa sonorité, rapproché de l'arménien *ṙng-un-k'* (pl.) «nez, narines» qui permet de dégager la racine indoeuropéenne °*sprungh-* ou °*springh-* avec nasalisation expressive. ◆ L'animal, un mammifère, est ainsi nommé en raison du bec corné dont il est doté.

ORO-, ORÉO- est l'élément formant tiré du grec *oros, orous* «montagne», «hauteur» et en Égypte «montagne, désert, monastère» par opposition avec la plaine cultivée. Le mot, qui subsiste en grec moderne (*Agion oros* «mont Athos») serait un nom verbal issu de *ornunai* «s'élancer, naître, s'élever». On a évoqué également un rapprochement avec le sanskrit *ṛṣva* «haut» qui contient la racine °*er-*, représentée en latin dans *oriri* (→ orient).

▶ *Oro-* entre dans la construction de mots savants concernant les reliefs, les montagnes ou en relation avec l'environnement montagneux. Tels sont **OROGÉNIE** n. f. (1868) «période de processus de formation (de *-génie*, → genèse) des montagnes», d'où **OROGÉNIQUE** adj. (1868), ainsi que **OROGRAPHIE** n. f. (1823), probablement formé sur **OROGRAPHIQUE** adj. (1791), cette dernière forme étant plus répandue que **ORÉOGRAPHIQUE** adj. (1868). ◆ Au XXe s. on a formé **ORONYMIE** n. f. «étude des noms de montagne», faisant partie de la toponymie ; **OROPHILE** adj. «qui vit dans les régions montagneuses», à peu près inusité, et **OROMÉTRIE** n. f. (1932) «mesure du relief d'un sol».

ORONGE n. f. est emprunté (1753, *Encyclopédie*) à l'occitan rouergat *ourounjo*, correspondant au franco-provençal *orŏnjo, oroungio*, proprement «orange», en raison de la couleur du champignon. Le mot dialectal a la même origine que le français *orange**.

♦ *Oronge* désigne un champignon comestible du midi de la France et sert aussi, dans ***fausse oronge***, à désigner une amanite toxique, dite couramment *amanite tue-mouches*.

ORPAILLEUR n. m. (1762) est d'origine incertaine. C'est probablement la forme altérée, par croisement avec *or**, du moyen français *harpailleur* (Rabelais, 1537 ; 1542 et dès 1535 *harpailler* n. m.). Le sens de *harpailleur* fait difficulté : Godefroy le glose par «gueux» ou «brocanteur», d'autres l'interprètent comme «mineur» ou «voleur», avant que l'on ne relève *arpailleur* pour «celui qui cherche l'or» (1611), précisément «qui cherche l'or sur le bord des rivières» (1690). Il s'agirait du nom d'agent correspondant à l'ancien verbe *harpailler* «malmener» (1556), pronominalement «se quereller avec aigreur» (1718), dérivé péjoratif de *harper* (XIIIe s.) «s'accrocher à», «saisir, empoigner» (1376) [→ harpe, harpon]. Ce verbe est probablement issu d'un germanique °*harpan* «saisir», postulé par l'ancien norrois *harpa* «crampe, action de tordre la bouche». *Arpailleur* est en relation avec l'ancien lyonnais *arpelleur* «celui qui tire le sable ou la vase des rivières» et le verbe correspondant *arpeller* (1542), sans doute forme dialectale de *harpailler*, mais on ne s'explique pas l'évolution sémantique à partir de «querelle». On penserait plutôt à l'évolution suivante : un dérivé de *harper* «saisir, attraper», indépendant de *harpailler* «se quereller», s'appliquerait régionalement au ramassage du sable en rivière, puis à la recherche de minerai dans le sable, en particulier d'or ; de là le passage de *(h)ar-* à *or-*.

♦ Le mot désigne la personne qui cherche à extraire par lavages successifs les paillettes d'or provenant du sable de certains cours d'eau ou des alluvions aurifiés.

▶ Par changement de suffixe, *orpailleur* a servi à former **ORPAILLAGE** n. m. (1863) «travail, métier de l'orpailleur».

ORPHELIN, INE n. et adj., mot né dans les milieux ecclésiastiques, est issu (1135) par dissimilation du premier *n*, de l'ancien français *orfenin* (v. 1120), lui-même dérivé de *orfene*, mot dont on a seulement des attestations postérieures (1225-1230). *Orfene* est issu du latin ecclésiastique *orphanus* (fin IVe s.), emprunté au grec *orphanos* «privé de père ou de mère», dit aussi de parents ayant perdu leur enfant. *Orphanos* qui, par extension, signifie «privé de» (→ Orphée à orphéon) est dérivé d'un nom thématique, °*orphos*, lequel a des correspondants exacts dans l'arménien *orb, -oy* «orphelin» et dans le latin *orbus* «privé de» (→ ② orbe). Le fait que ce mot latin ait pris tardivement le sens d'«aveugle» (→ orvet) explique que *orphanus* ait assumé le sens d'«orphelin» et soit passé dans les langues romanes. D'autres rapprochements avec le celtique *orb(b)e, orpe* «héritage» («bien de l'orphelin»?), le gotique *arbi*, l'ancien haut allemand *arbi, erbi* «héritier», incitent à postuler une racine indoeuropéenne °*orbho-*. Benveniste rattache ces divers mots au radical verbal attesté dans le hittite *ḫarp-zi* «séparer, retrancher» ; il considère en outre le finnois *orbo, orvo* «orphelin» comme un emprunt à l'indoeuropéen.

♦ Le mot désigne un enfant qui a perdu un parent ou les deux et, par extension, celui qui a perdu un de ses parents, un être cher; il est également employé comme adjectif (v. 1165). ◇ Par extension, il s'est employé en argot pour un objet privé de propriétaire, en apiculture pour des abeilles privées de reine, et avec une valeur figurée (dès v. 1210). ◇ La locution ***défendre la veuve et l'orphelin*** «prendre la défense des déshérités, des opprimés» est enregistrée en 1874 à propos des avocats; elle est rapidement devenue ironique.

► En sont dérivés **ORPHELINAGE** n. m. (1543) «état d'orphelin», en apiculture «état des abeilles privées de reine», **ORPHELINAT** n. m. (1861) désignant l'institution où sont abrités et élevés des enfants privés de soutien familial, et **ORPHELINISME** n. m., mot rare employé par Laforgue (1886).

ORPHÉON n. m. est dérivé (1767) avec le suffixe d'*odéon* du nom d'*Orphée* (latin *Orpheus*, mot grec), personnage de la mythologie grecque, célèbre symbole de la création musicale et poétique et à l'origine des mystères et de nombreux cultes. En l'absence d'étymologie sûre, on peut se demander si *Orpheus* n'est pas dérivé de *orphanos* «privé de» (→ orphelin), *Orphée* ayant été privé de son épouse Euridyce. Le mot pourrait également être un nom mythique préhellénique.

♦ *Orphéon* est attesté dans *l'Encyclopédie* pour désigner un instrument de musique à cordes et à claviers. ◇ Au XIXe s., il est repris par Wilhem pour nommer les écoles de chant qu'il crée à Paris (1837). ◇ De nos jours, le mot est employé avec la valeur dérivée de «fanfare, harmonie municipale» (1868) avec, fréquemment, des connotations ironiques.

► On en a tiré **ORPHÉONISTE** n. (1842) «chanteur», puis «musicien d'un orphéon» et **ORPHÉONIQUE** adj. (1860).

ORPIMENT n. m. est un emprunt adapté (1165) au latin *auripigmentum*, proprement «couleur d'or», de *aurum* (→ or) et *pigmentum* (→ pigment, piment), qui désigne un trisulfure d'arsenic naturel, de couleur jaune vif ou orangé.

♦ *Orpiment*, d'abord utilisé en chimie ancienne, appartient plus tard au vocabulaire technique de la peinture et de diverses industries.

► **ORPIN** n. m. est probablement dérivé (fin XIIe s.) de *orpiment* : il en a été synonyme avant de désigner, d'après sa couleur, une plante charnue qui croît ordinairement sur les toits et dans les murs (1372).

ORQUE n. f. est emprunté (1550, Du Bellay) au latin *orca*, mot désignant un cétacé (Pline), également employé comme surnom ainsi que pour désigner un vase à gros ventre, une tonne (à vin, à poisson salé). À l'origine, on pose la contamination de deux mots distincts : *orca* «baleine» (du grec *oruga*, accusatif de *orux*, probablement par l'étrusque) et *orca* «récipient», autre emprunt fait au grec *hurkhê* «pot de terre où l'on met des poissons salés ou du vin». *Orca* et *hurkhê* peuvent d'ailleurs être deux emprunts indépendants à une même langue méditerranéenne (→ urne).

♦ *Orque* a servi à désigner un monstre mythologique, en particulier chez les poètes de la Pléiade (*ourque* chez Ronsard et encore en 1690, au féminin). C'est aujourd'hui un terme de zoologie désignant un cétacé, aussi appelé *épaulard*. L'emploi au masculin est fautif.

ORSEILLE n. f., d'abord *orsolle, oursolle* (av. 1425) puis *orseille* (1460-1461), est emprunté au catalan *orxella* (1288, *orxela*), lequel est emprunté au mozarabe *'urğâ(l)la* (982, Cordoue), nom d'une variété de lichen croissant sur les côtes rocheuses, lui-même d'origine incertaine.

♦ Le mot désigne ce lichen et, par métonymie, la pâte colorante pourpre que l'on en tire et que l'on utilise pour teindre la laine et la soie (1690). L'usage de ce colorant dans l'industrie alimentaire est interdit en France depuis le 1er octobre 1977.

ORTEIL n. m. est une altération (1175) de l'ancien français *arteil* (1190), encore répertorié par Trévoux (1771) et toujours usité dans les dialectes. Parallèlement, l'ancien provençal a *artelh* (XIIe s.). *Arteil* est lui-même issu du latin *articulus* «jointure des os, articulation», puis «doigt» (→ article), qui a donné l'espagnol *artejo* «partie extérieure de la jointure des doigts» (1256-1263). La spécialisation sémantique, «doigt de pied», a eu lieu en gallo-roman, probablement d'après un mot gaulois °*ordiga* postulé par la forme latine tardive *ordigas* «orteil» (VIIIe s.) dans les gloses de Cassel, et par l'ancien irlandais *orddu lamae* «pouce». Ce mot gaulois expliquerait également le passage du *a* au *o* de la forme actuelle.

♦ Le mot désigne chacun des cinq doigts du pied, le plus gros étant appelé ***gros orteil*** (1559). Il est concurrencé par l'expression usuelle *doigt de pied*, mais est resté en usage.

ORTHO- est l'élément formant tiré du grec *ortho-* pour *orthos* «debout, dressé», employé en géométrie pour qualifier les angles droits. Plus généralement, il signifie «direct, en ligne droite» et s'est enrichi de valeurs abstraites et morales : «restauré, redressé», «réussi», et aussi «véridique, correct, honnête». Une étymologie traditionnelle et plausible rapproche *orthos* du sanskrit *ūrdhvá-* «dressé haut» et du verbe *várdhati* «élever, faire pousser».

♦ *Ortho-* entre dans la construction de noms et d'adjectifs savants dans lesquels il exprime les notions de «rectitude», «redressement», et de «normalité» ou «exactitude». Il est productif en botanique, en zoologie, en médecine, en mathématiques, en minéralogie, en optique, en biologie, en chimie atomique et en linguistique. ◇ Il est particulièrement fécond en chimie à partir de la seconde moitié du XIXe s. avec l'adoption des éléments *para-**, *méta-** et *ortho-* qui s'expliquent l'un par l'autre.

ORTHOÉPIE n. f. est formé (1845) de *ortho-* et *-épie*, du rad. grec concernant la prononciation. ◇ Il est sans doute emprunté à l'allemand *orthoepie*, plus courant, pour désigner l'étude et l'apprentissage de la prononciation d'une langue conforme à la norme. Cf. *orthophonie.*

◈ voir ORTHODOXE, ORTHOGRAPHE, ORTHOPÉDIE, ORTHOPHONIE.

ORTHODOXE adj. et n. est emprunté (1431) au latin ecclésiastique *orthodoxus* «qui a la vraie foi», lui-même emprunté au grec *orthodoxos,* de *ortho-* (→ ortho-) et *doxa* «opinion, avis» (→ doxa). Ce dernier a pour premier sens «attente» d'où «ce que l'on admet, opinion»; il est employé par Platon à propos de l'opinion commune qui peut être juste, distinguée de l'*epistêmê* «connaissance scientifique» (→ épistémologie). D'autre part, il désigne l'opinion qu'on a de qqn, la réputation, avec des adjectifs comme *agathê* «bonne» ou *kakê* «mauvaise». Employé seul, il a pris le sens de «bonne réputation» et même «gloire». Enfin, dans la traduction grecque de la Bible, il signifie «manifestation de la gloire et de la puissance de Dieu, splendeur» (traduisant l'hébreu *kābôd*). Le mot, qui a tenu une place très importante dans le vocabulaire grec, se rattache au verbe *dokein* «penser, admettre» qui correspond au latin *docere* de sens causatif, «faire admettre, enseigner» (→ docte), exprimant avant tout la notion d'adaptation, de conformation à ce qui convient (→ paradoxe).

♦ *Orthodoxe* est d'abord employé dans le vocabulaire religieux au sens de «conforme à la saine, à la vraie doctrine», en opposition à *hérétique;* il est substantivé en ce sens (av. 1565, *orthodos*). Par extension, il passe dans l'usage courant au XVIIIe s. avec le sens de «conforme à la doctrine considérée comme la seule vraie» (av. 1741), sens réalisé par dérision dans l'expression familière *une mine peu orthodoxe* (1713), variation sur *pas catholique.* ➛ Ce n'est qu'au XIXe s. que *orthodoxe* prend son acception religieuse spéciale, «qui appartient aux Églises chrétiennes d'Orient (notamment grecque et russe) constituées à partir du VIe s. et séparées de Rome depuis le XIe s. (en 1054)». L'emploi de l'adjectif en ce sens semble tardif, alors qu'il est attesté en anglais *(orthodox)* dès le XVIIe s. (1679). On le trouve chez Mérimée (1853) et le nom chez Edmond About (1854, *Grèce*).

▶ **ORTHODOXIE** n. f. est soit emprunté (1580) au grec *orthodoxia* «opinion juste, sensée», soit formé sur *orthodoxe* au moyen du suffixe *-ie.* D'abord employé au sens religieux de «doctrine considérée comme norme de la vérité en matière de religion», il a, comme *orthodoxe,* développé son sens courant au XVIIIe s. (av. 1776) et, ultérieurement, son sens religieux spécial, «doctrine religieuse des Églises chrétiennes d'Orient» (1853, Mérimée).
C'est au XVIIe s. que sont apparus les antonymes **HÉTÉRODOXE** adj. et n. (1667), emprunté au grec *heterodoxos* «qui a une croyance autre (→ hétéro-) qu'il ne convient», et **HÉTÉRODOXIE** n. f. (1700, Bossuet), emprunté au grec *heterodoxia* «action de prendre une chose pour une autre qu'elle n'est, erreur d'opinion». Les deux mots sont employés en religion et aussi par extension (XIXe s.), mais sans la vitalité de *orthodoxe,* à propos de l'anticonformisme en tout domaine.

ORTHOGRAPHE n. f. est emprunté (1529) au latin *orthographia* «manière correcte d'écrire un mot», également employé en architecture pour désigner la coupe verticale d'un bâtiment. C'est un emprunt au grec tardif de mêmes sens *orthographia,* composé des éléments *ortho-* (→ ortho-) et *-graphia* (→ graphie).

♦ *Orthographe* n'a gardé que le premier sens du latin, avec un flottement quant au genre (il est souvent masculin au XVIe s.) qui se résout au XVIIe siècle. L'orthographe française, établie vers les XIIe-XIIIe s., notait la plupart des sons prononcés. À partir du XIIIe s., les scribes introduisirent des lettres parasites tant, dit-on, pour gonfler leurs honoraires que pour faire figure d'érudits, par influence du latin et plus tard du grec, et tenter d'éliminer certaines homonymies, un même mot pouvant présenter jusqu'à vingt graphies. Au milieu du XVIe s., après l'invention de l'imprimerie, Peletier du Mans et Meigret proposèrent une réforme de l'orthographe allant vers la simplification, mais le courant des érudits l'emporta (avec Robert Estienne) et on commença à régulariser l'orthographe en se référant en partie à une étymologie plus ou moins exacte. Les imprimeurs contribuèrent grandement à ordonner et à systématiser les règles établies alors et consacrées par la première édition du Dictionnaire de l'Académie française publié en 1694. Par la suite, des réformes très partielles se succédèrent jusqu'en 1835, date à laquelle l'orthographe de l'Académie devint officielle et fut imposée dans l'enseignement. Depuis 1901, aucun projet de réforme de l'orthographe n'a abouti, non seulement à cause des immenses difficultés pratiques, mais aussi par conservatisme (l'Académie en a donné un exemple en 1987 en renonçant à des simplifications et harmonisations pourtant nécessaires et très modérées, avant de cautionner en 1990 un projet d'aménagement lui aussi très modéré et cependant mal accueilli). Par métonymie, le mot correspond scolairement à l'enseignement de l'écriture et aux exercices de maîtrise de l'orthographe, comme la dictée (1868). On distingue l'*orthographe d'usage,* qui concerne le lexique, les mots, et l'*orthographe grammaticale* (accords, etc.). Voir pages suivantes l'encadré L'ORTHOGRAPHE DU FRANÇAIS.

▶ *Orthographe* a supplanté la forme ancienne **ORTHOGRAPHIE** n. f. (1245), empruntée au latin *orthographia,* et conservée en architecture (1547) pour le plan d'un bâtiment, puis aussi le profil d'une fortification (1678) et une projection orthogonale (1858). ➛ Cependant, c'est avec son sens grammatical que *orthographie* a produit son dérivé **ORTHOGRAPHIER** v. tr. (1426). ◇ Avec son sens architectural, il a produit **ORTHOGRAPHIQUE** adj. (1691) qui, sous l'influence de *orthographe,* est aussi devenu un terme de linguistique (1762, ici au sens de «dictionnaire de l'orthographe»).

◈ voir DYS-.

ORTHOPÉDIE n. f., terme de médecine, est formé (1741) avec les mots grecs *orthos* «droit» (→ ortho-) et *paideia* «éducation d'un enfant» puis

(Suite page 2496)

L'ORTHOGRAPHE DU FRANÇAIS

L'écriture du français par l'alphabet latin pose dès les origines des difficultés, le même son étant transcrit par des signes différents, par exemple, dans la *Cantilène de sainte Eulalie* (v. 980) le son *ts* hérité du *c* latin est écrit *c, ts, cz.* Cependant, la maîtrise de l'écrit est alors limitée à des groupes sociaux très restreints, ce qui facilite une tendance à l'homogénéité. Peut-être sous l'influence des jongleurs, l'écriture du français se fixe en partie du XIe au XIIIe s.; les variantes existent mais la graphie suit en général les transformations du système des diphtongues et des triphtongues, et les lettres qui ne se prononcent plus disparaissent. On écrit alors *colone, sustance, astenir,* etc. Ensuite, diverses causes vont freiner ou bloquer ces tentatives pour faire se correspondre le parlé et l'écrit qui font de l'ancien français du XIe s. et du début du XIIe s. une langue qui s'écrit (presque) comme elle se prononce. À partir du XIIIe s., se développe dans le domaine juridique un corps de fonctionnaires formé par l'Université; c'est par l'action de ces fonctionnaires que la norme des chancelleries, marquée par le latin, va régler l'écriture du français. En même temps le lexique s'enrichit, dès les XIIe-XIIIe s., par de très nombreux emprunts au latin (voir : langue FRANÇAISE); enfin s'ajoute l'insuffisance de l'alphabet utilisé pour transcrire l'évolution de la langue parlée. Ces divers facteurs se conjuguent et éloignent fortement la graphie du phonétisme, au moment même où les liens entre le latin parlé et le français se distendent, y compris pour la syntaxe avec la quasi-disparition des cas et l'emploi régulier de l'article ou avec la construction du système des pronoms. Ainsi, la perte partielle des voyelles nasales n'entraîne pas la chute des consonnes doubles qui les notaient : le début de *année* ne se prononce plus comme *an* mais, au lieu de s'écrire *anée,* le mot conserve ses deux *n.*
À côté de ces graphies historiques, très nombreuses, d'autres viennent de la nécessité d'introduire des repères pour la lecture, dans la mesure où les caractères gothiques ne permettaient pas toujours d'identifier les lettres; on ajoute des lettres non étymologiques pour distinguer le *u* initial du *i* (*huis,* bas latin *ustium*) ou pour délimiter des syllabes (*briefue* pour *breve,* latin *brevis*) : ces interventions proviennent du fait qu'une seule lettre, *u,* notait *u* et *v* à l'initiale d'un mot et *u* à l'intérieur. Par ailleurs on relatinisait des mots pour distinguer des homonymes; c'est ainsi que l'on écrivit *compter* (latin *computare*) à côté de *conter* : l'évolution des sens de *conter,* mot hérité, ayant abouti à deux unités sémantiques autonomes.

L'écart entre la langue écrite et sa prononciation est sans aucun doute devenu très important à la Renaissance; l'adoption par les imprimeurs des caractères romains, l'intervention des savants humanistes — souvent éditeurs de textes latins — construisent une norme de l'écriture, ce que nous appelons aujourd'hui l'orthographe. On emploie de façon plus régulière les majuscules; un système de ponctuation et d'accents commence à se mettre en place; c'est un imprimeur lyonnais, J. de Tournes, qui édite en 1558 les œuvres de Marot en utilisant le *j* et le *v* à côté du *i* et du *u.* La réforme de l'écriture a aussi cours chez les écrivains de la Pléiade, notamment chez Ronsard qui supprime bon nombre de lettres doubles non prononcées et de lettres grecques, abandonne le *z* pour noter le *e* fermé *(ez)* en lui substituant l'accent et écrit *s* et non plus *z* au pluriel (*amitiés* pour *amitiez*), etc. Ces simplifications modifiaient en profondeur l'écriture; que l'on pense seulement à l'usage du *j* et du *v* qui rendait inutiles les consonnes démarcatives de syllabes (*adiouster* devient *ajouter*).
Cependant les réformes ne seront généralisées que très lentement et introduites de façon irrégulière. À l'époque même où elles apparaissaient, un Geoffroy Tory recommandait, dans le premier traité sur l'orthographe française que nous connaissions (1529), d'améliorer la graphie du français en recourant à l'écriture du latin; et Robert Estienne introduisait des lettres latines dans des mots hérités qui ne les avaient jamais eues, écrivant *nuict* d'après *noctem.*
Au XVIIe s., la prononciation de la langue continue d'évoluer; les consonnes finales — sauf *l, r* et *s* — ne sont plus prononcées et les diphtongues *(au, eau)* ont disparu; mais l'adaptation de l'écriture à la prononciation rencontre des résistances. Aux écrivains, aux grammairiens et aux imprimeurs, partisans de graphies simplifiées, s'oppose une administration puissante, gardienne de la tradition et, parfois, du pédantisme; c'est son point de vue que retient l'Académie dans la première édition de son *Dictionnaire* (1694), contre un Richelet (1680) ou un Furetière (1690). S'inspirant de Robert Estienne et de ses continuateurs, la Compagnie déclare «qu'elle désire suivre l'ancienne orthographe qui distingue les gents de lettres davec les ignorants et les simples femmes» ; à la même époque le *Dictionnaire* de Richelet avait abandonné les lettres non prononcées, venues ou non du latin, et donnait *avocat, trésor* et *dificile* pour *advocat, thrésor* et *difficile.* Comme on voit, l'attitude moderniste, simplificatrice, ne l'a pas toujours emporté.

Ce n'est qu'à partir de la 3ᵉ édition (1740) que l'Académie commence à se conformer à l'usage de la plupart des écrivains, inspiré de la doctrine du bon usage de Vaugelas. Cette normalisation orthographique se fait sous l'impulsion de l'abbé d'Olivet, ensuite de grammairiens comme Dumarsais ou l'abbé Girard ; les modifications portent sur près de 8 000 graphies jusqu'en 1798, date de la 5ᵉ édition où les mots commençant par *j* ou *v* sont reclassés à l'ordre alphabétique.

L'orthographe se fige en partie avec l'instauration sous l'Empire de programmes scolaires nationaux et elle devient très vite (1832) un critère pour obtenir un emploi dans l'administration. Dès lors, l'orthographe du français est à peu de choses près immobilisée (voir Langue française).

Des débats, souvent passionnés, ont eu lieu pendant la Révolution sur la nécessité d'établir une graphie conforme à la prononciation ; ils ne débouchent sur rien. En effet, ils sont combattus au nom de l'étymologie (la filiation entre le latin et le français ne serait plus sensible), au nom de critères esthétiques confus (la beauté des graphies irrégulières est difficilement démontrable) ; se joignent à ces raisons d'immobilisme des motifs économiques (il faudrait rééditer tous les livres) et des considérations sociopolitiques (maintenir les difficultés permet de distinguer l'élite de la multitude). Les trois premiers arguments resteront, jusqu'à nos jours et avec des variantes, le vade-mecum de ceux qui refusent tout changement ; le dernier ne s'est pas maintenu : on dit plutôt aujourd'hui que l'effort pour assimiler l'orthographe est formateur pour l'esprit.

Le dictionnaire de l'Académie, qui reste jusqu'au début du XXᵉ s. la référence, accepte cependant en 1835 la graphie *-ai-* pour *-oi-* (*chantoit* devient *chantait*) et une forme identique au singulier et au pluriel pour les noms et adjectifs avec finale *-ant* et *-ent* (*enfant/enfants* et non plus *enfant/enfans*). En revanche, il retourne à des graphies étymologiques souvent abandonnées : *analyse* pour *analise*, *asyle* pour *asile*, etc. ; l'action d'un Littré, d'un Sainte-Beuve ou d'un Firmin-Didot permet quelques changements mineurs dans la 7ᵉ édition du dictionnaire académique (1878). Cependant l'obligation scolaire, acquise à la fin du XIXᵉ s. avec les lois Jules Ferry, voit naître les premières commissions de réforme, auxquelles participent ou que soutiennent les grands philologues de l'époque. L'idée de «tolérance» apparaît dans une circulaire ministérielle (27/04/1891) et un premier rapport soumis à l'Académie propose en 1893 quelques aménagements : alignement de la graphie des mots empruntés sur celle des vocables français, élimination des consonnes doubles non prononcées et des lettres «grecques» (*h* et *y*) dans les mots courants, remplacement de *x* par *s* dans les pluriels, régularisation des incohérences (*chariot* à côté de *charrette*). À quelques variantes près, les multiples commissions réunies depuis 1903 (sous la présidence de Paul Meyer, directeur de l'École nationale des chartes) jusqu'aujourd'hui, avec l'aval récent de l'Académie et de personnalités gouvernementales, ont repris les mêmes points sans que les propositions soient suivies d'effets. Les tenants du statu quo s'en tiennent à des arguments faciles à réfuter. Ainsi, celui de la filiation étymologique exigerait qu'on écrive *étoille* (latin *stella*) ou *urler* (latin *ululare*). Quant à la réédition des œuvres du passé, Ferdinand Brunot écrivait dès 1906 : «comme on lit en classe Molière et Corneille dans des éditions truquées, à peine se souvient-on qu'ils écrivaient *estoient* ou *pastre*» ; le même, à propos de l'usage et de l'intervention de l'État : «Il n'y a pas d'initiative privée possible dans une matière où les examens à tous les degrés rendent une doctrine obligatoire.»

C'est là sans doute un point essentiel du débat. Le lexique connaît un accroissement considérable dans des domaines longtemps tenus aux marges : mots techniques et savants, néologismes, composés, emprunts et mots autrefois notés «populaires» employés par ceux dont la parole compte ; pour une partie d'entre eux, les lexicographes ne savent pas toujours sous quelle forme les enregistrer. D'où des variantes graphiques, «points de rupture du système actuel» de l'orthographe, auxquelles s'ajoute «le reliquat de graphies anciennes, conservées au-delà du système qui était le leur» (N. Catach, *Orthographe et lexicographie*, tome I, 1971). Le maintien des exigences orthographiques, dont on sait qu'il n'est pas «rentable», ne semble pas relever, ou pas seulement, d'un attachement sentimental aux formes anciennes ; la maîtrise de la graphie, avec d'autres éléments depuis deux décennies, continue de jouer un rôle de sélection sociale. Elle pose la question du droit de l'État à légiférer sur un aspect de la langue et celle des effets sociaux réels de telles législations.

T. Hordé, C. Tanet

BIBLIOGRAPHIE

C. BEAULIEUX, *Histoire de l'orthographe*, 2 vol., Paris, Champion, 1927.

C. BLANCHE-BENVENISTE, A. CHERVEL, *L'Orthographe*, Paris, Maspéro, 1969 (1974).

N. CATACH, *L'Orthographe*, Paris, Que sais-je ?, nᵒ 685, 1982 (2ᵉ éd.). — *L'Orthographe française à l'époque de la Renaissance*, vol. 1, Genève, Droz, 1968.

V.-G. GAK, *L'Orthographe française*, Paris, S. E. L. A. F, 1976 (original russe, 1952, 1959).

«éducation en général», «culture», de *pais, paidos* «enfant» (→ pédagogie ; encyclopédie).

♦ Étymologiquement, *orthopédie* désigne l'art de corriger les difformités du corps chez les enfants à l'aide d'un appareil ou d'un traitement. ◇ L'usage moderne l'emploie pour désigner la branche de la médecine qui étudie et traite les affections du squelette, des muscles et des tendons. ◇ L'usage courant, en le rapprochant à tort du latin *pes, pedis* «pied» (→ pédicure), tend à l'interpréter comme la médecine traitant spécifiquement les affections des membres inférieurs. Cette confusion est entretenue par le syntagme *chaussures orthopédiques.*

► On relève pour la première fois dans le Dictionnaire de Trévoux (1771) les dérivés **ORTHOPÉDIQUE** adj. et **ORTHOPÉDISTE** n. et adj. Le premier est parfois employé par métaphore avec l'idée de «contraint par un appareil, une prothèse».

ORTHOPHONIE n. f. est formé (av. 1840) de *ortho-** et *-phonie**.

♦ Le mot apparaît dans la 3e édition du *Traité de tous les vices de la parole* [...] *ou Recherches théoriques et pratiques sur l'orthophonie,* par Colombat de l'Isère, qui paraît en être le créateur. Il désigne d'abord, sur le modèle d'*orthographe,* la prononciation correcte, puis, en acoustique, l'étude de la propagation des sons de la voix. Son sens le plus usuel (1935, in *T. L. F.*) concerne le traitement des troubles de la parole.

► **ORTHOPHONISTE** n. (1957) ne s'applique qu'au dernier sens de *orthophonie* et désigne le ou la spécialiste de la rééducation des troubles de la parole. Le mot est usuel. ◇ **ORTHOPHONIQUE** adj. (1972) signifie «relatif à l'orthophonie».

◈ **ORTIE** n. f., d'abord écrit *orthie* (v. 1112), est issu du latin *urtica* (les langues romanes supposent un *u* bref), nom de plante sans origine sûre. Par étymologie populaire, les Latins le rapprochaient de *urere* «brûler» (→ combustion).

♦ *Ortie,* mot désignant une plante herbacée dont les feuilles sont couvertes de poils fins renfermant un liquide irritant, a été employé de bonne heure comme symbole du mal (1174-1184, par opposition à la rose). ◇ La locution proverbiale ***jeter son froc aux orties*** (1564) est attestée sous une forme archaïque à la fin du XVe s. (1496, *gecter le froc es ortyes*) ; elle signifie «renoncer à l'état ecclésiastique» d'où «renoncer à une entreprise quelconque».

► *Ortie* a produit **ORTIER** v. tr. (v. 1270) au sens ancien de «piquer avec des orties», spécialement en oenologie «picoter le gosier, d'un vin» (1690). ◇ Le mot n'est guère employé qu'en médecine pour «piquer, frotter avec des orties pour provoquer un effet révulsif» (1812). ◇ Son participe passé **ORTIÉ, ÉE** est adjectivé (1795, *fièvre, plaque ortiée*).

◈ voir URTICAIRE.

ORTOLAN n. m., d'abord *hortolan* (1552, encore en 1690) puis *ortolan* (1643), est emprunté à l'italien *ortolano,* attesté depuis le XVe s. pour désigner une variété de petits passereaux d'Europe méridionale à la chair délicate. Le mot est issu, avec substantivation («[oiseau] du jardin»), du latin tardif *hortulanus* «du jardin», qui avait donné au français l'ancien mot *ortellain, hortolan* «jardinier» (du XIVe au XVIe s.). Il est dérivé de *hortus* «jardin» (→ horticole).

♦ Ce nom d'oiseau entre dans quelques expressions comme symbole du mets délicat *(manger des ortolans, ne pas manger tous les jours des ortolans),* en rapport avec la rareté de l'oiseau et avec sa réputation d'extrême finesse.

◈ **ORVET** n. m., d'abord écrit *orveis* (1390), *orvez* (1581) puis *orvet* (1765), est d'origine obscure : le mot qui, avant le XVIe s., est attesté seulement en Normandie, est probablement dérivé de l'ancien français ② **ORBE** adj. (1140, *orp*) «obscur, mal fondé» (au figuré) puis «obscur, sombre» (fin XIIe s.). On a encore des traces de l'adjectif *orbe* dans certains dialectes du sud de la France (surtout par ses dérivés) et, en français central, avec l'expression chirurgicale *coup orbe* (1253, *orbes cops*) «coup qui meurtrit la chair sans l'entamer», ainsi qu'en architecture où il qualifie une façade sans ouverture (1260, *orbe arkes* «arcades aveugles»). *Orbe* est lui-même issu du latin *orbus* «privé de», adjectif qui a pris le sens particulier d'«aveugle» (IIe s., Apulée) et s'est substitué au mot classique *caecus* (→ cécité) : cette spécialisation, d'abord dans des syntagmes du type *orbus luminibus* «privé de lumières» (Ovide), s'explique aussi par un rapprochement avec *orbis* «œil, orbite» (→ ① orbe). *Orvet* serait donc dérivé de *orbe* parce que, selon une ancienne croyance, on croyait ce reptile aveugle : les Grecs l'appelaient déjà *tuphlinos* (de *tuphlos* «aveugle») et les Latins *caecula, caecilia* (de *caecus*). Le *v* de *orvet* s'expliquerait par le flottement du *b* dans la basse latinité, constaté par exemple avec *verba,* qui aboutit à *verbe* et à *verve.* Cependant, aucun des autres dérivés de *orbus* ne connaît un tel traitement phonétique, ce qui incite Wartburg à émettre l'hypothèse d'une forme issue de la forme plus ancienne *or* (pour *orbe*) *ver,* littéralement «ver aveugle» (1359-1376), lui aussi attesté dans le domaine normand, avec amuïssement du *r* final (cf. le nom lorrain *obrevya,* littéralement «orbe ver»). Certains ont aussi proposé, ce qui est moins probable, un rattachement à l'ancien français *ort* «sale» (→ ordure).

♦ Le mot désigne un reptile saurien sans pattes, ovovivipare et inoffensif, en général confondu à tort avec les serpents.

ORVIÉTAN n. m., ancien terme de pharmacie, est emprunté (1625) à l'italien *orvietano,* proprement «originaire de la ville d'Orvieto en Ombrie». Le mot désignait en effet un électuaire en vogue au XVIIe s., inventé et fabriqué en Italie par Girolamo Ferrante, habitant d'Orvieto.

♦ La mode de ce médicament miraculeux étant passée, le mot s'est maintenu avec le sens figuré de «proposition, solution qui tend à exploiter la crédulité publique» (1690 dans ***vendeur d'orviétan*** «charlatan»).

ORYX n. m., d'abord écrit *orix* (1530), puis *oryx* au XVIIIe s. est emprunté au latin *oryx,* transcription du grec *orux*. Ce mot désigne une pioche, puis divers animaux, dont une antilope vivant en Libye et en Égypte (décrite comme ayant une seule corne) et une antilope indienne à quatre cornes ; par analogie, il dénomme un grand poisson que certains ont identifié à l'orque. Le nom de l'antilope est probablement l'adaptation d'un terme indigène rapproché par les Grecs du groupe de *orussein* «creuser, déterrer, enlever, arracher» (correspondant au latin *runcare* «sarcler») par étymologie populaire.

♦ Le mot désigne une antilope des déserts d'Afrique et d'Arabie et aussi (1932) un tisserin noir et rouge.

OS n. m. est issu (1080) du latin *ossum*, variante populaire du mot classique *os, ossis* «os, ossement» et «fond de l'être humain». Le mot correspond au nom indoeuropéen de l'os comme le montrent plusieurs termes correspondants : une famille est reconstituable à partir du grec *osteon* (→ ostéo-), et de formes populaires (sanskrit *ásthi*, vieux slave *kostĭ*).

♦ *Os* désigne la partie dure du squelette et particulièrement, au pluriel, les restes d'un être après sa mort (1200). De nombreuses locutions sont apparues au XVIIe s., telles ***se rompre les os*** (1606), ***ne pas faire de vieux os*** (forme plus fréquente que la forme assertive *faire de vieux os* «vivre vieux», 1690 ; *il ne se fera jamais vieux os*, 1640), *ronger qqn jusqu'aux os* (1640) «l'épuiser» qui a disparu, ***mouillé jusqu'à l'os*** (1609), puis ***trempé jusqu'aux os, donner un os (à ronger) à qqn*** (1680). ***N'avoir que la peau sur les os*** (1668) est l'aboutissement de la locution beaucoup plus ancienne *il n'avait que la pel et l'os* (1188). ◇ Par métonymie, le mot est entré dans des expressions désignant une personne, avec une idée de maigreur dans ***paquet d'os*** (XVIe s.), puis ***sac d'os*** (XXe s.). ◇ Par analogie, *os* désigne un ergot de cerf (XIIIe s.) et entre dans la dénomination *os de seiche* (1616). ◇ Au XIXe et au XXe s., il reçoit ses sens argotiques et populaires : celui d'«argent» dans *avoir de l'os* et *ça vaut l'os* (cf. *osier*) a aujourd'hui disparu. ◇ Une autre valeur, «difficulté», est réalisée dans ***tomber sur un os*** (1914). ◇ ***L'avoir dans l'os*** (1946) «être possédé» est un euphémisme pour *l'avoir dans le cul*. ◇ Par analogie de forme, le composé ***os de mouton*** est employé par les ébénistes à propos de l'entretoise de fauteuil dont l'extrémité se divise à angle ouvert.

Par métonymie, *l'os* désigne (1176) la substance qui constitue les os et qui sert à faire divers objets, ceci depuis la préhistoire.

▶ Avec le suffixe diminutif *-elet*, *os* a produit **OSSELET** n. m. (1174) «petit os», qui a évincé *ossel* (1225) et s'emploie spécialement au pluriel à propos des petits os qui traversent la caisse du tympan en anatomie (1680). ◇ Au XVIe s., le mot a commencé à désigner un jeu traditionnel (1538) dont le principe remonte à l'Antiquité, et un instrument de torture qui consistait à disposer entre les doigts du patient des petits os, et à lui comprimer la main (1594). ◇ Enfin, *osselet* est le nom donné en médecine vétérinaire à l'exostose du cheval (1680). ➜ *Os* a aussi produit **OSSU, UE** adj. (1150) «qui a de gros os», aujourd'hui sorti d'usage, puis **OSSEUX, EUSE** adj. (1314, *ossüeuse*) «qui concerne les os», par emprunt au dérivé bas latin *ossuosus* «plein d'os». Sous l'influence de *os*, cet adjectif a aussi pris les sens de «constitué d'os» (XVe s., *parties osseuses*) et «dont les os sont saillants» (1830). ➜ Ultérieurement est apparu **OSSERET** n. m. (1752), mot fait sur *couperet* et désignant un instrument de boucherie qui tranche l'os. ➜ Le terme de biochimie **OSSÉINE** n. f. (1855) a été formé sur le thème du bas latin *osseus* «osseux» avec le suffixe *-ine*.

Par préfixation et suffixation, on a formé **DÉSOSSER** v. tr. (v. 1350) d'où, bien plus tard, **DÉSOSSEMENT** n. m. (1798) et **DÉSOSSÉ, ÉE** adj. «sans os» et spécialement «désarticulé» (1813).

OSSICULE n. m. (1765) représente l'emprunt savant du latin *ossiculum* «petit os» pour dénommer le noyau de certains fruits ; il s'applique aussi (1838) au petit organe dur qui joue le rôle d'un os chez certains échinodermes.

OSSO BUCO n. m. est un emprunt culinaire (1954) à l'italien *osso buco* «jarret de veau servi avec un os à moelle et du riz à la tomate», littéralement «os troué». C'est l'adaptation du milanais *os bus* qui correspond lui-même à l'italien *os bucato*, *bucato* étant dérivé de *buco*, masculin tiré de *buca* «cavité» (→ bouche).

◈ voir OSSATURE, OSSEMENT, OSSIFIER, OSSUAIRE.

O.S. → OUVRIER

OSCAR n. m. est emprunté (v. 1930) à l'anglo-américain *Oscar*, nom plaisant qui aurait été donné en 1931 par le secrétaire de l'Académie des arts et sciences du cinéma (fondée en 1927 à Hollywood) à la statuette dorée remise aux lauréats des prix décernés par cette Académie depuis 1928. D'après l'anecdote, le secrétaire de l'Académie, voyant le projet de statuette, se serait écrié *«Gosh, it reminds me of my uncle Oscar!»* («Mince ! Elle me rappelle mon oncle Oscar !»). Par extension, le mot désigne (1941) le premier prix décerné dans un autre domaine que le cinéma.

♦ Le mot est passé en français à la fois pour la récompense cinématographique américaine (dont le principe est imité en France par la cérémonie des *Césars* depuis 1976) et pour d'autres récompenses, dans divers domaines (1955).

OSCILLER v. tr. est un emprunt assez tardif des physiciens (1752) au bas latin *oscillari* «se balancer», dérivé de *oscillum, -i*. Ce diminutif de *os, oris* «bouche» (→ orée) a développé deux sens : le premier se rapporte à *os* «bouche, orifice», et correspond à «petite cavité au milieu des légumineuses d'où se développe le germe» ; le second, où *os* est pris au sens métonymique de «visage», est celui de «petit masque, surtout de Bacchus, que l'on suspend aux arbres (notamment dans les vignobles) pour qu'il se balance au vent». C'est dans ce dernier emploi que *oscillum* a donné *oscillari*.

♦ *Osciller* a été repris avec la valeur d'«être animé d'un mouvement de va-et-vient» ; il a rapidement acquis ses autres sens pour servir de verbe à *oscillation* (voir ci-dessous), avec la valeur précise de «se mouvoir de part et d'autre d'une position d'équilibre suivant un rythme régulier» (1752, Trévoux, citant M. Le Roy, «fameux horloger de Paris»). ◇ Dans l'usage général, il a pris la valeur figurée d'«être hésitant, passer alternativement d'un parti à l'autre» (1767-1768), sur le modèle de *balancer*.

▶ De *osciller* sont dérivés quelques mots d'usage technique et scientifique : **OSCILLANT, ANTE** adj. (1734-1735), spécialement employé en botanique (av. 1865), et en électricité *(circuit oscillant)* **OSCILLATEUR** n. m. (1898) et **OSCILLATRICE** n. f. (1949) «lampe qui a au moins trois électrodes et qui produit des oscillations». ◇ **OSCILLO-** entre dans la formation de quelques noms scientifiques tels **OSCILLOMÈTRE** n. m. (1846) synonyme archaïque de *oscillographe* puis (milieu XXe s.) nom d'un instrument médical; **OSCILLOGRAPHE** n. m. (1876) en marine et en électricité (1893) «galvanomètre à oscillations rapides», d'où *oscillographe cathodique* (1920), **OSCILLOGRAMME** n. m. (1903) et **OSCILLOSCOPE** n. m. (1900) «instrument produisant, sur un écran fluorescent, des courbes présentant divers phénomènes physiques».

OSCILLATION n. f. est emprunté (1605) au bas latin *oscillatio, -onis* «action de se balancer», formé sur le supin *oscillatum* de *oscillari*. ◇ Le mot désigne le mouvement de va-et-vient d'un corps, de part et d'autre d'un point central. Il est attesté une seconde fois en 1681 dans une remarque sur un *Traité de la pendule*. ◇ Au XVIIIe s., en relation avec *osciller*, il se dit pour «variation, fluctuation» (1745 au pluriel) et prend le sens didactique de «mouvement de va-et-vient de part et d'autre de la position d'équilibre» (1754). Ultérieurement, il a reçu des acceptions spéciales en météorologie (1860), en électricité (1890; *oscillations hertziennes*, 1892), en mathématiques (1932), en statistique et en biologie (dans les dictionnaires en 1963). ➜ Enfin, **OSCILLATOIRE** adj. est dérivé (1741) de *osciller* par l'intermédiaire du latin scientifique *oscillatorius* attesté en 1686 dans le domaine anglais. Plusieurs acceptions de *osciller* et *oscillation* sont relevées pour la première fois chez Diderot.

OSCULATION n. f. est emprunté (1509) au latin *osculatio* «action de baiser», dérivé de *osculari* (en latin populaire *osculare*) «baiser» dérivé de *osculum* «petite bouche», diminutif affectueux de *os, oris* (→ orée) et par métonymie «baiser». Ce groupe a souffert de la concurrence des termes plus expressifs *batare, bataclare* (→ baiser).

♦ Le mot a désigné l'action de baiser. ➜ Il a été repris en géométrie (1765) pour le mode de contact maximum de courbes et de surfaces entre elles à un point donné.

▶ Le dérivé **OSCULATEUR, TRICE** adj. (1701) qualifie ces courbes et surfaces. ➜ Roland Barthes a remis à l'honneur le sens étymologique de la série en employant **OSCULAIRE** adj. (1975) pour «qui concerne le baiser, l'action d'embrasser».

OSEILLE n. f. est la réfection, sous la graphie *ozeille* (1393), de l'ancien français *oiseles* (fin XIe s.), puis *osile* (v. 1250), issu du latin populaire *acidula*, féminin substantivé de l'adjectif *acidulus* «aigrelet» (→ aciduler). Il y a eu développement irrégulier de la terminaison (*-ula* donnant *-ule*) et apparition d'un *o* dû à un croisement avec *oxalis* «oseille» (→ oxalique) du grec, dérivé de *oxus* «aigu, acide» (→ oxy-). Il demeure encore des représentants de *oxalis* dans le sud de la France et en franco-provençal avec la forme *salette*, parallèlement à d'autres types *(vinette, surelle, aigreto)*.

♦ *Oseille*, «plante potagère au goût acide», est usuel à cause des emplois culinaires de la plante. ➜ Le mot entre dans l'expression populaire ***la faire à l'oseille*** «essayer d'en faire accroire à qqn, chercher à le duper» (1866), peut-être d'après une chanson de 1840, *vous me la faites à l'oseille*, dont la motivation n'est pas éclaircie. Les opinions de Delvau (1866) et de Larchey (1872) selon qui cette expression serait née vers 1860-1866 à partir de *omelette à l'oseille* sont invérifiables et d'ailleurs infirmées par Virmaître. ➜ Quant à l'origine du sens argotique, «argent» (1878, 1876 d'après Esnault), elle n'est pas plus claire, mais la relation entre l'oseille et la notion d'argent semble ancienne si l'on en juge par l'emploi de *vinette* (autre nom de l'oseille) en 1610 dans la phrase «ayant eu l'argent qu'elle prétendoit, c'estoit autant de vinette cueillie». Ce sens s'est répandu dans les années 1920 (cf. *osier*).

OSER v. tr. est issu (v. 980) du bas latin *ausare* «avoir l'audace de» (d'où l'espagnol *osar*, l'italien *osare*), formé sur le latin impérial *ausus* «acte d'audace», lui-même dérivé du latin classique *audere* (→ audace), en relation avec *avidus* (→ avide) qui signifiait à l'origine «être désireux de, vouloir bien». Ce sens est attesté dans quelques emplois, dont la formule de politesse *si audes* (réduite à *sodes*) «si tu veux bien, s'il te plaît».

♦ *Oser* a d'abord le sens d'«avoir le courage, l'audace de (faire qqch.)», avec un infinitif et, en construction absolue, «se montrer audacieux», en particulier dans le domaine amoureux (1480). Construit avec un nom, il signifie «entreprendre, tenter (qqch.) avec hardiesse» (1561). ◇ Son emploi péjoratif pour «avoir l'affront, l'impudence de (faire qqch)» est attesté dès le début du XIIe s., particulièrement en apostrophe de défi ou de menace (v. 1112), par exemple dans ... *si tu l'oses!* ◇ Depuis le XVe s. (1485), *oser* est employé dans des tours euphémiques pour exprimer une précaution oratoire avec le sens de «se permettre de» (v. 1112), surtout à la première personne. Il exprime aussi dans des tours négatifs la crainte, la réserve, la timidité, par exemple dans la locution moderne *on n'ose y croire, on n'ose en croire ses yeux* (v. 1950).

▶ Son participe passé **OSÉ, ÉE** est adjectivé (1155) au sens de «qui montre de l'audace». ◇ C'est seulement au XIXe s. qu'apparaissent ses autres valeurs, «fait avec audace, risqué» (1823), et spécialement «à la limite de la bienséance» (1856), notamment en qualifiant un acte de parole (1885, Maupassant). ➜ De *oser* est dérivé **OSEUR, EUSE** adj. et n. «hardi» qui, après deux attestations isolées au XIIIe s. (cas régime pluriel *oseors*) et en 1488, est repris comme nom (1792) et comme adjectif (1834). Le féminin **OSEUSE** est très rare.

◇ voir AUDACE, AVARE, AVIDE.

OSERAIE → OSIER

OSIER n. m. est le dérivé régressif (1190) de l'ancien français *osiere* n. f. (fin XIIe s.), conservé dans le centre, l'est et le nord-est de la France. Ce mot, attesté une fois au VIIIe s. sous la forme latine *auseria* «bosquet, groupe d'arbres», remonte à un °*alisaria*, mot collectif issu du francique °*alisa* «aune» (cf. le toponyme *Alise*). Le passage du sens de «aune» à celui de «petit saule aux rameaux flexibles» peut s'expliquer par le fait que les deux types d'arbres croissent au bord de l'eau et que le nom du premier avait été transformé en °*alinu* qui a donné *aune, aulne*.

♦ Le développement sémantique s'est fait par métonymie : le mot, qui désigne un saule de petite taille, a été pris pour désigner le rameau de ce petit arbre utilisé dans la confection de liens et d'ouvrages de vannerie (1380) et, dans un style plus littéraire, pour un objet, un ouvrage en osier. ◆ Le sens argotique «argent» (1935) est inexpliqué. Esnault rapproche *osier* de *os* au sens d'«argent» et, par jeu de mots, de *jonc* «or (métal)», le jonc et l'osier étant également utilisés en vannerie ; ceci reste une ingénieuse hypothèse. Le rapport avec *oseille* est obscur.

▶ *Osier* a donné quelques dérivés. ◆ **OSERAIE** n. f. est d'abord attesté sous les formes *osereid* (fin XIe s.), *ossor(o)ie* (1215) et *oseroie* (1290-1300). ◆ Au XXe s. sont apparus les mots ayant trait à la culture et à la vente de l'osier : **OSIÉRISTE** n. (1907), **OSIÉRICULTURE** n. f. (1907), puis **OSIÉRICULTEUR, TRICE** n. (1955).

OSMOSE n. f. est emprunté (1861) à l'anglais *osmose* (1854), mot créé par le chimiste écossais Thomas Graham (1805-1869) avec le second élément de *endosmose* et *exosmose*, eux-mêmes attestés en français depuis 1826 et dus au physiologiste H. Dutrochet. C'est à Graham que l'on doit l'étude de la diffusion des gaz à travers les petites ouvertures et les cloisons poreuses de la *loi* dite *de Graham* (1846) qui régit la vitesse du phénomène. ◇ *Osmose* représente le grec tardif et rare *ôsmos* «action de pousser, impulsion», dérivé de *ôthein* «pousser fortement, heurter», et au moyen (valeur intransitive), «se heurter, se précipiter» ; il contient une racine indoeuropéenne °*wedh-* «secouer, heurter» représentée dans le sanskrit.

♦ Le mot, employé en biologie, est passé dans l'usage courant au sens figuré, «influence réciproque» (1936), surtout dans la locution ***en osmose.***

▶ L'adjectif correspondant, **OSMOTIQUE** adj. (1855, *force osmotique*), est emprunté à l'anglais *osmotic* (*osmotic force*, Graham, 1854), dérivé de *osmose*. Il est également possible qu'il soit formé sur le français *osmose*, selon la correspondance suffixale *-ose/-otique*, bien que l'étymon grec n'appartienne pas à cette série. ◆ De *osmose* sont dérivés **OSMOSAT** n. m. (1974) «solution diffusée par osmose», et **OSMOSEUR** n. m. (1973), nom d'un appareil fondé sur le phénomène de l'osmose inverse et qui permet d'épurer l'eau de mer. ◆ De nombreux termes savants, dans le vocabulaire de la médecine et de la physique, ont été formés avec le premier élément **OSMO-** représentant *osmose* : parmi les plus anciens, on note **OSMOLOGIE** n. f. (1846), **OSMORÉGULATEUR** n. m. (1903), d'où **OSMORÉGULATION** n. f., et **OSMONOCIVITÉ** n. f. (1903). ◇ Parmi les plus récents, **OSMOTROPHE** adj. et n. m. (1964), **OSMOCEPTEUR** n. m. (av. 1973) avec l'élément *-cepteur* de *récepteur*, et **OSMOMÈTRE** n. m. (av. 1972).

ENDOSMOSE n. f. (1826) qui désigne la pénétration d'un liquide par osmose à l'intérieur d'un espace fermé, et son opposé **EXOSMOSE** n. f. (1826) sont formés sur le grec *ôsmos* avec les éléments *endo-* et *exo-*. Ces deux mots créés par Dutrochet sont à l'origine de la série (voir ci-dessus).

OSSATURE n. f. est un dérivé savant (1801) du latin *os, ossis* (→ os) avec le suffixe de sens collectif *-ature*. Le mot est recensé à titre de néologisme, mais sa forme suggère un emprunt à l'italien (comme d'autres mots en *-ature : caricature, filature, musculature*...), ce qui est la thèse de Nyrop, ou bien une formation analogique.

♦ Le mot désigne l'ensemble des os d'un être humain ou d'un animal et s'emploie également, par analogie, en architecture (1803) pour la charpente qui soutient une construction. ◇ Il est quelquefois employé au figuré en parlant de l'ensemble des éléments essentiels, de base.

▶ Il a produit **OSSATURÉ, ÉE** adj. (1886 au figuré) «qui a de bons éléments de base, bien charpenté».

OSSEMENT n. m. est issu (1170) du latin ecclésiastique *ossamentum* «os ou restes d'os d'anciens cadavres» (au pluriel *ossamenta* en 1209), dérivé de *ossum* (→ os).

♦ Le mot est d'abord employé au singulier au sens ancien de «squelette». L'usage moderne l'emploie au pluriel *ossements* pour désigner les os décharnés des cadavres (d'humains, d'animaux). ◇ L'emploi du singulier avec les sens particuliers d'«os d'un être mort» (déb. XVIe s.) et, au figuré, «ce qui soutient qqch.» (1553), est archaïque et littéraire.

OSSIFIER v. tr., terme médical, est formé (1697) de *os** et *-(i)fier*, du latin *-ficare* pour *facere* (→ faire) sur le modèle de verbes comme *nidifier, pétrifier*.

♦ *Ossifier*, «changer en substance osseuse», est quelquefois employé au sens figuré de «rendre insensible, endurcir le cœur» (1834, Musset, *Lorenzaccio*) ; cet emploi demeure littéraire et exceptionnel.

▶ Le nom correspondant, **OSSIFICATION** n. f., est formé à la même époque (1697) sur le modèle de mots comme *pétrification*.

OSSO BUCO → OS

OSSUAIRE n. m. est emprunté (1775) au bas latin *ossuarium* «urne sépulcrale», «tombeau», neutre substantivé de *ossuarius* «relatif aux os», de *os, ossis* (→ os).

♦ Le mot se dit d'un endroit où sont conservés les ossements humains, et d'un amas d'ossements.

◇ Les historiens de l'Antiquité romaine s'en servent pour désigner une urne contenant les os que le bûcher n'avait pas consumés (1832). ◇ Il s'est quelquefois employé par métaphore dans le style littéraire, comme dans l'expression *l'ossuaire de mes souvenirs* (1867).

OSTENSIBLE adj. est dérivé au moyen du suffixe *-ible* (1346) du latin *ostensum*, variante de *ostentum*, supin de *ostendere*, proprement «tendre devant» d'où «montrer», de *ob* «devant» (→ objet) et *tendere* (→ tendre). On relève en latin médiéval (1300) *ostensibilis* «qui paraît».

♦ *Ostensible* signifie «qui peut être montré» et surtout, de nos jours, «qui est fait pour être montré, remarqué» (1800).

▸ L'ancien français **OSTENSIF, IVE** adj. (1330), d'abord employé au sens actif de «qui montre», puis «fait pour être montré» (fin XVIIe s.), était emprunté au latin tardif *ostensivus* «propre à montrer» (déb. VIe s.), fait sur le supin *ostensum*. ◇ Bien que sorti de l'usage général, où *ostensible* l'a supplanté, *ostensif* s'est maintenu avec des acceptions spéciales en logique et en linguistique *(définition ostensive)*, par emprunt à l'anglais *ostensive*, de même origine. ◆ De *ostensible* est dérivé **OSTENSIBLEMENT** adv. (1789), relevé une première fois en 1361, et dont le sens «visiblement» a éliminé celui de «clairement» (propre à l'usage juridique).

◈ voir OSTENSION, OSTENSOIR, OSTENTATION.

OSTENSION n. f., d'abord *ostencion* (fin XIIIe s.), est emprunté au latin *ostensio, -onis* «action de montrer» (IIe s.), surtout employé dans la langue ecclésiastique, fait sur *ostensum*, supin de *ostendere* (→ ostensible), verbe dont l'intensif a fourni *ostentation**.

♦ Le mot a disparu au sens général de «action de montrer», mais ce sens a été repris à l'anglais au XXe s. dans sa spécialisation en sémiotique. ◇ *Ostension* est essentiellement réservé au sens religieux «action de présenter une hostie consacrée ou des reliques à l'adoration des fidèles» (av. 1622, F. de Sales). Par métonymie, il désigne la cérémonie au cours de laquelle on montre ces reliques et, par extension, toute exposition d'un objet sacré (1771). ◇ Certains écrivains modernes (Gracq dans le *Rivage des Syrtes*) l'utilisent avec son sens latin en jouant sur ses connotations sacrées.

OSTENSOIR n. m. est un dérivé savant d'abord comme nom féminin (1771, *ostensoire*), puis masculin (1798), du latin *ostensum*, supin de *ostendere* (→ ostensible). Le français du XVIe s. possédait *ostensoire* au sens de «style (aiguille) de cadran solaire» (1551-1567). Au XVIIIe s., on relève également l'adjectif *ostensoire* «qui s'affiche, qui se montre» (1756), éliminé par *ostentatoire* (→ ostentation).

♦ Le mot correspond au sens liturgique du latin *ostensio* (→ ostension) et au latin moderne *ostensorium* (XVIe s.), désignant l'objet qui expose l'hostie à l'adoration des fidèles.

OSTENTATION n. f. est emprunté (1346) au latin *ostentatio, -onis* «action de montrer aux yeux de tous», formé sur le supin de *ostentare* «présenter avec insistance», intensif de *ostendere* (→ ostensible).

♦ Le mot, d'abord écrit *ostentacion* et *obstentation* (1406), garde le même sens que le mot latin, souvent avec une nuance péjorative. Son emploi dans *une ostentation de...* (avec un nom de qualité) a décliné et est marqué comme très littéraire.

▸ L'adjectif correspondant, **OSTENTATOIRE**, «voyant, tapageur», est formé avec le suffixe *-oire* sur le supin *ostentatum*. Attesté une première fois en 1527, il est relevé de nouveau en 1867 (Baudelaire, *Curiosités esthétiques*). ◇ Son dérivé **OSTENTATOIREMENT** adv. (1921) fournit un synonyme rare à *ostensiblement*. ◆ L'autre adjectif, **OSTENTATEUR, TRICE**, est emprunté (1535, traduction de Plutarque) au latin *ostentator, -oris* «celui qui fait montre de», fait sur le supin *ostentatum*. Il demeure très rare par rapport à *ostentatoire*. ◆ On relève également **OSTENTATIF, IVE** adj. sous la plume de V. Jankélévitch (1957) qui ranime l'ancien adjectif *ostensif, ive* (1660), employé spécialement en diplomatique (1842, *pièces ostensives*).

◈ voir OSTENSION, OSTENSOIR.

OSTÉO- est l'élément formant tiré du grec *osto-*, ou *osteo-* pour *osteon* «os» et «noyau d'un fruit» (encore en grec moderne où il subit la concurrence de *kokkalon*), mot qui vient du nom indoeuropéen de l'os, comme le latin *os* (→ os).

▸ *Ostéo-* «os» entre dans la formation de nombreux termes de médecine et de pathologie. ◆ **OSTÉOSE** n. f. (1824) a eu le sens de «partie de l'anatomie traitant du développement des os», réservé plus tard à **OSTÉOLOGIE** n. f. (1594), mot emprunté au grec *osteologia* «science des os». *Ostéose* signifie aujourd'hui «lésion des os» (1954). ◆ Au XIXe s. sont aussi apparus **OSTÉOPOROSE** n. f. (1832), formé de *ostéo-*, *pore** et *-ose*, **OSTÉOPHYTE** n. m. (1833) avec *-phyte**. ◆ Le grec *osteon* fournit aussi le second élément **-OSTOSE** de quelques termes, moins nombreux, d'anatomie et de médecine.

OSTRACISME n. m. est un emprunt de la Renaissance (1535) au grec *ostrakismos* qui désigne le bannissement de dix ans prononcé par jugement du peuple à Athènes, puis dans quelques autres cités, à l'égard d'un citoyen devenu suspect par son ambition ou sa puissance. C'est un dérivé de *ostrakizein* «frapper de bannissement», lui-même dérivé de *ostrakon* «coquille» (→ huître). Par analogie de forme, le mot désignait divers objets en terre cuite (pots, tessons), spécialement le tesson employé pour voter sur lequel les Grecs écrivaient le nom de celui qu'ils voulaient bannir. Voir ci-dessous *ostracon*.

♦ Le mot, repris en termes d'antiquités grecques, est encore réservé à ce sens chez Furetière (1690); mais par extension, il a pris le sens de «fait de repousser systématiquement qqch.» (1667, Boileau) aujourd'hui disparu. ◇ L'acception moderne, «hostilité d'une communauté à l'égard de l'un de ses membres», apparaît un peu plus tard (1693). Le mot est plus spécialement employé dans le vocabulaire politique avec l'idée d'un parti pris d'exclusion envers qqn (1770).

▶ Le verbe correspondant **OSTRACISER** v. tr., moins courant, est emprunté (1772) au verbe grec *ostrakizein;* d'abord attesté au participe passé substantivé *ostracisé* «exilé», il s'emploie ensuite sous d'autres formes conjuguées (1829). ◆ Le français a aussi emprunté au grec le mot **OSTRACON** n. m. (quelquefois écrit *ostrakon*) (1903) «morceau de terre cuite sur lequel les Grecs écrivaient le nom de celui qu'ils voulaient bannir» et «tesson, fragment de poterie» (1961), terme d'archéologie. ◆ On a formé quelques termes de paléontologie et de zoologie au moyen des éléments **OSTRACO-** (du grec *ostrakon*) et **-OSTRACÉ** (du grec *-ostrakos,* de *ostrakon*). ◆ Récemment, le langage des sciences naturelles a introduit **OSTRACUM** n. m. (1971), adaptation en latin savant du grec *ostrakon;* le mot fait son pluriel en *a* comme les mots neutres en latin, mais on rencontre également *des ostracums.*

◈ voir ÂTRE, HUÎTRE, OSTRÉO-.

OSTRÉO-, OSTRÉI- est un élément formant tiré du latin *ostrea* (→ huître), emprunté au grec *ostreon,* apparenté à *ostrakon* qui entre dans la construction d'adjectifs et de noms d'usage technique.

▶ Il a notamment servi à former **OSTRÉICULTURE** n. f. (1907, *L'Exposition universelle*) «élevage des huîtres», fait sur le modèle d'*agriculture,* et **OSTRÉICULTEUR, TRICE** n. (1875, *Journal officiel*) sur celui d'*agriculteur.* ◆ À la même époque sont apparus **OSTRÉICOLE** adj. (1872), formé avec *-cole**, **OSTRÉIDÉS** n. m. pl. (1868) et **OSTRÉOPHILE** adj. (1877) formé avec *-phile** dans *caisse ostréophile,* désignation d'une caisse dans laquelle on laisse quelque temps les jeunes huîtres avant de les étaler dans les parcs, pour les protéger des prédateurs.

◈ voir ÂTRE, OSTRACISME.

OTAGE n. m. est le dérivé démotivé de *hôte**; formé au moyen du suffixe *-age* (1080, *ostage*).

♦ En dépit de la chronologie des attestations, le mot a dû signifier «logement, demeure» (1160), puis, par l'intermédiaire d'expressions comme *laisser, prendre en ostage* «abriter, loger» (1080), il a désigné l'hôte que l'on garde, la personne retenue comme garantie de l'exécution d'une promesse, d'un traité (1080), les otages étant généralement logés dans la maison du souverain auprès duquel ils avaient été envoyés. ◇ Par extension, le mot s'applique à toute personne dont on s'empare et que l'on utilise comme moyen de pression, de chantage; cette acception est d'époque révolutionnaire (1793). Il est quelquefois pris au figuré, notamment dans le discours politique, par exemple ***être l'otage de qqn, de qqch.*** ◇ Le sens du mot est le même depuis la fin du XVIIIe s., mais sa valeur a fortement varié, de l'otage individuel servant de moyen de pression aux groupes de fusillés pour impressionner les populations (1942-1945), et enfin aux nouveaux contextes créés par le terrorisme, où les *prises d'otages,* «revendiquées» par des groupes, servent à obtenir un avantage ou à créer le désordre par une action politico-militaire. ◇ Enfin *otage* s'emploie aussi en droit commun à propos de personnes retenues et menacées par des malfaiteurs et qui leur servent de moyen de pression sur la police. Au figuré, *prendre en otage* se dit des actions revendicatives (grèves, manifestations) entraînant une gêne à l'égard d'usagers (des transports, notamment). ◇ Le féminin *une otage* semble récent.

OTARIE n. f., terme de zoologie, est emprunté (1810) au grec *ôtarion,* proprement «petite oreille», diminutif de *ous, ôtos* «oreille» (→ otite).

♦ Le Français Péron a ainsi appelé ce mammifère marin pinnipède pour le caractériser par la présence des auricules que ne possède pas l'ensemble des phoques. Aussi, il a choisi le mot grec correspondant au latin *auricula* «petite oreille» (→ auriculaire). Ce terme zoologique est connu de l'usage général qui cependant, emploie souvent *phoque,* plus courant, là où *otarie* conviendrait.

▶ De *otarie* est dérivé **OTARIIDÉS** n. m. pl., nom de la famille de mammifères marins correspondants.

ÔTER v. tr., anciennement *uster* (v. 987) puis *oster* (1119), est issu du latin *obstare,* v. intr., formé de *ob* «devant» (→ objet) et *stare* «se tenir» (→ état) qui a connu le développement sémantique suivant : de l'idée de «se tenir devant» (→ obstétrique), on est passé à celle de «faire obstacle» (→ nonobstant, obstacle) puis, à basse époque, à des sens transitifs : d'abord «empêcher de» (Ve s.), d'où «enlever» (V^e^ puis IXe s.).

♦ Le verbe signifie «enlever (une somme que l'on retranche d'une autre)» et, plus généralement «enlever (une partie) d'un ensemble» (1155). ◇ En ancien français, il pouvait également signifier «faire cesser (qqch. d'indésirable) [1145] et «faire disparaître (ce qui gêne, ce qui salit)» [déb. XIVe s.]. ◇ Dès le XIIe s., *ôter* a développé d'autres acceptions particulières, «enlever (un objet) d'un endroit» (1160-1174), pronominalement «quitter la place qu'on occupait» (1165), en particulier dans la locution désinvolte ***ôte-toi de là que je m'y mette*** (1797, comme titre) qui renchérit sur *ôte-toi de là* (1604). ◇ Le verbe signifie aussi depuis le XIIe s. «enlever (un vêtement, une chose qui couvre ou protège)» [1165] et, sur un plan abstrait, «enlever (une chose morale, intellectuelle à qqn)» [1170], d'où les locutions *ôter à qqn de l'esprit* (1176-1181), ***ôter la vie*** (1485), auparavant *ôter la vie du corps* (1275). ◇ Enfin, le verbe a reçu le sens «desservir (le couvert)» [XIIIe s.] et celui d'«enlever, mettre hors de la portée, du pouvoir, de la possession» (1306). ◇ Son participe passé *ôté, ée* a vieilli dans son emploi adverbial au sens de «hormis, excepté». ◇ Dans tous ces emplois, *ôter* est senti en France comme le synonyme régional et quelque peu désuet du verbe *enlever.*

OTIEUX → OISEUX

OTITE n. f. est dérivé savamment (1810) du grec *ous, ôtos* «oreille» correspondant, sous une autre forme, au latin *auris* (→ oreille). Le suffixe *-ite* a été repris à d'autres noms de maladies.

♦ Le mot désigne une inflammation de l'oreille.

◈ voir MYOSOTIS, OTARIE, OTO-, PAROTIDE.

OTO- est l'élément emprunté au grec *oto-*, lequel représente *ous, ôtos* «oreille» (→ otite).

▸ L'élément est surtout productif en médecine et en anatomie, notamment avec **OTOLOGIE** n. f. (1793) «ensemble des connaissances sur l'oreille et ses maladies», d'où **OTOLOGIQUE** adj. (1832); **OTOLOGISTE** et **OTOLOGUE** n. (1899) et **OTO-RHINO-LARYNGOLOGIE** n. f. (1884), mot formé avec *rhino-** et *laryngologie* (→ larynx), et abrégé en **O. R. L.** Le mot, qui recouvre la branche de la médecine se rapportant aux maladies du nez, de la gorge et des oreilles, a entraîné **OTO-RHINO-LARYNGOLOGIQUE** adj. (1908) et **OTO-RHINO-LARYNGOLOGISTE** (1913) ou **-LARYNGOLOGUE** (1944), nom de spécialiste abrégé couramment en **OTO-RHINO** (1948) et par le sigle **O. R. L.** ◇ *Otho-* est également à la base de quelques termes de zoologie et de médecine vétérinaire.

◈ voir OTITE.

OTTOMANE n. f. est l'emploi comme nom commun (1729) de *Ottoman*, nom (1543) et adjectif (1590) ethnique se référant au peuple turc et aux objets qui sont originaires de Turquie. Le mot est emprunté à l'arabe *'uṯmānī* adj. dérivé de *'uṯmān*, nom du fondateur de la dynastie ottomane, Osman Ier (1259-1326), sultan de 1281 à 1326. La forme *Osman*, qui représente la prononciation turque de ce nom, a servi à former, avec le suffixe adjectif *-li*, l'adjectif *osmanli* «ottoman», passé en français dans **OSMANLI**, moins usité que *ottoman*.

♦ Le mot désigne un lit de repos, en référence à la façon orientale de se reposer.

▸ Le masculin **OTTOMAN** n. m. est employé pour désigner un tissu de soie à trame de coton et à grosses côtes (1910, 1902, *velours ottoman*) peut-être d'après l'anglais *ottoman* (1883).

◈ **OU** conj. de coordination , noté en ancien français *u* (av. 950) et *o* (1080) à côté de *ou* (1080), est issu du latin *aut*, conjonction disjonctive qui sert à distinguer deux objets, deux idées dont l'une exclut l'autre. Le sens fort de *aut* «ou sinon, ou sans cela» est exprimé souvent sous la forme du redoublement *aut... aut :* «soit... soit». Bien que distinct de *vel* «ou, si vous voulez», et «peut-être», pour corriger un terme, une expression dont on vient de se servir, *aut* est souvent employé conjointement avec *vel, uel* et a assumé un sens affaibli, voisin de «et». À basse époque, il est souvent renforcé par d'autres adverbes *(aut certe, etiam, vero, contra, potius, fortasse, denique, postremo, summum)*. Renforcé par la particule *-em*, il a donné *autem* «or, d'autre part», dont le rapport avec *aut* est encore sensible dans certains emplois. *Aut* est un mot italique dont la forme ancienne était °*auti* (d'après l'osque *auti* «ou»). Il correspond à une particule indoeuropéenne de forme °*u*, °*au*, largement représentée (indo-iranien *u*, grec *au*) et souvent élargie par d'autres éléments.

♦ *Ou* reprend les sens de *aut*, ainsi que celui de *vel*, employé pour exprimer que la distinction faite est sans importance. Dès les premières attestations, il marque une alternative dont l'un des termes exclut l'autre, et s'emploie en redoublement (1080, *u... u*) avec une valeur d'insistance. L'ancien français tendait à employer *ou... ou* (1130-1140 avec le subjonctif), là où l'usage moderne emploie *soit que... soit que*. *Ou* est employé en corrélation avec un comparatif dépendant de *qui* ou de *lequel* interrogatif (1150 : *or verrons qui porra plus ou Appolo ou Laus*). ➛ Dès le XIIe s., il sert à introduire le second terme d'une interrogation indirecte double (1160), une interrogation directe double (1160-1174, *u... u*) et au XIIIe s. (1229), *ou* est employé après un impératif pour introduire la conséquence qui s'ensuivra si l'ordre donné n'est pas observé, par exemple dans *marche ou crève*. ➛ Dès l'ancien français, il apparaît dans un autre type d'emplois où il marque une alternative radicale entre deux éventualités (1080), souvent repris en *ou... ou* (1176). Là où l'usage moderne commande l'emploi de *soit (que)... soit (que)*, l'usage ancien utilisait *ou soit... ou* (1176-1181), *ou que... ou que* (v. 1278) et *o se... o se (ou si... ou si)* (XIIIe s.). L'usage tolère également *soit (que)... ou (que)*. ➛ Depuis 1080, *ou* exprime une évaluation approximative dans le choix entre deux ou plusieurs numéraux *(cinq ou six...)*. ➛ Enfin (XVIe s.), il exprime parfois une équivalence entre deux termes de même signification, deux appellations différentes *(requins ou squales)*; on le relève avec cette valeur dans la traduction de l'italien de *Hypnerotomachie ou Discours du songe de Poliphile* (1546).

OÙ adv. relatif et interrogatif est issu (v. 980, *ut*) ◈ du latin *ubi*, adverbe de lieu relatif et interrogatif, «à la place où» (sans mouvement), également employé avec la valeur temporelle de «au moment où, lorsque, quand», spécialement dans *ubi primum* «dès que». Il s'agit d'un de ces mots latins à *u-* initial, avec *uter* (→ neutre), *unde...*, qui appartiennent au groupe du relatif indéfini *quis, qui* (→ qui). La comparaison avec l'ombrien *pufe* et l'osque *puf*, l'existence de *alicubi, necubi*, etc., permettent de dire que la forme initiale de *ubi* était °*quubi*. Ceci étant posé, on peut retrouver l'adverbe indoeuropéen signifiant «où» représenté dans le védique *ku* et surtout connu avec divers élargissements dans le védique *k(u)va-*, le lituanien *ku-r*, l'arménien *u-r*, le sanskrit *ku-ha*, et le vieux slave *ku-de*.

♦ En français, le mot est d'abord attesté sous la forme *ut* puis *o* (fin Xe s.), *u* (1080) et enfin *ou* (1050), qui ne recevra son accent grave qu'au XVIe s. (1539), pour être différencié de *ou*. ◇ Comme adverbe relatif de lieu, il est d'abord employé avec un antécédent locatif, et en particulier un adverbe de lieu (fin Xe s.); il peut être régi par une préposition (1176-1181 *par ou*). Son emploi absolu, sans antécédent, était courant en ancien et moyen français, puis a décliné après le XVIe s. au profit de *là où*, tout en restant admis par l'usage. En ancien français *ou (où)* était parfois renforcé par un adverbe de lieu (surtout *enz* et *endreit*). ◇ Par extension de la notion de lieu, jusqu'aux XVIe-XVIIe s., le mot était employé associé à un antécédent représentant un nom de personne (1160) ou de chose (1170), avec le sens de «à qui, par qui, à quoi, auquel, par lequel». Dès la seconde moitié du Xe s., *ou* a servi à former la locution conjonctive ***ou que*** à valeur d'indéfini. ◇ À partir du XIe s. (1080), il s'emploie comme adverbe interrogatif de lieu, dans une interrogation directe ou indirecte (1160-1174), seul ou régi par une préposition (v. 1250). De même que l'adverbe relatif, il a pu signifier «à quoi? par quoi? en quoi?» (1180) dans des questions comme *où pensez-vous?* Dans la langue classique, *par où?* était fréquemment employé avec le sens figuré de «par quel moyen?». ➛ Entre 1050 et le XIVe s., l'adverbe a aussi assumé des valeurs temporelles : après un verbe exprimant une découverte subite *(voir, venir à, trouver)*. Employé après les particules de présentation qui en sont issues et indiquent une apparition subite *(voici, voilà)*, *où* pouvait être considéré comme marquant les mêmes effets de sens que le relatif *qui*, le plus souvent en relation avec un nom de personne ou au sens temporel de «tandis que». Il pouvait également être employé avec une valeur causale découlant de ses emplois temporels (1080) et introduire, avec le sens de «dès que», une proposition temporelle dont le verbe est *voir* (1130) ou un autre verbe (1170). ◇ *Où* entrait aussi dans la formation de locutions conjonctives introduisant des propositions temporelles, comme ***là où*** (1080, *la u*) «lorsque», ***où que*** (1110, *hu quo*) «dès que» et, par extension, *là où* suivi d'une proposition concessive, pour «tandis que» (1220). Jusqu'au XVIIe s., il a pu introduire une proposition hypothétique avec le sens de «si» (1280). ➛ Son emploi comme relatif, en référence à un antécédent, est attesté depuis le XIIe s. (1174-1176). Il est alors l'équivalent de *que* mais lui est préféré lorsque l'antécédent est déterminé. Cependant, l'usage littéraire emploie encore *que* si le nom antécédent est accompagné d'un numéral ordinal et d'un adjectif comme *seul, dernier.*

OUAH (souvent répété) est une onomatopée (attestée par écrit au XVIIIe s. : *oua oua* et *ouo ouo* [1785]).

♦ L'onomatopée évoque un aboiement. Dans le langage enfantin, *un ouah ouah* désigne un chien.

▸ Par calque de l'anglo-américain *vow!* (1896), *oua, ouah* peut exprimer la joie ou l'admiration (v. 1970).

OUAILLE n. f., d'abord *oaille* (1160-1174), puis *ouaille* (XIVe s.), est la forme altérée par changement de suffixe de l'ancien français *oeille* (av. 1150) «brebis», issu du bas latin *ovicula* «petite brebis», puis «brebis» en général, à l'origine de l'espagnol *oveja* et de l'ancien provençal *ovelha. Ovicula* est le diminutif du latin *ovis* «brebis», seulement représenté par le roumain *oaie* (→ ovin, cf. *brebis*).

♦ *Ouaille* a été progressivement évincé par *brebis* et ne se maintient que dans les parlers régionaux du Centre, du Sud-Ouest et de l'Ouest. ➛ À partir du XVIIe s., il n'est plus utilisé en français général qu'avec le sens figuré chrétien de «fidèle» employé depuis le XVIe s. (v. 1540), généralement au pluriel, et déjà attesté en 1240 dans un document anglonormand sous la forme *owayles*. En ce sens, selon la métaphore du berger ou pasteur et des brebis, il fait référence à la parabole évangélique du bon et du mauvais pasteur (*Jean*, X). Par extension, il est quelquefois employé au sens de «partisan, adepte».

OUAIS adv. et interj. est d'origine incertaine : ce peut être une altération (1464) de *oui** sous l'influence des parlers dialectaux ou à la suite d'une prononciation relâchée, ce qui correspond au sentiment linguistique spontané ; mais cette origine ne convient peut-être qu'à l'emploi récent pour *oui*. Une nouvelle hypothèse, présentée par le linguiste roumain D. Buganeu, considère que *ouais* pourrait venir de la forme d'impératif pluriel *oyez!*, de *ouïr**. Elle s'appuie sur l'existence de l'anglais *oyez, oyes* de même origine (1286, comme interjection). Quant au passage sémantique de l'idée d'«écoutez» à une interjection exprimant étonnement, surprise, il ne fait pas de difficulté : le roumain a de manière analogue *auzi!*

♦ *Ouais* exprimait anciennement le doute, la perplexité et la surprise (1464, *ouay!*) avant de devenir (XXe s.) le synonyme familier de *oui*.

OUATE n. f., attesté depuis 1493, est d'origine incertaine. C. Nigra voit dans *ouate* un emprunt à l'italien *ovatta* qui serait dérivé de *uovo* (correspondant au français *œuf*) ; il se fonde sur le fait que le blanc d'œuf a été utilisé dans la fabrication de l'ouate : cependant, *ovatta*, qui n'est pas attesté avant 1607, serait lui-même plutôt emprunté au mot français. L. Sainéan propose de voir dans *ouate* le résultat de la prononciation parisienne du mot régional *ouette*, diminutif de la forme dialectale de *oie**, «petite oie», «oison», qui, par métonymie, aurait servi à désigner le duvet d'oie, puis l'ouate, mais on manque d'attestations anciennes pour un tel emploi. G. Baist, s'appuyant sur des textes scientifiques des XVIIe et XVIIIe s., mentionnant que l'ouate était à l'origine issue d'une plante orientale appelée *Apocynum, Asclepia syriacum* ou *aegyptiacum*, croit le mot issu de l'arabe d'Égypte, sans préciser quel en serait l'étymon ; là encore, l'hypothèse est contredite par les premières attestations. Enfin, Wartburg propose l'arabe *wada'a*, proprement «mettre», spécialement dans *wada'a_tawb* «ouater (un habit)» ; l'hypothèse se heurte au fait que les mots espagnols qui seraient issus de *wada'a*, c'est-à-dire *bata* «robe de chambre» et *guata* «ouate», ne sont pas attestés anciennement.

♦ Le mot français désigne le coton, la laine ou la soie effilée et cardée qui sert à faire les couvertures et à doubler une autre étoffe ; il est employé plus particulièrement pour le coton cardé servant à faire les pansements (1865), d'où son sens courant sous la dénomination *ouate hydrophile* (1894), concurrencée par *coton*. ◇ Il entre dans la locution figurée ***dans de la ouate*** ou ***dans de l'ouate*** «douillettement» ; cf. *coton*. ◇ Par analogie, il est employé dans le style littéraire en parlant d'une matière dont la blancheur et le gonflé moelleux évoquent l'ouate, le coton (1797, Chateaubriand parlant des nuages).

▸ *Ouate* a produit quelques dérivés à partir du XVIIe siècle. Le premier est **OUATÉ, ÉE** adj. (1680)

«doublé d'ouate», qui a développé aux XVIIIe et XIXe s. les sens analogiques d'«adouci, estompé» (1765, Diderot), «qui a l'aspect de l'ouate» (1839, *ciel ouaté*) et «assourdi», d'un son (1884). ➛ Par changement de suffixe, on a formé **OUATER** v. tr. (1765) qui exprime les mêmes valeurs. ◇ Les autres dérivés sont **OUATEUX, EUSE** adj. (1803), **OUATINE** n. f. «étoffe molletonnée utilisée pour doubler certains vêtements» (1903) d'où **OUATINÉ, ÉE** adj. usuel pour «garni de ouatine». Les dérivés verbaux **OUATAGE** n. m. (1922) et **OUATERIE** n. f. (1963) «fabrication de l'ouate, industrie de l'ouate» sont plus techniques.

OUBLIE n. f. est la forme altérée (fin XIVe s.), d'après *oublier, oubli,* de l'ancien français *oblee* attesté au sens de «hostie» entre 1200 *(obleie)* et le XIVe s. et qui, par extension, désignait une pâtisserie dont la pâte légère se préparait comme un pain d'autel (fin XIIe s., *oublee ;* fin XIe s., *oblede*). Le mot est issu du bas latin ecclésiastique *oblata (hostia)* «offrande, pain offert à l'eucharistie», féminin substantivé de *oblatus* «offert», spécialement «offert à Dieu, sacrifié» (→ oblat), lui-même employé comme participe passé de *offerre* (→ offrir).

♦ *Oublie* a vieilli, tant avec son sens initial, «hostie», qu'avec celui de «pâtisserie mince et cassante à laquelle on donne la forme d'un cornet» (v. 1360), usuel jusqu'à la fin du XIXe s., notamment dans *marchand d'oublies.* ➛ Par analogie de forme, il désigne (1812) un coquillage univalve à bords enroulés.

▸ Son dérivé ② **OUBLIEUR, EUSE** n. (v. 1330), également ② **OUBLIEUX, EUSE** n. (1611) «marchand de rue qui vend des oublies» a disparu avec lui.

OUBLIER v. tr., qui succède aux formes *oblier* (v. 980) et *ublier,* est issu d'un latin populaire °*oblitare,* réfection, sur le participe passé *oblitus,* du verbe classique *oblivisci* «ne plus penser à qqch., perdre de vue». C'est un mot de la même famille que *oblinere,* «couvrir d'un enduit», d'où «raturer, effacer», qui contient une racine indoeuropéenne °*lei-* signifiant «verser un produit gras» et qui est représentée, avec un élargissement en °*w,* dans le latin *levis* «poli, lisse» (non roman) et le grec de même sens *leios,* peut-être également dans le latin *lima* (→ lime).

♦ *Oublier* a dès les premiers textes son sens courant de «ne pas garder dans sa mémoire», en particulier «ne pas garder présent à l'esprit, négliger» et «laisser (qqch.) par inadvertance» (1214). Peu fécond en locutions, il a donné familièrement ***avoir oublié d'être bête*** «être intelligent» (av. 1848). Diverses valeurs, plus ou moins vivantes de nos jours, sont apparues rapidement à la forme pronominale : *s'oublier* est attesté au sens de «manquer à ses devoirs, se relâcher» (1050), et «négliger de faire qqch.» (1120). ◇ Dans la littérature épique et courtoise, *s'oublier* exprime l'idée de «cesser d'avoir conscience de soi», en particulier dans le domaine des sentiments amoureux, «entrer dans une sorte de transe» (1176-1181). Cette valeur coexiste avec celle de «sortir de sa condition par orgueil» (v. 1200), propre à l'ancien français. ◇ Ultérieurement, ce pronominal a le sens de «faire passer l'intérêt d'autrui avant le sien» (1588, Montaigne), «perdre la notion de l'heure» (1707) et, à la fin du XIXe s., le sens euphémique de «faire ses besoins là où il ne faut pas» (1882, Zola).

▸ Du verbe sont dérivés plusieurs mots inégalement usités. ➛ Le plus ancien et le plus usuel est le déverbal **OUBLI** n. m. (1080, *ubli*) «fait d'oublier» avec toutes les nuances propres au verbe. Le sens particulier de «moyen d'oublier» (1372-1373) n'a plus cours. ◇ En relation avec l'usage pronominal du verbe, le nom entre dans l'expression *oubli de soi-même* (av. 1695) ; ultérieurement, il développe la nuance particulière d'«oubli volontaire, négligence, manquement» (1761). ◇ La locution verbale usuelle ***tomber dans l'oubli*** (1761) a remplacé *venir en oubli* (1549). ➛ **OUBLIANCE** n. f. (v. 1120, *ubliance*) concurrençait *oubli* au sens d'«omission, fait d'oublier». À l'époque classique, le mot était encore employé dans quelques expressions comme *c'est par pure oubliance* (et non par malice) (1694), *mettre en oubliance.* ◇ Au XIXe s., le mot ne subsiste que dans certaines régions au sens de «faculté d'oublier» (chez G. Sand dans le Berry). ➛ ① **OUBLIEUX, EUSE,** antérieurement *oblïeux,* adj. (1176-1181), qualifie d'abord une personne qui oublie, et une chose qui favorise l'oubli, se prête à l'oubli (1550, Ronsard, *oublieus tombeau*). De même que son dérivé rare **OUBLIEUSEMENT** adv. (1606), il n'est guère employé que dans le style littéraire, la locution ***oublieux de*** (v. 1398) étant relativement plus courante. ➛ **OUBLIETTE** n. f. est d'abord attesté (1372) dans l'expression *mettre en oubliete,* dans *l'Instruction de la Geole du Chastelet de Paris,* puis sous la forme moderne (fin XIVe s.). ◇ Le mot, par une dérivation banale (diminutif) et un sémantisme imprévisible, désigne le cachot où un condamné était placé pour toujours, et donc oublié. Le mot a été repris au milieu du XIXe s. en archéologie, à propos d'une fosse et de la trappe basculante qui permettait de se débarrasser d'une personne en la précipitant. Le mot symbolise les mœurs violentes et cruelles du moyen âge, comme *in pace* et *cul-de-basse-fosse.* ◇ Dès le XVIe s., il est employé avec une valeur figurée dans la locution *mettre en oubliette* (1536), de nos jours modifiée en ***mettre aux oubliettes*** (1838). ➛ **OUBLIABLE** adj. (v. 1398) «que l'on peut oublier» est moins répandu que son antonyme préfixé **INOUBLIABLE** adj., beaucoup plus récent (1836), mais qui, bénéficiant de la structure très productive *in...able,* est devenu courant pour qualifier une chose ou une personne mémorable et, par extension, très remarquable ; il a donné **INOUBLIABLEMENT** adv. (1879, chez Mallarmé). ➛ Au XIXe s., on relève également la première attestation de **INOUBLIÉ, ÉE** (1831), mot recherché et peu usuel. ➛ Quant à ① **OUBLIEUR, EUSE** n. et adj. «qui oublie facilement» (1487), il n'est guère employé que comme nom, une première fois en 1552 et à nouveau depuis 1801.

OUED n. m., d'abord *wadi* (1845-1846) puis *oued* (1849), également *ouadi* (1853), est emprunté à l'arabe *wād/'al-wādi.* Le mot désigne un lit de rivière, une rivière, puis une vallée. Le pluriel arabe est *'awdiya* (*widān* en arabe parlé) : le pluriel français *ouadi*, que l'on trouve à côté de *oueds*, ne représente donc pas le pluriel arabe, mais l'emploi de *ouadi* considéré comme mot invariable.

♦ Le mot désigne une rivière d'Afrique du Nord et, par extension, un cours d'eau temporaire des régions sèches, notamment au Sahara.

OUEST n. m., d'abord écrit *west* (1140) puis *ouest* (1379) est, comme les autres noms des points cardinaux, un mot d'origine anglo-saxonne : il est emprunté au vieil anglais *west* (conservé en anglais moderne) attesté comme adverbe (IXe s.) et comme nom (XIIe s.) et correspondant à l'allemand et au néerlandais *west*. Ces mots reposent sur une racine indoeuropéenne représentée dans le grec *hesperos* et le latin *vesper* «soir» (→ vêpres).

♦ Le mot désigne la direction et le lieu situé dans la direction où le soleil se couche et, par métonymie, l'aire de vent située à gauche de la rose des vents, la direction correspondante (1379). En ce sens, il est employé en composition comme adjectif invariable (1534, *vent westen Nordest;* 1552, *vent ouest Nordouest*, tous deux chez Rabelais). ➛ Comme les autres noms de points cardinaux, *ouest* est resté confiné au vocabulaire scientifique et maritime jusqu'au XIXe s. : dans l'usage courant et en littérature, on lui préférait les termes d'origine latine *occident, ponant* et *couchant* (cf. de même *midi* pour *sud, septentrion* pour *nord, orient* ou *levant* pour *est*). C'est la diffusion des sciences qui a fait des termes d'origine anglo-saxonne les mots les plus usités. ◇ Le mot désigne couramment les territoires situés à l'ouest d'une zone de référence (notamment de la France) [1817] et, ultérieurement, les pays occidentaux (1946), spécialement en géographie politique par opposition aux pays socialistes de l'Est européen (avant 1990). ◇ Dans le contexte de l'Amérique du Nord, il désigne la région allant des grandes plaines jusqu'aux montagnes rocheuses par exemple dans *la conquête de l'Ouest* (→ western).

▸ Il entre dans **OUEST-ALLEMAND, ANDE** n. et adj. (v. 1950) calqué sur l'anglais *west german* et mal formé en français (l'ordre syntaxique réclamant *Allemand de l'Ouest*), mot historique depuis la réunification de l'Allemagne (1990). ◇ Des formes comme *Ouest-Européen, Ouest-Indien* et *Ouest-Africain* sont aussi de formation anglo-saxonne.

OUF interj., d'abord *hauf!* (1548), *of* (1579) et *ouff* (1642), est d'origine onomatopéique.

♦ Le mot, dans l'usage ancien, exprimait la douleur soudaine, l'étouffement, sens encore évoqué par la locution ***sans avoir le temps de dire ouf,*** (XIXe s.). Il tend à exprimer le soulagement succédant à un travail pénible ou à une sensation d'étouffement (av. 1797). ◇ Il est aussi substantivé (av. 1859).

OUI adv. et interj., d'abord *ouy, ouil* (1380), est issu de l'ancienne particule affirmative **OÏL** employée au nord de la Loire et correspondant à *oc* au sud → (oc, occitan). Cette particule s'analyse en *o-il;* elle est composée (1080) du très ancien français *o* (842), issu du latin *hoc* «cela», d'où «cela est», neutre du pronom démonstratif *hic* (→ ici), et de *il**. Le même type de renforcement avait donné *o-je, o nos, o vos*, qui ont disparu. *Oïl* s'est employé jusqu'au XVe s., mais on dit encore ***langue d'oïl,*** par opposition à *langue d'oc* et à *franco-provençal* (voir : LANGUE FRANÇAISE*, encadré ; OCCITAN).

♦ L'adverbe d'affirmation, s'opposant à *non*, exprime une réponse positive à une question non négative (distinct de *si**) seul ou renforcé par divers éléments dont *da* dans *oïl dea* (1396), *ouy dea* (1474), de nos jours archaïque, et familièrement dans *oh oui, que oui, eh oui*, anciennement *oui bien*. Après un verbe déclaratif, il peut avoir la fonction d'un complément d'objet, continuant en cela une fonction de *oïl* (v. 1138) dans *dire oui*, souvent pris par extension pour «approuver, obéir», *ne dire ni oui ni non* (1652), *dire que oui* (1657). ◇ Il s'emploie également pour insister (1580) ou, au contraire, pour exprimer une approbation ironique équivalant par antiphrase à *non* (1670, Molière), enfin, combiné à *non* dans *oui et non*, pour exprimer la réticence et l'hésitation (XXe s.). ➛ À partir du XVIe s., il est substantivé soit pour désigner le mot *(un oui)*, soit pour exprimer une notion de consentement, d'approbation (fin XVIe s.), entrant dans la locution familière ***pour un oui pour un non*** «sans motif sérieux» (1690), annoncée par *pour un oui ou nenny* (1584). ➛ Au XIXe s., *oui* devient aussi adverbe interrogatif, marquant la surprise (1868), exprimant, avec une nuance d'impatience, un dilemme dont le terme positif est seul explicite, souvent renforcé en ***oui ou non ?*** (av. 1870) ou encore requérant l'assentiment d'un interlocuteur ou soulignant un ordre à la forme interrogative (v. 1950, *vas-tu te taire, oui ?*).

▸ *Oui*, par altération, a donné l'interjection familière **OUICHE** interj. (fin XVe s., *ouyche* dans une farce ; var. *ouitche* au XIXe s. [1836]) au moyen de laquelle le locuteur feint d'accepter une assertion (→ ouais). ◇ Le composé moderne et familier **BÉNI-OUI-OUI** n. m. (v. 1950) est formé de l'arabe maghrébin *beni* (arabe classique *bani*) : «les fils» et de *oui* redoublé ; il a d'abord été employé dans un contexte politique à propos des Algériens qui approuvaient sans réserve l'Algérie française et s'est répandu couramment à propos d'une personne empressée à approuver les initiatives d'une autorité. D'après la morphologie arabe, il devrait seulement être employé au pluriel.

◈ voir **OUAIS, QUÉSACO.**

OUILLE interj., seulement repéré dans les textes en 1914 (alors écrit *houille*), repose sur une onomatopée.

♦ Le mot est une exclamation exprimant la douleur ; il est souvent répété *(ouillouillouille)* et interprété graphiquement par *ouïe* (sous l'influence de *aïe*).

OUILLER → ŒIL

✷ **OUÏR** v. tr., qui apparaît sous les formes conjuguées *audid* (v. 980) et *oi* (1080), puis à l'infinitif *oïr* et à l'actif, est issu du latin *audire* «entendre» d'où «prêter l'oreille à, écouter» et «comprendre, obéir», spécialement en parlant des dieux «entendre la prière de, exaucer» (sens surtout réservé au composé *exaudire*). Enfin, avec les adverbes *male* (→ mal) et *bene* (→ bien), *audire* signifiait «s'entendre traiter bien ou mal», c'est-à-dire «avoir bonne ou mauvaise réputation». ◇ Il s'agit d'un verbe nouveau qui remplace dans ses emplois les formes d'un ancien thème °*kleu-* dénué de présent en indoeuropéen et par suite sujet à être éliminé. On rapproche *audire* du grec *aiein* «entendre» (plus ancien et plus rare que *akouein* → acoustique), du sanskrit *āviḥ* «évidemment» et du vieux slave *avě* «manifestement». Cependant, la formation du mot latin est obscure et le rapport avec *auris* «oreille» (→ oreille) n'est pas plus clair.

♦ *Oïr, ouïr* a seulement gardé le sens premier, «entendre; écouter»; cependant, sa conjugaison présentant le double inconvénient de la brièveté (à certaines formes) et de l'irrégularité, il a été peu à peu supplanté par *entendre*. Au XVIe s., il était encore vivant à l'indicatif présent (*j'oi* ou *j'ois, tu ois, il oit, nous oyons, vous oyez, ils oient*), à l'imparfait (*j'oyais*), au passé simple (*j'ouïs*), et au futur (*j'orrai*). Au XVIIe s., seuls restaient usuels l'infinitif *ouïr* et le participe **OUÏ, ÏE**, avec lequel on pouvait former les temps composés. Le futur semble être sorti de l'usage au début du XVIIe siècle. ➛ De nos jours, *ouïr* ne survit que dans quelques formules au participe passé comme *j'ai ouï dire* (fin XIIe s.; v. 1130, *ouïr parler*), conservé grâce au composé (ci-dessous) et par *inouï*.

▶ Le composé **OUÏ-DIRE** n. m. inv. (v 1200, également *oï dire* au XIIIe s.) entre dans la locution ***par ouï-dire***, issue par amuïssement du *r* final de l'ancienne forme avec l'infinitif *par oïr dire* (entre 1228 et 1466), encore *par oyr-dire* (1554) chez Montaigne. ➛ Le langage de la procédure employait le participe présent *oyant* dans sa formule **OYANT COMPTE** n. m. (1690) «partie à laquelle un compte est présenté», par opposition au *rendant compte*.

Ouïr ne subsiste dans l'usage moderne que par le nom qui en est issu. ➛ Ce déverbal, **OUÏE** n. f. (1080) désigne le sens de la perception des sons et, par métonymie, l'oreille considérée comme organe de l'audition (v. 1200) par exemple dans ***être tout(e) ouïe***. ➛ Le pluriel *les* **OUÏES** est spécialement employé (1552) pour désigner les branchies des poissons, par analogie de disposition sinon de fonction. Par analogie avec ces organes des poissons, *ouïes* est passé en architecture et en lutherie (1690) où il désigne les ouvertures de certains instruments à cordes.

L'antonyme du participe passé peu usité *ouï*, **INOUÏ, ÏE** adj. (déb. XVIe s., *inoye*) a probablement été créé à l'exemple du latin *inauditus* «qui n'a jamais été entendu, sans exemple». ◇ En français aussi, on passe rapidement du sens concret de «qui n'a jamais été entendu» à la valeur figurée «dont on n'a jamais entendu parler», d'où, avec une valeur intensive, «sans précédent, sans exemple, extraordinaire», seul sens vivant en français moderne, sauf par retour stylistique au sens propre. ➛ **INOUÏBLE** adj., employé par Montaigne au sens de «qu'on ne peut entendre» (1580), est sorti de l'usage au profit de *inaudible**. ➛ **INOUÏSME** n. m., tiré de *inouï* avec le sens de «caractère de ce qui est étrange, hors du commun», reste d'un usage très limité, passé une certaine vogue à la fin du XIXe siècle.

◈ voir **AUDIENCE, AUDITEUR, AUDIO-, OBÉDIENCE, OBÉIR.**

OUISTITI n. m. est l'adaptation (1767, Buffon) d'un mot probablement africain que Buffon considère comme une onomatopée correspondant au «son articulé que cet animal fait entendre et que nous lui avons donné pour nom».

♦ Le mot, désignant expressivement un singe de petite taille, s'emploie familièrement avec le sens de «personne curieuse au comportement étrange» (1918), par une métaphore comparable à l'emploi de *oiseau* (dans *drôle d'oiseau*), la sonorité du mot et l'allusion au comportement simiesque y contribuant. ➛ Le sens argotique «pince de cambrioleur» (1908) serait à rapprocher, d'après Esnault, de *truc à la ouispince* (1909) qualifiant tout outil ingénieux, peut-être formé de *ouis-* pour *vis** et de *pince**.

OUKASE → **UKASE**

OURAGAN n. m. est un emprunt phonétique (v. 1553; *houragan* 1604) à l'espagnol *huracan* de même sens (1526), antérieurement *furacan* (1510-1515), lui-même emprunté au taino (langue indienne) de même sens *hurakán, hurikán*. En français, le mot est d'abord relevé sous les formes anciennes *huracan*, par emprunt graphique et *houraquan* (1599) dans des traductions de l'espagnol; les formes postérieures *houragan* (1609) et enfin *ouragan* (1640) sont probablement empruntées par l'intermédiaire du «baragoin» (idiome commercial hybride) des Petites Antilles où le *k* espagnol était prononcé *g*.

♦ *Ouragan*, «forte tempête caractérisée par des vents violents», est couramment employé par métaphore (1809) à propos d'un mouvement impétueux, d'un déchaînement violent (*un ouragan de...*); sa proximité phonétique avec *orage* a certainement aidé à son succès en français.

▶ Le français a aussi la forme **HURRICANE** n. m. (1840), empruntée à l'anglais *hurricane* (1695), lui-même emprunté au taino *hurikán*. ◇ À côté de *ouragan*, d'acception générale, *hurricane* s'applique au cyclone en Amérique centrale.

OURDIR v. tr. est issu, d'abord sous la forme *ordir* (v. 1150), du latin populaire *ordire*, qui vient par changement de conjugaison du latin classique déponent *ordiri*. Ce dernier est un verbe technique qui signifie d'abord «préparer les fils de la chaîne réunis en nappe et tendus avant de les monter sur le métier à tisser», d'où «commencer à tisser». Par une de ces extensions de sens dont toutes les professions et de nombreux travaux manuels donnent des exemples, *ordiri* prend l'acception générale de «commencer», en particulier «commencer à parler» (comme on dit en français *remettre sur le métier* pour «recommencer»). Cette acception a dû se développer à la faveur du rapprochement avec *oriri* «s'élancer, naître» (→ orient), des confusions ayant eu lieu entre les deux verbes. *Ordiri* est apparenté à *ordo* (→ ordre) et à *ornare* (→ orner), dont le sens indique un rapprochement avec la racine °*er-* de *artus* «jointure, articulation» (→ art, article), *armus* «haut du bras» (→ ars) et *ritus* (→ rite), qui ont en commun la notion d'ordre, d'ajustement, mais le détail des formes n'est pas expliqué.

♦ Le verbe, essentiellement employé comme terme de tissage, a suivi le même type d'évolution que le latin et, en français, que le verbe *tramer,* vers le sens de «tisser» (1180-1190) et vers l'acception figurée de «disposer les premiers éléments de (qqch.), entreprendre» (1180). Il s'emploie surtout à propos d'un complot, d'une machination; il est d'usage très littéraire en français moderne.

▶ Ses dérivés ne se rapportent qu'au sens technique : **OURDISSEUR, EUSE** n. (1410), nom d'ouvrier et, plus tard, de machine, **OURDISSOIR** n. m. (1410) et **OURDISSAGE** n. m. (1753).

OURLER v. tr., d'abord *orler* (1160), est issu d'un latin populaire °*orulare* «border», dérivé de °*orula* «bord d'un vêtement», diminutif de *ora* «bord» (→ orée), spécialement «bord d'un vêtement». Cette reconstitution s'appuie sur les formes romanes *orlar* en espagnol et en portugais, et *orlare* en italien.

♦ Le verbe français signifie «garnir d'un ourlet» et, par analogie, «garnir d'un rebord», en particulier au participe passé adjectivé *orlé, ée de* (1165). ◇ *Ourler* s'emploie également au sens de «garnir d'une bordure» (1376) dans le style littéraire, et le participe passé qualifie assez fréquemment les oreilles (1844, Balzac) et les lèvres. ➛ Il est quelquefois substantivé *(l'ourlé, un ourlé)* au sens de «partie ourlée» (1939) dans l'usage littéraire.

▶ En ce sens, le terme courant est **OURLET** n. m. d'abord noté *orlet* (1304) avant d'être attesté sous sa forme actuelle (1487). Ce nom désigne un bord arrondi et replié (d'un vase) et, depuis la fin du XIVe s., est employé en couture. Dans ce domaine, on appelle ***faux ourlet*** (1868) l'ourlet que l'on fait avec un morceau rapporté. ◇ Tout autre emploi analogique relève du style littéraire, sauf quelques spécialisations techniques en architecture (1647) et en métallurgie (1680), et quand il s'agit du bord replié des oreilles (1844, Balzac). ◇ *Ourlet* a absorbé l'ancien dérivé (déverbal) de *orler, urle* (v. 1120), **ORLE** n. m. (1160), lequel s'est toutefois maintenu avec des acceptions spécialisées en héraldique (1280), et en marine, où il désigne l'ourlet d'une voile (1732). ◇ En architecture, *ourlet* coexiste avec *orle* (1645, traduction de l'italien) pour désigner le filet placé sous l'ove d'un chapiteau dorique; il est alors emprunté à l'italien *orlo,* déverbal de *orlare* «ourler», employé spécialement en architecture (av. 1555). ◇ Une ancienne forme **OURLES** (1280) est employée au pluriel avec le sens médical d'«oreillons» (1761) en Savoie, en Suisse romande et en Bresse; elle a servi à former **OURLIEN, IENNE** adj. (1885, *fièvre ourlienne*), terme médical qui signifie «relatif aux oreillons». ➛ De *ourler* est aussi dérivé **OURLEUR, EUSE** n. (1599) «personne qui borde (de galons, etc.)», surtout usité au féminin avec le sens d'«ouvrière qui fait les ourlets, en couture» (1955).

voir HUIS, ORAL, ORIFICE, OSCILLER, OSCULATION.

✱ **OURS** n. m., d'abord *urs* (1080), est issu du latin *ursus, ursi,* dont le féminin *ursa, ae* (surtout poétique) est spécialement employé par imitation du grec *arktos* pour désigner des constellations. Le mot est à rapprocher, en dehors du grec *arktos* (→ arctique), du sanskrit *ṛ́kṣaḥ,* de l'avestique *arša* (persan *xirs*), de l'arménien *arǰ,* de l'irlandais *art;* le baltique, le slave et le germanique ont remplacé cette racine par des mots nouveaux à la suite d'interdictions de vocabulaire; en effet l'ours, dans certaines cultures, est un animal redouté dont le nom fait l'objet d'un tabou lié à la chasse (le même phénomène a conduit au nom de la *belette**).

♦ Le mot désigne l'animal, gros mammifère à pelage épais, support d'un riche contenu folklorique et symbolique. Il est quelquefois précisé en ***ours blanc*** (1680), ***ours polaire*** (1838), ***ours brun*** (1797), etc. ◇ À partir du XVIIe s., par allusion aux mœurs, à l'attitude de l'ours, le mot entre dans plusieurs locutions à valeur caractérisante appliquées aux humains : il qualifie, avec une valeur adjective, une personne qui fuit la société (1671) : *il, elle est ours.* Dans ce sens, il s'emploie aussi comme nom : *c'est un ours* (1694), spécialement dans l'expression ***ours mal léché*** (1718) (→ lécher), appliquée également à une personne au caractère grossier (1820). ◇ Il entre dans quelques locutions verbales comparatives comme *se dandiner à la manière des ours en cage* (1831), *tourner comme un ours dans sa cage* (1845), puis ***comme un ours en cage.*** Au XIXe s. apparaît aussi le proverbe ***vendre la peau de l'ours*** (1814), aboutissement d'une formulation plus ancienne *marchander la peau de l'ours jusques ad ce que la beste fust morte* (1500). ◇ Cf. *pavé* pour *le pavé de l'ours.* ➛ Au XVIIIe et au XIXe s., *ours* a pris des valeurs argotiques : il se dit en typographie de l'ouvrier chargé de la presse (1713), par comparaison entre son mouvement et le balancement lourd de l'animal. ◇ Il désigne (par allusion aux ours «mal léchés», selon Esnault) une pièce de théâtre qui jaunit dans les cartons en attendant d'être publiée (1835), d'où le sens de «manuscrit à revoir et à corriger». ◇ Dans l'argot de Saint-Cyr, *l'ours* c'est la salle de police (av. 1853). ➛ Par analogie, le mot est appliqué à d'autres animaux, ***ours marin*** désignant autrefois l'otarie (1765, Buffon). ➛ C'est seulement depuis le XXe s. qu'il est employé pour la représentation en peluche, puis en matière synthétique, de l'ours (attesté 1919, Claudel); cf. ci-dessous *nounours.*

▶ Par adjonction du *e* final, *ours* a formé **OURSE** n. f. (1165, *orse*) «femelle de l'ours», réemprunté comme terme d'astronomie (1544) au latin *ursa* (*major* et *minor*) dans ***Grande Ourse*** (1562) et ***Petite Ourse*** (av. 1632), noms de constellations. ➛ Le nom du petit de l'ours, **OURSON, ONNE** n. (1545), s'est appliqué après *oursin* (ci-dessous) à un bonnet à poil (notamment porté par les grenadiers) qui évoque la fourrure de l'animal (1831). ➛ **OURSIN** n. m., diminutif quasi contemporain de *ourson* (1552), est appliqué de manière moins prévisible que l'autre dérivé à un animal marin (échinoderme) recouvert de piquants. ◇ *Oursin,* dans cette acception bien vivante grâce à la gastronomie, a produit **OURSINADE** n. f. (v. 1950), terme ré-

gional (Provence) désignant une partie de pêche à l'oursin. ◇ Par ailleurs, *oursin* s'est dit (1825) d'un bonnet à poil, précédant et concurrençant *ourson* (ci-dessus) avant de lui céder la place.
Avec son sens figuré, *ours* a produit **OURSERIE** n. f. terme de nos jours archaïque et littéraire qui désigne une humeur, un caractère d'ours (1840) et (*une ourserie*) l'acte d'une personne insociable (1844). ➛ Le verbe pronominal **S'OURSIFIER** «devenir difficile à vivre» est utilisé par Flaubert (1861) mais ne s'est pas répandu.
Enfin, par redoublement enfantin de *ours* avec agglutination du *n* de l'article indéfini *un* (*un* °*nours*), on a formé **NOUNOURS** n. m. (XXe s.) hypocoristique pour un petit ours et, surtout, un ours en peluche, avec des emplois extensifs et figurés (*un gros nounours*, en parlant d'un homme).

OUST, OUSTE interj. est une onomatopée, d'abord relevée sous les formes *housse* (1714), *ousse* (1781) et *houts* (1797); les graphies modernes *ouste* et *oust* remontant au XIXe s. (respectivement 1857 et 1868).

♦ Le mot s'emploie familièrement pour chasser une personne, lui intimer l'ordre de sortir.

OUT adv. et adj. inv. est emprunté (1891) à l'anglais *out*, adverbe, «dehors», spécialement (depuis le XVIIe s.) «hors du jeu, hors de l'action», employé en sports (cricket) et pour caractériser un usage démodé et désuet.

♦ Le mot est introduit en tennis pour «hors de limites du court», et employé en sports comme synonyme de *hors jeu* (1899). ◇ À partir de 1966, il est usité adjectivement pour «démodé», en opposition à *in**.

◈ voir OUTLAW, OUTSIDER.

OUTARDE n. f., forme qui a remplacé (1613) *ostarde* (déb. XIVe s.), puis *oultarde* (1545), est issu du latin *avis tarda*, littéralement «oiseau lent» (→ oiseau, tard), donné par Pline comme un mot d'Espagne. Celui-ci a été contracté en °*austarda*, le mot *avis* (prononcé *aouis*) n'étant plus compris en Gaule. L'espagnol a conservé *avutarda*, *avetarda* et l'ancien provençal possède *austarda*.

♦ Le mot désigne un échassier au corps lourd. ◇ Il est employé en français du Canada pour désigner la bernache, dite aussi oie du Canada (1545, dans les récits de voyage de J. Cartier).

▸ Son dérivé **OUTARDEAU** n. m., «petit de l'outarde», est attesté depuis 1552 (*otardeau*).

◈ voir AUTRUCHE.

OUTIL n. m., d'abord *ustilz* (déb. XIIe s.), *oustil* (v. 1268) puis *outil* (1538), est issu d'un bas latin °*usitilium*, singulier correspondant au neutre pluriel °*usitilia*, lui-même issu par altération du mot classique *utensilia* «objets nécessaires, meubles, instruments» (→ ustensile). Cependant, si le croisement de *utensilia* avec *usare* «utiliser, employer» (→ user) rend bien compte du *s* de la forme °*usitilia*, le passage du *ū* long initial de *ūtensilia* au *ŭ* bref de °*ŭsitilia* reste inexpliqué. Des formes latines tardives en *os-* sont attestées dès les VIIIe-IXe siècles.

♦ Dans sa première attestation, le mot français est employé au pluriel avec le sens d'«équipement, objets nécessaires qu'on embarque pour un voyage» (cf. *munitions*) et, dès 1174, avec son sens moderne, resté courant, «objet fabriqué qui sert à faire un travail». ◇ Une valeur populaire, «organe viril», est attestée dès le XIIIe s. et a survécu, contrairement au sens général «organe du corps humain», observé chez Montaigne (v. 1580). ➛ Au cours du XIIIe s., le mot acquiert le sens figuré de «moyen d'action», à propos d'une personne, d'un groupe de personnes; dans l'usage familier, il se dit par dénigrement d'une chose que l'on méprise (*bel outil*, 1690), d'une personne gauche, limitée intellectuellement (1808), d'un individu bizarre. Il est spécialement employé par les linguistes dans *mot-outil* «mot grammatical» (1922). ➛ Bien que *outil*, dans tous ses emplois, ne soit plus senti comme lié à *ustensile*, il a gardé une grande proximité sémantique avec ce mot, comme avec *instrument*.

▸ Au XIXe s., il entre dans la dénomination **MACHINE-OUTIL** n. f. (1857), devenue un des mots clés de l'industrialisation.
Le dérivé **OUTILLER** v. tr. (1180, *osteiller*) est rare avant 1377 où l'on relève à nouveau le participe passé *hostillez* «pourvu, doté des moyens matériels nécessaires»; on le trouve ensuite à la forme pronominale *s'oustiller* (1532-1547) et enfin (1798) en construction transitive, d'abord avec un sens concret et, depuis la fin du XIXe s., avec un sens figuré. ➛ Le verbe a pour dérivés **OUTILLÉ, ÉE** adj., «muni d'outils», **OUTILLEUR, EUSE** n. (1845) qui désigne le fabricant, le marchand d'outils, et spécialement (1932) le professionnel qui réalise des outillages (outils, calibres, moules, montages) et **OUTILLAGE** n. m. au sens concret d'«ensemble d'outils pour l'exercice d'une activité manuelle» (1829) puis abstraitement «ensemble d'outils intellectuels» (1865). Le mot désigne spécialement le service chargé, dans une entreprise, de la fabrication et de l'entretien des outils et des machines-outils. ◇ **OUTILLERIE** n. f. (1874) recouvre la fabrication et le commerce des outils.

OUTLAW n. m. est emprunté (1783) à l'anglais *outlaw* «hors-la-loi, proscrit», issu du vieil anglais *utlaga* (v. 1000) refait d'après les formes modernes *out* «hors de» (→ out) et *law* «loi». Le vieil anglais est dérivé de l'adjectif *utlag*, *utlah* «proscrit, hors-la-loi, bandit», emprunté au vieux norrois *útlagi*, de *út* «hors de», «dehors» et °*lagu* «loi». *Út* repose sur le thème indoeuropéen du sanskrit *ud-*, préfixe indiquant l'exclusion, et du grec *hústeros* «qui est derrière, après». L'élément désignant la loi est d'abord le pluriel à valeur collective d'un mot, *lag*, désignant un emplacement, une place. Il appartient à un thème germanique apparenté aux noms grec et latin du lit (→ lit) : plusieurs langues tirent le nom de la loi d'une base signifiant «placer, établir» (→ statuer).

♦ Le mot anglais est attesté en français dès 1783 dans le *Courrier de l'Europe* à propos de réalités américaines, puis britanniques (1825), et enfin françaises (1830, suivi de la traduction *hors la loi*). Après avoir joui d'une certaine vogue au XIXe s., il a reculé devant le calque *hors-la-loi* (→ loi).

OUTRAGE n. m. → ② **OUTRE**

① **OUTRE** n. f., d'abord *oustre* et *oultre* (1389), est emprunté au latin *uter, utris,* n. m. «peau de bouc cousue pour conserver des liquides», employé par métaphore. Une hypothèse le rapproche du grec *hudria* auquel il aurait peut-être été emprunté par l'intermédiaire de l'étrusque. Ce grec *hudria* «vase à eau», «pot pour le vin pour déposer de l'argent», «urne pour les cendres des morts, urne pour voter au tribunal», est dérivé de *hudôr* «eau» (→ hydre, hydro-).

♦ Le genre du mot en français s'est fixé comme féminin au début du XVIIe s. (1611). Vers la fin du XVIe s., on relève les formes *ouillre, ouistre* chez l'Ardéchois Olivier de Serres, formes hybrides qui semblent dues à un croisement avec le provençal *oire,* attesté au XVIe siècle. Du point de vue sémantique, le mot a, comme le latin *uter,* développé à partir du sens «récipient en peau» des acceptions analogiques et figurées qui le prennent comme symbole de «grosseur» et de «vide» (souvent par allusion à l'outre des vents confiée par Éole à Ulysse, dans *L'Odyssée*, IX).

② **OUTRE** adv. et prép., d'abord noté *ultra* (1050), *ultre* (1080), est issu du latin *ultra,* adv. et prép., «de l'autre côté, au-delà de» et «plus loin, plus que *(ultra quam)*» (→ ultra). C'est le dérivé de l'ancienne préposition *uls* «au-delà de», encore employée par Caton, mais survivant seulement dans des formules. *Uls* (l'adverbe de sens opposé, *cis,* était formé avec un *s* qui s'est maintenu sous l'influence de son antonyme) se rattache à un groupe de mots dans lequel *l* indique l'objet éloigné, que ce soit *ille* «celui-là» (→ il, le), *olim* «un jour, une fois», et *alius* «autre» (→ aliéné).

♦ En français, on relève d'abord la forme latine *ultra* (1050) dans l'expression *passer ultra* «passer au travers de». La forme francisée exprime l'idée de «plus loin, au-delà», dans la locution encore usuelle ***passer outre*** (1165-1170) «poursuivre sa route», au figuré «continuer» (1370). Celle-ci est employée en droit pour «continuer d'exécuter malgré une opposition» (1549) d'où, absolument, «ne pas tenir compte (d'un avis, d'un refus, d'une objection)». ◇ En ancien français (1080), *outre* correspondait aussi à «de part en part», dans la locution *d'outre en outre* (1176). ◇ Le mot a servi à former d'autres locutions encore usuelles mais relativement recherchées : ***en outre*** (1175) «en plus» et ***outre mesure*** (1174). ◇ Les mêmes acceptions sont réalisées par *outre* utilisé comme préposition (1080) : «au-delà de» et «en plus de» (1160-1174). L'ancienne locution conjonctive ***outre ce que*** (1355), «en plus du fait que», subsiste sous la forme simplifiée ***outre que*** (1590).

▶ *Outre,* accolé à un substantif, a formé plusieurs locutions adverbiales dont la plus ancienne est **OUTRE-MER** (1080, *d'ultremer*), employée au XXe s. pour les départements français constitués en 1946 et les territoires et possessions françaises, d'où les abréviations ***D. O. M.*** et ***T. O. M.*** (1973) pour *Départements* et *Territoires d'outre-mer.* ◇ Le mot est substantivé pour désigner (1676) une pierre d'un bleu intense dite aussi *lapis-lazuli* et, par métonymie, la couleur de cette pierre (1668), aussi dans *bleu d'outremer* (1750) ; il sert également à désigner le colorant bleu tiré de la pierre (1751). Depuis 1850, *outremer* est employé comme adjectif de couleur. ➜ Les autres formations du même type remontent aux XIXe et XXe siècles : en dehors de **OUTRE-MONTS** loc. adv. (1830) «au-delà des monts» (spécialement pour l'Italie, l'Espagne), *outre* sert à former **OUTRE-MANCHE** loc. adv. (v. 1848) seul lexicalisé, alors que d'autres composés, comme *outre-journée* loc. adv. (1848, Chateaubriand), *outre-Loire* loc. adv. (1855, Mérimé), restent des créations littéraires. ➜ **OUTRE-TOMBE** loc. adv. et adj. est employé pour la première fois par Chateaubriand dans une lettre du 3 mars 1832, projetant le titre de *Mémoires d'outre-tombe* pour cette œuvre destinée à paraître après sa mort ; il est resté en usage, du fait de la notoriété de l'œuvre. Gide s'en est souvenu lorsqu'il a osé *outre-vie* loc. adv. (1896). ➜ Au XXe s., la formule reste productive avec **OUTRE-ATLANTIQUE** loc. adv. et des formules comme *outre-frontières* loc. adv. (1969), *outre-rideau de fer* loc. adv. (1969), etc.

Outre a produit en ancien français **OUTRAGE** n. m. (1080, *ultrage*), d'abord employé dans les romans de chevalerie pour désigner une parole contraire à l'honneur d'un chevalier. Par l'intermédiaire de la locution ***faire outrage*** (1140) «offenser», il a pris un sens plus général «offense, injure» (1165). Dans la langue classique, il développe le sens métaphorique de «dommage, tort causé par manque de respect» (1620) qui relève d'un style plus littéraire. ◇ Il sert également à désigner un acte gravement contraire à un principe (1535), d'abord dans un contexte biblique, puis aussi dans le domaine du droit (1810), à l'intérieur de syntagmes tel ***outrage à la pudeur*** (1810), défini par le Code. ➜ *Outrage,* qui, à la différence de *outrance,* ne véhicule plus l'idée d'excès, a donné un verbe dont le champ sémantique chevauche celui de *outrer* (ci-dessous), **OUTRAGER** v. tr., d'abord relevé avec le sens physique ancien de «blesser (qqn)» sous la forme *oultraugier* (XIVe s.). ◇ L'usage moderne l'emploie seulement avec le sens moral «offenser, injurier gravement» (1485), quelquefois, dans un style littéraire «porter atteinte, endommager» (1604 dans une tragédie). ➜ L'adjectif qui lui correspond, en dehors de ses participes adjectivés **OUTRAGEANT, ANTE** (1579) et **OUTRAGÉ, ÉE** (1922), est **OUTRAGEUX, EUSE** adj. (1165) qui qualifie une personne portée aux excès et insolente (1515) ainsi qu'une chose de caractère outrageant (1220-1225). ◇ Son dérivé **OUTRAGEUSEMENT** adv. (1245) a vieilli avec ses sens «avec outrecuidance» et «d'une manière outrageante» (1538). ◇ Cependant, il est plus fréquent que l'adjectif avec la valeur d'«excessivement» (1283), qui est restée usuelle.

OUTRER v. tr. a été dérivé de *ultre, outre* sous la forme *ultrer* (1160-1174) au sens physique ancien «dépasser qqn en marchant» (→ outrepasser). ◇ L'usage moderne du mot s'établit à l'époque classique, lorsqu'il prend les valeurs abstraites «pousser une chose au-delà des bornes» (av. 1616) et «offenser (qqn), le pousser à bout» (1660). ◇ De nos jours, il est plus fréquent à la voix passive *être outré* avec la valeur psychologique «être scandalisé», d'où le participe passé **OUTRÉ, ÉE** adj. ➛ Le nom correspondant, **OUTRANCE** n. f. (1220), a d'abord été employé dans le contexte du combat dans les locutions *mener à outrance* «mettre hors de combat», *mettre à outrance* (1280), sorties d'usage, et ***combat à outrance*** (XIVe s.). Il exprime une idée d'opiniâtreté sans répit jusqu'à l'élimination de l'adversaire. ◇ Par extension, la locution ***à outrance*** signifie «fortement, excessivement». ◇ Le mot est substantivé (1543) pour «ce qui est exagéré, excessif», en général *(l'outrance)* et en particulier *(une, des outrances)* pour une action, une chose. ◇ C'est seulement au XIXe s. qu'il a produit son dérivé **OUTRANCIER, IÈRE** adj. (1874) «qui pousse les choses à l'extrême», dont est dérivé **OUTRANCIÈREMENT** adv. (1897).

◈ voir OUTRECUIDANT, OUTREPASSER, PÉNULTIÈME, ULTÉRIEUR, ULTIMATUM, ULTIME, ULTRA-.

OUTRECUIDANT, ANTE adj. est le participe présent adjectivé (v. 1165) de l'ancien français *outrecuider* (v. 1165), composé de ② *outre** et de l'ancien français *cuider* «penser», doublet populaire de *cogiter** sorti de l'usage au XVIe siècle. *Outrecuider*, d'abord attesté par son participe passé *outrecuidé* «arrogant, téméraire», exprimait l'idée d'arrogance (XIIIe s.), de déraison (XIIIe s.), à l'intérieur d'une constellation formée par *cuider* «croire», spécialisé en ce sens avec *trop cuider* (v. 1175), *surcuider* (XIIe s. en ancien picard). Le verbe *outrecuider*, dont on relève encore un emploi transitif en 1717 pour «montrer à qqn du mépris par l'idée de sa propre supériorité», sens perpétué dans l'usage littéraire archaïsant, a disparu.

♦ En revanche, *outrecuidant* est resté relativement usuel pour qualifier une personne et, par métonymie (1760), un acte, une parole qui montre de la prétention, de l'arrogance.

▸ Il en va de même de son dérivé **OUTRECUIDANCE** n. f. (1223) dont l'idée de «confiance excessive en soi-même» conduit souvent à celle de «désinvolture, impertinence» (1223). Un emploi concret *(une, des outrecuidances)*, plus rare (1760), se rapporte à des actes ou paroles témoignant d'une désinvolture impertinente. La locution ***avec outrecuidance*** a remplacé l'adverbe **OUTRECUIDAMMENT** (1611), sorti d'usage.

OUTREPASSER v. est formé (1155) de ② *outre** et de *passer**.

♦ Le mot a d'abord eu le sens concret de «dépasser (une ville, un cours d'eau)» et, sur le plan temporel, «passer» (1225, *le mois fut outrepassé*). ◇ L'usage moderne l'a conservé avec le sens abstrait de «transgresser (une limite)» (1377), avec des effets de sens métaphoriques dans des syntagmes verbaux comme *outrepasser les bornes* (1636). ◇ Il est spécialement employé en vénerie avec le sens intransitif concret (1810) de «s'emporter au-delà des voies».

▸ Son participe passé **OUTREPASSÉ, ÉE** est adjectivé comme terme d'architecture dans *arc outrepassé* (1866) «qui outrepasse le demi-cercle».

OUTSIDER n. m. est un emprunt (1859) à l'anglais *outsider* «celui qui est à l'écart, à l'extérieur d'un groupe» (1800, Jane Austen), spécialement «étranger», de *outside* (XVIe s.) «extérieur, côté extérieur», attesté comme terme de turf depuis 1857. Son premier élément est l'adverbe *out* «dehors» (→ out, outlaw) et le second, *side*, nom du côté qui s'apparente au néerlandais *zijde, zij*, à l'allemand *Seite*, et qui remonte à un thème germanique °*sīoō*, lui-même dérivé d'un adjectif °*sīoaz* «étendu, long, profond».

♦ Le français l'emploie dans le domaine du turf et, par analogie, pour désigner un concurrent qui, sans figurer parmi les favoris, pourrait gagner dans un autre sport (1886) et dans des élections (1932).

OUVERTURE n. f., d'abord *ovredure* (?) [av. 1100], puis *uverture* (1121-1134), *ouvreture* (1293) et enfin *ouverture*, est issu du latin populaire °*opertura*, altération du latin classique *apertura* «trou, espace béant», qui, par emprunt savant, a donné le terme de phonétique *aperture*. *Apertura* est formé sur *apertum*, supin de *aperire* (→ ouvrir). ◈

♦ Après une occurrence au sens isolé, «linteau d'une porte» (métonymie pour ce qui est situé au-dessus d'une ouverture), le mot est repris avec des valeurs concrètes, désignant ce qui est ouvert (v. 1121) ainsi que l'action d'ouvrir (1293), évinçant alors l'ancien *ouvrement*. ◇ *Ouverture* acquiert plus tard des valeurs particulières, surtout en architecture et travaux publics (1680), en optique (1765) et en photographie. ➛ Par abstraction, il désigne la façon d'aborder un sujet, d'entreprendre (v. 1460), se spécialisant, surtout au pluriel, dans les relations diplomatiques, *des ouvertures* concernant une offre de négociation (1498). En politique, *ouverture* exprime l'abandon d'une attitude d'ostracisme. ➛ L'accent étant mis sur la notion temporelle de «commencement» (1581 à propos d'une saison), le mot concurrence *début, commencement* dans des emplois relatifs à des solennités publiques, des spectacles, en particulier un ballet (1682), un opéra (1691), désignant alors un genre de composition musicale où la notion de «commencement» n'est plus essentielle. ◇ En revanche, l'emploi du mot dans ***ouverture de la chasse, de la pêche*** concerne une date et n'est que temporel. ◇ Le mot développe parallèlement la valeur morale de «franchise affective» (1643, *ouverture de cœur*), «curiosité intellectuelle, grande réceptivité» (1690, ***ouverture d'esprit***). ◇ L'expression juridique ***ouverture de succession***, appliquée au moment où les biens d'un défunt sont dévolus à ses héritiers (1835), prépare l'emploi technique du mot dans différentes branches du droit (droit commercial et financier dans *ouverture de crédits, ouverture d'un emprunt*, XXe s.). La législation féodale parlait de *ouverture de fief* (emploi attesté seulement en 1690) quand le seigneur était en droit d'enlever les fruits de son fief.

▸ **RÉOUVERTURE** n. f., itératif correspondant à *rouvrir* (→ ouvrir), est attesté isolément au sens de «nettoyage d'un fossé (en le débouchant, le réouvrant)» [1600]. ◇ Il est repris au XIXe s. (1823) pour le fait d'ouvrir de nouveau (un magasin, etc.) et spécialisé au XXe s. en droit pour l'action de rouvrir les comptes (1903) et les débats déclarés clos (v. 1950). ◆ **CONTRE-OUVERTURE** n. f. répond à *ouverture* en chirurgie (XVIe s.), et désigne l'ouverture pratiquée à l'opposé d'une autre.

OUVRAGE n. m. est dérivé (XIIIe s.) d'une forme ancienne de *œuvre** avec le suffixe *-age*. Il a remplacé l'ancien français *ouvrainne* (1155) puis *ouvraigne* (1160) «travail, objet créé».

♦ Le mot est d'abord relevé dans l'expression *ouvrages de car* (chair), qui désignait en ancien et moyen français l'acte de chair (elliptiquement *ouvrage*, 1456-1467), là où le français moderne a conservé *œuvre de chair*. ◆ Le mot a le sens demeuré courant, «action de travailler, travail», depuis le second tiers du XIIIe siècle. Ce sens se réalise en particulier dans l'expression moderne ***du cœur à l'ouvrage*** (1851) et dans *ouvrage de patience* (1798) «tâche qui demande du temps», qui désignait antérieurement la pierre philosophale (1751-1752). ◇ *Ouvrage* désigne plus particulièrement le travail rémunéré qui permet de gagner sa vie (1464), avec les acceptions spéciales de «vol consommé» en argot et de «curage des fosses d'aisances» dans le langage populaire des faubouriens (XIXe s.). ◆ Il se dit aussi, par métonymie, de la manière dont on travaille (1450-1465), et de ce qui résulte du travail, de la mise en œuvre d'une chose : ainsi, il est employé spécialement en architecture (1280) pour désigner un ornement de sculpture, un édifice, une construction (1694, *le gros ouvrage*) et, plus particulièrement, une pièce d'architecture militaire (1676). En ce sens, il est voisin de *œuvre*, mais garde un sens plus concret, plus technique. ◆ Il désigne aussi le produit d'un travail (1409), spécialement des travaux d'aiguille, que ce soit en tapisserie (fin XIVe s.) et en couture, dans les syntagmes ***sac à ouvrage*** (1740), ***table à ouvrage*** (1821) et ***boîte à ouvrage*** (1823). ◇ En ce sens, bien que de genre masculin, il se rencontre quelquefois au féminin dans les expressions populaires ***de la belle ouvrage*** (1831), *de la bonne ouvrage :* cet usage, selon Jullien qui le blâme en 1853, se rencontrait déjà sous Louis XIV, notamment à propos des ouvrages de femmes. ◆ Depuis le XVe s. (1478), le mot est employé à propos d'une production de l'esprit, se distinguant une fois de plus d'*œuvre* en ce qu'il désigne un livre particulier considéré concrètement sous sa forme d'écrit, dans sa façon. ◇ Dans la langue classique, il a eu le sens de «travail, action considérés dans leur résultat, comportant une finalité» (1640), supplanté par *œuvre*.

▸ En sont dérivés **OUVRAGÉ, ÉE** adj. (v. 1360), d'abord relevé en orfèvrerie, et **OUVRAGER** v. tr. (1540), qui se dit d'un objet concret et, par analogie, d'une œuvre d'art (musicale, littéraire).

◈ voir **ŒUVRE, OUVRER, OUVRIER.**

OUVRER v. tr. est issu (v. 980) par évolution phonétique et d'abord avec la voyelle initiale *o-* du bas latin *operare*, altération du latin classique *operari* «travailler, s'occuper» qui, par emprunt, a donné *opérer** (→ œuvre, ouvrage).

♦ Le mot est d'abord relevé sous la forme *obred* (troisième personne du singulier du parfait) et à l'infinitif *ovrere* (1121) avec le sens intransitif d'«agir, opérer», spécialement «agir, travailler» (1176). Son usage a décliné au XVIIe s. au profit de *travailler*, en raison des confusions entre *ouvrer* et *ouvrir*. ◇ À la différence du verbe *œuvrer*, qui s'est mieux maintenu grâce à *œuvre*, il ne survit au sens de «travailler» que dans certains parlers de l'Est et du Nord, et on le réserve à quelques acceptions techniques. Dès le début du XIIe s., il signifie «façonner (un matériau, un objet) de manière à rendre propre à l'utilisation», en particulier «orner (du linge) de broderies par des travaux d'aiguille» (1140) et «garnir de décorations sculptées évoquant des ouvrages de lingerie» (1559).

▸ Son participe passé **OUVRÉ, ÉE** se dit spécialement d'un chien de chasse dont le palais est strié de noir, signe de vigueur et de race (1690, *levrier œuvrez*). ◇ Dans le sens ancien du verbe, «travailler», *ouvré*, d'après *ouvrable*, s'applique à un jour où l'on travaille effectivement. ◆ Le dérivé **OUVRABLE** adj. (1170) a gardé sa vitalité pour «consacré au travail» dans l'expression ***jour ouvrable*** (1260, dès 1170 *jur uverable*) qui a supplanté *jurn uvrer* (déb. XIIe s. ; → ouvrier). Mais cette vitalité s'explique en partie, après la démotivation du rapport entre *ouvrer* «travailler» et *ouvrable*, par une remotivation d'après *ouvrir* («jour où l'on ouvre les commerces, les bureaux, etc.»). ◇ Ultérieurement, cet adjectif a été appliqué à un matériau pouvant être façonné (1874), mais il est alors d'usage technique. ◆ **OUVRABILITÉ** n. f. (v. 1950) a été formé pour traduire l'anglais *workability* (de *to work* «travailler»); il désigne en technique les qualités d'aptitude à la mise en œuvre (d'un mortier, d'un béton).
Un autre dérivé, **OUVROIR** n. m. (1200, 1170, *ovreor*), a perdu son sens étymologique de «lieu où plusieurs personnes travaillent ensemble, atelier», en particulier dans un arsenal (1690), mais se dit encore du lieu réservé aux ouvrages de broderies et de couture dans une communauté religieuse (1694). Par analogie, il s'est étendu au XIXe s. à l'atelier de charité où les bénévoles faisaient des ouvrages de dames pour les indigents et des ornements d'église (1851). Le mot a été repris par plaisanterie avec son sens originel dans l'*Ouvroir de littérature potentielle (Oulipo)*, atelier de littérature expérimentale baptisé par Albert-Marie Schmidt, et dont le propos, défini par Raymond Queneau et François Le Lionnais, consistait à exploiter des contraintes formelles strictes pour instaurer une créativité littéraire nouvelle. ◆ Au XIXe s., *ouvrer* a produit un terme technique, **OUVRAISON** n. f. (1845), utilisé en filature pour l'action ou la manière de mettre en œuvre les matières premières et, par métonymie, pour désigner la matière ouvrée elle-même (1893).

◈ voir **OUVRAGE, OUVRIER, OUVREUR** (art. **OUVRIR**).

OUVRIER, IÈRE n. et adj., forme qui succède (XIIIe s.), d'après *ouvrainne* (→ ouvrage) et *ouvrer*, à des formes en *o-*, *ovrer* (déb. XIIe s.), *ovrier, overier*, est issu du latin *operarius* «relatif au travail», substantivé pour désigner un homme de peine, un travailleur. L'adjectif est dérivé de *opera* «œuvre» (→ œuvre, opéra).

♦ Le mot apparaît avec le sens général d'«auteur, agent», dans l'expression *envers les ovrers de felunie (félonie)* «les méchants», traduisant l'expression latine *adversum operarios iniquitatis*. Dès 1155, il a sa valeur moderne «personne louant ses services moyennant un salaire et effectuant un travail manuel», sens qui ne varie pas au cours des siècles mais change de connotations selon les contextes sociaux. Jusqu'au XVIIIe s., *ouvrier* est plus ou moins synonyme d'*artisan* et parfois d'*artiste* (qui changera de sens à la fin du XVIIIe s.); au XVIIIe et surtout au XIXe s., il subit l'effet de la révolution industrielle avec l'apparition d'un prolétariat. Le mot, avec l'industrie, entre dans des syntagmes, tels *ouvrier d'État* (1903), *ouvrier agricole, ouvrier d'usine*, etc., et sur le plan professionnel ***ouvrier spécialisé*** (1931), ce dernier étant fréquemment abrégé en **O. S.** n. m. (1950) et désignant trompeusement dans la terminologie du travail un ouvrier sans qualification, à peine plus payé que le manœuvre. ◇ En français contemporain, le mot s'applique surtout au travailleur manuel de l'industrie du bâtiment, des travaux publics, les autres valeurs exigeant une détermination (par exemple, *ouvrier agricole*). ➞ Dès le XIIe s. (1155), dans un style plus soutenu, *ouvrier* désigne aussi la personne qui fait un travail avec habileté; à partir du XVe s., il a quelquefois une nuance péjorative, impliquant l'habileté pratique mais non le talent ou l'originalité en art. ◇ L'argot, pour lequel *l'ouvrage* correspondait au vol, l'a employé au sens de «voleur» (1836).

Dès les premières attestations, *ouvrier* est employé comme adjectif dans l'ancienne expression *jurn uvrer* «jour où l'on travaille», encore relevée en ancien français sous la forme *jour ouvrier* (1412-1413), supplantée depuis par *jour ouvrable* (→ ouvrer). Il signifie «qui travaille» (1694) mais est réservé au style littéraire par rapport aux mots courants *laborieux, travailleur*, sauf dans l'expression *cheville ouvrière* (→ cheville). ➞ Au XIXe s., avec le développement de la classe ouvrière et les nouvelles valeurs du nom, il prend son sens courant, «qui a rapport aux ouvriers, est constitué par les ouvriers, leur est destiné» (1808), notamment dans ***classe ouvrière*** et en concurrence avec *prolétaire, prolétarien*. Il passe en politique dans des désignations de partis, en relation avec *socialiste* et *communiste*. ➞ Le mot est spécialement employé en biologie pour qualifier les individus neutres dans une ruche, dans ***abeille ouvrière*** et, par ellipse, **OUVRIÈRE** n. f. (1751, *Encyclopédie*).

▶ Il a produit les termes d'idéologie politique **OUVRIÉRISME** n. m. (1878, J. Vallès) et **OUVRIÉRISTE** n. et adj. (1930), également appliqués (v. 1950) à toute personne affectant de se conduire comme les ouvriers sans appartenir à la classe ouvrière.

◈ voir OUVRAGE, OUVRER.

OUVRIR v. tr. est issu (v. 980) d'un latin populaire de même sens °*operire*, auquel remontent également l'ancien provençal *obrir* (XIIe s.), le catalan *obrir* (1391), l'italien *obrire* (XIIIe s.) et des mots de différents dialectes italiens. C'est une forme altérée du latin classique *aperire* «faire que ce qui était fermé ne le soit plus, découvrir» (au physique et au moral), «creuser» et «dévoiler». Le mot a pris le vocalisme initial *o* de son antonyme *operire* «fermer, couvrir, tenir caché», lorsque ce dernier a vieilli pour «fermer», sens réservé au composé *cooperire* (→ couvrir). *Aperire* et *operire* sont considérés comme issus de formes °*ap-uerire* et °*op-uerire* composées d'un simple °*uerire* qui aurait des correspondants dans les langues balto-slaves (lituanien *ùž-veriu* «je ferme», *àt-veriu* «j'ouvre», vieux slave *vĭrǫ, urěti* «je ferme»), mais le traitement phonétique des mots latins est peu clair.

♦ *Ouvrir* signifie dès les premiers textes «faire que ce qui était fermé cesse de l'être», puis aussi «déplacer ce qui empêche le libre passage» (1080), «donner accès à» (av. 1250) et «rendre accessible (une boutique)» [1485]; tous ces emplois sont restés usuels. ◇ Le verbe a aussi le sens figuré de «découvrir» (v. 1278), en particulier «rendre capable de pénétration», notamment dans l'expression ***ouvrir la voie*** (XIVe s.). ◇ D'autres sens particuliers sont attestés dès l'ancien français tel «rendre accessible en écartant les éléments» (1080). *Ouvrir* s'emploie aussi, depuis l'ancien français, pour «décacheter (une lettre)» [1280], «écarter les personnes formant un groupe» (1306) et, sur un plan temporel, «commencer, introduire» (1376). Ce dernier sens est notamment réalisé avec un complément désignant une guerre (XVe s.), emploi disparu sauf avec *hostilités*, puis un spectacle et, plus près de nous, un jeu (1928 pour le rugby); il est probablement suscité et certainement soutenu par les emplois temporels de *ouverture* (par exemple dans *ouvrir la chasse, la chasse est ouverte*).

▶ Le participe passé **OUVERT, ERTE** est employé adjectivement avec les principales valeurs du verbe et compte quelques sens qui lui sont propres : au figuré, il exprime l'idée de «manifeste, évident» (1210), spécialement en parlant d'une guerre, dans l'expression *faire guerre ouverte* (1671). ◇ Au moral, l'adjectif qualifie le caractère d'une personne sincère, franche (1588) et curieuse intellectuellement. ➞ Son dérivé **OUVERTEMENT** adv. est attesté d'abord au sens ancien de «publiquement» (v. 1190) avant de signifier «franchement, d'une manière déclarée» (1588). ➞ **OUVRANT, ANTE**, participe présent de *ouvrir*, est substantivé au XVIe s. pour désigner un panneau mobile recouvrant une peinture. Par extension, il désigne la partie mobile d'un ouvrage de menuiserie à châssis (en opposition à *dormant*). Il est employé comme adjectif (1611) avec le sens de «qui s'ouvre», notamment dans *panneau ouvrant* et dans une locution ancienne : ***à jour ouvrant*** «au point du jour». ➞ **OUVREUR, EUSE** n. est à la fois dérivé des deux verbes *ouvrir* et *ouvrer*. Son sens ancien «ouvrier» (1210, *ovrëor*) relève d'*ouvrer*, mais certains sens spéciaux concernant le papetier

(1765) et le verrier (1730) sont plus ambigus, concernant des opérations où l'on ouvre qqch., ce sémantisme étant clair pour le sens «ouvrier qui ouvre la soie en l'écartant» (1572). De là, au féminin **OUVREUSE** n. f. «machine pour désagréger les fibres agglomérées du textile» (1877). ◇ D'autres sens plus courants relèvent sans ambiguïté de *ouvrir* : ***ouvreur, ouvreuse*** désigne l'homme (1690) et la femme (1694) chargés d'ouvrir une loge au théâtre, puis, en général, de placer les spectateurs dans une salle (cf. *placeur*), notamment dans *ouvreuse de cinéma*. ◇ Depuis le XXe s., *ouvreur* se dit de la personne qui ouvre le jeu, spécialement en sports (v. 1960 à propos d'un pilote d'avion). ◆ *Ouvrir* a aussi produit le terme technique **OUVREAU** n. m. (1697) qui désigne l'ouverture pratiquée dans les parois d'un four de verrerie. ◆ Enfin, le verbe est représenté sous la forme de l'élément conjugué *ouvre* au premier terme de quelques noms d'objets qui ont pour fonction d'en ouvrir un autre : tous sont relativement modernes, tels **OUVRE-HUÎTRE** (1855), **OUVRE-GANT(S)** (1920) et les composés plus courants **OUVRE-BOÎTES** (1926) et **OUVRE-BOUTEILLE(S)** (v. 1950).

Par préfixation, *ouvrir* a produit **ENTROUVRIR** ou **ENTR'OUVRIR** v. tr., qui est attesté dès 1140 par son participe passé **ENTROUVERT, ERTE** adj., et signifie "ouvrir un peu, à peine", notamment une porte, une fenêtre, et **ROUVRIR** v. tr., d'abord attesté à la forme pronominale dans l'expression de sens métaphorique *le cœur se rouvre* (v. 1160). *Se rouvrir* ne se trouve avec un sens concret que depuis le XVIe s. (v. 1560) tandis que *rouvrir* est employé transitivement depuis 1396.

◈ voir **APÉRITIF, APERTURE, COUVRIR, DÉCOUVRIR, OPERCULE, OUVERTURE.**

OUZO n. m. est emprunté (1937, *ouso*) au grec moderne *ouzo*, nom d'une boisson grecque élaborée à partir d'eau-de-vie, d'essence d'anis et de sucre. L'origine du mot est controversée : une étymologie populaire le dérive de la mention italienne *uso Massalia* «pour l'usage (commercial) de Marseille», appliquée sur l'emballage des cocons de ver à soie que l'on exportait au XIXe s. de Tyrnavos par l'intermédiaire de Volos. Ce label (dans lequel *uso* représente le latin *usus*, → us) serait devenu synonyme de «qualité supérieure» (en raison de la sélection des produits d'exportation) et aurait dénommé l'eau-de-vie distillée pour l'ouzo. Le mot existe en anglais dès 1895, lui aussi d'abord sous la graphie *ouso*.

♦ Le mot désigne la boisson alcoolisée grecque.

OVAIRE n. m. est emprunté (1672) au latin médical moderne *ovarium* (le latin médiéval a *ovaria* au XIIIe s.), dérivé du latin classique *ovum* (→ œuf; ove, ovule).

♦ Ce terme de physiologie désigne l'organe génital féminin qui produit des ovules et sécrète des hormones sexuelles. ◇ Le mot est également employé en botanique (1718) à propos de la partie inférieure du pistil qui renferme les ovules.

▶ Par dérivation savante, il a donné **OVARIEN, IENNE** adj. (1820), d'abord attesté en botanique avant de l'être en physiologie. ◆ Quelques termes médicaux ont été formés sur le latin *ovarium*, tels **OVARIOTOMIE** n. f. (1855), **OVARITE** n. f. (1832) «inflammation de l'ovaire», **OVARIECTOMIE** n. f. (1901), d'où **OVARIECTOMISER** v. tr. «faire subir l'ablation d'un ovaire».

OVALE adj. et n. m. est dérivé savamment (1377) avec le suffixe *-al*, du latin *ovum* «œuf» et «forme d'œuf» (→ œuf, ove).

♦ L'adjectif, qui signifie «en forme d'œuf», sert à qualifier particulièrement un visage (1377, *figure ovale*); il s'applique aussi aux volumes. ◇ ***Ballon ovale***, appliqué au ballon de rugby distingué du ballon rond, désigne par métonymie le jeu de rugby (1898). ◆ *Ovale* est substantivé d'abord au féminin (1558) puis au masculin (1660), pour désigner une forme ovale, en particulier celle d'un visage (1765, Diderot)). La locution ***en ovale*** (1572) n'est plus guère employée.

▶ *Ovale* a donné **OVALISER** v. tr. (attesté 1874), terme technique employé à la forme pronominale, surtout au passif, et au participe passé **OVALISÉ, ÉE** adj., en mécanique et en armurerie *(canon ovalisé)* avec le sens «devenir (devenu) ovale par suite d'une usure inégale». ◆ Le dérivé **OVALISATION** n. f. (1861) est lui aussi technique.

OVATION n. f. est emprunté (1520) au latin *ovatio, -onis* qui désignait le petit triomphe offert au général victorieux, et la cérémonie au cours de laquelle il se rendait à pied ou à cheval au Capitole pour y sacrifier une brebis. Le mot est dérivé de *ovare* «pousser des cris de joie», spécialisé en «se réjouir d'une victoire», apparenté au grec *euoi* «cri de joie que l'on poussait aux fêtes de Dionysos». Ernout et Meillet récusent formellement l'hypothèse faisant de *ovatio* le dérivé de *ovis* «brebis» (→ ovin), l'idée de «sacrifice» étant absente des textes anciens.

♦ *Ovation*, introduit comme terme d'antiquité romaine, s'est répandu avec la valeur «acclamations chaleureuses en public» (1767, Diderot).

▶ En est dérivé **OVATIONNER** v. tr. «acclamer, applaudir chaleureusement» (1894), fait sur le modèle des verbes *émotionner, solutionner*, plus critiqués.

OVE n. m. est emprunté par les architectes de l'époque classique (1622) au latin *ovum* «œuf» et «forme ovale, objet en forme d'œuf » (→ œuf, ovale).

♦ *Ove* sert à désigner un ornement ovale de chapiteaux et de moulures; par analogie, il est également employé en ébénisterie et en dessin (1897) à propos d'une figure elliptique non symétrique de part et d'autre du petit axe.

▶ Plusieurs composés savants ont été formés sur le latin *ovum* : **OVIFORME** adj. (1745) «en forme d'œuf», est archaïque; **OVOÏDE** adj. (1768), avec *-oïde*, d'où **OVOÏDAL, ALE, AUX** adj. (1800), sont en usage, notamment en parlant de produits pharmaceutiques.

OVERDOSE n. f. est emprunté (1968) à l'anglais *overdose* (1690) «dose excessive, trop forte» (en particulier, de drogue). Il est composé de *over* «par-dessus» d'où spécialement «en excès, en trop grande quantité», mot apparenté à la même racine que le latin *super* (→ super) et le grec *huper* (→ hyper), et de *dose*, emprunté au français *dose**.

♦ Le mot, formé avec le mot français *dose*, a pris le genre féminin de ce dernier. On recommande officiellement de le remplacer par *surdose*.

OVIPARE adj. et n., réfection (1700) de *oviperes* (au pluriel) [1518], est emprunté au latin *oviparus* «qui pond des œufs qui éclosent après la ponte» (→ œuf, parent). Ce terme est peut-être une création d'Apulée qui déclare employer *ovipari* et *vivipari* (→ vivipare), formes plurielles substantivées pour rendre les mots grecs *ôotoka* et *zôotoka*.

♦ Le mot s'applique aux animaux dont les œufs éclosent après la ponte, essentiellement les oiseaux, reptiles, batraciens.

► Sur *ovipare*, on a formé **OVIPARITÉ** n. f. (1840) «principe de reproduction ovipare».

OVNI n. m. est le sigle de *objet volant non identifié*, appellation calquée sur l'anglo-américain *unidentified flying object* (1966), tendant à remplacer *flying saucer* «soucoupe volante». Le sigle *UFO* est passé en français vers 1972 mais a été rapidement remplacé par *ovni* (1972 in *Sciences et Avenir*).

♦ *Ovni* s'est imposé à propos de toute manifestation céleste inexplicable supposée pouvoir correspondre à un engin non terrestre.

► Cependant, les dérivés de *ovni*, **OVNISTE** n. et **OVNILOGIE** n. f., apparus après 1970, ont plus de mal à supplanter les termes **UFOLOGUE** n. (1974) et **UFOLOGIE** n. f. (1972), dérivés de *UFO* (voir ci-dessus); l'anglais possède seulement *ufological* adj. (1966) et *ufologist* n. (1966).

OVOÏDE → OVE

OVOVIVIPARE → VIVIPARE

OVULE n. m. est dérivé savamment (1798) du latin *ovum* (→ œuf, ove) avec le suffixe diminutif *-ule*.

♦ Le mot est d'abord employé en botanique à propos de l'organe femelle contenu dans l'ovaire qui se développera en graine après fécondation. Il passe en physiologie (1824) désignant le gamète femelle mûr élaboré par l'ovaire. ◇ Depuis la fin du XIXe s. (1894), il désigne également un médicament de forme ovoïde.

► En sont dérivés **OVULAIRE** adj. (1820) d'abord employé en botanique, et **OVULATION** n. f. (1844, *Mémoire sur l'ovulation spontanée et périodique des mammifères*). ➔ Par changement de suffixe, ce dernier a produit l'adjectif **OVULATOIRE** adj. «relatif à l'ovulation» (1969) qui entre dans la formation de **PRÉOVULATOIRE** adj. et **POSTOVULATOIRE** adj. dans la description du cycle ovarien.

OXALIQUE adj. est dérivé (1787) du latin *oxalis*, transcription du grec *oxalis, -idos* «oseille», mot dérivé de *oxus* «aigu, pointu, acide» (→ oxyde).

♦ Le mot est introduit en chimie dans la nomenclature de Guyton de Morveau. Il qualifie un acide assez répandu dans la nature, découvert dans l'oseille, et dont les sels sont insolubles lorsqu'ils sont acides.

► Le mot grec *oxalis* avait déjà été emprunté, sous la forme **OXALIS** ou **OXALIDE** n. f. (1559), comme dénomination d'une plante riche en acide oxalique.

OXY- est l'élément formant tiré du grec *oxu-*, représentant *oxus* «aigu, pointu», employé notamment à propos d'armes, de pierres, d'une montagne, d'un angle, de douleurs (perçantes), d'une maladie, d'une bataille. Son champ d'emplois est très vaste : par extension, il qualifie une vue perçante, une lumière vive, un son aigu, un goût aigre, acide. Par métaphore, il s'applique à une personne coléreuse, et aussi vive, rapide. Il présente pour le vocalisme la même difficulté que *okris* et le latin correspondant *ocris* «rocher raboteux» par rapport à la grande famille de mots bâtis sur *ak-* (→ acier, âcre, aigre, etc.).

♦ *Oxy-* entre dans la construction de nombreux mots savants (médecine, sciences naturelles) avec plusieurs valeurs, «aigu» *(oxydactyle)*, «vif, intense» *(oxyopie)*, et aussi «aigre, acide» (*oxymétrie*, 1858).

◈ voir OXALIQUE, OXYDE, OXYGÈNE, OXYMORON, OXYTON, PAROXYSME.

OXYDE n. m. est formé (1787) sur le grec *oxus* pris avec le sens d'«acide» (→ oxy-).

♦ Guyton de Morveau, le premier à employer le mot, écrit *oxide*, dans sa *Nomenclature chimique* (1787) et justifie cette appellation «qui d'une part rappelle la substance avec laquelle le métal est uni, qui d'autre part annonce suffisamment que cette combinaison de l'oxigène ne doit pas être confondue avec la combinaison acide». La graphie moderne avec *y*, comme pour d'autres dérivés de *oxus*, est relevée à partir de 1801. ◇ Le mot tend à être employé abusivement pour caractériser (1842) tout produit de l'altération superficielle des métaux au contact de l'air, par exemple la rouille et le vert-de-gris.

► La même année (1787) est créé **OXYDER** v. tr., d'abord employé au participe passé sous la forme *oxidé* par G. de Morveau. ◇ Ce verbe a produit **OXYDANT, ANTE** adj. (1791, *oxidant*), substantivé comme nom masculin depuis 1874, et **OXYDATION** n. f., d'abord attesté chez Lavoisier en 1788 sous la forme *oxidation*. ➔ **OXYDABLE** adj., qui existe depuis 1789 sous la forme *oxidable*, entraîne la formation de **OXYDABILITÉ** n. f. (1801) et d'un antonyme préfixé. ◇ **INOXYDABLE** adj. (1842, *inoxidable*) est devenu plus courant que le simple à cause des applications industrielles des métaux protégés contre l'oxydation. Son abréviation **INOX** n. m. sert de synonyme à l'appellation *acier inoxydable*. ➔ Au XXe s., sont apparus en nombre les dérivés et composés didactiques formés sur *oxyde*, parmi lesquels **BIOXYDE, HYDROXYDE, OXYDORÉDUCTION** et **OXYDORÉDUCTEUR** (1904), **PRÉOXYDE, PROTOXYDE, SOUS-OXYDE**.

OXYGÈNE n. m. est composé à la fin du XVIIIe s. des éléments d'origine grecque *oxy-* «acide» (→ oxy-) et *-gène**, proprement «qui produit des acides».

♦ Le mot est d'abord orthographié *oxygine* dans l'expression *principe oxygine* (1783), puis apparaît sous sa forme moderne en 1786 chez le chimiste Fourcroy qui attribue la paternité de l'appellation à Lavoisier. Dès 1787, le mot est employé absolument comme nom. ◇ Quelquefois, il signifie «air pur, propice au bien-être» en référence à l'élément respirable de l'air atmosphérique.

▸ Le dérivé **OXYGÉNER** v. tr. (1787) est employé pour la première fois au participe passé dans la *Méthode de nomenclature chimique* proposée par Lavoisier, Berthollet, de Morveau et Fourcroy. Dès 1789, ce verbe est employé par Lavoisier avec le sens, aujourd'hui disparu, de «combiner avec l'oxygène». Supplanté en ce sens par *oxyder* (→ oxyde), il est employé dans l'usage moderne pour «enrichir en oxygène» (1824). ◇ En relation avec la valeur extensive du nom, *s'oxygéner* signifie familièrement «respirer de l'air pur». ◇ Le verbe est employé spécialement pour «éclaircir (les cheveux) avec de l'eau oxygénée» (1900) surtout au participe passé (d'où *une blonde oxygénée,* par métonymie et par péjoration). ◆ *Oxygéner* a produit **OXYGÉNATION** n. f. (1789), lui aussi remplacé par *oxydation* avec son sens ancien d'«action d'oxyder» et attesté avec son sens moderne depuis 1824. ◆ **OXYGÉNABLE** adj. (1816), **OXYGÉNANT, ANTE** adj. (1868) ne sont pas usuels. ◆ **OXYGÉNATEUR** n. (1923) se dit d'un appareil employé en médecine. ◆ *Oxygène* a également donné le terme scientifique **OXYGÉNITE** n. f. (v. 1923) «mélange contenant du perchlorate de potassium et permettant un dégagement d'oxygène». ◆ Le mot est représenté sous la forme **OXY-** dans plusieurs composés scientifiques des domaines de la chimie et de la biochimie ; il y indique soit un composé chimique de l'oxygène (→ oxyde), soit la présence d'oxygène ou l'adjonction d'oxygène à un corps. Il lui est arrivé d'être utilisé là où la chimie moderne emploie l'élément *hydroxy-* symbolisant mieux la substitution d'un atome d'hydrogène par un hydroxyle (→ hydro-).

OXYMORON n. m. est emprunté (1765) au grec *oxumôron* «ingénieuse alliance de mots contradictoires», neutre substantivé de *oxumôros,* adjectif qui s'applique à une alliance de mots paradoxale, lui-même composé de *oxu-* «aigu» et «fin, spirituel» (→ oxy-), et de *môros* «mou, inerte», puis «sot, bêta, stupide, fou», terme sans étymologie établie. *Oxumôros* était employé en tant qu'adjectif au sens «fin, spirituel, sous une apparence de niaiserie ou d'obscurité».

♦ Ce terme de rhétorique désigne une alliance de deux mots incompatibles à des fins stylistiques. On emploie aussi la forme francisée **OXYMORE** n. m.

OXYTON, ONNE adj. et n. m. est emprunté (1570) au grec *oxutonos,* composé de *oxu-* «pointu, aigu» (→ oxy-) et *tonos* «accent, ton» (→ ton).

♦ Le mot qualifie un mot grec portant un accent aigu sur la voyelle de la dernière syllabe. Par analogie, il est employé à propos d'autres langues et de mots portant l'accent de hauteur puis d'intensité sur la dernière syllabe.

▸ En est dérivé **OXYTONISME** n. m., en linguistique, «tendance à accentuer les mots sur la dernière syllabe» (1932). ◆ Le composé **PAROXYTON** n. m. et adj. m. est emprunté (1570) au grec *paroxutonos* «où l'accent aigu porte sur l'avant-dernière syllabe», de *para-* «à côté de» (→ ① para-) et *oxutonos.* ◇ Repris avec le même sens en français, le mot a produit **PAROXYTONIQUE** adj. (1932) et **PAROXYTONISME** n. m. (1932) en linguistique. ◆ **PROPAROXYTON** adj. et n. m. a été emprunté dans un second temps (1847) au grec *proparoxutonos* «qui porte l'accent sur la syllabe antépénultième», de *pro-* «avant» (correspondant au latin *pro,* → pro, pour) et *paroxutonos.*

OYANT → OUÏR

OZÈNE n. m. est emprunté (1478) au latin *ozaena* «polype nasal à l'odeur fétide», lui-même emprunté au grec tardif *ozaina* de même sens, dérivé de *ozein* «exhaler une odeur» (→ ozone) avec le suffixe dépréciatif *-aina.*

♦ Avant que *ozène* ne se généralise, on a désigné cette affection nasale au moyen de *punaisie,* dérivé de *punais,* adjectif qui a donné *punaise*.*

▸ De *ozène* est dérivé **OZÉNEUX, EUSE** adj. (fin XIXe s.), terme didactique et rare qui signifie «qui a une odeur fétide».

OZONE n. m., terme de chimie, est créé en même temps que l'allemand *Ozon* (1840) par le chimiste Schönbein sur le présent du grec *ozein* «sentir, exhaler une odeur, bonne ou mauvaise» en raison de l'odeur pénétrante de ce gaz. Ce verbe grec, également représenté en français par son dérivé *ozaina* dans *ozène*,* appartient à une racine indoeuropéenne °*od-* «sentir», notamment représentée dans le latin *odor* (→ odeur).

♦ Le mot désigne un gaz bleuâtre d'odeur forte, présent en faible quantité dans la haute atmosphère *(couche d'ozone).* Récemment (v. 1989) à l'occasion des inquiétudes écologiques à propos d'un appauvrissement de la couche d'ozone de l'atmosphère, le mot a acquis une circulation accrue, dans des expressions telles que *trou dans la couche d'ozone.*

▸ *Ozone* a produit ses dérivés avant 1900 : il s'agit d'une part de **OZONISER** v. tr. «transformer en ozone» (1845, *ozonisé*) d'où **OZONISATION** n. f. (1857) et **OZONISEUR** n. m. (1874) ou **OZONISATEUR** n. m. (fin XIXe s.) et, d'autre part, de **OZONER** v. tr. qui dispute à *ozoniser* le sens «mêler d'ozone» (1874), d'où **OZONATION** n. f. plus tardif (v. 1950) et synonyme de *ozonisation* pour «traitement de l'eau par l'ozone». ◆ Après 1850, *ozone* entre sous la forme **OZONO-** dans la formation de plusieurs mots savants : **OZONOMÈTRE** n. m. (1856), **OZONOMÉTRIE** n. f. (1866, mais antérieur puisque **OZONOMÉTRIQUE** adj. est attesté dès 1855), **OZONOSCOPE** n. m. (1856) puis **OZONOTYPIE** n. f. (1903), **OZONOTHÉRAPIE** n. f., **OZONOLYSE** n. f. (v. 1950) et **OZONOSPHÈRE** n. f. (v. 1950), synonyme savant de *couche d'ozone,* formé avec le *-sphère* de composés antérieurs, comme *stratosphère.*

P

PACAGE n. m. est issu, sous la forme *pasquage* (1360-1370), puis *paccage* (1611) et *pacage*, du bas latin °*pascuatium*, dérivé du latin *pascuum* «pâturage», lui-même dérivé de *pascere* (→ paître).

♦ Le mot a d'abord eu le sens de «repas» avant de désigner le terrain où l'on fait paître les bestiaux (1588, Montaigne), sens où il s'est maintenu. Ultérieurement, il s'est dit aussi de l'action de faire paître, d'abord dans l'expression juridique *droit de pacage* (1740) puis en emploi absolu (1897).

▸ Son dérivé **PACAGER** v. a d'abord la valeur intransitive de «brouter dans une pâture» (1596). Il est employé en construction factitive au sens de «faire paître les bestiaux» (1752) et, en construction transitive, correspond à «faire paître» (1911).

PACANE → **PÉCAN**

PACEMAKER n. m. est emprunté (1891) à l'anglais *pacemaker*, composé de *pace*, emprunt au français ① *pas*, et de *maker* «faiseur», dérivé de *to make* «faire» (→ maquignon). Le mot, qui signifie «celui qui règle le pas» est spécialisé en turf (1894), en anatomie (1915) et, aux États-Unis, comme nom d'une prothèse électronique.

♦ *Pacemaker* a été repris en sport, d'abord cité comme mot anglais en turf (traduit par *entraîneur*), puis acclimaté (1909) et employé également en cyclisme à propos de l'entraîneur réglant l'allure du cycliste qui le suit. ◆ Il a été repris à l'américain pour désigner une prothèse électronique régularisant le rythme cardiaque (v. 1960), emploi le plus vivant aujourd'hui.

PACHA n. m. est emprunté (1396-1397) au turc *paşa*, ancien titre de généraux et des gouverneurs dans l'Empire ottoman, emprunt probable au persan *pād(i)šāh* «roi», formé de *pād* «pouvoir, trône» et de *šāh* «roi» (→ shah), lui-même passé en français comme titre de l'empereur des Turcs (1697).

♦ Le mot a pénétré en français sous les formes anciennes *bassat* et *baysat* (1399) à l'occasion de la bataille de Nikopol, en 1386, qui vit la victoire des Turcs sur les Hongrois et les Français. On le retrouve au XVe s. sous la graphie *bacha* (1457) qui, par assourdissement de *b*, devient *pachia* (1536) et enfin *pacha* (1626). ◇ En dehors du sens de «chef suprême de l'armée, gouverneur de province dans l'Empire ottoman», le mot, placé après un nom propre, a servi de titre honorifique pour certains hauts personnages civils et militaires de l'Empire ottoman jusqu'en 1923; ce sens est attesté en 1532 sous la forme *bassa*. ◆ Au XIXe s. apparaît le sens figuré de «personnage puissant qui aime à se faire servir» (1817), surtout dans la locution comparative ***comme un pacha*** (1832), et dans ***une vie de pacha*** (1846). Par extension, il est employé à propos d'une personne qui aime ses aises (1855). ◇ Dans l'argot de la marine il désigne le commandant d'un navire (1865).

▸ L'adjectif correspondant **PACHALIQUE** adj. (1831, Borel) présente un *l* de transition, sous l'influence de **PACHALIK** n. m. Ce dernier, autrefois attesté sous les formes *pachalaix* (1653) et *pachalic* (1690) avant *pachalik* (1787), est emprunté au turc *paşalik* «titre de pacha», «région soumise au gouvernement d'un pacha», dérivé de *paşa* «pacha» au moyen du suffixe *-lik* qui sert à former des noms de dignité et de territoire.

PACHY- est l'élément formant tiré du grec *pakhus* «épais, gros, massif» employé à propos d'un porc, d'une terre riche, de vêtements épais, etc. Il a également le sens de «robuste, solide», au figuré celui de «riche, qui a du poids» et, avec une valeur dépréciative, de «lourdaud, à l'esprit épais» par opposition à *leptos*. Il s'agit d'un mot de type archaïque : en posant °*phakhus*, on lui trouve un correspondant exact dans le sanskrit *bahú-* (d'un plus ancien *bhahú-*) «abondant, grand, vaste», qui permet de dégager une racine indoeuropéenne. On a également évoqué le hittite *panku* «total, en masse» et d'autres rapprochements baltiques et germaniques.

♦ En français, *pachy-* sert à former des termes savants appartenant principalement au domaine de la pathologie, dans lesquels il exprime une idée d'épaississement.

◈ voir PACHYDERME.

PACHYDERME adj. et n. m. est emprunté (1616) au grec *pakhudermos* «qui a la peau épaisse», de *pakhus* «gros, épais, massif», mot répondant au sanskrit *bahú* «abondant, vaste» (→ pachy-) et *-dermos*, de *derma* «peau» (→ derme).

♦ Le mot est attesté une première fois comme adjectif avec le sens de «qui a la peau épaisse» *(pachyderme de corps)*, repris en 1835 mais abandonné de nos jours. ◇ Il s'est employé comme nom (1797-1798), au pluriel pour désigner en zoologie un ensemble de mammifères à la peau épaisse, et désigne aujourd'hui certains de ces mammifères, notamment l'éléphant (1922).

▶ On en a tiré **PACHYDERMIQUE** adj. (1866) «qui évoque le pachyderme et sa lourdeur», employé spécialement en médecine (1877) en relation avec **PACHYDERMIE** n. f., emprunt (1878) au grec *pakhudermiê* «épaisseur de la peau», de *pakhudermos*.

PACIFIER v. tr. est emprunté, sous la forme *pacefier* (1250), rectifiée en *pacifier* au XIIIe s., au latin *pacificare* «traiter de la paix, apaiser», de *pax, pacis* (→ paix) et *facere* (→ faire). En ce sens, *pacificare* a évincé *pacare* qui a connu une autre spécialisation sémantique (→ payer).

♦ Le verbe a d'abord eu la valeur intransitive de «faire la paix, conclure un accord» et, comme transitif indirect, le sens de «réconcilier» (1265). Au cours du XVe s., sont apparus les emplois modernes pour «ramener, rétablir la paix» (1487) et «faire cesser un trouble, un mouvement de révolte» (1465, *Lettres de Louis XI*). Il a développé son sens figuré, «apporter la sérénité intérieure», à l'époque classique (1665).

▶ Son participe passé **PACIFIÉ, ÉE** est employé comme adjectif de même que son participe présent **PACIFIANT, ANTE** (1834). ◆ Le nom correspondant, **PACIFICATION** n. f., est emprunté (1316-1328) au dérivé latin *pacificatio, -onis* «retour à la paix, accommodement, réconciliation». Il s'est d'abord dit du fait de faire cesser les différends entre particuliers puis, également, de l'action de rétablir la paix publique (1458) et, par euphémisme, d'opérations de police, voire d'opérations militaires censées rétablir une paix troublée (mil. XXe s.). ◆ **PACIFICATEUR, TRICE** adj. et n. est emprunté (déb. XVIe s.) au latin *pacificator* «celui qui établit la paix», lui aussi formé sur le supin de *pacificare*. ◇ Le mot désigne la personne qui ramène la paix, puis également celle qui procure la sérénité, le calme intérieur (1654); ultérieurement, il se dit d'une chose abstraite qui apporte la sérénité (1859). ◇ Les emplois adjectifs remontent au XVIIIe s., tant pour qualifier l'être ou la chose qui apaise les cœurs, les esprits (1768, Voltaire) que l'être ou la chose qui contribue à établir la paix (1788, *assemblée pacificatrice*).

PACIFIQUE adj., attesté depuis 1462, est soit emprunté au latin *pacificus* «qui établit la paix», issu de *pacificare*, soit emprunté au provençal *pacific* attesté au XIVe s. dans un sens juridique. En effet, *possession pacifique* (cf. *paisible*) est d'abord relevé dans un document juridique. L'adjectif est également employé par Louis XI qui s'intitule en 1463 *seigneur pacific de toute la conté de Roussillon.* ◇ Ses autres acceptions se sont presque toutes développées entre le XVe et le XVIIe s. : il signifie «qui aspire à la paix, tranquille» (1496), sens avec lequel il est substantivé pour désigner une personne (1546); il qualifie un État (fin XVe s.), un lieu (1616) où règnent la paix, la tranquillité, ainsi qu'une chose qui procure paix et tranquillité (1523). ◇ Son emploi en géographie remonterait au voyage que fit Magellan sans essuyer de tempêtes : Fabre, auteur du *Voyage et navigation faict par les Espagnols es Isles et Mollucques* (1525), emploie à ce propos l'expression *mer pacifique* qui donnera l'appellation géographique ***océan Pacifique*** (1765, *Encyclopédie*). ◆ Par changement de suffixe, *pacifique* a donné deux mots relatifs à la doctrine qui préconise la paix et à son partisan : **PACIFISME** n. m. a été proposé par Richard de Radonvilliers en 1845 avant d'être repris en 1901 ; **PACIFISTE** adj. et n. est attesté comme nom depuis 1906, puis comme adjectif (1907); il est quelquefois employé avec la nuance péjorative de «personne qui préconise la paix à tout prix» (1919).

PACK n. m. est emprunté (1817, William Scoresby) à l'anglais *pack* «paquet, ballot» (déb. XIIIe s.) employé spécialement dans *pack of ice* «agglomérat de glace», d'où *pack-ice* (1850; repris par le français en 1852), et, par ellipse, *pack* (1820). L'anglais *pack* est emprunté à une forme de bas allemand continentale telle que le moyen néerlandais *pak* (à l'origine du français *paquet**).

♦ Le mot désigne une masse de blocs de glace flottants. Au XXe s. (1912), le français a emprunté de nouveau cette forme à l'anglais *pack*, employé spécialement comme terme de rugby (1887). Le mot a pénétré en français pour désigner l'ensemble des huit avants de l'équipe de rugby.
Comme terme de commerce désignant un emballage qui réunit un lot d'une même marchandise, *pack* est plus spécifiquement emprunté (v. 1970) à l'anglo-américain *pack* (là où l'anglais dit *packet of cigarettes*, l'américain dit *pack*); en français, le mot est spécialisé et désigne surtout l'emballage commun de bouteilles identiques. ◇ On peut considérer ces trois emplois comme trois mots distincts, mais l'étymologie les réunit.

◈ voir PACKAGE.

PACKAGE n. m. est emprunté comme terme d'informatique (1968) à l'anglo-américain *package*, emprunté à l'anglais *package* (XVIe s.) «action d'emballer» et «paquet», de *to pack* «emballer», de *pack* (→ pack). En anglo-américain, le mot est employé pour désigner un ensemble rassemblant divers éléments concrets et abstraits, en particulier un ensemble de services assurés pour un prix forfaitaire, dans les expressions *package sale* (1821) «vente de marchandises regroupées en assortiment», *package ticket* (1846), *package service* (1896).

♦ Le français l'a importé avec une autre acception américaine, «logiciel destiné au traitement d'une

classe d'applications sur un ordinateur» et, par extension, «ensemble comprenant un bloc cohérent de programmes pour traiter un problème déterminé et la documentation correspondante». La *Banque des mots* (n° I, 1971) avait proposé de le remplacer par *bloc de programme*, et le *Journal officiel* du 12 janvier 1974 recommande de lui préférer *programme-produit* n. m. qui ne semble guère employé.
Package a aussi repris à l'américain le sens d'«ensemble de documents complémentaires constituant un programme complet» (d'animation, de formation, etc.) et, en tourisme, celui de «forfait», qui constitue un anglicisme inutile.
Par ailleurs, le dérivé anglais *packager* a été emprunté en édition, **PACKAGER** n. (v. 1970) désignant le professionnel qui élabore des ouvrages pour le compte d'un éditeur.

PACOTILLE n. f., attesté depuis 1711, est d'origine incertaine : un emprunt à l'espagnol *pacotilla* est probable, bien que ce mot ne soit attesté que depuis la fin du XVIIIe s. et que sa dérivation à partir de *paquete*, emprunté au français *paquet**, s'explique mal.

♦ À l'origine, *pacotille* est un terme de marine qui désignait la marchandise embarquée sans payer de fret par le capitaine, l'équipage ou les passagers afin de faire du commerce pour leur propre compte. ◆ Au XVIIIe s., par extension, il a désigné un assortiment de marchandises destinées à l'échange ou à la vente en pays lointains (1759). L'idée de «vente» est passée au second plan et *pacotille* s'est appliqué à un assortiment d'objets quelconques (1767), recevant, au XIXe s., la nuance péjorative moderne de «camelote, marchandise sans valeur» (1827, Hugo), *de pacotille* signifiant «de qualité médiocre».

▸ Le mot a produit deux dérivés aujourd'hui disparus : **PACOTILLEUR** n. m. (1724) «celui qui fait le commerce de pacotille» et «celui qui fait ou vend des objets de mauvaise qualité» (1844), et **PACOTILLER** v. intr. (1842) «se constituer une pacotille» et «faire le commerce de pacotille».

PACSON → PAQUET

PACTE n. m. est emprunté (1304-1305, *pas*) au latin *pactum* «accommodement, convention», souvent employé dans les expressions *quo pacto* «de quelle manière», *tali pacto* «de telle façon», avec le sens affaibli de «manière, raison, mode». Il s'agit du neutre substantivé de *pactus*, participe passé du verbe inchoatif *pacisci* «conclure un accord» (de même sens que l'ancien *pacere*) qui appartient à la racine indoeuropéenne °*pak-*, °*pag-* «enfoncer, fixer», «fixer par une convention» (→ paix). Quant à l'ancien provençal *pacha* «société, commerce, relation» (1225-1258), il remonte à un latin tardif °*pacta*, pluriel neutre de *pactum*, pris pour un féminin singulier. ◇ Ce type, attesté dans le domaine d'oc situé à l'est du Rhône, s'est répandu dans le domaine franco-provençal, dans l'ancien fribourgeois *pasche* (1470-1490) «marché», dans une partie du Vivarais, de l'Auvergne et du Velay sous la forme *pache* (XVIe s.). C'est d'ailleurs de là que vient le moyen français *pache* (1360) «accord, convention», encore relevé dans le dictionnaire de Trévoux en 1732, mais qualifié par Vaugelas en 1647 de «dialectal» et de «barbare».

♦ Le type *pacte* a d'abord été noté *pas, pat, pag* (1350) et *pact* (1352-1356); cette dernière graphie était encore vivante au XVIIe s. et Vaugelas eut beau la critiquer *(«pact ne vaut rien du tout»)*, elle figure encore dans le dictionnaire de Trévoux en 1771, avant d'être définitivement évincée par la graphie actuelle apparue au XVe s. (1461). ◆ Le mot désigne un accord, une convention, et entre dans les locutions *entrer en pact avec le diable* (1600, d'Aubigné), *faire pacte avec la mort* (1673), *pacte avec l'impiété* (1691, Racine, *Athalie*). ◇ Il forme plusieurs syntagmes d'usage juridique, dont *pacte social* (1756-1758, Rousseau) qui n'a pas eu le succès de *contrat social*, et, en économie politique, *pacte colonial* (1863).

▸ Son dérivé **PACTISER** v. intr. a d'abord présenté la forme *pastigier* (1352-1356) par une francisation en *-igier* de verbes latins en *-izare*. ◇ Ce verbe a vieilli avec le sens général de «conclure un pacte» et Furetière (1690), puis Trévoux (1704-1752) notent qu'il ne s'emploie qu'en mauvaise part au sens de «se mettre d'accord avec qqn, un groupe de personnes, de manière répréhensible». Depuis 1762 (Rousseau), il signifie également, avec une nuance péjorative, «s'arranger d'une chose, composer avec». ◆ Il a produit **PACTISATION** n. f., attesté pour la première fois chez le révolutionnaire G. Babeuf (1795, *honteuse pactisation*), ainsi que **PACTISEUR, EUSE** n. (1920), peu usité. ◆ Furetière note qu'à côté de *pactiser*, on employait encore au XVIIe s. *pactionner* v. tr., dérivé de l'ancien français *paction* n. f. (XIIIe s.) «action de conclure un pacte, une convention», lui-même emprunté au latin *pactio, -onis* «accord, convention», de *pacisci*. Alors que Vaugelas recommandait *paction* de préférence à *pacte*, le mot a vu son usage restreint «en parlant d'affaires» (1680) et a rapidement décliné (le dictionnaire de l'Académie de 1718 note qu'il a vieilli).

PACTOLE n. m. est l'emploi comme nom commun (1800) de *Pactole* (latin *Pactolus*, grec *Paktôlos*), nom d'une rivière de Lydie, affluent de l'Hermos, qui, selon la légende, roulait des sables d'or. La rivière s'appelait *Khrusorrhoas* «le fleuve d'or» avant de prendre le nom de *Paktôlos* à la suite du suicide du dieu portant ce nom en ses flots. Dès 1698, Boileau emploie le nom propre *Pactôle* avec la valeur figurée reprise au XIXe s. par le nom commun.

♦ Le mot désigne une source abondante de richesses et de profits.

▸ **PACTOLIEN** adj. m. est employé exceptionnellement (1861), de même que **PACTOLISER** v. intr. (1957, M. Aymé faisant un calembour sur *pactiser*).

PADDOCK n. m. est emprunté (1828) à l'anglais *paddock* «champ ou enclos appartenant à une maison ou à une écurie» (1547), spécialement en termes de turf, «enclos où les chevaux attendent le départ» (1862). Ce mot s'est aussi spécialisé dans *paddock-course* «couloir de course clôturé» à propos des courses de lévriers et de chevaux non montés. *Paddock* est probablement l'altération de la forme dialectale *parrock* «clôture, enclos», issue du vieil anglais *pearroc* de même origine que le français *parc**. E. Chamberlayne, dans son *État présent de l'Angleterre* en 1669-1672, citait déjà le mot comme terme de relation.

♦ *Paddock* est introduit dans le vocabulaire du turf pour désigner un enclos aménagé dans une prairie d'élevage de chevaux, puis spécialement l'enceinte où les chevaux sont promenés en main avant une course (1873). ➛ Le sens populaire de «lit» (1929) n'est que français : il ne serait pas né dans l'argot des lycéens comme semble l'indiquer la chronologie des attestations, mais dans celui des maisons de prostitution (1939); la métaphore s'y comprend beaucoup mieux.

► **SE PADDOCKER** v. pron., équivalent argotique de «se mettre au lit», est attesté dans l'argot des soldats en 1939, puis se répand dans l'usage familier (1953).

PADDY n. m. est emprunté (1785) à l'anglais *paddy* (1623), attesté dès la fin du XVIe s. sous les formes *paree* (1580) et *batte* (1598). Ces trois formes représentent les adaptations respectives du malais *pādī*, du javanais *pārī* et du kannara *bhatta*, mots apparentés désignant le riz non décortiqué.

♦ Le mot, introduit par la traduction du troisième voyage de Cook, désigne le riz recouvert de son enveloppe.

PAELLA n. f., d'abord *paelia* (1926) puis *paëlla* (1938), écrit aujourd'hui *paella* (1963), est emprunté à l'espagnol *paella* (1899), nom du riz à la Valencienne. Celui-ci est emprunté, parce que ce plat cuit dans une grande poêle, au catalan *paella* «poêle» (XIVe s.), lequel est emprunté à l'ancien français *paele*, forme ancienne de *poêle**.

♦ Le mot désigne un plat espagnol (d'abord valencien) composé de riz au safran, de légumes, de viandes, de poissons, crustacés. Il est devenu un symbole de la cuisine espagnole pour les étrangers.

① **PAF** adj. est issu (1806) de *paffé*, participe passé de *se paffer* «se gaver», ancien mot employé de 1827 au milieu du XXe s., synonyme de *s'empaffer* «se gaver d'aliments et de vin» (1790). Ces deux verbes sont deux apophonies de *se piffrer* et *s'empiffrer**.

♦ S'il est généralement invariable, *paf* est quelquefois accordé et s'emploie comme synonyme populaire de «ivre» (d'abord écrit *être paff*, 1806).

② **PAF** interj. onomat., attesté depuis 1755 *(paff!)*, est une onomatopée qui évoque le bruit d'un coup, d'une chute puis un accident, un événement soudain.

♦ Cette interjection est souvent associée à *pif!** pour évoquer deux ou plusieurs coups. ➛ Dans l'Île-de-France, elle est employée comme *pif* et *pouf** pour qualifier une certaine qualité de grès, celle-ci rendant sous le choc un son ni trop clair ni trop étouffé.

Le mot argotique ③ **PAF** n. m. «pénis» (1895) viendrait du radical onomatopéique *paff-*, à la fois par allusion à la métaphore du «coup» (cf. *tirer un coup*) et par analogie avec les termes offensifs qui désignent le membre viril *(dard, braquemart, pointe, sabre)*. Toutefois, Esnault estime qu'il conviendrait plutôt de la rattacher au latin *palus* (→ pal, pieu) en composition dans *paufer* «gros levier de fer» (de *palus* et *ferrus*, → fer), mais cette hypothèse n'est appuyée sur aucun document.

PAGAIE n. f. est emprunté, sous la forme *pagais* (1686) puis *pagaye* (1691), au malais des Moluques *peñgāyūh* (également *pengajong, pengajoe*) «rame à pirogue à double pelle», attesté sous la forme *pengeia* en 1623. La forme française a également connu les variantes *pagalle* (1724) et *pagaïe* (1757). Dès 1676, on relève la forme *pagaine* dans un texte allemand.

♦ Le mot désigne une rame légère à une ou deux pelles, associée à des embarcations exotiques ou sportives.

► De *pagaie* est dérivé **PAGAYER** v. intr., d'abord écrit *pagaier* (1686) avant de prendre sa graphie actuelle (1743); celui-ci a donné **PAGAYEUR, EUSE** n. (1691).

Quant au mot familier **PAGAILLE** n. f., également écrit *pagaïe* et *pagaye*, il est généralement considéré comme une spécialisation de sens du précédent, par allusion aux mouvements désordonnés et irréguliers que l'on fait avec cette sorte de rame. ➛ En effet, il est d'abord employé dans le vocabulaire de la marine où la locution *mouiller en pagale* (1773) désigne le fait de laisser tomber l'ancre comme on se trouve, sans carguer et serrer les voiles, dans un cas pressé et imprévu. Par extension, on a dit *jeter des objets en pagale* (1792), puis *en pagaïe*, «les jeter au hasard en désordre dans la cale d'un navire», avec le même sens que le provençal *en pagalo* ou *en pagaïo*. ◇ Ce n'est qu'à la fin du XIXe s. que la locution ***en pagaille*** passe dans l'usage général, assumant à la fois l'idée de grande quantité (1885) et celle de désordre (1901). Le mot est employé tout seul au début du siècle (1903), alors sous les formes *pagale* ou *pagaïe*, là encore dans un contexte maritime, puis dans l'argot des poilus (1916, *pagaïe, pagaye, pagaille*). ➛ Au XXe s., la graphie *pagaille* a servi à former les deux dérivés **PAGAILLEUX, EUSE** adj. «en désordre» et **PAGAILLEUR, EUSE** n. «personne qui sème le désordre autour d'elle».

PAGANISER, PAGANISME → PAÏEN

① **PAGE** n. m., attesté depuis 1225, est d'origine incertaine. Un emprunt à l'italien *paggio*, issu du grec *paidion* «jeune enfant», en particulier «jeune esclave masculin ou féminin», de *pais, paidos* «enfant» (→ pédagogue) sous une forme romanisée *paidiu*, fait difficulté d'un point de vue chronologique : *paggio* n'est attesté qu'après 1350. F. Holthausen propose d'y voir le représentant du latin *pathicus* «homosexuel passif», lui-même emprunté au grec *pathikos* de même sens, dérivé de *pathos* (→ pathos), mais son hypothèse fait difficulté d'un point de vue historique. L. Spitzer envisage un latin °*pagicus* «paysan», dérivé de *pagus* (→ païen), mais cette origine est peu vraisemblable, à la fois pour des raisons sémantiques, l'opposition sociale étant évidente entre paysan et page, et phonétiques. Enfin, l'hypothèse d'un latin °*pageus*, qui serait lui aussi dérivé de *pagus*, est peu vraisemblable.

♦ Le mot a d'abord désigné un jeune valet, puis également le jeune garçon de famille noble attaché au service d'un prince ou d'un seigneur (apr. 1350). En ce sens, il entre dans la locution *estre hors de page* (1446) «être en âge de cesser d'être page», au figuré «être affranchi de toute dépendance» (1532), sortie d'usage, probablement au cours du XVIIe siècle. ◇ Furetière remarque en 1690 que «ce n'est que depuis quelque temps qu'on a distingué les Pages nobles des Pages vilains servant à pied qu'on a appelez *Naquets* ou *Laquais*». Parallèlement, le sens spécialisé de «jeune garçon qui apprend le métier de matelot» a été éliminé par *mousse*. ➛ Au cours du XIXe s., le mot a acquis deux sens techniques aujourd'hui archaïques : il est devenu un terme de mode désignant une petite pince suspendue à la ceinture et permettant de relever le bas d'une jupe ou d'une robe (1868 ; dès 1847 dans *page-agrafe*), et il est passé dans le vocabulaire de la vénerie pour désigner un jeune cerf ou sanglier dont un plus vieux s'accoste pour donner le change (1874).

② **PAGE** n. f. est emprunté (1160-1171) au latin *pagina*, d'abord employé en agriculture au sens de «treille», puis au sens figuré de «colonne d'écriture» d'où par métonymie «feuillet», dérivé de *pangere* «ficher en terre» (→ païen).

♦ Le français a repris le mot pour désigner chacun des deux côtés d'une feuille ; par métonymie, *page* a désigné ce qui est écrit, le récit (1220) avant de se limiter à ce qui est écrit sur un feuillet (1530). À partir de la seconde moitié du XVIIIe s., le mot a fourni quelques locutions, d'abord dans le domaine de l'imprimerie, avec ***mettre en pages*** (1765), ***mise en pages*** (1835) et ***fausse page*** (1799), ***en belle page***, etc. Avec un sens figuré, il entre dans ***tourner la page*** (1899) et ***être à la page*** (1914) ; cette dernière locution, d'abord employée dans l'argot des militaires au sens d'«être au fait de qqch.», s'est répandue au sens d'«être au courant des dernières tendances de la mode» (1921). ◇ Depuis 1801, *page* désigne la période de la vie d'un individu, d'un groupe, d'un peuple *(une page d'histoire)*. Il se dit également de tout fragment d'une œuvre artistique, en littérature et en architecture (1832, Hugo, *pages architecturales*), et surtout en musique (déb. XXe s.).

▸ **PAGINER** v. tr. est un dérivé savant de *page* au moyen du suffixe *-iner*. Il apparaît au participe adjectif **PAGINÉ, ÉE** adj. (1811), puis à l'actif (1829). ➛ **PAGINATION** n. f. a été dérivé de ce verbe (1801) avec le suffixe *-ation*.

③ **PAGE** → PAGNOTER (SE)

PAGEL, ① **PAGEOT** n. m., terme d'ichtyologie, est emprunté (1552) à l'ancien provençal *pagel* de même sens (1554), déjà attesté en 1488 dans un document en latin de la ville de Nîmes. Le mot provençal est issu d'un latin populaire °*pagellus*, dérivé diminutif du latin impérial *pager* ou *pagrus* (lui-même à l'origine du français *pagre*) emprunté au grec *phagros* «brème de mer, pagre», désignant aussi un poisson du Nil. Selon Isidore de Séville, le poisson aurait été nommé en raison de ses dents dures qui lui permettraient de se nourrir d'huîtres, et Lidén suggère par conséquent de voir en *phagros* une spécialisation de sens de *phagros* «pierre à aiguiser», mot qu'il rapproche de l'arménien *bark* «âpre, amer» (du goût) et «violent, coléreux».

♦ Le mot est d'abord relevé sous la forme *pageaux* au pluriel et *pagel* au singulier. Il possède aussi les variantes *pagelle* n. f., *pajel*, *pajeau*, *pageau* et *pageot*, répertoriées par Littré, ainsi que *pagest*, *pageul*. Seuls *pagel* et *pageot* semblent usités aujourd'hui.

② **PAGEOT** → PAGNOTER

PAGNE n. m. est emprunté, d'abord sous la forme féminine *paigne* (1637) puis sous la forme actuelle de genre masculin (1691), à l'espagnol *paño* «vêtement rudimentaire ajusté autour des hanches» (déb. XVIIe s.). Celui-ci, avec le sens propre de «pan de tissu», est issu du latin *pannus* «morceau d'étoffe» (→ pan).

♦ Le mot, d'abord réservé aux relations de voyages, désigne le vêtement traditionnel des sociétés lointaines, formé d'un pan de tissu drapé autour de la taille. Il est entré au XXe s. dans le vocabulaire de la mode. ◇ En français d'Afrique, *pagne* se dit couramment du vêtement traditionnel en cotonnade, et de cette cotonnade *(du pagne imprimé)*.

PAGNOTER (SE) v. pron. apparaît en argot militaire pour «manquer de courage» (1859). D'origine obscure, ce verbe pourrait se rattacher à une expression ancienne, *soldats de la pagnote* «mauvais soldats», issue soit de l'espagnol *pagno* «chiffon», lui-même du latin *panneus*, de *pannus* «bande d'étoffe» (→ pan), soit du français *paniot* «housse», appartenant à la même famille et dont la prononciation convient mieux.

♦ Ce verbe a pris en argot (1878), puis dans l'usage très familier, le sens de «se coucher», perdant toute valeur péjorative.

▸ Il a pour déverbal **PAGNOT** n. m. (fin XIXe s.) «lit». ➛ La forme plus courante **PAGEOT** n. m. (1895) appartient probablement au même radical ; il s'écrit aussi *pajot* (1916), abrégé en *paj* (1916), écrit ③ **PAGE** n. m. (1921) par assimilation aux homonymes ① et ② *page*. Ces mots s'emploient notamment dans *se mettre (foutre...) au pageot, au page* «se mettre au lit». ◇ De là *se pajer* (1915), puis **SE PAGER** v. pron. «se coucher».

PAGODE n. f. est emprunté (1545) au portugais *pagode* «idole» (1525) d'où, par extension, et en dépit de la chronologie des attestations, «temple consacré au culte des idoles» (1516). C'est un emprunt au dravidien *pagôdi* ou *pagavadi*, proprement nom de Kali, épouse de Çiva, lui-même issu du sanskrit *bhagavatī* «déesse», féminin substantivé de *bhagavat* «saint, divin». D'autres étymologistes évoquent le persan *butkada* «temple», de *but* «idole» et *kada* «maison», mais admettent une influence du prâkrit *baghodi* «divin», du sanskrit *bhagavat.* On retrouve ce radical dans le russe *bog* «Dieu».

♦ Le mot s'est d'abord écrit *paxode* (de genre incertain, chez saint François Xavier), puis *pagode,* d'abord au masculin (1553) puis au féminin (1609). Il a dès les premières attestations le sens actuel de «temple des religions d'Extrême-Orient». L'acception d'«idole» (1553, m.; 1677, f.), à l'origine du sens particulier de «magot, idole chinoise» (1673), a disparu. ➛ Le mot a également servi à désigner une ancienne monnaie ayant eu cours aux Indes (1610, trad. du néerlandais, m.; 1666, f.). ➛ Au XIXe s., *pagode* est entré dans le vocabulaire de la mode pour désigner les manches longues tombantes et évasées à la chinoise (1800), également en apposition dans *manche pagode* (1849).

▸ Au XXe s., il a produit le diminutif **PAGODON** n. m. (1925). ➛ **PAGODITE** n. f., nom d'une pierre utilisée par les Chinois dans la confection de statuettes, est emprunté (1818) à l'italien *pagodite* (1798), dérivé de *pagoda,* correspondant du français *pagode,* au sens de «magot».

◈ **PAÏEN, ÏENNE** n. et adj. est issu très anciennement, et d'abord sous la forme *pagien* (881), du latin *paganus,* tiré de *pagus,* lui-même dérivé avec le sens propre de «borne fichée en terre» (encore dans la Vulgate) de *pangere* «ficher, enfoncer» d'où «établir solidement», «graver dans la cire, écrire» (ses plus proches représentants en français sont *compact, impact*). *Pangere* est apparenté à la racine de *pax* (→ paix). *Pagus* a pris ensuite le sens de «territoire délimité par des bornes, district, circonscription territoriale rurale», souvent associé à *vicus* qui désigne le centre des habitations (→ vicinal); un dérivé *(pagensis)* a donné *pays*.* ◇ *Paganus,* adjectif de *pagus,* signifie «de la campagne, du village»; il est substantivé pour désigner l'habitant de la campagne, le paysan. À l'époque impériale, il a été employé au sens de «civil» par opposition à «militaire» et, par extension, a désigné l'amateur, le profane, par rapport à un groupe social déterminé (par exemple celui des littérateurs professionnels). Étant donné que, depuis le IIIe s., les clercs se nommaient *milites* et spécialement *milites Dei, milites Christi* «soldats de Dieu, du Christ», et qu'ils désignaient par *militia Christi* la lutte pour la foi, ils furent amenés à utiliser *paganus* avec le sens péjoratif de «civil» pour qualifier et désigner les païens (déb. IVe s., *pagana fides,* chez Tertullien). Le terme, évinçant *gentiles* (→ gentil), fut alors adopté dans le style législatif au début du Ve s., quand la législation devint hostile aux païens (409, loi d'Honorius dans le *Code théodosien*). Cette hypothèse paraît préférable, d'un point de vue historique, à celle qui faisait traditionnellement de *païen* le représentant de *paganus* pris avec le sens de «paysan», en raison de la résistance de la population rurale à la religion du Christ: en effet, au IVe s., la propagation chrétienne était loin d'être assez avancée pour que les paysans puissent être considérés comme les seuls tenants des religions du passé et que les païens puissent être reconnus par un terme désignant les ruraux.

♦ Le mot, d'abord attesté sous la forme *pagien* puis *paien* (1080), qualifie et désigne l'adepte du polythéisme gréco-latin par opposition à *chrétien.* Par extension, il a commencé au XVIIe s. à s'appliquer à toute personne s'inspirant du paganisme antique (1671, n.; 1674, adj.). ◇ Par ailleurs, déjà employé dans *La Chanson de Roland* (1080) pour désigner celui qui n'était pas encore évangélisé, il a pris le sens d'«impie» comme adjectif (déb. XIIIe s.), puis aussi comme nom (1740, dans la locution ***jurer comme un païen***).

▸ Il a produit **PAÏENNEMENT** adv., attesté au XVIe s., disparu et repris au XIXe s., d'usage littéraire (1874, Barbey).

PAGANISER v. tr. est emprunté (1445) au latin chrétien *paganizare* «participer à des rites païens» (IVe-Ve s.), «faire profession de paganisme, vivre en païen» (IXe s.), de *paganus* (→ païen) formé sous l'influence du grec. ➛ Le mot a éliminé, avec son ancien sens d'«agir en païen», le moyen français *païanniser* (1579), adaptation du verbe latin d'après *païen*.* *Paganiser* est rare avant le XIXe s. où il est repris avec son sens transitif moderne de «convertir au paganisme, imposer un mode de vie païen» (1836).

PAGANISME n. m. est emprunté pendant la Renaissance (1546) au latin chrétien *paganismus* «gentilité, fait d'être païen» (saint Augustin), de *paganus.* En français, le mot a supplanté son ancien synonyme *paienime* (1150) «terre païenne, pays des infidèles» et «religion des païens» (1160-1174), encore répertorié par Huguet au XVIe s. et adaptant le latin *paganismus* d'après le français *païen.* ➛ *Paganisme* désigne la religion polythéiste de l'Antiquité gréco-romaine et, par extension, les comportements qui, s'opposant au christianisme, se rapprochent des tendances de la civilisation gréco-latine (1570). Par métonymie, il se dit de l'ensemble des peuples païens (1605). ◇ Par changement de suffixe, on a formé **PAGANISTE** adj. et n., synonyme très rare de *païen.*

Païen est représenté sous la forme de l'élément **PAGANO-** dans quelques termes didactiques ayant trait à ce qui possède à la fois les caractéristiques du paganisme et ceux du second élément (*pagano-catholique* adj. et n., *pagano-chrétien* adj. et n.).

◈ voir PAYS, PAYSAN.

PAILLARD → PAILLE

① **PAILLASSE** n. m., terme de théâtre, est probablement emprunté (1766) à l'italien *pagliaccio* (XVIIIe s.), nom d'un bateleur et de son personnage, dérivé à l'aide du suffixe péjoratif *-accio* de *paglia,* correspondant au français *paille*.* La dénomination est due au fait que le personnage portait un vêtement de toile écrue rappelant un sac de paille.

♦ En français, le mot désignait un bateleur de foire vêtu d'un costume à carreaux bleus et blancs qui était chargé d'attirer le public en contrefaisant gauchement les tours d'adresse et de force de ses camarades. Le caractère péjoratif du suffixe est renforcé par l'homonymie avec ② *paillasse*, dérivé de *paille**, et la paronymie avec *paillasson*. ◇ Employé au XIXe s. et soutenu par la célébrité du «*ris donc, Paillasse*» de l'opéra de Leoncavallo (*Paillasse; I Pagliacci*, 1892), le mot, en termes de spectacle, a été éliminé par *clown* et par *auguste*. Par analogie, il a servi à désigner un homme sans consistance ni volonté et spécialement, en politique, un homme versatile dans ses engagements (1816, Béranger); il est devenu archaïque.

▶ On en a dérivé **PAILLASSERIE** n. f. (1859) «parole, acte de paillasse» et «tempérament de paillasse» (1867). ➡ On rencontre **PAILLASSINE** n. f. chez A. Dumas (1846) pour désigner une femme costumée en paillasse, mais le mot n'a pas vécu.

✳ **PAILLE** n. f. est issu (v. 1121) du latin *palea* «menue paille, fétu» et «balle de blé» puis, à basse époque, «tige entière de céréale dépouillée de son grain». Cette évolution sémantique est probablement due au fait que l'on se servait primitivement comme litière de la balle de blé ou d'avoine que l'on a remplacée ensuite par des tiges sèches de céréale; par analogie, *palea* servait aussi à désigner une paillette, une limaille de métal. Le mot a des correspondants dans le baltique et dans le slave (formes en *-u-/-w-*) avec les sens de «menue paille (susceptible d'être emportée par le vent)» et «balle de blé».

♦ Le mot a d'abord eu le sens de «balle de blé», aujourd'hui sorti d'usage, mais dont procèdent vraisemblablement ses premiers emplois comportant une idée de «légèreté» (1176-1181). Dès cette époque, il prend le sens collectif *(la paille)* de «tiges des céréales quand le grain en a été séparé» (1176-1181). ◇ La couche de paille devient dès le XIIIe s. le symbole de la pauvreté mais ce n'est qu'au XVIIe s. (Furetière, 1690) qu'on relève les premiers emplois de *paille* en ce sens dans la locution ***coucher sur la paille*** puis (1798) dans ***mettre sur la paille.*** ➡ Le syntagme ***vin de paille,*** désignant un vin blanc fait de raisins mûris sur la paille, est attesté depuis 1835. ➡ Par extension, *paille* désigne la matière destinée à être tressée (1364) et servant à confectionner les chapeaux, les broderies (1690); ***chapeau de paille,*** devenu usuel, est quelquefois abrégé en *un paille*. ➡ *Une paille,* dès le XIIe s. (1176-1181), sert à désigner un fétu de paille, spécialement une tige ou un fragment de tige séchée, d'où la locution *traire à la plus longue paille* (fin XIVe s.), ancêtre de ***tirer à la courte paille*** (1665) qui a supplanté *tirer à la bûchette.* ◇ Par allusion évangélique, *paille* entre avec cette acception dans la locution ***voir une paille dans l'œil du voisin et ne pas voir la poutre de son œil*** (1695, S. de Sacy). ➡ Son sens métonymique de «tuyau de paille (puis de carton, de plastique) servant à boire» est attesté depuis 1881. ➡ Dès la fin du XIIe s., *une paille* a aussi le sens figuré de «peu de chose, valeur minime», lequel a connu une certaine vitalité dans la locution ***de paille*** «sans valeur» (1593). C'est aussi au sens ancien d'«homme sans valeur» que l'expression ***homme de paille*** a été employée (1622), avant de se restreindre au sens moderne de «prête-nom» (fin XVIe s.). ➡ *Paille* est employé depuis 1607 dans ***jaune paille*** pour indiquer une nuance jaune évoquant celle de la paille de blé, aussi dans ***couleur paille*** (1781). ➡ Par analogie d'aspect, *paille* a développé dès le moyen âge le sens de «défaut, impureté», d'abord dans un ouvrage de métal (1307) puis dans une pierre précieuse (1680). Il a désigné aussi une petite tige d'or ou d'argent décorant un costume (fin XIVe s.) avant de céder ce sens à son diminutif *paillette* (ci-dessous). ◇ Au XVIe et au XVIIe s., il a pris ses acceptions techniques de «parcelle de métal détachée du fer que l'on forge à chaud» (1546) et, en marine, de «cheville métallique tenant un câble» (1687).

▶ Le mot entre dans deux périphrases dénominatives, l'une en botanique, *paille marine* (1611) qui deviendra *paille de mer* au XXe s., l'autre en zoologie, **PAILLE-EN-QUEUE** n. m. (1708) ou **PAILLE-EN-CUL** (1765), synonyme usuel de *phaéton*.

Les dérivés de *paille* sont nombreux. ➡ Chronologiquement, le premier est le diminutif **PAILLETTE** n. f., attesté dans les premiers textes (v. 1121) avec le sens ancien de «balle (petite paille) de blé». C'est seulement au début du XIVe s. qu'il développe le sens analogique de «petite pièce», d'abord à propos d'un élément métallique qui maintient en place une verrière. ◇ Il est spécialement employé dans l'habillement, où il désigne une lamelle de métal brillant cousue sur un vêtement (1387), mais il se dit aussi d'une petite lamelle métallique, au propre et au figuré (déb. XVe s.). Il est spécialement utilisé par les orpailleurs (1546), en minéralogie (1847), et aujourd'hui en industrie alimentaire (1949, *malt en paillettes*) ou en pharmacopée. ◇ *Paillette* a produit **PAILLETÉ, ÉE** adj. (1380) «orné de paillettes», employé également au sens analogique de «constellé de points lumineux» (1850), ainsi que **PAILLETER** v. tr. (1606) «orner de paillettes», qui a les mêmes emplois que l'adjectif. ◇ Ce dernier a donné à son tour **PAILLETAGE** n. m., attesté en 1890 avec un sens figuré et depuis 1909 dans le domaine de l'habillement. ➡ *Paillette* a aussi produit **PAILLETEUR, EUSE** n. (1606), d'abord employé pour l'ouvrier qui coud des paillettes d'or, et conservé dans l'usage moderne (1845) comme synonyme de *orpailleur*. ➡ Le diminutif masculin de *paille*, **PAILLET** n. m. (1130), a d'abord, comme *paillette*, le sens de «balle de blé». Il est rare jusqu'au XVIIIe s., époque où il passe dans le vocabulaire de la marine pour désigner le petit fagot de cordage que l'on fixe à l'avant des filets de pêche (1768), probablement par altération de *paillé*, le participe passé de *pailler* «tresser, disposer de la paille». ◇ Par extension, *paillet* désigne la natte dont on couvre certaines parties des bateaux pour les protéger des frottements (1773), et il est employé en serrurerie (1803) pour la petite pièce de fer ou d'acier que l'on place entre la platine et le verrou.

PAILLARD, ARDE adj. et n. a été très tôt employé comme anthroponyme : dès le latin médiéval sous la forme *Paliardus* (1073), *Paillardus* (1160). ➡ En français, il est attesté depuis 1223 comme nom pour désigner un vaurien, un fripon, quelquefois même un vagabond (fin XIIIe s.), d'après le sens étymologique, «homme qui couche sur la paille». ◇ Le mot est adjectivé (1380) pour qualifier une personne et, ultérieurement, une chose (1532, Rabelais, *paillarde vie*). ◇ Son sens moderne se dégage au cours du XIIIe s., d'abord au féminin, pour désigner (1266) et qualifier (XVe s.) une femme débauchée, le masculin étant seulement relevé depuis 1530. Richelet (1680) note le mot, avec ses dérivés *paillarder* et *paillardise*, comme réservé au «burlesque et (au) satirique le plus bas». ➜ **PAILLARDER** v. intr. (1461) est sorti d'usage, tant avec son sens premier de «se débaucher» qu'au pronominal pour «se donner du mal pour» (1606) et «fainéanter» (1690). ➜ Quant à **PAILLARDISE** n. f. (1489), il a évincé le synonyme en *-ie, paillardie,* attesté entre 1446 et 1545.

Le dernier dérivé de *paille* attesté avant le XIIIe s. est **PAILLIS** n. m. (1180-1190) «paille» et «jonchée, lit de paille» (1276-1277), qui a pris plus tard son sens moderne de «couche de paille destinée à protéger le sol du desséchement» (1842). ➜ Au XIIIe s. sont encore apparus quelques dérivés dont **PAILLEUX, EUSE** adj. (v. 1225) «mêlé de paille», «qui a des pailles (du métal, d'une pierre précieuse)» (1562) et «couleur de paille» (1931), et **PAILLET, ETTE** adj. et n. m. (fin XIIIe s.) qui n'a gardé que son sens de «clairet, paillé (d'un vin)» (1552). ◇ Deux autres, aussi anciens, sont courants et eux-mêmes productifs : ce sont *paillasse* et *paillotte.*

② **PAILLASSE** n. f. est relevé en 1250 sous la forme *pailace* au sens de «sac rempli de paille servant de lit ou garnissant le fond d'un lit». Au XVIIIe s., il prend par analogie le sens technique de «massif de briques d'une cheminée sur laquelle on pose les mets pour les garder au chaud» et, par suite, désigne une dalle servant de plan de travail, en particulier la partie de l'évier sur laquelle on met à égoutter la vaisselle. ◇ La locution familière ***crever la paillasse*** (à qqn) «ouvrir le ventre ; tuer» s'est surtout employée dans la 2e moitié du XIXe s. (attestée 1862). ➜ *Paillasse* a produit **PAILLASSON** n. m. (1375-1376, *paillaceon*), d'abord diminutif désignant une petite paillasse. Depuis 1652, ce mot est employé avec son sens moderne en horticulture et, depuis 1750, désigne couramment la natte de paille sur laquelle on s'essuie les pieds, sens le plus usuel aujourd'hui. Au XIXe s., il est entré dans le vocabulaire de la chapellerie avec *chapeau paillasson* (1843), par ellipse *un paillasson* (1849). ◇ Son dérivé **PAILLASSONNER** v. tr. (1874) est un terme d'horticulture, mais le verbe a aussi reçu le sens argotique intransitif de «multiplier les aventures extraconjugales» (1899), d'après *paillasse (à soldats)* au sens figuré de «prostituée». ◇ Le nom dérivé **PAILLASSONNAGE** n. m. (1874) lui correspond dans ces deux acceptions. ➜ **PAILLOTTE** n. f. existait dès l'ancien français au sens de «paillette d'ornement» comme permet de le déduire l'existence de l'ancien **PAILLOTÉ, ÉE** adj. «orné de paillettes», attesté au XIIIe s. en ancien picard. ◇ Cependant, ce sens a décliné au XVIIe s. au profit de *paillettte* et, par emprunt au portugais *palhota* «hutte de paille», le mot a pris la valeur actuelle de «hutte de paille dans certains pays d'outre-mer» (1617), d'abord au Mozambique, alors fréquenté par les Portugais. Il désigne également une toile de paille de riz fabriquée en Inde et en Indochine (1875).

Au XIVe s., *paille* a donné **PAILLOT** n. m. (1334), aujourd'hui employé régionalement en viticulture pour l'ados de terre formé entre les rangées de ceps par le premier labour (1721), et **PAILLER** v. tr. (1364) «garnir de paille tressée» et «joncher de paille» (1447), spécialement en horticulture (1842). ◇ Ce verbe a produit **PAILLEUR, EUSE** n. (1868) «rempailleur de chaises» et **PAILLAGE** n. m. (1835). ➜ Au XVIe s. sont apparus ② **PAILLER** n. m. (av. 1515) «grenier à paille» et «hangar servant à couvrir un tas de paille» (1842), **PAILLON** n. m. (1534) qui a pris plusieurs acceptions techniques analogiques et désigne aussi certains objets en paille (depuis le XIXe s.), et **PAILLÉ, ÉE** adj. (1555), d'abord dit d'un vin clairet (comme *paillet*), puis aussi d'une couleur (1610). Cet adjectif est spécialement employé en héraldique (1690) au sens de «bigarré» ; techniquement, il qualifie un métal, une pierre précieuse présentant un défaut, une *paille* (1868). ➜ Depuis 1680, on rencontre un autre dérivé de *paille,* **PAILLEUR** n. m. «celui qui fournit, vend de la paille».

À tous ces dérivés s'ajoutent les composés verbaux formés sur *paille.* Le premier est **EMPAILLER** v. tr. (1660), formé à partir d'**EMPAILLÉ, ÉE** adj., attesté dès 1543 avec le sens de «mêlé de paille» et (1611) de «rempli de paille». ◇ Le verbe signifie à la fois «bourrer de paille» et «garnir de paille» (1680). Dans le premier sens, une spécialisation concerne les animaux morts que l'on prépare pour en conserver l'aspect extérieur, *empailler, empaillé* et les dérivés se substituant dans l'usage courant au terme technique *naturaliser,* même si la paille n'entre pas dans l'opération. ◇ Le verbe a produit **EMPAILLEUR, EUSE** n. (1701) «artisan qui empaille les chaises» et «celui qui empaille les animaux» (1802), ainsi que **EMPAILLAGE** n. m. (1826) qui correspond aux deux acceptions. ➜ Dans le premier sens, ces mots ont reculé au profit des préfixés en *re-*, apparus au XVIIIe s., **REMPAILLER** v. tr. (1700), **REMPAILLAGE** n. m. (1775) et **REMPAILLEUR, EUSE** n. (1723). ➜ On emploie aussi **EMPAILLEMENT** n. m. (1838) «action de garnir ou de bourrer de paille». ➜ Pour fournir un antonyme à *empailler,* un autre préfixé a été formé. **DÉPAILLER** v. tr. (1758), attesté une première fois avec le sens ancien d'«abîmer, épuiser les champs», a été repris au XIXe s. avec son sens moderne de «dégarnir de paille», d'abord au participe passé (1834) puis comme verbe (1862). Son acception populaire figurée de «déménager» (1894) est tombée en désuétude.

◈ voir ① PAILLASSE, ① PAILLER.

① **PAILLER** n. m. est issu par évolution phonétique (1202) du latin impérial *palearium* «grenier à paille», ou du bas latin *paleare* «tas de paille», tous deux dérivés de *palea* (→ paille).

♦ Le mot désigne l'endroit de la cour de la ferme où l'on entrepose la paille et, par métonymie, le tas de paille lui-même ; il est aujourd'hui senti comme un dérivé de *paille.* Il entrait ainsi dans la locution figurée *être sur son pailler* (1501) «chez soi, sur ses terres», *être comme un coq sur son pailler* (1510) «dans un milieu où l'on se sent en position de force». Il n'a pas conservé le sens particulier de «couche, lit de paille» (1223) et n'est plus employé comme adjectif avec le sens de «nourri sur le pailler» (à propos d'un oiseau de basse-cour) [1762]. Dans son ensemble, ce vocable est technique ou vieilli.

PAILLETTE → PAILLE

◈ **PAIN** n. m., d'abord *pan* (fin xe s.) puis *pain* (1120), est issu du latin *panis* désignant l'aliment fait d'une masse de farine délayée dans l'eau et cuite au four, par analogie de forme, une masse, une boule et, tardivement, la nourriture, la substance en général. L'existence du diminutif *pastillus* (→ pastille) semble indiquer que *panis* repose sur un ancien °*pasn-* rappelant la forme °*pāski-*, °*pəski-* sur laquelle repose l'arménien *haç* «pain». Une parenté avec le groupe de *pascere* (→ paître) est possible.

♦ Le mot a son sens propre dès les premiers textes ; il est d'abord attesté dans le contexte religieux de la Cène, puis dans l'usage courant (1120, *un pain*). L'importance du pain dans l'alimentation se mesure dans la langue au nombre de syntagmes et de locutions formés avec *pain* dès l'ancien français, ainsi qu'aux emplois analogiques et aux très nombreuses désignations (*boule, baguette,* etc.). Ainsi, en syntagmes déterminés ou qualifiés, le mot sert à désigner diverses variétés de pain, dont *pain de munition* (1562), *pain de ménage* (1000), vieilli, *pain blanc, pain noir* et, d'après la céréale employée, *pain de froment* (1884), etc. Dans l'usage liturgique, on a ***pain bénit*** (1200, *pain beneoit*), aussi au figuré dans ***c'est pain bénit*** «c'est excellent», *pain de proposition* (v. 1170) dans la religion judaïque, et *pain à chanter* (1328) qui désigne le pain sans levain destiné aux hosties. ◇ Par extension, le mot sert à former le nom de diverses pâtisseries simples évoquant le pain ou utilisant le pain, dont ***pain d'épice*** (xive s.), qui a donné le dérivé **PAINDÉPICIER** n. m., (1665, *pain d'épicier*), et ***pain perdu*** (1384), nom d'un entremets à base de pain, précédé par *pain ferré* (xiiie s.). ◇ *Pain* entre dans d'innombrables locutions métaphoriques dès le xiiie s. ***(avoir son pain cuit)***, certaines tombées dans l'oubli, d'autres, à partir du xvie s., toujours usitées : ***manger son pain blanc le premier*** (1515), ***gagner son pain*** «sa vie» (1580), ***faire perdre le goût du pain (à qqn)*** «battre ; tuer» (1640), ***ça ne mange pas de pain*** «ça ne coûte rien» (1690) ou ***promettre plus de beurre que de pain*** (1690). Quelques-unes ont changé de sens comme ***avoir du pain sur la planche*** qui, du sens premier de «pouvoir vivre sans travailler» (1852), est passé au sens argotique périmé, «avoir une collection de punitions» (1888), avant de prendre son sens actuel, «avoir du travail à faire» (1914-1918). Plus près de nous, *pain* est entré dans ***ne pas manger de ce pain-là*** (1840), employé pour refuser une proposition jugée malhonnête, et ***long comme un jour sans pain*** «très long», «très grand» (déb. xxe s.). ***Se vendre comme des petits pains*** (xxe s.) a été précédé par *se vendre comme du pain* (1766) et ***s'enlever comme des petits pains.*** À côté d'emplois qui le prennent au sens de «nourriture, moyen de subsistance», d'autres lui donnent la valeur péjorative de «peu de valeur», telle l'expression usuelle ***pour une bouchée de pain*** qui a succédé à *pour du pain* (1480). ◆ Par analogie, *pain* a développé plusieurs acceptions techniques et courantes dans ***pain de sucre*** (1350), *pain de noix* (1636), *pain fossile* en minéralogie (1765), et il a servi à former les dénominations *pain de singe* (1764) et ***arbre à pain*** (1791 ; 1764, *arbre du pain*). ◆ Par analogie de couleur, **pain brûlé** est employé (1844) en apposition avec une valeur adjective. ◆ Par allusion à l'enflure produite, *pain* est employé en argot avec le sens de «coup» (1864) [cf. *beigne*].
Voir aussi le schéma pp. 2526-2527.

▶ Il entre dans les composés **GAGNE-PAIN** n. m. (1292), qui a d'abord désigné l'ouvrier recevant un petit salaire avant de prendre le sens moderne de «ce qui permet à qqn de gagner sa vie» (1508), et **GRILLE-PAIN** n. m. (1835).

PANER v. tr. est issu par changement de désinence (1660) de **PANÉ, ÉE** adj. (1540), lui-même dérivé de la forme ancienne de *pain**, *pan.* Cet adjectif s'est d'abord employé dans le syntagme *eau panée* désignant l'eau dans laquelle on a fait bouillir ou tremper du pain pour en ôter la trop grande crudité : Furetière note qu'on donne à boire l'eau panée aux malades qui n'aiment pas la tisane. ◇ *Paner* est d'abord employé au sens de «faire bouillir (l'eau) avec du pain» et c'est seulement depuis 1752 *(paner des côtelettes)* qu'il est employé avec son sens actuel, «enrober des aliments de chapelure». Il est moins usuel que l'adjectif *(escalope panée).* ◆ Il a pour dérivé **PANURE** n. f. (1874) avec son sens de «mie de pain, chapelure dont on enrobe les aliments à paner».

PANETIER n. m. (1200), d'abord *penetier* (1170), est dérivé de *pan,* forme première de *pain**, avec le suffixe *-ier* élargi en *-etier.* Avant d'apparaître en français, le mot est relevé en latin médiéval sous la forme *panetarius* «boulanger» (1068) et «officier de la paneterie» (1165). ◇ *Panetier* est un terme d'histoire qui désigne un officier du roi, en particulier le *grand panetier* qui avait «la police du pain et la juridiction sur tous les Boulengers et Meusniers de France» (Furetière, 1690). Du xiiie s. (1260) au milieu du xviie s., le mot a aussi désigné le boulanger (en italien *panettiere*). Il est encore employé pour désigner celui qui est chargé, dans une communauté, de la garde et de la distribution du pain (1690), et quelquefois le boulanger à bord, sur un navire (1848). ◆ Son dérivé **PANETERIE** n. f. (1292), attesté après le latin médiéval *panetaria* (1050), a eu les sens correspondants d'«office du panetier» et de «boulangerie» (en italien *panetteria*) ; il est encore employé pour désigner le lieu où l'on conserve le pain et où on le distribue dans une communauté, en particulier le lieu où l'on dispose le pain sur les étagères dans les manutentions militaires (1832).

◈ voir APANAGE, COPAIN, COMPAGNON, PANADE, PANIER, PANIFIER, PASTEL.

✳ ① **PAIR, PAIRE** adj. et n. m., d'abord *peer* (980), *per* (1050), est issu du latin *par, paris* «égal» (en quantité, en dimensions, en valeur), substantivé pour désigner le compagnon, l'homme de même rang et, en latin médiéval, le vassal du même seigneur (856). *Par, paris* est d'origine obscure, en l'ab- ◈

PAIN : copain, pastel… et compagnie

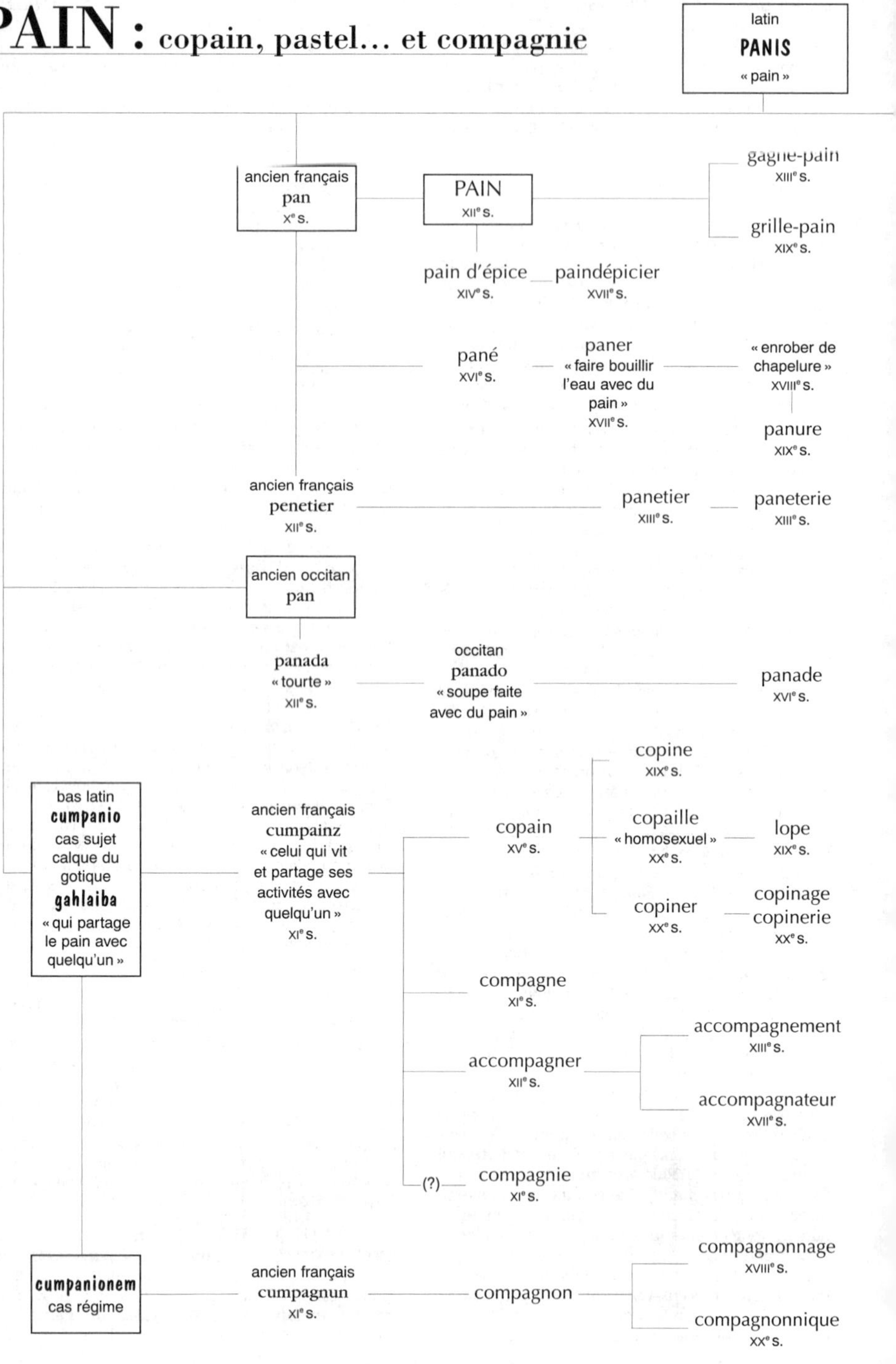

- latin médiéval **apanare**
  - ancien français **apaner** « donner sa part de nourriture à quelqu'un » Xe s.
    - apanage XIIIe s. — apanager XVe s. — apanagiste XVIIe s.
- **panarium** « corbeille à pain »
  - panier « corbeille servant à contenir et transporter des denrées » XIIe s.
    - panière XIIIe s.
    - panerée XIVe s.
- latin médiéval **panificare**
  - panifier XVIe s.
    - panification XVIIIe s.
    - panificateur XIXe s.
    - panifiable XIVe s.
- **pastillus** « petit pain »
  - bas latin **pastellum, -us**
    - italien ***pastello*** « petit gâteau », « bâtonnet de pâte colorée » XIVe s.
      - pastel « œuvre exécutée au pastel » XVIIe s. — « teinte douce » XXe s.
        - pastelliste XIXe s.
          - pasteller XIXe s. — pastelliser XIXe s.
  - avec influence de **pasta** « pâte »
  - latin populaire **pastella**
    - espagnol ***pastilla*** « pâte odorante » XVIe s.
      - pastille « petit morceau de pâte pharmaceutique » XVIe s.
        - pastillage XIXe s.
        - pastilleur XIXe s.
          - pastilleuse XXe s.
        - pastillette XXe s.

sence d'un terme indoeuropéen commun pour la notion d'égalité. Un rapport doit exister avec *pars* (→ part) et *parere* (→ parent). Avec une autre spécialisation de sens, le mot a donné ② *pair*.

♦ En tant qu'adjectif exprimant l'idée de similitude (980), l'adjectif français a été remplacé par *pareil* et *semblable*. Toutefois, cette idée subsiste dans quelques emplois substantivés en locutions : *sans per* (1170) a abouti à ***hors pair*** (1896) ; on emploie couramment la locution verbale ***aller de pair avec*** (1615 ; 1580, *du pair*). ➜ Dès le XIe s., *pair* s'est appliqué à une personne de même condition (1050), souvent en liaison avec *compagnon* (dès le XIIe s.) avec la locution ***de pair à compagnon*** (1668) «d'égal à égal», de nos jours désuète. Dans le contexte féodal, *La Chanson de Roland* (1080) appelle les douze vassaux de Charlemagne *les douze pairs* parce que, selon la légende, le souverain les considérait comme ses égaux. Le mot désigne les vassaux de même rang par rapport au suzerain (1080). ◇ Sous l'Ancien Régime, il s'applique à toute personne qui, possédant des terres érigées en pairies, en tirait un droit de séance au Parlement (1285, *per de France*). ➜ Au XVIIIe s., par emprunt à l'anglais *peer*, lui-même emprunté (1382) au moyen français *pair*, il a commencé à désigner le seigneur anglais ayant droit de séance et de suffrage à la Chambre haute du Parlement (1704) [voir ci-dessous *pairesse*]. Avec la Charte de 1814, le mot a été appliqué en France à un membre de la haute assemblée législative dite ***Chambre des pairs*** (1814, article 28 de la Charte). Parallèlement, depuis le XVIe s., *pair* n. m. était également employé dans un sens économique : il a d'abord désigné la valeur de change d'une monnaie (1578), prenant au XIXe s. son sens en Bourse (1835) et devenant au XXe s. un terme d'économie politique moderne. Avec cette valeur, il est entré dans la locution figurée ***être au pair*** (1835) «n'avoir pas d'arriérés dans ses obligations», d'où ***se mettre au pair*** (1875) «se mettre à jour» et ***au pair*** (1840) «sans autre rémunération que son logement et sa nourriture», devenu usuel dans *étudiant(e), jeune fille* ***au pair***.

▶ ① *Pair* a produit **PAIRIE** n. f., d'abord *perie* (1259) «tenure», puis «dignité de pair» (1291, *duché-perrie*) et par métonymie «domaine auquel ce titre était attaché» (fin XVe s.). ➜ **PAIRESSE** n. f. est emprunté (1698) à l'anglais *peeress* «femme d'un pair» et «femme titulaire d'un titre de pairie» (1689) par abréviation de *peeress on her own right* «femme possédant personnellement un titre de pairie par naissance ou par création du roi». Le mot est passé en français pour désigner l'épouse d'un membre de la Chambre des lords, puis une femme possédant le titre de pair (1708). Depuis 1832, il est appliqué à une réalité française, désignant la femme d'un pair de France.

② **PAIR** adj. et n. m. est issu (1080) du même mot latin *par, paris* «égal, pareil» (→ pareil), souvent associé à *aequalis* (→ égal) et employé spécialement à propos d'objets qui vont par deux. ➜ Le mot a d'abord exprimé le sens de «semblable», aujourd'hui réservé à *pareil*, avant de se limiter à celui de «divisible par deux» (étymologiquement : «formé de deux nombres entiers semblables»), par opposition à *impair* (ci-dessous). ◇ *Pair* se dit spécialement en mathématiques d'une fonction dont la valeur reste inchangée quand les variables changent de signe (XXe s.). En relation avec *paire**, il a pris le sens particulier de «qui existe au nombre de deux» en anatomie (1845) ; il se dit techniquement d'un train qui circule vers l'origine de la ligne (XXe s.). ◇ Il est substantivé au masculin comme ancien nom d'un jeu de dés *per ou nonper* (1288) et, par ellipse de *nombre, numéro pair*. ➜ Il a produit **PAIREMENT** adv., d'abord sous la graphie *perment* (v. 1120) au sens ancien d'«également», puis sous sa forme actuelle (1582) en arithmétique, où il entre dans l'expression *nombre pairement pair* «divisible par quatre». ➜ Récemment, *pair* a produit le terme technique **PAIRAGE** n. m. (1961) qui désigne le groupement de deux fils parallèles en tissage et s'emploie à propos d'un défaut d'entrelacement pour les lignes des trames d'une télévision (1963).

① **IMPAIR, AIRE** adj. apparu sous la forme latine *impar* (1484), puis refait d'après *pair* (1521), est un emprunt au latin *impar*, adj. et n. m., «inégal», «dissemblable» et «qui n'est pas pair». Le mot est formé de *im-* (→ ① in-) et de *par* (→ ① pair) auquel il sert d'antonyme. On disait en ancien français *non per*. ➜ L'adjectif est introduit en arithmétique comme contraire de *pair (nombre impair)*, d'où son emploi dans les jeux, également comme nom (1765), spécialement dans la locution ***faire un double impair*** qui, dans le jeu de pair et impair, signifie «prendre deux fois de suite l'impair, par erreur, imprudence» (ci-dessous ② impair). Par extension du premier sens, l'adjectif signifie «qui porte un numéro impair», par exemple dans *années impaires* (1798), *vers impairs* en poésie, *rythme impair* en musique ; il s'emploie ensuite en sciences naturelles au sens de «qui n'a pas de double symétrique» (1805, Cuvier, *muscle impair*) et en botanique (1811, *foliole impaire*).

Depuis le milieu du XIXe s. (1858, É. Augier), ② **IMPAIR** n. m. désigne une maladresse choquante ; cet emploi vient probablement de la locution *faire un double impair* (ci-dessus) ; cependant Esnault la fait provenir de *pair* «juste, franc», sens tiré de la locution *parler pair* «sans équivoque», attestée en 1762.

APPARIER v. tr. recouvre sous un même mot le dérivé de ① *pair* (1180-1200, *s'aparer à*) et celui de *paire**, en raison des nombreuses interférences de sens intervenues entre les deux séries. La forme du mot, anciennement *apairier*, a été latinisée en *appariare* dans *se appariare* en parlant d'époux qui s'unissent, s'assortissent (1162 dans un contrat de mariage), puis refrancisée en *apparier*. ➜ Le verbe, en ancien français, a signifié «égaler, mettre au même niveau», d'où «comparer, assimiler à» (1559). Ce sens s'est mêlé à celui de «mettre par paire», apparu au XIIIe s., autrefois en parlant de personnes unies par les liens du mariage (sens plaisant ou péjoratif depuis le XVIIIe s.), de nos jours en parlant d'objets (XIIIe-XIVe s.) ou d'animaux, spécialement d'oiseaux accouplés pour la reproduction (1492 à la forme pronominale).

Les dérivés du verbe remontent à la seconde moitié du XVIe siècle. ➜ **APPARIEMENT** n. m. (1577) exprime l'action de mettre par couple, par paire et, par métonymie, décrit l'état qui en résulte. ◆ **APPARIEUR, IEUSE** n. m. et adj. (1580), spécialisé avec un sens très voisin d'«entremetteur», est rare mais conservé par la plupart des dictionnaires généraux pour ses emplois plaisants, le plus souvent dépréciatifs.

◈ voir COMPARER, DISPARITÉ, IMPARI-, PAIRE, ① PARAGE, PARIER, PARITÉ (et IMPARITÉ).

PAIRE n. f. est issu (1160) du latin populaire *paria,* neutre pluriel pris comme féminin singulier de *par* «ensemble de deux choses égales, pareilles», neutre substantivé de l'adjectif *par, paris* «égal, pareil» (→ ① pair).

♦ Le mot désigne deux choses de même espèce qui vont nécessairement ou ordinairement ensemble, un objet unique qui présente deux pièces ou deux parties symétriques (fin XIVe s., *paire d'esperons*). En ce sens, il a servi à former la locution figurée usuelle ***une autre paire de manches*** (1611) [cf. *manche*]. ◇ En moyen français, *paire* a commencé à s'appliquer aussi à deux personnes unies par l'affection ou par une similitude d'état (1456-1467), entrant dans la locution proverbiale ***les deux font la paire*** (1690). Il est également employé à propos d'un couple destiné à la reproduction (1690). ◇ Depuis le XVIIe s. (attesté 1680), il se dit de deux choses identiques et symétriques qui se présentent naturellement par deux chez un être, comme *une paire de mains* (1690). Il a donné lieu à la locution argotique *se payer une paire de pattes* (1866), disparue au profit de ***se faire la paire*** (1883) «s'enfuir». ◇ Enfin, il a reçu quelques acceptions spéciales au XXe s. en électronique, en physique, dans les sciences de la terre et en linguistique pour un ensemble de deux traits pertinents incompatibles (1972).

▸ On peut considérer *apparier* comme son dérivé à part égale avec *pair* (→ ① pair).

◈ voir PARIER.

PAISIBLE → PAIX

✳ **PAÎTRE** v. tr. est issu (1050) du latin *pascere* «nourrir, engraisser», au figuré «développer, réjouir» et plus spécialement, le sens de «nourrir» étant réservé à *alere,* «faire pâturer les troupeaux» et «pâturer», en emploi transitif et absolu. Le mot appartient à une racine indoeuropéenne °*pāt-* ou °*pət-* «nourrir», représentée dans le gotique *fodjan,* le grec *pateisthai* «manger».

♦ En ancien français, le mot s'est d'abord écrit *peistre, pestre, petre* puis *paistre* (*paître* dans l'usage moderne). Il a eu le sens transitif de «nourrir (qqn)», au propre et, surtout en locutions, au figuré, aujourd'hui plus usuel dans le composé *repaître.* L'usage moderne, qui s'est établi au cours du XIIe s., le réserve aux animaux, non plus avec le sens transitif de «faire brouter» (1160) et «conduire au pâturage» (1200) mais avec celui de «brouter l'herbe sur pied» (v. 1120). ◇ Le verbe est employé dans la construction factitive ***mener paître*** (v. 1278) et ***faire paître,*** développant de bonne heure la valeur figurée d'«attirer par des promesses illusoires» (1174-1176), «tromper» (1178). On emploie familièrement ***envoyer paître*** (1461, Villon) avec le sens de «chasser, renvoyer», la variante *chasser paître* (1456-1467) ayant disparu. ◆ Quant à l'ancien pronominal *se paistre* «se nourrir», pour un humain (1155) et pour un animal (v. 1278), il s'est effacé au profit de *se repaître.*

▸ De *paître* sont dérivés **PAISSANT, ANTE** adj. (1544) et **PAISSANCE** n. f., vieilli avec son sens premier de «pâture» (fin XIIIe s.), mais repris comme terme de droit forestier (1877). ◆ Ce que paissent les animaux était appelé **PAISSON** n. m. (av. 1250), mot issu du latin *pastio, -onis* «pâture», mais surtout réservé au pâturage des porcs en forêt pour consommer le gland et la faîne (1261).

Le préfixé **REPAÎTRE** (1180) a continué à se dire à la fois des animaux et des hommes : s'il a vieilli avec son sens transitif de «nourrir, restaurer» et son sens intransitif de «prendre de la nourriture au cours d'un déplacement» (1395), il reste usité au sens figuré de «rassasier» au moins dans le style littéraire *(repaître des yeux).* Il est même relativement courant à la forme pronominale *se repaître* (XIIe s.), notamment, en parlant d'une personne, avec la nuance «se délecter de» (XVIIe s.). ◆ Le féminin de son participe passé *repu,* **REPUE** n. f., a été substantivé (1342, *repehue*) pour désigner la nourriture prise par les chevaux au cours d'une halte et le fait de manger, de se repaître. On appelait ainsi *franche repue* le repas qu'on se procurait par ruse sans bourse délier. Ce substantif a été éliminé par *repas**, mot de la même famille.

◈ voir PACAGE, PÂTURE.

PAIX n. f. est issu, sous la forme *pais* (apr. 950) devenue *paix* par adjonction du *-x* étymologique, du latin *pax, pacis* «fait de passer une convention entre deux parties belligérantes», l'état de paix en résultant se disant plutôt *otium* (→ oiseux). Le mot est aussi personnifié comme nom de la divinité qui préside à la paix ; il possède quelques sens dérivés, tels qu'«agrément d'une convention ou d'une demande», «bienveillance». Il entre avec un sens affaibli dans les formules de politesse *pace tua* «avec ta bienveillance», donc «avec ta permission». ◇ *Pax* appartient à une racine indoeuropéenne °*pak-* «fixer par une convention», alternant avec °*pag-* qui désigne surtout un acte physique, racine qui est représentée dans un important groupe de mots latins (voir ci-dessous).

♦ *Paix* désigne la concorde, la tranquillité régnant dans les rapports entre deux ou plusieurs personnes, et fournit des locutions comme ***en paix*** (1160-1174) ainsi que des syntagmes, tel ***juge de paix*** (1688). ◇ Il se dit aussi des rapports calmes entre concitoyens, de l'absence de troubles (1080), et de la situation d'un État qui n'est pas en guerre (1080). Ce sens est devenu le principal du mot. Il entre dans l'expression ***paix armée*** (1835 chez Stendhal), périmée après 1945, où l'on parle d'*équilibre de la terreur.* Par opposition à l'état de guerre, il a pu désigner la trêve en ancien français (1200). Par métonymie, il s'applique à un traité de paix (1317) — *une paix, la paix de...,* concurremment avec le syntagme *traité de paix* (1439). ◇ Il est employé par le langage religieux pour désigner la concorde préconisée par la religion, dans *se donner la paix* (1200, *doner la paix*) par calque du latin chrétien *pacem dare*, dans ***baiser de paix*** (1690), et par métonymie s'applique à la patène que le prêtre donne à baiser aux fidèles à la fin de la messe (1306). ◆ Dès le XIe s., *paix* désigne également un état intérieur, d'abord dans un contexte religieux (1050), puis à propos du sentiment de calme que procure une situation (1160-1174), notamment dans plusieurs locutions courantes, telles ***être en paix*** (déb. XIIe s.) «rester tranquille» et ***laisser en paix*** (1165-1170). ◇ Par transfert métonymique, il correspond au caractère d'un lieu, d'un moment où il n'y a ni bruit ni agitation (1779).

▸ **PAISIBLE** adj. est dérivé (v. 1112) de *pais*, ancienne forme de *paix**, au moyen du suffixe *-ible*. ◇ Avant la fin du XIIIe s., le mot présente toute la gamme de ses emplois actuels : il s'applique à un élément (déb. XIIe s., *mer paisible*), à un endroit où règne la paix (1155), à un caractère, un sentiment doux, sans agitation (1176) et à une personne qui aime la tranquillité (1155). À partir du XIIIe s., il se dit d'une chose que rien ne perturbe (v. 1278, *songe paisible*) et d'une personne qui exprime le calme (1200). Il est spécialement employé en droit dans les expressions *paisible possession* (1271), puis *paisible possesseur* «non troublé dans la jouissance de son bien» (1507). ◆ En sont dérivés **PAISIBLEMENT** adv. (v. 1120) et, bien plus tard, **PAISIBILITÉ** n. f. (1804) «caractère paisible», d'usage rare et littéraire.

Paix a servi à former **APAISER** v. tr. (1160-1174), d'abord attesté pour «faire la paix», sens encore en usage en 1532, puis avec les valeurs modernes de «faire cesser une chose par la paix» (1167), au pronominal *s'apaiser* «devenir calme» (1165-1170), et aussi, dès 1240, «calmer (une personne)». ◇ On en a tiré **APAISEMENT** n. m. (1120) par exemple dans *donner tous apaisements* (v. 1925), «des assurances». ◇ **APAISANT, ANTE** adj. (1896) se dit de ce qui calme, apaise.

Le latinisme **IN PACE** n. m. (1440) est extrait de l'expression latine *vade in pace*, littéralement «va en paix», réduite à *in pace*, que l'on prononçait dans les couvents après la fermeture du cachot où l'on avait mis les condamnés. En français, on relève d'abord l'expression *mettre in pace* «enfermer (qqn) à perpétuité dans un couvent», puis *un in pace* désigne la prison perpétuelle dans laquelle on enfermait les religieux coupables d'une grave faute (1690). C'est l'équivalent ecclésiastique des *oubliettes* féodales. Par analogie, le mot est employé avec le sens de «geôle» et le sens figuré de «lieu retiré, vie retirée», dans un style littéraire.

◈ voir COMPACT, IMPACT, PACTE, ② PAGE, PAÏEN, PAL, PAYS, PELLE, PIEU, PROPAGER.

PAL n. m. est un emprunt ancien (av. 1100) au latin *palus* «poteau, échalas, pilori» (→ pieu), à rattacher à *pala* (→ pale, pelle) et au groupe de *pangere* «ficher, enfoncer, planter» (→ païen).

♦ *Pal* désigne un pieu, un poteau ; il est particulièrement employé (av. 1549) à propos d'un instrument de torture enfoncé par l'anus, et, par métonymie, pour ce supplice, souvent par allusion à son emploi en Orient. ◇ Il est entré dans le vocabulaire de l'héraldique pour désigner le pieu qui divise l'écu de haut en bas (1297) et, au XIXe s., a pris une acception technique en agriculture à propos d'un outil de fer qui sert de plantoir pour la vigne (1803), et entre dans *pal distributeur* (1877) ou *pal injecteur* (1890), noms de l'outil qui injecte dans le sol des engrais et des insecticides.

▸ Il a produit ses dérivés au XIIIe siècle. ◆ **EMPALER** v. tr. (1265) «mettre entre des poteaux», sens disparu, et «percer d'un pieu», a développé le sens particulier de «faire subir le supplice du pal» (1515), d'où *s'empaler* «tomber sur un objet pointu». ◇ Ce verbe a donné **EMPALEMENT** n. m. (1584) et **EMPALEUR, EUSE** n. (av. 1661), rare avant 1868-1908, époque où Coppée le reprend et l'applique au comte roumain Drakul, modèle du personnage vampirique de Dracula, effectivement responsable de nombreux empalements. ◆ *Pal* a aussi donné **PALÉ, ÉE** adj. (1280), **CONTRE-PAL** n. m. (1551) et **CONTRE-PALÉ, ÉE** adj. (1671), employés en héraldique, ainsi que **PALÉE** n. f. (1296) «rang de pieux enfoncés dans la terre de façon à former une digue ou à soutenir des ouvrages de terre, de maçonnerie». ◆ Ultérieurement, *pal* a fourni le premier élément de **PALPLANCHE** n. f. (1729), formé avec *planche** pour désigner le madrier taillé en pointe que l'on enfonce entre les pilotis de manière à former un encaissement dans l'eau. De nos jours, ce terme ne s'emploie guère que pour désigner une planche irrégulière affûtée par un bout (1832).

◈ voir PALONNIER.

PALABRE n. f. ou m. est emprunté (1604) à l'espagnol *palabra* «parole» et «mot», issu de l'ancien provençal *palabla* provenant lui-même du latin *parabola* (→ parabole).

♦ Le mot français, qui signifie particulièrement «parole grandiloquente», semble rare avant le XVIIIe s. où il est réemprunté avec le sens particulier de «discours (long et incompréhensible pour l'Européen) d'un Africain» (1728), dans le contexte du commerce entre Africains et Français, qui succède aux relations commerciales des Espagnols. C'est alors un terme de relations, que le dictionnaire de Trévoux répertorie comme nom féminin pluriel désignant les petits présents faits aux rois noirs par les commerçants européens (1752) [cf. *pacotille*] pour obtenir des avantages beaucoup plus considérables. ◇ Par métonymie, le mot s'est appliqué à la conférence au cours de laquelle on offrait ces présents (1842). ◆ Il s'emploie aujourd'hui en français d'Afrique avec le sens d'«échange de propos, assemblée coutumière des hommes», sans aucune des connotations péjoratives ou ironiques qu'il a en français européen. On le trouve notamment dans les syntagmes *arbre à palabres, case à palabres*. ◇ Au cours du XIXe s., *palabre* avait en effet commencé à s'appliquer à une réalité française, au sens de «discours long et inutile» (1832), généralement au pluriel et de plus en plus souvent au masculin sous l'influence de *discours, entretien*.

▸ Son dérivé **PALABRER** v. (1842) est passé du sens de «tenir des palabres à la manière des Africains» au sens moderne plus général de «tenir des propos longs et ennuyeux» (1903). Depuis 1920 (Proust), il est employé avec la préposition *de* au sens de «discourir interminablement au sujet de». ◆ Il a lui-même donné **PALABREUR, EUSE** n. et adj. (1914), attesté une première fois en 1611 au sens de «bavard, grand parleur» comme dérivé de *palabre*. ◆ Ces dérivés de *palabre* ont en français d'Afrique la valeur neutre de «discuter au cours de l'assemblée coutumière» et «membre de cette assemblée».

◈ voir **PARABOLE, PAROLE.**

PALACE n. m. est un emprunt du début du siècle (1903) à l'anglais *palace* «palais, demeure luxueuse», lui-même emprunté (1290, *paleys*) à l'ancien français *paleis, palais**. En anglais, le mot est employé depuis 1834 en apposition à des noms d'établissements commerciaux spacieux et de bon goût, avec l'idée de grand luxe : *gin-palace, coffee-palace,* etc. Dès 1854, G. de Nerval cite *gin-palace,* qu'il traduit «palais de genièvre», en parlant des nuits de Londres. C'est aux États-Unis qu'a été créé le composé *palace hotel* (1884), dans lequel *palace* fait fonction d'épithète, et qui a été précédé par *palace car* «wagon palais».

♦ C'est d'ailleurs dans le récit d'un voyageur français que *palace car* apparaît pour la première fois (1868); quelques années plus tard (1881), un autre voyageur français emploie *palace* en apposition pour traduire *palace car* par *wagon palace.* ◇ Mais ce n'est qu'en 1903 qu'apparaît le nom *palace* désignant un hôtel luxueux. L'entrée du mot en français est liée à la grande fréquentation de la Côte d'Azur par de riches Anglais, l'expression *Palace Hotel* étant passée en français comme nom propre. L'emploi de **PALACE** comme adjectif avec le sens de «luxueux, riche» (1916, Barbusse) est probablement dû à un croisement avec l'ancien mot argotique **PALAS,** qui se disait d'une réclame, d'un boniment (1827) et qualifiait une chose superbe, belle (1881). Ce mot, écrit *Pallas* dans ses premières attestations, est d'origine incertaine. Évoquer la déesse *Pallas* pour un mot argotique ne paraît pas pertinent. Wartburg voit plutôt dans *palas* une formation du français, peut-être un représentant du latin *palam* «manifestement».

PALADIN n. m. est emprunté (1512) à l'italien *paladino,* attesté comme adjectif depuis le XIIIe s. pour «digne d'un chevalier» et comme nom (av. 1348) au sens de «pair de France» à propos des douze pairs de Charlemagne. Dante l'emploie dans son *Paradis* (1317-1321) au sens de «personnage valeureux». Le mot italien est un emprunt au français *palatin**, par la *Geste Francor,* texte franco-italien du XIIIe s.

♦ Il est repassé en français comme adjectif *(grâce palladine),* au XVIe siècle. Ronsard l'a repris comme nom (1552) au sens de «chevalier (héros de roman, d'épopée)» à l'italien *paladino,* mot employé par l'Arioste (1532, *Orlando furioso*) pour désigner les pairs de Charlemagne. En 1578, l'auteur de *La Galliade* l'emploie également en référence à l'Arioste «qui chante la vaillance, les fureurs, les amours des Palladins de France». ◇ Par extension, le mot se dit d'un homme très brave, animé de sentiments généreux et chevaleresques (1606), quelquefois ironiquement et toujours dans l'usage soutenu.

① **PALAIS** n. m., d'abord *paleis* (1050), est issu du latin *palatium* qui désigne proprement le mont *Palatin,* l'une des sept collines de Rome. Par métonymie, le mot s'est appliqué à la demeure impériale d'Auguste, construite sur le Palatin, et, par suite, à tous les palais impériaux, y compris ceux qui étaient situés hors de Rome, puis aux palais des gouverneurs (→ ② palais).

♦ Le mot désigne d'abord la demeure vaste et luxueuse d'un personnage important, en particulier la résidence d'un souverain (1140). Traditionnellement, il s'oppose à *château,* dont la fonction obéit davantage à un besoin de protection. Cependant, la distinction n'est pas toujours pertinente et le palais, malgré le déploiement ostentatoire de son luxe architectural, conserve un aspect fonctionnel, car il sert de lieu de résidence au responsable de la vie civique ou religieuse, et de centre administratif au pouvoir. Une certaine confusion entre *palais* et *château* vient de ce que, au moyen âge, les rois de France avaient une demeure appelée *palais* dans l'île de la Cité. L'abandon de cette résidence par Charles V, couronné roi en 1364, a occasionné une ambiguïté lorsqu'il s'est installé à l'*hôtel* Saint-Pol et qu'il a aménagé le *château* du Louvre. Plus tard, Saint-Simon parle de Versailles à la fois comme d'un *château* et d'un *palais.* Inversement, au XVIIe s., sous l'influence de *palazzo,* correspondant italien de *palais,* le mot s'applique à la demeure d'un ministre : Richelieu fait bâtir le *Palais-Cardinal* qui devient le ***Palais Royal*** quand Anne d'Autriche s'y installe. Par métonymie, le mot sert à désigner l'ensemble des personnes qui y habitent (1674). ◇ À partir du XVe s., *palais* désigne aussi l'édifice où siègent les différents tribunaux d'une ville (1461); à Paris, l'appellation ***Palais de Justice*** s'explique historiquement par le fait que le premier Parlement, issu du morcellement sous Louis XI de la *Curia regis,* siégeait dans le Palais Royal de la Cité qui lui fut totalement cédé en 1431. En français classique, *en termes de palais* signifie «en termes de droit». ◇ À partir du XVIIIe s. (1759), le mot est employé en parlant d'un vaste bâtiment d'intérêt général; il sert notamment à nommer, au XIXe s., les grands halls d'exposition industrielle ou artistique (*Grand Palais* et *Petit Palais* à Paris, 1897-1900). Au XXe s., il fournit l'appellation d'établissements divers *(palais de l'Otan, de l'Unesco, palais des Sports, palais des Congrès),* son usage marquant souvent la volonté de solenniser les grands établissements populaires, tels que stades et vélodromes. ◇ Un usage commercial emphatique aboutit par ailleurs aux nombreux *palais de la bière,* etc., à la mode naguère.

▸ Par dérivation savante, *palais* a donné **PALATIAL, ALE, AUX** au sens ancien d'«appartenant au palais de justice» (1687). Dans ses *Remarques sur la langue françoise* (tome II), Vaugelas écrit que «*ses père et mère* est une phrase palatiale», c'est-à-dire «de style juridique». Dans l'usage moderne, le mot signifie seulement «qui appartient à un palais, qui en présente les proportions, le caractère de grandeur» (1879).

◈ voir **PALACE**, ① **PALATIN**.

◈ ② **PALAIS** n. m., terme d'anatomie, est issu (v. 1120) de °*palatium*, mot du latin tardif du domaine gallo-roman, altération du latin de même sens *palatum*, sous l'influence de *palatium* qui a donné ① *palais**. Ce *palatum*, également employé par Ennius à propos de la voûte céleste *(caeli palatum)*, signifiait par métonymie «goût», le palais étant considéré comme le siège du goût. Il s'agit d'un mot d'origine obscure, peut-être étrusque (Festus le rapproche de l'étrusque *falad* «ciel»).

♦ Le mot désigne la partie supérieure de la bouche et, par métonymie, le sens du goût (1220), voire la personne qui possède ce sens (généralement avec une épithète : *c'est un palais délicat*...).

► ② **PALATIN, INE** adj. et n., terme d'anatomie, est le dérivé savant (1611) du latin *palatum* avec le suffixe *-in* (l'anglais a *palatine* depuis 1656). L'adjectif qualifie ce qui concerne le palais et plus particulièrement un os du palais (1762). ◇ Par ellipse d'*os* ou d'*artère*, il est employé comme nom (1868). ◇ Le rôle joué par le palais dans l'articulation de certains phonèmes est à l'origine de quelques termes de phonétique. ◆ Ainsi, **PALATAL, ALE, AUX** adj. (av. 1723) a été formé sur le latin *palatum* au moyen du suffixe *-al* pour qualifier un phonème dont l'articulation se fait au niveau du palais. L'adjectif n'a pas vécu avec le sens particulier de «relatif au palais comme siège du goût» (1825), mais il est passé dans le vocabulaire de l'anatomie (1924). Son féminin est substantivé (1835) par ellipse de *consonne, voyelle palatale (une palatale)*. ◆ Les termes de phonétique **PALATALISER** v. tr. et **PALATALISATION** n. f. sont tous deux relevés pour la première fois en 1890 dans une traduction d'un texte du linguiste allemand Meyer-Lübke qui emploie *palatalisieren* et *Palatalisierung* (l'anglais possède *to palatalize* dès 1867 et *palatalization* dès 1863). ◆ Ont suivi **DÉPALATALISER** v. tr., **DÉPALATALISATION** n. f., **MÉDIOPALATAL, PRÉPALATAL, POSTPALATAL, ALE, AUX** adj.

PALAN n. m., d'abord *palenc* (1573), est un emprunt à l'italien *palanco*, issu du latin populaire °*palanca*, du latin classique *palanga*. Ce dernier est emprunté au grec *phâlanga*, désignant l'un des rouleaux de bois sur lesquels on faisait avancer de lourds fardeaux.

◆ Le mot désigne un appareil de levage comportant un mécanisme démultiplicateur (poulie, moufle...).

PALANGRE n. f. est un empruint (attesté 1765) au provençal. Il représente probablement le latin populaire °*palangrum*, altération de *panagrum*, emprunt au grec *panagros* «qui peut attraper toutes les proies»; de *pan-* (→ pan-, panto-) et *agros* «proie».

♦ Ce terme de pêche désigne une ligne de fond à laquelle sont fixées de petites lignes munies d'hameçons.

► Les dérivés **PALANGRER** v. intr. (1769) et **PALANGRIER** n. m. (1769) semblent plus rares que **PALANGROTTE** n. f. «petite palangre», mot régional.

PALANQUIN n. m. est emprunté (1610) au portugais *palanquim* «litière portée à bras d'homme, surtout dans les pays orientaux» (1545), d'abord attesté sous la forme *palanque* (1535). Ce mot est emprunté à l'indo-aryen *pālakī*, emprunt au sanskrit *palyaṅka, paryaṅk*. On signale en français la forme *planchin* (1571), adaptation d'après *planche** (italien *palanca*) de l'italien *palanchino*, lui-même emprunté au portugais.

♦ La forme *pallanquin*, transmise par des textes néerlandais et latins, l'a cédé à *palanquin* (1611), directement emprunté au portugais. ◇ Le mot désigne une litière portée à bras d'hommes dans les pays orientaux et, par extension, l'abri léger que l'on pose sur le dos de chameaux et d'éléphants (1833).

① **PALATIN, PALATINE** adj. et n. est emprunté (1256) au latin médiéval *palatinus* «qui a certaines charges dans le palais du souverain (en parlant du comte)» (IXe s.), substantivé au masculin (XIe-XIIe s.) et au féminin *palatina* (XIIe s.) pour désigner le comte et la comtesse du palais. Le mot existait en latin classique et signifiait «officier du palais impérial» (n.) ou qualifiait ce qui se rapportait au palais impérial (adj.), par spécialisation du sens propre, «du mont Palatin», de *palatium* (→ ① palais).

♦ La forme empruntée a évincé *palaïen, palasin* issus par voie orale de *palatinus*, la dernière avec influence de l'*s* de *palais*. Le mot est un terme d'histoire qualifiant un seigneur doté d'une résidence ayant le titre de palais et où il rendait la justice. Il est employé dans le contexte du Saint Empire romain germanique à propos du personnage qui exerçait sa souveraineté sur une circonscription ayant le titre de palatinat (1265). À partir de 1356, *palatin* qualifie spécialement l'un des sept princes électeurs exerçant sa souveraineté sur le Palatinat; puis il est substantivé (av. 1615) pour désigner le seigneur du Saint Empire qui jouait le rôle de conseiller de l'Empereur. ◇ Il s'est également dit d'un seigneur titulaire d'une charge ou d'un office dans le palais d'un souverain, au féminin *palatine* (1306), puis au masculin (1384) et également en emploi adjectif (1595). ◇ Le titre de *princesse Palatine* (1685) fut notamment celui d'Anne de Gonzague de Clèves (1616-1684) [voir ci-dessous] et celui de Charlotte-Élisabeth de Bavière (1652-1722), femme de Philippe d'Orléans et belle-sœur de Louis XIV. ◆ Le sens didactique de **PALATIN, INE** adj. «relatif à un palais», «qui appartient à un palais» est apparu le dernier (1842), d'abord chez V. Hugo à propos du palais des comtes palatins du Rhin.

► De *palatin* est dérivé **PALATINAT** n. m. (1567), terme d'histoire désignant à la fois le territoire soumis à l'autorité d'un comte palatin et la dignité de comte palatin (1607). ◆ **PALATINE** n. f., terme d'histoire du costume, est issu (1680) du nom de la princesse *Palatine*, Anne de Gonzague, qui mit à la mode une fourrure couvrant le cou et les épaules des femmes. ◇ Par analogie, le mot sert à désigner un ornement en réseau, en filet, en dentelle, que les femmes portent autour du cou.

② **PALATIN** → ② PALAIS

✻ **PALE** n. f. (1360-1370) est probablement une variante d'origine dialectale du provençal *pale* «pelle» (déb. XIIIe s.) ou d'un parler de l'Ouest. Ce sont des variantes de *pele,* forme ancienne de *pelle**.

♦ Le mot a longtemps désigné la rame d'un bateau, avant de se limiter à la partie de la rame qui agit sur l'eau (1702). Au XIXe s., il a commencé à s'appliquer à la petite planchette de l'extrémité de chacun des bras d'une roue de bateau ou de moulin à eau (1845) et à la partie d'une hélice agissant sur l'air (1913), aussi dans *pale d'hélice,* d'où les préfixés **BIPALE** et **TRIPALE** adj. (attestés 1960). ◇ Avec une autre fonction, *pale* signifie aussi «vanne d'écluse, de réservoir» (apr. 1450).

► Son diminutif **PALETTE** n. f. (1375), d'abord relevé avec le sens technique de «serre», a acquis plusieurs emplois encore usités, désignant un instrument plat sur lequel on peut poser divers objets (1380), la petite raquette de bois servant à jouer au volant (1553) et l'aube d'une roue de moulin (1685). Plus récemment, il désigne le petit instrument appelé *palette de tireur* (1903) et servant à indiquer les points d'impact dans une cible. *Palette* est devenu usuel à propos du plateau de rangement et de chargement permettant la manutention automatique des marchandises (1958) [cf. ci-dessous *palettiser*]. ➛ Parallèlement, il a dès le XIVe s. une spécialisation de sens en anatomie, celle de «rotule» (1375). Par suite, il désigne l'omoplate (1611), mais ce sens a vieilli sauf en boucherie (attesté 1932). ➛ Par analogie de forme avec une omoplate, il a pris le sens de «plaque de bois ovale sur laquelle le peintre dépose et mélange ses couleurs» (1621), s'appliquant par métonymie à la gamme des couleurs utilisée par un peintre et caractérisant sa manière (1733, Voltaire). ➛ Au XIXe s., il est passé en argot pour désigner la main (1828-1829), et dans l'usage populaire pour désigner une grande dent (1834, Balzac). ➛ *Palette* a produit quelques dérivés techniques : **PALETTER** v. tr. (1767), utilisé en pêche au sens d'«aplatir l'extrémité de l'hameçon», le récent **PALETTISER** v. tr. (1969), fait d'après l'anglais *to palletize* «mettre une marchandise sur palette», et les dérivés de ce dernier, **PALETTISATION** n. f. et **PALETTISABLE** adj. (1973). ➛ Avec son sens familier de «main», *palette* a donné ① **PALUCHE** n. f., d'abord attesté dans l'argot des soldats (1940) où l'expression *faire lever les paluches* (1946) faisait allusion au salut hitlérien. ◇ Le dérivé **SE PALUCHER** v. pron. «se masturber» a un déverbal ② **PALUCHE** n. f. «masturbation».

Pale a produit **PALERON** n. m. (1250), mot qui a eu avant *palette* le sens d'«omoplate», avant de se réserver comme terme d'anatomie animale (1680) et de désigner, en boucherie, une partie du bœuf, du porc, située près de l'omoplate.

Pale est aussi à l'origine du diminutif de genre masculin **PALET** n. m. (1306), spécialisé comme terme de jeux pour désigner la pierre plate et ronde avec laquelle on vise un but marqué, et, par métonymie, un jeu (1534, Rabelais). C'est aussi un terme d'antiquité gréco-romaine qui concurrence *disque* (1690).

EMPALEMENT n. m. est composé de *pale* «vanne d'une écluse» avec le préfixe *en-* et le suffixe *-ment,* d'abord sous la forme *empellement* (1584), repris en 1704 sous la forme *empallement,* puis *empalement.* ➛ Ce mot, qui désigne la vanne d'un moulin, d'une usine, a un homonyme dérivé de *empaler,* de *pal.*

PÂLE adj. est emprunté (1080) au latin *pallidus* «de couleur jaune ou peu marquée», dérivé de *pallere* «être pâle ou jaune clair», pour qualifier des populations au teint foncé et, par suite, des objets jaunes (l'or, certaines fleurs). Le double *l* du latin appartient à la série des géminées expressives (de même que, probablement, le grec *pellos* «sombre, grisâtre»). La famille de ce mot, qui indique une nuance de couleur de faible intensité, du «bleu», du «bleu pâle» et du «gris», est largement représentée dans l'aire indoeuropéenne. Le latin même n'a guère que *palombes* (→ palombe) et *pullus* «brun foncé, noir» (qui n'est pas représenté dans les langues romanes), mais le vieux slave a *plavŭ,* le lituanien *pal̃vas* «pâle, jaune clair», l'ancien haut allemand *falo* «pâle, livide», le grec *pelios* «gris blanc (en parlant de vagues ou de poils blancs)».

♦ Dès ses premières attestations, *pâle* a sa valeur moderne de «blanc, peu coloré», en particulier en parlant de la peau du visage et du corps. ***Les pâles couleurs*** désignait la chlorose (1538), et ***Visages pâles*** les Blancs du point de vue des Indiens d'Amérique dans les romans d'aventures (1855, Mérimée), probablement d'après l'anglais *pale face.* ◇ Ce n'est que depuis le XVIIe s. que l'adjectif est également employé pour qualifier une lumière sans éclat (1639), un coloris peu vif ou mêlé de blanc (1690). ◇ Ultérieurement, il a développé le sens figuré de «sans attrait, fade, sans caractère» (1807, en parlant de l'avenir). ◇ Une spécialisation de sens, «sans couleur, blême», se manifeste dans la locution familière ***se faire porter pâle,*** d'abord employée dans l'armée (1900).

► *Pâle* a donné **PÂLEUR** n. f. (v. 1120) sur le modèle du latin *pallor* «couleur jaune pâle», d'où «couleur pâle, blême du visage», dérivé de *pallere.* Le mot est d'abord employé dans l'expression *pallor d'or* à propos de la couleur jaune de l'or, en référence au latin *in pallore auri.* Il a pris dès l'ancien français le sens moderne de «couleur, aspect d'une personne au teint pâle» (1200). Comme l'adjectif, il a développé plus tard les sens de «couleur pâle (d'une chose)» (1794) et, au figuré, de «manque d'éclat, d'originalité» (1869). ➛ **PÂLIR** v. (1160) est employé dès les premières attestations à la fois comme intransitif, pour «devenir pâle», et comme transitif, pour «rendre pâle» (1160-1174). À partir du XVIe s., le verbe a commencé à s'employer à propos d'un astre qui perd son éclat (1557) et, au XIXe s., d'une couleur qui perd son éclat (1835). Un sens figuré, «perdre de son rayonnement, de son prestige» (1821), était déjà en germe au XVIIe s. dans la locution métaphorique ***son étoile pâlit*** (1676). ◇ *Pâlir* a produit **PÂLISSANT, ANTE** adj. (fin XIIe s.) et **PÂLISSEMENT** n. m. (1505). ➛ Quant à son préfixé

APÂLIR ou **APPALIR** v. (1170-1171), il ne s'est pas maintenu au-delà du début du XVIIe s., ni avec le sens de «devenir pâle», ni avec celui de «rendre pâle» (1295). Toutefois, le verbe est repris dans le dictionnaire de P. Larousse au XIXe s. et il semble avoir été en faveur chez les symbolistes de la fin du XIXe s. (*s'appâlir*, 1896, chez R. de Montesquiou). De nos jours, il est marqué comme archaïque ou régional. ➜ *Pâle* a aussi donné **PÂLEMENT** adv., rare (1540), et deux diminutifs. ◇ **PÂLOT, OTTE** adj. (1775) est attesté une première fois sous la forme *pallaux* en 1597. ◇ **PÂLICHON, ONNE** adj. (1866) a d'abord désigné le double-blanc au jeu des dominos en argot, avant de prendre le sens moderne d'«un peu pâle» (1903), d'usage familier.

◈ voir **PALE-ALE, PALOMBE.**

PALE-ALE n. f. est emprunté (1856) à l'anglais *pale ale* (1708), de *pale* «pâle, clair, jaune pâle», emprunté au français *pale* (→ pâle), et de *ale*, mot désignant une bière anglaise à goût prononcé de houblon. *Ale* vient d'une racine germanique °*aluþ ou* °*aluth*, elle-même peut-être apparentée au latin *alumen* (→ alun); il a été emprunté au XIXe s. par le français (*ale*, 1823). *Pale ale* désigne une bière blonde brassée avec du malt non bruni, par opposition aux bières brunes dites *porter*.

♦ Le mot, relevé en français dans *La Revue des Deux Mondes* de 1856, puis en 1862 dans *Une Visite aux grandes usines du pays de Galles*, ne désigne que le produit anglais et reste un «xénisme». On note l'emploi isolé de *pale beer* (avec *beer*, équivalent anglais de *bière*) chez Th. Gautier en 1853.

PALEFRENIER n. m., d'abord *pallefrenier* (1350), est probablement emprunté à l'ancien provençal *palafrenier* (1345), attesté en 1318 et en 1340 sous une forme latine médiévale, *palefrenarius, palafrenarius* dans le domaine franco-provençal (Dauphiné). C'est un dérivé en *-arius* de l'ancien provençal *palafren* (1225-1228), *palafré* (av. 1250); on relève en latin d'Italie *palafrenus, palefrenus* au XIe et au XIIe s., qui a donné l'ancien italien *palafreno* (XIVe s.); l'espagnol atteste *palafrén* (1250), l'ancien catalan *palafrè* (1249). ◇ Le mot latin est dérivé de *paraveredus, parafredus* (→ palefroi), plus tard altéré en °*palafredus*, et désigne le serf astreint à des services de courrier ou de transport à cheval (820, *Polyptique d'Irminium*) ainsi que le garçon d'écurie chargé du soin des chevaux (XIIIe s.). Le latin connaissait un dérivé *veredarius* «courrier, messager», de *veredus*.

♦ C'est en ce sens que le mot est passé en français, d'abord au masculin puis aussi au féminin (1440-1442). Ultérieurement, il a pris le sens figuré de «personne rustre, grossière, sans éducation» (1767, Diderot, au féminin) en concurrence avec *charretier*.

► La variante **PALEFRIN** n. m. (1929), d'usage populaire et archaïque, vient du même radical que *palefrenier*.

◈ **PALEFROI** n. m., en français en 1080, est relevé dès la fin du IXe s. en latin médiéval du domaine germanique sous les formes *parafridus* (997) et *parafredum* (998). Le mot français, d'abord écrit *palefreid* puis *palefroi* (1176-1181), est issu du bas latin *paraveredus* «cheval de poste» (IVe s., *Code théodosien*), formé de la préposition grecque *para* «auprès de» (→ para-) et du latin *veredus* «cheval de voyage, cheval de poste» (IVe s., Ausone), relevé dès le Ier siècle au sens de «cheval de chasse» (Martial). Ce *veredus* a peut-être été formé dans la partie nord des Balkans, région de contact entre le latin et le grec, spontanément ou sur le modèle du grec tardif *parippos* «qui accompagne à cheval» et, comme substantif, «cheval de renfort», de *para* et *hippos* «cheval» (→ hippique). Cependant, le latin *veredus* et son dérivé *veredarius* «courrier, messager» ont été empruntés par le grec byzantin *berêdos* et *berêdarios*. *Parafredus* a donné °*palavredu* par dissimilation de *l* et *r*. Le passage très précoce du groupe *vr* (dont on attendrait le maintien) à *fr* (son originel en latin) peut s'expliquer soit par l'influence du latin *frenum* (→ frein), soit plus probablement par celle d'une forme germanique correspondante °*parfret* (ancien haut allemand *pfarifrit*), elle-même d'origine latine. Le même type est à l'origine de l'ancien provençal *palafrei* (fin XIIe s.) et de l'ancien espagnol *palafré* (1140), peut-être par l'intermédiaire du français.

♦ *Palefroi*, ancien mot désignant le cheval de voyage (1080), par opposition au *destrier*, cheval de bataille, s'est aussi appliqué, du XIIe au XVIe s., au cheval monté par les dames. C'est aujourd'hui, comme *destrier, haquenée*, un mot d'histoire médiévale.

◈ voir **PALEFRENIER.**

① **PALÉO-**, élément formant, est tiré du grec *paleo-*, de l'adjectif *palaios* «vieux» (des personnes, du vin, etc.) et «ancien», terme de sens général distinct de *geraios* qui s'applique aux personnes, souvent avec une nuance de respect (→ gérontocratie), et de *arkhaios* «antique, primitif» (→ archaïque). *Palaios* est dérivé de l'adverbe *palai* «autrefois, il y a longtemps», adverbe en *-ai* dont la racine a été rapprochée de *têle* «au loin» (→ télé-), du sanskrit *camará-* «extrême». Cependant, son étymologie est loin d'être assurée.

♦ *Paléo-* entre en français dans la construction de termes savants avec le sens d'«ancien», caractérisant un élément de l'histoire de l'homme ou du globe terrestre, en archéologie et dans les sciences de la Terre. Dans un autre groupe de composés, il indique la résurgence, la persistance d'un trait, d'un élément, d'un phénomène primitif. Il est employé dans la formation de quelques noms d'animaux avec le sens de «fossile».

► L'élément est très productif dans les domaines des sciences médicales, des sciences de la terre et de l'ethnologie (depuis le début du XXe s.). ➜ **PALÉOGRAPHIE** n. f., attesté dès 1708 pour «traité des écritures anciennes» et depuis 1798 avec son sens moderne de «science des écritures anciennes», est emprunté au latin scientifique *palaeographia* (1708), composé des éléments *paléo-* et *-graphie*. ◇ Il a produit **PALÉOGRAPHIQUE** adj. (1832) et **PALÉOGRAPHE** n. (1760), d'abord sous la forme *palaiographe* et depuis 1827 sous sa forme actuelle, souvent dans *archiviste paléographe,* par apposition.

PALÉONTOLOGIE n. f., attesté dès 1830 *(palæontologie),* est considéré comme une création de H. de Blainville qui diffuse le terme en 1834. Le mot est formé de *palaios* et *onta* «les êtres» avec le suffixe *-logie* pour désigner la science des fossiles, à l'origine de la géologie moderne (Lyell emploie peu après le mot en anglais). Après la science grecque, ce sont Léonard de Vinci, Bernard Palissy, Nicolas Sténon, Robert Hooke, Leibniz, Buffon, qui jalonnent ce domaine, fondé en science par Cuvier et devenu essentiel au XIXe siècle. ➜ Les dérivés **PALÉONTOLOGIQUE** adj. (1831), **PALÉONTOLOGISTE** n. (1832, Boué) ou **PALÉONTOLOGUE** n. (1842) sont aussi usuels. ◇ *Paléontologie* s'emploie aussi au figuré pour «reconstitution du passé» (*paléontologie musicale,* 1901, Saint-Saëns).

PALÉOLITHIQUE adj. est un emprunt (1866) à l'anglais *palœolithic* (Lubbock, 1865) pour qualifier ce qui appartient à l'ère préhistorique de la pierre taillée; le mot est substantivé (1882, Mortillet) pour désigner cette ère. ◇ **PALÉOTHÉRIUM** n. m. est une création de Cuvier (1804, *palaeothérium*), formée sur le grec *palaios (paléo-)* et *thêrion (-thérium)* «bête sauvage», pour désigner un mammifère fossile du tertiaire.

L'élément ② **PALÉO-** tiré de *paléontologie* a servi à former des noms de sciences et d'objets d'étude, comme **PALÉOZOOLOGIE** n. f. (1842), création de Blainville, d'où **PALÉOZOOLOGIQUE** adj. *(id.)*; **PALÉOBOTANIQUE** n. f., créé (1900) d'après l'anglais *palœobotany* (1872), d'où **PALÉOBOTANISTE** n. (1929), d'après l'anglais *palœobotanist* (1879); **PALÉOGÉOGRAPHIE** n. f. (1872), d'où **PALÉOGÉOGRAPHIQUE** adj. *(id.)*; **PALÉOETHNOLOGIE** n. f. (1882, Mortillet), etc., et d'autre part (mil. XXe s.) **PALÉOCLIMAT** n. m., **PALÉOSOL** n. m., etc.

PALESTRE n. f. est emprunté (v. 1160) au latin *palaestra,* transcription du grec *palaistra* «lieu public où l'on s'exerce à la lutte, à la gymnastique». Le mot est dérivé de *palaiein* «lutter» au propre et au figuré, terme technique dont l'étymologie n'est pas déterminée.

♦ Introduit comme terme d'Antiquité gréco-romaine, le mot recouvre d'abord, par métonymie, l'ensemble des exercices du corps (lutte, pugilat, gymnastique). Le sens de «lieu où l'on pratique ces exercices» est repris au XVIe s. (1547).

▸ **PALESTRIQUE** adj. et n. f., emprunté (1557) au latin *palaestricus* «relatif à la palestre», substantivé au féminin *palaestrica* «gymnastique», qualifie ce qui concerne la palestre et les exercices que l'on y pratiquait. ◇ L'emploi substantif du féminin *la palestrique* est enregistré en 1819.

PALETOT n. m. est emprunté (1370) au moyen anglais *paltok, paltock* (XIVe s.) «jaquette», d'origine obscure. Diez, qui considère plutôt le mot anglais comme la reprise de l'ancien français *paltoc,* voit dans celui-ci le composé de *palle* «manteau, houppelande» (→ pallium) et *toque**.

♦ Le mot est d'abord attesté en français sous la forme *paltoke* «justaucorps»; il s'est ensuite écrit *palletot* (1403) et *paletot,* et a désigné un vêtement de personnes de basse condition : laquais (Cotgrave, 1611), paysans, particulièrement en Espagne, selon Furetière (1690). L'usage du mot a connu un certain renouveau au début du XIXe s. comme en témoigne son réemprunt par l'anglais *paletot* avec le sens de «vêtement droit de dessus, pour homme ou femme» (1840). ◇ En français, *paletot* prend au début du XIXe s. le sens de «habit-veste» (1819, Boiste) et se dit spécialement d'un vêtement de marin (1810). Sa vitalité s'est maintenue en français moderne, soutenue par les locutions familières ***tomber sur le paletot de qqn*** qui équivaut à «tomber sur le râble» (1936), ***secouer le paletot*** (1932). Toutefois, la dénomination argotique *paletot de sapin* «cercueil» (1857), a disparu.

▸ *Paletot* a produit **PALTOQUET** n. m. (1704), nom donné à un homme aux manières grossières, par allusion au vêtement marquant une condition paysanne, donc indice de rusticité; il est aujourd'hui démotivé. ◇ La forme qui a servi de base est l'ancien *paltoke, palletoc,* à laquelle on a ajouté le suffixe caractérisant *-et,* en remplacement du *-é* de *palletoqué* «revêtu d'un paletot» (1546, Rabelais).

PALÉTUVIER n. m., d'abord *paretuvier* (1643) et *palesuvies* (1680, probablement pour *paletuviés*), enfin *paletuvier* (1722), est l'altération inexpliquée de *appariturier,* mot du Maranhão attesté en français dès 1614 *(Histoire de la Mission des Pères Capucins à l'Isle de Maragnan).* Le mot semble une altération du tupi (langue indienne du Brésil) *aparahiwa,* mot formé de *apará* «courbé» et de *iba* ou *iwa* «arbre» avec une finale de substitution. L'altération de *apparituier* en *palétuvier* fait peut-être intervenir l'influence de *palu, palus** «marais», car l'arbre, qui ne correspond à aucune classe botanique, croît dans des terrains gorgés d'eau.

♦ Le mot désigne un groupe d'arbres de la forêt aquatique des côtes tropicales, à racines aériennes.

PALIER n. m., d'abord écrit *pallier* (1528), réfection graphique de *paelier* (1287), est dérivé de l'ancien français *paele,* ancienne forme de *poêle** «ustensile de cuisine» (→ paella), probablement par analogie de forme.

♦ Comme le latin médiéval *paalerium,* terme de mécanique (1283), le mot désigne un organe fixe servant à guider un arbre de transmission, un axe mobile. Il est passé dans le langage des architectes (1528) pour désigner une plate-forme entre deux volées d'escalier, sens devenu usuel avec des valeurs proches de *seuil* (*sur le palier,* etc.). ◇ Ultérieurement, il a pris le sens particulier de «section horizontale (d'une voie de communication)» (1845-1846) et la valeur figurée d'«étape», surtout dans la locution ***par paliers*** (1923) au sens de «par étapes».

▸ Son féminin **PALIÈRE** adj. et n. f. (1622, *palliere*) désigne une marche d'escalier de niveau avec le palier, soit en apposition dans ***marche palière*** (1770), soit absolument (1842). Depuis 1877, il qualifie une porte ouvrant sur un palier.

PALIMPSESTE n. m. est emprunté (1542) au latin *palimpsestus, palimpsestos* «feuille de papyrus, parchemin manuscrit dont on a effacé la première écriture pour pouvoir écrire dessus un nouveau texte». Lui-même est emprunté à l'adjectif grec *palimpsêstos* servant à qualifier un parchemin que l'on gratte pour écrire de nouveau. Ce mot est composé de *palin* «de nouveau» (→ palingénésie) et de *psên* «gratter, racler» qui appartient à la racine indoeuropéenne °*bhes-* «frotter, émietter», représentée en sanskrit dans *bá-bhas-ti* «mâcher».

♦ *Palimpseste* est attesté une première fois dans une traduction de Cicéron avec son sens latin, et repris en 1813 comme terme de paléographie. Il est également employé en apposition avec une valeur adjective, une première fois en 1573 et de nouveau à partir de 1817 (Stendhal). Depuis le XIXᵉ s., il désigne figurément un mécanisme psychologique tel que de nouvelles impressions, de nouveaux sentiments se substituent aux anciens et les oblitèrent (1860, Baudelaire; puis 1869, Hugo, définissant l'oubli comme un palimpseste).

PALINDROME adj. et n. m. est emprunté (1765) au grec *palindromos* «qui court en sens inverse, qui revient sur ses pas», au figuré «incertain», composé de *palin* «en sens inverse» (→ palingénésie) et de *-dromos* (→ dromadaire, -drome); cf. *rétrograde*.

♦ Le mot a été introduit pour désigner une sorte de vers (puis une phrase) où un mot, un groupe de mots peut se lire indifféremment de gauche à droite et de droite à gauche. Exemples : *la mariée ira mal; Ésope reste ici et se repose.* ◇ Il a été adjectivé dans le même sens et repris en botanique pour le segment d'une molécule d'acide désoxyribonucléique comprenant deux séquences successives symétriques l'une par rapport à l'autre.

PALINGÉNÉSIE n. f. est un emprunt de la Renaissance (1546, Rabelais) au bas latin *palingenesia* «action de renaître», emprunté au grec *palingenesia*, composé de *genesis* «naissance» (→ genèse) et de l'adverbe *palin* «en revenant en arrière», «en sens contraire» et «de nouveau». Cet adverbe doit reposer sur l'accusatif d'un appellatif °*palis* (de la famille de *pelesthai* «se mouvoir») qui désignerait le fait de tourner, de retourner.

♦ *Palingénésie* désigne le retour à la vie après un état de mort réelle ou apparente. Au XIXᵉ s., il a été employé spécialement par Ballanche (1827, *Essai de palingénésie sociale*) pour dénommer la pensée selon laquelle l'histoire des peuples reproduit des séries d'évolutions tendant à réaliser la fin providentielle de l'humanité. L'édition de 1842 du dictionnaire de l'Académie enregistre le sens de «retour éternel des mêmes événements».

▶ L'adjectif correspondant, **PALINGÉNÉSIQUE** (1829), a été concurrencé par **PALINGÉNÉSIAQUE** adj. «qui tourne à la palingénésie» (1832, Balzac).

◈ voir PALIMPSESTE, PALINDROME, PALINODIE.

PALINODIE n. f. est un emprunt (1512) au bas latin *palinodia* «refrain» et «rétraction poétique», emprunté au grec *palinôdia*, proprement «chant différent sur un autre ton», de *palin* (→ palingénésie) et *ôdê* «chant» (→ ode).

♦ Le mot, d'abord nom d'un poème dans lequel l'auteur revient sur ce qu'il a dit dans un poème antérieur, est entré dans la locution ***chanter la palinodie*** (1555) par calque du bas latin *palinodiam canere;* Furetière mentionne que c'est là le seul emploi du mot (1690). ◇ Il a été repris ensuite dans l'usage littéraire avec le sens de «désaveu de ce que l'on a dit» (1758, Voltaire), particulièrement en parlant d'un changement d'opinion politique, surtout au pluriel (1840, Balzac).

▶ Il a produit ses dérivés au XIXᵉ siècle. ◆ **PALINODIER** v. (1873) signifie «tourner une œuvre en palinodie» puis (1907), en emploi intransitif, «se désavouer». **PALINODIQUE** adj. (1853) et **PALINODISTE** n. (1845) sont quasi inusités.

PALIS → PALISSADE

PALISSADE n. f. est dérivé (1600) avec le suffixe *-ade* du mot plus ancien et plus technique *palis* n. m. (1155) «ensemble de pieux fichés dans le sol à des fins défensives» et «enclos de pieux» (1174-1187) d'où, par métonymie, «chacun des pieux qui le constitue» (fin XIIᵉ s.). C'est un dérivé avec le suffixe *-is* de l'ancien français *pel*, ancienne forme de *pieu** (*-a-* alternant régulièrement en syllabe inaccentuée avec *-e-* accentué). Il est également possible que *palissade* soit directement emprunté à l'ancien provençal *palissada* «clôture de palis», de même formation.

♦ *Palissade* est d'abord un terme d'arboriculture désignant une haie d'arbres ou d'arbustes taillée de manière à former une clôture. ◆ Il est employé aussi (1611) comme terme de fortification, pour un ouvrage de défense composé d'un alignement de pièces de bois, de pierre. Restant proche de sa valeur étymologique, il désigne une clôture faite de planches ou de pieux plantés en terre et tenus par des traverses (1636).

▶ Le dérivé **PALISSADER** v. tr. est attesté dès 1585 (avant *palissade*) dans *palissader la rivière* «renforcer par des pilotis les berges». Au XVIIᵉ et au XVIIIᵉ s., il a reçu ses sens modernes en architecture défensive (1680; 1671, *palissadé*), en arboriculture (1703), ainsi que le sens général de «clôturer par une palissade» (1718). ◆ Dans le domaine de l'horticulture, il concurrence **PALISSER** v. tr. (1417, *pallicier*), dérivé de *palis*, et aujourd'hui terme de jardinage (depuis 1676). ◆ Le nom d'action ayant trait à cette opération est dérivé de *palisser* : il s'agit de **PALISSAGE** n. m. (1690) «action consistant à palisser les arbres» et, par métonymie, «résultat de cette action» (1812). ◆ *Palissade* a produit au XXᵉ s. **PALISSADIQUE** adj. (1931) «en forme de palissade», employé par analogie en botanique pour qualifier un tissu cellulaire de plantes.

PALISSANDRE n. m., nom de bois attesté en 1681 dans *L'Inventaire général du mobilier de la Couronne sous Louis XIV*, est emprunté au néerlandais de même sens *palissander*, probablement emprunté à une langue indienne de Guyane. Le palissandre, fourni par diverses espèces arborescentes tropicales, était surtout importé de la Guyane hollandaise.

♦ Le mot français a d'abord eu la forme *palisante,* puis sa forme actuelle (1718). Il désigne un bois dur, lourd, très veiné, qui provient d'espèces arborescentes tropicales. Par métonymie, il désigne l'arbre qui donne ce bois.

① **PALLADIUM** n. m. est emprunté (1160) au latin *palladium,* lui-même emprunté au grec *Palladion* qui désigne la statue de Pallas. On croyait cette statue tombée du ciel et sa protection était censée assurer la sauvegarde de la ville de Troie : selon la légende, les Grecs s'étaient emparés d'elle, Diomède et Ulysse l'ayant dérobée. *Pallas* est l'épithète rituelle de la déesse Athéna, connue sous le nom de *Pallas Athéna.* Une légende tardivement attestée raconte l'histoire d'une Pallas indépendante de la déesse et fille du dieu Triton; Athéna, élevée avec elle dans sa jeunesse, l'aurait tuée accidentellement : c'est en son honneur qu'elle aurait fabriqué le palladium. Toutefois, ce n'est là qu'une des versions de l'origine de la statue. Le mot *pallas* lui-même se rattache à un groupe de mots grecs exprimant l'idée de «jeunesse» (*pallakê* «jeune concubine», *pallax* «jeune fille» et aussi «jeune garçon», de *pallas, -antos* «jeune»), d'origine obscure.

♦ Le mot, réfection (1562) de *pallade, palladion* (1165), désigne la statue de Pallas et, par extension, un objet considéré comme garant et protecteur du salut d'une nation (1562). Il a pris le sens figuré de «garant de la conservation d'une chose» (1748, Montesquieu). Il est d'usage didactique ou littéraire.

▸ ② **PALLADIUM** n. m., terme de chimie, est emprunté (1803) au terme anglais *palladium* (1803), dérivé de *Pallas.* C'est l'inventeur de ce métal léger, blanc et malléable comme l'argent, W. H. Wollaston, qui l'a ainsi dénommé d'après *Palladium,* dérivé de *Pallas,* nom donné à un astéroïde découvert en 1802. ➛ On a formé **PALLADURE** n. f. (1868), désignant l'alliage du palladium avec un autre métal, sur le radical de *palladium* avec l'élément chimique *-ure.*

PALLIER v. tr. est emprunté (1300) au bas latin *palliare,* proprement «couvrir d'un manteau», d'où «cacher, dissimuler», dérivé de *pallium* «manteau, toge» et «couverture» (→ ① pallium).

♦ Le verbe signifie d'abord «dissimuler (une faute), atténuer (une impression fâcheuse) en présentant sous une apparence spécieuse». Il est employé en médecine (1314) au sens d'«atténuer certains aspects du mal sans agir en profondeur, sans guérir». Par suite, à l'époque classique, il acquiert le sens figuré d'«atténuer, faute de remède véritable». En ce sens, par analogie avec *parer à, obvier à, remédier à,* il est aussi employé avec la préposition *à* (1911, Gide), usage fort critiqué par les puristes et les enseignants, mais répandu.

▸ **PALLIATIF, IVE** adj. et n. m., emprunté (1314) au latin médiéval *palliativus* (de *palliare*), est d'abord un terme de médecine ancienne, à la fois adjectif et nom (1740). Dans l'usage moderne, il a le sens figuré de «moyen d'éviter provisoirement un mal sans le supprimer, mesure insuffisante», comme adjectif (1698) puis comme nom (1729). ➛ Quant au nom d'action **PALLIATION** n. f., réfection (v. 1560) de *pauliation* (1314), *paliation* (v. 1455), il est emprunté au bas latin *paliatio,* de *palliatum,* supin de *palliare.* Il a vieilli, tant avec son sens médical qu'avec le sens figuré d'«action de présenter une chose blâmable sous un jour favorable» (v. 1455).

PALLIUM n. m. est emprunté (v. 1140, *palliun*) au latin *pallium* «manteau porté par les Grecs et adopté par les Romains, toge». Dans la basse latinité (VIe s.), le mot s'est spécialisé pour désigner un vêtement liturgique et, notamment, la bande de laine portée par le pape comme symbole de la succession apostolique et décernée par lui à certains évêques. Il a désigné également la nappe d'autel (v. 715), par extension un tissu de soie ou de brocart et, plus banalement, une pièce de drap. *Pallium* est apparenté à *palla* «grande mantille de femme formée d'une pièce de laine oblongue ou rectangulaire», également «manteau porté par les musiciens» et «jaquette gauloise». Ces deux mots devraient être d'origine grecque (comme les vêtements qu'ils désignent) mais on n'a pas trouvé leur correspondant dans cette langue.

♦ Le mot a été introduit comme dénomination de l'ornement porté par le pape et par certains primats sur leurs habits sacerdotaux. Ce sens a donné lieu à un emploi technique en héraldique, pour la croix par laquelle on représente le pallium (1671); cependant cet emploi a vieilli, tandis que les tentatives faites en moyen français pour introduire le sens général de «manteau» (v. 1540, *palion;* 1485, *pallion*) ont échoué. ◇ Le mot a été repris au XIXe s. comme terme d'habillement antique (1832); il est passé en anatomie comme synonyme de *manteau* pour l'écorce cérébrale (1894).

◈ voir **PALLIER,** ① **POÊLE.**

PALMAIRE → **PAUME**

PALMARÈS n. m. est un emprunt tardif (1856) au mot latin *palmares* n. m. pl. «ceux qui méritent la palme», substantivation de *palmaris* «qui mérite la palme», dérivé de *palma* (→ palme, paume) «palme que l'on donnait aux vainqueurs comme symbole de la victoire».

♦ Le mot est considéré comme un singulier et désigne la liste de lauréats d'une distribution des prix et, par métonymie, la feuille reproduisant cette liste (1875). Au XXe s., *palmarès* a pris le sens de «classement entre des choses, des personnes» (*faire des palmarès,* 1936), celui de «liste des succès d'une œuvre» (1949) et, par antiphrase, «liste des délits et des crimes d'une personne». Le *Journal officiel* du 18 janvier 1973 a recommandé *palmarès* pour remplacer l'anglicisme *hit-parade.*

PALME n. f. est emprunté (1135) au latin *palma,* d'abord «creux de la main» (→ paume) et «membrane des pattes de certains animaux» (→ palmipède). Par analogie, il désigne la partie du tronc d'un arbre d'où s'élancent les branches, et spécialement le tronc du palmier, son fruit (la datte) et sa branche. Celle-ci étant donnée aux vainqueurs comme symbole de victoire, *palma* a désigné la victoire elle-même (→ palmarès). En outre, il était employé dans la langue nautique pour désigner la pale de la rame, qui est au manche ce que la main mise à plat est au bras. Le mot, comme le grec *palamê* «paume», l'irlandais *làm*, l'ancien haut allemand *folma* et le vieil anglais *folm* «plat de la main», se rattache à une racine indoeuropéenne exprimant l'idée de «plat», que l'on retrouve dans le latin *planus* (→ plan). D'autres formes, quoique éloignées, semblent parentes, tels le vieux slave *dlanĭ* «paume de la main» ou le lituanien *délna*.

♦ Le mot, d'abord sous la forme populaire *paume*, désigne comme en latin la branche du palmier, en particulier le rameau liturgique (1270 dans *lou lundi devant les palmes*; 1395, *le jour des palmes*); il entre en composition dans *ramis palmaus* «les Rameaux» (→ rameau). ◇ Le sens de «palmier» (1145) est devenu archaïque sauf dans les syntagmes ***vin de palme*** (1690) et ***huile de palme*** (1768). ◆ Par analogie, *palme* désigne un ornement en forme de feuille de palmier, en architecture (1170), puis aussi en broderie (1653) et en héraldique (1690). ◇ Au XIXe s., par analogie de forme, le mot s'applique à la patte palmée du cygne (1869) ou d'autres palmipèdes et, par analogie avec la forme de cette patte, à la nageoire de caoutchouc que l'on ajuste au pied (1963). ◆ Dès l'ancien français, *palme* était employé sur le modèle du latin *palma* comme symbole de la victoire (1200); spécialement dans *la palme du martyre* (qui n'est attesté qu'au XVIIe s.). ◇ Au XIXe s., le mot est appliqué aux insignes des officiers de l'instruction civique (1866), nommés ***palmes académiques*** (1890).

▸ *Palme* a produit plusieurs dérivés. ◆ Le premier chronologiquement est **PALMIER** n. m. (v. 1121), nom d'arbre qui a supplanté *palme*, et donné son nom, par la métonymie inverse, à une pâtisserie en forme de palme (1938). ◆ *Palmier* a produit **PALMERAIE** n. f., attesté une première fois en 1607 *(palmeraye)* et qui semble inusité avant le XIXe s. (1846), supplantant alors *palmérier* n. m. (1832) de même sens. ◆ Le diminutif de *palme*, **PALMETTE** n. f., désigne d'abord (1694) un ornement architectural en forme de palme. L'usage moderne l'emploie surtout en arboriculture pour désigner la forme de palme donnée aux arbres fruitiers en espalier (1841).

D'autres dérivés sont formés au XIXe s. : **PALMURE** n. f. (1845-1846) désigne la membrane qui joint les doigts de certains animaux et, en pathologie, celle qui réunit deux surfaces cutanées. ◆ **PALMATURE** n. f. est une formation savante (1851) sur le latin *palmatus* (→ palmé). ◆ Le terme de chimie **PALMITINE** n. f. (1855) a pour dérivés **PALMITIQUE** adj. (1855) et **PALMITATE** n. m. (1874), ce dernier ayant fourni le second élément de *napalm**.

Deux verbes homonymes ont été tirés de *palme* : ① **PALMER** v. tr., d'usage rare, signifie «décorer (qqn) des palmes académiques» (1883); ② **PALMER** v. intr. «faire mouvoir ses palmes en nageant» (1966) est demeuré technique. ◆ *Palme* est représenté sous la forme de l'élément **PALMI-** dans plusieurs composés, principalement des adjectifs utilisés en botanique dont le signifié a un rapport avec une palme; il a été surtout productif dans la seconde moitié du XIXe siècle. ◆ **PALMÉ, ÉE** adj. est emprunté (1754) au dérivé latin *palmatus* «qui porte l'empreinte d'une main», «qui a les cornes palmées (d'un cerf)», «en forme de palme» et «où figurent les palmes». *Palmé* est d'abord employé comme terme de zoologie pour qualifier un cerf aux bois garnis d'une «empaumure» aplatie. Au cours du XVIIIe s., il est repris par les botanistes pour décrire une feuille semblable à une main ouverte (1758), et par les ornithologues (XVIIIe-XIXe s.) pour caractériser des espèces aux doigts réunis par des membranes (1783), sens devenu le plus usuel. ◇ Ultérieurement, l'argot a formé dessus la locution ***les avoir palmées*** (sous-entendu «les mains») [1915] «ne pas aimer travailler». ◆ Enfin, **PALMIPÈDE** adj. et n. est emprunté (1760), comme terme d'ornithologie, au latin *palmipes, -pedis* adj. «qui a le pied palmé», de *palma* et *pes, pedis* (→ pied). Le mot français est précédé par une spécialisation du latin en sciences naturelles (*palmipedes* n. m. pl., 1555). *Palmipède* est à la fois employé comme adjectif et comme nom (n. m. pl., 1765, *Encyclopédie*) pour désigner la classe d'oiseaux aux pieds palmés, éliminant plus tard dans cet emploi **PALMÉS** n. m. pl.

◈ voir NAPALM, PALMARÈS, PALMISTE, PAUME.

PALMISTE n. m. et adj., terme de botanique, est emprunté (1603) au créole des Antilles où le mot est adapté de l'espagnol *palmito* «petit palmier» (1490), lui-même diminutif de *palma* «palme, palmier», emprunt au latin *palma* (→ palme). Dès 1601, on trouve la forme *palmite* dans un ouvrage rédigé en français par un Hollandais : le mot est alors emprunté au portugais *palmito* de même sens (1500, mais probablement antérieur car son dérivé *palmital* adj. est relevé dès le XVe s.).

♦ *Palmiste* désigne un arec portant un bourgeon terminal comestible appelé aussi ***chou-palmiste*** (1694) en raison de sa forme. ◇ Au XVIIIe s., le mot est passé dans le langage des zoologistes avec les syntagmes *ver de palmiste* (1722), *ver palmiste* (1765, *Encyclopédie*) et *rat palmiste*, elliptiquement *palmiste* (1763, Buffon).

PALOMBE n. f. est emprunté (1532) à l'ancien gascon *paloma*, de même sens (1474), mot issu du latin populaire *palumba* qui a dû apparaître de bonne heure à côté des formes classiques *palumbes* (n. m. ou f.) et *palumbus* (n. m.). Ces formes, correspondant au grec *peleia, peleias* «pigeon sauvage», appartiennent au groupe de *pallere* «être pâle» (→ pâle), d'une racine indoeuropéenne signifiant à l'origine «gris, blanc», aussi «livide, sombre», et dont certains représentants désignent des animaux (lituanien *pelẽ* «souris»).

♦ *Palombe* est le nom régional donné dans le sud-ouest de la France au pigeon ramier.

▸ **PALOMBIÈRE** n. f. (1788), terme du Sud-Ouest qui désigne un poste d'affût ou l'installation de filets pour le tir ou la capture de palombes, est emprunté à l'ancien béarnais *palomera, paloumere* «endroit aménagé pour chasser les colombes à l'affût», dérivé de *paloma*. Le mot français a eu la forme *palomière*, avant de prendre sa forme actuelle (1912) sous l'influence de *palombe*.

PALONNIER n. m. est dérivé (1383), avec un double suffixe diminutif, de l'ancien français *pal* «pieu» (→ pal) : la forme actuelle (1694) s'est substituée à l'ancien français *palonnel* et *palonneau* (1611).

♦ Le mot est spécialisé dans le vocabulaire technique : il désigne la pièce placée à l'avant d'une machine agricole (1383, *palonnel de charrue*) aux extrémités de laquelle sont fixés les traits. ◇ Par analogie, il désigne un dispositif permettant de répartir uniformément un effort entre deux points (1908, *palonnier de frein*, en artillerie). ◇ En aviation, le mot désigne la barre horizontale articulée sur un pivot et servant à commander le gouvernail de direction (1918).

PALOURDE n. f. est issu (XIIIe s., *palorde*) du latin populaire °*pelorida*, formé sur l'accusatif *peloridem* de *peloris*, de même sens. Ce dernier est emprunté au grec *pelôris, -idos* «gros coquillage comestible», dérivé de *pelôr* «prodige, monstre». Ce mot, chez Homère et dans les hymnes homériques, désigne des êtres vivants d'une grosseur énorme, tels le Cyclope, Scylla, le serpent Python, et même Héphaïstos. Depuis Osthoff et Benveniste, on pose une ancienne forme °*k^werōr* et on admet par dissimilation *pelôr* en éolien (seul dialecte dans lequel on a des attestations du terme) à côté de *telôr* dans les autres dialectes. Cette analyse permet de rapprocher *pelôr* de *teras* «prodige, signe prémonitoire» formé avec le suffixe *-as* (en français *tératologie* «science des monstres»).

♦ En français, *palorde* puis *palourde* (1484) n'a aucun emploi mythologique et n'est qu'un terme courant pour divers coquillages bivalves comestibles.

PALPÉBRAL → PAUPIÈRE

PALPER v. tr. est emprunté (1488) au latin *palpare*, doublet du verbe déponent *palpari* «toucher légèrement, tapoter, caresser, flatter» et «tâter», provenant d'un redoublement partiel. En dehors du latin, le mot n'a aucun correspondant exact ; pour le sens et la forme, ce que l'on trouve de plus proche en indoeuropéen est le groupe germanique du vieil islandais *falma* «tâtonner, trembler de peur», ancien haut allemand *fōlian* «tâter, sentir», qui exprime une notion de «petits mouvements répétés». On est également tenté de rapprocher le groupe expressif du grec *psallan* «tirer par secousses, faire vibrer», *pêlaphan* «tâter, caresser». Cependant, les possibilités de rapprochements de ces mots expressifs étant multiples, l'établissement d'une famille est impossible.

♦ *Palper* signifie «toucher avec la main pour reconnaître», quelquefois abstraitement «appréhender par l'esprit pour mieux comprendre, apprécier». Le mot semble peu usité au XVIIe et encore rare au XVIIIe s. ; il n'apparaît que dans la cinquième édition du dictionnaire de l'Académie en 1798 qui le qualifie de «familier». ◇ Son sens argotique de «toucher, percevoir (de l'argent)» est attesté depuis 1763.

► En sont dérivés **PALPEUR, EUSE** adj. et n. m. (1808), terme de zoologie désignant un coléoptère caractérisé par ses longs palpes et, au XXe s., terme technique désignant un élément destiné à prendre les mesures d'un objet (1923), ainsi que **PALPAGE** n. m. (1973) «opération effectuée par un palpeur». ◆ **PALPABLE** adj., emprunté au dérivé latin *palpabilis* «tangible, touchable», qualifie une chose concrète ou abstraite (déb. XVe s.), en particulier ce que l'on peut vérifier avec certitude (1580). ◇ Il a produit **PALPABLEMENT** adv. (1584) et **PALPABILITÉ** n. f. (1769). ◆ L'antonyme préfixé **IMPALPABLE** adj. est emprunté (1440) au latin *impalpabilis* «intangible, que l'on ne peut toucher» et a suivi la même évolution que *palpable*, réalisant souvent, dès les premiers emplois, la valeur d'«aérien, éthéré». Il a pour dérivé **IMPALPABILITÉ** n. f. (1800), d'usage littéraire. ◆ **PALPATION** n. f. est emprunté ultérieurement (1833), avec son acception médicale, au latin *palpatio, -onis* «attouchement», dérivé du supin de *palpare*. ◆ Quant au terme de zoologie **PALPE** n. m., c'est la francisation (1802) du latin scientifique *palpus* (1775, *Systema entomologica Lipsiae*), tiré du latin *palpare*. Le mot désigne l'appendice mobile de chaque côté de la bouche des insectes destiné à maintenir les aliments pendant la mastication. Par extension, il sert à désigner les barbillons des poissons (1819). ◆ *Palpe* est représenté par l'élément **PALPI-** dans la construction de quelques termes de zoologie, tel **PALPIFORME** adj. ; il fournit le second élément de **PÉDIPALPE** n. m. (1868).

◈ voir PALPITER.

PALPITER v. intr. est emprunté (1488) au latin *palpitare* «s'agiter, être agité», «battre (du cœur)», dérivé fréquentatif de *palpare* (→ palper).

♦ Le mot semble d'abord avoir signifié «être encore agité de quelque mouvement», en parlant d'un être sur le point de mourir. Il signifie «battre plus qu'à l'ordinaire», en parlant du cœur (1542), d'une paupière (1694). ◇ Au XVIIIe s. s'est développé un sens figuré, «être ému au point que le cœur bat plus qu'à l'ordinaire» (1741), souvent dans la construction *palpiter de*, avec un nom de sentiment (1755). Par analogie, le verbe est employé dans un style littéraire à propos d'une chose animée d'un frémissement (1835, Lamartine).

► Le participe présent **PALPITANT, ANTE** est employé comme adjectif (1519), d'abord avec un sens physique, en parlant d'un organe *(langue palpitante)* puis avec le sens figuré de «qui est ému» (1767, *palpitant d'effroi*). ◇ Depuis 1801, il signifie, par métonymie, «qui est passionnant, suscite un grand intérêt». Il a été substantivé pour servir de nom du cœur en argot dès le XVIIIe s. (1725), mais cet emploi a vieilli. ◆ Le nom correspondant à *palpiter*, **PALPITATION** n. f., est emprunté (1538) au dérivé latin *palpitatio, -onis* ; il est d'abord employé à propos du tremblement convulsif des paupières et du battement précipité du cœur (1541), dans ce dernier cas au pluriel également (1694). Comme le verbe, *palpitation* a pris au XVIIIe s. le sens figuré de «vive émotion» (1758, Rousseau); par analogie, il se dit du frémissement d'une chose, dans un style poétique (1835, Lamartine).

PALPLANCHE → PAL

PALSAMBLEU interj. est l'altération euphémique (1691) du juron médiéval *par le sang de Dieu,* souvent altéré (1368, *par le sambuy;* 1377, *par le sanc bieu*). On rencontre également les variantes *palsangué, palsanguié, palsanguienne.*

♦ Ce juron ancien est fréquent dans les comédies classiques mettant en scène des paysans.

◇ voir CORBLEU, MORBLEU, PARBLEU, où *-bleu* représente aussi le nom de Dieu.

PALTOQUET → PALETOT

PALUCHE → PALE

PALUD, PALUS n. m., **PALUDE** n. f., nom archaïque du marais, est issu (v. 1112, *palud*) du latin *palus, paludis* «marais, étang» qui se rattache à une racine indoeuropéenne également représentée dans le latin *pluere* (→ pleuvoir) et dans plusieurs autres langues, avec l'idée générale d'«agiter de l'eau».

♦ *Palud* a décliné sous la concurrence de *marais;* courant en ancien et moyen français (cf. *les infernaux paluds* de Villon), il disparaît après l'époque classique, si l'on excepte quelques reprises littéraires (tel *Paludes,* œuvre du jeune André Gide) et des prolongements régionaux. Ainsi, il désigne encore dans le Bordelais une plaine inondable dont le sol est composé en grande partie de vase marine et qui est plantée de vignobles (attesté 1802).

► Au XVIIIe et au XIXe s., le latin *palus, paludis* a servi à former quelques termes plus ou moins courants. ◆ **PALUDIER, IÈRE** n. m. et adj. (1731), nom de l'ouvrier qui travaille dans les marais salants, est la réfection d'un plus ancien *paluyer* (1611) à partir du mot latin. ◇ Il a produit **PALUDERIE** n. f. (XXe s.) pour la partie de marais salant exploitée par le paludier. ◆ Au XIXe s. sont apparus **PALUDINE** n. f. (1825), nom d'un mollusque d'eau douce, ainsi que deux termes de médecine; le premier, **PALUDÉEN, ÉENNE** adj. et n. (1844), antérieurement *paludien* (1837), qualifie ce qui est relatif à la «fièvre des marais», le paludisme. ◆ Cet adjectif est moins courant que le second dérivé, **PALUDISME** n. m. (1869), qui ne s'est imposé qu'à une date assez récente remplaçant des expressions sorties d'usage : *fièvres intermittentes, maladie paludéenne, fièvre palustre* et surtout **IMPALUDISME** n. m. (1873); cf. aussi *malaria.* ◇ *Paludisme* a été abrégé en **PALU** n. m. (av. 1945). ◆ C'est aussi le dérivé le plus productif puisqu'il a donné **PALUDIQUE** adj. (1877), concurrent de *palustre* et de *paludéen,* ainsi que plusieurs termes savants formés sur l'élément **PALUDO-** : **PALUDOTHÉRAPIE** n. f. (1913), **PALUDOLOGIE** n. f. (v. 1959), **PALUDOLOGUE** n. (v. 1959).

◇ voir PALUSTRE.

PALUSTRE adj. est emprunté (1505, *eaue palustre*) au latin *paluster, -tris* «marécageux», dérivé de *palus, paludis* «marécage» (→ palud).

♦ Le mot signifie «propre aux marais, caractéristique des marais» et «qui vit dans les marécages» (1555). ◆ Il s'est également employé en médecine avec le sens de «relatif au paludisme», faisant alors double emploi avec *paludéen.*

PÂMER v. intr. et pron., longtemps écrit *pasmer,* est issu (1050) d'un latin °*spasmare,* dérivé du latin *spasmus* «convulsion». Ce dernier, qui a donné par emprunt *spasme**, a abouti par évolution à l'ancien et moyen français *espame* «évanouissement», à l'italien *spasimo* et au catalan *espasme.* On suppose que °*spasmare* s'est réduit à °*pasmare* (de même que *spasmus* s'est réduit à *pasmus,* attesté au Ve s.), soit par dissimilation, soit sous l'influence d'un croisement avec le grec *palmos* «palpitation, battement du pouls», lui-même peut-être apparenté au latin *pulsus* (→ pouls).

♦ Le mot apparaît d'abord par l'ancien participe passé féminin *pasmede* «évanouie, défaillante» puis sous la forme *pasmer* (1080) «défaillir, s'évanouir», en construction intransitive et pronominale. ◇ Ce sens premier a vieilli par rapport aux sens seconds qui ont affaibli la notion : ainsi, dès le siècle suivant, *pasmer* (1200) puis *se pasmer* (apr. 1250) signifie «se trouver mal sous l'effet d'une émotion», d'où «s'abandonner à de vifs transports, être éperdu d'admiration», sens courant dans le style des précieux au XVIIe siècle. Son emploi transitif au sens de «faire se pâmer» (1550) a toujours été rare; il est tombé en désuétude, mais on rencontre encore la construction factitive de sens équivalent, *faire se pâmer.*

► Le participe passé **PÂMÉ, ÉE** est employé spécialement comme adjectif (1681) en héraldique pour qualifier le dauphin à gueule béante et l'aigle sans yeux et à bec crochu. ◆ Au moyen du suffixe *-oison (-aison), pâmer* a produit **PÂMOISON** n. f. (1080, *pasmeisun*) qui a perdu son sens ancien d'«évanouissement» au bénéfice des sens dérivés correspondant à ceux du verbe. ◇ Le mot désigne l'état d'une personne sous le coup d'un sentiment violent (1636), puis la manifestation d'un trouble proche de l'évanouissement (1848). De nos jours, son usage est archaïsant ou plaisant.
◆ L'ancien français *pasme* (XIIIe s.) «crampe, évanouissement», déverbal de *pasmer,* s'est employé jusqu'au XVe s., à côté de *espasme,* issu du latin *spasmus.* Il a été repris par R. Queneau, dans l'expression *tomber dans les pâmes,* fournissant une étymologie plaisante, mais forgée, de *tomber dans les pommes**.

◇ voir SPASME.

PAMPA n. f. est emprunté (1716) à l'hispano-américain *pampa,* désignant la vaste plaine d'Amérique du Sud (XVIIe s.), et qui est emprunté à un terme commun à plusieurs langues indiennes, quechua du Pérou, aymara de Bolivie, de même sens, et qui signifie plus généralement «plaine».

♦ En français, le mot est resté rare jusqu'au XIXe siècle.

▸ Il a produit **PAMPÉEN, ÉENNE** adj. (1879) «de la pampa». ◆ **PAMPÉRO** n. m., nom du vent violent qui souffle sur la pampa, est emprunté (1771, Bougainville) au mot espagnol *pampero,* dérivé de *pampa.*

PAMPHLET n. m. est emprunté (1653) à l'anglais *pamphlet* «brochure, opuscule», d'abord attesté avec la graphie *pampflet* (1387-1388) et relevé dès 1344 en latin médiéval d'Angleterre sous la forme *pamfletis.* D'après l'étymologiste anglais Onions, le mot serait issu du moyen néerlandais *Panflet* et de l'ancien français *Pamphilet,* noms propres populaires au XIIIe s., diminutifs de *Pamphile,* désignant une comédie satirique en vers latins du XIIe s., *Pamphilus seu de Amore* (Pamphile ou de l'amour), connue à cause d'un célèbre personnage de vieille entremetteuse. Gaston Paris a signalé en 1874 que *Pamflette* est cité par Dirk Van Asenede dans sa traduction néerlandaise de *Floir et Blancheflor* (XIVe s., apr. 1350). Ce *Pamflette* du XIIIe s. servirait ainsi de lien entre le nom anglais des feuilles volantes satiriques (1387) et l'ancien français *Pamphilet* attesté au milieu du XIVe siècle.

♦ Il faut prendre garde que le mot anglais et le français sont actuellement de «faux amis». Le second, dans son sens initial, «brochure, opuscule» (1653, La Boullaye-Le-Gouz), est sorti de l'usage au profit de *dépliant, brochure* et *opuscule,* alors qu'il est toujours vivant en anglais. ◇ Au sens de «petit ouvrage de circonstance d'esprit satirique ou polémique», *pamphlet* est bien attesté en anglais (1592), et en français (1698), à propos de l'Angleterre, mais dans la seconde moitié du XVIIIe siècle (1762 Bachaumont; Diderot 1770, etc.), le mot est associé en français au ton agressif et violent, à l'esprit incisif qui ont illustré le genre au XIXe siècle.

▸ On a formé **PAMPHLÉTAIRE** adj. et n. (1790, Condorcet) soit d'après l'anglais *pamphleteer* (1642), déjà utilisé par Voltaire, soit d'après *pamphlet.* Au XVIIIe s., le mot a été en concurrence avec *pamphlétier* et *pamphlétiste,* considérés comme péjoratifs par Littré.

PAMPILLE n. f., terme de passementerie, est issu au XIXe s. (av. 1872, Gautier) d'un radical expressif *pamp-,* auquel se rattachent différents termes ayant en commun l'idée de «pendiller», dans les dialectes et les parlers populaires, et dont l'espagnol a un équivalent dans le dialectal *pamponear* «balancer, se dandiner». Dauzat propose de voir dans *pampille* un dérivé de l'ancien et moyen français *pampe* «fleurons, bouffettes» (→ pampre), mais son hypothèse n'est guère satisfaisante d'un point de vue sémantique. Quant au *pampillette* relevé en 1562 chez Rabelais, il représente probablement *papillette,* variante de *papillotte,* également utilisé par Rabelais (1534).

♦ *Pampille* désigne une frange de passementerie avec un macaron terminé par des pendeloques, et par métonymie (et maintien du sémantisme originel) une pendeloque.

PAMPLEMOUSSE n. m., qui a succédé (1685) à *pampelmous* (1677), est un emprunt au néerlandais *pompelmoes* (où *moes* est prononcé *mouss'*) «fruit comestible peu juteux d'un arbre épineux originaire des îles de l'océan Indien». Le mot est probablement formé de *pompel* «gros, enflé», ou de *pompoen* «citrouille, courge», par l'intermédiaire d'une forme °*pompoenlimoes,* et de *limoes* «citron», emprunté au portugais *limoes,* pluriel de *limão* (→ ① limon).

♦ Le mot apparaît en français dans des textes qui le donnent comme mot néerlandais (1665, *pompelmoes;* 1666, *pompelmous*). Le fruit n'est pas originaire des Indes, mais aurait été introduit de Java (XVIIe s.) à Ceylan sous son nom néerlandais. *Pamplemousse* désigne d'abord, comme en néerlandais, un agrume peu juteux que l'on consomme seulement confit ou sous forme de confiture, ainsi que l'arbre qui le produit (1772). Ce sens est encore celui des botanistes mais, dans l'usage courant, il désigne (1946) une autre variété, juteuse et acide (celle du *citrus paradisi* et non du *citrus maxima*). Par métonymie, il désigne l'arbre portant ce fruit (1962). ◆ Il règne en français une certaine confusion entre *pamplemousse, pomélo* (nom botanique) et *grape-fruit,* nom américain sous lequel le mot est connu commercialement et qui évoque la fructification en grappes de cette espèce. *Pomélo,* nom scientifique, n'est connu que des spécialistes. *Pamplemousse* a longtemps été considéré comme féminin, notamment par l'Académie; Littré fut le premier à invoquer l'usage en remarquant, seulement à propos de l'arbre, qu'il est «masculin d'après l'usage des lieux où il croît». Au XXe s., la majorité des dictionnaires lui attribue le double genre, le masculin s'expliquant par l'usage, le féminin par l'autorité de l'Académie et celle d'écrivains comme Colette ou Claudel. ◇ Aujourd'hui, le masculin, préconisé par les botanistes, semble plus répandu, mais, au sens de *citrus paradisi, pamplemousse* est féminin en français d'Afrique.

▸ **PAMPLEMOUSSIER** n. m. a été dérivé de *pamplemousse* pour désigner l'arbre à pamplemousses *(citrus maxima)* [1894], puis l'arbre à pomélos (attesté 1970).

PAMPRE n. m., attesté depuis 1534, est une variante dialectale des pays de Loire, de l'ancien et moyen français *pampe* n. f. «pétale» (1270), issu du latin *pampinus* «branche, feuillage de vigne». Ce mot, représenté dans toutes les langues romanes en dehors du roumain, est, comme le grec *ampelos* et les autres termes relatifs à la vigne et au vin, emprunté à une langue méditerranéenne (le géorgien a *babilov,* probablement de même origine). Le rapport étymologique avec *pampille* est en général écarté.

♦ En français, la variante *pampre* est due au traitement particulier de la syllabe *-pin-* (cf. *coffre,* issu de *cophinus*); elle s'est répandue grâce aux auteurs de la Pléiade, notamment Ronsard qui l'emploie dans son *Ode au Roy* (1550) pour désigner la vigne.

⇾ Au siècle suivant, le mot acquiert l'acception de «feston de vigne et de grappes de raisin servant à l'ornement d'une colonne» (1694).

▶ *Pampre* a donné **PAMPRÉ, ÉE** adj. (1554) «garni de pampre» dans le style poétique, la *grappe pamprée* désignant techniquement celle qui est encore attachée au pampre. Le mot est employé spécialement en héraldique pour un cep de vigne dont les feuilles et les sarments sont d'un autre émail (1690). ⇾ On relève chez Chateaubriand le dérivé très rare **PAMPRÉE** n. f. (av. 1841) «ensemble de vignes, tonnelle, vignoble». ⇾ **ÉPAMPRER** v. tr., «débarrasser les ceps des jeunes pousses et des feuilles inutiles», est attesté depuis 1571.

PAN n. m. est issu (1080) du latin *pannus* «morceau, bande d'étoffe», souvent avec la connotation péjorative de «lambeau, haillon». Le mot, très ancien mais absent de la prose latine classique, est un nom technique et familier dont on ne peut rapprocher aucun correspondant net.

♦ *Pan* désigne d'abord la partie tombante d'un vêtement (du haubert dans *La Chanson de Roland*) et il est employé par analogie (1080) en parlant de la partie d'un territoire, d'une superficie. Il désigne particulièrement la partie d'une construction verticale (1150) et d'une des faces d'un ouvrage (1170). ◇ Peu usité en français contemporain lorsqu'il est seul, il demeure courant dans des syntagmes comme ***pan de chemise, pan de mur,*** qui correspondent aux sens déjà mentionnés, et aussi ***pan de bois*** (1539), *pan de fer* (vieilli) pour désigner un assemblage de charpente dont on remplit les vides de maçonnerie, ainsi que ***pan coupé*** (1676). ⇾ Parallèlement à ces emplois concrets, il est employé au sens abstrait de «partie considérable d'un ensemble» (v. 1200, surtout depuis le XIXe s.).

◈ voir PAGNE, PAGNOTER, PANARD, PANNEAU, PANOUFLE, PANTIN.

PAN-, PANTO-, élément formant, est tiré du grec *pas, pantos* «tout», «chacun», et au pluriel «tous», de sens plus vaste que *holos* (→ holo- dans *holographie*) qui exprime l'idée de «totalité» mais pas celle de «multiplicité». *Pas,* mot d'origine indoeuropéenne, entre comme second terme et surtout comme premier terme dans d'innombrables composés en grec, sous la forme *pan-* ou *panto-*.

♦ *Pan-, panto-* introduit l'idée d'ensemble, de totalité, dans de nombreux composés. C'est principalement avec des adjectifs ethniques qu'il a été très productif, au XIXe et au XXe s., formant des noms de mouvements d'unification politique ou raciale.

▶ On peut citer **PANHELLÉNISME** n. m. (1868) et **PANHELLÉNIQUE** adj. (1868); **PANGERMANISME** n. m. (1846), **PANGERMANIQUE** adj. (1903) et **PANGERMANISTE** adj. et n. (1890; var. *pangermane,* 1894); **PANAMÉRICAIN, AINE** adj. (1894, *pan-américain*), **PANAMÉRICANISME** n. m. (1903). ◇ Ceux-ci ont servi de modèle à **PANEUROPÉEN, ÉENNE** adj. (1901) et **PANEUROPÉANISME** n. m. (1928). ◇ Puis apparaissent **PANARABE** adj. (1923) et **PANARABISME** n. m. (1923); **PANAFRICAIN, AINE** adj. et **PANAFRICANISME** n. m. (v. 1950); **PANASIATISME** n. m. (1921) et **PANASIATIQUE** adj. (1948). **PANISLAMIQUE** adj. est attesté en 1928; **PAN-RUSSE,** puis **PANRUSSE** adj. s'applique à la fin du tsarisme et au régime soviétique (1881; *panrussisme* n. m. 1890). Ces composés reflètent des thèmes historiques successifs. ⇾ Dans d'autres domaines (philosophie, médecine, zoologie), le second élément est généralement issu du grec.

◈ voir PANACÉE, PANCRACE, PANCRÉAS, PANDÉMIE, PANÉGYRIE, PANOPLIE, PANTHÉISME, PANTHÉON, PANTOCRATOR, PANTOMIME; PANCARTE.

PANACÉE n. f. est emprunté (1213) au latin *panacea,* emprunt au grec *panakeia,* nom d'une plante imaginaire qui servait de remède universel, personnifiée sous le nom de la déesse *Panakeia* symbolisant la guérison grâce aux plantes. Le mot grec est formé de *pan-* (→ pan-) et de *akos* «remède» que l'on retrouve dans la finale de *pharmacie**.

♦ Le mot est d'abord employé à propos d'une espèce d'herbe que l'on brûlait avec d'autres pour éloigner les serpents. On le retrouve au XVIe s. chez Ronsard, à la fois pour désigner une variété d'herbe que l'on peut voir dans les prés (1549), une plante servant de remède (1559) et, étymologiquement, une plante servant de remède à tous les maux (1564). ⇾ L'usage moderne utilise *panacée* avec ce dernier sens, mais ne l'analyse plus, d'où l'expression *panacée universelle,* souvent condamnée comme pléonasme. Il est aussi employé par métaphore (1823) pour désigner une formule censée pouvoir résoudre tous les problèmes.

◈ voir OPOPANAX.

✳ **PANACHE** n. m. est emprunté (1524) à l'italien *pennachio* «bouquet de plumes sur un casque» (XIVe s.), issu du latin chrétien *pinnaculum* «faîte» (→ pinacle).

♦ Le mot, d'abord écrit *pennache,* a pris la forme *pannache* (1527), puis *panache* (1546) sous l'influence de nombreux mots de signification approchante commençant par *pan-*. Il désigne d'abord le bouquet de plumes ornant un casque (1551) dans la tenue militaire du XVIe s., et par extension la touffe formée par les plumes de la queue d'un oiseau (1617). ◇ À partir du XVIIe s., quelques acceptions sont fondées sur une analogie avec la forme, la légèreté ou l'éclat d'un panache : le mot se rapporte à un ornement en forme de plumes d'autruches sur un chapiteau (1636), une oreille de cochon panée (1735), la partie supérieure d'une lampe d'église (1762)... ◇ Il entre dans la locution ***faire panache*** «se retourner» (1867) en hippisme puis en cyclisme et à propos d'un conducteur d'automobile. ⇾ C'est au XIXe s. qu'il développe l'acception figurée de «ce qui dénote la fière allure du guerrier» (1854) et «l'allure, le brio» dans ***avoir du panache*** (1880, *avoir le panache*) ou ***avec panache.***

▶ Le dérivé **PANACHER** v. tr. (1667) signifie d'abord «orner de couleurs diverses» et, à la forme pronominale, «revêtir diverses couleurs», à propos de fleurs. Ce n'est qu'au XIXe s. que le verbe, s'étendant à d'autres objets, signifie «mêler des éléments différents» (1866), spécialement à propos d'une liste électorale (1912). ◇ Il est peu employé avec le sens figuré d'«orner de panaches» (1833) qui procède lui-même du sens ancien, «orner d'un panache à plumes». ➜ Ce sens est réservé au composé **EMPANACHER** v. tr. (1636; déb. XVIe s., *enpennachez*). ◇ L'adjectif **PANACHÉ, ÉE** est attesté une première fois en 1389 avec la graphie *pannaché* puis *pennaché* (1596) «orné d'un chapeau», qualifiant une fleur de plusieurs couleurs (1626) et, par extension, d'autres objets présentant un mélange de couleurs, de matières, de saveurs, d'éléments, en particulier en cuisine (1803, d'un entremets). ◇ Il a été substantivé au féminin pour une absinthe mêlée d'anisette (1867), emploi disparu, puis au masculin (1896); depuis 1925, *un panaché* désigne uniquement un verre de bière coupé de limonade; la langue familière en a fait, par aphérèse, *un panach'* (objet d'un dépôt de nom commercial). ➜ Au XXe s., *panacher* a produit **PANACHAGE** n. m. (1912), employé pour une liste électorale et un mélange de tendances politiques (1938). ➜ *Panache* a aussi produit **PANACHURE** n. f. (1758), d'abord à propos de fleurs puis aussi des animaux.

PANADE n. f. est emprunté (1548) au provençal *panado* «soupe faite avec du pain», dérivé de *pan*, correspondant du français *pain**. L'ancien provençal a antérieurement *panada* «tourte» (XIIe-XIVe s.).

♦ Le français a gardé le sens de «soupe faite avec du pain» et a développé au XIXe s. quelques acceptions figurées d'usage familier : *panade* s'est dit d'un homme mou, sans énergie (1836), d'une femme de mauvaise tournure (1836), et s'est employé comme adjectif pour qualifier une chose ou un être mou, sans consistance (1858). ◇ Ces emplois sont sortis d'usage, mais *panade* continue d'être employé au sens initial et dans la locution ***être dans la panade*** (1878-1879) «dans la misère» par une métaphore active (cf. *dans la purée*). Pour ce sens, l'influence de *panné* «misérable» (→ ① panne) est très probable.

PANAIS n. m. est issu (*pasnaie*, 1180) du latin *pastinaca*, nom de diverses ombellifères, en particulier d'une espèce cultivée pour sa racine charnue (Pline), et d'un poisson (une raie) appelé en français *pastinague* (ou **PASTENAGUE**) par emprunt au latin. *Pastinaca* est peut-être issu de *pastinum* «houe», mot appartenant à la racine de *pala, palus* (→ pal), avec le suffixe diminutif *-aca*, par analogie de forme entre ces ombellifères et une petite houe. Le passage de *panaie (pasnais)* à *panais* s'explique par l'emploi prédominant du pluriel pour les noms de légumes.

♦ Le mot a gardé le sens du mot latin. ◇ Il désigne un objet démodé et sans valeur, par allusion au fait que le panais était regardé comme un légume de pauvre. L'influence de mots dépréciatifs à initiale *pan-*, comme *panade, panné*, est probable.

PANAMA n. m., comme nom de chapeau en fibres, est issu (1842) de *Panama*, nom du pays et de la ville d'Amérique centrale d'où étaient exportés ces chapeaux fabriqués en Équateur et au Pérou avec la fibre d'un latanier indigène (l'anglais a *panama hat* dès 1833). En hispano-américain, ces chapeaux portent le nom d'une ville d'Équateur, *Jipijapa*, où ils sont fabriqués.

♦ Le mot s'est appliqué à des chapeaux de paille de forme analogue à ceux d'Amérique centrale. ➜ Dans l'argot des typographes, *panama* désigne une grave erreur qui nécessite un carton ou un nouveau tirage, mais c'est alors le dérivé fantaisiste (1874) de l'argotique *panne* (→ panne) et de *panner* «rater», attiré par le mot *panama*, mais qui ne peut être subordonné au sens postérieur de «scandale de Panama» (1893) qui a donné lieu au sens argotique de «chose, affaire embrouillée» (1903), en effet le canal de Panama a été entrepris en 1881 et ce scandale n'a éclaté qu'en 1892. ◇ L'emploi argotique et vieux de *Panama* pour désigner un Parisien (1928) est issu de *Panam'*, nom argotique de Paris (attesté en 1903). Esnault évoque un adjectif argotique *panama* (1911), qui correspondait à «énorme (comme le scandale de Panama)»; mais rien ne prouve que *Panama* «Parisien» soit en rapport avec cet adjectif.

▸ Avec sa valeur de «scandale», *panama* a produit **PANAMISTE** n. et adj. (*La Libre Parole*, 16 novembre 1892) pour désigner une personne compromise dans le scandale de Panama. Selon Anatole France (1907), le mot serait apparu à la suite des accusations «faites à la Chambre par Monsieur Andrieux contre cent quatre députés accusés d'avoir reçu des chèques pour payer leur vote en faveur des opérations frauduleuses de Panama».

PANARD n. m., nom argotique ou populaire du soulier (1898), puis du pied (1910), est d'origine obscure. Une hypothèse y voit le dérivé par spécialisation de sens de *panard, arde* adj. (1750) qui qualifie un cheval et par extension un animal, voire un homme dont les pieds de devant sont tournés vers le dehors. Il s'agit d'un emprunt au provençal *panard* «boiteux» (Mistral), probablement dérivé de *pan* «côté» (→ pan), seulement attesté dans le parler limousin mais peut-être répandu antérieurement en langue d'oc. P. Guiraud préfère voir dans *panard* le représentant de dérivés dialectaux du latin *pes, pedis* (→ pied), tel que *penas* «grand pied», d'où *panard* «qui a de grands pieds» (Dauphiné).

♦ Ainsi, le sens de *panard* «soulier», bien qu'attesté le premier, serait une extension métonymique du sens premier de «pied» (1910), d'ailleurs le plus fréquent. ◇ Le mot partage les emplois figurés de *pied* «part», puis «jouissance, bonheur», assimilé (par erreur) à «partie inférieure du corps», dans *prendre son panard*, d'où *(c'est) le panard !* (→ pied).

PANARIS n. m. est emprunté (1370, *panarice*) au latin *panaricium* «inflammation aiguë du doigt, mal blanc», forme altérée, sous l'influence de *panus* «tumeur», de *paronychium* de même sens. Ce dernier est emprunté au grec *parônukhia*, formé de *para* «près de» (→ para-) et *onux* «ongle» (→ onyx), l'abcès étant situé près de l'ongle.

♦ En français, la forme initiale *panarice* s'est modifiée en *panarie* (1534) puis en *panaris* (1575, A. Paré), où le *s* final devrait étymologiquement être prononcé. Signifiant «inflammation aiguë près de l'ongle», le mot s'applique par extension à une inflammation aiguë des doigts (1690).

PANCARTE n. f. est emprunté (v. 1450) au latin médiéval *pancharta* (863), qui s'appliquait à un diplôme comportant une confirmation générale des droits et des possessions du destinataire. Ce mot est formé de l'élément d'origine grecque *pan-* «tout» (→ pan-) et du latin *charta* (→ charte); le français l'a adapté d'après *carte.*

♦ Le mot, d'abord écrit *pencarte,* a été employé avec les sens de «carte marine», «document, pièce d'archives» (1527) et «affiche ou papier donnant le tarif de certains droits» (1611). ◆ C'est au XVIIe s., où il a eu également le sens de «faire-part» (1688), qu'il a pris sa valeur moderne d'«écriteau sur lequel on marque le prix des marchandises» (1623), l'accent étant mis sur le support autant que sur le message. ◇ Le mot désigne ensuite un placard public donnant un avis (1803), en particulier, au XXe s., un écriteau portant un slogan, que l'on brandit. Il n'a pas gardé les sens, attestés au XIXe s., de «chemise pour ranger des papiers» et «registre sur lequel les portiers inscrivaient le nom des visiteurs» (1845-1846).

▸ Au XXe s., il a produit **PANCARTÉ, ÉE** adj. (1909) «signalé par une pancarte» (d'usage rare) et **PANCARTAGE** n. m. (1966) «affichage d'indication en lieu public».

PANCHROMATIQUE → CHROMO-

PANCRACE n. m. est emprunté (1578) au latin *pancratium,* lui-même pris au grec *pankration* «combat sportif alliant la lutte *(palê)* et le pugilat *(pugmê)*». Le mot est formé de *pan-* (→ pan-) et de *kratos* «force, puissance» (→ -crate, -cratie).

♦ *Pancrace,* terme d'antiquité grecque, désigne aussi depuis le milieu du XIXe s. un sport de lutte comparable à la lutte gréco-romaine.

▸ **PANCRATIASTE** n. m. (1555) est emprunté au latin *pancratiastes,* «athlète qui combat au pancrace», emprunté au dérivé grec *pankratiastês,* de *pankratiazein* «s'exercer au combat», lui-même dérivé de *pankration.*

PANCRÉAS n. m., terme d'anatomie, est un emprunt du XVIe s. (1562, A. Paré) au grec *pankreas* «glande allongée, annexée au tube digestif», formé de *pan-* (→ pan-) et de *kreas* «chair» (d'où *créatine* n. f.) appartenant à la racine indoeuropéenne °*kreu-* «chair crue, saignante» et «sang répandu» (→ cru).

♦ Le pancréas a été ainsi nommé «pour ce qu'il a partout similitude de chair» (Paré).

▸ Le mot a produit quelques dérivés d'usage didactique. ◆ **PANCRÉATIQUE** adj. (1665) s'emploie notamment dans *suc pancréatique.* ◆ **PANCRÉATITE** n. f. (1810) est formé avec *-ite,* suffixe de noms de maladies inflammatoires. ◆ **PANCRÉATINE** n. f. (1832) désigne un produit extrait du pancréas servant à soigner les troubles de la digestion. ◇ Il a aussi donné **PANCRÉATISÉ, ÉE** adj. (XIXe s.) «qui a été soumis à l'action chimique du pancréas», et le composé **PANCRÉATECTOMIE** n. f. (XXe s.) «ablation du pancréas».

PANDA n. m. est emprunté (1824) à un mot népalais de même sens.

♦ *Panda* désigne un mammifère assez semblable à un petit ours, de couleur blanche et noire, vivant dans l'Himalaya. *Panda géant* ou *grand panda* désigne l'espèce la plus rare.

PANDANUS n. m. est un emprunt (1816; sous la forme *pandang,* 1803) au malais *pandang,* latinisé par les botanistes.

♦ Le mot désigne un arbre tropical à port de palmier, dont une espèce fournit des fibres textiles.

PANDÉMIE n. f. est composé (1752) de l'élément *pan-** et du grec *dêmos* «peuple» (→ démocratie), sur le modèle de *épidémie*;* le grec avait la formation voisine *pandêmia* «le peuple tout entier».

♦ Le mot désigne une épidémie qui s'étend à la quasi-totalité d'une population, d'où une épidémie générale qui concerne l'ensemble des populations.

▸ On en a dérivé **PANDÉMIQUE** adj. (1740).

PANDÉMONIUM n. m. est emprunté (1714) à l'anglais *pandemonium,* d'abord *pandaemonium,* mot créé par le poète anglais John Milton dans le *Paradis perdu* (*Paradise Lost,* 1667; I, 756) pour désigner la capitale imaginaire de l'Enfer où les esprits démoniaques se rassemblent autour de Satan. Le mot est formé des éléments grecs *pan-* (→ pan-) et *daimôn* (→ démon) avec le suffixe latin *-ium* qui sert à former des noms de lieux.

♦ Le mot, très littéraire, est passé en français en référence au lieu imaginaire miltonien (*Le Spectateur,* traduction d'un texte anglais). On rencontre aussi les formes *pandaemonium* (traduction du *Paradis perdu* de Milton par Dupré de Saint-Maur en 1729), *pandaemonie* (idem) et la forme hellénisante *pandémonion* chez Voltaire. ◇ Au cours du XIXe s., *pandémonium* s'est répandu avec le sens analogique de «lieu rassemblant un grand nombre de personnes et possédant certains caractères attribués à l'Enfer (bruit, désordre, souffrance) ou aux damnés (corruption)» (1831, chez Michelet). L'anglais l'emploie dans un sens analogique dès 1779.

▸ Le dérivé **PANDÉMONIAQUE** adj., «digne du pandémonium, de la capitale de l'Enfer» (1857, Baudelaire, à propos de *La Tentation de saint Antoine*), formé avec influence de *démoniaque,* est encore plus rare.

PANDIT n. m. est un emprunt (écrit *pendit* en 1663, *pandite* en 1614, et alors mot de voyageurs sans aucune diffusion) au sanskrit *pandita* «savant».

♦ Il s'agit d'un titre honorifique donné en Inde à un sage, à un fondateur de secte. Écrit *pandit* depuis 1815, le mot s'est diffusé au XXe s. avec la notoriété du pandit Nehru.

PANÉGYRIQUE n. m. et adj. est emprunté (1512) au latin *panegyricus* adj. «laudatif», substantivé au sens d'«éloge, discours public à l'éloge de qqn». C'est un emprunt au grec *panêgurikos* «qui concerne une fête nationale» d'où «de fête, solennel», substantivé par ellipse de *logos* «discours» pour désigner un éloge public prononcé dans une fête nationale. Il est dérivé de *panêguris* «assemblée de tout le peuple, fête solennelle», formé de *pan-* (→ pan-) et de *aguris* «rassemblement, foule», forme éolienne pour *agora* (→ agora).

♦ Le mot est d'abord un terme d'antiquité désignant le discours public fait à l'éloge de qqn et, par extension, toute louange (1512). À l'époque classique, il développe le sens antiphrastique de «discours médisant» (1690), sorti d'usage. ◇ Au XIXᵉ s. (1842), il est souvent employé avec une nuance péjorative à propos d'un éloge emphatique, exagéré, mais il semble que cette péjoration ait disparu. ◇ Il est également adjectif (1557), surtout en parlant d'une réalité antique, mais cet emploi reste très didactique.

▶ **PANÉGYRISTE** n. avait été emprunté avant *panégyrique* (fin XIIᵉ s.) au bas latin *panegyrista* «celui qui prononce un panégyrique», lui-même emprunté au dérivé grec *panêguristês* «celui qui se rend à une fête solennelle». ◇ Le mot français, d'abord écrit par mégarde *pageryriste*, désigne dans un contexte antique celui qui prononce un panégyrique et, par extension, celui qui fait l'éloge sans réserve d'une personne ou d'une chose (1680), souvent avec une nuance ironique (av. 1692). ◆ **PANÉGYRIE** n. f. (1824, Champollion), attesté antérieurement une première fois dans l'*Encyclopédie* sous la forme *panegyris* (1765), est emprunté au grec *panêguris ;* il désigne didactiquement l'assemblée générale de tout le peuple d'Athènes et, par analogie, le rassemblement du peuple lors d'une grande fête religieuse et le lieu de cette fête.

PANEL n. m. est emprunté (1954) à l'anglais *panel,* lui-même emprunté (XIIIᵉ s.) à l'ancien français *panel,* forme ancienne de *panneau**, avec le sens de «pan ou pièce d'étoffe», «coussin de selle». Au XIVᵉ s., le mot anglais désigne un morceau de parchemin portant le nom des jurés et, par métonymie, s'est appliqué au jury lui-même. Sous l'influence de l'américain, il est étendu au XXᵉ s. à tout groupe de personnes sélectionné à des fins d'enquête ou d'arbitrage, échantillon statistique ou groupe d'experts.

♦ Le mot est passé en français dans l'expression *panel du consommateur,* puis *de consommateurs,* traduction calquée de l'expression américaine *consumer panel.* ◇ Il sert aussi, d'après l'anglo-américain *panel discussion,* à désigner un débat entre spécialistes de disciplines différentes, destiné à faire connaître au public les divers aspects d'une question (1963), et le groupe de spécialistes qui participent à ce type de discussion.

PANER, PANETIER → PAIN

PANGOLIN n. m. est emprunté (1773, Buffon) au malais *penggōling,* dénomination d'un petit mammifère qui s'enroule fréquemment sur lui-même. Le mot signifie proprement «animal qui s'enroule» ; il est composé de *peng-* (élément dénominatif) et de *gōling* «rouler, se rouler». Dès 1734, en latin scientifique, on relève la mention de ce mot exotique.

♦ Le mot désigne comme son étymon un mammifère édenté d'Asie (et d'Afrique), dont le corps est recouvert d'écailles cornées et qui se nourrit de termites et de fourmis.

PANICULE → PANIS

PANIER n. m. est issu (1170) du latin *panarium* «corbeille à pain», dérivé de *panis* (→ pain).

♦ Le mot apparaît avec un sens élargi qui le démotive aussitôt par rapport à *pain :* «corbeille servant à contenir et à transporter des denrées, des provisions». Il s'étend en moyen français à tout contenant d'une matière autre que le jonc ou l'osier tressé, mais servant aux mêmes usages (1360), en particulier dans les syntagmes plus tardifs ***panier à bouteilles*** (1765), ***panier à salade*** (1868), qui correspond à *panier pour égoutter la salade* (1768). C'est en référence à l'aspect grillagé de ce panier et peut-être aux secousses qu'on lui imprime que l'expression est passée dans l'argot puis dans l'usage familier pour désigner la voiture de police qui transporte des prisonniers (1822 ; 1814, absolument, *panier*). ◇ *Panier,* avec l'idée fondamentale de «contenant», a développé plusieurs sens particuliers : avec la notion de «réceptacle où l'on dépose des objets», attestée dès la fin du XIIᵉ s. (selon le *Larousse de la Langue française*), il entre dans la dénomination d'objets spécifiques, comme ***panier à ouvrage*** (1747), et désigne en particulier une corbeille où l'on jette ce que l'on ne veut pas conserver (1848 au figuré), d'où la locution dépréciative ***jeter au panier*** (1862), ***mettre au panier.*** ◇ Il sert également à désigner des objets utilisés pour enfermer des animaux : ruche de paille (1652), nasse sphérique pour prendre les homards, les langoustes et les crevettes (1681), piège pour les oiseaux (1834). Il se rapportait aussi à la caisse en osier fixée à l'arrière d'une diligence pour contenir les bagages et, le cas échéant, les voyageurs trop pauvres pour payer une place à l'intérieur (1690), ce qui lui valut de désigner par métonymie une petite voiture légère à caisse d'osier (1864). ◆ *Panier* est entré dans le vocabulaire de la mode pour désigner une pièce du costume féminin au XVIIIᵉ s. (*robe à panier,* munie d'une armature légère). Il s'est dit de la muselière du cheval (1872). ◇ Dans le vocabulaire du basket-ball (1924), l'anglais *basket* signifiant «panier», il désigne par métonymie un but marqué (1927).

Par une autre métonymie usuelle (nom de contenant pour le contenu), il désigne le contenu du panier (1450-1460) et, spécialement, l'ensemble des vivres constituant le repas (1884), en particulier celui qu'emportaient les travailleurs à midi (1929), alors concurrencé par *gamelle* (aussi ***panier repas***). Il entre dans l'expression *le* ***panier de la ménagère*** (1963) désignant l'ensemble des produits alimentaires et d'entretien courants utilisés comme référence pour évaluer le coût de la vie.

Panier, comme d'autres noms d'objets très usuels, a fourni un bon nombre de locutions et d'expressions. Les plus usitées de nos jours remontent au

XVIIe s. : ***le dessus du panier*** (1675), «ce qu'il y a de meilleur», a évincé la locution symétrique *le pis du panier* (1611). ◇ ***Panier percé*** (1690) a décliné avec le sens de «mémoire qui ne retient rien» pour se réserver au sens de «personne qui dissipe son bien» (1694). ◇ En 1690, Furetière répertorie également ***ne pas mettre tous ses œufs dans le même panier*** pour «répartir ses chances». Ultérieurement, a été créé sur le moule de l'expression précédente ***mettre (tout le monde) dans le même panier*** (1870), d'où ***ne pas être du même panier*** (1881) et aussi ***panier de crabes*** (1949) «réunion de personnes hostiles, qui se disputent, se battent».

▸ **PANIÈRE** n. f. (1254) a été formé sur *panier* avec le suffixe *-ière* au sens augmentatif de «très grand panier». Bien attesté en ancien et moyen français (en particulier dans le Nord), il n'est répertorié dans les dictionnaires qu'à partir de Littré. ◆ *Panier* a aussi produit **PANERÉE** n. f. (1393, *penneree*) avec le suffixe *-ée* qui marque l'idée de «contenu». Ce mot a développé au XVIIe s. le sens figuré de «très grande quantité» (1671), qui a disparu.

PANIFIER v. tr. est une formation savante avec le suffixe *-ifier* (1600, O. de Serres) sur le latin *panis* (→ pain). Le mot est relevé en latin médiéval sous la forme *panificare*, de *panis* et *facere* (→ faire).

♦ *Panifier* est rare avant le XIXe s. avec son sens propre de «transformer de la farine en pain, pétrir» ; il y développe un sens métaphorique de «pétrir», vieilli.

▸ En sont dérivés **PANIFICATION** n. f. (1782, Mercier, *Tableau de Paris*), **PANIFIABLE** adj. (1819), et **PANIFICATEUR** n. m. (1825).

PANIQUE adj. et n. f. est emprunté (1534, *panice*) au grec *panikos* adj., proprement «de Pan», couramment employé en grec hellénistique et tardif pour qualifier la peur, parce que la subite apparition de Pan est terrifiante. Le mot est dérivé de *Pan*, nom du dieu grec des bergers et des troupeaux, qui semble originaire d'Arcadie bien que son culte soit répandu à travers toute la Grèce et se soit même généralisé hors du monde hellénique. L'étymologie du mot demeure obscure, malgré plusieurs hypothèses, toutes indémontrables : Schultze, reconstituant une forme °*Pausôn*, a rapproché *Pan* du sanskrit *Pūṣan*, nom d'une divinité protégeant elle aussi les troupeaux, avec une alternance possible °*pāus-/pūs-* ; on a aussi évoqué, sans plus de certitude, l'hypothèse d'un thème préhellénique.

♦ *Panique* est d'abord attesté dans *terreur panice* chez Rabelais. Rarement employé dans l'usage didactique au sens de «propre au dieu Pan» (1546 ; repris au XIXe s., 1866), l'adjectif n'est vivant que dans ce syntagme. Furetière rapporte que, d'après la légende, Pan «au rapport de Polienus en ses stratagemes, a esté l'un des Capitaines de Bacchus, lequel mit en deroute les ennemis par le moyen du grand bruit qu'il fit faire à ses soldats qui combattoient dans une vallée, où il avoit observé qu'il y avoit plusieurs échos, ce qui fit croire qu'ils étoient en bien plus grand nombre, de sorte que les ennemis s'enfuirent sans combattre : ce qui a fait appeler toutes les frayeurs malfondées, *terreurs paniques...*». ◆ Le mot a été substantivé par ellipse du nom, d'abord en argot dans l'expression *avoir la panique* (1828-1829). Il est accepté par l'Académie en 1835. L'usage familier l'emploie aujourd'hui avec le sens d'«affolement» *(pas de panique)* sous l'influence de l'anglais *panic*, lui-même emprunté (XVIIe s.) au français.

▸ Son dérivé **PANIQUER** v. est attesté pour la première fois en 1828-1829 dans les *Mémoires d'un forçat* de Marco Saint-Hilaire qui donne *se paniquer* comme équivalent de la locution *avoir la panique* «avoir peur, se tenir sur ses gardes». L'usage familier emploie ce verbe à la fois en construction transitive (1937) et intransitive (1966). ◇ Son participe passé **PANIQUÉ, ÉE**, adjectivé et substantivé (1942), désigne familièrement une personne qui cède à la panique. ◆ On rencontre aussi **PANIQUARD, ARDE**, mot de formation populaire employé comme adjectif (1897 écrit *panicard*) et comme nom (1925) avec un sens voisin ; il a vieilli.

PANIS n. m. est issu (fin XIe s.) du latin *panicium* (Ier s.), variante de *panicum*. Ce dernier est dérivé de *panus*, mot qui correspond à trois sens différents : «fil du tisserand», «tumeur ou abcès» (par ressemblance de forme avec une bobine de fils ?) et «épi à panicules, millet» (Pline). Si le sens de «fil» est probablement un emprunt au grec dorien °*panos*, il est difficile d'établir l'origine des autres valeurs, qui ne peuvent s'expliquer par la même origine.

♦ Le mot, nom d'une graminée cultivée comme céréale ou plante fourragère, s'est d'abord écrit *paniz, panice* (1245) et *panis* (1373). En 1845, Bescherelle recommande de préférer *panic* (XVe s.), emprunté au latin *panicum*, et la forme *panicum* aux formes *paniz* et *panis*.

▸ **PANICULE** n. f. a été emprunté (1545) au latin *panicula* «inflorescence de certaines graminées sous forme d'une grappe d'épillets», de *panus*. Il a gardé le sens de son étymon et a produit **PANICULÉ, ÉE** adj. «en forme de panicule» (1778).

✳ ① **PANNE** n. f., nom d'étoffe, est issu, sous la forme archaïque *penne* (1080) puis *pane* (1165) et enfin *panne* (1200), du latin *pinna* «plume, aile» dans lequel il faut voir une variante de *penna* (→ penne). Le mot est attesté en gallo-roman avec le sens de «fourrure», peut-être sous l'influence du germanique (le moyen haut allemand a *vëder* pour «plume» et «fourrure»), plus exactement celle du francique, puisque le sens de «fourrure» existe aussi dans l'ancien provençal *pena* (déb. XIIIe s.).

♦ Le mot a eu ce sens de «fourrure» (souvent utilisée dans la doublure de vêtements), qu'il a conservé dans le vocabulaire du blason (1644, *penne ;* 1690, *panne*). L'idée de «doublure» vient ensuite au premier plan (1228), puis le mot acquiert le sens moderne d'«étoffe travaillée comme le velours» (1250, *penne*), depuis 1504 sous sa forme actuelle. Il désigne plus particulièrement un tissu à poils couchés brillants utilisé dans la confection de vêtements.

▸ ② **PANNE** n. f., nom de la graisse épaisse qui se trouve sous la peau du porc et dont on fait le saindoux, est issu, sous la forme *penne (d'oint)* [1260] de ① *panne.* ◇ Il s'agit d'un emploi figuré de ce mot, la couche de graisse adhérant à la couenne étant comparée à une doublure de vêtement. La forme *panne* est attestée depuis 1611.

③ **PANNE** n. f., nom donné à la partie amincie d'un marteau, est issu d'une spécialisation de sens (1676) de *penne** «plume», par analogie de forme, et probablement par antiphrase plaisante, à cause du poids. L'ancien provençal a *penna* avec le même sens dès 1350.

Quant à ④ **PANNE** n. f., «bande de nuages au-dessus de l'horizon» (1866), c'est probablement une spécialisation différente de *penne,* à moins qu'il ne faille passer par l'intermédiaire du provençal moderne *pano* «léger nuage qui flotte dans les airs» (Mistral), représentant le latin *pannus* «morceau d'étoffe» (→ pan).

⑤ **PANNE** n. f., terme de marine, est le même mot que *penne** «plume» (→ ① panne, ③ panne), sous les formes *pene* (1515-1516), *pane* (1552), *penne* (1573) et enfin *panne* (1611). Il désigne la plus longue pièce d'une vergue latine s'amincissant vers le bout comme l'extrémité d'une plume. C'est avec ce sens qu'il est entré dans les locutions techniques *bouter vent en panne* (1573), ***mettre en panne*** (1611), ***être en panne*** qui concernent l'orientation des vergues du navire permettant d'arrêter sa marche. ◇ Au XVIIIe s., l'expression ***en panne*** est passée dans l'usage courant au sens figuré d'«en attente, dans l'impossibilité d'agir» (av. 1755, Saint-Simon). Le mot s'est répandu au XIXe s. avec le sens concret d'«arrêt de fonctionnement d'un mécanisme» (1879), sens répandu avec la diffusion de l'automobile (dès 1896, *rester en panne*), et avec quelques acceptions populaires ou argotiques. Pour *panne d'oreiller,* → oreiller. ◇ Dans celle de «misère» (1810), P. Guiraud voit plutôt un déverbal du verbe *panner* v. intr. «ruiner au jeu», par métaphore de *panner* «nettoyer», dérivé de ① *panne* «chiffon, tissu». ◇ C'est aussi, dans l'argot du théâtre, le nom d'un rôle insignifiant, sans importance (1843), qui, par métonymie, sert à désigner une œuvre médiocre (1878, un mauvais tableau). ➝ *Panne* n'a guère produit que le mot populaire **PANNÉ, ÉE** adj. et n. (1828-1829) «sans argent, dans la misère» et **PANNER** v. tr. (1930), ancien terme d'argot de métier exprimant le fait de rater un ouvrage.

Dans le premier quart du XXe s. est apparu **DÉPANNER** v. tr. (1922), formé sur *panne* au moyen du préfixe *de-* et de la désinence verbale, avec un sens propre, «réparer la panne de...» et, bientôt, figuré (1941). ➝ Il a immédiatement produit ses dérivés **DÉPANNEUR** n. m. (1916), **DÉPANNEUSE** n. f. (1929) et **DÉPANNAGE** n. m. (1918) dont le sens figuré est attesté depuis 1964. ◇ *Dépanneur,* réservé en français d'Europe à la réparation des moteurs automobiles, a pris au Québec la valeur figurée et très usuelle de «magasin, épicier ouvert tard le soir et pendant les jours fériés, et qui *dépanne* les clients».

◈ **PANNEAU** n. m., d'abord sous la forme *panel* (1160-1174) (→ panel), est issu du latin populaire °*pannellus,* dérivé diminutif de *pannus* «morceau d'étoffe» (→ pan).

♦ Le mot, longtemps écrit *panel, pannel* (fin XIVe s.), a pris sa forme moderne au cours du XVIe siècle. Il désigne d'abord divers objets en tissu : un coussinet de selle (1160-1174), un morceau d'étoffe utilisé comme guêtre (1160-1174) et un morceau d'étoffe (1213) en couture. ◇ À partir de 1213, il commence à désigner une partie de surface rigide, spécialement en architecture, en menuiserie et en décoration. Le mot a aujourd'hui divers emplois techniques (*panneaux de carrosserie, panneaux préfabriqués,* etc.). ➝ Parallèlement, il passe dans le vocabulaire de la chasse à propos d'un filet tendu pour prendre le gibier (1285), sens dont procèdent les expressions figurées usuelles *tendre un panneau* (fin XIVe s.), ***donner dans le panneau*** «se laisser tromper» (1642).

▸ *Panneau* a produit **PANNEAUTER** v. tr., terme de chasse (1798), également employé en horticulture au sens de «couvrir de panneaux» (1845), d'après un autre sens de panneau. ◇ Ce verbe a lui-même donné **PANNEAUTAGE** n. m. (1867), terme de chasse d'abord écrit *pannotage,* également employé pour désigner un revêtement de panneaux et, techniquement, l'ensemble des panneaux d'une carrosserie (1907). ➝ *Panneau* a aussi produit **PANNELÉ, ÉE** adj. (1936), terme de décoration signifiant «revêtu de panneaux».

◈ voir PANEL.

PANNETON → PENNE

PANONCEAU → PENNE

PANOPLIE n. f. est emprunté (1551) au grec *panoplia* «armure complète d'un hoplite», dérivé de *panoplos* «armé de toutes pièces», formé de *pan-* (→ pan-) et de *hoplon* «arme, armement, armure», par spécialisation du sens plus général d'«instrument». Ce mot repose sur la racine de *hepein* «s'occuper de, soigner», correspondant au sanskrit *sápati* «soigner, vénérer».

♦ Le mot désigne d'abord l'armure complète d'un guerrier de l'Antiquité avant de s'appliquer à l'armure complète d'un chevalier du moyen âge (1784). À partir du XVIIIe s., il se prête à des emplois métaphoriques (1743, *panoplie dogmatique*). ◇ Depuis 1830, il désigne surtout un ensemble d'armes disposées contre un mur pour servir de trophée, d'ornement, avec des effets de sens familiers et plaisants, notamment avec la valeur d'«attirail» (XXe s.). ➝ Un sens particulier, «ensemble de jouets imitant un équipement militaire ou un uniforme et des accessoires» (1932) est devenu usuel, les sens métaphoriques étant parfois compris comme provenant de cette acception.

PANORAMA n. m. est emprunté (1799, Brevet du 7 floréal an VII) à l'anglais *panorama,* terme créé en 1789 avec les mots grecs *pan,* neutre de *pas* «tout» (→ pan-), et *horama* «ce qui est vu, spectacle, vision». Ce dernier est dérivé de *horan* «voir, regarder», qui contient une racine indoeuropéenne °*swer-,* °*ser-,* °*wer-* «faire attention», représentée dans un très important groupe de mots en latin (→ observer, révérer, serf) et en germanique (→ garder).

♦ *Panorama* a été créé avec le sens de «vue d'ensemble» par le peintre anglais R. Barker pour le type de tableau qu'il mit au point vers 1787, consistant en une représentation circulaire, le spectateur étant situé au centre. R. Barker exposa un panorama de Londres dans un parc londonien ; son invention fut importée à Paris par Robert Fulton et, en 1799, fut exposée une vue de Paris prise du haut du pavillon de Marsan. Napoléon commanda à son architecte Cellerier des vues des principales villes de France et de l'Empire. On aménagea en 1800 le *passage des Panoramas,* organisé par R. Fulton, et on réalisa peu après les panoramas de Jérusalem, Rome, Naples et Florence. Dans le courant du siècle, le colonel Langlois exécuta des panoramas de batailles (Pyramides, Solferino, Malakoff) qu'il exposa à l'exposition de 1855 dans une rotonde élevée aux Champs-Élysées. Le goût des panoramas ne se démentit pas sous le second Empire et sous la troisième République. Son origine est à rechercher dans la tradition des «vues», en particulier des vues *(veduti)* de Rome peintes depuis ses collines dès le XVIe s. et dont la vogue était encore grande au XVIIIe siècle. Au cours du XIXe s., on inventa des variantes au panorama qui présentait des vues du globe (**GÉORAMA**), de la mer (**MARÉORAMA**), de l'Europe (**EUROPORAMA**), autant d'inventions qui passèrent de mode à la découverte du cinéma (→ diorama). ◇ Un pseudo-suffixe **-RAMA**, amplement commenté par Balzac, envahit le vocabulaire à la mode après 1830. ◇ *Panorama* est resté dans l'usage courant avec le sens figuré d'«étude donnant une vue complète d'un sujet» (dès 1800) et au sens de «vaste paysage, vue étendue d'une région» (1830).

► Son dérivé **PANORAMIQUE** adj. et n. (1816) l'a emporté sur *panoramatique,* attesté en 1834 chez Boiste et noté par Littré. Dans sa première attestation, il est employé à propos des *vues panoramiques* du champ de bataille de la dernière campagne de Bonaparte ; par extension, il qualifie ce qui permet d'embrasser l'ensemble d'un paysage et, au figuré, l'ensemble d'une question. ◇ L'adjectif est substantivé (1906) pour désigner un appareil photographique tournant permettant de prendre des vues d'ensemble et, depuis 1925, le nom est employé avec son sens moderne de «plan cinématographique pris en faisant pivoter la caméra sur son axe». ◆ Ce dernier a produit **PANORAMIQUER** v. intr. (1912) pour «prendre en panoramique, faire un plan panoramique».

PANOUFLE n. f., d'abord *panuffle* (1800), *panoufle* (1821), est l'altération de l'ancien français *panufle* «haillon» (1278), également *panifle* (v. 1350) et *penifle,* lequel est dérivé de l'ancien français *pane* «chiffon (qui sert à appliquer un onguent)» (v. 1280), lui-même de *pan**. Le mot a dû se conserver dans les dialectes. La finale *-oufle* reste mystérieuse, sauf à évoquer l'influence de *pantoufle.*

♦ Le mot désigne le morceau de peau de mouton, avec sa laine, servant à garnir le dessus des sabots.

PANSE n. f. est issu (1155) du latin *pantex, panticis* (souvent au pluriel *pantices*) «intestins, tripes» d'où «abdomen, ventre». Il s'agit d'un mot de la langue populaire, attesté chez Plaute, passé dans toutes les langues romanes et dont on n'a pas déterminé l'origine.

♦ Le mot est passé en français comme synonyme familier et populaire du terme courant *ventre,* en particulier dans la locution ***remplir la panse*** (1212, *emplir la pance*). Outre cette valeur que Richelet qualifie de «burlesque» (1680), *panse* désigne aussi, depuis l'ancien français, le ventre d'un animal (1188) et spécialement l'une des poches des ruminants (1562). ◇ Dès le moyen français, par analogie de forme, il se rapporte à la partie renflée d'un récipient (1379, d'un vase), d'un fût de balustre (1751), à la partie renflée de certaines lettres (1680, en parlant du *a* minuscule) : on le rencontre en ce sens (1648) dans la locution ***ne faire jamais une panse d'a*** «ne rien écrire (en parlant d'un auteur)». ◇ Littré, en 1868, enregistre aussi le sens de «cépage blanc à gros raisins».

► Au XIVe s., apparaissent ses deux dérivés, **PANSIÈRE** n. f. (v. 1330), nom technique de la pièce d'armure qui protégeait le ventre, et **PANSU, UE** adj. (v. 1225), également appliqué à un objet (1560, *bateau pansu*) et substantivé en parlant familièrement d'une personne ventrue (fin XIVe s.).

◈ voir **PANSER** (influence).

PANSER v. tr. est le résultat (1376) d'une spécialisation de sens de *penser** par l'intermédiaire d'anciennes expressions comme *penser de* «prendre soin de», «se préoccuper de» (1165), *penser qqn* «en prendre soin, le soigner» (1310-1340).

♦ Le mot s'est d'abord écrit *penser,* graphie employée jusqu'au XVIIIe s. bien que *panser* et *pancer* soient attestés à partir de 1453. Au XVIIe s., on a utilisé les deux formes pour distinguer les deux sens, aboutissant à la séparation des deux verbes. *Panser* signifie d'abord «s'occuper de, nourrir (un cheval)», le sens de «nourrir» venant de l'influence d'un autre verbe *panser* «nourrir, remplir la panse» (de *panse**) ; le verbe est toujours employé à propos d'un cheval, mais au sens de «donner des soins de toilette, brosser, étriller» (1453). En 1680, Richelet signale encore *panser les oiseaux* «les nourrir, les soigner», sens tombé en désuétude. ◆ L'acception médicale moderne, «soigner les plaies d'un homme» (1314), est réalisée dans l'ancienne locution *penser de la plaie,* avant de l'être en construction directe, dans *panser une plaie, un blessé* (1472), et en construction absolue (1845-1846, *panser à sec*). Le mot est quelquefois employé au sens figuré de «soulager, apaiser» (déb. XIVe s.).

► Il a produit **PANSEUR** n. m., attesté au XVe s. à propos de celui qui donne les soins de toilette à un cheval et depuis 1623 en médecine *(panseurs de verole).* C'est sous l'influence de *pansement* (ci-dessous) qu'il s'emploie absolument pour désigner celui qui bande les plaies, mais il a vieilli dans tous ses emplois. ◆ Le dérivé **PANSEMENT** n. m. est attesté pour la première fois en 1531 au sens général de «soins (à un malade ou à un blessé)». L'usage moderne l'emploie au sens plus particulier pris par *panser* depuis le XIVe s., pour l'action de panser une plaie (1762; av. 1615, *pensement des plaies*) et, par une métonymie qui semble récente, à propos de l'ensemble de ce qui est appliqué sur une plaie (attesté 1926). Par analogie de fonction, il désigne une préparation médicamenteuse absorbée par voie buccale (1962, *pansement gastrique*). ◇ Son ancien sens collectif, «ensemble des soins donnés à certains animaux» (1690), est aujourd'hui réservé à **PANSAGE** n. m. (1798), dérivé postérieur du verbe.

PANTAGRUÉLIQUE adj. est l'adjectif tiré par Rabelais (1534) du nom de son héros *Pantagruel*, personnage-clé des deux récits, *Pantagruel* et *Gargantua* (1532-1564). Fils de Gargantua, Pantagruel est un géant remarquable par sa capacité d'ingestion des boissons. Divers mystères du XVe s. font déjà état d'un *Panthagruel*, petit démon de la soif devenu rapidement populaire, dont le nom avait été lexicalisé dès le XVe siècle dans la locution *avoir le panthagruel* «être altéré».

♦ Le mot se rapporte d'abord au personnage de Rabelais, chez l'auteur lui-même *(livres pantagruéliques)* et en histoire littéraire. Il a pris au XIXe s., avec la vogue des contes rabelaisiens et «drolatiques» (Balzac), la valeur caractérisante de «digne de Pantagruel, de son amour de la bonne chère et de son énorme appétit» (1828, Sainte-Beuve, *tonneau pantagruélique*). Cette valeur apparaît en même temps que celle de *rabelaisien**. Elle est devenue relativement usuelle et le mot s'est confondu avec *gargantuesque* (→ gargantua) au prix d'un effacement de la spécificité de chacun des géants (soif inextinguible du premier, appétit insatiable du second).

▶ **PANTAGRUÉLISER** v. intr. «pratiquer l'art de vivre de Pantagruel» (1534, Rabelais) et **PANTAGRUÉLISME** n. m., «épicurisme de Pantagruel» (1535, Rabelais), ont été repris l'un (1718) et l'autre (1834) mais sont restés didactiques. ◆ On rencontre également **PANTAGRUÉLISTE** adj. et n. (1833, Gautier) «adepte du pantagruélisme».

PANTALON n. m. est emprunté comme nom propre (1550) à l'italien *Pantalone*, nom d'un personnage bouffon de la commedia dell'arte qui était vêtu d'un habit tout d'une pièce et représentait le type du vieillard de comédie, goutteux, voûté, cupide, avare, prétentieux, éternelle dupe, d'abord apparu à Venise. Le mot était un sobriquet appliqué aux Vénitiens parce que ce prénom était alors très répandu à Venise, en l'honneur de saint *Pantaleone* (en français *Pantaléon*), patron de la ville.

♦ *Pantalon* est relevé pour la première fois dans *l'un vestu en Pantalon, l'autre en Zani*, à propos des personnages d'une pièce de la commedia dell'arte. Par suite, il a servi à désigner un personnage bouffonnement hypocrite (1650). ◆ Dès 1585, l'accent est porté sur l'habit du personnage et le mot désigne par métonymie le costume de Pantalon, sorte de salopette allant du cou aux pieds et dont les jambes tombent droites. Furetière, en 1690, le définit comme un caleçon tout d'une pièce avec les chaussettes ou un haut-de-chausses étroit qui tient avec les bas. C'est avec la Révolution que le mot est employé avec son sens moderne (1790) et s'oppose à *culotte* (dont les jambes étaient serrées au mollet); cf. *sans-culotte*. ◆ *Pantalon* a aussi désigné un sous-vêtement porté par les femmes sous les jupons (1797) et, par extension, une culotte. ◇ Il entre dans **PANTALON-JUPE** n. m. (1898), auquel on préfère de nos jours *jupe-culotte*. ◆ Au XIXe s., *pantalon* est passé dans le langage technique du théâtre pour désigner une toile peinte masquant une découverte dans un décor (1840) [sens sorti d'usage] et il a désigné en chorégraphie une figure du quadrille français (1842).

▶ Parmi les quelques dérivés de *pantalon*, le plus ancien est **PANTALONNADE** n. f. (1613), créé en référence à la commedia dell'arte et aux bouffonneries hypocrites de Pantalon; le mot est donné en 1613 comme synonyme de *mascarade*. Au XVIIe s., il a pris le sens particulier de «danse bouffonne» (1631) et le sens figuré de «comédie bouffonne, comportement ridicule et hypocrite cherchant à abuser» (av. 1679). ◆ C'est au XIXe s., d'après le sens moderne de *pantalon*, qu'ont été créés **PANTALONNÉ, ÉE** adj. «vêtu d'un pantalon», d'usage familier (1876; «cerclé [d'un tonneau]», 1842) et **SE PANTALONNER** v. pron. (1859) rare. ◇ **PANTALONNIER, IÈRE** n. (1878), «coupeur, coupeuse spécialisé dans la confection de pantalons», est un terme technique.

PANTELER → PANTOIS

PANTHÉISTE adj. et n. est emprunté (1712) à l'anglais *pantheist*, mot créé en 1705 par le philosophe irlandais John Toland à partir des éléments grecs *pan-* (→ pan-) et *theos* «dieu, divinité» (→ théo-). J. Toland se désigne lui-même sous ce nom dans le titre de son ouvrage consacré à une doctrine hérétique niant la personne divine du Christ.

♦ Le mot a d'abord été employé par le théologien Élie Benoist dans *Mélanges et Remarques critiques... sur les deux dissertations de M. Toland*, puis repris plus tard en 1810 par Mme de Staël. Boiste enregistre le nom et l'adjectif, qui ont suivi la vogue de *panthéisme*, en 1829.

▶ **PANTHÉISME** n. m. (1709), «doctrine philosophique et religieuse selon laquelle Dieu est l'unité du monde», est soit formé directement en français sur le grec, soit emprunté à l'anglais *pantheism*, qui ne semble pas utilisé par Toland mais est attesté en 1709 chez Fay, adversaire du panthéiste anglais. En 1712, Élie Benoist l'emploie également dans sa critique de Toland. La doctrine elle-même a connu des diffusions et des développements beaucoup plus considérables en Angleterre et en Allemagne qu'en France. ◇ Mme de Staël reprend le mot avec *panthéiste* en 1810 en mettant l'accent sur l'attitude d'esprit qui consiste à vouer un culte à la nature; Boiste le signale dès 1800, et il devient un terme important dans l'idéologie romantique. ◆ **PANTHÉISTIQUE** adj. (1831) a été dérivé de *panthéiste* avec le sens de «de nature panthéiste»; il empiète quelquefois sur l'aire d'emploi de *panthéiste*.

◈ voir **PANTHÉON**.

PANTHÉON n. m. est emprunté, comme terme d'Antiquité romaine (1488), au latin *Pantheum* «temple consacré à tous les dieux», emprunt au grec *Pantheion*, substantivation du neutre de l'adjectif *pantheios*. Ce mot, qui signifie «commun à tous les dieux», est formé de *pan-* «tout» (→ pan-) et de *theios* «qui concerne les dieux, consacré aux dieux», de *theos* (→ théo-).

♦ *Panthéon*, qui désigne proprement le temple consacré à tous les dieux dans l'ancienne Rome et à Athènes, s'est appliqué par analogie à un monument destiné à recevoir les restes de tous les hommes illustres, en particulier à Paris (décret du 12 septembre 1792). ◆ Peu après, il désigne l'ensemble des personnages illustres qui doivent demeurer dans la mémoire collective (1797).

▶ Le mot a produit deux dérivés récents, rares et ironiques : **PANTHÉONISER** v. tr. «mettre au Panthéon» et **PANTHÉONESQUE** adj. «relatif au Panthéon». ◆ L'adjectif grec *pantheios* a donné par emprunt le terme de mythologie ancienne, **PANTHÉE** adj. (1686), qui qualifie une divinité réunissant le pouvoir de toutes les divinités. L'écrivain décadent J. Péladan l'utilise comme nom au sens figuré de «dieu suprême».

◈ voir PANTHÉISME.

PANTHÈRE n. f., d'abord *pantere* (v. 1121), puis *panthère* par restitution du *th* étymologique, est emprunté au latin *panthera*, lui-même emprunté au grec *panthêr* «guépard». Ce dernier est un emprunt extrême-oriental certain : Benfey l'a rapproché du sanskrit *puṇḍarīka-* «tigre» et Mayrhofer, tout en critiquant ce rapprochement, admettrait une forme empruntée °*parthêr*, devenue *panthêr* sous l'influence de *pan-* (→ pan-) et de *thêran* «chasser, poursuivre».

♦ Ce nom d'animal a pris au XIXe s. quelques acceptions métaphoriques aujourd'hui vieillies : il s'est dit d'une femme emportée et violente, en particulier d'une beauté à la mode sous la monarchie de Juillet (v. 1830), en relation avec un emploi métaphorique analogue de *lionne*. À la fin du XIXe s., il a désigné populairement un anarchiste et s'est employé dans la locution *faire la (sa) panthère* «ne pas travailler», probablement par allusion aux mouvements de va-et-vient du fauve en cage.

◈ **PANTIN** n. m. est un mot d'origine incertaine, peut-être le dérivé régressif assez tardif (1747) de *pantine* n. f. (1570) «écheveau de soie lié ensemble pour être envoyé à la teinture» (cf. *poupée*, pour ce type de développement sémantique). *Pantine* est dérivé de *pan** au moyen de la finale *-ine* reprise d'autres noms d'étoffes *(alepine, cambrésine, ratine)*. L'hypothèse selon laquelle *pantin* serait issu du nom propre *Pantin* (commune proche de Paris), la première attestation semblant situer la fabrication des pantins à Paris, n'est pas fondée.

♦ Le mot désigne proprement la petite figure de carton coloriée dont on fait mouvoir les membres au moyen d'un fil ; ce jouet fut mis à la mode à Paris vers 1745. Par analogie, le mot s'applique à d'autres types de jouets, à une personne ridicule à force de gesticulations excessives (1762), et en politique, pendant la Révolution, à une personne qui change facilement d'opinion (1793).

▶ Le féminin **PANTINE**, utilisé par Huysmans, est rarissime.

PANTOIRE → PENTE

PANTOIS, OISE adj. est le dérivé régressif (1546, *couillon pantois*, chez Rabelais) de l'ancien français *pantaisier, pantoisier* v. intr. (1160) «palpiter, frémir» et «haleter» (1165), verbe qui fut en usage jusqu'au XVIe siècle. Il est issu d'un latin populaire °*pantasiare* «rêver, avoir des visions», prolongé dans l'ancien provençal *pantaisar, pantaizar, pantaiar* «rêver» et dans *pantais* «rêve, inquiétude, trouble». Le verbe latin a dû, à partir d'une acception plus particulière, «faire un mauvais rêve, un cauchemar», prendre le sens physique de «suffoquer, être oppressé, haleter». Cette évolution se vérifie dans les représentants dialectaux italiens (sicilien *pantasciari* «être oppressé», calabrais *pantasiari* «inquiéter, tourmenter») et dans le catalan *pantaixar* «être oppressé, hors d'haleine sous l'effet de l'émotion». °*Pantasiare* est emprunté, à l'époque où le *ph* grec était encore un *p* aspiré, au grec *phantasioun* «faire naître une idée, se figurer, s'imaginer», dérivé de *phantasia* (→ fantaisie).

♦ *Pantois* a d'abord eu le sens physique de «palpitant, haletant», aujourd'hui supplanté par le sens figuré de «penaud, déconcerté» (1584).

▶ Quant à l'ancien *pantoisier*, il survit sous la forme **PANTELER** v. intr. (1561), refaite avec le suffixe *-eler*, plus fréquent en français que la finale *-oiser*. Cette forme a remplacé *pantoier*, attesté en 1554. À la différence de l'adjectif, le verbe *panteler* est réservé au sens physique de «haleter». ◆ Toutefois, son participe présent adjectivé **PANTELANT, ANTE** (1604) exprime aussi bien, dès ses premiers emplois, le sens figuré de «bouleversé, ému» que le sens physique de «qui halète», en particulier «qui palpite (d'un être, d'un animal qui vient d'être tué)» (1762, *chair pantelante*).

PANTOMIME n. m. puis f., est emprunté (1469 *panthonime*) au latin *pantomimus* «mime, comédien qui s'exprime au moyen de gestes», emprunté au grec hellénistique *pantomimos*, formé de *panto-* «tout» (→ pan-) et de *mimos* (→ mime), proprement «celui qui mime tout».

♦ *Pantomime* désigne, comme en latin et en grec, l'acteur qui s'exprime par les gestes, d'abord dans un contexte antique et, plus généralement, celui qui imite les gestes, l'air de qqn (av. 1755). En ce sens, le mot a décliné au profit de *mime*. ◇ Il ne se maintient que comme nom féminin, désignant une pièce accompagnée de musique où les acteurs s'expriment par le geste et la mimique, d'où aussi ***ballet-pantomime*** n. m. (1749). ◇ Au XVIIIe s., *pantomime* s'est étendu à l'art de l'acteur de pantomime (1752), valeur où il a été plus ou moins remplacé par *mime** n. m. et, en dehors du domaine du spectacle, à une façon de se comporter, souvent avec une valeur péjorative de «comportement ridicule dénué de sens» (1750, Rousseau).

▸ En est dérivé **PANTOMIMIQUE** adj. (1802), peut-être d'après le latin *pantomimicus,* mot rare.

PANTOUFLE n. f., relevé comme nom d'un saint fantaisiste, *saint Pantouffle* (av. 1450) avant d'être attesté comme nom commun (1465), est d'origine obscure. On a proposé l'étymon grec *pantophellos* «tout en liège», de *panto-* «tout» (→ pan-) et de *phellos* «liège», par suite «bouée, flotteur de filet», emprunt à une langue méditerranéenne ou issu par spécialisation d'un mot indoeuropéen désignant l'enveloppe, l'écorce. Cette hypothèse, déjà émise par les humanistes de la Renaissance (Budé, Estienne, Varchi), est reprise par Prati quant au mot italien correspondant *pantofola,* d'où le français serait issu. Mais il est difficile d'attribuer une origine aussi savante à un mot familier comme *pantoufle.* En outre, rien ne prouve que le lieu d'origine des formes romanes soit l'Italie, où le mot existe depuis le XVe s. sous la forme *spantoffia,* dont on explique le *s* par l'article pluriel français *les* dans *les pantoufles.* Le mot français, le catalan (1463, *pantofle*) et le portugais (XVe s., *pantufo*) semblent contemporains. ◇ Une seconde hypothèse fait remonter *pantoufle,* par nasalisation, à la racine *patt-,* avec une origine méridionale : elle permettrait de rendre compte de l'initiale *pant-* (phénomène phonétique propre à l'occitan) et du suffixe *-oufle,* bien représenté dans le sud de la France. Selon cette hypothèse, le mot, qui aurait commencé par désigner une chaussure de paysan *(°pattoufle),* serait à l'origine des mots correspondants dans les autres langues romanes. ◇ Enfin, P. Guiraud, rapprochant *pantoufle* et *pantin* du dialectal *pantet* «pan de chemise», en fait un dérivé de *pan**, et attribue à la finale *-oufle* le sémantisme de l'objet plus ou moins gonflé et du bruit sourd ; à l'origine, le mot aurait désigné une chaussure d'étoffe (cf. *panoufle*).De ces hypothèses, la seconde est la plus vraisemblable, bien qu'il manque une étude approfondie de l'histoire des formes et des sens dans les langues romanes.

♦ Le mot désigne dès ses premières attestations la chaussure d'intérieur (en étoffe ou en cuir souple) que l'on connaît aujourd'hui. Il a aussi servi à désigner une chaussure à semelle épaisse et à haut talon portée par les femmes élégantes (1480) ainsi qu'une espèce de chausson souple que l'on mettait à l'intérieur des chaussures (1488-1490). ◇ Ses emplois figurés sont apparus à partir du XVIe s., dans des locutions comme *baiser la pantoufle de qqn* (1555, Calvin) «se soumettre à son autorité», exprimant une idée de «confort sans risque» dans *prendre ses pantoufles pour aller quelque part* (1618), ou ***en pantoufles*** (1755). ◇ À partir du XIXe s., *la pantoufle,* en emplois péjoratifs, est le symbole du bourgeois tranquille (1867, Baudelaire). D'autres emplois péjoratifs en faisaient dès le XVIe s. un symbole de la bêtise et de la nullité (1521, *Maistre Pantoufle*). Par jeu de mots entre *raisonner* et *résonner,* il entre dans la locution familière *raisonner pantoufle* (1673) «bavarder sans suite», modifiée dans l'usage moderne en ***raisonner comme une pantoufle*** (par influence du sémantisme de *comme un pied*) [1798]. Il sert à remplacer par euphémisme un mot grossier ou la fin d'une énumération menaçant d'être fastidieuse dans l'expression aujourd'hui disparue *etc. pantoufle* (1808) et en emploi absolu (1835). ➝ L'argot de Polytechnique l'a repris pour désigner l'ensemble des élèves qui, à la sortie de l'école, renoncent aux carrières de l'État pour entrer dans le privé (1878) ; par métonymie, *une pantoufle* désigne une carrière dans le privé (1894) [voir ci-dessous le verbe *pantoufler*].

▸ Le mot a produit peu de dérivés. ➝ Le plus ancien, **PANTOUFLIER, IÈRE** n. (1530), «personne qui fabrique, vend des pantoufles», a été recréé (1765) pour fournir une désignation ancienne du requin-marteau. ➝ **PANTOUFLER** v. intr. (1676), employé à l'époque classique au sens plaisant de «parler à bâtons rompus», a pris dans l'usage moderne le sens de «renoncer à une carrière au service de l'État» en parlant des polytechniciens (1878), puis plus généralement avec pour dérivé **PANTOUFLAGE** n. m. (1958). ➝ **PANTOUFLARD, ARDE** adj. et n. (1878) est à l'origine un terme de l'argot de Polytechnique appliqué au polytechnicien qui renonce aux carrières de l'État. Cependant, le nom avait été donné comme surnom aux Parisiens âgés qui formèrent une garde urbaine pendant le siège de Paris en 1870. ◇ Son emploi courant pour «personne qui aime une vie confortable et sans imprévu» est attesté depuis 1883 (titre : *Histoire d'un pantouflard*) ; ce sens est indépendant de l'acception issue de l'argot de Polytechnique et correspond aux emplois métaphoriques de *en pantoufles, dans ses pantoufles* «chez soi, au coin du feu, bien tranquille».

PANTOUM n. m. est l'emprunt (1829, Hugo) d'un mot malais de même forme désignant un poème à forme fixe composé d'une série de quatrains à rimes croisées ; les deuxième et quatrième vers d'une strophe sont repris par les premier et troisième vers de la strophe suivante. L'origine du pantoum est controversée.

♦ Le pantoum a été révélé en France par V. Hugo dans une traduction donnée en note dans *Les Orientales.* Th. Gautier, Th. de Banville, Baudelaire *(Harmonie du soir),* Leconte de Lisle et R. Ghil (*Le Pantoum des pantoums,* 1901) l'ont pratiqué.

PAON n. m. est issu, avec plusieurs diphtongues différentes (1130), de l'accusatif du latin *pavo, -onis* désignant un oiseau et un poisson. Ennius atteste la forme archaïque *pavus,* reprise par les auteurs de la basse latinité et par la langue de l'Église. La forme latine usuelle était *pavo,* précisée par *masculus* ou *femina* lorsque l'on voulait indiquer le sexe de l'oiseau. L'animal a été importé de l'Inde et *pavo,* parallèlement au grec de même sens *taôs,* a sans doute été emprunté à une langue orientale ; le *p* du latin reste inexpliqué ; il est peut-être dû à l'onomatopée du cri de l'animal. ◇ En français, le mot, écrit *poün,* puis *paon* (1265), a évincé l'ancienne forme *paue, peue* (1180-1190), au pluriel *pauwes* (fin XIIIe s.), formée sur le nominatif *pavo* (alors que *paon* remonte à l'accusatif *pavonem*).

♦ Le paon faisant la roue étant pris comme symbole de prétention, le mot est entré dans quelques locutions appliquées à un comportement humain, telles ***fier comme un paon*** (1578), ***se parer des plumes du paon*** (1695), allusion à une fable de La Fontaine, *Le geai paré des plumes du paon* (1668). ◆ Comme le latin *pavo*, *paon* désigne également un poisson aux flancs marqués de taches colorées (1011) et un papillon aux ailes ocellées (1734). ◆ Par allusion à la couleur du plumage, il sert à désigner une nuance de bleu-vert (1897), en apposition dans *bleu paon* (1899).

▸ Le féminin **PAONNE** (1393) a supplanté l'ancienne forme *paonnesse* (fin XIIIe s.), encore répertoriée au XVIe s. par Huguet. ◆ Le nom du jeune paon, le dérivé **PAONNEAU** n. m. (1373-1381), a évincé les formes antérieures *paonnet* (1220) et *paoncel* (XIVe s.), formées avec deux suffixes à valeur diminutive. ◆ **PAONNER** v. intr. (1544) a d'abord été employé à la forme pronominale puis en construction intransitive (1874) au sens de «faire la roue» en parlant du paon et, quelquefois au figuré, d'une personne (1906). Le verbe a remplacé le moyen français *se pavonner* (1596) «se montrer vaniteux», «étaler ses plumes comme le paon» (1616), disparu au XVIIe s. et de nouveau attesté par archaïsme littéraire en 1886.

PAPA n. m. est un mot du langage enfantin (1256) qui a des correspondants dans de nombreuses langues indoeuropéennes : le grec *pappas*, le latin *pappa* et, parmi les langues romanes, le catalan et l'espagnol *papa*, etc., toutes formations qui répondent au nom enfantin de la mère, *maman**.

♦ *Papa*, souvent construit, comme *père*, avec le nom propre en apposition *(le papa Untel, papa Untel)*, entre dans ***papa gâteau*** (1854) et dans des associations de mots où il se substitue à *père : grand papa* (1680), *papa Noël*. Il s'est employé et s'emploie encore en appellatif, en milieu populaire, pour désigner le père de famille dans la bouche de sa femme. ◇ Dans l'usage familier, le nom sert à désigner un homme d'un certain âge, d'aspect débonnaire (1766), en particulier dans les locutions ***à la papa*** (1800) «sans hâte, de façon débonnaire, sans risques», et ***de papa*** (1959), avec les connotations péjoratives de «désuet, démodé». Cette dernière expression s'est répandue par un discours du général de Gaulle parlant de *l'Algérie de papa* (→ aussi pépé).

▸ **PAPI** n. m., souvent écrit d'après *mamy* et par faux anglicisme *papy*, est la variante enfantine de *papa*, peut-être d'après *mamie* qui semble antérieur. Comme *pépé*, devenu archaïque en milieu bourgeois, il désigne le grand-père, servant d'appellatif. Par extension, il se dit très couramment dans la langue parlée d'un homme en âge d'être grand-père (v. 1970). ◇ **PAPÉ** ou **PAPET** n. m., équivalent occitan de *pépé*, ne s'emploie que par allusion à la Provence.

◈ voir **PAPAS, PAPE, POPE.**

PAPARAZZI n. m., est un emprunt à l'italien (apparu en français v. 1960), où il a la forme du pluriel. Il s'agit du nom d'un personnage de *La Dolce Vita*, film de F. Fellini. Ce dernier, avec son scénariste, empruntèrent, pour dénommer dans le film un photographe indiscret, le patronyme de Coriolano *Paparazzo*, trouvé dans la traduction italienne de *By the Ionian sea*, récit de George Gissing, bien que l'hôtelier calabrais, très sympathique, de Gissing, n'ait rien à voir avec le personnage du film. Selon certains, le nom évoquait à la fois les mots *papatacci* «insecte piqueur», et *razzo* «fusée».

♦ Le mot désigne, en principe au pluriel, les reporters photographes de la presse à scandale, qui harcèlent vedettes et célébrités jusque dans leur vie privée. Il a eu rapidement une diffusion mondiale.

PAPAS n. m. est emprunté, sous l'ancienne forme *palpas* (1209), au grec byzantin *papas* «prêtre de l'Église grecque» (IVe s.), dérivation de sens de *papas* employé au sens de «prêtre».

♦ *Papas* est le nom donné au prêtre, à l'évêque, au patriarche de l'Église d'Orient.

◈ voir **PAPE, POPE.**

PAPAVÉRACÉES → **PAVOT**

PAPAYE n. f., d'abord *papaie* (1579, dans une traduction de l'italien), puis *papaye* (1664), est emprunté, par l'intermédiaire de l'espagnol *papaye* (1535), probablement à une langue caraïbe.

♦ Le mot désigne un fruit exotique.

▸ De *papaye* sont dérivés **PAPAYER** n. m. (1654) et le terme de chimie **PAPAÏNE** n. f. (1866) qui désigne une enzyme, extraite du latex du papayer, utilisée dans l'industrie alimentaire et en médecine.

PAPE n. m. est emprunté (1050) au latin ecclésiastique *papa*, emprunté au grec *papas*. Celui-ci est la forme tardive (sans géminée) de *pappa*, mot enfantin désignant le père (→ papa), employé comme terme d'affection et de respect à l'égard des évêques (IIIe s.), spécialement (VIe s.) puis exclusivement (IXe s.) à l'égard de l'évêque de Rome. Il s'agit à l'origine du mot grec correspondant au latin *pappa*, ancienne formation désignant le père dans le langage enfantin et demeuré, comme *mamma* (→ maman) dans le vocabulaire familier. Le grec moderne a gardé *papas* pour désigner le pope (→ pope).

♦ Le mot est passé en français pour désigner le chef de l'Église catholique romaine. Par analogie, il est employé, avec une nuance familière ou plaisante, à propos d'un chef dont l'autorité est indiscutée et dans la locution ***sérieux comme un pape*** (XIXe s.). ◇ Il sert spécialement en zoologie à désigner un petit passereau au plumage rouge et violacé (1764) par allusion à la couleur de l'ancien habit pontifical (cf. *cardinal*).

▸ *Pape* a produit un certain nombre de dérivés dont plusieurs termes de doctrine. ◆ Le premier attesté, **PAPAL, ALE, AUX** adj. (XIIIe-XIVe s.), est emprunté au latin médiéval *papalis* (1138), dérivé de *papa*. ◆ Au XIVe s. (1320), on rencontre **ANTIPAPE** n. m. «pape schismatique», emprunté au latin médiéval *antipapa* (1167), de *anti-* «contre» (→ anti-), servant à désigner des personnalités ayant revendiqué les prérogatives au préjudice du pape légitime. ◆ **PA-**

PAUTÉ n. f. est dérivé (fin XIVe s.) de *pape* avec le suffixe *-auté,* d'après *royauté.* Le latin médiéval *papalitas* de même sens (fin XIVe s.) a donné *papalité* n. f. (XIVe s.), sorti de l'usage avant le XVIIe siècle. ◇ *Papauté,* «dignité de pape», est rare avant la fin du XVIe siècle. Il désigne également, par métonymie, le temps d'exercice de cette fonction (1694) et le système de gouvernement ecclésiastique qui fait du pape le chef de l'Église (1831, Chateaubriand). ➡ Le féminin **PAPESSE** n. f. (mil. XVe s.) désigne la femme-pape, nommée Jeanne, qui, selon la légende, aurait occupé le trône pontifical de 855 à 857. Le mot a d'autres emplois relatifs à la femme qui pouvait être élue *pape des fous* (1832, Hugo) et à celle qui exerce une autorité morale incontestée. Il désigne historiquement la Reine et le chef de l'Église anglicane.

Au XVIe s. sont apparus deux termes d'histoire de la religion qui désignent péjorativement la doctrine des partisans de l'autorité absolue du pape et son partisan : **PAPISME** n. m. (1553 ; 1550, *papismus* en latin) et **PAPISTE** n. (1526 ; 1413, *papista* en latin médiéval). Ces mots sont particulièrement employés à propos de la polémique religieuse entre catholiques romains et protestants au XVIe siècle. ◇ On relève dans le même contexte, chez Rabelais, les créations plaisantes **PAPIMANE** adj. et n. (1552), de *pape* et *-mane**, et **PAPEFIGUE** n. (1552), avec *figue** repris à l'expression irrévérencieuse *faire la figue.* ➡ **PAPABLE** adj. (av. 1588), «susceptible d'être élu pape», est calqué sur l'italien *papabile* (av. 1566). ◇ **PAPALIN, INE** adj. et n. m. (1623-1640) est un emprunt à l'italien *papalino* (XVIIe s.), adjectif correspondant à *papa* «pape». Le mot est passé en français pour désigner le soldat du pape et le partisan du pape (1688). Par extension, il est devenu le synonyme péjoratif de *papal* (1650), et sert également à désigner l'ancienne monnaie des États pontificaux (1723).

Les antonymes de *papisme* et de *papiste* remontent au XVIIIe s. : ce sont **ANTIPAPISME** n. m. (av. 1764) et **ANTIPAPISTE** n. et adj. (1777-1783), souvent pris comme synonyme de *protestant réformé.* ➡ Avec un sens voisin, on rencontre quelquefois **ANTIPAPAL, ALE, AUX** adj. et n. qui désigne et qualifie celui qui s'oppose au pape, à son pouvoir temporel mais pas nécessairement à sa suprématie religieuse.

Au XIXe s., *pape* est entré dans la dénomination **MONNAIE DU PAPE** n. f. (1845-1846) concernant une plante à feuilles rondes.

PAPEGAI n. m., ancien nom du perroquet (fin XIIe s.), est probablement emprunté à l'ancien provençal *papagay, papagai* (XIIIe s.) de même sens. Lui-même est probablement emprunté, peut-être par l'intermédiaire du byzantin *papagas,* à l'arabe *băbăġā, băbbăġā',* nom du perroquet, d'origine incertaine. La finale *-gai* peut être expliquée par l'influence de l'ancien français *gai* (aujourd'hui *geai**) ou par celle de l'adjectif *gai.*

♦ *Papegai* a été évincé par *perroquet* au cours du XIVe s., sauf dans certains parlers de l'extrême nord ou de l'extrême sud de la France. Dans le Nord, il sert également à désigner la cible faite d'un oiseau peint ou de carton placé au bout d'une perche dans les jeux de tir à l'arc ou à l'arbalète (1375, *papegay*). Furetière, qui signale que le mot a vieilli au sens de «perroquet», précise qu'il reste utilisé comme terme de jeu sous la variante *papegault ;* on rencontre aussi *papegaut.*

① **PAPELARD, ARDE** adj. (v. 1190) est d'origine discutée. Selon une première hypothèse, ce serait le dérivé en *-ard* (suffixe péjoratif) d'un ancien °*papeler* «manger» et, par analogie, «marmonner des prières», dérivé en *-eler* de l'ancien *paper* (1223) «manger», lui-même issu du latin *pappare* «manger», d'origine expressive. Ce verbe hypothétique °*papeler* peut se déduire de *papeloter,* relevé dans le dialecte de Mouzon (Ardennes) au sens de «bavarder», et il est à rapprocher de l'ancien verbe *papeter* (→ papoter). Toutefois, cette hypothèse se heurte à une objection d'ordre morphologique concernant la dérivation en *-ard* d'un nom à partir d'un verbe ; seul, *grognard,* de *grogner,* offre un exemple analogue. ◇ Une seconde hypothèse fait de *papelard* le dérivé de *papel, papal,* adjectif correspondant à *pape*,* s'appliquant aux ultramontains tenants du pape, vilipendés par divers auteurs des XIIe-XIVe s. pour leur hypocrisie. Cette fois, on se heurte au fait que *papal* n'est pas attesté avant le XIVe siècle. ◇ Une troisième hypothèse, qui voit dans *papelard* le composé d'une forme verbale de *paper* «manger» et de *lard*,* est peu vraisemblable : la phrase *qui par derriere pappe lart* (1223, Gautier de Coincy), sur laquelle elle se fonde, ne constitue probablement qu'un jeu de mots.

♦ Ce terme péjoratif désignait anciennement un hypocrite, un faux dévot (1190) et s'emploie encore dans le style littéraire pour qualifier une personne mielleuse, doucereuse (1223).

▶ Les dérivés de *papelard* sont aujourd'hui vieillis ou utilisés avec une intention littéraire. ➡ **PAPELARDER** v. a d'abord eu le sens intransitif de «faire le papelard» (1260), avant d'être repris par Balzac au sens transitif de «flatter pour tromper» (1847). ➡ **PAPELARDISE** n. f. (1503) est issu par changement de suffixe de l'ancien français *papelardie* n. f. (1223), encore attesté au XVIIe siècle. Il a décliné dès le XVIIe s., qualifié de «bas, burlesque» par Richelet (1680). ◇ Enfin, on relève **PAPELARDEMENT** adv. au XXe siècle.

② **PAPELARD** → PAPIER.

PAPERASSE → PAPIER

PAPI, PAPY → PAPA

✳ **PAPIER** n. m. est issu (fin XIIIe-déb. XIVe s.) du latin populaire °*papilus,* altération du latin classique *papyrus* (→ papyrus), d'origine grecque. C'est le nom du roseau d'Égypte qui désignait aussi deux produits fabriqués avec les fibres : la feuille mince servant de support à l'écriture (Ier s.) et la mèche de lampe servant de cierge (IVe s.). Une autre variante *papellu(s)* a donné l'ancien provençal *pobel* «mèche» et une troisième, °*papelius,* est à l'origine du mot des gloses juives *paveil* (fin XIe s.) «jonc», type répandu dans divers dialectes. ◇ Les feuilles de papyrus furent exportées d'Égypte en Europe occidentale jusque vers la fin du VIIIe s., quand l'arrivée des Arabes dans la vallée du Nil a mis un terme (provisoire) à leur exportation. Dès lors, le papyrus fut peu à peu remplacé dans les pays occidentaux par le parchemin, presque exclusivement en usage encore au XIIe siècle. À cette époque, le papier de chiffon, d'origine chinoise, fabriqué ensuite par les Arabes après la prise de Samarkand (751), commence à être connu en Europe occidentale et reçoit le nom de *papyrus.* Ce sont les Arabes qui l'introduisirent en Espagne vers le début du XIe s. et, de là, en Italie du Nord (le latin médiéval *papirus* est attesté à Gênes en 1163). Puis le papier se répandit en France et des moulins à papier fonctionnent vers le milieu du XIVe s. en Champagne et en Lorraine.

♦ La forme *papier* est relevée pour la première fois dans un document concernant les relations commerciales entre la France et la Flandre dans *moulin à papier* (1355, sous une forme différente). Au XVIe et au XVIIe s., le mot entre dans un certain nombre de syntagmes déterminés ou qualifiés pour désigner des papiers de différentes natures, ou préparés pour différents usages, tels que ceux qu'on utilise pour des actes officiels : *papier d'acquis* (v. 1508), *papier marqué* (1674), sorti d'usage, ***papier timbré*** (1675), demeuré usuel, *papier bleu,* etc. ***Papier réglé*** (1680), ***quadrillé,*** fait référence aux marques imprimées sur certains papiers à écrire, l'un d'eux étant affecté à l'écriture musicale : *papier de musique* (1690), puis ***papier à musique.*** Dans certains cas, il s'agit d'un papier utilisé à des fins très différentes, comme dans ***papier peint*** (1593), employé aujourd'hui à propos du décor de papier imprimé qu'on colle aux murs, ou ***papier collé*** (1575), disparu dans ce sens et repris en art au XXe s. à propos d'une composition d'éléments découpés et juxtaposés (cf. *collage*), ou encore ***papier d'emballage, papier hygiénique*** (1901), ***de toilette,*** et familièrement ***papier de cabinets, papier cul.*** ◇ Certaines substances sont distinctes des papiers normaux : *papier verré* (1760), devenu ***papier de verre; papier filtre*** (1850), ***papier-parchemin*** (1867, Littré), ou ***papier sulfurisé, papier d'argent*** (en fait, *papier d'étain*), etc. ◇ ***Papier mâché*** (1695) se dit d'une substance faite de pâte à papier et de colle, que l'on peut mouler; au figuré, *visage de papier mâché* (1835) correspond à «fripé, fatigué». ➛ Enfin, *papier* a servi en moyen français (av. 1350) à désigner la substance tirée du roseau d'Égypte avant l'emprunt de *papyrus** au XVIe siècle. ◇ Le mot renvoie spécialement au support de l'écriture, désignant la feuille blanche destinée à recevoir un texte écrit, par exemple dans *papier a escrire lettres* (1306), devenu en français moderne ***papier à lettres,*** ou bien, sans qualificatif, dans *du papier et un crayon.* ➛ Un emploi au pluriel correspond à «ensemble d'écrits en possession de qqn», avec diverses connotations, telles «renseignements rassemblés» ou «ensemble de documents». De là des expressions comme être *dans les papiers* de qqn (1798, précédé par des expressions comparables), puis ***dans les petits papiers*** de qqn «faire l'objet d'une attention particulière», ou encore ***rayez cela de vos papiers*** (1640) «n'y comptez plus». ◇ *En papier* a signifié «par écrit» (1587, jusqu'au XVIIe s.). ◇ Plus précisément, *papier* désigne un engagement par écrit (fin XIVe s.), un effet bancaire (1748) et ***les papiers,*** après *un papier* (1736), les documents d'identité exigés de chaque citoyen (1835), souvent avec une connotation de contrôle policier *(«Poète, vos papiers !»).*

▶ Il fournit le second élément des noms d'objets de bureau, tels **COUPE-PAPIER** n. m. (1842), **SERRE-PAPIERS** n. m. (1720), **PRESSE-PAPIERS** n. m. (1839). ◇ **GRATTE-PAPIER** n. m. (1578) désigne un copiste et un mauvais écrivain (1866).

PAPETIER, IÈRE adj. et n. a d'abord été relevé en latin médiéval sous la forme *papetarii* (1414), puis en français sous sa forme actuelle (1507). Il a remplacé les dérivés antérieurs en *-lier, paupelier* (1318, picard), et en *-leur* (1398), faits sur *paupier.* L'addition de la consonne de soutien (*t* dans un cas, *l* dans l'autre) s'explique par l'influence des dérivés en *-ier* et *-eur* de noms en *-et* et en *-eau.* ◇ *Papetier* désigne le fabricant de papier et celui qui a un commerce de papeterie (1549). ➛ Par changement de suffixe, *papetier* a produit **PAPETERIE** n. f. (1423) «fabrication du papier», «manufacture de papier» (1549) et «magasin où l'on vend du papier» (1611). ◇ Par métonymie, ce mot désigne les articles de papier, de bureau (XIXe s.) et a désigné, autrefois, un écritoire renfermant du papier de divers formats et tout ce qu'il faut pour écrire (1842). ➛ Un autre dérivé de *papier,* **PAPERASSE** n. f., est la réfection par changement de suffixe (1590) du moyen français *paperas* (1553), lui-même réfection de *paperat* (1534), employé dès le XVIe s. avec sa valeur péjorative actuelle (1590 dans l'expression *paperasses poudreuses,* chez Montaigne). ◇ Il a produit **PAPERASSER** v. intr. (1546) «remuer, feuilleter, compulser des papiers», autrefois employé en construction transitive puis (1718) en construction intransitive. Au XVIIe s., le verbe a développé le sens de «produire de la paperasserie administrative» (1650), rare avant le XIXe s. où on le trouve chez Balzac dans *Les Employés* (1837). ◇ Ce verbe a lui-même donné **PAPERASSERIE** n. f. (1807), «action de compulser une grande quantité de papiers». ◇ Le mot doit à *paperasse* son autre sens de «grande quantité de papiers» (1845). ◇ **PAPERASSIER, IÈRE** n. et adj., dérivé de *paperasse,* désigne (1798) et qualifie (1869) une personne qui s'attache exagérément à la paperasse administrative. ➛ Au XIXe s. est apparu ② **PAPELARD** n. m., dont la finale provient, soit de l'influence de l'homonyme ① *papelard,* soit d'une origine dialectale, peut-être occitane, désignation argotique puis familière d'un papier manuscrit ou imprimé et, au pluriel, des papiers d'identité (1821). ➛ Un changement de suffixe a produit **PAPEROLE** n. f., terme d'usage régional pour désigner un petit papier, entré dans la langue générale grâce à Proust (av. 1922) qui l'emploie à propos de ses ajouts de texte manuscrit. ➛ Plus récemment, *papier* a donné son seul dérivé technique : **PAPERISÉ, ÉE** adj. (av. 1973).

PAPIER-MONNAIE n. m. est le calque (1720) de l'anglais *paper-money* (1691), composé de *paper*

(XIVe s.), lui-même emprunté au français, et de *money* (fin XIIIe-XIVe s.), lui aussi repris au français *monnaie**. Ce composé a éliminé les tentatives de dénomination antérieures : *argent en papier* (1701), ou simplement *papier* (1719).

PAPILIONACÉ, ÉE, ÉES adj. et n. f. pl. est emprunté (1730) au latin des botanistes *papilionaceus* «de papillon» (1689), dérivé du latin *papilio* (→ papillon) avec le suffixe *-aceus* «appartenant à, de la nature de».

♦ Le mot, d'usage didactique, est employé en entomologie dans la dénomination *mouche papilionacée*, qui s'applique à une mouche dont les ailes sont couvertes de poils fins et ras. ◆ Il est également employé en botanique (1747), désignant alors des fleurs et des plantes pourvues de cinq pétales inégaux en forme d'ailes de papillon, et pour désigner *(les papilionacées)* une sous-famille de légumineuses dotées de telles fleurs. ◆ Enfin, il a été repris en conchyologie (1845-1846) pour une coquille dont les valves rappellent par leur forme des ailes de papillon.

PAPILLE n. f., terme d'anatomie, est emprunté (1372) au latin *papilla* «petit bouton», d'où «mamelon», employé par métonymie pour désigner le sein. C'est le dérivé diminutif de *papula* «bouton, pustule», mot de type familier sans étymologie nette mais que l'on a rapproché du lituanien *pāpās* «mamelon du sein» (le *-ula* du mot latin semblant suffixal).

♦ Le mot est passé en français avec le sens aujourd'hui sorti d'usage de «bout du sein». ◇ À la suite de la découverte des papilles dermiques et linguales par Malpighi en 1664-1665, le mot a pris le sens de «petite éminence à la surface d'une muqueuse» (notamment gustative et tactile) [attesté 1690]. *Papille optique* (1874), pour *papille du nerf optique* (1858), désigne la saillie du nerf optique sur la rétine formant un disque blanchâtre sur le fond de l'œil. ◆ Depuis 1817, *papille* est employé en botanique à propos de l'émergence constituée par une cellule de l'épiderme sur les organes de certains végétaux.

► Il a produit un certain nombre de dérivés didactiques : le plus ancien est **PAPILLAIRE** adj. (1665), terme d'anatomie également employé en pathologie (1865, *tumeur papillaire*). ◆ Ensuite sont apparus des adjectifs dont les sens se chevauchent souvent : **PAPILLEUX, EUSE** adj. (1770), **PAPILLÉ, ÉE** adj. (1817 en botanique), **PAPILLACÉ, ÉE** adj. (1869) qui a pris son sens moderne en botanique (1874). ◆ **PAPILLITE** n. f. (1884) a trait à la pathologie des tumeurs. ◆ Il en va de même pour **PAPILLOME** n. m. (1867), d'abord *papilloma* (1858), emprunté à l'allemand *Papillom* créé en 1858 par R. Virchow à partir de l'allemand *Papille* correspondant au français *papille*. ◇ *Papillome* a produit **PAPILLOMATEUX, EUSE** adj. (1907), selon le principe de l'alternance *-ome/-omateux* observée dans *adénome/adénomateux, granulome/granulomateux*.

Le latin *papula* lui-même a été emprunté, sous la forme **PAPULE** n. f. (v. 1500), terme de pathologie désignant une petite éminence cutanée qui se rencontre dans de nombreuses dermatoses. ◇ La botanique l'a repris (1813) à propos d'une protubérance molle et liquide sur le parenchyme de certaines plantes. ◇ On en a dérivé **PAPULEUX, EUSE** adj. (1810).

PAPILLON n. m., d'abord *papeillon* (fin XIIe s.), est l'altération à des fins expressives (la syllabe *pap-*, avec répétition du *p* pouvant évoquer le battement d'ailes de l'insecte) de *pavillon** «insecte lépidoptère» (1150, *paveillon*), encore en usage dans les dialectes du Nord-Est et de l'Est. Lui-même est issu du latin *papilionem*, accusatif de *papilio, -onis*, terme expressif sans étymologie claire.

♦ Le mot ne se limite pas à ce sens de «lépidoptère» ; à partir du moyen français — où il a eu pour synonyme *parpaillot* — il a pris de nombreux sens fondés sur certaines caractéristiques de l'insecte. ◇ Par métaphore, il désigne une personne versatile, volage (1685) et qualifie ultérieurement qqn de changeant, d'inconsistant (1842). ◇ Les idées sombres se sont appelées *papillons noirs* (1755, puis 1817). ◇ Par analogie de forme avec les ailes déployées, le mot a désigné la partie d'une coiffe qui s'élargit en ailes (1530) et sert à désigner un ornement, en particulier dans ***nœud papillon*** (1909), récemment abrégé en ***nœud pap.*** ◇ ***Brasse papillon*** désigne une nage où l'on déploie simultanément les deux bras hors de l'eau (1936). ◆ Par référence à la forme et à la légèreté de l'insecte, le mot désigne un petit morceau de papier (v. 1450, repris en 1836), plus particulièrement la feuille jointe à un livre et, dans l'usage familier récent, un avis de contravention (1935). ◆ Au cours du XIXe et du XXe s., le mot a développé des sens techniques en mécanique (1845-1846) et en automobile (1932). Il est employé pour nommer un poste d'éclairage (1868), spécialement dans *bec papillon* (1888). C'est aussi le nom que porte l'écrou à ailettes (1949).

► Son dérivé **PAPILLONNER** v. intr. (1349) a d'abord été employé avec le sens physique de «palpiter», repris à partir de 1805. ◇ Dans l'intervalle, il a pris la valeur d'«aller d'une personne à une autre sans se fixer» (1607), d'où, plus abstraitement, «aller d'un sujet à un autre sans se concentrer» (1936). L'argot des voleurs lui a donné le sens de «voler du linge dans les voitures des blanchisseurs» (1836), sens disparu. ◆ Il a produit les dérivés **PAPILLONNAGE** n. m. (1742), quelquefois doublé par **PAPILLONNEMENT** n. m. (1843), **PAPILLONNEUR, EUSE** adj. et n. m. (1883 ; 1836 en argot) et **PAPILLONNANT, ANTE** adj. (1874).

Par changement de suffixe, *papillon* a donné **PAPILLOTE** n. f. (1408, *papillotte*) qui désigne d'abord des paillettes d'or ou d'argent, par analogie avec les ailes chatoyantes des papillons, puis divers papiers remplissant des fonctions spéciales : ainsi, il désigne le morceau de papier dans lequel on enveloppe les cheveux avant de les friser (1617), se dit d'un papier d'emballage rutilant servant à envelopper des bonbons (1803) et du papier sulfurisé utilisé pour cuire certains aliments dans leur jus (1735). Il entre dans la locution familière ***servir à faire des papillotes*** (1771) «être bon à jeter, ne rien valoir», dans laquelle la papillote représente un usage dérisoire du papier. ➛ Son dérivé **PAPILLOTÉ, ÉE** adj. est une réfection (1420) du type antérieur *papeloté* (1400) «garni de paillettes». ➛ Il a donné **PAPILLOTER** v. (1600), d'abord employé transitivement pour «couvrir de paillettes», sens disparu, et «mettre des papillotes sur la tête de qqn» (1680), puis «cuire un aliment en papillote». ◇ Il ne s'est conservé que dans l'emploi intransitif pour «battre rapidement, avoir un mouvement oscillant nerveux et involontaire» (1762 en parlant des yeux). L'usage littéraire l'utilise pour «avoir un éclat scintillant, des reflets mouvants» (1839), au propre et au figuré (en parlant du style d'un écrivain). ◇ **PAPILLOTEMENT** n. m. (1609), anciennement «éclaboussure», puis «fait d'être pailleté d'or» (1611) s'emploie aujourd'hui pour «scintillement» (1851), notamment à propos d'un scintillement qui fatigue la vue, comme celui de la télévision. ◇ **PAPILLOTAGE** n. m. s'est dit de l'éclat des paillettes d'or (1611); il désigne (1668) l'effet produit par une lumière trop vive, dans des emplois techniques (typographie, cinéma), et le mouvement des yeux quand ils sont éblouis.

◈ voir **PAPILIONACÉ, PARPAILLOT, PAVILLON.**

PAPOTER v. intr. est dérivé (1611), avec le suffixe *-oter,* du radical onomatopéique *papp-* qui exprime un mouvement des lèvres. On retrouve ce radical dans le latin *pappa* (ou *papa*), mot du vocabulaire enfantin désignant la nourriture, et dans son dérivé *pappare* «manger», conservé dans les langues romanes (→ ① papelard, soupape), par exemple avec l'ancien français *paper.* Le dérivé diminutif de ce dernier, *papeter,* est relevé avec les sens de «dépouiller (qqn) de son bien» (1223) et de «babiller», en picard (1234-1240).

♦ *Papoter* est répertorié par Cotgrave en 1611 avec le sens ancien de «manger du bout des lèvres, chipoter»; il prend son sens moderne de «parler beaucoup avec familiarité» au XVIIIe s. (1737), par analogie entre le mouvement des lèvres du mangeur et celui du parleur.

▸ Ses dérivés sont postérieurs à 1850: **PAPOTEUR, EUSE** n. (1870, au féminin; 1936, au masculin), plus courant que **PAPOTIER, IÈRE** adj. et n. (1877) «qui aime papoter», et **PAPOTAGE** n. m. (1837) «bavardage insignifiant», demeuré usuel.

◈ voir **PAPOUILLE.**

PAPOUILLE n. f. est formé (1923) sur la racine expressive *papp-* (→ papoter) au moyen du suffixe *-ouiller,* peut-être d'après *chatouiller, pouiller.* Il faudrait démêler le rapport entre cette racine et des mots tels que *papoter,* en normand «donner un baiser bruyant», ou *papateler* «pouponner». Une influence de *palper**, probablement secondaire, n'est pas exclue : on relève le dérivé *palpouille* «pelotage» à Mâcon.

♦ Le mot désigne familièrement une caresse indiscrète, un attouchement, souvent érotique et toujours ludique, et s'emploie le plus souvent au pluriel.

▸ *Papouille* a produit deux dérivés familiers : **PAPOUILLER** v. tr. (1951) et **PAPOUILLARD, ARDE** adj. (XXe s.) «qui a le caractère d'un attouchement suspect».

PAPRIKA n. m. est emprunté (1922) au hongrois *paprika* de même sens (l'anglais *paprika* est attesté dès 1896), lui-même emprunté au serbo-croate *pàpar* «poivre, poivron», qui repose sur la même racine que le français *poivre**. Le français avait déjà emprunté le mot avec le sens ancien de «soupe au poivre» (1832).

♦ *Paprika* désigne un piment réduit en poudre et utilisé comme condiment. Il suggère la cuisine hongroise ou d'Europe centrale.

PAPULE → **PAPILLE**

PAPYRUS n. m. est emprunté (1562) au latin *papyrus,* qui a donné par ailleurs *papier**, mot employé pour désigner une plante et, par métonymie, deux produits fabriqués avec des fibres de cette plante : la feuille mince servant de support à l'écriture (Ier s.) [→ papier] et la mèche servant de cierge (IVe s.). Le mot latin est emprunté au grec *papuros,* désignant la plante et aussi ce qui est fait avec elle, corde, toile, matière pour écrire, mot d'origine incertaine : différentes hypothèses ont été émises et l'une d'entre elles rattache le mot à une expression égyptienne *pap-ouro* «celui du roi, le royal», qui pourrait correspondre à l'idée d'un monopole royal sur cette matière.

♦ Emprunté par le français qui disait dans ce sens *papier,* pour désigner la plante et le support d'écriture, *papyrus* est glosé chez Boiste comme «papier du Nil» (1800), puis employé au sens de «feuille préparée à partir de la plante pour écrire» (1819) et «manuscrit dont le support est une de ces feuilles» (1805).

▸ **PAPYRACÉ, ÉE** adj., «mince et rigide comme une feuille de papier», est l'adaptation du dérivé latin *papyraceus* «de papyrus» (d'où le moyen français *papyracée,* 1558). ➛ *Papyrus* a donné quelques dérivés didactiques au XIXe et au XXe s. : **PAPYRIFORME** adj. (1845, dans un sens ancien), **PAPYROGRAPHIE** n. f. (1846), **PAPYROLOGUE** n. (1907), **PAPYROLOGIE** n. f. (1907) et **PAPYROLOGIQUE** adj. (1907), ces derniers relatifs à la science qui étudie les papyrus en tant que supports de manuscrits antiques et ces manuscrits mêmes.

PAPYROS n. m., emprunt d'un mot russe pris au grec *papuros,* désigne depuis le XIXe s. (1864 chez Dumas fils) une cigarette russe à tube creux.

◈ voir **PAPIER.**

PÂQUE n. f., **PÂQUES** n. m. et n. f. pl. est issu (v. 980) du latin chrétien *Pascha,* substantif neutre, traité comme un féminin, qui désigne la Pâque juive, par métonymie l'agneau pascal, et aussi la fête chrétienne. Le mot est emprunté au nom grec neutre de même sens *paskha* et celui-ci, par l'intermédiaire de l'araméen *pasḥā,* à l'hébreu biblique *pèsaḥ* «Pâque, agneau pascal», que l'on a cru dérivé du verbe *pāsaḥ* «passer devant, épargner».

♦ En ancien et en moyen français, les fêtes juive et chrétienne étaient désignées indifféremment par

Pasque ou *Pasques*. Concernant la fête juive, le mot est d'abord attesté sous la forme *Pasches* (fin Xᵉ s.), puis *Pasque* (fin XIIIᵉ s.). Par métonymie, il désigne aussi l'agneau pascal (1235), dans les locutions *manger la Pasque* (1382), *immoler la Pasque* (1694), sorties d'usage. ➛ Désignant la fête chrétienne, le mot était plus souvent employé comme nom féminin pluriel, d'abord sous la forme *Paschas*. Cependant, avec ce sens, on relève également le singulier *la Pasche* (1140), *Pasque* (1170), et le masculin singulier *Pasques* (1694), *Pâques* étant encore usuel, par ellipse pour *jour de Pâques*. ◇ Par métonymie, le mot, au pluriel, désigne le fait de communier pendant le temps pascal selon la prescription de l'Église catholique (*faire ses Pasques*, 1474). ◇ *Pâques* entre dans de nombreux dictons, et dans la locution ***à Pâques ou à la Trinité*** (1845-1846) «peut-être jamais», de la chanson Malbrough *(«il reviendra-t'à Pâques...»)*.

▶ De *Pâques* est dérivé **PÂQUERETTE** n. f. (1553, *paquerettes*), désignant une fleur voisine de la marguerite, en référence à l'époque où fleurit cette fleur. La locution familière ***aller aux pâquerettes*** s'est d'abord employée dans l'argot des footballeurs et à propos du gardien de but qui ramasse la balle au fond du filet (1932). On rencontre ensuite ***cueillir les pâquerettes*** avec le sens de «musarder» (1952) et *aller aux pâquerettes* (1966) «sortir de la route (en parlant d'un automobiliste)».
① **PASCAL, ALE, AUX** adj. et n. est emprunté (v. 1112) au dérivé latin ecclésiastique *Paschalis* «de la pâque». ◇ Le mot a gardé le sens latin «de la pâque, de Pâques», entrant dans certains syntagmes tels *agneau pascal* (déb. XIVᵉ s., *agnel pascal*), *temps pascal* (1690), *cierge pascal* (1796). Le mot est substantivé au masculin pour désigner un cépage provençal (1825), d'après le provençal *pascàou*, variante régionale de *pascal* (1772). ◇ Les sociologues ont formé **PASCALISANT, ANTE** n. pour désigner le fidèle qui n'a gardé de la pratique chrétienne que la confession annuelle au moment de Pâques.

PAQUEBOT n. m. est emprunté (1647) avec francisation à l'anglais *packet-boat* n., composé de *packet* au sens spécial de «paquet du courrier», de même origine que le français *paquet**, et de *boat* «bateau» (→ bateau). La dénomination n'est attestée en anglais que depuis 1641, à propos d'une embarcation effectuant le transport du courrier de l'État (dit *packet*) puis tout courrier maritime. *Packet-boat* a éliminé en anglais les autres dénominations, *post-bark* ou *post-boat*, et se trouve ensuite sous la forme abrégée *packet* (1709). L'habitude de prendre des passagers à bord de ces bateaux, notamment sur les lignes régulières comme Calais-Douvres, fit que l'appellation est restée attachée aux navires de transport des passagers, dont le développement fut particulièrement important à partir du début du XIXᵉ s. sur les lignes transatlantiques.

♦ La francisation de *packet-boat* s'est opérée en plusieurs temps; *paquebouc* désigne au milieu du XVIIᵉ s. le «vaisseau de passage qui trajecte ordinairement de Calais à Douvres en Angleterre pour les passants et messagers» *(Exposé des termes de marine)*. Ensuite, à côté de la forme *paquebot* (1665) qui s'est imposée, on rencontre *paquebout* (1701, Furetière; 1752, Trévoux). En 1718, le dictionnaire de l'Académie enregistre *paquet-bot* (attesté en 1687) et, au XVIIIᵉ s., on trouve également la forme *paquebout*. Au cours du XIXᵉ s., on a aussi utilisé l'emprunt direct *packet-boat* et sa forme abrégée *packet* (1860). De 1903 à 1923, les dictionnaires Larousse enregistrent cette forme abrégée francisée en *paquet*, mais dans l'usage actuel, seul *paquebot* a subsisté. ➛ Le mot n'a pas conservé le sens extensif de «bateau effectuant régulièrement le transport transatlantique du courrier et des passagers et de leurs bagages» (1783). Il désigne plus généralement, depuis 1831, un grand navire transocéanique transportant des passagers (et que l'anglais appelle *steamer* ou *liner*). Il entre dans la dénomination *paquebot-mixte* pour désigner un type de bâtiment dont les cales permettent d'embarquer un important tonnage de marchandises.

PÂQUERETTE → PÂQUE

PAQUET n. m., d'abord attesté sous la forme aberrante *parquet* (1368), est dérivé (1388) du moyen français *pacqué* «ballot (d'étoffe)», attesté un peu plus tard (1410) sous la forme *pakke*, probablement empruntée à l'anglais *pack* (→ pack), et en 1510 sous la forme *pacque*. C'est un emprunt au néerlandais *pak*, relevé en 1199 sous la forme *pac* dans un texte en latin médiéval. Dans le domaine anglais, on relève avant 1225 *pack*, emprunté probablement au néerlandais; le latin médiéval *paccettum* (1304) représente le même mot.

♦ *Paquet* désigne un assemblage de plusieurs choses attachées ou enveloppées ensemble, un objet enveloppé pour être transporté plus commodément ou pour être protégé. Il est également employé par métonymie pour désigner l'emballage, en carton ou en papier (1845). ◇ Dès le moyen français, d'autres sens particuliers mettent l'accent sur telle ou telle caractéristique ou destination de l'objet. C'est ainsi que le mot désigne l'ensemble des lettres destinées à une même personne (1464) et l'ensemble de toutes les lettres portées par le courrier (1690). ◇ Dans un autre contexte apparaît la locution ***faire son paquet*** (1485) «se préparer à sortir», quelquefois employée familièrement au sens de «se préparer à une mort prochaine» (1585). À l'époque classique, on emploie *hasarder le paquet* (1606), *risquer le paquet* (1692) «s'engager dans une affaire aventureuse», à ne pas confondre avec l'emploi moderne de *mettre le paquet* (ci-dessous). C'est aussi au XVIIᵉ s. que *paquet* commence à se dire d'une affaire encombrante, pénible (av. 1630), en particulier dans ***donner le (son) paquet à qqn*** (1640) «lui faire une critique sévère et méritée», repris au XIXᵉ s. dans ***lâcher le paquet*** (1878) «avouer». ◇ Par analogie, le nom désigne péjorativement une personne stupide ou maladroite (1798) ou habillée sans goût (1803) et une personne corpulente (1803). ◇ À partir du XIXᵉ s., il se dit d'une masse, avec le nom d'un objet naturel non dénombrable (1831, ***paquet de mer***; 1868, ***paquet d'eau***), et, dans *un paquet de...* (1875), d'une grande quantité. ◇ Au XXᵉ s., il entre comme *pack* dans le langage des sports pour l'ensemble des avants d'une équipe de rugby (1914), ce sens donnant lieu à quelques locutions ***(former le paquet)***. ◇ L'origine de la locution familière ***mettre le paquet*** (1931), «employer les grands moyens», est peu claire ; selon Wartburg, elle serait originaire du Sud Ouest et semblerait se référer aux moyens financiers, les paquets étant à prendre au sens de «liasses de billets de banque». ◇ À côté de ces acceptions usuelles ou familières, *paquet* compte peu d'acceptions techniques, sauf en typographie et récemment en informatique.

► Le dénominatif **PAQUETER** v. tr. (1453), «mettre en paquets», a développé au Canada (xxe s.) deux sens particuliers : «poser une garniture pour rendre étanche» (1921) et, argotiquement, à la forme pronominale, «s'enivrer» (1957). ◇ Son participe passé **PAQUETÉ, ÉE** est quelquefois employé comme adjectif avec le sens de «vêtu sans soin» (1897) et, en français du Canada, «ivre». ◇ Ce verbe a produit **PAQUETEUR, EUSE** n. (1562), désignation rare pour celui qui emballe.

Par préfixation, ont été formés **EMPAQUETER** v. tr. (1516) et **DÉPAQUETER** v. tr. (1487, *despaqueter*). ◇ Les noms correspondants, **EMPAQUETAGE** n. m. (1813) et **DÉPAQUETAGE** n. m. (1811), sont à peu près contemporains du nom correspondant à *paquet*, **PAQUETAGE** n. m. (1836), d'abord employé dans le domaine militaire au sens de «manière réglementaire de plier ses vêtements». Le mot désigne l'ensemble de tout ce qui est porté par le cheval en campagne (1868), l'action de ranger, de mettre en paquets (1868) et, en technique, l'ensemble des ouvriers qui mettent le tabac en paquets dans une manufacture (1874). ◆ *Paquet*, dans son acception technique en typographie, a produit **PAQUETIER, IÈRE** n. (1803), nom de l'ouvrier typographe qui compose les lignes et les réunit en paquets, sens sorti d'usage avec l'abandon de la typographie au plomb et à la ligne. ◆ **PACSON** n. m. est la déformation de *paquet* par adjonction d'un suffixe argotique (1899, *pacqson*). Le mot, d'usage familier, a évincé les variantes plus anciennes *pacsin* (1821), *pacmon* (1822) ; on trouve aussi *paxon*. ◇ En est dérivé **PACSIF, PAXIF** n. m., variante obtenue avec un autre suffixe (xxe s.).

◈ voir BANQUISE, PACOTILLE, PAQUEBOT.

◆ ① **PAR** prép., d'abord *per* (842) puis *par* (1050), est issu de la préposition latine *per*, employée au sens local d'«à travers, sur l'étendue de, le long de, par-dessus» et au sens temporel de «durant, pendant», exprimant aussi une idée de «répétition dans le temps». La préposition latine a aussi la valeur de «par l'intermédiaire de» (notion de moyen), et d'«au nom de» (notion de cause, introduisant le nom de la puissance invoquée dans un serment, une supplication) ; *per* a ainsi tendu à remplacer l'ablatif instrumental, notamment avec les compléments au passif. *Per* fait partie d'un groupe de prépositions et de préverbes auquel appartiennent *pro-* et *por* (→ pro-, pour), *prae* (→ pré-) et, d'autre part, *pri, prior* (→ ② prieur), *primus* (→ ① prime), le sens initial de tous ces mots étant «en avant». La forme est sans aucun doute celle d'un ancien locatif °*peri*, °*per* que l'on a dans le sanskrit *pari*, le vieux perse *pariy*, le grec *peri* (→ péri-), *per, para* (→ para-), le gotique *fair*, le vieux slave *pré*, le lituanien *per*. Les valeurs d'emploi du latin *per* se sont développées de manière variée : celle d'«en avant» est claire dans des cas tels que le sanskrit *paryasti*, le grec *periesti* «il surpasse». Avec l'ancien ablatif, le védique et le grec ont développé le sens d'«au-dessus de» ; avec l'accusatif, l'indo-iranien et le grec ont une acception, «autour», qui ne se retrouve pas ailleurs (→ paradis, périmètre). Le sens d'«à travers», qui est d'ordinaire celui du latin et qui résulte d'un développement secondaire, se retrouve en slave et surtout en baltique ; celui d'«à côté, par une déviation» (→ perdre, perfide, périmer) se retrouve peu en dehors du latin.

♦ Le mot a tous ses sens usuels, hérités du latin, avant la fin du xe s. ; il exprime ainsi une notion de manière (842), de moyen (av. 950), une relation de cause à effet (881), une relation de temps (av. 950) et de lieu (v. 980). La totalité de ses possibilités d'emplois, de constructions, est fixée avant la fin du XIIe siècle. On retrouve *par* dans de nombreux mots grammaticaux.

◈ voir PAR-, PARBLEU, PARCE QUE, PARDESSUS, PARDI, PARFOIS (art. FOIS), PARMI, PARTANT, PARTOUT.

② **PAR-**, élément préfixal, est issu (1050) du préfixe intensif latin *per-*, issu de la préposition *per* (→ ① par). Les Latins s'en servaient pour marquer l'achèvement, la perfection, et le joignaient à un adjectif ou à un adverbe pour former une sorte de superlatif absolu, dans des formations en partie, mais non nécessairement, populaires ou familières, nombreuses chez Cicéron (*perfacilis* «facile de bout en bout»). Ils le joignaient également à un verbe pour en renforcer le sens. Cet emploi s'est particulièrement développé à basse époque.

♦ En ancien français, *par* était employé comme adverbe d'intensité pour modifier le sens d'un adjectif et d'un verbe, ce dernier emploi suscitant, par soudure, la formation d'un nouveau verbe préfixé (cf. *parachever, parcourir, parfaire, parfondre, parvenir*). ◇ De son ancien emploi adverbial, en combinaison avec un autre verbe d'intensité (1080, *tant par, mult par*), il nous reste la locution adverbiale ***par trop*** (1350), qui renforce *trop*.

③ **PAR (DE PAR)** loc. prép. est la forme altérée (1160-1174) d'après ① *par** de la locution *de part (aucun)*, proprement «de la part de qqn» (1080) [→ de, part].

♦ *De par* signifie «du fait de, à cause de» et spécialement «par la volonté de», sens avec lequel il entre dans des formules d'invocation comme *de par Dieu* (1080, *de part Dieu*). Il entre aussi dans la locution ***de par le monde*** «quelque part dans le monde, à l'état de dispersion dans le monde». Les autres emplois sont très littéraires.

① **PARA-**, élément formant, représente le préfixe grec *para-*, tiré de la préposition *para*. Celle-ci peut marquer l'origine ou l'auteur d'un acte ; elle a souvent le sens d'«auprès de» et exprime aussi la notion d'«extension», au plan spatial («le long de») et temporel («pendant»). Elle s'est prêtée à exprimer la comparaison, puis la différence, prenant finalement la valeur d'«en dehors de» presque opposée à son sens premier. Par une extension dans deux directions différentes, elle peut signifier «contrairement à», mais aussi «à cause de». En grec, *para* était très souvent employé en composition avec les sens d'«auprès de», «le long de» et aussi de «contraire à». Certains emplois divergents sont d'ailleurs clairs si l'on songe que le français *à côté* exprime à la fois la notion de «proximité» et l'idée que les choses ne sont pas où elles doivent être. *Para,* conservé par le grec moderne comme préposition et comme préverbe, appartient à une importante famille de mots indoeuropéens bâtie sur °*pr-* avec des emplois divers. La langue grecque rapproche divers adverbes et prépositions, tels *pera* «de l'autre côté, au-delà», *peri* «tout autour, au sujet de» (→ péri-), *pro-* «devant, avant» (→ pro-).

♦ *Para-* figure d'abord dans de nombreux termes empruntés au grec, le plus souvent par l'intermédiaire du latin (→ paragraphe, paranoïa, parasite, parenthèse) ou adaptés du grec, puis apparaît comme élément formant dans le système morphologique du français à partir du XVIIe siècle. Au XIXe et au XXe s., il sert à construire de nombreux termes du vocabulaire médical et biologique. ◇ Au XXe s., *para-* devient très productif, avec un second élément emprunté au vocabulaire de la langue courante *(para-hôtellerie, paramédical)* dans la langue administrative et dans celle de certains milieux professionnels. ◆ D'un point de vue sémantique, *para-* exprime souvent l'idée de contiguïté, de proximité spatiale ou d'appartenance à un domaine proche. En biologie et pathologie, ainsi que dans des domaines très divers, il indique la ressemblance plus ou moins prononcée (et souvent trompeuse), la marginalité, voire l'anomalie, glissant de l'idée de «proximité» vers celle d'«exclusion» (par exemple dans *paralittérature, paralittéraire* [→ littéraire, littérature]).

◈ voir les mots en PARA-; PHARMACIE.

② **PARA-,** élément préfixal, est tiré de mots empruntés à l'italien *(parasol*, paravent*)* ou adaptés de cette langue *(parapet*).* Il y est dérivé de *parare* «protéger», correspondant au français *parer*,* avec l'idée d'une protection contre quelque chose.

♦ En français, il sert à former des noms et des adjectifs du langage courant.

◈ voir PARACHUTE (art. CHUTE), PARAPLUIE, PARASOL, PARATONNERRE (art. TONNERRE).

① **PARABOLE** n. f. (1265), d'abord *parable* (fin XIIIe s.), est emprunté au latin ecclésiastique *parabole, parabola* «récit allégorique des livres saints sous lequel se cache un enseignement», spécialisation du sens classique de «similitude, comparaison». Le mot latin est un emprunt au grec *parabolê* «comparaison», lui-même attesté au sens chrétien dans la traduction grecque du Nouveau Testament. C'est un dérivé du verbe *paraballein,* proprement «jeter auprès de», d'où «mettre côte à côte, comparer», formé de *para* «à côté» (→ ① para-) et de *ballein* «atteindre (d'un trait)», qui contient une racine indoeuropéenne et a été emprunté par le latin sous la forme *ballare* (→ bal). S'y rattachent de nombreuses formes nominales avec leurs dérivés, dont beaucoup sont passées en français (→ diable, emblème, parole).

♦ Le mot est d'abord relevé dans les *Sermons de saint Bernard sur le Cantique des Cantiques* à propos des sentences de Salomon, également appelés *proverbes.* Il s'applique surtout à l'Évangile. ◇ Au cours du XIIIe s., *parabole* a pris le sens moins strictement biblique de «récit allégorique sous lequel se cache un enseignement» (v. 1278).

► Son dérivé **PARABOLISTE** adj. et n. (1891), «auteur de paraboles», est rare. ◆ L'adjectif correspondant à *parabole,* ① **PARABOLIQUE** est emprunté (déb. XVIe s.) au bas latin *parabolicus* (IVe s.), lequel est un emprunt au grec tardif *parabolikos* «propre à servir de comparaison à», dérivé de *parabolê.* ◆ L'adverbe dérivé de *parabolique,* ① **PARABOLIQUEMENT** (1450), fait penser que l'adjectif existait dès le XVe siècle.

◈ voir ② PARABOLE.

② **PARABOLE** n. f. est emprunté (1555) au grec *parabolê* «comparaison, rapprochement» (→ ① parabole), spécialisé en mathématiques au sens de «courbe plane décrite par un point dont la distance à un point fixe est constamment égale à sa distance à une droite fixe».

♦ *Parabole,* introduit comme terme de géométrie, se dit par extension de la forme d'une chose concrète, d'un mouvement, d'une courbe qui décrit plus ou moins une parabole (1727, de la trajectoire d'un projectile). ◇ Depuis 1980 environ, on nomme *parabole* une antenne de télévision parabolique.

► De *parabole* est dérivé ② **PARABOLIQUE** adj. (1571), «relatif à la parabole», terme de géométrie également passé dans l'usage courant (1755) et dans les vocabulaires spécialisés de la physique et de l'optique (1671, *miroir parabolique*), puis de la télévision *(antenne parabolique).* ◆ Le dérivé ② **PARABOLIQUEMENT** adv. semble induire par son ancienneté (1450) que *parabole* et *parabolique* existent antérieurement à la première attestation connue. ◆ Ultérieurement, *parabole* a produit deux dérivés strictement didactiques : **PARABOLOÏDE** n. m. (1660) a pris le sens de «surface du second degré ne possédant pas de centre mais seulement un axe de symétrie» (attesté 1868, Littré). ◆ **PARABOLISER** v. tr., d'usage rare, «donner une forme parabolique à», est lui aussi attesté en 1868.

PARACHEVER → ACHEVER

PARACHUTE → CHUTE

① **PARADE** n. f. est dérivé (av. 1455) de ① *parer** «orner», au moyen du suffixe *-ade,* d'après la forme *-ada* du participe passé féminin en provençal (l'ancien provençal a *parada* n. f., en 1366).

♦ Le mot désigne l'étalage que l'on fait d'une chose ou de soi afin de se faire valoir; il entre en particulier dans ***de parade,*** qui fournit le complément de détermination de noms d'objets d'apparat (1558, *lit de parade*). Il entre dans la locution verbale encore usuelle ***faire parade (de qqch.)*** [1561]. ◇ Au XVIe s., il est spécialisé comme terme militaire, d'abord au sens d'«exhibition des forces militaires en face de l'ennemi» (1571), puis avec le sens moderne de «cérémonie où les troupes défilent et se livrent à des évolutions réglées» (1665), une autre acception, «évolution de cavaliers dans une revue, un carrousel» (fin XVIe s.), ayant pu servir d'intermédiaire. ◇ Au XVIIe s., *parade* est entré dans le domaine du spectacle, se référant à la scène burlesque que l'on joue à l'entrée d'un théâtre forain pour inciter les spectateurs à entrer (1680) et, par métonymie, à un spectacle comique inspiré des bateleurs (1731). Au XVIIIe et au début du XIXe s., la *parade de foire* est un genre théâtral prospère.

▸ Son dérivé **PARADER** v. intr. (1576) a d'abord été employé à la forme pronominale ancienne *se parader,* avant de s'employer à l'intransitif, avec le même sens de «se pavaner» (1599). ◇ En relation avec les acceptions spéciales du nom, le verbe est employé comme terme de carrousel (1784), d'art militaire (1824 dans la marine) et de spectacle. ➛ En 1845, Richard de Radonvilliers a proposé de dériver de *parade* **PARADEUR, EUSE** n., repris en 1879 pour désigner l'écuyer de cirque. Le mot est assez rare, aussi bien pour désigner que, comme adjectif, pour qualifier (1897) une personne aimant parader.

◈ voir ② PARADE, PARER.

② **PARADE** n. f., terme de manège (1575), est emprunté à l'espagnol *parada* «action d'arrêter court un cheval», dérivé de *parar,* lui-même issu du latin *parare* «disposer» (→ ① parer) par un développement sémantique particulier.

♦ Le mot désigne l'action d'arrêter brusquement un cheval de parade.

▸ Le verbe espagnol a donné par emprunt le français ③ **PARER** v. intr. (1575), terme de manège encore relevé dans les dictionnaires.

PARADIGME n. m. est emprunté (1584) au bas latin *paradigma* «exemple, comparaison», également employé par les grammairiens. Il est emprunté au grec *paradeigma* «modèle, exemple», composé de *para-* «à côté» (→ ① para-) et de *deigma* «exemple», dérivé de *deiknunai* «montrer, indiquer», mot qui appartient à la grande famille indoeuropéenne constituée sur la racine °*deik-*, °*dik-* (→ dire).

♦ *Paradigme* est un terme d'usage didactique qui signifie «modèle, exemple»; il s'emploie spécialement en grammaire pour désigner le mot type donné comme modèle d'une déclinaison, d'une conjugaison (1752) et pour l'ensemble des formes que pouvait prendre l'un de ces mots types. ➛ Il est passé récemment dans l'usage des linguistes à propos de l'ensemble des termes pouvant figurer en un point de la chaîne parlée (1967), et, en épistémologie, pour la conception théorique dominante qui a cours à une certaine époque dans une communauté scientifique.

▸ Par dérivation savante, sur le modèle du grec hellénistique *paradeigmatikos,* il a donné **PARADIGMATIQUE** adj. (1935), d'abord relevé chez le linguiste L. Hjelmslev et substantivé au féminin (1970), au sens moderne de *paradigme,* en opposition avec *syntagmatique,* pour qualifier (par exemple) les relations entre mots de fonction analogue pouvant figurer en un point de la chaîne parlée (synonymes, analogues).

PARADIS n. m. est emprunté à date ancienne (v. 980) au latin chrétien *paradisus.* C'est un emprunt au grec *paradeisos,* terme exotique désignant le parc clos où se trouvent des bêtes sauvages et employé seulement à propos des parcs des rois et des nobles perses. Par extension, il désigne un jardin d'agrément. La Bible grecque l'emploie pour traduire le «jardin [étymologiquement "l'enclos"] de la Genèse». Il s'est ainsi spécialisé au sens de «jardin d'Éden» et de «jardin des Bienheureux après la mort». Le mot grec est emprunté au persan °*pardēz* (avestique *pairi.daēza-* «enceinte») qui est à l'origine de *pālēz* «jardin» et signifiait «enclos», son premier élément correspondant au grec *peri* «autour de» (→ péri-). L'idée constitutive de «jardin» repose ici, comme dans le cas du français *jardin,* sur la notion de clôture, d'enclos. Le latin chrétien a repris le mot au grec pour désigner le jardin merveilleux donné par Dieu à Adam et Ève au moment de leur création (Tertullien, saint Jérôme) et le séjour des justes, au Ciel (par opposition à *inferi,* → enfer). De là, *paradisus* a pris le sens figuré de «lieu de bonheur spirituel» (saint Augustin). Il désigne aussi le portique, le vestibule situé devant une église.

♦ La forme savante *paradis* a supplanté le mot populaire *pareïs* (1080), alors que *parvis** s'est conservé avec une spécialisation de sens. *Paradis* désigne d'abord le lieu où les âmes des justes jouissent de la béatitude. Par extension, le mot exprime l'idée de félicité (fin XIIe s.). Par analogie, la même appellation désigne le lieu de séjour des divinités païennes (v. 1278). ➛ Au XVIe et au XVIIe s., d'autres sens analogiques sont apparus, le mot désignant anciennement l'anse d'un port où les navires se trouvent en sûreté (1597) et, encore aujourd'hui, l'amphithéâtre dans la partie la plus haute d'une salle de spectacle (1606) réservé aux places les moins chères, et par métonymie les spectateurs qui s'y trouvent (cf. *Les Enfants du paradis,* film de M. Carné). ◇ Plusieurs emplois particuliers du mot s'inspirent de l'idée de «félicité», jusqu'aux *Paradis artificiels* de Baudelaire, et à l'expression moderne *paradis fiscal* (v. 1950). ◇ Parallèlement, le mot a développé quelques sens procédant de sa valeur biblique (1135), l'accent étant mis ici sur l'idée de «jardin». L'expression ***paradis terrestre*** (1200) caractérise au figuré un lieu riche et fécond, aux productions délectables. ◇ Le mot entre dans des dénominations du type *graine de paradis* (1225-1230), et *pomme de paradis* qui a d'abord désigné la banane (1256) puis la pomme d'api (1538). De nos jours, on appelle *pommier de paradis* un pommier nain utilisé comme porte-greffe.

▸ *Oiseau du paradis* (1585) est concurrencé par le dérivé **PARADISIER** n. m. (1806). ➛ L'adjectif correspondant à *paradis*, **PARADISIAQUE** adj. (1553), est emprunté au latin chrétien *paradisiacus* «de paradis». Le mot est rare avant 1842 ; par référence au bonheur des âmes en paradis, il a pris le sens figuré de «qui évoque, rappelle le paradis terrestre» (1855), notamment utilisé par Baudelaire en 1860. Comme *paradis* avec *ciel*, *paradisiaque* est en rapport avec *céleste*.

◈ voir **PARVIS**.

PARADOXE n. m. est emprunté (1480) au latin *paradoxon* «chose contraire à l'opinion», dont le pluriel *paradoxa* fournit à Cicéron le titre d'un traité sur les propositions surprenantes qui heurtent l'opinion commune, et qui sont émises dans la doctrine stoïcienne. C'est un hellénisme, calque du grec *paradoxon*, neutre substantivé de l'adjectif *paradoxos* «contraire à l'attente ou à l'opinion commune», de *para-* «à côté» d'où «contraire» (→ ① para-) et de *doxa* «opinion» (→ doxa, orthodoxe).

♦ Le mot est d'abord relevé sous la forme *paradoce*, refaite d'après l'étymon (1495). Il désigne l'opinion qui va à l'encontre de l'opinion communément admise et, par extension, l'être, la chose, le fait qui heurte le bon sens (av. 1662, Pascal). Il est quelquefois employé comme synonyme de *contresens*, avec une valeur péjorative (1832).

▸ L'ancien adjectif *paradoxe* (1549, Du Bellay), emprunté à l'adjectif grec, a été supplanté par le dérivé **PARADOXAL, ALE, AUX** adj. (1500) «qui tient du paradoxe, qui aime manier le paradoxe», employé plus tard comme le nom au sens péjoratif de «bizarre, inconcevable» (1812) ; il a servi à former quelques syntagmes d'usage médical, comme *pouls paradoxal* (1928) et récemment *sommeil paradoxal*. ◇ Son emploi substantivé à valeur de neutre est attesté depuis 1733. ➛ De *paradoxal* est dérivé **PARADOXALEMENT** adv., attesté une première fois en 1588 *(paradoxallement)* et de nouveau en 1834 chez Boiste. ➛ *Paradoxe* a aussi donné le nom d'une figure de style, le **PARADOXISME** n. m. (1784), défini par *L'Encyclopédie méthodique* comme une «imitation du paradoxe, comme *hébraïsme* signifie imitation de l'hébreu, (terme fait) par analogie pour une figure très réelle qui avoit besoin dans notre langue d'un nom distinctif et convenable». ◇ Le même mot a été repris par les médecins (1952) pour désigner les manifestations de l'activité génitale hors de la période qui va de la puberté aux environs de la sénescence (également *paradoxie*). ➛ Le très rare **PARADOXISTE** n. m. signifie «celui qui manie le paradoxe» chez Chateaubriand en 1848.

PARAFFINE n. f. est emprunté (1832) à l'allemand *Paraffin*, mot créé en 1830 par le chimiste Reichenbach d'après le latin *parvum affinis* «qui a peu d'affinités» (→ affinité) parce que ce corps se combine difficilement avec les autres corps.

♦ Le mot, qui désigne un produit chimique blanc, translucide et inodore, est employé au pluriel pour désigner la série complète des homologues du méthane (1885).

▸ Il a produit quelques dérivés d'usage didactique ou technique : **PARAFFINÉ, ÉE** adj. «qui a la nature de la paraffine» (1867), et «enduit de paraffine» (1875), d'où le verbe **PARAFFINER** v. tr. (attesté 1877 mais un peu antérieur) au sens d'«enduire de paraffine». On en a tiré **PARAFFINAGE** n. m. (1875). ➛ *Paraffine* a aussi donné les adjectifs **PARAFFINIQUE** (1878), dit en particulier du pétrole brut dont le résidu contient de la paraffine (1963, *brut paraffinique*), et **PARAFFINEUX, EUSE** (1931).

① **PARAGE** n. m., ancien mot conservé comme terme d'histoire du droit, est dérivé (1050) de ① *pair** au moyen du suffixe *-age*.

♦ Il signifie «origine, extraction», sens réalisé en particulier dans la locution ***de haut parage*** (1140, *de halt parage*) «de haute naissance». Dès 1140, il est employé dans un sens juridique, «égalité de condition entre aîné et puîné», et se fixe au sens de «tenure de fief entre frères dans laquelle il n'y a pas de partage au regard du seigneur» (1520).

② **PARAGE** n. m., d'abord *parraige* (1544), est emprunté soit à l'ancien provençal *parage* (attesté en 1360), soit à l'ancien gascon *paratge* (1486) «espace déterminé de la mer, étendue de mer». Les deux termes correspondent à l'espagnol *paraje* «lieu de station» d'où «lieu où se trouve un bateau», dérivé du verbe *parar* «s'arrêter», issu du latin *parare* (→ ② parer). On rencontre en 1439 le latin médiéval *paragium* dans un texte ayant trait à la région de Bordeaux.

♦ Le mot désigne d'abord, en marine, l'étendue de mer qui borde les côtes (au singulier puis, normalement au pluriel, 1643). C'est seulement au cours du XIXe s. que le pluriel est passé dans l'usage courant avec le sens général d'«environs, voisinage» (1824), en particulier dans la locution d'abord familière ***dans les parages*** (1830).

③ **PARAGE** → ① **PARER**

PARAGRAPHE n. m. est emprunté (1225) au bas latin *paragraphus*, «marque pour distinguer les différentes parties d'un exposé», lui-même emprunté au grec *paragraphê*, proprement «ce qui est écrit à côté». Le mot s'applique au signe de ponctuation qui signale la fin d'un développement et désigne, en grec tardif, la section de texte terminée par un tel signe, qui correspond à une unité du développement, sens adopté par le latin. *Paragraphê* est composé de *para* «à côté» (→ ① para-) et de *-graphê*, de *graphein* «écrire» (→ -graphe).

♦ Le mot a dès les premières attestations le sens de «section d'un texte en prose délimitée par des passages à la ligne», d'abord sous la forme *palagrefe* et *paragrafe*, le *ph* étymologique étant rétabli au XVIe s. (1552). Le mot, comme en grec, désigne aussi le signe typographique qui marque le début d'un paragraphe.

◈ voir **PARAPHE**.

PARAÎTRE v. intr. est issu (v. 980) du latin tardif *parescere*, mot très peu attesté entre le Ve et le VIIIe siècle. C'est la forme inchoative de *parere* «apparaître, se montrer». Au mode impersonnel, la troisième personne du singulier, *paret,* s'emploie pour «il est patent, il est manifeste». *Parere* a spécialement le sens d'«être présent à l'ordre de qqn» d'où «se soumettre, obéir», joint très souvent à *oboedire* (→ obéir). Cependant, en dehors de l'impersonnel *paret,* il est peu employé en latin classique et seulement avec le sens d'«obéir», celui d'«apparaître» étant propre à l'usage parlé. En revanche, les langues romanes, réservant l'expression de l'obéissance aux représentants de *obedire,* réservent celle de l'apparition à ceux de *parere* ou de *parescere.* L'étymologie du mot latin est inconnue, le rapprochement avec le grec *peparein* «montrer» (forme rare et poétique) se heurtant au *a* de *parere.*

♦ Le verbe, d'abord écrit *pareistre,* puis, jusqu'au XVIIe s., *paroistre* (apparu peu avant 1590), a évincé au cours du XVIe s. l'ancienne forme *paroir,* plus fréquente en ancien français et issue du latin *parere;* l'ancien provençal a dans le même sens *pareisser* et *parer* (cf. *il appert,* survivance archaïque et littéraire de *apparoir,* ancienne forme de *apparaître*). ➜ Le verbe est d'abord attesté avec le sens de «se faire voir, se montrer soudainement» à propos du Christ ressuscité, sens repris au XVIe s. et appliqué à une personne, à la forme pronominale puis intransitif (1636, Corneille). *Paraître* exprime quelquefois une nuance d'ostentation, prenant le sens de «se montrer, briller» (1583-1590), avec ou sans complément. ◇ Au XVIIe s., il prend le sens particulier d'«intervenir dans une affaire» (1632), en droit «se présenter devant un tribunal» (1666). ➜ Depuis le XIIe s., il exprimait l'idée plus neutre de «se manifester, pointer, surgir» en parlant d'une chose naturelle (notamment créée par Dieu), d'un sentiment, d'une qualité ou d'un défaut devenus perceptibles (1165). À partir de la même époque, *paraître* est employé avec un attribut du sujet pour «être vu sous un aspect particulier, sembler», et il se construit avec un infinitif (1685), par exemple *il paraissait venir de loin,* en remplacement de la construction indirecte *paraître de,* suivie d'un infinitif (av. 1622), qui était courante à l'époque classique. ◇ Lorsqu'il est suivi d'un numéral, *paraître* sert à indiquer approximativement l'âge d'une personne (1672), en faisant l'économie du verbe *avoir* (*elle paraît vingt ans*). ◇ Comme *parere, paraître* est employé depuis le XIIe s. en tournure impersonnelle, d'abord dans l'ancien tour *i pareisse* (1165), «que la chose se voie, qu'il y en ait des marques». On rencontre ensuite *il y paroist* (1590), *il y paroist bien, sans qu'il y paroisse* (1690). De même, l'ancienne locution *il pareist que* (fin XIIIe s.) est devenue *il paroit,* ***il paraît que,*** employée avec le subjonctif (1636) ou l'indicatif (1670) selon la nuance que l'on souhaite exprimer, personnalisée en *il me paraît que* (1680). Ultérieurement, *paraître* entre dans la locution ***il paraît*** + adjectif attribut + *de* suivi d'un infinitif (1718). ◇ Un sens spécial, qui correspond à *parution* (ci-dessous), concerne le fait d'être communiqué au public pour un imprimé, livre ou journal, par exemple dans l'expression *vient de paraître* (cf. *sortir*). L'infinitif est substantivé dans *le paraître* (1617), au sens d'«apparence» dans le discours philosophique qui l'oppose à *être.*

▸ À côté de *apparition* (ci-dessous), **PARUTION** n. f. (1170), fait sur *paru,* participe passé de *paraître,* a un sens restreint : d'abord employé à propos de l'action de paraître sur scène (pour un acteur), sens sorti d'usage, il a développé au début du XXe s. sa valeur moderne, «action d'être publié» (1907). Le *Larousse mensuel* de 1920 signale qu'il est de plus en plus employé dans ce sens et qu'il passera probablement dans l'usage, ce qui fut le cas.

REPARAÎTRE v. intr. est le préfixé en *re-* de *paraître,* d'abord (v. 1208) avec un sens intensif, puis (1611) itératif. ➜ En ancien français, *reparaistre, repareistre* correspond à «paraître nettement, soudainement», sens passé à *apparaître**. La valeur itérative, «se montrer de nouveau à la vue», se manifeste au début du XVIIe s., avec une valeur figurée «redevenir sensible», «se produire à nouveau» au XVIIIe siècle. Un sens spécial correspond à celui de *paraître.* ➜ **REPARUTION** n. f. (1948), formé sur *parution,* est également employé dans le domaine de l'édition.

◈ voir APPARAÎTRE, COMPARAÎTRE, DISPARAÎTRE, TRANSPARAÎTRE.

PARALITTÉRAIRE → LITTÉRAIRE

PARALLAXE

PARALLAXE n. f. est emprunté (1557) au grec *parallaxis* «mouvement alternatif» en médecine et, communément, à propos d'un mouvement de tête de droite à gauche, «changement, trouble» et, en astronomie, «angle sous lequel on voit perpendiculairement un objet depuis un point donné». *Parallaxis* est dérivé de *parallassein* «disposer dans un sens et dans l'autre», «changer de place en passant le long de», d'où «surpasser», également «s'écarter, différer», surtout en mauvaise part. Ce verbe est composé de *para-* (→ para-) et de *allassein* «changer, altérer, échanger», lui-même dérivé de *allos* «autre» (→ allo-) avec un suffixe mal analysé.

♦ Le mot a été repris en astronomie pour désigner la différence entre le lieu véritable d'un astre et son lieu apparent, et l'angle qui mesure cette différence et que forment deux lignes droites tirées du centre de l'astre à la surface de la Terre et au centre de la Terre. De masculin qu'il était, il est devenu féminin (1680). ◇ Désignant l'incidence du changement de position de l'observateur sur l'observation d'un objet, il est passé en métrologie et en optique, ainsi qu'en physiologie oculaire.

▸ **PARALLACTIQUE** adj. a été emprunté (1665) au grec *parallaktikos* ou formé savamment en latin scientifique d'après le grec *parallaktos.* Il qualifie ce qui est relatif à la parallaxe. ➜ Il a pour dérivé **PARALLACTIQUEMENT** adv. (1874), rare.

PARALLÈLE

PARALLÈLE adj. et n. est emprunté (1534) au latin *parallelus* ou *parallelos,* qui qualifie des lignes placées en regard l'une de l'autre et est substantivé au pluriel en astrologie, par ellipse de *paralleli circuli* «cercles parallèles». C'est un emprunt au grec *parallêlos,* formé de *par-* «à côté» (→ ① para-) et de *allêlôn* «les uns les autres (indiquant une réciprocité)», forme redoublée de *allos* «autre» (→ allo-). Cf. aussi *parallaxe*.

♦ Le mot est d'abord employé comme adjectif, dans *circles* (cercles) *parallèles*. Au XVIe s. (1549), l'adjectif s'emploie en géométrie pour qualifier des droites qui ne se rencontrent pas ; puis il est substantivé, d'abord au masculin (1611), ensuite au féminin *une parallèle* (1680). L'emploi du nom féminin, dans le domaine militaire, correspond à une tranchée parallèle au côté d'une place forte (1718). ◇ Par extension du sens géométrique, l'adjectif exprime l'idée de ce «qui suit, se développe dans la même direction» (av. 1778), spécialement, avec l'idée de «secret», dans la dénomination ***polices parallèles*** (1965). ◇ Il est employé avec le sens figuré de «qui présente une comparaison suivie» dans la traduction de *Vies parallèles* de Plutarque par Amyot (1559). Avec cette idée de «comparaison», le substantif entre dans les locutions ***mettre en parallèle*** (1651) et ***entrer en parallèle*** (1690).

▸ Son dérivé **PARALLÈLEMENT** adv. est attesté depuis 1584 au sens propre, géométrique, et aussi au figuré pour «semblablement, de manière comparable», par exemple dans le titre de Verlaine. ◆ Le dérivé **PARALLÉLISER** v. tr. a été formé récemment (1874), réalisant le sens concret de «rendre parallèles» dans le domaine de l'industrie textile, et le sens figuré de «mettre en parallèle», rare au demeurant. ◆ **PARALLÉLISME** n. m. est emprunté (1651) au dérivé grec *parallêlismos* «fait d'être parallèle», en géométrie. Il est employé également au sens figuré d'«évolution semblable, parallèle» (1783). Au XIXe s. il développe quelques sens spécialisés, notamment en littérature (1882) et en psychologie ([illegible]). Au XXe s., on parle du parallélisme des roues d'une voiture (spécialt., *vérifier le parallélisme*). ◇ C'est dans ce dernier domaine qu'est formé par changement de suffixe **PARALLÉLISTE** adj. (1912), terme rare.

Le terme de géométrie **PARALLÉLOGRAMME** n. m., «quadrilatère dont les opposés sont parallèles et égaux», est emprunté (1547) au latin *parallelogrammum*, substantivation du neutre de l'adjectif *parallelogrammus* «composé de lignes parallèles». C'est encore un emprunt au grec *parallêlogrammos*, de *parallêlos* et *-grammos* pour *gramma* «lettre» (→ gramme). ◇ De *parallélogramme* est dérivé **PARALLÉLOGRAMMATIQUE** adj. (1765), qui offre une variante rare *parallélogrammique*. ◆ Un autre terme de géométrie, **PARALLÉLÉPIPÈDE** ou **PARALLÉLIPIPÈDE** n. m. est emprunté, lui aussi par le biais du bas latin *parallelepipedum*, au grec hellénistique *parallêlepipedon* «polyèdre dont les six faces sont toutes parallèles et égales entre elles». C'est un composé de *epipedon* «surface plane». D'abord introduit comme adjectif, le mot a été substantivé sous ses deux formes (*parallélépipède*, 1639) ; on parle de *parallélépipède droit* (1868), *parallélépipède rectangle* (1870).

PARALYSIE n. f. est emprunté (1256) au latin *paralysis* «immobilité d'un côté du corps», emprunt au grec *paralusis* «fait de laisser aller», «relâchement» d'où «immobilisation (d'une partie du corps)». C'est un dérivé de *paraluein* qui signifie proprement «délier sur le côté», d'où «relâcher les organes, les muscles d'un côté du corps» et aussi «exempter, dispenser». Ce verbe est formé de *para* «à côté» (→ ① para-) et de *luein* «délier, détruire», «dissoudre», mot encore vivant en grec moderne, apparenté à plusieurs termes indoeuropéens, tels le gotique *lun* «rançon, salaire», et les mots latins *luere* «payer, expier», *solvere* (→ tous les composés en -soudre) ainsi que *luxus* «luxé, disloqué» (→ luxation). *Luein* est représenté en français dans les termes en *-lys-* et *-lyt-* (→ analyse, catalyse).

♦ Le mot, qui reprend le sens physiologique de l'étymon, est d'abord écrit *paralisïe* et *paralisie* (XIIIe s.) avant que soit rétabli le *y* de l'étymon. Il entre dans quelques expressions, ***paralysie générale*** (1824), concept psychiatrique où l'idée de paralysie cesse rapidement d'être pertinente, et ***paralysie infantile*** (1869). ◇ Son sens figuré, «impossibilité d'agir», est attesté depuis 1701.

▸ Le dérivé **PARALYSER** v. tr., d'abord attesté au participe passé *paralisé* (1575) «atteint de paralysie», s'emploie à l'actif à partir du XVIIIe s. (1765, *Encyclopédie*). À partir du sens médical de «frapper de paralysie», le verbe a pris le sens figuré de «frapper d'impuissance, immobiliser» (1789, au participe passé). ◆ Il a produit **PARALYSATION** n. f. (1939) réservé au sens limité d'«action de paralyser une proie en lui injectant un venin» et **PARALYSEUR, EUSE** adj. (1892) «qui paralyse», tous deux employés en zoologie. ◆ Le participe présent **PARALYSANT, ANTE** a été adjectivé ; il avait été proposé en 1845 par Richard de Radonvilliers.

PARALYTIQUE adj. et n. est emprunté (1245) au latin *paralyticus*, lui-même emprunté au grec *paralutikos*. En français, il est relevé sous les formes *paraletics, paralitike* (1356), enfin *paralytique* (1535). Le mot est substantivé pour désigner une personne atteinte de paralysie. Le syntagme ***paralytique général***, abrégé familièrement en *pégé* (1908, *pé-gé*), mal formé mais courant en psychiatrie depuis la fin du XIXe s., est formé à partir de *paralysie générale* (voir plus haut).

PARAMÈTRE n. m. est formé (1636) des éléments ① *para-** «à côté, relativement à» et *-mètre** «mesure» ; l'attestation de *parameter, -metrum*, relevée en 1631 chez le mathématicien C. Mydorge en anglais, pourrait indiquer un passage par le latin scientifique.

♦ Le mot est employé en algèbre pour désigner le nombre figurant comme une variante dans une expression ou une équation, et en géométrie pour la ligne constante et invariable faisant partie de l'équation et de la construction d'une famille de courbes ou de surfaces (1639, «la ligne nommée ailleurs côté droit, paramètre, et icy coadjuteur», Desargues). ◇ En raison de l'ambivalence du concept, suggérant tantôt la notion de «variable», tantôt celle de «constante», *paramètre* est rapporté à un élément de base variable entrant dans l'élaboration d'un ensemble qui constitue un tout : il est employé en statistiques dans le calcul des probabilités (av. 1781), en économie, en musique et en informatique. ◇ Par extension il est devenu relativement usuel pour désigner un élément d'appréciation nécessaire dans la compréhension d'une question, d'un problème (1974).

▶ **PARAMÉTRIQUE** adj., «relatif à un ou plusieurs paramètres» (1832), est d'un usage plus strictement mathématique. ◇ **PARAMÉTRER** v. tr. est devenu courant dans les années 1970, notamment en informatique.

PARAMILITAIRE → MILITAIRE

PARANGON n. m. est emprunté (XIIIe s.) à l'italien *paragone,* antérieurement *paragono* (fin XIIIe s.) «pierre de touche», «modèle» (1516) et «comparaison» (déb. XVIe s.). Ce substantif est le déverbal de *paragonare* «comparer, éprouver avec la pierre de touche» (XIVe s.), lui-même emprunté au grec *parakonan,* de *par-* (→ ① para-) et de *akonan* «aiguiser», verbe dérivé de *akonê* «pierre à aiguiser». Ce mot contient la racine indoeuropéenne °*ak-* «pointe», représentée en grec par *ak-* dans un nombre considérable de dérivés (→ acné).

♦ En français, le mot est d'abord relevé sous la forme *paragone* n. m., en anglo-normand avec le sens technique ancien de «pierre de touche». Au XVe s., on relève *paragonne* n. f. et le masculin *paragon* (1489-1494). La forme moderne, attestée un peu plus tard (1504), est empruntée à l'espagnol *parangon* (1517), lui-même emprunté à l'italien *paragone,* plutôt qu'à l'italien *parangone* qui semble plus récent et qui pourrait être un réemprunt à l'espagnol. ◇ Le mot a pris au XVe s. son sens moderne de «modèle, type accompli», par exemple dans *un parangon de vertu,* et a développé deux sens spécialisés en bijouterie, domaine où il désigne une pierre particulièrement belle (1538), et en typographie, où il désigne un caractère de vingt (ou vingt-deux) points. ◇ Le sens extensif de «chose comparable» (1540), «comparaison» (*mettre en paragon,* 1546), est sorti de l'usage.

▶ Le dérivé **PARANGONNER** v. tr. a pris sa forme actuelle (1542) après *paragonner* (1531); il a vieilli avec son sens premier de «comparer» et ne subsiste plus que comme terme de typographie pour «aligner les caractères de corps différents sur une même ligne de base» (1763, déjà attesté au participe passé *lettre parangonnée,* dès 1567). ◆ Ce verbe a produit **PARANGONNAGE** n. m. (1835) pour désigner cette opération et, par métonymie, son résultat.

PARANOÏA n. f., terme de psychopathologie, répertorié en 1822 dans *Le Nouveau Dictionnaire de médecine* et dès 1795 en latin scientifique *(paranoia),* est emprunté à l'allemand *Paranoia,* mot créé en 1772 par M. Vogel. Celui-ci l'a emprunté au grec *paranoia* «folie», de *para-* (→ ① para-) et de *-noia* pour *noos* «esprit, intelligence» (→ noème, noumène), sans étymologie sûre.

♦ Le mot est passé en français pour désigner une maladie mentale (distinguée des troubles de l'affectivité); depuis Kraepelin, le terme s'applique jusque vers 1920 au délire chronique systématisé avec conservation de la clarté et de l'ordre de la pensée. Aujourd'hui, le mot est surtout utilisé avec sa définition freudienne de «psychose chronique caractérisée par un délire systématique et cohérent (délire de persécution, de grandeur, de jalousie) à prédominance interprétative». Le mot qui, avec *schizophrénie,* fait partie du vocabulaire le plus usuel des psychoses, est passé dans l'usage courant pour désigner la constitution paranoïaque; il est abrégé familièrement en **PARANO** n. f. (v. 1970) pour désigner la méfiance exagérée d'un individu à l'égard de menaces réelles et imaginaires.

▶ **PARANOÏAQUE** n. et adj. est relevé pour la première fois comme adjectif chez Kraepelin en 1892 et comme nom en 1896. Il a suivi la même évolution que *paranoïa,* passant dans l'usage courant (v. 1950) au sens affaibli d'«inquiet, excessivement méfiant», et plus souvent «d'un caractère difficile, délirant, très autoritaire», souvent abrégé en **PARANO** adj. et n. (v. 1970). ◇ Les deux mots sont employés par le peintre S. Dalí qui entend par ***activité paranoïaque-critique*** une méthode spontanée de connaissance irrationnelle basée sur l'association interprétative-critique des phénomènes délirants (v. 1929). ◆ Avec l'élément *-oïde,* on a formé **PARANOÏDE** adj. et n., d'abord attesté dans *démence paranoïde* (1900) et substantivé en psychiatrie (1910) pour désigner la personne atteinte de ce trouble.

PARAPET n. m. (1578), d'abord écrit *parapete* (1546), est emprunté à l'italien *parapetto* «levée de terre ou de maçonnerie servant de fortification» (XIIIe s.), composé de *para-* (de *parare* «protéger»; → ② parer) et de *petto* «poitrine», issu du latin *pectus* (→ pis).

♦ Le mot est passé en français comme terme de fortification, prenant par extension le sens de «mur à hauteur d'appui qui sert de garde-fou» (1611).

PARAPHE ou **PARAFE** n. m. est soit emprunté (v. 1390) au latin médiéval *paraphus, paraffus,* issu par altération de *paragraphus* (→ paragraphe), soit dérivé par syncope de *paragraphe**.

♦ Après avoir désigné un paragraphe, le mot a pris son sens de «signature abrégée» (1394), probablement par analogie d'aspect avec le signe typographique qui sert à distinguer les parties d'un texte en prose. Il est spécialement employé dans le langage juridique (1690) et il désigne aussi les traits de plume qui ornent une signature et la singularisent.

▶ Son dénominatif **PARAPHER** ou **PARAFER** v. tr. (1497) «signer d'un paraphe» s'est employé en droit, dans l'expression *parapher ne varietur* (1579). ◆ En est issu **PARAPHEUR** ou **PARAFEUR** n. m. terme administratif désignant le registre qui contient les frappes dactylographiques d'un courrier, présenté à la personne qui a dicté ce courrier afin qu'elle y appose sa signature.
Par élargissement fantaisiste au moyen de *patte** (suggérant «grossièreté» et «maladresse»), *paraphe* a donné le mot familier et aujourd'hui vieilli **PATARAFE** n. f. ou m. (1690, *pataraffe*) «trait d'écriture informe ou irrégulier», «signature illisible».

PARAPHRASE n. f. est emprunté (1525) au latin postclassique *paraphrasis,* transcription du grec tardif *paraphrasis* «paraphrase», composé de *para-*

(→ ① para-) et de *phrasis* «élocution, expression» (→ phrase).

♦ *Paraphrase* se rapporte au développement explicatif d'un texte, souvent depuis le XVIIe s. (1676) avec une connotation péjorative de «développement verbeux et diffus», quelquefois d'«interprétation défavorable» (1718). ◇ Au XVIIe s. et ensuite, quelques autres sens spécialisés se développent, «imitation d'un passage amplifié de l'écriture sainte» (1689), en musique «fantaisie sur des thèmes célèbres d'opéra» (1873). ◇ Plus récemment, la linguistique, d'après l'anglais, a donné à *paraphrase* le sens spécial d'«opération de reformulation qui aboutit à un énoncé contenant le même signifié» (attesté 1973).

▸ Le dérivé **PARAPHRASER** v. tr. (1608) a le sens neutre de «commenter, expliquer par une paraphrase», absolument «commenter» (1609), et celui de «traduire en amplifiant» (1660), souvent avec une valeur péjorative. ◇ Le verbe s'emploie aussi dans les domaines artistiques (musique, peinture) au sens de «développer, amplifier». ◆ On en a tiré le mot péjoratif **PARAPHRASEUR, EUSE** n., attesté une première fois à la fin du XVIe s. avec une valeur neutre et repris en 1798.

C'est également au XVIe s. que le français a emprunté au grec deux mots de la même famille. ◆ **PARAPHRASTE** n. désigne la personne qui fait des paraphrases (notamment religieuses); il est emprunté (1542) au grec *paraphrastês* (Ve s.), dérivé de *paraphrazein* «dire la même chose en d'autres termes». ◆ **PARAPHRASTIQUE** adj. est emprunté (1542), peut-être par le latin *paraphrasticus*, au grec *paraphrastikos*, dérivé du verbe. À la différence de *paraphrase* et de *paraphraser*, ces deux mots sont réservés à un usage didactique (philologie, linguistique).

① **PARAPLÉGIE** n. f., formation savante de la Renaissance (1560), est composé de ① *para-* et du grec *plêgê* «coup, choc» (→ hémiplégie).

♦ Le mot désigne la paralysie des deux membres inférieurs.

▸ Le dérivé **PARAPLÉGIQUE** adj. et n. est attesté depuis 1819.

PARAPLUIE n. m., d'abord *parapluye* (1662), est formé de *para-* «contre» (→ ② para-) et de *pluie**, sur le modèle de *parasol**. Furetière définit d'ailleurs le mot par référence à *parasol* : «c'est la même chose que *parasol*, qui sert à deffendre de la pluye aussi-bien que du soleil...», les parasols «servent aussi pour se deffendre de la pluye, et quelques-uns les appellent *parapluye*».

♦ C'est au XVIIe s. que l'on eut l'idée d'utiliser les parasols pour se garder de la pluie en les rendant imperméables. À Paris, des loueurs de parapluies aidaient les passants à franchir les ponts et les places. Par la suite, au XIXe s., le parapluie est devenu l'accessoire obligé des costumes féminin et masculin, voire le symbole du bourgeois au XIXe et au début du XXe s., époque où le policier en civil est obligatoirement muni de cet accessoire, d'où l'expression argotique *la maison Parapluie*, désignant la police. ◇ Le mot a développé le sens figuré de «ce qui protège» (1817), repris dans les expressions modernes *parapluie atomique* (1963), *parapluie nucléaire* (1964). ◇ Par analogie de forme, et parfois de fonction, il a pris quelques acceptions techniques au XXe s., désignant par exemple le chapiteau du cirque à un seul mât (av. 1933), une charpente provisoire.

▸ Il entre dans **PORTE-PARAPLUIE** n. m. (1856) et a donné **PARAPLUITIER** n., «celui qui fabrique ou vend des parapluies», peu usité (1920, Toulet).

✳ **PARASITE** n. m. et adj. est emprunté (1500) au latin *parasitus* «invité, convive», souvent pris en mauvaise part au sens de «pique-assiette, écornifleur». C'est un emprunt au grec *parasitos* «qui mange auprès de ou avec», substantivé pour désigner un commensal, notamment un citoyen nourri au Prytanée aux frais de l'État, et aussi le prêtre adjoint aux prêtres ordinaires, dans certains sacrifices, et qui prenait part aux repas, puis celui qui recherchait les tables bien servies des riches et payait son écot en flatteries. Le mot est composé de *para* «à côté» (→ ① para-) et de *-sitos* «qui mange, qui se nourrit», de *sitos* qui, à partir du sens de «grain des céréales (surtout d'orge et de blé)», avait pris par métonymie celui de «pain» (par opposition à la viande) d'où «allocation de farine, nourriture, provisions». L'origine de ce terme est obscure : on a évoqué plusieurs hypothèses d'emprunts à des langues soit indoeuropéennes soit non indoeuropéennes, notamment celle d'un emprunt «minoen».

♦ *Parasite* a été introduit comme terme d'histoire antique pour désigner le commensal attaché à la table d'un riche en échange d'une fonction de divertissement. ◇ Par extension, il s'applique depuis le XVIIe s. à la société française, désignant celui qui fait métier de manger à la table d'autrui (1680), thème illustré fréquemment chez les satiristes. À ce propos, Furetière range parmi les parasites nombre de «Poëtes de Cour» et «Hobereaux de Campagne», mentionnant le fait qu'ils font l'objet de satires et de comédies. ◆ C'est aussi au XVIIIe s. que l'on découvrit l'existence de formes vivantes qui se développent aux dépens d'autres types d'organismes. L'adjectif *parasite* fut alors retenu (1721) pour qualifier un végétal vivant aux dépens d'un autre végétal, et substantivé au féminin (1764), elliptiquement pour *plante parasite*, emploi disparu. Le concept se généralisa ensuite en biologie, si bien que *parasite* s'applique à des mollusques (1742), des insectes (1798), des oiseaux (1845), etc. ◇ La substantivation, *un parasite*, d'abord pour un insecte (1803), correspond à l'élaboration du concept moderne en biologie, bientôt dénommé *parasitisme* (ci-dessous) et étudié. Ceci entraîna l'élimination d'emplois ne concernant pas les êtres vivants, par exemple en minéralogie (depuis 1752), et l'apparition d'un vocabulaire (*hôte*, etc.) propre à décrire ce phénomène, où des formes vivantes souvent dégradées et spécialisées ne se développent qu'en utilisant un autre organisme. Des concepts liés mais distincts, *symbiose*, *commensalisme*, délimitent plus précisément cette notion et *parasite* sert à former des composés (XXe s.) comme **ECTOPARASITE, ENDOPARASITE** n. et adj.

Enfin, le mot s'applique depuis le début du XXe s. (1907) aux bruits qui viennent perturber les communications radioélectriques, d'où *un, des parasite (s)* [1924] et, ci-dessous, *antiparasite.*

▶ **PARASITER** v. tr. (1567) est emprunté au dérivé grec *parasitein* «manger auprès de qqn» et «manger à la table commune (en parlant de citoyens nourris au Prytanée)». Ce verbe est relevé deux fois isolément au sens grec et pour «vivre en parasite» (1599). ◇ Sous l'influence de *parasite,* il a été repris comme verbe transitif (1910) à la fois dans le domaine de la biologie et avec son sens figuré de «vivre aux dépens de (qqn)». ◇ Il s'emploie (surtout au participe passé) d'après l'emploi spécial de *parasite* à propos d'une communication perturbée par des bruits parasites (1958, *zones parasitées;* 1962, *émission parasitée*), d'où le dérivé **PARASITAGE** n. m. ➛ Les dérivés de *parasite* sont assez nombreux. **PARASITISME** n. m., relevé pour la première fois en 1719 dans une traduction des Comédies de Plaute au sens de «mode de vie du parasite», désigne plus largement le fait de vivre aux dépens de la société (1808, Fourier), cette acception procédant souvent d'un parallèle entre le fonctionnement de la vie sociale et celui de la vie végétale ou animale (1898, titre : *Parasitisme organique et parasitisme social*). En effet, le mot est employé au XIXe s. d'après *parasite* en biologie (1832). ➛ **PARASITIQUE** adj. est un emprunt (1500, en terme d'Antiquité) au grec tardif *parasitikos,* par l'intermédiaire du latin *parasiticus.* Il a été repris au XIXe s., alors dérivé de *parasite,* avec le sens figuré de «qui est superflu, inutile» (1857, Baudelaire) et dans sa spécialisation biologique (1865, Cl. Bernard). ➛ Plusieurs termes appartenant au vocabulaire de la biologie sont apparus au XIXe et au XXe s., parmi lesquels **PARASITOLOGIE** n. f. (1886) probablement pris à l'anglais *parasitology* (1882), **PARASITOLOGUE** n. (attesté 1910, anglais *parasitologist* 1862), et les termes de médecine **PARASITOSE** n. f. (1932) et **PARASITÉMIE** n. f. (v. 1950). ➛ **PARASITAIRE,** adj., apparu comme terme de tératologie (1836, *monstres parasitaires*), est également passé en médecine (1857) où on lui oppose **ANTIPARASITAIRE** adj. (v. 1874), et dans l'usage courant, au sens figuré de «qui se développe aux dépens des autres» (1892). ◇ Par préfixation sur *parasite* dans son emploi en radiocommunications, on a formé **ANTIPARASITE** n. m. (1928), nom du dispositif qui s'oppose à la production et à la propagation de parasites dans les transmissions radiophoniques; d'où **ANTIPARASITER** v. tr. (1948) et **ANTIPARASITAGE** n. m.

PARASOL n. m. est emprunté (1540) à l'italien *parasole,* attesté depuis le XIVe s. pour désigner un objet portatif de matière souple servant à préserver du soleil. Le mot est formé de *para-,* élément tiré du verbe *parare* (→ ② para-, ② parer) et de *sole* (→ soleil).

♦ Le mot est d'abord attesté sous la forme *parassous* (pl.), erreur probable pour °*parasson,* puis *parasolz* (1544), avec le sens ancien de «tente mise sur la poupe de la galère pour abriter les officiers du soleil». La graphie initiale induit un emprunt à l'italien par l'intermédiaire des ports du midi de la France et l'explique notamment par le génois *parasõ* (1540). ◇ Le mot est passé à la fin du XVIe s. dans l'usage courant pour désigner un objet protégeant du soleil et, éventuellement, de la pluie (→ parapluie), l'usage s'en développant dans les années 1580, dit-on, par une mode venant d'Italie. Toutefois, l'objet que nous nommons aujourd'hui *parasol* date du XIXe siècle. ◇ Par analogie de forme, le mot caractérise des arbres, des végétaux dont la tête (la cime, le feuillage) s'épanouit en forme de parasol; il entre ainsi dans la locution ***en parasol*** (1811, Chateaubriand à propos des pins), puis est employé en apposition dans le même contexte : ***pin parasol*** (1835, d'abord dans les *Voyages en Orient* des écrivains romantiques). Dans d'autres domaines, on emploie quelquefois la locution ***un parasol de*** pour décrire une chose qui s'épanouit en gerbe.

▶ *Parasol* a donné **PARASOLIER** n. m. (1928), nom donné au porteur de parasol et à celui qui fait des parasols (1966 au féminin, *parasolière*). Le même nom sert à désigner un arbre d'Afrique tropicale de la famille des Moracées (1929). Plusieurs mots sont faits sur le modèle de *parasol.*

◈ voir PARACHUTE (art. CHUTE), PARAPLUIE, PARATONNERRE (art. TONNERRE), PARAVENT.

PARATONNERRE → TONNERRE

PARÂTRE n. m. est issu (1080, *parastre*) du bas latin *patraster* «beau-père», dérivé de *pater* (→ père) qui a supplanté le latin classique *vitricus* (sans étymologie connue) conservé en roumain et en sarde.

♦ Le mot a eu le même type d'évolution que *marâtre.* Jusqu'au XVIe s., il a eu le sens usuel de «second mari de la mère». Lorsque ce sens a été réservé à *beau-père**, *parâtre* a seulement gardé la valeur péjorative de «mauvais père» (1176-1181), d'où par extension «homme dur, méchant».

PARAVENT n. m., d'abord *paravant* (1599), puis *paravent* (1617), est emprunté à l'italien *paravento* «qui protège du vent». Ce mot, formé de *para-* «contre» (→ ② para-, ② parer) et de *vento* (→ vent), est attesté depuis le XVIe s. pour désigner un meuble constitué d'un ou de plusieurs écrans, destiné à protéger des courants d'air et des regards.

♦ L'origine du meuble est orientale; il apparaît en Europe au XVIe s. et Mme de Rambouillet, qui avait des attaches italiennes, le met à la mode en France. Les paravents pouvaient comporter jusqu'à vingt panneaux (dits *feuilles*) et transformer l'aspect d'une grande pièce. Ils furent traités par les artistes qui ouvragèrent les châssis et surtout les panneaux que les plus grands peintres, tel Watteau, et les tapissiers décorèrent. Les paravents laqués de Chine connurent une grande vogue au XVIIIe s., ainsi que ceux de Coromandel. L'amélioration des conditions de chauffage les fit disparaître de l'ameublement courant. ◇ Le mot a aussi désigné un grand volet de bois destiné à protéger les vitres des orages et du vent, avant d'être supplanté par *contrevent.* ➛ Il est employé (1834) avec le sens figuré de «personne ou chose qui protège en cachant».

PARBLEU interj., d'abord *parbieu* (1577), forme encore répertoriée en 1759, puis *parbleu* (1643), est l'altération euphémique du juron *par Dieu*, attesté en 1532 chez Rabelais mais évidemment antérieur. La forme *bieu* pour *Dieu* est fréquente en ancien et moyen français (cf. *morbleu*, etc.).

♦ Sans être archaïque, *parbleu*, utilisé souvent ironiquement pour marquer l'assentiment, l'évidence, est aujourd'hui marqué comme régionalisme ou archaïsme.

✳ **PARC** n. m. est issu (1160-1174) du latin médiéval *parricus* (VIIIe s., *lex Ripuaria*) «enclos», lui-même dérivé d'un bas latin °*parra* «perche, pieu», conservé dans l'espagnol *parra* «espalier» et, avec une initiale sonore, dans le français *barre**. Des représentants de *parricus* sont attestés dans tout le territoire gallo-roman et, en outre, dans les patois lombards ainsi qu'en ancien catalan. *Parricus* est passé très tôt dans les langues germaniques (ancien haut allemand *pfarrich*, allemand *Pferch*, anglais *parrock*). Le cheminement inverse, du germanique au roman, est impossible à cause du *p* initial et du suffixe d'origine latine. L'apparition tardive du mot en latin correspond au fait que le parc est une forme de propriété étrangère à la société antique occidentale.

♦ Le mot s'est d'abord appliqué à une grande étendue de terre et de bois clôturée où l'on élève des animaux pour la chasse ; on l'appellerait aujourd'hui une *réserve* ; elle appartenait au roi ou à un seigneur, et son existence était liée à une structure sociale de type féodal, où la forêt dominait, avec quelques essarts. Le parc est caractéristique du château, dans toute l'Europe médiévale. Le mot s'applique aussi depuis le XIIIe s. à un espace clôturé planté d'arbres fruitiers (1220). ◇ Cette notion double joue un rôle important dans la formation des grands jardins français du XVIIe et dans les jardins anglais du XVIIIe s., provoquant l'ouverture du jardin fermé et sa transformation en un ensemble intégré dans un paysage. Cependant, la distinction *parc/jardin** subsiste : à propos du *petit parc* de Versailles, le mot *parc* est défini en 1664 comme une grande étendue de terre et de bois clôturée et aménagée pour la décoration, l'agrément et la promenade. Les jardins y sont aménagés comme autant de clairières cultivées avec soin et d'extension limitée. De son origine seigneuriale, le parc conserve une idée de grandeur, tandis que le jardin est un espace limité et plus aimable. ◇ Après les chefs-d'œuvre de Le Nôtre, l'art s'empare souvent des parcs et y place des fabriques, l'intégrant dans l'urbanisme public. ◇ C'est aussi au XVIIIe s. que s'ouvrent les premiers parcs aménagés pour la promenade publique, tentative qui se développe au XIXe s., allant jusqu'à la transformation de bois en parcs (Boulogne, Vincennes). Ils s'aménagent alors de tout un mobilier (bancs, chaises, manèges), et l'on attend alors d'eux une amélioration de l'hygiène et du bien-être, espérant qu'elle jouera aussi sur la moralité. ➜ À la fin du XIXe s. apparaît le sens de «vaste espace naturel protégé», d'abord à propos des montagnes Rocheuses, sens emprunté (1881) à l'anglo-américain *park*, extension spécialisée de l'anglais *park*, emprunt au français *parc*. Le mot anglais désigne d'abord une réserve de chasse et, depuis 1797, se dit de l'endroit clos où l'on conduisait les bisons (buffalos) pour les abattre. À la même époque, le français a aussi emprunté à l'américain le nom propre *Parc national* (1878) pour désigner aux États-Unis (Yellowstone) un grand site naturel qui appartient à l'État et auquel l'accès du public est réglementé. L'expression traduit l'anglais *National Park*, attesté aux États-Unis depuis 1841, et employé depuis le 1er mars 1872 pour dénommer un territoire constitué en réserve par le Congrès américain. En français, l'appellation, d'abord réservée à cette réalité américaine, est appliquée à d'autres pays, notamment la France depuis 1902. De là, aujourd'hui, *parc national, régional*, etc. ➜ Au XXe s. sont apparues les dénominations usuelles ***parc zoologique*** (1835) [cf. *zoo*] et *parc municipal* (1945). ➜ *Parc* compte également quelques acceptions particulières qui réalisent l'idée de «zone clôturée» : il désigne la clôture mobile où l'on enferme le bétail et, par métonymie, la zone ainsi clôturée (v. 1278). Par extension, il désigne le pâtis entouré de fossés où l'on met les bœufs à l'engrais (1690). ◇ Il s'applique aussi à la clôture destinée à conserver le poisson au bord de la mer (1611) et, de nos jours, au bassin où sont engraissés les coquillages (1723), d'où ***parc à huîtres*** (1848) après *parc aux huîtres* (1765). ◇ *Parc* désigne aussi la petite clôture basse et pliante où les enfants apprennent à marcher (1922). ◇ Dans le domaine de la défense, *parc* désigne un camp fortifié (fin XIVe s.), sens disparu, puis un lieu d'entrepôt militaire (1616, *parc des poudres* ; 1678, *parc d'artillerie*). Par extension, on appelle *parc* un entrepôt, une aire de stockage industriel. ➜ Par métonymie, le mot est employé en économie pour désigner l'ensemble des machines dont dispose une entreprise, un pays (1894, en parlant des wagons et locomotives d'un réseau de chemin de fer). ➜ Il désigne également une aire de stationnement de véhicules (1945, *parc à autos*), alors fortement concurrencé par *parking**.

► Son diminutif **PARQUET** n. m. (1366), aujourd'hui démotivé, a désigné la partie d'une salle de justice où se tiennent les juges, avant de prendre son sens moderne de «lieu où se tiennent les magistrats du ministère public en dehors de l'audience» (1549). ➜ Par métonymie, il désigne l'ensemble des magistrats du ministère public (1694) et le ministère public en tant qu'organe judiciaire (1836, Balzac). ➜ Dès le XIVe s. se sont développées d'autres acceptions telles que «lieu clos de branches où l'on attirait les perdrix pour les prendre» (1376), «petit parc pour le bétail» (1525) ; de nos jours, le mot entre dans les syntagmes *parquet de sélection* (1963), *d'élevage*. ➜ Au XVIIIe s., il a désigné la partie d'une salle de théâtre comprise entre la scène et le parterre (1796), ainsi que le public qui s'y tenait (av. 1772). ◇ Il désigne aussi la partie de l'enceinte de la Bourse des valeurs où se tiennent les agents de change pendant le marché (1802). ➜ Son sens moderne le plus courant, «assemblage à compartiments que l'on pose sur le sol d'une maison», est attesté depuis 1664, s'opposant à *plancher;* ce sens peut évoquer l'ancienne acception de «panneau (d'un retable)» (1398), propre au moyen français. Dans le langage de la navigation, on parle de *parquet de chauffe* (1906). ◆ Le mot a produit quelques dérivés : **PARQUETER** v. tr. (1370) a perdu son sens premier, «prendre le lièvre dans un clos», et s'est limité à «munir d'un parquet» (1671). Il est cependant employé en arts à propos de la consolidation d'un tableau (1963). ◆ **PARQUETAGE** n. m. a lui aussi perdu son ancien sens, «compartiment d'un marais salant» (1580), pour désigner l'ouvrage de plancher en parquet (1647; antérieurement la marqueterie, 1621). ◆ **PARQUETERIE** n. f., plus tardif (1835), désigne l'art de faire des parquets puis la fabrique de parquets (1932). ◆ Le nom de **PARQUETEUR** n. m. a été donné (1691) à l'ouvrier qui pose et répare les parquets.

Parc a aussi donné **PARQUER** v. (1380), employé transitivement pour «mettre (du bétail) dans un enclos», puis «engraisser (des huîtres) dans un parc» (1660) et intransitivement pour «être dans un parc (en parlant d'animaux)» (1660). ◇ Dès le moyen français, le verbe est passé dans le domaine de la défense militaire (1470) où il correspond à «installer son camp en l'entourant d'une palissade» (d'abord pronominalement), et à «procéder à l'installation d'un parc d'artillerie» en emploi transitif et absolu. ◇ Par analogie, *parquer* s'emploie pour des êtres que l'on enferme dans un espace clos (1585), que l'on rassemble dans un espace exigu (1819), au propre, puis au figuré (1832, Balzac) et toujours avec une valeur péjorative. Le sens le plus récent est celui de «garer (une voiture) dans un emplacement prévu pour son stationnement» (1930). ◆ *Parquer* a produit les dérivés morphologiques habituels. **PARQUEMENT** n. m. (1873) a décliné au profit de *enfermement, entassement.* ◇ **PARQUEUR, EUSE** n. (1868) est le nom donné à la personne qui soigne et entretient les huîtres et le bétail (1906) dans un parc. ◆ En ce sens, on emploie quelquefois **PARQUIER, IÈRE** n. attesté dès le XIIIe s. pour la personne qui était chargée de saisir les bestiaux pris en contravention sur les terres du seigneur et les gardait dans un parc. ◆ **PARCAGE** n. m. est la réfection d'après *parc* (XVe s.) de *parquaige;* il a perdu son premier sens, «endroit clos, enceinte», pour désigner l'action de faire séjourner des moutons dans un parc (1611); il est également employé en agriculture (1845-1846) et en ostréiculture (1845). ◇ Le Code de la Convention de Genève a introduit le sens d'«action de parquer un véhicule sur une aire de stationnement» (1949). ◆ Dans le même contexte, **PARCOMÈTRE** ou **PARCMÈTRE** n. m. est composé (1957) de *parc* et de l'élément *-mètre**, calquant l'anglo-américain *parking-meter* (1936), de *parking* «action de garer, stationnement» (→ parking) et de *-meter* correspondant au français *-mètre.* ◇ Le mot, en français, est d'abord attesté au Canada sous la forme *parcomètre,* puis en France sous les formes *parc-mètre* (1967) et *parcmètre* (1968). Ce dispositif est d'origine américaine; sa désignation en France connaît une hésitation entre les deux formes acceptables (*parcomètre* étant cependant moins fréquent).

◈ voir PADDOCK, PARKING.

PARCELLE n. f. est issu au XIIe s. (apr. 1150) d'un latin populaire °*particella,* réfection du latin classique *particula* «petite partie» (→ particule), diminutif de *pars* (→ part).

♦ Le mot est d'abord attesté dans un document de nature juridique, puis, au XIIIe s., dans un traité d'économie rurale avec le sens de «petite partie d'un tout», à propos des comptes détaillés des recettes et des dépenses, sens aujourd'hui disparu. ◇ Le mot désigne particulièrement, en agronomie, une portion de terrain de la même culture (1563) et, en sylviculture, une portion de forêt relativement homogène (attesté XXe s.).

▶ Son dénominatif **PARCELLER** v. tr., «diviser en parcelles», a été formé (1760) après **PARCELLÉ, ÉE** adj., attesté dès 1458 sous la forme *parsellé* puis sous sa forme actuelle (1571) au sens de «divisé en petits champs». ◆ Le verbe a produit **PARCELLEMENT** n. m. (1859) pour désigner la division d'un domaine ou d'une exploitation agricole en certaines parcelles (distingué de *morcellement*). ◆ Au moyen du suffixe *-iser, parcelle* a produit **PARCELLISER** v. tr. (1958), employé à la forme pronominale (de sens passif) et transitivement (1964) pour «fragmenter, fractionner». Ce verbe est surtout utilisé en parlant d'une terre et de certains objets abstraits (l'opinion, le travail, un secteur de la vie économique ou politique). ◇ Le nom qui en est dérivé, **PARCELLISATION** n. f., se dit (1958) en parlant d'un champ, et (1964) du travail, correspondant à la notion de «travail en miettes» (Georges Friedmann).

PARCE QUE loc. conj., d'abord *par ce ke* (1200) puis *parce que* (1375) par soudure des deux premiers éléments, est composé de la préposition ① *par**, du démonstratif *ce** et de la conjonction *que**.

♦ La locution, qui a remplacé la locution médiévale de même sens *pour ce que* (v. 950, *por cio que*), introduit une proposition causale et peut s'employer directement, avec ellipse de la proposition principale, en réponse à une question commençant par *pourquoi* (depuis le XIIIe s.). Dans l'usage familier, elle est employée en tête de proposition indépendante pour justifier un dire, une affirmation (1790). ◇ Elle est employée seule elliptiquement pour exprimer un avis, un ordre péremptoire dont on ne peut ou ne veut donner les raisons (1837, Musset).

PARCHEMIN n. m. est issu, sous l'ancienne forme *parcamin* (1050), d'un type latin °*pergaminus* (le substantif *papyrus* étant probablement sous-entendu), masculin correspondant au bas latin *pergamena,* lui-même emprunté au grec *pergamênê* (sous-entendu *diphtera*) : «peau apprêtée à Pergame». En effet, la préparation du parchemin, selon la tradition, aurait été inventée à Pergame en Asie Mineure (actuelle Turquie), sans doute au début de l'ère chrétienne. Vers le milieu du IVe s., le parchemin a commencé à concurrencer le *papyrus**, dont la fabrication s'est poursuivie jusqu'au milieu du xe s. en Égypte et jusqu'au XIe s. en Sicile. La nouvelle matière est apparue en Europe au cours du VIIe et son emploi s'est généralisé au VIIIe s., en raison de sa robustesse et pour pallier les difficultés d'approvisionnement en papyrus, liées à la conquête arabe. Du IXe au XVe s., le parchemin a été le support normal de l'écriture en Occident : les actes étaient rédigés sur des peaux ou sur des fragments de formes et de tailles très diverses, car on utilisait la moindre parcelle des peaux naturelles. Calibrées, elles étaient pliées et reliées en codex. Souvent cousues bout à bout en rouleaux, elles atteignaient parfois plusieurs dizaines de mètres de long. Le prix des peaux a conduit au réemploi fréquent des pièces dont le texte avait perdu son intérêt et qu'on lavait et grattait d'autant plus aisément que la peau était épaisse (cf. *palimpseste*). Le type bas latin *pergamena* survit dans l'italien *pergamena*, tandis que les autres représentants du mot dans les langues romanes reposent sur °*pergamenus* (ancien provençal *pergamen*) qui pénètre dans la plus grande partie de la Romania avec le suffixe *-inu* (déjà en bas latin *pergamina*). Cette forme en *i*, étant donné l'entrée tardive du mot en latin, s'explique par le passage de *ê* à *i* en grec : l'espagnol a *pergamino*, le catalan *pergami*. Dans le nord de la France, °*pergaminus* a subi l'influence phonétique de *parthica (pellis)* «(peau) du pays des Parthes», féminin de *parthicus* emprunté au grec *parthikos*, de *Parthoi* «les Parthes», nom d'un peuple d'Asie. *Parthica* a donné le type *parche*, *parge* «basane», en ancien français et dans les dialectes.

♦ *Parchemin* désigne la peau de mouton (d'agneau, de chèvre) séchée pour servir de support à l'écriture. Le mot a perdu de son importance avec le déclin du parchemin et son remplacement progressif par le papier*, surtout après l'invention de l'imprimerie. Le parchemin reste en usage jusqu'au XVe s. pour les diplômes et actes officiels et au-delà pour les titres de noblesse (ci-dessous). ◇ Le mot entre dans quelques syntagmes particuliers comme *parchemin vierge* (1611), synonyme de *vélin* et, au XIXe s., dans la locution médicale figurée ***bruit de parchemin*** (1855). ◇ Par métonymie, il désigne un texte écrit conservé sur parchemin et, par extension, sur papier (1205-1250). Il a désigné spécialement un titre de noblesse dont un parchemin établissait l'authenticité (1577) : c'est de ce sens que procède l'acception familière de «diplôme universitaire» (1768). ◇ Par analogie d'aspect, *parchemin* sert à désigner l'enveloppe extérieure de certains pois et grains (1770), une peau humaine dure et jaunâtre par métaphore (1720, *son visage n'était qu'un vieux parchemin*) et dans la locution *de parchemin* (1833, Balzac), emplois plus ou moins éliminés par le dérivé *parcheminé*.

▶ Le mot a produit deux dérivés en ancien français : **PARCHEMINIER, IÈRE** n. (fin XIIIe s.) «personne qui fabrique et vend les parchemins» a été précédé par le latin médiéval de même sens *pargaminarius*, attesté dès 822 (Statuts de l'Abbaye de Saint-Pierre de Courbevoie). ◆ **PARCHEMINERIE** n. f. «art et commerce des parchemins» est attesté depuis 1394. ◆ Les autres dérivés, apparus au XIXe s., sont métaphoriques ou techniques : **PARCHEMINER** v. tr. (1833), «rendre semblable à du parchemin», est également employé à la forme pronominale pour «devenir semblable à du parchemin» (1836, Balzac). ◇ Il a produit **PARCHEMINAGE** n. m., d'usage rare et littéraire, et **PARCHEMINATION** n. f. «acquisition de certaines qualités du parchemin». ◇ Le participe passé du verbe, **PARCHEMINÉ, ÉE** adj. (1837), s'emploie au propre et au figuré, notamment pour qualifier la peau (voir ci-dessus *parchemin*). ◆ On emploie aussi **PARCHEMINEUX, EUSE** adj. pour qualifier ce qui a la nature et l'apparence du parchemin.

⟐ voir BERGAMOTE.

PARCIMONIE n. f. est emprunté (1507) au latin *parcimonia, parsimonia* «économie, épargne» et, au figuré, «sobriété (d'un orateur)». C'est un dérivé de *parsus*, participe passé de *parcere*, «retenir, contenir» puis «se contenir», «épargner, ménager», terme sans étymologie connue, seulement conservé en provençal. Le second élément vient de *monere* «faire penser».

♦ Le mot, d'abord écrit *parsimonie*, signifie «épargne minutieuse». Il est rare avant le XVIIIe siècle. Au XIXe s., il entre dans la locution ***avec parcimonie*** (1831) «au compte-gouttes» et, au figuré, «avec beaucoup de réserve» (1868).

▶ Son dérivé **PARCIMONIEUX, EUSE** adj. (1755, *le plus parcimonieux de nos rois*, Mirabeau) est employé pour qualifier qqn qui fait preuve de parcimonie et, par métonymie (1815), une chose dénotant ce comportement. ◆ Il a lui-même donné **PARCIMONIEUSEMENT** adv. (1831, Balzac) de sens propre et figuré.

PARCOMÈTRE ou **PARCMÈTRE**
→ PARC

PARCOURIR v. tr. est la francisation (XIIIe s.), d'après *courir**, du latin *percurrere*, formé de *per* (→ ① par) et de *currere* «courir», et qui s'emploie intransitivement pour «courir à travers», au figuré «passer en revue», et transitivement pour «courir vers (un lieu), à travers», «parcourir des yeux, en lisant».

♦ Le mot est attesté une première fois avec le sens de «traverser, visiter dans toute son étendue», pour être repris au début du XVIe s., après l'emploi du substantif *parcours* (ci-dessous) dans ce sens. ◇ Au XVIe s., il a aussi signifié «poursuivre à la course» (1573), sens sorti de l'usage moderne. ◆ Au XVIIe s., il s'applique à une chose, avec le sens d'«aller d'un bout à l'autre» (1671-1682), au figuré puis au propre (1731-1738). Il signifie aussi «accomplir un trajet déterminé» (fin XVIIe s.). ◇ Le sens, repris au latin, de «regarder successivement les éléments d'un ensemble» concerne l'acte de lire (1588) et s'étend à d'autres évaluations.

▶ Le verbe n'a donné que les dérivés rares **PARCOUREUR** n. m. et **PARCOURABLE** adj. (XXe s.). ◆ Le nom correspondant **PARCOURS** n. m. (1268) est la francisation, d'après *cours**, du latin de basse époque *percursus* «action de parcourir», participe passé substantivé de *percurrere,* surtout employé en latin médiéval avec des acceptions juridiques (XIe-XIIe s.). ◇ En français, le mot a commencé par désigner juridiquement, dans le cadre de la féodalité, la convention en vertu de laquelle les habitants d'une seigneurie pouvaient aller résider dans une autre sans perdre leur franchise, d'où la locution ancienne *bourgeois de parcours* (1495). Le substantif désigne aussi, à la suite du latin médiéval, le droit appartenant aux habitants de deux communes de faire paître leurs bestiaux sur les vaines pâtures des deux communes (1459), sens conservé en droit rural moderne (*droit au parcours et vaine pâture,* Code civil, 1804); par métonymie, le mot désigne le terrain sur lequel on fait paître les troupeaux en fonction de ce droit (1848). ➙ Le sens courant de «déplacement déterminé d'un point à un autre, chemin correspondant» (1394) s'applique d'abord au trajet qu'une bête est obligée de faire dans certaines chasses (aux filets, à la haie). Cette valeur du mot se répand surtout aux XIXe et XXe s., avec de nombreuses acceptions spéciales : itinéraire suivi par un véhicule (1845), trajet que suit l'eau courante (1855). *Parcours* compte de nombreux emplois en sports (1856), hippisme, cyclisme (1901), golf (1906) et équitation (1961). Il est employé en entraînement militaire dans l'expression ***parcours du combattant*** (attesté 1963), au figuré «suite d'épreuves difficiles». ◇ Concernant des inanimés, on emploie le mot en physique corpusculaire (1910), avec les expressions *parcours moyen, libre parcours moyen* (1949). Le syntagme *retard de parcours,* en cybernétique, est attesté dans les dictionnaires depuis 1963.

PARDESSUS n. m. est l'emploi substantivé (1810) de la locution adverbiale *par-dessus* (→ dessus).

♦ Le mot désigne d'abord un vêtement féminin porté au XIXe s. par-dessus les autres vêtements, puis un vêtement d'homme qui se porte par-dessus les autres vêtements (1820), en concurrence avec *manteau.* ◇ Au Canada, le sens précédent étant inconnu, *pardessus* désigne une chaussure imperméable en caoutchouc qui se porte par-dessus les autres chaussures (1894); un synonyme courant est *claque.* ➙ La locution adverbiale a aussi été substantivée comme terme d'histoire de la musique avec *pardessus (de viole)* [1740, *Académie*], écrit *par-dessus,* d'après *dessus de viole* (1636).

PARDI interj. est l'altération par euphémisme (1589) de *pardieu* (1174-1177), composé de ① *par** et de *Dieu**, employé comme juron pour renforcer une affirmation ou une négation, et comme réponse affirmative à un propos, à une question.

♦ *Pardi* est d'abord attesté sous la forme *perdy* dans un texte de 1608, le *Fouet des jureurs et blasphémateurs du nom de Dieu,* puis sous la forme *pardy* (1623) et *pardi.* Devenu très usuel et affaibli, il sert familièrement à renforcer une déclaration, à marquer l'évidence, la logique de l'énoncé auquel on répond. Les formes *pardienne* (XVIe s.), *pargué, parguenne, parguié, parguienne* ont quasiment disparu. ◇ **PARDINE** (1848), d'emploi familier, a été courant jusqu'au premier tiers du XXe siècle.

PARDONNER v. tr., d'abord *perdonner* (v. 980) puis *pardoner* (1050), est issu du latin tardif *perdonare,* attesté une seule fois dans l'*Ésope* de Romulus (entre 350 et 500), formé du préverbe intensif *per-* (→ ② par) et de *donare* qui signifie spécialement, en contexte abstrait, «faire remise de, accorder son pardon» (→ donner).

♦ Le verbe est d'abord attesté dans l'ancienne expression *perdonner vide (vie) a* «faire grâce, laisser la vie sauve à (un condamné)». Il a très tôt son sens actuel, «remettre à (qqn) la punition d'un péché» (fin Xe s.) dans un contexte chrétien, puis signifie «tenir une offense comme non avenue» (1080). Dans la seconde moitié du XVIe s., il entre dans la formule de politesse *pardonnez-moi* et, au XVIIe s., dans *vous êtes tout pardonné* (1694). ◇ Avec le sens d'«épargner» (1573), il est limité à quelques emplois dont la locution familière ***ça ne pardonne pas.*** ◇ Au XVIIe s., se développent les sens affaiblis de «considérer avec indulgence (une erreur, un défaut, une imperfection) en lui trouvant une excuse» (1616-1620). ◇ Le pronominal *se pardonner,* d'abord employé avec le sens ancien de «se ménager» (1520), a pris ses valeurs modernes passive et réciproque au cours du XVIIe siècle.

▸ Le déverbal **PARDON** n. m. (1130-1140), «action de pardonner une offense», passe dans le vocabulaire social et entre au cours du XVIe s. dans la formule de politesse *je vous demande pardon,* avec un sens atténué. L'interjection *pardon !,* demande de clémence (v. 1540), est devenue au XXe s. une exclamation populaire emphatique (1943). ◇ En revanche, le mot est employé avec son sens fort dans la locution aujourd'hui très littéraire ***(être) sans pardon*** (1802) «(être) impitoyable». Sa détermination religieuse se fait également sentir dans les sens d'«absolution religieuse» (1160-1174), et par métonymie (au pluriel) «fête où se gagnaient les indulgences» (1240) et «prière qui les fait obtenir» (1458). ◇ En Bretagne, *pardon* désigne en particulier une fête patronale avec pèlerinage religieux (1834). ◇ Le mot est employé dans la religion juive pour désigner le Kippour, fête de l'expiation, la plus importante de l'année (1721), généralement appelée ***Grand Pardon.*** ➙ *Pardonner* a aussi donné **PARDONNABLE** adj. (v. 1120), dont le sens actif premier, «miséricordieux», a été évincé au profit du sens moderne (1176-1181). ➙ L'antonyme **IMPARDONNABLE** adj. est attesté depuis la fin du XIVe s. et a pris le sens affaibli de «sans excuse». ➙ Sont apparus ultérieurement **PARDONNANT, ANTE** adj. (1848), **PARDONNEUR, EUSE** n. (1946) et **PARDONNEMENT** n. m. qui désigne l'aptitude à pardonner, tous trois très peu usités.

-PARE, -PARITÉ sont des éléments savants : *-pare* est tiré du latin *-parus,* de *parere* «produire, enfanter, procurer» (→ parent, parturition). Il entre dans la construction d'adjectifs (susceptibles de substantivation) appartenant au vocabulaire de la médecine et de la biologie. Ceux-ci engendrent quelquefois des substantifs féminins en *-parité* qui désignent un mode de reproduction biologique.

▸ Les principaux composés en *-pare* sont des emprunts au latin (→ ovipare, primipare, vivipare).

✱ **PAREIL, EILLE** adj., adv. et n. est issu (v. 1150) du bas latin *pariculus* attesté une fois dans les *Remissoria* de la loi salique, lui-même forme élargie du monosyllabe latin classique *par, paris* «égal» (→ ① pair), de la même façon que *soliculus* (→ soleil) est l'élargissement de *sol*.

♦ Dès les premières attestations, *pareil* qualifie une personne, une chose semblable à une autre dans une comparaison implicite. Lorsque la comparaison est explicite, il s'est d'abord construit avec *de* (1399-1400) qui l'a cédé à *que* (1500) dans l'usage parlé moderne et à *à* dans l'usage soutenu, par exemple dans l'expression ***à nul autre pareil*** (1599). ◇ Depuis le XIIe s. (1180), l'adjectif est également employé avec un sens démonstratif, pour «de cette nature, de cette sorte», en particulier dans l'expression ***en pareil cas*** (1590); dans cette acception, *pareil* peut avoir une valeur laudative (1666) ou au contraire péjorative (1838, dans *à pareille heure*, devenu *à une heure pareille*). ◇ Il se dit enfin de ce qui, être ou chose, reste inchangé au cours du temps (1580). ➜ Dès l'ancien français, l'adjectif est substantivé (v. 1150) pour désigner une personne semblable à une autre *(le pareil de..., son pareil)*, puis une personne de même sorte, un compagnon (fin XIIe-2e moitié XIIIe s.). Il a ainsi servi à former les locutions usuelles ***n'avoir pas son pareil*** (1188), ***sans pareil*** (1204), ***rendre la pareille*** au féminin (1159) et, familièrement, ***du pareil au même*** (1866) «absolument semblable». ➜ L'emploi adverbial de *pareil* (fin XVe s.), bien que critiqué par la plupart des grammairiens, est très répandu dans l'usage parlé.

▸ Le dérivé **PAREILLEMENT** adv. est d'abord relevé sous l'ancienne forme *paraument* (1288) «d'une manière semblable». Depuis 1365, sous sa forme actuelle, il signifie également «aussi, de même». Comme l'adjectif, cet adverbe est quelquefois employé avec la valeur intensive de «à ce point», généralement avec une nuance dépréciative. ➜ L'antonyme de *pareil* **NONPAREIL, EILLE** adj. (1205-1250), apparaît au sens d'«impair» (remplacé par *impair*). Il a pris le sens de «qui n'a pas son pareil, inégalé» (av. 1278), archaïque de nos jours. ◇ Il est substantivé au féminin **NONPAREILLE** n. f. (1550) pour désigner diverses choses remarquables par leur petite taille : après avoir été employé en imprimerie, ce nom a désigné une dragée très petite (1660), une variété d'œillet (1721; précédé par le masculin *un nonpareil*, 1667) et aussi un ruban très étroit (1660). ◇ Enfin, il s'emploie en parlant d'un oiseau (1800, Chateaubriand), probablement par emprunt à l'anglais (1758) qui l'avait lui-même emprunté au français.

Pareil a donné naissance à deux verbes préfixés en *a-* et en *dé-*. ➜ ② **APPAREILLER** v. tr. (1130-1140, écrit *apareiller*) a d'abord eu le sens d'«unir (un homme et une femme)» perdu après la fin du XIIIe s., mais repris dans *s'appareiller* «s'accoupler» en parlant d'oiseaux (1680). ◇ Son autre sens, «joindre à son pareil» (1204), d'abord attesté à la forme pronominale, a été repris (1690) en construction transitive. ➜ On en a tiré **APPAREILLEUSE** n. f. (1611), «entremetteuse», peu usité, et en technique **APPAREILLEUR** n. m. (1955) «ouvrier chargé de réunir les bas par paires en tenant compte de leurs couleurs et de leur qualité». ➜ **APPAREILLADE** n. f. (1863) est un terme de chasse qui désigne la formation des couples de perdrix pour la reproduction. ➜ **APPAREILLEMENT** n. m. (1820) et ② **APPAREILLAGE** n. m. (XIXe s.) sont des noms d'action, le second réservé à la réunion de deux animaux domestiques pour le travail.

Avec *dé-*, a été formé **DÉPAREILLER** v. tr. (1200), d'abord «séparer (ce qui était uni)», puis «séparer (ce avec quoi on faisait une paire)» (1355, au participe passé). Le verbe signifie aussi «détruire l'ordonnance de (qqch., un ensemble)» (1718, au participe passé). ◇ **DÉPAREILLÉ, ÉE** adj. est plus courant que le verbe. ➜ Ce dernier est synonyme de l'antonyme préfixé sur *appareiller*, **DÉSAPPAREILLER** v. tr. (1170), d'abord pronominal «se séparer de qqn, de qqch.», «être différent» (déb. XIIIe s.), puis transitif, pour «enlever (une chose) d'un ensemble de choses pareilles» (1606). Ce verbe, bien que présent dans les dictionnaires généraux des XIXe et XXe s., semble archaïque. ◇ On relève le dérivé rare **DÉSAPPAREILLEMENT** n. m. (1859, Goncourt).

PARENCHYME n. m. est emprunté (1546) au grec tardif *parenkhuma*, mot désignant la substance des poumons, du foie, des reins et de la rate, formée selon Érasistrate par le sang des veines de ces organes. Il est dérivé de *parenkhein* «répandre dans, sur», de *para-* (→ ① para-) et *enkhein* «verser dans», lui-même formé de *en* «dans, en», préposition correspondant au latin *in* (→ en) et *khein* «verser, répandre» (→ ecchymose, cacochyme), verbe reposant sur la même racine indoeuropéenne que le latin *fundere* (→ fondre).

♦ Le mot a été repris en anatomie pour désigner le tissu spongieux constitutif de certains viscères. ◇ Par analogie, il est passé en botanique à propos du tissu cellulaire spongieux et mou de certaines parties des plantes (1676).

▸ L'adjectif correspondant, **PARENCHYMATEUX, EUSE**, en a été dérivé en anatomie (1764, *substance parenchymateuse*), puis s'est aussi spécialisé en pathologie (1824, *infection parenchymateuse*) et en botanique. ➜ Son radical a servi à former **PARENCHYMATOSE** n. f. (1941), nom donné à une dégénérescence d'origine infectieuse qui affecte plusieurs organes à la fois.

PARENT, ENTE n. est issu (v. 980) du latin *parentem*, accusatif de *parens, -tis* «père ou mère», surtout employé au pluriel *parentes* «le père et la mère» et, collectivement, «les pères et les mères». Ce mot, surtout au singulier, appartient à la langue littéraire à laquelle il procure un substitut noble de *pater* et *mater* (→ père, mère) et de *genitor, genitrix* (→ géniteur). À l'époque impériale, il a commencé à se dire, comme *patres*, des ancêtres et même des personnes de la même famille, frères et sœurs, etc. *Parens* est le participe présent substantivé de *parere* «procurer, produire» puis «enfanter, mettre au monde» (→ parturition). Ce verbe appartient à une racine indoeuropéenne exprimant le don, représentée, outre le latin *pars* (→ part), en irlandais et dans l'aoriste grec *eporon* «j'ai procuré» (le sanskrit *pūrtám* «salaire» indique que la racine est bisyllabique).

♦ Le mot est d'abord attesté au pluriel pour désigner collectivement le père et la mère puis aussi les ancêtres (1050, au singulier), sens réalisé dans l'expression *nos premiers parents* (pour Adam et Ève) (1604). ◇ Dès les premières attestations, il désigne aussi, comme en latin impérial, celui ou celle qui est de la même famille et entre dans les syntagmes particuliers ***proche parent*** (1594; *proceain parent,* 1120-1150) et ***parent éloigné,*** ce dernier exprimant la même idée que la locution argotique, puis familière (aujourd'hui archaïque) ***être parent du côté d'Adam*** (1690). ➛ **GRANDS-PARENTS** n. m. pl. (d'abord *grands parens,* 1798) a d'abord désigné les plus considérables parmi les parents proches, avant de prendre la valeur moderne de «parents des parents» (1868), entraînant la formation **ARRIÈRE-GRANDS-PARENTS** (attesté v. 1950). ➛ L'expression ***parent pauvre*** (en locution ***traiter qqn en parent pauvre,*** 1874) est d'abord attestée dans le titre de deux romans de Balzac, *Le Cousin Pons* (1847) et *La Cousine Bette* (1846) qui forment le groupe des «parents pauvres» dans *La Comédie humaine.* ➛ *Parent* est employé comme adjectif avec son sens propre et le sens figuré de «qui a des affinités communes avec» (1821); il est également appliqué à des choses (1916, Durkheim, *langues parentes*).

► *Parent* a donné **PARENTAGE** n. m. (1140) qui désigne collectivement l'ensemble des parents ainsi que le lien de parenté, au propre (1538) et au figuré (1678, La Fontaine). ➛ Archaïque partiellement concurrencé par *parenté,* il l'est aussi, dans un registre plus littéraire, par **PARENTÈLE** n. f. (fin XIVe s., *parentel*), emprunt au latin des juristes *parentela,* «alliance, parenté», dérivé de *parens.* De nos jours, le mot est senti comme archaïsant (G. Duhamel l'affectionnait), sauf quand il est employé par les ethnologues avec le sens de «famille, lignage» et celui de «lien du sang» (1580). ◇ Il a servi de modèle pour former **PARENTAILLE** n. f. (déb. XIXe s.), mot familier qui a vieilli pour désigner la famille avec une nuance péjorative. ➛ **PARENTAL, ALE, AUX** adj., attesté en 1536 dans *affection parentale,* ne s'est répandu qu'au XXe s. (1913 *in* D.D.L.) comme adjectif de détermination de *parent.* ◇ Le préfixé **MONOPARENTAL, AUX** adj. (1975) est devenu usuel dans le vocabulaire social *(famille monoparentale).* ➛ **PARENTÉ** n. f. est issu (1050) du latin classique °*parentatus,* de même sens que le français, dérivé de *parens* (→ parent). Le mot a longtemps été masculin (encore au XVIe s.), avant que le genre féminin (1463) ne l'emporte. Il signifie d'abord «lignage, hérédité», puis se dit de tout lien du sang existant entre personnes (1530), dans l'usage courant et dans le langage juridique (1690). ◇ Par extension, dans la seconde partie du XVIIIe s., il a développé le sens figuré de «ressemblance, affinité» (1773), en parlant de personnes, de choses, spécialement de traits communs entre deux choses que l'on compare rigoureusement, en linguistique (1826), en musique. Il est parfois employé au sens collectif d'«ensemble des parents», comme *parentèle* qu'il a éliminé dans l'usage courant (cf. aussi *famille*).

APPARENTER v. tr. (v. 1165) est formé de *a-*, de *parent* et de la désinence verbale. ◇ Le verbe signifie en ancien français «traiter comme un parent», le pronominal (v. 1190) correspond à «s'allier par le mariage»; ces valeurs ont disparu en français classique où *apparenter à qqn* (1636) se dit pour «rendre parent». ◇ Le figuré se manifeste d'abord au pronominal (1660), «être de la même nature, ressembler», sens repris par l'actif, pour «rapprocher, rendre semblable». ◇ Le participe passé **APPARENTÉ, ÉE** adj. (1225) suit les acceptions du verbe, avec au XXe s., une spécialisation en politique, «allié pour les élections». ➛ Cette valeur est reprise par le dérivé **APPARENTEMENT** n. m. (1912), qui a aussi la valeur générale de «fait d'être apparenté, analogue ou semblable», sens où le mot remplace **APPARENTAGE** n. m. (1853), qui n'avait pas réussi.
➛ **PARENTALES, PARENTALIES** n. f. pl. est, sous cette double forme (respectivement 1721 et 1875), un emprunt au latin *parentalia,* pluriel neutre désignant la fête annuelle célébrée à Rome par chaque famille en hommage à ses ancêtres. Le mot a été repris avec cette acception.

◈ voir -PARE, ① PARER, PARQUE, PART, PARTURITION.

PARENTHÈSE n. f. est emprunté (1478-1480) au latin *parenthesis,* emprunt au grec *parenthesis* «action d'intercaler», en particulier «action d'insérer une lettre dans un mot» et, en syntaxe, «un élément autonome dans une phrase». Ce mot est dérivé du verbe *parentithenai* «interposer, insérer, entremêler», en particulier «insérer à tort», composé de *para* (→ para-) et de *entithenai* «mettre dans, placer dans» qui avait pris le sens particulier d'«insérer une lettre». Ce verbe est composé de *en-* «dans» et de *tithenai* «poser, établir, fonder, créer», que l'on trouve dans de nombreuses formes à préverbe (→ thèse).

♦ Le mot désigne d'abord une phrase accessoire formant un tout distinct et séparée de la phrase dans laquelle elle est insérée; il entre dans la locution ***par parenthèse*** (1578) «sans rapport avec ce qui précède ou suit». ◇ Employé au pluriel, il désigne les signes typographiques entre lesquels on place l'élément que l'on veut isoler (1626), et entre alors dans la locution ***entre parenthèses*** (1832). ◇ *Jambes en parenthèses* «arquées», est dans Restif (1783). ◇ Par extension de la première acception, il désigne une digression dans un récit, un discours (1687) d'où, par analogie, un épisode plus ou moins long considéré comme accessoire.

► Il a produit un dérivé savant, **PARENTHÉTISATION** n. f. (1968), terme de linguistique traduisant l'anglo-américain *bracketing* «mise entre crochets» de *bracket* «crochet» (mot emprunté au français *braguette*), désignant la représentation graphique de la structure d'une phrase en constituants immédiats au moyen de parenthèses emboîtées les unes dans les autres. ◇ Le verbe **PARENTHÉTISER** ne semble pas usité. ➛ On parle aussi de **PARENTHÉSAGE** n. m., variante du précédent attestée (v. 1980) chez les linguistes théoriciens.

PARÉO n. m. est emprunté (1880, Loti), une première fois sous la forme *parou* (1774), puis *pareu* (1875), à un mot tahitien de même sens.

♦ Le mot, répandu par la vogue des îles de Polynésie (par exemple les séjours de Gauguin), désigne le vêtement traditionnel tahitien et, par analogie, un vêtement de plage féminin s'en inspirant.

① **PARER** v. tr. est issu (v. 980) du latin *parare* «préparer», «se préparer, faire des préparatifs» (sens positif et absolu) et «faire effort pour se procurer». C'est l'intensif duratif en *a* du verbe *parere* «procurer», d'où «enfanter» (→ parent), et il a repris le sens de ce verbe, «se procurer», en particulier «se procurer pour de l'argent, acquérir».

♦ *Parer* signifie «orner», notamment «vêtir avec soin, avec élégance» (1225); depuis le XVIe s. il est employé au figuré dans *se parer de* (qqch.) «tirer indûment vanité de» (1532). ◇ Le sens étymologique de «préparer, apprêter» s'est conservé dans quelques acceptions techniques (1170) : *parer* signifie «rendre propre à l'usage, à la consommation», en particulier en cuisine «préparer en ôtant les parties inutiles, en donnant meilleure apparence» (1215), avec une spécialisation plus tardive en boucherie (1701). Le verbe est aussi employé en peausserie (v. 1275, pour une étoffe dès 1250) ainsi qu'en maréchalerie (1559, *parer le pied d'un cheval*). ◇ En marine, il signifie «mettre une chose en état pour s'en servir» (1552, dans l'ordre *parez les manœuvres!* et *pare!*). ◇ En horticulture, il correspond à l'action de rogner les racines des végétaux que l'on veut transplanter (1810). ◇ Le participe passé s'emploie en marine *(paré à virer)*.

▸ Le plus ancien de ses dérivés, **PAREMENT** n. m., est attesté à la fin du IXe s., avant le verbe, avec le sens ancien d'«ornement» en usage jusqu'en 1485 et réservé depuis à *parure* (ci-dessous). ◇ *Parement* désignait aussi des objets servant à orner (1176-1181), en particulier une pièce d'étoffe précieuse décorant la partie antérieure d'un autel (1318) et une pièce d'étoffe ornant un vêtement (1577), acceptions conservées. ◇ Il a développé quelques sens techniques correspondant à *parer* «préparer», spécialement dans le domaine de la maçonnerie (1409-1410) et des Ponts et Chaussées, où il désigne un revêtement. ◆ Ce nom est à l'origine de **PAREMENTER** v. tr. (1558), employé autrefois comme terme d'habillement, repris comme terme technique de construction (1842), et de **PAREMENTURE** n. f., d'abord sous la forme *parmenture* (arrêté du 15 avril 1832), refait au XXe s. d'après *parement* comme terme de couture (1925).

PARURE n. f. a été formé au XIIe s. avec le sens restreint de «pelure», sorti de l'usage à la fin du XVe siècle. Il correspond à «action de préparer» dans les domaines de la reliure (1680), et, comme *parer*, de la cuisine et de la maréchalerie. Par métonymie, le mot désigne aussi ce qui est ôté, enlevé (1833). ◇ Depuis l'ancien français (1230), *parure* s'emploie, en concurrence avec *parement*, de ce qui sert à orner (1230), en particulier d'une garniture de diamants ou de pierres précieuses (1694) et, récemment, d'un ensemble de toilette, de lingerie (1909). ◇ *Parure* correspond enfin, mais rarement, à «action de se parer» (1611) et «action de parer». ◆ Deux termes techniques de commerce en sont dérivés : **PARURERIE** n. f. (v. 1950) et **PARURIER, IÈRE** n. (v. 1950), tous deux relatifs à la fabrication d'articles de fantaisie destinés à orner le vêtement féminin. ◆ Enfin un autre dérivé suffixé de *parer*, ③ **PARAGE** n. m. (1494, *paraige*), était employé en moyen français pour désigner le foulage du drap; il a été repris au XVIIIe s. pour «action de parer», en viticulture (1732), en maréchalerie et (XXe s.) en boucherie.

L'antonyme préfixé de *parer*, **DÉPARER** v. tr., est attesté en 1050 sous la forme conjuguée *desperet* (3e personne présent indicatif) puis à l'infinitif *desparer* (1172-1174). ◆ Il signifie d'abord «ôter ce qui pare, dépouiller», au XVIIe s. dans ***déparer une église*** (1680). ◇ De nos jours, il est employé assez rarement au sens de «rendre moins agréable, altérer l'harmonie de» (av. 1678), au propre et au figuré.

◈ voir **APPARAT, APPAREIL, S'EMPARER, EMPEREUR, IMPÉRIEUX, ① PARADE, ② PARER, PART, PRÉPARER, REMPART, RÉPARER, RÉPERTOIRE, SÉPARER, SEVRER.**

② **PARER** v. tr. est en général considéré comme un emprunt francisé (1460) à l'italien *parare*, attesté au sens de «se défendre contre les coups» (déb. XVIe s., l'Arioste), dérivation de sens de *parare* «orner, préparer», de même origine que le français ① *parer**. Cette hypothèse, malgré le léger décalage chronologique qui existe entre le français et l'italien, est préférable à celle qui fait de *parer* un emprunt à l'ancien provençal *parar* attesté une seule fois avec ce sens. L'origine provençale est évoquée par Wartburg parce que l'influence de l'italien sur le français n'était pas très importante à la fin du XVe s.; cet argument est d'ailleurs discutable car les relations des deux pays commençaient à être actives dès le milieu du XVe siècle.

♦ *Parer* est d'abord attesté à la forme pronominale *se parer de* «se justifier de» et en construction transitive avec le sens de «justifier (qqn)» (chez G. Chastellain). ◇ Le mot a développé les valeurs modernes au XVIe s. : la forme pronominale *se parer de* (grâce à) *qqch* (1543) et *se parer de* («contre») *qqn* (1578) «se protéger» a décliné, puis disparu. ◇ *Parer* s'emploie transitivement au sens d'«éviter» (1588, *parer un coup*, au figuré, chez Montaigne) et «protéger (qqn de qqch.)» (1604), cette dernière acception étant aujourd'hui archaïque. Il se construit aussi avec la préposition *à* (1540), dans les locutions ***parer aux coups, parer au plus pressé.*** ◇ Il est spécialement employé en marine avec le sens d'«éviter (un abordage, une tempête)», «passer au large de (un lieu), contourner sans toucher» (1552), en escrime (1690) pour «éviter (une attaque) en se déplaçant rapidement» (1578, en emploi général).

▸ Son participe passé **PARÉE, ÉE** est adjectivé (1702) au sens d'«en sécurité, à l'abri (d'un danger)». ◆ De *parer* est dérivé ③ **PARADE** n. f. (à ne pas confondre avec l'homonyme dérivé de ① *parer*) [1628]. C'est d'abord un terme d'escrime, utilisé par extension dans d'autres sports de combat. Il est également employé à propos d'une riposte à une accusation, à une affirmation (1740-1755, Saint-Simon). ◆ Par préfixation et suffixation sur *parer*, on a formé **IMPARABLE** adj. (1604) «impossible à éviter, à parer», à propos d'une attaque physique, puis morale. ➡ L'élément verbal **PARE-** a une certaine vitalité dans la formation de noms d'objets ayant pour fonction de protéger, d'éviter : *pare-coup* n. m. (1611) a été oublié, mais **PARE-FUMÉE** n. m. inv. (1673) est resté vivant. ◇ La fin du XIXe et le début du XXe s. voient la création de **PARE-AVALANCHES** n. m. (1866), **PARE-FEU** n. m. inv. (1873), **PARE-BALLES** n. m. et adj. inv. (1873), surtout dans *gilet pare-balles* (XXe s.) ; **PARE-BOUE** n. m. inv. (1913, modification de *paraboue*, 1828) concurrencé par *garde-boue* (de *garder**) ; **PARE-ÉCLATS** n. m. (1907) ; **PARE-BRISE** n. m. inv. (1907) et **PARE-CHOCS** n. m. (1925), usuels grâce à l'automobile.

◈ voir ② PARA-, ② PARADE, ② PARAGE, PARAPET, PARAPLUIE, PARASOL, PARAVENT, ① PARER.

③ PARER → ② PARADE

PARÉSIE n. f., d'abord *paresis* (1694), francisé en *parésie* (1741), est emprunté au grec *paresis* «action de laisser aller, de relâcher», dérivé de *parienai* «laisser aller». Ce verbe est composé de *par-*, *para-* (→ ① para-) et de *hienai* «lancer, envoyer, émettre», lequel repose sur la même racine indoeuropéenne que le latin *jacere* (→ jeter).

♦ Le mot désigne un affaiblissement de la contractilité entraînant une paralysie légère.

▸ **PARÉTIQUE** adj. a été dérivé savamment (1865) de *parésie*. ➡ On rencontre exceptionnellement **PARÉSIÉ, ÉE** adj. «atteint de parésie» (1940).

◈ **PARESSE** n. f. est issu (attesté v. 1130 mais antérieur, cf. *paresseux*) du latin *pigritia*, de même sens que le français, dérivé de *piger* adj. «lent, indolent» d'où «peu travailleur», mot usuel sans étymologie claire. Dans le passage du latin au français, il y a eu changement du suffixe *-itia* en *-icia* et, d'après la forme archaïque *peresce*, passage de *per-* à *par-* dans *parece* (v. 1130) et, par substitution de suffixe, *paresse* (déb. XIIIe s.).

♦ Le mot désigne d'abord la disposition habituelle à ne pas travailler et, par extension, le manque d'énergie en face d'une tâche (1170), absolument et dans la construction *paresse à* et infinitif (1663). À l'époque classique, le mot pouvait aussi être employé adverbialement là où nous employons *par paresse* (Furetière donne comme exemple «il a perdu son procès, *paresse* de le solliciter» (1690). ◇ *Paresse*, en contexte chrétien, est le nom de l'un des sept péchés capitaux (1656). ◇ Par extension, le mot désigne la lenteur intellectuelle (1678, La Rochefoucauld) et, en médecine, la réaction anormalement lente ou incomplète d'un organe (1856).

▸ Le dérivé **PARESSER** v. intr. a d'abord été écrit *perecer* (1175) puis *parescier* (1195) ; sa valeur sémantique a peu évolué, mais son emploi pour «rester oisif» semble avoir été plus usuel. Il est aujourd'hui d'usage soutenu. ➡ L'autre dérivé de *paresse*, **PARESSEUX, EUSE** adj. et n., est attesté avant le nom (v. 1121) sous la forme *pareçus*, puis *perechoux* (1160-1170) pour qualifier et désigner une personne encline à la paresse. L'ancienne construction *paresseux de* et infinitif (1160-1174) a été remplacée par *à* et infinitif (1574) et *pour* et infinitif (1746), la préposition *de* restant utilisée pour introduire un nom. ◇ Avant la fin du XVIe s., *paresseux* est attesté dans toutes les acceptions où il exprime une idée de «lenteur» : il qualifie une personne qui se déplace avec lenteur (1265), qui est lente à agir (1580, Montaigne) et, en médecine, un organe lent à remplir sa fonction (1575, A. Paré, *ventre paresseux*). ➡ L'adjectif a été substantivé à propos des personnes, un **PARESSEUX** n. m. désignant aussi des animaux aux mouvements très lents (l'aï ou bradype, l'unau) [1640], traduisant alors le terme latin *ignavus* «sans activité, indolent», utilisé en zoologie par L'Escluse en 1605. ➡ **PARESSEUSE** n. f. (1669) désigne une coiffure postiche de femme «qui fait», écrit Furetière, «qu'une femme qui se leve tard est coeffée en un moment». Il désigne aussi un corset de femme s'agrafant par devant (1850). ◇ Le dérivé **PARESSEUSEMENT** adv. a pris sa forme actuelle (1355) après *pereçosement* (1195), *perezousement* (fin XIIe s.) ; ces variantes correspondent à l'histoire formelle de *paresse* et de *paresseux*.

✳ **PARFAIRE** v. tr. est emprunté (1119) au latin *perficere* «faire complètement, achever», formé de *per* (→ ② par) et de *facere* (→ faire), avec réfection par assimilation à *faire*.

♦ Le verbe est d'abord employé avec le sens aujourd'hui archaïque de «compléter qqch. (une somme, un compte)». Il garde cette valeur en reliure où il signifie «ajouter à (un livre) les feuillets qui manquent» (1694). ◇ De nos jours, il a surtout, comme *achever*, le sens de «mener à son terme (un processus déjà entamé)» (1140), quelquefois avec une idée de perfection. Il est aussi employé par antiphrase au sens de «porter au comble de l'imperfection». Par affaiblissement de sens, il signifie aussi «améliorer» (v. 1360), et *se parfaire* «se perfectionner» (v. 1370).

▸ ① **PARFAIT, AITE** adj. et n. est issu du latin *perfectus*, participe passé adjectivé de *perficere* qui est normalement à l'origine de formes du type *parfit*, auxquelles se sont ajoutées, sous l'influence du verbe *parfaire*, les formes en *-fait* qui l'ont emporté. L'adjectif est d'abord attesté en langue romane sous la forme latine *perfectus* (v. 980) puis *parfit* (1050), avant *parfais* (v. 1225). Il signifie «qui est accompli, excellent, idéal dans un domaine ou dans sa condition», en particulier «qui présente totalement un type accompli» (1480), par exemple dans des locutions du type ***accord parfait*** (1690). ◇ Dès 1050, il exprime l'idée qualitative de «qui est au plus haut degré de l'excellence, sans défaut» dans l'expression *parfit'amor*, dont le sens s'est peu à peu affaibli en «grand amour» (1170) avec l'expression ***filer le parfait amour*** dont la valeur initiale forte, en accord avec la courtoisie, s'était affaiblie au XVIIe s. au point que Furetière la présente ainsi : «on dit qu'un homme file le *parfait amour*, pour dire, qu'il cageolle une femme dans les formes». ◇ L'accent porte quelquefois sur le caractère de complétude (v. 1225), comme dans ***nombre parfait*** en mathématiques (XVe s.) et sur le caractère exceptionnel des qualités (XVe s.) ◆ Dès le XIIe s., l'adjectif qualifie une personne qui n'a commis aucune faute et a atteint la perfection morale (1145), puis un être vivant qui a atteint son plein développement d'âge adulte (1350) et enfin une chose très perfectionnée, qui présente un stade de développement complexe et avancé (1749, Buffon). ◆ L'adjectif est substantivé depuis le troisième quart du XIIe s. pour désigner une personne sans faute, un saint ; *les parfaits* a servi à désigner les cathares (de langue occitane) qui obéissaient strictement aux règles de vie de la secte (1225). ◇ *Le parfait* s'est employé avec une valeur de neutre au sens de «perfection» (1260). ◆ Une spécialisation d'origine commerciale et valorisante (1869) applique le nom à un entremets glacé à la crème (opposé à *glace* [au lait] et *sorbet* [à l'eau]), notamment dans *parfait glacé, parfait au café*, etc. ◆ De l'adjectif dérive **PARFAITEMENT** adv. d'abord sous la forme *parfitement* (1050) correspondant à *parfit*, et qui est lui aussi employé avec des sens dépendant de critères d'ordre qualitatif (1050), quantitatif, et matériel, physique (1260). Son emploi comme adverbe d'affirmation est attesté depuis 1784 (Diderot). ◆ L'antonyme de *parfait*, ① **IMPARFAIT, AITE** adj. (1370-1372) représente l'adaptation d'après *parfait* du latin *imperfectus* «inachevé, incomplet», qui s'oppose à *perfectus. Imparfait* exprime d'abord le caractère de ce «qui n'a pas de perfection» (souvent par référence à un absolu d'ordre divin), et il est substantivé (1550) au masculin avec une valeur de neutre *(le parfait et l'imparfait)* ; cet emploi est rare. ◇ L'adjectif est également rare, de nos jours, avec le sens neutre de «qui n'est pas achevé» (1372) et s'emploie surtout pour qualifier ce qui manque de certaines qualités, de certains éléments (fin XIVe s.), dans le langage courant, en musique, en botanique et en zoologie. ◇ L'emploi en grammaire a donné naissance à une autre substantivation (ci-dessous). ◇ En est dérivé **IMPARFAITEMENT** adv. (1372). ◆ ② **PARFAIT** n. m., terme de grammaire (XIVe s.), représente le calque du latin *perfectum*, employé elliptiquement par les grammairiens pour *perfectum tempus* «temps parfait». En français, le mot est d'abord employé en apposition dans la dénomination *prétérit parfait*, avant d'être substantivé pour désigner le temps qui marque un passé accompli (1596). ◆ **PLUS-QUE-PARFAIT** n. m. (1550), attesté antérieurement dans l'expression *temps passé plus que parfait* (1521), est emprunté au latin des grammairiens *plus quam perfectum.* ◆ ② **IMPARFAIT** n. m., substantivation d'un ancien emploi de l'adjectif (XIVe s., *prétérit imparfait*), correspond aussi en grammaire (1606) au latin *imperfectum.*

◈ voir PERFECTION.

PARFOIS adv. est le résultat de la soudure (1530, *parfoys*) de la locution adverbiale *par fois* «de temps en temps», attestée une fois à la fin du XIIIe et de nouveau au XVe siècle. Celle-ci est formée de ① *par**, exprimant une répétition dans le temps, et de *fois**.

♦ *Parfois*, «de temps en temps», se place entre *quelquefois*, forme neutre du langage courant, et *des fois*, forme familière. Bien que soutenu, il est employé dans la langue populaire avec une valeur d'éventualité, notamment dans la construction hypothétique *si parfois*, équivalant à *si par hasard.*

PARFUMER v. tr. est formé (XIVe s.) à partir du latin *fumare* (→ fumer) avec *per* «à travers» (→ ① par), probablement par emprunt à une langue méditerranéenne que l'on ne peut préciser. En effet, les langues romanes connaissent des formations similaires : l'italien *perfumare*, attesté seulement depuis 1640 à côté de *profumare* (1508), est vivant dans les dialectes ; l'ancien provençal *perfumar* se trouve dans un texte de 1500 contenant de nombreux gallicismes, et son déverbal *perfum* est attesté dès 1387 ; le catalan a *perfumar* (XIVe s.), ainsi que l'espagnol (1490) et le portugais (XVIe s.).

♦ *Parfumer*, concurrencé par *perfumer* au XVIe s., est d'abord relevé dans le texte d'un auteur italien avec le sens de «fumiger». Au XVIe s., le verbe reste proche de ses valeurs étymologiques, «enfumer» et «purifier par fumigation». ◇ Il a pris au XVIe s. son sens moderne, «imprégner d'un parfum» (1528), parce que les premières substances odoriférantes se brûlaient (bois, écorce, encens). *Se parfumer* est attesté peu après (1567).

► Le déverbal **PARFUM** n. m. (1528) a suivi une évolution sémantique analogue ; au XVIe s., il désigne avant tout une fumée, une fumigation, et plus particulièrement une fumée odoriférante. Cependant, à la différence de *odeur*, il indique déjà une odeur (naturelle ou artificielle) agréable. Par extension, il peut reprendre une valeur neutre, désignant même par antiphrase une odeur nauséabonde (1866, Baudelaire). Au XVIIe s., époque où l'usage moderne était fixé, il se disait en médecine de «toutes les vapeurs bonnes ou mauvaises, qu'on fait eslever en l'air pour guerir les maladies» (1690, Furetière), le lien étymologique avec *fumée* étant encore perçu. ◇ L'expression ***(être) au parfum*** «(être) informé d'une chose plus ou moins cachée des autres» (v. 1950), d'abord argotique, est d'emploi familier, alors que *parfumer* pour «renseigner» ne s'est pas répandu. ◇ Le mot entre dans le nom d'objet **BRÛLE-PARFUM** n. m. inv. (1785). ◆ Son dérivé **PARFUMERIE** n. f. désigne à la fois (1802) la fabrique et le commerce des parfums et cosmétiques, le magasin qui vend des parfums et cosmétiques (1811) et, par métonymie, l'ensemble de ces produits (1823). ◆ *Parfumer* a aussi donné **PARFUMÉ, ÉE** (XVIe s., *perfumé*), adjectif tiré de son participe passé, et **PARFUMEUR, EUSE** n. et adj. (1528), qui a d'abord désigné un brûleur de parfums avant de se fixer avec ses sens actuels, liés à *parfumerie* (déb. XIXe s.), commerçant qui vend de la parfumerie et fabricant de parfums.

PARI → PARIER

PARIA n. m. est emprunté, par l'intermédiaire du portugais *paria* (1607), au tamoul *parayan* (pluriel *paraiyar*) proprement «joueur de tambour». Le mot a pris le sens de «personne appartenant à la dernière caste», probablement par une confusion due aux Européens avec un autre mot tamoul, *pul-*

liyar. On a aussi invoqué une évolution de sens interne pour *parayan*, le joueur de tambour étant considéré comme impur parce qu'il accompagnait les morts dans les cortèges funèbres ; mais les hors-castes pratiquaient en général d'autres professions liées à la souillure.

♦ Le mot est d'abord attesté (1575) sous la forme *Pareaz* dans la traduction de la version italienne d'un ouvrage portugais, et sous la forme *Paria* (1655) pour désigner les hors-castes des Indes, considérés comme impurs (cf. *intouchable*). ◇ Par analogie, au XIXe s., il s'applique à une personne méprisée, mise au ban de la collectivité (1824). Ce sens s'est répandu dans les milieux bourgeois du XIXe s., notamment grâce au succès de la tragédie de C. Delavigne intitulée *Le Paria* (1821), où le mot est d'ailleurs pris au sens propre. ◇ Le féminin *une paria* semble aussi dater du XIXe siècle.

PARIER v. tr., d'abord *pariier* (1313), est la réfection d'après le latin *pariare* «rendre égal», «être égal, aller de pair» (dérivé de *par, paris* → ① pair), de l'ancien français *perier* «aller de pair avec, s'associer», dérivé de *per*, forme ancienne de ① *pair*.

♦ Le verbe signifie d'abord «comparer, mettre de pair avec», sens rare et de nos jours réservé à son composé *apparier* (→ ① pair). ➛ Au XVIe s., *parier* a pris son sens moderne, «affirmer, s'engager sur une opinion» (1547), spécialement au jeu «mettre une somme dans un pari» (1549). Au XVIIe s., apparaît le sens de «gager que celui des joueurs que l'on désigne gagnera la partie» (*parier sur*, 1636), absolument «prendre le risque de choisir» en relation avec *pari* (1662, Pascal). Par extension, on passe au sens d'«être à peu près certain que» (1762) et, par affaiblissement, «penser, croire». ➛ *Parier* a aussi eu le sens, aujourd'hui sorti d'usage, de «s'apparier, s'accoupler» (1464), reprenant la valeur de l'ancien français *pairier* «accoupler», dérivé de *paire**. ◇ Cependant, d'une manière générale, le verbe est passé de l'idée d'égalité à celle de choix fondé sur le hasard.

▸ Le seul dérivé de *parier* resté à l'écart du vocabulaire du jeu est **PARIADE** n. f. (1690), terme de chasse désignant la saison où les oiseaux quittent le groupe pour se mettre par couple et, par métonymie, l'accouplement ou le couple d'oiseaux qui en résulte. Sémantiquement, le mot correspond au verbe *apparier*.
Le déverbal **PARI** n. m., écrit *pary* (1640), puis *pari* (1688), apparaît dans le contexte du jeu. Le *pari* de Pascal (1662), concernant l'existence de Dieu, est une métaphore directe du jeu et du calcul des probabilités. ◇ À la fin du XVIIe s., le mot acquiert une valeur véritablement figurée et désigne l'affirmation d'une grande possibilité pour un événement (1690). ➛ **PARIEUR, EUSE** n. date de la même époque (1640), avec, au milieu du XIXe s., une application particulière aux courses de chevaux. Toute la série, indépendamment des métaphores et sens figurés, a pris dans la seconde moitié du XIXe puis au XXe s. des connotations spécifiques dues au développement des jeux de hasard par prévision d'un résultat : courses hippiques (turf), puis prévisions sportives et systèmes collectifs comme ***Pari mutuel urbain*** français (d'où ***P. M. U.***), *tiercé, quarté*, etc.

PARIÉTAIRE n. f. et adj., d'abord *paritaire* (fin XIIIe s.), puis sous sa forme actuelle (1544), est emprunté au latin *parietaria*, féminin substantivé de l'adjectif *parietarius* «de mur», dérivé de *paries* «mur» (→ paroi, pariétal), car cette plante croît particulièrement sur les vieux murs et dans les décombres.

♦ Le mot désigne une plante herbacée, également appelée *perce-pierre*. Furetière répertorie aussi les dénominations *campanette, clochette, vitriole* et *petit liset*. Le mot est quelquefois adjectivé pour qualifier une plante qui pousse sur les murs (*lierre pariétaire*). Connue pour ses vertus par les médecins des premiers siècles, la pariétaire conserva de nombreux usages thérapeutiques jusqu'au XVIIIe s., avant d'être dénigrée au XIXe siècle. On lui fait encore confiance en milieu rural.

PARIÉTAL, ALE, AUX adj. et n. est un dérivé savant (1493) du latin *paries* «mur» (→ paroi), avec le suffixe *-al*.

♦ C'est un mot didactique, employé en anatomie pour qualifier un os pair du crâne, plat et quadrangulaire, situé de chaque côté de la ligne médiane entre les régions frontale et occipitale. Il est substantivé pour *os pariétal* (1611). Depuis 1800 comme adjectif et depuis 1874 comme nom pluriel, il qualifie et désigne un ordre de plantes dicotylédones à *placentation pariétale*. ➛ L'adjectif a pris une valeur plus générale, pour «qui est inscrit sur les parois (d'une grotte, etc.)» (1914), par exemple dans *peintures pariétales*.

▸ Le composé **INTERPARIÉTAL, ALE, AUX** adj. (1843) qualifie en anatomie ce qui est situé entre les os pariétaux.

◈ voir PARIÉTAIRE.

PARISIEN, IENNE adj. et n., d'abord *parisin, ine* (1312), est dérivé du nom de *Paris*, capitale de la France, avec le suffixe *-in* puis *-ien*, peut-être par l'intermédiaire d'une forme latine °*parisiensis*. Ce toponyme, qui s'est substitué à *Lutèce* (*Lutetia* en latin) est d'origine obscure : César est le premier à mentionner le nom de la peuplade celtique (gauloise) des *Parisii* auquel ce mot se rattache.

♦ Le mot désigne et qualifie un habitant de Paris, une chose ou une personne originaire de Paris (1312, *une maale parisine* ; 1461, *dames parisïennes*). Il a servi à former des noms d'objets usuels ou techniques (cf. ci-dessous *parisis*) qui n'ont pas toujours vécu : ainsi *la parisienne* est devenu le nom de la casse la plus courante dans l'imprimerie en France (1690) ; ce nom féminin a désigné une variété d'anémone (1667), un pantalon de grosse toile bleue (1868), diverses voitures de transport parisien (1868) et une cigarette de type populaire au prix modique (1868), emplois disparus ; de nos jours, le mot est encore vivant dans la locution *à la parisienne* (1938) à propos d'une garniture culinaire. Le masculin *parisien* désigne une sorte de biscuit à la frangipane que l'on appelait autrefois *polonais* (1938). ◇ À partir du XIXe s., le mot a connu une seconde extension, servant à caractériser un être, des mœurs, des comportements avec une valeur tantôt méliorative, tantôt ironique et dépréciative (1838); il s'est notamment dit d'un badaud (1823), d'un homme déluré, inventif (1867), d'un mauvais sujet (1831) et, chez les marins, d'un niais, d'un novice incapable d'adaptation (1843). L'usage dominant du mot met l'accent sur cette incapacité ou ce refus à s'adapter à un autre milieu, campagne ou province (cf. *provincial*). L'opposition entre Paris et le milieu rural s'est affirmée dans des dictons et comptines, tel «*Parisien, tête de chien; Parigot, tête de veau!*». ◇ Par ailleurs, l'adjectif, au XIXe et surtout au XXe s., connote l'élégance, le chic, la mode, plus souvent qu'il n'est péjoratif.

▶ La valeur caractérisante de *parisien* est à l'origine de quelques dérivés, au premier rang desquels **PARISIANISME** n. m. (1583) qui a eu le sens de «manière de parler propre aux Parisiens», et a été repris au XIXe s. pour désigner les mœurs et habitudes prêtées aux Parisiens, surtout par péjoration (1843, Gautier; Balzac emploie en 1840 *parisiénisme* qui n'a pas vécu). ◇ **PARISIENNER** v. tr. (1866, *parisienné*) archaïque, **PARISIANISER** v. tr., **PARISIENNEMENT** adv., **PARISIANITÉ** n. f. et, avec le suffixe des noms de maladies, **PARISIANITE** n. f. (1926, Bourget) sont rares; ils relèvent de la caractérisation du tempérament et des travers parisiens.

PARIGOT, OT(T)E adj. et n. (1896) constitue le synonyme familier de *parisien*, formé par substitution du suffixe argotique *-got* à *-ien*. Le mot a des connotations toutes différentes de celles de *parisien;* il correspond à «faubourien» *(accent parigot)*, avec une idée de gaieté populaire.

Paris a aussi inspiré **PARISIS** n. m. (v. 1160), nom d'une ancienne monnaie médiévale frappée à Paris (du latin médiéval *parisiensis*). ➜ **PARIS-BREST** n. m. inv. (1938) est le nom d'une pâtisserie en pâte à choux, en forme de couronne et fourrée de crème pralinée; la désignation semble évoquer la ligne de chemin de fer réunissant les deux villes.

PARITÉ n. f. est emprunté (1345) au latin *paritas, -atis* «ressemblance, égalité», dérivé de *par, paris* «égal, pareil» (→ ① pair).

♦ Le mot exprime d'abord une égalité entre des êtres, des objets de même nature, et spécialement, en économie, l'égalité de valeur d'échange de deux monnaies (1738). En relation avec *pair, parité* a pris en mathématiques le sens de «caractère de ce qui est divisible par deux» (1845-1846).

▶ C'est avec sa valeur première («égalité») qu'il a pour dérivé **PARITAIRE** adj. (1920) qualifiant une assemblée qui réunit en nombre égal des représentants de deux parties, et, par métonymie, ce qui concerne deux groupes également représentés. ◇ Ce dernier a produit **PARITARISME** n. m. (1961, André Bergeron, élu secrétaire général du syndicat Force ouvrière en 1963) «doctrine qui vise à résoudre la question sociale par la généralisation des modes de gestion paritaires». Le mot avait été créé une première fois en 1877 au sens d'«égalité des cultes». ➜ L'antonyme de *parité*, **IMPARITÉ** n. f., est un emprunt didactique (déb. XVIe s.) au latin *imparitas, -atis* «inégalité», préfixé de *impar, imparis* (→ impair). L'usage moderne ne l'emploie que pour «état d'un nombre non divisible par deux» (1794), en relation avec la valeur correspondante de *pair* et *parité* (ci-dessus).

-PARITÉ → **-PARE**

PARJURE n. et adj., d'abord *perjures* (1140) et *parjures* (1165), est emprunté au latin *perjurus* «qui manque à ses engagements» d'où «imposteur, menteur», mot formé de *per*, exprimant ici une idée de «déviation» (→ ① par), et de *jus, juris* «droit» (→ justice).

♦ *Parjure,* employé comme nom et adjectif, désigne et qualifie (1165) une personne qui, par un faux serment, manque à ses promesses, à ses engagements *(être parjure à)*. ➜ **PARJURE** n. m. désigne aussi le faux serment, en particulier le faux témoignage devant les tribunaux (1160-1174). Il est alors emprunté au neutre latin *perjurium* «action de se parjurer».

▶ Le verbe correspondant, **PARJURER** v., est emprunté (1080) au latin *perjurare* (souvent *perjerare*) «faire un faux serment», «mentir», de *per* et *jurare* (→ jurer). Dès les premiers emplois, le pronominal *se parjurer* signifie «violer son serment, affirmer sous serment ce que l'on sait faux», et en particulier «faire un faux serment en justice» (1535). ◇ Le verbe est aussi employé transitivement (1130) pour «prendre à témoin (qqn) en faisant un faux serment», sens disparu, et «violer (un serment)» (1176-1181), emploi archaïque. Il s'est employé absolument avec le sens de «commettre un parjure» (1150).

PARKA n. m. est emprunté (1932) à l'anglo-américain *parka,* attesté en anglais du Canada (1852) pour désigner la chemise ou veste d'intérieur des Inuits (Esquimaux), en castor, descendant à mi-cuisse et surmontée d'un capuchon porté côté fourrure à l'intérieur. C'est un emprunt à la langue aléoute (des îles Aléoutiennes) *purka* «peau», «manteau», aussi emprunté au samoyède de Sibérie par le russe.

♦ Le mot aléoute avait déjà été employé en français en 1761 dans le *Journal étranger.* Il a été repris au XXe s. à propos d'un court vêtement de dessus, militaire ou de sport, en tissu imperméable et muni d'un capuchon, et est devenu, grâce aux sports de montagne et à la généralisation des vêtements de sports, presque aussi courant que *anorak**. On le rencontre parfois au féminin.

PARKING n. m. est emprunté (1925) à l'anglais : c'est le gérondif substantivé du verbe *to park* (1526), dérivé de *park* n., lui-même emprunté au français *parc** au XIIIe siècle. *Parking,* désignant l'action de parquer, est attesté au sens d'«action de garer une voiture» au moment où *park* n. a lui-même acquis le sens correspondant : «emplacement réservé au stationnement des véhicules automobiles», en 1925; *park* est concurrencé par des composés formés avec *parking* en fonction d'épithète : *parking place* (1925), aux États-Unis *parking* *lot* (1924), *parking space* (1924), *parking ground* (1944).

♦ Si le *parking* français, rare et récent pour désigner l'action de parquer une voiture (1962), correspond alors à l'anglais *parking*, sa valeur usuelle, «emplacement affecté au stationnement des véhicules» (1926), est inconnue de la langue source. Il est difficile de déceler si le mot est entré en français par contraction des expressions anglaises et américaines ou par formation à l'aide du suffixe *-ing* sur le modèle de l'anglais : ce serait alors un pseudo-anglicisme. *Parking* est l'un des mots qui symbolisent l'envahissement des anglicismes. Dès 1959, le Comité d'étude des termes techniques français a proposé l'adoption de *parc* avec ses dérivés *parquer* et *parcage*. En fait, *parc* est attesté dès 1945 au sens de «lieu de stationnement» puis dans les expressions *parc à autos, parc-autos, parc de stationnement*, qui alternent avec *parking*, lequel continue à être usuel, avec des syntagmes *(place de parking)*, avec des emplois métonymiques (*un parking* pour un emplacement, un «box»).

PARLEMENT n. m. est dérivé (1080) de *parler** avec le suffixe *-ement*.

♦ Le mot a eu une fortune particulière dans le vocabulaire des institutions : il a successivement désigné une conversation (cf. *palabre*) puis au XIIe s. une assemblée délibérante (1165), spécialement une assemblée de notables convoquée pour prendre une décision importante (1208). Il s'est employé à propos de la *curia regis* (→ curie) siégeant autour du roi en France et, en Angleterre, du temps des rois anglo-normands : on relève ainsi le latin médiéval *pallamentum magnum, generale* (1250) dans le domaine anglais. Le moyen anglais *parliament*, d'abord *parlement*, emprunté (XIIIe s.) au français avec ses deux sens (respectivement première moitié XIIIe s. [1216-1259] et 1290), désigne une assemblée législative (1330), et spécialement le corps composé par la Chambre des lords et la Chambre des communes (1362). De son côté, le mot français s'est spécialisé au XIIIe s. au sens de «*curia regis* en session judiciaire, cour souveraine de justice» (1260); on relève aussi en latin médiéval *ad pallamentum parisius* appliqué à la *curia regis* de 1239, et *arrêt rendu in pallamento Parisius* en 1253. *Parlement* conservera ce sens jusqu'à la suppression de l'institution par décret du 7 novembre 1790, le mot devenant dès lors un terme historique. Il ne sera pas utilisé pour désigner les assemblées législatives de la nation française, celles-ci étant désignées par le mot *États* (→ état). ◇ Repris à l'anglais, *parlement* ne s'applique plus qu'à la session du Conseil, en Angleterre, convoquée par le roi et exerçant avec lui des fonctions judiciaires, financières, législatives et politiques, emploi existant depuis le XIIIe s. (1275). L'analogie du système anglais avec le système des États en France est sentie dès le XVe s., Commynes établissant un parallèle entre «son parlement [d'Angleterre]» et «les trois estatz». Mot historique ou allusion au système anglais, *parlement* sera appliqué aux assemblées qui exercent le pouvoir législatif dans les pays à régime représentatif (1825, Lamennais); cette valeur, postérieure au sens moderne de *parlementaire*, est induite par ce dernier.

► De *parlement*, dans ses acceptions juridique et politique, est dérivé ① **PARLEMENTAIRE** n. et adj. (1644) qui a d'abord désigné un membre du Parlement britannique, spécialement un «partisan» ou membre du Parlement d'Angleterre opposé au roi Charles Ier pendant la guerre civile anglaise. C'est une adaptation de l'anglais *parliamentary* n. «membre du Parlement anglais» (1626), et adj. «relatif au Parlement ou à ses membres», et de *parlementarian* «membre, partisan du Parlement opposé au roi pendant la guerre civile» (1644, n.; 1691, adj.). ◇ Le mot français a aussi été employé comme adjectif (1651), en référence à la vie politique anglaise. Dans ce même contexte anglais, il a pris dans la seconde partie du XVIIIe s. le sens de «membre d'un Parlement ou d'une assemblée politique anglaise». Sous l'Ancien Régime, il avait servi à qualifier (1671) et à désigner (1762) le membre d'une cour de Parlement française (voir plus haut). ◇ C'est avec la Révolution que le mot commence à qualifier ce qui est propre aux assemblées législatives modernes (1789), époque à laquelle les termes *parlement* et *parlementarisme* sont inconnus du vocabulaire politique : cependant, l'expression ***régime parlementaire*** n'apparaîtra qu'en 1869 chez Amigues (aussi *démocratie parlementaire*) et le nom désignant le membre d'une assemblée politique française, *un parlementaire*, en 1824 (cf. *député*). ◇ D'après l'adjectif anglais *parliamentary* «conforme aux usages parlementaires» (1625), le mot français sera adjectivé au sens de «conforme aux usages parlementaires» (1830). ⟡ Son dérivé **PARLEMENTARISME** n. m. est relevé pour la première fois en 1852 chez Hugo qui en attribue la paternité à Napoléon III (l'anglais *parliamentarism* n'est relevé que depuis 1870 et n'a donc pu servir de modèle). ◇ Péguy a proposé de nommer **PARLEMENTARISTES** «ceux qui font et professent la théorie du parlementarisme» (1900) mais le mot, déjà attesté en 1871, est à peu près inusité. ⟡ Au moyen de l'élément *anti-*, on a formé les antonymes de *parlementaire* et de *parlementarisme :* **ANTIPARLEMENTAIRE** adj. et n. (1853) et **ANTIPARLEMENTARISME** n. m. (1912, Barrès).

Parlement avait donné dès le moyen français **PARLEMENTER** v. intr. (déb. XIVe s.), qui se rattache au premier sens du nom et équivaut à «parler ensemble, s'entretenir ensemble». Il signifie spécialement «engager des pourparlers avec un ennemi» dans le contexte de la guerre (1382) et «rechercher un accommodement avec un adversaire» (1658). Au XVIIIe s. il est employé familièrement avec le sens de «discuter longuement avant de décider» (av. 1784). ◇ On a formé sur ce verbe, détaché sémantiquement des valeurs politiques prises par les autres mots de la famille, un autre nom ② **PARLEMENTAIRE** n. (1789), vieilli dans son emploi adjectif au sens de «relatif à l'action de parlementer» et comme nom pour désigner un vaisseau envoyé pour parlementer (1798), mais conservé pour désigner la personne chargée de parlementer avec l'ennemi (1792).

✻ ① **PARLER** v. intr. est issu (v. 980) du bas latin ecclésiastique *parabolare* (VIIe s.), dérivé de *parabola*, mot qui, au sens évangélique de «parabole du Christ» d'où «parole du Christ», a donné *parabole** et *parole**. Le verbe, avec la même évolution de sens, «exprimer par métaphore» d'où «exprimer par la parole», puis «converser», «convenir de qqch.», «défendre sa cause», a éliminé le verbe latin classique *loqui* (→ loquace); un autre verbe familier, *fabulari* «bavarder» (→ fable), s'est imposé dans la péninsule Ibérique, avec l'espagnol *hablar*, le portugais *fallar*, d'où il a été réemprunté avec une spécialisation de sens (→ hâbler).

♦ Le verbe correspond à «émettre les sons articulés du langage humain», avec une insistance sur la matérialité sonore de l'acte que rendent diverses expressions comme ***parler haut*** (v. 1283 au figuré, «parler avec autorité») ou ***parler du nez*** (1606). Dès les premières attestations, *parler* rend «se servir du langage articulé pour exprimer sa pensée», d'où spécialement, dans l'optique des grammairiens et linguistes, «communiquer entre locuteurs à l'aide d'un système de signes vocaux propres à une communauté» (v. 1190), en rapport avec *langue*. La phraséologie attachée à ce sens est abondante et comprend notamment ***parler pour ne rien dire*** (1719), *vous qui parlez* (1761, interpellation à valeur de reproche), *parler pour parler* (1798), *voilà qui s'appelle parler* (1875, développement de *voilà parler*, 1747), et proverbialement ***savoir ce que parler veut dire*** (1828). Un adverbe ou une expression à valeur adverbiale met l'accent sur les qualités de style, les intentions et les dispositions affectives, morales, intellectuelles du locuteur, dans *parler clair* (fin XIe s.), *bien parler* (1580) et *mal parler* (1668), *parler net* (1636) et *parler franc* (1690), *parler gras* «avoir un langage ordurier» (1660) sorti d'usage, ***parler comme un livre*** (1665) et ***parler d'or*** «sagement» (1677), *parler en l'air* (1530), etc. À l'époque classique, on disait aussi *parler chicane* pour «s'exprimer en termes de chicane» (av. 1613) et *parler Vaugelas, Corneille*, etc. pour «s'exprimer à la manière d'un tel» (1672). ➛ Dès les premiers textes, comme déjà le latin *parabolare*, *parler* correspond de manière plus restrictive à «prononcer un discours publiquement» (v. 980), ouvrant sur des emplois en rhétorique (*parler d'abondance*, 1778; *l'art de parler*) et en politique avec les nuances contraires de «soutenir» (*parler pour*, 1640) et «combattre» (*parler contre*, 1665). ◇ Mettant l'accent sur la relation à l'interlocuteur, il signifie également «échanger des propos, des idées, par l'intermédiaire de la parole» (v. 980) et «avoir une conversation» (v. 980). Ces sens, actifs dans les locutions *parler à bâtons rompus* et ***parlons peu, parlons bien*** (XXe s.), sont aussi très fréquemment réalisés par la construction indirecte *parler à, de* (v. 980), à laquelle correspond une riche phraséologie et diverses nuances : *parler à*, qui, encore au XVIIe s., pouvait se construire avec la forme tonique du pronom personnel *(parler à lui)*, entre dans ***trouver à qui parler*** (v. 1360) et, marquant l'absence de communication, *parler à un sourd* (1538) et ses variantes, *parler à, aux rochers* (1694; 1680, *aux roches*), *à un mur* (1835); l'objet est un nom d'animal dans *parler aux chiens*, en vénerie (v. 1550). ◇ *Parler de* (v. 980), le complément désignant l'objet du discours, se retrouve dans ***cela ne vaut pas la peine d'en parler*** (1661), ***sans parler de*** (1668), ***parler de la pluie et du beau temps*** (fin XVIIe s.), ***n'en parlons plus*** (1690) puis ***parlons-en !*** (XXe s.). Cet emploi indique des commentaires favorables ou défavorables sur une chose (v. 1196) dans *faire parler de soi* (1538) et *on en parle* (1669), l'entretien avec qqn sur tel sujet (fin XIIe s.), dans ***ne m'en parlez pas*** (1868), et la manifestation d'une intention d'agir d'une certaine manière (1549) dans *parler de partir, de faire qqch.*, etc. ◇ *Parler de* vaut par extension pour «s'exprimer par écrit» (1207) et «s'exprimer par un autre langage que celui de la parole» (1690). *Parler à* est synonyme de «s'adresser à tel sens, telle faculté, en parlant d'un écrivain» (fin XVIIe s.) d'où «toucher, émouvoir» (1690). ◇ Dès l'ancien français, *parler* assume d'autres sens particuliers liés à l'intention et au contexte dans lequel on parle : «comploter, tramer» et «quereller», sortis d'usage; «donner son avis» (1080), «émettre un vœu, un souhait» (1670), «dévoiler un secret, rompre le silence» (1640, *faire parler qqn*), «faire une annonce (à certains jeux de cartes)» (1721). *À parler* et *en parlant* suivis d'un adverbe (av. 1678), puis *parlant* précédé d'un adverbe en *-ment* (1647), rendent l'idée d'«exprimer». ◇ Par extension du sujet, *parler* s'emploie au figuré pour des animaux (oiseaux, v. 1370) et, surtout, des choses considérées comme douées d'expression (fin XVIe s.) ou expressives; ce dernier emploi correspond spécialement à «s'imposer impérieusement, commander» dans le style littéraire (1665, Racine) et à «résonner» en musique (1636). ◇ L'interpellation populaire ***tu parles !*** (1922), marquant la surprise, l'irritation, vient de *tu parles de* (1919) par ellipse du complément.

L'usage transitif de *parler* est d'abord solidaire d'expressions comme *parler littérature, politique* (v. 1120), puis correspond plus largement à «faire usage de telle langue pour s'exprimer» (fin XIIe s.), le complément étant souvent un nom de langue, précédé ou non (v. 1220) de l'article défini. Spécialement, ***parler français*** a reçu la valeur figurée de «parler un langage clair et intelligible» (1580) tandis que ***ne pas parler la même langue*** est devenu au XXe s. synonyme de «ne pas se comprendre». ◇ L'acception «dire, énoncer par la parole» (v. 1160) a reculé à partir du XVIIIe s. au profit de *dire;* celles de «considérer les choses de telle façon» (1657), «utiliser le langage qui caractérise le mieux un certain milieu, une certaine époque» (1669) et «prononcer sur le ton de l'élocution courante, par opposition à chanter, clamer» (1768) se sont implantées dans l'usage. ➛ Le pronominal ***se parler*** est relevé assez tard au passif pour «être parlé» (1679), au réfléchi pour «monologuer» (1669) et au sens réciproque de «dialoguer» (1667). D'après *se parler* «s'adresser la parole» (1669), *ne plus, ne pas se parler* (1923) exprime couramment le fait de refuser tout contact avec qqn par suite d'une brouille.

▶ La dérivation, ouverte par *parlement**, est abondante dès le XIIe siècle. **PARLOIR** n. m., d'abord *parleor* (v. 1130), *parleür* (v. 1155), s'est dit généralement d'un lieu où l'on se réunissait pour parler,

spécialement dans *parloir aux bourgeois* (v. 1268) pour le lieu de réunion du corps municipal de Paris. ◇ Il s'est spécialisé en «local où les visiteurs peuvent s'entretenir avec les pensionnaires» dans un couvent (v. 1155), un collège, une prison (1835).
L'infinitif substantivé ② **PARLER** n. m. (v. 1155) exprime la manière d'émettre les sons articulés d'une langue et de parler dans une langue. Ce dernier sens a reculé en dehors du composé **FRANC-PARLER** n. m. (1765), dans *avoir son franc-parler* (1765). ◇ *Un parler* s'est spécialisé pour l'ensemble des moyens d'expression usités sur une aire géographique donnée (1868), dans un groupe social déterminé (XXe s.), fournissant une désignation neutre des patois et dialectes, sans jugement de valeur. ◇ Le sens actif, «fait de parler» (v. 1175), et celui de «proverbe, sentence» (v. 1380) ont disparu, le premier au profit de *parole**, le second de *expression*.
PARLURE n. f., d'abord *parleure* (v. 1155), ancienne dénomination du langage, de la manière de parler et (v. 1278) de la faculté de parler, a quasiment disparu avant l'usage classique. Il a été repris en linguistique. Les sens secondaires de «babillage» et, au pluriel, de «pourparlers» (v. 1360) sont sortis d'usage.
PARLEUR, EUSE n., d'abord *parlere* (v. 1165), *parleor* (XIIIe s.), a précisé l'ancien sens général «celui qui parle» en «celui qui, actuellement, a la parole» (av. 1850). Il s'est spécialisé à propos de celui qui aime parler en société (XIVe s.), dans *grand parleur* (1539) et surtout ***beau parleur*** (1422), se chargeant d'une nuance péjorative (fin XVIe s.) qui éclipse de nos jours celle d'«orateur, personne prenant la parole en public» (1678), plus littéraire. En linguistique, on emploie *locuteur*. ◇ **HAUT-PARLEUR** n. m. est la substantivation (1923) de l'adjectif (1898, *téléphone haut-parleur*), traduction de l'anglais *loud speaker* (1884), de *loud* «fort, bruyant» en emploi adverbial, et de *speaker* «celui qui parle», de *to speak* «parler» (→ speaker).
PARLANT, ANTE, adjectivation (v. 1175) du participe présent de *parler*, a été lié à la locution *bien parlant* «éloquent», elle-même solidaire de *mieux parlant* «plus éloquent» (Rousseau), et en usage jusqu'au XVIIIe siècle. Au sens didactique objectif de «doué de parole» (v. 1210), réactivé aujourd'hui en linguistique par l'expression ***sujet parlant*** (1933), synonyme de *locuteur*, s'est ajouté le sens familier de «qui aime parler, qui fait grand usage de la parole» (fin XIVe s.). ◇ Appliqué à un nom d'objet, le mot réalise le sens de «convaincant, indubitable» (XIIIe s.) et qualifie ce qui a une grande valeur expressive (1642), se spécialisant en héraldique à propos d'armoiries dont les pièces constituent un rébus (1680, *armes parlantes*). ◇ Une autre valeur, «qui reproduit les paroles, la voix humaine», est réalisée dans un emploi de Baudelaire nommant *banderoles parlantes* (v. 1850) les *phylactères* (ou *bulles*). Il se répand avec les techniques d'enregistrement du son (1903), spécialement dans ***film parlant*** (1932), elliptiquement *le parlant* (1929), par opposition à *muet* et distinct de *sonore*.
PARLERIE n. f. (1285) a évolué du sens neutre d'«usage excessif de la parole» au sens familier péjoratif de «bavardage excessif» (av. 1615). ➜ Ce même sens s'est également mieux implanté pour **PARLAGE** n. m., dès les premiers emplois (1773), que le sens de «manière de parler» (av. 1882) qui concurrence encore quelquefois *langage* dans l'usage populaire.
① **PARLOTTE** ou **PARLOTE** n. f. (1829) exploite lui aussi l'idée familière de «réunion de gens qui bavardent» et «conversation superficielle» (1879), quelquefois avec une coloration péjorative. ◇ Il a produit **PARLOTTER** ou **PARLOTER** v. intr. (1842) dont le dérivé **PARLOTAGE** n. m. (1877) s'est appliqué au bavardage d'avocats s'exerçant dans la ② **PARLOTTE** n. f., nom du local où les avocats causent entre eux au Palais (1867).
Le préfixé verbal **POURPARLER** v. intr., anciennement *purparler* (1080), couvrait en ancien français les idées de «tramer, comploter», «discuter en vue d'un arrangement» ou «tenir conseil» (tous deux attestés v. 1155) et «désigner, proposer pour» (v. 1460). Sorti d'usage au XVIIe s. (mais on le rencontre chez Chateaubriand), il s'est maintenu dans l'infinitif substantivé **POURPARLER** n. m. (*porparler*, v. 1165), lequel, surtout usité au pluriel pour des discussions en vue d'un arrangement, a évincé *pourparlé, pourparlance, pourparlement, pourparlerie*.
REPARLER v. intr., d'abord attesté au sens de «parler à une autre personne» (v. 1155) et «parler à son tour», s'est fixé pour «parler à nouveau» (v. 1170), absolument ou avec des compléments introduits par *de* ou *à* (1176). Les dictionnaires généraux du XIXe s. enregistrent le sens de «parler à nouveau (une langue)» (1845) et l'emploi de *se reparler* «renouer des relations» (1845). ◇ **DÉPARLER** v. intr. (*deparler*, v. 1165), employé en ancien français au sens de «médire de, blâmer, railler» qu'il partageait avec *mauparler* (v. 1165) avant de le céder à *médire*, signifiait plus généralement «parler, causer» (v. 1260), «discuter» (v. 1360) et, au pronominal comme en emploi transitif, «retirer sa parole, annuler». Seul le sens de «cesser de parler» (v. 1210) est resté vivant jusqu'au XIXe s., toutefois marqué comme archaïque, de même que celui de «parler inconsidérément», apparu dans l'argot du XIXe s. (1867), aujourd'hui vieilli.

◈ voir PALABRE, PARABOLE, PARLEMENT, PAROLE.

PARME adj. est issu, par ellipse (1897) de *violette de Parme*, du nom d'une ville italienne (en Émilie) dans la région de laquelle on cultive des violettes.

♦ La première attestation du mot le donne comme nom propre ; il est employé comme nom commun dès 1907 et qualifie en fonction d'adjectif une chose présentant la nuance rose-mauve de ces violettes. Par ailleurs, ***du parme*** s'emploie pour «jambon de Parme».

◈ voir PARMESAN.

PARMESAN, ANE n. m. et adj. est emprunté (1414) à l'adjectif italien *parmigiano* «de Parme», substantivé au masculin par ellipse de *formaggio parmigiano* «fromage de Parme» (XIVe s., Boccace) pour désigner un fromage fabriqué avec du lait écrémé et du safran, près de cette ville d'Italie du Nord (*Parma*).

♦ Le mot est relevé dans la première traduction du *Décaméron* de Boccace, dans l'expression *fromage permigean,* puis sous la forme *fromaige parmisan* (1505) dans la traduction d'un texte latin écrit par un Italien ; enfin, il est substantivé sous sa forme actuelle avant la fin du XVIe s. (1596). Comme en italien, le mot s'applique souvent à ce fromage râpé pour accompagner les pâtes. ➜ Le mot qualifie aussi une personne ou ce qui est de Parme (1606) ; c'est notamment le surnom donné au peintre Mazzola, originaire de Parme (1503-1540).

◈ voir **PARME.**

PARMI adv. et prép. est la lexicalisation, au XIIe s. (1160-1174), de *per mei* (fin Xe s.), *par mi* (1080) formé de ① *par* (per)* et de *-mi**.

♦ Il est d'abord employé adverbialement au sens littéral de «par le milieu», propre à l'ancien français. Il exprime aussi l'idée de «dedans» (1176), «au milieu, avec» (1580), encore en français moderne chez certains écrivains (Chateaubriand au XIXe s., J. Rivière au XXe s.) et dans la langue populaire. ➜ De nos jours, *parmi* est normalement préposition (1050) ; cependant, son usage a évolué depuis l'ancien français : d'abord employé avec le sens d'«à travers, en parcourant, en traversant» (1080), régissant un nom singulier *(parmi la campagne)* ou, comme c'est généralement le cas aujourd'hui, un pluriel (depuis le XIIe s. : 1160-1174). En ancien français, il pouvait aussi introduire un nom abstrait (1200), ce qui n'est plus le cas, sinon dans un style littéraire et archaïsant. ◇ Il pouvait aussi exprimer l'idée étymologique d'«en passant, en séparant par le milieu» (1080), d'où «au milieu», «dans, sur» : là encore, on l'employait en ancien et moyen français pour introduire un nom singulier ou pluriel, ainsi qu'un nom abstrait (fin XIIe s.), là où l'usage moderne l'utilise avec un pluriel ou un singulier à valeur collective (XIVe s.), en particulier un nom d'êtres animés (av. 1589). Il correspond quelquefois dans ce dernier cas à l'idée d'appartenance à un groupe (1656-1657, Pascal).

PARODIE n. f. semble être un emprunt classique (1615) au grec *parôdia* qui désigne l'imitation bouffonne d'un morceau poétique, dérivé de *parôdos* «auteur bouffon», formé de *para* «à côté» (→ para-) et de *-ôdos*, de *ôdê* «poésie, chant» (→ ode). Cette hypothèse est préférable à celle qui y voit un emprunt au latin *parodia,* hapax de glossateur, semble-t-il.

♦ *Parodie* est d'abord employé dans le contexte des formes poétiques du XVIIe s. pour désigner l'imitation burlesque d'une œuvre sérieuse. Par extension, il se dit d'une œuvre détournée à des fins plaisantes. Il est employé au figuré pour désigner une contrefaçon, une caricature qui ne reproduit que quelques apparences (1827). Il a autrefois servi à désigner un texte destiné à être chanté sur une musique connue (1751).

▸ Son dénominatif **PARODIER** v. tr. (av. 1615) a suivi la même évolution, d'«imiter bouffonnement une œuvre» à «imiter de façon grotesque, contrefaire» (1813). ➜ Ultérieurement, *parodie* a donné **PARODISTE** n. (1730), «celui qui écrit ou joue une parodie», réservé au domaine du spectacle, et **PARODIQUE** adj. (1803), «qui relève de la parodie», «qui en possède les caractères» (1900), plus usuel et aussi employé au figuré.

PAROI n. f., d'abord *pareit* (1080) puis *paroi* (1175) et aussi *parai* (1314), est issu d'un latin populaire °*paretem,* accusatif de °*pares, paretis,* lequel est une altération du latin classique *paries, parietis* n. m. «mur de maison, mur mitoyen». Ce mot ne possède pas de correspondant sûr dans d'autres langues du groupe indoeuropéen, mais on a tenté de le rapprocher du lituanien *tveriù, tvérti* «embrasser» (si °*tw* peut donner *p* en latin, ce qui est discuté) ou du vieux slave *prěti* «appuyer».

♦ *Paroi,* «mur, muraille», désigne particulièrement la séparation intérieure d'une maison ou la face interne d'un mur, puis récemment d'un véhicule (1935). ◇ Depuis le moyen français, il est employé en anatomie (1314) où il désigne la partie d'une cavité ou d'un organe creux qui l'enveloppe ou le limite. Par extension, il désigne la partie solide d'un récipient qui isole l'intérieur de l'extérieur (1762) et la surface qui limite une excavation naturelle ou creusée par l'homme (1809), aujourd'hui en relation avec l'adjectif *pariétal**. Par analogie, il désigne un versant rocheux très abrupt (1749). ◇ Il est spécialement employé en zoologie pour désigner la partie externe du sabot d'un cheval visible quand le pied repose sur le sol (1765).

◈ voir **PARIÉTAIRE, PARIÉTAL.**

PAROISSE n. f. est issu (1155) du latin chrétien *parochia* désignant un territoire ecclésiastique, spécialement le ressort d'une église épiscopale, un diocèse (sens qui en fait le concurrent de *diocesis* jusqu'à la fin du XIe s.). Au pluriel, il désigne des communautés chrétiennes situées hors de la cité épiscopale (déb. Ve s.) et, par suite, des églises de campagne (Ve s.). À la fin du VIIIe s., il se rapporte au territoire d'une église et, par métonymie, à l'ensemble de ses fidèles (XIIe s.). *Parochia* est l'altération d'une forme antérieure *paroecia,* qui transcrit le grec *paroikia* «séjour dans un pays étranger» puis, dans la langue chrétienne, «communauté, église particulière» (déb. IVe s.) et «diocèse» (apr. 450). Cette altération a eu lieu sous l'influence de *parochus,* «fournisseur des magistrats en voyage», qui lui-même transcrit le grec *parokhos,* de *parekhein* «fournir, offrir». Quant au grec *paroikia,* il est dérivé de *paroikos,* proprement «celui qui habite à côté», «voisin», et «celui qui séjourne (quelque part)», «étranger» en grec ecclésiastique, dérivé du verbe *paroikein* «demeurer auprès de», «séjourner dans un pays comme étranger», employé dans la Genèse à propos d'Abraham séjournant en Égypte : il s'est appliqué aux Chrétiens par métaphore, parce que ceux-ci se considéraient comme des citoyens de l'au-delà, de passage dans la cité terrestre. *Paroikein* est formé de *para-* «à côté» (→ para-) et de *oikein* «habiter» (→ éco-, œcuménique).

♦ *Paroisse,* d'abord attesté sous la forme altérée *barroche,* a d'emblée son sens actuel de «circonscription ecclésiastique dans laquelle s'exerce le ministère d'un curé», et désigne par métonymie l'église de la paroisse (1174-1187), puis aussi l'ensemble des paroissiens (1636). Au XIXe s., il entre dans les locutions figurées ***prêcher pour sa paroisse*** (1835), ***être de la même paroisse*** (1875) «être du même avis» (cf. les connotations de *chapelle, clocher*). ◇ Historiquement, *paroisse* a aussi désigné la circonscription administrative de l'Ancien Régime correspondant à la paroisse (1283), cellule de base de la fiscalité : un rôle essentiel des assemblées de paroisse était de répartir la somme fixée pour la taille ainsi que d'en élire pour l'année les collecteurs. La monarchie a soutenu et favorisé cette institution jusqu'à sa chute, parce qu'elle limitait le pouvoir de la féodalité au bénéfice du pouvoir central.

▸ D'après le latin chrétien *parochianus* n. et adj. «du diocèse» (451), «ressortissant d'un diocèse» (884), «paroissien», on a formé sur *paroisse* **PAROISSIEN, IENNE** adj. et n. (v. 1225), qui désigne le fidèle d'une paroisse et quelquefois, au figuré, un type, un individu (1585, *je cognois le paroissien;* aujourd'hui ***un drôle de paroissien***). ◇ Il sert également à désigner le livre des prières dites à l'église (1803, Boiste). ◆ Comme adjectif, il a été éliminé par **PAROISSIAL, ALE, AUX** adj. (v. 1225), lui-même dérivé de *paroisse* d'après le latin chrétien *parochialis* «du diocèse, de la province», employé en particulier dans les syntagmes *paroeciales episcopi, paroeciales sacerdotes* «les évêques». Le mot latin signifie aussi «qui appartient aux parties rurales d'un diocèse» (572, *in ecclesiis parochialibus*) et «de la paroisse» (VIe s., *ecclesiae parochiales, parochiales presbyteros*). ◇ En français, le mot n'a pas conservé le sens latin de «du diocèse» (v. 1225) et a rejoint le sémantisme du substantif, qualifiant ce qui est «de la paroisse» (1278) ou «propre à la paroisse». ◆ Il a évincé de l'usage courant son synonyme *parochial* adj. (v. 1265) et n. m. (fin XIIe s.), issu du latin médiéval *parochialis,* dérivé du bas latin ecclésiastique *parochia.* Il arrive à *paroissial* d'être employé comme nom pour désigner le livre de prières (1927), au lieu de *paroissien.*

◈ **PAROLE** n. f. est issu (1080) du latin chrétien *parabola* devenu *°paraula,* par chute du *b,* terme de rhétorique désignant une comparaison, une similitude (Sénèque, Quintilien) puis, chez les auteurs chrétiens la parabole (→ parabole) et un discours grave, inspiré. Ce double sens est dû à l'hébreu *māšāl,* que le latin *parabola* a traduit (*assumens parabolam suam* «reprenant son discours», Job, XXVII, 1). Par la suite, *rustica parabola* sert à désigner la langue vulgaire. *Parabola* «faculté d'exprimer par le langage parlé» a supplanté le latin classique *verbum* (→ verbe) dans l'ensemble des langues romanes (en dehors du roumain) grâce à la fréquence de son emploi dans l'usage religieux, *verbum* étant spécialement employé dans cet usage pour traduire le grec *logos* (→ -logie).

♦ *Parole* désigne en général l'expression orale, verbale des contenus de conscience, spécialement en ancien français l'action de faire parler (dans l'expression *metre a parole,* 1130-1140), et le langage oral considéré par rapport à l'élocution, au ton de la voix (1140), là où le français moderne emploie *voix.* ◇ *Parole* désigne essentiellement la faculté d'exprimer sa pensée par le langage articulé (1165). Au XVIIe s. sont apparues des acceptions spéciales portant l'accent d'une part sur l'art de parler, l'éloquence (1606), d'autre part sur le droit de parler (1688), aussi nommé *droit à la parole.* ◇ Par métonymie, *parole* désigne aussi, dès les premiers emplois (1080), la suite de mots, le discours exprimant une pensée; il correspond particulièrement, en emploi qualifié ou déterminé, à l'expression verbale d'une pensée remarquable (1180), à une promesse (1180), mais aussi à une phrase creuse, vide (1470, *paroles pleines de vent*). ◇ Depuis la fin du XIIe s., il désigne spécialement l'enseignement (1188), en particulier l'expression de la pensée, de la volonté de Dieu telle qu'elle est révélée par l'Écriture sainte (1670, *la Parole de Dieu*) et par la tradition (fin XIIe s.). ◇ Comme le verbe *parler,* le mot est fertile en phraséologie, entrant dans nombre de locutions (notamment au XVIIe s.), dont ***manquer à sa parole*** (1611), ***tenir parole*** (1669; 1640, *sa parole*), ***n'avoir qu'une parole*** (1690), ***parole d'honneur*** (1694), ***sur parole*** (1747), toutes relatives à la promesse. ◇ Avec Saussure, le mot correspond (déb. XXe s.), en opposition à *langue,* au concept de réalisation observable du système linguistique; ce concept n'étant pas lié à l'oral, on dira plus tard *discours.*

▸ *Parole* n'a donné que deux dérivés homonymes. ① **PAROLIER, IÈRE** adj. et n., relevé une fois en 1584 au sens de «qui parle, parleur», dans une traduction d'Horace, a été repris fin XIXe s. avec le même sens dans *grâces parolières* (1896). ◇ Il a été substantivé pour désigner celui qui éprouve le besoin de beaucoup parler, un bavard, mais reste rare et littéraire. ◆ Le second, ② **PAROLIER, IÈRE** n. a été créé pour désigner l'auteur des paroles d'une chanson (1668, Bacilly [relevé par Cl. Duneton] : «le nom barbare de parolier» et réemployé vers 1840 [Gautier, 1843] pour un auteur de livrets d'opéra [cf. *librettiste*]); de nos jours, il désigne surtout l'auteur du texte de certaines œuvres musicales (comédies, opérettes) et de chansons.

◈ voir PALABRE, PARLER.

PARONOMASE n. f. est emprunté, d'abord avec l'accentuation grecque (1546, *paronomasie*) puis avec l'accentuation latine (1701, *paronomase*), au latin impérial *paronomasia.* Lui-même est emprunté au grec tardif *paronomasia* «formation d'un mot tiré d'un autre avec un léger changement», spécialement en rhétorique, «sorte de jeu de mots par suite d'une ressemblance de son entre deux mots de sens différents», aussi plus généralement «dérivation d'un mot venant d'un autre». Le mot est dérivé de *paronomazein* «transformer un mot, tirer un nom de», composé de *para-* «à côté de» (→ ① para-) et de *onomazein* «nommer», lui-même de *onoma* «nom» (→ onomatopée, onomastique).

♦ Le mot désigne un procédé rhétorique consistant à utiliser des paronymes de façon rapprochée (1701). *Paronomasie* est tombé en désuétude après avoir désigné une ressemblance entre mots de langues différentes pouvant dénoter une origine commune.

PARONYME adj. et n. m. est l'emprunt (1789; déb. XVIIe s. [av. 1607] au sens de «dérivé») au grec *paronumos* «qui porte un nom semblable, dérive d'un autre nom», de *para-* et de *onoma*.

♦ Le mot désigne un mot qui présente avec un autre, de sens différent, une certaine analogie phonétique (sans aller jusqu'à l'identité, comme l'homonyme).

▸ On en a dérivé **PARONYMIQUE** adj. (1829), employé dans l'expression *attraction paronymique* (1951) à propos d'une confusion de sens occasionnée par des paronymes. ◆ **PARONYMIE** n. f. (1868) est directement emprunté au grec *paronumia*, dérivé de *paronumos*.

PAROTIDE n. f. est emprunté (v. 1370) au latin *parotis, -idis*, transcription du grec tardif *parôtis* «oreillons, tumeur le long de l'oreille» et «bout de l'oreille». *Parôtis* est composé de *para-* «à côté de» (→ ① para-) et de *ous, ôtos* «oreille» (→ oto-, otarie).

♦ Le mot a été emprunté avec le sens de «gonflement des glandes de l'oreille», qui a disparu. Il a été repris pour désigner, en anatomie, la glande salivaire paire située au-dessous du conduit auditif externe, ce sens donnant lieu à un emploi adjectivé dans *glande parotide* (1701).

▸ Plusieurs dérivés apparaissent au XIXe siècle. ◆ **PAROTIDIEN, IENNE** adj. (1818, *région parotidienne*) signifie «de la parotide». ◆ **PAROTIDITE** n. f. (1830), «inflammation de la parotide», a pris la succession de l'ancien sens de *parotide*. ◆ *Parotide* est entré sous la forme du radical **PAROTID-** dans **PAROTIDECTOMIE** n. f. (1953) «ablation de la parotide».

◈ voir MYOSOTIS, OTITE.

PAROUSIE n. f. est un emprunt moderne (1903, dans les dictionnaires généraux) au grec *parousia*. Ce terme signifie «présence, arrivée, venue» et se dit spécialement du dernier avènement du Christ (sens passé dans le latin médiéval *parousia*). Il est formé de *par-* (→ para-) et de *ousia*, terme philosophique désignant la substance, la réalité, l'essence et, concrètement, un bien (une terre, une maison). *Ousia* est dérivé du participe présent de *einai* «être», appartenant à la racine indoeuropéenne °*es-* représentée dans le latin *esse* (→ être).

♦ *Parousie* est un terme de théologie catholique désignant le retour glorieux du Christ sur terre à la fin des temps.

PAROXYSME n. m. est emprunté par les médecins (1314) au grec *paroxusmos* «irritation» qui désigne spécialement la phase d'une maladie dans laquelle les symptômes se manifestent avec un maximum d'acuité. Ce terme est dérivé de *paroxunein* «exciter, irriter», de *para* (→ para-) et de *oxunein* «aiguiser, exciter», dérivé de *oxus* «aigu» (→ oxy-).

♦ Le mot a d'abord les formes *peroxime, paroxime* (1370), *parocisme* (fin XIVe s.) avant de prendre sa forme actuelle (1552) par conformation au grec. D'abord employé comme terme médical avec le sens du grec, il a développé au XIXe s. le sens figuré de «degré extrême», d'abord à propos d'un état affectif (1818, Nodier, *paroxysme d'une passion*). ◇ Les vulcanologues l'ont repris pour désigner la période d'activité maximale dans la formation d'un édifice tectonique (1886).

▸ Le mot a donné par dérivation **PAROXYSMIQUE** adj., répertorié par Cotgrave en 1611 pour «qui tient du paroxysme», rare avant le XIXe s. (1832). ◇ Il est concurrencé par **PAROXYSMAL, ALE, AUX** adj. (1932), formé avec un autre suffixe. ◆ **PAROXYSTIQUE** adj. est un dérivé tardif (1822) de *paroxysme*, probablement sur le modèle du grec *paroxuntikos* «qui exacerbe» (et lui-même emprunté par le français *paroxyntique*, [1842] qui a disparu). L'adjectif est employé en pathologie pour qualifier ce qui se manifeste par des paroxysmes; par extension et en référence au sens figuré de *paroxysme*, il se dit de ce qui atteint un degré extrême, à propos d'une chose, d'un être excessif (1932). ◆ *Paroxysme* a aussi donné **PAROXYSTE** n. m. et adj., employé par Gautier pour désigner (1866) et qualifier (1868) un écrivain qui recherche le maximum d'intensité expressive. Selon Gautier, le mot aurait été créé par Nestor Roqueplan en 1816 à l'intention de l'écrivain «frénétique» (au sens littéraire) Philotée O'Neddy.

PAROXYTON → OXYTON

PARPAILLOT, OTE n., d'abord *parpaillaux* au pluriel (1621) puis *parpaillot* (1630), est d'origine incertaine. Il est probablement issu par changement de suffixe de *parpaillon* «papillon» (1534, Rabelais), forme répandue dans les parlers occitans ainsi qu'en Italie du Nord (ancien italien *parpaglione*, lombard *parpaya*, piémontais *parpayun*). Ce mot est issu avec intercalation de *r*, de *papillon**.

♦ Le mot constitue une désignation péjorative et familière des protestants, des calvinistes. L'évolution sémantique qui conduit de «papillon» à «protestant» est peu claire. On a évoqué une comparaison entre l'«infidélité» des protestants et le vol des papillons qui passent de fleur en fleur; par ailleurs, Furetière cite l'anecdote selon laquelle l'appellation viendrait de ce qu'au siège de Clérac, les protestants firent une sortie vêtus de chemises blanches en un temps où l'on voyait beaucoup de papillons (Pasquier, Ménage). Il mentionne aussi l'hypothèse de Pierre Borel qui écrit: «c'est à cause qu'ils couroient au danger sans crainte et alloient chercher leur mort, comme font les papillons qui se vont brusler à la chandelle». Ces explications semblent être élaborées *a posteriori*.

PARPAING n. m. est probablement issu (1268) d'un latin populaire °*perpetaneus* «ininterrompu». Celui-ci est un élargissement du latin *perpes, -etis* (→ perpétuel), du même type que celui de *subitus* en *subitaneus* qui a donné *soudain*, et de celui de *caput* en *capitaneus*, qui a donné *capitaine*. °*Perpetaneus* est postulé également par l'espagnol *perpiaño*, le dialecte d'Apulie (en Italie méridionale) *perpitagnu* «parapet en pierre d'un balcon», le rhétoroman *partaun* «partie transversale» et «barrière, bas flanc». L'idée est celle d'un matériau durable.

♦ Le mot est un terme de maçonnerie qui désigne la pierre de taille traversant l'épaisseur d'un mur. *Parpaing,* de nos jours, est courant au sens de «parallélépipède de mortier de ciment» (1935). Il est quelquefois employé familièrement pour désigner une pierre qui sert de projectile (également sous la forme *parpin*) et, par métonymie, un coup (de poing), cf. l'emploi argotique de *pain.*

PARQUE n. f. est emprunté (1512) au latin *Parca* (surtout au pluriel *Parcae*), nom générique des trois déesses chargées de filer la destinée de chacun des mortels. Leurs noms sont Nona, Decuma et Morta; elles ont été identifiées aux Moires grecques (Clotho, Lachésis et Atropos) dont elles ont peu à peu revêtu tous les attributs. À l'origine, il semble qu'elles furent à Rome des démons, mais ce caractère primitif s'effaça devant l'identification aux Moires : on les représente comme des fileuses, mesurant à leur gré la vie des hommes. L'une des trois sœurs préside à la naissance, la seconde au mariage, la troisième à la mort. Les étymologistes modernes admettent généralement l'origine proposée par Varron, selon laquelle *Parca* serait apparenté à *parere* «procurer, enfanter» (→ parent). Les Parques avaient sur le Forum leurs trois statues, couramment appelées *Tria Fata* «les trois destinées».

♦ En français, le mot, repris avec le sens mythologique du latin, et donc surtout employé au pluriel, s'est aussi employé au singulier dans la langue poétique, *la Parque* symbolisant la destinée et la mort (1550, Ronsard).

PARQUER, PARQUET → PARC

PARRAIN n. m., d'abord écrit *parain* (v. 1112) et *parin* (déb. XIIIe s.), est issu avec changement de suffixe (*-anus* remplaçant *-inus*) du latin populaire *patrinus* dans l'usage chrétien, «celui qui tient un enfant sur les fonts baptismaux» (VIIIe s.), dérivé du latin *patruus* «oncle paternel» lui-même de *pater, patris* (→ père). La forme *par(r)in* est plus fréquente en ancien français que la forme actuelle, refaite d'après *marraine,* et Furetière (1690) écrit encore *parrein.* La suffixation en *-inus* s'est maintenue dans de nombreux dialectes ainsi qu'en italien *(padrino),* espagnol *(padrino),* portugais *(padrinho).*

♦ Le mot désigne celui qui tient l'enfant sur les fonts baptismaux et veille ensuite à son éducation religieuse. Tout comme *marraine* a évincé *commère, parrain* a évincé *compère.* ◇ Par l'analogie qui conduit aux sens extensifs de *baptême,* il désigne celui qui préside au «baptême» d'une cloche (1690), celui qui donne son nom à un ouvrage (av. 1615), puis aussi le chevalier qui présente un novice lors de sa réception dans un ordre honorifique (1740), chacun des deux membres de l'Académie française qui accompagne le récipiendaire (1866), celui qui introduit qqn dans un cercle, une société savante (1867). ➛ D'abord en argot, le mot désigne le chef d'un important groupe de truands, d'une «famille» de la mafia, sens répandu vers 1970.

▸ Le dérivé **PARRAINAGE** n. m. (1200), d'abord écrit *parrinnaige,* a remplacé *compérage.* Le mot a été repris sous sa forme moderne au XIXe s. (1828-1829, Vidocq) pour désigner la qualité, la fonction de parrain ou de marraine. Les valeurs extensives sont beaucoup plus récentes que pour *parrain* et se sont imposées dans des contextes différents. *Parrainage* correspond à l'appui moral prêté par une personne d'autorité à une œuvre (1935), au soutien d'une personne qui demande à être admise dans une société, un ordre (1962). ◇ **COPARRAINAGE** n. m., désigne un parrainage partagé. ➛ *Parrain* a aussi donné **PARRAINER** v. tr. (1929) «servir de parrain (de marraine) à (un enfant)» et, par analogie, «accorder son parrainage à (qqn)» (1955). ◇ *Parrainage* et *parrainer,* en relation avec *mécénat* et *mécène,* ont été proposés récemment pour remplacer l'anglicisme *sponsor* et ses dérivés.

① **PARRICIDE** n. m. et adj. est emprunté (1200) au latin *paricidas* ou *parricidas, -ae* n. m. employé dans la langue juridique de l'époque impériale pour désigner le meurtre d'un parent proche, et non seulement du père. Quelle que soit la valeur étymologique du premier élément, les Latins le rapprochaient de *pater* et de *parens* (→ père, parent); cependant, il est malaisé d'expliquer le passage d'un °*patricida* supposé à *parricidas.* Aussi le premier élément est-il souvent rapproché par les étymologistes modernes du grec dorien *paos* «parent». J. Wackernagel, critiquant ce rapprochement, a évoqué les formes du moyen indien *purisa-, purusa-* qui supposent un sanskrit °*pursa-* «homme»; il fait dériver l'élément latin *parri-* de °*parso-* et donne au mot le sens étymologique large de «meurtrier d'un homme». L'incertitude quant au sens premier du mot latin rend toute étymologie douteuse.

♦ *Parricide* qualifie la personne qui a tué un parent proche et, plus spécialement, celle qui a tué son père ou sa mère (1213). Le nom a désigné celui qui attente à la vie de son souverain (*régicide* est plus récent) ou se rend coupable d'un acte criminel contre la patrie (1213). Comme adjectif, il sert également à qualifier ce qui a trait à un meurtre de ce type (1530). De nos jours, l'usage l'utilise essentiellement au sens restreint de «meurtrier du père», symétriquement à *matricide.*

▸ ② **PARRICIDE** n. m., avec le sens de «crime commis par un parricide» (1165), est emprunté au latin classique *parricidium, -i,* substantif neutre dérivé de *parricida(s).* Comme le nom d'agent, il s'est restreint au sens de «meurtre du père».

PART n. f. est issu (842) de l'accusatif du latin *pars, partis* «part accordée à un individu sur un ensemble», «partie d'un ensemble», et, sur un plan spatial, «côté» et «sens, direction». Le mot latin a pris des sens spéciaux dans les langues techniques : par exemple, il désigne les parties du corps et, spécialement, par euphémisme, les organes sexuels (→ parties). Il désigne aussi les parties d'un nombre (*dua partes* «les deux tiers»), et, dans la langue du théâtre, les «parties» d'une pièce confiées à un acteur, d'où son rôle (anglais *part*). Dans la langue de la politique, *pars* désigne le parti et, en ce sens, s'emploie souvent au pluriel : chez Salluste et Tite-Live, *partes* désigne le parti d'opposition, en particulier le parti populaire, *partes populares*, par opposition à *factio*, caste noble (→ faction). Le mot est fait sur les formes verbales conjugées, tels *pario*, de *parere* «procurer» (→ parent), et *paro*, de *parare* «préparer» (→ ① parer).

♦ Dès les premières attestations, *part* exprime une idée spatiale de «partie d'un espace, point de l'espace», d'abord avec la notion latine de «direction, côté», dans l'expression ***de ma (ta, sa) part*** «en ce qui me (te, le) concerne», sens disparu. Dès 1080, la même expression a en effet son sens moderne d'«au nom de, en provenance de (qqn)» et se construit avec un nom (en ancien français sans la préposition *de*, devenue obligatoire dans l'usage moderne). Dès la fin du xᵉ s., le mot est déjà employé dans les locutions ***de toutes parts*** *(de totas part)* et dans ***d'autre part*** *(de l'altra part)* qui marque une opposition avec une idée précédemment exprimée, l'expression complète, ***d'une part... d'autre part***, étant attestée (sous une forme légèrement différente) depuis 1155. *D'une part... d'autre part* peut aussi exprimer une situation dans l'espace (1080, *d'une part;* 1135, *d'autre part*), en particulier sous la forme réunie ***de part et d'autre*** (1634), aboutissement de *d'une part et d'autre* (1274). L'expression est également employée au figuré (1559) au sens de «dans les deux camps», d'abord dans un contexte guerrier, puis juridique (1668). ◇ Dès le xɪɪᵉ s., *part* entre avec sa valeur spatiale dans ***d'autre part*** (1160) et avec une valeur extensive dans ***à part***, d'abord *à une part* (1080), signifiant «mis de côté par un choix, un tri», et, appliqué à une personne, «mis à l'écart» (1160-1174). À l'époque classique, *à part* commence à être employé adjectivement avec le sens de «différent des autres, particulier» (1636) et de «distinct» (1690). Il semblerait que, lorsqu'elle est suivie d'un pronom personnel (1205-1250, *a par soy*), la locution soit une altération de l'ancienne locution *a par* (formée avec *par**) qui signifiait déjà «isolément, tout seul» (1080). En français moderne, cette locution est rare ; elle était encore courante en langue classique (1606, *faire qqch. à part soy*).

En ancien et moyen français, *part* est également entré dans deux locutions spatiales très vivantes qui ne sont plus analysées. ***Quelque part*** vient de *quel part* suivi du subjonctif (1080), employé comme locution prépositionnelle signifiant «où que, par où que» et, en interrogation, *quel part?* «où?» (v. 1120) ; *quelque part que* (1459) précède l'emploi comme locution adverbiale, de loin le plus courant (1530). ◇ ***Nulle part*** (1176-1181) est attesté un peu antérieurement sous la forme *de nulle part* (1160) au sens de «en aucun endroit». ◇ En moyen français, *part* est entré dans d'autres locutions courantes comme ***de part en part*** (1480-1490) «entièrement» et aussi «d'un côté au côté opposé» (1590), ***chacun pour sa part*** (1538) qui a vieilli, et ***prendre en bonne part*** (1530). ➜ Au xɪɪᵉ s., *part* a repris au latin le sens de «camp, cause, faction» (1130), spécialement en politique et dans le domaine juridique, avant d'être supplanté dans l'usage moderne par le mot *parti**, participe substantivé du verbe *partir* «partager».
Dans un grand nombre de ses emplois, *part* assume aussi l'idée de «partage*, participation» : dès la fin du xᵉ s., il exprime ce qui revient à qqn, dans la locution *aver* [avoir] *part ab*, déclinée avec diverses prépositions : *aveir part en* (1130-1140) signifiant «s'intéresser à», et ***avoir part à*** (1538), encore usuelle, «concourir à, participer». ◇ Il entre également dans la locution verbale ***faire part de*** (1559) «faire savoir», à laquelle correspond le nom *faire-part*. ◇ Par métonymie, *part* désigne concrètement la partie, la portion qui a été attribuée lors d'un partage (1140), en particulier, dès les premiers textes, la portion de terre, et, beaucoup plus tard, dans un sens plus abstrait, la quotité revenant à qqn dans une affaire (1710). Il entre ainsi dans la locution ***faire la part de*** (1835) qui a supplanté la locution de même sens *faire la part à* (1823). ➜ Enfin, sans idée de distribution (concrète ou pas), *part* désigne la partie d'un tout (1080), en emploi adverbial dans *part... part...* (1535), de nos jours remplacé par *(en) partie*. Son sens médiéval de «lignée, origine» procédait, dans une perspective sociale, de l'idée de ce qui échoit à qqn à sa naissance (1080).

◈ voir **APARTÉ**, **APPARTEMENT**, **COMPARTIMENT**, **DÉPARTIR**, **FAIRE-PART**, **PARCELLE**, **PARTAGE**, **PARTENAIRE**, ① **PARTI**, **PARTIAL**, **PARTICIPE**, **PARTICIPER**, **PARTICULE**, **PARTICULIER**, ① **PARTIE**, **PARTIEL**, ① **PARTIR**, ② **PARTIR**, **PARTISAN**, **PARTY** ou ② **PARTIE**, **PLUPART** (la), **RÉPARTIR**.

PARTAGE n. m. est dérivé (1283) de ① *partir** «séparer, diviser», avec le suffixe *-age;* du fait de sa fréquence, et surtout du vieillissement du verbe, éliminé par sa synonymie avec ② *partir* «s'en aller», il est entièrement démotivé.

♦ Le mot désigne la division d'un élément en plusieurs portions en vue d'une distribution, spécialement dans un héritage. Par métonymie, il désigne l'acte écrit où est consignée la division d'une succession (1690). Il se dit en particulier de la part qui revient à qqn dans une distribution (1325), un héritage et, au figuré, de ce qu'une personne reçoit de la nature, de la fortune (1651). ◇ Le sens d'«action conjointe avec qqn» (av. 1558), lié à *avoir part* et à *participer*, est surtout réalisé de nos jours négativement, dans ***sans partage*** (av. 1704, Bossuet). ◇ Au xᴠɪᵉ s., *partage* a aussi développé un sens extensif, «action de diviser, de séparer» (1572, *faire le partage de*), spécialement en mathématiques (1690) pour la division d'une grandeur en parties plus petites. Au figuré, le mot exprime la division des opinions (1539) dans l'usage juridique et, concrètement, s'emploie en géographie dans l'expression ***partage des eaux*** (1690).

▸ *Partage* a donné **PARTAGER** v. tr. (1553) qui, se substituant peu à peu à ① *partir*, a développé tous ses sens, propres et figurés, avant la fin du xᴠɪɪᵉ s. selon trois axes : le premier, «diviser en parts destinées à être distribuées», englobait dans l'usage classique le fait de donner en partage qqch. à qqn (av. 1559), de le doter d'une part d'héritage (1690), et, abstraitement, de le gratifier d'un don, d'un bien moral (1637). Le second, «recevoir sa part, prendre part», correspond à la valeur figurée de «participer à une activité» (1580), puis à celle de «prendre ce qui vous revient» (1668), aussi à propos d'abstractions (1690). Le troisième, «séparer en parties» (fin XVIe s.), insiste parfois sur l'idée de «diviser qqn ou une collectivité en tendances diverses, quelquefois adverses» (1663). Cf. *parti.* ➝ Le verbe a servi à former **PARTAGEABLE** adj. (1505), d'où **IMPARTAGEABLE** adj. (1570), et **PARTAGEUR, EUSE** adj. et n. (1544) avec le sens juridique de «personne qui partage son bien», désignant aussi celui qui était préposé au partage des successions (1842). Les sens modernes apparaissent du XIXe au XXe s. : «celui qui est partisan du partage des richesses» (1853), adjectivement avec une valeur politique et pour «qui aime partager» (1906). ◇ La variante de type populaire **PARTAGEUX, EUSE** adj. et n. (1848) est attestée à quelques années près avec les mêmes sens, surtout comme équivalent péjoratif de *communiste.*

Partager a produit trois préfixés verbaux : **REPARTAGER** v. tr. (1559), **COPARTAGER** v. tr. attesté dès 1559 par son participe présent, d'abord *compartageant* (puis **COPARTAGEANT** n. m., 1690), et **DÉPARTAGER** v. tr. (1690) beaucoup plus courant. Ce dernier, d'abord attesté au sens limité de «faire cesser le partage égal des suffrages», est employé depuis la Révolution (1793) au sens plus général de «séparer, trancher (entre deux groupes, deux personnes)» en politique et en droit, notamment en supprimant l'égalité.

① **PARTANT** conj. de coordin., marquant la conséquence, est le résultat de la soudure de *par tant* (1165) — qui avait pour synonyme en ancien français *por ce* —, formé avec ① *par** et *tant**.

♦ Le mot signifie «en conséquence de quoi». En 1647, Vaugelas remarque que «ce mot, qui semble si nécessaire dans le raisonnement et qui est si commode... commence néanmoins à vieillir, et à n'estre plus guerres bien reçu dans le beau stile». De nos jours, il est d'usage littéraire ou plaisant.

② **PARTANT** → ② PARTIR

PARTENAIRE n. est emprunté (1767) à l'anglais *partner* (XIVe s.), qui est une altération, sous l'influence de l'anglais *part* «part, parti» (emprunté au français *part**), de *parcener* ou *parsener* n. (XIIIe s.) «personne associée à une autre» et «propriétaire indivis» (XVIe s.). Il s'agit d'un emprunt, par l'anglo-normand *parcener,* à l'ancien français *parçuner* «associé» (1080), *parçonier* (v. 1155), dérivé de l'ancien français *parcion* «séparation» (v. 1160) ou *parçon* «partage, butin» (XIIIe s.), doublet populaire de *partition**, représentant du latin *partitio.*

♦ Apparu en français sous la forme anglaise *partner* au sens de «celui, celle avec qui l'on danse» et au sens général de «compagnon, associé» (la même année chez Diderot), le mot a conservé cette graphie jusqu'au XIXe s., bien que l'on rencontre quelquefois *partenaire* à partir de 1781. Comme la plupart des termes empruntés à l'anglais, le mot a connu en français une évolution sémantique différente de celle de *partner* en anglais. Ce dernier était apparu dans le sens général de «personne qui partage une chose avec une ou plusieurs personnes» (1297), puis «associé», «compagnon» ou même «complice», pour en venir à s'appliquer spécifiquement au commerce (1523), à la danse (1613), au jeu et aux sports de compétition (1680), puis à l'un des époux, surtout la femme (1740). ◇ L'emprunt français a d'abord été enregistré dans les dictionnaires au sens de «coéquipier» (comme terme de jeu et de sports) et de «cavalier» (comme terme de danse). En termes de spectacle, pour désigner la personne avec laquelle un acteur, une actrice est en représentation, il est plus tardif (1903). ◇ Le mot n'apparaît dans les dictionnaires qu'avec le *Larousse* de 1923 ; quant au sens général introduit par Diderot, il n'est signalé dans le dictionnaire de l'Académie qu'en 1935. ◇ Le sens spécifique de «personne, collectivité qui a des intérêts communs avec d'autres», apparu en 1781 chez Beaumarchais, fait aujourd'hui figure de néologisme dans les domaines du commerce et de l'économie politique, par reprise à l'anglais. En français contemporain, *partenaire* peut signifier «associé» ou plus spécifiquement «membre d'une entreprise collective (politique, commerciale)», «coéquipier», «associé dans un spectacle», «compagnon (compagne), dans le domaine sexuel ou sentimental», tout en restant avec cette dernière nuance (1934) très distinct de l'anglais *partner* «conjoint».

▸ On a formé récemment le dérivé savant **PARTENARIAT** n. m. (1984) devenu assez usuel, notamment en affaires. ➝ **PARTNERSHIP** n. m. a été emprunté (1963) à l'anglais *partnership* n. (1576), formé sur *partner* avec le suffixe *-ship* indiquant la qualité ou l'état. En français, le mot connaît un usage beaucoup plus limité qu'en anglais ; il est d'ailleurs rare : les mots *association, alliance* et *participation,* sans parler de *partenariat,* permettent de l'éviter.

PARTERRE n. m. est composé (1542) de ① *par** et de *terre**, d'après l'expression *par terre.*

♦ Le nom a d'abord le sens de «sol, plancher», aujourd'hui d'usage populaire ; il entre ainsi dans la locution plaisante ***faire un parterre*** (1630) «faire une chute». ◇ Au XVIe s., il a développé le sens de «partie d'un parc, d'un jardin d'agrément où l'on a aménagé des compartiments de fleurs, de gazon» (1579). ◇ Au XVIIe et au XVIIIe s., le mot désigne aussi, dans l'architecture intérieure d'un théâtre, la partie du rez-de-chaussée d'une salle où le public se tient debout (1668) et, par métonymie, ce public (1660) et le billet qui donne accès à ces places (1701). ◇ Par jeu de mots avec le premier sens et sur (tomber) *par terre,* on a formé la locution ***prendre un billet de parterre*** (1842) «faire une chute». ◇ De nos jours, dans un théâtre, le parterre est la partie du rez-de-chaussée derrière les fauteuils d'orchestre où le public est assis (1786). Le mot est quelquefois employé au sens étendu de «public», ***amuser le parterre*** équivalant à *amuser la galerie.*

PARTHÉNOGÉNÈSE n. f. est un emprunt (1860, Cl. Bernard) à l'allemand *Parthenogenesis,* terme de biologie désignant la reproduction sans fécondation dans une espèce non vertébrée, sexuée. K. Th. E. von Siebold l'a formé (1856) d'après le grec *partheno-*, tiré de *parthenos* «vierge» (→ parthénon) et *genesis* «création, production» (→ genèse). Dès 1856, H. Milne-Edwards avait présenté les travaux de von Siebold à l'Académie des sciences, mais c'était le mot *parthénogénie* qui avait été choisi pour traduire le terme allemand. On a écrit aussi *parthénogenèse.*

♦ Le mot, repris en biologie, est employé exceptionnellement par métaphore (1924, Valéry, *parthénogénèse intellectuelle*).

▶ Le dérivé **PARTHÉNOGÉNÉTIQUE** adj. (1893), fait sur le modèle de *genèse/génétique*, a été préféré à *parthénogénésique* adj., dérivé régulièrement (1865) du radical du nom.

PARTHÉNON n. m., d'abord *parthénone* (1721), refait en *parthénon* (1771), d'une édition du dictionnaire de Trévoux à l'autre, est emprunté au grec *parthenôn*. Ce mot désigne l'appartement des jeunes filles au fond de la maison, chez les Grecs et, spécialement, comme nom propre, le temple d'Athéna à Athènes (proprement le temple de la déesse vierge). Il est dérivé de *parthenos* «jeune fille, vierge», parfois employé comme désignation de la pupille de l'œil (cf. *pupille*), et qui appartient à une famille de mots importante dans la littérature patristique et conservée en grec moderne. De même que le latin *virgo* (→ vierge), *parthenos* n'a pas d'étymologie connue.

♦ Le mot a été repris comme désignation du temple d'Athéna Parthénos situé sur l'Acropole d'Athènes (alors avec une majuscule) et, par extension, est employé en histoire de l'art pour un temple grec dédié à une divinité féminine, maternelle ou inspiré par le modèle architectural du Parthénon. Bescherelle (1845-1846) a enregistré le sens d'«appartement réservé aux jeunes filles chez les Grecs» mais celui-ci ne semble pas en usage.

◈ voir PARTHÉNOGÉNÈSE.

① **PARTI** n. m. est le participe passé substantivé (1200) du verbe ① *partir** «partager, diviser».

♦ Ce nom a d'abord désigné une monnaie de compte valant une demi-maille, la maille* étant une très petite monnaie, moitié du denier (cf. *avoir maille à partir**); il est passé dans le vocabulaire de l'héraldique où il désigne un blason portant les armes *parties*, c'est-à-dire «divisées» (1680). Plus souvent, le mot exprime l'idée de «part revenant à qqn», d'abord strictement «portion» (fin XIIIe s.), sens aujourd'hui réservé à son féminin *partie**, puis généralement «situation, état, conjoncture» (v. 1375), surtout dans les locutions ***faire un mauvais parti à qqn*** (1639), ***prendre parti*** (1646) «s'engager dans un état, une situation», sens concurrencé par un autre emploi de l'expression (ci-dessous). ◆ Comme *partie, parti* a eu le sens, aujourd'hui archaïque, de «profession, état» (1679). Il désigne spécialement le traitement, la condition avantageuse offerte à qqn (fin XVe s.), surtout en parlant d'un mariage (1580); par métonymie, il s'applique à la personne à marier considérée sous l'angle de sa fortune, de sa naissance (1538), notamment dans *(c'est)* ***un bon parti.*** ◆ Au XVIIe s., se développe la valeur spéciale de «part de profit attribuée pour la levée de certains impôts» (1616-1620) et, en mathématiques, apparaît l'expression *règle des partis* (av. 1658, Pascal), ainsi dite parce qu'on partageait les chances (on dirait aujourd'hui *règle des parts*). ◆ D'autres emplois du mot procèdent de l'idée de «détermination, solution choisie pour résoudre une situation», d'abord dans les locutions anciennes *entrer en un parti, prendre un parti* (v. 1375), cette dernière ayant fait fortune sous la forme ***prendre parti*** «adopter résolument une décision» (fin XVe s.). Vers la fin du XVIe et au XVIIe s., cette valeur du mot se module diversement en ***prendre parti de*** (et infinitif) [1590], ***prendre son parti*** «se résigner» (1664) et ***prendre le bon parti*** «faire le bon choix» (1667). L'expression ***parti pris*** «opinion préconçue» est attestée depuis 1798; elle se rattache sémantiquement à *partial* et *partialité.* ◇ Tous ces emplois sont contraints, en tant que survivances de valeurs archaïques, à figurer dans des locutions plus ou moins figées.

La dernière notion recouverte par le mot est celle de «groupe à part» : *parti* désigne un groupe de personnes unies contre d'autres en raison de leurs opinions communes (1415). C'est l'emploi le plus vivant, et donc le plus libre du mot; il figure cependant dans plusieurs locutions, telles ***tenir le parti de qqn*** (1465), ***suivre le parti de*** *(qqn)* [1606], ***prendre le parti de*** (1636), ***esprit de parti*** (1688) et ***homme de parti*** (1798), ces dernières absorbées par la valeur sociale et politique du mot. ◇ Celui-ci, en effet, depuis le XVIIe s., peut désigner un ensemble de personnes ayant des aspirations communes (1606, *estre du parti des gens de bien*) et, dans le contexte de la vie politique, un groupe organisé de citoyens ayant les mêmes convictions politiques (1619), sens dévolu en latin à *pars* (→ part) et représenté péjorativement, en latin médiéval, par *partialis* et *partialitas* (→ partial). Il s'est dit spécialement d'un groupe de soldats détachés pour accomplir une mission (en locution *faire parti* «faire un coup de main», 1655). ◇ C'est avec les institutions parlementaires puis l'organisation de l'opinion politique au XIXe s. que *parti* acquiert ses valeurs politiques modernes, liées à la pratique du suffrage populaire — avec l'influence de la démocratie américaine, dont témoigne en France l'œuvre de Tocqueville (1835) — puis, avec la IIIe République, au développement des mœurs politiques démocratiques. En revanche, les dictatures et les régimes totalitaires développent la notion étymologiquement contradictoire et le terme de ***parti unique,*** précédé par les désignations spécifiques, *parti communiste bolchevique* de l'U. R. S. S. (1917; abrégé en *P. C. b.*), *parti nazi* en Allemagne, etc. Le mot sert aujourd'hui à former une abondante phraséologie politique et une multitude de désignations, spécifiques ou génériques *(partis de la majorité, d'opposition, de droite, du centre, de gauche...).* Sur le plan international, certaines démocraties populaires à partis communistes (uniques) parlaient naguère de *partis frères.*

◈ voir MULTI- (MULTIPARTISME).

② **PARTI** → ② PARTIR

③ **PARTI** → ① **PARTIR**

PARTIAL, ALE, AUX adj. est emprunté (av. 1473) au latin médiéval *partialis,* dérivé de *pars, partis* (→ part), employé au sens de «factieux» (XIIIe s.). Un premier emprunt (v. 1370) avait fait du mot le doublet savant de *partiel**, lequel l'a emporté au XVIe siècle.

♦ Le mot a d'abord été employé comme nom pour désigner celui qui est attaché à un «parti»; il est adjectivé avec son sens actuel, «qui a un parti pris, des préjugés; qui n'est pas équitable», depuis 1559.

▸ L'adjectif a pour dérivé **PARTIALEMENT** adv. (1660). ◆ Le nom correspondant, **PARTIALITÉ** n. f., est emprunté au XVe s. (apr. 1450) au latin médiéval *partialitas* «esprit de parti, tendance factieuse» (XIIIe s.), dérivé de *partialis.* Le mot est passé en français avec le sens de «faction», aujourd'hui vieilli; sans perdre sa nuance péjorative, il concerne (1611) la disposition, la tendance à accorder une préférence injustifiée.
IMPARTIAL, ALE, AUX adj. a été formé directement (1576) sur *partial* pour qualifier celui qui ne prend pas parti, généralement avec la valeur laudative d'«équitable». ◆ Il a pour dérivés **IMPARTIALITÉ** n. f. (1576) et **IMPARTIALEMENT** adv. (1743).

◈ voir PARTIEL.

PARTICIPE n. m., terme de grammaire, est emprunté (1265, *participle*) au latin *participium,* dérivé de *particeps* «qui a une part de, qui partage», employé spécialement à propos de l'adjectif qui «participe» à la fois de la catégorie des noms et de celle des verbes (Varron). C'est un composé de *pars* (→ part) et de *capere* «prendre» (→ capter), employé aussi, en bas latin, au sens juridique de «participation».

♦ En français, le mot est exclusivement un terme de grammaire. ***Participe présent*** (1798) a remplacé *participe du présent* (1562) et ***participe passé*** (1721) *participe passif* (1562).

▸ L'adjectif correspondant, **PARTICIPIAL, ALE, AUX**, est emprunté (1380) au latin *participialis* «qui est au participe», dans *participiale nomen* «gérondif» et *participalia verba* «participes» (Quintilien).

◈ voir PARTICIPER.

PARTICIPER v. intr. est emprunté (XIIIe s.) au latin *participare* qui a trois acceptions : «faire participer» (sens emprunté par le moyen français qui l'atteste en 1355), «partager, répartir» (d'où le moyen français *participé* «donné en partage», 1552) et «avoir sa part». C'est un dérivé de *particeps* «qui a une part de, qui partage», lui-même de *pars, partis* (→ part) et *capere* «prendre» (→ capter).

♦ En moyen français, *participer* est employé spécialement en philosophie au sens d'«avoir des traits communs avec, une similitude de nature avec (qqch.)», d'abord avec la préposition *à,* puis avec *en* (1370, Oresme); c'est là l'origine de l'emploi moderne et didactique de *participer* avec la préposition *de,* au sens très voisin d'«avoir une parenté, des caractères communs avec» (XVIe s.). ◇ Dès le XIIIe s., *participer* avec un sujet nom de personne exprime aussi l'idée d'«avoir part à», concrètement et moralement; il semble s'être d'abord construit avec la préposition *de* avant de se construire avec *à* (1337).

▸ Son participe présent **PARTICIPANT, ANTE** est adjectivé (v. 1375) au sens de «solidaire, allié, associé», puis également substantivé pour désigner l'associé, celui qui prend part (1611). ◆ Le nom correspondant, **PARTICIPATION** n. f., est emprunté (1175) au dérivé latin *participatio, -onis* «partage», employé spécialement chez saint Augustin pour désigner le mode selon lequel les êtres créés «participent» de la divinité. ◇ Dès ses premières attestations, le mot a le sens général d'«action d'avoir part, de participer à». À la fin du XVIIe s., il entre spécialement dans le langage du commerce (1679, *entrer en participation dans une compagnie*) et dans celui de la religion (1694, *lettres de participation*). Ultérieurement, à partir du milieu du XIXe s., il a développé des acceptions spécialisées en économie (1846, *participation des salariés à la gestion de l'entreprise*), en psychologie, dans les sciences de l'éducation. Il est spécialement employé par le sociologue Lévy-Bruhl à propos d'un mode de pensée des peuples archaïques pour qui des êtres très différents sont unis par une communauté de nature mystique (1910). ◆ Le mot a produit **PARTICIPATIONNISTE** adj. (1932), créé en politique pour désigner un membre de l'opposition qui pense que son parti doit participer au pouvoir, et employé comme adjectif depuis 1968 au sens de «concernant la participation, la gestion commune d'un corps, d'une entreprise». ◆ Le préfixe *co-* a servi à former **COPARTICIPANT, ANTE** n. (1874) et **COPARTICIPATION** n. f. (1846, Proudhon).

◈ voir PARTICIPE.

PARTICULE n. f. est emprunté (1478) au latin *particula,* diminutif de *pars, partis* (→ part), «petite partie» (cf. *parcelle*), et spécialement «petit membre de phrase» (Quintilien). *Particula* est également employé par les grammairiens (IIe s.) pour désigner un mot-outil très court et, en latin médiéval, l'article d'une spécification, un détail.

♦ *Particule* désigne d'abord une quantité infime de matière, notamment dans *particule de la sainte Croix* (1495), expression employée à propos de la répartition supposée des reliques. ◇ Au XVIe s., il a été réemprunté au latin comme terme de grammaire pour désigner un préfixe (1529), puis un petit mot invariable (1606). Il désigne, seulement depuis le XIXe s., la préposition *de* faisant partie intégrante d'un nom patronymique qu'elle précède (1842, *particule nobiliaire*), en particulier dans les expressions ***nom à particule, gens à particule.*** ◆ Le mot a développé quelques valeurs spéciales dans les vocabulaires des sciences, à partir du XVIIIe s., notamment en physique où il est défini dans l'*Encyclopédie* (1765) comme «l'union de deux ou plusieurs corpuscules ou atomes primitifs et physiques indivisibles». Comme les mots *atome* et *molécule* mais plus tard, *particule* est devenu un terme clé de la nouvelle chimie, puis surtout de la physique atomique. Le concept est double, dans la science moderne. D'une part, il s'applique à un constituant élémentaire selon des critères fonctionnels dépendant des propriétés étudiées. *Particule,* en physique, peut ainsi désigner des entités différentes, de la molécule à la *particule élémentaire.* Cette seconde notion, plus spécifique, s'applique à un élément physique indivisible dans l'état actuel des connaissances ; cette valeur est plus usuelle dans la science contemporaine, où *élémentaire* est en général sous-entendu (*physique des particules*). Le mot, au sens large, est en concurrence avec *corpuscule.* Une phraséologie et une terminologie très importantes, en général empruntées à l'anglo-américain, se sont développées, surtout après 1940-1945 : *particules lourdes, légères* (cf. *électron, neutron, proton,* etc.).

▸ **ANTIPARTICULE** n. f., terme de physique, est attesté depuis 1956. ◆ *Particule* a donné l'adjectif **PARTICULAIRE,** attesté une première fois en grammaire (1838), repris comme terme de physique (1905) où il est en concurrence avec *corpusculaire.* ◆ **PARTON** n. m. a été emprunté (1973) à l'anglais *parton* formé sur le radical de *particule* avec *-on,* pour désigner une particule découverte à l'intérieur des protons et des neutrons (considérés jusque-là comme élémentaires), et identifiée aux quarks.

◈ voir **PARTICULIER.**

PARTICULIER, IÈRE adj. et n. est emprunté (1265) au latin *particularis,* rare jusqu'à basse époque, proprement «qui se rapporte à une part, partiel» par opposition à *universalis* (→ universel), et dérivé de *particula* (→ particule).

♦ *Particulier* signifie «qui se limite à un élément, une partie, un détail». Au moyen âge, les cinq sens étaient dits *li san particuliers* par opposition au *sans commun (sens commun),* lequel fait la synthèse des données des divers organes sensoriels. Substantivé avec la valeur neutre de «ce qui n'est pas général» (av. 1473), *particulier* était d'usage plus large en moyen français et en langue classique, où il était synonyme de *détail* (1652), que de nos jours. L'adjectif a aussi pris le sens de «qui ne concerne qu'un individu» (fin XIIIe-déb. XIVe s.) [le mot *individuel* étant plus récent], par exemple dans des expressions comme *intérêts particuliers* (1570), *profit particulier* (1580). Il qualifie ce qui est exclusivement réservé à un groupe, une personne (1671), une activité (1683) et entre dans la locution courante ***en particulier*** «séparément des autres, en privé» (1538), d'où ***parler à qqn en particulier*** (1671). ◇ Au XVIe et au XVIIe s., il était substantivé dans les expressions *dans le particulier* «dans l'intimité» (1655), *en vostre particulier* «chez vous» (1656-1657). ◇ Le mot qualifie aussi ce qui se distingue des autres éléments ou individus de même nature (1265) et, par extension, ce qui est bizarre, singulier (1549), s'appliquant à une personne hors du commun, exceptionnelle (1666). ◇ Il qualifie également ce qui est la propriété, l'apanage d'un individu (1314) ; il n'a pas gardé, en revanche, le sens de «qui est à l'écart, tourné vers soi-même» (fin XIVe s.), lequel en faisait (depuis 1590) un synonyme de *égoïste.* ◇ Il a été substantivé au masculin, *un particulier* (fin XVe s.), pour désigner une personne privée, un citoyen, développant au XVIIe s. diverses acceptions aujourd'hui vieillies, en général péjoratives : le mot a valu pour «quidam» (1690), son féminin **PARTICULIÈRE** (1649) désignant une prostituée (et la maîtresse d'un homme, appelée *la particulière dame,* 1607).

▸ Le dérivé **PARTICULIÈREMENT** adv. (écrit *particulerement,* 1314) «spécialement, en particulier (par rapport à un ensemble)», a pris aux XVIe-XVIIe s. les valeurs de «personnellement» (1559) et «d'une manière singulière» (1611). Il n'a pas conservé au-delà du XVIIIe s. un autre sens, «d'une manière détaillée, circonstanciée» (1374), encore répertoriée dans les dictionnaires de l'Académie de 1835 et 1878. ◆ *Particulier* a aussi donné le dérivé savant (d'après le latin *particularis*) **PARTICULARISER** v. tr. (1412), qui a lui-même donné **PARTICULARISATION** n. f. (1575), puis **PARTICULARISME** n. m. (1689) et **PARTICULARISTE** n. (1701). Ces deux mots ont été introduits en théologie à propos de la doctrine qui enseigne que Jésus-Christ est mort pour les élus et non pour les hommes en général. Ils ont aussi développé à la fin du XVIIIe s. une valeur morale équivalant à *égoïsme/égoïste,* mais celle-ci est demeurée de l'ordre du néologisme, tout comme l'emploi du nom au sens d'«originalité» (1796). L'acception politique (1850 ; 1901 pour l'adjectif) est l'adaptation de l'allemand *Particularismus, Partikularist* : il a d'abord concerné le statut des États allemands annexés à la Prusse après la guerre de 1866 qui voulaient conserver leurs lois particulières. ◆ **PARTICULARITÉ** n. f. est emprunté (1270) au dérivé latin *particularitas, -atis.* Son sens général, «ce qui est particulier», s'est incarné autrefois dans les valeurs spéciales de «détail» (v. 1278) et de «circonstance particulière» (1579). Aujourd'hui, il désigne un trait distinctif (v. 1800).

① **PARTIE** n. f. est le participe passé féminin très tôt substantivé (1119) de ① *partir** «partager», adopté en particulier pour traduire le latin *pars* (→ part) aux sens de «rôle d'un acteur», de «parties sexuelles», et comme terme juridique.

♦ *Partie* exprime l'idée d'«élément d'un ensemble, d'un tout», spécialement (comme *part* dans ses emplois les plus anciens) en parlant d'un espace (1155) : en ancien français, le mot servait à désigner un territoire, une contrée ; les quatre points cardinaux étaient appelés *les quatre parties del mund* (1170) et la Terre, selon la conception médiévale, était divisée «*en trois parties : ce sont Aise* (Asie), *Afrique et Europe*» (1265). ◇ Dès les premières attestations, le mot a développé, avec cette idée d'élément d'un tout, plusieurs acceptions spéciales : il est employé en parlant d'une portion du corps humain (1119), en particulier dans les expressions ***parties honteuses*** (XVe s.), ***parties viriles*** (1512), ***parties naturelles*** (1559), puis absolument ***les parties*** (1651), désignations pudiques des organes sexuels (masculins, dans *parties viriles* et en emploi absolu). ◇ Il désigne aussi abstraitement la part de travail revenant à qqn, sa tâche (1241) et, par extension, la branche d'une activité spéciale (fin

XIVe s.), d'où la profession (1819, *la partie des lettres*), sens aujourd'hui archaïque sauf dans l'expression ***c'est ma, sa... partie*** «mon, son... domaine». ◇ *Partie* est employé en finances (1262) et, aux XVIe et XVIIe s., en commerce, désignant alors la quantité de marchandise vendue ou achetée (1508) ainsi que la note à payer (1585). Cf. *contre-partie*, ci-dessous. ◇ D'autres sens spécialisés se sont dégagés en moyen français, avec la valeur de «catégorie» dans l'expression *parties d'oreson* (XIe s.), devenue *parties du langaje* (1550) et enfin ***parties du discours*** (1754). Le mot désigne aussi l'élément d'une œuvre littéraire (1381) et le rôle d'un récitant, d'un acteur (1520) ainsi que celui d'une voix, d'un instrument de musique (1580) [l'anglais dit *part*]. Il n'a pas gardé l'acception de «qualité humaine» (1544). ◆ Le sens général d'«élément» est réalisé dans la locution adverbiale courante ***en partie*** (1220) — plus fréquente que *partie* «partiellement» (1245), lui-même redoublé dans le langage juridique en ***partie... partie*** (1250). ◆ *Partie* assume également, dans quelques cas, le sens d'«affaire, entreprise où chacun entre pour sa part» : s'il n'a pas conservé le sens de «faction» (1160) assumé par le mot *parti**, celui d'«affaire, cause, projet commun» (XIIIe s.), bien que disparu après le XVIIe s., survit dans la locution ***avoir partie liée*** (av. 1704, *avoir ses parties liées*). ◇ Quant à l'acception de «complot» (1588) reprise du latin (→ partial), elle a vieilli. ◆ *Partie* s'est mieux conservé dans le domaine du jeu, où il désigne l'ensemble des coups à marquer pour l'emporter (1589), et dans celui du divertissement pris à plusieurs (1661), en particulier dans la locution ***être de la partie*** (1665, *estre d'une partie*) et dans ***partie fine*** (1745), ***partie carrée***; cette expression a pris récemment une valeur sexuelle qu'elle n'avait pas au XIXe s. où elle s'appliquait à une partie de campagne, etc., à quatre (→ party). Mais *partie de chasse, de campagne*, etc., comme *partie galante*, n'ont rien à voir avec l'anglicisme *party*. ◆ Enfin, dans le langage juridique, *partie* sert à désigner chacun de ceux dont l'opinion engendre un différend, soit celui qui plaide contre qqn (1248, dans l'expression *averse partie*, forme ancienne de *partie adverse*), soit absolument l'adversaire (1280), en particulier dans les locutions passées dans l'usage général ***avoir affaire à forte partie*** (1382) et ***être pris à partie*** (1611, *prins a partie*).

▸ Au moyen du suffixe argotique *-ouse*, ajouté au radical de *partie* plus ou moins mêlé à *party* mais dérivé en français, on a formé **PARTOUSE** ou **PARTOUZE** n. f., mot populaire qui a d'abord désigné une partie de cartes (1907) avant de prendre, par l'intermédiaire du sens de «partie galante à deux» (1919), son sens moderne de «partie de débauche à plusieurs» (1924). ◆ C'est avec celui-ci qu'il a produit **PARTOUZARD, ARDE** adj. et n. (1924) et **PARTOUSER, PARTOUZER** v. intr. (attesté 1966).

CONTREPARTIE n. f. n'a en ancien français (1261) que le sens d'«adversaire», correspondant à l'emploi juridique de *partie*. ◇ Une autre valeur de *contre*, avec le sens musical de *partie*, suscite au XVIIe s. pour *contrepartie* (1675) une acception proche de *contre-chant*. ◇ En comptabilité, le mot désigne (1723) le double d'un registre et une écriture de vérification. ◆ La valeur générale, aujourd'hui la plus usuelle, «chose qui s'oppose à une autre en la complétant ou en la compensant», semble apparaître pendant la Révolution (1791), époque où l'élément *contre-* devient particulièrement productif. ◆ Une acception en Bourse (1907) a récemment donné le dérivé **CONTREPARTISTE** n. (1973).

② PARTIE → PARTY

PARTIEL, ELLE

PARTIEL, ELLE adj. et n. m. résulte de la francisation (1692) de *partial**, emprunté au latin *partialis* «incomplet, qui constitue une partie d'un tout», de *pars, partis* (→ part).

♦ C'est d'abord la forme savante, *partial*, qui qualifie ce qui forme la partie d'un tout (1370), ce qui est incomplet, qui ne porte que sur une partie d'un tout (av. 1564). Ces deux acceptions sont reprises en français classique par *partiel*, (respectivement 1754 et 1692) tandis que *partial* s'est réservé d'autres sens non neutres. ◇ *Partiel* entre dans quelques syntagmes spécialisés (*éclipse partielle*, précédé par *éclipse partiale*, 1691), notamment en mathématiques, en droit constitutionnel et en physique. Il est substantivé par ellipse de *examen partiel : passer un partiel*.

▸ **PARTIELLEMENT** adv. est la réfection (1796) de *partialement* (v. 1370, *parcialement*) «par parties». Le sens moderne, «en partie seulement», est attesté à la même date (1796).

✳ ① PARTIR

✳ ① **PARTIR** v. tr. est issu (v. 980) du latin *partire* (latin classique *partiri*) «diviser en parts», «partager, répartir, distribuer», dérivé de *pars, partis* (→ part).

♦ *Partir* a été concurrencé puis éliminé par *partager*, dérivé de *partage** (son propre dérivé) et par ses préfixés verbaux *répartir** et *départir**; le dictionnaire de Trévoux relève encore en 1771 *partir d'un nombre en quatre, en cent; partir le différend par moitié*. De nos jours, le verbe ne s'est maintenu que dans quelques dialectes du domaine français (Nord, Nord-Ouest) ainsi que dans le domaine occitan. Il survit en français par de nombreux dérivés qui s'en sont détachés — voir les renvois ci-dessous — et par son participe passé ③ **PARTI, IE** adj., dans quelques emplois spécialisés, en parlant des couleurs réparties sur un objet (1170), en héraldique (1210, *armes parties, mi parties*), ainsi que dans la locution vestige ***avoir maille à partir*** aujourd'hui démotivée, mais la confusion entre *maille* «monnaie» et *maille d'un tricot* d'une part, entre *partir* «partager» et *partir* «s'éloigner» de l'autre, a peut-être assuré sa survie. ◇ *Partir* s'est bien implanté dans la langue en donnant ② *partir** et plusieurs dérivés importants, détachés par le sens.

▸ Outre ces dérivés, *partir* a été productif, sous la forme du participe passé adjectivé *parti*, dans la composition d'une série didactique : **MI-PARTI, IE** adj. vient (v. 1190) du p.p. de l'ancien verbe *mipartir* et s'est employé pour «partagé en deux» (couleurs, en vêtement, blason) ainsi que dans *chambres mi-*

parties, formées de catholiques et de protestants (déb. XVIIe s.). **BIPARTI, IE** adj. (v. 1361), rare avant le XIXe s. où il coexiste avec le type emprunté **BIPARTITE** adj. (1768), repris au latin *bipartitus,* qualifie ce qui est divisé en deux, spécialement en botanique (1803) et en politique (1936). ◇ Le nom correspondant est dédoublé en **BIPARTITION** n. f. (1751, en géométrie), surtout vivant en biologie dans la description de la cellule, et en **BIPARTISME** n. m. (1948), employé en politique et tombé dans l'attraction de *parti* n. m. ➛ **TRIPARTI, IE** adj. (v. 1460), «divisé en trois», coexiste également avec la forme **TRIPARTITE** adj. relevée une première fois au XIVe s. *(trespertite)* dans un emploi substantivé en philosophie scolastique et empruntée au latin *tripartitus. Tripartite* a été employé adjectivement à partir du XVIIe s. dans *histoire tripartite* (1690), titre d'une histoire ecclésiastique, puis dans son usage moderne à partir du XIXe s., spécialement en botanique et en politique (1935). ◇ **TRIPARTITION** n. f. (1765 en mathématiques), emprunt au latin *tripartitio,* et **TRIPARTISME** n. m. (1937 en Belgique) en politique, constituent les substantifs correspondants. ➛ **QUADRIPARTI, IE** adj. semble relativement tardif (1797) par rapport à **QUADRIPARTITE** adj. attesté une première fois au XVe s. *(quadripartit)* et repris au XVIe s. (1555, *quadripartite*), emprunté au latin *quadripartitus* «partagé en quatre» (→ quadr-). ◇ Le mot est employé en botanique et en politique (1762); il a produit **QUADRIPARTITION** n. f., formation savante (1802) d'après le latin *quadri-* et *partitio,* et **QUADRIPARTISME** n. m. (v. 1945) en politique.

◈ voir **DÉPARTIR, IMPARTIR, PARTAGE, PARTI, PARTIE, ② PARTIR, PARTITIF, PARTITION, RÉPARTIR.**

② **PARTIR** v. intr. est issu (1140) par dérivation de sens de ① *partir** à cause de la notion de «séparation» impliquée par le sens de «diviser» (cf. *partager, répartir*).

Le verbe est d'abord employé à la forme pronominale *se partir de,* remplacée par la forme simple et par *s'en aller,* et dans la construction *partir de,* avec le sens de «s'éloigner de, quitter», et absolument «s'en aller» (1160). L'ancien emploi euphémistique de *partir de cest siecle* «mourir» (1174-1176) est, sans doute avec d'autres métaphores, à l'origine de l'emploi de *partir* au sens de «mourir» (1680). ◇ Dès la fin du XIIe s., *partir de* est employé au sens figuré de «provenir de, émaner de» en parlant de choses concrètes, puis aussi sur un plan abstrait (1580), spécialement dans l'expression *partir d'un principe* (1751). ◇ *Partir* exprime en particulier l'idée de «jaillir avec impétuosité» en parlant d'un projectile (v. 1475), et celle de «passer de l'immobilité au mouvement» (1606), en parlant d'animaux (cheval, oiseau de proie, gibier). ◇ Le verbe signifie aussi «être acheminé, convoyé vers une destination précise» (1671), en particulier à propos du courrier (1690).

▸ Son participe présent ② **PARTANT, ANTE** est adjectivé et substantivé (1627) pour désigner la personne qui part, en particulier, en sports, le concurrent qui se trouve sur la ligne de départ (1923, hippisme). ➛ Le participe passé ② **PARTI, IE,** est adjectivé (1830), d'abord au sens figuré et populaire d'«endormi», puis aussi «qui parle trop, s'anime» (1851) et «un peu ivre» (1862). ➛ Le verbe est substantivé à l'infinitif **PARTIR** n. m. (1160-1174) dans la locution adverbiale aujourd'hui archaïque ***au partir*** «en partant», employée spécialement à propos d'un cheval qui prend sa course (1678), et pour «à la fin» (1165). La locution prépositionnelle ***au partir de*** (1559) «en quittant un lieu» a elle aussi vieilli avec son sens spatial (le sens temporel de «ensuite», 1608, a disparu). Le français moderne ne connaît plus que ***à partir de*** (1787), au sens temporel et au figuré (1798) «en supposant (telle chose)».

Le nom d'action correspondant à *partir* est **PARTANCE** n. f. (1400); fortement concurrencé par *départ*,* il a vieilli sauf dans le domaine de la navigation (XVIIe s.) où il a produit les syntagmes *coup de partance* (1680) et *bannière de partance* (1690). Ces expressions ont disparu et le seul emploi usuel du mot est ***en partance pour*** (1832), d'abord employé à propos d'un navire, puis par extension, de tout moyen de transport et d'un voyageur. ➛ À l'aide du préfixe de sens itératif *re-*, on a formé ① **REPARTIR** v. intr. (1273), d'abord «partir pour l'endroit d'où l'on vient» (spécialement comme terme de manège, 1611), également «partir de nouveau» et, au figuré «recommencer».

Par la même composition ou par spécialisation, ② **REPARTIR** v. intr. (1580, Montaigne) s'emploie pour «répliquer, répondre vivement». ◇ De là **REPARTIE** n. f. (1580) «réplique, riposte» ou «aptitude à la riposte» *(esprit de repartie).* La locution ***sans repartie*** (1656 dans Molière) «sans conteste» est sortie d'usage.

PARTISAN, ANE adj. et n., d'abord écrit *partysan* (1477-1479), est emprunté à l'italien *partigiano* «qui prend parti pour (un homme, un groupe)» (XIXe s.), dérivé au moyen du suffixe *-igiano* (celui de *artigiano,* qui a donné *artisan*) de *parte* «partie», issu du latin *pars, partis* (→ part).

♦ Le mot est apparu pour désigner et qualifier (1580) la personne qui est attachée à qqn, à un groupe, à un parti; le nom féminin *partisane* est attesté depuis 1500 (alors avec deux *n*), d'abord rare en tant que nom et critiqué par plus d'un grammairien; une forme *partisante* est employée adjectivement, surtout dans l'usage populaire. ◇ *Partisan* a désigné un financier qui prenait à ferme (c'était un *fermier**) la levée d'un impôt dont il avançait le montant à l'État (1573, M. de L'Hospital); cet emploi est usuel au XVIIe s., et souvent péjoratif, la rapacité des grands financiers étant alors un thème populaire. ➛ Dans un tout autre contexte, *partisan* désigne un combattant dans une petite unité (1678); par extension, il désigne un combattant qui n'appartient pas à une armée régulière (1827); pendant la résistance à l'occupation allemande (1940-45), il est associé à *franc-tireur* dans ***Francs-tireurs et Partisans*** *(F. T. P.).* L'adjectif comporte quelquefois la même nuance péjorative que *partial* «qui témoigne d'un esprit de parti» (1616, d'Aubigné).

▸ Le dérivé **PARTISANERIE** n. f., attesté depuis 1934, est rare.

◈ voir **PERTUISANE.**

PARTITIF, IVE adj., terme de grammaire, est emprunté (1380) au latin médiéval *partitivus* (XIIIe s., saint Thomas d'Aquin) «qui exprime l'opposition de la partie au tout». Celui-ci est dérivé de *partitum,* supin de *partire* «partager» (→ ① partir).

♦ Le mot, d'abord écrit *partitis,* a pris sa forme moderne au XVIe siècle. Il est substantivé avec valeur de neutre pour désigner la catégorie grammaticale qui exprime la partie dans son opposition au tout.

PARTITION n. f., d'abord *particion* (1175) puis *partition* (déb. XVIe s.), est emprunté au latin *partitio, -onis* «partage, division, répartition», de *partire* «diviser, partager» (→ ① partir).

♦ Le mot a d'abord été employé avec le sens de «participation», propre à l'ancien français. Au cours du XIVe s., apparaît celui de «partage» (1360) et par métonymie «résultat d'un partage» (déb. XVIe s.). Ce sens a disparu, sauf dans quelques acceptions spéciales en héraldique (1644), en mathématiques et en politique (1950) où, par emprunt à l'anglais *partition* (repris au français), il désigne la division d'un territoire en plusieurs pays indépendants. Dans d'autres contextes, le mot est rare et littéraire.
Le sens courant de «tableau des 'parties' d'une composition musicale» (1636) a sans doute subi l'influence de l'italien *partitura* (XVIIe s.), l'italien *partizione* étant à la fois plus récent (XVIIIe s.) et plus rare. Cette acception a en français des emplois métaphoriques (*suivre la partition,* etc.).

▸ **PARTITA** n. f. est l'emprunt par la terminologie musicale (1897-1900) de l'italien *partita,* proprement «partie», participe passé féminin substantivé de *partire* (→ ① partir), spécialisé en musique (déb. XVIIe s.). ◆ Le mot désigne une pièce écrite pour le clavier, pour un instrument accompagné ou pour un orchestre de chambre, chez les musiciens allemands et italiens des XVIIe et XVIIIe siècles. Il appartient au vocabulaire international de la musique.

◈ voir PARTENAIRE, ① PARTIR (BIPARTITION, TRIPARTITION, QUADRIPARTITION).

PARTOUT adv., d'abord *per tot* (fin Xe s.), est composé de ① *par** et *tout** (sous leurs formes anciennes *per* et *tot*).

♦ Le mot signifie proprement «en tous lieux» et, par extension, «en de nombreux lieux» (1580); il entre dans la locution ***de partout*** (1175, *de par tot*) et ***partout où...*** (1396). L'usage populaire le redouble avec une valeur intensive dans *tout partout* (v. 1190). Sa valeur spatiale s'estompe et devient «dans toutes sortes de circonstances» (fin XIIe s.). Il est spécialement employé au jeu, précédé d'un nombre pour indiquer que ce nombre se retrouve aux deux extrémités du jeu (dominos), ou que deux joueurs ou équipes sont à égalité (tennis, football).

PARTOUZE → ① PARTIE

PARTURITION n. f., correction (1823) de la forme *parturation,* attestée en 1786, est emprunté au bas latin *parturitio* «enfantement» (déb. Ve s.), dérivé de *parturire* «être en couches», lui-même dérivé de *parere* «produire, accoucher» (→ parent).

♦ Le mot, d'usage didactique, désigne le fait d'accoucher et, pour la femelle d'un animal, de mettre bas. Le style littéraire l'emploie métaphoriquement. Ainsi, Amiel décrit son travail d'écrivain par *enfantement, travail puerpéral, accouchement* et *parturition* dans la même séquence de son *Journal* (1866).

▸ **PARTURIENTE** adj. et n. f. a été repris d'après *parturition* (1903) au latin *parturiens, entis,* participe présent de *parturire.* En moyen français, le mot avait déjà fait l'objet d'un emprunt (1598) à côté de *parturir* (deux attestations au XIIIe puis au XVe s.), verbe dont on avait dérivé *parturiment* n. m. (1578). ◆ Le mot se réfère à la femme en travail d'enfant. L'expression *colique parturiente* (ou *parturiante*) [v. 1900] est vieillie.

PARTY ou ② **PARTIE** n. f. est emprunté (1829, *partie*) à l'anglais *party* «réunion, rendez-vous mondain», «petite réception chez un particulier» (1716 en ce sens), lui-même emprunté au XIIIe s. au français ① *partie** «élément, portion d'un ensemble» (sens réservé depuis à *part*) et «partie adverse», ce sens particulier se rattachant à un emprunt plus tardif du français *parti** n. m. «groupe ou groupement de personnes».

♦ Le mot emprunté sous sa forme anglaise *party* (depuis Mérimée, 1870) est d'abord employé à propos d'un fait anglo-saxon. Même lorsqu'il est francisé sous la forme *partie* (1829), il porte habituellement les marques graphiques de l'emprunt (guillemets, italiques) jusqu'au milieu du XXe s. où il prend les proportions d'une véritable mode. *Party* ou *partie* a toujours été féminin, ce qui peut indiquer qu'on le rattache spontanément à ① *partie* «divertissement concerté entre plusieurs personnes» (av. 1631), en particulier dans *partie de chasse, de campagne,* etc.

▸ L'emprunt à l'américain **SURPRISE-PARTY** n. f. (1882) s'est d'abord employé à propos d'une réunion de personnes qui s'invitent à l'improviste chez qqn en amenant boisson et nourriture, avant de prendre sa valeur moderne de «petite réception dansante» (v. 1940). *Surprise-party,* puis *surprise-partie,* a rapidement vieilli, au profit de *surboum,* puis *boum,* enfin, en attendant d'autres désignations, de *plan* (dans le langage des jeunes). ◇ Sur le modèle d'une construction anglaise *(garden-party, hunting party),* on construit (1965-1970) des expressions passagères telles que *crêpe-party* ou *T. V. party,* dont aucune n'est réellement lexicalisée en français.

PARULIE n. f. est un emprunt savant (1690, *parulis* n. m.) au grec tardif *paroulis, idos* «abcès de la gencive», composé de *para-* «à côté de» (→ ① para-) et *oulon* «gencive» (généralement au pluriel *oula*), mot conservé en grec moderne et d'étymologie inconnue.

♦ Le mot, enregistré avec sa forme et son genre actuels par le dictionnaire de Trévoux (1752), est resté très didactique.

PARVENIR v. intr. est issu (v. 980) du latin *pervenire,* concrètement «arriver en un point donné dans un déplacement», abstraitement «arriver au résultat que l'on se proposait», composé de *per* (→ ① par) et *venire* (→ venir).

♦ Le mot a d'abord le sens concret du latin. Il s'est également employé à propos d'une chose, au sens de «se propager à travers l'espace» (1342) et «arriver à destination» (1740), valeur encore usuelle. ◇ Dès 1165, il prend un sens abstrait, «arriver à un certain état, un certain degré, un certain résultat que l'on se proposait», dans la construction *parvenir à* et infinitif, «réussir à» (1480). Dans une perspective sociale, il est employé absolument au sens de «s'élever à une situation sociale éminente» (1559). Cf. le *Moyen de parvenir,* de Béroalde de Verville, écrit vers 1590 (publ. 1610).

▸ En ce sens, son participe passé **PARVENU, UE** adj. et n. désigne (1718) et qualifie (1735), avec une connotation péjorative, la personne qui s'est élevée à une situation sociale importante sans en avoir acquis les manières, la culture. Les œuvres de Marivaux, *Le Paysan parvenu* et *La Paysanne parvenue,* manifestent le succès du mot en ce sens, continué au XIXe s., dans le contexte du bouleversement des fortunes et des rangs sociaux.

PARVIS n. m., d'abord *parevis* (1200) puis *parvis* (1223), est issu par évolution phonétique spécifique du latin chrétien *paradisus* (emprunté sous la forme *paradis**) qui, à partir du sens d'«enclos», a pris, d'abord en Italie du Sud, celui de «place située devant la façade d'une église». Le *v* s'explique peut-être par le fait que le *d* grec de *paradeisos,* auquel est emprunté le latin, prononcé à basse époque comme une spirante, phénomène inconnu des dialectes d'Italie, a pu être rendu dans la même région par un *v.* Pour rendre compte de la spécialisation sémantique du mot, Nyrop et Kahane proposent une influence du grec *peribolion* «jardin d'un cloître», plusieurs fois associé à *paradeisos* chez les écrivains byzantins.

♦ Symétriquement, on constate en ancien français que *parvis* «place située devant la façade d'une église» (1200) et, historiquement, «ensemble des cours du temple de Jérusalem» (1535), a été employé avec le sens de «paradis» (1080 *pareïs,* 1185 *parewis,* 1220 *parvis*). Il reste une trace de ce sens dans l'expression littéraire *célestes parvis* (1804), *parvis éternels* qui a désigné le paradis. ◇ Au sens concret, le mot, spécialisé depuis le XIIIe s. pour désigner l'espace situé devant une grande église, a reçu vers 1960 une autre valeur, liée à l'évolution de l'urbanisme ; il se substitue à *place* pour désigner certains grands espaces dégagés, dans l'urbanisation nouvelle des «grands ensembles» (cf. la reprise comparable de *forum*).

① **PAS** n. m. est issu (v. 980) du latin *passus* «mouvement que fait l'homme et certains animaux pour avancer», par métonymie «empreinte de son pied» et «mesure de longueur», emploi remplacé en français par *pied.* C'est un emploi substantivé, avec le sens propre d'«écartement des jambes», de *passus,* participe passé de *pandere* «étendre, déployer», en particulier «ouvrir en écartant» (→ épandre).

♦ Le mot désigne d'abord le mouvement que fait un être vivant humain ou mammifère, pour marcher. Il entre dans plusieurs locutions où il est considéré en fonction de la vitesse : l'ancien français avait la locution conjonctive *en pas que* «aussitôt que» (fin Xe s.), la locution adverbiale *sun petit pas,* littéralement «par son petit pas», d'où «lentement» (1080), et *del pas* «aussitôt, sans tarder» (fin XIIe s.) ; l'usage moderne a seulement gardé ***de ce pas*** «sans tarder» (1548), aujourd'hui sentie comme une métaphore du sens concret. ◆ C'est aux premiers emplois du mot avec sa valeur abstraite (déplacement minimum) que se rattache la négation *ne... pas* (→ ② pas). ◆ Le mot, avec sa valeur la plus générale, entre dans de nombreux syntagmes nominaux et verbaux, et dans d'autres locutions comme ***pas à pas*** (v. 1450) qui prolonge *pas pur* [pour] *pas* (1180). Aux XVIe et XVIIe s. sont apparus ***pas de clerc*** (1585) «fausse démarche», ***faux pas*** «pas dans lequel on glisse» (1530), employé au figuré (1606), ***céder le pas*** (1651) «donner la préséance». ◆ Dès le XIIe s., par métonymie, *pas* désigne, comme le mot latin, l'empreinte, la trace (1160) ; le mot, un peu plus tard, sert à désigner la longueur approximative d'un pas (1380), valeur devenue archaïque en général mais qui s'est conservée en parlant de l'allure du cheval la plus lente (1196) alors opposée à *trot* et à *galop,* et aussi à propos d'un type d'allure, de danse (1480) et de la marche dans l'armée (1755). ◆ D'autres emplois du mot réalisent la valeur de «passage» : dès 1160-1174, *pas* désigne un sentier, un passage difficile, souvent qualifié par l'ancien adjectif *mal* (1176-1181), remplacé de nos jours par *mauvais* dans un ***mauvais pas*** (XIIIe s. et au figuré). L'image est utilisée pour évoquer, avec une connotation rituelle, le fait de mourir, dans la locution ***passer le pas*** (v. 1450) forme concise de *passer le pas de la mort* (fin XIIIe s.). Le mot désigne spécialement le passage qu'un guerrier s'engage à défendre (1250), d'où la locution *pas d'armes* (1330) ; il est synonyme de *seuil* (1330) dans le syntagme *le pas de la porte* (d'où ***pas de porte***) et, au XVIe s., s'étend pour désigner un détroit (1530), un défilé (1559), valeurs vieillies sauf en toponymie. ◆ *Pas* a aussi servi à désigner la marche d'escalier (1340, peut-être dès 1180) avant d'être supplanté par *marche* et par *degré.* ◇ Il a commencé à prendre en moyen français des acceptions techniques où il exprime l'idée d'une «distance entre deux éléments» : ainsi, il désigne l'ouverture de la chaîne dans un métier à tisser pour donner passage au fil (1369) ; il entre dans ***pas de vis*** (1676) et d'autres syntagmes déterminés (*pas d'engrenage, de fusée,* etc.).

▸ Certains syntagmes ont été complètement lexicalisés, comme **PAS-D'ÂNE** n. m. (1497) «mors», employé avec un sens spécial en archéologie (1622), et **PAS-DE-GÉANT** n. m. créé (1901) pour désigner un appareil de gymnastique permettant de faire de grandes enjambées en tournant. ◇ *Pas* entre comme second élément de **ENTREPAS** n. m. (XVe s.), ancien terme de manège pour l'amble défectueux du cheval, et de **CONTREPAS** n. m. (1606), d'abord nom d'une ancienne danse espagnole, puis, dans l'armée, «demi-pas pour reprendre d'un bon pied un pas cadencé» (1723).

◈ voir **PACEMAKER**, ② **PAS**, **PASO-DOBLE**, **PASSADE**, **PASSER**.

② **PAS** part. de négation (1080) est le substantif *pas** employé comme auxiliaire de négation, d'abord avec des verbes de mouvement, dans des phrases comme *il n'avance pas* («même pas d'un pas») d'où «il n'avance aucunement».

♦ *Pas* s'est imposé comme la particule de négation la plus usuelle à partir du XVIe s., éliminant son principal concurrent *mie* (cf. aussi *goutte, point*). Il est employé pour renforcer la négation *ne* (1080) et *non* (1188), d'abord dans le contexte de la marche, puis du mouvement, avant de supplanter ses concurrents de nature perceptive, y compris *point**, qui n'a résisté que régionalement. ➝ Il est employé avec ellipse de la négation dans des phrases interrogatives (v. 1278), dans la locution familière ***pas vrai?*** (1779-1780), et dans des réponses exclamatives, notamment avec un nom de nombre (1478-1480), en particulier dans ***pas un*** «pas un seul» dans la langue classique (1560), de nos jours ***comme pas un*** (1876) «mieux qu'un autre». Il se construit avec un adverbe dans *pas tant* (1655), *pas mal* (→ mal), un adjectif (1770, *pas heureux*); il entre dans la locution familière ***un pas grand chose*** (1830). ◇ Dans l'usage familier, *pas* est souvent employé seul, là où la langue soutenue emploie *ne... pas*, renouant avec un usage bien attesté dans la langue classique (depuis le XVIe s., v. 1580) dans les comédies, fables, etc. ◇ Pour former des composés, on lui préfère *non**. Voir aussi *n'est-ce-pas* à *être**.

① **PASCAL** → **PÂQUE**

② **PASCAL** n. m., nom d'une unité de mesure de pression, est emprunté (1953) au nom de Blaise *Pascal* (1623-1662) en hommage à ses travaux sur la pression atmosphérique.

PASIONARIA n. f., attesté depuis 1936, est l'adaptation graphique du mot espagnol *pasionaria* qui signifie proprement «passiflore», dérivé de *pasion*, du latin *passio* (→ passion). Le mot, au sens de «fleur de la Passion», a été donné comme surnom à Dolores Ibarruri (1895-1989) par les Républicains espagnols.

♦ Le mot est passé en français en ce sens; par extension, dès 1936, il est employé pour désigner une femme qui se passionne pour une cause sociale et révolutionnaire et dont l'exemple et l'éloquence agissent sur les foules (quelquefois avec une nuance plaisante ou ironique).

PASO-DOBLE n. m. est l'emprunt (1920) de l'espagnol *paso doble*, employé en musique et en danse et signifiant proprement «pas double», de *paso* (correspondant au français ① *pas*) et *doble* (correspondant au français *double**).

♦ Le mot désigne une musique (1920) et une danse de société (1932) d'origine espagnole, de rythme binaire et de tempo modéré. C'est l'une des musiques qui accompagnent traditionnellement le spectacle de corrida.

PASSACAILLE n. f., d'abord *passa-caillé* (1632), emprunt oral, puis *pasecalle* (1640), enfin passacaille (1691), est pris à l'espagnol *pasacalle*, terme de musique (XVIe s.) composé de l'élément verbal *pasa-* «passe-», dérivé de *pasar* (correspondant à *passer**) et *calle* «rue», représentant du latin *callis* «sentier des animaux», mot ancien d'étymologie obscure. Les premières attestations indiquent clairement que l'emprunt a été fait à l'espagnol et non à son correspondant italien *passacaglia*.

♦ Le mot désigne une pièce de musique à trois temps, de rythme modéré, proche de la chaconne, et qui a connu son apogée aux XVIIe-XVIIIe s. (F. Couperin). Il se rapporte également à la danse de cour que l'on exécutait sur cette musique (1691, *passacailla*).

PASSADE n. f. est dérivé (1454) de *passer** avec le suffixe *-ade*, probablement sous l'influence de l'italien *passata*, attesté depuis le XIVe s. (Boccace) au sens de «passage» et dont les autres sens correspondent à ceux qu'a développés le français, bien qu'ils soient attestés plus tard.

♦ *Passade* a commencé par désigner une partie (au jeu), au propre et au figuré (1590). Il n'a pas conservé ce sens, ni celui de «passage» (1458), pas plus que le sens métonymique de «charité que l'on donnait à un passant» (1530). Cependant, il reste une trace du sens propre dans les emplois spécialisés du mot en équitation (1480 au figuré; 1573 au propre) et en escrime (1654-1655). ➝ Seul s'est conservé le sens figuré de «goût passager pour une chose» (1735), surtout appliqué à une aventure amoureuse de courte durée (1740-1755, Saint-Simon), valeur appuyée par la paronymie avec *passion*, dont *passade* semble une sorte de diminutif (cf. *amourette*).

PASSAGE, PASSE, PASSEMENT, PASSEPORT → **PASSER**

✳ **PASSER** v. est issu (1050) du latin tardif °*passare* «traverser», dérivé de *passus* (→ ① pas) et représenté dans les langues romanes : italien *passare*, provençal *pasar*, espagnol *pasar*, portugais *passar*. ◈

♦ Le verbe conserve le sens latin intransitif de «traverser un lieu», au figuré dans la locution ***passer outre*** (1370-1372) «cesser de s'occuper de qqch., aller au-delà». Immédiatement transposé sur un plan temporel, il signifie «s'écouler» (1050), spécialement «mourir» (1165, *passer de cette vie*) [→ trépasser]. *Passer* acquiert et développe aussi les sens abstraits très différents d'«être agréé, convenir» (1220) [cf. ci-dessous le dérivé *passable*] et de «s'effacer, s'altérer» (fin XVe s.) [cf. *passé* adj.]. Il fonctionne comme un verbe d'état, d'abord à la forme pronominale *soi passer pour* (fin XIIIe s.) puis ***passer pour*** (1604) «être considéré comme». Dès l'époque classique, dans la construction elliptique ***y passer*** (1655), il exprime familièrement l'idée de «subir (une peine, un châtiment, la mort)». ➝ Pendant le même intervalle allant de l'ancien français (1050) à la fin du XVIIe s., le verbe a développé ses divers sens transitifs : il est d'abord employé sur un plan spatial (1050) et temporel (1080, *passer le jour*). Il a aussi, sur ce double plan, le sens d'«aller au-delà, aller devant» (1080), concurrencé par son composé *dépasser,* et signifie «omettre» (1245), spécialement dans la locution ***passer sous silence*** (1330). ◆ En moyen français, il reçoit les sens concrets de «frotter (une chose sur une autre)» (fin XIVe s.) — en particulier «affiler (un couteau)» (1694) — et de «tamiser» (1393), «filtrer» en parlant de substances liquides (1530) comme le café *(passer le café).* ◇ Il entre dans le langage juridique au sens factitif de «dresser, établir (un acte)» (fin XIVe s.), d'où dérive *passation* (ci-dessous). Depuis le XVIe s., il s'emploie dans la construction *laisser passer qqch.* (1549) et prend le sens de «satisfaire (une envie, un caprice)» (1588, Montaigne) puis de «laisser satisfaire» *(passer qqch. à qqn).* ◇ Au début du XVIIe s., il devient un terme de jeu (1608) [cf. le dérivé *passe*].

Enfin, en ancien et moyen français, la forme pronominale ***se passer*** (1176-1184) a reçu ses divers sens : la construction *se passer de* a d'abord correspondu à «se contenter de», de même que *se passer à* attesté jusqu'au milieu du XVIIe siècle. Elle a pris son sens moderne de «ne pas regretter, bien supporter l'absence de» dès le moyen français (fin XIVe s.). L'emploi de *se passer* au sens de «disparaître progressivement» (fin XIVe s.) a décliné au profit de *passer* (absolument).

▸ *Passer* a de nombreux dérivés et composés usuels. Tout d'abord ses deux participes. **PASSÉ, ÉE,** employé adjectivement, qualifie notamment, avec une valeur temporelle, ce qui n'est plus, ce qui appartient à un temps écoulé, et aussi ce qui a perdu ses caractères (couleur, etc. : *une étoffe passée*). Il entre aussi dans l'expression *passé de mode.* ◇ Pris substantivement **PASSÉ** n. m. est attesté depuis 1524 au sens de «temps passé, faits écoulés». Il désigne particulièrement, par métonymie, ce que quelqu'un a fait autrefois (1656, Pascal). Au cours du XVIe s., le substantif est entré dans le vocabulaire des grammairiens (1550, *passé indéterminé, passé perfect*), puis ***passé simple*** et ***passé composé.*** ◇ Le mot a aussi servi à désigner un défunt (1530). ◆ On en a tiré quelques dérivés au XXe s. : **PASSÉISTE** adj. et n. (1913), **PASSÉISME** n. m. (1926, en arts), et, dans la philosophie sartrienne, **PASSÉIFIER** v. tr. (1943) avec la variante *passéiser* (Jankélévitch, 1957), et **PASSÉIFICATION** n. f. (1940). ◆ **PASSANT, ANTE** adj. et n., participe présent de *passer,* à la différence de *passé,* a retenu la valeur spatiale du verbe : il est adjectivé (XIIe s.) pour «qui sert de passage, où l'on a le droit de passer», en particulier «sous lequel on passe (en parlant d'un pont)», sens disparu. ◇ Il qualifie un lieu très fréquenté, où il passe beaucoup de monde (1538), plus fréquent en ce sens que *passager**. L'adjectif est substantivé dès le XIIIe s. (v. 1250), un *passant* n. m. désignant une personne qui passe dans une rue, un lieu. ◆ Depuis 1347, le nom s'emploie aussi pour l'anneau placé autour d'une courroie, d'une ceinture, qui sert à recevoir et à maintenir l'extrémité de la courroie, ou de la ceinture passée dans la boucle. ◇ Le nom a aussi servi à désigner le soulier, dans l'argot ancien (Villon).

Les dérivés suffixés, outre *passade**, probablement influencé par l'italien, sont formés en français. ◆ ① **PASSAGE** n. m., dérivé (1080) de *passer* au moyen du suffixe *-age,* n'est spontanément rattaché au verbe qu'au sens spatial «action de passer» *(passage interdit).* Cependant, il a désigné d'abord un défilé dans la montagne, un «port», et plus généralement l'endroit par où l'on passe. Avec cette valeur, il a été appliqué au XIXe s. à une petite rue interdite aux voitures, souvent couverte (1835) et il est entré dans ***passage souterrain*** (1824, en chemin de fer), et ***passage à niveau*** (1868). ◇ Il exprime aussi l'idée active d'«action de passer, de se rendre d'un lieu à un autre» (1165), d'abord à propos de la traversée que l'on fait sur un navire (on disait *prendre passage* «s'embarquer»). Dans cette acception, il est spécialement employé en parlant des animaux, des oiseaux migrateurs (1549), et d'un astre (1669). ◇ La valeur abstraite de «fragment (d'une œuvre, d'un récit)» est attestée dès le XIIe s. (1170). ◆ Employé par figure du sens spatial, pour le fait de franchir un palier, une étape, il entre dans l'expression *rites de passage,* formée et diffusée par l'ethnologue Van Gennep dans un livre portant ce titre (1909). ◆ De *passage* est dérivé **PASSAGER, ÈRE** adj. et n. (fin XIVe s.) employé autrefois au sens concret de «qui sert à passer au-delà d'un cours d'eau, de la mer», en usage jusqu'au XVIIe siècle. Au XVIe s., l'adjectif a pris le sens de «qui ne fait que passer» (1547), concurrencé et pratiquement évincé par la locution adjective ***de passage.*** ◇ Par transposition sur le plan temporel, *passager* a pris son sens moderne de «qui dure peu de temps» (1564). Au XIXe s., il a servi à qualifier un endroit où il passe beaucoup de monde (1817, Stendhal), sens essentiellement réservé de nos jours à *passant* (ci-dessus). ◇ En moyen français, l'adjectif a été substantivé (1330) en **PASSAGER** n. m., au sens ancien de «passeur», encore relevé en 1574, avant de prendre l'acception moderne de «personne qui effectue un voyage» (1559), surtout en bateau puis (XXe s.) en avion (le terme de *voyageur* lui étant préféré à propos du train et de l'autocar). ◇ De l'adjectif est dérivé **PASSAGÈREMENT** adv. (1609). ◆ ② **PASSAGE** n. m., terme de manège (1611), est emprunté à l'italien *passeggio* (1562 en équitation), proprement «passage», déverbal de *passegiare* «promener, se promener», dérivé de *passare,* correspondant au français *passer.* Le verbe italien a été emprunté sous la forme **PASSAGER** v. (XVIe s.) comme terme de manège.

PASSEMENT n. m., dérivé en *-ment* (1195), a d'abord été le nom d'action de *passer* (jusqu'au XVIIe s.) avant d'être éliminé par *passage.* Son emploi en couture pour désigner un tissu de fils mêlé d'ornements (1538, mais probablement aussi ancien que *passementier,* ci-dessous) vient du fait que ce tissu *passe* sur les vêtements et les tissus d'ameublement. *Passement* s'est spécialisé dans l'histoire de la mode à propos d'une dentelle de fils de soie ou d'or faite sur un coussin et servant à broder les vêtements. La *passementerie,* aussi ancienne que les tissus, est née du besoin d'arrêter les fils à la fin du tissage par un nœud qui devient ornemental dès la plus haute antiquité. Au moyen âge, Étienne Boileau, dans son *Livre des métiers,* distingue plusieurs corporations qui se partagent la fabrication des passements; elles ne sont plus que deux au XVIe s. : celle des passementiers qui travaillent à la main et celle des tissutiers-rubaniers qui travaillent à la navette et au métier à tisser. ◆ De *passement,* mot devenu archaïque, est dérivé **PASSEMENTIER, IÈRE** n. et adj. (1398, de nouveau depuis 1552) qui a évincé *passementeur* (1552) de même sens. ◆ *Passement* a aussi produit un dérivé plus courant : **PASSEMENTERIE** n. f. (1539) collectivement «ensemble des passements servant à orner les vêtements, l'ameublement». Le mot est rare au XVIIe et au XVIIIe s.; il s'est répandu de nouveau au XIXe s. (1831, Balzac), siècle qui a fait grand usage de cette technique. Le mot désigne aussi l'industrie et le commerce des «passements», aujourd'hui quelque peu désuets, et n'est plus analysé.

PASSEUR, EUSE n. est dérivé (1260) de *passer* avec le suffixe *-eur* (*-eux* dans sa forme dialectale). Le mot désigne la personne qui fait franchir un obstacle, un fleuve; il est employé en particulier en mythologie pour désigner le nocher des Enfers. Il désigne aussi aujourd'hui celui qui fait passer clandestinement une frontière et, spécialement en sports (jeux de ballon), celui qui fait des passes. ◇ **PASSOIRE** n. f., d'abord *paessouere* (1260), «ustensile percé de trous pour égoutter», semble rare avant le XVIIe s., où il est de nouveau attesté sous sa forme moderne (1660) et où il prend des valeurs spéciales : Furetière le décrit comme le nom d'un «ustencile de cuisine, ou d'Apothicaire» (1690). ◆ Son masculin **PASSOIR** n. m. (antérieurement *passouer*), «lieu ménagé pour laisser passer», en particulier «retraite pratiquée dans un pont pour faciliter la liberté du passage», est sorti de l'usage. ◆ D'autres dérivés de *passer* servent à désigner le même type d'ustensile : **PASSETTE** n. f. (1626) se dit aujourd'hui d'une petite passoire (1868), à côté de son sens technique de «crochet utilisé par le fileur» (1765). ◇ S'y ajoute **PASSE-THÉ** n. m. (v. 1900) «petite passoire à thé».

PASSABLE adj. a d'abord (1288) un sens temporel, «qui passe, périssable», disparu en français classique. Il a aussi eu le sens littéral de «par où l'on peut passer» (XIVe s.), en usage jusqu'au XVIe siècle. À la fin du XIVe s., il a acquis son emploi évaluatif, rattaché à une acception du verbe existant depuis le XIIIe s. «qui peut être admis comme n'étant pas mauvais dans son genre» (1396), en particulier dans une échelle de notation, «qui dépasse la moyenne» (1670). Cette valeur est devenue dominante, le rapport avec le verbe s'effaçant. De même que les adjectifs *moyen* et *médiocre, passable* tend à prendre une valeur plus nettement péjorative en français moderne. ◆ Il a produit dans ce sens **PASSABLEMENT** adv. (1495), «d'une manière dont on peut se contenter», sens réalisé dans la traduction de la première églogue de Virgile par Marot (1515). Plus couramment, l'adverbe est employé par litote au sens de «d'une façon dépassant la mesure ordinaire, notablement» (1713). Il est construit avec *de* suivi d'un nom au sens d'«une bonne dose de».

① **PASSE** n. f. (1368), désigne un passage, et plus particulièrement le but (au jeu de javelines) [1383], puis l'endroit par où la bille ou la boule doit passer (1611). C'est là l'origine des locutions ***être en passe de*** (suivi de l'infinitif), «être en position favorable pour» (1648), et ***être dans une belle passe*** (1704), celle-ci aujourd'hui comprise autrement. Le mot est entré dans le vocabulaire de la marine (1691), où il désigne techniquement le tour que fait un cordage sur une poulie ou un corps quelconque (1773). ◆ Depuis le XIVe s., il exprime aussi le sens actif d'«action de passer» (1375), d'abord en vénerie (en parlant des oiseaux) où il est synonyme de **PASSÉE** n. f., substantivation du participe (1690 en ce sens). Avec cette valeur, *passe* s'emploie dans d'autres langages spécialisés, en escrime (1669), en teinturerie (1750), en chorégraphie (1779). Au XIXe s., il entre dans les expressions ***mot de passe*** (1828-1829) «qui permet de passer» et ***maison de passe*** (1829), où il renvoie à l'étreinte rapide accordée par une prostituée à un client 'qui ne fait que passer'. ◆ Le mot a pris quelques sens concrets : il est spécialement employé au jeu (1690), défini par Furetière comme «le jeu ordinaire que celuy qui tient les cartes est obligé de mettre à son tour», et dans le langage de l'imprimerie (1835, *main de passe*). Dans certains jeux de hasard, en référence au sens quantitatif de *passer* «être au-delà», *passe* s'oppose à *manque.* ◇ Enfin, en sports, le terme désigne l'action ou la manière de passer le ballon à un coéquipier. ◆ **IMPASSE** n. f., dérivé de *passe* avec le préfixe privatif *in-* (1730, *inpasse*), est d'abord un terme de jeux désignant le fait de jouer une carte plus basse dans l'espoir de faire sortir une carte intermédiaire de l'adversaire et de la faire prendre par son coéquipier *(faire l'impasse).* ◆ Au XVIIIe s. (1761, Voltaire), le mot est employé pour remplacer *cul-de-sac,* à propos d'une petite rue sans issue, et Diderot, quelques années plus tard (1773), lui donne la valeur figurée de «situation sans issue». Ce sens sera spécialisé en économie dans *impasse budgétaire* (1957). ◇ L'argot scolaire, par métaphore du terme de jeux, désigne par *impasse* une partie du programme que l'élève s'est dispensé d'apprendre en espérant ne pas être interrogé dessus (1936). *Faire une, l'impasse* a pris des applications plus étendues.

PASSATION n. f. est dérivé (1428) de *passer* dans son sens juridique avec le suffixe *-ation;* d'abord écrit *passassion,* il signifie «décision»; au XVIe s., il a pris son sens juridique moderne «action de passer (un acte, un contrat, une écriture comptable)» (1528). ◇ Il est employé plus couramment au sens de «transmission (de pouvoirs)» dans l'expression récente ***passation de pouvoirs*** (XXe s.). Il compte aussi le sens didactique de «fait de passer un test, une épreuve». ◆ Son composé **CONTRE-PASSATION** n. f. (1723) désigne l'action de repasser une lettre de change à la personne de qui on la reçoit, ainsi que la rectification d'une écriture erronée dans un livre de comptabilité (1907).

Un dernier substantif **PASSERELLE** n. f., dérivé tardivement (1835) de *passer* au moyen du suffixe *-elle* à valeur diminutive, désigne un ouvrage destiné à la circulation des personnes, spécialement dans les domaines du chemin de fer et des transports (1907). Par extension, il désigne le dispositif permettant l'accès à un poste de travail déterminé, spécialement en marine (1893), au théâtre, et dans les studios de cinéma. Le mot est aujourd'hui spontanément associé à *pont*.

Enfin, le verbe *passer* fournit un élément *passe-* pour former des substantifs composés. ➜ **PASSE-DROIT** n. m. (1546) désigne la faveur que l'on accorde à qqn en lui permettant de ne pas se soumettre à la règle commune ; il a pu s'appliquer (1718) à une injustice à l'égard de qqn auquel on préfère une personne moins qualifiée. ◇ **PASSE-PARTOUT** n. m. et adj. est formé (1567) avec *partout** pour désigner une clef permettant d'ouvrir plusieurs portes. Ce sens a donné lieu à l'emploi elliptique de ② **PASSE** n. m. (1850), de nos jours plus usuel que le composé. Depuis le XVIIe s., *passe-partout* a reçu quelques acceptions concrètes, désignant une scie (1624), une planche gravée dont le centre est évidé (1690), divers encadrements pour contenus interchangeables, ainsi qu'une brosse de boulanger (1877). ◇ Avant la fin du XIXe s., il a pris, avec valeur de neutre, le sens de «ce qui convient partout» (1880) avec lequel il est adjectivé (1920). ◇ **PASSE-PASSE** n. m. est formé (1420) du redoublement de l'impératif du verbe avec, sous entendu, le terme *muscade**, dans *passez muscade*, ou un mot analogue. Le mot est d'abord attesté dans l'ancienne locution *jouer de passe passe* alors avec le sens de «tour d'adresse». Il s'est spécialisé au sens de «tour d'escamotage des prestidigitateurs», et a développé la valeur figurée d'«illusion, tromperie adroite» (1583-1590), surtout dans ***tour de passe-passe.***

PASSEPORT n. m., aujourd'hui plus détaché du verbe que les précédents, est composé (1420) de *port** au sens de «passage, issue». Le mot a d'abord désigné le certificat des autorités pour la libre circulation des marchandises, puis le sauf-conduit émis par une autorité et garantissant la liberté de circulation des personnes (arrêt de Louis XI en 1464). En 1690, Furetière définit *passeport* comme la «lettre ou brevet d'un Prince, ou d'un Commandant, pour donner liberté, seureté, et sauf-conduit à quelque personne pour voyager, entrer, et sortir librement sur ses terres». ◇ Au XIXe s., il a désigné le document exigé pour quitter le canton de son domicile, institué en France par décret du 18 décembre 1807 et aboli par le projet de loi du 5 septembre 1931. La valeur actuelle du mot concerne un document analogue, mais permettant de contrôler le passage hors des frontières nationales ; il est lié à la notion de *visa*. ◇ Son sens figuré, «ce qui permet de passer d'un lieu à un autre», est attesté depuis 1616, son sens spécial en droit maritime, «permis de naviguer accordé à un navire», établi depuis 1666.

PASSAVANT n. m., attesté au début du XIIIe s. comme nom d'une bannière, a également désigné (fin XIVe s.) une machine de guerre, tour roulante à étages. ➜ Le mot a été repris en droit (1680) avec des spécialisations fiscale et douanière et, au XVIIIe s., est passé en marine avec le sens concret de «pont latéral permettant le passage d'un gaillard à l'autre» (1773). ◇ Depuis, il a acquis d'autres sens en marine, désignant une passerelle amovible et la partie du pont située en abord.

PASSEPOIL n. m., composé de *passer* et de *poil*, s'applique d'abord (1603) à la fente d'un vêtement doublé qui laisse apparaître la doublure, puis (1834) à une bordure de tissu qui dépasse aux coutures (d'un uniforme).

D'autres composés plus récents sont moins usuels : **PASSE-CRASSANE** n. f. (1874) désigne une variété de poire d'hiver estimée supérieure à la crassane ; *passer* y a la valeur de «surpasser». ◇ On peut signaler en outre **PASSE-MONTAGNE** n. m. (→ montagne) et **PASSE-MURAILLE**, lancé par une nouvelle célèbre de Marcel Aymé (1943).

◈ voir COMPASSER, DÉPASSER, LAISSEZ-PASSER, PASSACAILLE, PASSADE, REPASSER, SURPASSER, TEMPS (PASSE-TEMPS), TRÉPASSER.

PASSEREAU

PASSEREAU n. m., *passerel* (1265) puis *passereau* (1538), est dérivé avec le suffixe diminutif *-el/-eau* de l'ancien français *passer(e)* «moineau» (v. 1120), issu du latin *passer, passeris* de même sens, également employé pour d'autres petits oiseaux. Le mot est sans étymologie connue. Du latin *passer* sont aussi issues, en ancien et moyen français, des formes (et leurs dérivés) répandues surtout dans le Midi, le Centre et l'Ouest : *passerat* (de 1342 à 1611), *passeraut* (fin XIVe s.), *passeron* (attesté XVIe s.) et son dérivé *passeronet* (1265), *passeret* (XIVe s.). Certaines formes subsistent dans les parlers régionaux à côté des formes d'ancien français *moisson* (→ moineau) en Normandie et dans le Nord-Est, et surtout *moineau* dans les parlers septentrionaux, qui a évincé les précédentes.

♦ *Passereau*, synonyme didactique ou littéraire de *moineau*, est employé au pluriel par les ornithologues pour désigner un ordre de petits oiseaux, par calque du latin scientifique *passeres* n. m. pl. (Linné en 1774).

▸ La synonymie du nom d'ordre *Passereaux* avec le mot usuel a conduit les ornithologues à former spécifiquement **PASSÉRIFORMES** n. m. pl. (1930), du latin *passer* et de *-forme*.

PASSERELLE → PASSER

PASSIBLE

PASSIBLE adj. est emprunté (1160) au bas latin *passibilis* «sensible, capable de souffrir» qui, dans la langue ecclésiastique, a supplanté le mot classique de même sens *patibilis*, dérivé de *patiens* (→ patient) «qui supporte» (dans la langue philosophique) et «passif» (Ve s.). *Passibilis* est formé sur *passum*, supin du verbe *pati* «souffrir, supporter» (→ pâtir).

♦ *Passible* «capable de souffrir» a supplanté l'ancien français *paisible* issu par voie populaire (v. 1120) de *passibilis* et qui se disait d'une mer agitée. *Passible* a disparu en ce sens, sauf dans le langage théologique où, par opposition à *impassible*, il qualifie l'être capable d'éprouver des sensations de joie ou de souffrance. En français moderne, il s'est spécialisé au sens juridique de «qui encourt une peine, un châtiment» (1752, *passible de*...).

▸ Le nom correspondant, **PASSIBILITÉ** n. f., emprunté (XVe s.) au dérivé bas latin *passibilitas* (Ve s.), a supplanté le moyen français *paisibleté* «faculté qu'a le corps humain de souffrir». Comme l'adjectif, *passibilité* a disparu au sens d'«état d'une personne capable d'éprouver des sensations (de plaisir, de souffrance)», sauf dans le langage théologique. ➛ Le sort de l'antonyme **IMPASSIBLE** adj. a été tout autre : emprunté (déb. XIVe s.) au bas latin *impassibilis* (de *in* privatif et *passibilis*), employé par les auteurs chrétiens pour qualifier Dieu, lequel n'est pas soumis à la souffrance, il a gardé ce sens dans le langage théologique. ◇ Sous l'influence de *passion**, *impassible* a pris le sens de «qui, par la force de son caractère, est au-dessus des passions» (1797) et «qui ne se laisse pas détourner de son devoir, de son but» (1791, *impassible fatalité* chez Volney). ◇ Son dérivé **IMPASSIBLEMENT** adv. (1551), d'abord employé en référence à Dieu, a pris au début du XIXe s., d'après l'adjectif, le sens moderne «de façon impassible» (1838). ➛ Quant à **IMPASSIBILITÉ** n. f., il a été emprunté (XIIIe s.) au dérivé bas latin *impassibilitas*, employé par les auteurs chrétiens pour désigner l'état de Dieu, incapable de souffrir et d'être soumis aux passions. ◇ Repris comme dérivé d'*impassible* (1799, Senancour), il est employé couramment pour désigner l'état d'une personne qui ne laisse paraître aucune émotion.

PASSIF, IVE adj. et n. m. est emprunté (1225) au latin ecclésiastique *passivus* «susceptible de subir, de souffrir», attesté au IIe s. en ce sens chez Apulée et comme terme de grammaire au IVe siècle. *Passivus* est formé sur *passum*, supin de *pati* «souffrir, supporter» (→ pâtir).

♦ Le mot signifie «qui subit» ; il est spécialement employé en grammaire comme nom (XIVe s.) et comme adjectif (1550) pour désigner une des deux voix du verbe, opposée à l'*actif*. ◇ À la fin du XVe s., il est passé dans le langage des finances pour qualifier (1495) en tant qu'adjectif, puis (le **PASSIF** n. m.) pour désigner (1775, Beaumarchais) l'ensemble des dettes et des charges qui grèvent un patrimoine, une universalité juridique. ◇ Depuis 1480, l'adjectif est employé couramment en parlant d'une personne qui ne prend pas une part active à qqch., entrant aussi dans le syntagme ***obéissance passive*** (1751) et qualifiant le partenaire qui subit une relation homosexuelle. ◇ Plus tard, il a développé des sens didactiques en médecine (1810, *congestion passive*), en chimie (1903) où il qualifie un métal oxydable qui acquiert la propriété de ne plus être attaqué par les acides nitriques après traitement, et en électricité (v. 1950) ce qui est dépourvu d'énergie électrique.

▸ Son dérivé **PASSIVEMENT** adv. (v. 1370), d'abord employé en grammaire, a pris la valeur restée courante «de manière à subir» (1504) et une acception spéciale en finances (1510); il est quelquefois pris avec une valeur érotique, depuis le début du XVIIe siècle.

Passif a aussi produit **PASSIVITÉ** n. f. (1760), réfection de *passiveté* (1697), d'abord comme terme religieux désignant l'état de l'âme demeurant passive pour se soumettre à l'action de Dieu. Le mot correspond aussi à la valeur générale de l'adjectif, désignant l'état, le caractère d'une personne passive, ceci dès les premières attestations. ◇ Il a pris en chimie le sens de «caractère passif de certains métaux» (1869). ◇ En grammaire, le latin avait le dérivé *passivitas, -atis* depuis le Ier siècle, mais *passivité* ne s'en est pas inspiré.

Passif a aussi donné quelques termes plus techniques au XIXe et au XXe s. : **PASSIVER** v. tr. (1801), proposé comme néologisme au sens de «rendre passif», n'est employé que comme terme de chimie (1968) et de grammaire, notamment en grammaire transformationnelle où l'on parle aussi de *transformation passive*. ◇ Il a produit **PASSIVATION** n. f. (1930), employé dans les mêmes domaines, et **PASSIVABLE** adj. (1975). ➛ Au milieu du XXe s. sont apparus **PASSIVISME** n. m. et **PASSIVISTE** n. et adj. créés en politique comme antonymes d'*activisme, activiste*.

PASSIFLORE n. f., terme de botanique, est emprunté (1808) au latin scientifique *passiflora* (1735, Linné) d'après *flos passionis* «fleur de la passion», nom donné par Linné en 1737, et formé des éléments *passi-*, pour *passio* (→ passion) et *-flora*, dérivé de *flos, floris* (→ fleur).

♦ La plante doit son nom à la forme en étoile de sa fleur censée évoquer les instruments de la passion du Christ. Elle est appelée couramment *fleur de la passion**. Cf. aussi l'espagnol *Pasionaria*.

▸ De *passiflore* est issu **PASSIFLORINE** n. f. (1838), terme de chimie désignant l'alcaloïde tiré de la fleur.

PASSIM adv. est l'emprunt non modifié (1868) de l'adverbe latin *passim* «çà et là, partout», formé sur *passum*, supin de *pandere* «étendre, déployer» (→ épandre).

♦ Le mot accompagne la référence d'un texte sans mentionner la localisation précise des passages portant sur un sujet donné.

PASSION n. f. est emprunté très précocement (v. 980, *Passion*) au latin *passio, -onis*, formé sur *passum*, supin du verbe *pati* «souffrir» (→ pâtir). Son emploi étant attribué une première fois par le grammairien Charisius (IVe s.) à Varron au sens de «douleur morale», *passio* est réellement attesté depuis le IIe s. (Apulée) au sens de «fait de subir, de souffrir, d'éprouver». Il est employé pour «action de subir de l'extérieur» s'opposant à *natura* (→ nature). Le mot désigne spécialement la souffrance physique, la douleur, la maladie (IIIe s.) et il est employé en latin chrétien pour désigner les souffrances du Christ (textes patristiques depuis Tertullien) et celles des martyrs (397, concile de Carthage), puis, par métonymie, le dimanche avant Pâques où est commémorée la crucifixion (VIIe s.). À partir de la fin du IIIe s., *passio* connaît un emploi actif au sens de «mouvement, affection, sentiment de l'âme» (Arnobe, saint Augustin), spécialement au pluriel et avec une valeur péjorative : «les passions» *(passiones peccatorum, passiones carnales)*; il traduit alors le grec *pathos* (→ pathos).

♦ Le mot est passé en français avec le sens religieux de «supplice subi par un martyr» et, généralement avec une majuscule, de «supplice subi par le Christ pour le rachat de l'humanité» (fin Xe s.). ◇ Par métonymie, *la Passion* désigne le récit du supplice du Christ dans les Évangiles (1119), tel qu'il est représenté en art dramatique (1402, *Confrarie de la Passion*, dans une lettre patente de Charles VI). Au XVIIe s., il désigne un sermon sur le thème de la Passion (1671), tandis que le genre musical dénommé *Passion*, né au début du XVIe s., prend à l'époque classique un style plus théâtral : la Passion-oratorio (les *Passions* de J.-S. Bach). ◇ C'est encore à ce sens que se rattachent les locutions ***fleur*** et ***fruit de la passion*** (→ passiflore), la seconde devenue usuelle en français avec l'importation en Europe de ce fruit exotique (mil. XXe s.), donnant naissance à un emploi elliptique en apposition : *sorbet passion* (pour aux *fruits de la passion*). ◇ Autre effet du sens religieux, l'héraldique emploie *clous de la Passion* (1752) pour des clous évoquant ceux de la crucifixion et *croix de la Passion* (1771) pour une croix latine dont la barre est placée vers le haut.

Dès l'ancien français, *passion* désigne par extension une souffrance physique (v. 1225) avant d'être réservé à une affection de l'âme (déb. XIIIe s.), d'abord dans l'expression *passion d'amor* appliquée à l'amour d'un père pour son fils. Au XVIe s., le mot prend le sens de «souffrance torturante provoquée par l'amour» (1569, Ronsard), en particulier au pluriel poétique *les passions* (1572). Ses autres acceptions sont apparues au XVIe et au XVIIe s. : *passion* se dit d'un parti pris (déb. XVIe s., *passion partizane*), en particulier dans *sans passion* (1607) ; il désigne la vive affection que l'on a pour qqch. (1621, à propos de la liberté), la chaleur, la sensibilité qui anime une œuvre littéraire ou artistique et, par métonymie, l'objet d'affection (1671), en parlant d'une personne. ◆ Parallèlement, il a développé un sens philosophique, élaboré chez Oresme qui, traduisant le latin *passio*, l'applique au fait de subir, à l'impression reçue par le sujet (par opposition à *action*) [1370], puis chez Calvin, qui le rapporte aux conditions (péché, misère, mort) que l'homme subit de nature (1558). ◇ Au XVIIe s., Descartes (1649, Traité des *Passions de l'âme*) reprend la distinction *passion-action*, appelant *passion* ce que le sujet éprouve et *action* ce qu'il fait éprouver à d'autres. Furetière, à l'article qu'il consacre à *passion* dans son dictionnaire, renvoie à Gassendi et «surtout à Descartes». ◇ En français moderne et dans l'usage courant, *passion*, complètement affranchi de la notion de passivité, acquiert au contraire une valeur active et positive, pour désigner une affection violente, voire un goût vif : c'est avec ces connotations qu'on parle d'*amour-passion*.

► *Passion* a produit pour l'essentiel ses dérivés en ancien et en moyen français. ◇ **PASSIONNER** v. tr. est attesté pour la première fois au participe passé en 1223 dans l'expression *paissïoné de paissïon* «tourmenté de souffrances physiques» en parlant des damnés en enfer, et au sens actif de «faire souffrir, tourmenter moralement». Par affaiblissement, ce verbe a pris le sens de «s'inquiéter de (qqn)» (v. 1475), sorti de l'usage, puis l'acception moderne de «susciter des réactions passionnées» (fin XVe s.). Au XVIe s., il commence à s'employer au pronominal *(se passionner)* au sens de «se laisser emporter par la passion» (1559), introduisant un complément avec la préposition *de* (1580), puis *pour*. ◇ Le participe passé **PASSIONNÉ, ÉE** est adjectivé (av. 1577) au sens d'«inspiré par la passion» et substantivé *(un, une passionnée)* pour désigner une personne passionnée (1579). ◇ En tant qu'adjectif, il a produit **PASSIONNÉMENT** adv. (1578) d'abord employé devant un adjectif (tel *amoureux*) au sens d'«extrêmement, tout à fait», puis, également, au sens d'«avec passion, intensité, conviction» (1583). ◇ L'emploi du verbe *passionner* comme intransitif, dans le domaine des sentiments amoureux, très vivant au XVIe et au XVIIe s. (*passionner après* «tomber amoureux», 1554) a disparu. Le verbe se construit aussi avec un nom d'objet pour complément au sens de «mettre de l'ardeur dans, donner un tour animé à» (1675), par exemple dans *passionner le débat*. ◆ Ce n'est que depuis le XIXe s. (1857) que le participe présent **PASSIONNANT, ANTE** est adjectivé pour «qui passionne» et notamment «qui intéresse vivement», en parlant d'un récit, d'une œuvre. ◆ L'antonyme de *passionner*, **DÉPASSIONNER** v. tr. (1550), «calmer, éteindre la passion de», est également employé pronominalement (1804, Stendhal) au sens de «ne plus avoir de passion, se détacher de la passion».

Au XIXe s., *passion* au sens religieux a produit **PASSIONNISTE** n. et adj. (1834), nom donné aux membres de la Congrégation pour la propagation de la Foi, fondée par Paul Danel, dit Paul de la Croix, et dont les statuts furent promulgués en 1741. Par extension, le mot désigne le membre de la congrégation religieuse ayant ce même fondateur (1903). Il sert également à nommer une hérésie des IIIe et IVe s. qui niait la Trinité des personnes divines (1842) et à qualifier un auteur de poèmes sur la Passion (1865). ◆ À la fin du XIXe s. est apparu le diminutif familier de *passion* au sens affectif, **PASSIONNETTE** n. f. (1881), synonyme d'*amourette* aujourd'hui vieilli.

Le terme de liturgie **PASSIONNAIRE** n. m., «livre contenant l'histoire des martyrs», est emprunté (fin XIIIe s.) au latin médiéval *passionarium* «martyrologe» (IXe s.). Le mot a été repris par les botanistes (1845) comme nom de la passiflore (→ passiflore) avant que ne l'emporte la locution *fleur, fruit de la passion*. Cf. l'espagnol *pasionaria*.

D'après le bas latin *passionalis* «susceptible de douleur, de passion», *passion* a donné **PASSIONNEL, ELLE** adj. (XVIe s.) avec le sens moderne «inspiré par la passion», dont on n'a pas d'autre attestation avant 1849. Le mot s'est répandu au XIXe s., prenant son acception en sociologie (1822) et entrant dans le syntagme courant *crime passionnel* (1890, Zola).

◈ voir PASIONARIA, PASSIFLORE.

PASSOIRE → PASSER

① **PASTEL** n. m. et adj., terme de dessin, est emprunté (1676) à l'italien *pastello*, proprement «gâteau» et, par spécialisation, «bâtonnet coloré» (fin XIVe s.), le pastel étant une poudre de couleur agglomérée en pâte. *Pastello* est lui-même issu du bas latin *pastellus*, issu par substitution de suffixe de *pastillus*, lequel a donné, à travers divers intermédiaires, *pastille**.

♦ *Pastel* désigne le bâtonnet de couleur constitué d'une poudre agglomérée et surtout, par métonymie, l'œuvre exécutée au pastel (1694), d'abord appelée *tableau au pastel* (1678). Le procédé était déjà employé au XVe s. pour compléter un dessin ; Léonard de Vinci et surtout Holbein ont attiré l'attention sur ses possibilités. Au XVIIIe s., sous l'influence de Rosalba Carriera, la technique suscite un style, et certains peintres se spécialisent. Quentin de La Tour, en France, fait des portraits au pastel de la famille royale et des célébrités contemporaines. Au XIXe s., on a encore fait des portraits au pastel et Toulouse-Lautrec utilise fréquemment cette technique. ➛ Avec une valeur caractérisante, ② **PASTEL** adj. qualifie des teintes douces analogues à celles du pastel (1932).

▶ De *pastel* sont dérivés **PASTELLISTE** n. (1836), plus usuel que les deux verbes de sens voisin : **PASTELLER** v. tr. (1855 au participe passé) «faire au pastel», par analogie «colorer comme au pastel» (1867) et **PASTELLISER** v. tr. (1864), d'abord relevé à la forme pronominale au sens figuré, puis au sens transitif de «dessiner au pastel» (1901, Colette).

PASTENAGUE → PANAIS

PASTÈQUE n. f. est l'altération d'abord graphique (1619, prononcée *pa-*) puis phonétique, de *pateque* (1530 ?), emprunté avec altération à l'arabe *biṭṭīḫa* ou *baṭṭīḫa* «melon d'eau». Le mot était déjà emprunté par les botanistes en latin médiéval dans *batheca arabica* (XVe s.) et *batheca indica* (1562).

♦ Le mot désigne d'abord le fruit comestible, par une métonymie très usuelle du nom de la plante (1762). Il a pour synonyme *melon* d'eau*.

PASTEUR n. m. est emprunté (v. 1120) au latin *pastorem*, accusatif de *pastor* «berger, pâtre», dérivé de *pascere* (→ paître) et spécialisé en latin chrétien à propos de celui qui a la charge de guider la spiritualité d'un ensemble de personnes et du chef d'une communauté chrétienne.

♦ Le mot est attesté en français par son cas sujet *pastre* (→ pâtre) puis au cas régime (complément) *pastor* (1160), *pasteur* (1238). Il désigne d'abord Dieu, conçu comme celui qui garde le troupeau des humains, le fait paître. De très bonne heure, il s'est fixé dans une acception religieuse, d'autant plus facilement que *pastre* s'était lexicalisé au sens de «berger». ➛ Ainsi, dès le XIIe s. (1174-1176), *pasteur* a le sens de «prêtre», considéré dans le soin qu'il doit avoir de ses fidèles (les ouailles) ; en particulier, dans la religion protestante, il désigne au XVIe s. le ministre du culte (1541). Par allusion évangélique (Jean, X, 2), le mot entre dans la locution ***le Bon Pasteur***, dénomination du Christ (1534). Depuis le XVIIe s., il est employé au sens figuré de «chef et guide d'une collectivité» (La Fontaine, 1678) dans un style littéraire ou soutenu. ➛ Il renoue avec son sens étymologique à travers l'emploi qu'en font les ethnologues pour désigner et qualifier (1734) les peuples qui s'adonnent principalement à l'élevage (à distinguer des agriculteurs, chasseurs et pêcheurs). ◇ Une ancienne forme, *pastour* (XIIIe-XIVe s.) a été reprise au XVIIIe s. avec le sens de «berger» (au féminin *pastoure*). Elle fait figure de régionalisme littéraire par exemple chez G. Sand (Berry), Pourrat (Auvergne).

▶ **PASTOUREAU, ELLE** n. est dérivé (1119, *pasturel*) de *pasteur* sous l'ancienne forme *pastour*, au moyen du suffixe diminutif *-el (-eau)*. Le mot, qui désigne un jeune berger, a vieilli, sauf dans un usage littéraire marqué. Au XIVe s., il a servi à désigner les membres (pluriel *pastouriaus*) d'un mouvement de jeunes paysans insurgés qui se répandit du nord au sud de la France, et dont le but était de provoquer une croisade populaire (on a parlé récemment de «croisade des enfants»). Depuis le XVe s., par suite du vieillissement de *pastour, pasteur*, le mot est employé au sens de «berger» sans valeur diminutive, toujours dans un registre littéraire. ➛ Le féminin **PASTOURELLE** n. f. se dit par métonymie de la chanson de troubadour ou de trouvère (1170, *pasturelle*) qui traite de la rencontre entre un chevalier-poète et une bergère ou d'une petite fête rustique entre bergers et bergères. ◇ Le mot a été repris au XIXe s. pour désigner la quatrième figure du quadrille dans la contredanse (1832) et, par métonymie, l'air sur lequel on la dansait. Ces deux mots sont restés à l'écart de la spécialisation religieuse de *pasteur*.

Le dérivé savant **PASTORAT** n. m., formé d'après le latin, désigne la charge de pasteur spirituel (1611), en particulier dans le contexte de la religion protestante (1883), et avec une valeur figurée (1876). ◇ Le féminin **PASTORESSE** n. f. est rare (1925, Gide) pour désigner l'épouse d'un pasteur protestant. On lui préfère toujours *pasteur* lorsqu'il s'agit de désigner une femme exerçant le ministère du culte protestant.

PASTORAL, ALE, AUX adj. est emprunté (1200) au latin *pastoralis* «de berger, champêtre», dérivé de *pastor* (→ pasteur, pâtre). ➛ *Pastoral* est introduit dans une acception religieuse et signifie d'abord «propre aux pasteurs spirituels, en particulier à l'évêque» en parlant des catholiques. Comme adjectif correspondant au nom du ministre protestant, *pasteur**, il n'est attesté qu'au XXe s. et par un jeu de mots sur *pastoral* «champêtre» dans le nom traditionnel de la Sixième Symphonie de Beethoven : c'est le célèbre récit de Gide (1912), *La Symphonie pastorale*. ◇ *Pastoral* qualifie en effet depuis le XIIIe s. ce qui se rapporte au berger (1247), et spécialement, depuis le XVIe s., une œuvre artistique qui relate les amours des bergers et des bergères (1539) [cf. *bergerie*], sens avec lequel il est substantivé comme nom féminin (1584), une **PASTORALE** n. f. désignant une œuvre littéraire, puis aussi musicale (1703) et picturale (1757) [A. France parle en 1912 des *pastorales de Boucher*]. Le genre pastoral remonte à l'Antiquité, avec l'*idylle* (Théocrite), *Les Bucoliques* (Virgile), avant de connaître une grande faveur en France du XVIe au XVIIIe siècle. ◇ À la fin du XVIIIe s., l'adjectif prend la valeur caractérisante de «qui évoque les mœurs champêtres, leurs plaisirs» (1795, 1799 *charme pastoral*), mais cette valeur a vieilli au XIXe s., ce qui explique la connotation ironique du titre de Gide rappelé ci-dessus. ◇ Son dérivé **PASTORALEMENT** adv. (1512) est rare, sauf emploi littéraire (Chénier, 1794).

◈ voir PÂTRE.

PASTEURISER v. tr. est dérivé (1872) du nom de Louis *Pasteur* (1822-1895), qui mit au point le procédé permettant de se prémunir contre les germes de fermentation et les bactéries pathogènes.

♦ Le mot correspond au fait de traiter certains aliments par chauffage rapide et refroidissement brusque, détruisant ainsi la plupart des bactéries. L'expression ***lait pasteurisé*** est attestée depuis 1895.

▸ Les dérivés **PASTEURISATION** n. f. (1887) et **PASTEURISATEUR** n. m., nom qui désigne l'autoclave destiné à la pasteurisation (du lait, de la crème, de la bière) [1891], s'appliquent aux différents contextes du verbe (bière, lait, conserves).

PASTICHE n. m. est emprunté comme terme de peinture (1719) à l'italien *pasticcio,* proprement «pâté» (de même origine que *pastis**) et au figuré «affaire embrouillée» (apr. 1650), appliqué à un certain type de productions artistiques.

♦ *Pastiche* désigne d'abord la contrefaçon d'un tableau, puis en général un ouvrage dans lequel un auteur imite le style d'un autre (1787, Marmontel). Le mot entre rapidement dans le domaine de la musique pour désigner un opéra formé d'un assemblage d'airs empruntés à d'autres œuvres (1798). D'abord exercice d'école, le pastiche, retenant de son modèle uniquement ce que l'imitation néglige, élabore une esthétique propre au XIXe et au début du XXe s. (les *Pastiches et Mélanges* de Proust).

▸ Au XIXe s., *pastiche* donne les dérivés **PASTICHER** v. tr. (1845, Baudelaire, *Salons*), **PASTICHEUR, EUSE** n. (1860) et **PASTICHERIE** n. f. (1879, à plusieurs reprises chez Huysmans), mot rare et péjoratif.

◈ voir PASTIS, PÂTISSON.

PASTILLE n. f. est un emprunt de la Renaissance (1538) à l'espagnol *pastilla* «pâte odorante» (v. 1535, *pastiglia*), issu d'un latin populaire °*pastella* (d'où l'ancien provençal *pastela* «pastille médicale», hapax du XIVe s.). °*Pastella* est le féminin tiré du bas latin *pastellum* «pâte» (→ ① pastel), issu par substitution de suffixe du latin classique *pastillum,* variante de *pastillus* «petit pain, petit gâteau», lui-même diminutif de *panis* (→ pain). ◇ L'espagnol *pastilla* a été senti de bonne heure comme un dérivé de *pasta* (→ pâte) et l'on note une hésitation similaire pour l'ancien français *pastel* «morceau de pâte», «gâteau», qui est, soit dérivé de *paste,* forme ancienne de *pâte,* soit à rattacher au bas latin *pastellum.*

♦ *Pastille* a été emprunté au sens de «petit morceau de pâte pharmaceutique en forme de disque», d'abord de genre masculin. Aujourd'hui, là où le français de France distingue *comprimé* et *pastille,* le suisse romand utilise ce dernier pour tout comprimé pharmaceutique. Par extension, *pastille* se dit d'un petit bonbon en forme de disque et d'une pâte odorante que l'on brûle pour parfumer l'air (1629). ◆ Par analogie, il sert à nommer divers petits éléments en forme de disque : un imprimé de tissu (1894) et, au XXe s., un élément en informatique, en optique, en mécanique, et un disque autocollant (par ex., la *pastille verte* des véhicules non polluants).

▸ Le mot a produit quelques dérivés techniques au XIXe s. : **PASTILLAGE** n. m. (1803) désigne la fabrication des pastilles dans la confection, la céramique (1844) et l'industrie des matières plastiques. ◆ **PASTILLEUR** n. m. (1808) a désigné l'ouvrier qui fait des petites figures en pâte sucrée imitant des fruits et des légumes, puis celui qui met une pâte en pastilles (1868). Il s'est dit aussi de l'emporte-pièce qui fabrique les pastilles (1874), aujourd'hui au féminin **PASTILLEUSE** n. f. (1903). ◆ Le diminutif **PASTILLETTE** n. f. est employé en 1939 par Gide.

PASTIS n. m., attesté depuis 1916, est un mot provençal de Marseille qui signifie «méli-mélo, gâchis, tracas», et qui est passé dans l'argot des soldats (1915). Ce mot est issu de l'ancien provençal *pastis, pastitz* «pâté» (XIVe-XVe s.), encore en usage dans de nombreux dialectes méridionaux, et qui représente le latin populaire °*pasticium,* dérivé de *pasta* (→ pâte).

♦ Le mot a pénétré en français avec le sens figuré de «situation embrouillée» qu'a le mot italien correspondant *pasticcio* (qui a donné au XVIIIe s. *pastiche**). Par allusion à l'apparence trouble du mélange formé par l'eau versée sur cet alcool, et peut-être par influence du terme de pâtisserie (ci-dessous), il désigne, d'abord dans l'argot du milieu marseillais (1928, *pastisse*), une boisson alcoolisée à l'anis. Écrit *pastis* (1931), le mot se répand dans toute la France et devient très usuel, toutefois concurrencé par des noms de marques de pastis. ◇ La variante **PASTAGA** (1947) d'origine argotique et parisienne (suffixe *-aga*) reste très familière. ◆ Pour *pastis,* le sens de «pâtisserie parfumée à l'armagnac et à l'anis» (1923) est un régionalisme occitan (du Sud-Ouest) qui procède du sens étymologique de «pâté». ◆ Le sens figuré ancien (ci-dessus), du fait de l'emploi dominant du mot pour désigner l'apéritif, est senti comme une métaphore *(quel pastis !).*

◈ voir PASTICHE, PÂTISSON.

PASTORAL → PASTEUR

PASTOUREAU → PASTEUR

PAT adj. inv. et n. m., terme d'échecs (1689), est probablement emprunté, avec influence de *mat,* à l'italien *patte,* attesté au sens de «point pair (au jeu de cartes)» depuis 1640, et pour «fait de n'être ni vainqueur ni vaincu». Ce mot italien est le déverbal de *pattare* «mettre des cartes égales» (1627), dérivé par métaphore de *patta,* altération du grec *epaktos* (→ épacte), parce que ce nombre permet de rendre l'année lunaire égale à l'année solaire. Une autre hypothèse, selon laquelle *patta* serait le féminin de *patto* «pacte» issu du latin *pactum* (→ pacte), est moins fondée sémantiquement. Enfin Wartburg propose de voir en *patta* le dérivé d'un verbe *pattare* «être quitte au jeu», qui serait dérivé de *patto* «pacte» mais, *pattare* ne semblant pas attesté dans ce sens, cette hypothèse reste controversée.

♦ Le mot se dit aux échecs, d'un camp dont aucune pièce ne peut bouger sans provoquer la prise du roi, ce dernier n'étant pas en échec (le pat entraîne la nullité de la partie). Par métonymie, il s'applique au joueur dont le roi est pat et au coup qui amène le roi dans cette position. À la différence de *mat*, *pat* est resté un terme technique.

PATACHE n. f., sous la forme modifiée *patence* (1566), puis *patache* (1573), est emprunté à l'espagnol *pataje* «navire, bateau de guerre léger» (1526), devenu lui-même *patache* (1591) sous l'influence du français. Le mot espagnol est probablement emprunté à l'arabe *baṭāš* «bateau à deux mâts», qui serait un emploi substantivé d'un adjectif signifiant «rapide».

♦ Le mot a désigné un petit bateau employé au service des grands navires pour aller à la découverte ou pour arraisonner les navires entrant au port. À la fin du XVIIIe s., il a pris le sens de «barque du service des douanes» (1774) et a désigné divers bâtiments légers. ➛ Par analogie, il désigne depuis la fin du XVIIIe s. une mauvaise diligence à deux roues, mal suspendue, et dans laquelle on voyageait à peu de frais (1793) et, par suite, toute mauvaise voiture (1862).

► Il a produit **PATACHIER** n. m. (1858) «douanier qui arme une barque dite *patache*», aujourd'hui disparu. ➛ **PATACHON** n. m. (1832), nom du conducteur de la diligence appelée *patache*, a disparu, sauf dans la locution figurée ***mener une vie de patachon*** (1898), allusion à la vie instable et dissolue que l'on prêtait à ce cocher. Malgré l'usage de cette locution, le mot n'est plus rattaché à *patache*, lui-même peu ou mal compris, et *patachon* est souvent interprété comme un nom propre comique.

◈ **PATAOUÈTE** n. m., d'abord écrit *pataouet* (1898; 1885, terme d'insulte), également dans le même texte *pataouette* et *pataouète*, est d'origine incertaine, probablement issu au terme d'une série de déformations du toponyme *Bab-el-Oued*, nom du quartier populaire européen d'Alger où ce parler a pris naissance. On prononçait familièrement *Bablouette* et on appelait *papalouette*, *paplouette*, abrégé en *louette*, un habitant de ce quartier; un journal satirique paru à Alger en 1905 portait également le nom de *Papa-Louette*.

♦ Le mot a désigné, souvent péjorativement, un immigré espagnol récemment arrivé en Algérie autour de 1900. ◇ Il est devenu le nom donné au langage des Européens vivant en Algérie au début du XXe siècle, puis, plus spécifiquement, la dénomination du français régional populaire d'Algérie, à l'époque de l'Algérie française, caractérisé par de nombreux emprunts à l'arabe maghrébin, à l'espagnol et à l'italien. ◇ *Pataouète* est aussi employé adjectivement.

PATAPHYSIQUE → PHYSIQUE

PATAPON onomat. et loc. adv. est une onomatopée (attestée en 1848) évoquant peut-être les mouvements souples et silencieux d'un chat. Son premier élément rappelle les nombreux mots et onomatopées dialectales en *pata-* qui expriment un bruit plus ou moins sourd ou amorti (→ patatras, patati, patata, patapouf).

♦ On le relève d'abord dans le refrain de la chanson populaire *Il était une bergère, et ron et ron petit patapon* et dans quelques autres refrains *(pan-patapon)*. Il entre dans la locution adverbiale d'usage régional ***(tout) à petit patapon*** (1913, Proust qui la prête au personnage de Françoise, la bonne), «tout doucement», où la motivation par *pas* (avec fausse liaison en *t*, cf. *pataquès*) est fort probable.

PATAPOUF onomat., interj. et n. m. est (1785) d'origine onomatopéique, formé de l'élément *pata-* indiquant un bruit sourd et amorti (→ patati, patata) et de *pouf** qui implique une idée de «gonflement».

♦ *Patapouf* est le nom donné familièrement à un homme, à un enfant gros et balourd ; c'est aussi une interjection qui exprime le bruit d'une chute brutale (1792), avec le même rythme et la même structure phonétique que *badaboum* (où les consonnes sont voisées).

PATAQUÈS n. m. est formé (1784) par imitation comique de la faute de liaison *je ne sais pas-t-à qu'*(qui) *est-ce*. P. Guiraud invoque toutefois *patac* «coup, bruit», du groupe de mots expressifs *patatras, patati, patata, patapon*.

♦ Le mot désigne la faute de liaison qui consiste à substituer un *s* à un *t* ou réciproquement et plus généralement à faire entendre une consonne qui n'existe pas à la fin du mot précédent. Par extension, il désigne un discours confus, inintelligible, par analogie, une bévue (1875), spécialement un mastic en typographie et une action maladroite, intempestive.

PATATE n. f. est emprunté (1582, *pattate*) par l'intermédiaire de l'espagnol *patata* (1528), à une variante de l'arawak de Haïti *batata* de même sens, désignant une plante (convolvulacées) de la zone caraïbe aujourd'hui appelée *patate douce*. Ce mot a été emprunté en français sous la forme *battate* dès 1525 par l'intermédiaire de l'espagnol *batata* (1519), et il est attesté dès 1516 en latin, sous la forme *batata*, chez l'auteur italien Martyr d'Aughiera.

♦ Le mot, sous sa forme moderne, semble avoir été vulgarisé par l'intermédiaire de la langue mixte commerciale parlée entre les indigènes et les marins européens (notamment espagnols) dans la mer des Caraïbes. D'abord écrit *pattate* puis *patate* (1601-1603), il désigne cette plante des régions chaudes cultivée pour ses gros tubercules comestibles à chair douceâtre. À cause du caractère usuel du sens familier (ci-dessous) on emploie aujourd'hui presque exclusivement ***patate douce***, dans ce sens (sauf en contexte tropical). ➛ En effet, le mot a pris familièrement la valeur de «pomme de terre». Ce sens, d'abord relevé en 1765 au Canada et depuis 1769 en français d'Europe, s'explique par l'introduction, favorisée par la conquête anglaise, de la pomme de terre au Canada et donc de l'influence du mot anglais *potato*, de même origine, et qui concerne la plante désignée couramment en France par la métaphore *pomme* de terre*. Le glissement de sens semble naturel et on ne peut considérer l'emploi de *patate* au sens de «pomme de terre» comme un anglicisme, même au Canada. Dans cette acception, *patate* a pénétré en France par la côte ouest, gagnant lentement les dialectes de l'Ouest, de l'Île-de-France, du Centre, de la Champagne, de la Brie, ainsi que le français populaire, où il domine par rapport au mot non marqué *pomme de terre*. ◆ La forme ou la consistance de la pomme de terre ont inspiré un grand nombre de sens figurés et familiers plus ou moins dérisoires : *patate* désigne le nez (1866), la tête (1919) dans ce qu'ils ont de grossier, le cœur dans ***en avoir gros sur la patate*** (1912); il s'applique à une personne niaise (1893) en appellatif injurieux et dans la locution *comme une patate*. Enfin, il exprime l'idée d'incident désagréable (1909).

PATATI, PATATA onomat. recouvre plusieurs onomatopées tirées d'un radical expressif *patt-* qui évoque un bruit de choc, de coup, de galopade, de bavardage, etc.

♦ On relève d'abord *patatin-patata* (1524) puis *patati, patata* (1727) pour indiquer un galop, une course. Avec le sens moderne de «long bavardage», on rencontre d'abord la forme *patatin patatac* (1650), *pati, pata* (1651), *patati! patata!* (1809) et *et patati, et patata* (1816). C'est le même radical qu'on retrouve dans le français d'Afrique du Nord *patin couffin*, de même sens.

PATATRAS interj. est issu (1651) du radical *patt-* (→ patati, patata, patapouf, patapon).

♦ Le mot évoque le bruit d'une chute brutale, dans la langue familière. On relève aussi les variantes *patatrac, patatra* ainsi que le nom *patatro* «course, bruit de galop» qui entre dans la locution argotique aujourd'hui disparue *faire patatro* (1901) «s'enfuir».

PATAUD, AUDE n. m. et adj. est formé (1485) de *patte** et du suffixe *-aud* et signifie proprement «à grosses pattes».

♦ On relève d'abord *Patault* comme nom propre donné à un chien, puis comme nom commun pour désigner (1690) et qualifier un chien bien gras et bien nourri (1694 : *un chien pataud*). ◆ Le sens courant de «lourdaud, maladroit», en parlant d'une personne, est attesté depuis 1612, après celui de «corpulent, gros» (1501), sorti de l'usage. Par extension, il est quelquefois employé pour qualifier une chose (1868). ◇ Par altération péjorative de *patriote*, *pataud* a été chez les royalistes vendéens le surnom des républicains. Sous la monarchie de Juillet, il a été employé adjectivement, par opposition à *légitimiste*.

► Son dérivé **PATAUDEMENT** adv. est d'un usage très limité.

PATAUGER v. intr. est dérivé (1653-1655) de *patte** au moyen d'un élément *-auger (-auge)* d'origine obscure. Bloch et Wartburg y voient une variante de *patouiller* et, de fait, on relève *patoier* au XIIIe siècle. Avec divers suffixes, ces verbes procèdent soit de *patte*, soit directement du radical expressif *patt-*, qu'on retrouve aussi dans plusieurs mots onomatopéiques.

♦ *Patauger* signifie «marcher sur un terrain boueux, détrempé» et, au figuré «ne pas arriver à se dépêtrer d'une situation difficile» (1738).

► Il a produit quelques dérivés peu courants assez tardifs. ◇ **PATAUGEMENT** n. m. (1855), son nom d'action de sens propre et (1941) figuré, est concurrencé par **PATAUGEAGE** n. m. (1881). ◆ **PATAUGEUR, EUSE** n. et adj. est d'abord attesté au sens figuré de «personne qui perd le fil d'un discours»; il qualifie (1902) et désigne (1906) proprement une personne qui patauge. ◆ **PATAUGIS** n. m. (1930), «matière molle dans laquelle on patauge», est également employé pour désigner le fait de patauger, au figuré (1947). ◆ On a formé **PATAUGEOIRE** n. f. (1962) pour désigner un bassin de piscine peu profond destiné aux jeunes enfants. ◆ Enfin, le radical de *patauger* a servi à former **PATAUGAS** n. m., nom de marque déposée de chaussures robustes et souples destinées à la marche (attesté chez Queneau en 1959).

PATCHOULI n. m., terme de botanique (1826), est originaire de la côte orientale des Indes où il a probablement été emprunté par les colons français à un mot tamoul composé de *patch* «vert» et *ilai* «feuille» comme l'indiquent l'anglais *patch-leaf* (formé avec l'anglais *leaf* «feuille») et le bengali *patcha-pat* (*pat* «feuille»). ◇ Une seconde hypothèse propose d'y voir une altération de l'anglais *patchleaf* (1698) mais elle est moins probable, d'autant que le terme et la chose, en 1829, étaient réputés avoir été introduits en France à partir de l'île de la Réunion (alors île Bourbon), ce qui permet de supposer un cheminement et une acclimatation à partir des colonies françaises de l'Inde indépendamment de l'influence anglaise. Il semblerait d'autre part que l'anglais moderne *patchouli* (1851) soit réemprunté au français.

♦ *Patchouli* désigne une plante aromatique tropicale et, plus souvent, par métonymie, le parfum de qualité ordinaire fabriqué avec l'essence de cette plante (1834).

PATCHWORK n. m. est emprunté sans modification graphique (1822) à l'anglais *patchwork* (1692) qui s'est d'abord dit de choses faites de pièces et de morceaux (1725 au sens artisanal). Le mot est formé de *patch* (XIVe s.) «pièce, morceau de rapiéçage» et de *work* «travail», «ouvrage». *Patch* vient du moyen anglais *patche, pacche*, emprunté par l'intermédiaire de l'anglo-normand °*peche* à l'ancien français *pieche*, variante de *pièce**; *work* est un mot germanique ancien (→ boulevard) rattaché à la famille indoeuropéenne du grec *ergon* «œuvre, ouvrage, travail» (→ -urgie).

♦ Le mot est d'abord attesté comme terme de relation (en deux mots : *patch-work*) et repris au milieu du XXe s. pour désigner une mosaïque en tricot, en tissu. ◇ Il est employé par métaphore au sens de «mélange d'éléments disparates» une première fois en 1924, et de nouveau depuis 1966. D'origine britannique, le patchwork semble toutefois avoir pénétré en France avec les importations venues d'Amérique; le mot s'est implanté dans le vocabulaire de la mode, et il est assez usuel au figuré.

PÂTE n. f. est issu (1174-1178) du latin tardif *pasta* «farine détrempée et pétrie» (IVe s.), emprunté au grec *pasta* «mets constitué à partir d'un mélange de céréale et de fromage». Ce mot grec est le neutre substantivé de l'adjectif *pastos* «saupoudré», lui-même dérivé de *passein*, verbe d'origine obscure qui signifie «verser, répandre» et aussi «broder».

♦ Le mot, d'abord écrit *paste*, garde le sens du latin; son pluriel ***pâtes*** est employé depuis la fin du XVIIIe s. pour désigner de petits morceaux de farine détrempée cuits dans l'eau, d'abord dans l'appellation *pâtes d'Italie* (1778), puis absolument (1825, *les pâtes*). En italien, *pasta*, dans cet emploi, est un singulier collectif. *Pâtes* tend au XXe s. à l'emporter sur le germanisme *nouilles**, sauf régionalement, et la terminologie du domaine s'enrichit de nombreux italianismes (*macaroni, ravioli, spaghetti*, etc.). ➛ Dans son emploi initial, *pâte* est employé dans la locution ***en pâte*** (XIIIe s.) à propos d'une préparation culinaire entourée de pâte. Cette dernière entre dans l'expression figurée ***comme un coq en pâte*** (1672, Mme de Sévigné) avec une idée de situation agréable et confortable. ◇ Le mot évoque spécialement le travail du boulanger dans la locution ***mettre la main à la pâte*** (1389), passée dans l'usage courant avec le sens figuré de «participer personnellement à un travail» (1486). ➛ Depuis la fin du XVe s., quelques sens analogiques concernent une préparation médicinale (1495), un procédé de reproduction d'œuvres en bas-relief (1520), la matière de base de vieux papiers servant à la fabrication du papier (1557), surtout dans ***pâte à papier.*** ➛ Au cours du XVIIe s., le mot a pris le sens de «composition de matières broyées et mêlées utilisées en peinture» (1690). Il se dit également de la substance des fromages (1723, *pâte molle*, puis *pâte cuite, pressée, bleue*), et est employé spécialement par les typographes dans la locution ***tomber en pâte*** (1803) «se rompre, se mêler, se brouiller». ➛ Parallèlement, il dépeint le caractère d'une personne, emploi correspondant à l'ancienne valeur physique de «complexion de qqn» (av. 1563); dans cet emploi, seule l'expression ***bonne pâte*** (v. 1534) a survécu.

▸ Le dérivé **PÂTÉ** n. m. (v. 1175) est d'abord un terme culinaire désignant une préparation de pâte cuite servant d'enveloppe à un hachis de viande (volaille, poisson). De nos jours, par extension, il désigne surtout une pièce de charcuterie enveloppée dans une croûte. Les mots *pâtissier**, *pâtisserie* sont d'abord (XIVe s.) en rapport de sens avec lui. N'étant plus spontanément rattaché à *pâte, pâté* peut désigner une préparation de charcuterie consommée froide (1538), en concurrence avec d'autres mots, comme *terrine*. Pour retrouver la valeur initiale, il faut recourir à des redondances comme ***pâté en croûte.*** ➛ Par analogie d'aspect avec la pâte (le côté informe), *pâté* sert à désigner une grosse tache d'encre (1606), spécialement en typographie une composition brouillée, «tombée en pâte» (1690). Au XIXe s., le mot désigne aussi un ensemble de maisons formant bloc (1835), surtout dans ***pâté de maisons.*** ◇ Plus récemment, il a pris le sens de «sable moulé» (déb. XXe s., *pâté de sable*).

PÂTÉE n. f., malgré une attestation précoce du type *pastede* (av. 1100), n'est repris et répandu qu'à partir de 1680; il désigne le mélange pâteux dont on engraisse les volailles et, par extension, les animaux domestiques (1740). Par analogie, il se dit familièrement de la nourriture destinée aux humains dans ce qu'elle a de grossier, de rudimentaire (1808). ◇ Il est employé populairement avec le sens de «volée de coups» (1830). ➛ **PÂTON** n. m. (1483), «morceau de pâte à pain», s'est employé pour désigner une petite boule de graisse (1572), spécialement le morceau de graisse dont on engraisse les volailles (1660), sens à l'origine de la valeur classique «petit oiseau gras» (1690). Ces emplois sont sortis d'usage en français central. ◇ Dans d'autres domaines techniques, *pâton* sert à désigner la motte de terre servant à faire un manche ou une oreille à une pièce de poterie (1765), un défaut du papier consistant en un petit amas de matière (1823), le rouleau de terre qui, mis sur les autres, forme le creuset du verrier (1832). ➛ Il a lui-même donné **PÂTONNAGE** n. m. (1903) qui se rapporte à une opération de boulangerie.

De *pâte* est dérivé **PÂTEUX, EUSE** adj. (XIIIe s.) «qui a les caractéristiques de la pâte» avec une idée de mollesse, également au figuré *(un style pâteux)*. Le mot qualifie spécialement une langue chargée de mucosités (1562) et, au figuré, une voix épaisse (1871), un style lourd et mou (1801); il se dit d'un liquide trop épais (1798) et techniquement, en joaillerie, d'une pierre trouble (1798, *qui a un œil pâteux*). ➛ Son dérivé **PÂTEUSEMENT** adv. est attesté depuis 1836.

Pâte a encore produit deux verbes : le simple **PÂTER** v. intr. (1680) a disparu avec son ancien sens en cordonnerie («coller les talons avec une pâte»); il s'est maintenu en parlant des fruits qui ont une consistance pâteuse, farineuse (1703), en horticulture. ➛ Le préfixé **EMPÂTER** v. tr., formé avec le préfixe *em- (en-)*, est beaucoup plus ancien (v. 1225). Il est d'abord employé au sens intransitif de «devenir pâteux» (de la bouche), continué par le sens transitif de «rendre pâteux» (1694). Il signifie également «couvrir de pâte» (XIIIe s.) et, techniquement, s'emploie comme terme de peinture (1669) et à propos de l'engraissement des volailles (1752). Il est employé à la forme pronominale *s'empâter* (1808) «gonfler» dans le discours médical puis couramment pour «devenir gras». ➛ Il a produit deux noms d'action : **EMPÂTAGE** n. m. (1600), «action d'engraisser les volailles», est également employé en peinture (1752) et dépeint en général l'état de ce qui est pâteux (1798). ➛ **EMPÂTEMENT** n. m. (1838) est à la fois technique, au sens d'«action de mélanger deux matières en vue d'obtenir une pâte lisse» (brasserie, industrie alimentaire, industrie du savon) et usuel pour le fait de s'empâter, la partie empâtée. ➛ Quant au terme technique **IMPASTA-**

TION n. f. (1690) qui désigne la réduction d'une substance à l'état de pâte, il est dérivé de l'ancien et moyen français *empaster* avec latinisation de son préfixe en *im-*, au moyen du suffixe *-ation*.

◈ voir **PASTEL, PASTICHE, PASTIS, PÂTISSIER, PÂTISSON.**

① **PATELIN, INE** n. et adj. est considéré comme dérivé au moyen du suffixe *-in* (1460), probablement sur le modèle de *gobelin*, du radical onomatopéique *patt-* qui exprime l'idée d'un bruit plus ou moins étouffé (→ patati, patata); on peut aussi évoquer, à cause du sens initial, le radical de *patois**.

◆ Le mot désigne anciennement le langage, le parler; il a développé de bonne heure la nuance péjorative de «propos sournois, artificieux» (1477), probablement sous l'influence du personnage de farce, Maistre *Pathelin*, qui dupe les gens par de belles paroles (1464, *La Farce de Maître Pierre Pathelin*). Il est d'ailleurs probable que celui-ci tienne son nom de *patelin* «langage», car il est caractérisé par le fait que «tant de langaiges il fatroulle» et qu'«il ne cessera huy de parler divers langaiges». ➙ Par suite, *patelin* a servi à désigner un homme rusé et artificieux (1538). Adjectivé, il qualifie la personne qui tâche d'arriver à ses fins en usant de belles paroles et de flatteries (1571). Par extension, il a pris la valeur de «doucereux, flatteur, insinuant» (1735, *d'un air patelin*), en qualifiant une attitude, une œuvre, une expression empreinte de fausse bienveillance.

▸ On en a tiré **PATELINEMENT** adv. (1833, Balzac), peu employé, et **ARCHIPATELIN, INE** adj., vieux mot familier employé par La Fontaine au sens d'«extrêmement patelin».

◈ voir **PATELINER.**

② **PATELIN** n. m., d'abord attesté par les altérations *poguelin* (1628), *pasguelin* (1634), *pasquelin* (1660) — demeuré fréquent comme nom de lieu —, est dérivé de l'ancien français *pastis* (→ pâtis), encore employé dans les parlers haut-manceaux où il désigne un petit pâturage, un foyer domestique, et dans les parlers saintongeais où il désigne le lieu où l'on vit et que l'on affectionne particulièrement.

◆ *Patelin* a d'abord désigné le pays avant de prendre par restriction au XIXe s. le sens moderne de «petit village», souvent avec une valeur dépréciative de «petite localité de peu d'importance» (1800 en argot, 1848 familièrement).

◈ **PATELINER** v. est en général considéré comme une déformation expressive (1470), sous l'influence de ① *patelin*, de *patiner* «manipuler, tourner souvent qqch. entre ses doigts» (→ patiner). Mais l'évolution sémantique est peu naturelle, et P. Guiraud propose de voir dans ce verbe, comme dans ① *patelin*, un dérivé du radical onomatopéique *patt-* entrant dans des mots ayant trait à la parole, avec l'idée de «marmonner».

◆ *Pateliner* signifie «parler de manière doucereuse en vue de tromper, de séduire» (intransitivement) et transitivement «séduire qqn par des paroles flatteuses» (1480).

▸ Il a vieilli de même que ses dérivés **PATELINAGE** n. m. (XVe s.) et **PATELINERIE** n. f. (XVIe s.).

PATELLE n. f. est emprunté (1555) au latin de la terminologie zoologique *patella* «mollusque gastéropode à coquille conique univalve», employé au XVe s. par le zoologiste Th. Gaza. Le choix du mot est dû à une comparaison entre la forme du mollusque et celle de la *patella*, mot qui en latin classique désigne un petit plat servant aux offrandes (emprunté comme terme d'antiquités, 1824). *Patella* est dérivé de *patera* (→ patère); il a donné ② *poêle**.

◆ Repris comme nom d'un gastéropode, le mot a été réemprunté (1829) en archéologie à propos du petit vase sacré utilisé au cours des sacrifices pour les libations.

◈ voir **PATÈNE.**

PATÈNE n. f. est emprunté (XIIIe s.) au latin *patena*, variante de *patina* «plat creux, bol servant à faire cuire les aliments», spécialisé comme nom d'un vase liturgique dans les textes chrétiens, également employé pour une sorte de pâte (→ patine). ◇ Le mot est emprunté au grec *patanê* «terrine», lequel est rapproché du latin *patera* (→ patelle, patère), sans qu'il soit possible de dire s'il y a eu emprunt d'un mot par l'autre ou parenté indoeuropéenne (dans ce cas, on rapprocherait aussi le hittite *pattar* «récipient en osier ou en bois où l'on verse des graines»).

◆ Attesté une première fois au XIIIe s. puis en 1359, le mot désigne le vase sacré qui reçoit l'hostie et couvre le calice.

◈ voir **PAELLA, PALETTE, POÊLE.**

PATENÔTRE n. f. résulte de la soudure (apr. 1170) des mots latins *Pater Noster* «notre Père», qui commencent la prière chrétienne dite oraison dominicale ou le Notre-Père.

◆ Le mot est d'abord relevé au pluriel *paternostres* et en latin *Pater Noster* (fin XIIe s. au masculin, encore employé par Montaigne au féminin). Par amuïssement du *r*, il est devenu *patenostre* (1542) puis *patenôtre*. Il désigne l'oraison dominicale et, par analogie, familièrement, toute prière (1220), sens sortis d'usage après le XVIe siècle. ◇ L'usage familier l'emploie pour désigner une suite de paroles inintelligibles, confuses, marmonnées comme on marmonne une prière (1668) [on relève *patenostre du singe* «grognement, discours inutile» chez Rabelais en 1542]; ces valeurs péjoratives se ressentent de l'influence du radical expressif *patt-* de ① *patelin*, qui évoque le bruit de la parole. ◇ Par métonymie, *patenôtre* a désigné, surtout au pluriel, le chapelet (1260) et ses grains; ce sens est à l'origine de l'emploi spécial du mot en architecture à propos d'une moulure ornementale en forme de collier à grains ronds et oblongs sous l'ove d'un chapiteau, sur une baguette, dans un profil.

▸ **PATENÔTRIER** n. m. (v. 1268, *patenostrier*) a été une désignation du fabricant et marchand de chapelets. ➙ De la même façon que *patenôtre* (1676), le terme latin **PATER NOSTER** n. m., employé en français pour désigner la prière des chrétiens (1231), a développé deux sens techniques fondés sur une analogie de forme avec les grains du chapelet : depuis 1903, il est employé en pêche à propos d'un bas de ligne flottante avec plusieurs hameçons étagés ; plus récemment (1939), il est employé pour désigner un ascenseur ou monte-charge dont les cabines ascendantes et descendantes, en mouvement continu, sont reliées par des chaînes à la manière des gros grains du chapelet.

② **PATER** n. m. inv. est la simple reprise (fin XVIe s.) du premier mot de la prière chrétienne ; il a eu plus de succès que *patenôtre* et *pater noster* et a pris lui aussi la valeur métonymique (au pluriel) de «grain du chapelet» (fin XVIe s.). Son emploi familier dans les locutions *savoir qqch. comme son pater* «savoir par cœur» (1690), et *ne pas savoir son pater* «être ignorant» (1694), a disparu.

PATENT, ENTE adj. et n. f. est emprunté (1307) au latin *patens,* participe présent de *patere* «être ouvert», par suite «être exposé, accessible», «être évident, manifeste», opposé à *latere* (→ latent). *Patere,* peut-être apparenté à *pandere* (→ épandre) et à *spatium* (→ espace), contient une racine indoeuropéenne °*pet-* «se déployer», également représentée dans l'avestique *pathanō* «étendu», le lituanien *petȳs.*

♦ *Patent* est d'abord un terme de chancellerie, employé dans *patentes lettres* (1307), ensuite *lettres patentes,* calque du latin médiéval *littere patentes* (1165) ; il est passé dans l'usage courant au sens de «manifeste, évident» (1370-1372). ◇ Par abréviation de *lettre patente,* **PATENTE** n. f. a été substantivé (1559) pour désigner un document qui confère une prérogative. Au cours du XVIIIe s., ce nom est entré dans l'expression de marine, *patentes de santé* (1736 au pluriel) par emprunt à l'anglais *patent* (1615 en ce sens). À la fin du XVIIIe s., il prend le sens de «brevet d'invention» sous la Convention (14-25 mai 1795), sens encore en usage en français du Canada, où *patente* s'emploie aussi familièrement pour «invention, système» et «objet quelconque» (cf. *machin, truc*). ◇ Depuis 1791, le mot désigne également en France un impôt annuel auquel sont assujettis les commerçants et les industriels, et qui fut remplacé depuis 1975 par la taxe professionnelle. ➛ Par allusion au brevet qui en a été déposé, *roue à patente* (1841, Balzac), puis *patente* a désigné une roue dont la fusée tourne de manière à diminuer le frottement.

▸ *Patente* a donné **PATENTER** v. tr. (1750) «soumettre à la patente», *patente* désignant ici le brevet émanant du roi ou d'un corps et qui établissait un droit, un titre, un privilège sous l'Ancien Régime. Il est également employé à la forme pronominale depuis le XVIIIe siècle. Le français du Canada lui donne les sens d'«inventer, bricoler». ➛ Le participe passé **PATENTÉ, ÉE** est adjectivé (1783) en droit commercial pour qualifier ce qui est assujetti à la patente ; l'adjectif est substantivé au XIXe s. (1834). Il est employé au sens figuré de «qui semble avoir le titre ou le monopole d'une chose» (1829), souvent en contexte dépréciatif *(un imbécile patenté).* ➛ *Patenter* a aussi donné **PATENTABLE** adj. (1791) employé à propos d'une chose pouvant être assujettie à la patente.

◈ voir **PATIBULAIRE, PÉTALE.**

① **PATER** → **PATERNEL**

② **PATER** → **PATENÔTRE**

PATÈRE n. f. est emprunté (1509) au latin *patera* qui désigne la coupe évasée utilisée dans les sacrifices pour répandre le vin sur l'autel ou sur la tête de la victime. Celui-ci est peut-être un doublet de *patina* (→ patène, patine) qui aurait subi l'influence de *cratera* (→ cratère). Son diminutif *patella* a donné par emprunt le français *patelle**.

♦ *Patère,* terme d'antiquité, a pris par analogie de forme l'acception d'«ornement circulaire» (en architecture) [1694]. Plus couramment, il s'applique à un support mural servant à maintenir des rideaux et surtout à suspendre des vêtements (1829).

◈ voir **PATELLE, PATÈNE, POÊLE.**

PATERNE adj. a été emprunté à diverses reprises au latin *paternus* adj. «du père, paternel», dérivé de *pater* (→ père).

♦ Le mot est d'abord attesté en français comme nom féminin (1080) pour désigner l'image de Dieu le Père, sens disparu au XIVe siècle. ➛ Il a été réemprunté comme adjectif (1174-XIIIe s., puis 1347) avec la valeur neutre «du père», mais a été évincé par *paternel**. Enfin, il a été réemprunté avec la valeur psychologique caractérisante de «qui se donne un air de bienveillance paternelle» (souvent péjoratif) [1755], qualifiant une personne et, plus souvent, un air, une attitude ou une expression.

▸ Son dérivé **PATERNEMENT** adv. (1853, Michelet) est quasiment inusité.

PATERNEL, ELLE adj. et n. m. est formé (v. 1180) sur le latin *paternus* (→ paterne), adjectif correspondant à *pater* (→ père), comme le latin médiéval de même sens *paternalis* (→ paternalisme).

♦ L'adjectif qualifie ce qui appartient au père, lui est propre, le concerne (en parlant de choses abstraites ou concrètes). Il est substantivé comme désignation familière du père : *le, son paternel* (1880), à l'époque où se répand l'usage familier du latin *pater* pour désigner le père (1882).

▸ Il a produit **PATERNELLEMENT** adv. (1422) qui a perdu son sens premier, «avec le sentiment qu'on a envers le père» et celui de «du côté paternel» (fin XVe s.), conservant seulement le sens extensif de «comme un père, avec l'affection d'un père» (1492). ➛ Ultérieurement, *paternel* a produit **PATERNALISER** v. (1948, H. Bazin, *Vipère au poing*) et, sur le modèle de *materner, maternage,* **PATERNER** v. tr. (1980), **PATERNAGE** n. m. (v. 1978), à peu près inusités. ➛ Il semble que ① **PATER** n. m., mot familier pour le père (1882), soit plutôt une abréviation de *paternel* qu'un emprunt au latin *pater* «père». Il correspond à l'emploi parallèle de *la mater* pour «la mère». ➛ Quant à **PATERNALISME** n. m. (1894), il s'agit probablement d'un emprunt à l'anglais *paternalism* (1881), dérivé de *paternal,* adjectif formé au XVIIe s. sur le latin *paternus,* d'après le latin médiéval *paternalis.* Dans l'histoire des mouvements ouvriers, *paternalisme* est ordinairement employé par dénigrement en parlant d'institutions patronales qui confondent à leur profit une protection discrétionnaire évoquant le *paterfamilias* et la justice sociale obligatoire. ◇ Le mot a donné **PATERNALISTE** adj. (déb. XXe s.) et n. (1963) [l'anglais ayant *paternalistic* adj. 1890, et *paternalist* adj. 1928]. Par extension, *paternalisme* et *paternaliste* désignent la tendance à imposer un contrôle, une domination sous couvert de protection (1954).

PATERNITÉ n. f. est emprunté (1175) au dérivé latin chrétien *paternitas* «pouvoir, protection, sentiment de père», de *pater.* Passé en français avec ce sens, le mot a développé par la suite l'ancien sens particulier de «dignité d'abbé» (1690, en titre : *votre paternité*). ◆ Il désigne aussi le fait d'avoir engendré, d'être père (fin XIVe s.), au propre, notamment en droit *(reconnaissance de paternité),* et au figuré dans l'expression *paternité spirituelle* (1690) qui, en religion, désigne le lien spirituel existant entre le parrain ou la marraine et le filleul. ◇ Il est étendu au fait d'être l'auteur d'une œuvre (1846). Voir aussi le schéma p. 2608.

PATER NOSTER → PATENÔTRE

PATHÉTIQUE adj. et n. m. est emprunté (1584) au latin tardif *patheticus* «qui émeut», lui-même emprunté au grec *pathetikos* de même sens, dérivé de *pathos* (→ patho-).

♦ Employé pour «qui émeut fortement», *pathétique* est spécialement employé dans le domaine artistique (1660, Corneille, en littérature) et, avec une valeur psychophysiologique, en anatomie (1695, *nerf pathétique;* 1842, *muscle pathétique*). ◆ Il est substantivé avec la valeur d'un neutre (1674, Boileau), spécialement dans le domaine esthétique (littérature, arts). Au XVIIIe s., après Marmontel (1723-1799), on distingue le *pathétique direct* qui consiste à manifester ou à représenter l'émotion même que l'on veut susciter, et le *pathétique réfléchi* par lequel l'orateur ou le dramaturge provoque une émotion chez son public sans se servir lui-même des signes de cette émotion (ce dernier étant estimé supérieur au premier par Marmontel). La tragédie et le drame au XVIIIe s. ont usé et abusé de ces deux moyens, manifestant leur difficulté à atteindre un pathétique qui ne soit pas mélodramatique. En musique (1703) le nom désigne un genre qui tend à peindre les grandes passions, en particulier la douleur et la tristesse. Il s'emploie aussi adjectivement dans les titres (par exemple la célèbre *Sonate pathétique,* de Beethoven, la *Symphonie pathétique* de Tchaïkovski). ◇ Récemment, l'adjectif a pris dans l'usage parlé la valeur de «piteux, dérisoire, lamentable», usage parallèle de celui de *dramatique.*

▸ Il a produit **PATHÉTIQUEMENT** adv. (1611), **PATHÉTISME** n. m. (1740) et **PATHÉTISER** v. tr. (1951) «rendre pathétique, exprimer qqch. de manière pathétique», ces deux derniers dérivés étant rares.

PATHO-, élément formant, représente le grec *pathos* «ce qui arrive», «expérience subie, malheur, émotion de l'âme». Il s'agit d'un mot d'emploi très général, dérivé sur le degré zéro de l'aoriste *pathein,* de *paskhein* «recevoir (une impression ou une sensation), subir, endurer (un traitement bon ou mauvais)» et «être châtié». C'est un mot dont l'étymologie reste obscure : on a proposé un rapprochement avec le lituanien *kenčiù* «souffrir, supporter» et l'irlandais *cēss(a)im* en admettant une initiale indoeuropéenne °*k*^w; une autre hypothèse évoque la racine indoeuropéenne qui signifie «lier» et que l'on retrouve en sanskrit et dans les langues germaniques (→ ① bande).

♦ En grec même, *pathos* entre dans la formation de quelques composés tardifs. ◆ Le français a emprunté **PATHOLOGIE** n. f. (1550) à *pathologia* «étude des passions», de *-logia* (→ logie), de même qu'il a emprunté **PATHOLOGIQUE** adj. (1552) à l'adjectif *pathologikos* «qui traite des passions, des maladies». ◇ *Pathologie,* devenu le nom d'une branche essentielle de la physiologie, coïncidant avec le domaine de la maladie en médecine, a donné à son tour **PATHOLOGISTE** n. (1765), cependant que *pathologique* a donné **PATHOLOGIQUEMENT** adv. (1617); tous deux servent d'élément de composition pour former des termes du vocabulaire savant, désignant, pour l'un, une spécialisation des études des maladies, spécifiant pour l'autre la localisation d'une maladie. *Pathologique* est passé récemment dans l'usage courant, au sens d'«anormal; signe de maladie». ◆ **PATHOGNOMONIQUE** adj. (1579, Paré) est un emprunt au grec *pathognômonikos* «qui fait reconnaître une maladie» (en parlant d'un signe, d'un symptôme).

L'élément *patho-* entre en français dans la construction d'une cinquantaine de termes. Il est surtout productif dans les domaines de la psychologie et de la psychanalyse où l'on relève plusieurs termes récents *(pathonévrose, pathopsychose).* Dans les autres domaines, la plupart de ces termes sont fixés depuis le XIXe s., par exemple **PATHOGÈNE** adj. (1878), de *-gène*,* signifie «qui produit un trouble, a des effets pathologiques»; il s'emploie assez couramment en psychopathologie. **PATHOGÉNIE** n. f. (1819), de *-génie*,* est moins courant. ◆ On note une formation sans lendemain chez Cournot : **PATHOSCOPIE** n. f. (1851) «observation des passions, des affections».

Le grec *pathos* a lui-même été emprunté tel quel par **PATHOS** n. m. (1672) qui désigne la partie de l'ancienne rhétorique traitant des moyens propres à émouvoir l'auditeur. Par extension, le mot désigne un caractère pathétique et, plus souvent péjorativement, un pathétique outré, déplacé (dans un ouvrage littéraire) [av. 1755].

◈ voir APATHIE, EMPATHIE, HOMÉOPATHIE, PATHÉTIQUE, SYMPATHIE.

PATIBULAIRE adj. est dérivé avec le suffixe *-aire* (1395) du latin *patibulum* «fourche», spécialement «fourche sur laquelle on étendait les esclaves pour les battre à coups de verge». C'est un dérivé de *patulus* «ouvert, large, étendu, qui s'étale», dérivé de *patere* «être ouvert», «être exposé» (→ patent).

l'expression indoeuropéenne de la PATERNITÉ

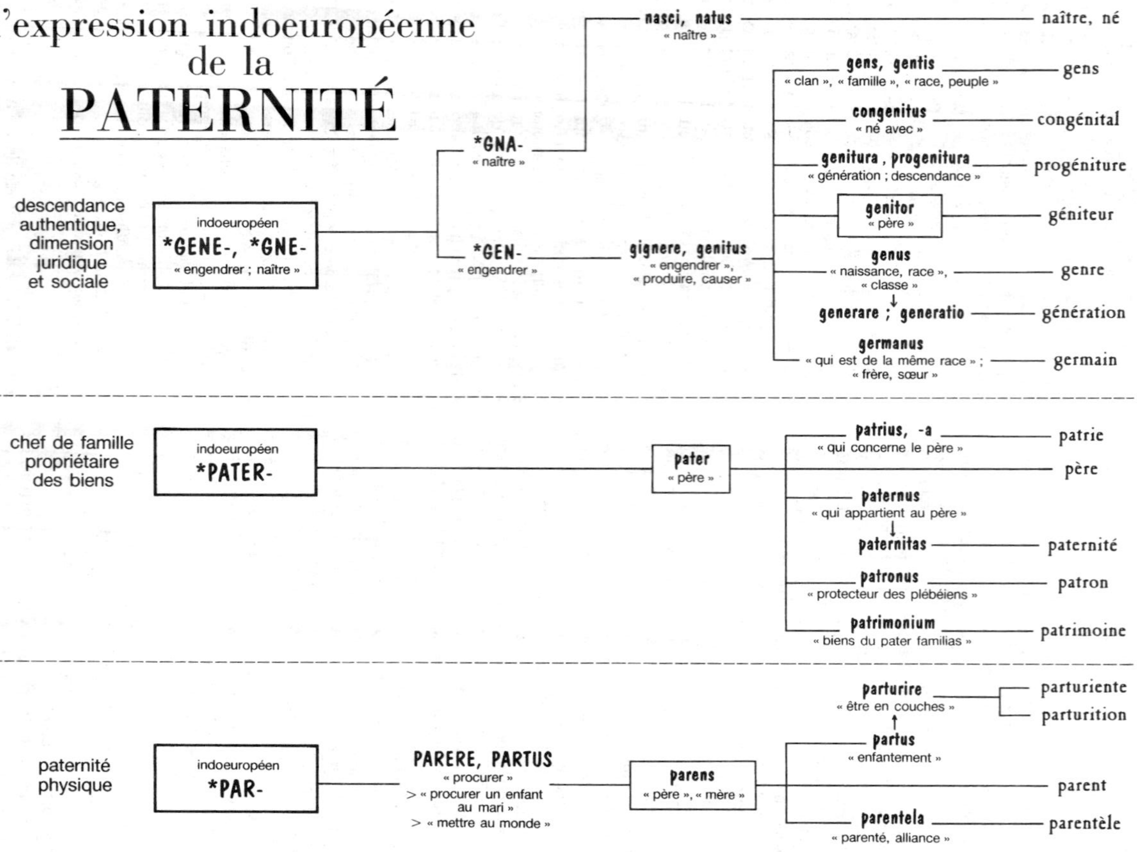

♦ Le mot a d'abord servi à qualifier la fourche utilisée comme gibet, appelée *fourche patibulaire,* et a été employé comme nom pour désigner le gibet (déb. XVIe s.). Par métonymie, il a pris, par l'intermédiaire du sens caractérisant, «digne de la potence» (1675), sa valeur moderne, «inquiétant, louche, peu recommandable». Selon Furetière (1690) «on dit qu'un homme a une mine *patibulaire,* quand il a quelque chose de sinistre dans le visage qui marque de méchantes mœurs, qui menace d'une triste fin. On appelle une ruë *patibulaire,* celle où il y a eu quelques gens suppliciez». De nos jours, le lien étymologique à la potence s'est perdu et, si le premier exemple de Furetière paraît moderne, le second n'est plus en usage.

► De *patibulaire* sont dérivés **PATIBULER** v. tr. (1480) «mettre au gibet», qui a disparu avec la réalité à laquelle il réfère, et **PATIBULAIREMENT** adv. (1866), très peu employé.

① **PATIENCE** n. f. est un emprunt ancien (v. 1120) au latin *patientia* «action de supporter, d'endurer», de *patiens,* participe présent de *pati* «subir, endurer» (→ pâtir).

♦ Le mot désigne proprement la vertu qui fait supporter les adversités, sens fort du mot, encore réalisé dans la locution ***prendre son mal en patience*** (1174-1178). Une autre valeur concerne le fait de supporter avec douceur les défauts d'autrui (1176). Il désigne également l'aptitude à persévérer dans une activité malgré les difficultés qu'on y rencontre (1256), comme dans les expressions ***ouvrage de patience*** (1798) ou ***jeu de patience*** (1845-1846). ◇ Depuis le XVIe s. (1549), avec une valeur affaiblie et une nuance temporelle, il est employé au sens aujourd'hui dominant de «tranquillité avec laquelle on attend ce qui tarde», réalisé dans des locutions verbales du type ***prendre patience*** (1604), et en emploi interjectif : *patience!* (1548). ⟡ À partir du XVIIIe s. il a développé quelques sens concrets par allusion à cette vertu ; en héraldique, le mot désigne la salamandre dans son brasier, symbole de la patience (1752) ; il s'applique à une réussite au jeu de cartes (1811, Stendhal), à un rail équipé pour le coulissage des rideaux d'un théâtre et, dans l'habillement militaire, à la planchette qui permettait de nettoyer tous les boutons (1831). Seule l'acception de «réussite (aux cartes)» est très vivante. ◇ C'est également le nom donné à l'appui qui permet de se reposer, dans une stalle (1868) ; cf. une métaphore analogue pour *miséricorde.*

► **PATIENT, ENTE** adj. et n. est emprunté quant à lui (v. 1120) au latin *patiens* «endurant, qui supporte», participe présent adjectivé de *pati.* ⟡ Il qualifie la personne qui supporte avec constance les défauts d'autrui et qui souffre sans murmurer les adversités, les contrariétés (apr. 1150). Au cours du XIVe s., *patient* reçoit en philosophie le sens didactique et étymologique «qui subit» (1370), désignant également la personne qui subit (1380), par opposition à *agent.* ◇ Il est substantivé pour désigner spécialement et couramment le malade par rapport au médecin (XIVe s.) ; en langue classique, il se rapportait aussi à celui ou celle qui subissait un châtiment (1617). ⟡ Toutes les valeurs de *patient* se retrouvent dans son dérivé **PATIEMMENT** adv. (fin XIIe s., *pacienment*). ⟡ Son autre dérivé **PATIENTER** v., autrefois employé également à la forme pronominale *se patienter* «prendre patience» (1557), se construit intransitivement de nos jours (1573) : il s'ordonne entièrement à la valeur temporelle d'«attendre».

IMPATIENT, ENTE adj. est un emprunt (v. 1200) au latin *impatiens* «qui ne supporte pas, ne peut endurer», formé de *im-* (→ ① in-) et *patiens.* ⟡ L'adjectif a d'abord eu le sens latin, aujourd'hui archaïque. Il a signifié «difficile à supporter» (1541) et, au XVIIe s., a pris ses valeurs modernes «qui est incapable de se contenir, de patienter» (1570, *impatient de*). *S'impatienter* est antérieur avec cette valeur. L'adjectif, qui est aussi substantivé pour «personne impatiente», signifie aussi «qui traduit l'impatience» (1640, Corneille) et «qui supporte mal l'attente de qqch.» (1643, Corneille), sens aujourd'hui courant. ◇ Le dérivé **IMPATIEMMENT** adv. (fin XIIIe s., *impacienment*) a eu le sens de «péniblement» (sorti d'usage) ; il s'emploie couramment au sens de «avec le besoin d'obtenir qqch. ou que qqch. arrive» (XVIIe s.) et il est littéraire pour «nerveusement» (1672, Molière). ⟡ **IMPATIENTER** v. tr. est d'abord attesté au pronominal *s'impatienter* (1584) ; l'emploi transitif est attesté au XVIIe s. (1670) ; en dérive **IMPATIENTANT, ANTE** adj. (1704), à la mode à la fin du XVIIIe siècle. ⟡ **IMPATIENTE** n. f. est un emprunt d'abord comme adjectif (1700, *herbe impatiente*) puis comme nom (1778, Lamarck) au latin scientifique moderne *impatiens (Balsamina)* [1744, Linné], du latin *impatiens ;* la forme latine a aussi été employée en français (1823, Boiste). Le mot désigne la balsamine, plante ainsi nommée parce que son fruit réagit au moindre contact.

IMPATIENCE n. f. est emprunté au latin impérial *impatientia* «inaptitude à supporter qqch.», «manque de fermeté», dérivé de *impatiens.* Le nom est d'abord employé, à la fin du XIIe s. *(impacience),* pour «absence de résignation, disposition à la révolte». ⟡ La valeur psychologique moderne, en relation avec *impatient,* est attestée à la fin du XVIe et se répand au XVIIe s. : *impatience* désigne alors le manque de patience pour supporter qqch. ou qqn (1580, Montaigne) et *une impatience* par métonymie, «mouvement d'impatience» (1585, N. du Fail). Le nom désigne aussi une irritation nerveuse, qui se traduit par des fourmillements (1764).

② **PATIENCE** n. f., nom de plante, est l'altération (1544) par attraction de ① *patience*,* du latin *lapatium, lapacium,* attesté à côté de *lapathum,* transcription du grec *lapathon,* de même sens. Ce mot se rattache peut-être à *lapassein* «vider» (d'étymologie ignorée) en raison des effets laxatifs de cette plante. La suppression de la première syllabe est due à sa confusion avec l'article défini féminin *la.* ◇ On rencontre aussi la forme *lapacion* (1581), transcription savante de *lapatium* dont la prononciation a suscité un découpage en *la passion* et la transformation plaisante (dans le milieu médical) de *lapacion* en *lapatience.* Des formes populaires phonétiquement évoluées à partir du latin *lapa-*

cium, du type *lavase*, sont ou ont été en usage régionalement.

♦ Le mot désigne une plante voisine de l'oseille, aux propriétés toniques et dépuratives.

PATIN n. m. est dérivé (1260) de *patte** au moyen du suffixe *-in*.

♦ Le mot a d'abord désigné une chaussure de femme à semelles épaisses, que les élégantes employaient pour se grandir. ◇ Il s'est spécialisé pour désigner une galoche à laquelle on adaptait des clous et surtout une ferrure pour aller glisser sur la glace (1427) devenue un dispositif autonome formé d'une lame métallique fixée à la chaussure ***(patin à glace)***. ◇ De là, par métonymie, *patin* se dit de l'activité de patinage (1864, Erckmann-Chatrian, *L'Ami Fritz*). ◇ Par analogie avec la lame en acier du patin (à glace), le mot désigne la pièce que l'on place sous certains traîneaux, d'abord en romand de Suisse (1876), puis au Canada (1916, *patin du traîneau*) et en France (1935). ➜ Par analogie de fonction avec le patin à glace, il désigne une semelle métallique montée sur roulettes (1845-1846) dénommée un peu plus tard ***patin à roulettes*** (1868). ◇ Ce sens serait à l'origine du sens argotique de «baiser profond», dans ***rouler un patin*** à moins qu'il ne s'agisse alors d'un sens dérivé de *patte* «chiffon» (→ pattemouille). ➜ L'idée originelle de «chaussure» s'est maintenue dans deux acceptions. Au XIXe s. le mot est repris pour «chaussure en bois ou en cuir que les femmes attachaient sous leurs souliers contre l'humidité et la boue», valeur supplantée par *socque;* au XXe s., *patin* se dit d'une pièce de tissu sur laquelle on pose les pieds pour marcher sans salir le parquet (1933). ➜ À partir de la fin du XVIIe s., le mot a pris quelques sens techniques fondés sur une analogie de forme : *patin* désigne une pièce de bois servant de support au limon de l'escalier (1676), un pied lourd et peu élevé servant en ébénisterie de support, d'appui et, par extension, tout support qui rehausse un objet (1835, Balzac, *chaise à patins*). ◇ Il est employé spécialement en mécanique pour désigner un organe frottant sur une surface en mouvement afin de la freiner dans *frein à patin* (1908), puis *patin de frein*.

▸ Son dérivé ② **PATINER** v. intr. (1732), «évoluer en patins à glace», se dit également (probablement fin XIXe s.) en parlant des patins à roulettes; par analogie, il exprime l'idée de «glisser comme sur des patins» (1845). ◇ Par extension, il est appliqué à une machine (locomotive, puis tout véhicule) dont les roues tournent sans avancer faute d'adhérence suffisante (1845-1846). Il est employé en mécanique à propos d'un organe qui glisse sans produire d'entraînement, sans transmettre le mouvement du moteur aux roues (1931). ➜ *Patiner* a produit ② **PATINAGE** n. m. «action de glisser sur des patins à glace» (1829), plus tard sur des patins à roulettes, d'où le sens de «technique du patin». ◇ Il se dit aussi des choses qui patinent, en mécanique (1860). ➜ ② **PATINEUR, EUSE** n. (1728) se dit de la personne qui patine à glace, puis à roulettes, l'expression *pas des patineurs* désignant un pas de danse. ➜ **PATINOIRE** n. f. (1897), d'abord *patinoir* n. m. (1891), «piste de patinage», est employé par extension pour une surface où l'on glisse (1928). ➜ Enfin, *patiner* a donné **PATINETTE** n. f. (1922), synonyme de *trottinette*. ➜ Certains dérivés de *patin* sont homonymes de ceux de *patine* (*③ patiner*, *③ patinage*) et d'un autre dérivé de *patte**, *① patiner*.

PATINE n. f. est emprunté (1765, *Encyclopédie*) à l'italien *patina* attesté depuis 1681 au sens de «teinte que le temps donne aux tableaux», «vernis» et «enduit destiné au cuir des chaussures». C'est un emprunt au latin *patina* «plat creux», également employé pour désigner une sorte de pâte et emprunté par le français sous la forme *patène**.

♦ *Patine* désigne d'abord la couleur vert-de-gris que prend le cuivre en vieillissant. Au XIXe s., il désigne la crasse qui se forme sur les tableaux (1842) et, plus généralement, la teinte que le temps donne à certains objets d'art (1852). ◇ Par analogie du sens initial, il est quelquefois employé dans le style littéraire pour une couleur chaude et douce à l'œil, qui rappelle l'oxydation du bronze (1832).

▸ En est dérivé ③ **PATINER** v. tr. (1867) «enduire (un objet) d'une substance qui donne l'aspect de la patine», employé également au passif, pour «prendre une teinte particulière sous l'effet du temps» (1895). ◇ Le participe passé **PATINÉ, ÉE** adj. est plus courant que le verbe. ➜ Le nom d'action correspondant, ③ **PATINAGE** n. m., est attesté depuis 1930; il est rare, notamment du fait de l'homonymie avec le dérivé de *patin*.

① PATINER → PATTE

② PATINER → PATIN

③ PATINER → PATINE

PATIO n. m. est emprunté (1843, Gautier, *Tra los Montes*) à l'espagnol *patio* «cour intérieure à ciel ouvert dans une maison» (1495), terme d'origine obscure et controversée.

♦ Le mot, qui se réfère généralement à un élément d'architecture espagnol ou méridional, est pris par extension en parlant de la cour intérieure d'une maison ou d'un immeuble. Sa prononciation correcte (avec un *t*) est concurrencée par une lecture française, *pasyo*.

PÂTIR v. intr. est l'emprunt, francisé au moyen de la désinence verbale *-ir* (1546), au latin *pati* «supporter, endurer, subir, souffrir», «être patient, passif» (→ patient). Ce terme est de même sens que le grec *paskhein* (→ patho-) dont il a emprunté certains emplois techniques, par exemple en grammaire (→ passif) et en médecine (→ passion, patient). Il est souvent opposé à *facere* «faire», comme le grec *paskhein* à *dran*. Son radical *pat-* ne se retrouve nulle part exactement mais on est tenté de le rapprocher (en supposant *°pat-os*) de la racine *°pe-*, *°po-* du grec *pêma* «souffrance», *ponos* «peine», *penês* et *penikhros* «pauvre».

♦ *Pâtir* est vieilli de nos jours dans la plupart de ses emplois : il n'a plus guère ni son sens premier, «endurer supporter qqch.», ni celui de «souffrir par manque de, manquer de» (1578, *pâtir de vivres*), en particulier «être dans la misère, vivre dans la privation». ◇ Dans la construction *pâtir de*, le verbe a pris la valeur de «subir les conséquences (souffrance, dommage, peine) d'une erreur, d'une faute» (1668). ◇ Il est spécialement employé dans le langage mystique pour «être dans une contemplation paisible, mystique et passive» (1697, Bossuet), substantivé (*le pâtir*) par opposition à *l'agir*.

▶ Ses dérivés ont eux aussi vieilli. ➜ **PÂTISSANT, ANTE** adj. (1697, Bossuet) est un terme de mystique synonyme de *passif*. ➜ **PÂTIRA** ou **PÂTIRAS** n. m., respectivement troisième (1783) et deuxième (1835) personne du futur de *pâtir*, «souffre-douleur», est archaïque. ◇ *Pâtira* a servi antérieurement à désigner un petit tapis de lisière sur lequel les tailleurs faisaient porter les boutonnières de l'habit qu'il repassaient.

◈ voir COMPATIBLE, COMPATIR, PASSIBLE, PASSIF, PASSIFLORE, PASSION, PATIENT.

PÂTIS n. m. est issu (1119) du latin populaire °*pasticium* dérivé de *pastus* «pâture, nourriture (des animaux)», du participe passé passif de *pascere* (→ pacage, paître, ② patelin).

♦ Le mot, qui désigne une terre inculte sur laquelle on fait paître le bétail, a vieilli sauf dans certaines régions du Centre et de l'Ouest.

▶ Dans ces régions (bas Berry chez Sand), on emploie son dérivé **PÂTURAL** n. m. — d'après *pâture* — pour désigner le médiocre pâturage sur lequel on conduit les bestiaux quand on les retire des bons prés en avril pour laisser croître l'herbe.

PÂTISSIER, IÈRE n. et adj. est dérivé avec le suffixe *-ier* (1278, *pasticier*) de l'ancien français °*pastitz*, indirectement attesté par ses dérivés et qui a dû disparaître avant le XIIe siècle. Celui-ci représenterait un latin populaire °*pasticium* «pâte», dérivé de *pasta* (→ pâte), et d'où sont issus l'ancien provençal *pastis, pastitz* «pâte» (→ pastis, pâtisson) et l'italien *pasticcio* (→ pastiche).

♦ *Pâtissier* désigne dès le XIIIe s. celui qui fait et qui vend des pâtés, puis des gâteaux et, par métonymie, le livre qui enseigne l'art de la pâtisserie (1690). ◇ Le mot désigne en outre un cuisinier spécialisé dans la confection des gâteaux, entremets et desserts. Au XVIIe s. on disait d'une personne effrontée qu'elle avait *passé (par) devant l'huy du pâtissier;* la locution, nous apprend Furetière, vient de ce qu'autrefois les pâtissiers, comme les traiteurs, tenaient aussi cabaret et «qu'il étoit honteux de les frequenter, les gens prudes n'y entroient que par la porte de derriere, et c'étoit une effronterie d'y entrer par la boutique, ou par le devant». ➜ Le nom est adjectivé, d'abord avec le sens supposé de «dont on fait des pâtés» en venaison (XVIe s.), puis avec le sens moderne dans l'expression ***crème pâtissière*** (1750) «préparation qui entre dans le fourrage de certains gâteaux».

▶ **PÂTISSER** v., d'abord *pasticier* (apr. 1350), est lui aussi dérivé de l'ancien °*pastitz*. Il signifie «pétrir la pâte» et «faire des pâtés ou des gâteaux»; l'ancien et le moyen français l'utilisaient aussi au sens figuré d'«accommoder» (péjorativement, encore chez Montaigne). Il a éliminé le dérivé de *pastille*, *pastiller* «faire un pâté, un gâteau», *pastillon* désignant le gâteau. ➜ *Pâtisser* a produit **PÂTISSERIE** n. f. (1328, *pastiserie*) qui désigne les produits comestibles faits avec de la pâte, qu'ils soient salés *(pâtés)* ou sucrés; ce dernier cas est devenu dominant, la répartition entre *charcuterie* et *pâtisserie* devenant très tranchée au XIXe s., et mettant le second mot en relation avec *gâteau*. ➜ Par métonymie, *une pâtisserie* désigne, au XIXe s., une préparation salée, ou plus souvent sucrée, de pâte travaillée ou cuite au four, souvent garnie (viandes, abats, fruits, crème) [1823] avant de se borner à désigner cette préparation lorsqu'elle est sucrée, et de fonctionner comme synonyme de *gâteau*. ➜ Le mot recouvre aussi le travail de préparation et de cuisson de la pâte destinée à la confection des gâteaux (1393; déjà *ouvrier de patesserie* en 1333). ◇ Surtout depuis la séparation des valeurs de *pâté* et de *pâtisserie*, ce dernier désigne le commerce de la pâtisserie (1803), le magasin, entrant plus tard dans les appellations mixtes ***pâtisserie-confiserie*** (1913) et ***boulangerie-pâtisserie*** (1886). ◇ Par allusion aux décors de gâteaux — en crème Chantilly..., le mot est employé spécialement en architecture pour désigner, par péjoration, un moulage en stuc décorant une muraille (1928).

PÂTISSON n. m., d'abord attesté sous la forme *pastisson* (1775), encore usitée à côté de *pâtisson*, est emprunté au provençal *pastissou*, dérivé de l'ancien provençal *pastis, pastitz* «pâté» (→ pastis) par allusion à la forme semi-sphérique de ce fruit.

♦ Le mot a gardé son sens d'emprunt, «cucurbitacée dont le fruit, à l'écorce jaune pâle, a un goût que l'on a comparé à celui de l'artichaut». ➜ La valeur argotique puis familière de «soufflet, coup», qui a cours en Provence (1931, Pagnol, *Marius*), représente un emprunt distinct au provençal *pastissoun* «férule que reçoit un écolier» (1886), lui aussi dérivé de *pastis*.

PATOIS n. m., attesté depuis 1285, est d'origine discutée : selon John Orr, le mot se serait d'abord écrit °*patoi*, prenant la graphie *patois* sous l'influence du suffixe *-ois*, fréquemment utilisé pour former des noms de langues, de jargons, et par extension de comportements *(beguois, sotois, clerjois, jargonnois)*. Ce serait alors le déverbal de l'ancien français *patoier* «agiter les mains, gesticuler (pour se faire comprendre comme les sourds-muets)» puis «se comporter, manigancer», dérivé de *patte** au moyen du suffixe *-oyer*.

♦ *Patois*, suivant l'évolution sémantique de *patoier*, aurait d'abord, toujours selon J. Orr, signifié «gesticulation» puis «comportement grossier», avant de désigner un langage particulier (le babil des enfants, celui des oiseaux, un langage rustique ou grossier). De fait, *patois* s'applique d'abord à une langue incompréhensible et grossière, avant de prendre le sens de «dialecte particulier à une localité», comme nom et aussi comme adjectif (1572). ◇ Le mot désigne de manière imprécise tout usage de la langue jugé comme inférieur par rapport à une norme sociale. Furetière décrit le patois comme un «langage corrompu et grossier, tel que celuy du menu peuple, des paysans, et des enfants qui ne sçavent pas encore bien prononcer» et signale qu'on le dit aussi «des étrangers dont on n'entend point la langue»; il rejoint alors *jargon*. ◇ Par métonymie, il s'est dit de la localité, du village particulier à un groupe de personnes, sens disparu. ➜ Ces valeurs péjoratives (cf. *jargon, baragouin*) ont reculé devant le sens objectif «dialecte rural» ou «variante dialectale d'une communauté rurale précise», mais, en linguistique, on lui préfère *dialecte*, plus neutre.

▶ Son dérivé **PATOISER** v. (1834) a le sens transitif d'«exprimer en patois» et le sens intransitif de «parler patois, imiter le patois». ➜ Le participe présent **PATOISANT, ANTE** est substantivé (1859) et adjectivé (1893) pour caractériser une personne qui parle patois, une façon de s'exprimer en patois.

PÂTON → **PÂTE**

PATOUILLER v. est dérivé (1175) de *patte** au moyen du suffixe expressif, souvent péjoratif, *-ouiller*.

♦ Le mot est d'abord attesté sous la forme *patoiller* «barboter, patauger», suffixé ultérieurement en *patouiller* (1572). Il est également construit transitivement au sens d'«agiter, troubler (l'eau)» (1572), puis aussi «tripoter, triturer» (1878). Il a vieilli dans tous ses emplois.

▶ Il a produit un certain nombre de dérivés qui se partagent des sens techniques et familiers. ➜ **PATOUILLARD** n. m. est la réfection (1611) de l'adjectif *patoulard, arde* adj. «qui patauge dans un bourbier» (1480); il a été repris à la fin du XIXe s., d'abord dans l'argot des marins pour désigner un navire de commerce à vapeur (1866), puis un navire lent et lourd (1889). ◇ En technique, il désigne une cuve de malaxage pour les matières argileuses (1869, Flaubert). ➜ **PATOUILLET** n. m., dérivé (1757) du verbe avec le suffixe *-et*, désigne un appareil servant à nettoyer le minerai de fer; il est employé en céramique dans le syntagme *auge à patouillet* (1844). ➜ Quant au déverbal **PATOUILLE** n. f. (1894), c'est à la fois l'appellation technique de la machine qui sépare la terre du minerai, et un nom familier de la boue des chemins (1894). Les marins l'emploient pour désigner l'eau, la mer (1910). Ces sens sont à rapprocher du moyen français *patoueil* «bourbier, mare» (1473) et de nombreux emplois dialectaux de *patouille* au sens de «boue». ➜ *Patouiller* fournit encore les dérivés populaires **PATOUILLAGE** n. m., **PATOUILLADE** n. f. et **PATOUILLIS** n. m.

Par préfixation, *patouiller* a donné le verbe familier **(SE) DÉPATOUILLER** v. pron. attesté depuis 1640 sous la forme *se despatoüiller* (des mains de qqn), «se tirer d'une situation embarrassante», où l'étymon *patte* est très présent. L'usage moderne du mot, attesté au XXe s. (1936), était très largement répandu dans les dialectes (notamment Centre, Ouest). ◇ Il a pour dérivé **DÉPATOUILLAGE** n. m. qui semble récent. ➜ On rencontre aussi **SE DÉPATROUILLER** v. pron. (1606) «se dégager de qqn, de qqch.», dérivé de *patrouiller** «marcher dans la boue».

◈ voir **TRIPATOUILLER**.

PATRAQUE n. f. et adj. est emprunté (1743), par l'intermédiaire des marins marseillais, à l'italien du Nord °*patracca* «monnaie de peu de valeur». Celui-ci est issu, avec épenthèse du *r* fréquente devant *t* dans cette région, de *patacca*, féminin de *patacco* de même sens, d'origine obscure, attesté dès 1327 par son diminutif *patachina*. On a aussi songé à l'espagnol *pataca*, désignant une monnaie d'argent.

♦ Le mot est passé en français pour désigner une breloque, une curiosité de peu de valeur, un vieux meuble qui n'est plus à la mode; le premier exemple connu concerne des montres de cuivre. ➜ Par métaphore, *patraque* a servi de terme d'injure (1755, *patraque démantibulée*) à l'adresse d'une marchande de poisson, et de désignation péjorative pour une vieille femme en mauvaise santé (1771). Ce sens était encore vivant régionalement dans la première moitié du XXe siècle. ➜ De nos jours, le mot est surtout employé comme adjectif pour qualifier une personne faible, mal en point, malade (1798) sans cause médicale précise.

▶ Son dérivé **PATRAQUERIE** n. f. est utilisé en médecine (XXe s.) au sens de «mauvais état de santé chronique, sans diagnostic précis».

PÂTRE n. m. est issu, sous la forme *pastres* (v. 1120) du latin *pastor* «berger», qui était en ancien français le cas sujet de *pasteur**.

♦ Les deux mots, *pasteur* et *pâtre*, ont été conservés avec des spécialisations différentes: tandis que *pasteur* se réservait de bonne heure le sens religieux, *pâtre*, d'abord attesté dans un contexte biblique, désigne celui qui fait paître les troupeaux (1180). Il sert de synonyme littéraire à *berger*, qui l'a éliminé dans la langue courante.

PATRIARCHE n. m. est emprunté (1080) au latin chrétien *patriarcha*, emprunté au grec *patriarkhês* «chef de famille», composé de *patria* «clan, famille» (dérivé de *patêr*, → père) et de *arkhês* «chef» (→ archi-) pour traduire l'hébreu *rôchê aboth*. Le mot latin sert à désigner le chef de race chez les Hébreux (IIIe s., Tertullien); il est employé au figuré pour qualifier Jupiter (appelé *patriarcha deorum*). À partir du IVe s., *patriarcha* a servi de titre honorifique attribué au pape et aux évêques de quelques villes: Constantinople, Alexandrie, Antioche, Jérusalem; ultérieurement, ce titre est étendu à d'autres évêques (Grégoire le Grand; entre le VIe et le Xe s., à propos d'évêques de Gaule).

♦ Le mot a pénétré en français comme terme d'histoire ecclésiastique, désignant le chef des premiers sièges épiscopaux, en particulier comme titre de l'évêque de Jérusalem (1080), d'Antioche (1200), de Constantinople (1210). En parlant de personnages bibliques, il désigne les chefs de race de l'Ancien Testament, antérieurement à Moïse, personnages remarquables par leur longévité (Abraham, Isaac, Jacob, Mathusalem, David) [mais le mot ne figure pas dans la Bible grecque]. ◇ Par extension, il a développé le sens figuré de «personne avancée en âge et très respectée, père d'une nombreuse lignée» (1762), allusion aux traits prêtés aux patriarches dans l'iconographie de l'Ancien Testament.

▸ *Patriarche* a donné **PATRIARCAT** n. m. (1275) «territoire soumis à l'autorité d'un patriarche» et «dignité de patriarche» (1594), puis aussi «exercice de la fonction de patriarche» (1835). ◇ Au XIXe s., le mot passe dans la terminologie du socialiste utopique Fourier où il désigne la troisième phase du troisième échelon de la période du premier âge du mouvement social (1830, *Nouveau monde industriel*). Depuis 1903, par opposition à *matriarcat*, il est employé en sociologie pour désigner un type d'organisation sociale où l'autorité familiale et politique est exercée par les hommes, chefs de famille. ➛ De *patriarche* est aussi dérivé **PATRIARCHIE** n. f. (1765) «église patriarcale», d'usage plus didactique. ➛ L'adjectif correspondant à *patriarche*, **PATRIARCAL, ALE, AUX** adj. est emprunté (XVe s.) au bas latin *patriarchalis* (fin V^e-VIe s., *patriarchalis sedes*, substantivé par ellipse dans *patriarchales* n. m. pl.). Passé en français pour qualifier ce qui concerne l'un des cinq sièges épiscopaux les plus importants de l'Église primitive, le mot a été recréé au XVIIIe s. d'après *patriarche* avec ses autres sens : «qui se rapporte aux patriarches bibliques» (1752), «qui évoque la simplicité des mœurs des patriarches» (1755, Voltaire). ◇ Le dérivé **PATRIARCALEMENT** adv. est d'usage très littéraire (1763, Voltaire).

PATRICE n. m., terme d'histoire, est emprunté (1200) au latin *patricius* «de père libre ou noble», dérivé de *pater* (→ père), à ranger dans la catégorie des dérivés en *-icius* des noms de magistrats. Celui-ci désigne un dignitaire de l'Empire romain dont la fonction fut instituée vers 315 par Constantin et qui fut conférée à des rois barbares après les grandes invasions. En latin du haut moyen âge, *patricius* concerne la dignité conférée à certains gouverneurs de province dans le royaume burgonde (544), puis dans le royaume franc (629-634, *lex Ripuaria*) et correspond au titre d'honneur de l'exarque de Ravenne (av. 636). Le pape a enfin conféré cette dignité aux rois Pépin le Bref et Charlemagne (767, *Patricius Romanorum*).

♦ *Patrice* est un terme d'histoire qui désigne le patricien romain, la dignité honorifique créée par Constantin et reprise par certains chefs barbares (1579), enfin celle attribuée par les papes aux rois francs (1600).

▸ **PATRICIEN, IENNE** n. et adj. est dérivé (1355) de *patrice* avec le suffixe *-ien* pour désigner et, comme adjectif (1559) qualifier la personne qui appartenait de par sa naissance à la classe sociale la plus élevée chez les Romains, seule apte à prétendre à la magistrature. Il s'est employé à propos d'une personne issue de la noblesse ou de la classe sociale privilégiée dans certaines républiques italiennes (1765-1770, Rousseau), puis en général (1780, Condillac). Sous la Révolution, G. Babeuf l'emploie péjorativement (*patriciens accapareurs*, 1795). ◇ L'adjectif *patricien* a suivi la même évolution jusqu'à la valeur caractérisante d'une élite morale, intellectuelle.

PATRICIAL, ALE, AUX adj. (1541), relevé une première fois au sens de «patricien», s'est établi comme terme d'histoire, qualifiant ce qui est relatif à la dignité de patrice (1764, *honneurs patriciaux*). ➛ **PATRICIAT** n. m. est emprunté (1610) au dérivé latin *patriciatus* «qualité de patricien», à basse époque «dignité de patrice». ◇ Le mot désigne la dignité de patrice, celle du patricien romain (1622); par extension, il a été appliqué pendant la Révolution à la classe privilégiée et dirigeante (1793, Saint-Just), et s'est étendu à la notion d'«élite morale, intellectuelle» (1839). ◇ Ces valeurs, proches de celles d'*aristocrate, aristocratie*, ont disparu.

✳ **PATRIE** n. f. est emprunté (1516) au latin *patria*, proprement «pays du père» (de *pater*, → père), d'où «sol, pays natal», employé chez les auteurs chrétiens et au moyen âge avec le sens de «pays, région», et, en emploi qualifié, de «paradis» *(caelestis patria)*.

♦ Le mot désigne la communauté à laquelle une personne appartient; comme *pays*, il est relatif, concerne le rapport entre un groupe social et l'individu, ce qui le rend et le rendra très distinct de *nation*. Il est plus tardif que *patriote* dans son emploi initial pour «compatriote», et que les dérivés français du latin *patria* (ci-dessous). L'idée d'appartenance géographique, héritée du latin médiéval, cède peu à peu la place à celle d'appartenance affective, d'ailleurs réalisée dans un calque du latin, *céleste patrie* (1547) «le paradis». ◇ Le mot évolue à la fin du XVIIe s. : «le sens moderne ne s'est répandu qu'à partir des écrits réformateurs de Vauban» (M. Cohen), et surtout au XVIIIe s., en relation avec *patriote*, avec *nation* et avec certains emplois de *république*, concepts qui se rejoignent pendant la Révolution. Cette valeur politique évolue alors (cf. *patriote*); puis au XIXe et au XXe s., est colorée par les idéologies nationalistes, prenant pendant les guerres des connotations plus fortes. Ces valeurs sont reflétées plus clairement par les emplois de l'adjectif *patriote** et de ses dérivés; elles sont parallèles à celles qu'ont pris *nation* et *national*, mais *patriotisme*, à la différence de *nationalisme*, est demeuré affectif. ➛ Par ailleurs, le mot a depuis le début du XVIIe s. une valeur plus neutre, concrète et spatiale. Il se dit de la ville, du lieu où l'on est né (1611), notamment dans la locution ***petite patrie*** (1762, Rousseau). Au figuré, il désigne l'endroit où l'on se sent bien (XVIIe s.), et ***la patrie de*** (1770) se dit du lieu où l'on rencontre par excellence certaines personnes, certaines choses, puis du lieu d'origine, de création. ➛ Au sens propre, le mot entre dans l'expression ***mère patrie*** (1798), désignant d'abord un pays dont une colonie dépend.

▸ *Patrie* n'a pas créé durablement de dérivés : *patrial* ne vit pas au-delà du XVIe s. mais le latin *patria* a produit quelques composés. **EXPATRIER** v. tr. (1395), attesté bien avant *patrie*, s'est répandu au XVIIIe s., y compris à la forme pronominale *s'expatrier* (1743). ◇ Il a produit **EXPATRIATION** n. f. (1603), mot correspondant à l'état de la personne expatriée et à l'action (av. 1755) d'expatrier qqn.

◇ **APATRIÉ, ÉE** adj., d'abord créé (1465) au sens de «fixé dans un pays», a été repris au XXe s. (1913, Proust) pour «adopté par une patrie autre que la sienne»; il est très peu usité. ➛ **RAPATRIER** v. tr. (v. 1462), «assurer le retour de (une personne) dans son pays», a eu le sens de «réconcilier (deux amis)» (1603), *se rapatrier* correspondant à «se réconcilier»; ces emplois sont aujourd'hui sortis de l'usage. ◇ Conservant sa valeur première, le verbe a reçu au XXe s. une acception financière : «faire revenir (des capitaux, de l'argent) dans un pays d'origine». ◇ Le dérivé **RAPATRIAGE** n. m. est sorti d'usage. ◇ **RAPATRIÉ, ÉE** adj. et n. a été appliqué spécialement aux Français d'Afrique du Nord réfugiés en France après l'indépendance des pays du Maghreb, surtout l'Algérie. ◇ **RAPATRIEMENT** n. m. (v. 1675) est resté en usage, aux différents sens du verbe.

APATRIDE adj. et n. est dérivé (1928) du radical de *patrie* avec le suffixe *-ide* et le préfixe privatif *a-;* il est à rapprocher du grec *apatris, -idos* «sans patrie», dérivé de *patris* «terre des ancêtres».

SANS-PATRIE adj. et n. est attesté en 1921 (en relation avec l'allemand *Heimatlos*).

◈ voir PATRIOTE.

PATRILINÉAIRE → PÈRE

PATRIMOINE

PATRIMOINE n. m. est emprunté (1150) au latin *patrimonium* «bien de famille», employé au propre mais aussi au figuré, comme dans l'expression *patrimonium populi* «trésor public». À basse époque, il s'est spécialisé dans la langue ecclésiastique pour désigner la partie du domaine possédé par l'Église en Italie, et il est entré dans les expressions *patrimonium Crucifixi* «les biens ecclésiastiques» (av. 1159) et *patrimonia pauperum* «les biens des pauvres». Avec son sens premier, «ensemble des biens appartenant au pater familias», il est dérivé, par l'intermédiaire de l'adjectif *patruus,* de *pater* (→ père).

♦ Le mot désigne l'ensemble des biens, des droits hérités du père (quelquefois par opposition, en ancien français, à *matremoingne, matrimoine*). Il est spécialement employé en religion dans les expressions calquées du latin *le patrimoine au Crucefiz* (1174-1178) «les biens de l'Église», *le patremoine Dieu* (1265), *le patrimoine des pauvres* (1679), *le patrimoine de saint Pierre* (1265) «partie du domaine que possède l'Église en Italie» et par extension «biens temporels de la papauté». ◇ Au XVIIIe s., le mot avait pris le sens figuré et plaisant de «génitoires» (1718). ➛ La valeur générale, «ce qui est transmis à une personne, à une collectivité par les ancêtres, les générations précédentes» (1823), a donné des acceptions spéciales en biologie *(patrimoine génétique)* et, récemment, dans le domaine de la sociologie culturelle pour désigner les biens matériels et intellectuels hérités par une communauté.

► L'adjectif correspondant, **PATRIMONIAL, ALE, AUX** est emprunté (1370) au dérivé bas latin *patrimonialis* «du patrimoine». Il est spécialement employé par le langage juridique (1611, *deniers patrimoniaux;* 1671, *avocat, procureur patrimonial*). ➛ En sont dérivés **PATRIMONIALEMENT** adv. (1779) «à titre de patrimoine» en droit, et **PATRIMONIALITÉ** n. f. (av. 1757), d'abord employé dans la locution ancienne *regarder qqn en patrimonialité* «comme son propre patrimoine».

PATRIOTE

PATRIOTE adj. et n. est emprunté (apr. 1450) au bas latin *patriota* «compatriote», dérivé de l'adjectif *patrius* «du père» de *pater* (→ père) et hybride à terminaison grecque.

♦ Le mot a d'abord l'acception latine avant de la céder à *compatriote**. Peut-être par l'intermédiaire de syntagmes du type *bon patriote* «bon concitoyen» (1562), le mot a pris d'après *patrie,* au XVIIIe s., le sens de «personne qui aime sa patrie et la sert avec dévouement» (1756). ◇ Pendant la Révolution, il désigne spécialement le citoyen qui s'oppose aux aristocrates, à l'Ancien Régime (1789), en particulier un citoyen armé. *Patriote* et *sans-culotte* sont alors quasi synonymes. ◇ Selon les contextes historiques, le mot a servi à désigner des membres de divers mouvements revendiquant la défense de l'idée de «patrie», de «nation» (cf. *national, nationaliste*), que ce soit pendant l'affaire Dreyfus, pendant la Seconde Guerre mondiale, ou pendant les guerres de libération nationale dans les pays colonisés. Il est employé comme adjectif avec des emplois correspondant à ceux du nom.

► *Patriote* a donné **PATRIOTIQUE** adj. (1532), anciennement «paternel», employé depuis 1750 avec son sens moderne, et à l'origine de **PATRIOTIQUEMENT** adv. (1790). ➛ **PATRIOTISME** n. m., dérivé (1749) de *patriote* au moyen du suffixe *-isme,* a probablement subi l'influence de l'anglais *patriotism,* attesté depuis 1726. Le mot concerne une attitude affective et morale d'attachement actif à la patrie; il n'a pas les contenus abstraits, voire théoriques, d'autres dérivés en *-isme,* comme *nationalisme.* ➛ Au XIXe s. sont apparus plusieurs mots à valeur polémique ou péjorative : on rencontre ainsi **PATRIOTERIE** n. f. (1828), **PATRIOTARD, ARDE** adj. et n. (1899, Clemenceau), et les déformations plaisantes **PATROUILLOTISME** n. m. (1870, Rimbaud), **PATROUILLOTE** adj. (1893, Verlaine) qui croisent *patriote* et *patrouille* (de la garde nationale), utilisant les connotations comiques de la finale *-ouille.* ➛ **ANTIPATRIOTE** adj. et n. et **ANTIPATRIOTISME** n. m., datent de la Révolution (respectivement 1789, 1790), mais sont peu employés en dehors de cette référence historique et des périodes de guerre ou de nationalisme. **ANTIPATRIOTIQUE** adj. est déjà attesté dans Voltaire (1767).

COMPATRIOTE n. est emprunté (1396) au bas latin *compatriota,* dérivé de *patriota* avec *cum* (→ co-) et probablement calqué du grec *sumpatriôtês.* Le mot désigne la personne issue du même pays et, au figuré, unie à une autre par un lien moral ou des intérêts analogues. ◇ Il a produit **COMPATRIOTIQUE** adj. (1861) et **COMPATRIOTISME** n. m. (1840), tous deux rares.

PATRISTIQUE

PATRISTIQUE adj. et n. f. est emprunté (1813) au latin ecclésiastique du XVIIe s. *patristica (theologia)* «théologie des Pères de l'Église», dérivé du latin *pater* «père», spécialement «Père de l'Église» (→ père).

♦ Le mot recouvre la science qui étudie les écrits, la vie, la doctrine des Pères de l'Église chrétienne. ◇ Il est employé adjectivement (1898).

▶ Au XVIIIe s., le français avait déjà emprunté **PATROLOGIE** n. f. (1706) au latin ecclésiastique du XVIIe s. *patrologia* (1653, titre d'un ouvrage de J. Gerhard, édité à Iena; certainement antérieur comme l'indique l'attestation de l'anglais *patrology* en 1600). Ce mot est composé de *patro-* (du grec *patêr, patros* «père», → père) et de *-logia* (→ -logie). Introduit par la traduction de l'ouvrage de J. Gerhard, *patrologie* a désigné un traité sur les Pères de l'Église, avant de recouvrir plus largement l'étude, la connaissance de la doctrine, des écrits de ceux-ci. Synonyme partiel de *patristique,* il désigne aussi, concrètement, la collection complète des ouvrages des Pères de l'Église (1868). Cf. la *Patrologie latine* de Migne.

① **PATRON, ONNE** n. est emprunté sous la forme *patrun* (v. 1250) au latin classique *patronus* «patron» (par opposition à *client*), «protecteur des plébéiens», au figuré «défenseur, protecteur, appui», «ancien maître d'un affranchi» puis, en latin médiéval, «saint protecteur» (950). *Patronus* est dérivé de *pater* (→ père).

♦ Le mot désigne d'abord le saint sous l'invocation duquel est placée une église (au masculin et au féminin sous la forme ancienne *patrone,* 1284), une ville, un métier. Il désigne aussi un protecteur (fin XIIIe s.), en particulier, dans le contexte féodal, le maître d'un serf (1265) et, par réemprunt au latin, dans celui de l'ancienne Rome, le maître par rapport à son affranchi, à son client (1559), le maître d'un esclave (1671). ◆ Plusieurs sens ont pour facteur commun l'idée de «personne qui en a d'autres sous son commandement, à son service» : *patron* désigne spécialement le marin qui commande l'équipage d'une embarcation (1337) et le maître de maison par rapport aux domestiques (1611); ce dernier sens, qualifié de «burlesque» (c'est-à-dire archaïque ou plaisant) par Richelet en 1680, est redevenu usuel au XIXe s., avec le féminin **PATRONNE,** qui désigne aussi, dans un contexte artisanal et commerçant, la femme du patron (cf. *bourgeois, bourgeoise*). ◆ À partir du XIXe s., le mot est appliqué, dans le monde du travail, à un artisan, un petit entrepreneur qui emploie quelques ouvriers et forme des apprentis (1812), puis au chef d'une entreprise industrielle ou commerciale par rapport aux ouvriers qu'il emploie (1832). ◇ Avec cette valeur, il est employé au sens (en général péjoratif) de «capitaliste» (1848), du point de vue des ouvriers. Il entre dans la locution ***jeune patron*** à la suite de la création du *Centre des Jeunes Patrons (C. J. P.)* en 1938, en référence au type social du chef d'entreprise dynamique (le féminin n'étant pas utilisé alors). ◇ Il s'applique également (seulement au masculin) à un professeur de médecine, chef d'une clinique ou d'un service hospitalier par rapport à ses élèves (1901), à la personne qui dirige des travaux intellectuels ou artistiques. ◇ Probablement par influence de l'anglo-américain *boss,* il s'emploie en général pour «personne qui commande, décide»; cf. *chef.* ◇ Comme *chef, patron* est devenu en français d'Afrique un terme d'adresse à une personne supposée capable de rémunérer un service.

▶ *Patron* a produit quelques dérivés : le plus ancien est **PATRONAGE** n. m., sous diverses formes, *patrounage* (1270), puis *patronaje* (fin XIIIe s.) et *patronaige* (fin XIVe s.). D'abord employé comme terme de droit ecclésiastique, il désigne spécialement, en référence à l'Antiquité romaine, l'ensemble des rapports qui lient les «patrons» aux «clients» et aux esclaves affranchis (fin XIIIe s.). ◇ Depuis le début du XIVe s., *patronage* est employé au sens général de «protection» et, par une métonymie ultérieure, il désigne l'organisation qui apporte une aide à des personnes démunies (1859), en particulier une organisation religieuse qui reçoit des jeunes pendant leurs loisirs et leur propose des activités distrayantes (1879); il est alors familièrement abrégé en **PATRO** n. m. (1935). Depuis 1825, *patronage* désigne également la protection d'une divinité, en particulier (1836) celle d'un saint. ◆ Le verbe ① **PATRONNER** v. tr. (1501), «couvrir de son crédit, de sa protection», n'est plus attesté avant 1611, puis semble disparaître. Il est repris au XIXe s. (1839, Balzac). ◆ **PATRONAT** n. m. est emprunté comme terme d'antiquités romaines (1578) au dérivé bas latin *patronatus* «condition de patron, patronage, droits de l'ancien maître sur l'affranchi» (déb. Ve s.). Il doit à *patron* au sens économique d'«employeur» son emploi collectif courant, «ensemble des patrons par rapport aux ouvriers et employés» (1871). ◆ **PATRONAL, ALE, AUX** adj. (1611), qui doit sa terminaison au bas latin *patronalis* «dû au patron» (déb. VIe s.), a évincé son concurrent *patronel* attesté en 1601 comme terme d'antiquités. Il qualifie d'abord ce qui est relatif à un protecteur et au saint patron d'une paroisse (dans l'expression ***fête patronale,*** 1732). Au XIXe s., s'ajoute le sens moderne, «relatif à un chef d'entreprise, à un employeur» (1839), rare avant la fin du XIXe s. (1888, dans les dictionnaires). ◆ Si le féminin de *patron* est normalement *patronne,* on rencontre aussi **PATRONNESSE** n. f., emprunté au XVIe s. à l'anglais *patroness* (1440) «femme patron», dérivé de *patron* «protecteur» puis «client habitué», lui-même emprunté (XIVe s.) au moyen français *patron.* Le français du XVIe s. connaît *patronnesse* au sens de «femme qui protège» (1575) mais le mot, disparu avec cette valeur, est réintroduit au XIXe s. (1833, *patronesse*) à propos d'une femme qui patronne un écrivain, un artiste, une personne du monde des arts, acception devenue archaïque. *Patronnesse* n'est plus employé que dans ***dame patronnesse*** (1842) pour désigner, aujourd'hui ironiquement, celle qui se consacre à des œuvres de bienfaisance. ◇ On rencontre quelquefois le diminutif de *patron,* **PATRONNET** n. m. (1803), avec le sens spécial de «jeune artisan pâtissier».

② **PATRON** n. m., au sens de «modèle, exemple d'un livre» (1119), est le même mot que ① *patron,* développé dans une acception figurée. C'est un terme de métier désignant le modèle suivant lequel on confectionne certains objets (1260), par exemple en couture et dans la fabrication des cartes à jouer (1676). ◇ Dans le langage des sciences humaines, le mot sert à traduire l'anglais *pattern* «modèle, type», forme altérée du moyen anglais *patron,* lui-même emprunté au français; la forme *pattern* s'est spécialisée depuis 1700 dans la désignation de choses. Le français utilise concurremment l'emprunt **PATTERN** n. m. (1922) et *patron.* ◇ ② *Patron* a produit deux dérivés techniques : ② **PATRONNER** v. tr. (1392) «découper selon un patron» et «colorier à l'aide d'un patron évidé» (1676), et **PATRONNIER, IÈRE** n. (1680), d'abord dit de la personne qui fait les modèles pour les dentelles puis dans une acception plus générale.

PATRONYMIQUE adj. est emprunté (v. 1220, *patrenomique*) au bas latin des grammairiens *patronymicus,* adjectif dont le neutre *patronymicum* est substantivé et désigne le nom donné d'après le nom du père. Le mot transcrit le grec tardif *patrônumikos* «qui porte le nom du père», de *patêr, patros* «père».

♦ Le mot a été introduit en français dans son acception large, «nom commun à tous les descendants d'une race et tiré du nom de celui qui en est le père». Il s'est restreint à un usage adjectif (fin XIVe s.) et désigne communément le nom de famille (1817).

▶ **PATRONYME** n. m., dérivé régressif (peut-être v. 1825, puis 1908), désigne le nom de famille, notamment en ce qu'il est transmis par le père.

PATROUILLER v. intr. est une variante (déb. XVe s.) de *patouiller** dont le *r* est dû à l'influence des mots dialectaux de sens analogues comme *gadrer, gadrouiller, vadrouiller.*

♦ Le verbe signifie proprement «tripoter, manier malproprement» d'où «marcher dans la boue». ➜ Le verbe a pris au XVIe s. une spécialisation militaire, «faire une ronde de surveillance» (1553). Le verbe a vieilli dans cette acception au bénéfice de locutions verbales utilisant le dérivé *patrouille* (ci-dessous).

▶ Avec son sens propre, il a produit **PATROUILLAGE** n. m. «action de patauger dans la boue» (1694) et **PATROUILLIS** n. m. «bourbier, flaque d'eau boueuse». ➜ Le déverbal **PATROUILLE** n. f. (1538), d'abord «action de patauger, de tripoter», et par métonymie «écouvillon fait de vieux linges», a développé au XVIe s., sous l'influence de *patrouiller,* son sens moderne de «ronde de surveillance faite par un détachement militaire» (1559), d'où *aller en patrouille, faire une patrouille.* ◇ Par métonymie, il désigne le détachement qui fait la ronde (1671). ◇ Plus récemment, *patrouille* est devenu un terme de scoutisme (1928). Par ailleurs, il a pris pendant la guerre de 1914-1918, probablement d'après *patrouilleur,* le sens spécial de «mission de surveillance confiée à une petite formation de soldats, et aussi d'avions (1917), de navires». ➜ Quant à **PATROUILLEUR** n. m., dérivé de *patrouiller,* attesté une première fois en 1606 pour désigner celui qui pétrit le beurre, il a été reformé pendant la Première Guerre mondiale, d'après les valeurs militaires de *patrouiller* et surtout de *patrouille,* pour désigner un petit bâtiment de guerre employé pour la surveillance, l'escorte, la lutte anti-sous-marine (1918). Il désigne également le soldat envoyé en patrouille (1919) et l'avion chargé de patrouiller (1951, *patrouilleurs aériens*).

✳ ① **PATTE** n. f. est issu (1174-1176) d'un radical onomatopéique *patt-* imitant le bruit que font deux objets qui se heurtent ou appliqué à des parties du corps avec l'idée d'un contact possible — mains, pattes et lèvres, quelquefois dans ce dernier cas avec une valeur de «bavardage, marmonnage». Ce radical est bien représenté dans les langues romanes (roumain, italien, espagnol, portugais, catalan). Le latin désignait la patte par le mot *pes, pedis,* passé en français avec un sens plus limité (→ pied). L'ancien français utilisait quant à lui *poe, pote* issu d'un préceltique °*pauta* (→ empoter, tripoter), mais *patte* dont l'initiale est aussi un *p* l'a emporté.

♦ Dès les premières attestations, *patte* est employé au sens de «membre, appendice des animaux qui supporte le corps et qui sert à la marche», réalisé dans des locutions comme ***faire patte de velours,*** employée à propos d'un chat (1654) et, au figuré, d'une personne (1718). Par métaphore, il s'applique à la main humaine (1458) avec l'idée de grossièreté qu'implique souvent le passage de l'animal à l'homme (cf. *gueule*), surtout dans les locutions comme ***tomber sous la patte de qqn*** (1515), ***mettre la patte sur qqn ou qqch.*** (1690) «se saisir de» et «trouver ce que l'on cherchait». ◇ *Patte* désigne donc le membre antérieur de l'homme (1461), ainsi que sa jambe et son pied (1618; 1611 dans la locution ***marcher à quatre pattes***). En ce sens, il entre dans les locutions familières ***en avoir plein les pattes*** (1885) «être fatigué de marcher» et ***à pattes*** (1858) «à pied». ➜ Plusieurs syntagmes construits sur le modèle *patte de* et un nom d'animal ont été plus ou moins lexicalisés (ci-dessous *patte d'oie*). Quelques-uns fournissent des dénominations populaires de plantes, tels ***patte de chat*** (1611) ancien nom de l'aconit, ***patte de loup, patte de lapin, patte d'araignée*** (1816) «nigelle des jardins» (*pied** et d'autres noms de l'anatomie animale jouent le même rôle). ◇ ***Patte de mouche*** (au pluriel), qui a succédé à *pieds de mouche,* se dit d'une écriture fine peu lisible (1798), ***patte de lapin*** (au pluriel) des favoris courts (1883) et ***patte de lièvre*** (1880) désigne une houpette allongée servant à maquiller les acteurs. ➜ *Patte* est employé seul pour désigner des objets servant de support (cf. *pied**) ou de forme allongée : il désigne le pied d'un verre (1297), la pièce métallique qui sert à fixer des boiseries dans la maçonnerie (1490), l'ouverture inférieure d'un instrument de musique (1636), un instrument servant à régler le papier à musique (1659). Il se dit également d'une petite bande d'étoffe disposée sur un vêtement, soit comme garniture, soit comme fermeture (1680), en particulier de l'épaulette d'un uniforme militaire (1835). En horticulture, *patte* se rapporte au rabat charnu de certaines plantes (XVIIe s.), et en maroquinerie, au rabat servant à fermer un portefeuille, sens devenu courant et qui s'est généralisé (1842).

▶ L'adjectif correspondant à *patte*, **PATTÉ, ÉE** adj. et n. f. (1223) a perdu son sens initial, «qui a de grosses pattes», au profit de **PATTU, UE** adj. (1457). *Patté* reste usité en héraldique au sens de «formé de pattes» (1306) et dans les parlers régionaux avec le sens de «boueux», «aux pieds chargés de terre» (Nivernais). Il est substantivé au féminin pour désigner ce qui peut être emporté dans les pattes. ➜ Avec le même type d'emplois analogiques concrets que lui, *patte* a produit le diminutif **PATELETTE** n. f. (1344-1345).

Un dérivé verbal du moyen français, ① **PATINER** (1408), signifie «manier grossièrement» (comme avec de grosses pattes) et, avec une spécialisation érotique, «caresser indiscrètement». Il a vieilli, plus ou moins remplacé par *peloter*. ➜ Le dérivé ① **PATINEUR** n. m. (1651) a aussi disparu, le verbe et son dérivé étant en conflit homonymique avec les dérivés de *patin**. ➜ **PATOCHE** n. f., dérivé populaire puis familier de *patte*, a désigné un coup de férule sur la main (1856) et s'emploie encore pour une grosse main (1866).

D'un dérivé dialectal *patter* «emporter de la terre avec ses pieds dans les lieux humides» et «prendre de la terre à ses chaussures», vient un verbe préfixé **SE DÉPATTER** utilisé dans le Centre au sens de «retirer la terre ou la boue de ses chaussures» (1907). ➜ **EMPATTEMENT** n. m. est dérivé (1499) du verbe technique *empatter* (1327), de *em- (en-)* et *patte* au sens de «support» (ci-dessus). ◇ Il désigne une base faisant saillie, d'abord en maçonnerie, puis (XIXe s.) en technique, en typographie *(empattement d'une lettre)* et, par extension, la distance entre les essieux d'une voiture (1873).

PATTE D'OIE n. f. a été formé (1573) avec le sens ancien de «difformité des nouveau-nés consistant en la soudure des doigts et des orteils». Au cours du XVIIe s., par allusion à l'aspect d'une patte d'oie, apparaissent des sens encore très vivants : le mot désigne le carrefour où une voie se divise en plusieurs branches (1624) et, dans un usage plus technique, un assemblage de pièces de charpente en forme de pyramide triangulaire (1676). ◇ Le composé est passé dans le langage de la navigation où *mouiller en patte d'oie* (1690) signifie «jeter trois amarres disposées en triangle». Le sens le plus usuel, «ridules divergentes à l'angle de l'œil», est attesté depuis 1824. D'autres composés sont aujourd'hui plus autonomes, ainsi que plusieurs dérivés, détachés par le sens.

◈ voir CARAPATER, ÉPATER, MILLE-PATTES (art. MILLE), PATAPOUF, PATAUD, PATAUGER, ① PATELIN, PATIN, PATOIS, PATOUILLER, PATROUILLER, TRIPATOUILLER.

② PATTE → PATTEMOUILLE

PATTEMOUILLE n. f., d'abord *patte mouillée* (1842) et, par réunion des deux éléments, *patemouille* (1931), est composé de *mouille*, forme verbale de *mouiller** et de ② *patte* n. f. «chiffon» (1550). Ce dernier est un mot régional de l'Est et du Sud-Est du domaine d'oïl, du franco-provençal, du provençal, du rhétique central et occidental et de l'Italie du Nord. Il remonte à un longobard (langue germanique des Lombards) °*paita* «vêtement». D'usage régional (Lyonnais, Dauphinois, Alpes et Suisse), *patte* s'est employé adjectivement au sens de «mou et flasque (comme un chiffon)». ◇ Les valeurs figurées prises par ① *patte** au XVIIe s., notamment «bande d'étoffe», ont certainement aidé, par confusion, au maintien du mot. Il est possible que l'argotique *patin* «baiser lingual» (1927) lui doive quelque chose, bien que certains préfèrent interpréter *rouler un patin* comme une déformation plaisante de *rouler à patins* (à l'époque de la vogue du patin à roulettes). Cf. *patin*.

♦ *Pattemouille*, proprement «chiffon mouillé», désigne spécifiquement le linge mouillé que l'on interpose entre le fer et le tissu pour repasser certains vêtements.

PATTERN → ② PATRON

PÂTURE n. f. est issu (v. 1120, *pasture*) du bas latin *pastura* «action de paître, de brouter», «nourriture des animaux» (IVe s.), employé au moyen âge au sens de «droit de pacage» (774) et «terrain de pâture, pâturage» (807). *Pastura* est dérivé de *pastum*, supin de *pascere* (→ paître).

♦ Dans le premier emploi attesté, le mot désigne d'abord le lieu où pâturent les animaux, dans le contexte biblique du peuple hébreu figuré dans la Vulgate par un troupeau *(grex)* sous la garde d'un pasteur *(pastor)*. Il a dès le XIIe s. la valeur générale (1174-1187) et entre dans l'expression ***vaine pâture*** (1306, *pasture*) qui désigne le droit de faire paître les animaux dans les terres non closes après les récoltes et, par métonymie, la terre où les habitants peuvent librement faire paître leur bétail (1598). ➜ Le mot désigne aussi la nourriture des animaux (1180) et l'action par laquelle ils cherchent leur nourriture (XIIIe s., *aler en pasture*). ◇ Par métaphore, il s'est appliqué à la nourriture de l'homme (1245) et est employé au sens figuré de «ce qui alimente une faculté, un sentiment» (1268), souvent avec une connotation péjorative, par exemple dans la locution ***donner en pâture***.

▶ Son dérivé **PÂTURER** v. (1160) est construit dès les premières attestations transitivement et intransitivement, à propos d'un animal et (fin XIIIe s.) d'une personne, surtout au sens figuré de «se nourrir intellectuellement» (→ paître, repaître). ➜ Du verbe est dérivé **PÂTURAGE** n. m. (1200), «action de faire paître», spécialement «droit de faire paître le bétail en un lieu», employé par métonymie pour désigner le lieu où paissent les bêtes (av. 1250). Ce mot, toujours usuel en agriculture et dans la langue courante, est le plus vivant du groupe. ➜ *Pâture* a aussi donné le terme de botanique **PÂTURIN** n. m. (1752), nom d'une graminée qui procure un foin excellent et **PÂTURABLE** adj. (XVIe s.) «qui peut être livré à la pâture».

◈ voir ② PATELIN, PÂTIS.

PATURON ou **PÂTURON** n. m., d'abord *pasturon* (1316-1340) est dérivé au moyen du suffixe *-on* de l'ancien français *pasture* «partie basse de la jambe du cheval» (1340), lui-même probablement dérivé de l'ancien verbe *empasturer* «entraver». L'entrave se mettant au paturon, le verbe a facilement pu être rapporté à la jambe du cheval, tandis que, du XIIIe au XVe s., *pasture*, d'où dérive *empasturer*, désigne l'entrave (sens conservé en Normandie). Ce premier *pastura* est issu, par substitution de suffixe *-ura*, du bas latin *pastoria* «corde retenant un cheval au pâturage», substantivation de *(chorda) pastoria* «corde de berger» (→ empêtrer).

♦ *Paturon*, terme d'anatomie du cheval, est quelquefois employé au sens argotique, puis burlesque, de «pied» (1628), facilité par l'initiale *pat-*, sans doute interprétée comme *patte*.

PAULOWNIA n. m. Ce nom d'arbre est tiré (1864), par emprunt au latin des botanistes, du nom de *Anna Paulowna*, fille du tsar Paul Ier à qui cet arbre fut dédié en 1835 par les botanistes allemands Siebold et Zuccarini. Le suffixe *-ia* appartient au latin botanique.

♦ Le mot désigne un grand arbre ornemental originaire d'Extrême-Orient et dont les fleurs mauves ou bleues apparaissent avant les feuilles.

PAUME n. f., d'abord *palme* (1050) puis *paume* (1160-1174), est issu du latin *palma* «creux de la main» (→ palme).

♦ Le mot désigne le creux de la main ; par métonymie, il s'est appliqué à une ancienne mesure égale à la longueur d'une main, destinée à fixer la longueur des tiges de lin ou de chanvre (1170). Il s'est spécialisé en charpenterie pour désigner la coupe oblique que l'on fait au bout d'un chevron ou d'une panne pour le joindre à un autre (en picard, 1535). ◆ Surtout, il entre dans ***jeu de paume*** (1552), dit aussi *jeu de la paume* (1355) parce que ce jeu se jouait avec la paume de la main avant de se jouer avec une batte ou une raquette. Par métonymie, *jeu de paume* désigne le lieu où l'on jouait à la paume (1552), sens représenté par le célèbre *serment du Jeu de paume*. ◇ *Paume* s'est dit du jeu lui-même.

▸ **PAUMOYER** v. tr. (1080) a décliné progressivement avec son sens de «manier, tenir à pleine main» ; il conserve les sens techniques qu'il a développés entre le XVIIIe et le XXe s., en marine, en couture et en peausserie. ◆ Le diminutif ① **PAUMELLE** n. f. (1294), anciennement employé pour désigner la paume de la main et ce que la main peut contenir (1314), n'a conservé que quelques acceptions techniques : il désigne la ferrure d'une porte (1321), le gant en cuir protégeant la paume de la main de certains ouvriers (1643), et l'outil de bois utilisé en peausserie pour donner souplesse et grain aux peaux (1680).

Le dérivé verbal de *paume*, **PAUMER** v. tr. (1290), signifie d'abord «toucher de la main le livre saint en guise de jurement», puis «frapper, donner ou recevoir un coup», d'usage très familier (1649, *paumer la gueule*). ◆ D'après la valeur d'«attraper avec la main», il a développé en argot le sens de «prendre, arrêter sur le fait» (1815, *paumé marron* «pris sur le fait») et celui de «perdre (une chose)», déjà relevé chez Villon en 1489 et repris à la fin du XIXe s. (mais peut-être employé oralement et populairement dans l'intervalle). ◇ Ce sens est aussi réalisé au pronominal *se paumer* «s'égarer». ◇ Le participe passé **PAUMÉ, ÉE** est adjectivé pour qualifier le bois d'un cerf en forme de paume de main (1394). L'usage moderne l'emploie d'après le verbe au sens de «perdu, égaré», au propre et au figuré (*une fille paumée*, elliptiquement *une paumée*, 1899) en parlant de qqn et de qqch., pour «éloigné de tout» (1947, *un bled paumé*).

Le dérivé **PAUMIER** n. m. (1292) a trait au jeu de paume, en tant qu'ancienne désignation de la personne qui tenait un jeu et (1680) de celle qui fabriquait et vendait les balles et les raquettes de ce jeu. Ce fut également un nom du joueur de paume. ◆ **PAUMURE** n. f. (1387-1389, terme technique désignant la partie des bois du cerf ou du chevreuil s'élargissant comme la paume de la main, a été supplanté par le composé *empaumure*, tombé dans l'attraction de *empaumer*.

PALMAIRE adj., est emprunté (v. 1560) au latin *palmaris*, dérivé de *palma* (voir ci-dessus, et → palme). Il signifie «relatif à la paume de la main», par exemple dans *muscles palmaires* (1806), ou *les palmaires*, n. m. pl.

◇ voir EMPAUMER.

① **PAUMELLE** → PAUME

② **PAUMELLE** n. f. est emprunté (1564, *paulmelle*), avec substitution de suffixe, à l'ancien provençal *palmola, paumola* (fin XIIIe-déb. XIVe s.). Celui-ci est issu du latin *palmula*, proprement «petite palme», diminutif de *palma* (→ palme, paume), la plante ayant reçu son nom pour la forme de son épi.

♦ *Paumelle* est le nom de l'orge de printemps cultivée en montagne.

PAUMER → PAUME

PAUPÉRISME n. f. est un emprunt (1822) à l'anglais *pauperism* n. (1815), dérivé savant de *pauper* n. (1631) du latin *pauper* (→ pauvre).

♦ Francisé sous la forme *paupérisme*, le mot s'emploie d'abord à propos de l'Angleterre. On sait que Louis Napoléon Bonaparte, le futur Napoléon III, écrivit, après s'être évadé du fort de Ham et réfugié en Angleterre, un ouvrage intitulé *L'Extinction du paupérisme* (1846).

▸ Au XXe s. apparaissent en français deux termes formés sur le même radical. ◆ **PAUPÉRISER** v. tr., d'après l'anglais *to pauperize* (1834) «appauvrir graduellement et radicalement une population ou un groupe social». ◆ **PAUPÉRISATION** n. f., d'après l'anglais *pauperization* (1847) «abaissement continu du niveau de vie». Ce mot a été repris dans le vocabulaire marxiste au XXe s. pour désigner la diminution absolue du pouvoir d'achat *(paupérisation absolue)* et l'appauvrissement d'une classe sociale par rapport à l'ensemble de la société *(paupérisation relative)*.

PAUPIÈRE n. f., d'abord *palpere* (v. 1120), puis *paupiere* (v. 1225), est issu du latin *palpetra* de même sens (surtout au pluriel *palpetrae*) variante vulgaire de *palpebra* (pluriel *palpebrae*). Il s'agit d'un nom d'origine populaire : la forme *-bra* n'est pas rare dans les noms d'instruments; en revanche, si *-trum* est courant, *-tra* est exceptionnel : ce doit être une variante populaire permettant d'éviter l'accumulation des labiales. Le mot latin se rattache au groupe de *palpus, palpare* (→ palper) qui exprime une idée de «mouvements répétés».

♦ Le mot, employé comme terme d'anatomie humaine et animale, entre dans l'usage commun et dans la formation de locutions verbales ayant trait à la mort ou au sommeil. Ainsi, *clore les paupières* (à un mourant) [1579], *fermer les paupières* (1601), employées aussi au sens de «dormir», respectivement depuis 1620 et 1660, en concurrence avec *fermer les yeux.*

► L'adjectif **PALPÉBRAL, ALE, AUX** adj. (1748) représente un emprunt didactique du bas latin *palpebralis* «relatif ou propre à la paupière», dérivé de *palpebra.*

PAUPIETTE n. f., d'abord *poupiette* (1691) puis *popiette* (1735), réécrit *paupiette* (1742), est probablement emprunté à l'italien *polpetta* (XVIᵉ s.) «tranche de viande garnie d'une farce et roulée», qui, en italien moderne (1618), désigne une boulette de viande hachée. Lui-même est le diminutif de *pulpa,* correspondant au français *pulpe*.*

♦ Le mot a été repris dans sa spécialisation culinaire, désignant une tranche de viande (notamment une escalope de veau) farcie et roulée, appelée aussi *alouette* sans tête.*

PAUSE n. f. est emprunté (1390) au latin *pausa* «cessation, arrêt momentané d'une activité, d'un discours», mot archaïque et postclassique surtout usité dans les expressions *pausam facere, pausam dare* «faire une pause», «donner une pause». Il est généralement considéré comme un emprunt au grec de même sens *pausis;* cependant, le mot grec est rare et tardif et le changement de déclinaison qui aurait abouti au latin *pausa* ne s'explique pas. On peut se demander si *pausa* n'a pas été refait sur *pausare* (attesté tardivement mais vraisemblablement ancien dans la langue parlée), lui-même bâti sur l'aoriste *pausai* de *pauein* «faire cesser, arrêter», verbe d'étymologie obscure. Selon une hypothèse ingénieuse de Schwyzer, le sens premier serait «frapper qqn pour l'écarter».

♦ *Pause* est d'abord un terme de musique qui désigne un silence; il est peu probable que ce sens soit emprunté, comme le pensent Bloch et Wartburg, à l'italien *pausa* qui n'est attesté en ce sens que depuis 1558. ◇ Par extension, *pause* désigne la suspension momentanée d'un discours (1478-1480), d'une activité. ◇ Avec ce dernier sens, il entre dans la formation de noms composés modernes de genre féminin tels ***pause-café*** (1966), usuel, puis par analogie *pause-pipi* (1970), *pause-repas* (1971), *pause-détente* (1977), *pause-dîner* (1978), *pause-thé* (1986); la série est ouverte.

► De *pause* sont dérivés **PAUSER** v. intr. (1636), «marquer une pause en musique», employé régionalement au sens de «se reposer un moment» et d'«attendre» *(faire pauser qqn),* et **PAUSAL, ALE, AUX** adj. didactique (1970) «relatif à une pause en musique».

◈ voir **MÉNOPAUSE, POSER, REPOSER.**

PAUVRE adj. et n. est issu sous la forme *povre* (1050) du latin *pauper, -eris* «nécessiteux», probablement analysable comme °*pau-per-os* «qui produit peu» (d'abord dit de la terre et des animaux). Ce mot fait partie du même groupe que *paucus* (→ peu), *paulus* «petit» et *pauxillus* «tout petit» à rapprocher du grec *pauros* «petit, court, en petit nombre», du gotique *fawai* et sans doute du grec *phaulos* «de qualité inférieure». Il présente un radical vocalique en *a,* fréquent dans les mots qui indiquent une infirmité, une faiblesse, de même que le suffixe *-ko-* (*cascus* «ancien», *mancus* «manchot, estropié» et *flaccus* «flasque, pendant»).

♦ En français, la forme *pauvre,* fruit d'une restitution étymologique de la graphie *-au-,* a supplanté *povre* au XVIᵉ s. (→ pauvreté). H. Estienne, en 1579, donne encore *povre* comme la forme normale, alors que *pauvre* s'était pourtant généralisé chez les auteurs de la Pléiade et était courant chez Rabelais. D'une édition à l'autre de l'œuvre de Du Fail, la forme *povre* (1547) s'efface au profit de la forme actuelle (1585). ◇ Le mot qualifie une personne qui est dans l'indigence et ce qui est digne d'un pauvre, d'un misérable. ◇ Dès le XIIᵉ s. (1176-1181) *povre* qualifie par dépréciation une réalité concrète qui n'a pas de valeur, piètre, pitoyable, et qqch. qui n'a ni valeur, ni importance (1188). ◇ Au XVIᵉ s., il commence à être employé en parlant d'une manifestation de l'activité intellectuelle ou artistique (1549, *langue pauvre* chez Du Bellay), spécialement en versification dans *vers pauvre* (1615). Il entre dans les locutions ***pauvre de*** (1190) et ***pauvre en*** (1671) suivies d'un nom au sens de «qui manque de, qui a peu de». ◇ Par affaiblissement, il développe une valeur affective un peu condescendante (1461-1469), par exemple dans *pauvre homme,* voire franchement dépréciative (1485) réalisée aujourd'hui dans des syntagmes comme *pauvre type.* ➜ Son emploi comme nom est attesté dès les premiers textes (1050) pour désigner une personne dans le besoin. De nos jours, il a changé de connotations et évoque, plus que *pauvreté,* une idée forte de «misère» (le pauvre ne vivant que de charité). On lui préfère des désignations euphémiques; cependant, on a recours à l'expression récente ***nouveaux pauvres*** (1968) pour désigner les aspects sociaux modernes de la pauvreté liés au chômage. Dans cet emploi substantif, le féminin est plutôt *une pauvre* qu'*une pauvresse* (ci-dessous). ◇ *Pauvre* est employé au figuré dans l'expression biblique ***pauvre d'esprit*** (au pluriel, 1553) ou ***pauvre en esprit*** (1553), passée dans l'usage commun pour désigner un imbécile qui manque de jugement (1690).

► L'adjectif a produit **PAUVREMENT** adv. (1160-1174), «avec peu de moyens», également «d'une manière qui évoque un manque de ressources» (1170) et «médiocrement, faiblement» (1213). Au cours du XVIIᵉ s., le mot a développé son sens de «maladroitement, de façon lamentable» (1664). ➜ Le diminutif **PAUVRET, ETTE** adj. (1267) et n. (1461-1469), courant au XVIᵉ et au XVIIᵉ s., a décliné sauf par plaisanterie et dans quelques usages régionaux. ◆ Le féminin **PAUVRESSE** n. f., attesté tard dans le XVIIIe s. (1785, Sade) «femme miséreuse», est lui aussi marqué de nos jours comme condescendant ou plaisant.

Avec le préfixe *a-* et le suffixe verbal *-ir*, *pauvre* a donné **APPAUVRIR** v. tr., d'abord sous la forme *apovrir* (1119). Le mot s'est employé jusqu'au XVIe s. avec le sens intransitif de «devenir pauvre», aujourd'hui réservé à la forme pronominale *s'appauvrir* (1305, *s'apovrir*). Il est employé au sens transitif de «rendre pauvre» depuis 1160. ◆ Il a produit les adjectifs participes **APPAUVRI, IE** et **APPAUVRISSANT, ANTE** ainsi que le nom **APPAUVRISSEMENT** n. m. (XIIIe s., *apovrissement*), de sens propre et figuré, lequel a évincé l'ancien composé *apovriement, apouvriement,* en usage au XIIIe s. et au début du XIVe siècle.

PAUVRETÉ n. f., d'abord écrit avec un *o* comme *povre* : *povertez* (1140), *poverté* (1120-1150), *povreté* (1150), est issu du latin *paupertatem,* accusatif de *paupertas, -atis* «indigence, manque de ressources», dérivé de *pauper* (→ pauvre). La forme *poverté* est issue régulièrement de *paupertate(m),* l'ancien français ayant aussi la forme *poverte.* Meyer-Lübke explique celle-ci par l'attraction de l'ancien français *poeste* «puissance», que l'on trouvait à côté de la forme *poesté,* régulièrement issue du latin *potestate(m),* accusatif de *potestas.* Cette forme *poeste* serait elle-même due au modèle de l'ancien français *tempeste.* ◆ *Pauvreté* a supplanté progressivement *povreté* au XVIe s., à la suite de la généralisation de la graphie *pauvre.* Le mot désigne l'état de misère, d'insuffisance de biens matériels et se dit par analogie de l'état d'une terre non productive (1225-1230). ◇ Il est employé avec une nuance dépréciative au sens figuré de «ce qui est insuffisant, médiocre» (1548, à propos du manque de richesse de l'expression d'une langue). ◆ Il désigne en particulier *(une, des pauvretés),* surtout à l'époque classique, une parole vide, creuse, banale (1672). ◆ Certains sens vivants jusqu'en moyen français sont sortis de l'usage : c'est ainsi que *pauvreté* était couramment employé avec le sens moral de «malheur, tristesse» et qu'il désignait euphémiquement les parties honteuses de l'homme et de la femme (en particulier dans l'expression *pauvreté de Dieu*). Huguet note qu'au XVIe s. *faire la pauvreté,* au singulier, se rapportait à l'acte de chair, et que *faire ses povretez,* au pluriel, signifiait «aller à la selle». Ces acceptions ont disparu au XVIIe siècle.

◈ voir PAUPÉRISME.

PAVANE n. f., d'abord *pavenne* (1529), *pavanne* (1524-1530), est emprunté à l'italien dialectal *pavana,* attesté comme nom d'une danse lente et majestueuse depuis 1508. C'est le féminin de *pavano* «de Padoue», dérivé de *Pava,* nom dialectal de *Padova* «Padoue».

♦ Le mot est passé en français (ainsi qu'en espagnol *pavana*) pour désigner une danse de cour en vogue dans l'Europe des XVIe et XVIIe siècles. Interprété comme un dérivé du latin *pavo* «paon», le mot évoque alors une majesté prétentieuse. Par métonymie, il désigne la musique lente qui accompagnait cette danse. Le nom de cette danse ancienne a été remis en honneur notamment par Ravel (la *Pavane pour une infante défunte*).

▸ Son dérivé **SE PAVANER** v. pron. «marcher avec orgueil et fatuité, se mettre en valeur avec ostentation» est dû à la fausse étymologie qui faisait dériver *pavane* du nom latin du paon, *pavo* (→ paon). C'est aussi en rapport avec cette fausse interprétation que *se pavaner* se dit d'un paon qui fait la roue (1771, Buffon). ◆ Le verbe a produit **PAVANEMENT** n. m. (1888) «action de se pavaner, résultat de cette action», mot peu usité.

PAVER v. tr. est issu (1160) du latin populaire °*pavare,* déduit de l'ancien verbe provençal *pava* «carreler» (1495) et qui serait issu par changement de conjugaison du latin classique *pavire* «battre la terre, aplanir», employé dans l'expression technique *pavire terram* «niveler la terre». Depuis l'étymologiste latin Festus, ce verbe a souvent été rapproché du grec *paiein* «frapper», mais le *v* latin est mal expliqué et l'étymologie demeure obscure. Le verbe a un correspondant de sens passif dans *pavere* «être frappé d'épouvante» et, par affaiblissement, «avoir peur de» (→ épave, épouvante, impavide).

♦ *Paver* est d'abord attesté par son participe passé *pavé,* puis comme verbe (1265) au sens de «garnir de pavés, carreler». Il entre dans la locution passive ***être pavé de*** (1200), proprement «être couvert de, jonché de», employée au figuré dans l'expression classique *les rues en sont pavées* (1623), «il y en a partout, c'est banal», et dans la locution proverbiale et métaphorique ***l'enfer est pavé de bonnes intentions*** (vraisemblablement formée en latin).

▸ *Paver* a donné quelques dérivés tous apparus avant la fin du XIVe siècle. ◆ **PAVEMENT** n. m. (déb. XIIe s.) désigne la surface pavée, surtout quand il s'agit des matériaux de prix qui constituent le pavage de luxe du sol d'un édifice. Le sens qu'il a pris par métonymie, «travail consistant à paver» (1483), est devenu rare sous la concurrence de *pavage.* ◆ **PAVAGE** n. m., attesté depuis 1354 pour «action de paver», a aussi pris le sens de «surface pavée» (1701). Il a des emplois spéciaux en géologie et en mathématiques (1979). ◆ **PAVEUR, EUSE** n. est attesté depuis 1292 sous les formes anciennes *pavéeur,* puis *pavour* (1303), et enfin sous sa forme actuelle (1399), pour désigner l'ouvrier qui réalise des pavages (de routes, de rues). ◆ Quant à **PAVÉ** n. m., substantivation (1312) du participe passé de *paver,* il désigne d'abord collectivement l'assemblage de pavés, sens qui fournit les locutions ***demeurer sur le pavé*** «sur le sol ; être battu» (1559) et, avec l'idée de sol de la ville (cf. de nos jours, *trottoir*), ***battre le pavé*** (1606), ***être sur le pavé*** (1637) utilisant cette métaphore pour «absence d'abri» (cf. *à la rue, sur le trottoir*). ◇ Le mot désigne en particulier chaque bloc servant à faire le revêtement des sols (1589) et, par analogie de forme, un bloc compact d'où ***le pavé de l'ours*** (→ ours). Il se dit par exemple d'un bloc formé d'un aliment (1868, d'un pain d'épices) ; il est employé familièrement par péjoration pour désigner un article, un livre que sa longueur, sa présentation compactes rendent a priori rébarbatif (1880). En relation avec *pavage*, il est spécialement employé en mathématiques dans le cadre de la théorie des ensembles (1963). ◇ Son dérivé argotique **PAVETON** n. m., qui lui sert de synonyme, est attesté depuis 1927. ➜ Le pavé et les pavés des rues ayant le plus souvent cédé la place à d'autres revêtements, le mot, avec des connotations diverses, a pris au XIXe puis au XXe s. des valeurs métaphoriques liées aux locutions : la rue, le peuple des grandes villes, l'insurrection, etc. Le slogan de Mai 1968, ***sous les pavés la plage***, témoigne de ce type d'emplois. ➜ À côté de ce groupe de dérivés, **PAVIMENTEUX, EUSE** adj., formé savamment sur le latin *pavimentum*, frappe par sa forme et par la date de son attestation (1842). Il qualifie une roche dont on fait les dalles ou les pavés.

Par préfixation, *paver* a produit **DÉPAVER** v. tr. (milieu XIVe s.) et **REPAVER** v. tr. (1335), d'où **REPAVEMENT** (1487) presque entièrement supplanté par **REPAVAGE** (1632).

PAVIE n. f., d'abord *pavis* au pluriel (1572) puis *pavie* (1578).

♦ Nom d'une variété de pêche à pulpe ferme, est probablement tiré du nom de la ville de *Pavie* dans le Gers. Le mot est particulièrement vivant dans le Sud-Ouest de la France.

PAVILLON n. m. (1165), d'abord *paveilun* (déb. XIIe s.), est issu du latin *papilionem*, accusatif de *papilio, -onis* (→ papillon) qui, sous l'Empire, a pris le sens de «tente» à cause de la ressemblance entre les rideaux qui ferment une tente et les ailes de l'insecte.

♦ Le mot désigne d'abord une tente militaire utilisée par les armées en campagne, puis le dais qui surmonte un autel (1260), un dais de lit garni de tentures (1317), l'étoffe qui recouvre le ciboire (1569) et la pièce d'étoffe qui entoure l'écu d'un prince ou d'un roi (1681). ➜ Par analogie de fonction, il s'applique à un corps de bâtiment (en retrait, en saillie, au centre, sur le côté) servant d'accompagnement à un bâtiment plus important (1503). Au XVIIe s., il s'est étendu au corps de logis seul (1676) et à un petit bâtiment isolé situé dans un jardin, un parc (1690). Ce dernier peut être situé à la campagne *(pavillon de chasse)*, en ville (les *pavillons* de Ledoux, aux barrières de Paris) ou dans un parc, comme le *pavillon français* élevé par Gabriel dans le parc du Grand Trianon de Versailles. Avec ce dernier sens, *pavillon* correspond à une construction à la mode dans les jardins des XVIIIe et XIXe s., et le goût s'en répand sous la IIIe République, qui en place à la périphérie des villes. ◇ Ce n'est qu'au XXe s. que le mot prend la valeur de «maison individuelle d'habitation en zone rurale ou dans certains quartiers périphériques» *(pavillon de banlieue)*. ➜ Par analogie de forme avec une tente, *pavillon* a aussi plusieurs sens techniques : il est employé en musique à propos d'un très large cône destiné à favoriser la réception et la diffusion des sons (1636, *pavillon de la trompette*), de l'extrémité d'un portevoix (1859), d'un gramophone (fin XIXe s.). En anatomie, il désigne la partie visible de l'oreille externe dont le rôle est précisément de concentrer les sons et de les diriger vers le conduit auditif (1800, Cuvier).

Par analogie de forme avec l'étoffe qui sert à faire les tentes, le mot a pris en marine le sens de «pièce d'étoffe que l'on hisse sur un navire pour indiquer sa nationalité, sa compagnie ou pour faire des signaux» (1541). Quelques expressions, dans cette acception, sont passées dans l'usage courant, comme *baisser le pavillon* (1669 ; 1665, *mettre le pavillon bas*), au figuré ***baisser pavillon*** «abandonner». Par extension, il se dit d'un drapeau que l'on arbore dans certaines circonstances (1635).

▸ Le mot a produit quelques dérivés de sens restreint : **PAVILLONNÉ, ÉE** adj. (1671) «orné d'une voile», spécialement en héraldique (1752), **PAVILLONNERIE** n. f. (1859) et **PAVILLONNEUR, EUSE** n. (1874) «ouvrier qui fait des pavillons» (au sens du mot en musique) et «ouvrier qui construit des pavillons résidentiels» (1978). ➜ Le dernier venu est **PAVILLONNAIRE** adj. (1912) «formé de pavillons» en parlant d'une banlieue, d'un ensemble de constructions.

PAVOIS n. m. est emprunté (1336), avec francisation de la finale, à l'italien *pavese*, mot désignant un bouclier d'osier ou de bois recouvert de cuir (XIIIe s., *panvese* ; mil. XIVe s., *pavese*), proprement «objet de Pavie *(Pavia)*», du latin *pavensis* : on suppose que ces boucliers auraient été primitivement fabriqués à Pavie, d'où venaient déjà, aux XIIe et XIIIe s., des casques (les chansons de geste font état des *heaumes Paviëis*, 1165, et d'*escus pavais*, 1337). On relève d'ailleurs en Italie le latin médiéval *pavensis* «bouclier fabriqué à Pavie» (1275 et 1299).

♦ *Pavois* désigne un grand bouclier ovale ou rectangulaire dont on garnissait le bord supérieur des navires pour former un rempart à l'abri duquel on combattait. Par extension, le mot a pris au XIVe s. (au pluriel et avec un changement de suffixe : *pavas* en 1364) le sens de «grandes pièces de toile tendues sur le bord supérieur des navires et destinées à cacher l'équipage à l'ennemi». Ces toiles tendues devinrent par la suite un pur ornement de parade (attesté 1874). On appelle ***grand pavois*** (1887) l'ensemble des pavillons du Code international hissés en signe de fête, par opposition à *petit pavois*. ➜ *Pavois*, en dehors de la marine, désigne depuis le moyen français un grand bouclier fait de bois léger recouvert de cuir ou de lames de fer (1365, *pavais*). ◇ La coutume qui consistait à mettre un roi mérovingien sur le pavois en signe d'accession à la royauté est évoquée au XVIe s. (1576), et a servi à former la locution figurée ***élever, hisser, mettre sur le pavois*** (1845, Balzac à propos d'une symphonie).

▸ *Pavois* a donné **PAVOISER** v., d'abord employé à la voix passive (*estre paveschiet*, 1369-1373) au sens d'«être muni d'un pavois ou bouclier», puis activement *pavoiser (une nef)* [1392-1393] «(la) protéger avec des boucliers». Ces emplois ont disparu. ◇ De nos jours, *pavoiser*, en termes de marine, signifie essentiellement «parer le bateau de ses pavois» (1773). Par analogie, le verbe est employé transitivement au sens de «mettre des drapeaux (à une fenêtre, à un balcon) en signe de réjouissance» (1824 ; 1866, absolument). Par extension, il signifie «orner de couleurs vives» (1837). ◇ En argot *pavoiser* s'emploie pour «commencer à saigner» (en parlant d'un boxeur) [1909] et «prendre diverses couleurs dues aux coups reçus» (1911) [en parlant du corps du boxeur]. D'une autre idée liée aux drapeaux, «manifester sa réjouissance», découle le sens figuré familier de «triompher, faire montre de sa joie» (1928). ➛ Le nom d'action **PAVOISEMENT** n. m., assez rare, est attesté depuis 1845.

PAVOT n. m. est la réfection par substitution de suffixe (v. 1250) de l'ancien français *pavo* (déb. XIIIe s.). Celui-ci est issu par évolution normale du latin *papaver,* forme à redoublement d'origine incertaine dont la finale rappelle celle de *cadaver* «cadavre». On y a vu d'anciennes formes de participe parfait (en *-wes*) mais *papaver* ne se rattache à aucun verbe connu. Il s'agit en tout cas d'un mot d'origine populaire.

♦ Le mot désigne une plante cultivée pour ses graines oléagineuses plusieurs millénaires avant notre ère dans l'Est méditerranéen d'où elle est probablement originaire (le type primitif est le pavot à feuilles velues dont parle Homère dans l'*Iliade* et l'*Odyssée,* IV, 221). Les médecins grecs et latins des Ve-Ier s. av. J.-C. et des premiers siècles de notre ère connaissaient ses pouvoirs narcotiques mais n'en faisaient usage qu'avec la plus grande circonspection, tout comme les Arabes du haut moyen âge. C'est Paracelse (1491-1541) qui introduisit l'usage de l'opium dans la matière médicale moderne, ce qui donne au mot et à ses équivalents, à partir de la seconde moitié du XVIe s., une importance nouvelle ; mais *pavot* n'a pas les connotations d'*opium**.

▸ **PAPAVÉRACÉES** n. f. pl., terme de classification botanique, désigne une famille de plantes phanérogames angiospermes ; il a été dérivé savamment (1789, Jussieu) du latin scientifique *papaver,* reprise du latin classique *papaver,* comme terme générique en 1694 par Tournefort, puis comme nom scientifique du pavot (1850).

PAYER v. tr. est issu (v. 980) du latin *pacare,* dérivé de *pax, pacis* (→ paix), probablement «pacifier, faire la paix», qui a probablement été transposé à basse époque au sens moral de «satisfaire, apaiser», ce qui expliquerait le sens développé dans les langues romanes «satisfaire avec de l'argent».

♦ Le mot est passé en ancien français au pronominal avec le sens de «se réconcilier avec qqn», en usage jusqu'au XIIIe s., et avec celui de «se satisfaire de» (fin Xe s.), aujourd'hui senti comme un emploi figuré du sens moderne de «rétribuer». Ce dernier, qui apparaît au XIIe s. (1170), s'est probablement répandu du sud vers le nord de la France, le provençal *pagar* étant attesté un peu avant (1137). *Payer* a évincé l'ancien et le moyen français *soudre,* attesté du XIIe au XVe s., issu du latin *solvere,* littéralement «délier» d'où «payer, acquitter» (→ résoudre, solvable ; soldat, sou). ◇ *Payer* signifie d'abord «donner ce qui est dû» et de manière plus restrictive «rétribuer» (1180) avec des valeurs figurées comme *paier de cos,* ancienne forme de ***payer de coups*** (1176-1180). Il a développé ses sens figurés aux XVIe et XVIIe s. : on le rencontre dans la locution encore usuelle ***payer en monnaie de singe*** (1585), absolument au sens d'«expier» (1538), et dans la locution figurée ***payer de sa personne*** (1635) «s'employer activement à qqch.». Il est employé spécialement avec le nom d'une marchandise comme sujet pour «acquitter un droit» (1640). ***Se payer la tête de qqn*** (1887) correspond à «s'en moquer». ➛ Le sens plus récent de «rapporter, donner du profit» (1875) est emprunté à l'anglais *to pay* (emprunté au français au XIIe s.), attesté depuis 1812 dans cet emploi intransitif en parlant d'une chose.

▸ *Payer* a produit ses dérivés en ancien français : le déverbal **PAIE** ou **PAYE** n. f. (1150) n'a pas conservé son sens primitif, «apaisement», au-delà du XIIIe siècle. L'emploi pour «action de rétribuer» l'a emporté, d'abord attesté au figuré (1176-1181) puis aussi au propre (1227). Il désigne spécialement depuis le XVe s. la rétribution d'un soldat (1464) ; cf. *solde.* Par métonymie, *paie,* plus souvent *paye,* désigne le moment où un travailleur est payé, la somme qui lui est versée. *Bulletin de paye, fiche de paye* «décompte de la paye» s'emploient couramment. ◇ Par allusion à l'intervalle de temps écoulé entre deux paies, le mot a développé le sens argotique puis familier de «long laps de temps» (1883), par exemple dans *il y a une paye que...* «longtemps». ◇ Par une autre métonymie, *paie* a désigné une personne qui paie (bien ou mal) [1640] dans un registre familier (remplacé par *payeur*). ➛ **PAIEMENT** n. m. (1165), nom d'action de *payer,* employé notamment dans *en paiement de,* est également employé au figuré. ◇ L'antonyme **NON-PAIEMENT** n. m., «absence d'exécution d'une obligation», est attesté depuis 1493. ➛ **PAYEUR, EUSE** n., d'abord *paiere* (1245) puis *paieur* (1283), désigne la personne qui paie, en particulier le fonctionnaire chargé d'acquitter les dépenses publiques (1320). L'emploi le plus usuel est probablement *mauvais payeur.* ➛ **PAYABLE** adj., d'abord *paiavle* (1225), signifiait en ancien français «qui satisfait, de bonne qualité», c'est-à-dire «qui vaut le prix qu'on y met» (XIIIe s.). ◇ Il a aussi eu le sens actif de «qui peut payer, solvable» (XIIIe-XVe s.), avant de se limiter au sens passif moderne de «qui peut être payé dans des conditions déterminées (temps, lieu, manière)» (1481).

Avec le préfixe *im- (in-)* a été formé **IMPAYABLE** adj. qui s'emploie depuis le XIVe s. (1376-1378) au sens propre de «qu'on ne peut payer». Au XVIIe s., il a eu le sens figuré d'«inestimable», «qu'on ne saurait payer trop cher» (1672), avant de prendre par ironie le sens figuré «d'une bizarrerie, d'un comique extraordinaire» (1735), devenu l'emploi le plus courant de l'adjectif. ➛ **IMPAYÉ, ÉE** adj., attesté une première fois en 1794 dans *Le Vocabulaire de nouveaux privatifs français* et repris depuis 1830 *(effets impayés),* s'emploie aussi pour qualifier un créancier qui n'a pas reçu son paiement (1840). ◇ *Impayé* est substantivé (1902), souvent au pluriel, pour désigner les effets de commerce qui n'ont pas été payés par le débiteur de l'échéance.

Si le préfixé **SURPAYER** v. tr. est apparu à date ancienne (1580) avec son dérivé **SURPAYE** n. f. (1559), qui a changé son sens de «paye supplémentaire» pour celui d'«action de trop payer» (1834), *surpayer* existant en ce sens depuis le XVIe s. (1580). **SOUS-PAYER** v. tr. est récent (v. 1968). ➜ C'est aussi le cas de **PRÉPAYER** v. tr. (av. 1973) qui permet de remplacer l'anglicisme *prepaid* «payé d'avance» au participe passé *(prépayé)*.

PAYS n. m. est issu (v. 980) du latin médiéval *pagensis,* dérivé de *pagus* (→ païen), qui signifie proprement «habitant du *pagus,* du canton» (VIe s., Grégoire de Tours). Par la suite, le mot a pris le sens de «compatriote» (fin VIIIe-déb. IXe s.) et celui de «campagnard». Dans ces sens, *pagensis* a évincé l'autre dérivé de *pagus, paganus,* à partir du moment où celui-ci a désigné les païens (→ païen). Son emploi pour désigner un territoire s'explique par la qualification d'un substantif désignant un pays *(ager, territorium...)*.

♦ En français, le mot s'est longtemps écrit *païs* (jusqu'à la fin du XVIIe s.); ses différents sens sont fixés en ancien et moyen français : il désigne une région géographique habitée, plus ou moins nettement délimitée, et, selon des critères plus rigoureux, une division territoriale considérée des points de vue géographique et humain : dès *La Chanson de Roland* (1080), il est employé pour désigner l'Espagne, la Barbarie (le Maghreb), la France. Dans une acception restreinte, *pays* recouvre la contrée, le territoire auquel on appartient, dont on est originaire, dont on a la charge, la patrie (1080), en particulier dans des expressions et locutions dont *être bien de son pays* (1611), péjorativement «être simple, naïf», sortie d'usage, ***du pays*** (1671) «du terroir dont on parle», *avoir la maladie du pays* (1718) étant remplacée par ***avoir le mal du pays.*** ◇ Par extension, le mot s'applique au domaine attribué à diverses réalités ou abstractions : en ancien français, il désigne ainsi l'enfer, dans *doloros païs* «pays de douleur» (1140) et, au XVIIe s., il donne lieu à quelques emplois métaphoriques et allégoriques, comme le *pays du Tendre* de Mlle de Scudéry, dont la carte est célèbre. ◇ Il sert également à désigner une région géographique considérée d'un point de vue physique, climatique (1160-1174), en particulier dès sa première attestation dans l'expression *plain païs,* qui annonce la forme *plat païs* (1376), elle-même aujourd'hui archaïque ou régionale (Jacques Brel l'a fait revivre à propos de la Belgique). L'expression *bon, fort païs* désignait en moyen français un pays boisé (1377). ◇ Par métonymie, le mot recouvre l'ensemble des habitants, des personnes faisant partie d'une région ou d'une nation (1274), ou une partie envisagée d'après ses particularités administratives, politiques, économiques (1355), par exemple dans les expressions *pays coutumier, pays de droit écrit* (1510); les *pays* de l'ancienne France sont caractérisés par des coutumes et un droit qui furent spécifiques; ils forment des unités désignées par un nom propre et plus petites que les régions. C'est dans ce sens que l'on dit *vin de pays* (cf. *terroir*). ➜ *Pays* est employé par métonymie pour désigner un compatriote (1605, au masculin; 1788, au féminin **PAYSE**) : «C'est, écrit Furetière, un salut de gueux, un nom dont ils s'appellent l'un l'autre, quand ils sont de même pays.» Cet emploi est encore connu *(c'est mon pays, ma payse),* mais fait allusion à un monde rural archaïque.

▶ Par préfixation et suffixation, *pays* a donné **DÉPAYSER** v., d'abord attesté sous la forme *despäysiés* au participe passé (1195-1225) au sens ancien de «quitter son pays». ◇ L'usage moderne s'est fixé au XVIIe s., le mot prenant le sens de «transposer le sujet (d'une œuvre dramatique) dans un autre pays» (1648, Corneille, *Le Menteur,* avis au lecteur) et, plus généralement avec une valeur psychologique, celui de «désorienter (qqn) en le changeant dans ses habitudes» (1690). ➜ En sont issus les participes adjectivés **DÉPAYSÉ, ÉE, DÉPAYSANT, ANTE** (1913 dans Proust) et **DÉPAYSEMENT** n. m. (apr. 1550), d'abord «action de s'en aller dans un autre pays» employé depuis 1834 avec son sens figuré courant. ◇ *Pays* entre dans le composé moderne **ARRIÈRE-PAYS** n. m. (1898) qui a remplacé le germanisme *hinterland* «région au-delà de la zone côtière ou du territoire occupé» (1907).
Deux dérivés importants, *paysage* et *paysan,* sont en partie détachés de *pays.*

◈ voir PAYSAGE, PAYSAN.

PAYSAGE n. m. est dérivé de *pays** avec le suffixe *-age* (1549).

♦ C'est un terme de peinture désignant la représentation d'un site généralement champêtre, puis le tableau lui-même : Richelet (1680) signale que les peintres prononcent *pésage,* la prononciation moderne étant alors réservée aux profanes. Dans l'histoire de la peinture européenne, le traitement du paysage comme thème pictural principal est une création de la Renaissance (fin XVe-XVIe s. : Mantegna, Dürer, Leonard, Bruegel) et doit beaucoup aux études cartographiques et à l'amplification de motifs liés aux attributs de la Vierge (plaine bien cultivée, champ non labouré, puits, pont, château, village, nuage). ➜ Par métonymie, le mot désigne dès le XVIe s. l'ensemble du pays, le pays (1556). Avant la fin du siècle, il désigne couramment l'étendue de pays que l'œil peut embrasser dans son ensemble (1573) et c'est cette valeur visuelle qui l'a emporté. ◇ Le mot a pris la valeur figurée de «situation générale» *(le paysage politique, audiovisuel,* apr. 1950). *Paysage audiovisuel français* ou *P. A. F.* prétend décrire la situation des chaînes de radio et de télévision.

▶ *Paysage* a donné **PAYSAGISTE** adj. et n. (1651) créé pour désigner le peintre de paysages; au XIXe s., apparaissent les appositions *architecte paysagiste* (1808) et *jardinier paysagiste* (1808). ◇ Cocteau a employé *dépaysagiste* à propos du peintre surréaliste G. de Chirico. ◇ *Paysage* a donné **PAYSAGER, ÈRE** adj. (1845), formé avec le suffixe *-ier* réduit à *-er* après consonne palatale, et le synonyme **PAYSAGÉ, ÉE** adj. (1958). ➜ On rencontre quelquefois **PAYSAGESQUE** adj. (1851, Lamartine), «digne de figurer dans un tableau représentant un paysage», et **PAYSAGISME** n. m. «composition littéraire prenant la nature pour thème» (L. Daudet à propos de Rousseau, 1935), d'usage didactique.

PAYSAN, ANNE n. et adj. est, sous sa forme primitive *païsant* (1140), l'altération d'une forme antérieure reconstituée, °*païsenc*, dérivée à l'aide du suffixe *-enc* (germanique *-ing*) du latin médiéval *pagensis* à l'époque où celui-ci a pris son sens de «pays» (→ pays). La substitution de *-ant* à *-enc* est peut-être due à *païsens*, nominatif de *païsenc* (qui est un cas régime), devenu *païsans/païsant* d'après le type fréquent *-anz/-ant* (comme *granz/grant*). D'autre part, le *z* final (notation du *s* de flexion précédé d'une dentale) s'étant amuï au XIIIe s. et réduit à *s*, *païsans* a pu être considéré à la fois comme le cas sujet singulier et le cas régime pluriel de *païsant* et de *païsan*, d'où l'apparition de cette dernière forme, écrite *paysan* d'après *pays*, puis de son féminin *paysanne*. Dans le domaine d'oc, le terme, désignant l'habitant du «pays», est directement issu de *pagensis* (l'ancien provençal a *pagés*, 1150).

♦ Dès ses premières attestations, le mot désigne la personne qui habite la campagne et cultive la terre; il est employé en ce sens comme adjectif (dep. 1245). Il est employé depuis le XIIIe s. au sens figuré péjoratif de «nigaud, rustre, imbécile» (av. 1250) comme nom et comme adjectif. Au XVIIe s., Furetière nous apprend que le mot s'applique souvent à un homme «rustre, grossier, incivil, malpropre» et qu'il se dit en particulier de certains nobles de la campagne et des pédants. Par allusion à la fable de La Fontaine portant ce titre, on emploie l'expression ***paysan du Danube*** pour un homme de bon sens un peu rustaud qui étonne par sa franchise brutale. ◇ Si le mot, de nos jours, recouvre essentiellement une condition (souvent avec des valeurs dépréciatives accentuées par les synonymes populaires), il était également employé autrefois au sens étymologique de «personne qui habite le pays, autochtone» (1155): on parlait des *nobles paysans* (av. 1188) et l'on opposait *le païsant* et *li lontain* «l'étranger» (1280). Cet emploi est à rapprocher de celui d'*habitant*, aujourd'hui courant en français du Québec pour désigner le rural. ◇ *Paysan*, encore usuel, est néanmoins en concurrence avec *rural*, plus didactique, et avec des mots à contenu économique, tel *cultivateur*, qui ont l'avantage d'éliminer les connotations péjoratives attachées à cette classe socio-économique (cf. *croquant*, *péquenot*, *plouc*, etc.) de manière très ancienne (cf. *vilain*) et non moins déplaisante, reflétant le sentiment de supériorité méprisante des gens de la ville. ➜ Le mot a reçu un féminin assez tard, d'abord sous la forme ancienne *paisante* (1559), *paysande* (1580) puis sous la forme *païsanne*, *paysanne*, comme adjectif (1666) et comme nom (1680). Celui-ci entre dans la locution ***à la paysanne*** (1671, *à la païsane*) «à la manière des paysans».

▸ *Paysan* a donné **PAYSANNERIE** n. f., d'abord *païsanterie* (1547), employé autrefois au sens d'«état, condition de paysan» et par extension «manière d'être, de penser, de s'exprimer propre au paysan». ◇ De nos jours, le mot désigne la société, la classe paysanne (1668), sens que partage l'autre dérivé de *paysan*, **PAYSANNAT** n. f. (1935), d'abord employé seulement au sens de «condition paysanne». Dans l'histoire de la littérature, *paysannerie* a aussi servi à désigner une œuvre dont les personnages étaient des paysans (av. 1775). ➜ **PAYSANNESQUE** adj., attesté une fois en 1578 et de nouveau en 1848 (Lamartine), fait partie de ces mots que leur suffixe *-esque* fait sentir aujourd'hui comme péjoratifs; il n'est plus usité.

P.-D.G. → PRÉSIDENT

PÉAGE n. m., d'abord *paage* (1150) puis *peage* (1165), est un très ancien dérivé de *pied**, formé probablement dans le langage de l'administration carolingienne et aujourd'hui complètement coupé de son origine.

♦ Il signifie proprement «droit de mettre le pied (dans un lieu)» et désigne le droit, la taxe qu'on lève sur les personnes, les animaux, les marchandises pour le passage d'un pont, un chemin, une route. Au XVIIe s., *péage* ne se dit plus que du droit que l'on prend sur les voitures transportant des marchandises pour l'entretien des grands chemins (1690). Furetière estime que la plupart des péages sont de pures usurpations et énumère les noms particuliers qu'ils portent dans les coutumes et les ordonnances: «On le nomme barrage aux entrées des bourgs et des villes; pontanage au passage des ponts, billette ou branchière aux passages de campagne où on a mis pour signal un petit billot de bois attaché à une branche. On l'appelle quelquefois coustume, ou droit établi sans titre; quelquefois prévosté, ou menu droit casuel; et quelquefois travers, qui est un droit qui ne se paye que sur la frontière.» Par métonymie, le mot désigne l'endroit où l'on paie ce droit de passage (1694). ◇ De nos jours, il s'applique à la taxe perçue au passage de certaines voies et ouvrages publics importants (tunnels, ponts), notamment des autoroutes (1962, *autoroute à péage*) et dans le domaine de la navigation fluviale et maritime.

▸ *Péage* a produit **PÉAGER, ÈRE** adj. et n. (XIVe s.), réfection du plus ancien *paagier* (1260) «employé chargé de percevoir le droit de péage», employé adjectivement au sens de «relatif au péage» (1865, *taxe péagère*). ➜ Dans le premier cas, l'usage moderne parle de **PÉAGISTE** n. (1969).

PÉAN ou **PÆAN** n. m. est emprunté, sous la forme *Poean* (1673) puis *paean* (1752), *péan* (av. 1747), au latin *Paean*, lui-même repris au grec *Paian*, l'un des noms d'Apollon, employé par métonymie pour un hymne en l'honneur de ce dieu ou d'un autre dieu. Cette forme remonte à un prototype °*Paiaϝôn* attesté dans le mycénien *pajawone* (datif), le terme étant à l'origine un appellatif appliqué à une divinité. Malgré un rapprochement avec *paiein* «frapper», en référence au coup magique d'Apollon guérisseur arrêtant les maladies, ou *pauein* «faire cesser» (→ pause), il s'agit probablement d'un terme de substrat préhellénique ou d'emprunt.

♦ Le mot, introduit comme terme d'antiquité pour un hymne en l'honneur d'Apollon ou d'un autre dieu, s'applique par extension à un chant de louange à la gloire d'un héros, d'espoir ou de victoire (1875). Il est didactique et archaïque.

◈ voir PIVOINE.

PEAU n. f., d'abord *pel* (1080) puis *peau* (1150), est issu du latin *pellis* «peau d'animal, fourrure, peau tannée, cuir» et aussi «parchemin», «enveloppe extérieure» qui, dans le parler populaire, a supplanté *cutis* «peau de l'homme» (→ cutané). *Pellis* appartient probablement à la même famille que le grec *pelma* «plante du pied», l'anglo-saxon *filmen* «peau, pellicule» (→ film), le russe *plená*, le lituanien *plėnė*.

♦ *Peau* désigne dès les premières attestations les tissus vivants qui recouvrent le corps des hommes et des animaux, en particulier quand ils sont séparés du corps de l'animal et traités en fourrure (*pels de martre*, XIIe s.). Dès le XIIe s., il désigne comme le latin *pellis* le parchemin (v. 1175), entrant ultérieurement dans l'expression ***peau d'âne*** désignant un tambour (XIXe s.) et familièrement un diplôme, un parchemin (1882). ◇ Le mot se dit plus particulièrement de l'épiderme humain (fin XIIe s.), spécialement dans des expressions comme ***n'avoir que la peau et les os*** d'abord employée sous une forme différente à propos d'un animal (1188), ***en peau*** «très décolletée» (1875), ***trouer la peau*** «tuer par balles» (1885), ***se sentir bien dans sa peau*** (1914). ◇ *Peau* désigne particulièrement un petit fragment de peau (1564, Paré), souvent au pluriel *(enlever les peaux autour des ongles)*. ◇ Par métonymie, il est pris depuis l'ancien français pour désigner la vie même d'une personne (1160) dans un autre groupe de locutions dont ***y laisser la peau*** «mourir» (1160, *laissier la pel*), ***vendre bien*** (puis ***cher***) ***sa peau*** (1575) «se défendre vigoureusement», ***risquer sa peau*** (1656), ***avoir la peau de qqn*** (1677), toutes d'usage familier. *Coûter la peau* (1897, A. Allais) a été renforcé en ***coûter, valoir la peau des fesses*** (att. 1976, sans doute antérieur) «coûter, valoir très cher». *Peau* se réfère aussi à la nature intime d'une personne, à son comportement (fin XIIIe-déb. XIVe s.), idée réalisée dans la locution ***être dans la peau de qqn*** (1640) «être à sa place» et dans ***faire peau neuve*** (1831). Il renvoie particulièrement à la personne physique, charnelle (1665), avec des expressions comme ***avoir qqn dans la peau*** (1896) et, en emploi figuré, familier et péjoratif, à une personne de mauvaise vie, peu estimable (1845), notamment dans des appellatifs péjoratifs tels ***vieille peau*** (1883), ***peau de vache*** (1936). ◇ Depuis 1538, *peau* désigne également, par extension, l'enveloppe de certains fruits, et entraîne populairement l'idée de «rien du tout», notamment avec un complément désignant les parties sexuelles viriles (où le mot a le sens propre d'«épiderme humain»), ***peau de zébi*** (1870, argot militaire des zouaves), ***peau de balles*** (1877) et en emploi absolu ***la peau !*** ◇ Il se dit aussi de la pellicule qui se forme à la surface d'un liquide, en particulier du lait bouilli (1690) ; cf. *pellicule*.

▸ Le plus ancien de ses dérivés a été formé sur l'ancienne forme *pel* à l'aide du suffixe élargi *-etier*. ◆ Il s'agit de **PELLETIER, IÈRE** n., d'abord *peletier* (1165), nom donné à la personne qui fait et vend les fourrures (le latin médiéval avait *pelletarius*, au XIe s.). ◇ Le féminin *pelletière* est spécialement employé en entomologie, dans *teigne pelletière* (1874), puis seul (1903) pour désigner la teigne dont les chenilles dévorent les fourrures. ◆ Par substitution de suffixe, a été formé **PELLETERIE** n. f. (1165, *peleterie*) «art du pelletier» et, par métonymie, «fourrure» (fin XIIe s.). ◆ Un peu plus tard, *peau* a donné **PEAUCIER, IÈRE** adj. (1562), terme d'anatomie qualifiant un muscle. Celui-ci s'est également orthographié *peaussier* (1765), avant que l'usage ne réserve conventionnellement *peaucier* au sens anatomique. ◆ **PEAUSSIER** n. m. et adj. (1568) s'emploie pour l'artisan qui apprête et teint les peaux et qualifie ce qui a trait à cette opération. Ce sens existait antérieurement, assumé par la forme *peaucier* (1292-1300). ◆ Par substitution de suffixe, *peaussier* a produit **PEAUSSERIE** n. f. (1723) «marchandise de peaux, commerce de peaux», «métier de peaussier» (1812), employé par métonymie pour désigner la manufacture où se fabriquent les articles de peau et ces articles eux-mêmes. ◆ Au XIXe s., *peau* est entré dans la dénomination **PEAU-ROUGE** (1842) «Indien d'Amérique», à cause des tatouages de certains Indiens plutôt que de leur peau cuivrée, également employée adjectivement (1903) ; le nom sert quelquefois d'appellatif plaisant (1858, Labiche) et est devenu en argot (XXe s.) le synonyme d'*indien*, c'est-à-dire «personne, mec».

◇ voir DÉPIAUTER, ORIPEAU, PEAUFINER, PELADE, PELISSE, PELLICULE, PIEU, PIONCER, SURPLIS.

PEAUFINER v. tr., d'usage populaire et familier, est probablement dérivé (1866) de l'ancien terme d'argot de Saint-Cyr *peau-fine* (1830), composé de *peau** et de l'adjectif *fin** désignant un camarade imberbe au teint rose.

♦ Ainsi s'expliquerait l'emploi du verbe à la forme pronominale *se peaufiner* «faire toilette» (1866), plus précisément «faire une toilette très soignée» (1889), d'abord dans l'argot de l'École navale. ◇ De nos jours, le mot est construit transitivement au sens de «fignoler, apporter un soin minutieux à (qqch.)» (1883).

▸ Son dérivé **PEAUFINAGE** n. m., attesté en 1969, est très probablement antérieur.

PÉBROQUE → ② PÉPIN

PÉCAÏRE → PÉCHER

PÉCAN n. m. est emprunté (1930) à l'anglais d'origine américaine *pecan* (1773), également *paccan* (XVIIIe s.), *pecanne, paccan(e)* «fruit lisse d'un hickory d'Amérique renfermant une amande oléagineuse comestible». Ce mot est issu de l'algonquin *pakan* «noix» (dans d'autres langues indiennes : cree *pakan*, ojibway *pagan*, abénaki *pagann*), nom générique de la noix de diverses espèces de hickory, qui a donné en français **PACANE** n. f. et son dérivé **PACANIER** n. m. (1839, Boiste), dits à l'origine d'une espèce de noyer noir de la Louisiane et de son fruit. L'anglais *pecan* n. (1773) ou *pecan nut (tree)* n. (1778) désigne spécifiquement un noyer de très grande taille, de la famille des juglandacées, commun dans les vallées de l'Illinois, de l'Ohio et du Mississippi (le nom français est *pacanier*). *Pecan nut* «noix de pécan» (1778) ou sa forme abrégée *pecan* (1822), désigne le fruit de cet arbre, appelé *pacane, noix pécan* ou quelquefois *pécan* en français.

La noix de pécan se mange à l'apéritif comme la noix de cajou; les Anglais en mettent dans leurs cakes, les Américains en garnissent des tartes.

♦ *Pécan* est resté rare en français de France. *Pacane* est usuel au Québec.

PÉCARI n. m. est emprunté sous la forme *pickery* (1688) puis *pecari* (1698), par l'intermédiaire des flibustiers français, à un mot du dialecte de la zone de Panama. Celui-ci semble issu de *begare* «cochon sauvage», mot de la langue des Caraïbes, du Vénézuela et des Guyanes (1503, Christophe Colomb). On peut y rattacher le terme indigène *paquira* (1664), déjà *paquire* (1640) et *paquaira* (1654, en Guyane), attesté dans des relations de voyage.

♦ *Pécari,* nom d'un porc sauvage d'Amérique, est employé par métonymie pour désigner le cuir de l'animal utilisé en peausserie (1935, *gants pécaris;* 1951, *gants de pécari*).

PECCADILLE n. f. est emprunté (1559) à l'espagnol *peccadillo* n. m., diminutif de *peccado* «péché», issu comme le français *péché** du latin *peccatum.*

♦ Le mot est d'abord attesté sous la forme *pecadille,* comme nom masculin; le suffixe *-ille* étant généralement réservé à des noms de genre féminin, le mot a changé de genre, s'écrivant d'abord *peccatille* (1606) puis *peccadille* (1611). Signifiant proprement «péché véniel, sans gravité», il est employé par extension, en dehors de toute considération religieuse, pour désigner une faute légère et excusable.

PECCAMINEUX, PECCANT → PÉCHER

PECHBLENDE → BLENDE

PÊCHE n. f., d'abord écrit *persches* (graphie douteuse; fin XIe s.) puis *pesches* (1180), est issu du latin médiéval *persica* «fruit du pêcher» (VIe s.), également connu sous la forme *pessica* (IVe-Ve s.); c'est le neutre pluriel pris comme féminin singulier de *persicum* (Ier s.), issu par ellipse de *malum persicum* «pomme de Perse», le fruit étant nommé d'après sa provenance. Les noms du pêcher en latin étaient *persica arbor* «arbre de Perse», *persicus* (Ier s.) «persan» et *persica malus* «pommier, arbre de Perse» (Ve s.).

♦ En français comme en latin, le mot désigne le fruit du pêcher. L'appellation culinaire ***pêche Melba*** (1903) fut créée par le cuisinier français G. A. Escoffier (1846-1935), vers 1893 à Londres (au Savoy Hotel qu'il ouvrit avec César Ritz), en l'honneur de Nellie Melba (1861-1931), célèbre cantatrice australienne. ◇ Par métonymie, *pêche* est employé en apposition pour une nuance «rose pâle» (1803, *rose pêche;* 1909, absolument *pêche*). Par allusion à l'aspect velouté du fruit, le mot exprime une idée de velouté dans des locutions comparatives (1849) et dans ***teint de pêche*** (1884), ***peau de pêche.*** ➛ Comme beaucoup de noms de fruits ronds, il est employé argotiquement au sens de «tête» (1878) dans la locution ***se fendre la pêche*** (1938). ◇ ***Avoir, tenir la pêche*** (1960) «la forme» (synonyme approximatif, la frite) n'est pas expliqué. ◇ *Pêche* désigne également en argot l'excrément, par exemple dans *déposer une pêche* (1866).

► Le nom de l'arbre ② **PÊCHER** n. m. a été fait, d'abord sous la forme *peskiers* (1150) puis *pescher* (fin XIVe s.), sur le nom du fruit au moyen du suffixe *-ier :* celui-ci est normalement réduit à *-er* après une palatale. Le latin médiéval atteste dans ce sens *persicarius* au VIIIe siècle. La locution ***fleur de pêcher*** signifie «rose vif» et se dit de la robe d'un cheval qui présente des bouquets de poils rouges sur un fond blanc.

◈ voir PERS, PERSICAIRE, PERSIENNE.

PÉCHÉ n. m., d'abord *pechez* au cas sujet singulier (v. 980), puis *péché* (1135, *péchié*), est issu du latin chrétien *peccatum* «faute contre la loi divine». Celui-ci est une spécialisation de sens du latin classique *peccatum* «faute, action coupable, erreur», participe passé neutre substantivé de *peccare,* qui a donné *pécher**.

♦ Le mot désigne la faute commise contre la loi divine; il est éventuellement déterminé par un adjectif ou un complément précisant la nature ou l'objet du péché : ainsi, on parle de ***péché mortel*** (1135, *mortex pechié*), de ***péché véniel*** (1245, *peciez venïaus*), de *péché actuel* (1545), de *péché d'omission* (1572) et de *péché de commission* (1656, Pascal), de *péché de la chair* (1609). ◇ La dénomination ***péché originel*** est le calque (fin XIVe s.) du latin chrétien *peccatum originale,* probablement créé par saint Augustin en 397; la plupart des autres trouvent leur équivalent en latin scolastique *(peccatum actuale, capitale, commissionis, mortale, omissionis, spirituale, veniale).* De même, *péché contre nature* (1288) correspond à *peccatum contra natura,* et *péché contre le saint esprit* (1541, Calvin) à *peccatum in spiritum sanctum.* ◇ À la fin du XVIIe s. apparaît l'expression *péché philosophique* (1689, Arnaud) et l'*encyclopédie* atteste celle de *péché de l'esprit* (1765). ◇ Bien que le mot reste fortement marqué par sa signification religieuse, il est employé dès 1050 au sens plus général et latin de «faute» (souvent dans le domaine moral), surtout dans les locutions ***péché de jeunesse*** (1649, Corneille) et ***péché mignon*** (1718). L'ancien français l'entendait aussi pour un tort, une injustice, une infortune subie, lui prêtant la même valeur qu'à *dommage* dans l'expression impersonnelle *est péché* «c'est dommage» (à comparer à l'italien *peccato*). Il est également employé par métonymie pour désigner l'état du pécheur (1306) : *vivre dans le péché.*

PÉCHER v. intr. est issu (1050) du latin chrétien *peccare* «commettre une faute contre la loi divine», spécialisation à partir du sens classique de «broncher, faire un faux pas» et, moralement, «commettre une faute, une erreur, se tromper». Le sens donne à penser que *peccare,* mot usuel et familier, serait issu d'un mot °*pecco-,* qui serait à *pes* (→ pied) ce que *mancus* «manchot» est à *man-* dans *manus* (→ main); cependant, un tel mot n'est pas attesté. Pour le sens, on peut évoquer un rapprochement avec le sanskrit *skhálati* «il fait un faux pas» et donc supposer une origine indoeuropéenne.

♦ Le mot présente la même évolution que *péché** : il signifie «commettre un péché» au sens religieux du mot et, par extension, «faillir, faire défaut» (1215), en particulier dans les constructions *pécher contre* (1663) et *pécher par...* (1682, La Fontaine, *pécher par excès*). ◇ L'ancien discours médical l'utilisait (1314) en relation avec **PECCANT, ANTE** adj. (1317) à propos des humeurs du corps corrompues ou en trop grande abondance, cet adjectif étant lui-même issu, par le latin médiéval *peccaus,* du participe présent du latin *peccare* spécialisé dans le domaine médical.

▸ **PÉCHEUR, PÉCHERESSE** n., attesté sous la forme de l'ancien cas régime pluriel *pechedors* (fin xe s.), puis *pecheürs* (1119), est issu du latin chrétien *peccator, -oris* «personne qui est en état de péché», dérivé du supin de *peccare* (→ pécher). Repris dans sa signification religieuse, le mot entre dans l'expression *Dieu ne veut pas la mort du pécheur* (fin XIIe s.) par allusion au livre biblique d'Ézéchiel 33, 11. L'ancien français possédait également un cas sujet *pechiere* au féminin, et le français *pécheresse* (1190), qui en dérive, a remplacé l'ancien féminin *pecheriz* (1145), issu du latin chrétien *peccatrix,* féminin de *peccator.* Les parlers méridionaux emploient les formes avec le suffixe d'ancien nominatif *-aire, pecaire, pechaire* comme exclamations au sens de «hélas, mon Dieu!» qui se disent aussi dans le français local **PÉCAÏRE** !, francisé en **PEUCHÈRE** ! (1880, A. Daudet). L'ancien français a connu le même type d'emploi de *pécheur* en interjection de compassion (XIIIe s.). ◇ **PECCAMINEUX, EUSE** adj., emprunt didactique (XVIIe s.) au latin médiéval *peccaminus* «de la nature du péché» (XIIIe s.), lui-même dérivé de *peccamen,* nom du péché tiré du verbe, est d'abord un terme de l'ancienne médecine *(humeurs peccamineuses)* repris tardivement (1884, Huysmans) dans la signification religieuse «de la nature du péché».

◈ voir IMPECCABLE, PECCADILLE.

① PÊCHER

◈ ① **PÊCHER** v. tr. est issu sous la forme *peschier* (1140) d'un latin populaire °*piscare,* du latin classique *piscari* «pêcher», au figuré dans l'expression *piscari in aere* (pêcher en l'air) «perdre son temps». Ce verbe est dérivé de *piscis* «poisson» (→ poisson).

♦ Le verbe est d'abord employé absolument pour «s'adonner à la pêche», entrant dans la locution figurée ***pêcher en eau trouble*** dont une variante remonte au XIIe s. (1175, *en l'eue troble pescher*). Depuis 1230, il est également employé transitivement pour «prendre (du poisson)», le sujet désignant un pêcheur ou un oiseau de proie (fin XIIIe s.). ◇ Par extension, il a pris dès le XIIe s. (1165) le sens familier de «prendre, capturer» d'où «trouver» (1579, *où avez-vous pesché tout ce que vous dites ?*). ◇ Il est employé au sens de «retirer de l'eau» dans l'expression *pêcher les hommes,* (fin XIIe s.), référence à l'Évangile (Luc, 5-10) liée à un emploi de *pêcheur* (ci-dessous), et pour «sortir de l'eau (qqn, un noyé)» (1429) «ou qqch. : du corail, des perles» (1552).

▸ *Pêcher* a donné trois dérivés. **PÊCHERIE** n. f., d'abord *pescherie* (1150), désigne le lieu de pêche, en particulier l'ensemble des installations aménagées pour la pêche. ◇ Le second est le déverbal **PÊCHE** n. f., d'abord *pesche* (1261), désignant à la fois le droit de pêcher, l'endroit où l'on pêche (1317), l'action de pêcher (1347-1348) et le produit pêché (1475). De l'action ponctuelle, on est passé à l'activité elle-même, en tant que technique, avec deux valeurs très différentes selon qu'il s'agit de la *pêche en mer,* souvent collective et parfois individuelle, ou de la *pêche en eau douce,* en général individuelle, parfois sportive (*pêche au lancer,* etc.). Selon les contextes, *pêche* employé absolument concerne l'une ou l'autre de ces activités, c'est-à-dire un travail, une opération économique *(le Conseil supérieur de la pêche)* ou une distraction, connotée comme paisible et traditionnelle, ou un sport *(ouverture de la pêche, la pêche et la chasse).* Les différentes façons de pêcher sont précisées par un adjectif (1825, *pêche fluviale ;* 1953, *pêche sous-marine,* etc.) ou par un complément (1539, *pêche à la ligne*). ◇ Comme le verbe, *pêche* s'applique à l'action de ramasser des perles, du corail (1679) et, par extension, à l'action de chercher, surtout dans la locution ***aller à la pêche*** (1895, en argot «avoir perdu son emploi et en chercher un autre»). ◇ Enfin, au moyen du suffixe diminutif *-ette, pêcher* a donné **PÊCHETTE** n. f. (1773) «petit filet», en usage aujourd'hui dans certaines régions pour désigner une petit filet à écrevisses et à crevettes (1868).

Le composé **REPÊCHER** v. tr. (1680), d'abord attesté sous la forme ancienne *repesquier* (1288) puis *repescher* (1549), exprime proprement les idées de «pêcher de nouveau» et de «retirer de l'eau (ce qui y est tombé)». Il s'est spécialisé au sens figuré et familier de «sauver (un candidat)» (1875) de même que son dérivé **REPÊCHAGE** n. m. (1870), dit spécialement (XXe s.) du fait d'accorder l'admission à un candidat qui serait normalement éliminé (à un examen, en sports, 1924).

PÊCHEUR, EUSE n. et adj., d'abord *pescheür* (1140), est issu du latin *piscatorem,* accusatif de *piscator,* nom d'agent qui correspond au verbe *piscari* (→ pêcher). Le mot désigne celui ou celle (1609, *pescheuse*) qui pêche par métier ou par plaisir, selon les deux valeurs de *pêche* (ci-dessus). ◇ Il est adjectivé (1776) en parlant d'une personne et d'un bateau (1797). ◇ Il est employé par métaphore dans l'expression ***pêcheur d'hommes*** (fin XIIIe s., *peschëors d'omes*), par référence à l'Évangile (Matthieu, 4, 19 ; Marc, 1, 17) en parlant d'une personne qui exerce une activité apostolique, qui convertit à la doctrine chrétienne (cf. aussi *pêcher,* ci-dessus). ◇ Les patois provençaux emploient l'ancien nominatif *pescaire* (du latin *piscator*) quand il s'agit d'un individu qui pêche sans que cela soit son métier, réservant l'ancien accusatif *pescadour* au pêcheur de profession ; mais le français n'a qu'un mot pour le ***pêcheur à la ligne,*** symbole du délassement populaire, et le ***marin-pêcheur,*** alors que les deux notions sont socialement très différentes.

② PÊCHER → PÊCHE

PÉCORE

PÉCORE n., une première fois sous la forme *peccoire* (déb. XIVe s.) puis sous la forme actuelle (av. 1512), est emprunté à l'italien *pecora* «brebis»

(1313-1319, Dante), au figuré «sot, stupide» (fin XIVe s.). Le mot est issu d'un latin médiéval du domaine italien *pecora* (VIIIe s.), féminin tiré du latin *pecora*, pluriel neutre de *pecus, -oris* «troupeau, bétail». Ce dernier existait à côté de la variante *pecus, -udis* n. f., employée au sens individuel de «tête de bétail» et comme terme d'injure («bête»). La distinction de sens, encore nette à l'époque républicaine, a tendu à s'effacer et *pecus, -udis* n'a pas survécu dans les langues romanes. Les deux mots se disent indifféremment du gros et du petit bétail et désignent les animaux domestiques, par opposition à *ferae* «les bêtes sauvages». Virgile se sert de *pecudes* pour opposer les quadrupèdes aux oiseaux et aux poissons. Cependant, l'un et l'autre ont dû d'abord s'appliquer aux bêtes à laine et *pecora* est demeuré en roman au sens de «brebis». *Pecus* est un terme du substrat indoeuropéen : le thème *pek'u-* est attesté en indo-iranien, en germanique et en italique. Dès l'indoeuropéen, le mot désigne le bétail en général et le petit bétail (moutons) en particulier, ce qui serait son sens ancien si l'on admet le rapprochement (d'ailleurs indémontrable et non repris par Chantraine) avec le nom de la toison (grec *pokos*).

♦ Le mot est passé en français avec le sens propre de «pièce de bétail», aujourd'hui désuet. Il est repris au XVIe s. au sens plus général de «bête» (av. 1512, n. m.), à partir duquel il a pris le sens figuré de «homme ou femme stupide» (1541), sorti d'usage. Au XIXe s., le mot est remis à l'honneur au féminin pour désigner une jeune fille, une femme sotte, prétentieuse et impertinente (1808).

◈ voir **PECQUE, PÉCULE, PÉCUNE** et, du francique, **FÉODAL, FEUDATAIRE, FIEF**.

PECQUE n. f. est emprunté (1630) à l'ancien provençal *pec* «sot, stupide» (XIIIe s.), au féminin *pegua* (1208-1215). Ce mot est issu du latin *pecus, -udis* «tête de bétail», au figuré «homme stupide», variante de *pecus, -oris* «bétail» (→ pécore).

♦ *Pecque* est un terme vieilli ou régional (sud de la France) pour désigner une jeune fille, une femme sotte et prétentieuse. Il est usuel au XVIIe siècle.

◈ voir peut-être **PÉQUENAUD**.

PECTINE n. f. est dérivé (1831), avec le suffixe *-ine*, de l'élément savant *pecto-* «coagulation». Celui-ci est tiré du grec *pêktos* «épaissi, coagulé», dérivé de *pêgnunai* «fixer, planter» d'où «être froid, geler, coaguler», verbe qui répond au latin *pangere* «ficher, enfoncer» et, par-delà, repose sur une importante racine indoeuropéenne signifiant «ficher» (→ pacte, paix).

♦ Ce terme de biochimie, d'abord relevé dans un *Mémoire sur le principe gélatineux des fruits*, désigne la substance organique colloïdale, mucilagineuse qui se rencontre dans de nombreuses cellules végétales et que l'on utilise pour sa propriété gélifiante (industries alimentaire, pharmaceutique).

▸ Sur le même principe, on a formé **PECTIQUE** adj. (1825), qualifiant une substance, un acide issu de la transformation de la pectine par la pectase, et **PECTASE** n. f. (1848), nom de l'enzyme qui se rencontre dans de nombreuses cellules végétales et qu'on utilise comme ferment de coagulation.

PECTINÉ, ÉE adj. est emprunté (1370?) au latin *pectinatus* «disposé en forme de peigne», participe passé adjectivé de *pectinare* (→ peigner).

♦ Le mot, terme technique signifiant «en forme de dent de peigne», est essentiellement employé en anatomie, spécialement dans *muscle pectiné* (1793) substantivé avec cette valeur dès 1695, et en histoire naturelle (1803). Il est également employé en architecture en parlant d'un toit pentu à bords dentelés.

▸ Il est quelquefois concurrencé en anatomie animale par le composé savant **PECTINIFORME** adj. (1870, Jules Verne).

PECTORAL, ALE, AUX adj. et n. m. est emprunté (1355) au latin *pectoralis* «de la poitrine», «qui couvre la poitrine», substantivé au moyen âge pour désigner l'ornement appliqué sur l'aube du prêtre à hauteur de la poitrine. Ce mot (→ poitrail) est dérivé de *pectus, -oris* «poitrine» (de l'homme et de l'animal) [→ pis].

♦ *Pectoral* désigne un ornement sacerdotal puis en histoire l'ornement garni de pierres précieuses que les pharaons, les Égyptiens nobles et le grand prêtre des Juifs portaient sur la poitrine comme insigne de leur dignité (1546). Il désigne aussi la croix que les évêques portent sur la poitrine (1660). Le mot est adjectivé (v. 1460), d'abord avec l'ancienne valeur morale de «qui vient du cœur», puis dans *croix pectorale* et (1478) en anatomie pour «relatif à la poitrine», notamment dans *muscles pectoraux* (1561, au singulier) d'où, par ellipse du nom, **PECTORAUX** n. m. pl. (1561) employé couramment à propos de ces muscles, lorsqu'ils sont développés et saillants (par la même évolution que pour *biceps*). ◇ L'adjectif qualifie aussi ce qui combat les affections de la poitrine (1478), notamment dans *pastilles pectorales* et *fleurs pectorales* (1834).

◈ voir **EXPECTORER, IN PETTO, POITRINE**.

PÉCU n. m., mot de l'argot des grandes écoles, est la transcription (1985) de *p(apier)-cu(l)* ou de ses initiales *P. Q.*

♦ Le mot désigne d'abord le papier* hygiénique, et au figuré (cf. *torchon*), un exposé, un écrit longuement développé sur un sujet déterminé, souvent creux et ennuyeux.

▸ Il a donné **PÉCUFIER** v. intr. «écrire un rapport, faire un exposé oral» (généralement long et ennuyeux).

PÉCULE n. m. est emprunté (1273) au latin *peculium* «petite part du troupeau laissée en propre à l'esclave qui le gardait», puis «petit bien amassé par l'esclave» d'où «argent amassé». Le mot latin est quelquefois pris au sens figuré de «membre viril». Il s'agit du diminutif de *pecus* «bétail» (→ pécore, pecque, pécune).

♦ *Pécule* est employé dans sa première attestation avec le sens isolé de «bétail»; il est repris comme terme d'antiquités romaines (XIIIe s.) pour désigner les économies faites en argent par une personne dépendant du pater familias, notamment par un esclave qui pouvait s'en servir pour racheter sa liberté. ◇ Par analogie, il désigne ce qu'une personne placée sous la dépendance d'autrui acquiert par son économie (1611) et, plus généralement, une somme d'argent (assez modeste) économisée petit à petit. Spécialement, il se dit de la partie de la rémunération d'un délinquant qui lui est remise au moment de sa libération (1877).

▸ **PÉCULAT** n. m., ancien terme de droit romain et de droit pénal, est emprunté (1530) au latin *peculatus* «malversation, concussion», dérivé de *peculari* «faire son pécule» et, spécialement dans la langue politique, «s'enrichir aux dépens de l'État, être concussionnaire», de *peculium* (→ pécule). ◇ Il désigne en français la soustraction de fonds publics par un dépositaire ou un comptable public.

◈ voir du francique : **FÉODAL, FEUDATAIRE, FIEF.**

PÉCUNE n. f. (1200), d'abord *pecunie* (v. 1120), est emprunté au latin *pecunia* «possessions en bétail» puis «richesse, fortune», par extension «monnaie» et, en bas latin, «monnaie de cuivre». C'est un dérivé de *pecus* «bétail» (→ pécore, pécule), le bétail constituant la principale richesse dans la Rome primitive.

♦ Le français *pécune* «argent comptant» s'employait encore comme archaïsme plaisant (aussi masculin, sans doute à cause de *pécule : du pécune*) jusque vers 1930.

▸ **PÉCUNIAIRE** adj. est emprunté (XIIIe s.) au latin *pecunarius* «relatif à l'argent», dérivé de *pecunia;* d'abord employé comme nom pour «avoir en argent», il n'est plus qu'adjectif (dep. 1308) au sens de «qui consiste en argent», spécialement en droit pénal, d'abord à propos d'une amende dont on s'acquitte par un paiement en argent. C'est le seul mot usuel du groupe. ◇ Son dérivé **PÉCUNIAIREMENT** adv. est attesté depuis 1355. ◇ **PÉCUNIEUX, EUSE** adj. est emprunté (1370-1372) au dérivé latin *pecuniosus* «qui a beaucoup d'argent», dont il a gardé le sens. ◇ **IMPÉCUNIEUX, EUSE** adj. est formé (1677, Miège) de *im-* (→ ① in-) et de *pécunieux.* ◇ L'adjectif, dans l'usage littéraire, qualifie une personne qui manque d'argent. ◇ Sur le radical d'*impécunieux* a été dérivé **IMPÉCUNIOSITÉ** n. f. (1677).

◈ voir **PECQUE, PÉCULE.**

PÉDAGOGUE n. est emprunté (1370-1372, Oresme) au latin *paedagogus,* lui-même du grec *paidagôgos* «esclave chargé de conduire les enfants à l'école» et «précepteur»; au sens propre de «qui conduit les enfants», le mot est composé de *pais, paidos* «enfant» (→ pédiatre) et de *agôgos* «qui conduit», de *agein* «conduire, mener» qui correspond au latin *agere* (→ agir).

♦ De nos jours, *pédagogue* dont la valeur a évolué avec l'éducation même, du préceptorat à l'école publique, est quelquefois abrégé familièrement en **PÉDAGO** (1924). Son emploi, en dehors du domaine de l'instruction, à propos d'une personne ou d'une chose qui dirige, conduit une personne ou un groupe (1546), a disparu au XVIIIe siècle. Sa valeur, souvent péjorative à partir du XVIIe s. (déjà chez Descartes), redevient plus favorable au XIXe s. avec cependant des connotations variables.

▸ **PÉDAGOGIE** n. f. est emprunté (1495) au dérivé grec *paidagôgia* «direction, éducation des enfants». D'abord employé pour «instruction, éducation concrète des enfants», *pédagogie* désigne aujourd'hui la science de l'éducation des jeunes, l'ensemble des méthodes qu'elle met en œuvre (1611) et la qualité du bon pédagogue. ◇ Le dérivé **PÉDAGOGISME** n. m., mot rare et plutôt péjoratif, désigne le système des pédagogues (1595, Montaigne) après avoir désigné, chez le même écrivain, l'enseignement de Platon sous forme de dialogues. ◇ L'élément *pédagogie* entre dans un certain nombre de composés dénommant les branches de cette discipline, tels **PSYCHOPÉDAGOGIE** (1952) et **ORTHOPÉDAGOGIE** (XXe s.). ◇ L'adjectif correspondant, **PÉDAGOGIQUE** adj., est emprunté (1610) au dérivé grec *paidagôgikos* «concernant l'éducation des enfants, l'éducation». ➜ En français, le mot entre dans de nombreux syntagmes et a donné le dérivé **PÉDAGOGIQUEMENT** adv. (1801); il est aussi productif dans la formation de noms et d'adjectifs par l'élément initial *pédago-* et l'élément terminal *-pédagogique* (*psychopédagogique, médicopédagogique,* etc.).

◈ voir **ENCYCLOPÉDIE, PÉDANT, PÉDÉRASTE, PÉDIATRE.**

PÉDALE n. f. est emprunté (*pedalle,* 1530) à l'italien *pedale* qui désigne une pédale d'orgue (1561) et différents dispositifs commandés au pied. Ce mot est issu du latin *pedalis* «de la taille d'un pied, adapté au pied», dérivé de *pes, pedis* (→ pied), également substantivé au neutre comme nom de la chaussure (*pedale* chez Pétrone, d'où au XVIIIe s. le français *pédales* pour des chaussures d'abbé).

♦ Le mot désigne un dispositif actionné par le pied dans divers instruments de musique, dont l'orgue, et il a pris par métonymie le sens de «son prolongé et soutenu» (1835, Cherubini), elliptiquement pour *note de pédale.* ◇ À partir de la fin du XVIIIe s., il a reçu des acceptions techniques : «pièce qu'on meut avec le pied pour actionner une machine» (1797), «partie sur laquelle les pieds s'appuient pour actionner les roues d'une bicyclette» (1869). En ce sens devenu très courant (ci-dessous *pédaler*), il entre dans la locution *perdre la pédale* (1884) passée dans l'usage familier (au pluriel ***perdre les pédales***) avec un sens figuré (1940-1943). Il se dit aussi à propos d'autres véhicules (1903, *pédale de frein*). ◇ Depuis 1929, il est employé argotiquement au sens d'«homosexuel» par jeu sur l'initiale de *pédéraste** (***être de la pédale qui craque,*** 1935) et peut-être d'après l'attitude du cycliste sur sa selle : on relève en 1929 la locution argotique ***faire de la pédale*** pour désigner une manœuvre homosexuelle passive.

▸ *Pédale* a produit ses dérivés depuis la fin du XIXe siècle. ➜ Le premier apparu est **PÉDALIER** n. m., terme de musique, repris (1877) pour désigner le clavier de pédales de l'orgue, du clavecin. Depuis 1892, il désigne également le mécanisme d'une bicyclette constitué par les pédales, les manivelles, le plateau et l'axe entraîné par les manivelles. ◇ **PÉDALER** v. intr. (1892), «actionner les pédales d'une bicyclette, circuler à bicyclette», a pris dans l'usage populaire et familier (1911, Proust) le sens figuré de «courir, se hâter» et abstraitement «perdre ses moyens, patauger», surtout dans les locutions ***pédaler dans le yaourt, la semoule,*** etc. «s'agiter, se démener vainement; se tromper, errer». ◇ En sont tirés les dérivés habituels : **PÉDALAGE** n. m. (1933), plus rarement **PÉDALEMENT** n. m. (attesté 1956), et **PÉDALEUR, EUSE** n. (1941), lui-même concurrencé par un emploi métonymique de *pédale.* ◇ Avec *pédalage,* on a formé **RÉTROPÉDALAGE** n. m. (1921) «action de pédaler à l'envers, par exemple pour freiner». ◆ **PÉDALO** n. m., nom d'une embarcation légère à pédales dont la marque a été déposée en 1936, a été formé sur *pédale* avec le pseudo-suffixe *-o* de *mécano.*

PÉDANT, ANTE n. et adj. est emprunté (1560), d'abord sous la forme *pedante* (1558), à l'italien *pedante* «professeur, maître d'école» (av. 1450) et «personne qui fait étalage de son savoir» (1524). Certains voient dans ce mot la déformation de l'italien *pedagogo* (→ pédagogue) par identification populaire burlesque avec *pedante* «celui qui va à pied, piéton» (XIVe s.), dérivé de *pede* (→ pied), parce que le pédagogue accompagnait constamment ses élèves. D'autres y voient plutôt le participe présent substantivé *(°paedens)* d'un latin populaire *°paedere,* du grec *paideuein* «former, éduquer» (→ pédagogie).

♦ Le mot a connu l'évolution inverse de *pédagogue* dont il a longtemps eu les valeurs : il est passé en français avec le sens de «maître d'école, professeur», encore usuel au XVIIe s. où Furetière le donne comme synonyme de *régent.* Puis (1561), il est employé pour désigner par péjoration celui qui fait étalage de son savoir, sens qui l'a emporté aussi en emploi adjectif (1653) sur *pédagogue,* et s'est répandu notamment grâce au théâtre (*Le Pédant joué,* de Cyrano de Bergerac). L'époque classique l'entendait pour «celuy qui fait un mauvais usage des sciences, qui les corrompt et altère, qui les tourne mal, qui fait de méchantes critiques et observations, comme font la plus-part des gens du Collège» (Furetière). «Les qualités d'un pédant, poursuit-il, c'est d'être mal poli, mal propre, fort crotté, critique opiniâtre et de disputer en galimathias. Il y a aussi des femmes pédantes à la manière du Collège.» ◇ L'usage moderne du mot, plus fréquent comme adjectif à propos d'une personne ou d'une chose (parole, œuvre...), met essentiellement l'accent sur l'étalage du savoir.

▶ Les mots de la famille de *pédant* datent presque tous de la seconde moitié du XVIe et du début du XVIIe siècle. ◆ **PÉDANTESQUE** adj. avec son sens moderne de «cuistre» est emprunté à l'italien *pedantesco,* dérivé de *pedante* signifiant d'abord «magistral» (av. 1566) puis employé avec une valeur péjorative (1588). Le mot français est senti comme littéraire, de même que son dérivé **PÉDANTESQUEMENT** adv. (1606). ◆ *Pédant* a produit **PÉDANTERIE** n. f. (1560, *pédenterie*), «caractère, manière de penser, de parler propre au pédant» et «caractère de ce qui est pédant» (1611), et **PÉDANTISME** n. m. employé par Montaigne (1580) au sens ancien d'«art d'enseigner», puis rattaché au sens péjoratif de *pédant* au XVIIe siècle. ◇ Le verbe correspondant à *pédant,* **PÉDANTISER** v. intr. (1594) «exercer le métier de maître d'école (péjorativement)» et «faire le pédant», a vieilli.

PÉDÉRASTE n. m. est emprunté (1584) au grec *paiderastês* «qui aime les jeunes garçons, les adolescents», mot composé de *pais, paidos* «enfant, jeune garçon» (→ pédiatre) et de *erastês* «qui aime, amant». Ce dernier est dérivé de *eran* «aimer d'amour, désirer» (→ érotique) et est employé spécialement pour désigner l'aîné du couple homosexuel grec (par opposition à *erômenos*).

♦ Le mot, rare avant le XIXe s., se diffuse en prenant la valeur erronée d'«homosexuel», quel que soit l'âge du partenaire. C'est avec cette acception fautive qu'il est abrégé en **PÉDÉ** n. m. (1836; répandu au XXe s.) souvent utilisé comme terme injurieux, de même que les altérations *pédoque* (1953), *pédale**. Avec l'évolution des mœurs, le mot, synonyme d'*homo,* est devenu moins péjoratif, sauf à correspondre à une injure sans contenu. Il a encore été abrégé en *péd* (1972).

▶ **PÉDÉRASTIE** n. f. est emprunté (1580) au dérivé grec *paiderastia.* ◆ Par substitution de suffixe, il a donné **PÉDÉRASTIQUE** adj. (1862) «qui a trait aux pédérastes, à la pédérastie» (le grec avait *paiderastikos* «concernant l'amour envers les jeunes garçons»).

PÉDESTRE adj. est emprunté (1721) au latin *pedester* «qui est à pied», «d'infanterie», «qui est à terre», dérivé de *pes, pedis* (→ pied).

♦ Le mot latin avait été emprunté une première fois en moyen français pour désigner un soldat à pied, un fantassin (fin XVe s.-1538), et pour qualifier ce qui est relatif à l'homme à pied (1529). ◇ Il a été réemprunté au XVIIIe s. pour qualifier une statue représentant un personnage en pied, prenant ensuite le sens aujourd'hui courant de «qui se pratique à pied» (1754; Rousseau l'emploie dans *Les Confessions*).

▶ Son dérivé **PÉDESTREMENT** adv. (1762), «d'une manière pédestre», «à pied», a vieilli; la langue familière emploie le latin de cuisine ***pedibus (cum jambis)*** «à pied (avec les jambes)» dans le même sens.

PÉDIATRIE n. f. est formé (1872) des éléments *pédo-* et *-iatrie,* de même que **PÉDIATRE** n. est formé (1882) de *pédo-* et *-iâtre. Pédo-* représente le grec *paido-*, tiré de *pais, paidos,* mot qui répond au français *enfant* et qui se trouve concurrencé par *teknon* lequel, étymologiquement, marque mieux la filiation. *Pais, paidos* exprime l'enfance et la jeunesse; bien que s'appliquant aux deux sexes, il est plus souvent employé pour un garçon que pour une fille; il a pu signifier «fils» ou «fille» et s'est dit, notamment en attique, du serviteur, de l'esclave. Le mot, à l'origine d'un groupe important de dérivés et de composés (→ pédagogue, pédéraste), appartient à une famille de termes familiers exprimant la notion de petitesse. On observe notamment, avec vocalisme zéro, des formes de ce type dans le sanskrit *putrá-* «fils», l'avestique *puthra,* l'osque *puklum,* le latin *puer* «fils» et «jeune garçon» (→ puéril). Le latin *pauper,* avec son sens étymologique de «qui gagne peu» (→ pauvre), appartient à ce groupe de même que l'anglais *few* «peu nombreux».

♦ En français, *pédiatre* et *pédiatrie,* mots didactiques, sont devenus courants avec la diffusion de la médecine de l'enfance.

PÉDICELLE n. m. est emprunté (1799) au latin scientifique *pedicellus* «pédoncule», variante de *pediculus* (→ pédicule).

♦ Le mot a été repris en botanique où il sert de diminutif à *pédicule* et à *pédoncule* et désigne en particulier le support capillaire de l'urne des mousses. ◇ Il est passé en entomologie comme dénomination du deuxième article de l'antenne des insectes (1847).

► Il a pour dérivés **PÉDICELLAIRE** n. m. (1809), «petit appendice du test des échinodermes», et **PÉDICELLÉ, ÉE** adj. (1812), «muni d'un pédicelle».

① **PÉDICULAIRE** → PÉDICULE
② **PÉDICULAIRE** → POU

PÉDICULE n. m. est emprunté (1520) au latin *pediculus* «petit pied», spécialement «pédoncule», diminutif de *pes, pedis* (→ pied).

♦ Le mot, repris en botanique avec le sens de «support allongé et mince d'un organe, d'une plante», est devenu synonyme de *pédoncule* lors de l'emprunt de ce dernier à un autre diminutif latin au XVIIIe siècle. ◇ Il désigne parfois la tige d'un champignon (1778). ◇ Il est passé en anatomie pour désigner l'artère principale formant le conduit nourricier d'un organe ou d'un tissu (av. 1750).

► On en a dérivé **PÉDICULÉ, ÉE** adj. (1763), employé à la fois en botanique, en anatomie et en architecture, et ① **PÉDICULAIRE** adj., terme de pathologie (1868).

PÉDICURE n. est formé (1791) des éléments *pédi-,* du latin *pes, pedis* (→ pied), et *-cure* «qui soigne» (→ curer).

♦ *Pédicure,* d'abord attesté dans le titre *Chirurgien-pédicure, l'art de soigner les pieds,* désigne la personne qui fait profession de soigner les affections épidermiques et unguéales des pieds.

► Il a produit **PÉDICURER** v. tr. (fin XIXe s.), d'où est tiré **PÉDICURAGE** n. m. (fin XIXe s.), ainsi que **PÉDICURIE** n. f. (XXe s.).

PEDIGREE n. m. est emprunté (1828) à l'anglais *pedigree* (1410) «généalogie, arbre généalogique», d'abord sous les formes *pee de Grewe, pedegrewe, pedegru,* toutes empruntées au moyen français *pié de grue* (pied de grue*) par l'anglo-normand *pe de gru.* La transposition de sens s'explique par une analogie de forme entre l'empreinte de cet oiseau et les trois petits traits rectilignes utilisés dans les registres officiels anglais pour indiquer les degrés ou les ramifications d'un arbre généalogique à trois branches. En anglais, le mot s'est employé (1608) à propos de la généalogie d'un animal ; il désigne aussi, dès le XVIe s., la lignée, l'origine (par exemple l'origine d'un mot). Depuis le début du XXe s., il est employé aux sens de «récit de l'existence» (d'une personne, d'une chose) et «curriculum vitae», d'où en particulier «relevé des délits» (1923, *Pedigree-man*). La forme actuelle «récidiviste» s'explique par une assimilation de la finale à l'anglais *degree* «degré» (→ degré). Une expression française *pied de gré,* qui serait composée de *pied* et de *gré* «marche d'escalier», «degrés», rendrait moins bien compte des premières formes anglaises.

♦ En français, cet anglicisme désigne d'abord la généalogie d'un chien de race, d'un cheval de course. ◇ Par extension, il se dit de l'ascendance, de l'origine d'une personne, de son curriculum vitae (1910) et, spécialement en argot, de son casier judiciaire (1952, d'après Esnault).

PÉDIMANE → MAIN

PÉDIMENT n. m. est emprunté (1937) à l'anglais *pediment* «fronton triangulaire sur un temple ou un monument de style antique» (fin XVIe-déb. XVIIe s.). Ce mot serait issu de *periment, peremint,* altérations populaires anciennes de *pyramid,* correspondant du français *pyramide*.* Il n'aurait donc aucun rapport étymologique avec le latin *pes* (→ pied) mais, rapproché de ce dernier, *pediment* a pris le sens de «base, fondation» (XVIIIe s.). Utilisé une fois dans une description géologique en 1882, il apparaît en 1897 chez l'Américain W. J. McGee avec le sens de «glacis parfois recouvert d'alluvions au pied d'une montagne» *(rock pediment).* Son compatriote, K. Bryan, le reprend à son compte en 1922 tout en signalant son ambiguïté morphologique.

♦ En français, le mot a d'abord été écrit *pediment* avant d'être adapté en *pédiment* (1951) ; il est synonyme de *glacis rocheux.*

► Le dérivé **PÉDIMENTATION** n. f. (1963), «évolution du relief par formation de pédiments», a été fait d'après l'anglais *pedimentation.*

① **PÉDO-,** élément savant, est emprunté au grec *pais, paidos* «enfant», par exemple dans **PÉDOPHILE** n. et adj. (fin XIXe s.), signifiant spécialement «(personne) qui ressent une attirance sexuelle pour les enfants». Le mot a pris v. 1990 des valeurs très négatives, la **PÉDOPHILIE** n. f. (1968) pouvant entraîner abus sexuels, exploitation pornographique et même violences et assassinat sur la personne d'enfants, tous méfaits sans rapport avec la stricte définition du mot. L'emploi adj. a suivi la même évolution *(réseau pédophile).* ◇ Un autre composé est **PÉDOPSYCHIATRIE** n. f. «psychiatrie des enfants» (v. 1920), **PÉDOPSYCHIATRE** n. ◇ La forme **PÉD-** est fréquente (→ pédiatrie), notamment dans des emprunts à des composés grecs (→ pédagogue, pédant, pédéraste).

② **PÉDO-**, parfois **PÉD-**, élément savant, est pris au grec *pedon* «sol». ◇ Parmi les composés didactiques, **PÉDOLOGIE** n. f. (attesté 1899), désignant la science des sols, est devenu relativement courant, avec ses dérivés : **PÉDOLOGIQUE** adj. (1899), **PÉDOLOGUE** n.

PÉDONCULE n. m. est emprunté assez tardivement (1735) au bas latin *pedunculus*, diminutif de *pes, pedis* (→ pied), au sens de «queue d'une fleur, d'un fruit».

♦ Le mot, d'abord sous la forme *peduncles*, désigne les protubérances du cerveau; il est repris en 1748 et 1765 *(Encyclopédie)*, sous la forme *péduncule* avec les acceptions encore vivantes de «petite bande médullaire rattachant la glande pinéale au bas des couches des nerfs optiques» et «branche de la moelle allongée». Il est également employé comme terme de botanique depuis 1778.

▸ En sont issus **PÉDONCULÉ, ÉE** adj. (1798), d'abord *pédunculé* (1778) terme de botanique et d'anatomie, et **PÉDONCULAIRE** adj. (1783, *pédunculaire*), qui ne s'emploie qu'en anatomie.

◈ voir PÉDICELLE, PÉDICULE.

PEDZOUILLE n. m., d'abord *pezouille* (1800) puis *pedzouille* (1877), est d'origine incertaine : d'après Sénéan, il serait issu de la fusion des mots *pétard** et °*vezouille*, «derrière», avec les sémantismes de *péter* et *vesser*, mais on ne connaît que *vézouiller* «puer, s'altérer». D'après Esnault, il serait à rattacher à des formes occitanes de la famille de *pisum* «pois» (→ pois), mais les justifications avancées sont insuffisantes; d'après Bloch et Wartburg, il serait emprunté à l'occitan *pezouy* «pou», avec influence à l'initiale de *pétrousquin* «postérieur» et de *pet**. P. Guiraud préfère partir de *pézan*, forme dialectale (et prononciation régionale) courante de *paysan** avec substitution de suffixe, ce qui paraît en effet plus simple; cependant, un jeu sur *pezan* et *pet, péter* est fort possible.

♦ Le mot s'emploie familièrement et très péjorativement pour désigner un paysan, au sens de «rustre».

PEELING n. m. est un emprunt graphique (1935) à l'anglais *peeling*, substantif verbal de *to peel* «peler, éplucher, écorcer», issu avec *to pill* «piller, spolier» d'un vieil anglais °*pilian, pylian*, avec une différenciation et une spécialisation de sens peut-être calquées sur les verbes français *peler** et *piller**. Le mot anglais représente le latin *pilare* (→ peler, piler). Attesté depuis le XVIe s. au sens d'«action de peler», *peeling* a pris (1897) celui de «desquamation de la peau» en médecine.

♦ Il est passé en français comme terme de chirurgie esthétique, attesté une première fois en 1935 et de nouveau depuis 1950. L'usage de son équivalent français, *exfoliation*, a été recommandé.

PÉGASE n. m. est emprunté (1549, Ronsard) au latin *Pegasus*, lui-même emprunté au grec *Pêgasos*, nom d'un cheval ailé mythologique qui joue un rôle dans plusieurs légendes, notamment celles de Persée et de Bellérophon. Grâce à ce cheval ailé, Bellérophon avait pu tuer la Chimère et remporter seul la victoire contre les Amazones. Lors du concours de chant opposant les filles de Piéros et les Muses, l'Hélicon (célèbre chaîne de montagnes en Béotie) se gonflait de plaisir et menaçait d'atteindre le ciel. Alors, sur ordre de Poséidon, Pégase frappa la montagne du sabot pour lui intimer l'ordre de reprendre ses dimensions normales; l'Hélicon obéit, mais à l'endroit où Pégase l'avait frappé jaillit la source d'Hippocrène ou «source du cheval». *Pêgasos* fait penser au nom d'un cheval d'Achille, *Pêdasos*. Selon Hésiode (*Théogonie*, 282), *Pêgasos* viendrait de *pêgê* «fontaine» (lui-même d'origine obscure), mais il peut s'agir d'une étymologie populaire en rapport avec un épisode de la légende; on a aussi, et l'hypothèse est selon Chantraine plus vraisemblable, tiré *Pêgasos* de *pêgos* «fort, solide» (le sens de «blanc» attribué à cet adjectif est secondaire et empêche donc de considérer en *Pêgasos* le «cheval blanc» qu'y ont vu certains philologues).

♦ *Pégase* s'est employé poétiquement comme symbole de la créativité littéraire et de l'inspiration poétique (d'où familièrement *monter sur Pégase, enfourcher Pégase* «faire des vers», XVIIe s.). Ces expressions sont sorties d'usage ou devenues ridicules avec le romantisme. ◇ Par analogie de forme, le nom fut donné à une constellation de l'hémisphère boréal (une légende grecque voulant que le cheval de l'orgueilleux Bellérophon, qui aspirait à atteindre les Cieux, ait été transformé en constellation).

PÈGRE n. f., d'abord *paigres* au pluriel (1797) puis *pègre* au singulier (1821), est d'origine incertaine. Il paraît emprunté à l'argot marseillais *pego* «larron des quais, voleur», de *pega, pego* «poix, glu», du latin *picare* «poisser, enduire de poix», lui-même de *pix* (→ poix). Le développement sémantique menant d'«avoir comme de la poix aux doigts» à «dérober, voler» se retrouve en français dans *poisser, poissard*.

♦ *Pègre* a désigné un voleur (n. m.), avant de correspondre collectivement, au féminin, au monde des voleurs (1829), qualifié selon son envergure (*Haute Pègre*, 1828-1829).

▸ On en a tiré le diminutif argotique **PÉGRIOT** n. m. (1828-1829, Vidocq) «petit voyou».

✳ **PEIGNE** n. m. est issu (1176-1181) du latin *pecten, -inis* «peigne à coiffer», «carde», «râteau», dit également d'objets analogues : plectre, coquillage, plante «aiguille de berger», veine du bois; le mot a aussi désigné le pubis. Ce nom est dérivé de *pectere* «peigner», lequel a été remplacé à l'époque impériale par *pectinare* qui a donné *peigner* (ci-dessous). La formation de *pectere* est la même que celle de *plectere* (→ plier) et de *nectere* «nouer» (→ annexe, connexe); le verbe est à rapprocher du grec *pekein* «tondre» et de formes germaniques. Le mot latin désignant la poitrine, *pectus* (→ pis, poitrine), appartient à la même famille. En français, le type lexical normalement issu du latin par dérivation phonétique, *piegne, pigne* (fin XIIIe s.), *pinne* (XIIIe s.), devenu régional, a peu à peu été supplanté par *peigne* (v. 1250) sous l'influence du verbe *peigner.*

♦ Le mot désigne l'instrument servant à coiffer les cheveux ; il entre dans des locutions comme ***donner un coup de peigne,*** déjà employée par Montaigne dans un sens imagé (1580) et donc antérieure, ***se donner un coup de peigne*** (1713), ***sale comme un peigne*** «très sale» (1808). ◇ Par analogie, *peigne* désigne l'instrument utilisé dans le toilettage des chevaux (1402-1407). ◇ Il désigne la pièce du métier à tisser servant à peigner le drap (1282-1284, sous la forme *pine,* à Saint-Omer) ; il sert également à dénommer l'instrument avec lequel on marbre le papier (1765). ➝ Toujours d'après une ressemblance de forme, il a désigné un organe rappelant un peigne ; s'il ne s'est pas implanté en anatomie humaine comme dénomination du métacarpe et du métatarse (1314), il s'emploie en zoologie à propos des appendices chez certains insectes ; en botanique, l'appellation ***peigne de Vénus*** (1544), désignant une plante, transcrit le latin *pecten Veneris* (Pline).

▶ *Peigne* fournit le premier ou le second élément de quelques noms d'objets usuels *(cache-peigne)* ou techniques *(peigne-battant).* En est dérivé **PIGNON** n. m., d'abord *paignon* (XIIIe s.), nom donné à la roue dentée, soit la plus petite des roues d'un engrenage, et en serrurerie au cylindre cannelé qui règle le pène de certaines serrures. Ce dérivé n'est plus senti comme lié à *peigne.* ◇ *Peigne* a aussi donné **PEIGNIER** n. m. (1611), réfection du plus ancien *pignier* (v. 1268), «ouvrier qui façonne les peignes».

PEIGNER v. tr., d'abord pronominal *soi paignier* (1176-1181), est issu du latin *pectinare* «coiffer avec un peigne» et «herser le blé en herbe» *(pectinare segetem),* dérivé de *pecten* ayant supplanté l'ancien verbe *pectere.* ◇ En ancien français, le verbe est plus fréquent sous la forme *pignier, pinier* d'après *pine* «peigne» et les formes accentuées du verbe. Il signifie «démêler avec un peigne», par extension «étriller (un cheval)» (1174-1187) et, par analogie, «carder (les fibres textiles)» (1174-1187), sens particulièrement attesté en Champagne (1243) et dans le Nord (1250, Douai ; XIVe s., Béthune), régions de tradition drapière. ◇ Son participe passé **PEIGNÉ, ÉE** est adjectivé en ce sens pour qualifier un textile (1671, *chanvre peigné ;* 1690, *laine peignée*) ; il est substantivé au masculin *(un peigné)* pour désigner la quantité de textile mise par un ouvrier sur son peigne (1845) et *(du peigné, un beau peigné)* un tissu de laine peignée (1874). ◇ Dès le XIIIe s., *peigner* a développé ses autres valeurs : un sens figuré en locution (v. 1225) annonçant le sens ancien d'«arranger, travestir» (1590, Montaigne), ainsi que «battre» (1200) et, à la forme pronominale réfléchie, «se battre» (1640), par une métaphore analogue à celle de *carder la peau.* ◇ Son participe passé est alors substantivé au féminin **PEIGNÉE** n. f. avec le sens populaire de «volée de coups» (1808, *se donner une bonne peignée*). ◇ *Peigner* a pour dérivé **PEIGNEUR, EUSE** n. et adj., terme de l'industrie textile dont les premières attestations figurent sur des documents de Champagne (1243, au féminin *pinerrece*) et du Nord (Douai, Beauvais). ➝ Le féminin moderne **PEIGNEUSE** n. f. sert à désigner le métier qui carde les fibres textiles (1868). ➝ Le suffixe *-oir* a permis de former **PEIGNOIR** n. m., d'abord sous les formes *pignoer* (1416) et *peignouer* (XVe s.). Ce mot, après avoir désigné un nécessaire à coiffer, a désigné la pièce de linge que l'on met sur les épaules lorsqu'on se coiffe (XVe s.) ; de là, se détachant entièrement de son origine, il a pris son sens moderne de «déshabillé» (1693) et «manteau de bain» (1814). ➝ **PEIGNAGE** n. m. est attesté depuis 1765 au sens d'«action de peigner la laine, les fibres textiles» ; par métonymie, il désigne la manufacture où l'on peigne les fibres textiles (1903). ➝ Au XIXe s. est apparu un autre terme d'industrie textile : **PEIGNERIE** n. f. (1827) «action de peigner les fibres», «industrie du peignage».

Peigner a produit les composés **DÉPEIGNER** v. tr. (XIVe s., *despignier*), repris depuis la fin du XIXe s. au participe (1880), le verbe étant attesté en 1907, et **REPEIGNER** v. tr. et pron. (1538).

L'élément verbal *peigne* entre dans la construction du terme populaire **PEIGNE-CUL** n. m. (1790) et de ses équivalents **PEIGNE-CHOSE, PEIGNE-ZIZI,** qui désignent un individu méprisable, grossier.

◇ voir PECTINÉ, PÉNIL.

PEINARD → PEINE

PEINDRE v. tr. est issu (1080) du latin *pingere* «couvrir de couleurs, teindre», «orner, décorer» et aussi «représenter par le pinceau», au figuré «dépeindre par la parole». Ce verbe se rattache à la racine indoeuropéenne °*peig-*, avec gutturale du type *g* attestée en sanskrit par *piṅkte* «il peint» (mot du glossaire), *piṅgaḥ* «brun-rouge», et, plus largement, au groupe de °*peik'-* «orner» (par l'écriture ou la couleur), abondamment représenté dans le sanskrit *pimçáti,* «il orne», l'avestique *paēsō* «ornement», l'ancien haut allemand *fēh* «bigarré». Cette racine fournit la désignation de l'écriture dans le vieux perse *niyapaišam* «j'ai écrit», le vieux slave *pišǫ, pĭsati* «écrire», le vieux prussien *peisāt* «il écrit».

♦ *Peindre* a retenu le sens d'«orner, pourvoir de motifs décoratifs à l'aide d'une matière colorante» en parlant d'un écu, du marbre, d'une toile et, au participe passé, d'un papier d'ameublement (*papier peint,* 1834). ◇ Par extension, il a signifié «colorer», surtout par son participe passé adjectivé *peint, peinte* «coloré, bigarré» (1525-1533), dans la poésie préclassique et baroque (*painted* a encore cette valeur en anglais). ◇ Il signifie aussi, dès l'origine et comme en latin, «représenter, figurer par des lignes et par la couleur» (1080) avec un complément ou en emploi absolu (1225-1230). Dès 1165, il est employé avec une valeur métaphorique, puis à la forme pronominale *se peindre* (1669-1684) pour «se manifester, s'inscrire». Par analogie, il signifie «farder, maquiller, teindre» (1588) et l'on disait *peindre sa barbe* (1544) là où l'usage moderne préfère *teindre.* ◇ Son sens abstrait de «représenter à l'esprit par une description» (1160) a décliné au profit du préfixé *dépeindre* (ci-dessous).

▶ **DÉPEINDRE** v. tr. est emprunté (av. 1216), avec adaptation d'après *peindre,* au latin *depingere* «peindre, représenter en peinture» et «décrire», de *de-* et *pingere.* ◇ Ce verbe est rare avec le sens de «peindre» et relativement peu usité pour «représenter par la peinture, par la couleur» (av. 1216); il s'est nettement différencié de *peindre* en accaparant le sens figuré de «représenter et décrire par le discours» (1550). Il est rarement employé avec l'autre valeur (*dé-* privatif) d'«effacer ce qui est peint» (v. 1225). ◇ Quant à **REPEINDRE** v. tr. (1290), il a le sens général de «peindre de nouveau» et, en parlant d'une œuvre d'art, le sens particulier de «redonner des touches de peinture» (1798). ◇ Son participe passé **REPEINT** n. m. est substantivé dans ce domaine pour désigner la partie repeinte d'un tableau (1803).

◈ voir PEINTRE, PEINTURE, PICTO-, PIGMENT, PIMENT, PINTADE, PINTE, PITTORESQUE, PIXEL.

PEINE n. f., d'abord *poenas* au pluriel (v. 980) puis *penas* (980) et *peine* (1050), est issu du latin *poena,* mot emprunté au grec *poinê,* terme juridique désignant la compensation versée pour une faute ou pour un crime, la rançon, l'amende, l'expiation, le châtiment. Le mot grec (conservé en grec moderne) s'apparente à l'avestique *kaena* «vengeance, réparation», au russe *tsená* «prix», sans que l'on puisse établir une famille indoeuropéenne claire. ◇ *Poena,* comme la plupart des anciens emprunts latins au grec, est un mot concret qui désigne d'abord le châtiment infligé à un serviteur. Il est souvent utilisé au pluriel (*dare poenas* «être puni»). À l'époque impériale, il a pris le sens élargi de «chagrin, douleur», qui est passé dans les langues romanes (italien, espagnol *pena*).

♦ Dès les premières attestations, le mot, au pluriel, désigne les souffrances (surtout physiques) infligées à qqn puis, au singulier, la souffrance consentie, le mal que l'on se donne pour un but, un idéal (1050). Ce dernier sens s'incarne dans les locutions verbales ***se mettre en peine de*** (1165) «se donner du mal pour», ***être en peine de*** (1176-1181). Si ***perdre sa peine*** (1176-1181) «se donner du mal inutilement» a relativement décliné, ***peine perdue*** (1260) est demeuré très courant. ◇ Depuis le XVe s. (1460), *peine* désigne également la tâche, le travail, valeur surtout usuelle dans la locution ***prendre la peine de*** (1461-1469), fréquemment employée dans les formules de politesse pour inviter qqn à faire qqch., et dans des locutions usuelles comme ***pour ma (sa...) peine*** (1461-1469), ***se donner peine de*** (1540), ***valoir la peine*** (1587), ***ce n'est pas la peine*** (1656). ◇ L'idée de «châtiment», héritée du latin, est d'abord réalisée par le pluriel *peines* en parlant des souffrances infligées dans l'enfer en châtiment du péché (déb. XIIe s.), puis par le singulier en parlant de la punition infligée par la justice humaine (1165). Dans ce domaine, *mortel peine* a été remplacé par ***peine capitale*** (XIIIe s.), tandis que les locutions *seur la peine de* (1301) et *a paine de* (1340) ont laissé la place à ***sous peine de*** (1541). ◇ Dès la fin du XIe siècle, *peine* s'emploie pour «profonde affliction» (1080), notamment dans les expressions ***en peine*** (v. 1180), ***âme en peine,*** et ***faire peine à voir*** (1601), ***faire de la peine.*** ◇ Le sens objectif de «difficulté, obstacle s'opposant à la réalisation de qqch.» (déb. XIIe s., *sans peine* «facilement») se retrouve dans la locution adverbiale ***à peine*** (1080), quelquefois ***à grand-peine*** (1160-1177), qui signifie d'abord «difficilement» avant de prendre le sens moderne de «pas tout à fait, tout juste» (XIVe s.), et dans ***avoir peine à*** (1556), qui remplace ***avoir peine de*** (1538).

▶ **PEINER** v., le dérivé de *peine,* est attesté depuis 980 au sens de «se donner du mal, faire des efforts», assumé aussi en ancien français par la forme pronominale (1050). En construction transitive, *peiner* signifie «tourmenter physiquement», «soumettre à rude épreuve» (1050), avant de s'affaiblir, sur un plan plus psychologique, en «faire de la peine, attrister» (1671). ◇ De même, le participe passé adjectivé **PEINÉ, ÉE** est passé du sens physique, «exténué, fatigué» (1160), au sens moral, «attristé, chagriné» (1699). L'Académie (1694) signale que l'adjectif s'employait à l'époque classique pour qualifier un ouvrage, un tableau à la réalisation duquel on avait pris beaucoup de peine. ➜ *Peine* a suscité plusieurs adjectifs : le plus ancien est **PEINEUX, EUSE** adj., d'abord *penuse* au féminin (1080), employé pour qualifier ce qui apporte des peines, spécialement dans l'expression *semaine penose* (1195) qui correspond à *semaine sainte* (de la passion du Christ). Il qualifie également une personne qui se donne du mal, de la peine (1165), et aussi une personne moralement honteuse, confuse (1545). Il est quasiment sorti de l'usage (l'adverbe *peineusement* est relevé chez Péguy en 1911), sauf dans des dialectes où il a le sens de «triste, honteux». ➜ Trois adjectifs ont évolué, se détachant par le sens de *peine.* **PÉNIBLE** adj. (v. 1112) l'a supplanté avec le sens de «qui se fait avec peine», «cause de la peine, de l'ennui» (1170), et, par la suite, avec le sens familier de «difficile à supporter». ➜ **PENAUD, AUDE** adj. (1544) l'a remplacé au sens de «confus, décontenancé», qualifiant aussi, par métonymie, une attitude, une expression (1834) qui trahit de la confusion. ➜ Quant à **PEINARD,** devenu **PÉNARD, ARDE** adj. et n., son origine est moins claire, même s'il est généralement regardé comme dérivé de *peine* (ainsi qu'en témoigne la graphie *peinard*). Le mot est attesté depuis 1549 dans l'expression péjorative *vieux pénard,* appliquée à un vieillard (par rapport à ses prétentions amoureuses) et dont le signifié semble être «qui se dépense en vain», valeur péjorative qui entraîne le sens d'«idiot, ridicule» (v. 1610), aujourd'hui sorti d'usage. Le *penard* (1883) était en argot un vieillard souffreteux, affaibli; de là probablement le sens moderne de l'adjectif : «tranquille» (1881, dans le jargon des voleurs) et la valeur prise par l'ancienne expression *Père pénard,* titre de publication, qui se dit d'un homme paisible *(en père peinard).* ➜ Tous ces adjectifs ont donné un adverbe en *-ment* comme **PEINARDEMENT** adv., **PÉNIBLEMENT** adv. (1541) étant le plus usuel. ◇ *Pénible* a tardivement produit un nom, le didactique **PÉNIBILITÉ** n. f. (1952; répandu v. 1960).

◈ voir PÉNAL, PENALTY, PÉNITENT, PUNIR.

PEINTRE n. m. est issu (v. 1165) du latin tardif °*pinctor,* à l'accusatif °*pinctorem,* réfection du latin classique *pictor* d'après *pingere* (→ peindre) dont il est dérivé.

♦ Le mot (également *paintre*, 1260) a progressivement supplanté l'ancien et moyen français *peintor* (usité au XIe s.), représentant l'accusatif latin °*pinctorem*, et *peignor*, refait d'après les formes de *peindre*. Le cas sujet l'a donc emporté, cas exceptionnel, sur le cas régime. ➜ *Peintre* désigne l'artiste qui s'adonne à la peinture et, seulement depuis 1688, celui dont le métier consiste à recouvrir de peinture des surfaces (sens absent du dictionnaire de Furetière en 1690). ◇ L'usage moderne tend à différencier les deux acceptions en spécifiant ***peintre en bâtiment*** (1803) lorsqu'il s'agit du second. ➜ Depuis 1588, le mot est employé par analogie et désigne la personne qui, par le langage, tend à représenter les choses d'une manière imagée, suggestive ; à la différence de *peindre, dépeindre*, il a vieilli dans cet emploi (Baudelaire, *Le Peintre de la vie moderne*).

► Le mot, comme d'autres noms de métiers, n'a pas de féminin (**PEINTRESSE** étant tardif et généralement ironique). Si l'usage moderne emploie *peintre* au masculin à propos d'une femme et quelquefois *femme-peintre* (1787), l'usage classique et postclassique utilisait **PEINTRE** n. f. (1671) pour désigner l'épouse d'un peintre puis la femme s'adonnant à la peinture (1785). ➜ On rencontre le diminutif **PEINTRIOT** n. m. chez Goncourt (1867) et le péjoratif **PEINTRAILLON** n. m. (1869) chez Daudet pour désigner un mauvais peintre.

PEINTURE n. f. est issu (v. 1121) du latin tardif °*pinctura*, réfection d'après le verbe *pungere* (→ peindre) du latin classique *pictura* «art de peindre», «ouvrage peint», «action de farder», «enluminure», employé au figuré pour la description, le tableau fait par la parole ou l'écrit. *Pictura* est dérivé de *pictor* (→ peintre) et a donné l'anglais *picture* «image». ◇ *Peinture* est d'abord attesté au figuré, pour désigner une évocation imagée faite à l'aide de mots et (1140), au propre, une représentation graphique et colorée destinée à évoquer qqch., sur un support plat (cf. *tableau*). Il désigne abstraitement l'image gravée, fixée dans l'esprit, dans le cœur (1200). ◇ Le sens actif, «art de peindre» (1165), donne lieu à plusieurs syntagmes qualifiés ou déterminés qui désignent telle technique particulière, comme *plate peinture* (1554) «peinture exécutée sur une surface plate» (par opposition à la sculpture en *ronde bosse*), puis *peinture à l'huile*, *peinture à l'eau* «aquarelle», etc. ◇ Par allusion à l'enduit utilisé pour peindre, *peinture* a désigné la souillure que laissait le fer d'une arme dans une blessure (fin XIIIe s.). ➜ Au XVIIe s., il a développé le sens métonymique de «matière colorante servant à peindre» (1671) et, par analogie, le sens de «fard, maquillage» (1678, La Bruyère), de nos jours archaïque ou stylistique. ➜ *Peinture* n'a donné que des dérivés familiers ou tombés en désuétude : c'est le cas de **PEINTURER** v. tr. (1140) dont le sens de «rehausser de couleurs, orner», supplanté par *peindre*, s'est maintenu au Canada. Le mot est encore quelquefois utilisé avec le sens familier péjoratif de «faire de la mauvaise peinture» (1752), attesté dès 1690 par son participe passé adjectivé *peinturé*. ◇ En sont dérivés **PEINTURAGE** n. m. et **PEINTUREUR** n. m. avec la même évolution. ➜ **PEINTURIER, IÈRE** adj. et n. a perdu le sens initial de *peintre* (fin XIIIe s.) et a été repris (fin XIXe s.) avec le sens péjoratif de «barbouilleur» (1897). ◇ Le féminin **PEINTURIÈRE** (1265) a été repris à la même époque (1897, Léon Bloy). ➜ Au XVIIe s., *peinturer* a été altéré en **PEINTURLURÉ, ÉE** adj. (1628), puis **PEINTURLURER** v. tr. (1752) d'après le mot onomatopéique *turelure**, la peinturlure étant à la peinture ce que la turelure est à l'art du chant, le rapprochement entre les deux mots étant facilité en outre par le *ture* de *turelure*. Le mot, qualifié de «bas et bouffon» par le dictionnaire de Trévoux, est d'usage familier au sens de «barbouiller» ; de tous les mots du groupe de *peindre*, c'est celui qui a le mieux conservé l'idée péjorative de «farder, maquiller à l'excès» (1873, *peinturlurée*, Zola). ◇ Il a produit **PEINTURLURE** n. f. (1866), **PEINTURLURAGE** n. m. (1863) et **PEINTURLUREUR, EUSE** n. (1866).

◈ voir PIXEL.

PÉJORATIF, IVE adj. est dérivé savamment (1784) du bas latin *pejorare* «rendre pire», dérivé suffixé de *pejor, -oris* (→ pire).

♦ Le mot est d'abord employé comme nom (Rivarol, dans *De l'universalité de la langue française*) puis comme adjectif (1834), pour un élément de langage ayant une nuance défavorable.

► En est dérivé **PÉJORATIVEMENT** adv. (1902). ◇ Le nom d'action correspondant, **PÉJORATION** n. f., a été formé une première fois sur le bas latin *pejorare* avec le sens médical d'«action d'empirer, état de ce qui devient pire» (XVe s.). Il a été repris (1842) en ce sens rare et, récemment, en linguistique (1963). ◇ Son radical a servi à former **PÉJORER** v. tr. (v. 1970) «amoindrir, déprécier».

① **PÉKIN** n. m., mot d'argot militaire (1799, *péquin*), est probablement emprunté au provençal *pequin* «chétif, maigre», qui correspond à l'espagnol *pequeño* «petit», issu d'un radical expressif *pekk-* exprimant une idée de «petitesse». Celui-ci existe à côté d'un type *pikk-* représenté dans l'italien *piccolo* «petit» (→ piccolo).

♦ Le mot a probablement été introduit dans les armées révolutionnaires par des soldats originaires du midi de la France pour désigner le civil. Par extension, il sert à désigner familièrement et par moquerie celui qui n'appartient pas à un milieu particulier, le non-initié.

◈ voir peut-être PÉQUENAUD.

② **PÉKIN** n. m. est tiré (1564) du nom de la ville de *Pékin*, en Chine, où cette étoffe était fabriquée.

♦ Le mot, nom d'une étoffe de soie peinte, d'une étoffe présentant alternativement des raies mates et brillantes, s'est également écrit *pecquin* (1756). En 1759, Raynal écrit que «Valence fabrique des pékins supérieurs à ceux de la Chine même».

► En est dérivé **PÉKINÉ, ÉE** adj. (1844), substantivé pour désigner un tissu à rayures mates et brillantes (1849).

◈ voir PÉKINOIS.

PÉKINOIS n. m. est tiré (1874) de *Pékin,* nom francisé de la capitale de la Chine (*Bei-jing* en transcription *pinyin*).

♦ Le mot, d'abord attesté comme adjectif et substantif ethniques (1874), est employé spécialement pour désigner un chien d'agrément du groupe des épagneuls nains, originaire de Chine (1923).

◈ voir ② PÉKIN.

① **PELAGE** n. m. est dérivé (1469) de *pel,* forme ancienne de *poil** au moyen du suffixe *-age.*

♦ Le mot désigne l'ensemble des poils d'un animal, du point de vue de la couleur (d'abord sous la forme *pelaige*) puis en général (av. 1558). Il est quelquefois employé par métaphore littéraire en parlant du feuillage des arbres (1930, Giono, Morand à propos du feuillage roux en automne).

② **PELAGE** → PELER

PÉLAGIEN, IENNE adj. est dérivé savamment (fin XVIIIe s.) du grec *pelagos* «la haute mer, le large», mot que l'on a rapproché du grec *plagios* «oblique» et du latin *plaga* «zone, étendue» (→ plage), malgré une réserve d'Ernoult et Meillet sur l'hypothèse d'une racine commune à ces mots.

♦ Le mot, «relatif à la haute mer» et «qui vit au large, en pleine mer», appartient à un usage didactique vieillissant.

▸ Il a été supplanté par **PÉLAGIQUE** adj. (1801-1802), emprunté au latin *pelagicus* qui transcrit le grec *pelagikos* «de la mer», peut-être sous l'influence de l'anglais *pelagic,* attesté dès 1656. ➛ **PÉLAGIE** n. f. est emprunté (1732) au latin scientifique *pelagia,* lui-même dérivé du grec *pelagos,* en zoologie. Ce mot a signifié «coquillage» avant de devenir la dénomination d'une méduse qui vit en bancs dans l'Atlantique.

PÊLE-MÊLE loc. adv. et n. a triomphé (déb. XIIIe s.) des anciens *mesle pesle* (1175), *mesle mesle* (1176-1181), *pesle et mesle* (1174-1177), connus sous diverses variantes graphiques. *Pesle mesle* est peut-être une simple altération de *mesle mesle,* formé de la forme verbale *mesle* redoublée, avec ou sans coordination (→ mêler), permettant d'éviter la rencontre des deux *m* initiaux. Selon une seconde hypothèse, *pesle* pourrait être à identifier avec *pesle* «verrou» (v. 1120, *pedles*) [→ pênel, un verrou mal fermé suggérant une idée de «désordre, confusion».

♦ *Pêle-mêle,* locution adverbiale, est substantivé (1596) au sens de «confusion, désordre». Le mot désigne aussi un cadre destiné à recevoir plusieurs photos (1932).

▸ On rencontre quelquefois **PÊLE-MÊLER** v. tr. «mettre pêle-mêle, mêler de façon désordonnée».

PELER v. tr. est issu (1080) du bas latin *pilare,* dérivé de *pilus* (→ poil) et signifiant «arracher les poils, épiler».

♦ Le sens premier du mot en français est bien celui-ci, conservé en mégisserie (1197, *poiler* [peler] *le cuir*) «lui ôter ses poils». Il reste par ailleurs une trace de l'ancien emploi, qui en construction intransitive, correspondait à «devenir chauve» (1260), dans la locution familière *trois pelés et un tondu* (ci-dessous). ◇ Par étymologie seconde, *peler* a été rapproché de l'ancien français *pel* (→ peau) et a développé le sens d'«ôter la peau», ceci dès ses premières attestations ; par extension, il concerne surtout le fait d'enlever la peau d'un végétal, l'enveloppe de qqch. ; de là en ancien français, l'emploi de *pelé* pour exprimer une valeur minime, dans *ne pas valoir un os pelé* (1180), *un œuf pelé* (1215). ◇ Le verbe a pris dès le XIIe s. le sens figuré de «dépouiller, voler» (1197), spécialement dans le domaine du jeu, d'où *se peler* «perdre tout son bien» (av. 1250) [cf. *faire la peau, plumer*]. ◇ Par allusion à l'action du froid sur la peau, il est employé populairement au sens factitif de «geler, glacer la peau» (1918) et au sens intransitif d'«avoir très froid» (1970), surtout dans *peler de froid.* ◇ Dans l'usage familier, *se peler,* avec un complément, correspond à *se faire, se farcir*; il doit s'agir à l'origine d'une métaphore érotique (masturbatoire). ➛ **PELÉ, ÉE** adj., tiré du participe passé, a été substantivé au sens ancien de «chauve», par exemple dans la locution ***trois pelés et un tondu*** (1690, dans l'ordre inverse), précédée par *troys teigneux et ung pelé.* Comme adjectif, *pelé* se dit d'un animal, de son pelage, de sa fourrure (1260), du crâne d'un homme et, par analogie, de la terre dépouillée de sa végétation (1230).

▸ Le premier de ses dérivés est **PELURE** n. f. (1150), d'abord attesté avec le sens figuré disparu de «lambeau, part d'un butin» (cf. *dépouille*). Au XIIIe s., il a pris le sens de «toison (d'un mouton)» (déb. XIIIe s.) et plus largement celui de «peau», sorti d'usage, et d'«enveloppe extérieure enlevée» d'un fruit. ◇ En ancien français, comme *pelé* (ci-dessus), il sert à exprimer l'idée de «quantité minime» (1253-1254, *la peleüre d'une pomme*). Il s'applique en particulier à l'écorce d'un végétal (1559, Ronsard) et à la croûte d'un fromage (1680), emploi disparu. ◇ Par analogie, il se dit d'une pellicule fine et fragile, en apposition dans ***papier pelure*** (1868). ◇ Le mot désigne, d'abord argotiquement (1827) puis familièrement, un vieux vêtement de dessus (tout pelé) et, par extension, tout vêtement.

PELAIN n. m. (1205-1250), à rapprocher de l'ancien français *pelain* «pelage, toison» (XIIIe s.), lui-même dérivé de *pel-* (→ poil) ou de *pel* ancienne forme de *peau*,* a désigné le lait de chaux utilisé par les femmes pour s'épiler. Il s'est maintenu en mégisserie, désignant le lait de chaux où les mégissiers font délainer les peaux (1375) et, par métonymie, la cuve qui le contient (1533). La tentative faite pour imposer les formes syncopées *plein* (1585), *plain* (1611) a échoué. ➛ *Pelain* a donné **PELANER** v. tr. (XVIe s.), verbe technique de mégisserie que l'on a tenté de syncoper en *planer* (1723, *plamer*) et dont on a tiré **PELANAGE** n. m. (XVIe s.), pour lequel on rencontre effectivement les variantes *planage, plainage.*

PELAGE n. m. est attesté depuis 1291 pour «écorçage des arbres», mais la plupart des sens modernes du mot, tous relatifs à une opération technique, datent du XIXe s. : «opération qui consiste à éliminer les peaux des fruits et des légumes» (1892), «action de peler les peaux» en mégisserie (1842) et, en géomorphologie, «action d'enlever la couche superficielle du sol» (av. 1877). ◇ **PELARD** adj. et n. m. (1611) désigne et (1690) qualifie techniquement le bois dépouillé de son écorce pour faire du tan. ◇ *Peler* a aussi donné **PELADE** n. f. (1545) qui désigne une plaque devenue glabre sur le cuir chevelu et la maladie de la peau qui entraîne la chute des poils et des cheveux (1590, Montaigne). ◇ Au sens de «laine enlevée à la chaux sur des animaux tués en boucherie», d'abord adjectivé dans *laine pelade* (1679), puis substantif (1765), *pelade* est emprunté à l'ancien provençal *pelada* «laine obtenue par délainage» (1331), issu par abréviation de *lana de peladas* (attesté 1408). Dans ce même contexte, l'expression est opposée à *lana ausenqua* «laine de tonte» (du latin *hapsus* «flocon de laine cardée»). *Pelada* est le participe passé féminin de *pelar* «tondre», correspondant au français *peler.* ◇ Enfin, au XIXe s., *peler* a donné **PELEUR, EUSE** n. et adj. «rasette placée en avant du soc de la charrue», également employé pour désigner l'ouvrier, l'ouvrière et la machine chargés d'éliminer la partie superficielle d'un fruit ou d'un légume, et l'épileur de peaux.

◈ voir **DÉPILATOIRE, ÉPILER, ÉPLUCHEUR, PEELING, PELUCHE.**

◆ **PÈLERIN, INE** n. est issu (1050) du bas latin des inscriptions *pelegrinus,* issu par dissimilation de *peregrinus* «qui voyage à l'étranger, vient de l'étranger, concerne l'étranger» adj. et n., dérivé de *peregri, peregre* adv. «à l'étranger» et «de l'étranger». Cet adverbe est composé de *ager* «champ, campagne», «territoire, pays» (→ acre, agraire) et d'un premier élément discuté : Meillet y voit un adjectif indoeuropéen °*pero-* «lointain» qui se retrouve dans l'osque *perum* «sans» et qui a son correspondant exact dans le sanskrit *páraḥ* «éloigné» ; selon cette hypothèse, *peregre* signifierait proprement «en pays éloigné». D'autres linguistes voient dans *per-* la préposition latine *per* «à travers» (→ ① par), hypothèse moins satisfaisante pour le sens. *Peregrinus,* sous l'inspiration chrétienne, s'est rattaché à différents types d'exil, notamment ceux du peuple de l'Exode, des justes et des prophètes errant dans le désert. Ces modèles sont à la source de la marche d'exil du moine quittant son pays, sur les traces du Christ et des saints, sur le modèle de saint Jérôme qui entraîna un bon nombre de fidèles en Terre sainte. C'est surtout entre le IXe et le XIe s. que *peregrinus* désigne le voyageur religieux vers un sanctuaire ; à partir de la fin du XIIe s., le *peregrinus* de Terre sainte deviendra tout naturellement un croisé.

♦ *Pèlerin* a d'abord eu le sens d'«étranger», adjectivé dans la construction *peregrins a* «étranger à» (v. 1120). Il est spécialement employé en parlant de l'être humain de passage sur cette terre, également au féminin *pèlerine* (fin XIIe s., adj. ; 1300, n.). ➛ Il désigne spécialement (1080) celui, celle qui se rend par piété dans un lieu saint et, par métaphore, le chrétien qui, durant sa vie terrestre, chemine vers la cité céleste (v. 1225). Historiquement, il s'est appliqué aux croisés (fin XIIe-XIIIe s.). ◇ Un lieu saint étant très souvent au moyen âge un but de voyage, le mot s'applique plus généralement à un voyageur (1213). Parce que les trafiquants et bandits de toute sorte se mêlaient aux pèlerins, il prend rapidement le sens péjoratif de «vaurien», affaibli en «individu, personne» (en locution ***je connais le pèlerin***) ; on disait en moyen français *savoir bien qui est bon pèlerin* (v. 1460) «reconnaître le bon du méchant». ◇ Le mot désigne aussi bien un mendiant, un pauvre hère et un bon compagnon (fin XIVe s.). ◇ Il est appliqué figurément à une espèce de faucon, appelé *pèlerin* (1265) et *faucon pèlerin* (v. 1350, *faucons peregrin*), puis aussi à un requin géant *(requin pèlerin).*

▸ *Pèlerin* a donné **PÈLERINAGE** n. m. (1135) qui désigne d'abord le voyage fait dans un but religieux vers un lieu saint. ◇ Suivant l'évolution de *pèlerin,* le dérivé s'applique à la croisade (1210) et, par métaphore, à la vie du chrétien considérée comme une marche vers la Jérusalem céleste (1240-1280). Il prend le sens général de «voyage» (1170) et s'applique aussi à la vie humaine (déb. XIIIe s.). ◇ Par métonymie, il sert à désigner le lieu où l'on se rend par dévotion (1718) et, par analogie, un voyage fait en un lieu pour rendre hommage, pour se recueillir (1836, Stendhal, *Vie de Henri Brulard*). Il s'applique enfin, collectivement, à l'ensemble des pèlerins participant à un pèlerinage (1884).

Pèlerin a aussi donné **PÈLERINE** n. f. (1765), d'abord employé, par allusion au vêtement des pèlerins, pour désigner le fichu d'étoffe légère servant à masquer le décolleté des robes, puis (1803) le collet de femme couvrant uniquement les épaules et la poitrine. ◇ Le mot s'applique aujourd'hui à un manteau sans manches pourvu d'un capuchon (cf. *cape*), porté par les hommes et les garçons, les écoliers, pour se protéger de la pluie et du froid (1846), puis indifféremment par les deux sexes.

◈ voir **PÉRÉGRINATION.**

PÉLICAN n. m. est emprunté (v. 1120) au bas latin *pelecanus, pelicanus,* lui-même pris au grec *pelekan* de même sens, dit surtout du pélican blanc. Le mot est tiré de *pelekus* «double hache» (parfois «hache de combat»), en raison de la forme du bec de l'oiseau. *Pelekus* correspond au sanskrit *paraśu-* «hache». Cette correspondance, en même temps que la structure non indoeuropéenne des deux mots, a fait croire que le terme avait été emprunté à une langue non indoeuropéenne, peut-être l'akkadien *pilakku* qui a cependant un sens tout différent, «fuseau».

♦ *Pélican,* nom d'oiseau, désigne par analogie un alambic à deux becs (1516) et un instrument à lame utilisé pour l'extraction des dents molaires (1540), en menuiserie et en boucherie.

PELISSE n. f., d'abord *pelice* (1150), est issu du bas latin *pellicia* «vêtement fait de peaux», substantif qui vient de l'adjectif latin tardif *pellicius, pelliceus* «fait de peaux», dérivé de *pellis* (→ peau) en sous-entendant un terme comme *tunica* (→ tunique) ou *vestis* (*pellicia vestis* est usuel depuis Tertullien). ◆

♦ Le mot a désigné divers vêtements d'hiver, chauds. À la fin du XVIIIe s., ce fut notamment le nom d'un manteau de femme, tenant de la cape et du mantelet, qui fut porté au début du XIXe s. et à l'époque romantique pour les sorties de soir. À la fin du XIXe et au début du XXe s., *pelisse* a désigné un grand pardessus d'homme, fourré ; au XIXe s. et jusqu'en 1930 environ, un manteau d'enfant, long, ouatiné et muni d'une pèlerine. Le costume militaire du Premier Empire et du XIXe s., jusqu'en 1914, connaît la pelisse. De nos jours, le mot désigne un manteau souvent imperméable, doublé de fourrure (naturelle ou synthétique). ◇ Le sens de «peau d'un serpent» (v. 1320), d'un autre sens du latin, n'a pas vécu.

▸ **PELISSON, PELIÇON** n. m., anciennement *peliçun* (1140), est issu d'un dérivé ancien du latin *pellicius* (l'ancien italien a *pelizone*, attesté fin XIIe s. *peliçon*, 1140). Le mot a désigné un vêtement en fourrure en usage du XIIe au XVe siècle.

◈ voir **SURPLIS**.

PELLE

PELLE n. f., d'abord écrit *pele* (XIe s.), puis *pelle* (XIIIe s.), est issu du latin *pala* «bêche», «chaton d'une bague», «instrument à vanner le blé» et, par analogie, «omoplate» et même «vertèbre». *Pala* est proprement «ce qu'on enfonce» ; le mot est issu de °*Pag-s-la*, avec la racine de *pax* (→ paix), et de *pagus* «borne fichée en terre» (→ païen). De là, les sens de «bêche» et de «chaton», parce que ce dernier, servant de sceau, s'enfonce dans la cire.

♦ Le sens, qui correspond à «outil composé d'un manche et d'une palette de fer concave», est secondaire en latin, mais c'est celui qu'a retenu le français, avec quelques extensions particulières. La locution adverbiale familière ***à la pelle*** (1697) «en grande quantité» est précédée de *par pelle* (1622-1623). *Pelle d'aviron* (1831) désigne l'extrémité lourde et aplatie de l'aviron qui plonge dans l'eau. ◇ En cuisine, les désignations du type *pelle à asperges, à tarte*, etc. sont récentes (1926). ◇ Le mot désigne également, par analogie de fonction, un engin de terrassement (1932, *pelle mécanique*). ◇ La locution ***ramasser, se prendre une pelle*** (1889) «faire une chute assez rude» dont l'origine n'est pas claire, peut-être en allusion à la position penchée du pelleteur, a donné naissance au sens d'«insuccès» (1896).

▸ *Pelle* entre dans les noms composés d'outils techniques **PELLE-BÊCHE** n. f. (1903) et **PELLE-PIOCHE** n. f. (1932). ➛ Avec le suffixe *-etée*, caractéristique des noms de contenu, il a donné **PELLETÉE** n. f. (1690), antérieurement attesté sous la forme *pallettee* (1408), faite sur l'ancienne variante *pale**. Le mot, qui a éliminé les différentes formes anciennes *pelede* (fin XIe s.-1500), *pellees, palerées* (1542) et *pellerée* (1611), désigne ce que contient une pelle et, au figuré, une grande quantité, dans la locution ***à pelletées*** (1857). ➛ **PELLETER** v. tr., attesté dans le *Supplément* de l'*Encyclopédie* sous l'ancienne forme *peltrer* (1776) «travailler à la pelle», a pris le sens moderne de «prendre, remuer, déplacer à la pelle» (1845). ◇ Ce verbe a produit **PELLETAGE** n. m. (1842), **PELLETEUR** n. m. (1836), dont le féminin **PELLETEUSE** n. f. est employé (1946) en remplacement de l'ancien nom d'outil *pelleteur mécanique* (1868).

◈ voir **BALISE, PAL, PALE, PALISSADE, PIEU, TRAVAIL**.

PELLET → PELOTE

PELLETERIE, PELLETIER → PEAU

PELLICULE

PELLICULE n. f. est emprunté (1505) au latin *pellicula*, diminutif de *pellis* (→ peau) «petite peau», en particulier «pelure d'un fruit».

♦ Le mot est passé en français avec ce dernier sens, avant de le céder à *pelure*. *Pellicule* désigne en particulier la membrane qui se forme à la surface d'un liquide (1749) et la petite écaille formée de tissu épidermique nécrosé qui se détache du cuir chevelu (1837, Balzac), surtout au pluriel, par exemple dans *avoir des pellicules*. ➛ Vers la fin du XIXe s., le mot est entré dans le langage de la photographie et du cinéma où il désigne le support fin et souple (opposé à *plaque*) [1899] et la bande pelliculaire (1900). Il est alors concurrencé par l'anglicisme *film*, qui vient d'ailleurs de la même racine indoeuropéenne que le latin *pellis* (→ peau).

▸ Il a donné trois adjectifs et un verbe. **PELLICULEUX, EUSE** adj. (1515) «constitué de couches fines» est sorti d'usage après 1660, puis a été repris au XIXe s. ; il correspond surtout aujourd'hui à «couvert de pellicules tombées du cuir chevelu» (1936). ➛ **PELLICULAIRE** adj. (1826), d'abord relevé dans un ouvrage sur l'inflammation du tissu muqueux, est employé en correspondance avec les différents sens de *pellicule*. ◇ Son antonyme **ANTIPELLICULAIRE** adj. (1852), en revanche, ne sert qu'à qualifier un produit capillaire qui lutte contre les pellicules du cuir chevelu. ➛ **PELLICULÉ, ÉE**, «recouvert d'une pellicule», est employé depuis 1875. ➛ **PELLICULER** v. tr. (1903) est un terme technique de la photographie dont sont tirés **PELLICULABLE** adj. (1963) et **PELLICULAGE** n. m. (1903). ◇ De même que *pelliculé*, les mots de cette série concernent les emballages par emploi d'une couche fine.
PELLOCHE n. f. est la suffixation populaire en *-oche* (cf. *cinoche*) de l'initiale de *pellicule* (1958, Fr. Truffaut in D. D. L.).

◈ voir **FILM**.

PELOTE

PELOTE n. f. est issu (1121-1134) d'un bas latin °*pilotta* (également représenté par le catalan *pilota*), diminutif de *pila* «boule, balle, pelote», mot qu'une étymologie populaire a rapproché de *pilus* (→ poil) parce que les balles étaient bourrées de crin.

♦ Le mot, écrit *pelute* puis *pelote* (1140), s'applique à un objet sphérique, à une boule, en particulier à une boule de substance dure (métallique), par exemple un boulet de canon (1375), ainsi qu'à une boule de neige (sens disparu), et au figuré à un amas de personnes (fin XIIIe s.), sens aujourd'hui réservé à son dérivé *peloton*. ◇ *Pelote* désigne en particulier un petit coussin destiné à recevoir des épingles (1588), d'où par métonymie le petit meuble qui comprenait un tel coussin (1589). Les pêcheurs l'ont employé à propos de la boule de terre glaise enrobant un hameçon garni d'un appât (1680, Richelet précisant qu'il s'agit d'un terme des environs de Paris). ◇ En zoologie, il s'applique aux protubérances rondes de la patte d'un animal lui servant à assurer son adhérence ou son assise (1805, Cuvier). ◇ Au figuré, d'après des emplois comme *pelote de fil, de laine* (ci-dessous), il entre dans la locution ***faire sa pelote*** «amasser, s'enrichir» (1803). ◆ Deux sens concrets ont eu une fortune particulière : celui d'«objet sphérique avec lequel on joue» (1165), notamment à la paume, et, par métonymie, de «jeu de balle» (1165), éliminé par *balle, ballon,* mais qui s'est maintenu dans l'appellation ***pelote basque*** (1897). ◇ Celui de «boule formée d'un ou de plusieurs fils enroulés» (1270-1300) est usuel en tricot, par exemple dans *pelote de laine*; il a inspiré la locution figurée ***mettre les nerfs en pelote*** (av. 1901).

▶ Le diminutif de *pelote,* **PELOTON** n. m., employé à propos d'une petite pelote de fil enroulé et, moins souvent aujourd'hui, d'un amas en forme de boule (1493), a développé le sens figuré de «groupe de personnes assemblées» au cours du XVIIe siècle. S'il n'est plus employé à propos d'un petit groupe (1666), il est toujours vivant dans le domaine militaire en parlant d'une petite unité de soldats (1616) dont la composition a varié avec le temps et les armes. ◇ Le mot est passé dans le domaine des sports (1855) où il désigne l'ensemble des concurrents regroupés, en hippisme (1855), en cyclisme (1884). De là, il est quelquefois employé au figuré en parlant d'un ensemble de personnes, de choses qui sont en compétition ou jugées par comparaison entre elles (1937) avec des métaphores de la course (*peloton de tête,* etc.). Le *peloton disciplinaire* ou *peloton de punition* a donné naissance à l'abrègement **PELOTES** n. m. pl., dans ***envoyer aux pelotes*** (1896 dans Alphonse Allais), au figuré «envoyer promener». ◆ *Peloton,* au sens initial, a donné **PELOTONNER** v. tr. (1616) «mettre en peloton», surtout *se pelotonner* (1735) «s'agglomérer en masses rondes» et, en parlant d'une personne, «se ramasser sur soi» (1784). ◇ Le nom d'action correspondant, **PELOTONNEMENT** n. m. (1845), est peu usité. ◆ *Pelote* a aussi donné **PELOTER** v. tr. (XIVe s.), d'abord noté *peluser* pour *peluter* «lancer (la pelote)» au jeu de balle. Au XVIIe s., il est employé au jeu de paume (1688) au sens de «jouer pour se divertir sans engager une partie» et l'on a dit au figuré *peloter en attendant partie* (1690), «faire l'essai de ce que l'on fera plus sérieusement par la suite». ◇ De nos jours, ce verbe n'est plus employé qu'en construction transitive, non pas au jeu, ni au sens propre de «mettre en pelote» (cf. *pelotonner*), mais surtout familièrement pour «caresser, palper érotiquement» (av. 1806), remplaçant alors *patiner**. Par allusion possible à *peloter en attendant partie,* l'idée de «préliminaires amoureux» s'y est attachée. Le verbe signifie parfois au figuré «flatter, flagorner» (1877). Le sens familier de «battre, maltraiter de coups et de paroles», que donnent plusieurs dictionnaires (XIXe-XXe s.), semble inusité. ◆ *Peloter* a produit **PELOTEUR, EUSE** adj. et n. désignant l'ouvrier (1841) et, au féminin, la machine (1841) qui forme les pelotes. Le mot, au masculin, s'applique familièrement à celui qui aime caresser voluptueusement (1854). ◆ **PELOTAGE** n. m., apparu (av. 1750) au sens d'«activité futile, amusement», doit probablement celui-ci à son emploi au jeu de paume et au billard pour l'action de jouer négligemment, sans s'astreindre aux règles (1846). L'acception pour «action de mettre en pelotes» (1832) est technique, et le sens familier d'«action de caresser érotiquement» (1863) usuel. Au figuré, il exprime une idée de flatterie (1872), s'appliquant spécialement, au cirque, à une manière douce de dresser les fauves (emploi du langage professionnel). ◆ Pour désigner le joueur de pelote basque, le français a emprunté **PELOTARI** n. m. (1893), mot basque dérivé avec le suffixe d'agent *-ari* (→ jokari) de *pelota* «pelote», lui-même emprunté au français *pelote* ou à la forme occitane *pelota.*

Un autre emprunt, cette fois à l'anglais, a donné **PELLET** n. m. (1953). Celui-ci est repris à l'anglais *pellet* «pelote, boulette» (1390), lui-même emprunté au français *pelote* et spécialisé au XXe s. en médecine et en métallurgie. ◇ *Pellet* a été introduit au sens de «comprimé d'hormone destiné à être implanté sous la peau»; il a également repris à l'anglais son autre sens, «boulette de minerai de fer aggloméré» (1960). ◇ On en a tiré **PELLETISATION** n. f. (1960), calque de l'anglais *pelletization* (1959) «opération consistant à fabriquer des pellets», lui-même de *to pelletize,* de *pellet.*

◈ voir **COMPLOT, PILULE.**

PELOUSE n. f. est une forme dialectale (1582) probablement empruntée au provençal *pelouso,* féminin substantivé de l'adjectif *pelous,* correspondant à l'ancien français *peleus* «garni de poils» (1256; dès 1150, dans le composé *Povrepeleux,* nom d'un cheval). Cet adjectif est issu du latin *pilosus* (→ pileux, pilou).

♦ Le passage au sens de «terrain couvert de gazon» (1582) s'explique par une comparaison avec un pelage. Le mot désigne plus spécialement l'enceinte gazonnée d'un champ de courses située entre les pistes (1880) et le terrain gazonné sur lequel se pratiquent différents sports.

▶ On appelle familièrement **PELOUSARD** n. m. (1903) un habitué de la pelouse des champs de courses.

PELUCHE n. f. est dérivé (1591) de l'ancien français *peluchier* «éplucher, nettoyer des poils embrouillés» (1180) [→ éplucher]. Ce verbe représente un latin de basse époque °*piluccare,* qui serait issu de °*pilucicare,* fréquentatif de °*pilucare.* Ce dernier, conservé en occitan sous la forme *pelucár* «pincer, tirer, éplucher», est dérivé de *pilare* (→ peler) sur le modèle de *manducare* (→ manger).

♦ *Peluche* désigne une étoffe de soie analogue au velours, mais moins rase, et, par extension, une étoffe comparable de laine, soie, fils, coton (1723) utilisée dans l'ameublement, la confection et surtout la fabrication de jouets d'enfants en forme d'animaux *(animal en peluche; ours en peluche).* De là *une peluche* (XXe s.) «un jouet en peluche».

▶ Le mot a donné **PELUCHÉ, ÉE** adj. (1764) employé en botanique, également pour «qui a de longs poils d'un côté» (1762) et pour qualifier un drap dont l'usure fait sortir le poil (1872). ➜ **PELUCHER** v. intr. «se couvrir de poils qui se dégagent du tissu par l'usure ou le frottement» est attesté depuis 1798 (aussi *se pelucher,* 1819). ➜ **PELUCHEUX, EUSE** adj. (1822) qualifie une étoffe qui peluche et sert à qualifier un végétal (1872), avec une nuance très voisine de celle de *peluché.*

◈ voir ÉPLUCHER.

PELURE → PELER

PELVIS n. m. terme d'anatomie, est emprunté (1688) au latin *pelvis* «bassin (de métal), chaudron», à rapprocher du sanskrit *pálavi* «récipient» et peut-être du grec *pella* «coupe». Certains le rapprochent du latin *pellis* (→ peau), ce qui fait difficulté pour la forme *(-ll-). Pelvis* est représenté par l'élément *pelvi-* (*pelv-* devant un second élément à initiale vocalique) dans la construction de quelques termes d'anatomie et de chirurgie.

♦ *Pelvis* désigne la cavité anatomique appelée couramment le *bassin.*

▸ **PELVIEN, IENNE** adj. (1805) qualifie ce qui se rapporte au pelvis et, plus particulièrement, à la partie du bassin située au-dessous du détroit supérieur. Le féminin pluriel *pelviennes* est employé substantivement par ellipse pour *nageoires pelviennes* «nageoires abdominales des poissons» (1963, dans les dictionnaires généraux).

▸ L'élément **PELVI-** représente *pelvien* ou *pelvis* dans quelques adjectifs et quelques substantifs appartenant à la langue médicale, par exemple **PELVIMÈTRE** n. m. (1814), **PELVIPÉRITONITE** n. f. (1878) et, plus récemment, **PELVIGRAPHIE** n. f. (1959).

PÉNAL, ALE, AUX adj. est emprunté, sous la forme *poinale* (au féminin, 1200) au latin impérial *poenalis,* terme juridique signifiant «relatif à la peine», dérivé de *poena* (→ peine).

♦ Le mot, avec le même sens étendu à «relatif à ce qui est sanctionné juridiquement par une répression, des peines», entre dans *sentence pénale* (1200, *poinale sentence*), *édits pénaux* (av. 1559), *obligations pénales* (1567), *clause pénale* (1701) et surtout *Code pénal* (1781), *droit pénal, procédure pénale* (cf. *criminel*).

▸ L'adjectif a deux dérivés. ➜ **PÉNALITÉ** n. f. (1319) a longtemps eu un sens général de «peine, malheur», «souffrances que l'on s'inflige» (1530) et a pris, après l'élaboration du *Code pénal,* sa spécialisation moderne en droit : «qualité de ce qui est pénal» (1803). Le nom désigne surtout le système des peines prévues par les lois, d'abord au pluriel (1820), puis aussi au singulier (1829). Par métonymie, il est employé au sens de «peine réprimant un délit» et, par analogie, s'applique à la sanction infligée à un joueur; de *droit pénal* est dérivé **PÉNALISTE** n. «spécialiste du droit pénal». ◇ En sports, *pénalité* remplace parfois l'anglicisme *penalty* (coup de pied de pénalité).* ➜ **PÉNALEMENT** adv. (1570) signifie «en droit pénal, dans une procédure pénale».

PÉNALISER v. tr. est emprunté par la langue du sport (1902) à l'anglais *to penalize* «soumettre à une pénalité, à un désavantage» (1868), lui-même dérivé de l'adjectif anglais *penal,* correspondant au français *pénal* et représentant comme lui le latin *poenalis.* En français, le mot s'est étendu du sport aux autres domaines de la vie courante aux sens d'«infliger une sanction, une punition» et «causer un désavantage». ➜ Le nom d'action **PÉNALISATION** n. f., lui aussi emprunté par la langue du sport (1910) à l'anglais *penalization* (1888), a suivi la même évolution.

DÉPÉNALISER v. tr. composé. (mil. XXe s.) de *dé-, penal-* et *-iser,* signifie «soustraire (une action) à la sanction du droit pénal» (ex. *dépénaliser l'avortement, les drogues douces*). ◇ Il a pour dérivé **DÉPÉNALISATION** n. f. (v. 1950).

◈ voir PENALTY.

PENALTY n. m. est emprunté (1898) à l'anglais *penalty* «sanction, punition encourue pour une action contraire à une loi, un règlement ou un contrat», attesté depuis 1512 et employé comme terme de sport depuis 1885. La forme dérivée de l'anglais *penal* (→ pénaliser, à pénal) devrait être *penality,* aussi *penalty* pourrait représenter un emprunt au français *pénalité*,* ce que semble également indiquer le sens de «souffrance, peine, malheur», attesté en anglais en 1513 *(penalte).*

♦ En français, cet anglicisme est d'abord attesté dans les syntagmes *penalty goal* (1898), *penalty kick* (1901) puis absolument (1902). À la différence de *pénaliser* et *pénalisation,* autres emprunts à l'anglais, mais non ressentis comme tels, *penalty* reste exclusivement un terme de sport, le français utilisant par ailleurs *pénalité*.*

PÉNATES n. m. pl. est emprunté (1491) au latin *penates, penatium* n. m. pl., nom donné chez les Romains et les Étrusques aux dieux protecteurs du foyer, dont les images étaient conservées à l'intérieur de la maison, dans le tablinum. Pour cette raison, le mot avait quelquefois par métonymie le sens de «demeure, foyer domestique». Il s'agit d'un dérivé de *penus, penoris,* mot sans étymologie établie, qui désignait à l'origine la partie intérieure de la maison (où l'on conservait les provisions de bouche).

♦ Le mot a pénétré en français comme terme d'histoire antique, désignant les dieux romains et étrusques, puis les statuettes qui les représentent (1685). Il est passé dans l'usage familier pour désigner le foyer, la demeure (1678, La Fontaine), dans des locutions du type ***regagner ses pénates.*** Dans cette acception, le genre est parfois hésitant (Lamartine l'emploie au féminin).

◈ voir PÉNÉTRER.

PENAUD → PEINE

PENCHER v., d'abord *pengier* (1265) puis *pencher* (1283), est issu d'un latin populaire °*pendicare,* probablement formé sur un adjectif °*pendicus,* dérivé de *pendere* (→ pendre) avec le sens d'«être oblique, incliné sur le côté».

♦ Le verbe est d'abord employé intransitivement avec le sens du latin; dès 1283, la forme pronominale *se pencher* correspond au sens figuré d'«être favorable à», qui est passé à l'emploi intransitif (1588, Montaigne), *se pencher* se limitant dès lors au sens concret de «s'incliner» (1530). Au XVIIe s., le mot entre dans la construction *pencher à* et infinitif «avoir tendance à» (1636) et est employé particulièrement pour «s'acheminer vers» (av. 1654, *pencher sur son déclin*), emplois devenus archaïques ou très littéraires. ◇ L'emploi transitif au sens, d'ailleurs rare, d'«entraîner, pousser vers», remonte lui aussi au XVIIe s. (1636). ◇ *Se pencher sur* «manifester attention et intérêt pour (qqch., qqn)» est plus tardif et plus courant (1843).

▶ **PENCHANT** n. m. (1538), participe présent de *pencher*, est substantivé avec le sens concret aujourd'hui disparu de «versant, pente d'une colline», plus généralement «déclivité» (1658). ◇ De nos jours, *penchant* est employé avec le sens figuré de «tendance, inclination naturelle vers un objet, une fin» (1647), en particulier dans le domaine des sentiments où il recouvre un sentiment d'amour, de sympathie pour qqn (1673). Son sens classique de «diminution de grandeur de ce qui peut décroître» (1673) s'est éteint avec le sens correspondant du verbe. ➝ Le dérivé de *pencher* exprimant l'idée physique d'«action de (se) pencher», **PENCHEMENT** n. m. (1538), est resté rare. ➝ Le participe passé adjectivé **PENCHÉ, ÉE**, usuel au sens propre de «courbé, incliné», est rare au sens figuré de «qui affecte la mélancolie», réalisé dans *air penché*.

① **PENDANT** prép., **PENDANT QUE** loc. conj. est l'emploi prépositionnel (1278) du participe présent adjectivé de *pendre** au sens d'«être en instance, en suspens», usuel en ancien français dans des expressions juridiques telles que *le plait* [procès] *pendant, le débat pendant*, etc. «le procès étant en instance», devenues par antéposition de l'adjectif *pendant le plait, pendant le débat*. Ces expressions sont calquées sur des expressions juridiques du bas latin à l'ablatif absolu : *judicio pendente, lite pendente* (d'où vient le terme juridique *litispendance*), *causa pendente*, formées de l'ablatif des substantifs *judicium* «jugement», *lis* «procès», *causa* «cause, procès» et du participe présent adjectivé de *pendere*; le bas latin connaissait également *in pendenti esse* «ne pas être décidé, être en suspens», d'où l'ancien français *en ce pendant*.

♦ *Pendant*, en ancien français, est d'abord lié à des termes juridiques, avant de figurer dans des expressions temporelles comportant un terme comme *année, jour, temps, terme*, etc., impliquant un délai à respecter, une durée déterminée au cours de laquelle devait avoir lieu une action juridique. Il est rapidement passé dans l'usage courant pour exprimer la durée d'une action, d'un processus quelconque, avec la locution *ce pendant* «ce délai étant en cours d'expiration» (*cependant*, ci-dessous), *en ce pendant* (1283) et *en cel delai pendant* (1283). ◇ À partir du XIVe s., *pendant* introduit un terme indiquant un délai (1321, *pendant trois années accomplies*) pour prendre ensuite le sens de «durant» (1432), resté usuel. ➝ Employé tout seul comme adverbe (XVe s.) au sens de «pendant ce temps, entre-temps», il a été supplanté par *cependant**. Il est d'abord entré dans la locution conjonctive *ce temps pendant que* (1328-1342), avant que celle-ci ne soit abrégée en *che* [ce] *pendant que* (fin XIVe s.) puis en ***pendant que*** (1422). Outre sa valeur temporelle durative, *pendant que* ajoute quelquefois une nuance causale à l'expression de la simultanéité (1580) et une nuance d'opposition (1588), nuances toutes deux relevées chez Montaigne.

▶ **CEPENDANT** adv. résulte de la soudure (1344), surtout fréquente à partir du XVIe s., de l'ancienne locution *ce pendant* (v. 1278) formée de *ce** et du participe présent de *pendre* dont il est à l'origine le sujet. *Ce pendant* est d'abord employé comme une locution participiale absolue avec la valeur temporelle «ce étant pendant». Il figure dès les premiers emplois dans un contexte juridique, mais aussi dans un contexte général et élimine les variantes *en ce pendant* (1283), *sur ce pendant* (v. 1460) ainsi que la forme inverse *pendant ce* (1415), encore employée au XVIIe siècle. La locution conjonctive *ce pendant que* (1424), puis **CEPENDANT QUE**, est elle aussi employée d'abord avec une valeur temporelle de «simultanéité». Bien qu'elle ait éliminé l'expression *en ce pendant que* (v. 1360), elle a été menacée à son tour par *pendant que* d'après les recommandations de Vaugelas (1647). ◇ Toutefois, elle est restée fréquente au XVIIe s. et par la suite, acquérant aussi une valeur adversative proche de «tandis que» (1580) puis liant, dans les descriptions des grammairiens, les valeurs de «contemporanéité» et «opposition» (v. 1880). ◇ L'emploi adverbial de *cependant* au sens adversatif de «néanmoins, toutefois» est attesté depuis le XVIe s. (1541).

② **PENDANT** → PENDRE

PENDELOQUE n. f. (1640), d'abord *pendilloque* (1632), est l'altération, peut-être influencée par *breloque**, de l'ancien *pendeloche* (XIIIe s.) attesté dans les Fabliaux au sens de «pénis et testicules». Ce mot est dérivé, au moyen du suffixe *-oche*, de l'ancien et moyen français *pendeler* «pendiller», lui-même diminutif de *pendre**.

♦ Le mot désigne d'abord, apparemment sans allusion étymologique obscène, un bijou suspendu à une boucle d'oreille (sens avec lequel il subit la concurrence de *pendant**) et un petit bijou suspendu, sens pris par *pendentif**. ◇ Plus généralement, *pendeloque* désigne ce qui pend au bout d'un objet (1640), en particulier (au pluriel) les pièces de cristal suspendues à un lustre, à un chandelier (1690). ◇ Par analogie, il a désigné un lambeau d'étoffe pendant au bas d'un habit déchiré (1660), mais cette acception a disparu.

▶ Son dénominatif **PENDELOQUER** v. intr. «pendre comme une pendeloque» est rare et littéraire (1649, *Ovide Bouffon*).

PENDENTIF → PENDRE

✳ **PENDRE** v. est issu (v. 980) du latin populaire °*pendĕre* (*e* bref), issu du latin classique *pendēre* (*e* long), verbe intransitif indiquant l'état (au présent *pendeo*) et qui signifie «être suspendu, pendant, flasque», au figuré «être attentif, indécis, dépendre de». Il existait un autre verbe appartenant à la même racine, *pendĕre* (présent *pendo*), de sens transitif, et signifiant «suspendre», d'où par spécialisation «peser» (en particulier «peser de l'argent») et au figuré «peser mentalement, évaluer, estimer». Ce dernier sens a été supplanté par un dérivé *pensare* (→ panser, penser, peser) ainsi que par le verbe apparenté *ponderare* (→ pondérer), tandis que °*pendere* passait dans les langues romanes en assumant à la fois le sens passif intransitif et le sens actif transitif. Le verbe *pendĕre* (2e *e* long) est bâti sur une racine *pen-* dont il n'y a aucun autre représentant en latin. On peut, mais il ne s'agit que d'une possibilité, rapprocher le groupe du lituanien *pinù, pìnti* «tresser», de l'arménien *henum* «je tisse» et du gotique *spinnan* «filer».

♦ Le verbe est d'abord employé au sens intransitif d'«être fixé par le haut»; il entre dès le XIIe s. dans la locution ***pendre devant le nez*** (v. 1121) qui annonce ***pendre au nez***. ◇ *Pendre* a aussi le sens de «retomber, descendre trop bas» (1172-1190) et s'emploie dans un contexte juridique pour «être en instance» (1265). ◇ Dès les premières attestations, dans un récit de la Passion, il est également employé transitivement avec le sens de «crucifier». ➝ Il prend très vite son sens général de «suspendre par le haut» (1050), réalisé particulièrement en parlant du châtiment consistant à «suspendre qqn par le cou à une corde» (1080). Celui-ci a inspiré une phraséologie usuelle, avec ***pendre haut et court*** (1690), *il y a de quoi se pendre* (1798), cette dernière remplacée par des variantes faisant intervenir un autre type de mort. ◇ Dans ***dire pis que pendre de qqn*** «en dire beaucoup de mal» (1611), la syntaxe est archaïque et le sens est «dire de qqn plus de mal que si l'on affirmait qu'il fallait le pendre (ou qu'il méritait d'être pendu)» (cf. *pendard*, ci-dessous). ➝ Parallèlement, la forme pronominale *se pendre* signifie «se suicider par pendaison» (déb. XIIe s.) et, au passif pour une chose, «se suspendre, s'accrocher» (1210). ➝ Au XVIe s., le mot a développé ses sens figurés, d'une part au passif, d'abord dans une locution disparue ***être pendu aux oreilles de qqn*** «lui parler avec insistance» (1565), puis dans la locution ***être pendu à*** (1686), d'autre part à la forme pronominale ***se pendre au cou de qqn*** (1553).

▸ *Pendre* a produit un certain nombre de dérivés, la plupart en ancien français. ➝ Son participe présent ② **PENDANT** est substantivé probablement dès la fin du XIe s., et de manière certaine depuis 1180-1190, pour désigner (au pluriel) les cordons qui servent à attacher un manteau, une ceinture. Dans l'histoire du costume, le mot désigne également le système d'attache qui pend au côté et sert à soutenir l'épée (1260; 1591, *pendant d'épée*) et, plus couramment, une perle ou une pierre qui pend à une boucle d'oreille (1346), dans l'expression ***pendant d'oreilles*** (1575), reprise par le langage des arts pour désigner des objets d'art appariés ne pouvant être séparés (1690); dans ce sens, *pendants d'oreilles* s'est réduit dans l'usage moderne à *pendants* (1740). Le mot désigne même une personne, une chose comparable ou symétrique à une autre (1776); 1763 dans *faire pendant* à «être symétrique», puis [1803] «être comparable». ◇ **PENDANT, ANTE** adj. se prête à quelques emplois au sens général de «qui pend» (1140), spécialement en architecture (1505, *clé pendante*) et en droit (1265) où il signifie «en instance» (→ pendant, pendant que). ➝ **PENDU, UE**, le participe passé de *pendre*, est lui aussi adjectivé et substantivé (1200) pour désigner une personne morte par pendaison et notamment un coupable supplicié (cf. la *Ballade des pendus* de Villon).

Au cours du XIIIe s., sont apparus deux dérivés plus rares. Le premier, **PENDEUR** n. m. (fin XIIIe s.), disparu au sens de «bourreau (celui qui pend)», est employé dans le vocabulaire de la marine pour désigner un cordage (1573). ➝ Le second, **PENDOIR** n. m., est d'abord attesté sous la forme archaïque *pentoir* (1272) en parlant de l'endroit où l'on faisait sécher les draps (le latin médiéval atteste *penditorium*, en 1182, pour la perche servant à faire sécher les draps); il n'est guère employé qu'en boucherie pour le croc servant à suspendre la viande (1419, au sens de «ce qui sert à pendre un animal que l'on veut dépouiller»). ➝ Le dérivé verbal familier, **PENDOUILLER** v. intr., remonte lui aussi à la seconde moitié du XIIIe s. sous la forme ancienne *pendoillier*; il est rare avant le XXe s. où l'on relève d'abord le participe présent adjectivé (1932) et le verbe (1946). ➝ En revanche, **PENDILLER** v. intr. (1225), moins péjoratif, semble s'être employé plus continûment, entraînant la formation de **PENDILLON** n. m. (1578) «ce qui pendille», spécialisé en horlogerie (1676) et en théâtre (1912). ➝ **PENDARD, ARDE** n., d'abord écrit *pendart*, a désigné en moyen français (apr. 1350) le bourreau, comme *pendeur*. ◇ Puis il s'est dit d'une personne digne d'être pendue, d'un vaurien (1485), devenant en français classique un terme d'injure affaibli et familier adressé à des inférieurs (emploi fréquent chez Molière). ➝ **PENDABLE** adj. (1283), à partir du sens littéral, «qui mérite d'être pendu», a pris la valeur de «coupable» (1666), correspondant à *pendard*, et ne s'emploie plus que dans la locution ***tour pendable*** (1750) «mauvais tour».

Trois noms d'action ont été formés sur *pendre*. ➝ **PENDERIE** n. f. a d'abord signifié «action de pendre ou de suspendre» (1525) puis, par métonymie, «lieu où l'on pend qqch.» (1584). ◇ Le mot semble disparaître au XVIIe s., puis réapparaître au XIXe s. (1802) comme terme technique, en mégisserie, avant de devenir usuel pour désigner un placard où l'on suspend les vêtements (1893). ➝ **PENDAGE** n. m. a d'abord la valeur de *pendaison* (1548), avant d'être repris en sciences d'après un sens du verbe, «être incliné» (1776). ➝ **PENDAISON** n. f., «action de pendre qqn» et «fait d'être pendu», apparaît au XVIIe s. (1644); c'est peut-être un emprunt au provençal *pendeso* (1262). ➝ **PENDIS** n. m. (1950), «corde en fibre de coco utilisée pour l'élevage des moules», reprend la forme d'un adjectif ancien français (v. 1200) «qui pend», à moins qu'il ne s'agisse d'un emprunt à une forme dialectale conservée.

Pendre a deux préfixés. ➝ ② **DÉPENDRE** v. tr. (1180), «détacher (ce qui était pendu)», s'emploie aux divers sens de *pendre*. ◇ Son dérivé **DÉPEN-**

DEUR, EUSE n. (1260) ne s'emploie plus guère que dans la locution familière, assez archaïque, ***un grand dépendeur d'andouilles*** «un homme grand et niais». ➛ **REPENDRE** v. tr. (XIIIe s.) n'a pas évolué par rapport à sa valeur d'itératif «pendre, suspendre de nouveau, une seconde fois».

PENDENTIF n. m. est dérivé comme terme d'architecture (1529, pl.) du latin *pendens, -entis,* participe présent de *pendēre* au moyen du suffixe *-if.* ➛ Il désigne le dispositif de pierres qui permet à une coupole de plan circulaire de s'articuler à un plan carré (un autre système est la *trompe*) ; on parle de *coupole sur pendentif.* ➛ Au XXe s., le mot est également devenu un terme de bijouterie (1903) et, récemment, d'électronique (1976), désignant l'organe de commande d'une machine, composé d'un ensemble d'interrupteurs et de cadrans montés dans un boîtier mobile suspendu au-dessus de l'endroit où se tient l'opérateur.

◈ voir **APPENDICE, APPENDRE, APPENTIS, COMPENDIEUX,** ① **DÉPENDRE, DISPENDIEUX, PENCHER,** ① **PENDANT, PENDELOQUE,** ① **PENDULE, PENTE, PERPENDICULAIRE, SOUPENTE, STIPENDIER, SUSPENDRE, VILIPENDER**; et aussi les séries de **PANSER, PENSER, PESER** et **PONDÉRER.**

① **PENDULE** n. m. est l'apocope de *funependule* (1646) emprunté au latin des savants *funependulus* (Mersenne écrit *funependulum,* au neutre) «suspendu à un fil», mot composé de *fune,* ablatif de *funis* «corde, câble» (→ funambule, funiculaire), et de l'adjectif *pendulus* «qui pend», dérivé de *pendere* (→ pendre). *Funependulum* est utilisé comme substantif par Galilée pour désigner (1629) un corps mobile autour d'un point fixe et oscillant sous l'action de son poids.

♦ Le mot, par chute de la première syllabe, est donc devenu *pendule* (1658), entrant dans les dénominations *pendule simple* (1858), *pendule conique* (1861), etc. Au XIXe s., il s'est étendu à tout objet animé d'un mouvement comparable (1838) et, au figuré, à une alternance de phénomènes différents ou contradictoires (1869, Hugo). ◇ Il est employé en alpinisme pour désigner une manœuvre par laquelle le grimpeur attaché à une corde traverse un passage difficile par un mouvement pendulaire (1910).

▸ *Pendule* est à l'origine de ② **PENDULE** n. f. (1557), abréviation de l'expression *horloge à pendule* (cf. *horloge*) pour désigner une petite horloge. ◇ On en a tiré le diminutif **PENDULETTE** n. f. (1893). ◇ *Horloge* s'étant spécialisé pour désigner des instruments importants ou collectifs, *pendule* est, avec *montre,* le mot le plus employé parmi ceux qui désignent les instruments usuels de mesure du temps ; il a donné des locutions comme ***remettre les pendules à l'heure*** «repartir à zéro, redéfinir des conditions».

① *Pendule* n. m. a produit **PENDULAIRE** adj. (1867, *oscillation pendulaire*) «propre au pendule», lui aussi employé par analogie, spécialement en mécanique (1874), en cardiologie (1928), en pathologie (1932, *démarche pendulaire*) et en sociologie (*migrations pendulaires,* 1968). ➛ **PENDULER** v. intr. est dérivé de *pendule* au sens d'«effectuer un mouvement pendulaire» (1912) en alpinisme et (1926) en général.

PÊNE n. m., d'abord *pesne* (1288), puis *pene* (1440), terme de serrurerie, est l'altération (peut-être sous l'influence de *chaîne*) de l'ancien français *pesle* attesté du XIIe au XVIIe et encore mentionné au XVIIIe s. par les dictionnaires de Trévoux. *Pesle* est issu du latin *pessulus* «verrou, pièce mobile d'une serrure ou d'un verrou», probablement emprunté au grec *passalos* «clou, cheville, piquet» avec déformation par étymologie populaire ou par un intermédiaire étrusque. Le mot grec appartient à la racine indoeuropéenne °*pāk-,* °*pāg-* «enfoncer» que l'on retrouve dans les mots latins *palus* (→ pal), *pax* (→ paix).

♦ Le mot désigne la pièce mobile d'une serrure ou d'un verrou, qui s'engage dans la gâche.

PÉNÉPLAINE → **PLAIN**

PÉNÉTRER v. est emprunté (1314) au latin *penetrare* «faire entrer, porter à l'intérieur», «entrer dans» (au propre et au figuré). Ce verbe est dérivé de *penitus* «du fond, tout au fond», employé de l'époque archaïque à l'époque postclassique et dérivé de *penus, penoris* pris avec son sens primitif «intérieur de la maison» (→ pénates).

♦ *Pénétrer* a d'abord le sens concret d'«entrer dans», avec une idée de profondeur, en parlant d'une chose matérielle, et avec la simple valeur de «s'introduire quelque part», en parlant d'un être animé (1636), aussi par métaphore pour «être introduit dans un milieu» (av. 1850). ◇ En moyen français il a développé quelques significations figurées, «s'introduire dans l'esprit de qqn», «toucher, émouvoir» (le sujet désignant une émotion) et, sur un plan intellectuel, «parvenir à comprendre, à connaître» (1485). *Se pénétrer de* «se convaincre, s'imprégner» est plus tardif (1843). ◇ L'emploi sexuel doit correspondre à celui de *pénétration* et apparaître en moyen français.

▸ Les sens propre et figuré du verbe sont repris par les participes présent et passé : **PÉNÉTRANT, ANTE** adj. (1314) qualifie souvent *esprit* (1666) ; au sens concret, l'adjectif est substantivé (une **PÉNÉTRANTE** n. f.) pour désigner une grande voie de communication, spécialement dans le domaine militaire (1953). ➛ **PÉNÉTRÉ, ÉE** adj. se dit de ce qui est profondément imprégné de qqch., au propre (1689) et au figuré (1672), avec les valeurs d'«influencé» et (1675) de «convaincu», parfois avec une connotation ironique. ➛ Au XXe s., *pénétrer* a donné les termes techniques **PÉNÉTREUR** n. m. (v. 1950), «dispositif qui pénètre», et **PÉNÉTROMÈTRE** n. m. (XXe s.), «instrument mesurant (→ mètre) la dureté d'un corps par un essai de pénétration».

Les autres mots du même groupe sont des emprunts au latin. ➛ **PÉNÉTRATION** n. f. est emprunté (1374) au dérivé latin *penetratio, -onis* «action de percer, piqûre», attesté comme terme de philosophie en latin médiéval (1360). D'abord employé concrètement pour «action d'entrer dans», avec une spécialisation érotique *(pratiques sexuelles avec, sans pénétration),* il a aussi pris le sens intellectuel d'«action de saisir en profondeur (le sens des choses)» (av. 1654). ➛ **PÉNÉTRABLE** adj. est à la fois emprunté (1374-1376) au latin *penetrabilis* «qui peut être pénétré, percé», «où l'on peut pénétrer, accessible», et dérivé de *pénétrer*. ◇ La date à laquelle est attesté pour la première fois **PÉNÉTRABILITÉ** n. f. (1501) incite à y voir un dérivé de *pénétrable*, plutôt qu'un emprunt au latin médiéval *penetrabilitas* (1115). ➜ L'antonyme préfixé **IMPÉNÉTRABLE** adj. est emprunté (1380) au latin *impenetrabilis*, employé en langue classique au sens concret, «où l'on ne peut pénétrer», et attesté chez les auteurs chrétiens au sens figuré de «difficile ou impossible à comprendre». ◇ Rapidement senti comme préfixé de *pénétrable*, l'adjectif signifie d'abord «où l'on ne peut pénétrer, impossible à traverser», spécialement en physique «qui a la propriété de l'impénétrabilité» (1718; av. 1655, *atome... impénétrable*). ◇ Au XVIIe s., s'est développé le sens figuré de «difficile à connaître ou à expliquer» (av. 1662, Pascal), à propos d'une chose abstraite, et «qui ne se laisse pas percer à jour», à propos d'une personne (1681, Bossuet). ◇ D'*impénétrable* est dérivé **IMPÉNÉTRABILITÉ** n. f., qui désigne en physique la propriété selon laquelle deux corps ne peuvent occuper à la fois le même lieu dans l'espace (av. 1662, Pascal). Le mot désigne également, au figuré, un caractère énigmatique, difficile à expliquer (1690); il ne s'applique au caractère d'une personne que depuis 1832. ◇ D'autres composés en *im-* font pendant à *pénétré, pénétrant, pénétration*, mais ils sont rares, tout comme le verbe **S'IMPÉNÉTRABILISER** attesté en 1850 chez Goncourt au sens de «se rendre impénétrable».

PÉNIBLE → PEINE

PÉNICHE n. f. est la francisation (1803), par traitement des voyelles et substitution de finale, peut-être d'après la prononciation anglaise, de l'anglais *pinnace* (1546), désignant un petit vaisseau utilisé pour accompagner et aider des navires plus grands, puis tout canot de navire. Ce mot est lui-même emprunté au moyen français *pinace* n. f. devenu *pinasse** emprunté à l'espagnol *pinaza* dont le sens propre est «vaisseau en bois de pin», dérivé de *pino*, du latin *pinus* (→ pin).

♦ *Péniche* est attesté au sens ancien de «canot léger employé dans la guerre maritime» (1803, correspondance de Napoléon) puis au sens moderne de «navire fluvial» (1859). ◇ *Péniche de débarquement* est l'équivalent français de l'anglais *landing craft*, de *craft* «embarcation, petit bateau» et *landing* «débarquement», terme créé lors de l'opération Neptune menée en Angleterre, qui aboutit au débarquement des troupes alliées sur les côtes de France, le 6 juin 1944. ➜ Par analogie de forme, le pluriel est employé dans la langue argotique ou populaire pour «chaussures» (le mot est dans Barbusse, *Le Feu*, en 1916).

PÉNICILLINE n. f., attesté pour la première fois dans une communication présentée à la séance du 2 décembre 1943 de l'Association des microbiologistes de langue française, est emprunté à l'anglais *penicillin*. Celui-ci est dérivé du nom correspondant au français *pénicille, pénicillium* n. m., nom d'un champignon microscopique, issu du latin botanique *penicillium*, lui-même dérivé du latin *penicillum* «pinceau». Ce mot est un dérivé de *peniculus* «petite queue terminée par une touffe de poils», «plumeau», diminutif de *penis* «queue» (→ pénis). Le mot anglais est le nom du genre auquel appartient le champignon *(penicillium notatum)*, utilisé pour obtenir l'agent antibiotique découvert et ainsi dénommé par le médecin et bactériologiste anglais A. Fleming en 1929.

♦ Le mot est devenu usuel avec l'usage massif des antibiotiques en thérapeutique.

▸ *Pénicille* a servi à former en français l'adjectif **PÉNICILLÉ, ÉE** (1798), employé en botanique et en anatomie (1832). ◇ **PÉNICILLINASE** n. f. a été emprunté, peu après *pénicilline* (1945), à l'anglais *penicillinase*, dérivé de *penicillin* avec le suffixe *-ase* (1940). ◇ Le mot, employé en biochimie, sert à désigner l'enzyme produit par certains microbes et qui détruit l'action de la pénicilline.

◈ voir PINCEAU.

PÉNIL n. m. est issu (v. 1200) d'un latin populaire °*pectiniculum*, comme l'ancien provençal *penchinill* qui désigne aussi la partie inférieure du ventre de la femme (XIIe s.), et apparaît dans un texte français sous la forme adaptée *penchenul* (1570). Le mot latin est le diminutif de *pecten, -inis* «peigne» (→ peigne) qui, par la même évolution que le grec *kteis, ktenos* de même sens, désigne les poils du pubis.

♦ Le mot désigne l'éminence située devant le pubis.

PÉNINSULE n. f. est emprunté (1519) au bas latin *paeninsula* «grande presqu'île», composé de *paene* «presque», mot non roman sans étymologie claire (→ pénitence, pénurie), et de *insula* qui a donné *île**.

♦ Le mot, qui a gardé le sens du latin, est demeuré assez didactique face à *presqu'île*.

▸ Il a produit **PÉNINSULAIRE** adj. employé comme nom pour désigner l'habitant d'une péninsule, une fois au XVIe s. (1556) et de nouveau à partir de 1834. ◇ Il est employé comme adjectif depuis 1834 également.

PÉNIS n. m. est emprunté (1618) au latin *penis* qui a d'abord désigné la queue des mammifères (avant d'être remplacé par *cauda*, → queue) et s'est dit également du membre viril. C'est un mot ancien (Plaute) mais populaire et rare (évité en raison de son sens); il est issu, avec une suffixation en *ni* (°*pes-ni-s*), d'un mot indoeuropéen °*pesos* que l'on retrouve dans le sanskrit *pásas-* et dans le grec *peos* «membre viril».

♦ À la différence du latin, le mot appartient en français au langage didactique.

▸ On en a dérivé l'adjectif didactique **PÉNIEN, IENNE** (1936) employé en anatomie et spécialement en ethnologie où l'on appelle *étui pénien* la gaine entourant le pénis, portée comme parure ou protection chez certains peuples.

◈ voir **PÉNICILLINE, PINCEAU.**

PÉNITENCE n. f. est emprunté (1050) au latin *paenitentia,* dérivé du verbe impersonnel *paenitet,* probablement dérivé de *paene* «à peine» (→ péninsule, pénurie). Ce verbe signifie «ne pas avoir assez de, ne pas être satisfait de», d'où «avoir du regret, se repentir», ce dernier sens entraînant la graphie *poenitet* par rapprochement avec *poena* (→ peine). De fait, *paenitentia* désigne le regret, le repentir. Il s'est spécialisé dans la langue chrétienne pour désigner le regret du péché, et les signes visibles du repentir : jeûne, mortification, pénitence publique. Il a développé par extension le sens de «remise des péchés, réconciliation» (ve s.) et «sacrement de réconciliation» (xiie s.), *forum paenitentiae* désignant en théologie le tribunal de la pénitence, la peine imposée par le confesseur. La forme *pénitence* (ou *pénitance*) a supplanté les formes plus francisées *penance* (1120-1150, *fere* [faire] *penance*) et *peneance* (v. 1135), qui ont cessé de s'employer en moyen français.

♦ Le mot a été emprunté avec le sens de «mortification religieuse», reprenant au latin chrétien toutes ses valeurs avant la fin du xiie s. et entrant dans des locutions comme ***être en pénitence*** (v. 1165), ***prendre pénitence*** (v. 1130). ◇ Par extension, il est employé de manière laïque (déb. xiiie s.), en particulier dans la locution ***faire pénitence,*** relevée (déb. xiiie s.) dans le contexte courtois à propos d'un chevalier éconduit par sa dame. ◇ Par extension, il a pris le sens de «punition» (1559), «gage», «chose désagréable, mortifiante» et «austérité», tout en restant senti comme un terme du langage religieux.

▸ ① **PÉNITENCIER** n. m. est dérivé (xiiie s.) de *pénitence* d'après le latin religieux *paenitentiarius,* qui avait donné en ancien français *peneäncier* (1181-1198), vivant jusqu'au xive siècle. Le mot a été repris au latin pour désigner un prêtre ayant l'autorisation de confesser. Dans l'usage moderne, il s'applique au prêtre chargé par le pape ou l'évêque d'absoudre les cas réservés. Il entre en apposition dans le titre de *(cardinal) grand pénitencier* (1690). ⬩ ② **PÉNITENCIER** n. m., au sens pénal, est un autre mot dérivé (1528) de *pénitence,* d'abord comme adjectif pour qualifier un lieu où l'on fait pénitence puis, surtout comme nom (1842), dans le même sens et couramment pour désigner une prison (1845), spécialement une prison pour condamnés aux travaux forcés aux colonies (1903). ⬩ L'autre dérivé de *pénitence* est le terme religieux **PÉNITENCERIE** n. f. (1578), qui a évincé la forme antérieure *pénancerie* (1462) tirée de l'ancien *pénance.* ◇ Le mot désigne le tribunal ecclésiastique siégeant à Rome qui examine les cas de péchés très graves. Il sert aussi à désigner la charge, la dignité de pénitencier (1690). ⬩ **PÉNITENTIAIRE** adj. et n. m. a été dérivé de *pénitence* (1806) pour désigner un établissement de détention, avant d'être éliminé par *pénitencier.* ◇ Il demeure vivant comme adjectif pour qualifier ce qui a rapport aux détenus, aux pénitenciers (1828, *système pénitentiaire ;* 1832, *régime pénitentiaire*).

PÉNITENT adj. et n. est (v. 1200) emprunté au latin *paenitens* «qui regrette, qui se repent», participe présent de *paenitet* employé comme nom dans la langue chrétienne aux sens de «personne qui se repent» (av. 257) et «personne qui se confesse pour recevoir le sacrement de la pénitence» (ve s.). Il a supplanté la forme adaptée *peneänt* n. (v. 1155) et adj. (1170). ◇ La première attestation de *pénitent* est isolée au sens de «pénitence, punition, châtiment». On commence à rencontrer l'adjectif à partir de 1370-1372 pour qualifier celui qui se repent. Le nom (xvie s.) désigne la personne qui fait pénitence, spécialement le membre d'une confrérie de laïcs pratiquant la pénitence (1598, les *Poenitans bleus de Toulouse*). Le mot s'applique aussi à la personne qui va se confesser (1636) et qualifie une chose vouée à la pénitence ou exprimant la pénitence (1603). Il désigne figurément des lames de neige sèche dans *pénitents des neiges* (1902), référence visuelle aux confréries de pénitents blancs qui défilent en Espagne lors de la semaine sainte. ⬩ **PÉNITENTIAUX** adj. m. pl. est un emprunt religieux (fin xive s.) au latin médiéval ecclésiastique *paenitentialis* adj. «de pénitence», *psalmi paenitentiales* (viiie s.) ; d'abord employé au singulier pour qualifier ce qui constitue une pénitence, il a généralisé le pluriel (1534) dans *psaumes pénitentiaux* et *canons pénitentiaux* (1680). ⬩ **PÉNITENTIEL, ELLE** adj. et n. m. est un autre emprunt religieux (1594) au latin médiéval ecclésiastique *paenitentialis* dans l'expression *liber paenitentialis* (813, concile de Tours), et substantivé (811-813). ◇ Le mot qualifie ce qui a rapport à la pénitence et s'emploie comme nom (1690) pour désigner un livre (datant des viie et viiie s.) établissant des tarifs de pénitence à l'usage des confesseurs.

IMPÉNITENT, ENTE adj. et n. est un emprunt (1570) au latin chrétien *impaenitens* (ou *in-*) adj. et n. «qui ne se repent pas de ses péchés», formé par préfixation en *im-, in-* du latin classique *paenitens.* ◇ *Impénitent* est introduit en théologie avec le sens du latin ; il est attesté comme nom au xviie s. (av. 1662, Pascal). L'adjectif s'applique aussi (1860, Goncourt) à qqn qui ne renonce pas à une habitude, puis se dit d'une doctrine, de sentiments (xxe s., *fidélité impénitente*). ⬩ **IMPÉNITENCE** n. f., terme de théologie, est emprunté (1372) au latin chrétien *inpaenitentia,* préfixé du latin classique *paenitentia* «pénitence*».

◈ voir **PÉNÉPLAINE** (art. **PLAIN**) **PÉNINSULE, PÉNOMBRE, PÉNULTIÈME, REPENTIR ;** peut-être **PÉNURIE.**

✱ **PENNE** n. f., (1050) issu du latin *pinna* «plume», d'où «aile» et «nageoire», est employé pour divers objets en forme d'aile, tels l'aigrette d'un casque, le créneau d'une muraille, l'aube d'une roue de moulin. *Pinna* n'a pas d'étymologie claire ; le seul rapprochement plausible avec le groupe de l'allemand *spitz* «pointu» concerne seulement la racine. On pense plutôt à une variante dialectale de *penna* «aile, plume» (→ panne) avec laquelle il a été confondu.

♦ *Penne* «plume» a été évincé de l'usage commun par *plume* et appartient aujourd'hui au langage des ornithologues pour désigner les grandes plumes des ailes et de la queue. Par analogie de forme, il est employé en marine (1515), notamment à propos de l'extrémité supérieure d'une antenne (1685) et de l'aileron d'une flèche (1573), en relation avec *pennon*.

▶ *Penne* a produit un certain nombre de dérivés techniques. ◆ **PENNON** n. m., d'abord *penun* (v. 1140), a désigné la plume qui garnit la baguette d'une flèche. Dès l'ancien français, le mot s'applique au drapeau triangulaire à longue pointe que portaient les chevaliers (v. 1160, *penons*). De nos jours, il est employé en héraldique pour «écu» (1680) et désigne en marine (1773) une petite girouette servant à indiquer la direction du vent.
Son diminutif *penoncel, panoncel* n. m. (v. 1165) s'est fixé sous la forme **PANONCEAU**, la variante *pennonceau* faisant figure d'archaïsme littéraire. Le mot désignait la banderole que le chevalier attachait à sa lance et, en ancien français, divers objets décoratifs. ◇ Il demeure vivant comme nom de la plaque apposée à la porte d'un notaire (1839) et d'une enseigne d'hôtel en indiquant la catégorie. ◆ **PANNETON** n. m. est une variante (1639) de *penneton* (1581), diminutif de *pennon* comme *penoncel* (ci-dessus); il désigne la partie de la clé qui entre dans la serrure et agit sur le pène.
PENNAGE n. m. (av. 1525, *pennaige*), rare pour désigner le plumage des oiseaux en général, se dit surtout pour celui des oiseaux de proie.
Le composé **EMPENNER** v. tr. est très ancien (1080) et signifie «garnir de plumes». ◇ Il est relativement courant au participe passé. ◇ Il a produit le déverbal **EMPENNE** n. f. (1701), «aileron de flèche destiné à régulariser sa direction», et **EMPENNAGE** n. m. (1832), «action d'empenner», spécialisé et devenu courant en aéronautique pour désigner les surfaces à l'arrière des ailes ou de la queue d'un avion.
Le terme de botanique **PENNÉ, ÉE** adj. est tiré (fin XIIe s., au féminin pluriel *pannees*) du latin *pennatus* «qui a des pointes, des ailes», «barbu» (pour l'épi), de *penna*. D'abord employé pour qualifier des animaux à plumes (*oiseaux pennés*, XVe s.), puis sorti d'usage, il a été repris (1805) avec son sens actuel «dont les nervures ressemblent à des plumes».

PENNY, pl. **PENNIES** ou **PENCE** n. m. est un emprunt (v. 1450) à l'anglais *penny*, issu du moyen anglais *peni, peny*, du vieil anglais *peniz* dont les différentes formes sont à l'origine des deux types de pluriel, *pennies* et *pence*, et qui désignait les premières pièces de monnaie fabriquées à partir d'un bloc d'argent d'une livre. L'unité monétaire qui en résultait était appelée *denarius*, emprunt au latin (→ denier), d'où l'abréviation *d.* pour *penny* dans les comptes. Symbole de la petite monnaie (le penny resta longtemps la plus petite pièce d'argent, avant d'être faite de cuivre puis de bronze), le mot *penny* a été appliqué à différentes pièces de monnaie locales ou étrangères à la Grande-Bretagne. Le pluriel *pennies* a été réservé à la désignation d'une certaine quantité de ces pièces alors que *pence*, avec une valeur collective, désigne une somme. Étymologiquement, le vieil anglais *peniz* est apparenté à l'ancien haut allemand *pfenning* (allemand *Pfennig*) et repose sur un type germanique dans lequel on a vu une combinaison de °*pand-*, radical peu clair que certains rattachent à l'ancien français *pan*, et du suffixe que l'on a également dans *shilling*.

♦ Le mot est d'abord relevé en français dans le syntagme *Petri penny* «denier de saint Pierre» puis dans *Penys d'Angleterre* (1473). Il est lexicalisé en emploi absolu depuis 1558 (écrit *peni*). Par extension, il s'est employé avec la valeur floue de «monnaie, argent». L'*Encyclopédie* de Diderot, à la suite du Dictionnaire de Trévoux (1762), le reprend sous la forme actuelle *penny* pour l'unité monétaire divisionnaire britannique, qui valait le douzième du shilling et depuis 1971 (système décimal) le centième de la livre. Le pluriel *pence* (1671) coexiste avec *pennies* en suivant la même règle d'emploi qu'en anglais.

PÉNOMBRE n. f., d'abord relevé (1651) comme terme de peinture, est la francisation du latin moderne *penumbra*, formé du latin *paene* «presque» (→ péninsule) et *umbra* (→ ombre). Le mot latin a été créé par le physicien allemand J. Kepler (1604, *Ad vitellionem Paralipomena*) pour désigner la zone de la Lune où la lumière du Soleil est interceptée en partie.

♦ Le mot a rapidement changé de domaine. On le relève pour la première fois dans la traduction d'un *Traité de la peinture* de Léonard de Vinci (mais le mot italien est différent) où il désigne le point où l'ombre, s'associant à la lumière, établit le passage du clair à l'obscur. L'emploi de *pénombre* en physique date du milieu du XVIIe s. (*Journal des Savants*, 1666; en 1671, *pen-ombre*). ◇ Le mot s'est répandu au XIXe s. dans l'usage courant, s'appliquant au demi-jour (1842) et, au figuré, à une situation obscure (1860, *rester dans la pénombre*).

▶ Le dérivé **PÉNOMBREUX, EUSE** adj. (1870) est d'abord employé en peinture puis pour une chose où règne la pénombre, au figuré (1889) et au propre (1901). ◆ On rencontre quelquefois la variante **PÉNOMBRAL, ALE, AUX** «où règne la pénombre», d'usage plus littéraire encore.

① **PENSÉE**, ② **PENSÉE** → PENSER

PENSER v. est une forme savante provenant (v. 980) du latin *pensare*, fréquentatif de *pendere* (→ pendre), signifiant aussi «peser» (→ peser) d'où, par deux développements différents, «contre-balancer, payer» et, dans le domaine intellectuel, «évaluer, apprécier» d'où «réfléchir, méditer» (VIe s.). L'italien a de même *pensare* et l'espagnol *pensar*. L'évolution phonétique régulière entraînant la chute de *n* devant *s*, *pensare* a donné *peser**, la forme *penser* venant de la langue écrite, comme *panser** de même origine.

♦ Dès les premiers textes, *penser* s'applique à l'action de réfléchir, de méditer, et comme verbe d'opinion équivaut à «croire, estimer, juger». L'ancien et le moyen français ont également employé le verbe dans des constructions et avec des sens qui ont disparu : *se penser qqch.* (1080), «songer à», «entreprendre», «méditer» et «estimer», ne se rencontre plus en français moderne que dans certains parlers régionaux, qui correspondent à l'influence de l'occitan (1880, Daudet). ◇ L'usage ancien avait aussi ***penser de*** et infinitif (v. 1155) «se mettre à, tâcher de» et «avoir dessein de» (fin XVe s.), ce dernier sens encore relevé au XVIIIe s. (1721, Montesquieu). *Penser de* correspondait aussi à «songer à» (v. 1430), «être bien disposé envers (qqn)» (1546). ***Penser en*** (v. 1460) à signifié «songer à» jusqu'au milieu du XVIIIe s. ◇ Enfin, parmi les sens disparus, il faut signaler «être absorbé par un souci, des pensées tristes» (apr. 1150), «reconnaître que, se rendre compte de ce que» (1170). ◇ L'usage moderne s'est établi parallèlement en ancien français : au XIIe s., *penser* commence à être employé, en tant que verbe d'opinion, avec un complément introduit par *que* (1155) ou avec un infinitif (v. 1165) au sens de «croire». ◇ Dans la plupart des cas, la préposition *à* remplacera *de* et ***penser à*** se répand aux XIIe-XIIIe s. pour «attacher sa pensée à qqn qu'on aime» (v. 1165), «songer à, se souvenir de, réfléchir à» (1200) et «avoir dans l'esprit» (v. 1274). *Penser* suivi d'un infinitif sans préposition exprime l'idée de «projeter de» (v. 1200), synonyme en cela de *penser à faire qqch.* (1306). *Penser à* correspond, selon le contexte, à «ne pas oublier» (1306), puis à «pourvoir à» (1636) en particulier dans la locution ***penser à tout*** (1762). Cette évolution sémantique interfère avec celle de *songer**. ◇ La phraséologie développée autour du verbe *penser* s'est élaborée depuis le moyen français avec ***n'en penser pas moins*** (1377) et ***penser à mal*** (1393), ce dernier évinçant *mal penser* (XVe s.). La construction classique directe *penser mal, bien de qqn* (1690) a été remplacée par ***penser du bien, du mal de. Penser tout haut*** (1798) exprime l'idée de «faire connaître avec franchise ce que l'on a dans l'esprit». On a employé *bien penser* (1823) pour «avoir en politique des idées conformes aux principes convenus», la formule étant de nos jours sortie d'usage sauf à la forme participiale ***bien-pensant, ante*** adjectivée (1798) puis substantivée. ◇ **MAL-PENSANT, ANTE** adj. et n. semble formé récemment d'après *bien-pensant.* ◇ L'expression ***pensez-vous,*** pour indiquer que l'on ne croit pas que les paroles de l'interlocuteur soient à prendre au sérieux, semble récente (attestée en 1935) ; on trouve les variantes *penses-tu* et *pensez donc.*

▶ Parmi tous les dérivés de *penser,* les plus importants existent dès avant la fin du XIIe siècle. ◆ **PENSÉ** n. m. peut être tenu pour le plus ancien sous sa forme ancienne *pensaez* (fin Xe s.), avant *pensé* (v. 1120) ; il a été tiré du participe passé de *penser* au sens philosophique de «ce qui est pensé, résultat de la faculté de penser» et n'a pas eu d'autre extension. ◆ **PENSIF, IVE** adj. est également ancien (1050) pour qualifier une personne absorbée dans ses pensées d'où, par métonymie, un visage, une expression (v. 1196). Le mot est resté usuel.

① **PENSÉE** n. f. est tiré (v. 1130) du participe passé féminin de *penser.* D'abord relevé dans la locution *être en pensée* «être en souci pour», il désigne à partir du XIIIe s. l'esprit en tant que siège de ce qui est pensé (v. 1200), ouvrant sur tous les emplois du mot en philosophie et en psychologie. Au cours du XIIIe s., il est appliqué par métonymie à une manière d'user cette faculté, à un contenu particulier (v. 1260) et désigne une réflexion, une méditation. Diverses valeurs, «dispositions morales» (v. 1226), «volonté» (v. 1250), «désir» (v. 1380), sont sorties d'usage, mais le mot conserve celle de «dessein, intention» (fin XVe s.) en relation avec une nuance du verbe *(penser à).* ◇ Parallèlement, le pluriel *pensées* a commencé de s'employer au XVIe s. avec une valeur particulière, pour des espérances (1528) et des réflexions (1546). ◇ Les acceptions intellectuelles du mot se sont développées au XVIe et surtout au XVIIe siècle : *pensée* commence alors à désigner ce que l'esprit a pensé ou pense actuellement (1549), la faculté de penser en tant qu'opération de l'intelligence (1636). Par métonymie, *une pensée* s'applique en particulier à une opinion, à un avis (1657, Pascal). Dans l'usage courant, *la pensée de* (qqch.) concerne l'idée que l'esprit s'en fait, son souvenir (1607). ◇ Le mot entre dans le domaine de la littérature pour désigner une courte réflexion ayant un sens profond, un aphorisme, une maxime (1671) : Pascal, La Rochefoucauld attestent cet usage de manière exemplaire. ◇ L'emploi qu'on en a fait en art pour une ébauche (1622) et en peinture pour un motif (1641, Poussin) est sorti d'usage. Toujours dans un contexte littéraire, *pensée* recouvre ce qu'une œuvre exprime (1713) ; on parle aussi de *la pensée d'un auteur* (1762). ◆ Le composé **ARRIÈRE-PENSÉE** n. f. (1587) désigne une pensée que l'on garde par devers soi.

② **PENSÉE** n. f. est issu (1460-1466) de ① *pensée,* la fleur de cette plante étant considérée comme l'emblème du souvenir (cf. l'anglais *forget-me-not* «ne m'oubliez pas», pour le myosotis). On l'a aussi appelée *herbe de la pensée* (1558). Un autre mot psychologique, *souci,* a fourni un nom de fleur. ◇ Le mot, qui désigne une variété de violette aux fleurs veloutées et multicolores, et ces fleurs, est également employé en apposition comme nom de couleur (1841), après l'expression *couleur de pensée* (1634), pour une nuance violette d'une variété de pensée. ◇ *Pensée sauvage* s'applique à la même variété non cultivée. Claude Lévi-Strauss a employé l'expression au sens de ① *pensée* à propos de la conceptualisation mythique des sociétés sans écriture.

◆ **PENSER** n. m., substantivation (v. 1155) de l'infinitif, est sorti d'usage sous la concurrence de *pensée,* de même que le nom d'action **PENSEMENT** n. m. (1188) «action de penser» et «résultat de cette action», gêné par son homonymie avec *pansement.* ◆ **PENSEUR, EUSE** n., créé comme adjectif (1180), «qui réfléchit», a vieilli au profit de *pensif,* mais est resté vivant comme nom (XIIIe s.), désignant la personne qui pense. Le mot se répand au cours du XVIIIe s. pour désigner un auteur, un philosophe qui a des idées profondes (1762). ◇ Il est entré à la même époque dans le composé **LIBRE-PENSEUR, EUSE** (1763) [→ libre].

PENSANT, ANTE, adjectivation du participe présent, est employé à partir de la fin du XIIe s. dans le syntagme ***mal pensant*** en qualifiant qqn qui a de mauvais sentiments, sens sorti d'usage, de même que celui de «pensif» (v. 1210). Le mot a pris au XVIIe s. son sens moderne, «qui possède la faculté de penser» depuis la formule de Pascal, *l'homme est un roseau pensant* (av. 1662). Il qualifie par extension ce ou celui qui met en œuvre par excellence la faculté de penser.

PENSABLE adj. (XIIIe s.) a eu le même sens que *pensif* avant de prendre son sens actuel, d'abord dans le syntagme négatif *non pensable* (1603) «non concevable». Par extension, il a développé la valeur courante de «possible» et familièrement de «croyable» (XXe s.), notamment au négatif *(c'est pas pensable !)*; cf. *croyable, vrai.* ➜ On a formé par préfixation l'antonyme **IMPENSABLE** adj. (1845, forme virtuelle chez Richard de Radonvilliers ; en usage plus tard, 1872, Janet), qui succède à *non pensable* (voir plus haut), de même que l'on a formé sur *pensé* n. m. un antonyme **IMPENSÉ** n. m. (1931) d'usage philosophique, également employé comme adjectif (1939).

Le préfixé **REPENSER** v. «penser à nouveau» (v. 1185) se construit comme *penser.* Le verbe, dans son emploi transitif direct, a pris récemment (1935) la valeur de «trouver une nouvelle conception pour un ouvrage». ◇ Aucun de ses dérivés, ni l'adjectif *repensé* (fin XVIe s.) ni le nom *repensement* (1538), n'est resté vivant.

Penser est entré sous la forme de l'élément *pense-* dans le nom **PENSE-BÊTE** n. m. (1900, Courteline), «aide-mémoire».

PENSION n. f. est emprunté sous la forme *pensiun* (1216), puis *pension* (XIVe s.), au latin *pensio, -onis,* dérivé de *pensum,* supin de *pendere* «peser», spécialement «peser le métal pour payer» d'où «payer» (→ pendre, peser). *Pensio* désigne la pesée et, à certaines époques, le paiement, spécialement celui du loyer et de l'impôt.

♦ Le français a repris le mot au latin pour désigner un paiement, une récompense, et notamment la somme d'argent payée annuellement par un prince, un État à une personne que l'on veut gratifier ou récompenser (1315), ainsi que les gages (1428). C'est de ces sens, sortis d'usage, que procèdent celui de «nourriture donnée à qqn» (1535), puis les sens modernes, «argent donné pour être nourri et logé» (1607) et, par métonymie, «maison dans laquelle on est nourri et logé moyennant un certain prix» (1606). D'autres emplois métonymiques correspondent, dans un contexte scolaire, à l'établissement d'enseignement où l'on dispense aussi le logement et la nourriture (av. 1615) et à l'ensemble des élèves pensionnaires (1721). En hôtellerie, ***pension complète,*** formule qui s'oppose à *demi-pension* (ci-dessous), correspond au logement et à tous les repas. L'expression ***pension de famille,*** désignant un hôtel familial à prix modéré où les hôtes sont nourris, est attesté à partir de 1904. ◇ Parallèlement, l'idée d'une somme versée régulièrement s'est maintenue en parlant d'une allocation versée régulièrement à qqn (1790, décret du 3-22 août), en particulier dans *pension de retraite* (1868), qui a pour synonyme *retraite** (*d'invalidité,* etc.), d'où *toucher sa pension.*

▶ Le premier dérivé de *pension* est **PENSIONNAIRE** n. (1323) d'abord employé pour désigner la personne qui recevait une pension du roi, de la ville ou d'un particulier. En relation avec *pension,* le mot désigne la personne en pension et qui paye une pension (1596), ainsi que l'élève logé et nourri dans son établissement scolaire (1579). Ce dernier sens a développé un emploi figuré, surtout au féminin, exprimant la valeur de «personne qui a conservé la candeur de l'élève» (1769). ◇ Depuis le XVIIIe s., le mot désigne aussi une personne qui reçoit une pension. En Hollande, il sert à désigner pendant tout le XVIIIe s. (dep. 1701) le fonctionnaire principal du conseil de ville dans les agglomérations importantes, en raison de la pension qu'il recevait. L'institution est ancienne (XVe s.) et le mot, avant d'être attesté en français, est relevé en Flandre sous Philippe de Bourgogne. En France même, *pensionnaire* désigne un membre titulaire de l'Académie des sciences (XVIIIe s.) et un comédien qui reçoit un traitement fixe de la Comédie-Française (1835). ➜ En relation avec **DEMI-PENSION** n. f. (1690), le mot entre dans **DEMI-PENSIONNAIRE** (1798) appliqué au système scolaire, puis hôtelier pour exprimer une prise en charge partielle (repas, mais non logement à l'école ; un repas sur deux en hôtellerie). ➜ **PENSIONNER** v. tr. (1330-1350) a gardé, sans en développer d'autres, le sens d'«attribuer une pension à (qqn)». ◇ Le participe passé **PENSIONNÉ, ÉE** est employé comme nom (1790) et comme adjectif (attesté, en 1838, indirectement par son antonyme *impensionné,* aujourd'hui disparu) pour désigner ou qualifier une personne recevant une pension.

PENSIONNAT n. m. (1788) est le nom donné à la maison d'éducation qui reçoit des pensionnaires et au local où sont logés les pensionnaires dans un établissement d'enseignement (1798). On a appelé *pensionnat normal* (1806) l'établissement appelé depuis *école normale,* dans le Décret de l'Empire du 17 mars 1806 sur l'organisation de l'université impériale.

PENSUM n. m. est un emprunt tardif (1740) au latin *pensum,* proprement «poids» (→ poids), qui désignait spécialement le poids de laine que l'esclave devait filer par jour et s'employait au sens figuré de «tâche, devoir».

♦ Le mot est passé en français par l'intermédiaire de l'usage des collèges, d'abord appliqué au surcroît de travail que l'on exigeait d'un écolier comme punition. Il s'est répandu hors usage scolaire avec le sens général de «tâche ennuyeuse» (1834, Balzac).

PENT(A)-, premier élément, est tiré du grec *pente* «cinq», employé en composition sous les formes *pente-, pent-* et, par la suite, *penta-* sur le modèle de *hepta-, deca-, tetra-. Pente* se rattache au nom de nombre indoeuropéen de forme *°penkʷe,* comme le sanskrit *páñca,* l'arménien *hing,* le latin *quinque* (→ cinq, quinquagénaire), le gotique *fimf* (allemand *fünf*), l'anglais *five,* etc. (→ aussi punch). On a avancé l'hypothèse d'un rapprochement entre le nom de nombre cinq et celui du poing (mais non de la main) en évoquant l'ancien haut allemand *fūst*, l'anglais *fist*, le vieux slave *pęstĭ*.

♦ *Penta-*, «qui a cinq éléments», sert à former des noms et des adjectifs, surtout dans le domaine scientifique (botanique, zoologie), en architecture, en pharmacie, en versification et surtout en chimie, directement associé à des morphèmes chimiques. Sa vitalité en français est surtout notable à partir de la fin du XVIIIe s. (**PENTAPÉTALE** ou **PENTAPÉTALÉ, ÉE** adj., 1797) et au XIXe s. avec **PENTARCHIE** n. f. (1800) et ses propres dérivés **PENTARCHIQUE** adj. et **PENTARQUE** n. m. (1868), **PENTASTYLE** adj. (1868) en architecture, **PENTASULFURE** n. m. (1875) en chimie, **PENTAÈDRE** n. m. et adj. (1803) en géométrie.

◈ voir PENTAGONE, PENTATEUQUE, PENTATHLON.

PENTAGONE n. m. et adj. est emprunté comme terme de géométrie (XIIIe s.) au latin *pentagonum*, substantivation du neutre de l'adjectif *pentagonus*, du grec *pentagônos*, composé de *penta-* «cinq» (→ penta-) et de *-gônos*, de *gônia* «angle, coin» (→ -gone).

♦ Le mot désigne et, plus rarement, qualifie comme adjectif (1520) une figure à cinq angles. ◇ Son emploi spécial (avec majuscule), pour désigner le bâtiment pentagonal abritant l'état-major des forces armées et le ministère de la Défense nationale des États-Unis (1952, en parlant des services du secrétariat de la Défense), est emprunté à l'anglais *Pentagon*. Par extension, le nom du bâtiment (achevé en 1943) est devenu celui donné communément au département de la Défense.

▸ De *pentagone* est dérivé **PENTAGONAL, ALE, AUX** adj. (1520), employé en géométrie et, en général, pour qualifier une figure, un objet en forme de pentagone ou qui a pour base un pentagone.

PENTATEUQUE n. m., d'abord *Penthateucon* (v. 1430), puis *Pentateuque* (1634), est emprunté, par l'intermédiaire du latin ecclésiastique *Pentateuchum*, au grec *Pentateukhos* «ensemble des cinq premiers livres de la Bible». Le mot est formé de *penta-* (→ pent(a)-) et de *teukhos* «livre», spécialisation tardive du sens général d'«ustensile, instrument». *Teukhos* est dérivé de *teukhein* «faire, fabriquer», verbe d'étymologie obscure.

♦ Le mot est passé en français avec le sens du grec. Il a aussi été employé dans l'expression *pentateuque chirurgical* «division des maladies externes en cinq classes».

PENTATHLON n. m. est emprunté (1750, puis 1911) au latin *pentathlum*, lui-même emprunté au grec *pentathlon* «sport comprenant cinq exercices», composé de *penta* «cinq» (→ pent(a)-) et de *athlon* «prix, récompense», quelquefois «lutte, combat» et, rarement (au pluriel), «concours sportifs» (→ athlète). Au XVIe s., le français a emprunté le terme d'antiquités **PENTATHLE** n. m., «athlète pratiquant les cinq épreuves sportives disputées le troisième jour des jeux Olympiques» et «cet ensemble d'épreuves» (1636), au latin *pentathlus*, lui-même calqué sur le grec *pentathlos*.

♦ Le mot, d'abord terme d'antiquité (1750 dans le *Manuel lexique* de Prévost) a été introduit dans l'expression *pentathlon moderne* désignant l'épreuve à caractère militaire créée par Pierre de Coubertin en 1911, comprenant un cross-country hippique, une épreuve de tir au revolver ou au pistolet, un cross-country pédestre, une course de natation et une épreuve d'escrime à l'épée. On en a différencié le *pentathlon classique* (1920), nom des cinq épreuves athlétiques, aujourd'hui tombé en désuétude sauf en athlétisme féminin. Le mot a été repris comme terme d'antiquités (1956), se substituant à *pentathle*.

▸ On en a dérivé **PENTATHLONIEN, IENNE** n., qui a supplanté *pentathlien, ienne* (1932) et *pentathlète* (1952). ◇ Sur le modèle de *pentathlon*, en substituant *déca-** «dix» à *penta-*, a été formé **DÉCATHLON** n. m. (1912 aux J. O. de Stockholm) pour l'ensemble des dix épreuves disputées par les mêmes athlètes, eux-mêmes dénommés **DÉCATHLONIENS** (1931, après *décathlète*, v. 1920), et aussi **TRIATHLON** n. m. de *tri-* (1929 *in* Petiot) et **BIATHLON** n. m. (hybride, pour *diathlon*).

PENTE n. f., attesté assez tard (1335), est issu d'un latin populaire °*pendita*, participe passé passif féminin de *pendere* (→ pendre). *Pente* existait donc très probablement en ancien français, peut-être seulement dans certains dialectes ; il est indirectement attesté (1294) par son dérivé *penture*.

♦ Apparaissant donc dans la langue écrite au XIVe s., *pente* a d'abord le même sens que *penture* et désigne ce qui maintient une porte suspendue autour de ses gonds. ◇ Le sens moderne courant, «inclinaison d'une surface» (1358), a progressivement évincé l'emploi du synonyme *pendant** et a éliminé les autres valeurs de *pente* : «bande d'étoffe qui garnit un ciel de lit» (1497) et «côté d'un autel» (1563). De cet emploi dominant vient «ce qui est comparé à une déclivité naturelle» (1580) et le sens figuré moral de «penchant, tendance» (1588, Montaigne) avec la nuance négative d'inclinaison vers le mal (1588, *ibid.*). Dans ces emplois métaphoriques *(mauvaise pente, pente savonneuse, glissante)*, l'inclinaison est toujours vue comme descendante, le sens complémentaire étant plutôt assumé par *montée, côte*. ◇ Par métonymie du sens physique, le mot sert à désigner un plan, une surface en déclivité (1796).

▸ Son dérivé le plus ancien, **PENTURE** n. f. (1294), a gardé le sens de «bande de fer fixée à plat sur le battant d'une porte pour le soutenir sur le gond», et il est passé en marine pour désigner une ferrure de gouvernail (1721). ➝ **PANTOIRE** n. f. (1388, *pentoire*) a été partiellement démotivé par son changement de graphie. Il a d'abord signifié «penture», puis s'est spécialisé en marine comme désignation d'un fort bout de cordage tombant le long d'un mât et terminé par un œillet garni d'une boucle en fer (1771). ➝ Un autre dérivé, le dialectal **PENTU, UE** adj. «en pente», n'est attesté que depuis le milieu du XXe s., mais doit être très antérieur.

CONTREPENTE n. f. (1694 *contre-pente*) «pente opposée à une autre», s'emploie dans la locution adverbiale *à contrepente*.

PENTECÔTE n. f., d'abord *pentecostem* (980) puis *pentecuste* (1119), est issu du latin ecclésiastique *pentecoste*, désignant la fête célébrée le 7e dimanche après Pâques en mémoire de la descente du Saint-Esprit sur les apôtres. Le mot est emprunté au grec *pentêkostê* (sous-entendu *hêmera* «jour») «cinquantième jour (après Pâques)», de *pentêkostos* «cinquantième», fait sur *pente* «cinq» (→ pent[a]-). Le nom grec est fait sur le modèle de l'hébreu *šābûᶜôt* «fête des Semaines», dérivé de *šèbaᶜ* «sept». Après avoir désigné dans les Septante cette Pentecôte juive, le mot a servi à désigner la fête chrétienne, du fait de la coïncidence des dates (cf. *Pâques*). Le latin ecclésiastique a aussi traduit le grec par *quinquagesima* (→ quinquagésime), qui a donné un certain nombre de formes romanes dont il ne reste aujourd'hui que le wallon *cincwème* et le rhéto-roman *tschunqueisma*.

♦ Apparu pour désigner la fête chrétienne, le mot français désigne aussi la fête juive (1534). ◇ Dans de nombreuses régions (Centre et Ouest), il est pris par métonymie comme nom de plantes poussant à l'époque de la Pentecôte : chèvrefeuille (Hérault, Tarn, Aix), petite orchidée rose (Normandie, Maine, Poitou, Sologne, Centre), variété d'iris (Normandie), primevère, anémone pulsatille.

PÉNULTIÈME adj. est la réfection (1376), d'après la finale des adjectifs numéraux, de *penultime* (v. 1280), lequel est emprunté au bas latin *paenultimus*, composé de *paene* «presque» (→ péninsule) et de *ultimus* (→ ultime). Ce mot, proprement «presque dernier, avant-dernier» (IVe s., Diomède), est d'abord relevé sous la forme du substantif *paenultima* (sous-entendu *syllaba*) au IIe s. chez Aulu-Gelle.

♦ Rare par rapport au terme courant *avant-dernier*, le mot s'est spécialisé en grammaire dès l'ancien français, d'abord comme substantif (v. 1380) puis également comme adjectif (1559, *penultime syllabe*). Son emploi substantivé pour un jour précédant le dernier (1548, *ce pénultième de février*) est sorti d'usage.

▸ **ANTÉPÉNULTIÈME** adj. et n. f. est emprunté (1500) au latin médiéval *antepenultimus* «avant l'avant-dernière», de *ante* «avant» (→ anté-) et *paenultimus*. ◇ Le mot est spécialisé en grammaire et en métrique, où il est également substantivé (1578, *l'antépénultième*).

PÉNURIE n. f. est emprunté (1468) au latin *penuria* «manque de vivres», d'où «disette» et «manque» en général, d'étymologie incertaine, peut-être à rattacher à *paene* «presque» (→ péninsule, pénitence).

♦ Le mot, d'abord synonyme de *pauvreté, misère*, est rare avant le XVIIIe s., où il est employé comme terme d'administration à propos du défaut d'approvisionnement d'un magasin de l'État (1752) et où il fixe son sens moderne de «manque, absence de» en général (1780), notamment avec un complément introduit par *de* (1798).

▸ Le dérivé **PÉNURIEUX, EUSE** adj. (1532-1574) a disparu.

PÉON n. m. est emprunté (1836) à l'espagnol *peón* «soldat à pied» (1100), puis «journalier» (XVIIe s.), lui-même issu du bas latin *pedo, pedonis*, mot de glossaire signifiant «qui a de grands pieds» et «piéton, fantassin», lequel a donné directement l'ancien français *peon* «fantassin» (→ pion).

♦ Le mot désigne un paysan pauvre, journalier employé comme pâtre ou manœuvre agricole en Amérique du Sud. ◇ Il s'est spécialisé en tauromachie pour désigner l'aide du matador (1926).

▸ Le dérivé **PÉONAGE** n. m. s'emploie pour un type d'économie agricole fondée sur l'emploi de péons (1847).

PÉOTTE n. f. est emprunté, sous la forme *peote* (1683) puis *péotte* (1718), au vénitien *peotte, peota*. Ce mot, employé depuis le XVIe s. à propos d'une barque, signifie «pilote» et correspond à l'italien *pedotta* de même origine que le français *pilote**.

♦ *Péotte* est le nom d'une grande gondole de l'Adriatique.

PEP n. m. est un emprunt (1926) à l'américain *pep* (1912), courant dans l'usage familier au sens de «dynamisme, enthousiasme», employé comme adjectif pour qualifier des manifestations organisées pour susciter l'enthousiasme et l'entrain avant une compétition sportive. Plutôt qu'un abrégé de *pepsin* (→ pepsine), produit considéré comme tonique, le mot est probablement l'abréviation de *pepper* (→ poivre) au sens figuré de «entrain, dynamisme».

♦ Le mot, assez rare, est toujours senti comme un emprunt étranger; il est répandu en français québécois. La variante *peps* a été fréquente, mais les deux formes ont vieilli.

PÉPÉ → **PÈRE**

PÉPÉE → **POUPÉE**

PÉPERIN n. m. est emprunté (1694) à l'italien *peperino*, nom donné à un tuf volcanique utilisé en construction aux environs de Rome (1540), lui-même du latin tardif *piperinus (lapis)* de même sens. Ce dernier est la substantivation, par ellipse de *lapis* «pierre» (→ lapider, lapis-lazuli), de l'adjectif tiré de *piper* (→ poivre) parce que cette pierre est parsemée de grains ressemblant à ceux du poivre.

♦ Le mot a gardé son sens d'emprunt.

PÉPÈTES ou **PÉPETTES** n. f. pl., attesté en 1866, est d'origine incertaine. L'étymologie traditionnelle qui en faisait une altération de *pépite** semble de nature «populaire». On pense plutôt à un mot régional (Poitou, Bretagne et aussi Provence) désignant les ricochets faits sur l'eau à l'aide de galets plats; si le mot *pépettes* ainsi employé a pu désigner le galet lui-même, il s'agirait d'une analogie entre «galet plat» et «grosse pièce d'argent» (cf. *palet*).

♦ Le mot, surtout au pluriel (1879), est un synonyme argotique puis familier de *argent*.

PÉPIE n. f. est l'altération (déb. XIIIe s.) du terme dialectal *pipie*, répandu dans l'aire normano-picarde et issu du latin populaire °*pippita*, altération du latin classique *pituita* appliqué à une maladie des oiseaux caractérisée par la présence d'un enduit épais sur la langue (→ pituite).

♦ Le mot est passé en français dans ce sens. Par métonymie, il se dit assez couramment de la soif d'une personne (1580), surtout dans ***avoir la pépie.***

PÉPIER v. intr. est dérivé (v. 1540) du radical onomatopéique °*pepp-*, variante de °*pipp-* rendant le cri des oiseaux et se trouvant en latin à la base des verbes expressifs *pipare, pipire* «piauler» et *pipiare* «pousser des vagissements». Le latin *pipare* a donné par redoublement expressif le latin populaire °*pippare* d'où l'ancien français *piper* «pousser de petits cris» (1180, *aller pipant*, en parlant d'une souris) et, avec changement de suffixe, le moyen français *pipier* (1380, *pipier comme poucins ou pijons*).

♦ Le mot est d'abord relevé dans la locution *aller pépiant* (en parlant de petits pigeons), puis sous d'autres formes. Par extension, il est employé par analogie au sens de «papoter» (1863) comme d'autres verbes de cris d'oiseaux (cf. *caqueter, jacasser*).

▸ Le mot a produit **PÉPIEMENT** n. m. (1611), qui a évincé le type *pipiement* (1603) dérivé de *pipier*, le synonyme **PÉPIAGE** n. m. (1868), plus rare, les adjectifs **PÉPIEUR, EUSE** (1898) et **PÉPIANT, ANTE** (1886).

◈ voir FIFRE, PIAF, PIAILLER, PIAULER, PIGEON, PIGNOUF, PIPE-LINE, PIPER.

① **PÉPIN** n. m. est issu (v. 1160) d'un radical expressif °*pep-* propre aux langues romanes (italien *pippolo*, espagnol *pepita*), où la répétition du *p* (avec les voyelles *e* et *i*), doit exprimer l'idée d'«exiguïté» (on la rencontre en latin dans *pipinna*); de là le sens de «verge de petit garçon» (cf. *pine*; → aussi petit).

♦ Le mot désigne la graine qui se trouve dans un fruit (pomme, poire). D'anciens sens en procèdent par métonymie : «jeune pommier» (1361) et «jardinier» (1333; 1263, au féminin *pépine*). Par analogie, *pépin* se dit également de toute petite graine relativement molle présente en assez grand nombre dans un fruit. Il est entré dans la locution populaire ***avaler un pépin*** «être enceinte», aujourd'hui vieillie comme le sens argotique d'«amourette» (1883). ◆ Le seul sens figuré vivant est celui d'«embarras, problème» (1897), allusion au pépin du fruit qui reste «en travers du gosier».

▸ *Pépin* a produit **PÉPINIÈRE** n. f. (1333) «terrain où l'on fait pousser des semis d'arbres pour obtenir de jeunes plants», mais la divergence de sens a suffi à démotiver le mot, qui n'est plus spontanément rattaché à son origine, d'autant que *pépin* a des connotations négatives et que celles de *pépinière* sont plutôt positives. Au XVIe et au XVIIe s., *pépinière* a développé un sens figuré, d'abord celui de «source (de maux)» (1564) puis «endroit fournissant de nombreux jeunes gens propres à une profession» (1647). ◆ De *pépinière* est issu **PÉPINIÉRISTE** n. et adj. (1690, également *jardinier-pépiniériste*).
Avec le préfixe privatif *é-*, on a formé sur *pépin* le verbe **ÉPÉPINER** v. tr. (1845) d'où est tiré **ÉPÉPINAGE** n. m. (1923), mots culinaires relatifs à l'acte de retirer les pépins.

◈ voir PÉPITE, PIMPANT.

② **PÉPIN** n. m., d'abord argotique (1847), est d'origine obscure. Selon Dauzat, Bloch et Wartburg, il s'agirait de l'emploi comme nom commun du nom d'un personnage du vaudeville *Romainville ou la promenade du dimanche* (joué aux Variétés en 1807) qui entrait en scène armé d'un énorme parapluie; d'après Wartburg, le mot viendrait du nom de l'un des accusés du procès Fieschi (1836), mais aucune allusion au port d'un parapluie par l'accusé Pépin n'a été relevée dans le *Procès de Fieschi et de ses complices devant la Cour des Pairs*, 1836.

♦ Le mot, synonyme familier de *parapluie*, a vieilli.

▸ Par changement de suffixe, on a fait sur *pépin* un autre nom argotique puis familier du parapluie, **PÉBROQUE** ou **PÉBROC** n. m. (1907) qui a en argot le sens figuré de «alibi, prétexte (qui protège comme un parapluie)».

PÉPITE n. f. est emprunté (1711) à l'espagnol *pepita* «petite masse d'or natif sans gangue» (1590), sens dérivé par analogie de forme du sens premier de «pépin (de fruit)» avec lequel il avait été emprunté au XVIe s. par le français (1527). *Pepita* est dérivé du radical expressif *pep-* (→ ① pépin). Dès le XVIIe s., on relevait la forme espagnole *pepita* dans une relation de voyage de V. Le Blanc.

♦ Le mot est passé en français avec le sens de l'espagnol. Par extension, il est employé à propos d'autres métaux et, au figuré, à propos d'un élément précieux. ◇ On a cru à tort que le mot familier *pépètes** venait de *pépite*.

PÉPLUM n. m. est emprunté (1551) au latin *peplum*, lui-même emprunt au grec *peplos* (et au neutre *peplon*) désignant une pièce d'étoffe, une couverture, un voile et un vêtement de femme d'une seule pièce. L'interprétation traditionnelle rattache *peplos* à une racine indoeuropéenne °*pl-* «plier». Van Windenkens préfère expliquer le mot comme une forme à redoublement de la racine °*pel-* du grec *pimplenai* avec le sens premier de «rempli, plein, complet» (→ plein; cf. le français *complet* pour un vêtement dont toutes les pièces sont taillées dans la même étoffe). Pour le redoublement de *peplos*, Van Windenkens renvoie à *penpelos* «vieux, vieillard», forme reposant sur la racine °*pel-*, avec évolution du sens de «complet» à celui de «vieux».

♦ L'adaptation du mot en français a été longue : après *peple*, la forme latine *peplum* (1606) a triomphé tardivement de *peplon* (1803) et de *péplos* (1832), par conformation aux formes grecques. Quant au sens, le mot désigne au XVIe s. le vêtement de femme, mais cette acception ne s'est pas maintenue, sauf dans un contexte antique concernant le long voile brodé que l'on mettait sur certaines statues de déesses (1606). ➛ L'argot du cinéma a repris *péplum* pour désigner un film historique, à grand spectacle et à costumes antiques, ayant pour sujet un épisode de l'Antiquité, d'abord dans le contexte italien (années 1960 ; peut-être par l'italien).

PÉPON n. m. est emprunté (1490) au latin *pepo, -onis* «pastèque» puis «melon». Ce dernier transcrit le grec *pepôn* «sorte de melon», substantivation de l'adjectif *pepôn* «mûr, mûri par le soleil» (de fruits, d'abcès) et, par métaphore, «doux, gentil». Ce mot contient une forme ancienne — mais isolée — de la racine indoeuropéenne *°pek^{w}-* «cuire», représentée dans le grec *pessein* (→ pepsine) et le latin *coquere* (→ cuire).

♦ Le mot, qui désigne un fruit de la famille des cucurbitacées (melon, citrouille, courge), a vieilli.

▸ Il a été remplacé par son dérivé **PÉPONIDE** n. f. (1869), mot que quelques dictionnaires considèrent comme masculin.

PEPPERMINT n. m. est un emprunt (1891, noté *pipermint,* 1888) à l'anglais *peppermint* (1696), composé de *mint,* correspondant au français *menthe*,* et de *pepper* «poivre» (→ pep, poivre) désignant une espèce de menthe (*mentha piperata,* en français *menthe poivrée*) dont on tire une huile essentielle, appelée *peppermint-oil* (1836) ou *peppermint* (1836), que l'on fait entrer dans la préparation de cordiaux, de pastilles, de liqueurs.

♦ En français, le mot désigne la liqueur (1891, sous la forme *pippermint,* marque déposée). *Peppermint* est enregistré en 1903 par le *Larousse mensuel illustré.*

PEPSINE n. f. est emprunté (1839) à l'allemand *Pepsin,* nom créé par Th. Schwann (1836) et dérivé du grec *pepsis* «cuisson, digestion», nom d'action de *pessein* «cuire, digérer» de même racine que le latin *coquere* (→ cuire) et qui a aussi été repris par le français *-pepsie* (→ dyspepsie). Le grec moderne a gardé *pepsis* «digestion».

♦ Le mot désigne une enzyme contenue dans le suc gastrique qui transforme les protéines en peptones et, par métonymie, un médicament à base de cette enzyme.

▸ Il a servi à former **PEPSINOGÈNE** adj. et n. m. (1903) avec *o* de liaison et le suffixe *-gène*.*

PEPTONE n. f. est emprunté (1857) lui aussi à l'allemand *Pepton* (1849, C. G. Lehmann), du grec *pepton,* neutre de *peptos,* «que l'on peut cuire, digérer», adjectif verbal de *pessein.* ➛ Le mot, qui désigne une substance protidique soluble résultant de l'hydrolyse partielle d'un protide par une enzyme, a produit le verbe **PEPTONISER** v. tr. (1884), probablement d'après l'anglais *peptonised* (1880), et **PEPTONISATION** n. f. (1882 ; anglais *peptonisation,* 1881). ➛ D'autres termes de biochimie ont été créés entre 1850 et 1950, comme la série de **PEPTIDE** n. m. (1907), issu par croisement de *pepsine* et de *protide*,* et qui compte **PEPTIDASE** n. f. (v. 1960), **PEPTISANT, ANTE** adj. (v. 1960) et **PEPTIDIQUE** adj. (v. 1950).

♦ **POLYPEPTIDE** n. m. est l'emprunt (1903), *Revue générale des Sciences* au terme allemand créé par Enie Fischer désignant une substance complexe, comprenant plus de quatre acides aminés. ◇ De là, **POLYPEPTIDIQUE** adj.

Le français avait emprunté **PEPTIQUE** adj. (1694) au latin *pepticus,* calqué du grec *peptikos* «apte à digérer, qui aide à la digestion». Repris comme nom, le mot est resté dans le vocabulaire de la biochimie moderne comme adjectif (1752) et de la médecine (*ulcère peptique,* mil. xxe s.).

⟐ voir PÉPON.

PÉQUENAUD, AUDE n. ou **PÉQUENOT** n. m., écrit *péquenot* (1905) puis *péquenaud* (1936), est d'origine incertaine. Il est peut-être dérivé de ① *pékin*, péquin* «chétif, avare, malingre» ou créé comme masculin de *pecque** «femme sotte et prétentieuse» (1630). Les rapprochements établis par G. Esnault, qui voit dans *péquenot* une variante des formes régionales *paican, pécot, pégot,* variantes dialectales de *paysan* (prononcé *pézan*), ne sont pas appuyés sur des faits précis.

♦ Le mot est une des multiples désignations du paysan, appliquée par extension à une personne inculte, niaise, peu dégourdie.

PER- préf. est emprunté au latin *per-,* préverbe tiré de la préposition *per* «à travers, pendant» (sens local et temporel) et, moralement, «par l'intermédiaire de, au moyen de, au nom de, par» (→ ① par). Le préverbe signifie lui aussi «à travers, pendant», «de bout en bout» et sert à marquer l'achèvement, la perfection de l'action exprimée par le verbe simple (*facere/perficere* → faire/parfaire) ; il en a acquis la valeur intensive. D'autre part, il indique une déviation dans *perdere* (→ perdre), *perimere* (→ périmer), *pervertire* (→ pervertir), *perfidus* (→ perfide), *perjurus* (→ parjure). La préposition appartient à un groupe de prépositions et préverbes latins (*prae ;* → pré-, pro-) et grecs (*peri* → péri-), qui se rattache lui-même à une famille de mots dont la racine signifie originellement «en avant» (→ expérience, pirate, pore, port, porter, etc.), mais a subi diverses variations de sens.

♦ Le préfixe est présent dans de nombreux emprunts au latin appartenant au vocabulaire courant. Il a servi également à former des mots savants dans lesquels il exprime, outre l'idée de «à travers» et «pendant», une notion d'intensité, voire d'excès (notamment en chimie).

⟐ voir ÉQUATION (PÉRÉQUATION), MANGANÈSE (PERMANGANATE), OXYDE (PEROXYDE), PERCEPTION, PERCER, PERCEVOIR, PERCLUS, PERCOLATEUR, PERCUTER, PERDITION, PERDRE, PERDURER, PÉREMPTOIRE, PÉRENNE, PERFECTION, PERFIDE, PERFORER, PERFUSION, PÉRIR, PÉRIMER, PERMANENT, PERMÉABLE, PERMETTRE, PERMUTER, PERNICIEUX, PÉRORER, PERPENDICULAIRE, PERPÉTRER, PERPÉTUER, PERPLEXE, PERQUISITION, PERSÉCUTER, PERSÉVÉRER, PERSIFLER, PERSISTER, PERSPECTIF, PERSPICACE, PERSPIRATION, PERSUADER, PERTE, PERTINENT, PERTURBER, PERVERTIR, SULF-, SULFO- (PERSULFATE, PERSULFURE).

PERCALE n. f., d'abord attesté dans une relation de voyage sous la forme *percallen* (1666), puis *percale* (1701), est emprunté, probablement par l'intermédiaire de l'anglais *percale* (*percallas*, 1621), à une langue de l'Inde, peut-être le tamoul (langue dravidienne). Cette dernière l'a reçu du persan *pargāla* «morceau, lambeau», désignant une sorte de toile.

♦ Le mot désigne un tissu de coton ras, très fin et très serré.

▶ **PERCALINE** n. f. (1823), dérivé de *percale* avec le suffixe *-ine*, désigne une toile fine de coton, légère et lustrée. ◆ On relève chez Rimbaud **PERCALISER** v. tr. (1871) dans un emploi métaphorique.

PERCEPTEUR, PERCEPTIBLE, PERCEPTION → PERCEVOIR

PERCER v. est issu (1080) d'un latin populaire °*pertusiare* «faire un trou, perforer», dérivé de *pertusum*, supin du verbe classique de même sens *pertundere*, de *per* (→ ① par, per-) et *tundere* «frapper, battre» (→ contusion). Les anciennes formes accentuées du verbe, tel *pertuise*, troisième personne de l'indicatif présent, du latin °*pertusiat*, ont donné naissance en ancien français au verbe *pertuisier* usuel jusqu'au XVIe s. et encore répandu dans les patois, d'où vient *pertuis**.

♦ *Percer* exprime tout d'abord l'action de traverser l'épaisseur d'une chose en faisant un trou. Il a vieilli au sens de «blesser (qqn, une partie du corps) à l'aide d'une arme tranchante» (v. 1112), bien que ce sens survive par métaphore dans des expressions comme *percer le cœur* (1262) ou *percer le flanc*. Il a également suscité des emplois analogiques dans l'expression de la douleur, du froid (1557), mais ceux-ci sont fortement concurrencés par *transpercer* (ci-dessous). ◇ *Percer* exprime aussi l'idée de passer au travers d'un milieu intermédiaire, d'une protection, avec pour sujet un nom de chose (v. 1155) aussi bien qu'un nom d'être animé (v. 1230). Le sens figuré de «voir à travers» (XIVe s.) est pratiquement sorti d'usage, tout en se maintenant chez le participe présent adjectivé *perçant* (ci-dessous). ◆ Puis le verbe a commencé à s'employer intransitivement au sens de «se frayer un passage en faisant une ouverture» (XVIe s.) et, au sens figuré correspondant, «se manifester, apparaître» (1572). ◇ Au XVIIe s., *percer* s'applique à une partie du corps que l'on perfore pour y mettre un anneau, une boucle (1651) et, dans un contexte médical, à la perforation d'un abcès (1665). Il entre aussi dans la locution hyperbolique ***percer les oreilles*** «abasourdir de cris» (1651). ◇ C'est aussi la langue classique qui a répandu le sens figuré de «pénétrer intellectuellement» (1666), réalisé par exemple dans *percer un mystère*. ◆ Son emploi intransitif pour des dents qui sortent (1680) correspond en construction directe à *percer ses dents* (1787). ◆ Au XVIIIe s. sont apparus le sens de «passer» à propos de la lumière (av. 1742) et le sens figuré, en construction absolue, de «sortir de la foule, se faire connaître» (1756).

▶ Le mot a produit un certain nombre de dérivés, tous des noms, à l'exception des participes adjectivés, **PERCÉ, ÉE** et **PERÇANT, ANTE** (1342), ce dernier au propre, par extension en parlant des yeux et des sons (fin XVIe s.), et au figuré, surtout dans la langue classique, à propos d'un esprit perspicace (1670).

Le premier nom tiré de *percer* est son déverbal **PERCE** n. f. (1493), d'abord dans la locution *mettre à perce* remplacée par ***mettre en perce*** (un tonneau). Par métonymie, le mot désigne un outil pour percer (1494); en musique (1812), il désigne la manière dont un instrument à vent est percé; ces deux emplois sont techniques. ◆ Le nom d'action **PERCEMENT** n. m. (1500) assume également par métonymie le sens de «ce qui est percé». En archéologie, il désigne une ouverture dans un mur pour y pratiquer une baie et cette baie. ◆ Le nom d'agent **PERCEUR, EUSE** date du XVIe s. et a connu des extensions techniques et spéciales «ouvrier qui perce» (1681) et, au féminin, «machine-outil» (1894). ◆ **PERCERETTE** n. f., nom d'un petit outil (1671), s'est spécialisé au XIXe s. pour désigner un instrument perçant les bouchons. ◆ **PERCÉE** n. f. (1750), créé dans le langage technique, désigne concrètement une ouverture ménageant un passage (1763) et est employé comme nom d'action pour le fait de pénétrer en un lieu (1798), surtout dans un contexte militaire (1845). Le sens figuré de «développement spectaculaire en dépit d'obstacles» en est une extension moderne (1962). ◆ L'autre nom d'action dérivé de *percer*, **PERÇAGE** n. m., n'est attesté qu'à partir de 1828, après avoir été créé une première fois en moyen français, alors écrit *persage* (XVe s.) pour le droit de mettre en perce un tonneau. Il est à la fois technique et courant pour l'action de percer une matière.

À partir du XVIe s., *percer* entre sous la forme de l'élément verbal *perce-* dans la formation de noms composés concrets. ◆ **PERCE-OREILLE** n. m. (v. 1560), antérieurement *persoreille* (1530), désigne un insecte parce que sa queue en forme de fourche faisait penser à la pincette avec laquelle l'orfèvre perçait les oreilles pour les boucles d'oreilles; par la suite, ce rapprochement a cessé d'être compris et la croyance populaire a attribué à cet insecte le désir de s'introduire dans l'oreille de l'homme pour manger sa cervelle. ◆ Toujours au XVIe s., on rencontre aussi les premières attestations de **PERCE-PIERRE** n. m., sorti d'usage comme nom de poisson (1545) puis appliqué à une plante (1690), et de **PERCE-FEUILLE** n. m., sous la graphie *perce-fueille* (1557) désignant une autre plante. ◆ D'autres noms composés sont apparus depuis le XVIIe s., tels **PERCE-NEIGE** n. m. inv. (1660), plus usuel **PERCE-MURAILLE** n. m. (1768), autres noms de plantes, puis **PERCE-BOIS** n. m. (1751) désignant un insecte et les noms d'outils techniques **PERCE-MEULE** n. m. (1803) et **PERCE-CARTE** n. m. (1842).

TRANSPERCER v. tr., composé (v. 1210) de *trans-** et de *percer*, a remplacé l'ancien français *trespercier* (1138) aux XIVe-XVe s.; il signifie «percer de part en part» et, au figuré, «atteindre profondément (qqn) dans sa sensibilité» (v. 1398, *transpercer le cœur*). Cet emploi littéraire coexiste avec l'emploi, plutôt familier, d'*être transpercé* (1690), «être mouillé jusqu'aux os», et de *transpercer* «imprégner, mouiller» (1872). ➜ **TRANSPERÇANT, ANTE** adj., d'abord employé par d'Aubigné au sens de «transparent» (fin XVIe s.), a été repris tardivement avec son sens moderne, au propre et au figuré (1867, Goncourt). ➜ C'est également au XIXe s. qu'une proposition de Richard de Radonvilliers a introduit **TRANSPERCEMENT** n. m. (1845), lequel a reçu en technique le sens de «défaut d'impression dû au fait que l'encre traverse le papier» (1968, Larousse).

◈ voir CONTUSION, ÉTUDE, ÉTUI, MILLEPERTUIS, OBTUS, PERTUIS, STUPEUR, STUPIDE, STUPRE, TOUILLER, TYPE (du grec).

PERCEVOIR v. tr. est la réfection par changement de conjugaison (1188, *persevoir*) de l'ancien français *parceivre, parçoivre* (v. 1150), issu du latin *percipere*, de *per* (→ ① par, per-) et *capere* «prendre», «concevoir» (→ capter, chasser). *Percipere* exprime l'action de saisir par les sens, de comprendre et, concrètement, de recueillir (les fruits d'une chose, les impôts).

♦ *Percevoir* a commencé par exprimer l'action de remarquer, sens qu'il a cédé à son dérivé *apercevoir**; il s'est réservé la valeur plus intellectuelle de «comprendre, se rendre compte de (qqch.)» (v. 1170). À la fin du XIIIe s., il a repris au latin impérial le sens matériel de «recouvrer (une somme d'argent, un impôt)» (1282), également assumé par *apercevoir** aux XIIIe et XIVe s. et, depuis, réservé au verbe simple en relation avec *perception** et *percepteur**. ➜ Ces deux valeurs principales du verbe se retrouvent dans *perception*, alors que *percepteur* ne concerne que le sens financier et que *perceptif, perceptible, percept* appartiennent au domaine de la connaissance par les sens et par l'esprit (voir ci-dessous).

▸ De *percevoir* ont été dérivés **PERCEVEUR, EUSE** n. (1345), qui est sorti d'usage, supplanté par l'emprunt *percepteur* (ci-dessous), **PERCEVABLE** adj. (fin XIVe s.), essentiellement employé en finances (1671), en particulier en fiscalité (1868), et l'adjectif tiré du participe passé de *percevoir*, **PERÇU, UE**. ◇ Ce dernier est substantivé dans les termes d'administration **MOINS-PERÇU** (1838) et, symétriquement, **TROP-PERÇU** n. m. (→ trop).

PERCEPTION n. f. a été emprunté (fin XIIe s.) au latin *perceptio, -onis* «action de recueillir, récolte», dérivé de *perceptum*, supin de *percipere* «recueillir» (→ percevoir) et employé spécialement en philosophie au sens intellectuel de «connaissance» pour traduire le grec *katalêpsis* (→ catalepsie). Chez les auteurs chrétiens, il désigne le fait de recevoir l'Esprit saint ou de recevoir le corps du Christ. ➜ L'ancien français a emprunté le mot avec les sens du latin chrétien, sortis d'usage au XIVe siècle. Il a été réemprunté (v. 1370) à propos de l'action de percevoir un revenu. ◇ Le sens intellectuel, plus tardif (1611) et concernant l'acte par lequel le sujet prend connaissance des objets qui ont fait impression sur ses sens, est un troisième emprunt au latin philosophique, d'où vient par extension l'acception de «ce que l'esprit perçoit» (1746). ◇ Par métonymie, *perception* désigne l'office du percepteur (1829) et son bureau (1903), aussi dans ***recette-perception.*** *Perception* a produit **PERCEPTIONNISME** n. m. (1920) qui a repris le sens de l'anglais *perceptionalism* (1891), peut-être confondu avec *perceptionism* (1882), et désignant la théorie selon laquelle toute connaissance procède des perceptions sensorielles. ◇ Par substitution de suffixe, *perceptionnisme* a donné **PERCEPTIONNISTE** n. (1907).

➜ **PERCEPTEUR, TRICE** n. et adj. est dérivé savamment, en tant que nom (1432), du latin *perceptus*, participe passé de *percipere*, pour fournir un nom d'agent au français *percevoir** dans le domaine des finances. Le latin médiéval a *perceptor* (v. 1400); auparavant, on relève *perceveur* (1345), dérivé français de *percevoir*, désignant celui qui perçoit les revenus d'une terre. ◇ En tant qu'adjectif, *percepteur* est plus récent (1877) et dérive savamment, comme terme de psychologie, du latin *perceptum*, supin de *percipere* pris dans son sens de «percevoir par les sens», avec le suffixe *-eur*.

PERCEPTIF, IVE adj. est le dérivé savant (v. 1482) du latin *perceptum*; le latin médiéval a *perceptivus*, relevé (v. 1250) dans le domaine anglais. ◇ Le mot a été emprunté avec le sens de «qui comprend, est apte à percevoir», mais il n'est plus attesté avant d'être repris au sens de «qui concerne la perception» en philosophie (1754) puis en psychologie. ◇ Le sens premier a été repris à la fin du XIXe s. dans l'usage littéraire (Huysmans, 1884). ◇ On en a dérivé **PERCEPTIVEMENT** adv. (1939, Sartre, *Esquisse d'une théorie des émotions*) et, en physiologie, **PERCEPTIVITÉ** n. f. (XXe s.).

PERCEPTIBLE adj. est emprunté (1486) au bas latin *perceptibilis*, dérivé de *perceptum*, supin de *percipere*. Il signifie «qui peut être perçu (par les sens)» et a pour dérivés rares **PERCEPTIBILITÉ** n. f. (1760), peut-être d'après le latin médiéval *perceptibilitas* (XIIIe s.), et **PERCEPTIBLEMENT** adv. (attesté XXe s.). ➜ Le contraire **IMPERCEPTIBLE** adj. est attesté avant *perceptible*, dès le XIVe s. (1377); c'est un emprunt au latin scolastique *imperceptibilis*, de *im-* et *perceptibilis*. Il signifie d'abord «que l'on ne peut percevoir par les sens», puis (1425) «qu'il est très difficile d'apprécier par l'esprit». ◇ Un sens extensif (XVIe s., repris 1777) correspond à «qui est à peine perceptible», c'est-à-dire «de dimension infime, minuscule», et abstraitement «qui est de peu d'importance». ➜ Le dérivé **IMPERCEPTIBLEMENT** adv. (XIVe s.) est relativement courant, alors que **IMPERCEPTIBILITÉ** n. f. (1769; 1776 en physique) est didactique.

PERCEPT n. m. a été emprunté (1878) au terme de philosophie anglais *percept* (1837), lui-même emprunté, sur le modèle de *concept* et par opposition à ce dernier, au latin *perceptum*, neutre substantivé du participe passé de *percipere*. Le mot se dit de ce qui est perçu comme tel sans référence au concept comme résultat de l'acte de percevoir. ➜ **PERCEPTUEL, ELLE** adj., attesté au milieu du XXe s., est formé sur *percept* (ou *perception*) d'après *conceptuel*, en philosophie.

APERCEVOIR v. tr. est formé (1080) de *a-* et *percevoir*. ◇ Le pronominal (1080) et le transitif (mil. XIIe s.) ont très tôt la valeur psychologique de «remarquer par la pensée»; le contexte concret, visuel, est dans Chrétien de Troyes (1177). ◇ Le verbe a pris des valeurs spéciales en philosophie, tout en demeurant très courant, au transitif comme au pronominal. ◇ Le participe *aperçu, ue* a eu en ancien français la valeur de «sage», correspondant à *avisé.* ◇ Substantivé, **APERÇU** n. m. apparaît (1760) en comptabilité, puis acquiert la valeur générale de «première idée» (1764, Beaumarchais) et «estimation sommaire». ➛ **APERCEPTION** n. f. et **APERCEPTIF, IVE** adj. (1714, Leibniz), dérivés savants, sont spécialisés en philosophie. ➛ L'usage courant a tiré du verbe l'adjectif **APERCEVABLE** (1349). ➛ **INAPERÇU, UE** est le composé négatif de *aperçu* (1770). ➛ **ENTRAPERCEVOIR** v. tr. (une fois au XVIe s., puis 1876) et **ENTRAPERÇU, UE** adj. «apercevoir, aperçu de manière fugitive», correspondent à *entrevoir* et *entrevu.*

◈ voir **TROP (TROP-PERÇU).**

① **PERCHE** n. f. est issu (v. 1112) du latin *pertica* «gaule», «tige pour prendre les mesures», en particulier «pour mesurer le lot attribué à un soldat». Aucun rapprochement sûr n'a pu être fait en dehors de l'italique (osque *perek*) et du celtique (moyen gallois *erchyll* «mât de navire»).

♦ Le mot est passé en français avec le sens de «gaule de bois» et, par extension, «de métal»; il a développé quelques sens spéciaux à partir du XIIe s.; en vénerie, il désigne la tige principale des bois supportant les andouilliers des cerfs (v. 1165) et le bâton horizontal sur lequel se posent les oiseaux (1170). ◇ Sous la forme *perque* (XIIe s.), puis *perche* (XIVe s.), il est devenu le nom d'une mesure de longueur jusqu'à la fin de l'Ancien Régime. ◇ Puis, on le rencontre avec le sens figuré de «personne grande et mince» (*grande perche,* 1640). ◇ La locution de sens figuré ***tendre une, la perche à qqn*** est relativement récente (1867). ◇ *Perche* a pris par la suite des valeurs spéciales au cirque (1867), en gymnastique (1893) et en sport athlétique, *la perche* désignant par métonymie le *saut à la perche*, d'où le dérivé *perchiste* (ci-dessous). ◇ Enfin, *perche* désigne la perche de prise de courant d'un véhicule, puis le long manche d'un micro enregistreur (*perche à son,* v. 1950).

► Il a donné quelques dérivés : le plus ancien est son diminutif **PERCHETTE** n. f. (1225-1230, *percheite*) qui, après avoir désigné une petite baguette de bois sur laquelle on posait les vêtements (*perche* lui-même semble avoir dénommé à la même époque un ancêtre du cintre), a été repris (1842) à propos du soutien d'un jeune arbre.

Le dénominatif de *perche,* **PERCHER** v., est d'abord employé intransitivement pour «se tenir sur un support (d'un oiseau)» (1376), sens exprimé également par *se percher* (1377). À partir du XVIIe s., le mot a développé des emplois intransitifs et des extensions de sens pour le transitif, par exemple *percher une vigne* (1600), en agriculture. ◇ *Percher* se rencontre depuis le XVIIe s. (1606) au sens de «se tenir à un endroit élevé»; *percher qqn* au sens figuré de «le mettre dans une bonne position» (1630) est sorti d'usage. *Percher,* surtout au participe passé, est appliqué ultérieurement à une ville (1762) et à une personne placée dans un endroit élevé (1833), prenant par extension la valeur d'«habiter» (1842) dans le langage familier *(où tu perches ?).* ◇ Au XXe s., le verbe signifie en métallurgie «introduire des perches de bois vert dans le métal en fusion pour éliminer les impuretés» (1927). ➛ Ce verbe a produit les dérivés habituels : le plus ancien est le nom concret **PERCHOIR** n. m. (1584) désignant le bâton sur lequel on fait percher les oiseaux et, par analogie, un endroit élevé (1834), en particulier la place surélevée du président de l'Assemblée nationale. ➛ **PERCHEUR, EUSE** adj. et n. est d'abord attesté au féminin (*la Percheuse,* 1817) comme nom commun de l'alouette des prés, puis comme adjectif qualifiant les oiseaux qui se perchent sur les arbres (1821); le pluriel est substantivé en parlant du groupe que forment ces oiseaux (1845). ➛ Le nom d'action **PERCHAGE** n. m. (1923) est employé en métallurgie et sert aussi à désigner la position de l'oiseau perché (1963).

Autre dérivé de *perche,* **PERCHIS** n. m. (1701) est le nom d'une clôture faite avec des perches et, en sylviculture, celui d'un jeune brin de 5 à 30 centimètres de diamètre. ➛ **PERCHISTE** n. a été dérivé de *perche* «gaule» comme terme de cirque (1896; selon *Larousse* 1941) pour désigner un équilibriste spécialiste du travail à la perche; de là, il est passé dans le langage du sport à propos d'un athlète qui saute à la perche (1943). ◇ Il est entré dans le vocabulaire de la télévision et du cinéma pour désigner (1973) le technicien chargé du maniement de la perche à son, traduisant ainsi le pseudo-anglicisme **PERCHMAN.** Ce dernier est formé des mots anglais *perch* (emprunté à l'ancien français *perche*) et *man* «homme», probablement sur le modèle de *cameraman**; or, le terme anglais pour la perche tenant le micro est *boom,* et le technicien s'appelle *boom operator.*

② **PERCHE** n. f. est issu (1170) du latin *perca,* nom de poisson d'eau douce emprunté au grec *perkê,* appellatif qui se rattache à la forme suffixée *perknos* «avec des taches noires», qui se dit d'olives et de raisins qui mûrissent, d'animaux à taches sombres. *Perknos* appartient à une famille de mots bien représentée dans les langues indoeuropéennes, servant à désigner des animaux tachetés par exemple le nom germanique de la truite (allemand *Forelle*).

♦ Le mot désigne un poisson d'eau douce verdâtre à bandes brunes, estimé en cuisine.

PERCHERON, ONNE adj. et n. est dérivé (1606) de *Perche,* nom d'une région française, avec le suffixe *-eron, -eronne.*

♦ Le mot, qui désigne un habitant du Perche et qualifie ce qui est propre à cette région, qualifie spécialement un cheval de trait dont la race est originaire du Perche, aussi substantivé en *un percheron* (1837).

PERCLUS, USE adj. est emprunté (1420) au latin *perclusus,* participe passé de *percludere* «obstruer», composé de *per* (→ ① par, per-) et de *claudere* «fermer» (→ clore).

♦ Le mot qualifie une personne et, par métonymie, un membre qui ne peut plus se mouvoir, soit absolument, soit avec un complément de cause introduit par *de* (1549). ◇ Par métaphore, il est employé à propos d'un esprit paralysé, inactif (1580, Montaigne), usage rare et littéraire.

▸ Aucun de ses dérivés n'est resté vivant, que ce soit le verbe *perclore* (XIXe s.), *percluser* (XVIe s.) ou le nom **PERCLUSION** n. f. (fin XVe s.).

PERCOLATEUR n. m. est un dérivé savant (1856) du radical du latin *percolare* «filtrer, passer» d'où au figuré «digérer», de *per-* (→ ① par, per-) et *colare* «filtrer, épurer» (→ couler), lui-même dérivé de *colum,* mot technique désignant un filtre, un tamis, une passoire, sans étymologie claire.

♦ Le mot a d'abord désigné un appareil filtrant le thé, le café, avant de prendre (1903) son sens moderne d'«appareil à filtre servant à faire du café en grande quantité». Dans ce dernier sens, il est familièrement abrégé en **PERCO** n. m. (1919, dans l'argot des Poilus).

▸ Son radical a servi à former **PERCOLATION** n. f. (1903), mot didactique (chimie, technologie, agriculture) réalisant, avec diverses applications, l'idée du passage d'une substance à travers une matière absorbante.

PERCUTER v. est emprunté très anciennement (v. 980) au latin *percutere* «pénétrer en frappant, percer» et «frapper fortement», verbe formé de *per* (→ ① par, per-) et de *-cutere,* de *quatere* «secouer, agiter, frapper» (→ casser).

♦ Le mot, emprunté avec le sens ancien de «transpercer», est resté rare jusqu'au XIXe s. où il a été repris par les langages techniques pour «frapper, heurter» (1813). ◇ Il est employé en médecine, en relation avec *percussion* (ci-dessous), pour désigner l'action d'explorer un organe en le frappant avec les doigts ou un instrument (1819). L'idée de choc est réalisée spécialement en astronomie (1872) et aussi en parlant d'une arme à feu (1903), enfin celle de choc accidentel à propos des véhicules.

▸ En est dérivé **PERCUTEUR** n. m. (v. 1265) employé en ancien français pour «qui inflige des vexations», sens disparu. ◇ Le mot est repris au XIXe s. (1859) au sens de «pièce pointue pour frapper l'amorce et la faire détoner», et employé en archéologie à propos d'une pierre utilisée pour frapper les outils (1883, Mortillet), de même que *percussion (id.).* ➝ Le participe présent de *percuter,* **PERCUTANT, ANTE,** a été adjectivé (1872), qualifiant un projectile qui éclate par percussion, contre le but ou contre le sol, et un objet qui produit une percussion. Il est spécialement associé à *tir, fusée...* (1903) et est substantivé à propos d'un obus à fusée percutante (1903).

PERCUSSION n. f. est directement emprunté (1200) au latin *percussio, -onis* «action de frapper, coup», dérivé du supin de *percutere.* Il n'a pas conservé le sens figuré de «malheur, souffrance» avec lequel il a été emprunté. À partir de 1314, il signifie «action de frapper» et se dit par métonymie du résultat de cette action. ◇ Il a développé ses acceptions spéciales en musique (1613), notamment dans ***instrument à percussion,*** d'où par métonymie *la percussion, les percussions* (XXe s.), répandu à cause de l'importance de ces instruments dans la musique contemporaine (en jazz, on parle plutôt de *batterie*), et aussi en médecine (1770), passant au XIXe s. dans le langage technique (1832, *percussion directe, oblique, centre de percussion*).

Il a produit en musique son seul dérivé, **PERCUSSIONNISTE** n. (1966), pour désigner un musicien jouant d'un ou plusieurs instruments à percussion.

◈ voir RÉPERCUTER.

PERDITION n. f. est emprunté sous la forme *perdiciun* (1080), refaite en *perdition* (XIVe s.) d'après l'étymon, au bas latin *perditio, -onis,* du supin *(perditum)* de *perdere* (→ perdre). Le nom latin est rare au sens matériel de «perte» et comporte alors souvent la nuance de «gaspillage»; il est surtout psychologique, notamment chez les auteurs chrétiens où il signifie «malheur, affliction», «folie» et «paganisme, incroyance».

♦ Le français l'a emprunté au sens moral de «fin lamentable, ruine totale (d'une personne, d'une armée)» et les théologiens ont introduit le sens religieux de «ruine de l'âme, damnation» (1120, en anglo-normand). ◇ En ce sens, *perdition* est entré dans quelques syntagmes comme ***lieu de perdition,*** de nos jours employé par plaisanterie. ◇ Le mot entre dans la locution ***en perdition*** (1787) à propos d'un navire en danger de faire naufrage, et aussi au figuré. ◇ Les sens matériels de «prodigalité, dissipation» et de «perte d'un objet», tous deux vivants au XVIe s. et créés sous l'influence de *perdre,* sont sortis d'usage (cf. *perte*); ainsi, l'ancien syntagme *perdition de vue* (1560) a été supplanté par *perte de vue.*

◈ voir DÉPERDITION.

PERDRE v. est issu, à date très ancienne (v. 881), du latin *perdere,* formé de *per* «tout à fait, complètement» (→ ① par, per-) et de *dare* «donner» (→ date, dé). *Perdere* signifie «ruiner, anéantir», «corrompre» ou simplement «employer inutilement» et «faire une perte définitive», en particulier au jeu.

♦ Implanté très tôt en français, *perdre* est employé dans ses sens de base avant la fin du XIIIe s. et, pour l'essentiel, avant la fin du XIIe s. où il est déjà construit transitivement, intransitivement et au pronominal. Dès les tout premiers textes, il exprime la privation d'une partie de soi-même, d'une faculté, d'une qualité propre à la personne (par exemple *perdre sa virginité*). D'autres locutions suivront, très nombreuses, dont ***perdre le sens*** (1080), qui sera remplacée par ***perdre la raison, la tête.*** ◇ Dès la seconde moitié du Xe s., *perdre* exprime la destruction d'un véritable rapport de possession : il correspond à «être privé de la jouissance d'un bien ou d'un avantage» d'où, abstraitement, «cesser d'avoir (l'avantage, une supériorité)» (1080). Cette idée est réalisée également en construction intransitive où *perdre, être perdant,* c'est ne pas obtenir le profit, le bien escompté, souvent de l'argent (1278). ◇ Dans un rapport entre personnes, le verbe exprime (1050) le fait d'être privé de qqn par la mort, puis (v. 1150) d'être privé de son amitié, de sa présence par l'absence. ◇ Avant la fin du XIIe s., le verbe correspond à «cesser de percevoir par les sens, d'appréhender par la pensée» et, dans une relation, «ne plus maintenir un rapport avec qqn, qqch.» (v. 1165, *perdre terre* «perdre de vue la terre», sorti d'usage).

L'autre acception latine de base est passée en français (v. 980), réalisant l'idée morale de «corrompre, pervertir (qqn)», spécialement dans la perspective chrétienne (1190, *perdre son âme*). *Perdre* exprime aussi le mauvais usage de qqch., le fait de gâcher (1080), en particulier en parlant du temps (v. 1200) : *perdre le, son temps.* ◇ *Se perdre* exprime d'abord l'idée de causer sa propre ruine (v. 1170), avant même que le sens concret «s'écarter du bon chemin» ne soit attesté (XIIIe s.). Avant la fin du moyen âge, *se perdre* se dit aussi d'un métier qui cesse d'être pratiqué (XIVe s.). ◇ Plusieurs extensions de sens sont apparues du XVIe au XVIIIe s., par exemple avec la locution ***perdre de vue*** (1538) «cesser de voir». *Se perdre* signifie pour une personne «avoir du mal à se retrouver dans une chose complexe» (1546), pour une chose «se terminer, cesser d'exister» (1500), «rentrer sous terre», en parlant d'un cours d'eau (1538), et «se gâter», à propos de fruits (1560). Parallèlement, *perdre* commence à exprimer l'idée de mener (qqn) à sa perte (1546, dans le langage biblique). La langue classique, surtout celle de la tragédie, insiste sur cette notion avec les nuances de «faire périr (qqn)» (1642) et de «donner à (qqn) mauvaise réputation» (1651), toutes deux employées par Corneille. On commence alors à se servir du verbe pour «égarer intentionnellement (qqn)» (1680) et «endommager (qqch.) de manière irréparable» (1690). ◇ L'intransitif correspond à «diminuer de valeur» (avec la préposition *de,* 1678). ◇ Quant à la forme pronominale, elle commence à se dire au début du XVIIe s. d'un navire qui fait naufrage (1606), d'une personne qui cesse d'être perçue (1636), puis de la voix (1677) et d'un objet de la pensée qui disparaît, remplacé par un autre (av. 1678). La langue de la théologie et de la mystique emploie *se perdre* pour «s'unir à la divinité par la contemplation» (1690). ◇ Depuis la fin du XVIIIe s. (1797, *Voyages de La Pérouse*), *perdre* intransitif est employé en parlant d'un objet (en l'occurrence le fond d'un navire qui fuit) ; il s'applique à une chose qui cesse d'avoir des caractères qui lui étaient inhérents (comme dans la locution transitive ***perdre son éclat***).

▸ Le dérivé le plus courant de *perdre* est son participe passé adjectivé **PERDU, UE** (v. 980), employé dès les premiers textes pour qualifier une personne menacée dans sa vie physique ou morale. En ancien français, *perdu* s'emploie dans la plupart des sens du verbe : il qualifie une chose mal employée ou employée sans profit (v. 1260), d'où ***peine perdue,*** un bien matériel et moral dont on est privé (v. 1260), un être égaré de sa route, et au figuré damné (1352), et aussi un chemin peu fréquenté, situé à l'écart (v. 1375), puis un lieu. ◇ Comme *perdre,* mais avec un certain retard sur le verbe, semble-t-il, il a développé de nombreuses extensions de sens, du XVIe au XVIIIe s. : «atteint dans sa situation, sa prospérité» (1538), au moral «atteint dans son honorabilité» (1538), spécialement dans ***femme perdue*** (1606). Au XVIe s., l'adjectif commence à se construire avec *de* au sens de «dans une situation désespérée du fait de...» (1559). Il sert à qualifier une chose échappant à toute direction, à tout contrôle (1559, *ouvrage à peine perdue*) en locutions dans ***balle perdue*** (qui remplace *coup perdu,* 1616), ***à corps perdu,*** etc. ◇ La langue classique applique l'adjectif au temps (1671, *moments perdus*), à ce qui est voué à la ruine, à l'échec (av. 1654), d'où les locutions ***tout est perdu*** (1673) et, en finances, ***mettre son bien à fonds perdu*** (1688), ***placer une somme d'argent à fonds perdu*** (1794). Il qualifie aussi une lutte dans laquelle on a le dessous (1660). ◇ Dans le langage religieux, ***brebis perdue*** (1683) désigne un chrétien égaré. ◇ L'adjectif s'applique en art aux contours qui se confondent avec le fond (1676). Au XVIIIe s., par généralisation, *perdu* qualifie ce qui cesse d'être visible en se fondant dans un ensemble (1723, *perdu dans la foule*). ◇ Sur un plan psychologique, il s'applique à une personne désorientée, égarée (1744) et dont l'esprit est à ce point absorbé dans ses pensées qu'elle n'est plus sensible à rien d'autre (av. 1755). ◇ Sur un plan matériel, il qualifie un objet que l'on a égaré et que l'on ne retrouve plus (1782). L'idée de compensation après une perte s'exprime en ancien français par la locution *pour un perdu, deux retrouvés* (XIIIe s.) qui aboutit au XIXe s. à ***un*** (ou ***une***) ***de perdu(e), dix de retrouvé(e)s,*** souvent appliquée aux femmes, en contexte amoureux, puis aux hommes, par dénonciation du discours sexiste. ◇ Au XXe s., dans le langage commercial, il se dit d'un emballage qui n'est ni repris ni remboursé (1935), d'où *verre perdu.*

PERDANT, ANTE, le participe présent de *perdre,* a été adjectivé et substantivé (1288) à propos d'une personne qui perd au jeu ou dans une compétition. Le mot désigne surtout la personne qui échoue dans une circonstance particulière, le fait de perdre ou d'échouer en général étant exprimé récemment par l'anglicisme *looser.* ◇ Le masculin est employé dans le langage maritime comme nom de la marée descendante (1836). ◆ **PERDABLE** adj. (v. 1300) sert à qualifier ce qui peut se perdre ; son antonyme **IMPERDABLE** adj. a été formé au XVIIIe siècle. ◆ **PERDEUR, EUSE** n., d'abord écrit *perdour* (1388), désigne la personne qui perd ; le mot semble être sorti d'usage entre la fin du XVIIe et le XIXe s., avant d'être repris en 1842, sans réussir à concurrencer *perdant.*

REPERDRE v., formé sur *perdre* avec le préfixe *re-* (1170), exprime l'action de perdre ce que l'on a gagné et de perdre de nouveau ; il n'a pas donné de dérivés.

◈ voir DÉPERDITION, ÉPERDU, PERDITION, PERTE.

PERDRIX n. f. est issu, sous la forme *perdriz* (v. 1170) puis *perdrix* (fin XIVe s.), de l'ancienne forme *perdiz, perdix* (v. 1119, Ph. de Thaon) avec dégagement d'un *r* après le groupe *-rd-* (phénomène constaté aussi dans *chardon/chardron,* qui a disparu). *Perdrix* est issu du latin *perdicem,* accusatif de *perdix,* transcription du grec *perdix.* Le mot grec présente un suffixe *-ik,* qui se rencontre pour certains noms d'animaux, et il est dérivé du verbe vulgaire *perdesthai* «péter», étymologie qui remonte à l'Antiquité. Ce verbe, d'origine indoeuropéenne, est apparenté au sanskrit *párdate,* ainsi qu'à des mots germaniques, slaves (russe *perdéti*), baltes. L'évocation sonore concerne très probablement le bruit fait par la perdrix qui s'envole, comme les Anciens le pensaient déjà.

♦ Le mot sert à désigner une espèce d'oiseau recherché par les chasseurs, et s'emploie dans des syntagmes qualifiés (*perdrix blanche,* 1555) ou déterminés *(perdrix des neiges)* pour désigner différents oiseaux d'espèces voisines.

► **PERDREAU** n. m., senti comme étroitement apparenté à *perdrix,* est la réfection (1574) de l'ancien *perdrïel* (1377) d'après le pluriel *perdrïaux* (1376), *perdreaux* (1532). Le mot est issu du croisement de *perdrix** (du latin *perdix*) et de *gallus* (du latin *gallus* «coq»; → gallinacé), parallèle à l'ancien provençal *perdigal,* dont le sens a sans doute été à l'origine «sujet mâle de la race des perdrix», l'objet de la chasse étant plutôt le mâle que la femelle. Il n'est pas sûr que l'ancien français *perdrial,* «engin de guerre avec lequel on jette des pierres» (à rapprocher du latin médiéval *perdiceta, perdicheta* de même sens, 1191), soit le même mot; cependant, Wartburg le range sous l'étymon latin *perdix,* par une analogie avec la forme de la perdrix qui s'aplatit pour s'envoler. *Perdreau* a éliminé des formes comme *perdizel* (1119, Ph. de Thaon), *pertrïel* (XIIIe s., *Bestiaire d'amour*), *perdrïet* (1284). ➛ Le mot se dit d'une jeune perdrix de l'année; par analogie, il est employé familièrement pour une très jeune fille et, en argot, pour un policier (cf. *poulet*). ➛ **PERDRIGON** n. m. (1608), tiré de la locution *prunes de perdrigonne* (1538) désignant des variétés de prunes servant à faire des pruneaux, est l'altération, influencée par *perdrix,* de l'ancien provençal *perdigal* «perdreau» : la couleur de ces prunes rappellerait celle de la gorge des perdreaux rouges.

PERDURER v. intr. (fin XIIIe s.) a remplacé *pardurer* (v. 1120) par emprunt au latin impérial *perdurare* «durer longtemps», composé du préfixe *per-* à valeur intensive (→ ① par, per-) et de *durare* (→ durer). En ancien et en moyen français, le mot hésite entre le type emprunté et le type *pardurer,* formé en français avec *par-* et *durer**.

♦ Le verbe, avec le sens de «durer éternellement», «durer longtemps», semble s'être éteint à la fin du moyen âge. Repris au XIXe s. comme archaïsme littéraire, considéré par certains dictionnaires comme «inusité» (1845, Bescherelle), il est devenu relativement usuel dans un style soutenu.

► Son unique dérivé, **PERDURANCE** n. f. (1910), est d'usage très littéraire.
PERDURABLE adj., attesté de bonne heure sous la forme *pardurable* (v. 1120) puis *perdurable* (v. 1220, en picard), est emprunté au dérivé latin *perdurabilis* «qui dure longtemps»; sorti d'usage, il est repris au XIXe s. mais beaucoup plus rarement que le verbe.

PÈRE n. m., d'abord sous la forme *paire* (v. 980), *pedre* (v. 1050) et *perre* (v. 1080), est issu par évolution phonétique du latin *pater, -tris,* à l'accusatif *patrem. Pater* est un terme générique qui n'implique pas tellement la paternité physique, rôle assumé plutôt par *genitor* (→ géniteur) et par *parens* (→ parent); il exprime surtout une valeur sociale et religieuse, désignant le chef de la maison, le *pater familias,* l'homme en tant que représentant de la suite des générations (d'où au pluriel *patres* pour les ancêtres, d'où les *patriciens*). De même, *familia* correspond à une notion économique (→ famille). Ainsi s'expliquent, pour *pater,* des dérivés comme *patronus* (→ patron) et le fait que le mot soit employé comme terme de respect en parlant des hommes et des dieux (par exemple dans le nom de *Juppiter*). En face de *mater* (→ mère) et à côté d'autres termes de parenté à suffixe *-ter* ou *-er* (comme *frater;* → frère), le mot représente le nom indoeuropéen du père, dont il a hérité les valeurs. Ce dernier est représenté dans le sanskrit *pitā́r,* l'arménien *hayr,* le grec *patêr,* les langues celtiques et germaniques (gotique *fadar,* anglais *father,* etc.). En indoeuropéen, le mot n'impliquait pas la paternité physique et la parenté stricte, et servait à qualifier en permanence le dieu suprême (→ Jupiter). L'idée moderne de «père» était assumée par un autre mot, °*atta,* terme familier qui ne peut être séparé de *tat* qui, en sanskrit, en grec, en latin, aujourd'hui en roumain, est un appellatif enfantin du père. Dans une partie des langues du groupe indoeuropéen, l'emploi du type °*pəter* dans les généalogies a suscité son emploi dans la langue courante pour le «père» physique, alors que plusieurs autres langues l'ont remplacé par un représentant de °*atta :* c'est le cas du hittite, du slave *otĭcĭ* et du gotique.

♦ Dès ses premiers emplois, le mot est employé dans sa valeur religieuse à propos de Dieu en tant que Créateur et première personne de la Trinité, et comme appellatif de Dieu (1080). Avant la fin du XIIe s., il possède ses autres sens fondamentaux, «celui qui a engendré des enfants» (1050), par analogie «celui qui agit comme un père envers un autre» (v. 1120); il est aussi employé comme titre officiel (1160-1174). Son emploi dans les généalogies est à peine plus tardif (déb. XIIIe s., à propos d'Adam). Au sens courant de «géniteur», *père* entre dans les expressions usuelles ***père et mère*** (v. 1150) et *de père à fils* (1260), plus tard remplacée par ***de père en fils*** (1678). Le mot est aussi défini dans son acception juridique (v. 1283) et entre dans les expressions ***père de famille*** (1487; v. 1460, *père-famille*), après *père de la maignie* (XIVe s.) et *père naturel* (1505). ◇ Il se dit aussi d'un animal mâle par rapport à ceux qu'il a engendrés (v. 1180), en particulier à propos du cheval qui engendre un poulain (1555). ➛ Avec la valeur de «celui que l'on considère comme un créateur, un protecteur», le mot se dit d'un homme par rapport à une collectivité (v. 1235), spécialement du fondateur de qqch. (1519, *père de...,* par exemple *le père de la philosophie morale,* 1679). Il s'applique, dans un style littéraire, à ce qui est la source de qqch. (av. 1696), alors concurrencé par *mère* (selon le genre du mot). ➛ En tant que titre, d'abord appliqué aux membres d'une congrégation *(père abbé)*, puis aux dignitaires de l'Église (v. 1350, d'où ***le Saint Père*** «le Pape»), il désigne aussi les écrivains ecclésiastiques dont on veut honorer la prééminence (1614), spécialement les docteurs de l'Église des premiers siècles, appelés ***Pères de l'Église.*** ◇ Au XVIIe s. (1636), il est employé couramment comme titre donné à un vieillard et, par suite, s'emploie avec un nom propre pour désigner un homme d'un certain âge, avec une nuance familière de bonhomie ou de condescendance (1764), emploi aujourd'hui marqué comme rural ou plaisant. De même, ***mon petit père*** (1824) et ***gros père*** (1825) sont des appellatifs familiers, en concurrence avec *papa**. ◇ *Père* a servi et sert encore à former des surnoms et des appellations ; ainsi, en argot des voleurs puis familièrement, ***coup du père François*** désigne une agression dans laquelle un attaquant serre une courroie autour du cou de la victime tandis que l'autre la fouille. Voir aussi le schéma *Paternité* p. 2608.

▸ *Père* entre dans les termes de parenté **BEAU-PÈRE** n. m. (v. 1250) qui désigne à la fois le mari de la mère ou parâtre et le père de la femme (cf. *belle-mère*), **GRAND-PÈRE** n. m. (XIIe s.) et **ARRIÈRE-GRAND-PÈRE** n. m. (1787) «père» et «grand-père du père». ◆ *Père* est traité familièrement par redoublement en **PÉPÈRE** n. m. et adj. (1834) «père» ; ce dernier est adjectivé avec une valeur caractérisante de «gros, important, remarquable en son genre» (1910) ; il qualifie également un lieu où l'on est tranquille (1914), qqn qui vit tranquille loin des dangers (1916) et un travail présentant peu de difficultés (1918). Des emplois comme *père peinard** ont pu influencer ce type d'emplois. ◆ Le redoublement de la première syllabe de *père* a aussi servi à former **PÉPÉ** n. m. (1796), d'abord dit du «papa» puis réservé, en association avec *mémé**, au «grand-papa» (1855), avec la variante *papé* en occitan (→ papa). *Pépé* a pris récemment le sens de «vieil homme» (pouvant être grand-père), mais *papi* (→ papa) est plus courant dans ce sens.

En dehors de ce groupe de termes de parenté, *père* a donné **PÉROT** n. m., terme technique de sylviculture désignant un baliveau qui a l'âge de deux coupes (1546) ; ce sens vient d'un emploi de *père* pour désigner un arbre par rapport à d'autres arbres issus de ses fruits (enregistré en 1690).

La forme latine *pater* a été empruntée au pluriel *patres* dans l'expression ***ad patres*** (XVIe s.), proprement «vers les ancêtres», employée familièrement dans *envoyer, expédier qqn ad patres* «le faire mourir».

Les ethnologues ont formé plusieurs termes avec l'élément *patri-*, tiré de *pater*, dont **PATRILINÉAIRE** adj. (attesté 1936), peut-être d'après l'anglais (1913, *patrilinear*), qui qualifie un mode de filiation pour lequel seule compte la parenté paternelle.

◈ voir COMPÈRE, IMPÉTRER, JUPITER, PAPA, PARÂTRE, PARRAIN, PATENÔTRE, PATERNE, PATERNEL, PATERNITÉ, PATRICIEN, PATRIE, PATRIMOINE, PATRON, PÈRE FOUETTARD (art. FOUET), PÈRE NOËL (art. NOËL), PERPÉTRER, REPÈRE ; et, du grec, PATRIARCHE, PATRISQUE, PATRISTIQUE, PATRONYME.

PÉRÉGRINATION n. f., d'abord écrit *peregrinaciun* (v. 1120), est emprunté au latin *peregrinatio, -onis* qui désigne un voyage ou un séjour à l'étranger et spécialement, en latin chrétien, la vie terrestre considérée par métaphore comme un voyage loin du Ciel, vraie patrie du croyant, ainsi que le pèlerinage aux Lieux saints. *Peregrinatio* est le nom d'action dérivé du supin *(peregrinatum)* de *peregrinari* «voyager à l'étranger, y séjourner», lui-même dérivé de *peregrinus* (→ pèlerin).

♦ Le mot a été repris avec son sens métaphorique de «vie terrestre» dans le langage religieux et pour désigner un pèlerinage en Lieux saints (v. 1155). Ces sens ont disparu, de même que le sens propre de «voyage à l'étranger» repris au latin par les humanistes (1546, Rabelais). ◇ La langue moderne emploie généralement le mot au pluriel et l'applique à des allées et venues, des déplacements incessants (1845), un voyage à l'itinéraire compliqué, en particulier la migration de certains animaux.

▸ **PÉRÉGRIN, INE** adj. et n. est emprunté (v. 1120) au latin *peregrinus* «étranger» et «personne libre qui ne jouissait pas du droit de cité et du droit latin à Rome» (→ pèlerin). Le mot, équivalent de *pèlerin* en ancien français, a été remplacé par *pèlerin* dans tous ses emplois, y compris *faucon pérégrin* (v. 1350), emprunt au latin médiéval *falco peregrinus* (v. 1150). Il a été repris par la langue didactique comme terme d'Antiquité romaine (1875). ◆ L'adjectif qu'il a produit, **PÉRÉGRINAL, ALE, AUX** «relatif au déplacement, au voyage», est rare et d'usage didactique. ◆ **PÉRÉGRINER** v. intr., emprunt (v. 1350) au verbe latin *peregrinari*, est quasiment sorti d'usage avec ses deux sens de «faire un pèlerinage» et «voyager» (1506-1507). ◆ On rencontre quelquefois son participe présent **PÉRÉGRINANT** substantivé. ◆ Le dérivé **PÉRÉGRINISME** n. m., terme de linguistique, sert à désigner une variété d'emprunt senti comme étranger et en quelque sorte cité (cf. *xénisme*).

PÉRÉGRINITÉ n. f. a été emprunté (1546) au dérivé latin *peregrinitas* «condition d'étranger», «goût provincial» et «accent étranger». ◇ Le mot a pénétré en français au sens de «chose étrangère, voyage à l'étranger», sorti d'usage. Il est demeuré dans l'usage juridique où il désigne l'état d'étranger (1577, *crime de pérégrinité*) et depuis 1765 la condition de *pérégrin* dans l'Antiquité romaine.

PÉREMPTION → PÉRIMER

PÉREMPTOIRE adj. est un emprunt (1279, écrit *perhemptoire*) au bas latin *peremptorius* «meurtrier, mortel», employé spécialement en droit pour qualifier ce qui met fin, annule un débat, ce qui est décisif. Le mot dérive du latin classique *perimere* (→ périmer).

♦ L'adjectif a été repris au latin par les juristes, dans l'expression *exception péremptoire* «dont l'exercice a pour fin le rejet de la cause par suite de vices». Par extension, il est passé dans l'usage courant pour qualifier ce qui détruit toute objection, contre quoi on ne peut répliquer (v. 1375, écrit *perentoire*). Par extension, il est appliqué au ton de la voix (1779, Diderot), avec la nuance psychologique de «cassant, tranchant» (1824), et, par extension, à une personne (1833). Les valeurs de «subit, immédiat» (1611) et de «précis, déterminé (pour un délai)» (1636) sont sorties d'usage.

▸ Le dérivé **PÉREMPTOIREMENT** adv. (1349), d'abord sous la forme *peremptorement* (1317), a été formé pour qualifier ce qui n'admet pas la réplique, valeur qui est restée en usage. Les autres sens, «sans délai» (1611) et «d'une manière précise» (1636), sont sortis d'usage.

PÉRENNE adj. est emprunté (1588, Montaigne) au latin *perennis* «qui dure toute l'année», d'où «perpétuel», de *per* (→ ① par, per-) et *annus* (→ an).

♦ Le mot, introduit au sens de «perpétuel, sans fin», s'est appliqué en particulier à un cours d'eau qui coule toujours (1588), à un végétal, un feuillage qui dure toute l'année (1600). En dehors de ces emplois spéciaux et didactiques, il est littéraire.

▸ En dérivent les adjectifs rares **PÉRENNEL, ELLE** (1561; sorti d'usage au XVIIe s., et de nouveau chez Huysmans en 1903), **PÉRENNAL, ALE, AUX** (1801) et en botanique **PÉRENNANT, ANTE** (1903), ce dernier par l'intermédiaire d'un verbe virtuel °*pérenner*.

PÉRENNISER v. tr. (1572), d'abord écrit *paranniser* (1553) par francisation d'après *par** et *année**, est un dérivé savant du latin *perennis*. ◇ Avec le sens de «rendre durable, permanent», il s'est mieux implanté dans l'usage que *pérenne*, spécialement, en droit administratif, pour l'action de titulariser un fonctionnaire dans son poste.

PÉRENNITÉ n. f. est emprunté sous la forme *perhennité* (1175) au latin *perennitas* «durée, continuité, perpétuité», de *perennis*. ◇ La forme actuelle (1611) a triomphé de *perannité* (1542) et de *parennité* (1611) avec le sens de «caractère de ce qui dure toujours ou très longtemps»; le mot est le plus courant de la série.

PÉRÉQUATION → ÉQUATION

PERFECTION n. f. est emprunté (v. 1156) au latin *perfectio, -onis* «achèvement complet» et moralement «état de ce qui est idéal, sans défauts», dérivé de *perfectum* (→ parfait, à parfaire), supin de *perficere* «faire complètement, achever», d'où «accomplir de manière idéale» (→ parfaire). *Perfection* s'est imposé aux dépens de *parfection* usité jusqu'au XVIe s. et au-delà (encore relevé en 1821).

♦ Le mot a été repris avec son sens moral, dans une perspective chrétienne; il désigne aussi, en général, la qualité de ce qui est parfait dans son genre (v. 1190). Il a été employé en moyen français dans un contexte social avec le sens de «haute position» (XIVe s.). Son sens étymologique neutre, «achèvement, action de pousser à son terme» (v. 1390; 1340 à propos de la conclusion d'un mariage), est sorti de l'usage courant au XVIIIe s. mais survit dans certains contextes *(amener à son point de perfection...)*. ➛ Depuis le début du XVe s., *perfection* s'applique par extension à ce qui approche du plus haut degré par sa grande qualité. Il a servi à former la locution *en perfection* (1530) «parfaitement», évincée par ***à la perfection*** (1668). ◇ Par métonymie, il est quelquefois employé pour «qualité d'une chose, d'une personne parfaite», spécialement au pluriel dans l'expression *perfections divines* (1637, Descartes). Il s'applique aussi par métonymie à une personne (1791, *être une perfection*).

▸ Le premier dérivé de *perfection* est **PERFECTIONNER** v. tr. (v. 1450) «rendre meilleur, faire faire des progrès», également *se perfectionner* (1637); le sens étymologique neutre de «faire aboutir, terminer» (1611) s'est éteint au début du XVIIIe siècle. ➛ Le verbe a plusieurs dérivés: **PERFECTIONNABLE** adj. et **IMPERFECTIONNABLE** (1845), rares, **PERFECTIONNEMENT** n. m. (1723) pour l'action et, concrètement, son moyen (XIXe s.) et son résultat, et **PERFECTIONNÉ, ÉE** adj., d'où **ULTRA-PERFECTIONNÉ, ÉE** (1976), et **PERFECTIONNEUR, EUSE** n. (1771), d'usage rare. Seul *perfectionnement* est usuel. ➛ Les autres dérivés de *perfection* sont **PERFECTIONNISTE** n. et adj. (1845), «qui recherche la perfection», souvent péjoratif et qui se dit spécialement des membres d'une secte communautaire chrétienne des États-Unis (1868), et **PERFECTIONNISME** n. m. (1955), qui lui correspond.

À *perfection*, on peut rattacher les mots issus du latin *perfectus*. ➛ **PERFECTIBLE** adj. est dérivé savamment (1756, Voltaire) du latin *perfectus* (→ parfait) avec le suffixe *-ible*. ◇ Il a produit **PERFECTIBILITÉ** n. f., d'abord employé par Turgot (1750), que cite Littré, et par Rousseau dans *De l'inégalité parmi les hommes* (1755). ➛ Le couple d'antonymes **IMPERFECTIBLE** adj. (1819) et **IMPERFECTIBILITÉ** n. f. (1819), mots rares, a été formé symétriquement. ➛ **PERFECTIF, IVE** adj. est formé, en linguistique (1909), sur le radical du latin *perfectus* (→ parfait). Le mot avait déjà été créé en moyen français au sens de «parfait» (1458) et de nouveau au XIXe s. pour «qui a le caractère de la perfection» (v. 1840). Il est appliqué à l'aspect d'une action envisagée comme aboutissant à un terme. ➛ Il s'oppose à **IMPERFECTIF, IVE** adj., antonyme créé en linguistique au moyen du préfixe privatif *im-* (1898, *verbe imperfectif*).

PERFECTUM n. m. est l'emprunt en grammaire latine (1933) du latin des grammairiens *perfectum*, qui désigne le système des formes verbales dérivées du parfait. C'est le neutre substantivé de l'adjectif *perfectus*, qui a donné le terme de grammaire *parfait**, nom masculin.

PERFIDE adj. est emprunté (v. 980) au latin *perfidus*, proprement «qui transgresse la foi, la fidélité», de *per* (→ ① par, per-) et *fides* (→ foi), d'où «trompeur, dangereux» (personne ou chose).

♦ Le mot a été emprunté isolément au Xe s. comme nom pour désigner celui qui agit en traître envers une personne qui se fie à lui. Il est très rare avant le XVIIe s., où il s'emploie à la fois comme adjectif et comme nom, spécialement dans le domaine amoureux à propos de celui ou de celle qui ne respecte pas ses promesses. Il s'emploie aussi à propos d'une action (1609) et d'un sentiment (1768). En dehors d'emplois plaisants (ainsi, dans *perfide Albion* «Angleterre», au XIXe s.), le mot, usuel et à la mode dans l'usage classique, est devenu archaïque ou plaisant.

▶ Il a produit **PERFIDEMENT** adv. (1642) «déloyalement». ➛ Le nom correspondant, **PERFIDIE** n. f., emprunt (v. 1510) au dérivé latin *perfidia* «manque de foi, déloyauté», désigne *(une perfidie)* une action, une parole perfide et, en général, un caractère perfide (1580). Comme l'adjectif *perfide*, il est archaïque et littéraire. ◇ *Perfidie* a eu, du XVIIIe au XIXe s., un sens spécial en musique : «affectation de ramener les mêmes sujets, les mêmes phrases musicales» (1703).

PERFORER v. tr., d'abord *parforer* (v. 1200), est emprunté au latin *perforare* «percer, trouer» d'où, au figuré, «percer (de ses rayons), pénétrer dans», de *per* (→ ① par, per-) et *forare* (→ forer).

♦ Le verbe, qui présente dès ses premiers emplois le sens de «percer de part en part de plusieurs trous», a pris (1867) un sens métaphorique rare. ◇ Il s'est employé spécialement en mécanographie (1876) au sens de «faire des trous à des endroits précis dans des cartes ou des bandes de papier» (d'abord en télégraphie) ; cf. ci-dessous *perforé*.

▶ Le premier dérivé de *perforer* est **PERFORATEUR, TRICE** adj. et n., attesté isolément comme adjectif en 1552 et repris à partir de 1813, qualifiant ce qui perfore. Il a été substantivé au masculin et au féminin pour désigner un appareil ou un employé chargé de cette opération, faisant dans certains domaines concurrence à *perforeuse**. ◇ Le masculin *perforateur* désigne un instrument de chirurgie (1832), un appareil utilisé en télégraphie (1876), en broderie (1955) et en mécanographie. ➛ Le féminin **PERFORATRICE** désigne de manière plus usuelle une machine-outil utilisée dans l'exploitation minière et, depuis 1933, une machine utilisée en mécanographie. Indifféremment, les deux genres se disent aussi de l'employé(e) préposé(e) à la perforation, l'abréviation **PERFO** (d'où *perfo-vérif* [icateur, trice]) [v. 1965], correspondant soit à cette forme, soit à *perforeuse* (ci-dessous).

Les deux participes ont été substantivés au XVIIIe s., puis adjectivés avec plusieurs acceptions spécialisées. ➛ **PERFORANT, ANTE** est devenu un terme d'anatomie (1748) à la suite de l'anglais *perforating* (1704) : il désigne ou qualifie (1752) un des muscles des doigts, qualifie certaines artères (1814), s'emploie en médecine (1865, *mal perforant*) et en chirurgie (1869). ◇ Il a développé une autre spécialisation à propos du pouvoir d'une balle de fusil (1890) et, en artillerie, du coup d'un projectile (1892). ➛ **PERFORÉ, ÉE**, a lui aussi été substantivé en anatomie pour désigner un muscle (n. m., 1748), après l'anglais *perforated* (1704). ◇ Il est adjectivé (1752) et employé spécialement en médecine à propos d'un organe présentant des lésions (1878). Au XXe s., en relation avec le verbe, il est passé dans le domaine de l'imprimerie (1903) et de la mécanographie dans ***bandes perforées*** (1905, en musique), qualifiant des fiches (1930), des cartes (1949), spécialement en télégraphie (1937).

Perforer a produit le nom d'action **PERFORAGE** n. m. (1876), restreint à des emplois techniques en mines et (1897) en typographie, et **PERFOREUSE** n. f. (v. 1910). Celui-ci est d'abord appliqué à l'appareil qui perfore les films de trous réguliers et, en mécanographie, à une machine à perforer (1962) ; parallèlement, il sert à désigner une opératrice de perforation (1955).

PERFORATION n. f., d'abord écrit *perforacion* (v. 1398), a été emprunté par les médecins au bas latin *perforatio, -onis*, dérivé du supin de *perforare*, avec le sens médical de «trépanation», puis repris pour désigner l'état d'un organe perforé et, activement, l'action de perforer un organe, en chirurgie (XVe s.). On parle spécialement de *perforation de l'estomac* (1803) et *de l'intestin* (1824 ; 1874, *perforation intestinale*). ◇ En relation avec les autres spécialisations du verbe, le mot est passé dans le langage des mines (1876), de la balistique (1879), de l'imprimerie (1903) et de la mécanographie (1959), se disant spécialement de l'action de perforer un titre de transport (1948).

PERFORMANCE n. f. est emprunté (1839, pl.) à l'anglais *performance* (fin XVe s.) «accomplissement, réalisation, résultats réels», employé dans un champ très vaste dont le domaine du sport n'est qu'un exemple. À partir de l'idée d'exécution, il a désigné celle d'une œuvre littéraire ou artistique, puis une exécution en public, une représentation, un spectacle (déb. XVIIIe s.) : le pluriel est employé dans le domaine des chemins de fer en parlant des possibilités optimales d'un appareil (1832). Le linguiste américain N. Chomsky l'emploie (1963) en l'opposant à *competence* (→ compétence). ◇ *Performance* est dérivé de *to perform* «réaliser, accomplir», issu en moyen anglais de l'ancien français *parformer* (v. 1200), dérivé de *former** avec une valeur voisine de *parfaire*, par l'intermédiaire de l'anglo-normand *par-* ou *perfourmer* (anglo-latin *performare*). Le verbe français serait lui-même l'altération d'un ancien *parfournir*, composé de *par* et de *fournir* (latin médiéval *perfurnire*). On a aussi avancé l'idée que *performance* serait directement emprunté au moyen français *parformance* (1571-1572, dans une lettre de Marie Stuart) mais l'existence de *performance* en anglo-normand n'est pas attestée.

♦ Le mot a été introduit en français comme terme de turf, au pluriel, à propos des résultats d'un cheval de course. Il est bientôt passé dans l'usage courant pour désigner la manière de faire qqch., tout en développant dans d'autres sports des extensions de sens : «résultat sportif exceptionnel», «exploit» (1867), «action d'un athlète, d'une équipe», au pluriel (1876) puis au singulier (1877). ◇ Au XXe s., l'idée d'«exploit» a pénétré l'usage courant (1928) ; les *performances d'un appareil* recouvrant l'ensemble de ses possibilités optimales (1929), sens contesté par les puristes. Le mot est entré dans l'usage des spécialistes en psychologie (1953) et en linguistique chomskyenne (1966) par réemprunts successifs à l'américain. Malgré l'apport des psychologues français (Binet, 1905) dans l'élaboration des tests mentaux, notamment des *tests de performance* (Seguin), la terminologie est plutôt américaine *(mental test, performance test)*. En psychologie expérimentale, ce sont Hoppe et Lewin qui ont introduit en Amérique la notion de «niveau de performance» *(performance level),* et McClelland qui a défini l'*index de performance* (1953). ◇ Quant à l'emploi du mot dans le domaine des spectacles, après une occurrence isolée chez V. Hugo, dans *L'Homme qui rit* (1869) au sens de «spectacle, représentation» (en contexte anglais), il a été repris récemment à propos du théâtre d'avant-garde d'inspiration anglo-américaine. Il s'est étendu à une manifestation artistique, traduisant l'anglais *happening* (lui-même employé en français). ➜ L'antonyme **CONTRE-PERFORMANCE** n. f. s'applique à un résultat particulièrement médiocre (1949), en sports, et par analogie à un échec patent.

▶ **PERFORMANT, ANTE** adj. est dérivé (1968) de *performance* au sens technique de «capable d'un rendement optimal» à propos des systèmes électroniques. Il est passé dans le domaine de la publicité et des techniques commerciales, où il vise à renchérir sur *compétitif* et, de là, tend à se répandre dans le langage à la mode. ➜ **PERFORMER** n. m. a été emprunté comme terme de turf (1867) à l'anglais *performer* (XVIe s.), dérivé de *to perform* «exécuter, accomplir»; au XVIIIe s., *performer* s'emploie pour «celui qui participe à une représentation théâtrale» puis aussi (XIXe s.) «sportive». ◇ Le français lui a donné le sens de «cheval aux bonnes performances» et l'a étendu, par analogie, à une personne (1972).

PERFORMATIF, IVE adj. et n. m. est un emprunt des linguistes et philosophes (av. 1962) à l'anglais *performative* n., de *to perform,* créé par le philosophe anglais J. L. Austin, en parlant d'une catégorie de verbes qui réalisent l'action qu'ils énoncent *(conseiller, décider, jouer, promettre),* et répandu par son ouvrage *How to do things with words* (1962), traduit en français en 1970. ◇ Le mot a été introduit en français lors d'un colloque de philosophie tenu à Royaumont auquel participait Austin lui-même. É. Benveniste, qui s'intéressait aux notions de la pragmatique, l'a immédiatement promu (1963).

PERFUSION n. f. a été emprunté à deux reprises, au XVIe et au XXe s., au latin *perfusio, -onis* «action de baigner, de mouiller», dérivé de *perfusum,* supin de *perfundere* «verser sur, répandre», «inonder», de *per* (→ ① par, per-) et *fundere* «verser» (→ fondre).

♦ Le mot a été introduit à la fin du XVIe s. avec le sens d'«action d'arroser, asperger», mais a rapidement disparu. ➜ Il a été repris avec son sens actuel en médecine (1912), peu après l'anglais *perfusion* (1903), et concurrence *goutte-à-goutte.* ◇ L'abréviation **PERF** n. f. (attesté 1975) est usuelle en milieu hospitalier (par ex. *pied de perf*).

▶ Il a produit le verbe **PERFUSER** v. tr., «mettre (qqn, un organe) sous perfusion» (XXe s.) probablement emprunt à l'anglais *to perfuse* (1903), et **PERFUSEUSE** n. f. (XXe s.).

PERGOLA n. f. est un emprunt (1839) à l'italien *pergola,* mot signifiant «treille» (XIVe s.), qui représente le latin *pergula* «avancée», désignant des constructions en saillie ou surajoutées, appentis, balcons et spécialement une treille. ◇ Le mot latin, d'étymologie incertaine, vient peut-être de *pergere* «diriger jusqu'au bout, aller plus loin», de *per* (→ ① par, per-) et *regere* (→ régir) de la même façon qu'on a *tegere-tegula* (→ tuile).

♦ La première attestation française est *pergole,* pluriel italien cité comme mot étranger, de même que le singulier *pergola* en 1870. Le mot ne semble intégré au français, d'abord sous la forme francisée *pergole* (1903), que vers 1910 (attesté 1913).

① **PÉRI** n. f. est emprunté (1697) au persan *parī* «génie, bonne fée (dans les poésies et les contes persans)», lui-même issu de l'avestique *pairikā* «enchanteresse», nom donné à un démon femelle beau et malfaisant qui séduisait les hommes pieux (dans le mazdéisme).

♦ Le mot, écrit *pari* au XVIIIe s., désigne un génie femelle des contes persans; il est le plus souvent employé au féminin mais le masculin est attesté (Littré).

② **PÉRI** → PÉRIR

③ **PÉRI-** est un premier élément tiré du grec *peri,* préposition exprimant l'idée d'entourer complètement (et même par-dessus), d'où une idée figurée de supériorité et les sens de «tout autour de», «au sujet de», «dans l'entourage de» et «au-dessus de». *Peri-* entre dans de nombreux composés. Il correspond à une préposition indoeuropéenne de structure consonantique *p-r,* dont le sens primitif devait être «en avant» : *peri* correspond exactement au sanskrit *pári,* à l'avestique *pairi* «en recouvrant, en dépassant, en entourant» (*-i* pouvant être la marque du locatif); dans d'autres langues, on a des formes sans *i* : en latin *per* (→ ① par, per-), en germanique, le gotique *fair-,* en balte, le lituanien *per-* «en dépassant, au-delà», en vieux slave *prě-* avec le russe *pere-,* en albanais *për,* etc. *Peri* en grec est rapproché de *pro* «en avant» et probablement aussi de *para* (→ para-). Il se relie également à *peirein* «transpercer» (→ péroné) et à *pera* «de l'autre côté, au-delà», le sens de «dépasser» étant fondamental.

♦ Hormis les nombreux emprunts au grec (voir à l'ordre alphabétique), *péri-* est devenu réellement productif à partir du XVIIIe et surtout au XIXe s., notamment en botanique et en médecine, par exemple avec *périderme* (1838), *périanthe* (1849), *périutérin* (1878). Dans certaines formations récentes, il exprime surtout l'idée de «voisinage immédiat» (*périglaciaire,* 1953) ou de «voisinage abstrait» (*périscolaire,* 1957; *périnatal,* v. 1963). Il est ou a été particulièrement productif en anatomie et en pathologie.

◈ voir PÉRICARDE, PÉRICARPE, PÉRIMÈTRE, PÉRINÉE, PÉRIOSTE, PÉRIPATÉTIQUE, PÉRIPÉTIE, PÉRIPHÉRIE, PÉRIPHRASE, PÉRIPLE, PÉRISCOPE, PÉRISTALTIQUE, PÉRISTYLE, PÉRITOINE; et aussi PÉRIARTHRITE (art. ARTHRO-), PÉRIDURAL (art. DUR).

PÉRICARDE n. m. est emprunté (v. 1370, *pericade*) au grec *perikardion* «enveloppe qui entoure le cœur», neutre substantivé de *perikardios* «qui est autour du cœur», composé de *peri* «autour» (→ ③ péri-) et de *kardia* «cœur» (→ cardiaque).

♦ Le mot, altéré en *pericade*, puis sous la forme *pericardium* (1538), avant *pericarde* (1562), a été repris, avec le même sens que le mot grec, en anatomie.

▶ Sa dérivation consiste en quelques termes de médecine et de pathologie, comme **PÉRICARDIQUE** adj. (une fois en 1611; repris en 1842) et **PÉRICARDITE** n. f. (1806), nom d'affection qui a remplacé la forme *péricarditis* enregistrée dans le dictionnaire de Boiste de 1808 à 1847, probablement emprunt à l'anglais *pericarditis* (1799). ➛ *Péricarde* est représenté sous la forme de l'élément **PÉRICARDI-**, **PÉRICARDO-** dans **PÉRICARDECTOMIE** n. f. «résection du péricarde», **PÉRICARDIOCENTÈSE** n. f. «ponction du péricarde», **PÉRICARDIOTOMIE** n. f. «incision faite au péricarde», **PÉRICARDO-PLEURAL, ALE, AUX** adj. «relatif au péricarde et aux plèvres», tous attestés dans les dictionnaires dans les années 1960.

PÉRICARPE n. m. est emprunté (1556) au grec *perikarpion* «enveloppe d'un fruit ou d'une graine», formé de *peri* «autour» (→ ③ péri-) et de *karpos* «fruit», «céréales, récoltes», mot reposant sur la même racine que le latin *carpere* «cueillir, récolter» (→ charpie).

♦ Le mot, employé en botanique, désigne l'ensemble des parties du fruit qui entoure et protège la graine.

▶ Les dénominations de ces différentes parties datent du XIXe s. : **ENDOCARPE** n. m. (1808), **ÉPICARPE** n. m. (1808) et **MÉSOCARPE** n. m. (1842) ont été formés avec un premier élément indiquant leur localisation (→ endo-, épi-, méso-).

PÉRICLITER v. intr. est emprunté (v. 1320) au latin *periclitari*, transitif et intransitif aux sens de «faire l'essai de, risquer de», «être en danger» et «mettre en danger», en latin médiéval «faire naufrage» (934-936), «périr par naufrage» (1180). *Periclitari* est lui-même dérivé de *periculum* (→ péril); par l'évolution phonétique, il a donné l'ancien français *périller* (v. 1140) «périr en mer», forme vivante jusqu'au début XVIIe s. et reprise au XIXe s. (attestée entre 1808 et 1895).

♦ *Péricliter* a été emprunté avec le sens particulier du latin médiéval, «faire naufrage, périr», qui est sorti d'usage. Le verbe a signifié «périr» (1428) et transitivement «exposer à un danger, hasarder» (1611). ➛ L'usage moderne du mot s'établit à partir du sens affaibli d'«être en péril» (1649), lui-même vieilli, et «aller vers son déclin» (1694) en parlant d'une personne, d'une entreprise, d'une affaire.

▶ Aucun des dérivés du verbe, que ce soit son participe présent adjectivé **PÉRICLITANT, ANTE** ou le nom d'action **PÉRICLITATION** n. f., n'est resté vivant.

PÉRIL n. m. est issu (v. 980) du latin *periculum* «essai, expérience, épreuve», d'où secondairement «risque, danger», «procès» et, en latin médiéval, «danger de l'âme, damnation». *Periculum* est dérivé du verbe inusité *periri* «éprouver, expérimenter», très tôt remplacé par son composé *experiri* (→ expérimenter) et se rattachant à une racine °*per-*, bien représentée dans les langues indoeuropéennes : on évoque le grec *peira* «épreuve, essai», *peirein* «transpercer, traverser» (→ péroné, pore), l'ancien haut allemand *fāra* «danger». Le sens originel de la racine serait «aller de l'avant, pénétrer dans». En latin même, elle figure dans un grand nombre de mots (→ ① par, per-, port, porter).

♦ Le mot, dès les premiers textes, signifie «état, situation où l'on est menacé». En ancien français, il a également eu les acceptions particulières de «tempête en mer», «malheur», «nouvelle d'un désastre», ainsi que «risque que fait courir qqch.» (1080). Il a été employé dans des expressions comme *peril d'enfant* «travail d'enfant» et *au peril de* «au pouvoir de». ◇ Seul le sens initial s'est maintenu, propre à la langue écrite, le mot usuel étant *danger*. Il entre dans quelques locutions, ***au péril de*** (1636), ***au péril de sa vie*** (1640, glosée comme «formule servant à renforcer une affirmation»), ***il y a péril en la demeure*** (1835; précédée par une forme légèrement différente, dès 1690), où *demeure** «fait de demeurer, de ne pas bouger» n'est plus compris, et ***à ses risques et périls*** (1868) qui prolonge l'ancienne expression *à ses périls et fortune* (1465).

▶ **PÉRILLEUX, EUSE** adj. est issu, sous la forme *perillus* (1155), du latin *periculosus* «dangereux», dérivé de *periculum* (→ péril). ◇ Le mot est employé en parlant de choses concrètes ou abstraites; son usage à propos d'une personne est plus rare et relève du style littéraire ou soutenu; en sports, ***saut périlleux*** désigne un saut avec culbute. ◇ Quelques auteurs ont employé le synonyme recherché *periculeux*, fait sur le radical du mot latin. ➛ Le dérivé **PÉRILLEUSEMENT** adv. (1220, *perillosement*) est assez rare.

◈ voir EMPIRIQUE, EXPÉRIENCE, EXPERT, IMPÉRITIE, PÉRICLITER, PIRATE.

PÉRIMER (SE) v. pron. est emprunté (1461-1465) au latin *perimere* «anéantir, détruire», employé dans le langage poétique au sens de «tuer» et en droit, à basse époque, pour «annuler, mettre fin à une instance». Le verbe latin est formé de l'intensif *per* (→ ① par, per-) et de *emere* «prendre, recevoir», «acheter», au figuré «soudoyer», mot non passé en roman représenté en français par plusieurs composés (→ rançon, somptueux).

♦ Dans l'ancienne langue, le mot était employé transitivement avec les sens du latin, «abolir, détruire» et, en droit, «annuler» (1464, *perimir*; puis *périmer*, 1624). ◇ L'usage moderne a généralisé l'emploi du pronominal *se périmer* (1823), d'abord dans l'usage juridique, puis au sens figuré pour «être démodé» (1859; repris XXe s.) et au sens propre «cesser d'être valable» (déb. XXe s.). ◇ On rencontre quelques emplois de la construction transitive, au sens de «rendre caduc» (1831), et de la construction intransitive, au sens de «perdre sa vitalité» (1894), mais seuls le pronominal et le participe passé sont usuels.

▶ Le mot n'a donné aucun dérivé en dehors de l'adjectif tiré de son participe passé **PÉRIMÉ, ÉE**

(1804), qui qualifie une chose dont le délai de validité a expiré et, au figuré, ce qui n'a plus cours, ce qui a fait son temps (av. 1841).
Le nom d'action correspondant à *périmer* est fourni par **PÉREMPTION** n. f., emprunt (1546) au bas latin *peremptio, -onis* «suppression», spécialement «meurtre», dérivé du supin *(peremptum)* de *perimere.* ◆ Le mot a été introduit par les juristes pour «anéantissement d'un acte du fait de l'écoulement d'un délai» (la 1re attestation est *péremption d'instance*). ◇ Ce n'est qu'au XXe s. qu'il a pris le sens figuré plus général de «caractère de ce qui est démodé» (1907), d'usage soutenu; l'acception «date à partir de laquelle la fraîcheur d'un produit n'est plus assurée» (1968, en pharmacologie, dans l'expression *date de péremption*) est devenue plus courante.

◈ voir **PÉREMPTOIRE.**

PÉRIMÈTRE n. m. est emprunté (1538), par l'intermédiaire du latin, au grec *perimetros* «circonférence». C'est le féminin substantivé, par ellipse de *grammê* «ligne, trait» (→ -gramme), de *perimetros* «qui mesure tout autour», de *peri* «autour» (→ ③ péri-) et *-metros,* de *metron* «mesure» (→ mètre).

♦ Le mot désigne en géométrie la ligne qui délimite le contour d'une figure plane et la longueur de cette ligne. Par métonymie, il est appliqué à la surface qui s'étend autour d'un point donné (1847), spécialement à cette surface en tant que s'y appliquent des réglementations, des services et des aménagements. ◇ Par retour au sens étymologique, il désigne en ophtalmologie un appareil mesurant les limites du champ visuel (av. 1914).

▸ On en a dérivé **PÉRIMÉTRIE** n. f. (1705), terme de géométrie sorti d'usage pour «longueur du périmètre» et repris en ophtalmologie (1963) au sens d'«exploration du champ visuel», peut-être d'après l'anglais *perimetry* (1893), ainsi qu'en technique (dispositifs de sécurité). ◆ Un autre dérivé, **PÉRIMÉTRIQUE** adj. (1832), est resté vivant en géométrie pour qualifier ce qui appartient au périmètre et a pris les mêmes valeurs que *périmétrie* sous l'influence de l'anglais *perimetric* (1899).

PÉRINÉE est emprunté (1534) au bas latin *perineos,* calqué du grec *perineos* «partie du corps entre l'anus et les testicules», par extension «parties génitales de l'homme». Ce terme est à l'origine familier; il signifie proprement la région par où le corps se vide : il est composé de *peri* (→ ③ péri-) et de *inan* «évacuer, vider», verbe que l'on a cherché à rapprocher du sanskrit *iṣ-ṇā́-ti* «mettre en mouvement, lancer».

♦ Le mot, terme d'anatomie, désigne l'ensemble des tissus qui constituent le plancher du bassin.

▸ Comme d'autres termes d'anatomie, le mot a produit ses dérivés au XIXe et XXe s., avec **PÉRINÉAL, ALE, AUX** adj. (1803) et quelques composés en **PÉRINÉO- (PÉRINÉO-ANAL, ALE, AUX** adj., **PÉRINÉOVAGINAL, ALE, AUX** adj., **PÉRINÉOTOMIE** n. f., **PÉRINÉOPLASTIE** n. f.).

① **PÉRIODE** n. f. et m. est un emprunt (XIVe s., *peryode*), peut-être par l'intermédiaire du latin *periodus,* au grec *periodos.* Ce dernier est formé de *peri* «autour» (→ ③ péri-) et de *hodos* «voie, chemin», lequel appartient à une racine indoeuropéenne *°sed-* «aller» représentée dans le sanskrit *ā-sad-* et dans le vieux slave *chodŭ, choditĭ* «aller» (→ exode, méthode, synode; -ode dans électrode). *Periodos* désigne proprement un chemin autour (circuit, enceinte) et, activement, l'action d'aller autour, avec de nombreuses extensions comme «manœuvre stratégique», «tournée d'un médecin», «tournée d'un service à table», «conversation à la ronde», et «révolution des astres». À partir de ce dernier sens, il y a eu transposition sur le plan temporel et le mot a pris, comme *revolutio* (et *révolution* en moyen français), le sens de «retour régulier (des saisons)» et, absolument, «laps de temps, moment de la vie, âge», en particulier «période menstruelle» (cf. l'anglais *period* et ci-dessous *périodique*). En outre, il se dit d'un tour complet, d'un itinéraire, voyage autour du monde, dans un pays et, en rhétorique, d'une phrase oratoire cadencée (→ ② période).

♦ Il a été introduit en français avec le seul sens temporel d'«espace de temps plus ou moins long», qui est resté usuel. ◇ Le mot, de genre indéterminé, a longtemps hésité entre le masculin et le féminin avant que le féminin ne s'impose dans tous les emplois vers la fin du XVIIIe s. (époque où se généralise le *é* de *pé-,* 1740). Toutefois, le masculin s'est maintenu, dans un style archaïsant, pour désigner le degré d'une évolution (1478, d'une maladie) et, spécialement, le degré maximum (1690, *au plus haut periode*). ◇ Selon le contexte dans lequel il est employé, le mot se charge d'exprimer l'époque historique ou l'âge de la vie d'un individu, et il a développé quelques sens spéciaux d'usage didactique, d'abord en astronomie (1671, *periode julienne*). Au cours du siècle suivant, il est devenu un terme de médecine et de pathologie (1797; 1764, au masculin), puis aussi un terme de chimie (1838), de physique (1851) et d'électricité (1890), de géologie (1842), d'arithmétique (1872) et de droit (1871, *période électorale*). ◇ Au XXe s., il a développé une spécialisation en chimie, servant à exprimer la durée nécessaire pour que la masse d'une quantité donnée d'un radioélément se réduise de moitié (attesté en 1938).

▸ Au XXe s., il a produit ses deux dérivés didactiques : **PÉRIODISATION** n. f. «division significative et explicative en périodes (de l'histoire)» et **PÉRIODEMÈTRE** n. m. (1973).
① **PÉRIODIQUE** adj. est emprunté (1398), semble-t-il avec son sens médical, par l'intermédiaire du latin impérial *periodicus,* au grec tardif *periodikos* «qui revient à époques fixes, présente des alternances», dérivé de *periodos.* ◇ Le mot a été introduit en français par les médecins en parlant d'une maladie, d'une douleur qui se manifeste par des accès intermittents réguliers, notamment des règles des femmes, d'où par métonymie (XXe s.) *coussins périodiques* (1910), puis *garnitures périodiques,* qui retrouve la valeur médicale du latin *periodus.* ◇ Parallèlement à *période,* il est passé dans le langage didactique, qualifiant ce qui est caractérisé par une période, en astrologie (1634), puis en physique (1671). ◆ Il qualifie aussi ce qui revient à

certaines époques, se produit à intervalles réguliers, sens réalisé spécialement dans le domaine des publications (1869, *presse périodique*) et qui aboutit à la substantivation du mot dans *un* **PÉRIODIQUE** n. m. pour désigner une publication régulière (1752). ◆ Le mot a développé au XIXe s. d'autres spécialisations dans les terminologies scientifiques, en mathématiques (1838, *fraction périodique*) et en chimie et physique, avec la *classification périodique des éléments* (1867) élaborée par Mendeleïev. ◆ *Périodique* a produit quelques dérivés : **PÉRIODIQUEMENT** adv. (1611), d'usage courant, **PÉRIODICITÉ** n. f. (1665), d'usage didactique, et deux antonymes propres au langage scientifique ou didactique : **ANTIPÉRIODIQUE** adj. (XIXe s.) et **APÉRIODIQUE** adj. (1873).

◈ voir ② **PÉRIODE.**

② **PÉRIODE** n. f., terme de rhétorique, est emprunté (1596) au latin impérial *periodus*, lui-même repris du grec *periodos* (→ ① période), spécialisé au sens de «phrase complexe d'une certaine ampleur formant une unité rythmique» (Aristote, *Rhétorique*).

♦ *Période* a été repris en rhétorique avec le sens du grec et du latin. Par analogie il est passé dans le langage musical (1787) en parlant de l'ensemble des éléments concourant à la construction d'une mélodie.

▸ ② **PÉRIODIQUE** adj., qui lui correspond, est emprunté (1671) au grec tardif *periodikos* (→ périodique) pris dans sa spécialisation rhétorique, le latin *periodicus* n'ayant pas ce sens. Il est demeuré rare.

PÉRIOSTE n. m. est la forme francisée (1575, Paré) de *periostion* (1538), adaptation hellénisante du grec *periosteon* «membrane qui enveloppe l'os». Celui-ci est le neutre substantivé de l'adjectif *periosteos* «entourant les os», composé de *peri* (→ ③ péri-) et de *osteon* «os», vieux nom indoeuropéen de l'os correspondant au latin *os* (→ os) et conservé en grec moderne (surtout puriste).

♦ Le mot, en anatomie, désigne la membrane qui enveloppe l'os, à l'exception des surfaces articulaires.

▸ Au XIXe s., le mot a produit **PÉRIOSTOSE** n. f. «épaississement du périoste» (1803), **PÉRIOSTITE** n. f. «inflammation du périoste» (1823) et **PÉRIOSTIQUE** adj. «relatif au périoste» (1856), ce dernier anciennement concurrencé par **PÉRIOSTÉ, ÉE** adj. (1865), sorti d'usage.

PÉRIPATÉTIQUE n. et adj. est emprunté (1372, *perhipatétique;* simplifié en *péripatétique,* 1495) au latin *peripateticus* employé en philosophie à propos d'Aristote et de ses disciples. Lui-même est emprunté au grec hellénistique *peripatetikos* «qui aime à se promener en discutant», spécialisé en philosophie par allusion à Aristote qui enseignait la philosophie à ses disciples tout en marchant. Ce dernier mot vient de *peripatein* «aller et venir» (notamment sous un portique), «se promener en conversant», de *peri* «autour» (→ ③ péri-) et *patein* «marcher sur, fréquenter», verbe d'origine inconnue.

♦ *Péripatétique*, repris par la langue philosophique pour qualifier celui qui suit la doctrine d'Aristote et ce qui s'y rapporte (1495), a vieilli ; son emploi substantivé pour désigner Aristote aussi.

▸ Son dérivé **PÉRIPATÉTISME** n. m. (1660) reste vivant comme terme d'histoire de la philosophie. Quant à **PÉRIPATÉTICIEN, IENNE** adj. et n. dérivé, chez les philosophes médiévaux (v. 1370, Oresme), du latin *peripateticus*, il sert à désigner et à qualifier (1662) la personne qui suit la philosophie d'Aristote. ◆ Par allusion au sens originel, il a reçu le sens plaisant de «qui s'effectue en marchant» dans les milieux estudiantins et, de là, est passé dans l'usage familier au féminin, une **PÉRIPATÉTICIENNE** désignant une prostituée, emploi à la fois recherché et plaisant qui est resté en usage. Cet emploi est attesté dans la traduction par Baudelaire (1860) de Thomas de Quincey (qui emploie *peripatetic*). Ce texte porte *péripatéticienne* («promeneuse») *d'amour*.

PÉRIPÉTIE n. f. est emprunté (1605) au grec *peripeteia* «passage subit d'un état à un état contraire», d'où «événement imprévu» en parlant d'un bonheur soudain et, plus souvent, d'un malheur subit, spécialement employé, dans le cadre des œuvres théâtrales, pour une phase du drame imprévue (Aristote). C'est un composé de *peri* «autour» (→ ③ péri-) et de *-peteia* «action de tomber sur», de *piptein* «tomber». *Piptein* est de même racine que *petesthai* «voler» auquel correspondent le sanskrit *pápati* «voler» et le latin *petere* «se diriger vers, se hâter», d'où «solliciter» (→ pétition).

♦ Le mot a été repris avec sa spécialisation littéraire de «changement subit de situation dans une action dramatique, un récit», s'appliquant en particulier au dernier événement qui fait le dénouement d'une pièce (1690). ◇ Par extension, il est passé dans l'usage courant en parlant d'un événement imprévu provoquant un revirement (1762), réactualisant ainsi le sens premier du mot grec.

PÉRIPHÉRIE n. f. est la réfection, sur le modèle du grec (1544), de *perifere* (fin XIIIe s.), emprunté au bas latin *peripheria* «circonférence, pourtour», lui-même emprunté au grec *periphereia* de même sens, dit également d'un arc de cercle. C'est un composé de *peri* «autour» (→ ③ péri-) et de *phereia*, de *pherein* «porter» (→ -phore, à phosphore).

♦ Le mot désigne d'abord la circonférence d'une figure curviligne et, plus généralement, dans l'usage courant, le pourtour d'un objet (1813). Appliqué par extension à la région externe d'un corps, il en est venu à désigner la partie d'un territoire située près de ses limites, de ses frontières, et spécialement l'ensemble des quartiers éloignés du centre d'une ville (1913), valeurs aujourd'hui usuelles.

▸ Son dérivé **PÉRIPHÉRIQUE** adj. et n. (1842) qualifie ce qui est situé sur le pourtour d'un objet circulaire, puis d'un territoire. Appliqué à ce qui est à la périphérie d'une ville, il qualifie un quartier (1935), et un boulevard (1959), substantivé dans ce dernier cas (*le périphérique,* à Paris) et abrégé en **PÉRIPH** ou **PÉRIF** dans la langue familière (attesté par écrit en 1975). ◇ Depuis 1963, l'adjectif s'emploie dans le domaine de la radio, de la télévision pour désigner un émetteur privé situé dans les pays limitrophes auxquels les émissions sont destinées (1963). ◇ Il est substantivé en informatique (1968) à propos du dispositif extérieur d'un ordinateur connecté à l'unité centrale, et en télécommunications d'un appareil associé à un poste téléphonique permettant d'obtenir des renseignements complémentaires. ➝ Il a pour dérivé **PÉRIPHÉRIQUEMENT** adv. (attesté en 1945), d'emploi didactique et rare.

PÉRIPHRASE n. f. est emprunté (1529) au latin *periphrasis,* lui-même repris du grec *periphrasis,* dérivé de *periphrazein* «exprimer par circonlocution», de *peri* «autour» (→ ③ péri-) et *phrazein* «mettre dans l'esprit, faire comprendre, expliquer, énoncer», etc. (→ phrase).

♦ Le mot est passé en français, avec le sens du grec et du latin, comme terme de rhétorique et de grammaire, quelquefois confondu avec *paraphrase**.

▸ Il a pour dérivé **PÉRIPHRASER** v. intr. «s'exprimer par circonlocution» (1551), verbe rare qui a produit **PÉRIPHRASEUR, EUSE** n. et adj. (1845), employé comme nom pour «personne qui a la manie des périphrases», d'après *phraseur*,* et comme adjectif au sens descriptif neutre de «qui a le caractère de la périphrase» (1876).

PÉRIPHRASTIQUE adj. a été emprunté pour servir d'adjectif à *périphrase* (1555) au dérivé grec *periphrastikos* «qui appartient à la périphrase». ➝ Le mot est rare avant le XIXe s. (attesté en 1842) où il est repris pour qualifier un style, souvent avec une valeur péjorative, et en grammaire pour désigner un temps du verbe recourant à la combinaison de plusieurs termes, en particulier à l'emploi d'auxiliaires.

◈ voir ANTIPHRASE, PARAPHRASE.

PÉRIPLE n. m. est emprunté (1629) au latin *periplus* «navigation d'exploration autour d'une mer, d'un continent», lui-même emprunté au grec *periplous* qui se dit aussi par métonymie de la description des côtes. *Periplous* est composé de *peri* «autour» (→ ③ péri-) et de *plous* «navigation», dérivé de *plein* «naviguer» qui appartient à une famille de mots indoeuropéens dont font partie le russe *plávatĭ* «nager» et le verbe impersonnel latin *pluit* «il pleut» (→ pleuvoir).

♦ Le mot a été emprunté avec le sens du latin et du grec. Par extension, il est employé couramment à propos d'un déplacement sur terre, qu'il soit ou non circulaire (1898), emploi abusif aux yeux des puristes, constituant un synonyme pédant ou plaisant de *circuit, tour.*

PÉRIR v. intr. est issu (1050) du latin *perire,* de *per* à valeur intensive (→ ① par, per-) et *ire* «aller, marcher» (→ irai à aller). Le développement est «s'en aller tout à fait, disparaître», d'où «être anéanti», «perdre la vie» et «être dans une situation désespérée» (en ce sens, employé comme passif de *perdere ;* → perdre).

♦ Le verbe est passé en français avec le sens de «mourir de mort violente» ; en religion, il signifie «perdre la vie spirituelle» (v. 1170). En parlant d'une chose, il correspond à «disparaître, être anéanti» (av. 1050). Depuis le XIIe s. (1188), il est employé spécialement dans le contexte maritime, à propos d'un navire qui sombre. ◇ L'emploi transitif de *périr* (1121-1134) au sens de «faire mourir» a disparu, de même que la forme pronominale *se périr* (v. 1165) pour «se donner la mort» (cf. *tuer* et *se tuer*) et «être anéanti», en parlant de la chrétienté (av. 1370), de la justice (fin XIVe s.). ◇ Puis, le verbe s'est appliqué à un État, à des affaires publiques anéanties (1530), le sens transitif ancien étant assumé par la construction factitive *faire périr* (1690) ; l'emploi du mot au figuré dans *périr de* remonte au XVIIIe s. ; *périr d'ennui* renforçant *mourir d'ennui.* ◇ C'est aussi à partir du XVIIIe s. que *périr* a cessé de pouvoir être conjugué indifféremment avec l'auxiliaire *être* ou *avoir,* l'usage d'*avoir* devenant la règle. Le mot a vieilli en français contemporain.

▸ Le participe passé **PÉRI** a été adjectivé, d'abord au sens de «perdu, damné», sorti d'usage, puis dans un contexte maritime (fin XIVe s., en parlant d'un bateau), emploi encore vivant mais spécialisé. Il est employé en héraldique (1581) pour un meuble de petites dimensions placé au centre de l'écu sans toucher les bords, par allusion probable au sens latin originel : la figure semble disparaître de l'écu (cf. *en abyme*). ➝ **PÉRISSABLE** adj. (fin XIVe s.), fait sur *périr,* qualifie une chose appelée à disparaître (spécialement, dans le langage religieux, les biens terrestres). Il s'est répandu dans l'usage courant avec le sens secondaire de «sujet à s'avarier, à se gâter» (1416) en parlant d'un produit comestible ***(denrées périssables).*** ➝ Le préfixe *im-* a servi à former l'antonyme **IMPÉRISSABLE** adj. (1528), surtout employé d'un souvenir, d'une réputation, et dont est tiré l'adverbe **IMPÉRISSABLEMENT** (1838), d'usage rare.

PÉRISSOIRE n. f. a été fait sur *périr* avec le suffixe *-oire* (1867) pour une embarcation de sports ou de loisirs, en raison de son instabilité ; cette origine n'étant plus toujours sentie.

◈ voir DÉPÉRIR.

PÉRISCOPE n. m. est formé sur le grec *periskopein* «regarder autour», de *peri* «autour» (→ ③ péri-) et *skopein* «regarder, examiner» (→ microscope, -scope).

♦ *Périscope* est d'abord attesté comme nom d'un genre de reptiles ophidiens, par adaptation du latin zoologique *periscopus* (1847 en français, dans le dictionnaire de d'Orbigny), genre établi par Fitzanger. Ce mot a disparu. ➝ *Périscope* a été repris (1865) pour désigner un type d'objectif photographique, avant de dénommer l'appareil optique pour sous-marin inventé en 1854 par le Français E. H. Marié-Davy. ◇ L'anglais *periscope* désigne d'abord (1823-1824) une vue d'ensemble.

▸ ① **PÉRISCOPIQUE** adj., terme d'optique (1827), se dit d'un verre dont l'une des faces est plane ou concave et l'autre convexe, et est emprunté à l'anglais *periscopic* (1804), formé sur le grec *periskopein*. ◇ ② **PÉRISCOPIQUE** adj., avec le sens de «relatif au périscope d'un sous-marin», est un autre mot dérivé ultérieurement (1923) de *périscope*.

PÉRISTALTIQUE adj. est emprunté (1654; 1618, d'après Bloch et Wartburg) comme terme de physiologie au grec *peristaltikos* «qui a la propriété de comprimer en se rétractant, de se contracter». C'est un dérivé de *peristellein* «envelopper», d'où «vêtir» et «ensevelir», «protéger», lui-même composé de *peri* «autour» (→ ③ péri-) et de *stellein* «équiper», «habiller, vêtir», etc. Ce verbe n'a pas de correspondant clair hors du grec et fait partie d'une famille issue d'une racine exprimant la notion d'arranger, de préparer.

♦ Le français a repris le mot avec le sens qu'il avait en grec.

▶ Le dérivé **PÉRISTALTISME** n. m. (1877) désigne l'activité péristaltique propre à certains organes, notamment ceux qui constituent le tube digestif.

PÉRISTYLE n. m. est emprunté (1546) au latin *peristylum*, lui-même emprunté au grec *peristulon*, nom donné à une colonnade entourant la cour intérieure d'un édifice ou disposée autour d'un édifice, et formé de *peri* «autour» (→ ③ péri-) et de *stulos* «colonne», «poteau» (→ style).

♦ Le mot a été emprunté pour désigner la galerie formée par un ou plusieurs rangs de colonnes autour d'un édifice et la colonnade disposée autour de la cour intérieure d'un édifice. Par extension, il sert à désigner la colonnade décorative de la façade d'un édifice (1605). Il est adjectivé (1676) à propos d'un temple orné de colonnes à l'intérieur. ◇ En archéologie (1838), il s'applique à la partie de la maison romaine qui consistait en une colonnade autour d'une cour ou d'un jardin.

PÉRITOINE n. m. est l'emprunt en anatomie (1520) du bas latin *peritonaeum*, lui-même repris du grec *peritonaion*, mot désignant la membrane qui recouvre intérieurement le bas-ventre. C'est le neutre substantivé de *peritonaios* «tendu tout autour», dérivé de *periteinein*, verbe formé de *peri* «autour» (→ ③ péri-) et de *teinein* «tendre». Ce dernier appartient à la racine indoeuropéenne °*ten-* «tendre, étirer», également représentée dans le latin *tendere* (→ tendre), *tenere* (→ tenir).

♦ *Péritoine* a gardé le sens du mot grec.

▶ On en a dérivé quelques termes modernes de chirurgie : **PÉRITONISME** n. m. (1878) et **PÉRITONISER** v. tr. (v. 1950), ce dernier étant un dérivé régressif de **PÉRITONISATION** n. f. (1902). ➡ **PÉRITONITE** n. f., «inflammation du péritoine», a été emprunté (1802), par l'intermédiaire de l'anglais *peritonitis*, au latin médical *peritonitis* (1776), également attesté dans la traduction française (1785) de W. Cullen, *Éléments de médecine pratique*. Il est plus courant que les autres mots de la série. ➡ **PÉRITONÉAL, ALE, AUX** adj. a été dérivé savamment (1805) du bas latin *peritonaeum* peut-être sur le modèle de l'anglais *peritoneal* (1767). ◇ Le mot est employé en médecine où il qualifie ce qui se rapporte au péritoine; il est particulièrement employé à propos de l'opération pratiquée dans le péritoine et en pathologie pour ce qui atteint le péritoine.
Quelques termes modernes de chirurgie et de pathologie ont été faits avec l'élément **PÉRITONÉO-** représentant *péritoine*, tels **PÉRITONÉO-PLEURAL, ALE, AUX** adj. (XXe s.) et **PÉRITONÉOSCOPIE** n. f. (*in* Larousse, 1963).

PERLE n. f. est issu (v. 1120, en anglo-normand) du latin populaire °*pernula*, diminutif du latin *perna* «jambe», «cuisse de porc, jambonneau» et, par analogie de forme, appliqué à un coquillage dit aujourd'hui *jambonneau* ou *pinne marine*. C'est un mot technique qui correspond au hittite *paršna-* «haut de la cuisse, jambon», au grec *perna*, au sanskrit *pā́rṣṇiḥ*, au gotique *fairzna* «talon». L'idée d'un emprunt à l'italien *perla* «perle» (lui-même du latin) est peu probable car le mot italien n'est attesté que depuis le XIIIe s. (latin médiéval *perla* à Rome).

♦ Le mot, également écrit *pelle* au XIIIe s., a pris par métonymie du sens étymologique de «coquillage» celui de «petite concrétion dure et brillante à l'intérieur de certaines huîtres» (av. 1150, dans un lapidaire). Il est employé en tant que terme de joaillerie, déterminé dans ***perle fausse*** (1260), ***perle fine*** (1260, *fines pelles* au pluriel), *perle d'Orient* (1307), auxquelles s'ajoute au XXe s. (1930) ***perles de culture.*** L'usage de la perle en bijouterie entraîne l'existence de nombreux syntagmes, dont *collier de perles*. Le mot est entré au XVIe s. dans deux locutions figurées également usuelles : ***enfiler des perles*** (1534) «employer son temps à des activités sans intérêt», et ***jeter des perles aux pourceaux*** (1553, dans la Bible, *Matthieu*, VII, 6), ***aux cochons,*** allusion biblique et traduction du latin *margaritas ante porcos*. ◇ Dès 1260, par analogie de forme et d'usage, *perle* se dit d'un petit ornement d'une autre matière (*perle d'argent*, etc.) et donne lieu à des emplois métaphoriques (1552 à propos des dents de la femme aimée). ➡ Plusieurs emplois analogiques sont apparus depuis, en imprimerie pour le plus petit corps (1751), là où l'on dit à présent *corps 4*, puis en architecture pour un élément de décoration (1835), et aussi en pharmacie (1853)... ◇ Parallèlement, *perle* a développé à partir du XVIe s. un certain nombre de sens figurés mélioratifs, se disant d'une personne remarquable dans un domaine particulier (1532), d'une personne dépassant toutes les autres en son genre (1549), souvent dans *perle de*. ◇ Par métonymie, il s'applique à ce que qqn peut produire de mieux d'où, par antiphrase populaire, à un pet (1894), à un mot ou une expression cocasse (1923), spécialement dans un contexte scolaire (par calembour, si la bourde témoigne d'une ignorance comique, *perle de culture*). ➡ Depuis 1669, il se dit d'une couleur, d'abord dans *gris de perle* devenu ***gris perle*** (1671), puis comme adjectif.

▶ Parmi les nombreux dérivés de *perle*, peu sont attestés dès l'ancien français : ce n'est le cas que de **PERLÉ, ÉE** adj. (1362-1394) au sens propre d'«orné de perles». À l'époque classique, cet adjectif commence à qualifier ce qui a l'éclat et l'irisation de la perle (1659), spécialement un bouillon qui présente des reflets ronds et brillants (1670); il passe en musique à propos d'une suite de sons nettement détachés (1694) puis qualifie couramment un rire (1872). ◇ *Perlé* qualifie également ce qui est en forme de perle (1765, *orge perlé*); sous l'influence de *perler*, il a pris la valeur figurée de «fait à la perfection» (1835), aujourd'hui désuète. Il est spécialement appliqué à un mouvement social larvé, qui se poursuit sans prendre toute l'ampleur qu'on pourrait lui donner, sens conservé seulement dans ***grève perlée*** (1911).

PERLER v. tr., dérivé de *perle* (1554), a longtemps le seul sens d'«orner de perles», au figuré et au propre. Au XIXe s., ce verbe a développé plusieurs sens figurés spéciaux, «action de détailler (des sons, des notes)» (1833), «exécuter (un travail) très soigneusement» (1834, en couture) et spécialement, en confiserie, «faire avec du sucre (des confiseries en forme de globules)» (1836). Il est aussi construit intransitivement pour «former une goutte semblable à une perle» (1844) et à la forme pronominale, *se perler* (1837) au propre et au figuré, pour «apparaître progressivement» (1918). ➔ Le verbe a produit quelques dérivés techniques: **PERLOIR** n. m. (1752) désigne un outil servant à faire des ornements en forme de perle. ➔ **PERLAGE** n. m. (1874, Mallarmé), terme de couture, s'applique par métonymie à l'ensemble des perles cousues sur un vêtement (1926). ➔ **PERLEUR** n. m. est le nom d'un appareil servant à perler le riz (1875).

Perle a donné le terme de vénerie: **PERLURE** n. f., d'abord *perleure* (1578) «petite excroissance des andouillers du cerf». On le rencontre à l'occasion comme synonyme de *perlage* en habillement (Mallarmé). ➔ **PERLIER, IÈRE** adj. qualifie (1686) ce qui sécrète les perles, presque toujours dans ***huître perlière***; il est substantivé pour désigner les personnes qui vivent du travail, du commerce des perles (1902, au féminin; 1934, au masculin). ➔ **PERLITE** n. f. a été créé (1812) comme terme de minéralogie pour désigner une sorte de silicate naturel; il est employé techniquement (1934) à propos d'un microconstituant des alliages ferreux. ◇ Il a donné **PERLITIQUE** adj. (1878). ➔ **PERLOT** n. m., servant à désigner une petite huître des côtes de la Manche (1877), est d'usage régional. ➔ Quant à **PERLOUSE** n. f. (1920), il sert de synonyme à *perle* en argot (suffixe argotique *-ouse*). ➔ On a tiré de *perle* un adjectif **PERLANT, ANTE** (1963) pour qualifier un vin qui forme de petites «perles» sur les bords du verre lorsqu'on le verse.

EMPERLER v., formé (1547) à l'aide du préfixe *em-*, au sens d'«orner de perles ou d'objets comparables à des perles», est rare après le XVIe s. (on relève *emparler* en 1659), avant d'être repris (1845). Il reste marqué stylistiquement, tant au propre qu'au figuré. ➔ Son participe passé **EMPERLÉ, ÉE** adj. se dit d'une personne qui porte de nombreuses perles, concurrencé par l'argot **EMPERLOUSÉ, ÉE** adj., tiré de *perlouse* (ci-dessus).

PERLIMPINPIN n. m., d'abord *prelimpinpin* (1640) avant *perlimpinpin* (1690), est un mot qui évoque une parodie de formule magique mais dont les éléments (*prel-* ou *perl-*, *pin...*) sont inexpliqués.

♦ Il est employé dans l'expression ***poudre de perlimpinpin***, nom d'une poudre aux vertus imaginaires, autrefois vendue comme panacée par les charlatans. Par extension, il s'est employé dans la locution adjective ***de perlimpinpin*** pour qualifier une chose dont l'existence est purement imaginaire.

PERLUÈTE ou **ESPERLUETTE, ESPERLUÈTE** n. f. est un mot d'origine obscure (1878 *perl-*), probablement d'abord picard et de création enfantine, déjà attesté en 1851 sous la forme *esperluette*, glosé «mot que les enfants ajoutent à l'alphabet qu'ils récitent». On a évoqué la possibilité d'une formation plaisante à partir d'*épeler** et de *pirouette**. L'origine et la formation du mot semblent confirmées par le commentaire du *Grand Dictionnaire* de Pierre Larousse (1878): «Nom donné autrefois dans les écoles élémentaires au caractère & qui terminait l'alphabet et qui représentait le mot *et* [...]; le caractère & se nommait *ète*; mais l'usage s'était établi, quand on faisait répéter l'alphabet aux enfants, de leur faire ajouter *perluète* après *ète*, par une sorte de jeu et pour terminer par une rime plaisante. Au lieu de *perluète*, on disait quelquefois *pirlouète* ou *esperluète*.»

♦ Le mot est un terme de typographie désignant un signe (&) représentant la conjonction *et*.

PERMANENT, ENTE adj. et n. est emprunté (v. 1370, Oresme) au latin *permanens* «qui dure sans discontinuer ni changer», participe présent de *permanere*, composé de *per* (→ ① par, per-) et de *manere* «rester, demeurer» (→ manoir) et signifiant «demeurer d'un bout à l'autre», et «persister, persévérer». Le verbe latin était passé en français par voie orale sous les formes *parmanoir*, *parmaindre* «rester, persévérer», lesquelles avaient donné *parmanant*, *permenant* adjectifs tirés de son participe présent (XIIe s.) et que l'emprunt a remplacé.

♦ Le mot moderne a été emprunté au sens de «qui dure, demeure sans discontinuer ni changer»; il a commencé à s'employer à propos d'une personne exerçant une activité officielle constante, pendant la période révolutionnaire (1789). ◇ Son emploi, substantivé au féminin *(une **permanente**)* pour un traitement appliqué aux cheveux, est moderne (1931) et procède du premier sens. ◇ L'emploi substantivé pour le membre rémunéré afin de se consacrer à l'administration d'un parti, d'un syndicat (1945, Vailland) se rattache au second sens.

▸ On a formé sur *permanent* son antonyme **IMPERMANENT, ENTE** adj. apparu sous la Révolution pour qualifier ce qui, par sa nature, ne doit pas durer très longtemps (1794), et on en a aussitôt dérivé **IMPERMANENCE** n. f. (1794), d'après *permanence*.

PERMANENCE n. f. est emprunté en même temps que *permanent* (v. 1370, Oresme) au latin médiéval *permanentia* «caractère de ce qui est durable» (1319), de *permanere*. Il a remplacé l'ancien français *parmanence*, *parmenance* «constance» (XIIe s.), dérivé de l'ancien *parmanoir, parmaindre.* ◇ Depuis ses premiers emplois, *permanence* désigne le caractère de ce qui est durable, la longue durée (de qqch.). Pendant la période révolutionnaire, il est passé dans le langage du droit constitutionnel dans l'expression *permanence des assemblées* (1789) et a donné la locution adverbiale ***en permanence*** (1796) «sans interruption». ◇ Des extensions métonymiques ont suivi, le mot s'appliquant à un service chargé d'assurer le fonctionnement ininterrompu d'un organisme et au local où fonctionne ce service (1874), spécialement, dans un établissement d'éducation, à la salle d'études où est constamment assurée la surveillance des élèves (1926), alors abrégé familièrement en *perme* (XXe s.).

On rencontre, dans l'usage très littéraire, quelques emplois de **PERMANER** v. intr. «demeurer sans interruption», emprunt tardif (1870) au latin *permanere.*

PERMANGANATE → MANGANÈSE

PERMÉABLE adj. a été emprunté à deux reprises, au XVIe puis au XVIIIe s., au bas latin *permeabilis* «qui peut être traversé», dérivé de *permeare* «aller jusqu'au bout», «aller de l'avant» et, transitivement, «traverser». Ce verbe est formé de *per* (→ ① par, per-) et de *meare* «aller, circuler, passer» (personnes et choses), mot non roman, dont le participe *meatus* a donné le terme d'anatomie *méat**. *Meare* appartient à la racine indoeuropéenne °*mei-* «changer, échanger», représentée dans un grand nombre de mots importants en latin (→ commun, congé, migration, muer), dans l'élément *mé-**, d'origine germanique, et dans le grec *ameibein* «changer» (→ amibe).

♦ *Perméable* a d'abord été emprunté pour qualifier ce qui se laisse pénétrer par un liquide, une substance qui se laisse pénétrer facilement (1578); il s'est aussi appliqué à un liquide coulant facilement (1583), sens disparu dès le XVIIe siècle. ◇ Il a été réemprunté au latin au sens élargi de «qui se laisse pénétrer par un fluide liquide ou gazeux» par les physiciens du XVIIIe s. (1755). Son extension figurée pour «accessible aux influences, aux sentiments», attestée au début du XXe s., vient probablement des valeurs anciennes d'*imperméable.*

▸ Les physiciens ont formé **SEMI-PERMÉABLE** adj. (1895), notamment en physique à propos d'une membrane.

Perméable a produit le dérivé **PERMÉABILITÉ** n. f. (1620) pour désigner la qualité de ce qui est perméable, avec des extensions spécialisées en physique (1755), en industrie du bâtiment, en psychologie et en sciences de la terre. *Perméabilité magnétique* est attesté en 1887. Le mot exprime aussi, au figuré, la capacité à se laisser pénétrer par des agents extérieurs. ➜ Plus récemment, on a tiré de *perméable* le verbe **PERMÉABILISER** v. tr. (1908), quelquefois employé à la forme pronominale, et **PERMÉABILISATION** n. f. (XXe s.), probablement créé d'après *imperméabilisation* (ci-dessous).

Cette série s'oppose symétriquement à celle de l'antonyme **IMPERMÉABLE** adj. et n. m., emprunté (1546, Rabelais) au latin *impermeabilis* «que l'on ne peut pénétrer, traverser», de *im-* et *permeabilis.* ➜ Le mot a été emprunté avec le sens figuré d'«impénétrable, inaccessible», inusité après le XVIe s., puis repris (1838, Stendhal) et resté en usage, suscitant probablement l'emploi correspondant de *perméable.* ➜ Pour *imperméable,* le sens propre de «qui ne se laisse pas traverser par un liquide», assez tardif (v. 1770, Buffon), a rapidement pénétré l'usage, s'appliquant en particulier à des vêtements apprêtés de manière à ne pouvoir être traversés par l'eau (1788). Dans ce sens, **IMPERMÉABLE** substantivé s'applique à un manteau en tissu imperméabilisé (1838) et est familièrement abrégé en **IMPER** (XXe s.), mot usuel.

L'adjectif a produit **IMPERMÉABILITÉ** n. f. (1779), didactique au sens propre et plutôt littéraire au sens figuré (1862), et **IMPERMÉABILISER** v. tr. (1858), dont le participe passé **IMPERMÉABILISÉ, ÉE** a fourni un adjectif et dont on a tiré **IMPERMÉABILISATION** n. f. (1857, pour des tissus). ➜ On a formé **RÉIMPERMÉABILISER** v. tr. (v. 1950), postérieur à **RÉIMPERMÉABILISATION** n. f. (1879) pour la seconde opération d'imperméabilisation, mot d'usage parlé malaisé et abrégé en *réimper.*

PERMETTRE v. tr., attesté une première fois au Xe s. (v. 980, *permetre*) avant d'être repris (1357), est emprunté, avec francisation d'après *mettre**, au latin *permittere.* Celui-ci, formé de *per* (→ ① par, per-) et de *mittere* «envoyer» (→ mettre), signifie proprement «envoyer vers un but», secondairement «laisser aller»; l'accent étant mis sur la volonté délibérée de l'action, il a pris le sens figuré de «laisser à qqn, confier, abandonner» et «laisser libre, autoriser». Le type savant *permettre* a évincé *parmettre,* vivant en ancien français.

♦ En passant en français, le verbe n'a gardé du latin que le sens de «donner la liberté de dire, de faire qqch.». Il n'a eu que peu d'extensions, limitées à quelques nuances et constructions, aux XVIe et XVIIe siècles. Il entre dans la formule de politesse *permettez-moi (que, de)* [1582], dans la construction impersonnelle *il est permis (de)* [1538] et ***si Dieu le permet,*** souvent avec la nuance de «si aucun événement ne l'empêche» (1553). Il exprime l'idée de «donner la possibilité de faire qqch.» (1580), celle d'«autoriser qqch. à qqn» (1690), spécialement dans la locution impersonnelle négative ***il n'est pas permis à tout le monde de*** (1694). La locution ***se croire tout permis*** exprime la transgression (1668). *Permettre* peut s'affaiblir en «tolérer ce qu'on ne pourrait empêcher» (1718). ◇ Après la locution classique *permis à vous* (1669) ou *à vous permis* (1694) qui servait à exprimer le mépris et l'indifférence pour ce que pense l'interlocuteur, *permettre* est employé dans ***vous permettez*** (1851, Flaubert), ***tu permets*** pour contredire qqn, aller contre sa volonté. ➜ La forme pronominale *se permettre* (1559) «s'autoriser à» exprime dès les premiers emplois les mêmes nuances de «prendre la liberté de, avoir l'impudence de» et entre dans des formules de politesse, en manière de précaution oratoire (1672).

▸ Le participe passé **PERMIS, ISE** est adjectivé et substantivé (v. 1360), d'abord sous la forme féminine *permisse* «autorisation», sortie d'usage. Cette valeur a été reprise par le masculin *un* **PERMIS** et l'usage courant l'emploie surtout, par métonymie, pour la pièce (écrite) qui autorise (1721). En ce sens, il entre dans ***permis de chasse, permis de construire,*** etc. et dans ***permis de conduire*** (1905), elliptiquement *permis.* Le *permis* (de conduire) donne lieu très récemment (1990) à des spécifications administratives, tel le ***permis à points,*** système — adopté en France en 1992, malgré de vives résistances — qui aboutit en cas d'infractions sanctionnées, au *retrait de permis,* lorsque le capital de «points» attribués à l'automobiliste est épuisé. ◇ Employé juridiquement dans un contexte de douane, il a donné lieu au composé **PERMIS-CHEF** n. m. (1963) qui désigne la déclaration des marchandises.

De *permettre* est aussi dérivé l'adjectif verbal **PERMISSIBLE** d'usage didactique (v. 1963), fait sur le radical de *permission*.*

PERMITTIVITÉ n. f., terme d'électricité désignant le quotient du vecteur représentant l'induction électrique par le vecteur du champ électrique qui la produit, est emprunté (av. 1956) à l'anglais *permittivity* (1887), dérivé de *to permit* «permettre», représentant, comme le verbe français, le latin *permittere.*

⊗ voir PERMISSION.

PERMISSION n. f. est emprunté (1180) au latin *permissio, -onis* qui désigne l'action de livrer à la discrétion, la reddition, s'emploie en rhétorique pour «concession» et signifie aussi «autorisation». Il est dérivé du supin *(permissum)* de *permittere* (→ permettre).

♦ Le mot a d'abord été employé dans la formule *par la permission de Deu* équivalant à *par la volonté de Dieu,* avant d'être attesté avec la valeur moderne de «fait d'autoriser» (1404), en relation avec *permettre.* Comme le verbe, il entre dans des formules de politesse, par exemple *avec votre permission* (1636). Le sens de «congé accordé à un militaire» (1836) donne lieu aux abréviations familières **PERM, PERME** n. f. (1885).

▸ Le dérivé **PERMISSIONNAIRE** adj. et n. m. a été formé à l'époque classique (1680) pour désigner celui qui a permission du chantre de Notre-Dame de tenir des petits pensionnaires, sens qu'il a perdu. Du sens militaire de *permission,* procède celui du dérivé, «militaire en permission» (1842). ◇ Dans le langage administratif, le mot désigne la personne qui a obtenu un permis (de construire, de chasse).

PERMISSIF, IVE adj. a été dérivé à date ancienne (1378) du radical *permiss-* du supin latin *permissum* ou du français *permission,* avec le suffixe *-if.* ◇ Le mot qualifie la personne ou la chose qui n'impose pas une interdiction absolue, qui laisse une certaine liberté, sens disparus après la seconde moitié du XVIᵉ s. et passés en anglais (ci-dessous). Il est repris (1710) avec le sens didactique de «qui rend possible», spécialisé en grammaire dans *voix permissive* (1869), *verbes permissifs* exprimant la possibilité de faire qqch., emplois devenus rares. ◇ Le mot se spécialise dans *bloc permissif* (1894) «signal de chemin de fer pouvant être franchi dans certains cas» et se répand dans le sens courant de «caractérisé par l'absence d'interdits» (1970), emprunté à l'anglais *permissive* (1934, en psychologie ; 1968, pour *permissive society*) et devenu le plus courant. Le mot anglais a lui-même été repris au moyen français *permissif.* Avec ce dernier sens, *permissif* a quelquefois pris la valeur péjorative de «laxiste». ➜ On en a dérivé **PERMISSIVITÉ** n. f. (1967) sous l'influence de l'anglais *permissiveness* (1946), tiré de *permissive.*

PERMUTER v. est emprunté (1342) au latin *permutare* «changer complètement, mettre en sens inverse», «échanger» et «changer de l'argent», formé de l'intensif *per* (→ ① par, per-) et de *mutare* (→ muer, muter). Le moyen français, sous l'influence de *muer*,* a eu un type *parmuer, permuer* (1337), sorti d'usage après le XVIᵉ siècle.

♦ *Permuter* signifie d'abord «échanger, changer» dans un contexte commercial. Cette spécialisation a vieilli, de même que le sens classique de «changer, échanger un emploi, une charge avec qqn» (1679), lequel subsiste cependant dans *permuter avec qqn* (1820) et absolument (1835). L'emploi de la forme pronominale *se permuter* exprime spécialement le fait de se substituer l'une à l'autre, en parlant de deux lettres (1835). ◇ En relation avec *permutation,* le verbe est employé en mathématiques à propos de cette opération.

▸ Au XVIᵉ s., *permuter* a produit **PERMUTABLE** adj. (1503), dont on a tiré le terme didactique **PERMUTABILITÉ** n. f. (1834) et le couple d'antonymes **IMPERMUTABLE** (1800) et **IMPERMUTABILITÉ.** Les adjectifs ont supplanté le moyen français *permuable* (XVᵉ s.), *parmuable* et *impermuable* (1358), dérivés de l'ancien verbe *permuer* (peut-être d'après le bas latin *permutabilis* et *impermutabilis*). ➜ **PERMUTANT, ANTE,** participe présent de *permuter,* est substantivé (1516) en parlant de la personne qui prend la place d'une autre. ➜ Le dernier dérivé du verbe est **PERMUTATRICE** n. f. (1923), nom de l'appareil technique qui transforme un courant alternatif en courant continu.

PERMUTATION n. f. a été directement repris (1261) du latin *permutatio, -onis* «changement, modification», dérivé du supin *(permutatum)* de *permutare.* ◇ Comme le verbe dans ses premiers emplois, *permutation* a d'abord servi à désigner le troc, le change. Il a aussi désigné un changement de résidence (fin XIVᵉ s., *permutacion*) et a servi à exprimer l'idée générale de «changement» (v. 1350). ◇ L'usage moderne le réserve à l'échange d'un emploi contre un autre (1474) d'où, par extension, un changement réciproque. ◇ En mathématiques (1613), il désigne la bijection d'un ensemble sur lui-même et, dans l'expression *permutation circulaire,* l'opération consistant à décaler les éléments d'une position et à placer le dernier à la place du premier. ◇ La terminologie linguistique l'emploie à propos de l'opération qui interchange deux éléments dans un énoncé (1802), en particulier, en phonétique, deux phonèmes (en relation avec *substitution*).

PERNICIEUX, EUSE adj., d'abord écrit *pernicius* (1314), est emprunté par les médecins au latin *perniciosus* «funeste, dangereux», dérivé de *pernicies* «perte, ruine», «fléau». Ce mot est composé de *per* (→ ① par, per-) et de *nex, necis,* nom de la mort violente, de la famille indoeuropéenne qui a donné *noyer** et *nuire**, et, par le grec, *nécro-**.

♦ *Pernicieux* a été introduit en français avec le sens médical de «malin», puis de «dangereux pour la santé» (1505), aujourd'hui disparu. L'expression *fièvre pernicieuse* n'est attestée que depuis 1810. *Anémie pernicieuse* est plus tardif. ◇ Parallèlement, toujours au XIVe s., *pernicieux* a été emprunté avec le sens de «qui cause du mal» (1370, Oresme), resté rare en parlant d'une personne et plus courant, mais littéraire, en parlant d'une chose (1531).

▸ On en a dérivé **PERNICIEUSEMENT** adv. (fin XIVe s.) et **PERNICIOSITÉ** n. f. (1544), mot d'usage littéraire et didactique. ➛ Récemment, le vocabulaire médical a introduit **ANTIPERNICIEUX, EUSE** adj. (v. 1960) pour qualifier un médicament qui combat l'anémie pernicieuse.

PERNOD n. m. est la lexicalisation (1891) du nom de marque déposée par les Établissements *Pernod père et fils,* maison créée en 1860 à Avignon. Dès 1805, la maison Pernod fils fabriquait l'*élixir Pernod* à Pontarlier.

♦ Le mot a désigné une variété d'absinthe avant de concerner un apéritif alcoolisé à l'anis (1937). Il s'écrit avec la majuscule et, à côté de Pastis*, reste un nom de marque, mais très usuel (comme Ricard).

▸ Par substitution de suffixe, on en a tiré le synonyme argotique **PERNIFLARD** n. m., qui trahit l'influence de *renifler* au sens figuré de «boire, absorber».

PÉRONÉ n. m. est emprunté en anatomie (1522) au grec *peronê* qui désigne une pointe traversant un objet, une fibule, une broche, un pivot de porte, un rivet. Par analogie de forme, le mot a été pris pour désigner certains os, notamment l'os long et frêle parallèle au tibia. *Peronê* est dérivé (avec le vocalisme *e*) du verbe *peirein* «percer, transpercer», employé à propos de viande qu'on embroche, d'une blessure ou d'un chemin que l'on ouvre, également au sens de «traverser la mer». Ce verbe appartient à une racine indoeuropéenne °*per-* : à *peirein* correspond exactement le vieux slave *na-perją* «percer»; en grec même, de nombreux mots exprimant la notion de «passer, transpercer» (comme *poros* «passage»; → pore) appartiennent à cette racine. Elle est également bien représentée en latin (→ per-, port, porter).

♦ *Péroné* désigne l'os long et frêle parallèle au tibia.

▸ Le dérivé **PÉRONIER** n. m. et adj. (1687) est le nom de trois muscles qui s'insèrent dans le péroné, employé comme adjectif avec le sens de «qui a rapport au péroné» (1749). ➛ *Péroné* est représenté par l'élément **PÉRONÉO-** dans quelques termes d'anatomie, tel **PÉRONÉO-TIBIAL, ALE, AUX** adj. (1855).

PÉRONNELLE n. f., d'abord *perronelle* (1651, Scarron), est l'emploi comme nom commun de *Perronelle,* héroïne d'une chanson célèbre du XVe s. qui commençait par «Av'ous point veu *la Perronnelle* que les gendarmes ont emmenée ?». De là, l'emploi du mot pour l'air sur lequel on danse (1564) et l'expression *chanter la péronnelle* «dire des sottises» (1640), qui subsiste régionalement (dans le bas Maine, pour «être gai»). ◇ *Perronnelle* est le diminutif de *Perronne,* féminin de *Perron,* dérivé de *Pierre* ou bien une variante populaire du prénom *Pétronille,* du bas latin *Petronilla.*

♦ La dépréciation du nom en «jeune fille ou femme sotte et bavarde» pourrait venir du fait que *Péronnelle* était déjà le nom traditionnel de l'épouse acariâtre à l'époque de la chanson, cet usage ayant sans doute son origine dans les *Lamentations Matheoli* (fin XIIIe s.), où Mathieu de Boulogne-sur-Mer présente sa femme *Péronnelle* sous un jour très noir. P. Guiraud pense que le maintien du mot a été favorisé par un rapprochement secondaire avec des mots tels *pérorer** (*peroner* «bavarder, pérorer» à Alençon) et *pironnelle* «toupie» et «jeune fille écervelée». Livet estime qu'à force d'entendre chanter la Péronnelle, on s'en est lassé et que l'on a fini par appeler *péronnelle* toute femme ennuyeuse et importune, mais cette hypothèse est anecdotique. En français moderne, le mot a vieilli.

PÉRORER v. est emprunté (fin XIVe s.) au latin *perorare,* formé de l'intensif *per* (→ ① par, per-) et de *orare* «parler, dire» (→ oraison) et signifiant «exposer de bout en bout oralement, plaider entièrement», d'où «achever un discours, conclure, terminer».

♦ En passant en français, le verbe a changé de domaine à la différence de l'emprunt plus tardif *péroraison* (ci-dessous). *Pérorer,* peu attesté entre le XVIe et le XVIIIe s., signifie péjorativement «discourir longuement avec prétention», d'où familièrement «parler beaucoup et de manière prétentieuse». Son emploi transitif au sens de «haranguer» est archaïque.

▸ Il a produit **PÉROREUR, EUSE** n., mot péjoratif (1776, Rousseau) appliqué à une personne qui fait de longs discours pédants. ➛ Le participe présent de *pérorer* **PÉRORANT, ANTE** est adjectivé avec un sens très voisin.

PÉRORAISON n. f., d'abord *peroration* (1576) puis *péroraison* (1671), francisé d'après des mots tels que *oraison**, est un emprunt au latin *peroratio, -onis* «long discours», en rhétorique «dernier discours prononcé dans une cause comportant plusieurs parties» et «conclusion d'un discours», de *peroratum,* supin de *perorare* (*pérorer,* ci-dessus). ➛ Le mot a été emprunté par la rhétorique classique pour désigner la conclusion d'un discours. Par extension, et sous l'influence de *pérorer,* il a développé la valeur péjorative de «discours emphatique»; par analogie, il désigne la dernière partie d'une œuvre musicale et se dit, dans le langage familier, de celle d'un entretien, d'un texte.

PÉROT → **PÈRE**

PÉROU n. m. est l'emploi comme nom commun (1661) de *Pérou*, nom d'une contrée de l'Amérique du Sud riche en mines d'or et d'argent. Dans plusieurs locutions anciennes, le mot fait probablement référence au nom propre d'un homme qui serait l'empereur ou l'inca du Pérou.

♦ Le mot exprime l'idée d'une grosse fortune, dans des locutions : on a dit *je suis un ambulant Pérou* (1661) et, dans la même veine, *sa femme est un Pérou* (1735), *plus heureux que l'Pérou* (1750), *ce n'est pourtant pas le Pérou qu'un bougre comme ça!* (1790). ◇ Ces emplois ont tous disparu, et, de nos jours, le mot se dit d'une chose, notamment d'un avantage, d'une somme, d'abord dans l'expression peu claire *l'opéra, c'est un Pérou* (1688), dans *c'est un Pérou* (1690), puis ***c'est le Pérou*** et surtout ***c'est pas le Pérou !***, qui exprime la médiocrité d'un gain, d'une somme, d'un salaire. Les noms propres de lieux employés positivement sont aujourd'hui surtout *Versailles* et *Byzance*.

PEROXYDE → OXYDE

PERPENDICULAIRE adj. et n. est emprunté à deux reprises au latin de basse époque *perpendicularis* : d'abord au XIVe s. avec francisation sous les formes *perpendiculer* (1380), *perpendiculier* (1390), puis au XVIe s. avec un suffixe savant sous la forme moderne. Le mot-source est dérivé de *perpendiculum* «fil à plomb», de *perpendere* «peser soigneusement», «évaluer», de *per* (→ ① par, per-) et *pendere* (→ pendre). *Perpendiculum* avait donné le moyen français *perpendicle* «fil à plomb» (v. 1380) et *perpendicule* «fil à plomb, ligne perpendiculaire» (1530).

♦ *Perpendiculaire* au sens de «vertical, d'aplomb» a vieilli. ◇ L'adjectif signifie depuis le XVIIe s. (1637) «qui se dirige à angle droit vers une ligne, un plan». ◇ Sous l'influence du mot anglais *perpendicular* (1812-1815, en ce sens), il est devenu un terme d'architecture (1850) qualifiant la dernière phase du style gothique anglais, du XIVe au XVIe s., caractérisée par la prédominance des lignes droites verticales et horizontales. ◇ **PERPENDICULAIRE** n. f. est employé en géométrie depuis 1567 pour une ligne qui se dirige à angle droit vers une ligne ou un plan.

► Le mot a produit ses deux dérivés au XVIe s. : **PERPENDICULAIREMENT** adv. (1509) «verticalement» et, surtout en géométrie, «en formant un angle droit» (1542). ◆ **PERPENDICULARITÉ** n. f., «verticalité», est archaïque mais s'emploie en correspondance avec le sens géométrique de *perpendiculaire*.

PERPÉTRER v. tr., d'abord *parpreté* (1232), est emprunté au latin *perpetrare*, formé de l'intensif *per* (→ ① par, per-) et de *patrare*, probablement dérivé du nom *pater* (→ père) et signifiant «achever, mener à bonne fin, exécuter, conclure». C'est peut-être un ancien terme rituel qui s'est dépouillé de son sens religieux à mesure que les cérémonies qu'il désignait sont tombées en désuétude. Il a même pris la valeur péjorative de «consommer». *Perpetrare* a presque le même sens que le verbe simple.

♦ Le verbe est passé en français avec le sens d'«accomplir, exécuter», avec un complément à contenu péjoratif (crime, forfait), et ce sens a peu varié en huit siècles. Par extension, il est employé dans une intention plaisante.

► Son participe passé **PERPÉTRÉ, ÉE** est adjectivé (1356, *faits perpétrés*).
◆ Le nom d'action **PERPÉTRATION** n. f., d'abord écrit *perprétation* (1380), est emprunté au dérivé latin *perpetratio, -onis* «exécution, accomplissement». ◇ Il désigne l'accomplissement d'un acte malfaisant, délictueux. Plus rare que le verbe, il se rencontre quelquefois dans un emploi plaisant au sens d'«accomplissement (pour un acte quelconque)».

PERPÉTUER v. tr. est emprunté (v. 1370) au latin *perpetuare* «faire continuer sans interruption, rendre continu», de *perpetuus* «continu», d'où, sur le plan temporel, «qui dure toujours, éternel». Cette forme, favorisée par l'existence de mots de sens voisins (*assiduus*, → assidu; *continuus*, → continu), a remplacé *perpes* employé par les archaïsants de l'époque impériale, et formé de *per* (→ ① par, per-) et de *petere* «chercher à atteindre» (→ pétition).

♦ Le verbe, repris avec le sens du latin, est employé à la forme pronominale *se perpétuer* (1549) «durer constamment» et, ironiquement, «se maintenir très longtemps (dans une charge)» (1694).

► Il a produit **PERPÉTUATION** n. f. (1422), mot littéraire, tout comme **PERPÉTUEMENT** n. m. (1948), qui n'est pas plus usuel.
PERPÉTUEL, ELLE adj., d'abord *perpetual* (1236) puis *perpétuel* (1251), est emprunté au latin *perpetualis* «permanent, qui dure indéfiniment», créé par Quintilien pour traduire le grec *katholikos* (→ catholique), et dérivé de *perpetuus*. ◆ Le mot, certainement plus ancien que ses attestations du XIIIe s. (cf. *perpétuellement*), signifie «qui dure toujours», par exemple dans quelques expressions comme *mouvement perpétuel* (1662, Pascal), *alliance perpétuelle* en diplomatie (1835), *adoration perpétuelle* (1845) et *calendrier perpétuel* (1868). Il exprime spécialement l'idée de «qui dure toute la vie», dans un contexte juridique (v. 1260), à propos d'une condamnation (remplacé par *à vie, à perpétuité*, ci-dessous) et d'une personne remplissant une charge à vie (1320), tel le *secrétaire perpétuel* de certains corps (Académie française, etc.). Avec ce dernier sens, il a été substantivé et *un perpétuel* s'est employé ironiquement pendant la Révolution pour un représentant qui s'éternise dans sa fonction (1795). ◇ Par extension, il a le sens de «qui se renouvelle souvent, fréquent» (1547), surtout au pluriel *(des plaintes perpétuelles)*. ◆ De *perpétuel* ont été dérivés **PERPÉTUELLEMENT** adv. (v. 1150), employé au sens d'«indéfiniment» et, couramment, par exagération «sans cesse» (1583), le nom didactique et rare **PERPÉTUALITÉ** (1265), sorti d'usage à la fin du moyen âge, repris à la fin du XXe s., et les termes de philosophie **PERPÉTUALISME** n. m. (1956), **PERPÉTUALISTE** adj. et n. (av. 1970) se rapportant à une conception selon laquelle certains

éléments possèdent une valeur absolue et définitive.

PERPÉTUITÉ n. f., emprunté (1236) au dérivé latin *perpetuitas* «continuité (dans l'espace et le temps), permanence», a été introduit en français dans son acception juridique, avec la locution *en perpétuité*, remplacée par ***à perpétuité*** (1257) «pour toujours», «pour toute la vie» (1267). Cette dernière est passée dans l'usage et, par exagération, a développé le sens de «sans cesse» (1807). ◇ Le mot a été repris par l'argot sous la forme abrégée **PERPÈTE** n. f. (1837) comme désignation du bagne, de la prison à perpétuité. La locution ***à perpète*** (1859) est passée dans l'usage familier avec un double sens temporel et spatial (1931, d'abord en argot) que n'ont pas les autres mots du groupe.

PERPLEXE adj. est emprunté (v. 1355) au latin *perplexus* «enlacé, enchevêtré, confondu», et au figuré «embrouillé, embarrassé, obscur», formé de *per* (→ ① par, per-) et de *plexus*, participe passé de *plectere* «tresser, entrelacer» (→ plexus). Le français a d'abord eu une forme masculine *perplex* (1403) avec des variantes *perplaist, perplaix, perplix, perpleux...*; ce masculin est resté en usage jusqu'au XVIIe s., avant que ne s'impose définitivement *perplexe* qui correspond aux deux genres.

♦ Le mot est d'abord employé avec le sens de «compliqué, embrouillé», sorti d'usage au profit de la valeur moderne qui qualifie une personne embarrassée qui hésite, ne sait quel parti prendre (1403). Une nuance voisine, «étonné» (1573), a disparu au début du XVIIe siècle. ◇ Le sens de «qui plonge dans l'embarras» à propos d'un problème, d'une situation (v. 1460), extension métonymique du sens actuel, a lui aussi disparu.

▸ *Perplexe* a produit **PERPLEXEMENT** adv. et **PERPLEXER** v. tr., tous deux exceptionnels et très littéraires (Bloy, Verlaine).

PERPLEXITÉ n. f. est emprunté (XIIIe s.) au dérivé bas latin *perplexitas* «enchevêtrement, entrelacement», et au figuré «obscurité, ambiguïté». ◆ Le mot a été repris au latin avec le sens figuré, en usage jusqu'au XVIe s. (une attestation concrète «entrelacement compliqué» constitue un latinisme isolé); il a désigné un sentiment de détresse, de souffrance (1362), avant de se fixer au sens actuel, correspondant au sens moderne de *perplexe* «embarras d'une personne qui ne sait quel parti prendre». Les extensions métonymiques à propos du caractère de ce qui rend perplexe et d'un sujet de perplexité *(une, des perplexités)* sont rares et de caractère recherché.

PERQUISITION n. f. est emprunté (1473) au bas latin *perquisitio, -onis* «recherche attentive, examen», formé sur le supin *(perquisitum)* de *perquirere* «chercher partout, rechercher soigneusement», de l'intensif *per* (→ ① par, per-) et de *quaerere* «chercher» (→ quérir).

♦ Le mot a été introduit par les juristes pour désigner la recherche des causes, des circonstances d'un crime, puis celle que l'on fait afin de découvrir l'identité d'une personne (1636) ou un objet perdu (1694). ◇ L'usage moderne le réserve à la recherche faite en un lieu clos sur ordre de l'autorité judiciaire pour y retrouver qqch., qqn (1690); par extension, le mot s'applique parfois à une fouille. Dans cette acception, l'usage de l'abréviation **PERQUISE** n. f. est argotique. ◇ En revanche, le sens général, «action de rechercher exactement» (XVe s.), est quasiment éteint.

▸ **PERQUISITIONNER** v. tr. a été dérivé de *perquisition* assez tard (1836) avec son sens moderne en contexte juridique, en emploi intransitif, quelquefois en emploi transitif, ce dernier considéré comme abusif par les puristes.

PERQUISITEUR n. m. est emprunté (1360) au latin *perquisitor* «celui qui recherche», du supin de *perquirere*. ◇ Le mot, désignation de la personne qui fait une recherche, par exemple en sciences, est sorti d'usage au XVIIe siècle. Il a été repris (1829) comme terme d'administration pour désigner celui qui effectue une perquisition dans un local. ◆ Il est quelquefois concurrencé par **PERQUISITIONNEUR** n. m. (1872), tiré de *perquisitionner*.

PERRÉ → PIERRE

PERRIER → PIERRE

PERRON n. m. (v. 1155), antérieurement écrit *perrun* (1080), est un dérivé de la forme ancienne de *pierre** avec le suffixe *-on* à valeur augmentative.

♦ Le mot a d'abord désigné un gros bloc de pierre; par spécialisation de destination, son pluriel *perrons* (v. 1150) s'est dit du palier où l'on monte par plusieurs marches devant la porte d'une église ou d'autres bâtiments; ce sens est bientôt devenu le sens courant du singulier (v. 1200) et a valu au mot sa démotivation. ◇ Par métonymie, *perron* est également employé pour désigner le palier que comporte le perron ou les marches seules. ◇ D'autres sens anciens manifestant encore le lien du mot avec *pierre*, tels «bloc de pierre servant à monter à cheval» (1409), «statue de pierre» (1588) et «pierre commémorative» (XVIe s.) ainsi que plusieurs acceptions voisines, survivent dans des parlers régionaux. ◇ Par analogie, *perron* est passé en hydrologie pour désigner l'ensemble des degrés d'une chute d'eau qui tombe par étages (1765, *Encyclopédie*); cet emploi a disparu.

PERROQUET n. m., dont la forme actuelle (1537) a remplacé *paroquet* (1395), est probablement dérivé de *Perrot*, diminutif affectueux («hypocoristique») du prénom *Pierre*, employé comme *Margot* pour la pie (→ perruche) et repris également par l'anglais *parrot*. Dans le premier texte où il est relevé, le mot est employé comme nom propre à côté du terme générique *papegaut*, altération de *papegai** (XIIe s.) qu'il a évincé, mais qui se maintient dans certains dialectes. Le processus est comparable à celui qui mène de *goupil* à *renard**.

♦ Le mot désigne une espèce d'oiseau exotique à plumage de couleurs vives et qui est capable d'imiter la parole humaine. Au XVIe s. (1525), le mot est employé comme terme de marine pour une voile carrée portée par le mât au-dessus du mât d'artimon, d'après d'autres noms d'oiseau servant à désigner des voiles, et par analogie avec le *bâton de perroquet,* son perchoir. ➛ Dès 1585, on rencontre *perroquet* au sens figuré de «personne qui parle abondamment et sans réfléchir». ◇ Par analogie d'aspect ou de couleur, on appelle *perroquet* une espèce de poisson (1554), surtout dans l'appellation ***perroquet de mer*** (1776). ◇ ***Vert perroquet*** (1835) est employé pour désigner une couleur d'un vert très vif. ◇ Avec la locution populaire ***étouffer un perroquet*** «boire un verre d'absinthe» (1862), le mot est devenu le nom d'une boisson mêlée de menthe et de pastis (1957), allusion aux plumes vertes et jaunes de l'oiseau. ◇ Il a aussi donné son nom, cette fois par analogie de forme avec le bec de l'oiseau, à un porte-manteau à pieds (1924). ***Échelle de perroquet,*** qui désigne un perchoir à échelons alternés, s'emploie figurément pour «progression alternée».

◈ voir **PÉRONNELLE, PERRUCHE, PIERROT**; peut-être **PERRUQUE.**

PERRUCHE n. f. est issu, par substitution de suffixe (1698), de *perrique* (1645) «perroquet de petite taille», emprunt à l'espagnol *perico* (XVIe s.), aujourd'hui *periquito* par suffixation diminutive, emploi comme nom commun de *Perico,* diminutif de *Pero* (au lieu de *Pedro*), prénom correspondant à *Pierre* (→ perroquet).

♦ *Perruche* est d'abord relevé dans une relation de voyage traduite de l'anglais, et désigne un petit oiseau exotique grimpeur à plumage vif. Il sert aussi (1743) à désigner la femelle du perroquet. ➛ Une analogie avec *perroquet* pris comme terme de marine est responsable de l'emploi spécialisé du mot pour désigner la voile carrée hissée au-dessus d'un perroquet (1771). ➛ Au XIXe s., par allusion à la bêtise que l'on prête à la perruche, le mot désigne une femme qui parle à tort et à travers (1855), spécialement dans des locutions comparatives et dans ***voix de perruche.***

▸ Cette dernière acception explique le mot d'auteur **PERRUCHER** v. tr. chez Goncourt (1893) pour «bavarder comme une perruche».

◈ **PERRUQUE** n. f., successivement *parrucque* (v. 1465), *perrucque* (1480) et *perruque* (1530), est d'origine obscure. On a émis l'hypothèse d'un emprunt à l'italien *parruqua* «chevelure» dont on a deux attestations au XIVe s. (la seconde douteuse), lui-même d'origine incertaine : en effet, on ne peut rattacher le mot au latin *pilus* (→ poil) comme l'a fait Diez, car cet étymon n'explique ni le *a* de la première syllabe (existant en italien et dans les premières attestations en français) ni la géminée *-rr-*. Certains ont vu dans *perruque* un dérivé régressif de *perruquet,* variante de *perroquet*,* d'abord par allusion à la ressemblance entre les coiffures des gens de justice et le plumage de cet oiseau; selon Gamillscheg, on aurait appelé les gens de loi *perruquets* au XVe s. également par allusion burlesque à leurs péroraisons. Cette hypothèse non corroborée suppose que le mot est né en France, ce qui n'est pas prouvé.

♦ *Perruque* désigne originellement une longue chevelure naturelle mais, avant la fin du XVe s., il est employé dans *perrucque faincte* «chevelure postiche» (1480-1490), emploi qui va évincer le premier et aboutir à *perruque,* employé seul dans ce sens (1530). Les cheveux artificiels existaient déjà au moyen âge (sous forme de nattes ajoutées, par exemple); on a commencé à faire des perruques complètes au XVIe s., mais la mode ne s'en répand qu'après 1630, lorsque Louis XIII complète sa chevelure par des postiches qui lui conservent une allure naturelle. Progressivement, la mode des perruques complètes se répand au XVIIe s., puis les perruques masculines diminuent (vers la coiffure en bourse et le catogan); sous la Révolution, la perruque passe pour un signe de sympathie à l'égard des aristocrates; sous l'Empire, les hommes ne la portent plus et les femmes rarement. Aujourd'hui, la perruque féminine est d'usage courant et la perruque masculine répond seulement au désir de cacher une calvitie. Le mot est en général remplacé par d'autres (*postiche, moumoute,* etc.). ◇ *Perruque* a développé à partir du XVIIIe s. quelques acceptions figurées et des sens analogiques : par dérision, il se dit dès l'Ancien Régime d'une personne obstinément attachée au passé et dépassée par son temps (1756, Voltaire). Cet emploi, aussi adjectivé, est caractéristique des jugements négatifs portés par les Romantiques sur les Classiques (de même que *trumeau,* par exemple). ◇ L'emploi que l'argot d'artisan a du mot, avec la locution ***faire en perruque*** (1856) «travailler pour soi pendant son temps de travail, souvent avec des matériaux détournés», procède de l'idée de «trompe-l'œil» que réalise le postiche. De là, *une perruque* (1858) pour «détournement du matériel de l'État». Ces emplois ont vieilli. ◇ Par analogie de forme, le mot est employé par les pêcheurs pour désigner l'amas formé par une ligne emmêlée (1926), et en bijouterie, pour la masse de fil de fer sur laquelle on soude les métaux (1962).

▸ Le mot a produit quelques dérivés. ➛ **PERRUQUER** v. intr. (XVIe s.), «coiffer d'une perruque», a été repris comme terme de pêche au sens d'«emmêler la ligne». ➛ Le participe passé **PERRUQUÉ, ÉE** est adjectivé, passant du sens originel de «qui a de longs cheveux» (XVIe s.) à celui de «coiffé d'une perruque» (v. 1700). ➛ **PERRUQUIER** n. m. (1564) désignait autrefois l'artisan qui confectionnait les perruques, coiffait et faisait la barbe, avant de se limiter à désigner le fabriquant de perruques et postiches. Il était parfois associé à *barbier* et a été remplacé par *coiffeur.* ➛ On rencontre aussi **PERRUQUERIE** n. f. «art du perruquier» et, au figuré, avec le sens péjoratif de «ce qui est passé de mode». ➛ *Perruque,* au sens figuré et péjoratif du XIXe s., «démodé», a aussi donné **PERRUQUIFIER** v. tr., «donner l'air démodé de celui qui porte perruque» (chez Goncourt), et **PERRUQUISME** n. m. (fin XIXe-déb. XXe s.) «préjugés archaïques et ridicules». ➛ Avant ce dernier, la terminologie romantique avait baptisé **PERRUQUINISME** n. m. (1828) la doctrine des Classiques appelés, ainsi que leurs partisans, **PERRUQUINISTES** n. (1830, Balzac).

PERS, PERSE adj. est issu (1080) du latin médiéval *persus* «de couleur jacinthe; bleu foncé»

(VIIIe s., *Gloses de Reichenau*). *Persus* serait dérivé de *Persia* «la Perse»; en effet, au témoignage de Pline, on utilisait des cocons importés d'Assyrie dans la fabrication des *bombyx*, mot désignant à la fois les vers à soie et, par métonymie, des vêtements de soie (→ bombyx). On suppose que l'on a appelé °*persae vestes* «vêtements de soie de Perse» ces vêtements de soie et, si certains étaient teints en bleu foncé, l'adjectif °*persa* (d'où un masculin °*persus*) a très bien pu, par spécialisation, en venir à désigner cette couleur.

♦ Le mot est passé en français pour qualifier un bleu tirant sur le violet, et en particulier un visage livide. Il a aussi servi, en ancien français, à désigner une nuance de sentiment. L'imprécision de la nuance de couleur explique qu'on l'ait pris pour un bleu de diverses nuances; tantôt bleu foncé tirant sur le noir, tantôt bleu azuré, en particulier dans les parlers régionaux où il correspond même à «bruni, noirci» (à Saint-Pol). Critiqué par Malherbe au XVIIe s., le mot s'est cependant maintenu pour une couleur à dominante bleue (1669), surtout des yeux bleus nuancés, à reflets, notamment dans le cliché poétique *la déesse aux yeux pers*, en parlant d'Athéna. Par métonymie, il a servi à désigner un fil à marquer, dit *fil pers* (1669-1771), et une étoffe bleu foncé (XIIIe s., et jusqu'au moyen français; repris depuis 1730). Il ne survit guère qu'en parlant des yeux. Ses dérivés se sont éteints.

◈ voir **PÊCHE, PERSE, PERSICAIRE, PERSIENNE.**

PERSE n. f. est l'emploi comme nom commun (1730) de *Perse*, nom du pays d'où l'on croyait ce tissu originaire, alors qu'il venait des Indes, et qui a donné plusieurs mots en français (→ pêche, pers, persicaire, persienne).

♦ Le mot désigne un tissu d'ameublement glacé, d'abord peint puis imprimé.

PERSÉCUTER v. tr., attesté une première fois à la fin du Xe s. et de nouveau à partir de 1370, suppose, dans sa première attestation, un verbe latin médiéval °*persecutare* auquel il aurait été emprunté, formé par besoin de symétrie sur *persecutor, persecutio* (ci-dessous). Ces formes viennent du supin de *persequi*, formé de *per-* et *sequi* «suivre» (→ suivre; section).

♦ Le verbe, gardant présent le lien qui le rattache à *poursuivre*, exprime le fait de poursuivre sans relâche par des traitements cruels, surtout pour des motifs religieux. Par affaiblissement, il se dit pour «tourmenter» (v. 1360), «importuner sans cesse» (1611) et s'applique aussi à l'action d'un sentiment comme le remords (1652).

▸ **PERSÉCUTION** n. f. est emprunté (1155) au latin ecclésiastique *persecutio, -onis* employé à propos de l'oppression des chrétiens, déjà employé en latin classique avec différentes valeurs correspondant au verbe *persequi*. ➜ Le mot est passé en français en désignant une poursuite injuste et violente, surtout pour motifs religieux; il n'a pas conservé plusieurs valeurs vivantes en moyen français, «poursuite judiciaire» (1335), «poursuite après combat» (XIVe s.) et «danger, épreuve, calamité». ◇ Par hyperbole, il désigne une importunité continuelle qui dérange (1680). ◇ Il est passé dans le langage de la psychopathologie, notamment avec la locution ***folie de la persécution*** puis ***délire de persécution*** (1907, ... *de la persécution*) «délire de ceux qui se croient persécutés», en rapport avec *paranoïa*. Cette locution est passée dans l'usage courant en parlant d'une personne qui se pose constamment en victime sans raison.

PERSÉCUTEUR, TRICE n. et adj. (XIVe s.), d'abord *persecutur* (1190), est emprunté au latin ecclésiastique *persecutor* qui désigne celui qui poursuit, spécialement avec une valeur juridique, et celui qui opprime les chrétiens. Ce mot est dérivé du supin *persecutum* de *persequi* (→ poursuivre). ➜ *Persécuteur* désigne la personne qui martyrise, en particulier pour des motifs religieux, et quelquefois, par exagération, une personne importune (1690). Il est adjectivé (XVIIe s.) avec ses deux valeurs.

PERSÉVÉRER v. intr. est emprunté (v. 1120) au latin *perseverare* «continuer, persister, poursuivre», formé de l'intensif *per* (→ ① par, per-) et de *severus* «sérieux» (→ sévère).

♦ Le verbe, exprimant l'idée de rester ferme dans sa décision, était construit avec *que, en* (v. 1180), *de* et l'infinitif (XIIIe s.), et *à* (qqch.) [v. 1352-1356] ou *à* et l'infinitif (1549), cette dernière construction *(persévérer à croire...)* s'étant employée plus longtemps. Dans l'usage moderne, la construction avec *dans* et l'emploi absolu, tous deux anciens (XIIIe s.), sont les seuls normaux *(persévérer dans ses intentions)*. ➜ L'emploi absolu, au sens de «persister dans le bien» (1342), a surtout cours dans le langage religieux. ➜ L'emploi du mot avec un nom de chose pour sujet, au sens de «durer» (XIIIe s.), est devenu archaïque.

▸ **PERSÉVÉRATION** n. f., emprunté (XIIe s.) au dérivé latin *perseveratio, -onis* «action de persévérer», a fourni un nom d'action à *persévérer*, quelquefois avec une nuance défavorable (v. 1370). ◇ Sorti de l'usage courant sous la concurrence de *persévérance*, le mot a été repris (1903) en psychologie en parlant du maintien d'une attitude physique, morale, probablement d'après l'allemand *Perseveration* (1900, en ce sens). ➜ **PERSÉVÉRANT, ANTE** adj., réfection de la forme adaptée *parsevrant* (v. 1180), doit être un emprunt du latin *perseverans*, participe présent de *perseverare*, confondu avec le participe présent adjectivé du verbe français. ◇ Il a perdu son sens initial de «qui dure, continuel» pour la valeur correspondant au verbe de «qui demeure ferme dans ses résolutions» (v. 1180). ◇ Son dérivé **PERSÉVÉRAMMENT** adv. (1190) est resté rare.

PERSÉVÉRANCE n. f., emprunt (1160) au latin *perseverantia*, dérivé du participe présent *perseverans*, désigne la continuité d'un état de chose et la qualité d'une personne qui demeure ferme dans une résolution (XIIIe s.). Il est employé dans le langage religieux avec l'acception de «constance dans la foi» (v. 1250); dans ce même domaine, le terme *catéchisme de persévérance* (1868) désigne un enseignement religieux plus développé que les enfants suivent après leur première communion.

PERSICAIRE n. f. est emprunté, avec francisation, par les botanistes (XIIIe s.) au latin médiéval *persicaria* (v. 1250), dérivé du latin *persicus* «pêcher» (→ pêche) en raison de la ressemblance entre les feuilles de cette plante, de la famille des Renouées, et celles du pêcher.

♦ *Persicaire,* nom de plante, figure aussi dans les traités de médecine médiévale (1314, *herbe persicaire*), car la plante était utilisée autrefois comme cicatrisant et dans les maladies du système respiratoire. La forme latine *persicaria* a été reprise et employée entre 1538 et 1660.

PERSIENNE n. f. est le féminin substantivé (1732) de l'ancien adjectif *persien, ienne* (XIVe s.), dérivé du nom de pays *Perse.* Le féminin *persienne* a été substantivé dans l'appellation *cymeterre à la Persienne,* sortie d'usage, et le nom ethnique *persien,* remplacé par *persan.*

♦ Le mot a d'abord désigné une étoffe d'ameublement à grands ramages, avant de céder ce sens à *perse**. ➛ Depuis 1752, il désigne aussi une sorte de contrevent que l'on croyait, à tort ou à raison, originaire de Perse. On a dit dans ce sens *jalousie* à la persienne* (1768). Le mot a quelques emplois métaphoriques (en parlant des paupières, de la main servant à abriter les yeux) de nature littéraire.

◈ voir PÊCHE, PERS, PERSE, PERSICAIRE.

PERSIFLER v. tr. est dérivé (1745) de *siffler** par adjonction du préfixe *per-* à valeur intensive (→ ① par, per-).

♦ Le mot, littéraire ou soutenu, désigne l'action de se moquer de qqn, et aussi de qqch. (1776) par des paroles ironiques ; il peut s'employer absolument (1748).

▸ Tous ses dérivés remontent au XVIIIe s. : **PERSIFLAGE** n. m. (1735), **PERSIFLEUR, EUSE** n. et adj. (1744, comme nom), adjectif qualifiant des personnes, des actes, des paroles, etc. (1761, *ton persifleur*), plus employé que **PERSIFLANT, ANTE,** adjectif tiré du participe présent (1772).

PERSIL n. m., réfection (XIIIe s.) de formes plus développées *perresil* (XIIe s.), en moyen français *perrecil* (v. 1360), *peresil* (XIIIe s.), *pierresill* (XIVe s.), est l'altération du latin *petriselinum,* lui-même emprunté du grec tardif *petroselinon.* Celui-ci est composé de *petra* «rocher» (→ pierre) et de *selinon* «ache, persil», mot qui a donné *céleri**. *Petriselinum* signifie proprement «persil de pierre», sens repris de manière redondante en français par les appellations *persil de roches, persil de rocher,* aux XVIe et XVIIe siècles. Le type classique *petroselinum* a été contracté populairement en °*petrosinu* d'où vient l'ancien français *persin* (XIIe s.), encore vivant dans les patois du Nord, de l'Est et de Normandie ; sa terminaison *-inu* a été interprétée comme un suffixe et remplacée par *-iliu* (comme en témoigne l'ancien provençal *perresilh*). On trouve une forme *petrosilio* au IXe siècle. La plante était connue et appréciée des Anciens pour ses propriétés thérapeutiques, mais il a fallu attendre la fin du moyen âge pour qu'elle passe de l'officine à la table.

♦ *Persil* désigne la même plante, en emploi isolé ou qualifié (1606, *persil de marais*). Comme tous les noms de végétaux utilisés en cuisine et dans les assaisonnements, *persil* a des connotations différentes selon qu'il s'agit de la plante cultivée, présentée en bouquet ou utilisée (le persil est coupé fin et parsemé). ◇ Par analogie (de forme, de goût), il a développé au XIXe s. quelques sens populaires, par exemple «prostitution» (1840) dans les expressions ***faire son persil, aller au persil,*** dont l'origine est obscure : l'affirmation de Larchey, selon laquelle elles viendraient du provençal, où *persil* aurait signifié «argent», est invérifiable ; il est vrai que l'on rencontre de nombreux noms de plantes employés avec cette valeur (cf. *épinard, oseille, vinette*). *Aller au persil* a suscité *persiller* et *persilleuse* (ci-dessous) ; ces emplois ont vieilli. *Faire son persil* s'est notamment employé à Paris en parlant d'une cuisinière qui déclare, en faisant ses comptes, un prix plus élevé que celui qu'elle a dépensé ; cependant, la coutume qu'avaient certains commerçants (bouchers, poissonniers) d'offrir du persil à leurs clients a dû jouer. ◇ On rencontre également les expressions ***avoir du persil*** (1876, Huysmans) «avoir du piquant» et ***avoir du persil dans les oreilles*** (1894) «être sale» (allusion probable aux têtes de veau parées et allusion certaine aux poils des oreilles). La locution plus ancienne *grêler sur le persil* (XVIe s., Rabelais) «exercer son pouvoir sur les gens faibles ou en des matières insignifiantes» a disparu. ◇ Le mot a aussi désigné, populairement, les cheveux (1888) et la moustache (1902).

▸ *Persil* a donné quelques dérivés. ➛ **PERSILLADE** n. f. (suffixe *-ade*) désigne un assaisonnement à base de persil haché et, par métonymie, une tranche de bœuf froid assaisonnée avec une sauce au persil (1694). ➛ **PERSILLÉ, ÉE** adj. (1694) qualifie un fromage présentant des moisissures vertes, par analogie d'aspect avec la plante telle qu'elle est utilisée en cuisine. Cet adjectif peut se confondre avec *persillé, ée,* participe passé adjectivé de **PERSILLER** v. tr. (1694) «garnir de persil» et, au figuré, «de qqch.», son participe passé qualifiant une préparation accompagnée de persil (1830, *bouilli persillé*). ◇ Par analogie, le verbe a pris les sens de «tacheter de taches verdâtres» (1864) et, en relation avec *persil,* «racoler le passant, pour une prostituée» (1840). ◇ *Persillé* est substantivé pour la fermentation à l'intérieur de certains fromages (1895), donnant son nom à un fromage (1398, *persillé de Savoie*) ; en boucherie, il désigne un morceau (surtout de bœuf) dont la viande est parsemée d'infiltrations graisseuses (1911), emploi vivant aussi pour l'adjectif *(entrecôte persillée).* ➛ **PERSILLÈRE** n. f. (1869, *Littré*) désigne un récipient dans lequel on fait pousser du persil en toute saison. ➛ **PERSILLEUSE** n. f. (av. 1862) «prostituée», sorti d'usage, vient du sens argotique d'*aller au persil* (ci-dessus).

PERSISTER v. intr. est emprunté (1321) au latin impérial *persistere* «demeurer ferme dans sa position» (surtout au parfait), de *per* à valeur intensive (→ ① par, per-) et *sistere* «placer, poser, arrêter, fixer», forme à redoublement de *stare* «être immobile» (→ statue).

♦ Le mot a été repris au sens de «rester ferme dans sa manière d'agir, malgré les résistances»; il a pris (1580) une valeur particulière, «être toujours du même avis», et, sur un plan purement temporel, signifie «durer, continuer» (v. 1500, *parsister*), parfois avec la préposition *à* (1549).

▶ Son participe présent **PERSISTANT, ANTE** a été adjectivé, d'abord au sens de «qui reste sur sa position» (1321), puis surtout avec l'idée temporelle de «qui dure, résiste» (v. 1460); il est employé en botanique à propos de feuilles qui se prolongent au-delà de l'époque fixée pour leur chute (1778). ◆ **PERSISTANCE** n. f., d'abord écrit *persistence* (v. 1460), désigne l'action de persister et la qualité de ce qui persiste, dans les différents sens du verbe, surtout en parlant des choses (1792, d'un sentiment; 1879, du mauvais temps).

◈ voir ASSISTER, CONSISTER, SE DÉSISTER, EXISTER, INSISTER, RÉSISTER, SUBSISTER.

PERSONA GRATA n. f. est une locution du latin diplomatique moderne (1890) signifiant littéralement «personne bienvenue». Elle est formée du latin *persona* (→ personne) et de *grata*, féminin de l'adjectif *gratus* «agréable, bienvenu», «charmant, aimable» (→ gré).

♦ L'expression désigne un agent diplomatique agréé par un État (on dit inversement ***persona non grata***). Elle est employée par analogie en parlant d'une personne qui a ses entrées dans un milieu officiel ou fermé, souvent par plaisanterie (1901).

PERSONNAGE → PERSONNE

PERSONNALITÉ n. f. → PERSONNEL

PERSONNAT n. m., d'abord *personat* (1510), est emprunté soit au latin ecclésiastique *personatus*, dérivé de *persona* (→ personne), soit à l'ancien provençal *personat* (v. 1270, Narbonne) de même origine.

♦ Le mot désigne le bénéfice qui, dans une cathédrale ou une collégiale, donne préséance sur le simple chanoine (cf. l'emploi ancien de *personnage* en droit canonique).

① **PERSONNE** n. f., d'abord écrit *persone* (v. 1135), est issu du latin *persona* qui désigne d'abord un masque de théâtre; avec un développement qui reproduit partiellement celui du grec *prosôpon* (→ prosopopée), il a pris le sens de «rôle attribué à un masque» c'est-à-dire «type de personnage» et, en dehors du théâtre, la valeur générale d'«individu», déjà attesté chez Cicéron. À basse époque, *persona* signifie par extension «honneur, dignité»; les grammairiens, depuis Varron, l'utilisent pour traduire le grec *prosôpon* et les juristes l'opposent à *res* «chose». Le mot serait un emprunt technique à l'étrusque *phersu* qui, d'après l'inscription où se lit le mot, désigne un masque; cependant, le rapport entre l'étrusque et le grec est difficile à déterminer.

♦ Dans les premiers textes, *personne* exprime une notion physique de prestance, de taille, prolongée dans l'usage moderne par le sens de «corps de l'être humain dont on parle» (v. 1170). Ce sens est réalisé dans plusieurs expressions et locutions plus tardives : ***content de sa personne*** (1538), ***bien fait de sa personne*** (v. 1660) et, plus récemment, ***pas mal de sa personne*** (1907), ***bien de sa personne*** (1935). Dans la langue classique, on a dit *aimer sa personne* (1694) pour «prendre soin de son corps, de sa santé, aimer ses aises». ◇ Dès la première moitié du XIIe s., le mot exprime aussi l'idée de «personnage important dans la société» (v. 1140), avec une idée de prestance sociale, qu'il a en grande partie abandonnée à *personnage** et à *personnalité** (→ personnel); il désigne spécialement celui qui est revêtu d'une dignité ecclésiastique (1174). ◇ Avant la fin du XIIe s., *personne*, dans la théologie catholique, désigne une des trois formes de Dieu dans la Trinité (1174). ◆ Le sens courant et général, «individu, homme ou femme», en est contemporain (1174); il correspond à de nombreuses expressions courantes qui en précisent ou en limitent l'extension : ***en personne*** (1464) s'est imposé après des variantes antérieures avec le déterminant possessif *en ma, ta, sa personne* (1283); cependant l'expression ancienne *en la sue persone* (v. 1190) «à sa place, au lieu de lui ou d'elle» n'est pas bien assurée en moyen français et serait peut-être à lire comme la traduction de l'expression latine *quasi in persona sua*. ◇ L'antéposition d'un adjectif a donné lieu aux syntagmes courants de ***jeune personne*** «jeune homme» (XVIe s.) puis surtout «jeune fille» ou «jeune femme» (1668), et de ***grande personne*** (1640) «adulte» demeuré très usuel en opposition à *enfant*. ◇ En revanche, *povres persones* (v. 1175) et *seconde personne* «épouse» (v. 1462) sont sortis d'usage, le premier au profit de *pauvres gens*.

En moyen français, le mot a repris au latin deux spécialisations techniques : en grammaire (XVe s.), après une attestation isolée au XIIIe s., il désigne une forme des verbes personnels : *première* (je, nous), *deuxième* (tu, vous) et *troisième personne* (il, ils, on), celle-ci récemment appelée la *non-personne*. ◇ En droit, il se réfère à la personne à qui est reconnue la capacité d'être sujet de droit (1495, *assigner à personne ou domicile* «en s'adressant à la personne ou en faisant parvenir à son domicile»). L'expression *personne civile*, plus récente (1838), désigne un groupement de personnes ou de biens constituant un être moral ayant une existence civile.

▶ *Personne* a produit son dérivé le plus important au XIIIe siècle. ◆ **PERSONNAGE** n. m., d'abord écrit *personage* (v. 1223), a d'abord été un terme de droit canonique désignant une situation religieuse importante et l'étendue d'un bénéfice (1226) [→ personnat], par métonymie du sens de «dignitaire ecclésiastique» attesté un peu plus tard (1250). Cette acception a vieilli, de même que la valeur purement physique de «prestance, taille» (XIIIe s.), qui correspond au premier sens de *personne* (ci-dessus). ◆ L'usage moderne du mot date du moyen français, quand il a développé le sens de «personne fictive mise en action dans un ouvrage dramatique» (1384) retrouvant ainsi l'étymologie latine; il faut cependant attendre le XVIIIe s. et les *Quelques réflexions sur les Lettres persanes* de Montesquieu (1754) pour trouver *personnage* dans son acception de «personne qui figure dans un ouvrage narratif», et le XIXe s. pour *personnage de roman* (Académie, 1878). ◇ Au cours du XVe s., par extension, le mot commence à désigner un être humain représenté dans une œuvre plastique (1422), une personne jouant un rôle social important et en vue (v. 1470), sens devenu l'un des plus usuels, et un rôle que l'on joue dans la vie (v. 1500, Commynes). ◇ Le passage de la scène à la vie courante est réalisé dans la locution ***jouer le personnage*** (1425-1450) «se composer un rôle pour tromper qqn», puis ***jouer un personnage.*** ➛ L'emploi métonymique du mot pour désigner, à la même époque, une représentation théâtrale de sujets tirés de l'histoire ou de l'imagination (v. 1460) est sorti d'usage.

L'autre dérivé important de *personne* est **PERSONNIFIER** v. tr., formé avec le suffixe *-fier* tiré du latin *-ficare* «faire» (→ faire) et attesté au XVIIe s. (1674, écrit *personifier*). Le verbe correspond à «donner, par la parole et par l'image, les traits et les caractéristiques humains à des choses inanimées». ◇ Il est plus courant au participe passé **PERSONNIFIÉ, ÉE,** adjectivé (1781) à propos d'une qualité par rapport à la personne qui la possède au plus haut point (*c'est la bonté, l'avarice personnifiée* correspond à *il [elle] personnifie* tel caractère). Par extension, le verbe se dit de qqn qui montre dans sa personne une qualité ou un défaut d'une manière exemplaire (1851). ➛ *Personnifier* a produit le nom d'action **PERSONNIFICATION** n. f. (av. 1722) qui désigne l'action de personnifier (une abstraction ou un inanimé). Par métonymie, en relation avec le développement du verbe, le mot s'applique à l'être humain qui est le symbole d'une idée abstraite (1847).

◈ voir **PERSONA GRATA, ② PERSONNE, PERSONNEL.**

② PERSONNE

② PERSONNE pron. indéf., d'abord écrit *persone* (1226), est issu par spécialisation d'emploi du substantif ① *personne.* Les parlers méridionaux ont des formes correspondant à l'ancien provençal *negun* (latin *nec unus*) et le franco-provençal a un type *nion.*

♦ Dès les premières attestations, le mot désigne un être humain quelconque, avec une valeur positive qu'il conserve dans les phrases négatives (1460) et hypothétiques (1537). Il exprime également, en corrélation avec *ne,* la valeur négative de «nul, aucune personne» (v. 1288). Il est employé sans *ne* après un verbe de sens négatif et dans une réponse elliptique (1663). De nos jours, que la négation soit ou non exprimée, *personne* est senti comme un pronom et ne se construit guère avec un adjectif, ce qui était courant au XVIIe s. sans la préposition *de* (*il n'y avait personne aimable,* devenu *personne d'aimable*). Le mot, bien que de genre masculin, se rencontre quelquefois au féminin à l'époque classique, par fidélité au genre du substantif. Il est entré dans quelques locutions de sens figuré : si on ne dit plus *il n'y a personne au logis* en parlant d'une personne folle (1690), on emploie ***il n'y a plus personne,*** au fig. (1723) «la personne se dérobe, n'agit pas» ; 1798 pour exprimer la mort de qqn (archaïque), puis son évanouissement (1907), enfin son absence subite ou son absence d'attention, de disponibilité.

PERSONNEL, ELLE

PERSONNEL, ELLE adj. et n. m. est emprunté (1174) au bas latin *personalis* «relatif à la personne», employé en droit et en grammaire et dérivé de *persona* (→ ① personne).

♦ Le mot a d'abord repris les acceptions spécialisées du latin : il est employé par les grammairiens pour qualifier un verbe qui se conjugue à toutes les personnes, d'où au XVIIe s., le terme *pronom personnel* (1690), et par les juristes au XIIIe s. (1283) pour qualifier ce qui s'attache à la personne, par opposition à ce qui concerne les biens, dit *réel.* ➛ Par extension, l'adjectif est passé dans l'usage courant où il a pris, en relation avec le sens général de *personne,* la valeur de «relatif à une, à la personne» (v. 1460). Il entre dans des syntagmes plus ou moins figés, tels *contribution personnelle* (1835), *vote personnel...* Il exprime en particulier ce qui se rapporte à qqn, s'adresse à lui (1740-1755), par exemple dans *attaque personnelle* (1753) ; il a eu, à la même époque (1740-1755), l'acception morale d'«égoïste» qui a presque disparu, sauf en sports où l'on qualifie de *personnel* un joueur qui manque d'esprit d'équipe. ◇ La valeur méliorative pour «original, qui exprime le caractère unique de qqn» est relativement récente (1914, Gide) et vient du sens neutre, «qui émane de la personne» (1890), réalisé dans *à titre personnel* (XXe s.). ◇ La forme abrégée **PERSO** (1977) correspond à l'adjectif, et parfois à l'adv. *personnellement.* ➛ L'emploi substantivé du mot est ancien : *le* **PERSONNEL** n. m. dès le XIVe s. désignait en droit ce qui s'attache à la personne, par opposition à ce qui concerne les biens. Cette acception est sortie d'usage de même que des valeurs propres au français classique, comme «ensemble des idées et des sentiments d'une personne» (1715), en termes de critique littéraire «ce qui vise l'auteur» (1727), «ce qui se rapporte à qqn» (1740-1755) et «ensemble des qualités et des défauts de qqn» (1782). ◇ L'usage moderne du nom s'est établi au XIXe s., lorsqu'il a commencé à se dire de l'ensemble des personnes qui exercent une même profession (1831), en particulier de l'ensemble des personnes employées dans une maison, une entreprise, un service (1834). Opposé à *matériel* en termes militaires, *(le) personnel* a donné naissance à *antipersonnel* (ci-dessous).

▸ Le dérivé de *personnel,* **PERSONNELLEMENT** adv., a d'abord eu les formes *personaument* (1216), *personement* et *personelment* (1304) avant de se fixer sous sa forme actuelle (1507). Il assume divers sens correspondant à ceux de *personne,* depuis «en personne» jusqu'à «intimement, en tant que personne privée» (v. 1660) et à «quant à (moi, toi, lui...)» (1869), en passant par une acception grammaticale (1765).

Les autres dérivés de *personnel* sont des créations savantes moins anciennes. ➛ **PERSONNALISER** v. tr. (1704) s'applique d'abord à une abstraction à laquelle on prête les caractères d'une personne ; il a été éliminé dans ce sens par *personnifier.* ◇ L'usage moderne du verbe s'est établi au XXe s., surtout dans le vocabulaire de la publicité, probablement sous l'influence de l'anglais *to personalize* «rendre personnel» (XVIIIe s.), dérivé de l'adjectif anglais *personal* (1387), lui-même issu de l'ancien français *personal. To personalize* s'est employé dans la publicité américaine et *personnaliser* a pris en français (1959) le sens d'«adapter une chose, un objet à la personne ou à la personnalité de qqn, conférer à un objet un cachet d'originalité» (d'abord dans *personnaliser une voiture*). ◆ Le participe passé **PERSONNALISÉ, ÉE** est adjectivé (1960, *assurance personnalisée*) pour traduire l'anglais *personalized.* Le verbe est aussi employé dans le langage juridique au sens de «donner à qqch. la qualité de personne morale» (1962). ◆ **PERSONNALISATION** n. f., nom d'action tiré (1845) du verbe, a suivi le même développement : il a été éclipsé par *personnification** avant d'être repris et répandu au XXe s. par influence de l'anglais : dès 1951, on le rencontre à propos d'un système consistant à porter le nom et l'adresse de chacun des destinataires sur les documents de publicité directe adressée à domicile ; cela lui a valu (1967) le sens général d'«action de donner un cachet personnel à qqch.».

DÉPERSONNALISER v. tr., attesté en 1845 par son participe passé *dépersonnalisé,* a été formé directement sur le radical latin de *personnel* avec le préfixe privatif *dé-* et la désinence *-iser.* Le verbe signifie «ôter sa personnalité à (qqn), rendre impersonnel» et, par extension, «rendre banal, anonyme» (v. 1960) ; *se dépersonnaliser* «devenir banal» est un peu plus récent (v. 1967). ◆ Le nom correspondant, **DÉPERSONNALISATION** n. f. (1898) correspond à l'action de perdre ou d'enlever à qqn sa personnalité, en psychiatrie. Le langage didactique l'applique à la représentation dans l'art ; par extension, le mot exprime l'action d'enlever une empreinte personnelle trop apparente à une chose (av. 1957).

Le terme aujourd'hui didactique **PERSONNALISME** n. m. (1737), d'abord «défaut de la personne qui rapporte tout à elle», sens voisin d'*égoïsme* en relation avec l'ancienne acception psychologique négative de *personnel,* a été repris au XXe s. à propos des philosophies pour lesquelles la personne est la valeur suprême (1903). On peut signaler un emploi antérieur (sans doute oral) du terme, puisque P. Janet l'aurait choisi pour définir sa propre doctrine avant d'y renoncer pour *spiritualisme.* La reprise du terme s'est faite dans un contexte international (il s'agit probablement de créations terminologiques indépendantes) : *personalism,* en ce sens, aurait été créé en 1799 par Schleiermacher ; B. P. Bowne l'emploie en Amérique dans un ouvrage intitulé *Personalism* (1908) ; déjà en Angleterre J. Grote, dans *Exploratio philosophica* (1865), employait le mot ; en Allemagne, on le rencontre chez Teichmüller en 1889. ◆ Par substitution du suffixe *-iste* au suffixe *-isme,* on a formé **PERSONNALISTE** adj. et n. (1868), d'abord au sens de «qui se livre à des attaques personnelles», sorti d'usage. ◇ Le sens philosophique est attesté dès 1887 chez P. Janet ; l'emploi substantif (1894) a suivi la même évolution : il désigne l'adepte du personnalisme (1907), à la suite de l'anglais *personalist* (1901).

Personnel a produit deux adjectifs préfixés : **UNIPERSONNEL, ELLE** adj. et n. m. (1818), formé sur l'adjectif, qualifie en grammaire les verbes qui s'emploient seulement à la troisième personne du singulier. ◆ **ANTIPERSONNEL** adj. inv. (v. 1950), formé sur le nom (*personnel*) opposé à *matériel,* dans le vocabulaire militaire désigne des armes destinées à mettre hors de combat les hommes, par exemple dans *mines antipersonnel* (on rencontre aussi *anti-personnel*).

PERSONNALITÉ n. f., d'abord *personaltie* (1481 en anglo-normand) et *personalité* (1495), est emprunté au dérivé latin *personalitas.* ◇ Le mot a d'abord en droit le sens de «caractère personnel (d'une action judiciaire)». La valeur dominante (1495) est «ce qui constitue la personne en général, la possession de soi-même». ◇ Dans la langue classique et post-classique, le mot a eu, par extension, divers sens aujourd'hui vieillis : au pluriel *personnalités* (1697) il a recouvert les détails personnels, tandis que le singulier a servi à désigner la personne visée par une allusion, un blâme présenté sous une forme générale (v. 1720), en relation avec une valeur spéciale de *personnel* au XVIIIe s. (ci-dessus). Il s'est dit péjorativement du défaut d'une personne excessivement attachée à elle-même. ◆ Le sens psychologique courant de «caractère original propre à chacun» est plus tardif (1762). Il a suscité l'expression courante ***avoir de la personnalité*** pour *avoir une forte personnalité,* qui n'est attestée qu'en 1935 (date provisoire). Par métonymie, le mot a pris rang auprès de *personnage* pour désigner une personne importante par ses fonctions ou son caractère (1867). C'est ce sens qu'a le mot dans l'expression ***culte de la personnalité*** qui adapte une expression russe introduite par N. Khrouchtchev lors du XXe congrès du Parti communiste de l'Union soviétique pour donner une explication à l'autocratie de Staline ; l'expression s'est répandue dans le vocabulaire politique pour dénoncer le pouvoir exorbitant acquis par un leader, un chef d'État, etc. Elle avait été employée dès 1909 par Apollinaire à propos d'un artiste russe. ◆ Le mot avait reçu une spécialisation dans le langage juridique où il désignait la qualité de personne légale (1872, *personnalité civile,* etc.).

IMPERSONNEL, ELLE adj. et n. m. est un emprunt (1174-1176) au bas latin *impersonalis,* dérivé par préfixation avec *im-* (→ ① in-) de *personalis.* ◇ Le mot s'applique d'abord comme en latin à ce qui exprime une action sans sujet réel (d'après les grammairiens classiques) ou dont le sujet ne peut être déterminé ; *verbe impersonal* est attesté dès le XIIe s. ; *mode impersonnel* (1765) se dit d'une forme nominale du verbe. ◇ Le mot est repris au XIXe s., en particulier en philosophie, avec les sens de «qui n'appartient pas à une personne en propre» (1829, V. Cousin), «indépendant de toutes particularités individuelles» (1830, en art), sens aujourd'hui usuels. L'adjectif s'emploie aussi pour «qui ne constitue pas une personne» (1833, Michelet) et «qui fait abstraction de ses idées personnelles» (1838, Barbey d'Aurevilly). ◇ Par extension du sens courant, l'adjectif s'applique à ce qui manque d'originalité (1884). ◆ Le dérivé **IMPERSONNELLEMENT** adv. est attesté au XVe s. au sens de «sans désignation de personne», en 1606 en grammaire et repris au sens usuel de l'adjectif (1861) chez Villiers de l'Isle-Adam. ◆ **IMPERSONNALISER** v. tr. s'est d'abord utilisé en grammaire (1638); le verbe, rare, est repris au pronominal en 1866 (Amiel) et signifie «abdiquer sa personnalité». ➜ **IMPERSONNALITÉ** n. f., rare en grammaire, emploi où il est attesté au XVIIIe s. (1765), est lui aussi repris au XIXe s. d'après le sens de l'adjectif : le nom a désigné (1846, Proudhon) le fait de ne pas appartenir en propre à une personne, en parlant de la raison ; il est ensuite attesté aux sens de «caractère de ce qui n'est pas personnel» (1852, Leconte de Lisle), «objectivité d'une personne qui se refuse à exprimer ses sentiments» (Flaubert). ➜ Dans ce dernier sens, Péguy utilise **IMPERSONNALISME** n. m. (1901) et **IMPERSONNALISTE** adj. et n. (1902), termes très rares.

PERSPECTIF, IVE adj. est emprunté (fin XIIIe s.) au latin médiéval *perspectivus* «relatif à l'optique», substantivé pour désigner la personne qui étudie ou écrit sur l'optique. Le mot est dérivé de *perspectum*, supin de *perspicere* «regarder à travers», «regarder attentivement», «voir clairement», de l'intensif *per* (→ ① par, per-) et de *specere* «regarder» (→ spectacle).

♦ Le moyen français n'a connu le mot que comme terme d'optique et l'a employé dans *science perspective*, à propos des théories de la réfraction ; l'adjectif a été substantivé au masculin *(un perspectif)* au sens de «miroir» (v. 1530), sorti d'usage après le XVIe siècle. ➜ L'usage moderne s'est établi sous l'influence de la spécialisation de *perspective* (ci-dessous) en peinture : après avoir qualifié un peintre qui connaît les lois de la perspective (1545), l'adjectif s'emploie à propos de ce qui représente un objet en perspective (1665), en particulier un plan (*plan perspectif*, 1678) qui, après avoir été tracé géométriquement, est mis en perspective. *Perspectif* qualifie aussi, toujours dans l'usage didactique, ce qui est fait selon les lois de la perspective (1770).

▸ **PERSPECTIVE** n. f. est emprunté à la même époque que l'adjectif (fin XIIIe s.) au latin médiéval *perspectiva*, féminin substantivé de *perspectivus* employé chez saint Thomas pour désigner l'optique et la perspective géométrique. ➜ En moyen français, le mot désignait les théories sur la réfraction, ainsi que la réfraction des rayons lumineux (1372) et, par métonymie, un traité sur l'optique (1495), ce dernier sens étant répertorié jusqu'en 1636. ◇ La spécialisation du mot en peinture, à propos de l'art de représenter les objets selon les différences que l'éloignement et la position y apportent (1547), est due à l'influence de l'italien *prospettiva*. C'est en effet en Italie que s'est élaborée une différenciation de la science de la vision *(perspectiva naturalis)* et de la représentation graphique moderne de l'espace *(perspectiva artificialis, perspectiva pingendi)*. Cette dernière constitue le grand domaine d'expérimentation des architectes, peintres et sculpteurs de la Renaissance. Au cours du XVIIe s., *perspective* entre dans des syntagmes désignant les différents procédés par lesquels on représente ainsi les objets : *perspective aérienne* (1669, remplaçant *perspective aérée*, 1651), *pratique* (1642), *spéculative* (1680), ainsi que *perspective cavalière* (1691) sont encore en usage, mais on ne parle plus de *perspective sentimentale* (1838). ◇ Par métonymie, *une perspective* désigne un tableau, un tissu, un portique, etc. en trompe-l'œil (1151) ; il se dit d'un ensemble considéré quant à l'aspect qu'il offre sous un certain angle (v. 1584) et, en général, de l'aspect que des objets ont de loin par rapport au lieu d'où on les regarde (1635). ➜ C'est de ce sens que procède l'acception de «voie considérée dans sa dimension et sa profondeur» (1787), traduction du russe *prospekt* (en parlant de l'artère principale de Saint-Pétersbourg). ➜ Au XVIIe s., *perspective* devient un concept étudié par les mathématiciens qui jettent les bases de la géométrie descriptive et de la géométrie prospective, fondées par G. Monge en 1798 et par J. V. Poncelet en 1822. ➜ Il se répand aussi dans l'usage avec le sens abstrait de «manière dont on projette dans l'avenir le développement d'une situation actuelle» (1676), par exemple dans la locution ***avoir qqch. en perspective*** (1688) «avoir en vue». Puis, à partir de cette expression, il désigne l'avenir prévisible (1689, *une perspective agréable*) et telle manière particulière de voir les choses, d'interpréter le déroulement des événements (1797).

PERSPECTIVISME n. m., terme de philosophie (1913), est emprunté à l'allemand *Perspectivismus* (chez Nietzsche), lui-même formé par suffixation sur le correspondant allemand de *perspective* pour désigner le fait que toute connaissance est relative aux besoins de l'être qui connaît. ➜ **PERSPECTIVISTE** n., dérivé de *perspective* (1963), s'applique à un artiste ou à un architecte qui utilise la représentation en perspective.

◈ voir PERSPICACE.

PERSPICACE adj. est emprunté, sous la forme latine *perspicax* (fin XVe s.), francisée en *perspicac* (1546) puis *perspicace*, au latin *perspicax* «clairvoyant». Celui-ci est dérivé de *perspicere* «regarder attentivement», «voir clairement», «reconnaître» (→ perspective), de *per* «tout à fait» (→ ① par, per-) et *specere* «regarder» (→ spectacle).

♦ Le mot, qui a gardé le sens du latin, a mis longtemps à s'implanter : il est répertorié en 1788 avec la mention «sent encore trop le pays-latin (le Quartier latin, la Sorbonne), serait utile» et, dans l'édition de 1835 du dictionnaire de l'Académie, avec l'appréciation «peu usité». Il est devenu usuel, dans un usage assez soutenu.

▸ On en a tiré **PERSPICACEMENT** adv. (XXe s.), d'usage littéraire. ➜ Le nom correspondant, **PERSPICACITÉ** n. f., est emprunté (1444) au bas latin *perspicacitas* «pénétration d'esprit», dérivé de *perspicax*. Il est, comme *perspicace*, employé dans un registre assez soutenu.

PERSPIRER v. intr. est emprunté (1585) au latin *perspirare* «respirer partout», composé de *per-* préfixe à valeur intensive (→ ① par, per-) et de *spirare* «respirer» (→ respirer).

♦ Le verbe a eu au XVIe s. le sens de «s'évaporer». ◇ Il a été repris en physiologie avec celui de «transpirer insensiblement» (1845).

▸ Son dérivé **PERSPIRATION** n. f. (1539), fait sur le modèle de *respiration*, concerne les échanges respiratoires à travers les téguments.

PERSUADER v. tr. est emprunté (v. 1370, Oresme) au latin *persuadere* «décider (qqn) à faire qqch., convaincre», de *per-* à valeur intensive (→ ① par, per-) et *suadere* «conseiller», qui appartient à la famille de *suavis* (→ suave).

♦ Le verbe a gardé le sens du latin, mais ses constructions ont varié : l'usage moderne courant a généralisé l'emploi absolu (v. 1370), la construction *persuader qqn de qqch.* (1546), à l'actif et au passif, et la construction pronominale *se persuader* «s'imaginer» (1546). Mais *persuader qqch. à qqn* (v. 1460) a quasiment disparu, tant avec le sens de «faire admettre par la persuasion» que pour «amener qqn à croire, à faire». ◇ L'emploi de *se persuader* directement avec un infinitif (1559) et indirectement avec *de (faire qqch.)* au sens de «croire pouvoir faire qqch.» (1655), est sorti d'usage ; on emploie toujours *se persuader que* et *de* avec un nom.

▸ **PERSUADEUR, EUSE** adj., dérivé (1507) après *parsuadeur* (1485) de *persuader,* est peu usité, car il est fortement concurrencé par *persuasif,* de même que **PERSUADABLE** adj. (1838).

PERSUASION n. f. est emprunté (1315) au latin *persuasio, -onis* «action de convaincre» et, par métonymie, «conviction, croyance», dérivé de *persuasum,* supin de *persuadere.* ◆ Le mot, d'abord employé à propos d'une affirmation prononcée dans l'intention de convaincre, désigne l'action de persuader (v. 1370). Les sens qu'il a pris par métonymie, en se référant à l'état de celui qui est persuadé (1575) et à la capacité d'une chose à provoquer la conviction (déb. XVIIe s.), ont vieilli ou sont d'usage littéraire.

PERSUASIF, IVE adj. est emprunté (fin XIVe s.) au latin *persuasivus,* formé à basse époque sur le supin *persuasum.* ◇ Le mot se dit d'un argument, d'une chose qui a la force de persuader et, par extension, de qqn qui a l'art de persuader (1683). ◆ On en a tiré **PERSUASIVEMENT** adv. (v. 1565), peu employé jusqu'au XIXe s. puis archaïque. ◆ *Persuasif* a supplanté le moyen français *persuaseur* n. (1530), représentant du bas latin *persuasor,* ainsi que les adjectifs *persuasoire* (1546-1675) et *persuasible* (v. 1370), ce dernier emprunté au latin *persuabilis* avec le sens passif de «que l'on peut persuader», et qui avait pris illogiquement le sens actif de «qui a la vertu de persuader, de convaincre».

◈ voir **DISSUADER.**

PERSULFATE, PERSULFURE
→ **SULF-, SULFO-**

◈ **PERTE** n. f. est issu (1050) d'un latin populaire °*perdita,* participe passé féminin substantivé de *perdere* (→ perdre), dont témoignent aussi l'italien *perdita,* le catalan *perda,* l'espagnol *pérdida* et le portugais *perda.*

♦ Le mot désigne d'abord la privation qui résulte de l'absence d'une personne chère (v. 1180, du fait de sa mort). Il s'emploie aussi en théologie pour la damnation éternelle. La plupart de ses autres sens abstraits sont fixés avant la fin du XIIe s. : le mot signifie «ruine», «dommage grave pouvant aller jusqu'à la mort» (1080), sens qui, en dehors de quelques expressions comme ***courir à sa perte,*** ne se rencontre plus que dans l'usage littéraire ou par métonymie, *les pertes* désignant les hommes morts et parfois blessés au combat (1807). ◇ Le mot, en étroite relation avec le verbe *perdre* (et *se perdre, être perdu*), exprime le fait de laisser disparaître qqch. et, par métonymie, ce qui est ainsi perdu, gaspillé (v. 1165). Il se dit également du fait de perdre un bien matériel, un avantage (1176-1181). Par extension, il s'applique au fait de perdre de l'argent et la somme ainsi perdue (1465), passant plus tard dans le langage de la comptabilité commerciale, par exemple dans ***profits et pertes*** (1872). Les locutions *à perte d'haleine,* ***à perdre haleine,*** et ***à perte de vue*** (1546), au figuré «interminablement, vainement» (1611), témoignent d'une valeur disparue qui recouvrait la privation de l'usage d'un organe, d'un membre, d'un sens. ◇ Avec l'idée de «gaspillage», *perte* entre dans ***en pure perte*** (1509) qui a remplacé *à pure perte* (1697). ◇ Employé dans la traduction de la Bible dans l'expression ***perte de sang*** (1669), il est passé dans le langage médical en parlant de certains écoulements de sang et d'humeurs ; de nos jours, on emploie surtout le pluriel *pertes* «écoulement menstruel trop abondant» (1680), ***pertes blanches*** (1874 ; 1756, au singulier) «leucorrhée» et ***pertes séminales*** (1855) «émissions involontaires de sperme». Dans le domaine abstrait, *perte de connaissance* (1874) est la substantivation de *perdre connaissance.* ◇ *Perte* se dit spécialement en géologie, par métonymie, du lieu où disparaît momentanément un cours d'eau qui devient souterrain (1767). ◇ Il désigne en commerce le déchet que subissent des denrées périssables et la quantité ainsi perdue (1804) et, en physique, la quantité de fluide, d'énergie, de chaleur perdue au cours de son transport (1821), en particulier dans *perte de charge* (1888) «baisse de pression dans l'écoulement d'un fluide» et *perte de chaleur* (1890). Dans une opération industrielle, il se dit de la partie d'un produit qui ne se trouve pas après qu'il ait été traité (1922). ◇ L'expression ***perte de vitesse*** (1892), du langage de l'aviation, est passée dans l'usage commun, ***en perte de vitesse*** signifiant figurément «en déclin».

PERTINENT, ENTE adj. est emprunté (1300) au latin *pertinens,* participe présent de *pertinere,* composé de l'intensif *per* (→ ① par, per-) et de *tenere* (→ tendre, tenir). *Pertinere* signifie proprement «tendre jusqu'au bout, jusqu'à» ; il a connu un important développement figuré vers les sens d'«aboutir à», puis «appartenir», «concerner», «viser à», et s'emploie à la forme impersonnelle *pertinet* au sens de «il est important». Ce verbe latin a donné l'ancien français *partenir* (1155) «être en rapport de famille avec», «posséder», «convenir à», sorti d'usage avant le XVe s. et partiellement évincé par *appartenir**.

♦ *Pertinent* exprime d'abord, en droit, ce qui se rapporte à une question et, par extension dans l'usage courant, ce qui a rapport à qqch. (1377, Oresme). Il est employé spécialement pour une personne et le produit de sa pensée, lorsqu'ils sont judicieux (v. 1460). ◇ Il s'est spécialisé en linguistique moderne (1939, Martinet, *trait pertinent*) à propos d'un trait (d'abord phonique) dont la présence ou l'absence entraîne un changement de sens de l'unité; il traduit alors l'anglais *relevant*, emprunté au participe présent du latin *relevare* (→ relever).

▸ L'adjectif a produit **PERTINENCE** n. f. (v. 1320) qui a d'abord eu le sens moral péjoratif de «présomption» et celui de «situation, dignité» (av. 1500). L'usage moderne du mot pour la qualité de ce qui est adapté à son objet s'est établi au XVIe s. (1580, Montaigne), sa spécialisation en droit remontant au XIXe s. (1835) et en linguistique à 1962. Comme l'adjectif, *pertinence* a pris le sens de «dont la présence ou l'absence modifie radicalement les effets ou la nature», dans de nombreux contextes. ◆ **PERTINEMMENT** adv. (1499; v. 1460 *partannement*) a d'abord exprimé une manière persuasive, convaincante dans la parole et une qualité d'obstination. ◇ Son sens moderne, «d'une manière certaine et précise» (1823), s'est affaibli pour donner un emploi de simple affirmation : *je le savais pertinemment* «j'en étais certain».

IMPERTINENT, ENTE adj. est emprunté (1327) au bas latin *impertinens* «sans rapport avec», préfixé en *im-* de *pertinens*. Repris comme terme de procédure avec l'acception de «qui ne se rapporte pas à la cause», de nos jours archaïque, le mot qualifie dans la langue didactique ce qui est sans rapport avec le propos (1370). Il est alors l'antonyme de *pertinent*, mais cet emploi est marqué par rapport à l'usage courant. ◆ Par extension, l'adjectif a pris la valeur caractérisée d'«inconvenant, malséant» (apr. 1450), laquelle triomphera de celle d'«extravagant, absurde», en usage au XVIe s. (1564, Rabelais). Le mot, qui se rapporte aussi à une personne (1559) agissant hors de propos, glisse progressivement vers l'idée d'une attitude d'insolence volontaire (1660) et d'irrespect revendiqué (1707). ◇ Le langage didactique a repris le mot au sens intellectuel de «non pertinent» (mil. XXe s.), sous l'influence de l'anglais *irrelevant* et en relation avec les emplois didactiques de *pertinent* et d'*impertinent*, ce dernier souvent remplacé par *non pertinent* (ci-dessus). ◆ **IMPERTINEMMENT** adv. (1414) a suivi la même évolution, du sens neutre dans l'usage didactique à la notion d'«insolemment». ◆ **IMPERTINENCE** n. f. (1533), d'abord «absence de relation significative», a suivi *impertinent* dans son évolution, avec une double valeur «caractère impertinent (de qqn, d'une parole ou d'une action)» et *(une, des impertinences)* «acte, parole irrespectueuse».

PERTUIS n. m. est le déverbal (v. 1140, *pertus*) de l'ancien verbe *pertuisier* «faire un trou» (v. 1170), employé jusqu'au début du XVIIe s. (1611) puis répertorié comme «vieux mot» par les dictionnaires, mais encore vivant dans les dialectes. Ce verbe, peut-être attesté dès la fin du XIe s. sous une forme *pertucar* ou *pertucer*, est issu du latin populaire °*pertusiare* (à l'origine de *percer**) d'après les formes accentuées de l'indicatif présent (telle la troisième personne °*pertusiat*). Dès le VIIIe s., le latin médiéval *(Gloses de Reichenau)* atteste *pertusium* «trou».

♦ *Pertuis* (1176-1181), d'abord *pertus*, parfois *pertrus* (1180-1190), a désigné couramment un trou, une petite ouverture, un col de montagne (v. 1155). Il est sorti de l'usage courant en français classique, s'est maintenu dans les dialectes et ne subsiste que dans des acceptions spécialisées en toponymie et en géographie; il a désigné aussi un trou servant de passage (1180-1190) pour les eaux dans une montagne, une ouverture dans une digue pour laisser passer les eaux (v. 1350), valeur reprise à propos de l'étranglement d'un fleuve (1857) et, dans l'ouest de la France, du détroit entre une île et le continent (1690). ◇ Un emploi technique en serrurerie, «garde fixée dans l'intérieur des serrures» (1676), s'est conservé.

▸ *Pertuis* subsiste encore dans quelques composés, dont **MILLEPERTUIS** n. m. fait avec *mille** (1539) et désignant une plante dont les feuilles semblent criblées d'une multitude de petits trous.

PERTUISANE n. f. est l'aboutissement (1528) de *partrizienne* (1466) ou *pertizaine* (1468) altéré en *pertizenne* (1468), *pertizanne* (1473) et *pertusane* (1511), sous l'influence de *pertuis** (parce que l'arme sert à percer, à trouer?). Les formes anciennes aurait normalement donné *partisane*; elles sont empruntées à l'italien *partigiana* «hallebarde» (av. 1470), spécialisation du sens propre d'«arme de partisan», féminin substantivé de *partigiano* (→ partisan).

♦ Le mot a été repris à l'italien pour désigner une arme en usage du XVe au XVIIe s. puis une arme d'apparat.

▸ On en a dérivé *pertesanier* refait en **PERTUISANIER** n. m. (1680) «soldat armé d'une pertuisane».

PERTURBER v. tr., d'abord *parturber* (v. 1200), *pertourber* (v. 1355), est emprunté au latin *perturbare* «mettre dans un profond désordre», «troubler moralement», composé de *per* à valeur intensive (→ ① par, per-) et de *turbare* «agiter, mettre en désordre» (→ troubler), de *turba* (→ tourbe).

♦ Emprunté au sens de «provoquer des troubles», le verbe est resté rare jusqu'à la seconde moitié du XIXe s., sauf au participe passé *perturbé*. Il exprime souvent l'idée de «bouleverser l'équilibre physiologique et psychologique de (qqn)» (v. 1398) et, spécialement (1844), de «dérégler le fonctionnement normal de (qqch., un état naturel)».

▸ Son participe passé **PERTURBÉ, ÉE** est adjectivé (1839), notamment en sciences et en psychologie. Il a pour antonyme préfixé **IMPERTURBÉ, ÉE** adj., plus rare que *imperturbable* (ci-dessous). **PERTURBANT, ANTE** adj., semble apparaître vers la fin du XIXe s.. (1889, Léon Bloy) ◆ **PERTURBATEUR, TRICE** n. et adj. est emprunté (1418) au dérivé latin *pertubator, -oris* et a évincé la forme antérieure *perturbeor* (1285), *perturbeur* (1410), dérivée du verbe français. ◇ Le mot désigne celui, celle (1636) qui cause du trouble; il est employé comme adjectif avec le même sens (1589), spécialement en astronomie (1765, *force perturbatrice*) et en sciences.

PERTURBATION n. f. est emprunté (1285) au dérivé latin *perturbatio, -onis* «trouble, désordre» et signifie d'abord «angoisse, inquiétude», sens sorti d'usage à la fin du XVIIe siècle. ◆ Il désigne, surtout au pluriel, un bouleversement survenant dans un État, une société (v. 1670), un trouble causé dans l'organisme (1835), et s'emploie spécialement en astronomie (1798) et en météorologie (1860), contexte qui a donné au mot une grande fréquence et le sens courant d'«accident du temps : pluie, grêle, orage, etc.», bénéficiant du vieillissement de *météore** dans ce sens.

IMPERTURBABLE adj. est un emprunt (v. 1400) au latin chrétien *imperturbabilis* «qu'on ne peut troubler», «non troublé», de *im-* négatif (→ ① in-) et *perturbare* «troubler». ◇ L'adjectif est introduit en français avec le sens du latin (v. 1400, *paix imperturbable*), sorti d'usage. ◇ Il s'applique ensuite aux personnes, à leur comportement, leurs sentiments (1486), mais il est rare avant le XVIIIe siècle. ➛ En dérivent **IMPERTURBABLEMENT** adv. (1548), relativement usuel, et **IMPERTURBABILITÉ** n. f. (1682, Bossuet), mot rare.

PERVENCHE n. f., d'abord *parvenche* (1225-1230), est issu d'un latin °*pervinca,* dont l'existence est postulée par l'italien *pervinca* et le catalan *pervinca.* C'est l'abréviation de *vincapervinca* ou *vicapervica,* nom de plante que l'on a rapproché de *vincire* «lier, attacher» (supplanté par *ligare ;* → lier), et dans lequel certains voient un mot issu d'une formule magique. De la forme du bas latin *vinca* (même sens), est issu l'ancien français *venche* (v. 1220, *vanche*), encore usuel dans les patois de l'Est et en picard.

♦ *Pervenche,* nom de plante, est employé comme nom de couleur, en apposition (1900, *couleur pervenche*) et absolument (1909), par allusion à la couleur de la fleur, bleu pâle tirant sur le mauve.

PERVERTIR v. tr., d'abord attesté sous la forme *purvertir* (v. 1120), est emprunté au latin *pervertire,* composé de l'intensif *per* (→ ① par, per-) et de *vertere* «tourner» (→ verser). Le verbe latin signifie «mettre sens dessus-dessous», «faire mal tourner», et il s'est spécialisé en latin chrétien pour «falsifier (un texte)» (IIIe s.) et «corrompre (les esprits)» (déb. Ve s.).

♦ Le mot a été repris avec le sens moral de «convertir au vice», également réalisé par la construction intransitive avant que cette dernière ne soit supplantée par la forme pronominale *se pervertir,* attestée depuis 1602. ◇ Le verbe s'applique également (XIIIe s., apr. 1250) à une chose qui dérange, altère un fonctionnement, spécialement et d'abord à ce qui falsifie le sens d'un texte (v. 1190) et à ce qui fausse la justice (1359). ◇ Des sens anciens tels que «détourner, égarer, éviter» sont sortis d'usage.

▸ Le mot a produit un nom d'action, **PERVERTISSEMENT** n. m. (1453), d'emploi soutenu ou littéraire, et un nom d'agent également employé adjectivement, **PERVERTISSEUR, EUSE** (1534), lequel a évincé le type plus ancien *pervertour* (v. 1200) relevé au sens passif d'«homme perverti».

PERVERS, PERVERSE adj. et n., d'abord écrit *purvers* (v. 1120 ; cf. ci-dessus *purvertir*) avant *pervers* (1176-1181), est emprunté au latin *perversus,* participe passé adjectivé de *pervertere* «sens dessus-dessous» et, au figuré, «appliqué à contretemps», «vicieux». ➛ *Pervers* qualifie une personne qui est portée à faire le mal, d'abord dans le langage religieux. Il a été synonyme de «dur, cruel», «furieux» (1285), «hostile à» (avec un complément introduit par *à*), et s'est employé adverbialement au sens de «mauvais» dans *flairer pervers* «sentir mauvais». Tous ces emplois sont sortis d'usage. ➛ Dans la langue moderne, aussi bien didactique que courante (1909), le mot qualifie (adj.) et désigne (comme nom) la personne qui montre une tendance pathologique à accomplir des actes immoraux (en relation avec *perversité*) et celle qui montre une perversion des instincts élémentaires (en relation avec *perversion*). En psychanalyse, ***pervers polymorphe**** (1921), comme nom, se dit de l'enfant très jeune dont les pulsions ne sont pas fixées. ◇ Hors de toute appréciation morale et en jouant sur la valeur fonctionnelle qu'avait le mot en latin, il qualifie dans ***effet pervers*** (1978) la conséquence imprévisible et pernicieuse. ➛ Le dérivé **PERVERSEMENT** adv. (v. 1200), «mal, à contresens», puis «méchamment» (1294), a suivi le même développement sémantique que l'adjectif.

PERVERSITÉ n. f., dont la graphie actuelle (1530) a remplacé *perversiteit* (v. 1190-1200), est emprunté au latin *perversitas* «renversement, corruption des mœurs», dérivé de *perversus.* ➛ Le mot, en relation avec l'adjectif, a d'abord désigné la dépravation et le goût pour le mal, en particulier une action mauvaise. Il a été employé en moyen français au sens de «détresse» (v. 1300) et a désigné le caractère horrible d'une chose (v. 1460). ◇ De nos jours (XXe s.), d'après *pervers,* il renvoie à une tendance pathologique à accomplir le mal, des actes immoraux.

PERVERSION n. f. est lui-même repris (1444) au bas latin *perversio, -onis,* attesté dès le début du IIIe s. chez Tertullien à propos de la falsification d'un texte et, depuis le début du IVe s., au sens moral de «dépravation, désordre». Le mot est formé sur le supin *perversum* de *pervertere.* ➛ *Perversion,* de sens actif, désigne un changement de bien en mal, la corruption morale. Une autre valeur, «altération d'une fonction normale», développée en relation avec le verbe et réalisée en médecine (1546), a vieilli mais on peut y rattacher la spécialisation moderne du mot en psychiatrie et en psychanalyse freudienne dans le domaine sexuel (1905 en allemand, chez Freud). Cette valeur a donné lieu, par extension, à un emploi courant en parlant d'une déviation quelconque.

Son radical a été pris pour former **PERVERSIBILITÉ** n. f. (XXe s.), mot didactique désignant le caractère d'une personnalité pouvant devenir perverse (au sens psychiatrique du mot).

PESADE n. f. est la réfection (1611), sous l'influence de *peser**, de *posade* (1579), terme d'équitation emprunté à l'italien *posata* (1550), participe passé féminin substantivé de *posare,* verbe correspondant au français *poser.*

♦ Le mot désigne un mouvement du cheval dressé (une parade) où il se dresse sur les pieds de derrière.

PESER v. est issu (1050) du latin °*pesare,* originellement *pensare,* intensif de *pendere* (→ pendre) et qui signifie proprement «déterminer le poids de (qqch.)», au figuré «apprécier, évaluer», «contrebalancer», d'où «payer», également passé dans l'italien *pesare*, l'espagnol *pesar*. Le même mot latin, par un développement sémantique tardif, a donné *panser**, *penser**.

♦ Le verbe est apparu avec le sens figuré de «causer de la peine à (qqn)», également en construction impersonnelle, surtout dans *ce poise moi* «cela m'est pénible». Ce sens, non attesté en latin écrit, a dû exister dans la langue orale, car il est aussi attesté par le mot espagnol (XIIe s.) et le mot italien (1300-1313) correspondants. ◆ Le sens propre «avoir un poids déterminé» est attesté au XIIe s. (v. 1170), ainsi que l'emploi absolu ou avec un complément direct, au sens de «mesurer le poids de» (1188), spécialisé au XVIIe s. en physique, avec l'apparition de la notion moderne de mesure, préparée par diverses techniques (pharmacie, etc.). ◇ Les premières attestations du sens métaphorique, «apprécier en comparant, examiner attentivement», se rencontrent alors (1197), tandis que *peser* prend aussi les valeurs concrètes de «faire sentir son poids», «avoir du poids, être lourd» (v. 1200). ◇ Le verbe a développé ensuite des emplois particuliers : *peser sur* (1342) correspond à «donner une impression de gêne, d'oppression physique ou morale», par exemple dans *peser sur l'estomac* «être lourd à digérer» (1690) et *peser sur la conscience* (1690). *Peser sur* vaut aussi (1689) pour «exercer une certaine influence sur». ◇ Avec l'idée d'appréciation, le verbe entre dans les locutions ***peser ses paroles*** (1538) et, au participe passé, ***tout bien pesé*** (1738) «tout bien considéré». ◇ Avec le sens de «avoir (tel poids)» et par calque de l'anglo-américain *to weigh*, *peser* s'emploie pour *valoir (la banque X pèse cent millions de dollars)*.

► Le mot a produit un certain nombre de dérivés, mais le nom de la force et du corps pesant correspondant au verbe est emprunté au substantif latin avec un vocalisme représenté par les formes anciennes du verbe (*poise*, devenu *pèse*; → poids). ◆ Dès *La Chanson de Roland* (1080), le participe présent **PESANT, ANTE** est adjectivé au sens propre de «qui pèse, qui est lourd», exprimant bientôt l'idée d'une chose qui tombe lourdement (XIIe s.) ou qui donne une impression de lourdeur. ◇ Dès 1080, *pesant* est également employé au figuré pour «pénible, difficile à supporter» et exprime, dans le domaine psychologique, la valeur active de «fâcheux» et la valeur passive de «triste, qui éprouve de la peine» (XIIe s.), toutes deux sorties d'usage. ◇ Le spectre des emplois s'est considérablement élargi jusqu'au XVIIIe s., bien que quelques valeurs figurées, tel «indisposé» (XIIIe s.), mais aussi «riche, puissant» (v. 1180), de même que la locution ***avoir la main pesante*** (1694; sous d'autres formes dès 1607), aient disparu. L'adjectif exprime l'idée de ce qui manque de vivacité, de grâce dans le domaine intellectuel et artistique (v. 1360). ◇ Il se dit concrètement de la mer lorsque les lames retombent sur elles-mêmes avec fracas (1868). ◆ L'adjectif a été substantivé dès le XIIe s. (v. 1155) dans la locution ***acheter qqch. son pesant d'or***, sortie d'usage mais dont procèdent les expressions encore vivantes ***valoir son pesant d'or*** (1538) et ***valoir son pesant d'argent*** (v. 1460), avec au XXe s. toutes sortes de variantes burlesques (*valoir son pesant de cacahuètes, de moutarde*, etc.). ◇ Depuis le XIIe s. on trouve *pesant* n. m. pour «poids réglementaire d'une monnaie» (v.1155) : comme ce sens, la valeur générale de «pesanteur, poids» (1508) et celle, spéciale, de «verroterie dont on se sert pour la traite des esclaves» (1730) ont disparu. ◆ *Pesant* est très productif : il a donné, outre *pesanteur, appesantir* (ci-dessous), **PESAMMENT** adv. (XIIIe s.), de sens propre et figuré.

◆ Le préfixé en *a-* **APPESANTIR** v. tr., d'abord *apesantir*, est employé intransitivement au sens de «devenir plus pesant», vivant jusqu'au milieu du XVIIe siècle. Ce verbe est archaïque dans ses emplois transitifs pour «alourdir» (1538), «rendre plus oppressif» (1535), mais la forme pronominale **S'APPESANTIR** qui a d'abord signifié au figuré «se fatiguer» (XIIIe s.) est restée vivante avec la valeur de «devenir pesant» (1285) et, au figuré avec la préposition *sur*, pour «porter toute son attention» (fin XVIIe s., La Bruyère). ◆ Du verbe ont été tirés un participe passé de sens propre et figuré, **APPESANTI, IE** adj., et **APPESANTISSEMENT** n. m. (1570), qui appartient à l'usage soutenu ou littéraire.

Autre dérivé important de *pesant*, **PESANTEUR** n. f., autrefois écrit *pesantur* (1170) et *pesantor*, a supplanté les anciens noms *pesance, pesantume, pesanture, pesantie, pesantise* et *pesanté*, formés avec d'autres suffixes, attestant la fécondité du participe présent. ◆ *Pesanteur* désigne la qualité de ce qui a du poids; il n'a pas conservé les sens qu'il avait en moyen français de «chose pesante», «importance»; et d'autres valeurs, «lenteur, défaut de célérité» (XVe s.), «sensation de lourdeur» (1538), «absence de pénétration intellectuelle» (1673), sont réservées à un usage soutenu, voire littéraire. D'abord qualifié, puis absolument (1680), il désigne en physique la force par laquelle une chose pesante est portée en bas. ◆ De *pesanteur*, préfixé avec *a-* privatif, dérive l'antonyme **APESANTEUR** n. f. (1961), quelquefois concurrencé par **NON-PESANTEUR** n. f. (1966) et devenu usuel avec les stations spatiales, à côté d'*agravitation*, plus didactique.

PESAGE n. m. (1236), dérivé en *-age* de *peser*, fournit au verbe un nom d'action concret, après avoir désigné (par métonymie) le droit payé par les marchandises pesées. ◇ Il est employé spécialement dans le domaine du turf (1854) pour désigner l'action de peser les jockeys avant une course et, par extension, l'endroit où cette opération a lieu. ◆ **PESON** n. m. est un nom concret tiré (1244) de *peser* qui a désigné un poids de plomb déterminé, en particulier le petit poids que l'on fixait au bout d'un fuseau pour en faciliter la rotation; il s'est appliqué également à une balance à fléau (XIIIe s.) et, de nos jours, à un appareil de pesage dont la partie utile est constituée d'un ressort étalonné. ◆ Le nom d'agent dérivé de *peser*, **PESEUR, EUSE** n. (v. 1250), désigne la personne qui effectue des pesées et quelquefois, dans le style littéraire, une personne qui examine les choses minutieusement

(1649). ◇ Le féminin a donné son nom à un instrument de pesage (1949). ➜ Le participe passé de *peser, pesé,* a été pris au féminin **PESÉE** n. f. pour «quantité pesée en une fois» (1344) et pour «action de peser une chose» (1586), utilisé comme synonyme partiel de *pesage,* spécialement en chimie, pharmacie. ◇ *Pesée* désigne spécialement la pression exercée sur qqn ou qqch., directement ou avec un instrument (1691). ➜ Le nom, à suffixe diminutif, **PESETTE** n. f. (1569) sert à désigner une petite balance de précision pour les monnaies. ➜ **PESABLE** adj. (XVIIIe s.) est peu usité, de même que **PÈSEMENT** n. m. dont on relève de loin en loin de rares emplois (XIIIe s.; 1611, puis 1898 Huysmans).

Des composés verbaux que *peser* a produit en ancien français *(mespeser, appeser, contrepeser),* seul **SOUPESER** v. tr. (1372), d'abord écrit *sozpeser* (v. 1200), est resté vivant. Il désigne l'action de soulever une chose avec la main pour en évaluer le poids, et partage avec le simple *peser* la valeur figurée d'«évaluer» (v. 1265). ➜ Il a un dérivé nom d'action, **SOUPÈSEMENT** n. m. (1872).

Enfin, de *peser* «mesurer le poids d'une chose», vient l'élément verbal **PÈSE-** qui a servi à construire de nombreux noms composés d'instruments dont le plus ancien semble être **PÈSE-LIQUEUR** n. m. (1674). ◇ L'élément, surtout productif au cours du XIXe s., entre notamment dans **PÈSE-LETTRE** n. m. (1873), **PÈSE-GRAINS** n. m. (1873), **PÈSE-BÉBÉ** n. m. (1875) et, plus récemment, **PÈSE-PERSONNE** n. m. (1969), désignant des variétés de balances.

◈ voir **PENSUM, PESO, POIDS, PONDÉRER, PRÉPONDÉRANT.**

PESO n. m., attesté une première fois en 1598 dans une traduction sous la forme francisée *peze,* puis de nouveau en 1752, est emprunté au mot espagnol *peso,* nom d'une unité monétaire de plusieurs pays d'Amérique latine (1681). Le mot signifie proprement «poids» et, comme le français *poids*,* représente le latin *pensum* de même sens (→ pensum).

▶ **PESETA** n. f. est un emprunt (1787, *pesetta*) à l'espagnol *peseta* (1737), dérivé de *peso* pour désigner l'unité monétaire espagnole. ◇ Le mot, repris comme nom de cette monnaie, a signifié familièrement «argent» (XIXe-XXe s.; vieilli apr. 1950). Cet emploi semble distinct du mot d'argot *pésètes* (1926, à Lyon) désignant l'argent, et qui semble devoir être rattaché à *pèse* (→ pèze). Le rapport entre *pésètes* et *pépettes* ne semble être que de proximité (phonétique et sémantique).

PESSAIRE n. m. est emprunté par les médecins du XIIIe s. au bas latin médical *pessarium,* dérivé de *pessum* (ou *pessus* au masculin), lui-même emprunté au grec *pessos.* Celui-ci, surtout employé au pluriel *pessoi,* désigne une pierre ovale utilisée pour des jeux comme le trictrac ou les dames, et que Palamède était censé avoir inventés, de même que les dés. Il se dit, par analogie de forme, d'un dispositif introduit dans le vagin et aussi du coin de l'œil. C'est un terme d'étymologie inconnue (de substrat ou étranger) conservé par le grec moderne au sens de «pion».

♦ Le mot a désigné en médecine ancienne une espèce de suppositoire servant à provoquer les règles ou à guérir les maladies de l'utérus et un petit appareil utilisé pour remédier aux déviations de la matrice (1743). ◇ Il s'est maintenu au sens de «dispositif anticonceptionnel», mais il a vieilli au profit de *diaphragme.*

PESSIMISME n. m. est une formation savante (1759), pour obtenir un antonyme d'*optimisme*,* faite sur le latin *pessimus,* superlatif, à côté du comparatif *pejor* (→ pire), de *malus* «mauvais» et désignant ce qui est le pire, le plus mauvais ou très mauvais. *Pessimus* avait donné par voie populaire l'ancien français *pesme* (1050) «très mauvais», «fâcheux, cruel», disparu au XVe siècle.

♦ Le mot désigne une disposition d'esprit à voir le mauvais côté des choses; il s'est spécialisé en philosophie pour la doctrine d'après laquelle le mal l'emporte sur le bien (1819).

▶ **PESSIMISTE** adj. et n. apparaît peu après (1789) sur le même mot latin et d'après *optimiste.* ◇ Le mot, dans sa première attestation à l'époque révolutionnaire, désigne une personne portée à être mécontente du présent et inquiète pour l'avenir, dans le titre d'une comédie : *Le Pessimiste ou l'Homme mécontent de tout.* Il est également employé comme adjectif (1819) et a pris dans l'usage philosophique (1819) le sens extensif de «relatif au pessimisme et à ses partisans» (1935). ◇ Le dérivé **PESSIMISTEMENT** adv. (1905) est rare.

◈ voir **PÉJORATIF, PIRE,** ② **PIS** et, du grec, **ASYMPTOTE, PÉRIPÉTIE, PTÔSE, SYMPTÔME.**

✻ **PESTE** n. f. est emprunté (v. 1460) au latin *pestis* «maladie contagieuse, épidémie», en général «fléau», employé au figuré au sens de «destruction, ruine» appliqué en particulier à une personne ou une chose nuisible. Le mot latin n'a aucune étymologie claire.

♦ Le mot, en français comme en latin, a longtemps été appliqué à toute maladie caractérisée par une très forte mortalité; ainsi la «peste» d'Athènes (429 av. J.-C.), celle de Rome (165 apr. J.-C.) furent peut-être des épidémies de choléra ou de typhus. Ce sens général de «grave épidémie» est à l'origine des emplois en médecine vétérinaire pour désigner de graves maladies distinctes de la peste humaine (1732, pour une maladie des brebis; 1868, *peste bovine*). ➜ Au figuré, *peste* désigne en effet dès le XVe s. une personne pernicieuse, méchante, très désagréable. Par antiphrase, il s'est dit dans le langage de la galanterie de la personne aimée (1662) et, par exagération, d'un petit enfant malicieux (1622, au masculin *petit peste;* puis au féminin). Dans cet emploi, il peut être adjectivé (v. 1680, *être un peu peste*). Les expressions imagées *peste de cour* (1643), *peste d'État* (1669) et *peste publique* (1672) sont sorties d'usage. En outre, le mot désigne par latinisme, aujourd'hui senti comme figuré d'«épidémie», un fléau (v. 1500), une chose pernicieuse et funeste qui corrompt les cœurs et les esprits (1541, Calvin). ➜ Avec son sens propre de «maladie grave et épidémique», il a suscité plusieurs emplois stylistiques et quelques expressions : les

plus anciennes sont sorties d'usage, mais la locution comparative ***fuir qqn comme la peste*** (1658) reste usuelle. La langue classique a formé quelques formules d'imprécation comme ***la peste m'étouffe, l'étouffe,*** etc. (1627), ***la peste soit de (qqn)*** (1654), cette dernière comptant plus d'une variante, et l'emploi exclamatif ironique de ***peste!*** pour marquer l'étonnement ou l'admiration (1658; 1648, *la peste!*). Tous ces emplois ont vieilli et, de nos jours, leur reprise témoigne d'une affectation d'archaïsme.
Quant au sens médical ancien, il englobait la notion moderne, qui se dégage au XIXe s., la peste proprement dite étant la maladie due au bacille de Yersin (médecin français) et Kitasato, qui fut découvert en 1894; toutefois, on peut affirmer que ce mal, parfois appelé *peste bubonique,* était identifié et distingué d'autres épidémies beaucoup plus tôt, mais avec moins de rigueur.

▶ Le mot a produit ses dérivés aux XVIe et XVIIe siècles. ➜ **PESTEUX, EUSE** adj. est relevé pour la première fois en 1553 chez Ronsard dans le syntagme *le pesteux Automne* au sens de «qui provoque la peste», au sens latin, très large et qui a rapidement disparu. ◇ L'adjectif signifie aussi «relatif à la peste» et s'est employé au figuré avec la valeur de «sordide, misérable». ➜ *Peste* entre dans la composition de **MALEPESTE** n. f., d'abord écrit *malepeste* (1579), «peste mauvaise». Disparu en ce sens, le mot est archaïque dans son emploi interjectif pour marquer le dépit, l'étonnement (1579).
PESTER v. se rencontre depuis 1617 comme transitif au sens figuré de «traiter (qqn) de peste», construction sortie d'usage au profit de la construction indirecte *pester contre qqn* (1639) et de l'emploi absolu (1640), quelquefois avec la préposition *de* introduisant un infinitif de cause.
PESTIFÉRÉ, ÉE adj. et n. est dérivé (1531) de l'ancien adjectif *pestifere (pestifère)* [v. 1350] «qui porte la peste», terme considéré comme «dogmatique, didactique» par les dictionnaires des XVIIIe-XIXe s. et quasiment inusité, emprunté au latin *pestifer* «qui apporte la ruine, pestilentiel», de *pestis* et *ferre* «porter» (→ -fère). ➜ *Pestiféré* désigne et qualifie un malade atteint par une maladie contagieuse grave. Ce sens passif l'a emporté sur l'ancien sens actif de «contagieux», réalisé dans *maladie pestiférée* (1534). ➜ On a formé sur l'adjectif ou sur *pestifère* le verbe **PESTIFÉRER** (v. 1482), d'abord au figuré puis au propre (1588), mais quasiment inusité.
EMPESTER v. a été créé (v. 1550) après l'ancien français *rempester* (XIIIe s.), formé de *re-, en-* et *peste.* Il exprime d'abord, au figuré, l'action de corrompre, puis la contagion par une peste au sens large (1611), sens sortis d'usage. ➜ Par extension, il désigne le fait d'infecter d'une mauvaise odeur (XVIIe s.) et absolument de «sentir mauvais» (1835), emploi usuel en concurrence avec *puer,* plus marqué.

◈ voir PESTICIDE, PESTILENCE.

PESTICIDE n. m. est emprunté (1959) à l'anglais *pesticide* n. (v. 1950), composé de *pest,* mot emprunté au XVIe s. au français *peste** et qui avait pris au XVIIe s., par latinisme ou par analogie, le sens de «chose ou personne nuisible», en particulier «insecte ou plante nuisible, parasite». Le second élément est *-cide,* du latin *caedere* «frapper, abattre, tuer» (→ ciseau, homicide).

♦ En français et avec le sens de l'anglais, «produit chimique utilisé contre les parasites animaux et végétaux des cultures», *pesticide* est mal formé puisque *peste* n'a pas le sens de «parasite». L'Administration française emploie l'expression *produit antiparasitaire à usage agricole.*

PESTILENCE n. f. est emprunté (v. 1120) au latin *pestilentia* «peste, épidémie, maladie contagieuse» et, au figuré, «ruine, destruction», dérivé de l'adjectif *pestilens* «empesté, malsain» et «pernicieux, funeste», lui-même de *pestis* (→ peste).

♦ Le mot est d'abord attesté avec le sens figuré de «tentation, occasion de pécher» dans un contexte biblique, spécialement dans la locution *chaire de pestilence* «chaire où l'on enseigne une doctrine pernicieuse» (v. 1120). ➜ Le mot a désigné au propre, comme en latin, une épidémie de peste, une maladie épidémique (1170), sens qui a disparu. Par métonymie, il a pris le sens de «carnage», lui aussi éteint. ➜ Il ne survit qu'avec l'acception d'«odeur putride, infecte» (v. 1256), en relation avec *empester.*

▶ Il a produit **PESTILENTIEL, ELLE** adj. (1542), d'abord *pestilenciel, pestilencial* (XIVe s.). Cet adjectif fait suite aux créations antérieures, *pestilencié* (v. 1265) «corrompu, malsain» et *pestilencieux* (1376) «funeste», qui ont disparu. ◇ L'adjectif a suivi le développement du nom : il qualifie d'abord ce qui présente les caractères de la peste et ce qui donne la peste, avant de prendre le sens moderne d'«infect, putride (à propos d'une odeur)» et le sens figuré de «pernicieux» (XVIe s.). ➜ Le mot tend à éliminer **PESTILENT, ENTE** adj. (1330), représentant du latin *pestilens,* de même sens (1372-1374).

✳ **PET** n. m. est issu (v. 1179) du latin *peditum* (par évolution en °*pedtum,* °*pettum*), déverbal de *pedere* «péter», mot vulgaire que l'on rencontre chez les satiriques, bien représenté, avec des dérivés, dans les langues romanes. Le mot latin représente, tout comme des verbes russe et lituanien, une racine indoeuropéenne °*pezd-,* °*b(e)zd-* existant à côté du présent °*perd-* que suppose la comparaison d'autres langues (lituanien, sanskrit *párdate,* grec *perdesthai*). Le germanique a un autre type expressif (→ vesser).

♦ *Pet* désigne, comme *peditum,* un gaz intestinal qui sort avec bruit. De bonne heure, il a exprimé l'idée figurée de «peu d'importance» comme en témoigne l'ancienne locution *je ne ti mesferai un pet* (1205), valeur réactivée dans le langage argotique puis familier moderne avec la locution ***ça ne vaut pas un pet*** (1887), ***ça ne vaut pas un pet de lapin*** (1896). ◇ Par analogie, le mot exprime familièrement un bruit sec et violent (1580) d'où, par extension, le tapage (1847) et, en argot, le danger (1835) avec l'interjection *pet!* «attention» ainsi que la protestation, dans ***porter le pet*** «protester». Le rapport entre l'expression du mépris et les gaz intestinaux, atténuation des excréments (cf. *chier*), s'exprime plus fortement avec le mot *prout**. ◇ Entre autres expressions, ***on tirerait plutôt un pet à un âne mort*** prolonge la forme classique *tirer un pet d'un âne mort* (1564, Rabelais), au figuré «ne parvenir à rien tirer de qqn, d'un avare».

▸ Deux dérivés verbaux attestés en moyen français *péter* et *pétiller*, sont usuels. ➛ **PÉTER** v. (1380) a éliminé l'ancien verbe *poire* (v. 1190), vivant jusqu'au XVe s., qui représentait l'évolution normale du latin *pedere* (comme *cadere* a donné *choir*). ◇ Le verbe signifie «faire un ou plusieurs pets»; il est resté vulgaire ou familier, donnant lieu à des locutions dont ***péter plus haut que son cul*** (1640) «être prétentieux» et ***péter dans la soie*** «être riche» (1878). ◇ Par analogie, il a pris au XVIe s. les sens de «craquer» (1546, en parlant du bois dans le feu) et d'«exploser, éclater» (1585). Cette acception est probablement due au sens du dérivé *pétard*, qui semble plus ancien (ci-dessous). Cet emploi familier est surtout vivant dans quelques locutions comme ***péter dans la main de qqn*** (fin XVIIe s.) «rater, échouer brusquement» et alors détaché de son origine; ce sémantisme voisin de ceux de *claquer, exploser* est présent dans plusieurs dérivés (*pétoire, pétiller, pétard, pétarade,* ci-dessous). ◇ Le mot est employé transitivement dans quelques expressions familières comme ***la péter*** (sous-entendu *la faim* ou *la soif*) «mourir (de faim, de soif)» puis «avoir très faim, soif» (1915) [cf. *la sauter*]. Il exprime aussi l'action de casser brusquement et, à la forme pronominale ***se péter la gueule,*** celle de tomber. ➛ Le verbe compte plusieurs dérivés : **PÉTEUR, EUSE** n. (1380) «personne qui a l'habitude de péter», mot burlesque qui a donné lieu à des exploitations littéraires comiques (*la Compagnie des francs péteurs,* dans *L'Art de péter,* au XVIIIe s.), et sa variante **PÉTEUX, EUSE** n. et adj., d'abord employée (1456) comme nom propre avec une majuscule puis comme nom commun dans la locution *chasser qqn comme un péteux d'église* (1613) «comme un indésirable», sortie d'usage. ◇ Par allusion au flux intestinal que peut déclencher la peur (cf. avoir *la colique,* être *foireux,* etc.), *péteux* désigne de nos jours un lâche, un peureux (1790); il s'emploie (surtout au Canada) comme terme d'injure pour un pédant, un faiseur d'embarras. ➛ **PÉTOIRE** n. f. (1743, d'abord dans *canne-pétoire*), formé avec le suffixe *-oire,* désigne la branche de sureau évidée servant de sarbacane aux enfants, puis (1903) un mauvais fusil. Comme *pétard,* ce dérivé est démotivé. ➛ **PÉTOMANE** adj. et n. est formé plaisamment (1892) avec *-mane** à propos d'un artiste de variétés capable de contrôler ses gaz intestinaux et d'en moduler la hauteur, attraction qui eut son heure de gloire vers 1900 (*le Pétomane* étant en pratique un nom propre). ➛ C'est sans doute au verbe, plutôt qu'à *pet,* que se rattache le mot populaire **PÉTOCHE** n. f. passé de son sens originel de «chandelle de résine» (1869), par allusion aux crépitations (voir *pétiller* ci-dessous), au sens actuel de «peur intense» (1918, argot des Poilus), lui-même lié à *péteux.* ◇ On en a tiré **PÉTOCHARD, ARDE** n. et adj. (1947), synonyme argotique de *péteux* «peureux». ➛ De *péter* ou de *pet,* est dérivé **PÉTOUILLER** v. intr. avec le suffixe populaire *-ouiller* (1824) «aller mal» (sens disparu) puis «faire du mauvais travail, bousiller» (1912), répandu en Suisse, en Franche-Comté et dans le Jura.

PÉTILLER v. intr., autre verbe dérivé de *pet,* est formé avec le suffixe diminutif *-iller* (v. 1440) et semble démotivé (de même que *pétard*,* ci-dessous) dès ses premiers emplois : le mot exprime, d'abord au participe présent, l'action de briller d'un éclat très vif, surtout en parlant des yeux. La métaphore va de la série de petits bruits (voir le sens ci-dessous au XVIe s., et aussi *pétarade*), à la série de petits éclats lumineux. ◇ Au XVIe s., se développent plusieurs valeurs concrètes et abstraites, à propos d'une personne agitée par des sentiments vifs (1564), avec divers compléments introduits par *de* (1606, *pétiller de dépit;* 1690, *pétiller d'impatience*). ◇ Le sens concret moderne, à propos du bois qui craque en se consumant dans le feu, date du XVIe s. (1575). *Pétiller* se dit abstraitement de traits d'esprit qui jaillissent (1669) et il exprime l'idée d'une qualité qui se manifeste avec pétulance (1765, *pétiller d'esprit;* 1776, *le sang lui pétille dans les veines*). ◇ Un autre emploi concret usuel concerne les liquides qui dégagent des bulles et moussent légèrement (1660). ➛ On en a tiré un adjectif, issu du participe présent **PÉTILLANT, ANTE** (v. 1440), de sens concret, qualifiant notamment un liquide mousseux, employé aussi à l'abstrait, ainsi qu'un nom, **PÉTILLEMENT** n. m. (XVe s.) qui a signifié «chatouillement» et «palpitation» (1549), valeurs disparues, avant de désigner le fait de pétiller (1611), au propre, en parlant d'un feu (1636), d'un vin (1701), et au figuré (1762), en particulier à propos des yeux (1845). ➛ Le synonyme **PÉTILLIS** n. m. (1925) est rare.

Les autres dérivés de *pet,* tous apparus après la fin du XVIIIe s., à l'exception de *pétard*,* totalement démotivé, sont des mots de sens très particulier : ayant lui-même servi à désigner par métaphore un beignet (par l'idée de gonflement), *pet* entre dans l'appellation **PET-DE-NONNE** n. m. (1795) qui remplace *pet d'Espaigne* [Espagne] (1393), avec le même sens. ➛ Il entre également comme premier élément dans **PET-D'ÂNE** n. m. (1812; dans *pédane,* 1778) désignant une plante, et **PET-DE-LOUP** n. m. (1888) qui désignait un vieil universitaire ridicule à la suite de la création d'un personnage de ce nom par Nadar en 1849; le composé est peut-être inspiré par *vesse-de-loup.* ➛ *Pet* a produit le mot argotique **PÉTASSE** n. f., sous l'influence de *pute-putasse* et de *pouffiasse,* pour désigner une prostituée (1878) puis, péjorativement, une femme. ◇ Le mot sert également de variante à *pétoche* pour désigner la peur (1901, ***avoir la pétasse***), emploi disparu.

Il faut considérer à part, car il est aussi étranger que *pétiller* au sens du radical *pet-péter,* le mot **PÉTARD** n. m. pourtant dérivé directement (1495) de *pet* avec le suffixe *-ard* (l'ancien provençal *petart* est attesté à la même époque). Dès ses premières attestations et, semble-t-il, avant que le verbe *péter* ne prenne le sens correspondant, *pétard* désigne un explosif pour faire sauter un obstacle. Par analogie, il s'applique à une petite pièce d'artifice qui éclate bruyamment (1584) et, beaucoup plus tard, à un artifice posé sur un rail de chemin de fer comme signal (1874). ◇ Au XIXe s., le mot a développé plusieurs sens figurés et familiers : il désigne une nouvelle sensationnelle, d'abord dans la locution ***lancer un pétard*** (1835) puis absolument (1875) ; il exprime la colère (1830), surtout dans la locution ***être en pétard*** (1926), le bruit, le tapage (1867), le danger (1850), et un éclat (1872, ***faire du pétard***) en relation avec certaines valeurs de *péter*. Un ***pétard mouillé*** (qui n'explose pas) correspond à «nouvelle importante qui se révèle fausse». ◇ L'emploi de *pétard* comme désignation du postérieur (1847) procède du sens initial de *péter*. ➜ *Pétard* a servi à former **PÉTARDER** v. (v. 1590) «faire sauter avec un pétard», d'abord dans le domaine d'Oc. Le verbe est repris intransitivement au sens figuré et populaire de «faire du tapage» (1883). ➜ Un deuxième dérivé, **PÉTARDIER, IÈRE** n. et adj. m. (1611) a vieilli, tant comme nom de l'artificier que comme adjectif avec les sens figurés de «tapageur» (1883) et «individu colérique, qui fait du pétard».

PÉTARADE n. f. est emprunté (1542) au provençal *petarrada* «suite de pets», dérivé de *petarra*, augmentatif de *peta* «péter», de *pet* «pet», mot issu comme le français *pet* du latin *peditum*. ➜ Le mot est attesté depuis Rabelais avec le même sens que le provençal et, par analogie, pour le bruit de pet fait avec la bouche par mépris (1546), ce dernier sens étant sorti d'usage. ◇ Par extension, il se dit de la suite de pets émis par un animal, notamment un cheval, sens d'abord relevé dans le style burlesque chez Scarron (1649), de même que celui de «série de détonations» (d'un volcan). Depuis 1921, il s'applique à une suite d'explosions anormales dans le fonctionnement d'un moteur à explosion. ◇ *Pétarade* et son dérivé, sans être aussi nettement détachés du sens initial de *pet* et *péter* que le sont *pétiller* et *pétard*, mots neutres, n'ont pas de connotations scatologiques et ne sont que familiers. ➜ En est dérivé **PÉTARADER** v. intr., d'abord *petarrader* (1560) «faire une série de pets» (surtout d'un animal qui rue) et, par analogie, «faire entendre une suite de détonations», spécialement pour un moteur, avec le participe présent adjectivé **PÉTARADANT, ANTE** (1934).

PÉTAUDIÈRE n. f., désignant un lieu où manquent l'ordre, l'organisation et où règne l'anarchie, est issu (1694) de la locution proverbiale *c'est la Cour du roy Petauld, où chascun est maître* (1594). *Petaux, petaulx,* généralement regardé comme un dérivé de *pet**, se rencontre au pluriel chez Froissart (v. 1360) à propos d'anciens soldats, d'une bande de paysans armés, et chez Monstrelet (v. 1450) de paysans. Les noms masculins *pitaux, pitault* et *pitaut*, «paysan» (1547, 1583, et 1639), sont aussi évoqués. Le *roy Petault* apparaît chez Rabelais (1546) : il s'agit d'un mystérieux personnage du XVIe s., héros d'une légende que certains expliquent comme zoologique : *le roy Petault* est soit le *roi péteur* (*pétaud* est attesté pour «péteur», 1614), soit «le petit roi», le *roitelet;* les noms donnés à cet oiseau *(rey petare, roi pétaré, rei-petaret)* ainsi que sa réputation d'oiseau solitaire et belliqueux appuient cette thèse : il s'agirait d'un personnage insolite, fugueur, volage, qui cherche sa propre maison ; l'idée d'une cour désordonnée dans laquelle chacun est maître se rencontre à partir de la fin du XVIe avec plusieurs proverbes du XVIe s. (voir ci-dessus).

PÉTALE n. m. est emprunté (1718, Jussieu) au latin des botanistes *petalum*, relevé pour la première fois dans un ouvrage de Fabio Colonna imprimé à Rome en 1649. Ce mot latin moderne est emprunté au grec *petalon* «feuille de plante, de fleur, d'arbre» et, par analogie, «lame ou plaque de métal», neutre substantivé de l'adjectif *petalos* «étendu et plat», «allongé». Le mot appartient à une racine indoeuropéenne °*pet-* «se déployer» qui a des représentants en grec (→ pétase) et en latin (→ patent, patibulaire).

♦ En dehors de son sens botanique, «élément foliacé composant la corolle d'une fleur», le mot donne lieu à des emplois métaphoriques et, par analogie de forme, est employé en cuisine pour une fine lamelle (en particulier de maïs), de manière à concurrencer l'anglicisme *chips*.

▸ Il a produit les adjectifs didactiques **PÉTALOÏDE** (1763-1765, Rousseau), **PÉTALÉ, ÉE** (1771) et **APÉTALE** adj., qui qualifie les plantes «aux fleurs sans corolles» (1708), sens disparu, puis «dépourvu de pétales» (1752) ; ce qualificatif a été donné par Jussieu à l'une des trois divisions de plantes dicotylédones et le mot, au pluriel **LES APÉTALES** n. f. pl. (1708), a été substantivé dans la terminologie botanique. ◇ Comme élément formant **-PÉTALE** entre dans la composition d'adjectifs de botanique qualifiant une corolle ou une plante d'après le nombre ou les caractéristiques de ses pétales (**DIALYPÉTALE, PENTAPÉTALE, TÉTRAPÉTALE, UNIPÉTALE**). ◇ Très éloigné par le sens, **PÉTALISME** n. m. est un terme d'Antiquité (1580), emprunté au grec *petalismos* «bannissement par un vote écrit sur des feuilles d'olivier», dérivé de *petalon* «feuille». ◇ Le mot se rapporte à ce vote populaire en usage à Syracuse et qui condamnait à cinq ans d'exil les personnes jugées dangereuses pour la liberté publique.

PÉTANQUE n. f., attesté tardivement en français central (1932), vient de l'expression provençale *pétanco*, composé de *pé* (du latin *pes* comme *pied**) et de *tanco* «étançon, pieu pour planter qqch.», du même radical que le français *étancher**. Le *pétanco* est littéralement un «pied fixé» (comme un pieu). Ainsi, *jouer à pétanque* signifie «lancer sa boule en ayant le pied fixé au sol, sans prendre d'élan» et aurait été déformé en *jouer à la pétanque*, peut-être à cause du bruit des boules de métal qui, en se choquant «pètent» (par attraction du provençal *peta* «péter» ; → pétarade). Le jeu passe pour avoir été créé à La Ciotat en 1910, et une plaque commémorative qui francise l'expression affirme «C'est en l'an 1910 sur ce terrain que fut créé le Jeu de Pied-Tanqué».

♦ Le mot désigne en France la variante méridionale du jeu de boules ; *jouer à la pétanque, joueur de pétanque* ont des connotations culturelles d'insouciante paresse associée à ce jeu de boules, pourtant codifié sportivement.

▸ Le mot a donné **PÉTANQUEUR, EUSE** n. (1953), «joueur(euse) de pétanque».

PÉTARADE, PÉTARD → PET

PETAS (région) → RAPETASSER

PÉTASE n. m., francisation (1599) de *petasus* (1579), est emprunté au latin *petasus,* lui-même emprunt au grec hellénistique *petasos,* nom d'un chapeau à large bord pour abriter de la pluie et du soleil, porté par les jeunes gens pour les exercices de la palestre et par leur dieu protecteur Hermès. *Petasos,* au féminin, s'est employé par analogie de forme pour l'ombelle des plantes ombellifères. Le mot grec appartient à la famille de *petannunai* «étendre, étaler, couvrir» qui se disait de bras, de tissus, de portes, etc. et qui se rattache à une racine indoeuropéenne °*pet-* «déployer», comme le latin *patere* «être ouvert, large» (→ patent), *patulus* «ouvert», peut-être *pandere* (→ épandre). Plusieurs langues indoeuropéennes (avestique, lituanien, germanique) ont des formes nominales apparentées.

♦ Le mot a été repris comme terme d'Antiquité grecque et romaine pour désigner une coiffure, en particulier celle du dieu Hermès (Mercure).

PÉTAUDIÈRE, PÉTER, PÉTILLER → PET

-PÈTE → CENTRIPÈTE (sous CENTRIFUGE)

PÉTIOLE n. m. est emprunté par les botanistes (1749) au latin impérial *petiolus,* diminutif de *pes* (→ pied), proprement «petit pied», spécialisé par analogie de forme au sens de «queue des fruits, pédoncule».

♦ Le mot désigne la partie rétrécie qui sert de support à la feuille et l'unit à la tige. ◇ Il a été repris par les entomologistes pour désigner la partie étroite unissant l'abdomen au tronc chez certains hyménoptères (1845).

▸ **PÉTIOLÉ, ÉE** adj. (1766) est employé dans la description botanique et entomologique.

PETIT, PETITE adj., n. et adv., attesté depuis la *Passion* (v. 980), est un mot gallo-roman également présent en ancien provençal et en catalan sous la forme *petit* (*t* prononcé). Il remonte probablement à un type °*pettittus* que l'on postule d'après le latin populaire *pititus* (775) et le bas latin *pitinnus, pitullus.* Ces mots sont formés sur un radical expressif *pitt-* exprimant l'idée de «petitesse» dans le langage enfantin. Les autres langues romanes expriment la même idée avec des adjectifs de formation analogue : l'italien avec *piccolo* (→ piccolo), l'espagnol avec *pequeño* (→ ① pékin); ces adjectifs ont supplanté les représentants du mot latin *parvus* «petit», lequel appartient à la même racine que les mots latins *paucus* (→ peu) et *pauper* (→ pauvre).

♦ Dès le Xe s., *petit* est appliqué à un être animé de taille inférieure à la moyenne et, par extension (la taille indiquant un degré de croissance), à un jeune; ces deux notions organisent les principaux emplois de l'adjectif. ◇ *Petit* indique également une notion abstraite d'infériorité sociale par la naissance, le pouvoir ou la fortune et, en ce sens, est déjà employé substantivement dans l'ancienne expression *li gran e li petit* «tout le monde», et plus tard dans ***petites gens*** (1265) «gens de classe sociale inférieure». ◇ *Petit* s'applique également à une chose, d'abord sous un rapport de grandeur temporelle, par exemple dans *anz petiz dis* «avant peu de jours». Cette valeur quantitative se retrouve dans ***petit jour*** (1674) «aube». ◇ Enfin, le mot est employé adverbialement pour «peu», sens qui à la fin du moyen âge s'éteindra progressivement sous la concurrence de *peu,* mais qui a laissé des traces dans les locutions usuelles ***petit à petit*** (v. 1170) «progressivement» et ***en petit*** (1654) «sur une petite échelle». ◇ Les autres sens concrets de l'adjectif sont attestés dès avant le XIe s., pour une chose dont les dimensions sont en-dessous de la moyenne (1080) et, abstraitement, pour ce qui est de peu d'importance (1080, des troupes), puis pour un prix bas (v. 1155). ◇ En moyen français, *petit* prend aussi la valeur dépréciative de «mauvais» (v. 1356), spécialement dans l'ordre des qualités physiques, morales (XVe s., avec l'idée de lâcheté), et intellectuelles (1580, Montaigne). Il entre ainsi dans un certain nombre de syntagmes allant de ***petit esprit*** (1674) et ***petite constitution*** (1694) aux appellations méprisantes ***mon petit monsieur*** (1666, Molière) et, récemment, *petit con.* ◇ Inversement, petit se fait porteur d'une valeur méliorative, fournissant notamment des appellatifs affectueux (1538), cet emploi «hypocoristique» s'étendant à toutes sortes de contextes en français moderne (*un petit gueuleton,* etc.). Selon le substantif et le contexte, ces emplois de *petit* peuvent être positifs *(petit ami)* ou condescendants, voire négatifs. ◇ À partir de l'époque classique, l'adjectif entre dans la locution ***se faire petit*** (1666-1667, La Fontaine), qui continue *faire le petit* (1490) «s'abaisser par respect ou par crainte», mobilisant à la fois le sens physique de «court par la taille» et le sens figuré de «modeste, humble». ◆ *Petit* est substantivé au masculin pour désigner proprement un jeune animal (fin XIVe s.), un jeune enfant dans plusieurs contextes (1548). *Les petits,* opposé à *gros,* désigne les personnes de condition modeste. ◇ Précédé d'un adjectif possessif, il s'adresse à une personne que l'on tient en affection (*ma petite,* 1671, Mme de Sévigné). Cet appellatif peut être positif ou condescendant : *mon petit* (1806).

▸ Ses trois dérivés remontent à l'ancien français. ◆ Le plus ancien est **PETITESSE** n. f., d'abord écrit *petitece* (v. 1170) et employé pour «enfance» et «petit nombre» (fin XIIe s.), sens sortis d'usage. L'usage moderne du mot (1314) correspond à la valeur concrète de «petite dimension» et à la valeur figurée et dépréciative de «mesquinerie, médiocrité» (1665), *une, des petitesses* désignant un acte propre à un esprit mesquin (1674). ◆ **PETITEMENT** adv. (apr. 1250) a d'abord eu un sens temporel, «peu de temps», qu'il n'a pas gardé; il a acquis durablement les valeurs de «chichement» (fin XIIIe s.), «bassement» (1654) et «à l'étroit» (1694) dans *être logé petitement,* etc. ➜ Enfin, **PETIOT, OTE** adj. et n. (XIVe s.) sert de diminutif à *petit* en parlant familièrement d'un enfant, d'un jeune animal.

Le verbe formé sur *petit* par adjonction d'un préfixe, **APETISSER** v. (v. 1160, *apeticier*), a vieilli à la fois dans son sens transitif de «rendre plus petit» et dans son sens intransitif de «devenir plus petit». ➜ Son déclin est aussi celui de son dérivé **APETISSEMENT** n. m. (v. 1250).

Ce verbe et son dérivé ont été éliminés par leurs préfixés en *re-*, qui sont restés très vivants. ➜ **RAPETISSER** v., écrit dans les premiers textes *rapetichier* (1349), a pris le sens de *apetisser* courant comme intransitif, «devenir plus petit» (1459); il est aussi employé au sens de «faire paraître plus petit» (1749) et avec la nuance figurée de «dénigrer, rabaisser» (1752). La forme pronominale *se rapetisser* (1694) possède les mêmes valeurs, propre et figurée (av. 1711). ➜ Il a pour dérivés le nom d'action général **RAPETISSEMENT** n. m. (1547), dont le sens figuré n'est attesté que depuis le début du XIXe s., et le nom technique **RAPETISSURE** n. f. (1868), qui se dit en pêche de la diminution progressive de l'ouverture d'un filet vers son extrémité.

À cet ensemble s'ajoute un grand nombre de composés construits avec *petit* comme premier élément, dont les plus anciens remontent au XIIe siècle: ainsi, **PETIT-LAIT** n. m. (XIIe s.) désigne le babeurre. ➜ Dans la série des termes de parenté, on a **PETITE-FILLE** n. f. (XIIIe s.), d'où **ARRIÈRE-PETITE-FILLE** n. f. (1636) et **BELLE-PETITE-FILLE** n. f. (XVIIe s.), ainsi que **PETIT-FILS** n. m. (XIIIe s.) qui entraîne symétriquement **ARRIÈRE-PETIT-FILS** n. m. (1556) et **BEAU-PETIT-FILS** n. m. (1917); cette série s'est élargie avec **PETITS-ENFANTS** n. m. pl. (v. 1555), **ARRIÈRE-PETITS-ENFANTS** n. m. pl. (1555), **PETIT-NEVEU** n. m. (1598) et **ARRIÈRE-PETIT-NEVEU** n. m. (1751), **PETITE-NIÈCE** n. f. (1598) et **ARRIÈRE-PETITE-NIÈCE** n. f. (1866), et enfin **PETIT-COUSIN** n. m. (1840), **PETITE-COUSINE** n. f., **ARRIÈRE-PETIT-COUSIN** (1842) n. m. et **ARRIÈRE-PETITE-COUSINE** n. f. ➜ Au XVIIe s. sont apparus **PETIT-MAÎTRE** n. m. (1686; 1605, avec un autre sens) et le féminin **PETITE-MAÎTRESSE** n. f. (1695), fixés mais aujourd'hui vieillis au sens d'«élégant aux manières recherchées». ◇ **PETIT-GRIS** n. m. (1621) désigne une espèce d'écureuil et aussi une variété d'escargots comestibles. ➜ **PETIT-BOURGEOIS** n. et adj. (av. 1788, L. S. Mercier) et son dérivé **PETITE-BOURGEOISIE** n. f. (av. 1788) datent de la période prérévolutionnaire et sont déjà porteurs à cette époque de leur valeur péjorative. ◇ Ils ont pris une valeur sociale plus précise dans la terminologie marxiste (→ bourgeois). ➜ Enfin sont apparus les mots techniques **PETIT-DERRIÈRE** n. m. (fin XIXe s., Huysmans), en marine, et **PETIT-FER** n. m. (v. 1900), en menuiserie métallique. ➜ Les créations du XXe s. sont **PETIT-DÉJEUNER** n. m. (1922, mais probablement antérieur; → déjeuner) dont on a tiré un verbe homonyme (XXe s.) et les noms d'aliments **PETIT-BEURRE** n. m. (1909) et **PETIT-SUISSE** n. m. (v. 1910), ce dernier après l'appellation simple *suisse* (1872) qui a disparu.

◈ voir le second élément des composés, et aussi **GAGNER** (**GAGNE-PETIT**).

PÉTITION n. f. (XIIIe s.), d'abord *peticiun* (v. 1120), est emprunté au latin *petitio, -onis* «attaque, assaut» ainsi que «demande, requête», et spécialement «candidature», «demande en justice, réclamation», employé en latin médiéval comme terme de logique dans l'expression *petitio principii* «pétition de principe». Le mot sert de nom d'action à *petere* «chercher à atteindre», «chercher à obtenir», d'où «demander, solliciter», verbe dont seuls les dérivés préfixés sont représentés en français (→ appétit, compétent, impétueux, perpétuer, pétulant, répéter). Il appartient à une racine indoeuropéenne °*pete-*, °*pt-* «s'élancer vers», «voler», qui a d'autres représentants en latin (→ ① panne, penne) et en grec (→ -ptère ou ptéro-), et signifie également «tomber» (→ pire).

♦ Le mot a en ancien français le sens général de «demande, requête» et, en droit, celui de «réclamation faite en justice» (v. 1260), qu'il a conservé. Il a donné au langage juridique l'expression ***pétition d'hérédité*** (1765) «action par laquelle le légataire demande que celui qui détient une partie de l'héritage soit obligé de la laisser». ◇ La *Logique de Port-Royal* a traduit du latin l'expression ***pétition de principe*** (1662) par laquelle on désigne un raisonnement vicieux qui tient pour acquise une chose qu'il s'agit de démontrer. Cette expression est passée dans l'usage courant avec le sens altéré de «déclaration de principe». ➜ *Pétition,* employé seul, désigne en effet (1704) une demande individuelle ou collective adressée aux pouvoirs publics, par emprunt à l'anglais *petition,* lui-même emprunté au français au XVe s., à cause de l'usage qui était fait de ce type de requête dans le cadre du Parlement anglais, notamment lors de la pétition au roi Charles Ier (1628) contenant la déclaration des droits et libertés du peuple. Dans ce sens, le mot a d'abord été employé en français à propos de l'Angleterre; son premier emploi au sujet de la France date de la Révolution : on le relève dans le décret du 29 juillet 1789, puis dans l'expression *droit de pétition* (1791) qui consacre le droit de chaque citoyen d'adresser une requête ou une plainte signée de plusieurs personnes aux assemblées parlementaires.

▸ **PÉTITIONNAIRE** adj. et n., dérivé de *pétition* dans l'expression *pétitionnaire du Roi* (1603), en parlant d'un représentant du roi, a pris son sens moderne (1784) par emprunt à l'anglais *petitioner,* attesté depuis 1414 (notamment dans les actes du Parlement). Comme pour *pétition,* l'usage du terme, dans cet emploi d'abord lié à un contexte britannique, s'est répandu sous la Révolution (1791, Mme Roland). ➜ **PÉTITIONNER** v. tr., introduit comme l'adaptation (1652) de l'anglais *to petition* (1607), a été recréé en 1792 en tant que dérivé de *pétition* : «on introduit chaque jour de nouveaux verbes : *pétitionner, vétoter*». ◇ L'Académie enregistre en 1836 son dérivé **PÉTITIONNEMENT** n. m.

◈ voir **APPÉTIT, COMPÉTENT, COMPÉTITION, IMPÉTIGO, IMPÉTUEUX, PARPAING, PERPÉTUEL, PERPÉTUER, PÉTULANT, RÉPÉTER.**

PÉTOCHE → PET

PÉTONCLE n. m. (1551), réfection de *poitoncle* (1415), forme plus orale, est emprunté au latin *pectunculus*, nom d'un coquillage appelé «petit peigne de mer» en raison de sa forme, le terme étant le diminutif de *pecten* (→ peigne).

♦ Le mot désigne un mollusque lamellibranche, plus petit que celui qui est appelé couramment *coquille Saint-Jacques*, sauf au Québec où une variété plus grosse est consommée et où le mot est plus courant qu'en France, sauf dans les régions (Bretagne, notamment) où l'on pêche ce coquillage très estimé.

PÉTRÉ, ÉE adj. est emprunté (1545) au latin impérial *petraeus* «qui se trouve, qui vient sur les rochers», substantivé au féminin *Petraea* pour une partie de l'Arabie. Lui-même est emprunté au grec *petraios* «de rocher», dérivé de *petra* (→ pierre).

♦ Le mot a servi à qualifier une plante qui croît sur les pierres et a surtout été employé dans ***Arabie pétrée*** désignant la partie de l'Arabie aride et pierreuse (1690). Il qualifie très rarement un lieu couvert de pierres (1885). ◇ Par analogie, il se dit en anatomie d'une partie de l'os temporal qui ressemble à la pierre (1814; antérieurement pour un objet quelconque, av. 1788). En ce sens, il est synonyme de *pétreux**.

▶ **PÉTREUX, EUSE** adj., d'abord *petreux* (XIIIe s.), est un emprunt adapté du latin impérial *petrosus* «pierreux, rocheux», dérivé de *petra* «roche, rocher» (→ pierre). ◆ Le mot a été évincé de l'usage courant par *pierreux*, mais subsiste en anatomie, dans la dénomination *os pétreux* (1314) pour une partie de l'os temporal également appelée *rocher*.

PÉTREL n. m., d'abord *petrel* (1705) puis *pétrel* (1723), est emprunté à l'anglais *petrel*, attesté en 1703 dans le récit des voyages de W. Dampier qui lui donne pour origine le nom de saint Pierre (latin *Petrus*, anglais *Peter*, d'où aussi le nom d'oiseau allemand *Petersvogel* «oiseau de Pierre»). Cette dénomination repose sur une comparaison entre le vol de cet oiseau frappant la surface de l'eau de ses pattes et la marche de saint Pierre sur le lac de Génésareth (Tibériade). Il pourrait s'agir là d'une étymologie populaire seconde, le nom de l'oiseau se trouvant en anglais dès 1676 sous une forme *pitteral* dont l'origine est inconnue.

♦ Le mot désigne un oiseau palmipède marin au bec court et crochu qui vit en haute mer dans diverses parties du globe.

PÉTRIFIER v. tr. est formé directement en français (attesté 1580, B. Palissy, mais peut-être antérieur, si *pétrification* [ci-dessous] en dérive) avec les éléments *pétr-*, du latin *petra* (→ pierre), et *-(i) fier*, du latin *-ficere* représentant *facere* (→ faire). Au début du XVIe s., on relève une forme *petrifiqueroit* (au conditionnel) qui a été rapidement abandonnée.

♦ *Pétrifier* signifie proprement «changer en pierre», en particulier «recouvrir d'une couche minérale», en parlant de l'eau (1680). ◆ Depuis l'époque classique, il est employé avec les valeurs figurées de «rendre inerte, sans vie ou sensibilité» (1667) et de «figer, frapper (qqn) de stupeur» (1706). L'emploi de *se pétrifier* (1836) concerne la sensibilité humaine qui devient inerte.

▶ Les deux participes du verbe sont adjectivés. ◆ **PÉTRIFIANT, ANTE** (1580, au sens propre) qualifie particulièrement une source (1669), une fontaine dont l'eau très calcaire recouvre sa vasque d'une couche de calcaire. Il est employé au sens figuré de «qui stupéfie» depuis 1823. ◆ **PÉTRIFIÉ, ÉE** (1580) réalise lui aussi, avec une valeur passive, les sens propre et figuré du verbe *(être pétrifié d'admiration)*. ◆ **PÉTRIFICATION** n. f., probablement dérivé du verbe, est attesté dès 1503 pour désigner l'action de changer en pierre certaines substances du règne végétal et minéral. *Une pétrification* s'applique à une formation pierreuse sur les corps séjournant dans l'eau calcaire et, par métonymie, à une chose entourée d'une couche pierreuse (1690). ◆ **PÉTRIFIABLE** adj. est attesté, comme le verbe et son participe passé, chez B. Palissy (1580); il est demeuré rare.

PÉTRIN n. m., écrit *pestrin* (1170) jusqu'au milieu du XVIIe s., est issu du latin *pistrinum*, nom d'objet dérivé de *pistor*, d'abord «celui qui pile le blé pour en faire le pain» et par suite «boulanger» : Pline nous apprend à cet égard que jusqu'à la guerre contre Persée, il n'y eut pas à Rome de boulangers vendant au public : faire le pain était le travail des femmes (*pistrix*; → pétrir). *Pistrinum* a d'abord désigné l'endroit où le blé était broyé dans un mortier au moyen d'un pilon, puis le moulin à blé ainsi que la boulangerie. L'acception de «coffre en bois dans lequel on pétrit la pâte à pain» n'apparaît qu'en gallo-roman et semble s'être développée dans la langue de la boulangerie urbaine, ce qui explique qu'elle soit peu répandue dans les dialectes; le mot usuel en ce sens était en français *maie* (du latin *magida*), en ancien provençal *mag* (prononcé *madj*), en italien *madia* qui fait supposer que le type *magida, magis* s'était répandu en bas latin. On dit en outre *arche* et *huche* dans un certain nombre de parlers de la France septentrionale.

♦ Le mot désigne le coffre dans lequel on pétrissait le pain, avec les bras. Lorsque le pétrissage à la main a été remplacé par un pétrissage mécanique, *pétrin* a désigné par métonymie l'appareil, d'abord dans *pétrin mécanique* (1832). ◆ Le sens figuré de «situation pénible, embarrassante» est attesté à partir de 1790 ***(dans le pétrin)***.

PÉTRIR v. tr., d'abord *pestrir* (v. 1175), est issu du bas latin *pistrire* «malaxer de la farine avec l'eau pour en faire une pâte», dérivé de *pistrix* n. f. «celle qui pétrit» (→ pétrin). *Pistrix* est dérivé du latin *pinsere* «piler le grain», «broyer», dont une variante a donné indirectement *pister** et *piste**. Ce verbe *pinsere* appartient à une racine °*peis-* qui s'applique à la technique du pilonnage : elle s'oppose à *molere* (→ moudre), qui désigne l'écrasement du grain à l'aide d'une pierre. Le groupe de *pinsere* a des correspondants dans le sanskrit *pinaṣṭi* «il écrase» et *piṣṭáḥ* «écrasé», l'avestique, le slave *pĭxati* «pousser, heurter», le grec *ptissein* «écraser avec un pilon».

♦ Le verbe est passé en français avec son sens technique et courant, «manier en tous sens une substance pâteuse», voisin de *brasser*. Par analogie, il exprime l'action de modeler (à la main) une substance malléable (v. 1240, *pestrir le mortier*). De là, au figuré, «façonner, modeler (qqn) d'une certaine manière» (v. 1225), spécialement dans ***pétrir qqn de...*** (1584, Ronsard). Les quelques locutions qui réalisaient cette idée au XVIIe s., *pétri d'eau froide* «sot et efféminé» (1611), *pétri de folle farine* «écervelé» (1611) ou *pétri de bile* (1648), sont sorties d'usage.

▸ Le mot a produit les dérivés attendus. ◆ Le plus ancien est **PÉTRISSEUR, EUSE** n. (1538, sans accent), antérieurement écrit *pestriseur* (v. 1260) et *pestrisseur* (fin XIVe s.); le féminin a d'abord été formé avec le suffixe *-eresse* et a eu plusieurs graphies (*pestrissarresse*, fin XIVe s., etc.) avant d'être refait. Le mot désigne la personne qui pétrit la pâte et, par analogie, façonne une matière malléable; il est rare au figuré. Il se dit aussi d'un pétrin mécanique, au masculin (1835) et au féminin (1906). ◆ Un ancien synonyme **PÉTRISSOIR** n. m. (1832), précédé par **PÉTRISSOIRE** n. f. (1739), a vieilli. ◆ **PÉTRISSABLE** adj. est attesté depuis 1749 au propre et depuis 1878 au figuré. ◆ **PÉTRISSAGE** n. m. (1764) a supplanté l'ancien nom d'action **PÉTRISSEMENT** n. m. (XIVe s.); depuis 1923, il désigne une forme de massage thérapeutique. ◆ Enfin, **PÉTRISSÉE** n. f. est un terme technique pour désigner la quantité de pâte que peut brasser le pétrin (1963 dans les dictionnaires).

◈ voir PÉTRIN.

PÉTROLE n. m. est emprunté (XIIIe s.) au latin médiéval *petroleum* (par redondance *petroleum oleum*) «huile minérale» (XIIIe s.), proprement «huile de pierre», du latin classique *petra* (→ pierre) et *oleum* (→ huile). Le mot français a eu, outre sa forme actuelle, de nombreuses variantes, *petteroile* (v. 1240), *petroille* (XIVe-XVe s.), *petroleon* (XVe s.), *peterolle* (1669), *pétréol* (1690) et *petroleum* (1695), ces deux dernières formes étant encore en usage au XVIIIe siècle.

♦ Le mot désigne l'huile minérale naturelle utilisée comme source d'énergie pour l'éclairage, le chauffage. D'abord rare et didactique, le mot devient courant avec l'usage du pétrole pour l'éclairage (XIXe s.), et surtout depuis que cette substance raffinée (→ essence) est utilisée dans les moteurs à explosion (déb. XXe s.). ◇ Il a servi en argot à désigner un mauvais vin (1881), une eau-de-vie (1896). ◇ Par allusion à la couleur du pétrole, il est employé dans *vert pétrole* et surtout *bleu pétrole* (1962).

▸ Il a produit tous ses dérivés aux XIXe et XXe s., époques de diffusion du mot (voir ci-dessus). ◆ Le plus ancien semble être le composé **PÉTROLIFÈRE** adj. (1867) «qui contient du pétrole», formé avec l'élément *-fère**. ◆ **PÉTROLEUR, EUSE** n. (surtout au féminin) a été créé pendant la Commune de Paris (1871) pour désigner un ou une incendiaire qui employait le pétrole. Il a été appliqué rétroactivement aux révolutionnaires de 1792-1793. Par extension, *pétroleuse* sert à désigner une femme qui défend avec véhémence des idées progressistes (1926) et, sans référence militante, qui montre un caractère impétueux et entier. Le masculin *pétroleur* s'est employé pour «anarchiste violent» (1893 chez Léon Bloy). ◇ Le masculin s'est employé en argot (d'après un sens de *pétrole*) pour désigner un vendeur de mauvaise eau-de-vie (1880). ◆ En même temps que *pétroleur*, **PÉTROLER** v. tr. a été créé (1871) avec le sens d'«incendier au pétrole», qui a disparu; il est vivant au sens technique de «couvrir de pétrole» (1898). ◆ **PÉTROLIER, IÈRE** adj. et n. m. (1889, *navire pétrolier*) qualifie et, comme substantif, désigne *(un pétrolier)* un navire-citerne employé au transport du pétrole; il s'est employé aux débuts de l'automobile pour désigner un conducteur de voiture à pétrole (1898), remplacé par *chauffeur*, et, au début du siècle, a développé comme adjectif le sens de «qui se rapporte au pétrole» (1903), par exemple dans *industrie pétrolière*. ◇ Le nom désigne aussi un financier ou industriel qui a des capitaux dans les sociétés pétrolières (1932), puis un géologue ou technicien chargé de prospection pétrolière (1962). ◇ Au sens initial de «navire», *pétrolier* a servi à former **SUPERPÉTROLIER** n. m. (v. 1960), francisation de *supertanker*. ◆ *Pétrole* a donné naissance au diminutif familier **PÉTROLETTE** n. f. (1895), lequel a désigné par métonymie une petite moto et une petite voiture. ◆ Les quelques dérivés créés au XXe s. sont des termes techniques : **PÉTROLAGE** n. m. (1902) désigne la destruction des insectes par épandage de pétrole à la surface des eaux infestées; **PÉTROLERIE** n. f. (v. 1975), canadianisme, désigne l'ensemble des activités liées à l'extraction du pétrole. ◆ Il faut y ajouter plusieurs composés savants en **PÉTRO-**, **PÉTROLO-** et **PÉTROLÉO-**, tel **PÉTROCHIMIE** n. f. (1959), mal formé sur le modèle de l'anglais *petrochemistry* (1942) et entouré par **PÉTROCHIMIQUE** adj. et **PÉTROCHIMISTE** n. (1963). ◆ **PÉTRODOLLAR** ou **PÉTRO-DOLLAR** n. m. (1974) est fait sur le modèle de *eurodollar* (1966), composé formé en anglais (1966) comme *petrodollar* (1974). ◆ Ces composés de *pétro-*, homonyme de l'élément qui concerne la pierre (latin *petra-*), ont été critiqués; mais *pétrolochimie*, proposé pour remplacer *pétrochimie*, ne s'est pas imposé.

PÉTULANT, ANTE adj. est emprunté (v. 1350) au latin *petulans*, qualificatif d'une personne toujours prête à attaquer, d'un animal impétueux difficile à maîtriser, d'une image irrévérencieuse. Le mot est dérivé de *petere* «chercher à atteindre», d'où «attaquer, assaillir» (→ pétition).

♦ Le mot français a gardé la palette d'emplois du latin, tout en prenant une valeur moins défavorable : il se dit d'une personne exubérante, d'un animal impétueux (1694) et, au figuré, d'une œuvre, d'un style bouillonnant. L'idée de vivacité l'a emporté sur d'anciennes notions d'impudeur et d'impudence.

▸ Le dérivé **PÉTULAMMENT** adv. (1552) a perdu son sens initial, «insolemment», pour signifier «avec vivacité» (1680); il n'est guère usité.

PÉTULANCE n. f. est emprunté (1372) au dérivé latin *petulantia* «insolence, effronterie». ◇ Le mot, rare avant le XVIe s. (1527), a suivi la même évolution, de sa valeur ancienne d'«insolence» à «ardeur exubérante» (1677) sans connotation défavorable.

PÉTUN n. m. est un emprunt de voyageur (1555), avec les variantes *petom* (1572), *petung* (1599), *poetun* (1635), à un mot d'une langue indienne du Brésil, le tupi *petyma, petyn,* ou le guarani *pety,* qui n'est pas passé par l'intermédiaire du portugais *petum.*

♦ Le mot a vieilli au XVIIe s. et a été supplanté par *tabac**. Il a subsisté comme archaïsme historique et jusqu'à la fin du XIXe s. dans certains dialectes de l'Ouest (normand, haut breton, manceau).

▸ Son dérivé **PÉTUNER** v. intr. (1603) «consommer du tabac» a été éliminé par les verbes spécifiques *priser* et *fumer,* sauf dans des emplois littéraires et historiques (par exemple dans la tirade du nez du *Cyrano* de Rostand).

Le seul mot vivant reposant sur cette racine est **PÉTUNIA** n. f., nom d'une plante, emprunté (1816) au latin scientifique moderne *petunia* (1789, Jussieu), dérivé de *pétun.* La forme francisée *pétune,* attestée en même temps (1816), n'a pas vécu. Le mot n'est plus rattaché à l'idée de tabac.

PEU adv., d'abord *pou* (1050), *poi* (1080) puis *peu* (v. 1150), est issu du latin populaire °*paucum,* adverbe formé sur le neutre de l'adjectif latin classique *paucus* «peu nombreux», surtout usité au pluriel *pauci* et substantivé. Celui-ci est dérivé d'un radical qui figure aussi dans les mots latins *paulus* «petit», *pauper* (→ pauvre), *parvus* «petit», ainsi que dans le grec *pauros* «en petit nombre, petit, court» auquel *parvus* est lié. Le vocalisme radical en *a* est courant dans un adjectif qui indique une infirmité, une faiblesse, de même que le suffixe *-cus.*

♦ Dès les plus anciens textes, le mot est employé comme adverbe accompagnant un verbe, exprimant une idée temporelle de «court laps de temps» (1050) et celle de «petite quantité» (déb. XIIe s.), par exemple dans ***peu ou prou*** (1600) après *ne peu ne prou* (1559). ◇ *Peu* est employé dans des locutions suivies du subjonctif comme ***pour peu que*** (1080), ***tant soit peu*** (1369) et ***si peu que*** (1549). Il se construit également avec un adjectif (1504) et avec un adverbe (1606). ◆ Dès le début du XIIe s., il est employé précédé de *un* et prend ainsi une valeur positive, ***un peu*** pouvant même prendre une valeur d'intensif en corrélation avec un adjectif, dans un tour attributif avec le verbe *être. Un peu* est, comme *peu,* employé devant un verbe pour exprimer une notion de temps (v. 1160) et de quantité (1174; v. 1150, *un bien peu*). À la même époque, il s'emploie également avec un adverbe ou un complément de lieu, de temps, de quantité (v. 1165, *un peu plus*), exprimant ensuite une notion temporelle (1538, *un peu après*). C'est à la fin du XVe s. qu'il a développé une autre valeur, à l'opposé, d'atténuation : *un peu* est donc employé pour atténuer la portée d'un ordre avec le sens de «donc» (v. 1480); il s'emploie par litote dans *un peu beaucoup* (1578) et a pris, plus tard, le rôle de l'affirmation *oui* avec atténuation (1717) puis intensification dans le langage populaire (par exemple dans l'allitération *un peu, mon neveu!*), deux valeurs proches de celles de *plutôt.* Au cours du XVIe s. apparaît la locution ***un petit peu*** (1558).

À côté de cette valeur adverbiale, *peu* assume aussi une valeur de déterminatif indéfini (1080), d'abord directement suivi d'un nom (1119) avec une valeur numérale ou quantitative (v. 1140). L'usage moderne a imposé l'emploi de la préposition *de* avant le nom (elle apparaît aux mêmes dates) avec une valeur quantitative, réalisée par exemple dans ***peu de chose*** (v. 1225, *poi de cose*). ◇ Symétriquement, ***un peu de*** suivi d'un nom remplit le même rôle avec une nuance positive (1080).

Enfin, dès la fin du XIe s., *peu* est aussi employé avec une valeur de nominal ou de nom : en emploi absolu, il désigne les hommes (1080, en fonction de sujet), par exemple dans *peu sont venus,* ou se dit d'inanimés en fonction de complément du verbe (déb. XIIe s.), d'attribut (v. 1165) et de sujet (1174). ◇ L'emploi correspondant de *un peu* (déb. XIIe s., en fonction de sujet) ne s'est pas maintenu; en revanche, dès le XIIe s., on rencontre *peu de* précédé par un article défini ou un adjectif possessif ou démonstratif : *ce peu de* (v. 1170, *cel poi de*), *mon peu de* (1559), ont disparu, mais on emploie toujours *le peu que j'ai fait pour vous, le peu qui me reste à vivre, le peu de cas qu'on en fait)* (1694). ◇ Avec un article défini, on rencontre encore la formule ironique *excusez du peu* (1798). ◇ Il convient d'y ajouter les locutions courantes créées depuis l'ancien français, telles ***pour un peu*** (déb. XIIe s.), ***peu s'en faut*** (v. 1500; après *poi en faut que,* v. 1225), ***peu à peu*** (XIIIe s.), ***à peu près*** (1487) puis, en construction prépositionnelle, ***depuis peu*** (1651), ***dans peu*** (1671), qui a vieilli, ou encore ***de peu*** (1718), ***sous peu*** (1787) «bientôt». ◇ ***À peu près*** a été substantivé en *un* **À-PEU-PRÈS** n. m. inv. (1688) avec la valeur d'«approximation grossière», généralement péjorative.

◈ voir PAUPÉRISME, PAUVRE.

PEUCHÈRE → PÉCHER

PEUH onomat. et interj., exprimant le mépris, le dédain ou l'indifférence, attestée par écrit en 1831, est onomatopéique.

PEUPLE n. m., attesté dès 842 dans les *Serments de Strasbourg* sous la forme *poblo,* est issu par évolution phonétique du latin *populus,* qui désigne l'ensemble des habitants d'un État constitué ou d'une ville. *Populus* s'opposait à la fois à *senatus* (→ sénat) et à *plebs* (→ plèbe); toutefois, à l'époque impériale, quand le sens de l'ancienne organisation sociale s'est perdu, il s'est employé pour *plebs* à propos des seules classes inférieures. Par extension, hors de toute implication politique, il désigne les gens, le monde, le public. C'est une forme à redoublement dont la forme simple °*pul,* °*pol* figure peut-être dans le composé *manipulus* (→ manipule). Rien ne permet de déterminer quelle peut en être la racine, peut-être celle de *pleere,* primitif de *compleere* «remplir» (→ complet) ou quelque autre, ni s'il y a un rapport avec le radical de *plebs*

(→ plèbe). Un emprunt n'est pas improbable, de même que pour *plebs,* par exemple à l'étrusque *pupluna* (cf. le nom de ville *Populonia*), d'autant que *populus* est le terme qu'emploie Tite-Live à plusieurs reprises pour désigner les douze cités confédérées d'Étrurie. Il n'y a pas de rapport entre ce mot et le nom d'arbre *populus,* qui a aussi donné en italien *popolo,* par exemple dans *Piazza del popolo* (→ peuplier). Le mot est passé en français sous la forme *poblo,* devenue *poplo* (v. 980) par assimilation, puis *pueble* et *pueple* (v. 1135). Le terme roman étant resté en contact avec le latin, il est vraisemblable que *populus* a contribué à la réfection de *pueble, pueple* en *peuple* (v. 1430). Dans les autres langues romanes, l'espagnol *pueblo* est d'origine orale, l'italien *popolo* est une forme savante.

♦ Déjà en latin, et en français dès les premiers emplois, le mot recouvre une notion vague qui recoupe parfois celles de «nation», «pays», de «population» et «ethnie», et dont le contenu est fortement marqué par le statut de ceux qui l'utilisent. Dans les *Serments de Strasbourg,* le *peuple (poblo) chrétien* recouvre l'ensemble des individus vivant ensemble et liés par la communauté d'origine, de coutumes, de traditions et d'institutions. *Peuple* se dit aussi, dès le xe s., d'un ensemble d'individus qui, sans habiter le même pays, sentent qu'ils appartiennent à une même communauté par leur origine, leur religion (spécialement dans le langage biblique) ou un autre lien. Dans une acception politique, il renvoie à l'ensemble des individus qui constituent une nation, définie par un territoire et des institutions ; dans cet emploi, *peuple* est en relation avec *nation* et avec *patrie* (qui suppose l'appartenance). ◇ À côté de cette définition comme «totalité de la nation», *peuple* désigne la partie de la nation qui est gouvernée, l'ensemble des sujets par rapport au souverain (souvent avec le possessif et parfois au pluriel : *mon, nos peuples*), valeur devenue caduque avec la Révolution de 1789. ◇ Le sens démographique «ensemble d'individus habitant un même lieu» (fin xe s.) a disparu, remplacé par *population.* L'emploi du mot (v. 1155) à propos d'un ensemble d'individus formant foule, d'un public (v. 1155) est resté vivant jusqu'à l'époque classique, mais ne survit ensuite que dans la locution populaire moderne ***se moquer, (se ficher) du peuple*** (cf. *monde*). L'emploi avec *de* suivi d'un complément de détermination (v. 1155), au sens de «grand nombre de personnes rassemblées», est devenu littéraire, quelquefois étendu à un grand nombre d'animaux (1678, La Fontaine) puis de choses (av. 1794, Chénier). ◇ Dans son acception politique, le mot désigne, comme en latin impérial, le plus grand nombre qui ne jouit pas du privilège de la noblesse ou de la fortune (xiiie s.), entrant spécialement dans quelques expressions dont ***menu peuple*** (xiiie s.), ***petit peuple*** (v. 1350) ainsi que ***homme du peuple*** (av. 1696), ***femme du peuple*** (1847) et ***enfant du peuple*** (1870). Il a longtemps eu, selon le point de vue des classes dominantes, des connotations péjoratives, s'appliquant à des personnes de goût vulgaire, seul ou dans les locutions ***la lie du peuple*** (fin xvie s.), ***le bas peuple,*** aujourd'hui archaïques. ➜ Au xviie s., le pluriel *peuples* prend le sens particulier d'«ensemble des communautés humaines habitant le globe terrestre» (av. 1669) et, vers la même époque, le singulier *un peuple* commence à s'appliquer à une communauté définie par un mode de vie, de faibles moyens économiques et un statut hiérarchique bas dans la société (av. 1662, Pascal). Dans la période pré-révolutionnaire, le mot se définit politiquement et socialement comme la majorité des êtres humains dans la société, par opposition aux privilégiés (av. 1778, Rousseau). Pendant la Révolution, *peuple* s'est appliqué aux membres des ordres rassemblés en 1789 (Mirabeau) et, bientôt, à ceux qui ont conquis le pouvoir politique, passant de la soumission au pouvoir à la position de sujets de droits politiques (1791, Mirabeau) ; le sens du mot interfère alors avec celui de *tiers état* et de *nation**. ◇ Après la Révolution et durant une partie du xixe s., le contour sémantique du vocable reste flou, désignant tantôt l'ensemble de la nation (en particulier de la nation française) sans distinction de classes, tantôt celle-ci à l'exclusion de l'aristocratie et du clergé (1789, Sieyès), tantôt, vers le milieu du xixe s., le seul prolétariat, la classe ouvrière, ce sens remontant à la Révolution (1796, Babeuf, *peuple ouvrier*). ➜ Dans la langue familière, *peuple* est adjectivé (av. 1654), d'abord pour qualifier une personne de condition modeste ou qui se met à la portée des gens de basse condition, puis (1690) assorti de la valeur péjorative «populaire» ; il qualifie également ce qui est propre aux gens de condition modeste (av. 1763) *[des manières peuple, faire peuple].*

► *Peuple* a produit un dérivé unique qui correspond au moins autant à *population* qu'à *peuple,* le verbe *popler* (v. 1155), *pupler* (v. 1200), puis *puepler* (v. 1236) et enfin **PEUPLER** (fin xiiie s.). Celui-ci, d'emploi surtout transitif, signifie «implanter des habitants dans (une contrée)», «apporter et faire vivre des animaux dans (un territoire)» (v. 1200) et «faire pousser des végétaux dans» (v. 1236). Une autre acception, «constituer le peuplement végétal» (le sujet désignant les végétaux), est plus tardive (1677). ◇ *Peupler* se construit avec la préposition *de* au sens de «remplir de gens, de nourriture, d'équipements, etc.» à partir de la seconde moitié du xiiie s., sorti d'usage. Depuis Furetière (1690), il est répertorié au sens de «garnir les vides de (un objet)», en termes de construction. ◇ Ultérieurement, *peupler* a développé les sens figurés de «créer une population imaginaire» (v. 1770), de «hanter» (1841, Chateaubriand) et de «constituer les personnages qui animent (une œuvre littéraire ou artistique)» (1869). ◇ Par extension, il a pris le sens large d'«être en grand nombre dans (un lieu)» (av. 1842) et, en parlant d'objets, de «garnir un espace» (xxe s.). ◇ L'emploi intransitif du verbe au sens de «proliférer, se multiplier» (1588, Montaigne) a disparu.

Peupler a lui-même produit un certain nombre de dérivés : son participe passé **PEUPLÉ, ÉE** est adjectivé (v. 1188, *pueplé*) pour qualifier un lieu où il y a une population, des habitants. ➜ Le nom d'action **PEUPLEMENT** n. m. (1260) désigne l'action de peupler un pays par l'accroissement des naissances ou par l'immigration, sens dont procède l'expression *colonie de peuplement* (av. 1935). Le mot désigne aussi l'action écologique volontaire de peupler un territoire d'animaux (v. 1750, Buffon). Enfin, il est employé comme synonyme de *plantation* (1865), à propos de l'ensemble des végétaux qui croissent sur un même terrain. ◆ **PEUPLADE** n. f. est plus tardif (1564) et probablement influencé par l'espagnol *poblado* «colonie, établissement», dérivé de *pueblo* «village», spécialisation du sens de «peuple», mais il est formé en français. ◇ Le mot a d'abord servi à désigner un groupe de personnes allant peupler un territoire et a empiété sur le sens de *peuplement* «action de peupler» (1636). L'usage moderne l'emploie avec la valeur collective de «groupe de personnes plus ou moins organisé» (1613, à propos de tribus indiennes), quelquefois au figuré pour «groupe, rassemblement».

Dans la série des composés verbaux préfixés de *peupler*, le plus ancien est **REPEUPLER** v. tr. (XIVe s.), réfection de *repuepler* (1210), dont le développement sémantique s'est modelé sur celui du verbe simple. ◇ Il a donné **REPEUPLEMENT** n. m. (1559) et **REPEUPLÉE** n. f., tiré (1671) de son participe passé féminin, dans l'expression technique *arbre de repeuplée*. ◆ **DÉPEUPLER** v. tr. semble avoir subi initialement (1343) l'influence au moins sémantique du latin *depopulari* «ravager, piller, saccager», attesté à côté d'une forme non déponente *depopulare* dérivée par préfixation de *populari* (et *populare*) «ravager, dépeupler, détruire» lui-même d'étymologie mal éclaircie (le rapport à *populus* n'est pas bien établi). ◇ *Dépeupler* a donc signifié «ravager», avant de subir l'attraction de *peupler* et de lui servir de contraire (1431), en construction transitive et pronominale (v. 1585). ◆ Il a produit **DÉPEUPLÉ, ÉE** adj. et **DÉPEUPLEMENT** n. m. (1559), qui a rapidement perdu le sens de «dévastation» pour «action de dépeupler, de priver de ses habitants» (1584). ◆ **SURPEUPLER** v. tr. «peupler à l'excès» (1877) est moins usuel que **SURPEUPLÉ, ÉE** adj. (1876, Littré) et **SURPEUPLEMENT** n. m. (1904), qui sont restés plus courants que le verbe actif. ◆ **SOUS-PEUPLER** n'est quasiment pas attesté, à la différence de **SOUS-PEUPLÉ, ÉE** adj. (v. 1960) et de **SOUS-PEUPLEMENT** n. m. (v. 1960), créés pour servir d'antonymes aux composés en *sur-*.

◈ voir **DÉPOPULATION, POPULACE, POPULAIRE, POPULARITÉ, POPULATION, POPULEUX, POPULISME.**

PEUPLIER n. m., attesté depuis 1548, après les formes *poplier* (v. 1278) et *poeplier* (XVe s.), est la réfection — par analogie des noms d'arbres fruitiers en *-ier* — de l'ancien français *pople, peuple* «peuplier», attesté au milieu du XVe s., mais sans doute antérieur. Ce mot, encore vivant dans les parlers régionaux, est issu du latin de même sens *populus*, mot panroman passé dans les langues celtes (irlandais *pobhuil*), germaniques et slaves (avec dissimilation, vieux slave *topolĭ*). Le mot n'a pas d'étymologie claire ; le nom grec de l'orme, *ptelea*, n'a rien de commun avec cette série.

♦ Le mot, comme en latin, s'applique à un arbre élancé, comprenant diverses espèces (le tremble, le grisard), et notamment au peuplier blanc, à feuilles argentées, qui croît près des cours d'eau. Comme beaucoup de noms d'arbres, le mot est employé par métonymie pour désigner son bois.

▶ Son dérivé **PEUPLERAIE** n. f. (1600) n'est pas attesté entre 1660 et 1845. La forme masculine *peuplerage* «bois, allée de peupliers», relevée dans les dictionnaires du XIXe s., est peut-être une forme fautive de *peupleraye* pour *peupleraie*.

PEUR n. f., après les formes intermédiaires *pavor* (apr. 950), *poür* (1119), *pëor* (v. 1176-1181) puis *peür* (v. 1225), encore en deux syllabes, enfin *peur* (1290), est issu du latin *pavorem*, accusatif de *pavor*. Celui-ci désigne l'effroi, l'épouvante et, par affaiblissement, un sentiment de crainte ainsi que l'émotion qui saisit et fait perdre le sang-froid ; il est également le nom propre d'une déesse et est dérivé de *pavere* «être saisi d'épouvante», et par affaiblissement «craindre». Le sens premier serait «être frappé», car, avec son suffixe *e* long marquant l'état, le mot correspond au verbe *pavire* «battre la terre pour l'aplanir» (→ pavement), lui-même sans étymologie claire.

♦ *Peur* est devenu le nom général de l'émotion qui accompagne la prise de conscience d'un danger, avec diverses nuances d'intensité selon le contexte, en général moins fortes que *frayeur, effroi*. Dès les Xe et XIe s., il est employé seul et dans la locution usuelle ***avoir peur***, puis avec la préposition *de* suivie de l'infinitif (v. 1155) et la conjonction *que* suivie du subjonctif (1176-1181). Il recouvre le sentiment d'un danger tant physique (*avoir peur pour sa peau*, 1771 ; d'abord *de sa peau*, 1690) que moral, tangible qu'irrationnel. ◇ Les principales locutions usuelles sont anciennes : ***de peur (pavor)***, ***sans peur*** (*poür*, 1119), ***faire peur***, d'abord *faire peür* (v. 1225), ***par peur, de peur de*** (XIIe s.), ***pour la peur*** (v. 1180). *Peur* a donné lieu à quelques emplois hyperboliques, spécialement dans la locution ***avoir peur que***, lorsque celle-ci exprime une appréhension latente, vague (1534). La locution adjective ***à faire peur*** (1666) se dit à propos d'une personne effrayante par son apparence. ***(Avoir) plus de peur que de mal***, équivalant à *en être quitte pour la peur*, est attesté en 1608. ***Prendre peur*** semble beaucoup plus tardif (v. 1825), de même que ***peur bleue*** «peur intense» (1877).

▶ On a tiré de *peur* l'adjectif **PEUREUX, EUSE** (1370 ; mais antérieur, voir l'adverbe dérivé) qui a déjà le sens passif «qui a facilement peur». La valeur active de «qui fait peur, effrayant», d'où «méchant, pervers» en ancien français, a disparu. ◇ De *peureux* est dérivé **PEUREUSEMENT** adv. (fin XIIIe s.), antérieurement *päurosement* (v. 1200), qui a lui-même perdu son premier sens «d'une manière effrayante, qui fait éprouver la peur» et signifie «de manière peureuse» (v. 1225).

Des deux verbes dérivés de *peur* en ancien français, aucun ne s'est bien maintenu : le premier, **ÉPEURER** v. tr., anciennement *espaöir* «faire peur à», est encore usuel au XVIe siècle ; il disparaît aux siècles classiques et est remis en honneur par les écrivains du XIXe siècle. C'est dans les milieux littéraires fin de siècle qu'on rencontre avec le verbe, souvent au pronominal, *s'épeurer*, les premières attestations des dérivés rares **ÉPEURANT, ANTE** adj. (1884, Péladan) et **ÉPEUREMENT** n. m. (1888, Goncourt). ◆ **APEURER** v. tr., relevé de manière isolée au XIIIe s. sous la forme ancienne *apo(e)rir,* a été repris lui aussi au cours du XIXe s. au sens d'«effrayer» (1854). Plus courant que *épeurer,* il est surtout employé à la voix passive et au participe passé adjectivé **APEURÉ, ÉE** (1854).

◈ voir **ÉPAVE, ÉPOUVANTER, IMPAVIDE.**

PEUT-ÊTRE adv. a été successivement écrit *put cel estre* (v. 1120) avec un pronom démonstratif, puis *puet estre* (v. 1160), *peut-estre* (déb. XVe s.) et *peut-être* (1680). Il est formé de *peut,* 3e personne de l'indicatif de *pouvoir**, et de l'infinitif du verbe *être**.

♦ Adverbe de modalité, *peut-être* est employé en relation avec *que* et l'indicatif (fin XIIe s.). Il sert à répondre elliptiquement et de manière évasive à une question (1636), et se rencontre détaché en fin de phrase pour exprimer le défi, l'ironie ou renforcer l'affirmation précédente (1775). Il se charge d'une nuance de probabilité, de vraisemblance lorsqu'il est accompagné de l'adverbe *bien* (1824), d'où le ***p'têt*** (peut-être) ***ben qu'oui, p'têt ben qu'non*** prêté aux Normands. ◇ Il est rarement employé comme nom (1637), sinon par référence à la phrase que Rabelais, sur son lit de mort, aurait écrite dans une lettre au cardinal de Châtillon : *je m'en vais chercher un grand peut-être.*

PÈZE n. m., d'abord écrit *pèse* (1813) puis *pèze* (1836), est d'origine incertaine : pour Sainéan, suivi par Dauzat, il viendrait de *peser** en raison du poids de la monnaie ; pour d'autres, il convient d'y voir un emprunt de l'occitan *pese, peze* «pois», issu du latin *pisum* (→ pois) employé collectivement.

♦ Le mot, nom argotique puis familier de l'argent, est entré dans des locutions, comme ***être au pèze*** (1901) «être riche» et ***faire du pèze*** (1905) «gagner de l'argent».

▸ C'est probablement à lui que se rattache *les* **PÉSÈTES** n. m. pl. (1926, à Lyon) «de l'argent», sans que l'on puisse exclure une influence de *pesetas** dans la locution argotique ***avoir des pesetas*** «de l'argent».

PHACOCHÈRE n. m., d'abord écrit *Phaco-Choeres* au pluriel (1817), est emprunté au latin scientifique moderne *phacochoerus* (1773, Cuvier). Celui-ci contient l'élément *phaco-,* du grec *phakos* «lentille» et «lentille d'eau», employé par métonymie pour désigner une tache (en particulier de rousseur, IIIe s. av. J.-C.) ; l'étymologie de ce mot, en dépit de rapprochements avec le latin *faba* (→ fève) et, pour la finale, avec le grec *aisakos* «branche de laurier», n'est pas éclaircie. Le second élément représente le grec *khoiros* «petit cochon, porcelet», mot usuel pour le porc domestique et terme usité par les comiques pour désigner le sexe de la femme (cf. *porcelaine*). L'étymologie de *khoiros* semble reposer sur °*ghor-yo,* que l'on trouve dans des noms d'animaux à poil dur et hérissé, et qui remonte à la racine du latin *horrere* (→ horreur).

♦ L'animal africain ainsi nommé doit son nom au fait qu'il ressemble à un porc et à ce que sa tête porte des verrues en forme de lentille.

PHAÉTON n. m., d'abord écrit *phaëton* (1636), est emprunté au nom propre mythologique *Phaethon,* lui-même emprunté au grec *Phaethon.* C'est le nom d'un fils du Soleil qui, dans la légende, demande à son père la permission de conduire son char mais ne peut maîtriser les chevaux ; le char menaçant d'embraser la Terre et les astres, Zeus le foudroie et le précipite dans le fleuve Éridan. Le nom signifie proprement «brillant» et sert d'épithète à *Hêlios* «le Soleil». C'est le participe présent adjectivé d'un verbe non usité, *phaethein* «briller», qui appartient à un important groupe de mots exprimant la notion de lumière, comme *phôs* (→ phosphore), ainsi que *phainein* «faire briller» (→ phéno-) et *phanai (phêmi)* «rendre visible» (→ phénol).

♦ Le mot, relevé une première fois dans une traduction, puis en 1668, désigne avec une valeur ironique un conducteur d'attelage ; il a disparu en ce sens ; par métonymie, c'est le nom d'une petite voiture à une place tirée par un cheval (1721), puis d'une voiture hippomobile à deux ou quatre roues, rapide et légère (1789), enfin, d'un ancien modèle d'automobile découverte (1892). ◆ Le mot reste vivant en zoologie où il désigne un oiseau palmipède de grande taille (1780, Buffon), sans doute, d'après Buffon qui attribue la paternité du nom à Linné, «parce qu'il semble être attaché au char du soleil sous la zone brûlante que bornent les tropiques».

PHAG-, PHAGO-, et **-PHAGE, -PHAGIE, -PHAGIQUE** sont des éléments formants tirés du grec *phagein,* qui sert à compléter la conjugaison de *esthiein* «manger, dévorer» et présente de nombreux emplois avec des préverbes et en composition. *Esthiein* appartient à la même racine indoeuropéenne °*ed-* «mâcher» que le grec *odous, odontos* (→ odonto-), le latin *dens* (→ dent), *edere* «manger» (→ comestible, obèse). *Phagein* relève d'une base indoeuropéenne à vocalisme *a,* de sens plus large : «partager, répartir», attestée dans le sanskrit *bhájati* «partager» et dans de nombreuses formes apparentées, comme *bhága-* «possession, bonheur», l'avestique *baga-, baya-* «part, bonheur», etc. On serait donc passé de l'idée initiale de partage à celle de prélèvement d'une part de nourriture. Les éléments français entrent dans la construction de termes de zoologie (surtout entomologie), de biologie et de médecine.

♦ *-phage* est emprunté au grec *-phagos,* qui a donné en grec plus de 150 composés ; il entre dans la composition d'adjectifs et de substantifs masculins. Les composés concernent souvent des genres d'animaux et peuvent alors produire des dérivés substantifs masculins pluriels en *-phagidés* désignant les familles correspondantes. ◇ Les termes en *-phage* désignent des animaux ou des peuplades mythiques présentant une même caractéristique alimentaire (**LOTOPHAGE, COPROPHAGE,** fin XVIIIe s., etc.). Cet élément signifie le plus souvent «qui mange, qui se nourrit» (avec la substance ou selon les modalités exprimées par le premier élément) ; il peut prendre un sens figuré et signifier «qui ronge, qui creuse» (**LITHOPHAGE,** 1694), ou même «qui détruit» (**BACTÉRIOPHAGE,**

1918). Il entre parfois en concurrence avec *-vore* issu du latin (→ carnivore) ou, plus rarement, avec *-trophe* (**MONOPHAGE**/*monotrophe*).

-PHAGIE, emprunté au grec *-phagia*, entre dans la construction de substantifs féminins qui peuvent exister en présence ou en l'absence du terme en *-phage* correspondant. Dans le premier cas, ces noms peuvent être considérés comme des dérivés de l'adjectif. On notera quelques cas dans lesquels le terme en *-phage* est un emprunt et le terme en *-phagie* un dérivé du premier (*coprophage*/**COPROPHAGIE**, 1884) à côté de couples dont les deux termes sont des emprunts (→ anthropophage/anthropophagie).

-PHAGIQUE, dérivé de *-phage* ou de *-phagie*, entre dans la construction d'adjectifs correspondants.

◈ voir **ANTHROPOPHAGE, ŒSOPHAGE, PHAGOCYTE.**

PHAGOCYTE n. m., créé en 1884 par El. Metchnikov en allemand *(Phagocyten)*, est employé par lui en français en 1887. Il est formé des éléments *phago-* «glouton» (→ -phage) et *-cyte** «cavité, cellule».

♦ Le mot désigne une cellule possédant le pouvoir d'absorber et souvent de digérer des particules étrangères.

▸ Avant la fin du XIXe s., *phagocyte* a produit les dérivés **PHAGOCYTAIRE** adj. (1887), **PHAGOCYTOSE** n. f., formé avec le suffixe *-ose* (1887), et **PHAGOCYTER** v. tr. (1897, au participe passé adjectivé). Ces deux derniers sont passés dans l'usage courant à propos du processus de destruction, d'absorption d'un individu ou d'un groupe par un autre : cet emploi est attesté pour le nom dès 1922, pour le verbe en 1965 (De Gaulle).

① **PHALANGE** n. f. est emprunté (1213) au latin *phalanx, -angis*, terme militaire désignant une ligne de bataille. Celui-ci est lui-même emprunté au grec *phalanx, -angos* «bille de bois, rondin» et, par analogie de forme, «ligne de bataille», «ordre de bataille en ligne» (par opposition à *keras* «colonne») et spécialement «corps de soldats» dans l'armée macédonienne. Cette spécialisation militaire, bien que plus anciennement attestée, est secondaire et métaphorique par rapport au sens de «pièce de bois, rondin» (→ planche). Ce mot, si l'on considère que sa nasale peut être secondaire, reposerait sur une forme *°bh°l-ə-g-* à quoi répondrait le germanique commun *°belkan*, postulé par le vieil islandais *bjalki* «solive», et *°balkan-*, postulé par l'anglo-saxon *balca, bealca* «solive» (→ balcon, ébaucher). Avec plus ou moins de vraisemblance, on peut encore en rapprocher plusieurs autres formes en baltique et en slave.

♦ Le mot a été repris comme terme d'Antiquité, désignant un corps de piquiers pesamment armés. Il se dit par extension pour toute espèce de troupes (1635), ce sens appartenant à l'usage littéraire et poétique (1678, *les célestes phalanges* «les anges», chez La Fontaine). ◇ Il a reçu une acception militaire moderne au cours de la guerre d'Espagne où, comme nom propre, il a servi à désigner le parti espagnol anti-républicain formé en 1933 : Malraux, dans son roman *L'Espoir* (1937), emploie en ce sens le pluriel *les phalanges espagnoles*. ◇ Par métaphore, le mot a pris dans le style littéraire le sens de «groupement humain dont les membres sont étroitement unis», qui a reçu une spécialisation dans le système fouriériste du phalanstère* (1808) et qui a donné son nom au journal qu'il fonda.

▸ Le seul dérivé du mot encore vivant est **PHALANGISTE** n., autrefois créé au sens de «soldat de la phalange grecque» (1752), puis reformé (1936), probablement d'après l'espagnol, pour un soldat de la Phalange espagnole.

◈ voir ② **PHALANGE, PHALANSTÈRE.**

② **PHALANGE** n. f., terme d'anatomie (1603), est emprunté au grec *phalanx* (→ ① phalange) pris par métaphore du sens de base de «rondin de bois» en anatomie chez Aristote et les médecins.

♦ Le mot désigne chacun des petits os composant les doigts de la main et du pied ; par métonymie, il est dit couramment de chacune des parties d'un doigt, d'un orteil soutenu par un tel os.

▸ On en a tiré quelques dérivés dont le terme de zoologie **PHALANGER** n. m. (1776, Buffon) à propos d'un animal caractérisé par la conformation singulière de ses phalanges. ◆ Les autres dérivés sont des termes d'anatomie créés au XIXe s., comme les noms **PHALANGETTE** n. f. (1810) et **PHALANGINE** n. f. (1810) et l'adjectif **PHALANGIEN, IENNE** (1822) ; le dernier formé est le terme de chirurgie **PHALANGISATION** n. f. (v. 1950).

PHALANSTÈRE n. m. est un mot créé par Charles Fourier (1816) à partir de ① *phalan(ge)** et de *(mona)stère**.

♦ Il désigne, à l'intérieur du système de Fourier, une unité de travail vivant en communauté et, par métonymie, le domaine où vit cette communauté, également appelée *phalange**. ◇ Par analogie, le mot s'est étendu à un groupe humain vivant en communauté et uni par des activités, un but ou des intérêts communs. Il a été appliqué à un immeuble où vivent de nombreuses familles (1841) ; cet emploi a vieilli.

▸ Son unique dérivé, **PHALANSTÉRIEN, IENNE** n. et adj. (1832) désigne un adepte du système de Fourier, vivant en phalanstère ; il est adjectivé pour qualifier ce qui se rapporte au phalanstère (1839).

PHALÈNE n. f. est emprunté (1568, écrit sans accent) au grec *phallaina* (ou *phalaina*), nom d'un papillon de nuit au corps grêle. On écartera pour des raisons sémantiques évidentes un rapprochement direct avec son homonyme *phallaina* «baleine» (→ baleine). Vu la couleur claire des phalènes dans la lumière des lampes, on évoque *°phalya* (prononciation rapide du féminin de *phalios*) «blanc, à taches blanches», lequel repose sur *°bh°l-*, degré réduit de la racine indoeuropéenne *°bhel-* sur laquelle reposent le sanskrit *bhāla-* «blancheur, éclat», l'arménien *bal* «pâleur» et le vieux slave *bělŭ* «blanc» (→ foudre). Cette racine est représentée dans presque toutes les langues indoeuropéennes ; elle se prête en germanique (→ blafard, blanc) comme en grec à exprimer la notion de «chauve» dans les dérivés grec *phalakros*, anglais *bald*, danois *boeldet*. ◇ Dans la formation du nom de la phalène, on est passé à *phallê* par substantivation et on a ajouté le suffixe péjoratif *-aina* à cause du caractère inquiétant de ces animaux qui, sortant brusquement de la nuit vers les lampes, voltigent telles les âmes des morts.

♦ Le mot, qui a gardé le sens du grec, est souvent employé au masculin.

PHALLUS n. m. a remplacé (1615) *fallot* (1570) et *phalle* (1605), formes francisées adaptées du grec et du latin. C'est un emprunt au latin *phallus* qui désignait la représentation du membre viril portée dans les fêtes de Bacchus; l'organe viril était désigné au moyen de *fascinum* (du groupe ayant donné *fasciner**), *penis* (→ pénis) et *pudenda* n. m. pl. «parties honteuses» (du groupe de *pudeur**). Le mot latin est repris au grec *phallos*, lui-même très rarement employé avec son sens le plus ancien de «pénis en érection»; presque toujours, ce terme désigne une représentation matérielle du pénis érigé, notamment pour les fêtes de Dionysos. Le mot est d'origine populaire et on le rapproche d'un substantif thraco-phrygien (?) *ballion*. Tous deux se rattachent à un groupe étendu de mots indoeuropéens signifiant fondamentalement «se gonfler» et qui permettent de poser une racine °*bhel-*, homonyme de °*bhel-* «blancheur, éclat» (→ phalène), à laquelle appartient également le mot qui a donné *baleine**.

♦ Le mot est d'abord relevé en français avec le sens du grec dans une traduction du *De la Cité de Dieu* de saint Augustin où il rend le latin *fascinum*. Cet emploi reste isolé et le mot, dans cette acception, n'est réattesté qu'à partir de 1874. L'usage de *phallus* répond pour l'essentiel aux mêmes valeurs symboliques qu'en grec et en latin : il désigne la représentation du sexe masculin en érection (1752, spécialement à propos du culte antique) et, dans le cadre conceptuel de la psychanalyse freudienne, le pénis en tant que symbole ou objet partiel (1946, Mounier), défini par Lacan comme le signifiant du manque constituant de la condition structurale du désir (1966). ➜ Par analogie d'aspect, le mot était passé dans la terminologie des botanistes, d'abord (1615) avec un sens emprunté au latin scientifique *phallus* (1564), puis (1791) en parlant d'une espèce de champignon dit *phallus impudique* (latin *phallus impudicus*) en raison de son aspect turgescent ou *satyre puant* par allusion à son odeur.

▸ Il a produit savamment et tardivement **PHALLISME** n. m. (1923) ou **PHALLACISME** n. m. (1963), nom désignant le culte du phallus.

PHALLIQUE adj. est emprunté (1721) au bas latin *phallicus*, emprunt au dérivé grec *phallikos* «qui concerne le phallus», substantivé au neutre *phallikon* «chant célébrant le phallus». ➜ **PHALLIQUES** n. f. pl. apparaît d'abord à propos de fêtes consacrées à Bacchus. ➜ L'adjectif est repris (1819) spécialement dans une acception psychanalytique (1926), qualifiant le nom d'une personne dotée symboliquement d'un phallus (1926, *mère phallique*) et une phase dans le développement de la sexualité infantile (1950, *stade phallique*; 1946, *phase phallique*).

PHALLOÏDE adj. est emprunté (1823) au latin scientifique moderne *phalloides* (1694, *Boletus phalloides*), lui-même composé à partir des éléments *phallo-* et *-oïde*. ➜ L'usage moderne l'emploie comme adjectif (1842), en association avec *amanite*, pour le champignon le plus vénéneux. ➜ **PHALLOÏDES** n. f. pl. a désigné des stalagtites en forme de phallus.

L'élément **PHALLO-**, représentant du grec *phallos*, a servi à construire quelques termes savants en zoologie et en médecine, spécialement en psychanalyse (1957, **PHALLOCENTRISME** n. m. chez Lacan). ➜ Il a servi à former **PHALLOCRATE** n. et adj. (v. 1965), ainsi que le nom **PHALLOCRATIE** n. f. (v. 1965) et l'adjectif **PHALLOCRATIQUE** (v. 1965), série d'usage courant à propos de l'attitude masculine de mépris des femmes (cf. *macho*). Il faut rattacher au même groupe, la série d'**ITHYPHALLE** adj. (1546, Rabelais), mot emprunté au latin *ithyphallus*, lui-même repris du grec *ithuphallos* désignant la représentation du phallus en érection que l'on portait aux fêtes de Dionysos et, par suite, un chant ou une danse qui avait lieu lors de ces fêtes et celui qui prenait part à ces fêtes d'où, par extension, un débauché. ◇ Le mot est composé de *ithu-*, qui représente l'adjectif *ithus* «droit en hauteur» apparenté au sanskrit *sādhú* «droit», et de *phallos*. ◇ *Ithyphalle*, mot très didactique, désigne le pénis en érection, en particulier une amulette utilisée dans les cultes de Bacchus (1752). ➜ **ITHYPHALLIQUE** adj. est emprunté (1544 ou 1562, chez M. Scève) au latin *ithyphallicus*, emprunt au grec *ithuphallikos* «relatif aux chants ou danses ithyphalliques», de *ithuphallos*.

-PHANE, -PHANIE → CELLOPHANE, DIAPHANE, ÉPIPHANIE

PHANÉRO- est le premier élément de composition de quelques mots savants, tiré du grec *phaneros* «visible, manifeste», au figuré «illustre, important». Ce mot est dérivé de *phainein* «faire briller» et, intransitivement, «devenir visible, se montrer, apparaître» (→ phéno-).

▸ Il entre dans le terme de botanique **PHANÉROGAME** adj. (1791), formé avec *-game** «mariage, union» et qualifiant une plante ayant des organes sexuels apparents, par opposition à *cryptogame* (1783) formé avec l'élément *crypto-**. ◇ Substantivé au pluriel (1813), il désigne un des deux anciens grands embranchements du règne végétal. ➜ Le nom dérivé **PHANÉROGAMIE** n. f. (1791) a perdu le sens de «caractère d'une plante phanérogame» pour s'appliquer à l'étude des phanérogames (mil. XXe s.). ➜ L'élément a également servi à former des termes de zoologie comme **PHANÉROGLOSSES** n. m. pl. et adj. (1839), avec l'élément *-glosse* «langue» (→ glosso-), et **PHANÉROBRANCHE** adj. (1847), adaptation du latin scientifique *phanerobranchiata* (Fitzinger) formé avec l'élément *-branche* (→ branchies), qui s'oppose à *cryptobranche*.

PHANÈRE n. m. a été repris (1822) au grec *phaneros* «visible, apparent» pour désigner toute formation épidermique apparente : ongles, poils, plumes. ◆ Il a servi à former **PHANÉROPHORE** adj., «qui porte ou produit des phanères».

PHANTASME → FANTASME

PHARAON

PHARAON n. m., d'abord nom propre et sous la forme *Pharao* (v. 1170), puis *Pharaon* (v. 1190), est emprunté au latin chrétien *Pharao, -onis* titre des rois d'Égypte, pris comme nom propre de tout roi d'Égypte. Le mot est emprunté, dans la Vulgate (Genèse XII, 15, etc.), au grec *Pharaô,* transcrivant l'hébreu *par'o*^{h} qui lui-même transcrit le mot composé égyptien *Pr-*^{c}*3 (per-aâ),* littéralement «la grande maison». Cette expression, attestée dès l'Ancien Empire (v. 2400 av. J.-C.), désignait le palais royal et ceux qui l'habitaient. À haute époque, elle n'était pas utilisée pour désigner la personne royale seule; son emploi pour désigner le roi de l'Égypte n'est attesté dans les textes qu'à partir de l'époque amarnienne, vers 1370 av. J.-C. L'expression *Pr-*^{c}*3 (per-aâ)* est alors toujours suivie d'une formule signifiant «Puisse-t-il vivre, être prospère et se bien porter.» Toutefois, même alors, les scribes préfèrent le plus souvent désigner le souverain par les mots de «Roi» *(nsw),* «Seigneur» *nb (neb)* ou encore «Sa Majesté» *ḥm.f (hemef).* Ce n'est qu'à l'extrême fin de l'histoire de l'Égypte, sous la XXIIe dynastie (950-730 av. J.-C.) que l'hiéroglyphe qui correspond à *Pr-*^{c}*3* est employé de la même façon que dans la Bible, c'est-à-dire comme un titre précédant le nom particulier d'un souverain. Avant la XXIIe dynastie, il est toujours utilisé seul, tout comme on disait «la Sublime Porte» en parlant du sultan ottoman.

♦ Le mot est relevé dans la traduction du livre des Rois comme titre des souverains de l'Égypte ancienne puis pour les désigner (1590). ◆ Par allusion au nom donné au roi de cœur dans certains jeux de cartes, il a désigné un ancien jeu de cartes (1691).

▸ Les dérivés de *pharaon* sont **PHARAONIQUE** adj., relevé une fois en 1535 *(pharaonicque)* et repris depuis 1840; le mot fut en vogue au milieu du XIXe s. pour «digne de l'Égypte ancienne». Il est didactique, comme **PHARAONIEN, IENNE** adj. (1874). ◇ En revanche, **PHARAONESQUE** adj. «qui évoque les pharaons ou leur époque» (av. 1872) a une valeur plus caractérisante. Les trois adjectifs, surtout le premier, peuvent évoquer l'aspect colossal et hiératique de la civilisation des pharaons. ◆ On a formé un féminin **PHARAONNE** n. f. (attesté 1865, Hugo) désignant une reine d'Égypte, la femme d'un pharaon et, au figuré, une femme comparée à un pharaon.

PHARE

PHARE n. m. est emprunté (1546) au latin *pharos,* également latinisé en *pharus,* lui-même emprunté au grec *pharos.* Ce mot, conservé en grec moderne, est l'emploi comme nom commun de *Pharos,* nom d'une île de la baie d'Alexandrie dans laquelle le roi Ptolémée Philadelphe fit édifier en 280 av. J.-C. une tour de marbre blanc d'environ 100 mètres de haut d'où l'on découvrait les vaisseaux à 100 milles en mer. *Pharos* a désigné ce «phare» célèbre, classé parmi les Sept Merveilles du monde, avant de prendre un sens général (Ier s.) et de désigner des constructions analogues. L'un des premiers construits en Italie étant celui de Messine, son nom italien, *Faro,* désigna le détroit de Messine, donnant en ancien italien un substantif *faro* «détroit»; à la faveur du commerce maritime et des croisades, l'ancien français l'emprunta au sens de «détroit (de Messine)» (v. 1195; *far,* jusqu'au XVIe s.); → ① falot.

♦ Le mot a été emprunté pour désigner une tour côtière munie à son sommet d'un feu et, par métonymie, ce feu (1636; d'abord *fare* au XVIe s. [apr. 1550]). Les phares modernes ont de puissants dispositifs optiques et électriques, et le mot suscite des expressions usuelles, tel *gardien de phare.* ◇ Par analogie, le mot désigne une lanterne à l'avant d'un navire (1599), puis différents dispositifs remplissant la même fonction : le dispositif lumineux d'un navigateur aérien (1863), un projecteur à l'avant d'un véhicule (1896; d'abord *phare ambulant,* 1859), valeur devenue usuelle avec l'automobile (avec une terminologie [cf. *code*] et une phraséologie : *appel de phares,* etc.). *Phare* a aussi désigné ce que l'on appelle aussi la *lanterne des morts* (1893, *phare de cimetière*). À partir du XVIIe s., le mot s'emploie au figuré (1654) à propos d'une personne ou d'une chose érigée en guide, en modèle.

▸ Son seul dérivé est le diminutif **PHARILLON** n. m. (1750) «petit phare», sorti d'usage, puis «petit réchaud dans lequel on fait un feu pour attirer le poisson la nuit» (1755, sous la forme dialectale *farillon,* cette pêche se pratiquant dans l'Amirauté du Poitou; cf. le provençal *lamparo*). ◆ *Phare* est entré dans le composé **BATEAU-PHARE** n. m. (1866) et a servi d'élément pour former plusieurs noms de dispositifs comme **DYNAMOPHARE** n. m. (XXe s.), **GYROPHARE** n. m. (v. 1970), «dispositif de feu tournant sur une voiture», devenu assez usuel, et **RADIOPHARE** n. m. (1911), auquel s'ajoute **LAVE-PHARES** n. m. (v. 1970).

◈ voir ① FALOT, FANAL.

PHARISIEN, IENNE

PHARISIEN, IENNE n. et adj. est l'adaptation (v. 1240) de *Fariseu* (v. 1190) ou *Phariseus* (fin XIIe s.) [formes de cas sujet pluriel et singulier], emprunté au latin chrétien du Nouveau Testament *Pharisaeus,* lui-même translittération du grec *Pharisaios* (pluriel *Pharisaioi*). Ce dernier calque la forme araméenne de pluriel emphatique *p*^{e}*rīshayyā,* de *p*^{e}*rīsh* «séparé», participe passif du verbe *p*^{e}*rāsh* «séparer». Les Pharisiens avaient probablement reçu cette appellation parce qu'ils se tenaient à l'écart des personnes et des choses qu'ils considéraient comme impures.

♦ Le mot a été emprunté pour désigner les anciens Juifs qui vivaient dans la stricte observance de la loi et qui, lorsque les représentants des trois autres sectes juives disparurent, devinrent et demeurent les «Juifs». Par allusion aux accusations de formalisme et d'hypocrisie portées contre eux par les Évangiles, le mot a reçu le sens de «faux dévot» (1541), vivant dans la langue classique. Il est encore employé péjorativement au figuré à propos d'une personne qui croit incarner la perfection et la vérité mais dont la vertu est hypocrite. ◇ L'emploi adjectivé du mot est attesté depuis 1585 au propre et 1611 au figuré.

▸ **PHARISAÏQUE** adj., emprunté (1541) au dérivé latin chrétien *pharisaicus,* est synonyme de l'adjectif *pharisien.* ◆ **PHARISAÏSME** n. m. en est tiré par substitution de suffixe (1541) et désigne la doctrine des Pharisiens puis, par extension, au figuré (1743) l'hypocrisie et l'ostentation de piété.

PHARMACIE n. f. est la réfection grécisante (1579) de *farmacie* (1314), emprunt au bas latin médical *pharmacia* «ensemble des médicaments», lui-même emprunt au grec *pharmakeia* «emploi de médicaments ou de poisons» et, par métonymie, «médicaments, poisons». Le mot vient lui-même de *pharmakeuein* «donner ou préparer un remède», «administrer un poison», dérivé de *pharmakon* «plante médicinale». Ce sens encore vivant au IVe s. explique plusieurs toponymes désignant des lieux riches en simples. Le mot signifie aussi «drogue (remède ou poison)», «breuvage magique» et plus généralement «sortilège». C'est un mot isolé en grec, au point qu'on a pensé à un terme emprunté, comme le sont probablement plusieurs noms de plantes. ◇ Les hypothèses avancées pour expliquer son origine ne sont pas satisfaisantes : outre un rapprochement avec le lituanien *burti* «charme, sortilège», lié à une racine indoeuropéenne °*bher,* on a imaginé, à l'intérieur du grec, un rapport avec des mots signifiant «presser, pétrir» (*massein;* → masse), «délayer» *(phurein),* mais ces tentatives ne rendent pas compte du sens fondamental de *pharmakon* «plante médicinale». Chantraine préfère rattacher °*pharma* soit à *pherein* «porter», par la variante dialectale *pharein* (→ -fère), donc avec le sens de «plante que porte la terre, produit de la terre», soit à la racine °*bher-* «couper» en rapprochant, pour l'évolution sémantique seulement, l'allemand *Heu* «foin».

♦ *Pharmacie* a d'abord désigné en moyen français la purgation à l'aide d'une drogue. Au XVIe s., il désigne la science des remèdes et des médicaments (1575, Paré), sens devenu usuel. ◇ Par extension, il a pris les sens de «profession du pharmacien» (1680) et de «local où l'on prépare et conserve les médicaments» (1732), en particulier dans un hôpital (1761). ◇ Depuis la fin du XVIIIe s., le mot assume aussi un sens collectif, «ensemble des médicaments et autres produits employés pour soigner» (1778). Désignant les médicaments que l'on a chez soi (1781 ; d'où ***coffret de pharmacie,*** 1781), il s'applique à l'armoire ou au coffret contenant ces produits. Il a mis longtemps à évincer *apothicairerie* (voir ci-dessous *pharmacien*). ◇ Enfin, au début du XXe s., pour traduire au Canada l'anglo-américain *drugstore* (→ drugstore), le mot s'applique à un établissement commercial comprenant une pharmacie et divers commerces (tabac, comptoir de cosmétiques, débit de boissons non alcoolisées, etc.).

▸ Le dérivé **PHARMACIEN, IENNE** n. (1620) désigne la personne qui exerce la pharmacie : depuis la fin de la période médiévale et la scission de l'ancienne profession de médecin-préparateur (souvent exercée par des religieux), la fabrication des remèdes était exercée par les apothicaires, dont le nom était généralement accolé à celui d'*épicier.* En Europe, l'indépendance de cette profession d'apothicaire est attestée par le statut que Louis IX lui accorda en 1258 pour la préparation et la vente des médicaments ; Jean le Bon tente d'imposer, en 1352, l'«antidotaire» de Nicolas aux *apothicaires espiciers.* Ce n'est qu'en 1777, à la suite d'un décret de Louis XVI remplaçant le *Jardin des Apothicaires* par un *Collège de Pharmacie,* que les apothicaires prennent officiellement le nom de pharmaciens et obtiennent, après maintes querelles avec les chirurgiens, les médecins et les épiciers, l'exclusivité de la préparation des remèdes. Le féminin désigne d'abord, et encore quelquefois, l'épouse du pharmacien (1845). ◇ *Pharmacien* fournit le second élément dans les noms de **AIDE-PHARMACIEN** et **PROPHARMACIEN** n. (1902), en relation avec **PROPHARMACIE** n. f.

PHARMACEUTIQUE n. f. et adj. a été emprunté (1547) au bas latin médical *pharmaceuticus* «partie de la médecine traitant de la composition et de l'emploi des médicaments», emprunt au dérivé grec *pharmakeutikos* qualifiant ce qui concerne la préparation ou l'administration des médicaments et substantivé sous la forme *pharmakeutikê (tekhnê)* «art de préparer ou d'administrer les médicaments». ◆ Le mot a été introduit comme nom avec le sens du mot latin, aujourd'hui supplanté par *pharmacologie** (ci-dessous). Il est resté usuel dans son emploi adjectivé (1552) de «qui a trait à la pharmacie».

Le français du XVIe s. a également emprunté **PHARMACOPÉE** n. f. (1571) au grec tardif *pharmakopoiia* «composition de drogues», formé de *pharmakon* et du verbe *poiein* «faire, fabriquer» (→ poésie). Le mot avec son sens d'emprunt, «art de préparer les médicaments», est très rare avant le XIXe siècle. Il reste vivant dans le langage didactique pour désigner le recueil officiel des médicaments (1680) et dans l'usage courant où il désigne collectivement l'ensemble des médicaments (1802).

L'élément formant **PHARMACO-**, repris au grec *pharmako-* représentant *pharmakon,* entre dans la construction de noms et d'adjectifs. Surtout productif aux XIXe et XXe s., il a servi à former **PHARMACOLOGIE** n. f. (avec l'élément *-logie*) attesté en 1738, lequel a produit à son tour les dérivés **PHARMACOLOGISTE** n. (1799) ou **PHARMACOLOGUE** (1836) et **PHARMACOLOGIQUE** adj. (1808). C'est au cours du XIXe s. que la pharmacologie est devenue une science, spécialisant des connaissances chimiques et thérapeutiques, puis au XXe s. psychosomatiques, en un corps de connaissances qui englobe la chimiothérapie et d'autres pratiques. ◆ Le mot et ses dérivés sont liés à **PHARMACODYNAMIQUE** adj. (1855 chez Nysten) qui qualifie ce qui concerne l'action des médicaments. ◆ **PHARMACOTHÉRAPIE** n. f. (1882) concerne l'emploi thérapeutique des médicaments. ◆ Récemment, ont été formés **PHARMACOMANIE** n. f. (1953), qui désigne la propension à absorber des médicaments sans raison, et **PHARMACOVIGILANCE** n. f. (1975), pour l'analyse des effets secondaires des médicaments. ◆ Quelques noms, dans lesquels le sens repris au grec *pharmakon* est celui de «poison», désignent des minéraux arsénifères (**PHARMACOLITE** n. f., **PHARMACOPYRITE** n. f., **PHARMACOSIDÉRITE** n. f.).

PARAPHARMACIE n. f. formé avec le préfixe ① *para-* (att. 1952), désigne à la fois les produits non thérapeutiques vendus en pharmacie et leur commerce, notamment celui des produits de beauté et d'hygiène, dentifrices, nourriture pour enfants en bas âge. ◆ Il a pour dérivé **PARAPHARMACIEN, IENNE** n. et **PARAPHARMACEUTIQUE** adj.

PHARYNX n. m., réfection savante d'après le grec (1538) du plus ancien *faringua* (1478), est emprunté au grec *pharunx, pharungos,* mot désignant le gosier considéré comme passage de la nourriture (d'où le sens comique de «glouton») et comme source de la voix, spécialisé en anatomie pour la trachée-artère et employé au pluriel pour les maladies de la gorge. Quant à l'étymologie, on évoque le latin *frumen* «gosier» qui peut être un ancien °*frugsmen* reposant sur °*bhr-u-g-,* thème indoeuropéen. En grec même, le mot est apparenté à *pharanx* «ravin», ce qui permet d'évoquer une métaphore bien connue : le latin *fauces,* l'allemand *Schlund,* le serbe *gȑlo* comme le français *gorge* se disent en effet à la fois de la gorge humaine et d'un ravin. Le mot semble formé sur un radical *phar-* «couper, creuser» que l'on retrouve dans *pharos* «labour».

♦ Le mot a été emprunté en anatomie pour désigner le conduit musculo-membraneux qui constitue le carrefour des voies digestives et respiratoires.

▶ Le mot entre en composition dans **RHINO-PHARYNX** n. m. (1902). Il a donné naissance à des termes d'anatomie et de médecine. ◆ **PHARYNGIEN, IENNE** adj. (1745), «relatif au pharynx» et «qui atteint le pharynx», est concurrencé par **PHARYNGÉ, ÉE** adj., d'abord attesté comme nom dans *L'Encyclopédie,* puis employé adjectivement (1803), spécialement en pathologie (1823). ◆ L'élément **PHARYNGO-** est productif depuis 1793, date à laquelle on relève **PHARYNGOTOMIE** n. f. (après *pharyngotome,* 1752, «instrument destiné à ouvrir le pharynx»). ◇ Au XIXe s. apparaissent **PHARYNGO-LARYNGITE** n. f. (1836), **PHARINGOSCOPE** n. m. et **PHARYNGOSCOPIE** n. f. (1877). Le radical de *pharynx* a servi à former **PHARYNGITE** n. f. (1801), «inflammation du pharynx», en composition dans **RHINO-PHARYNGITE** n. f. (1892), et le terme didactique **PHARYNGISME** n. m. (1878). ◆ *Pharingo-* entre aussi dans **PHARYNGECTOMIE** n. f. (1932), **PHARYNGOPLASTIE** n. f., **PHARYNGOPLÉGIE** n. f. (mil. XXe s.).

PHASE n. f. est emprunté (1544) au grec *phasis,* nom dérivé de *phainein* «devenir visible, apparaître» (→ phéno-), employé dans le langage juridique au sens d'«accusation, information judiciaire», et en astronomie «apparence de la lune». Vers le milieu du XVe s., on relève dans un glossaire la forme *phaze,* terme d'astronomie, au sens grec de «phase de la Lune, d'où mois», mais il pourrait s'agir de l'homonyme *Phase* «Pâque», emprunté au latin *Phase.*

♦ Si l'on écarte cette attestation douteuse du XVe s., le mot apparaît en français au sens figuré pour «chacun des états successifs par lesquels passe une chose au cours de son développement» (Scève), rare et repris à la fin du XVIIIe siècle. ◇ Une autre acception, qui correspond à «chacune des apparences successives que présente un astre pour un observateur terrestre», doit représenter un second emprunt (1611). ◇ Depuis la seconde moitié du XVIIIe s., le mot est passé dans des usages spécialisés : en biologie (1762) à propos de chaque étape du développement d'un œuf, en médecine (1832) où il désigne le stade d'évolution d'une maladie. ◇ *Phase* s'emploie aussi en physique (1850), désignant la constante angulaire caractéristique d'un mouvement périodique, surtout dans le cas de plusieurs mouvements de même période ; la locution ***en phase*** (1905) s'emploie à propos de deux phénomènes variant de façon identique et elle est devenue à la mode avec une valeur figurée, à propos de deux personnes (1980) ; la réalité contraire est exprimée par ***en opposition de phase*** (1937, dans la formulation elliptique *en opposition*). Le mot passe vers la même époque en électricité (1903) et en chimie (1903-1904, *phase liquide, phase solide, phase gazeuse*) pour désigner la partie homogène dont est constitué un système de corps hétérogènes. ◇ Au cours du XXe s., il a servi l'élaboration du vocabulaire psychanalytique (1922), apparaissant dans la traduction de *L'Introduction à la psychanalyse* de Freud *(phase génitale, sadique-anale, orale)* avant d'y être remplacé par *stade.* ◇ Le langage économique l'emploie pour un ensemble d'opérations considérées comme une unité.

▶ Le mot a plusieurs composés formés par préfixation, sous forme d'un élément **-PHASÉ, ÉE.** ◆ **MONOPHASÉ, ÉE** adj., créé à partir de *mono-** (1894), **DIPHASÉ, ÉE** adj., de *di-* (1894), et **TRIPHASÉ, ÉE** adj., de *tri-* (1892), qualifient un courant électrique alternatif à une *(mono-),* deux *(di-)* et trois *(tri-)* phases. Le dernier, plus usuel, a pour composé **MONOTRIPHASÉ, ÉE** adj. (v. 1960), qualifiant un mode de traction électrique où le courant monophasé est transformé en triphasé sur la locomotive. ◇ **POLYPHASÉ, ÉE** adj. (1891) s'oppose en général à *monophasé.* ◆ Composé de *di-, phase* et *-ique* ou emprunté, **DIPHASIQUE** adj. (1903) signifie en sciences «qui présente deux phases», et **POLYPHASIQUE** adj. (XXe s.) «plusieurs phases». ◆ **DÉPHASÉ, ÉE** adj. se dit en physique de ce qui présente une différence de phase (avec une autre grandeur). ◇ Il a produit le verbe **DÉPHASER** (1948). ◇ Au figuré, l'adjectif correspond à «ce qui n'est pas en phase, en harmonie (avec autre chose)» ; le verbe actif *déphaser* est en ce sens plus rare.

PHASIANIDÉS n. m. pl., d'abord *phasianide* (1842) puis *phasianidés* (1868 ; peut-être dès 1842), est la francisation du latin scientifique *phasianidae* (1831), lui-même dérivé du latin *phasianus* (→ faisan) avec le suffixe *-idae* (rendu par *-idés*).

♦ Le mot, dont on relève d'abord un emploi adjectif (au singulier) disparu, est un terme zoologique recouvrant une famille d'oiseaux galliformes dont le faisan est le type.

PHASME n. m. est la francisation (1801) du latin scientifique moderne *phasma* (1795, Lichtenstein), lui-même emprunté au grec ancien *phasma* «apparition, fantôme», «signe des dieux, présage», d'où «monstre, prodige» (cf. *monstre*), parce que cet insecte mimétique passe inaperçu. Le mot grec est dérivé avec le suffixe *-sma* du verbe *phainein* «faire briller, faire paraître» dont un certain nombre de dérivés sont représentés en français (→ phéno-).

♦ *Phasme* désigne un genre d'insectes au corps allongé et frêle, remarquables par leur mimétisme avec les branches et brindilles sur lesquels ils séjournent.

▸ On a dérivé de *phasme* le terme didactique **PHASMIDÉS** n. m. pl. (1896), quelquefois employé au singulier, qui a supplanté **PHASMIENS** n. m. pl. (1845).

PHATIQUE adj. est emprunté (v. 1950) à l'anglais *phatic* (1930, Malinowski), lui-même dérivé savamment du grec *phatis* «ce que l'on dit», d'où «bruit, rumeur», également de qqn ou de qqch. «parole divine, oracle», et en général «parole, langage, discours». *Phatis* est dérivé de *phanai* «déclarer, affirmer, prétendre, dire», mot qui repose sur une base indoeuropéenne °*bha-*, °*bhə-* que permettent de poser l'arménien, le latin et les langues slaves. *Phanai* a son correspondant presque exact dans l'arménien *bam* (°*bhei.-mi*) «je dis». Le grec *phatis* et l'arménien *bay* «mot, expression» sont superposables. Cette base signifie à la fois «briller, éclairer» et «déclarer, exposer, dire» (→ phéno-).

♦ Le mot qualifie une fonction du langage décrite par le linguiste Roman Jakobson et dont l'objet est d'établir ou de prolonger la communication entre le locuteur et le destinataire (exemples : *allo !, bonjour !*).

◈ voir APHASIE, BLÂMER, BLASPHÉMER, EUPHÉMISME, PROPHÈTE.

PHÉNIX n. m. est la réfection savante (1596) de *fénix* (v. 1121) ou *fenis* (XIIIe s.), emprunté au latin *phoenix* qui désigne à la fois un oiseau fabuleux et un palmier. Celui-ci est emprunté au grec *phoinix* «le Phénix». Le nom de l'oiseau fabuleux a été rapproché du nom égyptien du héron, noté *bnw (benu)*, mais cela ne convient ni à la phonétique ni aux représentations religieuses. Peut-être, à condition que l'oiseau ait des ailes rouges, convient-il d'expliquer son nom par celui de la couleur pourpre, la *phoinix*, qui est aussi à l'origine du nom des *Phéniciens*, inventeurs de cette teinture. Le nom serait alors un dérivé de *phoinos* «rouge pourpre», qui semble se rattacher à une racine indoeuropéenne °*bhen-* «frapper à mort», par l'idée de sang.

♦ Le mot, repris au sens d'«oiseau fabuleux», est appliqué par métaphore à une personne unique, exceptionnelle (1176-1181) mais ce sens, étendu en langue classique à une chose (1668), n'est plus employé qu'en phrase négative et ironiquement *(ce n'est pas un phénix)*. ◇ Une analogie d'aspect portant sur la beauté exceptionnelle de l'oiseau explique qu'il ait fourni l'ancien nom du paradisier (1874) et celui d'une variété de coq domestique du Japon, remarquable par la longueur des plumes de sa queue (1903). ➛ Le sens de «palmier ornemental» (1690) est un emprunt indépendant à l'autre sens du mot latin, ce palmier ayant passé pour l'arbre «phénicien».

▸ **PHÉNICOPTÈRE** n. m. est un emprunt (*phoenicoptère*, 1534) au grec *phoinikopteros*, de *phoinix* et *pteron* «aile». Le mot désigne en zoologie le flamant rose.

PHÉNO-, -PHÉN-, -PHÈNE sont les éléments savants tirés du grec *phainein* «faire briller, mettre en lumière» et, intransitivement, «devenir visible, venir à la lumière, se montrer, apparaître». Le mot, avec la plupart des termes de cette famille, repose sur le radical *phan-* d'où est tiré *phainein*. La base est l'indoeuropéen °*bha-*, °*bhə-* qui signifie «briller, éclairer» et aussi «parler», cette ambivalence se retrouvant en grec, par exemple dans *phasis* (→ phase) «apparence» et «dénonciation», tandis que le seul sens de «parler» est réalisé dans *phanai* «dire, parler» (→ phatique), et celui de «briller» dans *phôs* (→ photo-).

♦ Les éléments ont été introduits en français en 1836 par Laurent pour désigner un radical fondamental correspondant à la benzine, celle-ci ayant été isolée dans le gaz d'éclairage. Ils sont conservés dans les noms de nombreux composés benzéniques.

PHÉNOL n. m. est le dérivé savant (1843), à l'aide du suffixe *-ol* tiré d'*alcool**, de *phéno-* (ci-dessus). ➛ Ce terme de chimie désigne un corps composé obtenu par distillation du goudron de houille ou par synthèse à partir du benzène. Le mot a remplacé *acide* **PHÉNIQUE** adj. (1841); *les phénols* (1860) recouvre une série de composés organiques dont le phénol est le représentant le plus simple. ➛ On a tiré de *phénol* **INDOPHÉNOL** n. m. (av. 1886), terme dû à H. Kœchlin et O. Witt, dont le préfixe représente le latin *indicum* (→ indigo), et **DIAMIDOPHÉNOL** n. m. (fin XIXe s.), avec les éléments *di-* et *amine* (d'où aussi *diaminophénol*). ➛ Les principaux dérivés sont **PHÉNOLIQUE** adj. (1903) et **PHÉNOLATE** n. m. (1904), ce dernier formé avec l'élément *-ate* «sel». ◇ **PHÉNIQUÉ, ÉE** adj., dérivé (1866) de l'ancienne expression *acide phénique*, s'emploie encore dans *eau phéniquée*. ◇ **PHÉNYLE** n. m. est composé (1837) de *phén(ol)* et du grec *hule* «bois» et «matière». ◇ Le nom de ce corps a donné l'élément **PHÉNYL-**, réalisé dans **PHÉNYLHYDRAZINE** n. f. (1890), **PHÉNYLALANINE** n. f. (1897), **PHÉNYLPYRUVIQUE** adj. (1947, Delay), **PHÉNYLBUTAZONE** n. f. (enregistré en 1975 dans les dictionnaires) et beaucoup d'autres.

◈ voir PHÉNOMÈNE.

PHÉNOMÈNE n. m. est emprunté (1557) au grec *phainomena* «constellations visibles», «phénomènes célestes», employé comme titre d'un poème d'Aratos (IIIe s. av. J.-C.), *le cours et l'influence des astres,* d'où en 1554 *Phénomènes d'Arate* chez Ronsard. *Phainomena,* proprement «ce qui apparaît», est le participe présent, au pluriel neutre, de *phainein* (→ phéno-). Le bas latin a également emprunté au grec le pluriel *phaenomena* «phénomènes célestes».

♦ Le mot a été introduit en français par les astronomes de la Renaissance. À partir de Descartes (1638), il sert à désigner chacun des faits constatés qui constituent la matière des sciences, puis (1737) tout fait extérieur qui se manifeste à la conscience par l'intermédiaire des sens, et spécialement en philosophie, par emprunt à l'allemand *Phanomen* créé par Kant, tout ce qui est objet d'expérience possible, apparaît dans l'espace et le temps par opposition à *noumène* (1801). ◆ Parallèlement, *phénomène* est passé dans l'usage courant à propos d'un fait qui frappe par sa nouveauté, son caractère étrange (1719), et d'une personne qui surprend par ses actions, ses talents (1738; 1722 dans *phénomène de la nature*). Il s'applique en particulier à une curiosité (chose ou personne) que l'on exhibe dans les foires (1868) et, d'abord en argot puis familièrement, à un original, un excentrique (1881).

▸ Le mot a produit quelques dérivés, pour la plupart d'usage didactique. **PHÉNOMÉNAL, ALE, AUX** adj., «qui tient du phénomène, s'y rapporte», apparaît (1803) par référence à Kant et a pris le sens courant de «qui tient du phénomène, du prodige» (1827). ◇ Il a produit **PHÉNOMÉNALEMENT** adv. (1823, Maine de Biran) employé en philosophie et généralement (1875), ainsi que **PHÉNOMÉNALISME** n. m. (1823) et **PHÉNOMÉNALITÉ** n. f. (1833) en philosophie. ◆ **PHÉNOMÉNIQUE** adj. (1815, Maine de Biran) est technique et rare. ◆ **PHÉNOMÉNOLOGIE** n. f. (1823) a d'abord eu le sens de «description des phénomènes», emploi sorti d'usage. Il s'est implanté dans le vocabulaire philosophique (1840) par emprunt à l'allemand *Phänomenologie,* attesté d'abord en 1764 chez J. H. Lambert *(Neues Organon),* puis chez Hegel qui l'utilisa dans le titre original de sa *Phénoménologie de l'esprit,* enfin chez Husserl en 1900-1901. Le mot a été repris en français au sens hégélien dans la description de l'histoire de la conscience qui, par le mouvement dialectique, s'élève de la connaissance sensible à la pleine conscience d'elle-même, à la Raison et au savoir absolu. Mais c'est surtout en référence à la pensée de Husserl que le mot s'applique (depuis 1911) à une méthode qui propose un retour aux choses, à leur signification vécue, en s'en tenant aux actes où se dévoile leur présence. Le mot s'est étendu à toute méthode (en philosophie, en sciences humaines) qui s'inspire de la doctrine husserlienne. ◇ Il a produit **PHÉNOMÉNOLOGIQUE** adj. (1835), **PHÉNOMÉNOLOGUE** n. (1859) au sens moderne de «philosophe employant la méthode phénoménologique» (apr. 1930). ◆ On a tiré de *phénomène* un autre nom de doctrine, **PHÉNOMÉNISME** n. m. (1844), moins répandu que *phénoménologie,* pour la doctrine philosophique selon laquelle il n'existe que des phénomènes, d'où **PHÉNOMÉNISTE** n. et adj. (1903).

Par ailleurs, **PHÉNOLOGIE** n. f., emprunt probable (1907) à l'allemand *Phänologie,* de *Phänomenon* et *-logie,* désigne la science qui étudie les variations imposées par le climat à la végétation et au comportement des animaux. ◆ **PHÉNOLOGIQUE** adj., son dérivé apparent, est pris (1907) à l'allemand *phänologisch* (Fritsch, 1853).

Dans **PHÉNOTYPE** n. m., terme important de biologie, de *phéno(mène)* et *type,* le premier élément s'oppose à *géno-;* le mot (attesté en 1937) concerne les caractères individuels correspondant à la réalisation d'un même *génotype.*

ÉPIPHÉNOMÈNE n. m., composé de l'élément *épi-** et de *phénomène,* a été créé en médecine pour le symptôme qui survient au cours d'une maladie et qui procède d'une cause différente (1753). Cette acception a reculé au profit du sens philosophique, probablement emprunté (fin XIXe s.) à l'anglais, «phénomème accessoire qui accompagne le phénomène essentiel sans l'influencer». Celui-ci a connu une certaine expansion dans le langage non philosophique (économie, sociologie). ◇ Le mot a produit en philosophie **ÉPIPHÉNOMÉNISME** n. m. (1907), d'où **ÉPIPHÉNOMÉNISTE** adj. et n. (1930), relatifs à la théorie selon laquelle la conscience est un épiphénomène, simple prise de conscience des phénomènes cérébraux.

PHILANTHROPE adj. et n. est emprunté (v. 1370) au grec *philanthrôpos* «qui aime les hommes, se montre bienveillant à l'égard de tous», composé de *philo-* «ami» (→ philo-, -phile, -philie) et de *anthrôpos* «homme» (→ anthropo-).

♦ Le mot a été emprunté une première fois par Oresme sous la forme *phylantropos* avec le sens du mot grec, réapparu au début du XVIIIe s. (1712, chez Fénelon, *Dialogue des Morts*). Il a été repris dans l'acception plus pragmatique de «personne qui cherche à améliorer le sort matériel et moral des hommes» (1834). ◇ L'argot, dans la seconde moitié du XIXe s., l'a employé avec le sens antiphrastique et par calembour *(filant...)* pour «filou» (1856), sorti d'usage. ◇ Le mot et ses dérivés ont correspondu à une notion sociale essentielle au XIXe siècle. Leur fréquence a diminué avec l'importance de ce concept, qui s'était substitué à celui de charité, et s'est trouvé compromis par la montée des idéologies de justice sociale égalitaire, puis de solidarité. Ces mots relèvent aujourd'hui soit de l'histoire des idées, soit d'une notion philosophique générale.

▸ **PHILANTHROPIE** n. f., emprunt (1551) au dérivé grec *philanthrôpia,* désigne l'amour des hommes et de l'humanité. Le mot est resté rare avant le début du XVIIIe s. (Fénelon). Il a suivi l'évolution de l'adjectif et a pris le sens d'«exercice, activité de bienfaisance» (1844-1850); par extension, il a reçu une valeur voisine de «désintéressement» (1962). ◇ Il a produit le nom didactique **PHILANTHROPISME** (1842), quelquefois péjoratif pour «affectation de philanthropie» (1868).

PHILANTHROPIQUE adj. est emprunté (1780) au dérivé grec *philanthrôpikos* ou dérivé de *philanthropie.* Le mot qualifie ce qui est relatif à la philanthropie, notamment dans *société philanthropique.*

◇ On en a tiré **PHILANTHROPIQUEMENT** adv. (1840, Proudhon).
La série, qui s'oppose terme à terme avec celle de *misanthrope*, s'est augmentée de quelques composés comme **THÉOPHILANTHROPE** (1801), pour le membre d'une société religieuse fondée en France en 1796 et supprimée en 1801 (*philanthropomanie*, v. 1800, avec une nuance ironique).

◈ voir **MISANTHROPE**.

PHILHARMONIE → **HARMONIE**

PHILATÉLIE n. f. est une création du collectionneur Herpin qui proposa le mot à tous les amateurs de timbres dans la revue *Le Collectionneur de timbres-poste* du 15 novembre 1864. Il est formé de l'élément *phil(o)* * «amour, recherche de» et d'un second élément tiré du grec *ateleia* «exemption d'impôts, de charges», dérivé de *atelês* pris dans son sens spécial d'«exempt de charges, d'impôts», lui-même formé du préfixe privatif *a-* et de *telos* «but, fin» (→ téléo-, télo-) et spécialement «charge, impôt». Le nom ainsi formé, *philatélie*, exprimait le fait que les timbres-poste, servant à faire payer le port des lettres par l'expéditeur, exemptaient ainsi le destinataire du paiement de ces droits, usage quasi général avant leur institution (cf. le sens de *affranchir*). Herpin, cependant, définit la philatélie comme l'«amour de l'étude de tout ce qui se rapporte à l'affranchissement en général».

♦ Le mot s'applique à l'étude, à la collection des timbres-poste. Son étymologie bizarre étant oubliée, il a eu une fortune étonnante, qui ne s'est pas démentie au XXe siècle.

▸ Aussitôt, ont été formés sur *philatélie* les dérivés **PHILATÉLISTE** n. (1864) et **PHILATÉLIQUE** adj. (1865). ◂ On rencontre quelquefois **PHILATÉLISME** n. m. (1907), synonyme rare de *philatélie*.

PHILIPPINE n. f. et adj., d'implantation tardive (1898), est l'altération, par attraction du prénom *Philippe*, du mot allemand *Vielliebchen* «bien-aimée», formé de *viel* «beaucoup» et du diminutif de *lieb* «chéri, cher». *Viel* repose, comme ses correspondants, sur le neutre d'un adjectif germanique °*fĕlu-*, lequel est apparenté à la racine indoeuropéenne du grec *polu-* (→ poly-), de même sens. *Lieb* correspond à l'anglais archaïque *lief*, au néerlandais *lief*, à l'ancien norrois *ljúfr*, adjectif apparenté au nom de l'amour en anglais (*love*). La base en est indoeuropéenne et se retrouve dans le latin *libet* «il me plaît» (→ libido) et dans le vieux slave *ljubŭ* «cher». *Viellibchen* est employé pour désigner un jeu pratiqué avec des amandes jumelles ainsi que, par extension, ces amandes (av. 1850). C'est probablement une altération de l'anglais *valentine* «bien-aimé» (1450) ou du français *valentin, valentine* de même sens, dérivé du nom de saint *Valentin*. L'anglais connaît également le sens d'«amandes jumelles» (1839) et de «jeu» (1879).

♦ Le français emploie *philippine* pour un jeu où deux personnes qui se sont partagé des amandes ou des noisettes jumelles conviennent que la première qui dira à l'autre *bonjour Philippine*, lorsqu'elles se reverront, sera gagnante. ◇ Par extension, ces amandes semblables sont dites *amandes philippines* (v. 1900).

PHILIPPIQUE n. f. est emprunté (1528) au latin *Philippicae* (sous-entendu *orationes*), calqué sur le grec *philippikoi (logoi)* «les discours contre Philippe». Ce sont les quatre discours prononcés par Démosthène contre Philippe de Macédoine, père d'Alexandre le Grand, en 351, puis 344 et 341 avant J.-C. pour les trois premiers, le dernier étant contesté. La vivacité des attaques, le ton âpre, les ruptures de ton qui passent de l'invective à l'ironie, en ont fait le type de l'éloquence polémique ; par extension, *Philippicae* s'est appliqué aux violents discours de Cicéron contre Marc-Antoine.

♦ Le mot a été emprunté (1554) avec le sens du mot latin et s'est répandu dans la langue littéraire (1557) au sens général de «discours, écrit violent contre une personne».

PHILISTIN, INE n. et adj. est un emploi spécial, comme nom commun (1828), du nom ethnique *Philistin* (attesté v. 1190), emprunté au latin chrétien *Philistinus* qui rend lui-même l'hébreu *Pᵉlištî*, nom d'un peuple de Palestine ennemi des Israélites. Le français a emprunté le sens figuré à l'allemand *Philister*, correspondant de *Philistin*, qui, parmi les étudiants en théologie, a pris à la fin du XVIIe s. le sens de «bourgeois, ennemi des étudiants et de ceux qui se consacrent aux choses de l'esprit», de même que les Philistins étaient, dans la Bible, les ennemis du peuple élu. De là, au XVIIIe s., l'emploi pour «personne à l'esprit borné».

♦ Le mot est cité en 1828 dans la *Revue Britannique* comme nom donné par les étudiants allemands aux bourgeois. Il est acclimaté depuis 1832, employé surtout par les romantiques pour désigner les bourgeois, les marchands qu'ils considèrent comme fermés aux choses de l'esprit, avec une valeur assez voisine de celle de *béotien*.

▸ On en a tiré **PHILISTINISME** n. m. (1851), mot d'usage littéraire pour désigner le caractère, l'attitude, les conceptions du philistin.

PHIL(O)- est l'élément formant tiré du grec *phil (o)-*, qui représente *philos*, n. et adj. : le nom exprime proprement, non pas une relation sentimentale, mais l'appartenance à un groupe social et s'applique à l'une ou l'autre des personnes engagées dans les liens de l'hospitalité : l'hôte qui reçoit est le *philos* de l'étranger accueilli et vice versa (sens très vivant chez Homère) ; par extension, *philos* a pris le sens d'«ami». L'adjectif a la même valeur passive et active, «aimé, cher» et «bienveillant», et sa valeur affective est secondaire bien que très ancienne ; chez Homère, il joue apparemment le rôle d'un déterminant possessif («mon, ton, son»), exprimant la propriété inaliénable. Le mot est d'étymologie inconnue : il n'y a rien de comparable à ce thème *phil-* ou *philo-* dans les autres langues indoeuropéennes ; É. Benveniste a écarté les hypothèses de Loewe qui avait rapproché *phil-* des premiers termes de noms propres germaniques, tel l'ancien haut allemand *Bil(i)-frid, Bili-gard*, etc., et celles de Kretschmer qui posait comme fondamental l'emploi possessif de *philos* chez Homère et le rapprochait du lydien *bilis*. ◇ Dès le grec, l'élément *phil(o)-* sert à construire de nombreux composés originellement possessifs (appellatifs et anthroponymes) et signifiant «à qui qqch. est cher», qui ont été sentis comme composés de dépendance à premier terme verbal ; l'un des plus importants est *philosophos* (→ philosophe). Comme second terme, *-philos* figure dans des composés possessifs, dans des composés où il a le sens actif d'«aimant» ; passé à la flexion en *s*, *-philês* fournit un second terme de sens verbal : «aimant» ou «aimé». Il est à noter que ce système de composition par *philo-* et *-philos* est toujours vivant en grec moderne et qu'il a été emprunté par les autres langues européennes.

♦ *Phil(o)-* entre dans la formation de quelques mots savants où il exprime la sympathie, l'intérêt pour ce que désigne le second élément, celui-ci étant souvent issu du grec.

Quant à **-PHILE**, qui représente le second élément *-philos* ou *-philês*, il entre dans la construction de noms et d'adjectifs désignant ou qualifiant l'amateur de ce que désigne le premier élément (dans la langue commune) ou celui, ou ce qui, présente une disposition à ce que désigne le premier élément (dans la langue savante). Il présente dans les deux cas une grande vitalité, donnant lieu dans la langue commune à des composés souvent plaisants (*vélophile*). Dans la langue savante, *-phile* se montre particulièrement fécond en psychiatrie, en psychologie avec la nuance de «goût pervers pour...», en biologie et en zoologie où il indique les organismes qui recherchent tel milieu, telle alimentation, tel mode de fécondation, ainsi qu'en physique et chimie s'appliquant alors à ce qui a une affinité avec, des dispositions pour...

À tous les mots en *-phile* correspond un nom d'état en *-philie*, lui-même tiré du grec *philos* et désignant la tendance, l'affinité, éventuellement l'activité ou la présence d'une chose.

▸ Outre les composés traités à l'ordre alphabétique, on peut signaler **PHILHARMONIQUE** adj. (→ harmonie), **PHILHELLÈNE** n. (1823) et adj., témoin du soutien au mouvement d'indépendance grecque avec **PHILHELLÉNISME** n. m. (1828).

◈ voir PHILANTHROPE, PHILATÉLIE, PHILOLOGIE, PHILOSOPHIE, PHILTRE.

PHILOLOGIE n. f. est emprunté (XIVe s.) au latin *philologia* qui désigne l'amour des belles lettres et spécialement l'érudition et l'étude comme exercice académique (Sénèque). Le latin a repris le mot au grec *philologia*, dérivé de *philologos* «celui qui aime raisonner, discuter», d'où «l'érudit, le savant», formé de *philo-* (→ philo-) et de *logos* «discours, raisonnement» (→ -logie). Le mot a servi à désigner les recherches qui se rapportent à l'authentification et l'explication des œuvres de la tradition. La *Rhétorique* et surtout la *Poétique* d'Aristote peuvent être considérées comme des produits de cette première philologie. À partir du IIIe s. av. J.-C. et de l'épuisement de la veine poétique grecque, la philologie acquiert son indépendance dans les cercles de lettrés autour des bibliothèques de Pergame et d'Alexandrie. Les «philologues» s'attachent à découvrir, dans la masse des variantes et des gloses, la forme authentique des textes littéraires. Cette science a été importée à Rome au IIe s., le latin traduisant souvent *philologos* par *grammaticus*. La *philologia* antique comporte quatre moments qui sont la recherche et la lecture du texte correct, l'explication des mots et des choses devenues incompréhensibles, l'information sur l'auteur, les circonstances de la genèse de l'œuvre et, enfin, un jugement qualitatif sur celle-ci. Les Pères de l'Église eurent tendance, dans leur désir de ramener tout écrit à l'Écriture, à oublier cette activité en l'absorbant dans la théologie. Le mot même sortit d'usage et les langues occidentales ne l'empruntèrent pas au latin avant le XIVe siècle.

♦ Après son emprunt pour «amour des belles lettres et des sciences libérales», le mot, caractéristique de l'esprit de la Renaissance, s'est confondu avec l'art de bien parler (1547) recouvrant une science composée de grammaire, de rhétorique, de poétique, d'antiquités, d'histoire et, généralement, de critique et d'interprétation de tous les auteurs (1690). ◇ D'abord centrée sur l'Antiquité, cette science s'est ouverte au monde moderne chez quelques érudits vers la fin du XVIe et jusqu'au XIXe siècle. Cependant, avant la moitié du XVIIIe s., le Napolitain Vico annonce l'avènement d'une science totale dont l'objet est le monde historique (par opposition au monde naturel) et qui se confond en pratique avec la philologie. Au XIXe s., sous l'influence de la philologie allemande qui a assimilé de bonne heure la pensée de Vico, le mot se définit comme une étude générale des langues (1802 ; 1818, dans une traduction de Schlegel) ; il est en concurrence avec *linguistique** qui ne s'imposera que plus tard. Vers 1840 apparaît l'expression *philologie comparée* chez Renan. Le mot, comme chez Vico, a pour Renan une valeur très générale : il l'a défini comme «la science des produits de l'esprit humain». ◇ La période qui s'étend de 1860 à 1900, âge d'or des études philologiques, s'attache à restituer l'essentiel de ce qui a matériellement survécu des multiples civilisations de l'écriture. Vers la fin du XIXe s., du fait de l'atomisation de sa matière, la philologie a éclaté en une pluralité de sciences quasiment autonomes : des objectifs qu'elle visait jadis, seul l'établissement du texte authentique est demeuré spécifique. Une certaine confusion entre les notions de philologie et de linguistique s'est résolue en faveur de cette dernière, avec un regain d'intérêt post-structuraliste pour la philologie et l'histoire des langues.

▸ *Philologie* a produit **PHILOLOGIQUE** adj. (1666), déjà attesté indirectement par le latin scientifique moderne *philologicus* (1620) et l'anglais *philological* (1621). ◇ Le mot, d'abord employé au sens de «relatif aux belles lettres», a suivi l'évolution du nom vers le sens de «relatif à l'étude des langues et documents écrits» (1839). ◇ Il a donné **PHILOLOGIQUEMENT** adv. (1842).

PHILOLOGUE n., d'abord écrit *philologe* (1534), est emprunté au latin *philologus*, lui-même emprunté au grec *philologos*. Le mot s'est appliqué à un savant interprète de l'Antiquité, à la personne qui aime à bien parler (1547) et à celle qui aime la science, les études (1611). ◇ En relation avec *philologie*, il s'est fixé dans son acception moderne de «savant en matière de langue et de littérature» (1816), aussi «spécialiste de philologie comparée» (1868); il reste distinct de *linguiste* par l'accent mis sur le contenu historique et socioculturel de l'étude de textes.

PHILOSOPHIE n. f. est emprunté (v. 1175) au latin *philosophia*, lui-même emprunté au grec *philosophia*. Le mot désigne étymologiquement l'amour de la science, du savoir, puis la recherche, l'étude, la pratique d'un art ou d'une science, en particulier la culture méthodique d'un art. Il s'est spécialisé en emploi absolu pour désigner la recherche de l'essence des choses, l'étude des choses de la nature (en concurrence avec *physique*), la recherche de la vérité, son pluriel servant à désigner les différents systèmes spéculatifs. *Philosophia* vient de *philosophos*, composé de *philo-* «amour, goût» (→ philo-) et de *sophos* «habile», «prudent, sage» (→ sophisme, sophistique et dér.). L'adjectif *philosophos* qualifie la personne qui aime, recherche, pratique une science ou un art, quel qu'il soit. Il est substantivé pour désigner la personne qui se consacre à la recherche de la vérité et, par extension, celle qui mène une vie austère, se disant aussi de femmes et, postérieurement, des chrétiens. On fixe assez arbitrairement la naissance de la philosophie au début du VIe s. av. J.-C. à Milet en Asie Mineure, au bord de la mer Égée avec des hommes comme Thalès, Anaximandre, Anaximène. Selon une tradition d'Héraclide du Pont, attestée par Cicéron et par Diogène Laërce, Pythagore aurait appelé *philosophoi* (pluriel de *philosophos*) ceux qui ne s'intéressaient qu'à la nature des choses.

♦ *Philosophie* a été emprunté en français, comme dans les autres langues modernes, par le langage des écoles : en ancien et en moyen français, le mot désigne un ensemble de disciplines scolaires regroupant toutes les sciences théoriques et pratiques (logique, morale, physique, métaphysique) et dont l'étude succédait à celle des arts libéraux. Il s'applique en outre à une sagesse profonde consistant dans l'amour de la vérité et la pratique de la vertu (v. 1220), d'après le bas latin *philosophia* pris comme équivalent de «vie monastique». ◇ Les programmes d'études scolastiques ont créé une terminologie dont des restes survivent dans l'enseignement et en histoire de la philosophie : les désignations particulières *philosophie morale* (XIVe s.), *philosophie naturelle* (1379), puis *philosophie spéculative* (1637), *philosophie pratique* (1637), *philosophie première* (1647) et *philosophie théorique* (1765) sont toutes calquées du latin médiéval. Les sens métonymiques correspondant à «programme de ces disciplines enseigné à l'école» (fin XVIe s.), «classe de philosophie» (1591) et «livre, manuel utilisé pour l'étude de la philosophie» (déb. XIVe s.) sont demeurés vivants, de même que l'abréviation familière de la fin du XIXe s. **PHILO** n. f. (1888), venue des étudiants. ◇ En moyen français, le mot a eu une spécialisation ésotérique chez les alchimistes pour désigner leur art (XIVe s.); on a parlé depuis de *philosophie hermétique* (1721). ➜ L'idée de «libre recherche spéculative» ne s'est attachée au terme qu'à partir du XVIe s. où il est quelquefois employé avec un contenu de recherche humaine, par opposition à la foi (1553). Du XVIe au XIXe s. les valeurs prises par *philosophie* sont le reflet du mouvement de la pensée : le mot se définit au XVIIe s. comme l'étude de la nature, de la morale et des entités métaphysiques, fondée sur le raisonnement, puis au XVIIIe s., en relation avec l'idée de nature, comme la science des êtres, des principes et des causes, systématisant les notions générales. Vers le milieu du XVIIIe s., une tendance se marque à rapprocher *philosophie* de *science*, dans la mesure où la connaissance des faits implique des idées générales; on parle de *philosophie économique, botanique, rurale*, etc. à propos d'une doctrine rationnelle concernant ces sciences. ◇ En outre, le mot suit *philosophe* (voir ci-dessous) pour désigner les doctrines des penseurs et auteurs partisans des Lumières, et notamment des Encyclopédistes. Cette acception spécialisée vieillira (ou deviendra historique) après la Révolution. Le début du XIXe s. est marqué par l'influence de Kant (traduit par de Villers), puis de Hegel (transmise notamment par Victor Cousin). L'élargissement du concept et son éclatement marquent la seconde moitié du XIXe et le XXe siècle. ◇ C'est de l'emploi généralisé que proviennent les appellations *philosophie de l'histoire* (v. 1756) et *philosophie des sciences* (1838). ➜ La critique des idées (fin XVIe s.) utilise *philosophie* pour désigner l'attitude intellectuelle et humaine des penseurs qui font autorité. En s'étendant à la langue familière, cette acception a perdu sa nuance intellectuelle et en est venu à désigner l'attitude réfléchie adoptée par chacun dans la conduite de sa vie (1699; dès 1671 dans l'expression *la petite philosophie de qqn*). ➜ Depuis 1600, le mot est employé par les typographes pour un type de caractère d'imprimerie entre le petit romain et le cicero, selon une terminologie empruntée au contenu des livres fabriqués. Ce sens technique a vieilli.

► Les divers dérivés, souvent formés par ironie, n'ont eu qu'une vie brève : **PHILOSOPHISTE** n. et adj. (1760) et **PHILOSOPHISME** n. m. (1777), qui, péjorativement, ont trait à la doctrine des philosophes des Lumières, sont empruntés à l'anglais.

PHILOSOPHE n. et adj. est emprunté (v. 1165) au latin *philosophus*, pris du grec *philosophos* (voir ci-dessus *philosophie*) avant l'époque classique. ➜ Le mot a été emprunté, par l'intermédiaire du vocabulaire des écoles, pour désigner les auteurs dont les écrits sont la source du savoir philosophique, le titre de *Philosophe* étant appliqué à Aristote (1314). D'après le latin médiéval, *philosophe* s'applique aussi couramment (v. 1200) à ceux qui cultivent la science et la sagesse morale. ◇ Le mot a gardé jusqu'au XVIIIe s. une nuance particulière relative aux sources antiques : au pluriel, il désigne les représentants des diverses écoles philosophiques de l'Antiquité (1370) et, d'une manière générale, les grands hommes de l'Antiquité qui se sont illustrés par leur science et leur sagesse (fin XVIe s.). ◇ On l'a appliqué dès l'ancien français aux savants qui cultivent, sous leur aspect spéculatif, les sciences divines, naturelles et humaines (déb. XIIIe s.) ; dans cette acception, l'évolution du mot suit le mouvement de la pensée ; des expressions figurées s'y rattachent : *philosophe* a désigné un homme incivil, indifférent, sans égard pour ses semblables (1680) et, dans l'usage populaire, est devenu le nom donné à celui qui fait des réflexions sortant du cercle d'idées habituel à son milieu (1783). ◇ Figurément, le pluriel *philosophes* a désigné en argot de mauvais souliers que les voleurs achètent en sortant de prison (1828) et, dans l'usage des ouvriers, des souliers d'occasion (1867) ; ces acceptions sont sorties d'usage. L'argot du jeu l'a appliqué à un tricheur professionnel qui opère sans comparse et ne recherche que de menus profits (1818).

L'avènement d'une plus libre critique dissocie vers la fin du XVIe s. l'emploi scolaire du mot de son emploi général : il devient ainsi le nom du professeur de philosophie (1670) et, à partir de 1812, celui de l'élève de philosophie. ◆ Au XVIIe s., l'optimisme régnant ajoute à l'idée d'exercice spéculatif la valeur morale de «personne s'appliquant à la science des mœurs et à la connaissance de l'homme» (v. 1660), en concurrence avec *moraliste,* puis une valeur affective à propos de la personne s'appliquant à l'étude de la société et des mœurs pour répandre des vérités qui rendent ses semblables meilleurs et plus heureux. L'Encyclopédie (1765) est un témoin majeur de cet usage. ◇ Le mot prend alors, chez certains, la valeur péjorative de «personne qui, par libertinage, se met au-dessus des devoirs et obligations de la vie sociale et brave les lois religieuses» (1694), puis de «sceptique, athée qui sape les fondements de la morale et de la société» (1757) ; sa valeur est très voisine de celle de *libre penseur.* ◇ Selon les emplois et les contextes, le mot est alors ou péjoratif ou laudatif : il s'applique en particulier aux partisans des Lumières et aux Encyclopédistes. ◆ Par ailleurs, du sens médiéval courant de «savant et sage» se dégage au XVIIe s., sous l'influence antique, une idée de sagesse (v. 1660) qui se dégrade ensuite. L'usage courant emploie en effet le mot pour un homme calme qui prend les choses du bon côté et ne se fait jamais de souci. ◆ À date ancienne, l'affaiblissement de l'idée de sagesse avait donné à *philosophe* le sens de «praticien habile» (XIIIe s.) et une spécialisation ésotérique pour «alchimiste» (XIVe s.). ◆ Le mot, adjectivé (1534), qualifie ce qui témoigne de qualités philosophiques, une personne qui pratique la philosophie (1655) et ce qui révèle une attitude, une pensée, des mœurs de philosophe (v. 1660). ◆ Plusieurs transpositions lexicales de *philosophe* furent pratiquées depuis le XVIe s. afin de donner au mot un féminin (quelquefois assumé par *femme philosophe,* 1798) ; on dit aujourd'hui *une philosophe.*

La dérivation n'a été riche qu'en moyen français et au XVIIIe s., époques où *philosophe* a reçu les apports sémantiques les plus nombreux ; cependant seul un des emplois de l'adjectif **PHILOSOPHAL, ALE,** seulement au singulier (XIVe s.), qui qualifiait en alchimie un corps naturel prêt à la transmutation, s'est bien implanté ; il s'agit de l'expression ***pierre philosophale*** (XVe s.) qui s'est répandue avec un sens figuré (1671), donnant lieu à quelques locutions comme *il ne trouverait pas la pierre philosophale* (1718) «il est stupide».

PHILOSOPHER v. intr., emprunt (1380) au dérivé latin *philosophari,* signifie «se livrer à la spéculation philosophique» et semble très rare avant le XVIe siècle. Il s'applique soit à la pensée elle-même, soit à son expression, dans l'enseignement (1380) et l'éloquence (XVIIe s.). La seconde acception se prête à divers emplois familiers avec les valeurs de «subtiliser sur des détails» (1553), «raisonner à perte de vue» (1845), qui ont vieilli.

De ces sens vient le dérivé péjoratif **PHILOSOPHAILLER** v. intr. (1801, Mercier), en relation avec *la* **PHILOSOPHAILLE** n. f. «les mauvais philosophes» (1771). On rencontre le nom correspondant, **PHILOSOPHAILLERIE** n. f., chez Chateaubriand, Baudelaire.

PHILOSOPHIQUE adj., emprunté (1380) au latin impérial *philosophicus* dérivé de *philosophia,* exprime deux séries de valeurs adjectives correspondant à *philosophie* et à *philosophe.* ◆ Il qualifie ce qui est relatif aux disciplines regroupées sous le nom de *philosophie* et ce qui a le caractère de la spéculation appelée généralement *philosophie* (1680), qualifiant spécialement un esprit (déb. XVIIIe s.). ◇ D'autre part, il s'applique à ce qui est propre aux philosophes (v. 1400). Il s'est dit, entre le XIVe et le XVIIe s., de ce qui relève des pratiques de l'alchimie, *l'œuvre philosophique* désignant *le grand œuvre* (v. 1400). ◆ À l'exception de l'adverbe **PHILOSOPHIQUEMENT** (1529), auparavant *philosophiement* (1380), les dérivés se sont mal implantés. **ANTIPHILOSOPHIQUE** (1767, *anti-philosophique*) a (XVIIIe s.) la valeur particulière de «contraire à la philosophie des lumières». ◇ Il a pris ultérieurement la valeur générale d'«opposé aux principes de la philosophie», en relation avec *antiphilosophie* n. f. (1580), terme abandonné et avec *antipholosophie,* usuel au XVIIIe s.

PHILTRE n. m. est emprunté (1381) au latin *philtrum* désignant un breuvage magique destiné à provoquer l'amour. Ce mot est emprunté au grec *philtron* qui désigne le moyen de se faire aimer, d'où le breuvage, l'incantation et, par extension, l'attrait, la séduction et le sentiment d'amour, d'amitié. Il est dérivé de *philein* «aimer» qui vient lui-même de *philos* (→ phil[o]-, -phile).

♦ Le mot a gardé en français le sens du latin ; la graphie s'est maintenue mais les lettrés du XVIe s. ont aussi employé *phyltre* (erroné) et les dictionnaires de la période classique, par attraction de l'homonyme *filtre**, lui ont donné la forme *filtre.* ◇ Par extension, le mot a pris le sens de «boisson dangereuse» (1738) et a développé la valeur figurée de «chose pouvant inspirer l'amour ou un sentiment hors du commun» (1764), laquelle a disparu.

PHIMOSIS n. m. est emprunté (1570) au grec médical *phimôsis* désignant le rétrécissement de l'orifice du prépuce et l'imperforation de l'anus. Le mot est dérivé de *phimos* désignant des objets servant à fermer, à museler (muselière, bâillon...), terme technique sans étymologie établie.

♦ Le mot a été repris par les médecins de la Renaissance avec le sens du grec. Il s'est maintenu en pathologie à propos de l'étroitesse de l'orifice du prépuce.

PHLÉBITE n. f. est dérivé savamment (1818) avec le suffixe *-ite* du grec *phleps, phlebos* qui désigne un vaisseau sanguin, veine ou artère, ou encore le membre viril, comme synonyme de *phallos*, et, par analogie, le vaisseau d'une plante, la veine d'une mine. Ce mot, qui n'a pas de correspondant hors du grec, a été rapproché de la racine °*bhel-* «se gonfler» (→ phallus).

♦ Le mot sert en pathologie à désigner l'inflammation d'une veine et par extension, en médecine vétérinaire, l'inflammation des veines consécutive à une saignée ou une piqûre.

▸ On en a dérivé l'adjectif rare **PHLÉBITIQUE** (1910), peut-être influencé par l'anglais *phlebitic* (1899).
L'élément **PHLÉB(O)-**, pris au grec *phleps, phlebos*, entre dans la construction de termes savants en anatomie et en médecine ; le mot formé sert à désigner une atteinte des veines ou du système veineux : **PHLÉBORRAGIE** n. f. (1820) ; l'étude de ces vaisseaux : **PHLÉBOLOGIE** n. f. (1793) ; en chirurgie, une méthode d'intervention ou d'investigation concernant les veines, le système veineux : **PHLÉBOGRAPHIE** n. f. (1808), passé du sens «description des veines» à celui de «radiographie des veines», ou encore **PHLÉBECTOMIE** n. f. (1953 dans les dictionnaires). Il est toujours productif.
PHLÉBOTOMIE n. f. est un emprunt de la langue médicale (XIIIe s., *flebothomie*) au bas latin *phlebotomia*, transcrit du grec. Il désigne l'incision d'une veine pour provoquer la saignée et, par métonymie, la saignée. ◇ On en a dérivé **PHLÉBOTOMISER** v. tr. (1549). ◇ Parallèlement, **PHLÉBOTOME** n. m. (1533) a été repris au bas latin *phlebotomus*, transcription du grec *phlebotomos*, pour désigner un instrument de chirurgie. ◆ Abandonné, il a été reformé en zoologie au XXe s. comme dénomination d'un insecte diptère dont certaines espèces transmettent des maladies infectieuses.

◈ voir ② FLAMME.

PHLEGMON n. m. est la correction étymologique (1538) de l'ancien *fleugmon* (1314) emprunté au latin *phlegmone*, terme médical emprunt au grec *phlegmonê* qui désigne proprement une chaleur ardente, au figuré, l'ardeur des passions et, comme terme médical, la tumeur enflammée, l'inflammation. Il est dérivé du verbe *phlegein* «enflammer, brûler» (→ flegme, flemme).

♦ Le mot a été emprunté par les médecins avec le même sens que le latin et le grec.

▸ Il a produit *flegmoneux, euse* adj. (1501), corrigé en **PHLEGMONEUX, EUSE** adj. (1538) «de la nature du phlegmon, propre au phlegmon».
PHLEGMASIE n. f. (v. 1380, *flegmazie*) a été emprunté au grec *phlegmasia*, dérivé de *phlegmainein* «être enflammé», «se gonfler, s'enfler à cause d'une inflammation», dénominatif de *phlegma* (→ flegme, flemme). Ce terme de pathologie a été supplanté par *inflammation* ; il est sorti d'usage, de même que son dérivé **PHLEGMASIQUE** adj. (1833).

◈ voir PHLOGISTIQUE, PHLOX.

PHLOGISTIQUE n. m. est le dérivé savant (1747) du latin scientifique moderne *phlogiston*, mot formé par le chimiste allemand J. J. Becher (1625-1682) d'après le grec *phlogistos* «inflammable». Cet adjectif est dérivé de *phlogizein* «brûler, enflammer» qui vient de *phlox* «flamme» (→ phlox).

♦ Le mot est un terme de chimie ancienne (puis d'histoire de la chimie). Il désignait le fluide qu'on supposait inhérent à tout corps et qui, en abandonnant ce corps , provoquait une combustion ; le feu était alors tenu pour un des matériaux ou principes de la composition des corps. La théorie du phlogistique, après avoir régné plus d'un demi-siècle, fut ruinée par Lavoisier.

▸ Le mot avait produit **PHLOGISTICIEN, IENNE** n. (1842), qui désigne (en histoire, depuis cette attestation) le partisan de la théorie du phlogistique.

◈ voir PHLEGMON.

PHLOX n. m., terme de botanique, est emprunté (1794) au latin *phlox* «violette sauvage», lui-même repris du grec *phlox, phlogis* «flamme» (au propre et au figuré), employé pour une plante ainsi nommée à cause de sa couleur rouge. *Phlox* est dérivé de *phlegein* «allumer, brûler», verbe poétique dont plusieurs dérivés ont connu une grande fortune dans la langue médicale (→ flegme, flemme, phlegmon). Il repose sur la racine indoeuropéenne °*bhel-* «briller», élargie avec °*g*. Ce thème se retrouve dans le latin *fulgere* «briller» (→ foudre), *flagrare* «brûler» (→ flagrant), *flamma* (→ flamme). La racine °*bhel-* a donné un grand nombre de mots exprimant les notions de «blancheur» (→ blafard, phalène).

♦ Le mot désigne une plante herbacée cultivée pour ses fleurs aux couleurs variées.

-PHOBE, -PHOBIE sont les seconds éléments faits sur le modèle des composés grecs en *-phobos* adj. et *-phobia* n., tirés du radical de *phobos* n. Celui-ci désigne une fuite (due à la panique), d'où un effroi, une peur intense et irraisonnée. *Phobos* fournit le nom d'action de *phebesthai* «fuir» (avec une idée de précipitation ou de désordre), et vient d'une racine indoeuropéenne que l'on retrouverait dans le lituanien *bëgti* «courir», le russe *begú* «je cours, je fuis», *beg* «course».

♦ *-phobe* exprime l'aversion instinctive, l'hostilité irraisonnée ou, parfois, l'absence d'affinité vis-à-vis de qqn ou de qqch. Les mots construits (noms et adjectifs) appartiennent essentiellement à la psychologie — ils s'opposent souvent à des composés en *-phile* — et à la psychopathologie. ◇ L'élément *-phobie* sert à former un nom féminin correspondant au mot en *-phobe* et exprimant l'aversion, une peur morbide.
-phobie, par ses nombreux composés (voir le premier élément), s'est lexicalisé en **PHOBIE** n. f. (v. 1880), isolé des nombreux composés en *-phobie*

(l'anglais *phobia* existe depuis 1786). Le mot s'emploie d'abord comme terme de psychopathologie et, par extension, dans l'usage courant au sens de «peur ou aversion intense» (déb. xxe s.).

▶ On en a tiré **PHOBIQUE** adj. (1903, Janet), postérieur à l'anglais *phobic* (1897) et dont l'emploi est limité au langage de la psychopathologie, comme adjectif et comme nom. ◇ Lui-même a produit **PHOBIQUEMENT** adv. (attesté xxe s.), rare, et le préfixé **PRÉPHOBIQUE** adj. (xxe s.).

◈ voir AGORA-, CLAUSTRAL, ① HYDR-.

PHON-, PHONO-, -PHONE, -PHONIE sont des éléments empruntés au grec ou formés par dérivation du radical de *phônê* «son de la voix, voix», «cri des animaux», «son» en général, «langage», «phrase, parole». Dès le grec ancien, *phônê,* qui a pour dérivé le verbe *phônein,* d'où *phônêtikos* (ci-dessous *phonétique*), est employé comme élément de composition, sous la forme du premier élément *phôn-* et surtout du second élément *-phônos;* plusieurs de ces mots sont accompagnés de noms correspondants en *-phônia*. Le mot est rattaché depuis longtemps (chez Curtius et ses successeurs) au groupe de *phanai (phêmi)* [→ phatique]; cependant, une vue différente (Pedersen, Frish) pose une forme originelle °*ghwōnā*, d'une racine indoeuropéenne °*ghwen-* «résonner», surtout attestée en balto-slave dans le vieux slave *zvonŭ*, le russe *zvon* «son», etc., dont *phônê* serait le seul représentant en grec.

♦ *Phon-* et *phono-* entrent dans la construction de noms et d'adjectifs de linguistique, de médecine et de physique relatifs, d'une part, aux sons de la parole, d'autre part, à l'émission, à la perception, à la transmission et au traitement des sons. *-phone* sert à former des noms et des adjectifs relevant du domaine des sons ou du langage parlé (acoustique et linguistique), ou désignant des instruments de musique ou des appareils d'enregistrement et de diffusion sonore (ci-dessous *phonographe*).
-phonie entre dans des noms féminins désignant la communauté des gens qui parlent une langue déterminée (par exemple *francophonie)* ou caractérisant le mode de diffusion ou de retransmission des sons. On notera la vitalité accrue des éléments *-phone* et *-phonie* au début du xxe s. à l'occasion des progrès en acoustique et en retransmission des sons. La plupart des mots ainsi formés sont sortis d'usage, mais connus historiquement *(gramophone...).*

▶ **PHONÉTIQUE** adj. et n. f. est emprunté (1822) au grec *phônêtikos* «qui concerne le son ou la parole», «doué de la parole», dérivé de *phônein* «faire entendre un son de voix», d'où «parler» et aussi «appeler»; appliqué à des sons «résonner». Ce verbe vient de *phônê*. ◆ *Phonétique* est emprunté par la terminologie linguistique en tant qu'adjectif au sens de «relatif aux sons du langage», spécialement «qui transcrit graphiquement les sons d'une langue» (dans *transcription phonétique,* 1877; *alphabet phonétique,* 1890). Il est substantivé au féminin pour désigner l'ensemble des sons d'une langue, du point de vue acoustique ou articulatoire (1869); il a donné son nom à l'étude scientifique des sons des langues naturelles, distinct de la phonologie. ◆ *Phonétique* a donné les dérivés **PHONÉTIQUEMENT** adv. (1822) et **PHONÉTISME** n. m. (1824), qui désigne l'ensemble des moyens phonétiques d'une langue à un moment donné de son évolution. ◆ **PHONÉTICIEN, IENNE** n. (1894) est peut-être inspiré par le mot anglais correspondant (1848). ◆ **PHONÉTISER** v. tr., «rendre phonétique une écriture», semble récent.

PHONOLOGIE n. f., mot formé de *phono-* et de *-logie* (1845) pour désigner un traité sur les sons, est d'abord un synonyme de *phonétique,* appliqué au début du xxe s. (Saussure, Grammont) à la phonétique générale, non historique (synchronique). ◇ Le sens moderne, «étude des fonctions des sons de la langue dans un système de contrastes», est lié au concept de phonème (ci-dessous) et apparaît aussi vers 1930. ◇ Le mot a pour dérivé **PHONOLOGIQUE** adj. (1845), «qui concerne les sons de la langue» puis (v. 1929) «de la phonologie»; de là **PHONOLOGIQUEMENT** adv. (av. 1915, Saussure) et **PHONOLOGUE** n. ◆ **PHONATION** n. f. (1834), sur lequel on a formé **PHONATEUR, TRICE** adj. (1836) et **PHONATOIRE** adj. (xxe s.), désigne l'ensemble des phénomènes qui concourent à la production de la voix et du langage articulé.

PHONÈME n. m. est emprunté (1873) au grec *phônêma, -atos* «son de voix», «parole, discours», emprunté par le latin impérial *phonema, -atis*. Le nom grec vient du verbe *phônein*. ◆ Ce mot didactique désigne un élément sonore du langage articulé, d'abord considéré d'un point de vue physiologique et acoustique. Depuis les travaux du cercle linguistique de Prague (Jakobson, Troubetzkoy), il s'applique à une unité distinctive de l'expression vocale dégagée par la mise en contraste des sons dans une langue et constituée par la mise en relief des éléments pertinents au plan sémantique; ce concept était déjà en germe dans les travaux de linguistes préstructuralistes comme Whitney ou Saussure et se dégage en français en 1929.
On en a dérivé **PHONÉMIQUE** adj. et n. f. (v. 1950) «relatif au phonème», dont l'emploi substantivé au féminin, emprunté à l'anglais *phonemics,* est concurrencé par **PHONÉMATIQUE** adj. et n. f., autre emprunt à l'anglais (1929 n. f.; 1931 adj.), et surtout par *phonologie* (ci-dessous).

① **PHONOGRAPHE** n. m. est le nom, formé de *phono-* et de *-graphe,* imaginé par Nadar (1864), puis par l'abbé Lenoir pour baptiser (1877), sans doute d'après *phonographique,* l'appareil de reproduction des sons créé peut-être par Nadar, puis par Charles Cros et construit en 1877 par Edison (cf. *gramophone*). Les premiers appareils enregistraient le son sur des cylindres, puis (déb. xxe s.) reproduisaient le son gravé sur des disques. La diffusion du mot est attestée par l'abréviation **PHONO** n. m. (1890, Robida); usuels de 1905 environ à 1950, *phonographe* et *phono* cédèrent peu à peu la place à d'autres noms d'appareils, tel *électrophone,* alors que *disque* restait en usage. ◆ ② **PHONOGRAPHE** adj. s'est employé à propos d'une écriture phonétique (1865). ◆ **PHONOGRAPHIE** n. f. a désigné (1842) la manière de figurer par écrit les sons de la parole, puis (1867) la représentation graphique des vibrations sonores, d'où **PHONOGRAMME** n. m. (1889). ➙ **PHONOGRAPHIQUE** adj., d'abord (1842) lié à *phonographie*, s'est appliqué (1862) à l'enregistrement et à la reproduction des sons ; il s'est plus tard rapporté à *phonographe*.

Des autres composés de *phono-* apparus au XIXe et au XXe s., on retiendra **PHONOTHÈQUE** n. f. (1928), de *phono-* dans *phonographe* et *bibliothèque*, mot qui a survécu à *phonographe*.

◈ voir APHONE, CACOPHONIE, EUPHONIE, HOMOPHONIE, POLYPHONIE, SYMPHONIE.

PHOQUE n. m., réfection (1573) de *focque* (1532), est emprunté au latin *phoca*, lui-même repris au grec *phôkê* «phoque, veau marin», d'étymologie obscure. Van Windekens propose, à titre d'hypothèse, d'y voir un dérivé de °*kôphê*, féminin de *kôphos* «émoussé», «sourd», «assourdi», à la suite d'une métathèse. Le mammifère marin aurait été nommé «émoussé» d'après son aspect, sa forme ou sa démarche pénible.

♦ Le mot est employé couramment pour désigner les phoques et les otaries, distingués dans la nomenclature zoologique. ◇ Par allusion à l'un des traits caractéristiques de l'animal, il est employé dans la locution ***souffler comme un phoque*** (1846). Par une métonymie commune aux noms d'animaux dont la fourrure est utilisée en pelleterie, il désigne cette fourrure (1932). ◇ Enfin, la locution familière ***pédé comme un phoque*** est un calembour sur *foc* (avec l'idée de «vent arrière»).

▸ Aucun de ses dérivés, tous deux tardifs, n'est répandu : le nom de petit, **PHOQUETEAU** n. m. (1880), est supplanté par *bébé phoque* dans l'usage courant ; **PHOQUIER** n. m. (1910, J. B. Charcot) est rare ; on emploie *chasseur de phoques*. ◇ Quant à **PHOCOMÈLE** adj. et n., c'est une formation savante (v. 1840) à partir des mots grecs *phôkê* et *mêlos* «membre» pour qualifier et désigner l'être dont les membres sont réduits, comme ceux du phoque, à leur seule extrémité. ◇ Il a produit **PHOCOMÉLIE** n. f. (1846).

-PHORE est le deuxième élément formant de composés savants, soit empruntés au grec, soit formés en français sur le modèle des composés grecs en *-phoros*. Cet élément grec est dérivé du verbe *pherein*, qu'on retrouve par exemple dans *amphore, euphorie*. → doryphore, métaphore, phosphore, sémaphore.

PHOSPHORE n. m. est l'adaptation (1677) du grec *phôsphoros*, proprement «qui apporte la lumière», «qui illumine», appliqué en particulier aux divinités et substantivé à propos de l'étoile du matin qui annonce le jour. Le mot grec est formé avec le suffixe *-phoros* «qui porte», de *pherein* «porter» (→ du latin -fère), sur *phôs, phôtos* «la lumière» (→ phot[o]-). Ce terme appartient à une importante famille de mots exprimant la notion de «lumière» (→ phéno-). ◇ Dès 1675, on relève le latin scientifique moderne *phosphorus* dans un traité d'alchimie : c'est à l'alchimiste allemand Henning Brand que revient la découverte du phosphore en 1669, alors qu'il cherchait à extraire la pierre philosophale de l'urine humaine. Cette extraction à partir de l'urine fut de nouveau utilisée par Johann Kunckel en Allemagne et Robert Boyle en Angleterre.

♦ Le mot, employé dès sa première attestation au sens moderne, a aussi servi à désigner des produits artificiels phosphorescents (1677) dans *phosphore de* (et nom propre). De nos jours, le phosphore est extrait des os d'animaux, procédé institué depuis le XVIIIe s. où Carl Wilhelm l'expérimenta le premier, et surtout préparé industriellement depuis 1838. ◇ Le mot est quelquefois employé par métaphore en parlant de choses qui brillent (1812), réactivant ainsi son sens étymologique.

▸ Il a produit un grand nombre de dérivés. ➙ Le plus ancien est **PHOSPHORIQUE** adj. (1753) «qui brille à la façon du phosphore», employé comme synonyme recherché de *phosphorescent*, et en chimie (1782, *acide phosphorique*) où il a donné lieu à quelques dérivés et composés, tel **PHOSPHORISER** v. tr. (1842), peut-être sous l'influence de l'anglais *to phosphorize* de même sens (1837), dont est tiré **PHOSPHORISATION** n. f. (1842). ➙ Le radical de *phosphorique* a servi à former **PHOSPHATE** n. m. (1782), avec le suffixe *-ate* des sels, pour désigner le sel de l'acide phosphorique. Le mot est employé couramment en parlant du sel formé par l'action de l'acide phosphorique sur le calcium, utilisé comme engrais. ◇ De là **SUPERPHOSPHATE** n. m. (1858) désignant un engrais enrichi comportant du phosphate de calcium. ◇ *Phosphate* a aussi produit une dizaine de dérivés en chimie ou en technique agricole : depuis le début du XIXe s. sont apparus **PHOSPHATÉ, ÉE** adj. (1803), **PHOSPHATIQUE** adj. (1836), **PHOSPHATURIE** n. f. en médecine (1877), de *-urie*, puis **PHOSPHATAGE** n. m. (fin XIXe s.), **PHOSPHATER** v. tr. (déb. XXe s.) et quelques autres termes.

Phosphore a donné deux autres adjectifs : **PHOSPHOREUX, EUSE** «qui contient du phosphore» et **PHOSPHORESCENT, ENTE** (1789), tous deux postérieurs, semble-t-il, aux mots anglais correspondant (*phosphorous* ou *phosphoreous*, 1777, et *phosphorescent*, 1766). *Phosphorescent* qualifie les substances qui produisent spontanément de la lumière, puis (v. 1860) correspond à «doué de phosphorescence». ◇ L'adjectif a pour dérivé **PHOSPHORESCENCE** n. f. (1784), lequel désigne d'abord toute luminescence, puis spécialement la propriété qu'ont certains corps d'émettre des radiations de longueur d'onde différente sous l'excitation de radiations, visibles ou non (1861), concept distinct d'autres formes de luminescence. Cependant, la langue courante continue d'employer le mot au sens large. ➙ Au XIXe s., *phosphore* a été particulièrement fécond, produisant **PHOSPHORÉ, ÉE** adj. (1808), **PHOSPHORITE** n. f. (1842) et **PHOSPHORER** v. tr. (fin XIXe s.), employé familièrement au figuré pour «réfléchir, penser». ➙ Sa vitalité est restée importante au XXe s. où il a donné au langage de la chimie la série de **PHOSPHORYLE** n. m., avec l'élément chimique *-yle* tiré du grec *hulê*, «matière» ; **PHOSPHORYLATION** n. f. (1949, mais antérieur) et **PHOSPHORYLER** v. tr. (av. 1969) et où il est entré dans la construction de mots du langage scientifique, sous les formes **PHOSPHO-** et **PHOSPHORO-**.

① **PHOT(O)-** est l'élément tiré du grec *phôs, phôtos* «lumière», dit en particulier de la lumière du jour, des astres, des flammes, des yeux, et employé pour «exposition lumineuse», au figuré «vie publique» et «lumière de la vérité». *Phôs* est le mot de la prose issu par contraction de *phaos* (d'usage poétique) [→ phéno-].

♦ *Phot(o)-* entre dans la construction d'un grand nombre de noms et d'adjectifs scientifiques et techniques. Au sens de «lumière» ou de «rayonnement», il est productif depuis la fin du XVIIIe s., dans des composés, tel *photomètre* (1792); il supplante alors l'élément d'origine latine *luci-* (→ lucide). La vitalité de l'élément *photo-* n'a cessé de s'accroître au XIXe et surtout au XXe s., l'élément entrant récemment dans la formation de nombreux termes de chimie, d'électronique, de mécanique et de physique. À partir de la diffusion de la photographie et de ses applications, il est aussi très productif comme représentant du mot *photographie**, fournissant un nouvel élément ② *photo-*.

▶ **PHOTOCOPIE** n. f. est composé (1894) de *photo-* et de *copie**, d'abord en parlant de la reproduction d'un phototype sur une surface sensibilisée là où l'on dit aujourd'hui *positif.* Il s'est répandu dans l'usage général (v. 1950) pour la reproduction photographique et xérographique d'un document, s'étendant par métonymie à la machine, au service, au local, où se font les photocopies. ◇ Il a produit les dérivés **PHOTOCOPIER** v. tr. (1907), **PHOTOCOPISTE** n. (1910), sorti d'usage, et le nom de l'appareil **PHOTOCOPIEUR** n. m. (1966) ou, plus souvent, **PHOTOCOPIEUSE** n. f., très usuel.

PHOTOGÉNIQUE adj. est emprunté (1839) à l'anglais *photogenic,* employé notamment dans l'expression *photogenic drawing* «dessin photogénique» désignant la photographie (Talbot, janvier 1839). Celui-ci est formé selon un type grec fictif °*phôtogenikos,* avec les éléments correspondant aux éléments français *photo-* et *-génie* (→ -gène, génie). ◆ Le mot a été repris à l'anglais avec un sens technique «qui relève des procédés de formation d'images par les réactions chimiques à la lumière» (Talbot, lettre du 21 février à l'Académie des sciences). Sous l'influence de *photographique,* il a subi une restriction d'usage, prenant la valeur de «propre à la photographie» (*papier photogénique,* chez Talbot), emploi sorti d'usage. ◇ Le mot a pris, dans le domaine de la photographie, le sens caractérisant de «qui vient bien, nettement, par la photographie» (1869), emploi qui s'est répandu, sous l'influence de l'esthétique de la photographie et du cinéma, pour «qui produit un certain effet poétique et esthétique révélé et amplifié par l'image» (XXe s.) et, en parlant des personnes, «qui a une bonne image en photo». ◆ L'adjectif a produit, par changement de suffixe, **PHOTOGÉNIE** n. f. (1851), d'abord «production de lumière», dans un usage didactique disparu. Sous l'influence de l'adjectif, il s'est répandu aux sens de «qualité de rendu photographique», spécialement en parlant d'une personne (v. 1920), et d'«effet produit en photo». *Télégénique* adj. et *télégénie* n. f. ont été formés d'après ces composés.

Parmi les très nombreux composés de ① *photo-,* on peut signaler **PHOTOMÈTRE** n. m. (1792), du latin moderne *photometria* (1760) désignant un appareil de mesure des intensités lumineuses, **PHOTOMÉTRIE** n. f., s'appliquant (v. 1729) à la mesure même, avec pour dérivé **PHOTOMÉTRIQUE** adj. (1825). ◆ En technique, **PHOTOGRAVURE** n. f. (1867) concerne la gravure photochimique, d'où **PHOTOGRAVEUR** n. m. (1901). ◆ **PHOTO-ÉLECTRIQUE** adj. (1844) est devenu courant dans ***cellule photo-électrique***, mais non **PHOTO-ÉLECTRICITÉ** n. f. (1877). ◆ **PHOTOTYPIE** n. f. (1843, Berres) et **PHOTOTYPE** n. m. (1896) «image négative», s'ils concernent la photographie, sont directement formés avec l'élément ① *photo-* «lumière». ◆ En biologie végétale, **PHOTOSYNTHÈSE** n. f. (1902) désigne le processus qui permet aux plantes de produire les glucides qui leur sont nécessaires par l'énergie solaire. ◆ **PHOTOCHIMIE** n. f. (1865) semble postérieur à **PHOTOCHIMIQUE** adj. (1865; 1859, selon Cottez), inspiré de l'allemand (Bunsen, 1855). Les deux mots concernent les réactions chimiques causées par le rayonnement lumineux.

PHOTON n. m., mot formé en anglais de l'élément *phot-* (→ ① photo-) et de *-on* dans les noms de particules par G. N. Lewis (1926), est passé immédiatement dans d'autres langues (1927 en français). Désignant le corpuscule élémentaire (quantum) d'énergie dont le flux constitue le rayonnement électromagnétique, il est devenu un des mots clés de la physique; le concept, dû à Max Planck et à Einstein, réintroduisait l'idée corpusculaire dans la mécanique ondulatoire et conduisait à voir dans le rayonnement deux «réalités» complémentaires (de Broglie). ◇ Il a pour dérivé **PHOTONIQUE** adj. (1942, chez J. Thibaud).

◈ voir **PHOTOGRAPHIE**.

PHOTOGRAPHIE n. f. est formé (1832) des éléments ① *photo-** et *-graphie**, d'origine grecque, et signifie littéralement «écriture de la lumière». Dans sa première attestation, le mot a le sens aujourd'hui disparu de «description de l'histoire naturelle qui traite de la lumière». C'est le 21 janvier 1834 que R. Florence l'emploie dans ses *Carnets* à propos d'une technique de représentation du réel sensible et de reproduction d'images à l'aide des réactions chimiques à la lumière et de moyens optiques. Cependant, les historiens de la photographie se réfèrent habituellement à la date du 3 juillet 1839, jour où Louis Daguerre introduisit le mot dans un rapport à la Chambre des députés. On le considère alors comme la traduction de l'anglais *photography,* créé en 1836 par John William Herschel en Angleterre, mais on vient de voir qu'il était antérieur en français. Ces dates rendent compte des étapes de la technique photographique jusqu'à l'avènement du daguerréotype*. Encore faut-il préciser que Niepce, qui avait fixé dès 1816 les images produites par une chambre noire avec de l'acide nitrique sur du papier imbibé de chlorure d'argent, avait réalisé la première photographie sur verre à l'aide de bitume de Judée en 1822. La photographie traditionnelle du XIXe s. résulte elle-même de l'association de deux disciplines distinctes, l'optique et la photochimie, matérialisées par la chambre noire (cf. *caméra*) et la plaque sensible ; l'histoire de chacune ayant suivi un chemin différent, la première remontant au XVIe et la seconde au début du XVIIIe siècle.

♦ À partir du sens de Florence, Daguerre (et Herschel), le mot a développé, par métonymie *(une photographie),* le sens d'«image obtenue par photographie» (1854), de plus en plus couramment assumé par l'abréviation **PHOTO** n. f. (19 juin 1864), qui a aussi le sens de «technique photographique» et celui d'«art photographique» *(la photo).* Tout au long du XIXe s., le mot recouvre à la fois la photographie sur plaque ou daguerréotype et la photographie sur papier, sur verre ou sur toute autre substance. La photographie acquiert rapidement un statut d'art tout en servant les causes utilitaires (histoire, journalisme, science). La démocratisation de l'appareil et du coût des épreuves (notamment par la firme américaine *Kodak*) permet le développement de la photographie familiale et des *albums de famille* à la fin du XIXe siècle. Celle-ci franchit une nouvelle étape avec la diffusion du procédé polaroïd (inventé par l'Américain Land en 1948). Dans quelques emplois, l'abréviation peut être considérée comme l'abréviation de *photographique (appareil photo, crédit photo).* ◇ Elle est entrée dans l'expression populaire courante *tu veux ma photo ?* où le sens est «portrait photographique», comme dans *photo d'identité.* ◇ L'expression figurée ***y'a pas photo*** «il y a une grande différence» vient du langage des courses, où ***il y a photo*** pour départager les chevaux arrivés apparemment ex æquo. Elle s'est diffusée dans les années 1980.

▸ *Photographie* a produit quelques dérivés dans la première moitié du XIXe siècle. **PHOTOGRAPHIER** v. tr. est attesté pour la première fois le 21 janvier 1834 dans les *Carnets* de R. Florence, puis de nouveau à partir du milieu du XIXe s. (1849 chez Flaubert). Ce verbe a développé au XXe s. une valeur figurée, «imprimer dans sa mémoire», après «décrire ou peindre avec une exactitude minutieuse» (1863). ➛ **PHOTOGRAPHIQUE** adj. a d'abord été employé (1836) au sens de «relatif à l'étude de la lumière» avant de correspondre à «relatif à la photographie» (*Académie des sciences,* 6 mai 1839). La séance du 4 novembre 1839 a introduit l'expression *appareil photographique,* de nos jours concurrencée par *appareil (de) photo.* ◇ L'adjectif sert, au figuré, à qualifier ce qui est aussi fidèle qu'une photo (av. 1872). ➛ **PHOTOGRAPHE** n., après une première attestation isolée au sens rapidement disparu de «spécialiste qui traite de la lumière» (1836), s'est répandu (1842) avec son sens moderne «technicien, artiste de la photographie». ◇ Il s'est imposé aux dépens de **PHOTOGRAPHISTE** n. (1845) et a lui-même cédé son acception d'«appareil pour photographier» (1845) à *appareil photo.* ➛ La forme apocopée *photo* a, au XXe s., produit deux dérivés : le nom de marque déposée **PHOTOMATON** n. m. (attesté 1942) et **PHOTOFINISH** ou **PHOTO-FINISH** n. f. ou m. (v. 1950), formé sur *photo-* avec l'anglais *finish* «arrivée des chevaux», de *to finish* «finir, arriver», lui-même de *finis* «fin, conclusion», reprise du latin *finis* (→ fin) ; ce dernier dérivé désigne, au féminin, l'enregistrement photographique de l'arrivée d'une course et, au masculin, l'appareil servant à effectuer l'enregistrement.
Photographie et *photographique* ont fourni un nouvel élément ② **PHOTO-**, actif en technique, peut-être déjà dans **PHOTOMICROGRAPHIE** n. f. (1864) et certainement dans **PHOTOCOMPOSITION** n. f., **PHOTOCOMPOSEUSE** n. f. et **PHOTOCOMPOSITEUR** n. m. qui concernent la composition des textes destinés à l'impression par la photographie (1963 dans les dictionnaires).
Au milieu du XXe s., on a formé **PHOTO-ROMAN** n. m. (1949), **PHOTO-PLAN** n. m. (v. 1950), **PHOTO-ROBOT** n. f. (v. 1954), **PHOTO-INTERPRÉTATION** n. f. (av. 1966). ◇ **PHOTO-MONTAGE** n. m. «image formée d'un assemblage photographique» est attesté depuis 1927.

PHOTON → ① PHOTO-

PHRASE n. f. est emprunté (1546) au latin *phrasis* «diction, style, élocution», lui-même emprunt au grec *phrasis, phraseôs* «discours», «expression, langage, diction». C'est un dérivé du verbe *phrazein* dont le sens primitif est «faire comprendre, indiquer par des signes ou par la parole», d'où «expliquer ce que l'on veut dire» et, après Homère, «parler pour se faire comprendre, dire, annoncer». Le mot est d'origine inconnue.

♦ *Phrase* a été introduit en français avec les valeurs d'«arrangement de mots», «façon de parler», «tour donné à l'expression», seuls sens connus aux XVIe et XVIIe s. (Littré cite à tort des auteurs classiques pour illustrer le sens actuel). Cet emploi est sorti d'usage, sauf dans quelques expressions comme ***faire des phrases*** «parler, écrire avec affectation» (1729) et, avec une nuance plus péjorative, «pérorer verbeusement pour dire peu de chose» (1829), ***phrase toute faite*** (1688) ou encore ***sans phrases*** (1874, au singulier) «sans détours». L'expression ***petite phrase,*** en politique (v. 1970) s'applique à une formulation allusive ou efficace, retenue par les médias. ◇ C'est au XVIIIe s., mais encore de façon équivoque et contradictoire, que s'est dégagé le sens moderne de «proposition simple ou réunion de propositions formant une unité d'expression et séparées dans l'écriture par des points» (1737). ➛ L'emploi du mot en musique, à propos d'une succession ordonnée de périodes venant aboutir à une cadence, en est à peu près contemporain (1722, Couperin).

▸ Les dérivés apparaissent vers le milieu du XVIIIe siècle. **PHRASER** v. (1750) est d'abord un terme de musique exprimant le fait de bien marquer chaque phrase d'un morceau de musique, absolument et transitivement (1760). Il a signifié «organiser un discours en périodes harmonieuses» (1788) et ne s'emploie plus que régionalement au sens intransitif (et souvent péjoratif) de «faire des phrases en jouant de procédés rhétoriques» (1824). Sa spécialisation technique, au théâtre, pour «faire valoir une phrase dans le débit théâtral, dans le chant» (1834) est technique et correspond à *phrasé.*

➜ Le participe passé substantivé **PHRASÉ** n. m. est employé en musique (av. 1778) pour désigner l'art et la manière de phraser. ➜ **PHRASEUR, EUSE** n. (1788) a éliminé le mot plus ancien *phrasier* (1735); il désigne et qualifie péjorativement (1901) la personne qui parle de manière recherchée, verbeuse et vide. Les dérivés correspondant à *phraser* et à *phraseur* en anglais, *to phrase* (av. 1550) et *phraser* n. (1637), très antérieurs aux mots français, ont pu leur servir de modèles. ➜ Beaucoup plus tard, l'usage de la linguistique a donné à *phrase* le dérivé **PHRASTIQUE** adj. (1933) formé sur le modèle du grec *phrastikos* «qui sert à exprimer, expliquer», dérivé de *phrazein*.

PHRASÉOLOGIE n. f. est emprunté (1668) au latin de la Renaissance *phraseologia* (1558, *phraseologia Isocratis Graecolatina*), lui-même repris du grec *phraseologia*, mot formé à l'aide de *phrasis* (→ phrase) et de l'élément *-logia* (→ -logie), de *logos*. ➜ Le mot a été introduit et employé dans la langue classique au sens de «recueil de phrases conçu pour l'enseignement des langues», repris au XXe siècle. Il s'est implanté dans la seconde partie du XVIIIe s., désignant un emploi de phrases et de grands mots prétentieux (1778), avec la valeur péjorative de *phraseur* et de certains emplois de *phrase* et *phraseur*. À partir de 1812, il sert à désigner, sans péjoration, un système d'expressions propre à un écrivain, à une langue, un milieu, une époque. ◇ En linguistique, *phraséologie* désigne collectivement les expressions et locutions figées, idiomatiques, ce qui correspond à l'ancien usage du mot et surtout à l'usage de l'anglais *phrase* «syntagme, locution» et *phraseology*. ➜ Il a produit **PHRASÉOLOGIQUE** adj. (1839), employé dans sa spécialisation en linguistique et dans son acception péjorative. ➜ **PHRASÉOLOGUE** n. (1831), qui a supplanté le plus ancien *phraséologiste* (1783) pour désigner un faiseur de phrases, a lui-même vieilli. L'anglais a *phraseology* (1664) et *phraseologist* (1713) avant le français.

◈ voir ANTIPHRASE, PARAPHRASE, PÉRIPHRASE.

PHRATRIE n. f., qui succède (1842) à *phratriarque* «chef de phratrie» (XVIIIe s.), est emprunté au grec *phratria*, dérivé de *phratêr*, correspondant du latin *frater* (→ frère).

♦ Il en a conservé le sens, désignant une division de la tribu, dans la Grèce antique, puis en ethnologie (XXe s.) un groupe de clans.

PHRÉATIQUE adj. est un dérivé savant (1887) du grec *phrear, -atos* «puits», d'un ancien nom indoeuropéen pour «point d'eau, source». Le mot grec, apparenté entre autres au latin *fervere* (→ fervent), est le seul représentant du groupe à ne plus correspondre à la notion d'eau vive.

♦ Le mot est relativement usuel dans ***nappe phréatique*** «nappe d'eau souterraine».

PHRÉN(O)- est l'élément formant tiré du grec *phrên, phrenos* qui désigne le diaphragme, le péricarde ou le poumon, l'identification anatomique de l'organe restant fort discutée. Le mot désigne également le cœur en tant que siège des passions, l'esprit comme siège de la pensée, et la volonté. À l'intérieur du grec, on a établi une parenté entre le groupe de *phrên* et celui de *phrazein* «faire comprendre, expliquer» (→ phrase); dès lors, l'ancienne interprétation de *phrên* comme nom du diaphragme (→ diaphragme), reposant sur *phrassein* «renfermer», a été abandonnée. En dehors du grec, on ne voit aucun rapprochement indoeuropéen plausible mais *phrên* appartient à une série ancienne de noms-racines où figurent plusieurs appellations de parties du corps.

♦ *Phrén(o)-* entre dans la construction de noms appartenant à la médecine, à la pathologie et à la psychiatrie.

▸ **PHRÉNIQUE** adj. (1654), dérivé savant de *phrên* avec le suffixe des adjectifs *-ique*, qualifie en anatomie ce qui se rapporte au diaphragme. ➜ **PHRÉNOLOGIE** n. f. est relevé en 1810 chez G. Spurzheim, disciple et collaborateur de J. F. Gall (médecin allemand, 1758-1828, d'abord fixé à Vienne, puis à Berlin et à Paris à partir de 1807), pour dénommer la méthode dite *craniologie*. L'élément *phrén-* est alors pris pour «intelligence» et combiné au suffixe *-logie**. ◇ Le mot a servi à désigner la théorie de Gall, très répandue au XIXe s. (Balzac y était attaché), qui supposait que les instincts, le caractère, les aptitudes et les facultés mentales et affectives étaient conditionnés par la conformation externe du crâne (cf. *bosse*). ➜ Les dérivés sont apparus dans la première moitié du XIXe s. et ont vieilli : **PHRÉNOLOGIQUE** adj. (1828), **PHRÉNOLOGIQUEMENT** adv. (1836), **PHRÉNOLOGISTE** n. (1829) et **PHRÉNOLOGUE** n. (1842).

HÉBÉPHRÉNIE n. f. est un emprunt (1892) à l'allemand *Hebephrenia*, du grec *hêbê* «jeunesse» et *phrên* «esprit». Il a désigné une forme de démence sénile (d'après l'image de «retomber en enfance»), puis une psychose schizophrénique. ◇ Il a pour dérivé **HÉBÉPHRÉNIQUE** adj. (1900).

PHRYGIEN, IENNE adj. et n. est dérivé (1546) de *Phrygie*, nom d'une ancienne contrée du nord-ouest de l'Asie Mineure, en latin *Phrygia*, en grec *Phrugia*. Elle tire son nom des *Phryges* (grec *Phruges*), Indoeuropéens apparentés aux peuples de Thrace et de Macédoine, dont l'appellation viendrait du pélasgique et continuerait une racine indoeuropéenne signifiant «se mouvoir rapidement, violemment», allusion à un comportement collectif migratoire et guerrier.

♦ Le mot, nom et adjectif ethnique, s'emploie spécialement en musique (1546) pour qualifier un des modes de la musique des anciens Grecs, au caractère fier et impétueux. Il qualifie aussi la langue indoeuropéenne parlée dans ce pays (1732). ➜ Il s'est essentiellement répandu dans ***bonnet phrygien***, pour la coiffure adoptée en 1789 par les sansculottes et devenue le symbole de l'esprit révolutionnaire. Le choix de cette coiffure et de son nom est obscur; on l'a désignée d'abord par *bonnet de la liberté* et *bonnet rouge; bonnet phrygien*, annoncé par une comparaison (1792), semble s'être imposé au XIXe siècle.

PHTISIE n. f. est emprunté (1545) au latin *phthi-*

sis, lui-même emprunté au grec *phthisis* «dépérissement, consomption». C'est un dérivé de *phthinein* «se consumer, s'épuiser, languir, dépérir» et «disparaître, décliner» (en parlant des choses), spécialement pour la lune qui décroît. On rapproche *phthinein* du sanskrit *kṣinoti* «anéantir».

♦ Le mot, qui remplace par retour au grec les formes d'ancien français *tesie* (XIVe s.), *ptisis* (XIVe s.), *tisis* (1495), a été emprunté comme terme de pathologie et a désigné jusqu'à la fin du XVIIIe s. toutes les formes de consomption. Il a été spécialement appliqué à une forme consomptive de la tuberculose pulmonaire (fin XVIIe s., Bayle) et, par extension, à la tuberculose pulmonaire. Les dénominations *phtisie dorsale* (1694), *phtisie pulmonaire* (1694), *phtisie laryngée* (1802), sont elles aussi remplacées par des appellations modernes formées avec *tuberculose* ou l'adjectif *tuberculeux*, mais ***phtisie galopante***, désignant une forme de tuberculose pulmonaire grave à évolution rapide, s'emploie encore.

▸ **PHTISIQUE** adj. et n., emprunté (1538) d'après le moyen français *ptisique* (v. 1370) au grec *phthisikos*, de *phthisis*, par l'intermédiaire du latin *phthisicus*, a vieilli, supplanté par *tuberculeux*.
Les créations françaises avec l'élément **PHTISIO-** se sont en revanche maintenues, tels **PHTISIOLOGIE** n. f. (1715) et ses dérivés **PHTISIOLOGIQUE** adj. (1832) et **PHTISIOLOGUE** n. (1924), peut-être du fait que *tuberculo-* ne peut se combiner sans redoublement à l'élément *-logie (-logique, -logue)*.

PHYLACTÈRE n. m. est la réfection étymologique (1553) de l'ancien *filatiere* (v. 1155), *filatire* (v. 1200), emprunt adapté au latin tardif *phylacterium* «amulette» (le latin *amuletum* servait à traduire le grec *phulaktêrion*) et, en chrétienté, «châsse, reliquaire». Le mot désignait aussi un fragment de parchemin sur lequel étaient inscrits des versets de la Bible et que les juifs portent au front et au bras pendant la prière. Ce mot latin est emprunté au grec *phulaktêrion* «lieu pour garder, sauvegarde» et «amulette», qui, dans le Nouveau Testament, a pris le sens qu'a emprunté le latin chrétien. Le mot grec rend l'araméen *t^efillîn* et il est dérivé de *phulattein* «monter la garde, garder, protéger, conserver», tiré de *phulax, -akos* «garde, sentinelle», et par extension «objet qui protège», en particulier «bandage». Malgré son ancienneté, *phulax* demeure inexpliqué : on ne saurait admettre un rapprochement avec *pulê* «porte»; on a évoqué le second élément du latin *bu-bulcus* «bouvier», *subulcus* «porcher», posant ainsi *°-fulcus* à côté du grec *phulakos* (lequel serait alors antérieur à *phulax*).

♦ Le mot est resté en français un terme de religion : il désigne d'abord dans la liturgie chrétienne antique, la châsse renfermant les reliques d'un saint, sens disparu. Au XVIe s., il a été repris comme terme d'Antiquité gréco-romaine pour désigner un talisman, une amulette. ◇ Il a pris, dans le cadre de la religion juive et par réemprunt au grec et au latin, le sens de «parchemin où sont inscrits les chapitres de la Loi» (v. 1200). Ultérieurement (1861, Goncourt), il est passé dans le vocabulaire de l'histoire de l'art où il désigne la petite banderole qui, dans une œuvre d'art au moyen âge et à la Renaissance, portait une inscription. ◇ Par analogie, il est devenu un synonyme didactique pour *bulle, ballon*, à propos de bande dessinée (XXe s.).

◈ voir ANA- (ANAPHYLAXIE), PROPHYLACTIQUE.

PHYLL(O)- est l'élément repris au grec *phull (o)-*, employé dans une vingtaine de composés et lui-même tiré de *phullon* «feuille d'arbre ou de plante», «pétale», «plante», en particulier «plante médicinale», qui correspond peut-être au latin *folium* (→ feuille) et se rattache à une racine indoeuropéenne *°bhel-* «fleurir, être florissant», probablement parente de la racine homonyme «se gonfler» (→ phallus). Le timbre *u* devant *l*, dans *phullon*, peut s'expliquer par l'influence analogique du groupe de *phuton* «plante» (→ phyt[o]-, -phyte).

♦ *Phyll(o)-* entre dans la construction de mots savants de botanique, zoologie, chimie et géologie. ➜ **-PHYLLE, -PHYLLUM**, repris au grec *-phullos* tiré de *phullon*, entre dans la construction d'un certain nombre de termes de botanique (substantifs et adjectifs) : il sert à dénombrer et à caractériser les feuilles d'une plante, la plante elle-même.
PHYLLOXERA n. m. est créé en latin scientifique (1870, *phylloxera vastatrix*) par M. Planchon à partir du grec *phullon* «feuille» (ci-dessus) et *xêros* «sec» (→ xero-), proprement «qui dessèche les feuilles». Le mot désigne un insecte dont les piqûres sur les ceps de vigne provoquent leur mort et, par métonymie, la maladie de la vigne due à cet insecte (1874). La catastrophe viticole due à l'insecte a donné au mot une grande importance à la fin du XIXe et au début du XXe siècle. ➜ Il a pour dérivés les adjectifs **PHYLLOXÉRÉ, ÉE** (1873, *Journal officiel*), **PHYLOXÉRIEN, IENNE** (1871) ou **PHYLLOXÉRIQUE** (1875), tous didactiques.

◈ voir CHLOROPHYLLE.

PHYLO-, du grec *phulon* «race, tribu», a fourni une série de termes de sciences, forgés en allemand par le grand biologiste Haeckel. *Phulon*, conservé en grec moderne au sens de «sexe», repose sur une racine indoeuropéenne *°bhew-ə/ °bhu-ə* qui devait désigner à l'origine ce qui s'est développé comme un groupe. En grec même, *phulon* s'est réservé le sens de «race, tribu», tandis que *phulê*, plus usuel, désignait la tribu dans les institutions et s'est conservé en grec moderne. Selon Benveniste, le latin *tribus* (→ tribu) lui serait apparenté.

▸ **PHYLUM** n. m. (1874), latinisation du mot grec, désigne la souche d'où une série d'organismes vivants (un embranchement) est issue. ◇ Il a pour dérivé **PHYLÉTIQUE** adj., emprunt à l'allemand *phyletisch*. ➜ **PHYLOGENÈSE** n. f., qui a éliminé *phylogénie*, se dit de la formation de l'espèce et s'oppose à l'ontogenèse individuelle. ◇ De là **PHYLOGÉNÉTIQUE** adj. et n. f. Tous ces termes de biologie et de génétique sont attestés en français en 1874.

PHYSICO- → PHYSIQUE

PHYSIO- est un emprunt savant au grec *phusio-*, lui-même tiré de *phusis*, terme important qui a fourni l'un des concepts fondamentaux de la philosophie grecque et dont la traduction latine en *natura* (→ nature) ne doit pas masquer l'originalité.

Phusis désigne proprement l'accomplissement d'un devenir, la nature en tant qu'elle se réalise, puis l'origine, le devenir, la croissance. C'est aussi, selon la définition de É. Benveniste *(Noms d'agent)*, «la nature en tant qu'elle est réalisée, avec toutes ses propriétés», nature du corps (traits, attitude), de l'esprit (le caractère), et «l'ordre naturel», fréquemment opposé à *nomos,* la loi, la convention (→ -nome, nomo-). Les philosophes l'emploient aux sens de «nature créatrice» et de «création» (d'où l'idée d'une Nature personnifiée). Concrètement, le mot signifie «créature», «espèce» et «sexe» en général, d'où «parties sexuelles». De même que le mot latin *natura* vient de *nasci* «naître», *phusis* est dérivé de *phuein* «faire pousser, faire naître» (à l'actif), «croître, pousser» (formes intransitives), d'où aux temps du passé «être né», «être naturellement». *Phuein* appartient à la racine *°bhū-* «pousser, croître, développer» très bien représentée dans les principales langues indoeuropéennes. Le sens concret originel est conservé en grec avec *phuein* et *phuton* (→ phyt[o]-), de même qu'en arménien avec *busanim* «je pousse», partiellement en indoiranien avec le sanskrit *bhūmi-* «terre, sol», en slave et en albanais. Dans plusieurs groupes, le sémantisme a évolué vers la notion de «devenir», de sorte qu'on a pu utiliser cette racine pour compléter le système de °es-, radical du verbe signifiant «exister, être» aux temps du passé (sanskrit *abhut* «il a été» à côté de *asti* «il est», latin *fuit* [d'où en français *il fut*] à côté de *est,* vieux slave *byhŭ* à côté de *jestĭ,* etc.).

♦ *Physio-* entre dans la construction de termes savants, spécialement en biologie où il désigne la nature de l'être vivant, et en sciences humaines où il désigne la nature d'un être ou d'une chose (concrète ou abstraite). Dans quelques cas, il représente le substantif *physiologie** et se combine avec un nom ou un adjectif dérivé désignant la spécialité ou le domaine qui lui est associé. L'élément, relevé dans environ soixante termes, est toujours vivant mais aujourd'hui assez peu productif. La plupart des composés (voir le second élément) remontent aux XVIIIe et XIXe s. sauf dans les domaines de la biologie et de la médecine (XXe s.).
Outre les emprunts traités à l'ordre alphabétique, quelques mots en *physio-* sont notables. ◆ **PHYSIOCRATE** n. m., formé (1758) avec *-crate,* en même temps que **PHYSIOCRATIE** n. f., créé par Dupont de Nemours, concernent une doctrine économique en vogue avant la Révolution et qui, par souci de respecter les lois de la nature *(phusis),* donnait la prépondérance à l'agriculture, contre celle du commerce que défendait le mercantilisme. Ces deux termes restent vivants en histoire de l'économie. ◆ **PHYSIOPATHOLOGIE** n. f. est en fait formé (1898) à partir de *physio(logie)** et de *pathologie.*

◈ voir **HYPOPHYSE, PHYSIOLOGIE, PHYSIONOMIE (PHYSIOGNOMONIE), PHYSIQUE ; -PHYTE, PHYT(O)-.**

PHYSIOLOGIE

PHYSIOLOGIE n. f. est emprunté (1547) au latin *physiologia* «sciences naturelles, physique», lui-même emprunté au grec *phusiologia,* désignant toute spéculation sur la nature en général. Le mot est dérivé de *phusiologos* «philosophe qui s'occupe des choses de la nature», composé de *phusis* «nature» (→ physio-) et de *logos* (→ -logie).

♦ Le mot apparaît dans une traduction de Vitruve au sens latin «étude des choses naturelles», sorti d'usage après 1675 au profit de *physique**. ◆ Le sens actuel de «science qui étudie les fonctions et les propriétés des organes et des tissus des êtres vivants» est attesté depuis 1611, et existait déjà en latin de la Renaissance : Jean Fernel (1497-1558) l'utilise en 1554 dans son *Universa Medicina,* à propos d'un traité de 1542, *De naturali parte medicinae* dont la préface contenait déjà ce terme. D'abord considérée comme un chapitre de la médecine, la physiologie a obtenu au XVIIIe s. le statut d'un enseignement spécialisé et relativement autonome. Le traité le plus célèbre est celui d'Albert Haller (1708-1777), *Elementae Physiologiae* (1757-1766). Au XIXe s., cette discipline cesse d'être perçue comme l'application à l'organisme humain des lois générales établies par d'autres disciplines et, afin de devenir une science expérimentale, elle se dote alors d'une terminologie, avec les dénominations particulières *physiologie végétale* (1799), *physiologie comparée* (1808, Cuvier), *physiologie générale* (1808), *physiologie humaine* (1833), *physiologie animale* (1835). ◇ Par métonymie, *physiologie* désigne un ouvrage traitant de cette science (1799). Par spécialisation, il désigne le fonctionnement des organes ou une fonction (1808, *physiologie des sensations*). ◆ Le mot connaît au début du XIXe s. une grande vogue comme titre d'études d'un état moral ou intellectuel d'une classe sociale ou d'une profession considérées comme typiques (1825, Balzac, *Physiologie du mariage*).

▶ **PHYSIOLOGISTE** n. et adj. (1669), signifie d'abord «naturaliste» puis «personne faisant des recherches en physiologie» (1757). Le nom est adjectivé (1852) pour qualifier ce qui est relatif à la physiologie ou qui témoigne de connaissances physiologiques. D'autre part, *physiologie* entre dans quelques noms de spécialités préfixés, tels **ÉLECTROPHYSIOLOGIE** (1868), **PSYCHOPHYSIOLOGIE** (1877, Littré) d'où **PSYCHOPHYSIOLOGISTE** n. (1891) et **ANATOMOPHYSIOLOGIE** (déb. XXe s.).
PHYSIOLOGIQUE adj. est emprunté (1547) au bas latin *physiologicus* «physique, naturaliste», lui-même repris du dérivé grec *phusiologikos* «concernant l'étude de la nature, en particulier celle de l'homme». L'adjectif est employé une fois pour «qui étudie la nature» et repris au milieu du XVIIIe s. avec le sens moderne de «relatif à la physiologie» (1751). Il sert à qualifier ce qui concerne la vie de l'organisme (1822, Stendhal), par opposition à *psychique* ou *psychologique.* ◆ On en a tiré **PHYSIOLOGIQUEMENT** adv. (1787). ◆ **PHYSIOLOGUE** n., emprunté avec le sens de «naturaliste» (1522) au bas latin *physiologus* «naturaliste, physicien», lui-même repris du grec tardif *phusiologos,* a été employé comme synonyme de *physiologiste* au sens moderne (1825, Brillat-Savarin) mais a presque disparu.

PHYSIONOMIE

PHYSIONOMIE n. f. est emprunté (1256) à un latin tardif *physiognomia,* altération de *physiogno-*

monia, emprunt au grec *phusiognômonia* qui désigne l'art de juger qqn d'après l'expression de son visage, sa mine. Ce mot est dérivé de *phusiognômôn* «qui conjecture la nature d'une personne ou d'une chose», formé de *phusis* «nature» (→ physio-) et de *gnômôn* «qui connaît, qui interprète», ce dernier tiré de *gignôskein* «apprendre à connaître, connaître» (→ gnose). La forme originelle *phusiognômonia* et la forme altérée latine *physiognomia* ont donné deux mots en français, *physionomie* et *physiognomonie*, d'abord confondus.

♦ Le mot, qui a fait l'objet de nombreuses altérations jusqu'au XVIe siècle : *phisanomie, physianomie* (fin XIIIe s.), *phisonomie* (1355-1358), *fisonomie* (1376) et *phisiognomie* (1596), a d'abord repris le sens latin et grec «art de déterminer le caractère de qqn d'après sa conformation extérieure» et notamment «d'après les traits du visage» (1596), valeur sortie d'usage et assumée par *physiognomonie* (ci-dessous). ◆ Puis *physionomie* désigne par métonymie l'ensemble des traits de la figure, l'expression du visage (1355-1358), en parlant d'un homme et, autrefois, d'un animal (1376). Il a désigné le caractère original d'un visage *(avoir de la physionomie)*. ◇ Ultérieurement, il s'est étendu à l'aspect particulier d'une chose, d'un objet (1773), à l'allure générale d'un phénomène, d'un système (1773).

▶ Le dérivé **PHYSIONOMIQUE** adj. (1549), attesté une première fois au XVe s. comme nom masculin pluriel pour «calculs astrologiques appliqués à une personne» (cf. *horoscope*), qualifie ce qui se rapporte à l'expression du visage et, par extension, d'un objet, d'un lieu. Il a exprimé ce qui marque le caractère, la personnalité d'une chose, spécialement dans le domaine des arts plastiques (1846, Baudelaire), mais est sorti d'usage en ce sens. De toute façon, il est peu usuel. ◆ **PHYSIONOMISTE** n. et adj. (1537) a servi à qualifier la personne habile à déterminer le caractère de qqn d'après ses traits, éliminant *phisionomien* (v. 1390). De nos jours, *physionomiste* qualifie une personne capable de reconnaître immédiatement une personne antérieurement rencontrée (1853).

Quant à **PHYSIOGNOMONIE** n. f., emprunté (1565) au grec *phusiognômonia*, employé chez Aristote, il a été introduit pour désigner l'art de déterminer le caractère d'après les traits du visage, par référence à Aristote ; la *physiognomonie* est élevée au rang de science avec les théories de l'allemand J. C. Lavater (1781, traduction de ses *Essais sur la physiognomonie*). Par métonymie, il s'applique à un ouvrage traitant de cette technique et son application (1826, Balzac, adepte des théories de Lavater, comme il l'était de la phrénologie de Gall). ◆ Le mot, de même que ses dérivés **PHYSIOGNOMONIQUE** adj. (1721) et **PHYSIOGNOMONISTE** n. (1803), a vieilli ; on parle de nos jours de *morphopsychologie*.

① **PHYSIQUE** adj. et n. m., d'abord écrit *phisique* (1487), est emprunté comme adjectif au latin *physicus* «naturel, qui concerne la connaissance de la nature», substantivé pour désigner le naturaliste, le physicien. Le mot latin est repris du grec *phusikos*, adjectif qualifiant ce qui concerne la nature ou l'étude de la nature, ainsi que ce qui est naturel, conforme à la nature, en opposition à ce qui est conventionnel, artificiel ; il est dérivé de *phusis* «nature» (→ physio-).

♦ L'adjectif a d'abord été synonyme de *naturel* (1487) ; ce n'est qu'au XVIIe s. qu'il a pris la valeur de «matériel, corporel, de l'ordre de la nature» (1651, Pascal), s'appliquant spécialement à un exposé concernant la science de la nature (1680). Il est employé dans le syntagme *impossibilité physique* (1694) au sens de «réel, effectif», par opposition à *moral* ou *métaphysique*. Les autres extensions datent des XVIIIe et XIXe siècles : *géographie physique* (1721), *science physique* (1730), qui semble avoir désigné d'abord l'étude des propriétés des corps en général avant de prendre son sens moderne, en relation avec le nom féminin ② *physique**. ◆ Depuis la même époque, *physique* qualifie ce qui est ressenti par l'être humain dans sa chair (1727, *mal physique*) et se dit de l'être humain considéré dans ce qu'il a de charnel, de matériel, par opposition à *moral* (1746, Montesquieu), à *mental, psychologique, psychique*. ◇ L'adjectif qualifie en particulier ce qui est relatif au corps humain (1733), notamment dans la locution ***éducation physique*** (1733), et ce qui est relatif aux activités sexuelles (1745), la locution ***amour physique*** semblant plus tardive (1861). ◇ *Physique* qualifie aussi les réactions spontanées de l'individu, telles que la peur (1796), l'horreur (1837), le dégoût, traduisant une idée de répulsion ; on a employé avec cette valeur l'expression *c'est physique !* (1797). ◇ La spécialisation juridique du mot semble récente (1901, *personne physique* s'opposant à *personne morale*). ◆ *Physique* est substantivé au masculin *le physique* depuis 1733, d'abord avec une valeur de neutre par opposition au moral, spécialement dans ***au physique*** (1755, Montesquieu). Ce nom désigne spécialement ce qui est charnel, l'attrait charnel (1748, Montesquieu). Depuis, sa valeur la plus usuelle (1762) concerne l'aspect général, l'apparence extérieure d'un être humain. Dans le domaine du théâtre, il désigne l'aspect général d'un personnage, par exemple dans *le physique du rôle* (1842), *le physique de l'emploi* (1853).

▶ Le mot a produit **PHYSIQUEMENT** adv. (1488) «selon les lois de la nature, matériellement, réellement», qui, à partir de la fin du XVIIIe s., a développé d'autres sens correspondant à ceux de l'adjectif : «corporellement, organiquement» (1794), «d'une manière charnelle, sensuelle» (1820) et «en ce qui concerne l'aspect physique» (1838). ◆ Par préfixation, *physique* a produit **ANTIPHYSIQUE** adj. (av. 1741) pour qualifier ce qui est contraire à la nature, spécialement ce qui est considéré comme contre nature dans les sentiments et l'érotisme (homosexualité, etc.). Le mot est archaïque.

② **PHYSIQUE** n. f., d'abord *fusique* (v. 1160) et *fisique* (1165) réécrit d'après le grec, d'où *phisique* (v. 1265) puis *physique* (1487), est emprunté au latin *physica* «étude de la nature, sciences naturelles», lui-même emprunt au grec *phusikê*. Ce dernier désigne l'observation ou l'étude de la nature, par ellipse du nom dans *ê phusikê tekhnê* «la technique, l'art de la nature» ; il s'agit du féminin de l'adjectif *phusikos* qui a donné par emprunt l'adjectif ① *physique* (ci-dessus). Les Grecs, dès l'époque présocratique, ont posé les fondements de la connaissance scientifique de la nature, en formulant l'hypothèse atomique (Leucippe, développée par Démocrite) et en articulant cette science aux mathématiques (Pythagore). Par la suite, à l'époque classique et à l'époque alexandrine, les principaux développements ont concerné la mécanique (théorie des leviers et de l'hydrostatique, marquées par Archimède). Le latin *physica*, calque du grec, marque la séparation, dans l'usage intuitif, d'avec l'idée de *natura*, faisant du mot un terme savant coupé de son origine. ◆ En ancien français, le mot a eu le sens de «médecine» (connu du latin médiéval), vivant jusqu'au XVIIe s., le pluriel étant relevé une fois au sens de «médicament»; ce sens perdu en français s'est transmis à l'anglais *physic* «médicament» (XIIIe s.), qui désigne aussi par métonymie une préparation médicinale (XVIe s.). ◇ *La physique* a aussi eu le sens large de «connaissance des choses de la nature» (1165), encore donné par Furetière en 1690. Avant que le terme ne corresponde, par une évolution qui couvre tout le XVIIe s., au concept moderne (valeur clairement attestée en 1708, Fontenelle), en relation avec *chimie*, il a eu le sens de «philosophie naturelle» (1552). ◇ Les acceptions métonymiques, «ouvrage traitant de la physique» (1688) et «classe où l'on enseigne la physique» (1680), ont suivi l'évolution du mot vers sa définition moderne. ◇ À partir du début du XVIIIe s., la création d'une terminologie correspond aux noms de spécialités comme *physique expérimentale* (1708), *physique astronomique* (1740), *physique corpusculaire* (1765), *physique moléculaire* (1868) et au XXe s. *physique atomique* et *physique nucléaire* (répandu v. 1945), au fur et à mesure de l'histoire des découvertes de la physique. ◆ On a formé pour certaines spécialités des noms composés avec le second élément *physique*, tels que *astrophysique* n. f. (→ astre), *géophysique* n. f. (fin XIXe s.) [→ géo-]. ◇ **MICROPHYSIQUE** n. f. est attesté en 1910 pour désigner la science des très petits objets physiques. Le mot prend son acception moderne, «physique des particules (et des ondes)», dans les années 1930.

Le dérivé **PHYSICIEN, IENNE** n. (v. 1155, *fisicien*) a suivi la même évolution sémantique : sous l'ancienne forme *fisicien*, il a d'abord eu le sens de «médecin», sorti d'usage en 1594 mais passé et conservé dans l'anglais *physician* (XIIIe s.). ◆ Le mot a d'abord servi d'adjectif au sens de «naturel» (v. 1380), avant d'être substantivé *(un physicien)* pour désigner la personne qui s'occupe des choses naturelles (1538) puis pour le spécialiste de physique scientifique (1680). ◇ Le féminin *physicienne* a suivi le même passage de «femme médecin» (v. 1223, *fisicienne*) au sens moderne (attesté 1834). ◆ Les composés **ASTROPHYSICIEN, IENNE** n. (av. 1954) [→ astre] et **GÉOPHYSICIEN, IENNE** n. (1944) [→ géo-] ont été formés en relation avec les composés de *physique* correspondants.

Physique a produit un autre dérivé, le terme de doctrine **PHYSICISME** n. m. (1808, H. de Saint-Simon) «thèse qui tente d'expliquer tous les phénomènes par les lois de la physique» puis, en histoire de la philosophie, «philosophie de la nature de l'Ionie antique» (XXe s.). ◇ *Physicisme* a produit **PHYSICISTE** adj. (v. 1820) et n. (1888). ◆ L'élément **PHYSICO-**, représentant *physique*, est entré dans la formation de noms composés désignant des branches du savoir, à cheval entre la physique et une autre discipline, comme **PHYSICOCHIMIE** n. f. (1845, en deux mots), **PHYSICOCHIMISTE** n. (1903, en deux mots) et **PHYSICOMATHÉMATIQUE** ou **PHYSICO-MATHÉMATIQUE** n. f. (1749; antérieurement adjectif, 1630).

PATAPHYSIQUE n. f., composé plaisant créé par Alfred Jarry et ses camarades de classe (attesté v. 1890 dans *La Chasse au polyèdre*, de Henri Morin, source d'*Ubu roi*) a été diffusé par l'œuvre de Jarry, depuis 1894. Le mot est créé sur ② *physique*, discipline qu'enseignait le professeur qui servit de modèle à Ubu. ◆ Jarry l'a repris et redéfini comme «la science des solutions imaginaires, qui accorde symboliquement aux linéaments les propriétés des objets décrits par leur virtualité» *(Gestes et Opinions du docteur Faustroll)*. Il l'explique alors par *epi-* (du grec) et *métaphysique*, et l'écrit *'pataphysique*. Le *Collège de pataphysique* a été créé par A. Jarry. ◇ Le mot s'emploie aussi comme adjectif, par extension pour «relatif à des connaissances bizarres, abstraites et extravagantes». ◆ Le dérivé **PATAPHYSICIEN, IENNE** n. (1911, A. Jarry) désigne un adepte de la pataphysique et spécialement un membre du Collège.

⟐ voir MÉTAPHYSIQUE.

PHYT(O)-, -PHYTE sont des éléments entrant dans la construction de mots savants issus de l'élément grec *phuto-*, *-phutos*. Le premier est tiré du nom neutre *phuton* «ce qui pousse», «végétal (arbre, plante)», d'où «rejeton, enfant» et, en anatomie, «tumeur, ulcère». Le second est tiré de l'adjectif *phutos* (dont *phuton* est la substantivation au neutre) «formé par la nature, naturel» et au sens actif «fertile». Tous deux sont dérivés de *phuein* «pousser, faire naître, faire croître» (→ physio-, physique).

♦ *Phyt(o)-* et *-phyte* entrent dans la construction de termes de botanique et des sciences utilisant les plantes (thérapie, cosmétique).

▶ Citons au XIXe s. les créations de **PHYTOZOAIRE** n. m. (1828), «animal dont la structure simple peut être comparée à celle des plantes» *(les phytozoaires)*, et des noms de branches scientifiques **PHYTOBIOLOGIE** n. f. (1830), **PHYTOGÉOGRAPHIE** n. f. (1842) et **PHYTOPATHOLOGIE** n. f. (1858). Ces trois derniers ont produit des adjectifs et des noms de spécialistes dans la seconde moitié du XIXe s. (à l'exception de **PHYTOPATHOLOGISTE** n., attesté en 1822). ◇ Au XXe s., après les termes scientifiques **PHYTOPHTHORA** n. m. (déb. XXe s.) et **PHYTOPLANCTON** n. m. (1905), l'élément est productif dans les dénominations didactiques **PHYTOSOCIOLOGIE** n. f. (1936; dès 1920, *phytosociologique*), **PHYTOPHARMACIE** n. f. (1949) et **PHYTOTHÉRAPIE** n. f. (1944). ◇ On nomme ensuite **PHYTOTOXICITÉ** n. f. (v. 1960) la toxicité à l'égard des végétaux et **PHYTOTOXINE** n. f. (v. 1960) une susbtance toxique d'origine végétale.

L'élément *-phyte* entre dans la formation de nombreux termes (adjectifs et substantifs) de botanique ou de pathologie ; au pluriel, il sert à former le nom d'une famille végétale. Productif à partir du XIXe s., il a servi à former **MÉSOPHYTE** n. m. (1842), **SAPROPHYTES** n. m. pl. (1875), **SPERMATOPHYTES** n. m. pl. (1890) et **BRYOPHYTES** n. m. pl. (1924). Apparu dès le XVIe s., **ZOOPHYTE** n. m. est un emprunt au grec (→ zoo-).

◈ voir **NÉOPHYTE**.

PIACULAIRE adj. est emprunté (1573) au latin *piacularis* «expiatoire», dérivé de *piaculum* «sacrifice expiatoire», lequel vient de *piare* «offrir des sacrifices pour apaiser la colère divine». Ce verbe est dérivé de *pius* (→ ① pie, pieux).

♦ Le mot est employé dans le contexte de la religion romaine antique ; il est pris exceptionnellement comme synonyme littéraire d'*expiatoire*.

PIAF n. m., nom populaire et familier du moineau (1896), est d'origine incertaine, probablement de formation onomatopéique d'après le cri de l'oiseau noté *pii* (→ piailler), mais la finale est inexpliquée. Un rapprochement avec *piaffer* est peu plausible.

♦ Le mot, argotique puis familier, désigne, d'abord à Paris, le moineau, oiseau par excellence, puis tous les petits oiseaux. Le mot a fourni à la chanteuse Giovanna Gassion, dite *la Môme Piaf*, son célèbre pseudonyme, Édith Piaf.

◈ voir **PÉPIER, PIAILLER, PIAULER, PIGNOUF, PIOU-PIOU**.

① **PIAFFER** v. intr., attesté depuis 1578 mais antérieur (voir ci-dessous *piaffe, piaffeur*), est d'origine inconnue. On évoque, faute de mieux, une forme onomatopéique très peu vraisemblable, vu la valeur abstraite du mot à son apparition.

♦ Le verbe a d'abord servi à exprimer le fait d'agir avec ostentation, de faire des embarras, sens sorti d'usage. Le sens physique de «frapper la terre en levant alternativement chacun des pieds de devant», à propos d'un cheval, est un emploi de manège (1677) qui s'est répandu dans l'usage général. Par analogie, on passe au sens de «frapper du pied, piétiner», en parlant d'une personne (1865), souvent avec la valeur de «manifester ses sentiments par des mouvements impulsifs», notamment «manifester son impatience».

▸ Le déverbal **PIAFFE** n. f. (1567), quasiment limité dès le XVIe s. à la locution *faire de la piaffe* «étaler sa richesse, son importance avec ostentation» (correspondant au verbe actuel *frimer*), a été synonyme de «luxe vaniteux, étalage» (1574). Il a disparu. ➛ **PIAFFEUR, EUSE** adj. (v. 1570), d'abord employé à propos d'une personne arrogante qui fait des embarras, s'est aligné sur l'évolution sémantique du verbe et a pris le sens de «cheval ayant l'habitude de piaffer» (1678). ➛ **PIAFFANT, ANTE**, l'adjectif tiré du participe présent de *piaffer* (av. 1618), suit la même évolution. ➛ Le nom d'action **PIAFFEMENT** n. m. (1842) et le terme d'équitation ② **PIAFFER** n. m. (1874), «mouvement du cheval qui piaffe» puis nom d'une figure d'équitation, ne sont pas d'usage courant.

② **PIAFFER** → ① **PIAFFER**

PIAILLER v. intr. est un mot d'origine onomatopéique (1607), de la notation du cri aigu *(pii-)*, comme *piauler*, inséré dans la série des verbes de terminaison *-ailler* (du type *criailler*).

♦ Le mot, appliqué à certains oiseaux, exprime le fait de pousser de petits cris aigus. Par analogie, il est employé à propos de personnes, d'enfants (1680).

▸ Ses dérivés datent des XVIIe et XVIIIe siècles : **PIAILLEUR, EUSE** adj. et n. (1611 ; 1680 selon *T. L. F.*) se dit surtout d'une personne qui a l'habitude de piailler. En parlant des oiseaux, il est attesté plus tard (1845, n. ; 1862, adj.). ➛ **PIAILLERIE** n. f. (1642) exprime l'action de récriminer aigrement, avant de s'appliquer à des oiseaux et aussi à des enfants (1845) au sens d'«action de piailler». ➛ **PIAILLARD, ARDE** adj. et n. (1746) désigne et qualifie une personne, ainsi qu'un oiseau, qui piaille (1757). ➛ **PIAILLEMENT** n. m. (1782) semble lui aussi apparaître à propos de cris aigus de personnes et ne s'appliquer qu'ensuite à un oiseau (1858). Tous ces mots, d'abord d'usage familier, sont aujourd'hui neutres.

◈ voir **PÉPIER, PIAF, PIAULER, PIGNOUF, PIOU-PIOU**.

① **PIANO** adv. est emprunté (1578) à l'italien *piano*, attesté comme adverbe depuis 1300-1313 au sens de «tout doucement», également employé avec redoublement sous la forme *pian piano* (fin XIVe s.) et spécialisé comme terme de musique. Le mot est tiré de l'adjectif *piano* «de surface égale, lisse», «tranquille, doux», issu du latin *planus* qui a donné le français *plan**. et l'ancien provençal *plan* (→ plan-plan).

♦ Le mot est relevé en français sous la forme *pian pian* avec redoublement, précédée par *piane piane* (1505) qui a conservé l'accent italien sur la première syllabe, puis *pian piano* (1618) et enfin *piano* (1740). ◇ Il est employé dans l'usage familier au sens de «tout doucement» (→ plan-plan). L'adverbe est connu en français par le proverbe *chi va piano va sano*, souvent cité. ◇ Il est passé d'après l'italien dans le langage de la musique comme indication de nuance, donnant lieu à des emplois métaphoriques (1775, Beaumarchais).

▸ **PIANISSIMO** adv., emprunté (1775) à l'italien *pianissimo*, superlatif de *piano*, a eu en musique le sens de «tout doucement», donnant lieu comme *piano* à un emploi métaphorique et familier.

② **PIANO** n. m. est l'abréviation (1774) de *piano forte* (1771), d'abord appelé *piano et forte* (1766), attesté à côté de *forte piano* (également en italien et en anglais) (voir ci-dessus *pianoforte*). Le mot est emprunté à l'italien *pianoforte*, d'abord *piano e forte* (1732), de la désignation *grave-cembalo (clavicembalo) col* (ou *di*), piano e forte «clavecin avec doux et fort», exprimant la gradation de tons permise par cet instrument et qui contraste avec le ton uniforme du clavecin. Cette description se trouve chez l'inventeur de l'instrument, Bartolomeo Cristofori de Padoue (v. 1710). Indépendamment de Cristofori, deux autres facteurs d'instruments trouvèrent le même principe à la même époque : le Français Marius (1716) et le Saxon Schröter (1721). Mais aucun n'eut de succès et c'est en Allemagne, où l'invention de Cristofori était connue depuis 1725, que le piano naquit une seconde fois : en 1726, le facteur d'orgue Gottfried Silbermann construisit deux *piano-forte* qu'il présenta à J. S. Bach qui n'en fut pas satisfait. Mais en 1747 à Postdam, après des améliorations apportées à l'instrument, Bach l'accepta. La sonorité des premiers instruments n'était guère agréable si l'on en croit Voltaire qui écrivait en 1774 que le piano-forte était «un instrument de chaudronnier en comparaison du majestueux clavecin». La facture de l'instrument connut des progrès considérables en Autriche (invention de la «mécanique autrichienne») et en Angleterre (mécanique «anglaise», invention des pédales en 1783). L'invention décisive fut celle du double échappement due au Français Sébastien Érard (1823), qui rendait possibles la grande virtuosité et les effets nouveaux des romantiques. Les améliorations postérieures eurent surtout pour objet la commodité (cordes croisées d'Henri Pape, 1828) et la solidité (cadre métallique de Babcock, 1825). ◇ Depuis le début du XIXe s., on dit de plus en plus *piano*, et *piano-forte* est sorti d'usage avant de renaître au XXe s. (ci-dessous). En plus du ***piano à queue*** (1806) et du *piano carré*, disparu vers 1850, des facteurs inventifs ont donné le jour à des formes qui ne sont plus que des curiosités de musée (*piano-pyramide, piano-lyre, piano-girafe*, à cordes verticales). À côté du *piano à queue*, dit aussi *piano de concert*, et de ses formes raccourcies (*demi-queue* et *crapaud*), une forme inventée à la fin du XVIIIe s., à cordes verticales moins encombrantes et moins coûteuses, allait s'imposer : le ***piano droit*** (1828). ◇ Par métonymie, *piano* désigne la technique et l'art du piano. ◇ Par analogie, hors du domaine musical, il se dit familièrement d'un pupitre de commande à plusieurs touches et du fourneau de milieu, dans les cuisines d'un restaurant.

PIANISTE n. (1807), désignant l'instrumentiste, est dérivé de *piano*, comme **PIANOTER** v. intr. (1842 ; 1837, *pianotiser*) «jouer maladroitement du piano, en amateur», d'où «tapoter sur un objet quelconque du bout des doigts» (1879) et «faire fonctionner un clavier» (de machine à écrire, d'ordinateur, etc.). ◇ Les dérivés **PIANOTAGE** n. m. (1866), **PIANOTEMENT** n. m. (1891), **PIANOTEUR, EUSE** adj. et n. (1867) ainsi que l'adjectif didactique **PIANISTIQUE** (1895, Willy) sont assez usuels.

PIANOLA n. m. est un emprunt (1904) à l'anglais *pianola*, mot qu'on dit avoir été forgé par Edwin S. Votey qui inventa cette sorte de piano mécanique en 1896, sa désignation étant un diminutif de l'anglais *piano* ou *pianoforte* (emprunté de l'italien *pianoforte*), attesté en 1899 en américain comme marque de commerce.

Par ailleurs, **PIANOFORTE** n. m., à peu près sorti d'usage vers 1810-1820 sous la concurrence de *piano*, est resté vivant en histoire de la musique, le mot s'employant de nouveau après 1960 à propos du temps présent, avec la reprise des instruments anciens liée à la diffusion de la musique baroque. De nombreuses œuvres pour clavier, qui étaient jouées sur des pianos modernes, sont aujourd'hui interprétées aussi sur pianoforte (productions musicales de la fin du XVIIIe et du début du XIXe s.).

PIASTRE n. f. est emprunté (1595) à l'italien *piastra*, nom d'une monnaie de divers pays, proprement «plaque de métal». Le mot est tiré de *impiastro*, correspondant au français *emplâtre**, sous l'influence de *lastro* «carreau», mot d'origine méditerranéenne.

♦ *Piastre* se dit de la monnaie, ancienne ou actuelle, de divers pays. Ainsi, à propos de la piastre indochinoise, on a parlé de *trafic* et de *scandale des piastres*. Il a pris le sens de «dollar» dans l'usage familier des francophones canadiens (prononcé et parfois écrit *piass*).

▶ Le composé **BAISE-LA-PIASTRE** n. et adj. correspond en français québécois à «avare».

PIAT → ② PIE

① **PIAULE** n. f., dont la forme écrite actuelle ◈
(1829) a remplacé la forme ancienne *piole* (1628) ou *piolle*, est d'origine incertaine. Selon Wartburg, étant donné son sens primitif de «cabaret, taverne», le mot se rattache probablement à l'ancien verbe *piailler* (1549) «boire avec excès (du vin)», lui-même dérivé, comme *pioter* (→ piot), de l'ancien verbe *pier* (v. 1280) «boire», en usage jusqu'au XVIIe s. et probablement dérivé de ② pie*. P. Guiraud se range à cette hypothèse, mais conteste le rattachement de *pier* à *pie*, en proposant d'y voir un dérivé de la racine onomatopéique *pi-* qui correspond à «émettre un son aigu, siffler, etc.» (→ piaf, piailler, piauler).

♦ Le mot a perdu son sens primitif de «cabaret, taverne» pour celui de «maison, logement» (1829) et, en particulier, «chambre» (1836, Vidocq), toujours usuel et familier.

② **PIAULE** → PIAULER

PIAULER v. intr. (1606), d'abord *pioler* (1552), *pieuler* (1552), est dérivé, comme d'autres verbes de même sens, dont *piailler**, du radical onomatopéique *pi-* évoquant un bruit aigu, avec prolongement du *i* par une seconde voyelle *o* et fermeture de la syllabe par la consonne de liaison *l*, avant la désinence verbale en *-er*.

♦ Le mot signifie «pousser de petits cris aigus», en parlant de poussins, et «crier en pleurnichant», en parlant de petits enfants (1611). Il s'est employé en tournure impersonnelle, *ça piaule*, dans l'argot de la marine à propos d'un vent qui souffle très fort.

▶ Le plus ancien dérivé est **PIAULEMENT** n. m., d'abord écrit *piollement* (1570) ; **PIAULARD, ARDE** adj. et n. (XVIIe s.) est d'usage familier, **PIAULIS** n. m. (1824) «ensemble de piaulements» semble inusité. ◆ Le participe présent adjectivé **PIAULANT, ANTE** (XXe s.) est surtout d'usage dialectal. ◆ Le déverbal ② **PIAULE** n. f. est employé dans l'argot des marins pour un fort vent (forme ancienne *piolle, piole*).

◈ voir PIAF, PIAILLER, PIGNOUF, PIOU-PIOU.

① **PIC** n. m. est issu (fin XIVe s.) du latin populaire °*piccus*, reconstitué d'après les formes ibéro-romanes et gallo-romanes comme le piémontais, le frioulan *pik*, le catalan *picot*, l'espagnol *pico* ainsi que l'ancien provençal *pic* (apr. 1150). Ce °*piccus* est lui-même issu, par redoublement expressif du *c*, du latin classique *picus* «pivert, oiseau prophétique consacré à Mars *(picus Martis)*», dont la forme féminine *pica* désigne un autre oiseau (→ ② pie). *Picus*, sans étymologie claire, a été rapproché du sanskrit *pikáḥ* qui désigne une sorte de coucou.

♦ Le mot désigne un oiseau grimpeur qui frappe avec son bec conique sur l'écorce des arbres. Plusieurs syntagmes spécifient les oiseaux : *pic épeiche, pic noir, pic vert* (*pivert* ci-dessous).

▸ *Pic* s'est combiné à l'adjectif *vert** pour former **PIVERT** n. m. (1488), antérieurement *pyvard* (1379) et quelquefois encore écrit *picvert*. Le mot est usuel, *pic* ayant vieilli dans ce sens et l'espèce étant plus répandue en France que les autres.

◈ voir ② PIE.

② **PIC** n. m. est probablement un emploi figuré (v. 1155) de ① pic, attesté plus tard (mais ancien en provençal), ou est dérivé du verbe *piquer**.

♦ Le mot désigne un instrument pointu à manche et servant à creuser, casser, détacher la pierre, la roche.

◈ voir PIOCHE.

③ **PIC** n. m. inv., attesté en 1611, est surtout en usage dans les parlers méridionaux où il est attesté bien antérieurement (ancien provençal *pic* «cime aiguë de montagne», v. 1350) ainsi qu'en espagnol et en portugais, sous les formes *pico, pic*. Il semble être emprunté à l'espagnol *pico*, attesté dans la toponymie à partir de la fin du XIe s., lui-même issu d'un préroman °*pikk*, de formation analogue à celle des dérivés du latin populaire °*pikkare* (→ piquer).

♦ Le mot est d'abord cité par Cotgrave, en 1611, comme un mot normand dans le syntagme *coste à pic* ou *en pic* «verticalement» ; il est enregistré par Furetière (1690) comme nom *(un pic)* pour une montagne très haute se terminant par une seule pointe et se dit aussi (1749) de la cime d'une montagne faisant partie d'une chaîne. ◆ ***À pic*** est employé comme locution adverbiale à la fois avec un sens figuré et familier, «au moment opportun» (1846), et le sens propre de «verticalement» (1868, *sombrer à pic*, J. Verne), surtout dans ***couler à pic*** (1875).

▸ **À-PIC** n. m. est aussi un nom désignant une paroi abrupte (un *à-pic*).

④ **PIC** → PIQUER

PICADOR n. m. est l'emprunt (1776) du mot espagnol *picador* «piqueur», spécialisé en tauromachie pour désigner le cavalier, sous les ordres du matador, qui fiche sa pique dans le garrot de l'animal. Le mot est dérivé de *picar*, correspondant de même origine du français *piquer**.

♦ Emprunté comme terme de tauromachie, le mot est relevé pour la première fois en français dans la traduction d'un ouvrage anglais de R. Twiss, *Voyage au Portugal et en Espagne*. Il s'est fait connaître au XIXe s. en même temps que la pratique tauromachique espagnole et son vocabulaire.

PICAILLON n. m., surtout au pluriel, est issu (1750), par dépréciation sémantique, d'un mot existant antérieurement dans le dialecte savoyard, où il désignait une petite monnaie frappée en Savoie en 1635, puis dévalorisée. Ce mot est probablement à rattacher à l'ancien provençal *piquar* «convoquer à son de cloche» (1509), du latin populaire °*pikkare* (→ piquer), par allusion au tintement que produisent les pièces de monnaie en s'entrechoquant. Mais la finale n'est pas expliquée.

♦ Le mot est le nom populaire et familier de la pièce de monnaie, employé au pluriel ; par métonymie, *des picaillons* désigne l'argent en général, aussi dans la locution ***n'avoir plus un picaillon.***

▸ La variante abrégée **PICAILLE** n. f. est relevée chez Queneau (1952).

PICARESQUE adj. est emprunté (1836) à l'espagnol *picaresco*, adjectif correspondant à *picaro*, nom qui désigne un individu méprisable et de mauvaise vie (1545 ; 1525, *picaro de cocina* «marmiton») et qui s'applique particulièrement, dans la littérature espagnole du XVIe s., à un personnage effronté, bouffon, malhonnête et aventureux. D'origine incertaine, le mot est peut-être dérivé de *picar* «piquer» (→ piquer) à cause des activités variées de ces aventuriers (peut-être le vol ; cf. le français *piquer*). *Picaro* a été emprunté en français avant l'adjectif ; il est relevé une première fois dans une relation de voyage en Espagne (comme mot espagnol) en 1665 et repris par Le Sage, auteur du roman picaresque français *Gil Blas* (1724). Terme de littérature, il ne s'est pas répandu en dehors de l'usage didactique.

♦ *Picaresque* se rencontre pour la première fois chez Th. Gautier pour qualifier un récit qui met en scène des picaros et, en 1844 *(Les Grotesques)*, en parlant des romans espagnols de ce genre, illustré par de grands écrivains comme Quevedo. *Le picaresque* désigne ce genre de littérature (1910, Gide) ; par analogie, il sert à caractériser ce qui évoque le genre picaresque (XXe s.), *des aventures picaresques* se disant d'aventures riches en événements pittoresques et variés.

PICCALILLIES n. m. pl. est emprunté (1877) à l'anglais *piccalillies* n. m. pl. (également *picalillo*), nom des pickles sucrés aux épices. Ce mot, attesté depuis 1769, est d'origine incertaine, peut-être marque de commerce fantaisiste. Le mot a pu être formé à partir de *pickle* (→ pickle), par association avec *chili* «piment rouge» de l'espagnol *chile, chili*, lui-même transcription de l'aztèque *chilli*.

PICCOLO ou **PICOLO** n. m., emprunté (1819) à l'italien *piccolo* «petit» (XIIIe s.), est tiré d'une base expressive °*pill-* exprimant la notion de «petitesse» dans les domaines italien, sarde et roumain, parallèlement au français *petit**, et substantivé depuis le XVIe s. pour désigner un vin léger, qui manque de corps.

♦ Le mot se rencontre d'abord chez Balzac comme terme de jeu, en parlant du coup qui, au boston, consiste à ne faire qu'une seule levée. Il désigne aussi une petite flûte en **ré** qui donne l'octave aiguë de la grande (1828). ◇ Sous l'influence probable de la métaphore *jouer de la flûte* «boire» et aussi en référence au sens du mot en italien, il a été repris par la langue populaire au sens de «petit vin de pays, léger et clairet» (1876); par extension, le mot s'est dit d'un vin rouge de qualité courante (déb. XXe s.). Il est sorti d'usage vers 1940.

◈ voir **PICOLER**.

PICHENETTE n. f., attesté au début du XIXe s. (1820), est d'origine obscure, aucune des hypothèses avancées n'emportant la conviction. D'après Wartburg, le mot serait emprunté à l'adjectif féminin provençal *pichouneto* «petite», diminutif de *pichouno* «petit» (→ pitchoun), employé dans une question du type «veux-tu une petite (gifle)?». Le rapprochement de *pichenette* avec les mots synonymes picards *piquenotte, piquenaude* suggère à P. Guiraud l'hypothèse d'une dérivation de *piquer**, avec une forme palatalisée dont l'origine serait soit dialectale, soit due à un croisement avec le provençal *pichoun*.

♦ Le mot, d'usage familier, est employé dans le premier texte en relation synonymique avec *croquignole*, disparu, et *chiquenaude*.

▸ On rencontre au Canada la variante **PICHENOTTE** n. f., avec un autre suffixe.

PICHET n. m. est un mot (1288) d'origine dialectale, bien implanté en Normandie, dans l'ouest et le centre de la France. Il est formé du suffixe *-et*, sur l'ancien français *pichier, picher* (v. 1170) ou *picier* (av. 1188). Ce dernier remonte au bas latin *picarium* «récipient pour les liquides», attesté dans les Gloses entre le VIIIe et le XIe s. sous les formes *bicarium, bicarius, pigarium*. Celles-ci viennent, par suffixation, du grec *bikos* «amphore, vase, récipient». Ce mot grec semble apparenté au mot égyptien *b',k.t* «vase à huile utilisé comme mesure», probablement d'origine sémitique : il a pénétré dans les langues germaniques, d'où l'ancien haut allemand *bëhhâri*, allemand *Becher*, et l'emprunt italien *bicchiere*. De la forme latine *bicarium* est issu l'ancien wallon *bichier* (attesté 1449; mais qui doit être antérieur à *bichet*, 1226). Ce dernier est passé en français comme nom d'une mesure de grains. L'ancien français *pichier* a été emprunté par l'anglais *pitcher* (v. 1290), d'où dans un contexte américain l'emploi de *pitcher (d'ale)* par Brillat-Savarin en 1825.

♦ Le mot, qui dans les dialectes désigne une mesure de capacité, un pot de taille variable, souvent ventru, en grès, est passé en français au sens de «petit récipient utilisé pour servir une boisson»; par une métonymie commune aux noms de récipients, il désigne aussi le contenu, notamment le vin en pichet.

PICKLES n. m. pl. est un emprunt (1823) à l'anglais *pickles*, pluriel de *pickle* n. (XIVe s.) désignant d'abord un liquide (saumure, vinaigre, etc.) dans lequel on conserve certains aliments et, par métonymie, un ou plusieurs de ces aliments. Le mot anglais est attesté depuis le XVe s. sous la forme *pik(k)el, pekill, pekel*, à rapprocher du moyen néerlandais *pekel* et du moyen allemand *pekel* (allemand *Pökel*), d'origine inconnue; selon Verda, ce serait un dérivé du radical verbal *pik-, pek-* au sens de «ce qui pique, ce qui est piquant»; cette origine est d'ailleurs sensible au locuteur français, à cause du verbe *piquer** de même origine.

♦ Le mot a été repris en français pour désigner un ensemble de petits légumes, graines aromatiques, macéré dans du vinaigre et servi comme condiment. Les Canadiens français ont traduit le mot par *marinades*.

◈ voir **PICCALILLIES**.

PICKPOCKET n. m. est l'emprunt (1726, C. de Saussure) du mot anglais *pickpocket* n. (1591), formé du verbe *to pick* «ramasser, recueillir, prendre», forme qui a succédé à *to pike* (probablement sous l'influence du français *piquer**), et de *pocket* «poche» (XVe s.), issu de l'ancien français *pochet* (→ pochette).

♦ Le mot est d'abord relevé en deux mots *(pick-pocket)* dans *Lettres et Voyages* de C. de Saussure qui le traduit par *fouille-poches*. Il est attesté comme mot français depuis 1792 et semble s'être répandu au XIXe s. dans plusieurs langues.

▸ **PICKPOQUETER** v. tr. et intr. (1867), adaptation de l'anglais *to pickpocket* (1673), dont Queneau utilise une variante *picpoquer*, et **PICKPOCKETTISME** n. m. (1874), «art du pickpocket», repris de l'anglais *pickpocketism* (1830) à côté de *pickpocketing* n. (1886), sont quasi inusités.

◈ voir **PICK-UP**.

PICK-UP n. m. est emprunté (1928) à l'anglais *pick-up* (XIXe s.), dérivé du verbe *to pick up* «ramasser, recueillir, reprendre», de *to pick* «piquer» et «ramasser», correspondant au français *piquer**, et de la particule *up* «en haut», d'origine germanique. Le mot anglais, dès le XIXe s., désigne différents types de ramassage ou de récupération; il est employé depuis 1926 dans la désignation d'un dispositif électrique de lecture et de transmission du son des phonographes, puis en apposition pour qualifier un type de camion (1930), enfin (1950) comme terme de physique nucléaire.

♦ Le mot a fait l'objet de plusieurs emprunts à l'anglais avec différents sens. Il désigne d'abord, en électricité et en acoustique, le dispositif recueillant et transformant en oscillations électriques des vibrations mécaniques enregistrées sur disques, d'où dans le langage courant le sens de «reproducteur de sons» (1933). En ce sens, il a vieilli au profit de *tourne-disque*, puis d'*électrophone* (eux-mêmes vieillis). En acoustique, il est remplacé par *lecteur* ou *tête de lecture*. ◆ Par un nouvel emprunt, *pick-up* désigne un dispositif de ramassage du fourrage, de la paille ou des légumineuses (1933), en concurrence avec *ramasseuse-presse*. ◆ Le sens de «petite camionnette» est un réemprunt (1950) à l'anglo-américain *pickup*, forme abrégée de *pickup truck* «camion, camionnette de ramassage» (1932). ➛ Enfin, le mot a fait l'objet d'un autre emprunt en physique nucléaire (1964), à propos d'une réaction nucléaire sans formation de noyau composé et dans laquelle le projectile expulse un des nucléons du noyau cible. On a proposé d'éliminer cet anglicisme par *rapt* et par *piquage* (Défense de la langue française 1966, arrêté du 12 janvier 1973 du *Journal officiel*).

◈ voir **PICKPOCKET.**

PICOLER v. tr. est dérivé (1901) de *pic(c)olo* «petit vin léger», emprunté avec spécialisation de sens (1876) à l'italien *piccolo* «petit» (→ piccolo).

♦ Le mot exprime l'idée de boire et, absolument, de boire des boissons alcoolisées de façon immodérée (d'après l'idée que le vin léger se boit plus facilement).

▸ On en a dérivé **PICOLEUR, EUSE** n. (1953), usuel comme le verbe dans le registre familier.

◈ voir **PIOT** (étymologie).

PICORER v., terme forgé dans l'argot des soldats (1573), est probablement dérivé de *piquer**; le suffixe viendrait de *pécore** au sens de «tête de bétail» (on relève *pécorée* «fait d'aller à la maraude» en 1571). L'espagnol *pecorear* «aller à la maraude» n'est attesté que plus tard (1706); il a probablement été formé par les soldats espagnols en Italie d'après l'italien *pecora* «brebis», attesté depuis le XIVe siècle.

♦ Le mot a pour sens premier «marauder», en construction intransitive. Ce sens a été éliminé par des extensions qui remontent au XVIIe s., selon une évolution analogue à celle de *butiner* : *picorer* se dit des abeilles qui cherchent çà et là leur nourriture (1648) et, au figuré, d'une personne qui fait des profits illicites (av. 1631) et d'un écrivain qui en plagie un autre (1650), valeurs sorties de l'usage moderne. Il a été étendu à un oiseau qui prend de-ci de-là avec son bec (1648) et, par analogie, à une personne qui grapille la nourriture en petites quantités (v. 1776).

▸ Le participe passé a été substantivé au féminin, d'abord sous la forme *pecorée* (1571), puis **PICORÉE** n. f. (1573), qui a suivi l'évolution sémantique du verbe, du sens premier de «maraude» *(aller à la pécorée)*, sorti d'usage, à celui d'«action de picorer, pour une abeille, un oiseau», lui aussi archaïque. ➛ **PICOREUR, EUSE** n., d'abord attesté comme adjectif épithète qualifiant un soldat maraudeur (v. 1573), a lui aussi disparu, le sens moderne étant rare. ➛ **PICOREMENT** n. m., (XXe s.) est très peu usité.

PICOT → **PIQUER**

PICOTER → **PIQUER**

◈ **PICOTIN** n. m. est un mot (XIIIe s.) d'origine obscure : un rapport avec *picoter** (→ piquer) «becqueter» est possible, mais ce verbe est attesté postérieurement. On évoque aussi le latin médiéval *picotus* «mesure pour les liquides» (XIIIe s.), dans le domaine franco-provençal, mais le mot français apparaît dans le Nord; on relève enfin le mot de même sens *picote* (1385) et la forme latinisée *picotus.*

♦ *Picotin,* d'abord relevé dans un règlement de Saint-Omer, désigne une mesure de capacité, le plus souvent une petite mesure d'avoine qui tient le quart d'un boisseau (1367). ◇ Par analogie, il s'est employé dans la langue familière pour désigner un moyen de subsistance, nourriture ou argent (1845). Son emploi au sens figuré de «ration, part de qqch.» (1836, Balzac) a disparu.

PICRATE n. m. est composé (1836), avec le suffixe chimique *-ate,* de l'élément *picro-* «amer», tiré du grec *pikros* «piquant, perçant», employé par opposition à *glukus* «doux» (→ glucose), également employé au figuré pour «amer, pénible, douloureux». *Pikros* vient d'une racine indoeuropéenne °*pik-* qui se retrouve dans le présent sanskrit *piṁ-śáti* «tailler, couper, façonner, orner», le lituanien *piẽšti* «peindre, écrire», le vieux slave *pĭsati* «écrire» (russe moderne *pisat'*).

♦ *Picrate,* terme de chimie, désigne le sel de l'acide picrique. ➛ Par extension, il est passé dans le langage populaire au sens de «vin rouge de mauvaise qualité, au goût acide» (1914), puis de «vin» en général (mais péjorativement), avec influence probable de *pinard,* qui a la même syllabe initiale, et de *piccolo (picoler).* ◇ Il a pour dérivé **SE PICRATER** v. pron. (1943) «s'enivrer au vin».

▸ **PICRIQUE** adj. est formé (1836) du même élément *picro-* et du suffixe *-ique* pour qualifier l'acide dérivé (nitré) du phénol, solide cristallisé servant à la fabrication des explosifs. ➛ **PICROTOXINE** n. f. (1816), composé de *picro-* et de *toxine**, désigne la substance toxique extraite des graines d'une liane, stimulant du système nerveux central.

PICTOGRAPHIE n. f. est composé (1860) de *picto-*, élément tiré de *pictum,* supin du latin *pingere* (→ peindre), et de *graphie**. Le mot a probablement été formé d'après l'anglais *pictography* (1851), lequel est dérivé de *pictograph,* mot employé à propos d'un dessin figuratif utilisé à des fins de communication, notamment à propos des Indiens d'Amérique du Nord.

♦ Le mot est employé en linguistique pour un système de communication par dessins figuratifs et, par métonymie, pour un ensemble de dessins figuratifs ainsi utilisés.

▸ Il a produit **PICTOGRAPHIQUE** adj. (1860, *manuscrit pictographique américain*). ➛ Il semble également avoir servi de matrice à **PICTOGRAMME** n. m. (1924), mot dans lequel l'élément *-gramme** a été substitué à *-graphie,* peut-être d'après l'anglais *pictogram* (1910). Ce mot, choisi là où l'on attendrait °*pictographe,* désigne un dessin figuratif utilisé à des fins de communication. ◇ Par analogie, il s'applique à un dessin schématique à valeur symbolique à l'intérieur d'un code (signalisation routière, etc.).

PICTURAL, ALE, AUX adj. est un dérivé savant et tardif (1845) du latin *pictura,* dont une forme altérée par nasalisation a donné *peinture**, pour servir d'adjectif à ce dernier.

♦ Le mot qualifie ce qui a rapport à la peinture et (1870) ce qui présente les qualités requises en peinture. En l'absence d'adjectif dérivé de *peinture*, il est courant dans le registre didactique.

▸ En sont dérivés les mots rares et didactiques **PICTURALEMENT** adv. (1928), **PICTURALISER** v. tr. relevé pour la première fois (1973) chez Malraux (qui avait déjà utilisé *picturalisation* en 1951). ◆ **PICTURISME** n. m., mot très rare (1920), a désigné une tendance exagérée à faire du pittoresque de nature picturale, en littérature.

PIDGIN n. m. est emprunté (1875) à l'anglais *pidgin English*, par ellipse *pidgin*, d'abord *pigeon* (1826), *pidjin*, *pidjun*. C'est à l'origine l'altération chinoise *(bigeon, pigeon)* du mot anglais *business* «affaire, commerce» (→ business), utilisé comme mot passe-partout par les Chinois pour désigner tout type d'action, d'occupation ou d'affaires. *Pidgin English* en est venu (1859) à désigner une langue métissée d'anglais et de chinois, puis d'une ou de plusieurs langues locales, utilisées dans le commerce international ou comme langue commune dans des pays de grande diversité linguistique. En Mélanaisie, le pidgin, formé d'éléments européens (anglais, allemand, portugais), d'éléments malais et mélanaisiens, a servi de langue de relation entre la puissance dominante et les populations autochtones, et est devenue une langue véhiculaire entre populations appartenant à des groupes linguistiques différents (on l'appelle *néo-mélanésien* n. m.). Le mot est d'abord relevé en français sous la forme composée *pidjin English* et *pidgin English* (1886), puis *pudgin* (1902) et *pidgin* (1924), qui s'est imposé.

♦ Le mot désigne un système linguistique composite formé d'anglais modifié et d'éléments autochtones, servant de langue d'appoint en Extrême-Orient. Par extension, il s'applique à des systèmes analogues où la langue de départ n'est pas l'anglais. Les pidgins, à la différence des créoles, ne se transmettent pas comme langues maternelles.

▸ *Pidgin*, en linguistique, a pour dérivé **PIDGINISER** v. tr., d'où **PIDGINISATION** n. f., empruntés aux mots anglais correspondants.

① **PIE** adj. f. est issu (v. 1165) du latin *pia*, féminin de *pius* qui a donné l'ancien français *piu*, refait en *pieux**.

♦ Ce féminin, concurrencé et supplanté par *pieuse* (→ pieux), ne se rencontre guère que dans deux expressions relativement courantes : ***œuvre pie*** «action inspirée par la piété» (1544 ; 1588 au pluriel) et, plus rare, *action pie*.

▸ **IMPIE** adj. et n. a été emprunté (XVe s., d'après Bloch et Wartburg ; on trouve le dérivé *impieux* en 1482) au latin *impius* «qui manque aux devoirs de piété, sacrilège», dérivé par préfixation *im-* (→ ① in-) de *pius*. ◆ *Impie* adj. se dit d'abord des personnes, puis (1636) des choses qui n'ont pas de religion ou offensent la religion. ◇ L'adjectif est moins usité que le nom (av. 1636), qui a été employé au XVIe s. (1544, M. Scève) au sens disparu de «personne sans pitié». ◇ *Impie* s'est appliqué par extension (1606) à ce qui contrevient aux valeurs reçues dans une société. ◆ À l'adjectif correspond *impiété*, formé sur *piété* (→ piété).

◈ voir **PIACULAIRE**, **PIE-MÈRE**, **PIÉTÉ** (et **IMPIÉTÉ**), **PIEUX**.

② **PIE** n. f. est issu (v. 1175) du latin *pica* désignant un oiseau et employé au sens figuré de «bavard» ; c'est la forme féminine de *picus* (→ ① pic) d'origine onomatopéique, le masculin et le féminin ayant servi à désigner des oiseaux différents.

♦ *Pie*, qui a supplanté *agace*, est souvent employé en ancien français pour exprimer une valeur minime, comme dans la locution *dire pie* «renoncer, céder à la volonté de qqn». Les extensions procèdent des caractéristiques marquantes de l'oiseau : son assoiffement et sa voracité, sa volubilité, son attrait pour les objets brillants, son plumage bicolore blanc et noir. Des locutions comme *déduit de la pie* «plaisir de boire» (XVe s.), *croquer la pie* «boire beaucoup» (v. 1450) et *entretenir la pie* (v. 1480) sont sorties d'usage, mais cette idée reste vivante dans les parlers régionaux. La voracité de l'animal est à l'origine de l'emprunt du latin *pica* (ci-dessous). ◆ L'usage moderne de *pie* «oiseau» favorise l'idée de volubilité, avec des expressions comme ***jaser comme une pie*** (1625), l'emploi de *pie* pour «femme bavarde» (1640) puis «personne bavarde» ; enfin, l'expression courante ***bavard comme une pie***. ◇ Par allusion à la couleur blanche et noire, le nom entre dans la dénomination ***fromage à la pie*** (1680) qui désigne un fromage blanc mélangé de fines herbes. ◇ ***Trouver la pie au nid***, signifie «découvrir la personne qu'on cherchait à une place habituelle» ; ***donner à manger à la pie*** se dit d'un joueur qui met dans sa poche une partie de son gain (1798) ; la locution a vieilli alors que ***voleur comme une pie*** (v. 1835) demeure en usage.
Par analogie d'aspect avec le plumage de l'oiseau, le mot est aussi adjectivé (1549), **PIE** adj. qualifie la robe bicolore d'un cheval noir et blanc ou fauve et blanc, et, par extension, le poil ou plumage d'un autre animal (1842), la carrosserie blanche et noire des voitures de police, dites couramment *voitures pie* (XXe s.).

▸ Si la dérivation a été abondante dans les parlers régionaux (avec des sens figurés), elle est limitée, en ce qui concerne les mots toujours vivants, à **PIAT** n. m. «petit de la pie» (v. 1393), qui a remplacé *piot* (v. 1290), et au composé **PIE-GRIÈCHE** n. f., d'abord *pie griesche* (1553), dont le second élément n'est pas clair. On pensait qu'il représentait l'ancienne forme de *grecque* mais P. Guiraud suggère plutôt un gallo-roman °*grevica*, de °*grevis* pour *gravis* «dur, pénible» (→ grave) qui signifie ici «difficile à supporter, pénible».
PICA n. m. est un emprunt médical (v. 1560) au latin *pica* et, par allusion à la voracité naturelle de cet oiseau, désigne une dépravation de l'appétit qui se traduit par un goût morbide pour des substances non comestibles. ◆ La même caractéristique de l'oiseau a inspiré la formation de **PICAGE** n. m. (1895), nom d'une tendance pathologique qui porte

les gallinacés à s'arracher les plumes entre eux.
◈ voir PIOT, QUEUE (QUEUE DE PIE).

PIÈCE n. f., très ancien sous la forme primitive *pece* (v. 980), est issu du latin médiéval *petia* (*et alia petia* «et une autre pièce de terre», v. 730; *petia* «petit morceau d'or battu», v. 800) qui a donné l'italien *pezza* et l'espagnol *pieza*. Ces formes remontent au mot gaulois °*pettia*, pour °*pettis*, restitué d'après le gallois *peth* et le breton *pez*.

♦ *Pece* est relevé dans la *Passion* du xe s. avec un sens mal éclairci, peut-être comme adverbe de temps exprimant l'idée de «quelque temps» ou comme nom au sens de «quelque chose de pire». ◇ L'emploi adverbial, confirmé en ancien et en moyen français par *une pièce* «quelque temps» (v. 1140) et *grand pièce* «longtemps» (v. 1150), s'est éteint au xvie ou au début du xviie s., y compris dans son dérivé *piéça** (ci-dessous). ➛ Le sens de base du mot, déjà sensible dans cette spécialisation temporelle, est celui de «portion, morceau» : dans *La Chanson de Roland* (1080), *pièce* désigne la partie d'une chose déchirée, cassée; à partir du xive s., il a subi la concurrence de *mors* et de son dérivé *morsel (morceau)*, lequel tend alors à remplacer *trons (tronçon*)*, de sorte qu'il ne s'est maintenu que dans quelques expressions : si on ne dit plus *pièce de pain* (v. 1375) ou, en parlant d'un morceau de bois, *piece de vie* [vieux] *fut* (v. 1223), les expressions ***mettre en pièces***, au propre (1460-1466), et, au figuré, ***tailler en pièces*** (1579) sont encore d'usage courant. ◇ Comme *morceau*, *pièce* réalise le double sémantisme de «partie d'un tout» et de «partie autonome, unité», ce dernier sens étant exprimé dans la locution ***tout d'une pièce*** «d'un seul tenant, d'un seul bloc» (1172-1190), laquelle prend à l'époque classique les valeurs figurées péjoratives de «sans souplesse d'esprit» (1660), «sans souplesse et sans grâce» (1690). ◇ *Pièce* reste usuel dans un grand nombre de spécialisations courantes et techniques : employé en ancien français pour le penne de la chaîne d'un tissu (fin xie s.), il s'est spécialisé en couture, désignant le petit morceau d'étoffe que l'on coud sur un habit pour boucher un trou (v. 1265) et, spécialement, le plastron de fer qui se plaçait sur la cotte de mailles (v. 1360). Il a désigné en moyen français l'accessoire qui corrigeait ce que les décolletés des femmes avait de trop hardi (v. 1490), sens aujourd'hui assumé par le dérivé *empiècement** mais *pièce* continue à s'employer régionalement à propos du morceau d'étoffe porté par les villageoises sur la poitrine. ➛ Lorsque l'accent est mis sur l'idée d'«unité» par rapport au tout (1208, *pièce de chandelle*), le mot désigne chaque objet pris en lui-même. Ce sens est réalisé dans l'expression ***à la pièce*** en commerce et dans ***aux pièces*** (1845), précédé par *à ses pièces* (1674), dans le domaine du travail où la rémunération est proportionnelle au nombre d'unités exécutées. ◇ Il l'est aussi dès l'ancien français dans un grand nombre d'emplois spéciaux : avant la fin du xiie s., *pièce* était employé au figuré dans l'ancienne expression injurieuse *pieche* [pièce] *a Satan* (v. 1180), dont procède l'emploi du mot pour désigner péjorativement un individu (v. 1280, *piece d'homme*), encore vivant au xvie s. dans *bonne, mauvaise pièce* (1580, *bonne pièce* chez Montaigne); *bonne pièce* se dit encore en français régional. ◇ Au xviiie s., les négriers, par assimilation des Noirs à des objets de commerce (cf. *bois d'ébène*), désignaient par *pièce d'Inde* un esclave homme ou une femme entre 15 et 30 ans, sains et forts (1723). ➛ Ce même sémantisme explique l'emploi de *pièce* dans des tournures négatives où il équivalait à *aucun, pas un* (v. 1450, *pièce de*), à *personne* (1611, *il n'y a pièce d'eux*), emploi disparu en français central au xviiie s., mais qui vit encore dans certains dialectes. Au propre, *pièce*, seul ou dans l'expression ***pièce de terre*** (v. 1176-1184), désigne une surface de terre cultivable; il entre dans plusieurs syntagmes lexicalisés. ◇ Certains constituent des valeurs autonomes du mots. Tels sont ***pièce de vin*** (v. 1260), ***pièce de monnaie*** (v. 1285, *pièce d'argent*) et absolument *pièce*, en locution figurée ***donner*** puis ***rendre à qqn la monnaie de sa pièce*** (1787, *donner*). De même, ***pièce d'artillerie*** (v. 1500) et ***pièce de canon*** (1606) sont abrégés en *pièce* (1869). ➛ Au xvie s., le mot s'applique à un écrit, d'abord dans le domaine des actes administratifs (1535, *pièces justificatives*) et s'étend, dans un contexte juridique, à tout objet fournissant un élément de preuve (par exemple ***pièce à conviction***). ◇ À la même époque, *pièce* commence à être appliqué à un ouvrage littéraire ou musical (1580, Montaigne), sens qu'il garde surtout dans ***pièce de théâtre*** (v. 1650), absolument *pièce*. Par comparaison avec une pièce de théâtre, on a dit à l'époque classique *faire des pièces, jouer des pièces à qqn* (1643) «tromper», expressions disparues au cours du xixe siècle. La locution contemporaine ***faire pièce à qqn*** (1640) «faire du tort» est en revanche encore vivante, mais n'est plus analysée. ➛ L'idée d'ouvrage se retrouve dans *pièce d'orfèvrerie* (1636) et, en pâtisserie, dans *pièce de pâtisserie* (1694) puis ***pièce montée*** (1807). ◇ Un petit étang ou un grand bassin a reçu, sur le modèle de *pièce de terre*, le nom de ***pièce d'eau*** (1694). ◇ D'autres emplois spéciaux mettent l'accent sur l'élément d'un ensemble, spécialement en héraldique, dans l'habillement (v. 1490), par exemple dans *costume* ***trois-pièces***, puis en parlant des objets d'une collection (1636), des éléments du jeu d'échecs (1606), d'une certaine quantité de substance formant un tout (spécialement une étoffe). ◇ Le mot désigne spécialement chacun des éléments dont l'agencement, l'assemblage forme un tout organisé (1502), élément d'un harnais, d'une montre, d'une armure, etc. En ce sens, il a fourni les locutions ***armé de toutes pièces*** (v. 1460; après *armés et aparilliés de toutes pièces*, fin xive s.), ***fait de pièces et de morceaux*** (1690) «qui manque d'unité», ***pièce à pièce*** (1553), ***pièces rapportées*** (1580). ➛ Une valeur très courante, «chaque partie isolée entourée de murs, de cloisons dans une maison, un appartement» (1694), a produit elliptiquement ***un deux pièces, un trois pièces***, etc. (xxe s.) pour désigner un appartement de n pièces.

▸ L'ancien adverbe temporel **PIÉÇA** (xiie s.), issu de la soudure de l'expression *pièce a* «il y a longtemps» (v. 1155), est sorti d'usage au xviie s., et s'est limité aux dialectes.

La dérivation de *pièce* a été abondante en ancien et en moyen français en ce qui concerne les verbes : beaucoup sont sortis d'usage, tels *especier, apiesser, empiécer* (ci-dessous); la langue moderne a conservé *dépecer** et sa réfection *dépiécer,* ainsi que **RAPIÉCER** v. tr. (v. 1360) «raccommoder un habit», plus courant au participe passé adjectivé *(un habit tout rapiécé),* puis «réparer (un meuble, un navire)» (1549), qui a produit **RAPIÉÇAGE** n. m. (1552, sans accent), **RAPIÈCEMENT** n. m. et **RAPIÉCEUR, EUSE** n. (1588).

Le diminutif de *pièce,* **PIÉCETTE** n. f., d'abord écrit *pieccette* (v. 1120), a désigné un éclat de diamant et une portion de terre (1247), puis en général un petit morceau (1306), sens disparu. ◇ Le mot s'est spécialisé au sens de «petite pièce de monnaie» d'abord en Suisse (1710) puis en parlant d'une petite pièce d'argent d'Espagne (1812), par confusion avec *pésète* (→ peseta à peso). Par analogie, il est employé spécialement en architecture (1895) en parlant d'un ornement formé d'un chapelet de petits disques. ◇ *Piécette* est rare au sens de «petite pièce de théâtre, de poésie» (1875).

EMPIÈCEMENT n. m., formé sur *pièce* mais conforme à l'ancien verbe *empiécer* v. tr. (ci-dessus), est beaucoup plus tardif (1870) : il a remplacé *pièce* au sens de «pièce rapportée constituant le haut d'un corsage» et désigne, également en couture, la partie plate d'une jupe entre la taille et les hanches.

◈ voir **DÉPECER.**

PIED n. m. est issu (v. 980) du latin *pedem,* accusatif de *pes, pedis* désignant le pied de l'homme ou de l'animal, avec diverses extensions de sens, souvent reprises ou développées par le français : en latin, le pied est considéré comme organe et instrument de la marche, comme partie inférieure ou comme support du corps; il désigne aussi le support d'un objet (avec des acceptions spéciales en marine) et, en botanique, la queue d'un fruit (→ pédicelle, pédicule, pédoncule). Comme le bras, la main, le pouce, il est pris comme mesure de longueur et sert d'unité métrique en poésie et en musique. *Pes* sert aussi à désigner divers objets rappelant le pied par leur forme, notamment des plantes. Enfin, à époque impériale, il a servi à traduire le mot grec correspondant, *pous* (→ podo-), au sens de «sol, pays, territoire», qui procède directement de celui d'«unité de mesure du sol». ◇ Le nom du pied, °*ped-*, se retrouve d'un bout à l'autre du domaine indoeuropéen parfois avec le vocalisme *o* au nominatif et à l'accusatif : le grec a *pous,* accusatif *poda,* le gotique a *fotu* à l'accusatif, et la racine germanique se retrouve dans l'anglais *foot.* Le latin a généralisé le timbre *e* des autres cas, représenté par le sanskrit *pā̆daḥ,* le grec *ped-* en composition. L'ancien nom du pied a été remplacé en slave, en baltique et en celtique par des noms nouveaux, différents d'une langue à l'autre. Enfin, le neutre °*pedo* se retrouve dans *oppidum* «place forte».

♦ *Pied,* attesté dès les premiers textes avec le sens courant de «partie extrême de la jambe de l'homme», a développé en ancien français les mêmes extensions de sens que le mot latin. Avec son sens propre, *pied* sert à former, du XIe à la fin du XVIIe s., un grand nombre d'expressions et de locutions : l'ancien français connaît déjà ***a [à] pied*** «en marchant» (1080) et ***gens de pied*** «fantassins, piétons» (v. 1160), ainsi que ***mettre pied à terre*** (v. 1200; après *descendre à pied,* 1080) et ***mettre pied quelque part*** (1538); ***à pied sec*** (v. 1240) se dit de la traversée d'un cours d'eau sans se mouiller. ◇ En moyen français, *pied* est entré dans les locutions encore vivantes ***prendre pied*** (1306), ***partir les pieds devant*** (1450-1465) «mourir» et *à pied levé* (v. 1460), premier état de ***au pied levé*** (1549) «sans préparation». Il est employé dans *ne say de quel pié danser* (v. 1480), d'où ***ne savoir sur quel pied danser*** (1611). C'est au XVIe s. qu'il entre dans les expressions ***pied plat*** (1560, Paré) au figuré «sot et banal», ***pieds nus*** (1579) et dans les locutions figurées ***de pied ferme*** (1587; précédée, au XVe s., par une forme différente), ***avoir bon pied bon œil*** (1527) «se porter bien» et ***pied à pied*** «peu à peu, graduellement» (1580), locution que l'ancienne langue connaissait mais avec le sens propre de «pas à pas» (v. 1195). ◇ Au XVIIe s. s'ajoutent ***ne pas se moucher du pied*** (1611) «être prétentieux», ***avoir le pied marin*** «bien se tenir sur un navire en mer» et *lâcher le pied* (1616), d'où ***lâcher pied*** «céder» (1656-1657), ***trouver chaussure à son pied*** au figuré «trouver ce qui convient» (1606), *tomber sur ses pieds* (1640) qui s'est modifié en ***retomber sur ses pieds*** (1685) avec le sens figuré de «s'y retrouver», ***avoir pied*** «pouvoir se tenir debout sur le fond, dans l'eau» (1671) en opposition à *lâcher (le) pied* (ci-dessus), remplacé par ***perdre pied.*** ◇ Après *sur les pieds* (1554) «rétabli», *pied* est entré dans les expressions modernes ***mettre sur pied*** (1660), ***être sur pied*** (1685) en parlant d'un malade rétabli (qui peut de nouveau se lever et marcher) et, par métaphore, ***remettre sur pied*** (1668) «rétablir dans ses affaires». ◇ On commence aussi, au XVIIe s., à employer ***mettre qqn à pied*** (1685) au sens propre de «lui faire vendre son équipage», au figuré «renvoyer» (1898), ***être à pied,*** tardif (1869), exprimant le fait d'être sans travail. *Pied* a continué d'être productif en locutions au XIXe s., avec ***mettre les pieds dans le plat*** (1808), autrefois «ne plus garder la mesure» puis «commettre une grosse bévue» (1903). ***Avoir le pied dans la tombe*** (1845) continue la locution classique *avoir le pied dans la fosse* (1660). ***Se lever du pied gauche*** (attesté mil. XXe s.) s'inscrit dans la succession de *planté sur le pied gauche* (1611) qui se disait, d'après la valeur néfaste attachée au côté gauche, d'une personne en mauvaise posture.

Dès 1080 dans *La Chanson de Roland, pied* est employé par métonymie pour désigner une unité de mesure. *Un pied de...* vaut pour «une certaine quantité», d'où l'expression ***pied de*** (1648, en parlant d'un fard) et la locution ***faire un pied de nez*** (1648), autrefois «être mortifié» puis «se moquer de qqn» (avec *à*) [1898] (cf. *nez*). L'idée même de mesure apparaît dans la locution ***au petit pied*** (1585) «en raccourci» et dans l'emploi métonymique de *pied* pour un instrument de mesure (1538, *petit pied;* 1903, ***pied à coulisse***). Le même sémantisme est réalisé dans les locutions ***au pied de la lettre*** (1611), ***sur un pied d'égalité*** (1753) et ***vivre sur un grand pied***

PIED : le pied, le puy et la pieuvre : terre, montagne et eau

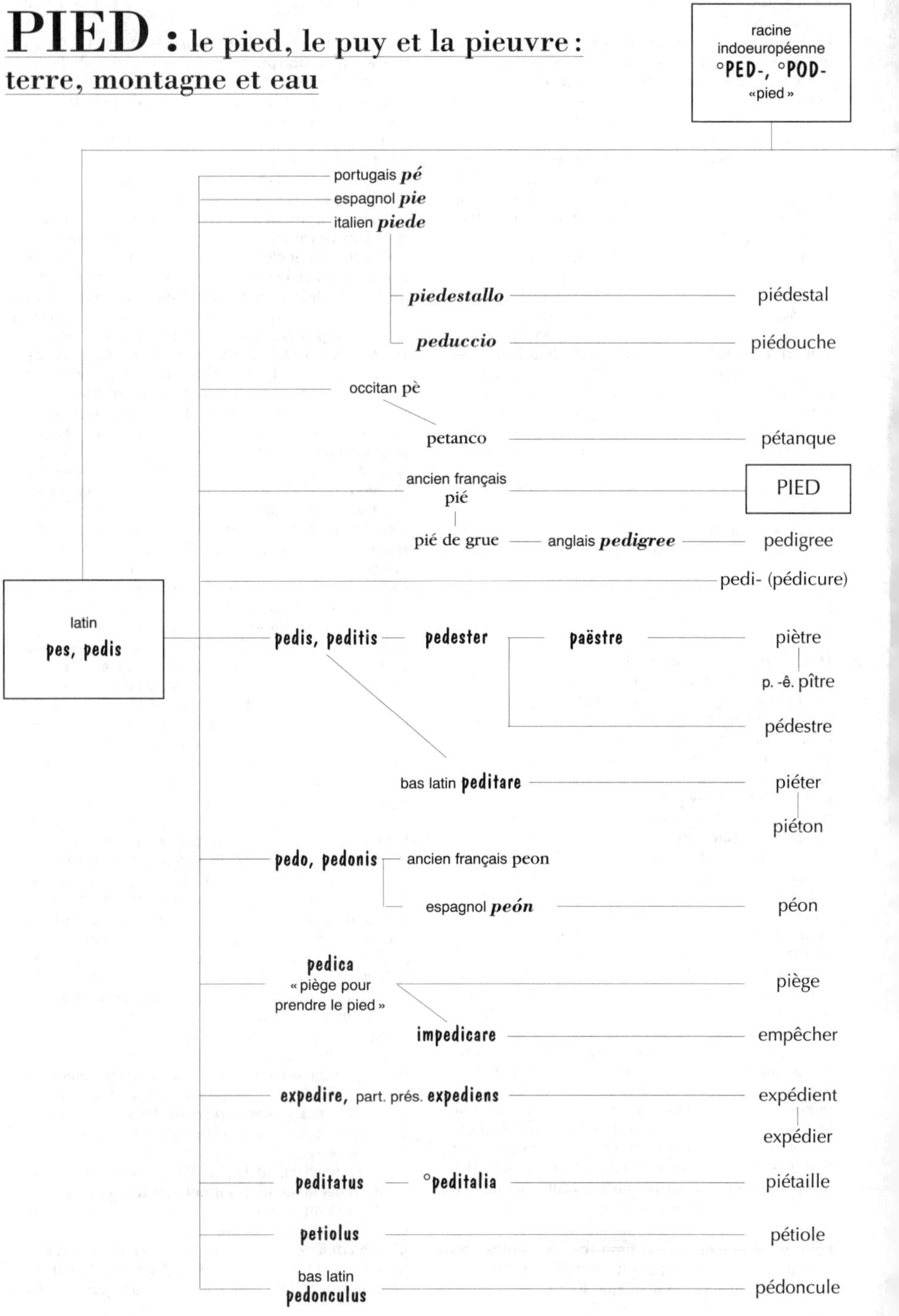

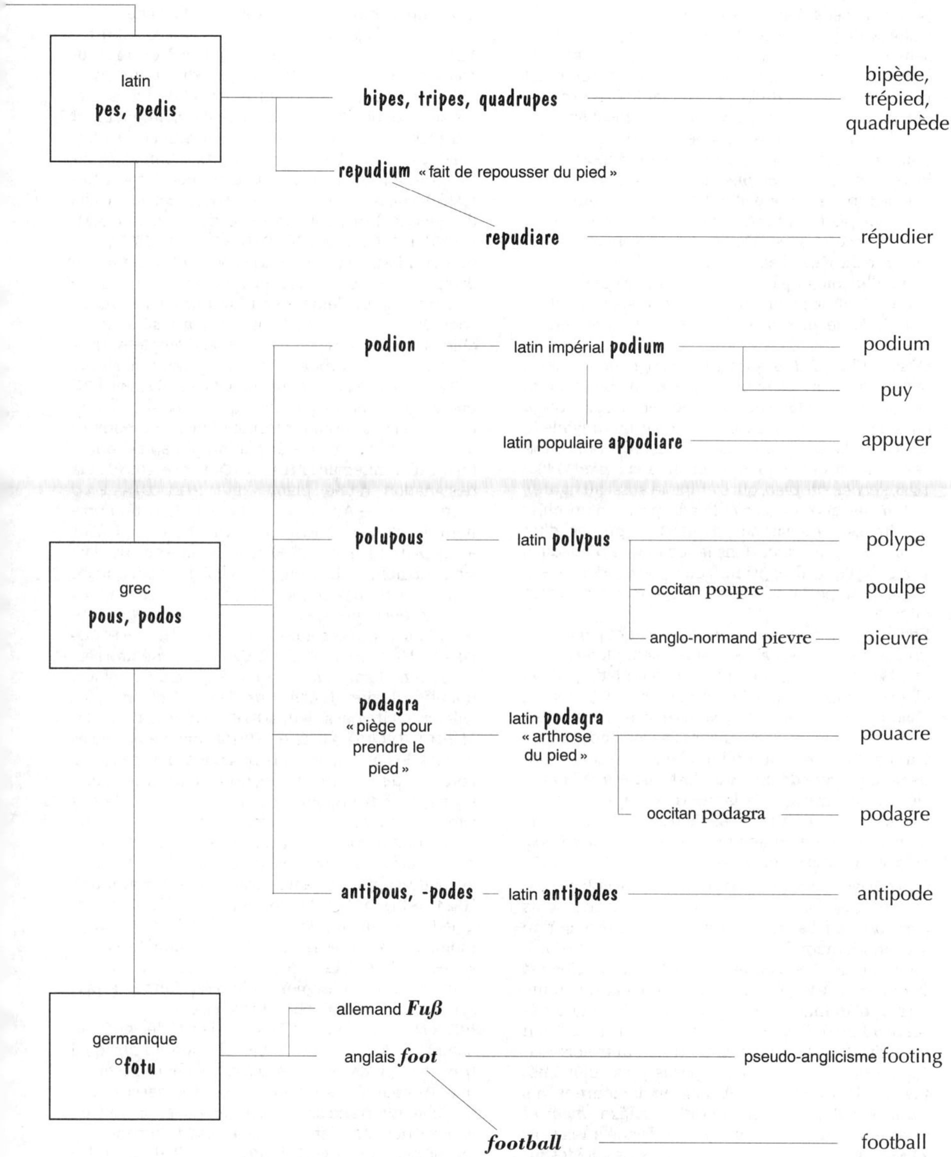
latin
pes, pedis
bipes, tripes, quadrupes
bipède,
trépied,
quadrupède
repudium « fait de repousser du pied »
repudiare
répudier
grec
pous, podos
podion
latin impérial podium
podium
puy
latin populaire appodiare
appuyer
polupous
latin polypus
polype
occitan poupre
poulpe
anglo-normand pievre
pieuvre
podagra
« piège pour prendre le pied »
latin podagra
« arthrose du pied »
pouacre
occitan podagra
podagre
antipous, -podes
latin antipodes
antipode
germanique
°fotu
allemand Fuß
anglais foot
pseudo-anglicisme footing
football
football

(1869), variante de la locution plus ancienne *être sur un grand pied* (1754-1757) «faire de grandes dépenses». ***Établir qqn sur un bon pied*** (1687) «procurer de grands avantages» et ***être sur le pied de guerre*** accomplissent cette même valeur de «mesure», mais sont aujourd'hui spontanément rapportés au sens dominant du mot.

Dans la plupart de ces locutions et expressions, le sens de *pied* est d'ailleurs compris à tort avec le sens anatomique ou le sens figuré de «base». C'est notamment le cas de la locution familière ***prendre son pied*** (1899 en argot; répandue v. 1968) qui renvoie pourtant au sens de «mesure» par l'intermédiaire de l'acception argotique de «part, portion du butin» : ***prendre son pied*** (ou *son fade*) signifiait d'abord «prendre sa part du butin», tout comme *en avoir son pied* (1881), qui ne se dit plus, «en avoir sa part, en avoir assez». De l'argot des voleurs à celui des prostituées, l'expression est devenue synonyme d'«avoir sa part de plaisir amoureux», le mot comportant des connotations érotiques véhiculées par l'idée de «membre» (quand *pied* est au singulier).

Dès le XIIe s., *pied* est pris par analogie de la valeur initiale pour la partie par laquelle un objet repose sur le sol (v. 1140), spécialement en parlant de la base d'un végétal (v. 1230). ◇ Il a par métonymie le sens de «plant» à propos de certains végétaux cultivés, et il est entré dans la locution ***sur pied*** (1460-1466, ***sécher sur pied***, qui s'emploie aussi au figuré). ➙ *Pied* désigne en particulier la partie d'un objet qui lui sert de support (v. 1200, à propos d'un meuble), notamment dans la locution ***à pied*** (dans ***verre à pied***); il exprime seulement l'idée d'«extrémité» en parlant du bout du cigare destiné à être allumé.

Son acception spéciale en versification, pour un groupement de syllabes d'une valeur déterminée (v. 1380), est probablement reprise au latin *pes*, où elle se comprend par le fait que, dans l'Antiquité, chaque groupement de syllabes pouvait se rythmer par un battement de pied sur la syllabe accentuée. L'usage du mot, aujourd'hui placé dans le sémantisme de l'unité de mesure, s'est restreint à la poésie antique, grecque et latine (1580), et à certaines langues vivantes, mais il est abusivement appliqué au vers français au lieu de *syllabe* (cf. *décasyllabe, octosyllabe*, etc.). Voir aussi schéma pp. 2726-2727.

▶ La dérivation de *pied*, comme sa phraséologie, est considérable si l'on prend en compte les noms composés qu'il a servi à former comme premier ou second élément. Mais les dérivés français proprement dits sont peu nombreux. ➙ Le plus ancien est le diminutif **PETON** n. m. (1532, Rabelais, comme terme d'amitié), mot surtout hypocoristique réservé au pied d'un enfant et d'une jeune fille. ◇ On en a tiré **PETONNER** v. intr. (1611), autrefois «caresser» et «piétiner», sens disparus, puis «aller à petits pas» (1879, «trottiner»), mais au demeurant très rare. ➙ *Pied*, par adjonction d'un suffixe *-ment* et avec assourdissement du *d* en *t*, a donné aussi **PIÈTEMENT** n. m. (1600), passé du sens de «piédestal» au sens actuel : «ensemble des pieds et des traverses (d'un meuble, d'un siège)» (1888). ➙ **PIÉTIN** n. m. est un autre dérivé de sens technique (1770), employé à la fois en médecine vétérinaire pour désigner une affection du pied de mouton et en agriculture (1869) pour une maladie des céréales causant des lésions à la base du chaume. La même forme *piétin* était déjà attestée en 1570 au sens concret de «bâton ferré se terminant à son extrémité supérieure par une espèce de fourche».

Le seul composé par préfixation de *pied*, **EMPIÉTER** v. intr. (fin XIIIe-XIVe s.), a d'abord eu en fauconnerie le sens transitif de «prendre, tenir entre ses serres». Il a eu une autre acception transitive, «saisir, occuper» (XVIe s.), mais il est essentiellement intransitif dans l'usage moderne. Celui-ci s'est imposé au XVIIe s. dans la construction *empiéter sur* (1636), employée au concret et, depuis le XVIIe s. (attesté 1690), abstraitement pour «usurper les droits de qqn». ◇ Il a pour dérivé le nom d'action **EMPIÈTEMENT** ou **EMPIÉTEMENT** n. m. (1376), «action, résultat d'empiéter» au propre, et au figuré en droit «commencement de possession» (repris 1534); ce nom a eu également en moyen français le sens concret de «base» (1490) qui a disparu, sauf en architecture. Le sens général «action d'empiéter (aux divers sens du verbe)» se développe au XVIIe siècle. ◇ **EMPIÉTANT, ANTE** adj. qualifie en blason (1681) un oiseau de proie qui tient qqch. dans ses serres.

Pied a fourni le premier terme d'un grand nombre de mots : les premières formations notables sont le terme d'architecture **PIED-DROIT** n. m. (1408) et la désignation d'une plante dite **PIED-DE-VEAU** n. m. (XVe s.). ➙ Au XVIe s., *pied* entre dans un autre nom de plantes, **PIED-D'ALOUETTE** n. m. (1550). ➙ **PIED-PLAT** n. m. (1573) désigne en français classique un homme de rien, par allusion au fait que les gens du peuple portaient des chausses sans talon à la différence des gentilhommes, et désigne aujourd'hui une personne banale et sotte. ➙ **PIED-DE-BICHE** n. m. (XVIe s.) a d'abord désigné une serrure avant de prendre le sens de «pied de meuble à double inflexion» (1720) et de développer quelques valeurs techniques. ➙ **PIED-DE-LOUP** n. m. (1611) et **PIED-D'OISEAU** n. m. (1615) sont deux autres termes de botanique. ➙ **PIED-À-TERRE** n. m., pour l'ordre «*mettez pied à terre*», est le nom (1636) d'une sonnerie de trompette; il a été refait au siècle suivant désignant alors un logement qu'on occupe seulement en passant (1732). ➙ **PIED-DE-CHEVAL** n. m. (1690) s'est dit d'abord du tussilage (plante) avant de s'appliquer à une grande huître commune (1824). ➙ **PIED-FORT** n. m. (1671), qui désignait originellement un arc-boutant, s'est dit d'une pièce de monnaie très épaisse servant de modèle (1690). ➙ **PIED-DE-POULE** n. m. et adj. (1765) a commencé par désigner un lamier blanc et a pris son sens actuel au début du XXe siècle.

PIED-NOIR n. m. (1901) a d'abord désigné un chauffeur sur un bateau, par allusion au fait qu'il travaillait pieds nus dans la soute à charbon; de ce que les chauffeurs qui effectuaient le service, sur des bateaux français en Méditerranée, étaient en général des Algériens, le mot a servi de surnom péjoratif pour un Algérien (1917), avant de prendre son sens actuel revendiqué de «Français né en Algérie» (1955), excluant à la fois les Algériens autochtones et les Français de la métropole. Le mot a donné lieu à diverses étymologies fantaisistes, l'évolution retracée par G. Esnault (ci-dessus) étant bien attestée.

CONTREPIED n. m. (1561) a désigné au XVIe s. celui qui vit aux Antipodes*. ◇ C'est de l'acception de «chemin contraire à celui qu'indiquent les empreintes d'une bête», en vénerie (1561), que procède le sens abstrait courant d'«avis contraire» (fin XVIe s.), illustré dans la locution *prendre le contrepied de* (1636). La locution ***à contrepied*** «en sens contraire», au concret et à l'abstrait, est usuelle. ➜ **SOUS-PIED** n. m. a désigné en moyen français (1477) un marchepied, puis (1616) le dessous d'un éperon, avant de s'appliquer à la bande d'une guêtre ou d'un pantalon qui passe sous la chaussure (1803).

On trouvera au premier élément *arrache-pied (d'), avant-pied, cale-pied, casse-pieds, chasse-pieds, chauffe-pieds, cloche-pied, cou-de-pied, couvre-pied, cure-pied, plain-pied, va-nu-pieds.*

◇ voir BIPÈDE, DÉPÊCHER, EMPÊCHER, EXPÉDIER, IMPEDIMENTA, PÉAGE, PÉDALE, PÉDESTRE, PÉDICELLE, PÉDICULE, PÉDICURE, PEDIGREE, PÉDONCULE, PÉON, PÉTANQUE, PÉTIOLE, PIÉDESTAL, PIÉDOUCHE, PIÈGE, PIÉTAILLE, PIÉTER (et PIÉTINER, PIÉTON), PIÈTRE, QUADRUPÈDE, TRÉPIED.

PIÉDESTAL n. m., d'abord altéré en *pied d'estrail* (une fois au XVe s.) et aussi *piedestrat* (1528), puis *pedestal* et *pied destal* (1526-1537), enfin *piédestal* (1545), est emprunté à l'italien *piedistallo*, *piedestallo* (av. 1450), terme d'architecture désignant un support servant de soubassement à une colonne, une statue, un vase. Le mot est composé de *piede* (→ pied) et de *stallo* «support», proprement «séjour, demeure», issu du même mot germanique que le français *étal**.

♦ Le mot a conservé le même sens que l'italien ; il a une extension figurée au sens de «ce qui élève, qui présente à l'admiration des hommes» (1762), surtout dans les loc. ***mettre sur un piédestal, tomber de son piédestal.***

◇ voir PIÉDOUCHE.

PIÉDOUCHE n. m. est l'adaptation (1676, Félibien) de l'italien *peduccio* (prononcé *pédoutcho*), attesté comme terme d'architecture depuis 1373 et qui signifie proprement «petit pied» (on dit aussi *peducco*), diminutif de *piede* (→ pied).

♦ Le mot a été repris en sculpture pour désigner, comme en italien, un petit piédestal circulaire ou carré ; il est plus technique que *piédestal** et n'a eu aucun effet de sens figuré.

PIÈGE n. m. est issu (v. 1155) du latin *pedica* «lien aux pieds», d'où «lacets, lacs, dispositif de capture», et au figuré «liens, fers, chaînes», dérivé de *pes, pedis* (→ pied). Le mot français, d'abord sans accent, a longtemps porté un accent aigu (encore chez Littré) avant de s'écrire avec un accent grave (1878).

♦ *Piège* désigne le dispositif destiné à capturer des animaux et, par analogie, des hommes. ◇ Par extension, il a pris le sens figuré de «ruse, artifice pour tromper qqn» (1579), entrant dans les locutions ***tomber dans le piège*** (1653), ***donner dans le piège*** (1677). Il est employé en particulier avec la préposition *à* suivie d'un nom de personnes, par exemple dans l'expression familière ***piège à cons*** (mil. XXe s.), ou d'un nom de choses, quelquefois spécialement pour désigner un dispositif qui recueille qqch. (*piège à ions, piège à bulles,* en physique).

▶ Il a produit **PIÉGER** v. tr. (XIIIe s., *piegier*) «faire tomber dans un piège», qui semble inusité avant la seconde moitié du XIXe s. et n'est attesté que depuis 1875. Au XXe s., le mot a développé une spécialisation concrète dans le domaine militaire (1962, *piéger une mine*) et le sens figuré de «mettre (qqn) dans l'embarras, dans une situation sans issue» (v. 1960), surtout au passif *être piégé* ou dans des tours factitifs pronominaux *(se faire piéger).* ➜ Du verbe sont tirés **PIÉGEAGE** n. m. (1894), qui assume toutes les valeurs du verbe, **PIÉGEUR, EUSE** n. (1908) et le mot d'usage régional **PIÉGÉE** n. f., qui doit être antérieur, pour une chasse au moyen de pièges.

◇ voir DÉPÊCHER, EMPÊCHER, ① PIGER.

PIE-MÈRE n. f. est emprunté (XIIIe s.) au latin médiéval des médecins *mater pia* désignant la mince membrane de tissu conjonctif lâche et transparent recouvrant la surface externe du cerveau (v. 1210). Cette expression signifie «pieuse mère» (→ mère, ① pie, pieux) parce que cette membrane enveloppe le cerveau comme une mère son enfant. Selon Du Cange, qui renvoie à Constantin l'Africain (XIe s.), elle est probablement calquée de l'arabe où la membrane se nomme *'umm ar-ra's* «mère de la tête» ou *'umm ad-dimāğ* «mère du cerveau».

◇ voir DURE-MÈRE.

PIÉRIDE n. f. est emprunté (1810), avec un transfert métaphorique, au nom propre latin *Pieris, -idis,* transcription du grec *Pieris, -idos* «Muse». Dès 1801, le latin scientifique emploie *Pieris* pour les lépidoptères. Le mot grec est le féminin substantivé de l'adjectif *Pieris* «de Piérie», lui-même de *Pieria* «Piérie», nom d'une contrée de Macédoine censée être le séjour des Muses.

♦ Le mot désigne un papillon blanc ou jaunâtre dont les chenilles dévorent les feuilles des crucifères *(piéride du chou).*

PIERRE n. f. est l'aboutissement (v. 1165) de *peddre* (v. 980) puis *perre* (1080), issus du latin classique *petra* «roche, roc», employé également en latin médiéval à propos d'une pierre de construction (1086), d'une dalle tombale (XIIIe s.), d'une pierre précieuse (1300), et en médecine (v. 1120) pour désigner la concrétion appelée aussi *calcul.* Le mot latin est un emprunt ancien au grec *petra* «roche, roc», mot dont l'étymologie est mal établie. Selon Van Windekens, ce serait un dérivé avec réduction phonétique, de la racine *skep-*, de *skeptesthai* «regarder, examiner» (→ -scope). En effet, *skeptesthai* a donné les dérivés *skopê* «guet», *skopia* «hauteur d'où l'on guette», *skopelos* (de *skopos* «surveillant, guetteur, espion»), employé pour une hauteur, des rochers, un promontoire rocheux, c'est-à-dire un rocher qui «guette le navigateur» (→ écueil). *Petra* remonterait à un ancien °*skp-etra* formé avec le suffixe *-etra* qui s'observe dans *pharetra* «carquois» et qui désigne des instruments. °*Skp-etra,* d'où *petra,* réaliserait ce sens instrumental ; le rocher «sert à guetter» les navigateurs. *Petra* est un mot populaire, peut-être d'abord en usage chez les marins. Il a concurrencé en latin *saxum* «pierre brute, roc, rocher» (→ saxifrage), *rupes* «paroi de rocher» (→ rupestre) et surtout, à basse époque, *lapis* (→ lapis lazuli) auquel il a repris les valeurs d'«objet en pierre ou rappelant la pierre», en particulier «borne», «monument funéraire», «pierre précieuse». Il s'est implanté dans les langues romanes (italien *pietra,* espagnol *piedra*), peut-être grâce à son emploi dans les Évangiles (*Matthieu,* XVI, 8), en jeu de mots avec le prénom grec *Petros,* surnom donné par Jésus à l'apôtre Simon et répondant à l'araméen *keyfā* «pierre», nom commun et nom de personnes (*Céphas* dans *Jean,* I, 42).

♦ Le mot désigne une matière dure, composée d'éléments agrégés, répandue sur le sol et dans la terre et, par métonymie, un fragment de cette matière (v. 980). ◇ Les extensions procédant des usages faits par l'homme de cette matière (en masse et surtout en fragments) sont très nombreuses et ont donné lieu à des expressions techniques et à des locutions figurées. ◇ Dès les premiers textes, *pierre* désigne un matériau de construction (v. 980), spécialement dans les expressions ***pierre sèche*** (v. 1180), ***pierre de taille*** (v. 1298), ***pierre taillée*** (1306), ultérieurement et plus techniquement ***pierre d'attente*** (1636), et *pierre angulaire**. ◇ Dès les premiers emplois, il désigne aussi un de ces fragments pris comme arme, en particulier dans le contexte de la lapidation (v. 980). De ce sens procèdent les locutions figurées ***jeter à qqn des pierres dans son jardin*** (v. 1430), ***jeter la pierre à qqn*** «critiquer» (1690), ***faire d'une pierre deux coups*** (1570, dans une lettre de Montaigne : *mesnager d'une pierre deux coups*) et, au figuré, *la pierre en est jetée* (1582), qui a disparu. L'expression moderne ***la guerre des pierres*** (1989), qui évoque le contexte de la lapidation, en même temps que la réalité, a été forgée pour rendre l'arabe *intifāḍa, dont le sens est tout différent.* ◇ Dès la *Passion,* le mot désigne aussi un fragment de rocher servant de monument religieux : pierre de fermeture d'un tombeau (v. 980), puis aussi menhir (***pierre levée,*** 1606). À partir du XIIIe s., *pierre* désigne aussi un fragment de roche investi d'une signification symbolique ou servant de borne. ➜ En raison des qualités particulières de certaines pierres, le mot entre dans un certain nombre de noms d'instruments, avec la préposition *de* ou *à* : *pierre à aiguiser* (fin XIVe s.) qui a éliminé l'ancien terme *queue, pierre à laver* (1411), *pierre à fusil* (1606), *pierre d'évier* (1694). ◇ La locution figurée ***pierre de touche*** (1579), appliquée à ce qui sert à éprouver la valeur d'une chose ou d'une personne, vient du sens concret de *pierre à toucher or* (1416) [également *touchau*] pour désigner le fragment de jaspe servant à éprouver l'or, l'argent. ➜ *Pierre* est employé avec sa valeur générale de «matière rocheuse dure» dans un certain nombre de locutions ; ainsi, ***être de pierre*** au figuré «insensible» (1240-1280), ***geler à pierre fendre*** (1690) d'abord *geler à pierre fendant* (1460-1466). ◇ *Une pierre* «un rocher» donne lieu à ***pierre d'achoppement*** «difficulté, obstacle» (1662), version moderne de *pierre de choppement* (1535 ; cf. *achoppement*) ; ***être malheureux comme les pierres*** est plus récent (1791). ➜ Lors de la constitution des terminologies de la préhistoire, le mot a servi à former ***âge de (la) pierre*** (1861, Mortillet, *âge de la pierre*). ◇ Dans plusieurs emplois déterminés il représente une variété précise de pierre, par exemple ***pierre d'aigle*** (1553) après *peres de eagle* (1322). ➜ L'emploi spécial de *pierre* pour désigner la matière première de la bijouterie est ancien (1080) et vient du latin, qui employait surtout *lapis ;* l'ancien français connaît aussi ***pierre précieuse*** (déb. XIIe s., *pere preciuse*), ***pierre fausse*** étant employé depuis 1380.
Dès l'ancien français, par analogie avec l'aspect, la dureté de la pierre, le mot, comme *petra* en latin médiéval, s'emploie en médecine (v. 1120) à propos de la maladie qui correspond à la formation de concrétions dites elles aussi *pierres* ou, par le même type de figure, *calculs**. ➜ *Pierre* désigne aussi une concrétion dure que l'on trouve dans certains fruits (1690). ➜ Il s'est dit d'une substance naturelle ou artificielle ressemblant à de la pierre (1225-1230, dans *pierre de l'aymant* qui a donné ***pierre d'aimant*** puis *aimant**) ; c'est aussi dans ce sens qu'il entre dans le terme d'alchimie ***pierre philosophale*** (1585), toujours connu, et dans l'ancien terme de chimie *pierre infernale* (1765).

▶ La dérivation de *pierre* a commencé au XIe s., lorsqu'en est tiré, outre *perron** où le lien sémantique n'est plus perçu, le composé verbal **ÉPIERRER** v. tr., d'abord *espedrer* en judéo-français. Ce verbe signifie «débarrasser (un terrain) des pierres qui gênent la culture». ◇ Il a produit **ÉPIERREMENT** n. m. (v. 1600), concurrencé par **ÉPIERRAGE** n. m. (1779), et **ÉPIERREUR, EUSE** n. (1611), nom pour la personne et plus souvent pour la machine qui épierre. ➜ **PIERRIER** n. m. (1174-1175) est issu du bas latin *petrarium* «carrière», dérivé de *petra* «pierre», et apparaît au sens de «chemin caillouteux» et, comme en latin, de «carrière de pierres» (1400). Le mot est encore vivant dans quelques régions (Morvan, Berry, Suisse) pour désigner un gros tas de pierres (1752). ◇ Sous l'influence de *pierre,* dont il est alors dérivé, *pierrier* a désigné une bouche à feu qui lançait des boulets de pierre (v. 1225) et, par la suite, un petit canon qui armait les embarcations et lançait des balles ou de la mitraille (1616). ➜ Le féminin **PIERRIÈRE** n. existait avant lui (1133) pour désigner une baliste lançant des projectiles (boulets de pierre) au moyen âge. ➜ **PERRÉ** n. m. (v. 1180), qui a conservé le vocalisme de l'ancienne forme *perre,* a servi d'adjectif pour qualifier ce qui est en pierre, puis a servi à désigner un gué pavé (1553) avant de devenir un terme technique pour désigner un mur de soutènement (1767). ➜ **PERRIER** n. m., après avoir désigné celui qui manœuvrait une machine à jeter des pierres (déb. XIIIe s.), a servi à désigner le carrier (XVe s.) puis, régionalement, l'ouvrier ardoisier dans une carrière (1803). C'est un nom propre de personnes usuel.
PIERREUX, EUSE adj. est la réfection, d'abord au féminin sous la forme *pierouse* (fin XIIe s.), de l'an-

cien adjectif *pereus* (v. 1175) «qui contient des pierres». Ce dernier, de même que l'italien *petroso* (XIVe s.) et l'espagnol *petroso* (983), remonte au latin *petrosus* tiré de *petra* «pierre». ◇ Le mot qualifie un endroit qui contient des pierres et un objet de la nature de la pierre (1537). ➜ **PIERRERIES** n. f. pl. (1328), d'abord *perreries* (v. 1278) conformément à la forme ancienne de *pierre*, est spécialisé aux sens de «pierres précieuses» et «joyaux». ➜ **PIERRÉE** n. f. a d'abord existé en moyen français sous la forme *perree* (1297) désignant une mesure de capacité, surtout pour le grain (jusqu'au XIVe s. et ensuite régionalement). ◇ La forme *pierrée* (1431, n. f.) a servi à désigner une dalle, puis (1669) un petit conduit de pierres sèches pour l'écoulement des eaux. ➜ **PIERRAILLE** n. f., «petite pierre» et par métonymie «ensemble de petites pierres», est attesté depuis la fin du XIVe s. (écrit *pieraille*). ◇ *Pierre* a donné un terme de vénerie, **PIERRURES** n. f. pl. (1571, *pierreure*), désignant ce qui entoure les racines des bois des cervidés et qui évoque de petites pierres. ➜ Ce n'est qu'au XIXe s. que *pierre* a produit quelques nouveaux dérivés : **PIERREUSE** n. f. (1807), mot d'argot de la police, désigne à l'origine une prostituée travaillant parmi les matériaux des bâtiments en construction, notamment ceux du Louvre en 1802. Par extension, il a désigné (surtout fin XIXe-déb. XXe s., car il a vieilli) une prostituée de bas étage. ➜ Au XXe s., on note **PIERRISTE** n. «ouvrier, ouvrière qui façonne les pierres en horlogerie». Parmi les préfixés et composés, après le dérivé le plus ancien *épierrer* (ci-dessus), le moyen français connaît **EMPIERRER** v. tr., formé (1323) comme antonyme de *épierrer* au sens de «garnir de caillasse, de pierres». Il semble rare avant le XVIe s., si l'on excepte l'attestation d'emplois au sens de «changer en pierre». ◇ Il a pour dérivé le nom d'action **EMPIERREMENT** n. m. (1750), concurrencé par **EMPIERRAGE** n. m. (1836). ➜ **CASSE-PIERRE(S)** n. m. (fin XVIe s.), «outil» puis «machine pour casser les pierres», se dit aussi d'une plante qui pousse dans la pierre, la pariétaire. ➜ **CHASSE-PIERRE(S)** n. m. (1845) désignait un appareil placé à l'avant des locomotives pour «chasser» les pierres de la voie. ➜ **LANCE-PIERRE(S)** n. m. (1894) se dit d'un appareil muni d'un élastique, pour lancer les pierres (appelé abusivement *fronde*). Le lance-pierres, utilisé par les enfants, sert à commettre de petits méfaits (tuer des oiseaux, casser les vitres), d'où la valeur figurée de locutions familières où ***avec un lance-pierres*** correspond à «très vite et comme en se sauvant». Par ailleurs, l'idée d'élastique commande peut-être l'expression ***payer avec un lance-pierres*** «très peu (et comme en retenant l'argent)». ◇ *Lance-pierres* a désigné le fusil dans l'argot des poilus (1915).

◈ voir **PERRON, PERSIL, PÉTRÉ, PÉTREUX, PÉTRIFIER, PÉTROLE, SALPÊTRE.**

① **PIERROT** n. m. est la transposition (1668) du nom propre *Pierrot*, diminutif de *Pierre*. Dans son usage moderne, le mot se ressent de l'influence de l'italien *Pedrolino*, attesté depuis 1584 comme nom d'un personnage de la Commedia dell'arte.

♦ Le mot, employé comme nom propre avec la variante *Per(r)ot* dans la locution comparative *gai comme Perot* «très gai» (XVIe s.), «gaillard» (1640), est relevé chez La Fontaine au sens de «paysan» (1668). Depuis 1691 (Racine), il désigne le personnage de la Commedia italienne, d'abord comme surnom ironique donné aux Gardes françaises, par allusion à l'uniforme gris-blanc dont la couleur rappelle celle du costume blanc à manches longues. ◇ Au XIXe s., le mot a donné lieu à deux types d'extensions : par allusion au costume de Pierrot, il désigne un corsage de femme en vogue à la fin du XVIIIe s., dont le dos est terminé par deux petits pans relevés (1748), puis une collerette à grands plis comme celle du personnage italien (1867). ◇ À cause du fard blanc du personnage, le mot a servi dans l'argot des coiffeurs à désigner une couche de savon appliquée à l'aide du blaireau sur la figure entière (1867). ◇ D'après la naïveté du Pierrot italien, et peut-être d'après l'ancien sens de «paysan», *un pierrot* s'est dit pour un niais (1834), désignant ensuite un individu quelconque (1896) et spécialement, dans l'argot militaire, un soldat venant d'être incorporé, un bleu (1865). ◇ L'ancien sens populaire de «verre de vin blanc» (1867) semble procéder du sémantisme «blanc» attaché au mot. ◇ Sauf l'acception d'«individu», le mot a vieilli ou disparu dans tous ses emplois.

▶ ② **PIERROT** n. m. est la transposition au moineau du prénom *Pierrot*. Le fait de donner un nom propre à un oiseau est relativement courant, et le nom *Pierre* entre dans la formation de noms d'oiseaux courants (→ perroquet, perruche). ◇ Le mot est attesté pour la première fois dans les *Fables* (XII, 2) de La Fontaine où il figure comme nom propre : «Du pétulant Pierrot et du sage Raton». Il sert à désigner familièrement le moineau franc et s'est dit d'un geai apprivoisé (1752). ◇ On rencontre le féminin **PIERRETTE** pour la femelle du moineau franc (1800).

◈ voir **PÉRONNELLE, PERROQUET, PERRUCHE.**

PIETÀ → **PIÉTÉ**

PIÉTAILLE n. f. est issu (v. 1135) d'un latin populaire °*peditalia* «infanterie», issu par changement de suffixe du latin classique *peditatus* de même sens. Celui-ci est dérivé de *pedes, -itis* «piéton», spécialement «fantassin» surtout au pluriel, également employé pour désigner la plèbe par opposition aux chevaliers et dérivé de *pes, pedis* (→ pied). Le *ie* du radical en français est dû à l'influence de *pied**.

♦ Le mot a été employé avec une valeur collective pour désigner l'infanterie, par opposition aux chevaliers, nobles. Par extension, il a pris la valeur péjorative souvent attachée à la notion de «fantassin» (cf. *piètre*) et a désigné dès l'ancien français la populace, le menu peuple (v. 1245). Au XXe s., *piétaille* est quelquefois employé par plaisanterie en parlant d'un groupe de piétons (→ piéton, à piéter).

PIÉTÉ n. f., d'abord *pietad* (v. 980), *pietet* (1050) puis *piété* (v. 1138), est emprunté au latin *pietas, -atis*, nom dérivé de *pius* (→ ① pie, pieux) et qui a également donné *pitié**. Le mot latin désigne le sentiment qui fait reconnaître et accomplir les devoirs envers les dieux, la dévotion, les devoirs envers les parents et envers la patrie, le patriotisme. Par extension, il exprime une idée d'affection, de sympathie. Les auteurs chétiens l'ont appliqué à la compassion et à la miséricorde divine.

♦ Jusqu'au XVIe s., le mot n'a eu que le sens de «pitié», encore vivant dans l'expression *mont-de-piété**. Il s'est différencié de son doublet *pitié* à partir du XVIe s., prenant la valeur qu'il a conservée d'«attachement fervent au service de Dieu, aux pratiques et devoirs de la religion» (1552), et s'étendant comme en latin à l'affection respectueuse vis-à-vis des parents, des morts (av. 1628). Par reprise du sens latin, il se dit quelquefois de l'attachement à la patrie. ◇ Il est passé dans le langage du blason, désignant collectivement les petits du pélican qui s'ouvre le sein (1752), le pélican lui-même (1762) et, par métonymie, les gouttes de sang qui semblent sortir de la poitrine du pélican quand elles sont d'un autre émail (1812).

▸ Son ancien dérivé **PIÉTABLE** adj. (1155), d'abord employé pour qualifier activement qqn qui a de la pitié et fait montre de pitié (1322), remplacé par *pitoyable*, a pris ultérieurement le sens passif de «digne de pitié» (1444) et s'est éteint depuis le partage sémantique de *piété* et de *pitié*; son antonyme *impietable (impiétable)* [v. 1500] a disparu au profit d'*impitoyable*.

PIÉTISTE adj. est emprunté (1699) à l'allemand *Pietist* (v. 1674), lequel est dérivé savamment du latin *pietas*. D'abord péjoratif, *Pietist* désignait les membres d'un mouvement religieux protestant (organisé en *collegia pietatis*) fondé à la fin du XVIIe s. par le pasteur Ph. J. Spener (1635-1705), dont l'ouvrage *Pia Desideria* insistait sur la nécessité de la piété personnelle. ➛ Par substitution de suffixe, *piétiste* a produit **PIÉTISME** n. m. (1732), «doctrine, mouvement piétiste».

PIETÀ n. f. est l'emprunt (1846, Baudelaire; déjà au XVIIe s. selon Brunot) de l'italien *pietà*, mot signifiant proprement «pitié» (du latin *pietas*), attesté comme terme d'art depuis 1558-1571 chez Benvenuti Cellini, pour la représentation de la Vierge Marie éplorée sur le corps de son fils Jésus. En français, l'usage de *pietà* s'est seulement répandu au XIXe s., évinçant les désignations synonymes telles *Notre-Dame de Piété* (1690), *vierge de pitié, Pitié*.

IMPIÉTÉ n. f. a été emprunté (v. 1120) au latin *impietas, -atis*, dérivé du contraire de *pius, impius* (→ impie), désignant le manquement aux devoirs envers les dieux, les parents, la patrie et, en particulier, des actes ou paroles sacrilèges. Le mot correspond à *impie* (→ ① pie); on le rencontre d'abord au sens particulier de «parole, action impie» *(une, des impiétés)*; il est rare avant le XVIe s. où il est repris au sens de «caractère d'une personne impie, mépris pour les choses sacrées». À la différence de son antonyme *piété*, il a vieilli ou est marqué en dehors de son emploi religieux; le sens de «mépris de ce que tout le monde respecte» (1606), propre à l'usage classique, a disparu.

◈ voir MONT-DE-PIÉTÉ.

PIÈTEMENT → PIED

PIÉTER

PIÉTER v. est issu en moyen français (XIVe s.) du latin tardif *peditare* «aller à pied, marcher», dérivé de *pedes, -itis* «qui va à pied», substantivé pour le piéton, le fantassin. *Pedes* est lui-même tiré de *pes, pedis* (→ pied).

♦ Le mot est passé en français avec le sens du latin, qui a disparu. Au XVIIIe s. se sont développés différentes valeurs : en construction transitive, *piéter* est passé dans le vocabulaire des jeux au sens de «tenir son pied à l'endroit fixé» (1690) [cf. *pétanque*] et dans celui de la chasse en parlant d'un gibier à plumes qui s'échappe, s'avance en marchant (1775). ➛ *Se piéter* (1740) signifie «prendre ses mesures», sens aujourd'hui sorti d'usage au profit d'autres valeurs données au fait de se camper sur ses pieds : «se hausser sur la pointe des pieds» (1782) et «se raidir, résister fortement» (1783).

▸ *Piéter* est beaucoup moins usuel que ses deux dérivés. ➛ **PIÉTON, ONNE** n. et adj. (v. 1360) a d'abord désigné un fantassin avant de se répandre avec le sens de «celui qui va à pied» (1538). Il a en particulier désigné le facteur rural qui effectuait sa tournée à pied (1787). Son emploi adjectif (1599) a exprimé l'idée figurée de banalité (cf. *piètre*). ◇ L'adjectif a qualifié celui qui va à pied (1652) avant de prendre la valeur actuelle de «réservé aux piétons» en parlant d'une rue, d'une voie, d'une zone (1862), en concurrence avec le dérivé **PIÉTONNIER, IÈRE** adj. (1960), surtout dans *rue piétonnière*. ➛ Il a produit un autre dérivé au Canada, **PIÉTONNER** v. intr., employé comme synonyme de *piétiner*.

PIÉTINER v. (1621), d'abord attesté avec le sens intransitif de «trépigner», signifie par extension «avancer difficilement, à petits pas» (1821-1824), d'où «ne pas avancer» (1866) au propre et au figuré (1899). ◇ Ce verbe est employé transitivement pour exprimer l'action de fouler (qqch.) aux pieds (av. 1784), avec des emplois métaphorique et figuré (1851). ➛ *Piétiner* a lui-même produit **PIÉTINEMENT** n. m. (1770) qui désigne l'action de piétiner et, par métonymie, le bruit fait en piétinant (1832) et s'emploie avec un sens figuré correspondant à celui du verbe (1888). ➛ **PIÉTINEUR, EUSE** n. est plus rare tout comme l'adjectif tiré du participe présent, **PIÉTINANT, ANTE**. ➛ *Piéter* a aussi produit un terme de chasse, **PIÉTEUR** adj. et n. m., dit d'un oiseau qui s'échappe à pied au lieu de s'envoler.

PIÈTRE

PIÈTRE adj. est issu d'une forme régionale (v. 1195) de *paëstre*, représentant populaire du latin *pedester*, dérivé de *pes, pedis* (→ pied), qui signifie proprement «qui va à pied» (→ pédestre) et qui, du fait de l'infériorité du piéton par rapport au cavalier, a développé le sens péjoratif de «mauvais». Cette valeur est réalisée par *pedester* dans le domaine de l'expression *pedestris oratio* désignant la prose par opposition à la poésie; elle l'est aussi dans les termes apparentés *pedaneus* «subalterne» (occupant un siège bas) et *pedarius*, lequel qualifie les sénateurs qui, n'ayant pas exercé la magistrature curule, n'ont que le droit de voter.

♦ Le mot se rencontre d'abord en français sous la forme *paëstre* puis *peestre* (1223) qui, en Picardie, est devenue *piestre* en moyen français (v. 1350) et s'est répandue en français, d'où *pietre* (1579) et enfin *piètre*. ◇ Le mot qualifie en ancien français un être mauvais, infidèle, dépravé ou qui est à plaindre, misérable (v. 1223). ◆ De nos jours, il est employé avec un certain affaiblissement pour qualifier une chose très médiocre, une personne sans valeur, sans capacités (1599). L'épithète se place normalement avant le nom (en ce qui concerne les personnes, depuis J.-J. Rousseau, selon Littré).

▸ On en a tiré **PIÈTREMENT** adv., anciennement *peestrement* avec le sens de «méchamment» (v. 1120), de nos jours employé, d'ailleurs rarement, au sens de «médiocrement» (1566).

◈ voir **PÉDESTRE, PITRE.**

① **PIEU** n. m. est issu (v. 1140) du latin *palus* «poteau» et, par analogie, «membre viril», mot qui a été emprunté ultérieurement sous la forme *pal**. La forme *pieu* s'est développée sur celle de l'ancien cas régime pluriel *pels* (v. 1140) devenue *peus* (v. 1165), *pius* (déb. XIIIe s.), *pieux* (1287), le pluriel étant beaucoup plus fréquent du fait de l'emploi normal des pieux en grand nombre. Elle a éliminé l'ancien cas sujet *pel.*

♦ Le mot désigne une pièce de bois rigide, dont l'un des bouts est pointu et destiné à être fiché en terre. Par analogie, il s'applique à une pièce de bois, de métal, de béton, que l'on enfonce pour les fondations *(pieu de fondation).* Il a servi à former la locution comparative ***raide, droit comme un pieu*** (1823), moins courante que *raide comme un piquet.*

◈ voir **BALISE, PAL, PALISSADE, TRAVAIL, TRAVELLING.**

② **PIEU** n. m., relevé à la fin du XVIIIe s. puis de nouveau en 1829 dans des chansons, est peut-être la forme picarde de *peau* (piau)* prise au sens de «lit» et désignant une couche faite de peaux. Le changement de genre, du féminin au masculin, s'expliquerait par l'emploi au pluriel comme collectif (du fait qu'un lit se faisait avec plusieurs peaux) et aurait été favorisé par *pieu* «piquet de bois».

♦ Le mot est une dénomination populaire du lit et entre dans plusieurs expressions, comme *aller, être au pieu.*

▸ Il a pour dérivé **SE PIEUTER** v. pron. (1888), aussi **PIEUTER** v. intr. «se coucher», parfois «dormir».

◈ voir **PIONCER.**

PIEUVRE n. f. est le troisième et dernier représentant en français du mot latin *polypus,* lui-même emprunté à un dérivé grec du nom du pied *pous, podos* (→ podo-, -pode) . *Pieuvre* est issu par voie populaire de *polypus,* qui a donné par emprunt *polype* et par évolution *poulpe.* Il a été introduit en français par V. Hugo (*Les Travailleurs de la mer,* 1866) qui a popularisé ce mot du parler des îles anglo-normandes, où il existait antérieurement sous les formes *peurve, pièvre* (Guernesey) à côté des formes normandes *puerve, puèvre, purve, púerve* (à comparer à l'évolution du latin *oculus,* pluriel *oculos,* adapté en *œil, yeux*).

♦ Le mot désigne le poulpe commun, surtout lorsqu'il est de grande taille. ◇ Par métaphore, il a désigné une femme entretenue, une courtisane (1866), d'où parfois encore de nos jours une personne exigeante, insatiable (1866, Hugo, *Correspondance*) et aussi une entreprise, un système tentaculaire.

▸ Le dérivé argotique **PIEUVRISME** n. m., «métier de fille» (1867), a disparu.

PIEUX, PIEUSE adj. est la réfection (v. 1425), sur le modèle des adjectifs en *-eux, euse,* de l'ancien type *piu, pieu, pi* (ou *pius, pieus, pis*) [v. 980], *pieue, pive* au féminin, issu du latin *pius, pia* au féminin (d'où ① *pie**). L'adjectif latin qualifie la personne qui reconnaît et remplit ses devoirs envers les dieux, les parents, la patrie, etc., ainsi qu'une chose conforme à ce sentiment (→ piété) et, dans le langage poétique, ce qui est tendre, bienveillant. Il a peut-être signifié à l'origine «(au cœur) pur», le dérivé *piare* ayant le sens de «purifier, effacer par un sacrifice, expier». ◇ C'est un mot italique comme en témoignent l'osque *Piíhúí,* le volsque *pihom,* mais qui n'a pas de correspondant ailleurs; un rapport avec *purus* (→ pur) a souvent été proposé (*pius* reposant sur °*pw-iyos* ?) mais ne se laisse pas démontrer.

♦ Le mot a d'abord été employé dans le langage religieux comme qualificatif de Dieu *(Jesus li pius)* au sens de «bon, miséricordieux», la Cène étant désignée par l'expression *piu manjer* [pieux manger] (fin Xe s.). ◇ Il exprime surtout, éliminant l'adjectif ① *pie,* la qualité de «religieux, dévot» et, par métonymie, qualifie une chose inspirée par un sentiment de piété (1656, Pascal). ◇ Comme le mot latin et le nom auquel il correspond, *piété,* il s'emploie aussi en contexte non religieux, à propos de ce qui est inspiré par un sentiment de respectueuse affection envers qqn (1644) et d'une personne pleine d'un tel sentiment (1704). Il comporte quelquefois une nuance ironique dans le détournement familier de l'expression *croyance pieuse* (1798) et dans l'expression ***pieux mensonge*** (1842).

▸ Son dérivé **PIEUSEMENT** adv. (fin XVIe s.) a été formé sur le féminin *pieuse,* en remplacement de l'ancien type *piament* (Xe s.). ◆ L'ancien **PIEUSETÉ** n. f. s'est éteint sous la concurrence de *piété.* ◆ Les formations péjoratives **PIEUSARD, ARDE** n. (1903, Huysmans) et **PIEUSARDERIE** (1898 et 1903, également chez Huysmans) ont disparu.

◈ voir **EXPIER, PIACULAIRE,** ① **PIE** (et **IMPIE**), **PIE-MÈRE** (et **DURE-MÈRE**), **PIÉTÉ** (et **IMPIÉTÉ**), **PITANCE, PITEUX, PITIÉ.**

PIÉZO- est l'élément tiré du grec *piezein* «presser, serrer, écraser» et «accabler, opprimer», mot conservé avec ses deux sens en grec moderne et d'origine controversée : on y a vu le composé de *epi-* (→ épi-) et du verbe signifiant «s'asseoir», passant naturellement de l'idée d'«asseoir dessus» à celle d'«écraser»; on a aussi évoqué un parallélisme avec le latin *pinsare* «écraser» (→ piser).

▸ L'élément entre dans la formation de substantifs et d'adjectifs du vocabulaire scientifique. ◆ Depuis **PIÉZOMÈTRE** n. m., «appareil mesurant la pression de l'eau» (1821, Riffault; de l'anglais *piezometer,* 1820 chez J. Perkins) et «appareil mesurant la compressibilité des liquides», *piézo-* est productif dans quelques secteurs de la physique et des techniques. ◆ **PIÉZO-ÉLECTRICITÉ** n. f., enregistré en 1890 par le *Supplément du Larousse du XXe siècle,* recouvre un ensemble de phénomènes électriques produits par des pressions ou des déformations exercées sur certains corps. L'existence de ces phénomènes, pressentie au milieu du XIXe s. après les théories cristallographiques de René Just Haüy, a été mise en évidence par les frères Pierre et Jacques Curie en 1880 ; les observations ont été complétées par Gabriel Lippmann, Wilhelm Gottlieb Hankel, William Thompson et surtout Woldemar Voigt avant la fin du XIXe s., de sorte que la piézo-électricité est entrée dans le champ des applications pratiques pendant la guerre de 1914-1918. La Seconde Guerre a vu naître une industrie avec la fabrication de cinquante millions de résonateurs à quartz piézo-électrique aux États-Unis et l'étude de céramiques ferro-électriques présentant un effet piézo-électrique intense. ◆ **PIÉZO-ÉLECTRIQUE** adj., enregistré également en 1890, s'est diffusé, comme *piézo-électricité,* avec les applications industrielles du milieu du XXe siècle. ◆ **PIÉZOGRAPHE** n. m. (1948) désigne un appareil destiné à mesurer de très faibles pressions à l'aide du quartz piézo-électrique ; de là **PIÉZOGRAPHIE** n. f., **PIÉZOGRAPHIQUE** adj. (v. 1950).

PIF n. m. est issu (1821) d'un radical onomatopéique qui évoque la grosseur et entre dans *piffre*, piffrer, empiffrer.*

♦ Ce nom populaire pour un gros et vilain nez est appliqué de nos jours, par extension, à un nez quelconque. Il figure dès sa première attestation dans la locution familière ***avoir qqn dans le pif*** «le détester», variante de *avoir dans le nez* (voir ci-dessous *piffer*). ◆ Comme *nez,* il a développé le sens figuré de «flair» (1953) dans ***avoir du pif*** et ***au pif*** «à l'estime».

▸ On en a dérivé **PIFER** ou **PIFFER** v. tr. (1846, dans l'argot des prisons) au sens figuré de «sentir, supporter», toujours en emploi négatif dans ***ne pas piffer qqn*** et, à la forme pronominale de sens réciproque, ***ne pas se piffer.*** ◆ **PIFOMÈTRE** n. m. (1928) est une formation plaisante sur le modèle de mots savants en *-mètre*,* pour «appréciation intuitive», d'après *au pif* «par le flair». ◇ Il a produit l'adverbe rare et plaisant **PIFOMÉTRIQUEMENT** adv. (1981).

PIFFRE n. m. est tiré (1458) du radical onomatopéique *piff-* qui exprime la grosseur (→ pif) et qui est représenté en ancien provençal dans *pifart* adj. «ventru» (XIIe s.).

♦ Le mot a servi en médecine populaire à désigner un homme dont les testicules sont restés dans le ventre, avant de se dire (1610) d'une personne ventrue, replète, au féminin *pifresse* (1694, Académie). ◇ Par analogie, il est passé dans le langage technique pour désigner un gros marteau dont se servent les batteurs d'or (1690, *gros pifre*). Tous les emplois ont disparu.

▸ À la différence de *piffre,* le dérivé **EMPIFFRER** v. tr. (XVIe s.) est resté vivant, essentiellement à la forme pronominale de sens réfléchi *s'empiffrer* (1648) «manger gloutonnement» (on n'en perçoit plus la motivation «manger de manière à devenir un piffre»). ◇ Le verbe simple **SE PIFFRER** v. pron. (1680), tiré soit de *piffre* soit, par suppression du préfixe, de *s'empiffrer,* a disparu comme *piffre.*

◈ voir ① PAF, PATAPOUF, ① POUF.

① PIGE, ② PIGE → ① PIGER

③ PIGE → ② PIGER

PIGEON n. m., écrit *pijon* (déb. XIIIe s.) puis *pigeon* (v. 1330), est issu du bas latin *pipionem,* accusatif de *pipio, -onis* «pigeonneau» (IVe s.), lui-même dérivé des verbes expressifs *pipiare* «pousser des vagissements», *pipire* «piauler», d'origine onomatopéique (→ pépier, piper). On reconstitue une forme intermédiaire °*pivionem* (avec dissimilation) que postulent, outre le mot français, des formes de l'Italie du Nord comme le piémontais *pivùn.*

♦ *Pigeon,* avec son sens originel latin de «petit d'oiseau» (déb. XIIIe s.), encore en moyen français, a éliminé l'ancien mot *coulomb* «colombe-pigeon» parce que l'on préférait au marché les pigeonneaux aux pigeons ; *coulomb* est déjà réputé «vieux» par Trévoux (1704) et n'est usité aujourd'hui que dans les parlers du nord-est, de l'est et du sud-est de la France et en catalan ; il continue le latin *columbus* (d'où vient l'italien *colombo,* dont le féminin *columba* a donné *colombe**).
Le mot a perdu son sens primitif de «petit d'un oiseau» pour désigner un oiseau d'une espèce distincte de la colombe ; cette acception est d'abord attestée en anglo-normand (XIIIe s.), puis sur le continent (fin XIIIe s.). Le mot désigne aujourd'hui à la fois l'oiseau comestible élevé et celui, d'une variété différente, qui vit en abondance dans certaines villes. L'élevage des pigeons a aussi un autre but, avec ***pigeon voyageur,*** lequel a pris de l'importance en 1870 et en 1914-1918 (en relation avec *colombophilie*) quand l'animal dressé a été employé pour le transport des messages. ◆ Les extensions de sens procèdent d'emplois spéciaux et analogiques : par une métaphore analogue à celle de *dupe*, pigeon* désigne une personne qui se laisse facilement tromper (v. 1490) [voir *pigeonner,* ci-dessous]. ◆ En technique, *pigeon* désigne par analogie de forme des objets renflés, une poignée de plâtre pétri pour dresser des bottes de cheminée (1694), chacune des demi-mailles par lesquelles on commence un filet de pêche (1769), un morceau de pierre enrobé de chaux (1841) et un petit morceau de bois que l'on place dans l'onglet d'un cadre (1842). ◆ Par comparaison avec la couleur du plumage du pigeon, le mot entre dans l'expression ***gorge de pigeon*** (1640) et, par comparaison, ***ailes de pigeon*** désigne une disposition des cheveux figurant une aile de chaque côté de la tête (1798), ainsi qu'une figure de danse évoquant le battement des ailes du pigeon (1798). ◆ Une variété de cerise s'appelle *cœur de pigeon,* expression d'abord appliquée à la variété de pomme appelée *pomme de pigeon* (1690). ◆ *Pigeon* entre dans le nom d'un jeu d'enfants, ***pigeon vole*** (1828, *jouer à pigeon-vole*).

◇ Qualifié, il sert à dénommer d'autres oiseaux, dont le pétrel (1869, *pigeon de mer, pigeon du Cap*). ◇ Comme *colombe*, il est employé en appellatif affectueux (1736, *mon pigeon*).

▸ La dérivation de *pigeon* a été abondante au XVIe siècle. ◆ **PIGEONNIER** n. m. a été formé (1549) pour désigner une construction destinée à loger les pigeons (cf. *colombier*) ; par analogie d'aspect, il désigne une maison haute et étroite (fin XVIIe s.) et spécialement, au théâtre, un balcon surélevé. ◆ **PIGEONNEAU** n. m. (1544), formé avec le diminutif *-eau* des noms de petits d'animaux, a supplanté *pigeon* dans son ancien emploi (ci-dessus) ; de *colomb-pigeon*, on est passé à *pigeon-pigeonneau*. Le diminutif partage avec *pigeon* ses sens figurés, «amoureux» et «jeune niais qui se laisse duper» (1768). ◇ Par analogie de forme, il s'applique en pathologie à une ulcération douloureuse des doigts affectant surtout les chromeurs et les mégissiers (1869). ◆ Le féminin **PIGEONNE** n. f. (1551) désigne la femelle du pigeon mais reste rare ; on dit surtout *pigeon femelle*. ◆ Le verbe **PIGEONNER** v. a été créé (1565) avec l'emploi transitif et figuré de «duper» d'après le sens correspondant de *pigeon*. ◇ Il a développé en maçonnerie le sens technique de «construire par pigeons» (1680). Son emploi intransitif relevé une première fois (v. 1610) au sens de «faire un baiser en mettant la langue dans la bouche de l'autre» (1611, Cotgrave) a disparu, remplacé par d'autres métaphores (*rouler un patin*, etc.). ◇ Le sens galant de «tenir des propos tendres» (1879) relève d'une autre métaphore liée à l'amour manifesté par les couples de pigeons (cf. *roucouler*). ◇ En relation avec *pigeonnant** (ci-dessous), le verbe exprime le fait de faire saillie, en parlant de la poitrine d'une femme (1958). ◆ Le seul dérivé du verbe est un nom technique, **PIGEONNAGE** n. m. (1869), utilisé en maçonnerie. ◆ **PIGEONNANT, ANTE** adj., formé (1952) par la terminaison *-ant* des participes présents, réalise le sens analogique de «qui évoque la forme d'une gorge de pigeon», en particulier à propos de la gorge d'une femme (1963) et, par métonymie, d'un type de soutien-gorge (1968).

① **PIGER** v., attesté depuis 1808, est d'étymologie contestée : P. Guiraud l'interprète comme le même mot que ② *piger*, issu du latin °*pedicare*. D'autres, dont Wartburg, y voient un emprunt (par l'intermédiaire du langage des écoliers) aux parlers de la Bourgogne où il signifie «fouler aux pieds, piétiner». Ce serait alors le même mot que le moyen français *piger* (1455, à Lyon) «fouler aux pieds» et que le terme de construction moderne *piser** (réattesté en 1803) qui a donné *pisé*. Ces mots remontent au latin de basse époque °*pisiare* ou °*pinsiare* «piler, broyer», du latin classique *pinsere* «battre», «broyer» (→ pétrin, pétrir, piste).

♦ *Piger* a d'abord été employé par les écoliers au sens de «contester entre soi l'avantage du jeu, prétendre être le plus près du but», d'où au jeu «mesurer quel est le palet le plus près du bouchon» (1845). Le verbe a été repris par les typographes au sens de «vérifier les écartements des croix de repérage», sur les épreuves et sur la plaque imprimante (1881). ◇ La rétribution des typographes se mesurant à la quantité de ce travail effectué, le mot a pris d'après *pige* (ci-dessous) le sens de «payer, rétribuer à l'unité» (déb. XXe s.) en journalisme (d'où *se faire piger*, 1952). L'homonymie avec ② *piger* a entraîné le vieillissement et la quasi-disparition de ce mot familier (mais ② *pige*, ci-dessus, demeure en usage).

▸ *Piger* a produit un premier déverbal, ① **PIGE** n. f. (1836), employé dans le langage argotique avec le sens d'«année» d'après la notion du temps mesuré, puis un second, ② **PIGE** n. f. (1852) qui désigne d'abord, au jeu de boules, une mesure de longueur de convention et, par métonymie, une tige de longueur déterminée servant d'instrument de mesure par comparaison (1865). ◆ Avant le verbe semble-t-il, le mot est passé dans le langage de la typographie pour désigner la tâche qu'un compositeur ou un lecteur doit accomplir dans un temps donné (1866). L'expression ***à la pige*** «à la tâche» désigne en journalisme le mode de rémunération d'un journaliste payé à la ligne et, par extension, à l'article (1903, dans l'argot des journalistes), d'où, dans d'autres contextes, la somme rémunérant une tâche donnée (déb. XXe s.). À la différence du verbe, cet emploi est toujours vivant. ◆ *Pige* a produit **PIGISTE** n. (1952), «journaliste payé à la pige», mot d'argot de métier devenu usuel mais concurrencé par l'anglicisme *free-lance* (anglais *freelance*), qui a une acception plus large.

② **PIGER** v. tr. est probablement le représentant tardif (1835), peut-être d'origine dialectale, d'un verbe latin °*pedicare*, dérivé du latin populaire °*pedicus* «qui prend les pieds», d'où «qui prend au piège», adjectif dérivé du latin classique *pes, pedis* (→ pied), répandu dans les parlers gallo-romans. Contrairement à ceux qui distinguent *piger* d'un verbe homonyme légèrement antérieur (→ ① piger), P. Guiraud propose un développement sémantique intégrant les deux verbes : selon lui, le mot *piger* des écoliers, «prétendre qu'on a gagné», se comprend à partir de l'acte de mettre le pied sur qqn en signe de victoire. La pige, sorte de tirage au sort en vue d'établir l'initiateur du jeu (celui qui joue le premier, va se cacher, prend le meilleur camp, etc.), se serait pratiquée ainsi : les deux adversaires marchant l'un vers l'autre, chaque fois d'un demi-pied ou d'un pied, le gagnant est celui qui place son propre pied sur celui de l'autre. Alors, le développement de *piger* se comprendrait comme «mesurer avec le pied» et «surpasser», d'où «attraper, prendre» au propre et au figuré. Cette hypothèse ingénieuse n'est pas appuyée sur des documents.

♦ Le mot, argotique puis familier, a d'abord le sens de «connaître» (1835), transitivement ; puis il est employé absolument au sens de «comprendre» (1890), d'abord dans l'argot lycéen, et aussi en construction transitive (1892). ◆ C'est là le seul sens vraiment vivant du mot, car ceux de «regarder» (1841), «prendre, attraper» (1844), spécialement «voler, dérober» (1842) et «prendre sur le fait» (1844), d'où *être pigé* «être pris sur le fait» (1846), ont tous disparu ou sont archaïques. C'est aussi le cas du sens intransitif de «rivaliser, se mesurer avec qqn» (1879).

▸ Le mot a produit ③ **PIGE** n. f. (homonyme des dérivés de ① *piger*), attesté depuis 1867 dans l'expression ***faire la pige à qqn*** «le défier». De l'argot des écoles, il s'est répandu dans l'usage populaire, puis familier, au sens de «se montrer supérieur à qqn» (1890).

PIGMENT n. m. est emprunté tardivement (1813) au latin *pigmentum, -ti* (ordinairement au pluriel *pigmenta*), dérivé de *pingere* «broder, tatouer» et «peindre» (→ peindre). *Pigmentum* désigne la couleur pour peindre, le fard et, au figuré, ce qui orne (le style), quelquefois avec une nuance péjorative. Un autre sens particulier, «suc des plantes, drogues», est passé en français dans le mot *piment**.

♦ *Pigment* a été introduit par les chimistes au sens de «matière colorante de la peau, des tissus organiques», qui s'est imposé en physiologie. Le mot désigne aussi (1881) une substance colorée d'origine chimique ou minérale entrant dans la composition des peintures et, en particulier, une substance utilisée en raison de son pouvoir colorant ou opacifiant dans la préparation de peintures, d'enduits de protection (1924).

▸ *Pigment* a produit **PIGMENTÉ, ÉE** adj. (1871) et, par substitution de suffixe, **PIGMENTER** v. tr. (1928) «colorer avec des pigments». ➙ Les autres mots de la famille sont formés sur le radical de mots latins : ainsi, **PIGMENTAIRE** adj., attesté au début du XVIe s. pour «aromatique», est emprunté au latin *pigmentarius* et employé normalement depuis 1832 : il a d'abord désigné celui qui préparait et vendait les couleurs dont les femmes se servaient pour se farder. Le sens moderne de l'adjectif, «qui appartient au pigment» (1842), se spécialise en peinture dans *couleurs pigmentaires* (1924). ➙ **PIGMENTATION** n. f. (1865), formé sur le radical du bas latin *pigmentatus* plutôt que sur le français *pigment*, désigne en physiologie la formation de pigment dans les tissus organiques ainsi que son accumulation (normale ou pathologique) ; il est employé en chimie à propos de la coloration d'un produit au moyen de pigments (mil. XXe s.). ➙ Au XXe s. apparaissent les composés didactiques **PIGMENTOGÈNE** adj. (1907), hybride de *pigmentum* et du suffixe d'origine grecque *-gène**, et **PIGMENTOPHORE** adj., hybride de *pigmentum* et du suffixe d'origine grecque *-phore**.

◈ voir PIMENT.

PIGNE n. f. est emprunté (1528) au provençal *pinha* (prononcé *pinya*) «pomme de pin» (XIVe s.), qui remonte au latin *pinea*, substantivation (par ellipse de *nux* «noix») du féminin de l'adjectif *pineus* «de pin», tiré de *pinus* (→ pin).

♦ Le mot est d'abord attesté dans le syntagme aujourd'hui disparu *noix de pigne* «pomme de pin» et en emploi absolu au sens de «petite graine comestible de la pomme de pin» (1575). ◇ Très rare, il a été repris au XIXe s. pour désigner dans le sud de la France, par réemprunt au provençal, la pomme de pin (1845) et, par métonymie, sa graine (1869). ◇ Le sens spécialisé de «masse d'argent restant après la distillation du mercure d'un amalgame» (1694) est dû à l'influence de l'espagnol *piña*, qui vient du même radical ; il a disparu.

▸ ② **PIGNON** n. m. est emprunté (v. 1350) à l'ancien provençal *pinhon* «amande de la pomme de pin» (XIVe s.), dérivé de *pinha*. ➙ Le mot a été repris en français pour désigner la graine comestible du fruit du pin appelé plus tard *pin à pignon* (1797) ou ***pin pignon*** (1836), elliptiquement *pignon* (1870). Le mot est plus connu que son synonyme *pigne*. Il entre dans quelques dénominations, dont *pignon d'Inde* (1694) qui désigne la semence de l'arbre à manioc (médicinier). Son homonyme ① *pignon** a une autre origine.

① **PIGNOCHER** v. intr. est généralement considéré comme l'altération (1640) du moyen français *espinocher* «s'occuper de bagatelles» (fin XVIe s.), puis «manger par petits morceaux, avec dégoût» (1690), lui-même de *espignoche* «petit morceau (d'une chose comestible)» (v. 1450) et «bagatelle» (1526). C'est un dérivé de *espine, épine**. Le mot a dû subir l'influence sémantique de *pigner, peigner** «donner des coups de griffes», en ancien et en moyen français, et «saisir». P. Guiraud rejette l'interprétation de Bloch et Wartburg qui voient dans *espinocher* le dénominatif d'*épinoche*, dérivé d'*épine* désignant un petit poisson «parce que, quand les pêcheurs prennent les petits poissons de ce nom [...] ils les rejettent à cause de leurs aiguillons, et que même les poissons voraces se méfient d'eux». Selon Guiraud, dont l'hypothèse est beaucoup plus simple, *pignocher* signifie proprement «prendre à petits coups de griffes».

♦ Ce verbe familier exprime l'action de manger sans appétit en prenant de temps à autre de petits morceaux. ◇ Sous l'influence de *peindre**, il est passé dans l'argot des peintres où il exprime le fait de peindre à petits coups (1852), quelquefois avec une connotation péjorative.

▸ *Pignocher* a produit **PIGNOCHEUR, EUSE** n. (1640), mot familier pour «personne qui chipote en mangeant» et, spécialement, «peintre qui peint minutieusement à petits coups de pinceaux» (1872). ◇ Le participe passé de *pignocher*, **PIGNOCHÉ, ÉE**, est adjectivé dans l'argot des peintres (1857, *des sépias très pignochés*).

② **SE PIGNOCHER** v. pron., mot familier pour «se battre» (1862, Hugo), est dérivé de l'ancien verbe *pignier* «rosser, étriller» (1195-1200), variante de *peigner**, avec le suffixe *-ocher*.

① **PIGNON** n. m., réfection graphique (déb. XIIIe s., av. 1211) de *pinnon* (1174-1176), est issu d'un latin populaire °*pinnionem*, accusatif de °*pinnio, -onis*, issu du latin classique *pinna* «plume, aile» (→ pinacle). En ce sens, il se confond avec *penna* (→ ① panne, penne) dont il n'est peut-être qu'une variante dialectale, employée dans la langue technique pour désigner divers objets en forme de plume ou d'aile (pale du gouvernail, palette, nageoire, aigrette de casque, créneau...). *Pinna* est sans étymologie connue ; le rapprochement avec le groupe de l'allemand *spitz* «pointu» ne concerne que la racine.

♦ En ancien français, le mot a servi à désigner le sommet d'une montagne. ◇ Par analogie, il désigne la partie supérieure d'un mur (1211). La locution figurée ***avoir pignon sur rue*** (1584, à propos d'un homme riche) s'est d'abord comprise au sens propre pour «avoir une maison importante, dont la façade à pignon donne sur la rue», d'où «être installé dans un magasin bien situé et avantageusement connu» en parlant d'un commerçant (XIXe s.), et par extension «jouir d'une bonne situation, d'une bonne réputation dans un domaine». ◇ Depuis 1681, *pignon* est attesté en héraldique à propos d'un meuble ayant l'aspect d'un pignon à redents.

▸ On en a dérivé l'adjectif **PIGNONNÉ, ÉE** (1690), spécialisé en héraldique.

◈ voir **PINACLE, PIN'S, PIN-UP.**

② **PIGNON** → PIGNE

③ **PIGNON** → PEIGNE

PIGNOUF n. m., mot populaire et familier du XIXe s. (1858; 1857 chez Vallès, selon Dauzat), est probablement dérivé du verbe *pigner* «geindre, pleurnicher» répandu dans les dialectes de l'Ouest, lui-même issu du radical onomatopéique *pi-* que l'on a dans *piailler**, *piauler** de sens très voisin (et dans *piaf*). Wartburg cite d'autres dérivés dialectaux de *pigner*, comme *pignoter* «geindre beaucoup» (dans le Maine-et-Loire) et *pignocher* «pleurnicher» (dans l'Ille-et-Vilaine). P. Guiraud préfère apparenter *pignouf*, d'après son sémantisme, à une série de mots exprimant une idée de bouffissure, tels *pignard* «postérieur» (argot 1821), d'après le provençal *pignard* de même sens, *pignate* «marmite» et, toujours en provençal, *se pigna* «se remplir la panse» et «devenir arrogant, orgueilleux». Selon lui, cette famille remonterait au latin *pinguis* «gras»; mais il faudrait alors supposer une fermeture du *e* résultant du *i* bref latin, en *i*, sous l'influence du yod.

♦ Le mot désigne une personne mal élevée, grossière; il a eu cours dans l'argot des cordonniers pour désigner un apprenti cordonnier (1862).

▸ On en a tiré les mots populaires et familiers **PIGNOUFERIE** ou **PIGNOUFLERIE** n. f. (1865, Flaubert) et **PIGNOUFFISME** ou **PIGNOUFLISME** n. m., synonyme du précédent, également chez Flaubert (1873).

PILAF n. m., anciennement *pilau* (1654) et *pilaw* (1680), *pilao* (fin XVIIIe s.), est emprunté, par l'intermédiaire du turc, au persan *pilāv* désignant un plat composé de riz au gras servi avec des morceaux de viande, de poisson ou des coquillages, et épicé.

♦ Le mot, dont la graphie moderne est fixée en 1833, désigne le plat oriental et, dans la cuisine occidentale, un mode de cuisson du riz à l'huile ou au beurre (1869). Il s'emploie en apposition dans *riz pilaf*.

PILASTRE n. m. est un emprunt de la Renaissance (1545) à l'italien *pilastro*, terme d'architecture (1264) déjà relevé en 1159 en latin médiéval du domaine italien *(pilaster)*. Ce mot est d'origine incertaine : il est peut-être issu, avec haplologie, du latin *pila* (→ pile), avec influence du latin impérial *parastates* «colonne quadrangulaire apposée à un mur», emprunt du grec *parastatês* «celui qui se tient auprès», d'où «soutien», employé spécialement en balistique, en anatomie et dans le théâtre. *Parastatês* est dérivé de *paristanai*, verbe dont le premier sens est «établir auprès», de *para* (→ ① para-) et de *histanai* «placer debout» qui correspond au latin *sistere* (→ consister, etc.) de racine indoeuropéenne °*sta-* «être debout». Le latin impérial *parastates* entre par croisement avec le latin *palus* «poteau» (→ pieu) dans le mot qui a donné l'italien *palastra* «colonne quadrangulaire» (1363). Une autre hypothèse voit dans l'italien *pilastro* un autre mot, dérivé du latin *pila* «pilier» à l'aide du suffixe *-astro* qui exprime l'idée d'une chose possédant les caractéristiques d'une autre de manière incomplète (cf. le suffixe français *-âtre*).

♦ Le mot, relevé pour la première fois dans une traduction de l'italien, a été repris en français au XVIe s. comme terme d'architecture; il désigne une colonne ou un pilier engagé, formant une légère saillie, et de surface plane. Il est rapproché par le sens de ① *pile* et de *pilier*. Il a eu quelques extensions de sens en ferronnerie; ainsi, «montant ajouré placé régulièrement dans une rampe», «premier barreau du bas d'une rampe d'escalier» (1694) et en menuiserie «montant étroit d'un lambris de hauteur» (1752).

① **PILE** n. f. est issu (v. 1150) du latin *pila* «colonne», en particulier «pilier d'un pont» *(pila pontis)*, également «colonne de portique où les libraires étalaient leurs livres». Le mot latin n'a pas d'étymologie sûre : on en a rapproché le latin *pinsare* «broyer» (→ pétrin, piser) et une forme verbale osque.

♦ *Pile* est passé en français avec le sens de «pilier de maçonnerie», bientôt spécialisé pour le pilier de pont (de façon sûre en 1424, peut-être dès 1287), mais la forme attestée *pilles* pourrait être *pillés* «piliers». Par analogie avec la forme d'un pilier, le mot a pris une valeur figurée, «amas de choses placées les unes sur les autres» (v. 1225). ◆ Comme nom d'un dispositif transformant de l'énergie chimique en énergie électrique (1809; *pile de Volta*, 1803), c'est un emprunt à l'italien *pila*, nom donné par Volta à son invention en 1799 parce que le dispositif était composé de plaques de métal placées les unes sur les autres (l'anglais a adopté le mot *pile* dès 1800). En ce sens, *pile* entre dans quelques syntagmes comme *pile à feu* (1811), disparu, *pile galvanique* (1812), *pile sèche* (1845) et, plus courants, *pile électrique*, d'où *changer les piles*, etc. ◆ Depuis, *pile* a développé d'après l'anglais une acception spécialisée en informatique, en parlant d'un groupe d'éléments en attente de traitement en un point quelconque du système où l'information est seulement accessible par une des extrémités de la liste.

▸ Le plus ancien des dérivés de *pile* est le verbe **EMPILER** v. tr. (v. 1226) qui procède du sens figuré du nom et exprime l'action de mettre en pile des objets (draps, livres, etc.); par extension, il est employé dans le langage familier pour «entasser (des personnes)» (1870, Larousse) et par un développement moins clair, peut-être avec l'influence de *piler* «battre» ou même de *piller*, en argot pour «tromper, voler» (fin XIXe s.). ➛ Le mot a ses propres dérivés **EMPILEMENT** n. m. (1548), **EMPILAGE** n. m. (1679) et **EMPILEUR, EUSE** n. (1715), ce dernier pris argotiquement, puis dans l'usage familier, au sens de «voleur» (v. 1900). ➛ **REMPILER** v. tr., formé sur *empiler* par adjonction du préfixe *re-* (1875), au sens d'«empiler de nouveau», avait déjà été créé en moyen français à la forme pronominale *soi rempiler* «se joindre à un groupe de personnes» (v. 1310). ◇ En argot militaire, *rempiler* v. intr. équivaut à «se réengager».

PILOT n. m. (v. 1360, en Flandre et en Picardie) «poteau, pieu soutenant une construction sur l'eau» n'est employé que dans l'usage technique de même que son dérivé ② **PILOTER** v. tr. (1321) «garnir de pilots». ➛ En revanche, un autre dérivé, **PILOTIS** n. m. (1499), antérieur en picard sous la forme *pilotich* (1365), s'est imposé dans l'usage courant, désignant un ensemble de pieux enfoncés en terre pour soutenir une construction (sur l'eau, en terrain meuble).

◈ voir COMPILER, PILASTRE, ② PILE, ① PILER, PILIER, PILORI.

② **PILE** n. f., d'abord *pille* (1155) puis *pile* (v. 1200), est d'origine incertaine mais probablement tiré de ① *pile* comme le suggère le fait que le mot a longtemps désigné un morceau de fer acéré pour imprimer une devise.

♦ Le mot désigne le revers d'une monnaie portant l'écusson et le chiffre et aussi, en ancien français, le coin servant à frapper le revers d'une monnaie, acception métonymique (1258) qui a disparu. C'est de cette dernière que vient l'acception de «pièce héraldique en forme de coin dont la pointe est tournée vers le bas» (1690). ◇ La locution usuelle ***jouer à pile ou face*** (1842, au sens propre), où *pile* a sa valeur initiale, a pris le sens figuré de «s'en remettre au hasard pour décider qqch.» (1930). ➛ Par allusion à la pièce qui tombe sur l'envers et sans vibrer, le mot est employé adverbialement (1866) dans des locutions avec l'idée d'arrêt immédiat, d'équilibre après un mouvement : ***rester pile,*** à propos d'une bille qui reste immobile au même endroit, est régional; ***s'arrêter pile*** (1906) ou ***tomber pile,*** d'abord «sur le dos» puis «au bon moment, à point nommé» (v. 1950), est courant. *Tomber pile* est rapproché spontanément de *tomber à pic.* ◇ Dans la langue familière, *pile* est employé dans la désignation d'un temps horaire au sens d'«exactement» *(à trois heures pile).* La combinaison de *pile* et de *au poil* a produit **PILPOIL** adv., diffusé par une émission de télévision, pour «exactement» (cf. ***au quart de poil***).

▸ Il a produit ② **PILER** v. intr. (v. 1950), mot familier pour «freiner brutalement», c'est-à-dire «s'arrêter pile», en parlant d'un véhicule.

③ **PILE** → ① PILER

① **PILER** v. tr. est issu (v. 1165) du bas latin *pilare* «enfoncer comme un pilier, appuyer fortement, planter» (fin IVe s.), dérivé de *pila* «pilier» (→ ① pile).

♦ Le verbe signifie «réduire en petits fragments par un choc répété» et, par analogie, «fouler (qqch.) aux pieds». Les extensions de sens sont limitées : la locution figurée ***piler du poivre*** (1765), d'abord employée à propos de qqn qui piétine sans avancer, se dit en équitation à propos d'un mauvais cavalier secoué sur sa selle (fin XVIIIe s., *pileur de poivre,* 1794). ◇ D'autres sens appartiennent au langage familier comme autrefois «manger beaucoup» (1656) et de nos jours ***la piler*** «souffrir» et «souffrir de la soif» (cf. *la péter*). ◇ Le sens ancien de «faire souffrir, oppresser», vivant en moyen français, est prolongé (probablement par une métaphore nouvelle et indépendante) dans le sens moderne de «battre» (1821).

▸ Le plus ancien dérivé est **PILON** n. m., d'abord attesté en judéo-français (v. 1120) en parlant d'une petite masse servant à piler dans un mortier. Il désigne en technique (1690) un gros maillet servant à écraser, à comprimer (le tan, le papier puis d'autres matériaux), d'où la locution ***mettre un livre au pilon*** (1723) «en détruire l'édition». ◇ Par analogie de forme, *pilon* se dit de la partie inférieure de la cuisse d'une volaille (1603) et de l'extrémité d'une jambe de bois, servant par métonymie de désignation pour un mendiant, un estropié (1896), sens vieux. Il se dit aussi de la jambe, du pied en général (1847). ➛ *Pilon* entre dans le nom d'outil **MARTEAU-PILON** n. m. (→ marteau). ➛ Son dérivé **PILONNER** v. tr. (1700) «frapper avec un pilon», d'abord employé en technique du traitement de la laine, s'applique aux livres mis au pilon (1723), puis en verrerie au fait de remuer le verre lorsqu'il est en fusion dans un creuset (1803). ◇ La valeur argotique de «mendier» (1888) a disparu. ◇ En revanche, le sens militaire de «marteler à coup d'obus» (1916) est resté vivant. ◇ Le verbe a produit les dérivés **PILONNAGE** n. m. (1803), **PILONNEMENT** n. m. (déb. XXe s.) et **PILONNEUR, EUSE** n. (1936), argotique pour «mendiant».

③ **PILE** n. f., déverbal de *piler,* a été employé en moyen français dans la locution disparue *mettre à la pile* «maltraiter» (XIVe s.). Il a été repris au sens familier de «volée de coups» (1821) et s'applique, par extension, à une défaite écrasante *(flanquer, recevoir une pile).*

② **PILER** → ② PILE

PILEUX, EUSE adj. est emprunté (1495) au latin *pilosus* «couvert de poils, velu, poilu», de *pilus* (→ poil).

♦ Le sens repris au latin est sorti d'usage sous la concurrence de *poilu.* Le mot est passé en anatomie (botanique, zoologie) au sens de «du poil, relatif au poil» (1801), quelquefois (surtout en botanique) «qui contient des poils, en est recouvert»; il est courant dans l'expression ***système pileux*** (1801).

▸ Les dérivés ont été formés directement sur le radical du latin *pilosus.* ➛ **PILOSITÉ** n. f. (1842; après une première attestation au XVe s.) est emprunté au dérivé latin médiéval *pilositas, -atis* (v. 1190). ➛ **PILOSISME** n. m. (1855) est employé en botanique et en anatomie en parlant d'un développement exagéré ou anormalement localisé des poils.

◈ voir **PILOSELLE, PILOU.**

PILIER n. m. est issu (v. 1155), par substitution de suffixe, de la forme ancienne *piler* (fin XIe s.), qui remonte au bas latin °*pilare,* dérivé du latin classique *pila* (→ ① pile).

♦ Le mot est passé en français comme terme d'architecture, avec le sens du latin. Les extensions ont été nombreuses, procédant d'un emploi analogique (forme, fonction) ou figuré. ◇ Dès le XIIIe s., *pilier* est employé dans la langue familière pour désigner les jambes, surtout des jambes lourdes, massives (1640). ➛ Les premiers emplois figurés, au sens de «soutien, support assurant la stabilité», datent du XIIIe s., à la fois concrètement (1220-1240) et pour une entité abstraite (1265). ◇ Ultérieurement, le mot s'applique aussi par figure à une personne habituée à fréquenter certains lieux et qui semble y être «plantée»; cet emploi est le plus souvent péjoratif (1508, *piliers de taverne;* 1640, *pilier de cabaret*). ➛ Au XVIIe s., le mot est entré dans les langages techniques de l'horlogerie (1680) et des mines et carrières, pour désigner des masses de pierre laissées à intervalles réguliers pour soutenir le toit d'une exploitation souterraine (1694). Une spécialisation analogue en anatomie (v. 1800) concerne une partie ayant fonction de soutien d'un organe ou de délimitation d'un orifice : *piliers du voile du palais* (1787), *piliers du diaphragme* (1805). ◇ Dans le domaine de la construction, *pilier* s'étend à un poteau de bois, à un pylone métallique servant de support : *les piliers de la tour Eiffel* (1889). ➛ Le mot est enfin passé dans le vocabulaire du rugby où il désigne (1925) chacun des deux avants de première ligne qui, dans la mêlée, encadrent le talonneur.

PILLER v. tr. est issu par suffixation verbale (apr. 1250) du latin *pilleum* (également *pilleus* et *pileus*). Ce mot désignait d'abord un bonnet phrygien en laine dont on coiffait les esclaves que l'on affranchissait; puis après avoir assumé divers sens techniques, il a désigné le morceau de chiffon (donnant en ce sens l'ancien français *peille, pille* dans les dialectes). Le mot latin est rapproché, sans qu'on puisse y voir un emprunt, du grec *pilos* «feutre employé pour doubler un casque ou des souliers» et, par métonymie, «objet en feutre» (bonnet, chaussures). Ce mot d'origine douteuse, rapproché sans aucune certitude du latin *pilus* (→ poil), est probablement un terme technique emprunté.

♦ Le mot, qui correspondrait théoriquement à «traiter comme un chiffon» ou «mettre en chiffon», apparaît avec le sens de «déchirer, malmener, houspiller» et produit par extension quelques sens particuliers sortis d'usage : «mordre (en parlant d'un chien)» (1288), «médire, injurier» (XVIIe s.); il survit dans le langage moderne de la vénerie pour «s'élancer sur le gibier (d'un chien)» (1680). ➛ Le sens moderne s'est dégagé de bonne heure, d'abord manifesté par un emploi du mot (chez Adam de la Halle, domaine picard) en parlant d'un aubergiste qui détrousse par la ruse un buveur (v. 1277); il s'est répandu au début de la guerre de Cent Ans (déb. XIVe s.), en relation avec l'emploi du dérivé *pillage* (ci-dessous), l'idée de «ruse» passant au second plan et l'accent se portant sur la violence. ◇ Par extension, *piller* correspond à «dépouiller par des vols, des concussions, des détournements» (1538). ◇ Une nouvelle extension, «puiser dans une œuvre par plagiat» (1672) et par exagération «ne rien laisser», garde trace des valeurs initiales; elle a vieilli.

▶ La dérivation de *piller* est très active au XIVe siècle. ➛ **PILLAGE** n. m. (v. 1300) désigne d'abord le butin, par métonymie, et (1352) l'action de mettre à sac, avec toutes les extensions correspondant au verbe (XVIIe s.). ***Être au pillage*** s'est dit d'une maison où les domestiques volent, où règne le gaspillage (1690). Le mot s'est spécialisé en parlant de l'invasion d'une ruche par une colonie étrangère (1907, Larousse). ➛ L'autre nom d'action dérivé de *piller,* **PILLERIE** n. f. (1368; après *pillorie,* 1345), n'est quasiment plus employé, de même que **PILLEMENT** n. m. (v. 1360), senti comme un doublet inutile. ➛ **PILLEUR, EUSE** n. (1345) est le nom donné à la personne qui pille; il s'est conservé en dépit de la synonymie avec *pillard.* ➛ **PILLARD, ARDE** n. (1360), utilisé aussi comme adjectif (XVIe s., Ronsard), a développé en vénerie le sens de «(chien) hargneux qui force l'arrêt» (attesté XXe s.). Le sens initial, qui correspond à *pillage,* est le plus vivant. ➛ Le diminutif verbal **PILLOTER** (av. 1500) est devenu d'usage familier (1829) puis a disparu.

PILON → ① **PILER**

PILONNER → ① **PILER**

PILORI n. m. (v. 1165), également *pellori* (1168) dans les premiers textes, est d'origine incertaine, probablement emprunté au latin médiéval *pillorium* (attesté en 1190), lequel serait dérivé du latin classique *pila* «pilier» (→ ① pile) avec le suffixe *-orium* indiquant le lieu où l'on séjourne un certain temps. Toutes les autres hypothèses proposées ont été réfutées par Wartburg.

♦ Le mot est apparu avec son sens actuel, «instrument de supplice où l'on fixait un coupable pour l'exposer». ◇ Ses diverses extensions, «ornement de cou porté par les femmes» (1428), «pilier portant les armes du seigneur» en signe de juridiction» (1636), «poteau servant à attacher le bateau» (XVIe s.), ont disparu. ➛ Seule la locution figurée ***mettre au pilori*** «signaler à l'indignation publique» (1845), qui procède du sens initial, est demeurée dans l'usage courant.

▶ Le dérivé **PILORIER** v. tr. (1349), «faire subir le supplice du pilori», au figuré «dénigrer» (1655), est sorti d'usage.

PILOSELLE n. f. est un emprunt adapté (XIIIe s.) du latin médiéval *pilosella* (av. 1250), dérivé du latin classique *pilosus* (→ pileux). La forme actuelle (v. 1300) a triomphé de la forme plus ancienne *peluselle,* à côté de laquelle existaient les variantes *peluette, pelusete.*

♦ Le mot désigne comme en latin une plante à fleurs jaunes couverte de poils.

PILOT → ① PILE

PILOTE n. m., réfection (1484) de *pilot* (1339), *pillote* (XIVe s.), est généralement considéré comme un emprunt à l'italien *piloto* (XIVe s.) ou *pilota* (XVIe s.) «celui qui dirige un bateau». Ce mot, relevé à côté des formes *pedoto, pedotto, pedotta,* est regardé soit comme une altération de ces dernières sous l'influence de *pileggio* «roue de navigation», de la famille de *pelagos* (→ pélagien), soit expliqué par l'altération phonétique de *d* en *l,* propre à la prononciation byzantine. Il viendrait en effet d'un grec byzantin °*pêdôtês,* dérivé du grec *pêdon* «partie plate de la rame» et, au pluriel, «gouvernail». Ce mot appartient à la famille de *pous, podos* «pied» (→ podo-), lui-même apparenté au latin *pes, pedis* qui a donné *pied**. L'ancien français *pedot,* attesté une seule fois (v. 1320), est emprunté à l'autre forme italienne *pedoto* (XIVe s.) peut-être prise à °*pêdôtês* par l'intermédiaire d'un latin médiéval °*pedota;* le sicilien a les deux formes *pidotu* et *pilotu.* P. Guiraud, refusant cette étymologie, propose de voir en *pilote* un représentant indirect du latin *pila* «pilier» (→ pile), mais aussi «môle, digue, jetée» dès l'époque classique : il postule un roman °*pilottare* (selon lui, la forme *pilot, pilote* indique une origine verbale, donc l'antériorité d'une forme *piloter,* qu'il faudrait trouver avant 1484), lequel signifierait «amener, guider un navire à la jetée». On cite aussi l'exemple de Palsgrave *(si on ne pilotte pour savoir si la mer est profonde ou non)* en faveur d'une étymologie néerlandaise qui verrait dans *piloter* un synonyme de «sonder», mais cet exemple est isolé et son interprétation est incertaine.

♦ Le mot, passé en français pour désigner la personne qui dirige un navire, a pris le sens figuré de «personne qui guide une collectivité», d'abord dans un contexte religieux à propos du pape Paul IV (av. 1569), puis concrètement pour celui qui sert de guide (1676). À la même époque, *pilote* (aussi *poisson pilote*) désigne (1694) un poisson, le rémora, qui accompagne les navires ou les requins. ◆ En marine, *pilote* s'est spécialisé pour désigner la personne affectée à un port et qui est chargée de prendre la direction d'un navire dans les eaux portuaires. ◇ Depuis, le mot, passant du navire à d'autres véhicules, s'applique à la personne qui dirige un ballon (1782), un avion (1908), sens aujourd'hui très courant avec une phraséologie (*chef-pilote, pilote de chasse,* etc.), et aussi un véhicule terrestre (1903), en particulier une voiture de compétition (*pilote de course,* etc.). ◆ Il est employé en apposition à un autre nom avec l'idée de «ce qui ouvre la voie», dans *locomotive-pilote* (1874), et «ce qui sert de référence», en électricité, en travaux publics, dans l'éducation *(lycée pilote),* l'industrie (1949, *usine pilote*).

▶ Le dérivé **PILOTER** v. tr. (1484), «conduire un navire», a suivi l'évolution correspondant à celle du nom, prenant le sens figuré de «servir de guide à qqn» (1831) et la valeur extensive de «diriger (un avion, une voiture)». ◆ Il a produit **PILOTAGE** n. m. (1484) qui désigne d'abord l'action de diriger un navire, sens aujourd'hui vieilli, le mot désignant plus particulièrement la technique du pilote (dans un port, dans un canal). Au XXe s., le mot s'est étendu au domaine de l'aviation (1912) et a pris une valeur figurée, «conduire, diriger» (v. 1965). ◆ L'autre dérivé de *pilote,* **PILOTIN** n. m. (1769), a d'abord servi à désigner le poisson-pilote avant de prendre le sens d'«apprenti pilote» (1771). Il se dit surtout, de nos jours, d'un élève officier non diplômé dans la marine marchande (1875).

PILOTIS → ① PILE

PILOU n. m. est probablement emprunté (1894) au latin *pilosus* «couvert de poils, velu» (→ pileux), mais les circonstances de la création de ce mot ne sont pas connues; l'ancien français et dialectal *peloux* «poilu» n'a pu servir d'intermédiaire que si l'origine est dialectale.

♦ Le mot désigne un tissu de coton duveté, d'aspect pelucheux.

PILULE n. f. est emprunté (1314, *pillule*) au latin impérial *pilula* «petit corps rond, boulette, pelote», diminutif de *pila* «balle, boule» (→ pelote). La forme moderne (v. 1560) a succédé à *pillule.* Parallèlement, le moyen bas allemand *pille* et le néerlandais *pil* (d'où l'allemand *Pille* et l'anglais *pill*) représentent une réduction du latin *pilula.*

♦ Le mot a été introduit par les médecins pour désigner un médicament se présentant sous forme de petite boule ou de petite pastille. ◇ Par référence au désagrément qui accompagne la prise d'un médicament, il a reçu à l'époque classique le sens figuré de «chose désagréable dont il faut s'accommoder» (1665), entrant dans deux locutions figurées : ***dorer la pilule*** «donner une apparence agréable à ce qui ne l'est pas» (1668) et ***avaler la pilule*** (1690) «endurer avec patience une chose désagréable», notamment (1932) «croire à un mensonge». ◇ L'emploi particulier du mot en parlant d'un médicament contraceptif (1957), d'abord appliqué (1934) à un contexte anglais, est devenu très courant (v. 1970), aussi comme symbole de la liberté de procréer, pour les femmes.

▶ Le premier dérivé de *pilule* est **PILULIER** n. m. (1694), terme de pharmacie qui désigne un appareil servant à la confection des pilules puis une petite boîte à pilules (1812). ◆ **PILULAIRE** n. m. et adj. (1739), d'abord nom d'un genre de fougère, est employé comme adjectif en pharmacie avec le sens de «propre aux pilules» (1821, *masse pilulaire*). Le mot est substantivé pour désigner l'instrument servant à administrer des pilules aux animaux (1868). ◆ *Pilule* est entré dans les composés **MINIPILULE** n. f. (v. 1970) «pilule anticonceptionnelle faiblement dosée en hormones» et **MICROPILULE** n. f. (v. 1980) «pilule ne comprenant que des progestatifs».

PIMBÊCHE n. f., d'abord écrit *pinbesche* (1545), est d'origine obscure. L'hypothèse d'une composition à partir de formes verbales de *pincer** et de l'ancien français *bechier* «frapper du bec», de *bec**, n'emporte pas la conviction en l'absence d'une forme en *pins-*. Un rapprochement morphologique avec le moyen français *espimbeche* «mets» (1393), suggéré par Bloch et Wartburg, n'apporte pas d'éclaircissement, ce mot étant d'origine inconnue et le sens ne convenant pas.

♦ Le mot, resté vivant peut-être grâce aux *Plaideurs* de Racine, où la comtesse de *Pimbesche* est une plaideuse acharnée, a désigné une femme impertinente qui fait la capable. De nos jours, il vise une jeune fille ou femme prétentieuse qui fait des manières. On l'emploie aussi comme adjectif.

PIMENT n. m. est issu (v. 980) du latin *pigmentum* «matière colorante» (→ pigment), employé à basse époque à propos d'aromates, d'épices, en vertu de leurs propriétés tinctoriales.

♦ Le mot est passé en ancien français avec le sens du bas latin «baume, épice odoriférante», donnant lieu à d'anciens dérivés ayant trait à la fabrication de parfums : *pimentier* «parfumeur» (v. 1190), *empimenter* «embaumer, parfumer» (XIIIe s.), *empimentement* n. m. «fabrication de parfums». ◇ Il a désigné en particulier une boisson faite de vin, de miel et d'épices, irritante et échauffante (1080), sens vivant jusqu'au XVIe siècle. ◆ Le sens moderne, apparu (1664) après d'autres acceptions spécialisées en botanique, semble être un emprunt sémantique à l'espagnol *pimiento*, de même origine que le mot français, désignant la plante potagère des régions chaudes cultivée pour ses fruits qui servent de condiment (fin XVe s.). *Piment vert* correspond à *poivron* et *piment rouge* se dit absolument *piment*. Le mot connote une cuisine exotique relevée. ◇ Son extension figurée pour ce qui donne du piquant est attestée dans Balzac (1836, *Le Lys dans la vallée*).

► Le mot a deux dérivés. **PIMENTADE** n. f. (1740), qui désigne une sauce aux piments, tend à vieillir. ◆ **PIMENTER** v. tr. est d'abord attesté par son participe passé **PIMENTÉ, ÉE** adj. (Brillat-Savarin, 1826). Le verbe signifie «assaisonner avec des piments (rouges)», par extension «des épices et herbes aromatiques» et, au figuré, «donner du piquant à (qqch.)». Il est moins courant que le participe passé, qui s'emploie aussi au figuré (1862, *fable pimentée*).

PIMPANT, ANTE adj. serait dérivé (v. 1500), avec une forme de participe présent, du radical expressif *pimp-* que l'on retrouve dans l'ancien provençal *pimpar* «parer, attifer» (v. 1200) et dans le moyen français *pimper* v. tr. pron. (1578), conservé régionalement et repris dans *pimper des prunelles* «regarder effrontément» (1879, Huysmans). *Pimp-* serait une base nasalisée à mettre en relation avec diverses formations expressives de structure *p-p* encadrant différentes voyelles et exprimant en particulier un mouvement des lèvres, accompli en mangeant ou en aspirant, des joues gonflées, un objet gonflé et léger (→ pampille, papa, papille, papoter, pépin, piper, pompe, pompon, popote, poupée, pupille, soupape).

♦ Le mot qualifie une personne et, par métonymie, une toilette élégante, séduisante, plaisante (1658). Par analogie, il s'applique à la nature, à un objet, un lieu qui évoque la vie, le mouvement. On ne dit plus *faire le pimpant* «se pavaner» (1656 ; attesté jusqu'au XIXe s. [1878]).

PIMPRENELLE n. f., d'abord écrit *pimprenele* (XVe s.), vient, comme sa variante *pimpernele* (v. 1265), d'une nasalisation de l'ancien français *piprenelle* (XIIe s.), emprunté au latin médiéval *pipinella* (apr. 650), peut-être dérivé de *piper* «poivre» (→ poivre). On trouve aussi en latin *pimpinella* (VIe s.).

♦ En raison de la ressemblance des feuilles, l'ancien et le moyen français *pimprenele* ont désigné deux plantes, la sanguisorbe (latin *poterium*, Rosacées) et le boucage (latin *pimpinella*, Ombellifères). La première attestation sûre pour la sanguisorbe date de 1549. ◆ De nos jours, on distingue nettement *pimprenelle* de **PIMPINELLA** n. f. ou **PIMPINELLE** n. m. (1869), nom de l'ombellifère.

PIN n. m. est issu (1080) du latin *pinus*, employé par métonymie en poésie pour tout objet en bois de pin : vaisseau, bois de lance. Le mot est indoeuropéen et peut être rapproché du sanskrit *pītu-dāruḥ* qui désigne un arbre résineux et permet de postuler une racine °*pit-* «résine». Le premier élément se retrouve dans le dérivé latin *pituita* (→ pituite) et le grec *pitus* «pin». La formation en *u* de *pinus* rappelle celle du mot grec.

♦ Le mot désigne un conifère fréquent sur le pourtour de la Méditerranée et en montagne ; des syntagmes qualifiés correspondent à des variétés : *pin sylvestre* (1680), *pin maritime* (1835), *pin parasol* (1850). ***Pomme de pin***, d'abord *pume de pin* (v. 1200), désigne le fruit (pomme) de l'arbre. Par une métonymie attendue, *pin* est aussi employé pour le bois.

► La dérivation a fourni ② **PINASSE** n. m. (1549), nom régional (Vosges) du pin sylvestre ; **PINIÈRE** n. f. (1569) et **PINERAIE** n. f. (1873), qui sont fortement concurrencés par *pinède**. ◆ *Pin*, sous la forme de l'élément *pini-*, entre dans la formation de quelques mots savants comme **PINIFÈRE** adj., avec le second élément *-fère**, et **PINICOLE** adj. (XIXe s.), avec l'élément *-cole**.

PINASTRE n. m., nom régional du pin maritime, est un emprunt (1562) au latin *pinaster*. ◆ ① **PINASSE** n. f. (1596), d'abord *pinace* (1341-1342), est emprunté, par l'intermédiaire de l'ancien gascon *pinasse* (à Bayonne, 1306), à l'espagnol *pinaza* (1220-1250), *pinaça* (v. 1250), nom d'un petit vaisseau étroit, léger et rapide. Ce mot est dérivé de *pino* «pin», qui remonte au latin *pinum*, accusatif de *pinus*, ce bateau étant primitivement construit en bois de pin. On note également, avec le même sens, l'anglo-normand *espinace* (1324), *espynasse*, *spynasse* (1325) et *spynagtz* pl. (v. 1350), ainsi que le latin médiéval *spinachium* attesté chez le chroniqueur anglo-normand Knyghton (1338) et le moyen anglais *spinaces* (1442) : cette altération de l'initiale *p-* en *esp-*, *sp-* reste inexpliquée. ◆ En dehors du sens d'origine, d'usage historique, le mot désigne de nos jours une petite embarcation à fond plat utilisée pour la pêche sur le littoral du sud-ouest de la France (Gironde). (→ péniche).

PINÈDE n. f. est emprunté (1842) au provençal *pinedo* de genre féminin, qui remonte à l'ancien provençal *pineda* (XIIe s.), issu d'un latin populaire °*pineta*, pour le latin classique *pinetum* (neutre), dérivé de *pinus*. ◇ Le mot est passé en français avec le sens du provençal, «bois, plantation de pins»; bien que d'origine régionale, il s'est mieux implanté que les dérivés français de *pin*, *pineraie* et *pinière*, et que *pignade* (1869), issu de la forme gasconne de *pinède*, déjà attestée en 1679 sous la forme *pinada*.

◈ voir PÉNICHE, PIGNON, PINARD, PINÉAL, PINEAU, peut-être PINE.

PINACLE

PINACLE n. m. est emprunté (v. 1200) au latin chrétien *pinnaculum* «faîte d'un édifice», dérivé diminutif de *pinna* «merlon, panneau plein entre deux créneaux» (→ ① pignon).

♦ Le mot, au sens de «partie la plus élevée d'un édifice», est appliqué dans les premières attestations au temple de Jérusalem. Dans l'architecture gothique, il désigne le couronnement ouvragé qui décore le sommet d'une tour, d'un toit, d'un pignon, d'un tabernacle (1363), sens qui semble abandonné après le XVIe s. et qui a été repris comme terme d'histoire médiévale (1845). ➛ *Pinacle* est archaïque au sens de «sommet» (par exemple d'une montagne, v. 1470), mais cette acception a pu jouer un rôle dans la formation de la locution figurée *mettre qqn sur le pinacle* (XVIIe s., Sévigné), d'où *être sur le pinacle* (1701) et ***porter au pinacle*** (Sainte-Beuve, selon Larousse, 1874), forme aujourd'hui la plus usuelle.

◈ voir PANACHE, PIN-UP.

PINACOTHÈQUE

PINACOTHÈQUE n. f. est emprunté (1547) au latin *pinacotheca*, lui-même emprunté au grec *pinakothêkê* «galerie de tableaux». Ce mot est composé, avec *thêkê* «boîte, caisse» (→ bibliothèque), de *pinax* «planche», le plus souvent dans des emplois précis : «tablette pour écrire», «tablette votive», «catalogue, liste» et «tableau, peinture». Il s'agit d'un terme technique dont on rapproche le vieux slave *pĭnĭ* «tronc d'arbre, bûche» et le sanskrit *pinākа-* «bâton, canne», sans toutefois pouvoir reconstruire une famille indoeuropéenne.

♦ Le mot désigne un cabinet de peintures, une galerie de tableaux. Au XIXe s., il commence à désigner un musée de peinture (1830, Michelet), s'appliquant essentiellement à l'Italie et à l'Allemagne, le mot latin étant passé en italien et en allemand. L'emploi le plus fréquent concerne la *Alte Pinakothek* de Munich.

PINAILLER

PINAILLER v. tr., attesté seulement depuis 1934, est d'origine incertaine : un rapprochement est possible avec le bourguignon *pinocher* «se plaindre pour rien», probablement issu de la famille du radical expressif *pi-* exprimant des cris, des piaillements (→ pépier, piailler, piauler, piper). On a aussi proposé d'y voir un dérivé du verbe *piner* «posséder charnellement» et intransitivement «faire l'acte charnel» (1855), de *pine**. L'influence de ① *pignocher** est probable.

♦ Le mot, d'usage familier, signifie «ergoter sur des vétilles» et, quelquefois par rattachement à *pine*, «coïter de façon velléitaire ou désordonnée». Il est usuel.

▸ On a dérivé du verbe **PINAILLAGE** n. m. (1934), **PINAILLEUR, EUSE** adj. et n. (1934) et **PINAILLERIE** n. f. (1973), tous usités.

PINARD

PINARD n. m., synonyme populaire de *vin* depuis 1616 mais popularisé depuis la fin du XIXe s. (1886) par le langage militaire, est peut-être une variante populaire de *pineau**, par substitution de suffixe. P. Guiraud préfère y voir un dérivé du franc-comtois *pine* «sifflet d'écorce» et *piner* au sens de «siffler», deux mots qui appartiennent au radical expressif *pi-* que l'on a dans *piailler**, *piauler**.

♦ Le mot est d'usage familier pour désigner un vin ordinaire, généralement chargé en couleur et en tanin (cf. *gros rouge*), puis tout vin.

▸ Il a pour dérivé **PINARDIER** n. m. (1951), nom donné familièrement à un navire-citerne destiné au transport du vin et à un marchand de vin en gros (1953), souvent péjorativement.

PINASSE → PIN

PINCEAU

PINCEAU n. m., réfection au XVe s. de *peincel* (v. 1165) et *pincel* (v. 1260), est issu d'un latin populaire °*penicellus*, lui-même issu par substitution de suffixe du latin *penicillus*, *penicillum* (→ pénicilline). Ce mot qui signifie «pinceau», «art de peindre, peinture» et au figuré «style, manière de l'écrivain qui décrit», est dérivé de *peniculus* «brosse, instrument composé d'un faisceau de poils», diminutif de *penis* «queue de quadrupède» (→ pénis). Le *i* anormal des formes *pincel*, *pinceau* est probablement dû à une assimilation ancienne de *e* au *i* de la syllabe suivante.

♦ Le mot désigne l'instrument du peintre et, par analogie (1680), la brosse du graveur, du doreur. ◇ Les mêmes extensions métonymiques qu'en latin se sont développées au XVIIe s., le mot désignant d'abord, en parlant d'un écrivain, l'art de décrire (1609), puis l'art de peindre et le peintre lui-même (1690). ➛ Les autres extensions procèdent d'une analogie d'aspect avec le pinceau : G. Rondelet a nommé *pinceau de mer* (1558; d'abord en latin scientifique *penicillus marinus*, 1555) un ver marin, l'amphitrite. ◇ Le mot est passé figurément dans le langage de la physique optique pour désigner un faisceau lumineux passant par une ouverture étroite (1691, *pinceau optique*, *pinceau dioptrique*). Depuis 1761 (Buffon), il désigne une touffe de poils naturels. ➛ Ultérieurement, le sens argotique de «pied» (1800), qui apparaît dans la locution disparue ***coup de pinceau*** «coup de pied», est probablement tiré de *pince** au sens de «partie antérieure de la jambe du cheval» et de *pincettes* «jambes» : *pinceau* lui-même a populairement le sens de «jambe» (1962).

▸ Le seul dérivé de *pinceau* encore vivant est le mot technique **PINCEAUTER** v. tr., «ajouter de la couleur là où elle manque sur une étoffe imprimée, un papier peint» (1806). ◇ Ce mot tend à vieillir, de même que ses dérivés **PINCEAUTAGE** n. m. (1836) et **PINCEAUTEUR, EUSE** n. (1829, au féminin).

◈ voir **PÉNICILLINE, PÉNIS.**

PINCER v. tr., d'abord *pincier* (v. 1165), est dérivé du radical expressif °*pints-* qui évoque une saisie brusque et rapide, avec la désinence verbale; l'italien a de même *pinzare* «piquer» (d'un insecte), et l'espagnol *pinchar*. On a aussi pensé pouvoir regrouper tous ces verbes sous un étymon roman °*pinctiare*, altération de °*punctiare* «piquer» (lui-même de *punctum*; → point) sous l'influence du radical expressif °*pikk-* (→ piquer).

♦ Dès les premiers textes, le mot est employé au figuré au sens de «saisir moralement (qqn)», le sujet désignant l'amour. Cette acception est sortie d'usage, mais on peut y rattacher, par l'intermédiaire de «prendre connaissance superficiellement de (qqch.)» (1580), le sens moderne familier de ***en pincer pour qqch.*** (1809), ***pour qqn*** (1869). ◆ Le sens concret et usuel de «saisir violemment (qqch., qqn) entre les doigts, les dents» est attesté lui aussi en ancien français (v. 1175). ◇ En moyen français, le verbe prend la valeur érotique de «toucher amoureusement, lutiner» (v. 1266) et le sens figuré de «voler, dépouiller, saisir» (v. 1200), sorti d'usage mais proche d'«arrêter, appréhender (qqn, un voleur)», sens lui-même attesté à la fin du XVIe s. mais rare avant 1732, d'où «prendre (qqn) en faute» (1798). ◇ À partir du XVIe s., *pincer* a développé un certain nombre de sens spéciaux, «jouer d'un instument à cordes» (1552), au figuré avec un sujet désignant une cause physique, «causer une vive douleur, analogue à celle que produirait le fait de serrer violemment un organe» (1580 chez Montaigne, à propos du sentiment de la mort). ◇ *Pincer* est passé dans le langage de l'horticulture (1676), de la reliure (1701) et de la couture (1831; 1834, *pincer la taille*). ◇ Depuis le XVIIe s., il correspond à «serrer fortement (la bouche, le nez) de manière à les rendre plus étroits» (1690, Sévigné) : ***pincer les lèvres*** (XVIIIe s.) et sa variante ***pincer le bec*** (Diderot) renvoient à des gestes exprimant le mécontentement ou la pruderie. Par métaphore, *pincer* est employé pour «donner une sensation douloureuse analogue à un pincement», dans les expressions ***le froid pince*** (1833) et ***ça pince*** (1835) «il fait froid».

▸ La dérivation de *pincer* est relativement abondante. ◆ **PINCE** n. f., d'abord *pinche* (1376), est probablement antérieur à sa première attestation (voir le diminutif *pincette*, ci-dessous). Il désigne d'abord le bout de l'ongle du pied fourchu d'un cerf et, figurément (1382-1384), celui d'une barre de fer aplatie et fendue à l'une des extrémités dont on se sert comme d'un levier. ◆ Les extensions partent de ces deux idées : organe naturel et instrument servant à pincer; *pince* désigne une petite tenaille (fin XIVe s., par métaphore) et aussi la grosse patte avant de certains crustacés (1660). S'appliquant au corps humain, il a pris en argot le sens de «membre viril» (1611) encore réalisé dans la locution ***chaud de la pince*** (1857), qui interfère par calembour avec *chaud lapin**, celui de «main» (1857) dans la locution courante ***serrer la pince*** (1878-1879), et celui de «jambe» (1889) surtout dans l'expression ***à pince*** «à pied» (1901) [cf. *pinceau*]. ◆ *Pince* sert également de nom d'action à *pincer* (1483), avec quelques emplois spécialisés, au cirque, en sports et en équitation. ◇ Il est employé spécialement en couture à propos du pli fait à une étoffe (1660). ◆ *Pince* a lui-même quelques dérivés. ◇ Le plus usuel est le diminutif **PINCETTE** n. f. (1321) qui désigne proprement une petite pince, en particulier un instrument de fer à deux branches servant à attiser le feu, à déplacer les tisons (v. 1560), surtout au pluriel *les pincettes* (1631). Ce pluriel entre dans quelques locutions d'usage familier comme ***être à prendre avec des pincettes*** (1835) «être très sale» et ***ne pas être à prendre avec des pincettes*** «être de mauvaise humeur» (1852). ◇ Il partage avec *pince*, puis avec *pinceau*, le sens argotique de «jambes» (1867), d'abord (1866) dans la locution ***affûter ses pincettes*** «s'enfuir». ◇ *Pincette* a servi à former le verbe *épinceter* (ci-dessous). ◆ **PINÇARD, ARDE** adj. (1772) qualifie en équitation un cheval qui appuie seulement sur la pince du jarret; il a pris dans l'argot des cavaliers le sens de «cavalier qui ne tombe pas de sa monture parce qu'il serre ferme» (1883). ◆ *Pince* entre enfin dans un certain nombre de composés désignant des instruments (en artillerie *pince-déboucoir*, en chirurgie *pince-curette, pince-gouge, pince revolver*, en électricité *pince-crocodile*).

Le verbe a de nombreux autres dérivés. ◆ **PINÇON** n. m., d'abord *pinchon* (1423) employé au sens de «pince», puis d'«onglée» (v. 1500), se dit de la marque qui apparaît sur la peau quand elle a été pincée (1640) et, quelquefois, du fait de pincer. ◇ Dans le langage de la maréchalerie, il désigne (1762) le rebord du fer à cheval protégeant la corne du côté de la pince. ◆ **PINCEMENT** n. m. (1544) a d'abord exprimé l'action de tourmenter, de railler, en relation avec l'ancien sens figuré de *pincer* «railler, médire». L'usage moderne concret correspond à «action de pincer» (1596), surtout au physique dans quelques spécialisations, horticulture (1690), reliure, prestidigitation. ◇ Au figuré, il procède du verbe pour «sentiment douloureux», notamment dans la locution usuelle ***pincement au cœur*** (1882). ◆ L'autre nom d'action formé au XVIe s., **PINÇURE** n. f., d'abord sous la forme *pinchure* (Rabelais), a perdu son sens de «tenailles» pour la valeur moderne de «marque de pincement» (1573). ◆ **PINCÉ, ÉE** adj., tiré (XVIe s.) du participe passé, a d'abord eu le sens de «bien reproduit», qui correspond au sens de *pincer* «saisir, attraper» et qui est sorti d'usage; il qualifie un air dédaigneux (1695), une personne prétentieuse (XVIIIe s., Voltaire), des lèvres serrées (v. 1790). ◇ Il est employé en musique où *un pincé* a désigné un agrément du genre des trilles (1768), employé surtout par les clavecinistes aux XVIIe et XVIIIe siècles. On parle aussi d'instruments à ***cordes pincées*** (1926). ◆ **PINCÉE** n. f., substantivation du féminin du participe passé (1642), désigne ce que l'on peut saisir entre deux ou trois doigts et, par extension, une petite quantité. L'argot lui a donné, par antiphrase, le sens de «forte somme» (1883). ◆ **PINCEUR, EUSE** n. et adj. (1660) désigne une personne qui aime pincer; il est rare avant le XIXe s. où il a développé la spécialisation technique de «contremaître de débardeurs» (1840); il est également employé comme adjectif (1883). ➡ **PINÇAGE** n. m., formé (1845-1846) pour servir de nom d'action à *pincer,* s'emploie spécialement en horticulture et en mécanique (1932).

À ces dérivés s'ajoute une trentaine de noms composés avec l'élément verbal *pince-* et désignant un instrument, un ustensile ou un dispositif mécanique, comme **PINCE-MONSEIGNEUR** n. f. (1828, selon Bloch et Wartburg; 1879) et **PINCE-NEZ** n. m. inv. (1841). ➡ Le composé d'un autre type, **PINCE-SANS-RIRE** n. (1774) puis adj. (1842), procède de *pincer* dans son ancien sens de «railler»; on a dit *pincer sans rire* «offenser sans en avoir l'air» depuis le XVIe s., par opposition à *pincer en riant* (1640); l'expression est remotivée dans *jouer à pince sans rire,* pour un jeu qui consistait à pincer le visage de qqn avec les doigts noircis et à mettre à la place du patient celui qui riait de le voir barbouillé (1579). ➡ **PINCE-MAILLE** ou **PINCEMAILLE** n. m. (1482; 1382, comme surnom) s'est dit d'un avare, ainsi que **PINCE-FROID** adj. et n. se dit d'un homme froid, distant, peut-être par calembour sur *pisse-froid* (ou l'inverse). ➡ **PINCE-FESSE** n. m. inv. (1931), «fait de pincer les fesses à qqn, par provocation érotique», est devenu une désignation familière pour un bal où l'on se tient d'une façon inconvenante (1949), voire pour une réunion. (→ fesse).

Le préfixé **ÉPINCER** v. tr., d'abord *espincier* (v. 1210), est dérivé de *pince.* Le sens de «s'arranger, se parer» a disparu au profit de spécialisations techniques en arboriculture (1407-1408) pour «couper avec une pince les bourgeons qui poussent sur le tronc d'arbre», et en travail de la pierre (XVe s.). ◇ Le mot a donné **ÉPINÇAGE** n. m. (1416, *espinchage*), employé dans le travail de la pierre, ainsi que **ÉPINCEUR, EUSE** n. (1328-1342, *espincheur*). ➡ Formé sur le radical d'*épincer,* le nom d'outil **ÉPINÇOIR** n. m. (1676) désigne le gros marteau court servant à tailler la pierre et fendre les pavés. ➡ **ÉPINCETER** v. tr., formé (1509) sur *pincette,* est spécialisé en draperie (1829). ◇ Il a pour dérivés **ÉPINCETAGE** n. m. (1838), employé pour «opération par laquelle on nettoie le drap de ses impuretés».

◈ voir PIZZICATO.

PINDARISER v. intr. est dérivé avec le suffixe *-iser* (1489-1494) de *Pindare,* nom d'un célèbre poète lyrique grec (518-v. 483 av. J.-C.), auteur, entre autres, des *Épicinies* ou *Odes triomphales à la gloire des vainqueurs aux grands jeux panhelléniques,* et considéré dès l'Antiquité comme un modèle classique.

♦ Le mot, qui signifie «composer des vers à la manière de Pindare» (1502), a immédiatement reçu une valeur péjorative, «écrire comme Pindare, avec affectation, dans un style recherché», renversement irrévérencieux du modèle.

▸ Typique de la Renaissance, il a vieilli, de même que ses dérivés **PINDARISANT, ANTE** adj. et **PINDARISEUR, EUSE** n., ce dernier étant propre à l'usage familier et ironique.

PINDARIQUE adj. est emprunté (1556) au latin *pindaricus* «de Pindare», d'où «lyrique», calqué sur le grec *pindarikos,* de *Pindaros.* Le mot est d'abord relevé chez les poètes de la Pléiade (Ronsard) pour qualifier le poète ou le poème qui imite Pindare. Il a été repris avec une idée ambiguë d'exaltation et de grandeur emphatique, de lyrisme débordant (v. 1842).

PINDARISME n. m., tiré (1578) de *Pindare* avec le suffixe *-isme,* désigne proprement l'imitation du style de Pindare et, comme *pindariser* et *pindarique,* se dit par péjoration d'un lyrisme emphatique et obscur (1842).

PINE n. f., mot familier et trivial désignant le membre viril (v. 1278), est d'origine incertaine : pour Sainéan, il se rattacherait à *pine* «pomme de pin», du latin *pinea,* féminin substantivé de l'adjectif correspondant à *pinus* (→ pin), par une analogie de forme ; selon Wartburg, en dépit de l'écart chronologique qui sépare les deux mots, *pine* serait une translation de *pénis**; enfin, pour P. Guiraud, il représenterait le franc-comtois *pine* «sifflet, flûte d'écorce», à mettre en rapport avec *piner* «piailler, siffler à l'aide d'un petit tuyau» (→ pinard). L'ancienneté du mot et sa permanence n'autorisent guère, cependant, à supposer une origine locale et d'ancienneté moins grande. ◈

♦ Le mot, qui est avec *vit** la plus ancienne des désignations argotiques du pénis, se retrouve tout au long de l'histoire de la langue. Cependant, à la différence de *vit,* il n'apparaît pas dans les textes des poètes satiriques du XVIe et du XVIIe s. (mais on le trouve par exemple chez Rabelais), ni dans ceux de Nerciat, Sade, Mirabeau, etc. Sans doute a-t-il été de bonne heure considéré comme vulgaire. Aujourd'hui usuel, il semble moins employé que ses synonymes *queue* et *bite.*

PINÉAL, ALE, AUX adj. est le dérivé savant à la Renaissance (1534) du latin *pinea* «pomme de pin», substantivation du féminin de l'adjectif *pineus,* dérivé de *pinus* (→ pin) avec le suffixe *-al.*

♦ Le mot a d'abord qualifié en général une forme qui rappelle celle de la pomme de pin; il entre spécialement dans ***glande pinéale*** (av. 1650, Descartes) et *corps pinéal* pour désigner ce que l'on appelle aujourd'hui *épiphyse* chez l'être humain. Descartes et les cartésiens ont vu dans cet organe le siège du contact entre l'âme et le corps, théorie abandonnée assez rapidement, comme celle des esprits animaux. ➡ L'adjectif reste vivant en anatomie zoologique, où l'on parle d'*œil pinéal* (1887) à propos de l'organe photosensible unique, situé sur le crâne des vertébrés inférieurs ou fossiles.

PINEAU n. m. est dérivé (1406) de *pin** avec le suffixe *-eau,* la grappe de ce raisin ressemblant à une pomme de pin. *Pineau* semble bien être la forme d'un mot de l'Ouest (d'abord relevé à Poitiers), et *pinot* (fin XIVe s.) celle de l'Est (Bourgogne). Les deux suffixes n'étaient pas homophones en moyen français et les confusions graphiques entre les deux mots qui désignaient des cépages distincts ne se sont produites qu'à partir du XVIIe siècle ; au

XIXe s., si l'usage s'est établi d'adopter l'orthographe *pineau* pour le cépage blanc du pays de Loire et *pinot* pour le cépage noir de Bourgogne, il s'agit d'un retour à la situation géographique et phonétique d'origine.

♦ En moyen français, le mot a désigné une sorte de raisin et le vin fait avec ce raisin (déb. XVe s.). ◇ Le sens moderne de «cépage rouge ou blanc de Bourgogne, de Champagne, d'Alsace» est attesté depuis 1835, tandis que l'appellation ***pineau des Charentes*** (1828) est affectée à un vin de liqueur préparé avec du cognac et du moût de raisin frais.

▸ **PINOT** n. m., d'abord écrit *pynos* (fin XIVe s.), a commencé par désigner une sorte de raisin et, par métonymie, un vin de ce cépage (1611). ◇ Parallèlement à *pineau,* il s'est fixé au sens de «cépage donnant (notamment) les grands crus de Bourgogne» (1870).

PINÈDE → **PIN**

PINGOUIN n. m., réfection (1698) de *pinguyn* (1598) et *pinguin* (1602), est emprunté au néerlandais *pinguin,* lui-même d'origine obscure (on l'a rapproché du latin *pinguis* «gras»). Le mot anglais *penguin* (contemporain : 1589) apparaît dans des rapports mentionnant une île du même nom et présente une ressemblance formelle avec le gallois *pen gwyn* «tête blanche» (1582), sans qu'on puisse affirmer que son origine soit celtique.

♦ Le mot a été introduit en français par les relations de voyages des Hollandais pour désigner un oiseau palmipède au ventre blanc et aux ailes noires ; il s'est longtemps dit et se dit encore (abusivement en zoologie) en parlant d'un manchot (sens conservé par l'anglais). ◆ Comme d'autres noms d'animaux, en particulier d'oiseaux, il a développé dans la langue populaire le sens d'«imbécile» (1881) et, sans connotation péjorative, de «personnage, bonhomme», et avec un possessif celui d'«ami, compagnon» (probablement v. 1940) : ceux-ci font probablement référence à l'allure comique et guindée du palmipède.

▸ Son dérivé **PINGOUINIÈRE** n. f. (1876) désigne le lieu où se rassemblent les pingouins pour nicher.

PING-PONG n. m. est emprunté (1901) à l'anglais *ping-pong,* construit avec *ping,* onomatopée (1856) d'après *ding-dong,* autre onomatopée, et enregistré comme marque déposée du jeu aux États-Unis (1900). Ce jeu a été inventé par l'ingénieur James Gibb vers 1880. D'après la première attestation du mot en français (dans un article de *L'Illustration,* le 25 mai 1901), le nom dériverait d'une chanson ayant connu un grand succès dans les music-halls de Londres, vingt ans plus tôt.

♦ Le mot est courant, à côté de l'appellation officielle *tennis de table,* calque de l'anglais *table tennis.*

▸ La dernière partie du mot *ping-pong* a produit le dérivé **PONGISTE** n. (1935), «joueur de ping-pong».

PINGRE n. m. et adj., déjà employé en moyen français (1406) en association avec un nom propre *(Pierre le Pingre)* et qui ne semble réapparaître qu'au début du XIXe s., est d'origine incertaine. On rencontre *Pingres* au pluriel pour un jeu d'osselets (Rabelais, 1534) mais s'agit-il du même mot ? ◇ Selon P. Guiraud, cependant, *pingre* est une forme du mot *épingle**, hypothèse qu'il appuie par la forme dialectale *pingron* «épine» (Bas-Maine) et l'ancien français *pinglière* «celle qui fabrique ou qui vend des épingles». *Pierre le Pingre* aurait désigné un «marchand d'épingles», un marchand d'objets sans valeur, à comparer avec les emplois où *épingle* vaut pour «valeur nulle», telle la locution *je n'en donnerais pas une épingle* (XVIIe-XIXe s.). Le mot a pu se transmettre par le jargon des merciers ambulants. Le pingre serait d'abord un pauvre hère, puis, par croisement avec l'image du ramasseur d'épingles, un avare.

♦ Vers la fin du XVIIIe s., *pingre* apparaît avec le sens de «brigand» (1798), puis il signifie «pauvre» (1821), «malheureux» (1836), par le chemin inverse qui a mené *truand* de «mendiant» à «malfaiteur». Il se dit aussi pour «effronté et malin» (1834) ; ces sens argotiques et le mot provençal signifiant «piètre, mesquin», valeurs toutes péjoratives, auraient entraîné, d'après Sainéan, la forme populaire *pingre* vers son sens moderne (1808) «avare, usurier».

▸ *Pingre* a produit **PINGRERIE** n. f. (1808), «avarice» et «acte manifestant ce vice» (1877).

PINNE n. f. est emprunté (1558) au latin *pinna,* variante de *pina* «grand coquillage dont la coquille est large, qui s'attache au fond des mers chaudes et tempérées». Lui-même est emprunté au grec *pinna* ou *pina* de même sens, mot probablement emprunté à une langue méditerranéenne.

♦ L'homonyme *pine* rend l'usage du mot difficile, sauf dans le syntagme *pinne marine.*

PINOT → **PINEAU**

PIN'S n. m., attesté en 1988 dans la presse, est la francisation aberrante, par adjonction d'un *'s,* de l'anglo-américain *pin,* pour rendre la prononciation de l'anglais que *pin,* pluriel *pins,* ne saurait évoquer. Le mot est issu de l'anglais *pin* «cheville, clou» (v. 1100, *pinn*), «épingle» (v. 1380), employé à partir des années 1960 à propos d'une petite broche ornementale publicitaire munie d'un système de fixation à embout séparé. Les premiers *pin's* auraient été conçus pour la communication interne des entreprises. Coca-Cola en fabriqua de luxueux (agrémentés de diamants, de rubis) pour récompenser ses employés. Le mot anglais, comme ses correspondants dans les langues germaniques (ancien haut allemand *pfinn,* néerlandais *pin,* islandais *pinni*), représente le latin *pinna,* terme recouvrant divers objets pointus, en forme d'aile ou de plume (→ ① pignon, pinacle).

♦ Comme aux États-Unis, cet objet s'est développé en France avec les techniques de communication des entreprises, servant d'abord à la communication interne. Il s'est répandu à partir de 1986 et d'une série d'opérations de marketing qui l'ont fait sortir de la confidentialité : en 1986, le service de marketing de Roland-Garros crée une série de pin's représentant chaque catégorie d'intervenants (cameramen, arbitres de chaise, de lignes, etc.); la même année, Peugeot distribue des pin's à son effigie. Deux ans plus tard, les médias prennent acte de ce qui devient, en l'espace de quelques mois, un phénomène de société. Le mot se diffuse, envers et contre la recommandation officielle de la Commission générale de terminologie qui a opté pour *épinglette* (21 juin 1991), terme en vigueur au Canada. Un mot français ancien, *affiquet*, a pu correspondre au même concept, différent de *badge* en ce que la fonction ornementale est plus importante que la signalétique.

▸ La vogue du pin's a suscité la création d'un vocabulaire spécifique, avec **PHILOPIN'S** n. m. pl. «amateurs de pin's» et **PINS'OPHILES** n. m. pl., termes hybrides concurrencés par *épinglophile* n., recommandé officiellement. **PIN'SMANIA** n. f. et **PIN'SER** v. tr. sont du style journalistique (1990-1991). En réaction à cet engouement, on a formé **PIN'SOPHOBE** adj. et n. (1991).

PINSON n. m., d'abord écrit *pinçun* (v. 1185), est issu du latin populaire °*pincionem*, accusatif de °*pincio, -onis* formé sur le radical expressif *pinc-*, évoquant le cri de l'oiseau. Le mot latin classique *fringilla, fringillus* subsiste seulement dans le domaine italien *(fringuello)*; le type °*pincio* est usité dans presque tous les parlers gallo-romans, souvent avec un autre suffixe et l'initiale *k*: on a ainsi le toscan *pincione*, le corse *pinziolo*, l'espagnol *pinzón*, le sicilien *pinzuni;* quant aux formes celtiques et germaniques (allemand *Fink*, cymrique *pinc*, anglais *spink*), elles semblent apparentées à la même racine expressive.

♦ Le mot est resté courant comme nom d'un petit oiseau chanteur, et il est entré dans la locution ***être gai comme un pinson*** (1696) par référence à la gaieté expansive de l'oiseau souvent mis en cage pour son chant; par allusion à cette gaieté supposée, Musset a donné ce nom à son héroïne (1845), *Mimi Pinson*, type de la jeune fille gaie et travailleuse.

▸ Le dérivé **PINSONNIÈRE** n. f. (1768) est le nom régional de la mésange charbonnière.

PINTADE n. f. (1643), d'abord altéré en *pintard* (1637), est emprunté au portugais *pintada* désignant un gallinacé originaire d'Afrique. Le mot signifie proprement «(oiseau) peint»; c'est le participe passé féminin substantivé de *pintar* «peindre» qui remonte au latin populaire °*pinctare*, variante nasalisée de °*pictare*, lui-même du latin classique *pictum*, supin de *pingere* (→ peindre). Comme plusieurs noms d'animaux, le nom de la pintade lui vient des taches de son plumage.

♦ Nom d'un oiseau élevé comme volaille, *pintade* a développé un sens figuré familier et péjoratif de «femme sotte, vaniteuse» (1918, en relation avec *grue*), annoncé par certains emplois comparatifs (par exemple chez Balzac, 1833). ➛ *Pintade* désigne aussi (1776) un coquillage, par rapprochement entre les mouchetures de la coquille et celles du plumage de l'oiseau (voir ci-dessous *pintadine*).

▸ Le mot a produit trois dérivés. ➛ **PINTADEAU** n. m., le plus ancien (1771), formé avec le suffixe *-eau*, est usuel en gastronomie, la chair des jeunes pintades étant très délicate. ➛ **PINTADON** n. m. (1881) en est la variante régionale (Midi) formée sur le provençal *pintado*, correspondant à *pintade*, avec le suffixe *-on*. ➛ **PINTADINE** n. f., nom donné (1819) à une huître perlière, procède de *pintade* par allusion aux taches de la coquille.

PINTE n. f. est issu (v. 1200) du bas latin *pincta*, substantivation du participe passé féminin de *pingere* (→ peindre) en emploi adjectivé. L'adjectif qualifiait une mesure de capacité étalonnée *(canna, quarta)* et signifiait «pourvu d'une marque». *Pincta* est substantivé en latin médiéval (1249) au sens de «mesure pour les liquides». L'espagnol *pinta*, l'ancien provençal *pinta*, l'anglais *pint* et l'allemand *Pinte* sont empruntés au français.

♦ Le mot est d'abord attesté avec le sens métonymique de «contenu d'une mesure», puis (1294) pour désigner une unité de mesure de capacité. ◇ Par extension, il désigne un vase dont l'aspect rappelle celui de la mesure de capacité (1353). ◇ Le sens de «cabaret» (1681) est un helvétisme qui s'explique par un développement métonymique. ➛ Le mot a été repris à l'anglais *pint* (1384), emprunt à l'ancien français, pour «mesure de capacité utilisée en Angleterre» (1875); la pinte n'a pas la même valeur en Grande-Bretagne, aux États-Unis et au Canada où elle tend à disparaître depuis l'introduction du système métrique.

▸ De *pinte* est dérivé **PINTER** v. (v. 1278), passé du sens général de «boire» à celui de «boire beaucoup» (v. 1500), spécialement en parlant d'un ivrogne, également à la forme pronominale *se pinter*. Le verbe est d'emploi familier, comme son quasi-synonyme *picoler*. ◇ **PINTÉ, ÉE** adj. correspond à «ivre, soûl» et semble récent (mil. XXe s. ?).

PIN-UP n. f. est emprunté (1944) à l'anglo-américain *pinup* n., forme abrégée de *pin-up girl*, de *girl* «fille, jeune femme» (→ cover-girl) et de *to pin up* «épingler, afficher», de *pin* «épingle». *Pin*, ainsi que ses correspondants germaniques, continue le latin *pinna* appliqué à divers objets en forme d'aile ou de plume (→ ① pignon, pinacle). Le mot désigne l'image d'une jolie fille affichée dans une chambrée, d'où par métonymie la jeune personne elle-même. Il a pris naissance dans l'armée américaine pendant la guerre de 1939-1945, les militaires l'employant pour désigner les jolies filles plus ou moins déshabillées dont ils fixaient les photographies avec des épingles aux murs de leurs baraquements. La plupart de ces jeunes filles appartenant au monde du cinéma, le mot s'est vite appliqué à une catégorie de candidates à la renommée cinématographique, dotées d'avantages physiques (appelées plus tard en français *starlettes*).

♦ *Pin-up*, quelquefois ***pin-up girl*** (1945), a perdu en français ses connotations militaires et s'applique à toute image féminine assez déshabillée. ◇ Par extension, il désigne une jeune femme dont la beauté correspond aux critères de l'érotisme publicitaire (1946). Il a vieilli et reste lié à la période 1945-1960.

① **PIOCHE** n. f., d'abord *pioiche* (1363), est dérivé avec le suffixe *-oche* de ② *pic**, prononcé *pi;* cette prononciation se retrouve dans les anciens dérivés de *pic* désignant un outil similaire *(pial, piarde, piasse, piache)* ainsi que dans le nom d'oiseau *pivert,* pour *pic-vert. Pioche* est relevé en moyen français comme surnom donné par métaphore au pic, robuste passereau au bec droit et fort, aux pattes courtes.

♦ *Pioche* désigne un outil de fer recourbé à deux pointes pour remuer la terre. ◇ L'expression ***tête de pioche*** (1877) désigne une personne à la tête dure et on a dit (1867) ***être pioche*** pour «être borné». ◇ *Pioche* a reçu une spécialisation en alpinisme où il désigne une partie du piolet (1883) et s'emploie familièrement pour «piolet» (1947).

▸ Le dérivé **PIOCHER** v. (1429) «creuser avec la pioche» a développé plusieurs acceptions figurées dont «travailler intellectuellement avec ardeur» (1788), également en emploi intransitif (1805). *Se piocher* a pris au XIXe s. le sens populaire de «se battre» (1834), sorti d'usage. ◇ Au jeu, le mot vaut pour «puiser dans un tas de dominos, de cartes non distribués» (1867). ◆ *Piocher* a produit quelques dérivés : le plus ancien est **PIOCHON** n. m., d'abord *pieuchon* (1410), «petite pioche de jardinier», spécialement «petite pioche dont se sert le charpentier pour tailler les mortaises» (1694). ◆ **PIOCHEUR, EUSE** n. (1534) désigne en général la personne qui manie la pioche ; du sens figuré du verbe vient la valeur d'«ouvrier, personne qui abat beaucoup d'ouvrage» (1808), d'où «étudiant travailleur» (1832), emplois vieillis. ◇ Son féminin *piocheuse* est devenu le nom d'une machine agricole servant à piocher, à défoncer le sol (1860). ◆ **PIOCHAGE** n. m. fournit le nom d'action du verbe, au propre (1751) et au figuré (1874). ◆ Enfin, le déverbal ② **PIOCHE** n. f., homonyme du nom de l'outil, a été formé sur les sens figurés de *piocher :* il a désigné un travail intellectuel assidu (1840) et en général la besogne (1867, *se mettre à la pioche*) ; de nos jours, il ne reste vivant que dans le langage du jeu, pour désigner l'action de puiser dans un tas de cartes ou de dominos non distribués (1867). ◆ **PIOCHEMENT** n. m. fournit (1869) un nom d'action qui concurrence *piochage.*

PIOLET n. m., relevé en 1863 dans l'*Annuaire du Club alpin suisse* et enregistré en 1869 par Littré, est emprunté au valdotain (parler du Val d'Aoste) *piolet* «petite hache». C'est un dérivé du piémontais *piola* (le latin médiéval *piola* est relevé à Asti, en Lombardie, Émilie et Vénitie), dérivé avec aphérèse de *apia* «hache», lui-même probablement emprunté au provençal qui le tient du francique *hâppja* (→ hache).

♦ Le mot désigne un bâton d'alpiniste en métal, muni d'un bout ferré et d'un bout en petit fer de pioche.

▸ *Piolet* a fourni le premier élément de composés désignant des modes d'utilisation du piolet, tels que **PIOLET-ANCRE** (1967), **PIOLET-APPUI** (1967), **PIOLET-RAMASSE** (1967), et des types particuliers comme **PIOLET-HACHE** (1975), **PIOLET-MARTEAU** (1930). ◇ De *piolet* ont été dérivés **PIOLETTE** n. f. (1911) et **PIOLETIER**, dans *maître-pioletier,* n. m. (1911).

✳ **PION** n. m., d'abord *peon* (v. 1180), puis *pyon* (apr. 1450) et enfin *pion* (1477-1478), est issu du latin *pedonem,* accusatif de *pedo, pedonis* (→ péon), dérivé de *pes, pedis* (→ pied). *Pedo,* attesté dès le latin classique comme surnom, a pris à basse époque, selon les glossaires, le sens de «qui a de grands pieds» ; en langue parlée, il a dû se dire pour «qui va à pied» car il est attesté en latin médiéval pour un piéton, un fantassin.

♦ Le mot est passé en français avec ce sens de «soldat à pied», vivant jusqu'au XVIIe s. (Scarron) et éliminé par *fantassin.* ◇ Dès la fin du XIIe s., il est employé au jeu d'échecs pour désigner la plus petite pièce, celle qui se déplace lentement par rapport aux autres, symbole de l'homme de guerre à pied par rapport au cavalier. ◇ Par un développement péjoratif commun à d'autres dérivés de *pied* (par exemple *piétaille, piètre*), *pion* a servi à désigner un pauvre hère, un clochard (1505) ; ce sens a disparu. ◇ Par ailleurs, le terme de jeu a donné la locution figurée ***damer le pion*** (1688) «surpasser», précédée par *donner le pion à qqn* (1661), sorti d'usage. Par extension, on passe au sens de «pièce du jeu de dames» (1689) et, en général, «pièce d'un jeu». ◆ Au début du XIXe s., c'est dans l'argot des écoliers, le mot désignant un subalterne, que *pion* a pris le sens de «surveillant d'école» (1834), suscitant le féminin **PIONNE** «maîtresse en second dans un pensionnat de jeunes filles» (1878), puis «surveillante».

▸ Le plus ancien dérivé se rattache au sens primitif de «fantassin» mais cette origine n'est plus sentie. ◆ **PIONNIER, IÈRE** adj. et n., d'abord *pëonier* (v. 1140), *pïonier* (1225-1230), a commencé par désigner un fantassin (jusqu'au XVIe s.), puis un terrassier (1225-1230) et spécialement un soldat chargé de travaux de terrassement (v. 1380). ◇ Au début du XIXe s., un autre emploi lui est venu de l'anglais *pioneer,* lui-même pris à l'ancien français et attesté dès le XVIIe s. pour désigner un initiateur. Ce sens vient de l'usage du mot dans les travaux de terrassement et de la mine, où il désigne celui qui prépare la voie aux autres. En Amérique du Nord, *pioneer* s'est dit de la personne qui s'installe sur de nouvelles terres à défricher (1817). Le français a repris ce sens, donnant à *pionnier* la valeur de «personne qui met en valeur des terres nouvelles» (1828, par référence à l'Amérique), puis, par métaphore, de «personne faisant progresser l'humanité» (1853), en particulier dans le domaine scientifique (1864, *un pionnier de la science*). ◇ Un autre sens est repris du russe *pioniér* (1926), emprunt à l'anglais qui désigne un membre d'une organisation de jeunesse communiste, à cause de ses valeurs positives, analogues à celles de *scout* (→ scout) et d'*éclaireur;* ce sens s'est d'ailleurs étendu au scoutisme français.

En tant que terme de jeu d'échecs, *pion* a produit **PIONNER** v. intr. (1798) «prendre des pions en nombre» ou, souvent, «perdre des pions pour en gagner d'autres de même valeur», demeuré rare. ◆ Enfin, avec son acception de «surveillant», *pion* a donné les dérivés plaisants ou familiers **PIONESQUE** ou **PIONNESQUE** adj. (1878), **PIONNERIE** n. f. (1896) et **PIONNICAT** n. m. (1938), lequel a évincé **PIONNAGE** n. m. (1879).

◈ voir MORPION.

PIONCER v. intr., mot argotique puis familier pour «dormir» (1827), est d'origine incertaine. De nombreux linguistes s'accordent à y voir l'altération, d'après *ronfler** (*pioncer* signifiant «dormir très profondément»), du verbe argotique *piausser* «coucher» (1628), lui-même dérivé de l'argotique *piau* «lit» (1628) [→ ② pieu]. *Piau* est, comme *pieu*, une forme dialectale de *peau** pour «couche faite de peaux». Parallèlement à *piau* et *piausser*, on relève le groupe *peau-peausser* avec *le peaux huré* «le lit» (1596), *peausser* «coucher» (1596) et le substantif verbal *peausse* «lit» (1566), de même que l'on relève *piausse* (1562).

♦ Ces formes ont disparu, mais *pioncer* «dormir» est resté très vivant dans l'usage familier.

► On lui connaît les dérivés rares **PIONÇAGE** n. m. (1880), **PIONCE** n. f. (1883) et le diminutif **PIONÇOTTER** v. intr. (1891).

PIOT n. m. est le déverbal (1532) du moyen français *pioter* «boire beaucoup» (XVIe s.), lui-même dérivé avec le suffixe *-oter* de l'ancien verbe *pier* «boire» (apr. 1250) dont l'origine est très discutée. S'appuyant sur un ensemble de témoignages recueillis par Sainéan, Wartburg considère *pier* comme dérivé de ② *pie**, cet oiseau étant avide et assoiffé : on peut évoquer, outre les locutions citées à *pie*, les expressions *la pye est juchie* «le vin est bu», l'enseigne de *La pie qui boit* (1585) et l'emploi de l'ancien nom de la pie, *agace*, dans le dicton *l'agace a emporté le dousil* «le tonneau est vide». Estimant que ces témoignages linguistiques ne sont que le résultat du rapprochement plaisant entre l'argot *pie* «vin» (v. 1480, *gourde pie* «vin excellent»; 1545, *donner bonne pie*), lui-même déverbal de *pier*, et le nom de l'oiseau, P. Guiraud écarte ce rapport avec ② *pie*, nom de l'oiseau. À ces motifs d'ordre sémantique, il ajoute une raison morphologique : seuls les noms d'oiseaux dépourvus d'un suffixe pourraient produire des verbes. Rapprochant *pier, pioter* «boire» de leurs quasi-synonymes *piailler, piarder, pioler, pionner*, P. Guiraud considère ces verbes comme des extensions sémantiques de *pier, pioter, piailler* «crier, piauler», eux-mêmes dérivés de la racine expressive *pi-* (→ piailler, piauler). Le prototype de cette évolution serait *piper** «souffler dans un chalumeau, jouer de la flûte» et «aspirer un liquide avec un chalumeau», d'où «aimer boire», à rapprocher également de *siffler** qui signifie aussi «boire» et de *picoler*. Dans l'une ou l'autre hypothèse, les rapports de *pier* «boire» avec l'argot espagnol (*piar* «boire», 1609; *pío* «vin») et portugais (*piar* «boire») sont obscurs, comme l'origine même de ces mots d'argot.

♦ *Piot* est d'abord attesté chez Rabelais avec son sens de «vin, boisson», spécialement dans la locution ***humer le piot*** «boire plus que de raison» (1534), sortie d'usage, mais encore citée. Le mot fait partie des dénominations populaires du vin tombées en désuétude.

PIOU-PIOU n. m., onomatopée enfantine imitant le cri des poussins (1611) ou celui de petits oiseaux (→ piaf, piailler), a été pris plaisamment pour désigner de jeunes soldats (1838).

♦ Le mot a servi à désigner des soldats de la ligne, de jeunes fantassins; il n'est plus guère usité sauf en contexte historique (époque 1830-1914).

► Il a été abrégé en **PIOU** n. (1864, Goncourt), avec le même sens, et a produit **PIOUPIESQUE**, adjectif plaisant (1871, Baudelaire, employé par Rimbaud), «propre au piou-piou, à ses manières».

PIPE → **PIPER**

PIPELET, ETTE n. est tiré (1854) du nom propre *Pipelet*, patronyme d'un concierge dans *Les Mystères de Paris* (1842-1843) d'Eugène Sue où l'on peut lire : «Monsieur *Pipelet*, le portier, momentanément absent, était représenté par Madame *Pipelet*» (p. 69), et : «c'est vrai... s'écria aigrement la *Pipelet*» (p. 265). Il se pourrait que le mot ait été employé antérieurement comme sobriquet, étant donné qu'il se rattache, par la forme et par le sens, à la famille de *piper** (P. Guiraud invoque une structure onomatopéique *papp-/popp-/pipp-* comportant l'idée d'un mouvement des lèvres et donc du bavardage).

♦ Le mot, d'abord attesté au sens plaisant de «concierge», a pris le sens de «personne bavarde qui fait des commérages» (1921), quelquefois en emploi adjectivé (1952).

PIPE-LINE ou **PIPELINE** n. m., d'abord de genre féminin (1885) puis masculin (1907), est emprunté à l'anglais *pipeline* (1873), composé de *pipe* «tuyau», mot germanique à l'origine duquel on suppose un latin populaire °*pippa* (→ pipe, art. piper), et de *line* «ligne», issu en partie de l'emprunt par le moyen anglais du français *ligne**.

♦ Le mot désigne comme en anglais une canalisation de gros diamètre servant au transport à grande distance de certains fluides, notamment le pétrole, et de certaines substances pulvérisées. Il admet en français la prononciation anglaise avec les voyelles diphtonguées *(aï)*, ainsi que la prononciation française; reconnu par l'arrêté du 12 janvier 1973 sur l'enrichissement du vocabulaire (*Journal officiel* du 18 janvier), il est cependant de préférence remplacé par *oléoduc, gazoduc* et autres composés analogues.

✳ **PIPER** v. est issu (v. 1180) du latin populaire *pippare* «piauler, glousser», formé, par redoublement expressif du *p*, à partir du latin classique *pipare*, d'origine onomatopéique (comme ses variantes *pipire, pipilare* et comme les verbes *piailler, piauler*). *Pipare* est attesté au moyen âge aux sens de «gazouiller» (VIIIe s.) et «jouer de la flûte» (1287).

♦ *Piper* est passé en français avec son sens propre, «pousser un petit cri», en parlant d'une souris, puis d'un oiseau (1556); de ce sens disparu procède l'emploi du mot à la chasse pour «imiter le cri d'un oiseau que l'on veut attirer» (v. 1375), d'où «parler» en phrases négatives (1616, *ne pas piper*; 1852, ***ne***

pas piper mot). ◆ Par une autre figure, *piper* est passé du langage des chasseurs dans celui des joueurs de cartes et de dés au sens de «tromper, leurrer» (1455). L'acception a vieilli comme *se piper* «se tromper» (1580), mais on dit encore ***piper les cartes, les dés*** «les truquer» (1636) et surtout *dés pipés.* ◇ Les développements en «voler, dérober» (1868), «prendre, arrêter qqn» (1878), appartiennent à l'usage populaire de la fin du XIXe s. et ont disparu.

▶ Le dérivé le plus important de *piper,* plus courant que ce verbe et détaché de lui, est **PIPE** n. f. (v. 1225), qui a peut-être subi l'influence sémantique du latin médiéval *pipa* «tuyau» (867) et «tonneau» (1212), dérivé de *pippare.* ◆ *Pipe* n'a pas gardé son sens primitif de «flûte champêtre»; il a pris par analogie de forme (v. 1125) celui de «chalumeau avec lequel on boit», «tuyau, goulot», également sorti d'usage. ◆ Toujours avec l'idée d'un contenant creux, il a servi à désigner une ancienne mesure de capacité pour les liquides (v. 1278) puis une grande futaille (1306). ◆ Par une spécialisation destinée à l'usage le plus courant, il désigne un instrument de fumeur, constitué d'un fourneau et d'un tuyau (1636, glosé par «*pipeau* à tabac»). Les extensions métonymiques et figurées de ce sens sont nombreuses. ◇ Cependant ***casser sa pipe,*** d'abord «crever de rage» (1649) avant d'être de nouveau attesté au sens de «mourir» (1856), se comprendrait mieux d'après *pipe* pris au sens de «gosier» (XIIIe s.; encore au XVIe s. et en 1856) par métaphore de «chalumeau pour boire». Le juron *(sacré)* ***nom d'une pipe*** (1790) emploie *pipe* par euphémisme du nom de Dieu. ◇ Très probablement par référence aux figures grotesques des fourneaux de pipe «Jacobs», *pipe* a pris le sens argotique de «tête» (1867) qui a vieilli mais dont procèdent, par métonymie, ***tête de pipe*** «individu ridicule» (1883) d'où, par un renforcement plaisant de *tête,* «individu quelconque» (***par tête de pipe,*** 1949). ◇ Quelques emplois techniques du mot à propos d'un coin de meunier (1803) puis du tuyau isolateur d'un conduit électrique (1924) se ressentent soit de l'ancien sens de «tuyau», soit de l'influence de l'anglais *pipe* (→ pipe-line). ◇ Au XXe s., le mot a pris en argot (des prostituées) le sens de «fellation» (1927), dans les locutions ***faire une pipe*** (1935) par métaphore du nom de l'instrument du fumeur. ◆ *Pipe* a produit quelques dérivés : **PIPEAU** n. m. (1559) a pris le relais de *pipe* «petite flûte champêtre» (également *pipet,* av. 1250). Le mot désigne un appeau servant à attirer les oiseaux en imitant leurs cris (1558) et, par analogie de fonction, un piège à petits oiseaux, fait de menus branchages enduits de glu (1798). *Pipeau* n'a pas conservé l'acception de «goulot» (1537). ◇ L'expression récente *c'est* ***du pipeau*** «du mensonge fait pour tromper» (v. 1970) vient du sens initial *(jouer du pipeau).* ◆ **PIPETTE** n. f. a existé en moyen français (1462) avec le sens de «petite flûte», puis a été recréé (1688) au sens de «petite pipe à fumer», servant quelquefois de synonyme à *pipe;* cette acception a disparu. ◇ Depuis 1830, par analogie de forme avec un tuyau de pipe ou par retour à l'idée de tuyau, *pipette* désigne un petit tube servant à prélever un liquide (1830). ◇ En ce sens, il a fourni **PIPETTER** v. tr. (1949) «prélever (un liquide) avec une pipette». ◆ Avec le suffixe *-ée, pipe* a aussi produit **PIPÉE** n. f. (1909) «quantité de tabac d'opium que l'on peut mettre dans le fourneau d'une pipe», cependant rare sous la concurrence de *pipe* (→ casse-pipe, à casser; et cure-pipe, à curer).

En dehors de *pipe, piper* n'a guère produit que **PIPÉE** n. f., attesté une première fois dans l'expression *pipée des oiseaux* «groupe d'oiseaux», et repris (1376) pour désigner la chasse dans laquelle on attrape les oiseaux en imitant leur cri. L'extension figurée au sens de «tromperie, ruse» (1478-1480, dans *chasser à la pipée*) ne s'est pas implantée. ◆ **PIPEUR, EUSE** n. et adj. (1455) a vieilli dans la plupart de ses sens, «trompeur, tricheur», attesté dès les premiers textes et encore connu par la littérature (Panurge, dans Rabelais), ou «personne chassant à la pipée» (1530). ◇ L'ancien féminin **PIPERESSE** (1554) a été refait en *pipeuse* (v. 1590).

◈ voir FIFRE, PÉPIER, PIAF, PIAILLER, PIAULE, PIAULER, PIGEON, PIGNOUF, PINARD, PIOU-PIOU, PIPELET, PIPE-LINE.

PIPERADE n. f., attesté en 1926, est un mot d'origine béarnaise relevé aux sens de «salade de piments» (1887) et d'«omelette aux piments» (1932). Il est dérivé avec le suffixe *-ade* (du latin *-ata*) du béarnais *piper* «piment, piment rouge», lequel est emprunté au latin *piper* (→ poivre); le mot béarnais est le représentant savant du latin dans le domaine gallo-roman.

♦ Le mot désigne un plat régional (Pays basque) composé d'une omelette avec des tomates et des poivrons cuits.

PIPI → PISSER

PIPISTRELLE → VESPERTILION

PIQUE n. f., d'abord attesté dans des textes du Nord-Est (1360-1370) et dans l'expression *pique de Flandres,* est emprunté au moyen néerlandais *pike* (XIIIe s.), à rapprocher du moyen bas allemand *pek* «lance» et de l'ancien anglais *pic. Pike* est dérivé du verbe *pikken.* Celui-ci semble issu, comme ses corrélats en bas allemand et en moyen anglais, de la même forme expressive qui a donné les formes romanes (on a d'ailleurs envisagé pour le néerlandais un emprunt au français) [→ ② et ③ pic, piquer].

♦ Le mot, à ne pas confondre avec l'ancien français *pique,* féminin de ② *pic** désignant une pioche, désigne une arme formée d'une hampe garnie d'un fer plat et pointu. ◇ L'expression ancienne *passer les piques,* concernant une punition militaire, a donné lieu à un sens dialectal, «punition», et peut-être au dérivé ② *piquette* (→ piquer). ◆ En référence aux marques de fer de lance représentées sur les cartes, il désigne une des deux couleurs noires au jeu de cartes : on le relève d'abord dans l'ancienne expression figurée *c'est bien rentré de picques* (1534, Rabelais) puis *c'est bien rentré de picques noires* (1552) «vous avez parlé hors de propos», par allusion à l'entrée en jeu de mauvaises cartes. Le mot, employé absolument en ce sens, est d'abord au féminin (1611) et change de genre (1680) probablement par alignement sur les trois autres noms de couleur *(trèfle, carreau, cœur),* qui sont de genre masculin. Par métonymie, *un pique* désigne une carte de cette couleur (1662, au féminin). ➛ Par extension, *pique,* nom d'arme, est devenu le nom d'une mesure de longueur ancienne équivalant à la longueur moyenne d'une pique, soit environ 1,60 m (1617), entrant dans la locution *être à cent piques au-dessus (au-dessous) de qqn* «lui être très supérieur (inférieur)» (1670), elle aussi sortie d'usage. ➛ Par réemprunt à l'espagnol, *pique* s'applique à l'arme du picador, en tauromachie (1926). ◇ Par analogie du sens initial, il se dit d'une épingle en plastique pour les mises en plis ainsi que de la tige métallique dont se servent les paveurs pour étaler le sable entre les pavés.

▸ De *pique* est dérivé **PIQUIER** n. m. (1480), nom du soldat portant la pique, aujourd'hui terme historique.

◈ voir ② PIQUETTE (art. PIQUER).

✳ **PIQUER** v. tr. est issu (v. 1306) du latin populaire °*pikkare* «entamer avec une pointe, frapper», qui existe dans toutes les langues romanes (catalan, espagnol, portugais *picar*) à l'exception du roumain. Ce verbe est né de l'impression que fait un mouvement rapide suivi d'un petit bruit sec et remonte à un radical expressif *pikk-* : le *p* pourrait exprimer le déclenchement du mouvement, le *k* son aboutissement et la voyelle *i* son acuité et sa brièveté. La consonne double du latin populaire n'a pas été palatalisée en *tch-, ch-* parce que cette évolution aurait détruit le caractère expressif du mot. Le même radical se retrouve dans les langues germaniques, sans que l'on puisse penser à un emprunt ni d'un côté ni de l'autre (→ pickpocket, pick-up, pique). En latin classique, cette onomatopée avait déjà fourni le substantif *picus,* nom d'oiseaux (→ ① pic, ② pie).

♦ Le mot, à ne pas confondre avec son ancien homonyme *piquer* «démolir à coups de pic» (2e moitié du XIIIe s.), tiré de ② *pic,* exprime le fait de percer avec la pointe de certains objets, par exemple une épée. Les extensions de ce sens sont nombreuses : *piquer* signifie «faire un trou, ronger», en parlant des vers (v. 1480), sens dont procédera au XIXe s. la locution familière ***n'être pas piqué des vers*** (1832) «être excellent» (puis *des hannetons,* etc.). ◇ *Piquer* se dit pour «planter son dard» à propos d'un insecte (1541), d'où la locution figurée ***quelle mouche le pique ?*** «qu'est-ce qui lui prend ?» et, pour un homme, «aiguillonner (un animal)» (1538), «ficher (un objet pointu) en terre» (1538), et en couture «attacher ensemble à l'aiguille en faisant passer un fil» (1606 ; 1572, au participe passé adjectivé, *courtepoincte picquee*). ◇ *Piquer* est employé en cuisine pour «garnir (une viande) d'un ingrédient par des trous pratiqués en perçant» (1660), en médecine pour «percer la peau avec une lancette» (1671) et au jeu pour «marquer (les cartes) afin de les reconnaître pour tricher» (1858). ◇ Par métaphore, le verbe, transitivement et absolument, correspond à «donner la sensation d'entamer avec une pointe» (1393), en particulier en parlant de la barbe, d'un végétal, d'un animal, et aussi à «être acide ou très fort», d'un aliment ou d'une boisson (1580, *piquer la langue*), d'où (XXe s.) dans l'usage enfantin *de l'eau qui pique* pour «de l'eau gazeuse». ◇ De l'acception «donner de l'éperon à (un cheval)» (1456-1457), sortie d'usage de même que l'emploi intransitif qui lui correspond, d'où l'extension pour «s'élancer sur son cheval» (1484), sont issus plusieurs emplois comportant une idée de mouvement brusque ; ainsi à propos d'une monture, *piquer* s'emploie dans la locution ***piquer des deux*** (1688), elliptique pour *piquer son cheval des deux éperons,* et l'expression transitive ***piquer un galop.***

Le verbe implique couramment l'idée de «tomber, s'enfoncer», en particulier à propos d'un oiseau, d'un avion (1914) [voir ci-dessous *piqué*] et, dans l'usage familier, «faire une chose brusquement» (1840) : on parle de ***piquer un somme*** (1886) pour «s'endormir brusquement», après avoir dit *piquer un chien* (1831), et de ***piquer un soleil*** (1844) ou ***un fard*** au sens de «rougir». La locution ***piquer une tête*** (1842) exprime le fait de tomber vivement la tête la première. ➛ Par analogie de mouvement, *piquer* est employé avec le sens de «frapper vivement» (XVIe s.) surtout à propos d'une cloche que l'on heurte d'un seul côté avec le battant (1596), notamment dans des spécialisations techniques, en marine (1773, *piquer la cloche ;* 1836, *piquer l'heure*), puis au billard et en serrurerie (1765).

Dès le moyen français, d'autres types d'emplois abstraits existent, tel «voler au passage», dont procède la locution classique *piquer les tables* (1694) «vivre en parasite» qui a été refaite en ***piquer l'assiette*** (1807 ; voir *pique-assiette,* ci-dessous). Cette valeur a été conservée dans l'usage familier. ◇ Par ailleurs, le sens psychologique de «fâcher (qqn)» (1458), courant à l'époque classique, a vieilli, alors que le pronominal *se piquer* exprime encore l'idée de «se vexer» (v. 1590), puis de «se vanter, mettre un point d'honneur à» (1623, *il se pique de...*). ◇ Par affaiblissement, *piquer* signifie simplement «exciter, provoquer» (1615), en particulier la curiosité. La forme pronominale exprime également le fait de s'entêter (1588) et de prendre au sérieux, sens encore réalisé dans la locution ***se piquer au jeu.*** L'expression ***se piquer d'honneur*** (1644, Corneille) «faire paraître sa générosité en toute occasion» et le sens d'«être épris de» *(se piquer de qqn)* sont sortis d'usage ou (pour la première) archaïque. ➛ Concrètement, *se piquer* signifie surtout (XXe s.) «se faire une, des piqûres» et spécialement «s'injecter de la drogue».

▸ La dérivation du mot est importante dès l'ancien français. ➛ **PIQÛRE** n. f. (fin XIe s.) désigne la lésion cutanée causée par un objet pointu ou un animal, ainsi que l'action de piquer, le résultat de cette action (1380), spécialement dans le langage médical (1572), où il se réfère en particulier à l'action d'injecter un médicament à l'aide d'une aiguille creuse (1859). ◇ Lorsque l'injection est un stupéfiant, l'argot parle de **PIQOUSE**, graphie contractée pour *piquouse* (1923) ou **PIQOUZE** n. f., par substitution de suffixe. ◇ Au XVIe s., *piqûre* a développé le sens analogique de «petit trou» (et «petite tache», «petit point»), surtout au pluriel, spécialement en couture à propos d'une suite régulière de points que l'on a piqués (1553). ◇ Il a aussi pris, sous l'influence du verbe, le sens psychologique d'«offense, irritation vive» (1559), peu vivant à côté de *blessure*. ◆ Le mot a produit deux dérivés techniques en couture, **PIQÛRAGE** n. m. (1935), «réparation des défauts d'un tissu», et **PIQÛREUSE** n. f. (1951), «ouvrière chargée de cette réparation».

PIQUANT, ANTE, le participe présent de *piquer*, est substantivé depuis 1372 en parlant d'un projectile, puis, par restriction, de la partie acérée d'un objet, de la pointe d'une plante (1416) ou de certains instruments (1429); il désigne spécialement chaque aiguillon du hérisson (1688) et d'autres animaux. ◇ L'emploi adjectif est attesté à partir de 1398, en parlant d'une chose qui fait une forte impression sur l'organe du goût *(sauce piquante)*; par métaphore, *piquant* qualifie une parole mordante (1480) et par extension, sans connotation négative, ce qui suscite l'attention, qui est excitant *(une femme piquante)*; il est à son tour substantivé avec une valeur de neutre : *le piquant* (1722, à propos du caractère paradoxal d'une situation). Il se dit également, par analogie, de tout ce qui produit sur l'épiderme une sensation de piqûre (1617).

① **PIQUET** n. m., d'abord *pichet* (1380), désigne un pieu, un bâton pointu et spécialement chacun des bâtons que l'on plante en terre, d'espace en espace pour prendre un alignement (1611). Il a donné quelques locutions figurées, comme *planter son piquet* (1625) «s'arrêter en un lieu», sortie d'usage, et ***droit comme un piquet*** (1660). ◆ C'est d'une valeur technique particulière, celle de «pieu dont on se sert pour attacher les chevaux» (1718), que procède par métonymie celle de «groupe de cavaliers commandés pour être prêts à monter à cheval au premier ordre (et dont les chevaux étaient au piquet)», appliquée aussi à l'infanterie (1718, *piquet d'infanterie*). ◇ C'est aussi de ce *piquet* que procède le nom d'une punition militaire qui consistait à faire passer au puni deux heures debout, le pied posé sur un piquet (1716). Par analogie, bien que l'objet ait disparu, le nom est resté pour une punition scolaire traditionnelle (1842); on connaît surtout ***aller, être au piquet.*** ◆ Quant à ② **PIQUET** n. m. (1622), nom d'un jeu de cartes, il semblerait qu'il se rattache lui aussi à *piquer*. ◆ *Piquet* a produit le dénominatif **PIQUETER** v. tr. (fin XVIe s.) «établir un emplacement au moyen de piquets» et «parsemer de petites taches et de points» (1773), dont vient **PIQUETAGE** n. m. (1871).

Le déverbal ② **PIQUE** n. f. (v. 1500) s'est dit figurément d'une brouille légère entre plusieurs personnes qui se sont vexées réciproquement. Il ne s'emploie plus qu'au sens métonymique de «parole mordante, caustique» (1630); le sens affaibli de «blessure d'amour-propre» (fin XVe s.) a quasiment disparu.

④ **PIC** n. m., déverbal de *piquer* d'abord écrit *picq* (1501), est créé comme désignation du jeu de piquet avant de laisser ce sens à ② *piquet*. Il s'est maintenu à ce jeu pour désigner le coup qui permet au joueur parvenu à trente points à l'insu de son adversaire de doubler son avantage, dans la locution *faire pic* et dans *faire pic, repic et capot* (1656). ◇ Il a été repris en marine comme nom de la partie de la corne d'artimon, en dehors de la brigantine ou de l'artimon (1831).

PIQUEUR, EUSE n. et adj. (1555), à ne pas confondre avec un homonyme plus ancien (1387), dérivé de *pic* et qui désigne l'ouvrier terrassier travaillant avec le pic, a d'abord désigné le valet des chiens à cheval, sous l'influence de *piquer* «aiguillonner», puis l'écuyer dresseur de chevaux (1559). D'autres acceptions sont en relation avec des sens différents du verbe : «celui qui, dans le bâtiment, est préposé aux autres ouvriers» (1676) vient de *piquer* «marquer, pointer (les ouvriers)» (XVe s.); de là le sens de «personne qui surveille les travaux» (1856). ◇ Dans d'autres domaines, *piqueur* désigne ou a désigné celui qui larde les viandes (1694), le marin qui vide les morues (1772), l'ouvrier qui pique les ouvrages de cordonnerie (1842), le dégustateur de vins qui en estime la qualité. ◇ Dans la langue populaire, d'après *piquer* «voler», il a désigné celui qui vole, ramasse diverses choses (1690, *piqueur d'escabelle* «escornifleur»), manifestant ainsi sa parenté étymologique avec *pickpocket*. ◇ Il est employé en apposition dans le nom de machine **MARTEAU-PIQUEUR** et quelquefois comme adjectif (en zoologie, *insectes piqueurs*).

① **PIQUETTE** n. f., formé (1583) sur le radical de *piquer* avec le suffixe *-ette*, désigne à l'origine une boisson «piquante», faite avec des prunelles, et toute boisson de ménage obtenue par addition d'eau à du marc de raisin ou d'autres fruits (1611, des pommes sauvages). ◇ Puis, *piquette* est devenu le nom d'un vin aigrelet et jeune de basse qualité (1660) et a pris la valeur péjorative de «chose négligeable, sans valeur». ◆ Il semble que son homonyme ② **PIQUETTE** n. f. (1894), désignant une défaite cuisante, soit plutôt issu du dialectal *pique* «correction», dans l'expression *passer les piques* (XVIe s.), cette punition consistant à faire passer le coupable entre deux rangs de soldats qui le frappaient du bois de leur pique; cependant, on peut y voir simplement un dérivé de *piquer* au sens de «produire une sensation cuisante». ◆ *Piquette* a produit **PICTER** v. tr., mot argotique et populaire (1628) pour «boire», et **PICTON** n. m. (1790) qui, dans le même registre, désigne le vin (il a pu influencer l'évolution de *picrate**). On rencontre également les graphies *piqueter* (1800) et *piqueton* (1841).

PIQUÉ, ÉE est l'adjectif tiré (1690, Furetière; certainement antérieur) du participe passé de *piquer;* il qualifie en particulier une marchandise abîmée, tachée par le temps (1690), un papier taché de moisissure (1771), une note jouée en frappant la corde ou en la lâchant aussitôt et, par analogie, familièrement, une personne dont le cerveau est un peu dérangé (1888). ◇ ***Un, le piqué*** n. m. désigne une étoffe de coton formée de deux tissus appliqués l'un sur l'autre (1793), ainsi qu'en musique une note piquée (1837), en aviation (1919) la descente rapide d'un avion qui pique et, en chorégraphie (1924), le fait de piquer la pointe d'un pied en avant, de côté ou en arrière.

PIQUOIR n. m. est la réfection moderne (1842) du plus ancien *piquois* (1765), nom donné en dessin à une aiguille utilisée pour piquer un dessin. ◆ **PIQUAGE** n. m. (1803) «action de piquer» est employé spécialement à propos de l'action de repiquer des meules ; puis, il est entré dans divers domaines techniques, en bâtiment (1845) et, en agriculture, pour désigner l'action du soc qui s'enfonce dans le sol (1869). Le mot désigne en argot, d'après *piquer* «voler», le fait de voler, spécialement le vol qui se pratiquait chez les producteurs de soie (1869, *piquage d'once*), ainsi que le perçage des fûts de vin laissés en consigne au dépôt de marchandises (1878). Ce sens est archaïque.

Piquer a produit un certain nombre de composés : le préfixé **DÉPIQUER** v. tr. (av. 1648) est essentiellement employé dans les langages techniques de l'agriculture et de la couture (1835), tandis que l'ancien sens figuré, «mettre fin au mécontentement de qqn», est encore réalisé par la forme pronominale *se dépiquer* «cesser d'être fâché». ➛ **REPIQUER** v. tr. (1508) exprime l'action de piquer pour la seconde fois, surtout dans les domaines de l'agriculture (1508) et de la couture ainsi que dans quelques emplois très techniques (1842). ***Repiquer au truc*** signifie argotiquement «récidiver». ◇ Le verbe a produit **REPIQUAGE** n. m. (1801), nom d'action d'usage technique, spécialisé en agriculture (1842), et **REPIQUEUR, EUSE** n. (XXe s.), dont le féminin désigne surtout une machine agricole. ➛ **SURPIQUER** v. tr. «piquer décorativement une partie déjà piquée» (mil. XXe s.), et **SURPIQÛRE** n. f. (1965), formés avec *sur-*, font partie du vocabulaire de la mode.

L'élément verbal de composition *pique-* sert à former quelques noms masculins. ➛ L'un des plus anciens est **PIQUE-BŒUF** n. m. (1558) qui désignait celui qui conduisait un attelage de bœufs en utilisant un aiguillon ; par métonymie, il a aussi désigné l'aiguillon (1605). ◇ Le mot s'applique aujourd'hui à l'oiseau qui se perche sur le dos des bœufs afin d'y chercher les parasites (1775, Buffon). ➛ **PIQUE-ASSIETTE** n. inv. procède (1807) de l'ancienne expression *piquer l'assiette*, employée à propos d'un parasite (ci-dessous). ➛ **PIQUE-MOUCHE** n. m. (1778) est l'ancien nom de la mésange, et **PIQUE-BOIS** n. m. (1818) celui d'un oiseau de la famille des piverts. ➛ Enfin, *pique-* entre dans des noms d'objets concrets comme **PIQUE-NOTES** n. m. (1870), **PIQUE-FEU** n. m. (1877) et **PIQUE-CRAYONS** n. m. inv. (1972).

Un dernier composé **PIQUE-NIQUE** n. m. est formé (1694) avec *nique** pris au sens de «petite chose sans valeur». Le mot, d'abord employé dans la locution *faire un repas à pique-nique* «faire un repas où chacun apporte qqch., où chacun paie son écot», a désigné au XVIIIe s. un tel type de repas (1718, au féminin ; 1732, *picnic* au masculin). ◇ L'acception moderne, «repas collectif pris à la campagne», est empruntée, probablement avant 1870, malgré l'attestation plus tardive, à l'anglais *picnic*, lui-même repris au français, qui avait développé cette valeur (1748, Chesterfield). ➛ On en a tiré **PIQUE-NIQUER** v. intr. qui a lui-même produit **PIQUE-NIQUEUR, EUSE** n., tous deux enregistrés par Larousse en 1874.

PICOTER v. tr., diminutif fréquentatif de *piquer*, est une variante de *piqueter*, malgré une démotivation graphique ; on est passé de *piquoter* (v. 1360) à *picoter* (XVIe s.) par attraction de *picot*, diminutif de *pic**. ➛ Employé sans lendemain par Froissart au sens de «donner des coups de pic», *picoter* s'est aligné sur le sémantisme de *piquer*, avec l'idée de «piquer légèrement et à plusieurs reprises» (1414). Dès le XVIe s., ce sens donne lieu à un emploi en médecine vétérinaire (1541, «faire des incisions») puis pour «causer une irritation, démanger» (1622). ◇ Le mot signifie au figuré «harceler moralement, agacer» (1500) et, par analogie, «tacheter, cribler de petits trous» (1549), sorti d'usage au XVIIe et repris au XIXe s. (1874 par Larousse). ◇ Une valeur particulière (dès le XVIIe s., en parlant d'abeilles, d'oiseaux qui cherchent leur nourriture) le rapproche à partir du XIXe s. de *picorer*, en parlant des poules (1850) et, par figure, d'une personne (1869). ◇ Quelques emplois techniques apparaissent au XIXe s. (*picoter une dentelle ; picoter un puits de mine*, 1804-1805) sous l'influence de *picot*. ➛ Il a pour dérivés **PICOTERIE** n. f., mot repéré au XVe s. avec le sens probable de «maraudage» et employé en langue classique au sens de «taquinerie orale» (1590), **PICOTEMENT** n. m. (1552), surtout appliqué à une sensation, **PICOTAGE** n. m. «maraudage» (v. 1580), repris avec une valeur technique (1795) et employé quelquefois au sens de «querelle» (1888), ainsi que **PICOTIS** n. m. (1885) «léger picotement». ◇ Le déverbal **PICOTE** n. f. (v. 1550) a été l'ancien nom de la variole.

◈ voir ①, ② et ③ **PIC, PICARESQUE, PICKPOCKET, PICK-UP, PICORER, PICOTIN, PIE, PIOCHE, PIQUE**, peut-être **PICHENETTE**, et, avec la notion de «petit, peu», ① **PÉKIN, PICCOLO**.

PIRANHA n. m. est emprunté (1817, Cuvier, *piraya*) au tupi (langue indienne) *piraya*, la forme *piranha* provenant du portugais du Brésil *piranha* (1587), précédé par *piray* cité comme mot indigène (1555). Le latin zoologique a les deux formes *piraya* et *piranha* en 1648 (Marcgrave).

♦ Le mot désigne un petit poisson carnivore d'Amérique du Sud, particulièrement vorace et dont les groupes nombreux sont capables de dévorer de gros animaux. Il s'est répandu au XIXe s. par les récits de voyage.

PIRATE n. m. et adj. est emprunté (1213) au latin *pirata*, non attesté avant Cicéron, qui s'est imposé devant le terme latin *praedo maritimus* ou *praedo* seul (joint et opposé à *latro* «voleur»). *Pirata* est emprunté au grec *peiratês* «brigand, bandit qui court les mers pour attaquer les navires», mot tardif, nom d'agent dérivé, avec une spécialisation de sens, dérivé du verbe *peirasthai* «tenter de faire (qqch.), mettre (qqn) à l'épreuve», «attaquer» (nombreux emplois militaires) et aussi «chercher à séduire (une femme)». Ce verbe est dérivé du nom *peira* «tentative, expérience, essai», parfois «mise à l'épreuve» et «tentative de séduction» ; *peira*, enfin, se rattache à une vaste racine indoeuropéenne °*per-* qui a fourni *peirein* «transpercer» (→ pirouette). La notion originelle serait «aller de l'avant, pénétrer dans». Hors du grec même, on a évoqué le latin *periculum* «épreuve» d'où «danger» (→ péril), *peritus* «expérimenté», *experiri* «faire l'essai de» (→ expérience). Cette racine rendrait compte également des prépositions latines *per* (→ ① par, per-), *prae* (→ pré-), *pro* (→ pour, pro-) et, en grec, de *peri* (→ péri-). D'autres rapprochements, moins nets, sont faits avec l'arménien *p'orj* «tentative» et peut-être avec le germanique (ancien haut allemand *fara* «danger»).

♦ Le mot désigne un aventurier qui court les mers pour piller les navires, réalité aussi ancienne que la navigation, qui connut son apogée au XVIIe et déclina à partir du XVIIIe s., mais se pratique encore dans certaines régions d'Asie. La symbolique du *pirate*, bien distincte de celle des *corsaires**, concerne surtout le passé des «îles» (Caraïbes, océan Indien, etc.). ◇ Par métonymie, le mot désigne le navire monté par ces pillards (sens attesté en 1837) et, par extension, s'applique au figuré à une personne qui s'enrichit impudemment aux dépens des autres, qui commet des actions violentes sur le bien d'autrui (1835). ◇ Le mot est entré dans l'expression ***pirate de l'air*** (1969) en parlant d'un individu armé qui oblige l'équipage d'un avion à modifier sa destination, tient les passagers en otages, etc. ➔ L'emploi du mot en apposition (1773, *vaisseau pirate*) a débouché sur un emploi adjectif au sens de «clandestin, illicite» (1856, *librairie pirate*), quelquefois au second terme de composés avec un trait d'union (1966, *édition-pirate*, puis *radio-pirate*).

▶ **PIRATERIE** n. f. (1505) désigne l'acte et l'activité du pirate ; il se dit également au figuré (1690) de l'action de s'emparer illégalement du bien d'autrui, entrant dans l'expression ***piraterie aérienne*** (1970) en relation avec *pirates de l'air*. ➔ **PIRATER** v. (v. 1630) s'est employé intransitivement pour «exercer l'activité de pirate» ; son sens transitif (1783), seul usuel aujourd'hui, «s'emparer illégitimement du bien d'autrui» connaît la même extension analogique que *pirate* vers l'idée de plagiat (v. 1950). ◇ *Pirater* a produit **PIRATAGE** n. m. (v. 1979) qui ne semble usité qu'au figuré, pour «action de reproduire (un ouvrage, une œuvre artistique) et de vendre sans payer de droits».

PIRE adj. et n. m. est issu (1119) du latin *pejor* «plus mauvais», mot qui sert de comparatif à *malus* «mauvais» (→ mal), de même que *melior* (→ meilleur) sert de comparatif à *bonus* (→ bon). *Pejor* reposerait sur une forme °*pedyos-* désignant ce qui fait une chute, ce qui tombe, avec un suffixe °*-yes* indiquant ce qui exerce avec force l'action : le sanskrit a ainsi *pádyate* «il tombe», le vieil anglais *fetan* «tomber», le grec *ptôsis* «chute» (→ ptôse). Le type *pire* a d'abord été la forme de l'ancien cas sujet, le cas régime *peior, pieur* (de l'accusatif latin *pejorem*) s'étant éteint au XVe siècle.

♦ *Pire* est employé dès les premiers textes comme superlatif relatif de *mauvais*, en tant qu'adjectif accompagné d'un article défini ou d'un adjectif possessif. Son emploi comme comparatif est attesté depuis le XIIe s. (1155). ◇ En tant que superlatif, il est substantivé (v. 1165), en particulier avec une valeur de neutre pour «le plus haut degré dans l'ordre du mauvais» (v. 1280). De là quelques locutions comme ***pour le meilleur et pour le pire***, ou ***politique du pire***. ◇ La concurrence entre *pire* et *pis*, autrefois fréquente, demeure dans les emplois adverbiaux de *pire* critiqués par les puristes : *faire pire* (1643), *rien de pire* (1679), *c'est pire* (1788).

▶ **EMPIRER** v. est la réfection (XIIIe s.), d'après *pire*, de l'ancien type *empeirier* (XIe s.), issu à date précoce du latin populaire non attesté °*impejorare*, du bas latin *pejorare* «aggraver», de *pejor*. Le verbe, d'abord attesté au participe passé *ampairet* (v. 1050), a eu un emploi transitif pour «rendre pire», encore employé dans un style littéraire. Il est resté courant au sens intransitif de «devenir pire» (v.1155), qui a pratiquement supplanté la forme pronominale *s'empirer*. ◇ *Empirer* v. intr. est ancien (v. 1155) à propos d'une situation sociale ou personnelle, et s'emploie souvent à propos de l'état d'un malade (depuis le moyen français, v. 1314). ◇ Le nom d'action correspondant, **EMPIREMENT** n. m. (mil. XIIe s.), est rare et archaïque. Le champ d'emploi des deux mots a décliné après le moyen âge au profit d'autres mots comme *gâter, détériorer, nuire, altérer, blâmer*.

◈ voir PÉJORATIF, PESSIMISTE, PIS.

PIRIFORME → POIRE

PIROGUE n. f. est emprunté (av. 1627) au caraïbe *piraugue*, forme secondaire de *piragua*, en usage sur le continent (golfe du Mexique). Ce dernier a été emprunté par l'espagnol *piragua* (1535), emprunté à son tour par le français, sous la forme *piragua* (1555, traduction d'Oviedo par Poleur), et adapté sous les formes *pirague* (1555), *piraugue* (XVIIe s.) et enfin *pirogue*, qui l'a emporté.

♦ Le mot désigne une embarcation légère, longue et étroite, souvent faite d'un tronc d'arbre creusé ; il évoque soit le bateau utilisé par une ethnie préindustrielle (notamment en Afrique), soit une embarcation sportive.

▶ Le mot a produit **PIROGUIER** n. m. (le féminin étant virtuel) pour celui qui conduit une pirogue (1845), en général dans le contexte africain.

PIROJKI n. m. pl. est un emprunt (v. 1950) au russe *pirojki*, pluriel de *pirojok* «petit pâté». C'est le diminutif de *pirog* «pâté, tourte», mot que le français atteste en 1857 et, dès 1839, au pluriel *pirogui*. *Pirog* est probablement dérivé avec le suffixe *-og* de *pir* «régal, festin» (parallèle au serbo-croate *pir* «banquet de noce»), dérivé de *pit'*, verbe qui repose sur une racine indoeuropéenne représentée sur une grande partie du domaine indoeuropéen, par exemple avec le grec *pinein* et le latin *bibere* (→ boire), lequel a ses formes nominales en *po-* (→ potable, potion). On a aussi proposé de voir en *pirog* une altération d'un type ancien °*pyrog*, dérivé de *pyro* «épeautre» (radical qui se retrouve dans *pyramide*).

♦ Le mot désigne un mets de la table russe : de petits pâtés chauds fourrés de viande, de poisson ou de chou, et consommés en hors-d'œuvre ou pour accompagner une soupe.

PIROUETTE n. f. est probablement l'altération (1451), peut-être sous l'influence de *girouette**, de *pirouelle* (1364) qui désignait une sorte de toton. *Pi-*

rouelle semble formé avec *rouelle** «petite roue» à partir d'un radical °*pir-* «cheville», auquel se rattachent plusieurs mots comme *piron* «gond» (1518 ; une fois au XIIIe s.), l'italien *pirolo* «cheville», «toupie», différentes formes dialectales de France et d'Italie, ainsi que les termes formés à partir d'une variante °*bir-* (→ breloque, emberlificoter). Ce radical se rattache au grec *peirein*, prononcé *pirein*, «percer, transpercer» (à propos de viandes qu'on embroche ; d'une blessure, d'un chemin que l'on ouvre) ; ce verbe appartient à une racine °*per-* qui tient une très grande place en indoeuropéen, notamment en latin (→ porter) et en grec, même dans de nombreux mots exprimant l'idée de passer, de transporter (→ pirate, pore) ; le dérivé *peiros* «cheville pointue» subsiste en grec moderne.

♦ Le premier sens de *pirouette* concerne un dé à quatre faces que l'on fait tourner sur une cheville qui le traverse, formant toton (toupie), ainsi que la représentation de ce jouet d'enfant en joaillerie (1451). ◆ Par analogie du mouvement de toupie, le mot se dit d'un tour ou demi-tour que l'on fait en pivotant sur la pointe ou le talon d'un pied (1611) et, dans les manèges (XVIIe s.), d'une figure analogue que l'on fait faire au cheval. Abusivement, on l'emploie pour «culbute». ◇ Il a pris la valeur abstraite de «dérobade plaisante, spirituelle» (surtout au pluriel dans ***répondre, s'en tirer par des pirouettes,*** 1798), puis de «revirement brusque d'opinion» (1833).

▸ Son dérivé **PIROUETTER** v. intr. (1530) a perdu son sens primitif de «faire tourner une toupie» pour celui de «tournoyer en rond» (1546), spécialement en danse (1725) et en équitation. ◇ Comme *pirouette,* il a pris le sens figuré de «changer brusquement d'opinion, se tirer d'embarras avec légèreté» (1775). ◆ Le verbe a donné les dérivés **PIROUETTEMENT** n. m. (1585), **PIROUETTANT, ANTE** et **PIROUETTÉ, ÉE,** adjectifs tirés de ses deux participes.

① **PIS** n. m. est issu, sous la forme *peiz* (v. 980), *piz* (1050) puis *pis,* du latin *pectus* «poitrine, cœur» (→ pectoral, poitrine), mot sans correspondant hors de l'italo-celtique.

♦ Le mot est passé en français avec le sens de «poitrine, poitrail», vivant jusqu'au XVIe et disparu au XVIIe s. au profit de *poitrine :* Furetière (1690) signale cependant qu'il est toujours employé dans un contexte religieux où l'on disait encore *mettre la main au pis* à propos du prêtre qui prêtait serment. ◆ L'acception rurale, «mamelle d'une bête laitière» (v. 1180), s'est imposée en français, de même que dans la majorité des parlers gallo-romans, lorsque *poitrine* l'a remplacée dans les autres contextes.

② **PIS** adv., adj. et n. m. (XIIe s.), d'abord *peis* (v. 980), est issu du latin *pejus,* neutre du comparatif *pejor* qui a donné *pire**.

♦ Le mot possède ses principales fonctions avant la fin du XIIe s. : dès les premiers textes, il est employé comme comparatif de *mal,* en attribut ou en épithète d'un sujet neutre ou indéfini ; cet emploi, devenu littéraire, est réalisé dans quelques expressions comme ***qui pis est*** (1450-1465). ◇ *Pis* est employé en fonction nominale sans article (v. 1160) au sens de «chose pire», par exemple dans ***dire pis que pendre de qqn*** (1611). ◇ L'emploi adverbial (1155) a vieilli au profit de *plus mal* et de *pire**, se conservant toutefois dans quelques locutions comme ***de mal en pis*** (v. 1165), ***aller de mal en pis*** (v. 1245), et ***tant pis*** (→ tant), toutes concurrencées autrefois par une variante avec *pire.* ◇ Le mot sert de superlatif à *mal* (1155), exprimant la pire chose, ce qu'il y a de plus mauvais, mais cet emploi régresse aussi au bénéfice de *pire.* Si la locution *au pis venir* (v. 1500) est sortie d'usage, ***mettre les choses au pis*** (1714) reste vivant dans le registre soutenu, de même que la locution adverbiale ***au pis aller*** (fin XVe s.).

▸ *Au pis aller* a donné le nom invariable **PIS-ALLER** n. m. (1643), dit d'une personne ou d'une chose à laquelle on a recours faute de mieux ; un autre sens, «la pire chose pouvant arriver à qqn» (1651), incompatible avec le précédent, est sorti d'usage.

PISCI- est l'élément de composition tiré du latin *piscis* «poisson» (→ poisson). *Pisci-,* qui correspond pour le sens à l'élément grec *ichtyo-,* plus exclusivement scientifique, est productif depuis le dernier tiers du XVIIIe siècle.

▸ **PISCIVORE** adj. et n. m. pl., formé avec *-vore**, qualifie (1772) et désigne une classe d'animaux qui se nourrissent de poissons. ◆ **PISCIFORME** adj. (1776) qualifie ce qui a la forme d'un poisson. ◆ **PISCICOLE** adj., composé de *pisci-* et de *-cole**, a d'abord été employé (1828) comme nom féminin pour une petite sangsue vivant sur différents poissons sédentaires, avant de devenir l'adjectif correspondant (1876) à *pisciculture.* ◆ **PISCICULTURE** n. f. (1850) est composé avec l'élément *-culture** sur le modèle d'*agriculture**, *apiculture**, etc., pour désigner l'ensemble des procédés et pratiques de production et d'élevage des poissons. ◆ Il a produit, par changement de suffixe, **PISCICULTEUR, TRICE** nom didactique de la personne s'occupant de pisciculture (1857).

◈ voir PISCINE.

PISCINE n. f. est emprunté (v. 1190) au latin *piscina* «vivier», d'où «bassin», dérivé de *piscis* «poisson» (→ poisson).

♦ En ancien français, où l'on rencontre également la forme *pecine, piscine* n'est employé que comme terme de liturgie catholique, d'après la «piscine probatique» où Jésus guérit un malade (Jean, V, 2) : il désigne d'abord le bassin proche du Temple, à Jérusalem, où l'on purifiait les victimes pour le sacrifice et où Jésus guérit le paralytique, sens dévolu ultérieurement à l'expression ***piscine probatique*** (1690). Il désigne aussi le bassin dans lequel on se purifie (v. 1225, par métaphore en parlant de la Vierge et de son action salvatrice), le bassin où le prêtre qui officie s'est lavé les mains (v. 1250) et où l'on jette l'eau qui a servi à nettoyer les vases sacrés et les linges d'autel (XIIIe s., *pechine*). Cette acception a continué à produire d'autres sens religieux, «bassin où les fidèles de certaines religions font leurs ablutions» (1694), «fonts baptismaux» (1790).

➔ Le mot est passé dans l'usage général au XVIe s., où il retourne à son sens étymologique de «vivier» (1555) et où il commence à se dire d'un bassin où l'on se baigne (1555). ◇ Cependant, il faut attendre le XIXe s. (attesté 1864) pour que soit attesté le sens courant de «grand bassin de natation», dans le contexte de la création d'une *piscine de natation* à Paris (*Année scientifique et industrielle*, 1865). L'importance du mot s'est accrue avec la pratique de la natation — développée au milieu du XIXe siècle — et aussi de l'hydrothérapie. ◇ *Piscine*, en physique nucléaire, désigne le modérateur liquide dans lequel la matière fissile est immergée. ◇ En France, *la Piscine*, nom propre, se dit familièrement des services secrets français, parce que leur siège est situé en face de la piscine des Tourelles, à Paris.

◈ voir PISCI-.

PISER v. tr., attesté une première fois en 1555 et de nouveau depuis 1803, est un mot technique de la région lyonnaise (Aneau, qui l'emploie au XVIe s. avec le sens de «broyer, piler», a passé toute sa vie à Lyon), où il est encore usité au sens de «broyer, piler». Il remonte au latin populaire °*pisiare*, °*pinsiare*, variante du latin classique *pinsare* «broyer» (→ pétrin), la forme populaire étant également représentée dans l'ancien provençal *pizar* «broyer, piler», l'ancien catalan *pitjar*, l'espagnol *pisar* et le portugais *pizar*.

◆ *Piser* a été repris (1803) avec le sens technique de «battre la terre pour la rendre compacte», en maçonnerie.

▸ Le participe passé PISÉ, ÉE adj. et n. (1562, *pizé*) désigne la terre que l'on rend dure et compacte pour en faire des constructions. Il ne semble guère usité entre 1661 et 1775, où il reparaît sous la forme régionale *pizai*, chez Voltaire, dans une lettre adressée de Ferney à l'astronome Lalande, né à Bourg. La forme *pisé* est employée normalement depuis la fin du XVIIIe (1787) et répandue au XIXe s.; elle est aujourd'hui plus courante que le verbe.

◈ voir PÉTRIN, PÉTRIR, ① PILER, PISTE, ① PISTER, PISTIL, PISTON.

PISIFORME → POIS

PISSALADIÈRE n. f. est l'adaptation (1938) du niçois *pissaladiero* «tarte à l'oignon, avec des anchois et des olives noires». Le mets doit son nom à sa garniture d'anchois : il est dérivé du niçois *pissala* (*pissalat* en français, 1938) «conserve de petits poissons broyés et salés», «sauce piquante provenant de la macération du poisson salé». Le mot doit être ancien en niçois (1539, *il pisalat de Nizza*) ; il est composé de l'ancien provençal *peis* «poisson», de même origine que *poisson**, et de *sala*, participe passé de *salar* qui correspond au français *saler**.

◆ Le mot, d'usage régional, est beaucoup moins répandu dans le reste de la France que son équivalent napolitain, *pizza*, qui n'a pas de rapport étymologique, malgré la paronymie initiale.

PISSER v. est issu (1180) d'un latin populaire °*pissiare* «uriner», formation expressive qui existe dans plusieurs langues romanes : italien *pisciare*, ancien provençal *pissar*, espagnol *pixar* (XVIIe s. ; aujourd'hui remplacé par *mear*, du latin *meiare*, comme le portugais *mijar*). L'allemand *pissen* et l'anglais *to piss* sont pris au français.

◆ Le verbe, employé intransitivement (1180) et transitivement dans quelques emplois particuliers (v. 1225), signifie «uriner»; il est longtemps resté usuel, *uriner* étant réservé au langage médical et s'est employé sans aucune vulgarité (comme, semble-t-il, *chier*). *Pisser*, verbe familier et non marqué, n'est devenu vulgaire qu'au XIXe s., après le nettoyage du vocabulaire pratiqué à la fin de la période classique. En français moderne, il est souvent remplacé par la forme d'abord enfantine *faire pipi** (ci-dessous). ◇ Cependant, il correspond depuis l'ancien français à une idée de mépris, dans la locution ***pisser sur qqn*** (v. 1200). Au XVIe s., *pisser dedans ses brayes* (1508) annonce ***pisser de rire, rire à en pisser dans sa culotte***, et ***pisser au bénitier*** (av. 1564, Calvin) «braver le qu'en dira-t-on par une action scandaleuse». ***Mener les poules pisser*** (1587, *c'est Jocrisse qui mène les poules pisser*) signifiait «s'occuper des moindres soucis d'un ménage» avant de servir à exprimer l'action de quitter un travail en invoquant une mauvaise raison. ➔ C'est à partir du XVIe s. aussi que *pisser* correspond par extension à «laisser s'écouler, faire jaillir un liquide» en emploi intransitif (1552) et transitif (1556). Il se construit aussi avec le nom du liquide comme sujet au sens de «jaillir, s'écouler» (1611). ◇ *Pisser des harengs* (1776), en pêche, signifiait «les laisser s'égoutter, perdant leur eau et leur huile». ◇ Un certain nombre de locutions figurées remontent à la seconde moitié du XIXe s. ; à la différence des précédentes, elles sont dès l'origine senties comme triviales ou du moins très familières : ***laisser pisser le mérinos*** (1866), ***pisser dans un violon***, dans *c'est comme si on pissait dans un violon*, «ça ne sert à rien» (1883), ***pisser au cul*** (1881), ***à la raie*** «mépriser», ***il pleut comme vache qui pisse*** (1876), cette dernière anonçant l'emploi métaphorique du verbe au sens de «pleuvoir» (1967). Transitivement, ***pisser de la copie*** (1866) signifie «rédiger abondamment» et a produit PISSE-COPIE n. (1956) «écrivain abondant et médiocre». ◇ Dans tous ses emplois, y compris les expressions récentes comme *c'est à pisser de rire, à en pisser dans sa culotte* (voir ci-dessous *pissant*), le verbe est familier, mais sa relative vulgarité a diminué par rapport au XIXe et au début du XXe s., sans parler du fait que de nombreux médecins l'emploient sans réticence, comme au XVIe ou au XVIIe siècle.

▸ La quasi-totalité des dérivés apparaissent du XVe au XVIIe s. ➔ Antérieurement, on ne rencontre guère que PISSAT n. m. (fin XIIe-déb. XIIIe s.) qui désignait l'urine humaine avant de devenir le nom de l'urine animale (av. 1350), cédant au XIXe s. son premier emploi au déverbal PISSE n. f. (XIIIe s.), qui signifie d'abord «action de pisser», dans les diverses acceptions du verbe. ◇ Le mot s'est employé, d'après le verbe et sans vulgarité (voir ci-dessus), dans le vocabulaire de la pêche (1776, *tenir les harengs à la pisse*). ◇ Son sens métonymique, «urine», remonte au XIXe s., d'abord écrit *pice* (1808-1816), puis *pisse* (1842). ◇ C'est du sens initial actif que vient le composé **CHAUDE-PISSE** (XIIIe s.), «douleur des voies urinaires» (d'abord d'un animal) puis «blennorragie» (v. 1250); on a dit au XVIe s. *pisse chaude* (1532, Rabelais).

PISSENLIT n. m. (v. 1450), nom d'une plante remarquable par ses vertus diurétiques, est un autre composé de l'élément verbal *pisse* et de *lit**; il est entré dans une locution figurée populaire, ***manger les pissenlits par la racine*** «mourir» (1862, Hugo). À demi démotivé, il n'a pas pris la valeur triviale du verbe.

PISSEUR, EUSE n. (1454), dit d'une personne qui pisse, a eu comme féminin *pisseresse* avant *pisseuse*, spécialement pour désigner, péjorativement dans l'usage populaire, une fille, une femme (1552). ◇ Le mot désigne, au figuré, dans ***pisseur de copie*** (1866), un mauvais écrivain qui écrit beaucoup (avec la variante *pisse-copie*, ci-dessus). ➛ **PISSEUX, EUSE** adj. (1562) qualifie ce qui a l'aspect de l'urine et ce qui est sali, imprégné d'urine (1580). Il est employé en particulier avec une valeur péjorative pour une couleur jaunâtre (1829) et un objet dont la couleur rappelle celle de l'urine (1832). ➛ **PISSEMENT** n. m. (1565) est l'un des rares dérivés de *pisser* qui appartienne à un langage didactique, en l'occurrence médical, mais il a vieilli, les emplois du type *pissement de sang* paraissant aujourd'hui très familiers. ➛ Toujours au XVIe s., *pisser* a produit **PISSOTIÈRE** n. f. (1542) par l'intermédiaire du moyen français *pissot* «membre viril» et aussi «urine»; le mot signifie d'abord «membre viril» (Rabelais) [cf. *robinet*]. Ce sens a disparu, *pissotière* étant repris pour «urinoir» (1611; peut-être dès 1559). ➛ **PISSOTER** v. intr., fréquentatif de pisser, d'abord employé par les médecins (1565, Paré), est passé dans l'usage vulgaire au sens d'«uriner fréquemment, par petite quantité». ➛ Les composés familiers **PISSE-FROID** n. et adj. (1609) et **PISSE-VINAIGRE** n. m. (1628), «esprit chagrin» et «avare» (1640), remontent au XVIIe s. ➛ Il en va de même pour **PISSÉE** n. f. (1609) «quantité d'urine d'une miction». Abandonné, ce mot a été repris en métallurgie (1869) et, par extension, en parlant familièrement d'un jet de liquide (1923), d'une chute abondante de pluie (1963), d'ailleurs d'emploi rare. ➛ Les dérivés les plus récents sont le nom d'instrument **PISSETTE** n. f. (1838), employé argotiquement par les pompiers pour la lance à incendie, puis pour un instrument de laboratoire. ➛ À *pissoter* s'est ajouté récemment le diminutif verbal **PISSOUILLER** v. intr. imp. (v. 1950), familier au sens analogique de «pleuvoir un peu». ➛ L'adjectif tiré du participe présent de *pisser*, **PISSANT, ANTE**, d'usage familier au sens de «très comique», c'est-à-dire «à pisser de rire», semble le plus récent de la série.

COMPISSER v. tr. est composé (XIVe s.) de *com-* (latin *cum-*) et *pisser*. ◇ Le verbe, archaïque et plaisant, signifie «arroser d'urine; pisser sur» et, figurément, «exprimer son profond mépris à l'égard de». Il correspond à *conchier* (→ chier) et, pour le figuré, à *emmerder*.

PIPI n. m. est issu (1692), par redoublement enfantin, de la première syllabe de *pisser**. Outre cet emploi, il est employé familièrement avec une valeur euphémistique, produisant une locution verbale très courante ***faire pipi*** (1800) qui remédie à la vulgarisation du verbe *pisser*. Par métonymie, *pipi* désigne l'action d'uriner et le sexe de l'enfant, garçon puis fille, surtout dans l'expression *touche-pipi* (ci-dessous; cf. *zizi*). ◇ Il a développé le sens figuré de «chose, personne sans valeur» (1913), notamment dans c'est du ***pipi de chat*** (1947), et entre dans le nom composé **DAME-PIPI** (1953), **MADAME PIPI** (1954; *la Madame Pipi*, 1950) désignant la personne préposée à la garde et à l'entretien des toilettes publiques. ➛ **TOUCHE-PIPI** n. m., d'abord dans *jouer à touche-pipi* à propos des enfants, concerne les caresses intimes sans rapports sexuels complets.

PISTACHE n. f. est emprunté (1546) de l'italien du Nord (émilien, vénitien) *pistacchio* (v. 1340), issu, par l'intermédiaire du latin *pistacium*, du grec *pistakion*. Ce nom de fruit est dérivé de *pistakê*, mot désignant un arbre résineux des régions chaudes dont le fruit contient un noyau dur comestible. Pline et Galien savaient déjà que la plante était originaire de Syrie; le premier mentionne son introduction en Italie par Vitellius à la fin du règne de Tibère et, de là, en Espagne par Flavius Pompée. *Pistakê*, d'origine inconnue, est très probablement un emprunt oriental. L'ancien et le moyen français connaissaient déjà *pistace*, attesté du XIIIe s. à 1611, emprunté au latin *pistacia*, neutre pluriel de *pistacium* pris comme féminin singulier.

♦ *Pistache*, «fruit comestible du pistachier», anciennement de genre masculin, est devenu féminin (1627) par analogie avec les noms féminins terminés en *e*. Il est employé adjectivement (1781) pour qualifier une couleur qui évoque celle de la pistache. ➛ Par allusion à la boisson préparée à partir du *lentisque pistache*, il a développé le sens figuré et familier d'«ivresse» (1879).

▸ Le dérivé **PISTACHIER** n. m. (1651) est la réfection de *pistacher* (1611), et a remplacé le moyen français *pistacier* (1557), nom de l'arbre tiré de l'ancien *pistace*.

PISTE n. f. est emprunté, pendant la Renaissance (1559), à l'italien *pista*, variante de *pesta* (seule forme usuelle aujourd'hui), attesté depuis 1550 comme terme de manège pour désigner les lignes déterminées au sol par les passages successifs des chevaux. *Pesta* est le déverbal de *pestare* «broyer, fouler aux pieds», issu du latin tardif *pistare* de même sens (→ pister).

♦ Le mot a été introduit en français en parlant de la trace que laisse un être vivant, animal (1559, cheval), homme (1562) ou bête sauvage (1580), après son passage. Il a très vite pris une valeur métaphorique dans l'expression ***marcher sur la piste d'autrui*** (dans le domaine des idées, de l'art, de la recherche, etc.), relevée depuis 1580 (Montaigne). ◇ Son sens figuré, «ensemble d'indications, de présomptions qui orientent les recherches d'une personne qui en poursuit une autre», procède directement (1604) de cette expression. ◇ Parallèlement, avant la fin du XVIe s., *piste* est employé comme terme de manège avec le même sens que le mot italien (1584, dans une traduction de l'italien). ◇ Les autres sens se sont développés après 1850 : le mot sert à désigner divers types de voies, en particulier un chemin sommairement tracé et aménagé dans un pays qui n'est pas encore mis en valeur ou dans une région peu habitée (1854), le chemin jalonné qu'empruntent les cavaliers dans une course ou un concours hippique (1860), le parcours aménagé pour une course (1869, en cyclisme), enfin un chemin aménagé pour certaines catégories d'usagers (1892, *piste vélocipédique*). ◇ Aujourd'hui, l'idée essentielle est moins celle d'un parcours que d'un emplacement aménagé pour un type de déplacement prédéterminé : *piste* est employé à propos de l'arène centrale d'un cirque (1908, au figuré), de l'aire réservée à la danse (1913) et, sens devenu très usuel, de la partie du terrain d'un aérodrome sur laquelle les appareils décollent et atterrissent (1910). Le domaine du ski est aussi essentiel pour ce mot. ◇ *Piste* désigne encore la ligne circulaire de la bande d'un film destinée à l'enregistrement et à la reproduction des sons (1932).

▸ Le plus ancien dérivé, apparu longtemps avant le verbe simple, est le composé verbal ① **DÉPISTER** v. tr. (1560), terme de chasse qui désigne l'action de découvrir le gibier en suivant sa trace. Par extension, ce verbe est employé avec le même sens en parlant d'une personne que l'on recherche. L'idée de «rechercher systématiquement et découvrir ce qui est peu apparent» est une extension tardive (1896) que l'on rencontre surtout dans les langages de la médecine, de la psychologie. ◇ *Dépister* a des dérivés à partir de 1850 : **DÉPISTEUR, EUSE** n. (1855), **DÉPISTAGE** n. m. (1922) et **DÉPISTABLE** adj. (1928).
Les autres dérivés de *piste* remontent au XIXe s. : le préfixe *dé-* pris avec un autre sens a servi à former ② **DÉPISTER** v. tr. (1828), «détourner de la piste» et au figuré «déjouer».
Le dérivé simple ② **PISTER** v. tr. (1859) est employé tant à la chasse que, par une extension familière, au sens de «filer (qqn)». L'argot de la fin du XIXe s. l'a employé pour «racoler des clients» (dans une maison de jeux, de tolérance, un hôtel, 1875). ← Il a lui-même donné **PISTEUR** n. m. (1867), d'abord argotique, qui désigne celui qui file qqn et, à la chasse, qui traque un gibier (XXe s.), puis aussi la personne chargée de surveiller les pistes de ski (1969). ← Le nom d'action **PISTAGE** n. m. est attesté (1900) dans le contexte de la chasse et avec le sens familier d'«action d'épier qqn» (1907). ← Dernier dérivé de *piste*, **PISTARD** n. m. (1907) est le nom donné à un coureur cycliste sur piste (par opposition à *routier*). En français d'Afrique, notamment en Côte-d'Ivoire, il s'emploie à propos d'un chauffeur habitué à conduire sur les pistes de brousse.

◈ voir PÉTRIN, PÉTRIR, PISTER, PISTIL, PISTON, PISTOU.

① **PISTER** v. tr. est un mot surtout provençal (ancien provençal *pistar*, ancien auvergnat *pestar*), franco-provençal et bourguignon, issu (XIVe s.) du latin tardif *pistare* «broyer, piler, fouler aux pieds», lui-même dérivé du supin *(pistum)* du latin classique *pinsere* «battre, piler, broyer» (→ pétrin). Le *e* (au lieu de *a*) est probablement dû à l'influence de *piler* ou des représentants du latin °*pinsiare* (→ piser).

♦ Le mot est surtout employé en pharmacologie pour «broyer des substances afin d'en faire une pâte». Il semble rare après le début du XVIIe s. : le *Dictionnaire des arts*, en 1731, le signale dans Cotgrave (1611); la lexicographie des XIXe et XXe s. renvoie de *pister* à *épister* v. tr. de même sens (1762), mais *pister*, dans ce sens, est de nouveau défini dans certains dictionnaires récents.

◈ voir PISTE.

② **PISTER** → PISTE

PISTIL n. m., d'abord *pistille* (1685) avant que *pistil* (1690) ne s'impose, est emprunté au latin *pistillus*, proprement «pilon». Celui-ci est le diminutif de *pilum* «pilon», dérivé de *pinsere* «piler, broyer» (→ pétrin, pétrir, piste, ① pister, piston, pistou).

♦ Le mot désigne en botanique l'organe reproducteur femelle situé au centre de la fleur (en forme de pilon).

▸ De *pistil* est dérivé **PISTILLAIRE** adj. (1842), d'usage didactique en botanique.

✳ **PISTOLE** n. f. est emprunté (1544) à l'allemand *Pistole*, lui-même emprunté au tchèque *píšťala* «sifflet, flûte» puis, par analogie de forme, «arme à feu portative» (la même langue nous a donné *obus*). L'italien et l'espagnol *pistola* viennent du français.

♦ Le mot désigne une petite arquebuse employée principalement par les cavaliers aux XVIe et XVIIe siècles. ← Le sens, propre au français, de «monnaie d'or battue en Espagne, en Italie» (1619) est né d'une comparaison plaisante : «Comme ayant les escus d'Espagne esté réduits à une plus petite forme que ceux de France, ont pris le nom de Pistolets et les plus petits Pistolets Bidets» (Claude Fauchet); la plaisanterie, d'abord faite sur *pistolet**, a porté ensuite sur *pistole*. P. Guiraud évoque en outre une analogie entre la monnaie et l'arme à rouet, sans doute à cause du rouet cannelé qu'évoque la pièce. ◇ Le mot a été étendu à une monnaie de compte française valant onze (v. 1650), puis dix livres. ← Il a pris le sens de «quartier de prison où les détenus bénéficient d'un régime de faveur» (1828-1829), d'où «régime de faveur dans une prison» (1832) parce que les prisonniers avaient droit à ce régime moyennant une pistole par mois. ← Par analogie de forme et de couleur avec la pièce d'or, le mot désigne un pruneau dénoyauté, aplati et rond, séché au soleil et dont la couleur est jaune doré (1869), également appelé *pruneau de Brignoles*.

▸ ① **PISTOLET** n. m. (1549) est formé sur *pistole* avec le diminutif *-et*; le rapport entre les deux mots n'est plus perçu, le sens de «petite pièce de monnaie» (mil. XVIe s.) ayant disparu. *Pistolet* désigne une arme à feu courte et portative. Le mot, depuis la seconde moitié du XIXe s., est concurrencé par *revolver*, employé à tort. ◇ Ultérieurement, il a développé le sens figuré et familier de «personne bizarre, peu recommandable» (1829, *drôle de pistolet*) et diverses valeurs analogiques. ◇ Par analogie de forme avec l'arme, il désigne un bossoir courbe servant à hisser ou à amener les embarcations (et d'abord l'arc-boutant sur lequel s'amarre la misaine, 1831), un instrument de tracé (1842) et un petit pain rond à la croûte lisse (1852), surtout en français de Belgique. ◇ Par analogie de fonctionnement, il sert à désigner un pulvérisateur à main (1924), notamment dans *peinture au pistolet*. ➜ *Pistolet*, employé comme premier élément des composés **PISTOLET-MITRAILLEUR** n. m. (1938) et **PISTOLET-PULVÉRISATEUR** n. m. (v. 1965), a produit le nom d'agent technique **PISTOLEUR** n. m. (v. 1960) pour désigner l'ouvrier spécialisé dans la peinture au pistolet (on dit aussi *pistoletteur*). ➜ *Pistolet* a aussi donné irrégulièrement **PISTOLAGE** n. m. (XXᵉ s.) pour désigner une opération par laquelle on projette des fragments de matière plastique sur un moule et l'application de peinture au moyen d'un pistolet (v. 1960).

L'autre dérivé tiré de *pistole*, **PISTOLER** v. tr. (1597), est sorti d'usage avec son sens primitif de «tirer des coups de pistolet» (intransitif); il se rencontre encore quelquefois dans le style littéraire avec le sens transitif de «tuer à coups de pistolet» (1694). ➜ Son dérivé diminutif **PISTOLETTER** v. tr., fait sous l'influence de *pistolet*, ne s'emploie plus qu'à titre d'archaïsme, de même que **PISTOLETTADE** n. f., formé d'après *fusillade*.

① **PISTOLET** → PISTOLE

② **PISTOLET** n. m. est dérivé (1565) de *Pistoia*, nom d'une ville italienne où l'on fabriquait cette arme. Les variantes *pistolier* et *pistoyer* ont disparu.

♦ Le mot désigne un ancien poignard court utilisé au XVIᵉ siècle. L'homonymie avec ① *pistolet* (→ pistole) le rend peu utilisable.

PISTON n. m. est emprunté (1534) à l'italien *pistone*, attesté au sens de «pilon» depuis 1462 et dérivé de *pistare*, autre forme de *pestare* «broyer, fouler». Ce mot continue le bas latin *pistare*, formé sur le supin *pistum* de *pinsere* «broyer, piler» (→ pétrin, piser).

♦ Le mot est d'abord relevé chez Rabelais dans l'expression ***jouer du piston*** avec un sens incertain, probablement celui de «pilon à mortier» (1552, Rabelais), sorti d'usage au profit de *pilon*. ◇ *Piston* est passé dans l'usage moderne en prenant au XVIIᵉ s., par analogie de forme avec un pilon, une valeur technique, «organe mobile cylindrique agissant par pression ou percussion» (1662 chez Arnaud et Nicole; dès 1648 chez Pascal, selon Bloch et Wartburg). ◇ Au XIXᵉ s., il a développé divers sens particuliers en armurerie (1825, *fusil à piston*) et en musique (1837), notamment dans ***cornet à piston*** (1842), *piston* s'employant lui-même par métonymie pour désigner cet instrument. ➜ Le piston d'une machine à vapeur servant à la mettre en fonction, comme le dit la chanson «c'est le piston... qui fait marcher la machine», le mot a pris le sens figuré de «recommandation» (1857), d'abord en argot des Grandes Écoles scientifiques, dans la locution ***avoir du piston***, puis dans l'usage général. ◇ Par allusion à l'insigne du calot des élèves, symbolisant la machine, il est employé en argot scolaire pour l'élève préparant l'École centrale (1874), et l'élève de cette école.

▸ De *piston*, dans son acception figurée d'«appui», est dérivé le verbe **PISTONNER** v. tr. (1857) «appuyer, protéger un candidat à une place, à un emploi». Le participe passé **PISTONNÉ, ÉE** est adjectivé et substantivé. ◇ C'est probablement l'attraction de *piston* qui a déterminé le mot familier *capiston* (→ capitaine).

◈ voir PÉTRIN, PÉTRIR, PISTE, PISTER, PISTOU.

PISTOU n. m. est un emprunt (1938) au provençal *pistou* (attesté 1931; certainement antérieur), dérivé de l'ancien provençal *pistar, pestar* «broyer, piler» qui remonte au bas latin *pistare* de même sens (→ piste, pister, piston).

♦ Cette préparation culinaire provençale, faite de légumes cuits, doit son nom au fait que le basilic y est broyé.

PITA → PIZZA

PITANCE n. f. est soit issu (v. 1120) directement en français de *pitié** par substitution de suffixe, soit emprunté au latin médiéval *pietantia* «nourriture donnée aux moines» (1124, sous la forme *pidantia*). *Pietantia* est lui-même dérivé, par l'intermédiaire d'un verbe °*pietare* (*pietari* dans le *Psalterium Casinense*), du latin *pietas* (→ piété, pitié). L'évolution de sens se comprend par le fait que les distributions de vivres étaient souvent assurées par des fondations pieuses.

♦ Le sens primitif du mot, synonyme de *pitié**, penche en faveur de la première hypothèse étymologique mais, de très bonne heure (1178), *pitance* s'est fixé au sens de «portion de nourriture donnée à chacun dans les repas des communautés religieuses». ◇ Les sens spécialisés dans le contexte de la vie monastique, «service religieux d'anniversaire» et, dans l'expression *robe de pitance*, «robe d'uniforme», ont disparu après le moyen âge. Le fait que *pitance* recouvrait la portion de nourriture compte non tenu du pain est à l'origine de l'acception de «viande, chair ou poisson que l'on mange dans tous les repas outre le pain» (Villon); par extension, on est passé à l'acception moderne de «ce que l'on mange, nourriture». Le mot se rapporte aussi à la ration quotidienne nécessaire à un animal et, dans les parlers locaux, à un certain type de nourriture élémentaire (ce qui se mange avec le pain). Il a vieilli.

▸ Les dérivés du mot sont tous sortis d'usage. **PITANCER** ou **PITANCHIER** v. intr. (fin XIIᵉ s.), passé du sens transitif de «nourrir» au sens intransitif de «boire, manger» (avec une connotation d'excès, 1690), a disparu. ➜ **PITANCIER** n. m. (1287) désignait le moine qui, dans une communauté, était chargé des approvisionnements de bouche. ➜ **PITANCERIE** n. f. (XIVᵉ s.) désignait conjointement l'office de pitancier et le lieu où s'effectuaient les distributions de vivres pour les repas des religieux (encore en 1690).

PITCHOUN, OUNE n. est emprunté (1848) au provençal *pitchoun* qui signifie «petit» et qui est formé sur le radical expressif *pitch-* exprimant la petitesse, à mettre en rapport avec le radical qui a fourni le français *petit** et l'italien *piccolo* (→ piccolo). L'ancien provençal avait *pichon* «petit» (XVIe s.) et l'argot *pechon* (1596) «garçon, matelot», «jeune mendiant».

♦ *Pitchoun* est un mot régional (Provence) et familier pour désigner un petit enfant.

▸ Par suffixation diminutive, le mot a produit **PITCHOUNET, ETTE** n. et adj. (1892), également employé dans le midi de la France pour un petit enfant.

PITCHPIN n. m. est emprunté (1875) à l'anglais *pitchpine*, composé (1676) de *pitch* «substance résineuse» (du latin *pix* qui a donné *poix**) et de *pine* «pin, sapin», de même origine que le français *pin**.

♦ L'usage du pitchpin, bois très résineux, dans la fabrication des meubles, aurait été introduit en France en 1868.

◈ **PITEUX, EUSE** adj., d'abord *pitus* (1120) et aussi *pitous* au XIIe s., puis *piteux* (1175), est issu du latin médiéval *pietosus* «plein de compassion» (Xe s.), dérivé de *pietas* (→ piété et pitié).

♦ Le mot est passé en français avec le sens actif du latin, «plein de compassion, miséricordieux», relevé jusqu'au XVIIe s. (1671). Avant la fin du XIIe s., il s'est chargé d'une valeur passive, «qui suscite la compassion, la pitié» (v. 1180), sortie d'usage au profit de *pitoyable* (dérivé de *pitié**) mais encore attestée au XIXe s. chez certains écrivains (Chateaubriand, les Goncourt), quelquefois en emploi substantivé. ◇ Parallèlement, du XIVe au XVIe s., *piteux* a aussi signifié «qui a de la piété», sens réservé à *pieux** depuis que s'est établie la distinction sémantique entre *pitié* et *piété*. ◆ Le sens moderne de «qui fait pitié par son caractère misérable, dérisoire» (1623, dans Francion) procède d'un emploi péjoratif condescendant du sens ancien, «touchant, qui excite la pitié». Il est surtout réalisé à propos de choses, plus rarement de personnes (*faire piteuse mine*, 1651, Scarron).

▸ Le mot, auquel ne correspond aucun nom, a produit **PITEUSEMENT** adv. (1176), également *pitusement* (1174-1176) en ancien français; il a suivi la même évolution que l'adjectif, signifiant «avec compassion» (1174-1176), «d'une manière qui excite la pitié» (1176) et «pieusement» (XIIIe s.), sens disparus. L'emploi pour «d'une manière qui provoque le mépris» (v. 1470) est rattaché aujourd'hui au sens moderne de l'adjectif. ◇ Un autre dérivé ancien français, **PITABLE**, a été éliminé par *piteable* qui a donné *pitoyable* (→ pitié).

◈ voir EXPIER, ① PIE, PIE-MÈRE, PIÉTÉ, PITANCE, PITIÉ.

PITHÉCANTHROPE → ANTHROPO-

◈ **PITIÉ** n. f., d'abord *pietét* (1050) et *pitet* (1080), est issu du latin *pietas, -atis*, mot dérivé de *pius* (→ ① pie, pieux), de sens sacré et profane, et qui, avec son sens propre de «sentiment de dévotion envers les dieux, les parents, la patrie», a donné *piété**. À l'époque impériale, *pietas* a commencé à désigner la clémence, le sentiment de bonté miséricordieuse dont fait preuve l'empereur, puis, dans la langue des chrétiens, le sentiment de compassion, la bonté, la charité.

♦ Le mot est passé en français avec la valeur chrétienne de «compassion», mais il est héritier des valeurs à la fois profanes et religieuses. Il est entré dans la locution ***c'est pitié, c'est une pitié de*** (1306) «cela inspire un sentiment de pitié». Il recouvrait également en ancien français l'idée voisine de souci, le fait de la détresse ou de la souffrance. ◇ Par extension, il désigne un sentiment de commisération mêlé de mépris, surtout dans quelques locutions comme ***regarder en pitié*** (1666), ***faire pitié*** (1640), ***quelle pitié !*** (1729). ◇ L'emploi interjectif, *pitié! par pitié!* (1691), voisin de l'ancien *merci!*, de *grâce!*, est archaïque.

▸ *Pitié*, avec le suffixe *-able*, a produit l'adjectif *piteable* (v. 1120), refait en **PITOYABLE** (v. 1485) par assimilation à l'évolution de *apitier* en *apitoyer* (ci-dessous). Il a évincé l'ancien adjectif *pitable* «doux, enclin à la pitié» (XIIIe-XIVe s.), dérivé de *piteux** et exprimant comme lui, activement, la qualité d'une personne encline à la pitié, à la compassion. Ce sens était encore vivant au XVIIe s., mais Corneille, en 1660, le corrige par *favorable*. ◇ Il a été remplacé par le sens passif de «qui inspire de la pitié» (XIIIe s.) et, en relation avec la valeur péjorative quelquefois prise par *pitié*, a glissé vers une valeur péjorative, «qui inspire un mépris apitoyé» (1690), «lamentable». ◆ De *pitoyable* ont été dérivés **PITOYABLEMENT** adv. (1559), réfection de *piteiablement* (1262), dont le sens moderne (1262) a évincé le sens actif de *pieusement* (XIIIe-XVIe s.). ◆ **IMPITOYABLE** adj. (v. 1550), réfection d'après *pitoyable* de la forme légèrement antérieure *impitoiable* (v. 1500), a remplacé *impiteux* (1482). Ce mot qualifie proprement la personne sans pitié et, par affaiblissement, celle qui juge sans indulgence (1606); il s'applique aussi à un nom de choses (en général abstraites). ◇ L'adjectif a produit l'adverbe **IMPITOYABLEMENT** (1538) et un nom de qualité, littéraire et rare, **IMPITOYABILITÉ** n. f. (1870).

APITOYER v. tr., réfection (fin XIIIe-déb. XIVe s.) sur le modèle des verbes en *-oyer* (du latin *-idiare*) de l'ancien français *apitier* (1224-1231), s'est employé intransitivement (sens disparu) et au pronominal *s'apitoyer*, apparu simultanément pour «prendre en pitié». En emploi transitif, il correspond à «émouvoir, attendrir» (fin XIIIe-déb. XIVe s.). ◇ Le verbe semble n'avoir subsisté aux XVIIe et XVIIIe s. que dans la langue populaire et provinciale avant d'être réintroduit à titre de néologisme pendant la Révolution. L'Académie l'a tout d'abord enregistré (1798) comme un mot familier. ◆ Si **APITOIEMENT** n. m., proposé en 1842 par Richard de Radonvilliers, est devenu courant, **APITOYABLE** adj. (1869, Flaubert) a gardé le statut de néologisme ou de synonyme populaire de *pitoyable*.

◈ voir EXPIER, ① PIE, PIE-MÈRE, PIÉTÉ, PIEUX, PITANCE, PITEUX.

PITON n. m., introduit dans le nord de la France par les constructeurs du Midi, est dérivé, avec le suffixe *-on* (1382), du provençal *pitar* «picorer, picoter», lui-même dérivé du radical expressif roman *pitt-* «pointe, chose pointue» et, par extension, «petite chose».

♦ Le mot désigne un clou, une vis dont la tête forme un anneau ou un crochet; dans cet emploi, il est resté courant. Avec le développement de l'alpinisme, il désigne spécialement (1884) un tel clou utilisé pour servir de point d'appui dans la roche, la glace. ◇ Par analogie de forme, il a pris au Canada le sens de «bouton (de sonnette, de montre...)» (1930), dont procèdent la locution figurée ***être sur le piton*** (1930) «être de bonne humeur, en forme» et le dérivé *pitonner* (ci-dessous). ◆ Quant au sens géographique du mot, appliqué à un relief isolé de forme aiguë (1640), il est d'abord relevé dans une relation de «l'établissement des Français depuis l'an 1635 en l'Isle de la Martinique» et aurait été rapporté des Îles par les colonisateurs venus de Gascogne ou du nord de l'Espagne (cf. le béarnais *pitoû* «élévation», d'après «corne naissante, chez les chevreaux, les agneaux»). Cette acception procède du sens de «corne, bout de la corne (du taureau)» et de celui de «rejeton d'un arbre qui commence à bourgeonner» qu'a l'espagnol *pitón* au XVIIe s., lui-même dérivé du radical *pitt-*. ◆ Par analogie, *piton* est employé dans la langue familière à propos d'un gros nez (1862), puis en général d'un nez quelconque.

► Le mot a produit, en alpinisme, le verbe **PITONNER** v. intr. (1936) «enfoncer des pitons», lequel a produit **PITONNAGE** n. m. (1936) et **PITONNEUR, EUSE** n. (attesté 1969). ◆ Parallèlement, le sens canadien a produit **PITONNER** v. intr. «appuyer sur un ou des boutons» et ses dérivés. *Pitonner* est très usuel au Québec pour «activer le clavier d'un ordinateur, les touches d'une télécommande», là où le français de France utilise l'américanisme *zapper* (qui a une valeur différente), mais aussi dans d'autres contextes, là où le français de France dit *pianoter*.

◈ **PITRE** n. m., introduit tardivement (1790) après avoir été employé par Saint-Amant (1661), qui appelle *bon pitre* un brave homme, est probablement emprunté à une variante dialectale (en franc-comtois) de *piètre**.

♦ Le mot désigne le bouffon chargé d'attirer le public à un spectacle de foire ou de cirque et, par extension, une personne qui fait rire par ses plaisanteries, ses facéties (1866), d'où ***faire le pitre.***

► Son dérivé **PITRERIE** n. f. (1876) est surtout employé au sens de «comportement, action de pitre», extension du sens strict de «tour du pitre d'un cirque» (1877; cf. *clownerie*).

◈ voir **PÉDESTRE.**

PITTORESQUE adj. et n. m. est emprunté (1648) à l'italien *pittoresco*, attesté depuis le XVIe dans l'expression *alla pittoresca* «à la manière des peintres» et depuis le XVIIe s. pour «expressif, original». Ce mot est dérivé de *pittore*, de même sens et origine que le français *peintre**.

♦ Au XVIIe s., l'expression calquée de l'italien *à la pittoresque* (Scarron) s'emploie pour «à la manière des peintres». *Pittoresque*, comme adjectif, a d'abord eu le sens didactique de «relatif à la peinture» (1708), réservé de nos jours à *pictural**, et a développé sa valeur caractérisante au XVIIIe s., alors sous l'influence de l'Angleterre et de la sensibilité qui s'y exprime dans l'art paysager (jardins, peinture). En 1718, l'abbé Du Bos, dans ses *Réflexions critiques sur la poésie et la peinture*, emploie le mot pour qualifier une composition «dont le coup d'œil fait un grand effet suivant l'intention du peintre et le but qu'il s'est proposé». Coypel, en 1721, définit *le pittoresque* comme «le choix piquant et singulier des effets de la Nature assaisonné de l'esprit et du goût et soutenu par la raison». ◇ Le mot se répand en dehors du langage pictural à propos d'une chose digne d'être peinte (1738, *drapperies pittoresques*), d'un paysage, d'un lieu qui retient l'attention par son caractère original (1749), inspirant la mode des *voyages pittoresques* qui se multiplient à la fin du XVIIIe et au XIXe siècle. Au XIXe s., il devient aussi un terme de librairie, qualifiant certaines publications ornées de gravures, et entre ainsi dans le nom de revues illustrées (1833, *magasin pittoresque*). L'association du mot à l'exotique et au folklorique aboutit par glissement à la qualification de productions mineures encombrées de pacotille historico-littéraire (fin XIXe s.). Il a tiré de ce nouvel emploi une valeur péjorative parfois encore présente, mais s'emploie en général positivement, en parlant d'un paysage, d'une région, surtout dans le contexte touristique.

► Son dérivé **PITTORESQUEMENT** adv. (1732) est demeuré assez rare.

◈ voir **PEINDRE, PEINTRE.**

PITUITE n. f. est emprunté (1541) au latin *pituita* qui désigne la gomme, la résine s'écoulant des arbres et, par analogie d'aspect, le mucus, l'humeur, le rhume. Le mot, qui a donné également *pépie**, se rattache à *pinus* (→ pin) avec une consonne que l'on retrouve en sanskrit et en grec.

♦ *Pituite* est un emprunt des médecins qui a désigné la mucosité sécrétée par les fosses nasales et, dans l'ancienne médecine, l'une des quatre humeurs cardinales du corps (1575). ◇ De nos jours, il désigne le rejet par vomissement de liquide glaireux (1814) et le vomissement habituel de ce liquide.

► Le dérivé **PITUITAIRE** adj. (v. 1560), suivant l'évolution du nom, est passé de «relatif à l'humeur appelée pituite» à l'acception moderne, «qui tapisse la fosse nasale» en parlant d'une membrane, d'une muqueuse (1762). ◆ **PITUITEUX, EUSE** adj., emprunté par les médecins de la Renaissance (1538) au latin *pituitosus*, dérivé de *pituita*, est un mot de médecine ancienne, où il qualifiait la personne dont l'humeur prédominante était la pituite et tout ce qui s'y rapportait; il était substantivé pour désigner une personne de tempérament pituiteux (1575), c'est-à-dire sérieuse et disposée à l'étude.

PIVOINE n. f. est emprunté avec un *v* épenthétique (v. 1393) au latin *paeonia* de même sens, dont vient l'ancienne forme *pyoine* (1180-1190). La forme avec *v* ou *u (w)* semble s'être développée dès le latin puisqu'on relève *paeuonia* dans les inscriptions pompéiennes. Le latin tient le mot du grec *paiônia* qui se dit surtout de la racine de la plante, en raison de ses propriétés médicinales; c'est le féminin de *paiônios* «qui concerne un chant solennel», dérivé de *paiôn* (ou *paian*), qui désigne un chant en l'honneur d'Apollon et par extension d'autres dieux, et sert de titre et de nom d'Apollon (→ péan).

♦ Le mot désigne une plante exotique et vivace dont les fleurs ont l'apparence de roses de grande taille. Par allusion aux fleurs rouges d'une variété, la locution comparative ***être rouge comme une pivoine*** (1880) est courante en parlant d'une rougeur émotive.

▶ Huysmans en a tiré, avec ce dernier sens, le verbe rare **PIVOINER** v. intr. «rougir comme une pivoine». ◆ *Pivoine,* lui-même employé régionalement pour désigner le bouvreuil par analogie de couleur (1562), a produit par dérivation régressive **PIVE** n. f. «bouvreuil» (1803), mot attesté essentiellement en poitevin, saintongeais, dans les dialectes du Centre, et pour lequel une origine provençale est probable. Le bouvreuil s'appelle en effet *pive* en Provence, *pivane* en Berry, *pion* ou *pione* en Lorraine et *pivoine* à Paris (Salerne, *Histoire nationale des oiseaux,* 1767).

PIVERT → ① PIC

◈ **PIVOT** n. m., attesté depuis le XIIe s. (1174-1178), est d'origine obscure. Il est probablement dérivé d'un mot simple non attesté mais qui paraît être représenté, malgré la différence de voyelle, par l'angevin *pue* «dent de peigne de tisserand, de herse», l'ancien provençal *pua* «dent de peigne» (déb. XIIIe s.), aujourd'hui attesté sous la forme *pivo, puo,* et l'espagnol *púa, puga* «pointe» (1475). L'origine de ces mots est assez obscure; on postule une forme italique °*puga* apparentée au latin *pungere* «piquer» (→ poindre). Il paraît difficile de rapprocher *pivot* de *pive* «cône de sapin» (1611), lequel vient du latin populaire °*pipa* «flûte, fifre», de *pipare* (→ piper), car *pive* est surtout attesté dans les régions proches de la haute Italie. Il n'est pas nécessaire non plus de le rapprocher de la famille du latin *pupa* «petite fille» et de son doublet roman °*puppa* avec le sens figuré de «mamelon» (→ poupard). P. Guiraud, qui défend cette hypothèse, se fonde sur l'idée de «renflement».

♦ *Pivot* est d'abord employé par figure à propos d'un axe autour duquel une chose se meut. Le sens concret et technique, «extrémité amincie d'un arbre tournant vertical», est attesté au XIVe s. (1338) et suscite la valeur figurée de «celui ou ce qui est au cœur d'une action, d'un système» (1538). ◇ Par analogie d'aspect et de fonction, *pivot* désigne en botanique la racine principale qui apparaît la première (1651). ◇ Il s'emploie aussi à propos du point autour duquel une troupe exécute un mouvement de conversion (1752), sens étendu au sport (basket-ball, 1938). ◇ Le sens développé en chirurgie dentaire, «support d'une dent artificielle enfoncé dans la racine» (1926), est contesté par les puristes pour qui le terme *pivot* implique une possibilité de rotation; toutefois, *pivot, dent à pivot,* est plus courant en ce sens que le terme préconisé, *dent à tenon.* ◆ En sports, le mot sert de déverbal et désigne l'action de pivoter.

▶ Le principal dérivé de *pivot* est **PIVOTER** v. (1508), d'abord employé au sens figuré de «se tortiller», disparu. Le mot a pris le sens transitif de «mettre sur pivot» (1611) puis est quasiment sorti d'usage. ◇ *Pivoter* s'est employé spécialement en botanique pour «enfoncer ses racines dans le sol», en parlant d'un arbre (1652). ◇ Le verbe est devenu usuel au XIXe s. avec le sens de «tourner sur un pivot» et, par analogie, de «tourner sur soi-même» (1812), prenant, d'après *pivot,* sa spécialisation militaire, «opérer un mouvement de conversion» (1829). ◆ Le verbe a quelques dérivés : le participe présent adjectivé **PIVOTANT, ANTE** (1550), le nom d'action **PIVOTEMENT** n. m. (1923), le participe passé substantivé **PIVOTÉ** n. m. (XXe s.) qui se dit d'un mouvement de chorégraphie. ◆ L'autre dérivé de *pivot,* **PIVOTERIE** n. f., terme technique récent (1974), désigne collectivement l'ensemble des pivots d'une machine.

PIXEL n. m. est emprunté (1980) à l'anglo-américain *pixel,* terme d'informatique qui désigne la plus petite surface homogène constitutive d'une image enregistrée, définie par les dimensions de la maille d'échantillonnage. Ce mot est formé de *pix,* variante graphique de *pics,* abréviation familière de *pictures* «images de cinéma», pluriel de *picture* «image» (→ peinture à peintre), et de *el-* pour *element,* lui-même emprunté à l'ancien français *élément**. Le mot signifie «élément d'images».

♦ Cet emprunt du langage informatique a reçu l'approbation du *Journal officiel* du 11 décembre 1980.

PIZZA n. f. est emprunté (1888) à l'italien *pizza,* attesté primitivement au sens de «fouace, galette», dès 997 en latin médiéval, depuis 1535 en napolitain et à partir de 1549 en italien florentin, spécialisé dans son sens actuel depuis 1570. L'origine du mot est incertaine et controversée : G. Princi-Barccini a proposé comme étymon un mot gotique ou longobard correspondant à l'ancien haut allemand *bizzo* (allemand *Bissen*) «morceau de pain», «bouchée» et «fouace», attesté dès le IXe s. dans une glose. R. Giacomelli a proposé le grec *pitta* «fouace». Ce dernier, conservé en grec moderne sous la double forme *pitta, pêtta* et repris récemment, avec la mode de la cuisine méditerranéenne et arabe dans les pays francophones, sous la forme **PITA** ou **PAIN PITA** (usuel en français québécois depuis les années 1970) «pain creux et plat», est d'origine incertaine. On a proposé de le rattacher au grec *peptos* «cuit» (→ pepsine) et l'on a comparé l'hébreu *pittah* de même sens (la première attestation de *pita* en anglais, en 1951, concerne la description d'un falafel).

♦ *Pizza* désigne un mets d'origine napolitaine fait de pâte à pain garnie de tomates, d'aromates et d'ingrédients variés, et cuite dans un four.

▶ **PIZZERIA** n. f. a été emprunté (1954) à l'italien *pizzeria* «restaurant où l'on sert des pizzas», dérivé de *pizza* avec le suffixe *-eria.*

PIZZAÏOLO n. m. (var. *pizzaiole* 1980) est un emprunt à un dérivé italien de *pizza* «marchand de pizza». Il désigne parfois, en France, celui qui cuit les pizzas dans une pizzeria.

PIZZICATO adv. et n. m. est l'emprunt (1768, Rousseau) de l'italien *pizzicato*, spécialisation musicale (1624, Monteverdi) du participe passé masculin substantivé de *pizzicare* «pincer». Ce mot est dérivé du verbe de même sens *pizzare*, lequel repose sur le radical expressif °*pits-*, variante dénasalisée de °*pints-* sur lequel repose *pincer**.

♦ Le mot, qui signifie proprement «pincé», correspond à une technique musicale qui consiste à pincer les cordes du violoncelle, de l'alto, du violon. Il s'emploie adverbialement *(jouer pizzicato)* et, par métonymie, désigne le son obtenu en jouant de la sorte. Le pluriel du nom est quelquefois francisé, mais on emploie surtout *des pizzicati*.

PLACARD et dérivés → **PLAQUER**.

✳ **PLACE** n. f. est issu (1080) d'un latin populaire °*plattea*, formé avec géminée expressive sous l'influence de °*plattus* (→ plat), du latin *platea* «rue large», qui a probablement pris à basse époque le sens de «place publique». Celui-ci est emprunté anciennement au grec hellénistique *plateia* (sous-entendu *hodos*) «rue large», féminin substantivé de *platus* «large et plat». Celui-ci est un mot d'origine indoeuropéenne, à rattacher à de nombreux termes exprimant la largeur, l'étendue (→ plat).

♦ Le mot possède la totalité de ses emplois actuels avant la fin du XVIIIe s., les sens concrets étant généralement fixés dès l'ancien français. Dès les premiers textes, *place* désigne l'endroit où l'on se trouve, où se déroule l'action ; il entre dans la locution ***en la place*** (1080), premier état de la locution moderne ***en place*** et d'une variante *sur la place* (1409), sortie d'usage au profit de la forme contractée ***sur place,*** plus récente (1774), d'où vient *rester sur place* «être immobile ou immobilisé», et le substantif **SUR-PLACE** ou **SURPLACE** n. m., dans *faire du surplace*, d'une bicyclette, d'un véhicule, d'un navire (1935, Vercel) «ne pas avancer ou avancer très lentement», qui s'emploie aussi au figuré (1960, Mauriac en politique). ◇ *Place* désigne aussi, dès *La Chanson de Roland* (1080), la partie déterminée d'un espace, d'un lieu où qqch. peut être fait ou mis, où qqn peut se mettre. Ce sens est réalisé dans un certain nombre d'expressions usuelles, notamment les locutions verbales ***faire place à*** (v. 1260), ***mettre en place*** (v. 1350), ***prendre place*** «s'installer» (1377), ***trouver place*** (1553), *ne pas pouvoir demeurer en une place* (1579), forme développée qui correspond à la locution plus récente ***ne pas tenir en place*** (1705). ◇ La locution de sens abstrait ***à la place de (qqch., qqn)*** procède de phrases comme *que ferais-tu si tu étais en ma place ?* (1606), *mettre chaque chose en sa place* (1671), etc. ***De place en place*** «de manière clairsemée» est apparu plus tard (1769). ◇ Avec cette idée d'emplacement déterminé, *place,* en emploi libre, a cédé devant *espace, endroit,* etc., alors que l'anglais *place,* de même origine, conservait cette valeur générale. C'est d'elle que procèdent les sens particuliers de «lieu, logement pour une personne» (1306, à propos du logement de troupes) et de «siège pour une personne» (1530), développé en français moderne dans le contexte des salles de spectacles, des transports en commun (d'où *place assise, réservée,* etc.). ◇ Depuis le XIIe s., le mot exprime aussi l'idée d'une «partie indéterminée d'espace» (1175-1180), seul et dans la locution ***faire place*** (1539) qui se disait du fait d'écarter la foule, souvent sur le mode exclamatif dans *place, place !* (1585), *place !* (1652).

Le sens concret de «lieu public ouvert et environné de bâtiments, dans une ville» (v. 1200) est réalisé dans quelques emplois qualifiés indiquant la localisation et surtout la fonction de ce lieu. Ainsi, on rencontre dès l'ancien français les expressions *maistre* (principale) *place de la vile* (v. 1268), ***place publique*** (1370-1372), toujours usuelle, *place marchande* (1466). ➛ De *place du change* «lieu du change» (1606) vient par métonymie l'emploi du mot dans le langage commercial et financier pour désigner une ville où se font des opérations de banque, de commerce et l'ensemble des banquiers et négociants qui y exercent leur activité (1694). ➛ Le sens particulier de «lieu où stationnent les voitures à usage du public» a disparu, mais on rencontre encore l'expression ***voiture de place*** (1790 ; après *cocher de place,* 1737). ➛ L'expression ***place forte*** (1417) est une spécialisation militaire ; on a employé absolument *place* au même sens (av. 1463), encore vivant au figuré dans *se ménager des intelligences dans la place,* avec l'acception métonymique de «locaux où sont installés les services du commandement d'une place». On parle également de ***place d'armes*** (XVIIe s.) «fortification», avec quelques valeurs particulières.

Le premier emploi figuré de *place,* annoncé par quelques locutions le prenant dans un sens plus abstrait que spatial, apparaît en moyen français (v. 1485) : le mot désigne une situation, une position par rapport à d'autres, un degré. C'est le cas dans la locution ***remettre à sa place*** (1539), employée auparavant au propre en parlant d'un objet. ◇ Dans le contexte de la hiérarchie sociale (1563), *place* désigne une position, une fonction, en particulier un rang dans un classement scolaire (1690), puis dans tout classement (en sports, etc.).

▸ La dérivation a été relativement importante, surtout du fait des verbes. ➛ Le diminutif de *place,* **PLACETTE** n. f. (1356), a cessé d'être employé après le XVIe s. (1585), tout en restant vivant dans les parlers régionaux du Nord et dans les formes provençales correspondantes, au sud de la France ; il a pu en être repris au XIXe s. (1881, chez Daudet), à côté du néologisme isolé *placette* que l'on relève chez Mercier en 1801 au sens figuré de «petite situation, charge, petit emploi».

Le dérivé verbal simple de *place,* ① **PLACER** v. tr. (1564), est attesté dès les premiers emplois au sens concret de «mettre (qqch., qqn) en un certain endroit», y compris à la forme pronominale *se placer.* ◇ Les extensions de sens, relativement nombreuses, consistent en des emplois spécialisés et des valeurs abstraites. Avant la fin du XVIe s., le mot désigne l'action de faire entrer qqn dans une famille par mariage (1582). ◇ Au XVIIᵉ s., le verbe prend le sens de «donner, accorder (une faveur)» (1629-1630, Corneille), ceux de «mettre en pension (qqn) hors du milieu familial» (1676), «pourvoir (qqn) d'un emploi» (1690) et «investir (de l'argent)» (1680). ◇ Le verbe exprime généralement l'idée de faire une action au moment choisi (1671), spécialement à propos du langage (1690), dans *ne pas trouver où placer un mot* (1696) qui annonce la variante moderne familière ***ne pas pouvoir en placer une.*** ◇ *Placer* signifie également «attribuer un rang, une place de choix à (qqch. ou qqn)» (1665, Racine). Au XVIIIᵉ s., il développe les sens de «situer dans un lieu précis, localiser» (1719), d'où aussitôt «situer dans le temps» (1719) puis «vendre, écouler» (1755). ◇ Ultérieurement, *placer* correspond à «maintenir (un cheval) en équilibre ou dans une certaine position» (1835) ; il passe dans le langage des courses (1910, *se placer,* pour un cheval) par emprunt à l'anglais *to place* qui a ce sens depuis 1831. ◇ Il entre dans le vocabulaire de la musique (1910, *placer sa voix*) et de la danse (1931, au participe passé, *danse bien placée*). ➛ Tous les sens du verbe, y compris nombre de spécialisations, sont exprimés par le participe passé adjectivé **PLACÉ, ÉE.** En turf, *placé* s'oppose à *gagnant.* ➛ Le verbe a aussi produit le dérivé **PLACEMENT** n. m. (1616), rare ou régional (Belgique) pour «action de mettre en place, de placer», mais courant dans sa spécialisation financière, «action d'investir de l'argent» (1755). On parle aussi de *placement d'enfants* (1790) et, en médecine psychiatrique, de *placement d'office* (1883) pour l'internement ; en droit du travail, *placement* désigne l'action de procurer du travail à qqn (1834, ***bureau de placement,*** institution remplacée). ◇ Toujours au XIXᵉ s., le mot assume parfois et familièrement l'idée de «mariage» (1884, Courteline) et celle d'«écoulement de la marchandise, du stock» (1832). ◇ Il entre au XXᵉ s. dans des noms composés au sens d'«investissement» soit comme second élément — un premier élément indiquant comment, à quelle fin est réalisée l'opération *(diamant-placement)* —, soit, surtout, comme premier élément *(placement-forêt, placement-loisir).* ➛ **PLACEUR, EUSE** n. (1765) désigne l'ouvrier chargé de mettre en place qqch., puis la personne qui procure un emploi (1846) et celle qui, dans une salle de spectacle, conduit chaque spectateur à sa place. ➛ Il interfère parfois avec le nom d'agent dérivé de *place,* **PLACIER, IÈRE** n. (1690), qui désigne la personne s'occupant de la location des places de marché et le représentant de commerce (1840), *placeur* ayant eu ce dernier sens (1841). *Placier* a désigné également la personne qui conduit chacun à sa place dans une salle de spectacle (1846), mais *placeur* l'a remplacé, et, au féminin, *plaçeuse* «celle qui place les gens sans emploi» (1874).

L'antériorité de **DÉPLACER** v. tr. (1404, *desplacer*) sur le verbe simple *placer* incite à y voir un dérivé préfixé de *place* doté de la désinence verbale *-er.* ◇ Ce verbe signifie «changer de place (un objet)» et au XIXᵉ s. «changer de poste (qqn)» (1863) ; il est également usuel à la forme pronominale *se déplacer* à propos d'une chose ou d'un être vivant. ◇ Son participe passé **DÉPLACÉ, ÉE** est adjectivé et employé au figuré pour «qui manque aux convenances» (1752), sens qu'ignore le verbe et qu'il doit peut-être à des emplois comme *hors de sa place, remettre à sa place.* ◇ ***Personne déplacée*** s'applique (v. 1945) à une personne qui a dû quitter son pays lors d'une guerre, d'un changement de régime politique. ➛ Le dérivé **DÉPLACEMENT** n. m., d'abord écrit *desplacement* (XVIᵉ s.), exprime l'action de se déplacer (1761) ; il est spécialisé en marine pour désigner les poids du volume d'eau dont un navire occupe la place lorsqu'il flotte (1773). ➛ L'adjectif **DÉPLAÇABLE** est relativement tardif (1907) de même que l'antonyme préfixé **INDÉPLAÇABLE** (XXᵉ s.).

EMPLACEMENT n. m. (1422) est le nom d'action correspondant à l'ancien verbe *emplacer* (*emplacier,* 1363) évincé par *placer.* Il a d'abord eu le sens abstrait de «donation, assignation» avant de se fixer au sens spatial, pour «endroit effectivement occupé par qqn» (1611), en particulier «lieu choisi pour y édifier une construction, y exercer une activité» (1694). Au XXᵉ s., le mot s'est spécialisé pour «lieu de stationnement (d'un véhicule) dans un espace aménagé».

L'ancien verbe *emplacer* survit également dans le composé itératif **REMPLACER** v. tr. (1549), «mettre une chose à la place de (une autre)» et «se mettre à la place de (qqch., qqn)». Le verbe s'emploie sur un plan abstrait avec l'idée de «faire jouer à une chose un rôle de (une autre)» (1611), «jouer le rôle de (qqn d'autre)» (1606). ➛ Ce verbe a produit les dérivés **REMPLACEMENT** n. m. (1535), **REMPLAÇANT, ANTE** n. (1792), aussi usuels que le verbe. ➛ **REMPLAÇABLE** adj. (1846) est moins fréquent que son antonyme préfixé **IRREMPLAÇABLE** adj. (1845), qui a pris une valeur laudative forte, et **REMPLACEUR, EUSE** n. est rare.

Placer a aussi produit **REPLACER** v. tr. (1669) qui, à la différence de *remplacer,* réalise l'idée concrète de «remettre en place» et «mettre à une nouvelle place» (1679). Ce verbe a produit le nom d'action **REPLACEMENT** n. m. (1771).

Place a encore produit des composés où il figure comme second élément : **DEMI-PLACE** n. f. (1840), **GARDE-PLACE** n. m. (1902). ◇ **MONOPLACE** adj. et n. (1920), **BIPLACE** n. et adj. (1917) et **MULTIPLACE** adj. et n. (1930) sont surtout employés à propos d'avions ou de voitures de course.

◈ voir **OMOPLATE,** ② **PLACER, PLAT, PLATANE, PLATINE, PLIE.**

PLACEBO n. m., dans son emploi moderne, est un emprunt récent (1954, *Le Traitement dit «par placebo» de l'ulcère*), par l'anglais, au latin *placebo* «je plairai», première personne du singulier du futur de l'indicatif de *placere* (→ placet, plaire). Le mot est attesté comme terme de médecine en anglais depuis 1785. En latin, cette forme commence la première antienne des vêpres des morts de la liturgie catholique et désignait cette prière au moyen âge. En moyen anglais, comme en ancien et en moyen français, il était employé dans des phrases du type *chanter, parler a placebo* «flatter», *a placebo* se disait, avec une valeur d'adverbe, pour «par flatterie» et *placebo* signifiait par métonymie «homme intrigant» (en Normandie, les écoliers nommaient *placebo* l'élève rapporteur, qui veut plaire).

♦ Ce terme de pharmacologie désigne une substance sans principe actif mais ayant un effet psychique rassurant sur le patient. Il est employé dans l'expression *effet placebo* à propos du résultat positif ainsi obtenu et, par métaphore, en dehors du domaine médical.

PLACENTA n. m. est emprunté savamment (1642) au latin *placenta* «galette, gâteau plat» en raison de la forme de cet organe chez l'être humain; un emprunt isolé de *placenta* sous la forme *placente* au sens de «galette» se rencontre en 1540. Le mot latin est lui-même un emprunt, déformé par rapprochement phonétique avec *placere* (→ plaire), au grec *plakous, -ountos* «gâteau plat» (fréquent chez les auteurs comiques), contraction de *plakoeis* «plat» et «plaine», lui-même issu de *plax, -akos* «étendue plate, plaine», «mer», «plateau», ainsi que «pierre plate, table, plaque». *Plax* est à rapprocher du vieux norrois *floer* «terrasse rocheuse» et d'autres mots germaniques avec un type différent de flexion, comme le norvégien *flag* «le large», le vieil islandais *floga*, l'ancien haut allemand *fluoh* (allemand *Flüche* n. f. «mur rocheux»). En latin, le rapprochement avec *placet* reste douteux; on penserait plutôt à *plancus* «aux pieds plats» et à *planus* (→ plan). Il est possible de rapprocher de cette famille les formes à sonore finale (grec *plagios* «oblique» [→ plagal, plagiaire], *pelagos* «la mer» [→ pélagien]) d'une racine indoeuropéenne °*pel-ə*.

♦ En français, le mot est employé comme terme d'anatomie pour la masse charnue et spongieuse qui relie l'embryon à l'utérus pendant la gestation, chez les mammifères. ◇ En botanique (1694), il désigne la partie intérieure de l'ovaire à laquelle sont fixés les ovules.

▸ Il a produit les termes didactiques **PLACENTAIRE**, nom (1817), puis adjectif (1855) et nom masculin pluriel en zoologie pour une classe de mammifères (1903), et **PLACENTATION** n. f. (1817), employé en anatomie ainsi qu'en botanique. ◆ Le privatif **APLACENTAIRE** adj. (1870) qualifie ce qui n'a pas de placenta et, comme nom pluriel, les mammifères dont l'embryon est dépourvu de placenta.

① **PLACER** → PLACE

② **PLACER** n. m. est emprunté (1846, au pluriel *placeres*), soit directement, soit par l'intermédiaire de l'anglo-américain (1842), à l'espagnol *placer*, variante de *placel* «banc de sable, bas-fond». Ce mot est emprunté au catalan *placer* «plaine sous-marine, lieu de peu de profondeur au fond de la mer», dérivé de *plaça* «place, arène», correspondant à l'espagnol *plaza*, de même sens et de même origine que *place**. De tels lieux étant réputés poissonneux en Méditerranée, l'espagnol emploie *placer, de perlas*, pour un endroit riche en huîtres perlières en Californie. Le mot s'est étendu en espagnol sud-américain et en anglo-américain aux gisements aurifères, notamment en Californie.

♦ Le mot a été repris en français où il est senti comme un américanisme, avec ce sens de «gisement (d'or, métaux, pierres précieuses, minerais lourds)». Par extension, il désigne l'exploitation des mines d'or.

PLACET n. m. est un emprunt, d'abord écrit *plachet* (1365), au latin *placet* «il semble bon, il plaît, il agrée», troisième personne du présent de *placere* «plaire», qui a probablement commencé par être un impersonnel et auquel correspond le causatif *placare* (→ implacable) avec une évolution de sens. L'hypothèse selon laquelle *placere* appartiendrait à une racine indoeuropéenne signifiant «être plat» (d'où «aplanir») n'est guère corroborée que par un sens possible de *placidus* (→ placide). *Placet* a été utilisé en latin médiéval dans les textes juridiques et administratifs et comme formule de vote dans les assemblées du clergé.

♦ Dès les tout premiers textes français, le mot est employé dans l'expression *lettre de plachet* puis ***lettre de placet***, en parlant d'une assignation à comparaître devant le for ecclésiastique, puis d'une demande écrite pour obtenir justice, grâce ou faveur (1479). ◇ Par métonymie, il a aussi désigné le consentement, la réponse favorable à une demande, la permission (1482). Puis il désigne en procédure une demande adressée au tribunal pour obtenir audience (1549). De là, dans la langue classique, le sens particulier de «petit poème en forme de placet» (1680). ◇ La formule latine *placet* est encore utilisée dans les assemblées ecclésiastiques avec son sens impersonnel pour indiquer un vote favorable, par opposition à *non placet*.

◈ voir IMPLACABLE, PLACEBO, PLACIDE, PLAIDER, PLAIRE, PLAISIR.

PLACIDE adj. est emprunté (1444) au latin *placidus*, adjectif dérivé de *placere* (→ plaire). *Placidus* ne signifie plus «qui plaît» : sous l'influence du causatif *placare* «tâcher de plaire», d'où «contenter, apaiser» (→ implacable), il a pris une autre valeur, «apaisé», en relation avec *lenis* «doux» (→ lénifiant) et *quietus* (→ quiétude).

♦ *Placide* «doux, paisible», enregistré par Cotgrave en 1611, ne semble plus employé pendant deux siècles. Repris au début du XIXe s. (1803), il est devenu usuel pour qualifier une personne, un comportement tranquille, peut-être avec attraction paronymique de *paisible* et de *pacifique*.

▸ Son dérivé **PLACIDEMENT** adv. (1611) est également repris à partir de 1803. ◆ Quant à **PLACIDITÉ** n. f., emprunté (1444) au dérivé latin *placiditas*, il est repris peu après *placide* chez Mme de Staël (1817).

PLAFOND n. m. est le composé de *plat** et de *fond** : on est parti de l'idée de «séparation horizontale *(plate)* inférieure (sous le plancher)».

♦ Le mot apparaît en architecture (*platfons*, 1546), puis s'emploie en peinture (1639, Poussin). Il symbolise la tête dans *avoir un hanneton* (1866), *une araignée* (1867) *au plafond* «être fou». ◇ Par métaphore, il s'applique à des nuages bas (1888), emploi régional généralisé en météorologie (1916). Une valeur abstraite, «maximum» (1926 en sports), s'est imposée en économie, d'où des emplois et syntagmes courants : *prix plafond*, etc. (mil. XXe s.), s'opposant à *plancher*.

▶ Le dérivé **PLAFONNER** v. apparaît en architecture (au part. passé 1666) pour «garnir d'un plafond». Comme intransitif, il s'emploie en peinture (1733), puis en aviation (1916), enfin abstraitement pour «atteindre un maximum». ◇ Le verbe a plusieurs dérivés, dont **PLAFONNEUR** n. m. (1785). ◆ **PLAFONNIER** n. m. désigne un appareil d'éclairage fixé à un plafond, d'abord dans une automobile (1906), puis dans un appartement, une maison (1911), emploi où le mot s'oppose à *lustre, suspension*.

EMPLAFONNER v. tr., formation populaire (1953) avec l'idée de heurter du front un plafond bas, signifie «heurter violemment (une personne, un obstacle, un véhicule)».

PLAGAL, ALE adj. est l'emprunt en musique (1598) du latin médiéval *plagalis*, dérivé de *plagius*, lui-même attesté en musique à partir du VIIIe s. et emprunté au grec *plagios* «oblique, de côté» (→ plage).

♦ Le mot qualifie un mode du plain-chant grégorien où la quinte est à l'aigu et la quarte au grave. On appelle *cadence plagale* (1835) la cadence finale permettant de passer à la tonique.

PLAGE n. f. recouvre deux mots distincts dont le plus ancien a été absorbé par le mot moderne et est sorti d'usage. ◆ Le premier *plage* est emprunté (1290) au latin *plaga* «région, zone, étendue», employé dans le vocabulaire poétique pour «région du ciel». On admet généralement que *plaga* serait à l'origine le même que son homonyme *plaga* «filet de chasse que l'on tend au travers d'une route» d'où, par suite, «piège tendu». Le sens premier et commun aux deux mots serait celui de «chose étendue» et certains émettent l'hypothèse d'un rattachement à la racine indoeuropéenne °*pelə-*, °*pla-* «ce qui est plat, étendu», représentée dans ① *plan plain, planer, palme, paume*, et, par le grec, dans *pélagien*.

♦ *Plage* a été repris en français avec le sens d'«étendue de terre» puis de «région, contrée»; il a été confondu avec l'autre mot *plage* à partir du XVIe s. et n'est plus employé en dehors de quelques occurrences poétiques. ◆ Le second *plage* n. f. est emprunté (1298, *plaje*) à l'italien *piaggia* «espace plat et découvert au bord de la mer» (XIVe s.) et se rencontre aussi sous la forme *spiaggia* (1308-1348). Le mot italien vient du grec *ta plagia* «les côtés, les flancs», notamment dans le vocabulaire militaire, neutre pluriel substantivé de l'adjectif *plagios* «oblique» (→ plagiaire).

Le mot, dont on ne possède qu'une seule attestation avant 1456, a d'abord désigné un rivage en pente douce dont les navires peuvent difficilement s'approcher (l'*Encyclopédie* en fait un «terme de géographie», 1765). Le sens moderne, «endroit plat et bas d'un rivage où les vagues déferlent», semble apparaître au début du XIXe siècle avec le romantisme; le mot a été étendu à «rive sableuse d'un lac, d'une rivière» (1910). Il a pris avant la fin du XIXe s. (par ex. dans *Pierre et Jean* de Maupassant, 1888) et au début du XXe s. aussi pour les lacs et les rivières la valeur de «lieu propre aux activités balnéaires». Cette valeur fait de *plage* l'un des mots-clés du vocabulaire des vacances et du tourisme, alors qu'il était géographique ou pittoresque au XIXe siècle. ◆ Dans d'autres domaines, quelques spécialisations sont apparues après 1850, dont celle de «surface déterminée (d'un objet, d'un corps)» (1857), et en marine «partie dégagée du pont» (1909), en optique et en acoustique (1962) en parlant de chaque portion de la face d'un disque correspondant à un enregistrement distinct. ◆ *Plage* est aussi employé au figuré pour désigner une portion délimitée de temps (1959) et, concrètement, la plate-forme située entre les sièges et la vitre arrière d'un véhicule. Un nouveau sens abstrait, «écart entre deux mesures, deux possibilités» (1963), correspond à l'idée d'étendue définie.

▶ Le mot a produit un dérivé **PLAGISTE** n. (1964) «exploitant d'une plage payante» et, par extension, «employé d'une station balnéaire qui assure différents services sur une plage aménagée». ◆ Le verbe familier **SE PLAGER** v. pron. (mil. XXe s. ?) s'emploie pour «s'installer pour les vacances dans un lieu balnéaire».

◈ voir PLAGAL.

PLAGIAIRE n. et adj. est emprunté (1555) au latin *plagiarius*, nom d'agent qui désigne celui qui vole les esclaves d'autrui ou celui qui achète ou vend comme esclave une personne libre; le mot s'emploie adjectivement au figuré en parlant d'un auteur qui en pille un autre. *Plagiarius* est dérivé de *plagium* «vol d'esclave» et au figuré «fait d'emprunter illicitement une œuvre originale», lui-même emprunt au grec *plagion*, neutre substantivé de l'adjectif *plagios* «oblique, qui est de côté» (d'une ligne de bataille, d'une flotte), substantivé en anatomie pour désigner le flanc. Par suite, *plagios* s'est employé au figuré pour «qui emploie des moyens équivoques, qui est fourbe», et, avec une acception spéciale en grammaire, à propos des cas dits obliques. Le mot se rattache, de même que *pelagos* (→ pélagien) et °*arkhipelagos* (→ archipel), à la racine indoeuropéenne °*pelə-*, °*pla-* «étendue plate» (→ placenta, plage, plan, plat).

♦ *Plagiaire* a été introduit en français pour désigner, en arts et en littérature, la personne coupable d'un emprunt abusif à une œuvre originale, d'abord comme adjectif *(poètes plagiaires)* puis comme nom (surtout masculin). ◇ Le sens propre a été repris à la Renaissance (1584).

▶ Par dérivation régressive, *plagiaire* a produit **PLAGIAT** n. m. (1697), qui lui sert de nom d'action en arts et en littérature (après *plagianisme*, 1680, qui ne s'est pas imposé), et **PLAGIER** v. tr., relativement tardif (1801), «copier, piller (un auteur)» et par extension «imiter» en général.

① **PLAID** → PLAIDER

② **PLAID** n. m. est emprunté au XVIIe s. (1664) à l'anglais *plaid* (1512) qui désigne une grande pièce de tissu de laine, portée comme manteau en Écosse et dans le nord de l'Angleterre. Ce mot est emprunté au gaélique d'Écosse *plaid, plaide* «couverture», correspondant à l'irlandais *ploid*, et d'origine obscure. L'hypothèse d'une formation à partir du latin *pellis* (→ peau) est des plus incertaines. La forme française *plaidin*, relevée au XVIIe s., est reprise au sens de «serge d'Écosse» à l'anglais *plaiding*, dérivé de *plaid* (1566). *Plaidin* a disparu au profit de la forme simple *plaid*.

♦ *Plaid*, vieilli avec le sens d'«étoffe de laine écossaise à carreaux», désigne une pièce de ce tissu constituant un manteau (1708), d'abord dans un contexte écossais, puis en France (1827). De nos jours, lorsqu'il est employé dans un contexte français, il désigne une couverture de voyage en laine aux couleurs vives et à dessin écossais (1869, *in* Littré).

PLAIDER v. est dérivé (1080) de l'ancien français ① **PLAID** n. m., déjà attesté dans les *Serments de Strasbourg* (842). Ce mot désignait une convention, un accord, un engagement; il a servi à désigner une assemblée annuelle ou bisannuelle d'hommes libres sous les Mérovingiens, restreinte sous les Carolingiens aux notables laïques et ecclésiastiques (1080), et qui discutait de manière consultative les projets de gouvernement. Sous les Carolingiens (1080), *plaid* s'applique à une assemblée réunie trois fois par an dans des fonctions judiciaires et, sous les Capétiens à partir de Saint Louis, à la juridiction exercée directement par le roi. Le mot désignait aussi un procès, un jugement (1080), développant par extension les sens de «querelle, discussion» (v. 1140), «discours, paroles, récit» (1155); *les plaids*, au pluriel, désignait les audiences du tribunal en province ou dans les juridictions inférieures, et l'on disait *tenir les plaids* (v. 1160) pour «tenir audience». ◆ *Plaid* est issu du latin *placitum*, participe passé neutre adjectivé et substantivé de *placere* (→ plaire), employé au pluriel à l'époque classique au sens de «principe, dogme», puis pour «ce qui plaît, ce que l'on a en vue», d'où, dans les textes chrétiens, «dessein, projet, résolution» et «accord, consentement, pacte». C'est à l'époque médiévale que *placitum* a pris une valeur juridique, désignant l'engagement à comparaître devant le tribunal, la réunion, la conférence, puis la séance judiciaire et le litige, le procès. Le latin médiéval en avait tiré un verbe *placitare* «tenir une assemblée du royaume, tenir un plaid» (VIIIe-IXe s.), «assister à un plaid, comparaître en justice» (XIIe s.) et «assurer la défense d'une cause» (XIe s.).

♦ Tandis que *plaid* a vieilli puis disparu comme les institutions qu'il désignait, *plaider* s'est implanté dans l'usage juridique et courant. D'abord intransitif, le verbe a eu le sens de «faire siéger la cour, tenir ses assises», sorti d'usage, et, dès *La Chanson de Roland* (1080), il est employé au sens de «défendre une cause devant les juges». Une autre acception, «intenter un procès» (1174-1176), a vieilli. ◇ L'emploi transitif du verbe correspond d'abord au sens de «parler au tribunal pour (un cas, une affaire)» (v. 1240). ◇ Puis apparaissent les premiers emplois au sens plus général de «parler en faveur de, défendre», intransitivement (v. 1590) puis (1690) transitivement (d'où *plaider le faux pour savoir le vrai*, 1789). Le verbe se construit aussi avec un sujet inanimé pour «témoigner en faveur de, être favorable à» (1734, transitif; 1751, intransitif).

▸ Les dérivés remontent tous à l'ancien français. ◆ Le nom d'action **PLAIDERIE** n. f. (XIIe s.), encore vivant dans la langue classique (Molière, *Le Misanthrope*), est tombé en désuétude au profit de *plaidoyer, plaidoirie* et *procès*. ◆ **PLAIDEUR, EUSE** n. (v. 1210) semble avoir commencé par désigner l'avocat et s'est longtemps dit de toute personne qui a la manie de plaider, qui est toujours en procès (1230, *pledeor*; 1680, *plaideuse*). Il continue à se dire de la personne qui plaide en justice. Le thème des plaideurs et plaideuses insupportables et acharnés est fréquent au XVIIe s. (*Les Plaideurs* de Racine, le *Roman bourgeois* de Furetière) et se rattache à l'importance prise par la chicane*. ◆ **PLAIDANT, ANTE** est le participe présent de *plaider*, autrefois substantivé (1278) et de nos jours adjectivé (1538) au sens de «qui plaide», en particulier dans les syntagmes *avocat plaidant* (1538) et *parties plaidantes* (1585). ◆ De *plaider* viennent aussi **PLAIDABLE** adj. (1294) et, bien plus tard, le verbe péjoratif **PLAIDAILLER** v. intr. (1719), d'où **PLAIDAILLEUR** n. m. et **PLAIDAILLON** n. m., tous trois d'usage familier et vieillis. ◆ La disparition du nom d'action s'explique par l'existence de *plaidoyer* et de *plaidoirie*.

PLAIDOYER n. m. est la substantivation (fin XIVe s.; *pledoier*, 1355 selon Godefroy) de l'infinitif de l'ancien verbe *plaidoyer* (1174-1176), dérivé, comme le verbe *plaider* qui l'a remplacé, de l'ancien substantif *plaid* (voir ci-dessus). Le verbe signifiait proprement «défendre une cause en justice», par extension «parler» et à la forme pronominale *se plaidoyer* «adresser des supplications». Le participe passé *plaidoyé* a lui aussi été employé comme nom (1283-XVIIe s.) servant de doublet à *plaidoyer*, nom. ◇ *Plaidoyer*, avec le sens juridique de «discours, argumentation au tribunal», subit la concurrence de l'autre dérivé du même verbe, *plaidoirie*, mais se dit encore avec une nuance plus affective du contenu de la défense d'une cause grave. Par métonymie, le mot a eu en moyen français le sens de «salle du tribunal». ◇ Il s'est répandu dans l'usage courant (1580) à propos d'un exposé argumenté et convaincu en faveur d'une personne, d'une idée, d'une institution. ◆ **PLAIDOIRIE** n. f. est lui aussi dérivé (1318) de l'ancien verbe *plaidoyer* (ci-dessus) avec le suffixe *-erie*. Une forme *pledoierie* est relevée dès le XIIIe s. et *plaiderie*, dérivé de *plaider*, se rencontre encore dans *Le Misanthrope* de Molière. ◇ Le mot désigne l'exposé oral fait devant les juges par un avocat chargé d'expliquer les faits et de soutenir les droits et prétentions de son client. À la fois plus technique et plus courant que *plaidoyer*, il ne l'a cependant pas évincé. Il sert de nom d'action à *plaider* (ci-dessus) et s'est employé pour désigner la profession d'avocat, qui consiste à plaider (1585). Il a pris le sens figuré de «défense argumentée pour qqn, une cause» (1833), pour lequel il est en concurrence avec *plaidoyer**.

PLAIE n. f. est issu (1080) du latin *plaga* «coup» et par métonymie «blessure qui en résulte». Le mot latin est identique au grec *plêgê* (dorien *plaga*), dérivé de *plêssein* «frapper» (→ plectre), représenté indirectement en français par l'élément dérivé *-plégique* (→ hémiplégie). On peut donc supposer un emprunt au grec dorien par le sud de l'Italie, mais le mot latin s'explique tout aussi bien comme un dérivé de *plangere* «frapper» (→ plaindre), verbe reposant sur la même racine.

◆ Le mot n'a gardé en français que le sens de «blessure», spécialement «blessure ouverte», avec les locutions figurées ***ne demander, ne rêver que plaies et bosses*** (1598) où il participe par métonymie de l'idée de «combat». ***Mettre le doigt sur la plaie*** (1835) correspond à «déceler le point douloureux», avec une métaphore voisine de *là où le bât blesse.* ◇ Avant la fin du XIIe s., le mot a développé ses principales valeurs secondaires : par métonymie, il a désigné une blessure cicatrisée (1176-1181), emploi devenu archaïque et d'où vient une valeur analogique, «lésion sur la tige (le tronc) d'une plante». ◇ Dès la même époque, il est employé par figure au sens de «blessure de l'amour, du sentiment» (1176-1181), par exemple dans la locution ***rouvrir les plaies*** (1672), et au sens de «ce qui porte préjudice» (1155), en référence à la fois aux plaies de Jésus-Christ et aux dix plaies d'Égypte, d'où ***plaies d'Égypte*** «calamités» (1274). L'idée morale de «fléau» tend cependant à disparaître au bénéfice de celle de «chose pénible aux conséquences graves» et, familièrement, de «personne insupportable» (1888, Courteline).

✱ **PLAIN, AINE** adj. et n. m. est issu (déb. XIIe s., *a plain*) du latin *planus* «plat, uni, plan (à deux dimensions)», employé au figuré pour qualifier ce qui est facile, ce qui va de soi (par opposition à *arduus* qui a donné *ardu*) et ce qui est clair, évident. On retrouve ce dernier sens dans l'expression *planum facere* «expliquer, aplanir les difficultés». On ne trouve à comparer *planus* qu'avec des mots assez différents : le gaulois a le nom propre *Medio-lanum,* mais le sens de *-lanum* est inconnu et aucune forme d'une langue celtique ne donne à penser que ce soit «plaine»; *Medio-nemetum* signifie «sanctuaire du milieu» et *-lanum* doit indiquer quelque notion religieuse. C'est du verbe lituanien *plóti* «aplatir, étendre» que dépend l'adjectif *plónas* «mince», dans cette langue. On suppose une racine indoeuropéenne °*pelə-*, °*pla-* indiquant ce qui est plat, étendu (→ palme, paume, placenta, plage, plan).

◆ *Plain,* d'abord relevé dans la locution adverbiale ***a plain*** «sans obstacle», était couramment employé jusqu'au XVIe avant de se faire rare aux XVIIe et XVIIIe s. Son déclin s'explique à la fois par une homonymie gênante avec *plein* et par l'existence de *plan* (du même mot latin *planus*) qui l'a évincé. ◇ Dans l'usage ancien, *plain* exprimait ce qui présente une surface unie, lisse (v. 1155), spécialement en parlant d'un tissu (v. 1278, un tissu de la laine). Par extension de l'idée d'«uni», l'adjectif qualifiait ce qui était d'une seule couleur (pour une étoffe). ◇ Comme le latin *planus,* il était employé au figuré avec le sens de «clair, net, intelligible» et il entrait dans quelques locutions adverbiales, telles *de plain saut* «d'une manière unie», *de plain* «sommairement, sans obstacle». ◇ Enfin, il était substantivé au masculin, *le plain,* pour désigner une étendue de pays plat (sens avec lequel son féminin *plaine* l'a supplanté), une partie plate et, en particulier, le chanvre peigné de première qualité (sens qui a perduré dans le Nivernais, où les femmes, à leurs relevailles, apportaient une *quenouille de plain*). ◆ Dans l'usage moderne, *plain* se limite à quelques emplois figés et à quelques acceptions spécialisées : il est employé en héraldique pour une arme d'un seul émail (v. 1280), en marine dans *au plain* (1580) «à marée haute» et pour désigner la haute mer (1697). En Belgique, il reste usuel dans *tapis plain* «moquette». ◇ *Plain* étant aussi l'ancienne graphie de *plein**, des confusions ont eu lieu entre les deux mots, *plain* étant utilisé abusivement dans *plain-fouet* et *terre-plain.*

▸ En revanche, *plein* a été employé à la place de *plain* dans **PLAIN-PIED** loc. adv. et n. m. (1611), d'abord *a plain pied* «au niveau du sol», remplacé par *de plain-pied;* cette locution signifie au figuré «sans difficulté, facilement» (1659) et «sur un pied d'égalité» (1837). Le terme est substantivé (1718) pour un logement composé de pièces qui sont de niveau et un sol plat, de même niveau. ◆ **PLAIN-CHANT** n. m. (1636) est le second composé dans lequel *plain* est resté vivant; il se dit d'une musique vocale rituelle monodique (on disait aussi *musique plane*).

Le féminin de *plain,* **PLAINE,** issu du latin *plana* (v. 1140), est quant à lui tout à fait usuel. Il a à la fois éliminé le masculin *plain (un plain)* et la forme *plaigne* (1080), issue d'un latin populaire °*plania* et qui subsiste dans des noms de lieux *(Plaigne, Plagne).* Le mot désigne une étendue de terrain sans relief, sens avec lequel il a servi à former plusieurs syntagmes et constructions (*en plaine,* etc.). ◇ Il a quelques extensions de sens analogiques : ainsi, en emploi qualifié ou déterminé, il a fourni une dénomination poétique de la mer (1559, *les plaines de Neptune*) et il est employé en héraldique pour désigner la pièce de la partie inférieure de l'écu, d'un autre émail que le champ (1671). ◇ Par référence à la situation spatiale des députés qui siégeaient en bas des gradins de l'Assemblée, on a désigné par ce nom les députés modérés sous la Convention et, par métonymie, leur parti (1792), par opposition à *la Montagne* (cf. aussi *Marais*). ◇ Le mot est quelquefois employé au figuré en référence à l'étendue plate qui évoque l'ennui et l'uniformité. ◇ De *plaine,* on a tiré quelques dérivés rares (*plainette, plainier,* nom régional du Midi pour «habitant de la plaine», et *planier, ière* adj.). ◆ Le composé savant **PÉNÉPLAINE** n. f. (1895) est emprunté à l'anglais *peneplain,* formé du latin *paene* «presque» (→ péninsule) et de *plain,* francisé en *plaine**.

APLANIR v. tr. (XIe s.) est formé savamment sur le latin *planus* avec le préfixe *a-* et la désinence *-ir* (*-er* pour une forme *aplaner* qui a disparu). L'ancien français a eu également la forme *aplaigner,* dérivée de l'ancien français *plaigne* (1080) «plaine», issu du latin populaire °*plania* (formé sur le radical de l'adjectif *planus* avec le suffixe *-ia*), par analogie avec *champagne, montagne.* ◇ Le verbe a d'abord le sens de «nettoyer en frottant», d'où plus généralement «niveler une surface» (1155). Les extensions métaphoriques et figurées, «réduire une difficulté», «atténuer, supprimer (un obstacle, une inégalité)», sont attestées depuis le milieu du XVIIe s. (1644). Il s'y mêle quelquefois, selon le contexte, la nuance péjorative d'uniformisation. ➛ Le dérivé **APLANISSEMENT** n. m. (1370), formé sur le radical du participe présent, est d'abord attesté au sens figuré de «caresse, flatterie» qui a disparu au cours du XVIe s. avec l'emploi correspondant d'*aplanir* «caresser, flatter». *Aplanissement* s'est aligné sur l'évolution du verbe : il désigne l'action de raboter, d'égaliser une surface (probablement XIVe s.) ; à partir de 1690, il est enregistré au figuré, et, sous la Révolution, il prend en politique la valeur d'«égalisation sociale» (1796) qui a disparu. ➛ Le nom d'agent **APLANISSEUR, EUSE** n. (1606) désigne la personne qui aplanit une surface, en particulier dans des domaines techniques (on dit aussi *aplaneur*). *Aplanisseur* s'est employé spécialement dans le langage politique du XVIIIe s. (1756, Voltaire) à propos du partisan d'une société égalitaire anglaise, probablement par calque de l'anglais *leveller* de même sens (1644, «membre d'un groupe révolutionnaire anglais influencé par la secte des indépendants»). Depuis, il a été évincé par *niveleur* (1767). ◇ Le sens figuré de «personne qui aplanit les difficultés» (v. 1820) est littéraire.

◈ voir **PIANO, ② PLAN, ① et ② PLANER, PLAN-PLAN** et aussi **AÉROPLANE, ESPLANADE, NAPALM, PALME, PAUME, PLAGE.**

PLAINDRE v. est issu par évolution phonétique (v. 1050) du latin *plangere,* dont le premier sens est «frapper» (conservé par la langue poétique), et qui s'est spécialisé pour «se frapper la poitrine, les cuisses, en signe de deuil». À l'époque impériale, le verbe s'est employé comme terme expressif et pittoresque pour «se lamenter sur (qqn, qqch.)», «témoigner de la compassion» et même «pleurer», sens conservé par les langues romanes (italien *piangere*). Le mot est une formation expressive, comme *clangere* «crier, retentir» ; il repose sur une racine indoeuropéenne °*plak-*, °*plag-*, °*plek-*, à laquelle se rattache le grec *plêssein* «frapper» (aoriste *eplagên*). Le gotique °*flokan* emploie aussi cette racine pour exprimer la manifestation du deuil ; l'ancien haut allemand *fluohlôn* «enchanter» et «maudire» n'est pas moins intéressant. Le vieux slave (qui n'offre que la forme avec *k*) a aussi *plačǫ sę* «je me lamente» (russe *plakat'cia* «se plaindre»).

♦ Les premières attestations du mot en français s'inscrivent dans un contexte de deuil : *plaindre* correspond à l'action de déplorer la perte de qqn (v. 1050) et d'exprimer par des lamentations les regrets de la mort de qqn (1080). Ce sens a vieilli, puis disparu, de même que «déplorer (une chose, un événement odieux ou pénible)» (1080). ◇ La forme pronominale *se plaindre,* attestée dès 1080, a évincé l'ancienne construction intransitive, vivante du XIIe au XVIIe siècle. Elle exprime d'abord le fait de manifester sa peine par des pleurs et des lamentations et, par affaiblissement, d'exprimer son mécontentement, son désagrément au sujet de qqn, de qqch., en emploi absolu (v. 1112) ou avec un complément (v. 1180), spécialement dans un contexte juridique (1243). La construction *se plaindre que* et subjonctif remonte au moyen français (fin XIIIe s., traduction d'une charte latine de 1261), l'emploi de l'indicatif ayant cependant eu cours dans la langue classique pour marquer la réalité de la plainte. ◇ Parallèlement, *plaindre* a pris par extension le sens d'«exprimer de la compassion pour» (1050) et de «ménager parcimonieusement, faire des difficultés à donner» (apr. 1250), encore usuel au XVIIe s. et qui subsiste dans la locution ***ne pas plaindre sa peine*** (1452) «ne pas ménager ses efforts» (après *plaindre sa peine,* XIIIe s.). ◇ *Se plaindre,* par analogie, se dit d'un objet qui fait entendre des bruits analogues à des plaintes (1552, Ronsard). Le XVIIe s. a été fertile en locutions et constructions nouvelles, ***être à plaindre*** (1656-1657), ***n'être pas à plaindre*** (1690), ***se plaindre de*** (1609) et ***se plaindre de ce que*** (1656-1657), enfin ***se plaindre à qqn*** (1690).

▸ **PLAINTE** n. f. est la forme moderne (1080), d'après *plaindre,* de l'ancien français *plonte* (fin XIe s., en judéo-français), participe passé féminin substantivé de *plaindre.* La langue ancienne a eu également le masculin *plaint* (relevé jusqu'au XVIe s.). ◇ Le mot désigne l'expression de la douleur d'un être humain et celle du mécontentement (1080, dans un contexte juridique ; v. 1150, en général). Du premier sens découlent des emplois particuliers correspondant aux «doléances de l'amour» (surtout poétique, XIIIe s.), aujourd'hui archaïque, et, par métonymie, à l'expression écrite de la douleur (1538). Par analogie, ce nom s'applique à un inanimé (v. 1550). Du second sens procède la locution ***porter plainte*** (1743) qui a éliminé les variantes plus anciennes *faire plainte* (1080) et *aller à la plainte* (1475).

PLAIGNANT, ANTE, le participe présent de *plaindre,* a été adjectivé (v. 1165) pour qualifier une personne qui se plaint de qqch., mais a vieilli sous la concurrence de l'autre dérivé, *plaintif. Plaignant* est substantivé (1259) pour désigner en droit la personne qui dépose une plainte. En ce sens, l'adjectif est encore vivant (1718, *partie plaignante*). ➛ **PLAINTIF, IVE** adj. (v. 1200) fournit l'adjectif correspondant à *plaindre,* après la forme *plantif* (v. 1170) ; il qualifie ce qui a l'accent, la sonorité d'une plainte, plus rarement la personne ou au figuré la chose qui exhale une plainte (v. 1265). Il a cessé de s'employer pour qualifier la personne qui se plaint à tout propos (1606), et comme nom au sens de «plaignant» (1260). Par analogie, *plaintif* a pris le sens de «qui évoque une plainte» (av. 1794, Chénier). ◇ Son dérivé **PLAINTIVEMENT** adv. (1574) correspond à l'adjectif. ➛ Un autre adjectif, **PLAIGNARD, ARDE,** formé sur le radical de *plaignant,* d'abord (1558) avec le même sens que *plaintif* en parlant d'une corde, s'est coloré (comme nombre de mots en *-gnard ;* cf. *geignard*) d'une valeur péjorative «qui se plaint souvent» (1859, en emploi substantivé ; 1874, Larousse, comme adjectif). ◇ Son dérivé **PLAIGNARDEMENT** adv. (1879, Goncourt) est inusité.

⊛ voir APOPLEXIE, COMPLAINTE, HÉMIPLÉGIE, PLAIE, PLANCTON, PLECTRE.

✳ **PLAIRE** v. intr. est probablement la réfection, par analogie avec *faire-il fait, traire-il trait*, de l'ancien infinitif *plaisir* (1050), utilisé jusqu'au XIIIe s. et qui a donné le nom usuel *plaisir**. On a aussi supposé qu'il pourrait être issu d'un latin populaire °*placĕre* (*e* bref), doublet formé à côté de *placēre* (*e* long), d'où, phonétiquement *placire*, menant à *plaisir* «être agréable à», sans doute d'abord employé à la forme impersonnelle (→ placebo, placet). L'origine de *placere* est obscure, comme celle de *placare* «apaiser» ; une racine signifiant «être plat», d'où «aplanir», représentée dans *placidus* (→ placide), a été évoquée, mais le rapport avec la série de *planus* (→ plain) n'est pas établi.

♦ Le premier emploi connu du verbe est l'ancienne formule votive *si Deu ploüst* (1050), refaite en *pleüst (plut) a Dieu que* (v. 1165), devenue *plaise à Dieu que...* (1636). *Plaire* est employé (déb. XIIe s.) à propos d'une chose qui agrée, qui convient à qqn (déb. XIIe s.) et d'une personne qui éveille la sympathie ou, dans le domaine amoureux, qui charme (v. 1160). ◇ La formule de politesse usuelle ***s'il vous plaît*** date aussi du XIIe s. (1155), tandis que ***plaît-il ?*** est plus tardif (*plest-il ?*, v. 1480), de même que ***comme il vous plaira*** qui n'exprime plus qu'une indifférence à une menace. ◇ La forme pronominale ***se plaire*** est d'abord employée absolument (v. 1278) pour «être content de soi» ; elle est construite avec la préposition *à* suivie de l'infinitif ou d'un nom (1560) au sens de «prendre plaisir à», mais ne s'emploie plus avec un nom de personnes pour complément au sens d'«être heureux en compagnie de (qqn)» (v. 1590) ; la construction concurrente *se plaire de* suivie de l'infinitif (1604) est sortie d'usage. ◇ *Se plaire* se construit aussi avec un complément de lieu au sens d'«aimer être quelque part», en parlant d'une personne et, par extension, d'une plante, d'un animal en milieu favorable (1690). ◇ Un emploi intransitif s'est développé récemment pour «être apprécié (par une clientèle, etc.)» : *ça plaît beaucoup*.

▸ Le participe présent de *plaire*, **PLAISANT, ANTE**, est adjectivé (v. 1170) pour qualifier une chose ou une personne agréable. Sous l'influence de son dérivé *plaisanter*, *plaisant* qualifie ce ou celui, celle qui divertit (1536), sens vieilli sauf en emploi littéraire ou avec la nuance ironique (généralement en antéposition) de «risible» (1579). L'adjectif est substantivé (v. 1549), d'abord pour désigner celui, celle qui cherche à divertir ; il est alors uniquement employé au masculin *(un plaisant)*, y compris en parlant d'une femme. Cet emploi a disparu, de même que *méchant plaisant* (1680) ; seul ***mauvais plaisant*** (1680) est demeuré. ◇ *Le plaisant* est également employé pour «ce qui plaît» (1580), emploi propre au style littéraire. ◆ *Plaisant* est le mot le plus productif de la famille de *plaire*. ◇ Outre **PLAISAMMENT** adv. (v. 1220) «de manière plaisante», qui a pris, sous l'influence de *plaisanter*, le sens d'«en plaisantant» (1559) et «d'une manière ridicule» (1666), *plaisant* a produit **PLAISANCE** n. f. (v. 1278) «agrément, loisir». Celui-ci, pâtissant de la concurrence de *loisir*, ne se maintient que dans un style très littéraire (Gide semble l'affectionner), ainsi que dans la locution adjective ***de plaisance*** (v. 1460), qui a servi à former quelques syntagmes usuels comme *maison de plaisance* (v. 1460), et surtout *bateau de plaisance* (1859) et *navigation de plaisance* (1860). Cette expression a abouti à l'emploi de *la plaisance* et au dérivé **PLAISANCIER** n. m. (1893), «bateau de plaisance» puis «personne qui pratique ce type de navigation» (1950), au féminin **PLAISANCIÈRE**, rare.

◆ Autre dérivé de *plaisant*, **PLAISANTER** v. est attesté depuis 1531 mais pourrait être antérieur (cidessous *plaisanterie*). Il exprime l'action de badiner, l'accent étant mis sur la notion d'amusement. Il a développé par extension le sens de «ne pas parler sérieusement» (1690), fréquent dans le dialogue (1869, *vous plaisantez !*). *Ne pas plaisanter* s'emploie pour «être sérieux, sévère», et *il ne faut pas plaisanter avec ça* pour «il faut traiter cela avec sérieux». ◇ Le verbe est construit avec un nom de personnes pour complément (1718) au sens de «railler». ◆ Le nom correspondant, **PLAISANTERIE** n. f. (1279, *plesanterie*), désigne une chose dite ou faite pour amuser. Le mot est entré dans quelques locutions comme ***tourner qqch. en plaisanterie*** (1636), ***plaisanterie à part*** «sérieusement» (1694), ***mauvaise plaisanterie*** (1689), ***entendre la plaisanterie*** (1730) et *n'entendre pas plaisanterie* (1798), premier état de la locution moderne ***ne pas comprendre la plaisanterie.*** ◇ Par extension, le mot a pris le sens de «chose sans valeur, bagatelle» (1874), d'où «chose très facile» (1903). ◆ Le dernier dérivé de *plaisant* est **PLAISANTIN** n. et adj. m. (1530) dont le féminin *(plaisantine)* est inusité ; le mot désigne d'abord un bouffon, spécialement un acteur jouant la farce (1585) ; au XVIe s., il était aussi employé comme adjectif au sens de «plaisant, gai, agréable» (1555). ◇ L'usage moderne du mot ne s'est fixé qu'au XIXe s., le nom désignant le plus souvent la personne qui fait des plaisanteries d'un goût douteux (1840) et qui manque de sérieux, de profondeur.

Le groupe des dérivés de *plaire* s'est enrichi dès le XIIe s. du composé verbal **DÉPLAIRE** v. intr. (1160), formé d'après le latin populaire *displacere* de même sens. Ce verbe est employé en parlant d'une chose ou d'une personne qui cause de l'aversion et, par extension, qui cause une irritation passagère (XIIIe s.). Il entre dans la locution elliptique ***ne vous déplaise*** (1614) avec les variantes ***ne vous en déplaise, n'en déplaise à,*** quelquefois avec la valeur ironique de «quoi que vous en pensiez». ◇ Le pronominal *se déplaire* signifie à la fois «ne pas être satisfait de soi» et, avec un complément de lieu, «ne pas se trouver bien quelque part» (1643). ◆ Le participe présent **DÉPLAISANT, ANTE** adj. «qui déplaît» (1190), qui signifiait aussi «mécontent» en ancien français, a produit **DÉPLAISAMMENT** adv. (1458), bien plus rare que son antonyme *plaisamment*. ◆ Le nom formé sur le radical de *déplaisant*, **DÉPLAISANCE** n. f. (1280, *desplaisance*), a vieilli dans ses deux sens, «particularité de ce qui déplaît» et, concrètement, «chose désagréable».

◈ voir COMPLAIRE, IMPLACABLE, PLACEBO, PLACET, PLACIDE, PLAIDER, PLAISIR.

PLAISIR n. m. est la substantivation (1080) de l'infinitif de l'ancien verbe *plaisir* (v. 1120), sorti d'usage au XIIIe s. sous la concurrence de la forme *plaire** qui en est probablement la réfection et qui serait issue du latin *placere* (→ plaire).

♦ En ancien français, le mot ne connaissait que le sens de «ce qu'il plaît à qqn de faire, d'ordonner» (1121-1134), lequel apparaît dès avant le XIIe s. dans des locutions. Ce sens serait tout à fait sorti d'usage si quelques-unes de ces locutions ne nous l'avaient transmis : *à son plaisir* (1080) «à son gré» a disparu au profit de ***à plaisir*** (v. 1190) «comme il plaît, autant qu'on veut», qui s'emploie après un verbe, un adjectif, un participe passé, mais non plus après un nom comme l'usage le tolérait à l'époque classique. Cette locution a aussi pris le sens de «sans raison, par caprice» (1636). L'expression ***bon plaisir*** (v. 1480) reste comprise par allusion historique à la formule *car tel est mon bon plaisir* (1638), employée dans les édits royaux sous l'Ancien Régime. ➛ Le sens moderne de *plaisir,* par lequel on désigne une sensation ou émotion agréable, est attesté depuis le XIVe s. (1349) et a donné lieu à un certain nombre de locutions comme ***prendre plaisir à*** (v. 1433), ***pour son plaisir*** (1524) et en tournure impersonnelle, après ***il y a plaisir de*** (1657-1662), ***il y a plaisir à*** (1670). Une locution comme ***faire plaisir à*** (v. 1433) a d'abord eu le sens de «rendre service, obliger», puis aussi «être agréable» (1669); elle s'est développée en ***faites-moi le plaisir de*** (1790), quelquefois employée ironiquement pour marquer l'impatience (1869). Ce sens de *plaisir* est resté productif dans ***avec plaisir*** (1869), ***au plaisir*** (1767) et sa variante développée ***au plaisir de vous revoir*** (1837). ➛ Dès 1482, le mot a développé par métonymie le sens concret *(un, des plaisirs)* de «ce qui peut donner à qqn une émotion ou une sensation agréable», spécialement dans l'expression ***menus plaisirs*** (1547) qui désignait les divertissements royaux réglés par une administration particulière, avant de passer dans l'usage courant pour désigner des amusements divers (1669) et les petites dépenses qu'on leur consacre (1660). ◇ Le mot au singulier a aussi la valeur particulière de «divertissement, activité à laquelle on s'adonne» (1536), souvent en emploi déterminé (1563, *le plaisir de la chasse, de la musique*). ◇ Enfin, le mot désigne en particulier les sensations, les émotions agréables qui ont pour source les sens, le corps (1678), surtout au pluriel et au singulier collectif *(les plaisirs des sens, le plaisir).* C'est de ce sens que procède la locution ***de plaisir,*** employée spécialement dans ***homme de plaisir*** (1579), ***partie de plaisir*** (av. 1646) et, anciennement, dans ***train de plaisir*** (1872) qui désignait un train affrété pour une excursion, allant vers une station, un lieu de vacances. Le mot a vieilli dans ces emplois généraux, *plaisir* évoquant surtout aujourd'hui la sensualité, l'érotisme et spécialement la jouissance sexuelle. Les autres emplois nécessitent un contexte explicite. ➛ *Plaisir* a désigné, par métonymie de l'effet à la cause, une oublie (1829), le cri des anciens marchands d'oublies étant *voilà, v'là le plaisir !* Cet emploi a disparu et, pour les raisons que l'on vient de dire, ***marchande de plaisir*** signifie aujourd'hui «prostituée».

▸ Le seul dérivé de *plaisir* est son antonyme **DÉPLAISIR** n. m. (v. 1250), substantivation de l'ancien verbe *desplaisir,* évincé par *déplaire.* Le mot correspond seulement à «impression désagréable»; il a eu dans la langue classique le sens fort de «souffrance morale», fréquent dans le théâtre du XVIIe et qui a disparu au cours du XVIIIe siècle.

① **PLAN, PLANE** adj. est un emprunt savant de la Renaissance (1520) au latin *planus* «égal, uni, plat» qui avait produit phonétiquement l'adjectif plus ancien *plain* (→ plain).

♦ Le mot a été introduit par les géomètres pour qualifier une surface telle qu'elle touche entièrement toute droite joignant deux de ses points, d'abord dans *superficie plane* (1520), qui l'a cédé à ***surface plane*** (1680). ◇ Par extension, l'adjectif qualifie un objet sans aspérité, sans inégalité et sans courbure (1691), se confondant quelquefois dans l'usage courant avec la notion d'«horizontal», et donc se confondant avec *plat. Plan* a développé quelques emplois techniques (physique, mécanique et optique); son emploi en musique dans *musique plane* (1869) a été supplanté par l'expression *plain-chant.*

PLAN est substantivé au masculin (1553) pour désigner une surface plane limitée. Ce sens est réalisé dans un certain nombre d'emplois techniques, en construction, en physique (1637, ***plan incliné***), en hydrologie où ***plan d'eau*** désigne le niveau de l'eau d'une rivière, d'un canal (1855) et, par extension récente, une surface d'eau calme, susceptible d'aménagement (1935). ➛ *Plan* n. m. est aussi employé en aéronautique dans *plan de sustentation* (1904) [voir ci-dessous *biplan,* etc.] et a servi à former au XXe s. quelques locutions courantes comme ***plan de travail, de cuisson.*** ➛ La spécialisation du mot en géométrie pour désigner une surface contenant entièrement toute droite joignant deux de ses points est attestée au XVIIe s. (1680), souvent qualifiée dans *plan horizontal* (1799); ce sens est spécialisé en physique, optique (1901, *plan focal*), balistique, géologie (1926, *plan de stratification*), biologie (1942, *plan de segmentation*), astronomie (1961, *plan fondamental*). ➛ Dès l'époque classique, le mot désignait en peinture chacune des surfaces planes perpendiculaires à la direction du regard représentant les profondeurs, les éloignements dans une scène réelle ou figurée en perspective (1678, *plan perspectif*). De là, le mot est passé dans le langage du théâtre pour désigner chacune des divisions de la scène en profondeur (1803) et a développé la valeur figurée d'«importance relative» (1835) dans *placer qqn au* ***second plan*** (1835), *personnage de* ***premier plan*** (1890), *mettre sur* ***le même plan*** (1901), etc. ◇ Le terme technique **ARRIÈRE-PLAN** n. m. (1811) a acquis le même type de valeur figurée que *second plan.* ◇ Par abstraction, *plan* désigne la manière de considérer les choses, le domaine auquel on les rattache (1908), surtout dans la locution ***sur le plan de*** et dans ***sur tous les plans*** (1916) puis aussi dans les très critiquées ***au plan de*** et ***au plan***

avec un adjectif. ◇ Du domaine de la peinture et du théâtre, le mot est passé normalement à ceux de la photographie et du cinéma (1919, *plan rapproché*) pour désigner l'image ou la succession d'images définie par l'éloignement de l'objectif et de la scène à photographier ou à filmer et par le contenu de cette image ; de là, des expressions comme ***gros plan*** (1928), ***plan américain*** (1944), ***plan général*** et ***plan moyen*** (1946). Par extension, *plan* s'applique aussi à une prise de vues effectuée sans interruption, d'où le composé *plan-séquence**.

▶ *Plan* entre en composition dans quelques termes d'aviation : **BIPLAN** adj. et n. m. est composé (1875) de *bi-** et remplace la variante ancienne *aéroplane* qui rendait un mot anglais. Il a donné **BIPLANISTE** n. m. (xxe s.) «aviateur aux commandes d'un biplan» qui a disparu de l'usage. ◇ Sur le même principe de composition, on a formé le terme **TRIPLAN** n. m. (1908), pour un avion ayant trois plans de sustentation, et **MONOPLAN** n. m. (1908), pour un avion n'en ayant qu'un. Ces emplois sont devenus historiques.

◈ voir **ESPLANADE, PIANO,** ① et ② **PLANER, PLAN-PLAN.**

② **PLAN** n. m. est le déverbal (apr. 1450) de *planter**, d'abord écrit *plant* puis confondu au cours du xvie s. avec ① plan* dont il était proche (→ aussi plain, que la langue ancienne employait comme nom pour un terrain plat).

♦ Le mot est employé dans les *Ballades en jargon* de Villon, dans l'expression *être en plant* «être en prison», probablement d'après *planter* «rester immobile». L'évolution sémantique moderne se comprend à partir du sens d'«assiette de ce qui est édifié, c'est-à-dire 'planté' sur le sol» (1520-1546), en particulier «assiette d'une statue» (1556). De là, on est passé par métonymie à la désignation du dessin directeur de l'implantation d'un édifice, d'une ville (1538) et du dessin représentant en projection sur une surface horizontale la disposition d'ensemble d'un édifice, d'une ville, etc. (1545). Le premier sens est réalisé dans ***lever un plan*** (1680), dans *plan géométral* (1856) et récemment *plan-masse* (1963) ; le second est réalisé dans *plan graphique* (1932). ◆ Le passage au sens figuré, «ensemble des dispositions adoptées en vue de la réalisation d'un projet» (1627), en procède par abstraction. La locution ***tirer des plans*** (1821) vient de l'argot du bagne où elle s'applique à un projet d'évasion. Plusieurs extensions spécialisées de l'idée de «projet» se sont développées, le mot se disant de l'ordonnance générale d'un ouvrage de l'esprit (1670), s'employant en matière de tactique militaire (1853, *plan des opérations* en marine ; 1911, *plan d'opérations* dans le langage militaire) et pour un ensemble de mesures gouvernementales prises dans un but, un domaine particulier (1875), notamment avec un adjectif qualifiant une durée (***plan quinquennal*** est traduit du russe). Ce dernier sens a eu une certaine fortune au xxe s., où le mot est entré dans les expressions *plan de stabilisation monétaire* (1945), *plan-calcul* (1966), *plan d'urbanisme* (1966) et bien d'autres, comme *plan comptable* (1947), qui procède du sens spécial d'«ensemble des mesures arrêtées par une entreprise pour orienter son activité et son développement» (1947). ◇ La langue contemporaine des jeunes l'emploie au sens particulier de «projet de distraction», lequel donne lieu à diverses expressions (*un plan d'enfer*, etc.). ◇ Quant au sens familier de *plan* dans l'expression ***laisser en plan*** (1821, *qqn ;* 1869, *qqch.*), il réactive l'idée initiale d'une immobilité forcée (*plan* a été repris au sens de «prison», 1835). La locution de même type ***rester en plan*** (1866) s'est d'abord appliquée à la situation de la personne que l'on garde en otage lorsqu'elle n'a pas d'argent pour payer sa consommation ; de nos jours, elle signifie plus généralement «être abandonné» (1882).

▶ *Plan* a produit deux dérivés dont **PLANIFIER** v. tr., fait (1938) sur le principe des verbes en *-fier* (latin *-ficare* pour *facere ;* → faire), répandu vers 1930 à propos de la Russie, puis vers 1949. ◆ Ce verbe, employé dans un contexte économico-politique, a produit **PLANIFICATION** n. f. (1933), d'abord relevé (tout comme le verbe) à propos de l'Union soviétique, puis de tout plan économique, **PLANIFICATEUR, TRICE** n. et adj. (1949) et **PLANIFIANT, ANTE** adj. (1966). ◆ **PLANISME** n. m. (1938), l'autre dérivé de *plan*, est un terme d'économie politique désignant la théorie des partisans de la planification.

◈ voir **PLANNING.**

✳ **PLANCHE** n. f. est issu (1050) du bas latin *planca*, dans lequel on voit une altération par syncope de *palanca* (→ phalange) «rouleau de bois», peut-être sous l'influence de *planus* «de surface plane, plate» (→ plain, plan). Une autre hypothèse (Ernout et Meillet) voit dans *planca* le féminin substantivé de l'adjectif *plancus* «aux pieds plats», de formation populaire comme *mancus* «manchot» et *plautus* «aux pieds larges», qui appartient à la racine °*pelə-*, °*pla-* indiquant ce qui est plat et étendu, représentée dans un groupe de mots grecs et latins (→ palme, pélagien, plage, plain, ① plan). Même dans ce cas, il est possible que *planca* se soit en partie confondu avec *palanga* devenu *palanca*.

♦ Le mot, d'abord relevé au sens métonymique de «passerelle, petit pont en planches», désigne proprement une pièce de bois plane, plus longue que large (v. 1155). ◇ Dès l'ancien français, par analogie de forme, il signifie également «espace de terre cultivée, plus long que large, dans un jardin» (1293, document de l'Indre-et-Loire). Les autres extensions de sens (emplois particuliers, spécialisations), nombreuses à proportion des usages multiples d'une plaque de bois, sont pour la plupart postérieures au moyen français. ◇ Au xvie s., *planche* a développé la valeur métaphorique, puis figurée, de «ce qui facilite une chose, sert d'exemple» (1541), par allusion à la planche qui sert d'appui ; cet emploi a été renforcé par des locutions comme ***planche pourrie*** «personne, chose sur laquelle on ne peut compter» (attestée au xviiie s. chez Saint-Simon) ou ***planche de salut*** (1822), en référence à la planche à laquelle se raccroche le naufragé. ◇ *Planche* est passé au xvie s. dans le domaine de la gravure où il désigne une plaque de bois (puis de métal, de pierre) que l'on grave en vue d'une reproduction par impression (1585) et, par métonymie (1575), une estampe tirée sur une de ces plaques gravées. L'expression ***planche à billets*** (1837) est une spécialisation ultérieure de ce sens. ◇ Au XVIIIe s., *les planches* s'applique au plancher de la scène, au théâtre, donnant la locution ***monter sur les planches*** (1761) «faire du théâtre». ◇ La locution ***faire la planche*** «flotter sur l'eau» (1794), qui possède également le sens figuré de «rester passif pour passer un cap difficile», évoque, outre une banale comparaison, la fonction salvatrice de la planche, dont l'idée était réalisée autrement par la locution classique *faire la planche à qqn* «l'aider à franchir un obstacle» (XVIIe s.). ◇ Au XIXe s., *planche* a pris par analogie de forme le sens technique de «lingot de laiton» (1808) et, en cuisine, celui de «grand et long morceau de lard» (1874). En dessin, il est entré dans le syntagme ***planche à dessin*** (1873). ◇ Du sens de «tableau noir» (1870) dans l'argot des écoles, sens vieilli, procède une acception moderne, «interrogation au tableau» (1929) d'où un verbe ① plancher (ci-dessous). ◇ *Planche* entre dans la locution comparative ***être maigre comme une planche,*** d'où par métaphore ***c'est une planche*** (1874) «une personne maigre», en particulier «une femme plate» (1899). ◇ Au XXe s., *planche* a développé quelques spécialisations dans le domaine du sport : il sert familièrement à désigner les skis (1933); on a d'ailleurs dit *planches de bois* avant l'emprunt de *ski.* Le mot s'emploie aussi dans ***planche à voile*** (1975) et ***planche à roulettes*** (1976), en concurrence avec l'anglicisme *skateboard.* ◆ L'emploi adjectif au sens de «plat, plan» est sorti d'usage, sauf au Canada et dans quelques régions de France.

▸ **PLANCHER** n. m., dérivé de *planche* avec le suffixe *-ier* (mil. XIIe s., *planchier*) réduit à *-er* (v. 1160), a dès les premiers textes le sens courant de «sol d'une pièce», d'abord avec l'idée d'un assemblage de bois rudimentaire, puis avec sa nuance moderne (v. 1170). Par métonymie, il a eu le sens d'«étage» (v. 1165) et a servi à désigner la face inférieure de l'ouvrage séparant deux étages (1442), sens aujourd'hui réservé à *plafond**. ◇ L'expression familière ***plancher des vaches,*** qui désigne la terre (1548), a eu la forme *plancher aux vaches* (1529). ◇ Les extensions figurées et spécialisées du mot datent des XIXe et XXe s. : en anatomie, «paroi inférieure d'une cavité» (1812); en géologie, «fond d'une cavité naturelle» (1886). C'est du sens de «sol, paroi inférieure (d'un véhicule)» (1891) que procède la locution familière ***rouler au plancher*** (1956), avec sa variante ***mettre le pied au plancher*** (1965) «en appuyant la pédale d'accélérateur à fond». ◆ Le sens abstrait de «limite inférieure au-dessous de laquelle il est impossible de descendre» est une spécialisation du mot en économie (1958) où il se dit d'une quantité, d'un prix, quelquefois en apposition comme dans ***prix plancher*** (1963). Ces emplois correspondent à ceux de *plafond.*

Le diminutif de *planche,* **PLANCHETTE** n. f. (v. 1250), désigne une petite planche avec quelques emplois spécialisés et techniques, par exemple «petite plate-forme munie d'une lunette ou d'une alidade, servant à lever des plans» (1762). Il est également employé dans les domaines du cirque, de l'hippisme, de l'armement, du catch. ◆ Le verbe technique **PLANCHÉIER** v. tr. (1355, *planchoier*), dérivé de *planche* par l'intermédiaire de l'ancien nom *planche* «plancher», correspond à «garnir (le sol, et par extension les parois) d'un assemblage de planches». ◇ Ses dérivés sont plus récents : **PLANCHÉIEUR** n. m., après avoir été employé au XVIIe s. pour désigner l'employé d'un port (1672), est réattesté (1827) pour l'ouvrier qui pose un plancher; **PLANCHÉIAGE** n. m. (1846) est le nom d'action correspondant. ◆ Le verbe ① **PLANCHER** v. intr. est dérivé de *planche* pris au sens de «tableau» et exprime dans l'argot scolaire le fait de subir une interrogation (1905). ◆ Un homonyme ② **PLANCHER** v. intr. «faire de la planche à voile» est attesté en 1978. ◇ L'usage de *planche* en sports a suscité aussi la création de **PLANCHISTE** n. (v. 1980) «personne pratiquant la planche à voile» (on dit aussi **VÉLIPLANCHISTE**) ou «la planche à roulettes».

◈ voir PHALANGE, PHALANSTÈRE.

PLANÇON n. m. (v. 1165), d'abord *plançun* (v. 1120), est issu d'un latin populaire *°plantionem,* accusatif de *°plantio, -ionis,* que l'on peut restituer d'après le catalan *planso* «plant, bouture» et l'aragonais *lanzŏn* «pieu», et qui est issu du latin classique *plantare* (→ planter).

♦ Le mot, d'usage technique, désigne proprement, en agriculture, une bouture, une plante de semis repiquée. ◇ Par analogie de forme, il s'est appliqué (v. 1165) à une arme de hast et de choc en usage en Europe occidentale, notamment en Flandre, du XIIe au XVe s.

PLANCTON n. m., probablement un peu antérieur à la première attestation des dictionnaires (1893), est emprunté à l'allemand *Plankton* (1887), également repris par l'anglais *plancton* (1891). Le mot allemand est emprunté par le physiologiste allemand V. Hensen au grec *plankton,* neutre de l'adjectif *planktos* «qui vogue au hasard», qui qualifiait dans les textes grecs anciens les vêtements des Perses noyés, un nuage, des esprits égarés. *Plankton* est dérivé de *plazein* «égarer, écarter du chemin» aux sens propre et figuré, et de même au passif «être égaré, trompé». Ce mot repose sur un radical qui présente une nasale expressive et qui correspond exactement au latin *plangere* «se frapper la poitrine en signe de deuil» (→ plaindre); le grec *plazein* apparaît d'ailleurs quelquefois au sens de «frapper», notamment en parlant des vagues. Le sens de «faire errer, égarer» a pu naître de cet emploi maritime. Cette famille, par un dernier développement, s'est appliquée aux erreurs de l'esprit. Le mot doit appartenir à la même famille que *plêssein* «frapper», «atteindre», d'où au passif «se laisser atteindre, donner prise sur soi», «se laisser corrompre» (→ plectre).

♦ Le sens propre de *plancton* est «végétal qui erre dans la mer» ; devenu important en biologie marine où le plancton constitue une des ressources nutritives essentielles de la vie animale, le mot a servi de modèle à d'autres formations (*necton,* etc.).

▸ Le mot a produit **PLANCTONIQUE** adj. (1892) «du plancton». ◆ L'élément **PLANCTO-** entre dans plusieurs termes scientifiques : **PLANCTOGÈNE** adj., **PLANCTOPHAGE** adj. (1954), **PLANCTOLOGIE** n. f. (av. 1970), ce dernier produisant **PLANCTONOLOGIQUE** adj. (av. 1970) et **PLANCTONOLOGISTE** (av. 1970), relatifs à l'étude du plancton marin.

◈ voir **APOPLEXIE, HÉMIPLÉGIE, PLECTRE.**

① **PLANER** v. tr. est issu (v. 1165) du latin tardif *planare* «aplanir», dérivé de *planus* «plat, lisse, uni» (→ plain, plan) et conservé dans les langues romanes (italien *planare*).

◆ Le verbe signifie «rendre lisse, uni (avec un rabot)». Un autre sens, «raser, niveler» (fin XIIe s.) et «égaliser le terrain» (XIVe s.), est sorti de l'usage courant au profit de *aplanir* (→ plain); puis *planer* a reçu diverses spécialisations techniques, «dresser au marteau (une pièce de métal)» (1425), «enlever les bavures et polir (du plomb)» (1723), valeurs modifiées avec les techniques métallurgiques modernes, où le verbe continue à s'employer.

▶ Le mot a produit quelques dérivés techniques. ➜ Le plus ancien est son déverbal **PLANE** n. f. (XIVe s.), réfection, sous l'influence du verbe, de *plaine* (fin XIe s.), lui-même issu du latin tardif *plana,* nom d'outil tiré de *planare,* et encore usité dans les parlers du nord-est et de l'est de la France. *Plane* désigne un rabot à deux poignées et différents couteaux servant à aplanir, utilisés dans plusieurs domaines techniques (la plupart des emplois sont attestés du XVIIe au XIXe s.). ➜ ① **PLANEUR, EUSE** n. (1680) désigne spécialement l'ouvrier qui plane les métaux et qui plane les cuirs (1907); son féminin **PLANEUSE** n. f. désigne aussi une machine à planer les tôles (1907). ➜ **PLANAGE** n. m. fournit (1847) le nom d'action du verbe.

② **PLANER** v. intr., attesté vers 1200, est soit formé savamment sur le radical du latin *planus* (→ plain, plan), soit dérivé directement de l'adjectif *plain**.

◆ Le premier sens est «baisser le haut du corps sur l'encolure du cheval», encore vivant au XVIe s. (1554) mais sorti d'usage. Le sens moderne en hippisme, où *planer* se dit pour «passer à l'horizontale sur l'obstacle», procède d'un emploi métaphorique de l'acception «se soutenir dans l'air». ◇ Celle-ci est attestée à partir de 1377, d'abord en fauconnerie en parlant d'un oiseau qui se soutient en l'air sans battre des ailes et sans mouvement apparent. Le sémantisme général est donc «se déplacer en restant horizontal». Par extension, *planer* correspond à «flotter en l'air», en particulier de nuages (1783) puis d'un aérostat (1848), d'un avion et, par analogie, d'un bateau à voiles lorsqu'il part en survitesse sur la vague, sous l'effet d'un vent fort. En revanche, *planer,* réservé à un déplacement aérien, ne se dit plus d'un nageur qui se maintient sans bouger à la surface de l'eau (on dit *faire la planche*) et, par figure, d'une personne qui se tient tranquille lors d'une discussion. ➜ Les extensions figurées du mot remontent à la fin du XVIIIe siècle; *planer* signifie alors «dominer de très haut par la pensée, l'art» (1769), «être dans le monde de l'imagination et de la pensée, loin du réel» (1778) et «considérer de haut, dominer du regard» (1770), cette dernière acception étant devenue archaïque. ◇ Par l'intermédiaire de la valeur menaçante prise par le mot lorsqu'il est appliqué à des nuages, *planer sur...* correspond à «être suspendu de manière menaçante» en parlant d'une abstraction (1813). ➜ Enfin, à partir d'un emploi dans les milieux de la drogue pour «être dans un état d'euphorie», le verbe s'emploie pour «se sentir euphorique», le participe présent **PLANANT, ANTE** s'employant adjectivement dans ce sens.

▶ Les dérivés de *planer* sont postérieurs à 1830. ➜ **PLANEMENT** n. m. (1866) désigne le mouvement de l'oiseau qui plane et l'action, pour un aéroplane, de se maintenir en l'air avec ses moteurs arrêtés (1884); ce mot littéraire ou technique est employé au figuré depuis 1868. ➜ **PLANÉ, ÉE** adj. et n. m. est adjectivé dans la locution courante ***vol plané*** (1869) en parlant d'un oiseau, puis d'un aéroplane (1909). Il est substantivé dans les mêmes emplois, à propos d'un oiseau (1903), d'un avion (1932). *Vol plané* s'emploie familièrement en parlant de la chute d'une personne dans *faire un vol plané* (1946). ➜ ② **PLANEUR** adj. et n. m. a qualifié (1863) et désigné (1866) un oiseau qui plane, avant d'être réservé à un aéronef sans moteur (1923), sens précédé par celui de «petit appareil expérimental destiné à démontrer la sustentation d'un objet plus lourd que l'air» (1875).

◈ voir **AÉROPLANE.**

PLANÈTE n. f. est un emprunt ancien (1119) au latin *planeta,* nom masculin désignant un astre mobile (IIe s.), réfection par changement de déclinaison du pluriel *planetes* (IIe s.). Le mot latin est repris du grec *planêtes,* dans *planêtes asteres* et *oi planetes* qui désigne les astres en mouvement, par opposition aux astres (étoiles) apparemment fixes, appelés *oi endedemenoi* ou *aplaneis. Planêtes* est le pluriel de *planês, -êtos,* nom d'agent qui désigne également un voyageur, un vagabond et, chez les médecins, des fièvres intermittentes, et que l'on trouve employé en grec tardif comme adjectif avec les mêmes sens, sauf le sens astronomique. Le mot est dérivé de *planasthai* «errer çà et là, s'écarter du chemin», au figuré «être incertain, flottant» et, plus rarement, à l'actif «faire voyager» et «faire errer, tromper». Bien que certains rapprochements aient été faits pour la forme du verbe, son étymologie est obscure. Cependant, deux familles importantes peuvent être apparentées; elles reposent sur les racines °*pelə-*, °*pla-*, °*plə-*, représentées dans *pelagos* «la pleine mer», *plax* «plaine, étendue plate», *palamê* «paume de la main», etc., de l'autre *plazein* «faire vaciller, faire chanceler», d'où «faire errer çà et là», et *plêssein* «frapper» (→ paume, placenta, plan); mais il est difficile d'y rattacher *planasthai.* On a aussi évoqué un mot germanique isolé, le vieil islandais *flana* «errer çà et là».

◆ Dans l'astronomie ancienne, *planète* désignait, comme dans l'astronomie grecque et latine, un astre errant, aussi appelé *étoile,* mais par opposition aux étoiles fixes. On dénombrait sept «planètes» : le Soleil, la Lune, Mercure, Vénus, Mars, Jupiter et Saturne. Le genre du mot était flottant, masculin avec la graphie *planet* (v. 1350) et féminin sous les formes *planette* (XVIe s.) et *planete* (1690). ◇ Le mot a pris (v. 1350) une acception spécialisée en astrologie, notamment dans la locution figurée ***être né sous une bonne planète*** (1690), moins courante que la variante *sous une bonne étoile.* ◆ Son sens moderne en astronomie, où il désigne l'un des corps célestes gravitant autour du Soleil, est attesté au XVIIe s.; en particulier, Fontenelle (1686) commente l'exclusion du Soleil et l'entrée de la Terre dans le système des planètes. Celui-ci s'enrichit avec les découvertes des XVIIIe et XIXe s. qui portent sur les planètes les plus éloignées du Soleil (Uranus, Neptune, Pluton) et celle des *petites planètes,* dont le répertoire n'est pas clos. Le mot s'emploie par analogie pour les astres éventuels qui tournent autour d'autres étoiles que le Soleil.

▶ Le plus ancien dérivé de *planète* est **PLANÉTAIRE** adj. (1553) dont la forme rappelle le bas latin *planetarius* n. «astrologue» (d'où le français *planétaire* de même sens, en 1752, dans le *Dictionnaire de Trévoux*). ◇ *Planétaire* a supplanté l'adjectif ancien et moyen français *planetal, planetel* (1314), substantivé et encore employé comme tel en 1562, et l'adjectif *planettique* ou *planetique* attesté au XVIe (1531) et au XVIIe siècle. ◇ L'adjectif qualifie ce qui est relatif aux planètes, *système planétaire* désignant l'ensemble d'astres accompagnant le Soleil, ainsi qu'une horloge qui reproduisait le mouvement des planètes autour du Soleil, d'où **PLANÉTAIRE** n. m. (1740). ◇ Au XIXe s., l'adjectif qualifie un mouvement excentrique à l'intérieur d'un mécanisme (1869) d'où ***engrenage planétaire*** (1906); il est aussi substantivé pour désigner un engrenage conique solidaire de l'arbre des roues dans un différentiel d'automobile. Il a développé, surtout dans le style journalistique, le sens de «mondial, relatif à la planète» (1906). ◆ *Planétaire* a produit **PLANÉTAIREMENT** adv. (1965) qui procède de la dernière acception. ◆ Les autres dérivés de *planète* datent des XIXe et XXe siècles : probablement sur le modèle de l'anglais *planetoid,* **PLANÉTOÏDE** n. m. (1877) désigne une petite planète du système solaire. ◇ **PLANÉTARIUM** n. m. (1932), latinisation de *planétaire* pris dans son emploi substantif de «représentation de la voûte céleste, des astres», est très postérieur à l'anglais de même sens *planetarium* (1734). ◇ Le dérivé le plus récent est **PLANÉTOLOGIE** n. f. (1974), «branche de l'astronomie qui étudie les planètes», avec le nom de spécialiste qui lui correspond, **PLANÉTOLOGUE** n. (1979).

De *planétaire* a été tiré (1864) **INTERPLANÉTAIRE** adj. avec l'élément *inter-* au sens de «qui se trouve entre des planètes, notamment celles du système solaire» (ex. *espace interplanétaire*) ou «qui s'effectue entre planètes» *(voyage interplanétaire).* Le mot fut à la mode dans les récits de fiction, dans la première moitié du XXe siècle.

① et ② **PLANEUR** → ① et ② PLANER

PLANIFIER → ② PLAN

PLANISPHÈRE → SPHÈRE

PLANNING n. m. est emprunté (1927) à l'anglais *planning* (1748), gérondif substantivé de *to plan* «dessiner, projeter, imaginer, prévoir», lui-même dérivé du substantif *plan* (1678) emprunté au français ② plan*. Le mot désigne une réalisation, un dessin de plan et, au XXe s. en anglo-américain, la programmation dans l'économie, les mots de *schedule* «programme, horaire, calendrier» et *programme* lui étant préférés dans l'usage industriel.

♦ En français, *planning* est repris à partir de 1940. Le *Journal officiel* (18 janvier 1973) recommande de le remplacer par *programme.* Le terme ***planning familial*** n. m., adapté (1959) de l'anglais *family planning* (v. 1950), a été lancé en français à une époque où le mot *planning* était en vogue; c'est le nom donné à la forme qu'a prise en France le mouvement de régulation des naissances développé aux États-Unis *(birth control).* Au Danemark, dès 1878, s'ouvrait un dispensaire où les sages-femmes enseignaient l'usage des contraceptifs. En France, la loi de 1920 visant à protéger la natalité interdisait la diffusion de moyens anticonceptionnels, et ce n'est que vers 1956 que le mouvement de planification familiale a pris un certain essor. On a également proposé de remplacer le terme par *planification;* cependant, si *planifier** (1967) est relativement répandu à propos de la régulation des naissances, il en va autrement de *planification.* Le langage médical moderne (1974) recommande l'usage du terme *régulation des naissances* ou encore de *planisme familial,* qui ne s'est pas imposé.

PLAN-PLAN loc. adj. et adv., attesté en français central à partir de 1893, est une locution régionale, relevée anciennement dans les parlers du Lyonnais, du Dauphiné (1560), de l'Ardèche. Elle est issue par redoublement de l'ancien provençal *plan* adv. «doucement» (XIIIe-XIVe s.), à mettre en parallèle avec l'adjectif et adverbe italien *piano* (→ ① piano) de même origine (→ plain, plan) : un emprunt à l'italien avait lui-même donné en français l'expression *marcher pian* (1611) «aller doucement», *pian pian* (1565) «doucement, lentement», puis la forme italianisante ***piano piano*** (1775, Beaumarchais) qui continue d'être employée → piano.

♦ *Plan-plan* est familier au sens de «tranquille» et, adverbialement, de «tranquillement, paisiblement».

PLANQUER v. tr. est une altération argotique (1790) de *planter** au sens ancien d'«écouler de faux lingots» (1455, Villon), «cacher», *planteur* servant à désigner un filou, surtout spécialisé dans la substitution des pierres précieuses (1455), et *plant* un faux lingot (1455). L'anglais *to plant* a eu lui aussi le sens argotique de «cacher (de la marchandise volée)». L'altération de *planter* en *planquer* s'explique peut-être par un croisement avec *plaquer** «appliquer, mettre».

♦ *Planquer* a gardé son sens originel de «cacher», d'abord dans l'argot des voleurs, puis dans le langage familier. Le verbe s'est employé intransitivement pour «faire le guet» (1846) dans l'argot de la police. ◆ Il est employé couramment à la forme pronominale **SE PLANQUER** (1883) «se cacher» et «se mettre à l'abri du danger, s'embusquer» (1883), en particulier pour échapper aux obligations militaires. ◆ *Planquer* se rencontre quelquefois avec l'idée de «faire des économies», qui procède de l'idée de cacher ses gains, surtout pour une prostituée, aussi à la forme pronominale (1935).

► Le participe passé **PLANQUÉ, ÉE** est adjectivé et substantivé (en particulier pour un embusqué, en temps de guerre). ◆ Le déverbal **PLANQUE** n. f., d'abord dans la locution ***en planque*** (1829) «caché pour observer», dans l'argot de la police, désigne une cachette (1835), spécialement une bonne place, un «embuscage» (1918). Il désigne aussi, en argot, l'endroit où stationnent les taxis (1935). ◆ Le composé verbal **DÉPLANQUER** v. (1821), qui n'a plus cours, a signifié en argot «dégager (qqch.) du mont-de-piété» et, intransitivement avec un nom de personne pour sujet, «sortir de prison».

PLANT → PLANTER

① **PLANTAIN** n. m. (v. 1256), d'abord écrit *plantein* (v. 1207), est issu par évolution phonétique du latin *plantago, -inis,* dérivé de *planta* «plante du pied» (→ ① plante) en raison de la forme des feuilles de certaines espèces ainsi désignées.

◆ Le mot désigne une plante herbacée annuelle ou vivace dont on connaît de nombreuses espèces sauvages ou cultivées.

► On en a dérivé le terme de classification botanique **PLANTAGINÉES** (v. 1750) ou **PLANTAGINACÉES** n. f. pl. (1932).

② **PLANTAIN** n. m. est emprunté (1617) à l'espagnol *plátano* ou, avec nasalisation, *plantano* «banane», tombé en désuétude au profit de *banana* (→ banane) et dont les formes correspondent au français *platane*,* pour lequel un latin médiéval *plantanus,* variante de *platanus,* a donné les variantes à nasale *plantoine, plantain.* L'usage du mot espagnol pour désigner le bananier d'Amérique d'où, par métonymie, son fruit, reste inexpliqué. Certaines formes proches du terme espagnol relevées dans les langues amérindiennes peuvent être à l'origine de cet emploi, mais elles pourraient aussi être issues du mot espagnol.

◆ Le mot est relevé pour la première fois sous la forme *plantin* dans une relation de voyage, qui raconte que les Brésiliens «ont des plantanes ou figuiers que les Espagnols appellent plantins». La forme actuelle *plantain,* attestée depuis 1803, est employée en apposition avec une valeur d'adjectif dans ***banane plantain;*** le mot est usuel en français des Antilles et d'Afrique, à propos de la banane non mûrie, utilisée comme légume.

① **PLANTE** n. f. est issu (v. 1190) du latin *planta* désignant la face inférieure du pied et, par métonymie, le pied. Cette forme *planta* ne se retrouve exactement nulle part; comme *unda* (→ onde), ce doit être un substantif formé sur un présent à infixe nasal qui n'est pas conservé. La racine °*plethə-* ou °*splethə-* étant dissyllabique, cette formation à infixe pourrait être une création italique; comme le baltique, l'italique en effet a développé ce type; le lituanien a un présent du même type: *splintù, splìsti* «s'étaler» en face de *splečiù, splēsti (splen-)* «étendre». La racine a fourni le grec *platus* «large» (→ plat), ainsi que le nom de certaines parties plates du corps, comme le grec *ômoplatê* (→ omoplate), l'irlandais *leithe* «omoplate», le vieux slave *plešte* «épaule».

◆ Le mot est passé en français avec le sens du latin. Par suite de l'homonymie avec ② *plante,* il est peu employé seul; on parle surtout de ***plante du pied.***

► **PLANTAIRE** adj., «qui concerne la plante du pied», est emprunté (1562, d'abord substantivé par ellipse de *muscle*) du dérivé latin médiéval *plantaris,* attesté à l'époque impériale.

◈ voir ① PLANTAIN, PLANTER, PLANTIGRADE.

② **PLANTE** n. f. est emprunté à la Renaissance (1532) au latin médiéval scolastique *planta.* Ce mot, déverbal de *plantare* (→ planter), existait déjà en latin classique où il était appliqué à la tige, au rejeton que l'on détache des souches ou des troncs pour les planter. Les Romains (Pline), n'ayant pas reconnu l'unité du règne végétal, n'avaient pas de mot pour la notion générale de «végétal»; les notions les plus larges étaient pour eux celles d'«herbe» *(herba)* et d'«arbre» *(arbor).* Ce n'est qu'au temps de la scolastique qu'Albert le Grand reconnut l'identité du principe et du règne végétal; ayant besoin d'un mot plus général, il choisit *planta* en le détournant de l'acception qu'il avait jusque-là. Le mot, panroman sauf en roumain, repris en germanique et en celtique, n'a été emprunté qu'au XVIe s. en français; il ne faut pas le confondre avec l'ancien français *plante* dérivé directement de *planter*.*

◆ *Plante,* introduit en français par la terminologie botanique pour désigner un être vivant du règne végétal, s'est répandu dans l'usage courant; il y désigne le plus souvent un végétal complexe, de petite taille et non ligneux (1668), par opposition à *arbre.* Le mot est employé spécialement comme équivalent de *plante médicinale* (1718), concurrençant *herbe* et *simple.* ◇ Son usage métaphorique, à l'époque classique, à propos d'une personne prise dans son développement, sa vitalité (1685, Bossuet), semble s'être croisé avec celui du déverbal de *planter, plante* «rejeton», pris à la même époque pour désigner un jeune homme, une jeune fille dont on fait l'éducation (v. 1660). Cependant, l'usage moderne comprend ***belle plante*** «belle fille, belle femme» (expression d'origine régionale, Dauphiné, Vaudois) comme une réalisation figurée de l'idée de «végétal», de même que l'on parle de *plante de serre* pour une personne délicate et trop protégée.

► **PLANTULE** n. f. est emprunté (1700) au bas latin *plantula,* diminutif de *planta.* ◇ Le mot désigne en botanique une plante, du début de sa germination jusqu'à ce qu'elle puisse vivre par ses propres moyens, et l'embryon contenu dans une graine (v. 1770). ◆ Le dérivé **PLANTULATION** n. f. (1842) désigne le développement de l'embryon végétal pendant la génération.

◈ voir PLANTER.

PLANTER v. tr. est issu (v. 1130) du latin *plantare* «enfoncer ou tasser de la terre avec le pied», spécialisé dans la langue rustique pour «enfoncer la terre autour d'un plant, d'un rejeton». Le verbe latin, qui est à l'origine du déverbal *planta* (→ ② plante), serait lui-même le dérivé de *planta* «plante du pied» (→ ① plante).

♦ Il est passé en français avec son sens agricole, «mettre (un végétal) en terre pour qu'il y prenne racine». Par extension, il signifie également «mettre en terre un à un (les grains, les bulbes ou les tubercules)» (v. 1393). ◇ Par changement d'objet, il admet pour complément le nom du terrain planté (1570); son emploi absolu est attesté au XVIIe s. (1678). ◇ Dès le XIIe s., *planter* est employé au figuré pour «ancrer, enraciner (qqch.) quelque part» (1174-1176) et concrètement pour «ficher, placer en enfonçant dans qqch.» (1188). Il se dit aussi de l'action de disposer une chose, de la mettre en place, de l'implanter (1188) sans qu'il soit question de l'enfoncer mais, souvent, de la dresser, de la disposer verticalement (v. 1240), en parlant d'un drapeau, d'une échelle, ultérieurement de décors de théâtre (1888). ◇ *Planter* exprime aussi l'action de placer, d'appliquer directement, par exemple dans ***planter un baiser*** (1250), emploi vieilli ou régional. ◇ On passe, au figuré, à une notion consécutive à celle de planter : «laisser sur place, abandonner», d'abord réalisée par le verbe seul (XVe s.), puis par ***planter là*** (Chartier), à propos de qqn ou de qqch. (1680, Sévigné). ➛ La forme pronominale ***se planter,*** en plus du sens passif «être planté en terre, pour un végétal», est employée avec une valeur réfléchie au sens de «se tenir debout et immobile» (1512) et de «se fixer à un endroit» (1630). ◇ La langue familière contemporaine l'emploie en parlant d'un véhicule qui sort de la route (v. 1970), emploi peut-être influencé par *rentrer dans un platane**, et qui a suscité l'idée générale de «se tromper, échouer». Le passif *être planté* (cf. où *planté, ée*, adjective) est aussi en usage.

▸ Le participe passé **PLANTÉ, ÉE** est employé dès l'ancien français (v. 1165) en parlant de qqn qui se tient bien à cheval; il a développé, en fonction d'adjectif, plusieurs sens à partir du XVIIe s., où la seule locution ***bien planté*** se dit d'une statue représentée dans une belle attitude (1671), d'un édifice bien situé (1694), et s'applique à une personne (complétée par *sur ses pieds,* 1694); de nos jours, elle qualifie une personne de belle santé et d'aspect solide (1732). ➛ D'autres dérivés sont relevés au XIIIe s. : c'est le cas du déverbal ③ **PLANTE** n. f. (1273) «vigne récemment plantée», à ne pas confondre avec ② *plante**. Ce déverbal a désigné ensuite l'action de planter (1570) et serait à l'origine (selon Wartburg) de l'expression figurée *belle plante,* aujourd'hui comprise comme une métaphore de ② *plante**, en raison de la perte de vitalité du déverbal en dehors des dialectes.

① **PLANTEUR, EUSE** n. est relevé pour la première fois dans un manuscrit de la fin du XIIIe s. (le texte doit dater du premier quart du siècle) sous la forme *plantator,* avec la variante *plantatour.* Le latin *plantator* était employé métaphoriquement en latin chrétien, tout comme le mot français dans les premiers textes. La forme moderne a mis longtemps à s'imposer, après *plantierres* (fin XIIIe s.), *plantheur* (1427) et le mot a d'abord fait son féminin en *planteresse* (1365). D'un point de vue sémantique, le seul sens vivant aujourd'hui est le sens propre «celui qui plante» (1365 au féminin, 1427 au masculin), les emplois figurés antérieurs ayant disparu.

➛ **PLANTAGE** n. m. (1427) a désigné l'action de planter un végétal, puis a disparu sous la concurrence de l'emprunt *plantation** (ci-dessous). Il est passé dans le langage technique, autrefois dans la marine, à propos d'une charpente munie de manivelles servant à tordre les cordages (1845), de nos jours pour l'opération de mise en place de certaines pièces d'horlogerie sur platines et ponts. ◇ Une nouvelle dérivation de *se planter* «se tromper» a fourni *plantage* «action de se planter; erreur grave et échec».

Après l'ancien provençal *plan* (XIVe s.), le français **PLANT** n. m., autre déverbal de *planter* (1495), est d'abord limité à la plantation de jeunes arbres, d'arbustes, etc. Le mot a pris dans l'usage moderne le sens de «jeune arbre à planter» (1551) et une valeur collective «ensemble de jeunes arbres dans un même terrain» (1690) d'où, par métonymie (1690) «ce terrain». Employé spécialement en viticulture, il entre dans quelques syntagmes qualifiés : *nouveau plant* (1606), *jeune plant* (1660) et ***gros-plant;*** ce dernier, d'abord régional, désigne par métonymie un cépage et un type de vin blanc produit par ce cépage, en pays nantais. ◇ Sa variante graphique *plan* a suivi une évolution particulière et s'est rendue autonome du groupe (→ ② plan).

PLANTON n. m., dérivé du radical de *planter* avec le suffixe *-on* (1584), n'a pas conservé son sens initial de «jeune plant mis en terre et destiné à être greffé». ➛ Il s'est maintenu avec le sens figuré de «soldat de service auprès d'un officier supérieur» (1790) par allusion à la station immobile de ce soldat qui est «planté» à son lieu de faction. ◇ Par métonymie, le mot a pris le sens de «service du planton» dans quelques expressions comme ***être de planton*** (1834). ◇ L'ancien sens du mot en horticulture est encore attesté régionalement (Savoie, Suisse) pour un jeune plant destiné à être repiqué (v. 1770).

À l'exception de composés verbaux empruntés au latin, et de **PLANTIER** n. m. (1526), mot régional repris de l'ancien provençal *plantier* (XIIIe s.) «vigne nouvellement plantée», *planter* n'a plus donné que le nom de machine **PLANTEUSE** n. f. (1903) et le participe passé substantivé **PLANTÉ** n. m. (XXe s.), dit en ski de l'action de planter un bâton pour effectuer un mouvement.

② **PLANTEUR, EUSE** n. «personne qui possède ou exploite une plantation dans les pays tropicaux» (1667) est emprunté à l'anglo-américain *planter* n. (1619), de l'anglais *planter* (1382 au sens général), dérivé de *to plant* «planter» qui vient lui-même du français *planter**. Ce nom de *planter* a été donné aux colons anglais des exploitations de tabac de la Virginie et du Maryland, puis aux propriétaires de plantations tropicales, sans jamais perdre la connotation de richesse et de puissance associée au planteur du Sud. R. Arveiller fait remarquer que cet emploi particulier a pu être emprunté au néerlandais *planter.* ➛ *Planteur,* francisé d'après le dérivé de *planter*, a été enregistré par le dictionnaire de l'Académie dès 1798 au sens de «colon d'Amérique cultivant et possédant des plantations»; au XIXe s., le mot est étendu aux colons européens d'Afrique et d'Asie en relation avec *plantation* (ci-dessous), lui aussi emprunté à l'anglais dans ce sens. ◇ Le mot désigne figurément, en français des Antilles, un mélange d'alcool et de jus de fruits.

REPLANTER v. tr. «planter de nouveau» est attesté depuis 1272; d'après *planter là*, il a développé le sens d'«abandonner de nouveau» (1877). ◆ On en a tiré **REPLANTATION** n. f. (1791), nom d'action qui s'est imposé devant **REPLANTEMENT** n. m. (v. 1600) et **REPLANTAGE** n. m. (1875). ◆ On rencontre quelquefois **REPLANTABLE** adj. (v. 1600), rare avant 1870, et **REPLANTEUR, EUSE** n. (1845).

DÉPLANTER v. tr. (1306, *desplanter*) signifie non plus simplement «arracher des plantes» mais «ôter (un végétal) pour le replanter ailleurs» (v. 1580). Par extension, et par opposition à un autre sens de *planter*, il signifie «arracher (ce qui est enfoncé en terre)» (XVIIe s. en parlant d'une ancre, 1835 d'un piquet). Il s'est employé par métaphore pour «retirer (qqn) de son milieu naturel» (1832). ◆ Le verbe a lui-même produit deux noms d'action, **DÉPLANTATION** n. f. (1731) et **DÉPLANTAGE** n. m. (1892), et un nom d'outil, **DÉPLANTOIR** n. m. (1640), d'abord *déplanthoir* (1567).

Enfin, on peut rattacher aujourd'hui au verbe *planter* l'emprunt **PLANTATION** n. f. (fin XIIe s.) qui l'a emporté sur les formes *planteson* (v. 1190) et *planteison*, pris au latin *plantatio, -onis* «ce que l'on a planté», dit collectivement de l'ensemble des végétaux plantés. *Plantatio* est dérivé du supin *(plantatum)* de *plantare* (→ planter). ◆ En ancien et moyen français, le mot a désigné un végétal qui a été planté, par référence aux emplois spéciaux du mot en latin chrétien (*Vulgate, Matthieu* XV, 13). De là vient le sens figuré ancien de «rejeton» (1488), d'abord par métaphore dans l'expression *plantacion de la cité de Dieu* (1486). ◆ Le sens figuré pour «établissement, colonie» est un emprunt sémantique (1627) à l'anglais *plantation* (XVe s.), de même origine que le mot français et employé depuis 1586 au sens de «colonie, établissement d'outre-mer» (1606) puis par métonymie «domaine rural de l'intérieur d'une colonie» (1645). Le mot français *plantation* a également repris ce sens (1664), aujourd'hui lié à *planteur* et évoquant l'économie agricole coloniale des «îles» ou d'Asie. ◆ Il faut attendre le XVIIIe s. pour que *plantation*, par une nouvelle dérivation, prenne le sens d'«action de planter» (1732) et désigne, collectivement ou surtout au pluriel, les végétaux, l'ensemble des végétaux plantés (1732 au pluriel). Par métonymie, il désigne également un terrain planté. ◆ Un emploi particulier au sens de «plant» est enregistré dans le dictionnaire de l'Académie en 1798, réactivant l'ancienne valeur du mot; il s'est éteint sous la concurrence de *plant**. ◇ Au XIXe s., le mot a eu l'acception figurée de «mise en place, implantation» (1836, d'une croix), qu'il conserve au théâtre pour la mise en place des décors (1880) et dans le cas de la disposition des cheveux sur le crâne, faisant alors concurrence à *implantation* (→ implanter).

Parmi les préfixés verbaux empruntés au latin, **COMPLANTER** v. tr. (XIIIe s.), repris du bas latin *complantare*, littéralement «planter ensemble», a eu une faible vitalité. D'abord attesté isolément à titre de latinisme, il a été réintroduit au XVIe s. (1551) mais se trouve déjà qualifié de «terme de coutume» en 1732 et de terme «peu usité» en 1771. Il ne s'est pas écarté du sens propre, sauf dans quelques emplois métaphoriques très marqués. ◆ **COMPLANT** n. m., lorsqu'il apparaît en droit dans l'expression *à complant* (1231), est un emprunt, localisé dans les pays de Loire et au sud de la Loire, au latin médiéval *complantus* qui désignait un contrat par lequel un propriétaire cède une terre à un tenancier sous l'obligation de la planter en vigne dont chacun aura la moitié (Xe s.). Le nom est dérivé de *complantare* au sens juridique correspondant, «exploiter en vertu d'un contrat de complant» (IXe s.). ◇ Terme de droit ancien, *complant* a reçu, d'après *complanter*, le sens de «plant de vignes ou d'arbres, lieu planté de vignes ou d'arbres» (apr. 1450; Villon, au figuré). ◆ Quant à **EXPLANT** n. m., terme de biologie récent (1937) désignant un fragment de tissu prélevé sur un organisme en vue de le cultiver, il représente un emprunt à l'anglais *explant* de même sens (1917), dérivé du verbe *to explant* «prélever (un tissu) sur un organisme», lui-même emprunté (1578) au latin *explantare* «déraciner, arracher» et opposé à *to implant* (→ implanter).

◈ voir IMPLANTER, PLANÇON, PLANQUER, ① et ② PLANTAIN, ② PLANTE, SUPPLANTER, TRANSPLANTER.

PLANTIGRADE adj. et n. m. est un terme zoologique, composé savamment (1795 au pluriel) à partir du latin *planta* (→ ① plante) et de l'élément *-grade* «qui marche», tiré du latin *gradi* «marcher» (→ grade).

♦ Le mot, au pluriel, a servi à désigner un ensemble de familles de mammifères (1795). Il désigne et qualifie proprement l'animal qui marche en s'appuyant sur toute la surface de la plante des pieds et non pas seulement les doigts (1812).

PLANTUREUX, EUSE adj., d'abord *plantëurose* (v. 1165), *planterouse* puis *plantureux* (v. 1210), est l'altération, par croisement avec *heureux**, de l'ancien français *plenteïveus, plentiveux*, dérivé de l'ancien adjectif *plentif, plenteïf* qui dérive à son tour de l'ancien substantif *plenté*. Ce dernier, également écrit *planté* (par rapprochement avec *plante*), exprime la notion d'«abondance» et se rencontre encore dans de nombreux parlers septentrionaux. Il remonte au latin de basse époque *plenitatem*, accusatif de *plenitas, -atis* «saturation» et «abondance, fertilité», dérivé de *plenus* (→ plein, plénier, plénitude) conservé seulement par le gallo-roman et le roumain *plinatate*. Le rapprochement de *plentiveux* avec *heureux*, favorisé par un jeu de rime (*eüreux-planteüreux*, en 1314 chez Fauvel), s'explique aisément par le sens.

♦ Le mot qualifie ce qui est fertile, riche, très abondant; on disait en ancien français *plantureux de* (v. 1210) «largement fourni de». Il s'applique particulièrement aux rondeurs d'une femme (1833). ◇ Dans l'usage littéraire, il s'emploie au figuré avec l'idée de «fécond, prolifique» (1844).

▶ Le dérivé **PLANTUREUSEMENT** adv. est d'abord relevé sous la forme *plantourousement* (XIIIe s.), mais on n'a formé aucun nom sur l'adjectif.

PLAQUEMINE n. m. est l'adaptation, successivement en *piakimina* (1682) et *plaquemine* (1719), de l'algonquin *piakimin*.

♦ Le mot désigne le fruit comestible aussi appelé *kaki*, fourni par une des espèces du plaqueminier.

▶ Du nom du fruit a été dérivé le nom de l'arbre, **PLAQUEMINIER** n. m. qui recouvre différentes espèces des régions chaudes fournissant les bois d'ébène et, pour certaines, des fruits.

✳ **PLAQUER** v. tr. est emprunté (v. 1250) au moyen néerlandais *placken* «enduire, rapiécer, coller» (néerlandais *plakken*), mot d'origine inconnue : on évoque un rattachement à la racine indoeuropéenne «frapper» que le latin a dans *plaga* (→ plaie), *plangere* (→ plaindre).

♦ Dans le passage au français, d'abord dans le nord de la France, le mot a immédiatement un sens plus étendu que celui de l'étymon, «appliquer (une chose contre une autre chose)», d'abord à propos d'une application d'or et d'argent sur les cheveux. Vers la fin du XIIIe s., il est relevé dans un emploi métaphorique, *plaquer un mur de mortier,* qui annonce le sens technique, «appliquer avec force et à plat (du plâtre)» (1553 en construction absolue). ◇ Le verbe exprime aussi le fait d'appliquer une chose plate sur une autre chose plate (1505), par exemple une main sur une partie du corps (1694), se spécialisant à propos de la superposition d'un bois d'ébénisterie sur un bois ordinaire (1676) et d'une plaque de métal sur autre chose (1690). ➛ Le sens figuré, «abandonner (qqn)», est relevé pour la première fois en 1544 chez Calvin *(plaquer là qqn),* mais a développé beaucoup plus tard sa valeur familière moderne (1867) qui équivaut à *laisser tomber* (de sens pourtant opposé), et son emploi pour «quitter un travail» (XXe s.). ➛ Également avec un nom d'animé pour complément, *plaquer* exprime l'idée d'«appuyer avec force sur (qqn)» (1886), *se plaquer* semblant un peu antérieur (1881). ◇ Cette valeur est annoncée par l'ancien sens de «jeter à terre» (1747), réactivée en rugby en parlant d'un joueur qui en ceinture un autre pour l'arrêter dans sa course (1900) et en lutte (1949). ➛ Avec l'idée d'appuyer à plat, on parle en musique de *plaquer un accord* (1838).

▶ Le plus ancien des dérivés de *plaquer* est **PLAQUEUR, EUSE** n., mot du Nord (Douai) [1239] écrit *plakeur* au sens de «maçon, plâtrier». Ce mot, quasiment inusité en français moderne, n'a été repris qu'au XIXe s. pour désigner l'ouvrier qui procède au placage des meubles (1803) et celui qui lamine les feuilles de métal à chaud (1826). ◇ Au XXe s., le mot est passé dans le vocabulaire du rugby (1906) et a pris un sens familier lié au verbe, «celui qui abandonne une autre personne» (1964). Le féminin est demeuré très rare.
PLACARD n. m. est formé (1364) avec le suffixe *-art* puis *-ard* sur le radical de *plaquer* employé en diplomatie jusqu'au XVIIIe s. pour «attacher, appliquer un sceau à» (1336); il s'applique d'abord à une lettre ou une pièce quelconque non pliée, sens réalisé dans la locution ***en placard*** (1428), toujours usitée en diplomatie. ◇ Par spécialisation de fonction, il a désigné ensuite un écrit que l'on affiche sur un panneau pour donner un avis au public (1444), en particulier un écrit séditieux ou diffamatoire que l'on divulguait ainsi (v. 1552). Le mot s'emploie encore en histoire dans le contexte de l'***affaire des Placards*** (1534). ◇ La dernière extension de ce sens de «papier» est la spécialisation en imprimerie, à propos de la première épreuve d'un texte, imprimée en colonnes sur le recto seulement (1832). ◇ Par analogie, au XVIe s., *placard* a pris deux autres sens procédant de l'idée d'application au mur : il désigne l'enduit grossier dont on revêt un mur (1549) puis une grosse couche d'une matière quelconque (1831) et, en marine, une pièce de renfort en toile que l'on applique aux endroits usés d'une voile (1859). ➛ Le sens dominant aujourd'hui, qui a contribué à la démotivation par rapport à *plaquer,* apparaît au XVIe s. (1572) lorsque *placard* commence à désigner un assemblage de menuiserie qui s'élève au-dessus du chambranle et va jusqu'au plafond, puis un enfoncement ou recoin de mur, de cloison, constituant une armoire fixe (1792) et un assemblage de menuiserie servant au même usage. En ancien français, c'est le mot *armoire** qui assumait cette acception. ◇ De ce sens procèdent l'emploi argotique pour «prison» et le sens familier de «ventre» (1926), surtout dans ***se mettre qqch. dans le placard*** ainsi que la locution familière ***mettre au placard*** «reléguer». ➛ Le mot a produit quelques dérivés : le dénominatif **PLACARDER** v. tr. (1611), qui a suivi la même évolution que *placard,* désigne le fait de publier sous forme de placards et d'afficher sur un mur, d'où, par changement d'objet, de railler (qqn) par placard (1636). ◇ Ce sens est en recul au profit du sens de «couvrir (un mur) de placards, d'affiches» (1798, *placarder un mur*) et, en imprimerie, d'«imprimer en placard» (1845). ◇ Les sens spéciaux de *placard* ont produit deux valeurs techniques : en menuiserie «recouvrir de placards» (1845), et en marine «coudre des placards sur (la voile)» (1859). Familièrement, on a dit *placarder de la pommade* (1869) pour «en appliquer une grosse couche», et en argot *placarder qqn* pour «lui donner une situation» (1850), d'où *se placarder* «se placer». Ces emplois ont disparu. ➛ Le verbe a formé quelques dérivés : **PLACARDEUR** n. m. (1791, *Lettres du Père Duchesne*), l'argotique **PLACARDIER** n. m. (1829), «placier», sorti d'usage, et le nom d'action **PLACARDAGE** n. m. (1957). ➛ Les sens argotiques de ces dérivés sont à mettre en relation avec un dérivé argotique de *placard,* **PLACARDE** n. f. (XVIIIe s.) qui a désigné la place publique, puis un emploi, une situation. ◇ L'emploi moderne du mot en argot pour désigner une cachette (1957), après le sens d'«abri» (1928), procède de *placard* pris au sens de «prison» par métaphore d'«armoire».
Autre dérivé de *plaquer,* **PLACAGE** n. m. (1317) est d'abord employé au sens de «plâtrage de torchis». Le mot, à la différence de *placard,* est resté lié au

verbe par le sens ; il est passé dans divers vocabulaires techniques, soit pour désigner l'action d'appliquer qqch., soit par métonymie pour ce qui est ainsi appliqué, une matière précieuse (1676), du mortier liquide (1803). Par métaphore, *placage* se dit, non sans péjoration, d'un morceau d'une œuvre qui semble ajouté après coup (1751). ◇ On note aussi la graphie **PLAQUAGE** n. m. (1864), qui marque une nouvelle dérivation, spécialement dans certains emplois techniques comme le rugby (1896), par homogénéité graphique avec le verbe.

Le déverbal **PLAQUE** n. f., relevé anciennement avec le sens de «monnaie» (XVe s.) qu'il pourrait tenir du moyen néerlandais *placke* «sou», déverbal de *placken*, et d'«enduit pour les murs» (1549), sert aujourd'hui encore à désigner une feuille d'une matière rigide plate et peu épaisse (1562). Parmi plusieurs emplois particuliers, courants ou techniques, on peut signaler les sens de «surface plane portant une inscription» (1690), «insigne» (1798), ainsi que l'acception du mot en photographie (1842, ***plaque sensible*** *photographique*), dans le vocabulaire des chemins de fer l'expression ***plaque tournante*** (1857), courante au sens figuré et en tir. ◇ L'expression familière ***être à côté de la plaque*** (1946) procède de ce dernier emploi et vient de l'argot militaire : le général de Gaulle l'a diffusée en déclarant *«j'ai mis à côté de la plaque»*, après son discours du 24 mai 1968 qui n'avait pas produit l'effet escompté. ◇ Dans la seconde moitié du XIXe s., le mot était passé dans le vocabulaire de la description anatomique où il désigne une lésion bien définie (1895), et couramment une large tache sur la peau (1852). ◆ Le diminutif de *plaque*, **PLAQUETTE** n. f. (1521), s'applique d'abord à une petite plaque de métal. Au XIXe s., il a commencé à désigner un petit livre très mince (1835), une pierre plate servant à former la saillie d'une corniche (1832), un petit bas-relief frappé en souvenir de qqch. (1888). ◇ Une spécialisation médicale dans *plaquette sanguine*, correspond à un petit élément histologique du sang intervenant dans sa coagulation (1882). ◆ On en a tiré les dérivés modernes **PLAQUETTISTE** n. (déb. XXe s.) «graveur de plaquettes» et **PLAQUETTAIRE** adj. (XXe s.), terme médical qualifiant ce qui est relatif aux plaquettes du sang. ◇ **PLAQUIS** n. m. est un terme de décoration désignant (1694) une incrustation de marbre dans une surface d'une autre matière, et (1903) une couche de plâtre dont on recouvre la surface d'un pan de bois. ◇ **PLAQUÉ, ÉE**, le participe passé de *plaquer*, est employé comme adjectif (1770), souvent avec apposition *(plaqué or, plaqué argent)*, et spécialement comme nom (1798) pour un métal recouvert d'un autre plus précieux, (1949) un bois commun recouvert d'une feuille de bois précieux. ◆ Enfin, le nom de machine **PLAQUEUSE** n. f. est attesté dans les dictionnaires depuis 1963. ◆ Au XXe s., *plaqué* a donné le composé **CONTRE-PLAQUÉ** n. m. (1914) dont on a dérivé **CONTRE-PLAQUER** v. (1922 dans les dictionnaires, mais inusité), **CONTRE-PLAQUEUR** n. m. (1955) et **CONTRE-PLAQUE** n. f. (v. 1950). ◇ Le terme **CONTRE-PLACAGE** n. m., antérieur au reste du groupe (1873), pourrait avoir été formé de façon autonome (il figure d'abord dans un dictionnaire des termes techniques français-allemand-anglais).

PLASMA n. m. est emprunté à trois reprises (1752, 1845 et 1925) au grec *plasma, -atos*, nom d'action dérivé de *plassein*, attique *plattein*, qui exprime le fait de façonner de l'argile, de la cire d'où, au figuré, de former qqn, d'éduquer, d'imaginer, de créer qqch. et, spécialement, en mauvaise part, d'imaginer faussement, de fabriquer des mensonges. Ce mot repose sur un radical *plath-*, sans étymologie sûre mais pour lequel un rapport avec la racine *°pelə-*, *°pla-* qui exprime l'idée d'étendre, d'étendue (représentée dans les familles de *pélagien, plan, paume, plage*) est probable. *Plasma* désigne concrètement ce qui est façonné, modelé (→ plastique).

♦ Le français l'a d'abord emprunté sous la forme adaptée *plasme* (1752), refaite en *plasma* (1808), comme terme de minéralogie, d'abord en parlant d'une émeraude brute qui, broyée, entre dans la composition de certains médicaments, puis pour une variété de calcédoine (1808). ◆ Le mot a été réemprunté comme terme de physiologie (1845) par l'intermédiaire de l'allemand *Plasma*, employé par le biologiste allemand Max Schulz (1825-1874) avec le sens de «partie liquide du sang». En ce sens, le mot est entré dans le terme ***plasma germinatif*** (1888), dans la théorie du généticien Weismann (1885), aujourd'hui supplanté par *germen*. ◆ Un troisième emprunt, cette fois (v. 1925) à l'anglais *plasma* (v. 1923, Langmuir et Tonks), en a fait un terme de physique désignant une matière gazeuse très chaude, riche en ions et en électrons libres.

► La dérivation est relativement abondante, riche en composés comportant l'élément *plasma-, plasm (o)-*, ou *-plasme, -plasmose, -plasmique*. Les plus anciens datent de la seconde moitié du XIXe s., tels les termes de physiologie et de biologie **PLASMATIQUE** adj. (1858) et **PLASMOCYTE** n. m. (1897), «cellule conjonctive pathologique, à noyau excentré», ce dernier ayant produit à son tour **PLASMOCYTAIRE** adj. et **PLASMOCYTOSE** n. f. au XXe siècle. ◆ **PLASMOLYSE** n. f. (1884) est composé des éléments *plasmo-* et *-lyse* par l'intermédiaire de l'allemand *plasmolysis* (1877), et désigne la rétraction du cytoplasme de la cellule sous l'influence d'une solution. ◆ **PLASMAGÈNE** n. m. est un emprunt (1955) à l'anglais *plasmagene* (1939), composé de *plasma-* et de *gene* (→ gène) et désignant une structure cytoplasmique ayant les propriétés autoreproductibles du gène et assurant la transmission de caractères par la voie héréditaire.

◈ voir CATAPLASME, CYTOPLASME (art. CYTO-), ECTOPLASME (art. ECTO-), PROTOPLASME (art. PROTO-).

✳ **PLASTIQUE** adj. et n. est emprunté (1553) au latin *plasticus* «relatif au modelage», substantivé au féminin *plastica* pour désigner cet art. Le mot est emprunté du grec *plastikos* «malléable, qui sert à modeler, relatif au modelage», substantivé au féminin *plastikê* (sous-entendu *tekhnê*) pour l'art de reproduire ou de créer des formes. *Plastikos* est dérivé de *plassein* (attique *plattein*) «façonner (de l'argile, de la cire)», au figuré «former (qqn)» et «éduquer», «imaginer, créer», et spécialement en mauvaise part «imaginer faussement, fabriquer des mensonges». Le mot appartient à une racine qui signifie «étendre une couche fine» d'où «enduire» (avec des emplois médicaux); d'autre part, les mots de cette famille ont fourni le vocabulaire spécifique du travail de l'argile et du modelage, entrant aussi dans des emplois relatifs à la création et à l'imagination : «création littéraire», «création de l'homme par Dieu» et aussi «mensonge». Dans des conditions un peu différentes, la famille du sanskrit *déhmi* «enduire», du latin *fingere* «façonner la terre» (→ feindre), a connu des développements comparables. L'étymologie de ces termes n'est pas sûre, mais un rapport probable existe avec la racine indoeuropéenne *°pelə-*, *°pla-* qui exprime l'idée d'«étendue» (→ palme, paume, pélagien, plage, plain, plan, planer, plésio-).

♦ *Plastique* est d'abord employé adjectivement au sens étymologique : «qui vise à la reproduction ou à la création de formes par modelage», dans l'expression ***art plastique.*** Il faut attendre le milieu du XVIIIe s. pour voir apparaître de nouveaux emplois : *plastique* signifie «apte à engendrer la forme des êtres vivants» (1752) et commence à être substantivé au féminin *(la plastique)* dans le domaine de l'esthétique (1765) où il désigne la sculpture qui procède par ajout de matière. ◇ L'adjectif se répand au XIXe s., qualifiant ce qui est modelable, ce que l'on peut modeler (1805), avec les mêmes effets de sens que *malléable,* ou encore ce qui ne relève que de l'apparence physique, qui n'est que forme (1805); il se dit d'un art dont le mode d'expression est fondé sur l'évocation des formes (1833 en parlant de poésie) et entre dans l'expression ***arts plastiques*** (1836) comprenant tous les arts (au sens qu'a pris ce mot au début du XIXe s.; → art) qui visent à élaborer des formes visibles. ◇ Dans le même temps, il est substantivé, ***la plastique*** n. f. désignant la recherche de la beauté par l'expression, la création et l'évocation des formes (1836). Il passe dans le langage courant avec le sens de «forme, allure (de qqch.)» (1842), et, en particulier, «beauté des formes du corps» (1870). ◇ Au milieu du XIXe s., l'adjectif est repris en biologie à propos d'un élément constitutif de la matière vivante (1855, *aliments plastiques*), et en pathologie pour ce qui se manifeste sous forme de tissu vivant, ce qui est capable de s'organiser en tissu vivant (1858), sens disparu. Cette valeur est reprise dans *chirurgie plastique* (1930) «esthétique».

Le mot est substantivé au masculin (1875, Larousse) pour désigner toute matière ou composition susceptible de reproduire par le modelage ou le moulage un objet type, cette définition englobant la cire et l'argile comme les premiers matériaux plastiques employés. ◆ Le sens moderne de «matière de synthèse modelable à chaud» (mais non plastique après fabrication, ce qui démotive et lexicalise cet emploi), est réalisé à la fois par le nom *(du plastique, les plastiques)* et par l'adjectif dans ***matière plastique*** (surtout au pluriel). Cet emploi remonte à 1913 mais ne s'est répandu qu'aux alentours de 1945 (on le trouve auparavant dans les ouvrages techniques : 1941 in D. D. L.). Par extension, *plastique* est employé seul comme adjectif invariable pour qualifier un objet en matières plastiques (*sac plastique,* etc.).

▶ La dérivation de *plastique* est surtout abondante au XXe s. avec l'utilisation des matières dites plastiques, mais elle commence au XVIIIe siècle. ◆ Le dérivé le plus ancien est **PLASTICITÉ** n. f. (1785), qui désigne concrètement l'état de ce qui est plastique, malléable, et se dit au figuré d'un élément abstrait (1890), en particulier de la souplesse d'un caractère, de son adaptabilité (1883). ◇ Le mot a servi à former les composés modernes **SUPERPLASTICITÉ** n. f. (1975) et le nom technique **PLASTICIMÈTRE** n. m. (1973), de la forme apocopée *plastic-* et de *-mètre**, «appareil mesurant la plasticité d'une substance». ◆ **PLASTIQUEMENT** adv. (1846) exprime, surtout dans le style littéraire, l'idée de «relativement à la plastique, à la beauté des formes». ◆ **PLASTICIEN, IENNE** n. (1860) désigne l'artiste spécialisé dans les recherches concernant la plastique, notamment dans les arts appliqués et l'esthétique industrielle; il s'est répandu au XXe s. et désigne en particulier l'ouvrier façonnant les matières plastiques (1955) et le chirurgien spécialiste de réparation plastique (1970). ◆ Les autres dérivés datent du XXe s. : **PLASTIFIER** v. tr. (v. 1930) a pris après 1950 le sens de «recouvrir (un objet) de matière plastique». ◇ Il a donné les dérivés **PLASTIFIANT, ANTE** adj. (1931) et **PLASTIFICATION** n. f. (1932), d'usage plus technique. ◆ Un certain nombre de composés techniques a été formé avec **PLASTI-, PLASTO-** représentant *plastique,* tels **PLASTISOL** n. m. (1961), **PLASTIGEL** n. m. (v. 1968), **PLASTOCHIMIE** n. f. (1963, Larousse) et **PLASTOTYPIE** n. f. (1963, Larousse), **PLASTURGIE** n. f. (v. 1980) et **PLASTURGISTE** n. (v. 1980).

Parallèlement, **-PLASTIQUE** constitue le second élément de quelques composés scientifiques en relation avec des noms en **-PLASTIE** (du grec *plastos*) et en **-PLASIE** (du grec *-plasis* «action de façonner»). Les mots en *-plastie* appartiennent pour la plupart au vocabulaire de la chirurgie et s'appliquent à des interventions de chirurgie plastique, esthétique ou réparatrice, désignant l'organe traité *(gastroplastie, mastoplastie, gingivoplastie)* ou l'implantation de greffons, la transplantation d'organes *zooplastie.* ◇ *-plasie* entre avec le sens de «formation de tissus, développement d'un organe» dans la construction de termes de biologie et de pathologie; par suite d'une confusion, il arrive que les termes en *-plastie* et en *-plasie* soient synonymes. ◇ Enfin, un élément **-PLASTE** (du grec *plastês*) sert à former des noms masculins et quelques adjectifs en biologie (notamment biologie végétale) désignant des éléments biologiques organisés ayant une fonction définie. Eux aussi peuvent engendrer des adjectifs en *-plastique.* ◆ Dans l'usage familier, *plastique,* au sens de «matières plastiques», est resuffixé en **PLASTOC** n. m. (1980), sous l'influence plaisante de *toc**.

PLASTIC n. m. est emprunté (1945) à l'anglais *plastic* (XVIIe s.), lui-même emprunté au français *plastique* ou directement au latin *plasticus,* et employé spécialement dans des expressions du type *plastic* *explosive* (1906) «explosif plastique». ◇ Le mot est passé en français comme nom pour désigner une composition explosive pouvant être mise en forme par simple malaxage à la main. Cet emploi peut aussi venir directement de l'adjectif *plastique*, l'emploi substantivé en anglais de *plastic* étant attesté plus tard (1966). ➜ *Plastic* (parfois *plastique*) a produit **PLASTIQUER** v. tr. (1961) qui, à son tour, a servi à former **PLASTIQUEUR, EUSE** n. (1961) et **PLASTICAGE** ou **PLASTIQUAGE** n. m. (v. 1960), tous mots devenus usuels avec la multiplication des attentats et actions terroristes.

◈ voir CATAPLASME, ECTOPLASME, EMPLÂTRE, PIASTRE, PLASMA, PLASTRON.

PLASTRON n. m. est emprunté (1477-1478) à l'italien *piastrone*, terme désignant une pièce d'armure protégeant la poitrine (XVe s.), par spécialisation du sens propre de «grosse plaque»; le mot est le dérivé augmentatif en *-one* de *piastra* «plaque (de métal, bois, verre, etc.)» qui a donné *piastre**.

♦ *Plastron* a été repris comme terme d'armurerie; par extension, il est passé en escrime pour la plaque de protection que les escrimeurs se mettent sur la poitrine (1871). Il a développé les idées figurées de «ce qui sert à cacher, à protéger» et «ce qui est exposé aux coups» en parlant d'une personne en butte aux railleries (1705), emploi qui a vieilli. ◇ Au cours du XVIIIe s., il est passé en zoologie pour la description de la partie ventrale de la carapace des tortues (1752) et le plumage de la poitrine d'un oiseau lorsque sa couleur diffère de celle du reste du corps (1775). ◇ Au XIXe s., d'autres extensions de sens l'ont fait entrer dans le domaine du costume, s'appliquant à la partie du vêtement qui recouvre la poitrine, d'abord dans le costume militaire (1805) puis également dans le costume civil (1865) sans fonction protectrice, mais purement ornementale (dans l'habit masculin *cravate-plastron*, déb. XXe s.), également dans le costume féminin. ◇ Le sens figuré de «ce qui couvre» est réactivé par l'acception spéciale du mot, en manœuvre militaire, pour un petit groupe d'hommes représentant l'ennemi (1962).

▸ Le dénominatif **PLASTRONNER** v. est d'abord (1611) attesté indirectement par le participe passé *plastronné*, avec le sens de «protéger, couvrir d'un plastron» avant d'être repris en ce sens au XIXe s., spécialement en escrime, en construction transitive (1860) et intransitive (1869). ◇ Par allusion à la fonction décorative ou honorifique du plastron dans le costume, autant qu'à sa fonction guerrière, il a développé le sens intransitif figuré de «bomber le torse, parader», avec ou sans notation physique (1897). ➜ Le verbe a produit au XXe s. les dérivés **PLASTRONNANT, ANTE** adj. et **PLASTRONNEUR, EUSE** n. (1903), procédant du sens familier.

✳ **PLAT, PLATE** adj. et n. m. est issu (1080) d'un latin populaire °*plattus*, lui-même emprunté au grec *platus* «étendu, large, plan». Ce mot répond au sanskrit *Pṛthú-*, avestique *pərəthu-* «large» : il appartient à une racine indoeuropéenne °*plat-*, °*plet-* «large», bien représentée en grec. Le mot latin qui exprimait la même notion, *planus* (→ plain, plan), reposerait (hypothétiquement) sur la même racine.

♦ L'adjectif, d'abord attesté au sens très particulier de «non cambré», à propos de la jambe du cheval, qualifie surtout un objet dont la surface est plane, unie, qu'elle soit verticale, oblique ou horizontale (v. 1119) et plus spécialement, un objet dont la surface est proche de l'horizontale (v. 1119). *Plat* qualifie également une partie du corps ne présentant pas de modelé (v. 1175), une chose dont le relief est peu accentué, qui a peu d'épaisseur (v. 1260), un sol dont le relief est inexistant ou peu prononcé (1375). Enfin, une valeur technique correspond à «fait avec une lame plate» *(vaisselle plate)* et correspond à *plate* n. f. (cf. aussi ② *platine*); elle n'est plus comprise. ◇ Ces quelques sens concrets fournissent plusieurs expressions dès l'ancien français, comme ***pied plat*** (v. 1250, *plaspiez*) au sens propre, ainsi que ***plat pays*** (1375). Ultérieurement, l'idée d'horizontalité est réalisée dans *vaisseaux plats* (1559), repris par *bateaux à fond plat* (1842-1843), *mer plate* (v. 1500) et ***calme plat*** (1704, *calme tout plat*). Au XVIIe s. apparaissent *broderie plate* (1694) et la locution figurée ***avoir la bourse plate*** (1611) «manquer d'argent». ◇ Les sens figurés apparaissent en moyen français, l'idée de «qui manque de saveur» étant déjà annoncée par l'expression *eau plate* «eau pure» (1316), valeur disparue, et remplacée récemment par celle d'«eau non gazeuse». ➜ *Plat* qualifie ce qui se caractérise par son uniformité (fin XVe s.), spécialement en métrique dans l'expression ***rimes plates*** (fin XVe s., *plattes rimes*), et beaucoup plus tard en peinture (1835, *teintes plates*) et en musique (1855), d'où *un son plat* (1904). ◇ En dehors du domaine artistique et avec une valeur dépréciative, l'adjectif qualifie ce qui manque d'originalité, d'attrait (1588, Montaigne, *les plus plattes raisons*) et se dit, avec une nuance péjorative plus nette encore, d'une personne qui montre de la bassesse et de la servilité (1573) puis de ce qui dénote ce caractère (déb. XIXe s.; cet emploi est fréquent chez Stendhal). À partir du XVIIe s., il s'applique à une personne qui manque d'élégance, d'élévation (1650), spécialement dans l'expression *un plat personnage* (1798), emploi de nos jours archaïque. ◇ Le mot a servi à former des locutions adjectives et adverbiales dès le XIIe s. : *tout plat* (v. 1165, *toz plaz*) a signifié «à terre, d'un seul coup et de tout son long» et au figuré «carrément, sans détour» (XIVe s.), mais est sorti d'usage. ◇ ***À plat,*** d'abord attesté (1541, Calvin) au sens figuré de «tout net» qui a disparu, a été repris au XVIIIe s. (1738) comme locution adverbiale au sens physique d'«horizontalement, de tout son long» et, en même temps, au sens figuré de «sans le succès escompté» (1738). La locution ***à plat ventre*** (1767) a pris aussi une valeur figurée (1828). *À plat* exprime aussi l'idée de «sur la face plane» (1796); au figuré, l'expression a signifié «alité» (v. 1770) puis surtout, dans l'usage familier, «déprimé, épuisé» (1878), cf. ci-dessous *raplapla;* le sens propre de «dégonflé (pour un pneu)» est postérieur (1927).

L'adjectif, enfin, est substantivé dans le sens concret d'«ustensile à fond plat» (1119, *un* ***plat*** n. m.), d'abord en parlant d'une écuelle puis d'un plateau de balance (1588), seule survivance du sens de «plateau», et d'un récipient à barbe (1760) aujourd'hui nommé ***plat à barbe.*** Le sens courant de «pièce de vaisselle à fond plat» est une spécialisation (1328) du sens précédent sans rapport avec *vaisselle plate* (ci-dessus), et met le mot en rapport avec *assiette,* auquel le plat s'oppose aujourd'hui par la taille, donnant lieu à de nombreux syntagmes précisant la matière, la fonction, etc. Par métonymie, le mot se dit de chacun des mets servis pendant un repas et contenu dans un plat différent (1530), d'où au XIXe s. en restauration, ***plat du jour*** (1877). ◇ Il a donné lieu à plusieurs expressions comme ***donner, servir un plat de son métier*** (1605) «offrir qqch. en rapport avec sa profession» d'où «jouer un mauvais tour», aujourd'hui archaïque, ou ***faire un plat de qqch.*** (1631) qui a d'abord désigné le fait de rapporter qqch. pour desservir qqn, avant de prendre (1914) sa valeur actuelle, «exagérer l'importance de qqch.» (surtout ***faire tout un plat...***). ***Mettre les pieds dans le plat*** «commettre une grossière indiscrétion», et ***mettre les petits plats dans les grands*** «recevoir avec faste» sont attestés en 1808. ➛ L'emploi du substantif au sens descriptif de «partie plate (d'une chose)» remonte au XIIe s., d'abord en parlant de celle d'une épée (v. 1125), d'une arme, d'un couteau. ◇ S'y rattache aussi le terme de boucherie ***plat de côtes*** (1869). ◇ *Plat* désigne également une étendue plate de terrain (1285 peut-être en parlant du lit d'une rivière), quelquefois dans la locution ***sur le plat*** «en plaine» (fin XIVe s.). ◇ Le sens figuré de «bavardages, belles paroles», d'abord réalisé dans la locution ***jouer du plat*** (v. 1470), ne peut venir que de l'expression ***plat de la langue*** (fin XVIe s.), sortie d'usage ; la locution familière moderne ***faire du plat à qqn*** (1883) en procède également (cf. aussi le dérivé ① *platine,* ci-dessous). ◇ Ultérieurement, le nom a développé quelques sens spécialisés : en reliure (1881) où il désigne chacune des deux parties formant la couverture d'une reliure et s'articulant au dos, et en sidérurgie où il désigne un produit sidérurgique fin, en forme de lame mince (1963).

► La dérivation de l'adjectif *plat,* relativement abondante, enrichie de composés en *plat-* ou *plate-,* s'étend du XIIe au XXe siècle. Elle concerne essentiellement l'adjectif; le nom, pris dans son sens concret, ayant produit de son côté quelques composés concrets.

PLATE n. f. est le féminin substantivé (1170) de *plat,* d'abord employé pour une petite lame de métal, spécialement en parlant d'une lame mince de fer servant à l'armure des chevaliers (1260); par métonymie, il est employé au pluriel pour désigner la pièce d'armure ainsi faite que l'on fixait sur le haubert (1296). *Or, argent* ***en plate*** «en lames» et *vaisselle de plate* «faite en métal laminé» relèvent de ce sens (→ ② platine). *Plate* a aussi pris le relais du masculin *plat* pour désigner un bateau à fond plat (v. 1500) : depuis 1690, le mot désigne une petite embarcation à fond plat généralement utilisée sur les étangs, les marais. ➛ ① **PLATINE** n. f. est la réfection (1223) de *plataine* (v. 1165) «dalle funéraire», sens sorti d'usage. Le mot, appliqué à un support plan, a développé des valeurs techniques spécialisées : dans l'armure médiévale, il désignait la pièce d'armure faite de *plates* (plaques de métal) que l'on posait sur le haubert. De nos jours, *platine* désigne une plaque de métal (1230), spécialement en serrurerie (1287), en imprimerie (1514), en armurerie (1673), et aussi une plaque ronde montée sur pieds servant à repasser, empeser, sécher le linge (1614). ◇ Le mot est passé dans le langage courant avec le sens de «plateau d'un tourne-disque» (1963), emploi qui relève du sens général de «pièce plate supportant les éléments d'un mécanisme» (cf. ② *plateau* ci-dessous). D'après *plat* au sens ancien de «plat de la langue» d'où «bavardage», *platine* a exprimé la notion de «bagout», en locution ***avoir une bonne platine*** (1808, argot) ; ce sens s'est éteint. ➛ **PLATEMENT** adv. dérivé de *plat* (v. 1485), a eu en moyen français le sens de «carrément, sans détour» avant de prendre sa valeur moderne affaiblie : «avec platitude» (1763 dans Bachaumont).

C'est seulement au XVIIe s. que *plat* a produit par suffixation **PLATITUDE** n. f. (1694) qui désigne au figuré le caractère plat, médiocre, d'un discours, d'un style, d'une production de l'esprit. En relation avec les valeurs figurées de l'adjectif, ce substantif s'applique à l'absence d'originalité, d'imprévu (d'une chose) [1804], à la médiocrité intellectuelle (1815) et par extension au manque de dignité (de qqn) [1817]. ➛ Après avoir servi à désigner concrètement une tabatière plate (1776), sens sorti d'usage, il a pris la valeur de «caractère d'une chose sans relief» (1851), surtout en parlant d'un terrain, d'un paysage, équivalant quelquefois par métonymie à «paysage plat».

Il faut attendre le XVIIIe s. pour rencontrer les premiers emplois modernes de ② **PLATEAU** n. m. (1718), dérivé de l'adjectif, qui diffère de l'homonyme ① *plateau* (ci-dessous), dérivé beaucoup plus ancien du nom. ➛ Le mot est d'abord un terme de guerre désignant une forme de relief peu accidenté sur lequel on peut placer des troupes. L'acception géographique, «étendue de terrain assez plate dominant les environs» (1796), entre aussi dans l'expression *haut plateau* (1859). Ces deux sens, de même que les spécialisations en géologie et en sports, procèdent de l'idée de «terrain plat». ◇ Au XIXe s., *plateau* a pris le sens concret de «surface plate, peu épaisse (d'une chose)» dans de nombreuses acceptions techniques où il passe souvent pour une spécialisation de ① *plateau;* il désigne une pièce circulaire plate sur une machine, un appareil (1805), spécialement en automobile (1907, *embrayage à plateaux*), une surface plane servant à la manutention (1869), un plateau tournant où l'on pose les disques (1928). ➛ Le mot est passé dans le domaine des spectacles pour désigner le plancher de la scène et, par métonymie, la scène (1895). Par analogie, *plateau* est très employé au cinéma et à la télévision pour la partie du studio où évoluent les acteurs et où sont plantés les décors (1912). ➛ L'emploi du mot en ethnologie à propos d'une pièce plate que certaines femmes d'Afrique insèrent (ou inséraient) dans leurs lèvres pour les distendre est attesté en 1928 *(négresse à plateau).* ➛ Il reste une trace de l'ancien *plateau, platel* «planche longue et épaisse» (1380) dans le dérivé technique **PLATELAGE** n. m. qui se dit en charpenterie d'un plancher en chêne de charpente (1834) et, par analogie, d'une tôle soutenant le blindage (1892, en marine).

➜ **PLATIÈRE** n. f. (1782) s'emploie encore régionalement pour désigner un ruisseau qui traverse une chaussée et un champ plat au bas d'une colline (1836), sens qu'assumait avant lui le moyen français *platier* n. m. (1470) «terrain plat».

Premier en date des préfixés de l'adjectif, **APLATIR** v. tr. est attesté depuis 1331 avec le sens propre de «rendre plat». Si le sens figuré d'«étendre mort» (1499) est sorti d'usage, le verbe est employé familièrement avec un autre sens figuré, «amoindrir, réduire la vigueur de». La forme pronominale *s'aplatir* exprime aussi la notion figurée de «s'asservir» (1864) que l'on peut rattacher à des emplois plus anciens (dès Montaigne : *mon courage s'aplatit*). ➜ Le verbe a produit les dérivés habituels : **APLATISSEMENT** n. m. (v. 1600, O. de Serres), de sens concret et figuré, alors familier (1831, Balzac), **APLATISSEUR** n. m., terme technique (1819) qui existait antérieurement au sens de «partisan de la thèse de l'aplatissement de la Terre aux pôles» (1741, Voltaire), **APLATISSOIR** n. m. (1765), **APLATISSAGE** n. m. (1845) et le mot familier de sens figuré **APLATISSANT, ANTE** adj. (v. 1850) «qui conduit à la platitude». ◇ **RAPLATIR** v. tr., préfixé en *re-* (v. 1450) signifie «rendre plus plat», «remettre à plat» et au figuré «mettre (qqn) à plat», d'où *raplati, ie* adj. (1884, Daudet in *T. L. F.* ; 1876, sens non précisé) «sans énergie, très fatigué». ◇ De *raplati*, par redoublement de *plat*, vient **RAPLAPLA** adj. «complètement à plat» (1892, Gyp in *T. L. F.*).

APLAT n. m. est indépendant du verbe *aplatir;* il est formé (1877) de la soudure de *à** et de *plat* (*à plat* ou *à-plat*) et désigne en peinture une teinte plate appliquée de manière uniforme.

D'autres composés sont formés de l'adjectif suivi du nom qualifié. **PLATE-FORME** n. f. est relevé en 1434, noté *platte fourme,* avec le sens de «disposition d'un édifice en surface plane» d'où par métonymie «ce qui est ainsi disposé». Il a développé une spécialisation militaire en fortification (1583), puis en technique routière, où il s'applique au sable sur lequel doit être établi le pavage, puis à ce revêtement lui-même (1875). Le mot désigne aussi une surface horizontale en tant qu'elle sert de support (1606), spécialement en maçonnerie, dans les chemins de fer et, en géographie et géomorphologie, concerne une formation naturelle plane sous-jacente à d'autres formations (1886). En particulier, *plate-forme* signifie «wagon plat servant au transport de marchandises» (1787) et «partie ouverte (d'un véhicule public)», diligence (1870), puis tramway (1879). ◇ Son emploi figuré en politique (1855), réellement passé dans l'usage après 1960 (v. 1967), est emprunté à l'anglo-américain *platform* désignant un ensemble d'idées essentielles, de revendications (1803), sens développé aux États-Unis après 1844. Cette évolution sémantique se comprend à la fois à partir des nombreux sens figurés pris par le mot anglais, en particulier «plan, schéma de gouvernement» (1598), et comme une extension métonymique du sens concret de «tribune, estrade où se font les discours électoraux» (1820). ➜ **PLATE-BANDE** n. f. (1508) désigne d'abord une moulure plate et large de faible saillie ; ce sens est resté technique, alors que celui de «bande de terre cultivée dans un jardin» (1680) est usuel, ainsi que la locution figurée et familière ***marcher sur les plates-bandes de qqn*** «empiéter sur son domaine d'action» (1903). Il compte deux autres spécialisations techniques en menuiserie et en serrurerie. ➜ **PLAT-BORD** n. m. remonte lui aussi au XVIe s., avec le sens de «bordage large et épais» (1573) en marine. Il désigne aussi un madrier pouvant provenir de bateaux détruits (1832). ➜ Enfin, les termes techniques **PLAT-JOINT** n. m. et **PLATE-CUVE** n. f. entrent dans les dictionnaires en 1963 (Larousse).

Le nom concret *plat* n. m. (ci-dessus) a produit de bonne heure un dérivé usuel : le diminutif ① **PLATEAU** n. m., d'abord *platel* (v. 1175), qui désigne un support plat servant à poser et à transporter divers objets, à recevoir ou présenter des aliments, des boissons, du courrier, d'où, par une métonymie commune aux noms de récipients, son contenu. ◇ Il a désigné autrefois (XIIIe-XIVe s.) un petit récipient, une écuelle, les emplois modernes correspondant au sens initial, spécialisé dans quelques domaines. Il entre dans la locution figurée tardive ***servir sur un plateau*** (1928, ***offrir sur un plateau***) «offrir avec toutes facilités et sans exiger aucune contrepartie». ◇ Enfin, il concurrence *plat* en désignant, comme lui, chaque partie amovible d'une balance (1680). ◇ À partir du XVIIIe s. où apparaît l'homonyme dérivé de l'adjectif *plat, plate,* ② *plateau,* ce dernier, lorsqu'il désigne des objets fabriqués, est souvent confondu avec ① *plateau.* ➜ **PLATÉE** n. f. désigne (1798), comme son suffixe l'indique, le contenu d'un plat, en particulier un mets simple et rustique ; il a pris dans le langage familier le sens figuré de «grosse quantité» (1798).

Plat n. m. entre comme second élément dans quelques noms composés désignant concrètement des objets domestiques : les plus anciens sont **PORTE-PLAT** n. m. (1575) et **COUVRE-PLAT** n. m. (1688) ; s'y ajoutent, après 1850, **ACCROCHE-PLATS** n. m. (1877), **MONTE-PLATS** n. m. (1878). ◇ Des composés plus récents sont restés plus courants : **CHAUFFE-PLATS** n. m. (1890), **DESSOUS-DE-PLAT** n. m. (1898), **DESSUS-DE-PLAT** n. m. (XXe s.) et **PASSE-PLAT** n. m. (v. 1950).

◈ voir IMPLANTER, MÉPLAT, OMOPLATE, PLACE, ② PLAN, PLANNING, PLANQUER, PLANTAIN, ① et ② PLANTE, PLANTER, PLANTIGRADE, PLATANE, ② PLATINE, PLIE, PLOT, SUPPLANTER, TRANSPLANTER.

PLATANE n. m. est emprunté (1535) au latin *platanus,* lui-même emprunté au grec *platanos,* lequel est dérivé de *platus* «large et plat» (→ plat) en référence aux grandes feuilles plates de cet arbre. Antérieurement, le français a eu d'anciennes formes savantes (empruntées) *plaitoine, plantoine* (v. 1150), *platan* (fin XIIe-déb. XIIIe s.) [→ ① plantain] et une forme populaire phonétiquement évoluée, *plane* (v. 1174), qui survit régionalement.

♦ *Platane* désigne un arbre à feuilles larges et dentées qui orne les places et borde souvent les routes, d'où la locution *rentrer dans un platane* «entrer en collision en sortant de la route».

▶ Le mot a produit le dérivé peu usité **PLATANAIE** n. f. (1775) «lieu planté de platanes». ➜ **PLATANA-**

CÉES n. f. pl. (1932), en remplacement de *platanées* (1803), recouvre une famille de plantes constituée par le seul genre *platane.*

① et ② **PLATEAU** → **PLAT**

① **PLATINE** → **PLAT**

② **PLATINE** n. m. et adj. inv. est emprunté (1752) à l'espagnol *platina* n. f., employé pour la première fois (1748) par Ulloa, savant et marin célèbre (aujourd'hui l'espagnol dit *platino* n. m., d'après le français). Le mot signifie «petit argent»; il est dérivé avec suffixe *-ina* de *plata* «argent», attesté en Catalogne dès 1125 et emprunté, soit à l'ancien provençal *plata* «plaque, lame, lingot» et en particulier «argent», soit à *plate* qui a les mêmes sens, notamment dans l'expression *or, argent en plate,* et qui est le féminin substantivé de *plat**. Pour un développement de sens analogue, on évoquera le français *vaisselle plate,* proprement «vaisselle en métal non montée, d'une seule pièce» (XVIIe s.).

♦ Le mot est passé en anglais (*platina,* 1750) et en français avec le sens et le genre féminin de l'espagnol; il est devenu masculin (1787) lorsqu'on a uniformisé le genre des noms de métaux : dans les autres langues, *platino* (1817) a évincé en espagnol *platina; platinum* (1812) a remplacé en anglais *platina,* et en allemand, *Platin* a éliminé *Platine* (1751). ◇ Le mot désigne un métal importé d'Amérique latine et des îles de la mer Caraïbe en Europe au milieu du XVIIIe s., étudié d'abord en Angleterre par Wood (1741), Lewis, en France par Morin (1758) qui l'appelle aussi *or blanc.* On en fait déjà des alliages, mais c'est au début du XIXe s. que la nature du métal est établie. Ses utilisations principales définissent les emplois du mot en bijouterie, en chimie industrielle et en technique (par exemple dans *mousse de platine*). Son importance en électricité a été reconnue après les travaux de H. Davy et exploitée. Les *sels de platine* furent utilisés en photographie. ◇ *Mine* (minerai) *de platine* désigne une association naturelle de platine et des métaux voisins (iridium, osmium, etc.). ◆ Employé par métonymie pour la couleur presque blanche du platine, *platine* est employé en apposition avec une valeur d'adjectif (1934), notamment dans *blond platine* (cf. ci-dessous *platiné*).

▶ **PLATINER** v. tr. (1801) signifie «recouvrir de platine», spécialement dans *platiner le cuivre* «blanchir le cuivre rouge avec un amalgame d'étain et de mercure», ainsi que «décolorer (les cheveux)» (1945). ◇ Il s'est imposé en face de *platiniser* v. tr. (1870), et il a produit les dérivés **PLATINAGE** n. m. (1842, du cuivre; 1873, en général), **PLATINURE** n. f. (1903) et **PLATINÉ, ÉE** adj. (1917), d'abord employé dans la locution ***vis platinée*** pour une pièce de contact de rupteur d'allumage dans un moteur d'automobile, formée à l'origine d'une tête de vis sur laquelle on déposait du platine : le nom est resté bien que ces deux éléments techniques aient disparu. ◆ *Platine* a aussi produit les termes de chimie **PLATINIQUE** adj. (1826), **PLATINEUX, EUSE** adj. (1842), le terme de métallurgie **PLATINITE** n. f. (1912) et une vingtaine de composés en **PLATINO-, PLATIN-** appartenant le plus souvent au vocabulaire de la chimie ou de la minéralogie, exceptionnellement de la médecine : **PLATINOSE** n. f. (XXe s.).

PLATONIQUE adj. est emprunté (1486, date de l'édition d'une œuvre composée v. 1375) au latin *platonicus* adj. et n. «de Platon», «disciple de Platon», emprunté au grec tardif *platônikos* de même sens, dérivé de *Platôn,* nom du célèbre philosophe grec (428-348 av. J.-C.) auteur de vingt-huit dialogues mettant en scène Socrate.

♦ Le mot se rencontre d'abord comme nom dans une traduction de *La Cité de Dieu* de saint Augustin où il est donné comme synonyme de *platonicien* (ci-dessous). Il est adjectivé en ce sens (1504-1509) et pour «relatif à la philosophie de Platon» (1511), avant de disparaître sous la concurrence de *platonicien,* subsistant comme terme de chronologie dans l'expression *année platonique* (1577, *an platonic*) en parlant du cycle à la fin duquel on supposait que tous les corps célestes auraient regagné leur place initiale. ◆ *Platonique* s'est répandu avec le sens de «qui a un caractère pur, idéal, dégagé de toute sensualité» (1659), par allusion à la doctrine platonicienne de l'amour, exposée dans *Le Banquet* et popularisée en Occident aux XVe et XVIe siècles. En ce sens, il est entré dans la locution *amour à la platonique* (1659), refaite en ***amour platonique*** (1743). Par extension, il qualifie une abstraction autre que l'amour, avec le sens, souvent dépréciatif, de «théorique, formel, sans efficacité pratique» (1738).

▶ En est dérivé **PLATONIQUEMENT** adv. (1571), passé du sens didactique «à la manière de Platon» à «d'une manière exempte de toute sensualité» (1748) et, par extension, «d'une manière théorique» (1872).
PLATONICIEN, IENNE adj. et n., attesté en même temps que *platonique,* est soit dérivé du nom propre *Platon,* soit dérivé par substitution de suffixe de *platonique.* Le mot qualifie et désigne un disciple de Platon et s'emploie à propos de ce qui relève de la philosophie de Platon (1700). ◇ Il reste, comme son composé **NÉO-PLATONICIEN, IENNE** adj. et n. (1827), d'usage didactique en philosophie pour désigner des philosophes idéalistes inspirés de Platon, tel Plotin.
De *Platon,* on a dérivé **PLATONISER** v. (1554 avec *z*), «se détacher de la matière», puis «suivre la doctrine de Platon» (1587); le mot a pris au XIXe s., transitivement, le sens de «rendre conforme au caractère idéal de Platon» (1863), tout en commençant à s'employer à la forme pronominale *se platoniser* (1834) au sens de «devenir platonique». ◇ Le participe présent du verbe, **PLATONISANT, ANTE,** se rencontre en emploi adjectivé et substantivé. ◆ Le terme de doctrine **PLATONISME** n. m. (1672) est lui aussi dérivé de *Platon;* il désigne la philosophie de Platon et la pensée qui s'en réclame; par extension, il se dit, au figuré, du caractère de l'amour idéal vécu hors de toute sensualité (av. 1803) et, avec une nuance péjorative de ce qui a un caractère abstrait, sans efficacité. ◇ Il a pour composé

NÉO-PLATONISME ou **NÉOPLATONISME** n. m. (1826), qui correspond à *néo-platonicien.*

PLÂTRE n. m., d'abord *plastre* (v. 1165) puis *plâtre* (1740), est dérivé par aphérèse de *emplâtre**, par comparaison entre la consistance pâteuse du plâtre et celle de l'emplâtre. L'éloignement morphologique des deux mots a entraîné la démotivation du dérivé.

♦ Le mot désigne le sulfate de chaux hydraté que l'on emploie en construction. Il a donné lieu à une phraséologie technique *(plâtre éventé, mouillé, à modeler)* et à l'expression figurée ***battre qqn comme plâtre*** «le battre très violemment», d'abord relevée dans une farce du XVe s. sous la forme *je vous battray plus que plastre* (apr. 1450). ◇ Par métonymie, le mot désigne ce qui est en plâtre, notamment un objet moulé en plâtre (1551) et, au pluriel, *les plâtres* (1694) de légers ouvrages de bâtiment; ce dernier emploi a donné la locution ***essuyer les plâtres*** (1835), au sens propre «habiter une maison neuve» et, au figuré, «subir le premier les conséquences fâcheuses d'une situation expérimentale», valeur qui s'est maintenue, consolidée par le sens figuré de *essuyer* «subir». ◇ Des métaphores familières et péjoratives ont valu à *plâtre* les sens de «fard, poudre» (1647) puis, ultérieurement, «camembert trop ferme et crayeux» (1902). ◇ L'emploi du plâtre à modeler en chirurgie, d'abord dans *appareil en plâtre* (1872), a entraîné l'usage elliptique de *plâtre* (1900, *trois semaines de plâtre*), surtout dans *être, mettre* ***dans le plâtre****, jambe dans le plâtre.*

▸ **PLÂTRER** v. tr., d'abord *plastrer* (1287), proprement «couvrir, enduire de plâtre» en construction, a reçu le sens figuré d'«arranger grossièrement, couvrir», d'abord avec la nuance de «chercher à réconforter» (1580, Montaigne) puis avec une valeur plus péjorative (1588) qu'il doit partiellement au sens de «farder (excessivement)» (1618, au pronominal). ◇ Au XIXe s., le verbe acquiert des acceptions techniques en agronomie, «amender une terre avec du plâtre» (1835), en œnologie, «clarifier, acidifier au moyen de plâtre» (1860), et en chirurgie (v. 1887 au participe passé dans *appareil plâtré*). ◆ Du verbe ont été dérivés **PLÂTRAGE** n. m. (1401, *plastrage*) avec tous les sens correspondants, **PLÂTREUR** n. m. (1508), précédé par le latin médiéval *plastator* (1292) et concurrencé puis éliminé par *plâtrier* (ci-dessous), et **PLÂTRÉ, ÉE** adj. et n., participe passé adjectivé (1937), pour qualifier un membre dans le plâtre et substantivé en parlant d'une personne qui a un membre plâtré. ◆ Au XIIIe s., *plâtre* a aussi donné **PLÂTRIER** n. m. (v. 1260), nom d'ouvrier resté usuel, et **PLÂTRIÈRE** n. f. (fin XIIIe s.), d'abord attesté dans un nom de rue et dans la toponymie (v. 1300 pour un lieu-dit), puis comme désignation du lieu où l'on prépare le plâtre (1462) et d'une carrière de gypse, pierre à plâtre (1580). ◆ **PLÂTRERIE** n. f. (1334, *plastrerie*), qui désigne un objet en plâtre, est partiellement synonyme de *plâtrière* lorsqu'il désigne l'endroit où l'on fabrique le plâtre (1858). ◆ **PLÂTRAS** n. m. (1371), surtout employé au pluriel avec la valeur collective de «morceaux provenant de la dégradation du plâtre, débris de plâtre», s'est chargé d'une valeur péjorative de «mauvais plâtre». ◆ Cette valeur se retrouve souvent dans **PLÂTREUX, EUSE** adj. (XVe s.) à côté de ses emplois objectifs pour «qui contient du plâtre», «blanc comme le plâtre» (1598, *couleur plâtreuse*), notamment à partir du XIXe s. en peinture (1867) et en parlant de la consistance d'un fromage à pâte molle, notamment d'un camembert (1971).

◈ voir **EMPLÂTRE.**

PLAUSIBLE adj. est emprunté (1552) au latin *plausibilis* «digne d'être applaudi», dérivé de *plaudere* «battre», spécialement «battre des mains, applaudir». Ce verbe d'origine inconnue (mais de structure expressive) est représenté indirectement en français par son composé *applaudere* (→ applaudir), le simple *plaudir,* repris sporadiquement au XVIe s., ayant disparu.

♦ *Plausible* a vieilli avec son sens étymologique, «digne d'approbation», dont on relève encore çà et là quelques exemples dans le style littéraire (Balzac). Il a pris, par affaiblissement, la valeur de «que l'on peut admettre d'après des critères de vraisemblance» (1580, Montaigne), d'où, quelquefois par extension «acceptable».

▸ On en a dérivé savamment **PLAUSIBILITÉ** n. f. (1684) dont le sens moderne, «qualité de ce qui est vraisemblable», est attesté à partir de 1725, et **PLAUSIBLEMENT** adv. (1558), tous deux d'usage didactique.

PLAY-BACK n. m. inv. est emprunté (1930) à l'anglo-américain *playback* (1929), substantif verbal de *to play back* «rejouer (un enregistrement)», de *to play* «jouer» et de *back* «en arrière» avec une idée de «retour». L'adverbe est issu du *aback,* formé de *a-* et du nom *back,* qui repose sur un thème germanique °*bakam.*

♦ Ce mot, qui désigne la technique d'enregistrement de l'image sur un son déjà enregistré, manque de transparence en français. On a proposé de le remplacer par *contre-jeu* (1962), *surjeu* n. m. (1973) et *présonorisation* n. f. (1973), mais aucun de ces termes n'a prévalu.

PLAY-BOY n. m. est emprunté (1949) à l'anglo-américain *playboy* (1926) désignant un homme jeune, séduisant et riche occupé à rechercher tous les plaisirs. Le mot est une spécialisation de l'anglais *play-boy* (1630) «jeune comédien» (J. M. Synge, *The Playboy of the Western World [Le Baladin du monde occidental],* 1907), composé de *to play* «jouer», du vieil anglais *pleg(i)an, plaegian* d'origine germanique, et de *boy* «garçon» (→ boy).

♦ Le mot, soutenu en français par le titre d'une revue, s'est répandu dans l'usage. La proposition plaisante de remplacement par *jeune beau* n'a pas eu de succès, ne possédant pas les mêmes connotations.

▸ Le féminin **PLAY-GIRL** n. f. (1964), emprunté à l'anglo-américain *playgirl* n. f., formé sur *playboy** avec *girl* «fille» (→ girl), est resté rare en français pour désigner une femme riche et insouciante menant une vie de plaisir.

◈ voir **PLAY-BACK.**

PLAYON → **PLOYER, PLIER**

PLÈBE n. f. est emprunté (v. 1355, Bersuire) au latin *plebs, plebis,* lequel désigne l'ensemble des citoyens romains qui ne sont pas nobles et, par suite, la multitude, la populace, notamment opposée aux clercs, dans la langue de l'Église. D'abord différent de *populus* (→ peuple), *plebs* s'est ensuite confondu avec ce mot, mais les exemples de *plebs* dans le sens de *populus* sont rares. Selon l'hypothèse de Brugmann, le mot (peut-être élargissement d'un ancien nom radical °*pleb-*) reposerait sur une racine °*pledhw-* et serait à rapprocher du grec *plêthos* «foule, foule d'hommes» (→ pléthore). Cette hypothèse, seule admissible parmi toutes les étymologies indoeuropéennes proposées, n'est qu'une possibilité. Ernout et Meillet évoquent la possibilité d'un emprunt, comme pour *urbs* «ville» (→ urbain) et sans doute pour *populus* (→ peuple).

♦ Le mot a été repris en français comme terme d'histoire romaine; il est rare avant le début du XIXe s. (1834, Boiste). Mercier en a proposé l'emploi dans l'acception péjorative de «bas peuple» (*Néologie,* 1801) : «le mot de populace est devenu trop populacier,» écrit-il, «il faut lui substituer le mot Plèbe». Le mot figurait déjà en ce sens dans les discours politiques (fin XVIIIe s.).

▸ **PLÉBÉIEN, IENNE** adj. et n., également relevé chez Bersuire (v. 1355), est dérivé de *plèbe* avec le même suffixe que *patricien**, d'après le latin *plebeius* «de la plèbe, non patricien» puis aussi «du commun du peuple», employé comme nom en ces sens et dérivé de *plebs.* ◇ Le mot français est employé en histoire romaine, comme adjectif et comme nom (fin XIVe s., *plebeyen*); il lui arrive d'assumer les valeurs péjoratives de «personne qui appartient au commun du peuple» et de «populaire», «vulgaire, commun», mais il est alors archaïque ou littéraire. Il a supplanté les adjectifs *plebeique* (1492) et *plebee* (1536, féminin) respectivement en usage jusqu'au XVIe s. et jusqu'en 1788. ➛ L'adjectif a produit **PLÉBÉIENNEMENT** adv. (1872), rare, et son radical a servi à faire le nom didactique **PLÉBÉIANISME** n. m. (1795), pour lequel l'anglais a *plebeianism* depuis 1775.

◈ voir **PLÉBISCITE.**

PLÉBISCITE n. m. est emprunté en même temps que *plèbe* (v. 1355) au latin *plebiscitum* désignant un décret du peuple, par opposition à *senatusconsultum* «décret du sénat». Le mot résulte de la soudure de *plebis scitum,* formé du génitif singulier de *plebs* (→ plèbe) et de *scitum* «décret». Ce dernier est dérivé du supin de *sciscere* «chercher à savoir», spécialisé dans la langue du droit public au sens de «débattre une question» et, en parlant du peuple, «agréer, décider, arrêter». Ce mot est un composé de *scire* «savoir» qui n'a donné au français aucun verbe mais plusieurs noms et adjectifs (→ science).

♦ Le mot, introduit en français comme terme d'histoire romaine, ne semble en usage normal que depuis 1721. En 1776, Voltaire l'emploie en référence à la Rome antique mais aussi à une pratique ayant cours en Suisse (Genève et Bâle) pour un décret émanant du peuple. ◇ Le sens moderne, «résolution soumise à l'approbation du peuple et conférant le pouvoir à un homme ou approuvant sa prise de position», est attesté depuis 1843.

▸ C'est avec ce dernier que *plébiscite* a produit ses deux dérivés modernes, **PLÉBISCITAIRE** adj. (1870) terme de droit constitutionnel, et **PLÉBISCITER** v. tr. (1894) «voter par voie de plébiscite», employé par extension au sens de «être sollicité et approuver par une large majorité», relativement courant.

PLECTRE n. m., forme francisée (apr. 1350), a succédé à *plectron* (v. 1220), lui-même emprunté, par le latin *plectrum,* au grec *plêktron.* Ce dernier désigne une baguette (de bois, d'ivoire, de métal) qui servait à faire vibrer les cordes de la lyre ou de la cithare; il s'applique également à d'autres objets servant à frapper : aiguillon d'abeille, pointe de lance; il est dérivé de *plêssein* «frapper», issu de °*plak-y-ein* et appartenant à une racine indoeuropéenne °*plag-,* °*plak-,* °*plek-* «frapper» d'origine onomatopéique (→ apoplexie, hémiplégie, plaie, plaindre, plancton).

♦ Le mot a été repris comme terme de musique antique; par analogie, il sert également à désigner, en concurrence avec *médiator,* la lamelle au moyen de laquelle on fait vibrer les cordes de certains instruments (guitare, etc.).

PLÉIADE n. f., d'abord au pluriel *pliades* (déb. XIIIe s.) est emprunté au latin *Pleiades, Pliades,* dénomination d'une constellation de sept étoiles, du nom des sept filles d'Atlas et de Pléioné (Taygêtê, Électre, Alcynoe, Astéropé, Célaeno, Maia, Méropé). Le mot latin est repris du grec *Pleiades,* employé ensuite au singulier *(Pleias)* pour désigner cette constellation et, par analogie, le groupe des sept grands poètes alexandrins qui vivaient au IIIe s. av. J.-C. L'étymologie du mot est obscure; on trouve une ressemblance dans le nom iranien des Pléiades *parwīn* (avestique *paoirya ēini*). Mais ces formes divergent dans le détail. En grec, *Pleiades* a pu être influencé par le verbe *plein* «naviguer, voguer» (→ périple), car le lever et le coucher de ces étoiles ont un sens pour le navigateur. Pokorny fait entrer le mot dans la famille de *polus* «nombreux», «grand, élevé» (→ poly-).

♦ Le mot a été introduit comme terme d'astronomie pour les sept (puis six) étoiles constituant la constellation du Taureau. Il a été appliqué au groupe de sept poètes français du XVIe s. (Ronsard, Baïf, Du Bellay, puis Pontus de Tyard, Peletier du Mans, remplacé à sa mort par Dorat, Guillaume des Autels, Rémy Belleau), d'abord métaphoriquement chez Ronsard en 1556 *(Élégie),* puis chez les poètes huguenots ennemis de Ronsard. Ronsard lui-même utilisait le mot de *brigade* (1556, *Élégie*), mais c'est celui de *Pléiade* repris par Sainte-Beuve qui est devenu classique pour ce groupement poétique. ➛ Par une autre extension, le mot s'applique à un groupement ou à une réunion de sept personnages célèbres (1845-1846, Bescherelle) et, avec un contenu plus flou, à un groupe nombreux (1853). ◇ En anatomie, *pléiade ganglionnaire* désigne un assemblage de glandes ou de ganglions lymphatiques (1878).

PLEIGE ou **PLÈGE** n. m., d'abord *plege* (1080) et *pleige* (fin XVe s.) est probablement issu d'un bas latin *plebium plevium,* attesté au VIe s. dans la Loi Salique. Ce dernier est issu, probablement sous l'influence de *praebere* «présenter, offrir, montrer» (de *prae* «devant» et *habere* → avoir), du verbe francique °*plegan* «cautionner, garantir», que permettent de restituer le moyen néerlandais *pleghen* «se porter garant», l'ancien haut allemand *plegan* «promettre, garantir» et l'ancien saxon *plegan* «être responsable de».

♦ Le mot est un ancien terme juridique désignant celui que se porte garant, qui sert de caution. Il est déjà senti comme archaïque au XVIIe s., mais employé jusqu'au XIXe s. (par exemple par Chateaubriand).

▸ Son dérivé **PLEIGER** v. tr. (v. 1200) «répondre de qqn, lui servir de garant», et «répondre de qqch., assurer, garantir» (déb. XIIIe s.), a eu aussi le sens de «tenir tête à qqn en buvant» (fin XIVe s.). L'ancien français l'a employé à côté de *plevir* «donner (qqch.) en garantie à qqn, assurer (qqch.) à qqn» (1080), lui-même issu du latin *plebire,* altération de *plebere* (→ pleige), probablement sous l'influence de *garantir* et de *garir* (→ guérir). Le verbe est senti comme archaïque dès le XVIIe siècle.

-PLÉGIE → HÉMIPLÉGIE

PLEIN, PLEINE adj., adv., prép. et n. m. est issu (1050) du latin *plenus* «complet, entier, abondant», auquel remontent également l'italien *pieno* et l'espagnol *lleno.* Le mot est issu de *plere* «emplir», remplacé par ses composés d'aspect déterminé (→ emplir), le sens du mot impliquant l'achèvement du procès. Il appartient à la racine indoeuropéenne °*pelə-,* °*ple-* «être plein», également représentée dans le latin *plus* (→ plus) et en grec (→ pléonasme, pléthore, poly-). En français, la collision homonymique du mot avec *plain* (du latin *planus*) est responsable de quelques confusions, le rattachement à l'une ou l'autre origine étant parfois brouillé par le jeu des étymologies secondes.

♦ Le mot est passé en français comme adjectif, d'abord au figuré pour «empli, occupé (par un sentiment)» (1050) et au sens propre pour «dont l'espace intérieur est entièrement rempli» (1080), spécialement avec un nom de chose, en indiquant le contenu ou la taille avec une notion quantitative (1080). Il exprime également, par extension, l'idée de «rempli, occupé comme il est prévu» en parlant d'un lieu (v. 1170) et qualifie une personne qui a absorbé le maximum de nourriture (v. 1220) ou de vin (1450 en emploi déterminé; 1640 absolument). ◆ Dès 1080, *plein* se dit aussi de ce qui se présente dans toute son ampleur, sa puissance, avec une notion intensive; ce sens est réalisé dans la locution ***à plein*** suivie d'un nom (déb. XIIe s.) et à propos d'une phase de la Lune (v. 1160) dans ***pleine lune.*** Il exprime quelquefois l'idée de «total, sans restriction» (1160-1174), comme dans ***plein pouvoir*** (v. 1208) de nos jours surtout au pluriel, et, dans ***en plein...,*** celle de «au milieu de, au plus fort de» (1176-1181), dans certains cas, avec une double valeur temporelle et intensive (v. 1225, *en plein midi*). L'accent peut être mis sur la notion temporelle «dans toute sa durée» (1080). ◇ Par affaiblissement, *plein* est employé dès le XIIe s. au sens de «riche en (qqch.), où il y a beaucoup de» en parlant d'une chose (v. 1155) et d'une personne (v. 1140). ◇ La valeur de «en gestation, enceinte» (apr. 1250) pour la femelle d'un animal, a abouti à l'absorption de l'ancien français *prainz* de même sens (XIIIe s.), issu d'un latin populaire °*praegnis,* lui-même du latin classique *praegnans* (conservé dans l'anglais *pregnant*). ◆ Certains syntagmes remontant à l'ancien français proviennent d'une confusion avec *plain* (latin *planus*) comme *draps pleins* «unis» (1350) par opposition à *draps rayés.* L'hésitation, généralement résolue depuis la répartition des valeurs entre les deux mots, demeure dans certains cas, comme dans l'expression moderne ***de plein fouet*** (1865, Littré) où *plein,* qui signifie alors «à l'horizontale», peut être rattaché à *planus* comme dans l'ancienne expression *de plein vol.* ◆ À partir du XVIe s., l'adjectif *plein* qualifie aussi ce qui est massif, constitué d'une matière dense (1538) et, au figuré, riche, dense, de grande valeur intellectuelle (1580), en particulier le langage (1588). Il qualifie aussi un trait d'écriture épais (1690) par opposition à *délié,* aussi substantivé (ci-dessous). ◇ Il est passé dans l'argot au sens de «bien en fonds» (1886) en parlant d'un joueur, d'où «riche» (1901), spécialement dans l'expression ***plein aux as*** (1909) probablement à mettre en rapport avec le terme de poker *full,* anglicisme équivalant littéralement à *plein.*

L'emploi prépositionnel de *plein* remonte au début du XIIe s. : il correspond à «autant que ce que le nom désigne peut en contenir» (*plein un sachet,* v. 1112), d'où, par extension, «en grande quantité, en abondance dans ou sur» (1176-1184) au propre ou au figuré (*en avoir plein le dos, les bottes* «en avoir assez»). ◆ L'emploi adverbial date de la même époque, d'abord dans les locutions ***à plein*** (déb. XIIe s.) «entièrement» (*en plein* semblant très postérieur, 1734), puis (v. 1268) dans ***tout plein de,*** la tournure ***plein de*** étant plus récente (1903) et d'usage familier; ***tout plein*** et adjectif est lui aussi familier et oral. ◇ L'emploi absolu de *plein* adv. date du XVIIIe s.; il y était courant comme en témoigne l'expression usuelle *verser plein* (1784) et en marine *porter plein* (1736) «gouverner de façon à ce que les voiles restent gonflées». De nos jours, *sonner plein* (1943) s'oppose à *sonner creux.*

PLEIN est substantivé (v. 1174-1176) en parlant d'une totalité, surtout au figuré pour indiquer l'état de ce qui est à son maximum, le milieu de qqch. (v. 1340). Il est appliqué à l'espace formé d'un ensemble continu de matière (1580), à la partie pleine (1636, de la jambe), spécialement à la partie large d'un trait d'écriture (1680) : *les pleins et les déliés.* ◇ *Plein* désigne aussi l'état de ce qui est rempli (1636), d'où la locution usuelle ***faire le plein*** (1863, *d'eau;* 1911, *d'essence*). ◇ Son emploi en marine dans l'expression *au plein* (1626), en parlant de la mer à marée haute, procède peut-être d'une des confusions entre *plein* et *plain*, et pourrait se rattacher à l'ancien français *plain* «rivage plat». Cependant, outre que la mer est plaine (étale) aussi à marée basse, le sens de *plein* convient bien aux rades, aux bassins des ports qui s'emplissent à marée haute. Ce sens est réalisé spécialement dans la locution ***battre son plein*** (où *son* est bien le possessif et *plein* le nom), dite proprement de la mer étale à marée haute (1851) et, par image, à propos du maximum d'intensité de qqch., par exemple d'une fête.

▶ Le dérivé **PLEINEMENT** adv. (v. 1160) ne s'applique plus qu'aux valeurs abstraites de l'adjectif et est synonyme de *complètement*. ➖ Les autres sont des noms composés, généralement masculins, qui comptent *plein-* comme premier élément avec la valeur de «maximum, totalité, intensité» : ce sont **PLEIN-CINTRE** n. m. (1676) en architecture, **PLEIN-AIR** (1669), d'abord employé en peinture puis dans l'usage commun, spécialement dans *en plein air* (1671), **PLEIN-JEU** n. m. (1680) terme de musique, **PLEIN-VENT** n. m. (1690) d'abord dans l'expression *arbre en plein-vent* puis elliptiquement *plein-vent* avec le même sens (1872). ◇ L'élément est de nouveau productif au XXe s. avec les formations **PLEIN-EMPLOI** n. m. (1949), calque de l'anglais *full employment*, et **PLEIN-TEMPS** n. m. (1960) d'après l'anglais *full time*. *Plein* fournit le second élément de **TROP-PLEIN** n. m. (1671) dans lequel il exprime un degré supérieur de la plénitude, notamment en fait de sentiments.

◈ voir ACCOMPLIR, COMPLÉMENT, COMPLET, COMPLIES, COMPLIMENT, EMPLIR, EXPLÉTIF, PLANTUREUX, PLÉNIER, PLÉNIPOTENTIAIRE, PLÉNITUDE, REPLET, SUPPLÉER, SUPPLIER.

PLÉISTOCÈNE adj. et n. m. est un terme de géologie (1839) formé du grec *pleistos* «le plus nombreux, très nombreux», superlatif de *polus* «nombreux» (→ pléthore, poly-) et de *kainos* «nouveau, récent» (→ pliocène et autres composés en -cène). Le mot a été introduit par le géologue anglais Lyell lors de la traduction de son ouvrage (1839) en français, en remplacement de *Newer Pleiocene* (ou *Pliocene*) «pliocène plus récent»; (→ pliocène).

♦ Le mot qualifie et désigne une période géologique postérieure au pliocène, caractérisée par un nombre encore plus grand de fossiles que le pliocène, l'apparition de l'homme et les grandes glaciations.

PLÉNIER, IÈRE adj. (1119), d'abord *plener* (1080), est issu du latin *plenarius* «complet», dérivé de *plenus* (→ plein).

♦ Le mot, qui signifie proprement «complet, plein, parfait», est d'abord attesté dans *La Chanson de Roland* à propos de coups, de batailles terribles. Il a vieilli en dehors de quelques emplois bien circonscrits : il est employé dans *cour plénière* (v. 1165, *cort pleniere*) «assemblée solennelle à laquelle le roi conviait tous les grands» et, par extension, qualifie des mots comme *assemblée, réunion* avec l'idée de «tous les membres étant présents». ◇ Il est employé en théologie (v. 1485, *grace planiere*; 1636, *indulgeance pleniere*) pour la rémission pleine et entière de toutes les peines attachées aux péchés.

▶ Son dérivé **PLÉNIÈREMENT** adv. (XIIe s.) est rare, quelquefois employé comme un équivalent recherché et intensif de *pleinement* (Jankélévitch).

PLÉNITUDE n. f. est emprunté (1300) au latin *plenitudo*, dérivé de *plenus* (→ plein) désignant la grosseur, ce qui remplit, l'accomplissement, le développement complet. Il est employé dans les textes chrétiens dans l'expression *plenitudo temporis*, traduisant le grec *to plêrôma tou khronou*. *Plénitude* a remplacé en français le plus ancien *plenté* (XIe-XIVe s.), représentant du latin *plenitas*, fait sur la même racine (→ plantureux). ➖ Le mot est employé dès les premiers textes dans l'expression religieuse *plenitude del tans*, calque du latin, pour l'accomplissement des temps, marqué par la venue du Messie. Il désigne aussi, en général, l'état de ce qui est complet, sans restriction (v. 1371), moins dans un sens quantitatif qu'avec une valeur qualitative d'intensité, d'où l'idée de «perfection, richesse et achèvement» (1563). ◇ Sa spécialisation dans le langage médical pour l'état d'un organe plein, parfois de façon excessive (1679, pour le tube digestif «réplétion»; 1680, pour les vaisseaux), remonte à l'époque classique. ➖ Le sens purement quantitatif d'«abondance» (1530) dans l'ancienne locution ***a plenitude*** «en abondance», qui a remplacé *a plenté*, a vieilli dans son acception médicale; on parlait de la *pléthore** ou de la *plénitude des humeurs* pour «abondance excessive de qqch.» (1694). Ce sens s'entend encore en contexte religieux (Ronsard, *plénitude de la grâce*).

PLENUM ou **PLÉNUM** n. m. est emprunté au russe où il est un latinisme (att. 1926). Le mot désigne la réunion plénière d'une assemblée, et spécialt du Comité central du parti communisme, avant la fin du régime soviétique. ◇ *Plenum* s'était déjà employé à propos du Sénat français, en 1810, par emprunt au latin.

PLÉNIPOTENTIAIRE n. m. est formé (1643) du latin *plenus* (→ plein) et de *potentia* «puissance, force» (→ potence) avec le suffixe *-aire* (latin *-arius*) exprimant l'agent, pour servir de nom d'agent au syntagme *plein pouvoir*.

♦ Le mot désigne un agent diplomatique muni de pleins pouvoirs; il est employé comme adjectif (1690), spécialement dans l'expression ***ministre plénipotentiaire*** (1835) désignant un diplomate qui prend rang après l'ambassadeur.

PLENTÉ → PLANTUREUX

PLÉONASME n. m. est emprunté (1610) au bas latin grammatical *pleonasmus* (Ve s.), lui-même repris au grec *pleonasmos* «surabondance, excès», employé en particulier pour désigner un taux excessif, l'usure, l'exagération, l'amplification et, chez les grammairiens, un terme qui ajoute une répétition à ce qui a déjà été énoncé. *Pleonasmos* est dérivé de *pleonazein* «être surabondant, excessif, démesuré» et au moral «être immodéré»; lui-même est dérivé de *pleiône* «plus nombreux, plus grand», comparatif de *polus* «nombreux», «grand» (→ poly-).

♦ Comme en latin, le mot repris dans son acception spécialisée en rhétorique, désigne un mot qui ajoute une répétition à ce qui a été énoncé. Son emploi témoigne parfois d'un jugement négatif et d'une appréciation ironique.

▸ Par substitution du suffixe *-atique* à *-asme,* on a formé sur *pléonasme* l'adjectif **PLÉONASTIQUE** (1842); l'anglais de même sens *pleonastic* est attesté depuis 1778. Il a remplacé *pléonasmique* adj. (1546).

◈ voir **PLÉISTOCÈNE.**

PLÉSI-, PLÉSIO- est un élément servant à former quelques mots savants, tiré du grec *plêsios* «proche, voisin», lequel appartient à une racine indoeuropéenne °*pelə-, pla-* «ce qui est plat, étendu», également représentée en grec (→ pélagien, archipel) et en latin (→ palme, paume, plage, plain, ① plan, planer).

▸ Le principal composé fait avec *plésio-* est le terme de paléontologie **PLÉSIOSAURE** n. m. (1826), francisation de *plesiosaurus* (Cuvier, 1824), lui-même emprunté au latin scientifique moderne *plesiosaurus* (1821) formé par le savant anglais Conybeare à l'aide du grec *plésio-* et de l'élément *-saurus,* du grec *sauros* «lézard» (→ saurien). ◇ Le mot désigne un grand reptile fossile doté d'une tête et d'un sternum analogues à ceux du lézard. ◆ *Plésiosaure* a produit **PLÉSIOSAURIQUE** adj. (1889) «qui tient du plésiosaure», lequel s'est employé par extension, comme le nom, pour ce qui est préhistorique, paléontologique, ce sens ayant disparu, plus ou moins éliminé par la référence au dinosaure*.

PLÉTHORE n. f. est emprunté par le langage médical, d'abord sous la forme *plectorie* (v. 1370 Chauliac), au grec médical *plêthôrê* «surabondance de sang ou d'humeurs», spécialisation du sens général de «plénitude» qui implique quelquefois «satiété, surabondance». Ce mot grec est dérivé de *plêthein* «être plein, rempli» et «remplir», «se remplir», lui-même dérivé de *plêthos* «grande quantité», «foule, multitude», «masse» et «long espace de temps», dit aussi d'une quantité indéterminée et, de là, d'une quantité en général. Ce mot appartient à la racine indoeuropéenne °*ple-*, °*pelə-* «être plein» que l'on retrouve dans le grec *polus* (→ poly-) et, en latin, dans la famille de *plenus* (→ plein), *plus* (→ plus), *plire* (→ emplir, etc.). La forme moderne respectant le grec est attestée depuis 1537.

♦ Le mot a repris au grec sa spécialisation médicale, dans un emploi synonyme de *plénitude,* restreinte en médecine moderne au sens de «surabondance du sang», depuis l'abandon de la théorie des humeurs. ◆ Il est devenu assez usuel au sens figuré de «surabondance, amenant à un état fâcheux» (1791, Mirabeau), surtout dans *pléthore de* (qqch.).

▸ **PLÉTHORIQUE** adj. est lui aussi emprunté par le langage médical, sous la forme *plectorique* (1314), corrigée à la Renaissance en *plethorique* (1579, Paré) au grec médical *plêthôrikos* «surabondant en sang, en humeurs», dérivé de *plêthôrê.* ◆ L'emploi médical du mot, y compris comme nom (1845), relève de la médecine ancienne. ◇ Mais *pléthorique* est bien vivant au sens figuré de «surabondant, excessif» (1891), quelquefois avec la notion d'exubérance, d'excès de vitalité qu'il doit à son ancien sens. ◇ Il a produit **PLÉTHORIQUEMENT** adv. rare.

◈ voir **PLÉONASME, PLÉISTOCÈNE.**

PLEURAL → **PLÈVRE**

PLEURER v., d'abord *plorer* (938-950), est issu du latin *plorare,* mot expressif de la langue populaire pour lequel aucun rapprochement satisfaisant n'a été proposé et qui correspond à «se plaindre», «pousser des cris de douleur». Distinct de *lacrimare* «verser des larmes» (→ lacrymal), *plorare* a sans doute été employé comme synonyme expressif de ce verbe; c'est au sens de «répandre des larmes» qu'il est passé dans les langues romanes (toutes l'ont, sauf le roumain). Il subit la concurrence de *crier, brailler, braire* dans les parlers septentrionaux.

♦ Dès les premiers emplois, *pleurer* et ses variantes anciennes expriment l'action de verser des larmes sous l'effet d'une émotion. Très tôt, il exprime aussi abstraitement le fait d'être affligé (v. 980). Construit transitivement avec un nom de personne, il reçoit la valeur spéciale de «déplorer la mort de (qqn)» (v. 980). *Pleurer de* s'est employé avec un nom de personne, puis de chose pour «s'affliger à propos de» (v. 1370). Ce tour a disparu, et l'usage de la préposition *sur* (1564) l'a emporté. ◇ Un autre sens abstrait, «dépenser, accorder avec parcimonie» (XIIIe s. dans *ne plorer pas les despens*), rapproche l'évolution du mot de celle de *plaindre;* il est aujourd'hui marqué comme régional ou familier, en dehors des locutions ***pleurer le pain qu'on mange*** (1690) et ***ne pas pleurer sa peine*** (attestée très tard en français général: 1935). ◇ Par analogie concrète des larmes, *pleurer* se dit d'un arbre, d'une plante, quand la résine (1454) ou la sève (1690 pour la vigne) s'en écoule. ◇ Le sens physique de «répandre des larmes» a suscité à partir du XVIe s. plusieurs locutions : par comparaison, on a dit ***pleurer comme une vache*** (1532, Rabelais) avant ***pleurer comme un veau*** (1648). ***Pleurer comme une Madeleine*** est une allusion à la femme de l'Évangile (1873 dans le *Grand Larousse*). La locution ***il ne lui reste que les yeux pour pleurer*** (1835) exprime l'idée d'avoir tout perdu. ◇ ***Avoir pleuré pour avoir qqch.*** (1640) a d'abord eu le sens d'«avoir une trop grande quantité d'un objet, par exemple un habit trop long» avant d'être inversé en «avoir une trop petite quantité, par exemple un habit trop court» (1798).

▸ Le latin *plorare* n'avait pas de nom correspondant et avait recours à *lacrima* (→ larme); le français *pleurer* a produit **PLEUR** n. m., d'abord *plurs* au pluriel (1120) puis *plors* (1160) «lamentations, plaintes», qui concurrence *larme.* En ancien français, le mot se rencontre souvent au singulier avec une valeur collective, marquée de nos jours comme stylistique; on emploie encore ***verser un pleur sur...,*** littéraire. Le pluriel reste plus usuel en français moderne. Il a donné lieu à la locution ***en pleurs*** (v. 1360, *fondre en pleurs*) parallèle à *en* *larmes* et à des locutions, *essuyer les pleurs* (Du Bellay), *être noyé de pleurs* (Racine), évincées par leur variante avec *larmes*. ◇ Par analogie, il se dit, au singulier, d'un écoulement de sève qui apparaît au printemps sur certaines plantes, notamment la vigne (1701). ➛ L'ancien dérivé de *pleur*, **PLEUREUX, EUSE** adj., d'abord *plurus* (XIe s.), qualifiait un air, un ton qui montre qu'on a pleuré ou qu'on est sur le point de le faire ; il est sorti d'usage, partiellement relayé par *pleureur* et *pleurard*. ➛ **ÉPLORER (S')** v. pron., surtout fréquent au participe passé adjectivé *éploré* dès les premières attestations (v. 1180, *esplouré*), a été formé sur *plor*, ancienne forme de *pleur*, avec le préfixe *é-* et la désinence verbale (v. 1250 pour l'infinitif *soi esplourer*). Le verbe signifie «être tout en pleurs», puis surtout «s'affliger». Il a évincé *emplorer* v. tr. (v. 1265), lui aussi fait d'après la forme adjectivée *emplorée, ée* (v. 1180) et employé jusqu'au XVe siècle.

PLEUREUR, EUSE adj. et n., fait sur le radical de *pleurer* avec le suffixe *-eur* (1414, *ploureur*), succède à l'ancienne forme féminine *ploreresse* (XIIIe s.), employée comme nom pour une femme dont on louait les services pour pleurer un mort, dans l'Antiquité. Tandis que le féminin dans ce sens (appliqué aussi aux temps modernes : Corse, etc.) était refait en *pleureuse* par emprunt au féminin de l'ancien adjectif *pleureux* (1575 dans ce sens), le masculin, une première fois attesté pour désigner un homme payé pour pleurer un mort, emploi disparu, s'est implanté dans l'usage comme adjectif (déb. XVe s.). Il qualifie une personne et, par extension, un ton, un air (1736). ◇ Par analogie d'attitude, ***saule pleureur*** (1770) désigne un arbre dont les branches s'inclinent vers la terre. ◇ Par analogie, le féminin *pleureuse* a désigné une plume d'autruche ornementale dont les barbes pendent comme celles du saule pleureur (1845).

➛ Au XVIe s., le participe présent de *pleurer*, **PLEURANT, ANTE**, a été adjectivé (1538) au sens de «qui pleure» ; sorti d'usage sous la concurrence de *larmoyant*, il reste usité comme nom, en termes d'art (par formation analogique d'après *gisant*), pour une statue qui représente un personnage en costume de deuil ou en train de pleurer (av. 1914). ➛ **PLEURARD, ARDE** adj. et n., formé (1552) avec le suffixe péjoratif *-ard*, est un mot familier appliqué à la personne qui pleure niaisement à tout propos et, par métonymie, à son air, à son ton.

L'emploi substantivé de l'infinitif, **PLEURER** n. m. (XVIIe s.), «fait de pleurer», ne s'est pas implanté, sinon dans un emploi spécialisé de la description médicale (*pleurer spasmodique*, attesté 1946).

PLEURE-MISÈRE n. est un ancien mot pour «avare», c'est-à-dire une personne qui se plaint sans cesse de manquer d'argent (1798). On disait aussi *pleure-pain* (1587), par allusion à l'avare qui ne se nourrit qu'à regret.

PLEUROTER v. intr. (1868), dérivé verbal familier, a vieilli de même que les formations voisines plus nettement péjoratives **PLEURARDER** v. intr. (1885) et **PLEURAILLER** v. tr. (1904), au demeurant exceptionnelles. ➛ Le seul dérivé verbal usuel est **PLEURNICHER** v. intr. (1739) altération probable, par dissimilation des deux consonnes labiales, du normand *pleurmicher* «pleurer pour peu de chose» (1586), composé, en vue d'un renforcement expressif, de *pleurer** et du normand *micher* «pleurer» répandu sous une forme plus complète (normand *chemicher*, bas manceau *choumicher*), et, en occitan, gascon *chemicha*, catalan *somicar*, mais d'origine inconnue. Antérieurement à *pleurnicher*, on relève dans un passage burlesque l'expression *général pleure-miche* (v. 1660). ◇ Le verbe exprime familièrement l'idée de pleurer sans motif sérieux et, par une extension de sens comparable à celle de *pleurer*, le fait de quémander, de se plaindre en larmoyant. ◇ *Pleurnicher* a produit plusieurs dérivés : **PLEURNICHEMENT** n. m. (1789) vient du langage poissard et a vieilli comme nom d'action à côté de **PLEURNICHERIE** n. f. (1797) ; on rencontre aussi **PLEURNICHAGE** n. m. (1804). ◇ **PLEURNICHEUR, EUSE** n. et adj. (1774) côtoie **PLEURNICHARD, ARDE** (1878) ; en revanche, le type *pleurnicheux, euse* (1808) s'est éteint. ◇ Le participe présent **PLEURNICHANT, ANTE** est employé comme adjectif.

PLEURAGE n. m. est un mot technique dérivé (v. 1950) d'un sens spécial de *pleurer* «détoner par variation de hauteur du son» du fait d'une variation de la vitesse d'un support acoustique (plateau de tourne-disque, bande de magnétophone, etc.). Le rapport avec le sens général de *pleurer* n'y est pas senti.

REPLEURER v., après un emploi strictement médiéval au sens de «pleurer de son côté» (v. 1165), s'est fixé au sens de «pleurer de nouveau» (1226), à la fois comme transitif et intransitif.

◈ voir DÉPLORER, IMPLORER.

PLEURAL, PLEURO- → PLÈVRE

PLEURÉSIE

PLEURÉSIE n. f. est emprunté par la langue médicale (v. 1240) au latin médiéval *pleuresis* «inflammation de la plèvre» (1250). Ce mot est l'altération du bas latin *pleurisis* (IVe s.), variante, sous l'influence des noms de maladie en *-isis*, du latin classique *pleuritis*, lequel est emprunté au grec *pleuritis*, dérivé de *pleura* (→ plèvre).

♦ Le mot français a conservé le sens de l'étymon.

▸ L'adjectif correspondant, **PLEURÉTIQUE**, est emprunté (1245, *pleuretic*) au latin médiéval *pleureticus* (v. 1180), altération du latin *pleuriticus*, lui-même emprunt au dérivé grec *pleuritikos* «atteint de pleurésie» et «qui cause la pleurésie». ◇ Le mot a d'abord été employé comme nom du malade atteint de pleurésie ; l'usage moderne l'emploie surtout comme adjectif en ce sens et au sens didactique de «relatif à la pleurésie».

PLEURITE n. f. et m. est un emprunt médical moderne (1817) au latin classique *pleuritis* avec francisation de la finale ; la forme *pleuritis* est elle-même attestée en 1822. ◇ Le mot, à côté de *pleurésie*, est employé pour une inflammation légère et localisée. ◇ Au masculin, il est employé en zoologie pour la partie latérale membraneuse d'un insecte.

◈ voir PLEUROTE.

PLEURNICHER → PLEURER

PLEUROTE n. m. est emprunté (1873) au latin scientifique *pleurotus* (1821), formé avec l'élément *pleuro-* «côté, flanc» (→ plèvre, pleurésie) et le grec *oûs, ôtos* «oreille» (→ otite). Le mot a évincé *pleurope* (1816), correspondant au latin scientifique *pleuropus,* proposé par Persoon en 1801, parce qu'il rappelait les dénominations populaires de ce champignon : *oreille de l'orme, de noyer, de chardon.*

♦ Le mot désigne un genre de champignon dont le pied est inséré sur le côté du chapeau et qui vit souvent sur les troncs d'arbres.

PLEUTRE n. m. et adj., relativement tardif (1750), est en général considéré comme emprunté au flamand *pleute* «chose sans valeur, chiffon» d'où «coquin, vaurien»; l'emploi de *pleutre* dans les parlers du Nord-Est au sens de «lâche, homme sans capacités, rustre» est favorable à cette hypothèse.

♦ En français, le mot, dont le sens s'explique mal (et peut mettre en cause l'étymologie), est d'usage littéraire ou soutenu pour «lâche, poltron». Les valeurs annexes, «sans capacité ni éducation» (1750), et «avare» (1851) ont disparu.

▸ Il a produit un dérivé d'usage littéraire, **PLEUTRERIE** n. f. (1879, J. Vallès) ainsi que l'adverbe très rare **PLEUTREMENT** (1907, Bloy), uniquement au sens de «lâche».

PLEUVOIR v. impers., tr. ind. et intr. est issu (v. 1150) du latin populaire *plovere* (attesté sous la forme *plovebat,* à la troisième personne de l'imparfait de l'indicatif chez Pétrone). Ce verbe a existé à côté de *pluere,* ancien verbe personnel (les Romains disaient : le ciel pleut, *caelum pluit*). Les noms de la pluie diffèrent d'une langue indoeuropéenne à l'autre, et *pluere* ne peut être rapproché que de mots signifiant généralement «verser, faire couler», comme le lituanien *pilù, pilti* «verser», le sanskrit *plavayati* «il déborde», le grec *plunein* «laver» et, avec un autre élargissement, l'ancien haut allemand *fliozan* «couler» (→ flot, d'origine germanique). Le grec *plein* «naviguer» (→ ploutocratie, périple) est assez éloigné pour le sens, mais apparenté à ce groupe. En ancien français, la forme de l'infinitif est d'abord *ploveir* (v. 1140) puis *pluveir* (1165-1170), *plouvoir* (v. 1180) et *pleuvoir* (v. 1180).

♦ Dès les premiers textes, le verbe est employé en tournure impersonnelle avec le sens de «tomber du ciel» (en parlant de l'eau des nuages); par extension (XIIIe s.), il a le sens analogique de «tomber du ciel comme la pluie» en parlant de pluies de sang, de feu, etc. ◇ L'usage personnel remonte au XIIe s. au sens factitif de «faire tomber la pluie» (v. 1180, surtout de Dieu); cet emploi restera marginal, plus rare encore au sens analogique de «verser, répandre des objets comme de la pluie» en construction transitive (E. Deschamps). De même, l'emploi personnel de *pleuvoir* pour «s'abattre, tomber en grande quantité» en parlant de ce que l'on compare à la pluie, tout aussi ancien (1155), relève du style littéraire. ◇ *Pleuvoir* est plus courant avec un sujet au pluriel désignant des coups, des projectiles et, au figuré, des biens, des dignités, des honneurs (fin XVIe s.), ainsi qu'en parlant de conseils, d'épigrammes, de volumes publiés, etc. (1718). ◇ Au sens propre, il est entré dans quelques locutions comme ***pleuvoir à seaux*** (1690) et ***il en pleut*** (1808) et ***comme s'il en pleut*** (1808) qui expriment toutes trois l'idée d'abondance. ◇ Le terme **ÉCOUTE S'IL PLEUT** n. m. (1584) a servi, avec une nuance ironique, à désigner un cours d'eau peu abondant, un étang à sec, un moulin où l'eau manque souvent (1718) et, au figuré, une promesse illusoire (1718), un homme qui s'attend à un coup du hasard (1787) ainsi qu'un homme faible qui se laisse arrêter par les moindres obstacles (1835). Malgré cette abondance d'emplois, il est quasiment sorti d'usage, sauf dans des noms de lieux. ◇ On ne rencontre plus guère ***pleuvoir des châsses,*** locution argotique pour «pleurer» (1867).

▸ *Pleuvoir* n'a pas produit de dérivés, sinon quelques verbes exprimant l'idée de «pleuvoir légèrement» : **PLEUVINER** v. intr. (XVIe s.) continue l'ancien français *plovіner* (v. 1180) et a de nombreuses variantes vivantes dans les parlers régionaux, voire en français central (*pluviner,* attesté depuis Froissart, est relevé chez Verlaine). ◇ On rencontre aussi **PLEUVOTER** et **PLEUVIOTER** v. impers. (attestés XXe s.), **PLEUVASSER** (attesté XXe s.). ➛ Le dérivé préfixé **REPLEUVOIR** v. impers., tr. ind. et intr. (1660) est assez courant.

◈ voir PLUIE, PLUVIER, PLUVIAL (et PLUVIEUX), PLUVIO-.

PLÈVRE n. f. est emprunté par le langage médical de la Renaissance (1532, Rabelais) au grec *pleura* (avec la prononciation byzantine *plevra*), pluriel usuel de *pleuron* «côte» et «côté, flanc» (d'un homme, d'un animal), qui se disait par analogie du côté, de l'aile d'une flotte, d'une armée et du côté d'une figure géométrique. Le mot, conservé en grec moderne, n'a pas d'étymologie établie; il se rattache probablement à la vaste famille de °*pelə,* °*pla-* «étendue plate» (→ paume, pélagien, plage, plain, plan, plésio). Frisk s'y oppose en posant comme sens originel «côte».

♦ Le mot est emprunté en anatomie pour chacune des deux membranes séreuses qui enveloppent les poumons.

▸ **PLEURAL, ALE, AUX** adj. a été formé au XIXe s. (1844) avec l'élément *pleuro-* représentant *plèvre* et le suffixe *-al* pour qualifier ce qui est relatif à la plèvre, à la fois en anatomie, en pathologie et en médecine. ➛ Cet élément **PLEURO-** jouit d'une certaine vitalité en médecine au XIXe et au début du XXe s., d'autant qu'il représente aussi *pleurésie** dans plusieurs noms de maladies (**PLEURO-HÉPATITE** n. f.; **PLEURO-PNEUMONIE** n. f.) et réalise le sens étymologique de *pleura* «côté, flanc» dans quelques désignations anatomiques.

◈ voir PLEURÉSIE, PLEUROTE.

PLEXIGLAS n. m. est un emprunt (1935) à l'allemand *Plexiglas,* nom de marque déposé par une société allemande de Darmstadt (1928). Le mot est formé sur l'allemand *Glas* «verre», correspondant à l'anglais *glass* et d'origine germanique, à l'aide d'un élément *plexi-* tiré du latin *plexus,* participe passé de *plectere* «tourner, rouler, tresser, tordre» (→ complexe, duplex, perplexe, plexus, plier).

♦ La matière, résine transparente proche du verre, doit son nom («verre malléable») au fait qu'elle se travaille facilement.

PLEXUS n. m. est emprunté (1575) au latin de basse époque *plexus* «entrelacement, enlacement», dérivé du participe passé *plexus* de *plectere* «tresser, tordre, rouler» (→ ployer). *Plexus* est relevé en latin moderne (1541) dans sa spécialisation anatomique.

♦ Il est passé en français, d'abord chez A. Paré, avec le sens de «réseau de nerfs ou de vaisseaux»; il entre dans quelques dénominations anatomiques; l'une d'elles, ***plexus solaire*** (1810), est d'un usage relativement courant, ce centre nerveux étant repéré comme vulnérable, dans certaines techniques de combat.

► Le mot a produit **PLEXULAIRE** adj. (v. 1950), dérivé savamment de *plexus* d'après des adjectifs en *-ulaire,* et très didactique.

◇ voir COMPLEXE, PERPLEXE, PLEXIGLAS.

PLIE n. f., d'abord *plye* (xve s.), est l'altération de l'ancien français *plaïs* (1170) qui semble issu du latin de basse époque *platessa,* attesté chez Ausone (les gloses ont la forme *platissa*), mot d'origine obscure. Étant donné que le suffixe *-essa* s'ajoutait rarement en latin au radical des adjectifs, Schuchardt, partant du celtique *llyth* «plat», *llythïen* «poisson plat, la plie», propose d'y voir un °*litissa* qui en Gaule aurait été latinisé en *platissa* d'après l'adjectif *plat(t)us* (→ plat). Une forme °*platix, -icem* aurait servi d'intermédiaire.

♦ Le mot désigne un poisson plat à chair estimée, également appelé *carrelet.*

PLIER → PLOYER

PLINTHE n. f. est emprunté (1526-1537) au latin de basse époque *plinthus,* terme d'architecture emprunté au grec *plinthos* «brique (d'ordinaire cuite)» et, par analogie, «objet en forme de brique ou de carré», en particulier en parlant d'un lingot d'or ou d'argent et, en architecture, de la pierre plate et carrée sous le fût d'une colonne ou sur un chapiteau. *Plinthos,* conservé en grec moderne au sens de «brique, carreau», est un de ces termes techniques qui peuvent être empruntés ou être issus d'un substrat préhellénique.

♦ Le mot a été introduit en architecture, avec la spécialisation des mots grec et latin. ◇ Par analogie, il désigne une bande plate faisant saillie au bas d'un mur de bâtiment (1694) et en menuiserie une planche de bois bordant le bas d'un mur d'appartement à sa jonction avec le plancher (xviie s.), seule valeur conservée.

PLIOCÈNE adj. est emprunté (1834) à l'anglais *pliocene,* terme créé par le grand géologue anglais Charles Lyell dans son ouvrage écrit en 1830 et publié en 1833 pour nommer la dernière de ses trois divisions de l'ère tertiaire (→ éocène, miocène), correspondant aux terrains les plus récents et dont la faune présente le plus de ressemblance avec le monde vivant actuel. William Whewell (1831) cite les quatre noms anglais, *acene, eocene, miocene* et *pliocene.* Le mot est composé des mots grecs *pleiôn* «plus nombreux» (avec la graphie latine *plio-*), comparatif de *polus* (→ poly-) et *kainos* «récent» d'où les autres termes en *-cène.* Lyell divisa son *pliocene* (ou *pleiocene*) en *Older Pliocene* «pliocène plus ancien» et *Newer Pliocene* «pliocène plus récent», avant de remplacer *Newer Pliocene* par *Pleistocene* (→ pléistocène).

♦ Le français a emprunté *pliocène* pour ce qui appartient à la période de l'ère tertiaire succédant au miocène.

◇ voir PLÉISTOCÈNE.

PLISSER → PLOYER

✳ **PLOMB** n. m., écrit *plum* (1121-1134) avant le rétablissement du *b* étymologique (xve s.), dû en partie au dérivé *plomber,* est issu du latin *plumbum,* nom d'un métal employé par métonymie pour désigner une balle, un tuyau de cette matière. L'origine du mot latin est obscure : il est sans doute emprunté à une langue méditerranéenne peut-être ibère (le plomb venait d'Espagne). Le genre neutre est caractéristique des noms de métaux en latin (→ argent, or).

♦ Le mot désigne un métal mou facilement fusible et se laissant bien travailler. Il entre dans la dénomination d'autres noms de métaux et alliages, avec *plomb blanc* (1379) «étain», sorti d'usage, *plomb brûlé* (1690), *plomb de mer* (1723) et *plomb sulfuré* (1859); ***mine de plomb*** (1636) a dû sa fortune à l'utilisation du graphite (alors nommé *plombagine,* ci-dessous) pour écrire; *mine* y a le sens de «minerai». ◇ Dès l'ancien français, *plomb* se prête à divers emplois particuliers (*un, des plombs,* quelquefois collectivement *du plomb*) correspondant aux différents usages du métal : il désigne (1260) une petite masse de métal servant à lester un fil pour déterminer la verticale, la locution ***fil à plomb*** étant de beaucoup postérieure (1751); ce sens est spécialisé à propos de la petite masse de plomb lestant un fil pour sonder la mer, dans ***plomb de sonde*** (1530). ◇ Il a donné la locution ***à plomb*** (1552) «à la verticale», d'abord *a plon* (xiie s.), sortie d'usage dans ce sens mais dont le sens figuré, «directement» (fin xviie s.), survit à l'intérieur de la locution familière ***tomber à plomb*** «bien tomber» (1739-1787), cependant vieillie par rapport à *tomber à pic. À plomb* a donné le composé *aplomb* (ci-dessous). ➛ *Plomb* a désigné le sceau (en plomb) que la chancellerie pontificale attachait aux bulles (fin xive s.), sens sorti d'usage, mais réactivé par celui de «petit cachet de plomb fixé aux extrémités d'une attache pour en garantir la qualité ou en interdire l'ouverture» (1638). ◇ Depuis le moyen français, *un plomb* s'applique à une baguette, une nervure de plomb sertissant les verres d'un vitrail, les croisillons d'une vitre, d'où *mettre en plomb* (1484) «poser une baguette pour maintenir les vitres». ◇ L'expression *soldat de plomb* (→ soldat) a été précédée par *homme de plomb* (1610, Héroard) et *bonhomme de plomb,* sorties d'usage. ◇ Le mot sert aussi à désigner chacun des grains de plomb lestant un bas de ligne de pêche, un filet (1580) et, surtout au pluriel, un projectile d'arme à feu (v. 1600), sens très vivant, spécifié par des syntagmes (*gros, petit plomb*, etc.). ◇ De l'emploi métonymique ancien, «récipient», vient par spécialisation l'emploi du pluriel ***les plombs*** (1835, jusqu'au début du XXe s.) pour «cuvette en plomb, en zinc établie aux étages d'un immeuble et servant à évacuer les eaux usées» (1835); *les plombs*, dans la seconde moitié du XIXe s., équivalaient à «lieux d'aisances, cabinets». ◇ Le mot est passé en électricité, dans l'expression *plomb de sûreté* (1890), puis *plomb fusible* (1897) et elliptiquement *les plombs*, alors synonyme de *fusible*. De là les locutions ***faire péter, sauter les plombs*** et ***péter les plombs*** «s'énerver, perdre son contrôle, devenir fou» (devenues usuelles dans les années 1980). ➜ Au figuré, le mot évoque souvent la lourdeur, la pesanteur, d'une part physique (1616), par exemple dans ***faire le cul de plomb*** «être toujours assis» (1636), et d'autre part intellectuelle : on disait *faire son pesant de plomb* en parlant d'une personne stupide (1690). Les expressions usuelles ***soleil de plomb*** (1835) et ***sommeil de plomb*** (1842) évoquent la lourdeur, une sensation pesante. ◇ Dans certaines locutions familières, le mot exprime au contraire la pondération, l'équilibre de la sagesse, la métaphore porte alors sur la masse qui sert à lester et à rendre droit, vertical (ci-dessus). On emploie ainsi ***mettre un peu de plomb dans la tête*** (1597), on a dit *avoir du plomb en teste* (1611), et l'on emploie encore ***avoir besoin d'un peu de plomb dans la tête*** (1700). ◇ La locution ***avoir du plomb dans l'aile*** (1878), «être en très mauvaise santé» ou «dans une mauvaise situation», fait allusion à l'oiseau blessé par les plombs du chasseur.

▶ Le plus ancien des dérivés de *plomb* est **PLOMBER** v. (1368), réfection étymologique de *plomer* (fin XIe s.), *plomeir* (v. 1200) et encore *plommer* en moyen français (fin XIVe s.). Le mot signifie «garnir, revêtir de plomb» et, dans un style plus soutenu, «donner la couleur du plomb à (qqch.)» (v. 1200). Il a développé un certain nombre d'emplois spéciaux correspondant à ceux de *plomb :* «sceller avec un sceau de plomb» (1472), «établir ou vérifier la verticalité d'un mur avec un fil à plomb» (1598) dans la locution de métier *plomber un mur*, qui continue *plommer à plom* (fin XIVe s.). ◇ Au XVIIe s., en agriculture, *plomber* signifie «tasser la terre autour d'un arbre» (1694). ◇ Son emploi en chirurgie dentaire (1752) correspond à «remplir une cavité dentaire d'un amalgame (d'abord, d'un alliage) de plomb» appelé *plombage* (ci-dessous). ◇ Ultérieurement, l'argot s'est emparé du mot pour «transmettre une maladie vénérienne à (qqn)» (1858), la syphilis étant appelée *plombe* à cause des plaques cutanées qu'elle entraîne, comparées à de l'oxyde de plomb. ◇ Cet emploi réactive aussi l'ancien sens figuré et populaire pour «frapper» (XVe-XVIIe s.), spécialisé en argot pour «sonner» (1800), à propos de l'heure (d'où *plombe* «heure», ci-dessous). ◇ De *plomb*, «petit projectile», vient «blesser, tuer (qqn) avec une arme à feu» (1934). ➜ Le participe passé **PLOMBÉ, ÉE** est adjectivé, au sens de «garni de plomb» (v. 1160), et employé au sens de «gris bleuâtre, couleur du plomb», en particulier pour le teint et pour un vin blanc dont la transparence est altérée. *Dent plombée* est usuel. ◇ Récemment, l'adjectif s'emploie en informatique pour «protégé, impossible à copier, à dupliquer» (cf. ci-dessous *déplomber*). ➜ Le verbe a produit quelques dérivés : le nom d'action **PLOMBAGE** n. m. (1427, *plommage*) dont la spécialisation en chirurgie dentaire est attestée depuis 1832, et qui a vieilli sous la concurrence d'*amalgame*, le nom d'agent **PLOMBEUR** n. m. (1429) qui correspond à «ouvrier qui travaille le plomb» puis, par restriction «employé qui scelle les marchandises» (1502), et, en agriculture, «rouleau lourd servant à tasser la terre» (1903). ➜ Le féminin du participe passé, **PLOMBÉE** (1445), réfection du plus ancien *plummee* (1155) ou *plommée*, désigne une massue plombée utilisée au moyen âge. ◇ En pêche, il sert de nom collectif pour l'ensemble des plombs qui lestent un bas de ligne, un filet. ◇ La forme ancienne *plommée* est encore en concurrence avec la forme moderne comme désignation de l'arme médiévale. ➜ Le nom d'outil **PLOMBOIR** n. m. (1812) désigne l'instrument avec lequel le dentiste plombe les dents. ➜ **PLOMBE** n. f., nom argotique pour l'heure (1811), est le déverbal de l'argot *plomber* «sonner» (ci-dessus).

Plomb a donné directement un nom d'agent, ① **PLOMBIER** n. m. (1506), réfection de *plummier* (1266), qui désigne celui qui travaille ou vend le plomb. ◇ Le sens moderne de «personne qui effectue les travaux concernant les installations d'eau et de gaz» en est une spécialisation (1841, dans *plombier-zingueur*). Le féminin *plombière*, virtuel, est préconisé au Québec (et ailleurs, par certains milieux féministes). ◇ Le mot a pris le sens d'«agent secret spécialiste des dispositifs d'écoute» (1973), répandu dans le contexte de l'affaire du Watergate aux États-Unis, dans laquelle des poseurs de dispositifs d'écoute se présentaient comme ouvriers plombiers. ➜ **PLOMBERIE** n. f. est la réfection (1400) de l'ancien *plommerie* (1304) qui désignait un objet en plomb; le mot s'applique d'abord à l'industrie de la fabrication des objets en plomb (1401) puis, sous l'influence de *plombier*, le travail du plombier (1881) et, par métonymie, l'ensemble des canalisations d'un bâtiment. ➜ **PLOMBURE** n. f., réfection de *plommeure* (1409) et *plombeure* (1514), était employé en moyen français pour «ouvrage en plomb» et «vernis de plomb» (XVe s.); son sens actuel, «ensemble des pièces constituant la carcasse d'un vitrail», est bien postérieur (1881). ➜ L'adjectif homonyme du nom, ② **PLOMBIER, IÈRE** (1562) «qui est de la nature du plomb», est sorti d'usage. ➜ **PLOMBIQUE** adj. (1838) est un terme de chimie correspondant à «qui contient du plomb tétravalent». ➜ **PLOMBIFÈRE** adj., formé avec *-fère* (1842), est employé pour qualifier ce qui contient du plomb ou des composés du plomb. ➜ **PLOMBISTE** n. m. (1966) dans l'argot des chasseurs désigne un chasseur utilisant un certain type de plomb (qualifié par *gros, petit*).

Parmi les composés, **APLOMB** n. m. (1547) résulte de la soudure de la locution *à plomb* (ci-dessus), signifiant au figuré «à propos». *Aplomb* désigne proprement la verticalité d'une ligne, telle que l'indique le fil à plomb; par extension, il est employé pour l'équilibre d'un corps solide, en parlant de l'homme ou de l'animal (1690). *Les aplombs* s'emploie en parlant du cheval (1835; sous la forme *à-plomb*, 1793). ◇ De l'équilibre du corps, on passe à la notion d'équilibre mental (1798) et au sens moderne «assurance, dans la manière de se présenter, de parler» (1834) cf. *Culot*. ◇ Le nom sert à former la locution ***d'aplomb*** (1798) qui exprime l'idée d'un bon équilibre stable et se dit d'une personne bien portante (1896, d'abord populaire).

SURPLOMBER v. (1694), formé de *sur, plomb* et la désinence verbale, correspond à l'ancien provençal *sobreplombar* (1447). Il exprime, en construction intransitive, le fait de dépasser par le sommet la ligne de l'aplomb. Il est passé dans l'usage courant au sens transitif de «dominer en se trouvant au-dessus» (1783). ➛ Il a produit **SURPLOMB** n. m. (1691), terme d'architecture, qui se dit d'une partie qui *surplombe* par rapport à la base, couramment dans la locution ***en surplomb***, et en alpinisme (1898) pour «saillie rocheuse». ➛ Les autres dérivés sont **SURPLOMBEMENT** n. m. (1696) «fait de surplomber» et, par métonymie, «ce qui surplombe» (XXe s.), et **SURPLOMBANT, ANTE** adj. (1835).

DÉPLOMBER v. tr. (1838) est le verbe technique exprimant le fait de dégarnir du sceau du plomb. ◇ Depuis les années 1980, le verbe s'emploie en informatique pour «éliminer les protections informatiques de (un programme) afin de le dupliquer». De là **DÉPLOMBAGE** n. m. et **DÉPLOMBEUR, EUSE** n.

Quelques termes scientifiques ont été formés savamment avec l'élément **PLUMBO-** (variante **PLOMBO-**) indiquant la présence de plomb.

PLOMBAGINE n. f. (1559), attesté après *plombage* (1556), est emprunté au latin *plumbago, plumbaginis* «mine de plomb, graphite», également «tache couleur de plomb sur les pierres précieuses» et «dentelaire» (plante), dérivé de *plumbo* (→ plomb). ◇ Ce mot technique désignait une variété de carbone naturel dont on fait les mines de crayons, les creusets, les balais pour moteurs électriques. Il a été remplacé en sciences par *graphite* et en technique courante par *mine de plomb*.

PLOMBAGO n. m. est l'emprunt en botanique (1765) du latin *plumbago* pris dans son sens de «dentelaire». ➛ Le radical du latin *plumbago* a servi à former **PLUMBAGINACÉES** ou **PLOMBAGINACÉES** n. f. pl. (1903), réfection du plus ancien **PLOMBAGINÉES** n. f. pl. (1812) encore employé, terme de classification botanique.

◈ voir ② PLONGEON, PLONGER.

PLOMBIÈRES n. f. (1818) est l'emploi comme nom commun de *Plombières*, nom d'une station thermale des Vosges où cette glace à la vanille fourrée de fruits confits aurait été inventée.

◈ **PLONGER** v. est issu (v. 1121) d'un latin populaire °*plumbicare*, dérivé de *plumbum* (→ plomb) signifiant «garnir de plomb des filets ou des sondes pour les faire descendre au fond de l'eau». Le mot est propre au français, mais son étymologie est assurée par l'existence du picard *plonquer* et par le nom d'oiseau ② *plongeon*.

♦ *Plonger* est d'abord employé à la forme pronominale au sens de «se précipiter dans l'eau». La construction intransitive (1160-1174) a la même valeur, avec la nuance supplémentaire de «se jeter à l'eau», supposant une descente sous l'eau ou une chute. Cet emploi s'est spécialisé en natation (mil. XIXe s.). L'emploi transitif du verbe, au sens de «faire entrer dans un liquide», apparaît aussi au XIIe s. (1135), de même que le sens particulier, «couler, s'enfoncer en descendant», pour un navire (v. 1160). ◇ Avant la fin du XIIe s., le mot est aussi employé au figuré sans idée d'élément liquide, au sens d'«enfoncer (une arme) dans le corps» (1188), et par extension, avec un sujet nom de personne, «s'enfoncer au sein de qqch.» (v. 1200) et, en parlant d'un oiseau «descendre brusquement» (1376). ➛ Au XVIe s., *se plonger* commence à se rencontrer au sens abstrait de «s'adonner à une occupation» (1559), d'où *se plonger dans un livre* (1863), *une lecture*, et *plonger* apparaît au sens transitif de «mettre (qqn) dans un certain état, une certaine situation» (1577). ◇ Puis le verbe s'applique au regard de qui s'enfonce au loin vers le bas (1790) et, par changement de sujet, à la personne qui porte son regard de façon insistante (1830). ➛ En sports, *plonger* correspond à «s'élancer brusquement, horizontalement ou vers le sol, pour attraper le ballon» (1913) et en aéronautique à «descendre brusquement» pour un avion (1926, Saint-Exupéry).

► Le plus ancien dérivé est **PLONGEUR, EUSE** n., d'abord écrit *plungeur* (1306) pour désigner la personne qui plonge dans la mer, puis dans l'eau, en général. ◇ Le mot désigne aussi un oiseau (1764, en apposition). ◇ Au sens transitif du verbe, il s'applique à l'ouvrier papetier qui plonge les formes dans la cuve (1723). Il sert aussi à désigner celui qui fait la vaisselle dans un restaurant (1869). ➛ Le déverbal **PLONGE** n. f. est relevé en moyen français (*plunge*, n. m., 1377) avec le sens d'«action de plonger dans l'eau», valeur éliminée par *plongeon*. ◇ L'usage moderne l'a lié à *plongeur* et correspond à «action de faire la vaisselle dans un restaurant» (1948) et par métonymie «local, cuve où l'on fait la vaisselle». ➛ **PLONGEMENT** n. m. (1388, *plingement*) signifiait «action de plonger»; il est rare pour «action de plonger une chose dans un liquide», et se dit en géologie, avec l'idée de «direction inclinée», de l'angle que fait une couche de terrain avec le plan horizontal. ➛ **PLONGÉE** n. f., participe passé féminin substantivé (1493) de *plonger*, est d'abord employé pour «action de se creuser», en parlant des vagues, dans l'expression *à grandes plongées*. Repris au XVIIIe s., le mot porte l'accent sur un mouvement rapide de haut en bas (1752, *tirer par plongée*) et un point de vue de haut en bas (1848) d'où sa spécialisation au cinéma pour «prise de vue de haut en bas» (1952). ◇ Le mot sert de nom d'action à *plonger* (1892) et désigne par extension les techniques de déplacement sous-marin. Il se dit d'un submersible qui va et se déplace sous l'eau (1903) d'où *en plongée* et, par analogie en aéronautique, d'une manœuvre de descente dans l'air (1928). Au figuré, il s'applique au fait de s'absorber dans une réflexion. ➛ Le mot est entré dans la composition de **CONTRE-PLONGÉE** n. m. (1946), terme de cinéma pour une prise de vues de bas en haut, et dans **REPLONGÉE** n. f. (XXe s.), en relation avec le composé verbal ancien **REPLONGER** v. (1549), antérieurement *replonkier* en picard (1302).

① **PLONGEON** n. m. (XVIe s.) désigne l'action de plonger dans l'eau, sens spécialisé au XIXe s. et répandu au XXe s. pour désigner l'exercice sportif qui consiste à plonger, parfois avec des figures exécutées pendant le saut. ◇ Le mot entre dans la locution ***faire un plongeon*** (XVIIe s.) «plonger», par extension «baisser la tête» et, au figuré, «s'esquiver, disparaître volontairement» (1690), «mourir» (1845) et «faire faillite» (1870). ◇ Par analogie avec le mouvement du corps qui plonge dans l'eau, *plongeon* désigne une inclination profonde du buste, une révérence (1851), puis, en sports, et en relation avec un emploi du verbe, la détente suivie d'un saut horizontal d'un joueur de football ou de rugby (1908). Il se dit aussi d'un saut dans le vide, d'une certaine hauteur (1947). ➛ **PLONGEANT, ANTE** adj. est tiré du participe présent de *plonger* (1798), surtout employé dans des expressions avec le sens analogique descriptif de «qui est dirigé vers le bas» (d'une vue, d'un feu, d'un tir, d'un décolleté). ➛ **PLONGEOIR** n. m. est d'abord le nom technique (1867) donné au châssis à aiguilles employé dans les machines à broder, en industrie textile. ◇ Il est repris (1924), par une nouvelle dérivation de *plonger* ou de *plongeon*, pour désigner une plate-forme servant à plonger dans l'eau.

◈ voir ② PLONGEON.

① **PLONGEON** → PLONGER

② **PLONGEON** n. m., d'abord *plongon* (v. 1170) puis *plongeon* (XIIIe s.), est issu du bas latin *plumbionem*, accusatif de *plumbio, -onis* «oiseau aquatique caractérisé par ses qualités de nageur et de plongeur». Ce mot est dérivé de *plumbum* (→ plomb) en référence au fait que l'oiseau reste longtemps sous l'eau où il disparaît.

♦ *Plongeon* désigne un oiseau aquatique de grande taille vivant dans les régions septentrionales ; il est aujourd'hui senti comme dépendant de *plongeur* et de ① plongeon.

◈ voir PLONGER.

PLOT n. m. est un terme (1290) d'origine régionale (Franche-Comté, Auvergne, Bourgogne, Provence) peut-être issu du croisement entre le latin *plautus* «plat», mot de formation populaire apparenté à la forme °*plattus* (→ plat) et du moyen néerlandais *block* «tronc abattu» (→ bloc).

♦ Le mot est attesté en ancien français avec le sens propre de «billot de bois, segment de tronc d'arbre», longtemps vivant régionalement (Forez, Lyonnais, Provence, Savoie), et avec le sens métonymique de «tabouret». ◇ Il a eu un sens technique en tissage, désignant la pièce de l'ourdissoir qui conduit l'enroulement du fil, et en horlogerie pour «massif de laiton dont l'horloger se sert pour river la masse sur la platine» (1832). ➛ *Plot* s'est maintenu avec une autre spécialisation, en électricité, désignant la pièce métallique permettant d'établir un contact, une connexion électrique (1890).

PLOUC adj. et n., attesté depuis 1880, d'abord en Bretagne puis à Paris (1936), est d'origine incertaine. D'après Esnault, il s'agirait d'une abréviation plaisante (par apocope) des nombreux noms de communes bretonnes commençant par *Ploug-*, tel que *Plougastel-Daoulas*. On peut aussi y voir une altération de *ploum* «rustre» (1882) rattaché par Esnault à l'allemand *plump* «épais, grossier» par l'utilisation d'une sonorité plus expressive que celle de *ploum*. Ce mot allemand, comme l'anglais *plump* et le néerlandais *plomp*, remonte peut-être à un verbe *plumpen* (anglais *to plump*, néerlandais *plompen*) exprimant le fait de tomber avec un bruit lourd ; il est d'origine onomatopéique.

♦ Le mot est péjoratif, et même souvent injurieux, pour désigner un paysan et, par extension une personne grossière.

PLOUF interj. et n. m., attesté depuis 1816, est une formation expressive évoquant le bruit d'une chute dans l'eau.

♦ Le mot est employé à la fois comme interjection et comme nom (1908).

PLOUTOCRATIE n. f. est emprunté, à la Renaissance (1582), au grec *ploutokratia* «gouvernement ou domination des riches», composé d'un élément *-kratia* tiré de *kratos* «force», en particulier «domination, pouvoir» (→ -crate, -cratie) et de *ploutos* «richesse, abondance de biens», dérivé du radical de *plein* au sens de «flotter», puis «se répandre, inonder», d'abord utilisé à propos d'une moisson abondante. Ce verbe appartient à une racine indoeuropéenne °*pleu-* «couler», bien représentée en grec (→ périple), en latin (→ pleuvoir) et en germanique (→ flot), outre le sanskrit *plávate* «flotter, nager» et le vieux slave *pluti* «voguer».

♦ Le mot a été emprunté au XVIe s. comme terme d'antiquité grecque. ◇ Son usage moderne, d'abord sous la forme *plutocratie* (1831), puis *ploutocratie* (1842), est repris à l'anglais *plutocracy*, lui-même repris du grec, et qui signifie «gouvernement ou domination des riches» (1652) et par métonymie «couche sociale détenant le pouvoir du fait de ses richesses» (1832). La graphie en *plu-* (relevée dans *La Revue britannique*) reproduit l'orthographe anglaise ; la graphie *plou-* se conforme à la prononciation anglaise et à la transcription du grec.

▸ Le dérivé **PLOUTOCRATIQUE** adj. (1874, Vallès), «relatif à la ploutocratie», correspond pour le sens au nom. ➛ **PLOUTOCRATE** adj. et n. est un emprunt moderne (1842) de l'anglais *plutocrat*, dérivé de *plutocracy*. Comme *ploutocratie*, le mot a servi à des fins de propagande, pour dénoncer les «riches apatrides» et les milieux d'affaires israélites. Il a vieilli avec l'abandon de ces thèmes, liés à la propagande nazie.

◈ voir PLUTONIUM.

✻ **PLOYER, PLIER** v. procèdent tous les deux (*ployer* au Xe s.) de la même forme *pleier* (881), issue du latin *plicare* «rabattre sur elle-même (une matière souple)», mot poétique et postclassique demeuré dans les langues romanes (italien *piegare*, roumain *pleca* «partir», espagnol *llegar* «arriver»).

Plicare est l'intensif tiré, au lieu du type attendu °*plecere*, de l'élément *-plicare* (→ appliquer, compliquer, expliquer, impliquer) et existe à côté de *plectere* «tresser, entrelacer, enlacer». Celui-ci, mot ancien, technique et rare, probablement pour éviter le risque d'homophonie avec *plectere* «frapper», est surtout usité au participe *plexus* (→ plexus). Il vient d'une racine indoeuropéenne que permet de postuler la correspondance entre le groupe de *plectere* et son synonyme en ancien haut allemand, *flehtan*, présentant tous deux un élément suffixal en *t*. Une racine plus simple °*plek-* est représentée dans le latin *-plex* (→ duplex, complexe) et se retrouve dans le groupe du grec *plekein* «tresser», dans celui du sanskrit *praçnaḥ* «ouvrage tressé, corbeille». Une forme plus simple encore °*pel-* figure dans le grec *diplos* (→ diplodocus, diplomate, diplôme) et le latin *duplus* (→ double). ◇ *Plicare* a donc donné *pleier*, d'où *ploier* (XIIe s.) et *ployer* (v. 1360); *plier* n'en est qu'une variante analogique : dès le XIIe s., sur le modèle de verbes comme *nier* et *prier* qui avaient un radical accentué, *nie, prie*, à côté d'un radical non accentué *nei-, noi-* et *prei-, proi-* (par exemple à l'infinitif), on a dit et écrit *plie*, etc., d'où est tiré un verbe *plier* au XVIe siècle. Jusque-là, il est difficile, pour de nombreuses formes personnelles en *i*, de savoir à quel infinitif (*plier* ou *ployer*) elles correspondent, d'autant plus que la différenciation sémantique des deux verbes n'a été fixée qu'au XVIIe s. et reste fragile.

♦ *Ployer*, dès son premier emploi dans la *Cantilène de sainte Eulalie*, a le sens figuré de «rendre plus souple (qqch.), briser la résistance de (qqn)» qui est resté dans l'usage littéraire. Le sens concret de «contraindre (une chose) à se plier malgré la résistance» est attesté depuis 1080. Dès l'ancien français, le mot est employé en construction intransitive avec la valeur spéciale de «perdre du terrain sous la pression adverse» (1155), dans un contexte militaire. *Se ployer* (v. 1240) signifie «fléchir le haut du corps». En moyen français, le verbe a développé l'emploi intransitif pour «s'infléchir, se courber sous l'action d'une force» (v. 1460), ainsi que le sens figuré correspondant, «céder sous la contrainte» (v. 1530). ◇ En construction transitive, *ployer* prend les sens de «fléchir plus ou moins fort le haut du corps» (1559) et de «plier un membre à l'endroit de son articulation» (1559). *Ployer le dos, les épaules, les genoux* correspondent métaphoriquement à «se soumettre, céder» (déb. XVIIe s.). ➛ Courant au début du XVIIe s., le verbe était considéré comme vieux à la fin du siècle (Richelet, 1680; Académie, 1694). Il a été remis en honneur au XIXe s., mais reste archaïque ou littéraire, surtout dans ses emplois transitifs.

▸ *Ployer* a produit quelques dérivés. ➛ **PLOYABLE** adj. (fin XIIe s., *ploiable*), **PLOYANT, ANTE** adj. (v. 1160, *pleiant*) et **PLOYAGE** n. m. (1772) sont vieillis. ➛ **PLOIEMENT** n. m., qui s'est d'abord écrit *ployement* (XVe s.), est employé dans le domaine militaire pour l'évolution d'une troupe passant de l'ordre de bataille à l'ordre de troupe. ➛ **PLEYON** ou **PLAYON** n. m. est une variante régionale (1545) de l'ancien français *ployon* «rejeton de vigne» (v. 1120), dérivé de *ployer*. ◇ D'abord relevé en Suisse au sens de «paquet de chanvre», le mot désigne le brin d'osier ou la branche flexible servant à lier la vigne et les autres fruitiers (1600). Sous les formes *playon, plion, pleon*, il est vivant dans certaines régions de France.

Le composé préfixé **DÉPLOYER** v. tr. (v. 1130) est le dérivé le plus vivant du groupe : il correspond à «développer dans toute son extension (une chose qui était pliée)». ◇ Par extension, il se dit pour «disposer (des troupes) sur une plus grande étendue» (1538). Son sens figuré de «dépenser, mettre en ordre» (fin XIIIe s.) s'est répandu aux XVIe-XVIIe siècles. ➛ Le participe passé **DÉPLOYÉ, ÉE** est adjectivé, spécialement dans la locution figurée ***rire à gorge déployée*** (1548); il est quelquefois substantivé avec une valeur de neutre. ➛ Le nom d'action correspondant, **DÉPLOIEMENT** n. m., d'abord *desployement* dans *desployement de jambes* (1538), a suivi l'évolution du verbe, se disant de l'extension de forces armées sur un grand espace (1798) et, au figuré, d'une large mise en œuvre, d'un étalage (1828). ➛ **REPLOYER** v. tr. (1200) a vieilli, laissant un dérivé, **REPLOIEMENT** n. m. (1190), au propre (1611) comme au figuré (dès 1190), d'usage littéraire. ➛ **REDÉPLOYER** v. tr. et **REDÉPLOIEMENT** n. m., formés sur *déployer* et sur dérivé, ont trait à la réorganisation d'effectifs militaires. Par extension, le nom (v. 1965) et le verbe (v. 1970) sont passés dans le langage économique en parlant de la réorganisation d'une politique économique ou industrielle. ➛ Quant à **ÉPLOYER** v. tr., il n'est d'abord attesté que par la forme adjectivée *éployé, ée* (av. 1505) en héraldique pour un aigle aux ailes étendues. ◇ Sa reprise est tardive (1854) et en fait un doublet littéraire de *déployer*.

PLIER est d'abord attesté au sens transitif courant de «rabattre (une chose souple) sur elle-même» (1155). Par extension (v. 1160), ce verbe exprime le fait de rapprocher les uns des autres, pour en réduire le volume, les éléments d'un ensemble articulé. ◇ L'expression ***plier bagage*** (XVIe s.) a développé le sens figuré et familier de «partir, s'en aller» (1643); Montaigne l'emploie déjà au figuré au sens de «mourir» (1580), pour lequel l'argot a aussi employé *plier ses chemises*, sorti d'usage. ◇ La valeur intransitive correspondante remonte elle aussi au XIIe siècle. Le mot exprime également le fait de rabattre l'une sur l'autre les parties d'une articulation (1549). ◇ L'emploi de *plier* au sens figuré de «faire céder» (1541) est plus rare que le sens intransitif correspondant, très ancien, pour «céder, faiblir» (v. 1155).

Plus usuel et plus concret que *ployer, plier* a produit un nombre relativement important de dérivés. Certains se sont rangés dans sa dérivation, après avoir été formés sur l'ancienne forme *pleier*, puis *ploier* (voir *ployer*). ➛ Le plus important est le déverbal **PLI** n. m., d'abord sous la forme issue de *pleier*, *plei* (v. 1130); la forme moderne (déb. XIIIe s.) n'élimine la forme *ploi* (1266), déverbal de *ploier*, qu'au XVe s. (on rencontre encore *ploy* v. 1424). ◇ Le mot désigne d'abord la partie mobile formant articulation dans une armure et, plus généralement, la partie d'une matière souple rabattue sur elle-même et formant une double épaisseur (1197). ◇ Le sens figuré est attesté d'abord dans ***mettre en pli*** (v. 1185) «mettre en œuvre, préparer, fabriquer», locution sortie d'usage. ◇ L'emploi de *pli* pour «disposition d'âme», «état d'esprit» (v. 1225) s'est lui aussi éteint, sinon dans le sens dérivé d'«habitude» dans ***prendre un** (le, son)* ***pli*** (v. 1424). ◇ Dès le XIIIe s. (1266), *pli* désigne une partie de la peau formant une espèce de rainure, emploi qui donnera lieu à plusieurs expressions anatomiques. ➤ Par métonymie, il se dit d'un papier plié formant enveloppe (fin XIIIe s.), valeur réactivée plus tard par celui de «message, lettre» (1874). ➤ Aussi souvent appliqué à une étoffe qu'à un papier, le mot sert d'abord à désigner un pan de vêtement (v. 1461), puis la sinuosité d'un tissu flottant (1684), spécialement dans le langage de l'art. ◇ Avec le sens métonymique de «marque qui reste de ce qui a été plié» (1549), aujourd'hui senti comme le plus général, il se dit en particulier d'un endroit froissé, d'une pliure qui ne devrait pas exister, dans l'expression ***faux pli*** (1690). Ultérieurement, il a servi à former en couture plusieurs syntagmes, tels *pli rentré* (1826) et *pli couché* (1909). ➤ Au XIXe s., il a développé la valeur de «levée» aux jeux de cartes (1807). ◇ Appliqué aussi à une ondulation de terrain (1824), il s'emploie en géologie pour désigner une déformation des couches de terrain résultant de la contraction de l'écorce terrestre.

Le pluriel *plis* a produit **PLISSER** v. (1538) au sens de «façonner un matériau souple en y faisant un arrangement de plis». Le verbe, intransitivement, signifie «faire des plis, des faux plis» (1675) ; il a développé deux emplois particuliers, l'un pour «modifier (une partie du visage) par des plis expressifs» (1824) et l'autre en géologie, pour «déformer (les couches de l'écorce terrestre) sous l'effet de la pression de forces tectoniques» (1848). ➤ *Plisser* a lui-même une dérivation assez importante : **PLISSURE** n. f. (fin XVIe s.), «ride, pli de la peau», n'a conservé que le sens collectif d'«ensemble formé par une série de plis» (fin XVIe s.). ➤ Le nom d'action **PLISSEMENT** n. m. (1636) a développé une spécialisation en géologie (1903) nommée couramment *plissement de terrain.* ➤ **PLISSEUR, EUSE** n. (1625) sert à désigner l'ouvrier qui plisse les tissus ; son féminin **PLISSEUSE** désigne une machine effectuant cette opération (1903). ➤ **PLISSON** n. m. (1689), nom d'un entremets dont la couche superficielle s'est solidifiée et plissée, s'est maintenu régionalement. ➤ **PLISSAGE** n. m., nom d'action tardif (1836), désigne l'opération technique par laquelle on plisse une étoffe, et est employé en imprimerie pour l'ensemble de petits plis formés sur une feuille de papier à impression. ➤ Le préfixé verbal **DÉPLISSER** v. tr. (1606, *desplisser*) se dit surtout pour «enlever ses plis à un tissu» (techniquement et pour des faux plis) ainsi que pour «effacer les plis d'expression du visage». En sont tirés les noms d'action **DÉPLISSEMENT** n. m. (1606) et **DÉPLISSAGE** n. m. (1836).

D'autres dérivés de *plier* sont usuels. ➤ **PLIURE** n. f. (1314), d'abord *plieure* «jointure», exprime aujourd'hui l'action, la manière de plier qqch. (1538) et, par métonymie, désigne la marque formée par un pli (1588), devenant synonyme d'une acception de *pli.* ➤ **PLIABLE** adj. (XVe s.) a évincé de l'usage courant le plus ancien *ploiable* (v. 1200), voir ci-dessus. ➤ Le participe présent de *plier,* **PLIANT, ANTE** est adjectivé (1420, *ploiant,* de *ploier*) au sens de «articulé de manière à pouvoir se plier». ◇ Il qualifie particulièrement un siège (1507, *chaize pliant*), un lit, emploi qui a donné lieu à sa substantivation au masculin ***un pliant*** (1658). Le mot *fauteuil* signifie étymologiquement «siège pliant». ➤ Le nom d'action **PLIEMENT** n. m. (1538) est rare.

Le nom d'agent correspondant à *plier,* **PLIEUR, EUSE** n. (1558) a remplacé l'ancien *ploieur* (1310, au féminin *ploieresse*), dérivé de *ploier (ployer)* ; c'est un nom d'ouvrier dont le féminin, **PLIEUSE**, désigne aussi une machine effectuant l'opération de pliage du papier (1894) et des feuilles de métal. ➤ **PLIAGE** n. m. (1611) s'est dégagé comme nom d'action de *plier,* à la fois dans l'usage courant et dans des spécialisations techniques, en métallurgie et dans l'industrie textile. ➤ Le nom d'outil **PLIOIR** n. m. (1660) est la réfection graphique de *pleioir* (1627) et désigne une petite lame de bois servant à plier une feuille de papier, en imprimerie et en reliure. Il désigne aussi une planchette échancrée sur laquelle on enroule une ligne de pêche (1771). ➤ Le participe passé de *plier,* **PLIÉ, ÉE**, est adjectivé et substantivé au masculin (1753) comme terme de chorégraphie. ➤ Au XXe s., *plier* a donné **PLIE LIGNE** n. m., synonyme de *plioir* dans le sens technique qu'il a en pêche.

REPLIER v. tr., «plier à nouveau», attesté une première fois au participe passé (1213), a été repris à partir de 1538. ◇ *Se replier* a développé le sens figuré de «se refuser aux impressions extérieures» (v. 1660) et se dit d'une armée qui se retire, recule en bon ordre (1718), tandis que *replier,* transitif, correspond à «ramener en arrière en bon ordre» (1718). ◇ Le verbe signifie aussi «ramener en pliant ou plier pour cacher un organe» (1770, Buffon). ➤ Le déverbal **REPLI** n. m., d'abord *reploi* (v. 1250) de la forme *ploier* (voir *ployer*), se réfère concrètement à un double pli et, par analogie, à une ondulation profonde ou qui se répète ; il n'a pas conservé le sens de «sinuosité» (1564) qu'il avait dans la langue classique. ◇ Par allusion à un pli profond pouvant cacher qqch., *repli* exprime, au figuré, l'idée d'une partie secrète, dissimulée (1580). ◇ Il sert également de nom d'action au verbe, spécialement dans le langage militaire en parlant d'une retraite (1916) ; c'est une sorte d'euphémisme, notamment dans *repli stratégique.* ➤ L'autre nom d'action de *replier,* **REPLIEMENT** n. m. (1611), désigne surtout abstraitement le fait de se replier sur soi-même (av. 1896). ➤ L'adjectif **REPLIABLE** (1842) semble plus courant que *pliable.*

Le préfixé verbal **DÉPLIER** v. tr. (1538) est une réfection de *déployer** par alignement sur le groupe de *plier.* Ce verbe signifie «défaire (ce qui était plié)» et se prête quelquefois à des emplois métaphoriques. ➤ Son participe passé **DÉPLIÉ, ÉE**, adjectivé en parlant d'étoffes, est substantivé dans la locution commerciale ***faire le déplié*** (1834) «ranger les étoffes dépliées». ➤ Le verbe a produit deux noms d'action synonymes et concurrents : **DÉPLIEMENT** n. m. (1549) et **DÉPLIAGE** n. m. (1836). ➤ Le participe présent **DÉPLIANT** est substantivé au masculin (1876) avec le sens de «prospectus plié plusieurs fois et que l'on déplie pour le lire». ➜ On rencontre **DÉPLIABLE** adj. à partir de 1907.

◈ voir APPLIQUER, CENTUPLE, COMPLEXE, COMPLICE, COMPLIQUER, DOUBLE, DUPLEX, EMPLETTE, EMPLOYER, EXPLICITE, EXPLIQUER, EXPLOIT, EXPLOITER, IMPLICITE, IMPLIQUER, MULTIPLE, PERPLEXE, PLEXUS, QUADRUPLE, RÉPLIQUER, SIMPLE, SOUPLE, SUPPLICE, SUPPLIER, TRIPLE.

PLUIE n. f. est issu (1080) d'un latin populaire °*ploia*, issu d'un type °*plovia* auquel remontent les formes *pleuge, ploige* répandues en ancien français et encore dans les dialectes, du wallon au franco-provençal, ainsi que dans le roumain *ploaie*, l'italien *pioggia*, le catalan *ploya*. Ce °*plovia* est une forme altérée d'après *plovere* (→ pleuvoir) de *pluvia* «pluie», qui a donné l'espagnol *lluvia* et le portugais *chuva*, mot qui s'est substitué à *imber*, d'origine grecque. C'est le féminin substantivé de *pluvius* «de pluie», dérivé de *pluere* (→ pleuvoir).

♦ Le substantif, qui correspond au verbe *pleuvoir*, désigne l'eau qui tombe des nuages, et, précédé d'un article indéfini *(une, des pluies)*, une chute d'eau sous forme de pluie. Il est entré dans le proverbe ***petite pluie abat grand vent*** (1342, Machaut). ◇ Au XVIe s., chez les poètes de la Pléiade (et Ronsard en particulier), il a développé des sens figurés, se disant des larmes (1550) et de choses qui semblent tomber du ciel en grande quantité (1555, *pluie d'œillets et de lys*). Il entre dans l'expression *en pluie d'or* (1550, Ronsard, *Amours*) par allusion mythologique à Zeus qui séduisit Danaé sous cette forme. Quelques locutions avec un complément en *de* apparaissent au XVIIe et au XVIIIe s. : *pluie des mois* (1611), ancienne désignation des menstrues sortie d'usage, *pluie de feu* (1690), *pluie de soufre* (1767) «chute abondante de pollen». ◇ *Pluie*, au sens propre, est entré dans quelques locutions métaphoriques et figurées, toujours en usage, telles ***parler de la pluie et du beau temps*** (XVIIe s., Mme de Sévigné) «de sujets insignifiants», ***faire la pluie et le beau temps*** «tout décider» (1732) et ***ennuyeux comme la pluie*** «très ennuyeux» (1864).

◈ voir PLEUVOIR, PLUVIAL, PLUVIER.

✳ ① **PLUME** n. f. est issu (v. 1140) du latin *pluma* désignant le duvet, puis la plume, et toutefois distinct de *penna* «plume» qui a donné les mots *panne** et *penne**. *Pluma*, qui a aussi donné l'italien *piuma*, est un terme populaire sans étymologie connue, le rapprochement le plus intéressant étant celui du lituanien *plùnksna* «plume» et du vieux prussien *plauxdine* «lit de plume». Pour des raisons sémantiques, on a exclu la parenté de l'ancien haut allemand *fliogan* «voler». *Pluma* a éliminé *penna* dans presque tous les parlers gallo-romans (par exemple italien *piuma*), au moins dans l'usage courant.

♦ Dès les premiers textes, *plume* est employé à propos du duvet préparé pour rembourrer les coussins, selon un des principaux usages domestiques de la plume, quelquefois en concurrence avec *duvet ;* il entre dans quelques expressions comme *lit de plume* (1176) [voir ci-dessous *plumard*]. ➜ Le sens strict, «appendice tégumentaire couvrant en grand nombre le corps d'un oiseau», est attesté d'abord dans un emploi collectif *la plume* (v. 1165) surtout vivant dans la locution ***à plume*** et parfois opposé à *poil (gibier à plume[s])*. À la chasse, le mot prend le sens métonymique de «gibier à plume, oiseau» (v. 1180). ◇ Les locutions formées avec *plume* sont en général antérieures au XVIIe s. : la plus ancienne, *oster la plume a aucun* (v. 1176) «flatter, tromper», puis sous une forme légèrement différente, «priver qqn de ce qu'il possède de plus avantageux» (fin XIVe s.), est sortie d'usage, mais s'est prolongée sous la forme *arracher une plume* (1718) «déposséder qqn de qqch.», elle-même archaïque. Un sens voisin est exprimé par ***laisser des plumes*** (v. 1640), locution annoncée par *laisser plume ou aisle* (déb. XVe s.). ◇ *Plume* exprime une idée d'ornement et, figurément, de vanité dans la locution proverbiale ***les belles plumes font le bel oiseau*** (1558) et l'expression aujourd'hui plus vivante ***se parer des plumes du paon*** (1668, La Fontaine). ◇ Enfin, à l'époque classique, on rencontre *plume* avec une idée de «légèreté» dans la locution *être de plume* (v. 1625), supplantée par ***léger comme une plume*** (1640) ; cette idée, où *plume* s'oppose par allitération à *plomb*, se réalisera ultérieurement dans le vocabulaire technique de la boxe avec ***poids plume*** (1914), antérieurement *poids de plume* (1900).

La plus importante extension de sens vient de l'usage des plumes de quelques oiseaux (surtout l'oie) comme instrument d'écriture (1461, dans *fondre des mots de sa plume* «écrire»). Ce sens, devenu courant en moyen français, a donné lieu au XVIIe s. à des locutions exprimant le fait d'écrire : ***prendre la plume*** (1613), ***mettre la main à la plume*** (1616), ***tenir la plume*** (1690). Par métonymie, *une plume* s'est appliqué à l'écrivain (1549) et aujourd'hui surtout dans ***gens de plume*** (1552) et ***homme de plume*** (1798), où *plume* correspond à «activité d'écrire» et «manière d'écrire» (1608), spécialement dans ***guerre de plume*** «polémique» (1771). Ces locutions se sont maintenues malgré le remplacement de la plume d'oiseau par une petite lame de métal terminée en pointe (déb. XVIIIe s.) et ajustée à un instrument désigné par le composé **PORTE-PLUME** n. m. (1725), puis par le stylo (à plume). Mais *plume* vieillit en emploi concret, du fait du remplacement des *plumes d'acier* (exemple, les célèbres *plumes Sergent-major*) par des pointes, des billes, des feutres, etc. Le vocabulaire du domaine en a été remanié, et *plume* semble en avoir souffert plus que *crayon** et *stylo**. ➜ Par analogie de forme ou d'aspect, *plume* désigne en sciences naturelles la pièce chitineuse formant la coquille interne des calmars (1855). ➜ L'expression récente ***voler dans les plumes de qqn*** (1946, Prévert) fait allusion à des combats d'oiseaux (coqs ?).

▸ La dérivation de *plume* est abondante. ➜ Le dérivé **PLUMER** v. tr. est d'abord attesté (v. 1150) au figuré pour «tirer, arracher la moustache de (un homme)» et, proprement (XIIIe s.), pour «arracher les plumes à (un oiseau)». ◇ Le verbe a pris au XIIIe s. le sens figuré de «dépouiller, voler (qqn)» (1205-1250), toujours vivant *(se faire plumer)* et soutenu par les valeurs figurées de mots comme *pi-*

geon, alors que les expressions classiques *plumer l'oye sans la faire crier* (1581), *plumer la poule* (1690) ont disparu. ◆ Le sens analogique, «ôter l'écorce, la peau» (1350) reste en usage dans certaines régions. ◇ Celui de «friser l'eau en ramenant l'aviron en arrière» est une spécialisation analogique moderne en aviron. ◆ Le verbe a donné quelques dérivés, l'ancien nom d'agent **PLUMEUR, EUSE** n. (1609), qui n'est plus usité pour désigner la personne plumant les volailles au marché, le nom d'action **PLUMÉE** n. f. (1845) qui désigne aussi, par métonymie, ce qu'un oiseau plumé fournit de plumes, et un autre nom d'action **PLUMAISON** n. f. assez rare.

PLUMAGE n. m. (1265), dérivé collectif de *plume* (cf. *feuillage*) d'abord attesté au sens métaphorique d'«apparence, extérieur de qqn», a surtout le sens propre collectif d'«ensemble des plumes (d'un oiseau)» (1284). Un homonyme rare correspond au nom d'action de *plumer* (1611). ◆ Un ancien dérivé de *plume,* **PLUMAS** n. m., certainement ancien et repris au XVe s. (1420), correspond au latin *plumacium* «lit de plume» et a servi d'intermédiaire dans la formation de deux dérivés. ◇ **PLUMASSEAU** n. m., aboutissement de *plumaceol* (v. 1240), *plumacel* (1314), *plumaceau* (1631), a désigné en médecine ancienne un tampon de charpie utilisé comme pansement, et s'est maintenu avec le sens technique de «petit bout de plume servant à emplumer les clavecins et les flèches» (1690); son emploi pour «petit balai de plumes» (1762) a reculé au profit de *plumail* (ci-dessous). ◇ **PLUMASSIER, IÈRE** n. et adj., autre dérivé de *plumas* (1448; 1440 selon *Le Larousse de la langue française*), désigne l'ouvrier qui fabrique, prépare les ornements en plumes. ◇ Son dérivé **PLUMASSERIE** n. f. (1505) est sorti d'usage au sens collectif d'«ornement de plumes», mais encore employé pour le commerce et le travail du plumassier (1617). ◆ **PLUMAIL** n. m., d'abord «tampon de charpie» (v. 1240), comme *plumasseau,* est devenu un des noms du panache d'un casque (v. 1440) et celui d'un petit balai de plumes (1611); il est devenu archaïque. ◆ **PLUMETÉ, ÉE** adj. (1322), dérivé de *plume* par l'intermédiaire de l'ancien diminutif **PLUMETE** n. f. (v. 1223), qualifie ce qui imite, évoque la plume, surtout dans deux spécialisations en joaillerie (1325) et en héraldique (1690). On en a dérivé **PLUMETER** v. tr., verbe rare synonyme de *moucheter.* ◆ **PLUMETIS** n. m. (1495) semble soit dérivé de *plumet,* soit formé sur le radical de l'adjectif *plumeté.* ◇ Le mot s'applique à une broderie à l'aiguille dont le dessous est bourré et dont les points droits, serrés, rappellent par leur disposition l'aspect des barbes d'une plume. ◇ Par métonymie, il désigne l'étoffe ainsi brodée et, par analogie, ce qui évoque le plumetis, par sa légèreté, sa délicatesse (dans un style littéraire).

PLUMARD n. m. (v. 1480, *plumart*) a vieilli avec les sens qui en faisaient un concurrent de *plumail* et, plus tard de *plumet,* c'est-à-dire «panache» et «petit balai de plumes» (1611). Il est resté très vivant avec le sens argotique, puis familier, de «lit» (1881) d'après *plume* «matelas de plumes». ◇ Ce sens est réalisé dialectalement par *plumeau* «édredon» (Vosges, Meuse, Moselle, etc.), **PLUMASSEAU** n. m. «lit de plumes», **PLUMARDE** n. f. «paillasse» (1848). ◇ *Plumard* a donné en argot le dérivé régressif ② **PLUME** n. m. «lit». ◇ **SE PLUMER** v. pron., argotique (1883), puis familier pour «se mettre au lit», est dérivé soit de *plumard,* soit de *plume* (à partir de *se mettre dans la plume, dans les plumes*). ◇ **SE PLUMARDER** v. pron. (1888), de *plumard,* tend à le remplacer.

PLUMET n. m. (1478), d'abord dans *garson plumet,* terme péjoratif pour désigner un jeune homme, a pris le sens métonymique de «jeune homme, surtout militaire, qui porte un plumet» (1640). ◇ Il désigne proprement une plume ou un bouquet servant d'ornement à un chapeau (1640), emploi dans lequel il a éliminé *plumail* et *plumard.* ◆ **PLUMÉE** n. f., «quantité d'encre que peut retenir une plume à écrire en une fois» (1574), a vieilli puis disparu avec l'usage de la plume d'oie. ◆ **PLUMEAU** n. m. (1640), autre nom concret dérivé de *plume,* désigne un balai de plumes servant à épousseter les meubles. Par analogie, il sert de synonyme à *plumet* au sens de «touffe de plumes»; il désigne le brin de plume que les fabricants de fleurs artificielles emploient pour former les pistils des fleurs (1812) et, à la pêche, une mouche artificielle munie d'une touffe de poils. ◆ **PLUMULE** n. f., diminutif savant (1764) employé en botanique pour la gemmule, a été formé sur *plume* d'après le latin scientifique *plumula* «petite plume», diminutif de *pluma.* Par extension, il correspond à «petite plume, duvet» dans l'usage didactique (1842). ◆ **PLUMIER** n. m., «boîte où l'on met les plumes (et, par métonymie, matériel à écrire)», est attesté depuis 1872. L'objet tend à être remplacé par la trousse, avec l'évolution du matériel à écrire, et le mot à devenir archaïque.

PLUMITIF n. m., d'abord *plumetif* (1589), est l'altération dans le langage des clercs, peut-être par croisement avec *primitif** «original d'un écrit», du moyen français *plumetis* «brouillon d'un acte» (1539) qui possède la variante *plumetif* (1625). Ce *plumetis* est le dérivé d'un ancien verbe *plumeter* «écrire au brouillon» (XVIe s.), lui-même dérivé de *plume* (à écrire). On rencontre également au XVIe s. *plumeteur* pour désigner un petit écrivain (1549). ◇ *Plumitif* désigne le brouillon d'un acte, sens attesté une fois au XVIe et repris au XVIIIe s. (1771); de nos jours, le mot désigne spécialement un registre sur lequel le greffier mentionne les principaux faits de l'audience (1679). ◇ Sous l'influence de *plume**, le mot a désigné aussi un clerc (1589), un greffier, un commis aux écritures, peut-être par l'intermédiaire de l'expression ancienne *greffier au plumitif* (1757) et, souvent, avec une connotation péjorative. Celle-ci, rapportée à un homme de lettres médiocre (1767), est aujourd'hui la seule acception vivante du mot. Elle inclut les mauvais auteurs, les journalistes médiocres.

Le verbe a plusieurs composés préfixés. ◆ **EMPLUMER** v. tr. (XIIe s.), «garnir de plumes», quelquefois en concurrence avec *empenner,* est également employé à la forme pronominale. ◆ **REMPLUMER** v. tr. en est le composé en *re-* (XIIIe s.) exprimant l'action de couvrir de plumes. ◇ Il a développé deux sens figurés et familiers, «rétablir la situation financière de (qqn)» (1400) et, physiquement, «redonner de l'embonpoint à (qqn)» (1611), souvent au passif, au pronominal et au participe passé. ➜ L'autre verbe tiré de *plume* par suffixation et préfixation est **DÉPLUMER** v. tr. (v. 1265), rare dans l'usage au sens de «dépouiller (un oiseau) de ses plumes», car il est concurrencé par le verbe simple *plumer*. Il est plus vivant à la forme pronominale *se déplumer* réfléchie ou réciproque, à la fois en parlant d'oiseaux, et familièrement, d'une personne qui perd ses cheveux ou, au figuré, ses biens (1490, comme transitif). ◇ Le participe passé **DÉPLUMÉ, ÉE** est adjectivé pour un oiseau dénué de plumes et, familièrement, une personne (un homme) qui perd ses cheveux (fin XIVe s.).

PLUM-PUDDING n. m. est emprunté sans modification (1745) à l'anglais *plum-pudding* (1711). Celui-ci est formé de *plum* «prune», issu comme ses correspondants germaniques du latin médiéval *pruna* (→ prune), pris au sens de «raisin sec pour gâteau» parce que l'on remplaçait les pruneaux *(prunes* ou *dry plums)* par des raisins dans certaines recettes, et de *pudding* (→ pudding). Au début du XVIIe s., les Anglais écrivaient *plum* et *plumb*, si bien que le jeu de mots avec *plumb* «plomb» (de même origine que *plomb**) pénétra en français sous la forme *gâteau de plomb*, plus tard sortie d'usage.

♦ Le mot est attesté notamment chez Voltaire en 1756. Il est concurrencé par *Christmas pudding* «pudding de Noël», variante anglaise attestée en français en 1938, et surtout par la forme abrégée *pudding**, qui a un sens plus large en anglais.

PLUPART (LA) n. f., d'abord écrit *la pluspart* (1395), est composé de *plus** et de *part**.

♦ Le mot, qui a concurrencé puis supplanté l'expression *la plus grande part* (v. 1450), signifie «la plus grande partie de». Son emploi, suivi d'un complément au pluriel (v. 1500, *la plupart des gens*), s'est généralisé aux dépens du tour avec un complément au singulier (v. 1500, *la pluspart du jour*), sauf dans *la plupart du temps* (1538, *la plus part du temps*). ◇ La locution adverbiale *pour la plupart* «en ce qui concerne le plus grand nombre» est attestée à partir de 1538.

PLURAL → PLURIEL

PLURI- est l'élément formant tiré du latin *plures*, pluriel de *plus* (→ plus), qui signifie «plus nombreux», «un plus grand nombre», «un trop grand nombre» et «plusieurs». Cet élément, avec le sens de «plusieurs», qu'il partage avec *poly-* et *multi-*, entre dans la construction d'adjectifs et de substantifs. Il est productif dans le vocabulaire didactique des XIXe et XXe siècles.

► Au XIXe s., on a formé **PLURIFLORE** adj. (1846), **PLURIVALENT, ENTE** adj. (attesté 1907 mais antérieur) et **PLURIVALENCE** n. f. (1877), en biologie **PLURICELLULAIRE** adj. (1890), **PLURIPOLAIRE** adj. (1897) et **PLURINUCLÉÉ, ÉÉE** adj. (1898). ◇ Les principales créations du XXe s., à l'exception de **PLURILATÉRAL, ALE, AUX** adj. (1932), sont postérieures à 1950. Ce sont **PLURILINGUE** adj. (1956) et **PLURILINGUISME** n. m. (1956), **PLURIDIMENSIONNEL, ELLE** adj. (1957), **PLURIVOQUE** adj. (1950) et **PLURIVOCITÉ** n. f. (apr. 1960) qui s'opposent à *univoque, univocité*, **PLURIDISCIPLINAIRE** adj. (1966) et **PLURIDISCIPLINARITÉ** n. f. (1969), **PLURIFONCTIONNEL, ELLE** adj. (1969) et **PLURIFONCTIONNALITÉ** n. f. (1969), **PLURIPARTISME** n. m. (1962).

PLURIVOQUE adj. (1917) s'oppose à *univoque*. ◇ Outre ces composés, on rencontre de nombreuses formations occasionnelles, où *pluri-* peut en général commuter avec *uni-*, *bi-*, *tri-*, etc., et est synonyme de l'élément tiré du grec, *poly-* (le deuxième élément est en principe, tiré du latin pour *pluri-*, du grec pour *poly-*).

◈ voir PLURIEL.

PLURIEL, ELLE adj. et n. m. est la réfection (1460), d'après le latin *pluralis*, de l'ancien français *plurer* (v. 1245) et *plurier* (v. 1330) «qui indique la pluralité». Celui-ci est lui-même l'altération sous l'influence de *singuler, singulier**, de l'ancien français *plurel* (1172-1174), lequel était déjà emprunté au latin *pluralis* «composé de plusieurs», spécialisé en grammaire pour qualifier et désigner la marque de pluralité. *Pluralis* est dérivé de *plus, pluris* (→ plus).

♦ *Pluriel* est d'abord employé en grammaire, à propos du nom indiquant la pluralité des objets et, par métonymie, de la forme prise par un nom dans cette catégorie (1674). Il est adjectivé (1607) avec la même valeur. ◇ Dans le style littéraire il a développé comme adjectif le sens général de «dont le contenu est formé d'éléments multiples, non perçus immédiatement» (1966) qui connaît une certaine vogue. ◇ L'expression *gauche plurielle* (1997) ou *majorité plurielle* utilise la connotation positive de richesse et de liberté de ces emplois.

► La famille de *pluriel* est formée d'emprunts et de dérivés savants. ◇ **PLURALITÉ** n. f., emprunt (v. 1300) au dérivé bas latin *pluralitas, -atis* «le pluriel», «la multiplicité», exprime la notion de grand nombre, et spécialement en grammaire, celle de nombre pluriel (1328). ◇ Son autre sens, «plus grand nombre» (1559), a subi la concurrence très forte de *majorité*, qui l'a emporté à la fois dans l'usage commun, là où on employait *pluralité* pour «la plupart des gens» (1672), et dans le contexte d'un suffrage, d'un vote. Dans ce contexte, *majorité** s'est imposé pendant la Révolution de 1789. ◇ **PLURALISER** v. tr., dérivé savamment (1581) du latin *pluralis* à l'aide du suffixe *-iser*, était employé autrefois à la forme pronominale *se pluraliser* au sens de «cesser d'être unis», sorti d'usage. Transitivement, le verbe exprime l'action de mettre au pluriel (1583) et *se pluraliser* le fait de devenir multiple. ◇ Le dérivé **PLURALISATION** n. f. (1845-1846) est didactique. ➜ **PLURAL, ALE, AUX** adj., emprunt tardif (1874) au latin *pluralis*, sert à qualifier un système de vote qui permet d'attribuer plusieurs voix à certains votants *(vote plural)*. ◇ Il signifie en général «qui contient plusieurs unités, plusieurs éléments» (1877), spécialement en logique, en parlant d'un jugement s'appliquant à plusieurs éléments. ◇ On en a dérivé **PLURALISME**

n. m. (1895) «doctrine philosophique qui admet la nécessité de postuler plusieurs principes pour expliquer la constitution du monde» et, en sociologie, «doctrine admettant la coexistence d'éléments culturels, économiques, politiques, religieux différents au sein d'une même collectivité». ➛ L'adjectif correspondant **PLURALISTE** (1909) est employé en philosophie, en sociologie, et, par extension, en parlant de ce qui privilégie l'aspect multiple des êtres et des choses. ◇ Les deux mots ont reçu une valeur politique, à propos d'un régime qui admet plusieurs partis, et d'un parti qui admet plusieurs tendances; ils s'opposent alors à *parti unique.*

◈ voir **PLURI-**.

PLUS adv., prép., n. m. et particule négative est issu (980) du latin *plus,* forme servant de comparatif à *multus* (→ moult) qui correspond en latin au grec *polus* (→ poly-), «en plus grande quantité». Le singulier *plus* ne s'emploie qu'au neutre, soit au nominatif et accusatif *plus,* souvent opposé à *minus* (→ moins), soit au génitif ou à l'ablatif accompagnant des verbes exprimant le jugement, l'appréciation, le prix. *Plus,* accompagnant un adjectif, a tendu comme *magis* (→ mais) à remplacer le comparatif formé par suffixation. Cet emploi a dû être fréquent dans la langue parlée (il est rare en langue écrite) et, en ce sens, *plus,* soutenu par la symétrie avec *minus,* a supplanté *magis* auquel il s'est substitué complètement dans certains domaines. ◇ *Plus* appartient à la racine de *plere* (→ emplir), *plenus* (→ plein) avec la valeur «être plein»; cependant, le détail des formes (vocalisme, *s* final) est difficile à expliquer. L'adjectif indoeuropéen signifiant «abondant, nombreux», dont le vocalisme varie d'une langue à l'autre, n'est pas conservé en latin où *multus* (d'origine obscure et qui a donné *moult**) a prévalu. Une seule chose est évidente : le *u* du latin archaïque *plous,* d'où *plus,* est dû à la forme opposée *minus.* ◇ Dans le domaine gallo-roman, *plus,* comme adverbe de quantité, est propre aux parlers septentrionaux; au sud de la ligne allant de la Vendée à la Suisse romande, on dit *mais* qui vient de *magis* (en français central, il en reste *je n'en peux mais*); cependant, dans les phrases négatives, *mais* (ordinairement précédé de *pas*) ne s'emploie plus que dans le Sud-Ouest; pour exprimer le comparatif, il est limité au gascon. ◇ En français moderne, une distinction phonétique entre *plus* prononcé *plu* avec liaison du *s* prononcé [z], et *plus'* tend à se généraliser pour éviter la confusion avec le *plus* négatif construit sans *ne,* toujours prononcé *plu.*

♦ En français, *plus* est employé comme comparatif dès les premiers textes; il y est adverbial au sens de «davantage». Dès les XIe-XIIe s., il est suivi d'un adjectif (v. 1050), il accompagne un verbe (v. 1135), puis il est lui-même précédé d'un adverbe (av. 1250, ***encore plus***); dans le cas d'une comparaison explicite, *plus* est construit avec *que* (v. 1050). ***Plus de,*** suivi d'un numéral, d'un nom au singulier ou au pluriel (fin XIIe s.), exprimant le dépassement d'un nombre, d'une quantité, continue à être employé en français moderne, témoignant de la construction de l'ancien français où le complément du comparatif était introduit par *de;* on emploie quelquefois dans ce tour *plus que.* ***Plus d'un, d'une*** suivi d'un nom est un tour qui remonte à l'époque classique (1668). La construction symétrique ***plus... plus*** est ancienne (v. 1170), de même que les premières locutions adverbiales : *ço que plus est* (déb. XIIe s.) a été remplacé par ***(et) qui plus est*** (1461). ◇ ***Sans plus*** (1176-1181), d'abord employé seul, est également construit avec un infinitif (v. 1350) puis aussi (1694) avec la préposition *de* introduisant un nom. ◇ *Plus* est entré dans les locutions ***de plus en plus*** (v. 1250), ***tant et plus*** (1530), *pour le plus* (1538) «au maximum», qui est sorti d'usage, ***il y a plus*** (1580), ***bien plus*** (1640), ***de plus*** (1636) et plus tard, ***en plus*** «outre cela» (1868), emploi populaire oral sans doute beaucoup plus ancien, succédant à la forme soudée *emplus* (une fois au XIVe, puis XVIe s.) qui signifiait «davantage». ◇ L'emploi substantivé de ***(le) plus,*** indiquant la plus grande quantité possible, le maximum, est attesté à partir du XVIe s. (1530); c'est à la même époque que l'on commence à rencontrer *plus* marquant une addition dans une série d'objets (1546), d'où son emploi en mathématiques comme signe de l'addition (1613).

L'emploi de *plus* précédé d'une négation est très ancien, dans le tour ***ne... plus*** avec une valeur quantitative (v. 1050) puis temporelle : «ne... pas plus longtemps» (1314); ce tour remarquable, que le français n'a pas tiré du latin (lequel employait en ce sens *jam... non*), confère à *plus* un sens négatif marquant la cessation d'une action ou d'un état; il est venu de la valeur quantitative, le temps à venir étant assimilé à une quantité qui s'ajoute à un moment donné de la durée. L'ambiguïté possible est souvent levée par la prononciation : alors que *plus* positif est prononcé *pluss,* l'emploi négatif correspond à *plu.* ◇ *Plus* exprime également une idée négative dans le tour ***il n'y a plus de*** suivi d'un infinitif (1202) et dans quelques locutions et constructions, quelquefois homonymes de celles qui contiennent *plus* avec une valeur positive : ***ne... plus... que*** (1202), ***non plus que*** (1419), ***non plus*** employé comme *non pas* pour opposer un terme à un autre (1588, Montaigne), ***sans plus,*** elliptiquement ***plus de...*** avec une nuance temporelle, spécialement avec une valeur d'optatif ou d'impératif.

L'emploi de ***le, la, les plus*** comme superlatif (prononcé avec le *s*) est apparu d'abord comme adverbe (v. 1050), seul devant un adjectif, un adverbe (1080) ou un nom (1080); puis, dans l'usage moderne, qui n'est pas encore généralisé au XVIIe siècle. ◇ *Plus* suivi d'une proposition relative au subjonctif apparaît en moyen français (1450-1461, *la plus rebelle villenaille qui soit*). ➛ L'emploi nominal de *plus* superlatif, très ancien (v. 1050), exprime le plus grand nombre, la plus grande quantité, d'abord absolument, puis déterminé par un complément introduit par *de* (v. 1140). ***Au plus*** «au maximum», locution adverbiale (v. 1195), est renforcé en ***tout au plus*** (1538). ◇ L'emploi substantivé de ***un plus*** désignant un élément positif supplémentaire est récent et relève notamment de l'usage publicitaire.

▸ **PLUS** a produit le composé **SURPLUS** n. m. (1090 F.e.w.; v. 1130, T.L.F.), qui signifie d'abord «ce qui vient s'ajouter à ce qui a déjà été mentionné», sens disparu, puis «reste, excédent» en parlant d'une réalité non langagière. Une spécialisation concernant du matériel destiné aux armées et revendu au public est apparu en 1945 *(les surplus américains)*. ◇ Le mot a donné les locutions adverbiales ***au surplus*** (v. 1330, *au sourplus*) «au reste, d'ailleurs» et plus rarement ***de surplus*** (1636), qui a perdu le sens classique de «au reste» pour celui de «en plus, de plus». Les locutions ***du surplus*** (1685) et ***pour le surplus*** (La Fontaine) ne sont pas devenues usuelles. ◇ En économie, le mot désigne l'excédent de l'offre (v. 1930) et, plus récemment, un gain de productivité (*compte de surplus*, etc.). ◇ *Plus* est entré dans la composition de deux noms composés : *plus-value* n. f. (→ valoir) et *plus-que-parfait* (→ parfait).

◈ voir PLUPART (LA), PLURI-, PLURIEL, PLUSIEURS, PLUTÔT.

PLUSIEURS adj., pron. ind. pl. s'est d'abord écrit *pluisur* (v. 1050), *plusur* et *plusor* (1080) avant de prendre la forme actuelle *plusieurs* (1325), généralisée avant la fin du XVe s., sous l'influence de *supérieur**. Le mot est issu d'un latin populaire °*plusiores*, altération sous l'influence de *plus* (→ plus) du bas latin *pluriores* (IVe s.). Celui-ci est la réfection, sur le modèle de la formation générale des comparatifs, du latin classique *plures*, pluriel de *plus* (→ plus) «plus nombreux, un plus grand nombre», quelquefois employé au sens indéterminé d'«un bon nombre», généralement assumé par le composé *complures*.

♦ Le mot est d'abord attesté dans le syntagme *li pluisur* «la plupart, le plus grand nombre»; ni cette construction ni ce sens n'ont survécu à l'ancien français. ➛ L'usage moderne a abandonné la notion de comparatif (cf. l'évolution de *pluralité*) et a généralisé l'idée de nombre indéterminé : le mot est employé comme adjectif au sens de «quelques» dès *La Chanson de Roland* (1080, *plusurs choses*) où il est aussi pronom indéfini pluriel. Comme tel, il exprime quelquefois l'idée d'un nombre plus ou moins important inclus dans un nombre plus grand (1553), et il est souvent suivi d'un complément partitif introduit par *de, d'entre, parmi* (1716). Dans la langue classique, il était souvent employé comme pronom complément.

PLUTONIUM n. m., nom d'un élément radioactif, est dérivé (1948) du latin *Pluto, -onis* «Pluton, dieu des Enfers», lui-même emprunté au grec *Ploutôn*, nom d'un dieu souterrain lié au culte de Déméter comme dispensateur des produits de la terre, avant de se confondre avec Hadès, dieu des Enfers. ◇ *Ploutôn* signifie au sens propre «le Riche», de *ploutos* «riche» (→ ploutocratie), par allusion au fait que toutes les richesses proviennent du sol. Le mot latin *Pluto* a fourni le nom de la dernière planète découverte dans le système solaire.

♦ Dès 1816, on rencontre *plutonium* dans la traduction d'une lettre en anglais d'Edward-Daniel Clarke *(Annales chim. et phys.)* qui déclare avoir choisi le nom de *plutonium* comme dénomination du baryum. *Plutonium* n'en a pas moins été supplanté par *baryum* en ce sens. ➛ Le mot a été repris en 1948 pour désigner un élément radioactif formé à partir de l'uranium par bombardement de neutrons, utilisé comme matériau de base pour la fabrication des bombes atomiques.

▶ Le radical de *plutonium* a servi à former l'adjectif **PLUTONIGÈNE**, «qui produit du plutonium» (v. 1960), avec *-gène**.

PLUTÔT adv. résulte de la soudure (1549) de l'ancienne locution adverbiale *plus tost*, formée de *plus** et de *tost* (→ tôt), dans les emplois où cette locution a développé une valeur autre que temporelle (v. 1274). Antérieurement, on rencontre des exemples de *plustost* (XIIIe s.) avec le sens temporel, évincé de l'usage courant par la locution *plus tôt* mais encore possible à titre d'archaïsme stylistique, notamment dans *pas plutôt* à la place de *pas plus tôt*.

♦ L'usage moderne du mot s'est dessiné dans l'emploi de la locution conjonctive *plus tost... que*, qui, à partir du sens temporel de «plus rapidement que» (avec *tôt* pris dans son sens étymologique de «vite»), a glissé vers le sens de «plus volontiers que» avec une valeur préférentielle. Anciennement, la locution introduisait directement l'infinitif; de nos jours, la construction prépositionnelle avec *de* est plus fréquente. La tournure ***plus tôt... que ne*** et infinitif est attestée depuis 1461 *(plus tost...)*. ◇ *Plutôt* entre dans les locutions adverbiales ***ou plutôt*** (1549) et ***mais plutôt*** (1585) à la même époque où il commence d'être employé seul comme adverbe (av. 1563). ◇ Par extension, il a développé la notion, sans comparaison explicite, de «passablement, assez» (1888) *[il est plutôt intelligent]* d'où, familièrement, «très, beaucoup» (1908), notamment en réponse exclamative *(plutôt !)*.

PLUVIAL, ALE, AUX adj. et n. m. est emprunté (1174-1178) au latin *pluvialis* «de pluie, produit par la pluie», dérivé de *pluvia* (→ pluie) et substantivé dans les textes médiévaux pour désigner un manteau liturgique à capuchon (XIIe s.).

♦ Le mot a été repris comme nom avec son sens liturgique, quelquefois adjectivé (1374, *vestements pluvialz*); il a été le plus souvent remplacé par *chape*. ➛ Réemprunté comme adjectif vers la fin du XVe s., il a le sens usuel de «qui provient de la pluie» (*eaues pluviales*, 1488), interférant quelquefois, dans l'usage littéraire, avec le sens de *pluvieux** «abondant en pluie» (1521). Il est employé spécialement en climatologie, où l'on rencontre également **PLUVIAIRE** adj.

▶ **PLUVIEUX, EUSE** adj. est emprunté (1213) au latin *pluviosus* «de la nature de la pluie, abondant en pluie», dérivé de *pluvia* (→ pluie). Il a remplacé dès l'ancien français des formes issues de ce même *pluviosis* : *plujos* et *pluios* (XIIe s.). ◇ Le mot qualifie ce qui est caractérisé par l'abondance ou la fréquence des pluies; par extension, il est appliqué à un lieu où il pleut beaucoup (v. 1850, Baudelaire), emploi courant, parfois critiqué par les puristes. ➛ Le dérivé savant (d'après le latin *pluviosus*), **PLUVIOSITÉ** n. f. (1909), est employé en climatologie pour «caractère pluvieux» et surtout «régime pluvial».

Un autre emprunt au latin *pluviosus* a donné **PLUVIÔSE** n. m. (30 octobre 1790), nom du cinquième mois du calendrier républicain dans la terminologie de Fabre d'Églantine, «mois de pluie» à cheval sur les mois de janvier-février.

◈ voir PLEUVOIR, PLUIE, PLUVIER, PLUVIO-.

PLUVIER n. m. est la réfection (1505) de l'ancien français *plouvier* (v. 1150), *plovier,* issu d'un latin populaire °*pluviarius,* proprement «oiseau de pluie», cet oiseau arrivant en troupe vers la saison des pluies (d'où l'italien *piviere*). La réfection du XVIe s. est due au latin classique *pluvia* (→ pluie). La forme du français peut aussi être considérée comme un emprunt au provençal *pluvier* (XIIIe s.), qui a au moins influencé la réfection de l'ancien type *plouvier.*

♦ Le mot désigne un échassier qui vit en groupes au bord des côtes, des marais du nord de l'Eurasie, de l'Afrique.

▸ *Pluvier* a influencé la formation d'un autre terme d'ornithologie, **PLUVIAN** n. m. nom d'un échassier voisin du pluvier (1781), dérivé savamment du latin *pluvia* «pluie».

PLUVIO- est l'élément savant tiré du latin *pluvia* (→ pluie) employé dans la formation de quelques termes de climatologie, météorologie et géographie.

▸ **PLUVIOMÈTRE** n. m., composé (1788) de *pluvio-* et *-mètre**, désigne un appareil servant à mesurer la quantité d'eau tombée sous forme de précipitations. ◇ On a formé à sa suite **PLUVIOMÉTRIQUE** adj. (1832) et **PLUVIOMÉTRIE** n. f. (1851). ◆ **PLUVIO-NIVAL, ALE, AUX** adj., a pour synonyme, **PLUVIO-NEIGEUX, EUSE** adj. (1968 dans les dictionnaires généraux). ◆ **PLUVIOGRAMME** n. m., «enregistrement au pluviomètre, enregistreur des variations des chutes de pluie en un point», semble avoir été formé dans la seconde moitié du XXe s. (il entre dans les dictionnaires généraux en 1963).

PLUVIÔSE → PLUVIAL

PNEUMATIQUE adj. et n. est emprunté (1520) au latin impérial *pneumaticus* «relatif à l'air», en particulier «à air, à vent», notamment dans l'expression *pneumatica organa* «machine mue par air, pompe». Le mot latin est emprunté au grec *pneumatikos,* également employé en parlant de la machine pneumatique *(pneumatikon organon),* dérivé de *pneuma* «souffle» et «respiration, haleine», puis «esprit», employé dans le Nouveau Testament à propos de l'Esprit saint et des mauvais esprits. *Pneuma* est dérivé du verbe *pneim* «souffler», «exhaler une odeur», «respirer»; le mot appartient probablement à une famille indoeuropéenne à valeur expressive et de nature onomatopéique. En germanique, l'ancien norrois *fnýsa* «souffler bruyamment, haleter», l'anglo-saxon *fnēosan* «éternuer», peuvent comporter la diphtongue *-eu-* de *pneu-;* d'autres mots germaniques reposent sur °*fnes-, fnos-* comme l'anglo-saxon *fnesan* «haleter» et le moyen haut allemand *pfnāsen* de même sens. Dans ces mots germaniques, *fn-* correspond à *pn-* en grec.

♦ *Pneumatique* a été introduit en français comme adjectif au sens de «subtil» *(pneumatique esprit),* avant de qualifier ce qui se sert des propriétés de compressibilité de l'air comme source d'énergie (1547, *engin pneumatique,* calque du latin et du grec) en physique et dans des applications techniques. Il qualifie en particulier ce qui sert à faire le vide (1708) et ce qui contient de l'air emmagasiné (1869), et se dit en anatomie des os creux des oiseaux dont la cavité est remplie d'air (1903). ◆ Plus couramment aujourd'hui, l'adjectif qualifie ce qui fonctionne à l'air comprimé (1869), par exemple dans *briquet pneumatique* (1869) et ***marteau pneumatique*** (1927). ◆ Le mot est substantivé au féminin comme nom de la science de l'air et des gaz (1751, *Encyclopédie*), puis en philosophie (1938).
Il est également substantivé au masculin ***(un pneumatique),*** sous l'influence de l'anglais *pneumatic,* et désigne un bandage de roue contenant de l'air sous pression (1890). C'est alors la francisation, aussi sous la forme *bandage pneumatique* (1891, brevet d'invention de Michelin), de l'anglais *pneumatic tyres* «bandes pneumatiques» (1890). ◆ Au sens de «lettre envoyée par tube pneumatique» (1913), **PNEUMATIQUE** n. m. s'inspire de l'anglais *pneumatic despatch* (1863) s'appliquant à ce système de distribution du courrier à Londres (les deux derniers sens sont abrégés en *pneu,* voir ci-dessous).

▸ L'adjectif a pour dérivé **PNEUMATICITÉ** n. f. (1842), mot didactique désignant l'étude des os (pneumatiques) des oiseaux, et **PNEUMATIQUEMENT** adv. (XXe s.). ◆ Le nom *pneumatique* est couramment abrégé en **PNEU** n. m. (1891) pour désigner l'enveloppe de caoutchouc recouvrant une chambre à air comprimé que l'on adapte à la jante des roues, d'abord de bicyclette, puis aussi d'automobile, d'engin sur voie ferrée *(métro sur pneus)* , etc. ◆ Le même mot sert également d'abréviation au sens de «carte, message pneumatique» (1922, Proust).
Quelques composés savants ont été formés avec le premier élément *pneuma-, pneumato-* tiré du grec *pneuma, pneumatos,* comme **PNEUMATOCHIMIQUE** adj., vieux mot scientifique, **PNEUMATOLOGIE** n. f. (1751), terme d'histoire de la philosophie pour la science des choses de l'esprit (cf. *pneumatique* n. f.) ainsi que **PNEUMATOPHORE** n. m. (1846) en botanique et en zoologie, **PNEUMATOTHÉRAPIE** n. f. (1916), terme rare pour «cure d'air», et quelques autres mots didactiques.

◈ voir APNÉE, NEUME, PNEUMONIE.

PNEUMONIE n. f., attesté indirectement dans *péripneumonie* (1707, J.-A. Helvétius), ancien nom de la maladie, puis lui-même en 1785 (traduction de Cullen), est un emprunt savant au grec *pneumonia* «inflammation des poumons», avec influence de l'anglais. Le mot est dérivé de *pneumôn, -onos* «poumon», réfection de l'ancien *pleumôn,* par rapprochement avec *pneuma* «souffle» (→ neume, pneumatique). Le nom du poumon est un des noms de parties du corps qui varient dans les langues indoeuropéennes; la forme la plus proche du grec est celle du sanskrit *klomán-* «le poumon droit», au pluriel «les poumons», si l'on admet une dissimilation de *p-m* en *k-m* qui permettrait de poser l'indoeuropéen °*pleumon-*. Le latin *pulmon* (→ poumon), apparenté, serait issu de °*plu-mon*.

▸ Le mot désigne une inflammation aiguë d'un lobe pulmonaire.

▸ *Pneumonie* entre en composition dans les noms de maladie **PLEURO-PNEUMONIE** n. f. (XVIe s.), **BRONCHO-PNEUMONIE** n. f. (1836).

PNEUMONIQUE adj. et n., attesté avant *pneumonie,* est emprunté (1694) au grec *pneumonikos* «qui concerne le poumon» et «atteint d'une maladie pulmonaire», lui-même de *pneumôn.* ◇ Le mot a d'abord désigné un remède qui convient aux personnes souffrant d'une maladie des poumons, et il était adjectivé dans *remède pneumonique* (1701), emploi disparu. ◇ Le nom désigne aujourd'hui une personne atteinte de pneumonie (1812) et l'adjectif qualifie ce qui est relatif à cette maladie (1845).

Un certain nombre de termes de sciences médicales sont formés avec l'élément **PNEUMO-**, tiré du grec *pneumôn.* ◆ L'élément est productif depuis le début du XIXe s. : **PNEUMOGRAPHIE** n. f.; **PNEUMOLOGIE** n. f. (1803) d'où **PNEUMOLOGIQUE** adj. et **PNEUMOLOGUE** n., qui concernent la médecine des poumons (notamment, les soins de la tuberculose pulmonaire). Il l'est encore aujourd'hui avec **PNEUMOTHORAX** (1803) d'abord au sens d'«épanchement de gaz dans la cavité pleurale», puis (1911) d'«insufflation d'air, d'azote, dans la cavité pleurale en cas de tuberculose». Dans ce dernier sens, il est abrégé en **PNEUMO** n. m. (av. 1940). ◇ Un autre traitement antituberculeux est appelé **PNEUMO-CHOC** n. m. (v. 1950).

✳ ① **POCHE** n. f., réfection (XIVe s.) de *puche* (v. 1180), puis *pouche* (XIVe s.), est issu d'un francique °*pokka* «bourse, sac» que restituent le moyen néerlandais *poke* «sac», l'ancien norrois *poki* «bourse, petit sac», et peut-être l'anglais *poke* «sac» (dialectal, surtout Écosse), ce dernier pouvant cependant être emprunté au français. Sans remettre en cause cette étymologie, P. Guiraud propose l'intermédiaire de formes romanes °*popica* ou °*popea* avec le radical expressif °*popp-* évoquant le renflement. Le mot est propre au français, mais il est concurrencé dans les parlers du Nord-Est par des formes issues du germanique °*taska* (allemand *Tasche* «poche»). La région de Lyon, la Savoie et la Suisse francophone possèdent la forme *fata,* du burgonde °*fatta* (qui correspond à l'allemand *Fetzen*).

♦ Le mot est apparu en français avec le sens étymologique de «petit sac, bourse», aujourd'hui disparu, mais qui a survécu dans les dialectes et régionalement : *poche* est encore usuel là où on dit en France *sac,* par exemple en Suisse romande. ◇ Les extensions de sens attestées en ancien français sont peu nombreuses : *poche* désigne en particulier un grand sac de toile pour le blé, l'avoine (1352) et, à la chasse, un filet utilisé pour capturer les lapins (1376). ◇ En anatomie, il s'applique à une petite cavité de l'organisme en forme de sac (1377 isolément, puis 1694). ◆ Quelques extensions apparaissent au XVIe s., le mot désignant le jabot (des animaux) (1530), et, surtout, la partie d'un vêtement où l'on met les choses que l'on porte sur soi (1573), celle-ci étant devenue l'acception dominante. Ce sens a donné lieu à un certain nombre d'expressions, de locutions et à quelques valeurs analogiques. Dès l'époque classique, il entre dans la locution *tenir une affaire dans sa poche* «être assuré de son succès», sortie d'usage mais reprise sous la forme moderne ***mettre qqn dans sa poche*** (1862) et surtout par ***c'est dans la poche*** «c'est fait» (1935). Furetière enregistre la locution ***les mains dans les poches*** (1690), *dans ses poches* avec le sens figuré de «sans rien faire, nonchalamment» (voir ci-dessous pour les locutions plus tardives). ◆ Vers la fin du XVIe s., le mot a désigné un petit violon, sens aujourd'hui archaïque, qui procède de *poche* soit par métonymie, soit elliptiquement pour *violon de poche.* Cf. ci-dessous *pochette.* ◆ L'expression ***de poche*** n'est cependant attestée qu'à partir de 1644 à propos d'un objet de dimensions restreintes, pouvant tenir dans la poche (1690) ou destiné à être mis dans une poche. Au XXe s., ***livre de poche,*** d'après l'anglais *pocket book,* enrichira la série. ◇ Par analogie, *poche* désigne aussi une déformation de ce qui est mal tendu, un faux pli (1694). ◆ Une autre spécialisation concerne le repli abdominal des marsupiaux (1764), sens procédant du sens déjà ancien qu'a le mot en anatomie mais que l'on tend à assimiler plaisamment à celui de «partie d'un vêtement», comme en témoigne l'expression moderne *poche kangourou* (XXe s.) en parlant d'une poche plaquée sur un vêtement au niveau du ventre. ◇ Toujours au XVIIIe s., *poche* équivaut par métonymie du sens vestimentaire courant à «argent» dans les locutions ***aider qqn de sa poche*** (av. 1755), ***payer de sa poche*** (1798). Par ailleurs, le syntagme *argent de la poche* (1798) est condensé en ***argent de poche*** (1874). ◇ La productivité du mot en locutions avec l'idée de «ce qui est caché» ne se dément pas au XIXe s. : ***n'avoir pas sa langue dans sa poche*** (av. 1806), ***n'avoir pas les yeux dans sa poche*** (1859, 1838 sous une forme légèrement différente) «les "sortir", les utiliser», ***mettre (son honneur, etc.) dans sa poche*** «l'enfouir» (1859). Un autre sémantisme correspond à ***connaître (qqn, qqch.) comme sa poche*** «parfaitement» (1857) et ***rien dans les mains, rien dans les poches*** (1869). Au XXe s., il continue, avec son sens usuel, de donner quelques locutions comme ***faire les poches à qqn*** «lui prendre son argent, le voler» (1952); il enrichit la phraséologie moderne de l'habillement (***poche-revolver,*** déb. XXe s., ***poche plaquée,*** 1962, etc.). ◆ Après 1850, *poche* a pris quelques acceptions analogiques, désignant un amas d'une substance logé dans une cavité (1869, Littré), en géologie et en plomberie et dans l'expression ***poche d'air*** (1890). ◇ Après 1850, il s'applique à la boursouflure qui se forme sous les yeux (1903). ◆ Dans le domaine militaire, *poche* se dit d'une partie de territoire tenue par l'ennemi, mais encerclée, de l'enfoncement dans une ligne de défense (1920). ◇ Récemment, il a développé le sens abstrait de «secteur, domaine limité de l'économie ou de la politique» (v. 1967), réalisé spécialement par les locutions ***poche de***

pauvreté, poche de chômage. ◇ Enfin de *livre de poche* (ci-dessus) est tiré *un* **POCHE** n. m. (d'où des composés, ci-dessous).

▸ Le diminutif **POCHETTE** n. f. (v. 1180) a d'abord le sens de «petite bourse»; en relation avec d'autres sens de *poche,* il sert à désigner une petite poche (1596), emprunté par l'anglais sous la forme *pocket,* nom de la poche du vêtement. D'après un sens de *poche* (ci-dessus), il s'est dit d'un petit violon (1700). À la fin du XIXe s., il a pris les sens particuliers de «boîte de compas très plate» (1877) et de «sac à main sans poignée ni bandoulière» (1899). ◇ Par métonymie du sens courant, «petite poche d'un vêtement», il désigne un petit mouchoir fin que l'on dispose dans la poche de poitrine (1923). ◆ Il constitue le premier élément de **POCHETTE-SURPRISE** n. f. (1962).

Le verbe dérivé de *poche,* **POCHER** v. tr. (v. 1223), est d'abord employé dans la locution ***pocher un œil à qqn*** «crever un œil», plus tard affaiblie en «meurtrir un œil par un coup violent» (1546). Il est employé, d'abord sous la forme du participe passé adjectivé **POCHÉ**, à propos d'un mode de cuisson d'un œuf cuit mollet dans son blanc (formant poche) [v. 1223], sens repris par l'anglais avec le mot *to poach* (XVe s.) et étendu en français à d'autres aliments que les œufs (1833). ◇ Le sens figuré du verbe, en art, «esquisser rapidement» (1768), a été annoncé dès le XVIe s. par «représenter par un dessin» (1587). Il a à peu près disparu, mais il en est resté *pochade* (ci-dessous). ◇ Dès le moyen français, le participe passé *poché* s'était employé au sens de «bien imité» (v. 1485, *tout poché*) par une figure mal expliquée (si *pocher* «représenter» n'est pas antérieur à son attestation). ◇ Le sens transitif concret de «mettre en sac» (1660) ne s'est pas implanté, non plus que celui de «conserver longtemps dans un sac», surtout confié au participe passé adjectivé à propos de fruits ayant subi cette conservation (1766). Le verbe a commencé à s'employer intransitivement au XIXe s. pour «former des poches, se déformer» (1835) tandis que *se pocher* a signifié «se battre» (1835). ◇ *Pocher* a produit plusieurs dérivés : **POCHON** n. m. (XIIIe s.), créé comme dérivé de *poche* au sens de «sac», et sorti d'usage sauf régionalement, a pris sous l'influence de *pocher* «faire des taches» (1611) le sens de «tache d'encre» (1671), puis, de «coup de poing sur l'œil» (1858), d'usage populaire et vieilli. ◆ Les autres dérivés sont plus tardifs : au XIXe s. apparaissent les termes techniques **POCHIS** n. m. (1806) en gravure, **POCHADE** n. f. (1828) en peinture et, par analogie, en littérature (1830) dérivé du sens spécial de *pocher* (ci-dessus) et **POCHOIR** n. m. (1874) en dessin devenu assez usuel. ◇ **POCHEUSE** n. f. (1874), «ustensile de cuisine servant à pocher les aliments», est technique. ◇ Le nom d'action **POCHAGE** n. m. est plus tardif (1838) et limité aux techniques culinaire et artistique.

POCHÉE n. f. (1379), tiré de *poche* avec le suffixe *-ée* pour désigner le contenu d'un sac, et (1611) d'une poche de vêtement, n'est guère vivant, sauf régionalement. ◇ Le diminutif masculin **POCHET** n. m., d'abord écrit *pouchet* (fin XIVe s.), a eu le sens de «petit sac», puis s'est employé dans la locution *secouer le pochet* «faire l'amour» (1585) où *pochet* correspond à «sexe féminin», métaphore attendue (cf. *vagin*) mais rarement employée. ◇ *Pochet* a été repris comme terme d'horticulture pour le petit trou dans lequel on sème des graines de végétaux de même nature (1869; cf. *poquet*). Il a aussi désigné, anciennement, le petit sac en toile dans lequel les voituriers mettaient l'avoine destinée à leurs chevaux (1875) et celui dans lequel on apportait des échantillons de céréales sur les marchés (1932, Larousse). Il a vieilli dans tous ses emplois.

POCHETER v. tr. (v. 1600), «garder dans une poche, un sac», a vieilli, tout comme *pocher* au même sens. ◇ Le participe passé féminin **POCHETÉE** est substantivé une première fois au sens de «contenu d'un sac» (av. 1608), repris en 1906 et vivant dans de nombreux dialectes. ◇ Le mot est surtout employé au sens figuré de «bêtise» (1877), dans la locution ***en avoir une pochetée*** (1883), elliptiquement pour *une pochetée de bêtise* (cf. *une couche*) où *pochetée* correspond à «grande quantité», et comme terme d'injure adressée à une personne, probablement influencée par *pochard(e).*

POCHARD, ARDE n. et adj. est employé comme adjectif (1732) et comme nom (1836) au sens familier de «ivre» d'après la même métaphore que *sac à vin* «ivrogne»; dès 1466, la forme est relevée comme surnom dans *Simonne la Pocharde.* ◆ Le mot a produit **POCHARDERIE** n. f. (1836), **POCHARDER (SE)** v. pron. (1835) et **POCHARDISE** n. f. (1858), tous trois familiers et vieillis, mais encore compris.

Le composé verbal **EMPOCHER** v. tr., formé avec le préverbe *en-* (*em-* devant *p*), a signifié «mettre dans un sac», sens disparu et ne se dit plus guère pour «mettre en poche (qqch.)» (1570). ◇ Il est surtout vivant au sens figuré de «toucher (de l'argent)» (1690); le sens familier «encaisser des coups» (chez Zola, 1877), qui procède aussi de cette idée de «recevoir», a vieilli.

Le nom concret **VIDE-POCHE** n. m. inv. (1749) désigne un petit meuble, une petite corbeille dans lesquels on peut déposer de petits objets. Il désigne aujourd'hui en particulier un compartiment aménagé sous le tableau de bord d'une voiture ou dans les portes d'une automobile et qui remplit la même fonction (v. 1960). ◆ Le plus récent dérivé de *poche* est le composé hybride **BIBLIOPOCHE** n. f., fait avec l'élément *biblio-** «livre», pour désigner une librairie spécialisée dans la vente des livres de poche (v. 1971), moins usité que **POCHOTHÈQUE** n. f., formé sur *bibliothèque.*

◈ voir **POQUET, PICKPOCKET.**

② **POCHE** n. f., réfection (1328) de *poje* (fin XIe s.), est issu du bas latin *popia* «louche, grande cuillère», mot populaire relevé dans le *Testamentum Porcelli* et dans les Gloses, sans étymologie connue. *Popia* n'est conservé que par le français.

♦ Le mot, avec le sens de «grande cuillère, louche», est surtout régional (Suisse, Savoie, Champagne). Dans les mêmes régions, il a développé des spécialisations techniques dans l'industrie du verre (1723), la fonderie (1765) et la laiterie (1895), où il désigne un récipient à long manche.

▸ On en a tiré le dérivé **POCHEUR, EUSE** n. (1895), nom technique de l'ouvrier chargé de la coulée en lingotière, en fonderie.

POCHOIR → ① POCHE

① **PODAGRE** n. f. est emprunté (v. 1200) au latin *podagra* «goutte, arthrose du pied», lui-même emprunté au grec *podagra* «piège qui saisit l'animal par le pied», et spécialement «goutte aux pieds» en médecine. Celui-ci est composé de *pous, podos* «pied» (→ podo-, -pode; podium) et de *agra* «fait d'attraper; chasse, pêche», par métonymie «proie» et «butin», mot d'un groupe technique se rapportant à la chasse-capture, à rattacher sans doute à *agein* au sens de «ramener» (→ agir). L'ancien provençal *podagra* (apr. 1150) a probablement servi d'intermédiaire: le mot s'est développé en français grâce à l'influence de l'école de médecine de Montpellier. *Podagre* a éliminé une forme plus ancienne *poacre* «goutte aux pieds» (v. 1150), issue par évolution phonétique du latin *podagra* (cf. ci-dessous *pouacre*).

♦ Le mot a vieilli au XVIIIe s. au bénéfice du terme général *goutte*, puis disparu.

▸ L'adjectif et nom correspondant ② **PODAGRE**, d'abord relevé sous la forme *potagre* (1354), est emprunté au latin impérial *podager*, repris du grec hellénistique *podagros*, adjectif dérivé de *podagra* désignant la personne qui souffre de goutte aux pieds. Le mot français conserve le sens de l'étymon. ◆ Par extension, il se dit d'une personne qui souffre de goutte, de rhumatisme en général (1690 comme nom, 1718 comme adjectif). Au XIXe s., il se dit par extension d'un infirme (1842) et sert à qualifier figurément une chose, une création manquant d'élan, de mouvement (1880, Flaubert) par une métaphore littéraire. Tous ses emplois ont vieilli.

POUACRE n. et adj. (déb. XIIIe s.), qui représente l'adaptation du même mot latin, *podager*, a été évincé par *podagre* pour «qui a de la goutte aux pieds». Il s'est maintenu dans un langage familier aujourd'hui archaïque pour désigner une personne sale, physiquement (encore chez Rimbaud) ou moralement (depuis 1545), d'où, par spécialisation, un avare (1718). ◆ Le dérivé **POUACREUX, EUSE** adj., d'apparence archaïque, ne se rencontre que chez des écrivains du XXe s. (Queneau) après **POUACRÉ, ÉE** «ignoble, répugnant», chez Huysmans.

-PODE → PODO-

PODESTAT n. m. (1542), d'abord *potestat* (v. 1240), est emprunté à l'italien *podestà* (XIIIe s.) ou *potestà*, désignant le premier magistrat de certaines villes italiennes qui détenait les pouvoirs exécutifs et judiciaires. Le mot italien représente le latin *potestas, -atis* «puissance, pouvoir», en particulier «pouvoir politique». Ce mot est dérivé de *potis* «maître de» d'où «puissant» (→ pouvoir). L'ancien provençal *podestat, poestat* est emprunté directement au latin.

♦ Le mot désigne le premier magistrat de certaines villes de l'Italie et du midi de la France au moyen âge. Il est employé en histoire contemporaine de l'Italie (XXe s.) pour le chef de l'administration communale nommé par le gouvernement fasciste.

PODIUM n. m. est emprunté à la Renaissance (1545) au latin impérial *podium* «socle, parapet», et nom donné au mur très épais entourant l'arène de l'amphithéâtre et formant une plate-forme sur laquelle se trouvaient plusieurs rangs de sièges pour les privilégiés. Le mot latin est emprunté au grec *podion* «petit pied» et «hauteur», diminutif de *pous, podos* «pied» (→ podo-) apparenté au latin *pes, pedis* (→ pied).

♦ Ce terme d'architecture désigne d'abord le degré supportant une rangée de colonnes». Il apparaît dans la traduction d'un texte italien traitant d'architecture antique mais semble inusité; il est de nouveau attesté en 1765, à la fois en ce sens et, en archéologie romaine, au sens du latin. ◇ Sa valeur actuelle, «estrade de petite dimension», est une extension beaucoup plus tardive (v. 1910), employée en particulier en sports, d'où ***monter sur le podium*** «se classer dans les trois premiers» (1962). Certains puristes condamnent l'emploi de *podium* pour désigner les tréteaux où se déroulent certains jeux radiophoniques et où montent les candidats, même ceux qui échouent.

◈ voir ANTIPODE, APPUYER, PIEUVRE, ① PODAGRE, PODIUM, POLYPE, POULPE, PUY.

PODO-, -PODE sont respectivement les premier et second éléments tirés du grec *pous, podos* «pied», qui se disait aussi du pied d'un objet, de l'écoute d'une voile, d'une mesure de longueur et d'un pied (syllabe) en métrique. Le mot, conservé en grec moderne sous la forme *podi* «pied, patte», se rattache au vieux nom-racine du pied, présent dans plusieurs langues congénères, mais remplacé par des noms nouveaux en slave, en baltique et celtique. Il est apparenté au latin *pes* (→ pied), au sanskrit *pāt*, à l'anglais *foot* (→ football).

♦ *Podo-* entre avec le sens de «pied» dans la construction de termes savants des vocabulaires de la médecine, de la botanique ou de la zoologie, dans lesquels il désigne, selon le cas, le pied, le pédoncule ou la patte. *-pode* entre dans la composition de termes savants appartenant généralement aux domaines de la botanique et de la zoologie en indiquant le nombre ou les caractéristiques des organes locomoteurs d'un animal; sa vitalité tend à lui faire supplanter *-pède**, son doublet d'origine latine.

◈ voir ANTIPODE, APPUYER, PIEUVRE, ① PODAGRE, PODIUM, POLYPE, POULPE, PUY.

PODZOL n. m. est emprunté (1932) au russe *podzol* «sol sablonneux, stérile», mot formé de *pod-*, préfixe tiré de la préposition *pod* «dessous» généralement apparentée au latin *pes, pedis* (→ pied) et de *zola* «cendre», probablement apparenté aux mots russes signifiant «vert» et «or», en rapport avec le grec *kholê* «bile» (→ colère). L'anglais *podzol*, lui-même emprunté au russe, et attesté dès 1906, a pu servir d'intermédiaire.

♦ Cet emprunt désigne en géologie un sol acide très délavé qui caractérise les climats humides et froids.

▸ Le mot a produit quelques termes de géologie : **PODZOLIQUE** adj. (1953), **PODZOLISER** v. tr. (1946) et **PODZOLISATION** n. f. (1953), ces dates correspondant à leur apparition dans les dictionnaires. Les termes correspondants anglais sont antérieurs (ou plutôt, mieux attestés) : *podzolic* (1927), *to podzolize* (dès 1923 comme participe passé), *podzolization* (1923), ces dates correspondant mieux à l'entrée en usage.

① **POÊLE** n. m. (1392), d'abord *poile* (v. 1210), est l'adaptation de *polis* (v. 980), cas régime pluriel, puis *palie* (v. 1050), *paile* (v. 1140). Le mot est un emprunt au latin *pallium* (→ pallier, pallium) qui désignait à l'époque classique un manteau, une toge, puis à partir de l'époque impériale, une couverture, une tenture d'appartement. Son adaptation a les mêmes raisons phonétiques que celle de ② poêle* n. f.

♦ Le mot, d'abord employé à propos d'une riche étoffe, souvent de soie, venue d'Orient, s'est spécialisé dans la liturgie catholique pour désigner le drap mortuaire qui recouvre un cercueil pendant la cérémonie des funérailles (1176). La locution ***tenir les cordons du poêle*** (on disait autrefois *porter le poêle*) reste assez connue. ◇ Les autres sens du mot, que ce soit «voile blanc tendu au-dessus de la tête des mariés lors de la cérémonie nuptiale» (fin XIIIe s.) ou «dais sous lequel on portait le saint sacrement aux malades ou dans les processions» (1415-1416), sont sortis d'usage. Les homonymes ② *poêle*, ③ *poil* ont contribué au vieillissement du mot.

◈ voir **PALLIER, PALLIUM.**

② **POÊLE** n. f. est issu par évolution phonétique (1377, *poile*), par l'intermédiaire des formes *paielle*, *paele*, du latin *patella* «petit plat servant aux sacrifices» (emprunté sous la forme *patelle**), auquel remontent également l'italien *padella* et l'espagnol *padilla* «petite poêle» et *paella* (→ paella). Le mot a pu devenir *poile* (1377) et *poesle* (1579) sous l'effet de la consonne labiale qui précède. On pense aussi à une transformation opérée au moment où *oi*, dans la région parisienne, a hésité entre les deux prononciations *oè* (écrit *oi*) et *è* (écrit *ai*); *poêle* n. m. semble résulter de la même évolution.

♦ Dès les premières attestations, le mot désigne un ustensile de cuisine rond et plat à longue queue. Il entre dans des locutions figurées comme ***tenir la queue de la poêle*** «avoir le maniement d'une affaire» (*paele*, 1325) et *sauter de la poêle en la braise* (1579), *être dans la poêle* (1760), ces deux dernières sorties d'usage. ◇ Par analogie, le mot a eu dès le XIIe s. le sens technique de «chaudron, chaudière» (v. 1170), conservé dans sa spécialisation pour «chaudière servant à l'évaporation de l'eau des salines» (av. 1519). Aux XVIe et XVIIe s., il a désigné un ustensile de cuisine creux puis techniquement un récipient servant à faire fondre la cire, certains métaux (1676). ◇ Par analogie de forme, il désigne la partie profonde d'un étang voisine de la bonde (XIVe-XVe s., *paielle*).

▸ Il a produit quelques dérivés. ➜ **POÊLÉE** n. f. (1260), d'abord écrit *paelée*, désigne le contenu d'une poêle. ➜ **POÊLON** n. m. (1329, *paalon*) «ustensile de cuisine, le plus souvent à manche creux», et techniquement «récipient utilisé en savonnerie» (XXe s.), lequel, avec son premier sens, a produit **POÊLONNÉE** n. f. (1680) rare. ➜ ① **POÊLIER, IÈRE** n., d'abord *paelier* (1412) «chaudronnier», n'est plus employé que pour désigner la personne qui fabrique et vend des poêles et ustensiles de cuisine (1834). ➜ Le mot est homonyme d'un dérivé de ③ *poêle* n. m. de même que ① **POÊLERIE** n. f. (XVe s., *poellerie*) qui a perdu son premier sens de «chaudronnerie» et a vieilli pour «fabrication, commerce des poêles et ustensiles de cuisine». ➜ Enfin, **POÊLER** v. tr., plus récent (1806 au participe passé), signifie «cuire à la poêle», et s'emploie surtout au participe passé adjectivé. ◇ Il a pour dérivé **POÊLAGE** n. m. (1938) «action de cuire à la poêle».

◈ voir **PAELLA, PALETTE, PATELLE, PATÈNE, PATÈRE, PATINE.**

③ **POÊLE** n. m., d'abord *poile* (1351), graphie encore donnée au XIXe s. par Littré, puis (v. 1900) Hatzfeld, ensuite *poesle* (1514), et enfin *poele*, *poêle*, remonte au latin *pensilis* : cette évolution phonétique suppose, outre l'amuïssement du *n*, soit la labialisation de *e* en *o* devant *p*, soit le développement d'un son de passage entre *p* et le *e* long. *Pensilis* est l'adjectif dérivé de *pendere* (→ pendre) et signifie «qui pend, suspendu», spécialement en architecture «bâti sur voûte, sur pilier». C'est de ce dernier sens que procède l'expression *balneae pensiles* (Ier s.) pour désigner les bains bâtis sur les voûtes et chauffés par dessous, système de chauffage qui s'est étendu aux maisons des riches Romains. Pour désigner cette installation, on a aussi emprunté *hypocauston* au grec *hupokauston* «poêle» (neutre substantivé de *hupokaustos* «chauffé par dessous»), la voûte recevant chez Vitruve le nom de *suspensio*. *Pensilis* est substantivé chez Grégoire de Tours avec le sens de «chambre chauffée par en-dessous», ce qui prouve l'existence de ce type de pièce et de sa dénomination dans l'ouest de la France au moins jusqu'au début du IXe siècle.

♦ Le mot a d'abord désigné une chambre chauffée, sens vivant jusqu'en langue classique et encore connu par un passage de Descartes (*«Enfermé seul dans un poêle...»)*; par extension, il se disait hyperboliquement de toute pièce surchauffée (1666). ◇ Par métonymie, il a pris son sens moderne de «fourneau de chauffage en faïence ou en fonte» (1455, par allusion à une réalité allemande). Enfin, il est employé en parlant d'un appareil de chauffage fonctionnant au gaz ou à l'électricité (1911).

▸ Le mot a produit ② **POÊLIER, IÈRE** n. (1731), «personne qui fabrique et vend des poêles», et ② **POÊLERIE** n. f. (1842), mot technique à valeur collective pour l'ensemble des ouvrages de tôle et de fer-blanc employés au chauffage, servant aussi à désigner l'industrie, le commerce du poêlier.

POÈME n. m. est emprunté (1213, puis 1370) au latin *poema, -atis* n. m. «ouvrage de vers» et «poésie» en général, par opposition à «prose». *Poema* est emprunté au grec *poiêma* qui désigne ce que l'on fait, une création : une œuvre, un ouvrage manuel et une création de l'esprit, spécialement une œuvre en vers. *Poiêma* est dérivé de *poiein* «faire» (dans le sens qu'a l'anglais *to make,* par opposition à *to do*), «fabriquer, produire, créer», en parlant d'objets, de constructions, d'œuvres d'art, employé par exemple, après Homère, à propos d'un poète qui compose une œuvre. *Poiein* signifie également «causer», «agir». On s'accorde à expliquer le radical du mot en posant une racine indoeuropéenne *°k^{w}ei-* attestée dans le sanskrit *cinóti* «entasser, arranger», rapprochement convenant à la fois pour la forme et pour le sens.

♦ Le mot, écrit *poeme,* puis *poëme,* cela jusqu'au XIXe s. (encore chez Littré), a été emprunté une première fois (1213) en parlant de l'ouvrage en vers d'un auteur latin, puis en moyen français (1370), dans la langue érudite, comme doublet de *dictié* «ouvrage en vers». La Pléiade a répandu le mot, l'employant emphatiquement pour un ouvrage en vers d'une assez grande étendue et d'une certaine solennité (1549, Du Bellay), et le réservant à la désignation des genres nobles. Jusqu'au milieu du XIXe s., *poème* implique une idée d'action et s'applique spécialement à la tragédie, à l'épopée : le mot se dit d'un ouvrage en vers du genre épique (1694), tel que les *Aventures de Télémaque* (qualifié par La Motte de ***poème en prose,*** 1716), et d'une tragédie, dans sa forme classique fixe (1637). Au XVIIIe s., le terme a été étendu à toute œuvre littéraire d'inspiration poétique (1761, Diderot). ➜ Par l'intermédiaire de l'expression ***poème lyrique*** (1765) s'appliquant à l'opéra, il a désigné également un livret versifié d'opéra (1812). Le romantisme l'emploie à propos de toute espèce d'ouvrages poétiques et lui a donné divers sens figurés : *poème* a servi alors à désigner une réalité naturelle empreinte de poésie (1810, Mme de Staël), une œuvre d'art non littéraire ayant des qualités enthousiasmantes (1830, d'une église, d'un palais, d'une cathédrale, dite *poème de pierre*). Le mot s'est répandu dans la locution ***le poème de*** (1831) à propos de l'objet poétique constitué par une chose, concrète ou abstraite. Il a également développé la nuance de «chose ou personne extravagante, bizarre» (1830, Balzac), donnant lieu à la locution ***c'est tout un poème*** (1830), dans un emploi familier à rapprocher des emplois ironiques de *artiste.* ◇ *Poème,* déjà lié à d'autres emprunts, ne nécessitait pas de dérivés, mais figure comme second élément dans des composés concernant la nature mixte d'un objet : *incantation-poème, essai-poème, document-poème, tableau-poème, livre-poème,* etc., la liste étant ouverte.

▸ **POÈTE** n. m. et adj. est emprunté (v. 1150) au latin *poeta,* repris du grec *poiêtês,* dérivé de *poiein* «auteur, créateur», «fabricant, artisan», appliqué spécialement à celui qui compose des vers, des ouvrages de prose, des discours et de la musique. ➜ Le mot désigne l'écrivain qui produit de la poésie, des poèmes. Il a été adjectivé avec le même sens (1547). En parlant d'une femme auteur de poèmes, on a d'abord risqué le genre féminin *une poète* (1723), conforme aux critères de la féminisation, avant de revenir au genre masculin (1817), *poétesse** (ci-dessous) étant marqué. ◇ Par extension, dès le XVIe s., et donc bien avant *poème,* le mot a pris le sens figuré de «rêveur» (1546). Il s'emploie aussi en parlant d'une personne dont les œuvres sont pénétrées de poésie (1661) et, selon la conception du génie, d'une personne douée pour la poésie (1669-1673). Le romantisme l'a répandu en dehors du domaine artistique à propos d'une personne dont les actions témoignent d'une grande force créatrice, quelquefois dans *poète de* et un complément de détermination indiquant le domaine dans lequel s'exerce ce talent. ➜ *Poète,* comme *poème,* fournit le second terme de composés (*paysan-poète; président-poète,* à propos de L. S. Senghor) plus ou moins libres. ➜ Son dérivé le plus ancien est **POÉTISER** v. (1372-1374), d'abord employé au sens de «faire des vers», «pratiquer la poésie», et peut-être influencé par le latin médiéval *poetizare* «parler à la manière des poètes». Le verbe est surtout vivant aux sens transitifs de «mettre en vers» (1551) et «rendre poétique» (1805). ◇ Il a produit **POÉTISATION** n. f. (1852), **POÉTISABLE** adj. (1890) et l'antonyme **DÉPOÉTISER** v. (1695) dont le sens actuel remonte au XIXe s. (v. 1810).

Le féminin **POÉTESSE** n. f. (déb. XVIe s.), lui aussi dérivé de *poète,* a éliminé *poëtisse* (1422-1425), fait d'après le bas latin et latin médiéval *poetissa* (v. 550, encore fin XIVe s.). De nos jours, le mot tend à prendre une valeur péjorative qui le fait éviter au profit du masculin *poète.* ◇ *Poète* a aussi produit **POÉTASTRE** n. m. (1550), mot de la Renaissance encore relevé chez Verlaine, et **POÉTEREAU** n. m. (1639), deux termes péjoratifs correspondant à «mauvais poète»; tous deux ont vieilli. ◇ On rencontre quelquefois **ANTIPOÈTE** n. m. (1853), avec les valeurs ambiguës propres à *anti-*.

POÉSIE n. f. est emprunté (1370) au latin *poesis* «genre poétique», en particulier «œuvre poétique, poème», lui-même emprunté au grec *poiêsis* «création, fabrication», «action de composer des œuvres poétiques», «genre poétique», «poème», dérivé de *poiein* (cf. ci-dessus *poème*). ➜ Le mot a été introduit en français avec le sens particulier de «pièce de vers» et au sens général d'«art de faire des vers» (1372-1374), puis de «manière propre à un écrivain, une école, un pays de pratiquer cet art» (1532). Avec la valeur de «pièce poétique», on trouve dès le XVIIe s. (1666) l'expression *poésie en prose.* En emploi qualifié, le mot fait référence à un genre de la poésie (1787, *haute poésie*); l'expression ***poésie pure*** (1857) est attestée pour la première fois chez Baudelaire à propos d'Edgar Poe. ◇ Par métonymie, *poésie* désigne l'inspiration, le sentiment poétique (déb. XVIe s., et non v. 1350 comme on l'a cru) : il est employé proprement à propos d'une œuvre poétique, par extension, de toute œuvre d'art (av. 1699) et, depuis le Romantisme, de ce qui, dans un être, une chose, une situation, suscite l'«émotion poétique» (1803). L'accent étant mis sur l'auteur comme source de ce sentiment, *poésie* s'applique à la puissance créatrice (1694) et, depuis 1810 (Mme de Staël), à l'aptitude de quiconque à ressentir une émotion poétique (1810). ◇ L'antonyme **ANTIPOÉSIE** n. f. (1926) semble suscité par *antipoète.*

POÉTIQUE adj. est emprunté (1372-1374) au latin *poeticus,* lui-même emprunté au grec *poiêtikos* «qui a la vertu de faire» d'où, spécialement, «qui a la vertu de créer, de produire», «inventif, ingénieux» et en particulier «propre à la poésie». Le mot est dérivé de *poiêtos,* adjectif verbal de *poiein.* ➜ L'adjectif qualifie ce qui est relatif ou propre à la poésie, dans l'expression ***art poétique,*** calque du latin et du grec (Aristote) *poiêtikê tekhnê,* puis dans ***licence poétique*** (1480) au propre et au figuré (1671). ◇ Il a développé plusieurs autres sens au XVIe s., qualifiant une personne douée pour la poésie, portée à la poésie (1549) et une chose apte à émouvoir, à susciter une émotion poétique (1588). L'expression *fureur poétique* (1552) a été introduite par les poètes de la Pléiade selon la conception antique de l'inspiration poétique (cf. *fureur*). ◇ En imprimerie, on a nommé *italicque poëticque* (1572), puis *caractères poétiques* (1764) les caractères dont on se servait pour imprimer des ouvrages en langue alexandrine. ◇ Au XXe s., d'après Roman Jakobson, la linguistique dénomme *fonction poétique* (1963) une des fonctions du langage où l'accent est mis sur le message en tant que tel.

Poétique a produit l'adverbe **POÉTIQUEMENT** (v. 1460) «en vers», d'où, par extension «d'une manière imaginaire, figurée» (XVe s.) et «du point de vue de la poésie, d'une façon inspirée» (1558), «dans la langue de la poésie» (1671). ◇ Il a produit **ANTI-POÉTIQUE** adj. (1766) et **APOÉTIQUE** adj. (1920).

POÉTIQUE n. f. est le dernier emprunt des mots de cette famille (1599), fait au latin *poetica* «poésie, travail, art du poète», lequel est emprunté au grec *poiêtikê* (sous-entendu *tekhnê*) «faculté poétique», «art de la poésie», féminin substantivé de l'adjectif *poiêtikos,* source de l'adjectif *poétique.* Après une première attestation de sens incertain, le mot désigne le célèbre traité d'Aristote (1637) ; il se dit ensuite de l'ensemble des conceptions propres à une école, une époque, un pays (apr. 1750). ◇ Par extension, il s'est employé pour désigner l'esthétique, la théorie d'un art ou d'un genre artistique particulier (1767-1768, Diderot parlant de la *poétique des ruines*), avant de reculer au profit de *esthétique.* ◇ Les linguistes et critiques modernes l'appliquent à la théorie de la création littéraire, en référence à la fois à Aristote, Valéry, Jakobson, *poétique* et *rhétorique* ayant été remis en honneur. ➜ **POÉTICIEN, IENNE** n. en est dérivé (mil. XXe s.) avec cette dernière valeur.

◈ voir ÉPOPÉE, MÉLOPÉE, PHARMACOPÉE (art. PHARMACIE), PROSOPOPÉE.

POGNE, POGNON → POING

POGROM ou POGROME n. m.

POGROM ou **POGROME** n. m. est emprunté (1903) au russe *pogrom,* désignant, sous le régime tsariste, un mouvement populaire antisémite encouragé ou toléré par les autorités et accompagné de pillages et de massacres, et, par extension, un violent soulèvement contre une communauté juive. Le mot est dérivé du verbe *gromit'* «tonner», «saccager, piller», dérivé de *grom* «tonnerre». Ce mot est apparenté au verbe *gremet'* «tonner, gronder», à rattacher à une base indoeuropéenne exprimant le grognement. Il s'apparente ainsi au grec *khromados* «craquement». Le préfixe *po-* indique la notion d'achèvement de l'action ; il est apparenté au latin *po-* de *ponere* (→ poser). L'anglais *pogrom* est attesté depuis 1882.

♦ Le mot, introduit en français avec son sens historique, a pris par extension le sens de «soulèvement meurtrier avec pillage suscité par le racisme» (1926), valeur représentée en anglais depuis 1906.

▸ Il a produit **POGROMISTE** n. m. (1917) «instigateur de pogroms», l'anglais ayant *pogromist* dès 1907.

POIDS n. m.

POIDS n. m. est la réfection graphique tardive (v. 1450), par suite d'un faux rapprochement étymologique avec le latin *pondus* «poids» (→ pondéré), de l'ancien français *peis* (v. 1165), *pois* (v. 1170). On devrait donc écrire *pois.* Celui-ci est issu du latin *pensum* (→ pensum), substantivation du neutre de l'adjectif *pensus* «qui a du poids, de la valeur», participe passé adjectivé de *pendere* «suspendre» d'où «peser» (→ pendre), dont un dérivé verbal a donné le verbe *peser**. En latin, *pensum* désigne proprement ce qui pèse ; les Latins l'employaient à propos du poids de laine que l'esclave devait filer par jour, sens à partir duquel s'est développé le sens figuré de «tâche, devoir» (→ pensum).

♦ Le mot désigne la qualité de ce qui est lourd, pesant, d'abord dans l'usage courant, puis avec des emplois scientifiques et techniques. Il réalise notamment ce sens dans des locutions comme ***tomber de tout son poids*** (1681), ***avoir un poids sur l'estomac*** (1761), ***sous le poids de...*** (1792), ***perdre du poids, prendre du poids*** (XXe s.), concernant le poids du corps. ◇ Par métonymie, *poids* désigne la mesure de la masse (fin XIIe s.), sens dont procède un certain nombre d'emplois spécialisés dont témoignent en commerce ***faire bon poids*** (1680), ***faire le poids*** (fin XVIIe s.) et ***au poids*** (d'abord *a pois* XIIe s., au figuré pour «équitablement»), par opposition à *à la pièce.* ◇ Outre ses spécialisations en numismatique et en joaillerie, le mot est employé dans l'industrie, dans les expressions ***poids net, poids brut*** (1723), également utilisées en boucherie où l'on parle aussi de ***poids vif*** (1869) par opposition à ***poids mort,*** ce dernier syntagme ayant cours dans les langages d'autres spécialités (1875), notamment en technique et en transports. ◇ *Poids* est employé en physique dans ***poids volumique, spécifique*** (1806, Biot, trad. angl.), ***poids moléculaire*** (1889), mais la distinction en sciences entre *masse** et *poids* n'a pas d'effet sur l'emploi de ces deux mots dans la langue quotidienne. ◇ En sports, il désigne par métonymie la catégorie où l'on range les athlètes d'après leur poids (1872), spécialement les jockeys et les boxeurs : ***poids léger*** (1872 pour un jockey), ***poids bantam*** (1908), ***poids coq*** (1927), ***poids plume*** (→ plume), etc. L'une de ces expressions, ***poids lourd,*** est passée dans le domaine des transports (1896) ; il est devenu courant pour «gros camion» et se dit plaisamment, au figuré, d'un homme grand et gros, éventuellement lourd d'esprit. ➜ Par métonymie, *poids* a développé dès le XIIIe s. le sens de «morceau de métal servant à peser» (1285) d'où ***poids et mesures*** qui désigne aussi *(les Poids et Mesures)* l'administration chargée du contrôle des poids : on appelait sous l'Ancien Régime *Poids du roi* (v. 1450) le bureau chargé de contrôler les poids et mesures, dit aujourd'hui *Poids et Mesures* (1765). La locution ***deux poids deux mesures*** (1718) qui correspond à ces emplois a été précédée par *poiz ne mesure* (v. 1485). ◇ Les sens métaphorique et figuré du mot remontent à l'ancien français : *poids* est employé par métaphore (1187) dans le contexte de l'allégorie de la Mort qui «*poise tout à juste pois*». Au figuré il correspond à «influence, importance» (v. 1370) et, avec une valeur négative, celui de «fardeau pénible» (1580); en moyen français, il était employé dans la locution *sur mon pois* «à ma charge» (fin XIVe s.), à rapprocher de l'ancien français *sor (encontre, dessus, outre) le pois de* «malgré (qqn)» (1155), vivant jusqu'au milieu du XIVe siècle. ***Faire le poids,*** au figuré, semble venir du vocabulaire sportif (boxe).

▸ **CONTREPOIDS** n. m. désigne (v. 1180) un poids qui fait équilibre à un autre poids, par exemple dans un mécanisme d'horloge, et au figuré (XIIIe s.) ce qui contraint, puis qui équilibre, neutralise, d'où ***faire contrepoids.*** Dans la langue classique, le mot s'employait pour «équilibre» (d'où *en contrepoids,* XVIIe s.). ➛ Le dérivé préfixé **SURPOIDS** n. m. (1588) est rare : on préfère parler de *surplus de poids.* ➛ **AVOIRDUPOIDS** n. m. emprunt (1669, puis 1824) à l'anglais, qui avait emprunté l'expression française au XVe siècle, désigne un système britannique de mesure des masses, pour les marchandises pondéreuses.

POIGNARD n. m., d'abord écrit *poignart* (v. 1460), est la réfection, par changement de suffixe et peut-être sous l'influence de termes comme *hansart* «couperet», de l'ancien et moyen français *poignal, poignel.* Ce dernier est un adjectif qui qualifiait ce que l'on tient dans la main, ce que l'on manie avec le poing, en parlant d'armes, de projectiles (v. 1165); *poignel* a été substantivé pour désigner la poignée d'une épée (XIIIe s.) encore au XIVe s. (1358), et par métonymie une petite arme blanche à lame courte (1364, *poingnal* dans un texte latin; 1412, *poingnel*). Le mot remonte à un adjectif latin populaire °*pugnalis* «que l'on manie avec le poing», dérivé sur le modèle de *manualis* (→ manuel), de *pugnus* (→ poing).

♦ *Poignard,* démotivé par rapport à *poing,* désigne un couteau servant d'arme, et entre dans la locution *mettre le poignard sous la gorge* (1690) dont la variante avec *couteau* est plus usuelle. ***Coup de poignard*** (1671) s'emploie au figuré dans ***coup de poignard dans le cœur, dans le dos*** (1839). ◇ Les extensions de sens sont rares : par analogie de forme, *poignard* désigne un brochet de petite taille (1732) et, techniquement, par allusion à la forme de la lame, une pièce triangulaire mise à un vêtement pour l'agrandir (1847).

▸ Son dérivé **POIGNARDER** v. tr. (1556) est employé au propre ainsi qu'au figuré (1673) pour «causer une douleur très vive à (qqn)». En relation avec la spécialisation technique de *poignard* en couture, le verbe correspond à «mettre un poignard à (un vêtement)» (1856). ◇ Sont dérivés du sens premier **POIGNARDEUR, EUSE** n. (1672) et **POIGNARDANT, ANTE** adj. (1856), adjectivation du participe présent.

POIGNE, POIGNÉE, POIGNET → POING

POIL n. m., d'abord *peil* (1080), est issu du latin *pilus* «poil» et «cheveu», le premier sens étant le plus fréquent. *Pilus* est distinct de *capillus* (→ cheveu) qui est plutôt un collectif, alors que *pilus* désigne un poil, un cheveu isolé. Le mot latin s'emploie, généralement avec une négation, comme en français dans *pas un cheveu, il s'en faut d'un cheveu,* pour désigner une chose de peu d'importance. Son origine est obscure : il n'y a pas de nom indoeuropéen pour cette notion. L'italien *pela* et l'espagnol *pelo* remontent au latin.

♦ Dès les premiers textes, le mot s'emploie collectivement au singulier pour l'ensemble des poils humains, sens dont procèdent les emplois particuliers aujourd'hui vieillis de «barbe» (1655) et de «chevelure». Par analogie, *poil* désigne cette production chez l'animal, et le pelage (v. 1170, d'un cheval). ◇ Le sens particulier du latin «chaque petit filament apparaissant sur la peau (de l'homme, de l'animal)» existe avant la fin du XIIe s. *(un poil),* de même que le sens métonymique de «peau d'animal garnie de poils utilisée dans l'habillement» (v. 1190), généralement réalisé là où *fourrure* ne convient pas. ➛ Par extension, *poil* désigne un fil de soie, de coton, en particulier à propos du velours (1395) et dans le syntagme *poil de chèvre* (1663), puis dans l'expression technique *chaîne à poil* (1869). ◇ Il se dit de la villosité d'une plante (XVe s.), en particulier dans l'expression ***poil à gratter*** (1890). Il est passé dans le langage technique des joailliers à propos du filament qui altère la transparence d'un gemme (1875). ◇ La productivité du mot en expressions figurées s'étend sur plusieurs siècles, mais de nombreuses locutions sont sorties d'usage. *Encontre poil* (1176-1184) a été évincé par ***à rebrousse poil***; *à tout le poil* (1532, pour *avec tout le poil*), signifiait «avec force», l'abondance du poil étant considérée comme un signe de force physique; puis *un brave à trois poils* (1659, Molière) s'est dit d'un homme courageux : cette locution a pu être influencée formellement par l'expression *velours à trois poils* (espagnol *terciopela*) «de meilleure qualité». On a parlé de *bougres à poil* «hommes déterminés, courageux» (1793). On a dit familièrement *avoir du poil au cœur* (1836) avec la même notion de «courage», puis *du poil aux yeux* (1842), *aux fesses, au cul,* etc. *Y laisser du poil* (1573) a été remplacé par ... *des plumes,* ***changer de poil*** «changer d'attitude, de caractère» (XVIe s.) signifie de nos jours «changer d'apparence»; il est à rapprocher de ***être de bon ou de mauvais poil*** (1833), usuel, *poil* étant pris ici avec la valeur métonymique de «tempérament» (***un mauvais poil,*** à Genève, désigne un garnement). L'expression ***de tous poils*** (1671, La Fontaine) correspond à «de tous genres». ◇ Puis, sont apparues les locutions ***avoir un poil dans la main*** «être paresseux» (1808) et ***être à poil*** «tout nu» (1858) pour laquelle on invoque l'expression synonyme *à cru,* d'après *monter un cheval à poil* (XVIIe s.), mais qui est peut-être sans rapport avec l'équitation. ◇ ***Au poil*** «très bien» (déb. XXe s.) se comprend en partant de l'idée de «petite dimension» impliquant celle de «précision», ce que semble indiquer son emploi en aviation dans *atterrir au poil* (1918), plutôt que celle de «supériorité» : en effet, l'ancienne locution *avoir le poil de qqn* «le surpasser» n'étant plus en usage quand *au poil* est apparu. ➙ Enfin ***reprendre du poil de la bête*** (XVIIe s.), d'abord *prendre* (XVIe s.), a suscité, de par son obscurité, de nombreuses interprétations : la plus vraisemblable part de la croyance populaire très ancienne (déjà mentionnée par Pline) selon laquelle le poil d'un animal ayant mordu, appliqué sur la blessure, la guérirait. Cette explication rend compte de la locution italienne *del can* [*cane*] *che morde el pelo sane* «du chien qui mord, le poil guérit» et de l'anglais *to take a hair of the same dog that bit you* «prendre un poil du chien qui vous a mordu». En français, le sens originel de «guérir un mal» a été soumis à des contaminations lexicales : *prendre du poil* est senti comme «prendre de la vigueur», image renforcée par *reprendre* qui signifie à la fois «prendre de nouveau» et «se rétablir». L'idée, par ailleurs, de *faire* ou *avoir le poil* «avoir l'avantage», implique que cette vigueur retrouvée vient au secours d'une situation dans laquelle on avait jusqu'ici le dessous, d'où les deux significations modernes : «se remettre d'une maladie» et «reprendre l'avantage sur l'adversaire».

▸ Le mot n'a guère produit de dérivés. ➙ **POILU, UE** adj. est d'abord attesté sous la forme *pelu* (v. 1155) encore enregistrée dans le dictionnaire de l'Académie en 1762. ◇ Le mot qualifie ce qui est couvert de poils (également aux sens analogiques du mot) et, en particulier, ce qui porte des poils très apparents. Il a développé le sens figuré de «fort, courageux» (1833 chez Balzac), passant dans l'argot militaire, et ce avant la guerre de 1914-1918, substantivé au masculin, au sens d'«homme brave, qui n'a pas froid aux yeux» (1897) ; pendant cette guerre, il est devenu synonyme de «combattant» (1915), surtout parmi les civils de l'arrière. ➙ **SE POILER** v. pron. (1893), mot populaire signifiant «rire, s'amuser», est probablement dérivé de *poil ;* on invoque l'intermédiaire de la forme *s'époiler,* proprement «s'arracher les poils» (*époilant* «drôle» est attesté en 1889) ; d'autres invoquent l'influence de *éboeler* (régional) «éventrer» (→ boyau). ➙ Le participe présent, **POILANT, ANTE** est adjectivé au sens populaire et familier correspondant de «très drôle» (1892) ; il a remplacé *époilant,* utilisé jusque v. 1920.

◈ voir DÉPILATOIRE, ÉPILER, ÉPLUCHER, PASSEPOIL, PELAGE, PELER, PELOUSE, PELUCHE, PILEUX, PILOU.

POINÇON n. m., d'abord *ponçon* (v. 1200), *ponchon* (v. 1260) et *pinçon* (1319-1327), est issu d'un latin populaire °*punctionem,* accusatif de °*punctio,* dérivé d'un verbe °*punctiare* «piquer», passé dans l'espagnol *punzar* «piquer avec une pointe», le catalan *punxar* de même sens, le portugais *punçar* «ponctionner» et l'italien *ponzare* «se raidir». Ce verbe °*punctiare* est formé sur le supin *punctum* (→ ① point) du latin *pungere* (→ poindre). L'italien a de même *punzone* et l'espagnol *punzon*. Un mot anglais emprunté à l'ancienne forme *ponchon* est peut-être à l'origine de ② punch.

♦ Le mot désigne un instrument terminé en pointe pour percer. Les extensions procèdent de spécialisations techniques et d'analogies de forme. ➙ Par référence à la marque d'un contrôle faite au moyen d'une tige appelée *poinçon* et servant à graver, le mot désigne un tonneau comprenant à peu près la valeur d'une feuillette (v. 1260), par l'intermédiaire de l'expression antérieure *tonneau à poinçon* «tonneau étalonné, marqué après contrôle». ◇ Par analogie de forme, *poinçon* désigne en charpenterie la pièce de charpente verticale qui reçoit les extrémités des arbalétriers d'un comble (1319-1327). Une spécialisation en orfèvrerie (1355) correspond à la tige servant à graver les ouvrages d'or ou d'argent. ➙ Par métonymie, *poinçon* désigne (1554) la marque apposée servant à certifier la qualité du métal ou à indiquer la provenance de certaines pièces. ◇ Au XVIe s., le mot est aussi passé en numismatique pour désigner l'original d'une médaille, d'une monnaie servant à fabriquer le moule (v. 1550) et, en typographie, l'original d'un caractère d'imprimerie avec lequel on frappe les matrices servant à en fondre d'autres (1547).

▸ Le dérivé **POINÇONNER** v. tr. (*ponchonner,* 1324) a d'abord eu le sens de «dessiner au poinçon» avant de prendre la valeur technique de «frapper avec un poinçon» (1556). ◇ Son sens le plus courant de nos jours, celui de «perforer un ticket» (XXe s.), en est une spécialisation tardive appelée à décliner dans certains secteurs du fait de la magnétisation des titres de transport. ➙ Le verbe a produit les dérivés habituels : **POINÇONNAGE** n. m. (*poinchenage,* 1402) a signifié «action d'orner de dessins au moyen d'un poinçon», en relation avec l'ancien sens du verbe ; il est attesté une seconde fois dans *poinchonnage des cuirs* (1455) mais ne s'est implanté (1807) qu'en désignant l'action de marquer d'un poinçon après contrôle. ➙ **POINÇONNEUR, EUSE** n., d'abord attesté au féminin pour une machine-outil servant à perforer (1878), désigne la personne qui poinçonne (1895), spécialement un employé chargé de poinçonner les titres de transport (1919), emploi qui tend à vieilir avec la disparition fréquente de cette opération.

POINDRE v. (1160), d'abord *puindre* (1080), est issu du latin *pungere* «piquer» d'où, moralement «faire souffrir, tourmenter». Le mot appartient à la même racine indoeuropéenne signifiant «frapper» que le latin *pugnus* (→ poing) et le grec *pugmê* «poing» (→ pygmée).

♦ Le verbe est passé en français avec le sens étymologique de «piquer», en particulier «éperonner un cheval», attesté encore en 1688 et conservé dans le proverbe archaïque, mais encore cité, ***oignez vilain, il vous poindra ; poignez vilain, il vous oindra*** (Rabelais). ◇ Le sens figuré de «tourmenter, blesser» (1160) s'est maintenu dans le style littéraire, et semble connaître un regain de faveur depuis le XIXe siècle. ➙ Par l'intermédiaire de l'ancien emploi transitif pour «courir à l'attaque» (1080), d'après l'idée du cheval que l'on éperonne, *poindre*, intransitif, signifie (avec un sujet nom de chose) «apparaître sous forme de pointe, pointer» (1174-1180). ◇ Par extension, l'idée de pointe est passée au second plan, derrière celle d'apparition (1559), à propos d'une chose très éloignée ou très petite (des étoiles, le jour). À l'époque classique, le mot a développé la valeur métaphorique de «commencer à paraître», en parlant d'une abstraction (1677). Le mot ne s'emploie qu'à certaines de ses formes et l'on rencontre de nombreux barbarismes morphologiques, même chez de bons auteurs.

▶ Le participe présent **POIGNANT, ANTE** adj. (1080) a eu le sens de «au galop» (proprement «en piquant le cheval») puis de «piquant» (1119) réalisé dans l'expression *armes poignantes*, et en parlant d'une lumière vive qui blesse les yeux (1588), valeurs sorties d'usage. ◇ L'usage moderne réalise uniquement le sens figuré, «qui blesse, qui fait souffrir» (1188), affaibli couramment en «très émouvant» (1862).

◈ voir ACUPUNCTURE, COMPONCTION, CONTREPOINT, CONTREPOINTE, EMBONPOINT, POINÇON, ① POINT, POINTE, POINTER, POINTILLEUX, POINTURE, PONCTION, PONCTUEL, PONCTUER, POURPOINT, STRAPONTIN.

✳ **POING** n. m., d'abord *puing* (1050), *poign* (1080), puis *poing* (v. 1175), est issu du latin *pugnus* «main fermée» et, par métonymie, «contenu d'un poing, poignée» (→ pugnacité). Ce mot se rattache peut-être à une racine indoeuropéenne à *p* initial que l'on rencontre en latin, dans *pungere* «piquer» (→ poindre) et qui correspondrait à l'idée de «choc» : le poing serait d'abord ce qui sert à frapper, à créer un choc.

♦ Le mot désigne la main fermée et, par extension, la main, sens limité à des expressions et à quelques contextes, ainsi en parlant de l'ancien châtiment consistant à couper un poing, une main. ◇ Les extensions de sens procèdent des différentes manières de considérer le poing en fonction de ses usages. Le mot est pris comme symbole de force et de violence (fin XIIe s.), spécialement dans ***coup de poing, en venir aux poings*** (1566) et ***montrer le poing à qqn*** (1680). ◇ Il est considéré comme un organe servant à porter, spécialement en fauconnerie dans le terme *oiseau de poing* (1570), et comme aboutissement de l'action de fermer la main autour de qqch., spécialement en marine dans le terme *nœud à plein poing* (1874). Plusieurs emplois insistent sur la gestuelle propre au poing, avec des valeurs très diverses, comme les locutions ***se ronger les poings*** (1769) et ***dormir à poings fermés*** (1834).

▶ Les premiers dérivés de *poing* sont attestés à partir du XIIe siècle. ➛ **POIGNÉE** n. f., d'abord *puinnie* (v. 1170), désigne la quantité contenue dans une main fermée, par exemple dans la locution ***à poignées*** (v. 1190, *a puignies*). ◇ Par allusion à la petite quantité qui tient dans une main fermée, *poignée* désigne un petit nombre de personnes (v. 1180). ◇ Par métonymie, il désigne concrètement l'objet ou la partie d'un objet conçue pour être saisie et tenue par la main fermée (1370) ; il se dit en particulier de la pièce de protection servant à saisir un objet chaud (1765), et, comme terme technique, de la traverse du battant d'un métier à tisser (1875) et d'un ciseau à froid utilisé par les tailleurs de pierre (XXe s.). ◇ L'expression ***poignée de main*** (1845) réalise une autre valeur, également métonymique : celle du geste par lequel on serre la main de qqn. ➛ **POIGNET** n. m., diminutif de *poing*, est d'abord écrit *pugnet* (1209) au sens de «mesure de grain, poignée», sorti d'usage. Le mot désigne ensuite la partie du vêtement qui termine la manche (1315), puis l'attache réunissant l'avant-bras à la main (1488), sens attesté plus tard, alors qu'il semblerait être à l'origine de «partie de la manche». ◇ *Poignet* a quelquefois le sens figuré de «force», généralement dévolu à *poigne*. ➛ **POIGNE** n. f. est tardif (1807) mais l'ancien français avait *pougne* (1372) «poignée d'un objet» et *puigne* (1373), «poignet d'un vêtement», ainsi que *poigne* dans le surnom *Jehan bonne poigne* (1387-1388). Il ne faut pas le confondre avec l'ancien représentant du latin *pugna* «combat». Au XIXe s., le mot désigne la force du poing, de la main pour empoigner, tenir, serrer, d'où, au figuré, l'énergie, la fermeté (1867), notamment dans la locution ***avoir de la poigne*** et dans *(un ministre)* ***à poigne*** (1875). ◇ Il n'est plus guère utilisé, sinon dans le langage populaire, au sens de «main» (1884) [cf. ci-dessous *pogne*.] ➛ Il a produit **POIGNER** v. tr. (1582), «saisir avec le poing», écarté de l'usage courant par *empoigner** mais encore vivant régionalement au sens de «prendre à pleines mains, violemment». Ce verbe est employé argotiquement à la forme pronominale *se poigner* «se masturber» (1935), aussi *se pogner*, régional. ➛ *Poigne* a une variante régionale **POGNE** n. f. (1807), probablement empruntée au lorrain où la forme dialectale de *poing* est *pogne* ou *pougne* n. m. et n. f. *Pogne* est vivant en argot pour «poing» et «main». ◇ Probablement par analogie de forme, *pogne* sert à désigner une brioche en couronne (1938). ➛ **POGNON** n. m. (1840), nom populaire de l'argent, est dérivé avec le suffixe *-on* soit du radical de *poigner* soit de celui de *pogner* «saisir avec la main, attraper». Le mot est aujourd'hui démotivé.

EMPOIGNER v. tr., d'abord *enpuignier* (v. 1175), est composé du préfixe *en-*, de *poing* et du suffixe verbal *-er*, au sens de «saisir fortement» ; il a pris le sens familier de «retenir, agripper qqn», et au figuré «saisir énergiquement» (v. 1850). Le sens d'«arrêter qqn» (XVe s.) est sorti d'usage. ➛ La dérivation du verbe est assez riche. **EMPOIGNEUR, EUSE** n. (v. 1220) est rare, comme **EMPOIGNEMENT** n. m. (1582). ➛ Le déverbal **EMPOIGNE** n. f. apparaît (1773) dans la locution ***être à la foire d'empoigne*** «être porté aux attouchements avec les femmes», sens sorti d'usage au profit de celui de «lutter avec d'autres pour s'emparer de qqch.» (1867). Le nom sert quelquefois de nom d'action à *empoigner* (1864). ➛ Les dérivés les plus tardifs sont **EMPOIGNADE** n. f. (1836) «altercation», et **EMPOIGNANT, ANTE** adj. tiré (1853) du participe présent de *empoigner* au figuré et demeuré rare.

Coup de poing est lexicalisé en **COUP-DE-POING** n. m. (1783), nom donné à un silex taillé pour servir d'arme, à une arme de main servant à frapper

(1873), et en électricité (1886), à un interrupteur en forme de grand bouton pressoir.

◈ voir POIGNARD, POINÇON, POINDRE, ① POINT, PUGILAT, PUGNACITÉ, RÉPUGNER.

✳ ① **POINT** n. m. est issu (av. 1100) du latin *punctum,* dérivé du supin *(punctum)* de *pungere* (→ poindre) et qui, à partir du sens de base de «piqûre, action de piquer», a développé de nombreuses acceptions particulières concrètes et abstraites. Ainsi, *punctum* désigne, par métonymie, le petit trou fait par une piqûre, une ouverture, un signe de ponctuation, une petite tache, une petite coupure ; sur un plan abstrait, il se dit d'une très petite portion temporelle, d'un vote, d'un suffrage (d'après l'idée des points mis à côté de chaque nom lors du dépouillement). Il désigne aussi le moment d'équilibre du fléau de la balance, et au jeu de dés, un coup de dés. En géométrie, *punctum* correspond au concept fondamental de la plus petite portion d'espace concevable, lié à l'idée de situation et d'analyse spatiales.

♦ Plusieurs sens de base du mot français existant en latin sont présents dans les textes dès le XIIe s. : dès ces premières attestations, *point* a le sens étymologique de «piqûre» ; ce sens a vieilli, tout comme celui d'«action de piquer» (fin XIIe s.) (→ pointe) mais c'est de lui que procède, par extension, l'idée de «douleur vive, poignante» (1573), réalisée notamment dans l'expression ***point de côté*** (1680) comprise de nos jours comme une douleur localisée en un point plutôt que dans son sens actif et originel. ◇ L'idée de «piqûre» reste vivante dans l'acception spécialisée qu'a le mot en couture (v. 1225) et en chirurgie, s'agissant de piqûres pour recoudre une plaie (v. 1240) ; cette idée reste active en broderie (1352), en tapisserie sur canevas (1583) et en tricot, fournissant un certain nombre de syntagmes désignant les figures résultant de la manière de piquer ainsi que le format de ces piqûres (1581, *petit point*). Par analogie avec ce groupe d'acceptions, le mot s'emploie aussi en ébénisterie (1754, *point de Hongrie*).

L'autre sens de base, «endroit fixe et déterminé», est une extension spatiale (1176-1181) du précédent : lieu, zone aussi minuscule qu'une piqûre. Il est réalisé dans plusieurs spécialisations didactiques avec l'idée plus théorique, déjà assumée par le latin *punctum,* de «lieu sans étendue, défini par ses seules coordonnées» (v. 1265) : c'est le cas en géométrie, par exemple dans ***point d'intersection*** (1752), en astronomie, géodésie, géographie, en optique ainsi qu'en marine où le mot désigne la position d'un navire sur une carte (1529) ; c'est de ce sens que procède la locution ***faire le point*** (fin XVIIIe s.) attestée au figuré pour «faire le bilan», et au propre pour «établir la localisation d'un navire» (1811). ◇ C'est aussi de cette acception que vient, d'abord en optique perspective, la locution ***point de vue,*** devenue un véritable composé (ci-dessous). ◇ En mécanique, *point* désigne un endroit de la course d'un dispositif mobile ; il entre dans des locutions dont certaines sont passées dans l'usage courant avec une valeur figurée : ***point d'appui*** (1691) s'emploie aussi dans la terminologie militaire, et désigne au figuré ce qui aide, qui soutient (1767) ; ***point mort*** (1862), devenu courant en technique automobile (1928), avait pris le sens figuré de «sans évolution» (1899). ◇ Dans le domaine de l'optique, *point* désigne le lieu où un rayon rencontre un plan ou d'autres rayons (1668, *point mathématique, point physique*). Il entre dans la locution verbale ***mettre au point*** (1869) «disposer les éléments d'un système optique de sorte que l'image se forme à l'endroit convenable», passée en mécanique (1937) et dans le langage figuré (1900), probablement en subissant l'influence de la locution ***au point*** (1718) «bien réglé», qui découle du sens abstrait de «plus haut degré, perfection» qu'a *point* dès le moyen français. ***Mise au point*** correspond à la substantivation de *mettre au point.* ◆ En dehors du langage technique, *point* désigne couramment un lieu, un endroit ; en ce sens, il a donné récemment l'expression ***point chaud*** (1965), calque de l'anglo-américain *hot point,* pour un lieu important d'activité, en particulier un lieu où se produisent de nombreux accidents (1966), un lieu de conflits sociaux (1967) ou de conflit armé (1968). ◇ Tout en conservant son sens spatial, *point* est entré dans des expressions ayant elles-mêmes une valeur temporelle ou psychologique comme ***point de départ, point sensible, point faible.*** ◆ Tout comme le latin, le mot assume dès l'ancien français une valeur proprement temporelle de «moment précis où qqch. a lieu» (fin XIIe s.), entrant dans les expressions usuelles ***à point*** (v. 1275), plus tard ***à point nommé*** (1547) et ***sur le point de*** (v. 1260) ; on disait autrefois *sur ce point* (v. 1480) «juste à ce moment». ◇ Quant à ***point du jour*** (v. 1165), l'expression procède non pas du sens temporel, mais de «action de poindre, d'apparaître» comme en témoigne l'ancienne expression synonyme *la pointe du jour* (→ pointe), qu'il a supplantée.

Toujours au XIIe s., *point* prend (apr. 1150) le sens abstrait d'«élément que l'on isole pour le traiter séparément» ; il désigne en particulier une partie formant la division d'un ouvrage, d'un discours (1310-1340) et une question, un sujet quelconque, entrant dans les locutions ***sur ce point*** «sur cette question» (v. 1480), ***en tous points,*** et juridiquement ***point de droit*** (1585) et ***point de fait*** (1656-1657). L'expression ***point d'honneur*** remonte au XVIe s. et pourrait être calquée sur l'espagnol. ◆ L'idée exprimée par *point* est aussi celle de «degré (d'une qualité), état à un moment donné (d'une chose qui change)» (1188) ; elle se réalise dans l'expression *en bon point* (1188, *em boen poent*) «en bon état», sortie d'usage mais qui est à l'origine du substantif *embonpoint**,* et dans l'expression symétrique ***mal en point*** (v. 1480) «en mauvais état, malade», toujours en usage. ◇ L'expression non qualifiée ***à point*** (v. 1245) exprime l'idée d'un état souhaité, idéal, spécialement en parlant du degré de cuisson d'une viande (1668) ; dans le vocabulaire de la restauration, *à point* et *bien cuit* s'opposent à *bleu* et *saignant,* pour les viandes rouges ; *à point* avait produit au XVIe s. un composé *apoint* «situation favorable». Quelques variantes de forme assument une nuance particulière, comme *à ce point* (v. 1480), *à son point* (1634) «à son plus haut degré, à la perfection» et *au*

point (1718); parmi les constructions prépositionnelles avec *de, au point de qqn* (1635), qui exprimait en langue classique l'idée de «selon son gré, sa fantaisie», est sorti d'usage comme les locutions de sens voisin *venir au point de qqn* (1665) et *mettre qqn à son point* (1684).
Enfin, le dernier sens fondamental de *point*, lui aussi attesté avant la fin du XIIe s., est celui de «marque ou signe de très petite dimension» : il s'applique au jeu de dés pour «chacun des signes (d'un dé)». Avec la même valeur, *point* s'applique au XVIe s. à l'unité de valeur attribuée à chaque carte dans un jeu (1585) et, en sports, à la marque, à l'unité attribuée à un joueur dont le décompte permet de déterminer le vainqueur. Cette acception a donné les locutions ***donner des points*** (1661), ***rendre des points*** (1845) «concéder l'avantage à son adversaire», cette dernière également au figuré pour «se considérer comme plus fort que lui» (1862), et ***aux points*** en boxe (1909) qui se dit d'une victoire sans mise hors de combat. ◇ L'idée d'unité a trouvé d'autres réalisations à partir du XVIIe s. : *point* désigne chaque unité d'une note attribuée à un élève (1690), et une ancienne unité de mesure pour les gants, les chapeaux et les chaussures (1691) [→ pointure], spécialement en typographie, une unité de dimension des caractères d'imprimerie (1764) puis, en finances, une unité de hausse ou de baisse des valeurs en Bourse (1925) et toutes sortes de valeurs mesurables. ◇ Le sens courant de «petite tache» donne lieu à quelques syntagmes qualifiés comme ***point noir*** (1806) «nuage sombre qui annonce un orage» et «comédon» (1836), *point brillant*, etc. ◆ Alors qu'il existait déjà en latin, le sens de «signe de ponctuation» n'est attesté en français qu'à la Renaissance (1550); on le rencontre alors dans ***point final***, au figuré «c'est tout, ça suffit, n'en parlons plus» (on dit aussi ***un point c'est tout***, [1897]), et dans les noms d'autres signes de ponctuation : ***point d'interrogation*** et *point d'admiration*, ce dernier sorti d'usage au profit de *point d'exclamatif* (1747), refait en ***point d'exclamation*** (1765). *Point et virgule* (1688) a été modifié en ***point-virgule*** (1869, Littré); créés au XIXe s., les *points suspensifs* (1835) s'appellent aujourd'hui ***points de suspension*** (1906). ◇ *Point* désigne aussi le petit signe surmontant les lettres *i* et *j* (1636), d'où la locution ***mettre les points sur les i*** (1740-1755), d'abord «corriger les fautes dans un écrit», puis au figuré, «préciser pour un interlocuteur qui ne comprend pas» (1808). ◇ L'emploi du mot dans la transcription musicale est plus tardif (1690) que le sens d'«accord» (XIIIe s.). *Point* a donné dans ce domaine les syntagmes ***point d'orgue*** (1690), ***point d'arrêt*** (1834) et ***point de reprise*** (1903); seul le premier, plus usuel, a une valeur figurée.

▶ Le mot n'a produit que deux dérivés, mais il a donné un nombre important de composés. ◆ ① **POINTER** v. n'a conservé le sens ancien (1170) de «piquer sur une étoffe» que par la spécialisation pour «faire des points à une étoffe pour en maintenir les plis» (1611). ◇ Il exprime aujourd'hui le fait de marquer d'un point les noms pour un contrôle (1499), sens rare puis repris au XVIIIe s. (1752, *Trévoux*), et dont procède directement la valeur moderne industrielle qui correspond à «enregistrer avec un appareil les heures d'arrivée et de sortie du personnel» (1935). Ce sens est lié à l'emploi des dérivés *pointage, pointeuse* et *pointeau* (1888) et doit donc être antérieur à son attestation. En relation avec d'autres sens particuliers de *point*, le verbe est employé en navigation (1643, *pointer la carte*), en musique (1691, au participe passé adjectivé dans *note pointée*), en dessin pour «rapporter sur un panneau les dimensions relevées sur une épure» (1694). ◇ L'idée étymologique, «enfoncer dans», est encore réalisée en imprimerie (1812). ◇ D'autres emplois, à partir du XVIIe s., correspondent à «diriger vers un point déterminé», spécialement en parlant d'une arme à feu (1611) et au jeu de boules (1906). ◇ La forme pronominale **SE POINTER** (1795) exprime le fait de se diriger vers, et, par extension familière (1951), celle d'«apparaître, arriver». ◇ Parmi tous les sens qu'il reprend au verbe, le participe passé adjectivé **POINTÉ, ÉE**, après *note pointée* en musique (ci-dessus), est employé en pédagogie en parlant d'une note dont la valeur est majorée (1959); ***zéro pointé*** (1959) désigne cette note maintenue dans un examen après délibération, et qui est donc éliminatoire. ◆ Le verbe a donné les dérivés ① **POINTEUR, EUSE** n. (1499) et **POINTAGE** n. m. (1628), ainsi que ① **POINTEAU** n. m. (1888) pour l'employé chargé de surveiller les heures d'arrivée et de sortie du personnel. *Pointage* et *pointeuse* dans *horloge pointeuse* ont rejoint cette valeur, enregistrée un peu plus tard pour *pointer*.
L'autre dérivé de *point* est ① **POINTILLER** v. (1414) d'abord attesté au participe passé; il signifie «graver de petits points» et aussi (1611) «marquer de points», spécialement en peinture à propos de la miniature (1676). ◆ Ce verbe a produit des dérivés relativement importants : les plus anciens sont le nom d'action, ① **POINTILLAGE** n. m. (1694) et **POINTILLÉ** n. m. (1765), substantivation du participe passé *pointillé*, sorti d'usage au sens actif d'«action de dessiner, de graver en pointillant», mais conservé au sens métonymique d'«ouvrage d'art ainsi effectué» et courant pour désigner une surface couverte de petits points (1823) et une succession de points formant une ligne discontinue (1868). ◇ Au XIXe s., *pointiller* a produit un autre nom d'action, **POINTILLEMENT** n. m. (1855, Baudelaire), rare et littéraire, et les termes d'histoire de l'art **POINTILLISME** n. m. (1897) et **POINTILLISTE** n. et adj. (1892, Bloy) qui correspondent à la technique post-impressionniste de peintres comme Seurat, Signac, qui juxtaposent des points de couleurs fondamentales. Cf. *divisionnisme*. *Pointilliste* s'était employé un peu plus tôt en musique (1894). ◇ Le dernier dérivé de *pointiller*, **POINTILLEUR** n. m., est le nom donné à un appareil qui trace des pointillés (v. 1950).
Parmi les composés et préfixés de *point*, le plus ancien est **EMPOINTER** v. tr. (fin XIIe s., *empointier*) «faufiler, en continu», sorti d'usage. ◆ ① **APPOINTER** (v. 1268, *apointier*), plus tardif que son homonyme ② **APPOINTER** formé sur **POINTE** (→ pointe) mais plus courant, est le plus important sémantiquement et le plus productif. ◇ Ce-

pendant, il a vieilli aux sens de «préparer, arranger» (v. 1268) y compris en termes de corroyeur (1680), «s'accommoder, faire un arrangement» (XVe s.), «réconcilier deux parties» (av. 1514) et, suivi d'une subordonnée introduite par *que*, «convenir que» (av. 1514). ◇ Son sens juridique de «mettre en délibéré» (1690) est lui aussi vieilli depuis la fin du XVIe s. (son archaïsme est constaté au XVIIIe s. par le dictionnaire de l'Académie). ◆ Seul le sens de «rétribuer» (1527), qui procède de l'idée de «donner ce qui a été convenu», est resté vivant, non plus en parlant de soldats, de mercenaires, mais à propos d'employés (1584); son rapport à *point* n'y est plus perçu. ◆ Le participe passé **APPOINTÉ, ÉE** était employé comme adjectif pour qualifier un soldat touchant une solde plus importante que les autres (1579); de nos jours, il est employé régionalement (en Suisse) comme nom pour un soldat de première classe, qui a une solde plus élevée. ◆ *Appointer* a probablement produit **APPOINT** n. m. pourtant attesté précocement (v. 1150) avant le verbe. ◇ Le mot a eu le sens temporel de «moment favorable», encore relevé en 1611, et dont il reste une trace dans l'expression de marine *attendre l'appoint de la marée, du vent,* employé au Canada. Le sens de «somme qui solde un compte» est attesté une fois en 1452 et repris dans le dictionnaire de l'Académie de 1740. Par extension, le mot se dit au figuré de tout ce qui est ajouté et sert de complément (av. 1750). ◆ Le nom d'action **APPOINTEMENT** n. m. (1388) a suivi la même évolution que le verbe : il a perdu ses anciens sens de «règlement, accommodement dans un différend» et «jugement mettant fin à un procès» (1397) pour celui de «ce qui a été convenu financièrement, salaire» (1573), de nos jours au pluriel «gages» (1573).

L'antonyme d'*appointer,* **DÉSAPPOINTER** v. tr. (1395), a suivi une tout autre évolution sémantique : il a vieilli au sens de «destituer (qqn) de sa charge» (1395) pour se fixer au sens figuré (1611) de «décevoir (qqn) dans son attente». ◇ Toutefois, ce sens ne s'est véritablement implanté en français qu'au XVIIIe s., par l'intermédiaire de la forme participiale **DÉSAPPOINTÉ, ÉE** adj. empruntée (1761) à l'anglais *disappointed* (1552). Cet adjectif est tiré du participe passé de *to disappoint* (XVe s.) lui-même emprunté au moyen français *désappointer*. En anglais, *to disappoint* a d'abord eu le sens ancien du français, mais le sens figuré s'est développé avant la fin du XVe siècle. ◇ *Désappointé,* qui a été critiqué en français au début du XIXe s., s'est répandu dans l'usage sans que sa formation et son rattachement sémantique soient clairs pour le locuteur. ◆ Sur *désappointé,* on a rétabli une série parallèle à la série anglaise : *désappointer* répondant à *to disappoint,* **DÉSAPPOINTEMENT** n. m. (1783), anciennement créé en français avec le sens de «destitution» (av. 1473), répondant à *disappointment,* et **DÉSAPPOINTANT, ANTE**, adjectivation du participe présent de *désappointer,* calqué sur l'anglais *disappointing.*

CONTREPOINT n. m. (1398) est un terme de musique construit avec *contre** et *point* au sens de «note», les notes étant figurées ou marquées par des points. Le mot désigne d'abord une composition par la superposition de plusieurs lignes mélodiques et, depuis le XVIIIe s., cette technique de composition. Il est passé dans l'usage courant avec le sens figuré de «motif secondaire se superposant à qqch., en ayant une réalité propre», spécialement en locution ***en contrepoint.*** ◆ On en a tiré le verbe **CONTREPOINTER** v. tr. (av. 1544). *Contrapuntique*, contrapuntiste* sont empruntés à l'italien.

ROND-POINT n. m., d'abord *roont point* (1375), a eu le sens de «demi-cercle» avant de prendre beaucoup plus tard son sens courant actuel (1866). ◆ Au XVIIe s., *point* est entré dans deux noms composés : **TIERS-POINT** n. m., terme d'architecture (1611), figure surtout dans *arc en tiers point,* forme clé de l'art gothique; il se dit aussi en technique pour un outil de section triangulaire (1765) et, autrefois en marine, à propos d'une voile triangulaire (1740). ◆ **POINT DE VUE** n. m. (1651), qui correspond à la perspective, désigne d'abord, en peinture, l'endroit d'où l'on voit le mieux. Il a pris le sens figuré de «manière de voir les choses» (1672), en particulier «opinion personnelle» (1673). Le composé se dit aussi d'une construction élevée dans un endroit bien situé (1763), sens qui a donné par métonymie celui d'«ensemble étendu qui sollicite le regard» (1763). ◆ Les composés formés ultérieurement sont des mots de sens technique très spécialisés comme **POINT-ARRIÈRE** ou **ARRIÈRE-POINT** n. m. (1776) terme de couture, **TIRE-POINT** n. m. (1803), nom de divers outils, et **BI-POINT** n. m. (v. 1950) en mathématiques.

◈ voir **ACUPUNCTURE, COMPONCTION, EMBONPOINT, POIGNARD, POINDRE, POING, ② POINT, POINTE, ③ POINTER, POINTILLEUX, POINTURE, PONCTION, PONCTUEL, PONCTUER, POURPOINT, PUGILAT, PUGNACITÉ, PYGMÉE, RÉPUGNANT.**

② POINT

② **POINT** adv., particule de négation, est un emploi spécialisé (v. 1050, *non point*) propre au gallo-roman, du substantif ① *point** pris avec son ancien sens de «petite parcelle d'étendue d'espace ou de temps, très petite quantité» (v. 1170). Comme tel, il est comparable à *pas* et aux anciens emplois analogues de *mie, goutte*... Le nom était employé dans les tournures négatives *un point ne* (et verbe) «ne... pas, le moins du monde», *ne... point ne grant* «ni peu ni beaucoup», *nul point ne s'aresta* «ne s'arrêta pas un moment», *sans nul point de dangier* «sans restriction, sans difficulté» — si bien qu'il a été senti comme auxiliaire de la négation *ne* et comme équivalent de *pas.*

♦ *Point* est employé en corrélation avec *ne : ne... point* et *ne... point de* et nom (v. 1160); entré en concurrence avec *pas,* il est plus courant que lui dans la langue classique mais, de nos jours, est marqué comme archaïque, littéraire ou au contraire régional ou rural (dans ce dernier cas, souvent sans *ne*). Il constitue la négation de ce qui est exprimé par le verbe (déb. XIIe s.) et s'est employé dans la construction *ne point... que* (XVIe s.), supplantée par *ne pas... que.* ◆ *Point* est aussi employé seul (v. 1200) sans *ne* et sans verbe exprimé, emploi devenu vieux ou régional. Dans des réponses à une interrogation (1573), il était courant en langue classique avant d'être senti comme affecté ou littéraire. ◇ Il est aussi employé dans la tournure renforcée ***point du tout*** (1669), relevée après la négation renforcée *ne... du tout point* (v. 1600), elle-même sortie d'usage. ➜ Depuis le XVIe s. (1585), *point* est employé avec un nom amené par *de :* on a dit par exemple *point de nouvelles* (déb. XVIIe s.) «il n'en est rien» pour indiquer qu'il ne faut rien attendre de telle personne, et *point d'affaire* (Molière) pour refuser son consentement à ce qui est demandé. L'emploi de *point* suivi directement d'un adjectif, d'un participe, d'un adverbe, est classique (1651).

◈ ✳ **POINTE** n. f. est issu (v. 1150) du bas latin *puncta* «estocade», féminin substantivé de *punctus*, participe passé passif de *pungere* (→ poindre).

♦ Dès les premiers emplois, le mot désigne concrètement l'extrémité aiguë d'un objet servant à piquer, à percer, sens réalisé en escrime et à propos d'une arme, dans les locutions ***à la pointe des armes*** (1636) et ***à la pointe de l'épée*** (1668, au figuré). Par extension, depuis le moyen français, *pointe* désigne aussi une extrémité aiguë pour tracer finement, et aussi l'extrémité diminuée d'une chose, quel que soit son usage : en particulier une portion de terrain rétrécie (1306), l'extrémité d'un objet allongé (1452, d'un soulier), l'endroit le plus haut d'un clocher ou d'une montagne (v. 1460), l'angle le plus avancé d'un bastion (fin XVIe s.), sens dont procèdent des spécialisations secondaires dans l'armée et en sports, ainsi que les locutions qui semblent récentes ***être à la pointe de*** et ***de pointe*** «avancé». Le mot est employé en blason pour l'extrémité inférieure de l'écu (1581); il entre dans la locution ***en pointe*** (1585), spécialisée plus tard en navigation. ◇ Il se dit couramment de l'extrémité du pied, notamment dans ***sur la pointe des pieds*** qui a pris la valeur figurée de «en marchant prudemment» (1669). Beaucoup plus tard, il a donné lieu en danse à un emploi métonymique, désignant un pas exécuté sur la pointe du pied (1842). ➜ Dès les premiers textes (v. 1155), *pointe*, en tant que substantif verbal correspondant à *poindre*, désigne activement l'action physique d'attaquer, de charger, probablement en relation avec l'idée d'«éperonner un cheval». Ce sens sorti d'usage correspond à quelques emplois secondaires, vestiges d'une gamme d'emplois plus étendue dans la langue classique. Ainsi, le mot se dit en fauconnerie des montées et descentes rapides d'un oiseau (fin XVIe s.), en termes de manège de l'écart d'un cheval (1680) et en termes de chasse, dans ***faire une pointe***, d'un animal qui perce son chemin sans ruser (1834). *Pointe* est appliqué au fait de quitter momentanément son chemin pour faire une course dans le voisinage (1798) et, dans l'armée, à une opération militaire consistant à avancer en territoire ennemi loin de sa base d'opérations ou du gros de l'armée (1835). ➜ Pris en particulier pour «action de poindre, d'apparaître», dans ***la pointe du jour*** (1172-1174), *pointe* a été évincé de l'usage courant par ① *point**, dans une locution symétrique.

Par une métonymie courante (la partie pour le tout), *pointe* désigne concrètement un objet à l'extrémité fine et aiguë (v. 1200), en particulier une aiguille, une lame, la pièce aiguë sur laquelle on fiche une bougie (1380), l'épine d'une plante (1465), le piquant d'un hérisson (1562). ◇ En ce sens, il est entré (surtout au XVIe s.) dans de nombreux vocabulaires spécialisés et techniques : il désigne ainsi un outil servant à sculpter, à graver (1538), spécialement l'outil du graveur, en particulier dans ***pointe sèche*** (1765) dit aussi, par métonymie, de l'estampe réalisée avec cet outil (1907). Il entre dans l'expression ***pointe de diamant*** (1549) «petit morceau de diamant servant à couper le verre», puis «ornement d'architecture imitant la forme d'un diamant taillé» (1853), absolument *pointe.* ◇ Dans le vocabulaire de la couture, *pointe* désigne, par la même analogie de forme que *poignard*, une pièce d'étoffe que l'on coud pour donner de l'ampleur à un vêtement (1530), puis une petite écharpe en pointe (1812), un linge en forme de triangle pour envelopper les bébés (1812). ◇ *Pointe*, en marine, s'applique à chacune des trente-deux divisions du compas indiquée par une pointe dessinée sur le cadran (1688). ◇ En chirurgie, le syntagme ***pointe de feu*** (1812) désigne un cautère pointu, et reste vivant au sens métonymique, au pluriel, de «petites brûlures faites avec le cautère» (1868).

Les emplois figurés et abstraits remontent pour la plupart au moyen français : *pointe* sert de nom d'action à *poindre* au sens de «douleur cuisante, fait de piquer» (v. 1225-1230). Il a disparu avec le sens de «trait d'esprit, jeu de mots» (1580), mais s'est conservé avec la spécialisation rhétorique de «trait mordant terminant une épigramme» (1636) et au sens dérivé de «parole blessante, allusion ironique» (1604). ➜ L'accent est mis sur la notion de «petite et fine quantité» avec le nom d'un condiment à saveur piquante (1570), par exemple, une *pointe d'ail.* En moyen français, le mot s'appliquait aussi à une saveur acide ou aigre (1531). Avec la même valeur, *pointe* est abstraitement le nom d'un sentiment (XVIIe s.). ➜ Le sens temporel de «moment où une activité, un phénomène atteint son maximum d'intensité», beaucoup plus tardif, est réalisé dans le langage sportif ***(pointe de vitesse)*** et dans l'expression usuelle ***heure de pointe*** (1911), d'abord en référence à la période de consommation d'électricité la plus forte et, par extension, à la période où le nombre des voyageurs des transports en commun est le plus élevé, étendue à d'autres contextes pour «heure d'activité maximale».

▸ La dérivation de *pointe*, relativement abondante, présente de nombreux cas d'homonymie avec les dérivés du masculin ① *point;* elle est riche en termes techniques et s'étend sur plusieurs siècles. Le dérivé verbal ② **POINTER** v. (XIVe s.) a d'abord été employé dans la locution *pointer avant* «mettre (qqch. ou qqn) en avant», sortie d'usage. *Pointer* signifie «façonner en pointe» (1610), valeur réalisée dès le XVe s. par le participe passé **POINTÉ** en emploi adjectif. Il exprime également le fait d'avancer, de diriger en pointe (déb. XVIIe s.), sens qui tend à se confondre avec celui de l'homonyme ① *pointer* «diriger vers», le dérivé de ① *point.* En construction intransitive, *pointer* correspond à «pousser une pointe» (1651) en parlant d'un oiseau qui s'élève brusquement, d'un cheval qui se cabre (1835).

◇ Par un phénomène de substitution avec le verbe *poindre** dont la conjugaison s'est appauvrie, *pointer* est employé couramment au sens de «commencer d'apparaître, de se manifester» (1798); il est également courant avec le sens plus récent de «s'élever en formant une pointe» (XIXe s.). Il reste argotique au sens de «pénétrer sexuellement» (XVIIIe s.), qui réalise la valeur étymologique. ➛ Ses quelques dérivés sont le nom d'action **POINTEMENT** n. m., «action de pointer le canon» (1752), puis spécialement, en cristallographie, «réunion d'au moins trois pointes à la place de la face dominante d'un cristal» (1803) et en géologie «saillie de roches dures au milieu de terrains de nature différente» (1864). ➛ ② **POINTEUR, EUSE** n. (1842) désigne un ouvrier chargé de façonner un objet en pointe; il est homonyme d'un autre mot, ③ **POINTEUR** n. m., terme argotique dérivé du même verbe au sens érotique (v. 1950) pour celui qui pénètre sexuellement, l'homosexuel actif.

Le dernier dérivé de *pointe* attesté en moyen français est **POINTU, UE** n. et adj. (v. 1377), d'abord employé comme nom pour désigner un objet terminé en pointe, avec une valeur de neutre sortie d'usage. L'adjectif qualifie une chose aiguë (1389, un hérisson garni de piquants) et, par métaphore, ce qui pique, provoque une sensation douloureuse comparable à une piqûre (1680). ◇ C'est de ce sens que procède, par péjoration, l'expression ***voix pointue, aiguë*** (1585), continuée par ***accent pointu*** (XXe s.) dite dans le sud de la France de l'accent du Nord (des pays d'oïl), notamment de l'accent parisien (aussi adverbial, dans *parler pointu*). ◇ Parmi les sens figurés, ceux de «sévère, dur» (v. 1465), «excessivement susceptible, pointilleux» (1651) et, en parlant d'un style, «caractérisé par l'abus de pointes, d'allusions» (1723), sont sortis d'usage. Le seul vivant est le sens intellectuel de «subtil, difficile», à la mode depuis les années 1970, notamment dans les milieux de la technique et de l'économie, puis intellectuels *(une recherche pointue)*. ◇ *Pointu* a été substantivé techniquement pour désigner un triangle d'étoffe servant à faire des chapeaux (1723). ◇ Le sens de «personne affectée, pédante», à la mode dans la seconde moitié du XIXe s. a disparu. Au XXe s., *un pointu* s'est employé familièrement pour désigner un évêque ou un agent de police, en référence à leur coiffure, autre valeur disparue. ◇ La seule acception vivante du nom est régionale (Méditerranée); elle se rapporte à une petite barque, caractérisée par sa forme pointue à l'avant et à l'arrière (déb. XXe s.). ➛ **POINTAL, AUX** n. m. (1676) est, comme tous les dérivés ultérieurs de *pointe*, un terme technique; il désigne une pièce de bois posée verticalement et qui sert d'étai; l'ancien français avait *pointel* pour la pointe de la lance (fin XIIe s.). ➛ ② **POINTEAU** n. m. est le nom donné à un outil à pointe conique (1765); il désigne aussi une tige métallique à bout conique qui s'enfonce dans un orifice et règle le débit d'un fluide (1887). ➛ **POINTEROLLE** n. f., dérivé avec un *r* de liaison et le suffixe diminutif *-olle* (1768), est un autre nom d'outil technique, désignant un petit pic servant à entailler la roche. ◇ **POINTERIE** n. f., dérivé du nom (1874), sert à désigner l'atelier où l'on fabrique les clous coniques appelés *pointes*.

Pointer avait dès l'ancien français (XIIe s.) des dérivés préfixés.

◇ **ÉPOINTER** v. tr., d'abord écrit *espointier* (fin XIe s.), signifie «émousser en enlevant ou en usant la pointe»; le verbe a développé beaucoup plus tard le sens contraire d'«effiler en aiguisant la pointe» en donnant une autre valeur au préfixé *é-*, d'abord en reliure (1755), puis en général. ◇ Il a donné deux noms d'action : **ÉPOINTEMENT** n. m., d'abord *espointement* (1611), et **ÉPOINTAGE** n. m. (1836), chez lesquels coexistent les deux sens antonymiques.

② **APPOINTER** v. tr. est d'abord attesté sous la graphie *apointer* (1177) «diriger la pointe de (qqch.) vers qqn», sens sorti d'usage au cours du XVIe siècle. Le verbe est resté vivant au sens de «tailler en pointe» (1200-1220), *s'appointer* signifiant parallèlement «se terminer en pointe», emploi littéraire qui a remplacé la construction intransitive (attesté entre la fin du XVe s. et 1771). On rencontre une variante *appointir* (XVIe s.) de même sens. Dans tous ses emplois, le verbe, qui a souffert de la collusion homonymique avec ① appointer, de *point* (→ ① point), a vieilli. ➛ Le nom d'action correspondant, **APPOINTAGE** n. m. «action de préparer» (1507), a été repris au XIXe s. avec des valeurs techniques, d'abord «action de coudre de bout en bout» (1808) puis «dernier foulage des cuirs» (1819) et «action de tailler en pointe» (1866). ◇ **EMPOINTER** v. tr. (XIVe s.) est le terme technique pour exprimer l'action d'aiguiser une pointe; depuis la fin du XIXe s., il subit la concurrence de *épointer*. ◇ Son unique dérivé, **EMPOINTAGE** n. m., n'est attesté qu'en 1825.

① **POINTER** → ① POINT

② **POINTER** → POINTE

③ **POINTER** n. m. est emprunté (1834) à l'anglais *pointer* (XVe s.), dérivé nominal de *to point* «montrer», attesté depuis 1717 au sens de «chien d'arrêt». *To point* vient du nom *point* emprunté au français ① *point** au XIIIe siècle.

♦ Le mot, d'abord attesté en français dans l'expression anglaise *spanish pointer* «pointer espagnol», est attesté en emploi absolu chez Gautier, en 1852. L'Académie (1878) signale l'adjectif avec la forme francisée *pointeur,* dans *chien pointeur.*

① **POINTILLER** → ① POINT

② **POINTILLER** → POINTILLEUX

POINTILLEUX, EUSE adj., réfection (1605-1608) de *pontilleux* (v. 1580), n'est probablement pas, comme on l'a cru, directement emprunté à l'italien *puntiglioso,* attesté trop tard (XVIIIe s.) mais dérivé du moyen français *pontille* (1580), *pointille* (v. 1580, *poinctille*), attesté au XVIe s. (1564) sous la forme isolée *punctile* et désignant un point de détail d'où, par métonymie, une chicane infime. Ce nom est emprunté à l'italien *puntiglio* (av. 1550) «point de détail auquel s'attache celui qui est obsédé par son honneur», emprunt à l'espagnol *puntillo*, diminutif de *punto*, correspondant au français ① *point** (cf. *point d'honneur*). ◇ *Pointille* ainsi que son dérivé ② **POINTILLER** v. intr. (1576) «discuter par le menu», *se pointiller* «se disputer pour des vétilles» (1640), auquel s'ajoute le dérivé ② **POINTILLAGE** n. m. (av. 1695), sont quasiment sortis d'usage.

♦ *Pointilleux* est le seul représentant encore vivant de cette série, qualifiant la personne qui a une propension à disputer sur des détails et, surtout, aujourd'hui, qui est exigeante, susceptible dans ses rapports avec autrui.

▸ En est dérivé **POINTILLEUSEMENT** adv. (1608), rare.

POINTURE n. f. est issu (fin XIe s.) du latin *punctura* «piqûre», dérivé du supin *punctum* de *pungere* «piquer» (→ poindre, ① point).

♦ Le mot désignait en ancien et moyen français une brûlure de flamme (fin XIe s.), une piqûre d'animal (1121-1134) et, au figuré, se disait d'une douleur comparable à une piqûre (1197). ◇ L'usage moderne s'est établi au XVIIIe s. : *pointure* est d'abord passé dans le langage de l'imprimerie (1762) où il désigne, au pluriel, de petites pointes permettant la fixation et l'entraînement du papier sur le cylindre. ➛ Par l'intermédiaire du sens technique de «forme, pièce utilisée en cordonnerie et sur laquelle on pique l'empeigne» (1765), le mot a pris la valeur aujourd'hui courante de «taille, exprimée en points, des chaussures, des gants et chapeaux» (1824). Au figuré, il correspond à l'idée de «taille» *(à sa pointure)*. Cette acception aujourd'hui dominante a fini par séparer le mot de l'idée étymologique de «piqûre». ◇ Au figuré, une *pointure* désigne dans l'usage familier une personne remarquable, de grande envergure.

POIRE n. f. est issu (v. 1165) du latin populaire *pira*, féminin singulier déduit du neutre, pluriel du latin classique *pirum*. Ce dernier correspond à *pirus* «poirier», mot panroman passé en celtique et en germanique (ancien haut allemand *bira*, allemand *Birn*) d'origine inconnue comme la plupart des noms d'arbres fruitiers et sans doute emprunté à la même langue que le grec *apios* «poirier», *apion* «poire» sans que l'on voie d'où vient l'*a*- initial du mot grec. De fait, on ne connaît pas de nom sanskrit, hébreu ou araméen de la poire, probablement parce que le poirier ne s'accommode pas d'un climat chaud. La diversité des appellations est cependant l'indice d'une existence fort ancienne de l'espèce depuis la mer Caspienne jusqu'à l'Atlantique (d'après Candolle).

♦ Le mot, passé en français comme nom de fruit, a eu plusieurs extensions de sens. Dès l'ancien français, il est entré dans le terme ***poire d'angoisse***, nom d'une poire d'un goût très âpre, transposé à un bâillon en fer destiné à étouffer les cris (→ ② angoisse). ➛ *Poire* a aussi servi à désigner un petit flacon en forme de poire (1380) et, en armurerie, un petit récipient portatif en cuir bouilli dans lequel on mettait la poudre d'une arme à feu (1669), encore connu par ***poire à poudre*** (1797). ◇ Le nom du fruit a inspiré les locutions *ne pas promettre poires molles* «menacer d'un traitement rigoureux» (1671) qui est devenue archaïque, de même que *la poire est mûre* ou *n'est pas encore mûre* (XVIIIe s.) «l'occasion est favorable ou défavorable», et ***se garder une poire pour la soif*** (1640) qui reste d'emploi courant. ◇ Toujours par analogie de forme, *poire* désigne le contrepoids d'une balance romaine (1723). ◇ *Poire* ou *poire de terre* est le nom ancien du topinambour (1764), disparu à la différence de *pomme de terre*. ◇ *Poire* désigne encore une perle oblongue (1829), un petit ballon en caoutchouc (1870, *poire en caoutchouc*), un commutateur renflé de forme oblongue (1876). ➛ C'est dans la seconde moitié du XIXe s. qu'il a pris le sens figuré et familier de «face, figure», anciennement dans la locution *faire sa poire* «jouer le dédain» (1858), «être de mauvaise humeur», puis dans les expressions *dans la poire* (cf. *dans la gueule*) et ***se sucer la poire*** (1901) «s'embrasser» encore usitée. On a souvent évoqué, pour expliquer ce développement de sens, la célèbre caricature de H. Philippon représentant la tête de Louis-Philippe sous forme de poire, mais l'anecdote est inutile, car la métaphore du fruit pour «tête» est banale (cf. *pomme, fraise, citron*, etc.) et ici bien soutenue par l'emploi analogue de *pomme (se sucer la pomme)*. ◇ Par métonymie, le mot désigne familièrement une personne qui se laisse duper facilement (1888, comme adjectif), spécialement dans ***(une) bonne poire*** (1893), allusion à la mollesse du fruit mûr qui tombe de lui-même de l'arbre (cf. aussi *bonne pomme*).

▸ Le mot a produit le nom d'arbre **POIRIER** n. m. (1409, *poirrier*), antérieurement *perier* (1150). Celui-ci, comme la plupart des noms d'arbres utilisés en ébénisterie, est employé par métonymie au sens de «bois de cet arbre» (1260). ◇ Par analogie de forme, le mot entre dans la locution métaphorique ***faire le poirier*** (v. 1200, *faire lo perier*) «se dresser verticalement, la tête en bas». ➛ Dès le moyen âge, *poire* a également produit **POIRÉ** n. m. (v. 1223, *peré*) «boisson fermentée provenant du jus de poire». ➛ Ses deux autres dérivés sont plus tardifs. **POIRET** n. m. est un terme de confiserie pour une préparation faite de pâte, de jus de pomme et de poire. ◇ **POIRER** v. tr. (1916) est un ancien mot d'argot pour «arrêter» (proprement «cueillir comme une poire»), notamment employé en emploi factitif : *il s'est fait poirer*.

PIRIFORME adj., d'abord aussi *periforme* (1687), est formé savamment de l'élément *piri*- représentant le latin *pirus* et de *-forme**. La graphie *pyriforme* donnée par le *Dictionnaire de Trévoux* conjointement à *piriforme* (1732) est une hypercorrection qui ne s'est pas imposée. ➛ Les premières attestations du mot qui qualifie ce qui a la forme d'une poire, sont relevées en description anatomique (1687, 1698).

POIREAU n. m. est l'altération (1260, manuscrit fin XIIIe s. : *poiriauz* au pluriel) de l'ancien *porreau* (fin XIe s., au pluriel *poiriauz*), altération qui s'est d'abord produite dans la région parisienne, probablement sous l'influence de *poire**, le type *porreau* subsistant toutefois dans les parlers provinciaux. Lui-même est le diminutif très ancien de l'ancien français *por*, rare et attesté seulement vers 1225, issu du latin *porrum* de même sens. Celui-ci, passé dans les langues romanes et en germanique (ancien haut allemand *pforro*) est sans doute un mot d'origine méditerranéenne, introduit de manière indépendante en latin et en grec (*prason*, encore en grec moderne).

♦ Le mot, qui désigne proprement une plante potagère et la plante comestible appréciée, parfois appelée l'*asperge du pauvre*, est usuel et donne lieu à des emplois courants (cf. *poireaux vinaigrette*). ◇ Il a développé, par analogie de forme, le sens d'«excroissance charnue chez un animal» (XVe s., verrue aux pieds des oiseaux), celui de «verrue» (1487) d'usage populaire, et ultérieurement, celui de «pénis» (1867) d'usage argotique (cf. *asperge*). ◇ La locution familière usuelle ***faire le poireau*** (1877), ***rester planté comme un poireau*** «attendre» a été précédée par *planter son poireau* (1867) et s'ordonne par métaphore à *poireau* «légume» avec la valeur figurée d'«être planté là» (cf. ci-dessous *poireauter*). Cependant, selon P. Guiraud, cette métaphore sur «planter» serait seconde; comme *cor au pied* et *point de côté* désignaient en argot ancien des surveillants, *poireau* «verrue» avait aussi ce sens plaisant, réalisé régionalement dans *porion*.

▸ Le seul dérivé de *poireau* est le familier **POIREAUTER** v. intr. (1880), avec un *t* épenthétique, «attendre». ➛ Il a produit **POIREAUTAGE** n. m. (v. 1950) pour «fait d'attendre longtemps».

◈ voir **PORION, PORRIDGE.**

POIS n. m. est issu (v. 1155) du latin *pisum*, nom d'une légumineuse attesté chez Varron mais beaucoup plus ancien, comme le prouve le nom de personne *(cognomen) Piso*. Le mot est emprunté soit au grec *pison* (plus rare que *pisos*) soit à la langue à laquelle le mot grec est emprunté.

♦ Dès les premiers textes, *pois* désigne par métonymie le fruit de la légumineuse. Il est d'abord attesté dans des locutions anciennes (*ne vaillant pas un pois*, v. 1160 *un peis pesant*) avec la valeur figurée de «chose infime, sans valeur» (cf. *des haricots, des nèfles*, etc.). Il est employé dans des dénominations culinaires (1197), notamment dans *pois au lart* (v. 1200). ◇ À partir du XVIe s., il entre dans des syntagmes qualifiés désignant différentes sortes de pois : ***pois chiche*** (1538, *pois cices*), *pois gris* (1552), archaïque, ***pois verts*** (1611), ***pois goulus*** (1694) et, ultérieurement, ***pois cassés*** (1869). Ces expressions sont courantes et semi-lexicalisées (notamment *pois chiches* et *pois cassés*) mais c'est surtout ***petits pois*** (1600), synonyme de *pois verts*, qui est devenu un véritable composé, si fréquent que *des pois*, absolument, désigne plus souvent aujourd'hui les petits pois que tout pois, en général (*boîte de pois, de petits pois*). ◇ Au XVIe s., le mot désigne aussi la plante légumineuse qui produit les pois (1549). ◇ Le mot est entré dans quelques locutions figurées sorties d'usage comme *avaleur de pois gris* «goinfre» (1552), *si vous me donnez des pois, je vous donnerai des fèves* «je vous rendrai la pareille» (1640), reformulée en *rendre un pois pour une fève* (1718), ou encore *manger des pois chauds* «ne pas savoir que répondre» (1679) ou «mal articuler», ou *souffler les pois* en parlant d'un personne endormie (1690). ◇ On rencontre encore ***fleur des pois*** (1741) à propos d'une personne élégante, recherchée. ◇ En médecine ancienne, *pois* a désigné une petite boule d'iris ou d'orangette mise dans un cautère pour entretenir la suppuration (1811, *pois d'orange*). ➛ Enfin, le mot désigne un petit rond sur une étoffe (1833), notamment dans l'expression ***à pois*** (1837), courante dans *tissu, robe, cravate à pois.*

▸ **PISIFORME** adj., de formation savante à partir de *pisi-*, tiré du radical du latin *pisum*, et *-forme** (1765), a été créé en anatomie en parlant d'un os du carpe ayant la forme et le volume du pois.

◈ voir **PEDZOUILLE.**

POISON n. m. est issu (v. 1100) du latin *potionem*, accusatif de *potio, -onis* «action de boire», d'où par métonymie «breuvage, boisson»; par spécialisation, le mot a désigné un breuvage médicinal (→ potion) et un breuvage empoisonné, un philtre magique (cf. un développement sémantique analogue pour le grec *pharmakon* → pharmacie). *Potio* est dérivé du supin *potum* (à côté de *potatum*) de *potare* «boire» (transitif et absolu) et «abreuver», mot qui, en dépit de sa fréquence en latin, n'est pas passé dans les langues romanes, évincé par *bibere* (→ boire); cependant l'irlandais a *poit, potaire* «boire». La racine indoeuropéenne signifiant «boire» offre une alternance à deux formes : *°po-* d'une part, comme dans le latin *potus* «vase à boire», *°pi-* de l'autre, comme dans *bibere* (→ boire).

♦ *Poison* est passé en ancien français avec le sens général de «boisson». Le mot est longtemps resté féminin comme son étymon latin, et ce genre existe encore dans de nombreux dialectes. Le genre masculin s'est imposé au cours du XVIe s., probablement d'après *venin* (du latin *venenum*). ◇ Le plus souvent, *poison* désigne une boisson suspecte ou empoisonnée, nuance réalisée dans les anciens emplois de l'expression *poison mortel* (v. 1160, *mortal poison*) et dans l'ancienne expression figurée *boire dolerouse puison* «souffrir intensément» (1225-1230). ➛ Le sens moderne, qui se dégage nettement au propre (1155) et au figuré (v. 1200), a éliminé les autres spécialisations héritées du latin. En effet, *poison* se disait en ancien français à la fois d'un remède, d'une boisson salutaire (v. 1165), sens repris par son doublet savant *potion**, et d'un philtre d'amour (av. 1560). La disparition de ces sens s'explique par la gêne qu'occasionnait la coexistence de valeurs aussi antithétiques. ◇ Par extension du sens aujourd'hui dominant, qui emporte l'idée de danger sournois, et peut-être encore par référence au philtre, le mot a été employé en parlant d'une femme aimée (1554). ◇ Il désigne une substance mortelle ou très dangereuse, au propre (1342) et au figuré (v. 1485), puis, par exagération, un aliment ou une boisson nuisible (v. 1695); en revanche, on ne l'emploie plus pour parler d'une puanteur (av. 1646) et d'une nourriture très mauvaise (1665). Le mot a conservé le sens figuré de «chose pernicieuse» (1544), mais son emploi métonymique au sens d'«empoisonnement» (1558) est sorti d'usage. ◇ Le langage populaire ou familier du XIXe s. lui a donné le sens figuré de «femme très désagréable» (1789, terme d'injure) et de «chose ennuyeuse, corvée» *(c'est un vrai poison).*

▶ Dès le XIIe s., *poison* a produit **EMPOISONNER** v. tr. (v. 1130) avec le suffixe *en- (em-)* et une désinence verbale, pour «faire mourir par le poison». Le mot, avec un autre complément, correspond à «rendre (une substance) nuisible» (av. 1593). ◇ Au XVIIe s. il a développé les sens figurés de «remplir de qqch. comparable à du poison» (1608) et «corrompre (qqn) moralement» (1642, Corneille, mais antérieur, cf. *empoisonneur*). L'acception atténuée, «empuantir» (1694), est sortie d'usage. ◇ Celle d'«ennuyer, agacer (qqn)», propre à la langue familière, est postérieure. ◆ Ce sens correspond à l'usage courant de **EMPOISONNANT, ANTE**, participe présent adjectivé (1900), qui est attesté au XVIIe s. au sens concret de «toxique» (1676), sorti d'usage. ◇ Les dérivés du verbe, **EMPOISONNEMENT** n. m. (1230, antérieurement 1175 : «poison») et **EMPOISONNEUR, EUSE** adj. et n. (fin XIIIe s.), ont suivi le même développement sémantique (1605 au figuré); cependant le nom d'action n'a pris ses valeurs figurées que dans la seconde moitié du XIXe siècle. ◇ *Empoisonneur* s'est spécialisé en droit criminel.

CONTREPOISON n. m. (v. 1500) se dit d'une substance qui neutralise l'effet d'un poison. Il s'emploie par métaphore et figurément (mil. XVIIe s.).

◈ voir POTION, POTABLE.

① **POISSE** → POISSON

② et ③ **POISSE** → POIX

POISSON n. m., d'abord *pescion* (v. 980, Jonas) et *peison* (v. 980), puis *poisson* (v. 1160), est le dérivé très ancien d'un simple *peis, pois* de même sens, attesté en ancien français par les composés *craspeis* «baleine» (v. 1138), proprement «poisson gras», et *porpeis* «marsouin» (XIe s.), proprement «poisson porc» (cf. *marsouin*). L'ancien français *peis, pois* est issu du latin *piscis* «poisson», au pluriel *Pisces* «les Poissons, signe du zodiaque» (→ pisci-). Le mot est apparenté à l'irlandais *iasc* et au gotique *fisks* (allemand *Fisch*, anglais *fish*), mais il n'y a pas un nom indoeuropéen commun du poisson (cf. *ichtyo-*). À la différence des autres langues romanes qui ont gardé le mot simple (roumain *peste*, italien *pesce*, espagnol *pez*, portugais *peixe*), le français a développé une forme dérivée étoffée, probablement afin d'éviter la confusion avec les homonymes *peis, pois* (du latin *pisum*) et *poids* (*oiseau* vient aussi d'un dérivé latin).

♦ Le mot a d'abord désigné, comme en latin, tout animal aquatique à corps fusiforme et à membres non apparents, selon l'ancienne définition zoologique plus large qu'aujourd'hui. Au XVIIe s., on appelait *poissons royaux* certains cétacés (les dauphins), ainsi que les saumons, et *poissons à lard*, la plupart des cétacés et les thons; de nos jours encore, certains mammifères marins sont spontanément et abusivement appelés *poissons*. ◇ Le mot est aussi employé collectivement, *le, du poisson* (v. 1155), notamment dans le contexte de la nourriture, aujourd'hui opposé à *viande* (d'abord à *chair*). ◇ La locution ***poisson d'avril*** (1466) a d'abord le sens figuré d'«entremetteur, intermédiaire, jeune garçon chargé de porter les lettres d'amour de son maître», le début du printemps étant propice aux amours illégitimes; la locution a désigné également un souteneur (1509) d'après un jeu de mots sur le double sens de *maquereau* et parce qu'avril est la saison privilégiée de la pêche au maquereau. Le sens moderne de «plaisanterie, attrape qui se fait traditionnellement le 1er avril» (1691), s'est implanté avec une coutume qui doit remonter à la fin du XVIIe s. et commémorer l'ancien échange des cadeaux de nouvel an (quand l'année commençait le 25 mars). ◇ Le sens de «souteneur» est repris pour *poisson* seul (1827); cf. ci-dessous ① *poisse* ◇ Le mot a été relativement productif en locutions figurées, depuis ***les gros poissons mangent les petits*** (1476), ***n'être ni chair ni poisson*** «d'une nature indécise» (1560, Calvin), *muet comme un poisson* (XVIe s.; *in* Rabelais), aujourd'hui remplacé par *muet comme une carpe*, ***être comme un poisson dans l'eau*** (1679) annoncée par *heureux comme le poisson dans l'eau* (1640), *ne savoir à quelle sauce manger ce poisson* (1640) qui, avec ses variantes, annonce ***la sauce fait manger (passer) le poisson*** «les circonstances font supporter une réalité désagréable» (1903) et ***il avalerait la mer et les poissons*** «il a une soif inextinguible» (1688). ***Finir en queue de poisson,*** inspirée par le *desinit in piscem* d'Horace, apparaît au XIXe s. (1833, Balzac) et ***engueuler comme du poisson pourri*** (1888, Courteline). ◇ *Poisson* qualifié, désigne des espèces ou des groupes particuliers de poissons : *blanch pisson* (1265) «fretin, blanchaille» refait en *poisson blanc* (1701) pour certains cyprinidés, ***poisson volant*** appliqué à diverses espèces capables de planer audessus de l'eau (av. 1627), *poisson-coffre* (1762), ***poisson rouge,*** très courant, et *poisson d'or*, qui désignent le cyprin doré (1764), *poisson lune* (1776), *poisson-chat*, etc. ◇ Au XXe s., par analogie, *poisson artificiel* (1903) désigne un type d'appât, à la pêche. ◆ Au pluriel, *les Poissons* est le nom d'une constellation et d'un signe du zodiaque. ◆ Par une équivalence entre le mot grec *ikhthus* «poisson» (→ ichthyologie) et les initiales de *Iêsous Khristos Theou Uios Sôtêr* «Jésus Christ fils de Dieu, sauveur», le poisson est devenu le symbole désignant le Christ dans l'art chrétien primitif.

▶ Les dérivés du mot sont nombreux. ◆ **POISSONNIER, IÈRE** adj. et n., d'abord *poisonier* (v. 1215), désigne, ainsi que son féminin *poissonnière* (v. 1250, *pissonniere*), la personne qui vend du poisson. Le mot a été aussi employé adjectivement (fin XIVe s.) avec le sens d'«abondant en poissons», évincé par *poissonneux**, et qualifie dans quelques rares emplois ce qui est relatif aux poissons (v. 1550). ◇ Le nom est appliqué spécialement au chasse-marée qui achète aux patrons pêcheurs leur pêche pour la revendre (1842) ainsi qu'à l'ouvrier qui, dans une brigade de cuisine, est chargé de la préparation du poisson (1938). ◇ Le féminin **POISSONNIÈRE** désigne (1600) un récipient pour faire cuire le poisson. ◆ **POISSONNERIE** n. f. (1287) désigne le lieu où l'on vend le poisson. ◆ **POISSONNAILLE** n. f.

(1466), d'abord «ensemble de poissons», est devenu un nom familier (fin XVe s.) pour le menu poisson. ◆ L'adjectif **POISSONNEUX, EUSE** (1550) signifie «riche en poissons». ◆ Ultérieurement, *poisson* a encore donné deux mots populaires : l'abréviation en ① **POISSE** n. m. pour «souteneur» (1905) longtemps après *poisson d'avril* et *poisson* (ci-dessus), et **POISCAILLE** avec suffixe populaire *-caille* (1935) «poisson»; l'ancien français avait formé *pescaille* avec le sens de «poisson séché» (XIIIe s.).

EMPOISSONNER v. tr. «peupler de poissons» (1374) a produit les noms d'action **EMPOISSONNEMENT** n. m. (1531) et **EMPOISSONNAGE** n. m. plus récent (XXe s.).

◈ voir **PISCINE, PÊCHER.**

POITRAIL n. m. (déb. XIIIe s.) avec la variante *peitrail* en judéo-français (av. 1100) est la réfection, par substitution de suffixe, de *peitral* (av. 1100 en judéo-français), *peitrel* (v. 1140), *poitral* (v. 1220). Ces formes sont issues du latin *pectorale,* neutre substantivé de l'adjectif *pectoralis* «de la poitrine, qui couvre la poitrine» (→ pectoral), qui désigne la cuirasse à l'époque classique et, au moyen âge, l'attelle du cheval (v. 1070).

♦ Le mot est passé en français au sens du latin médiéval, «attelle du cheval couvrant la poitrine du cheval». Par métonymie, il désigne la région antérieure de la poitrine du cheval et de certains grands mammifères (1612). Plus récemment, il est quelquefois employé par plaisanterie à propos de la poitrine humaine, avec une connotation de puissance (fin XIXe s.). ◆ Le sens technique de «grosse poutre de soutien» (1508-1509) s'explique probablement par une analogie, parce que la poutre en question est située sur la façade du bâtiment, et se comprend mieux d'après l'ancien gascon *peytrau* «grosse poutre de soutien» (1262) et l'ancien toulousain *peitral* «parapet de bois, de terre, s'élevant à la hauteur de la poitrine» (v. 1213). Un développement sémantique analogue se rencontre dans l'italien *parapetto* (→ parapet) où *petto* «poitrine» correspond au français *pis**; le latin médiéval désignait au moyen de *pectorale* un grillage de protection montant au niveau de la poitrine (v. 1100).

▸ Le mot a produit un composé **DÉPOITRAILLÉ, ÉE** adj. (1876), composé familier pour qualifier la personne qui porte un vêtement largement ouvert sur la poitrine. ◆ Celui-ci a produit **DÉPOITRAILLER** v. tr. (1879) «découvrir la poitrine de (qqn)», et *se dépoitrailler* (1879) «découvrir sa poitrine», plus courant que le transitif.

◈ voir **EXPECTORER, IN PETTO, PIS, POITRINE.**

POITRINE n. f., d'abord *peitrine* (1050), quelquefois *poiterine* (1280) en moyen français, est issu du latin populaire °*pectorina,* également à l'origine de l'italien *petturina* et de l'espagnol *pretina* désignant des ceintures. °*Pectorina* est le féminin substantivé de l'adjectif °*pectorinus,* dérivé de *pectus, pectoris* «poitrine» qui a lui-même donné *pis**. De nos jours, *poitrine* représente le latin dans les parlers gallo-romans en dehors de quelques traces de *pis** et d'une forme *pitre* issue du latin populaire °*pectorem,* de l'accusatif de *pectus,* dans la région du Rhône.

♦ Le mot désigne le devant de la cage thoracique, d'où, par métonymie, la partie correspondante du vêtement (1360-1370). *Poitrine* a progressivement évincé *pis* au sens de «poitrine humaine» au XVIIe s., lorsque ce dernier mot s'est restreint à «mamelle de la vache». Cependant, en raison de la désaffection qu'a connue *poitrine,* mot «bas», au XVIIe s., le thorax de l'homme a fréquemment été désigné par *estomac.* Il désigne aussi la portion du tronc située entre les épaules et l'abdomen (1155); dans l'usage classique, ce sens est lui aussi jugé «bas» et le mot est évité, sauf en anatomie et en médecine, où il entre dans les locutions anciennes *mal de poitrine* (1600) et *poitrine empêchée* (1611). Avec cette valeur connue au sens premier, *poitrine* ne s'est diffusé comme mot non marqué qu'au début du XIXe siècle. ◇ Par métonymie, il a désigné la voix (1688), surtout à propos d'un prédicateur, dans ***avoir et ne pas avoir de poitrine*** (1694). ◆ Une autre acception, «seins de femme» (v. 1165), ne s'est pas imposée tout de suite : devenu rare au XVIe s. cet emploi disparaît presque aux XVIIe et XVIIIe s.; qualifié de «populaire» par Boiste en 1834, il est absent de Littré; après 1850, il s'est répandu dans tous les styles, évinçant de l'usage courant *sein* (classique et post-classique) ainsi que *gorge.* ◆ Enfin, le mot s'applique à la partie antérieure du corps de certains animaux (v. 1160, à propos de Cerbère). Il semble que sa spécialisation en boucherie pour désigner la partie inférieure des parois thoraciques du bœuf, du veau, du mouton, du porc (1476, du sanglier) soit en partie responsable du discrédit jeté sur le sens général du mot au XVIIe siècle; cf. pour une répartition analogue *rognon* et *rein.*

▸ **POITRINIÈRE** n. f. (1413) désignait la cuirasse couvrant la poitrine. Repris au XIXe s. il s'applique à une pièce couvrant ou protégeant la poitrine, dans certaines techniques (1829, en bourrellerie). ◆ **POITRINAIRE** adj. et n. est un ancien synonyme de *tuberculeux,* créé d'après *mal, maladie de poitrine.* Usuel au XIXe s., il a vieilli. ◆ **POITRINER** v. intr. (1839) est d'abord attesté avec son sens argotique de «tenir les cartes contre sa poitrine» au jeu; il exprime également le fait de «bomber le torse, la poitrine» (1874) au propre et au figuré.

◈ voir **PECTORAL, POITRAIL.**

✳ **POIVRE** n. m. est issu (v. 1200) par l'intermédiaire de *peivere* (v. 1140) du latin *piper, -eris* «épice faite du fruit du poivrier» et aussi «ce fruit», «cet arbre», en particulier dans les dénominations *piper album, piper negrum, piper longum* («poivre blanc, noir, long»). Le mot, qui ne semble pas attesté avant Varron, est un emprunt commercial, le poivre étant une épice très recherchée dès l'Antiquité, d'origine orientale : le sanskrit a *pippalī* nom féminin «grain de poivre» (dont le *l* appartiendrait à l'Inde orientale) tandis que le latin *piper* et le grec *peperi* qui lui a peut-être servi d'intermédiaire viendraient de l'Inde de l'Ouest où *r* est normal. Le mot latin est panroman.

♦ Le mot désigne la baie du poivrier, spécialement dans quelques syntagmes désignant des variétés, *poivre noir* (v. 1280), *poivre blanc* (1298) et, par analogie, d'autres fruits et épices utilisés comme condiments (XIIIe s., *poivre long* «poivron»). ◇ *Grain de poivre* a servi à exprimer l'idée de «valeur minime», par exemple dans *ne pas valoir un grain de poivre* (v. 1278). Dès le XIIIe s., le mot entre dans quelques locutions comparatives (comme *plus noir que poivre,* 1225-1230, en parlant d'une personne) et locutions figurées : *broier tel poevre* «susciter de tels ennuis» (v. 1278) est sortie d'usage; celles qui sont encore employées sont plus récentes, comme ***chier du poivre à qqn*** «jouer un mauvais tour à qqn» (1739) puis (absolument) «déserter» (1901); ***piler du poivre*** (1765) s'est d'abord dit du dernier rang d'une colonne qui piétine sans avancer, puis pour «être fatigué par le trot sec de son cheval» (1833) et «attendre avec impatience en allant et venant» (1866). ◇ *Poivre* au figuré correspond au trait piquant, qui relève, «pimente» une œuvre littéraire (1692); cependant le sens plus général de «ce qui donne du piquant» se répand vers la fin du XIXe siècle. ◇ Dans la langue argotique, *poivre* désigne la syphilis (1733), d'où *être au poivre* «avoir la syphilis» (1881), le poison (1821, *donner le poivre* «empoisonner») et l'eau-de-vie (1837), peut-être parce que certains cabarets servaient l'eau-de-vie mêlée de poivre ou par allusion à la force de l'alcool. Ces divers sens ont disparu mais, par métonymie du sens d'«alcool», on a appelé plus longtemps un homme ivre *poivre* (1835, n.; 1861, adj.). cf. ci-dessous *poivrer, poivrot.* ◇ La locution adjective descriptive ***poivre et sel*** (1867) est probablement calquée sur l'anglais *pepper and salt,* appliqué à un vêtement depuis 1774.

► La dérivation du mot est importante. ◆ L'adjectif **POIVRÉ, ÉE** est attesté de bonne heure sous la forme *pevré* (déb. XIIIe s.); par changement de désinence, un verbe *pevrer* (1285), puis **POIVRER** v. tr. (XVIe s.) «assaisonner de poivre». Le mot s'employait en fauconnerie dans l'expression *poivrer l'oiseau* «le débarrasser de sa vermine en le lavant avec de l'eau additionnée de poivre» (1549). Des valeurs analogiques sont attestées à partir du XVIe s., *poivrer* se disant pour «maltraiter» (1534) et son participe passé **POIVRÉ, ÉE** adj. (qui a absorbé l'ancien adjectif) qualifiant une personne délirante (1562). ◇ D'autres sens populaires ou argotiques sont apparus plus tard : *poivrer* signifie «donner une maladie vénérienne à qqn» (1644; 1640, à la forme pronominale), «empoisonner» (1829) et «enivrer» (1895). ◇ Au figuré, *poivrer* correspond à «rendre piquant, caustique» (1761, *poivré*), et, familièrement, «vendre trop cher» (1740); de nos jours, ce dernier sens est plutôt réalisé par *saler.* On ne parle plus d'une *marchandise poivrée* (1808) ni d'une *personne poivrée* (1829) «qui a payé cher». ◆ **POIVRIER** n. m., d'abord *pevrier* (v. 1200), a désigné jusqu'au XVIIIe s. le marchand de poivre. ◇ De nos jours, le mot se dit de l'arbuste dont le poivre est le fruit (1508), ainsi que de la boîte destinée à servir le poivre à table (1621, pour l'ustensile contenant sel et poivre mêlés). L'acception argotique figurée d'«ivrogne» a vieilli. ◆ **POIVRADE** n. f. (1505) semble avoir subi l'influence de l'ancien provençal *pebrada* «sauce poivrée» (fin XIIe-déb. XIIIe s.); il a évincé l'ancien français *pevree* (v. 1180) et désigne, en gastronomie, une sauce poivrée. Il s'emploie dans la locution adjective ***à la poivrade*** (1690) à propos d'aliments à manger crus au sel et au poivre et, par métonymie, (1862), désigne de petits artichauts ainsi dégustés. ◇ En relation avec les sens argotiques de *poivre, poivrade* a désigné la syphilis (1824), puis l'ivrognerie. ◆ **POIVRIÈRE** n. f. (1718) désigne une boîte à épices puis une boîte à poivre (1755), en concurrence avec le masculin *poivrier.* ◇ Par analogie de forme, il est passé en architecture pour désigner une guérite en maçonnerie suspendue à l'angle d'un ouvrage en fortification (1834), spécialement dans la locution ***à poivrière*** (1842). Il désigne également (1842) une plantation de poivriers. ◆ **POIVRON** n. m. (1785) désigne le fruit du piment et surtout celui du piment doux, antérieurement appelé *poivre long.* ◆ **POIVROT, OTE** n., (1837), est un dérivé populaire de *poivre* au sens d'«eau-de-vie», pour désigner un ivrogne. Il a supplanté les emplois de *poivre* et *poivrier* synonymes. ◇ On en a tiré **SE POIVROTER** v. pron. «se soûler» (v. 1870). ◇ *Poivrière* en architecture et plus encore *poivron* et *poivrot* sont aujourd'hui démotivés.

◈ voir FIFRELIN, PEP, PEPPERMINT, PIMPRENELLE, PIPERADE.

POIVROT → POIVRE

✱ **POIX** n. f. est issu (v. 1200, *pois*) par la forme *peiz* (1080) de l'accusatif *picem* du latin *pix, picis,* mot qui a des représentants dans toutes les langues romanes, sauf le roumain. Le mot latin appartient à une racine °*pik-* «poix», dont l'ancienneté est attestée par le dérivé grec *pissa* «poix» et d'anciennes formes slaves. La graphie *poix* se conforme à la graphie latine; le moyen français avait conservé les formes archaïques *pis, piche, pice.*

♦ Le mot désigne une matière collante, visqueuse et inflammable. Les extensions de sens mettent l'accent sur les différents usages de la poix, autrefois versée bouillante du haut des forteresses (déb. XIIe s.), puis servant à calfater, à rendre imputrescible (v. 1200), à oindre et à confectionner des emplâtres (XIVe s.) ainsi qu'à lubrifier une mécanique (1434). Le mot entre dans quelques expressions, telles *poix résine, poix blanche de Bourgogne* (1600). ◆ Dans le jargon (av. 1465, Villon), il a servi à désigner un voleur, un malandrin par allusion au fait que le malandrin fait main basse sur tout ce qu'il touche comme si ses mains étaient enduites de poix.

► Le mot a produit quelques dérivés au XVIe s. : **POISSARD, ARDE** adj. et n. f. (1640) vient de *poissard* n. m. (1531) «voleur» par le même développement sémantique que *poix.* Le nom a aussi désigné celui qui enduit qqch. de poix (1582) et qualifie ce qui enduit de poix (1611). ◆ L'usage moderne s'est établi au XVIIe s. avec **POISSARDE** n. f. (1640) désignant péjorativement une marchande de poisson, par rapprochement plaisant avec *poisson*,* parce que la marchande de poisson, réputée peu honnête dans ses transactions, était habillée de vêtements crasseux, comme poissés. ◇ L'adjectif est devenu un terme d'histoire littéraire qualifiant un genre qui imite le langage grossier du peuple (1743) et désignant, par ellipse (1748), ce genre caractéris-

tique de la seconde moitié du XVIIIe s. (Vadé, etc.). Par extension, le nom féminin est appliqué à une femme aux manières et au parler grossiers (1835). **POISSER** v. (1538) a évincé l'ancien *poier* (1155), issu du latin *picare,* et signifie «enduire de poix», sens antérieurement assumé par le composé *repoissier* (1380) probablement dérivé directement de *poix.* Par extension, *poisser* signifie «salir de matière collante» (1690); il est employé intransitivement pour «être gluant» (1765). Il a développé le sens figuré d'«être importun, collant», d'abord réalisé par le participe présent **POISSANT, ANTE** adj. (1753) et longtemps après par le verbe (1915). ◇ Selon un développement sémantique commun à *poix* et *poissard,* le verbe a pris le sens argotique de «voler» (1800), de nos jours disparu, puis celui de «surprendre, arrêter (un malfaiteur)» dans *se faire poisser* (1872), et *être poissé* (1881). ◇ *Se poisser* a pris le sens populaire de «s'enivrer» (1865), probablement parce que l'homme ivre paraît pâteux, englué dans ses paroles et dans ses mouvements (plutôt que par référence à la couleur de la poix; cf. cependant être *gris, noir*). *Poisser* a produit quelques dérivés.
◂ Le déverbal ② **POISSE** n. f. (1723) désignait un fagot enduit de poix dont on se servait pour la défense des places de guerre; son usage moderne correspond à «matière collante» (1893) et surtout au figuré à «malchance persistante» (1909). Ce sens est apparu d'abord dans l'argot des coureurs cyclistes. ◇ *Poisse* a aussi signifié «misère» (1927), malchance et misère s'attachant au malheureux comme de la poix. ◂ L'homonyme ③ **POISSE** n. m., argotique pour désigner un voleur (1800), un souteneur (fin XIXe s.), est probablement dans sa première valeur un dérivé régressif de *poissard* mais, dans son second sens, pourrait être dérivé de *poisser,* le souteneur étant qqn auquel il est difficile d'échapper; on invoque aussi l'influence de *poisson** «souteneur».
◂ Le participe présent de *poisser,* **POISSANT, ANTE** est adjectivé au sens figuré de «collant» à propos d'une personne (1753) puis au sens propre de «qui poisse» (1873); il a pris au XXe s. le sens figuré populaire de «qui porte la poisse, la malchance».
◂ **POISSURE** n. f. (1611) a servi à désigner l'opération consistant à enrober un objet de poix; de nos jours, il exprime l'état d'une chose poisseuse (1881).
◂ **POISSEUR** n. m. (1878), autre nom argotique ancien du voleur, a été repris pour désigner techniquement le petit récipient, utilisé par le bourrelier, destiné à recevoir la poix liquide. ◂ L'autre dérivé de *poix,* **POISSEUX, EUSE** adj. (1575), qualifie ce qui ressemble à de la poix, ce qui semble poisser et, passivement, ce qui est enduit de poix (1577). ◇ Du premier sens procèdent des emplois métaphoriques et figurés (2e moitié du XIXe s.) à tonalité nettement péjorative. ◇ Le mot a été substantivé dans l'ancienne langue populaire aux sens de «voyou» (1878) et de «jeune gandin» (1882), sortis d'usage.

◈ voir **EMPESER, ÉPICÉA,** et l'anglicisme **PITCHPIN.**

POKER n. m. est emprunté (1855) à l'anglo-américain *poker,* désignant un jeu de cartes depuis 1834 et lui-même d'origine obscure. On a proposé d'y voir une altération du français dialectal *poque* n. f., terme de jeu, dérivé de *poquer, pocquer* «frapper» (1544), du flamand *pokken* «frapper», mais Onions le rapproche de l'allemand *Poch(spiel),* jeu de bluff très ancien, de *pochen* «bluffer», peut-être de même origine que l'anglais *poke* (moyen et bas allemand, néerlandais *poken*). Enfin Kluge y voit plus simplement un dérivé de l'anglais *to poke* «frapper, battre», de même origine germanique que *poquer,* à cause de l'action de frapper les cartes sur la table. Le mot s'est diffusé avec le jeu dans le monde entier.

♦ *Poker* est attesté comme nom du jeu de cartes; par extension, il désigne quatre cartes d'une même valeur au jeu en question (1923). ◇ Le terme ***poker d'as*** (1921) est, comme l'indique la forme postérieure *poker dice* (1932), une adaptation par fausse étymologie de l'anglo-américain *poker dice* (1874), composé de *poker* et de *dice,* pluriel de *die* «dé à jouer», lui-même emprunté du français *dé** au XIIIe siècle. Par allusion au hasard et au rôle du bluff dans ce jeu, les expressions *coup de poker* et *jeu, partie de poker* ont pris une valeur figurée.

▸ Le dérivé unique de *poker,* **POKÉRISTE** n. «joueur de poker» (1895), a vieilli.

POLAIRE → PÔLE

① **POLAR** → PÔLE

② **POLAR** → ① POLICE

POLDER n. m., après un premier emprunt sous la forme *polre* (1267) au moyen néerlandais *polre,* est repris sous la forme *poldre* (1805), puis *polder* (1823, au pluriel) au néerlandais *polder.* Ce mot serait apparenté à la racine germanique *°pōl-* du néerlandais *poel,* de l'allemand *Pfuhl* et de l'anglais *pool* «bassin, petite étendue d'eau».

♦ Le mot désigne une vaste étendue endiguée et asséchée, d'abord en parlant des Pays-Bas.

▸ Le mot a produit **POLDÉRISER** v. tr. «transformer en polder» (v. 1950), d'où **POLDÉRISATION** n. f. (v. 1950).

✳ **PÔLE** n. m. est emprunté (v. 1220) au latin *polus,* lui-même repris au grec *polos* qui désigne le pivot sur lequel tourne une chose, puis l'axe du monde et l'axe polaire; par métonymie, le mot s'applique également au cercle décrit autour de cet axe par le Soleil ou un astre, puis la voûte céleste. Il désigne tardivement, un instrument d'astronomie, le ressort sur l'essieu d'une voiture sur lequel repose la caisse, le centre ou le bord de l'aire à battre le blé. *Polos* est dérivé de *pelesthai* «se mouvoir», et plus souvent «se mouvoir dans un lieu», d'où «se trouver, être» et «devenir». Ce verbe relève, avec un autre traitement de l'initiale, de la racine indoeuropéenne *°k*^{w}*el-* «tourner en rond» représentée en grec par *kuklos* (→ cycle), *kulindros* (→ calandre, cylindre) et en latin par des mots importants ayant donné en français *colon*, culture*, culte** ainsi que *quenouille**.

♦ *Pôle* est emprunté par l'astronomie médiévale pour désigner chacun des deux points de la Terre formant les extrémités de l'axe autour duquel elle semble tourner. Les emplois du mot pour «étoile polaire» (1372) et «ciel» (XVIe s.), repris du latin, se sont éteints. ◇ Le mot est passé dans l'usage courant à propos de chacun des deux points de la surface terrestre correspondant aux extrémités de l'axe de rotation de la Terre, dans les expressions *pôle arctique* (1372, *pol artique*) et *pôle antarctique* (1372) pour lesquels on a dit également *pôle septentrional* (1562), *boréal* (1691) d'une part et *pôle austral* (1680), *méridional* (1691) de l'autre, et où l'on emploie plus couramment *pôle Sud* et *pôle Nord*. ➜ Par métonymie, *pôle* désigne la région géographique située près d'un pôle (fin XVIIe-déb. XVIIIe s.) et, au figuré, ce qui guide, attire, comme l'étoile polaire (XVIIe s.), surtout en se référant à deux points principaux et opposés (v. 1650). ➜ À partir du XVIIe s., par extension du sens astronomique, *pôle* est employé dans plusieurs acceptions scientifiques : en géométrie, il désigne chaque extrémité de l'axe d'un solide de révolution et chacun des deux points de l'aimant qui correspondent aux pôles du monde (1647, Descartes) ; de là ***pôle magnétique*** (1751), expression reprise en géographie pour les régions du globe où l'inclinaison magnétique est maximum (1868). En électricité, il s'applique à chacune des deux extrémités du circuit magnétique (1814, *pôle positif, pôle négatif*). ◇ Depuis la fin du XIXe s., il est employé en biologie (1897) et en embryologie (1904). ➜ L'emploi figuré moderne du mot pour «ce qui attire» *(pôle d'attraction)* ne s'identifie pas avec le sens figuré classique (XVIIe s.) qui procédait du sens du mot en astronomie mais semble procéder du sens pris en physique magnétique.

▶ *Pôle* n'a pas produit de dérivés en dehors des termes de physique modernes **DIPÔLE** n. m. (1948), **MONOPÔLE** n. m. (1968, hypothèse due à Dirac, 1931), **QUADRIPÔLE** n. m. (v. 1950).

POLAIRE adj. est emprunté (1555), pour servir d'adjectif à *pôle**, au latin médiéval *polaris* «situé près d'un pôle», dérivé de *polus* «pôle». ➜ Le mot a été introduit en français avec le sens du latin ; il a servi à former *cercle polaire* (1578), *étoile polaire* (1585). ◇ Par métonymie, il qualifie ce qui est propre aux régions polaires, froides et désertes, dans *mer polaire* (1842) d'où, par extension, *expédition polaire* «aux pôles» (1906). ◇ Il est passé, de même que *pôle*, en optique (1720), en mathématiques (1811), en physique magnétique et en électricité (1868), enfin en biologie (1875). ◇ Avec une valeur caractérisante, il qualifie par hyperbole un froid intense (av. 1889) et, au figuré, une personne «glaciale» (déb. XXe s.). ➜ Son dérivé **POLARITÉ** n. f. (1765) est d'abord employé en physique pour la propriété qu'a l'aimant de se diriger vers les pôles. Comme *pôle* et *polaire*, il s'emploie en physique (1790), en électricité (1806) et en biologie (1808), peut-être sous l'influence de l'anglais *polarity* (1788, en physique). ◇ *Polaire* fournit le second élément d'un certain nombre de termes savants modernes : **BIPOLAIRE** adj. (1842) et ses dérivés **BIPOLARITÉ** n. f. (1842), **BIPOLARISATION** n. f. (1926 en psychologie), **BIPOLARISÉ, ÉE** adj. (1971, en politique), **AUTOPOLAIRE** adj. (1904) en mathématiques, **SEMI-POLAIRE** adj. (v. 1950) en physique.

POLARISER v. tr. est un dérivé savant (déb. XIXe s.) de *polaire** interprété à tort comme un dérivé du verbe grec *polein* «tourner», les premières expériences sur la lumière polarisée ayant été faites au moyen d'un cristal biréfringent qu'on faisait tourner. ◇ *Polariser* (attesté 1810, mais antérieur, cf. *polarisant*) correspond au fait de rendre un rayon lumineux par la réflexion sous un certain angle ou par la réfraction à travers certains milieux, incapable de se réfléchir ou de se réfracter à nouveau. *Se polariser* se dit de la lumière (1835). ◇ Il est bientôt passé en électricité (1838) au sens de «porter à tel pôle d'une pile électrique, appliquer une tension continue à un électrode», aussi au pronominal (1868). Sous l'influence du sens figuré de *pôle* et *polarité*. ◇ Le verbe est passé dans l'usage courant au sens figuré d'«attirer, réunir en un point» (1860, Baudelaire), par référence aux pôles d'un aimant ou aux méridiens convergeant par le pôle. ◇ Le participe passé **POLARISÉ, ÉE** est adjectivé avec les mêmes emplois que le verbe, de même que le participe présent **POLARISANT, ANTE** (1803). ➜ Le nom d'action **POLARISATION** n. f. (1810) a suivi la même évolution que le verbe, développant une spécialisation en électricité où l'on parle de *polarisation voltaïque* (1838) et de *polarisation des électrodes* (1857), et passant dans l'usage courant au sens figuré d'«attraction vers un ou plusieurs pôles» (1883). ◇ En physiologie, il désigne l'organisation d'une cellule donnant à chacune de ses extrémités une fonction différente (1960), en concurrence avec *polarité**. ➜ **POLARISATEUR, TRICE** adj. et n. (1849) est partiellement concurrencé par **POLARISEUR** n. m. (1836), désignant l'appareil servant à transformer la lumière naturelle en lumière polarisée et qualifie un tel appareil. ➜ L'adjectif **POLARISABLE** (1837) reste essentiellement un terme d'optique et d'électricité ; il a produit **POLARISABILITÉ** n. f. (1956) et un antonyme **IMPOLARISABLE** adj. (av. 1878) en électricité. ➜ **DÉPOLARISER** v. tr. a été formé (1811) en optique pour l'action de détruire l'état de polarisation d'un rayon lumineux ; il se dit également de l'action de faire perdre ses propriétés magnétiques à un barreau aimanté (1864) et de faire cesser la polarisation des électrodes. Enfin, mais très rarement, il est employé au figuré. ◇ **DÉPOLARISANT, ANTE** adj. (1815) est employé en optique et en électricité et **DÉPOLARISATION** n. f. (1811) connaît tous les emplois répondant à ceux du verbe. ➜ ① **POLAR** adj. et n., mot d'argot scolaire, est formé (1952) par apocope de *polarisé* pour désigner un élève complètement absorbé par le travail scolaire ou universitaire.

POLAROÏD n. m. est emprunté (1951) à l'anglais *Polaroïd*, nom de marque, déposé en 1936, d'un matériau polarisant la lumière qui le traverse. La *Polaroid Corporation* (1940, traduit en français par *Établissements Polaroïd,* 1963), fabrique notamment des filtres polarisants pour les lunettes de soleil et des appareils photographiques. Le terme est formé sur le verbe *to polarize*, emprunté au français *polariser** avec le suffixe *-oïd* (français *-oïde*). ◇ *Polaroïd* a été emprunté pour désigner une feuille transparente de résine synthétique polarisant la lumière, et, par métonymie, un appareil photographique à développement instantané (1963), seul sens répandu dans l'usage courant.

◈ voir aussi **BUCOLIQUE, POULIE.**

POLÉMIQUE adj. et n. f. est emprunté (1578) au grec *polemikos* «qui concerne la guerre», «disposé à la guerre», «batailleur, belliqueux». C'est un dérivé de *polemos* «choc», d'où «tumulte de la guerre», employé chez Homère pour le combat, la bataille, puis après Homère, à propos de la guerre. *Polemos* est le nom d'action correspondant au verbe *pelemizein* «mouvoir avec force», «agiter, secouer» et «repousser avec force»; comme lui, il appartient à la racine indoeuropéenne °*pel-* «agiter» représentée en latin dans la famille de *pellere* «pousser» dont le participe passé et ses dérivés (→ pousser), ses composés préfixés et ses composés en *-pellare* ont des représentants en français (→ appeler, épeler).

♦ *Polémique* est d'abord employé adjectivement au sens de «guerrier» dans *chanson polémique*. Par affaiblissement, il a développé son sens actuel, «qui appartient à la dispute, au débat» (1584), tout en conservant une valeur de «violence verbale». ➛ Il est substantivé en **POLÉMIQUE** n. f. (1619) «controverse par écrit, vive ou agressive». Par métonymie, ce nom désigne le genre littéraire auquel appartient ce type d'écrit.

▸ Les deux principaux dérivés sont **POLÉMISTE** n. (1845) et **POLÉMIQUER** v. intr. (1845). ➛ On en a tiré **POLÉMIQUEUR, EUSE** n. (1910) «personne qui se complaît aux polémiques».

POLÉMOLOGIE n. f., composé didactique (1946, G. Bouthoul), formé de l'élément *polémo-* tiré de *polemos* «guerre» (→ polémique) et de *-logie**, désigne l'étude scientifique de la guerre. ◇ Il a pour dérivé **POLÉMOLOGIQUE** adj. (1965) et **POLÉMOLOGUE** n.

POLENTA n. f. est emprunté (*poulainta*, 1797; *polenta*, 1800) à l'italien *polenta* «bouillie de farine de maïs ou de châtaignes», également «bouillie de farine d'orge» (XIVe s.), emprunt au latin *polenta*. Celui-ci est issu de *pollen* «farine fine» (→ pollen), de la même famille que *puls, pultis* «bouillie de farine» qui désignait la nourriture des anciens Romains avant l'usage du pain et spécialement la pâtée des poulets sacrés employés dans les sacrifices. Ces mots appartiennent à la même racine indoeuropéenne °*pel-* «poudre» (→ poudre).

♦ La première forme attestée en français, *poulainte* (1797), représente un essai de francisation; elle reste isolée, tout comme *polenta* (v. 1500) directement emprunté au latin. ◇ Le mot a été repris au XIXe s., sous la forme *polinta* (1800, Stendhal), puis *polenta* (1807), resté en usage. Il désigne un mets italien traditionnel, une bouillie de maïs.

◈ voir **POUTURE.**

① **POLICE** n. f. (1365), d'abord écrit *pollice* (v. 1250), est emprunté au latin *politia* qui, à époque tardive, et accentué sur le radical, désigne l'organisation politique, le gouvernement. Cicéron employait déjà le mot pour désigner le traité de Platon intitulé *La République*. Le mot latin est emprunté au grec *politeia* «situation de citoyen»; «ensemble des citoyens», et spécialement «constitution républicaine ou démocratique», dérivé de *polis*, dont l'étymologie et certains emplois indiquent qu'il a d'abord désigné la forteresse où se trouvent les sanctuaires, au cœur et en haut de la ville. *Polis* est distinct de *astu* «ville» en tant qu'il désigne une communauté politique et religieuse, donc une cité-État. Le mot correspond au sanskrit *pūr*, accusatif *pūram* et appartient probablement à une couche ancienne du vocabulaire grec.

♦ Le mot a été introduit en français avec le sens de «réglementation». La forme *policie* (XIVe s.), encore vivante au XVIIIe s. où on trouve *(politie)* chez Rousseau, est issue du latin *politia* accentué sur le suffixe. ➛ *Police*, partiellement synonyme de ② *politique**, mot contemporain (alors souvent au pluriel), a désigné d'abord le bon ordre, la bonne administration publique (v. 1361), en particulier le gouvernement d'une ville (1426), l'ordre établi dans une société, une assemblée, etc. (1636). Pour les emplois les plus larges, concernant un vaste territoire, et plus généraux que la notion d'administration, il a cédé la place à *politique*. ◇ Il était passé dans le domaine juridique pour désigner le contrôle exercé par les tribunaux (1477) et dans l'usage commun au sens général de «procédé, façon d'agir» (XVIe s.). ➛ L'usage moderne du mot ne s'est établi qu'au début du XVIIe s., par une nouvelle spécialisation : *police* désigne alors l'ordre, le règlement établi dans un État, une ville, pour ce qui regarde la sûreté et la commodité des habitants (1606). Il est passé dans l'usage courant (1651) avec une valeur métonymique pour désigner l'ensemble d'organes et d'institutions chargés d'assurer le maintien de l'ordre public et de rechercher, de constater et de permettre de réprimer les infractions commises et, spécialement, l'ensemble des policiers. ◇ Sous l'Ancien Régime, on parle déjà de *gens de police* (1660), de *lieutenant de police* (1667); la Révolution apporte les noms des institutions modernes : *police correctionnelle* (1791), *police administrative* (1795); viennent ensuite *police sanitaire* (1812) et, dans le domaine militaire, *salle de police* (1825) et *garde de police* (1930) «détachement chargé de maintenir l'ordre au quartier ou en campagne» (voir aussi *commissaire*). *Police militaire* constitue un calque de l'américain *military police*, abrégé en *M. P.* (1945). ◇ ***Faire la police*** (fin XVIIIe s.) se dit au propre et au figuré pour «régenter» (1799). ◇ Quelques extensions désignent par analogie des organisations chargées de faire régner l'ordre, des entreprises de surveillance ou de protection utilisant les mêmes techniques que la police *(police parallèle, police privée)*.

▸ Le mot a produit deux dérivés. ➛ Le premier est **POLICER** v. tr. (1461), autrefois «administrer, régir par une police» puis «civiliser (un peuple)» (1611), d'usage littéraire. Ce dernier sens est réalisé plus couramment par le participe passé adjectivé **POLICÉ, ÉE** (1611).

Le second est **POLICIER, IÈRE** adj. et n. (1611) qui a d'abord qualifié ce qui concerne l'administration, le gouvernement d'une ville, d'un territoire (en relation avec l'ancien sens de *police*). ➜ D'après l'évolution sémantique de *police*, le mot s'est répandu comme nom pour désigner un membre de la police (1753) et plus tard comme adjectif aux sens de «qui concerne la police» (1836), «qui appartient à la police» (1898). Parmi les expressions formées avec l'adjectif, on peut noter *chien policier* (1911). ◇ ***Roman policier*** (1908), précédé en anglais par *detective novel*, ne s'est établi qu'après d'autres désignations, comme *roman judiciaire* (à propos de Gaboriau). De là, elliptiquement, par substantivation *un policier* (1949) abrégé en ② **POLAR** n. m. (1970) avec un suffixe argotique.

◈ voir ACROPOLE, COSMOPOLITE, MÉTROPOLE, NÉCROPOLE, POLICLINIQUE, ② POLITICIEN, ① POLITIQUE.

② **POLICE** n. f. représente (1371), par emprunts successifs pour les différents sens, l'italien *polizza* «certificat» (1308-1348) puis aussi «contrat» (apr. 1500). Celui-ci peut être issu du latin médiéval *apodixa* (XIIIe s.), lui-même emprunté au grec *apodeixis* «quittance, reçu» (→ apodictique) avec déglutination de l'article et passage de *d* à *l* sous l'influence de *polyptychon* «registre, livre de comptes, etc.» (→ polyptyque). *Apodixia* peut aussi être emprunté directement au grec byzantin *apodeixis* avec passage de *d* à *l* propre à la prononciation byzantine (cf. *pilote*). Le mot grec, au sens de «quittance», est une spécialisation du sens classique de «preuve», issu par métonymie de celui d'«action de se montrer au dehors» d'où «action de faire voir, de montrer»; il est dérivé du verbe *apodeiknunai* «faire voir» d'où «produire au dehors, montrer», employé par suite comme verbe de parole pour «déclarer, assigner, faire connaître». Ce verbe est composé de *apo-* «au loin», «hors de» (→ apo-) et de *deiknunai* «montrer» (→ déictique). Selon Wartburg, le français a été emprunté à l'italien par l'intermédiaire de l'ancien provençal *polissia* (1372) «acte, quittance, règlement», mais cela ne paraît confirmé ni par la localisation ni par le domaine des premières attestations.

♦ En effet, le mot est d'abord attesté dans un document concernant la levée des droits sur le sel en Dauphiné, au sens de «certificat, attestation». Ce sens est sorti d'usage tandis que *police*, par un nouvel emprunt à l'italien (XVIe s.), a pris la valeur d'«écrit rédigé pour prouver la conclusion et les conditions d'un contrat d'assurance», dans ***police d'assurance*** (1584). Le terme spécialisé en ancien droit maritime, *police de chargement* (1606), désignait l'écrit par lequel un commandant de navire reconnaît l'état des marchandises embarquées; il est sorti d'usage. ➜ Le mot est passé dans le langage de l'imprimerie pour un assortiment de lettres et de signes composant une fonte de caractères typographiques, celui-ci étant établi par les fondeurs (1723).

◈ voir SYNDICAT.

POLICHINELLE n. m. (1654), d'abord *Polichinel* (1649) avec majuscule, est emprunté au napolitain *Pulëcënella*, qui a donné l'italien *Pulcinella*, nom d'un personnage bouffon de la commedia dell'arte représentant un paysan balourd, rendu populaire par les jeux de marionnettes. Le nom est issu du latin tardif *pullicenus* «jeune poulet» qui avait pris dans le domaine italo-roman le sens figuré d'«homme timide et maladroit». *Pullicenus*, dont une forme altérée a donné *poussin**, est le diminutif du latin *pullus* «petit animal», spécialement «poulet» (→ poulain, poule, poltron). En français, l'emprunt a été facilité par la mode italienne, à l'époque où gouvernait Mazarin, d'origine napolitaine.

♦ Le mot, d'abord attesté comme nom propre du personnage bouffon de la commedia dell'arte, a servi à nommer une marionnette française, fanfaronne et grotesque, inspirée de ce personnage (1680). Il a pris le sens figuré de «personnage ridicule, bouffon» (1798) et a servi à former quelques locutions : ***secret de polichinelle*** (1808) signifie «faux secret bien vite connu de tous», ***avoir un polichinelle dans le tiroir*** (1865) «être enceinte», dans un usage vulgaire, ***une vie de polichinelle*** se rapportait à une vie déréglée (1850) et ***faire le polichinelle*** correspond à «se rendre ridicule» (cf. *guignol, charlot*). ◇ Au XIXe s., le mot a développé la valeur figurée de «personne instable dans ses opinions» commune à *pantin, marionnette, fantoche* et *girouette;* cet emploi a vieilli. ◇ Le sens argotique d'«eau-de-vie» (1820) est lui aussi sorti d'usage.

POLICLINIQUE n. f. est formé (1855) de l'élément *poli-* tiré du grec *poli-*, de *polis* «ville» (→ ① police) et de *clinique**, sous l'influence de l'allemand *Poliklinik* (de même formation que le français), désignant à l'origine un système selon lequel les étudiants avancés dans leurs études de médecine soignaient les patients à domicile sous le contrôle de leur professeur auquel ils faisaient un rapport régulier. L'anglais *policlinic* (1827) est d'abord employé à propos de la pratique médicale en Allemagne.

♦ Le mot désigne un établissement hospitalier où sont examinés et soignés des malades dont l'état ne nécessite pas l'hospitalisation; il s'est employé avec le sens du mot allemand. Il est souvent confondu avec son homonyme *polyclinique**.

POLIOMYÉLITE n. f. est formé savamment (1892) de deux mots empruntés au grec : *polios* «gris blanchâtre, presque blanc» (distinct de *leukos* qui se dit d'un blanc éclatant), surtout appliqué aux cheveux blanchissants, quelquefois avec le sens de «vénérable». Ce mot, conservé par le grec moderne aux sens de «blanc, chenu», est apparenté à *pelios* «livide, plombé» et *pelidnos* «livide», et se rattache, comme eux, à une racine indoeuropéenne *°pel-*, *°pol-* désignant une couleur indécise, grisâtre. Le second élément représente *muelos* «moelle»*, mot propre au grec, d'origine obscure. Le mot ainsi formé signifie donc «moelle blanchâtre», par allusion à l'inflammation que connaît la substance grisâtre de la moelle épinière dans cette maladie. L'anglais *poliomyelitis* (1878) est peut-être à l'origine du français.

♦ Le mot a remplacé dans la langue médicale l'expression *paralysie infantile*. La forme abrégée ① **POLIO** n. (XXe s.) est courante.

▸ Le mot a produit **POLIOMYÉLITIQUE** adj. et n. (1925), attesté après l'anglais de même sens *poliomyelitic* (1911). ◇ Le nom est couramment abrégé en ② **POLIO.** ◇ Par préfixation, il entre dans **ANTIPOLIOMYÉLITIQUE** adj. (1920-1924) couramment *antipolio.* ◇ La forme *polio-* entre dans la formation de **POLIOVIRUS** n. m. (XXe s.), fait avec *virus**, pour désigner le virus de la poliomyélite.

◈ voir MYEL(O)-, MYÉLITE.

POLIR v. tr. est issu (v. 1180) du latin *polire* «aplanir, égaliser (un objet)», verbe qui a pris des acceptions spéciales dans les langues techniques : «équarrir le bois des bûches funèbres, mettre un enduit, fourbir les métaux, les pierres, fouler le drap, la toile, nettoyer un champ, le défricher». Il est employé au figuré au sens de «perfectionner, orner», en particulier en parlant du style. Il semble peu probable, d'après Ernout et Meillet, que *polire* soit un composé *po-lire* à rapprocher de *linere* «enduire, frotter, oindre» car la formation serait unique en son genre. Ils admettent plutôt, d'après M. Vendryes, que le terme aurait signifié «battre, frapper la laine (ou l'étoffe) pour l'apprêter» et se rattacherait à la racine germanique *°felt* (correspondant à l'indoeuropéen *°peld-*) qui a fourni *feutre** et l'allemand *Filz*.

♦ Le verbe est passé en français avec le sens concret de «rendre lisse, uni, brillant à force de frotter» (à propos du marbre, de la glace, etc.). ◇ Le sens figuré, «rendre aussi parfait que possible» (v. 1200), a vieilli ou est littéraire en parlant d'une personne, d'un caractère, de mœurs. ◇ En revanche, il est encore employé avec la valeur particulière de «diminuer la rudesse d'une langue, lui donner élégance et régularité» (v. 1270), et en parlant d'une manifestation de l'activité intellectuelle au sens de «rédiger soigneusement avec le souci du détail» (1671). Il est d'usage soutenu dans tous ses emplois. ◇ La valeur ancienne «nettoyer, laver» a produit en argot un sens métaphorique «voler», qui a disparu mais qui a produit *polisson*.

▸ La dérivation se partage en deux groupes : d'un côté, le participe passé adjectivé *poli* et ses dérivés, de sens figuré, de l'autre, un grand nombre de mots techniques (noms, verbes) réalisant le sens concret du verbe. ◆ **POLI, IE** est d'abord adjectivé avec le sens concret de «lisse, luisant, uni» (v. 1160). Il semble que sous l'influence du latin *politus*, participe passé adjectivé de *polire*, il ait pris le sens figuré de «choisi, en parlant des mots» (1172-1190), celui d'«élégant, bien mis», à propos d'une personne (v. 1190) et celui de «gracieux». Cette influence du latin se ressent également dans l'italien *polito, pulito* «sans tache, net» (XIVe s.) en particulier «qui choisit bien ses mots» en parlant d'un écrivain (XIVe s.), et dans l'ancien provençal *polit* qui qualifie un mot bien choisi dans un vers (v. 1160), ce ou celui qui est gracieux (XIIIe s.), beau (XIIIe s.). ◇ En français, ces valeurs, ainsi que celles de «distingué, de bon ton» (1580) et de «civilisé», en parlant d'un peuple, d'un pays (1688), ont progressivement vieilli, le mot s'alignant sur le sémantisme de *politesse** avec son sens moderne, «conforme aux règles de la bienséance, de la bonne éducation» (1690). De là *mal poli* (voir ci-dessous *impoli*) et la locution plaisante : *Sois poli, si t'es pas joli !* ◆ La même évolution est réalisée par l'adverbe dérivé **POLIMENT**, d'abord écrit *poliement*, avec le sens concret «de manière à être lisse» (1400) et le sens figuré «avec élégance, raffinement» (XVe s.). La forme *politement* (1496) «élégamment, convenablement» s'est employée jusqu'à la fin du XVIe siècle. ◇ Le mot a pris sa forme actuelle (1544) et son sens moderne à l'époque classique (1690).

L'antonyme de *poli*, **IMPOLI, IE** adj. a suivi la même évolution : il est d'abord attesté au sens de «peu orné» (1380) et qualifie ce qui est inculte, ce qui manque de finesse (1588), en particulier un vers raboteux (1588) allant jusqu'à signifier «sale» au XVIIe siècle. Le sens moderne de «grossier, inconvenant» (1679) à propos d'une personne, et, par métonymie, depuis 1718 en parlant d'une chose. Il est quelquefois substantivé à propos d'une personne incorrecte (v. 1730). ◆ On en a tiré **IMPOLIMENT** adv. qui présente d'emblée (1762) son sens actuel. ◇ *Impoli* s'est trouvé en concurrence à partir du XVIIe s. avec le composé **MAL POLI** (1636), d'abord employé au sens de «qui manque d'élégance» avant de se dire d'une chose et d'une personne grossière chez les écrivains classiques (Corneille, La Rochefoucauld). De nos jours, soudé en *malpoli*, le mot est d'usage plutôt populaire.

Dans le groupe nombreux des dérivés techniques de *polir*, le sens du verbe est concret. ◆ **POLISSEUR, EUSE** n. (1389) désigne la personne qui polit une substance, un objet et, au féminin, une machine à polir le marbre (1931). Le mot n'est plus employé avec le sens figuré classique de «personne qui polit les mœurs» (1631, Saint-Amand). ◆ **POLISSURE** n. f., d'abord *polisseure* n. f. (1404), dérivé du participe présent de *polir* pour l'action de polir un objet, une matière, et, par métonymie, l'état d'une surface polie, a vieilli, de même que l'ancien *politure* «action de polir» (1547, au figuré). ◆ Le nom concret **POLISSOIRE** n. f. (1411, *polissouere*) a d'abord désigné une brosse en jonc pour polir, avant de désigner la meule de bois pour polir les couteaux, et, par métonymie, l'atelier où s'effectue le polissage des épingles. ◆ Le masculin **POLISSOIR** n. m. (1524, *polissouer*) le concurrence directement en parlant d'un outil ou d'une machine servant à polir dans divers métiers (coutellerie, ébénisterie, serrurerie). ◇ Le mot est employé en archéologie pour un fragment de roche servant à polir les éclats de silex à l'âge de pierre (v. 1950). ◆ **POLISSABLE** adj., attesté une première fois en 1510, usité jusqu'en 1611 puis repris (1801), semble avoir eu du mal à s'implanter. ◆ **POLI**, participe passé de *polir*, est substantivé (1614) en parlant de l'aspect d'une chose parfaitement polie, lisse, brillante. ◆ Le nom d'action correspondant à *polir* est **POLISSAGE** n. m. (1749), qui a évincé de l'usage courant *polissure.* ◆ **DÉPOLIR** v. tr. (1613) exprime l'action d'enlever le poli, l'éclat d'une chose. Il a produit quelques dérivés : **DÉPOLI, IE** adj., par exemple dans *verre dépoli*, et n. m. (1706) qui se dit couramment du verre, **DÉPOLISSAGE** n. m. (1809) et **DÉPOLISSEUR, EUSE** (1898).

POLISH n. m. est un emprunt moderne (1931) à l'anglais *polish,* déverbal de *to polish,* lui-même emprunté des formes en *polis-* du français *polir**, attesté en particulier depuis 1819 pour désigner des produits servant à lustrer, à rendre brillantes différentes choses, dans des syntagmes indiquant l'origine ou l'usage du produit. ◇ En français, le mot sert à désigner un produit que l'on applique en dernier sur une surface pour donner un aspect brillant et lisse.

◈ voir POLISSON, POLITESSE.

POLISSON, ONNE n. et adj. est dérivé (1616) de *polisse* «vol» (1628), lui-même dérivé du verbe argotique *polir* «laver, nettoyer», c'est-à-dire «écouler après avoir volé», spécialisation métaphorique (XVe s., Villon) de *polir**. La métaphore se retrouve en français moderne avec *nettoyer, laver* (de l'argent).

♦ Le mot est d'abord un terme de jargon pour désigner un gueux, un vagabond qui revend les vêtements qu'il a mendiés, sens disparu (encore 1858). ◇ Par extension, il a pris au XVIIe s. dans le langage burlesque le sens de «jeune écolier, petit garçon malpropre et un peu fripon» (1680), d'où, par affaiblissement, celui d'«enfant espiègle, désobéissant» (1762). Il a continué de se dire d'un adulte avec une valeur péjorative, pour «homme sans considération et sans mérite» (1653). ◇ Puis, l'accent est mis sur la notion de «licence» et le mot se dit d'une personne trop libre, licencieuse, à la fois comme adjectif (1685) et comme nom (1695). ➜ Au XIXe s. *polisson* a désigné par plaisanterie la pièce de grosse toile que les femmes ajoutaient au XIXe s. à leur ceinture pour augmenter l'ampleur des reins (1823), également appelée *tournure.*

► Le mot a produit deux dérivés : **POLISSONNERIE** n. f. (1696) «action de galopin» d'où «facétie d'enfant espiègle», désigne également (1738) un propos ou une action trop libre. ➜ **POLISSONNER** v. intr. (1718) exprime le fait de dire ou faire des polissonneries, de traîner, vagabonder (1780) et, spécialement, d'avoir une attitude licencieuse (1845-1846).

POLITESSE n. f. est emprunté (1578) à l'italien *pulitezza, politezza,* d'abord «propreté (physique)» (XIVe s.), puis «élégance, raffinement» en parlant d'une œuvre d'art, et «culture, civilisation» (1600). Le mot est dérivé de *polito* «lisse, propre», issu du latin *politus* «lisse, brillant, orné» qui a influencé le développement sémantique de *poli* (→ polir).

♦ Le mot a été repris de l'italien avec le sens concret d'«état de ce qui est propre, net», et «qualité de ce qui est rendu lisse par le frottement ou qui est naturellement ainsi, éclat des choses lisses» (1611); ces valeurs, qui correspondent aux sens concrets de *poli,* ont disparu. ➜ Au XVIIe s., *politesse* a pris le sens figuré italien de «culture intellectuelle d'un individu» (1655) et s'est dit de la culture morale et intellectuelle des sociétés (1665), là où nous disons aujourd'hui *civilisation* et *culture.* ◇ Dans la langue classique, le mot correspond à une notion de bon goût, d'élégance, et en particulier de finesse dans le choix de l'expression (1671). ◇ Le sens de «manière de se conduire correspondant aux bons usages du monde» (1659) a prévalu aux dépens des autres, influençant l'évolution de l'adjectif *poli**. Par métonymie, *une politesse* désigne une action conforme à la politesse (1737). Le mot entre dans quelques expressions, dont ***brûler la politesse*** (1808) «s'esquiver sans dire adieu», également «rompre brusquement avec qqn» (1842), «manquer aux convenances» en général (1842), et *politesse de marchand* (1842) «uniquement dictée par l'intérêt», sorti d'usage. ◇ Autrefois, le mot s'appliquait concrètement à l'offre d'un vin sur le comptoir (1867).

► Le mot, qui n'a pas produit d'adjectif, a influencé l'évolution sémantique de *poli** auquel il correspond aujourd'hui. ➜ L'antonyme préfixé **IMPOLITESSE** n. f. est noté par Vaugelas (1643) comme un mot que l'on forme accidentellement dans la conversation. Il s'est bien implanté, abandonnant le sens physique de «caractère de ce qui est sale» (1659) et celui de «manque de culture (d'un individu)» (1658) au profit d'«ignorance ou mépris des règles de politesse» (1690). *Une impolitesse* désigne en particulier une action, une parole contraire aux règles de la politesse (1798).

◈ voir POLIR, POLISSON.

① **POLITIQUE** adj. est emprunté (1365, Oresme) au latin *politicus* «relatif au gouvernement des hommes», lui-même pris au grec *politikos* «qui concerne les citoyens, l'État», d'où «habile dans les affaires publiques», également «qui a la faveur de ses concitoyens, populaire» et «capable de vivre en société, sociable». *Politikos* vient de *politês* «de la cité, de l'État», substantivé pour désigner le citoyen et, par extension, le concitoyen. *Politês* est lui-même dérivé de *polis* «cité» (→ ① police).

♦ L'adjectif a été repris pour qualifier ce qui est propre à un bon gouvernement et à propos des qualités nécessaires à l'action politique ; par extension ou réemprunt au latin, qui a ce sens, il s'est appliqué à une personne sage et adroite dans le gouvernement des hommes (v. 1485), *homme politique* (1636) étant alors glosé comme «bien versé au fait de police (administration)» et s'est employé également au figuré pour «qui s'accommode à toutes les situations, adroit» (1636), sens sorti d'usage. ➜ À côté de ces acceptions, le mot a aussi, depuis Oresme (v. 1370), le sens neutre de «qui concerne les gouvernements des hommes entre eux, la chose publique». Tel est le sens le plus général du mot, réalisé par exemple dans l'expression *économie* politique.* ◇ Plus souvent, *politique,* depuis le XVIIIe s., qualifie ce qui est relatif à l'organisation et à l'exercice du pouvoir temporel dans une société organisée, le gouvernement d'un État, à l'exercice de la souveraineté par le peuple (1789, *droits politiques*), aux personnes qui détiennent ou tentent de détenir le pouvoir, de jouer un rôle dans le gouvernement, dans des expressions comme *corps politique* (1721), *chef politique* (1734), *homme* et (récemment) *femme politique.* ◇ Il qualifie particulièrement ce qui est relatif à la conception, à la théorie du pouvoir et ce qui est relatif à son étude. C'est le cas de ***science politique*** (1770), l'argot scolaire abrégeant en ***Sciences-po*** l'ancienne dénomination *École des sciences politiques,* remplacée par *Institut d'études politiques* (en France). ◇ Un grand nombre d'emplois courants se range sous le sens de «relatif aux rapports entre le pouvoir et son opposition, à la lutte autour du pouvoir», notamment les expressions relatives aux opinions (*opinions politiques,* 1790), et spécialement, en droit pénal, *délit politique* (1815), *détenu politique* (1848), *prisonnier politique* (ci-dessous substantivé). ◇ Enfin, le mot se rapporte plus particulièrement à ce qui est relatif à un État, aux États et à leurs rapports entre eux (1690).

Son emploi substantivé date du XVIe s. : *un politique* a d'abord désigné un officier de police (1559), sens encore relevé en 1602 puis sorti d'usage (on dira au XVIIIe s. *policier*). ◇ Le nom désigne un homme politique en vue, un homme de gouvernement (1568); historiquement, au cours des guerres de Religion, il s'est appliqué au membre d'un parti qui prétendait s'occuper de questions politiques, et non religieuses (1589). Au XVIIe s., d'après les valeurs de l'adjectif, il a désigné la personne exerçant un gouvernement civil (av. 1621), un homme habile, compétent dans les affaires civiles (1650) et un spécialiste de l'étude de la politique (1678), sens vieilli. Au XIXe s., le nom est employé elliptiquement pour *prisonnier politique* (1858). ◇ Il se dit souvent de personnes qui tendent à faire prévaloir l'action politique sur une autre forme de lutte (militaire, professionnelle, etc.) [1933, traduction de Lénine]. ◇ Il est pris avec une valeur de neutre *(le politique et le social)* pour désigner ce qui a trait au gouvernement des sociétés (1927).

▶ Le mot a produit quelques dérivés ◇ **POLITISER** v. tr. a existé en moyen français avec le sens de «gouverner un État» (1370), avant d'être recréé avec la valeur moderne de «donner un caractère, un rôle, une portée politique à (qqch.)». En ce sens, la forme pronominale *se politiser* est courante (1960). ➡ Le nom d'action correspondant, **POLITISATION** n. f., étant donné son antériorité par rapport au verbe en ce sens (1929), a dû être directement dérivé de *politique.* ◇ Le verbe a aussi servi à former l'antonyme préfixé **DÉPOLITISER** v. tr. (1939) sur lequel a été construit **DÉPOLITISATION** n. f. (1944). ➡ **POLITIQUEMENT** adv. (1405) correspond à «dans la réalité politique, du point de vue politique»; en relation avec le sens figuré de *politique,* il a eu la valeur figurée d'«habilement» (1636). ➡ Ultérieurement, *politique* a donné l'antonyme **ANTIPOLITIQUE** adj. (av. 1650) puis, au XXe s., **APOLITIQUE** adj. (1918) et **APOLITISME** n. m. (1919). ➡ Avec un autre préfixe, il a donné **IMPOLITIQUE** adj. et n. f. (1738), mot peut-être influencé par l'anglais *impolitic* (1600), qualifiant et désignant (av. 1787) une mauvaise politique. Le mot appartient également au domaine psychologique avec un sens voisin de «malhabile» et, comme substantif, «maladresse». ◇ On en a dérivé **IMPOLITIQUEMENT** adv. (1791).

POLITICOLOGIE (v. 1950), **POLITOLOGIE** n. f. (v. 1954) ont peut-être été créés d'après les formes allemandes correspondantes, légèrement antérieures; **POLITOLOGUE, POLITICOLOGUE** n. ont été formés sur les précédents (1959), bien que *politicologue* soit attesté une première fois et isolément en 1813 chez Joubert. ◇ Quelques composés didactiques sont construits avec *-politique* au XIXe et surtout au XXe siècle.

② **POLITIQUE** n. f. est emprunté (v. 1268), par l'intermédiaire d'une forme de latin tardif *politice,* au grec *politikê* (sous-entendu *tekhnê*) «science des affaires de l'État, affaires de l'État». Ce mot est la substantivation au féminin de l'adjectif *politikos* (→ ① politique). ◇ Le nom s'est imposé en français aux dépens de l'emploi spécialisé de *policie,* représentant du latin *politia* (→ police) et de *politiques,* traduction du neutre pluriel substantivé *politica,* repris du grec *ta politika* «les affaires publiques, ce qui concerne l'État» dans le titre de l'ouvrage d'Aristote traduit par Oresme, *Le Livre des politiques d'Aristote* (1372-1374).

Dès ses premiers emplois, *la politique* est entendue à la fois comme une science, une technique, un art et comme la pratique du gouvernement des sociétés humaines. Participant de ces deux natures théorique et pratique, la politique fait, aux XVIIe et XVIIIe s., partie de la morale, science de la société et des mœurs, alors que dans les emplois modernes l'accent est mis sur la pratique : on oppose souvent *morale* et *politique.* Le mot se répand dans l'usage courant au sens figuré de «manière de conduire une affaire, conduite dans un domaine privé» (1651-1657, Scarron), en particulier avec la nuance d'«habileté, adresse, calcul intéressé» (1656) qui appartient à un usage plus littéraire. ◇ *Politique* désigne en particulier une manière de gouverner, un type de gouvernement (1640) et, collectivement, l'ensemble des affaires publiques concernant le pouvoir et son opposition, l'activité relative à l'exercice des pouvoirs dans un État (1675). De ce sens procèdent les expressions postérieures, *parler politique* (1817), *faire de la politique* (1831). *La politique* se dit par extension pour «carrière politique» et, par métonymie, pour «service politique (dans un journal)».

➡ Le dérivé **POLITIQUER** v. intr. (1689, Mme de Sévigné) exprimait familièrement le fait de parler politique et de s'intéresser à la politique; il est sorti d'usage, de même que **POLITIQUEUR** n. m. «mot de raillerie» (1769). ➡ Au XIXe s. est apparu le verbe péjoratif **POLITICAILLER** v. intr. (1838-1839), «discuter politique, tenir des propos sans valeur sur la politique», qui inaugure une série de créations familières et péjoratives : **POLITICAILLEUR, EUSE** ou **POLITIQUAILLEUR, EUSE** (1862, avec *-qu-*), **POLITICAILLERIE** ou **POLITIQUAILLERIE** n. f. (1877, avec *-qu-*), **POLITICARD, ARDE** ou **POLITIQUARD, ARDE** adj. (1881, avec *-qu-*) «politicien malhonnête» et **POLITICAILLE** n. f. (1884). ➡ Sur le modèle du terme *science-fiction, politique* a servi à construire **POLITIQUE-FICTION** n. f. (1968) pour un genre de récit imaginaire mettant en scène des questions politiques, souvent dans une situation future.

POLITICIEN, IENNE n. et adj. est emprunté (1779), avec adaptation du suffixe, à l'anglais *politician* n. (XVIe s.) qui désignait autrefois une personne intriguant en politique avant de désigner une personne versée en politique (1628) et, surtout en américain, une personne qui fait profession d'activités et d'intrigues politiques. *Politician* est dérivé de *politic* adj. lui-même emprunté au XVe s. au français *politique**. ◇ Le mot apparaît chez Beaumarchais (1779), déjà avec une nuance péjorative, associé au dépréciatif *politiqueur*. Il ne sera repris qu'en 1865 sous la forme anglaise *politician*, francisée en *politicien* (1868), appliqué à un contexte américain avant d'être acclimaté (1898) au contexte français. Employé adjectivement (1899), il n'était pas encore très courant ni même très admis vers 1900, où l'on trouve la variante *politicier*. *Politicien* est devenu courant, tant comme nom que comme adjectif, aujourd'hui avec une nuance péjorative *(politique politicienne)*.

POLKA n. f., attesté depuis 1844, est un emprunt de source incertaine. Cette danse, originaire de Bohême, étant connue en 1835 à Prague, en 1839 à Vienne, en 1840 à Paris et en 1842 à Londres, le mot français est probablement un emprunt, par l'intermédiaire de l'allemand, au tchèque *polka*, qui est soit une déformation de *pulka* «demi-pas» en raison des pas courts qui caractérisent cette danse, soit le substantif *Polka* «Polonaise», par sympathie pour les Polonais opprimés à cette époque.

♦ Le mot est passé en français comme nom d'une danse dont la vogue donna l'idée de créer tour à tour la mazurka et la redowa. ◇ Sans qu'on en connaisse la raison, *polka* a servi à nommer un type de pain en boulangerie, en apposition dans *pain polka* (1881), puis un petit gâteau rond, fait de pâte à choux fourrée de crème. ◇ Dans un autre domaine, le mot s'applique à une sorte de pioche (1876) et à une petite brouette servant aux transports de terre dans les carrières où l'on cultive le champignon de couche (1907), ces sens techniques pouvant venir du mouvement du travailleur, comparé à une danse. ◇ En argot, *polka* a désigné une femme du milieu.

▸ Au moment de l'introduction de la polka en France, *polka* a servi à former le verbe **POLKER** v. intr. (1845), d'abord *polquer* (1844) «danser la polka», dont est tiré **POLKEUR, EUSE** n. «personne dansant la polka», concurrencé par **POLKISTE** n. (1846) de même sens. La danse étant passée de mode à la fin du XIXe s., tous ces mots ont vieilli.

POLLEN n. m. est emprunté (1562) au latin *pollen* «fleur de farine» (sens conservé en sarde), et par suite «farine, poudre très fine». Comme le mot grec *paipalê* «fleur de farine» à côté de *palê* «farine très fine», le latin *pollen* est un mot expressif provenant du vocabulaire familier; *ll* y est une gémination expressive qui ne se retrouve pas dans le dérivé *polenta* (→ polenta). Le slave a des formes à redoublement *pépelŭ* et *popelŭ* «cendres» (idée de poudre fine). Le latin a d'autre part *puls, pultis* en face du grec *poltos* «bouillie»; le celtique offre des formes parentes avec *t* géminé : moyen irlandais *littiu*, gallois *llith* «purée, soupe à la farine». D'autre part, on rapproche de *pollen* le latin *puls* (→ pouture), *pulvis* «poussière» (→ poudre), *pulmentum* «plat de viande, fricassée» et *pulpa* (→ pulpe), ce qui peut faire postuler une racine indoeuropéenne commune *°pel-*.

♦ Le mot apparaît une fois au XVIe s. avec le sens de «farine»; ce latinisme n'a pas vécu. ◇ Le sens moderne, «matière fécondante des végétaux» (1762), est d'abord apparu en latin scientifique (XVIIIe s.) et s'explique par métaphore, le pollen ayant l'aspect d'une poudre jaune très fine. Il s'agit donc d'un terme nouveau, sans autre rapport que le latin avec le premier emploi.

▸ Le mot a produit quelques dérivés savants en sciences naturelles : **POLLINATION** n. f. (1812) a été refait en **POLLINISATION** n. f. (1875), produisant lui-même **POLLINISATEUR, TRICE** n. m. et adj. (XXe s.); **POLLINIQUE** adj. (1832), **POLLINIE** n. f. (1836) et **POLLINIFÈRE** adj. (1845), comme **POLLINISER** v. tr. (1904, au participe passé), ainsi que le terme de médecine **POLLINOSE** n. f. (XXe s.), sont tous didactiques.

POLLUER v. tr. est emprunté (v. 1460) au latin *polluere* «salir, souiller» de sens concret et abstrait, spécialement «profaner» dans la langue religieuse. *Polluere*, mot classique de la langue écrite, repose sur *°porluere* et s'apparente à *luere* «laver, baigner», surtout attesté en composition (→ ablution, alluvion, collutoire, déluge, diluer); il est à rapprocher, pour le sens, de *lustrum* «bourbier» et «bouge, mauvais lieu» et de *lutum* «boue, limon, vase». Le participe passé latin *pollutus* a été emprunté sous la forme *pollu* (XIIe s.), encore enregistrée en 1777, avec le sens de «souillé moralement», «profané (d'un lieu, d'un objet sacré)». C'est de ce dernier qu'est sans doute dérivé *pollué*.

♦ Le verbe, attesté environ un siècle après le participe passé *pollué* (1367), signifie d'abord comme en latin «profaner, souiller, déshonorer» (v. 1460, le complément désignant le nom du futur roi), sens déjà archaïque au XVIIIe siècle. Le sens de «violer (une vierge)» (1538) a disparu, de même que l'acception concrète «salir» (1596). ◇ L'usage du pronominal *se polluer* au sens de «se masturber» (1690) est un euphémisme aujourd'hui littéraire qui procède à la fois des anciennes valeurs, morale et concrète, du mot. ➛ Le sens moderne, «souiller (un milieu naturel) par une action technique, industrielle», est pressenti dans un emploi relevé en 1895 (qui n'est qu'une spécialisation du sens général), mais correspond vers le milieu du XXe s. (1958) à l'emprunt de l'anglais *to pollute* (XIVe s.), de même origine que le mot français, qui avait pris cette valeur au milieu du XIXe s. (*pollute waters*, 1860). *Polluer* et *pollué*, avant cette influence de l'anglais, s'employaient cependant déjà à propos de l'eau et de l'air; leur emploi moderne est fixé par *pollution* (ci-dessous), dans le cadre de l'écologie.

▸ C'est de ce sens que procèdent les dérivés modernes du mot, notamment le participe passé **POLLUÉ, ÉE** adj. et le participe présent **POLLUANT, ANTE** adj. (1970) antérieurement attesté au sens de «qui souille, salit» (1880, Huysmans). Au sens moderne, *polluant* est substantivé à propos d'une substance qui pollue (l'atmosphère, les eaux, etc.). ➛ **POLLUEUR, EUSE** adj. et n. est attesté depuis

1970. ◆ La série **DÉPOLLUER** v. tr. (entre 1961 et 1970) — d'où **DÉPOLLUTION** n. f. (1961), **DÉPOLLUÉ, ÉE** et **DÉPOLLUEUR, EUSE** adj. (v. 1970) — est contemporaine.
Quant à **POLLUTION** n. f., c'est un emprunt ancien (XIIe s.) au dérivé latin *pollutio, -onis* «salissure, souillure», employé au figuré et au sens religieux de «profanation» chez les auteurs chrétiens, dérivé du supin *(pollutum)* de *polluere.* ◇ L'évolution du nom est analogue à celle du verbe : le sens de «souillure», au propre et au figuré (XIIe s.), spécialement dans un contexte religieux (1690) est vieilli ou littéraire. ◇ L'acception de «masturbation» et surtout «émission involontaire de sperme» *(pollutions nocturnes)* existe dès 1314 dans le langage didactique ou littéraire ; elle est encore en usage. ◆ Le sens moderne et courant, «souillure (d'un milieu naturel) par une action technique», s'est répandu (v. 1960) sous l'influence de l'anglais *pollution,* lui-même emprunté au français, en même temps que *polluer* et ses dérivés (ci-dessus). Ce sens était amorcé par certains emplois spécialisés du sens général (1874, à propos des eaux), l'emploi du verbe paraissant un peu postérieur dans ce sens. Le mot, dans cette acception, est devenu porteur d'une valeur symbolique, en relation avec la crainte d'une action destructrice sur la planète (cf. *écologie*) et aussi d'inconvénients quotidiens compromettant la «qualité de la vie». On parle par extension de *pollution par le bruit,* etc., et le mot s'applique à toutes sortes de dégradations, devenant un synonyme d'«action de salir, petit vandalisme». ◇ Le composé **ANTIPOLLUTION** adj. inv. est attesté depuis 1970.

POLO n. m. est emprunté (1872) à l'anglais *polo* (attesté la même année, 1872) désignant un sport collectif où chaque cavalier cherche à pousser une boule de bois dans le but de l'équipe adverse avec un maillet à long manche. Le mot anglais est emprunté du balti, langue indienne parlée au Cachemire, où *polo* signifie «balle», ce sport étant déjà mentionné sous la transcription du terme tibétain apparenté, *pulu* (1842). Le sport lui-même est la variante d'un jeu pratiqué anciennement chez les Perses et depuis longtemps en honneur dans l'aristocratie chinoise avant de parvenir aux Indes, où les Anglais créèrent en 1859, à Calcutta, leur premier club de polo. Le terme n'est attesté en anglais qu'un an après une partie de polo mémorable, en 1871.

♦ Le mot est apparu en français à propos du jeu anglais, dont l'acclimatation en France date de 1891. ◆ Au sens de «coiffure féminine» (1897), par analogie avec la coiffure des joueurs de polo, l'emploi de *polo* est peut-être français, l'anglais *polo hat* étant plus tardif (1905). ◇ Un autre sens métonymique pressenti par l'emploi pour «costume de femme imitant la casaque des joueurs de polo» (déb. XXe s.), celui de «chemise en coton à col rabattu» (1926), s'est mieux implanté : on rencontre d'abord *chemise de polo* (1926) et *chemise-polo* (1932), l'anglais ayant *polo shirt* depuis 1920 ; puis *polo* seul est employé elliptiquement (1949).

▸ Un composé anglais de *water* «eau» (→ water-closet) a fourni **WATER-POLO** n. m. (1891), nom d'un sport de ballon qui se joue entre deux équipes de sept nageurs, en piscine.

POLOCHON n. m., attesté depuis 1848, est d'origine obscure : un emprunt au moyen néerlandais *poluwe,* néerlandais *peluw,* proposé par Wartburg, supposerait que le mot soit beaucoup plus ancien en français, ou bien qu'il ait été pris au XIXe s. (comme Wartburg le suppose) à une forme dialectale du moyen néerlandais *poluwe* ayant gardé le *o.* On peut préférer l'hypothèse de G. Esnault qui recourt à l'ancien ou moyen français *pouloncel,* apparenté à des formes dialectales issues du latin *pullus* «poulet», comme *poulonchiau* (cf. *poulichoun* dans Wartburg) «petit poulet, petit oiseau», d'où *poulonchiau* «petit enfant» à Rennes (1884). L'idée de «duvet d'oiseau» et, peut-être, la forme allongée fournissent une voie sémantique. Mais il faudrait pouvoir préciser si le mot, au milieu du XIXe s., vient de l'ouest de la France. Une troisième possibilité ferait de *polochon* une variante d'un dérivé régional de *pouliche,* apparenté à *poulain* et à *polichinelle,* par une métaphore sur la forme allongée.

♦ *Polochon* est familier pour désigner un traversin cylindrique (d'où par exemple *se battre à coups de polochon*). Par analogie, *sac-polochon* désigne un bagage souple de forme cylindrique.

◈ voir POULE.

POLONAISE n. f. est la substantivation spécialisée (1774) de l'adjectif *polonais, aise* (1540). Celui-ci est l'adjectif correspondant au substantif ethnique *Polonais,* antérieurement *Poulenoys* (1442) et *Polonois* (1540) «habitant de la Pologne», dérivé de la forme latinisée *Polonia* «Pologne», elle-même du latin médiéval *Polonus* (v. 1100), variante de *polanus,* forme issue du polonais *Polanin* «polonais». *Polanin* est à l'origine du français *poulaine**.

♦ *Polonaise,* terme d'habillement, désignait une robe au dos ajusté et cambré (1776). Toujours dans l'habillement, il a désigné une redingote à brandebourgs (1812). ◆ Ces valeurs ont disparu ; en revanche, le mot reste vivant pour désigner un air de danse (1777) originaire de Pologne, puis, surtout à l'époque romantique, une forme musicale inspirée du rythme de cette danse nationale polonaise : le mot a été diffusé par Chopin. ◆ Enfin, un autre emploi concerne une pâtisserie (une brioche fourrée de crème pâtissière aux fruits confits et recouverte de meringue) par le procédé courant qui dénomme un gâteau par un nom ethnique.

▸ **POLAQUE** n. est emprunté (1512) à *polak,* forme polonaise abrégée de *polanin* (ci-dessus). Le mot, aussi adjectif au XVIe s. (1540), est alors neutre. ◇ Sa reprise au XXe s. avec une valeur péjorative et xénophobe, est un réemprunt ou une suffixation populaire d'après les noms en *-ak* d'immigrants polonais.

◈ voir POULAINE.

POLTRON, ONNE adj. et n. est emprunté (1509) à l'italien *poltrone* «paresseux, oisif» (apr. 1250) et «peureux, vil» (XVIe s.), lui-même dérivé de *poltro* «poulain non dompté». Ce dernier est issu d'un latin populaire °*pulliter* (postulé également d'après le latin médiéval *poletrum*, dans la Loi salique), dérivé du latin *pullus* «petit d'un animal», spécialement «poulet», et «rejeton d'une plante» (→ poulain, poule, polichinelle). Le même développement se retrouve dans le dérivé dialectal *poulichon* (de *pouliche**) «poulain», *poulichoux* adj. «ombrageux, peureux».

♦ Le mot désigne un peureux, un lâche; il est adjectivé en ce sens à partir de 1558. Il est spécialement employé en fauconnerie à propos d'un oiseau auquel on a coupé les ongles des doigts postérieurs (1618, ici par métaphore). ◇ Le mot a signifié au XVIe s. «paresseux», comme en italien (1552, Rabelais), mais l'acclimatation de l'autre valeur en français a éliminé cet emploi.

► Le mot a produit **POLTRONNERIE** n. f., d'abord écrit *polteronnerye* (1574) «caractère du poltron», vieilli au sens métonymique *(une poltronnerie)* pour «acte de poltron». ➜ Le composé **APOLTRONNIR** (1465) ou **APOLTRONNER** (1561) v. tr. «rendre craintif et inactif» est sorti d'usage après l'époque classique.

POLY-, élément formant, est tiré du grec *polu-*, de *polus* «nombreux», par extension «grand» c'est-à-dire «vaste, spacieux», «long», «fort, puissant, violent» et, avec une idée de valeur, «digne d'importance». Le mot est également employé au neutre, *polu*, comme adverbe avec les sens de «beaucoup», «tout à fait», etc. Il est librement productif comme premier terme de composés : on en relève déjà près de soixante chez Homère. À *polus* répond, avec vocalisme zéro, le sanskrit *purú-* «beaucoup, nombreux» (de °*pḷlu-*), des mots celtiques et germaniques, par exemple l'ancien haut allemand *filu* «beaucoup» (cf. l'anglais *full*, *to fill*). La racine indoeuropéenne à laquelle se rattachent ces formes est °*pelə-* ou *ple-* «être plein», représentée dans *plêthos* (→ pléthorique) et *pleonasmos* (→ pléonasme) ainsi qu'en latin dans *plere* (→ emplir), *plus* (→ plus), *plenus* (→ plein) et leurs dérivés (→ plénitude, pluriel, plusieurs).

♦ *Poly-* sert à former des noms et adjectifs, principalement dans les domaines technique et scientifique, souvent par opposition à *mono-*; dans certains cas, *poly-* est en concurrence avec *multi-* et avec *pluri-* mais il est beaucoup plus productif que ce dernier.

► En dehors des emprunts au grec (quelquefois par l'intermédiaire du latin), les premiers composés de *poly-* sont les termes de géométrie **POLYÈDRE** n. m. (1690, *poliédre*) sur le modèle de *poluedros* «à plusieurs sièges ou degrés», de *hedra* «place, siège, base», et **POLYNÔME** n. m. (1690), formé sur le modèle de *binôme**. ➜ **POLYTECHNIQUE** adj. et n. (1795) est formé à l'imitation du grec *polutekhnos* «habile en de nombreux arts», dans la dénomination ***École polytechnique*** qui vient remplacer sous la Révolution, le 11 mars 1794, *École centrale des travaux publics*. *Polytechnique* est substantivé (1889), au féminin, comme nom propre (avec des synonymes familiers, dont l'X.). Son emploi adjectif au sens de «qui embrasse plusieurs arts, plusieurs sciences», en parlant d'une personne ou d'une chose (1812), a vieilli. ➜ Parmi les formations les plus courantes du XXe s., figurent **POLYVALENT, ENTE** adj. (1902) créé en biologie avec l'élément *-valent*, tiré de *valens*, participe présent de *valere* (→ valoir), littéralement «être fort, puissant; avoir de la valeur», pris au sens d'«avoir de la valeur» (l'anglais a *polyvalent* dès 1881); le mot a un emploi administratif en français du Canada : *école polyvalente*, d'où *une polyvalente* et un autre en France, dans *salle polyvalente*. ◇ Également en France, l'adjectif qualifie certaines fonctions, notamment des inspecteurs du fisc (alors substantivé : *les polyvalents*, v. 1960). ◇ À *polyvalent* correspond **POLYVALENCE** n. f. (1912). ➜ En chimie, il existe de nombreux termes en *poly-*, dont *polyamide* n. f. (1913), *polystyrène*, *polyester*, devenus essentiels avec les techniques industrielles employant ces composés (matières plastiques; cf. ② *ester*, *styrène*, *vinyle*).

◈ voir POLYANDRE (art. ANDRO-), POLYARTHRITE (art. ARTHRO), POLYCHROME, POLYCLINIQUE (art. CLINIQUE), POLYCOPIE (art. COPIE), POLYCULTURE (art. CULTURE), POLYESTER (art. ② ESTER), POLYGAME, POLYGLOTTE, POLYGONE, POLYHYBRIDISME (art. HYBRIDE), POLYMORPHE, POLYNUCLÉAIRE, POLYNUCLÉOSE (art. NUCLÉAIRE), POLYPHONE ET POLYPHONIE, POLYPTYQUE, POLYSÉMIE (art. SÉMANTIQUE), POLYSULFURE (art. SULF-), POLYSYLLABE (art. SYLLABE), POLYSTYRÈNE (art. STYRÈNE), POLYSYNTHÉTIQUE (art. SYNTHÈSE), POLYTHÉISME, POLYTONAL (art. TONAL), POLYTYPE (art. TYPE), POLYVINYLE (art. VINYLE).

POLYCHROME adj. est emprunté (1788) au grec tardif *polukhrômos* «qui a plusieurs couleurs», de *polu-* (→ poly-) et *-khrômos* issu de *khrôma* «couleur» (→ chrome).

♦ Le mot, après une première attestation où il qualifie un peintre qui peint en utilisant plusieurs couleurs, a été repris (1834) au sens de «qui est de plusieurs couleurs» comme terme d'arts et, par extension, à propos d'un objet quelconque.

► En est dérivé **POLYCHROMÉ, ÉE** adj. (1895), synonyme moins usuel du précédent, et **POLYCHROMIE** n. f. (1842) «état d'une chose polychrome» et «procédé, art consistant à appliquer des couleurs variées».

POLYGAME adj. est emprunté (1548) au grec *polugamos* «qui a plusieurs femmes», de *polu-* (→ poly-) et *gamos* «union» d'où «mariage» et, par métonymie, «épouse» (→ -game).

♦ Le mot, d'abord attesté comme nom propre, puis comme adjectif (1579) et nom commun (1587), qualifie et désigne un homme qui a plusieurs femmes. Son emploi à propos d'un homme marié légalement plusieurs fois (1690) est sorti d'usage, la notion de simultanéité l'emportant sur celle de successivité dans la définition moderne. ➜ Il a été repris par les langages descriptifs de la botanique (1778, Lamarck) et de la zoologie (1822).

► **POLYGAMIE** n. f. est emprunté (1558) au latin chrétien *polygamia*, lui-même emprunté au grec *polugamia*, dérivé de *polugamos*. ➜ Le mot désigne l'état d'un homme qui se marie avec plusieurs femmes. Le sens classique, «état d'un homme ayant

eu successivement plusieurs épouses» (1689-1690), a disparu. ◇ Le mot est passé en botanique (1749) par emprunt au latin scientifique moderne *polygamia* (1735, Linné), et en zoologie (1845-1846). ➜ Il a produit l'adjectif didactique **POLYGAMIQUE** (1778, Lamarck) d'abord en botanique, puis repris en sociologie (1832) au sens de «relatif à la polygamie, fondé sur la polygamie». ◇ Ces trois mots s'opposent à des antonymes en *mono-*.
Les formations complémentaires du point de vue de la femme sont *polyandre* adj. et n. et *polyandrie* n. f. (→ andro-).

POLYGLOTTE n. et adj. est emprunté (1639) au grec *poluglôttos* «qui a plusieurs langues, qui parle plusieurs langues» formé de *polu-* (→ poly-) et *-glôttos*, de *glôtta*, forme attique de *glossa* «langue» (→ -glosse, à glossaire).

♦ Le mot désigne une personne qui parle plusieurs langues (1639); au XVIIe s., il est adjectivé avec le sens didactique d'«écrit en plusieurs langues» (1678, *bible polyglotte*), substantivé au féminin *la polyglotte* (1680). L'adjectif prend aussi la valeur de «qui traite simultanément de plusieurs langues» (1694, *dictionnaire polyglotte*), synonyme de *plurilingue*. ◇ Au sens courant de «qui parle plusieurs langues» (1800), il correspond à l'emploi initial du substantif. Il est parfois concurrencé par *multilingue* et *plurilingue*.

▶ On en a dérivé **POLYGLOTTISME** n. m. (1860), peu usuel par rapport à *pluri-* et *multilinguisme*.

POLYMÈRE n. m. est formé (1842, après *polymérie* 1827) de *poly-* et de l'élément *-mère*, pris au grec *meros* «partie».

♦ Le mot désigne une molécule complexe formée de l'association de plusieurs molécules, concept essentiel appliqué notamment à des corps produits en chimie industrielle (matières plastiques, par ex.).

▶ Il a de nombreux dérivés, parmi lesquels **POLYMÉRISER** v. tr. (1869) d'où **POLYMÉRISATION** n. f. (1869), **POLYMÉRASE** n. f. (1960), de *-ase*, désignant un enzyme catalisant la synthèse de l'A. D. N. ou de l'A. R. N.

POLYMORPHE adj. est emprunté tardivement (1805) au grec *polumorphos* «qui a plusieurs formes, aux formes variées», de *polu-* «plusieurs» (→ poly-) et *morphê* «forme» (→ -morphe).

♦ Terme de botanique, *polymorphe* qualifie d'abord une espèce de champignon se présentant sous des aspects divers, peut-être par emprunt du latin scientifique moderne *polymorphus* n. (1785). ◇ Au sens plus général, «qui se présente sous des formes diverses», il s'emploie spécialement en chimie (1844), en biologie (1878), en médecine (1910), en psychiatrie (1926) et en psychanalyse (*pervers polymorphe*, 1921, Jankélévitch, trad. de Freud), expression où l'adjectif marque la variété et l'absence de fixation des pulsions. L'anglais *polymorphous* (1828), employé en biologie, en chimie (1848) et en médecine (1876), a pu servir de modèle comme dans *polymorphous-perverse* en psychanalyse (1909, dans une traduction de Freud).

▶ Le mot a produit deux dérivés. ➜ **POLYMORPHISME** n. m. (1842, emploi général) désigne le caractère de ce qui est polymorphe; son emploi en chimie, à propos de la propriété qu'a une substance cristallisée d'affecter plusieurs formes sans changer de composition (1836), est une création du chimiste allemand E. Mitscherlich; le mot est également employé en biologie (1868), en mycologie (1888) et en médecine (1932). ➜ Quant à **POLYMORPHIQUE** adj. (1858), il est d'abord employé en chimie pour ce qui relève du polymorphisme; en électricité, il qualifie une machine pouvant produire différentes tensions et différents courants (1905).

POLYPE n. m., écrit *polipe* (v. 1240), refait en *polype* au XVIe s. par conformation à l'étymologie, est emprunté au latin *polypus* «zoophyte» et aussi «tumeur molle (dans le nez)». C'est un hellénisme, pris au grec *polupous, polupodos* «poulpe» et, par analogie de forme, «excroissance de chair, tumeur dans le nez», mot qui est à l'origine de *poulpe** et, indirectement, de *pieuvre**.

♦ *Polype* a été introduit en français par les médecins du XIIIe s. pour désigner une grosseur, une tumeur molle et charnue qui se développe dans les cavités. Il a été repris du latin en zoologie d'abord avec le sens de «poulpe» (1284), évincé par *poulpe*. ◇ Le mot a été repris, d'après le latin scientifique, pour désigner la forme que prennent certains animaux marins anthozoaires à corps mou et à tentacules (1742, sens proche du latin, employé en 1550 chez Ronsard).

▶ Le mot a produit deux termes de pathologie. ➜ **POLYPEUX, EUSE** adj. (1552) «qui constitue un polype», et plus tard **POLYPOSE** n. f. (v. 1950). ➜ En zoologie, le dérivé **POLYPIER** n. m. (1747), «squelette calcaire ou corné sécrété par les polypes», a été créé parce que «ces corps sont pour les polypes ce que les guêpiers sont pour les guêpes».

POLYPHONE adj. est un emprunt savant (1823) au grec *poluphônos* «qui a beaucoup de sons», composé de *polu-* (→ poly-) et *phônê* «son», «voix» (→ -phone, -phonie).

♦ Le mot a été emprunté en acoustique en parlant d'un écho qui répète les sons plusieurs fois; ce sens semble archaïque. En relation avec d'autres emprunts de la même famille, il est passé en linguistique (1869) et en musique (1885) où il a été à peu près éliminé par *polyphonique**.

▶ **POLYPHONIE** n. f. est lui aussi un emprunt savant (1862) au grec *poluphônia* «grand nombre de voix, de sons» en parlant d'oiseaux, de flûtes, dérivé de *poluphônos*. ◇ Le mot a été introduit en linguistique pour désigner la qualité d'un signe graphique propre à représenter plusieurs sons différents; il a disparu dans ce sens, et sert surtout à désigner en musique la combinaison de plusieurs voix, de plusieurs parties dans une composition musicale (1875), et, par métonymie, une composition écrite selon ce procédé (appliqué en particulier du XIIIe au XVIe s.). ➜ Il a produit l'adjectif **POLYPHONIQUE** (1876) qui s'est répandu aux dépens de *polyphone*, et **POLYPHONISTE** n. m. (1885) «musicien dont les œuvres sont composées selon les principes de la polyphonie». L'anglais a *polyphony* depuis 1864, *polyphonic* dès 1782 et *polyphonist* en 1864, mais les attestations françaises pourraient très probablement être avancées et l'on ne peut conclure à l'anglicisme. ◆ La série de termes est donc récente et correspond à l'analyse, en histoire musicale, de la composition à plusieurs voix ou parties, développée après la monodie religieuse, surtout à partir du XIIIe s., et dont on trouve les principes dans l'*Enchirias de musica* (ou *Enchirias musicas*) attribué à Hotgerus ou Otger (fin IXe s.). La polyphonie permet un développement simultané de parties, produisant (horizontalement) le contrepoint et dans la simultanéité (verticalement) l'harmonie. Elle est donc à la base de la musique occidentale. On parlait auparavant d'*harmonie*, de *voix* et de *parties*.

POLYPTYQUE adj. et n. est emprunté (1721) au bas latin *polyptycha* «registres, rôles» (IVe s.), en particulier «registre des revenus d'une église» (VIe s.), également attesté au singulier *polyptychum* avec le même sens (VIe s.) et qui a donné *pouillé** par voie populaire. Ce mot est emprunté au grec *poluptukhos* «aux nombreux plis», dans *poluptukhoi deltoi* «tablettes formées d'un grand nombre de feuilles», formé de *polu-* «nombreux» (→ poly-) et *ptux* «pli» (→ diptyque, triptyque).

♦ Le mot désigne et qualifie une tablette à écrire composée de plus de deux plaques, par opposition à *diptyque*. Il désigne en histoire le registre du cens à l'époque gallo-romaine (1803) ainsi que le registre comportant la description d'un domaine à l'époque franque et carolingienne (*polyptychum* a donné en ancien français la forme évoluée phonétiquement *pouillé*). ◆ De nos jours, *polyptyque* est surtout employé en arts pour un tableau d'autel, une peinture, un retable à plusieurs volets (1909).

◈ voir POUILLÉ.

POLYTHÉISME n. m. est formé, à la Renaissance (1580), sur le grec *polutheos* «qui appartient à de nombreux dieux» et, tardivement, «qui adore de nombreux dieux», de *polus* «nombreux» (→ poly-) et *theos* «dieu» (→ théo-), avec le suffixe *-isme*.

♦ Le mot, qui répond à un antonyme en *mono-* (→ monothéisme), sert à désigner les croyances religieuses en plusieurs dieux et notamment le paganisme antique opposé au judéo-christianisme.

▸ Par substitution de suffixe, on en a dérivé **POLYTHÉISTE** adj. et n. (1725); l'anglais *polytheist* est attesté depuis 1619.

POMMADE n. f. est emprunté (1539) à l'italien du Nord *pomada* correspondant à l'italien *pomata*, attesté au XVe s. à propos d'une crème utilisée pour les soins de la peau. Le mot est dérivé de *pomo* «fruit» et «pomme» (de même origine que le français *pomme**) parce que les anciennes pommades étaient parfumées à la pulpe de pomme d'api (*mela appiuolo* ou *appia*).

♦ Le mot, où le rapport avec *pomme* n'est plus senti, s'appliquait autrefois à une préparation onctueuse composée d'un corps gras et d'essences parfumées, utilisée dans les soins de la peau ou des cheveux. De nos jours, il désigne un onguent médicinal (1611). Cependant, les locutions figurées ***passer de la pommade à qqn*** (1893) et ses variantes abandonnées *coup de pommade, jeter de la pommade* (1878) procèdent du premier sens.

▸ Le dérivé **POMMADER** v. tr. (1581), «enduire de pommade», emploi vieilli, a lui aussi développé le sens figuré de «flatter, amadouer» (1867). ◆ Les deux autres dérivés de *pommade* sont apparus au XIXe s. : **POMMADIN** n. m. (1859), après avoir désigné par dépréciation un garçon coiffeur, s'est dit d'un élégant ridicule (1872) et, en argot, d'un ivrogne, alors en relation avec le sens argotique de *se pommader* «s'enivrer» (1888); **POMMADIER** n. m. (1878) signifie aussi «coiffeur» et, concrètement, «mortier de pharmacien» (1903). Les deux mots sont sortis d'usage, le premier étant encore compris.

✳ **POMME** n. f., d'abord *pume* (1080) puis *pome* (v. 1155), et *pomme* (1273), est issu du bas latin *poma*, pluriel neutre à valeur collective pris comme substantif féminin singulier du latin classique *pomum*. Ce dernier désigne le fruit comestible d'un arbre en général, qu'il soit à noyau ou à pépins. *Pomum* est probablement emprunté, comme beaucoup d'autres noms de fruits latins, mais on ignore la nature de cet emprunt, et même la langue d'origine. À époque tardive (déb. Ve s.), il a pris le sens particulier de «fruit du pommier», en Italie du Nord, dans une partie du domaine rhéto-roman et dans la majeure partie du domaine ibéro-roman; il est alors entré en concurrence avec le nom classique de la pomme, *malum* (→ melon; et aussi camomille, hamamélis), et l'a supplanté. *Pomum* est demeuré avec le sens général de «fruit» en roumain, italien, ancien catalan et ancien espagnol; dans le domaine gallo-roman, il est représenté par l'ancien français *pon* ou *pom* n. m. «pommeau de l'épée» (1080), «boule en forme de pomme surmontant un toit, une tente» (v. 1140) et «fruit du pommier» (v. 1200), longtemps demeuré en wallon et en picard, ainsi que par l'ancien provençal *pom* (v. 1180) «boule de métal surmontant une tente», «fruit du pommier» (v. 1200) et «pommeau de l'épée» (v. 1330). Le procédé de formation du mot est aussi illustré par *pêche, poire, prune* et leurs équivalents romans.

♦ Dès les premiers textes, le mot désigne spécifiquement le fruit d'un pommier, quelquefois investi, comme c'est le cas dans la *Chanson de Roland*, d'une valeur symbolique. Dès le XIIIe s., on le rencontre employé avec une qualification pour désigner une production végétale dont la forme évoque celle de la pomme. Plusieurs de ces syntagmes sont sortis d'usage, sous la concurrence d'une dénomination plus concise, comme *pomme de paradis* (v. 1256) qui sera évincé par *banane, pomme grenate* évincé par *grenade** (mais passé et conservé dans l'anglais *pomegranate*) et *pomme d'orange**, éliminé au profit *d'orange**. D'autres sont restés, tels ***pomme de pin*** (v. 1200) ou encore ***pomme de terre*** (voir à l'ordre alphabétique). *Pomme d'amour* (1549) «tomate» (cf. l'italien *pomo-*

doro) s'est dit également du fruit de la morelle (1845) et, par extension, en confiserie, d'une pomme enrobée de caramel (XXe s.). ◇ Par ailleurs, *pomme*, en français moderne, sert de support à une terminologie (*pomme d'api*, de reinette*, etc.) et le fruit lui-même suscite de nombreuses désignations concernant les variétés comestibles. ◆ Dès la première moitié du XIIIe s., le mot est employé par allusion biblique au fruit défendu du paradis terrestre, d'abord avec l'ancien sens général de «fruit», avant que la tradition populaire ne l'identifie, pour des raisons linguistiques (sens dominant de *pomme*), au fruit du pommier. Au XVIIe s. le mot entre dans des expressions faisant allusion à la mythologie gréco-romaine : ***pomme de discorde*** (1626) évoque la pomme jetée par la Discorde aux trois déesses et que le berger Pâris dut attribuer à la plus belle d'entre elles ; les locutions classiques *emporter la pomme* (1635) et *donner la pomme à une femme* (1694), inspirées par ce mythe, sont devenues archaïques. ◇ ***Pommes d'or*** (XVIIe s., Pascal), désignation traditionnelle des fruits du jardin des Hespérides gardées par un dragon et enlevées par Hercule, pourrait concerner des agrumes. ◆ Dès l'ancien français, le mot s'applique à différents objets ou parties d'objets sphériques ressemblant au fruit : il a servi à désigner une boule creuse de cuivre dans laquelle on mettait la braise pour se chauffer les mains (1293) ; dans *pomme d'ambre* (v. 1278), puis *pomme de senteur*, il s'appliquait à un récipient dans lequel on mettait des parfums ; il se dit aussi d'un cœur de chou disposé en boule (1393), d'où *pommé* (ci-dessous). ◇ Plus tard, *pomme de pin* est passé en architecture (1694) en parlant d'un élément de décor, et on a nommé ***pomme d'arrosoir*** (1680) la petite partie arrondie s'ajustant au bec de l'ustensile. ◇ Au XVIIIe s., le mot s'emploie en marine dans *pomme de raque* (1730) puis *pomme de racage* et *pomme de tournevire* (1773), archaïques. ◇ Les emplois métaphoriques de *pomme* à propos d'une partie du corps humain concernent d'abord le sein d'une femme (av. 1519), emploi introduit par les poètes de la Pléiade. Par allusion au fruit défendu, l'expression ***pomme d'Adam*** (1640) désigne la saillie apparente de la partie antérieure du cou des hommes. La même expression désignait aussi une banane (1611) et une sorte de gros citron. ◆ *Pomme* est entré, du fait de l'usage du fruit en cuisine, dans un certain nombre de syntagmes comme ***pomme cuite*** (1530), ***sucre de pomme*** (1842). ◆ Au XIXe s. apparaissent des emplois populaires et familiers. La locution ***aux pommes*** (1827) signifie «très bien, très beau», peut-être par allusion à un gâteau, une tarte (aux pommes, c'est-à-dire garnie). ◇ ***Tomber dans les pommes*** (1889) «s'évanouir» continue probablement *être dans les pommes cuites* «dans une situation critique» (employé par George Sand) et non pas *dans les pâmes* (→ pâmer), qui n'est qu'un jeu de mots. La locution classique *on abattrait cette muraille à coups de pommes cuites* (1691) connotait déjà l'absence de solidité. ◇ Comme beaucoup de noms de fruits ronds, *pomme* a fourni un nom populaire de la tête (1867, dans *se sucer la pomme* «s'embrasser») et, par métonymie, de la personne (1890, *ma pomme* «moi» d'abord dans l'argot des voyous). ◇ Comme adjectif (1895) puis comme nom, il désigne particulièrement une personne naïve, crédule, emploi à rapprocher de celui de *poire*. On trouve aussi ***bonne pomme*** dans cette acception, emploi argotique, puis familier, où l'on décèle l'influence de *bonne poire* et peut-être du péjoratif *patate*, par *pomme* «pomme de terre».

▶ La dérivation de *pomme* s'est faite en deux temps, en ancien français et au XVIIe siècle. ◆ **POMMIER** n. m., d'abord *pumer* (1080), est dérivé de l'ancienne forme *pume* puis de *pomme* ; le latin médiéval possédait *pomarius* pour désigner l'arbre qui produit des pommes (v. 795) et, antérieurement, le latin classique avait *pomarium* au sens collectif de «verger», mot probablement à l'origine des toponymes du type *Pommier* (XIIe s.) et *Pomers* (Isère). Le mot actuel se rencontre d'abord, peut-être par le simple hasard des attestations, au sens métonymique de «bois du pommier» avant de désigner l'arbre lui-même (1121-1134), avec des syntagmes comme *pommier sauvage* (fin XIIe s.), *fleurs de pommier* (v. 1256). ◇ Au XVIIe s. *pommier* a été reformé (1680) avec le sens technique d'«ustensile de métal dans lequel on met les pommes à cuire». ◆ *Pommier* «arbre» a produit **POMMERAIE** n. f., d'abord attesté comme toponyme sous la forme *pomeroie* (1235), *poumeroie* (1265), à mettre en parallèle avec le latin médiéval *pomeratum* (1059) et, en toponymie, *pomaretam* (1165) [correspondant provençal *poumaredo*]. L'usage du mot comme nom commun pour un lieu planté de pommiers date de la fin du XIIIe siècle. ◆ **POMMETTE** n. f., diminutif de *pomme*, s'est d'abord écrit *pumete* (v. 1140). Il a vieilli au sens propre de «petite pomme», avant de réaliser le sens analogique, d'après ceux de *pomme*, d'«élément, objet en forme de boule, de pomme» (1393), désignant un ornement en forme de petite pomme (v. 1510) spécialement en héraldique. ◇ En anatomie, *pommette* se dit de l'os jugal (1561), puis de la partie la plus saillante de la joue, sens repris dans l'*Encyclopédie* mais peu répandu avant le XIXe s. où il devient usuel (*pommettes saillantes*, etc.). Le mot, dans ce sens, n'a plus de rapport ressenti avec *pomme*. ◇ Il s'est dit de la partie arrondie de la crosse d'un pistolet (1765) et s'emploie techniquement pour un petit ouvrage de serrurerie servant d'amortissement (1869). ◇ On en a tiré l'adjectif **POMMETÉ, ÉE** (XVe s.), utilisé en héraldique. ◆ **POMMELÉ, ÉE** adj., dérivé de *pomme* au moyen du suffixe *-elé* (v. 1165), ne doit pas être confondu avec *pomelé* «muni d'un pommeau» (1230), lui-même dérivé de *pommeau**. L'adjectif qualifie d'abord la robe couverte de taches rondes grises et blanches d'un cheval ; considéré comme un participe passé en *-é*, il a donné naissance à une conjugaison et à un infinitif en *-er*, **POMMELER** v. intr. (1556) «s'arrondir en forme de pomme» très rare avant la seconde partie du XIXe s. (en 1863 chez Gautier en parlant de choux et en 1890 chez Claudel), également sous la forme *se pommeler*. Le verbe est surtout vivant au sens de «se couvrir de taches rondes grises et blanches», habituellement au participe passé adjectivé et en parlant du ciel (1611, *temps pommelé* ; 1680, ***ciel pommelé***). ◆ Au

XVIe s., *pomme* a produit **POMMAGE** n. m. (1582), régional, désignant une variété de pommiers. ➜ Au XVIIe s., il a donné **POMMER** v. intr., plus employé que *pommeler* au sens d'«avoir des feuilles serrées en forme de pomme» (1611) et issu, par élargissement de désinence, de l'adjectif **POMMÉ, ÉE** (v. 1393) usuel en parlant des choux dont le cœur est serré et rond. ◇ L'ancien nom **POMMÉ** n. m. (v. 1330) «cidre», à rapprocher de l'ancien provençal *pomada* «cidre», semble antérieur à l'adjectif. Il a disparu (à la différence de *poiré*) éliminé par *cidre*. ◇ Au XVIIIe s., par allusion à un chou pommé parvenu au terme de son épanouissement, *pommé* a pris le sens familier de «parfait, achevé» (1718). ➜ Le dérivé d'usage technique **POMMELLE** n. f. (1694) désigne une plaque munie de trous servant de filtre à l'embouchure d'un tuyau; c'est probablement une autre graphie de *paumelle* (→ paume) par attraction de *pomme*. Le mot désigne également une sorte de coin de chêne à l'aide duquel les carriers détachent la pierre (1723) et une ferrure de porte.

POMME DE TERRE n. f., syntagme existant bien avant de prendre son sens actuel, est formé (v. 1240 en anglo-normand, 1488 en français de France) avec *pomme** pris au sens ancien de «fruit», *de* et *terre** sur le modèle du latin *malum terrae* qui désignait divers végétaux : le cyclamen (pseudo-Apulée, Oribase), l'aristoloche (Pline), la mandragore (Isidore, pseudo-Dioscoride), un tubercule (valeur retenue en français) ou une sorte de courge. ➜ En ancien français et jusqu'au XVIIIe s., *pomme de terre* désigne une racine tubéreuse, un tubercule comestible : en anglo-normand un tubercule ou une courge; en moyen français, il concerne d'autres valeurs du latin, la racine de mandragore (1488) et le cyclamen (XVe s., donné comme équivalent de *malum terre* ou *pain de pourceau*). Il en va de même pour «aristoloche» (1562), sens qui apparaît dans un ouvrage sur Pline. *Pomme de terre* a ensuite servi à désigner le topinambour (1655), sens qu'il a conservé au début du XVIIIe s. en concurrence avec *poire de terre* avant de le céder à *topinambour*, emprunt au nom ethnique des Tupis du Brésil. ➜ Étant donné que ce que nous appelons aujourd'hui *pomme de terre* est un végétal venu des Andes, du Chili et du Pérou, répandu en Allemagne via l'Espagne et l'Autriche depuis la fin du XVIe s., et ayant pénétré en France par les régions de l'Est, il est probable que le sens moderne (1750) résulte d'une formation indépendante de l'ancien terme *pomme de terre*. Elle constituerait un calque du néerlandais *aardappel* ou de l'allemand dialectal *Erdapfel* «pomme *(apfel)* de terre», d'un premier élément désignant la terre dans les langues germaniques et d'un second dénommant la pomme dans plusieurs langues indoeuropéennes (vieux slave, lituanien). Ces termes désignaient antérieurement — comme en français — diverses plantes à racines tubéreuses ou à gros fruits ronds, par traduction du latin *malum terrae*; le moyen néerlandais *erdappel* s'appliquait à la racine de mandragore, l'ancien haut allemand *ertapfel* à un fruit «poussant en terre». Mais *Erdapfel* a désigné le *solanum tuberosum esculentum* depuis le XVIIe siècle. Le sens moderne de *pomme de terre* s'est généralisé en français avec l'action de l'agronome philanthrope A. Parmentier qui, à partir de 1773 *(Examen chimique des pommes de terre)*, s'efforça de répandre en France l'usage du nouveau tubercule dont il avait étudié les propriétés alimentaires durant six années passées en Allemagne. ➜ Dans cette acception, *pomme de terre* désigne à la fois le tubercule comestible et la plante (1750). ◇ Les emplois figurés et familiers, dans les expressions *nez en pomme de terre* et *sac de pommes de terre* «femme grosse et mal faite», aussi «personne mal habillée», se rencontrent à partir de la seconde moitié du XIXe siècle. Le composé entre dans un certain nombre de noms de préparations culinaires (*pommes de terre frites* → frire, *au four, en robe des champs, sous la cendre,* etc.). ◇ Dans certains de ces emplois, il est fréquemment abrégé en **POMME** (1834 dans *beefteak* [sic] *aux pommes*; 1913, *pommes soufflées*); le risque de confusion avec le fruit est alors évité avec la mention *pomme fruit* lorsqu'il s'agit d'une préparation culinaire dans laquelle entre le fruit, mais seul le contexte permet de lever certaines ambiguïtés *(boudin aux pommes)*. Les désignations du tubercule, surtout sous son aspect alimentaire, se répartissent en français contemporain entre *pomme de terre,* souvent réduit à *pomme* dans *pommes frites, pommes chips, pommes purée,* etc., et *patate**, d'abord populaire puis familier et très usuel. En revanche, au Québec, le mot normal, *patate,* est aujourd'hui concurrencé par *pomme de terre.*

◈ voir POMMADE, POMMEAU, POMOLOGIE.

POMMEAU n. m. est le dérivé précoce, sous la forme *pomel* (v. 1100, Gloses de Raschi), puis *pommeau* (v. 1200, *ponmiau*) de l'ancien français *pom* n. m. «boule arrondie terminant une épée», dérivé régressif de *pomme** ou représentant du latin *pomum.*

♦ Le mot désigne une petite boule surmontant ou terminant un objet, en particulier un chandelier (fin XIe s.), un casque (v. 1160) et, encore de nos jours, la garde d'une épée (av. 1188). Ultérieurement, il s'est appliqué à la partie arrondie de l'arçon d'une selle (1148-1149) et au XIXe s. à la boule située à l'extrémité d'une canne (1834), seul emploi usuel en français moderne. ◇ Son emploi pour désigner un ornement en forme de boule surmontant un tombeau (v. 1160), une tente, un pavillon (v. 1165), un toit (av. 1188) est sorti d'usage, le «pommeau» d'une rampe d'escalier étant appelé *boule.*

POMOLOGIE n. f. est formé savamment de l'élément *pomo-* (également *pomi-*) tiré du latin *pomum* «fruit» (→ pomme) et de l'élément *-logie** servant à former des noms de sciences.

♦ Le mot désigne la partie de l'arboriculture traitant des fruits comestibles, en général ou par opposition à des parties autrement dénommées, comme *agrumiculture.* Par métonymie, il désigne un ouvrage traitant de cette science.

▸ Il a produit les dérivés **POMOLOGUE** n. (1828) ou **POMOLOGISTE** n. (1875), et **POMOLOGIQUE** adj. (1842).

① **POMPE** n. f. est emprunté (v. 1165) au latin *pompa* «procession, cortège», «apparat». C'est un emprunt au grec *pompê* «action d'envoyer» d'où «ce qui est envoyé»; il désigne aussi l'action de reconduire, d'escorter, concrètement l'escorte, le cortège, la mission, et, dans un contexte sacré, la procession; de là, le sens figuré de «faste, éclat» en particulier à propos du style. *Pompê* est un nom d'action tiré du verbe *pempein* «envoyer» d'où «congédier» et «escorter, accompagner», mot dont l'étymologie est obscure.

♦ *Pompe* a été repris avec le sens de «cérémonial, déploiement de faste, de luxe», surtout vivant de nos jours dans la locution ***en grande pompe*** (av. 1662), aujourd'hui usitée avec une nuance plaisante. ◇ Le sens religieux de «faux prestiges, vanités de ce monde» assumé par le pluriel *pompes* (v. 1350), en particulier dans la locution ***renoncer au monde et à ses pompes*** (1690), est encore connu mais archaïque. ➝ Le sens de «cortège solennel» (av. 1502) n'a plus cours mais survit dans l'expression ***pompes funèbres,*** qui succède au singulier *pompe funérailles* (1530), puis *pompe funèbre* (1552), désignant l'appareil d'un convoi pour porter un mort en terre et, par métonymie, l'établissement qui se charge des enterrements (1834). ➝ *Pompe* désigne aussi, dans la langue classique, et d'après le mot grec, la noblesse du style (1636), d'où, par péjoration, la recherche excessive, la grandiloquence dans le domaine littéraire, artistique (1798); seule cette nuance survit. ➝ Dans la seconde moitié du XIXe s., le mot est passé dans le langage des tailleurs, désignant une retouche (1867); puis, il s'est employé par métonymie (1842) pour l'équipe des ouvriers tailleurs à la journée; il entre dans les expressions *petite pompe* (1867) «retouche des pantalons et gilets» et *grande pompe* «retouche des habits et des redingotes» (1867). ➝ Du fait de l'homophonie avec ② *pompe,* le mot a vieilli ou est ironique dans tous ses emplois non techniques, en dehors de *pompes funèbres.*

▸ Les dérivés anciens du mot sont eux aussi sortis d'usage; seul, le terme de tailleur ① **POMPIER, IÈRE** n. (1856) «personne chargée de faire des retouches», est encore usité. Il faut ajouter le terme de beaux-arts ③ *pompier**.
Quant à **POMPEUX, EUSE** adj. (v. 1350), il est probablement emprunté (avec adaptation) au dérivé bas latin *pomposus* (Ve s.) «grave, mesuré, en parlant du pas» et «affecté, emphatique» en parlant d'une personne. ➝ Il qualifie dès les premiers emplois une personne qui affecte une solennité ridicule puis, sans connotation critique, une personne qui a de l'éclat, de la pompe (1474), sens qui a disparu. ◇ Appliqué à une chose, il s'est dit d'un cortège, d'une cérémonie magnifique (1409) et d'un style noble (1572). Dans tous les cas, le mot revêt de nos jours une valeur péjorative, qui n'apparaît dans les dictionnaires que depuis le XIXe s., mais est souvent présente dès le XVIIe s. (Molière, Boileau, La Bruyère), le mot étant souvent associé à un substantif dépréciatif. ➝ Son dérivé **POMPEUSEMENT** adv. (v. 1340), «avec pompe, faste», souvent mélioratif et noble au XVIIe s. (par exemple chez Racine), a pris la même nuance dépréciative «avec emphase» (1686).

✳ ② **POMPE** n. f., attesté depuis 1440-1451, est probablement emprunté au moyen néerlandais *pompe* que l'on ne trouve qu'un peu plus tard (1463) au sens de «conduite d'eau souterraine» et (1556) de «machine permettant d'aspirer ou de refouler un liquide». Ce mot appartient à un groupe germanique (anglais *pump,* v. 1440) et d'origine onomatopéique, peut-être d'un radical *p-p* (que contiennent en français *papa*, poupée*, poupon**) évoquant un bruit de succion, sous une forme nasalisée (comme dans *pompon**).

♦ Le mot désigne une machine permettant d'aspirer ou de refouler un liquide; il a servi à former des expressions comme *pompe aspirante* (1680), *pompe à incendie* (1722), et au XXe siècle *pompe à essence* (1929), ce dernier ayant dégagé un emploi absolu de *pompe* qui a donné *pompiste* (ci-dessous). ◇ *Pompe de chaleur* (1953), puis *pompe à chaleur,* calque de l'anglais *heat pump* (1894) et *pompe thermique* son synonyme (v. 1970) désignent un dispositif capable d'emprunter de l'énergie thermique à un milieu extérieur et de la transporter vers l'enceinte à chauffer au moyen d'un fluide. ➝ Les extensions figurées datent de la seconde moitié du XIXe s. : par l'intermédiaire de *pompe aspirante* (1848), métaphore argotique pour une chaussure percée, le mot a pris régionalement (Berry), puis généralement, le sens familier de «chaussure» (1869) dont procède la locution ***marcher à côté de ses pompes*** (1978). L'anglais *pump* semble avoir précédé le français dans ce type de développement, en devenant le nom d'une chaussure ajustée (escarpin de bal) dès le XVIe siècle. Par métonymie, *pompe* désigne le pied (1884) et la jambe dans ***courir à toutes pompes*** (1921). ➝ Il sert à exprimer une notion de «fatigue physique» dans l'ancienne expression *avoir la pompe* (1909) d'où ***coup de pompe*** (1922). ➝ Le pluriel *pompes* désigne un mouvement de gymnastique (1936), dans lequel les tractions des bras évoquent le fait d'actionner une pompe. ➝ Par analogie, sans valeur familière, *pompe* s'applique à un dispositif à piston, dans *serrure à pompe* pour un type de serrure de sûreté (1898) et en armurerie dans *fusil à pompe.*

▸ Il a donné deux dérivés. ➝ ② **POMPIER** n. m. (1517) a d'abord désigné un fabricant de pompes, sens disparu. Le mot a pris son sens courant : «homme faisant partie d'un corps organisé pour porter secours en cas d'incendie» (1750), et a succédé à *garde-pompes,* cette fonction s'organisant au XIXe s. avec le corps des *sapeurs*-pompiers* (ci-dessous). *Pompier,* en partie démotivé, évoque l'incendie et divers accidents et non plus la pompe et l'eau; il a formé des syntagmes courants *(au feu, les pompiers!; le bal des pompiers...).* ◇ Au XXe s., il se dit aussi en technique d'un ouvrier chargé de la manœuvre ou du fonctionnement des pompes (1955), spécialement dans les mines. ➝ *Pompier* entre dans **SAPEUR-POMPIER** n. m. (1835) devenu plus rare que le simple *pompier* au même sens, et **MARIN-POMPIER** n. m. (v. 1960).

POMPER v. tr. (1558) signifie «faire fonctionner une pompe», en emploi absolu et comme transitif (1580). Au XVIIIe s., le verbe commence à s'employer à propos d'un corps, d'une matière qui absorbe un liquide (1765), d'un être vivant qui aspire un liquide, l'air (av. 1788, Buffon). ◇ Au figuré, il exprime le fait d'attirer à soi, de soutirer qqch. de qqn (av. 1787), de boire (1787) et, spécialement (1792), de boire copieusement du vin (→ pompette). Son sens figuré, «tirer de qqn des informations, le faire parler» (1718, absolument; av. 1755, transitivement), est sorti d'usage. La locution familière ***pomper l'air à qqn*** procède de l'emploi au XVIIe s. de la machine pneumatique (déb. ou mil. XVIIIe s., Saint-Simon). D'autres sens figurés sont apparus au XXe s. et réalisent l'idée de «tirer la substance» : «copier» (1927), «ennuyer», «épuiser» (1955), ce dernier après **POMPÉ, ÉE** adj. (1913). ➡ Le verbe a produit les dérivés **POMPAGE** n. m. (1867) au sens argotique d'«action de boire beaucoup» puis (1890) pour «action de pomper un liquide, un gaz», spécialement en physique (1950, *pompage optique*) et **POMPEUR, EUSE** adj. et n. (déb. XXe s.). ➡ **POMPERIE** n. f. est dérivé soit de *pomper* soit de *pompe;* il a désigné l'action de pomper (1601) et le métier de pompier (1836), avant d'être recréé au sens moderne de «station de pompage, batterie de pompes» (v. 1950). ➡ Le dernier dérivé de *pompe* est **POMPISTE** n. (1933) «personne préposée à la distribution de l'essence» avec quelques spécialisations techniques dans l'industrie pétrolière (1953, Larousse), le commerce et la chirurgie. ➡ Par ailleurs, *pompe* entre comme second élément dans quelques termes désignant des véhicules équipés pour la lutte contre l'incendie : **BATEAU-POMPE** n. m. (1882), **AUTOPOMPE** n. f. (→ automobile) et **MOTOPOMPE** n. f. (1923) «pompe entraînée par un moteur».

◈ voir POMPE-LA-SUEUR (art. SUER), ③ POMPIER.

POMPETTE adj., mot populaire (1807), est d'origine incertaine : Bloch et Wartburg y voient le même mot que *pompette* «nœud de ruban, pompon» (1472) et font remonter celui-ci à un radical onomatopéique *pomp-* exprimant la rondeur (→ ② pompe); ils rapprochent *pompette* «ivre» de l'expression *nez à pompettes* «nez violacé, nez d'ivrogne» (1542, Rabelais). Une autre hypothèse fait remonter *pompette* «ruban» à *poupette* «poupée (de chiffons)» qui serait issu de la famille de *poupée** et dont *pompette* serait une variante nasalisée; le mot aurait pris le sens de «nœud de ruban, pompon» puis, par l'intermédiaire d'une locution non attestée ***°avoir sa pompette, être en pompette*** «être paré, être sur son trente-et-un», celui de «content, gai» et enfin «ivre». On s'accorde également pour reconnaître une influence possible de *pomper** «boire», contemporain de *pompette* «ivre» (*avoir son pompon**, «être ivre», est postérieur).

♦ L'adjectif qualifie une personne ivre, un peu éméchée.

① **POMPIER** → ① POMPE

② **POMPIER** → ② POMPE

③ **POMPIER, IÈRE** adj. et n., terme d'argot artistique, est attesté pour la première fois en 1880 chez Théodore de Banville qui énumère les expressions *genre pompier, style pompier, faire pompier.* D'après Banville lui-même, les casques portés par les personnages de l'Antiquité sur les tableaux de David et de ses épigones auraient suggéré aux contemporains l'image du «pompier qui se déshabille»; cet auteur rappelle le vaudeville de F. A. Duvert, *La Sœur de Jocrisse* (1877) où Jocrisse, regardant une gravure du Passage des Thermopyles, s'écrie : «(...) ils se battent tout nus! (...) Ah! non, non, ils ont des casques... c'est peut-être des pompiers qui se couchent». Le mot se serait ensuite appliqué à des tableaux ridiculement emphatiques. Même dans ce cas, une influence secondaire de ① *pompe** et de *pompeux** est probable; une dérivation de *pompe-pompeux* à *pompier* serait d'ailleurs suffisante quant au sens, avec jeu de mots sur le casque du pompier.

♦ Le mot est substantivé à propos d'un peintre académique et emphatique et, avec une valeur de neutre, de son art. Par extension, il qualifie une chose, notamment une production langagière (discours, écrit) démodée, prétentieuse et ridicule. ◇ En histoire de la peinture, le mot perd (mil. XXe s.) sa nuance péjorative *(une exposition de pompiers)* notamment comme adjectif *(l'art pompier)* et s'applique aux tendances néoclassiques de la peinture noble, depuis la Restauration jusqu'à la IIIe République comprise. L'art pompier, art officiel, s'oppose après 1860 aux tendances modernes (réalisme, impressionnisme, etc.). L'expression ne s'emploie d'abord que par péjoration et en référence implicite à la peinture novatrice, mais elle a été reprise, comme ce fut le cas pour *baroque* ou *impressionniste,* avec une simple valeur descriptive, du moins pour les spécialistes, car le mot reste ironique dans l'usage général.

POMPON n. m., attesté depuis 1556, est d'origine incertaine. Selon Wartburg, il serait issu du radical onomatopéique *pomp-* exprimant l'idée de «rondeur», variante de *pimp-* (→ pimpant); on peut évoquer aussi la forme nasalisée de *p-p* exprimant la succion, la bouche ronde (→ ② pompe, poupée). Selon J. Orr, ce serait précisément une variante nasalisée de *poupon** «tétine», puis «poupée de chiffon» d'où «assemblage de chiffon, pompon» mais cette hypothèse, comme celle que le linguiste propose pour *pompette*,* paraît insuffisamment fondée.

♦ Le mot désigne une houppe de laine, de soie, servant d'ornement, en particulier une houppe pour les ajustements de femme (1722). Le sens figuré, «ornement trop recherché dans le discours» (Voltaire), ne s'est pas implanté. ◇ Concrètement, *pompon* désigne ensuite une houppe de laine que les soldats portaient à leur coiffure (1798); il est entré dans l'expression familière ***à moi le pompon*** «à moi la gloire le premier» (1826) qui a débouché sur ***avoir le pompon de qqch.*** et absolument ***avoir le pompon*** «l'emporter» (1858). ***C'est le pompon*** correspond à «le comble, le bouquet». ◇ Dans l'argot militaire, *pompon* a pris le sens de «soldat ivrogne»

(1863), à rapprocher de *pompette** et du sens figuré de *pomper** «boire» d'où ***avoir son pompon*** «être légèrement ivre» (1888). ◇ Par analogie de forme, ***rose pompon*** désigne une variété de rose à petites fleurs sphériques (1836). Par extension le mot désigne une petite houppe servant à la toilette et dans l'ameublement (1888).

▸ Il a produit **POMPONNER** v. tr. (1798), précédé par **POMPONNÉ, ÉE** adj. (1757) «orné, paré avec recherche». Le verbe signifie proprement «orner de pompons» (1798) et *se pomponner* (1798) rend l'idée de «se parer avec soin et coquetterie». À la différence de *pompon,* vieilli en ce sens, on rencontre quelquefois le verbe et l'adjectif au figuré pour «agrémenter (agrémenté) avec excès» à propos d'un style en littérature (1772, *phrases pomponnées*).

PONANT n. m., réfection morphologique (1566) de *ponent* (v. 1240), est emprunté à l'ancien provençal *ponen* «ouest, vent d'ouest» (XIIe s.). Ce mot remonte au latin populaire *(sol) ponens* «(soleil) couchant» qui a donné l'italien *ponente* et l'espagnol *poniente*; l'expression est formée de *sol* (→ soleil) et du participe présent de *ponere* «se poser, se coucher (en parlant des astres)» (→ pondre), sens supposé d'après l'italien *porre* «se coucher, pour le soleil», et qui aurait concurrencé le latin *occidere,* dont le participe présent a donné *occident**.

♦ Le mot est passé en français pour désigner le vent d'Ouest et l'Occident (XIIIe s.), valeurs qu'il a conservées dans les parlers régionaux et, pour la dernière, dans la langue littéraire. Il a servi à désigner l'océan Atlantique par opposition à la Méditerranée, soit dans *mer de Ponant* (1566), soit employé absolument par métonymie (1678). *Ponant* s'opposant à *Levant.*

▸ Son dérivé **PONANTAIS, AISE** adj. et n. (1662) a vieilli, tant pour désigner un marin des côtes françaises de l'Atlantique que pour qualifier ce qui est originaire de l'Occident, symétriquement à *levantin.*

◈ voir PONDRE, POSITIF, POSITION.

◈ ✳ **PONCE** n. f. est issu (v. 1245) du bas latin des gloses *pomicem,* accusatif de *pomex, -icis,* doublet du latin classique *pumex* «pierre ponce» : le vocalisme initial *o* ne peut être que l'adaptation d'un *oi* normalement conservé en osque, langue d'une région volcanique (Ernout-Meillet); on est devant une forme dialectale latinisée. Il s'agit peut-être d'un mot indigène comme *sulpur, sulphur* (→ soufre), rapproché secondairement du latin *spuma* ou bien d'un mot de la famille de *spuma* «écume» (→ spumeux), sans *s* initial. *Spuma* est rapproché du sanskrit *phénaḥ* «écume» et d'autres mots indoeuropéens, dont les formes germaniques qui ont abouti à l'anglais *foam.*

♦ Le mot est surtout courant en français dans l'expression ***pierre ponce*** (1538); *pierre de ponce* (de 1694 à 1759) a vieilli, puis disparu. ◇ *Ponce* a développé deux spécialisations techniques : il désigne le sachet rempli de poudre avec lequel on tamponne une feuille portant un dessin piqué pour le reproduire (1621); dans l'industrie textile, le mot s'applique à l'encre grasse faite d'huile et de noir de fumée pour marquer l'extrémité des pièces de toile (1723).

▸ **PONCER** v. tr. (av. 1250) est plutôt le dérivé de *ponce* que le représentant du dérivé latin *pumicare* «polir à la pierre ponce». ◆ Ce verbe a d'abord eu le sens d'«épiler» par spécialisation du sens général de «polir, décaper, abraser à la pierre ponce» (fin XIIIe s.). ◇ Le sens figuré ancien, «rendre plus pur» (fin XIIIe s.), ne s'est pas maintenu. ◇ Le verbe a développé quelques spécialisations techniques : il signifie «bien unir un parchemin après qu'il a été raturé, en y passant la pierre ponce» (1415); en art, il correspond à «passer (la pierre ponce, puis un sachet de poudre)» sur les trous dont un dessin est piqué pour le reproduire (1622); en industrie textile, il recouvre l'idée de «marquer l'extrémité de (une pièce de toile) à l'aide de la ponce» (1723).
Parmi les dérivés techniques, **PONCIF** n. m., d'abord *ponsif* (1551), a connu le développement sémantique le plus riche. Le mot désigne en art le dessin piqué sur lequel on passe la ponce pour le reproduire sur un papier ou une étoffe; il a éliminé une forme *poncis* (1621). ◇ Au XIXe s., il se dit par extension d'un dessin fait de routine, selon un type et des procédés conventionnels (1828), *faire ponsif* se disant pour «peindre sans originalité» (1828). Ce sens a disparu, mais le mot est passé dans l'usage comme adjectif (1833) et comme nom (av. 1850, Balzac), appliqué à ce qui est banal, à ce qui manque d'originalité en art et en littérature. L'adjectif (qui s'accorde en nombre mais non en genre) a vieilli puis disparu, mais le nom est devenu courant. ◆ **PONCIVEMENT** adv. et **PONCIVITÉ** n. f., relevés chez quelques auteurs de la fin du XIXe et du début du XXe s., ne se sont pas implantés.
Les autres dérivés de *poncer,* **PONÇAGE** n. m. (1812) et **PONCEUR, EUSE** n. (1842), sont techniques, le féminin *ponceuse* s'appliquant à une machine-outil servant à poncer (1907). ◆ *Ponce* a aussi produit un terme de minéralogie, **PONCEUX, EUSE** adj. (1839) «de la nature de la pierre ponce».

① **PONCEAU** n. m., réfection en *-eau* (1549) de *puncel* (v. 1112), *poncel* (v. 1190), est emprunté au latin populaire °*ponticellus,* variante du latin classique *ponticullus* «petit pont», diminutif de *pons, pontis* (→ pont).

♦ Le mot désigne un petit pont d'une seule travée servant à franchir un ruisseau, un fossé; en ancien français, il se disait aussi d'un petit pont-levis.

▸ Il a produit son propre diminutif, **PONCELET** n. m. (XVe s.) «très petit pont d'une seule travée».

② **PONCEAU** n. m., réfection (1409) des formes en *-el, pouncel* (XIIe s.), *pooncel* (déb. XIVe s.), etc., est dérivé de *paon** avec le suffixe diminutif *-el, -eau* par comparaison entre les couleurs éclatantes de la fleur et celles de l'oiseau. On trouve en moyen français une variante *panceau* (mil. XIVe s.).

♦ Le mot désigne un pavot sauvage de couleur rouge, appelé usuellement «coquelicot» d'après la couleur de la crête du coq, donc un autre oiseau. Il est employé en apposition au sens de «rouge très vif et très foncé» (1669), d'usage littéraire. ◇ Il est spécialement employé en chimie pour un colorant servant à teindre en rouge vif.

PONCHO n. m., qui apparaît (1716) dans une relation de voyage au Chili et au Pérou, est emprunté à l'espagnol d'Amérique *poncho*, attesté depuis le XVIIIe s. à propos d'un manteau de paysan fait d'une pièce de tissu en laine percée d'une ouverture pour la tête. Ce mot, fréquemment employé en référence aux Indiens, existait antérieurement en castillan (1530) pour désigner une petite couverture que l'on pose sur la croupe du cheval, ainsi qu'une chemise de nuit épaisse. L'origine en est controversée : l'une des hypothèses en présence le fait provenir de l'espagnol *ponchou* ou *pocho* «décoloré», qui a pu se spécialiser pour désigner une sorte de couverture d'une seule couleur, sans dessins. Le sens de cet adjectif semble être une extension à partir du sens de «flegmatique, lymphatique», la racine *poch-, ponch-* étant apparentée à une autre racine *pach-* de création expressive et représentée dans l'espagnol *pachon* «flegmatique, lymphatique».

♦ Le mot désigne un type de vêtement de dessus, en usage en Amérique du Sud et formé d'une seule pièce percée d'un orifice pour la tête et, par extension, un vêtement de forme comparable. Il entre comme second élément dans quelques termes d'habillement : *cape-poncho, robe-poncho, veste-poncho* sont attestés dans la presse de mode autour de 1976-1977.

PONCIF → PONCE

PONCTION n. f., réfection étymologique (XVIe s.) de *poncion* (XIIIe s.), est emprunté au latin *punctio, -onis* «action de piquer», par métonymie «pointe», dérivé du supin *(punctum)* de *pungere* «piquer» (→ poindre).

♦ Le mot, attesté une première fois au XIIIe s. pour «action de piquer» et çà et là au XIVe s. au sens métonymique de «piqûre», n'a conservé ni ces sens ni ceux de «sensation comparable à une piqûre» et «caractère de ce qui est âcre au goût» (XVIe s.). ➛ Il est demeuré dans l'usage avec une spécialisation médicale, «intervention par laquelle on évacue les liquides épanchés dans une partie du corps en y faisant une ouverture au moyen d'un instrument pointu» (1444), par exemple dans *ponction lombaire*. ➛ Par métaphore, il est passé récemment dans le vocabulaire des finances pour désigner un prélèvement d'argent (1945).

▶ Il a produit **PONCTIONNER** v. tr. «faire une ponction chirurgicale» (1837) dont est tiré **PONCTIONNEUR** n. m. (1857), nom d'instrument qui semble avoir vieilli.

PONCTUEL, ELLE adj., d'abord écrit *punctuel* (v. 1380), est emprunté au latin médiéval *punctualis* «qui va à un point», terme de géométrie dérivé du latin *punctum* «piqûre, point» (→ point).

♦ L'adjectif, introduit avec le sens temporel de «précis, exact» en parlant d'un moment, est rare avant le XVIIe s. où il commence à s'appliquer à une personne qui fait à point nommé ce qu'elle doit faire (1611), puis qui est toujours à l'heure (1848). Le sens concret, «en forme de pointe» (v. 1565, *cautère ponctuel*), n'a eu qu'une existence brève. ◇ En linguistique, on parle d'*aspect ponctuel* d'un verbe lorsqu'il exprime une action considérée à un moment précis (1933). ◇ L'adjectif qualifie aussi, matériellement, ce qui peut être assimilé à un point, et, abstraitement, ce qui porte sur un point précis (1945) par opposition à *global*.

▶ Le dérivé **PONCTUELLEMENT** adv., d'abord écrit *punctuellement* (1450) «à point nommé», puis «à l'heure exacte» (1845), signifie abstraitement, «en partant sur un point isolé, non globalement» (1908). ➛ **PONCTUALITÉ** n. f. (1627) exprime d'abord l'exactitude à faire ce que l'on doit à point nommé, devenu littéraire et rare ; le sens aujourd'hui courant, «qualité d'une personne toujours à l'heure» (1832), correspond au sens moderne usuel de *ponctuel*.

◈ voir PONCTUER.

PONCTUER v. tr., d'abord *punctuer* (1400) et *poncter* (1404), est emprunté au latin médiéval *punctuare* «mettre des signes de ponctuation dans un texte écrit», dérivé du latin classique *punctum* (→ point).

♦ Le verbe a d'abord eu les sens de «discerner» et «accentuer en lisant» (1404), propres au moyen français. Le sens moderne correspond à «mettre des signes de ponctuation dans un texte» (1550, *punctuer* écrit *ponctuer* depuis le XVIIe s. [1660]). ◇ Les extensions sont apparues d'abord en musique pour «diviser en phrases (une composition musicale)» (1767, J.-J. Rousseau) puis, dans l'expression orale, «souligner par des gestes, des exclamations (ce que l'on dit)» (1833) et «ce qu'un autre dit» (av. 1922, Proust) ; ces derniers sens réaniment des valeurs anciennes : «accentuer en lisant» (1404) et «marquer les repos dans la récitation d'un poème» (1513), plus techniques. ➛ Le sens spatial, «parsemer de points, de taches en forme de points» (1862, Gautier), procède du participe passé (ci-dessous).

▶ Le participe passé adjectivé **PONCTUÉ, ÉE** (1778) est employé à propos d'un animal parsemé de taches en forme de points. Antérieurement, *ponctué* (1679) qualifie une ligne formée d'une suite de points et un texte où l'on a marqué les signes de la ponctuation (1690), sens toujours en usage. ➛ Le dérivé **PONCTUATION** n. f., d'abord *punctuation* (1522), désigne l'action, la manière de ponctuer un texte, d'où *signes de ponctuation* (1845). Par métonymie, il désigne en typographie chacun des caractères correspondant à un signe de ponctuation (1701). Il a développé les mêmes sens analogiques que le verbe, tant en musique (1845) qu'en botanique (1869). ➛ Quant à **PONCTUATEUR** n. m., dérivé savant de *ponctuer* (déb. XVIIIe s.), il désigne en histoire religieuse celui qui avait la charge de relever le nom des chanoines n'ayant pas assisté à l'office.

◈ voir **PONCTUEL.**

PONDÉRER v. tr. est emprunté (v. 1355) au latin *ponderare* «peser» et au figuré «estimer, apprécier, juger». Ce verbe est dérivé de *pondus, -eris* «poids pour balance», «corps pesant», «masse, quantité» et, au figuré, «influence, autorité, importance». *Pondus* appartient à la famille de *pendere* (→ pendre) avec le vocalisme en *o* de la racine, mais il a été supplanté par un dérivé de *pendere, pensum,* qui a donné *poids** et *pensum**.

♦ *Pondérer,* employé jusqu'au XVIe s. avec le sens figuré de «peser, considérer, examiner», repris dans la langue littéraire du XIXe s. (1835, Stendhal), est sorti d'usage, se maintenant dans l'anglais *to ponder* (XIVe s.). ◆ Le verbe a été repris dans le langage politique pré-révolutionnaire, d'abord sous la forme du participe passé adjectivé *pondéré* (1771, Rousseau) puis du verbe (1787), pour «équilibrer les forces politiques concurrentes». ◇ Par extension, **PONDÉRÉ, ÉE** qualifie (1867) une personne aux jugements équilibrés et sans excès. ◆ Avec un sens plus concret, le verbe correspond en art au fait d'équilibrer des masses, des volumes (1863), puis en statistiques à l'établissement d'un coefficient numérique pour assurer la représentativité d'un échantillon, de donner une importance particulière à un paramètre par rapport aux autres pour rétablir une plus juste représentativité (v. 1960), ce dernier sous l'influence de *pondération.*

▸ Le nom correspondant, **PONDÉRATION** n. f. (1455), semble dérivé du verbe plutôt qu'emprunté au dérivé latin *ponderatio, -onis* «pesage, pesée». ◇ Comme *pondérer,* il a été en usage jusqu'au XVIe s. pour «estimation, examen attentif». Il a développé (1676) la valeur d'«équilibre des masses et des volumes en peinture et sculpture», puis s'est employé pour désigner l'action d'équilibrer, de s'équilibrer mutuellement, en parlant de forces politiques (1771, Rousseau, *pondération des pouvoirs*) et des qualités morales d'un individu (1784). Ultérieurement, il est passé en statistiques et en mathématiques (v. 1960). ◆ **PONDÉRATEUR, TRICE** adj., employé au XVIe s. comme nom pour désigner un procureur (1522), a été repris comme adjectif (1845) pour «qui a un effet modérateur»; c'est un mot littéraire.

PONDÉREUX, EUSE adj. est emprunté, avec adaptation du suffixe (1350, *ponderos*), au latin *ponderosus* «lourd, pesant» et au figuré «grave», dérivé de *pondus.* Le mot n'a pas conservé le sens figuré de «grave» (1413) qui était vivant en moyen français, mais s'est maintenu avec le sens concret de «lourd, pesant», attesté dès les premiers textes et de nos jours restreint à un usage technique. ◇ Il est substantivé au masculin pluriel pour désigner des marchandises pondéreuses (v. 1950).

PONDÉRABLE adj. est emprunté (1782) au dérivé bas latin *ponderabilis* «qui peut être pesé». Le moyen français a eu un adjectif *pondérable* (1452), dérivé du verbe français *pondérer,* aux sens de «pesant, lourd» et «qui pèse, qui accable», en usage aux XV et XVIe siècles. ◇ L'adjectif moderne qualifie une chose dont on peut déterminer le poids. ◆ Il est d'un usage plus didactique et moins courant que son antonyme préfixé **IMPONDÉRABLE** adj. (1795) «qui ne peut être pesé» et, en parlant d'abstractions, «dont l'action ne peut être exactement appréciée ni prévue» (1883), employé comme adjectif et comme nom (surtout au pluriel, *les impondérables*). ◆ On a formé sur ces deux adjectifs **PONDÉRABILITÉ** n. f. (1842) et **IMPONDÉRABILITÉ** n. f. (1834), ce dernier employé également comme synonyme d'*apesanteur* (1962), et tous deux didactiques.

◈ voir **POUND, PRÉPONDÉRANT.**

PONDRE v. tr., d'abord *pundre* (v. 1121), est issu du latin *ponere* «poser, déposer» (→ ponant), seulement conservé dans le domaine gallo-roman dans sa spécialisation rurale, «déposer ses œufs» *(ponere ova);* le sens général vit dans l'italien *porre,* l'espagnol *poner* et le portugais *pôr;* en français, il est représenté par un dérivé de *ponere* qui l'a évincé (→ poser). L'origine du mot est inconnue, bien qu'on identifie l'existence d'un préverbe *po-* comparé au slave *po-* et au grec *epi-* (→ épi-).

♦ Le verbe correspond à «déposer (un œuf)», en parlant d'une femelle ovipare, en emploi transitif et absolu. ◇ Pris par métaphore (v. 1225, *covoitise* [«convoitise, envie»] *tous maux pont*), il a développé le sens figuré de «produire», quelquefois ironiquement en parlant d'une chose mal faite (1790, *voilà qui est bien pondu*), surtout, familièrement, en parlant d'un écrit, d'une œuvre de l'esprit (1837, Balzac). ◇ Par analogie, *pondre* est appliqué populairement à une femme qui met au monde un enfant (av. 1701).

▸ Le nom d'action **PONTE** n. f. (1570) est la substantivation au féminin d'une ancienne forme de participe passé de *pondre, pont, ponte* (remplacé par *pondu*). Il désigne l'action de pondre, avec les extensions métonymiques «période de ponte» (1570) et «œufs pondus» (1600); par analogie, il est employé en physiologie (1847) pour «ovulation». ◇ On le rencontre rarement au sens figuré pour «action de produire un écrit et résultat de cette action» (XIXe s.) correspondant au sens figuré du verbe. ◆ **PONDEUR, EUSE** adj. et n. (XVIe s.) est d'abord un adjectif qualifiant une poule qui pond, surtout qui pond beaucoup habituellement, qualifié dans *une (bonne) pondeuse* (1798). ◇ Le mot est employé au figuré, péjorativement, en parlant d'une femme (1785, Sade) et d'un auteur, d'un artiste trop fécond (1862). ◆ **PONDOIR** n. m., nom technique, désigne l'endroit où pondent les poules (1806), **PONDAISON** n. f. (1842) reprend à *ponte* le sens d'«époque de la ponte des œufs chez les oiseaux».

◈ voir **COMPOSTER, COMPOTE, DÉPONENT, DISPONIBLE, EXPONENTIEL, IMPOSTE, IMPÔT,** ② **PONTER,** composés en -**POSER, POSITIF, POSITION,** ① **POSTE,** ② **POSTE, POSTICHE, POSTILLON, POSTURE, PRÉVÔT, SUPPÔT.**

PONEY n. m. (1822), d'abord noté *ponii* (1801) et *pony,* est emprunté à l'anglais *pony* attesté depuis 1659 sous une forme *powny,* d'origine écossaise (également *powney* et *powny* en 1751). On suppose que cette forme est issue d'un type antérieur °*pou-*

leney lui-même emprunté au moyen français *poulenet* (1444), diminutif de *polain, poulain**. La graphie *pony* se rencontre en français chez Stendhal (1827) et chez Chateaubriand (1848).

♦ Le mot désigne un cheval de petite taille, trapu, à crinière épaisse.

▸ La forme francisée **PONET, ETTE** (1825), encore donnée par Littré, est sortie d'usage, mais la langue familière a repris le féminin **PONETTE** pour un poney femelle et au figuré (probablement par l'argot des turfistes) une jeune fille, une femme.

PONGÉ n. m., d'abord *pongée* (1883), écrit *pongé* depuis 1918, est emprunté à l'anglais *pongee* (1883), antérieurement *paunche* (1711) puis *bungee* (1760), désignant une soie fabriquée à partir de cocons d'un ver sauvage se nourrissant de feuilles de chêne. Le mot anglais est probablement emprunté au chinois du Nord *pŭn-chī* «métier à tisser», variante du mandarin *pun-kī,* ou *pun-cheh* «tissage fait à la maison». On a aussi évoqué le radical de l'anglais *sponge* «éponge», lui-même emprunté au latin *spongia* (→ éponge).

♦ Le mot désigne un tissu léger constitué d'un mélange de laine et de bourre de soie.

PONGISTE → **PING-PONG**

PONT n. m., d'abord *punt* (1080), est issu du latin *pontem,* accusatif de *pons, pontis* «construction reliant deux points, séparés par une dépression, passerelle», mot panroman et celtique. *Pons* est à rattacher à une série de termes indoeuropéens désignant le chemin, comme le védique *pánthāh̦*, le grec *patos* «chemin» et peut-être *pontos* «mer» au sens de «lieu de passage» (cf. *le Pont-Euxin*). Pour la forme, le latin *pons* serait superposable au vieux slave *pųtĭ*. Quant aux noms du pont, ils varient d'une langue à l'autre et même à l'intérieur d'un même groupe comme on le voit par les formes grecques (attique *gephura,* béotien *bephura,* etc.). De même, en germanique, le vieil islandais *brú* ne concorde pas avec la forme élargie de l'ancien haut allemand *brucca,* du vieil anglais *bryćġ* (d'où l'anglais *bridge*).

♦ Le mot est passé en français en gardant le sens latin de «passerelle joignant deux points»; il est entré dans un certain nombre de syntagmes précisant la nature du passage ainsi établi : *pont de neis* (nefs) [v. 1260], *pont de bateaux* (1677); on parle de *pont dormant* (1358-1359) pour un petit pont fixe, de *pont volant* (1611) pour la passerelle reliant le bateau au bord, puis pour un pont mobile (1690). Ultérieurement, sont apparus *pont suspendu* (1765), *pont tournant* (1813), *pont transbordeur* (1855), *pont-canal* (1889) au fur et à mesure des innovations techniques. ◆ Assez tôt, *pont* correspond à la notion figurée de «ce qui sert de lien entre deux choses» (v. 1200). Le mot entre dans des locutions *battre qqn comme âne à pont* (v. 1179) «battre qqn comme un âne qui va passer un pont», manifestant la première association entre le pont et l'âne, réalisée dans ***pont aux ânes*** (fin XVe s.), au figuré «conversion d'une proposition» (1532, Rabelais) et «chose, problème facile que tout le monde connaît ou sait résoudre» (1584), spécialement en géométrie (1877) «démonstration du théorème du carré de l'hypoténuse». ◇ La dénomination ***Ponts et Chaussées*** (1626) s'applique au service public chargé principalement de la construction et de l'entretien des voies publiques; elle a donné son nom à l'école (1804) et, souvent abrégée en *Ponts,* à l'ingénieur sorti de cette École des ponts et chaussées. ◇ La locution figurée ***faire un pont d'or (à qqn)*** «assurer des conditions financières excellentes» (1614) succède à l'idée de «faciliter la retraite de l'ennemi» (1616-1620), assumée antérieurement par *faire un pont d'argent* (1585). La locution ***il passera bien de l'eau sous les ponts,*** à valeur temporelle (1640), est en relation avec d'autres locutions indiquant une relation avec le temps, comme ***couper les ponts.*** Les extensions analogiques du mot sont nombreuses : *pont* désigne concrètement (1155) le plancher ou l'assemblage de planches que l'on jette d'un navire à terre ou d'un navire à un autre pour faciliter débarquement, embarquement, etc., puis l'ensemble des bordages recouvrant entièrement une rangée de barrots (XVIIe s.), donnant lieu à un certain nombre de dénominations dont *pont supérieur, faux pont, pont-promenade* (1925) et à des composés, ***deux-ponts*** (1864), ***trois-ponts*** (1843) désignant des navires, et *deux-ponts* un avion. ◆ À partir du XIXe s., en couture, *pont* désigne une partie de vêtement pouvant se rabattre (1818), et, par ailleurs, en mécanique automobile (1898, *pont arrière*) l'ensemble de l'essieu et des organes transmettant le mouvement moteur aux roues avant ou arrière. ◆ Par analogie de forme avec les anciens ponts de pierre, *pont* correspond à l'idée de «courbure» dans des acceptions spécialisées : entre tricheurs, au jeu, il désigne la courbure légère donnée à une carte pour déterminer l'adversaire à couper à un endroit donné (1718, *faire le pont*). De là viennent les expressions figurées ***couper dans le pont*** «tomber dans le panneau» (1847), et en argot *faucher dans le pont* (1837). ◆ En sports, le mot exprime la même image de forme courbe et s'emploie en lutte (1877), en gymnastique (1971), à propos d'une position du corps. ◇ Depuis 1948, il entre dans l'expression ***pont aérien*** «liaison aérienne continue au-dessus d'une zone où les autres moyens de communication sont impossibles ou trop lents». ◆ La valeur figurée de «période chômée entre deux jours fériés» *(un pont de trois jours, le pont du 15 août...)* vient de l'expression ***faire le pont*** (1867).

▸ Le mot a produit quelques dérivés et composés, pour la plupart d'usage technique. ◆ Le composé **PONT-LEVIS** n. m. (v. 1200, *pont levëis*), de l'ancien adjectif *levis* «qui se lève» (de *lever**), a servi de synonyme à *pont* dans une acception analogique en habillement, pour des chausses (1542) et des souliers (1671) à la mode à la fin du XVIe et au XVIIe siècle. ◆ Le dérivé verbal de *pont,* ① **PONTER** v. (1272-1274, sous la forme anglo-normande *pounter*) semble attesté une seule fois avant le XVIe s. (v. 1500); il a quasiment perdu son ancien sens de «jeter un pont» pour correspondre en marine à «couvrir (un bateau) d'un pont» (1558). En relation avec la spécialisation de *pont* en lutte, il est employé intransitivement au sens de «faire le pont».

Son usage en chirurgie correspond à *pontage;* il s'emploie alors à l'actif comme au passif, le participe étant adjectivé et substantivé. ◆ Le nom **PONTAGE** n. m. semble avoir été dérivé de *pont* directement (1269) en parlant du droit qui se percevait au passage d'un pont ou d'un bac (le latin médiéval atteste v. 700 la forme *pontacium).* ◇ De nos jours, peut-être par dérivation du verbe, il désigne la construction d'un pont (1611) et surtout l'opération par laquelle on jette un pont provisoire. ◇ Sa spécialisation en chirurgie correspond à la réunion de deux veines distantes l'une de l'autre par greffage sur un troisième segment (av. 1970).

◆ **PONTET** n. m. «petit pont» (1536), postérieur à l'ancien provençal (XIIIe s.), est sorti d'usage, remplacé par *ponceau**. Il a été repris avec des spécialisations techniques en armurerie (1803) et en sellerie (1835). ◆ Au XVIIe s., *pont* (de navire) a donné le composé **ENTREPONT** n. m. (1671), mot désignant l'espace, l'étage compris entre deux ponts, spécialement l'espace entre le faux pont et le premier pont. ◆ Encore au XVIIe s., **PONT-NEUF** n. m. (1639) s'est employé dans quelques locutions, par allusion au Pont-Neuf de Paris, construit sous le règne de Henri IV et qui était un lieu très fréquenté par les baladins, les saltimbanques, les petits théâtres et les prostituées. Après *Chanson du Pont-Neuf* (1639), *un pont-neuf* s'est employé par métonymie (1717) pour une chanson populaire connue, et a pris le sens de «lieu commun, banalité», aujourd'hui sorti d'usage. *Faire le pont neuf* signifiait «faire qqch. d'extraordinaire» (1672) parce que le Pont-Neuf était le symbole d'une réussite architecturale remarquable. On dit encore ***se porter comme le Pont-Neuf*** (1770) «très bien», avec un jeu de mots sur *neuf* et une allusion à la solidité proverbiale de ce pont. *Un pont-neuf* s'est dit pour «voleur» et «prostituée» au XVIIe et au XVIIIe s., par allusion à la fréquentation du lieu (ci-dessus). — De nos jours on connaît l'expression *pommes pont-neuf.* ◆ Le nom de fromage **PONT-L'ÉVÊQUE** n. m. inv. est tiré (1660) de celui de la ville, chef-lieu de canton du Calvados, proche de la région où se fabrique ce fromage. ◆ Au XVIIIe s., apparaît le dérivé technique **PONTIL** n. m. (1723), pour une petite barre de fer en forme de «T», dans l'industrie du verre (l'ancien provençal a *pontilh* au sens de «petit pont, ponceau»). ◆ **PONTÉE** n. f. (1832) a désigné collectivement l'ensemble des supports d'un pont militaire et, de nos jours, l'ensemble des marchandises pouvant tenir sur le pont d'un navire marchand (1836). ◆ **PONTIER** n. m. (1875), «garde-écluse», désigne celui qui est chargé de la manœuvre d'un pont mobile.

PONTON n. m. est issu (v. 1245) du latin *pontonem,* accusatif de *ponto, -onis,* dérivé de *pons* (→ ci-dessus pont), pour désigner un bateau servant d'élément pour un pont de bateau, un bac. ◆ *Ponton* s'est d'abord appliqué à un pont, en particulier à un pont-levis (1360-1370), sens qu'il a perdu. Dans le contexte militaire, il se dit d'un grand bateau plat servant à passer une rivière (v. 1360, peut-être dès 1251) et, par latinisme, un pont flottant composé de bateaux joints (1532). ◇ De nos jours, le mot désigne, en marine, un vieux navire employé dans les ports aux gros travaux (1515), et servant de dépôt de marchandises, de prison (1813, par allusion aux pontons dans lesquels les Anglais détinrent les Français prisonniers au cours des guerres de l'Empire). ◇ Il sert enfin de nom à une plate-forme flottante reliée à la terre et servant à débarquer (1876). ◆ *Ponton* a produit deux dérivés. ◆ **PONTONNAGE** ou **PONTONAGE** n. m., d'abord *pontenaige* (1225), désignait le droit que l'on percevait autrefois pour la traversée d'une rivière, soit sur un pont soit sur un bac. ◇ **PONTONNIER** n. m., d'abord *pontenner* (fin XIIe s.), probablement influencé par le latin médiéval *pontonarius* (1110), a désigné un batelier, un passeur percevant le droit de pontonage. Depuis la période révolutionnaire (1795), il désigne un soldat du génie spécialisé dans la construction de ponts et de pontons militaires. Sa spécialisation professionnelle pour la personne chargée de la manœuvre d'un pont mobile (XXe s.) en fait le synonyme de **PONTIER**, dérivé de *pont.*

Le composé préfixé **APPONTEMENT** n. m. (1789) désigne une plate-forme avec tablier et pont sur pilotis le long de laquelle un navire vient s'amarrer. ◆ C'est d'après ce nom qu'a été formé **APPONTER** v. intr. (1948), pour un bateau qui aborde à un appontement puis un avion qui atterrit sur la plate-forme d'un porte-avions, d'où **APPONTAGE** n. m. (1948) et **APPONTEUR** n. m. (1960), termes d'aéronavale.

◈ voir PONCEAU, PONTER, PONTIFE.

① PONTE → PONDRE

② et ③ PONTE → ② PONTER

① PONTER → PONT

② PONTER v., terme de jeux (1718, mais antérieur), est dérivé de *pont, ponte,* ancien participe passé masculin de *pondre** (→ ponte). *Pondre* n'ayant conservé en gallo-roman que le sens rural de «déposer ses œufs», on évoquera, pour le développement sémantique, l'ancien provençal *ponher* «poser» (1344), le moyen français *poner* (XVe s.) qui signifiait dans les pays de Loire «remonter des marchandises sur la Loire» puis en franco-provençal «mettre de l'argent, payer». Le latin classique *ponere* «poser» connaissait cette acception particulière de «déposer un enjeu».

♦ Le verbe est employé intransitivement au sens de «miser contre le banquier» et, transitivement (1831), au sens de «miser qqch. sur qqch.», absolument «miser».

▸ Il a produit deux dérivés. ◆ Le terme de jeux **② PONTE** n. f. (1703) semble être le déverbal de *ponter* malgré le décalage chronologique; il désigne chacun des joueurs qui jouent, parient contre le banquier dans un jeu de hasard. Il est passé dans l'usage courant avec les sens figurés de «membre d'une mutuelle sur la vie» (av. 1778) et «spéculateur» (1839, Balzac, *Maison Nucingen*). ◇ Probablement par l'emploi de ***gros ponte*** «gros joueur», donc supposé riche, et sous l'influence de *pontife* dont il peut être aussi l'aphérèse (mais les deux mots ne se rejoignent par le sens qu'un peu plus tard), il a pris le sens de «richard» et «dépensier»

(1883, argot des officiers de l'armée de terre) puis «homme important» (souvent, *un gros ponte*). ◆ Il semblerait que l'homonyme ③ **PONTE** n. m. (1682), qui désigne un as de couleur rouge lorsqu'on joue dans ces couleurs au jeu de l'hombre, soit un autre mot, emprunté de l'espagnol *punto* (→ point). ◆ **PONTEUR** n. m. (1750) est rare pour désigner un joueur qui mise contre la banque, en concurrence avec *ponte*.

PONTIFE n. m. est emprunté, d'abord sous la forme latine *pontifex* (v. 980) francisée en *pontifice* puis raccourcie en *pontif* (v. 1508), au latin *pontifex*, désignant une catégorie de prêtres. Le mot, formé de *pons* (→ pont) et *-fex*, élément tiré de *facere* (→ faire), est un terme d'institutions dont le sens littéral est, selon les Anciens, «faiseur de ponts» : l'apparition des ministres du culte qu'il désigne était liée à l'origine, selon Varron, à la construction du pont Sublicius, pont de charpente sur le Tibre. Malgré la caution et les commentaires de R. Caillois, cette explication n'est peut-être qu'une étymologie populaire, car rien dans les fonctions du *pontifex* n'indique un rapport effectif avec *pons*. Par la suite, *pontifex* est employé par les auteurs chrétiens pour le prêtre, l'évêque, le prélat.

♦ En français, le mot désigne d'abord le grand prêtre des Juifs. Dans la religion catholique, c'est le titre donné au pape, de nos jours renforcé en ***souverain pontife*** (v. 1504; antérieurement *roumain* [romain] *pontifiche*, fin XIIIe s.), puis à un haut dignitaire ecclésiastique, évêque (1564) ou prélat. ◇ Par généralisation, il se dit d'une personne revêtue d'un ministère sacré (1538) et s'emploie spécialement comme terme d'Antiquité romaine (1680). ◇ Il est passé dans l'usage courant, d'abord pour désigner un homme riche (1611), puis une personne qui exerce une autorité dans quelque domaine (1794, *pontife du crime* chez André Chénier). ◇ Il a pris une valeur familière ironique, comme adjectif (1872) et comme nom (1888), rejoignant le sens familier de *ponte* (→ ponter).

▶ **PONTIFICAL, ALE, AUX** adj. est emprunté (1269) au latin *pontificalis* «de pontife», en particulier «du grand pontife» puis, chez les auteurs chrétiens, «du prêtre, du prélat», dérivé de *pontifex*. ◆ L'adjectif qualifie ce qui appartient à la dignité d'évêque, de pape. Il est substantivé (n. m.) pour désigner le livre contenant le rituel de l'ordination et du ministère des évêques (1374). ◇ En relation avec une autre acception de *pontife*, il qualifie ce qui est relatif au pape (av. 1380) et ce qui a certaines caractéristiques du pontife : majesté, éclat (1404), souvent avec une connotation péjorative. ◆ On en a dérivé **PONTIFICALEMENT** adv., d'abord *pontificalment* (1374), de sens propre et (1698) figuré. ◆ **PONTIFICAT** n. m. est un emprunt (1368) au dérivé latin *pontificatus* «dignité de pontife» pour désigner la dignité de pape. ◇ Par métonymie, le mot s'applique au temps pendant lequel un pape et, par extension, tout autre pontife exerce son autorité (déb. XVIe s.). À la différence des autres mots de la même famille, il n'est guère employé au figuré, même si, à l'époque classique, on rencontre la locution *en grand pontificat* «en grande pompe» (1631), sortie d'usage.

PONTIFIER v. intr. est emprunté en moyen français (1408-1436) au latin chrétien *pontificare* «exercer le souverain pontificat», «élever à la dignité de pape» (XIe-XIIIe s.), tiré de *pontifex* avec l'élément verbal *-ficare* pour *facere* (→ faire). ◆ Le verbe français, au sens initial, «élever à la dignité de pape», est sorti d'usage. ◇ Il a pris ses valeurs modernes au XIXe s. sous l'influence de *pontife :* dans l'Église catholique, il correspond à «officier pontificalement» (1801); plus encore que les autres mots de la même famille, il s'emploie surtout avec un sens figuré et péjoratif : «avoir dans ses gestes, son ton qqch. d'important, de solennel» (1866), ce qui rend l'acception religieuse très rare. ◇ Son participe présent est adjectivé, **PONTIFIANT, ANTE** adj. n'a que la valeur de «docte et solennel».

PONTIL → PONT

PONTON → PONT

POOL n. m. est emprunté (1887) à l'anglo-américain *pool* désignant l'entente entre différents producteurs pour organiser et contrôler un marché, initialement dans les chemins de fer (1875). L'anglais *pool*, terme de jeux, désignait l'enjeu déposé au début de la partie par chacun des joueurs (1665), puis le fonds commun constitué pour régler ou encaisser les pertes et gains de différents contributeurs (1872); de là son sens en affaires, «entente, combinaison». *Pool* est peut-être emprunté au XVIIe s. au français ② *poule* n. f. terme d'argot des joueurs (1665) désignant la quantité d'argent ou de jetons qui résulte de la mise de chacun des joueurs et qui appartient à celui qui gagne le coup (→ ② poule).

♦ *Pool* est passé en français avec le sens du mot américain; par extension, il désigne un organisme international chargé d'établir une répartition des ressources et d'organiser un marché commun dans l'intérêt des consommateurs (av. 1959). Par analogie, il est employé à propos de personnes en groupe travaillant ensemble et assurant des tâches identiques dans une entreprise, un organisme (1960). Dans ces deux acceptions apparues au milieu du XXe s., *pool* a déjà été remplacé : dans le premier cas, *le pool européen du charbon et de l'acier* est devenu la *Communauté européenne du charbon et de l'acier*, et le *pool vert* le *Marché commun agricole*. Dans le second cas, le terme, qui reprend un sens américain (1945), est critiqué et on propose de le remplacer par *communauté, groupement, centre* ou *centrale, comptoir* selon le contexte; mais on continue à parler d'un *pool de dactylos*, etc. Les commissions de terminologie signalent aussi la tendance dans les milieux de l'escrime et du rugby à employer *pool* au lieu du terme français ② *poule* pour «compétition avec affrontement successif des concurrents et des équipes».

POP adj. inv. et n. m. recouvre deux emprunts distincts (v. 1955-1960) à l'anglais ou à l'anglo-américain *pop*, abrègement de *popular*, lui-même emprunté au XVᵉ s. au français *populaire** «destiné au peuple». Le mot a connu une grande fortune dans un contexte musical, où, après une attestation isolée en 1862, il s'est répandu aux États-Unis dans *pop song* «air, chant populaire» (1926) et *pop music* «musique populaire» (1954), parallèlement à l'usage du substantif *pop* à propos d'un concert populaire (déjà en 1898) et, au pluriel *pops*, une série de concerts à la portée de toutes les bourses. D'abord appliqué de manière très large à toutes les musiques de variétés, le mot s'est restreint, surtout en Europe, à la musique dérivée du jazz par l'intermédiaire du rock and roll, genre apparu vers 1956 : il a ainsi tendu à s'employer pour *rock music*. Le phénomène musical (avec sa phraséologie : *pop album* 1949, *pop ballad* 1955, *pop band* 1958, *pop singer, pop concert*, etc.), lié à l'essor de l'industrie du disque, est dépassé par le phénomène social (festivals, *groupies*) qui concerne notamment la jeunesse des années 1970. ➜ Le mot *pop* a connu parallèlement un essor plus élitiste dans le domaine de l'art : l'expression *pop art* apparaît en Angleterre entre 1954 et 1957, date de sa première occurrence écrite ; on en attribue l'invention au critique Lawrence Alloway, désignant les travaux de l'Independent Group, qui réunissait de jeunes artistes soucieux de se tourner vers les images de la technologie, de l'environnement urbain et des mass media, en réaction à l'épuisement d'une certaine abstraction. La technique de réutilisation des objets et débris de la vie quotidienne en art remonte à Duchamp (les *ready-made*) et à Kurt Schwitters, mais son exploitation plus systématique est anglo-américaine. Dans les années 1950, le phénomène se développe avec beaucoup plus d'ampleur aux États-Unis où, après Rauschenberg et Johns, il réunit les noms de Roy Lichtenstein, Rosenquist, Warhol, Wesselmann, Oldenburg.

♦ Le français a repris le terme dans son acception musicale, comme adjectif (1955 ; diffusé à partir de 1965) et comme nom (1964, au masculin ; 1970, au féminin), pour les genres de musique anglo-américaine regroupant certaines formes de jazz, le rock et le folk-song. ◇ Il a emprunté certains composés comme **POP MUSIC** n. f. (1967, *pop'music*), *pop star, pop song*. ➜ Dans un contexte artistique, beaucoup moins «populaire» que celui de la musique, le français a repris **POP-ART** n. m. au début des années 1960 (1964, d'après Höfler) : il ne l'a pas appliqué au mouvement français similaire (d'un groupe baptisé «nouveaux-réalistes» en 1960 par P. Restany), mais à l'art américain introduit à Paris dès 1963 par la galerie Sonnabend et consacré en 1964 par l'attribution du prix de la Biennale de Venise à Rauschenberg. Comme *pop music, pop-art* est abrégé en *pop* et ce mot sert aussi d'adjectif avec des noms français *(musique pop)*. En art, différentes branches de la nouvelle imagerie *pop* se développent dans d'autres pays d'Europe (Italie, Allemagne, Espagne, Belgique).

POP-CORN n. m. est emprunté (1893) à l'anglo-américain *popcorn* attesté depuis 1860 pour désigner les grains éclatés d'une certaine variété de maïs qui contient plus d'huile que les autres. C'est par métonymie le nom anglais courant de la variété *Zea maya everta* dont on peut faire éclater les grains sous l'effet de la chaleur (1819). Le composé est la contraction de *popped corn*, de *corn* (1608) «maïs», mot reposant sur la même racine que le latin *granum* (→ grain), et *popped* «éclaté», participe passé de *to pop* (1850) pris dans son sens américain de «faire chauffer, griller ou rôtir des grains de maïs jusqu'à ce qu'ils éclatent avec un petit bruit sec». Ce dernier vient de l'anglais *pop* (1591), onomatopée pour un bruit de pétard ou d'explosion.

♦ Le mot, d'abord cité dans les récits de voyageurs, pour désigner cette variété de maïs alimentaire, s'est répandu avec le sens courant de «grains de maïs éclatés» avec la vogue de plusieurs produits américains introduits en France par l'armée des États-Unis après les débarquements alliés (1946).

POPE n. m. (1655), d'abord *popi* (au pluriel, 1606), est d'abord attesté dans une traduction de l'italien, puis dans une traduction de l'allemand. Le mot est emprunté, par ces deux intermédiaires, au russe *pop* «prêtre de l'Église orthodoxe russe». Celui-ci serait emprunté au germanique occidental °*papo* (ancien haut allemand *pfaffo*), issu du grec tardif *papas* nom enfantin du père correspondant au latin *pappa* (→ papa), mais aussi terme de respect et d'affection appliqué aux évêques, spécialement à l'évêque de Rome, auquel il a été réservé depuis le XIᵉ s. (→ pape).

♦ Le mot désigne un prêtre appartenant à une Église orthodoxe.

◈ voir **PAPAS.**

POPELINE n. f. est, sous sa forme actuelle (1735), emprunté à l'anglais *poplin* (1710) qui vient lui-même du français *papeline* (1667), avec altération vocalique de *pape-* en *pope* «pape» ; on croyait en effet le mot emprunté à l'italien *papalina*, littéralement «papale», l'étoffe devant son nom au fait qu'elle fut d'abord fabriquée à Avignon, ville papale de 1309 à 1791. *Papeline* est plutôt l'altération du nom de la ville de *Poperinghe* en Flandre, célèbre au moyen âge pour ses draps qui se vendaient sous le nom de *dras de Poperinghes*. La forme avec *pa-* est attestée en Espagne dès 1268 et l'altération de *r* en *l* existe également en espagnol et en italien (*vergati di Popolungo* à Florence) sans que l'on voie nettement ce qui l'a causée.

♦ Le mot, attesté au XVIIIᵉ s. dans un inventaire à Bordeaux, semble inusité avant le début du XIXᵉ s. (1821). Il désigne proprement un tissu à chaîne de soie et, par extension, un tissu léger, imitant la popeline, à chaîne de laine ou de coton (en emploi déterminé, 1869).

POP MUSIC → **POP**

POPOTE n. f. et adj. inv. (1857), est d'origine incertaine : c'est peut-être l'altération d'une forme non attestée °*soupote*, dérivé en *-ote* de *soupe** par croisement avec *pot** ; on peut évoquer à l'appui de cette hypothèse la forme *poupettes* n. f. pl. «potage de gruau d'avoine et de pain» (fin XVᵉ s.) qui est elle-même l'altération de *soupette* «petite soupe» (1576, *souppette*) d'après *pot*. Selon P. Guiraud, *popote* serait issu de *papo, papote* «bouillie», mot du langage enfantin, dérivé de *paper* «manger», représentant du latin de même sens *pappare*, et qui aurait été croisé avec *poper* «téter» de formation expressive (→ poupée).

♦ Le mot apparaît dans l'argot militaire pour désigner la réunion de plusieurs personnes prenant leurs repas en commun et faisant caisse commune, sens réalisé dans *se mettre en popote* (1903), *faire popote ensemble* (1935). Ce sens tend à vieillir, sauf dans son extension métonymique de «local, restaurant où les membres de la popote prennent leurs repas»; cf. *cantine*. ◇ Attesté au sens de «bouillie, soupe» comme terme enfantin (1868), *popote* s'est répandu dans le langage familier au sens de «cuisine, nourriture». Il est employé adjectivement pour qualifier, d'abord en argot puis dans l'usage familier, une personne embourgeoisée et tranquille (1867) et son comportement; le sens est voisin de celui de *pantouflard* et reprend la métaphore de la marmite, présente au XIXe s. dans *pot-bouille*.

▶ Son unique dérivé, **POPOTIER** n. m., terme d'argot militaire (1908), désigne celui qui organise, gère la popote.

POPULAGE n. m. s'est fixé sous cette forme (1778) après *populago* (1752), et l'adaptation en *populague* (1755). Le mot est emprunté au latin scientifique moderne *populago*, nom donné par Tournefort et d'autres botanistes à une plante de la famille des Renonculacées, parce qu'elle se trouve souvent le long des eaux parmi les peupliers. Le mot est en effet dérivé du latin *populus* (→ peuplier) sur le modèle de noms de plantes comme *tussilago* (→ tussilage), *plantago* (→ plantain).

♦ Dans la langue des botanistes, *populage* a été supplanté par *caltha*, du latin classique *caltha*, qui désignait le souci (le *populage* est également appelé *souci d'eau*).

POPULAIRE adj. et n., d'abord *populeir* (fin XIIe s., in Tobler-Lommatsch) puis *populaire* (v. 1330), est emprunté au latin *popularis* «du peuple, aimé du peuple, dévoué au peuple», dérivé de *populus* (→ peuple). *Popularis* est substantivé au pluriel pour désigner les partisans des classes modestes; à l'époque chrétienne, il désigne les laïcs par opposition aux clercs; en latin médiéval, il est appliqué aux gens du peuple.

♦ Le mot, introduit en français avec le sens de «du peuple, composé de gens du peuple», qualifie aussi ce qui a cours dans le peuple, lui est propre (v. 1330). Cette valeur de l'adjectif est liée à *peuple** et a suivi ses acceptions successives, utilisant les oppositions entre couches, puis classes sociales et, à partir du XIXe s., les connotations politiques. Ainsi *culture populaire, théâtre populaire* tendent à des valeurs institutionnelles, surtout après 1936, en France *(Théâtre national populaire* ou *T. N. P.)*. ➛ Les autres significations essentielles du mot datent du XVIe s. : ce sont d'abord des valeurs caractérisantes, oscillant entre un contenu mélioratif, «naturel, simple, sans prétention» (1556, Ronsard) et une valeur péjorative, «sans manières, vulgaire» (1580, Montaigne). ◇ *Populaire* qualifie aussi, depuis le XVIe s., la personne et la chose qui jouissent de la faveur du peuple (1559), sens qui s'est répandu (fin XVIIIe s.) sous l'influence de l'anglais *popular* (Lettre de 1780 à Gustave III de Suède par Mme de Boufflers). ➛ L'acception politique du mot, en parlant d'un gouvernement où l'autorité est entre les mains du peuple, est attestée depuis 1588 (Montaigne). Depuis, l'adjectif a fait carrière en politique pour qualifier tendances et partis démocratiques et égalitaires (par exemple dans l'expression ***Front populaire***). ➛ L'usage substantivé remonte au XIVe s. : *les populaires* désigne alors les gens du peuple (1373). Ces valeurs sont archaïques, mais on emploie encore *le populaire* pour «le peuple», péjorativement ou ironiquement. ◇ L'emploi du féminin pluriel *populaires* pour désigner les places les moins chères dans un théâtre, un stade (1912) est une ellipse pour *places populaires*.

▶ **POPULAIREMENT** adv. (1508) signifie «d'une manière populaire, parmi le peuple», en particulier dans le domaine de l'expression. ➛ **POPULARISER** v. tr. est d'abord attesté (1622) à la forme pronominale *se populariser* «se répandre partout (d'un usage)». L'usage de la construction transitive date de la période révolutionnaire (1793). ◇ Le verbe a produit **POPULARISATION** n. f. (1845) et **REPOPULARISER** v. tr. (1836) mais son autre dérivé verbal **DÉPOPULARISER** v. tr. (1779, à la forme pronominale, 1790) est sorti d'usage. ➛ Les antonymes préfixés de *populaire* sont apparus dans la période prérévolutionnaire : **IMPOPULAIRE** (1780) «qui déplaît au peuple» qualifie des actes *(mesures, politique)*, des personnes, et **ANTIPOPULAIRE** (1782) signifie «opposé aux intérêts du peuple». ◇ Formé plus tard, **IMPOPULARISER** v. tr. (1874) est inusité. ➛ *Populaire* n. m. (voir ci-dessus) est abrégé en **POPULO** n. m. (1867) sur le modèle de *propriétaire/proprio;* il désigne le peuple, une foule, un grand nombre de gens; péjoratif à la fin du XIXe s., il tend à vieillir. L'adjectif *populaire* employé en politique a été abrégé en **POPU** dans *Front popu* (sorti d'usage) ou allusif et plaisant.

POPULEUX, EUSE adj., emprunt (1491) au latin impérial *populosus* «nombreux, peuplé», dérivé de *populus*, a gardé le sens du mot latin; il a eu une forme à finale en *-os, -ose* (1500, *populoze ville*), mais la forme féminine moderne *populeuse* est attestée dès 1553. ◇ Sous l'influence de *populaire* et *populace*, il a quelquefois le sens particulier de «fréquenté par des gens du peuple», mais dans la plupart de ses emplois, il est neutre et senti comme lié à *population*.

POPULACE n. f. est un emprunt de la Renaissance (1552) à l'italien *popolaccio* «plèbe» (XVIe s.), dérivé à l'aide du suffixe péjoratif *-accio* de *popolo*, de même origine que le français *peuple**. ➛ Le mot, qui a gardé en français une valeur très péjorative, a d'abord été masculin jusqu'au XVIIe s., parfois avec la graphie *populas* (1562, Scève). Le genre féminin (1561) a triomphé par alignement sur les mots féminins à finale en *-e*. Le mot est un équivalent hostile de «bas peuple», «foule ou masse populaire» et a beaucoup servi dans un vocabulaire politique antidémocratique. ◇ Son dérivé **POPULACIER, IÈRE** adj., attesté une première fois dans le syntagme *parler populacier* (1576), a été repris à l'époque révolutionnaire (1796). ◇ C'est également sous la Révolution que l'on relève les premières attestations de **POPULACERIE** n. f. (1791), «mœurs, manières de la populace», qui est sorti d'usage.

POPULARITÉ n. f. est emprunté (1568) au dérivé latin *popularitas* «appartenance au même peuple, à la même nation; ce qui lie ceux du même peuple», également «recherche de la faveur du peuple». Après une unique attestation au sens politique de «gouvernement populaire», dans une traduction de la *Politique* d'Aristote, le mot a été réintroduit au XVIIIe s. avec le sens de «manière d'agir de celui qui cherche la faveur du peuple, du grand nombre» (1725), repris au mot latin. ◆ Cependant, c'est la notion objective de «faveur du peuple, succès auprès du grand nombre» (1751), emprunt sémantique à l'anglais *popularity* (1601), lui-même repris au français au XVIe s., qui s'est imposée. ◇ L'influence de l'anglais se fait sentir aussi sur l'antonyme **IMPOPULARITÉ** n. f., introduit en même temps que l'adjectif correspondant (1780) comme calque de l'anglais *unpopularity* (XVIIe s.) et qui correspond à *impopulaire* (ci-dessus).

POPULISME n. m., formé savamment (1929) sur le radical du latin *populus* (→ peuple) avec le suffixe -*isme*, désigne une école littéraire se proposant de peindre les mœurs des hommes du peuple sans garder les théories sociales ou le style du naturalisme. Il désigne plus largement (en arts, en politique) l'importance donnée aux couches populaires de la société. Il s'est appliqué en particulier à un courant politique russe dans les années 1850-1880, traduisant alors le russe *narodnichestvo* (de *narod* «peuple»), et à un mouvement politique américain à la fin du XIXe siècle. ◆ **POPULISTE** adj., enregistré en 1907 dans le *Larousse mensuel*, est lui aussi formé savamment sur le latin *populus* avec le suffixe -*iste*. Ses sens correspondent à ceux du nom.

◈ voir POP, POPULATION.

POPULATION n. f. recouvre trois unités lexicales distinctes dont une seule, la plus récente, s'est maintenue. ◇ Le mot a d'abord été emprunté (1335, Oresme) au bas latin *populatio, -onis* «ensemble des habitants d'un lieu» (Ve s.), mot dérivé de *populus* (→ peuple) et différent du latin classique *populatio*, dérivé de *populari* «dévaster» qui a lui-même un représentant en moyen français (XVe-XVIe s.). Ce premier *population* est resté rare, de même que son antonyme *dépopulation* «diminution ou disparition de population». Il était l'homonyme d'un dérivé de l'ancien verbe *populer*, le nom d'action *population* «fait d'être habité» (1490), qui existait à côté de *repopulation* «fait de repeupler» (1424), lui-même dérivé de *repopuler*. Ce second *population* a été évincé par *peuplement*, dérivé du verbe *peupler*. ◆ Le mot actuel est une troisième unité lexicale (1682) empruntée à l'anglais *population* «peuplement, ensemble des habitants d'un pays, d'une région», lui-même emprunté au moyen français.

♦ *Population* a d'abord eu le sens actif d'«action de peupler», sorti d'usage sous la concurrence de *peuplement*. Le sens moderne qui retrouve celui du premier emprunt au latin (1750) constitue probablement aussi un emprunt à l'anglais qui l'avait depuis 1612 (Bacon). ◇ Les extensions ultérieures désignent l'ensemble des habitants d'un lieu considérés comme constituant une catégorie particulière (1778) et, par analogie, l'ensemble des espèces végétales et animales d'un endroit (1778), ou encore les habitants d'un lieu considérés d'un point de vue autre que démographique (1831). ◇ Ultérieurement (vers le milieu du XXe s.) le mot est passé dans l'usage scientifique au sens d'«ensemble limité d'individus, d'éléments de même espèce observés ensemble ou réunis abstraitement», spécialement en physique *(population d'électrons, d'un niveau d'énergie)*.

► Le mot n'a produit que des dérivés didactiques récents : **POPULATIONNISME** n. m. (v. 1950) et **POPULATIONNISTE** adj. (1959) sont relatifs à la doctrine de ceux qui, adversaires du malthusianisme, sont favorables à l'accroissement de la population considérée comme source de richesse. ◆ **SURPOPULATION** n. f. a été créé (1910) pour désigner une population trop nombreuse.

DÉPOPULATION n. f., emprunté (v. 1355) au latin *depopulatio* «dévastation, ravage», a eu le sens de celui-ci. Il s'est éteint derrière l'antonyme de *population*, formé avec le sens moderne de «diminution de population» (XVe s.). Son évolution a été la même que celle de *dépeupler* (→ peuple).

◈ voir POPULAIRE.

POQUET n. m. est dérivé (1848), au moyen du suffixe diminutif -*et*, de *poque* «petit trou que les enfants font en terre pour jouer». Ce dernier est soit la forme dialectale de *poche**, soit le déverbal de *poquer* v. (XVIe s.), emprunté au flamand *pokken* «frapper» (sans étymologie connue, probablement onomatopéique), et employé au sens de «frapper», spécialement «lancer la boule assez haut pour qu'elle ne roule pas une fois qu'elle a touché le sol» (1731). Ce verbe est sorti d'usage, sauf régionalement.

♦ *Poquet* est un terme d'horticulture désignant un petit trou dans lequel on dépose plusieurs graines ou tubercules.

PORC n. m. est emprunté (1080) au latin *porcus* «porc domestique», nom générique : le latin dit *verres* pour le mâle (→ verrat) et *scrofa* pour la femelle, bien que Caton emploie *porcus femina* et *porca* pour désigner la truie. Le mot traduit aussi le grec *khoiros* «cochon» employé comme désignation des parties sexuelles de la femme, sens qui se comprend d'après *porcelaine** «coquillage en forme de vulve de truie» ; en outre *porcus marinus* désigne le marsouin (cf. en ancien français *porpeis* «poisson porc» pour le marsouin, l'expression *cochon de mer* et l'étymologie de *marsouin*). *Porcus* est employé en composition dans des noms qui donneront en français *porc-épic** et *truie**. Le mot n'appartient qu'à une partie de l'aire indoeuropéenne et, à la différence de °*su-* (représenté en latin par *sus*), il désigne uniquement l'animal domestique. On le compare avec l'irlandais *orc*, des mots germaniques comme l'ancien haut allemand *farah* et, pour désigner l'animal jeune, des mots slaves. É. Benveniste a donné de sérieuses raisons de croire que *porcus* désigne surtout le jeune animal. *Porcus* a éliminé *sus*, plus bref et de déclinaison moins régulière, qui a donné le français dialectal (Bourbonnais) *suie* «truie», et servi à former le nom de classification zoologique *suidés*.

♦ *Porc* désigne comme en latin l'animal domestique élevé pour sa chair, spécialement le mâle adulte; en ce sens, et dans la plupart de ses extensions, il est concurrencé par *cochon**, d'abord bien distinct (comme l'anglais *pig* l'est de *pork*, emprunté), alors qu'il a supplanté *pourceau** dans l'usage courant. Par métonymie, *porc* désigne la chair comestible de l'animal (v. 1155), à la fois dans *char* («chair», aujourd'hui *viande*) *de porc* et elliptiquement *du porc* dans *porc salé* (1538), *porc frais* (1688). ◇ L'emploi de *porc sauvage* pour «sanglier» (1170) de même que celui de *porc marin* pour «marsouin» ont vieilli puis disparu. ➛ Le mot a développé dès l'ancien français (v. 1209) le sens figuré d'«homme débauché, glouton, grossier, sale» comparable à celui de *cochon* mais plus injurieux (*cochon* étant souvent ironique, plaisant, et aussi plus sexualisé). ◇ Par une autre métonymie mettant l'accent sur l'usage de l'animal en peausserie, *porc* désigne la peau tannée de l'animal (dans *peau de porc*, et *du, en porc*). Voir aussi le schéma page ci-contre.

Le mot a produit **PORCHERIE** n. f. (1302), réfection de *porkerie* (v. 1170) avec le sens collectif de «troupeau de porcs», sorti d'usage. Le mot désigne aujourd'hui le local où l'on tient les porcs (1227); il a développé tardivement le sens figuré d'«endroit sale» (1842). ➛ **PORCHAISON** n. f. (1389), terme de vénerie dans lequel *porc* a le sens de «sanglier», a désigné la chasse au sanglier puis la saison pendant laquelle le sanglier est le plus gras et le meilleur à manger (1655).

PORCIN, INE adj. est emprunté (v. 1225), pour servir d'adjectif à *porc**, au latin *porcinus*, dérivé de *porcus* (→ porc). ➛ Le mot a la valeur déterminante de «du porc, relatif au porc», en particulier dans les syntagmes *beste porcine* (1393), archaïque, et *race porcine* (1857). ◇ En relation avec l'emploi figuré de *porc*, l'adjectif qualifie personnes et choses qui rappellent le comportement du porc, ses particularités physiques (*un visage porcin*), souvent avec la connotation péjorative de «grossièreté» (XIIIe s.). ➛ Son emploi substantivé comme terme de classification zoologique, en concurrence avec *suidé*, est attesté depuis 1792 (au pluriel).

PORCHER, ÈRE n. est issu par changement de suffixe (1530) de l'ancien français *porchier* (v. 1140), lui-même issu du latin *porcarius* «personne qui garde les porcs, s'en occupe», dérivé de *porca*, féminin de *porcus*. ➛ Le mot a conservé le sens du mot latin.

◈ voir PORCELAINE, PORC-ÉPIC, POURCEAU.

PORCELAINE n. f., qui semble être employé pour la première fois dans le *Livre de Marco Polo* (1298), est emprunté à l'italien *porcellana* qui, bien que n'étant attesté qu'au XIVe s., devait faire partie du vocabulaire de Marco Polo et de Rusticien de Pise avec ses deux sens : «mollusque logé dans un coquillage univalve» et «céramique fine et dure». *Porcellana* est dérivé de *porcella* «truie», féminin de *porcellus* (→ pourceau) parce que le coquillage était comparé à une vulve de truie. Le second sens vient d'une comparaison entre la matière et le coquillage, qui ont en commun le même aspect brillant et poli.

♦ Le mot, aujourd'hui complètement démotivé, a été introduit avec les deux sens. Celui de «matière fine et dure» a eu quelques extensions : par métonymie, *une porcelaine* désigne un objet de cette matière (1298); par métaphore, il a donné lieu à des emplois exprimant l'idée de fragilité et d'éclat, de brillant, notamment la locution adjective ***en porcelaine, de porcelaine*** (1831, Balzac). L'expression proverbiale ***être comme un éléphant dans un magasin de porcelaine*** n'est attestée qu'en 1955, mais doit être bien antérieure.

▸ Le mot a produit quelques dérivés didactiques. ➛ **PORCELANITE** n. f., d'abord *porcellanite* (1763), a désigné une porcelaine fossile. ➛ **PORCELAINIER, IÈRE** n. et adj. (1818), formé avec le suffixe d'agent *-ier*, désigne le marchand de porcelaine, celui qui fabrique la porcelaine; il est adjectivé au sens général de «relatif à la porcelaine». ➛ **PORCELANIQUE** adj. (1858) qualifie ce qui a l'aspect de la porcelaine, comme **PORCELAINÉ, ÉE** adj. (1894), concurrencé par la forme savante **PORCELANÉ, ÉE** (v. 1950) et d'usage plus didactique. ➛ **PORCELAINEUX, EUSE** adj. (XXe s.) qualifie ce qui contient de la porcelaine et qui sert à en fabriquer. ➛ **PORCELAINERIE** n. f. (XXe s.) désigne une fabrique de porcelaines.

PORC-ÉPIC n. m. est la réfection (1508, *porc espic*), sous l'influence de *piquer**, de *porc espi* (v. 1230), forme en usage jusqu'au XVIIe s. à côté de *porch espin* (v. 1270). Ce type ancien, transmis à l'anglais *porcupine* au XIVe s., est emprunté à l'italien *porcospino*, attesté depuis le milieu du XIVe s. mais plus ancien. Ce mot est issu d'un latin populaire °*porcospinus*, calque sémantique formé avec *porcus* (→ porc) et *spinus* (→ épine), du grec *akanthokhoiros*, composé de *akanthos* «épine» (→ acanthe) et *khoiros* «porc» (→ phacochère). La forme semble avoir été empruntée par le français par l'intermédiaire de l'ancien provençal *porc espi*.

♦ Le mot, en dehors de son sens propre, «petit rongeur dont le corps est recouvert de longs piquants», sert quelquefois à désigner une personne peu sociable, difficile (cf. *hérisson*); il a été donné comme surnom à Louis XII (1515) et a servi d'emblème dans des armes parlantes.

PORCHAISON → PORC

PORCHE n. m. est issu (av. 1100) du latin *porticus* «passage couvert à colonnes» (d'où divers emplois particuliers mettant l'accent sur la destination du lieu), et «galerie couverte pour la guerre de siège» dans l'usage militaire; *porticus*, par calque du terme grec *stoa* «portique», a aussi désigné l'école stoïcienne grecque. Le mot, qui a donné par emprunt *portique**, est dérivé de *porta* (→ porte).

♦ *Porche* a d'abord eu le sens de «vestibule, pièce devant une maison», sens général qui a disparu.

les noms indoeuropéens du PORC

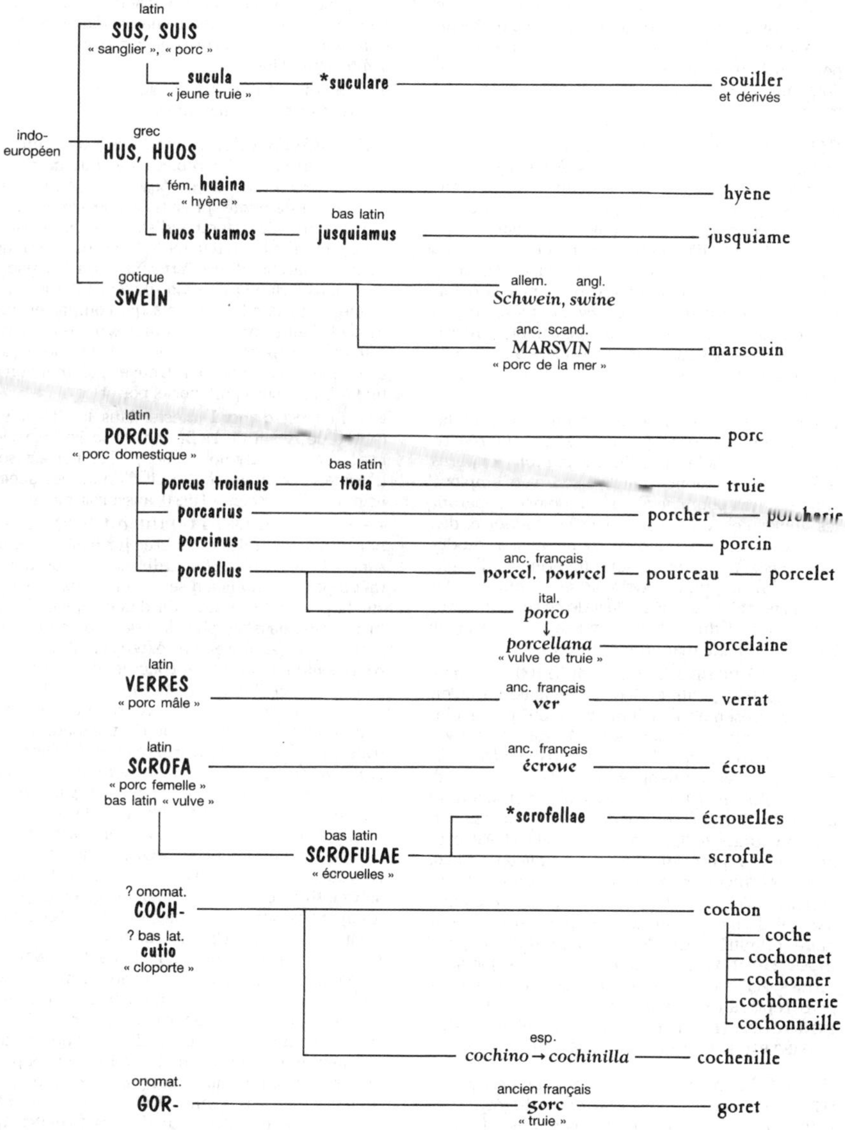

L'emploi spécial pour la construction en saillie abritant la porte d'entrée d'un édifice, spécialement d'une église, d'une cathédrale, est toujours en usage. Ce que Furetière appelle *porche de menuiserie* (1690), et qui désigne un vestibule de menuiserie placé du côté intérieur de la porte d'une église, est appelé de nos jours *porche d'intérieur.* ◇ Le mot désigne également l'embrasure d'une porte cochère et en général toute entrée couverte donnant accès à une cour intérieure, à un bâtiment.

PORE n. m. est emprunté (fin XIIIe s.) au latin tardif *porus* «conduit, passage», et spécialement «très petit orifice à la surface de la peau». C'est un emprunt au grec *poros* «passage», employé en particulier à propos du lit d'un fleuve, d'un cours d'eau, du lit de la mer, d'un détroit, d'un pont, d'une voie au propre et au figuré, et spécialement d'un conduit pour les humeurs, les sécrétions, la respiration. *Poros* est dérivé de *peirein* «traverser de part en part, transpercer», qui appartient à une racine indoeuropéenne °*per-* «traverser» bien représentée en latin (→ porche, port, porte, porter) et en grec (→ péroné).

♦ Le français n'a repris le mot qu'en un sens du latin, «ouverture imperceptible dans la peau», réalisé plus tard dans la locution figurée ***par tous les pores*** «de toute sa personne» (1840). ◇ *Pore* a été employé spécialement pour chacun des interstices séparant les molécules d'un corps (XVIe s., peut-être dès 1444). Cette notion, qui correspond au sens du dérivé *poreux,* a longtemps servi de principe d'explication en physique (XVIe-XVIIIe s.), comme celle d'éponge, qui lui est liée. C'est de ce sens que procède l'emploi du mot en géologie pour désigner l'interstice d'une matière poreuse (1690).

▶ Le dérivé **POREUX, EUSE** adj. (1314), «qui présente de très petits orifices», a qualifié ce qu'on pensait présenter des interstices entre ses éléments. Le mot a développé (1917, Valéry) une valeur figurée comparable à celle de *perméable.* ◆ En est dérivé savamment **POROSITÉ** n. f. (1314). ◆ L'élément **-PORE** entre dans la construction de quelques termes du vocabulaire scientifique comme **MILLÉPORE** n. m. en zoologie (1798), prononciation latinisée du plus ancien *millepore* (1742), et **BLASTOPORE** n. m. en biologie (1865, Littré-Robin), avec l'élément *blasto-* «germe» du grec *blastos,* qui désigne un orifice de l'intestin embryonnaire primitif. ◇ Ce dernier a produit l'adjectif **BLASTOPORAL, ALE, AUX** (1905). ◆ Quelques termes didactiques ont été formés avec l'élément *poro-* repris au grec *poris* «cavité, trou» au XXe s., tels **POROCÉPHALE** n. m. (1932, *porocephalus*), **POROMÉTRIE** n. f. (1973) et **POROGÈNE** adj. (1975).

◈ **PORION** n. m., terme technique des mines (1775), est probablement issu par aphérèse, sous l'influence du flamand *porion* «poireau» (1176), de *caporion,* attesté dans le Borinage au sens de «chef d'escouade» (av. 1714) et antérieurement employé au sens de «chef de troupe» (1549, Rabelais). Ce mot est emprunté à l'italien *caporione* «chef de bande» (1586), antérieurement «chef de quartier» (av. 1380), composé de *capo* «chef» (de même origine que *chef**) et de *rione* «quartier». L'hypothèse qui fait de *porion* un emploi métaphorique du mot artésien et picard *porion* «poireau», «verrue», issu par changement de suffixe de *porel,* forme ancienne de *poireau*,* est sémantiquement insuffisante, même si l'on considère que le contremaître «fait le poireau» dans une mine, ou encore que le mot ait une valeur symbolique d'insigne.

♦ Le mot sert à désigner un agent de maîtrise, un contremaître dans une mine.

PORNOGRAPHE n. m. est un emprunt (1769) au grec tardif *pornographos* «auteur d'écrits sur la prostitution», composé de *-graphos* (→ -graphe) et de *pornê* «prostituée», dérivé de *pernênai* «vendre (des marchandises, des esclaves)» et signifiant donc initialement «femme vendue», «femme-marchandise». *Pernênai* a un correspondant dans l'irlandais *renaid* «il vend»; il appartient à une vaste famille de mots qui compte en grec *pera* «de l'autre côté», *para* «auprès de» (→ ① para-), *peirein* «transpercer» et exprime l'idée de passer. La racine de ces mots se retrouve également en latin (→ ① par, per-, port, porte, porter).

♦ Le mot est d'abord attesté dans le titre d'une œuvre de Restif de La Bretonne, *Le Pornographe,* avec son sens étymologique. ◇ Celui-ci est sorti d'usage et *pornographe* se dit d'un auteur spécialiste d'écrits obscènes (1834), aussi comme adjectif.

▶ Son dérivé **PORNOGRAPHIE** n. f. (1800, précédé par un emprunt direct au grec tardif, à la Renaissance [1558, Nicolas Édouard]) est plus courant. Le mot a perdu son ancien sens didactique de «traité sur la prostitution» et se dit d'une représentation (par écrits, dessins, photos...) de choses obscènes (1842, d'une peinture). Par extension, il désigne la représentation directe et concrète de la sexualité, de manière délibérée, en littérature, dans les spectacles. Le mot et ses dérivés conservent, malgré la chute des tabous et les autorisations administratives, un caractère de transgression qui l'oppose à *érotisme, érotique, licencieux* et le rapproche d'*obscène.* ◆ *Pornographie* a servi à former, par substitution de suffixe, **PORNOGRAPHIQUE** adj. (1832) employé d'emblée avec son sens actuel, puis abrégé familièrement en **PORNO** adj. (av. 1893), courant dans *photo, film, livre porno. Porno* est substantivé au masculin pour désigner la pornographie, les activités qui en relèvent, spécialement le cinéma et, en particulier, un film.

PORNO- fournit le premier élément de **PORNOCRATIE** n. f. (1823), formé avec le second élément *-cratie** (grec *-kratia*). Le mot désigne un régime dans lequel les courtisanes ont une forte influence sur les hommes au pouvoir. Il s'applique historiquement à une période de l'histoire de la papauté (904-964) pendant laquelle les papes, sous l'emprise de leurs maîtresses, mirent leurs fils sur le trône pontifical. ◆ Le mot a pour dérivés **PORNOCRATIQUE** adj. (1823) qui, d'après *pornographie,* a développé par extension le sens de «qui privilégie l'empire du plaisir sexuel», et **PORNOCRATE** n., mot rare pour désigner celui qui fait de la jouissance sa règle de vie (attesté 1865, Proudhon).

PORPHYRE n. m. est la réfection graphique savante (1548) de *porfire* (1180-1190), également *porfie* (XIIIe s.) puis *porphire* (1539), emprunté au latin médiéval *porphyrium* (v. 1100), altération du latin *porphyrites*. Ce dernier est emprunté au grec tardif *porphuritês* (sous-entendu *lithos* «pierre») qui désigne une pierre très dure à grands cristaux de feldspath clairs dans une pâte généralement rouge ou verte. Il est dérivé de *porphura* (→ pourpre), en raison de la couleur rouge de sa pâte.

♦ Le mot est passé en français comme terme de minéralogie. Par métonymie, il désigne en technique (1672) une table en matière très dure (généralement du *porphyre*) sur laquelle on broie des substances à l'aide d'une molette.

▸ *Porphyre* a quelques dérivés d'usage didactique ou technique. ◆ Le premier attesté, **PORPHYRIQUE** adj. (1488, *porfirique*) semble inusité avant 1804 au sens de «relatif au porphyre». ◇ On rencontre aussi les formes adjectives **PORPHYREUX, EUSE** et **PORPHYRÉEN, ÉENNE** plus littéraires. ◆ **PORPHYRISER** v. tr. (1728) procède de *porphyre* avec son sens métonymique et exprime l'action de réduire une substance en poudre très fine, à l'origine en le broyant sur une table ou dans un mortier de porphyre. ◇ Le dérivé **PORPHYRISATION** n. f. (1765) est aussi technique. ◆ **PORPHYROÏDE** adj., formé avec *-oïde* pour qualifier ce qui a l'apparence du porphyre, est attesté en 1803.

PORRIDGE n. m., attesté une première fois dans l'expression *plum-porridge* (1698), puis de nouveau en 1852, est emprunté à l'anglais *porridge* (1532) qui a d'abord désigné un potage, une soupe et se manifeste sous les formes *porage, porrege* (1538), *porredge* (1577), *parache* (1738); le mot désigne plus spécialement (1643) une bouillie de céréales, d'abord dans *plum-porridge* «bouillie de céréales aux fruits, raisins, prunes ou groseilles» (1591) formé avec *plum* (→ plum-pudding). Le mot anglais est considéré comme une altération, probablement d'après *porray, porrey* «soupe ou bouillie aux légumes» (lui-même emprunté au français *poree*, d'où *poirée*, de l'ancien *por*, → poireau), de l'anglais *potage, pottage*, autre emprunt, cette fois au français *potage**.

♦ En français, le mot ne s'emploie à propos d'une bouillie de flocons d'avoine que pour évoquer la couleur locale des pays anglo-saxons et notamment le breakfast anglais.

① **PORT** n. m. est un emprunt précoce (1050) au latin *portus* dont le sens premier est «passage», conservé dans le portugais *porto* «passe dans la montagne» et, en français, d'après l'ancien provençal, dans *Saint-Jean-Pied-de-Port*, nom d'une ville au pied d'une route de col. *Portus* désigne aussi à l'origine une porte; mais dans la répartition des sens entre *porta* et *portus*, ce dernier s'est spécialisé pour désigner l'entrée de l'abri aménagé sur une côte pour recevoir les bateaux, et cet abri lui-même. Ce sens est le plus fréquent dans les langues romanes, car le mot appartient à une racine indoeuropéenne °*per-* signifiant «traverser», représentée dans le sanskrit *píparti* «il fait passer, il sauve», *parayati* «il fait traverser», le grec *peirein* «traverser, transpercer» (→ madrépore, péroné, pore) et un groupe important de mots latins (→ opportun, porche, porte, porter).

♦ Le mot a été repris pour désigner un enfoncement de la mer ou d'un lac dans les terres offrant un abri pour les bateaux. Par métonymie, il désigne (1080) une ville située sur le bord de la mer et offrant cet abri (1140, *port de mer*). Dès le XIIe s., *port* entre dans des expressions où il est déterminé : *port de salut* (1209, au figuré), *port de havre* (1690) (cf. *havre*), ***port franc*** (1723), *port de toute marée* (1771) «où l'on peut aborder à tout moment du jour», *port de marée* (1812), ***port d'attache*** (1866), ce dernier passé dans l'usage avec un sens figuré (1935). *Port* désigne aussi un lieu où abordent des bateaux sur un cours d'eau, une rivière (1325). ◆ Son emploi avec la valeur métaphorique de «lieu constituant un abri, un refuge» remonte au XIIIe s., absolument (v. 1240, voire au XIIe s.) dans la locution *estre à mal port* (1165) «être dans une situation désespérée», sortie d'usage. L'expression symétrique, ***venir à bon port*** (1306, d'un navire), préparée par ***à bon port*** «heureusement» (v. 1280) est restée vivante. Les variantes modernes de sens figuré, ***mener qqch. à bon port*** (v. 1460), ***arriver à bon port*** (1627) «réussir» et «arriver heureusement au lieu où l'on voulait arriver» (1671) sont devenues relativement usuelles; on dit aussi ***faire naufrage dans le port, au port*** (1639) et, avec le même sens, ***échouer en vue du port*** (1893) «près du but». ◇ Par analogie, on appelle *port artificiel* (1690) un abri marin construit de main d'homme, et ***port aérien*** (1949, Larousse) un aéroport.

▸ **PORTUAIRE** adj. (déb. XXe s.) «du port, relatif au port» est formé savamment sur le latin *portus* avec le suffixe *-aire*. ◆ *Port* entre dans **AVANT-PORT** n. m. (1792) et **ARRIÈRE-PORT** n. m. (1866), ainsi que dans **AÉROPORT** n. m. (1922) qui s'est imposé au détriment de *port aérien*, à côté de *aérogare* (→ aéro-, à aérien). ◇ Il a produit **AÉROPORTUAIRE** adj. (v. 1970) sur le modèle de *portuaire*.

◈ voir IMPORTUN, OPPORTUN, PASSEPORT, PORTULAN.

② **PORT** → PORTER

PORTE n. f. est issu dès le Xe s. sous la forme *porta* (v. 980) puis *porte* (1080) du latin *porta*. Celui-ci signifie à l'origine «passage», sens conservé dans les noms géographiques, et s'est spécialisé pour «ouverture aménagée pour permettre le passage», surtout en parlant du passage sous la muraille d'une ville par opposition à *fores*, qui désigne le passage aménagé dans un mur de maison. Cette distinction a disparu et *porta*, doublet de *ostium* (→ huis) au sens général d'«ouverture dans un mur», a éliminé *fores* dans les langues romanes. Un doublet masculin *portus* est conservé dans la Loi des XII Tables, mais la langue a réparti les deux mots dans des emplois différents, *portus* ne gardant que le sens maritime passé en français (→ port). *Porta*, passé en germanique (vieil anglais *port*, ancien haut allemand *pforta*) et en celtique, appartient à la racine indoeuropéenne °*per-* «traverser» (→ porche, pore, port); il n'a pas de correspondant exact dans les autres langues et semble dérivé de *portare* (→ porter).

♦ Dès ses premières attestations, le mot désigne le passage pratiqué dans les murs d'une ville pour y entrer et en sortir et, par métonymie, l'assemblage de planches pouvant la fermer ; par extension, l'ouverture d'un château, d'une forteresse (v. 1170). C'est de ce sens que procèdent deux valeurs métonymiques apparues en français classique : «monument en forme d'arc de triomphe situé ou non sur l'emplacement des portes d'une ville» (1665), et «lieu où se trouvait autrefois une porte de l'enceinte d'une ville» (1658). L'usage du pluriel *portes* dans des locutions formées avec la préposition *à* (XIIIe s.) concerne l'espace situé auprès de l'ouverture de l'enceinte (au figuré *l'ennemi est à nos portes,* 1756) . ◆ Dès 1080, *porte* désigne aussi l'ouverture aménagée dans un mur, une clôture pour permettre le passage, sens avec lequel il a progressivement supplanté *huis ;* on a d'abord parlé, semble-t-il, d'après les attestations disponibles, de la *porte* du paradis avant de parler de la *porte d'une meison* (1176-1181). L'importance de ce sens se mesure au grand nombre de syntagmes et locutions qui l'utilisent, par exemple *fausse porte* (fin XIVe s.), *porte secrète* (1577), *porte de devant, de derrière* (1588), plus tard *porte de sortie* (1875, Larousse), aussi au figuré. ◇ Dans l'expression **de porte en porte** (1480), le mot vaut métonymiquement pour «maison». Avant la fin du XVIIe s., il figure au sens propre dans les locutions ***rentrer par une autre porte*** (1675), ***mettre qqn à la porte*** (1690), ***être à la porte de*** «tout près de» (1694) et ***porte à porte,*** d'abord dit de deux personnes qui habitent dans des logements contigus (1694), puis des deux limites d'un trajet, ensuite substantivé à propos de la vente à domicile (mil. XXe s.). *Entrer dans le monde par la belle porte* (1692) a disparu, de même que *bonne porte* (1845) en opposition à *vilaine porte* (1835), au profit de ***par la grande porte*** (1876) qui fait couple avec *la petite porte* (plus rarement *porte étroite*). ◆ C'est également au XVIIe s. que *porte* commence à être employé seul, par métaphore (1604) avec une idée d'«accès» et de «lieu par où l'on accède à une région, un pays» (1694) réactivant le sens étymologique du latin. ◆ De nombreux emplois procèdent du sens métonymique de «pièce, panneau mobile obturant la baie d'une porte» (1155), en parlant de l'ouverture d'une maison, d'une pièce, mais aussi d'un meuble (1555, *porte de lit*), d'un appareil (1580, à propos d'un four), d'un véhicule (1688). *Porte* connaît alors une grande vitalité dans la formation de syntagmes concrets : *porte à deux battants* (1608), *porte brisée* (1636), *porte vitrée* (1701), *porte battante* (1749), *porte coupée* (1765), *porte perdue* (1835), *porte à tambour, porte automatique, porte blindée,* etc., et d'autres qui appartiennent au langage technique. Il s'est montré productif en locutions figurées, ***forcer la porte de qqn*** (1573), ***fermer la porte à (tous les maux)*** [1583], ***ouvrir la porte à un sentiment*** (1568), ***ouvrir la porte à*** «faciliter» (1611), ***fermer la porte à qqn*** «interdire l'accès» (1690), ***frapper à toutes les portes*** (1694), puis ***écouter aux portes*** (1727) et ***prendre la porte*** «sortir» (1798). La seule expression ***porte ouverte*** a pris diverses valeurs, depuis *à la porte ouverte* «ouvertement» (1566), remplacée par le pluriel *à portes ouvertes* «publiquement» (XVIIe s.), jusqu'à la locution commerciale ***système de la porte ouverte*** (1907, Larousse) qui traduit l'anglais *open door* «régime de la liberté commerciale», sans oublier la locution ***journée portes ouvertes*** «en libre accès au public» (XXe s.). ◆ Par métonymie, *porte* a désigné en histoire la cour de l'empereur des Turcs (1538), puis en général une cour orientale (1681) et la Turquie, spécialement dans l'expression ***la Sublime Porte :*** ce développement fait référence à la coutume qu'ont eue certains souverains orientaux de présider leur conseil et d'accorder des audiences au seuil de leur palais et d'abord de leur tente. ◆ Par analogie, *porte* a pris (XVIe s.) le sens de «passage, ouverture», d'abord concrètement en parlant d'un petit anneau où l'on fait entrer le crochet d'une agrafe (1572), et surtout (1688) avec une acception géographique qui rejoint le sens étymologique du latin *porta : porte* désigne, surtout au pluriel, un défilé montagneux constituant une importante communication entre deux régions, en Asie Mineure et dans les Balkans. Il sert spécialement à désigner un col dans les Pyrénées (1752). ◇ Au pluriel, l'expression *portes du lait* (1869) est un terme de médecine vétérinaire pour les orifices par lesquels les veines mammaires antérieures de la vache pénètrent dans l'abdomen. ◇ Le mot est passé en sports (1937) pour désigner l'espace compris entre deux piquets d'un slalom où le skieur doit passer. ◇ Il a aussi en électronique le sens de «circuit à plusieurs entrées et une seule sortie» et «entrée d'un circuit».

▸ La dérivation consiste en une dizaine de mots concrets. ◆ Le plus ancien est **PORTAIL** n. m. (déb. XIIIe s.) qui, sous sa forme actuelle, s'est substitué au plus ancien *portal* (v. 1165) par suite d'une confusion venue du pluriel *portaux* dont la terminaison correspond à la fois aux formes *-al* et *-ail.* ◇ En ancien français, le mot a désigné un grand panneau de bois servant de porte ; l'usage moderne apparaît au XVIIe s., avec le sens de «façade d'une église où est la porte principale» (1606), qui est lui-même une extension métonymique du sens de «grande porte», attesté plus tard à propos d'une église ou d'un temple (1688). ◆ **PORTEREAU** n. m. (v. 1550) est la réfection de *porterel* (fin XIIIe s.), diminutif de *porte* qui a désigné un palis de bois bornant un cours d'eau ; il n'est plus en usage. ◆ **PORTILLON** n. m. (1556), autre diminutif de *porte,* a lui aussi perdu le sens propre de «petite porte», se spécialisant pour désigner une porte à battant plus ou moins bas ne bouchant généralement pas toute l'ouverture. Il entre dans la locution familière ***ça se bouscule au portillon*** (v. 1920), allusion probable aux portillons des métros, «il y a beaucoup de monde» ou «qqn parle trop vite». ◆ ② **PORTIÈRE** n. f. (1587), homonyme du féminin de *portier,* désigne le rideau, la tenture qui ferme l'ouverture d'une porte ou en couvre le panneau ; le mot est en concurrence avec *porte* en parlant de la porte d'un véhicule (1611).

Enfin, *porte* fournit le premier élément de **PORTE-FENÊTRE** n. f. (1676 *porte-fenestre*) et de **PORTE-**

TAMBOUR n. f. (XXe s.) et le second élément de **CONTRE-PORTE** n. f. (1690, 1582 avec un autre sens), **BATEAU-PORTE** n. m. (1808), deux mots d'usage technique.

PORTIER, IÈRE n., réfection (1119) de *porter* (v. 1100, *Gloses* de Raschi), est issu du latin tardif *portarius* «celui qui garde la porte», dérivé de *porta* (→ porte). Le roumain a *portar*, le catalan *porter*, l'espagnol *portero*, le portugais *porteiro*; l'italien *portiere* est emprunté au français. ◆ Le mot désigne la personne qui garde la porte d'un château, d'une maison; de nos jours, il a reculé au profit de *concierge*, de *gardien*, sauf au masculin dans des contextes particuliers («concierge d'un établissement public», XXe s.). Il a eu diverses spécialisations, désignant le moine ayant soin d'ouvrir la porte du couvent (1680) et, dans l'Église primitive, celui qui a reçu le premier des ordres mineurs correspondant à l'origine à la garde des portes. *Portier de comédie*, désignation de la personne percevant directement le prix des places à la porte d'une salle de spectacle, est sorti d'usage. ◆ Le sens de «gardien de but» (1913) vient de l'espagnol *portiero*. ◆ Au figuré, le mot a reçu (v. 1975) le sens spécial technique de «circuit électronique d'un poste de télévision en couleurs ouvrant les circuits de luminance des composantes colorées». ◆ Le féminin ① **PORTIÈRE** n. f. (v. 1190) a suivi l'évolution du masculin, perdant le sens général de «celle qui garde la porte» au profit de *concierge* et *gardienne*. Le mot désigne spécialement celle qui ouvre la porte au couvent depuis 1606, aussi dans *sœur portière*. ◆ **PORTERIE** n. f. (v. 1460) «loge d'un portier», spécialement dans une communauté religieuse (1704), est entré en concurrence avec *conciergerie*; il est peu usité.

◈ voir CLOPORTE.

PORTEFEUILLE → ① PORTER

✱ ① **PORTER** v. tr. et intr. est issu (v. 980) du latin *portare* «faire passer, transporter, amener au port»; le rapport étymologique à *porta* (→ porte) et à *portus* (→ port) apparaît dans des expressions comme *navis quae portaret milites* (César) «un navire pour transporter les troupes». Cependant, *portare*, qui comportait initialement une idée de mouvement, de déplacement, s'est employé rapidement comme synonyme de *ferre* «porter» (dont les composés ont abouti à *offrir, souffrir, proférer*, etc.) et de *gerere* (→ gérer), auxquels il s'est peu à peu substitué en raison de son caractère plus concret et de sa flexion plus régulière. Dans la langue de l'Église, *portare* a pris le sens figuré de «supporter, endurer, subir», de «procurer» et de «porter en soi, avoir en soi».

♦ *Porter* est apparu en français avec ses deux sens transitifs de base, et avec ou sans l'idée d'un déplacement. Sans cette idée, il exprime d'abord le fait, pour une femme, d'être enceinte, de produire en soi (un enfant); il s'emploie alors avec un complément et absolument (1174-1178), ce dernier emploi étant sorti d'usage. ◇ Par extension, il exprime l'acte de produire (v. 1145, en parlant de fruits), concrètement et en emploi métaphorique (1188). Il signifie au figuré «avoir le projet de (qqch.), avoir en gestation» (v. 1485). ◇ Avec un complément désignant une entité extérieure au sujet, *porter* correspond à «tenir (qqch.)» avec une notion secondaire de poids (v. 1050); dans ce sens, on dit ***porter sa croix*** (fin XIIIe s., Nouveau Testament), au figuré «subir son sort» (1690). C'est du même sens que procède l'emploi militaire dans l'ordre *portez... armes!* (1879), d'abord (1812) *portez les armes!* ◇ Sans aucune notion de poids, mais avec l'idée d'une relation beaucoup plus intime à l'objet, physiquement ou symboliquement, le verbe signifie «avoir sur soi (un vêtement)», «avoir sur soi ou avec soi (un attribut ou un équipement)» (1050), d'où *porter couronne* «être roi» (1080), *porter des armes* (v. 1165, *armes porter* «être en guerre»). ◆ Dès le XIIe s., *porter* se construit avec un complément désignant un élément anatomique et indique le fait de se tenir de telle ou telle manière (v. 1130). Il correspond aussi à «avoir par transmission» (1174-1176, *porter le nom*) et «avoir sur soi du fait de la nature» (1376), en parlant d'un élément caractéristique. ◆ À partir du XVIe s., il est employé au figuré en parlant d'un attribut symbolique, dans les locutions comme ***porter le deuil*** (v. 1500) et, par métaphore, dans ***porter les (des) cornes*** «être cocu» (1585). La nature de la relation peut être abstraite, le mot se comportant comme un synonyme de *subir, supporter* (v. 1110). Sans l'idée d'un poids moral, il correspond à «contenir, renfermer», le sujet désignant un écrit (1219). Un peu plus tard, l'accent étant mis sur la qualité sentimentale de la relation, il entre dans la locution ***porter qqn dans son cœur*** (1505), employée surtout dans des phrases négatives.

Dès les premiers textes, *porter* exprime également l'idée dynamique de déplacer, transporter avec mouvement, d'abord «prendre pour emporter, pour apporter», spécialement dans ***porter un mort en terre*** (1368). ◇ Dès le Xe s., *porter* est employé au figuré au sens de «donner, apporter (un sentiment, une aide, un témoignage)» (1174-1177), le complément pouvant aussi s'appliquer à un avis (1666, *porter un jugement*), à un conseil (1835). ◆ Avec un complément désignant une partie du corps, il exprime le fait de diriger, d'orienter (v. 1080, *porter les pieds...*) d'où, avec un complément abstrait *(effort, attention)*, «orienter» l'intelligence, la volonté (1540). Par extension, l'accent étant mis sur la finalité du geste, *porter* correspond à «donner (des coups)» (1540, *porter des coups*), à la fois physiquement et métaphoriquement (1611), d'où, abstraitement, à «produire» un préjudice (1604, *porter atteinte*). ◇ L'accent étant mis, non sur l'agressivité de l'acte, mais sur sa bienveillance, le verbe entre dans la locution *porter un verre à qqn* (1578), archaïque et remplacée par ***porter un toast à qqn*** (1812), ou ***porter une santé.*** ◆ Par insistance sur la cause de l'action, *porter* exprime le fait d'induire, de pousser qqn à faire qqch., à la voix active (XVe s.) et à la voix passive (1604, *être porté à*). *Être porté* se construisait, dans la langue classique, avec les prépositions *envers* (1677) et *pour* (1689), au sens d'«avoir de l'affection pour qqn». De nos jours, cette idée de penchant pour qqn ou qqch. est réalisée avec une nuance plus familière dans la locution

être porté sur (1867), par exemple ***être porté là-dessus*** (Vidocq, 1829), ***sur la chose*** (1873, Corbière) «être friand de plaisirs amoureux», familier. ◇ L'association de *porter* et de la préposition *à* est la plus courante, l'accent étant alors mis sur le changement, l'évolution, l'aboutissement du procès, avec le sens d'«amener à» (1656), et dans les locutions ***porter (qqch.) à la connaissance de qqn*** (1830), ***porter une œuvre à la scène*** (1899), ***à l'écran*** (1921), qui expriment le simple fait du passage, de l'adaptation, alors que *mettre* (dans *mettre en scène**) insiste sur le détail de l'opération. ◇ *Porter* exprime aussi l'idée de «mettre (qqch.) par écrit» (1675), sens dont procède ***se porter malade*** (1869), ***se faire porter malade*** (1918), ***se faire porter pâle*** (1900) où le verbe correspond à «inscrire». ◆ *Porter* est également verbe intransitif, d'abord en héraldique (1172-1190), puis (xve s.) en artillerie pour «pouvoir envoyer un projectile (à une certaine distance)», à propos d'une arme (1465), d'où un sens du dérivé *portée* (ci-dessous). Il s'emploie dans l'usage courant à propos de la vue (v. 1500), d'un coup qui touche son but (1585) et, au figuré, d'une chose qui produit un effet (1640), souvent avec des compléments adverbiaux indiquant la distance, la force de l'effet, etc. ◆ *Porter* exprime aussi l'idée de «peser», généralement construit avec la préposition *sur* (v. 1470), à la fois concrètement et abstraitement, pour «avoir pour objet, concerner» (v. 1470, dans un emploi ancien, puis 1671). Le mot est employé techniquement en architecture (1596) dans l'expression *porter à faux* «être hors d'aplomb» qui a donné naissance à *porte à faux* d'où le composé *porte-à-faux*. ◆ Ultérieurement, *porter* correspond à «être soutenu», sorti d'usage sous la concurrence d'*être supporté*. ◆ *Porter*, avec un sujet nom de chose, signifie «avoir un certain impact sur l'organisme» (v. 1770), d'où «avoir un effet à distance» par exemple dans ***porter à la tête*** (v. 1770), ***porter sur les nerfs*** (1817). ◆ L'emploi intransitif absolu de *porter* comme verbe de mouvement au sens de «se diriger, faire route vers» est spécifique du langage de la navigation (v. 1550). ◆ Enfin, la forme pronominale **SE PORTER**, d'abord «se conduire» (v. 1180), sens sorti d'usage au profit du composé *se comporter**, se répand au xive s. avec le sens de «se diriger vers» (v. 1342), au figuré «se présenter comme candidat à un titre» (v. 1350). *Se porter* avec un adverbe correspond aussi à «être dans tel état, telle situation» (fin xive s., *je me porte assez bien*). *Se porter à* se dit pour «se laisser aller à qqch.» (1634). ◇ Le verbe est également employé (1857) en parlant d'un vêtement, d'une parure, pour «être porté». ◇ À cet emploi se rattache probablement la locution impersonnelle ***c'est très bien porté*** (1851) «c'est de bon ton», *très bien porté* s'étant dit (1844) d'un vêtement à la mode.

▶ L'importante dérivation de *porter* remonte pour l'essentiel à l'ancien français. ◆ **PORTANT**, son participe présent, est adjectivé (v. 1112) pour qualifier, en marine, un vent qui porte le bateau dans la bonne direction, par opposition au *vent debout*. L'adjectif a développé de nombreux sens à partir du xviie s. : il entre dans l'expression ***à bout portant*** (1671). ***Bien portant*** et ***mal portant*** se disent d'un individu en bonne ou en mauvaise santé (1761). ◇ En technique, *portant* qualifie un objet dont la fonction est de soutenir (1864, en chemins de fer; 1872, en aviation). ◇ Le mot est substantivé au masculin (fin xiiie s.) pour «fauconnier qui porte son faucon sur la main», sens sorti d'usage. ◇ Dans l'usage moderne, *un portant* s'applique à l'anse d'un coffre, d'une malle (1400-1402), un contrefort, en architecture (1530), la pièce de fer placée sous l'armure d'un aimant (1789). Il se rapporte aussi au montant soutenant un élément de décor au théâtre (1840) désignant aussi par métonymie cette partie de décor (1852); en marine, il correspond à la partie de la quille d'un navire sur cale qui porte le terrain (1859). Il se dit également de la monture métallique servant d'appui aux avirons et débordant à l'extérieur d'une embarcation (1949). ◇ En termes de commerce, le présentoir où sont accrochés les vêtements dans un magasin a reçu le nom de *portant*.

Le déverbal ② **PORT** n. m. (v. 1165) a d'abord eu le sens de «droit de passage ou revenus d'un transport» et celui de «ravitaillement, approvisionnement» (v. 1180). ◇ Il a pris au xiiie s. le sens de «manière de se tenir» (alors qu'on ne dit plus *se porter* en ce sens) en parlant d'une personne et, par extension, d'un animal (1661), et aussi de la forme générale d'un végétal (1721). ◇ En marine, il exprime le poids maximum que peut prendre un navire (1468). ◆ Au xvie s., *port* s'applique au fait de porter qqch. sur soi (1530) et entre dans l'expression ***port d'armes,*** d'abord relevée (1532) au sens de «coup fait inopinément», sortie d'usage, avant de désigner l'action de porter des armes (1636). ◆ Par métonymie, *port* désigne aussi le prix payé pour le transport d'une chose (1560) d'où, en commerce, les expressions *port payé, port dû*. ◆ Il s'emploie en musique dans l'expression ***port de voix*** (1690), désignant le fait de «porter» sa voix d'une note à l'autre, puis la liaison d'un son à l'autre lorsqu'elle est effectuée insensiblement.

Le participe passé féminin **PORTÉE** n. f. (fin xiie s.) a servi à désigner une mesure pour les liquides. ◆ Il a également eu le sens d'«action de porter un enfant, gestation» (1274) et le sens métonymique d'«enfant» (1286-1316) d'où «race, engeance» (1320-1330), avant de restreindre ce développement sémantique à l'ensemble des petits qu'une femelle a en une fois (v. 1450). ◆ Les valeurs techniques, correspondant à divers sens de *porter*, sont nombreuses : en tissage (1302), en topographie (1575), en architecture (1636), en musique (1636), en construction (1690), en marine (1681), en plomberie (1676), ultérieurement en horlogerie et joaillerie (1765), en mécanique (1873), spécialement en chemins de fer dans l'expression *portée de calage* (1887). ◆ *Portée* désigne aussi la distance à laquelle une chose produit son effet (cf. *porter*), d'abord au pluriel *portées* en vénerie (1377), puis, au singulier, pour désigner la distance que peut atteindre un projectile (1543) et, abstraitement, la capacité de compréhension (1538), sens devenu archaïque. ◇ Par analogie, le mot désigne la distance à laquelle une chose est accessible à qqn, concrètement ou par les sens (1690), notamment dans les locutions ***hors de la portée de*** (dès 1585, sous la forme *hors la portée de*) et ***à la portée de,*** d'abord *à portée* «accessible» (1672), employée depuis 1679 avec une valeur concrète. ◇ *Portée* recouvre au figuré l'aptitude, la capacité à agir (1585), en particulier en parlant des facultés ou d'œuvres intellectuelles (déb. XVIIe s., *la portée d'un livre*). Deux spécialisations sont apparues au XXe s. dans des usages techniques : «distance à laquelle on peut recevoir les signaux d'une station radio-électrique» (1902) et en informatique *portée d'un identificateur* (1975).

PORTEMENT n. m., attesté (v. 1265) un peu après le latin médiéval *portamentum* (1238, dans le domaine italien), a restreint son sémantisme, notamment sous la concurrence de *comportement,* pour ne plus désigner que l'action de porter concrètement, en particulier dans l'expression *portement de croix* (1688) en art religieux. ◆ Il demeure cependant moins usuel que **PORTAGE** n. m. (v. 1250), «action de porter», qui, tout en subissant la forte concurrence d'un mot de la même famille, *transport,* s'est spécialisé pour l'action de porter ou de traîner une embarcation par voie de terre entre des cours d'eau, des lacs, etc. (1604, au Canada), puis pour l'action de porter qqch. à dos d'homme, en particulier dans les pays tropicaux (1909). Dans un autre contexte, le mot s'emploie pour la livraison des journaux à domicile (1967). ◇ Par métonymie, *portage* sert parfois à désigner la partie d'un fleuve où l'on ne peut plus naviguer et qui oblige à porter les embarcations (1635, en Amérique du Nord), entrant dans la formation de nombreux noms de lieux au Canada et aux États-Unis. ◇ Le mot, en marine, désigne l'endroit où une pièce «porte», c'est-à-dire frotte sur une autre (1842). ◆ On en a tiré **PORTAGER** v. intr. (XXe s.), en usage au Canada au sens de «faire le portage d'une embarcation».

Deux adjectifs et un nom sont usuels. ◆ **PORTABLE** adj. (v. 1278), dérivé de *porter* au sens de «que l'on peut porter», a aussi assumé longtemps le sens moral de «supportable» (XVe s.), probablement par emprunt au bas latin *portabilis.* Il a subi la double concurrence de *supportable* et de *portatif,* mais s'est maintenu avec le sens de «présentable, dont on peut se revêtir en public» à propos d'un vêtement (av. 1770). ◇ Il a été réintroduit (1939) comme synonyme de *portatif* sous l'influence de l'anglais *portable* (v. 1400), lui-même emprunté au français. Une différenciation sémantique s'est établie entre les deux mots, *portable* indiquant un caractère empirique, *portatif* supposant une qualité inhérente à l'objet et voulue. ◇ **PORTABLE** est substantivé (1949) pour désigner un appareil conçu pour être porté ou transporté *(un, une portable),* notamment aujourd'hui, après une machine à écrire, un micro-ordinateur, un téléphone sans fil. ◇ De *portable* sont dérivés **PORTABILITÉ** n. f. (1849), didactique, et l'antonyme ③ **IMPORTABLE** adj. (XXe s.) qui qualifie un vêtement impossible à porter. ◆ **PORTATIF, IVE** adj. et n. m. (1328) a probablement été emprunté, avec changement de suffixe, au latin médiéval *portatilis* «que l'on peut porter», dérivé du radical de *portatum,* supin de *portare,* spécialement dans *altare portatile* «autel portatif» (fin XIe s.) et *episcopus portatilis* «évêque portatif» (1449). ◇ Le mot qualifie ce que l'on peut facilement porter ou transporter, spécialement un autel (1340), un orgue (v. 1370), un livre (1611), et abusivement autrefois, une glace en cornet à emporter (1955). ◇ Un autre sens, «apte à porter» (v. 1328), encore vivant au XIXe s. en technique (*force portative des aimants,* 1873), est sorti d'usage. ◇ *Portatif* est substantivé au masculin (XVe s.) à propos de ce que l'on peut porter, emploi disparu. Le nom s'applique aussi (1731) à un registre fiscal. Enfin, il désigne (1966) un assemblage de pièces de bois ou de métal servant de support à un panneau d'affichage. ◆ **PORTANCE** n. f. (fin XIVe s.), dérivé de *porter* ou de *portant* au sens d'«action de porter» et sorti d'usage, a été reformé au XXe s. en mécanique des fluides, pour le concept de force perpendiculaire à la direction d'un corps dans un fluide. Le mot est passé en mécanique des solides, spécialement en travaux publics.

Porter a aussi produit un très grand nombre de noms composés. ◆ **PORTE-CHAPE** n. m. signifie «cuisinier» (1285). ◆ **PORTEFEUILLE** n. m. (1544), «carton plié en deux recouvert de peau ou d'étoffe et servant à serrer des papiers», s'est spécialisé à propos du grand carton à dessin des peintres et dessinateurs (1796), d'où, par métonymie, une collection de dessins (1797). Il s'est dit d'un cartable d'écolier (1885), emploi éteint au profit de *cartable,* puis, plus couramment, l'objet portatif où l'on range des feuilles, des billets (1824). ◇ Par analogie, il s'est employé en argot pour «lit» (1828-1829) avant de désigner une façon d'en plier les draps en manière de plaisanterie (1886) dans ***lit en portefeuille,*** et il est employé en apposition à *jupe,* pour une jupe se fermant sur le devant par superposition des deux extrémités. ◇ *Portefeuille* désigne aussi par métonymie l'ensemble des effets de commerce et des valeurs mobilières détenus par un particulier ou une société (av. 1755), ainsi que la fonction de ministre (1741), par le même développement que *maroquin* entrant dans l'expression *ministre sans portefeuille* (1835). ◇ Il a pour dérivé **PORTEFEUILLISTE** n. (1845) «fabricant de portefeuilles» et, au XXe s., «personne chargée dans une banque de s'occuper du portefeuille de ses clients» (1963). ◆ **PORTE-MANTEAU** (aujourd'hui **PORTEMANTEAU**) n. m. a d'abord désigné un officier chargé de porter le manteau d'un grand personnage (1507, *porte manteau*) et, concrètement, une valise (1547), sens conservé en anglais par l'emprunt *portmanteau.* ◇ Il a pris ensuite ses valeurs modernes, se référant à la partie de l'équipement d'un cavalier attachée au devant de la selle et renfermant ses vêtements (1571) et au support auquel on suspend les vêtements (1640). ◇ Depuis le XIXe s., il désigne en marine l'arc-boutant servant à hisser les embarcations le long du bordage d'un navire (1833) et, après avoir désigné argotiquement l'épaule (1867), s'emploie dans l'expression familière ***épaules en portemanteau*** (1878). ◆ **PORTE-PAROLE** n. m., d'abord *porteparolle* (1552), a eu le sens de «messager» avant de désigner celui qui parle au nom d'une ou plusieurs personnes (1773-1774). Par extension, il s'applique à un écrit, un journal qui représente les idées de qqn (1871). ◆ **PORTE-VOIX** n. m. (1672) désigne un cornet à pavillon évasé, pour amplifier la voix. Le mot s'emploie au figuré (*le porte-voix de la calomnie*, Balzac); on disait aussi *le porte-voix de qqn* (1774, Beaumarchais) pour «porte-parole». ◆ L'élément *porte-* continue d'être très productif au XXe s. Ainsi **PORTE-DOCUMENTS** n. m. inv. (1954), devenu courant avec une valeur proche de *serviette* et d'un ancien sens de *portefeuille*. ◇ **PORTE-SERVIETTE** n. m. (1962 dans les dict.) désigne une pochette pour ranger une serviette de table, alors que **PORTE-SERVIETTES** n. m. (1890) s'applique à un support pour les serviettes et gants de toilette.

PORTEUR, EUSE n. et adj., d'abord *porterre* (v. 1120), *porteor* (1170) et *porteeur* (v. 1260), est issu du bas latin *portator, -oris* «celui qui porte (un objet, une lettre)», dérivé du supin *(portatum)* de *portare*, mais sa forme moderne l'assimile à un dérivé morphologique de *porter*. ◆ Le mot a d'abord signifié «celui qui apporte, établit (une loi), qui gouverne», sens usuel en ancien français. Il désigne concrètement la personne qui porte qqch. (1170), spécialement celle qui est chargée de remettre une lettre, un message (1248), et le messager d'une nouvelle (1585), le livreur de journaux (1846). L'expression juridique *porteur de contraintes* (1833) désigne l'agent de poursuites chargé de délivrer la contrainte. ◆ *Porteur* désigne spécialement celui dont le métier consiste à porter des fardeaux, des charges (v. 1260), notamment dans ***porteur d'eau*** (1366) et absolument à propos de l'homme d'équipe chargé de porter les bagages dans une expédition (1791), en particulier en alpinisme (1853), puis dans une gare (1925), un aéroport. ◇ Le mot sert aussi à désigner la personne qui porte une chose sur soi ou avec soi (XIVe s.), d'abord dans l'expression *porteur de rogatons* qui s'est dit de l'officier chargé de porter une assignation en justice, puis d'un religieux mendiant (1534) et d'un mauvais poète (1640), *porteur de pardons* (1389) désignant un vendeur d'indulgences. ◆ En droit commercial, le sens du mot est proche de celui de *détenteur*, désignant la personne au profit de qui un effet de commerce a été souscrit ou transmis par voie d'endossement (1675) et, couramment, celle qui détient un titre n'indiquant pas le titulaire du droit (1675, *payable au porteur*). ◇ Au XXe s., en Bourse, *les porteurs d'actions, de titres* sont appelés absolument *porteurs (gros, petits porteurs)*.

Porteur peut s'appliquer aux animaux et s'est dit spécialement du cheval monté par un postillon (1680). Il a développé aux XIXe et XXe s. d'autres sens : il s'applique à la personne qui a et peut transmettre une maladie (1848, *porteur de la peste*), un germe (1910, *porteur d'amibes;* 1911, *porteur de bacilles;* 1923, *porteur de germes*...). ◆ Il se dit couramment d'engins de transport de grande capacité, le plus souvent qualifié par *gros* ou *petit*, en parlant d'un avion (1948; 1951, dans *avion* ***gros porteur***), d'un cargo (1951), d'un camion-citerne (1951), d'un wagon de chemin de fer (1962, *porteur sur rail*). ◇ D'autres acceptions techniques existent en chemins de fer pour le câble auquel est suspendu le fil de contact (1963), et en mines pour le support horizontal dans une galerie (1963). ◆ L'emploi adjectivé de *porteur*, d'abord en architecture (1856, *pilier porteur*), est fréquent en mécanique pour un engin qui porte (1887, *essieu porteur*), en électricité (1937, *onde porteuse* d'où [ci-dessous] *sous-porteuse*), et dans le commerce et la communication pour qualifier ce qui est en plein développement (1976). ◆ Le féminin *porteuse* qualifie spécialement une femme inséminée artificiellement et portant un enfant pour un couple stérile (1984, ***mère porteuse***).

Porteur est entré au XXe s. dans **TRIPORTEUR** n. m. (1900) «tricycle à caisse pour transporter des marchandises légères» avec *tri-* par abréviation de *tricycle*. ◆ **SOUS-PORTEUSE** adj. f. (v. 1950) qualifie une onde modulée qui module à son tour une onde de fréquence plus élevée.

REPORTER v. tr., préfixé en *re-* de *porter*, correspond d'abord (1050) à l'idée de «ramener (une chose, un être) à l'endroit où il se trouvait auparavant», dans le voisinage sémantique de *rapporter*, itératif d'*apporter**, et de *remporter*, préfixe de *emporter**. De ce sens, à partir du XVIIIe s., procèdent ceux de «faire revenir son attention sur un objet» (1745, *reporter les yeux*) et de «faire remonter dans le temps» (1752, *se reporter;* 1784, transitivement). ◇ L'usage du mot dans le domaine de l'expression a disparu, remplacé par *rapporter*. Cet usage s'est d'abord manifesté dans l'expression juridique *reporter témoin* «apporter à son tour un témoignage» (1176-1182), puis avec le sens de «redire, relater» (1260), spécialement «dénoncer (ce qu'a dit ou fait qqn)» (1660). Toutefois, cette acception a été réintroduite au XIXe s. par la série de l'anglicisme *reporter**, lui-même emprunté à l'ancien français *reporteur*. ◆ Selon la valeur du verbe simple, l'idée de «porter à nouveau» s'est inégalement maintenue : par exemple, *reporter* ne s'emploie plus pour une femme de nouveau enceinte (déb. XIIIe s.) mais reste usuel pour remettre une parure (1771) ou un vêtement. ◇ Le sens qui a connu la plus grande fortune, notamment dans les langages techniques ou spécialisés, est celui de «porter à un autre endroit» (1252), par lequel *reporter* devient proche de *transporter, transférer :* il induit l'idée de «remettre en d'autres mains» (1252) et, ultérieurement, de «transférer son attention sur un autre objet, une autre personne» (1783; 1805, *se reporter*). Il a reçu les valeurs de «transférer d'un document à un autre» (1827, *reporter des corrections*), «rejeter à un autre endroit d'un ouvrage» (1839) et, en comptabilité, «répéter (un total) dans une autre colonne» (1835). Par transposition sur le plan temporel, il est employé usuellement pour «différer, remettre à un autre moment» (1884).

Son déverbal **REPORT** n. m., dont a relevé quelques occurrences en moyen français au sens de «relation, rapport que l'on fait», a été recréé au XIXe s. : c'est un terme de Bourse (1826) concernant l'achat de titres au comptant en vue d'une revente immédiate (par opposition à *déport*); il s'emploie également en comptabilité (1835), dans les opérations d'arithmétique avec le sens de «retenue» et dans les techniques d'impression avec l'idée de «décalque» (1867, *impression en report*). ◇ Une autre valeur du verbe lui fait désigner l'action de ramener une chose à sa place antérieure (1829), un déplacement dans le temps à une date ultérieure (1838), un transfert de sentiment, d'attention (1841). ➛ Les dérivés anciens, ② **REPORTAGE** n. m. et **REPORTEUR** n. m., ont été réintroduits, le premier comme calque de l'anglais *reporting* (→ reporter), le second en relation avec certaines acceptions techniques du verbe au XIXe s., en Bourse (1855) et en techniques d'impression (1874). ➛ *Reportement* n. m., vivant en ancien français, est repris exceptionnellement (Péguy, 1913).

◈ voir APPORTER, COLPORTER, COMPORTER, DÉPORTER, EMPORTER, EXPORTER, IMPORTER, ② PORTER, RAPPORTER, SPORT, SUPPORTER, TRANSPORTER; et aussi PORTE-BAGAGE (art. BAGAGE), PORTE-CHÉQUIER (art. CHÈQUE), PORTE-CLEFS (art. CLEF), PORTE-COUTEAU (art. COUTEAU), PORTE-CRAYON (art. CRAIE), PORTE-DRAPEAU (art. DRAP), PORTE-ÉTENDARD (art. ÉTENDARD), OBJET, SERVIETTE.

② **PORTER** n. m. est emprunté (1726) à l'anglais *porter*, forme abrégée de *porter's ale, porter beer* littéralement «bière de portefaix», de *ale* ou *beer* «bière» (→ bière, pale-ale) et *porter* «portefaix». Ce dernier est emprunté (1300) à l'ancien français *portour, porteour*, forme archaïque de *porteur** (→ ① porter).

♦ Le mot, nom d'une bière brune de saveur amère, se rencontre pour la première fois dans des *Lettres et voyages en Allemagne, en Hollande et en Angleterre* avec l'explication suivante : «une autre espèce est connue sous le nom de *porter*, c'est-à-dire *porteur*, parce que les porteurs ou porte-faix, et tout le petit peuple en boit beaucoup». Il est de nouveau attesté en 1770, mais ne s'est répandu qu'au XIXe siècle.

PORTILLON → PORTE

PORTION n. f., d'abord écrit *porcïon* (1226-1227), est emprunté au latin *portio, -onis* «part» et «rapport, proportion», peut-être apparenté à la racine indoeuropéenne °*per-* «procurer», représentée dans *part**.

♦ Le mot désigne la partie d'un tout qui revient à une personne lors d'un partage; il est employé en droit pour la part revenant à chaque héritier (1269) et pour la quantité de nourriture donnée à chacun (v. 1307), surtout dans les communautés et dans certains restaurants (1868); de là *demi-portion* (ci-dessous). *Portion* s'applique également à la partie d'un tout homogène ou considéré comme tel et qui n'est pas nombrable; à la différence de *partie*, il ne se dit pas d'éléments dispersés mais s'emploie spécialement sur le plan spatial (en géométrie, 1690). Pour *portion congrue* → congru.

▸ L'ancien dérivé **PORTIONNAIRE** adj. (1442), «qui donne comme fermage une partie de ses fruits», s'est maintenu comme nom désignant une personne à qui revient une portion d'héritage (1572, dans un contexte ecclésiastique). ◇ Le latin médiéval ecclésiastique *portionarius* désignait celui qui possède une partie d'un bénéfice ou qui reçoit une partie de la mense capitulaire (1276), généralement «celui qui possède en commun» (1286). ➛ Un autre dérivé encore en usage est **PORTIONCULE** n. f. (1600), rare et littéraire, pour une petite portion; il a remplacé le moyen français *portionnette* (v. 1508). Le composé **DEMI-PORTION** n. f., d'abord «portion réduite, dans un restaurant, une communauté», désigne familièrement, au figuré (1915), une personne petite, faible, insignifiante.

◈ voir PROPORTION.

PORTIQUE n. m., doublet savant de *porche**, est emprunté (1547) au latin *porticus*, dérivé de *porta* (→ porte) pour désigner un passage couvert à colonnes, une galerie couverte et, pour calquer l'emploi du terme grec *stoa* «portique» (→ stoïcien), l'école stoïcienne grecque.

♦ Le mot a été rapidement différencié de *porche**. Il a été repris au latin pour désigner une galerie couverte dont le comble est soutenu par des colonnes et des arcades, surtout en parlant d'architecture antique. Le sens régional (Canada) de «vestibule, entrée» rapproche cependant les deux mots. ◇ *Le Portique* désigne spécialement (1690) la philosophie des stoïciens, ainsi nommée dès l'Antiquité parce que Zénon enseignait sous un portique d'Athènes. ◇ Le sens spécialisé de «jeu où l'on fait tourner la boule autour d'un portique dans lequel elle entre par une des ouvertures et s'arrête ensuite sur un chiffre» (1690) est sorti d'usage avec le vieillissement de ce jeu. ◇ De même, celui de «boutique dans laquelle les participants exposaient, dans les premières expositions de l'industrie» (1842) n'a eu cours qu'au XIXe siècle. ◇ Par analogie, *portique* désigne une construction destinée à des exercices de gymnastique avec une poutre transversale à laquelle sont suspendus des agrès (1819) et, techniquement, un appareil de levage du type des ponts roulants (Larousse, 1932). C'est aussi le nom donné au cadre muni d'un dispositif de détection utilisé dans les aéroports pour le contrôle des passagers (v. 1970).

PORTO n. m., attesté en 1786, écrit avec la majuscule, est tiré de l'expression *vin de Porto* (1759), de *Porto*, nom d'une ville du Portugal célèbre pour son commerce de vins de la vallée du Douro.

♦ Le mot désigne ce vin doux naturel, utilisé en général comme apéritif et, par métonymie, un verre de ce vin.

PORTRAIT n. m., d'abord *portret* (v. 1175), et aussi *portraict* au XVIe s., *portrait* (XIIIe s.), est la substantivation du participe passé masculin de **PORTRAIRE** v. tr. (v. 1130). Ce verbe, avec la variante *pourtraire* (XIVe s.), est formé de *pour**, employé comme préfixe à valeur intensive, et de *traire** «tirer», pris dans son ancien sens spécial de «dessiner» (v. 1160) qu'a aussi le verbe *tirer*. Le verbe exprime l'idée de dessiner, de représenter le visage de qqn, sa personne et, par analogie, de le dépeindre avec des mots; qualifié de «vieilli» par les grands dictionnaires du XVIIe s., sorti d'usage au XVIIIe s., il a été repris par archaïsme au XIXe s. *(pourtraire)* ou recréé d'après *portrait*, à côté de *portraiturer* (ci-dessous).

♦ *Portrait* semble avoir d'abord désigné un dessin, une représentation par l'image, sens général qui se rencontre encore chez certains écrivains. Par une spécialisation correspondant à l'épanouissement du genre, il a pris le sens de «représentation picturale d'une personne, de son buste ou de son visage» (1538). Avant la fin du XVIe s., le mot est étendu à la représentation verbale d'une personne (1550, Du Bellay); puis au visage (1552, Rabelais) et à l'image, à la ressemblance (1536) : le sens de «visage» a disparu sauf dans quelques locutions populaires comme *se dégrader le portrait* (1859) ou ***abîmer le portrait à qqn.*** ◇ Le sens de «ressemblance» annonce la valeur moderne d'«image parfaitement ressemblante, réplique de qqn» (1635). ◇ Au sens propre, le vocabulaire de la peinture fournit *portrait chargé* (1680) désignant un portrait satirique et annonçant *portrait charge* (1867), et l'expression *portrait de famille* (av. 1784, Diderot), employé par extension pour «portrait de groupe». ◇ *Portrait* s'emploie aussi en photographie. ◇ La valeur littéraire narrative s'applique à un jeu de société dans lequel un des joueurs doit deviner le nom d'une personne par des questions (1903), par exemple dans *portrait chinois* (déb. XXe s.). *Portrait parlé* (1963) et *portrait-robot* (1964, *Le Monde*) s'appliquent tous deux à la description d'un individu selon des règles adoptées par les services d'identité judiciaire de la police.

► Le mot a produit quelques dérivés et composés. ◆ Le plus ancien est **PORTRAITURE** n. f. (v. 1165), d'abord attesté au sens général ancien de *portrait* «représentation»; puis employé comme nom d'action de l'ancien verbe *portraire* (ci-dessus). ◆ Le mot a quasiment disparu mais son dérivé **PORTRAITURER** v. tr. (1540, *pourtraicturer*), repris au XIXe s. (1852, chez Théophile Gautier), reste vivant tant au sens propre de «faire le portrait de (qqn)» qu'au sens figuré de «décrire (qqn)» (1863); il est toutefois littéraire ou ironique. C'est à cause de cette valeur plaisante qu'on lui a donné au XIXe s. des graphies pseudo-archaïques (*portraicturer, pourtraiturer*, rappelant *pourtraire*). Il reste cependant le verbe le plus vivant de la famille de *portrait*, devant *portraiter* relevé chez George Sand (1837) et *portraitiser* chez Huysmans (1898). ◆ **PORTRAITISTE** n. (1699) «peintre ou dessinateur de portraits» est usuel. ◆ Quelques noms composés ont été faits avec *-portrait* dont **AUTOPORTRAIT** n. m. (1928), courant en peinture. ◇ Avec *-portrait* comme second élément, on a la série plus nombreuse et ouverte de *portrait-cadre* (fin XIXe s.), *portrait-lithographie, portrait-médaillon, portrait-interview, portrait-photo, portrait-souvenir*, etc.

PORTULAN n. m. est emprunté (1577) à l'italien *portolano* «livre, carte où sont décrits les côtes et les ports de mer», attesté depuis 1445 en ce sens dans le recueil de P. de Versi, écrit en dialecte vénitien. *Portolano*, qui existe antérieurement aux sens de «pilote d'un navire» (XIVe s.), «dignitaire chargé de l'intendance sur les ports» (dans les Pouilles et la Calabre), est emprunté au latin médiéval d'Italie du Sud *portulanus* (XIIIe s., Sicile, Naples). C'est un dérivé de *portus* (→ port) sur le modèle de *hortulanus* «jardinier», lui-même de *hortus* «jardin».

♦ L'ancien français avait emprunté au latin médiéval *portulanus* les formes *pourtulan, pourtelain* et *portelain* (1278, jusqu'au XVe s.), sorties d'usage. Au XVIe s., l'italianisme *portulan* désigne un ensemble d'informations maritimes, un recueil mis au point par les navigateurs italiens (surtout génois et vénitiens) des XIIIe-XIVe s., décrivant les ports de mer et les côtes ainsi que les renseignements utiles à la navigation. Par métonymie, le mot désigne la carte accompagnant ce document.

POSADA n. f. est emprunté (1548) à l'espagnol *posada* «auberge» (1493 ou 1495), spécialisation des sens plus anciens de «maison» et «campement» (v. 1140). Le mot est dérivé de *pausar* «placer, s'arrêter», verbe issu du latin populaire *pausare* (→ poser).

♦ Le mot a été emprunté pour désigner une auberge, dans un contexte espagnol ou hispanique.

✳ **POSER** v. (1050), d'abord *pausar* (v. 980), est issu du latin populaire *pausare* «cesser, s'arrêter», emprunté au grec *pauein*, aoriste *epausa* «cesser», «arrêter», d'étymologie obscure. *Pausare* a pris en latin chrétien le sens de «reposer» comme en témoignent les épigraphes (*pausat in pace* «il repose en paix»), et de là, a produit le dérivé *repausare* (→ reposer) qui a supplanté le verbe classique *requiescere* composé de *quietus* (→ quiet) puis s'est employé en ancien français à côté du verbe simple. De plus, *pausare*, dont le participe passé *pausatus* se rapprochait pour la forme et pour le sens de *positus*, participe passé de *ponere* «placer, mettre» (→ pondre), s'est substitué en gallo-roman à ce dernier dans la majorité de ses emplois et de ses composés, en s'annexant ses dérivés (→ apposer, composer, déposer, disposer, exposer, imposer, interposer, opposer, postposer, préposer, proposer, supposer, transposer).

♦ Le verbe est passé en français comme transitif pour «ensevelir», emploi auquel correspond le sens intransitif (1100) de «reposer, en parlant d'un mort». Tous deux sont sortis d'usage sous la concurrence de *déposer** et *reposer**, tandis qu'au XIIe s., *poser* héritait des principaux sens transitifs de *ponere :* il réalise la valeur physique de «mettre en place (une chose)» (1188) d'où «mettre, déposer» avec des emplois particuliers avec un complément animé (1579, *poser des sentinelles*) et des spécialisations techniques en arithmétique (1654), au jeu de dominos, de cartes (1792), en art pour «donner la pose appropriée à (un modèle)» (1669), sens remplacé par *faire poser*, où le verbe est intransitif (ci-dessous), et en musique dans ***poser sa voix*** (1840). ◆ *Poser* exprime également le fait de déposer, de mettre bas une chose que l'on porte sur soi, armes, vêtements, etc. (1188), emploi où il subit la concurrence de *déposer**, notamment dans ***poser les armes*** (1567), ***poser le masque*** (1669), ***poser sa chique*** «mourir» (1866) et ***poser culotte*** «se déculotter» (pour déféquer) (1878), ces deux dernières locutions étant familières. ◆ Avant le sens physique de «placer», *poser* est attesté abstraitement pour «déterminer, fixer, éta-

(Suite page 2862)

LE PORTUGAIS

Le portugais est une langue romane employée dans la partie la plus occidentale de la péninsule Ibérique. Le latin parlé dans cette région a évolué de manière assez originale, par rapport à celui du reste du pays, sur le plan phonétique. Ceci est surtout vrai à partir du VIIIe s., époque où les musulmans envahissent le reste de la péninsule. Ainsi *pl-* et *cl-*, qui aboutissent à *ll-* en castillan, donnent *ch-* (*plicare* donne *chegar* et non *llegar*) de même que *fl-* (*flamma* donne *chama*), le *l* et le *n* entre voyelles disparaissent (*dolore* aboutit à *door, dor,* non pas à *dolor; luna* donne *lua*). Antérieurement, le *k* latin avait donné dans cette région *lh* et non le son *dj, ct* avait abouti à *it* (*nocte* donne *noite,* non pas *noche*) et les voyelles latines s'étaient mieux conservées qu'en castillan (*novem* donne *nove* au lieu de *nueve, pedem, pe* et non *pie*...).

En revanche, la syntaxe et le vocabulaire — avec son fonds latin parfois plus archaïque (latin classique) qu'en espagnol, ses emprunts au substrat puis au germanique, ensuite à l'arabe (mis à plus faible contribution qu'en espagnol) — sont en gros homogènes avec ceux du reste de la péninsule.

Aux VIIIe-IXe s., la Galice et ce qui deviendra le nord du Portugal ont des parlers bien distincts de ceux qui ont cours à l'Est, léonais et castillan (→ espagnol), et aussi de ceux du Sud, mozarabes (la limite se situant entre les villes de Porto [Douro] et de Coïmbre). On commence à pouvoir parler de **galicien-portugais**, cet ensemble né vers le IXe s. étant attesté par écrit au début du XIIIe siècle. Dès le XIIe s., un royaume indépendant du Portugal existe, alors que la Galice demeure rattachée politiquement au Léon, à la Castille, enfin à l'Espagne.

À partir d'un idiome commun, né au Nord-Ouest, le Portugal, dont la capitale est Lisbonne (1255), située en zone mozarabe, va déplacer son centre de gravité linguistique vers le Sud.

Le portugais ancien

La langue des textes des XIIIe-XIVe s. est faite de documents divers et de poèmes lyriques. Ces derniers emploient un compromis entre parlers galiciens et du Nord-Portugal, les premiers témoignant d'influences léonaises. Cette langue manifeste une structure phonétique et graphique propre, des traits grammaticaux originaux ainsi que des emprunts à l'occitan et au français (langue d'oïl). Si le mouvement d'emprunts au latin (dits semi-savants) est parallèle à celui de l'espagnol castillan (et d'ailleurs du français), ces emprunts peuvent varier dans le détail.

Au milieu du XIVe s., le portugais, désormais coupé du galicien, est centré sur les parlers des régions de Coïmbre et de Lisbonne. La langue se développe et se normalise en deux temps : la première époque se termine avec Camões, qui publie *Les Lusiades* en 1572. Cette époque tardive du portugais ancien correspond à l'expansion coloniale portugaise. Ceuta, au Maroc, est prise en 1415; entre 1488 et 1550, les Portugais touchent successivement l'Afrique du Sud, l'Inde, le Brésil et l'Asie, jusqu'à la Chine et le Japon.

Sur le plan de la langue, le **galicien** littéraire, aux XIVe et XVe s., s'exprime indépendamment du portugais; ensuite, il subsiste et évolue surtout en tant que langue parlée, s'éloignant du portugais par son évolution phonétique (ainsi, le *dj* latin y aboutit comme en castillan en une spirante vélaire sourde, analogue à la *jota,* phénomène inconnu à Lisbonne). Pendant ce temps, l'évolution phonétique du portugais, plus ou moins influencée par le castillan, donne lieu à des variantes dialectales (ainsi, au nord de Coïmbre, le *b* et le *v* sont distincts, comme en galicien ancien, alors qu'au sud ils se confondent, comme en castillan). L'évolution des chuintantes est particulièrement caractéristique du portugais par rapport à toutes les autres langues romanes. À la différence de l'espagnol, dont on estime qu'il a subi une «révolution phonétique» aux XVIe et XVIIe s., le portugais a suivi une voie plus régulière et spécifique. Sur ce point, le bilinguisme portugais-espagnol, normal avant la fin du XVIIe s. pour les Portugais cultivés, une réaction anti-espagnole s'opérant au milieu du XVIIe s., n'a guère eu d'effet. Le portugais «classique» est le fruit d'évolutions internes et de l'effort culturel conscient qui correspond à la Renaissance. Il s'élabore au début du XVIe s. (Gil Vicente). Sur le plan du lexique, il correspond en partie à une relatinisation, très sensible dans l'œuvre majeure de Camões : certains mots se sont rapprochés de l'étymon latin; de nouveaux emprunts latins apparaissent. À la même époque, grammaires (Fernão de Oliveira, 1536; João de Banos, 1540), traités d'orthographe (à partir de 1576) et dictionnaires (portugais-latin, 1551) manifestent une prise de conscience sociolinguistique comparable à celles de l'espagnol, du français ou de l'anglais.

Le portugais moderne s'élabore aux XVIIe et XVIIIe s. avec une influence française notable (surtout au XVIIIe s.) qui se substitue à l'influence culturelle espagnole, avant qu'on ne décèle celle de l'anglais. Quant au vocabulaire, le gallicisme se combine à des vagues d'emprunts; les emprunts à l'arabe, on l'a vu, sont moins abondants qu'en espagnol, mais le substrat mozarabe du centre et du sud du Portugal ne pouvait être sans effet; quant aux emprunts asiatiques, ils proviennent des découvertes et de la colonisation portugaises (ils sont répertoriés dans le *Glossário Luso-Asiático* de S. R. Dalgado, publié de 1919 à 1921); ainsi, la *jangada* chère à Jules Verne vient de l'Inde dravidienne. Certains emprunts exotiques sont internationaux; d'autres, pris aux langues indiennes du Brésil, notamment au tupi (voir ci-dessous), sont parallèles aux indianismes de l'espagnol.

Les modifications subies par la langue entre le XVIe et le XVIIe s. concernent tous ses aspects : phonétique, orthographe, grammaire, vocabulaire. À la fin du XVIIIe et au début du XIXe s., le portugais moderne est dans son ensemble constitué. L'évolution porte notamment sur la syntaxe du verbe, sur l'article employé devant le possessif (*o meu* «le mon»), sur les habitudes de conversation : de la simple opposition entre tutoiement et vouvoiement (comme en français) on est passé, à partir du XVIe s., aux formules à la 3e personne, analogues à celles du castillan, avec des simplifications (de *vossa mercé* «votre Grâce» à *vocé*, comme l'espagnol a *usted*), et à la disparition de *vos* «vous» au XIXe siècle.

Comme dans d'autres langues — notamment le français —, le portugais moderne se distingue plus encore du portugais classique par l'évolution de son lexique et par les attitudes sociales. Après la vague d'emprunts au français et aux langues d'Asie (voir ci-dessus), ce sont les besoins du savoir et ceux de la vie moderne qui suscitent des créations gréco-latines, souvent internationales *(televisaõ)* et passant par le français, l'allemand, de plus en plus par l'anglais et l'anglo-américain.

Quant aux emprunts de la langue générale, l'influence la plus forte est celle du français, qui fournit aussi des constructions, puis celle de l'italien et, surtout après 1945, celle de l'anglo-américain.

Par ailleurs, la description du vocabulaire portugais, se dégageant des dictionnaires portugais-latin, abondants au XVIIe et au XVIIIe s., aboutit en 1789 au *Dicionario da Lingua Portuguesa* d'Antonio de Morais Silva, dont les rééditions successives font un précieux témoin de l'évolution lexicale jusqu'à nos jours. Au XIXe s., la linguistique du portugais se modernise à partir de l'œuvre de Francisco Coelho, devenant scientifique.

Le portugais hors d'Europe

La langue portugaise, depuis le XVIe s., s'est répandue dans le monde. Sa présence en *Asie*, où elle a servi de langue véhiculaire commerciale dans les ports de l'Inde, de Ceylan et d'Indonésie, relève aujourd'hui de l'histoire; de rares témoins subsistent cependant : Goa en Inde, quelques points côtiers en Indonésie, Macao en Chine du Sud (où le portugais sert de langue d'administration). En outre, des créoles portugais existent encore à Sri Lanka et à Macao.

En *Afrique*, le portugais joue un rôle analogue à celui de l'anglais et du français. Il est parlé comme langue officielle à côté des langues nationales (du Nord au Sud) dans les îles du Cap-Vert, en Guinée-Bissau, à Saõ Tomé et surtout en Angola (côte ouest) et au Mozambique (côte est, en face de Madagascar). Avec le néerlandais, il semble avoir joué un rôle important au Cap, aux XVIIe et XVIIIe siècles. L'Afrique lusophone, de même que l'anglophone et la francophone, connaît une norme littéraire et scolaire peu éloignée de celle de l'ancienne métropole coloniale et des usages variés, qui vont du littéraire, marqué par des traits lexicaux et stylistiques, aux vernaculaires plus ou moins altérés. En outre, à la différence de la francophonie africaine, des créoles portugais africains sont pratiqués, notamment en Guinée-Bissau et à Saõ Tomé. — Enfin, le portugais est parlé à Madère et aux Açores.

Le portugais brésilien

Le rôle international majeur du portugais vient de son emploi généralisé comme langue officielle, nationale et maternelle au Brésil. Du littoral (où Cabral accosta en 1500) à l'intérieur, d'abord dans les villes, le portugais européen, avec des traits régionaux, s'est parlé à côté de la langue indienne véhiculaire, simplifiée et normalisée par les jésuites (un peu à la manière des grands véhiculaires africains, tel le swahili), le tupi. Cette «langue générale» *(língua geral)* s'est pratiquée jusqu'au milieu du XVIIIe s. où une loi de 1757-1758 (due à Pombal) puis l'expulsion des jésuites (1759) scellent son destin. L'emploi d'une autre langue indienne officielle se perpétuera, encore grâce aux jésuites, à côté de l'espagnol, au Paraguay.

Dès le XVIIIe s., les différences entre le portugais du Brésil et celui d'Europe sont notées et étudiées. Après l'indépendance (1822), la fin de la traite des esclaves noirs (1850), élément essentiel de la population, l'immigration portugaise, mais aussi italienne puis allemande, la dilution des Indiens (de démographie plus faible) par un métissage généralisé, sauf en Amazonie, créent une situation complexe et nouvelle, concernant une population en très grande expansion dans la seconde moitié du XIXe s. et au XXe siècle. Le portugais y gagne des millions de locuteurs et y acquiert des traits nouveaux qui l'écartent de l'usage européen, malgré l'influence des immigrants venus du Portugal.

Sur un territoire aussi immense, peu de variations géographiques proprement dialectales, mais des différences d'usage régionales et sociales. Sur un fonds de portugais du Centre et du Sud (les variétés du Nord, plus proches du galicien, ont été éliminées), les usages vont de celui de l'élite cultivée à ceux de la population mêlée des grands centres urbains et à ceux des régions rurales. La recherche d'une norme unique (avec des différences entre Recife, Salvador, Rio, São Paulo) est analogue à celle qui s'effectue pour l'espagnol et pour le français d'Amérique. Elle doit tenir compte de l'histoire : le portugais brésilien a conservé des traits phonétiques abandonnés par le portugais européen (sifflantes — sauf à Rio — là où l'on emploie au Portugal des chuintantes, voyelles et diphtongues conservées); en revanche, des simplifications phonétiques sont intervenues (par exemple le *l* vélaire devient une voyelle *u* : *Brasil* se dit *Brasiu*). La phonologie des voyelles, pour ces deux raisons — conservatisme et innovation —, s'est fortement éloignée de celle du portugais d'Europe. Ceci est vrai aussi de la morphologie et des constructions syntactiques, avec des brésilianismes généralisés (appartenant à la norme) et d'autres considérés comme régionaux, populaires et pour certains incorrects. Comme pour l'espagnol, le français et l'anglais d'Amérique, par rapport à leurs sources européennes, ce sont la phonétique et le lexique qui enregistrent les plus notables différences avec les langues-sources.

Ce lexique du portugais brésilien est riche en emprunts amérindiens, surtout à la «langue générale» tupi. Ces mots concernent, comme on s'y attend, les réalités propres du Brésil, naturelles (*jacarandá, tatu* [tatou], *piranha*) ou culturelles, et aussi quelques emplois familiers de la langue usuelle. D'autres unités lexicales brésiliennes proviennent d'Afrique par les esclaves noirs. À côté de mots passés de langues africaines au portugais d'Europe (*inhame;* cf. *igname* en français), d'autres sont venus au Brésil par la traite. Ainsi le yorouba, langue parlée au Nigeria, a fourni une partie du vocabulaire brésilien de Salvador de Bahía, par exemple en cuisine et dans les cérémonies religieuses du Candomblé (l'exemple du vaudou haïtien, venu du Dahomey, est analogue).

Enfin, le brésilien se définit par les attitudes sociales à son égard. Après l'indépendance, la reconnaissence d'une langue autonome se heurte au désir de conformité au modèle européen. Situation banale, que l'on retrouve pour l'espagnol, le français (au Québec), l'anglais, etc. Une œuvre du romancier José de Alencar (*Iracema,* 1865) fut l'occasion pour l'auteur de revendiquer, par rapport à ses critiques, un usage proprement brésilien au nom de l'authenticité. Malgré un purisme actif en littérature autour de1900, la parole brésilienne, surtout avec le mouvement dit «modernisme» à partir de la génération de Mario de Andrade (mort en 1945), reflète mieux que jamais la variété des usages brésiliens et illustre la recherche d'une norme acceptée par tous, à laquelle peuvent s'ajouter des particularismes plus éloignés du portugais d'Europe (à la manière du joual québécois). Par ailleurs, l'apparition d'une linguistique scientifique au Brésil, dans la seconde moitié du XIXe s., a conduit à une révision des connaissances (recul des thèses indianistes, qui voyaient partout l'influence du tupi, ou de l'africanisme) et à une meilleure évaluation des pratiques langagières réelles.

Le combat pour une langue de qualité est aujourd'hui lié à l'établissement d'une norme brésilienne réaliste, à la gestion des bilinguismes (avec l'italien, le japonais, etc., selon les colonies d'origine étrangère), à un dialogue avec le portugais d'Europe et à la résistance aux effets destructurants induits par la présence massive de l'anglo-américain comme langue des affaires, de la science et des techniques.

L'apport du portugais au français

Le portugais a fourni relativement peu d'emprunts au français, par rapport à l'espagnol. On note cependant *albinos, autodafé,* (perle) *baroque, cachalot, caramel, caravelle, créole, embarrasser, marmelade, pintade.* Certains concernent des réalités exotiques (*cobra,* [noix de] *coco*), souvent africaines *(fétiche, griot, paillote, zèbre),* d'autres des realia portugaises *(fado).*

Le portugais du Brésil a fourni *bossa-nova, favela* et d'autres mots moins acclimatés. Quant aux mots amérindiens tupi-guarani, ils ont été transmis par le portugais de la Renaissance : *acajou, ananas, cobaye, jaguar, manioc, piranha, sagouin, sarigue, tamanoir, tapioca, tatou* en font partie.

Ce contingent est notable mais, le plus souvent, concerne des mots exotiques ou du moins marqués. Il en va de même pour les mots (souvent les mêmes) passés en néerlandais et en anglais, langues qui, avec le portugais et le français, furent longtemps concurrentes en Afrique et en Asie, alors que l'espagnol et le portugais se partageaient l'Amérique centrale et méridionale.

Ce rôle historique fait du portugais une des langues romanes les plus importantes.

A. Rey

BIBLIOGRAPHIE

Paul TEYSSIER, *Manuel de langue portugaise,* Klincksieck, 1976. — *Histoire de la langue portugaise,* PUF, 1980.

S. de SILVA NETO, *História de la lingua portuguesa,* Rio de Janeiro, 2e éd., 1970.

Edwin B. WILLIAMS, *From Latin to Portuguese,* University of Pennsylvania, 1938.

blir» (v. 1155) d'où «présumer» (v. 1278), emploi qu'il cédera à *supposer**. *Poser* s'emploie en philosophie au sens d'«admettre, faire admettre a priori», d'abord participe passé dans ***ceci posé*** (1657-1662, Pascal), très vivant dans le discours scientifique, puis général, et dans *poser des principes* (1690). ◇ Dans le même ordre d'idées, le verbe correspond à «formuler (une question, un problème)» dans *poser l'état d'une question* (1718), puis ***poser une question*** (1789, Mirabeau), tour (non signalé par Littré) qui a éliminé *faire une question à qqn* et *se faire une question*. La locution ***poser sa candidature*** est encore plus tardive (1862), de même que ***poser un acte*** «l'accomplir» (1879), critiquée malgré le grand usage qu'en font les auteurs chrétiens, et très vivante en Belgique et au Canada. ➜ L'ancien sens d'«établir (qqn) dans une fonction» (v. 1150) a vieilli, mais est réactualisé au XIXe s. par le sens voisin de «mettre (qqn) en vue, en crédit» (1841, Balzac). ➜ L'emploi de la forme pronominale *se poser* remonte à la première moitié du XIIe s. avec le sens concret de «s'étendre (sur un lit)» (v. 1145), sorti d'usage. *Se poser* exprime concrètement le fait de se placer, de s'arrêter doucement quelque part (1559), qui a pris en français moderne une valeur familière *(on se pose)*; cette acception est en revanche neutre, voire soutenue, en parlant des yeux (av. 1794). ◇ Abstraitement, *se poser* signifie «se donner une position avantageuse» (1846) et ***se poser comme*** (1835), ***se poser en*** (1839) correspondent à «prétendre avoir (telle situation)». La locution familière ***se poser là, un peu là,*** à propos de qqn ou de qqch. qui dépasse la norme, est récente (1947).
➜ Les emplois intransitifs de *poser*, après le sens ancien de «reposer», se sont développés depuis le XVIIe s. : *poser* se dit pour une chose qui est appuyée sur un support (1680). Cet emploi s'est répandu au XIXe s. avec le sens de «rester immobile dans l'attitude voulue par le peintre, en parlant d'un modèle» (1822), *faire poser* remplaçant l'ancien *poser*, transitif (ci-dessus). En photographie, le verbe correspond à *pose*. ◇ Le sens figuré de «prendre des attitudes étudiées, affectées» (1835), qui correspond à une valeur particulière de *pose* (cf. *poseur*), est réalisé dans la locution ***poser pour la galerie*** (1883). ◇ La construction factitive ***faire poser qqn*** «le faire attendre» (1834) est de nos jours archaïque.

▸ *Poser* a produit quelques dérivés, sans compter les représentants des dérivés et composés du latin *ponere* qu'il s'est annexés. ➜ Son participe passé *posé* a été substantivé au féminin **POSÉE** n. f. (fin XIIIe s.) avec les sens d'«arrêt», «séjour» (v. 1350) et «situation d'un pays» (v. 1550) avant d'être repris beaucoup plus tard au sens de «lieu disposé pour l'échouage des navires» (1874), lequel a vieilli; il n'est guère usité que dans l'expression *pêche à la posée* (v. 1950) «dans laquelle l'appât repose sur le fond». ➜ **POSÉ, ÉE** est adjectivé pour qualifier moralement une personne calme, mesurée (1538, sens réalisé antérieurement dans l'ancien provençal *pauzat*). L'adjectif a parfois la valeur de «qui a une assise, une situation sociale établie» (1840, *gens posés* chez Balzac), aujourd'hui abandonnée. ◇ Il est substantivé avec une valeur de neutre pour désigner le fait d'être arrêté, posé (1903). ➜ Il a pour dérivé l'adverbe **POSÉMENT**, déjà relevé chez Commynes (XVe s.), donc avant la première attestation de l'adjectif en ce sens, pour «calmement». ➜ Le nom d'action **POSAGE** n. m. (1532), d'abord employé dans l'expression *posage de bateaux*, désigne l'action de poser (1694) mais est quasiment sorti d'usage sous la concurrence du déverbal de *poser, pose*. ➜ **POSEUR, EUSE** n. (1641) désigne spécialement l'ouvrier qui pose des pierres. Par extension, il s'applique aussi à celui qui effectue la pose des tapisseries (1766), des voies de chemins de fer (1858) et de tout type d'appareil ou d'objet, emplois rares ou techniques. ➜ Sous l'influence du sens figuré de *poser*, «manquer de naturel», et de *pose* (ci-dessous), il a développé son seul sens courant, «personne affectée» (1842), aussi comme adjectif.
Le déverbal de *poser*, **POSE** n. f. (1694), lui sert de nom d'action pour la plupart de ses sens concrets, d'où ***pose de la première pierre*** (d'un édifice) [1835], et, aux dominos, le sens d'«avantage de poser le premier dé» (1832). ◇ Le mot est employé avec la valeur de «fait de poser pour un artiste» (1792), entrant dans les locutions ***tenir la pose*** (1792, au pluriel) et ***garder la pose*** (1873). Par extension, il est employé couramment pour «attitude» (1831), avec une valeur voisine de celle de *position* et de *posture* (tous deux rattachés au latin *ponere*), notamment dans ***prendre la pose*** (1845). ◇ De là, on passe au sens figuré d'«attitude affectée, manque de naturel» (1858), qui correspond à un sens de *poser* et de *poseur*. ◇ En photographie, *pose* désigne l'exposition à l'action des rayons devant impressionner la pellicule (1871) d'où ***temps de pose*** et, par métonymie, le temps d'exposition nécessaire. ◇ C'est en ce sens qu'il entre dans **POSEMÈTRE** n. m. «appareil servant à mesurer le temps de pose optimum pour une photographie» (1948). ➜ Quelques rares exemples témoignent d'une confusion entre *pose* et *pause*, mot qui lui est étymologiquement lié (chez Aragon, Queneau...). ➜ C'est ainsi que le diminutif morphologique de *pose*, **POSETTE** n. f., employé régionalement dans le midi de la France, désigne un petit moment d'arrêt et relève sémantiquement de *pause*.
Quelques dérivés et composés apparaissent encore au XIXe siècle. ➜ L'infinitif substantivé **POSER** n. m. (1868) est un terme technique d'équitation désignant l'action de poser un pied sur le sol, pour un cheval. ◇ L'emploi substantivé du participe présent **POSANT** n. m. est lui aussi relevé fin XIXe s. au féminin avec le sens d'«endroit où un navire pose sur le fond» (1874), d'usage technique. ➜ L'élément verbal **POSE-** sert à former des substantifs concrets (*pose-sangsue*, 1850; *pose-tube*, en technique, 1973).
Toujours au XIXe s., *poser* est entré dans les composés préfixés ② **DÉPOSER** v. tr. (1836), rare, pour «faire cesser d'être posé» et ② **REPOSER** v. tr. (1838, déjà *repoiser* au XVe s. au sens de «poser») qui lui sert d'itératif, à ne pas confondre avec les homonymes ① ◇ déposer* et ① ◇ reposer*.
ENTREPOSER v. tr. est composé (1119) de *entre** et *poser**. ➜ Le verbe signifie en ancien français «mettre entre, intercaler». Il a ensuite (1542) le sens

de «poser, mettre pour un certain temps»; c'est d'après *entrepôt* qu'il s'emploie (1723) pour «déposer dans un entrepôt».

ENTREPÔT n. m. (1497), dérivé (déverbal) de *entreposer,* avec influence de *dépôt,* est attesté au sens de «dépôt», puis (1600, *entrepos*) correspond à «fait, action d'entreposer» *(lieu d'entrepôt).* Le mot désigne ensuite (1690, *entrepost*) un lieu de dépôt pour des marchandises et, par extension, un port, une ville où sont déposées des marchandises pour être réexportées. ➛ Un autre dérivé du verbe est **ENTREPOSEUR** n. m. (1721). ➛ **ENTREPOSITAIRE** n. m. (1814) est formé d'après *dépositaire.* Ces deux mots sont des termes de droit. **ENTREPOSAGE** n. m. (1875) est technique et plus courant.

APPOSER v. tr. est formé de *a-* et *poser* (v. 1120, *aposer*) d'après le préfixé latin *apponere* «poser auprès», c'est-à-dire «ajouter». ◇ Le premier emploi est figuré, mais le verbe s'emploie dès l'ancien français (1213) dans *apposer un sceau* «appliquer de manière à laisser une empreinte»; c'est aussi la valeur du verbe dans *apposer les scellés* (1606). ◇ Par atténuation, *apposer* correspond (v. 1555) à «insérer (une clause)», puis à «inscrire, écrire (dans un contexte juridique)» et notamment «inscrire (sa signature)» (v. 1640). Enfin, le verbe a en grammaire la valeur qui correspond à celle d'*apposition.* ➛ **APPOSITION** n. f., emprunt (1213) au latin *appositio,* du supin de *apponere,* a fonctionné dès l'ancien français comme substantif de *apposer.* ◇ Le mot s'est spécialisé en grammaire (1606) d'après le latin didactique désignant le fait de juxtaposer (des termes, mots ou propositions). L'emploi général pour «fait de placer auprès, d'adjoindre» est virtuel, mais le mot s'est employé avec cette valeur en sciences naturelles (1690), sens disparu, puis spécialisé en histologie.

ANTÉPOSER v. tr., formé au XVIe s. avec *anté-** et *poser* au sens figuré de «préférer», a été recréé au XXe s. en linguistique d'après *antéposition* (→ position) pour «placer devant un élément de la phrase». ➛ **POSTPOSER** v. tr. est un peu antérieur (1466); il a signifié «placer après», au figuré «subordonner», et a disparu. Repris en linguistique (XXe s.), probablement d'après *postposition* (→ position), il s'emploie surtout au participe passé adjectivé. ◇ La valeur de «remettre à plus tard», comme en français de Belgique, correspond à celle de l'anglais *to postpone.*

⊕ voir ① **DÉPOSER, JUXTAPOSER** (art. **JOUXTE**), **MÉNOPAUSE,** ① **REPOSER; PAUSE, PESADE;** et les verbes issus de *ponere* et qui ont pris la forme **-POSER** (ci-dessus, étymologie).

POSITIF, IVE adj. et n. est emprunté (v. 1278) au bas latin *positivus,* terme de philosophie et de grammaire signifiant «conventionnel, accidentel» et, en parlant d'un adjectif, «employé pour poser une qualité, sans la comparer». Le mot est dérivé du supin *(positum)* de *ponere* «placer, poser» (→ pondre, ponant).

♦ Le mot est passé en français pour qualifier ce qui a un caractère d'évidence, emploi qui ne s'est répandu qu'au XVIIe s., le mot entrant alors dans l'usage courant. Le sens didactique et étymologique, «qui résulte non de la nature des choses mais d'un acte volontaire», est attesté depuis Oresme (v. 1365) et s'oppose à *naturel.* Il est réalisé dans les expressions *droit positif, religion positive, théologie positive* (1671) «partie de la théologie concernant la connaissance des dogmes d'après l'Écriture sainte, les Pères de l'Église et les conciles», d'où, par substantivation, *la positive* (1656), emploi disparu. Ces emplois sont aujourd'hui mal compris, du fait des développements sémantiques du mot. ◇ L'acception grammaticale pour ce qui se contente de poser une qualité (sans la comparer) annonce (XIVe s.) le sens classique devenu courant de «qui a un caractère de certitude, affirme une chose, la donne comme vraie» (1664), par opposition à *négatif.* Au XVIIIe et au XIXe s., le mot a développé des acceptions philosophiques, scientifiques et techniques : qualifiant ce qui est fondé sur l'expérience, sur l'observation des faits réels d'abord (1749), avec l'idée que le fait positif est comme posé par la volonté d'un législateur, qui réactive la valeur étymologique. Il a acquis un sens spécial dans l'école de Saint-Simon (1813, *âge positif, philosophie positive*) et surtout avec son disciple Auguste Comte, fondateur d'une ***philosophie positive*** (1822) [cf. ci-dessous *positivisme*], ce qui donne à l'adjectif de nombreux emplois nouveaux, où il s'oppose à *métaphysique* et à *théologique,* et se rapproche de *objectif, scientifique.* ◇ Parallèlement, *positif,* en mathématiques qualifie une grandeur, une quantité non négative affectée du signe *plus* (1751). Il qualifie l'électricité dite alors *vitrée* ou *vitreuse,* parce que les physiciens supposaient que les phénomènes électriques provenaient d'un fluide unique en excès dans le verre et ailleurs en défaut *(électricité négative).* Ce sens correspondait déjà à l'idée de conformité à une orientation, à des qualités de référence, ce dont procède l'emploi du mot en physique magnétique (1806, *pôle positif*) et en photographie où l'adjectif qualifie le cliché, l'épreuve dans son état final, après tirage (1850, *épreuve positive;* 1881 comme nom). Cette valeur a suscité le composé *diapositive* (ci-dessous). ➛ Depuis le début du XIXe s., le mot s'est répandu dans l'usage au sens de «qui a un caractère d'utilité pratique», et, en parlant d'une personne, «qui tient compte de la réalité objective, concrète»; il est substantivé pour désigner ce qui est rationnel, raisonnable (1810, *le positif de la vie*), emploi qui a vieilli. ◇ Par opposition à *négatif,* il a pris (XXe s.), le sens psychologique de «favorable, qui pense du bien de qqch.», lequel tend à évincer la valeur péjorative concurrente, «attaché à ses intérêts, sans idéal» (v. 1850).

▶ Le plus ancien dérivé est **POSITIVEMENT** adv. (1441) «de manière indubitable, certaine», puis «précisément, exactement» (XVIe s.) d'où, par affaiblissement, «réellement, vraiment». Au XIXe s., son usage au sens de «favorablement» est critiqué. ➛ C'est sous l'influence des nouveaux emplois de l'adjectif, au XIXe s., que la dérivation a été importante. **POSITIVISME** n. m. (1830), attesté pour la première fois au sens général de «caractère de rigueur scientifique» (dans *De la religion saint-simonienne*), s'applique à la *philosophie positive* d'Auguste Comte et, par extension, à l'état social correspondant à cette philosophie positive, puis à toute doctrine qui se réclame de la seule connaissance des faits, de l'expérience scientifique (1874, Larousse). L'emploi de *positivisme* pour «scientisme», en général péjoratif, est abusif par rapport à la définition qu'en donnent les fondateurs et les propagateurs de la théorie, notamment Comte et Littré. Si ce dernier préconise un agnosticisme critique assez scientiste, le positivisme comtien a évolué en un mysticisme idéologique. ◇ Le sens usuel psychologique d'«égoïsme, matérialisme» (1842) n'a pas vécu. ➛ Le mot a produit par substitution de suffixe **POSITIVISTE** adj. et n. (1834, Fourier) «relatif au positivisme», «partisan du positivisme», valeur développée et illustrée par Auguste Comte et ses disciples. Le mot a eu la valeur péjorative d'«égoïste, matérialiste» (1842), très marquée par la critique idéaliste de la société bourgeoise du XIXe s. et disparue avec les emplois correspondants de *positif.* ➛ *Positivisme* et *positiviste* au sens philosophique ont produit les composés **NÉOPOSITIVISME** n. m. (1908) désignant une école de philosophie et de logique fondée sur l'analyse des valeurs de vérité (et très différente du positivisme comtien) et **NÉO-POSITIVISTE**, relayés par **LOGICO-POSITIVISME** (v. 1960) et l'adjectif correspondant. Dans les deux cas, l'anglais *positivism* a servi de modèle.

POSITIVITÉ n. f. (1842) se dit de l'état d'un corps qui manifeste les phénomènes de l'électricité positive et, plus largement, du caractère de ce qui constitue une réalité, une affirmation; il est également employé en philosophie pour le caractère de ce qui est positif, au sens donné à ce mot par Comte et avec tous les emplois correspondant aux acceptions scientifiques de l'adjectif.

POSITON ou **POSITRON** n. m. (1934) est issu par contraction de *positif* et *électron**, d'après l'anglais *positron* (1932), formé de *positive electron* «électron positif». ◇ Le mot désigne une particule élémentaire à charge positive, de même masse que l'électron (négatif). *Positron,* par alignement sur *électron,* l'emporte depuis la disparition de *négaton.* ➛ Il a servi à former **POSITONIUM** n. m. (v. 1950) pour la combinaison de courte durée d'un électron et d'un positon.

Un dérivé de *positif* au sens récent de «favorable» a donné **POSITIVER** v. tr. (v. 1970) «rendre meilleur» et «considérer comme bon ou meilleur», mot courant dans l'usage publicitaire.

Du sens photographique de *positif* vient le composé **DIAPOSITIF, IVE** adj. (1900) qualifiant un cliché positif tiré sur support transparent. Cet adjectif rare et technique a été substantivé au féminin en **DIAPOSITIVE** n. f. «épreuve diapositive» (1907, publicité in *Annuaire de la photographie*), mot répandu et diffusé après 1950 avec la vogue de ce procédé dans la photographie d'amateurs. ◇ La forme abrégée **DIAPO** n. f. (av. 1978) est encore plus usuelle. La projection de diapositives commentées fait partie des procédés audiovisuels les plus courants.

POSITION n. f., d'abord *posicion* (v. 1278), est emprunté au latin *positio, -onis,* nom d'action tiré du supin *(positum)* de *ponere* «placer, poser» (→ ponant, pondre, positif). *Positio* désigne l'action de mettre en place, en particulier de planter, de greffer, en horticulture. Par métonymie, il désigne la place, la situation, la disposition d'esprit, et au pluriel les circonstances. Il se dit de l'abaissement de la voix dans la prononciation et s'emploie en grammaire pour la désinence, la terminaison.

♦ Dès les premiers emplois, le mot désigne la situation spatiale d'une chose, d'une personne, avec de nombreuses spécialisations et valeurs figurées, notamment à partir du XVIIe siècle. ◇ Dès le moyen français, il était employé en grammaire (1392) avant de l'être en prosodie ancienne (1690, *syllabe longue par position*), puis en linguistique. ◇ Au XVIIe s. (attesté dans Furetière, 1690), il commence à être en usage pour désigner l'emplacement d'un terrain, d'une construction, par rapport à la commodité qu'il procure. Il s'emploie en astronomie (1690), en géographie (1694), en musique pour désigner la situation relative des notes d'un accord (1743) et dans le langage militaire pour le terrain où sont placées les troupes (1798), d'où *position clé* (1941 *-clef*), *position stratégique* (1952), expressions répandues dans l'usage avec une valeur figurée. ◇ En mathématiques, avant de parler de *géométrie projective,* on parlait de *géométrie de position* (1869). ◇ Au XXe s., le mot s'emploie aussi en comptabilité (1930) et, concrètement et couramment, dans *feux de position* (1906) à propos d'un véhicule, d'un avion. ➛ À partir du XVIIe s., un groupe d'emploi réalise par métonymie l'idée de «manière de disposer son corps ou une partie de son corps» (1616) qui différencie le mot de termes comme *emplacement, lieu, situation :* cet emploi est fréquent en peinture (1668), chorégraphie (1690) et équitation (1762), et aussi en musique (1768) pour désigner le lieu où la main se pose dans le jeu des instruments à manche, enfin dans divers sports et dans la technique militaire. ◇ Par abstraction, *position* recouvre l'ensemble des circonstances où l'on se trouve (1755, Voltaire), d'où la locution ***être en position de*** «dans une situation où l'on peut...» (1830) ainsi que, familièrement, ***être dans une position intéressante*** «être enceinte» (1896). *Position* désigne spécialement la situation d'une personne dans le monde, la société (1774), puis, avec l'évolution des mœurs et la montée de la bourgeoisie capitaliste, une place rétribuée, une fonction stable (1846). ◇ Dans le domaine abstrait et par réemprunt au latin scolastique, *position* a désigné, en termes d'école et de droit, les thèses présentées dans un procès par les parties (1283); ce sens a disparu mais c'est de lui que procède l'acception «point de doctrine dans une thèse» (1690, au pluriel). ◇ Le mot s'applique aussi au fait de poser qqch. comme admis, d'où en mathématiques *règle de fausse position* (1690). L'ensemble des points que l'on soutient dans un débat est appelé *la position,* ou *les positions* de celui qui s'exprime.

▸ *Position s'est montré productif en composés indiquant souvent une modalité de la localisation, souvent en relation avec un composé verbal en -poser.* La formation la plus ancienne est *juxtaposition**. ➛ **POSTPOSITION** n. f. (1748), d'abord terme de médecine désignant l'état d'une fièvre intermittente dont l'accès retarde, a désigné techniquement l'action de mettre derrière un feuillet qui devrait être devant (1765). Le mot ne s'emploie plus qu'en linguistique et en grammaire, depuis la fin du XVIIIe s. (1784, Court de Gébelin); cf. *postposer* à *poser*. ➛ **ANTÉPOSITION** n. f. (1853) lui fournit un antonyme. ◇ Le mot est également employé en anatomie pour le déplacement d'un organe en avant, s'opposant alors à **RÉTROPOSITION** n. f. (1907). ◇ Toujours en anatomie, on parle de **LATÉROPOSITION** n. f. (1900) pour le déplacement d'un organe qui s'effectue latéralement. ➛ **AUTOPOSITION** n. f. est un terme didactique de philosophie (1945).

Les dérivés de *position* sont récents : l'adjectif **POSITIONNEL, ELLE** s'emploie en philosophie pour ce qui pose un fait, d'abord chez Sartre (1940), comme l'adverbe **POSITIONNELLEMENT** (1943). ➛ Le verbe **POSITIONNER** v. tr. (1963) a été formé sous l'influence de l'anglais *to position* (1817) «placer», dérivé de l'anglais *position* (XIVe s.), lui-même emprunté au français. ◇ Le mot français exprime l'action de mettre une pièce dans une position exactement déterminée en vue d'un travail, d'un assemblage. ◇ Sous l'influence des méthodes américaines de vente (anglo-américain *positioning*), le mot s'applique à la technique de promotion d'un produit qui consiste à déterminer sa «position» par rapport à son marché et à sa clientèle (1972). ◇ Le verbe est aussi entré dans l'usage des scientifiques pour «déterminer la position exacte de (un engin, un navire)» (1975). L'emploi bancaire du verbe au sens de «calculer la position d'un compte» est propre au français. ◇ Ce verbe, dans la plupart de ces sens, pourrait être remplacé par des synonymes tels que *localiser, situer, régler, déterminer*. ➛ Le nom d'action correspondant, **POSITIONNEMENT** n. m. (1964), calque les sens de l'anglais *positioning* (1966), gérondif substantivé de *to position*. On pourrait substituer *réglage* à cet anglicisme critiqué mais très courant, notamment pour désigner une technique de marketing (1973) ainsi qu'en sciences (1972). L'emploi en banque et en comptabilité (enregistré en 1977, *Petit Robert*) est exclusivement français. ➛ **POSITIONNEUR** n. m. (v. 1950), calque de l'anglais *positioner* (1966), désigne techniquement un appareil qui positionne une pièce. ◇ Le féminin **POSITIONNEUSE** n. f. (v. 1950) et **POSITIONNISTE** n. (v. 1950), tous deux termes de comptabilité bancaire, sont des dérivés spécifiques du français.

◈ voir JUXTAPOSITION.

POSITON → POSITIF

POSOLOGIE n. f. est composé (1820) de l'élément *-logie** et de l'élément *poso-*, tiré du grec *poson* «en telle quantité». Ce dernier est le neutre de l'adjectif *posos* devenu adverbe : «de telle quantité, de telle taille». Le radical *po-* est apparenté au radical d'indéfini et d'interrogatif indoeuropéen *°kwo-*. Celui-ci se retrouve dans le sanskrit *káḥ* «qui», le germanique *hvas*, le latin *quod*, ainsi qu'en lituanien et en slave.

♦ Le mot dénomme la branche de la thérapeutique qui étudie les doses de médicament à fixer pour chaque patient. Il est plus courant en parlant de la dose de médicament elle-même et des modalités de son administration.

▸ En est dérivé **POSOLOGIQUE** adj. «relatif à la posologie» (1820, *tableau posologique*).

POSSÉDER v. tr. est la réfection (1364), d'après *possession**, *possesseur**, de l'ancien et moyen français *possider* (1260) «avoir la possession, la jouissance d'un bien». Ce verbe, emprunté au latin, et encore relevé en 1477, a coexisté avec diverses formes comme *purseider* (v. 1120), *porsedeir* (1180), *porseoir* (1170), *porseir* (v. 1165) et *porsoier* (1250) qui, avec d'autres nombreuses variantes représentent les tentatives de francisation du même étymon latin. Celui-ci est le verbe *possidere*, qui recouvre deux conjugaisons : *possideo* «occuper comme bien propre» d'où «jouir de la possession de», et *possido* «prendre possession de, occuper». *Possidere* est composé de *potis*, pris avec son sens premier de «maître, possesseur de» (→ podestat) et de *sedere* «être assis, siéger» (→ seoir).

♦ Le verbe signifie «avoir la propriété de (qqch.)» avec un nom concret pour complément, et par extension (1640), un nom abstrait désignant un avantage, une dignité. L'essentiel des extensions est apparu au XVIe et au XVIIe s. : «avoir en propre (une chose abstraite, une idée, un sentiment, une qualité dont on peut profiter)» «avoir (une qualité, un talent, une vertu)» (1553) avec un nom d'inanimé pour sujet, «avoir en propre et en permanence» (1553), ce dernier emploi étant critiqué en dehors du langage scientifique. ◇ Avec un sujet désignant une tendance, un sentiment, *posséder* correspond à «dominer moralement (qqn)» (1580, Montaigne) et se spécialise en théologie pour «s'emparer du corps d'un être humain» en parlant d'un démon (1680). L'idée complémentaire de maîtrise de soi s'exprime dans l'emploi pour «maîtriser, contenir (ses propres états)» (1675) qui a disparu à l'actif mais se rencontre encore à la forme pronominale *se posséder* (1652, Corneille). L'accent est mis sur l'idée de jouissance sensible avec le sens de «disposer de l'affection, de l'amour de (qqn)» (1580, Montaigne), et en mystique «jouir de la présence, de la vue de Dieu» (Bossuet). Ce sémantisme est courant pour «avoir l'amour de (qqn)», d'où ***posséder le cœur de qqn*** (1643), ***posséder une femme*** (1637), mais cette dernière locution est devenue rapidement synonyme d'«avoir des relations sexuelles avec (une femme)» (1655). Le sens de «jouir de la présence de (qqn), avoir chez soi» , attesté chez Mme de Sévigné, a reculé et ne se rencontre plus que régionalement. ◇ Le sens argotique, puis familier, de «se moquer de, tromper» (1910), plus particulièrement de nos jours «avoir le dessus (en trompant)», procède à la fois du sens sexuel (cf. *baiser*) et de celui de «dominer» (cf. *avoir*).

▸ La dérivation du verbe est peu abondante, le français ayant emprunté directement au latin *possession**, *possesseur* et *possessif*. ➛ Elle se borne aux deux participes : le participe présent **POSSÉDANT, ANTE** est substantivé (1310, *possident*) au sens de «possesseur». ◇ Il est spécialement employé au pluriel, *les possédants*, pour désigner les riches (1897, Barrès). ◆ Le participe passé, **POSSÉDÉ, ÉE**, est adjectivé en parlant d'un bien, d'un héritage qui est détenu par qqn (XVe s.); il est spécialisé en théologie pour «tourmenté par le diable», notamment dans ***possédé du diable*** (1553), ***possédé du démon*** (1688), en relation avec *possession*. Au XVIIe s. apparaît le sens figuré «dominé par une idée ou un sentiment». *Possédé* a aussi désigné une personne violente et extravagante (1670), sens qui subsiste dans la locution comparative ***comme un possédé*** (1709), laquelle met l'accent sur violence et désordre. ◆ *Posséder* a aussi produit l'antonyme préfixé **DÉPOSSÉDER** v. tr. (1461), d'abord officiellement et juridiquement «destituer (qqn) du trône, d'une charge» et, matériellement, «priver (qqn) de son héritage» (apr. 1450), puis plus généralement de «priver» (1669).

◈ voir **POSSESSION**.

POSSESSION n. f., d'abord *possessiün* (1120), est emprunté, pour servir de nom d'action aux anciens verbes correspondant à *posséder**, au latin *possessio, -onis* «fait de posséder, jouissance, propriété», également «fait de se rendre propriétaire» avec une valeur active, et, chez les auteurs chrétiens, «fait d'être en proie au démon». *Possessio* est dérivé de *possessum*, supin de *possidere* (→ posséder).

♦ Le mot est d'abord employé au sens concret de «ce qui est possédé : richesse, bien», métonymie du sens actif, «action de posséder matériellement» (1190). Ce dernier entre dans les locutions verbales ***être en possession de qqch.*** (1260), *avoir en possession* (fin XIIe s.) sorti d'usage, ***prendre possession*** (XIVe s.) d'abord *prendre en sa possession* (1190) et, en droit, ***prise de possession*** (1690), ***possession de droit*** (1690), ***possession de fait*** (1690). ◇ Par extension, et selon les emplois correspondants du verbe, le mot s'applique à la possession d'un titre, d'une fonction (XVIe s.), au fait de posséder l'amour, l'affection de qqn (1580) et absolument *(la possession)* au fait de jouir de qqch., par opposition à *désir* (XVIIe s.). Il se dit aussi de la compréhension intellectuelle (XVIIe s.). ◇ Comme *posséder*, il s'est spécialisé pour le rapport affectif, amoureux où l'homme s'approprie une femme, expression directe ou métaphorique de la relation sexuelle ainsi conçue du point de vue masculin (1580, Montaigne), et aussi de la domination sur qqn (1679). ◇ Sa spécialisation religieuse pour l'état d'une personne possédée par le démon semble apparaître avec l'affaire des Ursulines de Loudun et le procès d'Urbain Grandier (1632-1634). L'acception donnée au mot en psychiatrie procède de ce sens. ◇ Depuis 1732, *possession* est employé en grammaire à propos du mode de relation exprimé par les *possessifs**.

► Le mot a produit **POSSESSIONNÉ, ÉE** adj. (XVe s., repris 1776) au sens de «qui a des possessions dans un pays», aujourd'hui limité à un usage historique. ◆ **DÉPOSSESSION** n. f. (1690), d'abord employé comme terme juridique pour «action de destituer», fournit le nom d'action correspondant à *déposséder*. Le verbe que le moyen français avait formé, *se dépossessionner* (apr. 1450), n'a pas vécu, étant senti comme un doublet inutile de *se déposséder*. ◆ **POSSESSIONNEL, ELLE** adj., lui aussi terme juridique (1836), qualifie une démarche ou un acte par où on manifeste son droit. ◆ **COPOSSESSION** n. f. est également un terme juridique (1869) qui répond à *coposséder*.

POSSESSEUR n. m. et adj. m. (1355), d'abord *possessor* (1284), est emprunté au latin *possessor* «celui qui possède un bien, propriétaire», dérivé du supin *(possessum)* de *possidere*. ◇ Le mot désigne la personne qui a la jouissance et l'usage d'un bien, spécialement dans des formules juridiques. Sur le plan abstrait, en relation avec les emplois correspondants de *posséder* et de *possession*, il désigne la personne qui jouit d'un bien immatériel (1656). Le sens de «mari» (1648), lié à une valeur correspondante de *posséder*, a disparu. ◇ Le mot s'est employé en alchimie pour «celui qui a découvert la pierre philosophale» (1732). Le féminin *possesseuse* (1611) est inusité ; on a dit *possessoure* (1417) et *possesseresse* en moyen français mais le français moderne emploie le masculin en parlant des femmes. ◇ Le mot entre dans **COPOSSESSEUR** n. m. (1782).

POSSESSIF, IVE adj. et n. m. est emprunté (v. 1380) au latin des grammairiens *possessivus* «terme qui marque la possession», dérivé du supin *(possessum)* de *possidere*. ◇ Le mot, employé en grammaire, est substantivé au masculin, d'abord pour désigner la relation grammaticale qui marque la possession (mil. XVe s.). Charles d'Orléans l'emploie alors par jeu de mots avec la possession et la jouissance des faveurs d'une femme. *Un possessif* désigne elliptiquement un pronom ou un adjectif possessif (1765). ◇ L'acception psychologique du mot pour «qui cherche à posséder, à retenir autrui, à requérir l'affection» (1943) est passée de la psychanalyse à l'usage courant. ◇ Le dérivé **POSSESSIVITÉ** n. f. a été créé comme terme de grammaire (1935, Hjelmslev), mais s'est répandu avec une valeur psychologique (1946) «caractère d'une personne possessive».

POSSIBLE adj. et n. m. est emprunté (v. 1265) au latin impérial *possibilis* «dont l'apparition, l'existence, la réalité n'est pas écartée par l'esprit». Ce mot, créé avec son antonyme *impossibilis* pour rendre le grec *dunatos/adunatos* (→ dynamique), est dérivé de *posse* «pouvoir». *Posse* représente le croisement entre la locution *potis esse* «être puissant» d'où «être capable de» et un ancien verbe °*potere* «diriger, faire presser», causatif du verbe *petere* «demander» (→ pétition).

♦ *Possible* qualifie dès les premiers textes ce qui peut exister, se produire et ce qui peut être fait, ce qui n'excède pas les moyens de qqn. Ce sens de base a évincé celui de «puissant», attesté en moyen français et substantivé *le possible*, signifiant «puissance» (1540). *Possible* entre dans la locution *possible est* (v. 1520), remplacée par la tournure impersonnelle moderne, attestée à la forme interrogative (av. 1654, *est-il possible que*... ?), à la forme négative *ce n'est pas possible* (1690), et finalement à la forme affirmative. C'est à cette tournure qu'équivalent elliptiquement *possible que* (qualifié de nos jours de «familier») et *possible* en réponse (1869), ainsi que *pas possible!*, exclamation d'incrédulité, ou de vif intérêt, avec des variantes renforcées, *c'est pas Dieu possible!*, *c'est-il Dieu possible!* (attestées au XXe s.). ◆ L'adjectif exprime spécialement l'idée de «qui constitue une limite», par exemple dans la locution ***autant que possible*** (1852) que le langage familier emploie quelquefois pour marquer l'incitation à faire qqch. ◇ *Possible* a développé deux sens familiers : celui de «supportable, acceptable» (1859) et de «présentable, qui a une tenue décente» (av. 1902) «qui a un comportement acceptable», notamment au négatif. *Pas possible* est devenu une variante d'*impossible* (ci-dessous) pour qualifier une personne extravagante. ◆ Le premier emploi substantivé de *possible* est relevé dans la locution ***faire le possible*** (v. 1495) et sa variante ***faire son possible*** (v. 1510) puis dans la locution adverbiale ***au possible*** (1559) qui donne à l'adjectif qui précède le degré du superlatif absolu. *Le possible* assume ainsi le sens neutre et abstrait de «ce qui est réalisable» (v. 1665), spécialement en philosophie (v. 1770) et en logique, en relation avec *le probable*. Au pluriel, *les possibles*, il exprime une situation, un événement, considérés dans leur réalisation virtuelle (1762, Rousseau). ◆ Enfin, l'emploi adverbial (v. 1530) au sens de «peut-être», seul ou avec la conjonction *que*, a vieilli dès le milieu du XVIIe s. bien qu'il se rencontre encore chez les écrivains classiques.

▶ *Possible* a pour dérivé **POSSIBLEMENT** adv. (1337) «il est possible, peut-être», qui a vieilli en français de France, mais est demeuré usuel en français du Canada. ◆ En histoire politique, *possible* a produit ultérieurement les termes didactiques **POSSIBILISME** n. m. et **POSSIBILISTE** n. et adj. à propos d'une fraction modérée du Parti socialiste français, formée au congrès de Saint-Étienne sous l'impulsion de Paul Brousse et Jean Allemane. ◆ Il a aussi donné **POSSIBILISER** v. tr. (XIXe s.), aussi rare que son dérivé **POSSIBILISATION** n. f. (1943, Sartre).

POSSIBILITÉ n. f. est emprunté (v. 1278) au dérivé latin impérial *possibilitas, -atis* «pouvoir, caractère de ce qui est réalisable, envisageable». ◆ Le mot signifie abstraitement «caractère de ce qui est possible» et concrètement *(une possibilité)* «chose pouvant arriver» (surtout au pluriel). Il reste une trace de l'ancien sens de «pouvoir, force» dans la valeur affaiblie de «moyen, capacité de faire qqch.» (1326). Une valeur spéciale au pluriel, concerne les moyens dont on peut disposer *(avoir des possibilités)*, ce que l'on peut attendre de qqn (déb. XXe s.).

IMPOSSIBLE adj. est emprunté (v. 1227) au préfixé latin *impossibilis* «qui ne peut être, ne peut se faire», également employé à basse époque avec le sens actif de «qui ne peut agir». ◇ Repris avec le sens passif, le mot a connu le même type d'évolution que *possible*, son emploi au sens objectif étant progressivement limité par des interprétations subjectives allant de «très difficile» (v. 1360) à «extravagant, extraordinaire» (1787) et «fantastique, irréel» (1843) ou «apparemment sans issue» (1862, *situation impossible*). À la différence de son antonyme, il est employé familièrement en parlant d'une personne insupportable (1857). ◇ L'emploi substantivé (1553) a une valeur de neutre dans les locutions usuelles ***faire l'impossible*** (1636) et, proverbialement, ***à l'impossible nul n'est tenu***, variante de *nul n'est tenu à l'impossible* (1690). ◇ Deux acceptions hyperboliques concrètes concernent *les Impossibles*, désignant les femmes légèrement vêtues de l'époque Directoire et *l'impossible* une couleur à la mode à la fin du XVIIIe s. (1852); elles sont rapidement sorties de l'usage. ◆ **IMPOSSIBLEMENT** adv. (v. 1460), quasiment inusité après le XVIIe s., ne se rencontre que par intention stylistique (1887, Laforgue).

IMPOSSIBILITÉ n. f., emprunté (fin XIIIe s., *impossibleté*) au dérivé latin *impossibilitas*, note le caractère de ce qui est impossible, par exemple dans ***être dans l'impossibilité de*** (av. 1696), et désigne concrètement *(une, des impossibilités)* une chose impossible (1664), par extension un obstacle (1676).

POST- est un élément de préfixation tiré du latin *post*, forme issue de °*pos-ti* (comme la préposition *ante* est issue de °*anti*). *Post* s'est imposé devant le type *poste* (dont le *-e* provient du *-i* en finale absolue). Il signifie «après, puis, depuis», «en arrière, derrière» au sens temporel ou local, et s'oppose à *ante* «avant, devant» (→ anté-). Comme *ante*, il est usité comme préverbe (emploi rare), en tant qu'adverbe et préposition suivie de l'accusatif (alors que l'osque et l'ombrien construisaient *post* avec l'ablatif); une trace de l'ablatif après *post* subsiste en latin dans les adverbes où il est renforcé par des pronoms démonstratifs : *posthac*, *postilla*, archaïque (→ apostiller), et *postea*. *Post* joint à *quam* sert de conjonction subordonnante *(postquam, posteaquam)*. Sa forme, correspondant à l'ombrien *post, pus, puste*, et à l'osque *púst, post*, se retrouve dans de nombreuses langues indoeuropéennes, comme le lituanien *pàs*, l'albanais *pas* «après», le vieux slave *pozdě* et, à l'Est, l'avestique, le vieux perse, le sanskrit. L'élément *pos-* semble être le génitif-ablatif du groupe adverbial dont le grec *epi* (→ épi-) est un correspondant, représentant le locatif; le latin *ab* (→ ab-) semble appartenir à ce groupe, ainsi sans doute que °*po-*, préverbe qui figure par exemple dans *ponere* «poser».

♦ *Post-* entre dans la construction de nombreux termes savants ou techniques, substantifs, verbes et surtout adjectifs. Il y indique la postériorité immédiate dans l'espace ou dans le temps. Il a parfois comme variante *après-* (*après-gaullisme* est moins rare que *postgaullisme*) et, avec une autre nuance, *néo-**. Il fonctionne en antonyme avec *pré-* (prélude/postlude, préface/postface)*, avec *anté-* (antéposer/postposer)* et quelquefois avec *anti-* (antidater/postdater)*. *Post-*, ayant connu une grande vitalité au XIXe s., est resté productif (beaucoup plus que *après*) mais certains mots ont disparu de la nomenclature des dictionnaires après Littré *(postcostal, postdorsal, postfloraison, post-oculaire...)*. C'est avec sa valeur temporelle qu'il est le plus productif, dans la formation d'adjectifs *(post-conciliaire, postcolonial)* et de substantifs abstraits *(post-formation, postsonorisation)*. Les mots construits sont aujourd'hui généralement soudés *(postbiblique, postclassique, postcommunion)* avec des exceptions, surtout pour les substantifs *(post-cure, post-impressionnisme).*

◈ voir **POST-SCRIPTUM**; **POSTDATE** (art. **DATE**), **POSTMODERNE** (art. **MODERNE**), **POSTOVULATOIRE** (art. **OVULE**), **POSPALATAL** (art. ② **PALAIS**), **POSTPOSITION** (art. **POSITION**), **POSTPOSER** (art. **POSER**), **POSTSCOLAIRE** (art. **SCOLAIRE**), **POSTSYNCHRONISÉ** (art. **SYNCHRONE**); **APOSTILLER**, **POSTÉRIEUR**, **POSTÉRITÉ**, **POSTHUME**, **POTERNE**, **POTRON-MINET**, **PUIS**.

① **POSTE** n. m. est emprunté (v. 1636) à l'italien *posto,* participe passé masculin substantivé de *porre* «placer, poser», dont le féminin est *posta* (→ ② poste). *Posto* désigne (v. 1550) un emplacement où un soldat, une petite unité militaire est placé en vue d'une opération, et par extension (fin XVIe s.) un endroit, un lieu en général.

♦ Le mot est passé en français comme terme militaire, avec le sens de l'italien, désignant aussi par métonymie l'ensemble des soldats qui occupent ce lieu et remplissent cette mission (v. 1636); il entre dans les syntagmes *poste de combat* (1875), *poste de police, poste de garde* (1875) «corps de garde à l'entrée d'une caserne, d'un camp». ◇ Par extension, ***poste de police*** (ou simplement *poste*) désigne le corps de garde d'un commissariat de police et, par métonymie, le local où il est installé (1865, *le poste*). Par analogie, le mot sert à désigner des corps de garde et leurs locaux (1863, *poste de douane;* 1865, *poste de pompiers*). ◇ L'emploi spécial en parlant de l'endroit où les chasseurs sont placés (cf. *poster*) pour guetter le gibier (1798) est une extension du sens militaire. ➡ Dès le XVIIe s., le mot correspond généralement à l'emploi professionnel assigné à qqn dans un lieu donné (v. 1663), surtout appliqué aux fonctionnaires; par métonymie, il désigne le lieu où s'exerce une activité professionnelle (1869). L'accent étant mis sur la durée effective de travail, il a désigné la durée du service actif du mineur (1812), puis la période de travail pendant laquelle une équipe est en fonction. ➡ Les sens apparus ultérieurement concernent un emplacement aménagé pour recevoir un ensemble d'appareils, de dispositifs, par exemple en marine (1903, *poste d'amarrage*) et, par une métonymie concrète, l'ensemble de ces appareils ou un appareil (1890): *poste téléphonique* (1891), *poste de télégraphie sans fil* (1902), d'où absolument *un poste,* «appareil récepteur» *de radio* (absolt. *le poste*; *causer dans le poste*, familier, signifie «parler à la radio») *de télévision.* ◇ Au XIXe s., par un autre développement sémantique correspondant à l'idée de «division assignée à une fonction», *poste* désigne en comptabilité un chapitre d'un compte (1812) et, en droit financier, une grande division du budget (1962).

▸ Son dérivé ① **POSTER** v. tr. (1652) exprime l'action de mettre en place une unité militaire, et plus rarement des engins de guerre. Par analogie, il exprime le fait de mettre qqn à une place déterminée pour une fonction de guet, de surveillance, sens également réalisé par la forme pronominale *se poster* (1652). ◇ Le participe passé adjectivé **POSTÉ, ÉE** a pris spécialement (XXe s.) le sens de «réparti par postes» en parlant d'un travail; il est substantivé pour un salarié assurant un travail posté. ➡ L'élément *poste-/-poste* entre dans la formation de quelques mots comme **AVANT-POSTE** n. m. (1799) «poste avancé» avec le sens métonymique de «groupe de personnes l'occupant», et **POSTE-FRONTIÈRE**.

◈ voir ② **POSTE**; **APOSTER**, **COMPOSTEUR**, **IMPOSTE**, **POSTICHE**, ② **POSTILLON**, **POSTURE**.

② **POSTE** n. f., relevé une première fois dans l'expression traduite de l'italien *poste de chevaus* (1298, *Marco Polo*) puis au XVe s. (1480), est emprunté à l'italien *posta,* participe passé féminin substantivé de *porre* «placer, poser», lui-même du latin *ponere* (→ ponant, pondre, positif). Le masculin italien *posto* a donné ① *poste,* n. m. *Posta,* qui a dû exister au moins dès l'époque de Marco Polo, n'est attesté que depuis le XVe s., désignant une place destinée à chaque cheval dans l'écurie puis, par extension, un relais de chevaux pour voitures et courriers (XVIe s.).

♦ L'évolution du mot a suivi l'histoire de l'acheminement et de la distribution du courrier: il a d'abord désigné collectivement l'ensemble des coursiers à cheval chargés du transport des lettres, et en particulier un messager (v. 1480 au féminin, puis *un poste,* 1500). Ce dernier sens a été à l'origine de certaines extensions au masculin: au XVIIe s., *un poste* désignait un garçon remuant, en particulier un débauché, un vagabond (av. 1650, Sorel), un serviteur qui se déplace sans cesse pour les menues besognes dans un couvent de nonnes (1606). ◇ Par métonymie, *la poste* a désigné chacun des relais de chevaux et de coursiers établis sur le parcours de ceux qui transportaient les lettres (1480), d'où ***chevaux de poste*** (1495-1496). Par allusion à l'allure rapide des chevaucheurs de la poste, ***en poste*** (1497-1498) signifiait «très vite», idée présente dans *courir la poste* (1522), *prendre la poste* (av. 1559) «aller très vite», *envoyer au paradis en poste* «tuer» (1640), *aller un train de poste* (1835) «marcher trop précipitamment, lire trop vite», toutes locutions abandonnées avec la fin des chevaux de poste. Au XVIIe s., *poste* désigne un système d'acheminement du courrier depuis l'organisation de la poste à lettres par Richelieu divisée en ***grande poste*** (pour la province) et ***petite poste*** (pour Paris), les deux fusionnant en 1780. ◇ C'est aussi du XVIIe s. que date le sens métonymique de «bureau, local où se font les opérations postales» (1655), l'expression ***poste restante*** apparaissant sous la Révolution (1793). Il faut cependant attendre la IIIe République pour voir instituer l'administration publique moderne de la poste (1869), ***timbre-poste*** étant attesté dès 1863. Le sigle *P. T. T.* correspond d'abord à *Postes, Télégraphes et Téléphones* (récemment *Postes, Télécommunications et Télédiffusion,* avec l'intermède de *P. et T., Postes et Télécommunications*). *Facteur des postes,* puis *facteur*,* est demeuré usuel, malgré l'abandon du terme par l'administration.

Le sens de *poste* en architecture, surtout au pluriel *postes* (1676) «ornements en volutes rappelant des vagues déferlantes», se comprend mal; Wartburg l'explique d'après l'idée de «rapidité».

▸ Tous les dérivés et composés du mot datent du XIXe s., exception faite de **MALLE-POSTE** n. f. (1793) «voiture des services postaux pouvant recevoir quelques voyageurs» (cf. *malle*). ➜ **POSTAL, ALE, AUX** adj. «de la poste» (1832) entre dans quelques syntagmes tels ***carte postale*** (1872), ***colis postal*** et ***code postal*** (1972). ◇ Aucun de ses dérivés, **POSTALEMENT** adv. (1868), **POSTALISER** v. tr. (1923), ne s'est implanté, sinon le composé **AÉROPOSTAL, ALE, AUX** adj. (1927) qui fournit l'adjectif correspondant à *poste aérienne* (→ aérer, aéro-). ➜ **POSTIER, IÈRE** n. (1840) n'a conservé que le sens d'«employé des postes», mais a désigné, tant qu'il existait, le cheval de poste (1869), dit également *cheval postier*. Au sens premier, le mot est en concurrence partielle avec *facteur*. ➜ **BATEAU-POSTE** n. m. (1838) et **TRAIN-POSTE** n. m. (1869), moins courant que *train postal*, ont été créés sur le modèle de *malle-poste*, ainsi que **PAQUEBOT-POSTE** n. m. «bâtiment de commerce faisant le service de la presse» (1907) et **WAGON-POSTE** n. m. (1846).
Le verbe **POSTER** v. tr. (1899) semble avoir été formé sous l'influence de l'anglais *to post* (1837), et a concurrencé la locution *mettre à la poste*.

◈ voir APOSTER, COMPOSTER, IMPOSTE, ① POSTE, POSTICHE, POSTILLON, POSTURE.

① POSTER → ① POSTE

② POSTER → ② POSTE

③ POSTER n. m., attesté une première fois en 1896, puis importé et diffusé dans les années 1960 (attesté 1967), est emprunté à l'anglais *poster* (1838, Dickens) «affiche administrative ou publicitaire», dérivé de *to post* (1650) «afficher dans un lieu public, mettre en vue», lequel est dérivé de *post* «pilier, support», du vieil anglais *post* emprunté au latin *postis* (→ poteau). *Poster* a pris aux États-Unis une acception spéciale, désignant une affiche non publicitaire destinée à la décoration (1934).

♦ Le mot, introduit isolément au sens d'«affiche» dans un contexte anglais, a été repris avec l'acception américaine et a connu une grande vogue après 1967.

▸ Ses dérivés **POSTÉROPHILE** adj. et n., **POSTÉRISTE** n. et **POSTERMANIE** n. f., tous attestés en 1967, sont restés rares. **POSTÉRISER** v. tr. (1968) est un peu plus employé.

POSTÉRIEUR, EURE adj. et n. m. est emprunté (1475) au latin *posterior* qui signifie «de derrière» et «qui vient après, qui suit», spécialement sur un double plan spatial et temporel, et «dernier», également au figuré «qui est dessous, inférieur». C'est le comparatif de *posterus* «qui est après, suivant» dérivé de *post* «après, puis, depuis» (→ post-).

♦ Le mot qualifie ce qui est placé après, dans le temps et dans l'espace (1480) ; le sens figuré du latin a dû exister en moyen français comme l'indique *postérioration* relevé en 1443 «rang inférieur». ◇ *Postérieur* est substantivé dans le langage familier pour désigner l'arrière-train (1566), sens rare avant 1798 mais usuel depuis (on a dit aussi *les postères* n. f. pl. «les fesses»).

▸ Le mot a pour dérivé savant **POSTÉRIORITÉ** n. f. (XVe s.), fait d'après le latin *posterior* pour désigner la suite de ceux qui descendent d'une même origine, sorti d'usage au bénéfice de *postérité**, puis employé pour le caractère de ce qui est postérieur à une autre chose. ➜ L'adverbe **POSTÉRIEUREMENT** est attesté depuis 1660.
A POSTERIORI loc. adv. est emprunté (1626) à la locution latine *a posteriori* «en partant de ce qui vient après», formée de la préposition *a* indiquant le point de départ et de *posterior*. Elle s'oppose à *a priori** et signifie «en partant des données de l'expérience».

◈ voir POSTÉRITÉ, POTRON-MINET.

POSTÉRITÉ n. f. est emprunté (1314) au latin *posteritas* «le temps qui vient ensuite, l'avenir», en particulier «le temps qui vient après la mort d'une personne et les gens de cette époque». Ce nom est dérivé de *posterus* «qui vient après», adjectif de sens temporel (dont le comparatif a donné *postérieur*), substantivé au pluriel *posteri* «les descendants», et dérivé de *post* (→ post-).

♦ Le mot a été repris dans l'acception générale de «suite des générations futures» et avec la valeur spéciale de «suite de descendants d'une même personne» (1359). ◇ L'extension pour «descendance spirituelle, artistique, littéraire» n'est attestée qu'à partir de 1811.

▸ L'élément savant **POSTÉRO-**, repris au latin *posterus*, représente l'idée spatiale de «situé, effectué en arrière», s'ordonnant donc à *postérieur**-*postériorité* et non à *postérité*. Cet élément est moins vivant que son antonyme *antéro-*; concurrencé par *post-**, il manifeste cependant une certaine vitalité dans les vocabulaires descriptifs de l'anatomie, de la physiologie et de la pathologie (notamment neuropathologie) ; il s'emploie aussi en phonétique dans la localisation de l'articulation de certains sons.

POSTHUME adj. est emprunté (1488) au latin *posthumus*, graphie erronée pour *postumus* «dernier», spécialement en parlant d'un enfant né après la mort de son père. C'est un dérivé de *post* (→ post-). L'altération de *postumus* en *posthumus* provient d'un rapprochement par fausse étymologie avec *humus* «terre» (→ humus) et *humare* «enterrer» (→ inhumer).

♦ Le mot a été repris avec le même sens que le latin, mais cette acception a disparu. ◇ Par analogie, il s'emploie à propos d'un ouvrage qui paraît après la mort de son auteur (1680), d'une manifestation (honneurs, gloire, mérite) qui se fait après la mort de la personne concernée (1727, *honneurs posthumes*) et, par changement d'objet, d'un auteur dont on a publié les œuvres après sa mort (1768, Rousseau).

▸ Le dérivé **POSTHUMEMENT** ou **POSTHUMÉMENT** adv. (1878) est didactique. ➜ L'antonyme que l'on a formé sur *posthume* avec *anté-* «avant», **ANTHUME** (fin XIXe s.), est beaucoup plus rare.

① **POSTICHE** adj. et n. m., dont le *ch-* atteste l'influence phonétique de l'italien (1678), a été précédé par l'emprunt graphique *postice* (1585), repris à l'italien *posticcio* (prononcé *postitcho*) «non naturel, feint, artificiel» (XIVe s.). Ce dernier est soit dérivé de *posto*, participe passé masculin de *porre* «placer, poser» (→ ① poste), soit issu avec apocope du latin tardif *appositicius*, proprement «placé à côté» d'où au figuré «feint», dérivé de *appositus*, participe passé de *apponere*, qui est à l'origine de *apposer* (à partir de *poser**). L'espagnol *apostizo* (v. 1330), antérieurement à la forme *postizo* (fin XVe s.), semble appuyer cette dernière hypothèse.

♦ Le mot, selon Littré, est d'abord attesté comme nom d'un ornement. Il est employé comme adjectif (1606) pour qualifier ce qui est simulé, factice, ce qui cache qqch. sous des apparences trompeuses; ce sens a disparu (cf. *pastiche*). ◆ *Postiche* qualifie en français moderne ce qui est fait, ajouté après coup (1638), et s'oppose à *naturel*, qualifiant péjorativement ce qui est emprunté, artificiel (1671). Il se dit également d'une personne qui n'a pas la qualité qu'elle affiche (1690). ◆ *Un postiche* n. m. (1690) désigne concrètement un montage de cheveux artificiels ou naturels, remplaçant ou complétant une partie de la chevelure.

▶ Le dérivé **POSTICHEMENT** adv. «artificiellement» est rare et littéraire (1863, Gautier). ◆ ① **POSTICHEUR, EUSE** n. «personne qui fabrique ou apprête des postiches» (1889) est technique.

② **POSTICHE** n. f. est emprunté (1788), avec adaptation sous l'influence de ① *postiche*, à l'italien *posteggia* «boniment», sens dérivé par métonymie d'«endroit où l'on stationne», de *posto* «emplacement» (→ ① poste).

♦ Le mot a désigné le rassemblement provoqué par les camelots sur la voie publique pour vendre leur marchandise, puis une parade, un discours facétieux (1847), un boniment de camelot, dans le métier (1854). Tous ces emplois plus ou moins argotiques ont vieilli puis disparu.

▶ Il a produit **POSTICHER** v. intr. «faire la postiche, attirer les badauds par un boniment» (1878) qui a lui-même produit ② **POSTICHEUR** n. m. (1888) «camelot, bonimenteur». Les deux mots ont eux aussi disparu, sauf par allusion historique.

POSTILLON n. m. semble être un emprunt (1540) à l'italien *postiglione* attesté seulement depuis 1585 pour «valet de poste», et dérivé de *posta* (→ ② poste).

♦ Le mot désigne probablement depuis le milieu du XVIIe s. le valet de poste qui monte sur l'un des chevaux de devant d'un attelage (attesté 1680) et, par extension, celui qui portait les lettres des particuliers en poste (XVIIe s., Mme de Sévigné). ◇ Il a développé plusieurs sens analogiques : en marine, il a désigné le petit bâtiment que l'on gardait dans un port pour aller à la découverte ou pour porter des nouvelles (1690); il s'appliquait aussi à toutes sortes d'objets qui se déplacent en avant d'autres : la carte à travers laquelle passe la corde du cerf-volant (1743), en argot une boulette de mie de pain contenant un message et que les détenus se lançaient pour communiquer (1849), un petit flotteur en forme d'olive qui maintient le fil de pêche à fleur d'eau (1868). ◇ D'autres sens faisait référence au costume du postillon : le mot se rapportait au ruban attaché derrière le chapeau des jeunes filles (1743), à la garniture ajoutée au bas d'un corsage de robe et imitant les basques d'une livrée de postillon (1869).
Le sens courant de «gouttelette de salive projetée involontairement en parlant» (1859) se rattache au sémantisme «ce qui déplace en avant, ce qui précède» (la salive précède les paroles); il peut s'expliquer aussi par allusion au manque de raffinement des postillons ou comme une extension plaisante du sens de «boulette de pain contenant un message». Cette évolution de sens n'est pas claire, et le mot, en partie grâce à ses dérivés, est senti comme un homonyme.

▶ Le dénominatif **POSTILLONNER** v. intr. (1866) procède de *postillon* «gouttelette de salive»; il a d'abord été familier. ◇ Ce verbe a produit des dérivés rares : **POSTILLONNAGE** n. m., **POSTILLONNADE** n. f., **POSTILLONNEUR, EUSE** n. (1934, Duhamel, in *T. L. F.*) et **POSTILLONNEUX, EUSE** adj. ◇ Seul **POSTILLONNANT, ANTE** adj. «accompagné de postillons» est d'emploi assez usuel.

POST-SCRIPTUM n. m. est emprunté (1701, Furetière, 2e éd.) au latin *post scriptum*, participe passé passif substantivé, au neutre, du verbe *postscribere* «écrire après ou à la suite de», de *post* «après» (→ post-) et *scribere* (→ écrire).

♦ *Post-scriptum* s'est imposé aux dépens des formes francisées *postcripte* (2 juillet 1509), *postscript* (v. 1600) et *postcrit* (1690) d'après *écrit*. Le mot est généralement signalé par les initiales **P. S.** Il a donné lieu à quelques emplois métaphoriques.

POSTULER v. est emprunté (XIIIe s.) au latin *postulare* «demander, souhaiter, réclamer», spécialement «demander en justice» et, chez les auteurs chrétiens, «élire un évêque» d'où «élire qqn qui occupe ailleurs un évêché» (XIIe s.). Ce verbe est dérivé de *poscere* «demander», différencié de *petere* (→ pétition) par les grammairiens, mais plus ou moins confondu avec lui dans la pratique. *Poscere* a conservé la valeur ancienne de «demander en mariage». Il appartient à une racine indoeuropéenne °*prek'*- sans présent radical, de sorte qu'on a eu recours à des formations dérivées et notamment au type en °*ske-/o-* attesté par le sanskrit *pṛccháti* «il interroge, il demande», l'arménien et l'ancien haut allemand. Le nom d'action correspondant *(prek'-)* est représenté par le latin *prex, precis,* d'où *precari* (→ prier). Le sens de «demander en mariage» est attesté, notamment dans le lituanien *piršti.*

♦ Le verbe a été emprunté avec le sens juridique de «représenter une partie devant un tribunal et faire pour elle les actes de procédure que requiert le déroulement de l'instance» (intransitif). À partir du

XIVe s., il s'emploie transitivement pour «solliciter, faire des démarches afin d'obtenir qqch.» (v. 1355), spécialement «demander à l'autorité ecclésiastique la dispense d'un empêchement canonique pour une élection» (av. 1399). ◆ Beaucoup plus tard, sous l'influence de *postulat**, il a reçu le sens de «poser un postulat» en logique (1843), d'où, par extension, «admettre de façon plus ou moins implicite» et, en parlant d'une chose, «avoir pour condition d'existence, de succès».

► Le participe présent **POSTULANT, ANTE** adj. a été substantivé (1495) pour désigner la personne qui fait des démarches en vue d'obtenir qqch., le candidat. Le mot est employé dans un contexte religieux, qualifiant (1651) et, comme nom, désignant (1665) la personne qui sollicite son admission dans une communauté religieuse, d'abord au féminin puis (1680) aussi au masculin. Sa spécialisation juridique d'«avocat en exercice» (1542) appartient à un usage classique. ◆ ② **POSTULAT** n. m. désigne (1832) la période qui précède le noviciat. ◇ En Suisse, par une autre dérivation de *postuler*, *postulat* s'applique (av. 1830) au vœu transmis par un parlementaire à l'exécutif. ◆ **POSTULATION** a été emprunté (v. 1200) au latin *postulatio*, *-onis* «demande, sollicitation», «demande d'autorisation de poursuite», «poursuite en justice», dérivé du supin *(postulatum)* de *postulare*. ◇ Le mot, vieilli ou littéraire, correspond à «demande, supplication». Il sert de nom d'action au verbe dans son sens juridique, désignant le fait de représenter en justice (1499). Il est quelquefois employé au sens général d'«action de poser comme postulat», didactique et rare.

① **POSTULAT** n. m. est emprunté à deux reprises (v. 1370 puis au XVIIIe s.) au latin *postulatum* «demande, prétention», surtout employé au pluriel, participe passé neutre substantivé de *postulare*. ◆ En moyen français, le mot désigne une monnaie du XIVe s. frappée à Liège, à Tournai, sens issu d'une évolution sémantique peu claire. ◆ Il a été reformé au XVIIIe s. comme terme de mathématiques à propos d'une proposition qui ne peut être démontrée mais doit être admise comme base de démonstration (1752). Par extension, le mot est employé en logique pour une proposition non évidente, qui ne peut être démontrée, mais qui est nécessaire pour établir une démonstration, sens qui s'est répandu avec la diffusion de la pensée de Kant (déb. XIXe s.).

◈ voir DÉPRÉCIER, IMPRÉCATION, PRÉCAIRE, PRIER, PRIÈRE.

POSTURE n. f., d'abord *posteure* (1580) puis *posture* (1588), est emprunté à l'italien *postura* «position, attitude» (XIVe s.), qui représente le latin *positura* «position, disposition», lui-même dérivé de *positum*, supin de *ponere* «placer, poser» (→ ponant, pondre).

♦ Le mot a été emprunté avec la valeur physique de «position, attitude particulière, remarquable du corps» tout en étant employé avec une valeur métaphorique (Montaigne). ◇ Peu après, il a développé le sens figuré de «situation morale», surtout dans ***être en bonne*** (1623), ***en mauvaise posture***, ***en posture de***. La langue littéraire l'emploie spécialement au sens d'«attitude d'esprit» (attesté 1927).

► Son unique dérivé **POSTURAL, ALE, AUX** adj. est un terme didactique (1945), spécialement employé en physiologie et en médecine.

◈ voir IMPOSTURE.

✳ ① **POT** n. m., qui correspond au bas allemand et au néerlandais *pot*, est probablement issu (1120) d'un radical préceltique °*pott-* exprimant peut-être à l'origine la rondeur, ce qui autoriserait un rapprochement avec *pote*, *potelé**. Ce radical aurait été introduit en Gaule par les Francs qui ont dû emprunter le mot — qui ne paraît pas germanique — lorsqu'ils se sont établis à Trèves, mais sa nature et son origine ne sont pas établies. En témoigne l'existence du nom propre *Pottus* que l'on rencontre fréquemment comme nom du potier dans la région de Trèves ; on rencontre également *Pottacus* en Auvergne et *Pottinus* en Saintonge ; le terme désignant l'objet avait été employé comme dénomination du fabricant.

♦ *Pot*, qui a eu en ancien français une valeur métaphorique *(le pot de la meie espérance)*, désigne concrètement un récipient de ménage destiné à contenir liquides et aliments (v. 1155). Avec cet usage, *pot* assume divers sens particuliers et entre dans des expressions du type *pot de* (1176-1181) ou *pot à* (v. 1286) : *pot d'eau, de vin ; pot à eau*, etc. Ainsi, il désigne un récipient que l'on remplit de vin ou de bière et que l'on met sur la table ou dont on se sert pour débiter le vin (v. 1220) ; il est quelquefois employé au pluriel (dans une expression comme *vider les pots*) et entre en moyen français dans ***pot de vin*** au sens figuré de «pourboire, argent récompensant un service» (1483) puis (XVIe s.) «argent versé secrètement et illégalement, pour corrompre». Ultérieurement, la diffusion de cette expression a fait former les dérivés *pot-de-vinier* (1845) et *pot-de-vinat* (1884) sortis d'usage. ◇ *Pot* a aussi désigné une ancienne mesure de capacité pour les liquides (v. 1176). ◇ En cuisine, il désigne (XIIIe s.) une marmite où l'on fait bouillir la viande, ***en pot***, dès la fin XIIe s., qualifiant un aliment bouilli avec de l'eau (par opposition à *rôti*). *En pot* subit d'ailleurs la concurrence de ***au pot*** (XIIIe s.), comme dans ***poule au pot*** (dont il est question sous Henri IV) et *volaille au pot* (1690). ◇ Le terme ***pot-au-feu*** est une extension métonymique (1673) de l'ancien nom de récipient *pot a fu* (1240-1280), *pot à feu* (1552) «marmite pour la viande». *Pot-au-feu* a pris au XIXe s. le sens figuré de «personne attachée à son ménage» (1840) aujourd'hui vieilli sauf en emploi adjectif (cf. *popote*), tandis qu'à la même époque, le substantif ***pot-bouille*** n. m. (1838, Balzac), formé avec le déverbal de *bouillir**, exprimait la même notion avec des connotations péjoratives de mesquinerie mises en valeur par Zola (*Pot-Bouille*, roman, 1882). ◇ **POT-POURRI** n. m. réalise avant *pot-au-feu* le sens métonymique de «mets» en désignant (1564) un mélange de diverses viandes cuites avec des légumes, puis au figuré un assemblage de choses hétérogènes (1587), sans valeur péjorative, *pot-pourri* se dit d'un parfum composé de plantes et sels broyés (1690), d'un ouvrage qui traite de sujets divers (1694) et, plus tard, d'un morceau de musique formé par un assemblage d'airs connus

(1605, *pot pourry*), seule acception restée vivante. L'ancienne locution *découvrir le pot pourri* (XVIe s., Belleau) a disparu, à la différence de ***découvrir le pot aux roses*** (v. 1330), elle-même apparue après *découvrir le pot* (v. 1180), et pour laquelle Littré donne l'explication traditionnelle et anecdotique de «pot dans lequel on met les roses, l'essence de roses». ◇ Entre autres récipients, *pot* désigne un vase de nuit (1418), surtout dans ***pot de chambre*** (1542), euphémisme qui s'est imposé aux dépens de *pot à pisser* (1466) — encore usité régionalement au XXe s. — et d'euphémismes tels *pot de nuit* (1613), *pot de commodité* (1785). ◇ En horticulture, *pot* désigne un récipient d'argile rempli de terre dans lequel on cultive des plantes (1625), *pots à bouquets* (1542) ayant disparu. ◇ ***Pot à tabac*** (1751) s'emploie familièrement au figuré à propos d'une personne grosse et courte sur jambes (1884). ◇ *Pot au noir*, qui a signifié «pot où l'on met le cirage» (1869), avait depuis le XVIIe s. une valeur figurée dans *gare le pot au noir* (1690), avis lancé à celui qui a les yeux bandés dans un jeu, lorsqu'il risquait de se heurter à qqch. ***Pot au noir*** a été repris en aviation (v. 1930) comme appellation métaphorique d'une zone d'orages sans visibilité. ◇ Avec son sens général de «récipient», *pot* est entré dans un certain nombre de locutions figurées, dont ***tourner autour du pot*** «ne pas se décider, tergiverser» (1538), ***payer les pots cassés*** «être rendu responsable des dégâts» (1609), ***sourd comme un pot*** (av. 1720), ***être plus bête qu'un pot*** (1737). ◇ À l'ancien terme d'artillerie (1626, *pot à fer*) se rattache le sens moderne de «cylindre lançant les artifices en pyrotechnie». Dans une autre spécialisation technique, *pot* désigne le creuset du souffleur de verre (1723). En papeterie, il se dit d'un format de papier portant un pot en filigrane. ◇ Plus couramment, il entre dans le terme ***pot d'échappement*** (1892) «tuyau à l'arrière d'une voiture d'où s'échappent les gaz brûlés». ◆ Par analogie, il fournit un des noms du postérieur humain (1896, argot des ouvriers), en particulier de l'anus (1920) d'où *casser le pot** «sodomiser», commenté par Proust. ◇ De là, vient probablement, d'abord dans l'argot des voyous, le sens figuré de «chance» dans ***avoir du pot*** (1926; 1925, *avoir le pot*) et, négativement, ***pas de pot !*** (1928) par une métaphore habituelle (cf. *bol, vase*). ◇ L'argot des normaliens a donné au mot, plus innocemment, d'après les expressions du type *faire bouillir le pot*, où le mot équivaut à *marmite* (cf. *potage*), par exemple dans *être à pain et à pot* «partager l'ordinaire» (→ potache), le sens de «repas, banquet» (1906) et par métonymie «réfectoire», sens qui procèdent de celui de «contenu d'un récipient», tout comme le sens de «boisson» (1909, *prendre un pot*), d'abord dans l'argot des étudiants, puis familier et très usuel.

▶ La dérivation de *pot* est relativement abondante. ◆ **POTIER, IÈRE** n. (v. 1120) est attesté indirectement dès 1086 dans un texte latin, sous la forme du pluriel *poters*, et signifie «personne fabriquant et vendant des poteries, surtout en terre cuite». L'expression *potier d'estain* (1260), qui désignait un artisan spécialisé dans la fabrication et la vente de la vaisselle de métal, est archaïque ou historique. ◆ **POTÉE** n. f. (XIIe s.) désigne le contenu d'un pot, sens devenu rare au profit de la spécialisation pour «plat régional cuit dans un pot» (XVe s.). Le mot a acquis ensuite quelques sens techniques spéciaux, désignant le produit de calcination de métaux ou alliages (1562), la poudre d'étain servant à polir les métaux (1676). ◇ Au figuré, il correspond à «grande quantité», sens exploité dans la locution familière *être éveillé comme une potée de souris* (1640), devenue archaïque, et refaite par certains philologues du XIXe s. en *portée de souris* (Littré). ◆ **POTERIE** n. f. (1260) désigne la fabrication d'objets façonnés dans une pâte argileuse et cuits au four et, plus couramment, la fabrication des objets en céramique non vitrifiée ; *une poterie* désigne un objet ainsi fabriqué (1337). En technique, *poterie* désigne les récipients de ménage en métal faits d'une seule pièce (1765) et un tuyau en terre cuite pour l'évacuation des fumées ou l'évacuation des eaux usées (1832). ◆ ① **POTIN** n. m., qui clôt la série des dérivés formés en ancien français (XIIIe s.), a désigné un alliage de cuivre utilisé en dinanderie. ◆ **POTICHE** n. m. ne s'est pas maintenu avec son sens ancien (1740) de «pot dans lequel les boucaniers expédient les saindoux» ; il s'est spécialisé en arts décoratifs pour un vase en porcelaine de Chine ou du Japon (1832). ◇ Au XXe s., il a pris le sens figuré de «personne reléguée à une fonction purement décorative», profitant des emplois de *pot* dans *bête comme un pot, vieux pot !* ◆ **POTARD** n. m. (1859) est dérivé de *pot* (du pharmacien) pour désigner familièrement le pharmacien lui-même, puis l'étudiant en pharmacie. Le mot a vieilli au point d'être quasiment inusité. ◆ Enfin, **POPOTIN** n. m., nom familier du postérieur (1917), est très probablement issu de *pot* par redoublement à l'aide du suffixe *-in*.

Un dérivé ancien, mais qui s'est détaché de son origine, doit être traité à part. **POTAGE** n. m. (v. 1240) a d'abord désigné, avec la valeur collective exprimée par son suffixe, des aliments cuits au pot. Puis l'accent s'est déplacé sur le bouillon dans lequel on fait cuire les aliments, essentiellement des légumes coupés ou passés, et le mot a pris son sens moderne (1530) où le rapport avec *pot* n'est plus senti. ◇ Un ancien sens plus général de «pitance» (1296) reste vivant dans la locution figurée ***pour tout potage*** (1478-1480) «en tout et pour tout». ◆ Avec le sens ancien de «légumes pour le pot», *potage* a produit **POTAGER, ÈRE** n. et adj. (1350), lequel a désigné autrefois le cuisinier qui préparait les légumes, les aliments au pot. Le nom est adjectivé depuis 1562 pour qualifier les plantes dont une partie peut être cuite «au pot», et donc servir à l'alimentation humaine. *Jardin potager* (1567), avec ce sens (qui est de nos jours le plus courant), est abrégé en **POTAGER** n. m. (1570).

Pot a servi à former des dérivés verbaux préfixés. **DÉPOTER** v. tr. (XVIIe s.), d'abord attesté dans le style burlesque dans l'expression *se dépoter le pied* «retirer le pied engagé dans un pot», a reçu le sens propre de «retirer (une plante) d'un pot» (1690). ◇ Parmi les dérivés du verbe, à côté de **DÉPOTAGE** n. m. (1842), **DÉPOTOIR** n. m. (1842), formé au sens de «vaisseau destiné au mesurage des liquides», est devenu usuel, sous l'influence de *dépôt*, désignant le lieu où l'on verse les matières provenant des vidanges (1849) et, par extension, celui où l'on met les objets au rebut (1929). Il connaît un emploi en apposition à valeur d'adjectif *(classe dépotoir).* ◇ **EMPOTER** v. tr. (1690) exprime le fait de mettre en pot les plantes, et par extension les confitures et conserves (1721); il a produit les dérivés **EMPOTAGE** n. m. (1842), **EMPOTEMENT** n. m. (1870, 1824, au sens ancien d'«action de mesurer un liquide par pots») et la série **REMPOTER** v. tr. (av. 1835), **REMPOTAGE** n. m. (1803). Le participe passé adjectivé **EMPOTÉ, ÉE** ne doit pas être confondu avec l'homonyme, dérivé de la même racine que *pote* (→ empoté, potelé).

◈ voir POPOTE, PORRIDGE, ② POT, POTACHE, POTASSE, POTASSIER, POTASSIUM, POT-BOUILLE (art. BOUILLIR), ② POTIN.

② **POT** n. m., terme de jeu, est emprunté (1765) au moyen néerlandais *pot* «trou que les enfants creusent en terre pour jouer aux billes, à la balle», issu par analogie de forme avec l'intérieur creux d'un pot, de *pot* «récipient» (→ pot), correspondant au français ① *pot**.

♦ Le mot, repris avec le sens de l'étymon, est passé par analogie dans l'argot des joueurs pour désigner le talon où les joueurs peuvent puiser, d'où *aller au pot, fouiller au pot* (1867) qui montre qu'entre-temps, le mot était compris comme un emploi spécialisé de ① *pot.* ◇ Au XXe s., par extension, il a dans certains jeux d'argent le sens de «somme prélevée par le tripot» (1901) et celui de «totalité des enjeux d'une partie» (1951), ce dernier déjà attesté en wallon en 1927-1931. ◇ Dans la conscience du locuteur, ce mot n'est pas nettement distingué de ① *pot.*

POTABLE adj. est emprunté (fin XIIIe s.) au bas latin *potabilis* «qui peut être bu», dérivé du latin classique *potare* «boire» (→ poison).

♦ Dès les premiers textes, le mot est employé dans le syntagme courant ***eau potable.*** Cependant, jusqu'au XVIIe s., il a surtout été employé comme terme d'alchimie, dans le syntagme *or potable* (v. 1516) désignant une solution de chlorure d'or parce que celle-ci était considérée comme un élixir bienfaisant. ◇ Par affaiblissement, il qualifie un liquide que l'on peut boire mais qui n'est pas excellent (1701) : de nos jours, on dit plutôt *buvable* en ce sens, réservant *potable* à une chose ou une personne passable, correcte (1834, Stendhal).

▸ Le mot a produit **POTABILITÉ** n. f. (1869) et l'antonyme **IMPOTABLE** adj. (v. 1830) mais ni l'un ni l'autre ne se sont répandus; on dit plutôt *eau non potable.*

◈ **POTACHE** n. m. (v. 1840), est d'origine controversée. C'est peut-être le dérivé régressif de *potachien* «élève d'un lycée ou d'un collège de province» (1830-1848) et «collégien» (1858), mot que les uns expliquent par une métonymie de *pot-à-chien* «haut chapeau de soie rond porté dans les collèges» (1840-1848) et les autres par une réduction de *pot-à-chien,* appellation plaisante et injurieuse (1874). Esnault, lui, l'explique par une nouvelle suffixation (d'après *collégien**) d'un *potagiste,* attesté selon lui au XVIe s. pour désigner un nouveau pensionnaire. P. Guiraud voit en *potache,* auquel il attribue le sens propre de «celui qui partage le pot» (ce qui correspond au *potagiste* de Esnault), un dérivé de ① *pot** au sens de «table commune d'un collège», dans des locutions comme *être à pain et à pot;* il trouve un appui dans les formations comparables *copain**, *compagnon** «celui qui partage le pain».

♦ Le mot est d'abord employé à propos d'un élève interne, puis d'un collégien en général (1865). Par extension, il se dit de qqn qui a gardé l'esprit des adolescents ou des jeunes étudiants, le goût de la plaisanterie. En ce sens, il se rencontre en emploi adjectivé.

POTAGE → ① POT

-POTAME, POTAMO- → HIPPOPOTAME

POTASSE n. f. est l'adaptation, par francisation du suffixe (en *-asse*) et changement de genre (1690), du nom masculin *pottas* (1577, Liège), emprunt au néerlandais *potas, potasch,* correspondant à l'allemand *Potasch,* littéralement «cendre du pot» qui désignait l'«alcali fixe» par opposition à l'«alcali volatil». Le mot est composé de *pot,* correspondant au français ① *pot,* et de *Asch* «cendre», mot d'origine germanique peut-être apparenté à la racine de *ardent* et *aride**

♦ Le mot est passé en français pour désigner une variété de carbonate de potassium, extraite de la cendre de certaines plantes et utilisée notamment comme engrais. ◇ Depuis 1789 (Lavoisier), il désigne aussi l'hydroxyde de potassium, solide blanc, soluble dans l'eau, utilisé spécialement dans le blanchissage, le nettoyage et la fabrication de produits détergents.

▸ Le mot a produit **POTASSÉ, ÉE** adj. (1821, antérieurement *potassié* en 1814) «qui contient du potassium», et **POTASSIQUE** adj. (1826) «relatif au potassium, à la potasse, qui en est dérivé, qui en contient».

POTASSIUM n. m. «métal alcalin mou extrait de la potasse», attesté depuis 1808, est un mot forgé en 1807 par le chimiste anglais H. Davy (*potasium, potassium* in *Philosophical Transactions*) sur l'anglais *potash, potass* «potasse» (emprunt à l'allemand, cf. ci-dessus) avec le suffixe *-ium* des noms de métaux. La traduction française du texte en anglais de H. Davy a paru en 1808.

◈ **POTASSER** v. tr., dans l'argot des étudiants (1838, à Saint-Cyr) et des écoliers, est d'origine discutée. Une comparaison entre l'activité fébrile des élèves au travail et le bouillonnement de la potasse dans certaines réactions chimiques, expliquant une dérivation de *potasse**, paraît peu probable bien qu'elle soit largement soutenue (y compris par Wartburg). Le rapprochement avec *potache**, proposé par P. Guiraud, est à écarter, faute d'un °*potacher.* Esnault avance l'hypothèse d'une origine régionale, de *potasser* «cuisiner» (Maine) qui serait dérivé de *pot** avec le suffixe *-asser* exprimant l'effort; elle repose probablement sur une référence, donnée par Sainéan, de G. Dottin : *Glossaire des* *parlers du Bas-Maine,* 1899, dans lequel on ne trouve que *potasser* «faire du mauvais travail» et *potansiner* «cuisiner maladroitement»; il est à noter que seul ce dernier est rattaché à *pot** par Wartburg *(F. E. W.).*

♦ *Potasser* est un mot familier signifiant transitivement (1838) et absolument (1869) «étudier avec acharnement».

▸ *Potasser* a produit **POTASSEUR** n. m. «grand travailleur» (1838, Saint-Cyr) et **POTASSAGE** n. m. d'usage rare, tous deux familiers.

① POTE → POTEAU

② POTE adj. f. → POTELÉ

✳ POTEAU n. m., d'abord *postel* (1176-1181) puis *postiaus* (au pluriel, fin XIIIe s.), *posteaul* (1406), *potteau* (1412-1414), est dérivé à l'aide du suffixe *-el, -eau,* de l'ancien français *post* «pièce de charpente verticale» (déb. XIIe s.). *Post* est issu du latin *postis,* surtout employé au pluriel *postes* de genre féminin, mot qui désigne le jambage de la porte d'où par métonymie la porte elle-même, et, en bas latin, un pieu, un pilori (av. 532). Le sens de «pilori» est relevé en ancien provençal au XIIIe s. et en latin médiéval à Béziers en 1336. On a proposé de voir en *postis* un composé °*por-sti* avec *por-* et la racine de *stare* «être debout» (→ station). Le mot ne semble pas en relation avec *ponere.*

♦ Le mot désigne d'abord une pièce de charpente dressée verticalement pour maintenir ou supporter. En fonction des différents usages de l'objet, il a reçu plusieurs spécialisations : il a longtemps désigné la pièce verticale d'une potence (XVe s.), entrant dans les locutions *attacher un criminel au poteau* (1671), *prisonniers destinés au poteau* (1801), sorties d'usage et qui ne seraient plus comprises, à cause de l'acception suivante. *Poteau* désigne en effet celui auquel on attache le condamné à être fusillé, par exemple dans ***poteau d'exécution*** (1899), d'où l'invective ***au poteau !*** «à mort !». ◇ *Poteau* désigne spécialement une pièce de bois verticale portant un écriteau (1679) et servant de repère, de signalisation (1718), notamment dans *poteau indicateur* (1842) et autrefois *poteau kilométrique* (1890) remplacée par *borne.* ◆ Au XIXe s., le mot est passé dans le langage des courses (1845), avec *poteau de départ, d'arrivée,* entrant dans l'expression familière ***coiffer sur le poteau*** (1939) «l'emporter de justesse». ◆ Il désigne aussi une pièce verticale supportant des fils conducteurs (1849), notamment dans l'expression ***poteau télégraphique*** (1871, précédé par *poteau de télégraphe,* 1870).
Le mot est appliqué figurément à une personne dès l'ancien français, d'après l'idée figurée de «soutien» (1259) et il est employé au sens d'«ami» dès 1400 dans une lettre de rémission; il s'agit là d'une occurrence isolée pour un sens qui réapparaît tardivement, d'abord dans l'argot des forçats (av. 1873, *compter sur un potot*), puis dans celui des voleurs où il désigne un chef de bande (1883), et dans le milieu où il désigne un homme du milieu (1914). Cet écart chronologique fait mettre en doute à P. Guiraud l'identité des deux termes, et le conduit à voir dans le mot moderne un dérivé de *pot** au même titre que *potache**. En français familier moderne, *poteau* est senti comme un dérivé de ① *pote* (ci-dessous). ◆ Par une analogie beaucoup plus claire (de pure forme), le mot se dit familièrement de grosses jambes informes, surtout au pluriel (1841).

▸ *Poteau* n'a produit qu'un seul dérivé avec son sens argotique puis familier de «camarade» : la forme apocopée ① **POTE** n. (1898), généralement au masculin mais dont on rencontre quelquefois le féminin (1935), plus rarement la forme féminine *potesse. Pote,* notamment dans *mon pote, mon petit pote,* est courant dans le vocabulaire populaire du XXe s., surtout avant 1940.

POTELÉ, ÉE adj. est dérivé (1195-1225) avec le suffixe diminutif *-elé (-el, -eau + -é)* de l'ancien adjectif ② **POTE** (v. 1198) seulement féminin et presque exclusivement employé dans ***main pote*** au sens de «gauche», puis «enflée, engourdie» (1606) et, exceptionnellement, *jambe pote* (1775). Ce mot est d'origine incertaine : ce peut être un emploi adjectif de l'ancien *poë, pote* «patte» (une main qui ne serait qu'une pote serait «gauche» et «engourdie»), attesté fin XIe s. sous la forme *poe,* et au début du XIIe s. sous la forme *pode, poë,* parallèlement à l'ancien provençal *pauta* (1277, indirectement par le dérivé *pautada* «poignée»). *Poë, pote* remonte à un étymon reconstitué °*pauta* et, pour *pote,* °*pautta* (redoublement expressif ou croisement avec *patte**), lui-même d'origine discutée. Selon Th. Frings, il s'agit d'un mot d'origine pré-celtique à rapprocher du nom de personne *Pauto* relevé à l'époque gallo-romaine dans une inscription du territoire des Trévires où il aurait été importé, ayant par suite été véhiculé par les Francs; il serait donc apparenté à ① *pot.* C'est d'autre part au moyen néerlandais *pôte* (néerlandais *poot*) «patte» (le mot étant par la suite passé dans l'allemand *Pfote*), qu'aurait été emprunté l'ancien français *pote* «patte», relevé dans des textes de Picardie et de Flandre (1240-1280, «main»; 1251-1282, «patte»). C'est aussi de *pot, pote* que dérive *empoté**.

♦ *Potelé* a dès ses premiers emplois la valeur de «qui présente des formes rondes et dodues» (surtout d'un enfant, d'une jeune personne), laquelle s'est conservée sans changement.

▸ Ses dérivés **POTELER** v. tr. «rendre potelé» et **POTELURE** n. f., «caractère de ce qui est potelé», sont rares.

◈ voir **EMPOTÉ.**

POTENCE n. f. est issu (v. 1170) du latin *potentia,* nom dérivé de *potens* «puissant, qui a pouvoir de», participe présent employé adjectivement (→ impotent). *Potentia* désigne la force, la puissance, le pouvoir, bien qu'il soit plus rare que *potestas* (→ podestat) et peu fréquent à l'époque impériale. Il est représenté en ancien français par un emprunt dans ce sens (v. 1120), mais y a connu un glissement sémantique à partir de l'idée d'appui, de soutien, vers le sens concret de «béquille» qui est d'ailleurs attesté en même temps en français et en latin médiéval (XIIe s.).

♦ *Potence* a longtemps eu le sens de «béquille» avant que *béquille* ne le remplace, comme le recommande Trévoux en 1752. ◇ À partir du XIVe s., il sert, dans le langage technique, à désigner une pièce d'appui constituée par un montant vertical et une traverse placée en équerre, ce qui était la structure de la béquille. Cette acception s'est répandue, en construction (1547), en manège où il s'applique au morceau de bois où pend la dague dans une course (1611), à ce qui soutient une enseigne (1680), à la toise servant à mesurer la taille des chevaux au garrot (1762), en marine à une épontille (1773). C'est de la même idée que procède la locution ***en potence*** (v. 1560, *mis en potence*) «disposé en équerre», spécialement dans l'expression *table en potence* (1718, après *table à potence,* 1502). ➜ Le seul sens courant aujourd'hui résulte d'une métonymie et correspond à «instrument de supplice formé d'une potence soutenant une corde» (XVe s.), réalisé dans la locution ***gibier de potence*** (1668) employée par affaiblissement comme terme d'injure. Par métonymie, le mot désigne le supplice lui-même *(être condamné à la potence).*

▸ **POTENCÉ, ÉE** adj., terme de blason (1456) pour une figure terminée en forme de potence, est encore vivant.
Le latin botanique a forgé *potentilla,* diminutif du latin *potentia* au sens de «petite force, faible vertu» et lui a fait désigner une plante dicotylédone aux nombreuses propriétés médicales, le diminutif ayant ici une valeur affective. Le mot a été francisé en **POTENTILLE** n. f. (1605).

◈ voir **ÉQUIPOTENT** (art. **ÉQUI-**), **OMNIPOTENT, PLÉNIPOTENTIAIRE, POTENTAT, POTENTIEL.**

POTENTAT n. m. est emprunté (1372-1374, Oresme) au latin médiéval *potentatus* «pouvoir seigneurial», «seigneurie», «force militaire» et, spécialement, au pluriel «les puissants». Ce nom est dérivé du latin classique *potens* «puissant» (→ impotent, potence).

♦ Le mot a été repris avec le sens de «souveraineté, gouvernement autocratique non héréditaire», sorti d'usage. Il ne se dit plus qu'en parlant d'un homme détenant la souveraineté absolue dans un grand État (1554). ◇ Par extension, il est devenu péjoratif et quasi synonyme de «despote, tyran», et il est passé dans l'usage général en parlant d'une personne qui possède un pouvoir absolu, excessif, du fait de sa situation sociale, de sa richesse, et d'un personnage important (1870, J. Verne); des expressions plaisantes comme *c'est un petit potentat, il tranche du potentat* (1798) pour «il affecte une importance qui ne lui appartient pas» ont servi d'intermédiaire; elles sont sorties d'usage.

POTENTIEL, IELLE adj. et n., *potencial* (XIVe s.), puis *potentiel* (1534), est un emprunt des médecins au bas latin *potentialis* (IVe s.), dérivé du latin classique *potentia* «puissance» (→ potence).

♦ Le mot est d'abord employé dans *cautère potentiel,* expression ancienne qui désignait un cautère produisant son effet quelque temps après, par opposition à *actuel.* Encore au XVIIIe s., l'adjectif qualifiait un remède faisant effet au bout d'un certain temps (1762). Ce sens est sorti d'usage, à la différence du sens philosophique, «en puissance, virtuel» (1505). Au XIXe s., l'adjectif qualifie en grammaire une particule indiquant une condition (1869), sens remplacé par *conditionnel.* ◇ L'adjectif s'emploie aussi en mécanique dans la locution ***énergie potentielle*** (1869) qui pourrait être traduite de l'anglais *potential energy* (1853), calque de *vis potentialis,* attesté en latin scientifique en 1744. L'emploi spécial du mot en mathématiques dans l'expression *fonction potentielle* traduit l'anglais *potential function* (G. Green, 1828) et s'ordonne également à l'idée d'«éventualité, de virtualité». De là, *le potentiel* n. m. (1885), en physique.
La substantivation de *potentiel* au masculin date de la première moitié du XIXe s. : *le potentiel* est attesté en grammaire (1835) pour *mode potentiel.* ◇ Il se répand dans les vocabulaires scientifiques sous l'influence de l'allemand et de l'anglais (respectivement chez Gauss et Green, v. 1830) en mathématiques et en physique où il désigne la somme des forces nécessaires pour qu'un système devienne actif (1869). En électricité (1885), le concept et son usage sont particulièrement importants. ➜ Dans la première moitié du XXe s. *potentiel* prend son sens courant de «capacité d'action, de production, de travail», réalisé dans *potentiel de fabrication* (1935), *potentiel industriel, potentiel de guerre, potentiel humain* (tous trois en 1949 dans les dictionnaires généraux).

▸ Ses deux dérivés **POTENTIELLEMENT** adv. (1488, *potenciellement*) et **POTENTIALITÉ** n. f. (1869) sont didactiques. Le second est attesté une première fois en 1700 dans une traduction de Locke, par emprunt à l'anglais *potentiality* (1627), lui-même emprunté au latin médiéval *potentialitas.* La reprise du mot au XIXe s. s'est faite soit d'après l'anglais (ou le latin médiéval), soit par dérivation de *potentiel.* ➜ Il semblerait que **POTENTIALISATION** n. f. (1903) et **POTENTIALISER** v. tr. (1943, au participe présent adjectivé *potentialisant,* puis 1958) aient été formés pour traduire les mots anglais *potentialization* (1865) et *to potentialize* (1856), spécialisés en pharmacie à propos de l'augmentation de l'action de deux médicaments pris ensemble. ➜ Le radical de *potentiel* a servi à former l'élément **POTENTIO-** qui est entré dans **POTENTIOMÈTRE** n. m. (1873), nom d'un appareil mesurant la différence de potentiel entre deux points d'un circuit électrique. ◇ Au XXe s., on en a dérivé **POTENTIOMÉTRIE** n. f. et **POTENTIOMÉTRIQUE** adj.

POTERNE n. f., d'abord *posterne* (fin XIe s. en «judéo-français»), réattesté au XIIe s. (v. 1130), est l'altération, peut-être influencée par les adjectifs latins *externus* (→ externe) et *internus* (→ interne), de l'ancien français *posterle,* relevé seulement à partir du XIIIe siècle. Celui-ci est issu du bas latin *posterula* «porte de derrière», féminin substantivé de l'adjectif latin classique *posterus* «qui est après, derrière» (→ postérité). Le mot bas latin a donné l'ancien provençal *posterla* (v. 1300) «porte dérobée», conservé en provençal moderne dans ce sens et pour désigner, par analogie, une rue raide à escaliers.

♦ D'abord relevé au sens de «porte de derrière», *poterne* a dès le XIIe s. la valeur spéciale de «porte dérobée dans la muraille d'enceinte d'un château, d'une fortification» qu'il a conservé. ◇ Par analogie avec l'idée d'une galerie voûtée servant à communiquer avec l'extérieur, il a pris plus tard le sens de «voûte sous un quai» (1845).

◈ voir POST-.

① **POTIN** → POT

② **POTIN** n. m., diffusé assez tard (1811) en français général, est d'origine dialectale, emprunté au normand *potin*, attesté dès 1625-1655 au sens de «commérage». Le mot est le dérivé du verbe normand *potiner* «bavarder», probablement issu du substantif *potine* «chaufferette» lui-même mot régional de Normandie et dérivé de *pot** (cf. ci-dessous *potinière*). Les femmes apportaient leurs chaufferettes *(potines)* lorsqu'elles se réunissaient en hiver pour bavarder; le sens initial de *potiner* serait donc «se réunir autour des potines pour parler» (il ne s'agit que d'une hypothèse vraisemblable).

♦ Le mot désigne un commérage, spécialement dans ***faire des potins sur qqn*** (1884). ◇ Par extension, l'accent étant mis sur la notion de bruit, *potin* désigne familièrement le tapage, le vacarme, la chamaillerie (1875); il est toujours au singulier dans ce sens, comme dans la locution ***faire du potin*** (1881).

▸ Le dérivé **POTINER** v. «faire des cancans» et, transitivement, «raconter des cancans», est distinct de l'ancien verbe normand. ◆ En dépit de son attestation un peu antérieure, **POTINAGE** n. m. (1861) est probablement dérivé du verbe pour lui servir de nom d'action, à moins qu'il ne soit directement tiré de *potin* (le normand *potinage* est attesté au sens de «commérage» dès 1625-1655). ◆ **POTINIER, IÈRE** adj. désigne (1871) celui ou celle qui fait des cancans. Il est aussi substantivé (1888). ◆ On note également avec le même sens **POTINEUR, POTINEUSE** (1872) n., formé à l'aide du suffixe *-eur, -euse*. ◆ Le féminin **POTINIÈRE** n. f. concerne un lieu où l'on se réunit pour échanger des potins (1890, Maupassant); vieilli comme la plupart des dérivés de *potin*, le mot se maintient dans le nom d'un théâtre parisien.

POTION n. f. est emprunté (fin XIIe s.) au latin *potio, -onis* «action de boire» et, par métonymie, «breuvage médicinal, drogue», ainsi que «breuvage empoisonné», mot qui a aussi donné *poison**.

♦ Le mot a d'abord eu le sens de «boisson, breuvage» en général avant de prendre par spécialisation son sens actuel de «médicament liquide» (1549), conservant l'idée péjorative de «goût désagréable», et donnant lieu à des emplois métaphoriques. ◇ Dans la ***potion magique*** de la bande dessinée *Astérix* (v. 1970), le mot a cependant une valeur positive; l'expression est souvent reprise pour «formule magique qui donne la force, résout tous les problèmes».

POTIRON n. m., attesté au XVe s. (1476), est d'origine obscure. Il peut être emprunté à une langue sémitique : syriaque *pāṭûrṭā* (pluriel *pāṭûryātā*) «champignon» (IXe s.). Ce terme, employé pour traduire du grec en syriaque le nom du champignon, est donné aussi par les lexicographes syriaques comme nom d'une Cucurbitacée. Le mot, affublé d'une terminaison grecque ou latine, serait parvenu en France au moyen âge par l'intermédiaire des médecins juifs ou arabes. ◇ Cependant, Sainéan, qui écarte cette hypothèse, voit dans le mot une création vulgaire tirée d'un des noms du crapaud qui rappellerait la forme de ce gros champignon, l'ancien français *bot* et son dérivé *boterel* «crapaud», ainsi que les formes dialectales de ce dernier; cette hypothèse est peu vraisemblable. ◇ Gamillscheg y voit un mot de la partie sud du domaine d'oïl, issu par métaphore du latin *posterio* «derrière, cul» (Xe s.), lui-même à l'origine de l'ancien et moyen français *poistron* «derrière» que l'on a encore dans *potron-minet**; cette hypothèse a été rejetée par Wartburg. ◇ P. Guiraud, pour sa part, préfère voir dans *potiron* un dérivé de l'adjectif *pot* «enflé, rond» (à rattacher à *pote**, *potelé**, peut-être à *pot**) avec un suffixe analogue à celui de *laideron* (→ laid). La question reste ouverte.

♦ Le mot a d'abord désigné un gros champignon et, encore aujourd'hui, désigne régionalement (Ouest) plusieurs champignons comestibles (lépiote, bolet... suivant les régions). ◇ Le sens moderne et courant, «variété de courge plus grosse que la citrouille» (1651), est probablement une extension analogique du premier plutôt qu'une reprise du syriaque. Mais l'évolution des sens est aussi obscure que l'origine.

POTLATCH n. m. est l'emprunt comme terme d'ethnologie (1936) de l'anglo-américain *potlatch* (v. 1861), emprunté à des langues indiennes d'Amérique pour désigner un échange ou une destruction de richesses de caractère rituel. Le chinook (langue de traite de la fin du XVIIIe s.) *patshatl* «don» est une variante du nootka *potlatsh* ou *patlatsh* «don ou destruction faits par rivalité ou par provocation», correspondant à un verbe signifiant «donner».

♦ Initialement, le mot se référait à une institution des Indiens de la côte nord-ouest des États-Unis (Kwakiutl, Tlingit, Tsimshian, etc.). Né dans un contexte colonial, il appartient au vocabulaire classique de l'ethnologie. Puis, la quasi-universalité de cette pratique étant reconnue, il est employé par les ethnologues comme terme générique appliqué à un certain type de comportement à l'égard des richesses, où l'on offre et consomme symboliquement et collectivement des biens pour manifester un rôle social.

POTRON-MINET n. m. est issu (1835), par substitution de *minet** «chat» à *jacquet** «écureuil», de la locution disparue *dès le poitron-jacquet* «dès l'aube» (1640), où *poitron* représente le bas latin *posterio* «cul», dérivé de *posterus* «qui vient après» (→ postérieur, postérité); il existe en ce sens en moyen français écrit *poistron* (XIIIe-XIVe s.), *poitron* (XIVe et jusqu'au XVIIe s.), et *poictron* (XVe s., encore chez Oudin en 1660). Par analogie d'aspect, *poitron* a désigné une sorte de grosse prune jaune (1537). *Poitron-jacquet* s'explique par le fait que l'écureuil dresse souvent sa queue, faisant ainsi voir son derrière.

♦ Le remplacement par *potron-minet* est sans doute dû au fait que le chat passe pour être très matinal. *Potron* n'étant plus compris, les expressions ont parfois été altérées en *patron-jacquet* (1868, ou *patron-jacquette* au féminin, 1821), et *patron-minet* (ou *patron-minette,* 1834, par exemple chez Balzac dans *Le Père Goriot*), puis *poltron-minet,* les formes avec *jacquet* ayant disparu.

✳ **POU** n. m. est la forme moderne de singulier issue des anciens pluriels *poouz* (v. 1278), *pous* (v. 1280), et ayant éliminé l'ancien singulier *püil* (v. 1120), *peoil* (XIIIe s.) puis *pouil,* homonyme de *pouil* «coq» (voir ci-dessous). Celui-ci est issu par évolution phonétique du latin populaire *peduculus,* altération du latin impérial *pediculus,* diminutif du mot archaïque *pedis* «pou» et, par analogie, «petit crustacé sauteur». Le nom du pou diffère d'une langue à l'autre; on évoque un rapport à *pedere* (→ péter). Le pluriel moderne *poux* remonte au moyen français (v. 1393).

♦ Le mot désigne l'insecte parasite de l'homme (spécialement, dès les premiers textes, celui du cuir chevelu). L'ancienne homonymie entre l'ancien français *pouil* et un autre mot, dont le diminutif est *poulet* (→ poule), rend compte de l'expression erronée ***fier comme un pou,*** en fait «fier comme un coq, un pouil». ◇ *Pou* entre dans les locutions familières ***laid comme un pou*** (1798), ***chercher des poux dans la tête*** (1790, *à la tête*), ***sale comme un pou*** (cf. *pouilleux*), et des locutions sorties d'usage exprimant l'idée d'«avarice sordide». ◇ Par analogie, le mot désigne un insecte parasite des animaux, des plantes et de certaines matières, en emploi qualifié ou déterminé (1558), par exemple dans *pou aquatique* (1690), *pou de bois* (1694), *pou de mer.* ➛ *Pou* est appliqué injurieusement à une personne vile ou très laide (1873). ◇ Par allusion à sa petitesse, l'ingénieur H. Mignet avait baptisé ***pou-du-ciel*** (1936) un petit avion de plaisance, en vogue avant la Seconde Guerre mondiale.

▸ Les quelques dérivés du mot proviennent de l'ancienne forme *pouil.* ➛ **POUILLEUX, EUSE** adj. qualifie (1176-1181) la personne qui a des poux, aussi substantivé (XIIIe s.). ◇ Par métonymie, l'adjectif et le nom sont appliqués à une personne dans une grande misère, dans une grande saleté. ◇ Il qualifie spécialement un bois de construction qui commence à pourrir (1676) et, en géographie, la partie des régions de la Beauce, de la Brie, de la Champagne qui est la moins fertile (1753, *Champagne pouilleuse*). ◇ Par extension, il est appliqué à une chose sale, sordide (1859), substantivé et apocopé populairement en **POUILLE** n. f. au sens de «misère» (XXe s.). ➛ Le verbe **POUILLER,** anciennement *pooillier* v. tr. (XIIIe s.), a vieilli tant dans son sens propre, «enlever les poux», remplacé par *épouiller* (ci-dessous), qu'avec le sens figuré, «injurier» (1636). ➛ Il en est resté le déverbal **POUILLES** n. f. pl. (1574) au figuré «injures, reproches», encore connu par la locution ***chanter pouilles à qqn*** (1624) et dans la locution moderne ***chercher les pouilles à*** (1936), probablement croisée avec *chercher des poux.* ◇ **POUILLERIE** n. f. (1376) désignait autrefois un nid plein de poux et, collectivement, des gens pleins de poux; il se rencontre encore pour «état de pouilleux» (1587), «misère sordide»; il a servi à désigner le lieu de l'hôpital où l'on mettait les habits des pauvres (1680) et une vilaine habitation misérable (1694), sens disparus.
Le sens propre de l'ancien verbe *pouiller* est exprimé par **ÉPOUILLER** v. tr., antérieurement *espoueiller* (XIVe s.) «débarrasser qqn de ses poux», dont est dérivé **ÉPOUILLAGE** n. m. (1910).
② **PÉDICULAIRE** adj. et n. f. a été emprunté (XVe s.) au latin *pedicularis* ou *pedicularius,* adjectif dérivé de *pediculus* «petit pou», diminutif de *pedis.* Cet adjectif s'est employé substantivement au féminin *pedicularia* (sous-entendu *herba*) pour une plante qui passe pour donner des poux aux bestiaux. ➛ Le mot a été repris dans ce sens, la langue populaire lui préférant la périphrase *herbe aux poux.* ◇ Il est aussi employé adjectivement au sens de «relatif au pou et aux lésions qu'il occasionne» (1519).

POUACRE → PODAGRE

POUAH interj. est attesté depuis 1668 sous l'ancienne graphie *poüa,* après la variante *pouac, poac* (1478-1480).

♦ C'est une onomatopée exprimant le dégoût, le mépris.

POUBELLE n. f. est l'emploi comme nom commun (enregistré en 1890, 2e Supplément du *Grand Larousse*) du nom du préfet de la Seine Eugène René *Poubelle* (1831-1907) qui, par une ordonnance du 15 janvier 1884, imposa l'usage de la boîte à ordures d'immeuble.

♦ Le mot désigne un récipient imposé par l'administration et destiné aux ordures ménagères (d'une maison, d'un immeuble). Il se dit spécialement de la boîte à ordures d'un appartement. ◇ Il entre dans la locution familière ***jeter à la poubelle*** qui exprime au figuré l'idée de «rejeter avec mépris, mettre au rebut» (1954), *une poubelle* se disant collectivement d'un ensemble de choses rejetées, méprisées. La métaphore sur les *poubelles de l'histoire* relève du même sémantisme; elle était propre au vocabulaire politique marxiste. ◇ Au sens concret, le mot s'emploie en apposition dans **SAC-POUBELLE,** usuel, et *poubelle de table,* les connotations négatives du mot étant alors très atténuées.

POUCE n. m., aboutissement (XIIIe s.) de *polz* (déb. XIIe s.), *pouz* (v. 1130) avec une variante *peuce* (fin XIIIe s.), est issu du latin *pollicem,* accusatif de *pollex, -icis* «pouce, gros orteil» et «nœud d'un arbre», peut-être employé anciennement comme adjectif et joint comme tel à *digitus* «doigt». On en rapproche le vieux slave *palĭcĭ* «doigt» (où *-ĭcĭ* est un suffixe) et le polonais *paluch* «gros orteil; gros doigt». Étant donné le sens, le *ll* peut provenir d'une gémination expressive, normale dans un mot de type populaire. Un rapprochement avec la racine signifiant «toucher, sentir» qui figure dans *palpare* (→ palper) n'est pas exclu : le vieux slave *prŭstŭ* et le lituanien *pĩrštas* «doigt» ont été rapprochés du sanskrit *spr̥cáti* «il touche», mais cela est hypothétique.

♦ Le mot désigne le premier et le plus fort des doigts humains. ◆ Les extensions de sens ne sont pas nombreuses : par métonymie, *pouce* se dit (v. 1140) d'une mesure de longueur autrefois usitée en France comme subdivision du *pied*, et encore aujourd'hui dans de nombreux pays. ◇ En fauconnerie, le mot désigne le premier orteil du faucon (fin XIIIe s.), sens dont procède le sens de «doigt postérieur des oiseaux lorsqu'il est isolé». ◇ Par extension, il sert aussi à désigner le gros orteil du pied de l'homme (1549, *pouce du pied*), et le doigt qui, chez les simiens, correspond au pouce de l'homme. ◇ Avec ses deux sens essentiels, «gros doigt» et «mesure de longueur», le mot entre dans des locutions : la valeur «mesure de longueur» est présente dans ***pas un pouce de terre*** (av. 1654), d'où ***ne pas céder un pouce de terre*** (1831, aujourd'hui plutôt *de terrain*), ***ne pas reculer d'un pouce*** (1836). La locution familière ***et le pouce !*** (1842) «encore plus» est peut-être issue d'expressions de l'ancienne langue du commerce telle que *pouce sur aune* (1606), *pouce et aune*. ◇ Avec le sens de «gros doigt», *pouce* se rencontre dans les locutions ***y mettre les quatre doigts et le pouce*** (1718) «se servir malproprement», *coucher les pouces* (1790) remplacée par ***mettre les pouces*** (1790) «s'avouer vaincu», peut-être par référence au prisonnier qui met les pouces dans les poucettes (ancêtres des menottes). ***Prendre un petit verre sur le pouce*** (1829) d'où ***manger sur le pouce*** expriment la rapidité et le fait de manger avec les doigts. ***Se tourner les pouces*** (1893), antérieurement attesté chez Balzac sous la forme *tourner ses pouces* (1834), désigne un geste exprimant l'inaction. L'expression *donner le coup de pouce*, d'abord (1847) au sens argotique de «tuer» (dans *Les Misérables* de V. Hugo) est employée à propos d'un commerçant qui touche légèrement le plateau de la balance où se trouve la marchandise (1853, *coup de pouce dans la balance*), puis ***(donner) un coup de pouce*** s'emploie à propos d'une personne qui intervient pour modifier les événements dans le sens désiré (1852), de l'artiste qui donne la dernière main à son ouvrage (1874). ◇ Enfin, POUCE ! est employé comme interjection par les enfants, qui, joignant le geste à la parole, brandissent le pouce pour indiquer qu'ils se mettent momentanément hors du jeu (1883).

▸ *Pouce* n'a guère produit de dérivés. ◆ L'ancien diminutif **POUCET** n. m. (v. 1400), attesté anciennement au sens de «pouce», n'est repris qu'en référence au personnage du conte de Ch. Perrault ***Le Petit Poucet*** (1697), à propos d'un enfant très jeune ou de très petite taille. ◆ **POUCIER** n. m. (1530) désigne un doigtier servant à protéger le pouce et la pièce de loquet sur laquelle on appuie avec le pouce. ◆ Enfin, le diminutif féminin **POUCETTES** n. f. pl. (1823), «chaînette servant à attacher ensemble les pouces d'un prisonnier», a disparu avec l'objet qu'il désigne, remplacé par les *menottes*. ◇ Il désigne aussi techniquement un ciseau travaillant l'ardoise.

◈ voir POUSSER (influence sur POUCETTE).

POU-DE SOIE, POULT-DE-SOIE ou **POUT-DE-SOIE** n. m., d'abord *pout de soye* (1389), *poul de soie* (1394) et *pou de soie* (1595), graphies qui se sont maintenues concurremment, vient d'un élément *pou, poult*, d'origine inconnue, et de *soie**. L'anglais *paduasoy* (XVIIIe s.) est une altération du français par étymologie populaire, comme si le mot signifiait «soie de Padoue». P. Guiraud, mettant l'accent sur le fait que le mot désigne une étoffe à gros grains, fait de *poult* le représentant du latin *pultem*, accusatif de *puls, pultis* «bouillie» (→ polenta) qui a donné en français *pou, pous, pouls, pout* «bouillie d'avoine, d'orge». Le poult serait selon lui une étoffe granuleuse comme une bouillie d'orge grossièrement moulue. Cette analyse s'appuie sur la comparaison de *poutie* «petits grains de poussière qui se trouvent sur les habits, sur les meubles» (XVIe-XVIIe s.) d'où *espoutier* «débarrasser un tissu des corps étrangers» (XVIe-XVIIIe s.).

♦ Le mot désigne une étoffe de soie sans lustre et unie, dont le grain est gros et serré. Par métonymie, il désigne un vêtement fait de cette étoffe.

POUDINGUE n. m. est la forme elliptique francisée (1753) de l'anglais *pudding-stone* (1753), composé de *pudding* (→ pudding) et *stone* «pierre, roche», du vieil anglais *stan*, lui-même du germanique °*stanaz* correspondant au vieux slave *stēna* «mur» et au grec *stia, stion* «petite pierre, galet».

♦ *Poudingue* désigne en géologie une roche détritique formée par un conglomérat de cailloux ou de galets liés par un ciment naturel. En 1765, l'article *Poudingue* de l'*Encyclopédie* cite encore la forme anglaise *pudding-stone*.

POUDRE n. f., aboutissement (v. 1160) de *puldre* (1080), puis *pudre* (v. 1155), est issu du latin *pulverem*, accusatif de *pulvis* «poussière du sol» et par extension «matière pulvérulente», spécialisé pour désigner la poussière du champ de bataille, d'où par métonymie le sens de «champ de bataille» et, au figuré, «lutte, effort». Le mot appartient peut-être à une racine indoeuropéenne °*pel-* «poudre» également présente dans le sanskrit *palāvaḥ* et, en latin, dans *pollen* (→ pollen), *puls* (→ pouture).

♦ Le mot a d'abord eu le sens de «poussière du sol» qui a progressivement été remplacé par *poussière* à mesure que *poudre* a développé ses sens spéciaux. Le sens de «poussière», normal en français classique, se rencontre encore en poésie au XIXe s. (Vigny, Hugo, Verlaine), dans d'anciennes traductions de la Bible (*vous retournerez en poudre*, Genèse III, 19) et dans la locution figurée encore courante ***jeter de la poudre aux yeux*** (1559). Celle-ci a d'abord signifié «surpasser», par allusion au coureur en tête qui soulève de la poussière devant ceux qui le suivent, avant de prendre son sens actuel (1660) et d'être spontanément interprétée comme un emploi de *poudre* avec son sens moderne.

En effet, *poudre* désigne dès le XIIe s. une substance solide finement pulvérisée (1180-1190). Il s'est spécialisé en pharmacie (XIIIe s.), en toilette et cosmétique (1428), avec une importance particulière aux XVIIe et XVIIIe s., lorsque les visages et les perruques* sont normalement poudrés, et il a servi au XIXe s. à former l'expression ***poudre de riz*** (1845). Il s'est dit aussi à propos du sable dont on saupoudre l'écriture pour la sécher (1556). Il est aussi employé spécialement en alimentation, en joaillerie (1694, *poudre d'or*) et en toxicologie (d'où *poudre*, absolument, pour la cocaïne). ◇ Un de ces sens spéciaux a eu une fortune particulière : celui de «mélange explosif pulvérulent» (1361). Cette valeur est notamment réalisée dans plusieurs expressions, comme *poudre de canon* (1417) avant ***poudre à canon***, et dans des locutions comme ***tirer sa poudre aux moineaux*** «agir inutilement» (av. 1660), ***mettre le feu aux poudres*** (1690) «déclencher une catastrophe», ***faire parler la poudre*** «combattre avec des armes à feu», ***sentir la poudre (à canon)*** [1690], ***être vif comme la poudre*** (1798).

▸ La dérivation du mot est relativement abondante, dès l'ancien français. ◆ **POUDREUX, EUSE** adj. (XIIIe s.) remplace *puldrus* (1080), dérivé de l'ancienne forme *puldre*. L'adjectif signifie longtemps «couvert de poussière», spécialement en parlant d'une maison, de meubles, de livres (1667), sens aujourd'hui archaïque. ◇ La valeur moderne, «qui a la consistance de la poudre», est apparue d'abord au Canada à propos de la neige (1909) puis en français central (1924), donnant lieu par ellipse à la substantivation de *poudreuse* (1930). ◆ **POUDRETTE** n. f., d'abord *puldrete* (1121-1134), a disparu avec le sens de «poussière fine» ; il s'est maintenu en agriculture pour désigner un engrais résultant du traitement d'excréments humains (1690). ◆ **POUDRIÈRE** n. f., d'abord *puldrière* (v. 1155), a signifié en ancien français «nuage de poussière». ◇ L'usage moderne en fait le nom du lieu où l'on fabrique la poudre à canon (av. 1550), puis où on la conserve (1788). ◆ **POUDRIER** n. m. a perdu son sens ancien de «poussière» (v. 1160, *poldrier*). Il a été repris au XVIe s. (1561) pour «personne qui fabrique les poudres et explosifs». ◇ Le sens classique de «personne faisant et vendant la poudre pour les cheveux» (1690) est déclaré vieux par Trévoux qui recommande dès 1771 *parfumeur*. ◇ Le mot a aussi désigné (1570) une boîte contenant la poudre propre à sécher l'encre fraîche d'une page d'écriture, puis la boîte pour la poudre à perruque et à maquillage (1788) ; cette dernière valeur est la seule vivante en français moderne.

POUDRER v. (v. 1210) «pulvériser» semble issu de l'adjectif **POUDRÉ, ÉE** (1re moitié du XIIe s.) «réduit en poussière». Le verbe a eu le sens de «dégager, former de la poussière» (1210), évincé par *poudroyer*. ◇ De nos jours, *poudrer* correspond à «couvrir légèrement de poudre» (1398), spécialement «couvrir de poudre (les cheveux)» (1636). ◇ Il s'est employé intransitivement en chasse avec le sens de «faire voler la poussière en fuyant» (1665), d'après l'ancien sens de *poudre*. ◆ Le verbe a produit quelques dérivés : **POUDRAGE** n. m. (1832) a existé en moyen français (1250) au sens de «péage pour l'entretien des routes» ; **POUDRÉE** n. f. (v. 1375) «jonchée» est aujourd'hui rare au sens de «couche poudreuse». ◆ *Poudrer* a donné un composé aujourd'hui démotivé, *saupoudrer**, et deux autres verbes : **REPOUDRER** v. tr. (1771) «remettre de la poudre sur», et **DÉPOUDRER** v. tr. «nettoyer de sa poussière» (1394) puis «enlever la poudre de (qqch.)» (1740).

POUDROYER v. est attesté avec les sens transitifs de «couvrir de poussière, saupoudrer» (1377) et «réduire en poussière» (fin XVe s.). ◇ De nos jours, il est employé intransitivement pour «soulever de la poussière» (1553), valeur où il remplace *poudrer*, «faire miroiter les grains de poussière en suspension» (1697, Perrault) et «avoir une apparence de poudre brillante» (1849). ◆ *Poudroyer* a donné **POUDROIEMENT** n. m. (1606), d'abord «action de couvrir de poussière» puis «effet produit par la poussière soulevée au soleil» (v. 1860).

POUDRERIE n. f., dérivé de *poudre* au sens collectif de «marchandises qui se vendent en poudre» (XVe s.), a eu le sens de «poussière» (1512) ; il a pris le sens de «neige fine et sèche tourbillonnant au vent» (1695), encore vivant au Québec. ◇ Le sens de «magasin où l'on conserve la poudre à canon» apparaît au XVIIIe s. (1732). ◆ En français classique et moderne, *poudre* n'a plus produit que **POUDRIN** n. m. (1665, *poudrain*) «embrun», employé régionalement au sens de «neige fine et sèche tourbillonnant au vent» (1934) [cf. ci-dessus *(neige) poudreuse*], et **POUDREUSE** n. f. (1923), nom servant à désigner un meuble de toilette et, en agriculture, un instrument répandant sur les plantes une substance pulvérulente. ◆ Le syntagme *poudre de riz* (ci-dessus) a pour dérivé **POUDRERIZÉ, ÉE** adj., contraction de *poudrederizé, ée* (1887) «couvert de poudre de riz».

◈ voir POLENTA, POUSSIÈRE, PULVÉRISER, PULVÉRULENT, SAUPOUDRER.

POUF interj., adj. et n. m. est issu (1458) d'une base expressive *p-f*, analogue à *b-f* (→ bouffer) exprimant les idées de «bruit de chute», «gonflement», et «dégonflement», «rembourrage» et «personne gavée, enflée», le son *ou* (comme *o*) s'opposant à *i* et *a* (*pif, paf*) par l'idée de grosseur, de lourdeur.

♦ Employé comme interjection, avec un point d'exclamation, pour évoquer un bruit de chute, le mot entre aussi dans la locution d'usage enfantin ***faire pouf*** «tomber» (*venir faire pouf à qqn*, 1648, Scarron). ◇ Il est adjectivé en technique (1676) pour qualifier un grès ou un marbre qui fait un bruit sourd et se désagrège lorsqu'on le frappe. ◇ Par ailleurs, l'emploi répété de *pouf* évoque des bouffées de poussière, de fumée. ◆ Les locutions familières ***faire pouf*** «partir sans payer» (1723, *ober* [«faire»] *pouf*, en breton), ***à pouf*** «pour rien, à crédit» (1790), et ***faire un pouf*** «ne pas payer une chose achetée à crédit», emplois encore vivants régionalement (Belgique), sont à rapprocher de l'emploi substantivé de *pouf* pour une catastrophe financière, une faillite (1833) ; ils correspondent tous à l'idée de dégonflement, et donc de vide. ◆ Les autres emplois substantivés correspondent au contraire au gonflement : *un pouf* désigne ainsi un bonnet de femme en vogue au XVIIIe s. (1775), une tournure faisant bouffer la jupe par derrière (1871), valeurs devenues archaïques. Celle de «gros tabouret bas à capitonnage» (1829), dont procède «gros coussin constituant un siège bas» (1829), est restée en usage.

▶ Le dérivé **POUFFER** v. intr. (1530) exprime d'abord l'idée de «souffler» en parlant du vent ; il n'a pas conservé le sens figuré de «se rengorger, se bouffir d'orgueil» (déb. XVIIe s., Saint-Simon) et ne s'emploie plus qu'au sens d'«éclater de rire», d'abord dans *pouffer du rire* (Voltaire), devenu ***pouffer de rire,*** et absolument *pouffer.* ◆ En ce sens, *pouffer* a produit **POUFFANT, ANTE** adj., tiré (fin XIXe s.) de son participe présent, et **POUFFEMENT** n. m. (XXe s.), tous deux rares.
L'autre dérivé de *pouf* est **POUFFIASSE** ou **POUFIASSE** n. f. (1859, *pouffiace*), formé par suffixation péjorative, probablement sous l'influence de *pouffi* «bouffi» (1856, en normand) avec un sémantisme de base qui serait «personne grosse, lourde». Le mot désigne vulgairement une prostituée, une fille, et, plus généralement, sert de terme d'insulte, avec les idées fréquentes de grosseur et de «vulgarité». ◇ Dans l'usage familier contemporain (v. 1985-90), il est abrégé en **POUFFE** n. f.

◈ voir **PATAPOUF, POUF, PUTSCH.**

◈ **POUILLÉ** n. m., d'abord *poullier* (1624) et *pouillié* (1690), est dérivé de l'ancien français *pouille* (1335) «rente» et «registre de comptes» (1442). Ce mot est issu du latin médiéval *polyptichum,* singulier, du pluriel neutre bas latin *polypticha* «registres, rôles» (→ polyptique), par une évolution phonétique peu claire qu'il faut mettre en rapport avec les altérations manifestées par des formes de latin médiéval comme *polegium, pulegium, pollegetium, poletium, puletium.* L'hypothèse d'une dérivation de *pouilles* «productions de la terre» est difficilement recevable, compte tenu du peu d'extension de l'aire d'emploi de ce terme par rapport à *pouillé.*

♦ Ce terme d'histoire désigne le relevé, sous l'Ancien Régime, de tous les biens et bénéfices d'une abbaye, d'un diocèse, d'une province.

◈ voir **POLYPTYQUE.**

POUILLES (chanter pouilles) → **POU**

POUILLOT n. m. est dérivé (v. 1190) de l'ancien français *poille* «poule» (XIIIe s.), issu d'un latin populaire °*pullius,* variante de *pullus* (→ poule).

♦ Le mot, écrit *poillot,* désignait en ancien français le petit d'un oiseau en général. ◇ Il a été repris sous sa forme moderne (1767) comme nom d'un petit passereau arboricole.

POUJADISME n. m. est dérivé (1956, *Le Poujadisme démasqué*) du nom de Pierre *Poujade* libraire-papetier qui fonda en 1953 l'Union de défense des commerçants et artisans de France (U. D. C. A.) qui manifesta contre les contrôles fiscaux, préconisant le refus de l'impôt. Ce mouvement fut particulièrement remarqué pour sa percée aux élections législatives de 1956 (52 élus qui formèrent le groupe Union et Fraternité française) mais il s'essouffla rapidement.

♦ Le mot s'applique au mouvement de Pierre Poujade à la fin de la IVe République. Par extension, il se rapporte à un mouvement conservateur fondé sur des attitudes corporatistes et sur le refus d'une évolution socio-économique.

▶ **POUJADISTE** adj. et n. (1956), «relatif au poujadisme», qualifie et désigne les partisans du poujadisme.

POULAIN n. m., d'abord *pulain* (1121-1134) et *polain* (1176-1184), puis *poulain* (v. 1210), est issu du bas latin et latin médiéval *pullamen* «petit d'un animal», spécialement «petit du cheval» (probablement VIIe s.) qui aurait d'abord eu un sens collectif. *Pullamen* est dérivé de *pullus* «petit d'un animal», spécialement «poulet» (→ poule) et aussi «petit du cheval», par extension «rejeton d'une plante», terme ancien de la langue rustique qui présente une géminée expressive et qui se rattacherait à une racine indoeuropéenne désignant le petit d'animal, de même que *puer* «enfant» (→ puéril), *pusus* (→ pusillanime), *puttus* «petit garçon» (→ putto), *praeputium* (→ prépuce) ; cf. en gotique *fula* «poulain». ◈

♦ Le mot désigne un jeune cheval âgé de moins de deux ans. ◆ Dès le XIIIe s., par la même analogie que *chevalet* (et aussi *chèvre,* etc.), il désigne un assemblage de madriers dont on se sert pour le transport de marchandises puis, en marine, l'arc-boutant servant à empêcher le déplacement d'un navire en chantier (1694). ◆ À la fin du XIXe s., *poulain* s'applique à un jeune sportif qui fait partie d'une «écurie» (1893), par comparaison avec le jeune cheval qui participe à une course ; par extension, il désigne un débutant aidé dans sa carrière par un personnage influent (1948).

▶ *Poulain* n'a guère produit de dérivés. ◆ **POULINER** v. intr., indirectement attesté au début du XIIe s. (1121-1134) par le participe passé adjectivé *poulainée* en parlant d'une jument qui a mis bas récemment, est employé comme verbe (v. 1330, *pouléner*) pour «mettre bas (en parlant de la jument)» ; la forme actuelle est refaite sur la variante *poulin,* encore attestée en 1878. ◆ Le verbe a produit **POULINEMENT** n. m. (1603) «action de mettre bas, pour une jument», terme technique. ◆ L'autre dérivé de la variante *poulin* est **POULINIÈRE** adj. (1651) et n. f. (1845), à propos d'une jument destinée à la reproduction. ***Jument poulinière*** se dit péjorativement d'une femme qui a de nombreux enfants.
POULICHE n. f. est le mot (av. 1589) d'origine dialectale, picarde ou normande, qui a remplacé *pouline* (1664), féminin de *poulin,* lequel est une variante de *poulain.* Cette altération s'est probablement faite d'après la forme normanno-picarde de *génisse, geniche.* ◆ Le mot, qui est d'abord un terme d'éleveur, se rapporte à une jeune jument n'ayant pas encore procréé. ◇ Par métaphore, il désigne une jeune femme impulsive et pétillante (1897) et, familièrement, une fille entretenue (1901). Avec ce sémantisme, l'homonymie du début du mot avec *poule* a dû jouer.

POULAINE n. f. est le féminin substantivé (1365) de l'ancien adjectif *poulain* «polonais» (v. 1360), dérivé de *Pologne* et supplanté ultérieurement par *polonais* (→ polonaise) ; en effet, ce type de chaussure à longues pointes recourbées passait pour être d'origine polonaise.

♦ D'abord attesté dans la locution ***souliers [solliers] à la poulaine,*** puis absolument (*poullaine,* v. 1375) au sens métonymique de «pointe effilée de certains souliers», le mot désigne ensuite cette sorte de chaussure, à la mode aux XIVe-XVe s. (*poulaine* au XVIIe s.; attesté 1690). ◇ Par analogie de forme, il a été repris en marine pour désigner l'extrême-avant triangulaire d'un navire où les matelots lavaient leur linge et où se trouvaient les latrines (1573, *polaine;* 1643, *poulaine*). ◇ Par métonymie, il a reçu, dans l'argot des marins, le sens de «lieux d'aisances à bord» (1573), l'expression *gabier de poulaine* équivalant à «marin propre à rien» (sauf à nettoyer les poulaines).

◈ voir **POLKA, POLONAISE.**

POULBOT n. m. est l'emploi comme nom commun (1918) du nom du dessinateur Francisque *Poulbot* (1879-1946) qui représenta de manière humoristique les gamins des rues de Paris, en particulier de Montmartre.

♦ Le mot désigne un gamin de Paris, de Montmartre en particulier; le syntagme le plus usuel est *petit poulbot.*

✱ ① **POULE** n. f. est issu (XIIIe s.) du latin *pulla* «poulette», féminin de *pullus* «petit d'un animal» (→ poulain), spécialisé très tôt au sens de «jeune coq» et qui a donné l'ancien français *pouil,* homonyme de *pouil* (→ pou) éliminé par *coq* et par le dérivé *poulet. Poule* a lui-même concurrencé puis éliminé *geline* (→ gélinotte).

♦ Dès les premiers textes, le mot désigne la femelle du coq domestique, sens avec lequel il a produit une riche phraséologie : ***comme les poules*** (1636) exprime l'idée de suivre les horaires des poules, de même que ***se coucher avec les poules*** «très tôt» (1813). En cuisine, l'animal donne lieu à des noms de préparations, dont les plus usuels sont *poule au pot*, poule au riz.* ◇ ***Faire le cul de poule*** (1611) concerne d'abord le geste de réunir les cinq doigts de la main par dérision avant de prendre la valeur moderne de «faire la moue en avançant et en pinçant les lèvres» (1660). ***Poule mouillée*** «personne lâche, craintive» (cf. *capon,* l'anglais *chicken*) se rencontre d'abord chez les auteurs burlesques (1648). Au XVIIIe s. apparaissent ***chair de poule*** (1762) et ***tuer la poule aux œufs d'or*** (1767), cette dernière en référence au titre et au sujet d'une fable célèbre de La Fontaine (V. 13). ◇ Par extension, *poule* sert à désigner, en emploi qualifié ou déterminé, différents oiseaux : *poule des bois* (1530-1531), ***poule d'eau*** (1530), *poule de la Guinée* (1555) — qui sera remplacé par *pintade** —, et les femelles de divers gallinacés : la femelle du dindon est appelée ***poule d'Inde*** (1542), celle du faisan ***poule faisane*** (1762; après *poule faisande,* 1690). ➛ Le mot a développé quelques sens métaphoriques et figurés : dès l'ancien français, il sert de terme affectueux à l'adresse d'une jeune fille ou femme (v. 1240, *m'amie et ma pole*), emploi qui semble revivre depuis le milieu du XXe siècle. Cf. ci-dessous *poupoule.* ◇ Au XIXe s. apparaît le sens de «femme galante» (1866) dans la langue populaire, et celui de «maîtresse» (1890), d'abord dans l'argot des souteneurs. ➛ Quant au sens argotique de «police» (1899), il semble traduire l'argot italien *pula.*

▸ Le sens étymologique du mot latin est retrouvé par les deux dérivés les plus anciens de *poule.* ➛ **POULETTE** n. f., d'abord *polete* (1200), désigne une jeune poule; son emploi figuré pour désigner une jeune fille ou une jeune femme, et comme terme d'affection, est usuel au XVIIe s. (1681, Mme de Sévigné). ◇ Le mot a donné son nom à une préparation culinaire, *sauce à la poulette* (1823), puis ***sauce poulette.***

Le masculin **POULET** n. m. (1228) désigne le petit d'une poule, en particulier une jeune poule ou un jeune coq destiné à la consommation. En relation avec *poule d'Inde, poulet d'Inde* (1552) a désigné le dindonneau. ➛ Le mot a pris dans l'usage familier le sens figuré de «missive, lettre» (1556, *poullaict*), en particulier «billet doux» (1588, Montaigne). ➛ Comme *poule* et *poulette,* il est employé comme terme d'affection (avec ou sans possessif) à l'égard d'une femme, d'une jeune fille, d'un enfant (1715-1735). ➛ En relation avec le sens argotique de *poule,* il a développé le sens familier de «policier» (1911), *poule* étant suffixé en argot en **POULAGUE** n. m. «policier», *maison* **POULAGA** (v. 1950) «la police». ➛ **POULAILLE** n. f., d'abord *polaille* (v. 1268), formé avec le suffixe *-aille,* au sens ancien de «volaille», n'est plus employé, sinon régionalement, pour l'ensemble des volailles d'une basse-cour. Argotiquement, d'après *poule* dans ce sens, il désigne la police (1951) avec une nette valeur péjorative. ➛ *Poulaille* est beaucoup moins usuel que son dérivé **POULAILLER** n. m. (1261) qui, après avoir désigné en ancien français un marchand d'œufs ou de volailles, est devenu (1389) le nom de la petite construction où l'on élève les volailles qui y habitent. Par analogie, le mot désigne une habitation misérable ou de petites dimensions (1767) et spécialement, au théâtre, la galerie supérieure où les places sont les moins chères (1834), alors synonyme de *paradis*. Poulailler* se dit, par métonymie, des occupants de ces places (1865). ➛ *Poulailler* a évincé de l'usage **POULIER** n. m. (1382) qui s'est maintenu avec le sens technique de «banc de galets à l'entrée des estuaires», d'usage régional (Picardie, 1869). ➛ **POULARDE** n. f., d'abord *pollarde* (1562), désigne spécialement une jeune poule qui a subi un engraissage intensif. Ses emplois figurés pour une jeune femme dodue (1868) et une femme entretenue (1881) ont disparu. ➛ Le masculin **POULARD** adj. et n. m., qualifiant (1606, *blé poulart*) et désignant (1805) une variété de grain renflé, est le dérivé régressif de *poularde,* par allusion à la grosseur du grain. Il a remplacé un plus ancien *poullé* (1564, *blé poullé*) dérivé directement de *poule.* ➛ **POULOT, OTTE** n. (1719) et **POUPOULE** n. f. (av. 1798, Casanova) sont deux termes affectueux, le premier à l'égard d'un enfant, le second à l'égard d'une femme, aussi comme appellatif à la mode en français populaire vers 1920-1930 (*Viens, Poupoule!,* chanson), avec une nuance condescendante. ➛ *Poulot* a produit **POULOTTER** v. tr., mot familier (1879, Huysmans) pour exprimer l'idée de «choyer».

◈ voir POLICHINELLE, POLOCHON, POLTRON, PONEY, POOL, POUILLOT, POULAIN, POULICHE, POURPIER, POUSSIN, POUTRE, PRÉPUCE, PUCELLE, PUÉRIL, PULLULER, PUSILLANIME, PUTTO.

② **POULE** n. f., en sports et en jeu, résulte (1665) d'un développement sémantique obscur. C'est peut-être une métaphore de ① *poule,* par allusion au pondoir où plusieurs poules déposent leurs œufs.

♦ Au XVIIe s., le mot désigne la quantité d'argent (ou de jetons) qui résulte de la mise de chacun des joueurs et qui forme enjeu (cf. *cave*). Le mot s'est spécialisé au billard (1832), puis en turf (1856), par une métonymie allant de l'enjeu à la partie ou à un ensemble de parties et, dans le second cas, avec l'influence de l'anglais *pool**, lui-même emprunté au français. ◇ En sports, le mot désigne plus généralement une épreuve où chacun des joueurs individuels ou des équipes rencontre successivement chacun des adversaires par un système d'éliminations.

◈ voir POOL.

POULICHE → POULAIN

POULIE n. f. (v. 1165), d'abord *polie* (v. 1130), est issu d'un latin populaire °*polidia,* neutre pluriel pris pour un féminin singulier, du singulier °*polidium.* Ce dernier est emprunté au grec tardif supposé °*polidion,* dérivé du grec classique *polos* «pivot», terme technique qui se rattache à l'idée de tourner et désigne l'axe de la sphère céleste, l'extrémité de cet axe et de là le firmament, chez les tragiques, le centre de l'aire, la sphère du cadran solaire (→ pôle). Cette reconstitution est appuyée par l'italien *pullegia* (rare), l'espagnol *polea,* le provençal *poleia.*

♦ Le mot désigne dès le XIIe s. une petite roue portant sur sa jante une corde, qui sert à soulever des fardeaux et à transmettre ou changer le mouvement de direction. Le mot entre dans des syntagmes terminologiques qui se multiplient au XVIIIe s. : après *poulie double* (1478), on rencontre coup sur coup *poulie multiple* (1754), *poulie simple* (1765), *poulie de renvoi* (1765), *poulie de palan* (1765), *poulie mobile* et *immobile* (1771), ce dernier remplacé par *poulie fixe* (1798) qui désigne une poulie solidaire de son axe, puis *poulie folle* (1858), *poulie étagée* (1928), *poulie de tension* (1963). ◇ Par analogie de forme, le mot est passé en anatomie (1690).

▸ *Poulie* a donné deux termes d'usage technique : le plus ancien, ① **POULIOT** n. m. (1392), désigne un rouet de poulie puis une petite poulie (1723). De nos jours, ce mot désigne un petit treuil fixé à l'arrière d'une charrette sur lequel on enroule la corde pendant le chargement (1877). ◆ **POULIEUR** n. m. est le nom donné (1671) au fabricant ou marchand de poulies.

POULINER, POULINIÈRE → POULAIN

① **POULIOT** → POULIE

② **POULIOT** n. m. (fin XVe s.), d'abord *polliot* (1437-1442), est l'altération par substitution de suffixe de l'ancien français *poliol* (fin XIe s.), *puliel* (XIIe s.) ou *puliol* (fin XIIe s.). Celui-ci est dérivé au moyen du suffixe *-ol* d'un représentant du latin populaire °*pŭleium* (avec *u* bref), dérivé du latin classique *pūleium* (avec *u* long) «plante aromatique du genre des menthes utilisée en infusion» (depuis Cicéron). *Pūleium,* qui s'est diffusé dans toute l'aire romane (sauf roumain) et germanique, est sans origine connue.

♦ Le mot désigne comme son étymon latin une plante aromatique du genre des menthes utilisée en infusion comme antispasmodique et stimulant.

POULPE n. m. est la réfection savante, d'après le latin (1554), de *poupe* (1538), *poulpre* (1546), emprunts au provençal *pourpre, poupre* qui représente le latin *polypus* «tumeur du nez» et «espèce de mollusque», lequel a donné par emprunt *polype** et, par l'anglo-normand, *pieuvre**.

♦ Le mot n'a pas conservé son sens médical, réservé au mot savant *polype.* ◇ Il désigne un mollusque (1546), sens avec lequel il a supplanté *polype* mais que lui dispute *pieuvre.* Cependant, *poulpe* est le seul employé pour désigner la chair de cet animal, en cuisine.

◈ voir PIEUVRE, POLYPE.

POULS n. m., d'abord *pulz* (v. 1155), altéré en *pous* (XIIIe s.) et écrit *pouls* par rétablissement du *l* latin (1549), est issu du latin *pulsus* «impulsion, choc, heurt», employé en médecine dans *pulsus venarum, pulsus arteriarum* «battement des veines, des artères». *Pulsus* est dérivé de *pellere* (supin *pulsum*) «pousser» (→ appeler, interpeller, pousser).

♦ Le mot n'a gardé du latin que la spécialisation de «battement des artères»; par métonymie, il désigne l'endroit où l'on sent le pouls, dès les premiers textes dans la locution ***tâter le pouls.*** Celle-ci a pris un sens métaphorique, «estimer l'état de qqch.» (1225, à nouveau à partir de 1619), également au pronominal ***se tâter le pouls*** (1608). ◇ Par cet intermédiaire, *pouls* est quelquefois employé seul au sens figuré de «ce par quoi l'on peut juger de l'état de qqch., des dispositions de qqn».

POUM interjection, est l'onomatopée (notée *poumm* en 1882) qui évoque un bruit, notamment de choc ou de chute (*boum* ayant une valeur plus générale : aussi bruit de coup de feu, etc.) → ① boum.

POUMON n. m., altération (v. 1160) de *pulmun* (1080), est issu du latin *pulmonem,* accusatif de *pulmo* «organe principal de la respiration de l'homme, du mammifère, de l'oiseau, du reptile» et, par analogie d'aspect général, «mollusque, probablement la méduse» (*pulmo marinus* chez Pline). Il est difficile de déterminer s'il y a un rapport de parenté avec les mots de même sens (grec *pleumôn,* vieux prussien *plauti,* lituanien *plaũčiati,* vieux slave *plušta*) ou emprunt au grec *pleumôn* de même sens; le nom du poumon est très variable d'une langue indoeuropéenne à l'autre. On tire le mot grec et le sanskrit *kloman-,* forme la plus proche du grec, de *plein* «flotter» (→ périple), le poumon étant l'organe qui flotte sur l'eau.

♦ Le mot est apparu en anatomie avec son sens latin, «organe de la respiration», mais il a longtemps désigné au singulier le viscère formé par les deux poumons (*c'est le poumon,* chez Molière, correspond à l'emploi moderne du pluriel). Ce singulier se retrouve dans la locution figurée classique *perdre son poumon* «s'époumoner, se fatiguer à crier ou à parler» (1671, Mme de Sévigné), sortie d'usage. En revanche, dès la même époque, c'est le pluriel *poumons* qui apparaît dans les locutions ***user ses poumons*** (1690), ***cracher ses poumons*** «cracher et tousser de manière pathologique» (1694), et, avec l'idée de forte respiration, de voix sonore, ***avoir de bons poumons*** (1694), ***crier à pleins poumons*** (1844, Balzac). ◆ Au XXe s., par métaphore, le mot est employé à propos d'un espace dont la couverture végétale entretient le renouvellement de l'air d'un lieu (1933, Paul Morand parlant des parcs de Londres). Les progrès de la médecine ont donné lieu aux termes ***poumon d'acier*** (1956 dans les dictionnaires, l'objet était réalisé en 1929) et *poumon artificiel* (1953), désignant un appareil de respiration artificielle rendu caduc par d'autres procédés chirurgicaux.

▸ Le mot a produit **ÉPOUMONER** v. tr. (1725), surtout au pronominal **S'ÉPOUMONER** qui correspond à «fatiguer les poumons en criant» et, au figuré, à «fatiguer» en relation avec un acte de parole.

PULMONAIRE n. f. et adj. est emprunté (XVe s.) au latin *pulmonarius* «du poumon», substantivé à basse époque au féminin *pulmonaria* pour désigner une plante en raison de ses propriétés médicales et dérivé de *pulmo.* Les Anciens avaient d'abord remarqué l'analogie entre les taches éparses sur les feuilles de la plante et celles du poumon, cette analogie conférant à la plante, selon le système des correspondances, une vertu thérapeutique pour les maladies pulmonaires. ◆ Le mot a été repris en botanique puis, au XVIe s., l'adjectif a été introduit en pathologie (1585, *affection pulmonaire*) et en anatomie (1675). ◇ Ultérieurement, le mot est entré sous la forme de l'élément **-PULMONAIRE** dans quelques adjectifs spécifiant la localisation anatomique d'un système organique ou d'une atteinte pathologique : **BRONCHO-PULMONAIRE** adj., **CARDIO-PULMONAIRE** adj. (1878), **PLEURO-PULMONAIRE** adj. ◆ L'ancien **PULMONIE** n. f. (XIIIe s., *polmonie*), emprunté au latin médical *pulmonia,* a désigné une affection du poumon, en particulier la tuberculose pulmonaire ; sorti d'usage, il se maintient dans les dialectes sous les formes populaires *poulmonie, polmonie.* ◆ L'adjectif qui lui correspond, **PULMONIQUE** (1537), emprunté au latin médical *pulmonicus* «poitrinaire, qui traite les affections du poumon», a connu le même sort : évincé par *pulmonaire,* il reste vivant sous les formes *poulmoniste, pulmoniste,* dans les dialectes du sud de la France. ◆ **PULMONÉS** n. m. pl. a été créé savamment en zoologie (1817, Cuvier) comme dénomination d'une sous-classe de mollusques gastéropodes chez lesquels la cavité palléale (cavité où se trouvent les organes respiratoires) fonctionne comme un poumon. Il est adjectivé dans ce contexte en **PULMONÉ, ÉE.**

POUND n. m., d'abord *pound aver*[avoir]*-dupois* (*Encyclopédie,* 1765) puis *pound* (1786) dans une relation de voyage, est emprunté à l'anglais *pound,* issu du vieil anglais *pund* qui, avec ses correspondants germaniques, provient très probablement du latin *pondo* «en poids» et spécialement *(libra) pondo* «livre», ablatif de *pondus* «poids» (→ pondérer). Le vieil anglais *pund* «poids d'une livre», attesté depuis le début du IXe s., désigna aussi, par métonymie, la monnaie correspondant à ce poids en argent (v. 975).

♦ Le mot désigne l'unité fondamentale de mesure de masse dans le système anglo-saxon, valant 453,59 g ou 16 onces dans le système *avoirdupoids* et correspondant à *livre.* ◇ Avec le sens d'«unité monétaire anglaise» (1786), il a été supplanté par *livre sterling* ou *livre.*

POUPARD, ARDE adj. et n. m., d'abord *popart* (v. 1210) puis *poupard* (v. 1220), est issu, avec le suffixe *-art, -ard,* d'un représentant du latin populaire *puppa,* autre forme à redoublement expressif du latin classique *pupa* «petite fille», «poupée» (→ poupée).

♦ Le mot est passé en français pour désigner un bébé, spécialement un bébé gros et joufflu. Par métonymie, il désigne une poupée représentant un bébé joufflu emmailloté (1680), puis familièrement une personne au visage de bébé joufflu, comme nom (1822) et comme adjectif qualifiant un visage, une expression (1830). Le mot est archaïque ; le substantif est remplacé par *poupon* (ci-dessous).
Quant à l'homonyme **POUPART** n. m. (1750), désignant un gros crabe, il pourrait venir de *poupard* par analogie de forme, cet animal aux pattes repliées évoquant l'image d'un nourrisson (on l'appelle également *dormeur*) ; toutefois, certains le font provenir, avec substitution de suffixe, de *poupelin* «gâteau cuit au four et trempé dans du beurre», lui-même du radical de *poupée** et donc apparenté à *poupard.* Là encore, le développement sémantique serait dû à une analogie de forme entre le crabe (également appelé *tourteau, pâté*) et ce gâteau.

▸ Par substitution de suffixe, *poupart* a produit **POUPON, ONNE** n. m. et adj. (1534) que l'on rencontre chez Rabelais au sens d'«enfant au berceau», avec une connotation affectueuse et familière. À l'époque classique, le féminin *pouponne* a servi de terme d'affection à l'adresse d'une jeune fille, d'une jeune femme (cf. plus tard *bébé, gosse*). ◇ Par l'intermédiaire de «représentation stylisée d'un bébé» (1874) et avec la mode des poupées représentant des bébés au maillot, il a pris le sens de «poupée représentant un bébé» (v. 1950 ; attesté chez S. de Beauvoir, 1958). Il est adjectivé pour qualifier un visage, des traits enfantins rappelant ceux d'un bébé. Dans tous ses sens, *poupon* fonctionne comme synonyme de *poupard.* ◆ Il a été plus productif en dérivés : **POUPONNER** v. tr. (1810) exprime l'action de traiter qqn comme un poupon, de le dorloter, puis se dit proprement du fait de s'occuper d'un bébé, absolument (1891) et transitivement (1914). ◇ Le nom d'action **POUPONNAGE** n. m. est attesté plus tard (1966). ◆ Le second dérivé de *poupon* est **POUPONNIÈRE** n. f. (1851), d'abord pour désigner un appareil en bois destiné à faciliter les premiers pas des jeunes enfants, puis (1912) un établissement où l'on garde les jeunes enfants jour et nuit, synonyme partiel de *crèche*.

◈ voir POUPÉE.

POUPE n. f., également *pope* dans les premières attestations (1246), est emprunté au génois *popa* (1246, en latin médiéval de la région de Gênes), correspondant à l'italien *pope* (1218, à Modène), *poppa* (1300-1313, Dante). L'un et l'autre remontent au latin °*puppa*, altération de *puppis* sans étymologie connue, probablement d'après le vocalisme de *prora* (→ proue) auquel il s'oppose. En raison du caractère italianisant des premiers textes français, cette hypothèse (Vidos) est préférable à celle d'un emprunt à l'ancien provençal *popa* (1288, latin médiéval *popa*, à Marseille ; v. 1300), origine proposée par Wartburg.

♦ Le mot est employé en opposition à *proue* pour désigner l'arrière d'un navire. Il entre dans la locution figurée ***avoir le vent en poupe*** «être poussé par les circonstances, la fortune, vers le succès» (v. 1440).

POUPÉE n. f., d'abord attesté sous la forme *popede* (fin XIe s.), puis *popee* (v. 1278), *poupee* (v. 1360), est dérivé à l'aide du suffixe *-ée* d'un représentant non attesté du latin populaire *puppa*. Celui-ci est une forme expressive (avec gémination de la consonne) du latin classique *pupa* «petite fille» et «figurine humaine servant de jouet», mot du langage enfantin. Sur *pupa*, *puppa* et le diminutif *pupula*, on a fait des masculins *pupus*, *puppus*, *pupulus* qui sont restés rares et n'ont pas survécu. *Puppa* a dû avoir le sens de «sein», attesté dans les langues romanes (italien *poppa*), avec lequel il a produit le verbe °*puppare* «téter» (cf. le double sens de *mamma*, → maman, mamelle).

♦ Le premier sens du mot attesté en français est celui de «paquet de lin», réalisé seul et dans le syntagme *poupée de lin* (1396). Le sens aujourd'hui courant, qui doit être antérieur, et dont le précédent est issu par analogie de forme, «petite figure humaine servant de jouet, de décoration», est attesté dans le *Roman de la Rose* (v. 1278). ◇ Le sens figuré et péjoratif de «femme enfantine» (v. 1360) a vieilli, comme celui de «mannequin sur lequel on présente des chapeaux, des vêtements» (1396), longtemps soutenu par l'emploi des poupées de mode et aujourd'hui remplacé par *mannequin*. ◇ Le mot s'applique au figuré à une jeune femme ou jeune fille parée, coquette et jolie (déb. XVIe s.) et, par extension, à une jeune femme ou fille en général (1640), dans l'usage familier. L'appellatif *poupée* a été repris au XXe s. comme traduction fréquente de l'anglo-américain *honey* (par exemple dans les romans de la Série noire). Il est alors condescendant et sexiste. ➜ Le mot a développé d'autres sens analogiques, pour la plupart techniques et qui réaniment le premier emploi attesté : «dispositif maintenant la pièce que l'on travaille» (1611), «pansement entourant un doigt blessé» (1690), «figurine servant de but au tir» (1835), «tampon utilisé en gravure pour encrer une planche en taille-douce» (1895), «partie intérieure du cigare» (1900).

► Il est malaisé de dire lequel, de *poupée* ou *poupard*, ait servi à former **POUPELIN** n. m., d'abord *popelin* (v. 1225) «petit enfant», encore utilisé régionalement avec son sens analogique de «pâtisserie (en forme de sein ?)» (v. 1349). ➜ Il semble que ce soit *poupée* qui ait servi à former **POUPIN, INE** adj. (*popin*, 1496) «joli, mignon». ➜ On rencontre des exemples du diminutif familier à valeur hypocoristique **POUPETTE** (aussi nom de fille) et de **POUPETIER** n. m. «fabricant de poupées». ➜ **PÉPÉE** n. f., redoublement enfantin (1866) de la deuxième syllabe de *poupée*, est employé familièrement au sens de «jeune fille ou femme au physique agréable» (1877), par exemple dans *une belle, une chouette, une petite pépée*. Il est plus sexualisé que *poupée*.

◈ voir POUPARD, PUPILLE, et, de la même base expressive, POMPE, POMPON, POPOTE, RIPOPÉE.

POUPON → POUPARD

POUR prép., sous la forme *por* (881) et *pur* (v. 1050) avant *pour* (XIIIe s.), est issu, par métathèse du *r*, et peut-être influence de *per* «par», de *pro* (842, *Serments de Strasbourg*), représentant du latin *pro*, déjà attesté sous la forme *por-* comme préverbe. Le latin *pro* est employé à la fois comme préposition, comme préverbe (*prod-* devant une voyelle, avec un *-d* issu sans doute de *-de*) et comme adverbe dans quelques locutions. Il signifie «en avant, devant», sur un plan à la fois spatial et temporel, et «sur le devant de». L'idée accessoire d'une chose laissée derrière soi explique que *pro* implique «défense» et «protection», et qu'il ait acquis la valeur abstraite d'«en faveur de». Il a développé par la suite un sens causal, puis la valeur de substitution «à la place de», d'où «comme» et «en guise de». *Pro* marque aussi la proportion, au sens de «selon, dans la mesure de, proportionnellement à», et le but (IIIe s., chez les auteurs chrétiens). ◇ Étymologiquement, la forme *pro-* en tant que préverbe se retrouve dans de nombreuses langues italiques (ombrien *pru-*, osque *pru-*), celtiques, germaniques (gotique *fra-*), slaves, ainsi que dans le sanskrit *pra-*, l'avestique *fra-*. Cependant, °*pro-* n'est attesté comme préposition que dans le grec *pro* qui offre des traces de caractère adverbial (→ prot-, proto- ; protéine). Comme préposition, la forme ancienne serait °*prod*, dont l'origine n'est pas claire. Tout le groupe est à rapprocher de *per* (→ ① par, per-), *prae* (→ pré-) et *prior* (→ ② prieur). *Pro* existe dans la partie septentrionale de la France, dans la péninsule Ibérique (espagnol, portugais *por*) et dans le sarde. En italien et en provençal, il a été supplanté par *per*, du latin *per* (→ ① par) dont la forme a pu jouer un rôle dans le passage de *pro* en *por*. D'ailleurs, en ancien français, les deux prépositions *par* et *pour* (*por*) ont parfois été confondues, du fait de leur emploi causal, et notamment dans certaines formules d'invocation.

♦ Dans *Les Serments de Strasbourg*, *pro* exprime le sens d'«en considération, au nom de» dans la formule de serment *pro Deo amor*, en français moderne *pour l'amour de Dieu* (*pro amor Deu*, v. 1050).

Le sens causal «à cause de, en raison de» (881) est repris au latin *pro* «à la mesure de, selon» (*pro tua clementia*, Tite-Live). L'usage moderne fait plus souvent suivre *pour*, en ce sens, de l'infinitif passé (1663) que de l'infinitif présent, comme c'était le cas en ancien et moyen français. ◇ Dès le IXe s., *pour* assume un rôle explicatif dans *por o* (881), *por ço* (v. 1080) «c'est pourquoi», *por qe, porqet* «parce que» (937-952), *pur que* (v. 1050), *por ço que* (1080), toutes formes archaïques de *pour ce que*, encore vivantes au XVIIe s. (les dictionnaires de Trévoux [1704-1771] remarquent que l'expression ne se dit plus que dans le comique). C'est d'une locution similaire qu'est issu *pourquoi**. ◇ Dès *Les Serments de Strasbourg*, *pour* (*pro*) exprime aussi les notions de but, d'intervention, de direction : il signifie alors «dans l'intérêt de, en faveur de» et s'oppose à *contre*, par exemple dans la locution classique ***le pour et le contre*** (av. 1654), où les deux prépositions sont substantivées. ◇ *Pour* sert aussi à indiquer la destination (v. 1050), également après un verbe de mouvement (1791, *partir pour*...). ◇ Il exprime aussi une idée de durée (1419) ou de terme dans le temps (1606). Dès le XIe s., il correspond à la finalité d'une action (v. 1050), suivi d'un infinitif dont il est quelquefois séparé par le pronom objet *(pour le voir...)* ou suivi d'un nom, d'un pronom (1080). L'ancienne locution *por ço que* suivie du subjonctif (1080) est contractée en ***pour que*** (1244). *Pour* réalise aussi l'idée d'intention, spécialement dans ***être pour*** suivie d'un infinitif «être disposé à» (1549), qui a antérieurement servi à exprimer l'imminence d'une action (1456).

Pour a directement repris au latin classique la notion d'«échange», de «compensation» : dès *Les Serments* (881), il introduit un substantif exprimant une valeur estimée, au sens d'«au prix de, moyennant»; depuis le XIIe s. (1174-1176), le substantif introduit peut exprimer une valeur précise, chiffrée. ◇ L'accent est mis sur l'idée de dédommagement lorsque la préposition introduit un substantif indiquant un dommage, un préjudice demandant compensation (1080). ◇ *Pour* exprime aussi l'idée de remplacement, de substitution de personne (1080), en particulier avec la notion accessoire de «préférence» (v. 1200). Les mêmes idées sont réalisées en parlant de choses (déb. XIIe s.); il s'y ajoute alors la notion de «tromperie dans le marché» (fin XIIe s.) qu'exprime, parmi beaucoup d'autres, une locution comme *faire prendre des vessies pour des lanternes* (v. 1200, *vecies por lanterne*). ◇ Le sens d'«en tant que, comme», que l'on rencontre dès le XIe s. (1050) dans des phrases où *pour* introduit un attribut qu'il met en rapport avec l'objet de verbes signifiant «estimer, considérer», est lui aussi repris du latin. Parmi les constructions courantes, on a dès l'ancien français *tenir pour fou* (1080, *por fol*), *tenir pour mort* (v. 1160). ◇ Employé avec un terme redoublé, *pour* exprime une réciprocité (v. 1188), une équivalence, une correspondance exacte (1552, *mot pour mot;* 1689, *jour pour jour*), ou encore la possibilité d'un choix entre deux choses équivalentes ou présentées comme telles (av. 1592), par exemple dans *un mot pour un autre (mot)*. ◇ Placé en tête de phrase, *pour* sert à mettre en relief le sujet (1160-1174), assez couramment dans l'expression *pour moi* (1640), et quelquefois l'attribut, dans la langue littéraire (1676). *Pour* exprime également un rapport de proportion entre deux nombres (1208). ◇ Il indique la conséquence, qu'il se rapporte à une personne capable de faire qqch. (1080) ou à une chose (v. 1225); il exprime aussi une conséquence prévisible, ce qui a toutes les chances de se produire (v. 1210). ◇ Du sens causal découle une valeur concessive très ancienne (1080) et toujours en usage, notamment dans la construction *pour* suivi d'un nom ou d'un adjectif, suivi de *que* commandant généralement le subjonctif (v. 1165), et dans les locutions ***pour peu que*** (1080), ***pour autant.***

Le mot, substantivé depuis l'époque classique dans ***le pour et le contre, c'est du pour,*** a pris en argot le sens de «plaisanterie, mensonge» (1914) par l'intermédiaire de la locution ***c'est pour rire,*** aussi *pour de rire;* dans *c'est du pour*, il est quelquefois écrit *pourre*.

▶ **POUR-** est aussi un premier élément formant, essentiellement dans la construction de verbes, représentant le latin *pro* (→ pour) et le français *pour* qui continue ce dernier. Il indique que l'action exprimée par le verbe est menée à son terme, jusqu'à sa limite extrême. En tant que préverbe, il se trouve dans quelques verbes passés directement du latin en français *(poursuivre*, pourvoir*)* et dans un certain nombre de composés formés en français. Les verbes ainsi formés sont pour la plupart vieillis et sortis d'usage *(pourfiler, pourbouillir)* ou quelquefois conservés par la langue littéraire archaïsante *(pourmener, pourpenser)*. Certains d'entre eux se sont éteints tout en laissant une forme d'infinitif substantivé *(pourboire*, pourparler*)*, un déverbal *(pourtour*)*; d'autres encore se sont effacés derrière un participe passé substantivé *(portrait*, pourpris)* et au profit d'une forme en *pro-* (*promener* remplaçant *pourmener*). Certains restent vivants, tels *pourchasser, pourfendre* et *pourlécher* (voir les formes simples). Dans le cas de *pourfendre*, comme dans celui de *pourpoint**, il y a eu confusion de sens avec le latin *per* (→ ① par). *Pour* est employé en fonction d'adverbe dans *pourtour* et en fonction de préposition dans *pourboire** et *pourcentage*.

POURCENTAGE n. m., attesté depuis 1874, est dérivé du substantif *pour-cent* (1845), sorti d'usage, formé de *pour** et de *cent**. ◇ Le mot désigne proprement la fixation du pour-cent, soit le taux d'un intérêt, d'une commission, calculé sur un capital de cent unités, d'où, par extension, une proportion pour cent unités.

POUR-SOI n. m. est la traduction en philosophie (1907), au moyen de la préposition *pour** et du pronom personnel *soi**, du terme allemand employé par Hegel : *das Fürsichsein* (1830; dans *La Logique*, 1re édition, 1817). C'est un composé de la préposition allemande *für* «pour» (apparentée au latin *pro*), du pronom personnel *sich* «soi» et de *Sein* «l'être». *Das Fürsichsein* est rendu par *l'être-pour-soi* (1874, *La Logique* de Hegel, traduite par A. Véra); Maine de Biran employait la locution ***pour soi-même*** (av. 1824). ◇ *Pour-soi* désigne le caractère propre de la connaissance que l'être conscient a de lui-même par opposition à l'existence en soi. Chez les philosophes existentialistes, le mot sert à désigner l'être humain et conscient par opposition à *en-soi* (1943, Sartre, *L'Être et le Néant*).

◈ voir **POURPRIS, POURQUOI, POURTANT, POURTOUR, POURVOIR, PREUX, PRO-, PROU; FENDRE (POURFENDRE), LÉCHER (POURLÉCHER), PARLER (POURPARLER), SUIVRE (POURSUIVRE).**

POURCEAU n. m., d'abord *purcel* (1121-1134, Ph. de Thaon), puis *pourcel* (1223), d'où *porciaus* au pluriel (XIIIe s.) et, d'après ce pluriel, *pourceau* (1487), est issu du latin *porcellus* «cochon de lait, jeune porc», diminutif de *porcus* (→ porc).

♦ Le mot a eu en français le sens général de «porc, cochon», conservé dans le Nord-Est, en Lorraine et en Languedoc mais disparu de l'usage courant au bénéfice de *porc* et de *cochon*. Il reste vivant dans une locution d'origine biblique, dont le type le plus ancien est *respandre ses pierres précieuses au pourcel* (v. 1223) puis *jeter ses joiaus entre porciaux* (XIIIe s.), *jeter ses marguerites devant les pourceaux* (1535), par latinisme *(margaritas ante porcos)*, et ***jeter des perles devant les pourceaux, aux pourceaux*** qui est la forme moderne (moins fréquente cependant que *aux cochons*). ➛ Par allusion à Horace (*Épîtres*, I, 4), l'expression ***pourceau d'Épicure*** (1574, Ronsard) est employée en parlant d'un homme qui jouit des plaisirs de la vie plus que de raison. ◇ Selon un des développements figurés de *porc* et de *cochon*, *pourceau* désigne celui qui met son unique intérêt à manger, un glouton (1679), un homme gros et gras (1690), un malpropre. ➛ Le mot, qualifié ou déterminé, est employé par analogie pour désigner certaines espèces : *pourceau de mer* (1611) a désigné un marsouin* (→ porc), *pourceau ferré* (1845) le hérisson et *petit pourceau* (1877, Littré, *Supplément*) un papillon du genre sphinx.

▸ **PORCELET** n. m. est dérivé (v. 1210), avec le suffixe *-et*, de l'ancien français *porcel*, forme archaïque de *pourceau*. ➛ Le mot désigne le jeune porc qui n'est pas encore sevré.

POURFENDRE → FENDRE

POURLÉCHER → LÉCHER

POURPARLER → PARLER

POURPIER n. m., réfection (1538) de formes en *-é*, *porpié* (apr. 1250), puis *pourpié* (1314), vient d'une altération, d'après l'initiale *pour-* (de *pourpre* ?), du type plus ancien *polpier* (fin XIe s.), issu d'un latin populaire °*pullipedem*, accusatif de °*pullipes* «pied de poulet», désignant une plante. Le mot est formé de *pulli*, génitif de *pullus* «poulet» (→ poule), et de *pes, pedis* (→ pied) en raison de la forme de la tige.

♦ Le même mot recouvre différentes espèces de plantes, précisées par des qualificatifs *(pourpier doré)*. *Pourpier de mer* (1752) désigne un arbrisseau vivant sur les terrains salés du sud de l'Europe.

POURPOINT n. m., d'abord *porpoinz* au pluriel (1215), est la substantivation de l'ancien adjectif *porpoint* «piqué, bordé» (v. 1165). Les formes en *par-*, *per-*, comme l'ancien français *parpoint* (v. 1195) et l'ancien provençal *perponh* (fin XIIe s.), semblent indiquer qu'il faut partir d'un *perpunctum*, attesté en 1191 en latin médiéval, mais probablement antérieur. Celui-ci est le participe passé passif neutre du bas latin *perpungere* «percer de part en part en piquant» (Ve s.), composé de *per-* (→ ① par, per-) et de *pungere* «piquer» (→ poindre). La substitution du préfixe *pour-* au préfixe *par-*, *per-* s'est faite en ancien français.

♦ Le mot désigne un vêtement d'homme en usage du XIIIe au XVIIe s. en Europe, qui couvrait le torse jusqu'au-dessous de la poitrine. Les locutions figurées *se mettre en pourpoint* «se disposer à se battre» et *mettre qqn en pourpoint* «le ruiner» sont sorties d'usage. ◇ En revanche, la locution ***à brûle-pourpoint*** (1648), qui signifiait proprement «à bout portant», est restée courante, démotivée en «inopinément» (1701), la notation spatiale étant convertie en notation temporelle.

POURPRE n. f., m. et adj. est la forme contractée (v. 1150) de *purpure* (v. 980), du latin *purpura*, qui désigne à la fois le coquillage appelé aussi *murex*, la teinture qu'on en tire et l'étoffe ou le vêtement teint de cette couleur, choisi comme symbole du pouvoir. Le mot latin est emprunté anciennement et par oral au grec *porphura*, traité comme un mot purement latin. Le mot grec, qui a dû désigner le coquillage avant de désigner la teinture, est probablement emprunté à une langue du Proche-Orient.

♦ Le mot français a hérité des trois sens du latin. Depuis les premiers textes, *la pourpre* est employée pour désigner un riche vêtement honorifique rouge foncé, puis toute étoffe rouge foncé (v. 1150), sens didactique et historique. Par métonymie, *pourpre* sert à désigner la dignité dont la couleur est le symbole (1647) et, spécialement, la dignité de cardinal (1647). Le féminin sert également à désigner la couleur rouge vif (v. 1130), spécialement la rougeur de la peau, autrefois une rougeur maladive (v. 1550), la rougeur du visage (1756, Voltaire) et la matière colorante rouge foncé tirée du murex (1538); ces emplois sont aujourd'hui techniques ou littéraires. ➛ Plus courant est l'emploi adjectif du mot au sens de «rouge foncé intense» (v. 1170). ➛ Les emplois du nom au masculin *(le pourpre)* désignent la couleur rouge (v. 1265), éliminant le féminin au XVIe s., ainsi que le mollusque dont le manteau sécrète le liquide qui devient rouge à l'air (1563). Le nom de couleur s'emploie en héraldique (1606), dans *pourpre minéral* ou *pourpre de Cassius* (1765), à propos d'un pigment rouge, et en anatomie (1881, *pourpre rétinien*).

▸ Le dérivé **POURPRIN, INE** adj. et n. m., d'abord *purprin, porprin* (v. 1119), s'est employé comme adjectif (remplacé par *pourpre* adj.). ➛ Sa réfection latine **PURPURIN, INE** (1309, *purpurain*), d'usage poétique ou plaisant, devenu archaïque, a donné **PURPURINE** n. f. (1731), lequel désigne un bronze pulvérisé mélangé de vernis et une matière colorante contenue dans la garance (1842).

EMPOURPRER v. tr., «colorer de pourpre, de rouge» (1552), s'emploie également à la forme pronominale, notamment en parlant du visage d'une personne en proie à une forte émotion (orgueil, honte, colère). ◇ Le dérivé **EMPOURPREMENT** n. m., noté en 1891, est peu répandu.

◈ voir PORPHYRE.

POURPRIS n. m., d'abord *porpris* (1165-1170), est le participe passé substantivé de l'ancien verbe *porprendre* ou *pourprendre* (1080) «investir, occuper, entourer», composé de *pour-** et de *prendre**. Ce verbe, qui connaît également les sens de «franchir», «s'étendre», «entreprendre» et «comprendre», a disparu au début du XVIIe siècle.

♦ Le mot désignait une enceinte, une clôture entourant un espace et, par métonymie, l'espace ainsi entouré, un terrain cultivé, un jardin. Par extension, il désigne un local, une habitation (1685), spécialement dans la périphrase poétique ***le céleste pourpris*** «le ciel» (1553). ◇ Il a vieilli dans toutes ses acceptions, mais il est encore employé par archaïsme par des écrivains du XIXe s. (Balzac, A. Bertrand, Chateaubriand, Hugo, Huysmans) et du début du XXe s. (A. France).

POURQUOI adv. et conj., réfection (fin XIIe s.) de *porquei* (v. 1050), *purgei* (1080), résulte de la soudure de *pour quoi* (v. 1050, *pur quei*), de *pour** et *quoi**.

♦ Le mot se rencontre d'abord comme interrogatif direct (1080) ou indirect (déb. XIIe s.). Son emploi en fonction de pronom relatif au sens de «pour lequel, laquelle» (v. 1165) est sorti d'usage ; il en est de même du relatif de liaison (1250-1270), fréquent au XVIe s., qui ne s'est conservé que dans les locutions ***c'est pourquoi*** (1580), ***voilà pourquoi*** (1580). ➛ *Le, un pourquoi* est employé comme nom invariable au sens de «cause, motif» (v. 1174-1176), puis désigne le mot et la question servant à demander la cause, la raison d'une chose (1764).

◈ **POURRIR** v., d'abord sous les formes *purir* (v. 1050) et *porrir* (v. 1155), avant *pourrir* (v. 1278), est issu d'un latin populaire °*putrire*, altération du latin classique *putrescere* (plus rarement *putrere*) «être corrompu», «être en ruine». Ce verbe est dérivé de l'adjectif *puter, putris* «qui se décompose, se gâte» et «délabré», lequel se rattache au verbe *putere* «être corrompu» et «sentir mauvais» (→ puer).

♦ Le verbe se construit aussi bien transitivement qu'intransitivement ; il exprime alors le fait de se gâter par décomposition lente et continue, en parlant d'un cadavre, d'un végétal (1160-1174), du corps humain ou d'une partie du corps humain (v. 1200) et de diverses matières (v. 1200, d'un chenal de pierre). ◇ Au moral, il signifie «se dégrader, se corrompre moralement», en parlant d'une personne (v. 1165), et «périr» en parlant d'un sentiment (1176) ; il s'applique à une personne qui croupit dans une situation dégradante (v. 1245), en particulier en prison (av. 1421, *laisser pourrir [qqn] en prison*) ; ces emplois sont toujours vivants. En revanche, son emploi à propos d'une chose, surtout une œuvre qui reste à l'abandon (1663), a disparu. ◇ L'usage transitif est aussi ancien pour «corrompre» (v. 1050) ; le verbe au figuré correspondait à «amollir, dorloter» (v. 1180), sens sorti d'usage mais réactivé dans l'expression assez usuelle ***pourrir un enfant*** (1878) [cf. *pourri*], et à «corrompre moralement» (XIIIe s.). Cf. *gâter*. ◇ La forme pronominale *se pourrir* (v. 1200) reste en concurrence avec le verbe intransitif pour «se gâter», «se corrompre», au propre et au figuré.

▸ Dès le XIIe s., le participe passé **POURRI, IE** se rencontre en emploi adjectif sous les formes *purrit* (v. 1120), puis *porri* (v. 1160) et *pourri* (v. 1278), et qualifie une matière organique en décomposition, en particulier une partie du corps, un végétal (v. 1200). ◇ Puis, il se dit d'un climat humide et peu ensoleillé (1747, *tems pourry*). ◇ Dès l'ancien français, il qualifie au figuré un individu ou un groupe corrompu moralement (v. 1188). Vers la fin du XIXe s. seulement, il est appliqué à une personne, un enfant gâté (attesté 1928, mais sans doute antérieur ; cf. *pourrir un enfant*, ci-dessus) et *pourri de* a pris dans l'usage populaire la valeur de «rempli de» (1880, Zola), le plus souvent, mais pas toujours, péjorativement. Au XXe s., *pourri* prend le sens familier de «très mauvais». ◇ Appliqué moralement aux personnes, il a donné naissance (v. 1980) au verlan **RIPOU**, aussi **RIPOUX**, pluriel de type scolaire (comme *pou*), souvent substantivé pour «policier corrompu». ➛ *Pourri* est substantivé au masculin (1538) pour désigner une partie pourrie et, avec une valeur de neutre, la pourriture. ➛ **POURRISSANT, ANTE** adj., tiré du participe présent de *pourrir* (fin XIIe s., *purrissant*), exprime la qualité de ce qui est en train de pourrir et, en relation avec l'emploi transitif du verbe, le caractère de ce qui fait pourrir (v. 1550) ; il a qualifié aussi le temps (1732). ➛ **POURRITURE** n. f., d'abord *purreture* (v. 1120), puis *porreture* (v. 1145), a été dérivé du verbe sous l'influence des substantifs latins en *-ura* correspondant aux verbes en *-ire* (comme *norreture, nourriture*). Il a éliminé le moyen français *poreüre* (1398), tiré du verbe avec le suffixe *-ure*, et qui n'est attesté qu'isolément. *Pourriture* désigne d'abord la carie, la gangrène et, plus largement, la décomposition d'un corps (v. 1145). Il s'applique concrètement *(une pourriture)* à une substance pourrie (1174-1176) et à l'état de ce qui est pourri, décomposé (XIIIe s.). ◇ Son emploi au sens figuré de «dégradation, corruption morale» remonte également à l'ancien français, d'abord dans le langage biblique (fin XIIe s.). ◇ Ultérieurement, *pourriture* s'applique à diverses maladies de végétaux causées par des champignons ou bactéries (1798) ; d'où ***pourriture noble*** en viticulture. ◇ Dans le langage populaire, il est employé comme terme injurieux (1869), en relation avec *pourri*. ➛ **POURRISSEMENT** n. m., autre nom d'action, est formé (XIVe s., *porrissement*) sur le radical du participe présent de *pourrir*. Il concurrence *pourriture* pour «état d'une chose en décomposition», sens rare après 1660. L'acception figurée de «dégradation morale (d'une personne)» est tardive (1896), de même que celle de «dégradation (d'une situation)» (1942), devenue usuelle. ➛ **POURRISSABLE** adj. (XIVe s., *porrissaubles*) est resté très rare jusqu'au milieu du XIXe siècle. ➛ **POURRISSEUR, EUSE** adj. et n., après avoir servi à désigner, par allusion à son action sur les chairs, un serpent venimeux (1568), a été repris comme adjectif (1794) et comme nom (1897), en général avec la valeur morale de *pourrir*. ◆ **POURRISSOIR** n. m. apparaît (1721) avec une valeur technique spéciale en papeterie pour «lieu où s'effectue le pourrissage des chiffons, pour la fermentation du papier». ◇ Au sens général de «lieu où les choses pourrissent» (1740-1755, des cadavres), il est littéraire, comme pour «lieu de corruption» (1801, Mercier citant un philosophe qui appelait ainsi la cour de Louis XV). ◆ **POURRISSAGE** n. m. (1781) est réservé à des acceptions techniques, autrefois pour l'opération consistant à faire fermenter l'indigo dans une cuve, de nos jours en papeterie, probablement d'après *pourrissoir*, pour la macération des chiffons dans une cuve (1803) et le traitement de l'argile à céramique par exposition à l'humidité (1877).

POURRIDIÉ n. m. (1874, *pourridie*, à Perpignan), terme d'agriculture, désigne une maladie des racines de certaines plantes et le champignon qui en est la cause. C'est un emprunt au provençal *pourridié*, de l'ancien provençal *poiridier* «pourriture», du verbe *poirir* «pourrir» avec le suffixe collectif *-eriu*.

⟐ voir **POT (POT-POURRI), PUER, PUNAISE, PURULENT, PUS, PUTE, PUTOIS, PUTRÉFIER, PUTRIDE, SUPPURER.**

POURSUIVRE → SUIVRE

POURTANT

POURTANT adv. (fin XIIe s.), d'abord *portant* (v. 1130), est formé de *pour** et de *tant**.

♦ Le premier sens causal, «pour cette raison, à cause de cela», a disparu, le mot commençant en moyen français à exprimer une valeur d'opposition (v. 1445), laquelle se situe à mi-chemin de celle de *mais* et de celle de *cependant*. ◇ *Pourtant*, d'abord employé dans une phrase négative, l'est dans une phrase affirmative depuis le XVIe s. (1580, Montaigne); il est souvent en alliance avec les conjonctions de coordination *et* (1580) et *mais* (1580).

POURTOUR

POURTOUR n. m. est le déverbal (1400) de l'ancien verbe *portorner*, d'abord attesté à la forme pronominale *soi portorner* «se retourner, faire volte-face» (v. 1200), employé transitivement au sens de «renverser» (déb. XIIIe s.). Ce verbe est probablement issu d'un latin populaire °*protornare*, composé du préverbe *pro-* à valeur adverbiale (→ pour) «en avant» et de *tornare* (→ tourner). Le déverbal *porportouour*, «ligne faisant le tour d'un objet, étendue en tous sens», est antérieur (1318).

♦ Le mot désigne le tour d'un ensemble délimité, le mur intérieur d'un édifice, d'un mur d'enceinte et, dans l'ancienne locution ***au pourtour de*** (1425), le tour extérieur d'un mur, d'une surface. ◇ Par métonymie, *pourtour* désigne l'espace situé autour d'une surface définie, spécialement au théâtre l'espace circulaire qui entoure le parterre (1845).

► *Pourtour* est le seul représentant usuel de la famille de *pourtourner;* il a servi à former le verbe **POURTOURNER** v. tr. «se trouver sur le pourtour de, contourner», d'usage rare et littéraire (1833, P. Borel), dont le participe présent **POURTOURNANT, ANTE** adj. qualifie en architecture ce qui constitue le pourtour d'une construction (v. 1942).

✻ POURVOIR

✻ POURVOIR v. tr. est l'adaptation (1174-1176, *pourveoir*), d'après *pour** et *voir**, de *purveeir* (déb. XIIe s.), *porveoir*, issu du latin *providere*, composé de *pro-* (→ pour) employé adverbialement au sens d'«en avant» et de *videre* (→ voir) «prévoir» d'où «procurer qqch. à qqn», «être prévoyant».

♦ Dans son premier emploi, au sens de «voir à l'avance», le verbe a été concurrencé et supplanté par *prévoir**. Avant la fin du XIIe s., il signifie «procurer (qqch.) à qqn» en construction directe, et, avec la préposition *à*, «parer» et «subvenir à»; le pronominal, avec *de* (v. 1165, *sei porveeir de*), correspond à «s'approvisionner». ◇ Des extensions de sens concernant ces trois constructions sont apparues au XVIIe s. : *pourvoir qqn* «le mettre en possession d'un avantage» (av. 1615), *pourvoir qqch.* «munir» (1690). En construction indirecte, après ***pourvoir à un emploi*** (XIVe s.) qui a vieilli, on rencontre la construction usuelle *pourvoir aux besoins de qqn* (1668). ◇ *Se pourvoir* se spécialise en droit pour «recourir à une juridiction supérieure» (1680).

► Les quelques dérivés du mot apparaissent en ancien et moyen français. ◆ **POURVU, UE** adj., d'abord *purvëu* (v. 1190), est tiré du participe passé de *pourvoir* au sens de «qui a, qui possède», spécialement «qui est doté de (un caractère agréable)» (v. 1480). ◆ Il est entré dans la locution conjonctive ***pourvu que*** (1396, *pourveu que*), proprement «étant donné, assuré que», qui présente une condition comme étant à la fois nécessaire et suffisante, introduit une proposition subjonctive *(pourvu qu'il réussisse...)* puis peut se trouver en tête d'une proposition indépendante généralement exclamative (1831, Hugo). ◆ **POURVOYEUR, EUSE** n. a remplacé l'ancienne forme *pourveur* (1248) au sens de «personne chargée de l'approvisionnement» : ce nom désigne quiconque approvisionne et, par analogie ou au figuré, se dit de la personne qui pourvoit qqch. (1735-1736, *pourvoyeur des plaisirs de son maître*). ◆ **POURVOIERIE** n. f. (*pourverrie*, 1337) a désigné l'office du pourvoyeur du couvent ainsi que le lieu où se gardent les provisions que les pourvoyeurs fournissent (1798). Il a disparu, sauf en histoire, *droit de pourvoierie* équivalant alors à «droit de réquisition» (1831, Michelet). ◆ Le déverbal **POURVOI** n. m. (1342) «précaution» a disparu, concurrencé par *prévoyance;* il n'a pas davantage gardé le sens d'«action de se mettre en possession d'un bien» (1599). *Pourvoi* a été repris au XIXe s. en droit pour désigner l'action par laquelle on attaque devant une juridiction supérieure la décision d'un tribunal (1804), d'où *pourvoi en cassation*, etc. correspondant à des emplois de *se pourvoir*. Par extension, il entre dans la locution ***pourvoi en grâce*** (1835), synonyme de *recours en grâce*.

DÉPOURVOIR v. tr. a été refait (av. 1558, *despourvoir*) sur l'adjectif *dépourvu*. Le verbe n'est guère usité qu'à l'infinitif et aux formes composées avec le sens de «priver du nécessaire». ◇ En revanche, **DÉPOURVU, UE** adj., formé dès l'ancien français (fin XIIe s., *desporveüt*) sur *pourvu*, est demeuré d'un usage courant. En tant qu'adjectif, il n'a pas gardé le sens d'«imprévu», mais signifie «privé de» (v. 1262, avec la nuance différente de «dépouillé, volé»). ◇ Employé adverbialement dans la locution ***au dé-***

pourvu (1559) qui prolonge l'ancien adverbe *despurveüement* (v. 1155), il exprime l'idée d'«à l'improviste» et non plus celle de «dans un moment de dénuement», qui a disparu.

PROVÉDITEUR n. m. est emprunté (1495) à l'italien *provveditore* (XIVe s.), dérivé de *provvedere*, correspondant au français *pourvoir*. Le mot, dont la variante *providadour* (attestée de la fin du XVe [1495-1496] à la fin du XVIe s. [1583-1590]) représente un emprunt au vénitien *providador*, désigne l'officier de l'ancienne République vénitienne chargé du contrôle, de l'inspection, du commandement d'une flotte, d'une province, d'une place forte.

◈ voir IMPROVISER, IMPROVISTE, PROVIDENCE, PROVISEUR, PROVISION, PROVISOIRE, PRUDENT.

POUSSAH ou **POUSSA** n. m., d'abord *pussa* (1670), puis *poussa* (1782) et *poussah* (1852), est emprunté au chinois *p'usa* «image de Bouddha assis jambes croisées», probablement issu du sanskrit *bōdhisattva* «(possédant) l'essence *(sattva)* de l'éveil, de l'illumination spirituelle *(bōdhi)*» (→ bouddha).

♦ Le mot, qui désigne une figurine extrême-orientale ventrue, assise les jambes repliées, est d'abord relevé dans des relations de voyage en Inde (1670), aux Indes orientales et en Chine. ◇ Il s'est répandu au XIXe s., désignant un jouet représentant l'idole (1836), et prenant le sens figuré de «gros homme court et mal bâti» (1836, Vidocq), avec influence de *poussif**.

◈ ✳ **POUSSER** v. tr. et intr. est issu (v. 1150) du latin *pulsare* qui a de nombreuses acceptions : «bousculer, heurter», «secouer, agiter», «frapper», «chasser», tardivement «poursuivre en justice» et au figuré «accuser». Ce verbe est dérivé du supin *(pulsum)* de *pellere* «mettre en mouvement, remuer», d'où «chasser, heurter» (→ appeler, interpeller), verbe reposant sur un thème °*pel-* également à la base du grec *pallein* «secouer», *polemos* «combat» (→ polémique).

♦ Les plus anciens emplois de *pousser* sont intransitifs : le mot a en ancien français le sens de «souffler, haleter difficilement» en parlant d'un cheval et, par analogie, d'une personne (1306), sens sorti d'usage, mais que prolongent les dérivés *pousse* et *poussif*. ◇ Le verbe signifie surtout «exercer une pression, une pesée» (v. 1175), entrant dans la locution ***pousser à la roue*** (1585) et employé absolument, notamment à l'impératif en injonction (1547, *poulsez, poulsez*), spécialement en parlant d'une personne qui expulse (qqch.) de son organisme (fin XVIIe s.). Quelquefois, il induit l'idée secondaire de «mouvement», laquelle explique un sens classique, «avancer, continuer sa marche, son voyage» (1671), encore réalisé dans l'expression ***pousser jusqu'à*** (un endroit) et dans la spécialisation du mot en marine (1844, *pousser au large*). Par une extension figurée, *pousser* correspond à «aller jusqu'à dire, à faire qqch.» (1656-1657) et, avec un changement de point de vue, «inciter» (1857, *pousser qqn à la consommation*). Récemment, le mot a pris le sens familier d'«exagérer» (1962, *faut pas pousser*). ➛ La construction intransitive, à partir du XVIe s., exprime aussi la valeur passive d'un procès subi par le sujet du verbe : *pousser* se dit d'abord d'un vin qui se gâte (1508), puis d'un végétal qui croît (1660), par extension d'un enfant qui grandit (av. 1834) et, par métaphore, d'une chose qui se développe. ◇ *Pousser au noir* (1802) se dit en peinture à propos d'une couleur qui noircit sous l'action du temps ou par suite d'un abus des bitumes.

Le premier emploi transitif de *pousser* est relevé relativement tard, pour «exercer une pression sur (une chose) pour la déplacer» (fin XIVe s.). En ancien et moyen français on employait le verbe *bouter* (cf. *bouter*), que *pousser* n'a évincé que très progressivement. L'accent mis sur la conséquence et la visée de l'opération, à savoir le déplacement, vaut à *pousser* le sens de «faire avancer (une chose placée devant soi)» (av. 1615), spécialement dans la locution (aujourd'hui archaïque) ***pousser le bois*** «jouer aux échecs ou aux dames» (av. 1784). ◇ *Pousser* correspond aussi à «exercer une pression sur», avec un nom d'élément naturel pour sujet (1573). ◇ ***Pousser qqn, un animal*** a le sens concret de «faire avancer» (1538) ; de là, on passe au sens figuré d'«inciter à» *(pousser qqn à qqch.)*. La locution *va comme je te pousse* (1723) puis ***à la va comme je te pousse*** (1917) illustre cette acception. *Pousser son cheval* (1651), c'est «le faire aller plus vite». ◇ Avec une idée accessoire de «violence», déjà très présente dans plusieurs valeurs du mot latin, *pousser* signifie «faire tomber qqn» (1579), d'où «harceler, attaquer» (1656). ◇ Avec un nom d'action pour objet, *pousser* signifie «poursuivre activement (une action entreprise)» (1656), entrant dans la locution ***pousser sa pointe*** (1656) qui a remplacé *poursuivre* et *suivre sa pointe* (XVIe s.), et s'est notamment employé dans la rhétorique amoureuse pour «se montrer entreprenant avec une femme» (1736). ◇ Plus abstraitement, il a pris le sens de «mener (un comportement, une situation) jusqu'à ses dernières conséquences» (1580, Montaigne), d'où ***pousser (qqn) à bout*** (1651), ***pousser (qqch.) au noir*** «exagérer en mal» (1835). ***Pousser les enchères*** signifie «les faire monter» (1690). ◇ Selon le contexte, le verbe équivaut à «faire progresser (qqn) dans la société» (1161-1679), sens devenu archaïque, puis aussi à «faire parvenir (une chose) à son degré ultime de perfection», «entraîner (un élève) vers le haut» (1798), «poursuivre plus avant (son chemin)» (1782 ; 1881, pour la locution ***pousser une pointe jusqu'à...***). ➛ Un autre groupe d'emplois transitifs du mot, apparu au XVIe s., fait porter l'accent sur le surgissement, l'émission ; parallèlement au sens intransitif, *pousser* correspond, pour un végétal, à «produire, faire naître» (1580). Par analogie, il se dit d'un enfant dont les dents percent (1677) et exprime le fait d'émettre un son avec effort ou avec force dans *pousser un soupir* (1568), *pousser un cri, pousser une chanson* (1866), elliptiquement *en pousser une* (1885). ➛ L'emploi argotique, aux sens de «poser (une question)» (1843), «raconter (un mensonge)», est sorti d'usage. ➛ *Se pousser* (1544) «se jeter sur (qqn)» est lui aussi sorti d'usage ; le pronominal réciproque équivaut aujourd'hui à «se pousser les uns les autres». Le sens réfléchi figuré, «conquérir une position meilleure dans la société» (1580), a souvent une valeur péjorative. ◇ Concrètement, le réfléchi *se pousser* signifie «s'ôter d'un endroit où l'on gêne qqn» (1660-1661) ; il a vieilli au sens d'«aller plus avant» (1680). ◇ Quant au sens de «croître» (1583), perçu comme un doublet superflu par rapport à la construction intransitive, il a disparu.

▶ Le plus ancien des dérivés de *pousser* est l'adjectif **POUSSIF, IVE**, réfection de *poussieus* (1280), qui qualifie la personne qui respire difficilement, d'après le premier emploi de *pousser*. Il est quelquefois substantivé en ce sens (1690, *un gros poussif*), cet emploi ayant pu inciter l'usage figuré de *poussah**. Par analogie, il est employé à propos d'une voix ou d'un instrument de musique qui a des sonorités haletantes (1831, Balzac), d'un cheval, puis d'un véhicule qui a peine à gravir les côtes (1847), sens très vivant. ◇ Au figuré, il qualifie abstraitement ce qui manque de souffle, d'inspiration (1875). ◇ Il a servi à former l'adverbe **POUSSIVEMENT** (1898, Huysmans). ◆ **POUSSOIR** n. m. (1258) désigne un engin de pêche que l'on pousse devant soi ; il a perdu ce sens, conservé par sa variante dialectale (Normandie) *pousseux*, et a désigné la pièce destinée à transmettre une poussée, une pression (1752), et le bouton sur lequel on appuie pour déclencher un mécanisme (1752), aussi en apposition dans *bouton poussoir*. ◆ Les premières attestations du déverbal **POUSSE** n. f. datent de la moitié du XVe s. : le mot a d'abord eu le sens psychologique d'«impétuosité» qui ne s'est pas implanté. Il prolonge l'ancien sens de *pousser* «haleter» en désignant une maladie du cheval caractérisée entre autres par de la toux et l'atténuation du murmure vésiculaire (1605). ◇ En relation avec plusieurs sens de *pousser*, il désigne couramment ce qui pousse, à un certain stade de la végétation (1680), et le fait de croître. À partir du début du XIXe s., il a développé quelques spécialisations techniques en œnologie, où il désigne une maladie du vin (1767), et en boulangerie, pour la fermentation de la pâte qui lève (1963). ◇ Son sens de «développement éruptif», en médecine (fin XIXe s.), a disparu au profit de *poussée*. ◆ **POUSSÉE** n. f., participe passé féminin substantivé (1530, *poulcée*) de *pousser*, est attesté dès les premiers emplois dans la locution ***par poussées*** exprimant l'idée d'une succession d'actions brèves et brusques. ◇ C'est à *poussée* que sont échus, dans le partage des sens avec *pousse*, les valeurs d'«effort pour faire avancer, déplacer» (1611) et d'«action d'une force qui pousse» (1636), ainsi que le sens figuré de «développement rapide (de qqch.)» (1829). Depuis la seconde moitié du XVIIIe s., il s'emploie en sciences et en technique, désignant en physique une force verticale de bas en haut à laquelle sont soumis les corps plongés dans un liquide (1773) et, en astronautique, la force de propulsion des moteurs à réaction (1962). ◇ Il empiète sur les emplois de *pousse* en désignant lui aussi la croissance des plantes (1807), mais a éclipsé celui-ci avec l'acception médicale d'«éruption cutanée» (1852), dont procède une extension figurée, et avec l'emploi usuel de *poussée de fièvre*. ◆ **POUSSETTE** n. f. (1718) a désigné un jeu d'enfants, disparu au cours du XIXe s., avant de servir à désigner une tricherie dans les casinos (1873). ◇ En sports, par une nouvelle dérivation de *pousser*, il s'applique au fait d'aider illicitement un coureur cycliste en le poussant (1925). ◆ Il a pris (avec une nouvelle dérivation sur *pousser*) la valeur concrète de «petite voiture d'enfant que l'on pousse devant soi» (1901) et, par la suite, de «châssis métallique sur roues pour transporter un sac à provisions» (1968). ◆ Le nom d'action **POUSSAGE** n. m. (1957) assume le sens technique de «procédé de navigation fluviale par convois de barges métalliques poussées».

Le premier élément **POUSSE-** entre dans la formation de noms composés, comme *pousse-café* (→ café), **POUSSE-AU-CRIME** n. m. (1916), dit par plaisanterie d'un vin rouge grossier, **POUSSE-POUSSE** n. m. (1889), *pousse-bouton* (1973).

En moyen français, *pousser* a produit le préfixé ① **REPOUSSER** v. (v. 1382), dans lequel la particule *re-* a le sens d'«en arrière». ◆ Ce verbe exprime l'action de faire reculer et s'est chargé du sens de «chasser» qu'exprimait le verbe simple latin *pulsare*. Il a pris ensuite le sens de «pousser qqch. en arrière ou en sens contraire» (v. 1580) et a pris la valeur figurée de «refuser de céder, d'accepter» (v. 1650), puis aussi d'«inspirer de l'aversion» (1770). Il est passé (v. 1850) dans le langage technique de la gravure pour «façonner un relief sur le métal» et, en peinture, à propos d'une couleur qui, avec le temps, domine celles qui l'environnent (1870). ◇ Son extension temporelle pour «remettre à plus tard» (1887), bien que très courante, est critiquée par les puristes. ◆ Le plus ancien dérivé est **REPOUSSOIR** n. m. (1429) qui désigne un outil servant à extraire des chevilles, des clous, puis en art (1762) une figure de couleur vive ou très ombrée que le peintre place sur le devant d'un tableau pour faire paraître les autres objets plus éloignés. Le mot s'est étendu à un autre élément du tableau remplissant la même fonction, et il est passé dans le langage courant où, par figure, il désigne une chose ou une personne qui en fait valoir une autre par contraste (1765). ◆ **REPOUSSEMENT** n. m. (1538), après s'être dit de l'action de repousser, n'a guère gardé que la spécialisation technique de «recul d'une arme à feu» (1690). ◆ **REPOUSSÉ, ÉE**, le participe passé de *repousser*, est adjectivé (1559) au sens moral de «désavoué» (d'une personne). En relation avec la spécialisation du verbe, il est passé dans la terminologie de la gravure (v. 1850). ◆ L'autre participe **REPOUSSANT, ANTE** est lui aussi employé comme adjectif (1611) : à rebours de la plupart des évolutions de mots, il a perdu le sens faible initial de «peu engageant» pour développer le sens fort de «répugnant, répulsif» (1788). ◆ **REPOUSSEUR, EUSE** n. (1611) a cessé de désigner une personne qui repousse ; dans l'usage moderne, c'est un mot du vocabulaire technique qui, en général masculin, désigne l'ouvrier effectuant le modelage à froid (1870) et, au masculin seulement, un produit capable de s'opposer à l'expansion d'une nappe d'hydrocarbures (v. 1970), par opposition à *dispersant*. ◆ **REPOUSSAGE** n. m. (1866) est une création tardive spécifique de la gravure artistique et industrielle, qui désigne également l'emboutissage mécanique. ◆ Enfin, *repousser* entre, sous la forme de l'élément verbal *repousse-*, dans le nom d'objet concret **REPOUSSE-PEAUX** n. m. (v. 1960). ◆ **S'ENTRE-POUSSER** v. pron., une autre création verbale (XVIe s.) qui exprime spécifiquement la valeur réciproque du verbe pronominal *se pousser*, est peu usité.

② **REPOUSSER** v. est une création distincte de son homonyme plus ancien par la valeur exprimée par le préfixe (1600) : *re-* a ici une valeur itérative, le verbe transitif signifiant «faire naître une seconde fois» et l'intransitif, plus courant, «croître de nouveau (pour un végétal)». Il a développé tardivement une acception spécialisée en art où il exprime le fait de réapparaître par-dessous (XIXe s.). ◆ Le déverbal **REPOUSSE** n. f., attesté une première fois au XVIe s., est repris à partir de 1790 pour «action de repousser (d'un végétal)».

◈ voir **APPELER, COMPULSER, EXPULSER, IMPULSION, INTERPELLER, POULS, PROPULSER, PULSATION, PULSION, RÉPULSION.**

✳ **POUSSIÈRE** n. f., réfection (1549) de *posiere* (v. 1190) puis *possere* (fin XIIIe s.), est d'usage régional (Lorraine, Hainaut, Wallonie, Franche-Comté) avant le XVIe siècle. Il est dérivé de l'ancien français *pous* (1363), postérieur au provençal *pous* (XIIIe s.), issu par évolution phonétique du latin populaire °*pulvus*, altération du latin classique *pulvis* «poussière» (→ poudre). *Pous* a donné *poussière* par l'intermédiaire de la forme *pousse*, bien attestée dans les dialectes, le *s* de flexion étant interprété comme un *s* du radical et formant la base de dérivés : en Lorraine, Bourgogne, Champagne, *pousset, poussot, poussier*. Le suffixe féminin *-ière* correspond au masculin *-ier* (cf. *poussier*).

♦ Le mot, désignant la terre desséchée réduite à l'état de fines particules, a concurrencé puis supplanté *poudre** lorsque ce dernier a pris des sens spéciaux (XVIIe-XVIIIe s.). ◇ Par extension et par allusion à la Bible qui fait naître le corps humain de la terre et le fait retourner après la mort à la poussière, il a pris le sens de «restes matériels de l'homme après la mort» (fin XIIIe s.). ◇ Par analogie du sens initial, il désigne toute matière réduite à l'état de fines particules (1574), par exemple dans *poussière de charbon* (1611) ; il est passé dans le langage des sciences pour désigner une matière pulvérulente, le pollen (1762, *poussière fécondante*). Le mot s'emploie aussi en zoologie et en astronomie (1880, *poussières cosmiques*). ◇ Avec la valeur initiale, il entre dans des locutions comme ***réduire en poussière*** (1563), au figuré «détruire complètement», ***mordre la poussière*** «être complètement vaincu» (av. 1628) ; mais *jeter de la poussière aux yeux* (1628) n'a pas remplacé *jeter de la poudre aux yeux*, alors même que *poussière* a développé quelques sens figurés, «chose insignifiante» (1671), «signe des années écoulées, de l'oubli et de l'abandon» (1770), et a fourni un nom argotique (disparu) de l'argent, de la monnaie (1835), qui subsiste dans la locution ***et des poussières*** «et un peu plus que la somme citée» (1938), d'où «un peu plus de temps» (1939), etc. ◆ *Poussière* est employé en apposition à un nom de couleur (*gris poussière*, 1849) ou à *couleur* pour indiquer une nuance qui évoque celle de la poussière ; il est rarement employé seul comme adjectif de couleur (1908).

▶ *Poussière* n'a produit que quelques dérivés, tous tardifs à l'exception de **POUSSIER** n. m. (fin XIVe s., *pulsier*) «poussière», encore vivant au sens spécial, né de l'usage régional lorrain, de «poussière de charbon» (1549) et pour désigner des débris pulvérulents, ceci dans plusieurs domaines techniques (1755, en construction). ◆ **POUSSIÉREUX, EUSE** adj., dérivé attesté une fois en 1786, a été réformé ou repris (1801) pour qualifier une chose couverte de poussière, puis un lieu, l'air où les poussières sont en suspension, ce qui semble gris et terne comme la poussière (1842) et, avec un sens figuré, «terne, routinier» (1872). ◆ *Poussière* fournit le second élément de noms concrets : **CACHE-POUSSIÈRE** n. m. (1876), désuet puis repris par le vocabulaire de la mode pour désigner une écharpe, **RAMASSE-POUSSIÈRE** n. m. (XXe s.), **PARE-POUSSIÈRE** n. m. ◆ **EMPOUSSIÉRER** v. tr. (1863), «couvrir de poussière», est moins employé que l'antonyme **DÉPOUSSIÉRER** v. tr. «débarrasser de la poussière» (1908), qui a pour dérivés **DÉPOUSSIÉRAGE** n. m. (1908), **DÉPOUSSIÉREUR** n. m. (1927).

ÉPOUSSETER v. tr., d'abord *épouceter* (1480), probablement aussi ancien que son déverbal *époussette* (ci-dessous), est dérivé de l'ancien français *pous, pousse* (ci-dessus). ◇ Le verbe, employé pour «nettoyer avec un plumeau», semble avoir été boudé au XVIIe s. (Furetière recommande *vergeter*, en 1690), sinon avec un sens figuré, «infliger une défaite à qqn en le battant» (1554), lequel est sorti de l'usage. ◆ **ÉPOUSSETTE** n. f. (1314), «chiffon, brosse pour enlever la poussière», est déclaré vieux au XVIIe s. ; il a toutefois évincé *vergette*, tout en reculant au profit de *plumeau*. ◆ **ÉPOUSSETAGE** n. m. (1838) et **ÉPOUSSÉTEMENT** n. m. (1877) fournissent les noms d'action correspondants.

POUSSIF → POUSSER

POUSSIN n. m. est la réfection (1265) de *pulcin* (v. 1120), puis *pocins* (v. 1195), issu du bas latin *pullicinus* (IIe s.), altération par changement de suffixe du bas latin *pullicenus* «jeune poulet», de *pullus* «jeune animal» (→ poulain, poule).

♦ Le mot est passé en français avec le sens de «petit d'un oiseau quelconque», par exemple du corbeau (fin XIVe s.). ◇ Par une spécialisation déjà connue en latin, il désigne surtout, puis exclusivement, un jeune poulet nouvellement éclos de l'œuf (v. 1195) et, en termes culinaires, un jeune poulet tué et consommé avant l'âge de trois mois. ◇ Comme toute la série *(poule, poulet, poulette, poulot), poussin* est employé comme terme d'affection à l'égard d'un enfant (1680, Mme de Sévigné). Depuis 1936, il fait partie du vocabulaire des sports pour désigner un jeune sportif débutant, âgé selon les disciplines de sept à dix ans. Il désigne aussi l'élève de première année dans certaines écoles (1939).

▶ Le diminutif de *poussin*, **POUSSINET** n. (XIIIe s.), au féminin **POUSSINETTE**, sert de terme affectueux à l'égard d'un enfant, et s'emploie quelquefois à l'égard des jeunes sportifs appelés *poussins*. ◆ **POUSSINIÈRE** n. f. est d'abord attesté adjectivement dans les expressions *geline pociniere* (v. 1195) «poule qui a des poussins», *estoile pouciniere* (1372) «constellation des Pléiades», et comme nom féminin, *la Poussinière* (1562), qui désigne une étoile des Pléiades. Le mot reste vivant en aviculture pour une cage dans laquelle on enferme les poussins (1743; après *huche pouciniere,* 1414) et une couveuse artificielle (1812).

POUTOU n. m., attesté pour la première fois en 1784 chez Mme Rolland, est un mot occitan *(poudoun, poutoun, poutou),* d'origine onomatopéique, d'un radical °*pott-* désignant les lèvres, la moue.

♦ *Poutou,* mot familier employé dans certaines régions, désigne un baiser amical, affectueux et sonore.

▸ On rencontre quelquefois le dérivé **POUTOUNER** v. tr. (occitan *putuná*).

POUTRE n. f., d'abord masculin (fin XIIIe s.) puis féminin (1385), est l'emploi figuré, selon le même type de métaphore que pour *bélier, chevalet, chèvre, chevron, sommier,* de l'ancien français *poutre* (v. 1180), au féminin «jeune jument» et au masculin (1216) «poulain». Ce mot, encore vivant au XIXe s. dans certains dialectes, est d'origine incertaine. Il est probablement dérivé, par apocope du suffixe, d'une ancienne forme °*poutrelle* «jeune jument», attestée indirectement par le masculin *poutrel* «poulain» (v. 1150, *poitrel;* v. 1160, *poltrel*). Ce dernier est formé à partir de ce féminin °*poutrelle,* issu du bas latin *pultrella* «jeune jument», lequel est probablement un diminutif faisant office de féminin à l'égard du substantif masculin *pullitru* «jeune cheval», adjectif (Varron) substantivé en bas latin (VIe s., Loi salique). Ce *pullitru* serait issu de *pullus* «petit d'un animal» (→ poule) d'après *vetulus* «un peu plus vieux», diminutif de *vetus.* Selon une autre hypothèse (M. Niedermann), *poutre* représenterait le latin populaire °*pullitra* (avec accent maintenu sur la première syllabe d'après °*pulliter*), lui-même issu de *pullus.* Au terme de son évolution, *poutre* a évincé l'ancien français *tref,* du latin *trabs, trabis* «poutre» (→ travée), qui a été usuel jusqu'au XVIe s. et qui subsiste encore dans les parlers de l'Est (lorrain et franco-provençal), correspondant à l'italien *trave,* l'espagnol *trabe* (aujourd'hui archaïque), l'ancien provençal *trau.*

♦ Le mot désigne une pièce de construction, long élément de bois équarri servant de support. La locution proverbiale ***voir une paille dans l'œil du voisin et ne pas voir une poutre dans le sien,*** d'où ***c'est la paille et la poutre,*** fait allusion à une phrase de l'Évangile (Matthieu, VII, 4, *Sermon sur la montagne,* 1672, traduction de Sacy). ◇ Par extension, *poutre* désigne un élément de construction (en fer, ciment, etc.) destiné à des usages semblables. ◇ Il désigne spécialement en sports une longue pièce de bois servant à des exercices de gymnastique (1819).

▸ Un diminutif **POUTRELLE** n. f. a été reformé (1498) à partir de *poutre* pour désigner une poutre de petites dimensions. De nos jours, le mot est employé couramment pour une barre d'acier allongée dans une charpente métallique (v. 1900). ◆ **POUTRAGE** n. m. (1863) et **POUTRAISON** n. f. (1874) fournissent les noms désignant collectivement un assemblage de poutres, en construction.

◈ voir **POULE.**

POUTURE n. f. est issu (v. 1121) d'un dérivé du latin *puls, pultis* «bouillie de céréales, pâtée, purée». L'origine de ce mot est obscure mais on en rapproche, en latin même, *pollen* (→ pollen), *polenta* (→ polenta), *pulvis* (→ poudre) et, en grec, *poltos* «bouillie (de farine, de fèves)» auquel *puls* pourrait être repris par un intermédiaire étrusque. Le slave a des formes à redoublement signifiant «cendre», le celtique a des formes apparentées et le sanskrit a *pálalam* «grains écrasés, bouillie» : on pourrait être en présence d'un groupe de mots expressifs du vocabulaire familier.

♦ Le mot a désigné la nourriture en général, en ancien et en moyen français. Il s'est maintenu dans les dialectes à propos de la nourriture destinée aux animaux et a été repris en agriculture (1782) à propos d'un mode d'engraissement du bétail à base de graines farineuses.

① **POUVOIR** v. tr., d'abord *podeir* (842), puis *poeir, pooir,* d'où *povoir* avec dégagement d'un *v,* et enfin *pouvoir* (1440), est issu d'un latin populaire °*potere.* Celui-ci est la réfection du verbe classique *posse* «être capable de», «avoir de l'importance, de l'influence, de l'efficacité», d'après le présent *poteo* «je peux», lui-même refait sur le parfait *potui* et remplaçant le présent classique *possum. Posse* présente une conjugaison *(possum, potes, potest...)* issue de la contamination d'un ancien verbe non attesté °*poteo,* °*potere,* qui a notamment fourni le parfait *potui,* le participe présent *potens* et la locution composée de l'adjectif *potis* et du verbe *sum, es, est. Potis est* «il est possible» a été réduit à °*potist,* peut-être d'après l'impersonnel *potest* «c'est possible», et *potis* aboutissant à *pote. Potere* se rattache donc à l'adjectif *potis* «maître de, possesseur de» (sens conservé dans *posséder*), d'où «puissant». Cette valeur a été éliminée par celle de *potens* «qui peut, capable» et, au neutre, «possible». *Potis* lui-même, dont seuls des dérivés sont parvenus en français, est issu d'un thème indoeuropéen °*poti-* qui désignait le chef d'un groupe social, famille, clan, tribu, reconstitué grâce au grec *posis,* spécialisé en «époux», au sanskrit *pátiḥ* «chef de famille», au gotique.

♦ En français, le verbe signifie «être capable, en mesure de (faire qqch.)» avec un verbe à l'infinitif ou (v. 980) avec une valeur d'auxiliaire sous-entendant le verbe déjà exprimé dans l'autre partie de la phrase. Dès le Xe s., *pouvoir* exprime d'autres valeurs telles que le souhait (v. 980), l'occasion (1050), la permission. ◇ En ancien français, le verbe était fréquemment employé avec un adverbe (v. 1155), en particulier pour remplacer un verbe de mouvement. Cet emploi subsiste dans quelques locutions adverbiales négatives, telles l'archaïque ***n'en pouvoir mais**** «être épuisé» (v. 1160) et, moralement, «n'être pas responsable de» (v. 1160), encore en usage dans un style littéraire, et ***n'en pouvoir plus*** (v. 1360) «être très fatigué», qui signifie aussi «avoir trop mangé» (fin XIIe s.) et «désirer impatiemment»

(XVIIe s., La Fontaine). ◇ ***On ne peut mieux*** est un peu plus tardif (v. 1485) et la locution ***on ne peut plus (moins),*** suivie d'un adjectif, n'est attestée que depuis 1735. ◇ *Pouvoir* est également employé à la tournure impersonnelle *il peut* (v. 1160), y compris à la forme pronominale *il se peut.* En dehors de ses nombreux emplois comme «auxiliaire d'aspect» (*il a bien pu venir,* etc.), il régit couramment un pronom neutre ou un indéfini.

▶ ② **POUVOIR** n. m., substantivation de l'infinitif, est très ancien sous les formes *podir* (842), puis *poeir* (1140), *pooir* (v. 1180), *pouvoir* apparaissant en moyen français (XVe s.). Le nom désigne la faculté qui met qqn en état d'agir, en particulier dans la locution ***avoir (le) pouvoir de*** (v. 1140, sans article). ◇ Dès le XIIe s., il désigne la puissance politique, l'autorité qui gouverne l'État. Puis il s'applique à l'ascendant psychologique (av. 1250) et, juridiquement, au droit que l'on a de faire une chose (XIIIe s., pour l'ancien sens métonymique de «juridiction, seigneurie»), spécialement à la capacité que l'on a d'agir pour qqn d'autre (1260) et à l'acte par lequel on donne à qqn le droit d'agir (1468). ◇ Il s'applique également à la propriété inhérente à une chose (v. 1320), sens qui se développera ultérieurement dans les langages spéciaux de la physique (1803), de la chimie, de la médecine et de l'industrie, en particulier en emploi qualifié. ◇ Les extensions principales concernent l'acception politique, par exemple dans *plein pouvoir* (1212), remplacé au XVIIe s. par le pluriel ***pleins pouvoirs*** (v. 1690). Par métonymie, le mot désigne la puissance politique considéré dans ses diverses fonctions et manifestations : *pouvoir législatif, pouvoir exécutif* et *pouvoir judiciaire* (1748, Montesquieu) et, au XIXe s., *pouvoir temporel, pouvoir spirituel* (1842). Par une autre extension métonymique, le nom désigne les organes et les personnes dans lesquels s'incarne le pouvoir : ***pouvoirs publics*** (1791) et, absolument, *les pouvoirs* ou *le pouvoir.* ◇ Le sens général de «capacité» est repris dans ***pouvoir d'achat*** (1918).
➡ L'antonyme **IMPOUVOIR** n. m. (1801) «absence de pouvoir» est quasiment sorti d'usage au profit d'*impuissance.* ➡ Le composé **CONTRE-POUVOIR** n. m. (1973) désigne un pouvoir qui s'oppose ou fait équilibre à un pouvoir antérieur.

PUISSANT, ANTE adj. et n. (1080), également attesté sous la forme *poissant* aux XIIe et XIIIe s., est le participe présent préroman de *pouvoir* d'après les formes du verbe en *puis-, pois-* (au subjonctif *qu'il puisse*). Il a évincé l'ancien type *podent* (v. 980), dérivé de l'ancien infinitif *podeir.* L'adjectif qualifie la personne qui a beaucoup de pouvoir (1080), qui est physiquement vigoureuse (v. 1155), quelquefois avec la nuance de «gros, gras» (1587) considérée au XVIIIe s. comme de style «bourgeois» (Trévoux, 1771). ◇ *Puissant* qualifie une chose capable de produire un grand effet (1546), s'appliquant en particulier à une flotte, une armée imposante (1546) et à une personne qui a de gros moyens financiers (1540), ce sens manifestant la solidarité des notions de «pouvoir» et de «richesse», relation que l'on retrouve étymologiquement dans *riche.* ◇ Récemment (attesté 1975), le mot qualifie une machine, un moteur qui a de l'énergie. ◇ La substantivation de *puissant* est ancienne (v. 1170) en parlant d'un homme qui a de la puissance, spécialement au pluriel ***les puissants*** «ceux qui ont le pouvoir, la richesse» (1530). Le mot désigne spécialement Dieu (1546); cf. ci-dessous *Tout-Puissant.* ◇ Il a produit une série de dérivés. ➡ Le plus ancien est le nom correspondant **PUISSANCE** n. f. (v. 1120), d'abord attesté au sens d'«autorité», puis d'une part avec le sens faible de «capacité de faire qqch.» (XIIe s.), concurrencé par *pouvoir,* et de l'autre avec le sens fort de «situation de celui qui peut beaucoup, qui a de l'influence». ◇ C'est de ce dernier que procèdent les principales extensions du mot : dès le XIIe s., *puissance* désigne le grand pouvoir politique d'une personne ou d'un groupe au sein d'une collectivité ; par métonymie, il correspond à une catégorie ou un groupe de personnes ayant un grand pouvoir de fait dans une société (fin XIIe s.). ◇ Dès le XIIe s., il s'applique aussi au pouvoir, à la vertu d'une chose puis, par métonymie, désigne une chose abstraite qui a un grand pouvoir, produit de grands effets (v. 1278). Le sens de «force physique» (v. 1220) a vieilli en parlant d'une personne, non pas en parlant des animaux. ◇ Au cours du XVIe s., le mot est passé dans le langage théologique pour désigner la personnification d'un pouvoir occulte, religieux, spécialement le deuxième chœur de la deuxième hiérarchie des anges (1541, Calvin) et, dans l'expression ***puissances des ténèbres*** (1500), les démons. ◇ D'autres locutions apparaissent à partir du XVIe s. : ***être en la puissance de qqn, qqch.*** (1538), spécialement dans des variantes aujourd'hui vieillies comme *être en puissance de mari* (1549) «ne rien pouvoir faire sans le consentement de son mari» et *être en puissance de père et de mère* (1694). ◇ Le sens de «faculté de l'âme, de l'esprit» est attesté pour la première fois chez Descartes (1637), de même que la valeur faible de «possibilité non encore réalisée de produire un effet» (1644), surtout dans la locution adjective ***en puissance*** (1647). ◇ C'est également au XVIIe s. que le mot est passé dans les usages scientifiques : il a été repris en physique pour désigner l'énergie fournie par une machine, ce qui imprime le mouvement (1636) et la capacité d'action d'un appareil, avec une valeur analogue à celle de *potentiel* (1690), par exemple la portée (d'un instrument optique). En mathématiques, il désigne le produit d'un nombre multiplié un certain nombre de fois par lui-même (1690). Plus tard, il est appliqué à la force d'une machine électrique (1869) et, en électricité, au produit en watts de l'intensité du courant électrique par la force électromotrice. ◇ Par ailleurs, ***grande puissance*** ou *puissance* se dit d'un pays en tant que force politique, économique, militaire (cf. ci-dessous *superpuissance*). ◇ Enfin, l'expression récente ***montée en puissance*** s'emploie figurément, à partir du langage de la mécanique, pour «augmentation de force».

PUISSANT a produit de bonne heure l'adverbe *puissantment* (v. 1160), refait en **PUISSAMMENT** (v. 1360), lequel, en plus de son sens propre, «avec puissance», «avec force», a développé une valeur familière d'intensif (1632). Le syntagme *c'est puissamment raisonné* (1775) a une nuance ironique.

Puissant et *puissance* ont l'un et l'autre produit en moyen français un antonyme préfixé en *im-*. ➛ **IMPUISSANCE** n. f. est relevé le premier (v. 1361) avec le sens de «manque de moyens, de forces pour faire qqch.» d'où, par métonymie, «caractère de ce qui est impuissant» (1675, en parlant des efforts). ◇ Par une spécialisation physique, il désigne l'incapacité d'accomplir l'acte sexuel (1558, Bonaventure des Périers), quelquefois confondu avec *stérilité* (XVIIe s. ; encore chez Littré) alors que les deux notions sont très différentes. ➛ **IMPUISSANT, ANTE** adj. et n. (1474) qualifie ou désigne la personne qui n'a pas de puissance, de pouvoir. ◇ Il a développé au masculin la même spécialisation sexuelle qu'*impuissance,* comme adjectif (1558, Bonaventure des Périers) et comme nom (1774), mis au XXe s. en parallèle avec *frigide,* pour les femmes. ◇ Par métonymie, l'adjectif qualifie un nom de chose concrète ou abstraite avec la valeur de «sans effet, sans efficacité» (1642) et spécialement une personne qui manque de puissance créatrice (1823, Stendhal), emploi senti de nos jours comme une métaphore du sens physique avec des connotations péjoratives. ➛ *Puissant* et *puissance* fournissent le second élément de **TOUT-PUISSANT, TOUTE-PUISSANTE** adj. (v. 1180) «qui peut tout», surtout en parlant de Dieu, d'où, par affaiblissement, «qui a un très grand pouvoir» (1677), et de **TOUTE-PUISSANCE** n. f. (1377), appliqué au pouvoir sans limites de Dieu et, par affaiblissement, au grand pouvoir d'un être humain (une fois en 1477, puis à partir de 1652). ➛ Ce n'est qu'au cours du XXe s. que sont apparus les composés **SURPUISSANCE** n. f. (1931) et **SURPUISSANT, ANTE** adj. (1968) en parlant de la très forte puissance momentanée d'un sportif, de la puissance supplémentaire d'un engin et, par extension, d'une très grande puissance. ◇ L'adjectif est quasiment synonyme de l'autre composé **ULTRA-PUISSANT, ANTE** adj. (1929). ➛ **SUPERPUISSANCE** n. f. s'applique (v. 1960) à une très grande puissance politique et militaire, spécialement aux États-Unis et à l'U.R.S.S. (avant sa disparition).

◈ voir DESPOTE, IMPOTENT, OMNIPOTENT, PLÉNIPOTENTIAIRE, PODESTAT, POSSIBLE, POTENCE, POTENTAT, POTENTIEL, VENTRIPOTENT.

POUZZOLANE n. m. est un emprunt (1670, lettre de Colbert) à l'italien *puzzolana* (1363), *pozzolana* (XVe s.) «tuf volcanique qui, mélangé à la chaux, donne un excellent ciment». Ce mot est dérivé de *Pozzuoli,* nom d'une ville du sud de l'Italie (Campanie) près de laquelle on trouve ce tuf. En passant en français, le mot s'est écrit *poussolane* ou *pozzolane* (Académie, 1762) et ne s'est stabilisé que vers 1900.

▸ Le dérivé **POUZZOLANIQUE** adj. (1868) est rare et technique.

PRAGMATIQUE adj. est emprunté (1440) au latin *pragmaticus* «relatif aux affaires politiques», «habile ou expérimenté en droit». À basse époque, l'expression juridique *pragmatica sanctio* désigne un rescrit de l'empereur statuant de manière définitive sur certaines affaires importantes. Le mot latin est emprunté, avec une spécialisation politique, au grec *pragmatikos* «qui concerne l'action, qui concerne les affaires», dérivé de *pragma,-atos* «activité, affaire», parfois au pluriel «les affaires». *Pragma* est dérivé de *prassein* (attique *prattein*) «achever, accomplir, traiter, pratiquer» et, intransitivement, «s'occuper de qqch., réussir bien ou mal», exprimant l'idée d'un effort vers un achèvement et impliquant une orientation subjective. Le mot dépend de la famille de *peirein* «transpercer, percer», *pera* «au-delà», etc. qui expriment l'idée de «passer, transporter» (→ péroné, pirate, pore).

♦ Le mot a été introduit en français dans l'expression juridique calquée du latin ***pragmatique sanction,*** désignant l'acte (rédigé en latin) par lequel Charles VII statua le 7 juillet 1438 sur différents points concernant l'Église catholique et les ecclésiastiques, à la suite du concile de Bâle. ◇ Les autres emplois sont postérieurs et réempruntés. Avec la valeur de «directement orienté vers le réel, la vie pratique» (1842), le mot est emprunté à l'allemand *pragmatisch* dans *pragmatische Geschichte,* qui transcrit l'expression grecque *historia pragmatikê* de l'historien Polybe. En français, *histoire pragmatique* s'est dit à propos d'une histoire qui se propose d'éclairer l'avenir par les faits du passé. Appliqué à une personne soucieuse d'action et de réussite de l'action, *pragmatique* est également employé comme substantif (1946) ; cette valeur procède de l'emploi correspondant de *pragmatisme.* ➛ La spécialisation en linguistique au sens de «qui étudie le langage du point de vue de la relation entre les signes et leurs usagers» (1956, Benveniste) correspond à l'anglais *pragmatic* (1935) ou *pragmatical* (1939), substantivé sous la forme *pragmatics* (1937) par l'américain Ch. W. Morris. Le mot est substantivé en français, *la pragmatique* désignant l'étude des relations entre les signes et leurs usagers (1968), distinguée à l'intérieur de la sémiotique *(semiotics)* de la *sémantique* et de la *syntaxe (syntactics).* Repris sous l'influence de la philosophie anglaise du langage, le mot désigne un aspect des théories du langage mettant l'accent sur la communication.

▸ *Pragmatique* a produit **PRAGMATIQUEMENT** adv. (1869) et le préfixé **APRAGMATIQUE** adj. (v. 1950), avec *a-* privatif, employé en psychologie pour «incapable d'agir». ➛ **PRAGMATISME** n. m. est emprunté comme terme de philosophie (1877) à l'allemand *Pragmatismus,* employé en relation avec l'adjectif *pragmatisch* (ci-dessus), notamment en parlant de la méthode de l'histoire pragmatique (1803, Schelling), emprunt au grec *pragmatikos.* ◇ Avec son sens actuel de «doctrine prenant pour critère de vérité d'une idée ou d'une théorie sa possibilité d'action sur le réel» (1907), *pragmatisme* est réemprunté à l'anglais *pragmatism,* lui-même pris à l'allemand *Pragmatismus,* et introduit par William James (1842-1910) en 1898 pour désigner la doctrine du philosophe américain Charles S. Peirce (1839-1914) à laquelle ce dernier a donné plus tard le nom de *pragmaticism* pour la différencier du système de W. James. Peirce employait *pragmatism* à propos de sa propre doctrine (dans ses cours, dans le *Dictionary of Philosophy and Psychology* de J. M. Baldwin, 1902) jusqu'en 1905. En français, le même mot *pragmatisme* rend les deux termes anglais *pragmatism* et *pragmaticism*. Par extension, *pragmatisme* se dit d'une attitude, d'un comportement intellectuel ou politique qui privilégie l'observation des faits par rapport à la théorie (1928, en politique). ◆ Le préfixé **APRAGMATISME** n. m. (v. 1950), avec *a-* privatif, correspond en psychologie à *apragmatique*. ◆ **PRAGMATISTE** adj. et n. est emprunté (1909) à l'anglais *pragmatist* (1903) «partisan du pragmatisme philosophique» (antérieurement au sens d'«éminence grise», XVIIe s.), dérivé de *pragmatism* en parlant des systèmes de W. James et de Ch. S. Peirce. ◇ Le mot a été introduit avec le sens du mot anglais, comme nom et comme adjectif (1911). Par extension, il est passé dans l'usage courant pour désigner et qualifier la personne qui recherche l'utilité, l'efficacité, notamment en politique (1928).

◈ voir PRATIQUE.

PRAIRE n. f. est emprunté (1873, J. O.) au provençal *praire, prèire,* nom masculin désignant un mollusque, sorte de vénus. C'est une spécialisation du sens propre de «prêtre» (v. 1060), probablement parce que la praire était, comme la coquille Saint-Jacques, un insigne de pèlerin. Le mot est issu d'un latin populaire °*prebiter*, variante du bas latin *presbyter* (→ prêtre; presbytère). Le changement de genre en français est dû à un alignement sur le féminin de la plupart des noms en *-e*.

♦ Le mot désigne un mollusque comestible.

◈ **PRAIRIE** n. f. (v. 1180), d'abord écrit *praierie* (v. 1150), est issu d'un latin populaire °*prataria*, dérivé avec le suffixe *-aria* du latin *prata*, neutre pluriel de *pratum* (→ pré) considéré comme un féminin singulier.

♦ D'emblée, *prairie* se différencie de *pré* par la vocation plus nettement agricole du terrain qu'il désigne. Il entre dans les syntagmes *prairie artificielle* (1600), *prairie temporaire* et *prairie naturelle* (1761), ce dernier recouvrant la notion de «pré». ◆ Par emprunt à l'anglo-américain *prairie* (emprunt au français), dans le roman célèbre de l'écrivain américain John Fenimore Cooper qui porte ce titre, le mot est employé spécialement, le plus souvent avec une majuscule, pour désigner les vastes steppes de l'Amérique du Nord (États-Unis et Canada), autrefois peuplées par les tribus indiennes.

▸ *Prairie* a servi à former ① **PRAIRIAL** n. m. au moyen du suffixe *-(i)al* (1793), nom du neuvième mois de l'année dans le calendrier républicain de Fabre d'Églantine (du 20 ou 21 mai au 19 ou 20 juin). ◆ Un adjectif homonyme ② **PRAIRIAL, ALE, AUX** (1803), d'usage didactique, qualifie ce qui se rapporte aux prairies.

PRAKRIT → SANSCRIT (et encadré).

PRALINE n. f., d'abord *prasline*, dans les expressions *prasline de citron, prasline de violette* (1662) et *amande à la prasline* (1667), puis *praline* (1680), est l'emploi comme nom commun du nom du maréchal du Plessis-*Praslin* (1598-1675) dont le cuisinier inventa cette confiserie.

♦ Le mot désigne un bonbon fait d'une amande rissolée dans du sucre bouillant, parfumé ou coloré. En Belgique, le mot désigne tout bonbon au chocolat. ◇ L'emploi adjectif pour «brun clair rosé, couleur de la praline» (1909) a vieilli. ◇ Par analogie de forme, le mot est employé en argot à propos d'une balle d'arme à feu (v. 1915). ◇ La locution familière ***cucul la praline*** (XXe s.) renchérit sur l'emploi de *la praline* «niais, nigaud», explicable par un sens scatologique du mot («crotte»).

▸ Le dérivé **PRALINER** v. tr. (1715) signifie «faire rissoler dans le sucre à la manière des pralines». ◇ Par comparaison avec les grumeaux de terre ou d'engrais, il correspond en agriculture à «enrober (une racine, des graines) dans une préparation protectrice» (1856, mais antérieur). ◆ **PRALINAGE** n. m. est en effet attesté en 1845. Le mot a pris ensuite le sens de «fabrication des pralines» (1875) en confiserie. ◆ Par dérivation régressive, *praliner* a produit **PRALIN** n. m. (1869), d'abord attesté en horticulture à propos de la terre mélangée d'eau, d'engrais qui sert à enrober les racines ou les graines. ◆ **PRALINÉ, ÉE**, participe passé adjectivé (1748) de *praliner*, est aussi employé comme substantif, en concurrence avec *pralin* n. m. (1836). ◆ Le nom d'ouvrier **PRALINEUR, EUSE** n. est attesté depuis 1836 en confiserie.

① **PRATIQUE** n. f. est emprunté (1256) au latin chrétien *practice* qui désigne la vie active, la conduite, par opposition à la contemplation, emprunt au grec *praktikê* (sous-entendu *tekhnê*) employé chez Platon par opposition à *theoretikê* (→ théorie) ou *gnôstikê* (→ gnose) qui désignent la science spéculative. *Praktikê* est le féminin substantivé de *praktikos* «habitué ou propre à agir, efficace», bien attesté chez Aristote et Platon. Cet adjectif est dérivé, par l'intermédiaire de l'adjectif verbal en *-tos*, de *prassein* (→ pragmatique) «accomplir, faire, achever».

♦ *Pratique* «application des règles et principes» s'oppose — à partir du XIVe s. — à *théorie*, aussi dans les locutions ***mettre en pratique*** (1588) qui équivaut à *appliquer*, ***dans la pratique*** (1656) et ***en pratique***. Le mot désigne en particulier une manière concrète d'exercer une activité, souvent précisée par un complément de détermination (fin XIVe s.) en parlant de certaines professions (avocats et médecins, mais *praticien* est antérieur), d'un art (fin XIVe s.), d'un sport. ◇ Sa spécialisation dans le langage juridique, pour désigner la procédure (XIVe s.) et, métonymiquement, l'ensemble des papiers qui sont dans l'étude d'un procureur, d'un notaire (1680), est sortie d'usage, entraînant le vieillissement d'expressions comme *gens de pratique* (v. 1465). ◇ La valeur psychologique de «finesse, ruse, artifice» (v. 1380) est encore attestée dans la langue classique mais elle est sortie d'usage, tout comme le sens concret de «complot, intrigue, menées» (1474) qui en découle. ◇ En revanche, le sens neutre de «manière habituelle à une personne, à un groupe, de faire qqch.» (v. 1465) reste vivant, entraînant celui d'«expérience, habitude des choses» (1530). La locution *de pratique* «par cœur, de routine» (1732) a disparu, comme *peindre de pratique* «peindre d'après des formules figées» (1732). ◆ Le mot est spécialement employé au pluriel (*les, des pratiques*), à propos d'agissements politiques (1470) et des actes extérieurs relatifs au culte (1681). ◆ Par métonymie de l'opération à celui qui la fait ou qui en est le médiateur, *pratique*, après avoir désigné la fréquentation habituelle de qqn (1580), et spécialement le fait de se fournir habituellement chez un marchand (1588), chez un avocat, un médecin, a signifié «clientèle» (1524), puis (*une pratique*) «client» (1670). La substitution de *client* à *pratique*, au XIXe s., s'est longtemps heurtée à l'hostilité des puristes. Du sens de «client» employé avec une valeur péjorative, on était passé à celui de «fripouille» (1826) qui a lui aussi disparu. ◆ La spécialisation de *(la) pratique* dans le domaine des transactions commerciales a suscité l'expression ***libre pratique***, employée en marine pour désigner la liberté de communiquer avec un port, en particulier après une quarantaine (1835). ◆ L'accent étant mis sur l'objet qui sert à réaliser l'action, l'opération, *pratique* a eu quelques sens concrets très spécialisés : il a désigné la petite passementerie (1561) et désigne encore l'instrument du montreur de marionnettes qui lui sert à changer sa voix (1731).

▶ Le dérivé **PRATICIEN, IENNE** n. (1314) désigne le médecin qui exerce la médecine (par opposition au chercheur, au théoricien); ce sens est peu attesté entre le milieu du XVe s. et 1715. En droit, il a désigné (1340) la personne qui connaît la procédure, la *pratique* juridique. ◇ Quant à son emploi adjectivé, attesté de la fin du XIVe au XVIe s., pour «qui met en pratique», et au XVIIe s., au sens de «chicaneur» (1660), il a tout à fait disparu. ◇ *Praticien* désigne plus généralement (1639) toute personne qui se livre davantage à la pratique de son art qu'à sa théorie et, spécialement en sculpture, l'ouvrier qui ébauche la statue (1835).

Le dénominatif **PRATIQUER** v. tr. (1370) correspond à «mettre en pratique», «mettre à exécution (une prescription, une règle morale, religieuse)», «exécuter (une opération) selon les règles prescrites», surtout en médecine (1588). Il signifie couramment «exercer (une activité, un métier)» (1534) et, absolument, «exercer la médecine» (1530). ◇ D'autres sens vivants en moyen français, comme «se procurer qqch.» (fin XIVe s.), «tramer (qqch.) avec qqn» (v. 1470), se sont éteints; la valeur de «fréquenter» (v. 1500), elle aussi sortie d'usage, a été réactivée dans l'usage familier, ainsi que dans les expressions *pratiquer un auteur, un livre* (1890). ◇ *Pratiquer* correspond aussi (1547) à «ménager (une ouverture, un passage)», d'abord en architecture. ◇ La forme pronominale *se pratiquer* a le sens passif d'«être pratiqué, avoir cours» (1480). ◆ Le verbe a donné deux dérivés : le participe présent **PRATIQUANT, ANTE** a été substantivé, anciennement pour l'utilisateur (1360), avant d'être adjectivé (1867) et de nouveau substantivé à propos d'une personne qui observe les pratiques d'une religion. En sports, il désigne la personne qui s'entraîne régulièrement et participe à des épreuves (1948). Dans ces deux emplois, il s'oppose à **NON-PRATIQUANT, ANTE** n., plus fréquent à propos de religion.

L'adjectif verbal **PRATICABLE**, peut-être formé d'après le latin médiéval *practicabilis* (v. 1444), antérieurement *practizabilis* (v. 1377) «qui peut être employé», se rencontre au XVIe s. dans *état praticable* pour désigner une profession liée à la justice (sorti d'usage) avant de prendre le sens de «qui peut être employé, mis en pratique». La langue classique s'en est servi pour qualifier une personne sociable (1677, Mme de Sévigné). ◇ D'après l'emploi de *pratiquer* en architecture, il qualifie (1694) ce qui peut être utilisé pour le passage et, au théâtre, un élément du décor qui permet le passage (1832). Par ellipse du nom, il est substantivé en ce sens (1835), repris en termes de cinéma et de télévision pour désigner un élément supportant des projecteurs, des caméras et le personnel qui s'en occupe (1944). ◆ *Praticable* a lui-même produit **PRATICABILITÉ** n. f. (1719, *pratiquabilité*), didactique et rare. ◆ Il a aussi servi à former l'antonyme **IMPRATICABLE** adj. (1627) «que l'on ne peut employer», dit spécialement d'un lieu qui ne ménage pas le passage (1680), disparu au sens de «non sociable» (1694). ◇ Par symétrie, on a formé **IMPRATICABILITÉ** n. f. (1791), lui aussi didactique et rare.

② **PRATIQUE** adj. est emprunté (v. 1370) au bas latin *practicus* «actif, agissant» (VIe s.), employé spécialement dans le syntagme *vita practica* par opposition à *theoretica*. Le mot latin est lui-même emprunté au grec *praktikos* (voir ci-dessus ① *pratique*). ◆ Le mot est introduit en philosophie par Oresme, au sens de «qui ne s'arrête pas à la simple spéculation, tend à l'application», par opposition à *disciplines et sciences spéculatives*. Ce sens très vivant est réalisé par le syntagme moderne ***travaux pratiques*** (XXe s.). ◇ À partir du XVe s., *pratique* qualifie une personne qualifiée, experte; ce sens est sorti d'usage, mais il reste une trace de sa spécialisation spatiale en marine pour «qui connaît bien un parage pour y avoir souvent navigué» (fin XVIe s., d'Aubigné) : *pratique* est substantivé en ce sens au masculin depuis 1771. ◇ Le mot est passé en philosophie à propos de ce qui détermine, prescrit la conduite, spécialement en référence à la philosophie kantienne depuis la traduction de la *Critique de la raison pratique* (1801, Villers, commentateur de Kant). Dans ce sens, il est lié à *moral*, alors qu'il peut s'y opposer dans l'usage général. ◇ L'adjectif s'applique aussi à ce qui concerne le sens des réalités, l'aptitude à s'adapter aux situations concrètes et il qualifie couramment une personne qui a le sens des réalités et le goût de l'action (attesté XIXe s., Sainte-Beuve). En parlant des choses, *pratique* exprime la possibilité d'être appliqué (1872) et, concrètement, d'être commode, fonctionnel (1907). Les emplois négatifs, en ce sens, semblent particulièrement fréquents (*ce n'est pas [très] pratique, c'est peu pratique*, etc.). ◆ *Pratique* a pour dérivé **PRATIQUEMENT** adv. (1610) «dans la pratique, de fait»; le sens de «d'une manière commode» (1875) ne s'est pas implanté. Quant au sens de «virtuellement, presque» (XXe s.), il est emprunté à l'anglais *practically* «quasiment» et critiqué par les puristes. Le moyen français a eu antérieurement un type *praticalement* «dans la pratique» (v. 1516) et «effectivement» (1587), sorti d'usage. ◇ **PRATICITÉ** n. f.

«caractère pratique» (1894, Goncourt) est didactique et rare.

PRAXIS n. f. est emprunté en philosophie (1934) à l'allemand *Praxis,* notamment employé par Marx dans les *Thèses sur Feuerbach* traduites en 1934, et lui-même emprunté au grec *praxis* «action», dérivé de *prassein* «agir» (→ pragmatique). *Praxis* existe dès 1581 en anglais au sens d'«action», par emprunt au latin médiéval, qui emploie le mot vers 1255. Le mot, dans la philosophie marxiste, désigne l'action par laquelle l'homme transforme le milieu naturel pour répondre à ses besoins, ce qui l'engage dans la structure sociale. La philosophie et la psychologie emploient le mot au sens plus général d'«activité physiologique et psychique ordonnée à un résultat». Par extension, *praxis* est quelquefois employé au sens d'«action en vue d'un résultat pratique». ◇ Son dérivé **PRAXIQUE** adj. (1945, Merleau-Ponty) qualifie en philosophie ce qui est relatif ou ordonné à l'action (par opposition à *gnosique*).

◈ voir **PRAGMATIQUE.**

◈ **PRÉ** n. m. est issu, par la forme *pred* (1080) puis *pré* (v. 1135), du latin *pratum* «terrain herbeux», mot ancien panroman et celtique d'étymologie non élucidée; on a voulu en rapprocher l'irlandais *raith* «rempart de terre», mais ni la forme ni le sens ne concordent. Un dérivé de *pratum* a donné *prairie**.

♦ Le mot désigne un terrain produisant de l'herbe destinée à la nourriture du bétail; c'est un synonyme moins technique de *prairie**. Par extension, *pré* est employé pour toute étendue d'herbe, sans considération d'usage. ◇ Le mot a servi à désigner un terrain sur lequel on s'affrontait en duel (1617), par allusion au nom du ***Pré-aux-clercs,*** plaine qui s'étendait au moyen âge sur l'emplacement actuel du quartier de Saint-Germain-des-Prés et où se rencontraient les étudiants *(clercs)* de l'université de Paris pour se divertir ou vider leurs querelles par les armes. *Pré* est devenu une dénomination argotique du bagne (1821), d'abord dans la locution *voyager pour le pré* «être mené au bagne» aujourd'hui sortie d'usage comme *faucher le grand pré* «être au bagne».

▸ **PRÉAU** n. m., l'unique dérivé de *pré,* est son diminutif, d'abord écrit *präel* (1080) puis *préau* (1373). Le mot n'a pas gardé son sens propre de «petit pré, enclos» après le XVIe s., sinon à titre de régionalisme ou d'archaïsme littéraire. ◆ Par spécialisation, il désigne un espace découvert entouré de bâtiments, une cour intérieure (v. 1165), par exemple celle d'une prison (1549) et, par une autre spécialisation, la partie couverte d'une cour d'école (1845); dans ces emplois modernes, il n'évoque plus son origine. ◆ *Pré* fournit le premier élément de quelques noms désignant des types de prés: **PRÉ-SALÉ** n. m. (1732) concerne un pré voisin de la mer où l'herbe est imprégnée de sel et où l'on nourrit les moutons, d'où par métonymie le mouton (et la viande de mouton) ayant pâturé dans ce type de pré (1732). ◆ **PRÉ-BOIS** n. m. (1842), «pâturage occupant un ancien bois communal», est d'usage régional. ◆ **PRÉ-GAZON** n. m. (1869) est un terme technique. ◆ *Pré* entre aussi dans **REINE-DES-PRÉS** n. f. (1655) désignant une fleur et dans le nom du champignon **ROSÉ-DES-PRÉS** n. m. (XXe s.). Le latin *prata,* pluriel de *pratum* considéré comme un féminin singulier de sens collectif, puis augmentatif, a donné **PRÉE** n. f. (1080) «prairie». Ce mot, évincé de l'usage général par *prairie,* se rencontre sous la plume d'écrivains du XIXe s. (Hugo, Loti).

◈ voir **PRAIRIE.**

PRÉ-, premier élément, est tiré du latin *prae,* adverbe, préposition et préfixe signifiant «en avant, devant», dans l'espace et dans le temps, puis «vis-à-vis de» et «au regard de, en comparaison de»; cet adverbe entre dans des conjonctions familières comme *praeut* et *praequam* «eu égard, en comparaison de». *Prae,* servant à marquer l'antériorité, a pu servir à indiquer la cause, par un développement comparable à celui de *pro* (→ pour, pro-). Étymologiquement, il appartient au groupe de *pro* (→ pour, pro-), *per* (→ ① par) et, plus largement, à un ensemble de mots à structure consonantique *p-r,* servant de prépositions, d'adverbes et de préverbes et dont le sens primitif devait être «en avant» (→ para-, péri- et un certain nombre de mots en pri-, pre-, pro-, par exemple premier, prince, priorité, privilège, propriété...).

♦ L'élément *pré-* exprime l'antériorité temporelle, plus rarement spatiale; il s'oppose à *post-* et se trouve quelquefois en concurrence avec *pro-*. Le mot est surtout productif dans la formation d'adjectifs, plus rarement de noms et de verbes. Il connaît une grande expansion au XXe s. dans la langue des sciences et des techniques (notamment médecine et industrie) mais aussi dans la langue courante, où il contribue à former de nombreux néologismes.

PRÉALABLE adj. et n. m., d'abord *préallable* (1437), est dérivé de l'ancien verbe *prealler* (v. 1485), formé de *pré-** et d'*aller** et signifiant «aller devant», d'où au figuré «avoir la prééminence», encore vivant au XVIIe s. comme terme de droit coutumier dans l'expression *prealler en ordre* «être assemblés ou convoqués en ordre de préférence». L'ancien français avait un adjectif *alable, allable* (dans *premier allable* «qui doit précéder»).

♦ L'adjectif qualifie ce qui a lieu, se fait ou se dit avant autre chose, dans une suite logique d'actes. En ce sens, il entre dans *question préalable* (XVIe s.) «question à régler d'abord»; dans l'acception juridique de «motion préliminaire pour décider s'il y a lieu de débattre sur une proposition qui vient d'être faite» (1789), cette expression est peut-être calquée sur l'anglais *previous question* (1700-1715), de *previous* «qui précède» (1625, *praevious*), du latin classique *praevius.* ◇ La construction *préalable à* est attestée au XVIIe s. (1674). L'emploi substantivé au sens de «ce qui a lieu, se fait, se dit avant autre chose» (1548) a vieilli, mais la locution ***au préalable*** (1519) reste usuelle. Dans l'usage moderne, *un préalable* désigne une condition ou un ensemble de conditions à remplir avant d'entreprendre une action, une négociation (1956).

▸ Le dérivé **PRÉALABLEMENT** adv. (1400) est en concurrence avec la locution ***au préalable.*** Il sert à former la locution prépositionnelle ***préalablement à*** (XVIIIe s., Rousseau).

PRÉAMBULE n. m. est emprunté (1314) au latin médiéval *praeambulum* «ce dont on fait précéder un texte légal ou officiel», neutre substantivé du bas latin *praeambulus* «qui marche devant», «qui précède» (Ve s.), dérivé du latin classique *ambulare* «aller et venir, marcher» (→ amble, ambulant) au moyen du préverbe *prae-* (→ pré-).

♦ Le mot est passé en français pour désigner ce qui s'écrit ou se dit avant de commencer qqch., pour préparer le lecteur ou l'auditeur, spécialement à propos d'un texte juridique. ◇ Il a développé en moyen français (av. 1430) le sens figuré de «ce qui précède ou prépare»; sorti d'usage au cours du XVIe s., ce sens est repris au milieu du XIXe siècle. Le sens particulier de «discours inutile» (1612) est familier et courant dans l'expression *sans préambule* (1804).

▸ Le dérivé **PRÉAMBULAIRE** adj. (1588) «qui précède, qui prélude» a supplanté l'ancien adjectif *préambule* (v. 1380) mais, repris au XIXe s. (1834), il est resté didactique. ➛ Le verbe **PRÉAMBULER** v. intr. «faire un préambule», d'abord relevé dans la langue burlesque (1651), a disparu.

PRÉAU → PRÉ

PRÉBENDE n. f., d'abord écrit sans accent *prebende* (1385-1396), est emprunté au latin médiéval *praebenda* désignant un traitement alloué par l'État (VIe s.), puis les biens affectés à l'entretien du prêtre qui dessert une église (844-864), un bénéfice, un canonicat (apr. 850). *Praebenda* est le pluriel neutre pris comme un singulier féminin de l'adjectif verbal *praebendus* «qui doit être fourni», dérivé du verbe classique *praebere* «présenter, offrir, fournir». Ce verbe est formé de *prae* «devant, en avant» (→ pré-) et de *habere* «avoir, tenir» (→ avoir). En français, le type *prébende* a concurrencé et supplanté l'ancien *prevende* (1299), *prevande*, et coexiste avec le type *provende** (1160-1174) avec changement de suffixe sous l'influence des mots en *pro-* (→ pro-), et spécialisé dans un autre emploi.

♦ Le mot, emprunté comme terme de droit canon, désigne le revenu ecclésiastique attaché à un canonicat, puis le titre auquel ce revenu est attaché (1530). Il a eu le sens matériel de «provision de vivres» (1561), encore répertorié dans Trévoux en 1771, sens disparu à la suite du partage des emplois avec *provende*. Postérieurement, il a développé le sens de «revenu attaché à une charge lucrative» (1935) et par métonymie désigne cette charge dans un style littéraire.

▸ Les deux dérivés du mot encore usités datent du XIVe siècle. ➛ L'adjectif **PRÉBENDÉ, ÉE** (fin XIVe s.), attesté un peu antérieurement comme nom (v. 1350) pour désigner celui qui jouit d'une prébende, est soit formé sur *prébende*, soit emprunté au latin médiéval *praebendatus* (XIIIe s.), dérivé de *praebenda*. De nos jours, il est également employé au sens figuré de «qui possède des avantages matériels assurés et excessifs» (v. 1950). ➛ **PRÉBENDIER** n. m. (1365) a eu le sens de «ration de nourriture donnée à titre de revenu» qui a disparu. Puis, il désigne celui qui jouit d'une prébende (1468), probablement par emprunt au latin médiéval *praebendarius* (1006), spécialement *praebendarius de choro* [de chœur] (v. 1162), dérivé de *praebenda*. En ce sens, *prébendier* a concurrencé et éliminé l'ancien français *provandier* (1266), *prevandier* (1284). Une forme encore antérieure *provenders* (v. 1050) existait au sens de «mendiant, celui qui reçoit la provende» d'après le latin médiéval *provendarius* (v. 795). Comme *prébende* et *prébendé, prébendier*, souvent appliqué aux chanoines, a développé au cours du XXe s. le sens figuré de «profiteur, personne jouissant d'une situation anormalement lucrative».

◈ voir PROVENDE.

PRÉCAIRE adj., attesté une première fois sous la forme *précoire* (1336) et de nouveau au XVIe s. (av. 1585), est emprunté au latin juridique *precarius* «obtenu par la prière», cette valeur, impliquant une intervention supérieure et donc l'absence de nécessité, aboutissant à «mal assuré, passager». Le mot est dérivé de *precari* «prier, demander en priant» (→ prier).

♦ Ce terme juridique qualifie ce qui est octroyé, ne s'exerce que grâce à une concession, une permission révocable par celui qui l'a accordée, par exemple dans *détenteur précaire* (1804). ◇ L'adjectif est passé dans l'usage courant au XVIIe s., d'abord en parlant d'une réalité abstraite dont l'avenir, la durée ne sont pas assurés (1618), puis d'une chose matérielle dont on ne peut garantir la durée, la solidité (1892), s'appliquant aussi à la condition humaine (*L'Homme précaire*, Malraux).

▸ *Précaire* a produit **PRÉCAIREMENT** adv. (1611) et **PRÉCARITÉ** n. f. (1823) «instabilité», «caractère provisoire» et, en droit, «caractère de la détention précaire» (1831).

PRÉCAUTION n. f. est un emprunt savant (1580; 1471, selon Bloch et Wartburg) au bas latin *praecautio, -onis* «mesure de prudence», dérivé du supin *(praecautum)* de *praecavere* «se tenir sur ses gardes, se montrer prudent», de *prae* (→ pré-) et *cavere* «faire attention» (→ caution).

♦ Le mot désigne ce que l'on fait par prévoyance, pour éviter un mal ou en atténuer l'effet et, plus généralement, une manière d'agir prudente (1588), souvent dans *avec, sans précaution* et dans ***par précaution*** (1673). La locution ***prendre ses précautions*** (fin XVIIe s.) est employée par euphémisme aux sens de «prendre soin d'aller aux toilettes» et, en parlant d'une femme, de «prendre ses dispositions en matière de contraception». ◇ ***Précautions oratoires*** (1798) désigne les moyens adroits dont use un orateur pour se ménager la bienveillance de l'auditeur et, dans l'usage général, les détours dont on use avant de faire connaître sa pensée (1875, Larousse).

▸ Le dérivé **PRÉCAUTIONNER** v. tr. (av. 1573) a d'abord été employé à la forme pronominale *se précautionner contre*, sortie d'usage. Ses autres emplois sont également marqués d'archaïsme, que ce soit au sens transitif de «mettre en garde (qqn) contre qqch.» (1682) et au pronominal *se précautionner de* «se munir de» (1678). ◆ Son participe passé **PRÉCAUTIONNÉ, ÉE**, adjectivé au sens de «circonspect, prudent» (1640, d'une chose ; 1689, d'une personne), est lui aussi vieilli. ◆ L'autre dérivé de *précaution*, **PRÉCAUTIONNEUX, EUSE** adj. (1788), qualifie la personne qui a l'habitude de prendre des précautions et, par métonymie, ce qui témoigne du souci de prendre des précautions (1823). ◇ Le dérivé **PRÉCAUTIONNEUSEMENT** adv. est attesté pour la première fois chez Balzac en 1834.

◈ voir **CAUTÈLE, CAUTION.**

PRÉCÉDENT, ENTE adj. et n. est emprunté (XIIIe s.) au latin *praecedens, -entis,* participe présent adjectivé de *praecedere,* proprement «marcher devant» d'où «venir avant, être antérieur», de *prae* «avant» (→ pré-) et *cedere* «aller, avancer» (→ céder).

♦ *Précédent* qualifie ce qui se passe avant ; le sens particulier de «premier, qui préexiste à autre chose» (v. 1450) s'opposait à *subséquent ;* il a disparu. Sur le plan spatial, il qualifie ce qui se trouve placé avant dans une succession (1400). *Le précédent* n. m. désigne celui qui précède (1392). ◆ Les autres sens, bien postérieurs (répandus au XIXe s.), sont empruntés à l'anglais *precedent,* lui-même emprunté au français (1407), pour désigner un fait, un cas antérieur servant de guide, notamment en matière de gouvernement. Le mot s'emploie en français avec le même sens, d'abord cité comme mot anglais (1771), puis intégré à l'usage français (1824). Il désigne en particulier un fait antérieur qui peut servir d'exemple, de règle de conduite dans un cas semblable (1830), entrant dans la locution courante ***sans précédent*** (1869) «inouï, jamais vu». ◇ Au XXe s., il est passé en mathématiques, au sens originel, pour désigner, pour un élément, le plus grand élément de l'ensemble des éléments d'un ensemble qui lui sont inférieurs.

► L'adjectif a produit **PRÉCÉDEMMENT** adv. (1555) qui a éliminé le type antérieur *precedentement* (1439). ◆ **PRÉCÉDENCE** n. f. (1532), sorti d'usage à la fin du XVIIe s. avec l'ancien sens figuré de «priorité, préséance», a été repris pour «état de ce qui précède» (1842), emploi qui ne s'est pas imposé (→ précession).

PRÉCÉDER v. tr. est emprunté (1353) au verbe latin *praecedere* (voir ci-dessus). Le verbe signifie «avoir lieu auparavant, être logiquement antérieur», avec un complément et (1730) en emploi absolu *(ce qui précède).* Il a développé le sens abstrait de «l'emporter sur, avoir la priorité sur» avec une idée de hiérarchie (v. 1370). Cette acception est sortie d'usage, mais il en reste une trace dans les emplois du verbe pour «aller avant (un autre) à un but, accéder le premier» (1530) et «avoir la préséance dans une assemblée», «marcher devant (qqn)» (1690). ◇ L'emploi du mot dans un sens purement spatial, attesté depuis 1530, est exceptionnel et archaïque.

◈ voir **PRÉCESSION.**

PRÉCEPTE n. m. est emprunté à deux reprises (1119, puis 1546) au latin *praeceptum* «leçon, règle», «commandement, prescription», dérivé de *praecipere* «prendre le premier», «recommander, prescrire», de *prae* (→ pré-) et *capere* «prendre» (→ capter, chasser).

♦ Le mot a été repris une première fois (1119) sous la forme demi-savante *precept,* avec le sens de «commandement, ordre» et de «sommation, ordonnance». ◇ Il a été réemprunté à la Renaissance par les humanistes sous la forme savante *précepte* (1546) «enseignement, règle de conduite» au singulier, et au pluriel *(préceptes)* «principes qui enseignent avec autorité la manière de faire qqch.» (1677). Il a en histoire la valeur spéciale d'«acte ou charte, au moyen âge» (1875, Larousse).

◈ voir **PRÉCEPTEUR, PRÉCIPUT.**

PRÉCEPTEUR, TRICE n. est emprunté (fin XIVe s.) au latin classique *praeceptor,* nom d'agent formé sur le supin *(praeceptum)* de *praecipere* (→ précepte) pour désigner celui qui enseigne, spécialisé en latin médiéval au sens de «commandeur, dignitaire d'un ordre militaire».

♦ Le mot, après une première attestation où son sens n'est pas clair *(preteur : prevost ou precepteur),* désigne au masculin celui qui est chargé de l'éducation d'un enfant (v. 1460). Il a aussi désigné la personne qui enseignait (1530) et qui, dans les familles bourgeoises, conduisait l'enfant au collège (de 1690 à 1771). Le féminin *préceptrice* (1549) est rare. ◇ Seule l'extension figurée au sens de «personne ou chose qui instruit les hommes, leur apprend à mieux vivre» (XVIe s.) reste moderne, dans un usage littéraire. ◇ Par un nouvel emprunt savant des historiens au latin médiéval, *précepteur* a pris le sens spécialisé de «commandeur de l'ordre du Saint-Esprit, résidant à Montpellier» (1716) ; le mot sert aussi à désigner certains dignitaires des ordres militaires et de la Cour (1842).

► **PRÉCEPTORAT** n. m. (1688), dérivé savant du radical latin, a évincé *préceptorerie* (fin XVIIe s.). ◆ **PRÉCEPTORAL, ALE, AUX** adj. (1783) est didactique et rare.

◈ voir **PRÉCEPTE, PRÉCIPUT.**

PRÉCESSION n. f. est un emprunt savant (1690) au latin tardif *praecessio, -onis* «action de précéder», dérivé du supin *(praecessum)* de *praecedere* (→ précéder) et employé spécialement en astronomie par Copernic (av. 1530).

♦ L'expression d'astronomie *précession des équinoxes* désigne le mouvement rétrograde des points équinoxiaux. Au XIXe s., *précession* est passé dans le langage de la balistique pour désigner le mouvement de l'axe d'un projectile autour de la tangente à sa trajectoire (1890). La physique l'a repris au XXe s. à propos du mouvement conique que prend l'axe d'un corps en rotation gyroscopique. ◇ Le sens relativement récent de «fait de précéder» (1924), avec lequel il sert de nom d'action à *précéder,* ne s'est jamais implanté dans l'usage courant.

► **PRÉCESSIF, IVE** adj. a été formé récemment (1973) pour servir d'adjectif à *précession.*

PRÊCHER v. est l'aboutissement *(precher,* 1070), par les formes en *-t-* et *-d-*, *pretier* (v. 980), *pre-*

dier (fin xe s.) et avec des variantes comme *preechier* (v. 1155), *preecher* (v. 1160), *proichier* (v. 1190), du bas latin ecclésiastique *praedicare* «enseigner une doctrine, annoncer l'évangile» (Tertullien) [→ prédication]. Ce verbe, en latin classique, signifiait «proclamer, publier», «vanter» et «annoncer»; il est formé de *prae* «en avant» (→ pré-) et de *dicare* «proclamer solennellement», duratif de *dicere* (→ dire, prédire).

♦ Le verbe exprime d'abord le fait d'annoncer la révélation religieuse, soit avec un complément désignant la personne qui en est l'objet (v. 980), soit absolument (fin xe s.). Il se construit aussi avec un complément inanimé précisant ce que l'on prêche (v. 1120). Sans se départir d'une forte connotation religieuse, *prêcher* passe très tôt dans l'usage général pour «tenir des discours destinés à convaincre (qqn)» (fin xe s.), «faire des recommandations, des remontrances à (qqn)» (v. 1278) et, avec une valeur ironique, «dire avec un ton sentencieux, moralisateur» (1398), notamment dans la construction *prêcher que* (XVIIe s.). ◇ Le sens de «proclamer, faire connaître, parler publiquement», repris au latin classique (v. 1360), est sorti d'usage au cours du XVIIe siècle. ◇ *Prêcher* entre dans quelques locutions comme ***prêcher l'exemple*** (av. 1714), ***prêcher dans le désert,*** d'après l'Évangile à propos de saint Jean-Baptiste (1771), ***prêcher un converti*** (1798). *Prêcher son saint,* qui anticipe sur ***prêcher pour sa paroisse, pour son saint,*** est enregistré en 1823 (Boiste).

▶ **PRÊCHEUR, EUSE** n. et adj., d'abord *proicheor* (fin XIIe s.), *preescheor* (1176-1181), plutôt que le dérivé d'une ancienne forme de *prêcher,* est l'aboutissement du bas latin ecclésiastique *praedicator, -oris* «celui qui évangélise» (Tertullien), déjà présent en latin classique aux sens de «crieur public, héraut» et «prôneur», et formé sur le supin *(praedicum)* de *praedicare.* ◇ Le mot, pour «personne qui fait des sermons», a été supplanté par son doublet savant *prédicateur** et ne s'emploie plus guère que pour désigner celui qui enseigne, aime à faire des exhortations (1176-1181), ainsi que comme nom donné aux dominicains voués à la prédication (1247-1248, adjectivement dans ***frères prêcheurs;*** puis comme nom, depuis 1279). Son emploi adjectivé au sens péjoratif de «pontifiant, sentencieux» est une extension postérieure (av. 1761). ◇ **PRÊCHE** n. m., déverbal (v. 1350) de *prêcher,* s'est imposé aux dépens de l'ancien nom d'action *prëechement* «discours, sermon» (v. 1190), sorti d'usage au XVIIe siècle. ◆ Le mot désigne un discours prononcé par un ministre du culte et s'est spécialisé au sens de «sermon d'un ministre protestant» (1534), d'où par métonymie «lieu de culte protestant» (1548) et «religion protestante» (1674), toutes acceptions devenues archaïques. Il est passé dans l'usage au sens péjoratif et familier de «discours solennel, moralisateur» (1665, La Fontaine).
Par un redoublement plaisant de *prêcher,* avec alternance vocalique, on a formé **PRÊCHI, PRÊCHA** ou **PRÊCHI-PRÊCHA** loc. et n. m. (1808), mot familier pour tourner en dérision une personne qui met de l'affectation dans ses discours et sermonne continuellement.

◈ voir PRÉDICAT, PRÉDICATION, PRÉDIRE.

PRÉCIEUX, EUSE adj., réfection (*precieus,* v. 1175) de *precïus* (v. 1050), *precios* par adaptation du suffixe, est emprunté au latin *pretiosus* «qui a du prix, coûteux», dérivé de *pretium* «prix, valeur» (→ prix).

♦ Le mot est d'abord attesté avec le sens religieux de «vénérable» en parlant du vin consacré à l'Eucharistie; l'expression *sane precïus,* puis ***précieux sang*** (1680) désignant le sang du Christ. ◇ Dès la première moitié du XIIe s., il devient usuel au sens figuré de «qui est cher, dont on fait grand cas» (1121-1134) et au sens matériel de «qui a une grande valeur marchande» (1135, dans *geme preciouse* qui sera remplacé par *pierre précieuse* (*pere preciuse,* déb. XIIe s.), aussi *pierre semi-précieuse* (1931). ◇ L'adjectif qualifie aussi une personne digne de respect et qui est chère (1145), souvent avec la valeur intéressée de «très utile» (1370). À l'époque classique, *précieux* qualifie ce qui a une grande valeur, doit être sauvegardé, protégé (1671-1682, Boileau). ◇ L'accent étant mis sur le raffinement, la recherche, il qualifie ce qui manifeste un raffinement excessif, de l'affectation (1659, Molière), développant une valeur péjorative et s'appliquant à une personne qui montre de la recherche dans ses vêtements, son langage, ses manières (1679). En même temps, il se répand dans le langage des arts décoratifs pour ce qui est d'une perfection délicate dans le travail (1690, *meubles précieux*).
◆ La substantivation du mot est ancienne, le féminin ayant servi en ancien français à désigner une prude (1280), mais son emploi moderne date du XVIIe s. : *une précieuse* s'applique alors (1654) à une femme raffinée dans ses sentiments, qui adopte une nouvelle façon de vivre et de parler différente de celle du commun. Le mot s'emploie bientôt également au masculin (1659), prenant une valeur péjorative chez les détracteurs des abus des précieuses (1663, Molière, *Critique de l'École des femmes*). L'emploi du masculin *le précieux* avec valeur de neutre pour le genre précieux (av. 1696) a reculé au profit de *préciosité,* mais a donné lieu à un nouvel emploi de l'adjectif en histoire littéraire (1875, *le genre précieux*). ◇ Au XVIIIe s., le féminin a servi à désigner la mouche placée auprès des lèvres.

▶ **PRÉCIEUSEMENT** adv., forme moderne (v. 1278) de *precïosement* (v. 1165), signifie d'abord «d'une manière précieuse» au sens matériel du mot; au XVIIe s., il prend le sens figuré d'«avec grand soin, avec amour» (1636) et il est employé en référence aux manières des précieuses de l'époque classique, à partir de 1750.
PRÉCIOSITÉ n. f. est emprunté, pour servir de nom de qualité à *précieux* (1466-1467), au latin impérial *pretiositas, -atis* «grande valeur, haut prix», dérivé de *pretiosus.* Il a évincé *precieuseté* (v. 1370), dérivé rare de *précieux.* ◆ Le mot a d'abord exprimé la notion de grande valeur, sens encore bien vivant au XVIe s., puis, au figuré et avec une connotation dépréciative, celle d'affectation et de signe

d'affectation (v. 1475). ◇ Avec la vogue des *précieux* à l'époque classique, *préciosité* désigne leur comportement (1664) et, plus généralement, un comportement affecté dans les manières et le langage (1678). Ses emplois particuliers pour désigner un maniérisme du style (1881) ou une expression affectée (1888) sont très postérieurs. La coloration péjorative, en dehors de l'histoire littéraire, a nui au sens neutre de «raffinement».

PRÉCIPICE n. m. est emprunté (av. 1520, écrit sans accent) au latin *praecipitium* «chute d'un lieu élevé» et, par métonymie, «gouffre, abîme». Ce nom est le singulier formé à l'époque impériale sur *praecipitia*, neutre pluriel tiré de *praeceps, praecipitis* désignant déjà un abîme, une anfractuosité profonde, et substantivation de l'adjectif *praeceps, praecipitis* «la tête en avant, la tête la première», d'où «rapide, impétueux, escarpé» en parlant d'un relief, et «prompt, inconsidéré» en parlant d'une personne. Cet adjectif est formé de *prae* «en avant» (→ pré-) et de *-ceps* pour *caput* «tête» (→ chef).

♦ Le mot, repris avec le sens d'«espace très profond aux bords escarpés», est quelquefois employé au figuré à propos d'une situation périlleuse et, plus concrètement, d'un lieu de perdition (1559, *aller en précipice*). L'emprunt savant de l'adjectif latin sous la forme *precipit* «prompt, qui agit en hâte» (v. 1600) ne s'est pas implanté.

► Le dérivé de même sens, **PRÉCIPITEUX, EUSE** adj. (1552), employé aux XVIe et XVIIe s., a disparu.

PRÉCIPITER v. tr. est emprunté (av. 1442) au latin *praecipitare*, de *praeceps, praecipitis* «la tête la première». Le verbe signifie «jeter du haut d'un lieu élevé» et au figuré «abaisser, faire déchoir (qqn)»; l'accent étant mis sur la brusquerie de l'action, il signifie «hâter, presser»; il est aussi intransitif. ◆ Le français en a fait un verbe transitif et pronominal, dont tous les sens sont fixés avant la fin du XVIIe siècle. Il a d'abord la valeur de «faire descendre d'une situation élevée, faire déchoir (qqn)», puis «faire passer d'un sentiment d'exaltation à un sentiment d'abattement» (1661), sortie d'usage. La nuance aggravée, «faire tomber dans une situation dangereuse, pénible», remonte au milieu du XVe siècle. ◇ Le sens concret est représenté par la forme pronominale *se précipiter* «se jeter du haut d'un lieu élevé» (1466) et par l'emploi transitif (1495), devenu littéraire. ◇ C'est de ce sens que procède la spécialisation du mot en chimie, d'abord attestée au participe passé adjectivé dans *mercure précipité* (1555) «réduit en poudre rouge par la cuisson», puis par le verbe en emploi transitif (1663) et au pronominal (1680). ◇ Le sens latin de «presser, hâter qqn» (1442) a été évincé par *presser*. ◆ *Précipiter* exprime aussi le fait d'accélérer une chose, un processus (1552) et, avec une nuance temporelle, de rendre un événement plus prochain (1559). Il s'emploie absolument (1559) au sens d'«agir hâtivement» et, en portant l'accent sur l'aspect physique du procès, pour «jeter, pousser vivement» (1677). ◇ La forme pronominale *se précipiter* a pris les sens correspondants : elle est employée absolument au sens d'«agir avec hâte» (1559); abstraitement, elle signifie «se livrer impétueusement à qqch.» (1559) et «s'élancer vers une personne, un lieu», avec (1665) ou sans (1671) complément.

PRÉCIPITAMMENT adv. (1489), dérivé au moyen du suffixe *-ment* du moyen français *précipitant*, participe présent adjectivé de *précipiter* (1492), s'est employé jusqu'au XVIe s. aux sens de «pressant, hâtif, impatient, qui agit avec précipitation». ◆ *Précipitant* a été éclipsé par le participe passé adjectivé ① **PRÉCIPITÉ, ÉE** (1531, *conseil précipité*) qui lui a repris le sens actif de «brusque, hâtif dans la décision et l'exécution», en parlant d'une chose et d'une personne (1579). Avant la fin du XVIe s., *précipité* qualifie ce qui est «d'allure ou de rythme rapide» (1580) et «escarpé, à pic» (1594), mais ce dernier sens est sorti d'usage. ◆ ② **PRÉCIPITÉ** n. m., en chimie, désigne d'abord l'oxyde mercurique (1553) puis en général un dépôt obtenu quand se produit la précipitation (1690). ◇ Il a produit **PRÉCIPITINE** n. f. (1903) à l'aide du suffixe *-ine*, terme de physiologie désignant un anticorps donnant un précipité avec son antigène correspondant. ◆ **PRÉCIPITABLE** adj. (1875) et le nom correspondant **PRÉCIPITABILITÉ** n. f. (1903) sont deux termes de chimie.

PRÉCIPITATION n. f. est emprunté (1362-1365) au dérivé latin *praecipitatio, -onis* «chute» et, chez les auteurs chrétiens, «ruine, chute dans le péché», «irréflexion». En latin médiéval, il entre au sens concret dans l'usage médical dans le syntagme *precipitatio matricis* «expulsion de l'arrière-faix» (av. 1250). ◇ C'est avec ce même sens médical qu'il est relevé pour la première fois en français, dans *precipitation de la marriz* [matrice]. ◇ Le mot, pour «action de presser qqn» (1471), sens sorti d'usage, a pris celui de «hâte excessive» (1486), correspondant à l'emploi de *se précipiter*. ◇ Il a peut-être eu le sens figuré de «ruine» (déb. XVIe s.) avant de désigner concrètement le fait de jeter qqch. ou qqn d'un lieu élevé (1527). ◇ Il s'est spécialisé en chimie (1663) sous l'influence du verbe et, au singulier (1868) puis au pluriel (1907), en météorologie pour la chute de l'eau provenant de l'atmosphère, pluie, neige, grêle, etc.

PRÉCIPITER → PRÉCIPICE

PRÉCIPUT n. m., d'abord *principut* (1405) sous l'influence de *princeps* (→ prince), corrigé en *preciput* (1508), est emprunté au latin impérial juridique *praecipuum*, neutre substantivé de l'adjectif *praecipuus* «que l'on prend avant tous les autres, privilégié», «particulier» et «qui l'emporte sur les autres». Il est composé de *prae* «devant, avant» (→ pré-) et de *-cipuus*, dérivé de *capere* «prendre» (→ chasser). Le latin avait aussi le verbe *praecipere* «prendre avant, prendre le premier», spécialisé en droit pour le fait d'obtenir par avantage dans un héritage. Le *t* final du mot en français est probablement dû à l'attraction du latin *caput* «tête» (→ chef) au sens de «capital».

♦ Le mot a été emprunté en droit pour désigner l'avantage accordé à l'un des héritiers *(préciput successoral)*. Par extension, il désigne l'avantage accordé à un membre du clergé lors du partage d'un bénéfice (1481), l'avantage conféré à l'un des époux dans un contrat de mariage (1642), d'où *préciput conventionnel* (1765). Il est passé dans le langage de l'administration pour le supplément de traitement accordé à certains fonctionnaires (1859).

▸ Le dérivé **PRÉCIPUTAIRE** adj. (1836) qualifie la prime spéciale que peut s'accorder une banque dans le cadre de certains crédits.

◈ voir **PRÉCEPTE, PRÉCEPTEUR.**

① **PRÉCIS, ISE** adj. est emprunté (1377) au latin *praecisus* «séparé de», «coupé de» et «à pic, abrupt, escarpé», en rhétorique «abrégé, tronqué». C'est l'adjectivation du participe passé de *praecidere* «couper par devant, tailler», au figuré «retrancher, ôter» et «couper, séparer en tranches», composé de *prae* «devant» (→ pré-) et de *caedere* «frapper, abattre» (→ -cide, ciseau).

♦ Le mot a pris en français le sens abstrait de «déterminé, défini», c'est-à-dire «mentalement coupé, retranché par la pensée». Il qualifie ce qui se situe à un endroit bien déterminé (1377) et ce qui est exactement déterminé dans la mesure du temps (1404), en particulier un nom d'heure (déb. XVIIe s., *midi pressis*). Il s'applique en outre à une grandeur, une mesure bien déterminée (1377), puis à un instrument qui mesure avec exactitude (1797), à un coup d'œil exact (1823), à un tir bien ajusté (1931). ◇ À partir du XVIe s., le mot est employé dans le domaine des choses de l'esprit et du langage, à propos de ce qui est exprimé nettement, sans termes superflus (1549), puis de ce qui fait l'objet d'une représentation claire, exacte dans la pensée de qqn (1667), enfin d'une chose imaginée ou créée avec une grande exactitude par rapport à la réalité (1810). ➛ Par métonymie, il est appliqué à une personne qui s'exprime avec netteté (1671), à une forme d'expression présentant ce type de qualité (1670) et à ce qui dénote la rigueur, l'exactitude d'un esprit (1680); l'adjectif qualifie aussi une personne dont les mouvements sont exactement adaptés à leur objectif (1803), qui montre de l'exactitude, respecte les délais (1907).

▸ Le dérivé **PRÉCISÉMENT** adv. (1314), «d'une manière exacte, avec précision», exprime également la ponctualité (1414). Par affaiblissement, il a pris des valeurs d'atténuation, marquant une coïncidence entre deux séries de faits (1675). Employé seul, il peut introduire ou souligner une réplique portant sur ce qui vient d'être évoqué (1779). ➛ **PRÉCISER** v. tr. signifie «rendre clair, précis»; attesté isolément (v. 1350), il semble inusité jusqu'à la fin du XVIIIe s., où il réapparaît avec un complément (1788) et absolument (1803). Le sens de «déterminer, fixer exactement dans l'espace ou dans le temps» (1380) s'est implanté plus rapidement. La forme pronominale *se préciser* (1834) correspond à «devenir plus perceptible», quelquefois «devenir plus proche dans l'espace ou dans le temps, plus inquiétant» (1862, en parlant d'une bataille, d'une menace de guerre). ◇ Du verbe est dérivé **PRÉCISABLE** adj. (1916), peu usité. ➛ La substantivation de ② **PRÉCIS** n. m. est d'abord attestée (1663, *pressis*) en parlant du résumé d'une affaire ou d'une matière vaste; le mot désigne un petit ouvrage didactique qui expose de façon claire et succincte l'essentiel d'une matière d'enseignement (1794). ➛ Enfin, *précis* a produit un antonyme préfixé **IMPRÉCIS, ISE** adj., proposé tardivement (1845) par Richard de Radonvilliers au sens général de «qui manque de précision» et répandu à la fin du XIXe s., peut-être d'après l'anglais *imprecise*, avec ses différents emplois. Le mot, substantivé avec une valeur de neutre (1925), a servi de modèle à la création d'une série. ➛ **IMPRÉCISÉ, ÉE** adj. (1794), d'où **S'IMPRÉCISER** v. pron. (1925), **IMPRÉCISABLE** adj. (1931) et **IMPRÉCISÉMENT** adv. (1948) sont rares et littéraires.

Le nom correspondant **PRÉCISION** n. f. est directement repris (v. 1380) au dérivé latin impérial *praecisio, -onis* «action de couper, de retrancher», d'où concrètement «ce qui est coupé, rognure» et, spécialement en rhétorique, «réticence». Introduit en français avec le sens concret d'«action de rogner», le mot s'est spécialisé assez tard, d'abord en philosophie pour l'acte abstrait de retrancher, de circonscrire par la pensée (1521). ➛ Ce sens étymologique a disparu après le XVIIe s., tandis que le mot commençait à désigner, en relation avec l'adjectif *précis*, la qualité de ce qui est déterminé avec exactitude dans l'espace et dans le temps (1606), puis les faits précis, les détails (1682, surtout au pluriel), la qualité de la personne qui s'exprime avec netteté, rigueur (1688), la qualité de ce qui est représenté dans l'esprit avec netteté (1690). ◇ Par la suite, le mot désigne la qualité de ce qui fonctionne avec exactitude (1794), notamment dans *instrument de précision* (1855) surtout appliqué à la mesure, et celle d'une personne qui fait les gestes exactement appropriés à une situation, une action (1801). ➛ *Précision* a pour dérivé **PRÉCISIONNISTE** n. et adj. (1941) «personne chargée d'un travail de précision». ➛ **IMPRÉCISION** n. f., proposé en 1845 comme *imprécis*, est devenu usuel.

PRÉCOCE adj. est emprunté à l'époque classique (1651) au latin *praecox, -ocis* «hâtif, primeur», à propos d'un fruit, d'une plante, d'où au figuré «qui vient avant le temps, prématuré». Ce mot est dérivé de *praecoquere* «hâter la maturité de, mûrir complètement», au propre (en parlant de fruits, de plantes) et au figuré, composé de *prae* (→ pré-) et de *coquere* «faire cuire, faire mûrir» (→ cuire).

♦ Le mot qualifie un végétal mûr avant le temps et, par métonymie, un arbre dont les fleurs, les fruits ou les feuilles apparaissent avant les autres (1694). ◇ Il est employé au figuré pour ce qui est fait très tôt (1685, d'un livre), et dans le domaine de la vie psychique (1694, *esprit précoce*). Puis, il s'applique à une personne ou à un animal chez qui la puberté est avancée (1762, Rousseau, *fille précoce en tout*), spécialement en mettant l'accent sur la connaissance et l'expérience des choses sexuelles. ◇ Il a comporté quelquefois la nuance dépréciative de «qui se fait plus tôt que ne l'exigerait la raison» (1718).

▸ Le mot a deux dérivés. ➛ **PRÉCOCITÉ** n. f. (1715) désigne la qualité (d'un fruit, d'une plante) précoce puis, par extension, celle d'une chose trop précoce (1781, d'un mariage) et d'un esprit avancé (1798). Il désigne spécialement l'état d'un jeune être humain chez lequel le sens génital s'éveille de bonne heure (1932). ◆ **PRÉCOCEMENT** adv. (1839, Michelet), «d'une manière précoce», correspond aux divers emplois de l'adjectif.

PRÉCONISER v. tr., d'abord *preconizer* (1321), a été emprunté à diverses reprises au latin tardif *praeconizare* (v. 200) «proclamer, annoncer», spécialement «citer en justice». Ce verbe est dérivé du latin archaïque *praeco, -onis* «crieur public, héraut» d'où, par extension, «panégyriste, chantre». *Praeco* repose peut-être sur une forme °*prai-wokon-*, dans laquelle on retrouve la racine °*wek*^{w}- de *vocare* «appeler» (→ vocation), qui rend bien compte du sens de ce mot.

♦ Le verbe a été repris au latin avec le sens de «proclamer, publier», encore vivant au XVIe s. où la forme pronominale *se préconiser (un tel)* correspond à «se vanter d'être (un tel)». ◇ Par un nouvel emprunt au latin, le mot a pris le sens de «louer, vanter chaleureusement» (1660), et par figure le sens moderne de «recommander» (1660). Il s'applique ensuite à un évêque dont la nomination est publiquement proclamée (1680). ◇ Le verbe s'est spécialisé (v. 1980) en publicité.

▸ Les dérivés sont **PRÉCONISATION** n. f., d'abord écrit *préconization*, qui a suivi l'évolution du verbe, du sens ancien de «proclamation» au sens religieux d'«action de préconiser un prélat» (1680), puis au sens moderne d'«action de recommander» (1852). ◇ Comme le verbe, *préconisation* a été repris dans le vocabulaire de la publicité (v. 1980). ◆ **PRÉCONISEUR** n. m. a désigné un crieur public (1467-1483, *preconizeur*) et un héraut d'armes (1558), sens disparus. Il n'est plus guère usité au sens religieux de «celui qui préconise un prélat» (1688) et au sens de «louangeur outré» (av. 1741). ◆ **PRÉCONISATEUR, TRICE** n. et adj. (1846) correspond à l'emploi moderne de *préconiser*. Le mot est resté rare et littéraire, mais il a été repris avec *préconiser* et *préconisation* en publicité.

PRÉCURSEUR n. m. et adj. m. est emprunté (v. 1415) au latin *praecursor*, dérivé, avec le suffixe indiquant l'agent, de *praecurrere* «courir devant, devancer», de *prae* (→ pré-) et *currere* (→ courir), pour désigner celui qui court devant, qui précède, spécialisé en latin chrétien à propos de saint Jean-Baptiste (Tertullien, saint Augustin).

♦ Le mot a été repris au latin chrétien pour désigner saint Jean-Baptiste, chargé d'annoncer la venue du Christ, puis, généralement, une personne qui vient avant une autre pour annoncer sa venue (1530) et, plus abstraitement, une personne qui prépare la voie, annonce un grand homme, un mouvement, une découverte (1525). ◇ Le mot est aussi appliqué à une chose qui en annonce une autre (1704). ◆ Dans la seconde moitié du XVIIIe s., il est adjectivé en parlant de qqch. qui annonce un événement (1767, *oiseau précurseur*) et, spécialement, de symptômes annonçant une maladie prochaine (1793, Lavoisier), et de soldats envoyés en avant pour préparer l'installation d'une unité. ◇ Le nom est passé dans les vocabulaires scientifiques de la géophysique, de la physique nucléaire et surtout de la biochimie, où il s'applique à une molécule organique participant à la synthèse de molécules plus complexes.

▸ Il n'a pas laissé de dérivés, le féminin *précursseresse* (1504) ayant disparu.

PRÉDATEUR, TRICE adj. et n. est un emprunt de la Renaissance (1574) au latin *praedator, -oris* «voleur, pilleur» et «chasseur», employé au figuré à propos d'un homme rapace, d'un séducteur. Ce mot est dérivé de *praedari* «faire du butin, se livrer au pillage» et transitivement «voler qqn», lui-même dérivé de *praeda* (→ proie).

♦ Le mot a été repris au latin avec le sens de «pilleur», d'abord seulement en mythologie dans l'un des noms donnés à Jupiter *(Jupiter prédateur)* car ce dieu avait droit à une part des dépouilles. *Prédateur* est passé dans le langage didactique pour désigner une personne vivant de chasse, pêche, cueillette (1745) et au XXe s. en biologie un animal qui se nourrit de proies, comme adjectif (1909), puis comme nom (1923), d'où, par extension, un végétal qui croît aux dépens d'un autre. Le féminin *prédatrice* est attesté depuis 1930 (Maeterlinck, *Les Fourmis*).

▸ **PRÉDATION** n. f. est un emprunt moderne (1963) au dérivé latin *praedatio, -onis* «pillage, brigandage» d'après *prédateur*, comme terme de biologie animale et végétale et comme terme d'ethnologie. Il a remplacé *prédatisme* n. m., fait sur *prédateur* (1903) pour désigner l'activité des animaux prédateurs. ◆ **PRÉDATOIRE** adj., emprunté savamment et tardivement (attesté 1932, P. Morand) au latin *praedatorius* «de pillard», dérivé de *praedator*, qualifie ce qui se rapporte au prédateur.

◈ voir DÉPRÉDATION.

PRÉDÉCESSEUR n. m. est emprunté (1281) au latin tardif *praedecessor*, formé de *prae* «en avant» (→ pré-) et de *decessor* «magistrat sortant», lui-même dérivé de *decessum*, supin de *decedere* «s'en aller» (qui a donné *décéder**).

♦ Le mot a été repris pour désigner celui qui a précédé qqn dans un emploi, une dignité. Le pluriel *prédécesseurs* (1283) s'est spécialisé pour ceux qui ont vécu avant qqn, ses ancêtres (1283), et par extension ceux qui ont œuvré dans la même direction (1370-1372, Oresme). ◇ Aucune forme féminine, ni *predecesseuse* (1280) ni *prédécesseresse* (1388), toutes deux vivantes jusqu'au XVIe s., n'a pu se maintenir.

PRÉDELLE n. f. est emprunté, comme l'indique la forme *predella* citée en italien (1855) avant la forme *prédelle* (1873), au mot italien *predella*. Lui-même est une spécialisation (1584) du sens initial, «escabeau» (XIVe s.). *Predella* est issu du longobard °*pretil* correspondant au gotique °*bridilô* (reconstitué d'après le moyen haut allemand *brëtel*) «petite planche».

♦ Le français a repris le mot comme terme d'art, désignant comme en italien la partie inférieure d'un tableau d'autel, généralement divisée en plusieurs compartiments et figurant une série de petits sujets en relation avec le thème principal.

PRÉDESTINER v. tr. est emprunté (fin XIIe s.) au latin chrétien *praedestinare* «préparer à l'avance, de toute éternité», spécialisation du sens classique de «réserver par avance». Le mot est composé de *prae* «avant» (→ pré-) et de *destinare* «affecter à» et «arrêter, décider» (→ destiner).

♦ Le verbe a été introduit en français par la langue religieuse avec le sens de «destiner (qqn) au salut en prévision de ses mérites» en parlant de Dieu d'où, plus largement, «destiner chaque homme d'une façon infaillible et éternellement vraie à être sauvé ou damné» (1541, Calvin). ◇ Au XVIe s., *prédestiner* est passé dans l'usage général avec l'acception figurée de «vouer d'avance à un destin» (1555), surtout au passif. Par extension, il exprime plus banalement le fait de disposer par avance pour un usage particulier (fin XIIe s.).

▸ **PRÉDESTINÉ, ÉE**, le participe passé du verbe, est adjectivé (v. 1190) et substantivé en parlant d'une personne élue par Dieu de toute éternité pour être sauvée (beaucoup plus rarement pour être damnée). Comme le verbe, il est passé dans l'usage général pour qualifier une personne promise à un destin particulier (1549).
Le nom correspondant, **PRÉDESTINATION** n. f., est emprunté (v. 1200) au latin chrétien *praedestinatio, -onis* «choix prédestiné de Dieu», dérivé tardivement du supin de *praedestinare*. ◇ Le mot est passé en français avec le sens religieux de «doctrine selon laquelle Dieu a déterminé de toute éternité le destin des hommes», doctrine suivie par le calvinisme (1541, Calvin) et reprise au XVIIe s. par les jansénistes et selon laquelle Dieu aurait par avance élu certaines de ses créatures pour les conduire au salut et en aurait infailliblement damné d'autres. ◇ L'emploi au sens figuré de «détermination préalable du destin individuel de chacun» est plus tardif (1830, Balzac) et plus rare que l'emploi correspondant du verbe. ➛ On a formé **PRÉDESTINATIEN, IENNE** adj. et n. (1704) sur le radical de *prédestination*, pour désigner et qualifier un adepte de la doctrine théologique de la prédestination. Cette doctrine a reçu le nom de **PRÉDESTINIANISME** n. m. (1752).

PRÉDÉTERMINER → **DÉTERMINER**

PRÉDICAT n. m. est emprunté (1370) au bas latin *praedicatum* «chose déclarée avec force», spécialisé dans la langue didactique en «attribut». Ce nom est le participe passé neutre substantivé de *praedicare* «proclamer, annoncer» (→ prêcher).

♦ Le mot a été emprunté en grammaire au sens d'«attribut» (d'un verbe); après une seconde attestation en 1521, il n'est repris qu'en 1842 mais ne se substitue pas à *attribut* qui reste le terme usuel. ◇ En logique, il désigne le second terme d'une énonciation où il est possible de distinguer ce dont on parle (le *sujet*) et ce qu'on en affirme (déb. XVIIIe s., Fénelon). Les linguistes l'emploient d'après l'anglais *predicate*, de même origine, pour désigner ce qui, dans un énoncé, est affirmé à propos d'un autre terme.

▸ **PRÉDIQUER** v. tr., emprunt (apr. 1250) au latin *praedicare*, ne s'est pas maintenu avec le sens étymologique d'«annoncer, proclamer». ➛ Au XXe s., il a été repris comme terme de logique (1923) et reformé par emprunt à l'anglais *to predicate*, de même origine (1552; mil. XIXe s., en logique), aussi en linguistique (1972). ➛ **PRÉDICAMENT** n. m. (v. 1245) est un emprunt de la langue philosophique au bas latin ecclésiastique *praedicamentum* «action d'énoncer, indication», au pluriel «catégories» (saint Augustin), dérivé de *praedicare*. ◇ Repris comme synonyme de *catégorie* en référence à la pensée aristotélicienne, le mot s'est étendu à la notion de situation, d'état (1266) et a même pris le sens de «manière» chez Montaigne (v. 1588), mais ces deux emplois n'ont pas vécu. ➛ **PRÉDICABLE** adj. et n. m., lui aussi repris en logique (1534) au latin *praedicabilis* «qui mérite d'être publié, vanté» (de *praedicare*), est substantivé en philosophie dans le cadre de la scolastique et de la pensée kantienne.
PRÉDICATIF, IVE adj. a été emprunté à plusieurs reprises (d'abord fin XIVe s.) au bas latin *praedicativus* «affirmatif, énonciatif» (Ve s.), formé sur le supin *(praedicatum)* de *praedicare*. ◇ Employé jusqu'à la fin du XVe s. au sens de «qui affirme», le mot a été repris au XIXe s., d'abord par référence à la grammaire ancienne, qualifiant une proposition simple ou énonciative (1842), comme terme de logique (1869) et de linguistique. ◇ Il entre dans **ANTÉ-PRÉDICATIF** ou **ANTÉPRÉDICATIF, IVE** adj. «qui précède la prédication» (v. 1970). ➛ ② **PRÉDICATION** n. f., le nom correspondant, est une spécialisation de sens (1892) de ① *prédication** sous l'influence de *prédicat*. Il répond aux emplois de ce dernier en logique (av. 1607), et en linguistique (1926).

◈ voir PRÊCHER, ① PRÉDICATION.

① **PRÉDICATION** n. f., d'abord *predicatum* (1121-1134), est emprunté au bas latin chrétien *praedicatio, -onis* «action d'annoncer l'Évangile» (IVe s.), en latin classique «proclamation, publication», «action de vanter, apologie». Ce nom est formé sur le supin *(praedicatum)* de *praedicare* (→ prêcher).

♦ Le mot désigne comme en latin chrétien l'action de prêcher, son résultat. Par métonymie, il sert de synonyme à *sermon* dans l'usage littéraire et, au figuré, désigne, avec une connotation péjorative ou ironique, un discours moralisateur (→ ② prédication).

▸ **PRÉDICATEUR** n. m. est emprunté (1239) au bas latin ecclésiastique *praedicator, -oris* «celui qui évangélise», en latin classique «héraut, crieur public» et «prôneur», dérivé du supin *(praedicatum)* de *praedicare* (→ prêcher). ◇ *Prédicateur* est en concurrence avec le nom d'agent dérivé de *prêcher, prêcheur* : il désigne plutôt celui qui prononce un sermon, mais est moins employé que *prêcheur* pour celui qui tente de propager une doctrine, une religion, une méthode (1679). ◇ Son emploi adjectivé est exceptionnel, de même que celui du féminin *prédicatrice*.

PRÉDICANT, ANTE n. m. et adj. est emprunté à la Renaissance (1523) au latin *praedicans, -antis*, participe présent de *praedicare*, attesté comme nom masculin pluriel en bas latin chrétien (saint Hilaire) pour désigner ceux qui expliquent la parole de Dieu. ◇ Ce mot a vieilli dans tous ses sens, sous la concurrence de *prédicateur* et *prêcheur*; il désigne d'abord un prêcheur, le plus souvent avec une connotation péjorative, et, comme *prêcheur*, s'est spécialisé à propos du ministre du culte protestant (1529). ◇ Dans le style littéraire, il s'est employé comme adjectif au sens de «gourmé, revêche, empreint d'austérité» (1883).

② PRÉDICATION → PRÉDICAT

PRÉDILECTION → DILECTION

PRÉDIRE v. tr. est emprunté (v. 1170) au latin *praedicere*, de *prae* «à l'avance» (→ pré-) et *dicere* (→ dire), proprement «dire à l'avance» et «annoncer à l'avance», «fixer d'avance».

♦ Le mot a eu en ancien français le sens d'«ordonner». ◇ Son usage moderne constitue un retour à la signification étymologique : «annoncer d'avance (ce qui arrivera), par intuition ou conjoncture» (fin XVe s.) et, avec un nom de chose pour sujet, «faire présager» (1547). ◇ Le sens de «prévoir par observation et calcul» (1690) a disparu, notamment en sciences, au profit de *prévoir*.

▸ **PRÉDICTION** n. f. est emprunté (1509) au dérivé latin *praedictio, -onis* «action de prédire» et, par métonymie, «chose prédite». ◆ Nom d'action du verbe *prédire*, il désigne l'action de prédire et les paroles par lesquelles on prédit. Comme pour le verbe, le sens d'«action de prévoir (une chose) par l'observation et le raisonnement» (1778, Buffon) est sorti d'usage au bénéfice de *prévision*.
Il manque un adjectif courant dérivé de *prédire* au sens de «qui peut être prédit»; on a formé en sciences les dérivés **PRÉDICIBLE** (1933), **PRÉDICTIBLE** et **PRÉDISIBLE**; *prévisible* (de la famille de *prévoir*) pouvant toutefois convenir dans la plupart des cas. ◆ Le substantif dérivé est attesté sous la forme **PRÉDICTABILITÉ**, empruntée à l'anglais *predictability* (1858), de l'adjectif anglais *predictable*; mais *prévisibilité* demeure préférable. Le couple *prédictible-prédictabilité* présente cependant l'avantage d'une relative homogénéité, y compris avec *prédiction*.

PRÉDISPOSER → DISPOSER

PRÉDOMINER → DOMINER

PRÉÉMINENCE n. f. est emprunté (v. 1378) au bas latin *praeeminentia* «avantage, supériorité» (Ve s.), substantivation au neutre pluriel (pris pour un féminin) de l'adjectif *praeeminens* «prédominant, prépondérant». Celui-ci est l'adjectivation du participe présent du verbe *praeeminere* «être au-dessus de» et au figuré «l'emporter sur, dépasser», formé de *prae* «devant» (→ pré-) et de *eminere* «se détacher en saillie» (→ éminent).

♦ Le mot, d'abord au sens de «dignité, privilège du rang», a pris par extension celui de «supériorité absolue» (mil. XVIIe s.). Il désigne spécialement le mérite supérieur d'une chose (av. 1662).

▸ **PRÉÉMINENT, ENTE** adj. a été emprunté (v. 1453) au latin *praeeminens* et a les emplois correspondant à ceux du substantif.

PRÉEMPTION n. f. est formé savamment en droit (1559) du préfixe *pré-** (latin *prae*) et de l'adaptation du latin *emptio, -onis* «achat», dérivé de *emptum*, supin de *emere* «prendre», d'où «prendre contre de l'argent», «acheter» (→ exempt).

♦ Le mot, défini juridiquement comme la priorité dont jouit un acheteur pour se porter acquéreur d'un bien avant toute autre personne, est attesté au XVIe s. puis de nouveau à partir de 1765. Il est plus courant dans l'expression ***droit de préemption***.

▸ On en a dérivé **PRÉEMPTIF, IVE** adj. (1877) «qui a les caractères de la préemption», d'usage rare. ◆ **PRÉEMPTER** v. tr., formé savamment (1836) du préfixe *pré-** et du supin latin *emptum* avec la terminaison verbale, signifie «se rendre acquéreur d'un bien en vertu du droit concédé par la loi»; il est peu usité.

◈ voir ② PRIME.

PRÉEXISTER → EXISTER

PRÉFACE n. f., réfection (v. 1250) de *prefatce* (fin XIIe s.), est emprunté au latin classique *praefatio, -onis* «action de parler d'abord de qqch., préambule, avant-propos», spécialisé en latin chrétien pour la partie initiale du canon de la messe, qui sert de préambule à la consécration et varie avec les temps liturgiques. *Praefatio* est dérivé de *praefari* «dire avant, dire préalablement», formé de *prae* (→ pré-) et de *fari* «parler, dire» (→ enfant, fatum).

♦ Le mot a été emprunté au latin avec le sens d'«avant-propos» (fin XIIe s.) et dans sa spécialisation religieuse (v. 1250). Il a développé le sens figuré de «ce qui précède» (1541).

▸ Il a servi à former **PRÉFACER** v. tr., attesté une fois en 1608 *(prefasser)* au sens d'«écrire une préface», puis en 1784 au sens intransitif de «préluder à un discours» par emprunt à l'anglais *to preface* (1628), de même sens. ◇ La reprise du sens initial est attestée en 1898. ◆ **PRÉFACIER** n. m. (av. 1783), «auteur d'une préface» (1833, *le préfacier de Goethe*), désigne parfois un écrivain qui compose souvent des préfaces (1842).
POSTFACE n. f. a été fait (1736) sur *préface* par substitution de *post-** à *pré-**, le commentaire qu'il désigne étant placé à la fin d'un livre.

◈ voir AFFABLE, CONFESSER, INEFFABLE, PROFÈS, PROFESSEUR, PROFESSION.

PRÉFÉRER v. tr. est emprunté (v. 1355) au latin *praeferre* «porter en avant», de *prae* «avant» (→ pré-) et *ferre* «porter» (→ -fère), d'où au figuré «présenter, offrir», «faire voir, manifester» et «mettre en avant, considérer comme meilleur» (→ aussi prélat).

♦ Le français a seulement repris le sens de «considérer comme meilleur, plus important». Puis *préfé-*

rer s'est aussi appliqué à une chose qui se développe mieux dans certains lieux, certaines circonstances (1875), par exemple dans *une plante préfère tel type de terrain.*

▶ Le participe passé **PRÉFÉRÉ, ÉE** est adjectivé (1360) puis substantivé (1711) en parlant d'une personne chérie, mieux aimée, souvent avec un possessif *(c'est son préféré).* ➜ Le nom tiré du verbe est **PRÉFÉRENCE** n. f., d'abord *preferance* (1361), qui n'a en ancien français que le sens de «supériorité, haute qualité d'une chose», *l'ordre de préférence* (1469) désignant la liste des préséances. Dans la seconde moitié du XVIe s., *préférence* a pris les valeurs de «marque particulière d'estime, d'affection donnée à qqn» (1559) et de «jugement ou sentiment par lequel on place une personne ou une chose au-dessus des autres» (1611), toutes deux liées à *préférer.* ◇ Au XVIIe s., c'est un terme de coutume désignant le droit d'acheter ou de racheter un héritage accordé aux seigneurs et aux héritiers directs (1624), puis le droit du créancier d'être payé par préférence aux créanciers chirographaires (1671). ◇ Les expressions *obtenir la préférence* (1644) et *donner, accorder la préférence* (av. 1678) remontent à l'époque classique, de même que la locution ***par préférence à*** (1648), ***de préférence à.*** En locution adverbiale, *par préférence* a été supplanté par ***de préférence, par ordre de préférence*** étant très postérieur (XXe s.). L'emploi spécial du mot pour un système économique, commercial et douanier, qui instaure des relations privilégiées entre certains pays, est attesté au milieu du XXe s. (1962). ➜ *Préférence* a servi à former **PRÉFÉRENTIEL, ELLE** adj. (1903) dans l'expression *tarif préférentiel,* en même temps que l'anglais *preferential tariff* (1903) s'appliquant au commerce entre la Grande-Bretagne et ses colonies. Le mot exprime plus généralement l'idée de «qui établit une préférence» en commerce, en ethnologie, en finances, en droit, en politique (*vote préférentiel,* 1949). ➜ Le dérivé **PRÉFÉRENTIELLEMENT** adv. (1946) est didactique ou administratif. ➜ Un autre dérivé de *préférer,* **PRÉFÉRABLE** adj. (1516), entre dans la construction impersonnelle *il est préférable de... que...,* attestée au conditionnel (1821) *il serait préférable de...* ◇ On en a dérivé **PRÉFÉRABLEMENT** adv. (1654), qui fonctionne comme synonyme littéraire de la locution *de préférence,* et **PRÉFÉRABILITÉ** n. f. (1957, Jankélévitch), mot didactique peu usité. ➜ **PREFERENDUM** n. m. est emprunté récemment (1964) au latin *praeferendum* «ce qui doit être préféré», adjectif verbal neutre substantivé de *praeferre.* Le mot a été introduit en sciences au sens de «valeur d'une grandeur physique ou chimique pour laquelle une espèce vivante manifeste sa préférence».

◈ voir PRÉLAT.

PRÉFET n. m., d'abord *prefect* (1170), est emprunté au latin *praefectus,* nom donné à celui qui est à la tête, un intendant, un gouverneur, un administrateur. Ce nom est le participe passé passif substantivé de *praeficere* «mettre à la tête, établir comme chef», de *prae* «devant» (→ pré-) et de *-ficere* pour *facere* (→ faire). Cf. *praelatus* (→ prélat), formé de manière analogue sur *ferre* «porter».

♦ Le mot, d'abord au sens général de «maître, chef» (sorti d'usage), est employé à propos des magistrats et des hauts fonctionnaires chargés de l'administration de Rome ou de fonctions militaires (1216). ◇ Les emplois modernes sont apparus au XVIIe et au XVIIIe s., dans l'éducation, l'administration ecclésiastique et l'administration publique de la France : depuis 1668, *préfet* désigne la personne qui surveille les études et la conduite des élèves dans un collège privé (aussi *préfet des études*); en Belgique, *préfet* s'emploie pour le directeur d'un athénée. ◇ Il fournit un titre dans l'administration de l'Église catholique, dans les expressions *préfet de brefs* (1690), *préfet apostolique* (1714) puis *préfet de congrégation,* désignant le responsable d'une confrérie de laïcs puis (mil. XXe s.), d'une congrégation religieuse. Dans la seconde moitié du XVIIIe s., *préfet* devient le titre d'un administrateur de région, nouvelle division financière de la France (1775). ◇ Après l'institution révolutionnaire des départements* français, *préfet* correspond à «fonctionnaire placé à la tête d'un département» (1800, *Bulletin des lois*), sens toujours vivant. Cf. ci-dessous *préfecture,* et *sous-préfet.* ◇ En France, ***préfet de police*** (1800) s'applique au magistrat chargé de l'administration générale de la police dans le département de la Seine et, au XXe s., ***préfet régional*** (1945) se dit du haut fonctionnaire chargé d'inspecter les préfets d'une région administrative. On parle de ***préfet maritime*** (1800) pour l'officier général placé à la tête d'un arrondissement maritime.

▶ Le mot a produit un féminin **PRÉFÈTE** n. f. (1811) désignant la femme d'un préfet (alors qu'une femme à la tête d'une préfecture se nomme en France *préfet*). ◇ *Prefette* est attesté isolément en 1594 par latinisme pour «maîtresse souveraine». ➜ Dans la hiérarchie administrative, *préfet* a produit **SOUS-PRÉFET** n. m. (1800) — cf. ci-dessous *sous-préfecture* — et le féminin **SOUS-PRÉFÈTE** n. f. (1829 «épouse d'un sous-préfet»), désignant la titulaire d'une sous-préfecture (1883, par anticipation, Robida), et **SUPER-PRÉFET** n. m. (1949), désignant le préfet de région, en France.

PRÉFECTURE n. f. est directement emprunté (XIVe s.) au latin *praefectura* «charge de directeur, administration, dignité de préfet», par métonymie «ville administrée par un préfet», dérivé de *praefectus* (→ préfet). ◇ Ce mot, d'abord terme d'antiquité romaine désignant la charge de préfet ainsi que, par métonymie, le territoire placé sous l'autorité d'un préfet (v. 1530), est passé au XVIIIe s. dans l'usage moderne, à la suite de *préfet :* il désigne la charge de préfet des études (1752), s'emploie dans l'administration publique pour une circonscription financière puis, après l'institution des départements (1800), pour la charge de préfet. Par métonymie, le mot s'applique à la ville où siège l'ensemble des services du préfet (1800) et au local où ils sont installés (1803). ***Préfecture de police*** (1800), ***préfecture maritime*** (1800) correspondent à d'autres spécialisations de *préfet.* ➜ Le dérivé **SOUS-PRÉFECTURE** n. f. (1800) désigne la portion du département administrée par un sous-préfet, la durée des fonctions de sous-préfet (1812), la demeure et les bureaux du sous-préfet (1812), sa charge (1835) et enfin le chef-lieu d'arrondissement où réside le sous-préfet (1800). ➝ **PRÉFECTORAL, ALE, AUX** adj. (1815), «qui concerne le préfet ou la préfecture» et «qui émane du préfet ou de la préfecture» (1815), a été tiré du radical latin pour servir d'adjectif à *préfet* et *préfecture,* peu après l'institution administrative française qui y correspond. ◇ **SOUS-PRÉFECTORAL, ALE, AUX** adj. (1842) correspond à *sous-préfecture.*

PRÉFIGURER v. tr. est emprunté (v. 1225) au latin chrétien *praefigurare* «faire comprendre à l'avance par une parabole», composé de *prae* «à l'avance, devant» (→ pré-) et de *figurare* «former, façonner», «imaginer, concevoir» (→ figure).

♦ Le mot est passé en français avec le sens général de «figurer à l'avance», vivant jusqu'au XVIe s., puis inusité avant 1808, époque où le verbe est repris.

▸ Le mot a produit **PRÉFIGURATIF, IVE** adj. (v. 1485), très rare, mais encore employé au XXe siècle. Le second dérivé, **PRÉFIGURATEUR, TRICE** adj. (1886), est peu usité. ➝ **PRÉFIGURATION** n. f., emprunté (v. 1485) au dérivé latin chrétien *praefiguratio, -onis,* se dit comme le mot latin d'une figure prophétique qui annonce, symbolise à l'avance, en parlant des faits ou des personnages de l'Ancien Testament ou de l'Église. ◇ Inusité après le XVIe s., le mot, repris à partir de 1756 (Voltaire), correspond généralement à «action de préfigurer».

PRÉFIXE n. m. est emprunté (1681) au latin des hébraïsants auteurs de grammaires, *praefixa,* mot désignant des éléments consonantiques qui, en hébreu et dans d'autres langues sémitiques, sont mis devant les racines et les thèmes pour constituer des substantifs dérivés aux valeurs déterminées et dans certaines formes de la flexion verbale; cet emploi latin est érudit et moderne (1613). *Praefixa* est le féminin de *praefixus* «fixé devant» et «fixé à l'avance» qui a donné en moyen français l'emprunt savant *préfix, -ixe* (v. 1360) «fixé à l'avance», courant avant le XVIIe siècle. *Praefixus* est le participe passé de *praefigere* «fixer devant, fixer au bout», en latin chrétien «déterminer à l'avance», composé de *prae* (→ pré-) et de *figere* «fixer» (→ fixe).

♦ Le mot est employé en français au féminin comme terme de grammaire hébraïque, avant de prendre le genre masculin (1751). Par extension, la terminologie de l'étude de l'hébreu s'étant étendue à d'autres langues, il désigne un élément ajouté (affixe) placé au début d'un mot, précédant le radical ou un autre préfixe pour constituer un dérivé : il semble d'abord attesté comme adjectif dans l'*Encyclopédie* (1765, *particules prépositives ou préfixes*), puis comme nom dans une traduction de l'allemand de l'ouvrage de F. Schlegel, *De la langue et de la philosophie des Indiens* (il s'agirait donc alors d'un emprunt à l'allemand); depuis 1843, il est employé (d'abord au féminin) dans l'étude des langues classiques et depuis 1857 à propos du français. La question du genre de ce mot a longtemps été débattue : en 1856, Sardou, dans son *Étude sur les synonymes français,* critique le genre masculin calqué sur l'allemand, qui prend le neutre latin *praefixum,* et recommande le féminin, car il considère le mot comme la substantivation de l'adjectif dans le syntagme *(particule) préfixe;* le masculin l'a emporté.

▸ Le mot a produit ① **PRÉFIXER** v. tr. (1869, Littré; antérieurement chez Chateaubriand au sens de «placer devant», 1797), qui a lui-même donné **PRÉFIXATION** n. f. (1876), et plus récemment **PRÉFIXAL, ALE, AUX** adj. (1927) «relatif aux préfixes». ◇ **PRÉFIXÉ, ÉE** adj. a été substantivé (1836). ➝ Le terme juridique **PRÉFIX, IXE** adj. (v. 1360), «prescrit par la loi pour accomplir un acte et au-delà duquel on est forclos», a produit ② **PRÉFIXER** v. tr. (1367), «fixer d'avance», lui aussi réservé à l'usage juridique, de même que son ancien dérivé **PRÉFIXION** n. f. (1372), de nos jours en voie de disparition.

◈ voir **AFFIXE, SUFFIXE.**

PRÉGNANT, ANTE adj. est tiré (1572) du participe présent de l'ancien verbe irrégulier *prembre, priembre* «presser», en usage au XIIe et au XIIIe s., issu du latin *premere* «comprimer», «exercer une pression sur», verbe qui a disparu sous la concurrence de *presser**, représentant un intensif de ce même verbe *premere.*

♦ Le mot, avec son sens de «qui s'impose avec une très grande force à l'esprit», d'usage littéraire, s'est peu à peu fait oublier. Il a été repris sous l'influence de l'anglais *pregnant,* de même origine, qui signifie aussi «enceinte» (qualifiant une femme), et a développé une spécialisation en psychologie en parlant de ce qui s'impose à la perception sans contrôle possible (1937, *configuration prégnante*). ◇ Le sens propre de «vif, violent» en parlant d'un sentiment, de douleurs (1625), sens qui correspond à celui de *pressant,* est sorti d'usage.

▸ On en a dérivé **PRÉGNANCE** n. f. (1945), terme didactique employé en philosophie de la perception (Merleau-Ponty) et en psychologie pour désigner la plus ou moins grande capacité qu'ont les formes à s'imposer dans la perception d'un système de stimulations.

PRÉHENSION n. f., réfection orthographique, au XVIe s., de *prehencion* (1404) et *preension* (1510), est emprunté savamment au latin *prehensio, -onis* «action d'appréhender au corps, droit d'arrêter qu'ont certains magistrats», mot qui a donné *prison** par évolution orale, et qui est dérivé de *prehensum,* supin de *prehendere* (→ prendre).

♦ Le mot a d'abord été repris au sens intellectuel d'«action de saisir qqch. par l'intelligence», sorti de l'usage normal au profit des composés *compréhension**, *appréhension**. Il est passé dans le langage juridique avec le sens d'«action d'arrêter (qqn)» (1510), sorti d'usage, mais dont procède l'ancienne expression juridique *droit de préhension* «droit de réquisition» (1793). ◇ L'acception de «faculté ou action de prendre, de saisir» (1572) est limitée, à côté de *prise,* à divers domaines techniques et scientifiques, pour l'action de prendre avec les pattes, en parlant des animaux (1798), et l'action de porter des aliments à la bouche (1824).

► **PRÉHENSIBLE** adj., dérivé savant (1595) du latin *prehensum* (supin de *prehendere*), avec le suffixe *-ible*, au sens de «qui peut être saisi, pris», est didactique. ◆ **PRÉHENSILE** adj., autre dérivé savant (1758, Buffon) de *prehensum* avec le suffixe *-ile*, qualifie un organe animal (*queue préhensile*), une partie d'une plante qui a la faculté de saisir. ◆ **PRÉHENSEUR, EUSE** adj. (1816), formé du même substantif latin avec le suffixe *-eur*, est d'abord attesté comme nom masculin pluriel pour un ordre d'oiseaux dont le pied est un organe de préhension. Il est adjectivé (1842) avec le même sens que *préhensile*, qui tend à le supplanter. ◆ On rencontre également, mais plus rarement, **PRÉHENSIF, IVE** adj.

◈ voir APPRÉHENDER, COMPRENDRE, RÉPRÉHENDER.

PRÉHISTOIRE, PRÉHISTORIQUE

→ HISTOIRE

PRÉJUDICE n. m. est emprunté (1283) au latin *praejudicium* «jugement préalable», d'où «action de préjuger, de présumer» et, par métonymie, «jugement anticipé, opinion préconçue». Lui-même est dérivé de *praejudicare* (→ préjuger), composé de *prae* «avant» (→ pré-) et de *judicare* (→ juger). En français, cet emprunt a supplanté la forme populaire *prejuise* (XIIIe s.), issu du latin par évolution phonétique.

♦ Le mot a été repris au latin avec le sens de «tort, dommage», à la fois d'usage juridique et courant. Il entre dans les locutions *en préjudice de* (1283), *tourner, courir en préjudice* (1326), sorties d'usage, et ***au préjudice de*** (1371), ***porter préjudice*** (1549), restées vivantes. Le sens de «préjugé» (XIIIe-XIVe s.), conservé par l'anglais *prejudice* «préjugé», était réalisé dans l'expression ***sans préjudice,*** qui a pris au XVIe s. (1538) la valeur de «sans faire de tort à, sans renoncer à, réserve faite de» (1538), d'où «sans parler de, en ne tenant pas compte de». ◆ Les autres sens de *préjudice* repris au latin, «jugement préalable» (av. 1564), «action de faire un premier essai pour prévoir ce qui arrivera» (1559), «précédent pour les cas semblables à l'avenir» (1561), sont sortis d'usage au cours du XVIIe siècle.

► Avant la fin du XIIIe s., d'autres emprunts savants au latin sont venus constituer la famille de *préjudice*. ◆ **PRÉJUDICIABLE** adj. est emprunté (1266) au dérivé bas latin *praejudiciabilis* «qui porte tort» (Ve s., en parlant d'une chose) avec le sens du latin, pour qualifier une chose (1266) et une personne (1340). ◇ Il a produit **PRÉJUDICIABLEMENT** adv. (1584), devenu rare.

PRÉJUDICIEL, ELLE adj., emprunt (1276-1282) au dérivé bas latin *praejudicialis*, n'a pas conservé le sens général de «qui fait tort, nuit»; il a été repris en droit, réactivant le sens étymologique de «qui précède, doit précéder le jugement» (1752). L'expression didactique ***question préjudicielle*** (1829, V. Cousin) désigne une question qui se pose avant toute formulation de jugement. ◆ **PRÉJUDICIAUX** adj. m. pl. est le pluriel de l'ancien adjectif *préjudicial* (1299) «qui fait tort, nuisible», spécialisé en droit dans *frais préjudiciaux* (1690) «que l'on doit rembourser avant de faire appel». Littré cite *despens préjudiciaux* au XVIe s. (référence non retrouvée). ◆ **PRÉJUDICIER** v. intr., emprunté (1344) au latin juridique *praejudicare* «juger préalablement» et, à basse époque, «porter préjudice», également *praejudiciare* (1304) «causer un préjudice à, faire du tort à (qqn, qqch.)», est sorti d'usage.

◈ voir PRÉJUGER.

PRÉJUGER v. tr. est la francisation (v. 1460), sous l'influence de *juger**, du latin *praejudicare* «juger préalablement» et, à basse époque, «porter préjudice» (→ préjudice).

♦ Le verbe est d'abord employé en droit comme transitif direct au sens de «juger (qqn) par conjecture, sans examen» (v. 1460); l'emploi transitif pour «conjecturer, présumer (qqch.)» (1570) a vieilli mais se rencontre encore dans le style littéraire. La construction *préjuger de* est plus courante : elle est employée en droit pour «rendre un jugement interlocutoire avant l'arrêt final» (1606) et dans l'usage courant aux sens de «présumer, prévoir par conjecture» (1694) et, d'après le sens pris par *préjugé*, «juger, décider (qqch.) avant d'avoir pris connaissance de ce dont il s'agit» (av. 1778).

► Le participe passé substantivé a fourni **PRÉJUGÉ** n. m. (1579) pour désigner ce qui détermine un fait, une opinion, puis aussi un indice, un signe (1584). ◇ Ces sens ont disparu; c'est une autre acception, «opinion (bonne ou mauvaise) que l'on se fait à l'avance» (1587) et, avec une valeur péjorative, «opinion adoptée sans examen» (1588), qui s'est imposée, cette acception donnant à *préjugé* la valeur qu'avait *préjudice** en moyen français.

PRÉLART n. m. (1670) est d'origine obscure. P. Guiraud propose d'y voir un dérivé de *prèler, prêler* «récurer avec la prèle (→ prêle). On emploie aussi, surtout dans l'artillerie, la variante *prélat*.

♦ Ce terme technique désigne une grosse toile imperméable servant à protéger des intempéries.

PRÉLASSER (SE) → PRÉLAT

PRÉLAT n. m. est emprunté (v. 1155) au bas latin *praelatus*, surtout employé au pluriel, «chef militaire, supérieur» et «noble», puis à l'époque médiévale «évêque» (821) et «chef d'une communauté monastique ou canoniale» (829). C'est la substantivation de l'adjectif *praelatus* «préférable, supérieur», participe passé passif de *praeferre* «porter en avant» et, au passif, «se porter en avant» (au propre et au figuré) [→ préférer].

♦ Le mot désigne un dignitaire ecclésiastique. Il concerne en particulier celui qui, à Rome, est attaché à la maison pontificale ou à la curie romaine (1690).

► Le terme de droit canonique **PRÉLATURE** n. f. (v. 1380) est emprunté au latin médiéval *praelatura* «dignité ecclésiastique» (fin Xe s.), passé aussi en ancien provençal sous la forme *prelatura* (v. 1300); le mot, signifiant «dignité de prélat», sous l'influence de *prélat*, a pris le sens collectif d'«ensemble des prélats de la cour de Rome» (1694).
Un autre dérivé, aujourd'hui complètement détaché, est **SE PRÉLASSER** v. pron. (1532) dont la

forme témoigne de l'influence de *lasser**. Le développement sémantique du mot s'éclaire par l'ancien verbe *prelater* (av. 1543) «exercer un sacerdoce souverain» et *se prelater* «se comporter en prélat» (1588), à ne pas confondre avec l'homonyme *prelater* «faire avancer, hâter» (v. 1380), issu du latin *praelatus,* participe passé passif de *praeferre* «porter en avant». ◇ *Se prélasser,* allusion au comportement prêté aux prélats, signifie «aller en prenant son temps, s'abandonner nonchalamment». Un autre sens, «prendre un air important et grave» (1532), encore chez Flaubert, a disparu. ➛ Le dérivé **PRÉLASSEMENT** n. m. «action, résultat de prélasser» est resté rare.

PRÊLE ou **PRÈLE** n. f., d'abord *prelé* (1539), est l'altération de l'ancien français *asprele* (XIIIe s., dans un texte wallon) par mauvaise coupure de *l'aprele* en *la prele. Asprele* est issu du latin populaire °*asperella* n. f., postulé par l'italien *asperalla,* et lui-même dérivé de l'adjectif latin classique *asper* «rude» (→ âpre), en raison du toucher rugueux de la tige de cette plante. Le même adjectif a produit le latin *asperugo,* nom d'une autre plante signifiant proprement «râpette, grateron» (Pline). °*Asperella* a supplanté le latin classique *equisetum,* littéralement «crin de cheval», de *equus* «cheval» (→ équestre); on dit de même *queue de cheval, queue de rat, de chien* dans de nombreux patois; *prêle* est surtout usité en franco-provençal, d'où il a pu être introduit en français.

♦ Il désigne une plante type de la famille des Équisétacées.

▸ Le mot a produit **PRÊLER** v. tr., verbe d'usage technique pour «frotter, polir avec la tige noueuse de la prêle» (1680).

◈ voir **PRÉLART.**

PRÉLEVER v. tr. est emprunté tardivement (1629) au latin de basse époque *praelevare* «lever d'abord ou auparavant», composé de *prae* «d'abord, avant» (→ pré-) et de *levare* (→ lever).

♦ Le mot, qui a signifié «lever un impôt» avant de céder ce sens au verbe simple *lever**, a pris le sens de «prendre une partie d'un ensemble, d'un total» (1690), développant des spécialisations en droit civil et financier, ainsi qu'en médecine (1937) où il implique le projet d'une analyse, d'une expérience.

▸ Il a pour dérivé **PRÉLÈVEMENT** n. m. (1767) «action de prélever», employé spécialement en économie pour une contribution versée à l'État (1767) ou à un organisme public ou privé (v. 1965, *prélèvement automatique*). ◇ En relation avec *prélever,* le nom s'est spécialisé dans la première moitié du XXe s. en médecine (1928) et en droit civil (1936) où, par métonymie, il désigne les biens ainsi prélevés (1962).

PRÉLIMINAIRE → **LIMINAIRE**

PRÉLUDE n. m. est un emprunt de la Renaissance (1530) au bas latin *praeludium,* dérivé de *praeludere* «se préparer à jouer», transitivement «faire (qqch.) en manière de prélude», lui-même de *prae* «avant» (→ pré-) et de *ludere* «jouer» (→ ludique).

♦ Le mot, introduit en musique, désigne d'abord la suite de notes que l'on chante, que l'on joue pour essayer sa voix, un instrument. Le sens figuré, «ce qui annonce et précède qqch.» (1532), semble antérieur aux autres acceptions en musique : «courte pièce musicale ayant un caractère d'improvisation et servant d'abord à introduire une autre pièce» (1690), notamment une fugue, et «introduction instrumentale ou orchestrale à une œuvre musicale» (1765).

▸ **PRÉLUDER** v. est un emprunt plus tardif (1657) et indépendant au latin *praeludere.* ➛ Le verbe signifie de manière générale «commencer, faire une chose comme essai pour en venir à une autre plus importante» et spécialement (1673) «essayer sa voix ou un instrument avant de chanter et de jouer» (1678), alors en relation avec *prélude.* ◇ *Préluder* a signifié «s'exercer» (1725, Fontenelle) et, avec d'autres valeurs mieux conservées en français moderne, «précéder» (1787), «annoncer, se produire dans l'attente d'autre chose» (av. 1813).

PRÉMATURÉ, ÉE adj. est un dérivé savant en *-é* (1632) du latin *praematurus* «précoce, hâtif», proprement «qui est mûr avant», de *prae* «avant» (→ pré-) et de *maturus* (→ mature, mûr).

♦ Le mot comporte un jugement négatif, que ce soit en parlant d'une chose qu'il n'est pas encore temps d'entreprendre (1632) ou de ce qui se produit avant le temps normal ou convenable (1680, Mme de Sévigné), par exemple à propos du développement des qualités de l'esprit ou d'une mort qui survient trop tôt (1685). Il n'a pas conservé le sens étymologique de «mûr avant le temps normal» en parlant d'un fruit (1690), supplanté par *précoce.* ◇ Au XXe s., il s'est spécialisé en médecine à propos d'un enfant né avant terme, comme adjectif (1923) et comme nom masculin (1923).

▸ Le mot n'a pas laissé de dérivés, le verbe *prématurer* v. tr. (1714), pas plus que son doublet *prématuriser* (1769), n'ayant réussi à s'implanter. ➛ **PRÉMATURITÉ** n. f. (1597), «maturité avant le temps ordinaire» et «caractère prématuré de qqch.» (v. 1675), a été fait directement sur *maturité* et reste d'un usage limité. Son emploi en obstétrique est une réfection sur *prématuré.*

Quant à **PRÉMATURÉMENT** adv. (1576), il n'est pas dérivé de *prématuré* adj. mais vient, par substitution de suffixe sur le modèle des adverbes en *-ment,* d'un ancien adverbe *prématuré* (1509), lui-même emprunté à l'adverbe latin *praemature* «trop tôt», de l'ablatif de *praematurus.*

N° de projet 10065688 (5) 65 (Valo 55)
Mars 1999
Imprimé en France par Maury-Eurolivres
45300 Manchecourt